D0206708

DICCIONARIO
DE LA
LENGUA ESPAÑOLA

VIGÉSIMA PRIMERA EDICIÓN

TOMO I

REAL ACADEMIA ESPAÑOLA

DICCIONARIO
DE LA
LENGUA ESPAÑOLA

a-g

MADRID
1992

VIGÉSIMA PRIMERA EDICIÓN

—

Depósito legal: M. 2.865—1994
ISBN 84—239—9200—4 (O. C.)
ISBN 84—239—9201—2 (Tomo I)

—

Impresión: UNIGRAF, S. L.

Impreso en España   Acabado de imprimir en marzo de 1994   Printed in Spain

Editorial Espasa Calpe, S. A. Carretera de Irún, km. 12,200. 28049 Madrid

PREÁMBULO

La Real Academia Española ha querido contribuir a la celebración del V Centenario del descubrimiento de América publicando una nueva edición, la vigésima primera, de su DICCIONARIO usual. Lo hace para cooperar al mantenimiento de la unidad lingüística de los más de trescientos millones de seres humanos que, a un lado y otro del Atlántico, hablan hoy el idioma nacido hace más de mil años en el solar castellano y se valen de él como instrumento expresivo y conformador de una misma visión del mundo y de la vida. Por eso ha solicitado insistentemente la Academia la cooperación de sus hermanas correspondientes y asociadas para dar mayor cabida en su DICCIONARIO a las peculiaridades léxicas y semánticas vigentes en cada país. Gracias a tal colaboración ha sido posible revisar y enriquecer en la presente edición el contingente americano y filipino. Otro objeto de atención especial ha sido la incorporación de neologismos puestos en curso por los hallazgos de la ciencia y los progresos de la técnica. El DICCIONARIO que presentamos no pretende ser una enciclopedia abreviada, pero sí registrar y definir adecuadamente los términos cuyo empleo rebasa los límites de la especialidad y se atestigua diariamente en la prensa o en la conversación culta. En este campo la Academia tiene que encomiar la labor llevada a cabo por la Real Academia de Ciencias Exactas, Físicas y Naturales en su magno *Vocabulario científico y técnico,* y desear que mediante simposios panhispánicos de cada especialidad se unifique el léxico correspondiente.

La nueva edición aumenta considerablemente el número de vocablos incluidos, que alcanza la cifra de 83.500. Las acepciones añadidas y definiciones modificadas son más de 12.000. Muchas de las enmiendas obedecen a la necesidad de poner al día lo anticuado, ya en el concepto, ya en la formulación verbal. Se han eliminado entradas innecesarias, como las de adverbios terminados en *-mente* o participios cuando el significado de unos u otros corresponde totalmente a los adjetivos o verbos respectivos. Las etimologías de palabras derivadas o compuestas se han simplificado mediante la presencia y definición de los sufijos, prefijos y elementos compositivos en el cuerpo del DICCIONARIO. El enriquecimiento y mejoras que ofrece la nueva edición no colma, ni mucho menos, los deseos de la Academia; esperamos satisfacerlos con la adopción de nuevos procedimientos técnicos en nuestros métodos de trabajo, que llevará consigo la renovación completa de la planta del DICCIONARIO.

Las adiciones y enmiendas incorporadas a la presente edición han sido elaboradas por las Comisiones académicas de Diccionarios, Vocabulario Técnico, Ciencias Humanas y Comisión Permanente de la Asociación de Academias; sus propuestas han sido sometidas a la aprobación de la Academia y discutidas por ella en sesiones plenarias. En la preparación del nuevo texto, bajo la dirección de varios académicos, ha intervenido un equipo de colaboradores; sus nombres figuran al final de la «Tabula Gratulatoria».

La Corporación manifiesta su profunda gratitud a la Asociación de Amigos de la Academia Española, que con su generosa aportación económica ha hecho posible la que creemos mejoría de nuestro DICCIONARIO usual.

REAL ACADEMIA ESPAÑOLA

MIEMBROS DE NÚMERO

EXCMO. SR. D. EMILIO GARCÍA GÓMEZ. Catedrático jubilado de Lengua Árabe.

EXCMO. SR. D. RAFAEL LAPESA MELGAR. Filólogo.

EXCMO. SR. D. PEDRO LAÍN ENTRALGO. Historiador de la Medicina y ensayista.

EXCMO. SR. D. JOAQUÍN CALVO-SOTELO. Dramaturgo.

EXCMO. SR. D. CAMILO JOSÉ CELA TRULOCK. Escritor.

EXCMO. SR. D. LUIS ROSALES CAMACHO. Poeta y ensayista.

EXCMO. SR. D. ALFONSO GARCÍA VALDECASAS Y GARCÍA VALDECASAS. Catedrático de Derecho, ensayista.

EXCMO. SR. D. MARTÍN DE RIQUER MORERA. Historiador de la Literatura.

EXCMO. SR. D. JULIÁN MARÍAS AGUILERA. Autor de obras filosóficas, ensayista.

EXCMO. SR. D. ALONSO ZAMORA VICENTE. Filólogo.

EMMO. Y RDMO. SR. CARDENAL DR. D. VICENTE ENRIQUE Y TARANCÓN.

EXCMO. SR. D. ANTONIO COLINO LÓPEZ. Dr. Ingeniero industrial.

EXCMO. SR. D. ANTONIO BUERO VALLEJO. Dramaturgo.

EXCMO. SR. D. FERNANDO LÁZARO CARRETER. Filólogo.

EXCMO. SR. D. TORCUATO LUCA DE TENA BRUNET. Escritor, ensayista.

EXCMO. SR. D. EMILIO ALARCOS LLORACH. Lingüista y filólogo.

EXCMO. SR. D. MIGUEL DELIBES SETIÉN. Novelista.

EXCMO. SR. D. MANUEL ALVAR LÓPEZ. Filólogo.

EXCMO. SR. D. GONZALO TORRENTE BALLESTER. Novelista.

EXCMA. SRA. D.ª CARMEN CONDE ABELLÁN. Poetisa, novelista.

EXCMO. SR. D. CARLOS BOUSOÑO PRIETO. Poeta y crítico literario.

EXCMO. SR. D. MANUEL SECO REYMUNDO. Filólogo.

EXCMO. SR. D. EMILIO LORENZO CRIADO. Filólogo.

EXCMO. SR. D. RAFAEL ALVARADO BALLESTER. Naturalista.

EXCMO. SR. D. JOSÉ GARCÍA NIETO. Poeta.

EXCMO. SR. D. JOSÉ LÓPEZ RUBIO. Autor dramático.

EXCMO. SR. D. ÁNGEL MARTÍN MUNICIO. Bioquímico.

EXCMA. SRA. D.ª ELENA QUIROGA DE ABARCA. Novelista.

EXCMO. SR. D. JUAN ROF CARBALLO. Médico.

EXCMO. SR. D. FRANCISCO AYALA Y GARCÍA DUARTE. Escritor.

EXCMO. SR. D. VALENTÍN GARCÍA YEBRA. Filólogo.

EXCMO. SR. D. PERE GIMFERRER TORRENS. Poeta y escritor.

EXCMO. SR. D. JULIO CARO BAROJA. Antropólogo.

EXCMO. SR. D. JESÚS AGUIRRE Y ORTIZ DE ZÁRATE, DUQUE DE ALBA. Ensayista y poeta.

EXCMO. SR. D. GREGORIO SALVADOR CAJA. Lingüista y filólogo.

EXCMO. SR. D. FRANCISCO RICO MANRIQUE. Historiador de la Literatura.

EXCMO. SR. D. JOSÉ MARÍA DE AREILZA Y MARTÍNEZ RODAS. Ingeniero industrial, diplomático y escritor.

EXCMO. SR. D. ANTONIO MINGOTE BARRACHINA. Dibujante y escritor.

EXCMO. SR. D. JOSÉ LUIS PINILLOS DÍAZ. Psicólogo.

EXCMO. SR. D. FRANCISCO MORALES NIEVA. Dramaturgo.

EXCMO. SR. D. FRANCISCO RODRÍGUEZ ADRADOS. Filólogo, lingüista y escritor.

EXCMO. SR. D. JOSÉ LUIS SAMPEDRO SÁEZ. Escritor y economista.

EXCMO. SR. D. CLAUDIO RODRÍGUEZ GARCÍA. Poeta.

EXCMO. SR. D. VÍCTOR GARCÍA DE LA CONCHA. Historiador de la Literatura.

DIRECTORES DE LA CORPORACIÓN ENTRE 1984 Y 1992

EXCMO. SR. D. DÁMASO ALONSO Y FERNÁNDEZ DE LAS REDONDAS (1968-1982), *Director Honorario hasta 1990.*

EXCMO. SR. D. PEDRO LAÍN ENTRALGO (1982-1988), actualmente *Director Honorario.*

EXCMO. SR. D. RAFAEL LAPESA MELGAR (Director interino, 1988), actualmente *Director Honorario.*

EXCMO. SR. D. MANUEL ALVAR LÓPEZ (1988-1991).

EXCMO. SR. D. FERNANDO LÁZARO CARRETER, *Director actual.*

ACADÉMICOS FALLECIDOS DESPUÉS DE PUBLICADA LA EDICIÓN VIGÉSIMA DEL DICCIONARIO

EXCMO. SR. D. GUILLERMO DÍAZ-PLAJA Y CONTESTI († 27 de julio de 1984).

EXCMO. SR. D. VICENTE ALEIXANDRE MERLO († 14 de diciembre de 1984).

EXCMO. SR. D. ANTONIO TOVAR LLORENTE († 15 de diciembre de 1985).

EXCMO. SR. D. PEDRO SÁINZ RODRÍGUEZ († 14 de diciembre de 1986).

EXCMO. SR. D. GERARDO DIEGO CENDOYA († 9 de julio de 1987).

EXCMO. SR. D. MANUEL DÍEZ-ALEGRÍA GUTIÉRREZ († 3 de febrero de 1987).

EXCMO. SR. D. MANUEL FERNÁNDEZ-GALIANO FERNÁNDEZ († 29 de noviembre de 1988).

EXCMO. SR. D. MANUEL HALCÓN VILLALÓN-DAOIZ († 29 de julio de 1989).

EXCMO. SR. D. DÁMASO ALONSO Y FERNÁNDEZ DE LAS REDONDAS († 25 de enero de 1990).

EXCMO. SR. D. RICARDO GULLÓN († 11 de febrero de 1991).

SEÑORES ACADÉMICOS DE HONOR

S. A. R. EL PRÍNCIPE BERNARDO DE LOS PAÍSES BAJOS.

EXCMO. SR. D. JOSÉ MANUEL BLECUA TEIJEIRO.

EXCMO. SR. D. EUGENIO ASENSIO BARBARIN.

ACADÉMICOS CORRESPONDIENTES ESPAÑOLES, HISPANOAMERICANOS Y EXTRANJEROS

ESPAÑOLES

Sr. D. FANCISCO DE B. MOLL, Palma de Mallorca.

Sr. D. FRANCISCO SÁNCHEZ-CASTAÑER Y MENA, Andalucía.

Sr. D. MANUEL MUÑOZ CORTÉS, Murcia.

Sr. D. JOSÉ FERNANDO FILGUEIRA VALVERDE, Galicia.

Sr. D. ARCADIO DE LARREA, Marruecos.

Sr. D. JUAN DE MATA CARRIAZO Y ARROQUIA, Andalucía.

Sr. D. IGNACIO AGUILERA SANTIAGO, Cantabria.

Sr. D. ÍÑIGO DE ARANZADI, Río Muni.

Sr. D. JUAN RUIZ PEÑA, Castilla la Vieja.

Sr. D. FRANCISCO LÓPEZ ESTRADA, Andalucía.

Sr. D. ANTONIO GALLEGO MORELL, Andalucía.

Sr. D. ALFONSO CANALES, Andalucía.

Sr. D. ANTONIO BADÍA MARGARIT, Cataluña.

Sr. D. FRANCISCO YNDURAIN HERNÁNDEZ, Aragón.

Sr. D. DIONISIO GAMALLO FIERROS, Galicia.

Sr. D. ÁLVARO GALMÉS DE FUENTES, Asturias.

Sr. D. ANTONIO VILANOVA ANDREU, Cataluña.

Sr. D. VICENTE RAMOS PÉREZ, Reino de Valencia.

Sr. D. JOSÉ LUIS VARELA IGLESIAS, Castilla la Vieja.

Sr. D. JOSÉ LUIS PENSADO TOMÉ, Reino de León.

Sr. D. MANUEL RABANAL ÁLVAREZ, Reino de León.

Sr. D. EUGENIO DE BUSTOS TOVAR, Reino de León.

Sr. D. TADEO FÉLIX MONGE CASAO, Aragón.

Sr. D. CONSTANTINO GARCÍA GONZÁLEZ, Galicia.

Sr. D. JUAN RÉGULO PÉREZ, Canarias.

Sr. D. JESÚS NEIRA MARTÍNEZ, Asturias.

Sr. D. RAMÓN TRUJILLO CARREÑO, Canarias.

Sr. D. FRANCISCO MORALES PADRÓN, Andalucía.

Sr. D. JOSÉ MANUEL BLECUA PERDICES, Cataluña.

Sr. D. GERMÁN COLÓN, Valencia

Sr. D. JOSÉ MILLÁN URDIALES CAMPOS, Asturias.

Sr. D. FELIPE ABAD LEÓN, Rioja.

Sr. D. MANUEL SITO ALBA, Andalucía.

Sr. D. ALFONSO RETA JANARIZ, Navarra.

Sr. D. FERNANDO GONZÁLEZ OLLÉ, Navarra.

Sr. D. RAMÓN ARAMÓN i SERRA, Cataluña.

Sr. D. TOMÁS BUESA, Aragón.

Sr. D. GERMÁN DE GRANDA, Valladolid.

Sr. D. ANTONIO LLORENTE MALDONADO, Salamanca.

Sr. D. FRANCISCO MARTÍN ABRIL, Valladolid.

Sr. D. ALBERTO BLECUA PERDICES, Cataluña.

Sra. D.ª MARÍA JOSEFA CANELLADA LLAVONA, Asturias.

Sr. D. ALBERTO SÁNCHEZ Y SÁNCHEZ, Valencia.

Sr. D. FRANCISCO MARSÁ GÓMEZ, Cataluña.

Sr. D. MANUEL ALVAR EZQUERRA, Andalucía.

Sr. D. DARÍO VILLANUEVA, Galicia.

Sr. D. JOSÉ MARÍA MARTÍNEZ CACHERO, Asturias.

HISPANOAMERICANOS

Sr. D. Bernardo J. Caycedo, Colombia.
Sr. D. Eulalio Ferrer Rodríguez, México.
Sra. D.ª Ana María Barrenechea, Argentina.
Sr. D. Daniel Devoto, Argentina.
Sra. D.ª Emilia de Zuleta, Argentina.
Sr. D. Germán Orduna, Argentina.

EXTRANJEROS

Sr. D. Juan Cassou, Francia.
Sr. D. Osvaldo Orico, Brasil.
R. P. Giovanni M. Bertini, Italia.
Sr. D. Pedro Calmon, Brasil.
Sr. D. Václav Cerný, Checoslovaquia.
Sr. D. Alexander A. Parker, Inglaterra.
Sr. D. Günther Haensch, Alemania.
Sr. D. Oreste Macrì, Italia.
Sr. D. Gianfranco Contini, Italia.
Sr. D. Gerolt Hilty, Suiza.
Sr. D. Franco Meregalli, Italia.
Sr. D. Theodore S. Beardsley Jr., Estados Unidos.
Sr. D. Georges Demerson, Francia.
Sr. D. Robert Ricard, Francia.
Sr. D. Paul Merimée, Francia.
Sr. D. Charles V. Aubrun, Francia.
Sr. D. Ryohey Uritani, Japón.
Sr. D. Makoto Hara, Japón.
Sr. D. Eugenio Coseriu, Alemania.
Sr. D. Mijail Alekseiev, Unión Soviética.
Sr. D. Hans Flasche, Alemania.
Sr. D. Jean Krynen, Francia.
Sr. D. Bernard Pottier, Francia.
Sr. D. Marius Sala, Rumania.
Sr. D. Maxime Chevalier, Francia.
Sr. D. Roger Duvivier, Bélgica.
Sr. D. Josse de Kock, Bélgica.
Sr. D. Gilberto Freyre, Brasil.
Sr. D. Jacques de Bruyne, Bélgica.
Sr. D. Jacques Lafaye, Francia.
Sr. D. John Varey, Inglaterra.
Sr. D. Eirichi Hayaskiya, Japón.
Sr. D. Wido Hempel, Alemania.
Sr. D. Darie Novaceanu, Rumania.
Sr. D. Gustav Siebenmann, Suiza.
Sra. D.ª Margherita Morreale, Italia.
Sra. D.ª Lore Terracini, Italia.
Sr. D. Charles David Ley, Inglaterra.
Sr. D. Hans Hinterhäuser, Austria.
Sr. D. André Labertit, Francia.
Sr. D. Norio Shimizu, Japón.
Sr. D. Stephen Reckert, Estados Unidos.
Sra. D.ª Elisa Aragone de Terni, Italia.
Sr. D. Veikko Väänänen, Finlandia.
Sr. D. Timo Riiho, Finlandia.
Sr. D. I-Bae Kim, Corea.
Sr. D. Julio García Morejón, Brasil.
Sr. D. Hans Juretschke, Alemania.
Sr. D. Marion P. Holt, Estados Unidos.
Sr. D. Enrique Ruiz Fornells, Estados Unidos.
Sr. D. Mario di Pinto, Italia.
Sr. D. Yakov Malkiel, Estados Unidos.
Sr. D. Ivan Kanchev, Bulgaria.
Sr. D. Dwight L. Bolinger, Estados Unidos.
Sra. D.ª Patricia Walker O'Connor, Estados Unidos.
Sr. D. Jean Canavaggio, Francia.
Sr. D. Giovanni Caravaggi, Italia.
Sr. D. Gaetano Chiappini, Italia.

ACADEMIAS CORRESPONDIENTES

ACADEMIA COLOMBIANA

CORRESPONDIENTE DE LA ESPAÑOLA

establecida en Bogotá
(10 de mayo de 1871)

Sr. D. Manuel Briceño Jáuregui, S. J., Director.

Sr. D. Antonio Álvarez Restrepo, Subdirector.

Sr. D. Horacio Bejarano Díaz, Secretario.

Sr. D. Ignacio Chaves Cuevas, Bibliotecario.

Sr. D. Diego Uribe Vargas, Censor.

Sr. D. Luis Duque Gómez, Tesorero.

Sr. D. Antonio Rocha Alvira, Miembro honorario.

Sr. D. Carlos Lleras Restrepo, Miembro honorario.

Sr. D. Edgar Sanabria, Miembro honorario.

Sr. D. Emilio García Gómez, Miembro honorario.

Sr. D. Alfonso López Michelsen, Miembro honorario.

Sr. D. Álvaro Gómez Hurtado, Miembro honorario.

Sr. D. Roberto García Peña, Miembro honorario.

Sr. D. Belisario Betancur, Miembro honorario.

Sr. D. Eduardo Caballero Calderón.

Sr. D. Germán Arciniegas.

Sr. D. José Antonio León Rey.

Sr. D. Rafael Azula Barrera.

Sr. D. Gerardo Valencia.

Mons. Mario Germán Romero.

Sr. D. Ramón de Zubiría.

Sr. D. Óscar Echeverri Mejía.

Sr. D. Jaime Sanín Echeverri.

Sr. D. José Francisco Socarras.

Sra. D.ª Elisa Mújica.

Sr. D. Jorge Rojas.

Sr. D. David Mejía Velilla.

Sr. D. Jaime Posada.

Sr. D. Carlos Valderrama Andrade.

Sr. D. Nicolás del Castillo Mathieu.

Sr. D. Otto Morales Benítez.

Sr. D. Darío Achury Valenzuela, electo.

Sr. D. Fernando Charry Lara, electo.

Sr. D. Juan Jacobo Muñoz Delgado, electa.

Sra. D.ª Dora Castellanos, electa.

ACADEMIA ECUATORIANA

CORRESPONDIENTE DE LA ESPAÑOLA

establecida en Quito

(15 de octubre de 1874)

Sr. D. Galo René Pérez, Director.

Sr. D. José Rumazo González, Director de honor.

Sr. D. Carlos de la Torre Reyes, Subdirector.

Sr. D. Carlos Joaquín Córdova, Subdirector encargado.

Srta. D.ª Piedad Larrea Borja, Secretaria.

Sr. D. Hernán Rodríguez Castelo, Censor.

Sr. D. Jaime Dousdebés Carvajal, Tesorero.

Sr. D. Luis Bossano Paredes.

Sr. D. Luis Moscoso Vega.

Mons. Juan Larrea Holguín.

Sr. D. Jorge Salvador Lara.

Mons. Bernardino Echeverría Ruiz.

Mons. Antonio Bermeo Bazante.

Sr. D. Abel Romeo Castillo.

Sr. D. Ángel F. Rojas.

Sr. D. Carlos Suárez Veintimilla.

Sr. D. Alfredo Rodas Reyes.

Sr. D. Gabriel Cevallos García.

Mons. Luis Alberto Luna Tobar, Arzobispo de Cuenca.

Sr. D. Alfonso Rumazo González.

Sr. D. Filoteo Samaniego Salazar.

Sr. D. Alejandro Carrión Aguirre.

Sr. D. Jorge Isaac Cazorla.

Sr. D. Alfredo Pareja Diezcanseco.

Sr. D. Manuel Corrales Pascual.

Sra. D.ª Esperanza Matheus de Peña.

Sr. D. Gustavo A. Jácome.

Sr. D. Leopoldo Benítez Vinueza, electo.

ACADEMIA MEXICANA
CORRESPONDIENTE DE LA ESPAÑOLA

establecida en México
(26 de junio de 1875)

Sr. D. JOSÉ LUIS MARTÍNEZ, Director.
Sr. D. MANUEL ALCALÁ ANAYA, Secretario perpetuo.
Sr. D. ALÍ CHUMACERO LORA, Tesorero.
Sr. D. ANDRÉS HENESTROSA MORALES, Bibliotecario.
Sr. D. ANTONIO GÓMEZ ROBLEDO.
Sr. D. MIGUEL LEÓN-PORTILLA.
Sr. D. RUBÉN BONIFAZ NUÑO.
Sr. D. ERNESTO DE LA TORRE VILLAR.
Sr. D. EDMUNDO O'GORMAN.
Sr. D. SERGIO GALINDO MÁRQUEZ.
Sr. D. PORFIRIO MARTÍNEZ PEÑALOZA.
Sr. D. SILVIO ZAVALA.
Sr. D. SALVADOR ELIZONDO.
Sr. D. MANUEL PONCE ZAVALA.
Sr. D. JOSÉ G. MORENO DE ALBA.
Sr. D. ROBERTO MORENO Y DE LOS ARCOS.
Sr. D. JOSÉ PASCUAL BUXÓ.
Sra. D.ª CLEMENTINA DÍAZ Y DE OVANDO.
Sr. D. TARSICIO HERRERA ZAPIÉN.
Sr. D. CARLOS MONTEMAYOR.
Sr. D. ARTURO AZUELA.
Sr. D. GABRIEL ZAID.
Sr. D. LEOPOLDO SOLÍS.
Sr. D. RUY PÉREZ TAMAYO.
Sr. D. HÉCTOR AZAR.
Sr. D. JOSÉ ROGELIO ÁLVAREZ.
Sr. D. GUIDO GÓMEZ DE SILVA.
Sr. D. EULALIO FERRER RODRÍGUEZ.
Sr. D. OCTAVIO PAZ, electo.
Sr. D. FERNANDO SALMERÓN, electo.
Sr. D. CARLOS MONSIVÁIS, electo.

ACADEMIA SALVADOREÑA
CORRESPONDIENTE DE LA ESPAÑOLA

establecida en San Salvador
(19 de octubre de 1876)

Sr. D. ALFREDO MARTÍNEZ MORENO, Director.
Sr. D. DAVID ESCOBAR GALINDO, Vicedirector.
Sr. D. ALFREDO BETANCOURT, Secretario perpetuo.
Sr. D. JOAQUÍN HERNÁNDEZ CALLEJA, Tesorero.
Sr. D. MATÍAS ROMERO COTO.
Sr. D. REYNALDO GALINDO POHL.
Sr. D. MAURICIO GUZMÁN.
Sr. D. JOSÉ MARÍA MÉNDEZ.
Sr. D. JORGE LARDÉ Y LARÍN.
Sr. D. JOAQUÍN CASTRO CANIZALES.
Sr. D. MANUEL LUIS ESCAMILLA.
Sr. D. EDUARDO RITTER AISLÁN.
Sr. D. JUAN ALLGOOD PAREDES.
Sr. D. LUIS A. APARICIO.
Sr. D. RAMÓN GONZÁLEZ MONTALVO, electo.
Sr. D. JOSÉ ENRIQUE SILVA, electo.
Sr. D. ROBERTO MASFERRER, electo.
Sra. D.ª EVA ALCAINE DE PALOMO, honoraria.
Sr. D. DÁMASO ALONSO, honorario ad perpetuam.

ACADEMIA VENEZOLANA
CORRESPONDIENTE DE LA ESPAÑOLA

establecida en Caracas
(26 de julio de 1883)

Sr. D. LUIS PASTORI, Director.
Sr. D. LUIS BELTRÁN GUERRERO, Secretario.
Sr. D. MARIO TORREALBA LOSSI, Bibliotecario.
Sr. D. PASCUAL VENEGAS FILARDO, Censor.
Sr. D. RAMÓN GONZÁLEZ PAREDES, Tesorero.
Sr. D. RAMÓN J. VELÁSQUEZ, electo.
Sr. D. PEDRO DÍAZ SEIJAS.
Sr. D. CESÁREO DE ARMELLADA.
Sr. D. VICENTE GERBASI.
Sr. D. ARTURO USLAR PIETRI.
Sr. D. JOSÉ RAMÓN MEDINA.
Sra. D.ª MARÍA JOSEFINA TEJERA, electa.

Sr. D. Efraín Subero.
Sr. D. Mario Briceño Perozo.
Sr. D. Luis Beltrán Prieto Figueroa.
Sr. D. Juan Liscano, electo.
Sr. D. Óscar Sambrano Urdaneta, electo.
Excmo. Sr. D. Rafael Caldera.
Sr. D. Luis Quiroga Torrealba.
Sr. D. Tulio Chiossone.
Sr. D. René De Sola.
Sr. D. José Luis Salcedo-Bastardo.
Sr. D. Pedro Grases.
Sra. D.ª Lucila Palacios.

ACADEMIA CHILENA
correspondiente de la Española

establecida en Santiago de Chile
(5 de junio de 1885)

Sr. D. Roque Esteban Scarpa Straboni, Director.
Sr. D. José Luis Samaniego Aldazábal, Secretario.
Sr. D. Fernando González Urízar, Censor.
Sr. D. Rodolfo Oroz Scheibe, Director honorario.
Sr. Pbro. Fidel Araneda Bravo.
Sr. D. Miguel Arteche.
Sr. D. Hugo Montes Brunet.
Sr. D. Guillermo Blanco Martínez.
Sr. D. José Ricardo Morales Malva.
Sr. D. Luis Sánchez Latorre.
Sr. D. Enrique Campos Menéndez.
Sr. D. Martín Panero Mancebo.
Sr. D. Hernán Poblete Varas.
Sr. D. Francisco Coloane.
Sr. D. Jorge Edwards Valdés.
Sr. D. Alfredo Matus Olivier, Presidente de la Comisión de Lexicografía y Gramática.
Sr. D. Alfonso Calderón Squadritto.
Sr. D. Carlos Morand Valdivieso.
Sr. D. Oreste Plath.
Sr. D. Hugo Gunckel Lüer.
Sr. D. Egon Wolff.
Sr. D. Ernesto Livacić Gazzano.
Sr. D. Óscar Pinochet de la Barra.
Sra. D.ª Rosa Cruchaga de Walker.
Sr. D. Humberto Díaz Casanueva.
Sr. D. Matías Rafide Batarce.
Sr. D. Felipe Alliende.
Sra. D.ª Marianne Peronard Thierry.
Sr. D. Luis Gómez Macker.
Sr. D. Juan Antonio Massone.
Sr. D. Ambrosio Rabanales Ortiz.
Sr. D. Fernando Lolas Stepke.
S. S. Juan Pablo II, Miembro de Honor.
Sr. Cardenal Raúl Silva Henríquez (Chile), Académico honorario extranjero.
Sr. D. Emilio Beladiez (España), Académico honorario extranjero.

ACADEMIA PERUANA
correspondiente de la Española

establecida en Lima
(5 de mayo de 1887)

Sr. D. Luis Jaime Cisneros Vizquerra, Director.
Sr. D. Aurelio Miró Quesada Sosa, Director honorario.
Sra. D.ª Martha Hildebrandt, Secretaria perpetua.
Sr. D. Miguel Ángel Ugarte Chamorro, Bibliotecario.
Sr. D. Andrés Aramburú Menchaca, Tesorero.
Sr. D. Estuardo Núñez, Censor.
Sr. D. Guillermo Lohmann Villena.
Sr. D. José A. de la Puente Candamo.
Sr. D. Guillermo Hoyos Osores.
Sr. D. Alberto Wagner de Reyna.
Sr. D. Francisco Miró Quesada Cantuarias.
Sr. D. Alberto Escobar Sambrano.
Sr. D. Mario Vargas Llosa.
Sr. D. Javier Sologuren.
Sr. D. Fernando Romero Pintado.
Sr. D. José Tola Pasquel.
Sr. D. Alberto Tauro del Pino.

Sr. D. Luis Alberto Sánchez.
Sr. D. Luis Hernán Ramírez.
Sr. D. Carlos Germán Belli.
Sr. D. Antonio Cornejo Polar.
Sr. D. Enrique Carrión Ordóñez.
Sr. D. José Luis Rivarola.
Sr. D. Manuel Pantigoso Pecero.
Sr. D. Rodolfo Cerrón Palomino.
Sr. D. Jorge Puccinelli Converso.
Sr. D. Julio Ramón Ribeyro, correspondiente.
Sr. D. Alfredo Bryce Echenique, correspondiente.
Sr. D. Américo Ferrari, correspondiente.

ACADEMIA GUATEMALTECA
CORRESPONDIENTE DE LA ESPAÑOLA

establecida en Guatemala
(30 de junio de 1887)

Sr. D. Hugo Cerezo Dardón, Director.
Sra. D.ª Margarita Carrera, Subdirectora.
Sr. D. Mario Alberto Carrera, Secretario.
Sr. D. Gustavo Adolfo Wyld Ferraté, Subsecretario.
Sra. D.ª Angelina Acuña de Castañeda, Tesorera.
Sra. D.ª Luz Méndez de la Vega, Bibliotecaria.
Sr. D. Alberto Herrarte.
Sra. D.ª Teresa Fernández-Hall de Arévalo.
Sr. D. Luis Aycinena Salazar.
Sr. D. Salvador Aguado-Andreut.
Sr. D. Francisco Albizúrez Palma.
Sra. D.ª Julia Guillermina Herrera Peña.
Sr. D. Carlos García Bauer.
Sr. D. José María Alemán, electo.
Sr. D. Jorge Skinner Klée, electo.
Sr. D. Francisco Pérez de Antón, electo.

ACADEMIA COSTARRICENSE
CORRESPONDIENTE DE LA ESPAÑOLA

establecida en San José de Costa Rica
(19 de octubre de 1923)

Sr. D. Arturo Agüero Chaves, Director.
Sra. D.ª Virginia Sandoval de Fonseca, Secretaria perpetua.
Sr. D. Jorge Charpentier García, Tesorero.
Sr. D. Alberto F. Cañas Escalante.
Sr. D. Francisco Amighetti Ruiz, electo.
Sr. D. Isaac Felipe Azofeifa Bolaños.
Sr. D. Alfonso Ulloa Zamora.
Sr. D. Carlos Rafael Duverrán Porras.
Sra. D.ª Carmen Naranjo Coto.
Sr. D. Fabián Dobles Rodríguez, electo.
Sr. D. Fernando Centeno Güell.
Sr. D. Roberto Murillo Zamora.
Sr. D. Eugenio Rodríguez Vega.
Sr. D. Joaquín Gutiérrez Mangel, electo.
Sr. D. Jézer González Picado.
Sr. D. Daniel Gallegos Troyo.
Sra. D.ª Julieta Pinto González, electa.

ACADEMIA FILIPINA
CORRESPONDIENTE DE LA ESPAÑOLA

establecida en Manila
(25 de julio de 1924)

Sr. D. José Rodríguez Rodríguez, Director honorífico y Secretario.
R. P. Miguel M.ª Varela, S. J.
Sr. D. Ramón A. Pedrosa.
Muy Rev. Diosdado Talamayan y Aenlle, D. D.
Rev. P. José Arcilla, S. J., electo.
Sr. D. Alejandro Roces, electo.
Sr. D. Raúl S. Manglapus.

Sr. D. Guillermo Gómez Rivera, Coordinador ejecutivo y Bibliotecario.
Sra. D.ª Rosario Valdés de Lamug, Tesorera.
S. E. Cardenal Jaime L. Sin, D. D.
R. P. Fidel Villarroel, O. P.
R. P. Pedro G. Tejero, O. P.
Srta. Lourdes Carballo.
Sr. D. Arturo R. Calsado.
Sr. D. Luis Garchitorena.
Sr. D. Fernando de la Concepción.
Sr. D. Francisco Zaragoza, Director y Censor.
Sr. D. Antonio M. Molina.
Sr. D. Edmundo Farolán y Romero.

ACADEMIA PANAMEÑA
CORRESPONDIENTE DE LA ESPAÑOLA

establecida en Panamá
(12 de mayo de 1926)

Sra. D.ª Elsie Alvarado de Ricord, Directora.
Sr. D. Ismael García Stevenson, Director honorario.
Sr. D. José Guillermo Ros-Zanet, Director sustituto.
Sr. D. Tobías Díaz Blaitry, Secretario perpetuo.
Sr. D. Pablo Pinilla Chiari, Tesorero.
Sr. D. Leónidas Escobar, Censor.
Sra. D.ª Gloria Guardia de Alfaro, Bibliotecaria.
Sr. D. Ricardo J. Bermúdez.
Sr. D. Diógenes de la Rosa, electo.
Sr. D. Bernardo Domínguez Alba (Rogelio Sinán), electo.
Sr. D. Baltasar Isaza Calderón.
Sr. D. Rodrigo Miró Grimaldo.
Sr. D. Renato Ozores, electo.
Sr. D. Carlos B. Pedreschi, electo.
Sr. D. Dimas Lidio Pitty, electo.
Sr. D. Eduardo Ritter Aislán.
Sr. D. Guillermo Sánchez Borbón (Tristán Solarte), electo.
Sra. D.ª Estella Sierra, electa.

ACADEMIA CUBANA
CORRESPONDIENTE DE LA ESPAÑOLA

establecida en La Habana
(19 de mayo de 1926)

Sra. D.ª Dulce María Loynaz, Directora Emérita y Vitalicia.
Sr. D. Lisandro Otero González, Director Adjunto.
Sra. D.ª Caridad Quintana de Bretón, Vicedirectora.
Sr. D. Delio J. Carreras Cuevas, Secretario.
Sr. D. José Antonio Portuondo Valdor.
Sra. D.ª Luisa Campuzano Senti.
Sr. D. Manuel Díaz Martínez.
Sr. D. Néstor Baguer Sánchez-Galarraga.
Sr. D. Miguel Barnet Lanza.
Sr. D. Alejandro González Acosta.
Sr. D. Salvador Buero.

MIEMBROS CORRESPONDIENTES EN ESPAÑA:

Sr. D. José Miguel Santiago Castelo
Sr. D. Joaquín E. de Thomas García.

MIEMBRO CORRESPONDIENTE EN MÉXICO:

Sr. D. Alejandro González Acosta

ACADEMIA PARAGUAYA
CORRESPONDIENTE DE LA ESPAÑOLA

establecida en Asunción
(30 de junio de 1927)

Sr. D. Hugo Rodríguez Alcalá, Presidente.
Sr. D. José Antonio Bilbao, Vicepresidente primero.
Sr. D. Francisco Pérez Maricevich, Vicepresidente segundo.
Sr. D. Luis A. Lezcano, Secretario honorífico perpetuo.
Sr. D. José Luis Appleyard, Secretario general.

Sr. D. Manuel E. B. Argüello, Secretario de relaciones.
Sr. D. Laureano Pelayo García, Tesorero.
Sr. D. Francisco A. Montalto, Protesorero.
Sr. D. Óscar Ferreiro, Síndico.
Sra. D.ª Josefina Pla, Vocal.
Sr. D. Alberto Nogués.
Sr. D. Manuel Peña Villamil.
Sr. D. Rolando Niella.
Sr. D. Augusto Roa Bastos.
Sr. D. José María Rivarola Malto.
Sra. D.ª Mercedes Domanisky de Céspedes.
Sra. D.ª Ana Iris Chaves de Ferreiro.
Sr. D. Ramiro Domínguez.
Sr. D. Roque Vallejos.
Sr. D. Rosario Gómez de Candia.
Sr. D. Julio Lezcano Claude.

ACADEMIA DOMINICANA
CORRESPONDIENTE DE LA ESPAÑOLA

establecida en Santo Domingo
(12 de octubre de 1927)

Sr. D. Mariano Lebrón Saviñón, Presidente.
Sr. D. Antonio Fernández Spencer, Vicepresidente.
Sr. D. Rubén Suro García Godoy, Secretario perpetuo.
Sr. D. Óscar Robles Toledano.
Sr. D. Joaquín Balaguer.
Sr. D. Manuel Rueda.
Sr. D. Federico Henríquez Gratereaux.
Sr. D. Bruno Rosario Candelier.
Sr. D. Virgilio Díaz Grullón.
Sr. D. Lupo Hernández Rueda.
Mons. Nicolás de Jesús López Rodríguez.
Sr. D. Max Uribe, electo.
Sr. D. Pedro Vergés, electo.
Sr. D. Juan Bosch.
Sr. D. Víctor Villegas.

ACADEMIA BOLIVIANA
CORRESPONDIENTE DE LA ESPAÑOLA

establecida en La Paz
(25 de agosto de 1927)

Sr. D. Rodolfo Salamanca Lafuente, Director.
Sr. D. Carlos Castañón Barrientos, Vicedirector.
Sr. D. Raúl Rivadeneira Prada, Secretario.
Sra. D.ª Georgette Canedo de Camacho, Protosecretaria.
Sr. D. Huáscar Cajías Kauffman.
Sr. D. Jorge Siles Salinas.
Sr. D. Augusto Guzmán.
Sr. D. Javier del Granado.
Sr. D. Enrique Kempff Mercado.
Sr. D. Fernando Ortiz Sanz.
Sr. D. Umberto Guzmán Arze.
Sr. D. José Cruz Aufrere.
Sra. D.ª Yolanda Bedregal.
Sr. D. Mariano Baptista Gumucio.
Sr. D. Julio de la Vega Rodríguez.
Sr. D. Óscar Rivera Rodas.
Sr. D. Armando Soriano Badani.
Sr. D. Mario Frías Infante.
Sr. D. Vicente Terán Erquicia.
Sr. D. Carlos Coello Vila.
Sr. D. Jaime Martínez Salguero.
Sr. D. Ramiro Condarco Morales.
Sr. D. Hugo C. F. Mansilla Ferret.
Sr. D. Alberto Crespo Rodas.
Sr. D. Luis R. Beltrán Salmón.
Sr. D. Hugo Boero Rojo.

ACADEMIA NICARAGÜENSE
CORRESPONDIENTE DE LA ESPAÑOLA

establecida en Managua
(31 de mayo de 1928)

Sr. D. Pablo Antonio Cuadra Cardenal, Director.
Sr. D. Julio Ycaza Tigerino, Secretario perpetuo.

Sr. D. Carlos Mántica Abaúnza, Tesorero.

Sr. D. Edgardo Buitrago Buitrago, Censor.

Sr. D. Guillermo Rothschuh Tablada, Bibliotecario.

Sr. D. Eduardo Zepeda Henríquez.

Sr. D. Felipe Rodríguez Serrano.

Sr. D. Rafael Paniagua Rivas.

Sr. D. Enrique Peña Hernández.

Sr. D. Fernando Silva.

Sr. D. Jorge Eduardo Arellano Sandino.

Sr. D. Jaime Incer Barquero, electo.

ACADEMIA HONDUREÑA

CORRESPONDIENTE DE LA ESPAÑOLA

establecida en Tegucigalpa

(23 de diciembre de 1949)

Sr. D. Eliseo Pérez Cadalso, Director.

Sr. D. Héctor Bermúdez Milla, Vicedirector.

Sr. D. Rafael Leiva Vivas, Secretario.

Sr. D. Manuel Salinas Paguada, Prosecretario.

Sr. D. Alfredo León Gómez, Censor.

Sra. D.ª Vilma I. Castillo Hernández, Tesorera.

Sr. D. Santos Juárez Fiallos, Vocal.

Sr. D. Juan Valladares Rodríguez.

Sr. D. Víctor Cáceres Lara, Vocal.

Sr. D. José Reina Valenzuela.

Sr. D. Rafael Jerez Alvarado, Vocal.

Sr. D. Hernán Cárcamo Tercero, Socio correspondiente.

Sr. D. Jorge Fidel Durón, Académico emérito.

Sr. D. Manuel Luna Mejía.

Sr. D. Pedro Pineda Madrid.

Sr. D. Octasiano Valerio, Vocal.

Sr. D. Miguel R. Ortega.

Sra. D.ª Argentina Díaz Lozano, Socia correspondiente.

Sr. D. Óscar Acosta, Socio correspondiente.

Sr. D. Roberto Sosa.

Sr. D. Ibrahím Gamero Idiáquez, Socio correspondiente.

Sr. D. Virgilio R. Gálvez.

Sr. D. Raúl Gilberto Tróchez.

Sr. D. Hostilio Lobo.

Sr. D. Roberto Ramírez, electo.

Sr. D. Atanasio Herranz H., Socio correspondiente.

Sr. D. Antonio José Rivas, Socio correspondiente.

Sr. D. Alejandro Barahona Romero.

ACADEMIA PUERTORRIQUEÑA

CORRESPONDIENTE DE LA ESPAÑOLA

establecida en San Juan de Puerto Rico

(28 de enero de 1955)

Sr. D. Manuel Álvarez Nazario, Director.

Sr. D. Segundo Cardona, Vicedirector.

Sr. D. Humberto López Morales, Secretario.

Sr. D. Ángel Jorge Casares, Vicesecretario.

Sr. D. Antonio J. Colorado, Tesorero.

Sr. D. Ismael Rodríguez Bou, Tesorero sustituto.

Sra. D.ª Luce López Baralt, Vocal.

Sr. D. Francisco Matos Paoli, Vocal.

Sr. D. Jaime Benítez, Vocal.

Sr. D. Eugenio Fernández Méndez.

Sr. D. Aurelio Tió Nazario.

Sra. D.ª Edna Coll, Vocal.

Sr. D. Rafael Arrillaga Torrens.

Sr. D. Luis Díaz Soler.

Sr. D. Manuel Méndez Ballester.

Sr. D. Luis Rechani Agrait.

Sr. D. Ricardo Alegría.

Sr. D. Francisco Lluch Mora.

Sr. D. José Trías Monge.

Sra. D.ª María Vaquero de Ramírez.

Sra. D.ª Amparo Morales.

Sr. D. José Ferrer Canales.

Sr. D. Eladio Rivera Quiñones.

ACADEMIA NORTEAMERICANA

CORRESPONDIENTE DE LA ESPAÑOLA

establecida en Nueva York
(5 de noviembre de 1973)

Sr. D. IRVING A. LEONARD.
Sr. D. LLOYD KASTEN.
Sr. D. ENRIQUE ANDERSON IMBERT.
Sr. D. JOSÉ JUAN ARROM.
Sr. D. ODÓN BETANZOS PALACIOS, Director.
Sr. D. GUMERSINDO YÉPEZ, Secretario.
Sr. D. THEODORE S. BEARDSLEY, Bibliotecario.
Sr. D. JUAN AVILÉS, Tesorero.
Sr. D. ROBERT LADO, Censor.
Sr. D. JAIME SANTAMARÍA, Coordinador de información.
Sr. D. EUGENIO CHANG-RODRÍGUEZ, Director del boletín.
Sr. D. JUAN BAUTISTA RAEL.
Sr. D. RENATO ROSALDO.
Sr. D. AURELIO M. ESPINOSA, hijo.
Sr. D. ROBERTO GARZA SÁNCHEZ.
Sr. D. JOSEP SOLÁ-SOLÉ.
Sr. D. ROBERTO A. GALVÁN.
Sr. D. STANISLAV ZIMIC.
Sr. D. AMÉRICO PAREDES.
Sr. D. JOAN COROMINAS.
Sr. D. EUGENIO FLORIT.
Sra. D.ª AMELIA AGOSTINI DE DEL RÍO.
Sr. D. ROMEO ROLANDO HINOJOSA-SMITH.
Sr. D. GUSTAVO CORREA.
Sr. D. JUAN LÓPEZ-MORILLAS.
Sr. D. ILDEFONSO MANUEL GIL LÓPEZ.
Sr. D. FERNANDO ALEGRÍA.
Sr. D. CARLOS ALBERTO SOLÉ.
Sr. D. JOAQUÍN SEGURA, electo.
Sr. D. EMILIO BERNAL LABRADA, electo.
Sr. D. GERARDO PIÑA ROSALES, electo.
Sr. D. JOHN J. NITTI, electo.

ACADEMIAS ASOCIADAS

ACADEMIA ARGENTINA DE LETRAS

establecida en Buenos Aires
(13 de agosto de 1931)

Sr. D. RAÚL H. CASTAGNINO, Presidente.
Sr. D. JORGE CALVETTI, Vicepresidente.
Sra. D.ª JORGELINA LOUBET, Secretaria general.
Sr. D. FEDERICO PELTZER, Tesorero.
Sr. D. ÁNGEL J. BATTISTESSA.
Sr. D. RICARDO E. MOLINARI.
Mons. OCTAVIO N. DERISI.
Sr. D. ENRIQUE ANDERSON IMBERT.
Sr. D. CARLOS ALBERTO RONCHI MARCH.
Sra. D.ª ALICIA JURADO.
Sr. D. ANTONIO PAGÉS LARRAYA.
Sr. D. MARCO DENEVI.
Sr. D. ROBERTO JUARROZ.
Sr. D. ADOLFO PÉREZ ZELASCHI.
Sr. D. HORACIO ARMANI.
Sra. D.ª OFELIA KOVACCI.
Sr. D. RODOLFO MODERN.
Sr. D. DELFÍN LEOCADIO GARASA.
Sr. D. ÁNGEL MAZZEI.
Sr. D. JOSÉ MARÍA CASTIÑEIRA DE DIOS.
Sr. D. MARTÍN ALBERTO NOEL.

ACADEMIA NACIONAL DE LETRAS DE URUGUAY

establecida en Montevideo
(10 de febrero de 1943)

Sr. D. ARTURO SERGIO VISCA, Presidente.
Sra. D.ª NIEVES A. DE LARROBLA, Primer vicepresidente.
Sr. D. ANÍBAL BARRIOS PINTOS, Segundo vicepresidente.
Sr. D. LUIS BAUSERO, Secretario.
Sr. D. RODOLFO V. TALICE, Tesorero.

Sr. D. Guido Zannier, Bibliotecario.
Sr. D. Julio C. da Rosa.
Sra. D.ª Celia Mieres.
Sr. D. Juan E. Pivel Devoto.
Sra. D.ª María de Montserrat.
Sr. D. Ildefonso Pereda Valdés.
Sr. D. Adolfo Gelsi Bidart.
Sra. D.ª Lisa Block de Behar.
Sr. D. Antonio Cravotto.
Sr. D. Héctor Tosar Errecart.
Sr. D. Carlos Jones Gaye.
Sr. D. Milton Stelardo.

Nota: Las precedentes listas se han actualizado y cerrado en 29 de junio de 1992.

ADVERTENCIAS PARA EL USO DE ESTE DICCIONARIO

I. Letras mayúsculas y minúsculas

Siguiendo la norma adoptada por los mejores diccionarios modernos, se ha impreso en minúscula la letra inicial de las voces que encabezan los artículos, salvo cuando se trata de nombres propios exclusivamente.

Según esto, en los casos en que un vocablo tenga alguna acepción que sea nombre propio y otras que no lo sean, se ha especificado n. p. (nombre propio), m. (sustantivo masculino), f. (sustantivo femenino), adj. (adjetivo), etc.

«**venus.** (De *Venus,* diosa mitológica de la hermosura.) n. p. m. Planeta poco menor que la Tierra... **2.** f. fig. Mujer muy hermosa. **3.** ...»

II. Variantes formales de una misma palabra

En el encabezamiento de algunos artículos aparecen dos variantes, rara vez tres, de la palabra definida, todas ellas aceptadas en el uso culto general o con diversa repartición geográfica. En tales casos la variante que figura en primer lugar es la preferida por la Academia, sin que esta preferencia signifique rechazo de las que se consignan a continuación: así en el artículo **hemiplejía** o **hemiplejia** la variante recomendada es **hemiplejía,** aunque también se considera correcta **hemiplejia.** Cuando las variantes admitidas no pueden figurar en un mismo artículo por exigencias del orden alfabético, la preferida por la Academia es la que lleva definición directa; las aceptadas, pero no preferidas, se definen mediante referencia a aquella: así **psicología, psicológico, psicólogo, psicópata, psicosis,** definidas directamente, son las variantes recomendadas; **sicología, sicológico, sicólogo, sicópata, sicosis,** definidas por referencia a sus correspondientes antedichas, constan como admitidas, pero no se recomiendan.

III. Orden de acepciones en cada artículo

Dentro de cada artículo van colocadas por este orden las diversas acepciones de los vocablos: primero las de uso corriente; después las anticuadas, las familiares, las figuradas, las provinciales e hispanoamericanas, y, por último, las técnicas y de germanía.

En los vocablos que tienen acepciones de adjetivo, sustantivo y adverbio, se hallan agrupadas las de cada categoría gramatical según el orden aquí indicado. Las connotaciones m., f., adj. o adv. se refieren a todas las acepciones que vienen detrás, mientras no aparezca una indicación distinta.

En los sustantivos se posponen las acepciones usadas exclusivamente en plural a las que pueden emplearse en ambos números.

Cuando el artículo es de sustantivo, se registran después de las acepciones propias del vocablo aislado las que resultan de la combinación del sustantivo con un adjetivo, con otro sustantivo regido de preposición o con cualquiera expresión calificativa.

Al fin del artículo se incluyen las frases o expresiones a él correspondientes, dispuestas en riguroso orden alfabético. Entre ellas figuran las elípticas de un solo vocablo.

IV. Remisión de unos artículos a otros

Se ha procurado eliminar la pérdida de tiempo a que obligaban algunas remisiones cuando entre el vocablo remitido y su equivalencia existían una o varias etapas intermedias. Así la definición de **acantio** remitía a **toba,** que resultaba ser una denominación poco usada de **cardo borriquero.** Para saber el significado de **becoquín,** había que acudir a **bicoquín,** de este a **bicoquete** y, por último, a **papalina.** En todos estos casos se envía ahora al lector directamente al vocablo necesario que figura en **seminegrita,** seguido a veces de una breve precisión semántica.

V. Cómo encontrar la definición de expresiones formadas por varios vocablos

Las expresiones formadas por varios vocablos, como las frases hechas, las locuciones, modos adverbiales, etc., van colocadas en el artículo correspondiente a uno de los vocablos de que constan, por este orden de preferencia: sustantivo o cualquier palabra usada como tal, verbo, adjetivo, pronombre y adverbio. Así, por ejemplo, la frase **«en buenas manos está el pandero»** se hallará en el artículo correspondiente al sustantivo **mano,** preferido al verbo **estar** y al adjetivo **bueno.** La locución **«no dar** *uno* **pie con bola»** figura en el artículo **pie,** preferido al verbo **dar** y al adverbio **no.** En **brazo** se incluye **«entregar al brazo secular** *alguna cosa»;* **«a las primeras de cambio»** consta en **cambio;** la expresión **«ni con mucho»,** en el adjetivo **mucho; «tratar de tú»,** en **tú,** que hace de sustantivo; **«por sí** *o* **por no»,** en el adverbio **sí,** etc.

Exceptúanse los sustantivos *persona* y *cosa* cuando no son parte necesaria e invariable de la expresión, y los verbos usados como auxiliares. Así, por ejemplo, la frase **«tener que ver** *una persona o cosa con otra»* se registra en el verbo **tener;** y **«estar** *una cosa* **en buenas manos»,** en el sustantivo **mano,** mientras que las expresiones **«hacer** *uno* **de persona»** y **«no ser cosa del otro jueves»** se encuentran respectivamente en los artículos **persona** y **cosa.** Las frases **«haber nacido** *uno* **tarde»** y **«estar tocada** *una cosa»* corresponden la primera al verbo **nacer,** y la segunda a **tocar,** porque **haber** y **estar** son aquí meros auxiliares. **«No haber más que pedir»** debe buscarse, por el contrario, en **haber,** y **«estar a matar»,** en **estar.**

La frase en que concurren dos o más voces de la misma categoría gramatical se incluye en el artículo correspondiente a la primera de estas voces, como puede verse en varios de los ejemplos antes citados.

VI. Diminutivos, aumentativos y superlativos que, aun estando admitidos en el buen uso, no figuran en el Diccionario

Los diminutivos en *-ico, -illo, -ito;* los aumentativos en *-ón, -azo,* y los superlativos en *-ísimo,* cuya formación sea regular y conforme a las observaciones que se dan al fin del DICCIONARIO, no se incluyen en este, salvo el caso en que tengan acepción especial que merezca ser notada. Así, por ejemplo, el DICCIONARIO incluye los superlativos *bonísimo, pulquérrimo* y *paupérrimo* por ser irregulares, pero no *buenísimo, pulcrísimo* y *pobrísimo,* que son los regulares y también correctos.

Tampoco se incluyen todos los adverbios en *-mente,* ni todos los diminutivos y despectivos en *-ote, -uco, -uca, -ucho, -ucha,* por ser de formación fácil y a menudo ocasional. Pero su ausencia en el DICCIONARIO no significa por sí sola que no existan en el uso o que sean incorrectos.

VII. Voces anticuadas y desusadas

La abreviatura *ant.*, anticuada, indica que la voz o la acepción pertenece al vocabulario de la Edad Media; pero también se califica de anticuada la forma de una palabra, como *notomía* por *anatomía,* que, aunque usada hasta el siglo XVII, ha sido desechada en el lenguaje moderno.

La abreviatura *desus.*, desusada, se pone a las voces y acepciones que se usaron en la Edad Moderna, pero que hoy no se emplean ya. En esta edición se usa muchas veces la indicación de *desus.*, o de *p. us.*, pues el presente DICCIONARIO, que en sus diferentes ediciones se ha basado siempre en el que la Academia publicó de 1726 a 1739 y que se conoce con el nombre de *Diccionario de Autoridades*, conserva, naturalmente, materiales lexicográficos de épocas pasadas que, aunque hayan decaído en su uso, forman parte de la lengua tradicional y literaria. Esta indicación orienta al que utiliza el DICCIONARIO sobre su vigencia actual.

Puede ocurrir que una voz desusada o anticuada en la lengua corriente se conserve, sin embargo, en alguna región de España o de América. En este caso, como en todos los demás, téngase presente que la referencia geográfica no quiere decir que la voz sea reprobable en la lengua literaria o culta; quiere solo advertir al lector dónde será perfectamente comprensible tal vocablo.

VIII. Transcripción de étimos

Con excepción de los étimos griegos, impresos en su propio alfabeto, los de otras lenguas se escriben en caracteres latinos.

En las voces latinas que aparecen en las etimologías, se han marcado con signo de larga *(ā)* o breve *(ă)* las vocales de la penúltima sílaba. Siguiendo la costumbre de este DICCIONARIO, no se han marcado en cada voz latina más que las vocales de la penúltima sílaba abierta (es decir, no cerrada por consonante). La vocal penúltima que lleva signo de larga es la que lleva el acento en la pronunciación del latín; la sílaba penúltima cerrada es la que lleva el acento, aunque no lleve su vocal el signo de larga: *abbātis, apertus,* se pronuncian graves, mientras que *apicŭla, abdicatĭo,* llevan el acento en la vocal anterior a la penúltima marcada como breve.

En cuanto a las etimologías árabes, el sistema de transcripción que se ha seguido es el adoptado por la escuela de arabistas españoles y el oficial en la revista *Al-Andalus*. He aquí los signos que representan las veintiocho consonantes árabes:

’ - b - t - ṯ - ŷ - ḥ - j - d - ḏ - r - z - s - š - ṣ
ḍ - ṭ - ẓ - ‘ - g - f - q - k - l - m - n - h - w - y

La *hamza* inicial no se transcribe. La *tā' marbūṭa* se representa por *a* en estado absoluto, y por *at* cuando va seguida de un genitivo. Las vocales son: *a, i, u* (breves) y *ā, ī, ū* (largas). El *alif maqṣūra* se marca *à*.

Los únicos extremos en que la transcripción se aparta de este sistema son: la representación de los diptongos, que se transcriben por *ai, au* (en vez de *ay, aw*) y la del artículo ante letras solares, pues se sigue la pronunciación y no la grafía (*aṣ-ṣibar*, en lugar de *al-ṣibar*). No cabe en el presente DICCIONARIO extenderse en la explicación de ciertas alteraciones de pronunciación que se reflejan en la forma española. Solo se anotan los casos patentes de imela (pronunciación de *a* como *i*).

La transcripción empleada difiere de la internacional más corriente, aparte de muy leves pormenores, solo en dos signos: *ŷ* para la 5.ª consonante y *j* para la 7.ª.

Las palabras hebreas y las de otras lenguas que emplean sistemas gráficos propios se transcriben aquí con las letras del alfabeto latino provistas en su caso de los signos diacríticos pertinentes.

IX. Transcripción de voces indígenas americanas

En las etimologías americanas se ha procurado introducir orden, sobre todo en las de las lenguas más importantes y conocidas, que son las que más préstamos han proporcionado a nuestra lengua.

En las palabras del nahua o azteca se ha seguido la ortografía establecida en el siglo XVI y perfeccionada en los siguientes.

En los quechuismos se ha seguido más a menudo la ortografía establecida para los dialectos del Sur (Cuzco), con distinción de las dos velares, anterior (**k**) y posterior (**q**); la aspiración se marca con *h* y el acompañamiento de oclusión en la glotis, con apóstrofo: *t', k', ch'*.

En los guaranismos se sigue la ortografía oficial paraguaya.

En araucano se usa el signo ŋ para la nasal velar que corresponde a la pronunciación española de *n* ante velar y la ə, (*e* invertida) la vocal central del araucano.

TABULA GRATULATORIA

A la confección e impresión del presente DICCIONARIO, han contribuido de modo muy generoso, con importantes aportaciones, las siguientes entidades:

ALUMINIO ESPAÑOL, S. A.
BANCO DE BILBAO
BANCO CENTRAL
BANCO DE ESPAÑA
BANCO ESPAÑOL DE CRÉDITO (Banesto)
BANCO EXTERIOR
BANCO HISPANO AMERICANO
BANCO PACÍFICO (Ecuador)
BANCO POPULAR
BANCO DE SANTANDER
BANCO ZARAGOZANO
CAJA DE AHORROS DE MADRID
CAMPSA, S. A.
CARBUROS METÁLICOS, S. A.
EL CORTE INGLÉS, S. A.
ESPASA CALPE, S. A.
FERROVIAL, S. A.
FUNDACIÓN ALFREDO FORTABAT (República Argentina)
IBERDUERO, S. A.
IBERIA, S. A.
IBM, S. A.
LA CAIXA
OSBORNE, S. A.
PETRÓLEOS DEL MEDITERRÁNEO, S. A. (Petromed)
TABACALERA, S. A.
UNIÓN ELÉCTRICA FENOSA, S. A.

Las siguientes personas y organismos integran, al cerrar esta edición,

LA ASOCIACIÓN DE AMIGOS DE LA REAL ACADEMIA ESPAÑOLA

ABELLA MARTÍN, CARLOS
ABELLA Y RAMALLO, CARLOS
AGENCIA EFE
AGENCIA ESPAÑOLA DE COOPERACIÓN INTERNACIONAL
AGUIRRE ALONSO-ALLENDE, EDUARDO
ALDEASA
ALFARO, JOSÉ MARÍA
ALLUÉ, MIGUEL
ÁLVAREZ RENDUELES, JOSÉ RAMÓN
ARIZA VIGUERA, MANUEL
ARMAS AYALA, ALFONSO
AROCA GONZÁLEZ, JUAN GUALBERTO
ASOCIACIÓN CULTURAL «MIGUEL DE CERVANTES»
ATIENZA, RAFAEL
AUXINI
BANCA CATALANA
BANCAJA
BANCO BILBAO VIZCAYA
BANCO CENTRAL
BANCO COMERCIAL ESPAÑOL
BANCO COMERCIAL TRANSATLÁNTICO
BANCO DE COMERCIO
BANCO DE ESPAÑA
BANCO ESPAÑOL DE CRÉDITO (Banesto)
BANCO DE EUROPA
BANCO EXTERIOR DE ESPAÑA
BANCO HISPANO AMERICANO
BANCO INDUSTRIAL DE BILBAO
BANCO INDUSTRIAL DE GUIPÚZCOA
BNP ESPAÑA, S. A.
BANCO PASTOR

Banco del Progreso
Banco de Sabadell
Banco Zaragozano
Barandiarán Alday, Guillermo
Battaner Arias, María Paz
Benítez Afonso, Julio José
Benito Jaén, Ángel
Benjumea Llorente, Javier
Blanco Rodríguez, Luisa
Botín, Emilio
El marqués de Bradomín
Broseta Pont, Manuel (†)
Cables y Comunicaciones, S. A.
Cáceres Quintana, Antonio
Caixa de Pensions de Barcelona
Caja de Ahorros de Alicante
Caja de Ahorros de Asturias
Caja de Ahorros Municipal de Burgos
Caja de Ahorros de Cataluña
Caja de Ahorros y Monte de Piedad del Círculo Católico de Burgos
Caja de Ahorros y Monte de Piedad de Córdoba
Caja de Ahorros de Galicia
Caja de Ahorros de la Inmaculada
Caja de Ahorros y Monte de Piedad de Madrid
Caja de Ahorros del Mediterráneo
Caja de Ahorros de Murcia
Caja de Ahorros de Salamanca y Soria
Caja de Ahorros de Santander y Cantabria
Caja de Ahorros y Monte de Piedad de Segovia
Caja de Ahorros y Monte de Piedad de Vigo
Caja General de Ahorros de Canarias
Caja Postal de Ahorros
Calvo Andaluz, Luis (†)
Cámara del Libro de Madrid
Caprile Stucchi, Mario
Carvajal y Urquijo, Jaime
Caso González, José
Castillo Puche, José Luis
Cetesa
Círculo de Lectores
Coca-Cola España, S. A.
Codón, José María
Colegio Universitario «Domingo del Soto»
Concejo Álvarez, José María
Confederación Española de Cajas de Ahorro
Compañía Sevillana de Electricidad
Chavarri Poveda, Gabriel
Chueca Goitia, Fernando
Delclaux Barrenechea, Gabriel
Díaz González, Joaquín
Díez Picazo, Luis
Dragados y Construcciones, S. A.
Editorial Alhambra, S. A.
El Corte Inglés, S. A.
Espasa Calpe, S. A.
Elzaburu, Fernando de
Fabregat Piferrer, José María
Fernández Araoz Alejandro
Fernández Jardón, Francisco
Fernández-Lerga Garralda, Carlos
Fernández-Shaw, Carlos
Filgueira Valverde, José
Fuente Gómez, Luis de la
García-Diego, Begoña
García Diego, José A.
García Hernández, José E.
González Más, Rafael
González del Valle, Martín
Grau Morancho, Ramiro
Hernández Mostajo, Ángel
Herrero Garralda, Ignacio
Hidroeléctrica del Cantábrico, S. A.
Hurtado de Saracho, Francisco
Ibercaja
Iberduero, S. A.
IBM, S. A. E.
Igna Ben, E. (†)
Intelsa
La Cellophane Española, S. A.
Lamana de Hoyos, Luis
Lozano Escribano, Tomás
Marañón Moya, Carmen
Márquez Balín, Manuel
Martín Retortillo, Sebastián
Martín Villa, Rodolfo
Martínez Álvarez, José Antonio
Martínez Campos, Carlos
Mayor Zaragoza, Federico
Menchaca Careaga, Antonio
Morales, Mario

MOYA HUERTAS, ROSA
MUÑOZ SÁNCHEZ, RAMÓN
ORTIZ ARMENGOL, PEDRO
PANTOJA, TOMÁS
PAVÓN MOLINO, MARIANELA
PÉREZ-ORDOYO CILLERO, LUIS
PÉREZ HAMILTON, CARLOS R.
PHILLIPS IBÉRICA, S. A.
PITTALUGA JIMÉNEZ, CARLOS
PREVISIÓN ESPAÑOLA, S. A.
RAMOS PÉREZ, VICENTE
RICO-AVELLO, ELISA
RUIZ-JIMÉNEZ CORTÉS, JOAQUÍN
SAAVEDRA ACEVEDO, JERÓNIMO
SALCEDO HIERRO, MIGUEL
SALIDO MARTÍN, M.ª CARMEN
SALVAT EDITORES, S. A.
SÁNCHEZ ALCÁNTARA, RAMÓN
SÁNCHEZ ASIAÍN, JOSÉ ÁNGEL
SANCHO LLERANDI, PEDRO
SANTILLANA S. A. EDICIONES
S. M. EDICIONES
SERNA, ALFONSO DE LA
SERRA SANTAMANS, ANTONIO
SERRANO DE HARO, ANTONIO
SINTEL, S. A.
SOLA MORALES, JAVIER
SOLER GIMENO, AMPARO
SOPENA RAMÓN
SOTO BASIL, EULOGIO DEL
TABACALERA, S. A.
EL MARQUÉS DE TAMARÓN
TELEFÓNICA DE ESPAÑA, S. A.
TELETTRA ESPAÑOLA, S. A.
TELEVISIÓN ESPAÑOLA
TOLEDANO BENZAQUEN, SAMUEL
UNICAJA
UNIÓN ELÉCTRICA FENOSA
UNIVERSIDAD DE GRANADA
VEGA DÍAZ, FRANCISCO
YBARRA CHURRUCA, EMILIO
ZAERA SÁNCHEZ, SALVADOR
ZARRALUQUI SÁNCHEZ-EZNARRIAGA, LUIS
ZUBIRIA, IGNACIO
ZUMEL, MARIANO F.

El DICCIONARIO es, como siempre, resultado del trabajo colectivo de las Comisiones y Plenos de la Real Academia, con la colaboración auxiliar de diversos filólogos *, que han ultimado la preparación del texto para la imprenta bajo la dirección inmediata de varios señores Académicos, entre los que, por su asiduidad, aplicada a la revisión de las palabras que comienzan por las iniciales A-D, merece especial mención don Emilio Lorenzo Criado.

La Real Academia Española desea dejar pública constancia de su gratitud a todos ellos.

---

* ARÁNGUEZ OTERO, JOSÉ MARÍA
ARÁNGUEZ OTERO, SOLEDAD
CAMACHO CAMACHO, JOSÉ ANTONIO
CARBALLO SANCHIZ, M.ª CARMEN
CASTILLO PEÑA, M.ª CARMEN
CIANCA AGUILAR, ELENA
FERNÁNDEZ ALONSO, SILVIA
GALÁN IZQUIERDO, GUADALUPE
GARCÍA GARCÍA, ELENA
GARCÍA PAREJO, ISABEL
GAVILANES FRANCO, EMILIO V.
GONZÁLEZ PÉREZ, ROSARIO
MAGRINYÀ BOSCH, LUIS
MANCERAS MADROÑAL, EVA MARÍA
MANSO DE FRUTOS, LAURA
MONTÉS GERMÁN, MONTSERRAT
PALACIOS FACI, MARÍA TERESA
PARDOS MARTÍNEZ, FERNANDO
PASTOR PLATERO, EMILIO
PERNAS IZQUIERDO, PALOMA
RECONDO IRIBARREN, ENRIQUE
RODRÍGUEZ FERNÁNDEZ, ANA MARÍA
ROZAS BRAVO, JOSÉ LUIS
TOVAR LARRUCEA, CONSUELO

ABREVIATURAS EMPLEADAS EN ESTE DICCIONARIO

a. antes.
a. al. alto alemán.
a. al. ant. alto alemán antiguo.
a. al. med. alto alemán medio.
abl. ablativo.
Abrev., abrev. Abreviación
acep., aceps. acepción, acepciones.
acus. acusativo.
Acúst. *Acústica.*
adj. adjetivo.
Adm. *Administración.*
adv. adverbio *o* adverbial.
adv. afirm. adverbio de afirmación.
adv. c. adverbio de cantidad.
adv. correlat. cant. adverbio correlativo de cantidad.
advers. adversativo *o* adversativa.
adv. interrog. l. adverbio interrogativo de lugar.
adv. l. adverbio de lugar.
adv. m. adverbio de modo.
adv. neg. adverbio de negación.
adv. ord. adverbio de orden.
adv. prnl. excl. adverbio pronominal exclamativo.
adv. relat. cant. adverbio relativo de cantidad.
adv. relat. l. adverbio relativo de lugar.
adv. t. adverbio de tiempo.
Aer. *Aeronáutica.*
Agr. *Agricultura.*
Agrim. *Agrimensura.*
al. alemán.
Ál. *Álava.*
Albac. *Albacete.*
Albañ. *Albañilería.*
Álg. *Álgebra.*
Alic. *Alicante.*
Alm. *Almería.*
al. mod. alemán moderno.
Alq. *Alquimia.*
amb. ambiguo.
Amér. *América.*
Amér. Merid. *América Meridional.*
Anat. *Anatomía.*
And. *Andalucía.*

ant. anticuado, anticuada, antiguo, antigua.
Ant. *Antillas.*
ant. fr. antiguo francés
antífr. antífrasis.
Antrop. *Antropología.*
Apl. Aplicado.
Apl. a pers., ú. t. c. s. Aplicado a persona, úsase también como sustantivo.
apóc. apócope.
aprox. aproximadamente.
ár. árabe.
Ar. *Aragon.*
arag. aragonés.
arauc. araucano.
arc. arcaico *o* arcaica.
Arg. o *Argent.* *República Argentina.*
Arit. *Aritmética.*
Arq. *Arquitectura.*
Arq. Naval *Arquitectura Naval.*
Arqueol. *Arqueología.*
art. artículo.
Art. *Artillería.*
Art. y Of. *Artes y Oficios.*
ast. asturiano.
Ast. *Asturias.*
Astrol. *Astrología.*
Astron. *Astronomía.*
aum. aumentativo.
Automov. *Automovilismo.*
Áv. *Ávila.*
Aviac. *Aviación.*
Bad. *Badajoz.*
b. al. bajo alemán.
b. al. med. bajo alemán medio.
Barc. *Barcelona.*
B. Art. *Bellas Artes.*
b. bret. bajo bretón.
berb. *o* berber. berberisco.
Bibliogr. *Bibliografía.*
Biol. *Biología.*
Bioquím. *Bioquímica.*
Blas. *Blasón.*

b. lat. bajo latín.
Bol. *Bolivia.*
Bot. *Botánica.*
Brom. *Bromatología.*
burg. burgalés.
Burg. *Burgos.*
c. como.
Các. *Cáceres.*
Cád. *Cádiz.*
Caligr. *Caligrafía.*
Can. *Canarias.*
Cant. *Cantería.*
Carp. *Carpintería.*
cast. castellano.
Cast. *Castilla.*
cat. catalán.
Cat. *Cataluña.*
Catóp. o *Catóptr.* *Catóptrica.*
célt. céltico.
celtolat. celtolatino.
Cerraj. *Cerrajería.*
Cetr. *Cetrería.*
Cf., cf. confer (Voz lat.: *compárese.)*
Cineg. *Cinegética.*
Cinem. *Cinematografía.*
Cir. *Cirugía.*
Col. *Colombia.*
colect. colectivo.
coloq. coloquial.
com. sustantivo común de dos.
Com. *Comercio.*
comp. comparativo *o* comparativa.
Comunic. *Comunicación.*
conc. concesivo *o* concesiva.
cond. condicional.
conj. conjunción.
Contracc. Contracción.
copul. copulativo *o* copulativa.
Córd. *Córdoba.*
corrup. corrupción.
Cosmogr. *Cosmografía.*
C. Real *Ciudad Real.*
C. Rica *Costa Rica.*
Cronol. *Cronología.*
Cuen. *Cuenca.*
d. diminutivo.
dat. dativo.
defect. verbo defectivo.
Del m. or. Del mismo origen.
Dep. *Deportes.*
der. derivado.
Der. *Derecho.*
despect. despectivo *o* despectiva.
desus. desusado *o* desusada.
deter. determinado.
Dial. *Dialéctica.*
dialect. dialectal.
Dióp. o *Dióptr.* *Dióptrica.*
distrib. distributivo *o* distributiva.
disyunt. disyuntivo *o* disyuntiva.
Ecol. *Ecología.*
Econ. *Economía.*
Ecuad. *Ecuador.*
Electr. *Electricidad.*
Electromagn. *Electromagnetismo.*
Electrón. *Electrónica.*
elem. compos. elemento compositivo.
El Salv. *El Salvador.*
Embriol. *Embriología.*
Encuad. *Encuadernación.*
Entom. *Entomología.*
Equit. *Equitación.*
Esc. *Escultura.*
escand. escandinavo.
Esgr. *Esgrima.*
Esp. *España.*
esp. español.
Estad. *Estadística.*
Estát. *Estática.*
etim. etimología.
etim. disc. etimología discutida.
Etnogr. *Etnografía.*
Etnol. *Etnología.*
excl. exclamativo, exclamativa.
exclam. exclamación.
explet. expletivo *o* expletiva.
expr. expresión.
expr. elipt. expresión elíptica.
Extr. *Extremadura.*
f. sustantivo femenino.
fam. familiar.
Farm. *Farmacia.*
Ferr. *Ferrocarriles.*
fest. festivo *o* fiesta.
fig. figurado *o* figurada.
Filat. *Filatelia.*
Fil. *Filosofía.*
Filip. *Filipinas.*
Filol. *Filología.*
Fís. *Física.*
Fisiol. *Fisiología.*
flam. flamenco.
Fon. *Fonética, Fonología.*
Fort. *Fortificación.*
Fotogr. *Fotografía.*
fr. francés.

fr. v.	frase verbal.
fr., frs.	frase, frases.
fr. proverb.	frase proverbial.
frec. *o* frecuent.	verbo frecuentativo.
Fren.	*Frenología.*
fut.	futuro.
gaél.	gaélico.
Gal.	*Galicia.*
gall.	gallego.
gén.	género.
Geneal.	*Genealogía.*
genit.	genitivo.
Geod.	*Geodesia.*
Geofís.	*Geofísica.*
Geogr.	*Geografía.*
Geol.	*Geología.*
Geom.	*Geometría.*
Geomorf.	*Geomorfología.*
ger.	gerundio.
germ.	germánico.
Germ.	*Germanía.*
Ginecol.	*Ginecología.*
Gnom.	*Gnomónica.*
gót.	gótico.
gr.	griego.
gr. mediev.	griego medieval.
Grab.	*Grabado.*
Gram.	*Gramática.*
Gran.	*Granada.*
grecolat.	grecolatino.
Guad. o *Guadal.*	*Guadalajara.*
Guat.	*Guatemala.*
Guay.	*Guayaquil.*
Guin. Ecuat.	*Guinea Ecuatorial.*
Guip.	*Guipúzcoa.*
hebr.	hebreo.
Hidrául.	*Hidráulica.*
Hidrom.	*Hidrometría.*
Hig.	*Higiene.*
hisp.-ár.	hispano-árabe.
hisp.	hispánico.
Hist.	*Historia.*
Hist. Nat.	*Historia Natural.*
Histol.	*Histología.*
hol.	holandés.
Hond.	*Honduras.*
ibér.	ibérico.
ilat.	ilativo *o* ilativa.
imper. *o* imperat.	imperativo.
impers.	verbo impersonal.
Impr.	*Imprenta.*
incoat.	verbo incoativo.
indef.	indefinido.
indet.	indeterminado.
indic.	indicativo.
Indum.	*Indumentaria.*
infinit.	infinitivo.
infl.	influido, influencia.
Inform.	*Informática.*
Ingen.	*Ingeniería.*
ing.	inglés.
ing. ant.	inglés antiguo.
ing. med.	inglés medio.
intens.	intensivo.
interj.	interjección *o* interjectiva.
interrog.	interrogativo, interrogativa.
intr.	verbo intransitivo.
inus.	inusitado *o* inusitada.
invar.	invariable.
irl.	irlandés.
irón.	irónico *o* irónica.
irreg.	irregular.
it.	italiano *o* italiana.
iterat.	iterativo.
jap.	japonés.
Jerig.	*Jerigonza.*
Joy.	*Joyería.*
lat.	latín *o* latina.
lat. cient.	latín científico.
lat. mediev.	latín medieval.
leon.	leonés.
Lev.	*Levante.*
Ling.	*Lingüística.*
Lit.	Literalmente.
Lit.	*Literatura.*
Litur.	*Liturgia.*
loc.	locución.
loc. adj.	locución adjetiva.
loc. adv.	locución adverbial.
loc. adv. interrog.	locución adverbial interrogativa.
loc. conjunt.	locución conjuntiva.
loc. conjunt. advers.	locución conjuntiva adversativa.
loc. conjunt. condic.	locución conjuntiva condicional.
loc. interj.	locución interjectiva.
loc. prepos.	locución prepositiva.
Lóg.	*Lógica.*
m.	sustantivo masculino.
m. y f.	sustantivo masculino y femenino.
Magn.	*Magnetismo.*
Mál.	*Málaga.*
Mar.	*Marina.*
Mat.	*Matemáticas.*
Mec.	*Mecánica.*
Med.	*Medicina.*
Méj.	*Méjico.*
mejic.	mejicano.

Metal. *Metalurgia.*
Metapl. Metaplasmo.
Metát. Metátesis.
Meteor. *Meteorología.*
Métr. *Métrica.*
Metr. *Metrología.*
Microbiol. *Microbiología.*
Mil. *Milicia.*
Min. *Minería.*
Mineral. *Mineralogía.*
Míst. *Mística.*
Mit. *Mitología.*
mod. moderno.
Mont. *Montería.*
m. or. mismo origen.
mozár. mozárabe.
Murc. *Murcia.*
Mús. *Música.*
n. neutro.
Náut. *Náutica.*
Nav. *Navarra.*
neerl. neerlandés.
neerl. med. neerlandés medio.
neg. negación.
negat. negativo *o* negativa.
Neol. *Neologismo.*
Nicar. *Nicaragua.*
nominat. nominativo.
nórd. nórdico.
n. p. nombre propio.
núm., núms. número, números.
Numism. *Numismática.*
Obst. *Obstetricia*
Occ. Pen. *Occidente Peninsular.*
occit. occitano.
Oceanogr. *Oceanografía.*
onomat. onomatopeya.
Ópt. *Óptica.*
Orfebr. *Orfebrería.*
Orn. *Ornitología.*
or. inc. origen incierto.
Or. Pen. *Oriente Peninsular.*
Ortogr. *Ortografía.*
Ortop. *Ortopedia.*
p. participio.
p. a. participio activo.
P. Vasco *País Vasco.*
Pal. *Palencia.*
Paleog. *Paleografía.*
Paleont. *Paleontología.*
Pan. *Panamá.*
Par. *Paraguay.*
part. comp. partícula comparativa.
part. conjunt. partícula conjuntiva.
part. insep. partícula inseparable.
Pat. *Patología.*
Pedag. *Pedagogía.*
pers. persona.
Persp. *Perspectiva.*
p. f. participio de futuro.
p. f. p. participio de futuro pasivo.
Pint. *Pintura.*
pl. plural.
poét. poético *o* poética.
Polít. *Política.*
pop. popular.
Por antonom. Por antonomasia.
Por ej. Por ejemplo.
Por excel. Por excelencia.
Por ext. Por extensión.
port. portugués.
p. p. participio pasivo.
pref. prefijo.
Prehist. *Prehistoria.*
prep. preposición.
prep. insep. preposición inseparable.
pres. presente.
pret. pretérito.
P. Rico *Puerto Rico.*
priv. *o* privat. privativo *o* privativa.
prnl. pronominal.
pron. pronombre.
pron. correlat. cant. pronombre correlativo de cantidad.
pron. dem. pronombre demostrativo.
pron. excl. pronombre exclamativo.
pron. interrog. pronombre interrogativo.
pron. pers. pronombre personal.
pron. poses. pronombre posesivo.
pron. relat. pronombre relativo.
pron. relat. cant. pronombre relativo de cantidad.
pronun. and. pronunciación andaluza.
pronun. esp. pronunciación española.
Pros. *Prosodia.*
prov. provenzal.
Psicoanál. *Psicoanálisis.*
Psicol. *Psicología.*
Psiquiat. *Psiquiatría.*
p. us. poco usado *o* usada.
Quím. *Química.*
Radio. *Radiodifusión.*
R. de la Plata. *Río de la Plata.*
ref., refs. refrán, refranes.
reg. regular.
regres. regresivo.
Rel. *Religión.*

Reloj.	*Relojería.*
Ret.	*Retórica.*
rioj.	riojano.
rur.	rural.
rúst.	rústico.
s.	sustantivo.
S.	siglo.
Sal.	*Salamanca.*
sánscr.	sánscrito.
sant.	santanderino.
Seg.	*Segovia.*
sent.	sentido.
separat.	separativo *o* separativa.
Sev.	*Sevilla.*
Simb.	Símbolo.
sing.	singular.
Sociol.	*Sociología.*
Sor.	*Soria.*
Sto. Dom.	*Santo Domingo.*
subj.	subjuntivo.
suf.	sufijo.
sup., superl.	superlativo.
t.	temporal, tiempo.
Taurom.	*Tauromaquia.*
tecn.	tecnicismo.
Tecnol.	*Tecnología.*
Telec.	*Telecomunicación.*
Teol.	*Teología.*
Ter.	*Teruel.*
Terap.	*Terapéutica.*
term.	terminación.
teutón.	teutónico.
t. f.	terminación femenina.
Tint.	*Tintorería.*
Tol.	*Toledo.*
Topogr.	*Topografía.*
tr.	verbo transitivo.
Trig. o *Trigon.*	*Trigonometría.*
TV.	*Televisión.*
Urb.	*Urbanismo.*
Ú. *o* ú.	Úsase.
Ú. c. s. m.	Úsase como sustantivo masculino.
Ú. m.	Úsase más.
Ú. m. con neg.	Úsase más con negación.
Ú. m. c. prnl.	Úsase más como pronominal.
Ú. m. c. s.	Úsase más como sustantivo.
Ú. m. en pl.	Úsase más en plural.
Urb.	*Urbanismo.*
Urug.	*Uruguay.*
Usáb. *o* usáb.	Usábase.
Ú. t. c. abs.	Úsase también como absoluto.
Ú. t. c. adj.	Úsase también como adjetivo.
Ú. t. c. intr.	Úsase también como intransitivo.
Ú. t. c. prnl.	Úsase también como pronominal.
Ú. t. c. s.	Úsase también como sustantivo.
Ú. t. c. s. com.	Úsase también como sustantivo común.
Ú. t. c. s. f.	Úsase también como sustantivo femenino.
Ú. t. c. s. m.	Úsase también como sustantivo masculino.
Ú. t. c. tr.	Úsase también como transitivo.
Ú. t. en pl.	Úsase también en plural.
Ú. t. en sing.	Úsase también en singular.
V.	Véase.
Val.	*Valencia.*
Vall. o *Vallad.*	*Valladolid.*
vasc.	vascuence.
Venez.	*Venezuela.*
Veter.	*Veterinaria.*
v. gr.	verbi gratia.
visigót.	visigótico.
Viz. o *Vizc.*	*Vizcaya.*
vocat.	vocativo.
Vol.	*Volatería.*
vulg.	vulgar.
zam.	zamorano.
Zam.	*Zamora.*
Zar.	*Zaragoza.*
Zool.	*Zoología.*
Zoot.	*Zootecnia.*
*	Signo que precede a una forma hipotética en las etimologías.

DICCIONARIO
DE LA
LENGUA ESPAÑOLA

TOMO I

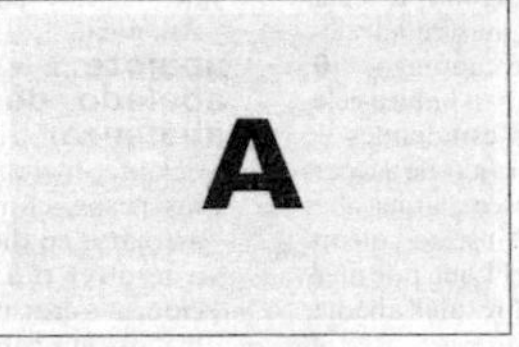

a[1]. f. Primera letra del abecedario español. Corresponde a la vocal más perceptible del sistema vocálico español. Pronúnciase con los labios más abiertos que en las demás vocales y con la lengua extendida en el hueco de la mandíbula inferior y un poco elevada por la mitad del dorso hacia el centro del paladar. Su sonido tiene de ordinario un timbre medio, ni palatal ni velar. ‖ **2.** *Dial.* Signo de la proposición universal afirmativa. ‖ **a por a y b por b.** loc. adv. fig. **punto por punto.**

a[2]. (Del lat. *ad.*) prep. Precede a determinados complementos verbales como el complemento indirecto y el complemento directo cuando este es de persona determinada o está de algún modo personificado. *Legó su fortuna* A *los pobres; respeta* A *los ancianos; el gato persigue* A *un ratón.* ‖ **2.** Precede al infinitivo regido por un verbo que indica el comienzo, aprendizaje, intento, logro, mantenimiento o finalidad de la acción. *Empezar* A *correr; enseñar* A *leer; disponerse* A *escapar.* ‖ **3.** Precede al complemento de nombres y verbos de percepción y sensación, para precisar la sensación correspondiente. *Sabor* A *miel; huele* A *chamusquina.* ‖ **4.** Precede al complemento nominal o verbal que es régimen de ciertos verbos. *Condenar* A *muerte; jugar* A *las cartas.* ‖ **5.** Precede al complemento de algunos adjetivos. *Suave* A*l tacto; propenso* A *las enfermedades.* ‖ **6.** Indica la dirección que lleva o el término a que se encamina alguna persona o cosa. *Voy* A *Roma,* A *palacio; estos libros van dirigidos* A *tu padre;* se usa en frases elípticas imperativas, como ¡A *la cárcel!,* ¡A *comer!* ‖ **7.** Precisa el lugar o tiempo en que sucede alguna cosa. *Le cogieron* A *la puerta; firmaré* A *la noche.* ‖ **8.** Indica, así mismo, la situación de personas o cosas. A *la derecha del director;* A *oriente,* A *occidente.* ‖ **9.** Designa el intervalo de lugar o de tiempo que media entre una cosa y otra. *De calle* A *calle; de once* A *doce del día.* ‖ **10.** Denota el modo de la acción. A *pie,* A *caballo,* A *mano,* A *golpes.* ‖ **11.** Precede a la designación del precio de las cosas. A *veinte reales la vara;* A *cincuenta la fanega.* ‖ **12.** Indica distribución o cuenta proporcional. *Dos* A *dos,* A *tres por ciento.* ‖ **13.** Expresa igualmente comparación o contraposición entre dos personas o conceptos. *Va mucho de Antonia* A *Manuela, de recomendar una cosa* A *mandarla.* ‖ **14.** Precediendo a tiempos de infinitivo en expresiones de sentido condicional, equivale a la conj. *si* con indicativo o subjuntivo. A *decir verdad;* A *saber yo que había de venir.* ‖ **15. ante.** A *la vista.* ‖ **16. con.** *Quien* A *hierro mata,* A *hierro muere.* ‖ **17. hacia.** *Se fue* A *ellos como un león.* ‖ **18. hasta.** *Pasó el río con el agua* A *la cintura.* ‖ **19. junto a.** A *la orilla del mar.* ‖ **20. para.** A *beneficio del público.* ‖ **21. por.** A *instancias mías.* ‖ **22. según.** A *fuero de Aragón;* A *lo que parece;* A *la moda.* ‖ **23.** Da principio a muchas locuciones adverbiales. A *bulto,* A *oscuras,* A *tientas,* A *regaña dientes,* A *todo correr.* ‖ **24.** Precede a la conj. *que* en fórmulas interrogativas con una idea implícita de apuesta o desafío. ¡A QUE *no te atreves!;* ¿A QUE *no lo sabes?*

a-[1]. (Del lat. *ad-.*) Prefijo sin significación precisa: A*matar,* A*sustar,* A*venar.*

a-[2]. (Del gr. ἀ, priv.) Prefijo que denota privación o negación. A*cromático,* A*teísmo.* Ante vocal toma la forma **an-:** AN*estesia,* AN*orexia.*

aarónico, ca. adj. Perteneciente a Aarón.

aaronita. adj. Descendiente de Aarón. Ú. t. c. s. ‖ **2.** Perteneciente o relativo a Aarón.

ab. (Del lat. *ab.*) prep. lat. que solo se emplea en algunas frases latinas introducidas en nuestro idioma, como AB *initio,* AB *aeterno,* AB *irato,* AB *ovo.*

¡aba! (Del gr. ἄπαγε, a través del lat. *apăge,* quita, aparta.) interj. ant. y dialect. ¡Cuidado!

ababa. (der. regres. de *ababol.*) f. **ababol,** amapola.

ababillarse. prnl. *Chile.* Enfermar de la babilla un animal.

ababol. (Del lat. *papāver,* a través del mozár. *hababáura.*) m. **amapola.** Ú. m. en regiones del Oriente de la Península. ‖ **2.** fig. Persona distraída, simple, abobada. U. m. en Aragón y Navarra.

abacá. (De or. tagalo.) m. Planta de la familia de las musáceas, de unos tres metros de altura, que se cría en Filipinas y otros países de Oceanía, y de cuyas hojas se saca un filamento textil. ‖ **2.** Filamento de esta planta preparado para la industria. ‖ **3.** Tejido hecho con este filamento.

abacal. adj. *Filip.* Perteneciente o relativo al abacá. ‖ **2.** m. Terreno donde se cría el abacá.

abacalero, ra. adj. *Filip.* **abacal.** ‖ **2.** m. y f. *Filip.* Persona que cultiva, comercia o trafica en abacá.

abacería. (De *abacero.*) f. Puesto o tienda donde se venden al por menor aceite, vinagre, legumbres secas, bacalao, etc.

abacero, ra. (Del ár. vulg. esp. **jabbázair,* de *jabbāz,* pan, y *-air,* lat. *-arius.*) m. y f. Persona que tiene abacería.

abacial. (Del b. lat. *abbaciālis.*) adj. Perteneciente o relativo al abad, a la abadesa o a la abadía.

ábaco. (Del gr. ἄβαξ, a través del lat. *abăcus.*) m. Cuadro de madera con diez cuerdas o alambres paralelos y en cada uno de ellos otras tantas bolas móviles, usado en las escuelas para enseñar a los niños los rudimentos de la aritmética, y en algunos países para ciertas operaciones elementales en el comercio. ‖ **2.** Por ext., todo instrumento que sirve para efectuar manualmente cálculos aritméticos mediante marcadores deslizables. ‖ **3. nomograma.** ‖ **4.** Tablero o plancha en general, especialmente el decorativo en muebles, techos, etc. ‖ **5.** ant. Tablero de ajedrez. ‖ **6.** *Arq.* Parte superior en forma de tablero que corona el capitel. ‖ **7.** *Min.* Artesa que se usa en las minas para lavar los minerales, especialmente los de oro.

abacora. f. *Ant.* y *Venez.* **albacora**[2].

abacorar. (De *abacora.*) tr. *Ant.* y *Venez.* Hostigar, perseguir. ‖ **2.** *Amér.* Acaparar.

abad. (Del arameo *abba,* padre, a través del gr. ἀββᾶς y del lat. *abbas, -ātis.*) m. Superior de un monasterio de hombres, considerado abadía. ‖ **2.** En Galicia, Navarra y otras provincias, **cura.** ‖ **3.** desus. Cura o beneficiado elegido por sus compañeros para que los presida en cabildo durante cierto tiempo. ‖ **4.** Dignidad superior de algunas colegiatas. ‖ **5.** En los antiguos cabildos de algunas catedrales, título de una dignidad, ya superior, ya de canónigo. ‖ **6.** Dábase también este nombre a los que usaban hábito eclesiástico o manteo, como los sacerdotes o estudiantes de las universidades. ‖ **7.** p. us. Título honorífico de la persona lega que por derecho de sucesión posee alguna abadía con frutos secularizados. ‖ **8. abadejo,** insecto coleóptero. ‖ **9.** V. **oreja de abad.** ‖ **comendaticio.** El que por merced papal disfrutaba de ciertas rentas sobre una abadía, sin regirla ni residir en ella.

abada. (Del malayo *badaq,* a través del port. *abada.*) f. **rinoceronte.**

abadejo. (Tal vez de *abad.*) m. **bacalao.** ‖ **2.** Nombre común a varios peces del mismo género que el bacalao. ‖ **3. reyezuelo,** pájaro. ‖ **4. carraleja[1],** insecto coleóptero. ‖ **5. cantárida,** insecto coleóptero. ‖ **6.** Pez del mar de las Antillas, de color oscuro y escamas pequeñas y rectangulares.

abadengo, ga. adj. Perteneciente o relativo a la dignidad o jurisdicción del abad. *Tierras* ABADENGAS, *bienes* ABADENGOS. ‖ **2.** m. **abadía,** señorío, territorio y bienes del abad o de la abadesa. ‖ **3.** Poseedor de territorio o bienes **abadengos.** ‖ **4.** V. **bienes de abadengo.**

abadernar. tr. *Mar.* Sujetar con badernas.

abadesa. (Del lat. [s. VI] *abbatissa.*) f. Superiora en ciertas comunidades de religiosas.

abadí. (Del ár. *'abbādī,* patronímico del n. p. *'Abbād.*) adj. Descendiente de Mohámed ben Abbad, fundador del reino de taifas de Sevilla en el siglo XI. Ú. t. c. s. y m. en pl.

abadía. f. Dignidad de abad o de abadesa. ‖ **2.** Iglesia o monasterio regido por un abad o una abadesa. ‖ **3.** Territorio, jurisdicción y bienes o rentas pertenecientes al abad o a la abadesa. ‖ **4.** En algunas provincias, casa del cura. ‖ **5.** Especie de luctuosa que en algunos puntos, especialmente en Galicia, se paga al párroco a la muerte de un feligrés.

abadiado. m. *Ar.* **abadía,** dignidad de abad o de abadesa. ‖ **2.** *Ar.* **abadía,** iglesia o monasterio regido por un abad. ‖ **3.** *Ar.* **abadía,** jurisdicción y territorio perteneciente al abad.

abadiato. m. **abadiado.**

ab aeterno. loc. adv. lat. Desde la eternidad. ‖ **2.** Desde muy antiguo o de mucho tiempo atrás.

abajadero. (De *abajar.*) m. Cuesta, terreno en pendiente.

abajamiento. m. Acción y efecto de abajar. ‖ **2.** ant. Bajeza, abatimiento.

abajar. intr. y tr. **bajar.**

abajeño, ña. (De *abajo.*) adj. *Amér.* Natural o procedente de costas y tierras bajas. Ú. t. c. s. ‖ **2.** *Amér.* Perteneciente o relativo a ellas. ‖ **3.** Natural de El Bajío, región de los Estados mejicanos de Guanajuato, Michoacán y Jalisco. Ú. t. c. s. ‖ **4.** Perteneciente o relativo a ella. ‖ **5.** *Argent.* **sureño.**

abajera. (De *bajero.*) f. *Argent.* **sudadero,** pieza del recado de montar que se pone inmediatamente sobre el lomo de la cabalgadura para protegerlo y absorber el sudor.

abajo. (De *a-*[1] y *bajo.*) adv. l. Hacia lugar o parte inferior. *Echaron la casa* ABAJO. *Se tendió boca* ABAJO. ‖ **2.** En lugar o parte inferior. *Vive* ABAJO, *en el sótano.* ‖ **3.** En lugar posterior, o que está después de otro; pero denotando situación inferior, ya efectiva, ya imaginada. *Del rey* ABAJO *ninguno.* Ú. especialmente en libros o escritos con referencia a lo que en ellos consta más adelante. *El* ABAJO *firmante. Véase* ABAJO, *página 72.* ‖ **4.** En dirección a lo que está más bajo respecto de lo que está más alto. *Cuesta* ABAJO. ‖ **5.** En frases exclamativas, sin verbo, se usa para reclamar la destitución o abolición de una autoridad, una institución, una ley, etc. ¡ABAJO *el dictador!* ¡ABAJO *los impuestos!* ‖ **6. abajo de.** loc. prepos. desus. Debajo de, al pie de. Ú. hoy en el habla coloquial de muchos países de América.

abajote. adv. fam. aum. de **abajo,** en lugar inferior.

abalado, da. p. p. de **abalar.** ‖ **2.** V. **harina abalada.**

abalanzar. (De *a-*[1] y *balanza.*) tr. Impulsar, inclinar hacia delante, incitar. ‖ **2.** desus. Pesar en la balanza. Igualar los pesos, compensar, contrapesar. ‖ **3.** prnl. Lanzarse, arrojarse en dirección a alguien o algo. ‖ **4.** fig. Arrojarse a resolver o a hacer algo sin detenimiento ni consideración, a veces con temeridad. ‖ **5.** *Argent.* y *Urug.* Encabritarse un caballo.

abalar. tr. *Occ. Pen.* **aballar[1].**

abalaustrado, da. adj. **balaustrado.**

abaldonadamente. adv. m. ant. Con arrojo u osadía.

abaldonamiento. (De *abaldonar.*) m. ant. Atrevimiento, osadía.

abaldonar. (De *baldonar,* con probable infl. del ant. fr. *abandonner.*) tr. ant. **envilecer.** Ú. en Asturias. ‖ **2.** desus. Afrentar, ofender. ‖ **3.** ant. Abandonar. Ú. en Salamanca y algunos países de América. ‖ **4.** prnl. ant. Entregarse.

abaleador, ra. m. y f. Persona que abalea[1].

abaleadura. f. Acción y efecto de abalear[1]. ‖ **2.** pl. Granzas o residuos que quedan después de abalear[1].

abalear[1]. (De *a-*[1] y *baleo*[1].) tr. Separar del trigo, cebada, etc., después de aventados, y con escoba a propósito para ello, los granzones y la paja gruesa.

abalear[2]. tr. *Amér.* **balear[3],** disparar con bala sobre alguien o algo; herir o matar a balazos.

abaleo[1]. m. Acción de abalear[1]. ‖ **2.** Escoba con que se abalea[1]. ‖ **3.** Nombre común a varias plantas duras y espinosas de que se hacen escobas para abalear[1].

abaleo[2]. m. *Col.* Acción y efecto de abalear[2].

abalizamiento. m. Acción y efecto de abalizar.

abalizar. tr. *Mar.* Señalar con balizas algún paraje en aguas navegables. ‖ **2.** Señalar con balizas las pistas de los aeropuertos y aeródromos, o las desviaciones en las carreteras. ‖ **3.** prnl. *Mar.* **marcarse,** determinar un buque su situación.

abalorio. (Del ár. *al-ballūrī,* el cristalino.) m. Conjunto de cuentecillas de vidrio agujereadas, con las cuales, ensartándolas, se hacen adornos y labores. ‖ **2.** Cada una de estas cuentecillas.

abaluartar. (De *a-*[1] y *baluarte.*) tr. *Fort.* **abastionar.**

aballar[1]. (De etim. disc.; quizá del lat. *ballāre,* bailar, o del lat. *ad vallem,* hacia el valle.) tr. ant. Mover de un lugar. Usáb. t. c. intr. y c. prnl. Ú. en Asturias y Salamanca. ‖ **2.** ant. Echar abajo, abatir. Ú. en Salamanca. ‖ **3.** desus. Zarandear, sacudir.

aballar[2]. (Del it. *abbagliare,* rebajar.) tr. *Pint.* Amortiguar, desvanecer o esfumar las líneas y colores de una pintura.

aballestar. (De *a-*[1] y *ballesta,* por la manera como se verifica la acción.) tr. *Mar.* Tirar del medio de un cabo ya teso y sujeto por sus extremos, a fin de ponerlo más rígido, cobrando por el extremo que ha de amarrarse lo que con esta operación presta o da de sí.

abanador. (De *abanar.*) m. *And.* y *Can.* Soplillo para avivar la lumbre.

abanar. (Del port. *abanar,* aventar, cribar.) tr. Hacer aire con el abano. ‖ **2.** *And.* y *Can.* Avivar la lumbre con el soplillo.

abancalar. tr. Desmontar un terreno y formar bancales en él.

abanderado, da. p. p. de **abanderar.** ‖ **2.** m. y f. Persona que lleva bandera en las procesiones u otros actos públicos. ‖ **3.** fig. Portavoz o representante de una causa, movimiento u organización. ‖ **4.** m. Oficial designado para llevar la bandera de un cuerpo de tropas que tenga concedido tal honor. ‖ **5.** El que antiguamente servía al alférez para ayudarle a llevar la bandera.

abanderamiento. m. Acción de abanderar o abanderarse.
abanderar. tr. Matricular o registrar bajo la bandera de un Estado un buque de nacionalidad extranjera. Ú. t. c. prnl. ‖ **2.** Proveer a un buque de los documentos que acreditan su bandera. Ú. t. c. prnl. ‖ **3. enarbolar.** ‖ **4.** Ponerse al frente de una causa, movimiento u organización. ‖ **5.** *Argent.* y *Chile.* **abanderizar.** Ú. t. c. prnl.
abanderizador, ra. adj. Que abanderiza. Ú. t. c. s.
abanderizar. tr. Dividir en banderías. Ú. t. c. prnl.
abandonado, da. p. p. de **abandonar.** ‖ **2.** adj. Descuidado, desidioso. ‖ **3.** Sucio, desaseado.
abandonamiento. m. p. us. **abandono,** acción de abandonar.
abandonar. (Del germ. *bann,* orden de castigo, a través del fr. *abandonner.*) tr. Dejar, desamparar a una persona o cosa. ‖ **2.** Dejar alguna cosa emprendida ya; como una ocupación, un intento, un derecho, etc. En juegos y deportes, ú. m. c. intr. *Al tercer asalto,* ABANDONÓ. ‖ **3.** Dejar un lugar, apartarse de él; cesar de frecuentarlo o habitarlo. ‖ **4.** Apoyar, reclinar con dejadez. Ú. m. c. prnl. ‖ **5.** Entregar, confiar algo a una persona o cosa. Ú. m. c. prnl. ‖ **6.** *Der.* Dejar el asegurado por cuenta del asegurador, a consecuencia de determinados accidentes del comercio marítimo, las cosas aseguradas, a fin de obtener el pago del seguro. ‖ **7.** prnl. fig. Dejarse dominar por afectos, pasiones o vicios. ‖ **8.** fig. Descuidar uno sus intereses u obligaciones. ‖ **9.** Descuidar uno su aseo y compostura. ‖ **10.** fig. Caer de ánimo, rendirse en las adversidades y contratiempos.
abandonismo. m. Tendencia a abandonar sin lucha algo que poseemos o nos corresponde.
abandonista. adj. Perteneciente o relativo al abandonismo. *Política* ABANDONISTA. ‖ **2.** Partidario del abandonismo. Ú. t. c. s.
abandono. m. Acción y efecto de abandonar o abandonarse. ‖ **2.** *Der.* Renuncia sin beneficiario determinado, con pérdida del dominio o posesión sobre cosas que recobran su condición de bienes nullíus o adquieren la de mostrencos. ‖ **3.** *Der.* Derecho del asegurado para exigir el pago del asegurador, dejando por cuenta de este las cosas aseguradas, a consecuencia de determinados accidentes del comercio marítimo.
abanear. (De *abano.*) tr. *Gal.* Mover, sacudir.
abanicar. tr. Hacer aire con el abanico. Ú. m. c. prnl. ‖ **2.** *Taurom.* Incitar al toro, agitando ante él el capote de un lado a otro, generalmente para que cambie de lugar en la suerte de varas.
abanicazo. m. Golpe dado con el abanico.
abanico. (d. de *abano.*) m. Instrumento para hacer o hacerse aire. El más común tiene pie de varillas y país de tela, papel o piel, y se abre formando semicírculo. ‖ **2.** fig. Cosa de figura de **abanico,** como la cola del pavo real. ‖ **3.** fig. Serie, conjunto de diversas propuestas, opciones, etc., generalmente para elegir entre ellas. ‖ **4.** fig. y fam. La Cárcel Modelo de Madrid (1876-1939), construida sobre planta de **abanico.** ‖ **5.** fig. y fam. **sable**[1], arma blanca. ‖ **6.** En algunas armaduras antiguas, parte lateral del codal o de la rodillera, en forma de **abanico.** ‖ **7.** *Cuba.* Pieza de madera en forma de **abanico,** con una ranura arqueada en su parte media, por la que corre un listón que remata en disco y sirve, en las vías férreas, para advertir al maquinista el punto en que aquellas se bifurcan y la dirección que por allí ha de seguir el tren. ‖ **8.** *Ecuad.* Utensilio de forma cuadrangular, hecho de esparto o totora, que se usa para avivar el fuego, soplillo. ‖ **9.** *Mar.* Especie de cabria hecha con elementos de a bordo. ‖ **10.** V. **vela**[2] **de abanico.** ‖ **en abanico.** loc. adv. En forma de **abanico.** ‖ **parecer** uno **abanico de tonta.** fr. fig. y fam. p. us. Moverse mucho y sin concierto.
abanillo. (d. de *abano.*) m. desus. **abanico** para hacer aire. ‖ **2.** Adorno de lienzo afollado de que se formaban ciertos cuellos alechugados.
abanino. (d. de *abano.*) m. desus. Adorno de gasa u otra tela blanca con que ciertas damas de la corte guarnecían el escote del jubón.
abaniqueo. m. Acción de abanicar o abanicarse.
abaniquería. (De *abaniquero.*) f. Fábrica o tienda de abanicos.
abaniquero, ra. m. y f. Persona que hace o vende abanicos.
abano. (De *abanar.*) m. p. us. **abanico** para hacer aire. ‖ **2.** p. us. Aparato en forma de abanico que, colgado del techo, sirve para hacer aire.
abanto. m. Ave rapaz semejante al buitre, pero más pequeña, con la cabeza y cuello cubiertos de pluma, y el color blanquecino. Es muy tímida y perezosa, se alimenta de sustancias animales descompuestas, vive ordinariamente en el África septentrional y pasa en verano a Europa. ‖ **2.** Por ext., cualquier otra ave de la familia de los buitres. ‖ **3.** adj. Dícese del hombre aturdido y torpe. ‖ **4.** Dícese del toro que al empezar la lidia parece aturdido.
abañador, ra. m. y f. *Seg.* Persona que abaña.
abañadura. f. Acción de abañar.
abañar. (Del lat. **evannāre,* de *vannus,* cribo.) tr. *Burg.*, *Cantabria, Pal.* y *Seg.* Seleccionar la simiente sometiéndola a un cribado especial.
abarajar. (De *barajar.*) tr. *Argent., Par.* y *Urug.* Recoger o recibir en el aire una cosa, parar en el aire un golpe. Ú. t. en sent. fig., refiriéndose a palabras o intenciones.
abarañar. (De *baraño.*) tr. *Sal.* Recoger y colocar ordenadamente los baraños de heno que los guadañeros dejan tendidos en el prado.
abaratamiento. m. Acción y efecto de abaratar.
abaratar. tr. Disminuir o bajar el precio de una cosa, hacerla barata o más barata. Ú. t. c. prnl.
abarbechar. tr. **barbechar.**
abarbetar. tr. *Mil.* Fortificar con barbetas.
abarca. (De or. prerromano.) f. Calzado de cuero crudo que cubre solo la planta de los pies, con reborde en torno, y se asegura con cuerdas o correas sobre el empeine y el tobillo. Hoy se hacen también de caucho. ‖ **2.** En algunas regiones, **zueco**[1], zapato de madera.
abarcable. adj. Que se puede abarcar.
abarcado, da. p. p. de **abarcar,** ceñir. ‖ **2.** adj. Calzado con abarcas.
abarcador, ra. adj. Que abarca. Ú. t. c. s.
abarcadura. f. Acción y efecto de abarcar.
abarcamiento. m. **abarcadura.**
abarcar. (Del lat. **abbracchicāre,* de *brachĭum,* brazo.) tr. Ceñir con los brazos o con la mano alguna cosa. ‖ **2.** Por ext., ceñir, rodear, comprender. ‖ **3.** Contener; implicar o encerrar en sí. ‖ **4.** Percibir o dominar la vista, de una vez, algo en su totalidad. ‖ **5.** Tomar alguien a su cargo muchas cosas o negocios a un tiempo. ‖ **6.** *Amér.* **acaparar.** ‖ **7.** *Ecuad.* Empollar la gallina sus huevos. ‖ **8.** *Mont.* Rodear un trozo de monte en que se supone que está la caza.
abarcón. (De *abarcar.*) m. Aro de hierro que en los coches antiguos afianzaba la lanza dentro de la punta de la tijera.
abarcuzar. tr. *Sal.* **abarcar,** ceñir con los brazos. ‖ **2.** *Sal.* **abarcar,** rodear. ‖ **3.** *Sal.* **abarcar,** encargarse de muchas cosas. ‖ **4.** fig. *Sal.* Ansiar, codiciar.
abareque. m. **albareque.**
abaritonado, da. adj. Dícese de la voz parecida a la del barítono y de los instrumentos cuyo sonido tiene timbre semejante.
abarloar. (De *a-*[1] y *barloa.*) tr. *Mar.* Situar un buque de tal

suerte que su costado esté casi en contacto con el de otro buque, o con una batería, muelle, etc. Ú. t. c. prnl.

abarquero, ra. m. y f. Persona que hace o vende abarcas.

abarquillado, da. p. p. de **abarquillar.** ‖ **2.** adj. De figura de barquillo.

abarquillamiento. m. Acción y efecto de abarquillar o abarquillarse.

abarquillar. tr. Dar a una cosa delgada, como lámina, plancha, papel, etc., forma de barquillo, alabeada o enrollada. Ú. t. c. prnl.

abarracar. intr. *Mil.* Acampar en chozas o barracas. Ú. t. c. prnl.

abarrado, da. adj. **barrado,** dicho del paño defectuoso.

abarraganamiento. (De *abarraganarse.*) m. **amancebamiento.**

abarraganarse. (De *a-*[1] y *barragana.*) prnl. **amancebarse.**

abarrajado, da. p. p. de **abarrajar.** ‖ **2.** adj. *Chile* y *Perú.* Pendenciero, de vida airada. Ú. t. c. s.

abarrajar. tr. Abarrar, atropellar. ‖ **2.** prnl. *Chile* y *Perú.* Encanallarse.

abarramiento. m. desus. Acción y efecto de abarrar.

abarrancadero. m. Sitio donde es fácil abarrancarse. ‖ **2.** fig. Negocio o lance de que no se puede salir fácilmente.

abarrancamiento. m. Acción y efecto de abarrancar o abarrancarse.

abarrancar. tr. Formar barrancos en un terreno la erosión o la acción de los elementos. ‖ **2.** Meter en un barranco. Ú. t. c. prnl. ‖ **3.** intr. **varar,** encallar la embarcación. Ú. t. c. prnl. ‖ **4.** prnl. fig. Meterse en negocio o lance de que no se puede salir fácilmente.

abarrar. tr. desus. Arrojar, tirar violentamente alguna cosa. ‖ **2.** desus. Golpear, apalear.

abarraz. (Del ár. *ḥabb ar-ra's,* semilla o grano de la cabeza.) m. ant. **albarraz**[2]**,** hierba piojera.

abarredera. (De *abarrer.*) f. ant. **barredera.** ‖ **2.** pl. *Albac.* Ganchos para sacar de los pozos cubos o latas.

abarrenar. tr. desus. **barrenar.**

abarrer. (De *a-*[1] y el lat. *verrĕre,* barrer, saquear.) tr. desus. **barrer,** llevárselo todo.

abarrisco. adv. m. **a barrisco.**

abarrotar. (De *barrote.*) tr. Apretar o fortalecer con barrotes alguna cosa. ‖ **2.** Llenar completamente, atestar de géneros u otras cosas una tienda, un almacén, etc. ‖ **3.** Llenar un espacio de personas o cosas. ‖ **4.** *Amér.* Saturar de productos el mercado, de manera que se deprecian por su excesiva abundancia. ‖ **5.** *Mar.* Asegurar la estiba con abarrotes. ‖ **6.** *Mar.* Cargar un buque aprovechando hasta los sitios más pequeños de su bodega y cámaras, y a veces parte de su cubierta.

abarrote. (De *abarrotar.*) m. *Mar.* Fardo pequeño o cuña que sirve para apretar la estiba, llenando sus huecos. ‖ **2.** pl. *Amér.* Artículos de comercio, como comestibles, caldos, cacaos, conservas, papel, etc. ‖ **3.** *Col., Ecuad.,* y *Perú.* Establecimiento donde se venden **abarrotes.**

abarrotero, ra. (De *abarrote.*) m. y f. *Col.* y *Ecuad.* Persona que tiene tienda o despacho de abarrotes.

abarse. (De *¡aba!*) prnl. defect. Apartarse, quitarse del paso, dejar libre el camino. Ú. casi únicamente en el infinitivo y en imperativo.

abasí. (Del ár. *abbāsī,* patronímico del n. p. *Abbās.*) adj. Perteneciente o relativo a la dinastía de Abu-l-Abbás, quien destronó a los califas omeyas de Damasco y trasladó la corte a Bagdad, en el s. VIII. Ú. m. c. s. y en pl.

abastadamente. adv. m. desus. Abundante o copiosamente.

abastamiento. m. desus. **abastecimiento.**

abastante. (De *abastar.*) adj. ant. Bastante o suficiente.

abastanza. (De *abastar.*) f. desus. Copia, abundancia. ‖ **2.** adv. c. desus. **bastantemente.**

abastar. (De *a-*[1] y *bastar*[1].) tr. **abastecer.** Ú. t. c. prnl. ‖ **2.** intr. desus. **bastar**[1]**,** ser suficiente. Ú. hoy en algunas regiones. ‖ **3.** prnl. desus. Satisfacerse o contentarse.

abastardar. (De *bastardo.*) intr. **bastardear.**

abastecedor, ra. adj. Que abastece. Ú. t. c. s.

abastecer. (De *a-*[1] y *bastecer.*) tr. Proveer de bastimentos, víveres u otras cosas necesarias. Ú. t. c. prnl.

abastecimiento. m. Acción y efecto de abastecer o abastecerse.

abastero. (De *abastar.*) m. *Chile.* El que compra reses vivas, destinadas al matadero.

abastimiento. m. desus. **abastecimiento.**

abastionar. tr. *Fort.* Fortificar con bastiones.

abasto. (De *abastar.*) m. Provisión de bastimentos, y especialmente de víveres. Ú. t. en pl. ‖ **2. abundancia.** ‖ **3.** En el arte del bordador, pieza o piezas menos principales de la obra. ‖ **4.** *Nav., Sal.* y *Argent.* Taberna. ‖ **5.** adv. m. desus. Copiosa o abundantemente. Ú. en Salamanca. ‖ **dar abasto.** fr. Dar o ser bastante, bastar, proveer suficientemente. Hoy se usa más con neg.

abatanado, da. p. p. de **abatanar** o abatanarse. ‖ **2.** adj. *Amér.* Dícese del tejido muy compacto o de mucho cuerpo. ‖ **3.** m. Acción y efecto de abatanar.

abatanar. tr. Batir o golpear el paño en el batán para desengrasarlo y enfurtirlo. ‖ **2.** p. us. fig. Batir o golpear de otro modo; maltratar. ‖ **3.** prnl. *Argent., Bol.* y *Méj.* Desgastarse, apelmazarse un tejido por el uso o el lavado.

abatatamiento. m. *Argent., Par.* y *Urug.* Acción y efecto de abatatar o abatatarse.

abatatar. (De *batata.*) tr. *Argent., Par.* y *Urug.* Turbar, apocar, confundir. Ú. m. c. prnl.

abate. (Del it. *abate.*) m. Eclesiástico de órdenes menores, y a veces simple tonsurado, que solía vestir traje clerical a la romana. ‖ **2.** Presbítero extranjero, especialmente francés o italiano, y también eclesiástico español que ha residido mucho tiempo en Francia o Italia. ‖ **3.** Clérigo dieciochesco frívolo y cortesano.

abatí. (Del guaraní *abatí.*) m. *NE. Argent.* y *Par.* **maíz.** ‖ **2.** *Argent.* y *Par.* Bebida alcohólica destilada del maíz.

abatible. adj. Dícese de los objetos que pueden pasar de la posición vertical a la horizontal, o viceversa, haciéndolos girar en torno a un eje o bisagra. *Mesa, cama* ABATIBLE.

abatidero. (De *abatir.*) m. Cauce de desagüe.

abatido, da. p. p. de **abatir.** ‖ **2.** adj. Abyecto, ruin, despreciable. ‖ **3.** Que ha caído de su estimación y precio regular. Dícese de las mercancías.

abatidura. f. ant. Acción de abatirse o caer el ave de rapiña.

abatimiento. m. Acción y efecto de abatir o abatirse. ‖ **2.** Humillación, afrenta o bajeza. ‖ **3.** Postración física o moral de una persona. ‖ **4.** desus. Persona o cosa afrentosa. ‖ **5.** *Mar.* Ángulo que forma la línea de la quilla con la dirección que realmente sigue la nave.

abatir. (De *batir.*) tr. Derribar, derrocar, echar por tierra. Ú. t. c. prnl. ‖ **2.** Hacer que una cosa caiga o descienda. ABATIR *las velas de una embarcación.* Ú. t. en sent. fig. *Roma* ABATIÓ *el poder de Cartago.* ‖ **3.** Inclinar, tumbar, poner tendido lo que estaba vertical. ABATIR *los palos de un buque* o *la chimenea de un vapor.* ‖ **4.** fig. **humillar.** Ú. t. c. prnl. ‖ **5.** fig. Hacer perder el ánimo, las fuerzas, el vigor. Ú. m. c. prnl. ‖ **6.** Desarmar o descomponer alguna cosa. Se usa especialmente hablando de las tiendas de campaña; y en la marina, de la pipería y de los camarotes. ‖ **7.** En determinados juegos de naipes, conseguir la jugada máxima y descubrir el jugador sus cartas, generalmente en forma de abanico sobre la mesa. ‖ **8.** *Geom.* Hacer girar alrededor de su traza un plano secante a otro, hasta superponerlo a este. Ú. t. c. prnl. ‖ **9.** intr. *Mar.* Desviarse un buque de su rumbo a impulso del viento o de una corriente. ‖ **10.** prnl. Descender, precipitarse un ave, un avión, etc., a tierra o sobre una presa. *El cuervo* SE ABATIÓ *sobre una peña. Los bombarderos* SE ABATÍAN *sobre la población.* Ú. t. en sent. fig. *La desgracia* SE ABATIÓ *sobre mí.*

abatismo. m. p. us. Poder de los abates. ‖ **2.** p. us. Conjunto de abates.

abatojar. tr. *Ar.* Batir las alubias u otras legumbres después de secas, para que las vainas suelten el grano. V. **batojar.**

abayado, da. adj. *Bot.* Parecido a la baya.

abazón. m. *Zool.* Cada uno de los dos sacos o bolsas que, dentro de la boca, tienen muchos monos y algunos roedores, para depositar los alimentos antes de masticarlos.

abderitano, na. adj. Natural de Abdera. Ú. t. c. s. ‖ **2.** Perteneciente a una de las dos antiguas ciudades de este nombre: la de España, hoy Adra, o la de Tracia, hoy Balastra.

abdicación. (Del lat. *abdicatio, -ōnis.*) f. Acción y efecto de abdicar. ‖ **2.** Documento en que consta la **abdicación.**

abdicar. (Del lat. *abdicāre.*) tr. Ceder o renunciar a la soberanía de un pueblo; renunciar a otras dignidades o empleos. ‖ **2.** Ceder o renunciar a derechos, ventajas, opiniones, etc. ‖ **3.** desus. Privar a alguien de un estado favorable, de un derecho, facultad o poder. Ú. en Aragón como voz forense.

abdicativamente. adv. m. Por delegación.

abdicativo, va. (Del lat. *abdicativus.*) adj. Perteneciente a la abdicación.

abdomen. (Del lat. *abdōmen.*) m. *Anat.* **vientre,** cavidad del cuerpo de los animales vertebrados y conjunto de los órganos contenidos en ella. En los mamíferos queda limitada por el diafragma. ‖ **2.** *Zool.* Por ext., se llama **abdomen,** o región abdominal, en muchos animales invertebrados, la que sigue al tórax, v. gr., en los insectos. ‖ **3.** Adiposidad, gordura. Vientre del hombre o de la mujer, en especial cuando es prominente.

abdominal. adj. Perteneciente o relativo al abdomen. *Extremidades* ABDOMINALES. ‖ **2.** *Zool.* V. **aorta, malacopterigio abdominal.**

abducción. (Del lat. *abductĭo, -ōnis,* separación.) f. *Dial.* Silogismo cuya premisa mayor es evidente y la menor menos evidente o solo probable. ‖ **2.** Movimiento por el cual un miembro u otro órgano se aleja del plano medio que divide imaginariamente el cuerpo en dos partes simétricas. ABDUCCIÓN *del brazo, del ojo.* ‖ **3.** *Der.* Rapto.

abductor. (Del lat. *abductor, -ōris,* que aparta.) adj. Dícese del músculo capaz de ejecutar una abducción. Ú. t. c. s.

abebrar. (Del lat. **abbiberāre,* de *bibĕre,* beber.) tr. ant. **abrevar.**

abecé. (De *a, b, c.*) m. **abecedario,** serie de las letras. ‖ **2. abecedario,** cartel o librito. ‖ **3.** fig. Rudimentos o principios de una ciencia o facultad, o de cualquier otro orden de conocimientos. ‖ **no entender,** o **no saber, el abecé.** fr. fig. y fam. Ser muy ignorante.

abecedario. (Del lat. *abecedarĭum.*) m. Serie de las letras de un idioma, según el orden en que cada uno de ellos las considera colocadas. ‖ **2.** Cartel o librito con las letras del **abecedario,** que sirve para enseñar a leer. ‖ **3.** Orden alfabético; lista en orden alfabético. ‖ **4.** *Impr.* Orden de las signaturas de los pliegos de una impresión cuando van señalados con letras. ‖ **5. abecé,** rudimentos o principios. ‖ **manual.** Sistema de signos que en equivalencia de las letras del alfabeto se hacen con los dedos de la mano, y que usan principalmente los sordomudos para comunicarse entre sí o con otras personas. ‖ **telegráfico.** Conjunto de signos o cifras que se emplean en la telegrafía.

abedul. (De **betūle* o **betūlus,* variantes del lat. *betūlla,* de or. célt.) m. Árbol de la familia de las betuláceas, de unos diez metros de altura, con hojas pequeñas, puntiagudas y doblemente aserradas o dentadas, y dispuestas en ramillas colgantes que forman una copa de figura irregular que da escasa sombra. Abunda en los montes de Europa, y su corteza, que contiene un aceite esencial, se usa para curtir y aromatizar la piel de Rusia. ‖ **2.** Madera de este árbol.

abeja. (Del lat. *apicŭla.*) f. Insecto himenóptero, de unos 15 milímetros de largo, de color pardo negruzco y con vello rojizo. Vive en colonias, cada una de las cuales consta de una sola hembra fecunda, muchos machos y numerosísimas hembras estériles; habita en los huecos de los árboles o de las peñas, o en las colmenas que el hombre le prepara, y produce la cera y la miel. ‖ **2.** fig. Persona laboriosa y previsora. ‖ **albañila.** Insecto himenóptero que vive apareado y hace para su morada agujeros horizontales en las tapias y en los terrenos duros. ‖ **carpintera.** Himenóptero del tamaño y forma del abejorro, y de color negro morado; fabrica su panal en los troncos secos de los árboles, y de aquí su nombre. Es común en España. ‖ **machiega. abeja neutra** u **obrera.** ‖ **maesa** o **maestra.** Hembra fecunda de las **abejas,** única en cada colmena. ‖ **neutra** u **obrera.** Cada una de las que carecen de la facultad de procrear y producen la cera y la miel. ‖ **reina. abeja maesa** o **maestra.** ‖ **muerta es la abeja que daba la miel y la cera.** fr. p. us. con que se indica haber muerto la persona que atendía a todas nuestras necesidades.

abejar. (De *abeja.*) adj. V. **uva abejar.** ‖ **2.** m. **colmenar.**

abejarrón. (aum. de *abeja.*) m. **abejorro,** insecto. ‖ **2. abejón,** juego.

abejaruco. (De *abeja.*) m. Pájaro del suborden de los sindáctilos, de unos 15 centímetros de longitud, con alas puntiagudas y largas y pico algo curvo, más largo que la cabeza; en su plumaje, de vistoso colorido, dominan el amarillo, el verde y el rojo oscuro. Abunda en España y es perjudicial para los colmenares, porque se come las abejas. ‖ **2.** fig. p. us. Persona noticiera o chismosa.

abejera. (De *abeja.*) f. **colmenar.** ‖ **2. toronjil.**

abejero, ra. (De *abeja.*) m. y f. **colmenero,** que cuida de las colmenas. ‖ **2.** m. **abejaruco,** ave.

abejón. (aum. de *abeja.*) m. **zángano.** ‖ **2. abejorro,** insecto himenóptero. ‖ **3. escarabajo sanjuanero.** ‖ **4.** desus. Juego entre tres sujetos, uno de los cuales, puesto en medio con las manos juntas delante de la boca, hace un ruido semejante al del **abejón,** y entreteniendo así a los otros dos, procura darles bofetadas y evitar las de ellos. ‖ **5.** *C. Rica.* Cualquier insecto coleóptero. ‖ **jugar al abejón con** alguien. fr. fig. y fam. p. us. Tenerle en poco, tratarle con desprecio, burlarse de él.

abejonear. intr. *Sto. Dom.* Zumbar como el abejón.

abejoneo. m. *Sto. Dom.* Acción y efecto de abejonear. *Se oía un* ABEJONEO *en la clase.*

abejorrear. (De *abejorro.*) intr. Zumbar las abejas y otros insectos semejantes. ‖ **2.** fig. Producir un rumor confuso el habla de varias personas.

abejorreo. (De *abejorrear.*) m. Zumbido de las abejas y otros insectos semejantes. ‖ **2.** fig. Rumor confuso de voces o conversaciones.

abejorro. (De *abeja.*) m. Insecto himenóptero, de dos a tres centímetros de largo, velludo y con la trompa casi del mismo tamaño que el cuerpo. Vive en enjambres poco numerosos, hace el nido debajo del musgo o de piedras y zumba mucho al volar. ‖ **2. escarabajo sanjuanero.** ‖ **3.** fig. Persona de conversación pesada y molesta.

abejuno, na. adj. desus. Perteneciente o relativo a la abeja.

abeldar. tr. **beldar.**

abelmosco. (Del ár. *ḥabb al-musk,* grano de almizcle.) m.

Planta de la familia de las malváceas, con tallo peludo y hojas acorazonadas, angulosas, puntiagudas y aserradas. Procede de la India, y sus semillas, de olor almizcleño, se emplean en medicina y perfumería.

abellacado, da. p. p. de **abellacar.** ‖ **2.** adj. Bellaco, vil.

abellacar. tr. Hacer bellaco, envilecer. Ú. m. c. prnl.

abellota. f. **bellota,** fruto de la encina. Actualmente de uso rústico.

abellotado, da. adj. De figura parecida a la de la bellota.

abemoladamente. adv. m. **dulcemente.**

abemolar. tr. Poner bemoles. ‖ **2.** Suavizar, dulcificar la voz.

abencerraje. (Del ár. *Ibnas-Sarrāŷ*, apellido de familia.) com. Individuo de una familia del reino musulmán granadino del siglo XV, rival de la de los Cegríes.

abenuz. (Del ár. *abnūs*, y este del gr. ἔβενος.) m. **ébano.**

abéñola. f. desus. **abéñula.**

abéñula. (Del lat. *pinnŭla*, plumita.) f. desus. **pestaña,** de los ojos. ‖ **2.** Cosmético para la higiene y embellecimiento de las pestañas.

aberenjenado, da. adj. De color o figura del fruto de la berenjena.

aberración. (Del lat. cient. *aberratĭo*.) f. Grave error del entendimiento. ‖ **2.** Acto o conducta depravados, perversos, o que se apartan de lo aceptado como lícito. ‖ **3.** *Astron.* Desvío aparente de los astros, que proviene de la velocidad de la luz combinada con la de la Tierra en su órbita. ‖ **4.** *Biol.* Desviación del tipo normal que en determinados casos experimenta un carácter morfológico o fisiológico. ‖ **5.** *Ópt.* Imperfección de un sistema óptico que le impide establecer una exacta correspondencia entre un objeto y su imagen. ‖ **cromática.** *Ópt.* Imperfección de las lentes que es causa de cromatismo. ‖ **de esfericidad.** *Ópt.* Imperfección que presentan algunas imágenes producidas por sistemas ópticos al no corresponder a cada punto o recta del objeto, un punto o recta, respectivamente, de la imagen.

aberrante. p. a. de **aberrar.** ‖ **2.** adj. Dícese de aquello que se desvía o aparta de lo normal o usual.

aberrar. (Del lat. *aberrāre*.) intr. Desviarse, extraviarse, apartarse de lo normal o usual.

abertal. (De *abierto*.) adj. Dícese del campo o finca rústica que no está cerrada con tapia, vallado ni de otra manera. ‖ **2.** Dícese del terreno que con la sequía se agrieta.

abertura. (Del lat. *apertūra*.) f. Acción de abrir o abrirse. ‖ **2.** Boca, hendidura, agujero o grieta. ‖ **3.** Grieta formada en la tierra por la sequedad o los torrentes. ‖ **4.** Terreno ancho y abierto que media entre dos montañas. ‖ **5. ensenada,** entrante de mar en la costa. ‖ **6.** fig. p. us. Franqueza, lisura en el trato y conversación. ‖ **7.** *Der.* **apertura,** acto de abrir un testamento. ‖ **8.** *Fon.* Amplitud que los órganos articulatorios dejan al paso del aire, cuando se emite un sonido. ‖ **9.** *Fon.* Cualidad que el sonido recibe según sea la amplitud que los órganos articulatorios dejan al paso del aire, cuando es emitido. ‖ **10.** *Ópt.* Diámetro útil de un anteojo, telescopio u objetivo.

aberzale. (Del eusquera *abertzale*, patriota.) adj. Dícese del movimiento político y social vasco, más o menos radical, partidario del nacionalismo, y también de sus seguidores. Ú. t. c. s. ‖ **2.** Perteneciente o relativo a este movimiento o a sus seguidores.

abés. (De *avés*.) adv. m. ant. Difícilmente, con trabajo.

abesana. f. desus. **besana,** labor.

abesón. (De *veza*.) m. **eneldo.**

abestiado, da. adj. Que parece bestia, o de bestia.

abestializado, da. adj. **abestiado.**

abestionar. tr. desus. *Fort.* **abastionar.**

abéstola. f. **aguijada,** vara larga que usan los labradores cuando aran.

abetal. m. Sitio poblado de abetos.

abetar. m. **abetal.**

abete[1]**.** (Del lat. *abĭes, -ĕtis*.) m. desus. **abeto.** Ú. hoy en el Alto Aragón.

abete[2]**.** (De or. inc.; cf. fr. *happe*, grapa, laña; neerl. *happ*, morder.) m. Hierrecillo con un gancho en cada extremidad, que sirve para asegurar en el tablero la parte de paño que se tunde de una vez.

abetinote. (Del lat. *abietīnus*.) m. Resina líquida que fluye a través de la corteza del abeto o pinabete, donde suele condensarse.

abeto. (De *abete*[1].) m. Árbol de la familia de las abietáceas, que llega hasta 50 metros de altura, con tronco alto y derecho, de corteza blanquecina, copa cónica de ramas horizontales, hojas aciculares y persistentes, flores poco visibles y fruto en piñas casi cilíndricas. Crece en parajes frescos y elevados, forma bosques en los Pirineos españoles, y su madera, no muy resistente, se aprecia, por su tamaño y blancura, para determinadas construcciones. ‖ **2.** Madera de cualquiera de las especies de este árbol. ‖ **3.** V. **aceite de abeto.** ‖ **blanco. abeto.** ‖ **del Norte, falso** o **rojo. picea.**

abetuna. (De *abete*[1].) f. *Huesca.* Pimpollo del abeto común.

abetunado, da. p. p. de **abetunar.** ‖ **2.** adj. Semejante al betún en alguna de sus calidades.

abetunar. tr. desus. **embetunar.**

abey. m. Árbol leguminoso de las Antillas, de unos 20 metros de altura, con hojas alternas y ovaladas, que sirven para el mantenimiento de los ganados, y cuya madera, fuerte y muy compacta, se usa en carpintería. ‖ **hembra. abey.** ‖ **macho.** Árbol tropical, de la familia de las bignoniáceas, de gran altura y ramaje, con hojas compuestas, flores pequeñas y fruto capsular. Su madera se aprecia mucho para obras de torno.

abia. (Del m. or. que *anavia*.) f. *Ál.* **arándano.**

abiar. m. **manzanilla loca.**

abibollo. m. *Ál.* **ababol.**

abicharse. (De *bicho*.) prnl. *And., Argent.* y *Urug.* Agusanarse la fruta. ‖ **2.** *And., Argent.* y *Urug.* Criar gusanos las heridas de una persona o de un animal.

abierta. f. desus. **abertura,** boca, hendidura. ‖ **2.** *Col., Méj.* y *Nicar.* **abertura,** acción de abrir.

abiertamente. adv. m. Sin reserva, francamente. ‖ **2.** Clara, patentemente.

abierto, ta. (Del lat. *apĕrtus*.) p. p. irreg. de **abrir.** ‖ **2.** adj. Desembarazado, llano, raso, dilatado. Dícese comúnmente del campo o campaña. ‖ **3.** No murado o cercado. ‖ **4.** V. **concejo, crédito, orden, resto, testamento, viento abierto.** ‖ **5.** V. **carga, carta, cartela, casa, espejuela, guerra, letra, sílaba, vaca, vaina, vocal abierta.** ‖ **6.** fig. Ingenuo, sincero, franco, dadivoso. ‖ **7.** Claro, patente, indudable. ‖ **8.** fig. Comprensivo, tolerante. ‖ **9.** fig. Dícese de la caballería que separa excesivamente sus extremidades al andar. ‖ **10.** *Mar.* Dícese de la embarcación que no tiene cubierta. ‖ **11.** adv. m. ant. **abiertamente.**

abietáceo, a. (De *Abĭes, -ĕtis*, nombre de un género de plantas.) adj. *Bot.* Dícese de árboles gimnospermos bastante ramificados, con hojas persistentes de limbo muy estrecho y aun acicular; flores unisexuales monoicas, las masculinas reunidas en amentos y las femeninas en estróbilos; las semillas, que nunca son carnosas, están cubiertas por escamas muy apretadas; como el pino, el abeto, el alerce y el cedro. Ú. t. c. s. f. ‖ **2.** f. pl. *Bot.* Familia de estas plantas.

abiete. (Del lat. *abĭes, -ĕtis*.) m. desus. **abeto.**

abietíneo, a. adj. *Bot.* **abietáceo.**

abietino, na. adj. Dícese de la resina del abeto. ‖ **2.** m. **abetinote.**

abigarrado, da. p. p. de **abigarrar.** ‖ **2.** adj. De varios colores, mal combinados. ‖ **3.** Dícese también de lo heterogéneo reunido sin concierto. Se usa muchas veces aplicado a nombres colectivos de persona. *Una multitud* ABIGARRADA.

abigarramiento. m. Acción y efecto de abigarrar. ‖ **2.** Calidad de abigarrado.

abigarrar. (Del m. or. inc. que el fr. *bigarré,* quizá tomado de este idioma.) tr. Dar o poner a una cosa varios colores mal combinados. ‖ **2.** prnl. Amontonarse, apretujarse cosas varias y heterogéneas.

abigeato. (Del lat. *abigeātus.*) m. *Der.* Hurto de ganado o bestias.

abigeo. (Del lat. *abigĕus.*) m. *Der.* El que hurta ganado o bestias.

abigotado, da. adj. **bigotudo.**

abinar. tr. *Burg., León* y *Sal.* Binar la tierra.

ab initio. loc. adv. lat. Desde el principio. ‖ **2.** Desde tiempo inmemorial o muy remoto.

ab intestato[1]**.** loc. adv. lat. Sin testamento. *Murió* AB INTESTATO. ‖ **2.** Descuidada, abandonadamente.

abintestato[2]**.** (De *ab intestato.*) m. Procedimiento judicial sobre herencia y adjudicación de bienes del que muere sin testar.

abiogénesis. (De *a-*[2]*, bio-* y el gr. γένεσις, generación.) f. Producción hipotética de seres vivos partiendo de la materia inerte; generación espontánea.

abiótico, ca. adj. *Biol.* Dícese del medio en que no es posible la vida.

abipón, na. adj. Dícese de un pueblo de indios que habitaba cerca del Paraná. Ú. t. c. s. ‖ **2.** Perteneciente a estos indios. ‖ **3.** m. Lengua de estos indígenas, perteneciente a la familia guaycurú.

ab irato. loc. adv. lat. Arrebatadamente, a impulsos de la ira, sin reflexión.

abisagrar. tr. Clavar o fijar bisagras en las puertas y sus marcos, o en otros objetos.

abisal. (Del lat. *abyssus.*) adj. **abismal**[1]**,** perteneciente al abismo. ‖ **2.** Dícese de las zonas del mar profundo que se extienden más allá del talud continental, y corresponden a profundidades mayores de 2.000 metros. ‖ **3.** Perteneciente o relativo a tales zonas.

abiselar. tr. **biselar.**

abisinio, nia. adj. **etíope,** natural de Abisinia o Etiopía, país de África. Ú. t. c. s. ‖ **2. etíope,** perteneciente a este país africano. ‖ **3.** V. **rito abisinio.** ‖ **4.** m. Lengua **abisinia.**

abismado, da. p. p. de **abismar.** ‖ **2.** adj. Ensimismado, reconcentrado. Dícese de las personas, de su gesto, expresión, etc. ‖ **3.** *Blas.* Dícese de la pieza del escudo puesta en el abismo.

abismal[1]**.** (Del ár. *al-mismār,* el clavo.) m. Cada uno de los clavos con que se fijaba en el asta el hierro de la lanza.

abismal[2]**.** adj. Perteneciente al abismo. ‖ **2.** fig. Muy profundo, insondable, incomprensible.

abismar. tr. Hundir en un abismo. Ú. t. c. prnl. ‖ **2.** fig. Confundir, abatir. Ú. t. c. prnl. ‖ **3.** prnl. fig. Entregarse del todo a la contemplación, al dolor, etc. ‖ **4.** *Amér.* Quedarse sorprendido, asombrado, admirado.

abismático, ca. adj. **abismal**[2]**.**

abismo. (Probablemente del lat. vulg. **abyssimus,* sup. de *abyssus,* y este del gr. ἄβυσσος, sin fondo.) m. Cualquier profundidad grande, imponente y peligrosa, como la de los mares, la de un tajo, la de una sima, etc. Ú. t. en sent. fig. *Se sumió en el* ABISMO *de la desesperación.* ‖ **2. infierno,** lugar de castigo eterno. ‖ **3.** fig. Cosa inmensa, insondable o incomprensible. ‖ **4.** fig. Diferencia grande entre cosas, personas, ideas, sentimientos, etc. ‖ **5.** *Blas.* Punto o parte central del escudo.

abiso. (Del lat. *abyssus.*) m. ant. **abismo.**

abita. f. desus. **bita.**

abitadura. f. *Mar.* Acción de abitar.

abitaque. m. **cuartón,** madero.

abitar. (De *a-*[1] y *bita.*) tr. *Mar.* Amarrar un cabo dando vuelta a las bitas.

abitón. (De *abita.*) m. *Mar.* Madero que se coloca verticalmente en un buque y sirve para amarrar o sujetar algún cabo.

abizcochado, da. adj. Parecido al bizcocho, pan y masa.

abjuración. f. Acción y efecto de abjurar.

abjurar. (Del lat. *abiurāre.*) tr. Retractarse, renegar, a veces públicamente, de una creencia o compromiso que antes se ha profesado o asumido. Ú. t. c. intr. con la prep. *de.* ABJURAR DE *su religión.*

ablación. (Del lat. *ablatĭo, -ōnis.*) f. Acción y efecto de cortar, separar, quitar. ‖ **2.** *Cir.* Separación o extirpación de cualquier parte del cuerpo. ‖ **continental.** *Geogr.* Arrastre de materiales de la corteza terrestre efectuado por los ríos, vientos, olas, etc. ‖ **glaciar.** *Geogr.* Pérdida de hielo en el final de un glaciar.

ablandabrevas. (De *ablandar* y *breva.*) com. fig. y fam. Persona inútil o para poco.

ablandador, ra. adj. Que ablanda.

ablandadura. f. ant. **ablandamiento.**

ablandahígos. (De *ablandar* e *higo.*) com. fig. y fam. **ablandabrevas.**

ablandamiento. m. Acción y efecto de ablandar o ablandarse.

ablandar. tr. Poner blanda una cosa. Ú. t. c. prnl. ‖ **2.** Laxar, suavizar. Ú. t. c. prnl. ‖ **3.** fig. Hacer que alguien ceda en una postura intransigente o severa, mitigar su ira o enojo. Ú. t. c. prnl. ‖ **4.** intr. Calmar sus rigores el invierno; empezar a derretirse los hielos y las nieves. ‖ **5.** Ceder en su fuerza el viento. Ú. t. c. prnl. ‖ **6.** prnl. Acobardarse.

ablandativo, va. adj. Que tiene virtud de ablandar.

ablande. (De *ablandar.*) m. *Argent.* y *Urug.* Rodaje de un automóvil, situación en que se encuentra mientras no ha recorrido la distancia inicial prescrita por el fabricante. Ú. m. en la expr. **en ablande.**

ablandecer. tr. ant. **ablandar.**

ablanedo. (Del lat. *abellanētum.*) m. *Ast.* **avellanedo.**

ablano. (Del lat. *abellāna,* avellana.) m. *Ast.* **avellano.**

ablativo[1]**.** (Del lat. *ablatīvus.*) m. *Gram.* Uno de los casos de la declinación latina y equivalente de él en la gramática de otras lenguas. Hace en la oración oficio de complemento, expresando en ella relaciones de procedencia, situación, modo, tiempo, instrumento, materia, etc., y en español lleva casi siempre antepuesta preposición, siendo las más frecuentes, *a, con, de, desde, en, por, sin, sobre, tras.* ‖ **absoluto.** *Gram.* Expresión elíptica sin conexión o vínculo gramatical con el resto de la frase a que pertenece, pero de la cual depende por el sentido. Puede componerse de dos nombres con preposición, o de nombre o pronombre acompañado de adjetivo, participio o gerundio, y constar además de otras partes de la oración. EN SILENCIO LA CASA, *pudimos ya acostarnos;* LIMPIA LA ARMADURA, *vistiósela;* MUERTO EL PERRO, *se acabó la rabia;* DICHO ESTO, *calló; mañana llegarán,* DIOS MEDIANTE.

ablativo[2]**, va.** adj. Perteneciente o relativo a la ablación.

-able. V. **-ble.**

ablegado. (Del lat. *ablegātus.*) m. Enviado apostólico encargado de entregar el birrete a los nuevos cardenales.

ablentador. (De *ablentar.*) m. ant. **aventador,** bieldo.

ablentar. (Del lat. *eventilāre.*) tr. **beldar.** ‖ **aventar,** echar al viento.
ablución. (Del lat. *ablutĭo, -ōnis.*) f. **lavatorio,** acción de lavar o lavarse. ‖ **2.** Acción de purificarse por medio del agua, según ritos de algunas religiones, como la judaica, la mahometana, etc. ‖ **3.** Ceremonia de purificar el cáliz y de lavarse los dedos el sacerdote después de consumir. ‖ **4.** pl. Vino y agua con que se hace esta purificación y lavatorio. *Sumir las* ABLUCIONES.
ablusado, da. adj. Dícese del corpiño holgado a manera de blusa.
abnegación. (Del lat. *abnegatĭo, -ōnis.*) f. Sacrificio que alguien hace de su voluntad, de sus afectos o de sus intereses, generalmente por motivos religiosos o por altruismo.
abnegado, da. p. p. de **abnegar.** ‖ **2.** adj. Que tiene abnegación.
abnegar. (Del lat. *abnegāre.*) tr. p. us. Renunciar alguien voluntariamente a sus deseos, pasiones o intereses. Ú. m. c. prnl.
abobado, da. p. p. de **abobar.** ‖ **2.** adj. Que parece bobo o propio de bobo.
abobamiento. m. Acción y efecto de abobar o abobarse.
abobar. tr. Hacer bobo a alguien, entorpecerle el uso de las potencias. Ú. t. c. prnl. ‖ **2. embobar.** Ú. t. c. prnl.
abobra. (Del lat. hisp. *apoperes,* calabaza.) f. Planta vivaz de la familia de las cucurbitáceas, que se cultiva como enredadera de adorno.
abocadear. tr. desus. Herir o maltratar a bocados. ‖ **2.** desus. Tomar bocados.
abocado[1]. (Probablemente del caribe *aohuicate* o *avoka.*) m. *Filip.* **aguacate,** árbol y fruto.
abocado[2], da. p. p. de **abocar.** ‖ **2.** adj. Dícese del vino que contiene mezcla de vino seco y dulce. Hoy se aplica especialmente a una clase de jerez. Ú. t. c. s. m.
abocamiento. m. Acción y efecto de abocar o abocarse.
abocanar. intr. impers. *Ast.* **escampar,** cesar de llover.
abocar. tr. desus. Asir con la boca. ‖ **2.** Acercar, dirigir hacia un lugar armas de fuego, tropas, pertrechos, etc. Ú. t. c. prnl. ‖ **3.** Verter el contenido de un cántaro, costal, etc., en otro. Se usa propiamente cuando para ello se aproximan las bocas de ambos. ‖ **4.** prnl. Juntarse de concierto una o más personas con otra u otras para tratar un negocio. ‖ **5.** Tratándose de proximidad en el tiempo, hallarse en disposición, peligro o esperanza de algo. Ú. especialmente el p. p. con los verbos *estar, hallarse, quedar, verse* y otros análogos y seguido de la preposición *a.* Ú. t. c. intr. ‖ **6.** intr. *Mar.* Comenzar a entrar en un canal, estrecho, puerto, etc. ‖ **7.** fig. Desembocar, ir a parar.
abocardado, da. p. p. de **abocardar.** ‖ **2.** adj. De forma semejante a la de la bocina. Dícese más comúnmente de algunas armas de fuego.
abocardar. (De *bocarda,* trabuco naranjero.) tr. Ensanchar la boca de un tubo o de un agujero.
abocardo. (Del fr. *bocard,* bocarte[2].) m. **alegra.**
abocelado, da. adj. Que tiene forma de bocel.
abocetado, da. adj. Dícese de la pintura que, por estar poco concluida, más parece boceto que obra terminada.
abocetamiento. m. Acción y efecto de abocetar.
abocetar. tr. Ejecutar bocetos o dar el carácter de tales a las obras artísticas. ‖ **2.** Por ext., insinuar, apuntar vagamente algo.
abocinado, da. p. p. de **abocinar.** ‖ **2.** adj. De figura semejante a la de la bocina. ‖ **3.** *Arq.* V. **arco abocinado.**
abocinamiento. m. Acción y efecto de abocinar.
abocinar[1]. tr. Ensanchar un tubo o cañón hacia su boca, a modo de bocina.
abocinar[2]. (De or. inc.; cf. ant. *abuçado,* boca abajo.) intr. fam. Caer de bruces. Ú. m. c. prnl. ‖ **2.** prnl. *Equit.* Inclinarse la caballería hacia delante sobre el cuarto delantero.
abochornado, da. p. p. de **abochornar.** ‖ **2.** adj. desus. **bochornoso.**
abochornar. tr. Causar bochorno el excesivo calor. Ú. t. c. prnl. ‖ **2.** fig. **sonrojar.** Ú. t. c. prnl. ‖ **3.** *Agr.* Enfermar las plantas por el excesivo calor o calma.
abofado, da. adj. *And., Cuba* y *Sto. Dom.* Fofo, hinchado.
abofarse. prnl. *And., Cuba* y *Sto. Dom.* Afofarse, hincharse, abotagarse.
abofeteador, ra. adj. Que abofetea. Ú. t. c. s.
abofetear. tr. Dar de bofetadas. ‖ **2.** fig. Ultrajar, escarnecer.
abogacía. f. Profesión y ejercicio del abogado. ‖ **2.** Cuerpo de abogados.
abogaderas. f. pl. *Amér. Merid.* Argumentos capciosos.
abogadesco, ca. adj. Perteneciente o relativo al abogado o a su profesión. Ú. por lo común en sent. despect.
abogadil. adj. despect. Perteneciente a los abogados. No es despect. en Costa Rica.
abogadismo. m. Intervención excesiva de los abogados en los negocios públicos, o aplicación inadecuada de sus métodos a cuestiones extrañas a la abogacía.
abogado[1], da. (Del lat. *advocātus.*) m. y f. Persona legalmente autorizada para defender en juicio, por escrito o de palabra, los derechos o intereses de los litigantes, y también para dar dictamen sobre las cuestiones o puntos legales que se le consultan. ‖ **2.** fig. Intercesor o medianero. ‖ **3.** f. fam. Mujer del **abogado.** ‖ **del diablo.** fig. y fam. **promotor de la fe.** ‖ **2.** Por ext., contradictor de buenas causas. ‖ **del Estado.** Letrado que tiene por principales cometidos la defensa del Estado en juicio, el asesoramiento administrativo y la liquidación del impuesto de derechos reales. ‖ **de oficio.** El que asigna la ley a los litigantes sin recursos económicos para que se encargue de su defensa o representación. ‖ **de pobres.** fam. **abogado de oficio.** ‖ **de secano.** fig. y fam. Letrado que no ejerce ni sirve para ello. ‖ **2.** fig. y fam. El que sin haber cursado la jurisprudencia entiende de leyes o presume de ello. Ú. en son de burla. ‖ **3.** fig. y fam. El que se mete a hablar de materias en que es lego. ‖ **4.** fig. y fam. Rústico avisado y diestro en el manejo de negocios superiores a su educación. ‖ **firmón. abogado** que por remuneración se dedica a firmar escritos ajenos.
abogado[2]. m. *Filip.* **abocado[1].**
abogador, ra. (Del lat. *advocātor, -ōris.*) adj. ant. Que aboga. ‖ **2.** m. **muñidor,** criado de cofradía.
abogamiento. m. ant. Acción y efecto de abogar.
abogar. (Del lat. *advocāre.*) intr. Defender en juicio, por escrito o de palabra. ‖ **2.** fig. Interceder, hablar en favor de alguno.
abohetado, da. (De *a-*[1] y *bofe.*) adj. **abuhado.**
abolaga. f. **aulaga.**
abolengo. (De *abuelo.*) m. Ascendencia de abuelos o antepasados. ‖ **2.** Ascendencia ilustre. ‖ **3.** Lugar de donde se es oriundo; nacionalidad, filiación étnica o biológica. ‖ **4.** *Der.* Patrimonio o herencia que viene de los abuelos o de los antepasados. ‖ **5.** *Der.* V. **bienes de abolengo.**
abolición. (Del lat. *abolitĭo, -ōnis.*) f. Acción y efecto de abolir.
abolicionismo. m. Doctrina de los abolicionistas.
abolicionista. adj. Dícese del que procura dejar sin efecto o suprimir una ley, costumbre, etc. Se aplicó principalmente a los partidarios de la abolición de la esclavitud. Ú. t. c. s.
abolir. (Del lat. *abolēre.*) tr. defect. Derogar, dejar sin vigencia una ley, precepto, costumbre, etc.

abolorio. (De *abuelo.*) m. **abolengo.**

abolsarse. prnl. Tomar figura de bolsa. ‖ **2.** *Albañ.* Afollarse las paredes.

abollado, da. p. p. de **abollar[2].** ‖ **2.** m. desus. Adorno de bollos en los metales y vestidos.

abolladura. f. Acción y efecto de abollar[1] o abollarse.

abollar[1]. (Del lat. *bŭlla,* burbuja, bola.) tr. Producir una depresión en una superficie con un golpe o apretándola. Ú. t. c. prnl. ‖ **2.** *Burg.* **hollar.**

abollar[2]. (De *bollo[2].*) tr. Adornar con bollos o relieves semiesféricos metales o telas.

abollón. m. **abolladura.**

abollonar. (De *a-*[1] y *bollón.*) tr. Repujar formando bollones. ‖ **2.** intr. *Ar.* Echar las plantas el bollón.

abomaso. (Del lat. medieval *abomāsum,* de *ab* y *omāsum,* callos comestibles del buey.) m. *Zool.* **cuajar[1].**

abombado[1], da. p. p. de **abombar[1].** ‖ **2.** adj. *Amér.* Aturdido, atontado. ‖ **3.** *Amér.* Tonto, falto o escaso de entendimiento o razón. Ú. t. c. s.

abombado[2], da. p. p. de **abombar[2].** ‖ **2.** adj. Curvado, convexo, que tiene forma esférica.

abombamiento. m. Acción y efecto de abombar o abombarse.

abombar[1]. (De *a-*[1] y *bombo.*) tr. Aturdir, atolondrar, asordar. Ú. t. c. prnl. ‖ **2.** prnl. Empezar a corromperse una cosa. *Agua, carne* ABOMBADA. ‖ **3.** *And., Argent., Chile, Ecuad.* y *Nicar.* Achisparse, tomarse del vino.

abombar[2]. (De *a-*[1] y *bomba.*) tr. Dar figura convexa. ‖ **2.** intr. Dar a la bomba. ‖ **3.** prnl. Tomar una cosa la forma convexa.

abominable. (Del lat. *abominabĭlis.*) adj. Digno de ser abominado.

abominación. (Del lat. *abominatĭo, -ōnis.*) f. Acción y efecto de abominar. ‖ **2.** Cosa abominable.

abominar. (Del lat. *abomināri.*) tr. Condenar y maldecir a personas o cosas por considerarlas malas o perjudiciales. Ú. t. c. intr. y con la prep. *de.* ‖ **2.** Tener odio a alguien o a algo, aborrecer.

abonable. adj. Que puede o debe ser abonado.

abonado, da. p. p. de **abonar.** ‖ **2.** adj. Que es de fiar por su caudal o crédito. ‖ **3.** Dispuesto a decir o hacer una cosa. Se usa generalmente en sentido peyorativo. ‖ **4.** *Der.* V. **testigo abonado.** ‖ **5.** m. y f. Persona inscrita para recibir algún servicio periódicamente o determinado número de veces. ‖ **6.** Persona que ha suscrito o adquirido un abono para un servicio o espectáculo. ‖ **7.** m. Acción y efecto de abonar tierras laborables. ‖ **foliar.** El que se ejecuta, los años secos, en las viñas y otras plantaciones para suministrarles, a través de las hojas, elementos fertilizantes.

abonador, ra. adj. Que abona. ‖ **2.** m. y f. Persona que abona al fiador, y en su defecto se obliga a responder por él. ‖ **3.** m. Barrena de mango largo que usan los toneleros para abrir grandes taladros en las pipas. ‖ **4.** f. Máquina para abonar las tierras de labranza.

abonamiento. m. **abono,** acción de abonarse.

abonanza. f. ant. **bonanza.**

abonanzar. (De *a-*[1] y *bonanza.*) intr. Calmarse la tormenta o serenarse el tiempo.

abonar. (Del lat. *bonus,* bueno.) tr. Acreditar o calificar de bueno. ‖ **2.** Salir por fiador de alguno, responder por él ‖ **3.** Hacer buena o útil alguna cosa, mejorarla de condición o estado. ‖ **4.** Dar por cierta y segura una cosa. ‖ **5.** Echar en la tierra laborable materias que aumenten su fertilidad. ‖ **6. tomar en cuenta** un pago. ‖ **7. pagar.** ‖ **8.** *Com.* Pagar la cantidad correspondiente a cada uno de los vencimientos de una venta o un préstamo a plazos. ‖ **9.** Asentar en las cuentas corrientes las partidas que corresponden al haber. ‖ **10.** (Con influjo del fr. *abonner.*) Inscribir a una persona, mediante pago, para que pueda concurrir a alguna diversión, disfrutar de alguna comodidad o recibir algún servicio periódicamente o determinado número de veces. Ú. m. c. prnl. ‖ **11.** intr. **abonanzar.** ‖ **12.** prnl. fig. Insistir en un acto que agrada, desear practicarlo con reiteración. *Me* ABONARÍA *a veranear allí.* ‖ **13.** *Bol.* **reconciliarse,** reanudar amistades o tratos quebrantados, sin formalidad judicial.

abonaré. (Del fut. de *abonar.*) m. Documento expedido por un particular o una oficina en equivalencia o representación de una partida de cargo sentada en cuenta, o de un saldo preexistente.

abondado, da. p. p. del ant. **abondar.** ‖ **2.** adj. ant. **abundado.**

abondadura. f. ant. **abundancia.**

abondamiento. m. ant. **abundancia.**

abondar. (Del lat. *abundāre.*) intr. ant. **abundar.** Ú. en León y Salamanca. ‖ **2.** ant. Bastar, ser suficiente o conveniente. ‖ **3.** tr. ant. Abastecer, proveer con abundancia o suficientemente. ‖ **4.** ant. Satisfacer, contentar. Usáb. t. c. prnl.

abondo. (Del lat. *abundo, abunde,* en abundancia.) m. ant. **abundo.** Ú. en Burgos y León. ‖ **2.** adv. m. fam. Con abundancia.

abondoso, sa. adj. ant. **abundante.**

abonero, ra. m. y f. *Méj.* Comerciante callejero y ambulante que vende por abonos, o pagos a plazos, principalmente entre las clases populares.

abono. m. Acción y efecto de abonar o abonarse. ‖ **2.** Fianza, seguridad, garantía. ‖ **3.** Derecho que adquiere el que se abona. ‖ **4.** Lote de entradas o billetes que se compran conjuntamente y que permiten a una persona el uso periódico o limitado de algún servicio, de alguna instalación deportiva, sanitaria o recreativa, o la asistencia a una serie predeterminada de espectáculos. ‖ **5.** Documento en que consta el derecho de quien se abona a alguna cosa. ‖ **6.** Cada uno de los pagos parciales de un préstamo o una compra a plazos. ‖ **7.** Sustancia con que se abona la tierra. ‖ **8.** V. **cédula, decreto de abono.** ‖ **ser de abono** una cosa. fr. Tener validez para que se compute en favor de una persona.

aboquillado, da. p. p. de **aboquillar.** ‖ **2.** adj. Que tiene forma de boquilla.

aboquillar. tr. Poner boquilla a alguna cosa. ‖ **2.** *Arq.* Dar a una abertura forma abocardada. ‖ **3.** *Arq.* **achaflanar.**

aboral. adj. *Zool.* Dícese del polo o extremo del animal biológicamente opuesto a la boca.

abordable. adj. Que se puede abordar.

abordador, ra. adj. Que aborda.

abordaje. m. *Mar.* Acción de abordar, o chocar un barco con otro, especialmente con la intención de combatirlo. ‖ **al abordaje.** loc. adv. *Mar.* Pasando la gente, del buque abordador al abordado, con armas a propósito para embestir al enemigo. Ú. con los verbos *entrar, saltar, tomar,* etc.

abordar. (De *a-*[1] y *bordo.*) tr. *Mar.* Llegar una embarcación a otra, chocar o tocar con ella, ya sea para embestirla, ya para cualquier otro fin, ya por descuido, ya fortuitamente. Ú. t. c. intr. ‖ **2.** *Mar.* Atracar una nave a un desembarcadero, muelle o batería. ‖ **3.** fig. Acercarse a alguno para proponerle o tratar con él un asunto. ‖ **4.** fig. Emprender o plantear un negocio o asunto. ‖ **5.** intr. *Mar.* Aportar, tomar puerto, llegar a una costa, isla, etc.

abordo. (De *abordar.*) m. *Mar.* **abordaje.**

abordonar. intr. ant. Andar o ir apoyado en un bordón.

aborigen. (Sing. formado a partir del pl. lat. *aborigĭnes.*) adj. Originario del suelo en que vive. *Tribu, animal, planta* ABORIGEN. ‖ **2.** Dícese del primitivo morador de un país, por contraposición a los establecidos posteriormente en él. Ú. m. c. s. y en pl.

aborlonado, da. (De *a-*[1] y *borlón.*) adj. *Col., Chile* y *Ecuad.* **acanillado.**

aborrachado, da. (De *a-*[1] y *borracho.*) adj. De color encarnado muy encendido.

aborrajarse. (De *a-*[1] y *borrajo.*) prnl. Secarse antes de tiempo las mieses y no llegar a granar por completo.

aborrascarse. prnl. Ponerse el tiempo borrascoso.

aborrecedero, ra. adj. ant. **aborrecible.**

aborrecedor, ra. adj. Que aborrece. Ú. t. c. s.

aborrecer. (Del lat. *abhorrescĕre.*) tr. Tener aversión a una persona o cosa. ‖ **2.** Dejar o abandonar algunos animales, y especialmente las aves, el nido, los huevos o las crías. ‖ **3. aburrir,** fastidiar, molestar. Ú. t. c. prnl. ‖ **4.** p. us. **aburrir,** exponer, perder o tirar algo.

aborrecible. adj. Digno de ser aborrecido.

aborrecimiento. m. Acción y efecto de aborrecer. ‖ **2. aburrimiento.**

aborregado, da. p. p. de **aborregarse.** ‖ **2.** adj. Que tiene forma como de vellones de lana; dícese de nubes, rocas, etc. ‖ **3.** fig. Aplícase a la persona que reúne características atribuidas al borrego (mansedumbre, gregarismo, etc.).

aborregarse. (De *a-*[1] y *borrego.*) prnl. Cubrirse el cielo de nubes blanquecinas y revueltas a modo de vellones de lana. ‖ **2.** Por ext., adquirir cualquier otra cosa caracteres o aspecto de vellones de lana. ‖ **3.** fig. Adquirir las personas rasgos atribuidos al borrego, especialmente mansedumbre, gregarismo, etc.

aborrencia. (Del lat. *abhorrens, -entis.*) f. ant. **aborrecimiento.**

aborrescencia. (Del lat. *abhorrescens.*) f. ant. **aborrecimiento.**

aborrible. (De *aborrir.*) adj. ant. **aborrecible.**

aborrío. (De *aborrir.*) m. ant. **aburrimiento.**

aborrir. (Del lat. *abhorrēre.*) tr. ant. **aborrecer.** Ú. en Salamanca.

aborronar. intr. *Ast.* Hacer borrones u hormigueros para quemar las hierbas inútiles.

aborso. (Del lat. *aborsus.*) m. ant. **aborto.**

abortadura. f. ant. **aborto.**

abortamiento. m. **aborto.**

abortar. (Del lat. *abortāre.*) intr. Interrumpir la hembra, de forma natural o provocada, el desarrollo del feto durante el embarazo. Ú. menos c. tr. ‖ **2.** fig. Fracasar, malograrse alguna empresa o proyecto. Ú. t. c. tr. *La policía* ABORTÓ *el intento de fuga.* ‖ **3.** *Biol.* Desarrollarse parcialmente un órgano sin que llegue a ser funcional. ‖ **4.** *Med.* Acabar, desaparecer alguna enfermedad cuando empieza o antes del término natural o común. ‖ **5.** tr. fig. Producir o echar de sí alguna cosa sumamente imperfecta, extraordinaria, monstruosa o abominable.

abortín. (De *abortar.*) m. *Ar.* **abortón.**

abortista. com. Partidario de la despenalización del aborto voluntario.

abortivo, va. (Del lat. *abortīvus.*) adj. Nacido antes de tiempo. ‖ **2.** Que tiene virtud para hacer abortar. Ú. t. c. s. m.

aborto. (Del lat. *abortus.*) m. Acción de abortar. ‖ **2.** Ser o cosa abortada. ‖ **3.** fig. Engendro, monstruo.

abortón. (De *abortar.*) m. Animal mamífero nacido antes de tiempo. ‖ **2.** Piel del cordero nacido antes de tiempo.

aborujar. tr. Hacer que una cosa forme borujos. Ú. t. c. prnl. ‖ **2.** prnl. **arrebujarse,** cubrirse con la ropa de la cama o con una prenda de vestir.

abotagamiento. m. Acción y efecto de abotagarse.

abotagarse. (Quizá de una raíz romance *bott-,* de carácter expresivo.) prnl. Hincharse, inflarse el cuerpo o parte del cuerpo de un animal, o el de una persona, generalmente por enfermedad.

abotargarse. (De *abotagarse,* con influjo de *botarga.*) prnl. fam. **abotagarse.**

abotinado, da. adj. Hecho en figura de botín. Se aplica especialmente al zapato que ciñe y cierra la garganta del pie. ‖ **2.** V. **pantalón abotinado.**

abotonador. m. Instrumento pequeño de metal, con un gancho o con un agujero en la punta para asir el botón y meterlo en el ojal.

abotonadura. f. **botonadura.**

abotonar. tr. Cerrar, unir, ajustar una prenda de vestir, metiendo el botón o los botones por el ojal o los ojales. Ú. t. c. prnl. ‖ **2.** fig. *Nicar.* **adular.** ‖ **3.** intr. Echar botones las plantas. ‖ **4.** p. us. Arrojar el huevo botoncillos de clara cuando se cuece en agua.

abovedado, da. p. p. de **abovedar.** ‖ **2.** adj. Corvo, combado.

abovedar. tr. Cubrir con bóveda. ‖ **2.** Dar figura de bóveda.

ab ovo. (Lit. *desde el huevo.*) loc. adv. lat. fig. Tratándose de narraciones, desde el origen o desde un momento muy remoto del suceso narrado.

aboyado, da. (Del p. p. de *aboyar*[2].) adj. Dícese de la finca rústica, posesión o heredad que se arrienda juntamente con bueyes para labrarla. ‖ **2.** Dícese de la finca rústica o terreno cerrado que se destina al mantenimiento del ganado vacuno.

aboyar[1]**.** tr. *Mar.* Poner boyas. ‖ **2.** intr. Boyar o flotar un objeto en el agua.

aboyar[2]**.** (De *a-*[1] y *buey.*) tr. desus. Arrendar una heredad con bueyes para su labranza.

abozalar. tr. Poner bozal.

abozo. (Del lat. *albucĕus.*) m. *Ar.* **gamón.**

abra. (Del neerl. med. *havene,* puerto, a través del fr. *havre.*) f. Bahía no muy extensa. ‖ **2.** Abertura ancha y despejada entre dos montañas. ‖ **3.** Grieta producida en el terreno por efecto de concusiones sísmicas. ‖ **4.** *And.* En una andana de botas[1], espacio que queda entre dos de una misma serie. ‖ **5.** *Amér.* Espacio desmontado, claro en un bosque. ‖ **6.** *Nicar.* y *Sto. Dom.* Trocha, camino abierto entre la maleza. ‖ **7.** *Mar.* Distancia entre los palos de la arboladura, o abertura angular de las jarcias, de la obencadura, etc.

abracadabra. (Voz que se relaciona con *abraxas.*) m. Palabra cabalística que se escribía en once renglones, con una letra menos en cada uno de ellos, de modo que formasen un triángulo, y a la cual se atribuía la propiedad de curar ciertas enfermedades.

abracadabrante. (De *abracadabra;* cf. fr. *abracadabrant.*) adj. Muy sorprendente y desconcertante.

abracar. (Del lat. **abbrachicāre,* de *brachĭum,* brazo.) tr. *Amér.* **abarcar,** ceñir con los brazos. Ú. t. c. prnl. ‖ **2.** *Amér.* **abarcar,** ceñir, rodear.

abracijarse. prnl. p. us. Abrazarse, ceñir, estrechar entre los brazos.

abracijo. m. fam. **abrazo.**

Abraham o **Abrahán.** n. p. V. **seno de Abraham.**

abrahonar. tr. fam. *Ar.* Ceñir o abrazar con fuerza a otro por los brahones.

abrasadamente. adv. m. **ardientemente.**

abrasador, ra. adj. Que abrasa.

abrasamiento. m. Acción y efecto de abrasar o abrasarse.

abrasar. (De *a-*[1] y *brasa.*) tr. Reducir a brasa, quemar. Ú. t. c. prnl. ‖ **2.** Secar el excesivo calor o frío una planta o solo las puntas de sus hojas y pétalos. Ú. t. c. prnl. ‖ **3.** Calentar demasiado. ‖ **4.** Producir una sensación de dolor ardiente, de sequedad, acritud o picor, como la producen la sed y algunas sustancias picantes o cáusticas. ‖ **5.** fig. Destruir; consumir, malbaratar los bienes y caudales. ‖ **6.**

p. us. fig. Avergonzar, dejar muy corrido o resentido a alguien con acciones o palabras picantes. ‖ **7.** fig. Agitar o consumir a alguien una pasión, especialmente el amor. Ú. t. c. prnl. ‖ **8.** fig. Producir o encender en una persona una pasión violenta. ‖ **9.** intr. Quemar, estar demasiado caliente una cosa. ‖ **10.** prnl. Sentir demasiado calor o ardor. ‖ **abrasarse vivo.** fr. fig. **abrasarse** de calor o a causa de una pasión.

abrasilado, da. adj. desus. Del color del palo brasil o de un color semejante.

abrasión. (Formación culta sobre el lat. *abradĕre*, raer.) f. Acción y efecto de raer o desgastar por fricción. ‖ **2.** *Geol.* Proceso de profundo desgaste o de destrucción, producido en la superficie terrestre al arrancarle porciones de materia los agentes externos. ‖ **3.** *Med.* Acción irritante de los purgantes enérgicos. ‖ **4.** *Med.* Ulceración no profunda de la piel o de las mucosas por quemadura o traumatismo.

abrasivo, va. adj. Perteneciente o relativo a la abrasión. Ú. t. c. s. m. aplicado a los productos que sirven para desgastar o pulir, por fricción, sustancias duras como metales, vidrios, etc.

abravar. (De *a-*[1] y *bravo.*) tr. ant. **excitar.**

abravecer. (De *a-*[1] y *bravo.*) tr. **embravecer.**

abraxas. (Del gr. ἄβραξας, cuyas letras suman el núm. 365.) m. Palabra simbólica entre los gnósticos, expresiva del curso del Sol en los 365 días del año y representativa del Dios Todopoderoso. ‖ **2.** f. Piedra donde estaba grabada esta palabra y que los gnósticos llevaban como talismán. Ú. t. c. m.

abrazada. f. p. us. Acción y efecto de **abrazar,** estrechar entre los brazos.

abrazadera. adj. V. **sierra abrazadera.** Ú. t. c. s. ‖ **2.** f. Pieza de metal u otra materia que sirve para asegurar alguna cosa, ciñéndola. ‖ **3.** *Impr.* **corchete,** signo.

abrazador, ra. adj. Que abraza. ‖ **2.** *Bot.* V. **hoja abrazadora.** ‖ **3.** m. Hierro o palo combado que sirve en la noria para mantener seguro el peón, arrimándolo y sujetándolo al puente. ‖ **4.** Especie de almohada de forma cilíndrica que se usa en Filipinas para dormir con mayor comodidad, y que protege tanto del calor como del frío según la postura que el cuerpo adopte al abrazarse a ella. ‖ **5.** desus. Individuo que solicitaba y embaucaba a otros para llevarlos a las casas públicas de juego.

abrazamiento. m. Acción y efecto de abrazar o abrazarse.

abrazar. (De *a-*[1] y *brazo.*) tr. Ceñir con los brazos. Ú. t. c. prnl. ‖ **2.** Estrechar entre los brazos en señal de cariño. Ú. t. c. prnl. ‖ **3.** fig. Rodear, ceñir. ‖ **4.** fig. Prender, dando vueltas, algunas plantas trepadoras. Ú. t. c. prnl. ‖ **5.** fig. Comprender, contener, incluir. ‖ **6.** fig. Admitir, escoger, seguir una doctrina, opinión o conducta. ABRAZÓ *el catolicismo.* Ú. t. c. prnl. con la prep. *a.* ‖ **7.** fig. Tomar uno a su cargo alguna cosa. ABRAZAR *un negocio, una empresa.*

abrazo. m. Acción y efecto de abrazar o abrazarse, ceñir o estrechar entre los brazos.

abreboca. (De *abrir* y *boca.*) m. Aperitivo.

abrebotellas. m. Utensilio para quitar las chapas de las botellas.

abrecartas. m. Especie de plegadera estrecha y apuntada, que sirve para abrir los sobres de las cartas.

abrecoches. (De *abrir* y *coche*[1].) m. Persona que abre la puerta de los automóviles a sus usuarios para recibir una propina.

abregancias. (Del lat. *plicāre*, plegar, doblar; a través del leon. *pregar.*) f. pl. *León.* **llar**[2], cadena.

ábrego. (Del lat. *afrĭcus.*) m. Viento sur.

abrelatas. m. Instrumento de metal que sirve para abrir las latas de conservas.

abrenunciar. (Del lat. *abrenuntiāre.*) tr. desus. **renunciar.**

abrenuncio. (Del lat. *abrenuntio*, de *abrenuntiāre*, renunciar.) p. us. Voz con que familiarmente se da a entender que se rechaza alguna cosa.

abreojos. (De *abre ojos.*) m. *Ál.* **gatuña.** ‖ **2.** *Ar.* **abrojo,** planta cigofilácea y su fruto.

abrepuño. (De *abre puño.*) m. **arzolla,** planta compuesta. ‖ **2.** pl. Planta de la familia de las ranunculáceas, de uno a tres decímetros de altura, flores amarillas y hojas lampiñas. Sus carpelos, extremadamente duros y erizados de púas, se introducen en las zoquetas de los segadores, obligándolos a desatárselas para desembarazarse de ellos.

abretonar. (De *a-*[1] y *bretón*[2], a la bretona.) tr. *Mar.* Trincar o amarrar los cañones al costado del buque en dirección de popa a proa.

abrevadero. (De *abrevar.*) m. Estanque, pilón o paraje del río, arroyo o manantial a propósito para dar de beber al ganado. ‖ **2.** V. **servidumbre de abrevadero.**

abrevador, ra. adj. Que abreva. Ú. t. c. s. ‖ **2.** m. **abrevadero.**

abrevar. (De *abebrar.*) tr. Dar de beber principalmente al ganado. ‖ **2.** Remojar las pieles para adobarlas. ‖ **3.** Hablando de personas, dar de beber, especialmente un brebaje. ‖ **4. saciar.** Ú. t. en sent. fig. ABREVAR *el ánimo.* ‖ **5.** prnl. Beber. Ú. t. c. intr. y m. en sent. fig.

abreviación. f. Acción y efecto de abreviar. ‖ **2.** ant. **compendio.**

abreviadamente. adv. m. En términos breves o reducidos, compendiosa o sumariamente.

abreviado, da. p. p. de **abreviar.** ‖ **2.** adj. Parvo, en su caso. ‖ **3.** fig. y fam. V. **evangelios abreviados.**

abreviador, ra. adj. Que abrevia o compendia. Ú. t. c. s. m. ‖ **2.** m. Oficial de la Cancillería Romana o de la Nunciatura Apostólica, que tiene a su cargo extractar los documentos, y principalmente las preces que entran en su oficina.

abreviaduría. f. Empleo u oficio del abreviador.

abreviamiento. m. **abreviación.**

abreviar. (Del lat. [s. IV] *abbreviāre.*) tr. Hacer breve, acortar, reducir a menos tiempo o espacio. ‖ **2.** Acelerar, apresurar. Ú. t. c. intr. ‖ **3.** prnl. *C. Rica* y *Nicar.* Darse prisa.

abreviatura. (Del lat. *abbreviatūra.*) f. Representación de las palabras en la escritura con solo varias o una de sus letras, empleando a veces únicamente mayúsculas, y poniendo punto después de la parte escrita de cada vocablo; v. gr.: *afmo.*, por *afectísimo; dic.*[e], por *diciembre; íd.*, por *ídem; U., V., Vd.* o *Ud.*, por *usted; Sr.*, por *Señor; D.*, por *Don.* ‖ **2.** Palabra representada en la escritura de este modo. ‖ **3. abreviaduría.** ‖ **4.** Compendio o resumen. ‖ **en abreviatura.** loc. adv. Sin alguna de las letras que en la escritura corresponden a cada palabra. ‖ **2.** fam. y fest. Con brevedad o prisa.

abreviaturía. f. **abreviaduría.**

abrezar. (De *brezar.*) tr. *Sal.* Acunar, cunear.

abriboca. adj. *Argent.* y *Urug.* Distraído, que está con la boca abierta. Ú. t. c. s. ‖ **2.** f. *Argent.* Planta tintórea.

abribonado, da. p. p. de **abribonarse.** ‖ **2.** adj. p. us. Que tiene trazas o condiciones de bribón.

abribonarse. prnl. p. us. Hacerse bribón.

abridero, ra. adj. Que se abre fácilmente por sí o por ajeno impulso. Ú. m. aplicado a frutas. ‖ **2.** m. Variedad de pérsico, cuyo fruto se abre con facilidad y deja suelto el hueso. ‖ **3.** Fruto de este árbol.

abridor, ra. adj. Que abre. ‖ **2.** desus. *Med.* **aperitivo,** que combate las obstrucciones. ‖ **3.** m. **abridero,** el árbol y su fruto. ‖ **4.** Hueso en forma de almendra, con que termina la aguja de injertar, y que se emplea para ir despegando la corteza del árbol hasta que quepa la púa que se le va a injerir. ‖ **5.** Cada uno de los dos aretes de oro que se ponen a las niñas en los lóbulos de las orejas para horadarlos e impedir que se cierren los agujeros. ‖ **6.** Instrumento de hierro que antiguamente servía para abrir los cuellos alechugados. ‖ **7. abrelatas.** ‖ **8. abrebotellas.** ‖ **de láminas. grabador,** el que las labra para el grabado.

abrigada. f. **abrigadero.**

abrigadero. m. **abrigo,** lugar defendido de los vientos. ‖ **2.** *Mar.* **abrigo,** lugar de la costa para resguardarse las naves.

abrigado, da. p. p. de **abrigar.** ‖ **2.** m. **abrigo,** lugar defendido de los vientos.

abrigador, ra. adj. Que abriga. *Gabán muy* ABRIGADOR. ‖ **2.** desus. *Méj.* Encubridor de un delito o falta. Usáb. t. c. s.

abrigadura. f. Vestido o prenda de abrigo.

abrigamiento. m. ant. Acción de abrigar.

abrigaño. m. **abrigo,** lugar defendido de los vientos.

abrigar. (Del lat. *apricāre*, resguardar del frío.) tr. Defender, resguardar del frío. Ú. t. c. prnl. ‖ **2.** fig. Auxiliar, patrocinar, amparar. ‖ **3.** fig. Tratándose de ideas, voliciones o afectos, tenerlos. ABRIGAR *proyectos, esperanzas, sospechas, amor.* ‖ **4.** *Equit.* Aplicar las piernas al vientre del caballo para ayudarle. ‖ **5.** *Mar.* Defender, resguardar la nave del viento o del mar.

abrigo. (Del lat. *apricus*, defendido del frío.) m. Defensa contra el frío. ‖ **2.** Cosa que abriga. ‖ **3.** Prenda de vestir, larga, provista de mangas, que se pone sobre las demás y sirve para abrigar. ‖ **4.** Lugar defendido de los vientos. ‖ **5.** fig. Auxilio, patrocinio, amparo. ‖ **6.** *Mar.* Lugar en la costa, a propósito para abrigarse las naves. ‖ **7.** *Arqueol.* Covacha natural poco profunda. ‖ **de abrigo.** loc. adj. Temible, de cuidado. ‖ **de mal abrigo.** loc. Dícese del paraje o local muy frío.

ábrigo. (Del lat. *afrĭcus*.) m. p. us. **ábrego.** Ú. en Cantabria y Extremadura.

abril. (Del lat. *aprīlis*.) m. Cuarto mes del año, según nuestro cómputo; consta de treinta días. ‖ **2.** fig. Primera juventud. *El* ABRIL *de la vida.* ‖ **3.** fig. Cosa grata por su gentileza o color. ‖ **4.** fig. Hablando de personas jóvenes, **año,** período de doce meses. Ú. en pl. *Floridos, lozanos* ABRILES. ‖ **estar hecho un abril.** fr. fig. Estar lucido, hermoso, galán. ‖ **parecer un abril.** fr. fig. **estar hecho un abril.**

abrileño, ña. adj. Propio del mes de abril.

abrillantador, ra. adj. Que abrillanta. Ú. t. c. s. ‖ **2.** m. Artífice que abrillanta piedras preciosas. ‖ **3.** Instrumento o sustancia con que se abrillanta.

abrillantar. tr. Labrar en facetas como las de los brillantes las piedras preciosas y ciertas piezas de acero u otros metales. ‖ **2.** Iluminar o dar brillantez. ‖ **3.** fig. Dar más valor o lucimiento.

abrimiento. m. Acción de abrir.

abriolar. (De *briol*.) tr. *Mar.* Poner a las velas sus brioles.

abrir. (Del lat. *aperīre*.) tr. Descubrir o hacer patente lo que está cerrado u oculto. ABRIR *una caja;* ABRIR *un aposento.* Ú. t. c. prnl. ‖ **2.** Separar del marco la hoja o las hojas de la puerta, haciéndolas girar sobre sus goznes, o quitar o separar cualquier otra cosa con que esté cerrada una abertura, para que deje de estarlo. Ú. t. c. intr. y c. prnl. *Esta puerta* ABRE *bien* o ABRE *mal;* ABRIRSE *una puerta.* ‖ **3.** Descorrer el pestillo o cerrojo, desechar la llave, levantar la aldaba o desencajar cualquier otra pieza o instrumento semejante. ‖ **4.** Tratándose de los cajones de una mesa o cualquier otro mueble, tirar de ellos hacia fuera sin sacarlos del todo. ‖ **5.** Dejar en descubierto una cosa, haciendo que aquellas que la ocultan se aparten o separen las unas de las otras. ABRIR *los ojos,* por separar un párpado de otro; ABRIR *un libro,* por separar una o varias de sus hojas de las demás para dejar patentes dos de sus páginas. ‖ **6.** Tratándose de partes del cuerpo del animal o de cosas o instrumentos compuestos de piezas unidas por goznes, tornillos, etc., separar las unas de las otras de modo que entre ellas quede un espacio mayor o menor, o formen ángulo o línea recta. ABRIR *los brazos, las alas, las piernas, los dedos, unas tijeras, un compás, una navaja.* ‖ **7.** Cortar por los dobleces los pliegos de un libro para separar las hojas. ‖ **8.** Extender lo que estaba encogido, doblado o plegado. ABRIR *la mano;* ABRIR *la cola ciertas aves;* ABRIR *un abanico;* ABRIR *un paraguas.* ‖ **9.** Hender, rasgar, dividir. Ú. t. c. prnl. ABRIRSE *la tierra, el techo, la madera, una granada, un tumor.* ‖ **10.** Con nombres como *agujero, ojal, ranura, camino, canal,* etc., **hacer.** ‖ **11.** Tratándose de cartas, paquetes, sobres, cubiertas o cosas semejantes, despegarlos o romperlos por alguna parte para ver o sacar lo que contengan. ‖ **12.** Grabar, esculpir. ABRIR *una lámina, un troquel, un molde.* ‖ **13.** fig. Vencer, apartar o destruir cualquier obstáculo que cierre la entrada o la salida de algún lugar o impida el tránsito. ABRIR *paso;* ABRIR *calle.* ‖ **14.** Tratándose de cuerpos o establecimientos políticos, administrativos, científicos, literarios, artísticos, comerciales o industriales, dar principio a las tareas, ejercicios o negocios propios de cada uno de ellos. ABRIR *las Cortes, la Universidad, un teatro, un café.* ‖ **15.** fig. Comenzar ciertas cosas o darles principio, inaugurar. ABRIR *la campaña, el curso, la sesión.* ‖ **16.** Tratándose de certámenes, concursos de opositores, subscripciones, empréstitos, etc., anunciar y publicar las condiciones con que deben llevarse a cabo. ‖ **17.** Tratándose de gente que camina formando hilera o columna, ir a la cabeza o delante. ABRIR *la procesión, la marcha.* ‖ **18.** *Com.* Tratándose de cuentas corrientes o de crédito, imponer en un banco, a nombre propio o ajeno, la suma de dinero requerida o aprontar la garantía concertada. ‖ **19.** *Fon.* Hacer que se separen los órganos articuladores al emitir un sonido, franqueando mayor paso al aire. Ú. t. c. prnl. ‖ **20.** *Taurom.* Separar al toro de la barrera para colocarlo en suerte. ‖ **21.** intr. Tratándose de flores, separarse unos de otros, extendiéndose, los pétalos que estaban recogidos en el botón o capullo. Ú. t. c. prnl. ‖ **22.** Esparcirse, ocupar mayor espacio. ABRIR *el tiro.* Ú. t. c. prnl. ‖ **23.** Tratándose del tiempo, empezar a clarear o serenarse. ‖ **24.** En algunos juegos de naipes, poner un jugador cierta cantidad que ha de aceptar o mejorar el que pretenda disputársela. ‖ **25.** *Mar.* Desatracar una embarcación menor. ‖ **26.** prnl. **relajarse,** laxarse. ‖ **27.** fig. Separarse, extenderse, hacer calle. ABRIRSE *un batallón.* Ú. t. c. tr. *El batallón* ABRE *sus filas.* ‖ **28.** Dicho del vehículo o del conductor que toma una curva, hacerlo por el lado de menor curvatura. ‖ **29.** fig. Declarar, descubrir, confiar una persona a otra su secreto. SE ABRIÓ *conmigo.* ‖ **30.** coloq. Irse de un lugar, huir, salir precipitadamente. ‖ **31.** *Amér.* Desviarse el caballo de la línea que seguía en la carrera. ‖ **32.** *Argent.* y *Venez.* Apartarse, desviarse, hacerse a un lado. ‖ **33.** *Amér.* Desistir de algo, volverse atrás, separarse de una compañía o negocio.

abrochador. (De *abrochar*.) m. **abotonador.**

abrochadura. f. **abrochamiento.**

abrochamiento. m. Acción de abrochar o abrocharse.

abrochar. (De *broche*.) tr. Cerrar, unir o ajustar con broches, corchetes, botones, etc. Ú. t. c. prnl.

abrogación. (Del lat. *abrogatĭo, -ōnis*.) f. Acción y efecto de abrogar.

abrogar. (Del lat. *abrogāre*.) tr. *Der.* Abolir, revocar. ABROGAR *una ley, un código.*

abrojal. m. Sitio poblado de abrojos.

abrojillo. m. *Argent.* Hierba anual, con tallos ramosos, espinas trífidas amarillas en la base de las hojas e involucro fructífero elipsoide, cubierto de espinas ganchudas, que se adhieren fácilmente a la lana.

abrojín. (d. de *abrojo*.) m. **cañadilla.**

abrojo. (Del lat. *apĕri ocŭlum,* ¡abre el ojo!) m. Planta de la familia de las cigofiláceas, de tallos largos y rastreros, hojas compuestas y fruto casi esférico y armado de muchas y fuertes púas. Es perjudicial a los sembrados. ‖ **2.** Fruto de esta planta. ‖ **3. cardo estrellado.** ‖ **4.** Instrumento de plata u otro metal, en figura de **abrojo,** que solían poner los disciplinantes en el azote para herirse las espaldas. ‖ **5.** *Mil.* Pieza de hierro en forma de estrella, con cuatro púas o cuchillas abiertas en ángulos iguales, de modo que al caer al suelo siempre queda una hacia arriba. Los **abrojos** se diseminaban por el terreno para dificultar el paso al enemigo, principalmente a la caballería. ‖ **6.** pl. fig. Sufrimientos, dificultades, daños. ‖ **7.** *Mar.* Peñas agudas que suelen encontrarse en el mar a flor de agua.

abroma. (Del gr. ἀ, priv., y βρῶμα, alimento, a través del lat. cient. *Abrōma.*) m. Arbusto de la familia de las esterculiáceas, propio de los países tropicales, donde llega a tres metros de altura; con tronco recio, hojas grandes, lobuladas, opuestas y de color verde oscuro, flores encarnadas en grupos colgantes y fruto capsular. La corteza de este vegetal es fibrosa, y con ella se hacen cuerdas muy resistentes.

abromado, da. p. p. de **abromar.** ‖ **2.** adj. *Mar.* Oscurecido con vapores o nieblas.

abromar. tr. ant. **abrumar.** ‖ **2.** prnl. *Mar.* Llenarse de broma[1] los fondos del buque.

abroncar. (De *a-*[1] y *bronca.*) tr. fam. Aburrir, disgustar, enfadar. Ú. t. c. prnl. ‖ **2.** Avergonzar, abochornar. ‖ **3.** Reprender ásperamente. ‖ **4. abuchear.**

abroquelado, da. p. p. de **abroquelar.** ‖ **2.** adj. *Bot.* De forma de broquel, peltado.

abroquelar. tr. *Mar.* Hacer que el viento hiera en la cara de proa de una vela actuando en su maniobra. ‖ **2.** Escudar, resguardar, defender. ‖ **3.** prnl. Cubrirse con el broquel. ‖ **4.** fig. Valerse de cualquier medio de defensa material o moral.

abrótano. (Del gr. ἀβρότονον, a través del lat. *abrotŏnum,* lat. vulg. *abrotanum.*) m. Planta herbácea de la familia de las compuestas, de cerca de un metro de altura, hojas muy finas y blanquecinas, y flores de olor suave, en cabezuelas amarillas, cuya infusión se emplea para hacer crecer el cabello. ‖ **hembra.** Planta herbácea de la familia de las compuestas, de cuatro a seis decímetros de altura, con tallos fuertes, hojas dentadas, verdes blanquecinas, y flores en cabezuelas amarillas de fuerte olor aromático. La infusión de sus flores se ha empleado como antiespasmódica y antihelmíntica. ‖ **macho. abrótano.**

abrotoñar. (De *a-*[1] y un cruce de *brotar* y *retoñar.*) intr. **brotar,** echar renuevos, hojas, etc.

abrumador, ra. adj. Que abruma.

abrumar. (De *a-*[1] y *brumar.*) tr. Agobiar con algún grave peso. ‖ **2.** fig. Causar gran molestia. ‖ **3.** fig. Causar a alguien encogimiento o empacho prodigándole alabanzas, atenciones, reconvenciones, burlas, etc.

abrumarse. prnl. Llenarse de bruma la atmósfera.

abrunal. (De *abruno.*) m. *León.* **abruno.**

abruno. (De *a-*[1] y *bruno.*) m. *Ast.* y *León.* **endrino.**

abruñal. (De *abruño.*) m. *León.* **abruño.**

abruño. (De *a-*[1] y *bruño.*) m. *Ast.* y *León.* **endrino.**

abrupción. (Del lat. *abruptio, -ōnis.*) f. *Cir.* Desgarro, fractura, separación. ‖ **2.** *Ret.* Figura que consiste en suprimir toda transición para dar más viveza al discurso.

abrupto, ta. (Del lat. *abruptus,* p. p. de *abrumpĕre,* romper.) adj. Escarpado, que tiene gran pendiente; dícese también del terreno quebrado, de difícil acceso. ‖ **2.** Áspero, violento, rudo, destemplado. *Declaración* ABRUPTA. *Carácter* ABRUPTO. ‖ **3.** V. **ex abrupto.**

abrutado, da. adj. Que parece bruto, o de bruto.

abruzarse. (De *bruces.*) prnl. Inclinarse, ponerse de bruces.

abruzo, za. adj. Natural de los Abruzos. Ú. t. c. s. ‖ **2.** Perteneciente o relativo a este país de Italia.

absceso. (Del lat. *abscessus,* tumor.) m. *Pat.* Acumulación de pus en los tejidos orgánicos internos o externos; en este último caso suele formar tumor o elevación exterior.

abscisa. (Del lat. *abscissa,* cortada.) f. *Geom.* Coordenada horizontal en un plano cartesiano rectangular. Es la distancia entre un punto y el eje vertical, medida sobre una paralela al eje horizontal. ‖ **2.** *Geom.* V. **eje de abscisas.**

abscisión. (Del lat. *abscissĭo, -ōnis,* cortadura, mutilación.) f. Separación de una parte pequeña de un cuerpo cualquiera, hecha con instrumento cortante. ‖ **2.** fig. Interrupción o renunciación.

absconder. (Del lat. *abscondĕre.*) tr. ant. **esconder**[2]. Usáb. t. c. prnl.

absencia. (Del lat. *absentĭa.*) f. ant. **ausencia.**

absenta. (Del cat. *absenta.*) f. **ajenjo,** bebida alcohólica.

absentarse. (Del lat. *absentāre.*) prnl. ant. **ausentarse.**

absento. (Del lat. *absens, -entis.*) adj. ant. **ausente.**

absentismo. (Del lat. *absens, -entis,* ausente, a través del ing. *absenteeism.*) m. Costumbre de residir el propietario fuera de la localidad en que radican sus bienes. ‖ **2.** Costumbre de abandonar el desempeño de funciones y deberes anejos a un cargo. ‖ **3.** Abstención deliberada de acudir al trabajo.

absentista. adj. Que practica el absentismo. Ú. t. c. s. ‖ **2.** Perteneciente o relativo al absentismo.

ábsida. f. *Arq.* **ábside.**

absidal. adj. Que tiene ábside; en forma de ábside.

ábside. (Del gr. ἀψίς, nudo o clave de la bóveda, a través del lat. *absis, -idis.*) amb. *Arq.* Parte del templo, abovedada y comúnmente semicircular, que sobresale en la fachada posterior, y donde en lo antiguo estaban precisamente el altar y el presbiterio. ‖ **2.** m. *Astron.* **ápside.**

absintio. (Del lat. *absinthĭum.*) m. **ajenjo,** planta.

ábsit. (Del pres. de subj. del lat. *abesse,* estar fuera, lejos.) p. us. Voz con que se manifiesta el deseo de que alguna cosa esté o vaya lejos de quien habla, o de que Dios le libre de ella.

absolución. (Del lat. *absolutĭo, -ōnis.*) f. Acción de absolver. ‖ **de la demanda.** *Der.* Terminación del pleito enteramente favorable al demandado. ‖ **de la instancia.** *Der.* La que terminaba el proceso criminal por insuficiencia de la prueba contra el reo, pero sin producir efecto de cosa juzgada a favor del absuelto. ‖ **de posiciones.** *Der.* Acto de responder a ellas el litigante, bajo juramento. ‖ **general.** Indulgencia plenaria que confiere el Papa, un sacerdote o una orden religiosa, en ocasiones especiales y limitadas. ‖ **2.** La que cualquier sacerdote católico puede conferir a los moribundos o a los que están en peligro de muerte. ‖ **libre.** *Der.* Terminación del juicio criminal por fallo en que se declara la inocencia del reo. ‖ **plenaria. absolución general.** ‖ **sacramental.** Acto de absolver el confesor al penitente.

absoluta. (De *absoluto.*) f. Aserción general dicha en tono de seguridad y magisterio. ‖ **2.** fam. *Mil.* **licencia absoluta.**

absolutamente. adv. m. De manera absoluta. ‖ **2.** adv. neg. **en absoluto,** no. Ú. m. en América.

absolutidad. f. Cualidad de absoluto.

absolutismo. m. Sistema del gobierno absoluto.

absolutista. adj. Partidario del absolutismo. Apl. a pers., ú. t. c. s. ‖ **2.** Perteneciente o relativo a este sistema de gobierno.

absoluto, ta. (Del lat. *absolūtus.*) adj. Que excluye toda relación. ‖ **2.** Independiente, ilimitado, sin restricción alguna. ‖ **3.** Hablando de juicios, opiniones, etc., y de la voluntad y sus manifestaciones, terminante, decisivo, categórico. ‖ **4.** V. **ablativo, alcohol, brillo, dominio, estado, gobierno, poder absoluto.** ‖ **5.** V. **mayoría absoluta.** ‖ **6.** fig.

y fam. De genio imperioso o dominante. ‖ **7.** *Fís.* Dícese de las magnitudes cuando se miden a partir de un valor cero que corresponde realmente a la ausencia de la magnitud en cuestión. *Temperatura* ABSOLUTA. ‖ **8.** *Gram.* **cardinal,** que expresa un número determinado de personas o cosas. ‖ **9.** *Gram.* V. **adjetivo superlativo absoluto.** ‖ **10.** *Mil.* V. **licencia absoluta.** ‖ **11.** *Quím.* Dícese de sustancias químicas líquidas, en estado puro y sin agua, como el alcohol o el éter. ‖ **lo absoluto.** Lo que existe por sí mismo, lo incondicionado. Ú. t. c. s. m. ‖ **en absoluto.** loc. adv. De una manera general, resuelta y terminante. ‖ **2.** No, de ningún modo.

absolutorio, ria. (Del lat. *absolutorius.*) adj. Dícese del fallo, sentencia, declaración, actitud, etc., que absuelve.

absolvederas. f. pl. fam. Facilidad de algunos confesores en absolver. Ú. m. con calificativo. *Buenas, grandes, bravas* ABSOLVEDERAS.

absolvedor, ra. adj. Que absuelve. Ú. t. c. s.

absolver. (Del lat. *absolvĕre.*) tr. Dar por libre de algún cargo u obligación. ‖ **2.** Remitir a un penitente sus pecados en el tribunal de la confesión, o levantarle las censuras en que hubiere incurrido. ‖ **3.** p. us. **resolver,** dar solución a una duda. ‖ **4.** p. us. Cumplir alguna cosa, ejecutarla del todo. ‖ **5.** *Der.* Declarar libre de culpa al acusado de un delito.

absolvimiento. m. ant. **absolución.**

absorbencia. f. Acción de absorber.

absorbente. p. a. de **absorber.** Que absorbe. ‖ **2.** adj. Dominante, que trata de imponer su voluntad a los demás. ‖ **3.** m. Sustancia que tiene un elevado poder de absorción.

absorber. (Del lat. *absorbēre.*) tr. Ejercer atracción una sustancia sólida sobre un fluido con el que está en contacto, de modo que las moléculas de este penetren en ella. ‖ **2.** Recibir o aspirar los tejidos orgánicos o las células materias externas a ellos, ya disueltas, ya aeriformes. ‖ **3.** p. us. **sorber.** ‖ **4.** fig. Consumir enteramente. ABSORBER *el capital.* ‖ **5.** Asumir, incorporar. Se usa principalmente refiriéndose a entidades políticas, comerciales, etc. ‖ **6.** Atraer a sí, cautivar. ABSORBER *la atención.* ‖ **7.** *Fís.* Tratándose de radiaciones, amortiguarlas o extinguirlas el cuerpo que atraviesan.

absorbible. adj. *Fisiol.* Dícese de la sustancia que puede ser absorbida.

absorbimiento. m. Acción de absorber.

absorciómetro. m. *Quím.* Instrumento para medir directamente la cantidad de un gas absorbida por un líquido.

absorción. (Del lat. *absorptĭo, -ōnis.*) f. Acción de absorber. ‖ **2.** *Fís.* Pérdida de la intensidad de una radiación al atravesar la materia. ‖ **3.** *Fís.* V. **espectro de absorción.**

absortar. (De *absorto.*) tr. Suspender, arrebatar el ánimo con alguna cosa extraordinaria. Ú. t. c. prnl.

absorto, ta. (Del lat. *absorptus.*) p. p. irreg. de **absorber.** ‖ **2.** adj. Admirado, pasmado. ‖ **3.** Entregado totalmente a una meditación, lectura, contemplación, etc.

abstemio, mia. (Del lat. *abstemĭus.*) adj. Que no bebe vino ni otros licores alcohólicos. Ú. t. c. s.

abstención. (Del lat. *abstentĭo, -ōnis.*) f. Acción y efecto de abstenerse.

abstencionismo. m. Doctrina o práctica de los abstencionistas.

abstencionista. adj. Partidario de la abstención, especialmente en política. Ú. t. c. s.

abstener. (Del lat. *abstinēre.*) tr. desus. Contener o refrenar; apartar. ‖ **2.** prnl. Privarse de alguna cosa. ‖ **3.** No participar en algo a que se tiene derecho, p. ej. en una votación.

abstergente. (Del lat. *abstergens, -entis.*) p. a. de **absterger.** Que absterge. ‖ **2.** adj. *Med.* Dícese del remedio que sirve para absterger. Ú. t. c. s.

absterger. (Del lat. *abstergēre.*) tr. *Med.* Limpiar y purificar de materias viscosas, sórdidas o pútridas las superficies orgánicas.

abstersión. (Del lat. *abstersĭo, -ōnis.*) f. *Med.* Acción y efecto de absterger.

abstersivo, va. adj. *Med.* Que tiene virtud para absterger.

abstinencia. (Del lat. *abstinentĭa.*) f. Acción de abstenerse. ‖ **2.** Virtud que consiste en privarse total o parcialmente de satisfacer los apetitos. ‖ **3.** Ejercicio de esta virtud. ‖ **4.** Por excelencia, privación de determinados alimentos o bebidas, en cumplimiento de precepto religioso o de voto especial.

abstinente. (Del lat. *abstĭnens, -entis.*) p. a. de **abstenerse.** Que se abstiene. ‖ **2.** adj. Que practica la virtud de la abstinencia.

abstracción. (Del lat. *abstractĭo, -ōnis.*) f. Acción y efecto de abstraer o abstraerse.

abstractivo, va. adj. Que abstrae o tiene virtud para abstraer.

abstracto, ta. (Del lat. *abstractus.*) p. p. irreg. de **abstraer.** ‖ **2.** adj. Que significa alguna cualidad con exclusión del sujeto. ‖ **3.** Dícese del arte y de los artistas que no pretenden representar seres o cosas concretos y atienden solo a elementos de forma, color, estructura, proporción, etc. ‖ **4.** V. **nombre, número abstracto.** ‖ **en abstracto.** loc. adv. Con separación o exclusión del sujeto en quien se halla cualquier cualidad.

abstraer. (Del lat. *abstrahĕre.*) tr. Separar por medio de una operación intelectual las cualidades de un objeto para considerarlas aisladamente o para considerar el mismo objeto en su pura esencia o noción. ‖ **2.** intr. Con la preposición *de,* prescindir, hacer caso omiso. Ú. t. c. prnl. ‖ **3.** prnl. Enajenarse de los objetos sensibles, no atender a ellos por entregarse a la consideración de lo que se tiene en el pensamiento.

abstraído, da. p. p. de **abstraer.** ‖ **2.** adj. Distraído, ensimismado, absorto en una meditación, contemplación, etc. *Lo encontré* ABSTRAÍDO *en sus pensamientos.*

abstruso, sa. (Del lat. *abstrūsus,* oculto.) adj. Recóndito, de difícil comprensión o inteligencia.

absuelto, ta. (Del lat. *absolūtus.*) p. p. irreg. de **absolver.**

absurdidad. (Del lat. *absurdĭtas, -ātis.*) f. Calidad de absurdo. ‖ **2. absurdo,** dicho o hecho irracional o disparatado.

absurdo, da. (Del lat. *absurdus.*) adj. Contrario y opuesto a la razón; que no tiene sentido. Ú. t. c. s. ‖ **2.** Extravagante, irregular. ‖ **3.** Chocante, contradictorio. ‖ **4.** m. Dicho o hecho irracional, arbitrario o disparatado.

abubilla. (Del lat. **upupella,* d. de *upŭpa.*) f. Pájaro insectívoro, del tamaño de la tórtola, con el pico largo y algo arqueado, un penacho de plumas eréctiles en la cabeza, el cuerpo rojizo y las alas y la cola negras con listas blancas, como el penacho. Es muy agradable a la vista, pero de olor fétido y canto monótono.

abubo. m. *Ar.* **cermeña.**

abuchear. (De *ahuchear.*) tr. Sisear, reprobar con murmullos, ruidos o gritos. Se usa especialmente refiriéndose a un auditorio o muchedumbre.

abucheo. m. Acción de abuchear.

abuela. (Del lat. **aviŏla,* d. de *avia.*) f. Respecto de una persona, madre de su padre o de su madre. ‖ **2.** fig. Mujer anciana. ‖ **contárselo** alguien **a su abuela.** fr. fig. y fam. con que se niega o pone en duda lo que alguno refiere como cierto. Ú. m. el verbo en imper. o subj. CUÉNTASELO A TU ABUELA; *que* SE LO CUENTE A SU ABUELA. ‖ **habérsele muerto** a alguien su **abuela,** o **no necesitar,** o **no tener, abuela.** frs.

figs. y fams. con que se censura al que se alaba mucho a sí propio.

abuelastro, tra. (De *abuelo* y el sufijo despect. *-astro.*) m. y f. Respecto de una persona, padre o madre de su padrastro o de su madrastra. ‖ **2.** Respecto de una persona, segundo o ulterior marido de su abuela, o segunda o ulterior mujer de su abuelo.

abuelo. (Del lat. vulg. **aviŏlus.*) m. Respecto de una persona, padre de su padre o de su madre. ‖ **2. ascendiente,** antepasado, persona de quien se desciende. Ú. m. en pl. ‖ **3.** fig. Hombre anciano. ‖ **4.** fig. En la lotería de cartones, nombre dado familiarmente al número noventa. ‖ **5.** fig. Cada uno de los mechoncitos que tienen las mujeres en la nuca, y que quedan sueltos cuando se atiranta el cabello hacia arriba. Ú. m. en pl. ‖ **6.** fig. *Ál.* **vilano,** apéndice, sobre todo si es grande y de filamentos suaves. ‖ **7.** pl. El **abuelo** y la abuela.

abuhado, da. (De *a-*[1] y *bufado,* hinchado.) adj. Hinchado o abotagado. ‖ **2.** Pálido, de mal color.

abuhamiento. m. ant. Hinchazón o abotagamiento.

abuhardillado, da. adj. Con buhardilla, o en forma de buhardilla.

abujardar. tr. Labrar la piedra con bujarda.

abuje. m. *Cuba.* Ácaro de color rojo que se cría en las hierbas, de donde se propaga a las personas y les produce un picor insoportable.

abulaga. f. **aulaga.**

abulagar. m. **aulagar.**

abulandro (de). loc. adj. y adv. *Sto. Dom.* Sin exponer dinero, por puro entretenimiento. Dícese del juego en que no se arriesga dinero. ‖ **2.** loc. adj. *Sto. Dom.* **de mentirijillas.** *Médico* DE ABULANDRO; *poeta* DE ABULANDRO.

abulense. (Del lat. *Abulensis;* de *Abŭla,* Ávila.) adj. **avilés.** Apl. a pers., ú. t. c. s.

abulia. (Del gr. ἀβουλία.) f. Falta de voluntad, o disminución notable de su energía.

abúlico, ca. adj. Que padece abulia. ‖ **2.** Propio de la abulia.

abulón. m. Caracol marino de California, de concha grande, gruesa, auriculada y muy nacarada.

abulonar. tr. *Argent.* Sujetar con bulones.

abultado, da. p. p. de **abultar.** ‖ **2.** adj. Grueso, grande, de mucho bulto.

abultamiento. m. Acción de abultar. ‖ **2.** Bulto, prominencia, hinchazón.

abultar. (De *a-*[1] y *bulto.*) tr. Aumentar el bulto de alguna cosa. ‖ **2.** Hacer de bulto o relieve. ‖ **3.** Aumentar la cantidad, intensidad, grado, etc. ‖ **4.** Ponderar, encarecer. ‖ **5.** intr. Tener o hacer bulto.

abullonar. (De *bullón*[2].) tr. Adornar telas con bollos, plegados esféricos.

abundado, da. p. p. de **abundar.** ‖ **2.** adj. ant. **abundante.** ‖ **3.** ant. Rico, opulento.

abundamiento. m. desus. **abundancia.** ‖ **a mayor abundamiento.** loc. adv. Además, con mayor razón o seguridad.

abundancia. (Del lat. *abundantĭa.*) f. Copia, gran cantidad. ‖ **2.** V. **cuerno de la abundancia.** ‖ **3.** *Quím.* En un sistema, razón entre las cantidades existentes de un nucleido, elemento, compuesto, etc., y las de otro que se toma como término de referencia. ‖ **de la abundancia del corazón habla la boca.** fr. con que se denota que por lo común se habla mucho de aquello de que el ánimo está muy penetrado.

abundancial. adj. *Gram.* Que denota abundancia. ‖ **2.** *Gram.* V. **adjetivo abundancial.**

abundante. p. a. de **abundar.** Que abunda. ‖ **2.** adj. Copioso, en gran cantidad.

abundar. (Del lat. *abundāre.*) intr. Tener en abundancia. ‖ **2.** Hallarse en abundancia. ‖ **3.** Tratándose de una idea u opinión, estar adherido a ella; persistir en ella. ‖ **4.** tr. p. us. Dotar en abundancia.

abundo. (Del lat. *abundo,* en abundancia.) m. ant. **abundancia.** ‖ **2.** adv. m. **abundantemente.**

abundoso, sa. adj. **abundante.**

abuñolado, da. p. p. de **abuñolar.** ‖ **2.** adj. De figura de buñuelo.

abuñolar. tr. Dicho de huevos y algún otro manjar, freírlos de modo que queden redondos, esponjosos y dorados.

abuñuelado, da. adj. **abuñolado.**

abuñuelar. tr. **abuñolar.**

¡abur! interj. **agur.**

aburar. (De *a-*[1] y el lat. vulg. *burare.*) tr. Quemar, abrasar. ‖ **2.** *Sto. Dom.* Producir escozor la picadura de hormigas, avispas o abejas.

aburelado, da. adj. **burielado.**

aburguesamiento. m. Acción y efecto de aburguesarse.

aburguesarse. prnl. Adquirir cualidades de burgués.

aburrado, da. adj. Semejante en algo a un burro. ‖ **2.** Dícese de la persona de modales toscos y groseros. ‖ **3.** *Méj.* Dícese de la yegua destinada a la cría de mulas o machos.

aburrarse. (De *a-*[1] y *burro.*) prnl. **embrutecerse.**

aburrición. f. fam. **aburrimiento.**

aburridamente. adv. m. Con aburrimiento.

aburrido, da. p. p. de **aburrir.** ‖ **2.** Que causa aburrimiento.

aburridor, ra. adj. Que aburre.

aburrimiento. (De *aburrir.*) m. Cansancio, fastidio, tedio, originados generalmente por disgustos o molestias, o por no contar con algo que distraiga y divierta.

aburrir. (Del lat. *abhorrēre.*) tr. Molestar, cansar, fastidiar. ‖ **2.** fam. Exponer, perder o tirar algo, estimándolo en poco. Se usaba especialmente hablando del tiempo perdido o del dinero malgastado. ‖ **3. aborrecer,** abandonar algunos animales los huevos o las crías. ‖ **4** ant. **aborrecer,** odiar. ‖ **5.** prnl. Fastidiarse, cansarse de alguna cosa, tomarle tedio. ‖ **6.** Sufrir un estado de ánimo producido por falta de estímulos, diversiones o distracciones.

aburujar. tr. **aborujar.** Ú. t. c. prnl.

abusado, da. adj. *Guat.* y *Méj.* Alerta, atento, listo. Ú. en Méjico sobre todo con verbos como *ser, estar, ponerse.*

abusador, ra. adj. **abusón.**

abusar. (De *abuso.*) intr. Usar mal, excesiva, injusta, impropia o indebidamente de algo o de alguien. ‖ **2.** Hacer objeto de trato deshonesto a una persona de menor experiencia, fuerza o poder. ‖ **3.** prnl. *Guat.* **aguzar,** despabilarse, estar muy atento.

abusión. (Del lat. *abusĭo, -ōnis.*) f. **abuso.** ‖ **2.** Absurdo, contrasentido, engaño. ‖ **3.** Superstición, agüero. ‖ **4.** *Ret.* **catacresis.**

abusionero, ra. (De *abusión,* superstición.) adj. Agorero, supersticioso. Ú. t. c. s.

abusivo, va. adj. Que se introduce o practica por abuso. ‖ **2.** Que abusa, abusón. Ú. t. c. s.

abuso. (Del lat. *abūsus.*) m. Acción y efecto de abusar. ‖ **de confianza.** Infidelidad que consiste en burlar o perjudicar uno a otro que, por inexperiencia, afecto, bondad excesiva o descuido, le ha dado crédito. Es una de las circunstancias que agravan la responsabilidad penal en la ejecución de ciertos delitos. ‖ **del derecho.** *Der.* Ejercicio de un derecho con ánimo de hacer daño a otro. ‖ **de superioridad.** *Der.* Circunstancia agravante de apreciación potestativa, determinada por aprovechar en la comisión del delito la notable desproporción de fuerza o número entre delincuentes y víctimas.

abusón, na. adj. Dícese de la persona que es propensa al abuso. Ú. t. c. s.
abuzarse. (De *a-*[1] y *buz*, labio.) prnl. Echarse de bruces, especialmente para beber.
abyección. (Del lat. *abiectĭo, -ōnis.*) f. Bajeza, envilecimiento. ‖ **2.** Humillación.
abyecto, ta. (Del lat. *abiectus*, p. p. de *abiicĕre*, rebajar, envilecer.) adj. Despreciable, vil en extremo. ‖ **2.** desus. Humillado, abatido.
aca. (Del quechua *aka.*) f. *NO. Argent.* Excremento.
acá. (Del lat. *eccum hac*, he aquí.) adv. l. Indica lugar en que se encuentra el hablante o cercano a él, menos circunscrito o determinado que el que se denota con el adverbio *aquí*. Por eso **acá** admite ciertos grados de comparación que rechaza *aquí*. *Tan* ACÁ, *más* ACÁ, *muy* ACÁ. ‖ **2.** En este mundo o vida temporal, en contraposición a lo ultraterreno. ‖ **3.** fam. Designa a la persona que habla o a un grupo de personas en el cual se incluye. ACÁ *nos entendemos.* ‖ **4.** pop. Señala a veces a la persona cercana al que habla, con valor semejante al del demostrativo *este*. ACÁ *tiene razón.* ‖ **5.** Con verbos de movimiento y precedido a veces de las preposiciones *hacia* o *para*, indica acercamiento a la persona que habla. *Ven* ACÁ, HACIA ACÁ O PARA ACÁ. *Trae* ACÁ, HACIA ACÁ O PARA ACÁ. ‖ **6.** adv. t. Precedido de ciertas preposiciones y de otros adverbios significativos de tiempo anterior, denota el presente. *De ayer* ACÁ; *desde entonces* ACÁ. ‖ **acá y allá,** o **acá y acullá.** loc. adv. **aquí y allí.** ‖ **de acá para allá,** o **de acá para acullá.** loc. adv. **de aquí para allí.**
acabable. (De *acabar.*) adj. Que tiene fin y término.
acabadamente. adv. m. Entera o perfectamente.
acabado, da. p. p. de **acabar.** ‖ **2.** adj. Perfecto, completo, consumado. ‖ **3.** Malparado, destruido, viejo o en mala disposición. Dícese de la salud, la ropa, la hacienda, etc. ‖ **4.** m. Perfeccionamiento o retoque de una obra o labor.
acabador, ra. adj. Que acaba o concluye alguna cosa. Ú. t. c. s.
acabalar. (De *a-*[1] y *cabal.*) tr. **completar.**
acaballadero. m. Sitio en que los caballos o asnos cubren a las yeguas. ‖ **2.** Tiempo en que las cubren.
acaballado, da. p. p. de **acaballar.** ‖ **2.** adj. Parecido al perfil de la cabeza del caballo. *Cara* ACABALLADA; *narices* ACABALLADAS.
acaballar. tr. Tomar o cubrir el caballo o el burro a la yegua. ‖ **2.** Poner o montar parte de una cosa sobre otra, encaballar. Ú. t. c. prnl.
acaballerado, da. p. p. de **acaballerar.** ‖ **2.** adj. Que parece caballero. ‖ **3.** Que se precia de serlo.
acaballerar. tr. Dar a alguien la consideración o condición de caballero. Ú. t. c. prnl.
acaballonar. tr. *Agr.* Hacer caballones en las tierras con azadón u otro instrumento.
acabamiento. (De *acabar.*) m. Efecto o cumplimiento de alguna cosa. ‖ **2.** Término, fin. ‖ **3. muerte.**
acabañar. intr. Construir cabañas o chozas los pastores para guarecerse de la intemperie mientras apacientan sus ganados. Ú. t. c. prnl.
acabar. (De *a-*[1] y *cabo*[1].) tr. Poner o dar fin a una cosa, terminarla, concluirla. Ú. t. c. prnl. ‖ **2.** Apurar, consumir. ‖ **3.** Poner mucho esmero en la conclusión de una obra. ‖ **4. matar.** ‖ **5.** desus. Seguido de la prep. *con* y un nombre de persona o pronombre personal, alcanzar, conseguir de. *Yo tampoco podía* ACABAR CON *el gobernador que me diese la licencia.* ‖ **6.** intr. Rematar, terminar, finalizar. *La espada* ACABA *en punta.* ‖ **7. morir.** ‖ **8.** Extinguirse, aniquilarse. Ú. t. c. prnl. ‖ **9.** Seguido de la prep. *con* y un nombre de persona o cosa o un pronombre, poner fin, destruir, exterminar, aniquilar. *Los disgustos* ACABARON CON *Pedro; tú* ACABARÁS CON *mi vida.* ‖ **10.** En presente, pretérito imperfecto y otros tiempos, seguido de la prep. *de* y un verbo en infinitivo, haber ocurrido poco antes lo que este último verbo significa. ACABA DE *perder su caudal.* ‖ **¡acabara ya!,** o **¡acabáramos!,** o **¡acabáramos con ello!** exprs. fams. que se emplean cuando, después de gran dilación, se termina o logra alguna cosa, o se sale de una duda. ‖ **acabar de parir.** fr. fig. y fam. Explicarse al fin la persona torpe o tarda de palabra, o que no se atreve a manifestar con claridad lo que sabe, piensa o quiere. Ú. por lo común para burlarse de ella o instigarla, y más generalmente en imperativo. ‖ **de nunca acabar.** loc. adj. Dícese del asunto, negocio, etc., que se prolonga o puede prolongarse indefinidamente. ‖ **no acabar de.** loc. Seguida de un verbo en infinitivo, no lograr lo que este significa. ‖ **nunca acabar.** fr. fig. y fam. Cosa o asunto interminable. ‖ **san se acabó.** expr. fam. **sanseacabó.** ‖ **se acabó lo que se daba.** fr. fam. que se emplea para dar por terminada una cuestión o situación.
acabd-. ant. **acaud-.**
acabe. m. *Col.* Acción y efecto de acabar; fin, acabamiento, extinción. ‖ **2.** *P. Rico.* Fiesta con baile que los recolectores y demás peonajes de las haciendas de café celebran después de terminada la recolección del grano.
acabellado, da. (De *a-*[1] y *cabello.*) adj. p. us. De color castaño claro.
acabestrillar. intr. *Mont.* Cazar con buey de cabestrillo.
acabijo. (De *acabar.*) m. desus. fam. Término, remate, fin.
acabildar. (De *a-*[1] y *cabildo.*) tr. Juntar, congregar y unir en un dictamen a muchos para conseguir algún intento. Ú. t. c. prnl.
acabo. m. **acabamiento.**
acabóse. (De *acabó*, y *se.*) m. Solo se usa en la fr. **ser** una cosa **el acabóse,** con que se denota haber llegado una cosa a su último extremo. Suele tener sentido peyorativo y expresa ruina, desolación o desastre.
acabronado, da. adj. Semejante en algo al cabrón.
acacia. (Del lat. *acacĭa.*) f. Árbol o arbusto de la familia de las mimosáceas, a veces con espinas, de madera bastante dura, hojas compuestas o divididas en hojuelas, flores olorosas en racimos laxos y colgantes, y fruto en legumbre. De varias de sus especies fluye espontáneamente la goma arábiga. ‖ **2.** Madera de este árbol. ‖ **3.** *Farm.* Sustancia medicinal concreta y astringente que se extrae del fruto verde de la **acacia** de Egipto o del de la bastarda. ‖ **bastarda. endrino,** ciruelo silvestre. ‖ **blanca,** o **falsa.** La espinosa con hojuelas aovadas, que procede de América Septentrional y se planta en los paseos de Europa. ‖ **rosa.** La de flores rosadas.
acaciano. adj. Perteneciente o relativo a Acacio, obispo herético de Cesarea. ‖ **2.** Partidario de Acacio. Ú. t. c. s.
acacharse. prnl. fam. **agacharse.**
acachetar. tr. *Taurom.* Rematar al toro con el cachete o puntilla.
acachetear. tr. Dar cachetes, golpes.
acachorrar. tr. ant. **acogotar.**
academia. (Del lat. *academĭa*, y este del gr. Ἀκαδημία.) f. Casa con jardín, cerca de Atenas, junto al gimnasio del héroe Academo, donde enseñaron Platón y otros filósofos. ‖ **2.** Escuela filosófica fundada por Platón, cuyas doctrinas se modificaron en el transcurso del tiempo, dando origen a las denominaciones de antigua, segunda y nueva **academia.** Otros distinguen cinco en la historia de esta escuela. ‖ **3.** Sociedad científica, literaria o artística establecida con autoridad pública. ‖ **4.** Junta o reunión de los académicos. *El Jueves Santo no hay* ACADEMIA. ‖ **5.** Casa donde los académicos tienen sus juntas. ‖ **6.** Junta o certamen a que concurren algunos aficionados a las letras, artes o cien-

cias. ‖ **7.** Establecimiento docente, público o privado, de carácter profesional, artístico, técnico, o simplemente práctico. ‖ **8.** *Esc.* y *Pint.* Estudio de una figura entera y desnuda, tomada del natural y que no forma parte de una composición.

académicamente. adv. m. De manera académica.

academicismo. m. Calidad de **académico,** que observa con rigor las normas clásicas.

academicista. adj. Perteneciente o relativo al academicismo. ‖ **2.** m. y f. Persona que lo practica.

académico, ca. (Del gr. ἀκαδημικός, a través del lat. *academĭcus.*) adj. Dícese del filósofo seguidor de la escuela de Platón. Ú. t. c. s. ‖ **2.** Perteneciente o relativo a la escuela filosófica de Platón. ‖ **3.** Perteneciente o relativo a las academias, o propio y característico de ellas. *Diploma, discurso, estilo* ACADÉMICO. ‖ **4.** V. **año académico.** ‖ **5.** Dícese de algunas cosas relativas a centros oficiales de enseñanza. *Curso, traje, expediente, título* ACADÉMICO. ‖ **6.** Dícese de las obras de arte en que se observan con rigor las normas clásicas, y también del autor de estas obras. ‖ **7.** *Esc.* y *Pint.* Perteneciente o relativo a la **academia,** estudio de una figura al natural. ‖ **8.** m. y f. Individuo perteneciente a una corporación académica.

academio. m. ant. De la escuela de Platón.

academista. com. p. us. **académico,** individuo perteneciente a una corporación académica.

academizar. tr. Proporcionar o atribuir carácter académico a una obra o actuación. Ú. t. en sent. fig. y con frecuencia peyorativo.

acadio, dia. adj. Natural de Akkad. Ú. t. c. s. ‖ **2.** Perteneciente a este antiguo reino de Mesopotamia. ‖ **3.** m. Lengua **acadia.**

acaecedero, ra. adj. p. us. Que puede acaecer.

acaecer. (Del lat. *accadiscĕre, de *accadĕre, por accidĕre, ocurrir.) intr. **suceder,** efectuarse un hecho. Ú. en el modo infinitivo y en las terceras pers. de sing. y pl. ‖ **2.** ant. Hallarse presente, concurrir a algún paraje.

acaecimiento. m. Cosa que sucede.

acafelar. (Del ár. *cafr,* argamasa.) tr. ant. Revocar con mortero.

acafresna. f. **serbal.**

acaguasarse. (De *a-*[1] y *caguaso.*) prnl. *Gran.* y *Cuba.* Medrar poco el tallo de la caña de azúcar y multiplicarse en cambio sus hojas.

acahual. (Del nahua *acahualli.*) m. Especie de girasol, muy común en Méjico. ‖ **2.** *Méj.* Nombre general de toda clase de hierba alta y de tallo algo grueso de que suelen cubrirse los barbechos.

acairelar. tr. **cairelar.**

acal. (Del nahua *acalli,* de *atl,* agua, y *calli,* casa.) amb. desus. Canoa.

acalabrotar. (De *a-*[1] y *calabrote.*) tr. *Mar.* Formar un cabo de tres cordones, compuesto cada uno de ellos de otros tres.

acalambrarse. prnl. *Amér.* Contraerse los músculos a causa del calambre. Ú. t. c. tr.

acaldar. (Del lat. *accapitāre, recoger.) tr. *Cantabria.* Arreglar, concertar, poner en orden.

acalefo. (Del gr. ἀκαλήφη, ortiga de mar.) adj. *Zool.* Dícese del animal marítimo de vida pelágica, perteneciente al grupo de los celentéreos, que en su estado adulto presenta forma de medusa y tiene un ciclo de desarrollo con fases muy diversas. Ú. t. c. s. ‖ **2.** m. pl. *Zool.* Clase de estos animales.

acalenturarse. prnl. Empezar a tener calentura.

acalia. f. **malvavisco.**

acalmar. tr. ant. **calmar.**

acaloñar. (De *a-*[1] y *caloña.*) tr. ant. **caloñar,** calumniar. ‖ **2.** ant. **caloñar,** exigir responsabilidad.

acaloradamente. adv. m. Con calor o vehemencia.

acalorado, da. p. p. de **acalorar.** ‖ **2.** adj. fig. En controversias, disputas, conversaciones, críticas, etc., apasionado, vehemente, enardecido.

acaloramiento. (De *acalorar.*) m. Ardor, encendimiento, arrebato de calor. ‖ **2.** fig. Arrebatamiento o acceso de una pasión violenta.

acalorar. tr. Dar o causar calor. ‖ **2.** Encender, fatigar con el demasiado trabajo o ejercicio. Ú. m. c. prnl. ‖ **3.** fig. Fomentar, promover, avivar, excitar, enardecer. ‖ **4.** prnl. fig. Enardecerse en la conversación o disputa. ‖ **5.** fig. Hacerse viva y ardiente la misma disputa o conversación.

acalórico, ca. adj. Sin calorías.

acaloro. (De *acalorar.*) m. *Ar., León* y *Sal.* Acaloramiento, sofocación.

acalote. (Del nahua *acalohtli,* zanja o canal por donde navegan las canoas, de *acalli,* canoa, y *ohtli,* camino.) m. *Méj.* Parte de las aguas que se limpiaba de hierbas flotantes en los ríos y lagunas para dar paso a las embarcaciones remeras.

acalugar. tr. *Gal.* y *Sal.* Sosegar, aliviar, acariciar.

acalumniador, ra. adj. ant. **calumniador.** Usáb. t. c. s.

acalumniar. tr. ant. Acusar, imputar un delito, querellarse. ‖ **2.** ant. Afear, denigrar. ‖ **3.** ant. **excomulgar.**

acallador, ra. adj. Que acalla.

acallantar. tr. *Ast.* y *León.* **acallar.**

acallar. tr. Hacer callar. ‖ **2.** fig. Aplacar, aquietar, sosegar.

acamado, da. p. p. de **acamar.** ‖ **2.** adj. *Blas.* Se dice de la pieza o figura colocada sobre otra u otras.

acamar. (De *a-*[1] y *cama*[1].) tr. Hacer la lluvia, el viento, etc., que se tiendan o recuesten las mieses, el cáñamo, el lino u otros vegetales semejantes. Ú. t. c. prnl. ‖ **2.** prnl. *Sal.* Echarse el ganado en la dormida para pasar la noche.

acambrayado, da. adj. Parecido al cambray.

acamellado, da. adj. Parecido al camello.

acampada. f. Acción y efecto de acampar. ‖ **2.** Campamento, lugar al aire libre, dispuesto para alojar turistas, viajeros, etc.

acampamento. m. **campamento.**

acampanado, da. p. p. de **acampanar.** ‖ **2.** adj. De figura de campana.

acampanar. tr. Dar a una cosa figura de campana. Ú. t. c. prnl.

acampar. (Del it. *accampare.*) intr. Detenerse y permanecer en despoblado, alojándose o no en tiendas o barracas. Ú. t. c. tr. y c. prnl.

acampo. (De *acampar.*) m. **dehesa.**

acamuzado, da. adj. ant. **gamuzado.**

ácana. (Voz de probable or. arahuaco.) f. Árbol de la familia de las sapotáceas, muy común en América Meridional y en la isla de Cuba, y cuyo tronco, de ocho a diez metros de altura, da madera recia y compacta, excelente para la construcción. ‖ **2.** Madera de este árbol. ‖ **de ácana.** loc. fig. *And.* De excelente calidad o de mucho valor.

acanalado, da. p. p. de **acanalar.** ‖ **2.** adj. Dícese de lo que pasa por canal o paraje estrecho. ‖ **3.** De figura larga y abarquillada como la de las canales. *Uñas* ACANALADAS. ‖ **4.** De figura de estría, o con estrías. ‖ **5.** V. **cuello acanalado.**

acanalador. m. Instrumento que usan los carpinteros para abrir en los cercos y peinazos de puertas y ventanas ciertas canales en que entran y quedan asegurados los tableros.

acanaladura. (De *acanalar.*) f. *Arq.* Canal o estría.

acanalar. tr. Hacer una o varias canales o estrías en alguna cosa. ‖ **2.** Dar a una cosa forma de canal o teja.

acanallado, da. adj. Dícese de la persona que participa de los defectos de la canalla o gente ruin.
acanallar. tr. **encanallar.** Ú. t. c. prnl.
acandilado, da. adj. De figura de candil. ‖ **2. encandilado,** erguido.
acanelado, da. adj. De color o sabor de canela.
acanelonar. (De *canelón*[1], extremo de las disciplinas.) tr. desus. Azotar con disciplinas.
acanillado, da. adj. Aplícase al paño u otra tela que, por desigualdad del hilo, del tejido o del color, forma canillas.
acanilladura. f. Defecto de la tela que está acanillada.
acantáceo, a. (De *acanto.*) adj. *Bot.* Dícese de plantas angiospermas dicotiledóneas, arbustos y hierbas, que tienen tallo y ramos nudosos, hojas opuestas, flores de cinco pétalos, axilares o terminales y rara vez solitarias, y por fruto una caja membranosa, coriácea o cartilaginosa que contiene varias semillas sin albumen; como el acanto. Ú. t. c. s. ‖ **2.** f. pl. *Bot.* Familia de estas plantas.
acantalear. (De *a-*[1] y *cantal.*) intr. impers. *Ar.* Caer granizo grueso. ‖ **2.** *Ar.* Llover copiosamente.
acantarar. tr. Medir o vender por cántaras, especialmente el vino.
acantear. tr. *León, Sal.* y *Seg.* Tirar piedras o cantos a alguien.
acantilado, da. p. p. de **acantilar.** ‖ **2.** adj. Se dice del fondo del mar cuando forma escalones o cantiles. ‖ **3.** Aplícase también a la costa cortada verticalmente o a plomo. Ú. t. c. s. m. ‖ **4.** m. Escarpa casi vertical en un terreno.
acantilar. tr. *Mar.* Echar o poner un buque en un cantil por una mala maniobra. Ú. m. c. prnl. ‖ **2.** *Mar.* Dragar un fondo para que quede acantilado.
acantinflado, da. adj. *Chile* y *Méj.* Que habla a la manera peculiar del actor mejicano Cantinflas.
acantio. (Del gr. ἀκάνθιον, a través del lat. *acanthium.*) m. **cardo borriquero.**
acanto. (Del gr. ἄκανθος, a través del lat. *acanthus.*) m. Planta de la familia de las acantáceas, perenne, herbácea, con hojas anuales, largas, rizadas y espinosas. ‖ **2.** *Arq.* Ornato hecho a imitación de las hojas de esta planta, característico del capitel del orden corintio.
acantocéfalo, la. (Del gr. ἄκανθα, espina, y κεφαλή, cabeza.) adj. *Zool.* Dícese de los nematelmintos que carecen de aparato digestivo y tienen en el extremo anterior de su cuerpo una trompa armada de ganchos, con los que el animal, que es parásito, se fija a las paredes del intestino de su huésped. Ú. m. c. s. ‖ **2.** m. pl. *Zool.* Orden de estos nematelmintos.
acantonamiento. m. Acción y efecto de acantonar fuerzas militares. ‖ **2.** Sitio en que hay tropas acantonadas.
acantonar. (De *a-*[1] y *cantón*[1].) tr. Distribuir y alojar las tropas en diversos poblados o poblaciones. Ú. t. c. prnl.
acantopterigio, gia. (Del gr. ἄκανθα, espina, y πτερύγιον, aleta.) adj. *Zool.* Dícese de peces teleósteos casi todos marinos, cuyas aletas, por lo menos las impares, tienen radios espinosos inarticulados; como el atún, el pez espada y el besugo. Ú. t. c. s. ‖ **2.** m. pl. *Zool.* Suborden de estos animales.
acañaverear. (De *a-*[1] y *cañavera.*) tr. Herir con cañas cortadas en punta a modo de saetas, género de suplicio usado antiguamente.
acañonear. tr. **cañonear.**
acañutado, da. adj. De forma de cañuto.
acaparador, ra. adj. Que acapara. Ú. t. c. s.
acaparamiento. m. Acción y efecto de acaparar.
acaparar. (Del fr. *accaparer.*) tr. Adquirir y retener cosas propias del comercio en cantidad suficiente para dar la ley al mercado. **2.** Adquirir y retener cosas propias del comercio en cantidad superior a la normal, previniendo su escasez o encarecimiento. ‖ **3.** fig. Apropiarse u obtener en todo o en gran parte un género de cosas.
acaparrarse. (Del it. *accaparrare.*) prnl. desus. Ajustarse o convenirse con alguien.
acaparrosado, da. adj. De color de caparrosa.
acapillar. (De *capillo.*) tr. p. us. Atrapar, apresar.
acápite. (Del lat. *a capĭte,* desde el principio.) m. *Amér.* **párrafo,** especialmente en textos legales.
acapizarse. (Del arag. *capeza,* cabeza.) prnl. fam. *Ar.* Agarrarse uno a otro riñendo y dándose cabezadas.
acaponado, da. adj. Que parece de capón, o sea, de hombre castrado. *Rostro* ACAPONADO; *voz* ACAPONADA.
acapulqueño, ña. adj. Natural de Acapulco, ciudad del Estado mejicano de Guerrero. Ú. t. c. s. ‖ **2.** Perteneciente o relativo a esta ciudad.
acapullarse. prnl. p. us. Tomar forma de capullo.
acaracolado, da. adj. De figura de caracol.
acarambanado, da. adj. **carambanado.**
acaramelar. tr. Bañar de azúcar en punto de caramelo. ‖ **2.** prnl. fig. y fam. Mostrarse alguien extraordinariamente galante, obsequioso, dulce, melifluo. ‖ **3.** fig. y fam. Darse los enamorados con visibles muestras de su mutuo cariño.
acarar. (De *cara.*) tr. Poner cara a cara.
acardenalar. tr. Causar cardenales a uno. ‖ **2.** prnl. Salir al cutis manchas de color cárdeno, semejantes a las ocasionadas por golpes.
acareamiento. m. Acción y efecto de acarear.
acarear. tr. **carear.** ‖ **2.** Hacer cara, arrostrar. ‖ **3.** prnl. fig. ant. Convenir, conformarse una cosa con otra.
acariciador, ra. adj. Que acaricia. Ú. t. c. s.
acariciar. tr. Hacer caricias. ‖ **2.** fig. Tratar a alguien con amor y ternura. ‖ **3.** fig. Tocar, rozar suavemente una cosa a otra. *La brisa* ACARICIABA *su rostro.* ‖ **4.** fig. Complacerse en pensar alguna cosa con deseo o esperanza de conseguirla o llevarla a cabo.
acárido, da. adj. **ácaro.** ‖ **2.** m. pl. *Zool.* Orden de estos animales.
acarnerado, da. adj. Dícese del caballo o yegua que tiene arqueada la parte delantera de la cabeza, como el carnero.
ácaro. (Del gr. ἄκαρι, a través del lat. mod. *acărus.*) m. *Zool.* Arácnido de respiración traqueal o cutánea, con cefalotórax tan íntimamente unido al abdomen que no se percibe separación entre ambos. Esta denominación comprende animales de tamaño mediano o pequeño, muchos de los cuales son parásitos de otros animales o plantas. ‖ **2.** pl. *Zool.* Orden de estos animales. ‖ **de la sarna. arador de la sarna.** ‖ **del queso,** o **doméstico.** El que se cría en el queso seco y rancio.
acaronar. (De la loc. adv. *a carona.*) tr. *Ar.* Arrimar una persona su rostro al de la criatura que tiene en brazos, arrullándola para dormirla.
acarralado. (Del p. p. de *acarralar.*) m. *And.* Carrera o línea de puntos que se sueltan en un tejido, especialmente en las medias.
acarraladura. (De *acarralar.*) f. *Chile* y *Perú.* **acarralado.**
acarralar. (De *a-*[1] y *carral*[1], camino.) tr. Encoger un hilo, o dejar un claro entre dos, en los tejidos. Ú. m. c. prnl. ‖ **2.** prnl. Desmedrarse los racimos de uvas a consecuencia de las heladas tardías.
acarrarse. (De or. inc.) prnl. Resguardarse del sol en estío el ganado lanar, uniéndose para procurarse sombra. ‖ **2.** *Sal.* Ir las ovejas unas tras otras con el morro junto a la tierra en las horas de calor.
acarrascado, da. adj. desus. Semejante a la carrasca[1].
acarrazarse. prnl. *Ar.* Abrazarse con fuerza.

acarreadizo, za. adj. Que se puede acarrear.
acarreador, ra. adj. Que acarrea. Ú. t. c. s. ‖ **2.** m. Encargado de conducir la mies desde el rastrojo a la era.
acarreadura. f. ant. **acarreo.**
acarreamiento. m. **acarreo.**
acarrear. tr. Transportar en carro. ‖ **2.** Por ext., transportar de cualquier manera. ‖ **3.** fig. Dicho de daños o desgracias, ocasionar, producir, traer consigo.
acarreo. m. Acción de acarrear. ‖ **de acarreo.** loc. adj. Dícese de lo que se trae de otra parte por tierra, o no es del lugar donde está, sino que ha venido a él desde otro. *Tierras* DE ACARREO. ‖ **2.** También se dice de lo que un arriero trae por cuenta ajena, solo por el porte. ‖ **3.** fig. Dícese de los materiales que un escritor, investigador, orador, etc., aporta, tomándolos de diversas fuentes y sin someterlos a una elaboración personal.
acarretar. tr. *Gal.* **carretear**[2].
acarreto. m. **acarreo.** ‖ **2.** V. **hilo de acarreto.**
acartonarse. prnl. Ponerse como cartón. Se usa especialmente hablando de las personas que al llegar a cierta edad se quedan enjutas.
acasamatado, da. adj. De forma de casamata. ‖ **2.** Dícese de la batería o fortificación que tiene casamata.
acasarado. adj. V. **lugar acasarado.**
acaserarse. (De *a-*[1] y *casero.*) prnl. *Cuba, Chile* y *Perú.* Hacerse parroquiano de una tienda.
acaso. (De *a-*[1] y *caso.*) m. Casualidad, suceso imprevisto. ‖ **2.** adv. m. Por casualidad, accidentalmente. ‖ **3.** adv. de duda. Quizá, tal vez. ‖ **por si acaso.** loc. adv. o conj. Por si surge o ha surgido una contingencia expresa o sobrentendida. *Fíjate bien en lo que dicen,* POR SI ACASO *hay que replicarles. Hay que salir con tiempo,* POR SI ACASO.
acastañado, da. adj. Que tira a color castaño.
acastillado, da. adj. ant. De figura de castillo.
acastorado, da. adj. Semejante a la piel del castor.
acatable. adj. Digno de acatamiento o respeto.
acatadamente. adv. m. Con acatamiento o respeto.
acatadura. f. ant. **catadura,** gesto o semblante.
acataléctico. (Del gr. ἀκαταληκτικός, a través del lat. *catalectĭcus.*) adj. Dícese del verso griego o latino que tiene cabales todos sus pies. Ú. t. c. s.
acatalecto. (Del gr. ἀκατάληκτος, que no se acaba, a través del lat. *acatalectus.*) adj. **acataléctico.** Ú. t. c. s.
acatamiento. m. Acción y efecto de acatar.
acatanca. (Del quechua *akatanca.*) f. *Argent.* y *Bol.* Escarabajo pelotero, catanga. ‖ **2.** *Bol.* **catanga,** excremento.
acatar. (De *a-*[1] y *catar,* mirar.) tr. Tributar homenaje de sumisión y respeto. ‖ **2.** Aceptar con sumisión una autoridad o unas normas legales, una orden, etc. ‖ **3.** ant. Mirar con atención. ‖ **4.** ant. Considerar bien una cosa. ‖ **5.** ant. Tener una cosa relación o correspondencia con otra. ‖ **6.** prnl. ant. Recelarse. ‖ **acatar abajo.** fr. fig. ant. **despreciar.**
acatarrar. tr. Resfriar, constipar. ‖ **2.** prnl. Contraer catarro de las vías respiratorias.
acates[1]**.** (Por alusión a *Achātes,* fiel amigo de Eneas, en la Eneida de Virgilio.) m. desus. Persona muy fiel.
acates[2]**.** (Del gr. ἀχάτης, a través del lat. *achātes.*) f. ant. **ágata.**
acato. (De *acatar.*) m. **acatamiento.** ‖ **darse acato.** fr. Darse cuenta o razón.
acatólico, ca. adj. Que no es católico. Ú. t. c. s.
acaudalado, da. p. p. de **acaudalar.** ‖ **2.** adj. Que tiene mucho caudal.
acaudalador, ra. adj. p. us. Que acaudala. Ú. t. c. s.
acaudalar. tr. Hacer o reunir caudal.
acaudillador, ra. adj. p. us. Que acaudilla. Ú. t. c. s.
acaudillamiento. m. p. us. Acción de acaudillar.
acaudillar. (De *a-*[1] y *caudillo.*) tr. Mandar, como cabeza o jefe, gente de guerra. ‖ **2.** Guiar, conducir, dirigir. ‖ **3.** prnl. Tomar o elegir caudillo.
acaule. (De *a-*[2] y el lat. *caulis,* tallo.) adj. *Bot.* Dícese de la planta cuyo tallo es tan corto que parece que no lo tiene.
acautelarse. prnl. **cautelarse.**
acayo, ya. adj. ant. **aqueo.** Usáb. t. c. s.
accedente. (Del lat. *accēdens, -entis.*) p. a. de **acceder.** Que accede. Dícese solo de los tratados hechos entre príncipes.
acceder. (Del lat. *accedĕre,* acercarse.) intr. Consentir en lo que otro solicita o quiere. ‖ **2.** Ceder alguien en su parecer, conviniendo con un dictamen o una idea de otro, o asociándose a un acuerdo. ‖ **3.** Tener acceso, paso o entrada a un lugar. *Por aquella puerta se* ACCEDÍA *a las estancias.* ‖ **4.** Tener acceso a una situación, condición o grado superiores, llegar a alcanzarlos. ACCEDER *el colono a la propiedad de la finca.*
accender. (Del lat. *accendĕre.*) tr. ant. **encender.**
accenso, sa. (Del lat. *accensus;* de *accendĕre,* encender.) p. p. irreg. ant. de **accender.**
accesibilidad. f. Calidad de accesible.
accesible. (Del lat. *accesibĭlis.*) adj. Que tiene acceso. ‖ **2.** fig. De fácil acceso o trato. ‖ **3.** fig. De fácil comprensión, inteligible. ‖ **4.** *Topogr.* V. **altura accesible.**
accesión. (Del lat. *accessĭo, -ōnis.*) f. Acción y efecto de acceder. ‖ **2.** Cosa o cosas accesorias. ‖ **3. ayuntamiento,** cópula carnal. ‖ **4.** *Der.* Modo de adquirir el dominio, según el cual el propietario de una cosa hace suyo, no solamente lo que ella produce, sino también lo que se le une o incorpora por obra de la naturaleza o por mano del hombre, o por ambos medios a la vez, siguiendo lo accesorio a lo principal. ‖ **5.** *Der.* Cosa de este modo adquirida. ‖ **6.** *Med.* Cada uno de los ataques de las fiebres intermitentes durante los cuales se suceden, por lo regular, los tres estados de frío, calor y sudor. ‖ **por accesión.** loc. adv. En la elección canónica, dícese cuando después de publicado el escrutinio se unen al que ha tenido más votos aquellos que antes no le habían votado.
accesional. (De *accesión.*) adj. Que aparece y desaparece súbitamente, por accesos. Dícese de ciertas enfermedades y especialmente de algunas fiebres que evolucionan de este modo.
accésit. (Del lat. *accessit,* pret. de *accedĕre,* acercarse.) m. Recompensa inferior inmediata al premio en certámenes científicos, literarios o artísticos. ‖ pl. invar.
acceso. (Del lat. *accessus.*) m. Acción de llegar o acercarse. ‖ **2. ayuntamiento,** cópula carnal. ‖ **3.** Entrada o paso. ‖ **4.** fig. Entrada al trato o comunicación con alguno. ‖ **5.** fig. Arrebato o exaltación. ‖ **6.** *Med.* Acometimiento o repetición de un estado morboso, periódico o no, como la epilepsia, histerismo, disnea, neuralgia, etc. ‖ **7.** *Med.* **accesión,** ataque de fiebre intermitente. ‖ **del Sol.** *Astron.* Movimiento aparente con que se acerca el Sol al Ecuador.
accesoria. (De *accesorio.*) f. Edificio contiguo a otro principal y dependiente de este. Ú. m. en pl. ‖ **2.** *Filip.* Cada departamento de una serie de casas iguales y unidas por pared intermedia, de un solo techo a lo largo de la calle. Suele ser de dos pisos. ‖ **3.** pl. Habitaciones bajas que tienen entrada distinta y uso separado del resto del edificio principal.
accesoriamente. adv. m. Por accesión o agregación.
accesorio, ria. (De *acceso.*) adj. Que depende de lo principal o se le une por accidente. Ú. t. c. s. ‖ **2.** V. **puerta accesoria.** ‖ **3. secundario,** no principal. ‖ **4.** m. Utensilio auxiliar para determinado trabajo o para el funcionamiento de una máquina. Ú. m. en pl.
accidentadamente. adv. m. De modo accidentado.
accidentado, da. p. p. de **accidentar.** ‖ **2.** adj. Turbado, agitado, borrascoso. ‖ **3.** Dicho de terreno, escabroso, abrupto. ‖ **4.** Dícese de quien ha sido víctima de un accidente. Ú. m. c. s.
accidental. (Del lat. *accidentālis.*) adj. No esencial. ‖ **2.** Ca-

sual, contingente. ‖ **3.** Dícese del cargo que se desempeña con carácter provisional. *Director, secretario* ACCIDENTAL. ‖ **4.** Dícese de la sociedad que se establece sin formalidad jurídica. ‖ **5.** V. **imagen, punto accidental.** ‖ **6.** *Teol.* Aplícase a la gloria y bienes que gozan los bienaventurados, además de la vista y posesión de Dios. ‖ **7.** m. *Mús.* **accidente,** signo para alterar un sonido.

accidentalidad. f. Calidad de accidental.

accidentar. tr. Producir accidente. ‖ **2.** prnl. Ser acometido de algún accidente que priva de sentido o de movimiento.

accidentariamente. adv. m. ant. **accidentalmente.**

accidentario, ria. adj. **accidental,** no esencial. ‖ **2. accidental,** casual.

accidente. (Del lat. *accĭdens, -entis.*) m. Calidad o estado que aparece en alguna cosa, sin que sea parte de su esencia o naturaleza. ‖ **2.** Suceso eventual que altera el orden regular de las cosas. ‖ **3.** Suceso eventual o acción de que involuntariamente resulta daño para las personas o las cosas. *Seguro contra* ACCIDENTES. ‖ **4.** Indisposición o enfermedad que sobreviene repentinamente y priva de sentido, de movimiento o de ambas cosas. ‖ **5.** Pasión o movimiento del ánimo. ‖ **6.** Irregularidad del terreno con elevación o depresión bruscas, quiebras, fragosidad, etc. ‖ **7.** *Gram.* **accidente gramatical.** ‖ **8.** Síntoma grave que se presenta inopinadamente durante una enfermedad, sin ser de los que la caracterizan. ‖ **9.** *Mús.* Signo con que se altera la tonalidad de un sonido. Son tres: el sostenido, el bemol y el becuadro. ‖ **10.** pl. *Teol.* Figura, color, sabor y olor que en la Eucaristía quedan del pan y del vino después de la consagración. ‖ **de trabajo.** Lesión corporal que sufre el operario con ocasión o a consecuencia del trabajo que ejecuta por cuenta ajena. ‖ **gramatical.** En la gramática tradicional, modificaciones que sufren en su forma las palabras variables para expresar diversas categorías gramaticales. En español, los **accidentes** gramaticales son: género y número en la flexión nominal; modo, tiempo, número y persona, en la flexión verbal. Los pronombres personales sufren modificaciones que son restos de la declinación latina. ‖ **de accidente.** loc. adv. ant. **por accidente.** ‖ **por accidente.** loc. adv. Por casualidad.

acción. (Del lat. *actĭo, -ōnis.*) f. Ejercicio de una potencia. ‖ **2.** Efecto de hacer. ‖ **3.** Operación o impresión de cualquier agente en el paciente. ‖ **4.** Postura, ademán. ‖ **5.** En el orador, el cantante y el actor, conjunto de actitudes, movimientos y gestos determinados por el sentido de las palabras, y cuyo fin es hacer más eficaz la expresión de lo que se dice. ‖ **6.** fam. Posibilidad o facultad de hacer alguna cosa, y especialmente de acometer o de defenderse. Ú. m. con los verbos *coger, quitar, dejar,* etc. *Coger la* ACCIÓN; *dejar sin* ACCIÓN. ‖ **7.** En las obras narrativas, dramáticas y cinematográficas, sucesión de acaecimientos y peripecias que constituyen su argumento. ‖ **8.** V. **unidad de acción.** ‖ **9.** En la filmación de películas, voz con que se advierte a actores y técnicos que en aquel momento comienza una toma. ‖ **10.** ant. **acta.** ‖ **11.** (Con influjo del neerl. *aktie* y del fr. *action.*) *Com.* Cada una de las partes en que se considera dividido el capital de una compañía anónima, y también, a veces, el que aportan los socios no colectivos a algunas comanditarias, que entonces se llaman comanditarias por **acciones.** ‖ **12.** (Con igual influjo que la acep. anterior.) *Com.* Título que acredita y representa el valor de cada una de aquellas partes. ‖ **13.** *Der.* Derecho que se tiene a pedir alguna cosa en juicio. ‖ **14.** *Der.* Modo legal de ejercitar el mismo derecho, pidiendo en justicia lo que es nuestro o se nos debe. ‖ **15.** *Fís.* Magnitud que se define como producto de la energía absorbida durante un proceso, por la duración del mismo. ‖ **16.** *Mil.* **batalla.** ‖ **17.** *Mil.* Combate o pelea entre fuerzas poco numerosas. ‖ **18.** *Pint.* Actitud o postura del modelo natural para dibujarlo o pintarlo. ‖ **de gracias.** Expresión o manifestación de agradecimiento. ‖ **de guerra.** *Mil.* **acción,** combate, batalla. ‖ **de jactancia.** *Der.* La que se utiliza demandando a la persona que se jacta de un derecho negado por el actor, para que sea condenada a ponerlo sub júdice en el término que se le señale. ‖ **de presencia.** *Quím.* **catálisis.** ‖ **directa.** Empleo de la violencia preconizado por algunos grupos sociales, bien con fines políticos, bien para conseguir ventajas económicas. Suele manifestarse en forma de huelgas, sabotajes, atentados terroristas, etc. ‖ **liberada.** *Com.* Aquella cuyo valor no se satisface pecuniariamente, porque está cubierto por cosas aportadas o servicios hechos a la sociedad, siendo igual en derechos y obligaciones a las acciones que representan el restante capital social. ‖ **mala acción.** Fechoría, mala pasada. ‖ **coger,** o **ganar,** a alguien **la acción.** fr. Anticiparse a sus intentos, impidiéndole realizarlos.

accionado, da. p. p. de **accionar.** ‖ **2.** m. **acción,** ademanes de un orador, cantante, etc.

accionamiento. m. Acción y efecto de accionar un mecanismo o hacerlo funcionar.

accionar. (De *acción.*) tr. Poner en funcionamiento un mecanismo o parte de él; dar movimiento. ‖ **2.** intr. Hacer movimientos y gestos para dar a entender alguna cosa, o acompañar con ellos la palabra hablada o el canto, para hacer más viva la expresión de los pensamientos, deseos o afectos.

accionariado. (De *accionario.*) m. Conjunto de accionistas de una sociedad.

accionarial. adj. Perteneciente o relativo a las acciones de una sociedad.

accionario, ria. adj. Perteneciente o relativo a las acciones de una sociedad anónima. ‖ **2.** m. y f. Accionista o poseedor de acciones.

accionista. com. Dueño de una o varias acciones en una compañía comercial, industrial o de otra índole.

accitano, na. adj. Natural de Acci, hoy Guadix. Ú. t. c. s. ‖ **2.** Perteneciente a esta ciudad.

acebadamiento. m. **encebadamiento.**

acebadar. tr. **encebadar.** Ú. t. c. prnl.

acebal. m. **acebeda.**

acebeda. f. Sitio poblado de acebos.

acebedo. m. **acebeda.**

acebibe. (Del ár. *az-zabīb,* la uva y la ciruela pasas.) amb. ant. Uva pasa.

acebo. (Del lat. *acifolium* o **acifŭlum,* lat. clás. *aquifolium.*) m. Árbol silvestre de la familia de las aquifoliáceas, de cuatro a seis metros de altura, poblado todo el año de hojas de color verde oscuro, lustrosas, crespas y con espinas en su margen; flores blancas y fruto en drupa rojiza. Su madera, que es blanca, flexible, muy dura y compacta, se emplea en ebanistería y tornería; y de su corteza se extrae liga para cazar pájaros. ‖ **2.** Madera de este árbol.

acebollado, da. adj. Que tiene acebolladura.

acebolladura. (De *a-*[1] y *cebolla,* por la semejanza de las capas que la componen.) f. Daño que tienen algunas maderas, y que consiste en haberse desunido dos capas contiguas de las varias anuales que forman el tejido leñoso del árbol.

acebrado, da. adj. **cebrado.**

acebuchal. adj. Perteneciente al acebuche. ‖ **2.** m. Terreno poblado de acebuches.

acebuche. (Del ár. *az-zanbūǧ.*) m. **olivo silvestre.** ‖ **2.** Madera de este árbol.

acebucheno, na. adj. Perteneciente al acebuche. ‖ **2.** V. **olivo acebucheno.**

acebuchina. f. Fruto del acebuche. Es una especie de aceituna, más pequeña y menos carnosa que la del olivo cultivado.

acecido. m. fam. **acezo.**
acecinar. (De *a-*[1] y *cecina.*) tr. Salar las carnes y ponerlas al humo y al aire para que, enjutas, se conserven. Ú. t. c. prnl. ‖ **2.** prnl. fig. Quedarse, por vejez u otra causa, muy enjuto de carnes.
acechadera. f. **acechadero.** ‖ **2.** Acción de acechar reiteradamente.
acechadero. m. Sitio donde se puede acechar.
acechador, ra. adj. Que acecha. Ú. t. c. s.
acechamiento. m. **acecho.**
acechanza. f. Acecho, espionaje, persecución cautelosa.
acechar. (Del lat. *assectāri,* seguir, perseguir.) tr. Observar, aguardar cautelosamente con algún propósito.
aceche. (Del ár. *az-zāŷ,* el sulfato de hierro.) m. **caparrosa.**
acecho. m. Acción de acechar. ‖ **2.** p. us. Lugar desde el cual se acecha. ‖ **al, de, o en, acecho.** loc. adv. Observando y mirando a escondidas y con cuidado.
acechón, na. adj. fam. **acechador.** ‖ **hacer la acechona.** fr. fam. **acechar.**
acedamente. adv. m. desus. Con acedía o desabrimiento.
acedar. tr. Poner aceda o agria alguna cosa. Ú. m. c. prnl. ‖ **2.** desus. Alterar con acidez el estómago o los humores. ‖ **3.** fig. Desazonar, disgustar. Ú. t. c. prnl. ‖ **4.** prnl. Tratándose de plantas, ponerse amarillas y enfermizas a causa del exceso de humedad o de acidez del medio en que viven.
acedera. (Del lat. *acetaria;* de *acētum,* vinagre.) f. Planta perenne de la familia de las poligonáceas, con el tallo fistuloso y derecho, hojas alternas y envainadoras, y flores pequeñas y verdosas dispuestas en verticilos. Se emplea como condimento por su sabor ácido, debido al oxalato potásico que contiene. ‖ **2.** *Ecuad.* Planta de la familia de las oxalidáceas, que se usa para ensaladas. ‖ **3.** *Quím.* V. **sal de acederas.**
acederaque. (Del persa *āzād dirajt,* lila de Persia, a través del fr. *azédarac.*) m. **cinamomo,** árbol.
acederilla. f. Planta perenne de la familia de las poligonáceas, muy parecida a la acedera. ‖ **2. aleluya,** planta oxalidácea.
acedorón. m. Planta perenne de la familia de las poligonáceas, parecida a la acedera, pero con hojas anchas y flores hermafroditas. Ú. m. en pl.
acedia o **acedía.** f. ant. **acidia.** Ú. en Chile.
acedía[1]**.** f. Calidad de acedo. ‖ **2.** Acidez o agrura del estómago. ‖ **3.** fig. Desabrimiento, aspereza de trato. ‖ **4.** Amarillez que toman las plantas cuando se acedan.
acedía[2]**.** f. **platija.**
acedo, da. (Del lat. *acētum,* vinagre.) adj. **ácido.** ‖ **2.** Que se ha acedado. ‖ **3.** fig. Áspero, desapacible. Dícese más comúnmente de las personas o de su genio. ‖ **4.** m. El agrio o zumo agrio.
acedura. f. ant. **acedía**[1]**.**
acefalía. f. Calidad de acéfalo. ‖ **2.** fig. *Amér. Merid.* Inexistencia de jefe en una sociedad, secta, comunidad, etc.
acefalismo. m. **acefalía.** ‖ **2.** Secta de los acéfalos. ‖ **3.** Doctrina profesada por los acéfalos.
acéfalo, la. (Del gr. ἀκέφαλος, a través del lat. *acephălus.*) adj. Falto de cabeza. ‖ **2.** Dícese del feto sin cabeza o sin parte considerable de ella. ‖ **3.** Dícese de ciertos herejes del siglo V que seguían el error de Eutiques y no reconocían jefe. Ú. t. c. s. ‖ **4.** fig. Aplícase a la sociedad, comunidad, secta, etc., que no tiene jefe. ‖ **5.** m. *Zool.* **lamelibranquio.**
aceifa. (Del ár. *aṣ-ṣā'ita,* expedición estival.) f. Expedición militar sarracena que se hacía en verano.
aceitada. f. Cantidad derramada de aceite. ‖ **2.** Torta o bollo amasado con aceite. ‖ **3.** *Amér.* Acción y efecto de aceitar.
aceitar. tr. Dar, untar, bañar con aceite.
aceitazo. m. Aceite gordo y turbio.
aceite. (Del ár. *az-zait,* el jugo de la oliva.) m. Grasa líquida de color verde amarillento, que se obtiene por presión de las aceitunas. ‖ **2.** V. **balsa de aceite.** ‖ **3.** Por ext., grasa líquida que se obtiene de otros frutos o semillas, como cacahuetes, algodón, soja, nueces, almendras, linaza, coco, etc.; y de algunos animales, como la ballena, foca, bacalao, etc. ‖ **4.** Líquido oleaginoso que se encuentra formado en la naturaleza, como el petróleo, o que se obtiene por destilación de ciertos minerales bituminosos o de la hulla, el lignito y la turba. ‖ **5.** Sustancia grasa, líquida a temperatura ordinaria, de mayor o menor viscosidad, no miscible con agua y de menor densidad que ella. ‖ **aislante.** *Electr.* **aceite** mineral que se usa en las instalaciones eléctricas de alta tensión, como aislante y refrigerante. ‖ **de abeto. abetinote.** ‖ **de anís.** Aguardiente anisado y con gran cantidad de azúcar en disolución, lo que lo hace muy espeso. ‖ **de Aparicio.** Preparación medicinal, vulneraria, inventada en el siglo XVI por Aparicio de Zubia, y cuyo principal ingrediente es el hipérico. ‖ **de ballena.** Grasa líquida que se saca de la ballena, así como también de otros cetáceos y peces, y sirve en algunos países para alumbrarse. ‖ **de cada. miera.** ‖ **de hígado de bacalao.** El que fluye naturalmente del hígado extraído del abadejo. Se emplea como medicamento reconstituyente. ‖ **de hojuela.** El que se saca de las balsas donde se recoge el alpechín de la aceituna. ‖ **de infierno.** *Ar.* y *Nav.* El que se recoge en el pilón llamado infierno. ‖ **de ladrillo.** Líquido empireumático resultante de la destilación del **aceite** de oliva mezclado con polvo de ladrillo. ‖ **de María. bálsamo de María.** ‖ **de oliva. aceite.** ‖ **de palo. bálsamo de copaiba.** ‖ **de pie,** o **de talega.** El que se saca con solo pisar las aceitunas metidas en una talega. ‖ **de vitriolo.** Ácido sulfúrico comercial. ‖ **esencial. esencia,** sustancia líquida existente en algunas plantas. ‖ **fijo.** El que no se evapora, y cuya composición es la de las sustancias grasas. ‖ **mineral. aceite,** líquido oleaginoso que se encuentra en la naturaleza. ‖ **onfacino.** El que se extrae de aceitunas sin madurar y se emplea en medicina. ‖ **secante.** El que en contacto con el aire se resinifica lentamente, como el de linaza, el de cáñamo, etc. Estos **aceites** se emplean frecuentemente en la preparación de barnices y pinturas. ‖ **2.** *Pint.* El de linaza cocido con ajos, vidrio molido y litargirio. Se emplea para que se sequen pronto los colores. ‖ **serpentino.** El medicinal que se emplea contra las lombrices. ‖ **virgen.** El que sale de la aceituna por primera expresión en el molino, y sin los repasos en prensa con agua caliente. ‖ **volátil. aceite esencial.** ‖ **caro como aceite de Aparicio.** loc. fam. con que se ponderaba el excesivo precio de alguna cosa. ‖ **echar aceite al fuego,** o **en el fuego.** fr. fig. **echar leña al fuego.**
aceitería. f. Tienda donde se vende aceite. ‖ **2.** Oficio de aceitero.
aceitero, ra. adj. Perteneciente o relativo al aceite. ‖ **2.** m. y f. Persona que vende o fabrica aceite. ‖ **3.** m. Cuerno en el que guardan el aceite los pastores. ‖ **4.** Árbol de las Antillas, de madera muy dura, compacta y de color amarillo con vetas más oscuras, que admite pulimento. ‖ **5.** f. **alcuza.** ‖ **6. carraleja**[1]**.** ‖ **7.** f. pl. **vinagreras,** conjunto de dos recipientes para el aceite y el vinagre.
aceitón. m. Aceite gordo y turbio. ‖ **2.** Impurezas que en el fondo de las vasijas va dejando el aceite en los diferentes trasiegos a que se le somete para purificarlo. ‖ **3.** Líquido espeso y pegajoso que segregan ciertos insectos en las hojas, ramas y troncos de algunas especies de árboles, y en el cual vive y se desarrolla la negrilla, hongo microscópico.
aceitoso, sa. adj. Que tiene aceite. ‖ **2.** Que tiene mu-

cho aceite. ‖ **3.** Que tiene jugo o crasitud semejante al aceite.

aceituna. (Del ár. *az-zaitūna*, la oliva.) f. Fruto del olivo. ‖ **de la reina.** La de mayor tamaño y superior calidad, que se cría en Andalucía. ‖ **de verdeo.** La que es apta para cogerla en verde y aliñarla para consumirla como fruto. ‖ **dulzal.** Clase de **aceituna** redonda y muy fina que se consume en verde, una vez preparada. ‖ **gordal.** Variedad de **aceituna** de gran tamaño que se verdea y se consume aliñada como fruto. ‖ **manzanilla.** Especie de **aceituna** pequeña muy fina, que se consume en verde, endulzada o aliñada. ‖ **picudilla.** La de forma picuda. ‖ **tetuda.** La que remata en un pequeño pezón. ‖ **zapatera.** La que ha perdido su color y buen sabor, por haber comenzado a pudrirse. ‖ **zorzaleña.** La muy pequeña y redonda, así llamada porque los zorzales son muy aficionados a comerla. ‖ **llegar a las aceitunas.** fr. fig. y fam. **llegar a los anises.**

aceitunado, da. adj. De color de aceituna verde.

aceitunera. f. *Extr.* Época en que se recoge la aceituna.

aceitunero, ra. m. y f. Persona que coge, acarrea o vende aceitunas. ‖ **2.** m. Sitio destinado para tener la aceituna desde su recolección hasta llevarla a moler.

aceituní. (Del ár. *az-zaitūnī*.) m. Tela rica traída de Oriente y muy usada en la Edad Media. ‖ **2.** Cierta labor usada en los edificios árabes.

aceitunil. adj. **aceitunado.**

aceitunillo. (d. de *aceituno*.) m. Árbol de las Antillas, de la familia de las estiracáceas, de fruto venenoso y madera muy dura que se emplea en construcciones.

aceituno. m. **olivo.** ‖ **silvestre. aceitunillo.**

acejero. m. **hacejero.**

acelajado, da. adj. Que tiene celajes.

aceleración. (Del lat. *acceleratĭo, -ōnis*.) f. Acción y efecto de acelerar o acelerarse. ‖ **2.** *Mec.* Incremento de la velocidad en la unidad de tiempo. ‖ **de las estrellas fijas,** o **de las fijas.** *Astron.* Intervalo variable en que se adelanta diariamente el paso de una estrella al del Sol por un mismo meridiano. Este intervalo toma el nombre de **aceleración** media, y es de tres minutos y cincuenta y seis segundos cuando se relaciona con el Sol medio.

acelerada. f. *Méj.* **acelerón.**

aceleradamente. adv. m. Con aceleración.

acelerado, da. p. p. de **acelerar.** ‖ **2.** adj. *Mec.* V. **movimiento acelerado,** y **uniformemente acelerado.** ‖ **3.** f. **galera acelerada.**

acelerador, ra. adj. Que acelera. ‖ **2.** m. Mecanismo del automóvil que regula la entrada de la mezcla explosiva en la cámara de combustión y permite acelerar más o menos el régimen de revoluciones del motor.

aceleramiento. m. **aceleración.**

acelerar. (Del lat. *accelerāre*.) tr. Dar celeridad. Ú. t. c. prnl. ‖ **2.** Dar mayor velocidad, aumentar la velocidad. ‖ **3.** Accionar el mecanismo acelerador de un vehículo automóvil, para que este o su motor se muevan con mayor rapidez.

aceleratriz. adj. f. V. **fuerza aceleratriz.**

acelerón. m. Aceleración súbita e intensa a que se somete la actividad de un motor.

acelga. (Del gr. σικελή, la siciliana, a través del ár. *as-silqa*.) f. Planta hortense de la familia de las quenopodiáceas, de hojas grandes, anchas, lisas y jugosas, y cuyo peciolo es grueso y acanalado por el interior. Es comestible. ‖ **2.** V. **cara de acelga.**

acémila. (Del ár. *az-zāmila*, la bestia de carga.) f. Mula o macho de carga. ‖ **2.** Cierto tributo que se pagaba antiguamente. ‖ **3.** fig. **asno,** persona ruda.

acemilado, da. adj. Parecido a una acémila.

acemilar. adj. Perteneciente o relativo a la acémila o al acemilero.

acemilería. f. Lugar destinado para tener las acémilas y sus aparejos. ‖ **2.** Antiguo oficio de la Casa Real para cuidar de las acémilas.

acemilero, ra. adj. Perteneciente o relativo a la acemilería. ‖ **2.** m. El que cuida o conduce acémilas. ‖ **mayor.** Jefe del oficio palatino de la acemilería.

acemita. f. Pan hecho de acemite.

acemite. (Del ár. *as-samid*, la harina muy blanca.) m. Afrecho con alguna corta porción de harina. ‖ **2.** Potaje de trigo tostado y medio molido. ‖ **3.** ant. Flor de la harina. ‖ **4.** desus. Granzas limpias y descortezadas del salvado, que quedan del grano remojado y molido gruesamente.

acender. (Del lat. *accendĕre*.) tr. ant. **encender.** Usáb. t. c. prnl.

acendrado, da. p. p. de **acendrar.** ‖ **2.** adj. Dícese de los metales preciosos puros, sin mezcla. ‖ **3.** fig. Puro y sin mancha ni defecto. Dícese de las cualidades, conducta, etcétera.

acendramiento. m. Acción y efecto de acendrar.

acendrar. (De *a-*[1] y *cendrar*.) tr. Depurar, purificar en la cendra los metales preciosos por la acción del fuego. ‖ **2.** fig. Depurar, purificar, limpiar, dejar sin mancha ni defecto.

acenefa. (Como *cenefa*, del ár. *aṣ-ṣanifa* o *aṣ-ṣanifa*, borde o fimbria del vestido.) f. ant. **cenefa.**

acenia. f. ant. **aceña.**

acenoria. f. p. us. **zanahoria.** Actualmente, de uso rústico.

acensar. (De *a-*[1] y *censo*.) tr. **acensuar.**

acensuado, da. p. p. de **acensuar.** ‖ **2.** adj. *Der.* V. **bienes acensuados.**

acensuador. (De *acensuar*.) m. **censualista.**

acensuar. (Del lat. *ad*, a, y *census*, censo.) tr. Imponer censo.

acento. (Del lat. *accentus*.) m. Relieve que en la pronunciación se da a una sílaba de la palabra, distinguiéndola de las demás por una mayor intensidad o por un tono más alto. ‖ **2.** Tilde, rayita oblicua que en la ortografía española vigente baja de derecha a izquierda del que escribe o lee. Se usa para indicar en determinados casos la mayor fuerza espiratoria de la sílaba cuya vocal la lleva (*cámara, símbolo, útil, allá, salió*) y también para distinguir una palabra o forma de otra escrita con iguales letras (*sólo*, adverbio, frente a *solo*, adjetivo), o con ambos fines a la vez (*tomó* frente a *tomo; él*, pronombre personal, frente a *el*, artículo). ‖ **3.** Modulación de la voz, entonación. ‖ **4.** Conjunto de las particularidades fonéticas, rítmicas y melódicas que caracterizan el habla de un país, región, ciudad, etc. ‖ **5.** Peculiar energía, ritmo o entonación con que el hablante se expresa según su estado anímico, su propósito, etc. ACENTO *irritado, insinuante, lastimero, burlón.* Por ext. se aplica también a la expresión escrita. ‖ **6.** Sonido que se emite al hablar o cantar. ‖ **7.** Elemento constitutivo del verso, mediante el cual se marca el ritmo destacando una sílaba sobre las inmediatas. ‖ **8.** Importancia o relieve especial que se concede a determinadas ideas, palabras, hechos, fines, etc.: *Poner el* ACENTO *en algo; con* ACENTO *en la mejora de los salarios.* ‖ **agudo.** Tilde o rayita oblicua que baja de derecha a izquierda. En otras lenguas tiene distinto empleo que los indicados para la española. ‖ **circunflejo.** El que se compone de uno agudo y otro grave unidos por arriba (ˆ). En nuestra lengua no tiene ya uso alguno. ‖ **de intensidad.** El que distingue a una sílaba al pronunciarla con mayor fuerza espiratoria. ‖ **gráfico** o **gramatical. acento,** tilde o rayita oblicua que baja de derecha a izquierda. ‖ **grave.** Rayita oblicua que baja de izquierda a derecha del que escribe o lee (`). En nuestra lengua no tiene ya uso alguno. ‖ **métrico. acento,** elemento constitutivo del verso. ‖ **ortográfico. acento,** tilde, rayita oblicua que baja de derecha a izquierda. ‖ **prosódico. acen-**

to, relieve en la pronunciación. ‖ **rítmico. acento métrico.** ‖ **tónico.** El consistente en una elevación del tono.

acentuación. (Del lat. *accentuatio, -ōnis.*) f. Acción y efecto de acentuar.

acentuadamente. adv. m. Con pronunciación acentuada. ‖ **2.** fig. **señaladamente.**

acentual. adj. *Gram.* Perteneciente o relativo al acento.

acentuar. (Del lat. *accentuāre.*) tr. Dar acento prosódico a las palabras. ‖ **2.** Ponerles acento ortográfico. ‖ **3.** fig. **recalcar,** pronunciar las palabras con excesiva lentitud. ‖ **4.** fig. Realzar, resaltar, abultar. ‖ **5.** prnl. **tomar cuerpo.**

aceña. (Del ár. *as-sāniya,* la que eleva [el agua], la rueda hidráulica.) f. Molino harinero de agua situado dentro del cauce de un río. ‖ **2. azud,** máquina. ‖ **3.** *Ast.* y *Gal.* Molino instalado en la orilla de una ría, y que muele con el flujo y reflujo del mar. ‖ **4. espadaña,** planta.

aceñero. m. El que tiene a su cargo una aceña o trabaja en ella.

-áceo, a. (Del lat. *-ăceus.*) suf. de adjetivos que significa «perteneciente» o «semejante a»: *ali*ÁCEO, *acant*ÁCEO, *gris*ÁCEO.

acepar. (De *cepa.*) intr. **encepar,** echar raíces las plantas.

acepción. (Del lat. *acceptio, -ōnis.*) f. Sentido o significado en que se toma una palabra o una frase. ‖ **2.** desus. Aceptación o aprobación. ‖ **de personas.** Acción de favorecer o inclinarse a unas personas más que a otras por algún motivo o afecto particular, sin atender al mérito o a la razón.

acepilladura. f. Acción y efecto de acepillar. ‖ **2.** Viruta que se saca de la materia que se acepilla.

acepillar. tr. Alisar con cepillo la madera o los metales. ‖ **2.** Limpiar, quitar polvo con cepillo de cerda, esparto, etc. ‖ **3.** fig. y fam. **pulir,** componer, alisar una cosa. ‖ **4.** fig. y fam. **pulir,** quitar a alguien la rusticidad, instruirle.

aceptabilidad. f. Calidad de aceptable.

aceptable. (Del lat. *acceptabĭlis.*) adj. Capaz o digno de ser aceptado.

aceptación. (Del lat. *acceptatio, -ōnis.*) f. Acción y efecto de aceptar. ‖ **2.** Aprobación, aplauso. ‖ **de personas. acepción de personas.**

aceptadamente. adv. m. Con aceptación.

aceptador, ra. (Del lat. *acceptātor, -ōris.*) adj. Que acepta. Ú. t. c. s. ‖ **de personas.** El que hace acepción de personas.

aceptar. (Del lat. *acceptāre,* recibir.) tr. Recibir alguien voluntariamente lo que se le da, ofrece o encarga. ‖ **2.** Aprobar, dar por bueno. ‖ **3.** Tratándose de un desafío, admitir sus condiciones y comprometerse a cumplirlas. ‖ **4.** Tratándose de letras o libranzas, obligarse por escrito en ellas mismas a su pago. ‖ **5.** Recibir un sistema físico o biológico elementos nuevos sin hacerse inestable.

acepto, ta. (Del lat. *acceptus.*) adj. Agradable, bien recibido, admitido con gusto.

aceptor. (Del lat. *acceptor, -ōris.*) m. **aceptador.** ‖ **2.** *Fís.* Impureza que se introduce en la red cristalina de ciertos semiconductores para que acepten electrones en exceso. ‖ **3.** *Quím.* Átomo que interviene en la formación de moléculas, sin suministrar electrones en los enlaces. ‖ **de personas. aceptador de personas.**

acequia. (Del ár. *as-sāqiya,* la que da a beber, la reguera.) f. Zanja o canal por donde se conducen las aguas para regar y para otros fines.

acequiaje. m. *Murc.* Tributo que pagan los dueños de heredades por la conservación de las acequias.

acequiar. intr. Hacer acequias. Ú. t. c. tr.

acequiero. m. El que rige el uso de las acequias, o cuida de ellas.

acera. (De *hacera.*) f. Orilla de la calle o de otra vía pública, generalmente enlosada, sita junto al paramento de las casas, y particularmente destinada para el tránsito de la gente que va a pie. ‖ **2.** Fila de casas que hay a cada lado de la calle o plaza. ‖ **3.** *Arq.* Cada una de las piedras con que se forman los paramentos de un muro. ‖ **4.** *Arq.* Paramento de un muro. ‖ **la acera de enfrente** o **la otra acera.** loc. fig. y fam. Bando, grupo o partido contrarios al de uno. ‖ **ser** alguien **de la acera de enfrente** o **de la otra acera.** fr. fig. y fam. Pertenecer a un bando o grupo contrarios al de uno. ‖ **2.** Dicho de hombres, ser homosexual.

aceráceo, a. (der. del lat. *acer, -ĕris,* arce.) adj. *Bot.* Dícese de árboles angiospermos dicotiledóneos, con hojas opuestas, flores actinomorfas, hermafroditas o unisexuales por aborto, fruto constituido por dos sámaras y semillas sin albumen; como el arce y el plátano falso. De la savia de muchos de ellos se puede extraer azúcar. Ú. t. c. s. ‖ **2.** f. pl. *Bot.* Familia de estas plantas.

aceración. f. Acción y efecto de acerar el hierro.

acerado, da. p. p. de **acerar**[1]. ‖ **2.** adj. De acero. ‖ **3.** Parecido a él. ‖ **4.** fig. Fuerte o de mucha resistencia. ‖ **5.** fig. Incisivo, mordaz, penetrante. ‖ **6.** m. **aceración.**

acerar[1]. (De *acero.*) tr. Dar al hierro las propiedades del acero. ‖ **2.** Dar al agua u otros líquidos propiedades medicinales introduciendo en ellos clavos o trozos de hierro, o poniéndolos en contacto con acero incandescente. ‖ **3.** Dar los grabadores un tenue baño de acero a las planchas de cobre para que duren más. ‖ **4.** fig. Fortalecer, vigorizar. Ú. t. c. prnl.

acerar[2]. (De *acera.*) tr. Poner aceras. ‖ **2.** *Arq.* Reforzar un muro con aceras.

acerarse. (De *acedar.*) prnl. *Ar.* Padecer en los dientes la sensación llamada dentera.

acerbamente. adv. m. Cruel, rigurosa o desapaciblemente.

acerbidad. (Del lat. *acerbĭtas, -ātis.*) f. Calidad de acerbo.

acerbo, ba. (Del lat. *acerbus.*) adj. Áspero al gusto. ‖ **2.** fig. Cruel, riguroso, desapacible.

acerca. (Del lat. *ad circa.*) adv. l. y t. ant. **cerca**[2]. ‖ **acerca de.** loc. prepos. Sobre la cosa de que se trata, o en orden a ella.

acercador, ra. adj. Que acerca.

acercamiento. m. Acción y efecto de acercar o acercarse.

acercanza. (De *acercar.*) f. ant. Proximidad, relación.

acercar. (De *a-*[1] y *cerca*[2].) tr. Poner cerca o a menor distancia de lugar o tiempo. ACERCÓ *la radio para escuchar las noticias.* Ú. t. c. prnl. SE ACERCAN *las vacaciones de Navidad.* ‖ **2.** fig. Tratándose de cosas inmateriales, aproximar. Ú. m. c. prnl. *Su último libro* SE ACERCA *a la perfección. Los dos países* SE HAN ACERCADO *políticamente.*

ácere. (Del lat. *acer, -ĕris.*) m. **arce**[1].

acerería. f. Fábrica de acero.

acería. f. **acerería.**

acerico. (d. de **hazero,* almohada, y este del lat. **faciarĭus,* de *facies,* cara.) m. Almohada pequeña que se pone sobre las otras grandes de la cama para mayor comodidad. ‖ **2.** Almohadilla que sirve para clavar en ella alfileres o agujas.

acerillo. m. **acerico.**

aceríneo, a. (Del lat. *acer, -ĕris,* ácere.) adj. *Bot.* **aceráceo.**

acerino, na. adj. poét. **acerado,** de acero o parecido a él.

acerista. com. Persona técnica en la fabricación de aceros o dedicada a su producción.

acernadar. tr. *Veter.* Aplicar o poner cernadas, cataplasmas.

acero. (Del lat. **aciarĭum,* de *acies,* filo.) m. Aleación de hierro y carbono, en diferentes proporciones, que pueden llegar hasta el dos por ciento de carbono. Sometida a temple, adquiere mayor elasticidad y dureza. ‖ **2.** Cualquiera de los **aceros** especiales. ‖ **3.** *Ar.* **ferrete,** instrumento musical. Ú. m. en pl. ‖ **4.** fig. Arma blanca, y en especial la espada. ‖ **5.** ant. *Farm.* Se daba este nombre a diversos preparados de hierro, especialmente a las aguas ferruginosas que se empleaban contra la opilación, la anemia y estados de debilidad. ‖ **6.** V. **pulmón de acero.** ‖ **7.** pl. Temple y corte de las armas blancas. Ú. m. con calificativo. *Buenos* ACEROS. ‖ **8.** fig. Ánimo, brío, denuedo, resolución. ‖ **9.** fig. y fam. desus. Ganas de comer. Ú. m. con calificativo. *Buenos, valientes* ACEROS. ‖ **al carbono. acero** ordinario. ‖ **especial.** El que, además de hierro y carbono, contiene otros elementos destinados a mejorar algunas propiedades del **acero.** ‖ **fundido.** Denominación imprecisa que designaba los **aceros** obtenidos quemando, en aparatos a propósito, parte del carbono que tiene el hierro colado. ‖ **inoxidable.** Aleación de **acero** y cromo, níquel, etc., especialmente resistente a la corrosión. ‖ **rápido.** Dícese del que contiene una proporción elevada de volframio, lo cual permite emplearlo para construir herramientas que han de actuar a gran velocidad. ‖ **de acero.** loc. adj. fig. Duro, fuerte, inflexible. *Músculos, sentimientos* DE ACERO.

acerola. (Del ár. *az-za'rūra,* el níspero.) f. Fruto del acerolo. Es redondo, encarnado o amarillo, carnoso y agridulce, y tiene dentro tres huesecillos juntos muy duros.

acerolo. m. Árbol de la familia de las rosáceas, que crece hasta diez metros, de ramas cortas y frágiles, con espinas en el estado silvestre y sin ellas en el de cultivo, hojas pubescentes, cuneiformes en la base y profundamente divididas en tres o cinco lóbulos enteros o dentados, y flores blancas en corimbo. Su fruto es la acerola.

acérrimo, ma. (Del lat. *acerrĭmus.*) adj. fig. sup. de **acre**[2], muy fuerte, vigoroso o tenaz. ‖ **2.** Intransigente, fanático, extremado.

acerrojar. tr. Poner bajo cerrojo.

acertado, da. p. p. de **acertar.** ‖ **2.** adj. Que tiene o incluye acierto.

acertador, ra. adj. Que acierta. Ú. t. c. s.

acertajo. m. fam. **acertijo.**

acertajón, na. (De *acertar.*) adj. ant. **adivinador.** Usáb. t. c. s.

acertamiento. m. **acierto.**

acertar. (Del lat. *ad,* a, y *certum,* cosa cierta.) tr. Dar en el punto a que se dirige alguna cosa. ACERTAR *el blanco.* ‖ **2.** Encontrar, hallar. ACERTÓ *la casa.* Ú. t. c. intr. ACERTÓ *con la casa.* ‖ **3.** Hallar el medio apropiado para el logro de una cosa. ‖ **4.** Dar con lo cierto en lo dudoso, ignorado u oculto. ACERTÓ *la adivinanza.* ‖ **5.** Hacer con acierto alguna cosa. Ú. t. c. intr. ‖ **6.** Entre sastres, recorrer e igualar la ropa cortada. ‖ **7.** intr. Con la prep. *a* y otro verbo en infinitivo, suceder impensadamente o por casualidad lo que este último significa. ACERTÓ A SER *viernes aquel día.* ‖ **8.** *Agr.* Prevalecer, probar bien las plantas y semillas. ‖ **9.** prnl. ant. Hallarse presente en alguna cosa. ‖ **aciértalo tú, que yo lo diré.** fr. que se usa cuando uno se resiste a decir algún secreto a otro que le insta para que se lo descubra.

acertero. (De *acertar.*) m. desus. **blanco,** objeto sobre el que se dispara un arma de fuego.

acertijo. (De *acertar.*) m. Enigma o adivinanza que se propone como pasatiempo. ‖ **2.** Cosa o afirmación muy problemática.

aceruelo. (Del lat. mediev. *faciariolus.*) m. p. us. Paño para cubrir la almohada; almohada pequeña. ‖ **2.** Especie de albardilla para cabalgar. ‖ **3. acerico,** almohadilla para los alfileres.

acervar. (Del lat. *acervāre.*) tr. ant. **amontonar.**

acervo. (Del lat. *acervus.*) m. Montón de cosas menudas, como trigo, cebada, legumbres, etc. ‖ **2.** Haber que pertenece en común a varias personas, sean socios, coherederos, acreedores, etc. ‖ **3.** fig. Conjunto de bienes morales o culturales acumulados por tradición o herencia. ‖ **pío.** *Der.* Conjunto de valores entregados al diocesano para redimir de cargas piadosas las fincas de particulares.

acescencia. f. Disposición a acedarse o agriarse.

acescente. (Del lat. *acescens, -entis,* p. a. de *acescĕre.*) adj. Que se agria o empieza a agriarse.

acetábulo. (Del lat. *acetabŭlum.*) m. Medida antigua para líquidos, equivalente a la cuarta parte de la hemina. ‖ **2.** Cavidad de un hueso en que encaja otro, y singularmente la del isquion donde entra la cabeza del fémur. ‖ **3.** Cavidad que, en ciertas especies animales, en particular parásitas, como las tenias, actúa a modo de ventosa.

acetal. m. *Quím.* Cuerpo resultante de la reacción entre un aldehído y un alcohol.

acetaldehído. m. *Quím.* **aldehído acético.**

acetar. (Del lat. *acceptāre,* aceptar.) tr. ant. **aceptar.**

acetato. (Del lat. *acētum,* vinagre.) m. *Quím.* Sal formada por la combinación del ácido acético con una base.

acético, ca. (Del lat. *acētum,* vinagre.) adj. *Quím.* Perteneciente o relativo al vinagre o sus derivados. ‖ **2.** *Quím.* V. **ácido acético.** ‖ **3.** *Quím.* Dícese de los compuestos que contienen el radical acetilo.

acetificación. f. *Quím.* Acción de acetificar o acetificarse.

acetificador. m. *Quím.* Aparato para acelerar la acetificación iniciada en los líquidos fermentados por oxidación atmosférica.

acetificar. (Del lat. *acētum,* vinagre, y *-ficāre,* hacer.) tr. *Quím.* Convertir en ácido acético. Ú. t. c. prnl.

acetileno. (De *acetilo* y *-eno,* terminación dada a los carburos de hidrógeno.) m. Hidrocarburo gaseoso que se obtiene por la acción del agua sobre el carburo de calcio, y se emplea para el alumbrado, la soldadura, etc.

acetilo. (Del lat. *acētum,* vinagre, e *-ilo.*) m. Radical correspondiente al ácido acético.

acetimetría. f. *Quím.* Procedimiento para determinar la cantidad de ácido acético contenida en el vinagre o en otras sustancias, mediante las técnicas de análisis volumétrico.

acetímetro. (Del lat. *acētum,* vinagre, y *-metro.*) m. *Quím.* Aparato para medir la fuerza del vinagre o su contenido de ácido acético.

acetín. (Del lat. *acētum.*) m. **agracejo,** arbusto berberidáceo.

acetite. (De *aceto*[1].) m. Denominación antigua de cualquiera de las combinaciones del vinagre con los óxidos. ‖ **2.** Nombre del acetato de cobre en algunas comarcas de España.

aceto[1]**.** (Del lat. *acētum.*) m. ant. **vinagre.**

aceto[2]**, ta.** adj. ant. **acepto.**

acetona. (De *aceto*[1].) f. Líquido volátil, incoloro, de olor peculiar y sabor ardiente y dulce, que se emplea como disolvente y aparece en la orina de los diabéticos y otros enfermos.

acetosa. (Del lat. *acetōsa.*) f. **acedera.**

acetosidad. f. Calidad de acetoso.

acetosilla. f. **acederilla.**

acetoso, sa. (Del lat. *acetōsus.*) adj. **ácido.** ‖ **2.** Perteneciente o relativo al vinagre. ‖ **3.** *Quím.* Que sabe a vinagre.

acetre. (Del ár. *as-saṭl,* el vaso con asa, y este del lat. *sitŭla.*) m. Caldero pequeño con que se saca agua de las tinajas o pozos. ‖ **2.** Caldero pequeño en que se lleva el agua bendita para las aspersiones litúrgicas.

acetrería. (De *acetrero.*) f. ant. **cetrería.**

acetrero. (Del lat. **acceptor, -oris,* por *accipĭter,* azor, y *-ero.*) m. ant. **cetrero**[2].

acetrinar. tr. Poner de color cetrino.

aceuxis. f. **azeuxis.**

acevilar. tr. ant. **acivilar.**

acezante. p. a. de **acezar.** ‖ **2.** adj. Anhelante, ansioso. *Deleite* ACEZANTE, ACEZANTE *corazón.*

acezar. (Del lat. **oscitāre*, de *oscitāre*, abrir la boca.) intr. **jadear.** ‖ **2.** Sentir anhelo, deseo vehemente o codicia de alguna cosa.
acezo. m. Acción y efecto de acezar.
acezoso, sa. (De *acezo*.) adj. **jadeante.**
aciago, ga. (Del lat. *aegyptiăcus* [*dies*], día fatal.) adj. Infausto, infeliz, desgraciado, de mal agüero. ‖ **2.** m. ant. Azar, desgracia.
acial. (De *aciar*.) m. Instrumento con que oprimiendo un labio, la parte superior del hocico, o una oreja de las bestias, se las hace estar quietas mientras las hierran, curan o esquilan. ‖ **2.** *Amér. Central* y *Ecuad.* Látigo que se usa para estimular el trote de las bestias.
aciano. (Del lat. *cyănus*, y este del gr. κυανός, azul.) m. Planta de la familia de las compuestas, con tallo erguido, ramoso, de seis a ocho decímetros de altura, hojas blandas y lineales, enterísimas y sentadas las superiores, y pinadas las inferiores; flores grandes y orbiculares, con receptáculo pajoso y flósculos de color rojo o blanco, y más generalmente azul claro. ‖ **mayor.** Planta perenne medicinal, con el tallo lanudo, las hojas lanceoladas, escurridas, y las flores azules con cabezuela escamosa. ‖ **menor. aciano.**
acianos. m. **escobilla**[2], planta, especie de brezo.
aciar. (Del ár. *az-ziyār*, la tenaza de albéitar.) m. ant. **acial.**
acíbar. (Del ár. *aṣ-ṣibr* o *aṣ-ṣibur*, el jugo del áloe.) m. **áloe,** planta. ‖ **2. áloe,** jugo de esta planta. ‖ **3.** fig. Amargura, sinsabor, disgusto.
acibarar. tr. Echar acíbar en alguna cosa. ‖ **2.** fig. Turbar el ánimo con algún pesar o desazón.
acibarrar. tr. desus. fam. **abarrar.**
aciborar. (De *a*[1] y *cibera*.) tr. desus. Moler, reducir a polvo o partes muy menudas alguna cosa.
acicalado, da. p. p. de **acicalar.** ‖ **2.** adj. Extremadamente pulcro. ‖ **3.** m. Acción de acicalar.
acicalador, ra. adj. Que acicala. Ú. t. c. s. ‖ **2.** m. Instrumento con que se acicala.
acicaladura. f. Acción y efecto de acicalar o acicalarse.
acicalamiento. m. **acicaladura.**
acicalar. (Del ár. *aṣ-ṣiqāl*, el pulimento.) tr. Limpiar, alisar, bruñir, principalmente las armas blancas. ‖ **2.** Dar en una pared el último pulimento. ‖ **3.** fig. Pulir, adornar, aderezar a una persona, poniéndole afeites, peinándola, etc. Ú. m. c. prnl. ‖ **4.** fig. Hablando del espíritu o de las potencias, afinar, aguzar.
acicate. (Del ár. *aš-šawkāt*, los aguijones, las espinas.) m. Punta aguda de que iban provistas las espuelas para montar a la jineta, con un tope para que no penetrase demasiado. ‖ **2.** Espuela provista de **acicate.** ‖ **3. incentivo.**
acicatear. (De *acicate*.) tr. Incitar, estimular.
acicular. (Del lat. *acicŭla*, aguja pequeña.) adj. De figura de aguja. ‖ **2.** *Bot.* V. **hoja acicular.** ‖ **3.** *Metal.* Dícese de la estructura micrográfica, en forma de agujas o angulosa, que se observa en algunas fundiciones y aceros. ‖ **4.** *Mineral.* Dícese de la textura de algunos minerales que se presenta en fibras delgadas como agujas.
aciche[1]**.** (Del lat. *acisculus*.) m. Herramienta de solador, con dos bocas, en forma de azuela.
aciche[2]**.** m. **aceche,** caparrosa.
acidalio, lia. (Del lat. *acidalĭus*.) adj. Perteneciente o relativo a la diosa Venus.
acidaque. (Del ár. *aṣ-ṣidāq*, la dote.) m. Arras que, en bienes, joyas, galas o dinero, está obligado a dar el mahometano a la mujer por razón de casamiento.
acidez. f. Calidad de ácido. ‖ **2.** Sabor agraz de boca, producido por exceso de ácido en el estómago. ‖ **3.** *Quím.* Exceso de iones de hidrógeno en una solución acuosa, en relación a los que existen en el agua pura. ‖ **4.** *Quím.* Cantidad de ácido libre en los aceites, resinas, etc.
acidia. (Del gr. ἀκηδία, negligencia, a través del lat. *acidĭa*.) f. Pereza, flojedad. ‖ **2.** Tristeza, angustia.
acidificar. tr. Hacer ácida una cosa.
acidimetría. f. Procedimiento para determinar la acidez de un líquido.
acidímetro. m. Aparato para graduar la acidez de un líquido.
acidioso, sa. (De *acidia*.) adj. Perezoso, flojo.
ácido, da. (Del lat. *acĭdus*.) adj. Que tiene sabor de agraz o de vinagre, o parecido a él. ‖ **2.** Que tiene las características o propiedades de un ácido. ‖ **3.** fig. Áspero, desabrido. ‖ **4.** m. *Quím.* Cualquiera de las sustancias que pueden formar sales combinándose con algún óxido metálico u otra base de distinta especie. Suelen tener sabor agrio y enrojecer la tintura de tornasol cuando son líquidas o están disueltas. ‖ **acético.** *Quím.* Líquido incoloro, de olor picante y cáustico, que se produce por oxidación del alcohol en presencia del hongo del vinagre. Se usa para la síntesis de perfumes, colorantes y acetona; para la obtención de acetatos y en tintorería, estampados, imprenta, etc. ‖ **acético glacial.** *Quím.* Denominación que recibe el **ácido** acético cuando se encuentra en estado anhidro, sólido, y presenta la forma de cristales parecidos al hielo. ‖ **acrílico.** *Quím.* Líquido incoloro, de olor picante, soluble en agua, que se forma por oxidación de la acroleína. Tanto él como sus derivados se polimerizan fácilmente y se emplean en la fabricación de materiales plásticos y pinturas. ‖ **arsénico.** *Quím.* **anhídrido arsénico.** ‖ **arsenioso.** *Quím.* **anhídrido arsenioso.** ‖ **benzoico.** *Quím.* Cuerpo sólido, blanco, muy soluble en el alcohol y poco en el agua, que se obtiene de la orina del caballo, del benjuí y de ciertos productos balsámicos. ‖ **bórico.** *Quím.* Cuerpo blanco, en forma de escamas nacaradas solubles en el agua. Se desprende arrastrado por el vapor de agua que surge de algunas hendiduras de la tierra. Se usa en la industria y en medicina como antiséptico. ‖ **cacodílico.** *Quím.* Sustancia blanca, cristalina, resultante de la oxidación del cacodilo. ‖ **carbólico.** *Quím.* **ácido fénico.** ‖ **carbónico.** *Quím.* Líquido resultante de la combinación del anhídrido carbónico con el agua. ‖ **2.** *Quím.* **anhídrido carbónico.** ‖ **cianhídrico.** *Quím.* Líquido incoloro, muy volátil, de olor a almendras amargas y muy venenoso. ‖ **cinámico.** *Quím.* Cuerpo sólido, blanco, apenas soluble en el agua, cristalizable en finas agujas, que se extrae de los bálsamos del Perú y de Tolú, y también del estoraque. ‖ **cítrico.** *Quím.* Cuerpo sólido, de sabor agrio, muy soluble en el agua, de la cual se separa, al evaporarse esta, en gruesos cristales incoloros. Está contenido en varios frutos y principalmente en el limón, del cual se extrae. ‖ **clorhídrico.** *Quím.* Gas incoloro, algo más pesado que el aire, muy corrosivo y compuesto de cloro e hidrógeno. Se emplea comúnmente disuelto en el agua, que lo absorbe en gran cantidad; ataca a la mayor parte de los metales y se extrae de la sal común. ‖ **clórico.** *Quím.* Líquido espeso, compuesto de cloro, oxígeno e hidrógeno. Es muy inestable; actúa como oxidante poderoso de las sustancias orgánicas al descomponerse en su contacto. ‖ **cloroacético.** *Quím.* Nombre común de los tres **ácidos** que se pueden obtener por sustitución de átomos de hidrógeno por átomos de cloro, en el **ácido** acético. Habitualmente se reserva este nombre para el **ácido** monocloroacético. ‖ **crómico.** *Quím.* El formado con un óxido de cromo. ‖ **desoxirribonucleico.** *Bioquím.* Biopolímero cuyas unidades son desoxirribonucleótidos. Constituye el material genético de las células y su contenido informativo es la base de los fenómenos de la replicación y la transcripción. ‖ **esteárico.** *Quím.* **ácido** graso que, combinado con la glicerina, se encuentra en muchas grasas vegetales y animales. Es una sustancia blanca, insoluble en agua, que cristaliza en laminillas nacaradas. ‖ **fénico.**

Quím. El más sencillo de los fenoles, sólido a la temperatura ordinaria, que cristaliza en agujas incoloras. Es cáustico, de fuerte y característico olor, ligeramente soluble en agua, y mucho en alcohol. Se emplea como desinfectante muy enérgico. ‖ **fluorhídrico.** *Quím.* Líquido muy higroscópico y corrosivo, que hierve a la temperatura ordinaria; está compuesto de flúor e hidrógeno. En estado gaseoso es incoloro, más ligero que el aire y deletéreo. Se emplea para grabar vidrio. ‖ **fórmico.** *Quím.* Líquido incoloro, de olor picante, cuyo nombre se le dio por haberse obtenido primeramente de las hormigas, que lo producen como secreción. ‖ **fulmínico.** *Quím.* Líquido muy volátil y muy inestable, compuesto de carbono, nitrógeno, hidrógeno y oxígeno. Su olor recuerda el del **ácido** cianhídrico, y, como este, es muy venenoso. Forma sales muy explosivas; las más usadas son el fulminato de mercurio y el de plata. ‖ **graso.** *Quím.* Cualquiera de los **ácidos** orgánicos cuya molécula está formada por dos átomos de oxígeno y doble número de átomos de hidrógeno que de carbono. Los de mayor número de átomos de carbono, combinándose con la glicerina, forman las grasas. ‖ **láctico.** *Quím.* Líquido incoloro, algo viscoso, que se extrae de la leche agria, donde se produce a expensas del azúcar en su fermentación por el bacilo láctico. Pueden también producirlo azúcares de otra procedencia. ‖ **monocloroacético.** *Quím.* Uno de los **ácidos** cloroacéticos, que es una sustancia sólida, incolora, delicuescente y soluble en agua. Se emplea como herbicida y en diversas síntesis orgánicas, como la del índico. ‖ **muriático.** *Quím.* **ácido clorhídrico.** ‖ **nítrico.** *Quím.* Líquido fumante, muy corrosivo, incoloro, poco más pesado que el agua, compuesto de nitrógeno, oxígeno e hidrógeno, que resulta de tratar los nitros con **ácido** sulfúrico concentrado. ‖ **nitroso.** *Quím.* Disolución acuosa del trióxido de nitrógeno, muy inestable, que a la temperatura ordinaria se descompone en óxido y **ácido** nítricos. Principalmente se le conoce por sus sales, los nitritos. ‖ **nucleico.** *Bioquím.* Nombre genérico de los **ácidos** ribonucleico y desoxirribonucleico. ‖ **oleico.** *Quím.* **ácido** graso, que se encuentra combinado con la glicerina en la mayoría de las grasas animales y vegetales, especialmente en los aceites. Es un líquido oleoso, incoloro, insoluble en agua, que el aire enrancia. ‖ **oxálico.** *Quím.* Cuerpo sólido, blanco, cristalizable, de sabor picante, soluble en el agua. Es venenoso y tiene aplicación industrial como mordiente y para la obtención de colorantes, tintas, etc. Se extraía de las acederas. ‖ **pícrico.** *Quím.* Cuerpo sólido, muy amargo, que cristaliza en laminillas de color amarillo claro solubles en el agua. Es tóxico y se emplea para la fabricación de colorantes y explosivos. Se produce por acción del **ácido** nítrico sobre el fénico. ‖ **prúsico.** *Quím.* **ácido cianhídrico.** ‖ **ribonucleico.** *Bioquím.* Biopolímero cuyas unidades son ribonucleótidos. Según su función, se dividen en mensajeros, ribosómicos y transferentes. ‖ **salicílico.** *Quím.* Cuerpo blanco que cristaliza en agujas incoloras, ligeramente solubles en agua. Se emplea en medicina como antiséptico, desinfectante y antirreumático. Se usa también para preparar conservas. ‖ **silícico.** *Quím.* Cuerpo sólido de aspecto pulverulento, de color blanco, ligeramente soluble en agua, compuesto de silicio, oxígeno e hidrógeno. Se prepara descomponiendo silicatos por los **ácidos.** ‖ **sulfhídrico.** *Quím.* Gas incoloro, hediondo, inflamable, muy soluble en agua, compuesto de azufre e hidrógeno. Se origina en la putrefacción, por descomposición de las albúminas; por ello su olor se asocia al de los huevos podridos. Entra en la composición de las aguas minerales sulfurosas. ‖ **sulfúrico.** *Quím.* Líquido de consistencia oleosa, incoloro e inodoro y compuesto de azufre, hidrógeno y oxígeno. Es muy cáustico, carboniza las sustancias orgánicas y se mezcla con el agua produciendo gran desprendimiento de calor. Tiene muchos usos en la industria y se prepara por oxidación del anhídrido sulfuroso en presencia de agua. ‖ **sulfuroso.** *Quím.* Líquido incoloro, resultante de la combinación del anhídrido sulfuroso con el agua. Se emplea como agente blanqueador. ‖ **tartárico,** o **tártrico.** *Quím.* Cuerpo sólido, blanco, cristalizable y soluble en el agua. Se extrae del tártaro, y tiene uso en medicina, tintorería y en otras industrias. ‖ **úrico.** *Quím.* Cuerpo sólido que aparece en forma de escamas blanquecinas, ligeramente solubles en agua, compuesto de carbono, nitrógeno, hidrógeno y oxígeno. En el hombre y en los mamíferos, en estado normal, existe solo en pequeñas cantidades que se eliminan por la orina; en condiciones patológicas, se pueden formar depósitos de él, como ocurre en la gota, cálculos, etc.

acidorresistente. adj. *Microbiol.* Dícese del bacilo que, después de coloreado por la fucsina básica, no se decolora por la acción de un ácido mineral (nítrico o sulfúrico) diluido; como el de la tuberculosis.

acidosis. f. *Pat.* Estado anormal producido por exceso de ácidos en los tejidos y en la sangre. Se observa principalmente en la fase final de la diabetes y de otras perturbaciones de la nutrición.

acidular. tr. Poner acídulo un líquido. Ú. t. c. prnl.

acídulo, la. (Del lat. *acidŭlus.*) adj. Ligeramente ácido. ‖ **2.** V. **agua acídula.**

aciemar. (De *ciemo.*) tr. *Ál., Rioja* y *Sor.* **estercolar.**

acierto. m. Acción y efecto de acertar. ‖ **2.** V. **don de acierto.** ‖ **3.** fig. Habilidad o destreza en lo que se ejecuta. ‖ **4.** fig. Cordura, prudencia, tino. ‖ **5.** Coincidencia, casualidad.

ácigos. (Del gr. ἄζυγος, impar.) adj. *Zool.* V. **vena ácigos.** Ú. t. c. s. f.

aciguatado, da. p. p. de **aciguatarse.** ‖ **2.** adj. **ciguato.** ‖ **3.** Pálido y amarillento como el que padece ciguatera. ‖ **4.** fig. y fam. *C. Rica.* Triste, decaído.

aciguatar. (Cruce de *acechar* y *aguaitar.*) tr. *And.* Atisbar, acechar.

aciguatarse. prnl. Contraer ciguatera. ‖ **2.** fig. y fam. *C. Rica.* Entristecerse.

acijado, da. adj. De color de acije.

acije. m. **aceche** o **aciche**[2], caparrosa.

acijoso, sa. adj. Que tiene acije.

acilo. (De *ácido* e *-ilo.*) m. *Quím.* Radical derivado de un ácido orgánico.

acimboga. f. **azamboa.**

acimentarse. (De *a-*[1] y *cimentar.*) prnl. ant. Establecerse o arraigarse en algún pueblo.

ácimo. adj. **ázimo.**

acimut. (Del ár. *as-sumūt*, pl. de *as-samt*, la dirección, el cenit.) m. *Astron.* Ángulo que con el meridiano forma el círculo vertical que pasa por un punto de la esfera celeste o del globo terráqueo.

acimutal. adj. *Astron.* Perteneciente o relativo al acimut. ‖ **2.** V. **ángulo, círculo, montura acimutal.**

acinesia. (Del gr. ἀκινησία, inmovilidad.) f. Falta, pérdida o cesación de movimiento.

acinturar. (De *a-*[1] y *cintura.*) tr. Ceñir, estrechar.

ación. (Del ár. *as-siyūr*, pl. de *sair*, correa.) f. Correa de que pende el estribo en la silla de montar.

-ación. V. **-ción.**

acionera. f. *Argent., Chile* y *Urug.* Pieza de metal o de cuero fija en la silla de montar y de la que cuelga la ación o estribera.

acionero. m. El que hace aciones.

acipado. (Quizás del lat. *stipātus*, apretado.) adj. Dícese del paño que está bien tupido cuando se saca de la percha.

aciprés. m. dialect. **ciprés.**

acirate. (Del ár. *aṣ-ṣirāṭ*, el camino.) m. Loma que se hace en las heredades y sirve de lindero. ‖ **2. caballón** que se levanta con la azada. ‖ **3.** Senda que separa dos hileras de árboles en un paseo.

acirón. (Del lat. *acer.*) m. *Ar.* **arce**[1].

acitara. (Del ár. *as-sitāra*, el velo, y, en general, lo que oculta algo a las miradas.) f. **citara,** pared del grueso de un ladrillo. ‖ **2.** En algunas partes de Castilla, cada una de las paredes gruesas que forman los costados de una casa. ‖ **3.** Pretil de puente. ‖ **4.** desus. Velo, cortina o paño de ornamento. ‖ **5.** desus. Cobertura o paramento de una silla de estrado o de montar.

acitrón. (De *a-*[1] y *citrón.*) m. Cidra confitada. ‖ **2.** *Méj.* Tallo de la biznaga mejicana, descortezado y confitado.

acivilar. (De *a-*[1] y *civil*, en el sentido de grosero, vil.) tr. ant. Envilecer, abatir. Usáb. t. c. prnl.

aclamación. (Del lat. *acclamatĭo, -ōnis.*) f. Acción y efecto de aclamar. ‖ **por aclamación.** loc. adv. **a una voz.**

aclamador, ra. adj. Que aclama. Ú. t. c. s.

aclamar. (Del lat. *acclamāre.*) tr. Dar voces la multitud en honor y aplauso de alguna persona. ‖ **2.** Conferir, por voz común, algún cargo u honor. ‖ **3.** Reclamar o llamar a las aves. ‖ **4.** ant. Llamar, requerir o reconvenir. ‖ **5.** prnl. ant. Acogerse a la protección o autoridad de alguien. ‖ **6.** ant. Acudir o recurrir a alguien con alguna petición, reclamación o queja. Usáb. t. c. tr.

aclamídeo, a. (De *a-*[2] y el gr. χλαμύς, clámide.) adj. *Bot.* Dícese de la flor que carece de cáliz y corola, como ocurre en la del sauce.

aclaración. f. Acción y efecto de aclarar o aclararse. ‖ **2.** *Der.* Enmienda del texto de una sentencia por el mismo juzgador inmediatamente después de notificarla. ‖ **3.** *Der.* V. **recurso de aclaración.**

aclarado, da. p. p. de **aclarar.** ‖ **2.** adj. *Blas.* Dícese de la figura rodeada de un campo o espacio de determinado color. ‖ **3.** m. Acción y efecto de aclarar la ropa.

aclarador, ra. adj. Que aclara.

aclarar. (Del lat. *acclarāre.*) tr. Disipar, quitar lo que ofusca la claridad o transparencia de alguna cosa. Ú. t. c. prnl. ‖ **2.** Hacer menos espeso o denso. ACLARAR *el chocolate con un poco de leche.* Ú. t. c. prnl. ‖ **3.** Aumentar la extensión o el número de los espacios o intervalos que hay en alguna cosa. ACLARAR *el monte; las filas.* Ú. t. c. prnl. ‖ **4.** Tratándose de ropa, volver a lavarla con agua sola después de jabonada. ‖ **5.** Hablando de la voz, hacerla más perceptible. ‖ **6.** Iluminar, alumbrar. ‖ **7.** Aguzar o ilustrar los sentidos y facultades. ‖ **8.** Hacer ilustre, esclarecer. Ú. t. c. prnl. ‖ **9.** Desfruncir el ceño y poner menos adusto el semblante. ‖ **10.** Hacer clara, perceptible, manifiesta o inteligible alguna cosa, ponerla en claro, explicarla. ‖ **11.** *Mar.* Desliar, desenredar. ‖ **12.** *Min.* Lavar por segunda vez los minerales. ‖ **13.** intr. Disiparse las nubes o la niebla. ‖ **14.** Amanecer, clarear. ‖ **15.** prnl. Abrirse o declarar a alguien lo que se tenía en secreto. ‖ **16.** Purificarse un líquido, posándose las partículas sólidas que lleva en suspensión.

aclaratorio, ria. adj. Dícese de lo que aclara o explica.

aclarecer. (De *a-*[1] y *clarecer.*) tr. Hacer más claro de luz y de color; alumbrar. ‖ **2.** Poner más espaciado. ‖ **3.** Poner en claro; manifestar, explicar.

aclareo. m. Acción y efecto de aclarar las siembras y plantaciones.

aclavelado, da. adj. Que se parece al clavel.

acle. (De or. malayo.) m. Árbol del archipiélago filipino, de la familia de las mimosáceas, de más de 20 metros de altura, con tronco recto y grueso; hojas divididas en hojuelas opuestas, anchas y lanceoladas; flores blanquecinas en cabezuelas y fruto en legumbre leñosa con semillas ovales de un centímetro de largo. Su madera, de color pardo rojizo, es muy buena para la construcción de edificios y de buques. ‖ **2.** Madera de este árbol.

acleido, da. (Del gr. ἀ, privat., y κλείς, κλειδος, clavícula.) adj. *Zool.* Dícese del animal mamífero que no tiene clavículas, como los ungulados y los cetáceos, o que las tiene rudimentarias, como muchos mamíferos del orden de los carnívoros. Ú. t. c. s.

aclimatable. adj. Que puede aclimatarse.

aclimatación. f. Acción y efecto de aclimatar o aclimatarse.

aclimatar. (Del fr. *acclimater.*) tr. Hacer que se acostumbre un ser orgánico a clima de diferente temple y condiciones que el que le era habitual. Ú. m. c. prnl. ‖ **2.** fig. Hacer que una cosa prevalezca y medre en parte distinta de aquella en que tuvo su origen. Ú. t. c. prnl.

aclocar. (De *clueca.*) intr. **enclocar.** Ú. m. c. prnl. ‖ **2.** prnl. fig. **arrellanarse.**

aclorhidria. f. Falta de ácido clorhídrico en el jugo gástrico.

aclorhídrico, ca. adj. Perteneciente o relativo a la aclorhidria. ‖ **2.** Que padece aclorhidria.

aclla. (Del quechua *aclla, ajlla.*) f. Doncella que en el imperio de los incas se destinaba al culto del Sol o al servicio del monarca.

acmé. (Del gr. ἀκμή, punta.) amb. *Med.* Período de mayor intensidad de una enfermedad.

acné o **acne.** (Del gr. ἄχνη, película, eflorescencia.) m. *Pat.* Enfermedad de la piel caracterizada por una inflamación crónica de las glándulas sebáceas, especialmente en la cara y en la espalda. Ú. a veces c. f.

-aco[1]**, ca** o **-aco**[1]**, ca.** (Del gr. -ακός, a través del lat. *-ăcus.*) suf. que indica relación: *maní*ACO. Otras veces es gentilicio: *austri*ACO.

-aco[2]**, ca.** suf. despectivo: *libr*ACO.

acobardamiento. m. Acción y efecto de acobardarse.

acobardar. (De *a-*[1] y *cobarde.*) tr. Amedrentar, causar o poner miedo. Ú. t. c. prnl. y c. intr.

acobd-. V. **acod-.**

acobijar. (De *a-*[1] y *cobijar.*) tr. Abrigar las cepas y plantones con acobijos.

acobijo. (De *acobijar.*) m. **cobijo,** cobijamiento. ‖ **2.** Montón de tierra que se apisona alrededor de las vides y de los plantones para darles estabilidad y abrigar las raíces.

acobrado, da. adj. **cobrizo,** parecido al color del cobre.

acocarse. (De *a-*[1] y *coco*[2].) prnl. Agusanarse los frutos.

acoceador, ra. adj. Que acocea.

acoceamiento. m. Acción y efecto de acocear.

acocear. tr. Dar coces. ‖ **2.** fig. y fam. Abatir, hollar, ultrajar.

acocil. (Del nahua *acuitzilli;* de *atl*, agua, y *cuitzilli*, que se retuerce.) m. *Méj.* Especie de camarón de agua dulce.

acoclarse. (De *clueca.*) prnl. *Ar.* Ponerse en cuclillas.

acocotar. (De *a-*[1] y *cocote.*) tr. **acogotar.**

acocote. (Del nahua *acocohtli;* de *atl*, agua, y *cocohtli*, garguero.) m. *Méj.* Calabaza larga agujereada por ambos extremos que se usa para extraer por succión el aguamiel del maguey.

acocharse. (De *a-*[1] y el lat. *coactāre;* de *coactus*, apretado, comprimido.) prnl. Agacharse, agazaparse.

acochinar. tr. fam. Matar a quien no puede huir o defenderse o a quien se sujeta para que no se escape ni defienda, como se hace para degollar a los cochinos. ‖ **2.** fig. y fam. **acoquinar.** Ú. t. c. prnl. ‖ **3.** En el juego de las damas, encerrar a un peón de modo que no se pueda mover. ‖ **4.** prnl. Adquirir hábitos contrarios a la limpieza física o moral.

acodado, da. p. p. de **acodar.** ‖ **2.** adj. Doblado en forma de codo. *Tubo* ACODADO. ‖ **3.** V. **freno acodado.**

acodadura. f. Acción y efecto de acodar.

acodalamiento. m. *Arq.* Acción y efecto de acodalar.
acodalar. tr. *Arq.* Poner codales.
acodar. (Del lat. *accubitāre.*) tr. Apoyar el codo sobre alguna parte, por lo común para sostener con la mano la cabeza. Ú. t. c. prnl. ‖ **2.** Doblar una cosa en forma de codo. ‖ **3.** *Agr.* Meter debajo de tierra el vástago o tallo doblado de una planta sin separarlo del tronco o tallo principal, dejando fuera la extremidad o cogollo de aquel para que eche raíces la parte enterrada y forme otra nueva planta. ‖ **4.** *Arq.* **acodalar.** ‖ **5.** *Cant.* y *Carp.* Poner codales en la superficie de una piedra o de un madero para ver si está plana. ‖ **6.** prnl. *Veter.* Doblarse los clavos al herrar, desviándose sobre las partes sensibles.
acoderamiento. m. *Mar.* Acción y efecto de acoderar o acoderarse.
acoderar. tr. *Mar.* Presentar en determinada dirección el costado de un buque fondeado, valiéndose de coderas. Ú. t. c. prnl.
acodiciar. tr. Encender en deseo o codicia de alguna cosa. Ú. t. c. prnl.
acodillado, da. p. p. de **acodillar.** ‖ **2.** adj. rur. *Argent.* Dícese del caballo con pequeñas manchas blancas en los codillos.
acodillar. tr. Doblar formando codo. Se usa ordinariamente hablando de objetos de metal, como barras, varillas, clavos, etc. ‖ **2.** En ciertos juegos de naipes, dar codillo. ‖ **3.** rur. *Argent.* Talonear al caballo en los codillos. ‖ **4.** intr. Tocar el suelo con el codillo los cuadrúpedos.
acodo. m. Vástago acodado. ‖ **2.** *Agr.* Acción de acodar. ‖ **3.** *Arq.* Resalto de una dovela prolongado por debajo de ella. ‖ **4.** *Arq.* Moldura resaltada que forma el cerco de un vano.
acogedizo, za. adj. Que se acoge fácilmente y sin elección.
acogedor, ra. adj. Que acoge. Ú. t. c. s. ‖ **2.** Dícese del sitio agradable por su ambientación, comodidad, tranquilidad, etc.
acoger. (Del lat. **accolligĕre*, de *colligĕre*, recoger.) tr. Admitir en su casa o compañía a otra u otras personas. ‖ **2.** Servir de refugio o albergue a alguien. ‖ **3.** Admitir, aceptar, aprobar. ‖ **4.** Recibir con un sentimiento o manifestación especial la aparición de personas o de hechos. ‖ **5.** fig. Proteger, amparar. ‖ **6.** ant. **coger.** ‖ **7.** desus. Dejar pastar ganado ajeno en una dehesa propia. ‖ **8.** prnl. Refugiarse, retirarse, tomar amparo. ‖ **9.** Invocar para sí los beneficios y derechos que conceden una disposición legal, un reglamento, una costumbre, etc. ‖ **10.** fig. Valerse de algún pretexto para disfrazar o disimular alguna cosa. ‖ **11.** ant. fig. Atenerse a la voluntad o dictamen de otro.
acogeta. f. Sitio a propósito para acogerse al huir de algún peligro.
acogida. f. Afluencia de aguas, y por ext., de otro líquido. ‖ **2.** Recibimiento u hospitalidad que ofrece una persona o un lugar. ‖ **3.** Retirada, acción de retirarse. ‖ **4.** Refugio o lugar donde puede uno acogerse. ‖ **5.** fig. Protección o amparo. ‖ **6.** fig. Aceptación o aprobación.
acogido, da. p. p. de **acoger.** ‖ **2.** m. y f. Persona pobre o desvalida a quien se admite y mantiene en establecimientos de beneficencia. ‖ **3.** m. Conjunto de reses que entregan los pegujaleros al dueño del rebaño principal para que las guarde y alimente por precio determinado. ‖ **4.** En la Mesta, ganado que el dueño o arrendatario de una dehesa admitía en ella y podía echar cuando quisiese. ‖ **5.** Precio que debe pagarse por la admisión de reses en una dehesa o cortijo.
acogimiento. m. **acogida,** recibimiento. ‖ **2.** **acogida,** refugio en que acogerse. ‖ **3.** **acogida,** aceptación, aprobación.
acogollar[1]**.** (De *a-*[1] y *cogolla.*) tr. Cubrir las plantas delicadas con esteras, tablas o vidrios para defenderlas de los hielos o lluvias.
acogollar[2]**.** intr. Echar cogollos las plantas. Ú. t. c. prnl.
acogombradura. f. *Agr.* Acción y efecto de acogombrar.
acogombrar. (De *cogombro.*) tr. *Agr.* Aporcar, amontonar alrededor de la planta la tierra excavada en torno a ella.
acogotar. tr. Matar con herida o golpe dado en el cogote. ‖ **2.** fam. Derribar o vencer a una persona sujetándola por el cogote. ‖ **3.** fig. Acoquinar, dominar, vencer. ‖ **4.** prnl. *Sal.* Herirse el buey en el cogote.
acogullado, da. adj. En forma de cogulla.
acohombrar. tr. *Agr.* **acogombrar.**
acoitar. tr. ant. **acuitar.**
acojinamiento. m. *Mec.* Entorpecimiento causado en las máquinas de vapor por la interposición de este entre el émbolo y la tapa del cilindro.
acojinar. (De *a-*[1] y *cojín.*) tr. **acolchar**[1]**.**
acojonar. (De *a-*[1] y *cojón.*) tr. vulg. **acobardar.** Ú. t. c. prnl.
acolada. (Del fr. *accolée, accolade.*) f. Abrazo que, acompañado de un espaldarazo, se daba al neófito después de ser armado caballero.
acolar. (Del fr. *accoler*, unir, juntar.) tr. *Blas.* Unir, juntar, combinar. Se usa hablando de los escudos de armas que se ponen juntos por los costados bajo un timbre o corona que los une en señal de alianza de dos familias. ‖ **2.** *Blas.* Poner detrás, formando aspa, o alrededor del escudo, ciertas señales de distinción, como llaves, banderas, collares, etc.
acólcetra. (Del lat. *culcĭtra*, colcha, con el art. árabe.) f. ant. **cólcedra.**
acolchado, da. p. p. de **acolchar**[1]**.** ‖ **2.** m. Acción y efecto de acolchar[1]. ‖ **3.** Revestimiento compuesto de una capa de paja o caña delgada trenzada con cuerdas, que sirve para fortalecer los tendidos de algunos diques. ‖ **4.** *Argent.* Cobertor relleno de plumón o de otras materias diversas, que se pone sobre la cama para adorno o abrigo.
acolchar[1]**.** (De *a-*[1] y *colchar*[1].) tr. Poner algodón, seda cortada, lana, estopa, cerda, u otras materias de este tipo, entre dos telas y después bastearlas.
acolchar[2]**.** (De *a-*[1] y *corchar*[1].) tr. *Mar.* **corchar**[1]**.**
acolchonar. (De *a-*[1] y *colchón.*) tr. *Amér.* **acolchar**[1]**.**
acolgar. intr. ant. Colgar o inclinarse una cosa hacia una parte.
acolitado. (De *acólito.*) m. p. us. La superior de las cuatro órdenes menores del sacerdocio. ‖ **2.** El segundo de los dos ministerios establecidos por la Iglesia católica para el culto litúrgico.
acolitar. intr. *Amér.* Desempeñar las funciones de acólito. Ú. t. c. tr.
acólito. (Del gr. ἀκόλουθος, el que sigue o acompaña, a través del lat. *acolȳtus.*) m. En la Iglesia católica, seglar que ha recibido el segundo de los dos ministerios establecidos por ella y cuyo oficio es servir al altar y administrar la Eucaristía como ministro extraordinario. ‖ **2.** Monaguillo que sirve con sobrepelliz en la iglesia, aunque no tenga orden alguna ni esté tonsurado. ‖ **3.** fig. **satélite,** persona que depende de otra. ‖ **4.** p. us. Ministro de la Iglesia, que ha recibido la superior de las cuatro órdenes menores, y cuyo oficio era servir inmediato al altar.
acolmillado. (De *a-*[1] y *colmillo.*) adj. V. **diente acolmillado.**
acollador. (De *acollar.*) m. *Mar.* Cabo de proporcionado grosor que se pasa por los ojos de las vigotas y sirve para tesar el cabo más grueso en que están engazadas.
acollar. (De *a-*[1] y *cuello.*) tr. *Agr.* Cobijar con tierra el pie de los árboles, y principalmente el tronco de las vides y otras plantas. ‖ **2.** *Mar.* Meter estopa en las costuras del buque. ‖ **3.** *Mar.* Halar de los acolladores.

acollarado, da. p. p. de **acollarar.** **2.** adj. Se aplica a los pájaros y, por ext., a otros animales que tienen el cuello de color distinto de lo demás del cuerpo.
acollaramiento. m. Acción y efecto de acollarar. ‖ **2.** *Chile* y *Urug.* Acción de unir dos o más bestias o cosas. Por ext., se aplica también a personas.
acollarar. tr. Poner collar a un animal. ‖ **2.** Unir unos perros a otros por sus collares para que no se extravíen. ‖ **3.** Poner colleras a las caballerías. ‖ **4.** *Argent.* Unir por el cuello dos bestias. ‖ **5.** fig. *Argent., Chile* y *Urug.* Unir dos cosas o personas. ‖ **6.** prnl. vulg. *Argent.* **amancebarse.**
acollonar. (De *a-*[1] y *collón.*) tr. **acojonar.** Ú. t. c. prnl.
acombar. tr. **combar.** Ú. t. c. prnl.
acomedido, da. p. p. de **acomedirse.** ‖ **2.** adj. *Amér.* Servicial, oficioso.
acomedirse. (De *a-*[1] y *comedir.*) prnl. *Amér.* Prestarse espontánea y graciosamente a hacer un servicio.
acomendador, ra. adj. ant. Que acomienda. Usáb. t. c. s.
acomendamiento. m. ant. Acción y efecto de acomendar.
acomendar. tr. ant. **encomendar,** encargar a alguien que cuide de una cosa o de una persona. ‖ **2.** ant. **encomendar,** dar indios en encomienda. ‖ **3.** prnl. ant. **encomendarse.**
acometedor, ra. adj. Que acomete. Ú. t. c. s.
acometer. (De *a-*[1] y *cometer.*) tr. Embestir con ímpetu y ardimiento. *El batallón* ACOMETIÓ *al enemigo.* ‖ **2.** Dicho de enfermedad, sueño, deseo, etc., venir, entrar, dar repentinamente. *Le* ACOMETIÓ *un violento ataque de locura.* ‖ **3.** Emprender, intentar. ‖ **4.** Decidirse a una acción o empezar a ejecutarla. ACOMETIÓ *la reconstrucción del puente.* Si le sigue infinitivo, solía anteponerse a este la prep. *a.* ACOMETIÓ A *escribir su primer libro.* ‖ **5.** Solicitar, pretender algo de alguien, proponérselo, inducirle a ello. ‖ **6.** desus. Cometer yerros o malas acciones. ‖ **7.** *Albañ.* y *Min.* Desembocar una cañería o una galería en otra.
acometida. f. **acometimiento.** ‖ **2.** Instalación por la que se deriva hacia un edificio u otro lugar parte del fluido que circula por una conducción principal. ACOMETIDA *eléctrica.*
acometimiento. m. Acción y efecto de acometer. ‖ **2.** Ramal de atarjea o cañería que desemboca en la alcantarilla o conducto general de desagüe.
acometividad. f. Propensión a acometer, atacar, embestir. *La* ACOMETIVIDAD *es una característica de los toros bravos.* ‖ **2.** fig. Brío, pujanza, decisión para emprender una cosa y arrostrar sus dificultades. *Su* ACOMETIVIDAD *en el mundo de los negocios le proporciona grandes éxitos.*
acomodable. adj. Que se puede acomodar.
acomodación. (Del lat. *accommodatĭo, -ōnis.*) f. Acción y efecto de acomodar. ‖ **2.** *Fisiol.* Acción y efecto de acomodarse el ojo para que la visión no se perturbe cuando varía la distancia o la luz del objeto que se mira.
acomodadamente. adv. m. Ordenadamente, del modo que conviene. ‖ **2.** Con comodidad y conveniencia.
acomodadizo, za. adj. Que a todo se aviene fácilmente.
acomodado, da. p. p. de **acomodar.** ‖ **2.** adj. Conveniente, apto, oportuno. ‖ **3.** Que está cómodo o a gusto; amigo de la comodidad. ‖ **4.** Rico, abundante de medios o que tiene los suficientes. ‖ **5.** Moderado en el precio. ‖ **6.** m. y f. *Argent.* Persona que tiene acomodo.
acomodador, ra. (Del lat. *accommodātor, -ōris.*) adj. Que acomoda. ‖ **2.** m. y f. En los teatros y otros lugares, persona encargada de indicar a los concurrentes los asientos que deben ocupar.
acomodamiento. (De *acomodar.*) m. Transacción, ajuste o convenio sobre alguna cosa. ‖ **2.** Comodidad o conveniencia.
acomodar. (Del lat. *accommodāre.*) tr. Colocar una cosa de modo que se ajuste o adapte a otra. ‖ **2.** Disponer, preparar o arreglar de modo conveniente. ‖ **3.** Colocar o poner en un lugar conveniente o cómodo. ‖ **4. proveer.** ‖ **5.** fig. Amoldar, armonizar o ajustar a una norma. Ú. t. c. intr. y c. prnl. ‖ **6.** fig. Mencionar o aplicar con acierto expresiones, frases, recuerdos, noticias, etc. ‖ **7.** fig. Concertar, conciliar. ‖ **8.** fig. Colocar en un estado o cargo. Se usa hablando del matrimonio, empleos, etc. Ú. t. c. prnl. ‖ **9.** *Argent.* **enchufar,** colocar a uno en un cargo o destino por influencia. ‖ **10.** intr. fig. Agradar, parecer o ser conveniente. ‖ **11.** prnl. Avenirse, conformarse.
acomodaticio, cia. adj. **acomodadizo.** ‖ **2.** V. **sentido acomodaticio.**
acomodo. (De *acomodar.*) m. Acción de acomodar o acomodarse. ‖ **2.** Colocación, ocupación o conveniencia. ‖ **3.** Alojamiento, sitio donde se vive. ‖ **4.** Casamiento, boda conveniente. ‖ **5.** Arreglo, ornato. ‖ **6.** *Argent.* **enchufe,** cargo o destino que se obtiene por influencia.
acompañado, da. p. p. de **acompañar.** ‖ **2.** adj. p. us. fam. Pasajero, concurrido. *Sitio* ACOMPAÑADO; *calle* ACOMPAÑADA. ‖ **3.** p. us. **acompañador.** ‖ **4.** *Der.* V. **escribano, juez acompañado.** ‖ **5.** m. *Ecuad.* Guarnición, aditamento generalmente de hortalizas.
acompañador, ra. adj. Que acompaña. Ú. t. c. s.
acompañamiento. m. Acción y efecto de acompañar o acompañarse. ‖ **2.** Gente que va acompañando a alguien. ‖ **3.** Conjunto de personas que en las representaciones teatrales o en los filmes, figuran y no hablan, o carecen de papel principal. ‖ **4.** Alimento o conjunto de alimentos presentados como complemento de un plato principal. ‖ **5.** *Mús.* Sostén o auxilio armónico de una melodía principal por medio de uno o más instrumentos o voces. ‖ **6.** *Mús.* Arte de la armonía aplicado a la ejecución del bajo continuo.
acompañanta. f. Mujer que acompaña a otra, generalmente como señora de compañía. ‖ **2.** *Mús.* La que ejecuta el acompañamiento musical.
acompañante. p. a. de **acompañar.** Que acompaña. Ú. t. c. s. ‖ **2.** m. *Mar.* Reloj que bate segundos, y se usa en las observaciones astronómicas cuando se hacen sin tener el cronómetro a la vista.
acompañar. (De *compaña.*) tr. Estar o ir en compañía de otro u otros. Ú. t. c. prnl. ‖ **2.** fig. Juntar o agregar una cosa a otra. ‖ **3.** Existir una cosa junta a otra o simultáneamente con ella. Ú. t. c. prnl. ‖ **4.** Existir o hallarse algo en una persona, especialmente hablando de su fortuna, estados, cualidades o pasiones. ‖ **5.** Participar en los sentimientos de otro. ‖ **6.** *Blas.* y *Pint.* Adornar la figura o escudo principal con otros. ‖ **7.** *Mús.* Ejecutar el acompañamiento. Ú. t. c. prnl. ‖ **8.** prnl. desus. Juntarse un perito con otro u otros de la misma facultad para ocuparse de algún negocio.
acompasado, da. p. p. de **acompasar.** ‖ **2.** adj. Hecho o puesto a compás. ‖ **3.** fig. Que tiene por hábito hablar pausadamente en un mismo tono, o andar y moverse con mucho reposo y compás.
acompasar. (De *a-*[1] y *compás.*) tr. **compasar.**
acomplejado, da. p. p. de **acomplejar.** ‖ **2.** adj. Dícese de la persona que padece complejos psíquicos. Ú. t. c. s.
acomplejamiento. m. Acción y efecto de acomplejar o acomplejarse.
acomplejar. tr. Causar a una persona un complejo psíquico o inhibición, turbarla. ‖ **2.** prnl. Padecer o experimentar un complejo psíquico, turbación o inhibición.
acomplexionado, da. adj. desus. **complexionado.**
acomunalar. (De *comunal.*) intr. ant. Tener trato y comunicación. Usáb. t. c. prnl.

acomunar. tr. desus. Congregar, coligar, confederar para un fin común. Usáb. t. c. prnl.
aconcagüino, na. adj. Natural de Aconcagua. Ú. t. c. s. ‖ **2.** Perteneciente o relativo a esta provincia de Chile.
aconchabarse. prnl. fam. **conchabarse.**
aconchadillo. (Del it. *acconciato*, preparación, aderezo.) m. Condimento, adobo, preparación culinaria.
aconchar. (Del it. *acconciare*.) tr. ant. Componer, aderezar. ‖ **2.** Arrimar, colocar a una persona o cosa al arrimo de otra o junto a ella, generalmente para defenderla de algún riesgo o acometida. Ú. m. c. prnl. ‖ **3.** *Mar.* Impeler el viento o la corriente una embarcación hacia una costa u otro paraje peligroso. Ú. t. c. prnl. ‖ **4.** prnl. *Mar.* Acostarse completamente sobre una banda el buque varado. ‖ **5.** *Mar.* Abordarse sin violencia dos embarcaciones. ‖ **6.** *Taurom.* Arrimarse el toro a la barrera para defenderse de los toreros.
aconcharse. (De *a-*[1] y *concho*, poso, sedimento.) prnl. *Chile* y *Perú.* Clarificarse un líquido por sedimento de los posos. ‖ **2.** fig. y fam. *Chile* y *Perú.* Hablando de asuntos, situaciones, etc., revueltos o turbios, normalizarse, serenarse.
acondicionado, da. p. p. de **acondicionar.** ‖ **2.** adj. De buena condición natural o genio, o al contrario. ‖ **3.** Dícese de las cosas de buena calidad o que están en las condiciones debidas, o al contrario. ‖ **4.** V. **aire acondicionado.**
acondicionador, ra. adj. Que acondiciona. ‖ **2.** m. Aparato para acondicionar o climatizar un espacio limitado. Dícese también **acondicionador** de aire.
acondicionamiento. m. Acción y efecto de acondicionar.
acondicionar. tr. Dar cierta condición o calidad. ‖ **2.** Con los advs. *bien, mal* u otros semejantes, disponer o preparar alguna cosa de manera adecuada a determinado fin, o al contrario. ‖ **3. climatizar.** ‖ **4.** prnl. Adquirir cierta condición o calidad.
acondroplasia. (Del gr. ἀ, priv., χόνδρος, cartílago, y πλάσσω, formar.) f. *Pat.* Variedad de enanismo caracterizada por la cortedad de las piernas y los brazos, con tamaño normal del tronco y de la cabeza y desarrollo mental y sexual, normales.
acondroplásico, ca. adj. Perteneciente o relativo a la acondroplasia.
aconduchar. tr. ant. Proveer de conducho.
aconfesional. adj. Que no pertenece o está adscrito a ninguna confesión religiosa. *Estado, partido* ACONFESIONAL.
acongojadamente. adv. m. Con ánimo acongojado.
acongojador, ra. adj. Que acongoja.
acongojar. (De *a-*[1] y *congojar*.) tr. Entristecer, afligir, Ú. t. c. prnl. ‖ **2.** Causar inquietud, preocupación o temor. Ú. t. c. prnl.
aconhortar. tr. ant. **conhortar.** Usáb. t. c. prnl.
aconitina. f. Principio activo del acónito. Es veneno muy violento.
acónito. (Del gr. ἀκόνιτον.) m. Planta ranunculácea de hojas palmeadas y flores azules o amarillas, cuyas variedades son todas venenosas cuando la semilla ha llegado a la madurez. ‖ **2.** Sustancia venenosa que se extrae de esta planta y que tiene uso en medicina.
aconsejable. adj. Que se puede aconsejar.
aconsejado, da. p. p. de **aconsejar.** ‖ **2.** adj. Prudente, cuerdo. Ú. más con el adv. *mal*, en el sentido de imprudente, temerario.
aconsejador, ra. adj. Que aconseja. Ú. t. c. s.
aconsejar. tr. Dar consejo. ‖ **2.** Inspirar una cosa algo a alguien. ‖ **3.** prnl. Tomar consejo o pedirlo a otro.
aconsonantar. intr. Ser una palabra consonante de otra. ‖ **2.** Incurrir el escritor en consonancias donde no debe usarlas. ‖ **3.** tr. Emplear en la rima una palabra como consonante de otra. *No hay inconveniente en* ACONSONANTAR *«aljaba» con «esclava».* ‖ **4.** Utilizar la rima consonante.
acontar. (Del lat. *ad*, a[2], y *contus*, palo largo y fuerte, puntal.) tr. ant. **apuntalar.**
acontecedero, ra. adj. Que puede acontecer.
acontecer. (De *a-*[1] y *contecer*.) intr. **suceder,** efectuarse un hecho. Ú. en el modo infinit. y en las 3.as pers. de sing. y pl.
acontecido, da. p. p. de **acontecer.** ‖ **2.** adj. p. us. Dicho de rostro o cara, afligido o triste.
acontecimiento. (De *acontecer*.) m. Hecho o suceso, especialmente cuando reviste cierta importancia.
acontentar. tr. desus. *Ar.* **contentar.**
acontiado, da. (De *a-*[1] y *contía*, cuantía.) adj. ant. **hacendado.**
a contrariis. expr. lat. *Lóg.* V. **argumento a contrariis.**
acopado, da. p. p. de **acopar.** ‖ **2.** adj. De figura de copa de árbol. ‖ **3.** *Veter.* Dícese del casco redondo y hueco.
acopar. intr. Formar copas las plantas. ‖ **2.** tr. Hacer que las plantas formen buena copa. ‖ **3.** *Mar.* Hacer a un tablón la concavidad proporcionada a la convexidad de la pieza o sitio a que debe aplicarse.
acopetado, da. adj. Hecho o puesto en forma de copete.
acopiador, ra. adj. Que acopia. Ú. t. c. s. ‖ **2.** m. *Argent., Par.* y *Urug.* El que acopia frutos para revenderlos como comisionista.
acopiamiento. m. **acopio.**
acopiar. (De *a-*[1] y *copia*, abundancia.) tr. Juntar, reunir en cantidad alguna cosa. Se usa más comúnmente hablando de los granos, provisiones, etc.
acopio. m. Acción y efecto de acopiar.
acoplado, da. p. p. de **acoplar.** ‖ **2.** m. *Argent., Chile, Par., Perú* y *Urug.* Vehículo destinado a ir remolcado por otro.
acoplador, ra. adj. Que acopla o sirve para acoplar. Ú. t. c. s. m.
acopladura. f. Acción y efecto de acoplar.
acoplamiento. m. Acción y efecto de acoplar o acoplarse. ‖ **2.** Acción y efecto de ajustar una pieza. ‖ **3.** Acción y efecto de unir o parear dos animales para yunta o tronco. ‖ **4.** Unión sexual de los animales. ‖ **5.** Acción y efecto de unir entre sí a las personas que estaban discordes. ‖ **6.** *Mec.* Dispositivo que sirve para solidarizar dos ejes, extremo a extremo.
acoplar. (De *a-*[1] y el lat. *copulāre*, juntar.) tr. En carpintería y otros oficios, unir entre sí dos piezas o cuerpos de modo que ajusten exactamente. ‖ **2.** Ajustar una pieza al sitio donde deba colocarse. ‖ **3.** Unir o parear dos animales para yunta o tronco. ‖ **4.** Procurar la unión sexual de los animales. Ú. t. c. prnl. ‖ **5.** fig. Ajustar o unir entre sí a las personas que estaban discordes, o las cosas en que había alguna discrepancia. Ú. t. c. prnl. ‖ **6.** Encontrar acomodo u ocupación para una persona, emplearla en algún trabajo. ‖ **7.** *Argent., Chile, Par., Perú* y *Urug.* Unir, agregar uno o varios vehículos a otro que los remolca. ‖ **8.** *Fís.* Agrupar dos aparatos, piezas o sistemas, de manera que su funcionamiento combinado produzca el resultado conveniente. ‖ **9.** prnl. fig. y fam. Unirse una persona a otra o a varias, para hacer algo coordinadamente. ‖ **10.** *Argent., Perú,* y *Urug.* Unirse a otra u otras personas para acompañarlas.
acople. m. *Col.* Acoplamiento. ‖ **2. acoplador,** lo que sirve para acoplar.
acoquinado, da. p. p. de **acoquinar.** ‖ **2.** adj. Intimidado, encogido, retraído.

acoquinamiento. m. Acción y efecto de acoquinar o acoquinarse.

acoquinar. (Del fr. *acoquiner.*) tr. fam. Amilanar, acobardar, hacer perder el ánimo. Ú. t. c. prnl.

acorar. (De *a-*[1] y *cor*[1].) tr. En algunas partes, afligir, acongojar. Ú. t. c. prnl. ‖ **2.** *Murc.* Rematar, descabellar, atronar. ‖ **3.** prnl. Enfermar, desmedrarse las plantas por algún accidente atmosférico.

acorazado, da. p. p. de **acorazar.** ‖ **2.** adj. V. **división acorazada.** ‖ **3.** m. Buque de guerra blindado y de grandes dimensiones.

acorazamiento. m. Acción y efecto de acorazar.

acorazar. (De *a-*[1] y *coraza.*) tr. Revestir con planchas de hierro o acero buques de guerra, fortificaciones u otras cosas. ‖ **2.** fig. Proteger, defender. Ú. t. c. prnl.

acorazonado, da. adj. De figura de corazón.

acorchado, da. p. p. de **acorcharse.** ‖ **2.** adj. Dícese de lo que es fofo, blando y elástico como el corcho. ‖ **3.** Dícese de la madera que hace botar la herramienta al trabajarla. ‖ **4.** fig. Insensible.

acorchamiento. m. Efecto de acorcharse.

acorcharse. prnl. Ponerse una cosa fofa como el corcho, perdiendo la mayor parte de su jugo y sabor, o disminuyéndose su consistencia. *Fruta, madera* ACORCHADA. ‖ **2.** fig. Embotarse la sensibilidad de alguna parte del cuerpo.

acordablemente. adv. m. ant. **acordadamente.**

acordación. (De *acordar.*) f. ant. Noticia, memoria o recordación.

acordada. (De *acordar.*) f. Orden o despacho que un tribunal expide para que el inferior ejecute alguna cosa. ‖ **2.** Documento de comprobación de certificaciones entre dos oficinas públicas. ‖ **3.** Cuerpo policial establecido en Méjico en el siglo XVIII para aprehender y juzgar a los salteadores. ‖ **4.** Cárcel en que se custodiaba a estos reos. ‖ **5.** *Perú.* Tribunal establecido en Lima para conocer de delitos comunes.

acordadamente. adv. m. De común acuerdo, uniformemente. ‖ **2.** Con reflexión, con madura deliberación.

acordado, da. p. p. de **acordar.** ‖ **2.** adj. Hecho con acuerdo y madurez. ‖ **3.** p. us. Cuerdo, sensato, prudente. ‖ **4.** V. **carta acordada.** ‖ **5.** *Der.* V. **auto acordado.** ‖ **estése a lo acordado.** *Der.* Fórmula de resolución que, sin decidir sobre el fondo de la pretensión deducida, recuerda y confirma otro fallo o providencia anterior. ‖ **lo acordado.** loc. *Der.* Decreto de los tribunales por el cual se manda observar lo anteriormente resuelto sobre el mismo asunto; y también decreto o fórmula que denota la providencia reservada que se ha tomado con motivo del asunto principal.

acordamiento. (De *acordar.*) m. ant. Conformidad, concordia, consonancia.

acordante. p. a. ant. de **acordar.** Que acuerda. ‖ **2.** adj. ant. **acorde,** conforme.

acordantemente. adv. m. ant. **acordadamente.**

acordanza. f. Memoria o recuerdo. ‖ **2.** Opinión acorde, concordia o acuerdo. ‖ **3.** Armonía, compás o consonancia de las cosas.

acordar. (Del lat. **accordāre*, de *cor, cordis,* corazón.) tr. Determinar o resolver de común acuerdo, o por mayoría de votos. ‖ **2.** Determinar o resolver deliberadamente una sola persona. ‖ **3.** Resolver, determinar una cosa antes de mandarla. ‖ **4.** Conciliar, componer. ‖ **5.** Traer a la memoria de otro alguna cosa. ‖ **6.** Traer a la propia memoria; recordar. Ú. m. c. prnl. y seguido de la prep. *de.* ‖ **7.** ant. Hacer a alguien volver a su juicio. ‖ **8.** *Mús.* Disponer o templar, según arte, los instrumentos músicos o las voces para que no disuenen entre sí. ‖ **9.** *Pint.* Disponer armónicamente los tonos de un dibujo o pintura. ‖ **10.** ant. Concordar, conformar, convenir una cosa con otra. ‖ **11.** *León* y *Argent.* **caer en la cuenta.** ‖ **12.** ant. Volver alguien en su acuerdo o juicio. Usáb. t. c. tr. ‖ **13.** ant. **despertar** del sueño. Ú. en Salamanca. ‖ **14.** prnl. Ponerse de acuerdo. ‖ **si mal no me acuerdo.** expr. fam. Si no me engaño o equivoco, si no estoy trascordado.

acorde. (De *acordar.*) adj. Conforme, concorde y de un dictamen. ‖ **2.** Conforme, igual y correspondiente; con armonía, en consonancia. En la música se dice con propiedad de los instrumentos y de las voces; y en pintura, de la entonación y del colorido. ‖ **3.** m. *Mús.* Conjunto de tres o más sonidos diferentes combinados armónicamente.

acordelar. tr. Medir algún terreno con cuerda o cordel. ‖ **2.** Señalar con cuerdas o cordeles en el terreno líneas o perímetros.

acordemente. adv. m. De común acuerdo.

acordeón. (Del al. *Accordion,* nombre dado por su inventor en 1829.) m. Instrumento músico de viento, formado por un fuelle cuyos dos extremos se cierran por sendas cajas, especie de estuches, en los que juegan cierto número de llaves o teclas, proporcionado al de los sonidos que emite. ‖ **2.** fam. *Méj.* Especie de **chuleta,** papelito con apuntes para uso, no autorizado, de los estudiantes en exámenes escritos.

acordeonista. com. Músico que toca el acordeón.

acordonado, da. p. p. de **acordonar.** ‖ **2.** adj. Dispuesto en forma de cordón. ‖ **3.** *Méj.* Enjuto, delgado, cenceño.

acordonamiento. m. Acción y efecto de acordonar o acordonarse.

acordonar. tr. Ceñir o sujetar con un cordón. ‖ **2.** Formar el cordoncillo en el canto de las monedas. ‖ **3.** fig. Incomunicar por medio de un cordón de tropas, puestos de vigilancia, etc.

acores. (Del gr. ἀχώρ, a través del lat. *achōres.*) m. pl. *Pat.* Erupción semejante a la tiña mucosa, especialmente en la cabeza y la cara de los niños.

acornado, da. p. p. de **acornar.** ‖ **2.** adj. *Blas.* Dícese del animal que lleva cuernos de otro esmalte que lo restante del cuerpo.

acornar. (De *cuerno.*) tr. **acornear.**

acorneador, ra. adj. desus. Que acornea.

acornear. tr. Dar cornadas.

ácoro. (Del gr. ἄκορος, a través del lat. *acŏrus.*) m. Planta de la familia de las aráceas, de hojas angostas y puntiagudas, flores de color verde claro, y raíces blanquecinas y de olor suave, que se enredan y extienden a flor de tierra. ‖ **bastardo** o **palustre,** o **falso ácoro.** Planta de la familia de las iridáceas, con hojas ensiformes y flores amarillas.

acorralamiento. m. Acción y efecto de acorralar o acorralarse.

acorralar. tr. Encerrar o meter el ganado en el corral. Ú. t. c. prnl. ‖ **2.** fig. Encerrar a alguien dentro de estrechos límites, impidiéndole que pueda escapar. ‖ **3.** fig. Dejar a alguien confundido y sin tener qué responder. ‖ **4.** fig. Intimidar, acobardar.

acorredor, ra. adj. Socorredor, que socorre. Ú. t. c. s.

acorrer. (Del lat. *accurrĕre,* acudir.) tr. Acudir corriendo. ‖ **2.** Socorrer a alguien. ‖ **3.** Atender, subvenir o acudir a una necesidad. ‖ **4.** ant. Correr o avergonzar a alguien. ‖ **5.** intr. ant. Acudir, recurrir. ‖ **6.** prnl. desus. Refugiarse, acogerse.

acorrimiento. (De *acorrer.*) m. ant. Socorro, recurso, amparo, asilo.

acorro. (De *acorrer.*) m. **socorro.**

acorrucarse. prnl. **acurrucarse.**

acortadizo. (De *acortar.*) m. ant. *Ar.* Recorte de tela, piel, etc.

acortamiento. m. Acción y efecto de acortar o acortarse. ‖ **2.** *Astron.* Diferencia entre la distancia real de un planeta al Sol o a la Tierra, y la misma distancia proyectada sobre el plano de la Eclíptica.

acortar. (De *a-*[1] y *cortar.*) tr. Disminuir la longitud, duración o cantidad de alguna cosa. Ú. t. c. intr. y c. prnl. ‖ **2.** Hacer más corto el camino. *Un atajo que* ACORTABA *el camino. Por aquí* ACORTAREMOS. ‖ **3.** prnl. fig. Quedarse corto en pedir, hablar o responder. ‖ **4.** *Equit.* Encogerse el caballo.

acortejarse. (De *a-*[1] y *cortejo.*) prnl. *Can.* y *P. Rico.* Amancebarse.

acorullar. (De *a-*[1] y *corulla.*) tr. *Mar.* Meter los remos sin desarmarlos de modo que los guiones queden bajo crujía.

acorvar. tr. **encorvar.**

acorzar. (Del lat. **accurtiāre,* de *curtāre,* cortar.) tr. *Ar.* **acortar.**

acosador, ra. adj. Que acosa. Ú. t. c. s.

acosamiento. m. desus. **acoso.**

acosar. (Del cast. ant. *cosso,* carrera.) tr. Perseguir, sin darle tregua ni reposo, a un animal o a una persona. ‖ **2.** Hacer correr al caballo. ‖ **3.** fig. Perseguir, apremiar, importunar a una persona con molestias o requerimientos.

acose. m. **acoso.**

acosijar. (De *cosijo.*) tr. *Méj.* Agobiar, atosigar.

acosmismo. (De *a-*[2] y *cosmos.*) m. Tesis filosófica que niega la existencia del mundo sensible o solo la admite de un modo hipotético.

acoso. m. Acción y efecto de acosar. ‖ **2.** *Taurom.* Acosamiento a caballo en campo abierto, de una res vacuna, generalmente como preliminar de un derribo y tienta.

acostada. (De *acostarse.*) f. **dormida,** acción de dormir.

acostado[1]**, da.** p. p. de **acostar.** ‖ **2.** adj. ant. Allegado, cercano en parentesco o amistad. ‖ **3.** *Blas.* Dícese de la pieza puesta al lado de otra pieza. ‖ **4.** *Blas.* Dícese de la pieza alargada que, en vez de hallarse en su posición propia que es la vertical, está colocada horizontalmente. ‖ **5.** *Blas.* V. **cartela acostada.**

acostado[2]**, da.** (De *a-*[1] y *costa*[1].) adj. ant. Con acostamiento o estipendio.

acostamiento[1]. (De *acostar.*) m. Acción de acostar o acostarse.

acostamiento[2]. (De *a-*[1] y *costa*[1].) m. desus. **estipendio.**

acostar. (De *a-*[1] y *costa*[2].) tr. Echar o tender a alguien para que duerma o descanse, y con especialidad en la cama. Ú. m. c. prnl. ‖ **2.** desus. Arrimar o acercar. Ú. t. c. prnl. ‖ **3.** *Mar.* Arrimar el costado de una embarcación a alguna parte. Ú. m. c. prnl. ‖ **4.** intr. Ladearse, inclinarse hacia un lado o costado. Se usa principalmente hablando de los edificios. Ú t. c. prnl. ‖ **5.** Hablando de la balanza, pararse en posición en que el fiel no coincida con el punto o señal de equilibrio. ‖ **6.** Llegar a la costa. ‖ **7.** prnl. p. us. fig. Adherirse, inclinarse. Ú. t. c. intr. ‖ **8.** Mantener relación sexual una persona con otra. Ú. con la prep. *con.*

acostumbrar. tr. Hacer adquirir costumbre de alguna cosa. *Lo* ACOSTUMBRARON *al vicio, al juego.* ‖ **2.** intr. Tener costumbre de alguna cosa. ACOSTUMBRA *a ir al cine.* Ú. a veces como tr. *No* ACOSTUMBRA *lujos.* ‖ **3.** prnl. Adquirir costumbre de alguna cosa. *No* SE ACOSTUMBRA *a vivir en este país.*

acotación[1]. f. **acotamiento.** ‖ **2.** Señal o apuntamiento que se pone en la margen de algún escrito o impreso. ‖ **3.** Cada una de las notas que se ponen en la obra teatral, advirtiendo y explicando todo lo relativo a la acción o movimiento de los personajes y al servicio de la escena.

acotación[2]. f. *Topogr.* **cota**[2] de un plano topográfico.

acotada. (De *acotar*[1].) f. Terreno cercado que, conforme a las ordenanzas de montes y plantíos, se destina en los pueblos para semillero de los árboles que anualmente deben plantar los vecinos.

acotamiento. m. Acción y efecto de acotar[1].

acotar[1]. (De *a-*[1] y *coto*[1].) tr. Reservar el uso y aprovechamiento de un terreno manifestándolo por medio de cotos puestos en sus lindes, o de otra manera legal. ‖ **2.** Reservar, prohibir o limitar de otro modo. ‖ **3.** Elegir; aceptar, tomar por suyo. ‖ **4.** Atestiguar, asegurar algo en la fe de un tercero o de un escrito o libro. ‖ **5.** Citar textos o autoridades. ‖ **6.** Poner notas o acotaciones a un texto. ‖ **7.** prnl. Ponerse a salvo o en lugar seguro, metiéndose dentro de los cotos de otra jurisdicción. ‖ **8.** ant. Ponerse de acuerdo, convenirse con alguien. ‖ **9.** fig. Ampararse o apoyarse en una razón o condición.

acotar[2]. tr. Poner cotas[2], en los planos topográficos, de arquitectura, croquis, etc. ‖ **2.** *Inform.* Cambiar de escala las magnitudes de un problema para acomodarlas al cálculo con ordenador.

acotar[3]. (Del germ **skot,* retoño, a través del cat. o gall. *acotar.*) tr. Podar, cortar a un árbol todas las ramas por la cruz.

acotejar. (De *a-*[1] y *cotejar.*) tr. desus. Comparar, cotejar, confrontar. ‖ **2.** *Can., Col., Cuba, Ecuad.* y *Sto. Dom.* Arreglar, colocar objetos ordenadamente, acomodar. ‖ **3.** *Col.* Estimular, incitar, favorecer. ‖ **4.** prnl. *Cuba* y *Ecuad.* Acomodarse, arreglarse con alguien; ponerse de acuerdo sobre algo. ‖ **5.** *Cuba* y *Ecuad.* Convivir maritalmente. ‖ **6.** *Cuba* y *Ecuad.* Obtener un empleo. ‖ **7.** *Can., Cuba, Ecuad.* y *Sto. Dom.* Acomodarse, ponerse cómodo.

acotejo. m. *Can.* y *Cuba.* Acción y efecto de acotejar. ‖ **2.** *Sto. Dom.* Comodidad.

acotiledón. (Del lat. cient. *acotyledon.*) adj. *Bot.* **acotiledóneo.** Ú. t. c. s. m.

acotiledóneo, a. (De *acotiledón.*) adj. *Bot.* Dícese de la planta cuyo embrión carece de cotiledones. Ú. t. c. s. f. ‖ **2.** f. pl. *Bot.* Grupo de la antigua clasificación botánica, que comprendía todas las plantas criptógamas.

acotillo. (De *a-*[1] y *cotillo.*) m. Martillo grueso que usan los herreros.

acotolar. tr. *Ar.* y *Nav.* Aniquilar, acabar con alguna cosa, especialmente con los animales o frutos de la tierra.

acoyundar. tr. Uncir o poner la coyunda.

acoyuntar. (De *a-*[1] y el lat. *coniunctus,* unido.) tr. Reunir dos labradores caballerías que tienen de non, para formar yunta y labrar a medias o por cuenta de entrambos.

acoyuntero. m. Cada uno de los labradores que acoyuntan.

acracia. (Del gr. ἀκράτεια.) f. Doctrina de los ácratas.

ácrata. (De *a-*[2] y el gr. κράτος, autoridad.) adj. Partidario de la supresión de toda autoridad. Ú. t. c. s.

acrático, ca. adj. Perteneciente o relativo a la acracia.

acre[1]. (Del ing. *acre;* cf. lat. *ager.*) m. Medida inglesa de superficie equivalente a 40 áreas y 47 centiáreas.

acre[2]. (Del lat. *acer, acris.*) adj. Áspero y picante al gusto y al olfato, como el sabor y el olor del ajo, del fósforo, etc. ‖ **2.** fig. Tratándose del genio o de las palabras, áspero y desabrido. ‖ **3.** *Med.* Aplícase al calor febril acompañado de una sensación como de picor. ‖ **4.** *Med.* En la medicina humoral, decíase de ciertos principios a que se atribuía acción irritante, y de los humores viciados por estos principios.

acrebite. m. desus. **alcrebite.**

acrecencia. f. **acrecentamiento.** ‖ **2. derecho de acrecer.** ‖ **3.** *Der.* Bienes adquiridos por tal derecho.

acrecentador, ra. adj. Que acrecienta.

acrecentamiento. m. Acción y efecto de acrecentar.

acrecentar. (Del lat. *accrescens, -entis.*) tr. **aumentar.** Ú. t. c. prnl. ‖ **2.** Mejorar, enriquecer, enaltecer.

acrecer. (Del lat. *accrescĕre.*) tr. Hacer mayor, aumentar. Ú. t. c. intr. y c. prnl. ‖ **2.** V. **derecho de acrecer.** ‖ **3.** intr. *Der.* Percibir un partícipe el aumento que le corresponde cuando otro partícipe pierde su cuota o renuncia a ella.

acrecimiento. m. Acción y efecto de acrecer. ‖ **2. acrecencia,** derecho de acrecer. ‖ **3. acrecencia,** bienes adquiridos por el derecho de acrecer.
acreditado, da. p. p. de **acreditar.** ‖ **2.** adj. Que tiene crédito o reputación. ‖ **3.** Probado, comprobado, atestiguado, certificado documentalmente. ‖ **4.** Dícese de la persona autorizada oficialmente para representar a su país, a su empresa o a un grupo de personas, o para ejercer determinada profesión. *Periodistas* ACREDITADOS.
acreditar. tr. Hacer digna de crédito alguna cosa, probar su certeza o realidad. Ú. t. c. prnl. ‖ **2.** Afamar, dar crédito o reputación. Ú. t. c. prnl. ‖ **3.** Dar seguridad de que alguna persona o cosa es lo que representa o parece. ‖ **4.** Dar testimonio en documento fehaciente de que una persona lleva facultades para desempeñar comisión o encargo diplomático, comercial, etc. ‖ **5.** *Com.* **abonar,** admitir en pago, tomar en cuenta. ‖ **6.** *Com.* **abonar,** asentar una partida en el haber. ‖ **7.** prnl. Lograr fama o reputación.
acreditativo, va. adj. Que acredita.
acreedor, ra. (De *acreer.*) adj. Que tiene acción o derecho a pedir el cumplimiento de alguna obligación. Ú. m. c. s. ‖ **2.** Que tiene derecho a que se le satisfaga una deuda. Ú. m. c. s. ‖ **3.** Que tiene mérito para obtener alguna cosa. ‖ **4** V. **concurso, ocurrencia, pleito de acreedores.** ‖ **5.** *Com.* V. **cuenta acreedora.**
acreencia. (De *acreer.*) f. *Amér.* Crédito, deuda que uno tiene a su favor.
acreer. (De *a-*[1] y el lat. *credĕre,* prestar.) intr. ant. Dar prestado sobre prenda o sin ella.
acremente. adv. m. Ásperamente, agriamente.
acrescente. (Del lat. *accrescens, -entis,* que aumenta.) adj. *Bot.* Dícese del cáliz o la corola que sigue creciendo después de fecundada la flor.
acrianzado, da. p. p. de **acrianzar.** ‖ **2.** adj. Criado o educado.
acrianzar. (De *a-*[1] y *crianza.*) tr. Criar o educar.
acribador, ra. adj. Que acriba. Apl. a pers., ú. t. c. s.
acribadura. f. Acción y efecto de acribar. ‖ **2.** pl. Ahechaduras.
acribar. tr. **cribar.** ‖ **2.** fig. **acribillar.** Ú. t. c. prnl.
acribillar. (De *a-*[1] y el lat. *cribellāre,* cribar.) tr. Abrir muchos agujeros en alguna cosa como se hace con el cuero de las cribas. ‖ **2.** Hacer muchas heridas o picaduras a una persona o a un animal. *Le* ACRIBILLARON *a puñaladas; le* ACRIBILLAN *las pulgas, los mosquitos.* ‖ **3.** fig. y fam. Molestar mucho y con frecuencia. *Le* ACRIBILLAN *los acreedores.*
acrídido. (Del gr. ἀκρίς, -ίδος, saltamontes.) adj. *Zool.* Dícese del insecto ortóptero saltador con antenas cortas y solo tres artejos en los tarsos, como los saltamontes. Ú. m. c. s. ‖ **2.** m. pl. *Zool.* Familia de estos insectos.
acrilato. m. *Quím.* Sal o éster del ácido acrílico.
acrílico, ca. (Término científico inventado con los elementos *acr[oleína],* e *-yl,* del gr. ὕλη.) adj. V. **ácido acrílico.** ‖ **2.** *Quím.* Aplícase a las fibras y a los materiales plásticos que se obtienen por polimerización del ácido **acrílico** o de sus derivados.
acriminación. f. Acción de acriminar.
acriminador, ra. adj. Que acrimina. Ú. t. c. s.
acriminar. (De *a-*[1] y el lat. *crimināri,* acusar.) tr. **incriminar.**
acrimonia. (Del lat. *acrimonĭa.*) f. Aspereza de las cosas, especialmente al gusto o al olfato. ‖ **2.** Condición de los humores acres. ‖ **3.** Agudeza del dolor. ‖ **4.** Aspereza o desabrimiento en el carácter o en el trato.
acriollado, da. p. p. de **acriollarse.** ‖ **2.** adj. Propio del criollo o semejante a él.
acriollarse. (De *a-*[1] y *criollo.*) prnl. *Amér.* Adoptar un extranjero los usos y costumbres de la gente del país hispanohablante donde vive.
acrisoladamente. adv. m. De manera acrisolada.
acrisolado, da. p. p. de **acrisolar.** ‖ **2.** adj. Dícese de ciertas cualidades positivas humanas, como virtud, honradez, etc., que, puestas a prueba, salen mejoradas o depuradas. ‖ **3.** Dicho de personas, intachable, íntegro.
acrisolador, ra. adj. Que acrisola.
acrisolar. tr. Depurar, purificar en el crisol por medio del fuego, el oro y otros metales. ‖ **2.** fig. Purificar, apurar. ‖ **3.** fig. Aclarar o apurar una cosa por medio de testimonios o pruebas, como la verdad, la virtud, etc. Ú. t. c. prnl.
acristalado, da. adj. Que tiene cristales. Dícese de puertas, ventanas, etc.
acristalamiento. m. Acción y efecto de acristalar.
acristalar. tr. **encristalar.**
acristianado, da. p. p. de **acristianar.** ‖ **2.** adj. ant. Decíase del que se empleaba en obras o ejercicios propios de cristiano.
acristianar. tr. fam. **cristianar,** bautizar, administrar el sacramento del bautismo. ‖ **2.** fam. **cristianizar,** hacer cristiano.
acritud. (Del lat. *acritūdo.*) f. **acrimonia.** ‖ **2.** *Metal.* Estado en que se encuentra un cuerpo metálico que ha perdido su ductilidad y maleabilidad.
acroamático, ca. (Del lat. *acroamatĭus,* y este del gr. ἀκροαματικός.) adj. Aplícase al modo de enseñar por medio de narraciones, explicaciones o discursos, y también a la enseñanza que así se da.
acrobacia. f. **acrobatismo.** ‖ **2.** Cada uno de los ejercicios que realiza un acróbata. Ú. t. en sent. fig. ‖ **3.** Cualquiera de las evoluciones espectaculares que efectúa un aviador en el aire.
acróbata. (Del gr. ἀκρόβατος, el que anda sobre las puntas de los pies, a través del fr. *acrobate.*) com. Persona que da saltos, hace habilidades sobre el trapecio, la cuerda floja, o ejecuta cualesquiera otros ejercicios gimnásticos en los espectáculos públicos.
acrobático, ca. adj. Apto para facilitar que una persona suba a lo alto. *Máquina* ACROBÁTICA. ‖ **2.** Concerniente al acróbata y a la acrobacia. *Ejercicios* ACROBÁTICOS.
acrobatismo. m. Profesión y ejercicio del acróbata.
acroe. m. desus. **acroy.**
acrofobia. (Del gr. ἄκρα, punta, cima, y *fobia.*) f. Horror a las alturas; vértigo que producen las alturas.
acroleína. (Del lat. *acer, acris,* acre, penetrante, y *oleína.*) f. Líquido volátil, sofocante, que procede de la descomposición de la glicerina y que se emplea para la obtención de distintas materias industriales, especialmente plásticos.
acromado, da. adj. Dícese de lo que se asemeja a un cromo, estampa y especialmente de las obras pictóricas. Se usa generalmente en sentido peyorativo.
acromático, ca. (Del gr. ἀχρώματος, sin color.) adj. *Ópt.* Dícese del cristal o del sistema óptico que puede transmitir la luz blanca sin descomponerla en sus colores constituyentes. ‖ **2.** *Biol.* Dícese de aquellos orgánulos celulares que no se tiñen con los colorantes usuales. v. gr.: *huso* ACROMÁTICO.
acromatismo. m. *Ópt.* Cualidad de acromático.
acromatizar. tr. Corregir total o parcialmente el cromatismo al fabricar prismas o lentes.
acromatopsia. (Del gr. ἀ, priv., χρῶμα, color, y ὄψις, vista.) f. *Med.* Incapacidad para percibir los colores. ‖ **parcial. daltonismo.**
acromegalia. (Del gr. ἄκρα, punta, y μέγας, μεγάλη, grande.) f. *Pat.* Enfermedad crónica debida a la lesión de la glán-

dula pituitaria, y que se caracteriza principalmente por un desarrollo extraordinario de las extremidades.

acromegálico, ca. adj. Que padece acromegalia. Ú. t. c. s. ‖ **2.** Perteneciente o relativo a la acromegalia. ‖ **3.** Grande y de proporciones no frecuentes. Ú. t. en sent. fig.

acromial. adj. *Anat.* Perteneciente o relativo al acromion.

acromiano, na. adj. **acromial.**

acromio. m. **acromion.**

acromion. (Del gr. ἀκρώμιον.) m. *Anat.* Apófisis del omóplato, con la que se articula la extremidad externa de la clavícula.

acrónico, ca. (Del gr. ἀκρόνυχος, vespertino.) adj. *Astron.* Se dice del astro que sale o se pone a la caída del sol. ‖ **2.** *Astron.* Dícese también del orto u ocaso del mismo astro. ‖ **3. ácrono.**

acrónimo. (Del gr. ἄκρος, extremidad, y ὄνομα, nombre.) m. Palabra formada por las iniciales, y a veces, por más letras, de otras palabras: RE(*d*) N(*acional*) (*de*) F(*errocarriles*) E(*spañoles*).

ácrono, na. (Del gr. ἄχρονος.) adj. Intemporal, sin tiempo, fuera del tiempo.

acrópolis. (Del gr. ἀκρόπολις.) f. El sitio más alto y fortificado de las ciudades griegas. ‖ **2.** Por ext., la parte más alta de una ciudad o región.

acróstico, ca. (Del gr. ἀκροστίχιον, fin de un verso.) adj. Aplícase a la composición poética en que las letras iniciales, medias o finales de los versos forman un vocablo o una frase. Ú. t. c. s. m. ‖ **2.** m. Palabra o frase formada con la composición **acróstica.** ‖ **3.** Pasatiempo que consiste en hallar, según indicaciones dadas, las palabras que colocadas en columna formen con sus iniciales una palabra o frase.

acrostolio. (Del gr. ἀκροστόλιον..) m. *Mar.* Espolón o tajamar de las naves antiguas. ‖ **2.** Adorno en la proa de las naves antiguas.

acrotera. (Del gr. ἀκρωτήριον, extremidad, a través del pl. n. lat. *acroterĭa.*) f. *Arq.* Cualquiera de los pedestales que sirven de remate en los frontones, y sobre los cuales suelen colocarse estatuas, macetones u otros adornos. ‖ **2.** Cualquiera de los remates adornados de los ángulos de los frontones y, por ext., la cruz que remata en muchas iglesias el piñón o la bóveda del crucero.

acroteria. f. **acrotera.**

acroterio. (Del gr. ἀκρωτήριον.) m. *Arq.* Pretil o murete que se hace sobre los cornisamentos para ocultar la altura del tejado, y que suele decorarse con pedestales.

acroy. m. Gentilhombre de la casa de Borgoña, que acompañaba al soberano en ciertos actos públicos y le seguía a la guerra.

acta. (Del lat. *acta*, pl. de *actum*, acto.) f. Relación escrita de lo sucedido, tratado o acordado en una junta. ‖ **2.** Certificación, testimonio, asiento o constancia oficial de un hecho. Con frecuencia lleva un complemento con *de.* ACTA DE *nacimiento,* DE *recepción.* ‖ **3.** Certificación en que consta el resultado de la elección de una persona para ciertos cargos públicos o privados. ‖ **4.** pl. Tratándose de un mártir, hechos de su vida referidos en historia coetánea y debidamente autorizada. ‖ **5.** Autos o conjunto de actuaciones o piezas de un procedimiento judicial. ‖ **notarial.** Relación fehaciente que extiende el notario, de uno o más hechos que presencia o autoriza. ‖ **levantar acta.** fr. Extenderla.

actea. (Del lat. *actaea.*) f. **yezgo.**

actinia. (Del gr. ἀκτίς, -ῖνος, radio[1].) f. **anémona de mar.**

actínico, ca. adj. Perteneciente o relativo al actinismo.

actínido. (De *actinio.*) adj. Dícese de los elementos químicos cuyo número atómico está comprendido entre el 89 y el 103. Ú. t. c. s. ‖ **2.** m. pl. Grupo formado por estos elementos.

actinio. (Del gr. ἀκτίς, -ῖνος, rayo luminoso.) m. Cuerpo radiactivo hallado en algún compuesto de uranio. Núm. atómico 89. Símb.: *Ac.*

actinismo. m. Acción química de las radiaciones electromagnéticas, en especial las luminosas.

actinógrafo. (Del gr. ἀκτίς, -ῖνος, rayo de luz, y *-grafo.*) m. Actinómetro registrador.

actinometría. (De *actinómetro.*) f. Rama de la ciencia que estudia la intensidad y la acción química de las radiaciones visibles.

actinométrico, ca. adj. *Fís.* Perteneciente o relativo a la actinometría.

actinómetro. (Del gr. ἀκτίς, -ῖνος, rayo de luz, y *-metro.*) m. *Astron.* Nombre de diversos aparatos empleados para medir diferentes propiedades de las radiaciones solares. ‖ **2.** *Quím.* Instrumento para medir la acción química de las radiaciones electromagnéticas.

actinomices. (Del gr. ἀκτίς, -ῖνος, rayo de luz, y μύκης, hongo.) m. *Microbiol.* Bacteria filamentosa parásita que produce la actinomicosis.

actinomicosis. f. *Pat.* Enfermedad infecciosa común a varias especies animales que ataca especialmente a los bóvidos. Es rara en el hombre.

actinomorfo, fa. (Del gr. ἀκτίς, radio, y de *-morfo.*) adj. *Bot.* Dícese del tipo de verticilo de las flores cuyas partes, singularmente sépalos, pétalos o tépalos, se disponen regularmente, con simetría radiada en torno al eje del pedúnculo floral, como ocurre v. gr., en la rosa.

actinota. (Del gr. ἀκτινωτός, radiado.) f. Anfíbol de color verde claro, que puede presentarse en masas de textura fibrosa.

actitar. (Del lat. *actitāre.*) tr. *Ar.* **tramitar.** ‖ **2.** intr. *Ar.* Actuar en los procesos como notario o escribano.

actitud. (De *acto.*) f. Postura del cuerpo humano, especialmente cuando es determinada por los movimientos del ánimo, o expresa algo con eficacia. ACTITUD *graciosa, imponente; las* ACTITUDES *de un orador, de un actor.* ‖ **2.** Postura de un animal cuando por algún motivo llama la atención. ‖ **3.** fig. Disposición de ánimo de algún modo manifestada. ACTITUD *benévola, pacífica, amenazadora, de una persona, de un partido, de un gobierno.*

activación. f. Acción y efecto de activar.

activamente. adv. m. Con actividad o eficacia. ‖ **2.** *Gram.* En sentido activo, con significación activa.

activar. (De *activo.*) tr. Avivar, excitar, mover, acelerar. ‖ **2.** *Fís.* Hacer radiactiva una sustancia, generalmente bombardeándola con partículas materiales o con fotones.

actividad. (Del lat. *activĭtas, -ātis.*) f. Facultad de obrar. ‖ **2.** Diligencia, eficacia. ‖ **3.** Prontitud en el obrar. ‖ **4.** Conjunto de operaciones o tareas propias de una persona o entidad. Ú. m. en pl. ‖ **5.** V. **esfera de actividad.** ‖ **6.** *Fís.* En una cantidad dada de una sustancia radiactiva, número de átomos que se desintegran por unidad de tiempo. ‖ **en actividad.** loc. adv. En acción. *Volcán* EN ACTIVIDAD.

activista. com. Agitador político, miembro que en un grupo o partido interviene activamente en la propaganda o practica la acción directa.

activo, va. (Del lat. *activus.*) adj. Que obra o tiene virtud de obrar. ‖ **2.** Diligente y eficaz. ‖ **3.** Que obra prontamente, o produce sin dilación su efecto. ‖ **4.** Dícese del funcionario mientras presta servicio. ‖ **5.** V. **arrepentimiento, dividendo, escándalo, fuero, participio, servicio, verbo, voto activo.** ‖ **6.** V. **administración, situación, voz activa.** ‖ **7.** *Fís.* Dícese del material de radiactividad media o baja, así como del laboratorio y del dispositivo experimental donde dicho material se manipula o guarda. Opónese a caliente. ‖ **8.** *Gram.* Que denota acción en sentido gramatical. ‖ **9.** *Gram.* Dícese del verbo transitivo. ‖ **10.** m. *Com.* Importe total del haber de una persona natural o jurídica. ‖ **por activa o por pasiva,** o **por activa y por pasiva.** fr. fig. y fam. De todos modos.

acto. (Del lat. *actus.*) m. Hecho o acción. ‖ **2.** Hecho público o solemne. ‖ **3.** Cada uno de los ejercicios literarios que en las universidades se celebran como prueba de estudio o alarde de suficiencia, en las tentativas, repeticiones, etc. ‖ **4.** Cada una de las partes principales en que se dividen las obras escénicas. *Pieza, comedia, drama en dos* ACTOS. ‖ **5.** Medida lineal romana que tenía 120 pies, cerca de 36 metros de largo. ‖ **6.** Disposición legal. ‖ **7.** En la vida religiosa, concentración del ánimo en un sentimiento o disposición; formulación o expresión de ellos. ACTO *de fe, de adoración, de humildad, de contrición.* ‖ **8.** pl. Actas de un concilio. ‖ **9.** ant. *Der.* **autos**[1]. ‖ **cuadrado.** Medida superficial romana que tenía 30 **actos** mínimos. ‖ **de conciliación.** Comparecencia de las partes desavenidas ante el juez de paz o municipal, para ver si pueden avenirse y excusar el litigio. ‖ **de posesión.** Ejercicio o uso de ella. ‖ **de presencia.** Asistencia breve y puramente formularia a una reunión o ceremonia. ‖ **entitativo.** *Fil.* La existencia real. ‖ **formal.** *Fil.* La forma que determina la perfección peculiar de cada ser y es principio radical de su operación. ‖ **humano.** *Fil.* El que procede de la voluntad libre con advertencia del bien o mal que se hace. ‖ **ilícito.** *Der.* **acto** prohibido por el derecho. ‖ **jurídico.** *Der.* Hecho voluntario que crea, modifica o extingue relaciones de derecho, conforme a este. ‖ **mínimo.** Medida superficial romana que tenía un **acto** de largo y cuatro pies de ancho. ‖ **puro.** El ser en el cual nada existe en potencia, o sea, aquel que de ningún otro necesita para ser y existir. Dícese únicamente de Dios. ‖ **2.** *Der.* **acto** jurídico que no admite plazo ni condición. ‖ **sexual. coito.** ‖ **Actos de los Apóstoles.** Libro canónico del Nuevo Testamento, escrito por el evangelista San Lucas, que contiene la historia de la fundación de la Iglesia y de su propagación por los apóstoles. ‖ **positivos.** Hechos que califican la virtud, limpieza o nobleza de alguna persona o familia. ‖ **acto continuo,** o **seguido.** locs. advs. Inmediatamente después. ‖ **en acto.** loc. adv. En postura, en actitud de hacer alguna cosa. ‖ **en el acto.** loc. adv. **en seguida.**

actor[1]**.** (Del lat. *actor, -ōris.*) m. El que interpreta un papel en el teatro, en el cine o en la televisión. ‖ **2.** Personaje de una acción o de una obra literaria o cinematográfica. ‖ **3.** *Der.* Demandante o acusador.‖ **civil.** El que en juicio criminal, sin acusar, exige restitución, resarcimiento o indemnización.

actor[2]**.** (Del lat. *auctor, -ōris.*) m. ant. **autor.**

actora. (De *actor*[1].) adj. *Der.* V. **parte actora.** ‖ **2.** f. Mujer que demanda en juicio.

actriz. (Del lat. *actrix, -īcis.*) f. Mujer que interpreta un papel en el teatro, en el cine o en la televisión.

actuación. f. Acción y efecto de actuar. ‖ **2.** pl. *Der.* Autos o diligencia de un procedimiento judicial.

actuado, da. p. p. de **actuar.** ‖ **2.** adj. Ejercitado o acostumbrado.

actual. (Del lat. *actuālis.*) adj. **presente,** en el mismo momento. ‖ **2.** Que existe, sucede o se usa en el tiempo de que se habla. ‖ **3.** *Geol.* Aplícase al período geológico más reciente, en el que todavía nos encontramos. Se calcula iniciado hace unos 8.000 ó 10.000 años. Ú. t. c. s. ‖ **4.** V. **cauterio, degradación, pecado actual.**

actualidad. (De *actual.*) f. Tiempo presente. ‖ **2.** Cosa o suceso que atrae y ocupa la atención del común de las gentes en un momento dado. ‖ **3.** *Fil.* Acción del acto sobre la potencia.

actualización. f. Acción y efecto de actualizar.

actualizador, ra. adj. *Ling.* Se dice de cualquier procedimiento o signo que permite actualizar un mensaje lingüístico. Ú. t. c. s.

actualizar. tr. Hacer actual una cosa, darle actualidad. Ú. t. c. prnl. ‖ **2. poner al día.** ‖ **3.** Poner en acto, realizar. ‖ **4.** *Ling.* Hacer que los signos asociados sistemáticamente en la lengua se conviertan en habla, constituyendo mensajes concretos e inteligibles.

actualmente. adv. t. En el tiempo presente. ‖ **2.** adv. m. Real y verdaderamente; con actual ser y ejercicio.

actuante. (Del p. a. de *actuar.*) adj. Que actúa. ‖ **2.** com. Personaje que interviene en la acción de una obra literaria o cinematográfica.

actuar. (De *acto.*) tr. Poner en acción. Ú. t. c. prnl. ‖ **2.** desus. Digerir, absorber o asimilar, hablando de algo que se ingiere. ‖ **3.** Entender, penetrar, o asimilarse de verdad; enterarse de algo. Ú. t. c. prnl. ‖ **4.** intr. Ejercer una persona o cosa actos propios de su naturaleza. ‖ **5.** Ejercer funciones propias de su cargo u oficio. ‖ **6.** Producir una cosa efecto sobre algo o alguien. *Esa medicina* ACTÚA *como somnífero.* ‖ **7.** Obrar, realizar actos libres y conscientes. ‖ **8.** Practicar los ejercicios de una oposición. ‖ **9.** ant. En las universidades defender conclusiones públicas. ‖ **10.** *Der.* Formar autos, proceder judicialmente. ‖ **11.** (Del ing. *to act.*) Interpretar un papel en una obra teatral, cinematográfica, etc.

actuaria. (Del lat. *actuaria* ligera, veloz.) adj. *Mar.* Dícese de cierta embarcación ligera, de remo y vela, que usaban los antiguos romanos.

actuarial. adj. Perteneciente o relativo al actuario de seguros o a sus funciones.

actuario. (Del lat. *actuarĭus.*) m. *Der.* Auxiliar judicial que da fe en los autos procesales. ‖ **2.** V. **vista actuario.** ‖ **de seguros.** Persona versada en los cálculos matemáticos y en los conocimientos estadísticos, jurídicos y financieros concernientes a los seguros y a su régimen, la cual asesora a las entidades aseguradoras y sirve como perito en las operaciones de estas.

actuosidad. f. ant. Cualidad de actuoso.

actuoso, sa. (Del lat. *actuōsus.*) adj. ant. Diligente, solícito, cuidadoso.

acuadrillar. tr. Juntar en cuadrilla. Ú. t. c. prnl. ‖ **2.** Mandar una cuadrilla.

acuantiar. tr. Fijar o determinar la cuantía de alguna cosa.

acuarela. (Del it. *acquarella.*) f. Pintura sobre papel o cartón con colores diluidos en agua. ‖ **2.** Técnica empleada en este tipo de pintura. ‖ **3.** pl. Colores con los que se realiza esta pintura.

acuarelista. com. Pintor de acuarelas.

acuarelístico, ca. adj. Perteneciente o relativo a la acuarela.

acuario[1]**.** (Del lat. *Aquarius.*) n. p. m. *Astron.* Undécimo signo o parte del Zodíaco, de 30 grados de amplitud, que el Sol recorre aparentemente a mediados del invierno. ‖ **2.** *Astron.* Constelación zodiacal que coincidió antiguamente con el signo de igual nombre, y que ahora se halla delante de él y un poco hacia el Oriente, por efecto de la precesión de los equinoccios. ‖ **3.** adj. Referido a persona, nacida bajo este signo del Zodíaco. *Yo soy* ACUARIO, *ella es piscis.* Ú. t. c. s.

acuario[2]**.** (Del lat. *aquarĭum.*) m. Depósito de agua donde se tienen vivos animales o vegetales acuáticos. ‖ **2.** Edificio destinado a la exhibición de animales acuáticos vivos.

acuartar. (De *cuarto.*) tr. *León.* Encuartar, enganchar el encuarte.

acuartelado, da. p. p. de **acuartelar.** ‖ **2.** adj. *Blas.* V. **escudo acuartelado.**

acuartelamiento. m. Acción y efecto de acuartelar o acuartelarse. ‖ **2.** Paraje o lugar donde se acuartela.

acuartelar. tr. Poner la tropa en cuarteles. Ú. t. c. prnl. ‖ **2.** Obligar a la tropa a permanecer en el cuartel en previsión de alguna alteración del orden público. ‖ **3.** Dividir un terreno en cuarteles. ‖ **4.** *Mar.* Presentar más al viento la superficie de una vela de cuchillo, llevando hacia barlovento su puño y cazándola, si es preciso, a esta banda, para que la proa caiga hacia la otra.

acuartillar. intr. Doblar con exceso las caballerías las cuartillas cuando andan, por llevar mucho peso o por debilidad. ‖ **2.** Andar de este modo las caballerías.

acuático, ca. (Del lat. *aquatĭcus.*) adj. Que vive en el agua. ‖ **2.** V. **lenteja, pulga, salamandra acuática.** ‖ **3.** Perteneciente o relativo al agua. ‖ **4.** V. **esquí acuático.**

acuátil. (Del lat. *aquatĭlis.*) adj. **acuático.**

acuatizaje. m. Acción y efecto de acuatizar.

acuatizar. intr. Posarse un hidroavión en el agua.

acubado, da. adj. De figura de cubo o de cuba.

acubilar. tr. *Ar., Ast.* y *Nav.* Recoger el ganado en el cubil. Ú. t. c. intr. y c. prnl.

acucia. (Del b. lat. *acutia,* astucia, agudeza, der. de *acūtus,* agudo.) f. Diligencia, solicitud, prisa. ‖ **2.** Deseo vehemente.

acuciadamente. adv. m. **acuciosamente.**

acuciador, ra. adj. Que acucia. Ú. t. c. s.

acuciamiento. m. Acción de acuciar.

acuciar. (Del lat. **acutiāre,* de *acūtus,* agudo.) tr. Estimular, dar prisa. ‖ **2.** Impulsar a una persona a ejecutar una acción; incitar, instigar. ‖ **3.** Inquietar, desazonar. ‖ **4.** p. us. Desear con vehemencia. ‖ **5.** ant. Cuidar con diligencia.

acuciosamente. adv. m. Con diligencia, solicitud o prisa. ‖ **2.** Con deseo vehemente.

acuciosidad. f. Calidad de acucioso.

acucioso, sa. (De *acucia.*) adj. Diligente, solícito, presuroso. ‖ **2.** Movido por deseo vehemente.

acuclillarse. prnl. Ponerse en cuclillas.

acucharado, da. adj. De figura parecida a la pala de una cuchara.

acuchilladizo. (De *acuchillar.*) m. Esgrimidor o gladiador.

acuchillado, da. p. p. de **acuchillar.** ‖ **2.** adj. fig. Dícese del que, a fuerza de trabajos y escarmientos, ha adquirido el hábito de conducirse con prudencia en los acontecimientos de la vida. ‖ **3.** fig. Aplícase al vestido o calzado antiguos con aberturas semejantes a cuchilladas, bajo las cuales se ve otra tela distinta. ‖ **4.** m. Raspado y alisadura de los suelos de madera con el fin de barnizarlos o encerarlos.

acuchillador, ra. adj. Que acuchilla. Ú. t. c. s. ‖ **2.** **acuchilladizo.** Ú. t. c. s. ‖ **3.** m. El que tiene por oficio acuchillar pisos de madera.

acuchillar. tr. Herir, cortar o matar con el cuchillo, y por extensión, con otras armas blancas. ‖ **2.** Hablando del aire, henderlo o cortarlo. ‖ **3.** Alisar con cuchilla u otra herramienta la superficie del entarimado o de los muebles de madera. ‖ **4.** fig. Labrar o hacer aberturas semejantes a cuchilladas, en calzados y vestidos y en estos particularmente en las mangas, según uso antiguo. ‖ **5.** Aclarar las plantas en semilleros. ‖ **6.** prnl. Reñir con espadas o darse de cuchilladas.

acudiciar. tr. ant. **acodiciar.**

acudidero. (De *acudir.*) m. *Ar.* Cosa que exige pronta satisfacción o gasto inevitable.

acudiente. com. *Col.* y *Pan.* Persona que sirve de tutor a uno o varios estudiantes.

acudimiento. m. Acción de acudir.

acudir. (De *recudir,* con cambio de prefijo por cruce con *acorrer.*) intr. Ir uno al sitio adonde le conviene o es llamado. ‖ **2.** Ir o asistir con frecuencia a alguna parte. ‖ **3.** Venir, presentarse o sobrevenir algo. ‖ **4.** Ir en socorro de alguno. ‖ **5.** **atender.** ‖ **6.** Recurrir a alguno o valerse de él. ‖ **7.** Valerse de una cosa para algún fin. ‖ **8.** Dar o producir la tierra o las plantas. ‖ **9.** Corresponder, pagar u obsequiar. ‖ **10.** Replicar o contestar; objetar. ‖ **11.** *Equit.* Obedecer el caballo.

acueducto. (Del lat. *aquaeductus.*) m. Conducto artificial por donde va el agua a lugar determinado. Llámase especialmente así el que tiene por objeto abastecer de aguas a una población. ‖ **2.** V. **servidumbre de acueducto.**

ácueo, a. (Del lat. *aquĕus.*) adj. De agua. ‖ **2.** De naturaleza parecida a la del agua. ‖ **3.** *Anat.* V. **humor ácueo.**

acuerdo. (De *acordar.*) m. Resolución que se toma en los tribunales, comunidades o juntas. ‖ **2.** Resolución premeditada de una sola persona o de varias. ‖ **3.** Reflexión o madurez en la determinación de alguna cosa. ‖ **4.** Conocimiento o sentido de alguna cosa. ‖ **5.** Parecer, dictamen, consejo. ‖ **6.** p. us. Recuerdo o memoria de las cosas. ‖ **7.** En lo antiguo, reunión de los magistrados de un tribunal con su presidente y los fiscales, para deliberar y resolver sobre objetos de aplicación general. ‖ **8.** *Col.* y *Méj.* Reunión de una autoridad gubernativa con uno o algunos de sus inmediatos colaboradores o subalternos para tomar conjuntamente decisión sobre asuntos determinados. ‖ **9.** *Argent.* Consejo de ministros. ‖ **10.** *Argent.* Confirmación de un nombramiento hecha por el Senado. ‖ **11.** *Der.* V. **libro de,** o **del acuerdo.** ‖ **12.** *Pint.* Armonía del colorido de un cuadro. ‖ **marco. acuerdo** normativo al que han de ajustarse otros de carácter más concreto. ‖ **de acuerdo.** loc. adv. De conformidad, unánimemente. Ú. m. con los verbos *estar, quedar* y *ponerse.* ‖ **2.** Refiriéndose a dos o más personas o cosas, mostrar conformidad o alcanzarla (principalmente con los verbos *estar* o *ponerse*); y acordarlas o conciliarlas (principalmente con el verbo *poner.*) ‖ **3.** Locución con que se manifiesta asentimiento o conformidad. ‖ **estar** alguien **en** su **acuerdo,** o **fuera de** él. fr. p. us. Estar o no en su sano juicio o sentido. ‖ **volver** alguien **en** su **acuerdo.** fr. p. us. Volver en sí; recobrar el uso de los sentidos, embargados por algún accidente.

acuesto. (De *acostar.*) m. Inclinación de una parte de la construcción. ‖ **2.** Declive del terreno.

acuícola. (Del lat. *aqua,* agua, y *-cola.*) adj. Dícese del animal o vegetal que vive en el agua. Ú. t. c. s.

acuicultura. (Del lat. *aqua,* agua, y *-cultura.*) f. Técnica del cultivo de especies acuáticas vegetales y animales.

acuidad. (Del lat. mod. *acuĭtas, -ātis.*) f. **agudeza,** sutileza. ‖ **2.** **agudeza,** viveza. ‖ **3.** **agudeza,** perspicacia de la vista.

acuífero, ra. (Del lat. *aqua* y *-fero.*) adj. *Biol.* Dícese de los conductos, vasos, etc., que en los organismos vivos llevan sustancias líquidas, singularmente agua. ‖ **2.** *Geol.* Dícese de la capa, vena o zona del terreno que contiene agua.

acuitadamente. adv. m. Con cuita.

acuitamiento. m. ant. **cuita.**

acuitar. tr. Poner en cuita o en apuro, afligir, estrechar. Ú. t. c. prnl.

ácula. (Del lat. *acŭla,* d. de *acus,* aguja.) f. **quijones.**

aculado, da. p. p. de **acular.** ‖ **2.** adj. *Blas.* Dícese del caballo levantado del cuarto delantero y sentado con las patas encogidas. También se aplica a otros muebles heráldicos que ofrecen colocación semejante.

acular. (De *a-*[1] y *culo.*) tr. Hacer que un animal, un carro, etc., quede arrimado por detrás a alguna parte. Ú. t. c. prnl. ‖ **2.** fam. **arrinconar,** estrechar a alguien. Ú. m. c. prnl. ‖ **3.** prnl. *Mar.* Acercarse la nave a un bajo, o tocar en él con el codaste en un movimiento de retroceso.

aculebrinado, da. adj. *Art.* Aplícase al cañón parecido por su mucha longitud a la culebrina.

acúleo. (Del lat. *aculĕus.*) m. **aguijón.**

aculturación. f. Recepción y asimilación de elementos culturales de un grupo humano por parte de otro.

acullá. (Del lat. *eccum* e *illāc.*) adv. l. A la parte opuesta del que habla. Suele contraponerse a adverbios demostrativos de cercanía (*aquí, acá*) y menos frecuentemente a los de lejanía (*allí, allá*), de los que puede ser un intensivo.

acullicar. (De *acullico.*) intr. *Bol.* y *Perú.* **coquear.**

acullico. (Del quechua *akulliku.*) m. *NO. Argent., Bol.* y *Perú.* Pequeña bola hecha con hojas de coca[1], que suele mezclarse con cenizas de quinua y papa hervida. Al mascarla se diluyen en la saliva los principios activos del estimulante.

acumbrar. (De *cumbre.*) tr. ant. **encumbrar.**

acumen. (Del lat. *acūmen, -ĭnis.*) m. ant. Agudeza, perspicacia, ingenio.

acuminado, da. (Del lat. *acumĭnātus.*) adj. Que, disminuyendo gradualmente, termina en punta.

acuminoso, sa. (Del lat. *acūmen, -ĭnis.*) adj. desus. Agudo, ácido.

acumulable. adj. Que puede acumularse.

acumulación. (Del lat. *accumulatĭo, -ōnis.*) f. Acción y efecto de acumular.

acumulador, ra. (Del lat. *accumulātor, -ōris.*) adj. Que acumula. Ú. t. c. s. ‖ **2.** (Del ing. *accumulator.*) m. *Fís.* Pila reversible que acumula energía durante la carga y la restituye parcialmente durante la descarga. Cf. **batería eléctrica.**

acumulamiento. m. Acción y efecto de acumular.

acumular. (Del lat. *accumulāre.*) tr. Juntar y amontonar. Ú. t. c. prnl. ‖ **2.** Imputar algún delito o culpa. ‖ **3.** *Der.* Unir unos autos a otros, o ejercitar varias acciones juntamente, para que sobre todos se pronuncie una sola sentencia.

acumulativamente. adv. m. *Der.* Con acumulación. ‖ **2.** *Der.* **a prevención.**

acumulativo, va. adj. Perteneciente o relativo a la acumulación; que procede por acumulación o resulta de ella. *Interés* ACUMULATIVO. *Método* ACUMULATIVO. ‖ **2.** *Der.* V. **jurisdicción acumulativa.**

acunar. (De *a-*[1] y *cuna.*) tr. Mecer al niño en la cuna o en los brazos para que se duerma. ‖ **2.** *C. Rica.* Meter al niño en la cuna.

acundangarse. prnl. *Cuba.* Adquirir la condición de cundango, afeminarse.

acuntir. (De *a-*[1] y *cuntir.*) intr. ant. **acontecer.**

acuñación. f. Acción y efecto de acuñar.

acuñador, ra. adj. Que acuña. Ú. t. c. s.

acuñar[1]. (De *a-*[1] y *cuño.*) tr. Imprimir y sellar una pieza de metal por medio de cuño o troquel. Se usa especialmente hablando de las monedas y medallas. ‖ **2.** Tratándose de moneda, hacerla, fabricarla. ‖ **3.** fig. Dar forma a expresiones o conceptos, especialmente cuando logran difusión o permanencia. ACUÑAR *una palabra, un lema, una máxima.*

acuñar[2]. (De *a-*[1] y *cuña.*) tr. Meter cuñas. ‖ **2.** Ajustar unas cosas con otras, encajarlas entre sí. ‖ **3.** fig. y fam. *Gal.* Hacer recomendaciones a favor de alguno.

acuosidad. (Del lat. *aquosĭtas, -ātis.*) f. Calidad de acuoso.

acuoso, sa. (Del lat. *aquōsus.*) adj. Abundante en agua. ‖ **2.** Parecido a ella. ‖ **3.** De agua o relativo a ella. ‖ **4.** De mucho jugo. Dícese de las frutas. ‖ **5.** V. **disolución acuosa.**

acupuntura. (Del lat. *acus,* aguja, y *punctūra,* punzada.) f. *Med.* Operación que consiste en clavar una o más agujas en el cuerpo humano, con el fin de curar ciertas enfermedades. La emplean desde muy antiguo los chinos y los japoneses.

acuradamente. adv. m. ant. Con cuidado y esmero.

acurado, da. (Del lat. *accurātus,* preparado con esmero.) adj. ant. Cuidadoso y esmerado.

acurdarse. (De *curda,* borrachera.) prnl. fam. **encurdarse.**

acure. (Del caribe *curi,* con *a* protética.) m. Roedor del tamaño de un conejo, de carne comestible, que vive en domesticidad en varios países de América Meridional.

acurrucarse. (Quizá de *a-*[1] y el lat. *corrugāre,* arrugar.) prnl. Encogerse para resguardarse del frío o con otro objeto.

acurrullar. (De *a-*[1] y *corrulla.*) tr. *Mar.* Desenvergar las velas y recogerlas.

acusable. adj. Que puede ser acusado.

acusación. (Del lat. *accusatĭo, -ōnis.*) f. Acción de acusar o acusarse. ‖ **2.** *Der.* Escrito o discurso en que se acusa. ‖ **3.** *Der.* Persona o personas encargadas de demostrar en un pleito la culpabilidad del procesado mediante pruebas acusatorias.

acusado, da. p. p. de **acusar.** ‖ **2.** adj. Dícese de aquello cuya condición destaca de lo normal y se hace manifiestamente perceptible. *Respondió con* ACUSADA *acritud. Calculaba con* ACUSADO *optimismo.* ‖ **3.** m. y f. Persona a quien se acusa.

acusador, ra. (Del lat. *accusātor, -ōris.*) adj. Que acusa. Apl. a pers., ú. t. c. s.

acusamiento. m. ant. **acusación.**

acusar. (Del lat. *accusāre.*) tr. Imputar a alguien algún delito, culpa, vicio o cualquier cosa vituperable. ‖ **2.** Denunciar, delatar. U. t. c. prnl. ‖ **3.** Notar, tachar. ‖ **4.** Reconvenir, censurar, reprender. ‖ **5.** Manifestar, revelar, descubrir. ‖ **6.** Tratándose del recibo de cartas, oficios, etc., avisarlo, noticiarlo. ‖ **7.** En algunos juegos de naipes, manifestar alguien en tiempo oportuno que tiene determinadas cartas con que por ley del juego se gana cierto número de tantos. ‖ **8.** Reflejar la contundencia y efectos de un golpe recibido, etc. ‖ **9.** *Dep.* Mostrar un atleta o jugador inferioridad o falta de preparación física. ‖ **10.** *Der.* Exponer definitivamente en juicio los cargos contra el acusado y las pruebas de los mismos. ‖ **11.** prnl. Confesar, declarar uno sus culpas.

acusativo. (Del lat. *accusatīvus.*) m. *Gram.* Caso de la declinación latina y de otras lenguas que equivale generalmente en español al objeto directo del verbo.

acusatorio, ria. (Del lat. *accusatorĭus.*) adj. *Der.* Perteneciente o relativo a la acusación. *Acto* ACUSATORIO, *delación* ACUSATORIA. ‖ **2.** *Der.* V. **sistema acusatorio.**

acuse. m. Acción y efecto de **acusar,** avisar el recibo de una carta. ‖ **2.** Acción y efecto de **acusar,** en algunos juegos de naipes, manifestar que uno tiene determinadas cartas. ‖ **3.** Cada una de las cartas que en el juego sirven para acusar.

acusetas. m. *Col.* y *C. Rica.* **acusete.**

acusete. adj. *Bol., Chile, Guat.* y *Perú.* Acusón, soplón. Ú. t. c. s.

acusica. adj. **acusón.** Ú. t. c. s.

acusique. adj. p. us. **acusica.**

acusón, na. adj. fam. Que tiene el vicio de acusar. Ú. t. c. s.

acústica. (Del gr. ἀκουστική, t. f. de -κός, acústico.) f. Parte de la física, que trata de la producción, control, transmisión, recepción y audición de los sonidos, y también, por extensión, de los ultrasonidos.

acústico, ca. (Del gr. ἀκουστικός, de ἀκούω, oír.) adj. Perteneciente o relativo al órgano del oído. ‖ **2.** Perteneciente o relativo a la acústica. ‖ **3.** Favorable para la producción o propagación del sonido. ‖ **4.** V. **foco acústico.** ‖ **5.** V. **corneta acústica.**

acutángulo. (Del lat. *acūtus,* agudo, y *angŭlus,* ángulo.) adj. *Geom.* V. **triángulo acutángulo.**

acutí. (De or. guaraní.) m. *Amér.* **agutí.**

acuto, ta. (Del lat. *acūtus.*) adj. ant. **agudo.**

achabacanamiento. m. Proceso por el cual algo o alguien se hace chabacano. ‖ **2.** Resultado de dicho proceso; chabacanería.

achabacanar. tr. Hacer chabacano. Ú. m. c. prnl.

achacable. adj. Atribuible, imputable.

achacar. (Del ár. *'atšákkà,* acusar.) tr. Atribuir, imputar a alguien o algo un delito, culpa, defecto o desgracia, generalmente con malicia o sin fundamento.

achacoso, sa. adj. Que padece achaque, enfermedad o defecto, especialmente a causa de edad avanzada.

achachairú. m. *Bol.* Arbusto y fruto del mismo; es silvestre. El fruto es una drupa de dos semillas con mesocarpio blanco, de sabor agridulce y cáscara amarilla apergaminada.

¡achachay! (De or. quechua.) *Col., Chile, Ecuad.* y *Perú.* Interjección con que se expresa la sensación de frío o calor, y que también denota aplauso o aprobación. ‖ **2.** m. *Col.* Juego de muchachos, llamado así porque el cantar con que lo acompañan empieza con aquella palabra.

achaflanar. tr. Dar a una esquina forma de chaflán.

achajuanado, da. adj. *Col.* **chajuanado.**

achajuanarse. (De *a-*[1] y *chajuán.*) prnl. *Argent., Bol., Col.* y *Méj.* Sofocarse las bestias por trabajar mucho cuando hace demasiado calor o están muy gordas.

¡achalay! (Del quechua *achallay,* qué lindo, qué bueno.) *N. Argent., Ecuad.* y *Perú.* Interjección afectuosa o irónica que expresa admiración, ponderación y deseo.

achambergado, da. adj. Dícese del sombrero parecido al chambergo. ‖ **2.** *And.* Dícese de la cinta semejante a la chamberga.

achampanado, da. adj. **achampañado.**

achampañado, da. adj. Dícese de la bebida que imita al vino de Champaña.

achancar. (De *a-*[1] y *chancar.*) tr. *And.* Triturar, aplastar, estrujar. ‖ **2.** *Sal.* Pisar charcos, barro, etc. ‖ **3.** *Sal.* Encajar, encasquetar. ‖ **4.** fig. *And.* Chafar a alguien, dejarlo cortado sin saber qué hacer o qué decir. ‖ **5.** prnl. *And.* Sentarse, agacharse, aplastarse. ‖ **6.** *And.* Callarse, aguantarse, achantarse.

achantar. tr. Acoquinar, apabullar, achicar a otro. ‖ **2.** prnl. fam. Aguantarse, agazaparse o esconderse mientras dura un peligro. ‖ **3.** Abstenerse de intervenir en algún asunto por cautela o maliciosamente. ‖ **4.** Callarse resignadamente o por cobardía. ‖ **5.** fam. **conformarse.**

achaparrado, da. p. p. de **achaparrarse.** ‖ **2.** adj. fig. Dícese de las cosas bajas y extendidas. ‖ **3.** Dícese de la persona gruesa y de poca estatura. ‖ **4.** *Hond.* Dícese de la persona que se apoca espiritualmente.

achaparrarse. prnl. Tomar un árbol la forma de chaparro. ‖ **2.** Adquirir las personas, animales o plantas una configuración baja y gruesa en su desarrollo.

achaplinarse. prnl. *Chile.* Tomar una actitud vacilante parecida a la que utilizaba en sus películas el actor cinematográfico Charles Chaplin.

achaque. (Del ár. *aš-šakā',* la queja, la enfermedad.) m. Indisposición o enfermedad habitual, especialmente las que acompañan a la vejez. ‖ **2.** Indisposición o enfermedad generalmente ligera. ‖ **3.** Vicio, defecto, tacha, tanto físico como moral. ‖ **4.** Excusa o pretexto. ‖ **5.** Asunto o materia. ‖ **6.** p. us. Ocasión, motivo, causa. ‖ **7.** desus. fam. Menstruo de la mujer. ‖ **8.** desus. fig. Embarazo de la mujer. ‖ **9.** desus. Apariencia o reputación. ‖ **10.** desus. Denuncia que hace el soplón con el intento de componerse con el presunto culpable y sacarle dinero para no proseguir la causa. ‖ **11.** Multa o pena pecuniaria. Especialmente se usaba hablando de las impuestas por el Concejo de la Mesta. ‖ **12.** pl. *C. Rica.* Indisposiciones (mareos, ascos, etc.) que padecen las mujeres embarazadas.

achaquero. (De *achaque.*) m. Juez del Concejo de la Mesta, que imponía los achaques o multas contra los que quebrantaban los privilegios de los ganaderos y ganados trashumantes. ‖ **2.** Arrendador de los achaques impuestos por los jueces del Concejo de la Mesta.

achaquiento, ta. adj. p. us. **achacoso.** Ú. en Aragón.

achara. f. *Filip.* **encurtido,** vegetal en vinagre.

acharar. (Del caló *jacharar,* calentar, infl. por *azarar.*) tr. Avergonzar, azarar, sobresaltar. Ú. t. c. prnl. ‖ **2.** *And.* Disgustar, enojar, desazonar. Ú. t. c. prnl. ‖ **3.** *And.* Dar achares o celos.

achares. (Del caló *jachare,* quemazón, tormento.) m. pl. Celos, disgusto, pena.

acharolado, da. p. p. de **acharolar.** ‖ **2.** adj. Semejante al charol.

acharolar. tr. **charolar.**

achatamiento. m. Acción y efecto de achatar o achatarse. ‖ **2.** *Geogr.* Aplastamiento polar de un astro por efecto de la rotación.

achatar. tr. Poner chata alguna cosa. Ú. t. c. prnl.

achicado, da. p. p. de **achicar.** ‖ **2.** adj. **aniñado.**

achicador, ra. adj. Que achica. Ú. t. c. s. ‖ **2.** m. *Mar.* Especie de cucharón de madera que sirve para achicar el agua en los botes.

achicadura. f. Acción y efecto de achicar o achicarse.

achicamiento. m. **achicadura.**

achicar. (De *a-*[1] y *chico.*) tr. Amenguar el tamaño, dimensión o duración de alguna cosa. Ú. t. c. prnl. ‖ **2.** Extraer el agua de un dique, mina, embarcación, etc. ‖ **3.** fig. Humillar, acobardar. Ú. t. c. prnl. ‖ **4.** fig. Hacer de menos, rebajar la estimación de una persona o cosa. Ú. t. c. prnl.

achicoria. (De *chicoria.*) f. Planta de la familia de las compuestas, de hojas recortadas, ásperas y comestibles, así crudas como cocidas. La infusión de la amarga o silvestre se usa como remedio tónico aperitivo. ‖ **2.** Bebida que se hace por la infusión de la raíz tostada de esta planta y se utiliza como sucedáneo del café.

achicharradero. (De *achicharrar.*) m. Sitio donde hace mucho calor.

achicharramiento. m. Acción y efecto de achicharrar o achicharrarse.

achicharrar. (De *chicharrar.*) tr. Freír, cocer, asar o tostar un alimento, hasta que tome sabor a quemado. Ú. t. c. prnl. ‖ **2.** fig. Calentar demasiado. Ú. t. c. prnl. ‖ **3.** fig. Molestar con exceso. ‖ **4.** prnl. fig. Experimentar un calor excesivo, quemarse, por la acción de un agente exterior (como aire, sol, etc.).

achichincle. m. *Méj.* **achichinque.**

achichinque. (Del nahua *achichincle;* de *atl,* agua, y *chichinqui,* que chupa.) m. *Méj.* Operario que en las minas traslada a las piletas el agua que sale de los veneros subterráneos. ‖ **2.** *Méj.* El que de ordinario acompaña a un superior y sigue sus órdenes ciegamente.

achiguarse. (De *a-*[1] y *chigua.*) prnl. *Argent.* y *Chile.* Combarse una cosa. ‖ **2.** *Argent.* y *Chile.* Echar panza una persona.

achinado[1], da. (De *chino*[2].) adj. Dícese de la persona que por los rasgos de su rostro se parece a los naturales de China. Ú. t. c. s. ‖ **2.** Por ext., se aplica a todo aquello que tiene semejanza con los usos y caracteres o rasgos chinos.

achinado[2], da. (De *chino*[3].) adj. **chino**[3], mestizo.

achinar. tr. fam. **acochinar.** Ú. t. c. prnl.

achinelado, da. adj. De figura de chinela.

achiote. (Del nahua *achiyotetl,* almagre.) m. **bija.**

achiotero, ra. adj. Perteneciente o relativo al achiote. ‖ **2.** m. Achiote, bija. ‖ **3.** *Ecuad.* Utensilio de cocina típica, que consiste en una pequeña sartén de barro provista de un cernidor. ‖ **4.** f. *P. Rico.* Vasija destinada a contener achiote.

achique. m. Acción y efecto de achicar.

achiquillado, da. adj. **aniñado.**

achiquitar. tr. *Col., Guat., Méj.* y *Sto. Dom.* Achicar, empequeñecer. Ú. t. c. prnl.

achira. (De or. quechua.) f. Planta sudamericana de la familia de las alismatáceas, de tallo nudoso, hojas ensiformes y flores coloradas, que vive en terrenos húmedos. ‖ **2.** Planta del Perú, de la familia de las cannáceas, de raíz comestible. ‖ **3.** *Chile.* **cañacoro.**

¡achís! Voz onomatopéyica que se emplea para imitar el estornudo y, a veces, para designarlo. ‖ **2.** interj. *Guat.* **chis**[2], voz que indica que hay algo sucio.

achispar. (De *a-*[1] y *chispa,* borrachera.) tr. Poner casi ebria a una persona. Ú. t. c. prnl.

achitabla. (Del lat. *acetabŭla,* pl. de *acetabŭlum,* vinagrera.) f. *Ál.* Especie de romaza.

-acho, -acha. (Del lat. *-acĕus.*) suf. de sustantivos y adjetivos con valor despectivo: *pobl*ACHO, *ric*ACHA. Combinado con **-ar** toma la forma **-aracho**: *dich*ARACHO, *vivar*ACHO.

achocadura. f. Acción y efecto de achocar.

achocar. (De *a-*[1] y *choque.*) tr. p. us. Arrojar o tirar a alguna persona contra la pared u otra superficie dura. ‖ **2.** p. us. Herir a una persona con palo, piedra, etc. ‖ **3.** desus. fig. y fam. Guardar mucho dinero, y particularmente guardarlo de canto, en fila y apretado.

achocolatado, da. adj. De color de chocolate.

achocharse. prnl. fam. Comenzar a chochear.

achogcha. (Del quechua *achugcha.*) f. *Ecuad.* Planta de cápsula comestible que se usa mucho para la alimentación.

achojcha. f. *Bol.* **achogcha.**

acholado, da. p. p. de **acholar.** ‖ **2.** adj. *Amér.* Dícese de la persona que tiene la tez del mismo color que la del cholo; mestizo.

acholar. (De *a-*[1] y *cholo.*) tr. *Chile* y *Ecuad.* Correr, avergonzar, amilanar. Ú. t. c. prnl. En Perú se usa solo c. prnl.

-achón. V. **-on**[1].

achote. m. **achiote.**

achubascarse. (De *a-*[1] y *chubasco.*) prnl. Cargarse la atmósfera de nubarrones que traen aguaceros con viento.

achucuyar. tr. *Amér. Central,* menos *Nicar.* Abatir, acoquinar. Ú. t. c. prnl. En C. Rica ú. solo c. prnl.

achuchar[1]**.** (Voz onomatopéyica.) tr. **azuzar.** ‖ **2.** fam. Aplastar, estrujar con la fuerza de algún golpe o peso. ‖ **3.** fam. Empujar una persona a otra; agredirla violentamente, acorralándola. ‖ **4.** fig. y fam. Apremiar, atosigar, abrumar.

achuchar[2]**.** (De *chucho*[2].) intr. y prnl. *Argent.* y *Urug.* Tiritar, estremecerse a causa del frío o de la fiebre.

achucharrar. tr. *Col., Chile* y *Hond.* **achuchar**[1], aplastar, estrujar. ‖ **2.** *Méj.* Arrugar, encoger, amilanar. Ú. t. c. prnl.

achuchón. m. fam. Acción y efecto de achuchar o aplastar.

achuela. f. *Sto. Dom.* **azuela.**

-achuelo, la. V. **-uelo.**

achujcha. f. *Bol.* **achogcha.**

achulado, da. p. p. de **achularse.** ‖ **2.** adj. fam. Que tiene aire o modales de chulo.

achulaparse. (De *a-*[1] y *chulapo.*) prnl. **achularse.**

achularse. prnl. Adquirir modales de chulo.

achuma. f. *Perú* y *N. Argent.* Planta cactácea, de brazos acanalados, frecuente en los llanos bolivianos.

achunchar. (De *chuncho.*) tr. *Bol.* y *Chile.* Avergonzar, turbar. Ú. m. c. prnl. En Perú se usa solo c. prnl.

achuntar. (De *chonta,* árbol de cuya madera se hacían flechas.) tr. fam. y vulg. *Bol.* y *Chile.* Acertar, dar en el blanco. Ú. t. c. intr.

achupalla. (Del quechua *achupalla.*) f. Planta de América Meridional, de la familia de las bromeliáceas, de tallos gruesos, escamosos y retorcidos; hojas alternas, envainadoras y espinosas por los bordes; flores en espiga y fruto en caja. De sus tallos se hace una horchata muy agradable.

achura. (Del quechua *achúray,* repartir.) f. *Argent., Bol.* y *Urug.* Asadura de una res. Ú. t. en pl.

achurar. tr. fig. y fam. *Argent.* y *Urug.* Herir o matar a tajos a una persona o animal.

ad. (Del lat. *ad.*) prep. ant. **a**[2]. ‖ **2.** prep. lat. que entra en locuciones latinas usadas en nuestro idioma. AD *hoc,* AD *libitum.*

ad-. (Del lat. *ad-.*) pref. que significa dirección, tendencia, proximidad, contacto, encarecimiento: AD*ecuar,* AD*quirir,* AD*verso,* AD*junto,* AD*verbio,* AD*yacente,* AD*mirar.* Ante ciertas consonantes se usa la forma **a-**: A*nejo,* A*firmar,* A*sumir.*

-ada. V. **-da.**

adacilla. (d. de *adaza.*) f. Planta, variedad de la adaza, de la cual se distingue por ser ella y su simiente más pequeñas.

adafina. (Del ár. *ad-dafīna,* la oculta o encubierta.) f. Olla que los hebreos colocan el anochecer del viernes en un anafe, cubriéndola con rescoldo y brasas, para comerla el sábado.

adagial. adj. Perteneciente o relativo al adagio o proverbio.

adagio[1]**.** (Del lat. *adagĭum.*) m. Sentencia breve, comúnmente recibida, y, la mayoría de las veces, moral.

adagio[2]**.** (Del it. *adagio.*) adv. m. *Mús.* Con movimiento lento. ‖ **2.** m. *Mús.* Composición o parte de ella que se ha de ejecutar con este movimiento.

adaguar. (Del lat. *adaquāre.*) intr. *Ar.* Beber el ganado.

adahala. f. desus. **adehala.**

adala. (De *dala.*) f. *Mar.* **dala.**

adalid. (Del ár. *ad-dalīl,* el guía.) m. Caudillo militar. ‖ **2.** fig. Guía y cabeza, o muy señalado individuo de algún partido, corporación o escuela. ‖ **3.** ant. V. **carnero adalid.** ‖ **mayor.** Empleo o cargo de la milicia antigua española, que en cierta manera corresponde a lo que después se llamó maestre de campo general, y hoy se dice jefe de estado mayor general.

adamadamente. adv. m. Blanda o muellemente.

adamado, da. p. p. de **adamarse.** ‖ **2.** adj. Aplícase al hombre de facciones, talle y modales delicados como los de la mujer. ‖ **3.** Fino, elegante. Aplícase a personas. ‖ **4.** Dícese de la mujer vulgar que tiene apariencias de dama.

adamadura. f. p. us. Feminidad, afectación.

adamamiento. m. **afeminamiento** de un varón.

adamante. (Del lat. *adāmas, -antis,* y este del gr. ἀδάμας.) m. ant. **diamante.**

adamantino, na. (Del lat. *adamantīnus.*) adj. **diamantino.** Ú. m. en poesía.

adamar. (Del lat. *adamāre.*) tr. p. us. Cortejar, requebrar. ‖ **2.** ant. Amar con vehemencia. ‖ **3.** prnl. Enamorarse de alguien o de algo.

adamarse. (De *a-*[1] y *dama*[1].) prnl. Adelgazarse el hombre o hacerse delicado como la mujer.

adamascado, da. adj. Parecido al damasco. Dícese generalmente de las telas.

adamascar. tr. Dar a las telas aspecto parecido al damasco.

adamasco. m. ant. **damasco.**

adámico, ca. adj. **adánico.**

adamismo. m. Doctrina y secta de los adamitas.

adamita. (De *Adam,* n. p. hebreo, *Adán.*) adj. Dícese de ciertos herejes que celebraban sus congregaciones desnudos a semejanza de Adán en el Paraíso, y, entre otras creencias, tenían por lícita la poligamia. Ú. m. c. s. y en pl. ‖ **2.** Perteneciente o relativo al adamismo o a los **adamitas.**

adán. n. p. V. **bocado, higuera, manzana de Adán.** ‖ **2.** m. fig. y fam. Hombre desaliñado, sucio o haraposo. ‖ **3.** fig. y fam. Hombre apático y descuidado.

adánico, ca. adj. Perteneciente o relativo a Adán o Adam.
adanida. m. Descendiente de Adán, hombre.
adanismo. (De *Adán.*) m. Hábito de comenzar una actividad cualquiera como si nadie la hubiera ejercitado anteriormente. ‖ **2.** Desnudismo, práctica de la desnudez. ‖ **3. adamismo.**
adaptabilidad. f. Calidad de adaptable.
adaptable. adj. Capaz de ser adaptado.
adaptación. f. Acción y efecto de adaptar o adaptarse.
adaptadamente. adv. m. **acomodadamente.**
adaptador, ra. adj. Que adapta. ‖ **2.** m. Cualquier dispositivo o aparato que sirve para acomodar elementos de distinto uso, diseño, tamaño, finalidad, etc. ‖ **de antena.** Artificio que permite adaptar una misma antena a varios receptores.
adaptar. (Del lat. *adaptāre.*) tr. Acomodar, ajustar una cosa a otra. Ú. t. c. prnl. ‖ **2.** Hacer que un objeto o mecanismo desempeñe funciones distintas de aquellas para las que fue construido. ‖ **3.** Modificar una obra científica, literaria, musical, etc., para que pueda difundirse entre público distinto de aquel al cual iba destinada o darle una forma diferente de la original. ‖ **4.** prnl. Dicho de personas, acomodarse, avenirse a circunstancias, condiciones, etc.
adáraga. f. ant. **adarga.**
adaraja. (Del ár. *ad-daraŷa,* el escalón.) f. *Arq.* Cada uno de los dentellones que se forman en la interrupción lateral de un muro para su trabazón al proseguirlo. Ú. m. en pl.
adárame. m. ant. **adarme.**
adarce. (Del gr. ἀδάρκη, a través del lat. *adarce.*) m. Costra salina que las aguas del mar forman en los objetos que mojan.
adardear. tr. p. us. Herir con dardo.
adarga. (Del ár. *ad-daraqa,* el escudo de piel.) f. Escudo de cuero, ovalado o de figura de corazón.
adárgama. (Del ár. persa *ad-darmaka,* la harina muy blanca y pura.) f. ant. Harina de flor.
adargar. tr. Cubrir con la adarga para defensa. Ú. t. c. prnl. ‖ **2.** fig. Defender, proteger, resguardar. Ú. t. c. prnl.
adarguero. m. El que hacia adargas. ‖ **2.** El que usaba adarga.
adarme. (Del ár. *ad-dirham,* la dracma, octava parte de la onza, la moneda de plata.) m. Peso que tiene tres tomines y equivale a 179 centigramos aprox. ‖ **2.** fig. Cantidad o porción mínima de una cosa. ‖ **por adarmes.** loc. adv. fig. En cortas porciones o cantidades, con mezquindad.
adarvar[1]. (Del ár. *aḍ-ḍarba,* el golpe, la turbación.) tr. p. us. Pasmar, aturdir. Ú. t. c. prnl.
adarvar[2]. tr. desus. Fortificar con adarves.
adarve. (Del ár. *ad-darb,* el camino estrecho, el desfiladero.) m. Muro de una fortaleza. ‖ **2.** Camino situado en lo alto de una muralla, detrás de las almenas; en fortificación moderna, en el terraplén que queda después de construido el parapeto. ‖ **3.** fig. Protección, defensa.
adaza. (Del ár. *'adasa,* lenteja.) f. **zahína,** planta y semilla.
ad bona. expr. lat. *Der.* V. **curador ad bona.**
ad calendas graecas. loc. adv. lat. usada para designar un plazo que nunca ha de cumplirse.
ad cautélam. expr. lat. *Der.* Dícese del recurso, escrito o acto que se formaliza sin creerlo necesario, previendo apreciación distinta del juzgador.
adecenamiento. m. Acción de adecenar.
adecenar. tr. Ordenar por decenas, o dividir en decenas.
adecentar. tr. Poner decente, limpio, en orden. Ú. t. c. prnl.
adecuación. (Del lat. *adaequatio, -ōnis.*) f. Acción de adecuar o adecuarse.
adecuado, da. p. p. de **adecuar.** ‖ **2.** adj. Apropiado o acomodado a las condiciones, circunstancias u objeto de alguna cosa.
adecuar. (Del lat. *adaequāre.*) tr. Proporcionar, acomodar, apropiar una cosa a otra. Ú. t. c. prnl.
adecuja. f. ant. Especie de vasija o jarro usado por los moriscos de Andalucía.
adefera. (Del ár. *aḍ-aḍfira,* la trenza, la cinta.) f. Azulejo pequeño y cuadrado que se usaba en frisos y pavimentos.
adefesio. (De *ad Ephesios.*) m. fam. Despropósito, disparate, extravagancia. Ú. m. en pl. ‖ **2.** fam. Traje, prenda de vestir o adorno ridículo y extravagante. ‖ **3.** fam. Persona o cosa ridícula, extravagante o muy fea.
ad efesios. (De *ad Ephesios,* con alusión a la epístola de San Pablo a los efesios.) expr. adv. p. us. fam. Disparatadamente, saliéndose del propósito del asunto.
adefina. f. **adafina.** ‖ **2.** ant. **secreto.**
adefuera. adv. l. ant. **por defuera.** ‖ **2.** amb. pl. ant. **afueras,** alrededores.
adehala. (Del ár. *ad-dajāla,* la entrada, el ingreso.) f. Lo que se da de gracia o se fija como obligatorio sobre el precio de aquello que se compra o toma en arrendamiento. ‖ **2.** Lo que se agrega de gajes o emolumentos al sueldo de algún empleo o comisión.
adehesamiento. m. Acción y efecto de adehesar o adehesarse.
adehesar. tr. Hacer dehesa alguna tierra. Ú. t. c. prnl.
adelantadamente. adv. t. **anticipadamente.**
adelantado, da. p. p. de **adelantar.** ‖ **2.** adj. **precoz,** que despunta por su talento u otra cualidad. ‖ **3.** Aventajado, excelente, superior. ‖ **4.** fig. Atrevido, imprudente, que no guarda el respeto o la atención debida a otros. ‖ **5.** m. En lo antiguo, gobernador militar y político de una provincia fronteriza. ‖ **6.** En lo antiguo y en tiempos de paz, presidente o justicia mayor de reino, provincia o distrito determinados, y capitán general en tiempos de guerra. ‖ **de la corte,** o **del rey.** El que oía las alzadas hechas ante el rey por personas agraviadas en sentencias de jueces, cuando el rey no podía administrar justicia por sí mismo. ‖ **de mar.** Persona a quien se confiaba el mando de una expedición marítima, concediéndole de antemano el gobierno de las tierras que descubriese o conquistase. ‖ **mayor. adelantado,** presidente o justicia mayor de un reino. ‖ **por adelantado.** loc. adv. Anticipadamente.
adelantador, ra. adj. Que adelanta.
adelantamiento. m. Acción y efecto de adelantar o adelantarse. ‖ **2.** Dignidad de adelantado. ‖ **3.** Territorio de su jurisdicción. ‖ **4.** fig. **adelanto,** mejora.
adelantar. tr. Mover o llevar hacia adelante. Ú. t. c. prnl. ‖ **2.** Acelerar, apresurar. ‖ **3. anticipar.** ADELANTAR *la paga.* ‖ **4.** Ganar la delantera a alguien o a algo. Ú. t. c. prnl. ‖ **5.** Correr hacia adelante las saetas del reloj. ‖ **6.** Colocar estas saetas de manera que indiquen una hora que aún no ha llegado. ‖ **7.** fig. Añadir o inventar en alguna materia. ‖ **8.** fig. Exceder a alguien, aventajarlo. Ú. t. c. prnl. ‖ **9.** desus. fig. Aumentar, mejorar la hacienda, la renta, etc. ‖ **10.** ant. Poner delante. ‖ **11.** ant. Llevar adelante, mantener. ‖ **12.** intr. Andar el reloj con más velocidad que la debida y señalar, por lo tanto, tiempo que no ha llegado todavía. Ú. t. c. prnl. ‖ **13.** Progresar o mejorar en estudios, robustez, salud, posición social, etc. *Este niño* ADELANTA *mucho; el enfermo no* ADELANTA *nada.*
adelante. (De *a-*[1] y *delante.*) adv. l. Más allá. *El enemigo nos cierra el paso; no podemos ir* ADELANTE. ‖ **2.** Hacia delante, hacia enfrente. *Dio un paso* ADELANTE. *Venía un hombre por el camino* ADELANTE. ‖ **3.** adv. t. Con preposición antepuesta o siguiendo inmediatamente a algunos adverbios de esta clase, denota tiempo futuro. *En* ADELANTE; *para en* ADELANTE; *para más* ADELANTE; *de hoy en* ADELANTE; *de aquí en* ADELANTE, o *de aquí* ADELANTE. ‖

4. Voz que se usa para ordenar o permitir que alguien entre en alguna parte o siga andando, hablando, etc.

adelanto. m. **anticipo.** ‖ **2. adelantamiento,** acción de adelantar. ‖ **3.** fig. Mejora, progreso.

adelfa. (Del ár. *ad-diflā*, y este del gr. δάφνη.) f. Arbusto de la familia de las apocináceas, muy ramoso, de hojas persistentes semejantes a las del laurel, y grupos de flores blancas, rojizas, róseas o amarillas. Es venenoso y florece en verano. ‖ **2.** Flor de esta planta.

adelfal. m. Sitio poblado de adelfas.

adélfico, ca. adj. Perteneciente o relativo a la adelfa.

adelfilla. (d. de *adelfa.*) f. Mata de la familia de las timeleáceas, de un metro de altura, con hojas persistentes lanceoladas, lustrosas y de un verde oscuro en la haz; flores verdosas o amarillentas en racimillos axilares, y fruto aovado, negro a la madurez.

adelgazador, ra. adj. Que sirve para adelgazar.

adelgazamiento. m. Acción y efecto de adelgazar o adelgazarse.

adelgazar. (De *a-*[1] y *delgazar.*) tr. Reducir el grosor de un cuerpo, bien eliminando parte de su materia, bien sin pérdida de ella. Ú. t. c. prnl. ‖ **2.** Debilitar las fuerzas, el poder, los ánimos, etc., de alguien o de algo. Ú. t. c. prnl. ‖ **3.** Hablando de la voz, disminuir su volumen, bajar su timbre, o, por el contrario, hacerlo más agudo. Ú. t. c. prnl. ‖ **4.** fig. Purificar, eliminar impurezas. ‖ **5.** fig. Aguzar el ingenio, discurrir con sutileza. Ú. t. c. intr. y prnl. ‖ **6.** intr. Disminuir en grosor y generalmente en peso, ponerse delgado, enflaquecer. Ú. t. c. prnl.

adeliñar. (De *a-*[1] y el lat. *delineāre.*) tr. ant. Aliñar, componer, enmendar. Usáb. t. c. prnl. ‖ **2.** intr. ant. Dirigirse, encaminarse.

adeliño. m. ant. Acción de adeliñar.

adema. (Del ár. *ad-di'ma*, el poste.) f. *Min.* **ademe.**

ademador. m. *Min.* Operario que hace o pone ademes.

ademán. (De or. inc.) m. Movimiento o actitud del cuerpo o de alguna parte suya, con que se manifiesta un afecto del ánimo. *Con triste, con furioso* ADEMÁN; *hizo* ADEMÁN *de huir, de acometer.* ‖ **2.** pl. **modales.** ‖ **en ademán de.** loc. adv. En actitud de ir a ejecutar alguna cosa.

ademar. tr. *Min.* Poner ademes.

además. (De *a-*[1] y *demás.*) adv. c. A más de esto o aquello. ‖ **2.** p. us. Con demasía o exceso.

ademe. (Del ár. *ad-da'm*, el sostén, el apoyo.) m. *Min.* Madero que sirve para entibar. ‖ **2.** *Min.* Cubierta o forro de madera con que se aseguran y resguardan los tiros, pilares y otras obras en los trabajos subterráneos.

adempribiar. (De *adempribio.*) tr. *Ar.* Acotar o fijar los linderos de un adempribio.

adempribio. (De los cat. *ademprar, empriu*, a través del lat. mediev. *ademprivium.*) m. *Ar.* Terreno de pastos común a dos o más pueblos.

ademprio o **ademprío.** (De *adempribio.*) m. *Ar.* Terreno comunal de pastos.

aden-. (Del gr. ἀδήν, ἀδένος, glándula.) elem. compos. que significa «ganglio» o «glándula»: ADEN*itis*. Ante consonante, suele tomar la forma **adeno-**: ADENO*logía*.

adenda. (Del lat. *addenda*, las cosas que se han de añadir.) f. Apéndice, sobre todo de un libro. Ú. t. c. m.

adenia. (Del gr. ἀδήν, glándula.) f. *Pat.* Hipertrofia simple de los ganglios linfáticos.

adenitis. (Del gr. ἀδήν, glándula, e *-itis.*) f. *Pat.* Inflamación de los ganglios linfáticos.

adeno-. V. **aden-.**

adenoideo, a. (Del gr. ἀδήν, glándula, y *-oide.*) adj. Dícese de los tejidos ricos en formaciones linfáticas, como las amígdalas faríngea y lingual o los folículos linfáticos de la mucosa nasal. ‖ **2.** V. **vegetación adenoidea.**

adenoides. (Del gr. ἀδήν, glándula o ganglio, y *-oide.*) f. pl. Hipertrofia del tejido ganglionar que existe normalmente en la rinofaringe.

adenología. (Del gr. ἀδήν, glándula, y *-logía.*) f. Parte de la anatomía, que trata de las glándulas.

adenoma. (Del gr. ἀδήν, glándula, y *-oma.*) m. *Pat.* Tumor de estructura semejante a la de las glándulas.

adenopatía. (Del gr. ἀδήν, glándula, y *-patía.*) f. *Pat.* Enfermedad de las glándulas en general, y particularmente de los ganglios linfáticos.

adenoso, sa. (Del gr. ἀδήν, glándula.) adj. desus. **glanduloso.**

adensar. (Del lat. *addensāre.*) tr. **condensar.** ‖ **2.** Hacer más denso. Ú. t. c. prnl.

adentellar. (Del m. or. que *dentellar.*) tr. Hincar los dientes. ‖ **2.** fig. p. us. **morder,** murmurar. ‖ **3.** *Arq.* Dejar en una pared dientes o adarajas.

adentrarse. (De *adentro.*) prnl. Penetrar en lo interior de una cosa. ‖ **2.** Pasar por dentro.

adentro. (De *a-*[1] y *dentro.*) adv. l. A o en lo interior. Suele ir pospuesto a nombres sustantivos en construcciones como las siguientes: *mar* ADENTRO; *tierra* ADENTRO; *se metió por las puertas* ADENTRO. ‖ **2.** Voz que se usa para ordenar o invitar a una o varias personas a que entren en alguna parte. ‖ **3.** m. pl. Lo interior del ánimo. *Juan habla bien de Pedro, aunque en sus* ADENTROS *siente de otro modo.* ‖ **llegar** o **entrar** algo **muy adentro.** fr. fig. Causar fuerte impresión, afectar hondamente.

adepto, ta. (Del lat. *adeptus.*) adj. Iniciado en los arcanos de la alquimia. Ú. t. c. s. ‖ **2.** Por ext., afiliado en alguna secta o asociación, especialmente si es clandestina. Ú. t. c. s. ‖ **3.** Partidario de alguna persona o idea. Ú. t. c. s.

aderezado, da. p. p. de **aderezar.** ‖ **2.** adj. desus. Favorable, propicio. ‖ **3.** V. **leche aderezada.**

aderezamiento. m. Acción de aderezar.

aderezar. (De *a-*[1] y *derezar.*) tr. Componer, adornar, hermosear. Ú. t. c. prnl. ‖ **2.** Guisar, condimentar o sazonar los alimentos. ‖ **3.** Disponer o preparar una casa, un cuarto, una estancia, etc. Ú. t. c. prnl. ‖ **4.** Remendar o componer alguna cosa. ‖ **5.** Componer con ciertos ingredientes algunas bebidas, como los vinos y licores, para mejorar su calidad o para que se parezcan a otras. ‖ **6.** Preparar con goma u otros ingredientes algunos tejidos para que tomen consistencia y parezcan mejor. ‖ **7.** Guiar, dirigir, encaminar. Ú. t. c. prnl. ‖ **8.** fig. Acompañar una acción con algo que le añade gracia o adorno.

aderezo. (De *aderezar.*) m. Acción y efecto de aderezar o aderezarse. ‖ **2.** Aquello con que se adereza alguna persona o cosa. ‖ **3.** Condimento, conjunto de ingredientes que se usan para sazonar las comidas. ‖ **4.** Prevención, aparejo, disposición de lo necesario y conveniente para alguna cosa. ‖ **5.** Juego de joyas que se compone, por lo común, de collar, pendientes y pulseras. ‖ **6.** Arreos para ornato y manejo del caballo. ‖ **7.** Guarnición de ciertas armas blancas, y boca y contera de su vaina. ‖ **medio aderezo.** Juego de joyas que solo se compone de pendientes y un alfiler para el pecho.

adermar. (Del ár. *at-tarm* o *ad-darm*, la melladura.) tr. *Ar.* Hacer mellas, roturas o hendeduras en el filo del destral, de resultas de un golpe.

-adero, ra. V. **-dero.**

adorra. (Del ár. *ad-dārra*, lo que exprime y hace fluir.) f. Maromilla de esparto o de junco con que se aprieta el orujo.

aderredor. (De las preps. *a*[2], *de*[2] y *redor.*) adv. l. ant. **alrededor.**

adestrado, da. p. p. de **adestrar.** ‖ **2.** adj. *Blas.* Dícese del escudo que en el lado diestro tiene alguna partición o blasón, y también de la figura o blasón principal a cuya diestra hay otro.

adestrador, ra. adj. **adiestrador.** Ú. t. c. s.

adestramiento. m. **adiestramiento.**
adestranza. f. ant. **adiestramiento.**
adestrar. tr. **adiestrar.**
adestría. f. ant. **destreza,** habilidad.
adeudar[1]. (De *a-*[1] y *deuda.*) tr. Deber, contraer una deuda. ‖ **2.** Hacer deudor a alguien, obligarle por deuda, favor, etc. ‖ **3.** *Com.* **cargar,** anotar una partida en el debe. ‖ **4.** prnl. **endeudarse,** entramparse.
adeudar[2]. (De *a-*[1] y *deudo.*) intr. desus. Contraer deudo, emparentar.
adeudo. m. **deuda.** ‖ **2.** Cantidad que se ha de pagar en las aduanas por una mercancía. ‖ **3.** *Com.* Acción y efecto de **adeudar[1]**, cargar en cuenta.
-adgo. (Del lat. *-atĭcus, -atĭcum.*) Forma antigua del sufijo **-azgo**: *prior*ADGO, *maestr*ADGO.
adherecer. (Del lat. *adhaerescĕre.*) intr. ant. **adherir.**
adherencia. (Del lat. *adhaerentĭa.*) f. Unión física, pegadura de las cosas. ‖ **2.** Calidad de adherente. ‖ **3.** fig. Enlace, conexión, parentesco. ‖ **4.** Parte añadida. ‖ **5.** *Fís.* Resistencia tangencial que se produce en la superficie de contacto de dos cuerpos cuando se intenta que uno deslice sobre otro. ‖ **6.** *Med.* Cada una de las bridas o superficies extensas de tejido conjuntivo que unen a las vísceras entre sí o con las paredes del tronco, entorpecen la función de estas vísceras y producen dolores u otras molestias.
adherente. (Del lat. *adhaerens, -entis.*) p. a. de **adherir.** Que adhiere o se adhiere. Ú. t. c. s. ‖ **2.** adj. Anexo, unido o pegado a una cosa. ‖ **3.** m. Requisito o instrumento necesario para alguna cosa. Ú. m. en pl. ‖ **4.** Adhesivo, sustancia que sirve para unir otras.
adherir. (Del lat. *adhaerēre.*) tr. Pegar una cosa a otra. ADHIERO *el sello al sobre;* ADHIRIÓ *el cartel a la pared.* ‖ **2.** intr. Pegarse una cosa con otra. Ú. m. c. prnl. ‖ **3.** fig. Convenir en un dictamen o partido y abrazarlo. Ú. m. c. prnl. ‖ **4.** prnl. *Der.* Utilizar, quien no lo había interpuesto, el recurso entablado por la parte contraria.
adhesión. (Del lat. *adhaesĭo, -ōnis.*) f. **adherencia.** ‖ **2.** fig. Acción y efecto de adherir o adherirse, conviniendo en un dictamen o partido, o utilizando el recurso entablado por la parte contraria. ‖ **3.** Declaración pública de apoyo a alguien o algo. ‖ **4.** *Fís.* Fuerza de atracción que mantiene unidas moléculas de distinta especie química.
adhesividad. f. Calidad de adhesivo.
adhesivo, va. (Del lat. *adhaesum,* p. p. de *adhaereo,* adherir.) adj. Capaz de adherirse o pegarse. Ú. t. c. s. ‖ **2.** m. Sustancia que, interpuesta entre dos cuerpos o fragmentos, sirve para pegarlos. ‖ **3.** Objeto que, dotado de una materia pegajosa, se destina a ser adherido en una superficie.
adhibir. (Del lat. *adhibēre.*) tr. *Ar.* Unir, agregar.
ad hoc. (Lit., *para esto.*) expr. adv. lat. que se aplica a lo que se dice o hace solo para un fin determinado. ‖ **2.** loc. adj. Adecuado, apropiado, dispuesto especialmente para un fin.
ad hóminem. (Lit., *al hombre.*) expr. lat. *Lóg.* V. **argumento ad hóminem.**
ad honórem. (Lit., *para honor.*) loc. adj. lat. que se aplica a lo que se hace sin retribución alguna. ‖ **2.** loc. adv. De manera honoraria; por solo la honra.
adhortar. (Del lat. *adhortāri.*) tr. ant. **exhortar.**
adiabático, ca. (De *a-*[2] y *diabático.*) adj. *Fís.* Dícese del recinto entre cuyo interior y exterior no es posible el intercambio térmico. ‖ **2.** *Fís.* Dícese de la transformación termodinámica que un sistema experimenta sin que haya intercambio de calor con otros sistemas.
adiado, da. p. p. de **adiar.** ‖ **2.** adj. V. **día adiado.**
adiafa. (Del ár. *aḍ-ḍiyāfa,* el convite, la hospitalidad.) f. Regalo o refresco que se daba a los marineros al llegar a puerto después de un viaje.
adiaforesis. (De *a-*[2] y *diaforesis.*) f. *Fisiol.* Supresión de la transpiración cutánea.
adiamantado, da. adj. Parecido al diamante en la dureza o en otra de sus cualidades.
adiamiento. m. ant. Acción y efecto de adiar.
adiano, na. (De or. inc.) adj. ant. Excelente, de gran valía.
adiar. tr. Señalar o fijar día.
adicción. (Del lat. *addictĭo, -ōnis.*) f. desus. Asignación, entrega, adhesión. ‖ **2.** Hábito de quienes se dejan dominar por el uso de alguna o algunas drogas tóxicas. ADICCIÓN *a la heroína.* ‖ **a díe,** o **in díem.** locs. *Der.* Pacto en virtud del cual recibe el comprador la cosa con la condición de que la venta quede rescindida si en el plazo señalado encuentra el vendedor quien le dé más.
adición[1]. (Del lat. *additĭo, -ōnis.*) f. Acción y efecto de añadir o agregar. ‖ **2.** Añadidura que se hace, o parte que se aumenta en alguna obra o escrito. ‖ **3.** desus. Reparo o nota que se pone a las cuentas. ‖ **4.** *Mat.* Operación de sumar. ‖ **5.** *Metal.* **aditivo,** sustancia que se agrega a un metal base durante la elaboración de aleaciones industriales por fusión. ‖ **6.** *Quím.* Reacción en la que dos o más moléculas se combinan para formar una sola.
adición[2]. f. *Der.* Ú. solo en la loc. **adición de la herencia,** acción y efecto de adir la herencia.
adicionador, ra. adj. Que adiciona. Ú. t. c. s.
adicional. adj. Dícese de lo que se suma o añade a alguna cosa. *Nota, carga, ventaja* ADICIONAL. ‖ **2.** V. **artículo adicional.**
adicionar. tr. Hacer o poner adiciones.
adictivo, va. adj. Dícese de aquello cuyo empleo repetido crea necesidad y hábito; se aplica especialmente a las drogas.
adicto, ta. (Del lat. *addictus.*) adj. Dedicado, muy inclinado, apegado. Ú. t. c. s. ‖ **2.** Unido o agregado a otro u otros para entender en algún asunto o desempeñar algún cargo o ministerio. Ú. t. c. s. ‖ **3.** Drogadicto. Ú. t. c. s.
a díe. expr. lat. *Der.* V. **adicción a díe.**
adieso. (Del lat. *ad id ipsum.*) adv. t. ant. Al punto, luego, al instante.
adiestrado, da. p. p. de **adiestrar.** ‖ **2.** adj. *Blas.* Dícese de la pieza a cuya derecha se pone otra.
adiestrador, ra. adj. Que adiestra. Ú. t. c. s.
adiestramiento. m. Acción y efecto de adiestrar o adiestrarse.
adiestrar. tr. Hacer diestro, enseñar, instruir. Ú. t. c. prnl. ‖ **2.** Amaestrar, domar a un animal. ‖ **3.** p. us. Guiar, encaminar, especialmente a un ciego.
adietar. tr. Poner a dieta. Ú. t. c. prnl.
adinamia. (Del gr. ἀδυναμία, sin fuerza.) f. *Med.* Extremada debilidad muscular que impide los movimientos del enfermo.
adinámico, ca. adj. *Med.* Perteneciente o relativo a la adinamia. ‖ **2.** *Med.* Que padece adinamia.
adinerado, da. p. p. de **adinerar.** ‖ **2.** adj. Que tiene mucho dinero.
adinerar. tr. *Ar.* Reducir a dinero los efectos o créditos. ‖ **2.** prnl. fam. Hacerse rico.
adintelado, da. adj. *Arq.* V. **arco adintelado.**
¡adiós! (De *a Dios.*) interj. que se emplea para despedirse. ‖ **2.** Denota no ser ya posible evitar un daño. ¡ADIÓS, *lo que se nos viene encima*! ‖ **3.** Ú. t. para expresar decepción. ¡ADIÓS, *ya he perdido las llaves*! ‖ **4.** Expresión de incredulidad, desacuerdo o sorpresa. ‖ **5.** m. Despedida al término de una conversación, misiva, etc.
adiosito. d. de **adiós,** usado con distintas connotaciones en América.
adipocira. (Del fr. *adipocire.*) f. Grasa cadavérica; sustancia grisácea blanda y jabonosa constituida por una mezcla de jabón amoniacal con potasa, cal y ciertos ácidos gra-

sos. Es producto de la descomposición de cadáveres sumergidos en agua o sepultados en terreno húmedo.

adiposidad. f. Calidad de adiposo.

adiposis. (De *adiposo* y *-osis.*) f. *Med.* **obesidad.**

adiposo, sa. (Del lat. *adipōsus.*) adj. Grasiento, cargado o lleno de grasa o gordura; de la naturaleza de la grasa. ‖ **2.** *Anat.* V. **tejido adiposo.**

adipsia. (Del gr. ἄδιψος, que no tiene sed.) f. *Med.* Falta de sed por un largo plazo.

adir. (Del lat. *adīre.*) tr. defect. *Der.* Aceptar la herencia tácita o expresamente. ‖ **2.** *Ar.* Distribuir, repartir equitativamente.

aditamento. (Del lat. *additamentum.*) m. **añadidura,** lo que se añade a alguna cosa.

aditicio, cia. (Del lat. *additicĭus.*) adj. **añadido,** que se añade.

aditivo, va. adj. Que puede o que debe añadirse. ‖ **2.** *Mat.* Dícese de los términos de un polinomio que van precedidos del signo más. ‖ **3.** *Fís.* Aplícase a toda magnitud o propiedad que, en una mezcla o combinación, aparece como la suma de las cuantías con que existe en los componentes. ‖ **4.** m. Sustancia que se agrega a otras para darles cualidades de que carecen o para mejorar las que poseen.

adiva. f. **adive.**

adivas. (Del ár. *ad-di'ba.*) f. pl. *Veter.* Cierta inflamación de garganta en las bestias.

adive. (Del ar. *ad-di'b,* el lobo.) m. Mamífero carnicero, parecido a la zorra, de color leonado por el lomo y blanco amarillento por el vientre. En el siglo XVI, estos animales, que se domestican con facilidad, se pusieron de moda en Europa, y se traían de los desiertos de Asia, en donde abundan.

adivinación. f. Acción y efecto de adivinar.

adivinador, ra. adj. Que adivina. Ú. t. c. s.

adivinaja. (Del lat. *ad,* y *divinacŭla,* pl. de *divinacŭlum.*) f. fam. **acertijo.**

adivinamiento. m. **adivinación.**

adivinanza. (De *adivinar.*) f. **adivinación.** ‖ **2. acertijo.**

adivinar. (Del lat. *addivināre.*) tr. Predecir lo futuro o descubrir las cosas ocultas, por medio de agüeros o sortilegios. ‖ **2.** Descubrir por conjeturas alguna cosa oculta o ignorada. ‖ **3.** Tratándose de un enigma, acertar lo que quiere decir. ‖ **4.** Acertar algo por azar. ‖ **5.** Vislumbrar, distinguir. *A lo lejos* ADIVINÓ *la silueta del castillo.* Ú. t. c. prnl.

adivinatorio, ria. adj. Que incluye adivinación o se refiere a ella.

a divinis. expr. lat. V. **cesación a divinis.**

adivino, na. m. y f. Persona que adivina; que predice el futuro por agüeros o conjeturas.

adjetivación. f. Acción de adjetivar o adjetivarse. ‖ **2.** Conjunto de adjetivos o modo de adjetivar peculiar de un escritor, una época, un estilo, etc. ‖ **3.** Conversión en adjetivo de una palabra o de un grupo de palabras que no lo son. *Color* ROSA. *Es muy* HOMBRE. *Persona* DE FIAR.

adjetivadamente. adv. m. *Gram.* A manera, o con valor y significación de adjetivo.

adjetival. adj. Perteneciente o relativo al adjetivo.

adjetivar. tr. desus. Concordar una cosa con otra. Usáb. t. c. prnl. ‖ **2.** Aplicar adjetivos. ‖ **3.** *Gram.* Dar valor de adjetivo a una palabra que no lo es. Ú. t. c. prnl.

adjetivo, va. (Del lat. *adiectīvus.*) adj. Que dice relación a una cualidad o accidente. ‖ **2.** Accidental, secundario, no esencial. ‖ **3.** *Gram.* Que califica o determina al sustantivo. *Nombre* ADJETIVO, *oración* ADJETIVA. Ú. m. c. s. m. *El* ADJETIVO *es una parte de la oración.* ‖ **4.** *Gram.* Perteneciente o relativo al adjetivo. *Función* ADJETIVA, *sufijos* ADJETIVOS. ‖ **5.** fig. V. **ley adjetiva.** ‖ **abundancial.** *Gram.* El que implica o denota idea de abundancia; como *pedregoso.* ‖ **calificativo.** *Gram.* Palabra que acompaña al nombre para expresar alguna cualidad de la persona o cosa nombrada. ‖ **comparativo.** *Gram.* El que denota comparación; como *mayor, menor.* ‖ **determinativo.** *Gram.* El que no califica al nombre. V. **determinativo.** ‖ **gentilicio.** *Gram.* El que denota la gente, nación o patria de las personas; como *español, castellano, madrileño.* ‖ **numeral.** *Gram.* El que significa número; como *dos, segundo, medio, doble.* ‖ **ordinal.** *Gram.* El numeral que expresa la idea de orden o sucesión; *primero, segundo, quinto, sexto.* ‖ **positivo.** *Gram.* El de significación absoluta o simple, a diferencia del comparativo y superlativo; como *grande,* respecto de *mayor, máximo, grandísimo.* ‖ **superlativo absoluto.** *Gram.* El que denota el sumo grado de cualidad que con él se expresa: *justísimo, celebérrimo, muy alto.* ‖ **superlativo relativo.** *Gram.* El que asigna el grado máximo o mínimo de la cualidad a una o varias personas o cosas en relación con las demás de un conjunto determinado: *el mejor de los hermanos, los más tristes versos, la menor de las dificultades, las casas más viejas de la ciudad, los menos favorecidos del grupo.*

adjudicación. (Del lat. *adiudicatĭo, -ōnis.*) f. Acción y efecto de adjudicar o adjudicarse.

adjudicador, ra. adj. Que adjudica. Ú. t. c. s.

adjudicar. (Del lat. *adiudicāre.*) tr. Declarar que una cosa corresponde a una persona, o conferírsela en satisfacción de algún derecho. ‖ **2.** prnl. Apropiarse alguien alguna cosa. ‖ **3.** fig. En ciertas competiciones, obtener, ganar, conquistar. *El equipo visitante* SE ADJUDICÓ *la victoria.*

adjudicatario, ria. m. y f. Persona a quien se adjudica alguna cosa.

adjunción. (Del lat. *adiunctĭo, -ōnis,* unión, enlace.) f. *Der.* Especie de accesión que se verifica cuando se juntan dos cosas muebles pertenecientes a diferentes dueños, pero de modo que puedan separarse o subsistir cada una después de separada. ‖ **2.** Añadidura, agregación.

adjunta. (Del it. *aggiunta.*) f. Adición, complemento, apéndice. ADJUNTA *al Parnaso.*

adjuntar. (De *adjunto,* unido.) tr. Enviar, juntamente con una carta u otro escrito, notas, facturas, muestras, etc. ‖ **2.** *Gram.* Poner inmediatamente un vocablo junto a otro, como un adjetivo junto a un sustantivo.

adjuntía. f. Plaza de profesor o profesora adjuntos.

adjunto, ta. (Del lat. *adiunctus.*) adj. Que va o está unido con otra cosa. ‖ **2.** Dícese de la persona que acompaña a otra para entender con ella en algún negocio, cargo o trabajo. Ú. t. c. s. ‖ **3.** *Gram.* **nombre adjetivo.** Ú. t. c. s. ‖ **4.** m. y f. **profesor adjunto.** ‖ **5.** m. **aditamento.**

adjurable. (De *adjurar.*) adj. ant. Aplicábase a la persona o cosa por quien se podía jurar.

adjuración. (Del lat. *adiuratĭo, -ōnis.*) f. ant. **conjuro.** ‖ **2.** ant. **imprecación.**

adjurado, da. p. p. de **adjurar.** ‖ **2.** adj. *Blas.* Dícese de los castillos abiertos u horadados.

adjurador, ra. (Del lat. *adiurātor, -ōris.*) m. ant. Conjurador o exorcista.

adjurar. (Del lat. *adiurāre.*) tr. ant. **conjurar,** rogar encarecidamente.

adjutor, ra. (Del lat. *adiūtor, -ōris.*) adj. Que ayuda a otro. Ú. t. c. s.

adjutorio. (Del lat. *adiutorium.*) m. ant. Ayuda, auxilio.

adlátere. (Deformación antietimológica de *a látere.*) com. despect. Persona subordinada a otra, de la que parece inseparable.

ad líbitum. loc. adv. lat. A gusto, a voluntad.

ad lítem. expr. lat. *Der.* V. **curador ad lítem.**

adminicular. (Del lat. *adminiculāre.*) tr. Ayudar o auxiliar con algunas cosas a otras para darles mayor virtud o eficacia. Ú. m. en lenguaje jurídico.

adminículo. (Del lat. *adminicŭlum.*) m. Lo que sirve de ayuda o auxilio para una cosa o intento. ‖ **2.** Cada uno de los objetos que se llevan a prevención para servirse de ellos en caso de necesidad. Ú. m. en pl.

administración. (Del lat. *administratĭo, -ōnis.*) f. Acción y efecto de administrar. ‖ **2.** Empleo de administrador. ‖ **3.** Casa u oficina donde el administrador y sus dependientes ejercen su empleo. ‖ **4.** Dicho de los Estados Unidos de América y de otros países, equipo de gobierno que actúa bajo un presidente. ‖ **activa. administración pública.** ‖ **contenciosa.** Acción del fuero judicial competente para resolver acerca de agravios causados en derechos preexistentes, por actos del orden administrativo. ‖ **de justicia.** Acción de los tribunales a quienes pertenece exclusivamente la potestad de aplicar las leyes en los juicios civiles y criminales, y cuyas funciones son juzgar y hacer que se ejecute lo juzgado. ‖ **diocesana.** La que tiene a su cargo la recaudación de los ingresos o rentas de una diócesis, y el empleo de todos o parte de ellos en los gastos de la misma. ‖ **económica.** La que tiene a su cargo la recaudación de las rentas y el pago de las obligaciones públicas. ‖ **militar.** La que cuida de las atenciones materiales del ejército. ‖ **municipal.** La que cuida de los intereses del municipio. ‖ **provincial.** La que está a cargo de los gobernadores y diputaciones en cada provincia. ‖ **pública.** Acción del gobierno al dictar y aplicar las disposiciones necesarias para el cumplimiento de las leyes y para la conservación y fomento de los intereses públicos, y al resolver las reclamaciones a que dé lugar lo mandado. ‖ **2.** Conjunto de organismos encargados de cumplir esta función. ‖ **en administración.** loc. adv. que se usa hablando de la prebenda, encomienda, etc., poseída por persona que no puede tenerla en propiedad. ‖ **2.** También se dice de cualquier cuerpo de bienes que por alguna causa no posee ni maneja su propietario, y que es administrada por terceras personas competentemente autorizadas por el juez. ‖ **por administración.** loc. adv. Por el gobierno, la provincia, el municipio o la empresa, y no por contratista. Dícese, generalmente, hablando de obras o servicios públicos.

administrado, da. p. p. de **administrar.** ‖ **2.** adj. Dícese de cada una de las personas sometidas a la jurisdicción de una autoridad administrativa. Ú. m. c. s.

administrador, ra. (Del lat. *administrātor, -ōris.*) adj. Que administra. Ú. t. c. s. ‖ **2.** m. y f. Persona que administra bienes ajenos. ‖ **de orden.** En las órdenes militares, caballero profeso encargado de la encomienda que goza una persona incapaz de poseerla, como por ejemplo: una mujer, un menor o una comunidad.

administrar. (Del lat. *administrāre.*) tr. Gobernar, ejercer la autoridad o el mando sobre un territorio y sobre las personas que lo habitan. ‖ **2.** Dirigir una institución. ‖ **3.** Ordenar, disponer, organizar en especial la hacienda o los bienes. ‖ **4.** Desempeñar o ejercer un cargo, oficio o dignidad. ‖ **5.** Suministrar, proporcionar o distribuir alguna cosa. ‖ **6.** Tratándose de sacramentos, conferirlos o darlos. ‖ **7.** Tratándose de medicamentos, aplicarlos, darlos o hacerlos tomar. Ú. t. c. prnl. ‖ **8.** Graduar o dosificar el uso de alguna cosa, para obtener mayor rendimiento de ella o para que produzca mejor efecto. Ú. t. c. prnl.

administrativista. adj. Dícese del jurisconsulto que se dedica con preferencia al estudio del derecho administrativo. Ú. t. c. s. ‖ **2.** com. Persona que profesa el derecho administrativo, o tiene en él especiales conocimientos.

administrativo, va. (Del lat. *administratīvus.*) adj. Perteneciente o relativo a la administración. ‖ **2.** V. **derecho administrativo.** ‖ **3.** *Der.* V. **recurso contencioso administrativo.** ‖ **4.** m. y f. Persona empleada en la administración de alguna entidad.

administratorio, ria. (Del lat. *administratorĭus.*) adj. p. us. **administrativo.**

admirabilísimo, ma. adj. sup. irreg. de **admirable.**

admirable. (Del lat. *admirabĭlis.*) adj. Digno de admiración.

admiración. (Del lat. *admiratĭo, -ōnis.*) f. Acción de admirar o admirarse. ‖ **2.** Cosa admirable. ‖ **3.** Signo ortográfico (¡!) que se pone antes y después de cláusulas o palabras para expresar **admiración,** queja o lástima, para llamar la atención hacia alguna cosa o ponderarla, o para denotar énfasis.

admirador, ra. (Del lat. *admirātor, -ōris.*) adj. Que admira. Ú. t. c. s.

admirar. (Del lat. *admirāri.*) tr. Causar sorpresa la vista o consideración de alguna cosa extraordinaria o inesperada. ‖ **2.** Ver, contemplar o considerar con estima o agrado especiales a una persona o cosa que llaman la atención por cualidades juzgadas como extraordinarias. Ú. t. c. prnl. ‖ **3.** Tener en singular estimación a una persona o cosa, juzgándolas sobresalientes y extraordinarias.

admirativo, va. (Del lat. *admiratīvus,* que admira.) adj. Capaz de causar admiración. ‖ **2.** Admirado o maravillado. ‖ **3.** Que implica o denota admiración. *Sentido* ADMIRATIVO.

admisibilidad. f. Calidad de admisible.

admisible. adj. Que puede admitirse.

admisión. (Del lat. *admissĭo, -ōnis.*) f. Acción y efecto de admitir. ‖ **2.** *Der.* Trámite previo en que se decide, apreciando aspectos de forma o motivos de evidencia, si ha o no lugar a seguir sustancialmente ciertos recursos o reclamaciones. Se usa especialmente refiriéndose a las querellas, y a recursos o procedimientos ante los tribunales supremos. ‖ **3.** *Mec.* En los motores de combustión interna, primera fase del proceso en la que la mezcla explosiva es aspirada por el pistón.

admitancia. (Del fr. *admittance.*) f. *Fís.* **admitencia.**

admitencia. (De *admitir.*) f. *Fís.* Magnitud inversa de la impedancia.

admitir. (Del lat. *admittĕre.*) tr. Recibir o dar entrada. ‖ **2.** **aceptar.** ‖ **3.** Permitir o sufrir. *Esta causa no* ADMITE *dilación.*

admixtión. (Del lat. *admixtĭo, -ōnis.*) f. **mezcla** de varias sustancias.

admonición. (Del lat. *admonitĭo, -ōnis.*) f. **amonestación.** ‖ **2. reconvención.**

admonitor. (Del lat. *admonĭtor, -ōris.*) m. El que amonesta. ‖ **2.** Religioso que en algunas comunidades tiene a su cargo amonestar o exhortar a la observancia de la regla.

admonitorio, ria. adj. Que amonesta, aconseja o exhorta.

adnado, da. (Del lat. *ante natus,* nacido antes.) m. y f. ant. **alnado, da,** hijastro.

adnata. (De *adnato.*) f. *Anat.* **conjuntiva.**

adnato, ta. (Del lat. *adnātus.*) adj. *Biol.* Que nace y crece juntamente con otra cosa a la que está adherido.

ad nútum. expr. lat. **a voluntad.** ‖ **2.** V. **beneficio amovible ad nútum.**

adó. (De *a-*[1] y *do*[2], donde.) adv. l. ant. **adonde.**

-ado, da. V. **-do.**

adoba. f. *Ar.* **adobe**[1].

adobado, da. p. p. de **adobar.** ‖ **2.** m. Acción de adobar algunas cosas, como cueros, etc. ‖ **3.** Carne, y especialmente la de puerco, puesta en adobo. ‖ **4.** ant. Cualquier manjar compuesto o guisado.

adobador, ra. adj. Que adoba. Ú. t. c. s.

adobar. (Del ant. fr. *adober,* armar caballero.) tr. Disponer, preparar, arreglar, aderezar. Ú. t. c. prnl. ‖ **2. guisar.** ‖ **3.** Poner o echar en adobo las carnes, especialmente la de puerco, u otras cosas para sazonarlas y conservarlas. ‖ **4.**

Curtir las pieles y componerlas para varios usos. ‖ **5.** **atarragar** la herradura. ‖ **6.** ant. Pactar, ajustar.

adobasillas. (De *adobar* y *silla.*) m. El que compone sillas.

adobe[1]. (Del ár. *aṭ-ṭub*, el ladrillo.) m. Masa de barro mezclado a veces con paja, moldeada en forma de ladrillo y secada al aire, que se emplea en la construcción de paredes o muros. ‖ **descansar haciendo adobes.** fr. fig. *Méj.* Dícese del que emplea en trabajar el tiempo destinado al descanso.

adobe[2]. (Del ár. *aḍ-ḍabba*, el cerrojo.) m. ant. Hierros que ponían en los pies a un criminal.

adobera. f. Molde para hacer adobes[1]. ‖ **2.** Lugar donde se hacen adobes[1]. ‖ **3.** ant. Obra hecha de adobes[1]. ‖ **4.** *Chile.* y *Méj.* Molde para hacer quesos en forma de adobe[1]. ‖ **5.** *Méj.* Queso en forma de adobe[1].

adobería. f. Lugar donde se hacen adobes[1]. ‖ **2.** **tenería,** curtiduría.

adobío. m. Parte delantera del horno de manga. ‖ **2.** ant. **adobo,** acción de adobar. ‖ **3.** ant. **adobo,** pacto, ajuste.

adobo. m. Acción y efecto de adobar. ‖ **2.** Caldo o salsa con que se sazona un manjar. ‖ **3.** Cualquier caldo, y especialmente el compuesto de vinagre, sal, orégano, ajos y pimentón, que sirve para sazonar y conservar las carnes y otras cosas. ‖ **4.** Mezcla de varios ingredientes que se hace para curtir las pieles o para dar cuerpo y lustre a las telas. ‖ **5.** **afeite.** ‖ **6.** ant. **adorno.** ‖ **7.** ant. Pacto, ajuste.

adocenado, da. p. p. de **adocenar.** ‖ **2.** adj. Vulgar y de muy escaso mérito.

adocenar. tr. Ordenar por docenas, o dividir en docenas. ‖ **2.** Comprender o confundir a alguien entre gentes de calidad inferior. Ú. t. c. prnl.

adocilar. (De *a-*[1] y *dócil.*) tr. *Vallad.* Dicho de la tierra de labor, hacer que quede más suelta y ligera.

adocir. tr. ant. **aducir.**

adoctrinador, ra. adj. Que adoctrina.

adoctrinamiento. m. Acción y efecto de adoctrinar.

adoctrinar. tr. Instruir a alguien en el conocimiento o enseñanzas de una doctrina, inculcarle determinadas ideas o creencias.

adolecer. (De *a-*[1] y *dolecer.*) intr. Caer enfermo o padecer alguna enfermedad habitual. ‖ **2.** Con la prep. *de,* tener o padecer algún defecto. ‖ **3.** tr. ant. Causar dolencia o enfermedad. ‖ **4.** prnl. **condolerse.**

adoleciente. p. a. de **adolecer.** ‖ **2.** adj. Que adolece, enfermo.

adolescencia. (Del lat. *adolescentĭa.*) f. Edad que sucede a la niñez y que transcurre desde la pubertad hasta el completo desarrollo del organismo.

adolescente. (Del lat. *adolescens, -entis.*) adj. Que está en la adolescencia. Ú. t. c. s.

adolorado, da. adj. **dolorido.**

adolorar. (De *a-*[1] y *dolor.*) tr. p. us. Entristecer, afligir, aquejar.

adolorido, da. adj. **dolorido.**

adonado, da. adj. ant. Colmado de dones.

Adonaí. n. p. m. **Adonay.**

adonarse. (Del lat. *addonāre, de *donum,* regalo.) prnl. ant. Acomodarse, adornarse.

Adonay. (Del hebr. *Adonay,* señor mío.) n. p. m. Uno de los nombres que los hebreos dan a la Divinidad.

adonde. (De *a-*[1] y *donde.*) adv. relat. l. Como los pronombres relativos, se construye a veces con antecedente. *El lugar* ADONDE *vamos.* ‖ **2.** adv. interrog. Equivale a *a qué lugar.* Se emplea en este caso con acento fonético y ortográfico. ¿ADÓNDE *vas?* ‖ **3.** **donde.** ‖ **4.** prep. A casa de, junto a. ‖ **de adónde.** *Argent.* y *Urug.* fr. fig. negativa con que se indica la imposibilidad de que se haga o se logre una cosa. *Pero* DE ADÓNDE *alcanzarlo. Dicen que aumentarán los sueldos.* ¡DE ADÓNDE!

adondequiera. adv. l. A cualquier parte. ‖ **2.** **dondequiera.**

adonecer. (Del lat. *adolescĕre,* crecer, infl. por *don*[1].) intr. *Ál., Cantabria, Rioja* y *Sal.* Aumentar, dar de sí.

adónico. (De *adonio.*) adj. V. **verso adónico.** Ú. t. c. s.

adonio. (Del lat. *adonĭus.*) adj. **adónico.** Ú. t. c. s.

adonis. (Por alusión a la hermosura de *Adonis,* personaje mitológico.) m. fig. Joven hermoso.

adonizarse. prnl. Embellecerse como un adonis.

adopción. (Del lat. *adoptĭo, -ōnis.*) f. Acción de adoptar.

adopcionismo. m. Herejía de los adopcionistas.

adopcionista. adj. Dícese de ciertos herejes españoles del siglo VIII, que suponían que Cristo, en cuanto hombre, era hijo de Dios, no por naturaleza, sino por adopción del Padre. Ú. m. c. s. y en pl. ‖ **2.** Perteneciente o relativo a estos herejes.

adoptable. (Del lat. *adoptabĭlis.*) adj. Que puede ser adoptado.

adoptación. (Del lat. *adoptatĭo, -ōnis.*) f. **adopción.**

adoptador, ra. (Del lat. *adoptātor, -ōris.*) adj. Que adopta. Ú. t. c. s.

adoptante. p. a. de **adoptar.** Que adopta. Ú. t. c. s.

adoptar. (Del lat. *adoptāre.*) tr. Recibir como hijo, con los requisitos y solemnidades que establecen las leyes, al que no lo es naturalmente. ‖ **2.** Recibir, haciéndolos propios, pareceres, métodos, doctrinas, ideologías, modas, etc., que han sido creados por otras personas o comunidades. ‖ **3.** Tratándose de resoluciones o acuerdos, tomarlos con previo examen o deliberación. ‖ **4.** Adquirir, recibir una configuración determinada.

adoptivo, va. (Del lat. *adoptīvus.*) adj. Dícese de la persona adoptada. *Hijo* ADOPTIVO ‖ **2.** Dícese de la persona que adopta. *Padre* ADOPTIVO. ‖ **3.** Dícese de la persona o cosa que uno elige, para tenerla por lo que realmente no es con respecto a él. *Hermano* ADOPTIVO; *patria* ADOPTIVA.

adoquier. adv. l. ant. **adoquiera.**

adoquiera. (De *a*[2] y *doquiera.*) adv. l. ant. **adondequiera.**

adoquín. (Del ár. *ad-dukkān,* la piedra escuadrada.) m. Piedra labrada en forma de prisma rectangular para empedrados y otros usos. ‖ **2.** Caramelo de gran tamaño y de forma parecida al **adoquín** de piedra. ‖ **3.** *Perú.* Cubo de hielo azucarado, para el uso doméstico. ‖ **4.** fig. y fam. Persona torpe e ignorante.

adoquinado, da. p. p. de **adoquinar.** ‖ **2.** m. Suelo empedrado con adoquines. ‖ **3.** Conjunto de adoquines que forman el suelo de un lugar. ‖ **4.** Acción de adoquinar.

adoquinador. m. El que tiene por oficio adoquinar.

adoquinar. tr. Empedrar con adoquines.

ador. (Del ár. *ad-dawr,* el turno, la vuelta, el período.) m. Tiempo señalado a cada uno para regar, en las comarcas o términos donde se reparte el agua con intervención de la autoridad pública o de la junta que gobierna la comunidad regante.

-ador, ra. V. **-dor.**

adorable. (Del lat. *adorabĭlis.*) adj. Digno de adoración.

adoración. (Del lat. *adoratĭo, -ōnis.*) f. Acción de adorar. ‖ **de los Reyes.** La que hicieron los Reyes Magos al Niño Jesús en el portal de Belén. ‖ **2.** n. p. **Epifanía.**

adorador, ra. (Del lat. *adorātor, -ōris.*) adj. Que adora. Ú. t. c. s.

adorar. (Del lat. *adorāre.*) tr. Reverenciar con sumo honor o respeto a un ser, considerándolo como cosa divina. ‖ **2.** Reverenciar y honrar a Dios con el culto religioso que le es debido. ‖ **3.** Tratándose del Papa, postrarse delante de él los cardenales después de haberle elegido, en señal de reconocerle como legítimo sucesor de San Pedro. ‖ **4.** fig. Amar con extremo. ‖ **5.** fig. Gustar de algo extremadamente. ‖ **6.** intr. **orar,** hacer oración. ‖ **7.** Con la preposición *en,* tener puesta la estima o veneración en una persona o cosa.

adoratorio. m. Templo en que los indios americanos daban culto a algún ídolo. ‖ **2.** Retablillo portátil para viaje o campaña.

adoratriz. (Del lat. *adorātrix, -icis.*) adj. f. Que adora. Ú. t. c. s. ‖ **2.** f. Religiosa de cierta Orden cuyo fin principal, además de la adoración al Santísimo Sacramento, es educar y rehabilitar a mujeres jóvenes. Ú. m. en pl.

adormecedor, ra. adj. Que adormece.

adormecer. (Del lat. *addormiscĕre.*) tr. Dar o causar sueño. Ú. t. c. prnl. ‖ **2.** fig. Acallar, entretener. ‖ **3.** fig. Calmar, sosegar. ‖ **4.** intr. ant. **dormir.** ‖ **5.** prnl. Empezar a dormirse, o ir poco a poco rindiéndose al sueño. ‖ **6.** fig. Entorpecerse, entumecerse, envararse. ‖ **7.** fig. Con la prep. *en,* y tratándose de vicios, deleites, etc., permanecer en ellos, no dejarlos.

adormecimiento. m. Acción y efecto de adormecer o adormecerse.

adormentar. (De un der. del lat. *addormīre,* probablemente a través del it. *addormentare.*) tr. p. us. **adormecer.** Ú. t. c. prnl.

adormidera. (De *adormir,* por su propiedad narcótica.) f. Planta de la familia de las papaveráceas, con hojas abrazadoras, de color garzo, flores grandes y terminales, y fruto capsular indehiscente. Es originaria de Oriente; se cultiva en los jardines, y por incisiones en las cápsulas verdes de su fruto se extrae el opio. ‖ **2.** Fruto de esta planta.

adormilarse. prnl. **adormitarse.**

adormimiento. (De *adormir.*) m. ant. **adormecimiento.**

adormir. (Del lat. *addormīre.*) tr. **adormecer.** Ú. t. c. prnl. ‖ **2.** prnl. **dormirse.**

adormitarse. (De *a-*[1] y *dormitar.*) prnl. Dormirse a medias.

adornador, ra. adj. Que adorna. Ú. t. c. s.

adornamiento. m. Acción y efecto de adornar o adornarse.

adornar. (Del lat. *adornāre.*) tr. Engalanar con adornos. Ú. t. c. prnl. ‖ **2.** Servir de adorno una cosa a otra; embellecerla, engalanarla. ‖ **3.** fig. Dotar a un ser de perfecciones o virtudes: honrarlo, enaltecerlo. ‖ **4.** fig. Enaltecer a una persona ciertas prendas o circunstancias favorables. Ú. t. c. prnl.

adornista. com. Persona que hace o pone adornos, en especial en los edificios y habitaciones de estos.

adorno. (De *adornar.*) m. Lo que se pone para la hermosura o mejor parecer de personas o cosas. ‖ **2.** pl. **balsamina,** planta. ‖ **3.** *Germ.* Chapines. ‖ **de adorno.** loc. adj. En algunos colegios decíase de ciertas enseñanzas que no eran obligatorias, como el dibujo, la música, el bordado, etc. ‖ **2.** Que no hace labor efectiva. Se emplea mucho jocosamente. *Este está* DE ADORNO *en la oficina.*

adoro. (De *adorar.*) m. ant. **adoración.**

adosado, da. p. p. de **adosar.** ‖ **2.** adj. *Arq.* V. **columna adosada.** ‖ **3.** Contiguo. Dícese de algunos tipos de viviendas. *Chalé* ADOSADO. Ú. t. c. s. m.

adosar. (Del fr. *adosser.*) tr. Poner una cosa, por su espalda o por los lados, contigua a otra o apoyada en ella. ‖ **2.** *Blas.* Colocar espalda con espalda.

adotrinar. tr. ant. **adoctrinar.**

adovelado, da. adj. Construido con dovelas.

ad pédem lítterae. loc. adv. lat. **al pie de la letra.**

ad perpétuam. expr. lat. *Der.* V. **información ad perpétuam,** o **información ad perpétuam rei memóriam.**

ad quem. expr. lat. *Der.* V. **juez ad quem.**

adquirente. (Del lat. *acquīrens, adquīrens, -entis.*) p. a. de **adquirir.** Que adquiere. Ú. t. c. s.

adquirible. adj. Que puede adquirirse.

adquiridor, ra. adj. p. us. **adquirente.** Ú. t. c. s.

adquiriente. p. a. de **adquirir.** Adquirente.

adquirir. (Del lat. *adquirĕre.*) tr. Ganar, conseguir con el propio trabajo o industria. ‖ **2. comprar.** ‖ **3.** Coger, lograr o conseguir. ‖ **4.** *Der.* Hacer propio un derecho o cosa que a nadie pertenece, o se transmite a título lucrativo u oneroso, o por prescripción.

adquisición. (Del lat. *adquisitĭo, -ōnis.*) f. Acción de adquirir. ‖ **2.** La cosa adquirida. Ú. a veces con matiz ponderativo. ‖ **3.** Persona cuyos servicios o ayuda se consideran valiosos.

adquisidor, ra. adj. **adquirente.** Ú. t. c. s.

adquisitivo, va. (Del lat. *adquisitīvus.*) adj. *Der.* Que sirve para adquirir. *Título* ADQUISITIVO; *prescripción* ADQUISITIVA; *poder* ADQUISITIVO.

adra. (Del ár. *ad-dāra,* la vuelta.) f. Turno, vez. ‖ **2.** Porción o división del vecindario de un pueblo. ‖ **3.** *Ál.* **prestación personal.**

adrado, da. (De *arredrado,* apartado.) adj. ant. Apartado o ralo.

adragante. adj. V. **goma adragante.**

adraganto. m. p. us. **tragacanto.**

adral. (De *ladral.*) m. Cada uno de los zarzos o tablas que se ponen en los costados del carro para que no se caiga lo que va en él. Ú. m. en pl.

adrar. (De *adra.*) tr. *Sal.* Repartir las aguas para el riego.

adredañas. adv. m. ant. **adrede.**

adrede. (Del lat. *ad directum,* probablemente a través del cat. *adret.*) adv. m. De propósito, con deliberada intención. Se usa muy a menudo con matiz peyorativo.

adredemente. adv. m. desus. **adrede.** Ú. hoy en América.

ad referéndum. loc. adv. lat. A condición de ser aprobado por el superior o el mandante. Dícese comúnmente de convenios diplomáticos y de votaciones populares sobre proyectos de ley.

adrenal. (Del lat. *ad,* junto a, y *renalis,* renal.) adj. *Fisiol.* Situado cerca del riñón. ‖ **2.** f. **cápsula suprarrenal.**

adrenalina. (De *adrenal.*) f. *Fisiol.* Hormona segregada principalmente por la masa medular de las glándulas suprarrenales, poco soluble en agua, levógira y cristalizable. Es un poderoso constrictor de los vasos sanguíneos, por lo que se usa como medicamento hemostático.

adrezar. (De *aderezar.*) tr. ant. **aderezar.** ‖ **2.** prnl. Enderezarse, empinarse, levantarse.

adrezo. (De *adrezar.*) m. ant. **aderezo.**

adrián. (De *Adrián,* n. p.) m. **juanete,** excrecencia ósea.

adriático, ca. (Del lat. *Hadriatĭcus.*) adj. Aplícase al mar o golfo de Venecia. ‖ **2.** Perteneciente a este mar. *Playas* ADRIÁTICAS.

adrizamiento. m. *Mar.* Acción y efecto de adrizar.

adrizar. (Del it. *addrizzare,* enderezar.) tr. *Mar.* Poner derecho o vertical lo que está inclinado, y especialmente enderezar o levantar la nave.

adrolla. (De etim. disc.; cf. fr. *drôle,* gracioso.) f. p. us. **trapaza,** engaño, trampa.

adrollero. (De *adrolla.*) m. El que compra o vende con engaño.

adscribir. (Del lat. *adscribĕre.*) tr. Inscribir, contar entre lo que corresponde a una persona o cosa, atribuir. ‖ **2.** Agregar a una persona al servicio de un cuerpo o destino. Ú. t. c. prnl.

adscripción. (Del lat. *adscriptĭo, -ōnis.*) f. Acción y efecto de adscribir o adscribirse.

adscripto, ta. (Del lat. *adscriptus.*) p. p. irreg. **adscrito.**

adscrito, ta. (De *adscripto.*) p. p. irreg. de **adscribir.**

adsorbente. p. a. de **adsorber.** Que adsorbe. ‖ **2.** m. *Fís.* Sustancia, generalmente sólida, con una gran capacidad de adsorción. Suele tener estructura porosa.

adsorber. (Del lat. *ad,* y *sorbēre,* sorber.) tr. *Fís.* Atraer un cuerpo y retener en su superficie moléculas o iones de otro cuerpo.

adsorción. (De *adsorber.*) f. *Fís.* Concentración sobre la superficie de una sustancia, de gases, vapores, líquidos o cuerpos disueltos, materiales dispersos o coloides.

adstrato. m. *Ling.* Lengua cuyo territorio es contiguo al de otra, sobre la cual influye. Por ext., se llama así a la lengua que, compartiendo con otra una determinada área geográfica, influye sobre ella. Y también a la que, en un momento dado, ejerce su influencia sobre otra, aunque no exista entre ambas contigüidad territorial. ‖ **2.** *Ling.* Acción ejercida por una lengua sobre otra territorialmente contigua, sobre la que comparte el mismo territorio, o sobre otra a la que, sin ser vecina, comunica algunos rasgos en un momento determinado. ‖ **3.** *Ling.* Cada uno de los rasgos que una lengua comunica a la que se habla en un territorio vecino, a la que comparte con ella el mismo territorio o a la que, sin ser vecina, recibe su influjo en un momento dado.

adstricción. f. **astricción.**

adstringente. p. a. de **adstringir. astringente.**

adstringir. tr. **astringir.**

adtor. (Del lat. *acceptor, -ōris,* etim. pop., por *accipiter,* gavilán.) m. ant. **azor**[1], ave.

aduana. (Del ár. *ad-dīwān,* el registro.) f. Oficina pública, establecida generalmente en las costas y fronteras, para registrar, en el tráfico internacional, los géneros y mercaderías que se importan o exportan, y cobrar los derechos que adeudan. ‖ **2.** Derechos percibidos por esta oficina. *Estas mercancías ya han pagado* ADUANA. ‖ **3.** V. **repertorio de aduanas.** ‖ **4.** Juego de azar ejecutado con ocho dados y cinco cartones que representan respectivamente una **aduana,** un caballo blanco, un martillo, una campana y un martillo con una campana. ‖ **central.** La que suele existir en la capital del Estado para determinadas mercancías. ‖ **interior.** La que antiguamente existía como refuerzo de las exteriores, o entre provincias sometidas a una misma soberanía. ‖ **pasar** una cosa **por todas las aduanas.** fr. fig. y fam. Tener su curso o examen por todos los medios o trámites correspondientes.

aduanal. adj. *Argent., Cuba, Guat.* y *Méj.* **aduanero.**

aduanar. tr. p. us. Registrar en la aduana los géneros o mercaderías, y pagar en ella los derechos que adeuden.

aduanero, ra. adj. Perteneciente o relativo a la aduana. ‖ **2.** m. y f. Persona empleada en la aduana.

aduar. (Del ár. *adwār,* casas.) m. Pequeña población de beduinos, formada de tiendas, chozas o cabañas. ‖ **2.** Conjunto de tiendas o barracas que los gitanos levantan en el campo para su habitación. ‖ **3.** *Amér. Merid.* Ranchería de indios americanos.

adúcar. (De or. inc.; cf. ár. *ad-dukār,* la seda basta.) m. Seda que rodea exteriormente el capullo del gusano de seda, y la cual siempre es más basta. ‖ **2. capullo ocal.** ‖ **3. seda ocal.** ‖ **4.** Tela de **adúcar.**

aducción. (Del lat. *adductĭo, -ōnis.*) f. Acción de **aducir,** presentar o alegar pruebas. ‖ **2.** *Anat.* Movimiento por el cual se acerca un miembro u otro órgano al plano medio que divide imaginariamente el cuerpo en dos partes simétricas. ADUCCIÓN *del brazo, del ojo.*

aducir. (Del lat. *adducĕre.*) tr. Tratándose de pruebas, razones, etc., presentarlas o alegarlas. ‖ **2.** ant. Traer, llevar, enviar.

aductor. (Del lat. *adductor, -ōris.*) adj. *Anat.* V. **músculo aductor.** Ú. t. c. s.

aducho, cha. (Del lat. *adductus,* aducido.) p. p. irreg. ant. de **aducir.**

aduendado, da. adj. Que tiene las propiedades atribuidas a los duendes.

adueñarse. prnl. Hacerse uno dueño de una cosa o apoderarse de ella. Ú. alguna vez c. tr. ‖ **2.** Hacerse dominante algo en una persona o en un conjunto de personas. *El terror* SE ADUEÑÓ *de ellos.*

adufa. (Del ár. *ad-duffa,* la compuerta.) f. *Val.* **compuerta,** plancha para cortar el paso del agua.

adufe. (Del ár. *ad-duff,* el pandero.) m. Pandero morisco. ‖ **2.** desus. fig. y fam. **pandero,** persona necia.

adufero, ra. m. y f. Persona que toca el adufe.

adufre. m. **adufe.**

aduja. (De or. inc., quizá del genovés *duggia,* it. *duglia.*) f. *Mar.* Cada una de las vueltas o roscas circulares u oblongas de cualquier cabo que se recoge en tal forma, o de una vela enrollada, cadena, etc.

adujar. tr. *Mar.* Recoger en adujas un cabo, cadena o vela enrollada. ‖ **2.** prnl. fig. *Mar.* Encogerse para acomodarse en poco espacio.

adul. (Del ár. *'udūl,* testigos fidedignos.) m. En Marruecos, asesor del cadí; persona que merece entera confianza; notario, escribano.

adula. f. **dula.** ‖ **2.** *Nav.* **ador.**

adulación. (Del lat. *adulatĭo, -ōnis.*) f. Acción y efecto de adular.

adulador, ra. (Del lat. *adulātor, -ōris.*) adj. Que adula. Ú. t. c. s.

adular. (Del lat. *adulāri.*) tr. Hacer o decir con intención, a veces inmoderadamente, lo que se cree que puede agradar a otro. ‖ **2. deleitar.**

adularia. (De *Adula,* montaña de Suiza.) f. *Mineral.* Variedad de feldespasto, transparente y generalmente incoloro.

adulatorio, ria. (Del lat. *adulatorĭus.*) adj. Perteneciente o relativo a la adulación. ‖ **2.** Que adula.

adulciguar. (De *a-*[1] y el lat. *dulcificāre.*) tr. Endulzar, dulcificar.

adulcir. (De *dulce.*) tr. Dulcificar, endulzar.

adulear. intr. *Ar.* Vocear o gritar mucho, como los aduleros.

adulero. m. *Ar.* Pastor o guarda de la adula o dula.

adulete. adj. *Amér.* **adulón.**

adulón, na. adj. fam. Adulador servil y bajo. Ú. m. c. s.

adulonería. f. Adulación servil.

adulteración. (Del lat. *adulteratĭo, -ōnis.*) f. Acción y efecto de adulterar o adulterarse.

adulterador, ra. (Del lat. *adulterātor, -ōris.*) adj. Que adultera. Ú. t. c. s.

adulterar. (Del lat. *adulterāre.*) intr. desus. Cometer adulterio. ‖ **2.** tr. fig. Viciar, falsificar alguna cosa. Ú. t. c. prnl.

adulterino, na. (Del lat. *adulterīnus.*) adj. Procedente de adulterio. Ú. t. c. s. ‖ **2.** Perteneciente o relativo al adulterio. ‖ **3.** fig. Falso, falsificado.

adulterio. (Del lat. *adulterĭum.*) m. Ayuntamiento carnal voluntario entre persona casada y otra de distinto sexo que no sea su cónyuge. ‖ **2.** ant. Falsificación, fraude.

adúltero, ra. (Del lat. *adulter, -ĕri.*) adj. Que comete adulterio. Ú. t. c. s. ‖ **2.** Perteneciente al adulterio o al que lo comete. ‖ **3.** fig. desus. Adulterado, corrompido, especialmente refiriéndose al lenguaje.

adultez. f. Condición de adulto; edad adulta.

adulto, ta. (Del lat. *adultus.*) adj. Llegado a su mayor crecimiento o desarrollo. *Persona* ADULTA, *animal* ADULTO. Ú. t. c. s. ‖ **2.** V. **edad adulta.** ‖ **3.** fig. Llegado a cierto grado de perfección, cultivado, experimentado. *Una nación* ADULTA. ‖ **4.** *Zool.* Dícese del animal que posee plena capacidad reproductora.

adulzar. tr. Hacer dulce el hierro u otro metal, librarlo de impurezas. ‖ **2.** p. us. **endulzar.**

adulzorar. (De *a-*[1] y *dulzor.*) tr. Dulcificar, suavizar. Ú. t. c. prnl.

adumbración. (Del lat. *adumbratĭo.*) f. *Pint.* Parte menos iluminada de la figura u objeto.

adumbrar. (Del lat. *adumbrāre.*) tr. *Pint.* **sombrear,** poner sombra en un dibujo.

adunación. (Del lat. *adunatĭo, -ōnis.*) f. desus. Acción y efecto de adunar o adunarse.

adunar. (Del lat. *adunāre.*) tr. Unir, juntar, congregar. Ú. t. c. prnl. ‖ **2.** p. us. **unificar.** Ú. t. c. prnl.

adunco, ca. (Del lat. *aduncus.*) adj. Corvo, combado.

adunia. (Del ár. *ad-dunyā,* el mundo, los bienes materiales.) adv. m. desus. En abundancia.

adur. adv. m. ant. **aduro.**

-adura. V. **-dura.**

adurir. (Del lat. *adurĕre.*) tr. p. us. Abrasar o quemar. ‖ **2.** p. us. Causar excesivo calor.

aduro. (Del lat. *ad durum.*) adv. m. ant. **apenas,** casi no.

adustez. f. Calidad de adusto.

adustible. (De *adusto.*) adj. ant. Que se puede adurir.

adustión. (Del lat. *adustĭo, -ōnis.*) f. p. us. Acción y efecto de adurir.

adustivo, va. (De *adusto.*) adj. desus. Que tiene virtud de adurir.

adusto, ta. (Del lat. *adustus.*) p. p. irreg. ant. de **adurir.** ‖ **2.** adj. Quemado, tostado, ardiente. ‖ **3.** fig. Dícese de la persona poco tratable, huraña, malhumorada. ‖ **4.** fig. Seco, severo, desabrido. *Paisaje* ADUSTO, *prosa* ADUSTA.

adutaque. (Del ár. *ad-duqāq,* la harina fina.) f. ant. **adárgama.**

ad valórem. loc. adv. lat. Con arreglo al valor, como los derechos arancelarios que pagan ciertas mercancías.

advección. (Del lat. *advectĭo, -ōnis,* transporte, conducción.) f. Acción y efecto de llevar o arrastrar algo. ‖ **2.** *Meteor.* Penetración de una masa de aire frío o cálido en un territorio.

advenedizo, za. (De *advenir.*) adj. Extranjero o forastero, que no es natural u originario del lugar. Ú. t. c. s. ‖ **2.** despect. Dícese de la persona que, sin empleo u oficio, va a establecerse en un país o en un pueblo. Ú. t. c. s. ‖ **3.** Dícese de la persona de origen humilde que, habiendo reunido cierta fortuna, pretende figurar entre gentes de más alta condición social. Ú. t. c. s. ‖ **4.** ant. Gentil o mahometano convertido al cristianismo. Usáb. t. c. s.

advenidero, ra. adj. desus. **venidero.**

advenimiento. (De *advenir.*) m. Venida o llegada, especialmente si es esperada y solemne. ‖ **2.** Ascenso de un sumo pontífice o de un soberano al trono. ‖ **3.** ant. **suceso.** ‖ **esperar el santo advenimiento.** fr. fig. y fam. Esperar o aguardar algo que tarda mucho en realizarse, o que no se ha de realizar.

advenir. (Del lat. *advenīre.*) intr. Venir o llegar. ‖ **2.** Suceder, sobrevenir.

adventajas. (De *aventaja.*) f. pl. *Der. Ar.* Porción de bienes muebles que el cónyuge que sobrevive puede sacar, según fuero, a beneficio suyo, antes de hacerse partición de aquellos.

adventicio, cia. (Del lat. *adventicĭus.*) adj. Extraño o que sobreviene, a diferencia de lo natural y propio. ‖ **2.** *Der.* V. **bienes adventicios.** ‖ **3.** *Der.* V. **peculio adventicio.** ‖ **4.** *Biol.* Aplícase al órgano o parte de los animales o vegetales que se desarrolla ocasionalmente y cuya existencia no es constante.

adventismo. (Del lat. *adventus,* llegada.) m. Doctrina de los adventistas.

adventista. (Del ing. *adventist.*) adj. Dícese de una secta protestante de origen norteamericano que espera un segundo y próximo advenimiento de Cristo. ‖ **2.** com. Miembro de esta secta.

adveración. f. Acción y efecto de adverar. ‖ **2.** ant. **certificación,** documento que asegura la verdad de un hecho.

adverado, da. p. p. de **adverar.** ‖ **2.** adj. V. **testamento adverado.**

adverar. (Del b. lat. *adverāre.*) tr. Certificar, asegurar, dar por cierta alguna cosa o por auténtico algún documento.

adverbial. (Del lat. *adverbiālis.*) adj. *Gram.* Perteneciente al adverbio, o que participa de su índole o naturaleza. *Expresión, frase* ADVERBIAL. ‖ **2.** *Gram.* V. **locución, modo adverbial.**

adverbializar. tr. Emplear adverbialmente una palabra o locución. Ú. t. c. prnl.

adverbio. (Del lat. *adverbĭum.*) m. *Gram.* Parte invariable de la oración cuya función consiste en complementar la significación del verbo, de un adjetivo o de otro **adverbio.** Hay **adverbios** de **lugar,** como *aquí, delante, lejos;* de **tiempo,** como *hoy, mientras, nunca;* de **modo,** como *bien, despacio, fácilmente;* de **cantidad,** como *bastante, mucho, muy;* de **orden,** como *primeramente;* de **afirmación,** como *sí;* de **negación,** como *no;* de **duda** o **dubitativos,** como *acaso;* **comparativos,** como *peor;* **superlativos,** como *facilísimamente, lejísimos,* y **diminutivos,** como *cerquita.* ‖ **2.** Los **adverbios** *como, cuando, cuanto* y *donde* pueden funcionar como **relativos** correspondientes a los **adverbios** demostrativos *así, según, tal, entonces, ahora, tan, tanto, aquí, allí,* etc.; pueden tener antecedente expreso o implícito: *La ciudad* DONDE *nací; Iré* DONDE *tú vayas.* Y pueden también funcionar como **interrogativos** o **exclamativos,** y en tal caso se escriben con tilde: ¿CÓMO *estás?* ¡CUÁNTO *lo siento!*

adversador. (Del lat. *adversātor, -ōris.*) m. ant. **adversario,** persona contraria.

adversar. (Del lat. *adversāri.*) tr. ant. Contrariar o resistir a otro.

adversario, ria. (Del lat. *adversarĭus.*) adj. ant. **adverso.** ‖ **2.** m. y f. Persona contraria o enemiga. ‖ **3.** m. Conjunto de personas contrarias o enemigas. ‖ **4.** pl. p. us. Notas, apuntamientos o apéndices añadidos a un escrito.

adversativo, va. (Del lat. *adversatīvus.*) adj. *Gram.* Que implica o denota oposición o contrariedad de concepto o sentido. ‖ **2.** *Gram.* V. **conjunción, partícula adversativa.**

adversidad. (Del lat. *adversĭtas, -ātis.*) f. Calidad de adverso. ‖ **2.** Suerte adversa, infortunio. ‖ **3.** Situación desgraciada en que se encuentra una persona.

adversión. (Del lat. *adversĭo, -ōnis.*) f. ant. **aversión.** ‖ **2.** ant. **advertencia.**

adverso, sa. (Del lat. *adversus.*) adj. Contrario, enemigo, desfavorable. ‖ **2.** desus. Opuesto materialmente a otra cosa, o colocado enfrente de ella.

advertencia. f. Acción y efecto de advertir. ‖ **2.** Escrito por lo común breve, con que en una obra o en una publicación cualquiera se advierte algo al lector. ‖ **3.** Escrito breve en que se advierte algo al público.

advertidamente. adv. m. Con advertencia.

advertido, da. p. p. de **advertir.** ‖ **2.** adj. Capaz, experto, avisado.

advertimiento. m. **advertencia.**

advertir. (Del lat. *advertĕre.*) tr. Fijar en algo la atención, reparar, observar. Ú. t. c. intr. ‖ **2.** Llamar la atención de uno sobre algo, hacer notar u observar. ‖ **3.** Aconsejar, amonestar, enseñar, prevenir. ‖ **4.** Avisar con amenazas. ‖ **5.** intr. desus. **caer en la cuenta.**

adviento. (Del lat. *adventus,* llegada.) m. Tiempo santo que celebran la Iglesia católica y otras iglesias cristianas desde el domingo primero de los cuatro que preceden a la Natividad de Nuestro Señor Jesucristo hasta la vigilia de esta fiesta. ‖ **2.** V. **domingo de adviento.**

advocación. (Del lat. *advocatĭo, -ōnis.*) f. Tutela, protección o patrocinio de la Divinidad o de los santos a la comunidad o institución que toma su nombre. ‖ **2.** Denominación complementaria que se aplica al nombre de una Persona divina o santa y que se refiere a determinado misterio, virtud o atributo suyos, a momentos especiales de su vida, a lugares vinculados a su presencia o al hallazgo de una imagen suya, etc. *Cristo* DE LA AGONÍA, *Virgen* DE LA ESPERANZA O DEL PILAR. ‖ **3.** Denominación de las correspondientes imágenes, de los santuarios y días en que se veneran, de las entidades acogidas a su patrocinio, etc. ‖ **4.** ant. **abogacía.** ‖ **5.** ant. *Der.* **avocación.**

advocado. (Del lat. *advocātus.*) m. ant. **abogado.**

advocar. (Del lat. *advocāre.*) tr. ant. **abogar.** ‖ **2.** ant. *Der.* **avocar.**

advocatorio, ria. adj. ant. **convocatorio.**

adyacente. (Del lat. *adiăcens, -entis.*) adj. Situado en la inmediación o proximidad de otra cosa. ‖ **2.** V. **ángulos, islas adyacentes.**

adyuntivo, va. (Del lat. *adiunctīvus.*) adj. ant. **conjuntivo.**

adyutorio. (Del lat. *adiutorĭum.*) m. ant. **adjutorio.**

adyuvante. (Del lat. *adiŭvans, -antis.*) adj. Que ayuda.

aeda. m. **aedo.**

aedo. (Del gr. ἀοιδός, cantor.) m. Bardo, poeta o cantor épico de la antigua Grecia.

aeración. (Del lat. *aer,* aire.) f. *Med.* Acción de las condiciones físicas y químicas del aire atmosférico en el tratamiento de las enfermedades. ‖ **2.** *Med.* Introducción del aire en las aguas potables o medicinales.

aéreo, a. (Del lat. *aerĕus.*) adj. De aire. ‖ **2.** Perteneciente o relativo al aire. ‖ **3.** V. **arma, base, fuerza, perspectiva, vesícula aérea.** ‖ **4.** V. **pirata aéreo.** ‖ **5.** fig. Sutil, vaporoso, ligero. ‖ **6.** fig. Inmaterial, fantástico, sin fundamento. ‖ **7.** *Biol.* Dícese de los animales o plantas que viven en contacto directo con el aire atmosférico.

aerífero, ra. (Del lat. *aerĭfer.*) adj. Que lleva o conduce aire. *Vías* AERÍFERAS.

aeriforme. (Del lat. *aer, aĕris* y *-forme.*) adj. *Fís.* Parecido al aire. *Fluidos* AERIFORMES.

aero-. (Del gr. ἀερο-.) Elemento compositivo que significa «aire»; forma muchos neologismos relacionados con la aviación: AERO*bio,* AERÓ*dromo,* AERO*nave,* AERO*modelismo.*

aeróbic o **aerobic.** (Del ing. *aerobics.*) m. Técnica gimnástica acompañada de música y basada en el control del ritmo respiratorio.

aeróbico, ca. adj. *Biol.* Perteneciente o relativo a la aerobiosis o a los organismos aerobios.

aerobio. (De *aero-* y *-bio.*) adj. *Biol.* Aplícase al ser vivo que necesita del oxígeno molecular para subsistir. Ú. t. c. s. ‖ **2.** m. Microorganismo **aerobio.**

aerobiosis. f. *Biol.* Vida en un ambiente que contiene oxígeno molecular.

aerobús. (Del ing. o fr. *airbus.*) m. Avión comercial europeo que admite un gran número de pasajeros y realiza trayectos de corta y media distancia.

aeroclub. m. Sociedad recreativa interesada por el deporte aéreo.

aerocriptografía. (De *aero-* y *criptografía.*) f. *Aviac.* Representación de las figuras de vuelo acrobático mediante una clave de signos gráficos.

aerocriptográfico, ca. adj. *Aviac.* Perteneciente o relativo a la aerocriptografía.

aerodeslizador. m. Vehículo que puede circular por tierra, agua o aire deslizándose sobre el colchón de aire alimentado por los chorros que el mismo vehículo genera.

aerodinámica. (De *aero-* y *dinámica.*) f. Parte de la mecánica, que estudia el movimiento de los gases y los movimientos relativos de gases y sólidos.

aerodinámico, ca. adj. Perteneciente o relativo a la aerodinámica. ‖ **2.** Dícese de los vehículos y otras cosas que tienen forma adecuada para disminuir la resistencia del aire.

aeródromo. (De *aero-* y el gr. δρόμος, carrera.) m. Terreno llano provisto de pistas y demás instalaciones necesarias para el despegue y aterrizaje de aviones.

aerofagia. (De *aero-* y el gr. φάγομαι, comer.) m. *Pat.* Deglución espasmódica de aire, que se observa en algunas neurosis.

aerofaro. (De *aero-* y *faro.*) m. Luz potente que se coloca en los aeródromos para orientar a los aviones en vuelo y para facilitar su aterrizaje por la noche o en días brumosos.

aerofobia. (De *aero-* y *fobia.*) f. Temor al aire, síntoma de algunas enfermedades nerviosas.

aerófobo, ba. adj. Que padece aerofobia.

aerofotografía. (De *aero-* y *fotografía.*) f. Fotografía tomada desde un vehículo aéreo.

aerógrafo. (De *aero-* y *-grafo.*) m. Pistola de aire comprimido, cargada con pintura, que se usa en trabajos de fotografía, dibujo y artes decorativas.

aerograma. (De *aero-* y *-grama.*) m. Carta en papel especial, que se pliega sin sobre, para enviarla por correo aéreo.

aerolínea. (Calco del ing. *airline.*) f. Organización o compañía de transporte aéreo.

aerolítico, ca. adj. Perteneciente o relativo a los aerolitos.

aerolito. (De *aero-* y el gr. λίθος, piedra.) m. Fragmento de un bólido, que cae sobre la Tierra.

aeromancia o **aeromancía.** (Del gr. ἀήρ, aire, y μαντεία, adivinación, a través del lat. *aeromantīa.*) f. Adivinación supersticiosa por las señales e impresiones del aire.

aeromántico, ca. adj. Perteneciente o relativo a la aeromancia. ‖ **2.** m. y f. Persona que la profesa.

aerómetro. (De *aero-* y *-metro.*) m. Instrumento para medir la densidad del aire o de otros gases.

aeromodelismo. (De *aero-* y *modelismo.*) m. Deporte que consiste en la construcción y prueba de pequeños modelos de aviones.

aeromodelista. adj. Relativo al aeromodelismo. ‖ **2.** Dícese del que por afición se dedica al aeromodelismo. Ú. t. c. s.

aeromodelo. m. Avión reducido para vuelos deportivos o experimentales.

aeromotor. m. Motor accionado por aire en movimiento.

aeromóvil. (De *aero-* y *móvil.*) m. Aeronave o avión.

aeromoza. (De *aero-* y *moza.*) f. En algunos países americanos, azafata de aviación.

aeronato, ta. (De *aero-* y *nato.*) adj. Dícese de la persona nacida en un avión o en una aeronave durante el vuelo. Ú. t. c. s.

aeronauta. (De *aero-* y *nauta.*) com. Piloto o tripulante de una aeronave.

aeronáutica. (De *aero-* y *náutica.*) f. Ciencia o arte de la navegación aérea. ‖ **2.** Conjunto de medios (aeronaves, instalaciones, servicios, personal, etc.) destinados al transporte aéreo. AERONÁUTICA *civil.* AERONÁUTICA *militar.*

aeronáutico, ca. (De *aero-* y *náutico.*) adj. Perteneciente o relativo a la aeronáutica. ‖ **2.** V. **ingeniero aeronáutico.**

aeronaval. adj. Que se refiere conjuntamente a la aviación y a la marina. Aplícase especialmente a operaciones o efectivos militares en que participan fuerzas aéreas y navales.

aeronave. (De *aero-* y *nave.*) f. Vehículo capaz de navegar por el aire.

aeronavegación. (De *aero-* y *navegación.*) f. Navegación aérea.

aeroparque. m. *Argent.* Pequeño aeropuerto, especialmente el situado en área urbana.

aeroplano. (Del fr. *aéroplane.*) m. **avión**[2].

aeroportuario, ria. adj. Perteneciente o relativo al aeropuerto.

aeropostal. (De *aero-* y *postal.*) adj. Relativo al correo aéreo o por avión.

aeropuerto. (De *aero-* y *puerto.*) m. Terreno llano provisto de un conjunto de pistas, instalaciones y servicios destinados al tráfico regular de aviones.

aerosol. (De *aero-* y *sol*[4].) m. Suspensión de partículas ultramicroscópicas de sólidos o líquidos en el aire u otro gas. ‖ **2.** Sistema coloidal obtenido por dispersión de sustancias sólidas o líquidas en el seno de un gas. ‖ **3.** Por ext., líquido que, almacenado bajo presión, puede ser lanzado al exterior en forma de **aerosol.** Se emplea mucho en perfumería, farmacia, pintura, etc. ‖ **4.** Recipiente que contiene este líquido.

aerostación. (De *aero-* y el lat. *statĭo, -ōnis,* el acto de estar firme.) f. Navegación aérea por medio de aeróstatos.

aerostática. (De *aero-* y *estática.*) f. Parte de la mecánica, que estudia el equilibrio de los gases y de los sólidos sumergidos en ellos.

aerostático, ca. adj. Perteneciente o relativo a la aerostática. ‖ **2.** V. **globo aerostático.**

aeróstato o **aerostato.** (De *aero-* y el gr. στατός, parado, en equilibrio.) m. Aeronave provista de uno o más recipientes llenos de un gas más ligero que el aire atmosférico, lo que la hace flotar o elevarse en el seno de este.

aerostero. (Del fr. *aérostier.*) m. **aeronauta.** ‖ **2.** Soldado de aerostación militar.

aerotaxi. (De *aero-* y *taxi.*) m. Avión o avioneta de alquiler, destinado al tráfico no regular.

aerotecnia. (De *aero-* y *-tecnia.*) f. Arte o ciencia que trata de las aplicaciones del aire a la industria.

aerotécnico, ca. adj. Perteneciente o relativo a la aerotecnia. ‖ **2.** m. y f. Persona experta en aerotecnia.

aeroterapia. (De *aero-* y *terapia.*) f. *Med.* Método de curar ciertas enfermedades por medio del aire contenido en aparatos a propósito.

aeroterrestre. adj. *Mil.* Dícese de las operaciones militares que se realizan combinando fuerzas aéreas y terrestres. Dícese también de las grandes unidades de estas fuerzas combinadas.

aerotransportar. tr. Transportar por vía aérea.

aerotrén. (De *aero-* y *tren.*) m. Aerodeslizador que se desplaza a gran velocidad sostenido sobre una vía especial o suspendido de ella.

aerovía. (De *aero-* y *vía.*) f. **aerolínea.** ‖ **2.** Ruta establecida para el vuelo de los aviones comerciales.

aeta. (Del tagalo *ayta,* negro del monte.) adj. Indígena de las montañas de Filipinas, que se distingue por su estatura pequeña y color pardo muy oscuro. Ú. t. c. s. ‖ **2.** Perteneciente o relativo a los **aetas.** ‖ **3.** m. Lengua **aeta.**

afabilidad. (Del lat. *affabilĭtas, -ātis.*) f. Calidad de afable.

afabilísimo, ma. adj. sup. de **afable.**

afable. (Del lat. *affabĭlis.*) adj. Agradable, dulce, suave en la conversación y el trato. ‖ **2.** desus. Que se puede decir o expresar con palabras.

afablemente. adv. m. Con afabilidad.

afabulación. (Del lat. *affabulatĭo, -ōnis.*) f. Moralidad o explicación de una fábula.

áfaca. (Del gr. ἀφάκη, almorta, a través del lat. *aphăca.*) f. Planta anual, arvense, de la familia de las papilionáceas, parecida a la lenteja.

afaccionado, da. (De *a-*[1] y *facción.*) adj. ant. Con los adverbios *bien* o *mal,* de facciones bellas o feas.

afacer. (Del lat. **affacĕre,* por *afficĕre,* hacer.) intr. ant. Tener comunicación o trato. Usáb. t. c. prnl. ‖ **2.** ant. Acostumbrarse, hacerse a algo. Usáb. m. c. prnl. y hoy ú. en Asturias.

afacimiento. m. ant. Acción y efecto de afacer o afacerse.

afalagar. tr. ant. **halagar.** Ú. en Aragón y Asturias.

afalago. m. ant. **halago.**

afamado[1]**, da.** p. p. de **afamar.** ‖ **2.** adj. **famoso.**

afamado[2]**, da.** (De *a-*[1] y *fame.*) adj. ant. **hambriento.** Ú. en Asturias.

afamar. tr. Hacer famoso, dar fama. Se usa generalmente en sentido favorable. Ú. t. c. prnl.

afán. (De or. inc.) m. Trabajo excesivo, solícito y congojoso. ‖ **2.** Trabajo corporal, como el de los jornaleros. ‖ **3.** Fatiga, penalidad, apuro. ‖ **4.** Solicitud, empeño, pretensión, deseo, anhelo vehemente. ‖ **5.** Prisa, diligencia, premura.

afanado, da. p. p. de **afanar.** ‖ **2.** adj. Lleno de afán, afanoso.

afanador, ra. adj. Que afana o se afana. Ú. t. c. s. ‖ **2.** m. y f. *Méj.* Persona que en los establecimientos públicos se emplea en las faenas de limpieza.

afanar. (De *afán.*) intr. Entregarse al trabajo con solicitud congojosa. Ú. m. c. prnl. ‖ **2.** Hacer diligencias con vehemente anhelo para conseguir alguna cosa. Ú. m. c. prnl. ‖ **3.** Trabajar corporalmente, como los jornaleros. Ú. t. c. prnl. ‖ **4.** tr. p. us. Trabajar a alguien, traerle apurado. ‖ **5.** vulg. Hurtar, estafar, robar.

afaníptero. (Del gr. ἀφανής, invisible, y *-ptero.*) adj. *Zool.* Dícese de insectos del orden de los dípteros, que carecen de alas y tienen metamorfosis complicadas; como la pulga y la nigua. Ú. t. c. s. ‖ **2.** m. pl. *Zool.* Suborden de estos animales.

afanita. (Del gr. ἀφανής, oscuro.) f. **anfibolita.**

afanoso, sa. adj. Muy penoso o trabajoso. ‖ **2.** Que se afana.

afaño. m. ant. *Ar.* Afán o fatiga.

afarallonado, da. adj. Dícese del bajo, cabo o punta de figura de farallón.

afarolado, da. (De *farol,* lance de capa.) adj. *Taurom.* Dícese del lance o suerte en que el diestro se pasa el engaño por encima de la cabeza.

afascalar. tr. *Ar., Nav.* y *Rioja.* Hacer fascales.

afasia. (Del gr. ἀφασία, imposibilidad de hablar.) f. *Psiquiat.* Pérdida del habla a consecuencia de desorden cerebral.

afásico, ca. adj. Que tiene afasia; propio de ella.

afatar. (De *fato*[2].) tr. *Ast.* y *Gal.* Aparejar una caballería.

afate. m. *El Salv., Guat.* y *Nicar.* **ahuate.**

afé. (De *a*[2] y *fe*[2].) adv. ant. **ahé.**

afeador, ra. adj. Que afea. Ú. t. c. s.

afeamiento. m. Acción y efecto de afear o afearse.

afear. (Del lat. *effoedāre.*) tr. Hacer o poner fea a una persona o cosa. Ú. t. c. prnl. ‖ **2.** fig. Tachar, vituperar.

afeblecerse. (De *a-*[1] y *feble.*) prnl. Adelgazarse, debilitarse.

afección. (Del lat. *affectĭo, -ōnis.*) f. p. us. Impresión que hace una cosa en otra, causando en ella alteración o mudanza. ‖ **2. afecto,** pasión del ánimo. ‖ **3.** Afición, inclinación, apego. ‖ **4.** En los beneficios eclesiásticos, reserva de su provisión, y comúnmente se entiende por la correspondiente al Papa. ‖ **5.** *Pat.* Alteración morbosa. AFECCIÓN *pulmonar, catarral, reumática.*

afeccionar. tr. ant. **impresionar,** conmover el ánimo. ‖ **2.** prnl. Aficionarse, inclinarse.

afectable. adj. Impresionable, que puede afectarse.

afectación. (Del lat. *affectatĭo, -ōnis.*) f. Acción de afectar. ‖ **2.** Falta de sencillez y naturalidad; extravagancia presuntuosa en la manera de ser, de hablar, de actuar, de escribir, etc.

afectado, da. p. p. de **afectar.** ‖ **2.** adj. Que adolece de afectación. *Orador, estilo* AFECTADO. ‖ **3.** Aparente, fingido. *Celo* AFECTADO; *ignorancia* AFECTADA. ‖ **4.** Aquejado, molestado.

afectador, ra. (Del lat. *affectātor, -ōris.*) adj. Que afecta.

afectar. (Del lat. *affectāre,* frec. de *afficĕre,* disponer, preparar.) tr. Poner demasiado estudio o cuidado en las palabras, movimientos, adornos, etc., de modo que pierdan la sencillez y naturalidad. ‖ **2. fingir.** AFECTAR *celo, ignorancia.* ‖ **3.** Hacer impresión una cosa en una persona, causando en ella alguna sensación. Ú. t. c. prnl. ‖ **4. atañer,** tocar. ‖ **5.** Menoscabar, perjudicar; influir desfavorablemente. ‖ **6.** Producir alteración o mudanza en alguna cosa. ‖ **7.** Tratándose de enfermedades o plagas, producir daño en algún órgano o a algún grupo de seres vivientes o poderlo producir. ‖ **8.** desus. **anexar.** ‖ **9.** p. us. Apetecer y procurar alguna cosa con ansia o ahínco. ‖ **10.** *Der.* Imponer gravamen u obligación sobre alguna cosa, sujetándola el dueño a la efectividad de ajeno derecho. ‖ **11.** *Der.* Destinar una suma a un gasto determinado.

afectísimo, ma. adj. sup. de **afecto^{1}.**

afectividad. (De *afectivo.*) f. Calidad de afectivo. ‖ **2.** *Fren.* Desarrollo de la propensión a querer. ‖ **3.** *Psicol.* Conjunto de los fenómenos afectivos.

afectivo, va. (Del lat. *affectīvus.*) adj. Perteneciente o relativo al afecto. ‖ **2.** Perteneciente o relativo a la sensibilidad. *Fenómeno* AFECTIVO.

afecto^{1}, ta. (Del lat. *affectus, a, um.*) adj. Inclinado a alguna persona o cosa. ‖ **2.** Aplícase al beneficio eclesiástico que tiene alguna particular reserva en su provisión, y más comúnmente se entiende de la del Papa. ‖ **3.** Dícese de las posesiones o rentas sujetas a alguna carga u obligación. ‖ **4.** Dícese de la persona destinada a ejercer funciones o a prestar sus servicios en determinada dependencia. ‖ **5.** *Pat.* Que sufre o puede sufrir alteración morbosa.

afecto^{2}. (Del lat. *affectus.*) m. Cualquiera de las pasiones del ánimo, como ira, amor, odio, etc. Tómase más particularmente por amor o cariño. ‖ **2.** desus. *Pat.* **afección,** alteración morbosa. ‖ **3.** desus. *Pint.* Actitud, gesto, ademán que acompaña a la expresión de los sentimientos.

afectuosidad. f. Calidad de afectuoso.

afectuoso, sa. (Del lat. *affectuōsus.*) adj. Amoroso, cariñoso. ‖ **2.** *Pint.* Expresivo, vivo.

afecho, cha. (Del lat. *affectus,* hecho.) p. p. irreg. ant. de **afacer.** ‖ **2.** adj. ant. Hecho o acostumbrado.

afeitada. f. Acción de afeitarse o hacerse la barba.

afeitadamente. adv. m. Con adorno y pulimento.

afeitadera. (De *afeitar.*) f. ant. Mujer que se dedicaba a arreglar y embellecer la tez y principalmente el cabello de otras personas. ‖ **2.** ant. **peine** para el pelo.

afeitado, da. p. p. de **afeitar.** ‖ **2.** m. Acción y efecto de **afeitar,** raer la barba.

afeitador, ra. adj. Que afeita. ‖ **2.** m. ant. **barbero^{1}.** ‖ **3.** f. Máquina de afeitar eléctrica. ‖ **4.** ant. **vellera.**

afeitamiento. m. ant. **afeite.**

afeitar. (Del arag. o leon. *afeitar,* y este del lat. *affectāre,* arreglar.) tr. Adornar, componer, hermosear. Ú. t. c. prnl. ‖ **2.** desus. Componer o hermosear con afeites el rostro u otra parte del cuerpo. Ú. t. c. prnl. ‖ **3.** Raer con navaja, cuchilla o máquina la barba o el bigote, y por ext., el pelo de cualquier parte del cuerpo. Ú. t. c. prnl. ‖ **4.** V. **navaja de afeitar.** ‖ **5.** Esquilar a una caballería las crines y las puntas de la cola. ‖ **6.** Recortar e igualar las ramas y hojas de una planta de jardín. ‖ **7.** desus. Guiar, instruir, enseñar. ‖ **8.** Cortar la punta de los cuernos al toro para que su lidia resulte menos peligrosa.

afeite. (De *afeitar.*) m. Aderezo, compostura. ‖ **2. cosmético.**

afelio. (Del gr. ἀπό, lejos de, y ἥλιος, Sol.) m. *Astron.* Punto que en la órbita de un planeta dista más del Sol.

afelpado, da. p. p. de **afelpar.** ‖ **2.** adj. Hecho o tejido en forma de felpa. ‖ **3.** fig. Parecido a la felpa por tener vello o pelusilla.

afelpar. tr. Dar a la tela que se trabaja el aspecto de felpa o terciopelo. ‖ **2.** Recubrir o forrar con felpa. ‖ **3.** *Mar.* Reforzar la vela con estopa o pallete.

afeminación. f. Acción y efecto de afeminar o afeminarse.

afeminado, da. (De *efeminado.*) p. p. de **afeminar.** ‖ **2.** adj. Dícese del que en su persona, modo de hablar, acciones o adornos se parece a las mujeres. Ú. t. c. s. ‖ **3.** Que parece de mujer. *Cara, voz* AFEMINADA. ‖ **4.** p. us. Inclinado a los placeres, disoluto. Ú. t. c. s. ‖ **5.** Dícese del hombre homosexual. Ú. m. c. s.

afeminamiento. m. **afeminación.**

afeminar. (De *efeminar.*) tr. Hacer que un hombre pierda la energía atribuida a su condición varonil; inclinarle a que en sus modales y acciones o en el adorno de su persona se parezca a las mujeres. Ú. m. c. prnl.

afer. (De *a-^{1}* y *fer.*) m. ant. Negocio, quehacer. Usáb. m. en pl. ‖ **2.** (Del fr. *affaire.*) Negocio, asunto o caso ilícito o escandaloso.

aferencia. f. *Fisiol.* Transmisión aferente.

aferente. (Del lat. *affĕrens, -ĕntis.*) adj. Que lleva. ‖ **2.** *Anat.* y *Fisiol.* Dícese de la formación anatómica que transmite sangre, linfa, otras sustancias o un impulso energético desde una parte del organismo a otra que respecto de ella es considerada central. ‖ **3.** Dícese de los estímulos y las sustancias así transmitidos.

aféresis. (Del gr. ἀφαίρεσις, de ἀφαιρέω, quitar.) f. *Gram.* Supresión de algún sonido al principio de un vocablo, como en NORABUENA por *enhorabuena.* La **aféresis** era figura de dicción según la preceptiva tradicional.

aferidor, ra. m. y f. ant. Que afiere. Usáb. t. c. adj.

aferir. (De *a-^{1}* y *ferir.*) tr. ant. Contrastar los pesos y medidas.

afermosear. tr. ant. **hermosear.**

aferradamente. adv. m. Con obstinación.

aferrado, da. p. p. de **aferrar.** ‖ **2.** m. *Mar.* Acción y efecto de aferrar.

aferrador, ra. adj. Que aferra.

aferramiento. m. Acción y efecto de aferrar o aferrarse.

aferrar. (De *a-^{2}* y *ferro.*) tr. Agarrar o asir fuertemente. Ú. t. c. intr. ‖ **2.** *Mar.* Plegar las velas de cruz, asegurándolas sobre sus vergas, y las de cuchillo, toldos, empavesadas, etc., sobre sus nervios o cabos semejantes. ‖ **3.** *Mar.* Atrapar, agarrar con el bichero u otro instrumento de garfio. Ú. t. c. intr. ‖ **4.** *Mar.* Asegurar la embarcación en el puerto echando los ferros o anclas. ‖ **5.** intr. *Mar.* Agarrar el ancla en el fondo. ‖ **6.** prnl. Asirse, agarrarse fuertemente una cosa con otra. Se usa referido a las embarcaciones cuando se sujetan unas a otras con garfios. ‖ **7.** fig. Insistir con tenacidad en algún dictamen u opinión, empeñarse en algo. AFERRARSE *a una idea.* Ú. t. c. intr.

aferravelas. (De *aferrar* y *vela^{2}.*) m. ant. *Mar.* **tomador,** cabo para aferrar las velas.

aferrojar. (De *a-^{1}* y *ferrojo.*) tr. ant. **aherrojar.**

aferruzado, da. (Del lat. *ad* y *fĕrus,* fiero.) adj. desus. Ceñudo, iracundo.

aferventar. (De *a-^{1}* y *ferviente.*) tr. ant. **herventar.**

afervorar. (De *a-^{1}* y *fervorar.*) tr. desus. **enfervorizar.**

afervorizar. (De *a-^{1}* y *fervorizar.*) tr. desus. **enfervorizar.** Ú. t. c. prnl.

afestonado, da. adj. Labrado en forma de festón. ‖ **2.** Adornado con festones.

affidávit. (Del lat. mediev. *affidavit,* pret. de *affidāre,* declaró bajo juramento.) m. Documento legal que sirve como testimonio o declaración jurada ante un tribunal, o como garantía o aval en otros casos.

afgano, na. adj. Natural del Afganistán. Ú. t. c. s. ‖ **2.** Perteneciente o relativo a este país de Asia.

afianzador, ra. adj. Que afianza.

afianzamiento. m. Acción y efecto de afianzar o afianzarse.

afianzar. tr. Dar fianza por alguno para seguridad o resguardo de intereses o caudales, o del cumplimiento de alguna obligación. ‖ **2.** Afirmar o asegurar con puntales, cordeles, clavos, etc.; apoyar, sostener. Ú. t. c. prnl. ‖ **3.** Asir, agarrar. Ú. t. c. prnl. ‖ **4.** fig. Hacer firme, consolidar algo. *El éxito de la novela* AFIANZÓ *su carrera.* Ú. t. c. prnl. *El ejército* SE AFIANZÓ *en sus posiciones.*

afiar. (De *a-*[1] y *fiar.*) tr. ant. Dar a uno fe o palabra de seguridad de no hacerle daño, según lo practicaban antiguamente los hijosdalgo.

afiblar. (Del lat. *affibulāre,* de *fibŭla,* broche.) tr. ant. Ceñir, ajustar, abrochar.

aficar. tr. ant. **ahincar.**

afice. (Del ár. *hafiz,* inspector.) m. ant. **hafiz.**

afición. (Del lat. *affectĭo, -ōnis,* afección.) f. Inclinación, amor a alguna persona o cosa. ‖ **2.** Ahínco, empeño. ‖ **3.** fam. Con el art. *la,* conjunto de personas que asisten asiduamente a determinados espectáculos o sienten vivo interés por ellos.

aficionado, da. p. p. de **aficionar.** ‖ **2.** adj. Que siente afición por alguna actividad. AFICIONADO *a la lectura.* ‖ **3.** Que cultiva o practica, sin ser profesional, un arte, oficio, ciencia, deporte, etc. Ú. t. c. s. A veces se usa despectivamente. ‖ **4.** Que siente afición por un espectáculo y asiste frecuentemente a él. Ú. t. c. s.

aficionador, ra. adj. Que aficiona.

aficionar. (De *afición.*) tr. Inclinar, inducir a otro a que guste de alguna persona o cosa. ‖ **2.** prnl. Prendarse de alguna persona, gustar de alguna cosa.

afiche. (Del fr. *affiche.*) m. **cartel**[1]. Ú. m. en América.

afiebrarse. prnl. *Amér.* **acalenturarse.**

afielar. tr. **enfielar.**

afijación. f. ant. Acción de afijar.

afijado, da. (Del lat. *affiliātus.*) m. y f. ant. **ahijado.**

afijamiento. m. ant. Acción de afijar[2].

afijar[1]**.** tr. ant. **ahijar.**

afijar[2]**.** tr. desus. **fijar.**

afijo, ja. (Del lat. *affixus.*) p. p. irreg. ant. de **afijar**[2]. ‖ **2.** adj. *Gram.* Dícese del pronombre personal cuando va pospuesto y unido al verbo, y también de las preposiciones y partículas que se emplean en la formación de palabras derivadas y compuestas. Ú. m. c. s. m.

afiladera. (De *afilar.*) adj. V. **piedra afiladera.** Ú. t. c. s.

afilado, da. p. p. de **afilar.** ‖ **2.** m. Acción y efecto de afilar.

afilador, ra. adj. Que afila. ‖ **2.** *Urug.* Dícese de la persona aficionada a afilar o flirtear. Ú. t. c. s. ‖ **3.** m. y f. Persona que tiene por oficio afilar instrumentos cortantes. ‖ **4.** m. Correa o instrumento para afinar el filo. ‖ **5.** *Méj., Chile* y *Perú.* Piedra para afilar.

afiladura. f. Acción y efecto de afilar. ‖ **2.** ant. **filo** de un instrumento.

afilalápices. m. **sacapuntas.**

afilamiento. (De *afilar.*) m. Adelgazamiento de la cara, la nariz o los dedos.

afilar. tr. Sacar filo o hacer más delgado o agudo el de un arma o instrumento. ‖ **2. aguzar,** sacar punta. ‖ **3.** fig. **aguzar** el entendimiento o los sentidos. ‖ **4.** Afinar la voz. ‖ **5.** prnl. fig. **ahilarse,** adelgazarse la cara, la nariz o los dedos. ‖ **6.** *Bol.* y *Urug.* Prepararse, disponerse cuidadosamente para cualquier tarea. ‖ **7.** *Par.* y *Urug.* **flirtear.** ‖ **8.** vulg. *Chile.* Realizar el acto sexual.

afiliación. f. Acción y efecto de afiliar o afiliarse.

afiliado, da. p. p. de **afiliar** o afiliarse. Ú. t. c. s.

afiliar. (Del lat. **affiliāre.*) tr. Juntar, unir, asociar una persona a otras que forman corporación o sociedad. Ú. m. c. prnl. AFILIARSE *a un partido político.*

afiligranado, da. p. p. de **afiligranar.** ‖ **2.** adj. De filigrana. ‖ **3.** Parecido a ella. ‖ **4.** fig. Dícese de personas y cosas pequeñas, muy finas y delicadas. *Mujer* AFILIGRANADA; *facciones* AFILIGRANADAS; *estilo* AFILIGRANADO.

afiligranar. tr. Hacer filigrana. ‖ **2.** fig. Pulir, hermosear primorosamente.

áfilo, la o **afilo, la.** (Del gr. ἄφυλλος, sin hoja.) adj. *Bot.* Que no tiene hojas.

afilón. (De *afilar.*) m. Correa impregnada de grasa, que sirve para afinar, suavizar o asentar el filo. ‖ **2. chaira,** cilindro para avivar el filo de los cuchillos.

afilorar. (Probablemente de *alfiler.*) tr. *Cuba* y *P. Rico.* Ataviar, adornar, componer con esmero. Ú. t. c. prnl. y c. intr.

afilosofado, da. adj. Dícese del que afecta ademanes, lenguaje y modo de vivir de sabio o filósofo.

afín. (Del lat. *affīnis.*) adj. Próximo, contiguo. *Campos* AFINES. ‖ **2.** Que tiene afinidad con otra cosa. ‖ **3.** com. Pariente por afinidad.

afinación. f. Acción y efecto de afinar o afinarse.

afinadamente. adv. m. Con afinación. ‖ **2.** fig. Con delicadeza y finura.

afinador, ra. adj. Que afina. ‖ **2.** m. y f. Persona que tiene por oficio afinar pianos u otros instrumentos músicos. ‖ **3. templador,** llave para templar pianos, etc.

afinadura. f. **afinación.**

afinamiento. m. **afinación.** ‖ **2. finura.**

afinar[1]**.** (De *a-*[1] y *fino.*) tr. Perfeccionar, precisar, dar el último punto a una cosa. Ú. t. c. prnl. ‖ **2.** Hacer fina o cortés a una persona. Ú. m. c. prnl. ‖ **3.** Hacer el encuadernador que la cubierta del libro sobresalga igualmente por todas partes. ‖ **4.** Purificar los metales. ‖ **5.** Poner en tono justo los instrumentos músicos con arreglo a un diapasón o acordarlos bien unos con otros. ‖ **6.** fig. Apurar o aquilatar hasta el extremo la calidad, condición o precio de una cosa. ‖ **7.** intr. Cantar o tocar entonando con perfección los sonidos.

afinar[2]**.** (Del lat. *ad,* a, y *finis,* fin.) tr. ant. Finalizar, acabar, terminar. Ú. en Chile.

afincadamente. adv. m. ant. **ahincadamente.**

afincado, da. p. p. de **afincar.** ‖ **2.** adj. ant. **ahincado.** ‖ **3.** m. y f. *Argent.* Hacendado, persona que tiene fincas.

afincamiento. m. ant. **ahincamiento.** ‖ **2.** ant. Apremio, vejación, violencia. ‖ **3.** ant. Congoja o aflicción.

afincar. (De *a-*[1] y *fincar.*) intr. **fincar,** adquirir fincas. Ú. t. c. prnl. ‖ **2.** tr. ant. **ahincar.** ‖ **3.** Arraigar, fijar, establecer, asegurar, apoyar. Ú. t. c. prnl.

afinco. m. ant. **ahínco.**

afinidad. (Del lat. *affinĭtas, -ātis.*) f. Proximidad, analogía o semejanza de una cosa con otra. ‖ **2.** Atracción o adecuación de caracteres, opiniones, gustos, etc., que existe entre dos o más personas. ‖ **3.** Parentesco que mediante el matrimonio se establece entre cada cónyuge y los deudos por consanguinidad del otro. ‖ **4.** Impedimento dirimente derivado de tal parentesco. ‖ **5.** *Quím.* Tendencia de los átomos, moléculas o grupos moleculares, a combinarse con otros.

afino. m. *Metal.* Proceso mediante el cual se eliminan las impurezas que perjudican al empleo industrial de los metales o las reducen a su forma menos nociva.

afinojar. tr. p. us. **ahinojar.** Ú. m. c. intr. y c. prnl.

afirmación. (Del lat. *affirmatĭo, -ōnis.*) f. Acción y efecto de afirmar o afirmarse.

afirmadamente. adv. m. Con firmeza o seguridad.

afirmado, da. p. p. de **afirmar.** ‖ **2.** m. **firme** de una carretera.

afirmador, ra. (Del lat. *affirmātor, -ōris.*) adj. Que afirma. Ú. t. c. s.

afirmamiento. m. ant. **afirmación.** ‖ **2.** *Ar.* Ajuste con que entraba a servir un criado.

afirmanza. (De *afirmar.*) f. ant. **firmeza.**

afirmar. (Del lat. *affirmāre.*) tr. Poner firme, dar firmeza. Ú. t. c. prnl. ‖ **2.** Asegurar o dar por cierta alguna cosa. ‖ **3.** *Ar.* Ajustar, generalmente por un año, a una persona para que preste determinados servicios. Ú. t. c. prnl. ‖ **4.** intr. ant. *Ar.* Habitar o residir. ‖ **5.** prnl. Estribar o asegurarse en algo para estar firme. AFIRMARSE *en los estribos.* ‖ **6.** Ratificarse alguno en su dicho o declaración. ‖ **7.** *Esgr.* Irse firme hacia el contrario, presentándole la punta de la espada.

afirmativa. (Del lat. *affirmatīva,* f. de *-tīvus,* afirmativo.) f. Proposición u opinión afirmativa.

afirmativo, va. (Del lat. *affirmativus.*) adj. Que denota o implica la acción de afirmar; dar por cierta una cosa. ‖ **2.** V. **precepto afirmativo.** ‖ **3.** *Dial.* V. **proposición afirmativa.**

afirolar. tr. *Cuba* y *P. Rico.* **afilorar.**

afistolar. tr. ant. **afistular.**

afistular. tr. Hacer que una llaga pase a ser fístula. Ú. t. c. prnl.

afiuciar. (Del lat. *fiduciāre,* avalar.) tr. ant. Garantizar, afianzar, avalar.

aflacar. (De *a-*[1] y *flaco.*) tr. ant. Enflaquecer, debilitar. ‖ **2.** intr. ant. fig. **flaquear.**

aflamar. (De *a-*[1] y *flama.*) tr. desus. **inflamar.**

aflamencado, da. adj. Que tiene aire o modales de **flamenco,** de andaluz agitanado.

aflaquecerse. prnl. ant. Enflaquecerse.

aflatarse. prnl. *Hond.* y *Nicar.* Afligirse, apesadumbrarse.

aflato. (Del lat. *afflātus.*) m. Soplo, viento. ‖ **2.** fig. Inspiración poética.

aflautado, da. adj. De sonido semejante al de la flauta.

aflautar. (De *a-*[1] y *flauta.*) tr. Atiplar la voz o el sonido. Ú. t. c. prnl.

aflechado, da. adj. En forma de flecha.

aflechate. m. ant. *Mar.* **flechaste.**

afleitar. tr. ant. **fletar**[1].

afletamiento. (De *afletar.*) m. ant. **flete.**

afletar. tr. ant. **fletar**[1].

aflicción. (Del lat. *afflictĭo, -ōnis.*) f. Efecto de afligir o afligirse.

aflictivo, va. adj. Dícese de lo que causa aflicción. ‖ **2.** V. **pena aflictiva.**

aflicto, ta. (Del lat. *afflictus.*) p. p. irreg. de **afligir.**

afligible. (De *afligir.*) adj. desus. **aflictivo.**

afligidamente. adv. m. Con aflicción.

afligimiento. (De *afligir.*) m. desus. **aflicción.**

afligir. (Del lat. *affligĕre.*) tr. Causar molestia o sufrimiento físico. ‖ **2.** Causar tristeza o angustia moral. ‖ **3.** Preocupar, inquietar. Ú. t. c. prnl. ‖ **4.** prnl. Sentir sufrimiento físico o pesadumbre moral.

aflojadura. f. ant. **aflojamiento.**

aflojamiento. m. Acción de aflojar o aflojarse.

aflojar. (De *a-*[1] y *flojo.*) tr. Disminuir la presión o la tirantez de algo. Ú. t. c. prnl. ‖ **2.** fig. y fam. Entregar uno dinero u otra cosa, frecuentemente contra su voluntad. ‖ **3.** fig. y fam. Propinar un golpe; lanzar o disparar un proyectil. Ú. m. en Cuba y Santo Domingo. ‖ **4.** intr. fig. Perder fuerza una cosa. AFLOJÓ *la calentura.* ‖ **5.** fig. Dejar uno de emplear el mismo vigor, fervor o aplicación que antes en alguna cosa. AFLOJÓ *en sus devociones, en el estudio.* ‖ **6.** prnl. *Sto. Dom.* Acobardarse.

aflorado, da. p. p. de **aflorar.** ‖ **2.** V. **pan aflorado.**

afloramiento. m. Efecto de aflorar. ‖ **2.** Mineral aflorado.

aflorar. (De *a-*[1] y *flor*[1].) intr. Asomar a la superficie del terreno un filón, una capa o una masa mineral cualquiera. ‖ **2.** fig. Surgir, aparecer lo que estaba oculto u olvidado, o todavía en gestación. ‖ **3.** tr. Cerner la harina o cribar los cereales para obtener la flor o parte selecta de los mismos.

afluencia. (Del lat. *affluentĭa.*) f. Acción y efecto de afluir. ‖ **2.** Abundancia o copia. ‖ **3.** fig. Facundia, abundancia de palabras o expresiones.

afluente. (Del lat. *afflŭens, -entis.*) p. a. de **afluir.** Que afluye. ‖ **2.** adj. Facundo, abundante en palabras o expresiones. ‖ **3.** m. Arroyo o río secundario que desemboca o desagua en otro principal.

afluentemente. adv. m. Con afluencia.

afluir. (Del lat. *afflŭĕre.*) intr. Acudir en abundancia, o concurrir en gran número, a un lugar o sitio determinado. ‖ **2.** Verter un río o arroyo sus aguas en las de otro o en las de un lago o mar. ‖ **3.** *Fís.* Fluir algo hacia un punto.

aflujo. (Del lat. *affluxus.*) m. **afluencia.** ‖ **2.** *Fisiol.* Afluencia excesiva de líquidos a un tejido orgánico.

afofarse. prnl. Ponerse fofo.

afogamiento. (De *afogar.*) m. ant. **ahogamiento.**

afogar. (Del lat. *offocāre,* apretar las fauces.) tr. ant. **ahogar.** Usáb. t. c. prnl. Ú. hoy en algunas regiones.

afogarar. (De *a-*[1] y *fogar.*) tr. **asurar.** Ú. m. c. prnl.

afogonadura. f. ant. *Mar.* **fogonadura.**

afollado, da. p. p. de **afollar**[1]. ‖ **2.** m. **fuelle,** arruga del vestido. ‖ **3.** pl. **follados,** especie de calzones.

afollador. m. *Méj.* **follador.**

afollar[1]. (De *a-*[1] y *follar*[1].) tr. Soplar con los fuelles. ‖ **2.** fig. Plegar en forma de fuelles. ‖ **3.** *Albañ.* Hacer mal la obra de fábrica. ‖ **4.** prnl. *Albañ.* Ahuecarse o avejigarse las paredes.

afollar[2]. (De *a-*[1] y *follar*[3].) tr. ant. Estropear, herir. Usáb. t. c. prnl. ‖ **2.** ant. Ofender, lastimar, viciar.

afondar. tr. **echar a fondo.** ‖ **2.** desus. **ahondar.** Ú. en Asturias. ‖ **3.** intr. Irse a fondo, hundirse. Ú. t. c. prnl.

afonía. (Del gr. ἀφωνία.) f. Falta de voz.

afónico, ca. (De *afonía.*) adj. Falto de voz o de sonido.

áfono, na. (Del gr. ἄφωνος, sin voz.) adj. **afónico.** ‖ **2.** Referido a letras escritas, las que no suenan en la pronunciación. ‖ **3.** Silencioso.

aforado, da. p. p. de **aforar.** ‖ **2.** adj. Aplícase a la persona que goza de fuero. Ú. t. c. s.

aforador. m. El que afora.

aforamiento. m. Acción y efecto de aforar, dando o tomando a foro, u otorgando fueros.

aforar. (De *a-*[1] y *foro.*) tr. Dar o tomar a foro alguna heredad. ‖ **2.** Dar, otorgar fueros. ‖ **3.** Determinar la cantidad y valor de los géneros o mercancías que haya en algún lugar, generalmente a fin de establecer el pago de derechos. ‖ **4.** Medir la cantidad de agua que lleva una corriente en una unidad de tiempo. ‖ **5.** Calcular la capacidad de un receptáculo. ‖ **6.** *Fís.* **calibrar,** establecer la correspondencia entre las indicaciones de un instrumento de medida y los valores de una magnitud. ‖ **7.** *Col.* **facturar.** ‖ **8.** intr. Dicho de las decoraciones teatrales, cubrir perfectamente los lados o partes del escenario que deben ocultarse al público. Ú. t. c. tr.

aforcar. (De *a-*[1] y *forca.*) tr. ant. **ahorcar.** Ú. hoy en algunas partes.

aforisma. (De *aporisma.*) f. *Veter.* Tumor que se forma a las bestias por la relajación o rotura de alguna arteria.

aforismo. (Del gr. ἀφορισμός, a través del lat. *aphorismus.*) m. Sentencia breve y doctrinal que se propone como regla en alguna ciencia o arte.

aforística. f. Ciencia que trata de los aforismos. ‖ **2.** Colección de aforismos.

aforístico, ca. (Del gr. ἀφοριστικός.) adj. Perteneciente o relativo al aforismo.
aforo. m. Acción y efecto de aforar. ‖ **2.** Capacidad total de las localidades de un teatro u otro recinto de espectáculos públicos.
aforrado, da. p. p. de **aforrar**[2]. ‖ **2.** adj. ant. Manumiso o liberto. Usáb. t. c. s.
aforrador[1]**.** (De *aforrar*[2].) m. *Ast.* Que ahorra o economiza.
aforrador[2]**, ra.** adj. Que echa forros. Ú. t. c. s.
aforradura. (De *aforrar*[1].) f. ant. **aforro.**
aforramiento[1]**.** m. **ahorramiento.**
aforramiento[2]**.** m. ant. Acción y efecto de **aforrar**[1], forrar.
aforrar[1]**.** (De *a-*[1] y *forrar.*) tr. **forrar.** ‖ **2.** *Mar.* Cubrir a vueltas con un cabo delgado parte de otro más grueso. ‖ **3.** prnl. Vestirse, abrigarse. ‖ **4.** p. us. fig. y fam. Comer y beber bien. Ú. m. con algún adverbio. ‖ **afórrate, o afórrese, o bien puedes aforrarte, o puede aforrarse, con** ello. loc. p. us. fam. con que uno hace desprecio de lo que otro le ofrece.
aforrar[2]**.** tr. ant. **ahorrar,** dar libertad al esclavo.
aforrecho, cha. (De *aforrar*[2].) adj. ant. Horro, libre o desembarazado.
aforro. (De *aforrar*[1].) m. **forro.** ‖ **2.** *Mar.* Conjunto de vueltas de cabo delgado con que se cubre determinada parte de otro más grueso. ‖ **3.** *Mar.* El mismo cabo con que se aforra.
afortalar. tr. ant. **fortificar,** hacer obras de defensa.
a fortiori. loc. adv. lat. Con mayor razón.
afortunadamente. adv. m. Por fortuna, felizmente.
afortunado, da. p. p. de **afortunar.** ‖ **2.** adj. Que tiene fortuna o buena suerte. ‖ **3.** Que es resultado de la buena suerte. ‖ **4.** ant. Borrascoso, tempestuoso. ‖ **5.** Feliz, que produce felicidad o resulta de ella. *Hogar* AFORTUNADO; *unión* AFORTUNADA. ‖ **6.** Oportuno, acertado, inspirado. *Palabras* AFORTUNADAS; *decisión* AFORTUNADA.
afortunar. (De *a-*[1] y *fortuna.*) tr. desus. Hacer afortunado o dichoso a alguno.
aforzarse. (De *a-*[1] y *forzar.*) prnl. ant. **esforzarse.**
afosarse. prnl. *Mil.* Defenderse haciendo algún foso.
afoscarse. (De *a-*[1] y *fosco.*) prnl. *Mar.* Oscurecerse la atmósfera o el horizonte.
afótico, ca. (De *a-*[2], y un adj. der. del gr. φῶς, φωτός, luz.) adj. Sin luz. En oceanografía, término empleado para designar las profundidades submarinas de más de 200 metros, en las que no penetra la luz del Sol.
afoyar. (De *a-*[1] y *foya.*) tr. ant. **ahoyar.**
afrailado, da. p. p. de **afrailar.** ‖ **2.** adj. *Impr.* Aplícase a lo impreso que tiene fraile.
afrailamiento. m. Acción de afrailar.
afrailar. (De *a-*[1] y *fraile,* con alusión al cerquillo.) tr. *Agr.* Cortar las ramas a un árbol por junto a la cruz.
afrancar. tr. ant. Hacer franco o libre al esclavo. ‖ **2.** prnl. *Bot.* Separarse del patrón el injerto al echar raíces en la tierra.
afrancesado[1]**, da.** (De *franco,* exento, libre, porque no pagaban contribución los predios no cultivados.) adj. *Al.* Dícese de la finca o heredad lleca.
afrancesado[2]**, da.** p. p. de **afrancesar.** ‖ **2.** adj. Que gusta de imitar a los franceses. Ú. t. c. s. ‖ **3.** Partidario de los franceses. Dícese especialmente de los españoles que en la guerra de la Independencia siguieron el partido de Napoleón. Ú. t. c. s.
afrancesamiento. m. Acción y efecto de afrancesar o afrancesarse.
afrancesar. tr. Hacer tomar carácter francés, o inclinación a las cosas francesas. ‖ **2.** prnl. Hacerse uno afrancesado.
afranjado, da. adj. Con franjas.
afrecharse. prnl. *Chile.* Enfermar un animal por haber comido demasiado afrecho.
afrechero, ra. adj. *Argent.* Se dice del animal que come afrecho. ‖ **2.** m. *Amér.* Ave del orden de los conirrostros muy semejante al gorrión.
afrecho. (Del lat. *affractum,* quebrantado.) m. **salvado,** cáscara del grano.
afrenillar. tr. Amarrar o sujetar con frenillos.
afrenta. (De *afruenta.*) f. Vergüenza y deshonor que resulta de algún dicho o hecho, como la que se sigue de la imposición de penas por ciertos delitos. ‖ **2.** Dicho o hecho afrentoso. ‖ **3.** Peligro, apuro, trance. ‖ **4.** desus. Requerimiento, intimación.
afrentador, ra. adj. Que afrenta. Ú. t. c. s. ‖ **2.** ant. Decíase del que requería o amonestaba. Usáb. t. c. s.
afrentar. tr. Causar afrenta, ofender, humillar, denostar. ‖ **2.** ant. Poner en aprieto, peligro o lance capaz de ocasionar vergüenza o deshonra. ‖ **3.** ant. Requerir, intimar. ‖ **4.** prnl. Avergonzarse, sonrojarse.
afrentoso, sa. adj. Dícese de lo que causa afrenta. ‖ **2.** m. y f. *Sto. Dom.* Persona que por su imprudencia causa afrenta, molestia o vergüenza.
afreñir. (Del lat. *affringĕre,* romper.) tr. *Cantabria.* Quebrantar, romper, desmenuzar.
afresado, da. (De *a-*[1] y *fres.*) adj. Que tiene freses o franjas.
afretar. (De or. inc.) tr. *Mar.* Fregar, limpiar la embarcación y quitarle la broma[1].
africado, da. (Del lat. *effricāre,* frotar.) adj. *Fon.* Dícese del sonido consonántico cuya articulación consiste en una oclusión y una fricación formadas rápida y sucesivamente entre los mismos órganos; como la *ch* en *ocho.* Ú. t. c. s. f. ‖ **2.** f. *Fon.* Fonema correspondiente a este sonido.
africanismo. m. Influencia de las razas africanas y de sus costumbres, arte, etc., en otros pueblos. ‖ **2.** Voz, locución, giro, etc. de origen africano introducido en una lengua no africana. ‖ **3.** Amor, apego a lo africano.
africanista. com. Persona que se dedica al estudio y fomento de los asuntos concernientes a África.
africanizar. tr. Dar carácter africano. Ú. t. c. prnl.
africano, na. adj. Natural de África. Ú. t. c. s. ‖ **2.** Perteneciente a esta parte del mundo. ‖ **3.** V. **alerce africano.**
áfrico, ca. (Del lat. *afrĭcus.*) adj. poét. **africano.** ‖ **2.** m. **ábrego.**
afrikaans. m. Variedad del neerlandés que es, junto con el inglés, lengua oficial de Sudáfrica.
afrikáner. adj. Dícese del descendiente de los colonos holandeses de Sudáfrica o de la persona integrada con ellos. Ú. t. c. s.
afrisonado, da. adj. Parecido al caballo frisón, en lo grande y peludo.
afro, fra. (Del lat. *afer, afra.*) adj. ant. **africano.** Apl. a pers., ú. t. c. s. ‖ **2.** invar. Referente a usos y costumbres africanas. *Peinado, música* AFRO.
afro-. (Del lat. *afer.*) Elemento compositivo que significa «africano»: AFRO*asiático.*
afroasiático, ca. (De *afro-* y *asiático.*) adj. Perteneciente o relativo a África y Asia.
afrodisíaco, ca o **afrodisiaco, ca.** (Del gr. ἀφροδισιακός, venéreo, a través del lat. *aphrodisiăcus.*) adj. Que excita o estimula el apetito sexual. ‖ **2.** Dícese de la sustancia o medicamento que tiene esta propiedad. Ú. t. c. s. m.
afrodita. (Del gr. Ἀφροδίτη, Venus.) adj. *Bot.* Aplícase a las plantas que se reproducen de modo asexual (por bulbos, estacas, etc.).
afronegrismo. m. Voz tomada en préstamo de las lenguas de los negros africanos. ‖ **2.** Actitud cultural, políti-

ca, etc. de defensa, adopción o recuperación de elementos afronegros, especialmente entre los países hispánicos de América.

afronegro, gra. adj. Dícese de rasgos, hábitos, costumbres, etc., que, provenientes de las regiones africanas, viven en las colectividades hispánicas de América.

afronitro. (Del lat. *aphronĭtrum,* y este del gr. ἀφρόνιτρον.) m. **espuma de nitro.**

afrontación. (De *afrontar.*) f. ant. Parte de una cosa que hace frente a otra o linda con ella.

afrontado, da. p. p. de **afrontar.** ‖ **2.** adj. ant. Decíase del que estaba en peligro o trabajo. ‖ **3.** *Blas.* Dícese del escudo en que las figuras de animales que contiene se miran recíprocamente.

afrontamiento. m. Acción y efecto de afrontar.

afrontar. (Del lat. **affrontāre,* de *frons, frontis,* frente.) tr. desus. Poner una cosa enfrente de otra. Ú. t. c. intr. ‖ **2.** Poner cara a cara. ‖ **3.** Hacer frente al enemigo. ‖ **4.** Hacer cara a un peligro, problema o situación comprometida. ‖ **5.** desus. **afrentar.** ‖ **6.** desus. Requerir, amonestar. ‖ **7.** desus. **echar en cara.**

afrontilar. (De *a-*[1] y *frontil.*) tr. *Méj.* Atar una res vacuna por los cuernos al poste o bramadero, para domarla o matarla.

afruenta. (De *afrontar.*) f. ant. **afrenta.**

afruento. m. ant. **afruenta.**

afta. (Del pl. gr. ἄφθαι, quemaduras, a través del lat. *aphta.*) f. *Pat.* Úlcera pequeña, blanquecina, que se forma durante el curso de ciertas enfermedades, en la mucosa de la boca o de otras partes del tubo digestivo, o en la mucosa genital.

aftoso, sa. adj. Que padece aftas. ‖ **2.** V. **fiebre aftosa.**

afuciado, da. p. p. de **afuciar.** ‖ **2.** adj. ant. Obligado por pacto o ajuste al cumplimiento de alguna cosa.

afuciar. tr. ant. **afiuciar.** Usáb. t. c. prnl.

afuera. (De *a*[2] y *fuera.*) adv. l. Fuera del sitio en que uno está. *Vengo de* AFUERA; *salgamos* AFUERA. ‖ **2.** En lugar público o en la parte exterior. ‖ **3.** f. pl. Alrededores de una población. ‖ **4.** *Fort.* Terreno despejado alrededor de una plaza, para que el enemigo no pueda acercarse sin sufrir el fuego directo de la artillería. ‖ **¡afuera!** expr. elípt. que se emplea para hacer que una o varias personas dejen libre el paso o se retiren de algún lugar o cargo. ‖ **afuera,** o **afueras, de.** loc. adv. ant. Además de. ‖ **en afuera.** loc. adv. ant. A excepción, o con exclusión de algo.

afuereño, ña. adj. *Amér.* Forastero, que es o viene de afuera. Ú. t. c. s.

afuero. m. ant. **aforo.**

afufa. (De *afufar.*) f. fam. Huida, acción de huir. ‖ **estar sobre las afufas.** fr. fam. Estar preparando la fuga, disponiendo lo más seguro para huir y escaparse. ‖ **tomar las afufas.** fr. fam. **huir.**

afufar. (De *a-*[1] y *fufar,* v. *hacer fu.*) intr. fam. **huir.** Ú. t. c. prnl. ‖ **afufarlas.** fr. fam. Huir, desaparecer.

afufón. (De *afufar.*) m. fam. **afufa.**

afumado, da. p. p. ant. de **afumar.** ‖ **2.** adj. ant. Decíase de la casa o el lugar habitado.

afumar. (De *a-*[1] y *fumo.*) tr. ant. **ahumar.** Ú. en Asturias.

afusado, da. (De *a-*[1] y *fuso.*) adj. ant. **ahusado.**

afusión. (Del lat. *affusĭo, -ōnis.*) f. *Med.* Acción de verter agua, fría por lo común, desde cierta altura sobre todo el cuerpo o una parte cualquiera de él, como medio terapéutico.

afuste. (De *a-*[1] y *fuste.*) m. En los primeros tiempos de la artillería, **cureña,** armazón del cañón de dos gualderas. ‖ **2.** Armazón parecida a una cureña sin ruedas, sobre la que se montaban los morteros para dispararlos. ‖ **3.** Cualquier otra armazón, provista de mecanismo que permite mover en uno u otro sentido el cañón montado sobre ella.

afuyentar. tr. ant. **ahuyentar.**

agá. (Del turco *aga,* jefe, dueño, señor.) m. ant. Oficial del ejército turco.

-aga. suf. átono de origen prerromano: *ciéna*GA, *luciérna*GA.

agabachar. (De *a-*[1] y *gabacho.*) tr. despect. Hacer que una persona imite a los gabachos, o sus costumbres, lenguaje, etc. Ú. t. c. prnl.

agace. (De or. guaraní.) adj. Dícese del indio americano que vivía en la desembocadura del río Paraguay. Ú. t. c. s. ‖ **2.** Perteneciente a estos indios.

agachada. f. Acción de agacharse. ‖ **2.** Disimulo, subterfugio, rodeo, pretexto. Ú. m. en pl. y especialmente en Argentina.

agachadera. (De *agacharse.*) f. *And.* **agachadiza.** ‖ **2.** *Sal.* **cogujada.**

agachadita. (d. de *agachada.*) f. fam. Acción de ponerse en cuclillas.

agachadiza. (De *agacharse.*) f. Ave limícola, semejante a la chocha, pero de alas más agudas y tarsos menos gruesos. Vuela inmediata a la tierra, y por lo común está en arroyos o lugares pantanosos, donde se agacha y esconde. ‖ **hacer la agachadiza.** fr. p. us. fig. y fam. Hacer ademán de ocultarse o esconderse para no ser visto.

agachaparse. prnl. *And., Cantabria* y *Cuba.* **agazaparse.**

agachar. (Quizá del lat. *coactare,* frec. de *cogĕre,* reunir, apretar.) tr. Tratándose de alguna parte del cuerpo, y especialmente de la cabeza, inclinarla o bajarla. Ú. t. c. intr. ‖ **2.** prnl. Encogerse, doblando mucho el cuerpo hacia la tierra. ‖ **3.** p. us. fig. y fam. Dejar pasar algún contratiempo, persecución o acusación sin defenderse ni excusarse, para sacar después mejor partido. ‖ **4.** p. us. fig. y fam. Retirarse, apartarse durante algún tiempo del trato y vista de la gente. ‖ **5.** *Argent.* y *Urug.* Prepararse o disponerse a hacer algo. ‖ **agacharse con** una cosa. fr. fig. *Col.* y *Méj.* Apropiársela indebidamente.

agache. (De *agachar.*) m. *Col.* Embuste, gazapo. ‖ **de agache.** loc. adj. *Ecuad.* De segundo orden, de poco valor. ‖ **pasar de agache.** loc. *Ecuad.* En el juego, pasar disimuladamente.

agachona. (De *agacharse.*) f. *And.* **chochaperdiz.** ‖ **2.** *Méj.* Ave acuática que abunda en las lagunas próximas a la ciudad de Méjico.

agadón. (De *aguada.*) m. *Sal.* Hondonada estrecha en las faldas y repliegues de los montes. ‖ **2.** *Sal.* **manantial,** nacimiento de las aguas.

agalactia. (Del gr. ἀ, privat., y γάλα, -ακτος, leche.) f. Falta o disminución de la leche después del parto.

agalbanado, da. adj. **galbanoso.**

agalerar. (De *a-*[1] y *galera.*) tr. *Mar.* Dar a los toldos por una y otra banda la inclinación conveniente para que despidan el agua en tiempo de lluvia.

agáloco. (Del gr. ἀγάλλοχον.) m. Árbol de la familia de las euforbiáceas, cuyo leño contiene un jugo acre y se emplea en ebanistería y para sahumerios.

agalla. (De *a-*[1] y el lat. *galla.*) f. Excrecencia redonda que se forma en el roble, alcornoque y otros árboles y arbustos por la picadura de ciertos insectos al depositar sus huevos. ‖ **2. amígdala.** Ú. m. en pl. ‖ **3.** Cada una de las branquias que tienen los peces en aberturas naturales, a entrambos lados y en el arranque de la cabeza. Tienen también **agallas** las larvas de los batracios y muchos moluscos y crustáceos. Ú. m. en pl. ‖ **4.** Cada uno de los costados de la cabeza del ave, que corresponden a las sienes. Ú. m. en pl. ‖ **5.** Arbusto de Cuba, de la familia de las rubiáceas, de cuyo fruto se obtiene una sustancia que sirve para tinte. ‖ **6.** *Ecuad.* **guizque.** ‖ **7.** *Veter.* Vejiga incipiente. ‖ **8.** pl. **angina.** ‖ **9.** Roscas que tiene la tientaguja en su extremo inferior. ‖ **10.** fig. y fam. Arrestos, valentía, audacia. Ú.

m. con el verbo *tener*. ‖ **11.** *Amér.* Codicia, ansia desmedida. ‖ **de ciprés. piña de ciprés.**

agallado, da. adj. *Tint.* Dícese de lo que está metido en tinta de agallas molidas, a fin de que tome pie para el color negro.

agalladura. f. **galladura.**

agállara. f. *Burg.* **gállara.**

agallegado, da. adj. Semejante a los gallegos en su habla o costumbres.

agallo. m. *Arq.* **gallón**[2] de bocel.

agallón. (De *agalla.*) m. **agalla,** excrecencia. ‖ **2.** Cada una de las cuentas de plata huecas, a modo de agallas, de que se componen las sartas o collares con que suelen adornarse las aldeanas. ‖ **3.** Cuenta de rosario muy abultada y de madera. ‖ **4.** *Arq.* **gallón**[2] de bocel. ‖ **5.** pl. *Amér.* Inflamación de las amígdalas; anginas. ‖ **6.** *Argent.* Paperas.

agallonado, da. adj. *Arq.* Que tiene **gallones**[2] de bocel.

agalludo, da. adj. fam. *Argent., Chile, P. Rico* y *Urug.* Dícese de la persona animosa, resuelta, valiente. ‖ **2.** *Amér. Merid.* y *Ant.* Ambicioso, avariento.

agamí. (De or. caribe.) m. Ave ciconiforme, originaria de América Meridional, del tamaño de la gallina; se domestica fácilmente y sirve como de guardián de las demás aves.

agamitar. (De *a-*[1] y *gamito.*) intr. *Mont.* Contrahacer o imitar la voz del gamo pequeño.

agamuzado, da. adj. **gamuzado.**

aganar. tr. *Ar.* Inducir o meter en ganas. Ú. t. c. prnl.

agangrenarse. prnl. **gangrenarse.**

aganipeo, a. (Del lat. *aganippēus.*) adj. Perteneciente o relativo a la fuente Aganipe.

agañotar. (De *a-*[1] y *gañote.*) tr. *Extr.* y *León.* Apretar la garganta.

agapanto. (Del gr. ἀγάπη, amor, y ἄνθος, flor, a través del lat. cient. *Agapanthus.*) m. *Amér.* Planta ornamental originaria de Sudáfrica, perteneciente a la familia de las liliáceas, de hasta un metro de altura y flores azules o blancas.

ágape. (Del gr. ἀγάπη, afecto, amor, a través del lat. *agăpe.*) m. Comida fraternal de carácter religioso entre los primeros cristianos, destinada a estrechar los lazos que los unían. ‖ **2.** Por ext., **banquete,** comida para celebrar algún acontecimiento.

agarabatado, da. adj. En forma de garabato.

agar-agar. (Del malayo *agar-agar*, a través del ing.) m. Sustancia mucilaginosa que se extrae de algunas algas. Se utiliza como medio de cultivo, en farmacia, en bacteriología y en ciertas industrias.

agarbado, da. (De *a-*[1] y *garbo.*) adj. **garboso,** airoso, gallardo.

agarbanzado, da. p. p. de **agarbanzar.** ‖ **2.** adj. De color o aspecto semejante al del garbanzo. ‖ **3.** fig. Adocenado, vulgar, ramplón. Dícese especialmente del estilo literario o de las costumbres.

agarbanzar. (De *a-*[1] y *garbanzo.*) intr. *Murc.* Brotar en los árboles las yemas o botones.

agarbarse. (Quizá del lat. *aggravāre*, oprimir.) prnl. En algunas regiones, agacharse, encorvarse.

agarbillar. (De *a-*[1] y *garbilla*, d. de *garba.*) tr. p. us. *Agr.* Hacer o formar garbas.

agardamarse. (De *a-*[1] y *gardama.*) prnl. *Ál.* Apolillarse la madera.

agareno, na. adj. Descendiente de Agar. Ú. t. c. s. ‖ **2.** **mahometano.** Ú. t. c. s.

agaricáceo, a. (De *agárico.*) adj. *Bot.* Dícese de una variedad de hongo del tipo de seta, del que se conocen numerosas especies, que viven como saprofitas en el suelo y rara vez en los troncos de los árboles; algunas son comestibles, como el champiñón, y otras venenosas, como la falsa oronja u oronja pintada. ‖ **2.** f. pl. *Bot.* Familia de estos hongos.

agárico. (Del gr. ἀγαρικόν, hongo de cierto género, a través del lat. *agarĭcum.*) m. Hongo agaricáceo. ‖ **mineral.** Sustancia blanca y esponjosa, que es un silicato de alúmina y magnesia, con que se fabrican ladrillos menos pesados que el agua.

agarrada. (De *agarrar.*) f. fam. Altercado, pendencia o riña.

agarradera. (De *agarrar.*) f. Agarradero, asa. ‖ **2.** pl. fig. y fam. Favor o influencia con que uno cuenta para conseguir sus fines.

agarradero. (De *agarrar.*) m. Asa o mango de cualquier cosa. ‖ **2.** fig. Asidero, cualquier cosa o parte de una cosa que sirva para asirla o asirse de ella. ‖ **3.** fig. y fam. Amparo, protección o recurso con que se cuenta para conseguir alguna cosa. ‖ **4.** *Mar.* **tenedero.**

agarrado, da. p. p. de **agarrar.** ‖ **2.** adj. V. **terreno agarrado.** ‖ **3.** fig. y fam. **tacaño,** mezquino. ‖ **4.** fam. Dícese del baile en que la pareja va estrechamente abrazada. Ú. t. c. s. m.

agarrador, ra. adj. Que agarra. ‖ **2.** m. Utensilio que sirve para agarrar o agarrarse. ‖ **3.** Especie de almohadilla para coger por el asa la plancha caliente. ‖ **4.** desus. fam. **corchete,** ministro inferior de justicia.

agarrafador, ra. adj. Que agarrafa. ‖ **2.** m. Cada uno de los obreros que en los molinos de aceite manejan las seras o capachos en que se echa lo molido para prensarlo.

agarrafar. (De *agarrar*, infl. por *garfa.*) tr. fam. Agarrar a uno con fuerza al reñir. Ú. m. c. prnl.

agarrante. p. a. de **agarrar.** Que agarra. ‖ **2.** adj. fam. *Ar.* **agarrado,** mezquino. ‖ **3.** m. p. us. Corchete o alguacil.

agarrar. (De *a-*[1] y *garra.*) tr. Asir fuertemente con la mano. ‖ **2.** Asir o coger fuertemente de cualquier modo, hacer presa. ‖ **3.** Coger, tomar. ‖ **4.** Coger o contraer una enfermedad, empezar a padecer una sensación física o un estado de ánimo, conciliar el sueño, etc. AGARRÓ *una pulmonía, un cansancio, un disgusto, una rabieta. Acababa de* AGARRAR *el sueño.* ‖ **5.** fig. Sorprender, coger desprevenida a una persona. *Le* AGARRARON *con las manos en la masa.* Ú. m. en América. ‖ **6.** fig. y fam. Obtener, procurarse, apoderarse de algo. Ú. m. en América. ‖ **7.** intr. Arraigar un plantón, prender. ‖ **8.** fam. *Amér.* Salir, ponerse en camino, dirigirse. AGARRÓ *para el monte, para el río, para abajo.* ‖ **9.** prnl. Asirse fuertemente de alguna cosa. ‖ **10. pegarse,** referido a guisos, quemarse. ‖ **11.** fig. y fam. Apoderarse de alguien tenazmente una enfermedad o un estado de ánimo. *Se le* AGARRÓ *la tos.* Ú. t. c. tr. ‖ **12.** fig. y fam. Asirse; reñir. ‖ **¡agarrarse!, ¡agárrate!, ¡agárrense ustedes!** fig. y fam. Exclamaciones que, dirigidas al interlocutor, lo invitan a prepararse, como quien busca apoyo por precaución, para recibir una gran sorpresa. ‖ **no tener** alguien o algo, o **no haber, por donde agarrarlo.** fr. fig. y fam. **no tener,** o **no haber, por donde cogerlo.**

agarre. m. Acción de agarrar o agarrarse. ‖ **2.** *And.* Agarrada, pendencia. ‖ **3.** *Mont.* Acción de agarrar los perros la res que se defiende.

agarro. m. desus. Acción de agarrar.

agarrochador. m. El que agarrocha.

agarrochar. (De *a-*[1] y *garrocha.*) tr. Herir a los toros con garrocha u otra arma semejante. ‖ **2.** *Mar.* Forzar el braceo de las vergas, para ceñir el viento lo más posible.

agarrochear. tr. ant. Herir con garrocha.

agarrón. m. Acción de agarrar y tirar con fuerza. ‖ **2.** *Amér.* **agarrada.**

agarrotado, da. p. p. de **agarrotar.** ‖ **2.** adj. Tieso, rígido. Ú. t. en sent. fig.

agarrotamiento. m. Acción y efecto de agarrotar.

agarrotar. (De *a-*[1] y *garrote.*) tr. Apretar fuertemente los fardos o líos con cuerdas que se retuercen por medio de un palo, dándole vueltas. ‖ **2.** Ajustar o apretar una cosa fuertemente, sin necesidad de garrote. ‖ **3.** Ejecutar en el patíbulo mediante garrote. ‖ **4.** Oprimir material o moralmente. ‖ **5.** prnl. Quedarse un miembro rígido o inmóvil por efecto del frío o por otra causa. ‖ **6.** Quedar inmovilizado un mecanismo por producirse una unión rígida entre dos de sus piezas.

agarrotear. (De *a-*¹ y *garrote.*) tr. *And.* **varear** los frutos.

agasajable. adj. **agasajador.**

agasajado, da. p. p. de **agasajar.** Ú. t. c. s.

agasajador, ra. adj. Que agasaja. Ú. t. c. s.

agasajar. (De *a-*¹ y *gasajar.*) tr. Tratar con atención expresiva y cariñosa. ‖ **2.** Halagar o favorecer a uno con regalos o con otras muestras de afecto o consideración. ‖ **3.** Hospedar, aposentar.

agasajo. m. Acción de agasajar. ‖ **2.** Regalo o muestra de afecto o consideración con que se agasaja. ‖ **3.** Refresco que se servía por la tarde.

ágata. (Del gr. ἀχάτης, a través del lat. *achātes.*) f. *Mineral.* Cuarzo lapídeo, duro, translúcido y con franjas o capas de uno u otro color.

agateador. m. Pájaro pequeño, de color pardo y pico largo, grácil y curvado; su tamaño es de 12 cm, y trepa en espiral por el tronco de los árboles con la tiesa cola apretada contra la corteza. Hay varias especies.

agatino, na. adj. Que por su aspecto se parece al ágata.

agatizarse. (De *ágata.*) prnl. Quedar lo pintado, por efecto del tiempo, muy liso y brillante.

agauchado, da. adj. *Argent., Chile, Par.* y *Urug.* Que imita o se parece en su porte o maneras al gaucho.

agauchar. tr. *Argent., Chile, Par.* y *Urug.* Hacer que una persona tome el aspecto, los modales y las costumbres propias del gaucho. Ú. m. c. prnl.

agauja. f. *León.* **gayuba.**

agavanza. f. Fruto del agavanzo.

agavanzo. (De probable or. prerromano.) m. **escaramujo,** rosal silvestre y su fruto.

agave. (Del gr. ἀγαυή, admirable.) amb. **pita**¹.

agavillador, ra. m. y f. Persona que agavilla. ‖ **2.** f. Máquina movida por tracción animal o mecánica que siega las mieses y forma las gavillas.

agavillar. tr. Hacer o formar gavillas. ‖ **2.** fig. **acuadrillar.** Ú. t. c. prnl.

agazapar. (De *a-*¹ y *gazapo.*) tr. fig. y fam. p. us. Agarrar, coger o prender a alguno. ‖ **2.** prnl. fam. Agacharse, encogiendo el cuerpo contra la tierra, como lo hace el gazapo cuando quiere ocultarse de los que le persiguen. ‖ **3.** fig. Esconderse, ocultarse, estar al acecho.

agencia. (Del lat. *agentĭa,* de *agens, -entis,* el que hace.) f. p. us. Diligencia, solicitud. ‖ **2.** Oficio o encargo de agente. ‖ **3.** Oficina o despacho del agente. ‖ **4.** Empresa destinada a gestionar asuntos ajenos o a prestar determinados servicios. AGENCIA *de publicidad,* AGENCIA *de seguros.* ‖ **5.** Sucursal o delegación surbordinada de una empresa. ‖ **6.** *Chile* y *Filip.* **casa de empeños.** ‖ **ejecutiva.** Empleo u oficina del agente ejecutivo. ‖ **fiscal.** Empleo u oficina del agente del fisco.

agenciar. (De *agencia.*) tr. Hacer las diligencias conducentes al logro de una cosa. Ú. t. c. intr. ‖ **2.** Procurar o conseguir alguna cosa con diligencia o maña. Ú. t. c. prnl.

agenciero, ra. adj. *Guat.* y *Perú.* **agencioso.** ‖ **2.** m. y f. *Cuba* y *Méj.* Agente de mudanzas. ‖ **3.** *Argent.* Lotero. ‖ **4.** vulg. *Chile.* Prestamista, prendero.

agencioso, sa. (De *agencia.*) adj. p. us. Oficioso o diligente.

agenda. (Del lat. *agenda,* cosas que se han de hacer.) f. Libro o cuaderno en que se apuntan, para no olvidarlas, aquellas cosas que se han de hacer. ‖ **2.** Relación de los temas que han de tratarse en una junta o de las actividades sucesivas que han de ejecutarse.

agenesia. (Del gr. ἀγεννησία.) f. *Med.* Imposibilidad de engendrar. ‖ **2.** *Anat.* Desarrollo defectuoso. AGENESIA *del maxilar.*

agente. (Del lat. *agens, -entis,* p. a. de *agĕre,* hacer.) adj. Que obra o tiene virtud de obrar. ‖ **2.** *Gram.* Tradicionalmente se llama así a la persona, animal o cosa que realiza la acción del verbo. Cuando el nombre o el sintagma nominal que los designa no es el sujeto gramatical de la oración, sino que, precedido de preposición, funciona como complemento del verbo, se denomina también **complemento agente.** *El árbol fue derribado* POR EL VENDAVAL. *El director iba seguido* DE SUS SECRETARIOS. ‖ **3.** *Gram.* V. **sujeto agente.** ‖ **4.** m. Persona o cosa que produce un efecto. ‖ **5.** Persona que obra con poder de otro. ‖ **6.** com. Persona que tiene a su cargo una agencia para gestionar asuntos ajenos o prestar determinados servicios. ‖ **7.** Empleado gubernativo, municipal, etc. encargado de velar por la seguridad pública o por el cumplimiento de las leyes u ordenanzas. AGENTE *de policía, de policía urbana, de tráfico, secreto.* ‖ **comercial.** Persona que profesionalmente gestiona por cuenta ajena, mediante comisión, operaciones de venta, ateniéndose a las condiciones estipuladas por la empresa en cuya representación actúa. ‖ **de bolsa, de cambio,** o **de cambio y bolsa.** Funcionario que interviene y certifica en las negociaciones de valores cotizables, y también puede intervenir con los corredores de comercio en las demás operaciones de bolsa. ‖ **de negocios.** El que tiene por oficio gestionar negocios ajenos. ‖ **ejecutivo.** Persona encargada de hacer efectivas por la vía de apremio las cuotas de impuestos, arbitrios o penas pecuniarias no pagadas voluntariamente. ‖ **fiscal.** Servidor subalterno de la hacienda pública. ‖ **provocador.** Persona que trata de originar actos o movimientos sediciosos para justificar represalias.

agerasia. (Del gr. ἀγηρασία.) f. *Fisiol.* Vejez exenta de los achaques propios de esta edad.

agérato. (Del gr. ἀγήρατον, escorzonera, a través del lat. *agerăton.*) m. Planta perenne de la familia de las compuestas, de tallo ramoso, hojas lanceoladas y flores en corimbo, pequeñas y amarillas.

agermanarse. prnl. Entrar a formar parte de una germanía.

agestado, da. p. p. de **agestarse.** ‖ **2.** adj. Con los advs. *bien* o *mal,* de buena o mala cara.

agestarse. prnl. desus. Poner un determinado gesto.

agestión. (Del lat. *aggestĭo, -ōnis.*) f. Agregación de materia.

agibílibus. (Del b. lat. *agibĭlis,* ingenioso, diestro.) m. fam. Industria, habilidad para procurar la propia conveniencia. ‖ **2.** fam. Persona que tiene esta habilidad.

agible. (Del b. lat. *agibĭlis.*) adj. Factible o hacedero.

agigantado, da. p. p. de **agigantar.** ‖ **2.** adj. De estatura mucho mayor de lo regular. ‖ **3.** fig. Se dice de las cosas o calidades muy sobresalientes o que exceden mucho del orden regular.

agigantar. (De *a-*¹ y *gigante.*) tr. fig. Dar a alguna cosa proporciones gigantescas. Ú. t. c. prnl.

agigotar. tr. desus. **hacer gigote.**

ágil. (Del lat. *agĭlis.*) adj. Ligero, pronto, expedito. ‖ **2.** Dícese de la persona y del animal que se mueve o utiliza sus miembros con facilidad y soltura. ‖ **3.** Dícese también de estos miembros y de sus movimientos. ‖ **4.** Por ext., aplícase a cosas. *Luces* ÁGILES; *prosa* ÁGIL. ‖ **5.** m. *Argent.* En el fútbol, jugador delantero.

agílibus. m. fam. **agibílibus.**

agilidad. (Del lat. *agilĭtas, -ātis.*) f. Calidad de ágil. ‖ **2.** *Teol.* Una de las cuatro dotes de los cuerpos gloriosos, que consiste en la facultad de trasladarse de un lugar a otro instantáneamente, por grande que sea la distancia.

agilitar. (Del lat. *agilĭtas,* agilidad.) tr. **agilizar.** Ú. t. c. prnl.

agilización. f. Acción y efecto de agilizar.

agilizar. (De *ágil.*) tr. Hacer ágil, dar rapidez y facilidad al desarrollo de un proceso o a la realización de una cosa.

agio. (Del it. *aggio.*) m. Beneficio que se obtiene del cambio de la moneda, o de descontar letras, pagarés, etc. ‖ **2.** Especulación sobre el alza y la baja de los fondos públicos. ‖ **3. agiotaje,** especulación abusiva.

agiotador. m. **agiotista.**

agiotaje. (Del fr. *agiotage.*) m. **agio,** beneficio en el cambio de moneda o en el descuento de letras. ‖ **2.** Especulación con fondos públicos. ‖ **3.** Especulación abusiva hecha sobre seguro, con perjuicio de tercero.

agiotista. com. Persona que se emplea en el agiotaje. ‖ **2.** *Méj.* **usurero.**

agir. (Del lat. *agĕre,* conducir.) tr. ant. *Der.* Demandar en juicio.

agitable. (Del lat. *agitabĭlis.*) adj. Que puede agitarse o ser agitado.

agitación. (Del lat. *agitatĭo, -ōnis.*) f. Acción y efecto de agitar o agitarse.

agitador, ra. (Del lat. *agitātor, -ōris.*) adj. Que agita. Ú. t. c. s. ‖ **2.** m. y f. Persona que agita los ánimos para propugnar violentamente determinados cambios políticos o sociales. ‖ **3.** m. Cualquier dispositivo o aparato utilizado para agitar o revolver líquidos.

agitanado, da. adj. Que se parece a los gitanos o parece propio de gitano. *Lenguaje* AGITANADO.

agitanar. tr. Dar aspecto o carácter gitano a una persona o cosa. Ú. t. c. prnl.

agitante. p. a. de **agitar.** Que agita. ‖ **2.** V. **parálisis agitante.**

agitar. (Del lat. *agitāre,* frec. de *agĕre,* mover.) tr. Mover con frecuencia y violentamente. Ú. t. c. prnl. ‖ **2.** Revolver un líquido o sacudir una masa o el contenido de un recipiente para disolver o mezclar sus componentes. ‖ **3.** fig. Inquietar, turbar, mover violentamente el ánimo. Ú. t. c. prnl. ‖ **4.** fig. Provocar la inquietud política o social.

aglomeración. f. Acción y efecto de aglomerar o aglomerarse. ‖ **urbana.** Conjunto formado por el casco urbano de una ciudad y su correspondiente área suburbana.

aglomerado, da. p. p. de **aglomerar.** ‖ **2.** m. Prisma hecho en molde con carbón de piedra menudo y alquitrán, que se usa como combustible. ‖ **3.** Cualquier producto obtenido por aglomeración. ‖ **4.** *Geol.* Roca formada por fragmentos de otras rocas, unidos por un cemento, por lo general poco consistente.

aglomerante. p. a. de **aglomerar.** Que aglomera. Ú. t. c. s. m. ‖ **2.** adj. Aplícase al material capaz de unir fragmentos de una o varias sustancias y dar cohesión al conjunto por efectos de tipo exclusivamente físico. Son **aglomerantes** el betún, el barro, la cola, etc. Ú. t. c. s. m.

aglomerar. (Del lat. *agglomerāre.*) tr. Amontonar, juntar cosas o personas. Ú. t. c. prnl. ‖ **2.** Unir fragmentos de una o varias sustancias con un aglomerante.

aglutinación. (Del lat. *agglutinatĭo, -ōnis.*) f. Acción y efecto de aglutinar o aglutinarse. ‖ **2.** Procedimiento en virtud del cual se unen dos o más palabras para formar una sola. ‖ **3.** *Med.* Agrupación en masa de células o bacterias portadoras de un antígeno, en suspensión en un líquido, cuando se hallan frente a su correspondiente aglutinina.

aglutinante. p. a. de **aglutinar.** Que aglutina. Ú. t. c. s. m. ‖ **2.** adj. V. **lengua aglutinante.** ‖ **3.** *Cir.* Dícese del emplasto que se adhiere tenazmente a la piel, y sirve para aglutinar. Ú. t. c. s. ‖ **4.** *Med.* Dícese del remedio que se aplicaba con el objeto de reunir las partes divididas. Ú. t. c. s.

aglutinar. (Del lat. *agglutināre.*) tr. Unir, pegar una cosa con otra. Ú. t. c. prnl. ‖ **2.** *Cir.* Mantener en contacto, por medio de un emplasto a propósito, las partes cuya adherencia se quiere lograr. Ú. t. c. prnl. ‖ **3.** En el léxico de la construcción, reunir trozos o fragmentos de igual o diversa naturaleza, por medio de sustancias viscosas, de modo que resulte un cuerpo compacto. Ú. t. c. prnl.

aglutinina. (De *aglutinar.*) f. *Med.* Anticuerpo del suero sanguíneo que provoca el fenómeno de la aglutinación.

agnación. (Del lat. *agnatĭo, -ōnis.*) f. *Der.* Parentesco de consanguinidad entre agnados. ‖ **2.** *Der.* Orden de suceder en las vinculaciones cuando el fundador llama a los que descienden de varón en varón. ‖ **artificial, artificiosa** o **fingida.** *Der.* **mayorazgo de agnación artificial, artificiosa** o **fingida.** ‖ **rigurosa** o **verdadera.** *Der.* **mayorazgo de agnación rigurosa** o **verdadera.**

agnado, da. (Del lat. *agnātus,* p. p. de *agnasci,* nacer cerca.) adj. *Der.* Dícese del pariente por consanguinidad respecto de otro, cuando ambos descienden de un tronco común de varón en varón. Ú. t. c. s.

agnaticio, cia. (Del lat. *agnaticĭus.*) adj. *Der.* Perteneciente o relativo al agnado. ‖ **2.** Que viene de varón en varón.

agnición. (Del lat. *agnitĭo, -ōnis,* de *agnoscĕre,* reconocer.) f. En el poema dramático, reconocimiento de una persona cuya identidad se ignoraba.

agnocasto. (Del lat. *agnus castus.*) m. **sauzgatillo.**

agnombre. (Del lat. *agnōmen, -ĭnis.*) m. ant. **agnomento.**

agnomento. (Del lat. *agnomentum.*) m. desus. Sobrenombre dado a una persona del mismo nombre que otra para distinguirla de esta.

agnominación. (Del lat. *agnominatĭo, -ōnis.*) f. *Ret.* **paronomasia,** figura retórica.

agnosia. (Del gr. ἀγνωσία, desconocimiento.) f. Pat. Pérdida de la facultad de transformar las sensaciones simples en percepciones propiamente dichas, por lo que el individuo no reconoce las personas u objetos.

agnósico, ca. adj. *Pat.* Perteneciente o relativo a la agnosia. ‖ **2.** *Pat.* Dícese del que padece agnosia. Ú. t. c. s.

agnosticismo. (De *agnóstico.*) m. Doctrina filosófica que declara inaccesible al entendimiento humano toda noción de lo absoluto, y reduce la ciencia al conocimiento de lo fenoménico y relativo.

agnóstico, ca. (Del gr. ἄγνωστος, ignoto.) adj. Perteneciente o relativo al agnosticismo. ‖ **2.** Que profesa esta doctrina. Apl. a pers., ú. t. c. s.

agnus. m. **agnusdéi.**

agnusdéi. (Del lat. *Agnus Dei,* Cordero de Dios.) m. Objeto de devoción consistente en una lámina de cera impresa con alguna imagen, bendecido y consagrado por el Papa. ‖ **2.** Relicario que especialmente las mujeres llevaban al cuello. ‖ **3.** En la liturgia católica de la misa, jaculatoria dirigida a Cristo como Cordero de Dios y que los fieles repiten, después de darse la paz, antes de la comunión. ‖ **4.** Moneda de vellón con mezcla de plata, que hizo labrar el rey don Juan I de Castilla.

-ago. suf. átono de origen prerromano: *muérd*AGO, *relámp*AGO.

agobiado, da. p. p. de **agobiar.** ‖ **2.** adj. p. us. Cargado de espaldas o inclinado hacia adelante.

agobiador, ra. adj. Que agobia.

agobiar. (De un der. del lat. *gibbus,* giba.) tr. p. us. Inclinar o encorvar la parte superior del cuerpo hacia la tierra. Ú. m. c. prnl. ‖ **2.** p. us. Hacer un peso o carga que se doble o incline el cuerpo sobre el cual descansa. ‖ **3.** desus. fig. Rebajar, humillar, confundir. ‖ **4.** fig. Rendir, deprimir o abatir. ‖ **5.** fig. Imponer a alguien actividad o esfuerzo excesivos, preocupar gravemente, causar gran sufrimiento. *Le* AGOBIAN *los quehaceres, los años, las penas.*

agobio. m. Acción y efecto de agobiar o agobiarse. ‖ **2.** Sofocación, angustia.

agogía. (Del gr. ἀγωγαί, a través del lat. *agōgae.*) f. *Min.* Canal o reguero por donde sale el agua de las minas.

agolar. (De *a-*[1] y *gola.*) tr. *Mar.* Recoger velas.

agolpamiento. m. Acción y efecto de agolparse.

agolpar. (De *a-*[1] y el ant. *golpar.*) tr. Juntar de golpe en un lugar. ‖ **2.** prnl. Juntarse de golpe muchas personas o animales en un lugar. ‖ **3.** fig. Venir juntas y de golpe ciertas cosas; como penas, lágrimas, etc.

agolletar. tr. desus. Poner alrededor del gollete.

agonal. (Del lat. *agonālis.*) adj. Perteneciente o relativo a los certámenes, luchas y juegos públicos, así corporales como de ingenio. ‖ **2.** Relativo al combate; que implica lucha. ‖ **3.** Dícese de las fiestas que dedicaba la gentilidad al dios Jano o al dios Agonio. Ú. m. c. s. y en pl.

agonía. (Del gr. ἀγών, lucha, combate, a través del lat. *agonĭa.*) f. Angustia y congoja del moribundo; estado que precede a la muerte. ‖ **2.** fig. Pena o aflicción extremada. ‖ **3.** Angustia o congoja provocadas por conflictos espirituales. ‖ **4.** fig. Ansia o deseo vehemente. ‖ **5.** fig. Lucha, contienda. ‖ **6.** pl. usado c. sing. com. Persona apocada y pesimista.

agónico, ca. (Del lat. *agonĭcus.*) adj. Que se halla en la agonía de la muerte. ‖ **2.** Propio de la agonía del moribundo. ‖ **3.** Que lucha; perteneciente o relativo a la lucha.

agonioso, sa. (De *agonía.*) adj. Propio de la agonía. ‖ **2.** fam. Ansioso, apremiante en el pedir.

agonista. (Del lat. *agonista,* y este del gr. ἀγωνιστής, combatiente.) adj. *Anat.* Dícese del músculo que efectúa un determinado movimiento, por oposición al que obra el movimiento contrario o músculo antagonista. Ú. t. c. s. ‖ **2.** *Bioquím.* Dícese de todo compuesto capaz de incrementar la actividad de otro, tal como una hormona, un neurotransmisor, una enzima, un medicamento, etc. Ú. t. c. s. ‖ **3.** com. **luchador.** ‖ **4.** Cada uno de los personajes que en la épica, el teatro u otros géneros literarios, se opone a otro dentro del conflicto que los enfrenta. ‖ **5.** ant. Persona que se halla en la agonía de la muerte.

agonística. (Del gr. ἀγωνιστική, a través del lat. *agonistica.*) f. Arte de los atletas. ‖ **2.** Ciencia de los combates.

agonístico, ca. (Del gr. ἀγωνιστικός, a través del lat. *agonistĭcus.*) adj. **agonal.**

agonizante. p. a. de **agonizar.** Que agoniza. ‖ **2.** adj. Dícese del religioso de un instituto de votos simples cuya misión principal es asistir espiritualmente a los moribundos. Ú. t. c. s. ‖ **3.** m. En algunas universidades, el que apadrinaba a los graduandos.

agonizar. (Del lat. *agonizāre,* y este del gr. ἀγωνίζομαι, combatir, luchar.) tr. p. us. Auxiliar al moribundo o ayudarle a bien morir. ‖ **2.** fig. y fam. Molestar a alguno con instancias y prisas. *Déjame estar; no me* AGONICES. ‖ **3.** intr. Estar el enfermo en la agonía. ‖ **4.** Extinguirse o terminarse una cosa. ‖ **5.** desus. Con la prep. *por,* perecerse por alguna cosa, desearla vivamente, luchar por conseguirla. ‖ **6.** fig. Sufrir angustiosamente.

ágora. (Del gr. ἀγορά, de ἀγείρω, juntar, reunir.) f. Plaza pública en las ciudades griegas. ‖ **2.** Asamblea en la plaza pública de las ciudades griegas.

agora. (Del lat. *hac hora,* en esta hora.) adv. t. ant. y hoy vulg. **ahora,** a esta hora; dentro de poco tiempo, o hace poco tiempo. ‖ **2.** conj. distrib. ant. y poét. **ora.**

agorador, ra. (Del lat. *augurātor, -ōris.*) adj. desus. **agorero.** Ú. t. c. s.

agorafobia. (Del gr. ἀγορά, plaza pública, y *fobia.*) f. *Psiquiat.* Sensación morbosa de angustia ante los espacios despejados y extensos, como las plazas, calles anchas, etc.

agorar. (Del lat. *augurāre,* hacer augurio.) tr. Predecir, anunciar, generalmente desdichas. ‖ **2.** intr. desus. Hacer agüeros. Usáb. t. c. tr.

agorería. f. **agüero.**

agorero, ra. adj. Que adivina por agüeros. Ú. t. c. s. ‖ **2.** Que cree en agüeros, supersticioso. Ú. t. c. s. ‖ **3.** Que predice males o desdichas. Dícese especialmente de la persona pesimista. Ú. t. c. s. ‖ **4.** Aplícase al ave que, según se cree supersticiosamente, anuncia algún mal o suceso futuro.

agorgojarse. prnl. Criar gorgojo las semillas.

agoso, sa. (Del lat. *aquōsus.*) adj. ant. **aguoso.**

agosta. f. *And.* Cava de las viñas.

agostadero. m. Sitio donde agosta el ganado. ‖ **2.** Tiempo en que agosta. ‖ **3.** Acción de **agostar,** arar la tierra en el mes de agosto.

agostado, da. p. p. de **agostar.** ‖ **2.** m. Agosta, cava de las viñas.

agostador, ra. (De *agostar.*) adj. Que agosta. ‖ **2.** m. Obrero que efectúa la faena de **agostar,** plantar viñas.

agostamiento. m. Acción y efecto de agostar o agostarse.

agostar. (De *agosto.*) tr. Secar o abrasar el excesivo calor las plantas. Ú. t. c. prnl. ‖ **2.** fig. Consumir, debilitar, o destruir las cualidades físicas o morales de una persona. ‖ **3.** Arar o cavar la tierra en el mes de agosto para limpiarla de malas hierbas. ‖ **4.** *And.* Cavar la tierra para plantar viña. ‖ **5.** intr. Pastar el ganado durante la seca en rastrojeras o en dehesas.

agosteño, ña. adj. Agostizo, propio del mes de agosto.

agostero, ra. (De *agosto.*) adj. Dícese del ganado que, levantadas las mieses, entra a pacer en los rastrojos. ‖ **2.** m. Obrero que trabaja en las faenas de las eras durante la recolección de cereales. ‖ **3.** Religioso destinado por las comunidades a recoger en agosto la limosna de trigo y otros granos.

agostía. (De *agosto.*) f. Empleo de agostero y tiempo durante el cual sirve.

agostizo, za. adj. Dícese de las cosas propias del mes de agosto. ‖ **2.** Propenso a agostarse o desmedrarse. ‖ **3.** Dícese del animal nacido en agosto, que por lo común es desmedrado.

agosto. (Del lat. *Augustus,* renombre del emperador Octaviano.) m. Octavo mes del año, según nuestro cómputo; consta de treinta y un días. ‖ **2.** Temporada en que se hace la recolección de granos. ‖ **3. cosecha,** conjunto de frutos de la tierra. ‖ **hacer** uno **su agosto.** fr. fig. y fam. Hacer su negocio, lucrarse, aprovechando ocasión oportuna para ello.

agotable. adj. Que se puede agotar.

agotador, ra. adj. Que agota.

agotamiento. m. Acción y efecto de agotar o agotarse.

agotar. (Del lat. **eguttāre,* de *gutta,* gota.) tr. Extraer todo el líquido que hay en una capacidad cualquiera. Ú. t. c. prnl. ‖ **2.** fig. Gastar del todo, consumir. AGOTAR *el caudal, las provisiones, el ingenio, la paciencia.* Ú. t. c. prnl. AGOTARSE *una edición.* ‖ **3.** fig. Cansar extremadamente. Ú. t. c. prnl.

agote. adj. Dícese de un linaje o gente del valle de Baztán, en Navarra, y del individuo de dicho grupo. Ú. t. c. s.

agovía. f. **alborga.**

agozcado, da. adj. Parecido al gozque. *Perro* AGOZCADO.

agracejina. f. Fruto del agracejo, arbusto berberidáceo.

agracejo. m. d. de **agraz.** ‖ **2.** Uva que se queda muy pequeña y no llega a madurar. ‖ **3.** Arbusto de la familia de las berberidáceas, como de un metro de altura, con hojas trasovadas, pestañosas y aserradas, espinas tripartidas, flores amarillas en racimos colgantes y bayas rojas y agrias. Es común en los montes de España; se cultiva en los jardines; la madera, de color amarillo, se usa en ebanistería, y el fruto es comestible. ‖ **4.** Árbol de Cuba, de la familia de las anacardiáceas, de seis a siete metros de altura, que se cría en terrenos bajos y en las costas, y cuyo fruto comen los animales. ‖ **5.** *And.* Aceituna que cae del árbol antes de madurar.

agraceño, ña. adj. Agrio como el agraz.

agracera. f. Vasija en que se conserva el zumo del agraz.

agracero, ra. adj. Dícese de la cepa o del viñedo cuyo fruto no pasa de agraz.

agraciadamente. adv. m. Con gracia o donaire.

agraciado, da. p. p. de **agraciar.** Ú. t. c. s. ‖ **2.** adj. Que tiene gracia o es gracioso. ‖ **3.** Bien parecido. ‖ **4.** **afortunado,** que tiene fortuna o buena suerte.

agraciar. (De *a-*[1] y *gracia.*) tr. Dar o aumentar a una persona o cosa gracia y buen parecer. ‖ **2.** Llenar el alma de la gracia divina. ‖ **3.** Hacer o conceder alguna gracia o merced. ‖ **4.** intr. *Sal.* Gustar, agradar.

agracillo. m. **agracejo,** arbusto berberidáceo.

agradabilísimo, ma. adj. sup. de **agradable.**

agradable. adj. Que produce complacencia o agrado. ‖ **2.** Dícese de la persona afable en el trato. ‖ **3.** ant. Decíase de la persona que tiene complacencia o gusto en hacer algo.

agradador, ra. adj. p. us. Que procura agradar.

agradamiento. m. desus. **agrado.**

agradar. (De *a-*[1] y *grado*[2].) intr. Complacer, contentar, gustar. ‖ **2.** prnl. Sentir agrado o gusto.

agradecer. (De *a-*[1] y *gradecer.*) tr. Sentir gratitud. ‖ **2.** Mostrar gratitud o dar gracias. ‖ **3.** fig. Corresponder una cosa al trabajo empleado en conservarla o mejorarla.

agradecido, da. p. p. de **agradecer.** ‖ **2.** adj. Que agradece. Ú. t. c. s. ‖ **3.** V. **pan agradecido.** ‖ **4.** Dícese de la cosa que ofrece compensación o responde favorablemente al trabajo o esfuerzo que se le dedica.

agradecimiento. m. Acción y efecto de agradecer.

agrado. (De *agradar.*) m. Afabilidad, modo agradable de tratar a las personas. ‖ **2.** Complacencia, voluntad o gusto. *El rey resolverá lo que sea de su* AGRADO.

agrafia. (Del gr. ἀ, priv., y γράφω, escribir.) f. *Psiquiat.* Incapacidad total o parcial para expresar las ideas por escrito a causa de lesión o desorden cerebral.

ágrafo, fa. adj. Que es incapaz de escribir o no sabe.

agramadera. f. Instrumento para agramar.

agramado, da. p. p. de **agramar.** ‖ **2.** m. Acción y efecto de agramar.

agramador, ra. adj. Que agrama. Ú. t. c. s. ‖ **2.** m. **agramadera.**

Agramante. n. p. V. **campo de Agramante.**

agramar. (De *a-*[1] y *gramar.*) tr. Majar el cáñamo o el lino para separar del tallo la fibra. ‖ **2.** fig. Tundir, golpear.

agramatical. adj. Que no se ajusta a las reglas de la gramática.

agramaticalidad. f. *Ling.* Cualidad de una secuencia oracional que infringe alguna o algunas reglas de la gramática.

agramente. adv. m. desus. **agriamente.**

agramilar. (De *a-*[1] y *gramil.*) tr. Cortar y raspar los ladrillos para igualarlos en grueso y ancho y que formen una obra de albañilería limpia y hermosa. ‖ **2.** *Arq.* Figurar con pintura hiladas de ladrillos en una pared u otra construcción.

agramiza. (De *agramar.*) f. Caña quebrantada que queda como desperdicio o parte más basta después de agramado el cáñamo o el lino. ‖ **2.** *Ar.* **agramadera.**

agramontés, sa. adj. Dícese de una antigua facción de Navarra acaudillada primitivamente por el señor de Agramont, y de los individuos de este bando, enemigo del de los beamonteses. Apl. a pers., ú. t. c. s.

agrandamiento. m. Acción y efecto de agrandar.

agrandar. tr. Hacer más grande alguna cosa. Ú. t. c. prnl.

agranujado[1]**, da.** (De *a-*[1] y *granujo.*) adj. Que tiene o forma granos sin regularidad.

agranujado[2]**, da.** adj. Que tiene modales de granuja.

agrario, ria. (Del lat. *agrarĭus.*) adj. Perteneciente o relativo al campo. *Ley* AGRARIA. ‖ **2.** Que en política defiende o representa los intereses de la agricultura. Ú. t. c. s.

agrarismo. m. Conjunto de intereses referentes a la explotación agraria. ‖ **2.** Corriente política que los defiende.

agrarista. adj. Perteneciente o relativo al agrarismo. Ú. t. c. s. ‖ **2.** Partidario del agrarismo. Ú. t. c. s.

agrás. (De *agraz.*) m. *Amér. Central.* y *Col.* Especie de vid silvestre.

agravación. (Del lat. *aggravatĭo, -ōnis.*) f. **agravamiento.**

agravador, ra. adj. Que agrava.

agravamiento. m. Acción y efecto de agravar o agravarse.

agravante. p. a. de **agravar.** Que agrava. Ú. t. c. s. ‖ **2.** adj. V. **circunstancia agravante.** Ú. t. c. s.

agravantemente. adv. m. Con agravamiento. ‖ **2.** Con gravamen.

agravar. (Del lat. *aggravāre,* de *gravāre,* gravar.) tr. Aumentar el peso de alguna cosa, hacer que sea más pesada. ‖ **2.** Oprimir con gravámenes o tributos. ‖ **3.** Hacer alguna cosa más grave o molesta de lo que era. Ú. t. c. prnl. AGRAVARSE *la enfermedad.* ‖ **4.** Ponderar una cosa por interés u otro fin particular para que resulte o parezca más grave. *El letrado acusador* AGRAVABA *el delito.*

agravatorio, ria. adj. Que agrava u ocasiona agravación. ‖ **2.** *Der.* Aplícase al despacho o provisión de un tribunal o juez, en que se reitera lo que estaba mandado y se compele a su ejecución.

agravecer. (Del lat. *aggravescĕre.*) tr. ant. **agravar.** Usáb. t. c. prnl.

agraviadamente. adv. m. Con agravio u ofensa.

agraviado, da. p. p. de **agraviar.** ‖ **2.** adj. ant. **agravioso.**

agraviador, ra. adj. Que agravia. Ú. t. c. s.

agraviamiento. m. Acción y efecto de agraviar o agraviarse.

agraviar. (Del lat. vulg. **aggraviāre.*) tr. Hacer agravio. ‖ **2.** p. us. Rendir, agravar, apesadumbrar. ‖ **3.** desus. Gravar con tributos. ‖ **4.** desus. Presentar como extremadamente grave una cosa. ‖ **5.** desus. Hacer más grave un delito o pena. ‖ **6.** prnl. Ofenderse o mostrarse resentido por algún agravio. ‖ **7.** desus. Agravarse una enfermedad. ‖ **8.** ant. *Der.* Apelar de la sentencia que causa agravio o perjuicio.

agravio. (De *agraviar.*) m. Ofensa que se hace a uno en su honra o fama con algún dicho o hecho. ‖ **2.** Hecho o dicho con que se hace esta ofensa. ‖ **3.** Ofensa o perjuicio que se hace a uno en sus derechos e intereses. ‖ **4.** V. **deshacedor de agravios.** ‖ **5.** Humillación, menosprecio o aprecio insuficiente. ‖ **6.** *Der.* Mal, daño o perjuicio que el apelante expone ante el juez superior habérsele irrogado por la sentencia del inferior. ‖ **7.** *Der.* V. **escrito de agravios.** ‖ **8.** ant. *Der.* **apelación.** ‖ **decir de agravios.** fr. *Der.* En los pleitos de cuentas, pedir en justicia que se reconozcan y deshagan los **agravios** que de ellas resultan. ‖ **deshacer agravios.** fr. Tomar satisfacción de ellos.

agravioso, sa. adj. desus. Que implica o causa agravio.

agraz. (De *agro*[2].) adj. Dícese de la uva sin madurar y por ext., de otros frutos. ‖ **2.** fig. Desagradable, molesto. ‖ **3.** m. Zumo que se saca de la uva no madura. ‖ **4.** **agrazada.** ‖ **5.** **calderilla,** arbusto saxifragáceo. ‖ **6.** **marojo**[2]**.** ‖ **7.** fig. y fam. Amargura, sinsabor, disgusto. ‖ **8.** *Córd.* **agracejo,** arbusto berberidáceo. ‖ **9.** *Sal.* Racimo de uvas sin madurar. ‖ **echar** a alguien **el agraz en el ojo.** fr. p. us. fig. Decirle lo que le causa disgusto o sentimiento. ‖ **en agraz.** loc. adv. fig. Antes de sazón y tiempo.

agrazada. f. Bebida compuesta de agraz, agua y azúcar.

agrazar. intr. Tener alguna cosa un gusto agrio, saber a agraz. ‖ **2.** tr. fig. Disgustar, desazonar.
agrazón. (De *agraz.*) m. Uva silvestre, o racimillos que hay en las vides, que nunca maduran. ‖ **2. grosellero silvestre, uva espina.** ‖ **3.** p. us. fig. y fam. Enfado, disgusto, sentimiento. ‖ **4.** *Ál.* **agracejo,** arbusto berberidáceo.
agre. (Del lat. *acer, acris.*) adj. ant. **agrio,** acre, ácido. Ú. en Salamanca y en Navarra. ‖ **2.** m. *Sal.* **agraz,** racimo de uvas sin madurar.
agrear. (De *agre.*) intr. ant. **agriar.**
agrecillo. m. **agracillo.**
agredido, da. p. p. de **agredir.** Ú. t. c. s.
agredir. (Del lat. *aggrĕdi.*) tr. defect. Cometer agresión.
agregación. (Del lat. *aggregatĭo, -ōnis.*) f. Acción y efecto de agregar o agregarse. ‖ **2. agregaduría.**
agregado, da. p. p. de **agregar.** ‖ **2.** m. y f. Funcionario, adscrito a una misión diplomática, encargado de asuntos de su especialidad. AGREGADO *comercial, cultural, militar, naval,* etc. ‖ **3. profesor agregado.** ‖ **4.** Empleado adscrito a un servicio del cual no es titular. ‖ **5.** *Amér.* Persona que ocupa una cosa o propiedad ajena, generalmente rural, a cambio de pequeños trabajos, pagando un arrendamiento, o gratuitamente. ‖ **6.** *P. Rico.* Arrimado, persona que mediante la concesión de un pedazo de tierra donde tiene su casa, siembra en parte para sí y en parte para el dueño de la propiedad. ‖ **7.** m. Conjunto de cosas homogéneas que se consideran formando un cuerpo. ‖ **8.** Agregación, añadidura o anejo. ‖ **9.** *Quím.* Grupo de partículas que interaccionan. Puede tratarse de átomos, iones o moléculas. ‖ **diplomático.** El que servía en la última categoría de la carrera diplomática.
agregaduría. f. Cargo y oficina del **agregado,** empleado adscrito a un servicio y funcionario diplomático. ‖ **2.** Cargo del profesor agregado.
agregar. (Del lat. *aggregāre.*) tr. Unir o juntar unas personas o cosas a otras. Ú. t. c. prnl. ‖ **2.** Añadir algo a lo ya dicho o escrito. ‖ **3.** Destinar a alguna persona a un cuerpo u oficina o asociarla a otro empleado, pero sin darle plaza efectiva. ‖ **4. anexar.**
agregativo, va. adj. ant. Que agrega o tiene virtud de agregar. ‖ **2.** *Farm.* Dícese de las píldoras compuestas de diversos purgantes.
agremán. (Del fr. *agrément.*) m. Labor de pasamanería, en forma de cinta, usada para adornos y guarniciones.
agremiación. f. Acción de agremiar o agremiarse.
agremiar. tr. Reunir en gremio. Ú. t. c. prnl.
agresión. (Del lat. *aggressĭo, -ōnis.*) f. Acto de acometer a alguno para matarlo, herirlo o hacerle daño, especialmente sin justificación. ‖ **2.** Acto contrario al derecho de otro. ‖ **3.** Ataque armado de una nación contra otra, con violación del derecho. ‖ **4.** *Mil.* Ataque rápido y por sorpresa, realizado por el enemigo o considerado injusto o reprobable.
agresivamente. adv. m. De manera agresiva.
agresividad. (De *agresivo.*) f. **acometividad.**
agresivo, va. (Del lat. *aggressus,* p. p. de *aggrĕdi,* agredir.) adj. Dícese de la persona o animal que obra o tiende a obrar con agresividad. ‖ **2.** Propenso a faltar al respeto, a ofender o a provocar a los demás. ‖ **3.** Que implica provocación o ataque. *Discurso* AGRESIVO; *palabras* AGRESIVAS.
agresor, ra. (Del lat. *aggressor, -ōris.*) adj. Que comete agresión. Ú. t. c. s. ‖ **2.** *Der.* Se dice de la persona que viola o quebranta el derecho de otra. Ú. t. c. s. ‖ **3.** *Der.* Aplícase a la persona que da motivo a una querella o riña, injuriando, amenazando, desafiando o provocando a otra de cualquier manera. Ú. t. c. s.
agreste. (Del lat. *agrestis.*) adj. Campesino o perteneciente al campo. ‖ **2.** Áspero, inculto o lleno de maleza. ‖ **3.** fig. Rudo, tosco, grosero, falto de urbanidad.
agreta. (De *agre.*) f. p. us. **acedera.**
agrete. adj. d. de **agre.** Ú. t. c. s.
agreza. (De *agre.*) f. ant. Sabor acre.
agriado, da. p. p. de **agriar.** ‖ **2.** adj. **ácido.**
agriamente. adv. m. fig. Con aspereza o rigor. ‖ **2.** fig. **amargamente.**
agriar. tr. Poner agria alguna cosa. Ú. m. c. prnl. ‖ **2.** fig. Exasperar los ánimos o las voluntades. Ú. t. c. prnl.
agriaz. (De *agrio.*) m. **cinamomo,** agrión, árbol.
agrícola. (Del lat. *agricŏla.*) adj. Concerniente a la agricultura y al que la ejerce. ‖ **2.** com. **agricultor.**
agricultor, ra. (Del lat. *agricultor, -ōris.*) m. y f. Persona que labra o cultiva la tierra.
agricultura. (Del lat. *agricultūra.*) f. Labranza o cultivo de la tierra. ‖ **2.** Arte de cultivar la tierra.
agridulce. adj. Que tiene mezcla de agrio y de dulce. Ú. t. c. s. ‖ **2.** m. *Filip.* Fruto del limoncito, cuyo zumo emplean las mujeres en su tocado.
agriera. (De *agrio.*) f. vulg. **acedía**[1], indisposición del estómago. Ú. m. en América.
agrietamiento. m. Acción y efecto de agrietar o agrietarse.
agrietar. tr. Abrir grietas o hendiduras. Ú. m. c. prnl.
agrifada. adj. V. **águila, letra agrifada.**
agrifolio. (Del lat. *agrifolĭum* y *aquifolĭum,* de *acus,* aguja, y *folĭum,* hoja.) m. **acebo.**
agrilla. (d. de *agria.*) f. **acedera.**
agrillarse. prnl. **grillarse.**
agrimensor, ra. (Del lat. *agrimensor.*) m. y f. Persona perita en agrimensura. ‖ **2.** V. **cadena, escuadra de agrimensor.**
agrimensura. (Del lat. *agrimensūra.*) f. Arte de medir tierras.
agrimonia. (Del lat. *agrimonia.*) f. Planta perenne de la familia de las rosáceas, como de un metro de altura, tallos vellosos, hojas largas, hendidas y ásperas y flores pajizas. Las hojas se emplean en medicina como astringente, y las flores, en algunas partes, para curtir cueros.
agringado, da. adj. *Amér.* Que tiene aspecto o costumbres de gringo.
agringarse. prnl. *Amér.* Tomar aspecto o costumbres de gringo.
agrio, gria. (Del ant. *agro*[2], con infl. de *agriar.*) adj. Que actuando sobre el gusto o el olfato produce sensación de acidez. Ú. t. c. s. ‖ **2.** Que se ha agriado. ‖ **3.** V. **agua, caña, naranja, plata agria.** ‖ **4.** fig. Difícilmente accesible; pendiente o abrupto. ‖ **5.** fig. Acre, áspero, desabrido. *Genio* AGRIO; *respuesta* AGRIA. ‖ **6.** Dicho de castigos y sufrimientos, difícilmente tolerable. ‖ **7.** fig. Tratándose de metales, frágil, quebradizo, no dúctil ni maleable. ‖ **8.** *Pint.* Dicho del colorido, falto de armonía o consonancia o de la necesaria entonación. Ú. t. c. s. ‖ **9.** m. p. us. Zumo ácido. ‖ **10.** pl. Frutas **agrias** o agridulces, como el limón, la naranja y otras semejantes. ‖ **mascar las agrias.** fr. fig. Disimular el disgusto o mal humor.
agrión. (De *agrio.*) m. *Veter.* Tumefacción más o menos dura y dolorosa, según las causas, que suelen padecer las caballerías en la punta del corvejón. ‖ **2. cinamomo,** agriaz.
agriotipo. (Del gr. ἄγριος, salvaje, y *tipo.*) m. *Zool.* Especie silvestre de la que procede un animal doméstico; por ej., el jabalí es el **agriotipo** de todas las razas de cerdos.
agripalma. (Del lat. *acer, acris,* fuerte, punzante, y *palma,* palma.) f. Planta perenne de la familia de las labiadas, indígena de España, de un metro de altura, con el tallo cuadrangular, hojas divididas en tres lóbulos lanceolados, verdinegras por encima y blanquecinas por el envés, y flores de color purpúreo claro, dispuestas en verticilos en las extremidades de los ramos.

agrisado, da. (De *a-*[1] y *gris.*) adj. De color gris o parecido a él.

agrisar. tr. Dar color gris. Ú. m. c. prnl.

agrisetado, da. adj. Aplícase a ciertas telas parecidas a la griseta.

agro-. (Del lat. *ager, agri,* campo.) Elemento compositivo que significa «campo».

agro[1]**.** (Del lat. *ager, agri,* campo.) m. En lo antiguo, territorio jurisdiccional de ciertas ciudades. ‖ **2.** Campo, tierra de labranza.

agro[2]**, gra.** (Del lat. *acrus,* por *acer, acris.*) adj. desus. De sabor ácido. ‖ **2.** m. V. **jalea del agro.**

agrología. (Del gr. ἀγρός, campo, y *-logía.*) f. Parte de la agronomía que estudia el suelo en sus relaciones con la vegetación.

agrológico, ca. adj. Perteneciente o relativo a la agrología.

agronomía. (De *agrónomo.*) f. Conjunto de conocimientos aplicables al cultivo de la tierra, derivados de las ciencias exactas, físicas y económicas.

agronómico, ca. adj. Perteneciente o relativo a la agronomía.

agrónomo, ma. (Del gr. ἀγρονόμος.) m. y f. Persona que profesa la agronomía. Ú. t. c. adj. *Perito* AGRÓNOMO. ‖ **2.** adj. V. **ingeniero agrónomo.**

agropecuario, ria. (De *agro-* y *pecuario.*) adj. Que tiene relación con la agricultura y la ganadería.

agroquímica. (De *agro-* y *química.*) f. Parte de la química aplicada, que trata de la utilización industrial de materias orgánicas procedentes del campo; como aceites, resinas, pulpa de madera, etc.

agror. m. desus. **agrura,** sabor ácido. Ú. en Andalucía y Asturias.

agrumar. tr. Hacer que se formen grumos. Ú. t. c. prnl.

agrupable. adj. Que se puede agrupar.

agrupación. f. Acción y efecto de agrupar o agruparse. ‖ **2.** Conjunto de personas o cosas agrupadas. ‖ **3.** Conjunto de personas u organismos que se asocian con algún fin. ‖ **4.** *Mil.* Unidad homogénea, de importancia semejante a la del regimiento.

agrupador, ra. adj. Que agrupa.

agrupamiento. m. Acción y efecto de agrupar.

agrupar. tr. Reunir en grupo, apiñar. Ú. t. c. prnl. ‖ **2.** Constituir una agrupación. Ú. t. c. prnl.

agrura. (De *agro*[2].) f. Sabor acre o ácido. ‖ **2.** Referido al terreno, calidad de abrupto o intransitable, dificultad de acceso. ‖ **3.** p. us. **agrio,** zumo ácido. ‖ **4.** Conjunto de árboles que producen frutas agrias o agridulces.

agua. (Del lat. *aqua.*) f. Sustancia formada por la combinación de un volumen de oxígeno y dos de hidrógeno, líquida, inodora, insípida, en pequeña cantidad incolora y verdosa o azulada en grandes masas. Es el componente más abundante de la superficie terrestre y más o menos puro, forma la lluvia, las fuentes, los ríos y los mares; es parte constituyente de todos los organismos vivos y aparece en compuestos naturales; y, como **agua** de cristalización en muchos cristales. ‖ **2.** V. **almacén, araña, arca, arta, azucena, buey, caballo, censo, despidiente, escarnidor, gallina, garbanzo, gato, hila, hila real, lenteja, línea, lirio, llantén, manga, melón, merced, nivel, paja, pamplina, pera, plancha, pluma, polla, ratonera, real, reloj, salamanquesa, salto, tabla, tordo, vía de agua.** ‖ **3.** V. **alcalde, alguacil, altura viva, dureza, escribanillo, escribano, hijo, lengua, lumbre del agua.** ‖ **4.** V. **aprovechamiento, bajada, camelote, perro de aguas.** ‖ **5.** V. **huevo pasado por agua.** ‖ **6.** V. **pan y agua.** ‖ **7.** *Ar.* V. **huevo en agua.** ‖ **8.** Cualquiera de los licores que se obtienen por infusión, disolución o emulsión de flores, plantas o frutos, y se usan en medicina y perfumería. AGUA *de azahar, de Colonia, de heliotropo, de la reina de Hungría, de rosas.* ‖ **9.** desus. Río o arroyo. ‖ **10. lluvia.** Ú. t. en pl. ‖ **11.** *Arq.* Vertiente de un tejado. ‖ **12.** *Mar.* Rotura, grieta o agujero por donde entra en la embarcación el **agua** en que ella flota. *Abrirse, descubrirse una* AGUA. Se llama **alta** o **baja,** según su distancia vertical a la quilla. ‖ **13.** *Mar.* **marea,** movimiento periódico de las **aguas** del mar. ‖ **14.** Lágrimas, pl. de **lágrima.** ‖ **15.** pl. Visos u ondulaciones que tienen algunas telas, plumas, piedras, maderas, etc. ‖ **16.** Visos o destellos de las piedras preciosas. ‖ **17. orina.** ‖ **18.** Manantial de **aguas** mineromedicinales. ‖ **19.** *Mar.* Las del mar, más o menos inmediatas a determinada costa. *En* AGUAS *de Cartagena.* ‖ **20.** *Mar.* Corrientes del mar. *Las* AGUAS *tiran o van hacia tal parte.* ‖ **21.** *Mar.* Estela o camino que ha seguido un buque. *Buscar, ganar las* AGUAS *de un buque; seguir las* AGUAS *de un contrabandista.* ‖ **acídula,** o **agria.** La mineral que lleva en disolución ácido carbónico. ‖ **amoniacal.** *Quím.* Disolución de amoníaco en **agua,** formando hidróxido amónico. ‖ **angélica.** *Farm.* **angélica,** bebida purgante. ‖ **artesiana.** La de los pozos artesianos. ‖ **bendita.** La que bendice el sacerdote y sirve para el uso de la Iglesia y de los fieles. ‖ **blanca.** La que resulta de la disolución en **agua** del extracto de Saturno o acetato de plomo. ‖ **2.** La que se prepara con salvado y se da a beber a las caballerías para que refresquen. ‖ **café.** *Ecuad.* Café preparado con mucha **agua,** que se usa para hacer la esencia, forma típica ecuatoriana de preparar el café. ‖ **cibera. aguacibera.** ‖ **compuesta.** Bebida que se hace de **agua,** azúcar y el zumo de algunas frutas o de las mismas frutas puestas en infusión. AGUA *de limón, de naranja, de fresas.* ‖ **cruda.** La que, por llevar en disolución mucho yeso, endurece las legumbres que se cuecen en ella y, bebida, dificulta la digestión. ‖ **cuaderna.** *Mar.* La que en la sentina se halla encima de la cara alta de las cuadernas de un buque. ‖ **de almidón.** Almidón desleído en **agua.** ‖ **de ángeles. agua** perfumada con el aroma de flores de varias clases. ‖ **de azahar.** La que se prepara con la flor del naranjo y se emplea en medicina como sedante. ‖ **de borrajas. agua de cerrajas,** cosa sin importancia. ‖ **de cal.** La que se prepara con cien partes de **agua** y una de cal; es muy usada en medicina. ‖ **de cantera.** Humedad que naturalmente tienen las piedras al ser arrancadas de la cantera. ‖ **de cara.** *Ecuad.* Cosmético que usan las mujeres para embellecer el rostro. ‖ **de cepas.** fam. **vino.** ‖ **de cerrajas.** La que se saca de la hierba cerraja. ‖ **2.** fig. Cosa de poca o ninguna importancia. ‖ **de coco.** Líquido refrescante que existe en el interior del coco. ‖ **de Colonia.** Perfume compuesto de **agua,** alcohol y esencias aromáticas. ‖ **de cristalización.** *Quím.* La que entra en proporción fija como componente físico de cristales o compuestos hidratados. Cuando se extrae, el cuerpo pierde su forma cristalina. ‖ **de Florida. agua florida.** ‖ **de fondo.** *Mar.* La que por su color denota el sitio donde hay poca hondura. ‖ **de herreros. agua herrada.** ‖ **del amnios.** *Biol.* Líquido contenido en la cavidad del amnios. ‖ **delgada.** La que tiene en disolución una cantidad muy pequeña de sales. ‖ **del mar.** m. *Chile.* Pez lofobranquio común en la bahía de Valparaíso, de color rojo pardo por encima. ‖ **del palo. agua de palo.** ‖ **de lluvia. agua lluvia.** ‖ **de nafa. aguanafa.** ‖ **de nieve.** La que se enfría con nieve, y más comúnmente con hielo. ‖ **2.** La que procede del deshielo. ‖ **de olor.** La que está compuesta con sustancias aromáticas. ‖ **de palo.** Cocimiento de guayaco o palo de las Indias, también llamado palo santo, con que se solía curar el mal venéreo. ‖ **de pie.** El **agua** corriente, como la de las fuentes y manantiales. ‖ **de placer.** *Mar.* **agua de fondo.** ‖ **de plan.** *Mar.* La que no corre a la caja de bombas por algún estorbo en el plan del buque. ‖ **de remedio.** *Ecuad.* Infusión de hierbas u otros vegetales de carácter medicinal. ‖ **de Seltz. agua** carbónica natural o preparada artificialmente.

‖ **de socorro.** Bautismo administrado sin solemnidades, en caso de necesidad. ‖ **dulce.** La potable de poco o ningún sabor, por contraposición a la del mar o a las minerales. ‖ **2.** La que, independientemente de ser o no potable, tiene un contenido de sales tal que no llega a darle sabor. ‖ **dura.** La que corta el jabón e impide la formación de espuma, por contener en abundancia carbonatos y bicarbonatos de calcio y magnesio. ‖ **fenicada.** *Quím.* **agua** en la que se ha disuelto ácido fénico al cinco por ciento. Se emplea como desinfectante. ‖ **florida.** *Amér.* La de olor que se prepara con **agua,** alcohol y esencias aromáticas. ‖ **ferruginosa.** *Quím.* La mineral rica en hierro, disuelto en forma de bicarbonato. ‖ **fuerte.** Ácido nítrico diluido en corta cantidad de **agua.** Se llama así por la actividad con que disuelve la plata y otros metales. ‖ **2. grabado al agua fuerte.** ‖ **gorda.** La que tiene en disolución gran cantidad de sales, principalmente yeso. ‖ **herrada.** Aquella en que se ha apagado hierro candente. ‖ **ligera.** *Quím.* Aquella en la que el hidrógeno tiene la composición isotópica natural. Se opone a **agua** pesada. ‖ **lustral.** Aquella con que se rociaban las víctimas y otras cosas en los sacrificios gentílicos. ‖ **llovediza. agua lluvia.** ‖ **lluvia.** La que cae de las nubes. ‖ **manantial.** La que naturalmente brota de la tierra. ‖ **mansa.** La que corre tranquila y apaciblemente. ‖ **mineral. agua** manantial que lleva en disolución sustancias minerales. Algunas tienen valor medicinal. ‖ **mineromedicinal.** La mineral que se usa para la curación de alguna dolencia. ‖ **muerta.** La estancada y sin corriente. ‖ **2.** *Mar.* La que entra en el buque como recalándose o por intervalos. ‖ **nieve.** La que cae de las nubes mezclada con nieve. ‖ **oxigenada.** Peróxido de hidrógeno. ‖ **pesada.** *Fís.* Aquella en que el hidrógeno se ha sustituido por el hidrógeno pesado o deuterio. Se emplea en los reactores nucleares para moderar la velocidad de los neutrones. ‖ **pluvial. agua lluvia.** ‖ **regia.** *Quím.* Mezcla de tres volúmenes de ácido clorhídrico con uno de ácido nítrico, ambos concentrados; ataca a casi todos los metales, incluso el platino y el oro. Este último era considerado antiguamente como el rey de los metales, y de ahí procede la denominación de **regia.** ‖ **residual.** La que procede de viviendas, poblaciones o zonas industriales y arrastra suciedad y detritos. Ú. m. en pl. ‖ **roja. agua** caliente. ‖ **rosada. agua de ángeles.** ‖ **sal.** La dulce en que se echa alguna porción de sal. ‖ **salina.** La que contiene sales en mayor proporción que las **aguas** normalmente destinadas a usos domésticos, agrícolas o industriales. ‖ **salobre.** Aquella cuya proporción de sales la hace impropia para la bebida. ‖ **sobre cuaderna.** *Mar.* **agua cuaderna.** ‖ **sosa. agua gorda.** ‖ **termal.** La que en todo tiempo brota del manantial, con temperatura superior a la media del país. ‖ **tofana.** Veneno muy activo que se usó en Italia. ‖ **tónica.** Bebida gaseosa, de sabor ligeramente amargo, aromatizada con quinina. ‖ **vidriada.** *Cetr.* Especie de moquillo que suelen padecer los halcones y otras aves de rapiña. ‖ **viento.** Lluvia con viento fuerte. ‖ **viva.** La que mana y corre naturalmente. ‖ **2.** *Mar.* La que entra en el buque con fuerza y sin intermisión. ‖ **media agua.** *Ecuad., Perú* y *Venez.* Construcción con el techo inclinado, de una sola vertiente. ‖ **aguas alumbradas.** Las que salen a la superficie por el esfuerzo del hombre y pertenecen al que las ha alumbrado. ‖ **blancas.** *Venez.* Las aptas para el consumo. ‖ **de creciente.** *Mar.* Flujo del mar. ‖ **de dominio privado.** Las de pozos o fuentes particulares y las que nacen dentro de un predio mientras discurren por él. ‖ **de dominio público.** Las de los ríos y arroyos, las que brotan con ocasión de obras públicas y las de dominio privado al salir del predio en que nacen. ‖ **del pantoque.** *Mar.* En el sentido horizontal, las que median entre la proa y la popa, y en el vertical, las inferiores a los llenos de proa. ‖ **del timón.** *Mar.* Corriente que, producida por la marcha del buque, viene desde proa a chocar con la pala del timón. ‖ **de menguante.** *Mar.* Reflujo del mar. ‖ **falsas.** Las que se encuentran cavando o perforando la tierra y no son permanentes. ‖ **firmes.** Las de pozo o manantial perenne. ‖ **jurisdiccionales.** Las que bañan las costas de un Estado y están sujetas a su jurisdicción hasta cierto límite determinado por el derecho internacional. ‖ **llenas.** *Mar.* **pleamar.** ‖ **madres.** *Quím.* Las que restan de una disolución salina que se ha hecho cristalizar y no da ya más cristales. ‖ **mayores.** Excremento humano. ‖ **2.** *Mar.* Las más grandes mareas de los equinoccios. ‖ **menores.** Orina humana. ‖ **2.** *Mar.* Mareas diarias o comunes. ‖ **muertas.** *Mar.* Mareas menores, en los cuartos de la Luna. ‖ **negras. aguas residuales.** ‖ **subálveas.** Las que se buscan y alumbran en las márgenes o debajo de cauces empobrecidos o secos. ‖ **vertientes.** Las que bajan de las montañas o sierras. ‖ **2.** Las que vierten los tejados. ‖ **3.** Punto hacia donde descienden las **aguas** desde las alturas o terrenos elevados. ‖ **vivas.** *Mar.* Crecientes del mar hacia el tiempo de los equinoccios o en el novilunio y el plenilunio. ‖ **¡agua!** exclam. *Mar.* **¡hombre al agua!** ‖ **¡agua!** o **¡aguas!** Voz de alarma, generalmente usada para avisar de la presencia de cualquier tipo de autoridad. ‖ **agua abajo.** loc. adv. Con la corriente o curso natural del **agua.** ‖ **agua arriba.** loc. adv. Contra la corriente o curso natural del **agua.** ‖ **2.** fig. Con gran dificultad, oposición o repugnancia. ‖ **aguantar aguas.** fr. *Mar.* Contener con los remos, ciando, la marcha de un bote. ‖ **¡aguas!** interj. *Méj.* **¡cuidado!,** para advertir de un peligro. ‖ **aguas abajo.** loc. Con referencia a un punto determinado, lugar próximo a un río y situado en la parte de su curso posterior a dicho punto. ‖ **aguas arriba.** loc. Con referencia a un punto determinado, lugar próximo a un río y situado en la parte de su curso anterior a dicho punto. ‖ **¡agua va!** expr. con que se avisaba a los transeúntes cuando desde alguna casa iban a echar a la calle **agua** o inmundicia. ‖ **2.** fig. Se dice también cuando alguno se desboca o desvergüenza en la conversación. ‖ **ahogarse en poca agua** o **en un vaso de agua.** fr. fig. y fam. Apurarse y affigirse por liviana causa. ‖ **al agua fuerte.** loc. adv. V. **grabado al agua fuerte.** ‖ **¡al agua, patos!** expr. fig. que denota haberse tomado una resolución. ‖ **al agua tinta.** loc. adv. V. **grabado al agua tinta.** ‖ **alzarse el agua.** fr. ant. Dejar de llover, serenarse el tiempo. ‖ **arrollar agua** un buque. fr. *Mar.* Llevar mucha velocidad. ‖ **bailarle** alguien **el agua** a otro, o **bailar** alguien **el agua delante** a otro. frs. fams. Adelantarse, por cariño o adulación, a hacer lo que supone que ha de serle grato. ‖ **bañarse en agua rosada.** fr. fig. Alegrarse mucho del bien o del mal ajeno o regocijarse al ver el desengaño, escarmiento o perjuicio de otro que no hizo caso de sus consejos y advertencias o que no cumplió su voluntad. ‖ **beber agua** un buque. fr. *Mar.* Recibir la del mar por encima de las bordas, de resultas de ir muy tumbado. ‖ **coger agua en cesto,** o **en harnero.** fr. fig. Trabajar en vano. ‖ **coger aguas.** fr. *Arq.* Concluir de cubrir un edificio para preservarlo de la lluvia. ‖ **como agua.** loc. fam. con que se denota la abundancia o copia de alguna cosa. ‖ **como el agua de mayo.** loc. fam. con que se pondera lo bien recibida o lo muy deseada que es alguna persona o cosa. ‖ **convertirse** una cosa **en agua de cerrajas.** fr. fig. **hacerse agua de cerrajas.** ‖ **correr el agua por donde solía.** fr. fig. Volver las personas o cosas a sus antiguos usos, costumbres o estado. ‖ **cortar las aguas** de un buque. fr. *Mar.* Atravesarlas por un punto relativamente próximo a su popa. ‖ **cubrir aguas.** fr. *Arq.* **coger aguas.** ‖ **de agua fuerte.** loc. adv. **al agua fuerte.** ‖ **de agua y lana.** loc. adj. fig. y fam. De poco o ningún valor o importancia. ‖ **echar agua en el mar,** o **la mar.** fr. fig. Hacer algo inútilmente. ‖ **2.** fig. Dar algo a quien tiene abundancia de ello. ‖ **echar** a alguien **el agua al molino.** loc.

Ecuad. Decirle las duras verdades, repetirle cosas desagradables, reñirle. ‖ **echar el agua.** fr. **bautizar.** ‖ **echarse al agua.** fr. fig. Decidirse a arrostrar algún peligro. ‖ **echar toda el agua al molino.** fr. fig. Hacer todo el esfuerzo posible para conseguir lo que se desea. ‖ **embarcar agua** un buque. fr. *Mar.* Recibir la del mar por encima de las bordas, no por ir tumbado, sino por la violencia de las olas. ‖ **encharcarse de agua.** fr. fig. Beberla con exceso. ‖ **entre dos aguas.** loc. adv. fig. y fam. Con duda y perplejidad, o equívocamente, por reserva o cautela. Ú. m. con el verbo *estar.* ‖ **escribir en el agua.** fr. fig. **escribir en la arena.** ‖ **estar con el agua a,** o **hasta la boca, el cuello** o **la garganta.** fr. fig. y fam. Estar en un gran aprieto o peligro. ‖ **estar hecho un agua.** fr. fig. y fam. Estar lleno de sudor. ‖ **ganar** una embarcación **las aguas** de otra. fr. *Mar.* Adelantarse a ella. ‖ **hacer agua.** fr. *Mar.* **hacer aguada.** ‖ **hacer agua** un buque. fr. *Mar.* Recibirla por alguna grieta o agujero de sus fondos. ‖ **hacer agua** un buque **por las cacholas,** o **por los imbornales.** fr. *Mar.* No recibir más **agua** que la llovediza por las escotillas o la del mar por los imbornales, o sea, no hacer **agua.** ‖ **hacer aguas.** fr. **orinar.** ‖ **hacer de agua,** o **del agua,** una cosa. fr. fam. Lavar o remojar tela o ropa de lienzo antes de usarla. ‖ **hacer del agua lodo.** loc. *Ecuad.* Enturbiar lo que está claro, intrigar, falsear malignamente la verdad. ‖ **hacerse** una cosa **agua,** o **agua de cerrajas.** fr. fig. Desvanecerse o frustrarse lo que se pretendía o esperaba. ‖ **hacerse** una cosa **agua,** o **un agua en la boca.** fr. fam. con que se denota que una cosa es muy blanda y suave y que se deshace fácilmente en la boca al comerla. ‖ **hacérsele** a alguien **agua,** o **un agua, la boca.** fr. fam. **hacérsele** a alguien **la boca agua,** recordar con deleite el buen sabor de algún manjar, o gozarse con su vista. ‖ **2.** fig. y fam. Deleitarse con la esperanza de conseguir alguna cosa agradable, o con su memoria. ‖ **hacerse** alguien **una agua.** fr. fig. y fam. **estar hecho un agua.** ‖ **ir** un buque **debajo del agua.** fr. *Mar.* Ir muy tumbado. ‖ **ir el agua por** alguna parte. fr. fig. con que se denota que el favor y la fortuna corren en ciertos tiempos por determinada clase de sujetos y cosas. ‖ **ir** un buque **por encima del agua.** fr. *Mar.* Ir desembarazadamente, como si el viento o las corrientes no entorpecieran su marcha. ‖ **irse al agua** una cosa. fr. fig. Frustrarse un negocio, un proyecto, etc. ‖ **irsele** a alguien **las aguas.** fr. fig. Orinarse por causa de una impresión fuerte. ‖ **llevar** alguien **el agua a su molino.** fr. fig. Dirigir en su interés o provecho exclusivo aquello de que puede disponer. ‖ **marearse el agua.** fr. *Mar.* Alterarse y hacerse impotable la que se lleva a bordo para el consumo de la tripulación. ‖ **meterse en agua** el tiempo, el día, etc. fr. Hacerse lluvioso. ‖ **no alcanzar para agua.** fr. con que se indica la corta ganancia que ha hecho uno o la escasa remuneración que ha obtenido. ‖ **no hallar agua en la mar.** fr. fig. No conseguir lo más fácil de lograr. ‖ **no va por ahí el agua al molino.** fr. que se usa para decir que lo que uno propone no es adecuado al fin que se persigue. ‖ **parecer que** alguien **no enturbia el agua.** fr. fig. que se dice del que, aparentando sencillez o inocencia, encubre el talento o malicia que no se creía en él. ‖ **poner agua en cedazo.** loc. *Ecuad.* Confiar imprudentemente algo reservado, como secretos, a quien no sabe guardarlos. ‖ **ponerse el agua.** loc. *Guat.* Estar próxima la lluvia, ir a llover. ‖ **quedarse entre dos aguas.** fr. *Mar.* Sumergirse sin llegar al fondo. ‖ **romper aguas.** fr. Romperse la bolsa que envuelve al feto y derramarse por la vagina y la vulva el líquido amniótico. ‖ **sacar agua de las piedras.** fr. fig. y fam. Obtener provecho aun de las cosas que menos lo prometen. ‖ **ser algo agua pasada.** fr. fig. Haber ocurrido ya, haber perdido su oportunidad o importancia. ‖ **ser agua tibia.** loc. *Ecuad.* No decidirse por idea alguna, carecer de energía o personalidad. ‖ **sin decir agua va.** loc. fig. y fam. que se emplea cuando uno ocasiona algún daño o pesar intempestivamente y sin prevención. ‖ **sin tomar agua bendita.** loc. fam. que denota que puede hacerse lícitamente una cosa. ‖ **tan claro como el agua.** fr. que se dice de las cosas muy manifiestas y patentes. ‖ **tener el agua a la boca, al cuello** o **a la garganta.** fr. fig. **estar con el agua a,** o **hasta, la boca,** etc. ‖ **tomar de atrás el agua.** fr. fig. Empezar la relación de algún suceso o negocio por las primeras circunstancias o motivos que ocurrieron en él. ‖ **tomar el agua.** fr. *Mar.* Cerrar o tapar los agujeros por donde penetra en los fondos del buque. ‖ **tomar las aguas.** fr. Estar en un balneario para hacer cura de **agua** mineral. ‖ **2.** *Arq.* **coger las aguas.** ‖ **3.** *Mar.* **tomar el agua.** ‖ **tomar una agua.** fr. *Mar.* **tomar el agua.** ‖ **volverse** una cosa **agua de cerrajas.** fr. fig. **hacerse agua de cerrajas.**

aguacafé. f. *Ecuad.* **agua café.**

aguacal. (De *agua* y *cal.*) m. Lechada de cal, con algo de yeso, que se emplea para enjalbegar.

aguacatal. m. Terreno poblado de aguacates.

aguacate. (Del nahua *ahuacatl,* fruto del árbol del mismo nombre; testículo.) m. Árbol de América, de la familia de las lauráceas, de ocho a diez metros de altura, con hojas alternas, coriáceas, siempre verdes, flores dioicas y fruto comestible. ‖ **2.** Fruto de este árbol. ‖ **3.** Esmeralda de figura de perilla. Díjose así por su semejanza con la fruta de este nombre. ‖ **4.** fig. *Guat.* Persona floja o poco animosa. Ú. t. c. adj.

aguacatillo. (d. de *aguacate.*) m. Árbol de América, de la familia de las lauráceas, de unos trece metros de altura, de madera blanquecina, corteza rojiza, flores pequeñas, amarillentas y olorosas, y fruto negruzco cuando está maduro.

aguacella. f. *Ar.* **aguanieve.**

aguacero. (De *aguaza.*) m. Lluvia repentina, abundante, impetuosa y de poca duración. ‖ **2.** fig. Sucesos y cosas molestas, como golpes, improperios, etc., que en gran cantidad caen sobre una persona.

aguacibera. (De *agua* y *cibera.*) f. Agua con que se riega una tierra sembrada en seco.

aguacil. m. ant. hoy vulg. **alguacil.** ‖ **2.** *Argent.* y *Urug.* Libélula, caballito del diablo.

aguacha. f. *Ar.* y *Cantabria.* Agua encharcada y corrompida.

aguachacha. f. *C. Rica* y *Nicar.* Aguachirle, bebida insípida, sin fuerza ni sustancia.

aguachar[1]**.** (De *aguacha.*) m. **charco.**

aguachar[2]**.** (De *aguacha.*) tr. **enaguachar.** Ú. t. c. prnl. ‖ **2.** prnl. *Argent.* Echar barriga y carnes un caballo por haber estado pastando ocioso una larga temporada.

aguachar[3]**.** (De *a-*[1] y *guacho*[2], cría de animal.) tr. *Chile.* Domesticar un animal. ‖ **2.** prnl. *Chile.* Amansarse, aquerenciarse.

aguachas. (De *agua.*) f. pl. *Murc.* **alpechín.**

aguachento, ta. (De *aguacha.*) adj. *Can.* y *Amér.* Dícese de la fruta u otro alimento insípido por exceso de agua. ‖ **2.** *Amér.* En general, impregnado, empapado o lleno de agua.

aguachinar. (De *aguachar*[2].) tr. Estropear un fruto u otro alimento por exceso de agua. ‖ **2. enaguazar.** ‖ **3.** Llenar de agua una cosa, aguarla.

aguachirle. (De *agua* y *chirle.*) f. Cualquier bebida o alimento líquido, como vino, caldo, miel, etc., sin fuerza ni sustancia. ‖ **2.** fig. Cosa baladí, insustancial, sin importancia alguna. Empléase referido a obras o cualidades del ingenio.

aguada. (De *agua.*) f. Tinta que se da a una pared para quitar la blancura excesiva del enlucido de yeso. ‖ **2.** Sitio en que hay agua potable, y a propósito para surtirse de ella. ‖ **3.** Acción y efecto de aprovisionarse de agua un buque, una tropa, una caravana, etc. ‖ **4.** *Mar.* Provisión de agua potable que lleva un buque. ‖ **5.** *Min.* Avenida de aguas que inunda total o parcialmente las labores de una mina. ‖ **6.** *Pint.* Color diluido en agua sola, o en agua con ciertos ingredientes, como goma, miel, hiel de vaca clarificada, etc. ‖ **7.** *Pint.* Diseño o pintura que se ejecuta con colores preparados de esta manera. ‖ **a la aguada.** loc. adv. *Pint.* V. **pintura a la aguada.** ‖ **hacer aguada** un buque. fr. *Mar.* Surtirse de agua potable.

aguadar. (De *aguado.*) tr. *Guat.* Aguar, mezclar un líquido con agua. ‖ **2.** *Guat.* Debilitar, hacer flaquear.

aguadera. f. *Cetr.* Cada una de las cuatro plumas anchas, una más corta que otra, que están después de los cuchillos o remeras del ala de las aves. ‖ **2.** *Sal.* Surco o zanja de desagüe en las tierras. ‖ **3.** pl. Armazón de madera, esparto, mimbre u otra materia semejante, con divisiones, que se coloca sobre las caballerías para llevar en cántaros o barriles agua u otras cosas.

aguadero, ra. adj. Propio para el agua, dicho de prendas de vestir. ‖ **2.** V. **capa aguadera.** ‖ **3.** m. **abrevadero.** ‖ **4.** Sitio adonde acostumbran ir a beber algunos animales silvestres. AGUADERO *de palomas, de venados.* ‖ **5.** Sitio donde se lanzan las maderas a los ríos para conducirlas a flote. ‖ **6.** desus. **aguador.**

aguadija. f. Humor claro y suelto como agua, que se forma en los granos o llagas.

aguado, da. p. p. de **aguar.** ‖ **2.** adj. **abstemio.** ‖ **3.** *Méj.* y *Perú.* Dícese de la persona sosa, sin viveza ni gracia. Ú. t. c. s. ‖ **4.** *C. Rica, Guat., Méj., Pan.* y *Venez.* Débil, desfallecido, flojo. ‖ **5.** *Col., Guat., Méj., Nicar., Pan.* y *Venez.* Dícese de las cosas blandas y sin consistencia. ‖ **6.** m. *Ecuad.* Bebida muy refrigerante y perfumada compuesta de jugo de frutas con agua, azúcar y, casi siempre, aguardiente.

aguador, ra. (Del lat. *aquātor, -ōris.*) m. y f. Persona que tiene por oficio llevar o vender agua. ‖ **2.** m. Cada uno de los palos o travesaños horizontales que, colocados a igual distancia unos de otros, en forma de escalerilla, unen los dos aros de que se compone la rueda vertical de la noria, y sirven para que corran o jueguen sobre ellos la maroma o la cadena y los cangilones.

aguaducho. (Del lat. *aquaeductus.*) m. Avenida impetuosa de agua. ‖ **2.** Puesto donde se vende agua, y hoy también refrescos y otras bebidas. ‖ **3. acueducto.** ‖ **4. noria,** máquina de sacar agua.

aguadulce. f. *C. Rica.* **aguamiel.** AGUADULCE *fresca.* ‖ **2.** m. *Col.* Cocción de agua y panela.

aguadura. (De *aguar,* constiparse una caballería.) f. *Veter.* **infosura.** ‖ **2.** *Veter.* Absceso que se forma en lo interior del casco de las caballerías.

aguafiestas. (De *aguar* y *fiesta.*) com. Persona que turba cualquier diversión o regocijo.

aguafuerte. amb. Lámina obtenida por el grabado al agua fuerte. ‖ **2.** Estampa hecha con esta lámina.

aguafuertista. com. Persona que graba al agua fuerte.

aguagoma. f. Disolución de goma arábiga en agua, que usan los pintores para desleír los colores y darles mayor consistencia y viveza.

aguaí. (Del guaraní *aguá,* achatado, e *í,* pequeño.) m. Nombre de varias especies de plantas del Chaco, del Paraguay y de la Mesopotamia argentina, pertenecientes a la familia de las sapotáceas, cuya madera se utiliza con fines industriales, y cuyo fruto se emplea para hacer confituras. ‖ **2.** Fruto de estas plantas.

aguaitacaimán. (De *aguaitar* y *caimán.*) m. Ave de Cuba, del mismo género que las garzas, de unos 40 centímetros de largo, incluido el pico, que es de cinco a seis; tiene la cabeza adornada de plumas largas de color verde metálico, y la garganta y el pecho blancos y con manchas oscuras. Se alimenta de pececillos y de moluscos.

aguaitador, ra. adj. desus. Que aguaita. Usáb. t. c. s.

aguaitamiento. m. desus. Acción de aguaitar.

aguaitar. (Del cat. *aguaitar;* para la acep. 5.ª, probable infl. del ing. *to wait.*) tr. Cuidar, guardar. ‖ **2.** Acechar, aguardar cautelosamente. ‖ **3.** Mirar, ver. ‖ **4.** Atisbar, espiar. ‖ **5.** *Amér.* Aguardar, esperar.

aguaite. (De *aguaitar.*) m. **aguaitamiento.** ‖ **al aguaite, de aguaite, en aguaite.** locs. advs. **en acecho.**

aguajaque. (Del ár. *al-wuššaq,* la goma amoniacal.) m. Resina de color blancuzco que destila el hinojo.

aguaje. m. **aguadero,** sitio donde suelen beber los animales silvestres. ‖ **2.** *Col., Ecuad., Guat.* y *Nicar.* **aguacero.** ‖ **3.** *Chile* y *Perú.* Variación de color de las aguas marinas, por razones diversas. ‖ **4.** fig. *Sto. Dom.* y *Venez.* Alarde, aspaviento. *Hizo un* AGUAJE *y se fue.* ‖ **5.** *Sto. Dom.* **mentira,** afirmación falsa que se dice para impresionar. ‖ **6.** *Perú.* Palmácea de fruto comestible, que crece en los pantanos de la selva amazónica. ‖ **7.** *Mar.* Crecientes grandes del mar. ‖ **8.** *Mar.* Agua que entra en los puertos o sale de ellos en las mareas. ‖ **9.** *Mar.* Corrientes del mar periódicas en algunos parajes. ‖ **10.** *Mar.* Corriente impetuosa del mar. ‖ **11.** *Mar.* **aguada,** lugar en que hay agua potable. ‖ **12.** *Mar.* **aguada,** provisión de agua. ‖ **13.** *Mar.* **estela**[1]. ‖ **del timón.** *Mar.* Remolinos que el agua forma en la popa al reunirse las dos corrientes que vienen por los costados y chocan en el timón. ‖ **hacer aguaje.** fr. *Mar.* Correr con mucha violencia las aguas.

aguajero, ra. (De *aguaje.*) adj. *Sto. Dom.* y *Venez.* Dícese de quien hace o dice aguajes. Ú. t. c. s.

aguají. m. Pez acantopterigio de los mares de las Antillas, de cerca de un metro de largo, cilíndrico, rojizo, con manchas oscuras y una sola aleta dorsal. ‖ **2.** *Cuba* y *Sto. Dom.* Salsa picante hecha a base de ají con cebolla, zumo de limón, ajo y agua.

aguajinoso, sa. adj. ant. **aguanoso.**

agualoja. f. **aloja**[1], bebida compuesta de agua, miel y especias.

agualotal. m. *C. Rica, Hond.* y *Nicar.* Aguazal, pantano.

aguallevado. (De *agua* y *llevar.*) m. *Ar.* Procedimiento de limpia de cauces que consiste en dejarles una pequeña corriente de agua y, metidos en ella los trabajadores, arrancar con herramientas el barro y echarlo al agua para que esta lo arrastre.

aguamala. f. **medusa.**

aguamanil. (Del lat. *aquamanīle.*) m. Jarro con pico para echar agua en la palangana o pila donde se lavan las manos, y para dar aguamanos. ‖ **2.** Palangana o pila destinada para lavarse las manos. ‖ **3.** Por ext., **palanganero.**

aguamanos. (Del lat. *aqua in manus.*) m. Agua que sirve para lavar las manos. ‖ **2. aguamanil.** ‖ **dar aguamanos** a alguien. fr. Servirle el agua con el aguamanil u otro jarro, para que se lave las manos.

aguamar. m. **medusa.**

aguamarina. f. Variedad de berilo, transparente, de color parecido al del agua del mar y muy apreciado en joyería.

aguamelado, da. adj. Mojado o bañado con aguamiel.

aguamiel. f. Agua mezclada con alguna porción de miel. ‖ **2.** *Amér.* La preparada con la caña de azúcar o papelón. ‖ **3.** *Méj.* Jugo del maguey, que, fermentado, produce el pulque.

aguanal. (Del lat. *aquānus,* de *aqua,* agua.) m. *Al.* Surco profundo abierto de trecho en trecho para facilitar el desagüe de los sembrados.

aguanieve. f. **agua nieve.**

aguanieves. f. **lavandera,** ave.

aguanosidad. (De *aguanoso.*) f. desus. Humor acuoso detenido en el cuerpo.

aguanoso, sa. (Del lat. *aquānus,* de *aqua,* agua.) adj. Lleno de agua o demasiado húmedo.

aguantable. adj. Que se puede aguantar.

aguantaderas. f. pl. **aguante,** paciencia. Ú. por lo común en la frase *tener buenas, malas, muchas o pocas* AGUANTADERAS.

aguantador, ra. adj. Que aguanta. ‖ **2.** Que soporta un dolor ‖ **3.** *R. de la Plata.* Dicho de la yerba mate, rendidora.

aguantar. (Del it. *agguantare,* de *guanto,* guante.) tr. Sostener, sustentar, no dejar caer. ‖ **2.** Reprimir o contener. ‖ **3.** Resistir pesos, impulsos o trabajos. ‖ **4.** Soportar, tolerar a una persona o cosa molesta o desagradable. ‖ **5.** *Sto. Dom.* Sustituir temporalmente a una persona en su trabajo. ‖ **6.** *Mar.* Tratándose de cuerdas o cabos, tirar del que está flojo hasta ponerlo tenso. ‖ **7.** *Taurom.* Adelantar el diestro el pie izquierdo, en la suerte de matar, para citar al toro conservando esta postura hasta dar la estocada, y resistiendo cuanto le es posible la embestida, de la cual se libra con el movimiento de la muleta y del cuerpo. ‖ **8.** intr. Reprimirse, contenerse; callar. Ú. t. c. prnl. ‖ **9.** Adelantar en el trabajo.

aguante. (De *aguantar.*) m. Sufrimiento, tolerancia, paciencia. ‖ **2.** Fortaleza o vigor para resistir pesos, impulsos, trabajos, etc.

aguañón. (De *agua.*) adj. V. **maestro aguañón.**

aguapé. (Del guaraní *aguapeí.*) m. **camalote,** planta acuática.

aguapey. m. *NE. Argent.* **camalote,** planta acuática.

aguapié. m. Vino muy bajo que se hace echando agua en el orujo pisado y apurado en el lagar. ‖ **2. agua de pie.**

aguar. tr. Mezclar agua con otro líquido, generalmente vino, casi siempre para rebajarlo, o con otra sustancia. Ú. t. c. prnl. ‖ **2.** fig. Turbar, interrumpir, frustrar, tratándose de cosas halagüeñas o alegres. Ú. t. c. prnl. AGUARSE *la fiesta.* ‖ **3.** desus. Atenuar lo grave o molesto con la mezcla de algo agradable. ‖ **4.** ant. En cetrería, obligar a la caza a entrar en el agua. Usáb. t. c. prnl. ‖ **5.** prnl. Llenarse de agua algún sitio o terreno. ‖ **6.** Constiparse las caballerías por haberse fatigado mucho o haber bebido cuando estaban sudando.

aguará. (De or. guaraní.) m. *NE. Argent.,* Oriente de *Bol., Par.* y *Urug.* Cánido parecido al zorro, de pelaje castaño rojizo, negro en el hocico y en las patas.

aguaraibá. (De or. guaraní.) m. *R. de la Plata.* **aguaribay.**

aguaraparse. prnl. *Amér.* Tomar calidad o sabor de guarapo la caña de azúcar, la fruta o un líquido.

aguardada. f. Acción de aguardar.

aguardadero. m. **aguardo,** lugar donde se oculta un cazador.

aguardador. m. desus. Guardador, defensor. Usáb. t. c. adj.

aguardamiento. m. ant. Acción de aguardar.

aguardar. (De *a-*[1] y *guardar.*) tr. Estar esperando a que llegue o suceda algo. Ú. t. c. prnl. ‖ **2.** Creer que llegará o sucederá algo o tener la esperanza de ello. ‖ **3.** Esperar a que venga o llegue alguien o algo. ‖ **4.** Dar tiempo o espera a una persona, y especialmente al deudor, para que pague. ‖ **5.** Haber de ocurrir a una persona, o estarle reservado algo para lo futuro. ‖ **6.** ant. **guardar,** mirar lo que otro hace. ‖ **7.** ant. Atender, respetar, tener en aprecio o estima. ‖ **8.** prnl. Detenerse, retardarse. Ú. t. c. intr.

aguardentería. (De *aguardentero.*) f. Tienda en que se vende aguardiente al por menor.

aguardentero, ra. m. y f. Persona que vende aguardiente. ‖ **2.** Persona que fabrica aguardiente.

aguardentoso, sa. adj. Que tiene aguardiente o está mezclado con él. *Bebida* AGUARDENTOSA. ‖ **2.** Que es o parece de aguardiente. *Sabor, olor* AGUARDENTOSO. ‖ **3.** Dicho de la voz, áspera, bronca.

aguardiente. (De *agua* y *ardiente.*) m. Bebida espiritosa que, por destilación, se saca del vino y de otras sustancias; es alcohol diluido en agua. Seguido de la prep. *de* y de un sustantivo, designa la sustancia de que se extrae o con la que se combina o el lugar donde se fabrica. AGUARDIENTE *de caña, de guindas, de Cazalla.* ‖ **2.** V. **toro, vaca del aguardiente.** ‖ **alemán.** *Farm.* Tintura alcohólica de jalapa con escamonea y turbit, que se usa como purgante. ‖ **de cabeza.** El primero que sale de la destilación de cada calderada.

aguardillado, da. adj. Abuhardillado.

aguardo. m. Acción de acechar. ‖ **2.** Acción de esperar. ‖ **3.** *Mont.* Sitio desde el cual el cazador acecha la pieza para disparar sobre ella.

aguaribay. (De *aguaraibá.*) m. *Argent.* **turbinto.** ‖ **2.** *Argent.* **molle.**

aguarrada. f. Lluvia ligera y de corta duración.

aguarrás. (Probablemente del lat. *aqua* y *rasis,* la pez.) m. Aceite volátil de trementina. Se emplea principalmente en barnices y como medicina.

aguasal. f. **salmuera.**

aguasarse. prnl. *Chile* y *R. de la Plata.* Tomar los modales y costumbres del guaso.

aguascalentense. adj. Natural de la ciudad y del Estado mejicano de Aguascalientes. Ú. t. c. s. ‖ **2.** Perteneciente o relativo a dicha ciudad o Estado.

aguate. m. **ahuate.**

aguatero, ra. m. y f. *Amér.* **aguador.**

aguatinta. (Del it. *acqua tinta,* agua teñida.) f. Dibujo o pintura que se realiza con tinta de un solo color. ‖ **2. aguada,** dibujo o diseño hecho con colores diluidos en agua. ‖ **3.** Variedad del grabado al agua fuerte. ‖ **4.** Estampa que se obtiene por este procedimiento.

aguatocha. f. **bomba** de sacar agua.

aguatocho. m. *And.* Compuerta. ‖ **2.** *Murc.* Cenagal pequeño; balsa o lavajo.

aguaturma. (De *agua* y *turma,* criadilla de tierra.) f. Planta de la familia de las compuestas, herbácea, con tallos rectos de dos metros de altura, hojas ovales, acuminadas, ásperas y vellosas; flores redondas y amarillas, y rizoma tuberculoso, feculento y comestible. ‖ **2.** Rizoma de esta planta; comúnmente se llama pataca.

aguaucle. (Del nahua *atl,* agua, y *huautli,* bledo.) m. *Méj.* Nombre de diversos insectos de las zonas lacustres. ‖ **2.** *Méj.* Huevecillos comestibles de estos insectos. ‖ **3.** *Méj.* Alimento preparado con estos huevos.

aguaverde. f. Medusa verde.

aguaviento. m. **agua viento.**

aguavientos. m. Planta perenne de la familia de las labiadas, como de un metro de altura, con hojas gruesas, felpudas y de color verde claro, y flores terminales encarnadas.

aguavilla. (Del célt. **ajauga,* gayuba.) f. **gayuba.**

aguay. m. **aguaí.**

aguayo. (De or. aimara.) m. *Bol.* Pieza cuadrada de lana de colores, que las mujeres utilizan como complemento de su vestidura. También la emplean para llevar a los niños o cargar algunas cosas. ‖ **2.** *Amér. Merid.* Lienzo fuerte.

aguaza. (Del lat. **aquacĕa,* de *aqua,* agua.) f. Humor acuoso que se produce en algunos tumores de los animales. ‖ **2.** Humor que destilan algunas plantas y frutos.

aguazal. m. Sitio bajo donde se detiene el agua llovediza.

aguazar. (De *agua.*) tr. **encharcar.** Ú. t. c. prnl.

aguazo. (Del it. *a guazzo,* del lat. **aquacĕus.*) m. Pintura hecha con colores disueltos en agua que se aplica sobre papel o tela. Se distingue de la acuarela en que el blanco se pone con el pincel.

aguazoso, sa. adj. **aguanoso.**

aguazul o **aguazur.** m. **algazul.**

agucia. (De *aguciar.*) f. ant. **acucia.**

aguciar. (Del lat. **acutiāre,* de *acūtus,* agudo.) tr. ant. **acuciar.**

agucioso, sa. adj. ant. **acucioso.**

agudamente. adv. m. Viva y sutilmente. ‖ **2.** fig. Con agudeza o perspicacia de ingenio.

agudez. f. ant. **agudeza.**

agudeza. (De *agudo.*) f. Calidad de afilado o punzante. ‖ **2.** fig. Intensidad de un mal. ‖ **3.** fig. Perspicacia de la vista, oído u olfato. ‖ **4.** fig. Perspicacia o viveza de ingenio. ‖ **5.** fig. Dicho agudo. ‖ **6.** fig. Ligereza, velocidad. ‖ **visual.** Capacidad del ojo de distinguir objetos muy próximos entre sí.

agudización. f. Acción y efecto de agudizar o agudizarse.

agudizar. tr. Hacer aguda una cosa. ‖ **2.** prnl. Agravarse una enfermedad.

agudo, da. (Del lat. *acūtus.*) adj. Puntiagudo, punzante, afilado. ‖ **2.** V. **acento, ángulo, verso agudo.** ‖ **3.** V. **octava, sílaba, voz aguda.** ‖ **4.** fig. Sutil, perspicaz. *Escritor* AGUDO; *ingenio* AGUDO. ‖ **5.** fig. Vivo, gracioso y oportuno. *Persona* AGUDA; *dicho* AGUDO. ‖ **6.** fig. Aplícase al dolor vivo y penetrante. ‖ **7.** fig. Se dice de la enfermedad grave y de no larga duración. ‖ **8.** fig. Dicho del oído, vista y olfato, perspicaz y pronto en sus sensaciones. ‖ **9.** Dícese del olor subido y del sabor penetrante. ‖ **10.** fig. Ligero, veloz. ‖ **11.** *Acúst.* Dícese del sonido alto, esto es, de aquel cuya frecuencia de vibraciones es grande, por oposición al sonido grave. Ú. t. c. s. ‖ **12.** *Pros.* Dícese de la palabra cuyo acento prosódico carga en la última sílaba; v. gr.: *maná, café, abril, corazón.* ‖ **13.** m. Aire vivo con que suele acabar el baile en algunos pueblos, y también la letra y la danza que lo acompañan.

aguedita. f. Árbol americano de la familia de las anacardiáceas, de cinco a siete metros de altura, con flores de cinco pétalos e igual número de estambres. Las hojas y la corteza son muy amargas y tienen virtud febrífuga.

agüela[1]**.** f. ant. y vulg. **abuela.** ‖ **2.** *Germ.* **capa,** prenda de hombre.

agüela[2]**.** (Del ár. *hawāla,* transferencia de crédito.) f. ant. Renta de los derechos sobre préstamos consignados en documento público.

agüelo. m. ant. y vulg. **abuelo.**

agüera. f. Zanja hecha para encaminar el agua llovediza a las heredades.

agüerar. tr. desus. **agorar.**

agüero. (Del lat. *augurium.*) m. Procedimiento o práctica de adivinación utilizado en la antigüedad y en diversas épocas por pueblos supersticiosos, y basado principalmente en la interpretación de señales como el canto o el vuelo de las aves, fenómenos meteorológicos, etc. ‖ **2.** Presagio o señal de cosa futura. ‖ **3.** Pronóstico, favorable o adverso, formado supersticiosamente por señales o accidentes sin fundamento.

aguerrido, da. p. p. de **aguerrir.** ‖ **2.** adj. Ejercitado en la guerra.

aguerrir. tr. defect. Acostumbrar a los soldados bisoños a los peligros de la guerra. Ú. t. c. prnl.

agüetas. (De *agua.*) f. pl. *Murc.* **aguachirle,** aguapié.

aguiero. (Del port. *aguieiro.*) m. *And.* y *Extr.* Rollo de madera de castaño, destinado a la construcción.

aguija. (De *guija.*) f. desus. **guija.**

aguijada. (Del lat. *aculeāta,* de *aculĕus,* punta, aguijón.) f. Vara larga que en un extremo tiene una punta de hierro con que los boyeros pican a la yunta. ‖ **2.** Vara larga con un hierro de figura de paleta o de áncora en uno de sus extremos, en la que se apoyan los labradores cuando aran, y con la cual separan la tierra que se pega a la reja del arado.

aguijadera. f. **aguijada.**

aguijador, ra. adj. Que aguija. Ú. t. c. s.

aguijadura. f. Acción y efecto de aguijar.

aguijamiento. m. ant. **aguijadura.**

aguijar. tr. Picar con la aguijada u otra cosa a los bueyes, mulas, caballos, etc., para que anden aprisa. ‖ **2.** fig. Avivarlos con la voz o de otro modo. ‖ **3.** fig. **estimular,** incitar. ‖ **4.** intr. Acelerar el paso.

aguijatorio, ria. (De *aguijar.*) adj. *Der.* Decíase del despacho que libraba el superior al juez inferior para que cumpliera lo mandado anteriormente.

aguijeño, ña. adj. ant. Decíase del terreno o paraje lleno de guijas.

aguijón. (Del lat. *aculĕus,* de *acus,* aguja.) m. Punta o extremo puntiagudo del palo con que se aguija. ‖ **2.** Órgano punzante, generalmente con veneno, que tienen en el abdomen los escorpiones y algunos insectos himenópteros. ‖ **3.** p. us. **espuela.** ‖ **4.** fig. **estímulo,** incitación. ‖ **5.** *Bot.* Púa que nace del tejido epidérmico de algunas plantas. ‖ **cocear contra el aguijón.** fr. fig. y fam. **dar coces contra el aguijón.**

aguijonada. f. **aguijonazo.**

aguijonamiento. m. Acción y efecto de aguijonear.

aguijonar. tr. desus. **aguijonear.**

aguijonazo. m. Punzada de aguijón. ‖ **2.** fig. Estímulo vivo; burla o reproche hiriente.

aguijoneador, ra. adj. Que aguijonea. Ú. t. c. s.

aguijonear. (De *aguijón.*) tr. **aguijar,** picar con la aguijada. ‖ **2.** Picar con el aguijón. ‖ **3.** fig. Incitar, estimular, inquietar, atormentar.

águila. (Del lat. *aquĭla.*) f. Ave rapaz diurna, de ocho a nueve decímetros de altura, con pico recto en la base y corvo en la punta, cabeza y tarsos vestidos de plumas, cola redondeada casi cubierta por las alas, de vista muy perspicaz, fuerte musculatura y vuelo rapidísimo. ‖ **2.** Por ext., cualquier otra ave perteneciente a la misma familia que la anterior y de caracteres muy semejantes. ‖ **3.** Enseña principal de la legión romana; lo es también de algunos ejércitos modernos. ‖ **4.** Moneda de oro española que tenía en el reverso un **águila.** ‖ **5.** Moneda de oro de Méjico. ‖ **6.** Moneda de oro de los Estados Unidos de América. ‖ **7.** V. **palo, piedra de águila.** ‖ **8.** fig. Persona de mucha viveza y perspicacia. ‖ **9.** fig. V. **vista de águila.** ‖ **10.** m. Pez, especie de raya, que se distingue de esta en tener la cola más larga que lo restante del cuerpo, y en ella una espina venenosa larga y aguda. ‖ **agrifada.** *Blas.* La que se representa estilizada en forma de grifo, animal fabuloso. ‖ **barbuda. quebrantahuesos.** ‖ **bastarda. águila calzada.** ‖ **blanca. pigargo cabeciblanco.** ‖ **cabdal. águila real.** ‖ **calzada.** La de cabeza rojiza, dorso pardo oscuro y partes inferiores blancuzcas. La cola es cuadrada y los tarsos están enteramente cubiertos de plumas. Existe una variedad de plumaje oscuro. ‖ **caudal,** o **caudalosa. águila real.** ‖ **culebrera.** Ave rapaz diurna, con cabeza grande y garras relativamente pequeñas, dorso de color castaño ceniciento y región inferior blanca con manchas castañas. Es útil para la agricultura porque devora reptiles en gran cantidad. ‖ **doble.** Moneda de oro de los Estados Unidos de América, con valor de veinte dólares. ‖ **exployada.** *Blas.* La de dos cabezas con las alas desplegadas o tendidas. ‖ **imperial.** La de color casi negro, cola cuadrada y tamaño algo menor que la real. La raza española tiene los hombros y la parte superior de la cabeza de color blanco puro. ‖ **parda. águila culebrera.** ‖ **pasmada.** *Blas.* La que tiene plegadas o cerradas las alas. ‖ **perdicera** o **perdiguera.** La que se caracteriza porque sus alas, cuando están cerradas, no llegan a cubrir la cola, que es bastante larga; el plumaje es de color leonado predominante y el pico es relativamente largo, fuerte y ganchudo. Ataca de preferencia a las perdices, palomas y codornices. ‖ **pescadora.** La de tamaño grande, dorso oscuro y partes inferiores blancas, con plumaje liso y oleoso como el de las aves acuáticas, alas muy largas que cubren totalmente la cola cuando están cerradas y pico corto y curvo. Está bastante difundida en España, anida cerca del mar y de los ríos y lagos y su régimen alimenticio es ictiófago. ‖ **ratera** o **ratonera.** Ave rapaz diurna, perteneciente a la misma familia que el **águila,** con plumaje de color variable entre el leonado claro y el castaño oscuro y bandas transversales blanquecinas en el vientre. Abunda bastante en España y es útil para la agricultura porque destruye muchos roedores. ‖ **real.** La que tiene cola cuadrada, es de color leonado y alcanza mayor tamaño que las comunes. ‖ **media águila.** Moneda de oro de Méjico.

aguilando. (Quizá del lat. *hoc in anno,* en este año.) m. **aguinaldo,** regalo navideño.

aguileña. (Del lat. *aquilegĭum,* estanque.) f. Planta perenne de la familia de las ranunculáceas, con tallos derechos y ramosos que llegan a un metro de altura, hojas de color verde oscuro por la parte superior y amarillentas por el envés, y flores de cinco pétalos, colorados, azules, morados o blancos, según las variedades de esta planta, que se cultiva por adorno en los jardines.

aguileño, ña. (De *águila.*) adj. Dícese del rostro largo y delgado, y de la persona que lo tiene así. AGUILEÑO *de rostro.* ‖ **2.** V. **nariz aguileña.** ‖ **3.** Perteneciente al águila. ‖ **4.** m. ant. **aguilucho,** ave.

aguililla. (d. de *águila.*) f. V. **caballo aguililla.** ‖ **de laguna. arpella.**

aguilón. (De *águila.*) m. aum. de **águila.** ‖ **2.** Brazo de una grúa. ‖ **3.** Caño cuadrado de barro. ‖ **4.** *Albañ.* Teja o pizarra cortada oblicuamente para que ajuste sobre la lima tesa de un tejado. ‖ **5.** *Arq.* Madero que en las armaduras con faldón está puesto diagonalmente desde el ángulo del edificio hasta el cuadral. ‖ **6.** *Blas.* Águila sin pico ni garras.

aguilonia. (Del lat. *aquilegĭum,* estanque.) f. *Ál.* **nueza.**

aguilucho. m. Pollo del águila. ‖ **2.** Nombre común de varias aves falconiformes de tamaño relativamente pequeño, con la cola y las alas alargadas. Generalmente el macho es de color gris y la hembra parda.

aguín. (Del vasc. *hagin.*) m. **tejo**[2].

aguinaldo. (De *aguilando.*) m. Regalo que se da en Navidad o en la fiesta de la Epifanía. ‖ **2.** Regalo que se da en alguna otra fiesta u ocasión. ‖ **3.** Villancico de Navidad. ‖ **4.** Bejuco silvestre de la familia de las convolvuláceas, muy común en la isla de Cuba y que florece por Pascua de Navidad.

agüío. m. Pájaro de Costa Rica, emparentado con los escribanos de Europa, de plumaje amarillo y negro, de canto muy variado y agradable.

aguisado, da. p. p. de **aguisar.** ‖ **2.** adj. ant. Justo o razonable. ‖ **3.** adv. m. ant. Justa o razonablemente. ‖ **de a caballo.** Soldado de a caballo que había antiguamente en Andalucía y en Castilla.

aguisamiento. (De *aguisar.*) m. ant. Disposición, preparación. ‖ **2.** ant. Compostura o adorno.

aguisar. (De *a-*[1] y *guisa.*) tr. ant. Aderezar y disponer alguna cosa; proveer de lo necesario.

aguiscar. tr. *Can.* Aguizgar, azuzar, incitar.

agüista. com. Persona que asiste a un establecimiento de aguas mineromedicinales con fines curativos.

agüita. f. d. de **agua.** ‖ **2.** Infusión de hierbas u hojas medicinales, que se bebe después de las comidas. ‖ **estar como el agüita.** loc. *Ecuad.* Saberse bien una cosa, saberse de memoria las lecciones los niños.

aguizgar. (De *a-*[1] y *guizgar.*) tr. fig. **aguijar,** estimular, incitar.

aguja. (Del lat. **acucŭla,* d. de *acus,* aguja.) f. Barrita puntiaguda de metal, hueso o madera con un ojo por donde se pasa el hilo, cuerda, correa, bejuco, etc., con que se cose, borda o teje. ‖ **2.** Tubito metálico de pequeño diámetro, con el extremo libre cortado a bisel y provisto, en el otro, de un casquillo que se enchufa en la jeringuilla para inyectar sustancias en el organismo. ‖ **3.** V. **vino de agujas.** ‖ **4.** Barrita de metal, hueso, marfil, etc., que sirve para hacer medias y otras labores de punto. ‖ **5.** Púa de metal, colocada en algún plano para varios usos; como la **aguja** del reloj de sol, las **agujas** de la prensa de imprimir. ‖ **6.** Varilla de metal, concha, etc., con diversos adornos de joyería o bisutería, que emplean las mujeres en su tocado. ‖ **7.** Pincho de los consumeros. ‖ **8.** Varilla delgada y larga, que usan los colmeneros para atravesar los panales en las colmenas, asegurándolos así unos con otros. ‖ **9. manecilla** del reloj y de otros aparatos de precisión. ‖ **10.** Varilla de hierro o de cobre que sirve para formar el oído en el taco de un barreno. ‖ **11.** Herramienta de acero, de punta encorvada, que usan los encuadernadores para pasar entre los cordeles del lomo de un libro el hilo que atraviesa el centro o doblez de los pliegos, y asegurarlos a los bramantes colocados perpendicularmente en el telar. ‖ **12.** Alambre que forma horquilla por ambos extremos y sirve para hacer malla. ‖ **13.** Alambre delgado que servía para limpiar el oído del fusil, y que llevaron los soldados colgado por una cadenilla, de la cartuchera primero, y de la delantera del uniforme, después. ‖ **14.** Punzón de acero que, al disparar ciertas armas de fuego, choca con la parte posterior del cartucho y produce la detonación del fulminante y la combustión de la carga. *Fusil de* AGUJA. ‖ **15.** Especie de estilete que, recorriendo los surcos de los discos de los gramófonos, reproduce las vibraciones inscritas en ellos. ‖ **16.** Instrumento de acero con que se dibuja sobre una lámina de metal barnizada para grabar al agua fuerte. ‖ **17.** Cada uno de los dos rieles movibles que en los ferrocarriles y tranvías sirven para que los carruajes vayan por una de dos o más vías que concurren en un punto. ‖ **18.** Barra de hierro o de madera, con agujeros y pasadores, que sirve para mantener paralelos los tableros de un tapial. ‖ **19.** Pieza de madera para apuntalar un puente. ‖ **20. obelisco,** pilar. ‖ **21.** Chapitel estrecho y alto de una torre o del techo de una iglesia. ‖ **22.** Pastel largo y estrecho relleno de carne picada o de dulce. ‖ **23.** Pez lofobranquio de cuerpo largo y delgado con los huesos de la cara prolongados en forma de tubo, y del que existen varias especies en los mares de Europa. ‖ **24.** Planta anual de la familia de las geraniáceas, de hojas recortadas menudamente y fruto largo y delgado en forma de **aguja.** ‖ **25.** Hoja de los pinos y de otras coníferas. ‖ **26.** V. **declinación, perturbación, variación de la aguja.** ‖ **27.** *Amér.* Cada uno de los maderos agujereados que se hincan en tierra y en los cuales se apoyan otros horizontales para formar una tranquera. ‖ **28.** *Agr.* **púa,** vástago de un árbol. ‖ **29.** *Impr.* Arruga que a veces se hace en el papel en el momento de la impresión. ‖ **30.** *Mar.* **brújula,** instrumento para indicar el rumbo de una nave. ‖ **31.** *Mar.* Pinzote de hierro firme en el codaste de algunas embarcaciones menores, en el que juega la hembra inferior del timón. ‖ **32.** fig. *Taurom.* Cuerno del toro. ‖ **33.** pl. Costillas que corresponden al cuarto delantero del animal. *Carne de* AGUJAS; *animal alto, o bajo, de* AGUJAS. ‖ **34.** Enfermedad que padece el caballo en las piernas, pescuezo y garganta. ‖ **35. rubios,** cruz en el lomo del toro. ‖ **astática.** La que forma parte de un sistema astático. ‖ **capotera.** La más gruesa que usan las costureras. ‖ **colchonera.** La grande y gruesa que usan los colchoneros. ‖ **de arria. aguja espartera.** ‖ **de bitácora.** *Mar.* **aguja de marear.** ‖ **de enjalmar.** La grande y gruesa que usan los enjalmeros. ‖ **de ensalmar.**

ant. **aguja de enjalmar.** ‖ **de fogón.** *Art.* Punzón de acero que se usaba para romper el cartucho antes de cebar el cañón. ‖ **de gancho.** Instrumento de metal, hueso o madera, uno de cuyos extremos tiene forma de gancho, y que sirve para hacer labores de punto. ‖ **de marcar.** *Mar.* Aparato para hacer marcaciones, compuesto de una brújula y una alidada giratorias, montadas sobre un trípode. ‖ **de marear.** *Mar.* **brújula,** instrumento para indicar el rumbo de una nave. ‖ **2.** fig. Expedición y destreza para manejar los negocios. ‖ **de mechar.** La que sirve para mechar carne. ‖ **de media.** Alambre de hierro bruñido o de acero, de más de 20 centímetros de largo, que sirve para hacer medias, calcetas y otras labores de punto. ‖ **de pastor. aguja,** planta geraniácea. ‖ **2. quijones.** ‖ **de toque.** Cada una de las puntas de oro o plata de diferente ley que hay en un instrumento de figura de estrella, de que se sirven los joyeros y ensayadores para conocer por comparación en la piedra de toque el grado de pureza del oro o plata de un objeto cualquiera. ‖ **de Venus. aguja de pastor.** ‖ **de verdugado.** La más gruesa que usan los sastres. ‖ **espartera.** La que usan los esparteros para coser esteras, serones, etc. ‖ **giroscópica. brújula giroscópica.** ‖ **loca.** La magnética, cuando no se mantiene fija en dirección del Norte. ‖ **magnética. brújula.** ‖ **2.** *Fís.* V. **inclinación de la aguja magnética.** ‖ **mechera. aguja de mechar.** ‖ **paladar.** Pez largo y delgado con las mandíbulas afiladas en forma de pico; es verdoso por encima y brillantemente plateado por los flancos. ‖ **salmera. aguja de enjalmar.** ‖ **saquera. aguja** grande que sirve para coser sacos, costales, etc. ‖ **alabar** uno sus **agujas.** fr. fig. y fam. Ponderar su industria, sus trabajos o cualidades. ‖ **buscar una aguja en un pajar.** fr. fig. y fam. Empeñarse en conseguir una cosa imposible o muy difícil. ‖ **coser con aguja de plata,** o **de oro.** fr. fig. y fam. Encargar la obra de costura a manos mercenarias. ‖ **cuartear la aguja.** fr. *Mar.* Designar por sus nombres, números y valores los diferentes rumbos de la rosa náutica, así como sus opuestos y las perpendiculares y bolinas de una y otra banda. ‖ **dar aguja y sacar reja.** fr. fig. y fam. **meter aguja y sacar reja.** ‖ **meter aguja y sacar reja** fr. fig. y fam. Hacer un pequeño beneficio para obtener otro mayor.

agujadera. (De *agujar.*) f. Mujer que trabajaba en bonetes, gorros u otras cosas de punto.

agujal. m. Agujero que queda en las paredes al sacar las agujas de los tapiales.

agujar¹. (Del lat. **aculeare,* y este de *aculeātus,* dotado de aguijón.) tr. ant. Aguijar, estimular, incitar.

agujar². (De *aguja.*) tr. ant. Herir o punzar con aguja. ‖ **2.** ant. Hacer con aguja tejidos o prendas de punto.

agujazo. m. Punzada de aguja.

agujerar o **agujerear.** tr. Hacer uno o más agujeros a una cosa. Ú. t. c. prnl.

agujero. (De *aguja.*) m. Abertura más o menos redondeada en alguna cosa. ‖ **2.** Deuda, falta o pérdida injustificada de dinero en la administración de una entidad. ‖ **3.** V. **terraja de agujero cerrado.** ‖ **4.** El que hace o vende agujas. ‖ **5. alfiletero,** canuto. ‖ **negro.** *Astron.* Lugar hipotético e invisible del espacio cósmico que, según la teoría de la relatividad, absorbe por completo cualquier materia o energía situada en su campo gravitatorio.

agujeruelo. m. d. de **agujero.**

agujeta. (De *aguja.*) f. Correa o cinta con un herrete en cada punta, que servía para sujetar algunas prendas de vestir. ‖ **2.** Vapor del vino y de otras bebidas. ‖ **3.** Propina que el que corría la posta daba al postillón. Ú. m. en pl. ‖ **4.** *And.* y *Venez.* Alfiler largo y de adorno usado por las mujeres para sujetar el sombrero. ‖ **5.** *Ecuad.* y *Sto. Dom.* Aguja de hacer punto o tejer. ‖ **6.** *Impr.* Arruga del papel, que afea la impresión. ‖ **7.** pl. Molestias dolorosas que pueden sentirse en los músculos algún tiempo después de realizar un esfuerzo no habitual y reiterado.

agujetería. f. Oficio de agujetero. ‖ **2.** Tienda de agujetero.

agujetero, ra. m. y f. Persona que hace o vende agujetas. ‖ **2.** m. *Amér.* Cañuto para guardar las agujas. ‖ **3.** *Ecuad.* Acerico, almohadilla para clavar agujas y alfileres.

agujón. (aum. de *aguja.*) m. **pasador,** aguja para el pelo.

agujuela. (d. de *aguja.*) f. Clavo poco mayor que la tachuela.

agulandro (de). loc. adj. y adv. *Sto. Dom.* **de abulandro.**

aguosidad. (Del lat. *aquosĭtas, -ātis.*) f. Humor o linfa que se cría en el cuerpo, y se parece en lo suelto y claro al agua.

aguoso, sa. (Del lat. *aquōsus.*) adj. **acuoso.**

¡agur! (Del lat. *augurium,* a través del vasc. *agur.*) interj. que se usa para despedirse.

agusanamiento. m. Acción y efecto de agusanarse.

agusanarse. prnl. Criar gusanos alguna cosa.

agustín. adj. V. **mosto agustín.**

agustinianismo. m. Doctrina teológica de San Agustín.

agustiniano, na. adj. **agustino.** ‖ **2.** Perteneciente o relativo a San Agustín o a su doctrina, obra, orden, etc.

agustino, na. adj. Aplícase al religioso o religiosa de la orden de San Agustín. Ú. t. c. s.

agutí. m. Mamífero roedor de una familia afín a la del cobayo. Especies propias de América Central y Meridional, desde Méjico y las Antillas hasta el norte de la Argentina, viven en regiones de bosque.

aguzadero, ra. adj. Que sirve para aguzar. ‖ **2.** V. **piedra aguzadera.** Ú. t. c. s. ‖ **3.** m. *Mont.* Sitio donde los jabalíes suelen acudir a hozar y a aguzar los colmillos.

aguzado, da. p. p. de **aguzar.** ‖ **2.** adj. Que tiene forma aguda. ‖ **3.** Agudo, perspicaz, penetrante, despierto, listo.

aguzador, ra. adj. Que aguza. Ú. t. c. s. ‖ **2.** f. **piedra aguzadera.**

aguzadura. f. Acción y efecto de **aguzar,** sacar punta a una cosa. ‖ **2.** Acción y efecto de **aguzar,** afilar. ‖ **3.** Cantidad de hierro y acero que se emplea en calzar la reja del arado, cuando se ha gastado la punta.

aguzamiento. m. **aguzadura.** ‖ **2.** ant. fig. **estímulo,** incitación.

aguzanieves. (De *auce de nieves,* del lat. *avice[lla],* avecilla.) f. **lavandera blanca.**

aguzar. (Del lat. **acutiāre,* de *acūtus,* agudo.) tr. Hacer o sacar punta a un arma u otra cosa, o adelgazar la que ya tienen. ‖ **2.** Sacar filo. ‖ **3.** fig. **aguijar,** estimular, incitar. ‖ **4.** fig. Referido a dientes, garras, etc., prepararlos, disponiéndose a comer o despedazar. ‖ **5.** fig. Referido al entendimiento o a un sentido, despabilar, afinar, forzar para que preste más atención o se haga más perspicaz. ‖ **6.** ant. Hacer aguda una sílaba.

aguzonazo. (De *aguzar.*) m. **hurgonazo.**

¡ah! interj. con que se denotan muchos y diversos movimientos del ánimo, y más ordinariamente pena, admiración o sorpresa. ‖ **2.** *Amér.* Se usa para interrogar.

ahacado. (De *haca.*) adj. p. us. Dícese del caballo que por la cabeza o por la alzada se parece a la jaca.

ahajar. (De *haja.*) tr. **ajar.**

ahé. (De *a²* y *he.*) interj. ant. He aquí. Usáb. frecuentemente con pronombres enclíticos. AHÉ*me,* AHÉ*los.*

ahebrado, da. adj. Compuesto de partes en forma o figura de hebras.

ahechadero. m. Lugar destinado para ahechar.

ahechador, ra. adj. Que ahecha. Ú. t. c. s.

ahechadura. f. Desperdicio que queda después de ahechado el trigo u otras semillas. Ú. m. en pl.

ahechar. (Del lat. *affectāre,* arreglar.) tr. Limpiar con harnero o criba el trigo u otras semillas.

ahecho. m. Acción de ahechar.

ahelear. (De *hiel.*) tr. Poner alguna cosa amarga como hiel. ‖ **2.** desus. fig. Entristecer, turbar la felicidad con alguna pena. ‖ **3.** intr. desus. Tener una cosa sabor amargo como el de la hiel.

ahelgado, da. adj. p. us. **helgado.**

ahembrado, da. (De *a-*[1] y *hembra.*) adj. **afeminado.**

aherir. (De *aferir.*) tr. ant. Contrastar las medidas y pesos.

ahermanar. tr. ant. **hermanar.**

aherrojamiento. m. Acción y efecto de aherrojar.

aherrojar. (De *a-*[1] y *ferrojar.*) tr. Poner a alguno prisiones de hierro. ‖ **2.** fig. Oprimir, subyugar.

aherrumbrar. (De *herrumbre.*) tr. Dar a una cosa color o sabor de hierro. ‖ **2.** prnl. Tomar una cosa color o sabor de hierro. Se usa especialmente referido al agua. ‖ **3.** Cubrirse de herrumbre u orín.

ahervar. (Del lat. *effervēre,* infl. por *acezar;* v. port. *afarvar.*) intr. *Extr.* **acezar.**

aherventar. tr. ant. **herventar.**

ahervoradamente. adv. m. ant. **fervorosamente.**

ahervorarse. (De *a-*[1] y *hervor.*) prnl. Calentarse el trigo y otras semillas por efecto de la fermentación.

ahetrar. tr. ant. **enhetrar.**

ahí. (De *a*[2] y el ant. *hi, y,* en tal lugar.) adv. l. En ese lugar, o a ese lugar. ‖ **2.** En esto, o en eso. AHÍ *está la dificultad.* ‖ **3.** Precedido de las preposiciones *de* o *por,* **esto** o **eso.** DE AHÍ *se deduce;* POR AHÍ *puede conocerse la verdad.* ‖ **4.** desus. **allí.** ‖ **de por ahí.** loc. adj. con que se denota ser común y poco recomendable alguna cosa. ‖ **por ahí.** loc. adv. Por lugares no lejanos. *Me voy* POR AHÍ *un rato.* ‖ **2.** Por lugares indeterminados. *Andan* POR AHÍ *diciendo insensateces.* ‖ **por ahí, por ahí.** loc. adv. **poco más o menos.**

ahidalgado, da. adj. Que se comporta como hidalgo. ‖ **2.** Dícese también de las cosas, costumbres y acciones nobles y caballerosas.

ahidalgar. tr. p. us. Hacer que una persona se parezca a los hidalgos o nobles. Usáb. m. c. prnl.

ahigadado, da. (De *a-*[1] e *hígado.*) adj. Valiente, esforzado. ‖ **2.** De color de hígado.

ahijadera. f. *Sor.* Conjunto de crías de un rebaño. ‖ **2.** *Sor.* Época en que los ganados ahíjan.

ahijadero. m. *Sal.* Prado que se reserva para que ahíjen y críen las ovejas. ‖ **2.** *Extr.* **dehesa.**

ahijado, da. p. p. de **ahijar.** ‖ **2.** m. y f. Cualquier persona, respecto de sus padrinos.

ahijador. (De *ahijar.*) m. Pastor que tiene a su cargo el cuidar y apacentar las ovejas paridas y las crías, mientras están en el ahijadero.

ahijamiento. m. ant. **prohijamiento.**

ahijar. (Del lat. **affiliāre,* de *filĭus,* hijo.) tr. Prohijar o adoptar el hijo ajeno. ‖ **2.** Acoger la oveja u otro animal al hijo ajeno para criarlo. ‖ **3.** Poner a cada cordero u otro animal con su propia madre o con otra para que lo críe. ‖ **4.** fig. Atribuir o imputar a alguno la obra o cosa que no ha hecho. ‖ **5.** intr. Procrear o producir hijos. ‖ **6.** *Agr.* Echar la planta retoños o hijuelos.

¡ahijuna! (De la expr. *¡ah hijo de una!*) *Amér.* interj. que expresa diversos sentimientos, especialmente admiración o ira.

ahilado, da. p. p. de **ahilar.** ‖ **2.** adj. Dícese del viento suave y continuo. ‖ **3.** Dícese de la voz delgada y tenue.

ahilamiento. m. **ahílo.**

ahilar. (Del lat. **affilāre,* de *filum,* hilo.) intr. Ir uno tras otro formando hilera. ‖ **2.** prnl. Padecer desfallecimiento o desmayo por falta de alimento. ‖ **3.** Adelgazarse por causa de alguna enfermedad. ‖ **4.** Criarse débiles las plantas por falta de luz. ‖ **5.** Hacer hebra la levadura, el vino, y otras cosas por haberse maleado. ‖ **6.** Criarse altos, derechos y limpios de ramas los árboles por estar muy juntos, lo cual se procura a veces artificialmente para obtener la madera de hilo.

ahílo. m. Acción y efecto de ahilar o ahilarse.

ahína. adv. m. ant. **aína.**

ahincadamente. adv. m. Con ahínco.

ahincado, da. p. p. de **ahincar.** ‖ **2.** adj. p. us. Eficaz, vehemente.

ahincamiento. m. ant. **ahínco.**

ahincanza. f. ant. **ahínco.**

ahincar. (De *a-*[1] e *hincar.*) tr. Instar con ahínco y eficacia, apretar, estrechar. ‖ **2.** prnl. Apresurarse, darse prisa.

ahínco. (De *ahincar.*) m. Eficacia, empeño o diligencia grande con que se hace o solicita alguna cosa.

ahinojar. (De *hinojo*[2].) tr. ant. **arrodillar.** Usáb. m. c. intr. y c. prnl.

ahirmar. tr. ant. **afirmar.** Usáb. t. c. prnl.

ahitamiento. m. Acción y efecto de ahitar o ahitarse.

ahitar. (De *a-*[1] e *hito.*) tr. Señalar los lindes de un terreno con hitos o mojones. ‖ **2.** Causar ahíto o indigestión. Ú. t. c. intr. ‖ **3.** prnl. Comer hasta padecer indigestión o empacho.

ahitera. f. fam. Ahíto grande o de mucha duración.

ahíto, ta. (De *ahitar.*) adj. Aplícase al que padece alguna indigestión o empacho. ‖ **2.** Saciado, harto. Ú. t. en sent. fig. ‖ **3.** fig. Cansado o fastidiado de alguna persona o cosa. ‖ **4.** ant. Quieto, permanente en su lugar. ‖ **5.** m. Indigestión o empacho.

¡ahó! interj. ant. que se usaba entre los campesinos para llamarse de lejos.

ahobachonado, da. (De *a-*[1] y *hobachón.*) adj. p. us. fam. Apoltronado, entregado al ocio.

ahocicar. tr. p. us. Tratándose de perros o gatos, castigarlos mientras se les frota el hocico en el lugar que han ensuciado. ‖ **2.** p. us. fam. Vencer a uno en la disputa obligándolo a que reconozca su error. ‖ **3.** intr. fam. Rendirse en una disputa ante los argumentos del contrario.

ahocinarse. (De *a-*[1] y *hocino*[2].) prnl. Correr los ríos por angosturas o quebradas estrechas y profundas.

ahogadero, ra. adj. Que ahoga o sofoca. ‖ **2.** m. Cordel delgado que se ponía a los que habían de ser ahorcados, para acelerar su muerte. ‖ **3.** Cuerda o correa de la cabezada, que ciñe el pescuezo de la caballería. ‖ **4.** **ahogador,** especie de collar. ‖ **5.** Sitio estrecho o muy concurrido en que la gente se mueve mal o respira con dificultad. ‖ **6.** Caldera con agua caliente que sirve para ahogar en el capullo la ninfa del gusano de seda.

ahogadilla. f. Zambullida que se da a otro, en broma, manteniendo sumergida su cabeza durante unos instantes.

ahogadizo, za. adj. Que se puede ahogar fácilmente. ‖ **2.** Se dice de las frutas que por su aspereza no se pueden tragar con facilidad. ‖ **3.** V. **carne, pera ahogadiza.** ‖ **4.** fig. Dícese de la madera que, por ser muy pesada, se hunde en el agua.

ahogado[1]**, da.** p. p. de **ahogar.** ‖ **2.** adj. Dícese de la respiración y de la voz o sonido emitidos con dificultad o contenidos. ‖ **3.** Se dice del sitio estrecho que no tiene ventilación. ‖ **4.** V. **seda ahogada.** ‖ **5.** m. y f. Persona que muere por falta de respiración, especialmente en el agua.

ahogado[2]**.** (De *ahogar*[2].) m. *Bol., Col., Chile, Ecuad.* y *Perú.* Rehogado o estofado, hecho de diversas formas en cada uno de estos países. ‖ **2.** *Bol., Col., Chile* y *Perú.* Salsa con que se rehoga un alimento.

ahogador, ra. adj. Que ahoga. Ú. t. c. s. ‖ **2.** m. Especie de collar que antiguamente usaban las mujeres. ‖ **3.** f. *C. Rica* y *Nicar.* **ahorcadora.**

ahogamiento. m. Acción y efecto de ahogar o ahogarse. ‖ **2.** fig. **ahogo.** ‖ **de la madre.** desus. **mal de madre.**

ahogar[1]. (Del lat. *offocāre*, apretar las fauces.) tr. Quitar la vida a una persona o a un animal, impidiéndole la respiración, ya sea apretándole la garganta, ya sumergiéndolo en el agua, ya de otro modo. Ú. t. c. prnl. ‖ **2.** Tratándose de plantas o simientes, dañar su lozanía el exceso de agua, el apiñamiento o la acción de otras plantas nocivas. Ú. t. c. prnl. ‖ **3.** Tratándose del fuego, apagarlo, sofocarlo con materias que se le sobreponen y dificultan la combustión. ‖ **4.** fig. Extinguir, apagar. Ú. t. c. prnl. ‖ **5.** fig. Oprimir, acongojar, fatigar. Ú. t. c. intr. y c. prnl. ‖ **6.** Sumergir una cosa en el agua; encharcar. ‖ **7.** En el juego del ajedrez, hacer que el rey contrario no pueda moverse sin quedar en jaque. ‖ **8.** Inundar el carburador con exceso de combustible. Ú. t. c. prnl. ‖ **9.** *Mar.* Embarcar agua un buque por la proa, por exceso de escora. ‖ **10.** prnl. Sentir sofocación o ahogo. ‖ **estar,** o **verse,** alguien **ahogado.** fr. fig. y fam. Estar acongojado u oprimido con empeños, negocios u otros cuidados graves de que es dificultoso salir.

ahogar[2]. (De *a-*[1] y el lat. *focus*, fuego.) tr. ant. Estofar o rehogar.

ahogaviejas. (De *ahogar*[1] y *vieja*.) f. **quijones.**

ahogo. (De *ahogar*[1].) m. fig. Aprieto, congoja o aflicción grande. ‖ **2. ahoguío.** ‖ **3.** fig. Apremio, prisa. ‖ **4.** *Amér.* Asma.

ahoguío. (De *ahogo*.) m. Opresión y fatiga en el pecho, que impide respirar con libertad.

ahojar. (De *a-*[1] y *hoja*.) intr. *Ar.* **ramonear,** pacer los animales las hojas de las plantas.

ahombrado, da. (De *a-*[1] y *hombre*.) adj. fam. Dícese de la mujer o del niño, y de sus actos o cualidades que se parecen a los del hombre.

ahondamiento. m. Acción y efecto de ahondar.

ahondar. (De *a-*[1] y *hondo*.) tr. Hacer más honda una cavidad o agujero. ‖ **2.** Por ext., cavar profundizando, excavar. ‖ **3.** Introducir una cosa muy dentro de otra. Ú. t. c. intr. y c. prnl. ‖ **4.** fig. Escudriñar lo más profundo o recóndito de un asunto. Ú. t. c. intr.

ahonde. (De *ahondar*.) m. Acción de ahondar. ‖ **2.** *Min.* Excavación de siete varas que, según las ordenanzas, debía hacerse en un plazo determinado en las minas de América, para conseguir la propiedad de las mismas.

ahora. (Del lat. *ad horam*.) adv. t. A esta hora, en este momento, en el tiempo actual o presente. ‖ **2.** fig. Poco tiempo ha. AHORA *me lo han dicho.* ‖ **3.** fig. Dentro de poco tiempo. AHORA *te lo diré.* ‖ **4.** *Amér.* Hoy. ‖ **5.** conj. distrib. AHORA *hable de ciencias,* AHORA *de artes, siempre es atinado su juicio.* ‖ **6.** conj. advers. Pero, sin embargo. ‖ **ahora bien.** loc. conjunt. advers. Esto supuesto o sentado. AHORA BIEN, *¿qué se pretende lograr con esa diligencia?* ‖ **ahora mismo.** loc. adv. En este mismo instante. ‖ **ahora que.** loc. conjunt. que equivale a **pero.** *La casa es cómoda,* AHORA QUE *no tiene ascensor.* ‖ **hasta ahora.** expr. que se usa para despedirse. ‖ **por ahora.** loc. adv. **por de pronto, por lo pronto,** por el momento, provisionalmente. ‖ **2.** En el tiempo actual. POR AHORA, *su salud se resiente.*

ahorcable. adj. Digno de ser ahorcado.

ahorcadizo, za. adj. ant. Digno de ser ahorcado. ‖ **2.** ant. Se aplicaba a la caza muerta en lazo.

ahorcado, da. p. p. de **ahorcar.** ‖ **2.** m. y f. Persona ajusticiada en la horca. ‖ **3.** p. us. Persona condenada a morir en ella, desde que entra en capilla. ‖ **4.** fig. y fam. V. **compañía, honra del ahorcado.**

ahorcadora. (De *ahorcar*.) f. *Guat., Hond.* y *Nicar.* Especie de avispa grande, llamada así por creer el vulgo que la persona a quien pica en el cuello puede morir por asfixia.

ahorcadura. f. Acción de ahorcar o ahorcarse.

ahorcajarse. prnl. Ponerse o montar a horcajadas.

ahorcamiento. m. Acción y efecto de ahorcar.

ahorcaperros. (De *ahorcar* y *perro*.) m. *Mar.* Nudo corredizo que sirve para salvar objetos sumergidos.

ahorcar. tr. Quitar a alguien la vida echándole un lazo al cuello y colgándolo de él en la horca u otra parte. Ú. t. c. prnl. ‖ **2.** p. us. Por ext., colgar, suspender. ‖ **3.** fig. Dicho de hábitos religiosos, estudios, etc., dejarlos.

ahorita. (d. de *ahora*.) adv. t. fam. Ahora mismo, muy recientemente.

ahoritita. adv. t. *Méj.* Ahora mismo.

ahormar. tr. Ajustar una cosa a su horma o molde. Ú. t. c. prnl. ‖ **2.** fig. Amoldar, poner en razón a alguno. ‖ **3.** *Equit.* Excitar a la caballería suavemente con el freno y la falsa rienda para que coloque la cabeza en posición correcta. ‖ **4.** *Taurom.* Hacer por medio de la muleta o de otras suertes que el toro se coloque en disposición conveniente para darle la estocada.

ahornagamiento. m. Acción y efecto de ahornagarse.

ahornagarse. (Del lat. *ad* y *fornax, -ācis*, horno.) prnl. Abochornarse o abrasarse la tierra y sus frutos por el excesivo calor.

ahornar. (De *a-*[1] y *horno*.) tr. **enhornar.** ‖ **2.** prnl. Sollamarse o quemarse el pan por la parte exterior, quedándose sin cocer por dentro.

ahorquillado, da. p. p. de **ahorquillar.** ‖ **2.** adj. Que tiene forma de horquilla.

ahorquillar. tr. Afianzar con horquillas las ramas de los árboles, para que no se desgajen con el peso de la fruta. ‖ **2.** Dar a una cosa la figura de horquilla. Ú. m. c. prnl.

ahorradamente. adv. m. Libre o desembarazadamente.

ahorrado, da. p. p. de **ahorrar.** ‖ **2.** adj. p. us. **horro,** libre, exento. ‖ **3.** p. us. Que ahorra o economiza. Ú. t. c. s.

ahorrador, ra. adj. Que ahorra. Ú. t. c. s.

ahorramiento. m. Acción de ahorrar o ahorrarse.

ahorrar. (De *a-*[1] y *horro*.) tr. Cercenar y reservar alguna parte del gasto ordinario. Ú. t. c. prnl. ‖ **2.** Guardar dinero como previsión para necesidades futuras. ‖ **3.** Evitar un gasto o consumo mayor. ‖ **4.** Evitar o excusar algún trabajo, riesgo, dificultad u otra cosa. Ú. t. c. prnl. ‖ **5.** p. us. Entre ganaderos, conceder a los mayorales y pastores cierto número de cabezas de ganado horras o libres de todo pago y gasto, y con todo el aprovechamiento para ellos. ‖ **6.** p. us. Dar libertad al esclavo o prisionero. ‖ **7.** ant. Quitarse del cuerpo una prenda de vestir. ‖ **8.** prnl. ant. Aligerarse de ropa. Ú. en Aragón y Salamanca. ‖ **no ahorrarse,** o **no ahorrárselas,** alguien **con nadie.** fr. fam. Hablar u obrar sin temor ni miramiento.

ahorrativa. f. p. us. **ahorro.**

ahorrativo, va. adj. Que implica ahorro. ‖ **2.** Perteneciente o relativo al ahorro. ‖ **3.** Dícese del que ahorra o excusa una parte de su gasto.

ahorría. (De *alhorría*.) f. ant. Calidad de horro. ‖ **2.** V. **carta de ahorría.**

ahorrista. com. *Argent.* y *Venez.* Persona que tiene cuenta de ahorros en un establecimiento de crédito.

ahorro. m. Acción de **ahorrar,** economizar. ‖ **2.** Acción de **ahorrar,** evitar un trabajo. ‖ **3.** Lo que se ahorra. ‖ **4.** V. **caja de ahorros.** ‖ **5.** V. **carta de ahorro.**

ahotado, da. (De *a-*[1] y *hoto*.) p. p. de **ahotar.** ‖ **2.** adj. ant. Osado, atrevido.

ahotar. (De *a-*[1] y *hoto*.) tr. ant. Azuzar, incitar.

ahotas. (De *a-*[1] y *hoto*.) adv. m. ant. A la verdad, a buen seguro, ciertamente.

ahoyador. m. *And.* El que hace hoyos para plantar.

ahoyadura. f. Acción y efecto de ahoyar.

ahoyar. intr. Hacer hoyos.

ahuate. (Del nahua *auatl*, espina.) m. *Hond., Méj.* y *Nicar.*

Espina muy pequeña y delgada que, a modo de vello, tienen algunas plantas, como la caña de azúcar y el maíz.
ahuciar. (De *a-*[1] y *hucia.*) tr. ant. Esperanzar o dar confianza.
ahuchador, ra. adj. Que ahúcha[1]. Ú. t. c. s.
ahuchar[1]. (De *hucha.*) tr. Guardar en hucha. ‖ **2.** fig. Guardar en parte segura el dinero o cosas que se han ahorrado.
ahuchar[2]. (De *hucho.*) tr. Llamar al halcón al grito repetido de ¡hucho! ‖ **2.** Azuzar, oxear.
ahuchear. tr. fam. **abuchear.**
ahucheo. m. fam. Acción de ahuchear; abucheo.
ahuecado, da. p. p. de **ahuecar.** ‖ **2.** m. Acción y efecto de ahuecar.
ahuecador, ra. adj. Que ahueca. ‖ **2.** m. Herramienta de acero semejante al formón, acodillada hacia la punta, que usan los torneros para ahuecar las piezas de madera.
ahuecamiento. m. Acción y efecto de ahuecar o ahuecarse. ‖ **2.** fig. Engreimiento, envanecimiento.
ahuecar. (De *aocar.*) tr. Poner hueca o cóncava alguna cosa. ‖ **2.** Mullir, ensanchar o hacer menos compacta alguna cosa que estaba apretada o aplastada. AHUECAR *la tierra, la lana.* Ú. t. c. prnl. ‖ **3.** fig. Dicho de los sonidos, y especialmente de la voz, hablar en un tono más grave o resonante que el natural. ‖ **4.** intr. fam. **ahuecar el ala.** ‖ **5.** prnl. fig. y fam. Hincharse, engreírse.
ahuehué o **ahuehuete.** (Del nahua *ahuehuetl.*) m. Árbol de la familia de las cupresáceas, originario de América del Norte, de madera semejante a la del ciprés; por su elegancia, se cultiva como planta de jardín.
ahuesado, da. adj. De color de hueso. ‖ **2.** Parecido al hueso en la dureza. ‖ **3.** V. **papel ahuesado.**
ahuesarse. prnl. *Amér.* Quedarse inútil o sin prestigio una persona o cosa. ‖ **2.** *Amér.* Quedarse una mercancía sin vender.
ahuevado, da. p. p. de **ahuevar.** ‖ **2.** adj. *Col., Nicar., Pan.* y *Perú.* Acobardado, atontado. Ú. t. c. s. ‖ **3.** *C. Rica.* Aburrido, fastidiado.
ahuevar. tr. Dar limpidez a los vinos con claras de huevo. ‖ **2.** Dar forma de huevo a algo. ‖ **3.** *Col., Nicar.* y *Pan.* Atontar, azorar, acobardar. Ú. t. c. prnl. En Perú solo se usa c. prnl. ‖ **4.** *C. Rica.* Aburrir, fastidiar. Ú. t. c. prnl.
ahuevazón. f. *Pan.* Embobamiento, necedad. ‖ **2.** *C. Rica.* Aburrimiento, fastidio.
ahuizote. (De *Ahuitzotl,* nombre del 8° señor de Méjico.) m. Cierto animalejo de agua, como perrillo, que se suponía existente en los ríos de comarcas cálidas. Es probable que se tratase del ajolote. ‖ **2.** *Méj.* Persona que molesta y fatiga continuamente. ‖ **3.** *Amér. Central* y *Méj.* Agüero, brujería.
ahulado, da. adj. *Amér. Central* y *Méj.* Dícese de la tela o prenda impermeabilizada con hule o goma elástica. Ú. t. c. s. m. ‖ **2.** m. *Amér. Central.* Chanclo.
ahumada. (De *ahumar.*) f. Señal que para dar algún aviso se hacía en las atalayas o lugares altos, quemando paja u otra cosa. Ú. m. con el verbo *hacer.*
ahumado, da. p. p. de **ahumar.** ‖ **2.** adj. Aplícase a los cuerpos transparentes que, sin haber estado expuestos al humo, tienen color sombrío. *Cristal* AHUMADO. ‖ **3.** Dícese del alimento, especialmente del pescado, que ha sido sometido a la acción del humo para curarlo. ‖ **4.** V. **cuarzo, topacio ahumado.** ‖ **5.** m. Acción y efecto de ahumar.
ahumar. (Del lat. **affumāre,* de *fumāre,* echar humo.) tr. Poner al humo alguna cosa, hacer que lo reciba. ‖ **2.** Llenar de humo. Ú. m. c. prnl. ‖ **3.** Someter al humo algún alimento para su conservación o para comunicarle cierto sabor. ‖ **4.** intr. Echar o despedir humo lo que se quema. ‖ **5.** prnl. Ennegrecerse una cosa con el humo. ‖ **6.** Tomar los guisos sabor a humo. ‖ **7.** fam. **emborracharse.**
ahumear. intr. *Sal.* **humear.** Ú. t. c. prnl.
ahurragado, da. adj. *Agr.* **aurragado.**
ahusado, da. p. p. de **ahusar.** ‖ **2.** adj. De figura de huso.
ahusar. tr. Dar forma de huso. ‖ **2.** prnl. Irse adelgazando alguna cosa en figura de huso.
ahuyentador, ra. adj. Que ahuyenta. Ú. t. c. s.
ahuyentar. (Del lat. **effugientāre,* de *fugiens, -entis,* el que huye.) tr. Hacer huir a personas o animales. ‖ **2.** fig. Desechar cualquiera pasión o afecto, u otra cosa que moleste o aflija. ‖ **3.** prnl. Alejarse huyendo.
-aico, ca. (Del lat. *-aĭcus.*) suf. de adjetivos que significa «pertenencia» o «relación»: *inc*AICO, *alt*AICO, *volt*AICO, *algebr*AICO.
aijada. f. **aguijada.**
ailanto. (De or. malayo.) m. Árbol de la familia de las simarubáceas, originario de las Molucas, de más de 20 metros de altura, con hojas compuestas de folíolos numerosos, oblongos y agudos, y flores en panojas, verduscas y de olor desagradable. Es de madera dura y compacta, crece pronto y produce muchos hijuelos.
aíllo. (De or. aimara.) m. *Chile* y *Ecuad.* Parcialidad en que se divide una comunidad indígena, cuyos componentes son generalmente de un linaje.
aimara. adj. Dícese de la raza de indios que habitan la región del lago Titicaca, entre el Perú y Bolivia. Aplicado a los individuos de esta raza, ú. t. c. s. ‖ **2.** Propio o perteneciente a esta raza. ‖ **3.** m. Lengua **aimara.**
aína. (Del lat. **agīna,* de *agĕre,* hacer.) adv. t. ant. **pronto.** ‖ **2.** adv. m. ant. **fácilmente.** ‖ **3.** adv. c. **por poco.**
aínas. (De *aína.*) adv. t. y m. ant. **aína.** ‖ **no tan aínas.** loc. adv. ant. No con tanta facilidad como se presume o aparenta creer.
aindamáis. (Del gall. o port. *ainda mais.*) adv. c. fam. y fest. Aun más, además.
aindiado, da. adj. Que tiene el color y las facciones propias de los indios.
aindiarse. prnl. Parecerse al indio en costumbres, facciones y comportamiento. ‖ **2.** Adoptar los usos, lengua, y forma de vida de los indios.
aine. (Del aimara *ayne.*) m. *Bol.* Préstamo en dinero o especie que, entre las colectividades quechuas y aimaras, ha de ser devuelto duplicado al año de recibido.
airadamente. adv. m. Con ira.
airado, da. p. p. de **airar.** ‖ **2.** adj. V. **vida airada.**
airamiento. m. Acción y efecto de airar o airarse.
airampo. (De or. quechua.) m. *Amér. Merid.* Cactácea cuya semilla se emplea como colorante.
airar. (De *a-*[1] e *ira.*) tr. Mover a ira. Ú. m. c. prnl. ‖ **2.** Agitar, alterar violentamente. ‖ **3.** ant. Aborrecer, alejar de la gracia y amistad; desterrar.
aire[1]. (Del lat. *aer, -ĕris,* y este del gr. ἀήρ.) m. Fluido que forma la atmósfera de la Tierra. Es una mezcla gaseosa, que, descontado el vapor de agua que contiene en diversas proporciones, se compone aproximadamente de 21 partes de oxígeno, 78 de nitrógeno y una de argón y otros gases semejantes a este, a que se añaden algunas centésimas de ácido carbónico anhidrido. ‖ **2. atmósfera** terrestre. Ú. t. en pl. ‖ **3. viento.** ‖ **4.** V. **bocanada, calorífero, nivel, pelo, viga de aire.** ‖ **5.** V. **madera, red del aire.** ‖ **6.** fig. Parecido, semejanza. Se usa especialmente referido a las personas. AIRE *de familia.* ‖ **7.** fig. Vanidad o engreimiento. ‖ **8.** fig. Cada una de las maneras de caminar los solípedos y demás cuadrúpedos que suelen domarse para el transporte en general. ‖ **9.** fig. Frivolidad, futilidad o poca importancia de alguna cosa. ‖ **10.** fig. Primor, gracia o perfección en el modo de hacer las cosas. ‖ **11.** fig. Garbo, brío, ga-

llardía y gentileza en las acciones, como en el andar, danzar y otros ejercicios. ‖ **12.** fam. Ataque de parálisis. Ú. m. con el verbo *dar* y el artículo *un. Le* DIO UN AIRE. ‖ **13.** fig. Ínfulas, pretensiones, alardes. Ú. m. en pl., frecuentemente en las frases *darse aires* o *darse aires de* alguna cosa, con el sentido de presumir, jactarse. ‖ **14.** *Arq.* V. **cámara de aire.** ‖ **15.** *Mús.* Grado de presteza o lentitud con que se ejecuta una obra musical. ‖ **16.** *Mús.* **canción,** tonada de una composición. ‖ **17.** pl. fig. Lo que viene de fuera alterando los usos establecidos e impulsando modas, corrientes o tendencias nuevas. ‖ **18.** interj. con que se incita a una o varias personas a que despejen el lugar donde están o a que se pongan a su tarea lo más pronto posible. ‖ **acondicionado.** Atmósfera de un lugar o espacio cerrado, sometida artificialmente a determinadas condiciones de temperatura, humedad y presión. ‖ **campero.** El paso y trote del caballo que bracea volviendo los cascos hacia afuera. ‖ **colado.** Viento frío que corre encallejonado o por alguna estrechura. ‖ **comprimido. aire** cuyo volumen ha sido reducido para aumentar su presión y aprovecharla como energía al expansionarse. ‖ **2.** *Med.* V. **baño de aire comprimido.** ‖ **de suficiencia.** fig. Afectación de magisterio. ‖ **de taco.** fig. y fam. Desenfado, desenvoltura, desembarazo. ‖ **líquido.** *Fís.* Líquido que se obtiene sometiendo el **aire** a fuerte presión y dejándolo que se enfríe mediante su propia expansión hasta una temperatura inferior al punto de ebullición de sus principales componentes. Tiene uso en la industria y se emplea también como explosivo. ‖ **ocluso.** El que a modo de burbujas está contenido en el interior de una masa sólida, como el hormigón. ‖ **popular.** Canción o tocata bailable propia y característica del pueblo. ‖ **2.** ant. **aura,** favor, aplauso. ‖ **el Aire. Ejército del Aire.** ‖ **al aire.** loc. adv. Tratándose de piedras preciosas, montarlas o engastarlas de modo que, sujetándolas únicamente por sus bordes, queden visibles por encima y por debajo. ‖ **2.** V. **guarnición al aire.** ‖ **3.** Al desnudo, sin cubrir. Se emplea sobre todo referido al cuerpo humano o a una parte del mismo. ‖ **4.** fig. Sin provecho, sin fundamento, sin fijeza. *Hablar* AL AIRE; *no decir,* o *no hacer, nada* AL AIRE. ‖ **5.** fig. y fam. V. **palabras al aire.** ‖ **al aire libre.** loc. adv. Fuera de toda habitación y resguardo. ‖ **a mi, tu, su,** etc., **aire.** loc. Con arreglo a mi, tu, su, etc. propio estilo, maneras, costumbres. *Tendrás que vivir* A TU AIRE. ‖ **azotar el aire.** fr. fig. y fam. Fatigarse en vano. ‖ **beber los aires.** fr. fig. y fam. **beber los vientos.** ‖ **cambiar de aires.** fr. Marcharse, cambiar de residencia. Ú. t. en sent. fig. ‖ **cogerle el aire** a alguien. fr. fig. y fam. **guardarle el aire** a alguien. ‖ **cortarlas en el aire.** fr. fig. y fam. **matarlas en el aire.** ‖ **creerse del aire.** fr. fig. y fam. p. us. Creer de ligero, dar crédito con facilidad. ‖ **dar aire.** fr. fig. y fam. Dicho de dinero, caudal, etc., gastarlo pronto. ‖ **dar con aire,** o **de buen aire.** fr. fig. y fam. Dar con ímpetu o violencia una cuchillada, un palo o cualquier golpe. ‖ **darle** a alguien **el aire de** alguna cosa. fr. fig. y fam. Tener anuncios o indicios de ella. ‖ **darle,** o **darse,** uno **un aire** a otro. fr. fig. y fam. Parecérsele en algo o tener con él alguna semejanza en el modo de andar, en las facciones, etc. Ú. t. aplicado a cosas. ‖ **de buen,** o **mal, aire.** loc. adv. fig. De buen, o mal, humor. ‖ **de un aire.** loc. Con los verbos *dejar, quedar* y *quedarse,* asustado, pasmado, atónito. ‖ **disparar al aire.** fr. Disparar las armas hacia lo alto y sin hacer puntería. ‖ **echar al aire.** fr. fam. Descubrir, desnudar alguna parte del cuerpo. ‖ **empañar el aire.** fr. Oscurecer las nieblas o vapores la claridad de la atmósfera. ‖ **en el aire.** loc. adv. fig. Con mucha ligereza o brevedad, en un instante. ‖ **2.** fig. y fam. En situación insegura o precaria. Ú. m. con los verbos *estar, quedar* y *dejar.* ‖ **fabricar,** o **fundar, en el aire.** fr. fig. Discurrir sin fundamento o esperar sin un motivo razonable. ‖ **guardarle el aire** a alguien. fr. fig. y fam. Atemperarse a su genio. ‖ **hacer aire** a alguien. fr. fig. Impeler el **aire** hacia él para refrescarlo. Ú. t. el verbo c. prnl. ‖ **2.** fig. y fam. Estorbarle, perjudicarle. ‖ **herir el aire** con voces, lamentos, quejas, etc. fr. fig. Lamentarse en voz alta. ‖ **ir al aire de la tierra.** fr. fig. y fam. *Ar.* Ir por donde uno piensa o tiene el instinto de que ha de llegar al lugar que busca. ‖ **llevar** o **llevarse el aire** una cosa. fr. fig. que se aplica a la desaparición u olvido de algo. ‖ **llevarle el aire** a alguien. fr. fig. y fam. **guardarle el aire.** ‖ **matarlas en el aire.** fr. fig. y fam. Dar con prontitud y facilidad salidas o respuestas agudas a cualquier cosa que se dice o de que se le hace cargo. ‖ **mudar aires,** o **de aires.** fr. Pasar un enfermo de un lugar a otro con el objeto de recobrar la salud. ‖ **2.** fig. Salir desterrado o huir. ‖ **mudarse a cualquier aire.** fr. fig. desus. Variar de dictamen u opinión con facilidad o leve motivo. ‖ **mudarse el aire.** fr. fig. Mudarse la fortuna, faltar el favor que uno tenía. ‖ **ofenderse del aire.** fr. fig. Ser de genio delicado y vidrioso. ‖ **por el aire,** o **los aires.** loc. fig. y fam. Con mucha ligereza o velocidad. Ú. con los verbos *ir, venir, llegar,* etc. ‖ **seguirle el aire** a alguien. fr. fig. y fam. **guardarle el aire** a alguien. ‖ **ser aire,** o **un poco de aire** una cosa. fr. Ser vana y de ninguna sustancia. ‖ **sustentarse del aire.** fr. fig. y fam. Comer muy poco. ‖ **2.** fig. y fam. Confiarse en esperanzas vanas. ‖ **3.** p. us. fig. y fam. Dejarse llevar de la lisonja. ‖ **todo es aire lo que echa la trompeta.** fr. contra los fatuos y fanfarrones. ‖ **tomar aires.** fr. Estar una persona en paraje más o menos distante de su habitual residencia con el objeto de recobrar la salud. ‖ **tomar el aire.** fr. Pasearse, esparcirse en el campo, salir a algún sitio descubierto donde corra el **aire.** ‖ **2.** *Mont.* **tomar el viento.** ‖ **vivir del aire.** fr. fig. Vivir sin recursos conocidos y seguros.

aire[2]. m. Mamífero insectívoro de la isla de Cuba, de unos 30 centímetros de largo, con la cola y la parte posterior de los muslos casi desprovistas de pelo.

aireación. f. Acción y efecto de airear.

airear. tr. Poner al aire o ventilar alguna cosa. AIREAR *los granos.* ‖ **2.** fig. Dar publicidad o actualidad a una cosa. ‖ **3.** prnl. Ponerse o estar al aire para ventilarse, refrescarse o respirar con más desahogo. ‖ **4.** Recibir la impresión del aire por descuido o necesidad. ‖ **5.** Resfriarse con la frescura del aire.

aireo. m. Acción de airear.

airón[1]. (Del germ. **haigro,* a través del ant. fr. *hairon.*) m. **garza real.** ‖ **2.** Penacho de plumas que tienen en la cabeza algunas aves. ‖ **3.** Adorno de plumas, o de cosa que las imite, en cascos, sombreros, gorras, etc., o en el tocado de las mujeres.

Airón[2]. n. p. V. **pozo Airón.**

airosamente. adv. m. Con aire, garbo o gallardía.

airosidad. (De *airoso.*) f. Buen aire, garbo o gallardía, especialmente en el manejo del cuerpo.

airoso, sa. adj. Se aplica al tiempo o sitio en que hace mucho aire. ‖ **2.** fig. Garboso o gallardo. ‖ **3.** fig. Dícese del que lleva a cabo una empresa con honor, felicidad o lucimiento. Ú. por lo común con los verbos *quedar* y *salir.*

aisa. (Del quechua *aisa,* tirón.) f. *N. Argent., Bol.* y *Perú.* Derrumbe que, en el interior de una mina, obstruye la salida al exterior.

aisenino, na. adj. Natural de Aisén. Ú. t. c. s. ‖ **2.** Perteneciente o relativo a esta provincia de Chile.

aislable. adj. Que se puede aislar.

aislacionismo. (Calco del ing. *isolationism.*) m. Política de apartamiento o no intervención en asuntos internacionales.

aislacionista. (Calco del ing. *isolationist.*) adj. Perteneciente o relativo al aislacionismo. ‖ **2.** Partidario de él. Ú. t. c. s.

aisladamente. adv. m. **separadamente.**

aislado, da. p. p. de **aislar.** ‖ **2.** adj. Solo, suelto, individual. ‖ **3.** V. **columna aislada.**

aislador, ra. (De *aislar.*) adj. Que aísla. Ú. t. c. s. ‖ **2.** *Fís.* Aplícase a los cuerpos que impiden el paso de la electricidad y del calor. Ú. t. c. s. m. ‖ **3.** m. Pieza de material aislante que sirve para soportar o sujetar un conductor eléctrico.

aislamiento. m. Acción y efecto de aislar o aislarse. ‖ **2.** fig. Incomunicación, desamparo.

aislante. p. a. de **aislar.** Que aísla. Ú. t. c. s. ‖ **2.** adj. *Fís.* **aislador.** Ú. t. c. s.

aislar. (De *a-*[1] e *isla.*) tr. Dejar una cosa sola y separada de otras. Ú. t. c. prnl. ‖ **2.** p. us. Circundar o cercar de agua por todas partes algún sitio o lugar. Usáb. t. c. prnl. ‖ **3.** fig. Retirar a una persona del trato y comunicación de la gente o de un grupo. Ú. m. c. prnl. ‖ **4.** *Fís.* Apartar por medio de aisladores un cuerpo electrizado de los que no lo están.

aité. (De or. caribe) m. *Cuba.* Nombre que se da a varias especies de árboles silvestres de madera muy dura.

aitinal. m. *Amér.* Columna de madera.

aizcolari. (Del vasc. *aitzkolari.*) m. Deportista que toma parte en las competiciones consistentes en cortar con hacha troncos de árbol.

aizoáceo, a. (De *Aizoon,* nombre de un género de plantas; del gr. ἀΐζωον, ardiente.) adj. *Bot.* Dícese de plantas angiospermas dicotiledóneas, herbáceas o algo leñosas, con hojas alternas u opuestas, flores axilares o terminales de colores vivos, y fruto en cápsula con pericarpio carnoso; como el algazul. Ú. t. c. s. f. ‖ **2.** f. pl. *Bot.* Familia de estas plantas.

aj. (De *ax.*) m. **aje**[1]. Ú. m. en pl.

aja. (Del lat. *ascĭa.*) f. p. us. **azuela.** ‖ **2.** V. **maestro de aja.**

¡ajá! interj. fam. que se emplea para denotar satisfacción, aprobación o sorpresa.

ajabeba. (Del ár. *aš-šabāba,* la flauta de caña.) f. Flauta morisca.

ajada. (De *ajo*[1].) f. Salsa de pan desleído en agua, ajos machacados y sal, con que se aderezan el pescado y otras viandas.

ajado, da. adj. ant. Que tiene ajos.

ajadura. f. **ajamiento.**

ajaezar. tr. ant. **enjaezar.**

¡ajajá! interj. fam. **¡ajá!**

¡ajajay! interj. **¡jajay!**

ajamiento. m. Acción y efecto de ajar o ajarse.

ajamonarse. (De *a-*[1] y *jamón.*) prnl. fam. Engordar una persona cuando ha pasado de la juventud. Se usa especialmente referido a la mujer.

ajaqueca. f. desus. **jaqueca.**

ajaquecarse. prnl. desus. Sentirse acometido de jaqueca.

ajaquefa. (Del ár. *as-saqīfa,* el pórtico, el soportal.) f. **tejado** de edificio.

ajar[1]. m. Tierra sembrada de ajos.

ajar[2]. (De *ahajar.*) tr. Maltratar, manosear, arrugar, marchitar. ‖ **2.** fig. Tratar mal de palabra a alguno para humillarle. ‖ **3.** Hacer que pierdan su lozanía una persona, su piel, alguna parte de su cuerpo, una flor, etc. Ú. t. c. prnl. ‖ **4.** Desgastar, deteriorar o deslucir el tiempo o el uso una cosa. Ú. t. c. prnl.

ajaraca. (Del ár. *aš-šaraka,* el lazo.) f. ant. **lazo** de cintas. ‖ **2.** *Arq.* En la ornamentación árabe y mudéjar, **lazo,** adorno de líneas y florones.

ajaracado. m. *Arq.* Dibujo o pintura que forma ajaracas.

ajarafe. (Del ár. *aš-šaraf,* el lugar elevado.) m. Terreno alto y extenso. ‖ **2.** Azotea o terrado.

ajardinamiento. m. Acción y efecto de ajardinar.

ajardinar. tr. Convertir en jardín un terreno. ‖ **2.** Dotar o llenar de jardines.

ajaspajas. (De *ajo*[1] y *paja.*) f. pl. Cosa baladí, insignificante. ‖ **2.** *Sal.* Paja o tallo seco del ajo o la cebolla.

aje[1]. (De *aj.*) m. **achaque**[1], enfermedad. Ú. m. en pl.

aje[2]. (De or. caribe.) m. Planta intertropical, de la familia de las dioscoreáceas, vivaz, sarmentosa, rastrera, de hojas opuestas y acorazonadas, flores poco visibles y rizomas tuberculosos, pardos por fuera y blanquecinos por dentro, feculentos y comestibles.

aje[3]. (Del nahua *axin.*) m. Especie de cochinilla de Honduras, de la que se obtiene una sustancia que da un hermoso color amarillo.

-aje. suf. de sustantivos que puede significar acción: *aterriz*AJE, *abord*AJE, *aprendiz*AJE, y, secundariamente, derechos que se pagan: *almacen*AJE, *hosped*AJE, *pupil*AJE; a veces, conjunto: *cord*AJE, *ram*AJE.

ajea. f. **artemisa pegajosa.**

ajear[1]. intr. Repetir la perdiz, como quejándose, *aj, aj, aj,* cuando se ve acosada.

ajear[2]. (De *ajo*[2], palabrota.) tr. *Cantabria, Bol., Ecuad.* y *Perú.* Proferir ajos o palabrotas.

ajebe. (Del ár. *aš-šabb,* el alumbre.) m. desus. **jebe.**

ajedrea. (Del ár. *aš-šatriya.*) f. Planta de la familia de las labiadas, de unos tres decímetros de altura, muy poblada de ramas y hojas estrechas, algo vellosas y de un verde oscuro; es muy olorosa; se cultiva para adorno en los jardines y se usa en infusión como estomacal.

ajedrecista. com. Persona diestra en el ajedrez o aficionada a este juego.

ajedrecístico, ca. adj. Perteneciente o relativo al juego del ajedrez.

ajedrez. (Del ár. *as-saṭranŷ,* y este del sánscr. *chaturanga,* el juego que consta de cuatro cuerpos de ejército o filas: peones, caballos, roques o carros y elefantes.) m. Juego entre dos personas, cada una de las cuales dispone de 16 piezas movibles que se colocan sobre un tablero dividido en 64 escaques. Estas piezas son: un rey, una reina, dos alfiles, dos caballos, dos roques o torres y ocho peones; las de un jugador se distinguen por su color de las del otro, y no marchan de igual modo las de diferente clase. Gana el que da jaque mate al adversario. ‖ **2.** Conjunto de piezas que sirven para este juego. ‖ **3.** *Mar.* **jareta,** red de cabos o enrejado de madera.

ajedrezado, da. adj. Que forma cuadros de dos colores alternados, como las casillas o escaques del tablero de ajedrez.

ajenabe. (Del lat. *sināpi.*) m. **jenabe.**

ajenable. (De *alienable.*) adj. ant. **enajenable.**

ajenabo. (De *ajenabe.*) m. **jenabe.**

ajenación. (Del lat. *alienatĭo, -ōnis.*) f. desus. **enajenación.**

ajenador, ra. (Del lat. *alienātor, -ōris.*) adj. desus. **enajenador.** Usáb. t. c. s.

ajenamiento. (De *ajenar.*) m. desus. **enajenamiento.**

ajenar. (Del lat. *alienāre.*) tr. desus. **enajenar.** Usáb. t. c. prnl.

ajengibre. (De *jengibre.*) m. **jengibre.**

ajenjo. (Del lat. *absinthĭum,* y este del gr. ἀψίνθιον.) m. Planta perenne de la familia de las compuestas, como de un metro de altura, bien vestida de ramas y hojas un poco felpudas, blanquecinas y de un verde claro; es medicinal, muy amarga y algo aromática. ‖ **2.** Bebida amarga confeccionada con **ajenjo.** Ú. t. en sent. fig. ‖ **3.** Bebida alcohólica confeccionada con **ajenjo** y otras hierbas aromáticas.

ajeno, na. (Del lat. *aliēnus,* de *alĭus,* otro.) adj. Perteneciente a otro. ‖ **2.** De otra clase o condición. ‖ **3.** fig. Distante, lejano, libre de alguna cosa. AJENO *de cuidados.* ‖ **4.** fig. Impropio, extraño, no correspondiente. AJENO *a su volun-*

tad. ‖ **5.** fig. Que no tiene conocimiento de algo, o no está prevenido de lo que ha de suceder. ‖ **estar ajeno de sí.** fr. fig. Estar desprendido de sí mismo o de su amor propio.

ajenuz. (Del ár. *aš-šanūz,* la neguilla.) m. **arañuela,** planta ranunculácea.

ajeo. m. Acción de ajear[1]. ‖ **2.** V. **perro de ajeo.**

ajerezado, da. adj. Se dice del vino que se parece al jerez. Ú. t. c. s. m.

ajero, ra. m. y f. Persona que vende ajos. ‖ **2.** Dueño de un ajar[1].

ajete. m. d. de **ajo.** ‖ **2.** Ajo tierno que aún no ha echado cepa o cabeza. ‖ **3. ajipuerro.** ‖ **4.** Salsa que tiene ajo.

ajetrear. (De *ahetrar.*) tr. Molestar, mover mucho, cansar con órdenes diversas o imponiendo trabajo excesivo. ‖ **2.** prnl. Fatigarse corporalmente con algún trabajo u ocupación, o yendo y viniendo de una parte a otra.

ajetreo. m. Acción y efecto de ajetrear o ajetrearse.

ají. (De or. taíno.) m. Planta herbácea de la familia de las solanáceas, de diferentes formas y colores. Se usa para condimentar y, según sus variedades, puede ser dulce o picante. ‖ **2. ajiaco,** salsa de ají.

ajiaceite. m. Composición hecha de ajos machacados y aceite.

ajiaco. (De *ají.*) m. Salsa que se usa mucho en América y cuyo principal ingrediente es el ají. ‖ **2.** Especie de olla podrida usada en América, que se hace de legumbres y carne en pedazos pequeños, y se sazona con ají. ‖ **3.** *Col., Cuba, Chile, Méj.* y *Perú.* Guiso de caldo con carne, patatas picadas, cebolla y ají picante; los ingredientes varían de país a país. ‖ **estar, o ponerse, como ajiaco.** fr. fig. y fam. *Chile.* Estar colérico o de mal humor.

ajicero, ra. adj. *Chile.* Perteneciente o relativo al ají. ‖ **2.** m. y f. *Chile.* Persona que vende ají. ‖ **3.** m. *Amér.* Frasco o vaso en que se pone el ají en la mesa.

ajicola. f. Cola que se hace de retazos de piel cocidos con ajos, para preparar pintura al temple, o el dorado que ha de bruñirse.

ajicomino. m. Salsa en que entran como ingredientes el ajo y el comino.

ajicuervo. m. *Ál.* Planta bulbosa que crece en los campos no cultivados y despide fuerte olor a ajos.

ajilimoje o **ajilimójili.** (De *ajo*[1] y *moje.*) m. fam. Especie de salsa o pebre para los guisados. ‖ **2.** pl. fig. y fam. Agregados, adherentes de una cosa. ‖ **con todos sus ajilimójilis.** loc. fig. y fam. Con todos sus requisitos, sin que falte nada.

ajillo. m. Especie de salsa hecha de ajo y otros ingredientes.

ajimez. (Del ár. *aš-šammīs,* lo expuesto al sol.) m. Ventana arqueada, dividida en el centro por una columna. ‖ **2.** Saledizo o balcón saliente hecho de madera y con celosías.

ajimezado, da. adj. En forma de ajimez.

ajipa. (Del quechua *asipa.*) f. *Bol.* y *Perú.* Planta papilionácea con tubérculos de zumo azucarado.

ajipuerro. (De *ajo*[1] y *puerro.*) m. **puerro silvestre.**

ajironar. tr. Echar jirones a los sayos o ropas, según uso antiguo. ‖ **2.** Hacer jirones.

ajizal. m. Tierra sembrada de ají.

ajo[1]**.** (Del lat. *alĭum.*) m. Planta de la familia de las liliáceas, de 30 a 40 centímetros de altura, con hojas ensiformes muy estrechas y bohordo con flores pequeñas y blancas. El bulbo es también blanco, redondo y de olor fuerte y se usa mucho como condimento. ‖ **2.** Cada una de las partes o dientes en que está dividido el bulbo o cabeza de **ajos.** ‖ **3.** V. **cabeza, diente, dientes, espigón, horca, sopas de ajo.** ‖ **4.** Salsa o pebre que se hace con **ajos** para guisar y sazonar las viandas, y alguna vez suele tomar el nombre de la misma vianda o cosas con que se mezcla. AJO *comino.* ‖ **blanco. ajo.** ‖ **2.** Condimento que se hace con **ajos** crudos machacados, miga de pan, sal, aceite, vinagre y agua. Suele componerse también de almendras machacadas. ‖ **3.** Sopa fría que se hace con este condimento. ‖ **cañete, castañete** o **castañuelo.** Variedad del **ajo** común, que tiene las túnicas de sus bulbos de color rojo. ‖ **cebollino. cebollana.** ‖ **chalote,** o **de ascalonia.** Planta perenne de la familia de las liliáceas, con tallo de tres a cinco decímetros de altura; hojas finas, alesnadas y tan largas como el tallo; flores moradas y muchos bulbos, agregados como en el **ajo** común, blancos por dentro y rojizos por fuera. Es planta originaria de Asia, se cultiva en las huertas y se emplea como condimento lo mismo que la cebolla. ‖ **de pollo. ajo,** salsa. ‖ **lígrimo.** *Sal.* **ajo** silvestre. ‖ **2.** *Sal.* **ajo** de una sola cabeza, de olor o picor más fuerte que los ordinarios. Se emplea para usos medicinales. ‖ **pollo.** Guiso de patatas con bacalao, pimentón y aceite crudo. ‖ **porro,** o **puerro. puerro.** ‖ **¡bueno anda el ajo!** loc. fig. y fam. que irónicamente se dice de las cosas cuando están muy turbadas y revueltas. ‖ **estar en el ajo.** fr. fig. y fam. Estar al corriente, estar al tanto de un asunto tratado reservadamente. ‖ **hacer morder el ajo,** o **en el ajo** a alguien. fr. fig. y fam. Mortificarle, darle que sentir, retardándole lo que desea. ‖ **harto de ajos.** loc. fig. y fam. Rústico y mal criado. ‖ **más tieso que un ajo.** loc. fam. **tieso como un ajo.** ‖ **machacar el ajo.** loc. fig. **crotorar,** producir la cigüeña con el pico un ruido semejante a un castañeteo. ‖ **pelar el ajo.** loc. fig. *Nicar.* **morirse.** ‖ **picar el ajo.** loc. fig. **machacar el ajo.** ‖ **revolver el ajo.** fr. fig. y fam. Dar motivo para que se vuelva a reñir o insistir sobre alguna materia. ‖ **tieso como un ajo.** loc. adj. fam. Dícese del que está o anda muy derecho, y más generalmente del que da con ello indicio de engreimiento o vanidad.

ajo[2]**.** (Eufemismo por *carajo.*) m. fig. y fam. **palabrota.** Ú. m. con los verbos *echar* o *soltar.*

¡ajó! o **¡ajó!** interj. con que se acaricia y estimula a los niños para que empiecen a hablar. También se dice **¡ajó, taita!**

ajo, ja. (Del lat. *-acŭlus* o *atĭcus.*) suf. de sustantivos y adjetivos con valor entre despectivo y diminutivo: *tend*AJO, *mig*AJA, *escob*AJO, *pequeñ*AJO. Puede combinarse con **-ar:** *espum*ARAJO; con **-arro:** *pint*ARRAJO; a veces toma la forma **-strajo:** *comi*STRAJO; estas combinaciones tienen valor despectivo.

ajoaceite. m. **ajiaceite.**

ajoarriero. (De *ajo*[1] y *arriero.*) m. Guiso de bacalao, condimentado con ajos y otros ingredientes.

ajobachado, da. (De *ajobar.*) adj. *Sto. Dom.* Agotado por el calor excesivo o por un trabajo duro.

ajobar. (Del lat. *gibbus,* joroba.) tr. desus. Llevar a cuestas, cargar con alguna cosa. ‖ **2.** prnl. ant. Juntarse dos personas o animales de distinto sexo, emparejarse.

ajobero, ra. adj. Que ajoba. Ú. m. c. s.

ajobilla. f. Molusco lamelibranquio, muy común en los mares de España, y cuyas valvas, de unos tres centímetros de largo, son recias, lustrosas, casi triangulares, simétricas, con dientecillos en los bordes y de color enteramente blanco o manchadas de rojo, de azul o de amarillo.

ajobo. m. desus. Acción de ajobar. ‖ **2.** desus. Carga que se lleva encima. ‖ **3.** desus. Molestia, fatiga, trabajo.

ajofaina. f. **aljofaina.**

ajolín. m. Insecto hemíptero, especie de chinche, de color negro y rojo y de unos ocho milímetros de largo.

ajolio. (De *ajo*[1] y *olio.*) m. *Ar.* **ajiaceite.**

ajolote. (Del nahua *axolotl.*) m. Larva de cierto anfibio urodelo, de unos 30 centímetros de largo, con branquias externas muy largas, cuatro extremidades y cola comprimida lateralmente; puede conservar durante mucho tiempo la forma larvaria y adquirir la aptitud para reproducirse antes de tomar la forma típica del adulto. Vive en algunos lagos de América del Norte. ‖ **2.** *Méj.* Por ext., **renacuajo.**

ajomate. (Del ár. *al-ŷummāt,* las cabelleras.) m. Alga pluricelular formada por filamentos muy delgados, sin nudos, lustrosos y de color verde intenso. Abunda en las aguas dulces de España.

-ajón. V. **-ón**[1].

ajonje. (Del lat. *axungĭa,* ungüento graso.) m. Sustancia crasa y viscosa que se saca de la raíz de la ajonjera y sirve, como la liga, para coger pájaros. ‖ **2. ajonjera.**

ajonjera. (De *ajonje.*) f. Planta perenne de la familia de las compuestas, de tres a cuatro decímetros de altura, con raíz fusiforme, hojas puntiagudas y espinosas y flores amarillentas. ‖ **juncal. condrila.**

ajonjero. adj. V. **cardo ajonjero.** ‖ **2.** m. **ajonjera.**

ajonjo. m. **ajonje,** sustancia crasa. ‖ **2.** *Gran.* **ajonjera.**

ajonjolí. (Del ár. *al-ŷulŷulān,* el coriandro, el sésamo, con imela.) m. Planta herbácea, anual, de la familia de las pedaliáceas, de un metro de altura, tallo recto, hojas pecioladas, serradas y casi triangulares; flores de corola acampanada, blanca o rósea, y fruto elipsoidal con cuatro cápsulas y muchas semillas amarillentas, muy menudas, oleaginosas y comestibles. Llámase también alegría y sésamo. ‖ **2.** Simiente de esta planta. ‖ **3.** *Venez.* Cierta tenia del cerdo en estado de larva.

ajonuez. m. Salsa de ajo y nuez moscada.

ajoqueso. m. Género de guisado en que entran el ajo y el queso.

ajorar. tr. **ajorrar.** ‖ **2.** *P. Rico.* Molestar, atosigar.

ajorca. (Del ár. *aš-šurka,* el brazalete.) f. Especie de argolla de oro, plata u otro metal, usada por las mujeres para adornar las muñecas, brazos o gargantas de los pies.

ajordar. (Del lat. *exsurdāre.*) intr. *Ar.* Levantar o esforzar la voz; gritar mucho hasta fatigarse o enronquecer.

ajornalar. tr. Ajustar a uno para que trabaje o sirva por un jornal. Ú. t. c. prnl.

ajorrar. (Del. ár. *ŷarr,* arrastre.) tr. Remolcar, arrastrar. ‖ **2.** Echar, llevar por fuerza gente o ganado de una parte a otra. Ú. t. c. prnl. ‖ **3.** *Jaén* y *Murc.* Llevar arrastrando hasta el cargadero los troncos que se cortan en los montes.

ajorro. (De *ajorrar.*) adv. m. **a jorro.**

ajotar. (De *ahotar.*) tr. *León, Sal., Amér. Central* y *P. Rico.* Azuzar, incitar.

ajote. (De *ajo*[1], por el color de la planta.) m. **escordio.**

ajotrino. (De or. inc.) m. *Ál.* y *Burg.* **ajipuerro.**

ajuagas. (Del ár. *aš-šuqāq,* las resquebrajaduras.) f. pl. *Veter.* Especie de úlceras que se forman en los cascos de las bestias caballares.

ajuanetado, da. (De *a-*[1] y *juanete.*) adj. **juanetudo.**

ajuar. (Del ár. *aš-šuwār,* los muebles del menaje.) m. Conjunto de muebles, enseres y ropas de uso común en la casa. ‖ **2.** Conjunto de muebles, alhajas y ropas que aporta la mujer al matrimonio. ‖ **3. canastilla,** especialmente la que encierra el equipo de los niños recién nacidos. ‖ **4.** Conjunto de objetos propios de una persona, y en general, hacienda, bienes. Ú. t. en sent. fig.

ajuarar. tr. Proveer de ajuar una casa.

ajuate. m. *El Salv.* **ahuate.**

ajudiado, da. adj. Que se parece a los judíos. ‖ **2.** Que parece de judío. *Gesto* AJUDIADO.

ajuglarado, da. p. p. de **ajuglarar.** ‖ **2.** adj. Que tiene condiciones de juglar; juglaresco.

ajuglarar. tr. Hacer que uno proceda como juglar. ‖ **2.** intr. Tener condiciones de juglar. Ú. t. c. prnl.

ajuiciado, da. p. p. de **ajuiciar.** ‖ **2.** adj. **juicioso.**

ajuiciar. tr. Hacer que otro tenga juicio. Ú. m. c. intr. ‖ **2.** desus. Juzgar o enjuiciar.

ajumar. tr. vulg. **ahumar.** Ú. m. c. prnl.

ajuno, na. adj. De ajos.

ajuntadamente. adv. m. ant. **juntamente.**

ajuntamiento. m. ant. Acción y efecto de ajuntar o ajuntarse.

ajuntanza. f. ant. **ajuntamiento.**

ajuntar. (Del lat. *adiunctus.*) tr. pop. **juntar.** ‖ **2.** prnl. ant. **juntarse.** ‖ **3.** ant. Unirse en matrimonio. ‖ **4.** pop. **amancebarse.**

ajustable. adj. Que se puede ajustar.

ajustadamente. adv. m. Igual y cabalmente, con arreglo a lo justo. ‖ **2.** Ceñida o apretadamente.

ajustado, da. p. p. de **ajustar.** ‖ **2.** adj. Justo, recto. ‖ **3.** desus. Mezquino, miserable. ‖ **4.** *Der.* V. **memorial ajustado.**

ajustador, ra. adj. Que ajusta. Ú. t. c. s. ‖ **2.** m. Jubón o armador que se ajusta al cuerpo. ‖ **3.** Anillo, por lo común liso, con que se impide que se salga una sortija que viene ancha al dedo. ‖ **4.** Operario que trabaja las piezas de metal ya concluidas, amoldándolas al sitio en que han de quedar colocadas. ‖ **5.** *Mil.* En las unidades, el encargado de la reparación y entretenimiento del metal.

ajustamiento. m. Acción de ajustar. ‖ **2.** Papel en que consta el ajuste de una cuenta.

ajustar. (Del lat. *ad,* a, y *iustus,* justo.) tr. Hacer y poner alguna cosa de modo que case y venga justo con otra. Ú. t. c. prnl. ‖ **2.** Conformar, acomodar una cosa a otra, de suerte que no haya discrepancia entre ellas. Ú. t. en sent. fig. ‖ **3.** Apretar una cosa de suerte que sus varias partes casen o vengan justo con otra cosa o entre sí. Ú. t. c. prnl. ‖ **4.** Arreglar, moderar. Ú. t. c. prnl. ‖ **5.** Concertar, capitular, concordar alguna cosa, como el casamiento, la paz, las diferencias o pleitos. ‖ **6.** Componer o reconciliar a los discordes o enemistados. ‖ **7.** Tratándose de cuentas, reconocer y liquidar su importe. ‖ **8.** Concertar el precio de alguna cosa. ‖ **9.** Obligar a una persona, mediante pacto o convenio, a prestar algún servicio o ejecutar alguna cosa. Ú. t. c. prnl. ‖ **10.** *Col., C. Rica, Cuba, Nicar.* y *Sto. Dom.* Contratar a destajo. Ú. t. c. prnl. ‖ **11.** *Col., C. Rica, Méj.* y *Nicar.* Cumplir, completar. *Fulano* AJUSTÓ *catorce años.* ‖ **12.** *Impr.* Concertar las galeradas para formar planas. ‖ **13.** intr. Venir justo, casar justamente. ‖ **14.** V. **escofina de ajustar.** ‖ **15.** prnl. Acomodarse, conformar uno su opinión, su voluntad o su gusto con el de otro. ‖ **16.** Ponerse de acuerdo unas personas con otras en algún ajuste o convenio. ‖ **17.** *Ar.* Arrimarse o llegarse una persona a algún lugar, o una cosa a otra.

ajuste. m. Acción y efecto de ajustar o ajustarse. ‖ **2.** Encaje o medida proporcionada que tienen las partes de que se compone alguna cosa. ‖ **de cuentas.** loc. **arreglo de cuentas.**

ajustero, ra. (De *ajuste.*) m. y f. *Col.* y *Nicar.* Destajista.

ajusticiado, da. p. p. de **ajusticiar.** ‖ **2.** m. y f. Reo en quien se ha ejecutado la pena de muerte.

ajusticiamiento. m. Acción y efecto de ajusticiar.

ajusticiar. (De *a-*[1] y *justicia.*) tr. Ejecutar en un reo la pena de muerte. ‖ **2.** desus. Condenar a alguna pena.

ajustón. m. *Ecuad.* **apretón.**

al. Contracc. de la prep. **a** y el art. **el.**

ál. (Del lat. ant. *alid* por *alĭud.*) pron. indet. ant. Otra cosa. Usáb. en locuciones como *no pasar por* ÁL, no haber más remedio; ÁL *nada, nada* ÁL, nada más; ÁL *tanto,* otro tanto también. ‖ **2.** adj. ant. **demás.** Usáb. siempre precedido del artículo **lo.**

al-. (Del art. ár. *al-.*) Elemento inicial que, sin valor significativo, forma parte de muchas palabras españolas procedentes del árabe y de no pocas de otro origen.

-al. (Del lat. *-ālis.*) suf. de adjetivos y de sustantivos. En adjetivos significa generalmente relación o pertenencia: *ferrovi*AL, *cultur*AL. En los sustantivos indica el lugar en que abunda el primitivo: *arroz*AL, *peñasc*AL.

ala. (Del lat. *ala.*) f. Cada uno de los órganos o apéndices pares que utilizan algunos animales para volar. ‖ **2.** Hilera o fila. ‖ **3. helenio.** ‖ **4.** Parte inferior del sombrero, que rodea la copa, sobresaliendo de ella. ‖ **5. alero**[1] del tejado. ‖ **6. aleta,** reborde de las ventanas de la nariz. ‖ **7.** Cada uno de los dos bordes adelgazados del hígado. ‖ **8.** Cada una de las partes que a ambos lados del avión presentan al aire una superficie plana y sirven para sustentar el aparato en vuelo. ‖ **9.** Cada una de las partes que se extienden a los lados del cuerpo principal de un edificio o en que se considera dividido un espacio o construcción cualesquiera. *El* ALA *derecha de la plaza, del escenario.* ‖ **10.** fig. Cada una de las diversas tendencias de un partido, organización o asamblea, referida, sobre todo, a posiciones extremas. ‖ **11.** En el fútbol y otros deportes, **extremo** o **lateral.** ‖ **12.** *Bot.* Cualquiera de los pétalos laterales de la corola amariposada. ‖ **13.** *Fort.* **cortina,** lienzo de muralla. ‖ **14.** *Fort.* **flanco,** parte del baluarte. ‖ **15.** *Mar.* Vela pequeña suplementaria que se larga en tiempos bonancibles. ‖ **16.** *Mec.* Cada una de las paletas alabeadas que parten de un eje para formar la hélice. ‖ **17.** *Mil.* Tropa formada en cada uno de los extremos de un orden de batalla. ‖ **18.** *Mil.* Unidad del Aire de importancia equivalente al regimiento del ejército terrestre. Es mandada normalmente por un coronel. ‖ **19.** pl. fig. Osadía, libertad o engreimiento con que una persona hace su gusto o se siente superior por el cariño que otras le tienen o la protección que le dispensan. Ú. m. con los verbos *dar* y *tomar.* ‖ **bastarda. álula.** ‖ **del corazón. aurícula,** cavidad del corazón. ‖ **2.** pl. fig. Ánimos, valor, brío. ‖ **de mosca.** *Germ.* Treta o flor que usaban los fulleros en el juego de naipes. ‖ **2.** loc. adj. Dícese del color negro que tira a pardo o verdusco. ‖ **clavo de ala de mosca.** V. **clavo.** ‖ **ahuecar el ala.** fr. fig. Marcharse. ‖ **arrastrar el ala.** fr. fig. y fam. Enamorar, requerir de amores. ‖ **caérsele** a alguien **las alas,** o **las alas del corazón.** fr. fig. Desmayar, faltarle el ánimo y constancia en algún contratiempo o adversidad. ‖ **cortar, quebrantar** o **quebrar las alas** a alguien. fr. fig. Quitarle el ánimo o aliento cuando intenta ejecutar o pretende alguna cosa. ‖ **2.** fig. Privarle de los medios con que cuenta para prosperar y engrandecerse. ‖ **3.** fig. Privarle del consentimiento y libertad que tiene para hacer su gusto. ‖ **dar alas.** fr. fig. Estimular, animar a uno. ‖ **2.** Tolerar que uno obre según su gusto. ‖ **del ala.** loc. adj. fam. Seguida a la mención de una cantidad de dinero, se usa generalmente como elipsis de *pesetas. Las cuatrocientas* DEL ALA. ‖ **en ala.** loc. adv. **en fila.** ‖ **hierba del ala.** V. **hierba.** ‖ **meterse bajo el ala** de alguien o de algo. fr. fig. y fam. Buscar, obtener protección. ‖ **volar** alguien **con sus propias alas.** fr. fig. Poderse valer por sí mismo.

¡alá! interj. **¡hala!**

Alá. (Del ár. *Allāh,* Dios.) n. p. m. Nombre que dan a Dios los mahometanos y los cristianos orientales.

alabable. (De *alabar.*) adj. ant. **laudable.**

alabado. (De la expr. *alabado sea Dios.*) m. Motete que se canta en alabanza del Santísimo Sacramento, por lo regular al tiempo de la reserva, y comienza por las palabras **alabado sea.** ‖ **2.** Canto que los antiguos serenos de Chile y Argentina entonaban al venir el día y recogerse al cuartel. ‖ **3.** Canto devoto que en algunas haciendas de Méjico acostumbraban entonar los trabajadores al comenzar y al terminar la tarea diaria. ‖ **al alabado.** fr. fig. y fam. *Chile.* **al amanecer.**

alabador, ra. adj. Que alaba. Ú. t. c. s.

alabamiento. m. Acción de alabar.

alabancero, ra. (De *alabanza.*) adj. Lisonjero, adulador.

alabancia. f. Alabanza, jactancia.

alabancioso, sa. (De *alabancia.*) adj. fam. **jactancioso.** Ú. t. c. s.

alabandina. (Del lat. *alabandīna gemma,* piedra preciosa de Alabanda, ciudad de Caria.) f. Mineral poco común, de color negro y brillo metálico, formado por el sulfuro de manganeso.

alabanza. f. Acción de alabar o alabarse. ‖ **2.** Expresión o conjunto de expresiones con que se alaba. Ú. m. en pl. ‖ **3.** desus. Superior calidad.

alabar. (Del lat. *alapāri,* jactarse, de *alăpa,* bofetada.) tr. Elogiar, celebrar con palabras. Ú. t. c. prnl. ‖ **2.** intr. desus. *Méj.* Cantar el alabado. ‖ **3.** prnl. Jactarse o vanagloriarse.

alabarda. (Del germ. *helmbart.*) f. Arma ofensiva, que consta de un asta de madera como de dos metros de largo, y de una moharra con cuchilla transversal, aguda por un lado y de figura de media luna por el otro. ‖ **2.** Arma e insignia que usaban los sargentos de infantería. ‖ **3.** Tomábase a veces por el mismo empleo de sargento.

alabardado, da. adj. De figura de alabarda.

alabardazo. m. Golpe dado con la alabarda.

alabardero. m. Soldado armado de alabarda. ‖ **2.** Soldado del cuerpo especial de infantería que daba guardia de honor a los reyes de España, y cuya arma distintiva era la alabarda. ‖ **3.** fig. y fam. Miembro de la claque.

alabastrado, da. adj. Parecido al alabastro.

alabastrina. f. Hoja o lámina delgada de alabastro yesoso o espejuelo; por su translucidez, suele usarse en las claraboyas de los templos en lugar de vidriera.

alabastrino, na. adj. De alabastro. ‖ **2.** Semejante a él.

alabastrita o **alabastrites.** (Del lat. *alabastrites,* y este del gr. ἀλαβαστρίτης.) f. **alabastro yesoso.**

alabastro. (Del lat. *alabaster, -tri* y este del gr. ἀλάβαστρος.) m. Variedad de piedra blanca, no muy dura, compacta, a veces translúcida, de apariencia marmórea; se usa para hacer esculturas o elementos de decoración arquitectónica. ‖ **2.** fig. Vaso de **alabastro** sin asas en que se guardaban los perfumes. ‖ **3.** Blancura propia del **alabastro.** Ú. generalmente con referencia a la piel o al cuerpo humano. ‖ **calizo.** El químicamente consistente en un carbonato de calcio. ‖ **oriental.** El calizo muy translúcido y susceptible de hermoso pulimento. ‖ **yesoso.** El que es una variedad de yeso, es decir, aljez compacto y transluciente. Se emplea en baldosas para las habitaciones, y las variedades más puras, en objetos de adorno.

álabe. (De etim. disc.; cf. lat *alĭpes,* alado.) m. Rama de árbol combada hacia la tierra. ‖ **2.** Estera que se pone a los lados del carro para que no se caiga lo que se conduce en él. ‖ **3.** ant. Alero o ala de un tejado. ‖ **4.** *Mec.* Cada una de las paletas curvas de la turbina que reciben el impulso del fluido. ‖ **5.** *Mec.* Cualquiera de los dientes de la rueda, que sucesivamente levantan y luego abandonan a su propio peso los mazos de un batán u otro mecanismo análogo.

alabeado, da. p. p. de **alabear.** ‖ **2.** adj. Dícese de lo que tiene alabeo. ‖ **3.** *Geom.* V. **superficie alabeada.**

alabear. (De *álabe.*) tr. Combar, curvar. Se usa referido especialmente a la madera. Ú. t. c. intr. ‖ **2.** prnl. Torcerse o combarse la madera.

alabeo. (De *alabearse.*) m. Comba de cualquier cuerpo o superficie; en especial, el vicio que toma la madera al alabearse. ‖ **2.** Deformación momentánea del ala de un avión para compensar el efecto de la fuerza centrífuga durante un viraje.

alabiado, da. (De *a-*[1] y *labio.*) adj. p. us. Aplícase a la moneda o medalla que, por no estar bien acuñada, sale con rebabas.

alabradorado, da. adj. desus. Que tiene las condiciones o el aspecto de labrador.

alacayo. m. ant. **lacayo.**

alacayuela. f. Planta de la familia de las cistáceas, con las hojas superiores sentadas y las inferiores pecioladas, anchas y ovales, y flores de pétalos amarillos. Se encuentra en los montes de ambas Castillas, Andalucía y Extremadura.

alacena. (Del ár. *al-jazāna* [con imela], el armario.) f. Armario, generalmente empotrado en la pared, con puertas y anaqueles, donde se guardan diversos objetos.

alacet. (Del ár. *al-asās,* el fundamento.) m. *Ar.* Fundamento de un edificio.

alaciarse. prnl. **enlaciarse,** ponerse lacio.

alaco. m. *Amér. Central.* Trasto, cosa inservible. ‖ **2.** *Amér. Central.* Harapo, guiñapo. ‖ **3.** *Amér. Central.* Persona o animal de poco valer, flaco, escuálido.

alacrán. (Del ár. *al-'aqrab,* el escorpión.) m. **escorpión.** ‖ **2.** fig. Persona malintencionada, especialmente al hablar de los demás. ‖ **3.** p. us. Cada una de las asillas con que se traban los botones de metal y otras cosas. ‖ **4.** Pieza del freno de los caballos, a manera de gancho retorcido, que sirve para sujetar la barbada al bocado. ‖ **cebollero.** Insecto ortóptero semejante al grillo pero de mayor tamaño, color dorado y con las patas delanteras parecidas a las manos del topo. Vive en los jardines y huertas, y es muy dañino para las plantas, por las raíces que corta al hacer las galerías subterráneas en que habita. También se le llama **grillo real** y **cortón.** ‖ **marino. pejesapo.** ‖ **picado del alacrán.** fig. **picado de la tarántula.**

alacranado, da. adj. fig. Aplícase a la persona que está inficionada de algún vicio, peste o enfermedad. ‖ **2. picado de la tarántula.**

alacrancillo. (d. de *alacrán.*) m. Planta silvestre americana, de la familia de las borragináceas, como de unos 30 centímetros de altura, hojas lanceoladas y velludas, y florecillas en una espiga encorvada a manera de cola de alacrán.

alacranera. f. Planta anual de la familia de las papilionáceas, de medio metro de altura, con tallos ramosos, hojas acorazonadas, flores amarillas y por fruto una legumbre muy encorvada, semejante en su figura a la cola del alacrán.

alacranero. m. *C. Rica.* Multitud de alacranes. ‖ **2.** *C. Rica.* Lugar en que hay muchos alacranes.

alacre. (Del lat. *alăcer,* alegre.) adj. Alegre, ligero, vivo.

alacridad. (Del lat. *alacrĭtas, -ātis.*) f. Alegría y presteza del ánimo para hacer alguna cosa.

alacha. f. **haleche.**

alache. m. **haleche.**

alada. f. Movimiento que hacen las aves subiendo y bajando rápida y violentamente las alas.

aladaño, ña. (Del lat. *adlataneus, de *ad latus.*) adj. ant. **aledaño, ña.**

aladar. (Del ár. *al-'idār,* el vello que cubre las mejillas.) m. Mechón de pelo que cae sobre cada una de las sienes. Ú. m. en pl.

aladierna. (Del lat. *alaternus.*) f. Arbusto perenne de la familia de las ramnáceas, de unos dos metros de altura, de hojas grandes, siempre verdes, alternas, coriáceas y oblongas; flores sin pétalos, pequeñas, blancas y olorosas, y cuyo fruto es una drupa pequeña, negra y jugosa cuando está madura.

aladierno. m. **aladierna.**

alado, da. (Del lat. *alātus.*) adj. Que tiene alas. ‖ **2.** fig. Ligero, veloz. ‖ **3.** *Bot.* De figura de ala.

aladrada. (De *aladrar.*) f. En algunas partes, **surco** de tierra al arar.

aladrar. (Del lat. *aratrāre,* binar, dar segunda reja.) tr. *Ar., Cantabria* y *Burg.* **arar.**

aladrería. (De *aladrero.*) f. *And.* Conjunto de útiles empleados en la labranza.

aladrero. (De *aladro.*) m. Carpintero que construye y repara arados, aperos de labranza, carros, etc. ‖ **2.** Carpintero que labra las maderas para la entibación de las minas.

aladro. (Del lat. *aratrum.*) m. En algunas partes, **arado.**

aladroque. (Del ár. *al-'azraq,* el azul.) m. **boquerón,** pez parecido a la sardina pero más pequeño.

alafa. (Del ár. *alafa,* costumbre.) f. ant. Salario, sueldo.

alafia. (Del ár. *al-'āfiya,* la salud.) f. fam. Gracia, perdón, misericordia. Ú. más en la fr. **pedir alafia.**

álaga. (Del lat. *alĭca,* de *alĕre,* alimentar.) f. Especie de trigo, muy parecido al fanfarrón, que produce un grano largo y amarillento. ‖ **2.** Grano de esta planta.

alagadizo, za. (De *alagar.*) adj. desus. Aplícase al terreno que fácilmente se encharca.

alagar. tr. Llenar de lagos o charcos. Ú. t. c. prnl. ‖ **2.** prnl. *Argent.* y *Bol.* Hacer agua una embarcación.

alagartado, da. p. p. de **alagartarse.** ‖ **2.** adj. Semejante, por la variedad de colores, a la piel del lagarto. ‖ **3.** *Guat.* y *Nicar.* Usurero, avaro, mezquino, tacaño. ‖ **4.** *C. Rica.* Acaparador.

alagartarse. (De *a-*[1] y *lagarto.*) prnl. *Méj.* Apartar la bestia los cuatro remos, de suerte que disminuya de altura y facilite al jinete montarla. ‖ **2.** *C. Rica, Guat.* y *Nicar.* Hacerse avaro u obrar con avaricia, usurear, tacañear.

alaguna. f. ant. **laguna.**

alahílca. (Del ár. *al-'ilqa,* lo que cuelga.) f. ant. Colgadura o tapicería para adornar las paredes.

alajor. (Del ár. *al-'ašūr,* los diezmos o décimas.) m. Tributo que se pagaba a los dueños de los solares en que estaban edificadas las casas.

alajú. (Del ár. *al-ḥašū,* el relleno o mechado.) m. Pasta de almendras, nueces y, a veces, piñones, pan rallado y tostado, especia fina y miel bien cocida. ‖ **2.** Dulce hecho con esta pasta.

alajuelense. adj. Natural de Alajuela, provincia, cantón y ciudad de Costa Rica. Ú. t. c. s. ‖ **2.** Perteneciente a estos lugares.

alalá[1]**.** m. Canto popular de algunas provincias del norte de España.

¡alalá![2]**.** *Guat.* y *Urug.* interj. con que se expresa asombro o admiración.

alalia. (Del gr. ἀλαλία, mudez.) f. *Med.* Pérdida del lenguaje producida por una afección local de los órganos vocales y, especialmente, por lesiones nerviosas centrales o periféricas.

alalimón. m. **alimón (al).**

álalo, la. (Del gr. ἄλαλος, mudo.) adj. Mudo, privado del habla. ‖ **2.** *Med.* Que padece alalia. Ú. t. c. s.

alama[1]**.** (De *lama*[2], con el art. ár.) f. ant. *Ar.* **lama**[2], tela de oro o plata.

alama[2]**.** f. Planta leguminosa, de tallo no espinoso y de un metro aproximadamente de altura, hojas inferiores pecioladas, sésiles las superiores, y flores amarillas. Sirve para pasto del ganado.

alamar. (De or. inc.; cf. ár. *'amāra,* sedal de pescador, guarnición del traje.) m. Presilla y botón, u ojal sobrepuesto, que se cose, por lo común, a la orilla del vestido o capa, y sirve para abotonarse o meramente para gala y adorno o para ambos fines. ‖ **2. cairel,** guarnición a modo de fleco.

alámbar. m. ant. **ámbar.**

alambicado, da. p. p. de **alambicar.** ‖ **2.** adj. fig. **sutil,** agudo, perspicaz. ‖ **3.** fig. Complicado, rebuscado. *Razonamiento, concepto* ALAMBICADO. ‖ **4.** p. us. fig. Dado con escasez y muy poco a poco.

alambicamiento. m. Acción y efecto de alambicar.

alambicar. (De *alambique.*) tr. **destilar** en alambique. ‖ **2.** fig. Examinar atentamente alguna cosa, como palabra, escrito o acción, hasta apurar su verdadero sentido, mérito o utilidad. ‖ **3.** fig. Tratándose de lenguaje, estilo, conceptos, etc., sutilizar o complicar excesivamente. ‖ **4.** fig. y fam. Reducir todo lo posible el precio de una mercancía aviniéndose a ganar poco por unidad.

alambique. (Del gr. ἄμβιξ, vaso, a través del ár. *al-inbīq*, alambique.) m. Aparato que sirve para destilar o separar de otras sustancias más fijas, por medio del calor, una sustancia volátil. Se compone fundamentalmente de un recipiente para el líquido y de un conducto que arranca del recipiente y se continúa en un serpentín por donde sale el producto de la destilación. Ú. t. en sent. fig. ‖ **2.** *And.* y *Amér.* Fábrica de aguardiente. ‖ **por alambique.** loc. adv. fig. Con escasez o muy poco a poco.

alambiquero, ra. m. y f. *And.* y *Amér.* Persona que tiene un **alambique,** fábrica. ‖ **2.** *And.* y *Amér.* Persona que trabaja en él.

alambor[1]. (Del ár. *al-'ubur*, pl. de *'ubr*, orilla.) m. *Arq.* Falseo de una piedra o madero. ‖ **2.** *Fort.* Escarpa o declive áspero.

alambor[2]. (Del ár. vulg. *al-ḥambâḍ*, pulpa de la toronja.) m. Variedad del naranjo.

alamborado, da. adj. Que tiene alambor[1].

alambrada. f. *Mil.* Red de alambre grueso, sujeta al suelo con piquetes, que se emplea en campaña para impedir o dificultar el avance de las tropas enemigas.

alambrado, da. p. p. de **alambrar[1].** ‖ **2.** adj. V. **rojo alambrado.** ‖ **3.** m. **alambrera.** ‖ **4.** Cerco de alambres afianzado en postes.

alambrar[1]. tr. Cercar un sitio con alambre. ‖ **2.** Poner los cencerros a una yeguada, recua o parada de cabestros.

alambrar[2]. (De *horambre*, agujero.) intr. Aclarar, despejarse el cielo.

alambre. (De *urambre*.) m. Hilo de cualquier metal, obtenido por trefilado. ‖ **2.** V. **cable de alambre.** ‖ **3.** Dábase antiguamente este nombre al cobre y a sus dos aleaciones, el bronce y el latón. ‖ **4.** Conjunto de cencerros, campanillas, etc., de una recua o hato de ganado. ‖ **conejo.** El de hierro o latón con que se hacen lazos para cazar conejos.

alambrear. intr. Tocar la perdiz con el pico los alambres de la jaula.

alambrera. f. Red de alambre que se pone en las ventanas y otras partes. ‖ **2.** Cobertera de red de alambre, generalmente de figura de campana, que por precaución se pone sobre los braseros encendidos. ‖ **3.** Cobertera de red de alambre muy espesa, y generalmente de figura de media naranja, que sirve para cubrir y preservar los alimentos.

alambrilla. (De *horambre*.) f. **olambrilla.**

alambrista. adj. Dícese del acróbata que efectúa ejercicios de equilibrio sobre un alambre. Ú. m. c. s.

alameda. f. Sitio poblado de álamos. ‖ **2.** Paseo con álamos. ‖ **3.** Por ext., paseo con árboles de cualquier clase.

alamín. (Del ár. *al-amīn*, el fiel, el síndico.) m. Oficial que en lo antiguo contrastaba las pesas y medidas y tasaba los víveres. También se llamó alcalde **alamín.** ‖ **2.** Alarife diputado en lo antiguo para reconocer obras de arquitectura. ‖ **3.** Juez de riegos.

alamina. (De *alamín*.) f. Multa que pagaban en Sevilla los olleros por lo que se excedían en la carga de los hornos al cocer sus vasijas.

alaminazgo. (De *alaminadgo*.) m. Oficio de alamín.

alamir. m. ant. **amir,** emir.

alamirré. (De la letra *a*[1] y de las notas musicales *la*[2], *mi*[1], *re*[2].) m. En la música antigua, indicación del tono que principia en el sexto grado de la escala diatónica de *do* y se desarrolla según los preceptos del canto llano y del canto figurado.

álamo. (Probablemente del lat. *alnus*, infl. por *ulmus*, olmo.) m. Árbol de la familia de las salicáceas, indígena de España, que se eleva a considerable altura, de hojas anchas con largos pecíolos, y flores laterales y colgantes. Crece en poco tiempo, y su madera, blanca y ligera, resiste mucho al agua. ‖ **2.** Madera de cualquiera de las especies de este árbol. ‖ **alpino. álamo temblón.** ‖ **balsámico.** Árbol de copa alargada o redondeada, ramas angulosas con corteza parda rojiza y hojas con el envés blanquecino. Es originario de América del Norte. ‖ **bastardo. álamo blanco.** ‖ **blanco.** El que tiene la corteza blanca agrisada antes de resquebrajarse, hojas verdes por su haz y blancas o blanquecinas por el envés, más o menos triangulares o con tres o cinco lóbulos irregularmente laciniados. ‖ **carolino. álamo de la Carolina** ‖ **de Italia. álamo de Lombardía.** ‖ **de la Carolina.** El que tiene ramas angulosas y hojas grandes, acorazonadas y dentadas; con su madera se fabrica muy buena pasta de papel. Es originario de América del Norte. ‖ **de Lombardía.** Árbol semejante al **álamo** negro, del que se distingue por tener hojas triangulares, tan anchas como largas, y las ramas casi paralelas al eje del tronco, que disminuyen gradualmente de longitud de abajo arriba y forman en conjunto una larga pirámide. ‖ **falso. olmo.** ‖ **líbico. álamo temblón.** ‖ **lombardo. álamo de Lombardía.** ‖ **negro.** El que tiene la corteza muy rugosa y más oscura que el blanco, hojas verdes por sus dos caras, poco más largas que anchas, y ramas muy separadas del eje del tronco, a veces casi horizontales. ‖ **2. olmo.** ‖ **temblón.** El que tiene corteza lisa y blanquecina y hojas lampiñas, que por estar pendientes de sendos pecíolos largos y comprimidos se mueven con facilidad a impulso del viento.

alampar. (De *a*[1] y *lampar*.) intr. *Ál.* **picar,** excitar el paladar. ‖ **2.** prnl. Tener ansiedad por el logro de una cosa.

alamud. (Del ár. *al-'amūd*, la barra.) m. Barra de hierro, de base cuadrada o rectangular, que servía de pasador o cerrojo para asegurar puertas y ventanas.

alán. m. ant. **perro alano.**

alanceador, ra. adj. Que alancea. Ú. t. c. s.

alancear. tr. Dar lanzadas, herir con lanza. ‖ **2.** desus. fig. **zaherir.**

alancel. m. ant. **arancel.**

alandrearse. (De *a*[1] y *landre*.) prnl. Ponerse los gusanos de seda secos, tiesos y blancos.

alangiáceo, a. (De *Alangium*, nombre de un género de plantas.) adj. *Bot.* Dícese de árboles angiospermos dicotiledóneos, originarios de países cálidos del Antiguo Continente, con hojas alternas y enteras, flores axilares, fruto en drupa aovada con semillas de albumen carnoso; como el angolán. Ú. t. c. s. ‖ **2.** f. pl. *Bot.* Familia de estas plantas.

alangieo, a. adj. *Bot.* **alangiáceo.**

alano, na. (Del lat. *Alānus*.) adj. Dícese del individuo de un pueblo germánico que, en unión con otros, invadió España en los principios del siglo v. Ú. t. c. s. ‖ **2.** Perteneciente o relativo a este pueblo. ‖ **3.** V. **perro alano.** Ú. t. c. s.

alantoideo, a. adj. *Zool.* Perteneciente o relativo al saco o bolsa alantoides.

alantoides. (Del gr. ἀλλαντοειδής, en forma de salchichón.) adj. *Zool.* Dícese de un órgano en forma de saco o de salchicha, que como membrana extraembrionaria, originada del intestino en los embriones de reptiles, aves y mamíferos, funciona en ellos como vejiga urinaria. Ú. m. c. s.

alantoína. (Del gr. ἀλλᾶς, -ᾶντος, salchichón, e *-ina*.) f. *Biol.* Producto de oxidación del ácido úrico, que aparece en el líquido amniótico y en la orina embrionaria de los amniotas.

alanzar. tr. Dar lanzadas. ‖ **2.** intr. Tirar o arrojar lanzas a una armazón de tablas en cierto juego antiguo de caballería. ‖ **3.** tr. **lanzar.**

alaqueca. (Del ár. *al-'aqīq*, especie de piedra roja.) f. p. us. **cornalina.**

alaqueque. m. p. us. **alaqueca.** Usáb. m. en pl.

alar. (De *ala*.) m. **alero**[1] del tejado. ‖ **2.** Percha de cerdas para cazar perdices. Ú. m. en pl.

alárabe. (Del ár. *al-'arabī*, el árabe.) adj. **árabe.** Apl. a pers., ú. t. c. s.

alarbe. adj. **alárabe.** Apl. a pers., ú. t. c. s. ‖ **2.** m. fig. Hombre inculto o brutal. Ú. m. en el panocho murciano.

alarconiano, na. adj. Propio y característico de los escritores Juan Ruiz de Alarcón y Pedro Antonio de Alarcón. ‖ **2.** Parecido a cualquiera de las dotes o calidades por que se distinguen las producciones de estos escritores.

alarde. (Del ár. *al-'arḍ*, la exhibición, la revista militar.) m. Formación militar en que se hacía reseña de los soldados y de sus armas. ‖ **2.** V. **caballero de alarde.** ‖ **3. revista,** inspección que hace un jefe. ‖ **4.** Lista o registro en que se inscribían los nombres de los soldados. ‖ **5.** Desfile, principalmente militar. ‖ **6.** Ostentación y gala que se hace de alguna cosa. ‖ **7.** Visita que a los presos hace el juez. ‖ **8.** Examen periódico, por lo regular quincenal, que hacen los tribunales de todos los negocios pendientes para promover su más breve curso. ‖ **9.** *Der.* Relación de las causas de competencia del jurado que en cada audiencia y cuatrimestre se han de someter a dicho examen. ‖ **10.** p. us. Entre colmeneros, reconocimiento que las abejas hacen de su colmena al tiempo de entrar o salir.

alardear. intr. Hacer alarde. ‖ **2.** Seguido generalmente de la prep. *de*, hacer ostentación, presumir de una cosa.

alardo. m. ant. **alarde.**

alardoso, sa. (De *alarde*.) adj. **ostentoso.**

alargadamente. adv. m. ant. **extendidamente.**

alargadera. (De *alargar*.) f. Cualquier pieza que, acoplada a una cosa, sirve para alargarla. ‖ **2.** *Ar.* Sarmiento amugronado, o que deja de podarse para amugronarlo. ‖ **3.** *Quím.* Tubo de vidrio, fusiforme, con un ensanchamiento en su mitad anterior, y que se adapta al cuello de las retortas para algunas operaciones destilatorias.

alargador, ra. adj. Que alarga. ‖ **2.** m. Pieza, instrumento o dispositivo que sirve para alargar.

alárgama. f. **alhárgama.**

alargamiento. m. Acción y efecto de alargar o alargarse.

alargar. (De *a-*[1] y *largo*.) tr. Dar más longitud a una cosa. Ú. t. c. prnl. ‖ **2.** Dar mayor extensión a una cosa, dilatarla, ensancharla. ‖ **3.** fig. Aplicar o alcanzar a nuevos objetos o límites una facultad o actividad. ‖ **4.** Estirar, desencoger. ‖ **5.** Aplicar con interés el sentido de la vista o del oído. ‖ **6.** Prolongar una cosa, hacer que dure más tiempo. Ú. t. c. prnl. ‖ **7.** Refiriéndose al tiempo, retardar, diferir, dilatar. Ú. t. c. prnl. ‖ **8.** Alcanzar algo y darlo a otro que está apartado. ‖ **9.** fig. Ceder o dejar a otro lo que uno tiene. ‖ **10.** Alejar, desviar, apartar. Ú. m. c. prnl. y alguna vez c. intr. ‖ **11.** Dar cuerda o ir soltando poco a poco algún cabo, maroma o cosa semejante. ‖ **12.** Hacer que adelante o avance alguna gente. ‖ **13.** fig. Aumentar la cantidad o número señalado. ALARGAR *el salario, el sueldo, la ración.* ‖ **14.** prnl. Excederse, salirse del justo límite en elogios, ofertas, dádivas, etc. ‖ **15.** Ir a un sitio algo más lejano del que antes se pensó. ‖ **16.** *Mar.* Mudar de dirección el viento, inclinándose a popa.

alargas. (De *alargar*.) f. pl. *Sal.* Confianza o correspondencia excesivas. *Tomarse muchas* ALARGAS.

alarguez. (Del beréber *al-argīs*, corteza de raíz de cambronera.) m. Nombre que se ha dado a varias plantas espinosas, especialmente al agracejo y al aspálato.

alaria. (De *ala*, por la que forman sus extremos.) f. Chapa de hierro, como de veinte centímetros de largo y dos o tres de ancho, con las dos puntas triangulares y dobladas a escuadra, en sentido inverso. La usan los alfareros para pulir y adornar en el torno las vasijas de barro.

alarida. f. Conjunto de alaridos, vocería.

alaridar. intr. desus. Dar alaridos.

alarido. (Del ár. *al-garīd*, la gritería.) m. Grito de guerra de la tropa al entrar en batalla. ‖ **2.** Grito lastimero en que se prorrumpe por algún dolor, pena o conflicto. ‖ **3.** Cualquier grito fuerte o estridente. Ú. en sent. fig. ‖ **4.** desus. Grito de alegría.

alarifazgo. m. Oficio de alarife.

alarife. (Del ár. *al-'arīf*, el maestro, el entendido, el oficial.) m. Arquitecto o maestro de obras. ‖ **2.** *Min.* **albañil.** ‖ **3.** com. *Argent.* y *Urug.* Persona astuta y pícara. ‖ **4.** adj. *Urug.* Jactancioso, seguro de sí mismo.

alarije. (Del ár. *al-'arīš*, la parra.) adj. V. **uva alarije.**

alarma. (De *¡al arma!*) f. Aviso o señal que se da en un ejército o plaza para que se prepare inmediatamente a la defensa o al combate. ‖ **2. rebato.** ‖ **3.** fig. Inquietud, susto o sobresalto causado por algún riesgo o mal que repentinamente amenace. ‖ **4.** V. **estado de alarma.**

alarmador, ra. adj. Que alarma.

alarmar. tr. Dar alarma o incitar a tomar las armas. ‖ **2.** fig. Asustar, sobresaltar, inquietar. Ú. t. c. prnl.

alármega. f. **alhárgama.**

alarmismo. m. Tendencia a propagar rumores sobre peligros imaginarios o a exagerar los peligros reales.

alarmista. adj. Dícese de la persona que hace cundir noticias alarmantes. Ú. t. c. s. ‖ **2.** Que causa alarma. *Noticia* ALARMISTA.

alaroz. (Del ár. *al-'arūs*, el novio o recién casado.) m. Larguero fijo que divide el hueco de una puerta o ventana.

alaroza. (Del ár. *al-'arūsa*.) f. ant. Novia o recién casada.

alasita. f. *N. Argent.* y *Bol.* Feria artesanal de esa región.

alaste. adj. *C. Rica* y *Nicar.* Resbaladizo, viscoso. ‖ **2.** *C. Rica.* Soso, insípido y algo astringente.

alastrar[1]**.** (De *a*[2] y *lastra*.) tr. Echar atrás las orejas algunos animales. ‖ **2.** prnl. Tenderse contra la tierra el ave u otro animal para no ser descubierto.

alastrar[2]**.** tr. ant. *Mar.* **lastrar,** poner el lastre a la embarcación.

alatar. (Del ár. *al-'aṭṭār*.) m. ant. Vendedor de perfumes, o de drogas y especias.

a látere. expr. lat. Al lado. ‖ **2.** V. **legado a látere.** ‖ **3.** com. **adlátere.**

alaterno. (Del lat. *alaternus*.) m. **aladierna.**

alatés. m. *Germ.* Criado o mozo de un rufián o ladrón.

alatinadamente. adv. m. Según la lengua latina, o conforme a ella.

alatinado, da. adj. Dicho con pulcritud afectada, o al modo latino.

alatón[1]**.** m. ant. **latón**[1]**.**

alatón[2]**.** m. *Ar.* **latón**[2]**.**

alatonero. (De *alatón*[2].) m. *Ar.* **almez.**

alatrón. (Del ár. *al-natrūn*, y este del gr. νίτρον, el nitro.) m. **afronitro.**

alauda o **alaude.** (Del lat. *alauda*.) f. ant. **alondra.**

alavanco. m. **lavanco.**

alavense. adj. **alavés.** Apl. a pers., ú. t. c. s.

alavés, sa. adj. Natural de Álava. Ú. t. c. s. ‖ **2.** Perteneciente a esta provincia. ‖ **3.** f. Lanza corta usada antiguamente.

alazán, na o **alazano, na.** (Del ár. *al-az'ar*, el rojizo.) adj. Dícese del color más o menos rojo, o muy parecido al de la canela. Hay variedades de este color, como **alazán** pálido o lavado, claro, dorado o anaranjado, vinoso, tostado, etc. Ú. t. c. s. ‖ **2.** Dícese especialmente del caballo o yegua que tiene el pelo **alazán.** Ú. t. c. s.

alazo. m. **aletazo,** golpe que dan las aves con el ala.

alazor. (Del ár. *al-'asfur*, el cártamo.) m. Planta anual de la familia de las compuestas, de medio metro de altura, con ramas espesas, hojas lanceoladas y espinosas, flores de color azafrán que se usan para teñir, cuya semilla ovalada, blanca y lustrosa, produce aceite comestible y sirve también para cebar aves.

alba. (Del lat. *alba,* f. de *albus,* blanco.) f. **amanecer**[2]. ‖ **2.** V. **lucero, misa, toque, del alba.** ‖ **3.** Primera luz del día antes de salir el Sol. ‖ **4.** Último de los cuartos en que para las centinelas se dividía la noche. ‖ **5.** Vestidura o túnica de lienzo blanco que los sacerdotes, diáconos y subdiáconos se ponen sobre el hábito y el amito para celebrar los oficios divinos. ‖ **6.** *Germ.* **sábana.** ‖ **no, sino el alba.** loc. irón. desus. con que se solía responder a quien preguntaba lo evidente. ‖ **quebrar, rayar, reír,** o **romper, el alba.** frs. figs. Amanecer o empezar a aparecer la luz del día.

albaca. f. Síncopa de **albahaca.**

albacara[1]**.** (Del ár. *al-baqqāra,* la vaquería.) f. Recinto murado en la parte exterior de una fortaleza, con la entrada en la plaza y salida al campo, y en la cual se solía guardar ganado vacuno. ‖ **2.** Cubo o torreón saliente en las antiguas fortalezas.

albacara[2]**.** (Del ár. *al-bakra,* la polea.) f. ant. Rodaja o rueda pequeña.

albacea. (Del ár. *al-waṣiyya,* el testamento, la disposición testamentaria.) com. Persona encargada por el testador o por el juez de cumplir la última voluntad y custodiar los bienes del finado. ‖ **dativo.** *Der.* El nombrado judicialmente y no en testamento. ‖ **testamentario.** *Der.* Persona encargada de cumplir la voluntad del testador.

albaceazgo. m. Cargo de albacea.

albacetense. adj. **albaceteño.** Apl. a pers., ú. t. c. s.

albaceteño, ña. adj. Natural de Albacete. Ú. t. c. s. ‖ **2.** Perteneciente a esta ciudad o a su provincia.

albacora[1]**.** (Del ár. *al-bakura,* el higo precoz.) f. **breva,** fruto de la higuera.

albacora[2]**.** (Del ár. *al-bakūra,* clase de pescado.) f. Pez acantopterigio, comestible, caracterizado por tener su carne más blanca que el bonito y por la mayor longitud de sus aletas pectorales.

albacorón. m. *Murc.* **alboquerón.**

albada[1]**.** (Del lat. *albāta,* de *albāre,* blanquear.) f. **alborada,** composición poética o musical. ‖ **2.** *Ar.* **alborada,** música al amanecer y al aire libre.

albada[2]**.** (De *albaida.*) f. **jabonera,** planta cariofilácea.

albadena. (Del ár. *al-biṭāna,* el vestido forrado.) f. ant. Especie de túnica o vestido de seda.

albahaca. (Del ár. *al-ḥabaqa.*) f. Planta anual de la familia de las labiadas, con tallos ramosos y velludos de unos tres decímetros de altura, hojas oblongas, lampiñas y muy verdes, y flores blancas, algo purpúreas. Tiene fuerte olor aromático y se cultiva en los jardines. ‖ **silvestre mayor. clinopodio.** ‖ **silvestre menor. alcino.**

albahaquero. (De *albahaca.*) m. Tiesto para plantas y flores. ‖ **2.** *And.* Gradilla para colocar tiestos de flores.

albahaquilla. f. d. de **albahaca.** ‖ **de Chile,** o **del campo.** Arbusto leguminoso, indígena de Chile. La infusión de sus hojas, flores y tallo se toma como medicamento contra las enfermedades del estómago. ‖ **de río. parietaria.**

albahío, a. (Del ár. *al-bahiyyu,* el brillante, el esplendoroso.) adj. Dícese de las reses vacunas cuyo color es blanco amarillento. ‖ **2.** Dícese también de ese color mismo y de cosas que lo tienen.

albaida. (Del ár. *al-baidā',* la blanca.) f. Planta de la familia de las papilionáceas, de seis a ocho decímetros de altura, muy ramosa, con las ramas y las hojas blanquecinas por el tomento que las cubre, y flores pequeñas y amarillas que se abren en la primavera.

albalá. (Del m. or. que *albarán.*) amb. Carta o cédula real en que se concedía alguna merced, o se proveía otra cosa. ‖ **2.** Documento público o privado en que se hacía constar alguna cosa.

albalaero. m. El que despacha albalaes.

albanado, da. (De *alba,* sábana.) adj. *Germ.* Dormido.

albanar. (Del ár. *al-binā',* la construcción.) intr. ant. **estribar,** fundarse una cosa sobre otra.

albanecar. (Del m. or. que *albanega.*) m. *Carp.* Triángulo rectángulo formado por el par toral, la lima tesa y la solera.

albanega. (Del ár. *al-banīqa,* el capillo o gorro femenino.) f. Especie de cofia o red para recoger el pelo, o para cubrir la cabeza. ‖ **2.** Manga cónica, hecha de red y cerrada por el extremo más angosto que se usa para cazar conejos u otros animales cuando salen de la madriguera. ‖ **3.** *Arq.* Enjuta de arco de forma triangular.

albanés, sa. adj. Natural de Albania. Ú. t. c. s. ‖ **2.** Perteneciente a este país de la península de los Balcanes. ‖ **3.** m. Lengua **albanesa.**

albaní. (Del ár. *al-bannā'* [con imela], el albañil.) m. ant. **albañil.**

albano[1]**, na.** (Del lat. *Albānus.*) adj. Natural de Alba Longa. Ú. t. c. s. ‖ **2.** Perteneciente a esta antigua capital del Lacio.

albano[2]**, na.** adj. p. us. **albanés.** Apl. a pers., ú. t. c. s.

albañal. (Del ár. *al balla'a,* la cloaca.) m. Canal o conducto que da salida a las aguas inmundas. ‖ **2.** Depósito de inmundicias. Ú. t. en sent. fig. ‖ **salir por el albañal.** fr. fig. y fam. Quedar mal o indecorosamente en alguna acción o empresa.

albañalero, ra. m. y f. Persona que trabaja en las alcantarillas. ‖ **2.** Constructor de albañales.

albañar. m. **albañal.**

albañear. (De *albañí.*) intr. ant. Trabajar en albañilería.

albañería. (De *albañí.*) f. ant. **albañilería.**

albañi. (De *albani.*) m. ant. **albañil.**

albañil. (De *albani.*) m. Maestro u oficial de albañilería. ‖ **2.** V. **nivel de albañil.**

albañila. (De *albañil.*) adj. V. **abeja albañila.**

albañilear. intr. Ocuparse por entretenimiento en tareas de albañilería.

albañilería. (De *albañil.*) f. Arte de construir edificios u obras en que se empleen, según los casos, ladrillos, piedra, cal, arena, yeso, cemento u otros materiales semejantes. ‖ **2.** Obra de **albañilería.**

albañir. m. ant. **albañil.**

albaquía. (Del ár. *al-baqiyya,* el resto.) f. Residuo o resto de alguna cuenta o renta que queda sin pagar o no admite división en el prorrateo.

albar. (De *albo.*) adj. **blanco.** Dícese solo de algunas cosas; como *tomillo* ALBAR. ‖ **2.** V. **espino, granada, pino, roble, sabina albar.** ‖ **3.** m. Terreno de secano, y especialmente tierra blanquecina en altos y lomas.

albarán. (Del ár. *al-barā',* el papel o documento de libertad o exención.) m. Papel que se pone en las puertas, balcones o ventanas, como señal de que la casa se alquila. ‖ **2. albalá,** documento público. ‖ **3.** Nota de entrega que firma la persona que recibe una mercancía.

albarazado, da. (De *albarazo.*) adj. Manchado de blanco o de otro color. ‖ **2.** V. **uva albarazada.** ‖ **3.** p. us. Enfermo de albarazo. ‖ **4.** *Méj.* Decíase del descendiente de china y jenízaro, o de chino y jenízara. Usáb. t. c. s.

albarazo. (Del ár. *al-baraṣ,* la lepra.) m. desus. Especie de lepra. Usáb. m. en pl. con significado de sing. ‖ **2.** Cierta enfermedad de las caballerías caracterizada por manchas blancas en la piel. Ú. m. en pl.

albarca. f. **abarca.**

albarcoque. m. **albaricoque.**

albarcoquero. m. **albaricoquero.**

albarda. (Del ár. *al-barḍa'a.*) f. Pieza principal del aparejo de las caballerías de carga, que se compone de dos a manera de almohadas rellenas, generalmente de paja y unidas por la parte que cae sobre el lomo del animal. ‖ **2.** V. **bestia, caballo de albarda.** ‖ **3. albardilla,** lonja de tocino. ‖ **4.** *Amér. Central, Cuba, Chile* y *Méj.* Especie de silla de montar, de cuero crudo o curtido. ‖ **gallinera.** La que tiene las almohadillas llanas. ‖ **albarda sobre albarda.** loc. fig. y fam. con que se hace burla de lo sobrepuesto o repetido innecesaria y torpemente. ‖ **albarda sobre aparejo.** loc. fig. y fam. *Amér. Central, Cuba* y *Méj.* **albarda sobre albarda.** ‖ **como ahora llueven albardas.** fr. p. us. con que se expresa algo que parece imposible. ‖ **echar una albarda** a uno. fr. fig. y fam. Abusar de su paciencia haciéndole aguantar lo que no debe. ‖ **venirse,** o **volverse, la albarda a la barriga.** fr. fig. y fam. Salir alguna cosa al contrario de lo que se deseaba.

albardado, da. p. p. de **albardar.** ‖ **2.** adj. fig. Dícese de la res vacuna, o de otro animal, que tiene el pelo del lomo de diferente color que los demás del cuerpo. ‖ **3.** *Cantabria, Nav.* y *P. Vasco.* Aplícase a la vianda rebozada.

albardán. (Del ár. *al-bardān,* el tonto, el que dice tonterías.) m. Bufón, truhán.

albardanería. (De *albardán.*) f. Bufonada, truhanería.

albardanía. f. ant. **albardanería.**

albardar. (De *albarda.*) tr. **enalbardar.**

albardear. tr. *Amér. Central.* Domar caballos salvajes.

albardela. f. Silla para domar potros.

albardera. f. p. us. **rosa albardera.**

albardería. (De *albardera.*) f. Casa, tienda o sitio en que se hacen o venden albardas. ‖ **2.** Oficio de albardero. ‖ **3.** Suele darse este nombre a la calle o barrio donde están reunidas las tiendas de los albarderos.

albardero. m. El que tiene por oficio hacer o vender albardas. ‖ **entender de todo un poco, y de albardero dos puntadas.** fr. fig. y fam. con que se zahiere al que se alaba vanamente de que entiende de todo.

albardilla. (d. de *albarda.*) f. Silla para domar potros. ‖ **2.** p. us. Lana muy tupida y apretada que las reses lanares crían a veces en el lomo. ‖ **3.** p. us. Especie de almohadilla de paja y cuero que ponen los esquiladores de ovejas en los ojos de las tijeras para no hacerse daño en los dedos. ‖ **4.** Almohadilla formada de cuero por un lado, que llevan los aguadores sobre el hombro para apoyar la cuba. ‖ **5. agarrador,** almohadilla para asir la plancha. ‖ **6.** Caballete o tejadillo que se pone en los muros para que el agua de la lluvia no los penetre ni resbale por los paramentos. ‖ **7.** desus. Caballete con que los hortelanos dividen las eras o cuadros. ‖ **8.** Caballete o lomo de barro que en sendas y caminos resulta de transitar por ellos después de haber llovido. ‖ **9.** Barro que se pega al dental del arado cuando se trabaja en tierra mojada. ‖ **10.** p. us. Lonja de tocino gordo que se pone por encima a las aves para asarlas. ‖ **11.** p. us. Mezcla de huevos, harina, dulce, etc., con que se rebozan algunos alimentos. ‖ **12.** p. us. Cierta fullería empleada en los juegos de naipes. Solía usarse en la fr. **hacer albardilla.**

albardín. (Del ár. *al-bardī,* la enea, la espadaña.) m. Mata de la familia de las gramíneas, propia de las estepas españolas, muy parecida al esparto y con las mismas aplicaciones que este.

albardinar. m. Sitio en que abunda el albardín.

albardón. (aum. de *albarda.*) m. Aparejo más hueco y alto que la albarda, el cual se pone a las caballerías para montar en ellas. ‖ **2.** Especie de silla jineta, con perilla saliente y arzón trasero alto y volteado, que usan principalmente los derribadores, vaqueros y campesinos andaluces. ‖ **3.** *Argent., Par.* y *Urug.* Loma o elevación situada en terrenos bajos y anegadizos, que se convierte en islote con la subida de las aguas. ‖ **4.** *Guat.* y *Hond.* **albardilla,** caballete de los muros. ‖ **5.** adj. ant. V. **caballo albardón.**

albardonería. (De *albardonero.*) f. **albardería.**

albardonero. (De *albardón.*) m. **albardero.**

albarejo. (De *albar.*) adj. **candeal,** dicho del pan o trigo. Ú. t. c. s.

albarelo. (Del it. *albarello, alberello.*) m. Bote de cerámica usado en las farmacias, de boca ancha y forma cilíndrica, estrechada en la parte central.

albareque. m. Red parecida al sardinal.

albarico. (De *albar.*) adj. **albarigo.**

albaricoque. (Del ár. *al-barqūq, al-birqūq.*) m. Fruto del albaricoquero. Es una drupa casi redonda y con un surco, por lo común amarillenta y en parte encarnada, aterciopelada, de sabor agradable, y con hueso liso de almendra amarga. ‖ **2. albaricoquero.** ‖ **de Nancí.** El de color amarillo por un lado y encarnado por el otro, mayor que el común, y cuyo surco se descubre solo en la parte contigua al pezón. ‖ **de Toledo.** Variedad muy estimada, que tiene manchas en la piel y cuya almendra es dulce. ‖ **pérsico. albaricoque de Nancí.**

albaricoquero. m. Árbol de la familia de las rosáceas, originario de Armenia, de ramas sin espinas, hojas acorazonadas, flores blancas, y cuyo fruto es el albaricoque. Su madera se emplea en ebanistería.

albarigo. (De *albar.*) adj. **candeal,** dicho del pan o trigo. Ú. t. c. s.

albarillo. (De *albar.*) m. Albaricoquero, variedad del común, cuyo fruto es de piel y carne casi blancas. ‖ **2.** Fruto de este árbol. ‖ **3.** Especie de tañido o son en compás muy acelerado, que se tocaba en la guitarra, para bailar y acompañar jácaras y romances. ‖ **ir** una cosa **por el albarillo.** fr. p. us. fig. y fam. Hacerse o suceder algo atropelladamente.

albarino. (De *albar.*) m. Afeite que usaban antiguamente las mujeres para blanquearse el rostro.

albariza. (De *albar.*) f. Laguna salobre. ‖ **2.** *And.* **albar,** terreno albarizo.

albarizo, za. (De *albar.*) adj. **blanquecino.** Se aplica al terreno. ‖ **2.** m. **albero,** terreno **albarizo.**

albarrada[1]. (Del lat. *parata,* a través del hispanoárabe.) f. Pared de piedra seca. ‖ **2.** Parata sostenida por una pared de esta clase. ‖ **3.** Cerca o valladar de tierra para impedir la entrada en un trozo de campo. ‖ **4.** p. us. Cerca o muro de protección en la guerra.

albarrada[2]. (Del ár. *al-barrāda,* el jarro, el jarro con dos asas.) f. **alcarraza.**

albarrán. (Del ár. *al-bar'ān,* el mozo soltero.) adj. ant. Aplicábase al mozo soltero dedicado al servicio agrícola. Usáb. t. c. s. ‖ **2.** ant. Decíase del que no tenía casa, domicilio o vecindad en ningún pueblo. Usáb. t. c. s. ‖ **3.** m. ant. **mayoral,** pastor principal. Ú. en. Salamanca.

albarrana. (Del ár. *al-barrāna,* la de fuera, la silvestre.) adj. V. **cebolla albarrana.** Ú. t. c. s. ‖ **2.** V. **torre albarrana.** ‖ **3.** f. **albarranilla.**

albarráneo, a. (De *albarrán.*) adj. ant. Forastero o extranjero.

albarranía. f. ant. Estado de **albarrán,** mozo soltero.

albarraniego, ga. adj. ant. **albarráneo.** ‖ **2.** V. **perro albarraniego.**

albarranilla. f. Especie de cebolla albarrana, con hojas estrechas, largas y lustrosas, y flores azules en umbela.

albarraz[1]. f. ant. **albarazo.**

albarraz[2]. (De *abarraz.*) m. **hierba piojera.**

albarrazado, da. adj. **albarazado.**

albarsa. (Del art. ár. *al* y el lat. *bursa,* bolsa.) f. Canasta en que lleva el pescador su ropa y los utensilios del oficio.

albatoza. (Del ár. *al-baṭāš,* nave con dos mástiles.) f. Especie de embarcación pequeña y cubierta.

albatros. (De *alcatraz,* a través del ing. *algatross, albatross.*) m. Ave marina de gran tamaño, plumaje blanco y alas muy largas y estrechas. Es muy buena voladora y vive principalmente en los océanos Índico y Pacífico.

albayaldado, da. adj. Dado de albayalde.
albayalde. (Del ár. *al-bayāḍ*, la blancura.) m. Carbonato básico del plomo. Es sólido, de color blanco y se emplea en la pintura.
albayano, na. adj. Natural de Albay o de la provincia filipina de este nombre. Ú. t. c. s. ‖ **2.** Perteneciente o relativo a la población de Albay o a la provincia del mismo nombre.
albazano, na. adj. De color castaño oscuro. Dícese por lo común de los caballos y yeguas.
albazo. (De *alba.*) m. **alborada,** acción de guerra al amanecer. ‖ **2.** *Ecuad.* **alborada,** música al amanecer y al aire libre, en homenaje a una persona o en fiestas populares.
albear. (De *alba.*) intr. **blanquear,** mostrar una cosa su blancura. ‖ **2. blanquear,** tirar a blanco. ‖ **3.** tr. *And.* y *Can.* Enjalbegar las paredes.
albedo. (Del lat. *albēdo*, blancura.) m. *Fís.* Razón entre la energía luminosa que difunde por reflexión una superficie y la energía incidente.
albedriador, ra. adj. ant. **arbitrador.** Usáb. t. c. s.
albedriar. tr. ant. Juzgar por albedrío.
albedrío. (Del lat. *arbitrĭum.*) m. Potestad de obrar por reflexión y elección. Dícese más ordinariamente **libre albedrío.** ‖ **2.** La voluntad no gobernada por la razón, sino por el apetito, antojo o capricho. ‖ **3.** Costumbre jurídica no escrita. ‖ **4.** ant. Sentencia del juez árbitro. ‖ **5.** ant. Libertad de resolución. ‖ **al albedrío** de alguno. loc. adv. Según su gusto o voluntad, sin sujeción o condición alguna. *Hazlo* A TU ALBEDRÍO. ‖ **rendir el albedrío.** fr. fig. Someter la propia voluntad a la ajena.
albedro. (Del lat. *arbitŭlus*, d. de *arbĭtus, arbūtus*, madroño.) m. *Ast.* **madroño,** árbol.
albegar. (Del lat. *albicāre*, de *albus*, blanco.) tr. ant. **enjalbegar** las paredes.
albéitar. (Del ár. *al-baitar*, y este del gr. ἱππιατρός.) m. **veterinario.**
albeitería. (De *albéitar.*) f. **veterinaria.**
albeldadero. m. *Ál.* Lugar destinado para albeldar.
albeldar. tr. **beldar.**
albeldense. adj. Natural de Albelda. Ú. t. c. s. ‖ **2.** Perteneciente a esta villa de la Rioja.
albellanino. m. *Gran.* **cornejo.**
albellón. m. **albollón.**
albenda. (Del ár. *al-band*, el estandarte, la bandera.) f. Colgadura de lienzo blanco usada en lo antiguo, con adornos a manera de red o con encajes de hilo, cuyas labores representaban figuras de flores y animales.
albendera. f. Mujer que tejía o hacía albendas. ‖ **2.** fig. Mujer callejera, ociosa o desaplicada.
albengala. (Del art. ár. *al* y de *Bengala*, provincia del Indostán.) f. Tejido muy delgado que, por adorno, usaban los moros españoles en los turbantes.
albéntola. (De *albenda.*) f. Especie de red de hilo muy delgado para pescar peces pequeños.
alberca. (Del ár. *al-birka*, el estanque.) f. Depósito artificial de agua, con muros de fábrica, para el riego. ‖ **2. poza,** balsa para empozar el cáñamo. ‖ **3.** *Méj.* Piscina deportiva. ‖ **en alberca.** loc. adj. Se dice del edificio que, por no estar terminado o por haberse caído, solo tiene las paredes y carece de techo.
albercoque. m. p. us. *Murc.* y *Méj.* **albaricoque.**
albercoquero. m. **albaricoquero.**
albérchiga. f. **albérchigo.**
alberchigal. m. Terreno plantado de albérchigos.
albérchigo. (Del mozár. *al bérchigo*, el pérsico.) m. Fruto del alberchiguero: es de tamaño vario, aunque por lo general de unos seis centímetros de diámetro. Su carne es recia, jugosa y de color amarillo muy subido, y su piel, amarillenta también, tiene una mancha sonrosada muy encendida por la parte que más le da el sol. ‖ **2. alberchiguero.** ‖ **3.** En algunas partes, **albaricoque.**
alberchiguero. m. Árbol, variedad del melocotonero, cuyo fruto es el albérchigo. ‖ **2.** En algunas partes, **albaricoquero.**
albergada. (De *albergar.*) f. ant. Lugar donde se plantaban las tiendas para acampar; campamento de una hueste. ‖ **2.** ant. Reparo o defensa de tierra, piedra, madera u otra materia. ‖ **3.** ant. Casa, albergue.
albergador, ra. adj. Que alberga a otro. Ú. t. c. s. ‖ **2.** m. y f. desus. Posadero, mesonero, ventero.
albergadura. (De *albergar.*) f. ant. Acción y efecto de albergar; cobijo, albergue. ‖ **2.** Cueva de algunos animales.
albergar. (Del gót. **haribairgon*, alojar una tropa.) tr. Dar albergue u hospedaje. Ú. t. en sent. fig. ‖ **2.** Servir de albergue o vivienda; alojar, cobijar. Ú. t. en sent. fig. ‖ **3.** Encerrar, contener. ‖ **4.** fig. Guardar en el corazón o en la mente un sentimiento o una idea. ALBERGAR *esperanzas o propósitos.* ‖ **5.** intr. Tomar albergue. Ú. t. c. prnl.
alberge. (Del lat. *persĭcum*, de Persia, a través del cat. *alberge.*) m. *Ar.*, *Nav.* y *Rioja.* **albaricoque.**
albergero. (De *alberge.*) m. *Ar.* **albaricoquero.**
albergo. (De *albergar.*) m. desus. **albergue.**
albergue. (De *albergar.*) m. Lugar que sirve de resguardo, cobijo o alojamiento a personas o animales. ‖ **2.** Establecimiento hotelero que atiende al turismo durante estancias cortas. ‖ **3.** Establecimiento benéfico donde se aloja provisionalmente a personas necesitadas. ‖ **4.** desus. Casa destinada a la crianza y refugio de niños huérfanos o desamparados. ‖ **5.** En Malta, entre los caballeros de la orden de San Juan, alojamiento o cuartel donde los de cada lengua o nación vivían separadamente. ‖ **6.** Acción y efecto de albergar o cobijar.
alberguería. (De *alberguero.*) f. ant. Posada, mesón o venta. ‖ **2.** ant. Casa destinada para recoger a los pobres.
alberguero, ra. m. y f. ant. Persona que alberga: posadero, mesonero o ventero. ‖ **2.** m. ant. **albergue,** lugar que sirve de alojamiento a personas o animales.
albericoque. m. *Ar.*, *N. Burg.* y *Méj.* **albaricoque.**
albero, ra. (Del lat. *albarĭus*, de *albus*, blanco.) adj. desus. **albar.** ‖ **2.** m. Tierra para jardines y plazas de toros. ‖ **3.** Ruedo de la plaza de toros. ‖ **4.** Terreno albarizo. ‖ **5.** Paño para limpiar y secar los platos. ‖ **6.** *Sal.* Paño que al colar la ropa se tiende encima de esta y sobre el cual se echa la lejía. ‖ **7.** *Sal.* Rincón pequeño construido con adobes en la cocina para ir depositando en él la ceniza del fogón.
alberque. m. **alberca.**
alberquero, ra. m. y f. Persona que cuida de las albercas.
albicante. (Del lat. *albĭcans, -antis*, p. a. de *albicāre*, blanquear.) adj. Que albea.
albigense. (Del lat. *Albigensis.*) adj. Natural de Albi. Ú. t. c. s. ‖ **2.** Perteneciente o relativo a esta ciudad de Francia. ‖ **3.** Aplícase al hereje de una secta que tuvo su principal asiento en la ciudad de Albi durante los siglos XII y XIII. Ú. m. c. s. m. y en pl. ‖ **4.** Perteneciente o relativo a estos herejes.
albihar. (Del ár. *al-bihār*, el narciso o junquillo.) m. **manzanilla loca.**
albillo, lla. (d. de *albo.*) adj. V. **uva albilla.** Ú. t. c. s. m. y f. ‖ **2.** V. **vino albillo.** Ú. t. c. s.
albín. m. **hematites.** ‖ **2.** *Pint.* Carmesí oscuro que se saca de la piedra del mismo nombre y se emplea en vez del carmín para pintar al fresco.
albina. (De *albo.*) f. Estero o laguna que se forma con las aguas del mar en las tierras bajas que están inmediatas a él. ‖ **2.** Sal que queda en estas lagunas.
albinismo. m. Calidad de albino.

albino, na. (De *albo.*) adj. Dícese de los seres vivos que presentan ausencia congénita de pigmentación, por lo que su piel, pelo, iris, plumas, flores, etc., son más o menos blancos a diferencia de los colores propios de su especie, variedad o raza. Ú. t. c. s. ‖ **2.** *Méj.* Decíase del descendiente de morisco y europea o de europeo y morisca. Usáb. t. c. s.

albita. (De *albo* e *-ita.*) f. Feldespato formado por silicatos de aluminio y sodio y cuyo color es más comúnmente blanco.

albitana. (Del ár. *al-biṭāna,* el forro, la [cosa] forrada.) f. Cerca con que los jardineros resguardan las plantas. ‖ **2.** *Mar.* En faluchos y embarcaciones menores, lo mismo que **contrarroda** si se habla de proa, y que **contracodaste** si se trata de popa.

albo, ba. (De lat. *albus.*) adj. **blanco.** Ú. especialmente en lenguaje literario, sobre todo, poético. ‖ **2.** V. **hierro albo.**

alboaire. (Del ár. *al-buḥair,* mar pequeño, término aplicado en arquitectura con el sentido de lagunar.) m. Labor que se hacía en las capillas o bóvedas, especialmente en las esféricas, adornándolas con azulejo. ‖ **2.** adj. Dícese de la armadura o bóveda guarnecidas con este género de adorno.

albogón. (aum. de *albogue.*) m. Instrumento músico antiguo de madera, de unos nueve decímetros de largo, a manera de flauta dulce o de pico, con siete agujeros para los dedos, el cual servía de bajo en los conciertos de flautas. ‖ **2.** Instrumento parecido a la gaita gallega.

albogue. (Del ár. *al-būq,* la trompeta.) m. Especie de flauta simple y rústica, o doble y de mayor complejidad de forma, generalmente de madera, caña o cuerno, propia de juglares y pastores. Ú. m. en pl. ‖ **2.** Cada uno de los dos platillos pequeños de latón que se usan para indicar el ritmo en las canciones y bailes populares.

alboguear. intr. p. us. Tocar el albogue.

alboguero, ra. m. y f. Persona que toca el albogue. ‖ **2.** Persona que hace albogues.

albohera. f. ant. **albuhera.**

alboheza. (Del ár. *al-jubbāza,* la malva.) f. ant. **malva.**

albohol. (Del ár. *al-ḥubūl,* las cuerdas.) m. **correhuela,** mata convolvulácea. ‖ **2.** Planta anual de la familia de las franqueniáceas, con tallos duros, tendidos y ramosos como de medio metro de largo, hojas menudas, dobladas por las orillas, y flores azules y muy pequeñas. Toda la planta está cubierta de polvo salado y sirve para hacer barrilla.

albolga. f. ant. *Ar.* **alholva.**

albollón. (Del ár. *al-ballū'a,* la cloaca.) m. Desaguadero de estanques, corrales, patios, etc. ‖ **2. albañal.**

albóndiga. (Del ár. *al-bunduga,* la avellana, la bolita del tamaño de la avellana.) f. Cada una de las bolas que se hacen de carne o pescado picado menudamente y trabado con ralladuras de pan, huevos batidos y especias, y que se comen guisadas o fritas.

albondiguilla. (d. de *albóndiga.*) f. **albóndiga.** ‖ **2.** fig. Pelotilla de moco seco.

alboquerón. (Quizá del gr. βούκερον, heno.) m. Planta de la familia de las crucíferas, muy parecida al alhelí, con varios tallos de unos tres decímetros de largo, cubiertos, como toda la planta, de pelos blanquecinos; hojas lanceoladas y dentadas, flores rojas en corimbo y semillas en vainas cilíndricas.

albor. (Del lat. *albor, -ōris.*) m. **albura,** blancura perfecta. ‖ **2.** Luz del alba. Ú. m. en pl. ‖ **3.** fig. Comienzo o principio de una cosa. ‖ **4.** fig. Infancia o juventud. Ú. más en pl. ‖ **de la vida,** o **albores de la vida.** fig. Infancia o juventud. ‖ **quebrar albores.** loc. **quebrar el alba,** alborear.

alborada. (De *albor,* luz del alba.) f. Tiempo de amanecer o rayar el día. ‖ **2.** Acción de guerra al amanecer. ‖ **3.** Toque o música militar al romper el alba, para avisar la venida del día. ‖ **4.** Música al amanecer y al aire libre para festejar a una persona. ‖ **5.** Composición poética o musical destinada a cantar la mañana.

albórbola. (Del ár. *al-walwala,* la gritería femenina motivada por la aflicción o el gozo.) f. Vocería o algazara, y especialmente aquella con que se demuestra alegría. Ú. m. en pl.

alboreada. (De *alborear.*) f. Cante y baile popular de los gitanos andaluces.

alborear. (De *albor,* luz del alba.) intr. Amanecer o rayar el día.

alborecer. (De *albor,* luz del alba.) intr. ant. **alborear.**

alboreo. m. Acción y efecto de alborear.

alborga. (Del ár. *al-bulga,* la abarca de esparto.) f. Calzado que en algunas provincias usa la gente rústica, y se hace de soga o cuerda de esparto, a manera de alpargata.

albornía. (Del ár. *al-burūniyya,* de *alburūn,* la jarra.) f. Vasija grande de barro vidriado, de forma de taza.

alborno. (Del lat. *alburnum.*) m. **alburno.**

albornoz. (Del ár. *al-burnus,* el capuchón.) m. Tela hecha con estambre muy torcido y fuerte, a manera de cordoncillo. ‖ **2.** Especie de capa o capote con capucha. ‖ **3.** Prenda de tela esponjosa, que se utiliza para secarse después del baño.

alborocera. (Del lat. **arbutēus,* de *arbŭtus.*) f. *Ar.* **madroño,** arbusto ericáceo. ‖ **2. madroño,** fruto de este arbusto.

alboronía. (Del ár. *al-būrāniyya,* guiso que lleva el nombre de *Būrān,* esposa del califa al-Ma'mūn.) f. Guisado de diferentes hortalizas picadas y revueltas.

alboroque. (Del ár. *al-buruk,* regalo.) m. Agasajo que hacen el comprador, el vendedor, o ambos, a los que intervienen en una venta. ‖ **2.** Regalo o convite que se hace para recompensar un servicio o por cualquier motivo de alegría.

alborotadizo, za. adj. Que por ligero motivo se alborota o inquieta.

alborotado, da. p. p. de **alborotar.** ‖ **2.** adj. Dícese del pelo revuelto o enmarañado. ‖ **3.** Que por demasiada viveza obra precipitadamente y sin reflexión. ‖ **4.** Inquieto, díscolo, revoltoso.

alborotador, ra. adj. Que alborota. Ú. t. c. s.

alborotapueblos. com. Alborotador, tumultuario. ‖ **2.** fam. Persona de buen humor y dada a mover bulla y fiesta.

alborotar. (Quizá del lat. *volūtare,* agitar, cruzado con *alborozar.*) tr. Inquietar, alterar, conmover, perturbar. Ú. t. c. prnl. ‖ **2.** Amotinar, sublevar. Ú. t. c. prnl. ‖ **3.** p. us. Causar alegría. Ú. t. c. prnl. ‖ **4.** Tratándose del mar, **encrespar.** Ú. t. c. prnl.

alborote. m. ant. **alboroto.**

alborotero, ra. adj. **alborotador.** Ú. t. c. s.

alboroto. (De *alborotar.*) m. Vocerío o estrépito causado por una o varias personas. ‖ **2.** Desorden, tumulto. ‖ **3.** Asonada, motín. ‖ **4.** Sobresalto, inquietud, zozobra. ‖ **5.** *Méj.* **alborozo,** alegría, entusiasmo. ‖ **6.** pl. *Amér. Central* y *Col.* Rosetas de maíz o maicillo con azúcar o miel.

alborozadamente. adv. m. Con alborozo.

alborozador, ra. adj. Que alboroza o causa alborozo. Ú. t. c. s.

alborozamiento. (De *alborozar.*) m. ant. **alborozo.**

alborozar. (De *alborozo.*) tr. Causar extraordinario regocijo, placer o alegría. Ú. t. c. prnl. ‖ **2.** ant. Causar extraordinario desorden. Usáb. t. c. prnl.

alborozo. (Del ár. *al-burūz,* la parada o desfile militar.) m. Extraordinario regocijo, placer o alegría. ‖ **2.** ant. Extraordinario desorden.

alborto. (Del lat. *arbutŭlus,* d. de *arbŭtus.*) m. **madroño,** arbusto.

alborzo. (Del lat. *arbutēus.*) m. **alborto,** madroño.

albotín. (Del ár. *al-buṭm.*) m. **terebinto.**

albricia. f. p. us. **albricias.**

albriciar. tr. Dar una noticia agradable.

albricias. (Del ár. *al-bišāra*, la buena nueva.) f. pl. Regalo que se da por alguna buena nueva a la persona que trae la primera noticia de aquella. ‖ **2.** Regalo que se da o se pide con motivo de un fausto suceso. ‖ **3.** *Méj.* Agujeros que los fundidores dejan en la parte superior del molde para que salga el aire al tiempo de entrar el metal. Se llaman así porque al asomar por ellos el metal es prueba de que el molde está lleno y saldrá bien la fundición. ‖ **¡albricias!** expr. de júbilo. ‖ **ganar** alguien **las albricias.** fr. fig. Ser el primero en dar alguna buena noticia al interesado en ella.

albudeca. (Del ár. *al-butaija*, la sandía.) f. Sandía de mala calidad.

albuérbola. f. ant. **albórbola.**

albufera. (Del ár. *al-buḥaira*, la laguna, el mar pequeño.) f. Laguna litoral, en costa baja, de agua salina o ligeramente salobre, separada del mar por una lengua o cordón de arenas, como la de Valencia o la de Alcudia (Mallorca).

albugíneo, a. (Del lat. *albūgo, -ĭnis*, blancura.) adj. Enteramente blanco. ‖ **2.** *Anat.* Dícese de la membrana fibrosa, blanca y brillante que rodea el tejido propio del testículo; en el hombre tiene aproximadamente un milímetro de grosor. Ú. t. c. s. f.

albugo. (Del lat. *albūgo.*) m. *Med.* Mancha blanca de la córnea, debida a granulaciones de grasas depositadas en el tejido de dicha membrana. También se da este nombre a las pequeñas manchas blancas de las uñas.

albuhera. f. ant. **albufera.** ‖ **2.** ant. Depósito artificial de agua, como estanque o alberca.

álbum. (Del lat. *album*, encerado blanco, a través del fr.) m. Libro en blanco, comúnmente apaisado, y encuadernado con más o menos lujo, cuyas hojas se llenan con breves composiciones literarias, sentencias, máximas, piezas de música, firmas, retratos, etc. ‖ **2.** Libro en blanco de hojas dobles, con una o más aberturas de forma regular, a manera de marcos, para colocar en ellas fotografías, acuarelas, grabados, etc. ‖ **3.** Estuche o carpeta con uno o más discos sonoros.

albumen. (Del lat. *albūmen, -ĭnis*, clara de huevo.) m. Clara de huevo, compuesta principalmente de albúmina. ‖ **2.** *Bot.* Tejido que rodea el embrión de algunas plantas, como el trigo y el ricino, y le sirve de alimento cuando la semilla germina. Su aspecto varía según la naturaleza de las sustancias nutritivas que contiene, pudiendo ser carnoso, amiláceo, oleaginoso, córneo y mucilaginoso.

albúmina. (De *albūmen, -ĭnis.*) f. *Quím.* Cualquiera de las numerosas sustancias albuminoideas que forman principalmente la clara de huevo. Se hallan también en los plasmas sanguíneo y linfático, en los músculos, en la leche y en las semillas de muchas plantas.

albuminado, da. p. p. de **albuminar.** ‖ **2.** adj. Dícese de las hojas de papel, tela o vidrio cubiertas con una capa de albúmina.

albuminar. tr. Preparar con albúmina los papeles o placas para la fotografía.

albuminoide. (De *albúmina* y *-oide.*) m. *Biol.* y *Quím.* **prótido.** ‖ **2.** Corrientemente, sustancia que, como ciertas proteínas, presenta en disolución el aspecto y las propiedades de la clara de huevo, de las gelatinas o de la cola de pescado.

albuminoideo, a. (De *albúmina.*) adj. Que tiene aspecto y propiedades de albuminoide.

albuminómetro. m. *Quím.* Tubo de vidrio graduado que sirve para determinar la albúmina que contiene un líquido orgánico.

albuminoso, sa. adj. Que contiene albúmina.

albuminuria. (Del lat. *albūmen, -ĭnis*, albúmina, y el gr. οὖρον, orina.) f. *Med.* Fenómeno que se presenta en algunas enfermedades y consiste en la existencia de albúmina en la orina.

albur[1]**.** (Del ár. *al-būrī*, el pez, la pescada.) m. **mújol.**

albur[2]**.** (De or. inc.; quizá de *albur*[1], o del ár. *al-būr*, el acto de someter a prueba alguna cosa.) m. En el juego del monte, las dos primeras cartas que saca el banquero. ‖ **2.** fig. Contingencia o azar a que se fía el resultado de alguna empresa. *Jugar, correr un* ALBUR. ‖ **3.** *Méj.* y *Sto. Dom.* Juego de palabras de doble sentido. ‖ **4.** pl. **parar**[1], juego de naipes. ‖ **5.** *P. Rico.* Mentiras, infundios.

albura. (Del lat. *albūra.*) f. Blancura perfecta. ‖ **2.** ant. **clara** de huevo. ‖ **3.** *Bot.* Capa blanda, de color blanquecino, que se halla inmediatamente debajo de la corteza en los tallos leñosos o troncos de los vegetales gimnospermos y angiospermos dicotiledóneos, formada por los anillos anuales más jóvenes. ‖ **doble albura.** *Bot.* Defecto que tiene la madera cuando su textura es más floja en alguna de las capas de su crecimiento anual.

alburear. intr. *Méj.* Decir albures.

alburente. (De *albura.*) adj. V. **madera alburente.**

alburero, ra. adj. *Méj.* Dícese de la persona que gusta de emplear albures o juegos de palabras. Ú. m. c. s. ‖ **2.** m. El que juega a los albures.

alburno. (Del lat. *alburnum.*) m. *Bot.* **albura,** capa blanda que se halla debajo de la corteza de algunos vegetales.

alca. (Del sueco *alka.*) f. Ave caradriforme de aspecto semejante al pájaro bobo, de plumaje negro en la cabeza y en el dorso y blanco en el vientre. Se alimenta de peces que captura buceando en el mar, y no va a tierra más que para criar.

alcabala. (Del ár. *al-qabāla* el contrato, el impuesto concertado con el fisco.) f. Tributo del tanto por ciento del precio que pagaba al fisco el vendedor en el contrato de compraventa y ambos contratantes en el de permuta. ‖ **2.** *Col.* y *Venez.* Puesto de policía en las salidas de las ciudades y carreteras. ‖ **del viento.** Tributo que pagaba el forastero por los géneros que vendía.

alcabalatorio, ria. adj. Perteneciente o relativo a la alcabala. ‖ **2.** Dícese del libro en que están recopiladas las leyes y ordenanzas concernientes al modo de repartir y cobrar las alcabalas. Ú. m. c. s. m. ‖ **3.** Se aplica a la lista o padrón que servía para el repartimiento de las alcabalas. Ú. t. c. s. m. ‖ **4.** Dícese del territorio en que se pagaban o cobraban las alcabalas.

alcabalero. m. El que administraba o cobraba las alcabalas. ‖ **2.** El que tenía arrendadas las de alguna provincia, ciudad o pueblo. ‖ **3.** El que cobraba tributos o impuestos aunque no fuesen de alcabala.

alcabor. (Del ár. *al-qabw*, la chimenea, el humero.) m. Hueco de la campana del horno o de la chimenea.

alcabota. (Del *al-*, y el mozár. *cabota*, cabeza; cf. cat. *cabota*, cabezota.) f. *And.* **escoba de cabezuela,** planta perenne.

alcabtea. (Del ár. *al-qabṭiyya*, pronun. esp. de *al-qubṭiyya*, la [tela] copta.) f. ant. Tela fina de lino.

alcabuz. m. ant. **arcabuz.**

alcacel. (Del ár. *al-qaṣīl*, cebada verde.) m. **alcacer.**

alcaceña. adj. V. **tabla alcaceña.**

alcacer. (De *alcacel.*) m. Cebada verde y en hierba. ‖ **2.** **cebadal.** ‖ **estar ya duro el alcacer para zampoñas.** fr. fig. y fam. desus. No estar ya uno en edad de aprender o de hacer algo. ‖ **2.** desus. Haberse pasado la sazón para lograr un propósito o resolver un asunto. ‖ **retozarle** a uno **el alcacer.** fr. fig. y fam. que se decía del que estaba alegre en demasía, por alusión a las bestias, que suelen retozar cuando se hartan de verde.

alcacería. f. ant. **alcaicería.**

alcací o **alcacil.** m. **alcaucil.**

alcachofa. (De *alcarchofa.*) f. Planta hortense, de la familia de las compuestas, de raíz fusiforme, tallo estriado, ramoso y de más de medio metro de altura y hojas algo espinosas, con cabezuelas comestibles. ‖ **2.** Cabezuela de esta planta. ‖ **3.** Cabezuela del cardo y otras plantas análogas. ‖ **4.** Adorno en figura de **alcachofa.** ‖ **5.** Panecillo de figura que recuerda algo la de la **alcachofa.** ‖ **6.** Receptáculo redondeado con muchos orificios que, sumergido en una cavidad que contiene agua estancada o corriente, permite la entrada de ella en un aparato destinado a elevarla, impidiendo la entrada de cuerpos extraños. ‖ **7.** Pieza agujereada por donde sale el agua de la regadera o de la ducha.

alcachofado, da. adj. De figura de alcachofa. ‖ **2.** m. Guisado hecho o compuesto con alcachofas.

alcachofal o **alcachofar.** m. Sitio plantado de alcachofas. ‖ **2.** Terreno inculto en que abundan los alcauciles.

alcachofar. tr. desus. Abrir como una alcachofa; hinchar, esponjar.

alcachofero, ra. adj. Se dice del vegetal que echa alcachofas. ‖ **2.** m. y f. Persona que vende alcachofas. ‖ **3.** f. **alcachofa,** planta.

alcaduz. (Del ár. *al-qādus,* este del gr. κάδος, vaso.) m. ant. **arcaduz.**

alcaecería. f. desus. **alcaicería.**

alcafar. (Del ár. *al-kafal,* la grupa.) m. ant. Ancas de un cuadrúpedo.

alcahaz. (Del ár. *al-qafas.*) m. Jaula grande para encerrar aves.

alcahazada. f. desus. Conjunto de aves vivas encerradas en el alcahaz.

alcahazar. tr. desus. Encerrar o guardar aves en el alcahaz.

alcahotar. tr. ant. **alcahuetear.**

alcahotería. f. ant. **alcahuetería.**

alcahuetar. tr. ant. **alcahuetear.**

alcahuetazgo. m. ant. **alcahuetería.**

alcahuete, ta. (Del ár. *al-qawwād,* el conductor, el intermediario.) m. y f. Persona que concierta, encubre o facilita una relación amorosa, generalmente ilícita. ‖ **2.** fig. y fam. Persona o cosa que sirve para encubrir lo que se quiere ocultar. ‖ **3.** fig. y fam. **correveidile,** persona chismosa. ‖ **4.** m. Telón que en el teatro solía emplearse, en lugar del de boca, para dar a entender que el entreacto sería muy corto, o por alguna otra razón.

alcahuetear. intr. Servir de alcahuete o hacer oficios de tal. Ú. t. c. tr.

alcahuetería. f. Acción de alcahuetear. ‖ **2.** Oficio de alcahuete. ‖ **3.** fig. y fam. Acción de ocultar o encubrir los actos reprobables de una persona. ‖ **4.** fig. y fam. Medio artificioso que se emplea para seducir o corromper.

alcaicería. (Del gr. Καισαρεία, o el lat. *Caesarea,* a través del ár. *al-qaisāriyya,* el mercado o un edificio cuadrado en forma de claustro, con habitaciones, depósitos y tiendas para los mercaderes.) f. En Granada y otros pueblos de su antiguo reino, aduana o casa pública donde los cosecheros presentaban la seda para pagar los derechos establecidos por los reyes moros. ‖ **2.** Sitio o barrio con tiendas en que se vende seda cruda o en rama u otras mercaderías.

alcaico. (Del gr. Ἀλκαϊκός, lat. *alcaĭcus,* de Alceo, poeta griego.) adj. V. **verso alcaico.** Ú. t. c. s.

alcaide. (Del ár. *al-qā'id,* el general, el que conduce las tropas.) m. Hasta fines de la Edad Media, el que tenía a su cargo la guarda y defensa de algún castillo o fortaleza, bajo juramento o pleito homenaje. Posteriormente, el Grande de España encargado de la conservación y administración de algún sitio real. ‖ **2.** El que en las cárceles tenía a su cargo la custodia de los presos. ‖ **3.** En las alhóndigas y otros establecimientos, persona encargada de su custodia y buen orden. ‖ **de los donceles.** Capitán del cuerpo que formaban los donceles, o el que cuidaba de instruirlos para la milicia.

alcaidesa. f. Mujer del alcaide.

alcaidía. f. Empleo de alcaide. ‖ **2.** Casa u oficina del alcaide. ‖ **3.** Territorio de su jurisdicción. ‖ **4.** Derecho que se pagaba por el paso de ganados en algunas **alcaidías.**

alcaidiado. m. ant. Empleo de alcaide.

alcairía. f. ant. **alquería.** Ú. en Salamanca.

alcaladino, na. adj. desus. **alcalaíno.**

alcalaeño, ña. adj. Natural de Alcalá del Júcar. Ú. t. c. s. ‖ **2.** Perteneciente a este pueblo de la provincia de Albacete.

alcalaíno, na. adj. Natural de Alcalá de Henares, y también de Alcalá de los Gazules o Alcalá la Real. Ú. t. c. s. ‖ **2.** Perteneciente a alguna de estas localidades.

alcalareño, ña. adj. Natural de uno de los pueblos de Alcalá de Guadaira, Alcalá del Río o Alcalá del Valle. Ú. t. c. s. ‖ **2.** Perteneciente a cualquiera de estos pueblos.

alcaldada. f. Acción imprudente o inconsiderada que ejecuta un alcalde abusando de la autoridad que ejerce. Ú. frecuentemente con los verbos *dar, hacer* y *meter.* ‖ **2.** Por ext., acción semejante ejecutada por cualquier persona afectando autoridad o abusando de la que tenga. ‖ **3.** p. us. Dicho o sentencia necia.

alcalde. (Del ár. *al-qāḍī,* el juez.) m. Presidente del ayuntamiento de cada pueblo o término municipal, encargado de ejecutar sus acuerdos, dictar bandos para el buen orden, salubridad y limpieza de la población y cuidar de todo lo relativo a la policía urbana. Es además en su grado jerárquico, delegado del gobierno en el orden administrativo. ‖ **2.** Juez ordinario que administraba justicia en algún pueblo y presidía al mismo tiempo el concejo. ‖ **3.** En algunas danzas, el principal de ellas o el que las guía y conduce, y también el que gobierna alguna cuadrilla. ‖ **4.** Juego de naipes entre seis personas, en el cual una de ellas, que queda sin cartas, manda jugar, del palo que elige, a otros dos jugadores con quienes pierde o gana. ‖ **5.** Juego de naipes, variedad de la brisca, entre tres personas, en el cual uno de los jugadores, al que se llama **alcalde,** juega contra los otros dos y gana y sigue en tal puesto mientras haga 31 tantos de los 120. ‖ **6.** En el tresillo y otros juegos de naipes, el que da las cartas y no juega. ‖ **corregidor. corregidor, alcalde** que algunas veces nombraba el rey. ‖ **de alzadas. juez de alzadas.** ‖ **de barrio.** El que el **alcalde** nombra en las grandes poblaciones para que en un barrio determinado ejerza las funciones que le delega. ‖ **de casa y corte.** Juez togado de los que en la corte componían la sala llamada de **alcaldes,** que juntos formaban la quinta sala del Consejo de Castilla. ‖ **de corte. alcalde de casa y corte.** ‖ **de cuadrilla. alcalde de la Mesta.** ‖ **de hijosdalgo.** El de la sala de hijosdalgo que había en las chancillerías de Valladolid y Granada, en la cual se conocía de los pleitos de hidalguía y de los agravios que se hacían a los hidalgos en lo tocante a sus exenciones y privilegios. Era juez togado. ‖ **2.** El ordinario que se nombraba cada año por el estado de hijosdalgo en los pueblos en que los oficios concejiles se dividían entre nobles e individuos del estado llano. ‖ **de la cuadra.** El de la sala del crimen de la audiencia de Sevilla, denominado así porque la sala capitular de su ayuntamiento se llamaba cuadra. ‖ **del agua.** En algunas comunidades de regantes, el que reparte y vigila los turnos. ‖ **de la hermandad.** El que se nombraba cada año en los pueblos para que conociera de los delitos y excesos cometidos en el campo. ‖ **de la Mesta.** Juez nombrado por una cuadrilla de ganaderos, y aprobado por el Concejo de la Mesta, para conocer de los pleitos entre pastores y demás cosas pertenecientes a la cabaña de la cuadrilla que le nombró. ‖ **del crimen.** El de la sala del crimen que había en las chancillerías de Valladolid y Granada y en algunas audiencias del reino, el cual era juez togado y tenía fuera de su tribunal jurisdicción ordinaria en su territorio. ‖ **del mes de enero.** Persona que, recién entrada en el desempeño de su cargo, demuestra gran celo y actividad. ‖ **del rastro.** Juez letrado de los que en lo antiguo ejercían en la corte y en su rastro o distrito la jurisdicción criminal. ‖ **de monterilla.** fam. El de alguna aldea o lugar, sobre todo si es labriego o rústico. ‖ **de noche.** El que se elegía en algunas ciudades para rondar y cuidar de que no hubiera desórdenes por la noche, y el cual, mientras esta duraba, tenía jurisdicción ordinaria. ‖ **de obras y bosques.** Juez togado que tenía jurisdicción privativa en lo civil y criminal dentro de los bosques y sitios reales. ‖ **de sacas.** Juez encargado de evitar que se sacasen del reino las cosas cuya extracción estaba prohibida por leyes y pragmáticas. ‖ **entregador.** En el Concejo de la Mesta, juez de letras, para visitar los partidos y conocer de las causas concernientes a ganados y pastos. ‖ **mayor.** Juez de letras que ejercía la jurisdicción ordinaria en algún pueblo. ‖ **2.** Juez de letras, asesor del corregidor en las ciudades donde este era juez lego. ‖ **3.** En Nueva España, el que, siendo o no juez de letras, gobernaba por el rey algún pueblo que no era capital de provincia. ‖ **4.** En las antiguas provincias de Ultramar, juez de primera instancia que, además de las atribuciones propias de este cargo, ejercía otras gubernativas, administrativas y económicas. ‖ **mayor entregador. alcalde entregador.** ‖ **ordinario.** Vecino de un pueblo que ejercía en él jurisdicción ordinaria. ‖ **pedáneo.** El de un lugar o aldea que solo podía entender en negocios de escasa cuantía, castigar faltas leves y auxiliar en las causas graves al juez letrado. ‖ **2.** Actualmente, el de barrio, designado para aldeas o partidos rurales en municipios dispersos.

alcaldesa. f. Mujer del alcalde. ‖ **2.** Mujer que ejerce el cargo de alcalde.

alcaldía. f. Oficio o cargo de alcalde. ‖ **2.** Territorio o distrito de su jurisdicción. ‖ **3.** Local, edificio donde el alcalde ejerce sus funciones, sede del ayuntamiento.

alcaldío. m. ant. *Nav.* **alcaldía.**

alcalescencia. f. *Quím.* Alteración que experimenta un líquido al volverse alcalino. ‖ **2.** *Quím.* Estado de las sustancias orgánicas en que se forma espontáneamente amoniaco.

álcali. (Del ár. *al-qālī*, la sosa o cenizas de plantas alcalinas.) m. *Quím.* Nombre dado a los hidróxidos metálicos que por ser muy solubles en el agua pueden actuar como bases enérgicas.

alcalifa. m. ant. **califa.**

alcalifaje. m. ant. Dignidad de califa.

alcalímetro. (De *álcali* y *-metro.*) m. *Quím.* Instrumento para apreciar la cantidad de álcali contenida en los carbonatos de sosa o de potasa.

alcalinidad. f. Calidad de alcalino.

alcalinización. f. *Quím.* Acción y efecto de alcalinizar.

alcalinizar. tr. *Quím.* Dar o comunicar a alguna cosa propiedades alcalinas.

alcalino, na. adj. *Quím.* De álcali o que tiene álcali.

alcalización. f. *Quím.* **alcalinización.**

alcalizar. tr. *Quím.* **alcalinizar.**

alcaloide. (De *álcali* y *-oide.*) m. *Quím.* Cualquiera de los compuestos orgánicos nitrogenados, de carácter básico producidos por vegetales. En su mayoría producen acciones fisiológicas características, en general de carácter tóxico, como la nicotina del tabaco. Muchos se han podido obtener por síntesis química.

alcaloideo, a. adj. *Quím.* Aplícase a los compuestos orgánicos que, a semejanza de los alcaloides, pueden combinarse con los ácidos para formar sales.

alcalometría. f. *Quím.* Determinación del contenido de alcaloides en una solución.

alcalosis. f. *Pat.* Alcalinidad excesiva de la sangre. Ocurre en diversas enfermedades y se manifiesta por síntomas opuestos, por lo común, a los producidos por la acidosis.

alcall o **alcalle.** m. ant. **alcalde.**

alcaller. (Del ár. *al-qallāl*, el ollero.) m. **alfarero.** ‖ **2.** Obrador de alfarero.

alcallería. (De *alcaller.*) f. Conjunto de vasijas de barro.

alcallía. f. ant. **alcaldía.**

alcamar. (Del aimara *alcamari.*) m. Especie de ave de rapiña americana.

alcamiz. (Del ár. *al-jamīs*, el cuerpo de ejército.) m. ant. **alarde,** lista de soldados.

alcamonías. (Del ár. *al-kamūniyya*, del lat. *cuminum*, comino.) f. pl. Semillas que se emplean en condimentos, como anís, alcaravea, cominos, etc. ‖ **2.** desus. fig. y fam. Alcahueterías.

alcana. (Del ár. *al-ḥannā'*, la alheña.) f. **alheña,** arbusto.

alcaná. (Del ár. *al-jānāt*, las tiendas.) f. Calle o sitio en que estaban las tiendas de los mercaderes.

alcance. (De *alcanzar.*) m. Seguimiento, persecución. ‖ **2.** Capacidad de alcanzar o cubrir una distancia. ALCANCE *de la vista, de un proyectil, de una emisora de radio.* ‖ **3.** V. **sello de alcance.** ‖ **4.** p. us. Correo extraordinario que se envía para alcanzar al ordinario. ‖ **5.** fig. En materia de cuentas, saldo que, según ellas, está debiéndose. ‖ **6.** fig. En los periódicos, noticia o sección de noticias recibidas a última hora. ‖ **7.** fig. Talento, luces. Ú. m. en pl. ‖ **8.** fig. Capacidad física, intelectual o de otra índole que permite realizar o abordar ciertas cosas o acceder a ellas. *Las cuestiones metafísicas están fuera de mi* ALCANCE. ‖ **9.** fig. Significación, efecto o trascendencia de alguna cosa. *Aquel desastre tuvo* ALCANCE *nacional.* ‖ **10.** *Impr.* Parte de original que se distribuye a cada uno de los cajistas para su composición. ‖ **11.** *Esgr.* Lo que alcanza cualquier arma blanca o negra. ‖ **12.** *Fís.* Penetración máxima de una partícula en un medio material determinado. ‖ **13.** *Mil.* Cantidad que en el ajuste queda a favor del soldado. ‖ **14.** *Veter.* **alcanzadura.** ‖ **de nombre.** *Chile.* Homonimia entre personas de iguales nombres y apellidos ‖ **al, a mi, a tu,** etc., **alcance.** loc. que se aplica a lo que uno puede conseguir. Ú. m. con el verbo *estar.* ‖ **andarle** a uno **a,** o **en, los alcances.** fr. fig. **irle a,** o **en, los alcances.** ‖ **dar alcance** a una persona o cosa. fr. Alcanzarla, apoderarse de ella, conseguirla. ‖ **ir** uno **a,** o **en, los alcances de** una cosa. fr. fig. Estar a punto de conseguirla. ‖ **irle** a uno **a,** o **en, los alcances.** fr. fig. Observar muy de cerca los pasos que da, para prenderle, averiguar su conducta o descubrir sus manejos. ‖ **seguir el alcance.** fr. *Mil.* Perseguir al enemigo.

alcancía. (Del ár. *al-kanziyya*, la caja propia para atesorar.) f. Vasija, comúnmente de barro, cerrada, con solo una hendedura estrecha hacia la parte superior, por donde se echan monedas que no se pueden sacar sino rompiendo la vasija. ‖ **2.** Bola hueca de barro seco al sol, del tamaño de una naranja, y la cual, llena de ceniza o de flores, servía para hacer tiro corriendo o jugando **alcancías.** ‖ **3.** Olla llena de alquitrán y otras materias inflamables que, encendida, se arrojaba a los enemigos. ‖ **4.** *Amér.* Cepillo para limosnas o donativos. ‖ **5.** *Germ.* **padre de mancebía.** ‖ **correr,** o **jugar, alcancías.** fr. Tirárselas, corriendo a caballo, unos jinetes a otros, que las recibían en el escudo, donde se quebraban.

alcanciazo. m. Golpe dado con una alcancía.

alcándara. (Del ár. *al-kandara*, la percha en que se posa el halcón.) f. Percha o varal donde se ponían las aves de cetrería o donde se colgaba la ropa. ‖ **2.** V. **vara alcándara.**

alcandía. (Del ár. *al-quṭnīya.*) f. **zahína,** planta.

alcandial. m. Tierra sembrada de alcandía.

alcandiga. (De *alcandía.*) f. ant. **alcandía.**

alcandora. (Del ár. dialect. *al-qandūra*, la camisa.) f. ant. Cierta vestidura a modo de camisa, o la camisa misma.

alcándora. (De *alcándara.*) f. **alcándara.**

alcanería. (Del ár. *al-qannāriyya*, el cardo.) f. ant. Especie de alcachofa.

alcanfor. (Del ár. *al-kāfūr.*) m. Producto sólido, cristalino, blanco, urente y de olor penetrante característico. Se obtiene del alcanforero tratando las ramas con una corriente de vapor de agua. Se utiliza principalmente en la fabricación del celuloide y de la pólvora sin humo y, en medicina, como estimulante cardíaco. ‖ **2. alcanforero.** ‖ **3.** *Filip.* Madera del alcanforero.

alcanforada. f. Planta perenne de la familia de las quenopodiáceas, de tres a cinco decímetros de altura, vellosa y con hojas lineales de color verde ceniciento que despiden olor de alcanfor.

alcanforar. tr. Componer o mezclar con alcanfor alguna cosa.

alcanforero. m. Árbol de la familia de las lauráceas, de 15 a 20 metros de altura, de madera muy compacta, hojas persistentes, alternas, enteras y coriáceas, flores pequeñas y blancas, y por frutos bayas negras del tamaño del guisante. Se cría en el Japón, la China y otros países de Oriente, y de sus ramas y raíces se extrae alcanfor por destilación.

alcántara[1]. (Del ár. *al-qanṭara*, el dique, el puente, el acueducto, el arco.) f. En los telares de terciopelo, caja grande de madera, en forma de baúl, con la cubierta ochavada y entreabierta, que se coloca sobre las cárcolas y sirve para guardar la tela que se va labrando.

Alcántara[2]. n. p. V. **cruz de Alcántara.**

alcantarilla. (d. de *alcántara*[1].) f. Acueducto subterráneo, o sumidero, fabricado para recoger las aguas llovedizas o inmundas y darles paso. ‖ **2.** Boca de **alcantarilla.** ‖ **3.** p. us. Puentecillo en un camino, hecho para que por debajo de él pasen las aguas o una vía de comunicación poco importante.

alcantarillado, da. p. p. de **alcantarillar.** ‖ **2.** m. Conjunto de alcantarillas. ‖ **3.** Obra hecha en forma de alcantarilla. ‖ **4.** Acción y efecto de alcantarillar.

alcantarillar. tr. Hacer o poner alcantarillas.

alcantarillero. m. El que cuida o vigila las alcantarillas.

alcantarino, na. adj. Natural de Alcántara. Ú. t. c. s. ‖ **2.** Perteneciente a cualquiera de las poblaciones así llamadas. ‖ **3.** Dícese de los religiosos descalzos de San Francisco, reformados por San Pedro de Alcántara. Ú. t. c. s. ‖ **4.** m. Caballero de la orden de Alcántara.

alcanzable. adj. Que se puede alcanzar con facilidad.

alcanzadizo, za. adj. **alcanzable.**

alcanzado, da. p. p. de **alcanzar.** ‖ **2.** adj. Empeñado, adeudado. ‖ **3.** Falto, escaso, necesitado.

alcanzador, ra. adj. Que alcanza. Ú. t. c. s.

alcanzadura. (De *alcanzar.*) f. *Veter.* Contusión, con herida o sin ella, que con los pies se hacen las caballerías en el pulpejo o algo más arriba de las manos; y también la ocasionada en el mismo sitio de los pies por las manos de otra caballería que vaya detrás, o por la reja del arado.

alcanzamiento. m. ant. Acción de alcanzar o alcanzarse.

alcanzar. (De *encalzar*, con cambio de pref.) tr. Llegar a juntarse con una persona o cosa que va delante. ‖ **2.** Llegar a tocar, coger, golpear o herir a alguna persona o cosa; apoderarse de ella. *El disparo le* ALCANZÓ *en el pecho; el fugitivo fue* ALCANZADO *por sus perseguidores.* Ú. t. en sent. fig. *La epidemia* ALCANZÓ *a todo el país.* ‖ **3.** Coger alguna cosa alargando la mano para tomarla. ‖ **4.** Tratándose de la vista, oído u olfato, llegar a percibir con ellos. ‖ **5.** Dicho de una persona, haber uno nacido ya o no haber muerto aún, cuando ella vivía. ‖ **6.** fig. Haber uno vivido en el tiempo de que se habla, o presenciado el suceso de que se trata. ‖ **7.** fig. Llegar a poseer lo que se busca o solicita; conseguir, lograr. ‖ **8.** fig. Tener poder, virtud o fuerza para alguna cosa. *No* ALCANZÓ *el remedio a curar la enfermedad.* ‖ **9.** fig. Saber, entender, comprender. ‖ **10.** fig. Hallar a uno falto o deudor en el ajuste de cuentas. ‖ **11.** fig. Llegar a igualarse con otro en alguna cosa. *El niño menor* ALCANZARÁ *pronto al mediano en sus estudios.* ‖ **12.** ant. Seguir el alcance, perseguir. ‖ **13.** intr. Llegar hasta cierto punto o término. ‖ **14.** En las armas arrojadizas y en las de fuego, llegar el tiro a cierto término o distancia. ‖ **15.** fig. Tocar o corresponder a alguien alguna cosa o parte de ella. ‖ **16.** fig. Ser suficiente o bastante una cosa para algún fin. *La provisión* ALCANZA *para el camino.* ‖ **17.** prnl. Llegar a tocarse o juntarse. ‖ **18.** Hacerse alcanzaduras las caballerías. ‖ **alcanzársele** a alguien algo. fr. fig. Entenderlo. Ú. m. en frs. negativas. ‖ **no alcanzar** una persona o cosa a otra. fr. **no llegar** una persona o cosa a otra. ‖ **quedar,** o **salir,** alguien **alcanzado.** fr. fig. Resultar deudor de alguna cantidad al rendir cuentas. ‖ **si alcanza, no llega.** expr. fam. con que se da a entender que una cosa es tan tasada y escasa, que apenas basta para el uso a que se destina.

alcañizano, na. adj. Natural de Alcañiz. Ú. t. c. s. ‖ **2.** Perteneciente a esta ciudad de la provincia de Teruel. ‖ **3.** Natural de Alcañizo. Ú. t. c. s. ‖ **4.** Perteneciente o relativo a este lugar de la provincia de Toledo.

alcaparra. (Del lat. *cappăris*, con el art. ár. *al.*) f. Mata de la familia de las caparidáceas, ramosa, de tallos tendidos y espinosos, hojas alternas, redondeadas y gruesas, flores axilares, blancas y grandes, y cuyo fruto es el alcaparrón. ‖ **2.** Botón de la flor de esta planta. Se usa como condimento y como entremés. ‖ **3.** *Amér.* Nombre de diversas plantas de características parecidas a las de la **alcaparra.** ‖ **de Indias. capuchina,** planta.

alcaparrado, da. adj. Aderezado o condimentado con alcaparras.

alcaparral. m. Sitio poblado de alcaparros.

alcaparrera. f. **alcaparra,** planta.

alcaparro. m. **alcaparra,** planta.

alcaparrón. m. Fruto de la alcaparra, el cual es una baya carnosa parecida en la forma a un higo pequeño. Se come encurtido. ‖ **2.** ant. Cierto género de guarnición de espada.

alcaparrosa. f. **caparrosa.**

alcaraceño, ña. adj. Natural de Alcaraz. Ú. t. c. s. ‖ **2.** Perteneciente a esta ciudad de la provincia de Albacete.

alcaraván. (Del ár. *al-karawān.*) m. Ave caradriforme de cabeza redondeada, patas largas y amarillas, pico relativamente corto y grandes ojos amarillos. De costumbres crepusculares o nocturnas, habita en terrenos descubiertos, pedregosos o arenosos.

alcaravanero. (De *alcaraván.*) adj. V. **halcón alcaravanero.**

alcaravea. (Del ár. *al-karāwiyā*, el comino de los prados.) f. Planta anual de la familia de las umbelíferas, de seis a ocho decímetros de altura, con tallos cuadrados y ramosos, raíz fusiforme, hojas estrechas y lanceoladas, flores blancas y semillas pequeñas, convexas, oblongas, estriadas por una parte y planas por otra, que, por ser aromáticas, sirven para condimento. ‖ **2.** Semilla de esta planta.

alcarceña. (Del ár. *al-karsanna.*) f. **yero.**

alcarceñal. m. Tierra sembrada de alcarceñas.

alcarcil. m. desus. **alcaucil.**

alcarchofa. (Del ár. *al-jaršuf.*) f. desus. **alcachofa,** planta hortense. ‖ **2.** desus. **alcachofa,** cabezuela de esta planta.

alcarchofado, da. p. p. del ant. **alcarchofar.** ‖ **2.** adj. ant. Bordado con labores en figura de alcarchofa. Usáb. t. c. s. m.

alcarchofar. tr. ant. **alcachofar.**

alcaría. (Del ár. *al-qarya,* el poblado pequeño.) f. ant. **alquería.** Ú. en Salamanca.

alcarracero, ra. m. y f. Persona que hace o vende alcarrazas. ‖ **2.** m. Vasar en que se ponen las alcarrazas.

alcarraza. (Del ár. *al-karrāz,* jarra de cuello estrecho.) f. Vasija de arcilla porosa y poco cocida, que tiene la propiedad de dejar rezumarse cierta porción de agua, cuya evaporación enfría la mayor cantidad del mismo líquido que queda dentro.

alcarreño, ña. adj. Natural de la Alcarria. Ú. t. c. s. ‖ **2.** Perteneciente a esta comarca.

alcarreto. m. V. **hilo de alcarreto.**

alcarria. f. Terreno alto y, por lo común, raso y de poca hierba.

alcartaz. (Del ár. *al-qartās,* el papel, y este del gr. χάρτης.) m. **cucurucho.**

alcatara. (Del ár. *al-qiṭāra.*) f. **alquitara.**

alcatenes. (Del ár. *al-kattān,* el lino, la linaza.) m. Medicamento que, mezclado con aceche, se empleaba para curar llagas y úlceras.

alcatifa. (Del ár. *al-qatifa,* el terciopelo.) f. Tapete o alfombra fina. ‖ **2.** *Albañ.* Broza o relleno que, para allanar, se echa en el suelo antes de enlosarlo o enladrillarlo, o sobre el techo para tejar.

alcatifar. (De *alcatifa.*) tr. ant. **alfombrar.**

alcatraz[1]**.** m. **alcartaz.** ‖ **2. aro**[2]**.** ‖ **3.** *Méj.* Planta arácea que tiene una bráctea blanca, en forma de cucurucho, que rodea una columna de flores amarillas pequeñísimas.

alcatraz[2]**.** (Probablemente del ár. *al-gaṭṭās,* especie de águila marina.) m. Ave marina pelecaniforme de color predominantemente blanco cuando adulta, pico largo y alas apuntadas y de extremos negros. Es propia de mares templados.

alcaucí o **alcaucil.** (Del hispanoár. *al-qabsil,* del lat. **capitiellum,* cabecita.) m. Alcachofa silvestre. ‖ **2. alcachofa,** planta hortense. ‖ **3. alcachofa,** cabezuela de esta planta.

alcaudón. (De *caudón,* con el art. ár. *al.*) m. Pájaro carnívoro, dentirrostro, de unos 15 centímetros de altura, con plumaje ceniciento, pico robusto y ganchudo, alas y cola negras, manchadas de blanco, y esta larga y de figura de cuña. Fue empleado en cetrería.

alcavela. (Del ár. *al-qabila,* la tribu.) f. ant. **alcavera.** ‖ **2.** ant. Turba, manada.

alcavera. (Del m. or. que *alcavela.*) f. ant. Casta, familia, tribu.

alcayata. (Del mozár. *al-cayata,* del lat. *caia,* cayado, gayata.) f. **escarpia,** clavo acodillado.

alcayatar. tr. *Carp.* Poner en los marcos y hojas de las puertas las alcayatas de que aquellas han de colgarse.

alcazaba. (Del ár. *al-qaṣaba,* el fortín.) f. Recinto fortificado, dentro de una población murada, para refugio de la guarnición.

alcázar. (Del ár. *al-qaṣr,* y este del lat. *castrum,* castillo.) m. **fortaleza,** recinto fortificado. ‖ **2.** Casa real o habitación del príncipe, esté o no fortificada. ‖ **3.** *Mar.* Espacio que media, en la cubierta superior de los buques, desde el palo mayor hasta la popa o hasta la toldilla, si la hay.

alcazareño, ña. adj. Natural de Alcázar. Ú. t. c. s. ‖ **2.** Perteneciente a cualquiera de las poblaciones así llamadas.

alcazuz. (Del ár. *'irq al-sūs,* la raíz del regaliz.) m. **orozuz.**

alce[1]**.** (Del lat. *alce.*) m. Mamífero rumiante, parecido al ciervo y tan corpulento como el caballo, de cuello corto, cabeza grande, pelo oscuro, y astas en forma de pala con recortaduras profundas en los bordes.

alce[2]**.** (De *alzar.*) m. En el juego de naipes, porción de cartas que se corta después de haber barajado y antes de distribuirlas. ‖ **2.** En el juego de la malilla, premio que se da por el valor de la última carta, que sirve para señalar el palo de triunfo en cada mano. ‖ **3.** *Cuba.* Acción de alzar o recoger la caña de azúcar después de cortada, y cargarla en los vehículos que la han de llevar al trapiche. ‖ **4.** *Impr.* Acción de alzar los pliegos.

alcea. (Del lat. *alcĕa,* y este del gr. ἀλκέα.) f. Malvavisco silvestre.

alcedo. m. **arcedo.**

alcedón. m. **alción,** pájaro.

alcino. (Del lat. *acĭnos,* y este del gr. ἄκινος, albahaca silvestre.) m. Planta indígena de España, de la familia de las labiadas, de uno a dos decímetros de altura, ramosa, con hojas menudas, aovadas y dentadas, y flores pequeñas y de color azul que tira a violado. Es de olor desagradable.

alción. (Del gr. ἀλκυών, de ἅλς, mar, y κύω, concebir.) m. **martín pescador,** ave. ‖ **2.** Antozoo colonial cuyos pólipos están unidos entre sí por un tejido de consistencia carnosa, del cual surgen aquellos como pequeñas flores blancas de ocho pétalos.

alcionio. (Del gr. ἀλκυόνειον.) m. *Zool.* Colonia de antozoos parecidos a los alciones.

alcionito. m. Alcionio fósil.

alcireño, ña. adj. Natural de Alcira. Ú. t. c. s. ‖ **2.** Perteneciente a esta ciudad de la provincia de Valencia.

alcista. adj. Perteneciente o relativo al alza de los valores en la bolsa o de los precios, impuestos, salarios, etc. ‖ **2.** com. Persona que juega al alza de valores.

alcoba. (Del ár. *al-qubba,* la cúpula, la bóveda, el gabinete.) f. Aposento destinado para dormir. ‖ **2.** Mobiliario de este aposento. ‖ **3. caja,** pieza de las balanzas. ‖ **4.** Lugar donde estaba el peso público. ‖ **5. jábega**[1]**.** ‖ **6.** Tertulia que los virreyes de Méjico tenían en su palacio.

alcobilla. f. d. de **alcoba.** ‖ **2. alcoba,** pieza de las balanzas. ‖ **de lumbre.** *Ar.* Chimenea para calentar una estancia.

alcocarra. f. Gesto, coco, mueca.

alcofol. m. ant. **alcohol.**

alcofolar. tr. ant. **alcoholar**[1]**.**

alcohela. (Del ár. *al-kuḥailā',* la negrilla.) f. ant. **escarola,** planta.

alcohol. (Del ár. *al-kuḥl,* el colirio.) m. **galena.** ‖ **2.** Polvo finísimo usado como afeite por las mujeres para ennegrecerse los bordes de los párpados, las pestañas, las cejas o el pelo. Hacíase con antimonio o con galena, y después con negro de humo perfumado. ‖ **3.** Por antonom., el **alcohol etílico.** ‖ **4.** Bebida que contiene **alcohol,** en oposición implícita a las que no lo contienen. *El abuso del* ALCOHOL *perjudica la salud.* ‖ **5.** *Quím.* Cada uno de los compuestos orgánicos que contienen el grupo hidroxilo unido a un radical alifático o a alguno de sus derivados. Según el número de hidroxilos que contiene la molécula, los **alcoholes** se clasifican en monoalcoholes, dialcoholes o glicoles, trialcoholes y polialcoholes o polioles. ‖ **absoluto.** El que se halla en estado puro. ‖ **amílico.** *Quím.* Nombre común a varios **alcoholes** isómeros que contienen cinco átomos de carbono y cuya mezcla con el etílico es más tóxica y embriagante que este. ‖ **aromático.** *Quím.* El que contiene sus hidroxilos en una cadena lateral de un compuesto cíclico. ‖ **de madera.** Cualquiera de los **alcoholes** que se obtienen por destilación de la madera. Ordinariamente, **alcohol metílico.** ‖ **deshidratado.** *Quím.* **alcohol absoluto.** ‖ **etílico.** *Quím.* Líquido incoloro, de sabor urente y olor fuerte, que arde fácilmente dando llama azulada y poco luminosa. Obtiénese por destilación de productos de fermentación de sustancias azucaradas o feculentas, como uva, melaza, remolacha, patata. Forma parte de muchas bebidas, como vino, aguardiente, cerveza, etc., y tiene muchas aplicaciones industriales. ‖ **metílico.** *Quím.* Líquido incoloro, semejante en su olor y otras propiedades al **alcohol** etílico. Es venenoso. ‖ **neutro.** *Quím.* El etílico de 96 a 97 grados, que se emplea en la crianza de vinos y en la fabricación de licores. ‖ **vínico.** *Quím.* **alcohol** etílico producido por destilación del vino. ‖ **yodado. alcohol** en el que se ha disuelto yodo al diez por ciento. ‖ **2.** Tintura de yodo.

alcoholado, da. p. p. de **alcoholar.** ‖ **2.** adj. Dícese del animal, especialmente del vacuno, que tiene una mancha oscura alrededor de los ojos. ‖ **3.** m. *Med.* Compuesto alcohólico cargado de principios medicamentosos y preparado por solución, maceración o digestión.

alcoholador, ra. adj. Que alcohola[1]. Ú. t. c. s.

alcoholar[1]. (De *alcohol,* polvo finísimo.) tr. desus. Ennegrecer con alcohol los bordes de los párpados, las pestañas, las cejas o el pelo. Ú. t. c. prnl. ‖ **2.** desus. Lavar los ojos con alcohol o con otro colirio, para limpiarlos o curarlos. ‖ **3.** *Mar.* Embrear lo calafateado. ‖ **4.** *Quím.* Obtener alcohol de una sustancia por destilación o fermentación. ‖ **5.** ant. *Farm.* Reducir a polvo menudísimo alguna cosa.

alcoholar[2]. (Del ár. *al-qūful,* la cabalgada de regreso.) intr. En los antiguos ejercicios de cañas y alcancías, pasar galopando la cuadrilla que ha cargado, y mostrarse despacio delante de sus contrarios.

alcoholato. m. *Med.* Cualquier medicamento líquido que resulta de la destilación del alcohol con una o más sustancias aromáticas vegetales o animales. ‖ **2.** *Quím.* Compuesto que resulta al sustituir por un metal el hidrógeno del grupo hidroxilo de un alcohol.

alcoholaturo. m. *Med.* Medicamento que se obtiene macerando plantas frescas en alcohol.

alcoholemia. (De *alcohol* y el gr. αἷμα, sangre.) f. Presencia de alcohol en la sangre, especialmente cuando excede de lo normal.

alcoholero, ra. adj. Dícese de lo relativo a la producción y comercio del alcohol. ‖ **2.** f. Fábrica en que se produce el alcohol. ‖ **3.** Vasija o salserilla para poner el alcohol usado como afeite.

alcohólico, ca. adj. Que contiene alcohol. ‖ **2.** Referente al alcohol o producido por él. ‖ **3. alcoholizado,** que padece saturación alcohólica. Ú. t. c. s.

alcoholimetría. f. *Quím.* Determinación de la riqueza alcohólica de un líquido.

alcoholímetro. (De *alcohol* y *-metro.*) m. Aparato que sirve para apreciar la graduación alcohólica de un líquido o un gas. ‖ **2.** Dispositivo para medir la cantidad de alcohol presente en el aire espirado por una persona.

alcoholisis. (De *alcohol* y *-lisis.*) f. *Quím.* Desdoblamiento de la molécula de un compuesto orgánico por la acción de un alcohol.

alcoholismo. m. Abuso de bebidas alcohólicas. ‖ **2.** Enfermedad ocasionada por tal abuso, que puede ser aguda, como la embriaguez, o crónica; esta última produce trastornos graves y suele transmitir por herencia otras enfermedades, especialmente del sistema nervioso.

alcoholización. f. *Quím.* Acción y efecto de alcoholizar.

alcoholizado, da. p. p. de **alcoholizar.** ‖ **2.** adj. Dícese del que por el abuso de las bebidas alcohólicas padece los efectos de la saturación del organismo por alcohol. Ú. t. c. s.

alcoholizar. tr. Echar alcohol en otro líquido. ‖ **2.** *Quím.* **alcoholar[1],** obtener alcohol. ‖ **3.** ant. *Farm.* **alcoholar[1],** reducir a polvo una cosa. ‖ **4.** prnl. Adquirir la enfermedad del alcoholismo por excesivo y frecuente uso de bebidas alcohólicas.

alcohometría. f. *Quím.* **alcoholimetría.**

alcohómetro. m. **alcoholímetro,** aparato que sirve para apreciar la graduación alcohólica.

alcojolado, da. (De *alcoholado.*) adj. *Sto. Dom.* Dícese de la fruta o de la caña de azúcar raquítica, que no llega a madurar.

alcolla. (Del ár. *al-qulla,* el cántaro, la vasija.) f. Ampolla grande de vidrio.

alcomenías. f. pl. ant. **alcamonías.**

alconcilla. (De *al-* y el lat. *conchylĭa,* conchillas, porque se ponía en ellas este afeite.) f. Color brasil o arrebol que usaban como afeite las mujeres.

alcor. (Del ár. *al-qūr,* los collados.) m. Colina o collado.

alcora. (Del ár. *al-kura,* la esfera.) f. ant. *Astron.* Globo o esfera.

Alcorán. (Del ár. *al-qur'ān,* la lectura por excelencia, la recitación.) n. p. m. **Corán.**

alcoránico, ca. adj. Perteneciente o relativo al Alcorán.

alcoranista. m. Doctor o expositor del Alcorán o ley de Mahoma.

alcorce. m. *Ar.* Acción y efecto de alcorzar[2]. ‖ **2.** *Ar.* **atajo,** senda.

alcorcí. (Del ár. *al-qurṣ,* el disco.) m. Especie de joyel.

alcornocal. m. Sitio poblado de alcornoques.

alcornoque. (De *al-,* el lat. tardío *quernus* por *quercus,* y el suf. hisp. *-occus.*) m. Árbol siempre verde, de la familia de las fagáceas, de ocho a diez metros de altura, copa muy extensa, madera durísima, corteza formada por una gruesa capa de corcho, hojas aovadas, enteras o dentadas, flores poco visibles y bellotas por frutos. ‖ **2.** Madera de este árbol. ‖ **3.** fig. Persona ignorante y zafia. Ú. t. c. adj. ‖ **4.** V. **pedazo de alcornoque.** ‖ **5.** desus. **colmena.** ‖ **6.** p. us. **corcho,** tejido de la corteza del **alcornoque.**

alcornoqueño, ña. adj. Perteneciente al alcornoque.

alcorque[1]. (Del ár. *al-qurq.*) m. Chanclo con suela de corcho.

alcorque[2]. m. Hoyo que se hace al pie de las plantas para detener el agua en los riegos.

alcorza. (Del ár. *al-qursa,* la torta redonda y plana.) f. Pasta muy blanca de azúcar y almidón, con la cual se suelen cubrir varios géneros de dulces y se hacen diversas piezas o figurillas. ‖ **2.** Dulce cubierto con esta pasta.

alcorzado, da. p. p. de **alcorzar[1].** ‖ **2.** adj. p. us. Dícese de la persona almibarada o melosa.

alcorzar[1]. (De *alcorza.*) tr. Cubrir de alcorza. ‖ **2.** fig. desus. Pulir, asear, adornar. Ú. t. c. prnl.

alcorzar[2]. tr. *Ar., Nav., Rioja* y *Sor.* **acorzar.**

alcotán. (Del ár. *al-qaṭām,* el gavilán.) m. Ave falconiforme, semejante al halcón, del cual se distingue por tener las plumas de las piernas y la cola de color rojo y las partes inferiores con listas longitudinales. Es ave migratoria, que solo se encuentra en Europa durante el verano.

alcotana. (Del ár. *al-qaṭṭā',* la muy cortante.) f. Herramienta de albañilería, que termina por uno de sus extremos en figura de azuela y por el otro en figura de hacha, y que tiene en medio un anillo en que entra y se asegura un mango de madera, como de medio metro de largo. Hay algunas con boca de piqueta, en vez de corte.

alcotón. m. ant. **algodón** hilado o tejido.

alcotonía. f. ant. **cotonía.**

alcoyano, na. adj. Natural de Alcoy. Ú. t. c. s. ‖ **2.** Perteneciente a esta ciudad de la provincia de Alicante.

alcrebite. (Del ár. *al-kibrit,* el azufre.) m. desus. **azufre.**

alcribís. m. **tobera.**

alcribite. m. p. us. **alcrebite.**

alcroco. (Del art. ár. *al,* y el lat. *crocus,* azafrán.) m. ant. **croco.**

alcubilla. (De or. inc., quizá d. de *cuba,* con el art. ár. *al.*) f. **arca de agua.**

alcucero, ra. adj. fig. y fam. **goloso.** *Mozo, perro* ALCUCERO. ‖ **2.** m. y f. Persona que hace o vende alcuzas.

alcuña. (Del ár. *al-kunya,* el sobrenombre.) f. desus. **alcurnia.** ‖ **2.** desus. **alcuño.**

alcuño. (De *alcuña.*) m. desus. Sobrenombre, apodo.

alcurnia. (Del m. or. que *alcuña.*) f. Ascendencia, linaje, especialmente el noble.

alcuza. (Del ár. *al-kūza,* la vasija.) f. Vasija de barro, hojalata o de otros materiales, generalmente de forma cónica en que se guarda el aceite para diversos usos. ‖ **2.** *Amér.* **vinagreras,** jarrillos para el aceite y vinagre del servicio de mesa.

alcuzada. f. Porción de aceite que cabe en una alcuza.

alcuzcucero. m. Vasija para hacer alcuzcuz.

alcuzcuz. (Del ár. *al-kuskus.*) m. Pasta de harina y miel, reducida a granitos redondos, que, cocida después con el vapor del agua caliente, se guisa de varias maneras. Es comida muy usada entre los moros.

alcuzcuzu. m. ant. **alcuzcuz.**

alchub. (Del ár. *al-ŷubb,* el pozo, el calabozo oscuro.) m. *Ar.* **aljibe,** cisterna.

aldaba. (Del ár. *aḍ-ḍabba,* el picaporte, el cerrojo.) f. Pieza de hierro o bronce que se pone a las puertas para llamar golpeando con ella. ‖ **2.** Pieza ordinariamente de hierro y de varias hechuras, fija en la pared para atar de ella una caballería. ‖ **3.** Barreta de metal o travesaño de madera con que se aseguran, después de cerrados, los postigos o puertas. ‖ **4.** V. **caballo de aldaba.** ‖ **tener buenas aldabas.** fr. fam. Disponer de influencias o amistades poderosas.

aldabada. f. Golpe que se da en la puerta con la aldaba. ‖ **2.** fig. Aviso, dicho generalmente del que causa sobresalto.

aldabazo. m. Golpe recio dado con la aldaba.

aldabear. intr. Dar aldabadas.

aldabeo. m. Acción de aldabear, especialmente cuando se hace con repetición.

aldabía. (De *aldaba.*) f. Cada uno de los dos maderos serradizos horizontales que, empotrados en dos paredes opuestas, sostienen la armazón de un tabique colgado.

aldabilla. (d. de *aldaba.*) f. Pieza de hierro de figura de gancho, que, entrando en una hembrilla, sirve para cerrar puertas, ventanas, cofrecillos, cajas, etc.

aldabón. m. aum. de **aldaba.** ‖ **2. aldaba** de llamar. ‖ **3.** Asa grande de cofre, arca, etc.

aldabonazo. (De *aldabón.*) m. Golpe con la aldaba o aldabón.

aldea. (Del ár. *aḍ-ḍay'a,* la finca rústica, el cortijo.) f. Pueblo de corto vecindario y, por lo común, sin jurisdicción propia.

aldeanamente. adv. m. Según el uso de la aldea; al modo de la aldea. ‖ **2.** fig. Inculta, rústica o groseramente.

aldeaniego, ga. adj. **aldeano,** perteneciente a la aldea. ‖ **2.** fig. **aldeano,** inculto, rústico.

aldeanismo. m. Condición de aldeano. ‖ **2.** Estrechez y tosquedad de espíritu o de costumbres, propia de una sociedad muy reducida y aislada. ‖ **3.** Vocablo o giro usado solamente por los aldeanos.

aldeano, na. adj. Natural de una aldea. Ú. t. c. s. ‖ **2.** Perteneciente o relativo a la aldea. ‖ **3.** fig. Inculto, rústico.

aldehídico, ca. adj. *Quím.* Perteneciente o relativo a los aldehídos.

aldehído. (Contracc. de *ALcohol DEHYDrogenatum.*) m. *Quím.* Cada uno de los compuestos orgánicos ternarios que se forman como primeros productos de la oxidación de ciertos alcoholes. Utilízanse en la industria y en los laboratorios químicos por sus propiedades reductoras. ‖ **2.** En el lenguaje usual, **aldehído acético.** ‖ **acético.** *Quím.* El resultante de la oxidación del alcohol etílico. Es un líquido incoloro, muy volátil, de olor desagradable, que se oxida fácilmente en contacto con el oxígeno del aire y se transforma en ácido acético. ‖ **fórmico.** *Quím.* El resultante de la oxidación del alcohol metílico. Es un gas incoloro, de olor picante, que se liquida a temperatura inferior a 21 grados centígrados bajo cero.

aldehuela. f. d. de **aldea.**

aldeón. m. aum. despect. de **aldea.**

aldeorrio o **aldeorro.** (De *aldea.*) m. despect. Lugar muy pequeño, pobre o falto de cultura.

alderredor. (De *al de redor.*) adv. l. **alrededor.**

aldino, na. adj. Dícese de la obra y el estilo tipográfico del impresor Aldo Manucio (1450-1515) y de otros impresores de su familia. *Caracteres* ALDINOS, *edición* ALDINA. ‖ **2.** V. **letra aldina.**

aldiza. (Del ár. *ad-dīsa,* especie de junco.) f. **aciano.**

aldorta. f. **martinete,** ave ciconiforme.

aldúcar. m. **adúcar.**

¡ale! interj. **¡hala!**

alea. f. **aleya.**

aleación. f. Acción y efecto de alear[2]. ‖ **2.** Producto homogéneo, de propiedades metálicas, compuesto de dos o más elementos, uno de los cuales, al menos, debe ser un metal. ‖ **encontrada.** La que resulta de la fundición y liga de un oro fuerte de ley con otro feble. ‖ **fusible.** *Metal.* La que funde a temperatura relativamente baja e inferior a la de fusión de sus componentes. ‖ **ligera.** *Metal.* La que contiene, como elemento principal, aluminio o magnesio.

alear[1]. (De *ala.*) intr. Mover las alas. ‖ **2.** fig. Mover los brazos a modo de alas. Se usa principalmente hablando de los niños. ‖ **3.** fig. Cobrar aliento o fuerzas el convaleciente o el que se repara de algún afán o trabajo. Ú. m. en ger. con el verbo *ir. José* VA ALEANDO. ‖ **4.** desus. fig. Aspirar a una cosa o dirigirse con afán hacia ella.

alear[2]. (Del lat. *alligāre,* atar, a través del ant. fr. *aleier.*) tr. Producir una aleación, fundiendo sus componentes.

aleatoriedad. f. Calidad de aleatorio.

aleatorio, ria. (Del lat. *aleatorĭus,* propio del juego de dados.) adj. Perteneciente o relativo al juego de azar. ‖ **2.** Dependiente de algún suceso fortuito. ‖ **3.** *Der.* V. **contrato aleatorio.**

alebrarse. prnl. Echarse en el suelo pegándose contra él como las liebres. ‖ **2.** fig. Acobardarse.

alebrastarse. prnl. desus. **alebrestarse.**

alebrestarse. prnl. **alebrarse.** ‖ **2.** *Cantabria* y *Amér.* Alborotarse, agitarse.

alebronarse. (De *a-*[1] y *lebrón.*) prnl. **alebrarse,** acobardarse.

aleccionador, ra. adj. Que alecciona.

aleccionamiento. m. Acción y efecto de aleccionar o aleccionarse.

aleccionar. (De *a-*[1] y *lección.*) tr. Instruir, amaestrar, enseñar. Ú. t. c. prnl.

alece. (Del lat. *halex, -ēcis.*) m. **haleche.** ‖ **2.** Guisado hecho y sazonado con el hígado del salmonete o del sargo.

alecrín[1]. m. Escualo del mar de las Antillas, de unos cuatro metros de largo, de cabeza obtusa, con dobles filas de dientes, carnicero y muy voraz.

alecrín[2]. m. Árbol verbenáceo, de América Meridional, cuya madera es semejante a la caoba, pero más pesada y de color más hermoso.

alectomancia o **alectomancía.** (Del gr. ἀλέκτωρ, gallo, y μαντεία, adivinación.) f. Adivinación por el canto del gallo o por la piedra de su hígado.

alectoria. (Del lat. *alectorĭa,* y este del gr. ἀλέκτωρ, gallo.) f. Piedra que suele hallarse en el hígado de los gallos viejos, y a la cual se atribuyeron antiguamente poderes mágicos.

aleche. m. **haleche.**

alechigar. (De *a-*[1] y *lechiga.*) intr. ant. Acostarse, meterse en la cama por enfermedad. Se usó m. en p. p. ‖ **2.** prnl. *And.* Debilitarse, mustiarse, echarse a perder.

alechugado, da. p. p. de **alechugar.** ‖ **2.** adj. V. **cuello alechugado.**

alechugar. (De *lechuga.*) tr. Doblar o disponer alguna cosa en figura de hoja de lechuga, como se usa en las guarniciones y adornos de los vestidos, principalmente de las mujeres.

aleda. (Del lat. *elīta*, p. p. de *elinĕre*, untar.) f. **cera aleda.**

aledaño, ña. (De *aladaño*.) adj. Confinante, lindante. ‖ **2.** Dícese de la tierra, del campo, etc., que linda con un pueblo o con otro campo o tierra y que se considera como parte accesoria de ellos. Ú. t. c. s. m., y más en pl. ‖ **3.** m. Confín, término, límite. Ú. m. en pl. ‖ **4.** V. **retracto de aledaños.**

álef. amb. Primera letra del alefato.

alefangina. adj. *Farm.* V. **píldora alefangina.** Ú. t. c. s., y más en pl.

alefato. (De *álef*.) m. Serie de las consonantes hebreas. ‖ **2. alifato.**

alefriz. (Del ár. *al-ifrād*, la incisión, [con imela].) m. *Mar.* Ranura o canal que se abre a lo largo de la quilla, roda y codaste, para que en ella encajen los cantos horizontales de los tablones de traca y las cabezas de las hiladas de los demás.

alegación. (Del lat. *allegatĭo, -ōnis*.) f. Acción de alegar. ‖ **2. alegato.** ‖ **en derecho.** *Der.* Alegato extraordinario impreso, con el cual, a veces, en apelación civil de mayor cuantía, se sustituyen los informes orales de las partes litigantes.

alegador, ra. adj. *Can.* y *Amér.* Discutidor, amigo de disputas.

alegamar. tr. Echar légamo o cieno en las tierras para beneficiarlas. ‖ **2.** prnl. Llenarse de légamo.

aleganarse. (De *a-*[1] y *légano*.) prnl. **alegamarse.**

alegar. (Del lat. *allegāre*.) tr. Citar, traer uno a favor de su propósito, como prueba, disculpa o defensa, algún hecho, dicho, ejemplo, etc. ‖ **2.** Tratándose de méritos, servicios, etc., exponerlos para fundar en ellos alguna pretensión. ‖ **3.** intr. *Der.* Traer el abogado leyes, autoridades y razones en defensa de su causa. ‖ **4.** *Can.* y *Amér.* Disputar, altercar.

alegato. (Del lat. *allegātus*.) m. Escrito en el cual expone el abogado las razones que sirven de fundamento al derecho de su cliente e impugna las del adversario. ‖ **2.** Por ext., argumento, discurso, etc., a favor o en contra de alguien o algo. ‖ **3.** *Can.* y *Amér.* Disputa, discusión. ‖ **de bien probado.** *Der.* Escrito, llamado ahora de conclusiones, en el cual, con el resultado de las probanzas, mantenían los litigantes sus pretensiones al terminar la instancia.

alegatorio, ria. adj. Relativo a la alegación.

alegoría. (Del gr. ἀλληγορία, a través del lat. *allegorĭa*.) f. Ficción en virtud de la cual una cosa representa o significa otra diferente. *La venda y las alas de Cupido son una* ALEGORÍA. ‖ **2.** Obra o composición literaria o artística de sentido alegórico. ‖ **3.** *Esc.* y *Pint.* Representación simbólica de ideas abstractas por medio de figuras, grupos de estas o atributos. ‖ **4.** *Ret.* Figura que consiste en hacer patentes en el discurso, por medio de varias metáforas consecutivas, un sentido recto y otro figurado, ambos completos, a fin de dar a entender una cosa expresando otra diferente.

alegórico, ca. (Del lat. *allegorĭcus*.) adj. Perteneciente o relativo a la alegoría.

alegorismo. m. Arte de la alegoría, figura retórica. ‖ **2.** Calidad de alegórico.

alegorización. f. Acción y efecto de alegorizar.

alegorizar. (Del lat. *allegorizāre*.) tr. Interpretar alegóricamente alguna cosa. ‖ **2.** Darle sentido o significación alegórica.

alegra. (De *alegrar*[2].) f. *Mar.* Barrena a propósito para taladrar los maderos que han de emplearse como tubos de bomba.

alegrador, ra. adj. Que alegra o causa alegría. Ú. t. c. s. ‖ **2.** m. desus. Tira de papel retorcida, que servía para encender cigarros, luces, etc. ‖ **3.** m. pl. *Taurom.* Banderillas.

alegradura. f. p. us. **legradura.**

alegranza. (De *alegrar*[1].) f. ant. **alegría.**

alegrar[1]**.** (De *alegre*.) tr. Causar alegría. ‖ **2.** fig. Avivar, hermosear, dar nuevo esplendor y más apacible vista a las cosas inanimadas. ‖ **3.** p. us. fig. Tratándose de la luz o el fuego, avivarlos. ‖ **4.** *Mar.* Aflojar un cabo para disminuir su trabajo. ‖ **5.** *Mar.* Alijar o aliviar una embarcación para que no trabaje mucho por causa de la mar. ‖ **6.** *Taurom.* Excitar el diestro al toro para que acometa. ‖ **7.** prnl. Recibir o sentir alegría. ‖ **8.** fig. y fam. Ponerse uno alegre por haber bebido vino u otros licores con algún exceso. ‖ **9.** ant. *Der. Ar.* Gozar de algún privilegio o exención, disfrutarlos.

alegrar[2]**.** (De *a-*[1] y *legrar*.) tr. *Cir.* **legrar.** ‖ **2.** *Mar.* Agrandar un taladro o agujero cualquiera.

alegre. (Del lat. **alĭcer *alecris*, por *alăcer, -cris*.) adj. Poseído o lleno de alegría. *Juan está* ALEGRE. ‖ **2.** Que siente o manifiesta de ordinario alegría. *Ser hombre* ALEGRE. ‖ **3.** Que denota alegría. *Cara* ALEGRE. ‖ **4.** Que ocasiona alegría. *Noticia* ALEGRE. ‖ **5.** Pasado o hecho con alegría. *Día, vida, plática, cena* ALEGRE. ‖ **6.** De aspecto o circunstancias capaces de infundir alegría. *Cielo, prado, casa* ALEGRE. ‖ **7.** fig. Aplicado a colores, vivo, como el encarnado, verde, amarillo, etc. ‖ **8.** fig. y fam. Excitado vivamente por haber bebido vino u otros licores con algún exceso. ‖ **9.** fig. y fam. Algo libre o licencioso. *Cuento* ALEGRE, *mujer de vida* ALEGRE. ‖ **10.** fig. y fam. Ligero, arriscado, que se las promete felices. *Antonio es muy* ALEGRE *en los negocios, en el juego.* ‖ **11.** p. us. fig. y fam. Aplícase al juego o modo de jugar que denota osadía y voluntaria ligereza en el jugador. *Entrada* ALEGRE. ‖ **12.** p. us. fig. y fam. Dícese del juego en que se atraviesa más dinero que de ordinario. ‖ **13.** fam. V. **cuentas alegres.**

alegremente. adv. m. Con alegría. ‖ **2.** De modo irreflexivo o frívolo, sin meditar el alcance ni las consecuencias de lo que se hace.

alegrete, ta. adj. d. de **alegre.**

alegreto. (Del it. *allegretto*.) adv. m. *Mús.* Con movimiento menos vivo que el alegro. ‖ **2.** m. *Mús.* Composición o parte de ella que se ha de ejecutar con este movimiento.

alegría. (De *alegre*.) f. Sentimiento grato y vivo, producido por algún motivo de gozo placentero o a veces sin causa determinada, que se manifiesta por lo común con signos exteriores. ‖ **2.** Palabras, gestos o actos con que se manifiesta el júbilo o **alegría.** ‖ **3.** Irresponsabilidad, ligereza. ‖ **4. ajonjolí,** planta pedaliácea y su simiente. ‖ **5.** Nuégado o alajú condimentado con ajonjolí. ‖ **6.** *Germ.* **taberna.** ‖ **7.** *Mar.* Abertura, luz o hueco total de una porta. ‖ **8.** pl. Regocijos y fiestas públicas. ‖ **9.** Modalidad del cante andaluz, cuya tonada es por extremo viva y graciosa. ‖ **10.** Baile de la misma tonada.

alegro. (Del it. *allegro*.) adv. m. *Mús.* Con movimiento moderadamente vivo. ‖ **2.** m. *Mús.* Composición o parte de ella, que se ha de ejecutar con este movimiento. *Tocar o cantar un* ALEGRO.

alegrón. m. fam. Alegría intensa y repentina. ‖ **2.** fig. y fam. Llamarada de fuego de poca duración, como la que se hace con sarmientos.

alegroso, sa. adj. p. us. Poseído o lleno de mucha alegría.

aleja. (Del ár. *al-luwaiḥ*, la tablita.) f. *Jaén* y *Murc.* **vasar.**

alejado, da. p. p. de **alejar.** ‖ **2.** adj. Lejano o distante.

alejamiento. m. Acción y efecto de alejar o alejarse.

Alejandría. n. p. V. **rosal de Alejandría.**

alejandrinismo. m. Estilo o gusto de los escritores helenísticos de Alejandría, caracterizado por el refinamiento, la selección, el hermetismo, etc. ‖ **2.** Por ext., toda expresión que tenga alguna de estas características.

alejandrino, na. (Del lat. *Alexandrinus, na.*) adj. Natural de Alejandría. Ú. t. c. s. ‖ **2.** Perteneciente o relativo a esta ciudad de Egipto. ‖ **3. neoplatónico.** ‖ **4.** V. **laurel alejandrino.** ‖ **5.** Perteneciente o relativo a Alejandro Magno. ‖ **6.** (Del fr. *alexandrin*, por el *Roman d'Alexandre*, poema del s. XV.) Dícese del verso de catorce sílabas, dividido en dos hemistiquios. Ú. t. c. s. m. ‖ **7.** Dícese también de la estrofa o composición que lo emplea.

alejandrita. f. *Mineral.* Variedad de crisoberilo, de color verde o amarillento, violeta por transparencia, utilizada en joyería.

alejar. tr. Distanciar, llevar una cosa o a una persona lejos o más lejos. Ú. t. c. prnl. ‖ **2.** Ahuyentar, hacer huir. *El primer cañonazo bastó para* ALEJAR*los.* ‖ **3.** prnl. Apartar, rehuir, evitar. *La ciencia* SE ALEJA *en cuanto puede de tales cuestiones.*

alejija. (Del ár. *ad-dašīša*, el grano machacado y tostado cocido con manteca y especias.) f. Puches de harina de cebada condimentados con ajonjolí. Ú. m. en pl. ‖ **parecer que uno ha comido alejijas.** fr. fam. *And.* Estar muy flaco y débil.

alejor. m. ant. **alajor.**

alejur. m. **alajú.**

alelado, da. p. p. de **alelar.** ‖ **2.** adj. Dícese de la persona lela o tonta.

alelamiento. m. Efecto de alelarse.

alelar. tr. Poner lelo. Ú. m. c. prnl.

alelevi. m. *Ál.* y *Nav.* **escondite,** juego. Llámase así porque la voz **alelevi** es la señal para que el que se queda salga a buscar a los demás.

alelí. m. **alhelí.**

alelo. (Apóc. de *alelomorfo.*) m. *Biol.* Gen alelomorfo.

alelomórfico, ca. adj. *Biol.* Perteneciente o relativo a los genes alelomorfos.

alelomorfo, fa. (Del gr. ἀλλήλων, uno a otro, unos a otros, y *-morfo.*) adj. *Biol.* Que se presenta bajo diversas formas. ‖ **2.** *Biol.* Dícese de cada uno de los genes de un par, que ocupan el mismo lugar en dos cromosomas homólogos. Ejercen una misma función sobre un carácter o rasgo de organización, v. gr.: *color* o *forma*, con efectos diversos.

aleluya. (Del hebr. *hallelū-yah*, alabad con júbilo a Yahvé.) Voz que usa la Iglesia en demostración de júbilo, especialmente en tiempo de Pascua. Ú. t. c. s. amb. *Cantar la* ALELUYA *o el* ALELUYA. ‖ **2.** interj. que se emplea para demostrar júbilo. ‖ **3.** m. p. us. Tiempo de Pascua. ‖ **4.** f. Cada una de las estampitas, con la palabra **aleluya** escrita en ellas, que, al entonar el Sábado Santo el celebrante la **aleluya,** se arrojaban al pueblo. ‖ **5.** Por ext., cada una de las estampas de asunto piadoso que se arrojan al pasar las procesiones. ‖ **6.** Por ext., cada una de las estampitas que, formando serie, contiene un pliego de papel, con la explicación del asunto, generalmente en versos pareados. ‖ **7.** Pareado de versos octosílabos, generalmente de carácter popular o vulgar. ‖ **8.** Dulce de leche en forma de tortita, con la palabra **aleluya** realzada encima, que acostumbraban regalar las monjas a los devotos en la Pascua de Resurrección. ‖ **9.** Planta perenne de la familia de la oxalidáceas, con la raíz dentada y encarnada, escapo con una sola flor y hojas de tres en rama, en figura de corazón al revés, que florece en verano. Es comestible, tiene gusto ácido y se saca de ella la sal de acederas. ‖ **10.** Planta de la familia de las malváceas, de hojas hendidas, de tres lóbulos, y de sabor ácido. La usan en Cuba en salsas, dulces, refrescos, etc., y también contra las diarreas y fiebres. ‖ **11.** p. us. fig. y fam. Pintura despreciable. ‖ **12.** fig. y fam. Versos prosaicos y de puro sonsonete. ‖ **13.** p. us. fig. y fam. Persona o animal de extremada flacura. ‖ **14.** fig. y fam. En algunas locuciones, **alegría.** *Hoy es día de* ALELUYA. ‖ **15.** fig. Noticia que alegra. ‖ **16.** fig. y fam. V. **cara de aleluya.**

alema. (Del ár. *al-'ámma*, la mayor parte de un todo.) f. Porción de agua de regadío que se reparte por turno.

alemán, na. (Del fr. *allemand.*) adj. Natural de Alemania. Ú. t. c. s. ‖ **2.** Perteneciente a este país de Europa. ‖ **3.** V. **aguardiente alemán.** ‖ **4.** V. **polca alemana.** ‖ **5.** m. Idioma **alemán.** ‖ **alto alemán.** El hablado primero en el centro y sur de Alemania, hoy lengua oficial de Austria, Alemania y la Suiza de habla germánica. ‖ **bajo alemán.** El de los habitantes del norte de Alemania, dividido en varios dialectos.

alemana o **alemanda.** (Del fr. *allemande.*) f. Danza alegre de compás binario, en la que intervienen varias parejas de hombre y mujer.

alemanés, sa. adj. desus. **alemán.** Apl. a pers., usáb. t. c. s.

alemanesco, ca. adj. **alemanisco.**

alemánico, ca. adj. ant. Perteneciente o relativo a Alemania. ‖ **2.** m. Conjunto de los dialectos del alto alemán hablados en Suiza, Alsacia y sudoeste de Alemania.

alemanisco, ca. adj. **alemánico,** perteneciente a Alemania. ‖ **2.** Aplicábase a cierto género de mantelería labrada a estilo de Alemania, donde tuvo origen.

alén. adv. l. ant. **allende.**

alenguamiento. m. Acción y efecto de alenguar.

alenguar. (De *a-*[1] y *lengua.*) tr. En la antigua Mesta, tratar del ajuste o arrendamiento de alguna dehesa o hierbas para pasto del ganado lanar.

alentada. (De *alentar.*) f. Respiración continuada o no interrumpida.

alentadamente. adv. m. Con aliento o esfuerzo.

alentado, da. p. p. de **alentar.** ‖ **2.** adj. Animoso, valiente. ‖ **3.** p. us. Resistente a la fatiga. ‖ **4.** *Amér.* Dícese de la persona que ha mejorado o se ha restablecido de una enfermedad.

alentador, ra. adj. Que infunde aliento.

alentar. (Del lat. **alenitāre*, por **anhelitāre.*) intr. **respirar,** aspirar el aire. ‖ **2. respirar,** cobrar aliento. ‖ **3.** p. us. **respirar,** descansar del trabajo. ‖ **4.** tr. Animar, infundir aliento o esfuerzo, dar vigor. Ú. t. c. prnl. ‖ **5.** prnl. *Amér.* Mejorar, convalecer o restablecerse de una enfermedad.

alentoso, sa. adj. **alentado,** resistente. ‖ **2. alentado,** animoso.

aleonado, da. adj. **leonado.**

aleonar. tr. *Chile.* Alborotar. Ú. t. c. prnl.

alepín. (Del fr. *alépine*, y este der. del nombre de la ciudad de Alepo.) m. Tela muy fina de lana.

alera. f. ant. *Ar.* Sitio o llanura en que están las eras para trillar las mieses. ‖ **foral.** *Ar.* Derecho que tienen los vecinos de un pueblo, de apacentar sus ganados en los términos o terrenos de otro lugar; pero de modo que saliendo del suyo, lo más pronto al amanecer, el mismo día, al ponerse el Sol, se hallen ya en el lugar de origen.

alerce. (Del ár. *al-arz*, el cedro.) m. Árbol de la familia de las abietáceas, que adquiere considerable altura, de tronco derecho y delgado, ramas abiertas y hojas blandas, de color verdegay, y cuyo fruto es una piña menor que la del pino. ‖ **2.** Madera de este árbol, que es aromática. ‖ **africano.** El originario de África, introducido en los jardines de Europa; florece en febrero. De él se extrae la grasilla que suele darse al papel de escribir, y su madera, reputada incorruptible, fue antiguamente muy empleada en el mediodía de España. ‖ **europeo.** El que florece en mayo, y es la única conífera que pierde las hojas en invierno. Produce la trementina de Venecia; su madera se emplea en construcciones hidráulicas, y su corteza, en los curtidos.

alergeno o **alérgeno.** (De *alergia* y *-geno.*) m. Sustancia que al introducirse en el organismo, lo sensibiliza para la aparición de los fenómenos de la alergia.

alergia. (Del gr. ἄλλος, otro, y ἔργον, trabajo.) f. *Fisiol.* Conjunto de fenómenos de carácter respiratorio, nervioso o eruptivo, producidos por la absorción de ciertas sustancias que dan al organismo una sensibilidad especial ante una nueva acción de tales sustancias aun en cantidades mínimas. ‖ **2.** Por ext., sensibilidad extremada y contraria respecto a ciertos temas, personas o cosas.

alérgico, ca. adj. Perteneciente o relativo a la alergia.

alergista. com. Médico especializado en afecciones alérgicas.

alergólogo, ga. m. y f. **alergista.**

alero[1]. (De *ala.*) m. Parte inferior del tejado, que sale fuera de la pared y sirve para desviar de ella las aguas llovedizas. ‖ **2.** Cada una de las alas o piezas sujetas a los costados de la caja de algunos carruajes, que sirven para preservar de las salpicaduras de lodo a los que van dentro. ‖ **3.** En la caza de perdices con lazo o con buitrón, cada uno de los atajos o paredillas que se forman a uno y otro lado para que estas aves vayan encallejonadas hacia la red. ‖ **corrido.** *Arq.* El que rebasa la línea del muro cuando este no lleva cornisa. ‖ **de chaperón.** *Arq.* El que no tiene canecillos. ‖ **de mesilla.** *Arq.* El que vuela horizontalmente formando cornisa.

alero[2]. adj. Dícese del ciervo joven que todavía no ha padreado.

alerón. (Del fr. *aileron,* ala pequeña.) m. *Mar.* Cada una de las extremidades laterales del puente de un buque. ‖ **2.** *Aviac.* Aleta giratoria que se monta en la parte posterior de las alas de un avión y que tiene por objeto hacer variar la inclinación del aparato y facilitar otras maniobras.

alerta. (Del it. *all'erta.*) adv. m. Con vigilancia y atención. Ú. con los verbos *estar, andar, vivir, poner,* etc. ‖ **2.** Voz que se emplea para excitar a la vigilancia. Ú. t. c. s. m. ‖ **3.** f. Situación de vigilancia o atención. ‖ **4.** adj. p. us. Atento, vigilante. *Espíritus* ALERTAS.

alertado, da. p. p. de **alertar.** ‖ **2.** adj. Vigilante, atento, puesto sobre aviso.

alertamente. adv. m. p. us. **alerta,** con vigilancia.

alertar. tr. Poner alerta. ‖ **2.** intr. p. us. Estar alerta.

alerto, ta. (De *alerta.*) adj. Vigilante, cuidadoso.

alerzal. m. Sitio plantado de alerces.

-ales. suf. de matiz humorístico que forma algunos adjetivos de uso familiar o vulgar: *viv*ALES, *rubi*ALES, *moch*ALES.

alesna. (Del germ. *alisna.) f. **lesna.**

alesnado, da. adj. **aleznado.**

aleta. (d. de *ala.*) f. Cada uno de los apéndices locomotores de los vertebrados acuáticos; pueden ser impares, en número variable, o pares, generalmente cuatro. ‖ **2.** Cada uno de los rebordes laterales de las ventanas de la nariz. ‖ **3.** Prolongación de la parte superior de la popa de algunas embarcaciones latinas. ‖ **4.** **guardabarros** de un automóvil. ‖ **5.** Guardabarros que sobresale de la caja o carrocería de un carruaje. ‖ **6.** ant. **alero** del tejado. ‖ **7.** *Arq.* Cada una de las dos partes del machón que quedan visibles a los lados de una columna o pilastra. ‖ **8.** *Arq.* Cada uno de los muros en rampa que en los lados de los puentes o en las embocaduras de las alcantarillas sirven para contener las tierras y dirigir las aguas. ‖ **9.** *Dep.* Calzado en forma de **aleta** de pez que usan las personas para impulsarse en el agua, al nadar o bucear. ‖ **10.** *Mar.* Cada uno de los dos maderos corvos que forman la popa de un buque. ‖ **11.** *Mar.* Parte del costado de un buque comprendida entre la popa y el punto que corresponde a la primera parte de la batería. ‖ **abdominal.** *Zool.* Cada una de las dos situadas en la región abdominal, correspondientes a las extremidades posteriores de los vertebrados terrestres. ‖ **anal.** *Zool.* La situada detrás del ano y junto a él. ‖ **caudal.** *Zool.* La situada en el extremo de la cola. ‖ **dorsal.** *Zool.* La situada en la línea media del dorso, ordinariamente dividida en dos o más. ‖ **pectoral** o **torácica.** *Zool.* Cada una de las dos situadas inmediatamente detrás de la cabeza, correspondientes a las extremidades anteriores de los vertebrados terrestres. ‖ **pelviana. aleta abdominal.**

aletada. (De *aleta.*) f. Movimiento de las alas.

aletargamiento. m. Acción y efecto de aletargar o aletargarse.

aletargar. tr. Causar letargo. ‖ **2.** prnl. Padecerlo.

aletazo. m. Golpe de ala o de aleta.

aletear. (De *aleta.*) intr. Mover las aves frecuentemente las alas sin echar a volar. ‖ **2.** Mover los peces frecuentemente las aletas cuando se los saca del agua. ‖ **3.** fig. Mover los brazos a modo de alas. ‖ **4.** p. us. fig. Cobrar aliento.

aleteo. m. Acción de aletear. ‖ **2.** fig. Acción de palpitar acelerada y violentamente el corazón.

aleto. m. **halieto.**

aletría. (Del ár. *al-iṭrīya.*) f. *Murc.* **fideo,** especie de pasta.

aleudar. tr. **leudar.** Ú. t. c. prnl.

alevantadizo, za. (De *alevantar.*) adj. ant. Acostumbrado a levantarse o rebelarse.

alevantamiento. (De *alevantar.*) m. ant. **levantamiento,** sublevación.

alevantar. tr. desus. **levantar.** Usáb. t. c. prnl.

aleve. (De or. inc.; cf. ár. *'aib,* vicio, culpa; cf. gót. *lêwjan,* hacer traición.) adj. **alevoso.** Ú. t. c. s. ‖ **2.** m. desus. **alevosía.** Llamábase así la que hacía un particular contra otro. ‖ **a aleve.** loc. adv. ant. Con alevosía.

aleviar. tr. ant. **aliviar.**

alevilla. (Del lat. *levicŭla,* ligerilla, d. de *levis.*) f. Mariposa muy común en España y muy parecida a la del gusano de seda, de la cual se diferencia por tener las alas enteramente blancas.

alevín. (Del fr. *alevin,* del lat. *allevāre,* criar.) m. Cría de ciertos peces de agua dulce que se utiliza para repoblar ríos, lagos y estanques. ‖ **2.** fig. Joven principiante que se inicia en una disciplina o profesión.

alevosa. f. *Veter.* **ránula,** tumor.

alevosía. (De *alevoso.*) f. Cautela para asegurar la comisión de un delito contra las personas, sin riesgo del delincuente. Es circunstancia que agrava la pena. ‖ **2.** Traición, perfidia. ‖ **con alevosía.** loc. adv. A traición y sobre seguro.

alevoso, sa. (De *aleve.*) adj. Dícese del que comete alevosía. Ú. t. c. s. ‖ **2.** Que implica alevosía o se hace con ella.

alexia. (De *a-*[2] y el gr. λέξις, habla o dicción.) f. Imposibilidad de leer causada por una lesión del cerebro. Llámase también **ceguera verbal.**

alexifármaco, ca. (Del lat. *alexipharmăcon,* y este del gr. ἀλεξιφάρμακον, contraveneno.) adj. *Med.* Dícese de la sustancia o del medicamento preservativo o correctivo de los efectos del veneno. Ú. t. c. s. m.

aleya. (Del ár. *al-āya.*) f. Versículo del Corán.

alezna. (De *alesna,* por la semejanza de su semilla con la punta de aquella.) f. *Rioja.* **mostaza negra.**

aleznado, da. adj. Puntiagudo, en forma de lezna.

aleznar. (De *a-*[1] y *lezne.*) tr. ant. Alisar, bruñir. ‖ **2.** intr. *Cantabria.* Resbalar, deslizarse.

alezo. (Del fr. *alèze.*) m. Pedazo de lienzo en forma de faja con que se sujeta el vientre a las recién paridas.

alfa[1]. (Del gr. ἄλφα.) f. Primera letra del alfabeto griego, que corresponde a la que en el nuestro se llama *a.* ‖ **2.** V. **hierro, partícula alfa.** ‖ **alfa y omega.** expr. fig. Principio y fin. ‖ **2.** fig. Dícese de Cristo en cuanto es Dios, principio y fin de todas las cosas.

alfa[2]. (Haplología de *alfalfa.*) f. *Nav., Argent., Bol.* y *Chile.* Alfalfa.

alfaba. (Del ár. *al-ḥabba,* la pieza.) f. Unidad de tasación de un terreno basada en el valor en renta de este y que se utilizó en los repartimientos de Murcia en el s. XIII.

alfábega. (Del ár. *al-ḥabaq.*) f. **albahaca.**

alfabéticamente. adv. m. Por el orden del alfabeto.

alfabético, ca. adj. Perteneciente o relativo al alfabeto.

alfabetización. f. Acción y efecto de alfabetizar.

alfabetizado, da. p. p. de **alfabetizar.** ‖ **2.** adj. Dícese de la persona que sabe leer y escribir. Ú. t. c. s.

alfabetizar. tr. Ordenar alfabéticamente. ‖ **2.** Enseñar a leer y a escribir.

alfabeto. (Del lat. *alphabētum,* y este de las dos primeras letras del gr. ἀ, ἄλφα, β, βῆτα.) m. **abecedario.** ‖ **2.** Conjunto de los símbolos empleados en un sistema de comunicación. ‖ **3.** *Inform.* Sistema de signos convencionales, como perforación en tarjetas u otros, que sirve para sustituir al conjunto de las letras y los números.

alfadía. (Del ár. *al-hadiyya,* el regalo.) f. ant. Cohecho, soborno.

alfaguara. (Del ár. *al-fawwāra,* surtidor, tromba de agua.) f. Manantial copioso que surge con violencia.

alfahar. (Del ár. *al-faḫḫār,* la vajilla, la alfarería.) m. **alfar**[1]**,** obrador de alfarero.

alfahrería. (De *alfaharero.*) f. **alfarería.**

alfaharero. (De *alfahar.*) m. **alfarero.**

alfaida. (Del ár. *al-fā'iḍa.*) f. La crecida del río por el flujo de la pleamar.

alfaja. f. ant. **alhaja,** joya, adorno precioso. ‖ **2.** fig. **alhaja,** persona de excelentes cualidades.

alfajeme. (Del ár. *al-ḥaǧǧām,* el sangrador, el que pone ventosas.) m. p. us. **barbero.**

alfajía. f. *Carp.* **alfarjía.**

alfajor. m. **alajú.** ‖ **2.** Rosquilla de alajú. ‖ **3.** *Argent., Chile, Perú* y *Urug.* Golosina compuesta de dos o más piezas de masa relativamente fina, adheridas una a otra con dulce. ‖ **4.** *Sto. Dom.* y *Venez.* Pasta hecha de harina de yuca, papelón, piña y jengibre. ‖ **5.** vulg. *Argent.* **facón,** daga grande.

alfalfa. (Del ár. *al-fasfaṣa.*) f. Mielga común que se cultiva para forraje. ‖ **arborescente.** Arbusto siempre verde, de la familia de las papilionáceas, con hojas dentadas y flores de color amarillo. Es originario de Italia, y se cultiva como planta de adorno y para forraje.

alfalfal. m. **alfalfar**[1]**.**

alfalfar[1]**.** m. Tierra sembrada de alfalfa.

alfalfar[2]**.** tr. *Argent., Chile, Perú* y *Urug.* Sembrar de alfalfa un terreno.

alfalfe. m. **alfalfa.**

alfalfez. m. *Ar.* **alfalfa.**

alfama. f. ant. **aljama**[1]**.**

alfamar. m. ant. **alhamar.** Ú. en Salamanca.

alfamarada. (De *alfamar.*) f. ant. **llamarada,** encendimiento del rostro.

alfana. f. Caballo corpulento, fuerte y brioso.

alfandoque. m. Pasta hecha con melado, queso y anís o jengibre, que se usa en América. ‖ **2.** *Col.* Especie de alfeñique hecho de panela.

alfaneque[1]**.** (Del ár. *al-fanak,* especie de garduña.) m. Ave de África, variedad de halcón, de color blanquecino con pintas pardas y tarsos amarillentos, que, domesticada, se empleaba en la cetrería.

alfaneque[2]**.** (Del beréber *'afarāg,* el recinto.) m. ant. Tienda o pabellón de campaña.

alfanjado, da. adj. De figura de alfanje.

alfanjazo. m. Golpe o herida de alfanje.

alfanje. (Del ár. *al-ḫanǧar,* el puñal.) m. Especie de sable, corto y corvo, con filo solamente por un lado, y por los dos en la punta. ‖ **2. pez espada.**

alfanjete. m. d. de **alfanje.**

alfanumérico, ca. adj. Perteneciente o relativo a cifras y letras. Dícese en particular de las combinaciones de cifras y letras —y también, a veces, de signos diversos— que se utilizan en informática como claves para las instrucciones del cálculo con ordenadores. ‖ **2.** Aplícase a los teclados de máquinas que contienen signos alfabéticos y cifras.

alfanúmero. (De *alfabeto* y *número.*) m. Serie de números y letras combinados que se emplea como clave para operar con el ordenador.

alfaque. (Del ár. *al-faqq,* la quebrada, la grieta en la tierra.) m. Banco de arena, generalmente en la desembocadura de los ríos. Ú. m. en pl. LOS ALFAQUES *de Tortosa.*

alfaqueque. (Del ár. *al-fakkāk,* el redentor de cautivos.) m. El que, en virtud de nombramiento de autoridad competente, desempeñaba el oficio de redimir cautivos o libertar esclavos y prisioneros de guerra. ‖ **2.** Aldeano o burgués que servía de correo.

alfaquí. (Del ár. *al-faqīh,* el jurisconsulto.) m. Doctor o sabio de la ley, entre los musulmanes.

alfaquín. (Del ár. *al-hakīm,* el sabio, el médico.) m. ant. **médico**[1]**,** persona autorizada para ejercer la medicina.

alfar[1]**.** (De *alfahar.*) m. Obrador de alfarero. ‖ **2. arcilla.**

alfar[2]**.** adj. Que alfa.

alfar[3]**.** (De *arfar.*) intr. Levantar demasiado el caballo el cuarto delantero, en los galopes u otro ejercicio violento, sin doblar los corvejones ni bajar las ancas.

alfar[4]**.** m. *Argent.* Alfalfar.

alfaraz. (Del ár. *al-faras,* el caballo.) m. Caballo que usaban los árabes para las tropas ligeras.

alfarda[1]**.** (Del ár. *al-farḍa,* la obligación, la contribución.) f. Cierta contribución que pagaban los moros y judíos en los reinos cristianos. ‖ **2.** *Ar.* y *Murc.* Contribución por el aprovechamiento de las aguas. ‖ **media.** *Ar.* Canon incompleto o reducido que pagan algunas tierras en compensación de no recibir todas las ventajas del riego.

alfarda[2]**.** (Del ár. *al-farda,* cada una de las dos cosas que forman un todo.) f. ant. Especie de toca o manto que usaban las mujeres. ‖ **2.** *Arq.* Par de una armadura.

alfardar. (De *alfarda*[1]*.*) tr. *Ar.* Incluir una tierra entre las de una corporación de regantes. ‖ **2.** intr. *Ar.* Estar inscrita una tierra entre las de una corporación de regantes.

alfardero. m. *Ar.* El que cobra el derecho de la alfarda.

alfardilla[1]**.** f. *Ar.* Cantidad corta que se paga, además de la alfarda, por la limpieza de las acequias menores, hijuelas de las principales. ‖ **2.** Por ext., todo reparto extraordinario que han de pagar los herederos de una corporación de regantes.

alfardilla[2]**.** (d. de *alfarda*[2]*.*) f. Galón o trencilla de hilo de oro o plata.

alfardón[1]**.** (Del ár. *al-fara,* el impar.) m. *Ar.* **arandela**[1]**,** anillo metálico. ‖ **2.** Azulejo alargado, hexagonal, cuya parte central es un rectángulo.

alfardón[2]**.** m. *Ar.* **alfarda**[1]**,** contribución por el aprovechamiento de las aguas.

alfareme. (Del ár. *al-ḥarām,* pieza de tela de lana blanca.) m. Toca semejante al almaizar, usada por los árabes para cubrir la cabeza.

alfarense. adj. Natural de Alfaro. Ú. t. c. s. ‖ **2.** Perteneciente a esta ciudad de La Rioja española.

alfarería. (De *alfahrería.*) f. Arte de fabricar vasijas de barro cocido. ‖ **2.** Obrador donde se fabrican. ‖ **3.** Tienda o puesto donde se venden.

alfarero. (De *alfaharero.*) m. Fabricante de vasijas de barro cocido.

alfarje. (Del ár. *al-farš,* el piso, la tarima.) m. La piedra baja del molino de aceite. ‖ **2.** Pieza o sitio donde está el **alfarje.** ‖ **3.** Techo con maderas labradas y entrelazadas artísticamente, dispuesto o no para pisar encima.

alfarjía. (De *alfarje*.) f. *Carp.* Madero de sierra, por lo común de 14 centímetros de tabla y 10 de canto, sin largo determinado, y que se emplea principalmente para cercos de puertas y ventanas. ‖ **2.** Cada uno de los maderos que se cruzan con las vigas para formar la armazón de los techos. ‖ **media alfarjía.** Madero de sierra de 10 centímetros de tabla y siete de canto.

alfarma. f. *Ar.* **alharma.**

alfarnate. (De or. inc.; cf. ár. *al-jarnaq*, el gazapo.) adj. ant. Bribón, tuno. Ú. en Sto. Domingo.

alfarrazador, ra. (De *alfarrazar*.) m. y f. *Murc.* y *Val.* El que tiene por oficio **alfarrazar,** ajustar el valor de los frutos en el árbol.

alfarrazar. (Del ár. *al-jarrāṣ*, el que adivina por conjetura.) tr. desus. *Ar.* Ajustar alzadamente el pago del diezmo de los frutos en verde. ‖ **2.** *Murc.* y *Val.* Ajustar alzadamente el valor de los frutos en el árbol, antes de la recogida.

alfaya. (Del ár. *al-ḥāŷa*, cosa necesaria.) f. ant. Estimación, precio. ‖ **2.** ant. **alfaja.**

alfayat. m. ant. **alfayate.**

alfayata. (De *alfayate*.) f. ant. **sastra.**

alfayate. (Del ár. *al-jayyāṭ*, el que cose.) m. ant. **sastre.**

alfayatería. f. ant. Oficio de alfayate.

alfazaque. (Del ár. *al-jassāq*, el malvado.) m. Insecto coleóptero, parecido al escarabajo común, de color negro con visos azulados, antenas cortas y élitros estriados. Abunda en España.

alfeiza. f. **alféizar.**

alfeizar. (De *alféizar*.) tr. Hacer alfeizas en una pared.

alféizar. (De or. inc., quizá del ár. *al-fasḥa*, el espacio vacío.) m. *Arq.* Vuelta o derrame que hace la pared en el corte de una puerta o ventana, tanto por la parte de adentro como por la de afuera, dejando al descubierto el grueso del muro. ‖ **2.** *Arq.* Rebajo en ángulo recto que forma el telar de una puerta o ventana con el derrame donde encajan las hojas de la puerta con que se cierra.

alfendoz. m. *Ar.* Orozuz o regaliz.

alfeña. f. ant. **alheña.**

alfeñar. tr. ant. **alheñar.**

alfeñicarse. (De *alfeñique*.) prnl. fig. y fam. Afectar delicadeza y ternura remilgándose y repuliéndose. ‖ **2.** fig. y fam. Adelgazarse mucho.

alfeñique. (Del ár. *al-fānīd*, el azúcar, quizá por cruce de sinónimos, con el ár. *al-fināq* [con imela, *al-finīq*], los manjares delicados.) m. Pasta de azúcar cocida y estirada en barras muy delgadas y retorcidas. ‖ **2.** fig. y fam. Persona delicada de cuerpo y complexión. ‖ **3.** fig. y fam. Remilgo, compostura, afeite. ‖ **4.** *And.* **valeriana.**

alferado. (De *alférez*.) m. *Bol.* Cargo que corresponde al **alférez,** persona que sufraga los gastos de una fiesta religiosa.

alferazgo. m. Empleo o dignidad de alférez.

alferce. m. ant. **alférez.**

alferecía[1]**.** (Del ár. *al-fāliŷiyya*, la hemiplejía, del gr. πληξία.) f. Enfermedad, caracterizada por convulsiones y pérdida del conocimiento, más frecuente en la infancia, e identificada a veces con la epilepsia.

alferecía[2]**.** (De *alférez*.) f. **alferazgo.**

alférez. (Del ár. *al-fāris*, el jinete.) m. Oficial que llevaba la bandera en la infantería, y el estandarte en la caballería. ‖ **2.** Oficial del ejército español que sigue en categoría al teniente y que desempeña, en general, las mismas misiones que este. ‖ **3.** ant. Caudillo, lugarteniente, representante. ‖ **4.** ant. **alferza.** ‖ **5.** *Amér.* Persona que en determinadas fiestas religiosas preside los actos y sufraga los gastos, y tiene derecho a llevar el pendón de la festividad. ‖ **alumno.** El que sigue aún recibiendo la enseñanza en la respectiva academia militar. ‖ **de fragata.** Grado de la marina de guerra, que equivale al de **alférez** del ejército. ‖ **del pendón real,** o **alférez del rey.** El que llevaba el pendón o estandarte real en los ejércitos del rey. ‖ **de navío.** Grado de la marina de guerra, que equivale al de teniente del ejército. ‖ **mayor** de una ciudad o villa. El que llevaba la bandera o pendón de la tropa o milicia perteneciente a ella. ‖ **2.** El que alzaba el pendón real en las aclamaciones de los reyes, y tenía voz y voto en los cabildos y ayuntamientos, con asiento preeminente y el privilegio de entrar en ellos con espada. ‖ **mayor de Castilla.** El **alférez** del rey hasta que ese título pasó a ser honorífico y vinculado. ‖ **mayor de los peones.** Jefe principal de los peones, o de la gente de a pie que servía en la guerra. ‖ **mayor del pendón de la divisa,** o **alférez mayor del rey. alférez del rey.** ‖ **provisional.** Empleo de carácter provisional y equivalente al de **alférez,** que se concedía en el Ejército Nacional, durante la guerra civil (1936-1939), al culminar un curso de escasa duración.

alferezado. m. ant. **alferazgo.**

alferraz. (Del ár. *al-farrās*, el que devora la presa.) m. Ave rapaz diurna, de unos 40 centímetros de altura, con la parte superior del cuerpo de color de ceniza, la inferior blanquecina con manchas pardas, nuca y muslos rojizos, pico corto muy encorvado y negro, y tarsos amarillentos. Se empleó en la cetrería.

alferza. (Del persa *farzīn*, visir, consejero del rey, a través del ár. *al-farza*.) f. ant. Figura del ajedrez que originariamente ocupaba junto al rey el lugar que hoy tiene la reina, con los mismos movimientos que esta.

alficoz. (Del ár. *al-faqqūs*, especie de melón.) m. **cohombro,** planta hortense. ‖ **2. cohombro,** fruto de esta planta.

alfiérez. m. ant. **alférez.**

alfil[1]**.** (Del persa *pīl*, elefante, a través del ár. *al-fīl*.) m. Pieza grande del juego del ajedrez, que camina diagonalmente de una en otra casilla o recorriendo de una vez todas las que halla libres.

alfil[2]**.** (Del ár. *al-fa'l*, el augurio, [con imela].) m. desus. **agüero.**

alfilel. (Del ár. *al-jilāl*, lo que se entremete.) m. ant. **alfiler.**

alfiler. (De *alfilel*.) m. Clavillo metálico muy fino, que sirve generalmente para prender o sujetar alguna parte de los vestidos, los tocados y otros adornos de la persona. ‖ **2.** Joya más o menos preciosa, semejante al **alfiler** común, o de figura de broche, que se usa para sujetar exteriormente alguna prenda del traje, o por adorno. Toma los nombres del lugar donde se coloca o de lo que contiene. ALFILER *de corbata, de pecho, de retrato.* ‖ **3.** Árbol silvestre, leguminoso, de la isla de Cuba, que alcanza unos seis metros de altura, y cuya madera, compacta y de color pardo amarillento, se emplea en la construcción. ‖ **4.** *Col.* y *Cuba.* Carne del lomo de las reses, aguja. ‖ **5.** pl. Juego de niños que consiste en empujar cada jugador con la uña del dedo pulgar, sobre cualquier superficie plana, un **alfiler,** que le pertenece, para formar cruz con otro **alfiler,** que hace suyo si logra formarla. ‖ **6.** Planta herbácea de la familia de las geraniáceas, de tres a seis decímetros de altura, tallo grueso con hojas grandes, ovales y pinadas en segmentos dentados; flores en pedúnculo, de pétalos purpúreos y desiguales, y fruto en carpelo, cuyas aristas se separan retorciéndose en forma de tirabuzón. ‖ **7.** desus. Cantidad de dinero señalada a una mujer para costear el adorno de su persona. ‖ **8.** desus. Agasajo que solían dar los pasajeros o huéspedes a las criadas de las posadas o de las casas en que paraban, al tiempo de partir de ellas. ‖ **de gancho.** *Argent., Chile, Ecuad., Urug.* y *Venez.* Imperdible. ‖ **de París.** Clavo de cabeza plana y punta piramidal, hecho con alambre de hierro. ‖ **de seguridad.** *Méj.* Imperdible. ‖ **con todos sus alfileres.** loc. fig. y fam. **de veinticinco alfileres.** ‖ **de veinticinco alfileres.** loc. fig. y fam. desus. Con todo el adorno o compostura posible. Ú. más hablando de las mujeres. ‖ **no caber un alfiler** en alguna parte. loc. fam. Estar un local repleto de gente. ‖ **no estar**

alguien **con** sus **alfileres.** fr. fig. y fam. desus. No estar de buen humor. ‖ **para alfileres.** loc. fam. que se aplica a la gratificación o propina que se da a los sirvientes. Ú. m. con los verbos *dar* y *pedir.* ‖ **pegado, prendido** o **preso con alfileres.** expr. fig. y fam. Dícese de todo lo que material y moralmente ofrece poca subsistencia o firmeza.

alfilerazo. m. Punzada de alfiler. ‖ **2.** fig. **pulla**[1], dicho para zaherir a una persona.

alfilerera. f. *And.* Nombre que suele darse, por su forma, al fruto del geranio y a los de otras plantas.

alfileresco, ca. adj. desus. Semejante al alfiler de prender.

alfilerillo. m. *Argent.* y *Chile.* Planta herbácea que se usa como forraje y que en el centro de las hojas tiene un apéndice en forma de alfiler. ‖ **2.** *Méj.* Nombre común a varias plantas cactáceas que tienen púas largas y agudas. ‖ **3.** *Méj.* Insecto que ataca a la planta del tabaco.

alfiletero. m. Especie de cañuto pequeño de metal, madera u otra materia, que sirve para tener en él alfileres y agujas. ‖ **2. acerico,** almohadilla.

alfinde. m. ant. **alhinde.**

alfinge. (Del ár. *al-isfinŷ,* el buñuelo, la esponja.) m. ant. **buñuelo,** fruta de sartén.

alfitete. (Del ár. *al-fatāt,* especie de pasta hecha de harina.) m. Composición de masa, a modo de sémola o farro.

alfiz. (Del ár. *al-ifrīz,* ornamento arquitectónico.) m. Recuadro del arco árabe, que envuelve las albanegas y arranca, bien desde las impostas, bien desde el suelo.

alfócigo. (De *alfóstigo.*) m. ant. **alfóncigo.**

alfolí. (Del ár. *al-hury,* el hórreo, el granero público.) m. Granero o pósito. ‖ **2.** Almacén de la sal.

alfoliero o **alfolinero.** m. El que tenía a su cargo y cuidado el alfolí.

alfombra[1]. (Del ár. *al-jumra,* la esterilla de hoja de palmera.) f. Tejido de lana o de otras materias, y de varios dibujos y colores, con que se cubre el piso de las habitaciones y escaleras para abrigo y adorno. ‖ **2.** fig. Conjunto de cosas que cubren el suelo. ALFOMBRA *de flores, de hierba.* ‖ **3.** *Col.* Sudadero, normalmente de lana que se pone a las caballerías.

alfombra[2]. (Del ár. *al-ḥumra,* el sarampión, la rojez.) f. **alfombrilla.**

alfombrado, da. p. p. de **alfombrar.** ‖ **2.** m. Conjunto de alfombras. ‖ **3.** *Amér.* Alfombra que cubre el suelo de una habitación.

alfombrar. tr. Cubrir el suelo con alfombra. ‖ **2.** fig. Cubrir el suelo con algo a manera de alfombra.

alfombrero, ra. m. y f. Persona que hace alfombras.

alfombrilla. (De *alfombra*[2].) f. *Med.* Erupción cutánea, que se diferencia del sarampión por la falta de los fenómenos catarrales.

alfombrista. m. El que trata en alfombras y las vende. ‖ **2.** El que las cose y acomoda en las habitaciones.

alfóncigo. (Del m. or. que *alfóstigo.*) m. Árbol de la familia de las anarcardiáceas, de unos tres metros de altura, hojas compuestas y de color verde oscuro; flores en maceta, y fruto drupáceo con una almendra pequeña de color verdoso, oleaginosa, dulce y comestible, llamada pistacho. Del tronco y de las ramas se extrae la almáciga. ‖ **2.** Fruto de este árbol.

alfóndega. (Del ár. *al-funduqa,* la posada, la alhóndiga.) f. ant. **alfóndiga.**

alfondeguero. m. *Ar.* **alhondiguero.**

alfóndiga. (De *alfóndega.*) f. ant. **alhóndiga.** Ú. en Aragón y Salamanca.

alfondoque. m. *Venez.* **alfandoque.**

alfonsario. (Del art. ár. *al,* y *fonsario,* foso.) m. ant. **osario.**

alfonsearse. (Quizá del m. or. que *alfonsina.*) prnl. fam. desus. Burlarse de otro en tono de chanza.

alfonsí. adj. **alfonsino.** ‖ **2.** V. **maravedí alfonsí.**

alfónsigo. m. **alfóncigo.**

alfonsina. (De *Alfonso,* por celebrarse el acto así llamado en la capilla de San Ildefonso del Colegio Mayor.) f. Acto solemne de teología o medicina que se celebraba en la universidad de Alcalá, y en el cual se defendían muchas conclusiones, sin doctor padrino.

alfonsino, na. adj. Perteneciente o relativo a alguno de los reyes españoles llamados Alfonso, o partidario suyo. Ú. t. c. s. ‖ **2.** m. Moneda acuñada en tiempo de Alfonso el Sabio.

alfonsismo. m. Adhesión a la monarquía de alguno de los reyes españoles llamados Alfonso.

alforfón. (Del ár. *al-furfūr,* el euforbio y el trigo sarraceno.) m. Planta anual de la familia de las poligonáceas, como de un metro de altura, con tallos nudosos, hojas grandes y acorazonadas, flores blancas sonrosadas, en racimo, y fruto negruzco y triangular, del que se hace pan en algunas comarcas de España. ‖ **2.** Semilla de esta planta.

alforín. m. *Murc.* **algorín.**

alforiz. m. ant. **alfolí.**

alforja. (Del ár. *al-jurŷa,* la talega pendiente del arzón de la silla.) f. Especie de talega abierta por el centro y cerrada por sus extremos, los cuales forman dos bolsas grandes y ordinariamente cuadradas, donde, repartiendo el peso para mayor comodidad, se guardan algunas cosas que han de llevarse de una parte a otra. Ú. m. en pl. ‖ **2.** V. **cazador de alforja.** ‖ **3.** Provisión de los comestibles necesarios para el camino. ‖ **pasarse a la otra alforja.** fr. fig. y fam. *Chile.* Excederse de los límites de la moderación y cortesía. ‖ **¿qué alforja?** expr. fam. p. us. que denota el enfado o desprecio con que se oye alguna cosa. *¿Qué dinero, ni* QUÉ ALFORJA?; *¿qué pretensión, ni* QUÉ ALFORJA?

alforjero, ra. adj. Perteneciente a las alforjas. ‖ **2.** V. **perro alforjero.** ‖ **3.** m. y f. Persona que hace o vende alforjas. ‖ **4.** Persona destinada a llevar en la alforja la comida para otras. ‖ **5.** m. Lego o donado de algunos institutos religiosos mendicantes que pide limosna de pan y otras cosas, y la recoge en las alforjas que lleva.

alforjón. m. **alforfón.**

alforre. (Del ár. *al-ḥurr,* el gavilán, el halcón.) m. ant. Especie de halcón.

alforrochar. (De *alforrocho.*) tr. *Ar.* Espantar a las gallinas del corral para hacerlas salir de él o espantarlas de un lugar.

alforrocho. (Del ár. *al-furruŷ.*) m. *Ar.* El pollo, la gallina.

alforza. (Del ár. *al-jurza,* la costura, o *al-huzza,* el corte.) f. Pliegue o doblez que se hace en ciertas prendas como adorno o para acortarlas y poderlas alargar cuando sea necesario. ‖ **2.** fig. y fam. Costurón, cicatriz, grieta.

alforzar. tr. Hacer alforzas en el vestido. ‖ **2.** Dar forma de alforza.

alfóstiga. f. ant. **alfóncigo,** fruto.

alfóstigo. (Del ár. *al-justaq,* el pistacho.) m. ant. **alfóncigo.**

alfoz. (Del ár. *al-ḥawz,* el distrito, el pago.) amb. Arrabal, término o pago de algún distrito, o que depende de él. ‖ **2.** Distrito con diferentes pueblos, que forman una jurisdicción sola.

alga. (Del lat. *alga.*) f. Cualquiera de las plantas talofitas, unicelulares o pluricelulares, que viven de preferencia en el agua, tanto dulce como marina, y que, en general, están provistas de clorofila, acompañada a veces de otros pigmentos de colores variados que la enmascaran; el talo de las pluricelulares tiene forma de filamento, de cinta o de lámina y puede ser ramificado. ‖ **2.** pl. *Bot.* Clase de estas plantas.

algaba. (Del ár. *al-gāba,* el bosque.) f. Bosque, selva.

algabeño, ña. adj. Natural de la Algaba. Ú. t. c. s. ‖ **2.** Perteneciente a este pueblo de la provincia de Sevilla.

algadara. f. **algarrada**[1].

algaida. (Del ár. *al-gaida,* la breña, la selva.) f. *And.* Bosque o sitio lleno de matorrales espesos. ‖ **2.** *And.* Terreno arenoso a la orilla del mar.

algaido, da. (De *algaida.*) adj. *And.* Cubierto de ramas o paja.

algalia[1]. (Del ár. *al-gāliya,* el perfume del almizcle con ámbar.) f. Sustancia untuosa, de consistencia de miel, blanca, que luego pardea, de olor fuerte y sabor acre. Se saca de la bolsa que cerca del ano tiene el gato de **algalia** y se emplea en perfumería. ‖ **2. abelmosco.** ‖ **3.** m. desus. **gato de algalia.**

algalia[2]. (De *argalia.*) f. *Cir.* Especie de tienta algo encorvada, hueca, abierta por una punta y agujereada por uno o por dos lados del otro extremo, y la cual se usa para las operaciones de la vejiga, para la dilatación de la uretra, y especialmente para dar curso y salida a la orina.

algaliar. tr. ant. Perfumar con algalia[1].

algaliero, ra. adj. p. us. Dícese del que usa perfumes, especialmente algalia[1], y del que la vende. Ú. t. c. s.

algar[1]. (Del ár. *al-gār.*) m. ant. Cueva o caverna. Ú. en Andalucía.

algar[2]. m. Mancha grande de algas en el fondo del mar.

algara[1]. (Del ár. *al-gāra,* la incursión de guerra en un país.) f. Tropa de a caballo que salía a correr y robar la tierra del enemigo. ‖ **2.** Correría de esta tropa. ‖ **3.** ant. **vanguardia** de una fuerza armada.

algara[2]. (Del ár. *al-galāla,* la película.) f. **fárfara**[2]. ‖ **2.** Película que tienen la cebolla, ajo, puerro, etc., por la parte exterior.

algarabía[1]. (Del ár. *al-'arabyya,* la lengua árabe.) f. Lengua árabe. ‖ **2.** fig. y fam. Lengua o escritura ininteligible. ‖ **3.** fig. y fam. Gritería confusa de varias personas que hablan a un tiempo. ‖ **4.** fig. y fam. p. us. Manera de hablar atropelladamente y pronunciando mal las palabras. ‖ **5.** p. us. Enredo, maraña.

algarabía[2]. f. Planta anual silvestre, de la familia de las escrofulariáceas, de seis a ocho decímetros de altura, de tallo nudoso que produce dos vástagos opuestos, los cuales echan también sus ramos de dos en dos, con hojas lanceoladas y tomentosas, y flores amarillas. De esta planta se hacen escobas.

algarabiado, da. adj. ant. Que sabe la algarabía[1] o lengua árabe. Ú. t. c. s.

algarabío, a. (Del ár. *al-'arabī,* el arábigo.) adj. ant. Natural de la Arabia. Usáb. t. c. s.

algaracear. (Quizá del lat. *glaciāre,* helar.) intr. impers. *Guad.* Caer nieve menuda.

algarada[1]. f. **algara**[1], tropa de a caballo y correría de esta tropa. ‖ **2.** Vocería grande causada por una algara o por algún tropel de gente.

algarada[2]. f. **algarrada**[1].

algarazo. (De *algaracear.*) m. *Ar.* y *Guad.* Lluvia de duración corta y de intensidad regular.

algareador, ra. (De *algarear.*) adj. ant. **algarero.**

algarear. (De *algara*[1].) intr. ant. Hacer algaras o incursiones en tierra enemiga. ‖ **2.** ant. Acosar un destacamento de jinetes al enemigo atacándole con las armas o provocándole con voces, ruidos, ademanes amenazadores, etc.

algarero, ra. adj. Voceador, parlero. ‖ **2.** m. Hombre de a caballo que formaba parte de una algara[1].

algarivo, va. (Del ár. *al-garīb,* el extraño, el extranjero.) adj. ant. **extraño,** de otro país o clase. ‖ **2.** ant. Injusto, inicuo, rebelde.

algarrada[1]. (Del ár. *al-'arrāda,* la máquina de lanzar piedras.) f. Máquina de guerra usada antiguamente para disparar o arrojar pelotas o piedras contra las murallas de las fortalezas.

algarrada[2]. (De *algarada*[1].) f. Fiesta que consiste en echar al campo un toro para correrlo con vara larga. ‖ **2.** Encierro de los toros en el toril. ‖ **3. novillada,** lidia de novillos.

algarroba. (Del ár. *al-jarrūba,* el algarrobo.) f. Planta herbácea anual de la familia de las leguminosas y del mismo género que el haba, que se utiliza como forraje; existen varias especies que comparten diversos nombres: algarrobilla, arveja, veza, yero. ‖ **2.** Semilla de esta planta, que se utiliza como pienso. ‖ **3.** Fruto del algarrobo, que es una vaina azucarada y comestible, de color castaño por fuera y amarillenta por dentro, con semillas muy duras, y la cual se da como alimento al ganado de labor.

algarrobal. m. Sitio sembrado de algarrobas. ‖ **2.** Sitio poblado de algarrobos.

algarrobera. f. **algarrobo.**

algarrobero. m. **algarrobo.**

algarrobilla. (d. de *algarroba.*) f. **arveja,** planta de la algarroba. ‖ **2. arveja,** semilla de esta. ‖ **3.** *Argent., Chile, Par.* y *Urug.* Nombre de varios árboles y arbustos leguminosos y de sus frutos.

algarrobo. (De *algarroba.*) m. Árbol siempre verde, de la familia de las papilionáceas, de ocho a diez metros de altura, con copa de ramas irregulares y tortuosas, hojas lustrosas y coriáceas, flores purpúreas, y cuyo fruto es la algarroba. Originario de Oriente, se cría en las regiones marítimas templadas y florece en otoño y en invierno. ‖ **2.** *Amér.* Nombre de varios árboles o plantas, como el curbaril o el cenízaro. ‖ **loco. ciclamor.**

algavaro. (Del ár. *al-gawwār,* el algarero.) m. Insecto coleóptero, del suborden de los tetrámeros, muy común en España, de más de 20 milímetros de longitud, enteramente negro y con las antenas más largas que el cuerpo.

algazafán. (Del ár. *al-'aṣafān,* las agallas.) m. Agalla del roble o de otros árboles.

algazara. (Del ár. *al-gazāra,* la locuacidad, el murmullo, el ruido.) f. Vocería de los moros y de otras tropas, al sorprender o acometer al enemigo. ‖ **2.** Ruido de muchas voces juntas, que por lo común nace de alegría. ‖ **3.** Ruido, gritería, aunque sea de una sola persona. ‖ **4.** ant. **algara,** tropa que salía a correr.

algazul. (Del ár. *al-gāsūl,* la planta jabonera.) m. Planta anual de la familia de las aizoáceas, de unos cinco decímetros de altura, hojas crasas, de color verde amarillento, y flores poco visibles y llenas de vesículas transparentes que semejan gotas de rocío. Es planta de las estepas, y sus cenizas se utilizan para hacer barrilla.

álgebra. (Del ár. *al-ŷabra,* la reducción.) f. Parte de las matemáticas en la cual las operaciones aritméticas son generalizadas empleando números, letras y signos; cada letra o signo representa simbólicamente un número u otra entidad matemática. Cuando alguno de los signos representa un valor desconocido se llama incógnita. ‖ **2.** desus. Arte de restituir a su lugar los huesos dislocados.

algebraico, ca. adj. Perteneciente o relativo al álgebra matemática. ‖ **2.** *Mat.* V. **cálculo algebraico.** ‖ **3.** *Mat.* V. **expresión algebraica.**

algébrico, ca. adj. **algebraico.**

algebrista. com. Persona que estudia, profesa o sabe el álgebra matemática. ‖ **2.** desus. Cirujano dedicado especialmente a la curación de dislocaciones de huesos. ‖ **3.** *Germ.* **alcahuete, ta.**

algecireño, ña. adj. Natural de Algeciras. Ú. t. c. s. ‖ **2.** Perteneciente a esta ciudad de la provincia de Cádiz.

algente. (Del lat. *algens, -entis,* p. a. de *algēre,* estar frío.) adj. poét. De temperatura fría.

-algia. (Del gr. -αλγία, de la raíz ἄλγος.) Elemento compositivo que significa «dolor»: *gastr*ALGIA, *neur*ALGIA.

algidez. (De *álgido.*) f. *Med.* Frialdad glacial.

álgido, da. (Del lat. *algĭdus.*) adj. Muy frío. ‖ **2.** *Med.*

Acompañado de frío glacial. *Fiebre* ÁLGIDA; *período* ÁLGIDO *del cólera morbo.* ‖ **3.** fig. Dícese del momento o período crítico o culminante de algunos procesos orgánicos, físicos, políticos, sociales, etc.

algo. (Del lat. *alĭquod.*) pron. indef. n. con que se designa una cosa que no se quiere o no se puede nombrar. *Leeré* ALGO *mientras vuelves; aquí hay* ALGO *que no comprendo.* ‖ **2.** También denota cantidad indeterminada, grande o pequeña, pero más especialmente lo segundo, considerada a veces en absoluto y a veces en relación a otra cantidad mayor o totalidad de la cual forma parte. *Apostemos* ALGO; *falta* ALGO *para llegar a la ciudad; dio* ALGO *de sus ahorros.* ‖ **3.** m. ant. Hacienda, caudal. Usáb. t. en pl. *El magnífico debe ser muy sabio porque sepa cómo ha de partir sus* ALGOS. Ú. hoy en Burgos. ‖ **4.** adv. c. Un poco, no completamente o del todo, hasta cierto punto. *Anda* ALGO *escaso de dinero; se franqueó* ALGO *conmigo; entiende* ALGO *el latín.* ‖ **5.** ant. Bastante, mucho. ‖ **algo es algo.** fr. con que se advierte que no se deben despreciar las cosas por muy pequeñas o de poca calidad. ‖ **algo qué.** loc. desus. Cosa o cantidad de consideración. ‖ **2.** Algún tanto. ‖ **darle algo a** alguien. fr. fam. Sobrevenirle un desvanecimiento, síncope u otro accidente. ‖ **por algo.** loc. fam. Por algún motivo, no sin razón.

algodón. (Del ár. *al-quṭn*, pronunciado *al quṭun* o *al qṭūn*, la misma planta.) m. Planta vivaz de la familia de las malváceas, con tallos verdes al principio y rojos al tiempo de florecer; hojas alternas casi acorazonadas y de cinco lóbulos; flores amarillas con manchas encarnadas, y cuyo fruto es una cápsula que contiene de 15 a 20 semillas, envueltas en una borra muy larga y blanca, que se desenrolla y sale al abrirse la cápsula. ‖ **2.** Esta borra. ‖ **3.** Dicha borra, limpia y esterilizada, presentada en el comercio de formas distintas, como franjas, bolas, etc., para diversos usos. ‖ **4.** Trozo de dicha borra que se emplea para limpiar una herida, taponarla, obturar los oídos, empapar medicamentos o afeites que han de aplicarse a la piel, etc. ‖ **5.** Hilado o tejido hecho de borra de **algodón.** ‖ **6.** V. **linón, manta, pólvora de algodón.** ‖ **7.** pl. Hebras gruesas de **algodón,** seda deshilada, raeduras de asta, etc., que se ponían en el fondo del tintero para que la pluma no cogiera demasiada tinta. ‖ **de Castilla.** *Filip.* Árbol de la familia de las bombacáceas, que produce una pelusa parecida al **algodón** que se emplea para hacer tejidos y para hacer almohadas. ‖ **2.** *Filip.* Pelusa que produce este árbol. ‖ **3.** *Filip.* Madera de este mismo árbol. ‖ **pólvora. pólvora de algodón.** ‖ **entre algodones.** loc. adv. Con cuidado y delicadeza.

algodonal. m. Terreno poblado de plantas de algodón. ‖ **2. algodón,** planta.

algodonar. tr. Estofar o rellenar de algodón alguna cosa.

algodoncillo. (d. de *algodón.*) m. Planta perenne americana, de la familia de las asclepiadáceas, de hojas anchas, ovales y vellosas, flores de color blanco rojizo y olorosas, y cuyas semillas dan una borra parecida a la del algodón.

algodonero, ra. adj. Perteneciente o relativo al algodón. ‖ **2.** m. y f. Persona que cultiva algodón o negocia con él.

algodonosa. f. Planta de la familia de las compuestas, de tres a cuatro decímetros de altura, con hojas alternas y ovaladas, flores amarillas en corimbo y toda ella abundantemente cubierta de una borra blanca, muy larga, semejante al algodón. Crece espontáneamente en el litoral del Mediterráneo.

algodonoso, sa. adj. Que tiene el aspecto o las propiedades del algodón.

algol. (Sigla del ing. *algorithmic oriented language.*) m. *Inform.* Lenguaje artificial, orientado a la resolución de problemas científicos que se pueden traducir directamente a los lenguajes utilizados por todas las computadoras electrónicas.

algonquino, na. adj. Dícese de los individuos de numerosas tribus de indios que se extendían por el Canadá y los Estados Unidos. Ú. t. c. s. ‖ **2.** m. Cada una de las lenguas habladas por los indios **algonquinos.**

algorfa. (Del ár. *al-gurfa.*) f. Sobrado o cámara alta, para recoger y conservar granos.

algorín. (De *alhorí.*) m. Cada una de las divisiones abiertas por delante y construidas sobre un plano inclinado, alrededor del patio del molino de aceite, para depositar separadamente la aceituna de cada cosechero hasta que se muela. ‖ **2.** Patio donde están estas divisiones, con las oportunas vertientes para recoger en un sumidero el alpechín que mana de las aceitunas.

algoritmia. (De *algoritmo.*) f. Ciencia del cálculo aritmético y algebraico; teoría de los números.

algorítmico, ca. adj. Perteneciente o relativo al algoritmo. ‖ **2.** *Mat.* V. **geometría algorítmica.**

algoritmo. (Del ár. *al-Jwārizmī*, sobrenombre del célebre matemático Mohamed ben Musa.) m. Conjunto ordenado y finito de operaciones que permite hallar la solución de un problema. ‖ **2.** Método y notación en las distintas formas del cálculo.

algorto. m. *Cantabria.* **alborto.**

algorza. (Del ár. *al-'urṣa*, el recinto.) f. p. us. Barda o cubierta que se pone en las tapias.

algoso, sa. adj. Lleno de algas.

algotro, tra. adj. y pron. indef. *And.* y *Amér.* Algún otro.

alguacil. (Del ár. *al-wazīr*, el ministro.) m. Oficial inferior de justicia, que ejecuta las órdenes del tribunal a quien sirve. ‖ **2.** Antiguamente, gobernador de una ciudad o comarca, con jurisdicción civil y criminal. ‖ **3.** Funcionario del orden judicial que se diferenciaba del juez en que este era de nombramiento real, y aquel, del pueblo o comunidad que lo elegía. ‖ **4.** Agente ejecutivo que está a las órdenes del presidente en las corridas de toros. ‖ **5.** Especie de araña de unos seis milímetros de largo, de patas cortas, de color ceniciento y con cinco manchas negras sobre el lomo. ‖ **6.** *Argent.* y *Urug.* **aguacil,** caballito del diablo. ‖ **de ayuntamiento.** Oficial inferior ejecutor de los mandatos de los alcaldes y tenientes de alcalde. ‖ **de campo, del campo,** o **de la hoz.** El que cuidaba de los sembrados, para que no los dañasen las gentes entrando en ellos. ‖ **del agua.** *Mar.* El que en los buques cuidaba de la provisión de agua. ‖ **de la montería.** El que guardaba las telas, las redes y todos los demás aparejos de la montería, y proveía de carros y de bagajes para llevarlos al lugar donde el rey mandaba. Traía vara alta de justicia por todo el reino. ‖ **de moscas. alguacil,** especie de araña. ‖ **mayor.** Cargo honorífico que había en las ciudades y villas del reino y en algunos tribunales, como las chancillerías, y al cual correspondían ciertas funciones.

alguacila. f. ant. **alguacilesa.**

alguaciladgo. m. ant. **alguacilazgo.**

alguacilazgo. m. Oficio de alguacil.

alguacilería. f. Acción o treta de alguacil.

alguacilesa. f. Mujer del alguacil.

alguacilesco, ca. adj. Propio del alguacil o perteneciente a él.

alguacilía. f. ant. Empleo de alguacil.

alguacilillo. m. Cada uno de los dos alguaciles que en las plazas de toros preceden a la cuadrilla durante el paseo, y uno de los cuales recibe la llave del toril de manos del presidente, y queda luego a sus órdenes durante la corrida.

alguandre. (Del lat. *aliquando.*) adv. t. ant. **jamás.**

alguanto, ta. (Del lat. *aliquantus.*) pron. indet. ant. **alguno,** alguien.

alguaquida. (Del ár. *al-waqīda,* la mecha, lo que sirve para encender.) f. desus. **pajuela,** antorcha.

alguaquidero. m. desus. El que hacía o vendía alguaquidas.

alguarín. (De *algorín.*) m. *Ar.* Aposentillo o cuartito bajo para guardar o recoger alguna cosa. ‖ **2.** *Ar.* Pilón donde cae la harina que sale de la muela.

alguarismo. m. ant. **guarismo,** cada una de las cifras arábigas. ‖ **2. guarismo,** cualquier expresión de cantidad. ‖ **3.** ant. **algoritmo.**

alguaza. (Del ár. *ar-razza.*) f. Bisagra o gozne.

alguero, ra. m. y f. Persona que recolecta algas o comercia con ellas.

alguese. (De *alarguez.*) m. *And.* **agracejo,** arbusto berberidáceo.

alguien. (Del lat. *alīquem,* acus. de *alīquis.*) pron. indef. que designa persona o personas existentes, sin indicación de género ni de número; antónimo de **nadie** y con menor frecuencia, de **ninguno.** ‖ **2.** Significa vagamente persona que no se nombra ni determina. ‖ **3.** m. fam. Persona de alguna importancia. Ú. principalmente con los verbos *ser* o *creerse.*

alguinio. m. *Ar.* Cesta o cuévano grande que sirve para vendimiar o recoger frutos.

algún. adj. Apóc. de **alguno.** No se emplea sino antepuesto a nombres masculinos. ALGÚN *hombre;* ALGÚN *tiempo.* ‖ **algún tanto.** loc. adv. Un poco, algo.

algunamente. adv. m. ant. De algún modo.

algund. adj. ant. **alguno.**

alguno, na. (Del lat. *alīquis,* alguien, y *unus,* uno.) adj. que se aplica indeterminadamente a una o varias personas o cosas respecto a otras. Antónimo de **ninguno.** Ú. t. c. pron. indef. *¿Ha venido* ALGUNO? ALGUNOS *hay que no se sorprenden por nada.* ‖ **2.** En frases negativas, pospuesto generalmente al sustantivo, equivale a **ningún** o **ninguna,** antepuestos: *No hay razón* ALGUNA *para que hables así. En modo* ALGUNO *podemos admitir eso. No conozco hombre* ALGUNO *que pueda hacer tal cosa.* ‖ **3.** Indica número, magnitud o grado ni pequeños ni grandes: ALGUNOS *amigos se le ofrecieron. De* ALGUNA *duración; de* ALGÚN *tamaño. Con* ALGÚN *conocimiento de idiomas.* ‖ **4.** ant. *Der.* **válido,** por contraposición a ninguno o nulo. ‖ **alguno que otro.** loc. Unos cuantos, pocos.

algunt. adj. ant. **alguno.**

alhábega. f. *Murc.* **albahaca.**

alhacena. f. **alacena.**

alhadida. (Del ár. *al-ḥadīd,* el hierro.) f. ant. *Quím.* Sulfato de cobre.

alhaite. (Del ár. *al-jaiṭ,* el hilo, el sartal.) m. ant. Joyel o joya.

alhaja. (Del ár. *al-ḥāŷa,* la cosa necesaria, el utensilio.) f. **joya.** ‖ **2.** Adorno o mueble precioso. ‖ **3.** fig. Cualquier otra cosa de mucho valor y estima. ‖ **4.** fig. y fam. Persona o animal de excelentes cualidades. Ú. frecuentemente en sent. irón. ‖ **5.** ant. **caudal**[1], hacienda, bienes. ‖ **6.** adj. *Argent., Bol., Ecuad.* y *Méj.* Bonito, agradable. ‖ **¡buena alhaja!** expr. irón. que se aplica a la persona pícara, viciosa, o a la que es astuta, avisada y traviesa.

alhajar. tr. Adornar con alhajas. ‖ **2. amueblar.**

alhajeme. m. ant. **alfajeme.**

alhajero, ra. m. y f. *Amér.* Cajita para guardar alhajas.

alhajita. adj. *Argent.* Bonito, agradable. *Rostro* ALHAJITA.

alhajito. adj. *Ecuad.* y *Méj.* Bonito, agradable.

alhajú. m. **alajú.**

alhama. f. ant. **aljama**[1].

alhamar. (Del ár. *al-ḥanbal,* el cobertor, el tapiz.) m. ant. Manta o cobertor encarnado.

alhámega. (De *alhárgama.*) f. **alharma.**

alhamel. (Del ár. *al-ḥammāl,* el ganapán, el fardero.) m. *And.* **bestia de carga.** ‖ **2.** *And.* **ganapán.** ‖ **3.** *And.* **arriero.**

alhamí. (Quizá del ár. *al-hammā',* las asentaderas, [con imela].) m. p. us. Poyo o banco de piedra más bajo que los ordinarios y revestido comúnmente de azulejos.

alhandal. (Del ár. *al-ḥanẓal.*) m. *Farm.* **coloquíntida,** fruto.

alhanía. (Del ár. *al-ḥaniyya,* el arco, el aposento abovedado.) f. ant. **alcoba.** ‖ **2.** ant. **alacena.** ‖ **3.** ant. Especie de colchoncillo.

alhaqueque. m. ant. **alfaqueque.**

alhaquín[1]**.** (Del ár. *al-ḥā'kin,* los tejedores.) m. ant. **tejedor,** persona que teje.

alhaquín[2]**.** m. ant. **alfaquín.**

alharaca. (Del ár. *al-ḥaraka,* el movimiento.) f. Extraordinaria demostración o expresión con que por ligero motivo se manifiesta la vehemencia de algún afecto, como de ira, queja, admiración, alegría, etc. Ú. m. en pl.

alharaquero, ra. adj. *And.* y *Amér.* **alharaquiento.**

alharaquiento, ta. adj. Que hace alharacas. Ú. t. c. s.

alhareme. m. ant. **alfareme.**

alhárgama. f. **alharma.**

alharma. (Del gr. ἅρμαλα, ruda, a través del ár. *al-ḥarmal.*) f. Planta de la familia de las rutáceas, de unos cuatro decímetros de altura, ramosa, con hojas laciniadas y flores blancas, muy olorosa, y cuyas semillas sirven de condimento en Oriente, y también se comen tostadas.

alhavara. (Del ár. *al-huwwārà,* la harina muy blanca.) f. ant. Harina de flor.

alhelí. (Del ár. *al-jairī.*) m. Planta vivaz, europea, de la familia de las crucíferas, que se cultiva para adorno, y cuyas flores, según sus variedades, son sencillas o dobles, blancas, rojas, amarillas o de otros colores, y de grato olor. ‖ **2.** Flor de esta planta. ‖ **de Mahón. mahonesa,** planta.

alheña. (Del ár. *al-ḥinnā',* el ligustro.) f. Arbusto de la familia de las oleáceas, de unos dos metros de altura, ramoso, con hojas casi persistentes, opuestas, aovadas, lisas y lustrosas; flores pequeñas, blancas y olorosas, en racimos terminales, y por frutos bayas negras, redondas y del tamaño de un guisante. ‖ **2.** Flor de este arbusto. ‖ **3.** Polvo a que se reducen las hojas de la **alheña** cogidas en la primavera y secadas después al aire libre. Sirve para teñir. ‖ **4. azúmbar.** ‖ **5.** Roya o tizón. ‖ **hecho alheña** o **molido como una alheña.** exprs. figs. y fams. Quebrantado por algún trabajo excesivo, cansancio, golpes, etc.

alheñar. tr. Teñir con polvos de alheña. ‖ **2.** prnl. **arroyarse.** ‖ **3.** Quemarse o anublarse las mieses.

alhiara. f. ant. **aliara.**

alhidada. f. ant. **alidada.**

alhinde. (Del ár. *al-hind,* el [acero] indio.) m. ant. **alinde.**

alhócigo. m. **alfóncigo.**

alholí. m. **alfolí.**

alholía. f. ant. **alholí.**

alholva. (Del ár. *al-ḥulba,* el fenogreco.) f. Planta de la familia de las papilionáceas, de dos a tres decímetros de altura, con hojas agrupadas de tres en tres, acorazonadas, vellosas y blanquecinas por debajo; flores pequeñas y blancas, y por fruto una vaina larga y encorvada, plana y estrecha, con semillas amarillentas, duras y de olor desagradable. ‖ **2.** Semilla de esta planta.

alholvar. m. Terreno sembrado de alholvas.

alhombra. f. ant. **alfombra**[1] y [2].

alhombrar. tr. ant. **alfombrar.**

alhombrero. m. ant. **alfombrero.**

alhóndiga. (De *alfóndiga.*) f. Casa pública destinada para la compra y venta del trigo. En algunos pueblos sirve también para el depósito y para la compra y venta de otros granos, comestibles o mercaderías que no devengan impuestos o arbitrios de ninguna clase mientras no se vendan.

alhondigaje. (De *alhóndiga.*) m. *Méj.* **almacenaje.**

alhondiguero. m. El que cuida de la alhóndiga.

alhorí. (Del ár. *al-hury,* el hórreo, el granero.) m. ant. **alholí.**

alhorín. m. ant. **alhorí.** ‖ **2.** *Ál.* **troj.**

alhorra. f. *Can.* y *Cuba.* Tizón de los cereales.

alhorre[1]. (Del ár. *al-jur',* el excremento.) m. Excremento de los niños recién nacidos.

alhorre[2]. (De etim. disc.; cf. ár. vulg. *ḥurr,* enfermedad inflamatoria.) m. Erupción en la piel del cráneo, el rostro, las nalgas o los muslos de los recién nacidos. ‖ **yo te curaré el alhorre.** expr. fam. desus. que se empleaba para amenazar con azotes a los niños traviesos.

alhorría. (Del ár. *al-ḥurriyya,* la calidad de horro o libre.) f. ant. **ahorría.**

alhorro. m. *Ál.* **alforre.**

alhorza. f. ant. **alforza.**

alhoz. m. desus. **alfoz.**

alhucema. (Del ár. *ul-juzāma.*) f. **espliego.**

alhucemilla. (d. de *alhucema.*) f. Planta de la familia de las labiadas, de tallo leñoso con ramos de medio metro de largo, hojas opuestas divididas en hojuelas casi lineales y vellosas, flores azules en espigas terminales y semilla menuda.

alhuceña. (Del ár. *al-jušainā',* la asperilla.) f. Planta anual de la familia de las crucíferas, con tallo recto de unos tres decímetros de altura, hojas largas, hendidas al través y vellosas, flores blancas en espiga, y por fruto una vaina pequeña y cilíndrica terminada en cornezuelo. Es comestible.

alhumajo. (De *aljuma.*) m. En algunas partes, hojas de los pinos.

alhurreca. (Del ár. *al-ḥurrāqa,* el agua muy salada.) f. p. us. **adarce.**

ali. m. En el juego de la secansa, dos o tres cartas iguales en el número o en la figura.

aliabierto, ta. adj. Abierto de alas.

aliaca. f. ant. **aliacán.**

aliacán. (Del ár. *al-yarqān.*) m. **ictericia.**

aliacanado, da. (De *aliacán.*) adj. **ictericiado.**

aliáceo, a. (Del lat. *alĭum,* ajo.) adj. Perteneciente al ajo o que tiene su olor o sabor.

aliadas. (Metát. de *adehalas.*) f. pl. Gratificación que por Navidad solían dar en Vizcaya los dueños de las ferrerías a los fundidores.

aliado, da. p. p. de **aliar.** ‖ **2.** adj. Dícese de la persona con quien alguien se ha unido y coligado. Ú. t. c. s. ‖ **3.** Dícese del estado, país, ejército, etc., que se une a otro para un determinado fin.

aliadófilo, la. (De *aliado* y *-filo.*) adj. Dícese del que durante las guerras mundiales de 1914 y 1939 fue partidario de las naciones aliadas en contra de Alemania. Ú. t. c. s. ‖ **2.** Perteneciente o relativo a los **aliadófilos.**

aliaga. f. **aulaga.**

aliagar. (De *aliaga.*) m. **aulagar.**

aliancista. adj. Que forma parte de una alianza política o es partidario de ella.

alianza. (De *aliar.*) f. Acción de aliarse dos o más naciones, gobiernos o personas. ‖ **2.** V. **arca de la alianza.** ‖ **3.** Pacto o convención. ‖ **4.** Conexión o parentesco contraído por casamiento. ‖ **5.** Anillo matrimonial o de esponsales. ‖ **6.** fig. Unión de cosas que concurren a un mismo fin.

alianzarse. (De *alianza.*) prnl. ant. **aliarse.**

aliar. (Del lat. *alligāre,* atar.) tr. Unir o coligar a una persona, colectividad o cosa con otra, para un mismo fin. ‖ **2.** prnl. Unirse o coligarse, en virtud de tratado, los príncipes o Estados unos con otros para defenderse de los enemigos o para atacarlos. ‖ **3.** Unirse o coligarse con otro.

aliara. (Del ár. *al-'iyāra,* la medida.) f. **cuerna,** vaso.

aliaria. (Del lat. *alliarĭa,* de *alĭum,* ajo.) f. Planta de la familia de las crucíferas, con tallos cilíndricos, duros y ramosos, de unos siete decímetros de largo, hojas acorazonadas, flores blancas muy pequeñas en espiga terminal, y por fruto una vaina pequeña y llena de simientes menudas que sirven para condimento. Toda la planta despide olor parecido al del ajo.

alias. (Del lat. *alĭas.*) adv. Por otro nombre. *Alfonso Tostado,* ALIAS *el Abulense.* ‖ **2.** desus. De otro modo. ‖ **3.** m. Apodo o sobrenombre.

aliblanca. f. *Col.* Pereza, desidia, modorra. ‖ **2.** *Cuba.* Especie de paloma salvaje.

alible. (Del lat. *alibĭlis,* de *alĕre,* alimentar.) adj. Capaz de alimentar o nutrir.

álica. (Del lat. *alĭca,* espelta.) f. Poleadas o puches que se hacían de varias legumbres, y principalmente de espelta.

alicaído, da. adj. Caído de alas. ‖ **2.** fig. y fam. Débil, falto de fuerzas por edad o indisposición. ‖ **3.** fig. y fam. Triste y desanimado. ‖ **4.** fig. y fam. p. us. Dícese del que ha decaído de las riquezas, poder, altura y estado floreciente en que antes se hallaba.

alicántara. (De *alicante*[1].) f. Animal no identificado que según unos es el alicante y según otros una especie de lagartija o salamanquesa.

alicante[1]. (Del ár. *al-'aqrab,* el escorpión.) m. Especie de víbora, de siete a ocho decímetros de largo y de hocico remangado. Es muy venenosa y se cría en todo el mediodía de Europa.

Alicante[2]. n. p. V. **barrilla de Alicante.**

alicantino, na. adj. Natural de Alicante. Ú. t. c. s. ‖ **2.** Perteneciente a esta ciudad o a su provincia. ‖ **3.** f. fam. Treta, astucia o malicia con que se procura engañar.

alicanto. m. Arbusto originario de América Septentrional y muy cultivado en los jardines de Chile por su flor, que es bastante olorosa.

alicatado, da. p. p. de **alicatar.** ‖ **2.** m. Obra de azulejos.

alicatar. (Del ár. *al-qaṭā'a,* la pieza, la cortadura.) tr. **azulejar.** ‖ **2.** *Arq.* Cortar o raer los azulejos para darles la forma conveniente.

alicate. (Del ár. *al-liqāṭ,* la tenaza.) m. Tenaza pequeña de acero con brazos encorvados y puntas cuadrangulares o de figura de cono truncado, y que sirve para coger y sujetar objetos menudos o para torcer alambres, chapitas delgadas o cosas parecidas. Ú. m. en pl. ‖ **2.** fig. *Ál.* y *Nav.* Comilón, buen diente. ‖ **3.** fig. *And.* Buscavidas. ‖ **4.** fig. *P. Rico.* Cómplice. ‖ **5.** *Sto. Dom.* Persona influyente que asegura a otra la estabilidad en su cargo u oficio. ‖ **de corte.** El que tiene las puntas en forma de cuchillas y se emplea, sobre todo por los electricistas, para cortar cables.

alicer. m. **alizar.**

aliciente. (Del lat. *allicĭens, -entis,* p. a. de *allicĕre,* atraer, cautivar.) m. Atractivo o incentivo.

alicionar. (De *a-*[1] y *lición.*) tr. ant. **aleccionar.**

alicortar. tr. Cortar las alas. ‖ **2.** Herir a las aves en las alas dejándolas impedidas para volar.

alicorto, ta. adj. Que tiene las alas cortas o cortadas. ‖ **2.** fig. De escasa imaginación o modestas aspiraciones.

alicuanta. (Del lat. *aliquantus.*) adj. V. **parte alicuanta.**

alícuota. (Del lat. *alĭquot.*) adj. V. **parte alícuota.** ‖ **2. proporcional.**

alicurco, ca. adj. *Chile.* Astuto, ladino.

alidada. (Del ár. *al-'iḍada,* la regla del carpintero.) f. Regla fija o móvil que lleva perpendicularmente y en cada extremo una pínula o un anteojo. Acompaña a ciertos instrumentos de topografía y sirve para dirigir visuales.

alidona. (Del gr. χελιδών, golondrina, a través del lat. *chelidŏnia.*) f. Concreción lapídea que se suponía encontrarse en el vientre de las golondrinas.

alienable. (De *alienar.*) adj. **enajenable.**
alienación. (Del lat. *alienatĭo, -ōnis.*) f. Acción y efecto de alienar. ‖ **2.** Proceso mediante el cual el individuo o una colectividad transforman su conciencia hasta hacerla contradictoria con lo que debía esperarse de su condición. ‖ **3.** Estado de ánimo, individual o colectivo, en que el individuo se siente ajeno a su trabajo o a su vida auténtica. ‖ **4.** *Psiquiat.* Término genérico que comprende todos los trastornos intelectuales, tanto los temporales o accidentales como los permanentes.
alienado, da. p. p. de **alienar.** ‖ **2.** adj. Loco, demente. Ú. t. c. s.
alienante. adj. Dícese de lo que produce alienación psíquica o transformación de la conciencia.
alienar. (Del lat. *alienāre.*) tr. **enajenar.** Ú. t. c. prnl. ‖ **2.** Producir alienación, transformación de la conciencia.
aliende. (Por *allende.*) adv. l. ant. **allende,** de la parte de allá. ‖ **2.** adv. c. ant. **allende,** además.
alienígena. (Del lat. *alienigĕna.*) adj. **extranjero.** Ú. t. c. s. ‖ **2. extraterrestre,** individuo de otro planeta. Ú. t. c. s.
alienígeno, na. (Del lat. *alienigĕnus.*) adj. Extraño, no natural.
alienismo. m. Ciencia y profesión del alienista.
alienista. (Del lat. *alienāre,* perder el juicio.) adj. Dícese del médico especialmente dedicado al estudio y curación de las enfermedades mentales. Ú. t. c. s.
aliento. (Del lat. **alenītus,* por *anhelĭtus.*) m. Aire que se expulsa al respirar, frecuentemente con la especificación de su buen o mal olor. ‖ **2. respiración,** acción y efecto de respirar. ‖ **3.** fig. Vigor del ánimo, esfuerzo, valor. Ú. t. en pl. ‖ **4.** fig. Soplo del viento. ‖ **5.** Emanación, exhalación. ‖ **6.** fig. Espíritu, alma. ‖ **7.** fig. Vida, impulso vital. ‖ **8.** fig. Inspiración, estímulo que impulsa la creación artística. ‖ **9.** fig. Alivio, consuelo. ‖ **de un aliento.** loc. adv. Sin tomar nueva respiración. ‖ **2.** fig. Sin pararse, sin detenerse, seguidamente.
alier. (Del ant. fr. *alier.*) m. ant. Soldado de marina que tenía su puesto en los costados del navío para defenderlo por aquella parte. ‖ **2.** ant. Remero de galera.
alifa. (Del ár. *al-ḥalfa,* el junco y una especie de caña de azúcar.) f. *And.* y *Méj.* Caña de azúcar de dos años.
alifafe[1]. (Del ár. *an-nāfaj,* la hinchazón.) m. fam. Achaque generalmente leve. Ú. m. en pl. ‖ **2.** *Veter.* Tumor sinovial que, por el trabajo excesivo, suele desarrollarse en los corvejones de las caballerías, y de que hay varias especies.
alifafe[2]. (Del ár. *al-liḥāf.*) m. ant. Cobertor, cubierta.
alifar. tr. *Mancha.* Pulir, acicalar, especialmente el peinado femenino. Ú. t. c. prnl.
alifara. (Del ár. *al-fāraḥ,* impuesto.) f. *Ar.* y *Nav.* Convite o merienda, en especial como robra de una venta o convenio.
alifático, ca. adj. *Quím.* Dícese del compuesto orgánico cuya estructura molecular es una cadena abierta.
alifato. (De *alif,* primera letra del alfabeto árabe.) m. Serie de las consonantes árabes, conforme a un orden tradicional.
alífero, ra. (Del lat. *alĭfer.*) adj. **alígero,** dotado de alas.
aligación. (Del lat. *alligatĭo, -ōnis.*) f. Ligazón, trabazón o unión de una cosa con otra. ‖ **2.** V. **regla de aligación.**
aligamiento. m. **aligación.**
aligar. (Del lat. *alligāre.*) tr. p. us. **ligar,** atar. Ú. t. c. prnl. ‖ **2.** p. us. **ligar,** confederarse. Ú. t. c. prnl.
aligátor. (Del ing. *alligator,* acaso a través del fr.) m. Caimán, especie de cocodrilo.
áliger. (Del lat. *alĭger,* alígero, por los gavilanes en forma de alas.) m. ant. Parte de la guarnición de la espada, que resguarda la mano.
aligeramiento. m. Acción y efecto de aligerar o aligerarse.
aligerar. tr. Hacer ligero o menos pesado. Ú. t. c. prnl. ‖ **2.** fig. Aliviar, moderar, templar. ‖ **3.** intr. Abreviar, acelerar. Ú. t. c. prnl.
alígero, ra. (Del lat. *alĭger.*) adj. poét. Dotado de alas. ‖ **2.** fig. y poét. Rápido, veloz, muy ligero.
aligonero. (Del m. or. que *lironero.*) m. *Val.* **almez.**
aligote. m. Pez marino semejante al pagel, aunque de cuerpo más esbelto y menos largo. Es de color claro y nacarado y tiene una mancha negruzca en el arranque de la aleta torácica.
aligustre. (De *ligustro.*) m. **alheña,** arbusto.
alijador, ra. (De *alijar[2].*) adj. Que alija. Ú. t. c. s. ‖ **2.** m. y f. Persona que tiene por oficio separar la borra de la simiente del algodón. ‖ **3.** m. **barcaza.**
alijar[1]. (Del ár. *ad-dišār,* propiedad para pastos.) m. **dehesa.** Ú. m. en pl. ‖ **2. aduar** de beduino. ‖ **3. cortijo,** tierra y casa de labor. ‖ **4.** desus. **serranía.**
alijar[2]. (Del fr. *alléger,* aligerar, aliviar.) tr. Aligerar, aliviar la carga de una embarcación o desembarcar toda la carga. ‖ **2.** Transbordar o echar en tierra géneros de contrabando. ‖ **3.** Separar la borra de la simiente del algodón.
alijar[3]. tr. *Sto. Dom.* **lijar[1],** alisar y pulir una cosa con lija o papel de lija. ‖ **2.** fig. *Sto. Dom.* Preparar a una persona para obtener algo de ella.
alijarar. (De *alijar[1].*) tr. Repartir las tierras incultas para su cultivo.
alijarero. m. El que toma para su cultivo algún pedazo de alijar[1].
alijariego, ga. adj. Perteneciente o relativo al alijar[1] o a los alijares[1].
alijo. m. Acción de alijar[2]. ‖ **2.** Conjunto de géneros o efectos de contrabando. ‖ **3.** p. us. **ténder.**
alim. m. Arbolito del archipiélago filipino, de la familia de las euforbiáceas, que llega a tres metros y medio de altura; sus hojas se hallan cubiertas de un polvo farináceo por el envés, y machacadas con aceite de ajonjolí o sin él se usan para curar la hinchazón de las piernas.
alimango. m. *Filip.* Nombre de un cangrejo de grandes dimensiones.
alimania. f. ant. **alimaña.**
alimanisco, ca. adj. ant. **alemanisco.**
alimaña. (Del lat. *animalĭa;* pl. de *animal, -ālis,* animal.) f. **animal[1]** irracional. ‖ **2.** Animal perjudicial a la caza menor, como la zorra, el gato montés, el milano, etc.
alimañero. m. Guarda de caza empleado en la destrucción de alimañas.
alimara. (Del ár. *al-'imāra,* la señal.) f. ant. **ahumada.**
alimentación. f. Acción y efecto de alimentar o alimentarse. ‖ **2.** Conjunto de lo que se toma o se proporciona como alimento.
alimentador, ra. adj. Que alimenta. Ú. t. c. s. ‖ **2.** m. Parte o pieza de una máquina que le proporciona la materia o la energía necesaria para su funcionamiento.
alimental. adj. Que sirve para alimentar.
alimentar. tr. Dar alimento al cuerpo de los animales o de los vegetales. Ú. t. c. prnl. ‖ **2.** Suministrar a una máquina, sistema o proceso, la materia, la energía o los datos que necesitan para su funcionamiento. ‖ **3.** Servir de pábulo para la producción o mantenimiento del fuego, la luz, etc. Ú. t. c. prnl. y en sent. fig. ‖ **4.** fig. Fomentar el desarrollo, actividad o mantenimiento de cosas inmateriales, como facultades anímicas, sentimientos, creencias, costumbres, prácticas, etc. Ú. t. c. prnl. ‖ **5.** fig. Referido a virtudes, vicios, pasiones, sentimientos y afectos del alma, sostenerlos, fomentarlos. ‖ **6.** *Der.* Suministrar a alguna persona lo necesario para su manutención y subsistencia, conforme al estado civil, a la condición social y a las necesidades y recursos del alimentista y del pagador.
alimentario, ria. (Del lat. *alimentarĭus.*) adj. Propio de la

alimentación o referente a ella. ‖ **2.** m. y f. *Der.* **alimentista.**

alimenticio, cia. adj. Que alimenta o tiene la propiedad de alimentar. ‖ **2.** Referente a los alimentos o a la alimentación. ‖ **3.** V. **bolo alimenticio.** ‖ **4.** V. **bomba alimenticia.** ‖ **5.** V. **conservas alimenticias.**

alimentista. com. Persona que goza asignación para alimentos.

alimento. (Del lat. *alimentum,* de *alĕre,* alimentar.) m. La comida y bebida que el hombre y los animales toman para subsistir. ‖ **2.** Cualquiera de las sustancias que los seres vivos toman o reciben para su nutrición. ‖ **3.** fig. Lo que sirve para mantener la existencia de algunas cosas que, como el fuego, necesitan de pábulo. ‖ **4.** fig. Tratándose de cosas incorpóreas, como virtudes, vicios, pasiones, sentimientos y afectos del alma, sostén, fomento, pábulo. ‖ **5.** pl. Asistencias que se dan para el sustento adecuado de alguna persona a quien se deben por ley, disposición testamentaria, fundación de mayorazgo o contrato. ‖ **concentrado.** El rico en uno o varios principios nutritivos de fácil digestión. ‖ **plástico.** El que sirve principalmente, como los albuminoides, para reparar la pérdida de materia que constantemente padece el organismo a consecuencia de su actividad fisiológica. ‖ **respiratorio.** El destinado principalmente, como las féculas, a procurar energía al organismo, mediante la combinación de dicho **alimento** con el oxígeno aportado por la función respiratoria. ‖ **ser** una cosa **de mucho, o poco, alimento.** fr. Tener mucho, o poco, poder nutritivo.

alimentoso, sa. (De *alimento.*) adj. Que nutre mucho.

álimo. (Del gr. ἅλιμον, a través del lat. *halĭmon.*) m. **orzaga.**

alimoche. m. **abanto,** ave rapaz. ‖ **2. abanto,** cualquier otra ave de la familia de los buitres.

alimón (al). (Aféresis de *alalimón.*) m. Juego de muchachos que divididos en dos bandos y asidos de las manos los de cada uno, se colocaban frente a frente y avanzaban y retrocedían a la vez cantando alternadamente unos versos que empezaban con el estribillo **al alimón, al alimón.** ‖ **2.** loc. adv. que se dice de la suerte del toreo en que dos lidiadores, asiendo cada cual de uno de los extremos de un solo capote, citan al toro y lo burlan, pasándole aquel por encima de la cabeza. ‖ **3.** Conjuntamente.

alimonarse. (De *a-*[1] y *limón.*) prnl. Enfermar ciertos árboles de verdura perenne, como el olivo, tomando sus hojas color amarillento.

alimosna. (Del gr. ἐλεημοσύνη, compasión, limosna, a través del lat. *eleemosȳna.*) f. ant. **limosna.**

alimpiador, ra. (De *alimpiar.*) adj. ant. **limpiador.** Usáb. t. c. s.

alimpiadura. (De *alimpiar.*) f. ant. **limpiadura.**

alimpiamiento. (De *alimpiar.*) m. ant. **limpiamiento.**

alimpiar. (Del lat. *elimpidāre.*) tr. ant. **limpiar.**

alindado, da. p. p. de **alindar**[2]. ‖ **2.** adj. desus. Presumido en exceso, afectadamente pulcro. ‖ **3.** desus. Hermoso, lindo.

alindamiento. m. Acción y efecto de alindar[1], poner lindes.

alindar[1]**.** tr. Poner o señalar los lindes a una heredad. ‖ **2.** intr. desus. **lindar.**

alindar[2]**.** tr. Poner lindo o hermoso. Ú. t. c. prnl. ‖ **2.** Adornar, engalanar, ataviar. Ú. t. c. prnl.

alinde. (De *alhinde.*) m. Azogue preperado que se pega detrás del cristal para hacer un espejo. ‖ **2.** ant. **acero.** ‖ **3.** ant. Superficie bruñida o brillante como la de un espejo. ‖ **de alinde.** loc. adj. De aumento. *Cristal, espejo, ojos* DE ALINDE.

alinderar. (De *lindero.*) tr. *Amér.* Señalar o marcar los límites de un terreno.

alindongarse. (De *alindar*[2].) prnl. *Sal.* Vestirse con excesiva elegancia.

alineación. f. Acción y efecto de alinear o alinearse. ‖ **2.** Trazado de calles y plazas. ‖ **3.** Línea de fachada que sirve de límite a la construcción de edificios al borde de la vía pública. ‖ **4.** Acción y efecto de formar o reunir ordenadamente un cuerpo de tropas. ‖ **5.** Disposición de los jugadores de un equipo deportivo según el puesto y función asignados a cada uno para determinado partido.

alineado, da. p. p. de **alinear.** ‖ **2.** adj. Que ha tomado partido en un conflicto o disidencia. Ú. generalmente con negación y en referencia a colectividades que proclaman así su neutralidad. *Países no* ALINEADOS.

alineamiento. m. Alineación. ‖ **2.** Conjunto de menhires colocados de modo que forman una o varias filas paralelas. Ú. m. en pl.

alinear. tr. Poner en línea recta. Ú. t. c. prnl. ‖ **2.** Incluir a un jugador en las líneas de un equipo deportivo para un determinado partido. ‖ **3.** Vincular o vincularse a una tendencia ideológica, política, etc. Ú. t. c. prnl.

aliñado, da. p. p. de **aliñar.** ‖ **2.** adj. Aseado, dispuesto.

aliñador, ra. adj. Que aliña. Ú. t. c. s. ‖ **2.** m. ant. Administrador o ejecutor. ‖ **3.** m. y f. *Chile.* **algebrista** de huesos.

aliñamiento. m. ant. Acción y efecto de **aliñar,** gobernar.

aliñar. (Del lat. *ad,* a, y *lineāre,* poner en línea, en orden.) tr. **aderezar,** componer, adornar. Ú. t. c. prnl. ‖ **2. aderezar,** condimentar. ‖ **3. aderezar,** preparar. Ú. t. c. prnl. ‖ **4. aderezar,** mezclar bebidas. ‖ **5.** ant. Gobernar, administrar. ‖ **6.** *Taurom.* Preparar el toro para una suerte, sobriamente y sin adorno ni intención artística. ‖ **7.** *Chile.* Arreglar o concertar los huesos dislocados.

aliño. m. Acción y efecto de aliñar o aliñarse. ‖ **2.** Aquello con que se aliña alguna persona o cosa. ‖ **3.** Disposición para hacer alguna cosa. ‖ **4.** Condimento, aderezo con que se sazona la comida. ‖ **5.** Aseo, buen orden en la limpieza de cosas y lugares y en el atuendo de las personas. ‖ **6.** p. us. Conjunto de utensilios para un uso, especialmente para la labranza. ‖ **7.** *Taurom.* **faena de aliño.**

aliñoso, sa. (De *aliño.*) adj. desus. Adornado, compuesto. ‖ **2.** desus. Cuidadoso, aplicado.

alioj. (Del ár. *al-yašb,* el jaspe.) m. ant. **mármol.**

alioli. (Del cat. *allioli,* vulg. *alioli.*) m. Ajiaceite.

alionín. m. Nombre de diversas especies de pájaros de la familia de los páridos.

alipata. m. Árbol de las islas Filipinas, de la familia de las euforbiáceas, de hojas alternas, flores unisexuales en espiga y madera aromática que contiene un jugo acre.

alípede. (Del lat. *alĭpes, -ĕdis.*) adj. poét. Que lleva alas en los pies. Ú. t. c. s., aludiendo a Mercurio. ‖ **2.** *Zool.* Alípedo, quiróptero. Ú. t. c. s.

alípedo, da. (Del m. or. que *alípede.*) adj. **alípede,** que lleva alas en los pies. ‖ **2.** *Zool.* **quiróptero.** Ú. t. c. s.

alipegarse. prnl. *Amér.* Juntarse una o varias personas de manera inoportuna o sin ser invitadas.

aliquebrado, da. p. p. de **aliquebrar.** ‖ **2.** adj. fig. y fam. **alicaído,** débil. ‖ **3.** fig. y fam. **alicaído,** triste. ‖ **4.** fig. y fam. **alicaído,** que ha decaído en poder, riquezas, etc.

aliquebrar. tr. Quebrar las alas. Ú. t. c. prnl.

alirón. m. *Ar.* **alón**[1].

alirrojo, ja. adj. De alas rojas. *Tordo* ALIRROJO. ‖ **2.** V. **zorzal alirrojo.**

alisador, ra. adj. Que alisa. Ú. t. c. s. ‖ **2.** Se dice de cualquier instrumento que sirve para alisar o quitar asperezas. Ú. m. c. s.

alisadura. f. desus. Acción y efecto de alisar o alisarse. ‖ **2.** pl. p. us. Partes menudas que quedan de la madera, piedra u otra cosa que se ha alisado.

alisal o **alisar**. m. Sitio poblado de alisos.
alisar. (De *liso*.) tr. Poner lisa alguna cosa. Ú. t. c. prnl. ‖ **2.** Arreglar el cabello pasando ligeramente el peine sobre él.
aliseda. f. **alisal.**
alisios. adj. pl. V. **vientos alisios.** Ú. t. c. s.
alisma. (Del gr. ἄλισμα, -ατος, a través del lat. *alisma, -ătis*.) f. Planta perenne de la familia de las alismatáceas, que crece en terrenos pantanosos, hasta unos 60 centímetros de altura, con hojas acorazonadas, ovales o lanceoladas; flores blanquecinas en panoja piramidal sobre un escapo desnudo, fruto seco y semilla sin albumen.
alismáceo, a. (De *alisma*.) adj. *Bot.* **alismatáceo.**
alismatáceo, a. (De *alisma*.) adj. *Bot.* Dícese de plantas angiospermas monocotiledóneas, acuáticas, comúnmente perennes, con rizoma feculento, hojas radicales, bohordo, flores solitarias o en umbela, racimo, verticilo o panoja, y frutos secos en aquenio o folículo, con semillas sin albumen; como la alisma y el junco florido. Ú. t. c. s. f. ‖ **2.** f. pl. *Bot.* Familia de estas plantas.
aliso[1]. (De or. inc.) m. Árbol de la familia de las betuláceas, de unos 10 m de altura, copa redonda, hojas alternas, trasovadas y algo viscosas, flores blancas en corimbos y frutos comprimidos, pequeños y rojizos. ‖ **2.** Madera de este árbol que se emplea en la construcción de instrumentos musicales y otros objetos. ‖ **negro. arraclán[1].**
aliso[2]. (Del gr. ἄλυσσον, a través del lat. **alyssum*.) m. **marrubio.**
alistado, da. p. p. de **alistar[1]**. ‖ **2.** adj. **listado,** que forma listas.
alistador[1]. m. El que **alista[1]**, o inscribe en lista.
alistador[2]. m. *C. Rica* y *Nicar.* Operario que prepara y cose las piezas del calzado.
alistamiento. m. Acción y efecto de alistar[1], o alistarse, inscribir a alguien en lista. ‖ **2.** Conjunto de mozos a quienes cada año obliga el servicio militar.
alistano, na. adj. Natural del Campo o Tierra de Aliste en la actual provincia de Zamora. Ú. t. c. s. ‖ **2.** Natural de Alcañices, villa de la provincia de Zamora. Ú. t. c. s. ‖ **3.** Perteneciente a aquella comarca o a esta villa.
alistar[1]. (De *lista*.) tr. Sentar o escribir en lista a alguno. Ú. t. c. prnl. ‖ **2.** prnl. Sentar plaza en la milicia.
alistar[2]. (De *a-*[1] y *listo*.) tr. Prevenir, aprontar, aparejar, disponer. ‖ **2. despabilar** a alguien, avivarle la listeza. ‖ **3.** Arreglar, vestir, ataviar. Ú. t. c. prnl. ‖ **4.** *C. Rica* y *Nicar.* Preparar y coser las piezas del calzado. ‖ **5.** intr. **despabilar** alguien, avivar su listeza.
alitán. m. Escualo que puede alcanzar más de un metro, con cuerpo recubierto de manchitas lenticulares.
aliteración. (Del lat. *ad*, a, y *littĕra*, letra.) f. *Ret.* Repetición notoria del mismo o de los mismos fonemas, sobre todo consonánticos, en una frase. ‖ **2.** *Ret.* Figura que, mediante la repetición de fonemas, sobre todo consonánticos, contribuye a la estructura o expresividad del verso.
aliterado, da. adj. Que tiene aliteración.
alitierno. m. **aladierna.**
alitranco. m. *C. Rica* y *Hond.* Hebilla que en la parte trasera tienen los pantalones y chalecos para ajustarlos a la cintura.
aliviadero. (De *aliviar*.) m. Vertedero de aguas sobrantes embalsadas o canalizadas.
aliviador, ra. adj. Que alivia. Ú. t. c. s. ‖ **2.** m. Palanca que en los molinos harineros sirve para levantar o bajar la piedra, de modo que la harina pueda salir más o menos fina. ‖ **3.** *Germ.* Ladrón que recibe y se lleva, para ponerlo en cobro, el hurto que otro hace.
aliviamiento. m. ant. Acción y efecto de aliviar.
alivianar. (De *a-*[1] y *liviano*.) tr. desus. **aliviar.** Ú. en América.
aliviar. (Del lat. *alleviāre*.) tr. Aligerar, hacer menos pesado. ‖ **2.** Quitar a una persona o cosa parte del peso que sobre ella carga. Ú. t. c. prnl. ‖ **3.** Dejar que un líquido salga por el aliviadero de un recipiente, para evitar que sobrepase un determinado nivel de este. ‖ **4.** fig. Disminuir o mitigar las enfermedades, las fatigas del cuerpo o las aflicciones del ánimo. ‖ **5.** fig. Descargar de superfluidades el cuerpo o sus órganos. Ú. t. c. prnl. ‖ **6.** fig. Acelerar el paso, aligerar o abreviar alguna actividad. Ú. m. c. intr. ‖ **7.** p. us. Por ext., **soliviar.** ‖ **8.** prnl. *Taurom.* Disminuir el riesgo de las suertes, especialmente al estoquear, no estrechándose con el toro, o aprovechando sus querencias para el remate del lance.
alivio. (De *aliviar*.) m. Acción y efecto de aliviar o aliviarse. ‖ **2.** Atenuación de las señales externas de duelo una vez transcurrido el tiempo de luto riguroso. *Vestir de* ALIVIO ‖ **de alivio.** loc. adv. fam. con que se expresa ponderación o exageración. *Agarró un catarro* DE ALIVIO. ‖ **irse de alivio.** fr. fig. y fam. *Chile.* Ejecutar una acción, aprovechando ayuda ajena.
alivioso, sa. adj. desus. Que da o procura alivio.
alizace. (Del ár. *al-'isas*, los cimientos.) m. ant. Zanja, y en especial la que se abre para poner en ella los cimientos de un edificio.
alizar. (Del ár. *al-'izār*, el velo, el paño.) m. Cinta o friso de azulejos de diferentes labores en la parte inferior de las paredes de los aposentos. ‖ **2.** Cada uno de estos azulejos.
alizarina. f. Materia colorante que se extrae de la raíz de rubia.
aljaba. (Del ár. *al-ŷa'ba*, el carcaj.) f. Caja portátil para flechas, ancha y abierta por arriba, estrecha por abajo y pendiente de una cuerda o correa con que se colgaba del hombro izquierdo a la cadera derecha.
aljabibe. (Del ár. *al-ŷabbāb* [con imela *al-ŷubbīb*], el vendedor de chupas.) m. desus. **ropavejero.**
aljafana. (Del m. or. que *aljébana*.) f. desus. **aljofaina.**
aljama[1]. (Del ár. *al-ŷamā'a*, la congregación.) f. Junta de moros o judíos. ‖ **2. sinagoga,** templo judío. ‖ **3.** Morería o judería.
aljama[2]. (Del ár. *al-ŷāmi'*, la mezquita con sermón los viernes.) f. **mezquita.**
aljamel. m. *And.* **alhamel.**
aljamía. (Del ár. *al-'aŷamiyya*, la [lengua] extranjera, no árabe.) f. Nombre que daban los moros a las lenguas de los cristianos peninsulares. ‖ **2.** Textos moriscos en romance, pero transcritos con caracteres árabes. ‖ **3.** Por ext., texto judeo-español transcrito con caracteres hebreos.
aljamiado, da. adj. Que hablaba la aljamía. ‖ **2.** Escrito en aljamía.
aljarafe. m. **ajarafe.**
aljaraz. (Del ár. *al-ŷaras*, la campana.) m. p. us. Campanilla o esquila.
aljarfa. (Del ár. *al-ŷarfa*, la barredera.) f. Parte central y más tupida del aljerife.
aljarfe. m. **aljarfa.**
aljébana. (Del ár. *al-ŷafna*, la escudilla.) f. **jofaina.**
aljébena. f. *Murc.* **aljébana.**
aljecería. (De *aljecero*.) f. **yesería.**
aljecero. (De *aljez*.) m. **yesero,** que fabrica o vende yeso.
aljemifao. m. ant. **mercero.**
aljerife. (Del ár. *al-ŷārif*, el barredor, el que rastrilla.) m. Red muy grande usada para pescar en las riberas de los ríos.
aljerifero. m. Pescador de aljerife.
aljez. (Del mozár. *al jez*, del lat. *gypsum*, yeso.) m. Mineral de yeso.
aljezar. (De *aljez*.) m. **yesar.**
aljezón. (De *aljez*.) m. **yesón.**
aljibe. (Del ár. *al-yubb*, el pozo.) m. **cisterna,** depósito subterráneo de agua. ‖ **2.** desus. Cárcel subterránea. ‖ **3.** En aposición a *camión, buque, vagón,* depósito destinado al

transporte de un líquido. ‖ **4.** *Col.* Pozo, manantial. ‖ **5.** *Arq.* V. **bóveda de aljibe.** ‖ **6.** *Mar.* Embarcación o buque acondicionados para el transporte de agua dulce. ‖ **7.** *Mar.* Cada una de las cajas de chapa de hierro en que se tiene el agua a bordo.

aljibero. m. El que cuida de los aljibes.

aljofaina. (Del ár. *al-ŷufaina*, la escudillita.) f. **jofaina.**

aljófar. (Del ár. *al-ŷawhar*, la perla.) m. Perla de figura irregular y, comúnmente, pequeña. ‖ **2.** Conjunto de perlas de esta clase. ‖ **3.** fig. Cosa parecida al **aljófar,** como las gotas de rocío.

aljofarar. tr. Cubrir o adornar con aljófar alguna cosa. ‖ **2.** fig. y poét. Hacer que una cosa parezca formada de aljófar o cubrirla o adornarla con algo que lo imite.

aljofifa. (Del ár. *al-ŷaffāfa*, la que enjuga, [con imela].) f. Pedazo de paño basto de lana para fregar el suelo.

aljofifar. tr. Fregar con aljofifa.

aljonje. m. **ajonje.**

aljonjera. f. **ajonjera.**

aljonjero. adj. V. **cardo aljonjero.** ‖ **2.** m. **ajonjero.**

aljonjolí. m. **ajonjolí,** planta herbácea. ‖ **2.** Simiente de esta planta.

aljor. (Del ár. *alḥŷur*, piedras.) m. **aljez.**

aljorca. f. desus. **ajorca.**

aljuba. (Del ár. *al-ŷubba*, la túnica.) f. Vestidura morisca, usada también por los cristianos, consistente en un cuerpo ceñido en la cintura, abotonado, con mangas y falda que solía llegar hasta las rodillas.

aljuma. (Del ár. *al-ŷumma*, el mechón, la mata.) f. *And.* Pimpollo o tallo nuevo de las plantas. ‖ **2.** *Albac., And.* y *Murc.* **pinocha**[1].

alkermes. m. **alquermes.**

alma[1]**.** (Del lat. *anĭma.*) f. Sustancia espiritual e inmortal, capaz de entender, querer y sentir, que informa al cuerpo humano y con él constituye la esencia del hombre. ‖ **2.** V. **altar de alma.** ‖ **3.** V. **recomendación del alma.** ‖ **4.** V. **cura, padre de almas.** ‖ **5.** Por ext., principio sensitivo que da vida e instinto a los animales, y vegetativo que nutre y acrecienta las plantas. ‖ **6. vida** humana. Ú. m. en frs. figuradas. *Arrancarle a uno el* ALMA. ‖ **7.** fig. Persona, individuo, habitante. Ú. m. en pl. *Una población de veinte mil* ALMAS. Ú. t. en sing. en frs. negativas. *No se ve un* ALMA *en la calle* ‖ **8.** fig. Sustancia o parte principal de cualquier cosa. ‖ **9.** V. **pedazo del alma.** ‖ **10.** fig. Viveza, espíritu, energía. *Hablar, representar con* ALMA. ‖ **11.** V. **cuerpo sin alma.** ‖ **12.** fig. Lo que da espíritu, aliento y fuerza a alguna cosa, o la persona que la impulsa o inspira. *El amor a la patria es el* ALMA *de los Estados; fulano fue el* ALMA *del movimiento.* ‖ **13.** fig. Lo que se mete en el hueco de algunas piezas de poca consistencia para darles fuerza y solidez, como el palo que se mete en hacheros de metal, varas de palio, etc. ‖ **14.** fig. Hueco o parte vana de algunas cosas, y especialmente, ánima del cañón. ‖ **15.** **ánima** del purgatorio. ‖ **16.** fig. Pieza de hierro forjado que forma el recazo y espiga de la espada y en la parte correspondiente a la hoja va envuelta por las dos tejas de acero. ‖ **17.** fig. En los instrumentos de cuerda que tienen puente, como violín, contrabajo, etc., palo que se pone entre sus dos tapas para que se mantengan a igual distancia. ‖ **18.** *Arq.* Madero que, asentado y fijo verticalmente, sirve para sostener los otros maderos o los tablones de los andamios. ‖ **de caballo.** fig. y fam. Persona que sin escrúpulo alguno comete maldades. ‖ **de Caín.** fig. Persona aviesa o cruel. ‖ **de cántaro.** fig. y fam. Persona sumamente ingenua, pasmada o insensible. ‖ **de Dios.** fig. Persona muy bondadosa y sencilla. ‖ **de Judas.** fig. **alma de Caín.** ‖ **del negocio.** fig. Objeto verdadero de él, su móvil verdadero, secreto o principal. ‖ **en pena.** La que padece en el purgatorio ‖ **2.** Por ext., **alma** errante, sin reposo definitivo. ‖ **3.** fig. Persona que anda sola, triste y melancólica. ‖ **nacida.** expr. ponderativa que se usa con negación para significar que se excluyen o incluyen todos en la materia de que se habla, sin excepción de persona alguna. ‖ **perdida.** Ave del Perú, que vive en lugares solitarios de las montañas y cuyo canto, semejante a chillidos lastimeros, se oye de noche y al amanecer. ‖ **viviente.** expr. **alma nacida.** ‖ **abrir** uno su **alma** a otro. fr. fig. y fam. **abrir** uno a otro su **corazón.** ‖ **agradecer con,** o **en, el alma** alguna cosa. fr. fig. y fam. Agradecerla vivamente. ‖ **¡alma mía!** expr. de cariño. ‖ **arrancarle** a alguien **el alma.** fr. Quitarle la vida. ‖ **arrancársele** a alguien **el alma.** fr. fig. Sentir gran dolor o conmiseración por algún suceso lastimoso. ‖ **caérsele** a alguien **el alma a los pies.** fr. fig. y fam. Abatirse, desanimarse por no corresponder la realidad a lo que esperaba o creía. ‖ **clavársele** a alguien una cosa **en el alma.** fr. fig. Sentirla mucho, quedar fuertemente afectado u ofendido por ella. ‖ **como alma que lleva el diablo.** expr. fam. Con extraordinaria ligereza o velocidad y grande agitación o perturbación del ánimo. Empléase con los verbos *ir, salir,* etc. ‖ **con el alma,** o **con toda el alma,** o **con mil almas.** frs. figs. y fams. **con el alma y con la vida.** ‖ **con el alma y con la vida,** o **y la vida.** expr. Con mucho gusto, de muy buena gana. ‖ **dar el alma,** o **dar el alma a Dios.** fr. Expirar, morir. ‖ **dar** alguien **el alma al diablo.** fr. fig. y fam. Atropellar por todo para hacer su gusto. ‖ **darle,** o **decirle,** a alguien **el alma** alguna cosa. fr. fig. **darle el corazón** una cosa. ‖ **despedir el alma.** fr. fig. **dar el alma.** ‖ **echar el alma.** fr. fig. **echar los bofes.** ‖ **echar,** o **echarse, el alma atrás,** o **a las espaldas.** fr. fig. y fam. Proceder sin atenerse a los dictados de la conciencia o prescindiendo de todo respeto. ‖ **encomendar el alma.** fr. **recomendar el alma.** ‖ **2.** Confiar el **alma** a Dios el que se siente próximo a morir. ‖ **en el alma.** loc. fig. Entrañablemente. Ú. m. con los verbos *sentir, doler, alegrarse,* etc. ‖ **entregar el alma,** o **entregar el alma a Dios.** fr. **dar el alma.** ‖ **estar** uno **como el alma de Garibay.** fr. fig. y fam. No hacer ni deshacer ni tomar partido en alguna cosa. ‖ **estar con el alma en la boca** o **entre los dientes.** fr. fig. y fam. Estar para morir. ‖ **2.** fig. y fam. Padecer tan gran temor que parece que está en riesgo de morir. ‖ **estar con el alma en un hilo.** fr. fig. y fam. Estar agitado por el temor de un grave riesgo o trabajo. ‖ **exhalar el alma.** fr. **dar el alma.** ‖ **hablar** uno **al alma** a otro. fr. fig. y fam. Hablarle con gran interés, procurando persuadirlo, conmoviéndolo. ‖ **2.** Hablarle con claridad y verdad, sin contemplación ni lisonja. ‖ **írsele el alma** a alguien **por,** o **tras,** alguna cosa. fr. fig. y fam. Apetecerla con ansia. ‖ **llegarle** a uno **al alma** alguna cosa. fr. fig. Sentirla vivamente. ‖ **llevar** a alguien **en el alma.** fr. fig. y fam. Quererlo entrañablemente. ‖ **llevar** alguna cosa **tras sí el alma** a alguien. fr. fig. Moverle y atraerle con mucha fuerza. ‖ **manchar el alma.** fr. fig. Afearla con el pecado. ‖ **¡mi alma!** expr. **¡alma mía!** ‖ **no tener alma.** fr. fig. No tener compasión ni caridad. ‖ **2.** fig. No tener conciencia. ‖ **3.** fig. Ser indiferente a cuanto puede mover el ánimo. ‖ **partir** una cosa **el alma.** fr. fig. Causar gran aflicción o lástima ‖ **paseársele** a alguien **el alma por el cuerpo.** fr. fig. y fam. Ser muy calmoso e indolente. ‖ **perder el alma.** fr. fig. y fam. **condenarse,** incurrir en la pena eterna. ‖ **pesarle** a alguien **en el alma** alguna cosa. fr. Arrepentirse o dolerse vivamente de ella. ‖ **quedar como el alma de Garibay.** fr. fig. y fam. **estar como el alma de Garibay.** ‖ **recomendar el alma.** fr. Decir las preces que la Iglesia tiene dispuestas para los que están en la agonía. ‖ **rendir el alma,** o **rendir el alma a Dios.** fr. **dar el alma.** ‖ **romperle** a alguien **el alma.** fr. fig. y fam. **romperle la crisma.** ‖ **sacar** uno **el alma** a otro. fr. fig. y fam. Matarle o hacerle mucho mal. Dícese ordinariamente amenazando. ‖ **2.** fig. y fam. Hacerle gastar cuanto tiene. ‖ **sacar** a alguien **el alma de pecado.** fr. fig. y fam. Hacer con arte que diga o conceda lo que no quería. ‖ **salírsele** a alguien **el alma.** fr. **dar el alma.** ‖ **tener el alma bien puesta.** fr. fig. y fam. Tener ánimo y resolución. ‖ **tener el alma en,** o **entre, los dientes.** fr. fig. y fam. **estar con el alma entre los dientes.** ‖ **tener el alma en un hilo.** fr. fig. y fam. **estar con el alma en un hilo.** ‖ **tener el alma parada.** fr. fig. y fam. No discurrir ni usar las potencias como se debiera. ‖ **tener** uno **en el alma,** o **sobre el alma,** a otro. fr. fig. y fam. Tenerle presente en sus desgracias, sintiéndolas y deseando remediarlas. ‖ **tener más almas que un gato; tener siete almas como gato;** o **como un gato.** fr. fig. y fam. **tener siete vidas como los gatos.** ‖ **tener** alguien su **alma en** su **almario, en** su **cuerpo,** o **en** sus **carnes.** fr. fig. y fam. Tener facultad y aptitud para hacer alguna cosa. ‖ **2.** fig. y fam. **tener el alma bien puesta.** ‖ **tocarle** a alguien **en el alma.** fr. fig. **tocarle en el corazón.** ‖ **tocarle** a alguien **en el alma** alguna cosa. fr. fig. **llegarle al alma.** ‖ **traer el alma en la boca,** o **en las manos.** fr. fig. y fam. Estar padeciendo algún mal o trabajo y muy grande. ‖ **volverle** a alguien **el alma al cuerpo.** fr. fig. y fam. Librarle de algún grave cuidado o temor.

alma[2]. (Del hebr. *'almá.*) f. p. us. Virgen, doncella.

almacabra. (Del ár. *al-maqābir,* los cementerios.) m. Antiguo cementerio de moros.

almacén. (Del ár. *al-majzan,* el depósito.) m. Edificio o local donde se depositan géneros de cualquier especie, generalmente mercancías. ‖ **2.** Local donde los géneros en él existentes se venden, por lo común, al por mayor. ‖ **3.** *Amér.* Tienda donde se venden artículos domésticos de primera necesidad. ‖ **4.** *Impr.* Cada una de las cajas que contiene un juego de matrices de un mismo tipo con que trabaja una linotipia. ‖ **5.** desus. Conjunto de municiones y pertrechos de guerra. ‖ **6.** pl. Establecimiento comercial donde se venden géneros al por menor. ‖ **de agua.** *Mar.* Aljibe que se instalaba generalmente en la cubierta principal del buque para servicio inmediato de la marinería. Antes se utilizaba por medio de vasos o grifos, y hoy mediante unos tubos que penetran casi hasta el fondo del agua y terminan, al exterior, en unos pezones o chupadores de plata, por los que se hace la succión. ‖ **grandes almacenes.** Gran establecimiento dividido en departamentos, donde se venden productos de todo género. ‖ **gastar almacén,** o **mucho almacén.** fr. fig. y fam. p. us. Gastar muchas palabras y usar grandes ponderaciones para explicar alguna cosa de poca entidad.

almacenaje. m. **almacenamiento.** ‖ **2.** Derecho que se paga por guardar las cosas en un almacén o depósito.

almacenamiento. m. Acción y efecto de almacenar.

almacenar. tr. Poner o guardar en almacén. ‖ **2.** Reunir o guardar muchas cosas. ‖ **3.** Introducir información en la memoria de un ordenador.

almacenero, ra. m. y f. **almacenista.** ‖ **2.** Persona que se ocupa de atender los servicios de un almacén. ‖ **3.** m. *Argent., Par.* y *Urug.* Persona que atiende un almacén.

almacenista. com. Dueño de un almacén. ‖ **2.** Persona que despacha los géneros que en él se venden.

almaceno, na. (De *amaceno.*) adj. Se dice del ciruelo o ciruela damascenos.

almacería[1]. (Del ár. *al-maṣriyya,* sobrado o desván.) f. Cámara alta de una casa con acceso independiente.

almacería[2]. f. Tapia de una huerta o casa de campo.

almáciga[1]. (Del gr. μαστίχη, a través del ár. *al-maṣṭikā.*) f. Resina clara, translúcida, amarillenta y algo aromática que se extrae de una variedad de lentisco. ‖ **2.** V. **barniz de almáciga.**

almáciga[2]. (Del ár. *al-maskaba,* el terreno regado.) f. Lugar donde se siembran y crían los vegetales que luego han de trasplantarse.

almacigado, da. p. p. de **almacigar.** ‖ **2.** adj. De color amarillo o de almáciga. ‖ **3.** *Amér.* Dícese del ganado de color cobrizo. ‖ **4.** *Perú.* Trigueño. Dícese especialmente del color de la piel.

almacigar. tr. Sahumar o perfumar con almáciga[1].

almácigo[1]. (De *almáciga[1].*) m. **lentisco.** ‖ **2.** Árbol de la isla de Cuba, de la familia de las burseráceas, que llega hasta ocho metros de altura: tiene el tallo cubierto de una telilla fina y transparente que le da un brillo cobrizo; su fruto sirve de alimento a los cerdos; sus hojas, de pasto a las cabras, y su resina se emplea para curar los resfriados, y también como remedio vulnerario y diaforético.

almácigo[2]. m. **almáciga[2].**

almaciguero, ra. adj. Perteneciente o relativo a la almáciga[2].

almádana. f. **almádena.**

almadaneta. f. d. de **almádana.**

almadearse. prnl. p. us. **almadiarse.**

almadén. (Del ár. *al-ma'din,* la mina.) m. desus. Mina o minero de algún metal.

almádena. (Del ár. *al-mi'dana,* el instrumento para piedras.) f. Mazo de hierro con mango largo, para romper piedras.

almadía. (Del ár. *al-ma'diya,* la barca en que pasan hombres o animales.) f. **canoa,** embarcación de remo. ‖ **2. armadía,** conjunto de maderos unidos para poder conducirlos flotando.

almadiar. (De *almadía.*) intr. Sentir mareo. Ú. m. c. prnl.

almadiero. m. El que conduce o dirige la almadía.

almádina. f. **almádena.**

almadraba. (Del ár. *al-maḍraba,* el golpeadero.) f. Pesca de atunes. ‖ **2.** Lugar donde se hace esta pesca y donde posteriormente se prepara el pescado. ‖ **3.** Red o cerco de redes con que se pescan atunes. ‖ **4.** desus. **tejar.** ‖ **5.** Tiempo en que se pesca el atún. Usáb. t. en pl. ‖ **de buche.** Pesca que se hace con atajadizos, por donde los atunes entran en un cerco de redes del cual no pueden salir. ‖ **de monteleva.** La que se hace al paso de los atunes. ‖ **de tiro,** o **de vista.** La que se hace de día y con redes a mano donde hay muchas corrientes.

almadrabero, ra. adj. Perteneciente o relativo a la almadraba de atunes. ‖ **2.** m. El que se ocupa en el ejercicio de la almadraba de atunes. ‖ **3.** p. us. **tejero.**

almadraque. (Del ár. *al-maṭraḥ,* el lecho, el colchón.) m. ant. Cojín, almohada o colchón.

almadraqueja. f. d. ant. de **almadraque.** ‖ **2.** *And.* **colchoneta,** colchón delgado.

almadreña. (Del art. ár. *al* y *madreña.*) f. **zueco[1]** de madera.

almadreñero. m. El que tiene por oficio hacer o vender almadreñas.

almagacén. (Del ár. *al-majzan,* el depósito, la recámara.) m. desus. **almacén.**

almágana. f. *Hond.* **almádana** o **almádena.**

almaganeta. f. **almadaneta.**

almagra. (Del ár. *al-magra,* la tierra roja.) f. **almagre,** óxido de hierro.

almagradura. f. Acción y efecto de almagrar.

almagral. m. Terreno en que abunda el almagre u óxido de hierro.

almagrar. tr. Teñir de almagre. ‖ **2.** fig. desus. Notar, señalar con alguna marca; infamar. ‖ **3.** desus. Entre rufianes y valentones, herir o lastimar de suerte que corra sangre.

almagre. (De *almagra.*) m. Óxido rojo de hierro, más o menos arcilloso, abundante en la naturaleza, y que suele emplearse en la pintura. ‖ **2.** fig. desus. Marca, señal. ‖ **3.** adj. Que tiene el color o el tono de **almagre.** Ú. t. c. s.

almagreño, ña. adj. Natural de Almagro. Ú. t. c. s. ‖ **2.** Perteneciente a esta ciudad de la provincia de Ciudad Real.

almagrero, ra. adj. Dícese del terreno en que abunda el almagre u óxido de hierro.

almahala. (Del ár. *al-maḥalla*, el real, el campamento.) f. ant. **almofalla**[2].

almaizal. m. **almaizar.** ‖ **2.** *Col., Ecuad.* y *Méj.* **humeral** usado por el sacerdote al trasladar o exponer la custodia o copón eucarísticos.

almaizar. (Del ár. *al-mi'zār*, el velo.) m. Toca de gasa usada por los moros.

almaizo. m. **almez.**

almaja. (Del ár. *al-maŷbā*, el tributo, la renta.) f. Derecho que se pagaba en Murcia por algunos frutos cogidos en secano.

almajal. m. **almajar**[2].

almajaneque. (Del ár. *al-manŷanīq*, la máquina de guerra.) m. **maganel.**

almajar[1]**.** (Del ár. *al-mi'ŷar*, el velo femenino.) m. ant. Manto de seda.

almajar[2]**.** m. **almarjal**[1].

almajara. (Del ár. *al-mašŷara*, el plantío de árboles.) f. Terreno abonado con estiércol reciente para que germinen prontamente las semillas.

almaje. (Del lat. *animalĭa*.) m. *Ál.* **dula,** conjunto de cabezas de ganado.

almajo. m. **almarjo.**

almalafa. (Del ár. *al-milḥafa*, el manto, la cobertura.) f. Vestidura moruna que cubría el cuerpo desde los hombros hasta los pies.

alma máter. (Lit. *alma mater*, madre nutricia.) f. expr. lat. con que en lenguaje literario se designa la Universidad.

almanac. m. ant. **almanaque.**

almanaca. (Del gr. μανιάκης, collar, brazalete, con el art. ár. *al*.) f. ant. Especie de collar.

almanaque. (Del ár. *al-manāj*, y este del lat. *manăchus*, círculo de los meses.) m. Registro o catálogo que comprende todos los días del año, distribuidos por meses, con datos astronómicos, y noticias relativas a celebraciones y festividades religiosas y civiles. ‖ **2.** Publicación anual que recoge datos, noticias o escritos de diverso carácter. ALMANAQUE *de teatros, político, gastronómico.* ‖ **hacer almanaques.** fr. fig. y fam. **hacer calendarios.**

almanaquero, ra. m. y f. Persona que hace o vende almanaques.

almancebe. (Del ár. *al-manṣab*, el lugar donde se echan las redes.) m. Especie de red que se usaba en el Guadalquivir.

almandina. (De *alabandina*.) f. **granate almandino.**

almandino. adj. V. **granate almandino.**

almanta. (De *a manta*, v. *manta*[2].) f. **entreliño.** ‖ **2.** Porción de tierra que se señala con dos surcos grandes para dirigir la siembra. ‖ **poner a almanta.** loc. Poner plantas abundantes y sin orden.

almarada. (Del ár. *al-mijrāza*, el punzón.) f. Puñal agudo de tres aristas y sin corte. ‖ **2.** Aguja grande para coser alpargatas. ‖ **3.** Barreta cilíndrica de hierro, con un mango, usada en los hornos de fundición de azufre para desobstruir el conducto por donde pasa el azufre líquido desde el crisol al recipiente.

almarbatar. (De *almarbate*.) tr. Ensamblar dos piezas de madera.

almarbate. (Del ár. *al-mirbaṭ*, el tirante.) m. Madero cuadrado del alfarje, que une los pares o alfardas.

almarcha. (Del ár. *al-marŷ*, el prado.) f. Población situada en vega o tierra baja.

almario. m. **armario.**

almarjal[1]**.** m. desus. Terreno poblado de almarjos.

almarjal[2]**.** m. **marjal**[1].

almarjo. (Del ár. *al-marŷa*, el prado inundado donde crece la barrilla.) m. Cualquiera de la plantas que dan barrilla. ‖ **2.** **barrilla,** cenizas de esta planta.

almaro. (De *amaro*, con infl. del art. ár. *al-*.) m. **maro.**

almarrá. (Del ár. *al-miḥlāŷ*.) m. Cilindro delgado de hierro, que gira entre dos arrequifes sujetos a las extremidades de un palo, y sirve para alijar el algodón oprimiéndolo contra una tabla.

almarraja o **almarraza.** (Del ár. *al-mirašša*, la vasija de vidrio para regar.) f. Vasija de vidrio, semejante a la garrafa, agujereada por el vientre, y que servía para rociar o regar.

almártaga[1]**.** (Del ár. *al-marta'a*, el atadero.) f. Especie de cabezada que se ponía a los caballos sobre el freno para tenerlos asidos cuando los jinetes se apeaban.

almártaga[2]**.** (Del ár. *al-martak*, el óxido de plomo.) f. *Quím.* **litargirio.**

almartigón. m. *Méj.* Almártaga tosca que sirve para atar las bestias al pesebre.

almástica. (Del ár. *al-masṭikā*, y este del gr. μαστίχη.) f. ant. **almáciga**[1], resina de lentisco.

almástiga. (De *almástica*.) f. **almáciga**[1].

almastigado, da. adj. Que tiene almástiga.

almática. (De *dalmática*.) f. desus. **dalmática.**

almatriche. (Del mozár. *almatriche*, del lat. *matrix, īcis*.) m. *Agr.* **reguera.**

almatroque. (Del ár. *[zarb] maṭrūḥ*, [red] lanzada.) m. Red parecida al sabogal, usada antiguamente por los pescadores del Guadalquivir.

almazara. (Del ár. *al-ma'ṣara*, el lugar de exprimir.) f. Molino de aceite.

almazarero. m. El que tiene a su cargo una almazara.

almazarrón. (aum. del ár. *al-miṣr*, la tierra roja.) m. **almagre,** óxido.

almea[1]**.** (Del ár. *al-may'a*, el estoraque.) f. **azúmbar,** planta alismatácea. ‖ **2.** **azúmbar,** bálsamo de estoraque. ‖ **3.** Corteza del estoraque, después que se le ha sacado toda la resina.

almea[2]**.** (Del ár. *'ālima*, cantora, danzarina.) f. Mujer que entre los orientales improvisa versos y canta y danza en público.

almecina. f. **almeza.**

almecino. m. *And.* **almez.**

almeja. (Relacionada con el port. *ameijoa*.) f. Molusco lamelibranquio marino, con valvas casi ovales, mates o poco lustrosas por fuera, con surcos concéntricos y estrías radiadas muy finas; en su interior son blanquecinas y algo nacaradas. Su carne es comestible y muy apreciada. ‖ **de río.** Molusco lamelibranquio de agua dulce; sus diversas especies abundan en varias partes del mundo y son bastante parecidas entre sí. Las valvas de sus conchas son gruesas y en su interior tienen una espesa capa de nácar.

almejar. m. Criadero de almejas.

almejí. m. **almejía.**

almejía. (Del ár. *al-maḥšiya*, la túnica.) f. Túnica o manto árabe, que usaban también los cristianos.

almena. (De *al-* y el lat. *minae*, almenas.) f. Cada uno de los prismas que coronan los muros de las antiguas fortalezas para resguardarse en ellas los defensores.

almenado, da. p. p. de **almenar.** ‖ **2.** adj. fig. Guarnecido o coronado de adornos o cosas de figura de almenas. ‖ **3.** Que tiene figura de almena. ‖ **4.** m. **almenaje.**

almenaje. m. Conjunto de almenas.

almenar[1]**.** (De *almenara*[1].) m. Pie de hierro rematado en arandela erizada de púas donde se clavaban teas que, encendidas, servían para alumbrarse en las cocinas de las aldeas.

almenar[2]**.** tr. Guarnecer o coronar de almenas un edificio.

almenara[1]**.** (Del ár. *al-manāra*, el lugar de la luz.) f. Fuego que se hacía en las atalayas o torres, no solo en la costa del mar, sino tierra adentro, para dar aviso de alguna cosa, como de acercarse embarcaciones o tropas enemigas. ‖ **2.**

Candelero sobre el cual se ponían candiles de muchas mechas para alumbrar todo el aposento. ‖ **3. almenar**[1].

almenara[2]. (Del ár. *al-minhara*, el canal.) f. *Ar*. Zanja por la cual se conduce al río el agua que sobra en las acequias.

almendra. (Del lat. *amyndăla*, por *amygdăla*.) f. Fruto del almendro: es una drupa oblonga, con pericarpio formado por un epicarpio membranoso, un mesocarpio coriáceo y un endocarpio leñoso, o hueso, que contiene la semilla, envuelta en una película de color canela. ‖ **2.** Este fruto, separado de las capas externa y media del pericarpio. ‖ **3.** Semilla de este fruto. ‖ **4.** Semilla de cualquier fruto drupáceo. ‖ **5.** fig. Pieza de cristal, metal o piedra preciosa en forma de **almendra,** y especialmente la de cristal tallado que se cuelga como adorno de lámparas, candelabros, etc. ‖ **6.** fig. y fest. Piedra o guijarro pequeños. ‖ **7.** *Murc*. Capullo de seda de un solo gusano y de la mejor calidad. ‖ **8.** *Arq*. Adorno de moldura en figura de **almendra.** ‖ **amarga.** La del almendro amargo, que es venenosa. ‖ **dulce.** La que es comestible, por contraposición a la amarga. ‖ **mollar.** La de cáscara fácil de quebrantar. ‖ **de la media almendra.** loc. adj. fam. p. us. **melindrosa.** *Dama* DE LA MEDIA ALMENDRA.

almendrada. f. Bebida compuesta de leche de almendras y azúcar. ‖ **dar una almendrada** a alguien. fr. fig. y fam. Decirle alguna cosa que le lisonjee.

almendrado, da. p. p. de **almendrar.** ‖ **2.** adj. De figura de almendra. ‖ **3.** m. Pasta hecha con almendras, harina y miel o azúcar.

almendral. m. Sitio poblado de almendros. ‖ **2. almendro.**

almendrar. tr. *Arq*. Adornar con almendras.

almendrate. m. Especie de guisado compuesto con almendras, que se hacía antiguamente.

almendrera. f. **almendro.** ‖ **florecer la almendrera.** fr. fig. y fam. desus. Encanecer prematuramente.

almendrero. m. **almendro.** ‖ **2.** Plato, escudilla o vaso en que se sirven las almendras en la mesa.

almendrilla. (d. de *almendra*.) f. Lima rematada en figura de almendra, que usan los cerrajeros. ‖ **2.** Grava usada en albañilería, y especialmente en la reparación del firme de las carreteras. ‖ **3.** ant. Especie de labor de aguja que imitaba almendras pequeñas. ‖ **4.** pl. ant. Pendientes con diamantes de figura de almendra, que usaban las mujeres.

almendro. m. Árbol de la familia de las rosáceas, de raíz profunda, tronco de siete a ocho metros de altura, madera dura, hojas oblongas y aserradas, flores blancas o rosadas, y cuyo fruto es la almendra. Florece muy temprano. Su corteza destila una goma parecida a la arábiga. ‖ **amargo.** El de almendra amarga.

almendrolón. m. *Mancha*. **almendruco.**

almendrón. (aum. de *almendro*.) m. Árbol de la familia de las mirtáceas, originario de Jamaica, de fruto pequeño, ácido y comestible, con olor a almendra amarga. ‖ **2.** Fruto de este árbol.

almendruco. m. Fruto del almendro, con el mesocarpio todavía verde; el endocarpio, blando, y la semilla a medio cuajarse.

almenilla. (d. de *almena*.) f. Adorno de figura de almena, en cenefas, guarniciones de trajes, etc.

almeriense. adj. Natural de Almería. Ú. t. c. s. ‖ **2.** Perteneciente o relativo a esta ciudad o a su provincia.

almete. (Del germ. *helm*, a través del ant. fr. *healmet*.) m. Pieza de la armadura antigua, que cubría la cabeza. ‖ **2.** V. **calva de almete.** ‖ **3.** Soldado que usaba **almete.**

almez. (Del ár. *al-mais*.) m. Árbol de la familia de las ulmáceas, de unos 12 a 14 metros de altura, tronco derecho de corteza lisa y parda, copa ancha, hojas lanceoladas y dentadas de color verde oscuro, flores solitarias, y cuyo fruto es la almeza. ‖ **2.** Madera de este árbol.

almeza. f. Fruto del almez. Es una drupa comestible redonda, como de un centímetro de diámetro, negra por fuera, amarilla por dentro y con el hueso también redondo.

almezo. m. **almez.**

almiar. (De *al-* y el lat. *metălis*; de *meta*, meda.) m. Pajar al descubierto, con un palo largo en el centro, alrededor del cual se va apretando la mies, la paja o el heno. ‖ **2.** Montón de paja o heno formado así para conservarlo todo el año.

almiarar. tr. Amontonar la paja para hacer el almiar.

almíbar. (Del ár. *al-maiba*, y este del persa *maybih*, el jarabe de membrillo con vino y azúcar.) m. Azúcar disuelto en agua y cocido al fuego hasta que toma consistencia de jarabe. Se ha usado también c. f. ‖ **2. dulce de almíbar.** ‖ **estar hecho un almíbar.** loc. fam. Mostrarse sumamente amable y complaciente.

almibarado, da. p. p. de **almibarar.** ‖ **2.** adj. fig. Excesivamente dulce o halagador, empalagoso.

almibarar. tr. Bañar o cubrir con almíbar. ‖ **2.** fig. Suavizar con arte y dulzura las palabras, normalmente para ganarse la voluntad de otro y conseguir de él lo que se desea.

almicantarat. (Del ár. *al-muqanṭarāt*.) m. Cada uno de los círculos paralelos al horizonte que se suponen descritos en la esfera celeste, para determinar la altura o la depresión de los astros. Usáb. t. c. f.

almidón. (De *al-* y el gr. ἄμυλον, lat. *amy̆lum*, bajo lat. *amidum*.) m. Fécula, especialmente la de las semillas de los cereales, que tiene usos alimenticios, terapéuticos e industriales, en especial para el apresto de la ropa blanca. ‖ **2.** *Bioquím*. Hidrato de carbono que constituye la principal reserva energética de casi todos los vegetales. ‖ **animal. glucógeno.**

almidonado, da. p. p. de **almidonar.** ‖ **2.** adj. Planchado con almidón. ‖ **3.** fig. y fam. Dícese de la persona compuesta o ataviada con excesiva pulcritud. ‖ **4.** m. Acción y efecto de almidonar.

almidonar. tr. Mojar la ropa blanca en almidón desleído en agua, o cocido, para ponerla blanca y tiesa.

almidonería. f. Fábrica de almidón.

almijar. (Del ár. *al-mišarr*, el escurridero.) m. Lugar soleado donde antiguamente se ponían a secar los higos, y hoy, en Andalucía, las uvas y las aceitunas.

almijara. (Quizá del ár. *al-māŷila*, la cisterna.) f. Depósito de aceite que había en las minas de Almadén cuando la Hacienda cuidaba de facilitar el alumbrado a los operarios.

almijarero. m. Encargado de la almijara.

almijarra. (Del ár. *al-maŷarra*.) f. Palo horizontal del que tira la caballería, en molinos, trapiches, norias, etc.

almilla. (Como el burgalés *armilla*, *ermilla*, jubón, justillo, del lat. **firmella*, sujetador, de *firmus*.) f. Especie de jubón, con mangas o sin ellas, ajustado al cuerpo. ‖ **2.** Jubón cerrado, escotado y con solo medias mangas, que no llegaban al codo; poníase debajo de la armadura. ‖ **3.** desus. Tira ancha de carne sacada del pecho de los puercos, después de muertos y colgados. ‖ **4.** ant. Palo que mantiene a igual distancia las tapas de algunos instrumentos músicos. ‖ **5.** *Carp*. **espiga** de los maderos para ensamblar. ‖ **6.** *Carp*. **espiga,** clavo de madera.

almimbar. (Del ár. *al-minbar*, el púlpito.) m. Púlpito de las mezquitas.

alminar. (Del ár. *al-manār*, el faro.) m. Torre de las mezquitas, por lo común elevada y poco gruesa, desde cuya altura convoca el almuédano a los mahometanos en las horas de oración.

almiquí. m. **aire**[2].

almiraj, almiraje o **almiral.** (Del ár. *amīr*, jefe, el que manda, a través del bajo lat. *amiratus* y sus descendientes fr. y prov. antiguos.) m. ant. **almirante.** Cf. **amirate.**

almiranta. f. Mujer del almirante. ‖ **2.** Nave que montaba el segundo jefe de una armada, escuadra o flota.

almirantazgo. m. Alto tribunal o consejo de la armada. ‖ **2.** Juzgado particular del almirante. ‖ **3.** Empleo o grado de almirante en todas sus categorías. ‖ **4.** Conjunto de los almirantes de una marina. ‖ **5.** Derecho que para los gastos de la Marina Real pagaban las embarcaciones mercantes que entraban en los puertos españoles. ‖ **6.** Término o terreno comprendido en la jurisdicción del almirante. ‖ **7.** Dignidad del almirante.

almirante. (Probablemente cruce de *almiral* y *amirate*.) m. El que en las cosas de mar tenía jurisdicción con mero mixto imperio y con mando absoluto sobre las armadas, navíos y galeras. ‖ **2.** El que mandaba la armada, escuadra o flota después del capitán general. ‖ **3.** El que desempeña en la armada el cargo que equivale al de teniente general en los ejércitos de tierra. ‖ **4.** desus. Caudillo, capitán, noble con autoridad o señorío. ‖ **5.** fig. Especie de adorno que usaban las mujeres en la cabeza. ‖ **6.** fig. *And.* Maestro de natación. ‖ **de Castilla.** El que ejercía efectivamente el almirantazgo hasta que el título pasó a ser honorífico y vinculado, como ocurrió también en Aragón. ‖ **de la mar,** o **almirante mayor de la mar. almirante,** superior.

almirantesa. f. ant. **almiranta,** mujer del almirante.

almirantía. f. desus. **almirantazgo,** dignidad de almirante.

almirez. (Del ár. *al-mihrās,* el instrumento para machacar.) m. Mortero de metal, pequeño y portátil, que sirve para machacar o moler en él alguna cosa.

almirón. (Del mozár. *amairón* o *amirón,* der. del lat. *amarus.*) m. *And.* **amargón**[1].

almizate. (Del. ár. *al-mīsā̧,* el centro.) m. Punto central del harneruelo en los techos de maderas labradas. ‖ **2. harneruelo.**

almizcate. m. *Cád.* Patio entre dos fincas urbanas, para el uso común de paso, luz y agua.

almizclado, da. p. p. de **almizclar.** ‖ **2.** adj. **almizcleño.**

almizclar. tr. Aderezar o aromatizar con almizcle.

almizcle. (De *almizque.*) m. Sustancia grasa, untuosa, de olor intenso que algunos mamíferos segregan en glándulas situadas en el prepucio, en el periné o cerca del ano; por ext., se llama **almizcle** a la sustancia grasa que segregan ciertas aves en la glándula debajo de la cola. Por su untuosidad y aroma el **almizcle** es materia base de ciertos preparados cosméticos y de perfumería. ‖ **2.** V. **cabra de almizcle.**

almizcleña. f. Planta perenne de la familia de las liliáceas, parecida al jacinto, pero más pequeña, y cuyas flores, de color azul claro, despiden olor de almizcle.

almizcleño, ña. adj. Que huele a almizcle. ‖ **2.** V. **pera almizcleña.**

almizclera. (De *almizcle.*) f. **desmán**[2].

almizclero, ra. adj. **almizcleño.** ‖ **2.** V. **ratón almizclero.** ‖ **3.** m. Mamífero artiodáctilo de la familia de los cérvidos, del tamaño de una cabra, desprovisto de cuernos y con una bolsa glandular en el vientre, que contiene almizcle. Vive en las montañas de Asia Central.

almizque. (Del ár. *al-misk.*) m. ant. **almizcle.**

almizqueño, ña. (De *almizque.*) adj. ant. **almizcleño.**

almizquera. (De *almizque.*) f. ant. **almizclera.**

almo, ma. (Del lat. *almus,* de *alĕre,* alimentar.) adj. poét. Criador, alimentador, vivificador. ALMA *Ceres.* ‖ **2.** poét. Excelente, benéfico, santo, digno de veneración.

almocadén. (Del ár. *al-muqaddam,* el prepósito, el jefe.) m. En la milicia antigua, caudillo o capitán de tropa de a pie. ‖ **2.** En Marruecos, autoridad subalterna que en la ciudad viene a ser como alcalde de barrio; en las tribus del campo tiene a su cargo una de las fracciones en que cada una de ellas se divide, y en el ejército es a modo de sargento.

almocafre. (Del ár. *al-muḥaffir,* el cavador.) m. Instrumento que sirve para escardar y limpiar la tierra de malas hierbas, y para trasplantar plantas pequeñas.

almocárabe o **almocarbe.** (Del ár. *al-muqarbaṣ.*) m. *Arq.* y *Carp.* **mocárabe.** Ú. m. en pl.

almocatracía. f. Derecho o impuesto que se pagaba antiguamente por los tejidos de lana fabricados y vendidos en el reino.

almoceda. (Quizá del ár. *al-musdà,* lo que se deja fluir o correr libremente.) f. *Nav.* Derecho de tomar agua por días para regar algún término.

almocela. (De m. or. que *almozala* o *almozalla.*) f. Saco de lona o de arpillera que, relleno de paja u hojas de maíz, sirve de colchón a los jornaleros del campo.

almocrebe. (De or. inc.; cf. ár. *al-mukārī,* el alquilador.) m. ant. Arriero de mulos.

almocrí. (Del ár. *al-muqri',* el lector.) m. Lector del Alcorán en las mezquitas

almodí. m. **almudí,** medida de seis cahíces.

almodón. (Del ár. *al madhūn,* lo falsificado.) m. Harina de trigo humedecido y después molido, de la cual, quitado solo el salvado grueso, se hacía pan.

almodovareño, ña. adj. Natural de Almodóvar del Campo. Ú. t. c. s. ‖ **2.** Perteneciente a esta ciudad de la provincia de Ciudad Real.

almodrote. (Quizá del lat. *morētum,* a través de formas mozárabes. Cf. cat. *almadroc.*) m. Salsa compuesta de aceite, ajos, queso y otras cosas, con la cual se sazonan las berenjenas. ‖ **2.** fig. y fam. p. us. Mezcla confusa de varias cosas o especies.

almofalla. (Del m. or. que *almahala.*) f. ant. Campamento o hueste acampada. ‖ **2.** ant. Hueste o gente de guerra.

almófar. (Del ár. *al-migfar.*) m. Parte de la armadura antigua, especie de cofia de malla, sobre la cual se ponía el capacete.

almofariz. (Del ár. *al-muharris,* el machacador.) m. desus. **almirez.**

almofía. (Del ár. *al-muṭfiya,* el vaso.) f. **jofaina.**

almoflate. m. Cuchilla redonda que usan los guarnicioneros.

almofre. m. ant. **almófar.**

almofrej. (Del ár. *al-mufriš,* la funda.) m. Funda en que se llevaba la cama de camino; era de jerga o vaqueta por fuera, y por dentro de anjeo u otro lienzo basto.

almofrez. m. *Amér.* **almofrej.**

almogama. (Del ár. *al-muqāma,* el ensamblaje, el lugar de asiento.) f. *Mar.* **redel.**

almogávar. (Del ár. *al-mugāwir,* el que hace algaras.) m. En la milicia antigua, soldado de una tropa escogida y muy diestra en la guerra, que se empleaba en hacer entradas y correrías en las tierras de los enemigos. ‖ **2.** Hombre del campo que, junto con otros y formando tropa, entraba a correr tierra de enemigos.

almogavarear. (De *almogávar.*) intr. Hacer correrías por tierras de enemigos.

almogavaría o **almogavería.** f. Tropa de almogávares. ‖ **2.** Ejercicio de los almogávares.

almohada. (Del ár. *al-mujadda,* el lugar en que se apoya la mejilla.) f. Colchoncillo que sirve para reclinar sobre él la cabeza en la cama. ‖ **2. almohadón,** colchoncillo para sentarse, arrodillarse, recostarse, etc. ‖ **3.** Funda de lienzo en que se mete la **almohada** de la cama. ‖ **4.** *Arq.* **almohadilla,** de un sillar. ‖ **5.** *Art.* Trozo prismático de madera, que sirve de apoyo a alguna parte de la pieza o del afuste, principalmente a la cuña de puntería. ‖ **aconsejarse, o consultar, con la almohada.** fr. fig. y fam. Meditar con el tiempo necesario algún negocio, a fin de proceder en él con acierto. ‖ **dar almohada.** fr. Dar la reina a una dama posesión de la grandeza de España, haciéndola sentar ante ella en una **almohada.** ‖ **tomar la almohada.** fr. Tomar una dama posesión de la grandeza de España.

almohadado, da. (De *almohada.*) adj. **almohadillado,** que tiene almohadillas.

almohadazo. m. Golpe dado con una almohada.

almohade. (Del ár. *al-muwaḥḥid,* el monoteísta, el unificador.) adj. Dícese del seguidor de Aben Tumart, jefe musulmán que en el s. XII fanatizó a las tribus occidentales de África y dio ocasión a que se fundase un nuevo imperio con ruina del de los almorávides. Ú. t. c. s. y m. en pl. ‖ **2.** Perteneciente o relativo a los **almohades.**

almohadilla. (d. de *almohada.*) f. Cojín pequeño sobre el cual cosían las mujeres, y que solía estar unido a la tapa de una cajita en que se guardan los avíos de coser. ‖ **2.** Cojincillo que hay en las guarniciones de las caballerías de tiro, y que se les pone sobre la cruz del lomo para no maltratarlas con ellas. ‖ **3.** Cojín pequeño que se coloca sobre los asientos duros, como los de las plazas de toros, campos de fútbol, etc., donde suele alquilarse. ‖ **4. acerico, almohadilla** para alfileres. ‖ **5.** *Chile.* **agarrador,** para la plancha. ‖ **6.** *Bol.* Cojincillo destinado a borrar lo escrito en las pizarras de las escuelas. ‖ **7.** *Anat.* Masa de tejido con fibras y grasa que se encuentra en las puntas de las falanges o en la planta del pie de algunos animales, como el perro, el gato y el elefante, y los protege de golpes y roces. ‖ **8.** *Arq.* Parte del sillar que sobresale de la obra, con las aristas achaflanadas o redondeadas. ‖ **9.** *Arq.* Parte lateral de la voluta del capitel jónico. ‖ **10.** *Veter.* Carnosidad que se les hace a las caballerías en los lados donde asienta la silla. ‖ **cantar a la almohadilla.** fr. fig. y fam. desus. que se dice de la mujer cuando canta sin instrumentos y solo para su distracción.

almohadillado, da. p. p. de **almohadillar.** ‖ **2.** adj. *Arq.* Que tiene almohadillas. Ú. t. c. s. m. ‖ **3.** m. *Mar.* Macizo de madera que se pone entre el casco de hierro y la coraza de los buques, con objeto de disminuir las vibraciones producidas por el choque de los proyectiles.

almohadillar. tr. *Arq.* Labrar los sillares de modo que tengan almohadilla. ‖ **2. acolchar**[1]**.**

almohadillazo. m. Golpe dado con una almohadilla, ordinariamente arrojándola.

almohadillero, ra. m. y f. Persona que hace o vende almohadillas. ‖ **2.** Persona que alquila almohadillas a los asistentes a ciertos espectáculos (toros, fútbol, etc.).

almohadón. (aum. de *almohada.*) m. Colchoncillo a manera de almohada que sirve para sentarse, recostarse o apoyar los pies en él. ‖ **2. almohada,** funda de tela para meter la almohada de la cama. ‖ **3.** *Arq.* **salmer.**

almoharrefa. (Del ár. *al-muḥarrifa,* la [hilera] orillada.) f. ant. **almorrefa.**

almoháter o **almohatre.** (De *al-* y el ár. *nušādir,* ár. vulg. *nušātar.*) m. **sal amoníaco.**

almohaza. (Del ár. *al-muḥassa,* el rastrillo.) f. Instrumento que se compone de una chapa de hierro con cuatro o cinco serrezuelas de dientes menudos y romos, y de un mango de madera o un asa; sirve para limpiar las caballerías.

almohazador. m. El que almohaza o tiene el ejercicio de almohazar.

almohazar. tr. Estregar a las caballerías con la almohaza para limpiarlas. ‖ **2.** Estregar o fregar de otro modo. ‖ **3.** fig. desus. Regalar, halagar los sentidos.

almojábana. (Del ár. *al-mnuŷabbana,* la [torta] de queso.) f. Torta de queso y harina. ‖ **2.** Especie de bollo, buñuelo o fruta de sartén, que se hace de masa con manteca, huevo y azúcar.

almojama. (Del ár. *al-mušamma',* la [carne] secada.) f. desus. **mojama.**

almojarifadgo o **almojarifalgo.** m. ant. **almojarifazgo.**

almojarifazgo. (De *almojarife.*) m. Derecho que se pagaba por los géneros o mercaderías que salían del reino, por los que se introducían en él, o por aquellos con que se comerciaba de un puerto a otro dentro de España. ‖ **2.** Oficio y jurisdicción del almojarife.

almojarife. (Del ár. *al-mušrif,* el inspector.) m. Oficial o ministro real que antiguamente cuidaba de recaudar las rentas y derechos del rey, y tenía en su poder el producto de ellos como tesorero. ‖ **2.** Oficial encargado antiguamente de cobrar el almojarifazgo.

almojáter o **almojatre.** m. **almoháter** o **almohatre.**

almojaya. (Del ár. *al-muŷā'iza,* la saliente.) f. Madero cuadrado y fuerte que, asegurado en la pared, sirve para sostener andamios y para otros usos.

almojerifazgo. m. **almojarifazgo.**

almojerife. m. **almojarife.**

almona. (Del ár. *al-mūna,* las provisiones de boca.) f. desus. Casa, fábrica o almacén público. ‖ **2.** *And.* Jabonería. ‖ **3.** *Cád.* Pesquería o sitio donde se pescan sábalos.

almóndiga. f. **albóndiga.**

almondiguilla. f. **albondiguilla.**

almoneda. (Del ár. *al-munādā,* el pregón.) f. Venta pública de bienes muebles con licitación y puja; por ext. se usa también tratándose de la venta de géneros que se anuncian a bajo precio. ‖ **2.** Local donde se realiza esta venta.

almonedar o **almonedear.** tr. Vender en almoneda.

almora. (Del art. ár. *al* y el vasc. *muru,* montón.) f. *Ál.* **majano.**

almorabú. m. *Ar.* **almoradux.**

almoraduj o **almoradux.** (Del ár. hispánico *al-murdadūš,* la mejorana.) m. **mejorana.** ‖ **2.** Entre jardineros, **sándalo,** hierba.

almorávide. (Del ár. *al-murābiṭ,* el profeso en una rábida.) adj. Se dice del individuo de una tribu guerrera del Atlas, que fundó un vasto imperio en el occidente de África y llegó dominar toda la España árabe desde 1093 a 1148. Ú. t. c. s. y m. en pl. ‖ **2.** Perteneciente a los **almorávides.**

almorejo. (De *amor.*) m. Planta de la familia de las gramíneas, que crece en los campos cultivados; tiene cañas de unos 40 centímetros, hojas con un nervio blanco longitudinal, vello en la entrada de la vaina y flores en espiga, algo separadas y cubiertas de pelos.

almorí. (Del ár. *al-mury,* y este del lat. *muria.*) m. Masa de harina, sal, miel y otras cosas, de la cual se hacen tortas que se cuecen en el horno.

almoronía. f. **alboronía.**

almorraja. f. **almarraja.**

almorrana. (Del b. lat. **haemorrheuma,* y este del gr. αἷμα, sangre, y ῥεῦμα, flujo.) f. **hemorroide.** Ú. m. en pl.

almorraniento, ta. adj. Que padece almorranas. Ú. t. c. s.

almorrefa. (De *almoharrefa.*) f. desus. **cinta,** hilera de baldosas.

almorriña. (De *al-* y *morriña.*) f. *Sto. Dom.* Desasosiego.

almorrón. m. *Sal.* y *Vallad.* **caballón,** lomo de tierra para diversos fines.

almorta. f. Planta anual de la familia de las papilionáceas, con tallo herbáceo y ramoso; hojas lanceoladas con pedúnculo y zarcillo; flores de color morado y blancas, y fruto en legumbre con cuatro simientes de forma de muela, por lo que también se denomina así la planta en algunas localidades, y en otras se llama **guija** o **tito.** Su ingestión produce, a veces, una parálisis grave de las piernas denominada **latirismo.** Florece por junio y es indígena de España. ‖ **2.** Semilla de esta planta.

almorzada[1]**.** (De *almorzar.*) f. *Col., Ecuad., Méj.* y *Nicar.* Almuerzo copioso y agradable.

almorzada[2]**.** (Cruce de *almozada* con *almorzar.*) f. **ambuesta.**

almorzado, da. p. p. de **almorzar.** ‖ **2.** adj. Que ha almorzado. *Vengo bien* ALMORZADO.

almorzar. (De *almuerzo.*) intr. Tomar el almuerzo. ‖ **2.** tr. Comer en el almuerzo una u otra cosa. ALMORZAR *chuletas.*

almosna. (De *alimosna.*) f. ant. **limosna.**

almosnar. (De *almosna.*) tr. ant. Dar limosna.

almosnero, ra. (De *almosna.*) adj. ant. **limosnero,** caritativo.

almotacén. (Del ár. *al-muḥtasib.*) m. Persona que se encargaba oficialmente de contrastar las pesas y medidas. ‖ **2.** Oficina donde se efectuaba esta operación. ‖ **3.** Antiguamente, mayordomo de la hacienda del rey. ‖ **4.** V. **fiel almotacén.** ‖ **5.** En Marruecos, funcionario encargado de la vigilancia de los mercados y de señalar cada día el precio de las mercancías.

almotacenadgo o **almotacenalgo.** m. ant. **almotacenazgo.**

almotacenazgo. m. Oficio de almotacén. ‖ **2.** Oficina del almotacén.

almotacenía. f. Derecho que se pagaba al almotacén. ‖ **2. almotacenazgo,** oficio. ‖ **3.** Lonja de contratación de pescado.

almotalafe. (Del ár. *al-mustaḥlaf,* jurado.) m. ant. Fiel de la seda.

almotazaf o **almotazán.** (Del ár. *al-muḥtasib.*) m. **almotacén.**

almotazanía. f. **almotacenía.**

almozada. (De *almueza.*) f. **ambuesta.**

almozala o **almozalla.** (Del ár. *al-muṣalla.*) f. ant. Cobertor de cama. ‖ **2.** ant. Tapiz o paño ornamental. ‖ **3.** En textos aljamiados y moriscos, tapiz o alfombrilla para la oración, y también el lugar donde se ora.

almozárabe. adj. desus. **mozárabe.** Apl. a pers., usáb. t. c. s.

almud. (Del ár. *al-mudd,* la medida para áridos.) m. Unidad de medida de áridos y a veces de líquidos, de valor variable según las épocas y las regiones. ‖ **de tierra.** *Mancha.* Espacio en que cabe media fanega de sembradura.

almudada. f. Espacio de tierra en que cabe un almud de sembradura.

almudejo. m. Cada una de las medidas que tenía en su poder el almudero. ‖ **2.** ant. Medida para granos menor que el almud.

almudero. (De *almud.*) m. El que tenía el cargo de guardar las medidas públicas de áridos.

almudí o **almudín.** (Del ár. *al-muddī,* lo perteneciente o relativo al almud.) m. **alhóndiga.** ‖ **2.** *Ar.* Medida de seis cahíces.

almuecín. (Del turco *muezzin,* a través del ár. marroquí mod., o quizá del fr.) m. **almuédano.**

almuédano. (Del ár. *al-mu'aḏḏin,* el que llama a la oración.) m. Musulmán que desde el alminar convoca en voz alta al pueblo para que acuda a la oración.

almuedén. m. p. us. **almuédano.**

almuercería. f. *Méj.* y *Perú.* Puesto o tienda del almuercero.

almuercero, ra. m. y f. *Méj.* y *Perú.* Persona que vende comidas en los mercados o en las calles.

almuérdago. m. **muérdago.**

almuertas. f. pl. *Ar.* Impuesto sobre los granos que se vendían en la alhóndiga.

almuerza. (Cruce de *ambuesta* con *almuerzo, almorzar.*) f. **ambuesta.**

almuerzo. (Del lat. **admordĭum,* de *admordēre,* morder ligeramente.) m. Comida que se toma por la mañana. ‖ **2.** Comida del mediodía o primeras horas de la tarde. ‖ **3.** Acción de almorzar. *El* ALMUERZO *duró dos horas.* ‖ **4.** *Bol.* Caldo o primer plato del **almuerzo** o comida principal.

almueza. f. **ambuesta.**

almuezada. (De *almueza.*) f. ant. **almorzada**[2].

almugávar. m. **almogávar.**

almuna. f. ant. **almona.**

almunia. (Del ár. *al-munya,* el huerto.) f. Huerto, granja.

almutacén. m. ant. **almotacén.**

almutazaf. m. ant. **almotazaf.**

almuzala o **almuzalla.** f. V. **almozala** o **almozalla.**

alna. (Del gót. *alīna,* codo.) f. **ana**[1].

alnado, da. (Del lat. *ante natus,* nacido antes.) m. y f. **hijastro.**

alnafe. m. ant. **anafe.**

alnedo. m. ant. Lugar poblado de alnos.

alno. (Del lat. *alnus.*) m. ant. **álamo negro.** ‖ **2.** p. us. **aliso**[1].

alo-. (Del gr. ἀλλο-.) Elemento compositivo que, unido a un segundo elemento, indica variación o variante de este último: ALO*patía.*

aloa. (Del lat. *alauda.*) f. ant. **alondra.**

aloaria. (De *alboaire.*) f. p. us. *Arq.* **pechina,** cada uno de los triángulos curvilíneos que forma el anillo de la cúpula.

alobadado[1]**, da.** adj. Mordido de lobo[1].

alobadado[2]**, da.** adj. *Veter.* Que padece lobado[1].

alobado, da. (De *a-*[1] y *lobo*[1].) p. p. de **alobar.** ‖ **2.** adj. Dícese del coto de caza invadido por lobos. ‖ **3.** *Cantabria.* Alobunado.

alobar. (De *a-*[1] y *lobo*[1].) tr. *Nav.* Acosar, importunar. ‖ **2.** prnl. Llenarse de pavor ante la presencia de un lobo. ‖ **3.** fig. y fam. Atolondrarse ante una dificultad o peligro.

alobreguecer. intr. desus. **anochecer.**

alóbroge. (Del lat. *Allobrŏges.*) adj. Dícese del individuo de un antiguo pueblo que habitaba en una región de la Galia comprendida entre los Alpes y el Ródano, actualmente Saboya. Ú. m. c. s. y en pl. ‖ **2.** Dícese de la dinastía de Saboya y de los habitantes de esta región. Ú. t. c. s.

alobrógico, ca. adj. Perteneciente o relativo a los alóbroges.

alóbrogo. adj. **alóbroge.** Ú. m. c. s. y en pl.

alobunado, da. (De *a-*[1] y *lobuno.*) adj. Parecido al lobo[1], especialmente en el color del pelo.

alocado, da. p. p. de **alocar.** ‖ **2.** adj. Que tiene cosas de loco o parece loco. ‖ **3.** Dícese de acciones que revelan poca cordura. ‖ **4.** Atarantado, aturdido.

alocar. tr. Causar locura. Ú. t. c. prnl. ‖ **2.** Causar perturbación en los sentidos, aturdir. Ú. t. c. prnl.

alocución. (Del lat. *allocutĭo, -ōnis,* de *allŏqui,* dirigir la palabra, hablar en público.) f. Discurso o razonamiento breve por lo común y dirigido por un superior a sus inferiores, secuaces o súbditos.

alodial. (De *alodio.*) adj. *Der.* Libre de toda carga y derecho señorial. Aplícase a heredades, patrimonios, etc. ‖ **2.** *Der.* V. **bienes alodiales.**

alodio. (Del germ. **alod,* propiedad total, a través del lat. med. *alōdium.*) m. Heredad patrimonio o cosa alodial.

áloe o **aloe.** (Del lat. *alŏe,* y este del gr. ἀλόη.) m. Planta perenne de la familia de las liliáceas, con hojas largas y carnosas, que arrancan de la parte baja del tallo, el cual termina en una espiga de flores rojas y a veces blancas. De sus hojas se extrae un jugo resinoso y muy amargo que se emplea en medicina. ‖ **2.** Jugo de esta planta. ‖ **3. agáloco.** ‖ **4.** V. **palo áloe,** o **de áloe.** ‖ **sucotrino.** El de la isla de Socotora, que es el mejor.

aloes. m. ant. **áloe.**

aloeta. (Del fr. *alouette.*) f. ant. **alondra.**

aloético, ca. adj. Perteneciente o relativo al áloe.

alófono, na. (De *alo-* y *-fono.*) adj. Que habla una lengua diferente. ‖ **2.** m. *Fon.* Cada una de las variantes que se dan en la pronunciación de un mismo fonema, según la posición de este en la palabra o sílaba, según el carácter de los fonemas vecinos, etc.: por ej., la *b* oclusiva de *tumbo* y la fricativa de *tubo* son ALÓFONOS del fonema */b/.*

alogador, ra. (De *alogar.*) m. y f. ant. Alquilador o arrendador.

alogamiento. (De *alogar.*) m. ant. **aloguer.**

alogar. (Del b. lat. *allocare.*) tr. ant. Alquilar o arrendar.

alógeno, na. adj. Dícese del individuo extranjero o de otra raza, en oposición a los naturales de un país. Ú. t. c. s.

aloguer o **aloguero.** (De *alogar*, infl. por *alquiler.*) m. ant. Alquiler o arrendamiento.

aloja[1]. (Del gr. ἀλόη ὀξεῖα, áloe agrio, a través de un lat. **aloxia.*) f. Bebida compuesta de agua, miel y especias. ‖ **2.** *Amér. Merid.* Bebida fermentada hecha de algarroba o maíz, y agua.

aloja[2]. (Del lat. **alaudĕa.*) f. **aloya,** alondra.

alojado, da. p. p. de **alojar.** ‖ **2.** m. Militar que recibe hospedaje gratuito por disposición de la autoridad. ‖ **3.** m. y f. *Amér.* **huésped,** en casa ajena.

alojamiento. m. Acción y efecto de alojar o alojarse. ‖ **2.** Lugar donde una persona o grupo de personas se aloja, aposenta o acampa, o donde está una cosa. ‖ **3.** Hospedaje gratuito que, por carga vecinal, se da en los pueblos a la tropa. ‖ **4.** Casa en que está alojado el militar. ‖ **5.** desus. *Mil.* Jornada, etapa, marcha.

alojar. (Del germ. **laubja*, enramado, a través del prov. ant. *alotjar.*) tr. Hospedar o aposentar. Ú. t. c. intr. y c. prnl. ‖ **2.** Dar alojamiento a la tropa. Ú. t. c. prnl. ‖ **3.** Colocar una cosa dentro de otra, y especialmente en cavidad adecuada. Ú. t. c. prnl. ‖ **4.** Colocar la autoridad local a los braceros parados cuyo servicio y pago distribuye forzosamente entre los propietarios. ‖ **5.** prnl. Situarse las tropas en algún punto. ALOJARSE *en la brecha.*

alojería. f. Tienda donde se hace y vende aloja.

alojero, ra. m. y f. Persona que hace o vende aloja. ‖ **2.** m. En los teatros, cada uno de los dos sitios aislados y situados en lo que hoy se llama galería baja, donde se vendía aloja al público. ‖ **3.** desus. Cada uno de los palcos que después ocuparon aquel lugar.

alomado, da. p. p. de **alomar.** ‖ **2.** adj. Que tiene forma de lomo. ‖ **3.** Dícese de la caballería que tiene el lomo encorvado o arqueado hacia arriba como el del cerdo.

alomar. (De *a-*[1] y *lomo.*) tr. *Agr.* Arar la tierra dejando entre surco y surco espacio mayor que de ordinario y de manera que quede formando lomos. ‖ **2.** *Equit.* Repartir la fuerza que el caballo suele tener en los brazos con más exceso que en los lomos, lo cual se consigue con las ayudas y buena enseñanza. ‖ **3.** prnl. Fortalecerse y nutrirse el caballo, quedando apto para padrear. ‖ **4.** Encogerse o sentirse de los lomos el caballo.

alombar. (De *a-*[1] y *lomba.*) tr. *Ál., Cantabria* y *León.* **alomar** la tierra.

alombra. f. ant. **alfombra.**

alomorfo. m. *Ling.* Cada una de las variantes de un morfema en función de un contexto y significado idénticos; *-s* y *-es* son **alomorfos** del plural en español.

alón[1]. m. Ala entera de cualquier ave, quitadas las plumas. ALÓN *de pavo, de gallina.* ‖ **2.** adj. *Amér.* De ala grande. Dícese especialmente del sombrero.

¡alón![2] (Del fr. *allons*, vayamos.) interj. desus. con que se excitaba a mudar de lugar, de ejercicio o asunto.

alondra. (Del lat. *alaudŭla*, d. de *alauda.*) f. Pájaro de 15 a 20 centímetros de largo, de cola ahorquillada, con cabeza y dorso de color pardo terroso y vientre blanco sucio. Es abundante en toda España, anida en los campos de cereales y come insectos y granos. Se le suele cazar con espejuelo. ‖ **moñuda. cogujada.**

alongadero, ra. (De *alongar.*) adj. ant. *Der.* **dilatorio.** ‖ **2.** f. ant. **dilatoria.** Usáb. m. en pl.

alongado, da. p. p. de **alongar.** ‖ **2.** adj. **prolongado,** más largo que ancho.

alongamiento. m. desus. Acción de alongar. ‖ **2.** desus. Distancia, separación de alguna cosa.

alonganza. f. ant. **alongamiento.**

alongar. (Del lat. *elongāre*, alargar.) tr. desus. **alargar,** hacer más larga una cosa. ‖ **2.** desus. **alargar,** hacer más duradera una cosa. ‖ **3.** desus. Alejar, hacer que dure más tiempo una cosa. Ú. t. c. prnl.

alonso. adj. V. **trigo alonso.**

alópata. adj. Que profesa la alopatía. *Médico* ALÓPATA. Ú. t. c. s.

alopatía. (Del gr. ἀλλοπάθεια, influencia ajena.) f. Terapéutica cuyos medicamentos producen en el estado sano fenómenos diferentes de los que caracterizan las enfermedades en que se emplean.

alopático, ca. adj. Perteneciente o relativo a la alopatía o a los alópatas.

alopecia. (Del lat. *alopecĭa*, y este del gr. ἀλωπεκία.) f. Caída o pérdida del pelo.

alopécico, ca. adj. Que padece alopecia.

alopecuro. (Del lat. *alopecūrus*, y este del gr. ἀλώπηξ, zorra, y οὐρά, cola.) m. **cola de zorra.**

alopiado, da. adj. desus. **opiado.**

alopicia. f. desus. **alopecia.**

aloque. (Del ár. *jalūqi*, perfume azafranado.) adj. De color rojo claro. ‖ **2.** Aplícase especialmente al vino tinto claro o a la mixtura del tinto y blanco. Ú. t. c. s.

aloquecer. intr. desus. **enloquecer,** perder el juicio. Usáb. t. c. prnl. Ú. en Asturias. ‖ **2.** tr. desus. **enloquecer,** hacer perder el juicio. Ú. en Asturias.

aloquín. (Del ár. *al-waqī*, el que preserva.) m. Cerco de piedra, como de unos tres decímetros de altura, y del mismo ancho, que, en el sitio donde se cura la cera al sol, se pone para impedir que se la lleve la lluvia, o se pierda, si se derrite.

alora. (Del lat. *ad illam horam.*) adv. t. desus. Entonces, en aquel momento.

alosa. (Del lat. *alōsa.*) f. **sábalo.**

alosar. (De *losa.*) tr. ant. **enlosar.**

alosna. (Del lat. *aloxinum*, ajenjo.) f. **ajenjo,** planta.

alotar. tr. *Mar.* **arrizar.** ‖ **2.** *Mar.* Cobrar red en cualquier forma.

alotropía. (Del gr. ἄλλος, otro, y τρόπος, mutación, cambio.) f. *Quím.* Propiedad de algunos elementos químicos, como el fósforo o el azufre, de formar moléculas diversas por su estructura o número de átomos constituyentes, como el fósforo rojo y el fósforo blanco.

alotrópico, ca. adj. Perteneciente o relativo a la alotropía. ‖ **2.** V. **estado alotrópico.**

aloya. (Del lat. **alaudĕa*, de *alauda*, alondra.) f. *Ál., Burg.* y *Rioja.* **alondra.**

alpaca[1]. (Del aimara *all-paka.*) Mamífero rumiante, de la misma familia que la llama, propia de América Meridional y muy apreciado por su pelo, que se emplea en la industria textil. ‖ **2.** fig. Pelo de este animal, que es más largo, más brillante y flexible que el de las bestias lanares. ‖ **3.** fig. Paño hecho con este pelo. ‖ **4.** fig. Tela de algodón abrillantado, a propósito para trajes de verano.

alpaca[2]. (De or. inc.) f. **metal blanco.**

alpamato. m. Arbusto de la Argentina, de la familia de las mirtáceas, de hoja aromática y medicinal que la gente del campo usa en lugar de té.

alpañata. f. Pedazo de cordobán o badana que usan los alfareros para alisar o pulir las piezas de barro antes de cocerlas. ‖ **2.** *Gran.* y *Mál.* Tierra gredosa de color muy rojo. ‖ **comer alpañata.** fr. fig. y fam. *Gran.* Comer tierra, es decir, estar enterrado.

alparcear. (De *alparcero.*) tr. p. us. Aparear ciertos animales domésticos pertenecientes a diferentes dueños, con la condición de repartir entre estos las crías en la forma convenida.

alparcería. f. fam. **aparcería.** ‖ **2.** *Ar.* **chismografía.**

alparcero, ra. (De *al-* y *aparcero.*) adj. *Ar.* Dícese de la persona habladora y chismosa. Ú. t. c. s. ‖ **2.** *And.* **aparcero.**

alpargata. (De hisp.-ár. *al-pargāt*, pl. de *al-parga*, la abarca.) f. Calzado de lona con suela de esparto o cáñamo, que se asegura por simple ajuste o con cintas.

alpargatado, da. p. p. de **alpargatar.** ‖ **2.** adj. Aplícase a los zapatos hechos a modo de alpargatas.

alpargatar. intr. Hacer alpargatas.

alpargate. m. **alpargata.**

alpargatería. f. Taller donde se hacen alpargatas. ‖ **2.** Tienda donde se venden.

alpargatero, ra. m. y f. Persona que hace o vende alpargatas.

alpargatilla. (d. de *alpargata.*) com. fig. y fam. desus. Persona que con astucia o maña se insinúa en el ánimo de otra para conseguir alguna cosa.

alpartaz. m. Trozo de malla de acero que pendiente del borde inferior del almete defendía su unión con la coraza.

alpatana. (De *al-* y el gr. πατάνη, plato, fuente, a través quizá del lat. *patēna*, y del hisp.-ár. *patana.*) f. *And.* Conjunto de los aperos de labranza. Ú. m. en pl. ‖ **2.** pl. *And.* Trebejos, utensilios, trastos.

alpechín. (Del mozár. *al-pechín*, y este del lat. **faecīnus*, de la hez.) m. Líquido oscuro y fétido que sale de las aceitunas cuando están apiladas antes de la molienda, y cuando, al extraer el aceite, se las exprime con auxilio del agua hirviendo.

alpechinera. f. Tinaja o pozo donde se recoge el alpechín.

alpende o **alpendre.** (Del lat. *appendĕre*, colgar.) m. Cubierta voladiza de cualquier edificio, y especialmente la sostenida por postes o columnas, a manera de pórtico. ‖ **2.** Casilla para custodiar enseres en las minas o en las obras públicas. ‖ **3. cobertizo,** sitio cubierto.

alpes. (Del n. p. *Alpes*, de or. célt.) m. p. us. Monte muy alto. Ú. m. en pl.

alpestre. adj. **alpino.** ‖ **2.** fig. desus. Montañoso, áspero, silvestre. ‖ **3.** *Bot.* Dícese de las plantas que viven a grandes altitudes.

alpez. m. ant. **alopecia.**

alpicoz. m. *Mancha.* **alficoz.**

alpinismo. (De *alpino.*) m. Deporte que consiste en la ascensión a las altas montañas.

alpinista. adj. Relativo al alpinismo. *Sociedad* ALPINISTA. ‖ **2.** com. Persona que practica el alpinismo o es aficionada a este deporte.

alpino, na. (Del lat. *alpīnus.*) adj. Perteneciente a los Alpes o a otras montañas altas. ‖ **2.** V. **álamo alpino.** ‖ **3.** Perteneciente o relativo al alpinismo. *Deportes* ALPINOS. ‖ **4.** *Geogr.* Dícese de la región geográfica caracterizada por su fauna y flora más o menos semejantes a las de los Alpes.

alpiste. (Del lat. *pistum*, a través del mozár. *al-pist.*) m. Planta anual de la familia de las gramíneas, que crece hasta 40 ó 50 centímetros y echa una panoja oval, con espiguillas de tres flores y semillas menudas. Toda la planta sirve para forraje, y las semillas para alimento de pájaros y para otros usos. ‖ **2.** Semilla de esta planta. ‖ **3.** fig. y fam. Cualquier bebida alcohólica. *A Fulano le gusta el* ALPISTE. ‖ **dejar** a alguien **sin alpiste.** fr. fig. y fam. Privar a una persona de los medios de vida. ‖ **dejar** a alguien **alpiste.** fr. fam. p. us. Dejarlo sin tener parte en lo que esperaba. ‖ **quedarse** alguien **alpiste.** fr. fam. p. us. Ver defraudada su esperanza, habiendo puesto los medios para realizarla. ‖ **quitar** a alguien **el alpiste.** fr. fig. y fam. **dejar** a alguien **sin alpiste.**

alpistela o **alpistera.** (De *alpiste.*) f. Torta pequeña de harina, huevos y alegría.

alpistero. adj. V. **harnero alpistero.**

alporchón. (Del art. ár. *al* y de *porche.*) m. *Murc.* Edificio en que se celebra la subasta de las aguas para el riego.

alpujarreño, ña. adj. Natural de las Alpujarras. Ú. t. c. s. ‖ **2.** Perteneciente a este territorio montañoso de Andalucía.

alquequenje. (Del ár. *al-kākanŷ*, y este del gr. ἀλικάκαβον.) m. Planta de la familia de las solanáceas, que crece hasta 60 centímetros de altura, con tallo empinado y fruticoso, hojas ovaladas y puntiagudas, flores agrupadas, de color blanco verdoso, y fruto encarnado del tamaño de un guisante, envuelto por el cáliz, que se hincha formando una especie de vejiga membranosa. ‖ **2.** Fruto de esta planta. Empleábase como diurético.

alquería. (Del ár. *al-qarya*, el poblado pequeño.) f. Casa de labranza o granja lejos de poblado. También se da este nombre a un conjunto de dichas casas.

alquermes. (Del ár. *al-qirmiz*, la grana.) m. Licor de mesa, muy agradable, pero muy excitante, que se colora con el quermes animal. ‖ **2.** p. us. **quermes,** insecto. ‖ **3.** *Farm.* Especie de electuario en que entraban el quermes animal y varias sustancias excitantes.

alquerque[1]**.** (Del ár. *al-qirq.*) m. ant. **tres en raya.**

alquerque[2]**.** (Del ár. *al-qariq*, el piso plano.) m. Espacio que hay en los molinos de aceite cerca de la regaifa y el pozuelo, y en el cual se desmenuza la pasta de orujo que resulta de la primera presión, para colocarla de nuevo en los capachos y volverla a exprimir, echando en ella agua caliente.

alquetifa. f. ant. **alcatifa.**

alquez. (Del ár. *al-qās*, la medida.) m. Medida de vino de 12 cántaras.

alquezar. (Del ár. *al-qaṣāra*, la falta de agua.) m. *Gran.* Corte que se hace en las aguas de un río para utilizarlas en el riego.

alquibla. (Del ár. *al qibla*, el punto del horizonte que se tiene enfrente, el mediodía.) f. Punto del horizonte o lugar de la mezquita, hacia donde los musulmanes dirigen la vista cuando rezan.

alquicel o **alquicer.** (Del ár. *al-kisā'*, el vestido.) m. Vestidura morisca a modo de capa, y comúnmente blanca y de lana. ‖ **2.** Cierto tejido que servía para cubiertas de bancos, mesas u otras cosas.

alquifol. (Del m. or. que *alcohol.*) m. **zafre.**

alquila. (De *alquilar.*) f. Pieza de metal fija en el extremo de una varilla, con que en los coches de alquiler indicaban si estaban libres u ocupados.

alquilable. adj. Que puede ser alquilado.

alquiladizo, za. adj. p. us. Que se alquila. Decíase especialmente del que trabajaba por cuenta de otro y, despectivamente, del que servía en la guerra a cambio de una paga. Usáb. t. c. s.

alquilador, ra. m. y f. Persona que alquila, y especialmente la que tiene por oficio dar en alquiler coches o caballerías. ‖ **2.** Persona que toma en alquiler alguna cosa.

alquilamiento. (De *alquilar.*) m. Acción de alquilar.

alquilar. (De *alquilé.*) tr. Dar a otro alguna cosa para que use de ella por el tiempo que se determine y mediante el pago de la cantidad convenida. Empléase más comúnmente tratándose de fincas urbanas, de animales o de muebles. ‖ **2.** Tomar de otro alguna cosa para este fin y con tal condición. ‖ **3.** prnl. Ponerse uno a servir a otro por cierto estipendio.

alquilate. (De *al-* y *quilate*, moneda.) m. Derecho que se pagaba en Murcia por la venta de las propiedades y frutos.

alquilé. m. ant. **alquiler.**

alquiler. (Del ár. *al-kirā'*, el arriendo y su precio.) m. Acción y efecto de alquilar. ‖ **2.** Precio en que se alquila alguna cosa. ‖ **de alquiler.** loc. adj. Que se alquila y a tal fin se destina. Dícese especialmente de inmuebles y medios de transporte.

alquilón, na. adj. despect. **alquiladizo.** Apl. a pers., ú. t. c. s.

alquimia. (Del ár. *al-kīmiyā'*, la química, y este del gr. *χυμεία*, mezcla mixtura.) f. Conjunto de especulaciones y experiencias generalmente de carácter esotérico, relativas a las transmutaciones de la materia, que influyó en el origen de la ciencia química. Tuvo como fines principales la búsqueda de la piedra filosofal y de la panacea universal. ‖ **2.** fig. Transmutación maravillosa e increíble. ‖ **3.** desus. **latón**[1].

alquímico, ca. adj. Perteneciente o relativo a la alquimia.

alquimila. (De *alquimia.*) f. **pie de león.**

alquimista. m. El que profesaba el arte de la alquimia. Ú. t. c. adj.

alquinal. (Del ár. *al-qinā'*, el velo.) m. Toca o velo que usaban por adorno las mujeres.

alquitara. (Del ár. *al-qaṭṭāra*, la que destila, el alambique.) f. **alambique.** ‖ **por alquitara.** loc. adv. fig. p. us. **por alambique.**

alquitarar. (De *alquitara.*) tr. **destilar** por alquitara.

alquitifa. f. ant. **alquetifa.**

alquitira. (Del ár. *al-kaṯīrā'*, la goma de tragacanto.) f. **tragacanto.**

alquitrabe. m. ant. **arquitrabe.**

alquitrán. (Del ár. *al-qiṭrān*, la brea.) m. Producto obtenido de la destilación de materias orgánicas, principalmente maderas resinosas y hullas. Es líquido, viscoso, de color oscuro y fuerte olor, y tiene distintas aplicaciones industriales. ‖ **2.** Composición de pez, sebo, grasa, resina y aceite; es muy inflamable y se usó como arma incendiaria. ‖ **de petróleo.** El obtenido por destilación del petróleo; se usa como impermeabilizador y como asfalto artificial. ‖ **mineral.** El producido destilando la hulla para fabricar el gas del alumbrado. Es muy parecido al del pino, pero más craso, negro y de mal olor.

alquitranado, da. p. p. de **alquitranar.** ‖ **2.** adj. desus. De alquitrán. *Fuego* ALQUITRANADO ‖ **3.** V. **camisa alquitranada.** ‖ **4.** m. *Mar.* Lienzo impregnado de alquitrán. ‖ **5.** Acción y efecto de alquitranar.

alquitranar. tr. Untar o cubrir de alquitrán alguna cosa, como un pavimento, un tejado, una cuerda, etc., para impermeabilizarla, protegerla de la humedad, etc. ‖ **2.** fig. desus. Incendiar, quemar.

alrededor. (De *al rededor.*) adv. l. con que se denota la situación de personas o cosas que circundan a otras, o la dirección en que se mueven para circundarlas. ‖ **2.** m. **contorno** de un lugar. Ú. m. en pl. ‖ **alrededor de.** loc. adv. Precediendo a una expresión numérica, aproximadamente, poco más o menos. ALREDEDOR DE *doscientas pesetas.* ALREDEDOR DE *ocho mil espectadores.* ‖ **2.** loc. prepos. Rodeando, en círculo, en torno a algo. ALREDEDOR *del mundo.* ‖ **3.** Precediendo a una fecha, poco antes o después de. *Llegaremos* ALREDEDOR *del día veinte.*

alrota. (Del ár. *al-rawṯa*, el estiércol, el desecho.) f. Desecho que queda de la estopa después de rastrillada. ‖ **2.** Estopa que cae del lino al tiempo de espadarlo.

alsaciano, na. adj. Natural de Alsacia. Ú. t. c. s. ‖ **2.** Perteneciente a esta región de Europa. ‖ **3.** m. Dialecto germano hablado en ella.

álsine. (Del lat. *alsīne*, y este del gr. *ἀλσίνη*.) f. Planta anual de la familia de las cariofiláceas, de 12 a 14 centímetros de altura, con hojas pequeñas y aovadas y flores blancas. Abunda en los parajes húmedos, y se usa en medicina y para alimentar pajarillos.

alta. (De *alto*[1], por oposición al f. *baja.*) f. Orden que da el médico al enfermo declarándolo oficialmente curado. ‖ **2.** Documento que acredita el **alta** de enfermedad. ‖ **3.** Documento que acredita la entrada en servicio activo del militar destinado a un cuerpo o que vuelve a él después de haber sido baja durante algún tiempo. ‖ **4.** Acto en que el contribuyente declara a Hacienda el ejercicio de industrias o profesiones sujetas a impuesto. ‖ **5.** Formulario fiscal para hacer tal declaración. ‖ **6.** Inscripción de una persona en un cuerpo, organismo, profesión, sociedad, etc. ‖ **7.** Documento que acredita dicha inscripción. ‖ **8.** *Esgr.* Asalto público. ‖ **dar de alta.** fr. Tomar nota del ingreso de los militares en sus respectivos cuerpos o de su vuelta a ellos. ‖ **2.** Aludiendo a objetos, herramientas, etc., incluirlos en un inventario. ‖ **dar el alta.** fr. Declarar curado y apto para el servicio al militar que ha estado enfermo. ‖ **2.** Declarar curada a la persona que ha estado enferma. ‖ **darse de alta.** fr. Inscribirse en un cuerpo, profesión, organismo o sociedad. ‖ **ser alta.** fr. Ingresar en un cuerpo, organismo o sociedad o volver a ellos después de haber sido dado de baja.

altabaca. (Del ár. *al-ṭabbāqa.*) f. **olivarda**[2].

altabaque. m. desus. **tabaque**[1].

altabaquilla. f. V. **altabaquillo.**

altabaquillo. (Del lat. *viticella*, a través del mozár. *al-bataḥšyella* y con infl. de *altabaca* y *altabaque.*) m. **correhuela,** mata de la familia de las convolvuláceas.

altaico, ca. adj. Perteneciente o relativo a la región de los montes Altay. ‖ **2.** Natural de esa región. Ú. t. c. s. ‖ **3.** De la familia de lenguas asiáticas a que pertenecen, entre otras, el turco, el manchú y las lenguas mongólicas.

altamandría. f. *And.* **centinodia.**

altamente. adv. m. Perfecta o excelentemente, en extremo, en gran manera.

altamía. (Del ár. *aṭ-ṭa'āmiyya*, escudilla para comer.) f. desus. Especie de taza. ‖ **2.** *León.* Cazuela de barro vidriado.

altamisa. f. **artemisa.**

altana. (De *alto*[1].) f. *Germ.* **templo.** ‖ **llamarse a altana.** fr. fam. Acogerse a sagrado.

altanería. (De *altanero.*) f. **altura,** región del aire a cierta elevación sobre la tierra. ‖ **2.** Vuelo de algunas aves. ‖ **3.** Caza que se hace con halcones y otras aves de rapiña de alto vuelo. ‖ **4.** fig. Altivez, soberbia. ‖ **meterse** alguien **en altanerías.** fr. fig. y fam. Tratar de cosas superiores a su comprensión o inteligencia.

altanero, ra. (De *alto*[1].) adj. Aplícase al halcón y otras aves de rapiña de alto vuelo. ‖ **2.** fig. Altivo, soberbio.

altanez. f. p. us. **altanería,** altivez.

altano. (Del lat. *altānus.*) adj. *Mar.* Dícese del viento que alternativamente sopla del mar a la tierra y viceversa. Ú. t. c. s.

altar. (Del lat. *altāre.*) m. Montículo, piedra o construcción elevada donde se celebran ritos religiosos como sacrificios, ofrendas, etc. ‖ **2. ara,** piedra consagrada. ‖ **3.** En el culto cristiano, especie de mesa consagrada donde el sacerdote celebra el sacrificio de la misa. ‖ **4.** Por ext., conjunto constituido por la mesa consagrada, la base, las gradas, el retablo, el sagrario, etc. ‖ **5.** V. **capellán, mesa, paño, pie, viso de altar.** ‖ **6.** V. **sacramento, sacrificio del altar.** ‖ **7.** V. **visita de altares.** ‖ **8.** *Min.* Piedra que separa la plaza del hogar en los hornos de reverbero. ‖ **9.** *Min.* En Vizcaya, banco o grada de una mina. ‖ **de alma, o de ánima.** El que tiene concedida indulgencia plenaria para las misas que se celebran en él. ‖ **mayor.** El principal, donde por lo común se coloca la imagen del santo titular. ‖ **privilegiado. altar de alma.** ‖ **conducir,** o **llevar, al altar** a una persona. fr. fig. y fam. Casarse con ella. ‖ **el altar y el trono.** loc. fig. La religión y la monarquía. ‖ **solo falta ponerle en un altar.** fr. fig. que se dice de una persona cuyas virtudes se ponderan mucho. ‖ **visitar los altares.** fr. Hacer visita de **altares.**

altarero. m. El que forma altares de madera y los viste para las fiestas y procesiones.

altaricón, na. adj. fam. *Cantabria, León* y *Nav.* Dícese del hombre o mujer de gran estatura o corpulencia. Ú. t. c. s.

altarreina. f. **milenrama.**

altavoz. (De *alta* y *voz.*) m. Aparato electroacústico que sirve para amplificar el sonido.

altea. (Del lat. *althaea,* y este del gr. ἀλθαία.) f. **malvavisco.**

altear[1]**.** (De *alto*[1].) tr. *Gal.* y *Ecuad.* Elevar, dar mayor altura a alguna cosa, como un muro, etc. ‖ **2.** prnl. Elevarse, formar altura o eminencia el terreno.

altear[2]**.** (De *alto*[2].) tr. *Par.* Dar la voz de alto. ‖ **2.** *Argent.* y *Par.* Ordenar a alguien que se detenga en una marcha.

alterabilidad. f. Calidad de alterable.

alterable. adj. Que puede alterarse.

alteración. (Del lat. *alteratio, -ōnis.*) f. Acción de alterar o alterarse. ‖ **2.** Sobresalto, inquietud, movimiento de la ira u otra pasión. ‖ **3.** Alboroto, tumulto, motín. ‖ **4.** Altercado, disputa. ‖ **5.** *Fil.* Estado de inquieta atención a lo exterior, sin sosiego ni intimidad. Opónese a *ensimismamiento.* ‖ **6.** *Mús.* Signo que se emplea para modificar el sonido de una nota.

alteradizo, za. adj. **alterable.**

alterado, da. p. p. de **alterar.** ‖ **2.** adj. V. **caldo alterado.**

alterador, ra. adj. Que altera. Ú. t. c. s.

alterante. p. a. de **alterar.** Que altera. ‖ **2.** adj. Que restablece la normalidad funcional de un órgano, aparato o sistema. ‖ **3.** Dícese de un medicamento que produce un cambio favorable en los procesos de nutrición y reparación. V. **alterativo.**

alterar. (Del lat. *alterāre,* de *alter,* otro.) tr. Cambiar la esencia o forma de una cosa. Ú. t. c. prnl. ‖ **2.** Perturbar, trastornar, inquietar. Ú. t. c. prnl. ‖ **3.** Enojar, excitar. Ú. t. c. prnl. ‖ **4.** Estropear, dañar, descomponer. Ú. t. c. prnl.

alterativo, va. adj. Que tiene virtud de alterar en sentido favorable. V. **alterante.**

altercación. (Del lat. *altercatio, -ōnis.*) f. Acción de altercar.

altercado, da. p. p. de **altercar.** ‖ **2.** m. **altercación.**

altercador, ra. (Del lat. *altercātor, -ōris.*) adj. Que alterca. Ú. t. c. s. ‖ **2.** Propenso a altercar. Ú. t. c. s.

altercar. (Del lat. *altercāre,* de *alter,* otro.) intr. Disputar, porfiar.

álter ego. (Expr. lat.; lit. *otro yo.*) m. Persona en quien otra tiene absoluta confianza, o que puede hacer sus veces sin restricción alguna. ‖ **2.** Persona real o ficticia en quien se reconoce, identifica o ve un trasunto de otra. *El protagonista de la obra es un* ÁLTER EGO *del autor.*

alteridad. (Del lat. *alterĭtas, -ātis.*) f. Condición de ser otro.

alternación. (Del lat. *alternatĭo, -ōnis.*) f. Acción de alternar.

alternadamente. adv. m. **alternativamente.**

alternado, da. p. p. de **alternar.** ‖ **2.** adj. **alternativo.**

alternador. m. Máquina eléctrica generadora de corriente alterna.

alternancia. f. Acción y efecto de alternar. ‖ **2.** *Biol.* Fenómeno que se observa en la reproducción de algunos animales y plantas, en la que alternan la generación sexual y la asexual. ‖ **vocálica. apofonía.**

alternar. (Del lat. *alternāre,* de *alternus,* alterno.) tr. Variar las acciones diciendo o haciendo ya unas cosas, ya otras, y repitiéndolas sucesivamente. ALTERNAR *el ocio y el trabajo, la vida en el campo con la vida urbana.* ‖ **2.** Distribuir alguna cosa entre personas o cosas que se turnan sucesivamente. ‖ **3.** *Mat.* Cambiar los lugares que ocupan respectivamente los términos medios o los extremos de una proporción. ‖ **4.** intr. Hacer o decir una cosa o desempeñar un cargo varias personas por turno. ‖ **5.** Sucederse unas cosas a otras recíproca y repetidamente. ALTERNAR *los días claros con los lluviosos; las alegrías con las penas.* ‖ **6.** Hacer vida social, tener trato. ALTERNAR *con personas de cuenta.* ‖ **7.** En ciertas salas de fiesta o lugares similares, tratar las mujeres contratadas para ello con los clientes, para estimularles a hacer gasto en su compañía, del cual obtienen porcentaje. ‖ **8.** Entrar a competir con alguien.

alternativa. (Del lat. *alternātus.*) f. Opción entre dos o más cosas. ‖ **2.** Cada una de las cosas entre las cuales se opta. ‖ **3.** Efecto de **alternar,** hacer o decir algo por turno. ‖ **4.** Efecto de **alternar,** sucederse unas cosas a otras repetidamente. ‖ **5.** p. us. Acción o derecho que tiene cualquier persona o comunidad para ejecutar alguna cosa o gozar de ella alternando con otra. ‖ **6.** p. us. Servicio en que se turnan dos o más personas. ‖ **7.** *Taurom.* Ceremonia por la cual un espada de cartel autoriza a un matador principiante para que pueda matar alternando con los demás espadas. El acto se reduce a entregar el primero al segundo, durante la lidia, la muleta y el estoque para que ejecute la suerte en vez de él. Ú.m. con los verbos *dar* y *tomar.*

alternativamente. adv. m. Con alternación.

alternativo, va. (Del lat. *alternātus.*) adj. Que se dice, hace o sucede con alternación. ‖ **2.** Capaz de alternar con función igual o semejante. *Energías* ALTERNATIVAS. ‖ **3.** V. **mayorazgo alternativo.** ‖ **4.** *Der.* V. **obligación alternativa.**

alterne. (De *alternar.*) m. Acción de alternar en las salas de fiesta. ‖ **de alterne.** loc. adj. Dícese de la mujer que practica el **alterne.**

alterno, na. (Del lat. *alternus,* de *alter,* otro.) adj. **alternativo.** ‖ **2.** Dicho de días, meses, años, etc., uno sí y otro no. *Viene a la oficina en días* ALTERNOS. *Las sesiones se celebran en días* ALTERNOS. ‖ **3.** *Bot.* Dícese de las hojas de las plantas que, por su situación en el tallo o en la rama, corresponden al espacio que media entre una y otra del lado opuesto. Dícese también de otros órganos de las plantas que se hallan en la situación indicada. ‖ **4.** *Geom.* V. **ángulos alternos.** ‖ **5.** m. *Perú.* Escuela pública que comparte con otros el local en turnos sucesivos.

alteroso, sa. (De *alto*[1].) adj. desus. Altivo, orgulloso. Ú. en Cantabria y Cuba. ‖ **2.** *Mar.* Dícese del buque demasiado elevado en las obras muertas.

alteza. f. **altura,** distancia respecto al suelo. ‖ **2. altura,** dimensión de un cuerpo perpendicular a su base. ‖ **3. altura,** región del aire a cierta elevación sobre la tierra. ‖ **4.** fig. Elevación, sublimidad, excelencia. ‖ **5.** Tratamiento que en España se dio a los reyes hasta el advenimiento de la dinastía austriaca, y que hasta hace poco se daba a algunos tribunales o corporaciones; ahora se da a los hijos de los reyes, a los infantes de España aunque no sean hijos de reyes, y a algunas otras personas a quienes, sin ser de la real familia, concede el monarca título de príncipe con este tratamiento. ‖ **6.** ant. *Astron.* **altura,** arco vertical que mide la distancia entre un astro y el horizonte. ‖ **de miras.** Elevación moral de intenciones o propósitos.

alti-. Elemento compositivo que significa «alto»: ALTÍ*metro,* ALTI*plano.*

altibajo. m. Tela antigua, la misma, al parecer, que la llamada hoy terciopelo labrado, de la cual lo alto eran las flores y labores, y lo bajo o el fondo, el raso. ‖ **2.** desus. Brinco o salto. ‖ **3.** *Esgr.* Golpe derecho que se da con la espada de alto a bajo. ‖ **4.** pl. fam. Desigualdades o altos y bajos de un terreno cualquiera. ‖ **5.** fig. y fam. Alternancia de sucesos prósperos y adversos, o cambios de estado sucesivos en un orden de cosas. ALTIBAJOS *de la suerte, de los precios, del ánimo.*

altilocuencia. (De *altilocuente.*) f. **grandilocuencia.**

altilocuente. (Del lat. medieval *altiloquus,* con infl. de *elocuente.*) adj. **grandilocuente.**

altílocuo, cua. (Del lat. medieval *altiloquus*.) adj. **grandilocuente.**

altillo. (d. de *alto*[1].) m. Cerrillo o sitio algo elevado. ‖ **2.** Habitación situada en la parte más alta de la casa, y por lo general aislada. ‖ **3.** Entreplanta, piso elevado en el interior de otro y que se usa como dormitorio, despacho, almacén, etc. ‖ **4.** Armario que se construye rebajando el techo, o que está empotrado en lo alto del muro o pared. ‖ **5.** *Col.* y *Perú.* Parte más alta de un local destinado a almacén.

altimetría. (De *alti-*, y *-metría*.) f. Parte de la topografía, que enseña a medir las alturas.

altímetro, tra. adj. Perteneciente o relativo a la altimetría. ‖ **2.** m. Instrumento que indica la diferencia de altitud entre el punto en que está situado y un punto de referencia. Se emplea principalmente en la navegación aérea.

altipampa. (De *alti-* y *pampa*.) f. *Bol.* y *Perú.* **altiplanicie.**

altiplanicie. (De *alti-* y *planicie*.) f. Meseta de mucha extensión y a gran altitud.

altiplano. (De *alti-* y *plano*.) m. **altiplanicie.**

altiricón, na. adj. **altaricón.**

altísimo, ma. adj. sup. de **alto**[1]. ‖ **el Altísimo. Dios.**

altisonancia. f. Calidad de altisonante.

altisonante. (De *alti-* y *sonante*.) adj. **altísono.** Dícese, por lo común, del lenguaje o estilo en que se emplean con frecuencia o afectadamente voces de las más llenas y sonoras.

altísono, na. (Del lat. *altisŏnus*.) adj. Altamente sonoro, de alto sonido. Dícese del lenguaje o estilo muy sonoro y elevado y del escritor que se distingue empleando lenguaje o estilo de esta clase.

altitonante. (Del lat. *altitŏnans, -antis*.) adj. poét. Que truena desde lo alto[1]. *Júpiter* ALTITONANTE.

altitud. (Del lat. *altitūdo*.) f. **altura,** distancia respecto a la tierra. ‖ **2. altura,** dimensión de un cuerpo perpendicular a su base. ‖ **3. altura,** región del aire a cierta elevación sobre la tierra. ‖ **4.** *Geogr.* Altura de un punto de la tierra con relación al nivel del mar.

altivar. (De *altivo*.) tr. desus. Elevar, ensalzar. ‖ **2.** prnl. desus. Llenarse de altivez.

altivecer. tr. p. us. Causar altivez. Ú. t. c. prnl.

altivedad. f. ant. **altivez.**

altivez o **altiveza.** (De *altivo*.) f. Orgullo, soberbia.

altividad. f. desus. **altivez.**

altivo, va. (De *alto*[1].) adj. Orgulloso, soberbio. ‖ **2.** Erguido, elevado, dicho de cosas. *Torre* ALTIVA.

alto[1]**, ta.** (Del lat. *altus*.) adj. Levantado, elevado sobre la tierra. ‖ **2.** De gran estatura. *Un hombre* ALTO. ‖ **3.** Más elevado en relación a otro término inferior. ‖ **4.** Dícese de la calle, pueblo, territorio o país que está más elevado con respecto a otro; dícese también, a veces, de sus habitantes. ‖ **5.** Formando parte de algunas denominaciones geográficas designa la porción del país que se halla a mayor altitud. *El* ALTO *Aragón, la* ALTA *Alemania.* ‖ **6.** Tratándose de ríos, dícese de la parte que está más próxima a su nacimiento. *El* ALTO *Ebro.* ‖ **7.** Aplicado al río o arroyo, muy crecido; dícese también del mar alborotado. ‖ **8.** Con referencia a tiempos históricos, remoto o antiguo. *La* ALTA *Edad Media, el* ALTO *Imperio.* ‖ **9.** V. **horno, llar, monte, relieve, revés, truco alto.** ‖ **10.** V. **agua, caja, cámara, plaza, vara alta.** ‖ **11.** V. **alto alemán.** ‖ **12.** V. **alta mar, alta traición.** ‖ **13.** Dícese de las personas de gran dignidad o representación. ALTO *señor.* Ú. t. c. s. ‖ **14.** Aplicado a las cosas, noble, elevado, santo, excelente. ALTO *tribunal,* ALTA *costura.* ‖ **15.** Dícese también de la clase, empleo o dignidad de superior categoría o condición de personas o cosas. ‖ **16.** Arduo, difícil de alcanzar, comprender o ejecutar. ‖ **17.** Dicho de delito u ofensa, gravísimo, enorme. *Reo de* ALTA *traición.* ‖ **18.** Dicho del precio de las cosas, caro o subido. ‖ **19.** Dicho del sonido, fuerte, que se oye a gran distancia. ‖ **20.** fig. Dícese de la fiesta movible o de la cuaresma cuando caen más tarde que en otros años. ‖ **21.** fig. Avanzado. *A las* ALTAS *horas de la noche; bien* ALTA *la noche.* ‖ **22.** *Acúst.* Dícese del sonido que, comparado con otro, tiene mayor frecuencia de vibraciones. ‖ **23.** *Esc.* V. **alto relieve.** ‖ **24.** *Fís.* Dícese de ciertas magnitudes físicas (temperatura, presión, frecuencia, etc.) para indicar que en determinada ocasión tienen un valor superior al ordinario. ‖ **25.** En algunas regiones, dicho de las hembras de ciertos animales, en celo. ‖ **26.** f. Danza antigua cortesana de compás ternario, bailada por un caballero y una dama o por un caballero solo, con varias mudanzas. Se llamó así por proceder de la Alta Alemania. ‖ **27.** Ejercicio que se hacía en las escuelas al danzar, bailando algunos pasos de cada danza. ‖ **28.** *Germ.* **torre** de un castillo o de una iglesia. ‖ **29.** m. **altura,** dimensión de un cuerpo perpendicular a su base. *Esta mesa tiene un metro de* ALTO. ‖ **30.** Sitio elevado en el campo, como collado o cerro. ‖ **31.** Piso **alto** de un edificio. ‖ **32.** Cada uno de los distintos órdenes de habitaciones que, sobrepuestos unos a otros, forman un edificio. ‖ **33.** En los brocados, se llamaba **alto** *primero* al fondo de la tela; *segundo,* a la labor, y *tercero,* al realce de los hilos de plata, oro o seda escarchada o briscada. ‖ **34.** *Argent., Chile, Perú* y *Urug.* Montón, gran cantidad de cosas. ‖ **35.** p. us. **viola**[1]. ‖ **36.** pl. El piso o los pisos **altos** de una casa, por contraposición a la planta baja. ‖ **37.** adv. l. En lugar o parte superior. ‖ **38.** adv. m. En voz fuerte o que suene bastante. ‖ **altos y bajos.** expr. fig. y fam. **altibajos.** ‖ **de alto a bajo.** loc. adv. **de arriba abajo.** ‖ **de tres altos.** loc. fig. desus. que unida a ciertos adjetivos encarece la significación de los mismos. ‖ **echar el alta.** fr. Convidar el maestro de danza a alguno de sus discípulos a una concurrencia en que se repasan todos los bailes de la escuela. ‖ **en alto.** loc. adv. A distancia del suelo. ‖ **2.** Hacia arriba. ‖ **lo alto.** La parte superior o más elevada. ‖ **2.** El cielo en sentido material o espiritual. ‖ **3.** p. us. **alta mar.** ‖ **por alto.** loc. adv. Tratándose de la consecución de algún empleo o merced, por particular favor o protección, y sin haberse observado las formalidades debidas o seguido los trámites regulares. ‖ **2. por encima.** ‖ **3.** loc. adj. En pintura, por contraposición a apaisado, denota que un cuadro es más **alto** que ancho. ‖ **4.** V. **irse, pasar por alto.** ‖ **por todo lo alto.** loc. fig. y fam. De manera excelente, con rumbo y esplendidez.

alto[2]**.** (Del al. *halt,* parada.) m. Detención o parada en la marcha o cualquier otra actividad. *Un* ALTO *en el camino* o *en el trabajo.* ‖ **2.** interj. Voz con la cual se ordena a alguien que se detenga. ‖ **3.** Voz que se usa para que otro suspenda la conversación, discurso o cosa que esté haciendo. ‖ **¡alto ahí!** expr. que se emplea para hacer que alguien se detenga en la marcha, en el discurso o en la ejecución de alguna cosa. ‖ **¡alto de ahí,** o **de aquí!** loc. fam. con que se manda a otros que se vayan de donde están. ‖ **¡alto el fuego!** loc. con que se ordena que cese el tiroteo. ‖ **2.** m. Suspensión momentánea o definitiva de las acciones militares en una contienda. ‖ **dar el alto.** expr. para dar la orden de detención en la marcha. ‖ **hacer alto.** fr. Pararse la tropa o quienquiera que sea durante una marcha, viaje, etc. ‖ **2.** fig. Parar la consideración sobre alguna cosa.

altoparlante. (Del it. *altoparlante*.) m. *Amér.* **altavoz.**

altor. m. **altura,** dimensión de un cuerpo perpendicular a su base.

altorrelieve. m. **alto relieve.** V. **relieve.**

altozano. (De *antuzano,* relacionado con *alto*[1] por etim. popular.) m. Cerro o monte de poca altura en terreno llano. ‖ **2.** *Amér.* Atrio de una iglesia.

altramucero, ra. m. y f. Persona que vende **altramuces,** fruto.

altramuz. (Del ár. *at-turmus*, y este del gr. θέρμος.) m. Planta anual de la familia de las papilionáceas, que crece hasta poco más de medio metro, con hojas compuestas de hojuelas trasovadas, flores blancas y fruto de grano menudo y achatado, en legumbre o vaina. Es buen alimento para el ganado. También las personas comen la simiente o grano después de habérsele quitado el amargor en agua y sal. ‖ **2.** Fruto de esta planta. ‖ **3.** En algunos cabildos de las iglesias catedrales y colegiatas de España, especialmente en Castilla, caracolillo que sirve para votar, juntamente con unas habas blancas hechas de hueso o de marfil.

altruismo. (Del fr. *altruisme.*) m. Diligencia en procurar el bien ajeno aun a costa del propio.

altruista. adj. Que profesa el altruismo. Ú. t. c. s.

altura. (De *alto*[1].) f. Distancia de un cuerpo respecto a la tierra o a cualquier otra superficie tomada como referencia. ‖ **2.** Dimensión de los cuerpos perpendicular a su base, y considerada por encima de esta. ‖ **3.** Región del aire, considerada a cierta elevación sobre la tierra. ‖ **4.** Cumbre de los montes, collados o lugares altos del campo, o cualquier otro lugar elevado. Ú. t. en sent. fig. ‖ **5.** fig. **alteza,** excelencia. ‖ **6.** fig. Mérito, valor. ‖ **7. altitud,** con relación al nivel del mar. ‖ **8.** V. **navegación, paralaje, pesca, piloto de altura.** ‖ **9.** *Acúst.* **tono.** ‖ **10.** *Astron.* Arco vertical que mide la distancia entre un astro y el horizonte. ‖ **11.** *Geom.* En una figura plana o en un cuerpo, segmento de la perpendicular trazada desde un vértice al lado o cara opuestos, comprendido entre ellos y dicho vértice. ‖ **12.** *Geom.* Longitud de dicho segmento. ‖ **13.** pl. **cielo,** mansión de los bienaventurados. *Dios de las* ALTURAS. ‖ **accesible.** *Topogr.* Aquella cuya medida se puede tomar llegando hasta su pie. ‖ **de apoyo.** *Fort.* Distancia vertical desde la línea de fuego o cresta del parapeto a la banqueta. ‖ **de la vista.** *Persp.* Distancia de la vista al plano geométrico. ‖ **del Ecuador.** *Astron.* Arco de meridiano comprendido entre el Ecuador y el horizonte del sitio de la observación, complemento de la **altura** de polo. ‖ **de polo.** *Astron.* Arco de meridiano comprendido entre el horizonte del sitio de la observación y el polo de su hemisferio, por donde se conoce la latitud geográfica de un lugar. ‖ **de puntas.** Distancia desde el eje de las puntas a la cara superior de la bancada de un torno, equivalente al radio máximo de la pieza que se puede tornear en él. ‖ **inaccesible.** *Topogr.* Aquella que se ha de medir sin llegar hasta su pie. ‖ **meridiana.** *Astron.* La de los astros sobre el horizonte en el momento de pasar por el meridiano del observador. ‖ **viva del agua.** *Hidrom.* Distancia vertical desde la superficie del agua hasta el fondo del río o canal. ‖ **a estas alturas.** fr. fig. En este tiempo, en esta ocasión, cuando han llegado las cosas a este punto. ‖ **a la altura de.** loc. prepos. En las inmediaciones, al mismo nivel. *El barco naufragó* A LA ALTURA DE*l puerto.* ‖ **2.** loc. adv. fig. A tono con algo, al mismo grado. Ú. m. con los verbos *estar, poner, quedar* y *dejar. No estuvo* A LA ALTURA DE *las circunstancias.* ‖ **quedar a la altura del betún.** fr. fig. y fam. Quedar mal.

alúa. (De *aluda.*) f. *R. de la Plata.* **cocuyo,** insecto.

alubia. (Del ár. *al-lūbiyā*, la judía.) f. **judía,** planta papilionácea. ‖ **2. judía,** fruto de esta planta. ‖ **3. judía,** semilla de esta planta.

alubiar. m. **judiar.**

aluciar. (De *a-*[1] y *lucio*[3].) tr. p. us. Dar lustre a alguna cosa material; ponerla lúcida y brillante. ‖ **2.** prnl. desus. Pulirse, acicalarse. Ú. en Andalucía.

alucinación. (Del lat. *allucinatio, -ōnis.*) f. Acción de alucinar o alucinarse. ‖ **2.** Sensación subjetiva que no va precedida de impresión en los sentidos.

alucinadamente. adv. m. Con alucinación.

alucinado, da. p. p. de **alucinar.** ‖ **2.** adj. Trastornado, ido, sin razón. ‖ **3.** Visionario. Ú. t. c. s.

alucinador, ra. adj. Que alucina. Ú. t. c. s.

alucinamiento. (De *alucinar.*) m. **alucinación.**

alucinante. p. a. de **alucinar.** Que alucina. ‖ **2.** Fantástico, asombroso.

alucinar. (Del lat. *allucināri.*) tr. Ofuscar, seducir o engañar haciendo que se tome una cosa por otra. ‖ **2.** Sorprender, asombrar, deslumbrar. Ú. t. c. prnl. ‖ **3.** intr. Padecer alucinaciones. ‖ **4.** prnl. Confundirse, desvariar.

alucinatorio, ria. adj. Perteneciente o relativo a la alucinación.

alucinógeno, na. (Del fr. *hallucinogène.*) adj. Que produce alucinación. Dícese en especial de ciertas drogas. Ú. t. c. s. m.

alucón. (aum. del lat. *alūcus*, búho.) m. **cárabo**[2].

aluchar. intr. *Cantabria.* Luchar dos personas agarradas para derribar una de ellas a su adversario.

aluche. (De *aluchar.*) m. *Cantabria* y *León.* Pelea entre dos, en que agarrándose uno a otro con ambas manos de sus sendos cinturones de cuero, procura cada cual dar con su contrario en tierra, conforme a determinadas reglas; es diversión popular.

alud. (De or. prerromano; cf. vasc. *lurte*, derrumbamiento de tierra.) m. Gran masa de nieve que se derrumba de los montes con violencia y estrépito. ‖ **2.** Masa grande de una materia que se desprende por una vertiente, precipitándose por ella. Ú. t. en sent. fig.

aluda. (De *aludo.*) f. Hormiga con alas.

aludel. (Del ár. *al-'uṭāl*, el aparato para sublimar.) m. Cada uno de los caños de barro cocido, semejantes a una olla sin fondo, que, enchufados con otros en fila, se emplean en los hornos de Almadén para condensar los vapores mercuriales producidos por la calcinación del mineral de azogue. ‖ **2.** desus. *Quím.* Olla o vaso usado para sublimar.

aludido, da. p. p. de **aludir.** Ú. t. c. s. ‖ **darse por aludido.** fr. Recoger alguien una alusión, efectiva o aparente, que le atañe de algún modo, para reaccionar en función de su contenido.

aludir. (Del lat. *alludĕre.*) intr. Referirse a una persona o cosa, sin nombrarla o sin expresar que se habla de ella. ‖ **2.** Referirse a alguien o a algo, mencionarlo. Ú. t. c. intr.

aludo, da. (De *ala.*) adj. De grandes alas.

aluén. adv. l. ant. **alueñe.**

alueñarse. (De *alueñe.*) prnl. desus. **alejarse.**

alueñe. (Del lat. *ad longe*, lejos.) adv. l. ant. **lueñe,** lejos.

alufrar. (De or. inc.; cf. cat. *llofrar.*) tr. *Ar.* **columbrar** con la vista.

alugar. tr. ant. **alogar.**

álula. f. *Zool.* Grupo de plumas del borde anterior de las alas de las aves, que se insertan sobre el primer dedo y poseen funciones especiales en el vuelo.

alum. m. *Ar.* y *Murc.* **alumbre.**

alumbrado[1]**, da.** p. p. de **alumbrar**[1] o alumbrarse. ‖ **2.** V. **aguas alumbradas.** ‖ **3.** adj. Dícese de los adeptos a doctrinas según las cuales se llegaba mediante la oración a estado tan perfecto, que entregados a Dios, no necesitaban practicar los sacramentos ni las buenas obras, y se sentían libres de pecado cualesquiera que fueran sus actos. Esta secta nació en España en el siglo XVI. Ú. m. c. s. y en pl. ‖ **4.** fam. Achispado. ‖ **5.** m. Conjunto de luces que alumbran algún pueblo o sitio.

alumbrado[2]**, da.** p. p. de **alumbrar**[2]. ‖ **2.** adj. Que tiene mezcla de alumbre o participa de él.

alumbrador, ra. adj. Que alumbra[1]. Ú. t. c. s.

alumbramiento. m. Acción y efecto de alumbrar[1]. ‖ **2.** fig. **parto**[1] de la mujer. ‖ **3.** *Med.* Expulsión de la placenta y membranas después del parto. ‖ **4.** desus. Iluminación, inspiración.

alumbrante. p. a. de **alumbrar**[1]. Que alumbra. ‖ **2.** m. p. us. El que cuida del alumbrado de los teatros.

alumbrar[1]. (Del lat. *illumināre.*) tr. Llenar de luz y claridad. *El Sol* ALUMBRA *a la Tierra; esta lámpara* ALUMBRA *todo el salón.* Ú. t. c. intr. *El Sol* ALUMBRA; *esta lámpara* ALUMBRA *bien.* ‖ **2.** Poner luz o luces en algún lugar. ‖ **3.** Acompañar con luz a otro. ‖ **4.** Asistir con luz a algún acto religioso, entierro, etc. ‖ **5.** desus. Dar vista al ciego. ‖ **6.** Disipar la oscuridad y el error; convertirlos en conocimiento y acierto. ‖ **7.** Tratándose del entendimiento o de cualquier otra facultad, iluminar, inspirar. Ú. t. c. prnl. ‖ **8.** desus. Adoctrinar, instruir. ‖ **9.** Parir, dar a luz. Ú. t. c. intr. ‖ **10.** desus. Conceder feliz parto; asistir o ayudar a la mujer en el parto. ‖ **11.** fig. y fam. *Extr.* y *Venez.* Maltratar a una persona golpeándola. ‖ **12.** fig. Registrar, descubrir las aguas subterráneas y sacarlas a la superficie. ‖ **13.** *Agr.* Desahogar, desembarazar la vid o cepa de la tierra que se le había arrimado para abrigarla, a fin de que pasada la vendimia pueda introducirse el agua en ella. ‖ **14.** prnl. fam. **tomarse del vino.**

alumbrar[2]. (De *alumbre.*) tr. *Tint.* Meter los tejidos, madejas, etc., en una disolución de alumbre hecha en agua, para que reciban después mejor los colores y resulten estos más permanentes.

alumbre. (Del lat. *alūmen, -ĭnis.*) m. Sulfato doble de alúmina y potasa: sal blanca y astringente que se halla en varias rocas y tierras, de las cuales se extrae por disolución y cristalización. Se emplea para aclarar las aguas turbias; sirve de mordiente en tintorería y de cáustico en medicina después de calcinado. ‖ **2. piedra alumbre.** ‖ **de pluma.** El ferroso que cristaliza en forma de filamentos parecidos a las barbas de pluma. ‖ **sacarino,** o **zucarino.** Mezcla artificial de **alumbre** y azúcar, que se usa en medicina como remedio astringente.

alumbrera. f. Mina o cantera de donde se saca el alumbre.

alumbroso, sa. (Del lat. *aluminōsus.*) adj. Que tiene calidad o mezcla de alumbre.

alúmina. (Del lat. *alūmen, -ĭnis,* alumbre.) f. *Quím.* Óxido de aluminio que se halla en la naturaleza algunas veces puro y cristalizado, y por lo común formando, en combinación con la sílice y otros cuerpos, los feldespatos y las arcillas.

aluminado, da. p. p. de **aluminar.** ‖ **2.** adj. ant. **alumbrado**[1], hereje. Usáb. m. c. s. y en pl.

aluminar. (Del lat. *ad,* a, y *lumināre,* alumbrar.) tr. ant. **alumbrar**[1].

aluminato. m. *Quím.* Compuesto formado por la alúmina en combinación con ciertas bases.

aluminio. (Del lat. *alumen, -ĭnis,* a través del ing. *aluminium.*) m. Elemento químico que existe en la corteza terrestre como uno de sus componentes más abundantes. Es un metal ligero, tenaz, dúctil y maleable que posee color y brillo parecidos a los de la plata. En contacto con el aire se recubre de una finísima capa de óxido que lo protege eficazmente de posterior oxidación. Tiene múltiples aplicaciones. Núm. atómico 13. Símb.: *Al.* ‖ **2.** V. **bronce de aluminio.** ‖ **3.** V. **papel de aluminio.**

aluminita. (De *alúmina.*) f. Roca de que se extrae el alumbre.

aluminoso, sa. adj. Que tiene calidad o mezcla de alúmina.

aluminotermia. (De *aluminio* y *-termia.*) f. Técnica para obtener un metal con elevada pureza mediante reducción de un compuesto del mismo (generalmente un óxido), con empleo de aluminio finamente dividido y consiguiente aumento de temperatura.

alumnado. m. Conjunto de alumnos de un centro docente.

alumno, na. (Del lat. *alumnus,* de *alĕre,* alimentar.) m. y f. Persona criada o educada desde su niñez por alguno, respecto de este. ‖ **2.** Cualquier discípulo, respecto de su maestro, de la materia que está aprendiendo o de la escuela, colegio o universidad donde estudia. *Fulano tiene muchos* ALUMNOS; ALUMNO *de medicina;* ALUMNO *del Instituto.* ‖ **3.** V. **alférez alumno.** ‖ **de las musas.** fig. **poeta.**

alunado, da. p. p. de **alunarse.** ‖ **2.** adj. **lunático.** ‖ **3.** Dícese del animal al que se cree enfermo por haber estado expuesto a la luz de la luna. Ú. m. en América. ‖ **4.** V. **jabalí alunado.**

alunamiento. (De *a-*[1] y *luna.*) m. *Mar.* Curva que forma la relinga de pujamen de algunas velas.

alunarado, da. adj. Dícese de la res berrenda cuyas manchas son redondas, como grandes lunares. ‖ **2.** Dícese del tejido, papel, etc., con dibujo de lunares.

alunarse. (De *a-*[1] y *luna.*) prnl. Estropearse, echarse a perder un alimento. ‖ **2.** *Amér. Central* y *Venez.* Enconarse las mataduras.

alunizaje. m. Acción y efecto de alunizar.

alunizar. intr. Posarse una nave espacial o un tripulante de ella, en la superficie de la luna.

aluquete. (Del ár. *al-waqīd,* la mecha.) m. ant. **luquete**[1], ruedecita de naranja o limón.

alusión. (Del lat. *allusĭo, -ōnis,* retozo, juego.) f. Acción de aludir. ‖ **2.** *Ret.* Figura que consiste en aludir a una persona o cosa. ‖ **personal.** En los cuerpos deliberantes, la que se dirige a uno de sus individuos, ya nombrándolo, ya refiriéndose a sus hechos, opiniones o doctrinas.

alusivo, va. adj. Que alude o implica alusión.

alustrar. tr. p. us. **lustrar,** dar lustre.

aluvial. (Del lat. *alluvĭes,* aluvión.) adj. **de aluvión.**

aluvión. (Del lat. *alluvĭo, -ōnis.*) m. Avenida fuerte de agua, inundación. ‖ **2.** fig. Sedimento arrastrado por las lluvias o las corrientes. ‖ **3.** fig. Afluencia grande de personas o cosas. *Un* ALUVIÓN *de insultos.* ‖ **4.** *Der.* Accesión paulatina, perceptible con el tiempo, que en beneficio de un predio ribereño va causando el lento arrastre de la corriente. ‖ **de aluvión.** loc. adj. Dícese de los terrenos que quedan al descubierto después de las avenidas y de los que se forman lentamente por los desvíos o las variaciones en el curso de los ríos. ‖ **2.** fig. Improvisado, heterogéneo, superficial, inmaduro.

aluzar. tr. *Col., Guat., Méj., P. Rico* y *Sto. Dom.* **alumbrar**[1], llenar de luz y claridad. ‖ **2.** *P. Rico* y *Sto. Dom.* Examinar al trasluz, especialmente los huevos.

alvareque. m. **albareque.**

alveario. (Del lat. *alvearĭum,* colmena.) m. *Anat.* Conducto auditivo externo donde se acumula la cerilla del oído.

álveo. (Del lat. *alvĕus.*) m. Madre del río o arroyo.

alveolar. adj. *Zool.* Perteneciente, relativo o semejante a los alveolos. *Nervios, receptáculos* ALVEOLARES. ‖ **2.** V. **arco alveolar.** ‖ **3.** *Gram.* Dícese del sonido que se pronuncia acercando o aplicando la lengua a los alveolos de los incisivos superiores. ‖ **4.** Dícese del fonema a que este sonido corresponde y de la letra que lo representa. Ú. t. c. s.

alveolo o **alvéolo.** (Del lat. *alveŏlus,* d. de *alvĕus,* cavidad.) m. **celdilla** del panal. ‖ **2.** fig. Cavidad, hueco. ‖ **3.** *Zool.* Cada una de las cavidades en que están engastados los dientes en las mandíbulas de los vertebrados. ‖ **4.** *Zool.* Cada una de las fositas hemisféricas en que terminan las últimas ramificaciones de los bronquiolos.

alverja. f. **arveja,** algarroba. ‖ **2.** *Amér.* **guisante.**

alverjana. f. **arvejana.**

alverjón. m. **arvejón..**

alvino, na. (Del lat. *alvīnus,* de *alvus,* vientre.) adj. *Anat.* Perteneciente o relativo al bajo vientre. *Evacuaciones* ALVINAS.

alza. (De *alzar.*) f. Acción y efecto de alzar, subir o elevarse. ‖ **2.** Aumento de valor que toma alguna cosa, como la moneda, los fondos públicos, los precios, etc. ‖ **3.** Aumento de la estimación en que se tiene a personas o cosas. ‖ **4.** Pedazo de suela o vaqueta que los zapateros ponen sobre la horma cuando el zapato ha de ser algo más ancho o alto de lo que corresponde al tamaño de ella. ‖ **5. calce**[1], cuña para rellenar un espacio. ‖ **6.** Regla graduada fija en la parte posterior del cañón de las armas de fuego, que sirve para precisar la puntería. ‖ **7.** Aparato destinado a este mismo fin en las piezas de artillería. ‖ **8.** Cada uno de los maderos o tableros que sirven para formar una presa movible. ‖ **9.** *Impr.* Pedazo de papel que se pega sobre el tímpano de la prensa o se coloca debajo de los caracteres para igualar la impresión o hacer que sobresalga donde convenga. ‖ **en alza.** loc. Aumentando la estimación de una cosa o persona. Ú. m. con los verbos *ir* y *estar*. ‖ **jugar al alza.** fr. *Com.* Especular con las mudanzas de la cotización de los valores públicos o mercantiles, previendo **alza** en la misma.

alzacola. m. Pájaro insectívoro algo parecido al ruiseñor, del que se distingue por su mayor tamaño y la larga cola en abanico de color rojizo manchado de negro y blanco en el extremo.

alzacuello. (Del fr. *hausse-col*, de or. neerl.) m. Tira de tela endurecida que, ceñida al cuello, obligaba a llevarlo erguido. ‖ **2.** Tira suelta de tela endurecida o de material rígido que se ciñe al cuello, propia del traje eclesiástico.

alzada. (De *alzar.*) f. Acción y efecto de alzar. ‖ **2.** Altura, elevación o estatura. ‖ **3.** Altura del caballo, y a veces de otros cuadrúpedos, medida desde el rodete del talón hasta la parte más elevada de la cruz. ‖ **4.** Recurso de apelación en lo gubernativo. ‖ **5.** V. **alcalde, juez de alzadas.** ‖ **6.** *Ast.* Lugar alto de pastos para el verano y cabañas en que allí habitan temporalmente los vaqueros. ‖ **7.** V. **vaqueiro de alzada.**

alzadamente. adv. m. De manera alzada. ‖ **2.** Por un tanto alzado.

alzadera. (De *alzar.*) f. Especie de contrapeso que servía para saltar.

alzadero. (De *alzar.*) m. *Ast.* y *Gal.* Vasar o anaquel en cocinas y tiendas.

alzadizo, za. adj. desus. Que es fácil de alzar.

alzado, da. p. p. de **alzar.** ‖ **2.** adj. Dícese del ajuste o precio que se fija en determinada cantidad, a diferencia de los que son resultado de evaluación o cuenta circunstanciada. ‖ **3.** Rebelde, sublevado. ‖ **4.** fig. *Amér.* Dícese de la persona engreída, soberbia e insolente. ‖ **5.** *Amér. Merid.* Dícese de los animales domésticos que se hacen montaraces y, en algunas partes, de los que están en celo. ‖ **6.** *Ar., Guat., Hond.* y *Méj.* m. Robo, hurto. ‖ **7.** *Arq.* Diseño que representa la fachada de un edificio. ‖ **8.** *Geom.* Diseño de un edificio, máquina, aparato, etc., en su proyección geométrica y vertical sin considerar la perspectiva. ‖ **9.** *Impr.* Ordenación de los pliegos de una obra impresa, para formar los ejemplares de la misma.

alzador. m. *Impr.* Pieza o sitio destinado para alzar los impresos. ‖ **2.** *Impr.* Operario encargado de esta operación.

alzadura. f. Acción de alzar.

alzafuelles. (De *alzar* y *fuelle.*) com. fig. *Col.* Persona aduladora o lisonjera.

alzamiento. m. Acción y efecto de alzar o alzarse. ‖ **2.** Levantamiento o rebelión. ‖ **3.** desus. Puja que se hace en una subasta o almoneda. ‖ **de bienes.** Desaparición u ocultación que de su fortuna hace el deudor para eludir el pago a sus acreedores. Tratándose de comerciantes, quiebra fraudulenta.

alzapaño. (De *alzar* y *paño.*) m. Cada una de las piezas de hierro, bronce u otra materia que, clavadas en la pared, sirven para tener recogida la cortina hacia los lados del balcón o la puerta. ‖ **2.** Cada una de las tiras de tela o cordonería que, sujetas a los **alzapaños,** abrazan y tienen recogida la cortina.

alzapié. (De *alzar* y *pie.*) m. Lazo o artificio para prender y cazar por el pie cuadrúpedos o aves. ‖ **2.** Banqueta pequeña para apoyar los pies.

alzapón. (De *alzar* y *poner.*) m. *Sal.* Portezuela que tapa la parte anterior de los calzones y de alguna clase de pantalones.

alzaprima. (Del ant. *alzaprime*, compuesto de los imperats. de *alzar* y *premir.*) f. **palanca.** ‖ **2.** Pedazo de madera o metal que se pone como cuña para realzar alguna cosa. ‖ **3. puente** de los instrumentos de arco. ‖ **4.** ant. fig. Artificio o engaño para derribar o perder a alguien. ‖ **5.** *Argent.* y *Urug.* Cadena o cadenilla que sirve para levantar y fijar al talón las espuelas pesadas. ‖ **6.** *Argent.* y *Par.* Carro angosto, sin caja, de grandes ruedas, empleado para transportar troncos u otros objetos de mucho peso. ‖ **dar alzaprima** a alguien. fr. fig. ant. Usar de artificio o engaño para derribarlo o perderlo.

alzaprimar. tr. Levantar una cosa con la alzaprima o palanca. ‖ **2.** Devolver algo caído a su posición anterior. Ú. en sent. fig. referido a la voz, a los ánimos soliviantados, o a aquello a que se da realce o importancia.

alzapuertas. (De *alzar* y *puerta.*) m. desus. El que solo sirve de criado o comparsa en las comedias.

alzar. (Del lat. **altiāre*, de *altus*, alto[1].) tr. **levantar,** mover hacia arriba. ‖ **2. levantar,** construir, edificar. ‖ **3.** En el santo sacrificio de la misa, elevar la hostia y el cáliz después de la consagración. Ú. t. c. intr. ‖ **4.** V. **alzar bandera, alzar pendón, alzar velas, alzar el vuelo.** ‖ **5.** En los juegos de naipes, cortar la baraja. ‖ **6.** prnl. Levantarse, sobresalir en una superficie. ALZARSE *una ampolla.* ‖ **7.** tr. fig. Ensalzar, engrandecer. ‖ **8.** Erigir, instituir. ‖ **9.** Elevar un precio. ‖ **10.** Esforzar la voz. ‖ **11.** Hacer que cesen penas o vejámenes. ‖ **12.** Rebelar, sublevar. Ú. m. c. prnl. ‖ **13.** Sacar o llevarse alguna cosa. ‖ **14.** Recoger, guardar, ocultar. ‖ **15.** prnl. desus. Retirarse, apartarse de algo. ‖ **16.** desus. Refugiarse o acogerse. ‖ **17.** *Amér.* Fugarse y hacerse montaraz el animal doméstico. ‖ **18.** *Der.* **apelar**[1]. ‖ **19.** desus. En al juego, dejarlo alguno, yéndose con la ganancia sin esperar a que los otros se puedan desquitar. ‖ **20.** Defraudar a un acreedor, especialmente ocultando fondos o ausentándose con ellos; quebrar maliciosamente. ‖ **21.** Con un complemento introducido por *con,* apoderarse de algo con usurpación o injusticia. ‖ **22.** tr. Retirar del campo la cosecha. ‖ **23.** *Agr.* Dar la primera reja o vuelta al rastrojo o haza de labor. ‖ **24.** *Albañ.* Dar el peón al oficial la pellada o porción de yeso amasado u otra mezcla que ha de emplear. ‖ **25.** *Impr.* Poner en rueda todas las jornadas que se han tirado de una impresión y sacar los pliegos uno a uno para ordenarlos, de suerte que cada ejemplar tenga los que le corresponden y pueda procederse fácilmente a su encuadernación. ‖ **¡alza!** interj. fam. que se emplea para animar o celebrar a los que bailan.

alzo. (De *alzar*, v. «*alzarse con* alguna cosa».) m. *Amér. Central.* Hurto, robo. ‖ **2.** *Amér. Central.* Tratándose de gallos, pelea victoriosa.

allá. (Del lat. *illac*, por allí.) adv. l. **allí.** Indica lugar menos circunscrito o determinado que el que se denota con esta última voz. Por eso **allá** admite ciertos grados de comparación que rechaza **allí;** v. gr.: *tan* ALLÁ, *más* ALLÁ, *muy* ALLÁ. Empléase a veces precediendo a nombres significativos de lugar para denotar lejanía. ALLÁ *en Rusia;* ALLÁ *en América.* ‖ **2.** En el otro mundo. ‖ **3.** En fórmulas como ALLÁ *te las compongas,* ALLÁ *se las haya,* ALLÁ *tú,* ALLÁ *él,* ALLÁ *cada cual,* etc., manifiesta desdén o despreocupación respecto a los problemas ajenos. ‖ **4.** Con verbos de movimiento y precedido a veces de las preposiciones *hacia* o *para,* indica alejamiento del punto en que se halla el hablante. *Vete* ALLÁ, HACIA ALLÁ O PARA ALLÁ. ‖ **5.** adv. t. que precediendo a nombres significativos de tiempo, denota el remoto pasado. ALLÁ *en tiempo de los godos;* ALLÁ *en mis mocedades.* ‖ **allá allá.** En frases elípticas, ser aproximadamente iguales dos o más cosas que se comparan. ‖ **el más allá.** loc. sustantiva. El mundo de ultratumba. ‖ **muy allá.** loc. adv. En frs. negat. y con los verbos *estar, andar* y otros semejantes, no disfrutar de buena salud, no ser sobresaliente o no funcionar bien algo.

-alla. (Del lat. *alĭa,* term. n. pl. de los adjetivos en *-ālis,* o de sustantivos neutros.) suf. de valor entre colectivo y despectivo: *morr*ALLA, *can*ALLA.

allanabarrancos. (De *allanar* y *barranco.*) com. *Ál.* y *Ar.* Persona a quien todo le parece fácil.

allanador, ra. adj. Que allana. Ú. t. c. s.

allanadura. f. ant. **allanamiento.**

allanamiento. m. Acción y efecto de allanar o de allanarse. ‖ **2.** Acto de conformarse con una demanda o decisión. ‖ **3.** *Amér.* Registro policial de un domicilio.

allanar. (De *a-*[1] y *llano.*) tr. Poner llano o plano. Ú. t. c. intr. y c. prnl. ‖ **2.** Dejar o poner expedito y transitable un camino u otro lugar de paso. Ú. t. en sent. fig. ‖ **3.** Derribar una construcción o rellenar un terreno hasta que quede al nivel del suelo. ‖ **4.** fig. Vencer o superar alguna dificultad o inconveniente. ‖ **5.** fig. desus. Pacificar, aquietar, sujetar. ‖ **6.** Entrar en casa ajena contra la voluntad de su dueño. ‖ **7.** *Amér.* Registra un domicilio con mandamiento judicial. ‖ **8.** prnl. **aplanar,** caer a plomo. ‖ **9.** fig. Conformarse, avenirse, acceder a alguna cosa. ‖ **10.** fig. Igualarse o ponerse una persona a la misma altura de otra u otras que normalmente le son inferiores.

allariz. m. Lienzo labrado en Allariz, villa de Galicia.

allegadera. (De *allegar.*) f. *Ál., Nav., Rioja* y *Sal.* Utensilio agrícola que consta de un travesaño de madera y un mango largo, y que usan en las eras para recoger las porciones de mies que dejan la rastra y el bieldo.

allegadizo, za. adj. Que se allega o junta sin elección y para aumentar el número.

allegado, da. p. p. de **allegar.** ‖ **2.** adj. Cercano o próximo en el espacio o en el tiempo. ‖ **3.** Dicho de una o más personas respecto de otra u otras, cercano o próximo en parentesco, amistad, trato o confianza. Ú. t. c. s. ‖ **4.** *Argent., Chile* y *P. Rico.* Dícese de la persona que vive transitoriamente en casa ajena, por lo común sin ser pariente del dueño. Ú. t. c. s.

allegador, ra. adj. Que allega. Ú. t. c. s. ‖ **2.** m. Rastro o tabla de madera para allegar la parva trillada. ‖ **3. hurgón,** para atizar la lumbre.

allegamiento. m. Acción de allegar o allegarse. ‖ **2.** ant. Reunión o concurso de personas o cosas allegadas. ‖ **3.** ant. Aproximación, unión, estrechez. ‖ **4.** ant. **parentesco.** ‖ **5.** ant. **ayuntamiento,** coito.

alleganza. (De *allegar.*) f. ant. **allegamiento,** acción y efecto de allegar. ‖ **2. allegamiento,** parentesco. ‖ **3.** ant. **llegada.**

allegar. (Del lat. *applicāre,* plegar.) tr. Recoger, juntar. ‖ **2.** Arrimar o acercar una cosa a otra. Ú. t. c. prnl. ‖ **3.** Reunir o agrupar. ‖ **4.** Agregar, añadir. ‖ **5.** Dar o procurar algo a otro. ‖ **6.** Obtener, conseguir. ‖ **7.** intr. **llegar** a un lugar. Ú. t. c. prnl. ‖ **8.** desus. Conocer carnalmente una persona a otra. Usáb. m. c. prnl. ‖ **9.** prnl. Adherirse a un dictamen o idea, convenir con ellos.

allén. adv. l. ant. **allende.**

allende. (Del lat. *illinc,* de allí.) adv. l. De la parte de allá. ‖ **2.** adv. c. **además.** ‖ **3.** prep. Más allá de, de la parte de allá de. ‖ **4.** Además, fuera de. Ú. t. c. adv. seguido de la prep. *de.* ALLENDE DE *ser hermosa, era discreta.*

allent. adv. l. ant. **allende.**

allí. (Del lat. *illic.*) adv. l. En aquel lugar. ‖ **2.** A aquel lugar. ‖ **3.** adv. t. Entonces, en tal ocasión. ALLÍ *fue el trabajo.* ‖ **4.** En correlación con *aquí,* suele designar sitio indeterminado. *Por dondequiera se veían hermosas flores;* AQUÍ, *rosas y dalias;* ALLÍ, *jacintos y claveles.*

allora. (Del lat. *ad illam horam.*) adv. t. desus. **alora.**

alloza. (Del ár. *al-lauza,* la almendra.) f. **almendruco.**

allozar. m. desus. Lugar poblado de allozos.

allozo. (De *alloza.*) m. Almendro, especialmente el silvestre.

allú. (De or. inc.; cf. lat. *illūc,* y ast. occidental *alló.*) adv. l. *Argent.* Allá lejos.

alludel. m. **aludel.**

ama. (Del lat. hispánico *amma,* nodriza.) f. Cabeza o señora de la casa o familia. ‖ **2.** Dueña o poseedora de alguna cosa. ‖ **3.** La que tiene uno o más criados, respecto de ellos. ‖ **4.** Se usa como tratamiento dirigido a la señora o a alguien a quien se desea manifestar respeto o sumisión. ‖ **5.** Criada superior que suele haber en casa del clérigo o del seglar que vive solo. ‖ **6.** Criada principal de una casa. ‖ **7.** Mujer que cría a sus pechos alguna criatura ajena. ‖ **8.** Aya, maestra. ‖ **9.** Dueña de un burdel. ‖ **de brazos.** *Amér.* **ama seca.** ‖ **de cría. ama,** mujer que cría una criatura ajena. ‖ **de gobierno. ama de llaves.** ‖ **de leche. ama de cría.** ‖ **de llaves.** Criada encargada de las llaves y economía de la casa. ‖ **seca.** Mujer a quien se confía en la casa el cuidado de los niños, niñera.

amabilidad. (Del lat. *amabilĭtas, -ātis.*) f. Calidad de amable.

amabilísimo, ma. adj. sup. de **amable.**

amable. (Del lat. *amabĭlis.*) adj. Digno de ser amado. ‖ **2.** Afable, complaciente, afectuoso.

amablemente. adv. m. Con amabilidad.

amacayo. m. *Amér.* **flor de lis,** planta amarilidácea.

amaceno, na. (Del lat. *Damascēnus,* de Damasco.) adj. Dícese de la ciruela damascena y del árbol que la produce. Ú. m. c. s.

amacigado, da. adj. De color amarillo o de almáciga.

amación. (Del lat. *amatĭo, -ōnis.*) f. *Míst.* Enamoramiento o pasión amorosa.

amacollar. intr. Formar macolla las plantas. Ú. t. c. prnl.

amacharse. (De *a-*[1] y *macho*[1].) prnl. *Cuba, P. Rico* y *Sto. Dom.* Volverse estéril una planta o un animal hembra. ‖ **2.** *Chile* y *Méj.* Resistirse, obstinarse, negarse a hacer algo.

amachetear. (De *a-*[1] y *machete.*) tr. Dar machetazos.

amachinarse. (De *a-*[1] y *Machín,* aplicado a Cupido.) prnl. *Can.* y *Amér.* **amancebarse.** ‖ **2.** *Guat.* y *Pan.* Abatirse, perder energías, acobardarse.

amacho. adj. *Amér. Central.* Sobresaliente, destacado en su género, viril, fuerte.

amachorrarse. (De *a-*[1] y *machorra,* hembra estéril.) prnl. *Guat., Méj., Nicar.* y *R. de la Plata.* Hacerse machorra una hembra o una planta.

amadeo. m. Moneda de plata de cinco pesetas con el busto del rey Amadeo I. Ú. t. en aposición a duro.

amado, da. p. p. de **amar.** ‖ **2.** m. y f. Persona **amada.**

amador, ra. (Del lat. *amātor, -ōris.*) adj. Que ama. Ú. t. c. s.

amadrigar. (De *a*[1] y *madriguera.*) prnl. Esconderse o protegerse en una madriguera. ‖ **2.** Retraerse, no dejarse ver en público sino rara vez. ‖ **3.** fig. Acogerse o refugiarse al amparo o protección de alguien. ‖ **4.** tr. Albergar o alojar. ‖ **5.** Proteger o cuidar a una persona.

amadrinamiento. m. Acción y efecto de amadrinar o amadrinarse.

amadrinar. tr. Acompañar o asistir como madrina a una persona. ‖ **2.** Proteger o patrocinar una mujer a alguna persona, entidad o iniciativa. ‖ **3.** Unir dos caballerías con la correa llamada madrina. ‖ **4.** *Amér. Merid.* Acostumbrar al ganado caballar a que vaya en tropilla detrás de la yegua madrina. ‖ **5.** prnl. Acostumbrarse un animal a andar con otro u otros de su misma especie o, a veces, de otra, o apegarse a ellos. ‖ **6.** tr. *Mar.* Unir o parear dos cosas para reforzar una de ellas o para que ambas ofrezcan mayor resistencia.

amadroñado, da. adj. Parecido al madroño.

amaestradamente. adv. m. p. us. Con maestría, con arte y destreza.

amaestrado, da. p. p. de **amaestrar.** ‖ **2.** adj. Dispuesto con arte y astucia.

amaestrador, ra. adj. Que amaestra. Ú. m. c. s.

amaestradura. (De *amaestrar.*) f. desus. Artificio para disimular o engañar.

amaestramiento. m. Acción y efecto de amaestrar o amaestrarse.

amaestrar. (De *a-*[1] y *maestro.*) tr. Enseñar o adiestrar. Ú. t. c. prnl. ‖ **2.** Domar a un animal, a veces enseñándole a hacer habilidades.

amagadura. f. desus. *Veter.* Rozadura sobre el casco de la caballería.

amagamiento. m. *Amér. Merid.* Quebrada poco profunda.

amagar. (De etim. disc.) tr. Hacer ademán de herir o golpear. ‖ **2.** Amenazar a alguien con algún mal o mostrar intención de hacérselo. ‖ **3.** Amenazar un mal, o presentarse como inminente, a una o más personas o cosas. ‖ **4.** Manifestar en alguien sus primeros síntomas una enfermedad. ‖ **5.** Mostrar intención o disposición de hacer algo próxima o inmediatamente. ‖ **6.** intr. Estar próximo o sobrevenir. ‖ **7.** prnl. fam. Ocultarse, **esconderse.** Ú. t. c. tr. ‖ **amagar y no dar.** Juego de muchachos, el cual se reduce a levantar uno de ellos la mano como para dar a otro un golpe, sin llegar a dárselo, porque de lo contrario pierde.

amagatorio. (De *amagar.*) m. *Ar.* **escondite,** juego de muchachos.

amago. m. Acción y efecto de amagar. ‖ **2.** p. us. Señal o indicio de alguna cosa.

ámago. (De or. inc.; cf. lat. *amĭdum* por *amy̆lum,* almidón.) m. p. us. Sustancia correosa y amarilla de sabor amargo que labran las abejas. ‖ **2.** fig. p. us. Fastidio, náusea.

amagrecer. (De *a-*[1] y *magrecer.*) tr. ant. **enmagrecer.**

amainador. m. *Min.* Obrero que amaina.

amainar. (Del cat. *amainar.*) tr. *Mar.* Recoger en todo o en parte las velas de una embarcación. ‖ **2.** intr. Tratándose del viento, aflojar, perder su fuerza. ‖ **3.** fig. Aflojar o ceder en algún deseo, empeño o pasión. Ú. t. c. tr. ‖ **4.** tr. *Min.* Desviar o retirar de los pozos las cubas u otras vasijas que se emplean en ellos.

amaine. m. Acción y efecto de amainar.

amaitinar. tr. Observar y mirar con cuidado, acechar, espiar.

amajadar. tr. Hacer la majada o redil al ganado menor en un terreno, para que lo abone mientras esté allí recogido. ‖ **2.** Poner el ganado en la majada o redil. Ú. t. c. intr. ‖ **3.** intr. Hacer mansión el ganado en la majada.

amajanar. tr. Señalar los límites de un campo con majanos.

amalar. tr. ant. **malear.** ‖ **2.** prnl. p. us. Ponerse malo o enfermo. Usáb. t. c. intr.

¡amalaya! (De *ah* y *mal haya.*) *Amer.* interj. que se usa para maldecir, expresar disgusto o conmiseración. También equivale a **ojalá.**

amalayar. intr. *Argent., Col., Hond.* y *Méj.* Proferir la interjección ¡amalaya! ‖ **2.** tr. *Amér. Central, Col., Méj.* y *Venez.* Desear ardientemente una cosa.

amalear. tr. ant. **malear.**

amalecita o **amalequita.** (Del lat. *amalecita,* y este del hebr. *'amalqi.*) adj. Dícese del individuo de un pueblo bíblico de la Arabia, descendiente de Amalec, nieto de Esaú. Ú. m. c. s. y en pl. ‖ **2.** Perteneciente a este pueblo.

amalfitano, na. adj. Natural de Amalfi. Ú. t. c. s. ‖ **2.** Perteneciente a esta ciudad de Italia.

amalgama. (Del b. lat. *amalgama.*) f. *Quím.* Aleación de mercurio, generalmente sólida o semilíquida. ‖ **2.** fig. Unión o mezcla de cosas de naturaleza contraria o distinta.

amalgamación. f. Acción y efecto de amalgamar, frecuentemente como método de extracción de metales nobles.

amalgamador, ra. adj. Que amalgama. Ú. t. c. s. ‖ **2.** m. *Metal.* Aparato para extraer oro de sus minerales por amalgamación.

amalgamamiento. m. **amalgamación.**

amalgamar. (De *amalgama.*) tr. *Quím.* Alear el mercurio con otro u otros metales para formar amalgamas. Ú. t. c. prnl. ‖ **2.** fig. Unir o mezclar cosas de naturaleza contraria o distinta. Ú. t. c. prnl.

ámalo, la. adj. Dícese de uno de los linajes más ilustres de los godos. Apl. a pers., ú. t. c. s.

amalladar. intr. *Ar.* **malladar.**

amallarse. prnl. *Chile.* **alzarse,** retirarse del juego el que está ganando.

amamantador, ra. adj. Que amamanta. Ú. t. c. s.

amamantamiento. m. Acción y efecto de amamantar.

amamantar. tr. Dar de mamar.

amán. (Del ár. *amān,* seguridad.) m. Entre los musulmanes, seguridad o cuartel que pide el que se rinde.

amanal. m. *Méj.* Alberca, estanque. ‖ **2.** *Méj.* Manantial.

amanar. tr. ant. Prevenir, preparar o poner a la mano alguna cosa.

amancay, amancaya o **amancayo.** (Del quechua *amánkay,* azucena.) m. *Amér.* Nombre de diversas plantas, ya herbáceas, ya arbóreas, cuya flor, blanca o amarilla, recuerda a la azucena. ‖ **2.** Flor de estas plantas.

amancebamiento. (De *amancebarse.*) m. Trato ilícito y habitual de hombre y mujer.

amancebarse. (De *a-*[1] y *manceba.*) prnl. Unirse en amancebamiento.

amancillar. (De *a-*[1] y *mancilla.*) tr. Manchar[1], deslustrar la fama o linaje. ‖ **2.** Deslucir, afear, ajar. ‖ **3.** ant. **lastimar.** ‖ **4.** ant. Causar lástima o compasión.

amanear. tr. **manear.**

amanecer[1]**.** (De *a-*[1] y el lat. hispánico *manescĕre.*) intr. impers. Empezar a aparecer la luz del día. AMANECE *a las ocho.* AMANECE *nublado.* ‖ **2.** intr. Llegar o estar en un lugar, situación o condición determinados al aparecer la luz del día. AMANECÍ *en Madrid.* AMANECÍ *cansado.* ‖ **3.** Aparecer de nuevo o manifestarse alguna cosa al rayar el día. AMANECIÓ *un pasquín en la puerta de Palacio.* ‖ **4.** Nacer. Ú. t. en sent. fig. ‖ **5.** Aparecer o presentarse, especialmente de modo inesperado. Ú. t. c. prnl. ‖ **6.** *Argent., Bol., Col., Chile, Ecuad., Méj.* y *Perú.* Pasar la noche en vela. Ú. m. c. prnl. ‖ **7.** tr. desus. Alumbrar, iluminar.

amanecer[2]**.** m. Tiempo durante el cual amanece. *El* AMANECER *de un día de mayo.* ‖ **al amanecer.** loc. adv. Al tiempo de estar amaneciendo.

amanecida. f. **amanecer**[2]**.**

amanerado, da. p. p. de **amanerarse.** ‖ **2.** adj. Que adolece de amaneramiento.
amaneramiento. m. Acción y efecto de amanerarse. ‖ **2.** Falta de variedad en el estilo.
amanerarse. (De *a-*[1] y *manera.*) prnl. Dicho de artistas o escritores, reiterar insistentemente en la concepción o ejecución de sus obras, rasgos peculiares que las apartan de la naturalidad. Ú. t. c. tr. ‖ **2.** Hacerse una persona afectada, rebuscada y falta de naturalidad en el modo de actuar, hablar, etc.
amanezca. f. *Méj.* y *Ant.* Alba, amanecer.
amangualar. (De *a-*[1] y *manguala,* confabulación.) tr. *Col.* Conchabar. Ú. m. c. prnl.
amaniatar. tr. desus. **maniatar.**
amanojado, da. p. p. de **amanojar.** ‖ **2.** adj. *Bot.* Que tiene forma de manojo.
amanojar. tr. Juntar en manojo.
amansado, da. p. p. de **amansar.** ‖ **2.** adj. V. **animal amansado.**
amansador, ra. adj. Que amansa. Ú. t. c. s. ‖ **2.** m. *Amér.* Domador de caballos. ‖ **3.** f. fig. *Argent.* y *Urug.* Antesala, espera prolongada.
amansamiento. m. Acción y efecto de amansar o amansarse.
amansar. (De *a-*[1] y *manso*[2].) tr. Hacer manso a un animal, domesticarlo. Ú. t. c. prnl. ‖ **2.** fig. Sosegar, apaciguar, mitigar. Ú. t. c. prnl. ‖ **3.** fig. Domar el carácter violento de una persona. Ú. t. c. prnl. ‖ **4.** intr. Apaciguarse, amainar algo. ‖ **5.** Ablandarse una persona en su carácter.
amantar. tr. fam. Cubrir a alguien con manta o con ropa sin ajustársela al cuerpo.
amante[1]**.** (Del lat. *amans, -antis.*) p. a. de **amar.** Que ama. Ú. t. c. s. ‖ **2.** adj. Por ext., dícese de las cosas en que se manifiesta el amor o que se refieren a él. ‖ **3.** com. **querido** o **querida,** que tienen relaciones amorosas ilícitas. ‖ **4.** m. pl. Hombre y mujer que se aman.
amante[2]**.** (Del gr. ἱμάς, -άντος, correa.) m. *Mar.* Cabo grueso que, asegurado por un extremo en la cabeza de un palo o verga y provisto en el otro de un aparejo, sirve para resistir grandes esfuerzos.
amantero. (De *amante*[2].) m. Obrero portuario que dirige las maniobras de carga y descarga.
amantillar. tr. *Mar.* Halar los amantillos.
amantillo. (d. de *amante*[2].) m. *Mar.* Cada uno de los dos cabos que sirven para embicar y mantener horizontal una verga cruzada.
amanuense. (Del lat. *amanuensis.*) com. Persona que tiene por oficio escribir a mano, copiando o poniendo en limpio escritos ajenos, o escribiendo lo que se le dicta. ‖ **2.** m. Escribiente de un despacho, oficina o tribunal.
amanzanamiento. m. *Argent.* y *Urug.* Acción y efecto de amanzanar.
amanzanar. tr. *Argent.* y *Urug.* Dividir un terreno en manzanas de casas.
amañar. (De *a-*[1] y *maña.*) tr. Preparar o disponer algo con engaño o artificio. ‖ **2.** *Cantabria* y *Gal.* Arreglar, componer. ‖ **3.** prnl. Darse maña. ‖ **4.** Adaptarse o acomodarse. ‖ **5.** *N. Argent., Bol., Col.* y *Ecuad.* Unirse en concubinato.
amaño. (De *amañar.*) m. Disposición para hacer con maña alguna cosa. ‖ **2.** fig. Traza o artificio para ejecutar o conseguir algo, especialmente cuando no es justo o merecido. Ú. m. en pl. ‖ **3.** *N. Argent., Bol., Col.* y *Ecuad.* Amancebamiento, concubinato. ‖ **4.** pl. Instrumentos o herramientas a propósito para alguna maniobra.
amapola. (Del mozár. *apapaura.*) f. Planta anual de la familia de las papaveráceas, con flores rojas por lo común y semilla negruzca. Frecuentemente nace en los sembrados y los infesta. Es sudorífica y algo calmante. ‖ **2.** Flor de esta planta. ‖ **3.** Se da este nombre a varias plantas americanas de diversas familias, semejantes en algún aspecto a la **amapola** común.
amapolar. (De *amapola.*) tr. Pintar de rojo las mejillas. ‖ **2.** Enrojecer o ruborizar. Ú. t. c. prnl.
amar. (Del lat. *amāre.*) tr. Tener amor a alguien o algo. ‖ **2.** desus. **desear.**
amaracino, na. (Del lat. *amaracĭnus,* y este del gr. ἀμαράκινος.) adj. De amáraco. ‖ **2.** V. **ungüento amaracino.**
amáraco. (Del lat. *amarăcus,* y este del gr. ἀμάρακος.) m. **mejorana.**
amaraje. m. Acción de amarar una nave aérea o espacial.
amarantáceo, a. (De *amaranto.*) adj. *Bot.* Dícese de matas y arbolitos angiospermos dicotiledóneos que tienen hojas opuestas o alternas, flores diminutas, sentadas, aglomeradas, solitarias o en espiga, y por frutos, cápsulas o cariópsides con semillas de albumen amiláceo, como el amaranto y la perpetua. Ú. t. c. s. f. ‖ **2.** f. pl. *Bot.* Familia de estas plantas.
amarantina. (De *amaranto.*) f. Perpetua de flores encarnadas.
amaranto. (Del gr. ἀμάραντος.) m. Planta anual de la familia de las amarantáceas, de ocho a nueve decímetros de altura, con tallo grueso y ramoso, hojas oblongas y ondeadas, flores terminales en espiga densa, aterciopelada y comprimida a manera de cresta, y comúnmente, según las distintas variedades de la planta, carmesíes, amarillas, blancas o jaspeadas, y fruto con muchas semillas negras y relucientes. Es originaria de la India y se cultiva en los jardines como planta de adorno. ‖ **2.** Color carmesí. Ú. t. c. adj. invariable.
amarañar. tr. desus. **enmarañar.**
amarar. (De *a-*[1] y *mar.*) intr. Posarse en el agua un hidroavión o un vehículo espacial.
amarcar. (der. del quechua *marcana.*) tr. *Ecuad.* Tomar en los brazos. ‖ **2.** *Ecuad.* Apadrinar o sacar de pila a una criatura.
amarecer. (Del lat. *mas, maris,* carnero.) tr. **amorecer.**
amargado, da. p. p. de **amargar.** ‖ **2.** adj. Dícese de la persona que guarda algún resentimiento por frustraciones, disgustos, etc.
amargaleja. (De *amargo.*) f. **endrina.**
amargamente. adv. m. Con amargura.
amargar. (Del lat. *amaricāre.*) intr. Tener alguna cosa sabor o gusto amargo. Ú. t. c. prnl. ‖ **2.** tr. Comunicar sabor o gusto desagradable a una cosa. Ú. t. en sent. fig. ‖ **3.** fig. Causar aflicción o disgusto. Ú. t. c. prnl. ‖ **4.** Experimentar una persona resentimiento por frustraciones, fracasos, disgustos, etc. Ú. m. c. prnl.
amargazón. (De *amargar.*) f. ant. **amargor.**
amargo, ga. (De *amaro*[2], infl. por *amargar.*) adj. Dícese de lo que tiene el sabor característico de la hiel, de la quinina y otros alcaloides; cuando es especialmente intenso produce una sensación desagradable y duradera. ‖ **2.** V. **almendra, caña, lechera amarga.** ‖ **3.** V. **almendro, cedro, cohombrillo amargo.** ‖ **4.** fig. Que causa aflicción o disgusto. ‖ **5.** fig. Que está afligido o disgustado. ‖ **6.** fig. Áspero y de genio desabrido. ‖ **7.** fig. Que implica o demuestra amargura o aflicción. ‖ **8.** m. Sustancia de sabor **amargo.** ‖ **9.** Dulce seco compuesto con almendras **amargas.** ‖ **10.** Licor confeccionado con almendras **amargas.** ‖ **11.** *R. de la Plata.* **mate amargo.** ‖ **12.** *Farm.* Composición que principalmente se hace de ingredientes **amargos.**
amargón[1]**.** m. **diente de león.**
amargón[2]**.** (aum. de *amargo.*) m. *Perú.* Disgusto intenso.
amargor. m. Sabor o gusto amargo. ‖ **2.** fig. **amargura,** aflicción o disgusto. ‖ **quitarse el amargor de la boca.** fr. fig. y fam. Satisfacer un deseo.

amargoso, sa. adj. **amargo,** que amarga. ‖ **2. amargo,** que causa aflicción. ‖ **3. amargo,** que implica amargura. ‖ **4.** V. **escoba amargosa.**

amarguera. f. Planta perenne de la familia de las umbelíferas, de tallo ramoso, que crece hasta unos ocho decímetros de altura, con hojas lineales, tiesas y nerviosas, flores amarillas en umbela, y frutos ovales y comprimidos, que encierran dos semillas cada uno. Toda la planta tiene sabor amargo, y a esta circunstancia debe su nombre.

amarguero. adj. V. **espárrago amarguero.**

amarguillo. (d. de *amargo.*) m. **amargo,** dulce de almendras amargas.

amargura. f. Gusto amargo. ‖ **2.** fig. Aflicción o disgusto.

amaricado, da. (De *a-*[1] y *marica,* dicho de un varón.) adj. fam. **afeminado.**

amariconado, da. adj. Afeminado.

amarilidáceo, a. (De *Amaryllis,* nombre de un género de plantas.) adj. *Bot.* Dícese de plantas angiospermas monocotiledóneas, vivaces, generalmente bulbosas, de hojas lineales, flores hermafroditas, ordinariamente en cimas, umbelas o racimos, alguna vez solitarias; fruto comúnmente en cápsula, con semillas de albumen carnoso; como el narciso, el nardo y la pita. Ú. t. c. s. f. ‖ **2.** f. pl. *Bot.* Familia de estas plantas.

amarilídeo, a. adj. *Bot.* **amarilidáceo.**

amarilis. f. Nombre de varias plantas de la familia de las amarilidáceas.

amarilla. (De *amarillo.*) f. fig. y fam. Moneda de oro, y especialmente **onza.** ‖ **2.** *Veter.* Enfermedad del ganado lanar, que procede de una alteración del hígado.

amarillear. intr. Ir tomando una cosa color amarillo. ‖ **2. palidecer.**

amarillecer. intr. Ponerse amarillo.

amarillejo, ja. adj. d. de **amarillo.** ‖ **2. amarillento.**

amarillento, ta. adj. Que tira a amarillo.

amarilleo. m. Acción y efecto de amarillear.

amarillez. f. Calidad de amarillo. Ú. m. referido al cuerpo humano.

amarilleza. f. ant. **amarillez.**

amarillismo. m. Sensacionalismo, como lo practica la prensa amarilla.

amarillista. adj. Dícese de la prensa amarilla.

amarillo, lla. (Del b. lat. *amarĕllus,* de *amārus,* amargo.) adj. De color semejante al del oro, el limón, la flor de retama, etc. Es el tercer color del espectro solar. Ú. t. c. s. ‖ **2.** Dícese de la persona pálida a causa de enfermedad o susto. ‖ **3.** *Col., Nicar., P. Rico* y *Sto. Dom.* Dícese del plátano maduro. ‖ **4.** V. **cambur, cuerpo, jazmín, libro, nenúfar, rosal, sindicato, ungüento amarillo.** ‖ **5.** V. **azúcar, cedoaria, cera, fiebre, orcaneta, perpetua, prensa, siempreviva amarilla.** ‖ **6.** V. **mielga de flor amarilla.** ‖ **7.** m. Adormecimiento extraordinario que los gusanos de seda, cuando son muy pequeños, suelen padecer en tiempo de niebla. ‖ **8.** Sustancia colorante o pigmento de color **amarillo.** AMARILLO *de cadmio.* ‖ **9.** *Col., Cuba, Méj., Pan., Perú, R. de la Plata* y *El Salv.* Nombre de distintas plantas americanas caracterizadas por el color **amarillo** de alguna de sus partes, especialmente la madera.

amarillor. m. ant. **amarillez.**

amarilloso, sa. adj. **amarillento.**

amarillura. f. ant. **amarillez.**

amarinar. tr. **marinar,** poner marineros en un buque apresado.

amariposado, da. adj. De figura semejante a la de la mariposa. Aplícase comúnmente a las corolas de las flores de las papilionáceas.

amaritud. (Del lat. *amaritūdo.*) f. desus. **amargor.**

amarizaje. m. Amaraje, acuatizaje.

amarizar[1]**.** (Del lat. *meridiāre,* sestear.) intr. *Sal.* y *Zam.* Sestear el ganado. Ú. m. c. prnl.

amarizar[2]**.** intr. Amarar un hidroavión o un vehículo espacial.

amarizarse. (De *amarecer.*) prnl. **copular.** Se usa tratándose del ganado lanar.

amarizo. m. *Sal.* Sitio en donde se amariza el ganado.

amaro[1]**.** (Del lat. *marum.*) m. Planta de la familia de las labiadas, de unos siete a ocho decímetros de altura, muy ramosa, con hojas grandes, acorazonadas en la base, recortadas por el margen y cubiertas de un vello blanquizco, y flores en verticilo, blancas con viso morado y de olor nauseabundo. Se usa como tópico para las úlceras.

amaro[2]**, ra.** (Del lat. *amārus.*) adj. ant. **amargo.**

amaromar. (De *a-*[1] y *maroma.*) tr. Atar con maromas.

amarra. (De *amarrar.*) f. Correa que va desde la muserola al pretal, y se pone a los caballos para que no levanten la cabeza. ‖ **2.** *Mar.* Cuerda o cable, y especialmente cabo con que se asegura una embarcación en el puerto o lugar donde da fondo, ya sea con el ancla, o ya amarrada a tierra. ‖ **3.** pl. fig. y fam. Protección, apoyo. *Pedro tiene buenas* AMARRAS.

amarraco. (De *amarreco.*) m. Tanteo de cinco puntos en el juego del mus.

amarradero. m. Poste, pilar o argolla donde se amarra alguna cosa. ‖ **2.** *Mar.* Sitio donde se amarran los barcos.

amarradijo. m. *Cantabria, Col., Guat.* y *Hond.* Amarradura, especialmente la hecha con descuido.

amarrado, da. p. p. de **amarrar.** ‖ **2.** adj. *Cuba* y *Chile.* **atado,** que no sabe desenvolverse. ‖ **3.** Que procede sobre seguro. ‖ **4.** fig. Tacaño, avaro.

amarradura. f. Acción y efecto de amarrar. ‖ **2.** *Mar.* **vuelta,** circunvolución.

amarraje. m. Impuesto que se paga por el amarre de las naves en un puerto.

amarrar. (Del fr. *amarrer,* y este del neerl. *anmarren,* atar.) tr. Atar y asegurar por medio de cuerdas, maromas, cadenas, etc. ‖ **2.** Por ext., atar, sujetar. ‖ **3.** Sujetar el buque en el puerto o en cualquier fondeadero, por medio de anclas y cadenas o cables. ‖ **4.** En sentido moral, atar o encadenar. ‖ **5.** Entre estudiantes, empollar. ‖ **6.** fig. En varios juegos de naipes, hacer la fullería de barajar de tal suerte que ciertas cartas queden juntas y salgan o no, según convenga. ‖ **7.** *Amér. Central, Col., Chile, Méj.* y *Venez.* Vendar o ceñir. Ú. m. en p. p. ‖ **8.** *Amér. Central, Argent., Col., Méj., Sto. Dom.* y *Venez.* Embriagarse. Ú. m. en la fr. **amarrársela.** ‖ **9.** *Chile, Nicar., Perú* y *P. Rico.* Concertar o pactar. ‖ **10.** prnl. *Col., Cuba, El Salv., Guat., Méj., Nicar., Pan.* y *P. Rico.* Casarse, contraer matrimonio.

amarre. m. Acción y efecto de amarrar o amarrarse.

amarreco. (Del vasc. *amarreco,* de *amarr,* diez.) m. *Ál.* y *Nav.* **amarraco.**

amarrequear. intr. *Ál.* y *Nav.* Señalar o apuntar los amarracos.

amarrete, ta. adj. **amarrado,** avaro.

amarrido, da. (De *a-*[1] y *marrido.*) adj. Afligido, melancólico, triste.

amarro. m. Acción y efecto de amarrar, atar, sujetar.

amarteladamente. adv. m. **enamoradamente.**

amartelado, da. p. p. de **amartelar.** ‖ **2.** adj. Que implica o demuestra amartelamiento.

amartelamiento. (De *amartelar.*) m. Exceso de galantería o rendimiento amoroso.

amartelar. (De *a-*[1] y *martelo.*) tr. Enamorar. Ú. m. c. prnl. ‖ **2.** desus. Dar celos. Usáb. t. c. prnl. ‖ **3.** prnl. Acaramelarse o ponerse muy cariñoso el enamorado. Ú. m. en p. p.

amartillar. tr. **martillar.** ‖ **2.** Poner en el disparador un arma de fuego, como escopeta o pistola. ‖ **3.** fig. Afianzar, asegurar un trato o negocio.

amarulencia. (Del lat. *amarulentus*, de *amārus*, amargo.) f. desus. Resentimiento, amargura.

amasadera. f. Artesa en que se amasa. ‖ **2.** *Murc.* Cuezo de los albañiles.

amasadero. m. Local donde se amasa el pan.

amasado, da. p. p de **amasar.** ‖ **2.** m. Acción y efecto de amasar.

amasador, ra. adj. Que amasa. Ú. t. c. s. ‖ **2.** f. Máquina para amasar.

amasadura. f. Acción de amasar. ‖ **2. amasijo,** harina amasada.

amasamiento. m. **amasadura.** ‖ **2.** *Med.* **masaje.**

amasandero, ra. m. y f. *Argent., Col., Chile* y *Venez.* Persona que amasa la harina para hacer el pan.

amasar. (De *a-*[1] y *masa*[1].) tr. Formar o hacer masa, mezclando harina, yeso, tierra o cosa semejante con agua u otro líquido. ‖ **2.** fig. Reunir, acumular fortuna o bienes. ‖ **3.** fig. Formar mediante la combinación de varios elementos. ‖ **4.** fig. Unir, amalgamar. Ú. t. c. prnl. ‖ **5.** fig. y fam. Disponer bien las cosas para el logro de lo que se intenta. Se usa generalmente en sentido peyorativo.

amasiato. (De *amasio.*) m. *C. Rica, Ecuad., Méj.* y *Perú.* **concubinato.**

amasijo. m. Porción de harina amasada para hacer pan. ‖ **2.** Acción de amasar y de preparar o disponer las cosas necesarias para ello. ‖ **3.** Porción de masa hecha con yeso, tierra o cosa semejante y agua u otro líquido. ‖ **4.** fig. y fam. Mezcla desordenada de cosas heterogéneas. ‖ **5.** fig. y fam. Intriga o engaño.

amasio, sia. (Del lat. *amasĭa*, f. de *amasĭus*.) m. y f. Querido o amante.

amatador, ra. (De *amatar.*) adj. ant. Que mata. Usáb. t. c. s.

amatar. tr. ant. **matar.** Usáb. t. c. prnl. ‖ **2.** *Ecuad.* Causar mataduras a una bestia por ludirle el aparejo.

amate. (Del náhuatl *amatl*, cierto árbol y por ext., papel que de su albura se fabrica.) m. Árbol de la familia de las moráceas, que abunda en las regiones cálidas de Méjico. El jugo lechoso se usa como resolutivo. Hay dos especies: el **blanco** y el **negro.** ‖ **2.** *Méj.* Pintura hecha sobre la albura del árbol de este nombre.

amatista. (Del lat. *amethystus*, y este del gr. ἀμέθυστος.) f. Cuarzo transparente, teñido por el óxido de manganeso, de color violeta más o menos subido. Se usa como piedra fina. ‖ **2.** Color violeta. Ú. t. c. adj. ‖ **oriental.** Corindón violado.

amatiste. m. p. us. **amatista.**

amatividad. (De *amativo.*) f. Instinto del amor sexual.

amativo, va. (Del lat. *amātum*, sup. de *amāre*, amar.) adj. Propenso a amar.

amatorio, ria. (Del lat. *amatorĭus*.) adj. Relativo al amor. ‖ **2.** Que induce a amar.

amaurosis. (Del gr. ἀμαύρωσις, oscurecimiento.) f. *Pat.* Privación total de la vista, ocasionada por lesión en la retina, en el nervio óptico o en el encéfalo, sin más señal exterior en los ojos que una inmovilidad constante del iris.

amauta. (De or. quechua.) m. Sabio o filósofo, en el antiguo imperio de los incas. ‖ **2.** *Bol.* y *Perú.* Persona anciana y experimentada que, en las comunidades indias, dispone de autoridad moral y de ciertas facultades de gobierno.

amayorazgar. tr. Reducir a vinculados algunos bienes, fundando con ellos mayorazgo a favor de ciertas líneas y personas.

amayuela. f. *Cantabria.* Almeja de mar.

amazacotado, da. adj. Pesado, groseramente compuesto a manera de mazacote. ‖ **2.** fig. Pesado, espeso, falto de gracia.

amazona. (Del lat. *amāzon, -ōnis*, y este del gr. ἀμαζών.) f. Mujer de alguna de las razas guerreras que suponían los antiguos haber existido en los tiempos heroicos. ‖ **2.** fig. Mujer de ánimo varonil. ‖ **3.** fig. Mujer que monta a caballo. ‖ **4.** fig. Traje de falda, comúnmente muy larga, que usan algunas mujeres para montar a caballo.

Amazonas. n. p. V. **piedra de las Amazonas.**

amazonense. adj. Perteneciente o relativo al río Amazonas. ‖ **2.** Natural del distrito colombiano de Amazonas, del departamento peruano de Amazonas o del estado brasileño de Amazonas. Ú. t. c. s. ‖ **3.** Perteneciente a ellos.

amazónico[1]**, ca.** adj. Perteneciente a las amazonas, o propio y característico de ellas.

amazónico[2]**, ca.** adj. Perteneciente o relativo al río Amazonas o a los territorios situados a sus orillas.

amazonio, nia. (Del lat. *amazonĭus*.) adj. p. us. **amazónico**[1].

ambages. (Del pl. lat. *ambāges*.) m. pl. p. us. Rodeos o caminos intrincados, como los de un laberinto. ‖ **2.** fig. Rodeos de palabras o circunloquios. Ú. m. en la loc. **sin ambages.**

ambagioso, sa. (Del lat. *ambagiōsus*.) adj. p. us. Lleno de ambigüedades, sutilezas y equívocos.

ámbar. (Del ár. *'anbar*.) m. Resina fósil, de color amarillo más o menos oscuro, opaca o semitransparente, muy ligera, dura y quebradiza, que arde fácilmente, con buen olor, y se emplea en cuentas de collares, boquillas para fumar, etc. ‖ **2.** Perfume delicado. ‖ **3.** V. **escobilla de ámbar.** ‖ **gris.** Sustancia que se encuentra en las vísceras del cachalote, sólida, opaca, de color gris con vetas amarillas y negras, de olor almizcleño, que al calor de la mano se ablanda como la cera, y la cual se halla en masas pequeñas y rugosas, sobrenadando en ciertos mares, especialmente en las costas de Coromandel, Sumatra y Madagascar. Se emplea en perfumería y como medicamento excitante. ‖ **negro. azabache,** mineral. ‖ **pardillo. ámbar gris.** ‖ **de ámbar.** Decíase de los guantes, coletos, bolsas y otras prendas de piel adobada con **ámbar** gris. ‖ **ser un ámbar.** fr. fig. y fam. con que se pondera el color, claridad y transparencia de algunos licores, y especialmente del vino.

ambarar. tr. ant. Dar o comunicar a alguna cosa olor de ámbar.

ambarina. (De *ámbar.*) f. **algalia**[1], planta malvácea. ‖ **2.** *Amér.* **escabiosa.**

ambarino, na. adj. Perteneciente al ámbar.

amberino, na. adj. Natural de Amberes. Ú. t. c. s.

ambiciar. tr. **ambicionar.**

ambición. (Del lat. *ambitĭo, -ōnis*.) f. Deseo ardiente de conseguir poder, riquezas, dignidades o fama.

ambicionar. (De *ambición.*) tr. Desear ardientemente alguna cosa..

ambicionear. intr. desus. **ambicionar.**

ambiciosamente. adv. m. Con ambición.

ambicioso, sa. (Del lat. *ambitiōsus*.) adj. Que tiene ambición. Ú. t. c. s. ‖ **2.** Que tiene ansia o deseo vehemente de alguna cosa. Ú. t. c. s. ‖ **3.** Dícese de aquellas cosas en que se manifiesta la ambición. ‖ **4.** fig. desus. Decíase de la hiedra y demás plantas que, como ella, se abrazan con tenacidad a los árboles u objetos por los que trepan.

ambidextro, tra o **ambidiestro, tra.** (Del lat. *ambidexter*.) adj. Que usa igualmente la mano izquierda que la derecha.

ambidos. (Del lat. *invītus*, que obra de mala gana.) adv. m. ant. **amidos.**

ambientación. f. Acción y efecto de ambientar.

ambientador, ra. m. y f. Persona que tiene a su cargo la ambientación en una obra de radio, cine o televisión. ‖ **2.** m. Sustancia para perfumar el ambiente o para eliminar malos olores. ‖ **3.** Envase que lo contiene.

ambiental. adj. Perteneciente o relativo al ambiente, esto es, a las circunstancias que rodean a las personas, animales o cosas.

ambientar. (De *ambiente.*) tr. Sugerir, mediante pormenores verosímiles, los rasgos históricos, locales o sociales del medio en que ocurre la acción de una obra literaria, de cine, radio, o televisión. ‖ **2.** Proporcionar a un lugar un ambiente adecuado, mediante decoración, luces, objetos, etc. ‖ **3.** Adaptar o acostumbrar a una persona a un medio desconocido o guiarla u orientarla en él. Ú. m. c. prnl.

ambiente. (Del lat. *ambiens, -entis,* que rodea o cerca.) adj. Aplícase a cualquier fluido que rodea un cuerpo. ‖ **2.** m. Aire o atmósfera. ‖ **3.** Condiciones o circunstancias físicas, sociales, económicas, etc., de un lugar, una colectividad o una época. ‖ **4.** Sin adjetivo, **ambiente** propicio, agradable, etc. *Me fui del baile porque no había* AMBIENTE. ‖ **5. ambiente** fiel, característico o típico que se reconoce en un lugar o en una obra pictórica o literaria que lo representa. *Es notable el* AMBIENTE *medieval que conserva la ciudad.* ‖ **6.** Grupo, estrato o sector social. AMBIENTES *aristocráticos, populares, intelectuales,* etc. ‖ **7.** Disposición de un grupo social o de un conjunto de personas respecto de alguien o de algo. *Juan tiene buen* AMBIENTE *entre sus colegas; la propuesta encontró mal* AMBIENTE. ‖ **8.** *Argent., Chile, Perú* y *Urug.* Habitación, aposento, cámara. ‖ **9.** *Pint.* Efecto de la perspectiva aérea que presta corporeidad a lo pintado y finge las distancias.

ambigú. (Del fr. *ambigu.*) m. **bufé.**

ambiguamente. adv. m. Con ambigüedad.

ambigüedad. (Del lat. *ambiguĭtas, -ātis.*) f. Calidad de ambiguo.

ambiguo, gua. (Del lat. *ambigŭus.*) adj. Que puede entenderse de varios modos o admitir distintas interpretaciones y dar, por consiguiente, motivo a dudas, incertidumbre o confusión. Dícese especialmente del lenguaje. ‖ **2.** Dícese de quien con sus palabras o comportamiento vela o no define claramente sus actitudes u opiniones. ‖ **3.** Incierto, dudoso. ‖ **4.** *Gram.* V. **nombre ambiguo.**

ámbito. (Del lat. *ambĭtus.*) m. Contorno o perímetro de un espacio o lugar. ‖ **2.** Espacio comprendido dentro de límites determinados. ‖ **3.** fig. Espacio ideal configurado por las cuestiones y los problemas de una o varias actividades o disciplinas relacionadas entre sí. *Esto pertenece al* ÁMBITO *de la psicología, no al de la sociología.*

ambivalencia. f. *Psicol.* Estado de ánimo, transitorio o permanente, en el que coexisten dos emociones o sentimientos opuestos; como el amor y el odio. ‖ **2.** Condición de lo que se presta a dos interpretaciones opuestas.

ambivalente. adj. Perteneciente o relativo a la ambivalencia.

amblador, ra. adj. desus. Dícese del animal que ambla.

ambladura. f. p. us. Paso de las caballerías en el cual mueven a un tiempo la mano y el pie del mismo lado.

amblar. (Del lat. *ambulāre,* andar.) intr. Andar un animal moviendo a un tiempo el pie y la mano de un mismo lado. ‖ **2.** desus. Mover lúbricamente el cuerpo.

ambleo. (Del ant. fr. *flambleau,* hachón de cera.) m. Cirio de kilogramo y medio de peso. ‖ **2.** Candelero para este cirio.

ambligonio. (Del lat. *amblygonius,* y este del gr. ἀμβλυγώνιος.) adj. *Geom.* V. **triángulo ambligonio.**

ambliope. (Del gr. ἀμβλυωπός, que tiene débil la vista.) adj. Dícese del que tiene debilidad o disminución de la vista, sin lesión orgánica del ojo. Ú. t. c. s.

ambliopía. (Del gr. ἀμβλυωπία, de ἀμβλυωπός, el que tiene la vista débil.) f. *Fisiol.* Defecto o imperfección del ambliope.

ambo. (Del lat. *ambo.*) m. En el antiguo juego de la lotería, suerte favorable y ganancia consiguiente para quien llevaba dos números iguales a los que resultaban premiados. ‖ **2.** En la lotería de cartones, dos números colocados en una fila de un cartón, y cuyas bolas respectivas han salido antes que las correspondientes a los otros tres números de la misma fila. ‖ **3.** *Chile* y *R. de la Plata.* Traje masculino, que consta solamente de chaqueta y pantalón, que pueden ser de distinto color.

ambón. (Del lat. *ambo, -ōnis,* y este del gr. ἄμβων.) m. Cada uno de los púlpitos que están a ambos lados del altar mayor, para cantar la epístola y el evangelio. En algunas iglesias antiguas estaban situados a los lados del coro.

ambos, bas. (Del lat. *ambo.*) adj. pl. El uno y el otro; los dos. ‖ **ambos o ambas a dos.** loc. pleonástica. **ambos, bas.**

-ambre. suf. de sustantivos colectivos o que indican abundancia: *pel*AMBRE, *raig*AMBRE, *enj*AMBRE, *cor*AMBRE.

ambrolla. (De *ambrollar.*) f. desus. **embrollo.** Ú. en Aragón y Murcia.

ambrollar. tr. desus. **embrollar.**

ambrosía o **ambrosia.** (Del gr. ἀμβροσία, de ἄμβροτος, inmortal, divino.) f. *Mit.* Manjar o alimento de los dioses. ‖ **2.** fig. Cosa deleitosa al espíritu. ‖ **3.** fig. Cualquier vianda, manjar o bebida de gusto suave o delicado. ‖ **4.** Planta anual de la familia de las compuestas, de dos a tres decímetros de altura, ramosa, de hojas recortadas, muy blancas y vellosas, así como los tallos; flores amarillas en ramillete y frutos oblongos con una sola semilla. Es de olor suave y gusto agradable, aunque amargo.

ambrosiano, na. adj. Perteneciente o relativo a San Ambrosio. *Rito* AMBROSIANO; *biblioteca* AMBROSIANA. ‖ **2.** V. **canto ambrosiano.**

ambuesta o **ambueza.** (Del celt. **ambosta.*) f. Porción de cosa suelta que cabe en ambas manos juntas y puestas en forma cóncava.

ambulación. f. Acción de ambular.

ambulacral. adj. *Zool.* Perteneciente o relativo a los ambulacros.

ambulacro. (Del lat. *ambulācrum,* paseo.) m. *Zool.* Cada uno de los apéndices tubuliformes y eréctiles de los equinodermos dispuestos en series radiales.

ambulancia. (De *ambulante.*) f. Hospital establecido en los cuerpos o divisiones de un ejército y destinado a seguir los movimientos de las tropas, a fin de prestar los primeros auxilios a los heridos. ‖ **2.** Vehículo destinado al transporte de heridos y enfermos y al de auxilios y elementos de cura. ‖ **de correos.** Oficina postal establecida en algunos trenes. ‖ **fija.** La que permanece en determinado sitio del campo de maniobras o de batalla. ‖ **volante.** La que lleva sus auxilios hasta la línea de fuego.

ambulante. (Del lat. *ambŭlans, -antis,* p. a. de *ambulāre,* andar.) adj. Que va de un lugar a otro sin tener asiento fijo. Ú. t. c. s. *Vendedor* AMBULANTE. ‖ **2. ambulativo.** ‖ **3.** Perteneciente o relativo a la ambulancia. ‖ **4.** m. Empleado de correos encargado del servicio de una ambulancia.

ambular. (Del lat. *ambulāre,* pasear.) intr. p. us. **andar**[1], ir de una parte a otra.

ambulativo, va. (Del lat. *ambulatīvus.*) adj. Decíase del carácter y de la persona a la que le gusta cambiar frecuentemente de morada.

ambulatorio, ria. (De *ambular.*) adj. Dícese de las diferentes formas de enfermedad o tratamiento que no obligan a estar en cama. ‖ **2.** Perteneciente o relativo a la práctica de andar. ‖ **3.** m. **dispensario.**

ambutar. tr. *Ast., Burg., Cantabria* y *Nav.* Embutar, empujar.

ameba. (Del gr. ἀμοιβή, cambio.) f. *Zool.* Protozoo rizópodo cuyo cuerpo carece de cutícula y emite seudópodos incapaces de anastomosarse entre sí. Conócense numerosas especies, de las que unas son parásitas de animales, otras viven en las aguas dulces o marinas y algunas en la tierra húmeda. ‖ **2.** f. pl. *Zool.* Orden de estos animales.

amebeo. (Del lat. *amoebaeus,* y este del gr. ἀμοιβαῖος, alternativo.) adj V. **verso amebeo.** Ú. t. c. s.

amecer. (Del lat. *admiscēre.*) tr. ant. **mezclar.** Usáb. t. c. prnl.

amechar. tr. Poner mecha en velones, candiles, etc. ‖ **2.** p. us. **mechar.**

amedrantar. tr. **amedrentar.**

amedrentador, ra. adj. Que amedrenta. Ú. t. c. s.

amedrentar. (De etim. disc.; cf. port. *amedorentar.*) tr. Infundir miedo, atemorizar. Ú. t. c. prnl.

amejoramiento. m. *Der.* **mejoramiento.** Ú. especialmente en Navarra.

ámel. (Del ár. *'āmil.*) m. Entre los árabes, jefe de un distrito.

amelar. intr. p. us. Fabricar las abejas su miel.

amelcochado, da. p. p. de **amelcochar.** ‖ **2.** adj. *Amér.* De color rubio.

amelcochar. (De *melcocha.*) tr. *Amér.* Dar a un dulce el punto espeso de la melcocha. Ú. t. c. prnl. ‖ **2.** prnl. fig. *Bol., C. Rica, Ecuad., Hond., Méj., Par.* y *Perú.* Reblandecerse. ‖ **3.** fig. *Cuba, Guat., Méj.* y *Perú.* Acaramelarse, derretirse amorosamente, mostrarse uno extraordinariamente meloso o dulzón.

amelga. (De *amelgar.*) f. Faja de terreno que el labrador señala en un haza para esparcir la simiente con igualdad y proporción.

amelgado, da. p. p. de **amelgar.** ‖ **2.** adj. Dícese del sembrado que ha nacido con cierta desigualdad. *Este trigo está* AMELGADO. ‖ **3.** m. *Ar.* Acción y efecto de amelgar o amojonar.

amelgador. m. El que amelga.

amelgar. (De *a-*[1] y *mielga*[3].) tr. Hacer surcos de distancia en distancia proporcionadamente para sembrar con igualdad. ‖ **2.** *Ar.* Amojonar alguna parte del terreno, en señal del derecho o posesión que en ella tiene alguna persona.

amelía. f. Distrito gobernado por un ámel.

amelo. (Del lat. *amellus.*) m. Planta perenne de la familia de las compuestas, de cinco a seis decímetros de altura, con tallo recto, ramoso por arriba, hojas sentadas, lanceoladas y enteras, y flores grandes, azules y en su centro amarillas. Suele cultivarse en los jardines como planta de adorno.

amelocotonado, da. adj. Que se parece al melocotón.

amelonado, da. adj. De figura de melón.

amellar. tr. Mellar, hacer mellas. Ú. t. c. prnl.

amembrillado, da. adj. Que se parece en algo al membrillo.

amén[1]**.** (Del hebr. *āmēn,* así sea, así es; en ár. *āmīn.*) Voz que se dice al final de una oración. Ú. t. c. s. m. ‖ **2.** Úsase para manifestar aquiescencia o vivo deseo de que tenga efecto lo que se dice. Ú. t. c. s. m. ‖ **3.** m. Final. Ú. t. en la fr. fig. y fam. **llegar a los amenes,** llegar en el último momento, cuando se está acabando una cosa. ‖ **4.** V. **sacristán, voto de amén.** ‖ **decir amén a todo.** fr. fig. y fam. Asentir a todo. ‖ **en un decir amén.** fr. fig. y fam. En un instante; en brevísimo tiempo. ‖ **llevarle** a alguien **el amén.** fr. fig. y fam. *Chile, Par.* y *Perú.* Manifestar aquiescencia a cuanto dice.

amén[2]**.** (De la loc. *a menos.*) loc. prepos. Además de. Ú. m. seguido de la prep. *de.* ‖ **2.** desus. Excepto. Usáb. seguido de la prep. *de.*

-amen. (Del lat. *-āmen.*) suf. de sustantivos tomados del latín: *dict*AMEN, *grav*AMEN, *ex*AMEN, *cert*AMEN. En sustantivos españoles derivados tiene significado colectivo: *vel*AMEN, *cerd*AMEN, *mader*AMEN, *pel*AMEN.

amenaza. f. Acción de amenazar. ‖ **2.** Dicho o hecho con que se amenaza.

amenazador, ra. adj. Que amenaza.

amenazar. (De *a-*[1] y *menazar.*) tr. Dar a entender con actos o palabras que se quiere hacer algún mal a otro. ‖ **2.** fig. Dar indicios de estar inminente alguna cosa mala o desagradable: anunciarla, presagiarla. Ú. t. c. intr. ‖ **3.** desus. fig. Conducir, guiar el ganado.

amencia. (Del lat. *amentĭa.*) f. p. us. **demencia.**

amenguadamente. adv. m. ant. **menguadamente.**

amenguadero, ra. adj. ant. Que amengua.

amenguamiento. m. desus. Acción y efecto de amenguar.

amenguar. (De *a-*[1] y *mengua.*) tr. Disminuir, menoscabar. Ú. t. c. intr. ‖ **2.** desus. fig. Deshonrar, infamar, baldonar.

amenidad. (Del lat. *amoenĭtas, -ātis.*) f. Calidad de ameno.

amenizar. tr. Hacer ameno algo.

ameno, na. (Del lat. *amoenus.*) adj. fig. Grato, placentero, deleitable. *Escritor* AMENO; *conversación* AMENA. ‖ **2.** Dícese del lugar agradable o placentero por su vegetación. *Valle* AMENO.

amenorar. (De *a-*[1] y *menor.*) tr. **aminorar.**

amenorgar. (Del lat. **minoricāre.*) tr. p. us. Aminorar, amenguar.

amenorrea. (Del gr. ἀ, priv., μήν, mes, y ῥέω, fluir.) f. *Fisiol.* Enfermedad que consiste en la supresión del flujo menstrual.

amentáceo, a. (Del lat. cient. *amentaceus.*) adj. *Bot.* Aplícase a las plantas que tienen inflorescencias en amento. Ú. t. c. s. f.

amentar. (Del lat. *amentāre.*) tr. ant. Atar o tirar con amiento.

amente. (Del lat. *amens, entis.*) adj. p. us. **demente.** Ú. t. c. s.

amento. (Del lat. *amentum.*) m. **amiento.** ‖ **2.** *Bot.* Espiga articulada por su base y compuesta de flores de un mismo sexo, como la del avellano.

-amento. V. **-mento.**

ameos. (Del lat. *amēos,* genit. de *ami,* y este del gr. ἄμμι.) m. Planta aromosa de la familia de las umbelíferas, con tallo recto, estriado y lampiño, que crece hasta 60 centímetros de altura; hojas con segmentos serrados y lanceolados; flores blancas, fruto oval y comprimido, y semillas negruzcas, menudas y aromáticas, que se han empleado en medicina como diuréticas. ‖ **2.** Semilla de esta planta.

amerar. tr. **merar.** ‖ **2.** prnl. Recalarse o empaparse.

amercearse. (De *a-*[1] y *merced.*) prnl. ant. **amercendearse.**

amercendearse. (De *a-*[1] y *mercendear.*) prnl. ant. Compadecerse, apiadarse. Usáb. t. c. intr.

amerengado, da. adj. Semejante al merengue. ‖ **2.** fig. Afectado, remilgado, obsequioso.

América. n. p. V. **avestruz, piña, tifo de América.** ‖ **hacer** alguien **las Américas.** fr. fig. Enriquecerse un extranjero en **América.**

americana. (De *América.*) f. **chaqueta.**

americanada. f. despect. Película típicamente estadounidense. ‖ **2.** despect. Dicho o hecho propio de los angloamericanos.

americanismo. m. Calidad o condición de americano. ‖ **2.** Carácter genuinamente americano. ‖ **3.** Amor o apego a las cosas características o típicas de América. ‖ **4.** Dedicación al estudio de las cosas de América. ‖ **5.** Vocablo, giro, rasgo fonético, gramatical o semántico que pertenece a alguna lengua indígena de América o proviene de ella. ‖ **6.** Vocablo, giro, rasgo fonético, gramatical o semántico peculiar o procedente del español hablado en algún país de América. ‖ **7. angloamericanismo.**

americanista. adj. Relativo a las cosas de América. ‖ **2.** com. Persona que estudia las lenguas y culturas de América.

americanización. f. Acción y efecto de americanizar o americanizarse.

americanizar. tr. Dar carácter americano. ‖ **2.** prnl. Tomar este carácter.

americano, na. adj. Natural de América. Ú. t. c. s. ‖ **2.** Perteneciente a esta parte del mundo. ‖ **3.** En regiones de activa emigración, **indiano,** que vuelve rico de América. ‖ **4.** V. **calendario americano.**

americio. (De *América.*) m. *Quím.* Elemento radiactivo artificial que se obtiene bombardeando el plutonio con neutrones. Es un metal de color blanco argentino. Núm. atómico 95. Símb.: *Am.*

américo, ca. adj. desus. **americano.**

amerindio, dia. (Del ing. *Amerindian.*) adj. Dícese de los indios americanos y de lo perteneciente o relativo a ellos.

ameritado, da. p. p. de **ameritar.** ‖ **2.** adj. *Amér.* Merecedor, benemérito.

ameritar. tr. p. us. *And.,* y *Amér.* Dar méritos. Ú. t. c. prnl. ‖ **2.** *Amér.* Merecer.

amerizaje. (Del fr. *amerissage.*) m. Acción y efecto de amerizar.

amerizar. (De *amerizaje.*) intr. Posarse en el mar un hidroavión o aparato astronáutico.

amesnador. m. ant. Guardia personal del rey.

amesnar. (Del lat. *mansionāre, alojar, de *mansĭo, -ōnis.*) tr. ant. Guardar, defender, poner a salvo o seguro.

amestizado, da. adj. Que tira a mestizo. Apl. a pers., ú. t. c. s.

amesurar. (De *a-*[1] y *mesurar.*) tr. ant. Estimar o valorar.

ametalado, da. adj. Semejante al azófar. ‖ **2.** Sonoro como metal; de buen timbre.

ametalar. tr. desus. **alear**[2]. ‖ **2.** desus. fig. Formar de algo con mezcla de cosas heterogéneas.

ametista. f. **amatista.**

ametisto. m. p. us. **ametista.**

ametrallador, ra. (De *ametrallar.*) adj. Que ametralla. ‖ **2.** V. **fusil ametrallador.** ‖ **3.** f. Arma automática, de tiro rápido y repetido, que se utiliza apoyada en el terreno. ‖ **4.** *Argent., Guat.* y *Perú.* Metralleta.

ametrallamiento. m. Acción y efecto de ametrallar.

ametrallar. tr. Disparar metralla contra el enemigo. ‖ **2.** Disparar con automaticidad y elevada frecuencia.

ametría. (Del gr. ἀμετρία, falta de medida.) f. Falta de medida, o irregularidad en la norma métrica. ‖ **2.** Falta de medida en los versos por no observarse en ellos el cómputo de sílabas. Se aplicaba en el primitivo mester de juglaría.

amétrico, ca. adj. Perteneciente o relativo a la ametría.

amétrope. adj. Dícese de la persona que tiene ametropía. Ú. t. c. s.

ametropía. (Del gr. ἄμετρος, irregular, y ὤψ, ojo.) f. Defecto de refracción en el ojo que impide que las imágenes se formen debidamente en la retina.

amezquindarse. (De *a-*[1] y *mezquindad.*) prnl. p. us. **entristecerse.**

ami. (Del lat. *ami,* y este del gr. ἄμμι.) m. **ameos.**

amia. (Del lat. *amĭa,* y este del gr. ἀμία.) f. **lamia,** especie de tiburón.

amianta. f. desus. **amianto.**

amianto. (Del lat. *amiantus,* y este del gr. ἀμίαντος, sin mancha.) m. Mineral que se presenta en fibras blancas y flexibles, de aspecto sedoso. Es un silicato de cal, alúmina y hierro, y por sus condiciones tiene aplicación para hacer con él tejidos incombustibles.

amiba. (Del gr. ἀμοιβή, cambio.) f. *Zool.* **ameba.**

amibo. *Zool.* **ameba.**

amicicia. (Del lat. *amicitĭa.*) f. desus. **amistad,** afecto.

amicísimo, ma. (Del lat. *amicissĭmus.*) adj. sup. de **amigo.**

amida. f. *Quím.* Cada uno de los compuestos orgánicos que formalmente resultan al sustituir por un acilo un átomo de hidrógeno unido al nitrógeno, en el amoníaco o en las aminas. ‖ **metálica.** *Quím.* Compuesto inorgánico que resulta de sustituir un átomo de hidrógeno del amoníaco por un metal.

amidos. (Del lat. *invītus,* forzado.) adv. m. ant. De mala gana, contra la propia voluntad y propósito, con repugnancia.

amiento. (De *amento.*) m. Correa con que se aseguraba la celada y que se ataba por debajo de la barba. ‖ **2.** Correa con que se ataba el zapato. ‖ **3.** Correa con que se ataban las lanzas o flechas para arrojarlas.

-amiento. V. **-miento.**

amiésgado. (Del lat. *domestĭcus.*) m. ant. **fresa**[1].

amigabilidad. (De *amigable.*) f. Disposición natural para contraer amistades.

amigable. (Del lat. *amicabĭlis.*) adj. Dícese de la persona afable, inclinada a la amistad. ‖ **2.** Dicho de cosas, **amistoso.** ‖ **3.** fig. Que tiene unión o conformidad con otra cosa. ‖ **4.** *Der.* V. **amigable componedor.**

amigablemente. adv. m. Con amistad.

amigacho. m. aum. de **amigo.** ‖ **2.** despect. **amigote,** compañero de francachelas.

amigajado, da. adj. ant. Hecho migajas.

amiganza. (De *amigo.*) f. p. us. **amistad,** afecto.

amigar. (Del lat. *amicāre,* de *amīcus,* amigo.) tr. **amistar.** Ú. t. c. prnl. ‖ **2.** prnl. **amancebarse.**

amígdala. (Del lat. *amygdăla,* y este del gr. ἀμυγδάλη, almendra, por la forma.) f. *Anat.* Órgano formado por la reunión de numerosos nódulos linfáticos. ‖ **2. amígdala palatina.** ‖ **faríngea.** La situada en la porción nasal de la faringe. ‖ **lingual.** La situada en la base de la lengua. ‖ **palatina.** Cada una de las dos que se encuentran entre los pilares del velo del paladar.

amigdaláceo, a. (Del lat. *amygdalacĕus,* propio de la almendra.) adj. *Bot.* Dícese de árboles o arbustos de la familia de las rosáceas, lisos o espinosos, que tienen hojas sencillas y alternas, flores precoces, solitarias o en corimbo y fruto drupáceo con hueso que encierra una almendra por semilla; como el cerezo, el ciruelo, el endrino, etc. Ú. t. c. s. f. ‖ **2.** f. pl. *Bot.* Familia de estas plantas.

amigdalina. (Del lat. *amygdalĭnus,* de almendra.) f. *Quím.* Glucósido contenido en la almendra amarga.

amigdalitis. f. *Pat.* Inflamación de las amígdalas.

amigo, ga. (Del lat. *amīcus.*) adj. Que tiene amistad. Ú. t. c. s. ‖ **2. amistoso.** ‖ **3.** fig. Que gusta mucho de alguna cosa. ‖ **4.** poét. Refiriéndose a objetos materiales, benéfico, benigno, grato. ‖ **5.** Úsase como tratamiento afectuoso, aunque no haya verdadera amistad. ‖ **6.** *Arit.* V. **números amigos.** ‖ **7.** m. y f. Persona amancebada. ‖ **8.** m. *Min.* Palo que se coloca atravesado en la punta del tiro o cintero para que, montándose los operarios, bajen y suban por los pozos. ‖ **9.** V. **cara de pocos amigos.** ‖ **10.** V. **pie de amigo.** ‖ **11.** f. p. us. Maestra de escuela de niñas. ‖ **12.** *And., Ar.* y *Méj.* Escuela de niñas. ‖ **del asa.** fam. desus. **amigo** íntimo. ‖ **de pelillo, o de taza de vino.** fam. desus. El que lo es solamente por interés y conveniencia. ‖ **hasta las aras.** desus. El que profesa fina amistad a otra persona sin exceder los límites de lo justo y honesto. ‖ **tan amigos** o **tan amigos como antes** o **tan amigos como siempre.** Fórmula que manifiesta la disposición del hablante a continuar una buena relación con su interlocutor, interrumpida o en peligro de romperse.

amigote. (aum. de *amigo.*) m. despect. Compañero habitual de francachelas y diversiones.

amiguero, ra. adj. *Argent., Bol., Ecuad., Méj.* y *Perú.* Dícese de la persona que entabla amistades fácilmente. Ú. t. c. s. ‖ **2.** *Bol., Ecuad.* y *Perú.* Dícese de la persona que gasta demasiado tiempo en conversaciones, etc., con los amigos.

amiguismo. m. Tendencia y práctica de favorecer a los amigos en perjuicio del mejor derecho de terceras personas.

amiláceo, a. (Del lat. *amȳlum,* almidón, y este del gr. ἄμυλον.)

adj. Que contiene almidón o que se parece a esta sustancia.

amilamia. (Del vasc. *eme*, del lat. *femina*, y *lamia*.) f. *Ál.* Hada o náyade de índole afable y caritativa.

amilanamiento. m. Acción y efecto de amilanar o amilanarse.

amilanar. (De *a-*[1] y *milano*.) tr. fig. Intimidar, o amedrentar. ‖ **2.** fig. Desanimar. ‖ **3.** prnl. Abatirse o desalentarse.

amílico. (Del lat. *amy̆lum*, almidón.) adj. V. **alcohol amílico.** Ú. t. c. s.

amiloideo, a. adj. Semejante al almidón.

amilosis. f. Proceso degenerativo causado por el depósito de sustancia amiloidea en los tejidos de ciertos órganos.

amillaramiento. m. Acción y efecto de amillarar. ‖ **2.** Lista o padrón en que constan los bienes amillarados y sus titulares.

amillarar. (De *a-*[1] y *millar*.) tr. Regular los caudales y granjerías de los vecinos de un pueblo para repartir entre ellos las contribuciones.

amillonado, da. adj. Sujeto a la antigua contribución de millones o arreglado según ella. ‖ **2.** Muy rico o acaudalado.

amimia. f. *Pat.* Pérdida de la facultad de expresión en la cara.

amín. (Del ár. *amīn*, fiel.) m. En Marruecos, funcionario encargado de recaudar los fondos, efectuar los pagos y administrar bienes por cuenta del Gobierno.

amina. f. *Quím.* Sustancia derivada del amoníaco por sustitución de uno o dos átomos de hidrógeno por radicales alifáticos o aromáticos.

aminar. tr. *Quím.* Introducir en una molécula orgánica un radical amínico.

amínico, ca. adj. Perteneciente o relativo a las aminas.

amino. m. *Quím.* Radical monovalente formado por un átomo de nitrógeno y dos de hidrógeno, que constituye el grupo funcional de las aminas y otros compuestos orgánicos.

aminoácido. m. *Quím.* Sustancia química orgánica en cuya composición molecular entran un grupo amínico y otro carboxílico. Veinte de tales sustancias son los componentes básicos de las proteínas.

aminoración. (De *aminorar*.) f. Acción y efecto de aminorar.

aminorar. intr. Disminuir o menguar. ‖ **2.** tr. Reducir en cantidad, calidad o intensidad.

amir. (Del ár. *amir*, jefe.) m. p. us. **emir.**

amirate. (Del ár. *amir*, jefe, a través del b. lat. *amiratus*.) m. ant. **almirante,** caudillo o noble con autoridad o señorío.

amirí. (Del ár. *ʿāmirī*.) adj. Dícese de cada uno de los descendientes de Almanzor ben Abiámir, que a la caída del califato de Córdoba fundaron reinos de taifas en el levante de España, durante la primera mitad del siglo XI. Ú. t. c. s.

amisión. (Del lat. *amissĭo, -ōnis*, de *amittĕre*, perder.) f. ant. **perdimiento.**

amistad. (Del lat. **amicĭtas, -ātis*, por *amicitĭa*, amistad.) f. Afecto personal, puro y desinteresado, ordinariamente recíproco, que nace y se fortalece con el trato. ‖ **2. amancebamiento.** ‖ **3.** Merced, favor. ‖ **4.** ant. Pacto amistoso entre dos o más personas. ‖ **5.** ant. Deseo o gana de alguna cosa. ‖ **6.** fig. Afinidad, conexión, hablando de cosas. ‖ **7.** pl. Personas con las que se tiene **amistad.** ‖ **hacer las amistades.** fr. fam. p. us. Reconciliarse dos o más personas que estaban reñidas. ‖ **romper las amistades.** fr. Reñir los que eran amigos. ‖ **tornar la amistad.** fr. ant. que se usaba como fórmula para rescindir el pacto de **amistad.**

amistanza. f. desus. **amistad.**

amistar. tr. Unir en amistad. Ú. t. c. prnl. ‖ **2.** Reconciliar a los enemistados. Ú. t. c. prnl.

amistoso, sa. adj. Perteneciente o relativo a la amistad. *Trato* AMISTOSO; *correspondencia* AMISTOSA. ‖ **2.** Dícese del encuentro deportivo que no es de competición.

amito. (Del lat. *amictus*, de *amicīre*, cubrir.) m. Lienzo fino, cuadrado y con una cruz en medio, que el preste, el diácono y el subdiácono se ponen sobre la espalda y los hombros para celebrar algunos oficios divinos.

amitosis. (De *a-*[2] y *mitosis*.) f. *Biol.* División del núcleo de una célula sin que se hagan patentes sus cromosomas constituyentes.

amitótico, ca. (De *amitosis*.) adj. *Biol.* Perteneciente o relativo a la amitosis.

amnesia. (Del gr. ἀμνησία.) f. Pérdida o debilidad notable de la memoria.

amnésico, ca. (De *amnesia*.) adj. Perteneciente o relativo a la amnesia. ‖ **2.** Que padece amnesia. Ú. t. c. s.

amnestía. (Del gr. ἀμνηστία, olvido.) f. ant. **amnistía.**

amnios. (Del gr. ἀμνίον, membrana.) m. *Zool.* Saco cerrado que envuelve y protege el embrión de los reptiles, aves y mamíferos, y que se forma como membrana extraembrionaria, llena de un líquido acuoso.

amniota. m. *Zool.* Vertebrado cuyo embrión desarrolla un amnios y, correlativamente, una bolsa alantoidea, como ocurre en el de reptiles, aves y mamíferos. Ú. m. en pl.

amniótico, ca. adj. *Zool.* Perteneciente o relativo al amnios. ‖ **2.** *Zool.* Perteneciente o relativo a los vertebrados amniotas.

amnistía. (De *amnestía*.) f. Olvido de los delitos políticos, otorgado por la ley ordinariamente a cuantos reos tengan responsabilidades análogas entre sí.

amnistiar. tr. Conceder amnistía.

amo. (De *ama*.) m. Cabeza o señor de la casa o familia. ‖ **2.** Dueño o poseedor de alguna cosa. ‖ **3.** El que tiene uno o más criados, respecto de ellos. ‖ **4.** p. us. Mayoral o capataz. ‖ **5.** Persona que tiene predominio o ascendiente decisivo sobre otra u otras. ‖ **6.** Se usa a veces como tratamiento dirigido al señor o a alguien a quien se desea manifestar respeto o sumisión. ‖ **7.** ant. **ayo.** ‖ **Nuestro Amo.** *Col.*, *Chile* y *Méj.* **Sacramento,** hostia consagrada. ‖ **asentar con amo.** fr. Obligarse por asiento a servirle. ‖ **ser el amo de la baila.** fr. fig. *Ar.* **ser el amo del cotarro.** ‖ **ser el amo del cotarro.** fr. fig. y fam. Ser el principal en algún negocio.

amoblar. tr. **amueblar.**

amochar. tr. *Ál.*, *Burg.*, *Cantabria*, *Nav.*, *Pal.*, *Rioja* y *Sor.* Mochar, dar mochadas.

amochiguar. (Del lat. **multificāre*, multiplicar.) tr. ant. **amuchiguar.** Usáb. t. c. intr. y c. prnl.

amodita. (Del lat. *ammodȳtes*, y este del gr. ἀμμοδύτης.) f. **alicante**[1].

amodorrado, da. adj. Soñoliento, adormecido o que tiene modorra.

amodorramiento. m. Acción y efecto de amodorrarse.

amodorrarse. prnl. Caer en modorra.

amodorrecer. tr. desus. **modorrar.**

amodorrido, da. adj. Que padece modorra.

amogotado, da. adj. *Mar.* De figura de mogote, montículo.

amohecer. (De *moho*.) tr. **enmohecer.** Ú. m. c. prnl. y c. intr.

amohinamiento. m. Acción y efecto de amohinar o amohinarse.

amohinar. tr. Causar mohína. Ú. t. c. prnl.

amohosarse. prnl. *And.* y *Amér.* **enmohecerse.**

amojamamiento. (De *amojamarse.*) m. Delgadez o sequedad de carnes.

amojamar. tr. Hacer mojama. ‖ **2.** prnl. **acecinarse.**

amojelar. tr. *Mar.* Sujetar con mojeles el cable al virador.

amojonador. m. El que amojona.

amojonamiento. m. Acción y efecto de amojonar. ‖ **2.** Conjunto de mojones.

amojonar. (De *a-*[1] y *mojón.*) tr. Señalar con mojones los linderos de una propiedad o de un término jurisdiccional.

amojosado, da. adj. *Bol.* Cubierto de moho; enmohecido.

amok. (Del malayo *amok* o del tagalo *hamoc.*) m. Entre los malayos, ataque de locura homicida.

amol. (Del m. or. que *amole.*) m. *Guat.* y *Hond.* Planta sarmentosa, de la familia de las sapindáceas, que, machacada, se usa para envarbascar.

amoladera. (De *amolar.*) adj. V. **piedra amoladera.** Ú. t. c. s.

amolado, da. p. p. de **amolar.** ‖ **2.** adj. *Perú.* Dícese de quien molesta o importuna mucho. Ú. t. c. s.

amolador. m. El que tiene por oficio amolar instrumentos cortantes o punzantes.

amoladura. f. Acción y efecto de amolar. ‖ **2.** pl. Arenillas y pedazos muy menudos que se desprenden de la piedra al tiempo de amolar.

amolanchín. m. En algunas partes, **amolador.**

amolar. (De *a-*[1] y *muela.*) tr. Sacar corte o punta a un arma o instrumento en la muela. ‖ **2.** V. **piedra de amolar.** ‖ **3.** fig. Adelgazar, enflaquecer. ‖ **4.** fig. y fam. Fastidiar, molestar con pertinacia. Ú. t. c. prnl.

amoldable. adj. Capaz de amoldarse.

amoldador, ra. adj. Que amolda. Ú. t. c. s.

amoldamiento. m. Acción de amoldar o amoldarse.

amoldar. (De *a-*[1] y *molde.*) tr. Ajustar una cosa al molde. Ú. t. c. prnl. ‖ **2.** fig. Por ext., acomodar, reducir a la forma propia o conveniente. Ú. t. c. prnl. ‖ **3.** fig. Arreglar o ajustar la conducta de alguno a una pauta determinada. Ú. m. c. prnl. ‖ **4.** ant. Señalar o marcar el ganado lanar.

amole. (Del náhuatl *amulli,* jabón.) m. Nombre con que se designan en Méjico varias plantas de distintas familias, cuyos bulbos y rizomas se usan como jabón.

amollador, ra. adj. Que amolla. Ú. t. c. s.

amollar. (De *a-*[1] y *muelle,* flojo.) intr. Ceder, aflojar, desistir. ‖ **2.** En el juego del revesino y otros, jugar una carta inferior a la que va jugada, teniendo otra superior con que poder cargar. ‖ **3.** tr. *Mar.* Soltar o aflojar la escota u otro cabo para disminuir su trabajo. Ú. t. c. intr.

amollecer. (Del lat. *emollescere.*) tr. ant. **ablandar.** Usáb. t. c. intr.

amollentadura. f. ant. Acción y efecto de amollentar o amollentarse.

amollentar. (Del lat. *emollĭens, -entis,* que ablanda.) tr. Ablandar una cosa. Se ha usado t. c. prnl. ‖ **2.** ant. fig. **afeminar.** Usáb. t. c. prnl.

amollentativo, va. adj. ant. Que amollenta.

amolletado, da. adj. desus. De figura de mollete.

amomo. (Del lat. *amōmo,* y este del gr. ἄμωμον.) m. Planta intertropical de la familia de las cingiberáceas, con raíz articulada y rastrera, escapo ramoso y laxo, hojas membranosas y aovadas, flores en espiga y por fruto cápsulas triloculares con muchas semillas lustrosas y negruzcas, aromáticas y de sabor muy acre y estimulante, que se usan en medicina. ‖ **2.** Semilla de esta planta.

Amón. n. p. V. **cuerno de Amón.**

amonarse. (De *mona,* borrachera.) prnl. fam. **embriagarse.**

amondongado, da. (De *a-*[1] y *mondongo.*) adj. fam. Gordo, tosco.

amonedación. f. Acción y efecto de amonedar.

amonedado, da. p. p. de **amonedar.** ‖ **2.** adj. V. **moneda amonedada.**

amonedar. tr. Reducir a moneda algún metal.

amonestación. f. Acción y efecto de amonestar. ‖ **2.** Notificación pública que se hace en la iglesia de los nombres de los que se van a casar u ordenar, a fin de que, si alguien supiere algún impedimento, lo denuncie. Ú. frecuentemente en pl. y, a veces, con los verbos *correr, leer* o *publicar.*

amonestador, ra. adj. Que amonesta. Ú. t. c. s.

amonestamiento. m. **amonestación,** acción y efecto de amonestar.

amonestar. (Del lat. *admonēre.*) tr. Hacer presente alguna cosa para que se considere, procure o evite. ‖ **2.** Advertir, prevenir, reprender. ‖ **3.** Publicar en la iglesia las amonestaciones. ‖ **4.** prnl. Ser **amonestado,** hacerse **amonestar.**

amoniacal. adj. Perteneciente o relativo al amoníaco. ‖ **2.** V. **linimento, vitriolo amoniacal.**

amoníaco, ca o **amoniaco, ca.** (Del lat. *ammoniăcus,* y este del gr. ἀμμωνιακός, de Ammon, Júpiter, en Libia.) adj. V. **sal amoníaca,** o **amoníaco.** ‖ **2.** m. *Quím.* Gas incoloro, de olor irritante, soluble en agua, compuesto de nitrógeno e hidrógeno. Es un producto básico en la industria química. ‖ **3.** Goma resinosa en lágrimas o en masa, compuesta de grumos de color amarillo rojizo por fuera y blanco por dentro, de sabor algo amargo y nauseabundo y olor desagradable. Se usa como medicamento expectorante. ‖ **líquido.** Disolución acuosa de amoníaco al 35 por 100, que desprende fácilmente **amoníaco** gaseoso.

amónico, ca. adj. *Quím.* Perteneciente o relativo al amonio.

amonio. (De *Ammón,* Júpiter.) m. *Quím.* Radical monovalente formado por un átomo de nitrógeno y cuatro de hidrógeno y que en sus combinaciones tiene grandes semejanzas con los metales alcalinos.

amonita[1]**.** f. p. us. **amonites.**

amonita[2]**.** (De *amonio.*) f. Mezcla explosiva cuyo principal componente es el nitrato amónico.

amonita[3]**.** (Del lat. *ammonīta.*) adj. Dícese del individuo de un pueblo bíblico de la Mesopotamia, descendiente de Amón, hijo de Lot. Ú. t. c. s. y en pl. ‖ **2.** Perteneciente a este pueblo.

amonites. (De *Ammón,* sobrenombre de Júpiter representado con cuernos de carnero.) m. Molusco fósil de la clase de los cefalópodos, con concha externa en espiral, muy abundante en la Era Secundaria.

amontadgar. tr. ant. **amontazgar.**

amontar. tr. desus. Ahuyentar, hacer huir. ‖ **2.** intr. Huir o hacerse al monte. Ú. t. c. prnl.

amontazgar. tr. **montazgar.**

amontillado. adj. Dícese del vino blanco de alta graduación semejante al vino de Montilla. Ú. t. c. s. m.

amontonadamente. adv. m. **a, de,** o **en, montón.**

amontonador, ra. adj. Que amontona. Ú. t. c. s.

amontonamiento. m. Acción y efecto de amontonar o amontonarse.

amontonar. (De *a-*[1] y *montón.*) tr. Poner unas cosas sobre otras sin orden ni concierto. Ú. t. c. prnl. ‖ **2.** Apiñar personas o animales o cosas. Ú. t. c. prnl. ‖ **3.** Juntar, reunir, allegar cosas en abundancia. ‖ **4.** fig. Juntar y mezclar de manera confusa y desordenada. AMONTONAR *textos, sentencias, palabras.* Ú. t. c. prnl. ‖ **5.** prnl. Tratándose de sucesos, sobrevenir muchos en corto tiempo. ‖ **6.** fig. y fam. Montar en cólera, enfadarse sin querer oír razón alguna. ‖ **7.** fig. y fam. **amancebarse.**

amor. (Del lat. *amor, -ōris.*) m. Sentimiento que mueve a desear que la realidad amada, otra persona, un grupo humano o alguna cosa, alcance lo que se juzga su bien, a procurar que ese deseo se cumpla y a gozar como bien propio el hecho de saberlo cumplido. Uniendo a esta palabra la preposición *de*, indicamos el objeto a que se refiere: como AMOR *de Dios, de los hijos, de la gloria;* o la persona que lo siente: como AMOR *de padre.* ‖ **2.** Atracción sexual. ‖ **3.** Apetito sexual de los animales. ‖ **4.** Blandura, suavidad. *Los padres castigan a los hijos con* AMOR. ‖ **5.** Persona amada, invocada o llamada por quien la ama. AMOR *mío.* ‖ **6.** Esmero con que se trabaja una obra deleitándose en ella. ‖ **7.** ant. Voluntad, consentimiento. ‖ **8.** ant. Convenio o ajuste. ‖ **9.** pl. Relaciones amorosas. ‖ **10.** Objeto de cariño especial para alguno. ‖ **11.** Expresiones de **amor,** caricias, requiebros. ‖ **12. cadillo,** planta. ‖ **al uso.** Arbolito de la familia de las malváceas, parecido al abelmosco, de ramos cubiertos de borra fina, hojas acorazonadas, angulosas y con cinco lóbulos; pedúnculos casi tan largos como la hoja, y flor cuya corola es blanca por la mañana, algo encarnada al mediodía y rosada por la tarde. Se cría en la isla de Cuba y se cultiva en los jardines de Europa. ‖ **de hortelano.** Planta anual de la familia de las rubiáceas, parecida al galio, de tallo ramoso, velludo en los nudos y con aguijoncitos echados hacia atrás en los ángulos, verticilos de ocho hojas lineales, lanceoladas y ásperas en la margen, y fruto globoso lleno de cerditas ganchosas en su ápice. ‖ **2. almorejo.** ‖ **3. lampazo,** planta. ‖ **lesbiano, lésbico** o **lesbio. amor** homosexual entre mujeres. ‖ **propio.** El que una persona profesa a sí misma, y especialmente a su prestigio. ‖ **2.** Afán de mejorar la propia actuación. ‖ **seco.** V. **amores secos.** ‖ **amores secos.** *Amér. Merid.* y *Filip.* Nombre que designa diversas especies de plantas herbáceas cuyos frutos espinosos se adhieren al pelo, a la ropa, etc. ‖ **al amor del agua.** expr. De modo que se vaya con la corriente, navegando o nadando. ‖ **2.** fig. Contemporizando, dejando correr las cosas que debieran reprobarse. ‖ **al amor de la lumbre,** o **del fuego.** exprs. Cerca de ella, o de él, de modo que calienten y no quemen. ‖ **a su amor.** loc. adv. p. us. **holgadamente.** ‖ **con mil amores.** expr. fam. Con mucho gusto, de muy buena voluntad. ‖ **dar como por amor de Dios.** fr. desus. Dar como de gracia lo que se debe de justicia. ‖ **de mil amores.** expr. fam. **con mil amores.** ‖ **en amor compaña.** expr. fam. **en amor y compaña.** ‖ **en amor y compaña.** expr. fam. En amistad y buena compañía. ‖ **hacer el amor.** fr. Enamorar, galantear. ‖ **2.** Copular. ‖ **por amor al arte.** loc. adv. fam. Gratuitamente, sin obtener recompensa por el trabajo. ‖ **por amor de.** loc. prepos. Por causa de. ‖ **por amor de Dios.** expr. que se usa para pedir con encarecimiento o excusarse con humildad. *Hágalo usted* POR AMOR DE DIOS; *perdone usted* POR AMOR DE DIOS. ‖ **tratar amores.** fr. Tener relaciones amorosas.

amoragar. (De *moraga.*) tr. p. us. Asar con fuego de leña, y en la playa, sardinas y otros peces o moluscos.

amoral. (De *a-*[2] y *moral*[1].) adj. Dícese de la persona desprovista de sentido moral. ‖ **2.** Aplícase también a las obras humanas, especialmente a las artísticas, en las que de propósito se prescinde del fin moral.

amoralidad. f. Condición, calidad de amoral.

amoralismo. (De *amoral.*) m. Tendencia filosófica del siglo XIX que elimina de la conducta las nociones de bien y mal moral, así como las de obligación y sanción. ‖ **2.** Actitud o comportamiento amoral.

amoratado, da. (Del cat. *morat.*) p. p. de **amoratarse.** ‖ **2.** adj. Que tira a morado.

amoratarse. prnl. Ponerse morado.

amorbar. (Del it. *ammorbare.*) tr. ant. **enfermar,** causar enfermedad. ‖ **2.** ant. **enfermar,** debilitar.

amorcar. (De **amorecar,* de *morueco.*) tr. **amurcar.**

amorcillo. m. d. de **amor.** ‖ **2.** En las artes plásticas, niño desnudo y alado, generalmente portador de un emblema del amor: flechas, carcaj, venda, paloma, rosas, etc.

amordazador, ra. adj. Que amordaza. Ú. t. c. s.

amordazamiento. m. Acción y efecto de amordazar. ‖ **2.** ant. Acción y efecto de amordazar o maldecir.

amordazar. (De *a-*[1] y *mordaza.*) tr. Poner mordaza. ‖ **2.** fig. Impedir hablar o expresarse libremente, mediante coacción. ‖ **3.** ant. Ofender de palabra.

amorecada. (De **amorecar,* de *morueco.*) f. ant. Topetada de carnero.

amorecer. (De *amarecer.*) tr. Cubrir el murueco a la oveja. ‖ **2.** prnl. *Sal., Seg.* y *Sor.* Entrar en celo las ovejas.

amorfia. (Del gr. ἀμορφία.) f. Calidad de amorfo. ‖ **2.** Deformidad orgánica.

amorfismo. m. Calidad de amorfo.

amorfo, fa. (Del gr. ἄμορφος.) adj. Sin forma regular o bien determinada. ‖ **2.** fig. Que carece de personalidad y carácter propio.

amorgar. tr. Dar morga o coca de Levante a los peces para atontarlos o matarlos.

amorgonar. (De *morgón.*) tr. *Ar.* y *Murc.* **amugronar.**

amoricones. m. pl. fam. p. us. Señas, ademanes u otras acciones con que se manifiesta el amor que se tiene a una persona.

amorillar. tr. Acollar o recalzar plantas.

amorío. (De *amor.*) m. fam. **enamoramiento.** ‖ **2.** Relación amorosa que se considera superficial y pasajera. Ú. m. en pl. ‖ **3.** ant. **amistad,** afecto.

amoriscado, da. adj. Semejante a los moriscos en alguna cosa o cualidad.

amormado, da. adj. Aplícase a la bestia que padece muermo.

amormío. m. Planta perenne de la familia de las amarilidáceas, de cebolla pequeña, hojas largas, lacias, muy estrechas en la base, después lanceoladas, y bohordo central de unos 40 centímetros de altura, con flores blancas poco olorosas.

amorocharse. prnl. *Venez.* Unirse o juntarse dos o más personas. Ú. m. en p. p.

amorosamente. adv. m. Con amor.

amoroso, sa. adj. Que siente amor. *Padre* AMOROSO. ‖ **2.** Perteneciente o relativo al amor. ‖ **3.** Que denota o manifiesta amor. *Carta* AMOROSA. ‖ **4.** fig. Blando, suave, fácil de labrar o cultivar. ‖ **5.** fig. Templado, apacible. *La tarde está* AMOROSA.

amorrar. (De *a-*[1] y *morro*[1].) intr. fam. Bajar o inclinar la cabeza. Ú. t. c. prnl. ‖ **2.** fam. Bajar la cabeza, obstinándose en no hablar. Ú. t. c. prnl. ‖ **3.** *Mar.* **hocicar,** hundir la proa. Ú. t. c. prnl. ‖ **4.** tr. *Mar.* Hacer que el buque cale mucho de proa. ‖ **5.** prnl. Aplicar los labios o morros directamente a una fuente o a una masa de líquido para beber.

amorreo, a. (Del lat. *Amorrhaeus,* y este del hebr. *Emori.*) adj. Dícese del individuo de un pueblo bíblico descendiente de Amorreo, hijo de Canaán. Ú. m. c. s. y en pl. ‖ **2.** Perteneciente a este pueblo.

amorriñar. intr. *And., León* y *Amér. Central.* Enfermar un animal de morriña. Ú. m. c. prnl.

amorrionado, da. adj. desus. De figura de morrión.

amorronar. (De *a-*[1] y *morrón.*) tr. *Mar.* Enrollar la bandera y ceñirla de trecho en trecho con filástica, para izarla como señal en demanda de auxilio.

amortajador, ra. m. y f. Persona que amortaja o que tiene por oficio amortajar.

amortajamiento. m. Acción y efecto de amortajar.

amortajar. tr. Poner la mortaja al difunto. ‖ **2.** desus. Por ext., cubrir, envolver, esconder.

amortecer. (De *a-*[1] y el lat. *mors, mortis,* muerte.) tr. **amortiguar.** Ú. t. c. intr. ‖ **2.** prnl. Desmayarse, quedar como muerto.

amortecimiento. m. p. us. Acción y efecto de amortecer o amortecerse.

amortiguación. f. **amortiguamiento.**
amortiguador, ra. adj. Que amortigua. ‖ **2.** m. Dispositivo que sirve para compensar y disminuir el efecto de choques, sacudidas o movimientos bruscos en aparatos mecánicos.
amortiguamiento. m. Acción y efecto de amortiguar o amortiguarse. ‖ **2.** *Fís.* Disminución progresiva, en el tiempo, de la intensidad de un fenómeno periódico.
amortiguar. (De *a-*[1] y *mortiguar.*) tr. fig. Hacer menos viva, eficaz, intensa o violenta alguna cosa. AMORTIGUAR *el fuego, la luz, el ruido, un afecto, una pasión.* Ú. t. c. prnl. ‖ **2.** fig. Hablando de los colores, templarlos, amenguar su viveza. ‖ **3.** prnl. desus. Dejar como muerto.
amortizable. adj. Que puede amortizarse. ‖ **2.** V. **deuda amortizable.**
amortización. f. Acción y efecto de amortizar. ‖ **2.** V. **caja, fondos de amortización.**
amortizar. (Del lat. mediev. *admortizare.*) tr. Redimir o extinguir el capital de un censo, préstamo u otra deuda. Ú. t. c. prnl. ‖ **2.** Recuperar o compensar los fondos invertidos en alguna empresa. Ú. t. c. prnl. ‖ **3.** Suprimir, por considerarlos innecesarios, empleos o plazas vacantes en una institución pública o empresa privada. ‖ **4.** p. us. Pasar los bienes a manos muertas. Usáb. t. c. intr. y prnl.
amos, mas. (Del lat. *ambos.*) adj. pl. ant. **ambos.**
amoscador. (De *amoscar*[1].) m. ant. **mosqueador,** abanico.
amoscamiento. m. Acción y efecto de amoscarse.
amoscar[1]**.** (De *a-*[1] y *mosca.*) tr. ant. Espantar las moscas. Usáb. t. c. prnl. ‖ **2.** prnl. fam. **enfadarse.**
amoscar[2]**.** (Del lat. **emorsicāre,* de *morsicāre,* morder.) tr. Mordiscar, hacer una muesca.
amosquilarse. (De *a-*[1] y *mosquil.*) prnl. Refugiarse las reses, huyendo de las moscas, en lugar fresco o frondoso.
amostachado, da. (De *a-*[1] y *mostacho.*) adj. Que tiene mostacho.
amostazar. (De *a-*[1] y *mostaza.*) tr. fam. Irritar, enojar. Ú. m. c. prnl. ‖ **2.** prnl. *And., Bol., Col., Ecuad., Hond.* y *P. Rico.* Avergonzarse.
amostramiento. m. ant. Acción y efecto de amostrar.
amostrar. tr. p. us. **mostrar.** ‖ **2.** ant. Instruir o enseñar. ‖ **3.** prnl. ant. **acostumbrarse.**
amotetarse. prnl. *Nicar.* Agruparse, amontonarse.
amotinado, da. adj. Dícese de la persona que toma parte en un motín. Ú. t. c. s.
amotinador, ra. adj. Que amotina u ocasiona motín. Ú. t. c. s.
amotinamiento. m. Acción y efecto de amotinar o amotinarse.
amotinar. (De *a-*[1] y el fr. *mutiner.*) tr. Alzar en motín a cualquier multitud. Ú. t. c. prnl. ‖ **2.** fig. Turbar e inquietar las potencias del alma o los sentidos. Ú. t. c. prnl.
amover. (Del lat. *amovēre.*) tr. **remover,** destituir. ‖ **2.** ant. Anular, derogar, revocar. ‖ **3.** intr. desus. **mover,** abortar.
amovible. (De *amover.*) adj. Que puede ser quitado del lugar que ocupa, o separado del puesto o del cargo que tiene. ‖ **2.** Dícese también del cargo o beneficio del que puede ser libremente separado el que lo ocupa. ‖ **3.** V. **beneficio amovible,** o **amovible ad nútum.**
amovilidad. f. Calidad de amovible.
ampalaba o **ampalagua.** f. *Argent., Chile, Par.* y *Urug.* Se da este nombre a varias serpientes americanas de gran tamaño.
ampara. f. *Ar.* y *Nav.* Acción y efecto de amparar o embargar.
amparador, ra. adj. Que ampara. Ú. t. c. s.
amparamiento. m. ant. **amparo,** acción de amparar. ‖ **2.** *Ar.* Acción de embargar. ‖ **3.** *Chile.* Acción y efecto de adquirir el derecho de beneficiar una mina.
amparanza. f. *Ar.* y *Chile.* V. **amparamiento.**
amparar. (Del lat. *anteparāre,* prevenir.) tr. Favorecer, proteger. ‖ **2.** *Ar.* Embargar bienes muebles. ‖ **3.** *Chile.* Llenar las condiciones con que se adquiere el derecho de sacar o beneficiar una mina. ‖ **4.** prnl. Valerse del apoyo o protección de alguien de algo. ‖ **5.** Defenderse, guarecerse.
amparo. m. Acción y efecto de amparar o ampararse. ‖ **2.** V. **carta, recurso de amparo.** ‖ **3.** Persona o cosa que ampara. ‖ **4.** *Ál.* y *Ar.* **chispa,** pequeña parte de una cosa. ‖ **5.** *Germ.* Letrado o procurador que favorece al preso.
ampelídeo, a. (Del lat. cient. *Ampelideae.*) adj. *Bot.* **vitáceo.**
ampelita. (Del lat. *ampelītis,* y este del gr. ἀμπελῖτις.) f. Pizarra blanda, aluminosa y muy manchada de antracita, por lo que suele usarse para hacer lápices de carpintero.
ampelografía. (Del gr. ἄμπελος, vid, y *-grafía.*) f. Descripción de las variedades de la vid y conocimiento de los modos de cultivarlas.
ampelográfico, ca. adj. Perteneciente o relativo a la ampelografía.
ampelógrafo, fa. m. y f. Persona que profesa la ampelografía o tiene en ella especiales conocimientos.
amperaje. m. Cantidad de amperios que actúan en un aparato o sistema eléctrico.
ampere. (Del apellido de André Marie *Ampère,* matemático y físico francés, 1775-1836.) m. *Fís.* **amperio** en la nomenclatura internacional.
amperímetro. (De *amperio* y *-metro.*) m. Aparato que sirve para medir el número de amperios de una corriente eléctrica.
amperio. (De *ampere.*) m. *Fís.* Unidad de corriente eléctrica. Es la intensidad de la corriente que, al circular por dos conductores paralelos, rectilíneos, de longitud infinita, de sección circular despreciable y colocados a la distancia de un metro uno de otro en el vacío, origina entre dichos conductores una fuerza de dos diezmillonésimas de neutonio por cada metro de conductor. El **amperio** se ha adoptado convencionalmente como unidad básica del sistema de Giorgi MKSA (metro, kilogramo, segundo y **amperio).**
ampervuelta. (De *amperio* y *vuelta.*) f. *Fís.* Unidad de excitación magnética (poder imanador) en el sistema basado en el metro, el kilogramo, el segundo y el amperio.
amplexicaulo, la. (Del lat. *amplexus,* abrazado, y *caulis,* tallo.) adj. *Bot.* Dícese de los órganos que abrazan el tallo de una planta.
amplexo. (Del lat. *amplexus.*) m. poét. **abrazo.**
ampliable. adj. Que puede ampliarse.
ampliación. f. Acción y efecto de ampliar. ‖ **2.** Fotografía, texto, plano, etc. ampliados.
ampliador, ra. (Del lat. *ampliātor, -ōris.*) adj. Que amplía. Ú. t. c. s. ‖ **2.** m. y f. Aparato o máquina que amplía, especialmente imágenes.
ampliar. (Del lat. *ampliāre.*) tr. Extender, dilatar. ‖ **2.** Reproducir fotografías, planos, textos, etc., en tamaño mayor del original.
ampliativo, va. adj. Que amplía o sirve para ampliar.
ampliatorio, ria. adj. Que amplía.
amplificación. (Del lat. *amplificatĭo, -ōnis.*) f. Acción y efecto de amplificar. ‖ **2.** *Ret.* Desarrollo que por escrito o de palabra se da a una proposición o idea, explicándola de varios modos o enumerando puntos o circunstancias que con ella tengan relación, a fin de hacerla más eficaz para conmover o persuadir.
amplificador, ra. (Del lat. *amplificātor, -ōris.*) adj. Que amplifica. Ú. t. c. s. ‖ **2.** m. Aparato o conjunto de ellos, mediante el cual, utilizando energía externa, se aumenta la amplitud o intensidad de un fenómeno físico.
amplificar. (Del lat. *amplificāre.*) tr. **ampliar,** extender, dilatar. ‖ **2.** Aumentar la amplitud o intensidad de un fe-

nómeno físico mediante un dispositivo o aparato. ‖ **3.** *Ret.* Emplear la amplificación retórica.

amplificativo, va. adj. Que amplifica o sirve para amplificar.

amplio, plia. (De *amplo.*) adj. Extenso, dilatado, espacioso. Ú. t. en sent. fig. AMPLIOS *poderes,* AMPLIAS *ventajas.*

amplísimo, ma. adj. sup. de **amplio.**

amplitud. (Del lat. *amplitūdo.*) f. Extensión, dilatación. ‖ **2.** fig. Capacidad de comprensión intelectual o moral. AMPLITUD *de miras.* AMPLITUD *de criterio.* ‖ **3.** *Astron.* Ángulo comprendido entre el plano vertical que pasa por la visual dirigida al centro de un astro y el vertical primario. Se mide sobre el horizonte y es complemento del acimut. ‖ **4.** *Fís.* En el movimiento oscilatorio, espacio recorrido por el cuerpo entre sus dos posiciones extremas. Es un ángulo en los movimientos circulares, y una distancia en los movimientos rectilíneos.

amplo, pla. (Del lat. *amplus.*) adj. desus. **amplio.**

ampo. (De *lampo.*) m. Blancura resplandeciente. ‖ **2.** Copo de nieve. Ú. m. en pl.

ampolla. (Del lat. *ampulla,* ampolla.) f. Vejiga formada por la elevación de la epidermis. ‖ **2.** Vasija de vidrio o de cristal, de cuello largo y angosto, y de cuerpo ancho y redondo en la parte inferior. ‖ **3.** Pequeño recipiente de vidrio cerrado herméticamente, que contiene por lo común una dosis de líquido inyectable. ‖ **4.** En una lámpara eléctrica, parte de cristal que contiene el filamento o los electrodos. ‖ **5. vinajera,** cada uno de los dos jarrillos de la misa. ‖ **6.** Burbuja que se forma en el agua cuando hierve o cuando llueve con fuerza. ‖ **7.** Abultamiento producido en la superficie de un metal por la expansión de un gas en él contenido. ‖ **8.** p. us. Expresión ampulosa. ‖ **levantar ampolla** o **ampollas.** loc. fig. Causar notable disgusto o desasosiego.

ampollar[1]. adj. De figura de ampolla.

ampollar[2]. tr. Hacer ampollas en la piel. Ú. t. c. prnl. ‖ **2.** Hacer ampollas en la superficie de un objeto de metal u otra materia. Ú. t. c. prnl. ‖ **3.** Producir abultamientos en una superficie. Ú. t. c. prnl.

ampolleta. f. d. de **ampolla.** ‖ **2. reloj de arena.** ‖ **3.** Tiempo que gasta la arena en pasar de una a otra de las dos **ampolletas** de que se compone este reloj. ‖ **4.** *Chile.* Bombilla eléctrica. ‖ **5.** V. **arena de ampolleta.** ‖ **no soltar,** o **tomar, la ampolleta.** fr. p. us. fig. y fam. Hablar con exceso, sin dejar que otro tome parte en la conversación.

ampón, na. adj. Amplio, repolludo, ahuecado.

amprar. (Del cat. *amprar.*) tr. *Ar.* y *Val.* Pedir o tomar prestado.

ampulosidad. f. Calidad de ampuloso.

ampuloso, sa. (Del lat. medieval *ampullosus.*) adj. Hinchado y redundante. Dícese del lenguaje o del estilo y del escritor o del orador.

ampurdanés, sa. adj. Natural del Ampurdán. Ú. t. c. s. ‖ **2.** Perteneciente a esta comarca de Cataluña.

amputación. (Del lat. *amputatĭo, -ōnis.*) f. Acción y efecto de amputar.

amputar. (Del lat. *amputāre.*) tr. Cortar y separar enteramente del cuerpo un miembro o porción de él. Ú. t. en sent. fig. ‖ **2.** fig. *Ar.* Quitar, suprimir una parte de un todo.

amuchachado, da. adj. Aplícase al que en su aspecto, acciones o genio se parece a los muchachos. ‖ **2.** Dícese también de las cosas que tienen tal semejanza. *Rostro, genio* AMUCHACHADO.

amuchar. tr. *Bol., Chile* y *R. de la Plata.* Aumentar el número o la cantidad. ‖ **2.** intr. *Argent., Bol.* y *Urug.* Aumentar en número o cantidad Ú. t. c. prnl.

amuchiguar. (De *a-*[1] y *muchiguar.*) tr. p. us. Multiplicar, aumentar. Ú. t. c. intr. y c. prnl.

amueblar. (De *a-*[1] y *mueble.*) tr. Dotar de muebles un edificio o alguna parte de él.

amuelar. tr. Recoger el trigo ya limpio en la era, formando el muelo.

amuermar. tr. fam. Causar aburrimiento o tedio. Ú. m. c. prnl.

amufar. tr. desus. **amurcar.**

amugamiento. (De *a-*[1] y *muga*[1].) m. desus. **amojonamiento.**

amugronador, ra. adj. ant. Que amugrona. Usáb. t. c. s.

amugronamiento. m. Acción y efecto de amugronar.

amugronar. (De *a-*[1] y *mugrón.*) tr. *Agr.* Acodar la vid.

amuje. (Del port. *muge,* mújol.) m. *Sal.* Esguín o cría del salmón.

amujerado, da. (De *a-*[1] y *mujer.*) adj. **afeminado.**

amujeramiento. (De *a-*[1] y *mujer.*) m. **afeminación.**

amular. (De *a-*[1] y *mula.*) intr. desus. Ser estéril una mujer. ‖ **2.** prnl. desus. Inhabilitarse la yegua para criar, por haberla cubierto el mulo. ‖ **3.** Ser o hacerse reacia o inservible una persona o cosa. ‖ **4.** *Can.* y *Sal.* Enfadarse, enojarse.

amulatado, da. adj. Semejante a los mulatos en el color y las facciones. Ú. t. c. s.

amuleto. (Del lat. *amulētum.*) m. Objeto pequeño que se lleva encima al que se atribuye la virtud de alejar el mal o propiciar el bien.

amunicionar. (De *a-*[1] y *municionar.*) tr. p. us. **municionar.**

amuñecado, da. adj. Aplícase a la persona que en su figura o adornos se parece a un muñeco.

amuñuñar. tr. *Venez.* Apretujar.

amura. (De *amurar.*) f. *Mar.* Parte de los costados del buque donde este empieza a estrecharse para formar la proa. ‖ **2.** *Mar.* Cabo que hay en cada uno de los puños bajos de las velas mayores de cruz y en el bajo de proa de todas las de cuchillo, para llevarlos hacia proa y afirmarlos.

amurada. f. *Mar.* Cada uno de los costados del buque por la parte interior.

amurallado, da. adj. Protegido o cercado por murallas. *Ciudad* AMURALLADA.

amurallar. (De *a-*[1] y *muralla.*) tr. Rodear de murallas. Ú. t. en sent. fig. ‖ **2.** Circundar una cosa a modo de muralla.

amurar. (De or. inc.; cf. it. *murare,* fr. *amurer.*) tr. *Mar.* Llevar a donde corresponde, a barlovento, los puños de las velas que admiten esta maniobra, y sujetarlos con la amura para que las velas queden bien orientadas cuando se ha de navegar de bolina.

amurca. (Del lat. *amurca.*) f. p. us. **alpechín.**

amurcar. (De *amorcar.*) tr. Dar golpe el toro con las astas.

amurco. (De *amurcar.*) m. Golpe que da el toro con las astas.

amurillar. tr. **amorillar.**

amurriñarse. (De *a-*[1] y *morriña.*) prnl. *Hond.* Contraer un animal la morriña o comalia.

amusco, ca. adj. **musco**[2], pardo.

amusgar. (Del m. or. que *remusgar.*) tr. Echar hacia atrás las orejas el caballo, el toro, etc., en ademán de querer morder, tirar coces o embestir. Ú. t. c. intr. ‖ **2.** Entrecerrar los ojos para ver mejor. ‖ **3.** prnl. Avergonzarse.

amuso. (Del lat. *amussis,* regla.) m. Losa de mármol sobre cuya superficie, bien nivelada, se trazaba una rosa de los vientos.

amustiar. (De *a-*[1] y *mustio.*) tr. Enmustiar, poner mustio. Ú. t. c. prnl.

an-[1]**.** (Del gr. ἀν-, forma que toma ἀ- priv. ante vocal.) V. **a-**[2]**.**

an-[2]**.** V. **ana-.**

-án, na. suf. de sustantivos y adjetivos: *cordob*ÁN, *cordob*ANA, *azac*ÁN. Algunos, formados inicialmente con

-**ano**[1], se apocoparon: *capit*ÁN, *sacrist*ÁN. También forma gentilicios: *catal*ÁN, *alem*ÁN.

ana[1]**.** (De *alna.*) f. Antigua medida de longitud que equivalía aproximadamente a un metro.

ana[2]**.** (Del gr. ἀνά.) adv. Signo que se usaba en las recetas médicas para denotar que los ingredientes habían de ser de peso o partes iguales.

ana[3]**.** (De or. hindi.) f. Moneda indostánica de níquel equivalente a un dieciseisavo de rupia.

ana-. (Del gr. ἀνα-.) pref. que significa «sobre»: ANA*tema*; «de nuevo»: ANA*baptista*; «hacia atrás»: ANA*pesto*; «contra»: ANA*crónico*; «según»: ANA*logía*. Se apocopa ante vocal: AN*ión*.

anabaptismo. (Del lat. *anabaptismus*, y este del gr. ἀναβαπτισμός, segundo bautismo.) m. Doctrina de los anabaptistas.

anabaptista. (Del gr. ἀνά, de nuevo, y βαπτιστής, el que bautiza.) adj. Seguidor de una secta protestante que no admite el bautismo de los niños antes del uso de razón. Ú. m. c. s. pl.

anabatista. adj. desus. **anabaptista.** Usáb. m. c. s.

anabí. m. **nabí.**

anabolena. (De *Ana Bolena*, mujer de Enrique VIII.) f. Mujer alocada y trapisondista.

anabólico, ca. adj. *Biol.* Perteneciente o relativo al anabolismo.

anabolismo. (Del gr. ἀναβολή, lanzamiento.) m. *Biol.* Conjunto de procesos metabólicos de síntesis de moléculas complejas a partir de otras más sencillas.

anabolizante. m. *Biol.* Producto químico utilizado para aumentar la intensidad de los procesos anabólicos del organismo; v. gr. las vitaminas, entre los naturales, y algunos esteroides de síntesis, entre los artificiales.

anacahuita. m. *Urug.* Árbol ornamental de ramillas colgantes y follaje persistente de color verde claro. Se le suele llamar *árbol pimienta* porque sus semillas, de pequeño tamaño, tienen sabor picante. Es planta medicinal.

anacalo, la. (Del ár. *an-naqqāl*, el que lleva o portea.) m. y f. Criado o criada de la hornera, que iba a las casas particulares por el pan que se había de cocer.

anacanto. (Del gr. ἀνάκανθος, sin espinas.) adj. Dícese de peces teleósteos con aletas de radios blandos y flexibles y de las cuales las abdominales están situadas debajo de las pectorales o delante de ellas. Ú. t. c. s. ‖ **2.** m. pl. *Zool.* En clasificaciones en desuso, suborden de estos peces, al que pertenecen la merluza, el bacalao, el lenguado, etc.

anacarado, da. adj. De color de nácar.

anacardiáceo, a. (Del lat. cient. *Anacardiaceae.*) adj. *Bot.* Dícese de plantas angiospermas dicotiledóneas, árboles, arbustos o matas, de corteza resinosa, hojas alternas y sin estípulas, flores por lo común en racimos; fruto en drupa o seco, con una sola semilla, casi siempre sin albumen; como el terebinto, el lentisco y el zumaque. Ú. t. c. s. f. ‖ **2.** f. pl. *Bot.* Familia de estas plantas.

anacardina. f. *Farm.* Confección que se hacía con anacardos, y a la cual se atribuía la virtud de restituir la memoria.

anacardino, na. adj. Compuesto con anacardos.

anacardo. (Del gr. ἀνάκαρδος.) m. Se da este nombre a varias especies de árboles tropicales de flores pequeñas cuyo fruto es comestible y se usa en medicina. ‖ **2.** Fruto de este árbol.

anaco. (Del quechua *anacu.*) m. Tela rectangular que a modo de falda se ciñen las indias a la cintura.

anacoluto. (Del gr. ἀνακόλουθος, inconsecuente.) m. *Gram.* Inconsecuencia en el régimen, o en la construcción de una cláusula.

anaconda. (Probablemente de or. cingalés, a través del ing.) f. Serpiente semiacuática americana de gran tamaño.

anacora. (Del ár. *an-nāqūra.*) f. Trompa, cuerno de caza, clarín, corneta.

anacoreta. (Del lat. medieval *anachorēta*, y este del gr. cristiano ἀναχωρητής.) com. Persona que vive en lugar solitario, entregada enteramente a la contemplación y a la penitencia.

anacorético, ca. adj. Perteneciente o relativo al anacoreta.

anacorita. com. ant. **anacoreta.**

anacreóntico, ca. adj. Propio y característico del poeta griego Anacreonte. ‖ **2.** Semejante a cualquiera de las dotes o calidades por que se distinguen sus obras. ‖ **3.** Se aplica especialmente a la composición poética en que, a imitación de las de Anacreonte, se cantan asuntos ligeros. Ú. m. c. s. f.

anacrónico, ca. (Del gr. ἀνά, contra, y χρονικός, del tiempo.) adj. Que adolece de anacronismo.

anacronismo. (Del gr. ἀναχρονισμός.) m. Error que consiste en suponer acaecido un hecho antes o después del tiempo en que sucedió, y por ext., incongruencia que resulta de presentar algo como propio de una época a la que no corresponde. ‖ **2.** Persona o cosa anacrónicas.

ánade. (Del lat. *anas, -ătis.*) amb. **pato**[1], ave. ‖ **2.** Por ext., cualquier otra de las aves que tienen los mismos caracteres genéricos que el pato. ‖ **real. azulón.** ‖ **cantando las tres ánades, madre.** expr. fig. desus. con que se da a entender que alguno va caminando alegremente y sin sentir el trabajo.

anadear. intr. Andar una persona o un animal moviendo mucho las caderas.

anadino, na. (Del lat. *[pullus] anatinus*, pollo de ánade.) m. y f. Ánade pequeño.

anadón. m. Pollo del ánade.

anaerobio, bia. (De *an-*[1] y *aerobio.*) adj. Aplícase al organismo que puede vivir sin oxígeno. Ú. m. c. s. m.

anafaga. (Del ár. *an-nafaqa*, el gasto.) f. p. us. **costa**[1].

anafalla o **anafaya.** (Del ár. *an-nafāya*, y este del gr. γναφάλιον, siempreviva, de la que se hacía una especie de tomento.) f. Tela que se hacía de algodón o de seda.

anafe. (Del ár. *an-nāfij*, horno portátil de barro cocido.) m. Hornillo, generalmente portátil.

anafiláctico, ca. adj. Perteneciente o relativo a la anafilaxia.

anafilaxia. (Del fr. *anaphylaxie.*) f. *Fisiol.* Impresionabilidad exagerada del organismo debida a la acción de ciertas sustancias orgánicas, cuando después de algún tiempo de haber sido inyectadas en él, se inyectan de nuevo aun en pequeñísima cantidad, lo que produce desórdenes varios y a veces graves. ‖ **2.** Impresionabilidad excesiva de algunas personas a la acción de ciertas sustancias alimenticias o medicamentosas.

anafilaxis. (Del lat. cient. *anaphylaxis.*) f. **anafilaxia.**

anáfora. (Del lat. *anaphŏra*, y este del gr. ἀναφορά, repetición.) f. En las liturgias griega y orientales, parte de la misa que corresponde al prefacio y al canon en la liturgia romana; su parte esencial es la consagración. ‖ **2.** *Ret.* **repetición,** figura retórica. ‖ **3.** *Ling.* Tipo de deixis que desempeñan ciertas palabras para asumir el significado de una parte del discurso ya emitida; v. gr.: *lo* en: *Dijo que había estado, pero no me* LO *creí.*

anafórico, ca. adj. Perteneciente o relativo a la anáfora.

anafre. m. **anafe.**

anafrodisia. (Del gr. ἀναφροδισία.) f. Disminución o falta del apetito venéreo.

anafrodisíaco, ca o **anafrodisiaco, ca.** (De *anafrodisia.*) adj. **antiafrodisíaco.** Ú. t. c. s.

anafrodita. (Del gr. ἀναφρόδιτος.) adj. p. us. Dícese de la persona que carece de apetito sexual. Ú. t. c. s.

anaglífico, ca. (De *anaglifo.*) adj. *Arq.* Que tiene relieves toscos.

anaglifo. (Del gr. ἀνάγλυφος, tallado en relieve.) m. Vaso u otra obra tallada, de relieve abultado. ‖ **2.** Superposición de dos imágenes, una en color rojo y otra en verde, que producen, al ser miradas con lentes especiales, una impresión de relieve.

anagnórisis. (Del gr. ἀναγνώρισις, acción de reconocer.) f. poét. **agnición.**

anagoge. (Del lat. *anagōge,* y este del gr. ἀναγωγή, elevación.) m. **anagogía.**

anagogía. (De *anagoge.*) f. Sentido místico de la Sagrada Escritura, encaminado a dar idea de la bienaventuranza eterna. ‖ **2.** Elevación y enajenamiento del alma en la contemplación de las cosas divinas.

anagógico, ca. (Del gr. ἀναγωγικός.) adj. Perteneciente o relativo a la anagogía.

anagrama. (Del lat. *anagramma,* y este del gr. ἀνάγραμμα.) m. Transposición de las letras de una palabra o sentencia, de que resulta otra palabra o sentencia distinta. ‖ **2.** Palabra o sentencia, que resulta de esta transposición de letras; como de *amor, Roma;* o viceversa. ‖ **3.** Por ext., símbolo o emblema, especialmente el constituido por letras.

anagramático, ca. adj. Relativo al anagrama. *Acertijo* ANAGRAMÁTICO.

anagramatista. com. Persona que hace anagramas.

anagramista. com. Persona que encubre su nombre bajo un seudónimo anagramático.

anaiboa. (De or. arahuaco.) m. *Cuba* y *Sto. Dom.* Jugo nocivo que contiene la catibía.

anal[1]. (Del lat. *annālis,* de *annus,* año.) adj. desus. **anual.** ‖ **2.** m. pl. Relaciones de sucesos por años. Antiguamente se usaba en sing. ‖ **3.** Publicación periódica en la que se recogen noticias y artículos sobre un campo concreto de la cultura, la ciencia o la técnica.

anal[2]. adj. Perteneciente o relativo al ano. *Músculo* ANAL.

analectas. (Del pl. lat. *analecta,* y este del gr. ἀνάλεκτα, cosas recogidas.) f. pl. **florilegio.**

analéptico, ca. (Del lat. *analeptĭcus,* y este del gr. ἀναληπτικός.) adj. *Med.* Dícese del régimen alimenticio que tiene por objeto restablecer las fuerzas.

analfabetismo. (De *analfabeto.*) m. Falta de instrucción elemental en un país, referida especialmente al número de sus ciudadanos que no saben leer. ‖ **2.** Calidad de analfabeto.

analfabeto, ta. (Del lat. *analphabētus,* y este del gr. ἀναλφάβητος.) adj. Que no sabe leer ni escribir. Ú. t. c. s. ‖ **2.** Por ext. y ponderación, ignorante, sin cultura, o profano en alguna disciplina.

analgesia. (Del gr. ἀναλγησία.) f. *Med.* Falta o supresión de toda sensación dolorosa, sin pérdida de los restantes modos de la sensibilidad.

analgésico, ca. adj. Perteneciente o relativo a la analgesia. ‖ **2.** m. Medicamento o droga que produce analgesia.

análisis. (Del gr. ἀνάλυσις.) m. Distinción y separación de las partes de un todo hasta llegar a conocer sus principios o elementos. ‖ **2.** fig. Examen que se hace de una obra, de un escrito o de cualquier realidad susceptible de estudio intelectual. ‖ **3.** Tratamiento psicoanalítico. ‖ **4.** *Gram.* Examen de los componentes del discurso y de sus respectivas propiedades y funciones. ‖ **5.** *Inform.* Estudio, mediante técnicas informáticas, de los límites, características y posibles soluciones de un problema al que se aplica un tratamiento por ordenador. ‖ **6.** *Mat.* Arte de resolver problemas por el álgebra. ‖ **7.** *Med.* **análisis clínico.** ‖ **clínico.** *Med.* Examen cualitativo y cuantitativo de ciertos componentes o sustancias del organismo según métodos especializados, con un fin diagnóstico. ‖ **2.** Resultado de este examen. ‖ **cualitativo.** *Quím.* El que tiene por objeto descubrir y aislar los elementos o ingredientes de un cuerpo compuesto. ‖ **cuantitativo.** *Quím.* El que se emplea para determinar la cantidad de cada elemento o ingrediente. ‖ **dimensional.** *Fís.* Método que se ocupa del **análisis** de las dimensiones de las magnitudes físicas, y que permite establecer directamente relaciones entre las que intervienen en un proceso, sin necesidad de realizar un **análisis** completo y detallado. ‖ **espectral.** *Fís.* Método de **análisis** químico cualitativo, y en algunos casos cuantitativo, fundado en la observación del espectro que produce la llama del cuerpo que se analiza. ‖ **factorial.** Método estadístico usado para cuantificar la importancia de cada uno de los factores actuantes en un fenómeno.

analista[1]. (De *anales.*) com. Autor de anales.

analista[2]. (De *análisis.*) com. El que hace análisis químicos o médicos. ‖ **2.** Persona que se dedica al estudio del análisis matemático. ‖ **3.** **psicoanalista.** ‖ **4.** Observador habitual de un campo de la vida social o cultural. ANALISTA *político, financiero, militar.* ‖ **5.** Persona que lleva a cabo análisis informáticos.

analístico, ca. adj. Perteneciente o relativo a los anales.

analíticamente. adv. m. Con análisis o método analítico.

analítico, ca. (Del gr. ἀναλυτικός.) adj. Perteneciente o relativo al análisis. ‖ **2.** Que procede descomponiendo, o que pasa del todo a las partes. ‖ **3.** V. **geometría analítica.** ‖ **4.** f. **análisis clínico.**

analizable. adj. Que se puede analizar.

analizador, ra. adj. Que analiza. Ú. t. c. s. ‖ **2.** m. *Fís.* Anteojo del espectroscopio con que se observa la luz ya dispersada.

analizar. tr. Hacer análisis de alguna cosa.

análogamente. adv. m. Con analogía.

analogía. (Del lat. *analogĭa,* y este del gr. ἀναλογία, proporción, semejanza.) f. Relación de semejanza entre cosas distintas. ‖ **2.** *Biol.* Relación de correspondencia que ofrecen entre sí partes que en diversos organismos tienen una misma posición relativa. ‖ **3.** *Der.* Método por el que una regla de ley o de derecho se extiende, por semejanza, a casos no comprendidos en ella. ‖ **4.** Razonamiento basado en la existencia de atributos semejantes en seres o cosas diferentes. ‖ **5.** *Gram.* Semejanza formal entre los elementos lingüísticos que desempeñan igual función o tienen entre sí alguna coincidencia significativa. ‖ **6.** *Gram.* Creación de nuevas formas lingüísticas, o modificación de las existentes, a semejanza de otras; p. ej.: los pretéritos *tuve, estuve, anduve* se formaron por **analogía** con *hube.* ‖ **7.** *Gram.* Parte de la gramática, que trata de los accidentes y propiedades de las palabras consideradas aisladamente. Corresponde en general a lo que hoy es más frecuente llamar morfología.

analógicamente. adv. m. **análogamente.** ‖ **2.** *Ling.* Según las leyes de la analogía, o por inducción de ella.

analógico, ca. (Del gr. ἀναλογικός.) adj. **análogo.** ‖ **2.** V. **computador analógico.** ‖ **3.** *Ling.* Perteneciente o relativo a la analogía.

análogo, ga. (Del lat. *analŏgus,* y este del gr. ἀνάλογος.) adj. Que tiene analogía con otra cosa. ‖ **2.** *Bot.* y *Zool.* Dícese de órganos que pueden adoptar aspecto semejante por cumplir determinada función, pero que no son homólogos, v. gr. las alas en aves e insectos.

anamita. adj. Perteneciente o relativo al antiguo reino de Anam, en Indochina. ‖ **2.** Natural de este país. Ú. t. c. s. ‖ **3.** m. Lengua **anamita.**

anamnesia o **anamnesis.** (Del gr. ἀνάμνησις, recuerdo.) f. *Med.* Parte del examen clínico que reúne todos los datos personales, hereditarios y familiares del enfermo, anteriores a la enfermedad. ‖ **2. reminiscencia,** representación o traída a la memoria de algo pasado.

anamniota. adj. *Zool.* Dícese del vertebrado en el que no se forman durante su desarrollo embrionario el amnios ni, correlativamente, el alantoides, como ocurre en peces y anfibios. Ú. t. c. s. m. y m. en pl.

anamniótico, ca. adj. *Zool.* Referente o relativo a los vertebrados anamniotas.

anamorfosis. (Del gr. ἀναμόρφωσις, transformación.) f. Pintura o dibujo que ofrece a la vista una imagen deforme y confusa, o regular y acabada, según desde donde se la mire.

anamú. m. *Ant.* y *Venez.* Planta silvestre de la familia de las fitolacáceas, que crece hasta unos nueve decímetros de alto, con ramas divergentes, hojas parecidas a las del solano y flores blancas de ocho estambres en largas espigas. La planta huele a ajo, y lo mismo la leche de las vacas que la comen.

ananá o **ananás.** (Del guaraní *naná,* a través del port. *ananás.*) m. Planta exótica, vivaz, de la familia de las bromeliáceas, que crece hasta unos siete decímetros de altura, con hojas glaucas, ensiformes, rígidas, de bordes espinosos y rematados en punta muy aguda; flores de color morado y fruto grande en forma de piña, carnoso, amarillento, muy fragante, suculento y terminado por una corona de hojas. ‖ **2.** Fruto de esta planta.

ananay. (De or. quechua.) *Bol.* y *Ecuad.* interj. que se usa para manifestar que una cosa es grata a la vista.

anapelo. (De *a-*[1] y *napelo.*) m. **acónito.**

anapéstico, ca. (Del lat. *anapaestĭcus,* y este del gr. ἀναπαιστικός.) adj. Perteneciente o relativo al anapesto. ‖ **2.** V. **verso anapéstico.**

anapesto. (Del lat. *anapaestus,* y este del gr. ἀνάπαιστος.) m. Pie de las métricas griega y latina compuesto de tres sílabas: las dos primeras, breves, y la otra, larga.

anaptixis. (Del gr. ἀνάπτιξις, epéntesis.) f. *Gram.* Desarrollo de la resonancia vocálica de las sonánticas hasta convertir esta resonancia en vocal, como en *corónica* por *crónica.*

anaquel. (Del ár. *an-naqqal,* el que lleva o portea.) m. Cada una de las tablas puestas horizontalmente en los muros, o en armarios, alacenas, etc., para colocar sobre ellas libros, piezas de vajilla o cualesquiera otras cosas de uso doméstico o destinadas a la venta.

anaquelería. f. Conjunto de anaqueles.

anaranjado, da. adj. De color semejante al de la naranja. Ú. t. c. s.

anaranjear. tr. desus. Tirar o arrojar naranjas contra alguien.

anarco-. Elemento compositivo que significa «anarquía» o «anarquismo».

anarco. adj. fam. Anarquista. Ú. t. c. s.

anarcosindicalismo. m. Movimiento sindical de carácter revolucionario y orientación anarquista.

anarcosindicalista. adj. Perteneciente o relativo al anarcosindicalismo. ‖ **2.** Partidario del anarcosindicalismo. Apl. a pers., ú. t. c. s.

anarquía. (Del gr. ἀναρχία.) f. Falta de todo gobierno en un Estado. ‖ **2.** fig. Desorden, confusión, por ausencia o flaqueza de la autoridad pública. ‖ **3.** Por ext., desconcierto, incoherencia, barullo. ‖ **4. anarquismo,** doctrina política.

anárquico, ca. adj. Perteneciente o relativo a la anarquía. ‖ **2.** Que implica anarquía o está caracterizado por ella. ‖ **3. anarquista.** Apl. a pers., ú. t. c. s.

anarquismo. m. Doctrina basada en la abolición de toda forma de Estado o de gobierno y en la exaltación de la libertad del individuo. ‖ **2.** Movimiento político inspirado por esta doctrina.

anarquista. adj. Propio del anarquismo o de la anarquía. ‖ **2.** com. Persona que profesa el anarquismo, o desea o promueve la anarquía.

anarquizante. p. a. de **anarquizar.** Que anarquiza. ‖ **2.** adj. Que tira a anarquista. Apl. a pers., ú. t. c. s.

anarquizar. tr. Causar o introducir la anarquía. ‖ **2.** prnl. Caer en la anarquía.

anasarca. (Del lat. mediev. *anasarcha.*) f. *Pat.* Edema general del tejido celular subcutáneo, acompañado de hidropesía en las cavidades orgánicas.

anascote. (Del nombre de la ciudad flamenca *Hondschoote,* a través del ant. fr. *anascot.*) m. Tela delgada de lana, asargada por ambos lados, que usan para sus hábitos varias órdenes religiosas. También la emplean para sus vestidos las mujeres del pueblo en algunas provincias de España. ‖ **2.** ant. Tela de seda, parecida a la sarga.

anastasia. (De *atanasia,* por deformación.) f. **artemisa.**

anastigmático, ca. (Del gr. ἀν, priv., y στίγμα, punta.) adj. *Ópt.* Dícese de los objetivos aplanéticos en que se ha corregido esmeradamente el astigmatismo.

anastomizarse. prnl. **anastomosarse.**

anastomosarse. prnl. Unirse formando anastomosis.

anastomosis. (Del lat. *anastomōsis,* y este del gr. ἀναστόμωσις, embocadura.) f. *Bot.* y *Zool.* Unión de unos elementos anatómicos con otros de la misma planta o del mismo animal.

anástrofe. (Del lat. *anastrŏphe,* y este del gr. ἀναστροφή.) f. *Gram.* Inversión violenta en el orden de las palabras de una oración.

anata. (Del b. lat. *annāta,* y este del lat. *annus,* año.) f. Impuesto eclesiástico que consistía en la renta o frutos correspondientes al primer año de posesión de cualquier beneficio o empleo. ‖ **media anata.** Derecho que se paga al ingreso de cualquier beneficio eclesiástico, pensión o empleo secular, y es la mitad de lo que produce en un año; o cantidad que se satisface por los títulos y por lo honorífico de algunos empleos y otras cosas. En España no se paga ya este derecho en la mayor parte de los casos.

anatado, da. adj. desus. Abundante en nata.

anatema. (Del lat. *anathēma,* y este del gr. ἀνάθημα.) amb. **excomunión.** ‖ **2.** Maldición, imprecación. ‖ **3.** En el Antiguo Testamento, condena al exterminio de las personas o cosas afectadas por la maldición atribuida a Dios. ‖ **4.** m. Persona o cosa anatematizada.

anatematismo. (Del lat. *anathematismus,* y este del gr. ἀναθηματισμός.) m. p. us. Excomunión.

anatematizador, ra. adj. Que anatematiza.

anatematizar. (Del lat. *anathematizāre,* y este del gr. ἀναθηματίζω.) tr. Imponer el anatema. ‖ **2.** Maldecir a alguno o hacer imprecaciones contra él. ‖ **3.** fig. Reprobar o condenar por mala a una persona o cosa.

anatemizar. (Haplología de *anatematizar.*) tr. **anatematizar.**

anatiforme. adj. *Zool.* **anseriforme.**

anatista. m. Oficial que en la dataría romana tenía a su cargo los libros y despachos de las medias anatas.

a nativitate. loc. adv. lat. **de nacimiento.**

anatomía. (Del lat. *anatomĭa,* y este del gr. ἀνατομή, disección.) f. Ciencia que tiene por objeto dar a conocer el número, estructura, situación y relaciones de las diferentes partes del cuerpo de los animales o de las plantas. ‖ **2.** *Biol.* Disección o separación artificiosa de las partes del cuerpo de un animal o de una planta. ‖ **3.** p. us. Análisis, examen minucioso de alguna cosa. ‖ **4.** p. us. Esqueleto, y por ext., persona flaca. ‖ **5.** *Esc.* y *Pint.* Disposición, tamaño, forma y sitio de los miembros externos que componen el cuerpo humano o el de los animales. ‖ **patológica.** Ciencia que estudia las alteraciones macroscópicas y microscópicas producidas por los agentes morbosos en las estructuras de los seres vivos.

anatómicamente. adv. m. Conforme a las reglas de la anatomía.

anatómico, ca. (Del lat. *anatomĭcus*, y este del gr. ἀνατομικός.) adj. Perteneciente o relativo a la anatomía. ‖ **2.** Dícese de cualquier objeto construido para que se adapte o ajuste perfectamente al cuerpo humano o a alguna de sus partes. *Asientos* ANATÓMICOS; *prendas* ANATÓMICAS. ‖ **3.** V. **anfiteatro anatómico.** ‖ **4.** m. y f. **anatomista.**

anatomista. (Del b. lat. *anatomista*.) com. Persona que profesa la anatomía.

anatomizar. tr. Hacer o ejecutar la anatomía de algún cuerpo. ‖ **2.** *Esc.* y *Pint.* Señalar en las figuras los huesos y músculos de manera que se distingan bien.

anatomopatológico, ca. adj. Relativo a la anatomía patológica.

anatomopatólogo, ga. m. y f. Persona especializada en anatomía patológica.

anavia. (Del vasc. ant. *anabia*.) f. *Rioja.* **arándano.**

anay. (Del tagalo *anay*.) m. *Filip.* **comején.**

anca. (Del it. o prov. ant. *anca*.) f. Cada una de las dos mitades laterales de la parte posterior de las caballerías y otros animales. ‖ **2.** Grupa de las caballerías. ‖ **3.** Cadera de una persona. ‖ **4.** fam. Nalga de una persona. ‖ **5.** ant. Muslo de una persona. ‖ **a ancas, o a las ancas.** loc. adv. Cabalgando en las **ancas** de la caballería que monta otra persona. ‖ **dar ancas vueltas.** fr. fig. y fam. *Méj.* Conceder una ventaja en cualquier juego; sobresalir en él. Dícese por alusión a las carreras en que se ajusta que, al arrancar, tenga uno de los caballos la cabeza en la dirección en que se ha de correr, y el otro en la contraria. ‖ **llevar** alguien **a las ancas** a otro. fr. fig. y fam. Mantenerlo o tenerlo a sus expensas. Ú. t. con los verbos *estar, traer*, etc. ‖ **llevar** una cosa **en anca, o en ancas.** fr. fig. p. us. Ser accesoria una cosa respecto de otra. ‖ **no sufrir ancas.** fr. No consentir las caballerías que las monten en aquella parte. ‖ **2.** fig. y fam. Ser uno poco tolerante; no aguantar injurias ni chanzas.

ancado, da. (De *anca*.) adj. *Veter.* Dícese de la caballería que tiene encorvado hacia adelante el menudillo de las patas traseras. ‖ **2.** m. Defecto de la caballería **ancada.**

ancestral. (Del ant. fr. *ancestre*.) adj. Perteneciente o relativo a los antepasados. ‖ **2.** Tradicional y de origen remoto.

ancestro. (Del ant. fr. *ancestre*.) m. **antepasado.** ‖ **2. herencia,** rasgos característicos que se trasmiten.

-ancia. V. **-ncia.**

ancianamente. adv. t. ant. **antiguamente.**

ancianía. f. desus. **ancianidad.** ‖ **2.** desus. En las órdenes militares, dignidad de anciano.

ancianidad. (De *anciano*.) f. Calidad de anciano. ‖ **2.** Último período de la vida ordinaria del hombre. ‖ **3.** desus. **antigüedad.**

ancianismo. m. desus. **ancianidad.**

anciano, na. (Del lat. **antiānus*, de *ante*.) adj. Dícese de la persona de mucha edad. Ú. t. c. s. ‖ **2.** p. us. Antiguo o que existe desde hace tiempo. ‖ **3.** m. Cualquiera de los miembros del Sanedrín. ‖ **4.** En los tiempos apostólicos, cada uno de los encargados de gobernar las iglesias. ‖ **5.** En las órdenes militares, cualquiera de los freires más antiguos de su respectivo convento.

ancila. (Del lat. *ancilla*, esclava, sierva.) f. p. us. Sierva, esclava, criada.

ancilar. adj. Referente a la ancila. Ú. t. en sent. fig.

ancilario, ria. adj. **ancilar.**

ancla. (Del lat. *ancŏra*.) f. Instrumento fuerte de hierro forjado, en forma de arpón o anzuelo doble, compuesto de una barra, llamada caña, que lleva unos brazos terminados en uña, dispuestos para aferrarse al fondo del mar y sujetar la nave. Ú. t. en sent. fig. ‖ **2.** *Arq.* Pieza de metal duro que se pone en el extremo de un tirante para asegurar la función de este, y en general cualquier elemento que una o refuerce las partes de una construcción. ‖ **3.** *Germ.* **mano** del hombre. ‖ **4.** *Mar.* V. **caña, cepo, varadero del ancla.** ‖ **de la esperanza.** La muy grande y que se utiliza en casos extremos. ‖ **de leva.** Cada una de las dos que van colocadas en las serviolas. ‖ **abatir** un **ancla.** fr. *Mar.* Colocarla en dirección más apartada de la que tenía con respecto a la de la corriente, marea o viento. ‖ **aguantar al ancla.** fr. *Mar.* Resistir la embarcación un temporal estando fondeada. ‖ **apear el ancla.** fr. *Mar.* Dejar el **ancla** a la pendura. ‖ **de ancla a ancla.** fr. *Mar.* Tiempo que media desde que una embarcación leva **anclas** en un puerto, hasta que las echa en el mismo o en otro, después de un viaje. ‖ **echar anclas.** fr. *Mar.* Sujetarlas en el fondo. ‖ **enmendar** un **ancla.** fr. *Mar.* Colocarla en dirección más ventajosa, según las circunstancias. ‖ **estar** el buque **sobre el ancla,** o **las anclas.** fr. *Mar.* Estar aferrado y asegurado con ellas. ‖ **faltar** un **ancla.** fr. *Mar.* Romperse, o desprenderse del fondo, haciéndose inútil. ‖ **gobernar sobre el ancla.** fr. *Mar.* Dirigir el buque hacia el **ancla,** al virar sobre ella valiéndose del timón. ‖ **levar anclas.** fr. *Mar.* Levantarlas para salir del fondeadero. ‖ **pescar** un **ancla.** fr. *Mar.* Enganchar casualmente un **ancla** perdida, al levar la propia. ‖ **picar** un **ancla.** fr. *Mar.* **enmendar** un **ancla.** ‖ **saltar** un **ancla.** fr. *Mar.* Desprenderse del fondo y volver a agarrar después que ha ido arrastrando algún trecho. ‖ **tragar** un **ancla.** fr. *Mar.* Enterrarse el **ancla** en el fondo por ser este muy blando.

ancladero. (De *anclar*.) m. **fondeadero.**

anclaje. m. *Mar.* Acción de anclar la nave. ‖ **2.** *Mar.* **fondeadero.** ‖ **3.** *Mar.* Tributo que se paga por fondear en un puerto. ‖ **4.** fig. Conjunto de elementos destinados a fijar algo firmemente al suelo.

anclar. intr. *Mar.* **echar anclas.** ‖ **2.** *Mar.* Quedar sujeta la nave por medio del ancla. ‖ **3.** fig. Quedarse, arraigar en un lugar, o aferrarse tenazmente a una idea o actitud. Ú. t. c. prnl. *Estaba* ANCLADO *en la tradición.* ‖ **4.** tr. fig. Sujetar algo firmemente al suelo o a otro lugar.

anclear. tr. desus. Sujetar la nave por medio del ancla.

anclote. m. Ancla pequeña.

-anco, ca. suf. de valor generalmente despectivo: *potr*ANCA, *lun*ANCO.

ancón. (Del lat. *ancon, -ōnis*, codo, ángulo, y este del gr. ἀγκών.) m. Ensenada pequeña en que se puede fondear. ‖ **2.** *Méj.* **rincón,** de paredes. ‖ **3.** *Arq.* Cada una de las dos ménsulas colocadas a uno y otro lado de un vano para sostener la cornisa.

anconada. f. **ancón,** ensenada.

anconitano, na. adj. Natural de Ancona. Ú. t. c. s. ‖ **2.** Perteneciente a esta ciudad de Italia.

áncora. (Del lat. *ancŏra*.) f. **ancla,** de la nave. ‖ **2.** fig. Lo que sirve o puede servir de amparo en un peligro o infortunio. ‖ **3.** *Arq.* **ancla.**

ancorado, da. adj. *Blas.* V. **cruz ancorada.**

ancoraje. (De *ancorar*.) m. *Mar.* **anclaje.**

ancorar. (De *áncora*.) intr. *Mar.* **anclar.** ‖ **2.** tr. p. us. Hacer embarrancar o atollar.

ancorca. (Del lat. *crocus*, a través del mozár. *al-qruqo;* cf. *alcroco* y cat. ant. *ancorca*.) f. **ocre,** el usado para pintar.

ancorel. (Del prov. o cat. *ancorell*, y este del lat. *ancŏra*, ancla.) m. Piedra que sirve de ancla a la boya de una red.

ancorería. f. Taller donde se hacen áncoras.

ancorero. m. El que tiene por oficio hacer áncoras.

ancuco. m. *Bol.* Turrón de maní o almendra y miel.

ancuditano, na. adj. Natural de Ancud, capital de la provincia chilena de Chiloé. Ú. t. c. s. ‖ **2.** Perteneciente o relativo a esta ciudad.

ancudo, da. adj. De ancas grandes.

ancusa. (Del gr. ἄγχουσα.) f. **lengua de buey.**

ancuviña. f. Sepultura de los indígenas chilenos.

ancha. (De *ancho.*) f. *Germ.* Población grande.

anchamente. adv. m. Con anchura.

anchar. (Del lat. *ampliāre.*) intr. p. us. **ensancharse,** envanecerse, afectar gravedad. ‖ **2.** tr. fam. **ensanchar.** Ú. t. c. prnl.

ancharia. f. En algunas regiones, **anchura.**

ancheta. f. Pacotilla de venta que se llevaba a América en tiempo de la dominación española. ‖ **2.** Porción corta de mercaderías que una persona lleva a vender a cualquier parte. ‖ **3.** *And.* y *Amér.* Negocio, bicoca. Ú. generalmente con intención ponderativa o irónica. ‖ **4.** *Amér.* Cosa inoportuna o sin importancia, o que revela desfachatez o descaro. ‖ **5.** *Col.* y *Venez.* Gratificación, dádiva.

ancheza. f. desus. **anchura.**

anchicorto, ta. adj. Ancho y corto.

ancho, cha. (Del lat. *amplus.*) adj. Que tiene más o menos anchura. ‖ **2.** Que tiene anchura excesiva. ‖ **3.** Holgado, amplio en demasía. *Vestido* ANCHO. ‖ **4. amplio.** *Una sala, una plaza* ANCHA. ‖ **5.** V. **mar ancha.** ‖ **6.** fig. Desembarazado, laxo, libre. ‖ **7.** fig. De gran tamaño, importancia o intensidad. ANCHA *oscuridad,* ANCHO *malestar.* ‖ **8.** fig. Orgulloso, envanecido, ufano. Ú. m. con los verbos *estar, ponerse* y *quedarse. Soltó un disparate y se quedó tan* ANCHO. ‖ **9.** m. **anchura.** *El* ANCHO *del paño.* ‖ **a mis, a tus, a sus, anchas,** o **anchos,** locs. advs. fams. Cómodamente, sin sujeción, con entera libertad. ‖ **a todos anchos.** loc. adv. **a mis anchos.** ‖ **darse tantas en ancho como en largo.** expr. fig. Vivir con toda libertad, cumplidamente, a toda satisfacción. ‖ **estar ancho.** Disponer de espacio holgado para estar o acomodarse. ‖ **venir** algo **ancho** a alguien. fr. fig. Estar por encima de sus méritos o posibilidades.

anchoa. (Del lat. **apiuva,* de *aphye,* y este del gr. ἀφύη, anchoa.) f. Boquerón curado en salmuera con parte de su sangre. ‖ **2.** En algunas partes, **boquerón,** pez teleósteo fisóstomo.

anchoar. tr. Rellenar con anchoa el hueco de una aceituna deshuesada. ‖ **2.** Curar el pescado, especialmente los boquerones, al modo de las anchoas.

anchor. m. p. us. **anchura.**

anchova. f. **anchoa.**

anchoveta. f. *Chile, Pan.* y *Perú.* Variedad de anchoa o boquerón.

anchura. (De *ancho.*) f. La menor de las dos dimensiones principales que tienen las cosas o figuras planas, en contraposición a la mayor o longitud. ‖ **2.** En una superficie, su dimensión considerada de derecha a izquierda o de izquierda a derecha, en contraposición a la considerada de arriba abajo o de abajo arriba. ‖ **3.** En objetos de tres dimensiones, la segunda en magnitud. ‖ **4.** Amplitud, extensión o capacidad grandes. ‖ **5.** Holgura, espacio suficiente para que pase, quepa o se mueva dentro alguna cosa. ‖ **6.** fig. Libertad, soltura, desahogo. Suele usarse en sentido peyorativo. ‖ **a mis, a tus, a sus anchuras.** loc. adv. **a mis, a tus, a sus anchas.**

anchurón. m. Excavación de grandes dimensiones, especialmente en el interior de una mina. ‖ **2.** Lugar ancho y espacioso.

anchuroso, sa. (De *anchura.*) adj. Muy ancho o espacioso.

anda. f. *Col., Chile, Guat.* y *Perú.* **andas.**

andábata. (Del lat. *andabăta.*) m. Gladiador que peleaba cubierta la cabeza con un casco que le tapaba los ojos.

andaboba. (De *andar*[1] y *boba.*) f. **parar**[1].

andada. f. Acción y efecto de andar[1]. ‖ **2.** p. us. Pan que se pone muy delgado y llano para que al cocer quede muy duro y sin miga. ‖ **3.** *Ar.* Terreno en que suele pastar un ganado, o en que pastó en determinado día. ‖ **4.** pl. Entre cazadores, huellas de perdices, conejos, liebres y otros animales. ‖ **5. andanzas.** ‖ **volver a las andadas.** fr. fig. y fam. Reincidir en un vicio o mala costumbre.

andadero, ra. adj. Aplícase al sitio o terreno por donde se puede andar fácilmente. ‖ **2. andador,** que anda. ‖ **3.** desus. **hacedero,** que puede hacerse. ‖ **4.** m. y f. desus. **demandadero.** ‖ **5.** f. **andador,** utensilio para enseñar a andar. Ú. m. en pl. ‖ **6.** *Ar.* **seca,** infarto de una glándula. Ú. m. en pl.

andado[1]**, da.** (Del lat. *ante natus,* nacido antes.) m. y f. fam. **adnado, da.**

andado[2]**, da.** p. p. de **andar.** ‖ **2.** adj. desus. Transitado. Usáb. m. con los advs. *más, menos, muy, poco,* etc. ‖ **3.** desus. Común y ordinario. ‖ **4.** Usado o algo gastado. Dícese de las ropas o vestidos.

andador, ra. adj. Que anda mucho o con velocidad. Ú. t. c. s. ‖ **2.** Que anda de una parte a otra sin parar en ninguna, o donde debe. Ú. t. c. s. ‖ **3.** m. Antiguamente, ministro inferior de justicia. ‖ **4. avisador,** persona que lleva avisos. ‖ **5.** Senda por donde, en las huertas, se anda fuera de los cuadros. ‖ **6.** Utensilio de diversas formas y materiales, para enseñar a andar a los niños. Ú. m. en pl. ‖ **poder** alguien **andar sin andadores.** fr. fig. y fam. Ser bastante hábil por sí mismo; no necesitar del ajeno auxilio.

andadura. f. Acción o modo de andar. Ú. t. en sent. fig. *Un libro de clásica* ANDADURA ‖ **2. paso de andadura.**

andalia. (Por el pl. *las* [*s*]*andalias.*) f. En algunas regiones, **sandalia.**

andalotero, ra. (De *andar*[1].) adj. *Ál.* Que callejea mucho. Ú. t. c. s.

andalucismo. m. Locución, giro o modo de hablar peculiar y propio de los andaluces. ‖ **2.** Amor o apego a las cosas características o típicas de Andalucía. ‖ **3.** Nacionalismo andaluz.

andalucista. adj. Dícese de la persona especializada en conocimientos sobre Andalucía. Ú. t. c. s. ‖ **2.** Perteneciente o relativo al andalucismo o que lo profesa. Apl. a pers., ú. t. c. s.

andalucita. f. *Min.* Silicato de alúmina natural.

andalusí. adj. Perteneciente o relativo al Ándalus o España musulmana. Apl. a pers., ú. t. c. s.

andaluz, za. adj. Natural de Andalucía. Ú. t. c. s. ‖ **2.** Perteneciente a esta región de España. ‖ **3.** Dícese de la variedad de la lengua española hablada en Andalucía. Se caracteriza por diversos rasgos fonológicos, así como por entonación y léxico peculiares. Ú. t. c. s. m.

andaluzada. f. fam. Exageración que, como habitual, se atribuye a los andaluces.

andamiada. f. Conjunto de andamios.

andamiaje. m. **andamiada.**

andamiento. (De *andar*[1].) m. desus. Acción de andar, movimiento, marcha. ‖ **2.** desus. fig. Modo de proceder o portarse.

andamio. (De *andar*[1].) m. Armazón de tablones o vigas puestos horizontalmente y sostenidos en pies derechos y puentes, o de otra manera, que sirve para colocarse encima de ella y trabajar en la construcción o reparación de edificios, pintar paredes o techos, subir o bajar estatuas u otras cosas, etc. Ú. t. en sent. fig. ‖ **2.** Tablado que se pone en plazas o sitios públicos para ver desde él alguna fiesta, o con otro objeto. ‖ **3.** ant. **adarve.** ‖ **4.** desus. Movimiento o acción de andar. ‖ **5.** ant. Modo o aire de andar. ‖ **colgado.** El suspendido con cuerdas.

andana[1]**.** (De *andar*[1].) f. Orden de algunas cosas puestas en línea. *Casa de dos o tres* ANDANAS *de balcones. Navío con dos* ANDANAS *de piezas de artillería.* ‖ **2.** Estante en cuyas baldas o anaqueles, generalmente metálicos, se colocan los gusanos de seda para criarlos. ‖ **3.** Serie de zarzos horizontales adosados a una pared para el mismo fin.

andana[2] **(llamarse alguien andana o a).** (De *al-*

tana.) fr. fam. Desentenderse de lo que es o podría ser un compromiso.

andanada. f. **andana**[1], orden de cosas puestas en línea. ‖ **2.** Descarga cerrada de toda una andana o batería de cualquiera de los dos costados de un buque. Ú. t. en sent. fig. *Una* ANDANADA *de improperios.* ‖ **3.** Localidad cubierta y con diferentes órdenes de gradas, destinada al público en las plazas de toros. ‖ **4.** fig. y fam. Reprensión, reconvención agria y severa. Ú. m. en la fr. **le soltó la,** o **una, andanada.**

andancia. f. *And.* Acción y efecto de andar[1]. ‖ **2.** *Amér.* **andanza,** buena o mala suerte. ‖ **3.** *And.* y *Amér.* **andancio.**

andancio. (De *andar*[1].) m. Enfermedad epidémica leve.

andaniño. (De *andar*[1] y *niño.*) m. desus. **pollera,** para que los niños aprendan a andar.

andante[1]**.** p. a. de **andar.** Que anda. ‖ **2.** adj. V. **caballería, caballero andante.** ‖ **bien andante. bienandante.** ‖ **mal andante. malandante.**

andante[2]**.** (Del it. *andante.*) adv. m. *Mús.* Con movimiento moderadamente lento. ‖ **2.** m. *Mús.* Composición o parte de ella que se ha de ejecutar con este movimiento. *Tocar o cantar un* ANDANTE.

andantesco, ca. adj. Perteneciente o relativo a la caballería o a los caballeros andantes.

andantino. (Del it. *andantino.*) adv. m. *Mús.* Con movimiento más vivo que el andante, pero menos que el alegro. ‖ **2.** m. *Mús.* Composición o parte de ella que se ha de ejecutar con este movimiento.

andanza. (De *andar*[1].) f. Acción de recorrer diversos lugares considerada como azarosa. ‖ **2.** Suerte, buena o mala. ‖ **3. andancio.** ‖ **4.** ant. Modo de andar. ‖ **5.** pl. Vicisitudes, peripecias, trances. ‖ **buena andanza** o **buenas andanzas.** Buena fortuna. ‖ **mala andanza** o **malas andanzas. malandanza.**

andar[1]**.** (De una variante romance del lat. *ambulāre.*) intr. Ir de un lugar a otro dando pasos. Ú. t. c. prnl. ‖ **2.** Ir de un lugar a otro lo inanimado. ANDAR *los planetas, la nave.* Ú. raramente c. prnl. ‖ **3.** Moverse un artefacto o máquina para ejecutar sus funciones. ANDAR *el reloj, un molino.* ‖ **4.** fig. **estar.** ANDAR *uno bueno o malo, alegre o triste, torpe o prudente.* ‖ **5. haber.** ANDAN *muchos locos sueltos por la calle.* ‖ **6.** fig. Tomar parte, ocuparse o entretenerse en algo. ANDAR *en pleitos, en pretensiones.* Ú. t. c. prnl. ANDARSE *con contemplaciones, con paños calientes.* ‖ **7.** Hablando del tiempo, pasar, correr. ‖ **8.** Obrar, proceder. ANDAR *sin recelo; quien mal* ANDA *mal acaba.* Ú. t. c prnl. ÁNDATE *con cuidado.* ‖ **9.** Seguido de la prep. *a* y de nombres en plural, como *cachetes, cuchilladas, tiros, palos,* etc., darlos, o reñir de este modo. ‖ **10.** fam. Seguido de la prep. *en,* poner o meter las manos o los dedos en alguna cosa. *Encontré al uno* ANDANDO EN *el cajón y al otro en los papeles.* Ú. t. c. prnl. *No es bueno* ANDARSE EN *los ojos.* ‖ **11.** Generalmente con las preps. *en* y *por,* seguidas de un número que indique años, encontrarse en un punto exacto o aproximado. ANDO EN *cuarto de Leyes.* ANDA POR *los treinta años.* ‖ **12.** fam. Seguido de la prep. *con,* traer entre manos. *Es peligroso* ANDAR CON *pólvora.* ‖ **13.** Con gerundios, denota la acción que expresan estos. ANDAR *ronceando, cazando.* ‖ **14.** *Mar.* **arribar,** girar el buque. ‖ **15.** tr. **recorrer** uno un espacio. ANDAR *el camino, todas las calles del pueblo.* ‖ **16.** prnl. p. us. Seguido de la prep. *a* y otro verbo, ocuparse en, o ponerse a, ejecutar la acción de dicho verbo. ‖ **allá se andan.** fr. fam. **allá se van.** ‖ **a más,** o **a todo andar.** loc. adv. **a toda prisa.** ‖ **¡anda!** interj. que sirve para expresar admiración o sorpresa, y también para excitar o animar a hacer alguna cosa y para denotar alegría, como por despique, cuando a otro le ocurre algo desagradable. ‖ **anda a esparragar.** expr. fig. y fam. que se usa para despedir a uno con desprecio o enfado. ‖ **anda,** o **andad, a pasear.** expr. fam. **anda,** o **andad, a paseo.** ‖ **anda,** o **andad, enhoramala,** o **noramala.** expr. fam. **vete,** o **idos, enhoramala,** o **noramala.** ‖ **¡andando!** interj. que se usa para exhortar a alguien a darse prisa o a empezar una acción. ‖ **¡andar!** interj. con que se aprueba alguna acción o se manifiesta conformidad. ‖ **andar a derechas,** o **derecho.** fr. fig. y fam. Obrar con rectitud. ‖ **andar a la que salta.** fr. fig. y fam. **andar a la briba.** ‖ **2.** fig. y fam. Aprovecharse, para sus fines, de cualquier ocasión que se presenta. ‖ **andar a las bonicas.** fr. fig. y fam. desus. No empeñarse ni esforzarse en alguna cosa, sino tomarla sin trabajo y cómodamente. ‖ **andar anidando** una mujer. fr. fig. y fam. desus. Estar cercana al parto. ‖ **andar a una.** fr. **ir a una.** ‖ **andar a viva quien vence.** fr. desus. con que suele censurarse el proceder de aquellos que se apartan del que está caído, para seguir y adular a los que prosperan. ‖ **andar claro.** fr. Dicho del caballo, **andar** de modo que no se junten las líneas del huello de ambos pies o ambas manos. ‖ **andar oscuro.** fr. Dicho del caballo, **andar** de modo que se junten las líneas del huello de ambos pies o ambas manos. ‖ **andarse allá.** fr. fig. y fam. con que se indica semejanza entre dos o más personas o cosas. ALLÁ SE ANDABAN *en brío y en tamaño.* ‖ **andar tras** alguna cosa. fr. fig. Pretenderla insistentemente. ‖ **andar tras** alguno. fr. **andar** en su seguimiento o alcance. ‖ **2.** fig. Buscarlo con diligencia para prenderlo o para otro fin. ‖ **andar tropezando y cayendo.** fr. fig. y fam. Cometer varios errores o correr varios peligros consecutivos en algún trabajo o negocio. ‖ **¡ande!** o **¡ande usted!** loc. interj. **¡anda!** Ú. cuando no se tutea a la persona con quien se habla. ‖ **anden y ténganse.** expr. fam. desus. con que se zahiere al que manda a un mismo tiempo cosas contrarias. ‖ **todo se andará.** loc. fam. con que se da a entender al que echó de menos alguna cosa, creyéndola olvidada, que a su tiempo se ejecutará o se tratará de ella.

andar[2]**.** (De *andar*[1].) m. Acción o modo de andar. *Caballería de buen* ANDAR. ‖ **2.** Modo o manera de proceder. ‖ **3.** Velocidad o ritmo del andar. *A buen, a todo* ANDAR. Ú. t. referido a embarcaciones. ‖ **4.** pl. Modo de andar las personas, especialmente cuando es airoso o gallardo. ‖ **a largo andar.** loc. adv. desus. Con el tiempo, andando el tiempo, pasado mucho tiempo, al cabo. A LARGO ANDAR *todo se destruye.* ‖ **estar a un andar.** fr. desus. Estar dos casas, aposentos o ventanas, a un mismo piso o nivel.

andaraje. (De *andar*[1].) m. Rueda de la noria, en que se afirma la maroma y cargan los arcaduces. ‖ **2.** Aparato de madera con que se hace andar el rodillo que los labradores usan para afirmar el suelo de las eras.

andarica. f. *Ast.* Especie de cangrejo de mar, pequeño y comestible.

andariego, ga. adj. **andador,** que anda mucho. Ú. t. c. s. ‖ **2. andador,** que va de una parte a otra sin parar en ninguna. Ú. t. c. s.

andarín, na. (De *andar*[1].) adj. **andariego.** Ú. t. c. s. ‖ **2.** m. **mensajero,** que lleva recados.

andarina. (De *andorina,* infl. por *andar*[1].) f. **andorina.**

andarivel. (Del it. *andarivello,* probablemente a través del cat. *andarivell.*) m. Maroma tendida entre las dos orillas de un río o canal, o entre dos puntos no muy distantes de un puerto, arsenal, etc., y mediante la cual pueden palmearse las embarcaciones menores. ‖ **2.** *Mar.* Cuerda colocada en diferentes sitios del buque, a manera de pasamano, para dar seguridad a las personas o para otros usos. ‖ **3.** *Mar.* **tecle.** ‖ **4.** Mecanismo usado para pasar ríos y hondonadas que no tienen puente; y consiste en una especie de cesta o cajón, comúnmente de cuero, que, pendiente de dos argollas, corre por una maroma fija por sus dos extremos. ‖ **5.** *Cuba.* Batea usada para pasar los ríos, palmeándola con ayuda del **andarivel.** ‖ **6.** *Ecuad.* y *Perú.* En deportes, pista delineada con cuerdas, que debe seguir un corredor o nadador. ‖ **7.** pl. *Cantabria, Col., C. Rica* y *Sto. Dom.* Adornos excesivos, comúnmente femeninos.

andarraya. (De *andar*[1] y *raya.*) f. Juego que se hacía con piezas o piedras sobre un tablero como el de las damas.

andarríos. (De *andar*[1] y *ríos.*) m. **lavandera blanca,** aguzanieves.

andas. (Del lat. *amĭtes,* pl. de *ames,* angarillas.) f. pl. Tablero que, sostenido por dos varas paralelas y horizontales, sirve para conducir efigies, personas o cosas. ‖ **2.** Féretro o caja con varas, en que se llevan a enterrar los muertos. ‖ **en andas.** loc. adv. A hombros o en vilo. ‖ **en andas y en volandas.** loc. adv. fig. **en volandas.**

andavete. m. *Bol.* Vaso o recipiente que se utiliza para servir chicha. ‖ **2.** *Bol.* Recipiente en cuyos bordes hay colocados varios vasos llenos de diferentes licores que se han de beber sin que se mezcle el contenido de los vasos pequeños con el del vaso grande.

andel. (De *andén.*) m. Rodada o carril que deja el paso de un carro u otro vehículo a campo traviesa. Ú. m. en pl.

andén. (Del lat. *indāgo, -ĭnis,* cerco.) m. En las norias, tahonas y otros ingenios movidos por caballerías, sitio por donde estas andan, dando vueltas alrededor. ‖ **2.** Corredor o sitio destinado para andar. ‖ **3.** Pretil, parapeto, antepecho. ‖ **4.** En las estaciones de los ferrocarriles, especie de acera a lo largo de la vía, más o menos ancha, y con la altura conveniente para que los viajeros entren en los vagones y se apeen de ellos, así como también para cargar y descargar equipajes y efectos. ‖ **5.** En los puertos de mar, espacio de terreno sobre el muelle, en que andan las personas que cuidan del embarque y desembarque de los géneros, o que vienen a este paraje para esparcirse o con otro objeto. ‖ **6.** Acera de un puente. ‖ **7. anaquel.** ‖ **8.** desus. **andana**[1], orden de cosas puestas en línea; en especial, andana de cañones de un navío. ‖ **9.** *Col., Guat.* y *Hond.* **acera** de la calle. ‖ **10.** *Amér.* **bancal,** terreno de labranza. Ú. generalmente en pl.

andenería. f. *Amér.* Conjunto de andenes o bancales.

andero. m. Cada uno de los que llevan en hombros las andas.

andesina. (De *Andes.*) f. Feldespato de alúmina, sosa y cal, que forma parte de algunas rocas eruptivas.

andesita. (De *Andes.*) f. *Geol.* Roca volcánica compuesta de cristales de andesina, que se encuentra principalmente en los Andes.

andinense. adj. **andino**[2].

andinismo. (De *andino*[2].) m. *Amér. Merid.* Deporte que consiste en la ascensión a los Andes y a otras montañas altas.

andinista. com. Persona que practica el andinismo.

andino[1], **na.** (Del lat. *Andīnus.*) adj. Natural de Andes. Ú. t. c. s. ‖ **2.** Perteneciente o relativo a esta aldea de la antigüedad, cercana a Mantua.

andino[2], **na.** adj. Perteneciente o relativo a la cordillera de los Andes. ‖ **2.** Natural de la ciudad de Los Andes. Ú. t. c. s. ‖ **3.** Perteneciente o relativo a esta ciudad de Chile.

ándito. (Del it. *andito.*) m. *Arq.* Corredor o andén que exteriormente rodea del todo o en gran parte un edificio. ‖ **2.** p. us. Acera de una calle.

andoba o **andóbal.** (Del caló.) com. Persona cualquiera que no se nombra. Se usa generalmente en sentido despectivo.

andola. f. Cancioncilla popular del siglo XVII.

andolencia. f. ant. **andulencia.**

andolina. f. **andorina.**

andón, na. (De *andar*[1].) adj. *Amér.* Que anda mucho. Dícese de las caballerías.

andorga. (De or. inc.; cf. *pandorga,* y ár. *'unduqa,* bajo vientre.) f. fam. **vientre,** cavidad inferior del cuerpo.

andorina. (Del lat. *hirundo, -ĭnis,* infl. por *andar.*) f. **golondrina,** pájaro.

andorra. (Del ár. *gandūra,* fatua.) f. p. us. fam. Mujer andorrera.

andorrano, na. adj. Natural de Andorra. Ú. t. c. s. ‖ **2.** Perteneciente a este Estado o principado de los Pirineos, o a la villa de Andorra, en Aragón.

andorrear. intr. fam. **cazcalear.**

andorrero, ra. (De *andorra.*) adj. p. us. fam. Que todo lo anda; amigo de callejear. Dícese más comúnmente de las mujeres. Ú. t. c. s.

andosco, ca. (De or. inc., quizá del lat. **annotĭcus,* por *annotĭnus.*) adj. Aplícase a la res de ganado menor que tiene más de uno o dos años. Ú. t. c. s.

andrado, da. (Del lat. *ante natus,* nacido antes.) m. y f. ant. **adnado, da.** Ú. en Burgos.

andrajero, ra. (De *andrajo.*) m. y f. desus. El que trafica en trapos de desecho.

andrajo. (De **haldajo,* de *halda.*) m. Prenda de vestir vieja, rota o sucia. ‖ **2.** Pedazo o jirón de tela roto, viejo o sucio. ‖ **3.** fig. y despect. Persona o cosa muy despreciable.

andrajosamente. adv. m. Con andrajos.

andrajoso, sa. adj. Cubierto de andrajos. Ú. t. c. s. ‖ **2.** Hecho andrajos. Dícese de la prenda de vestir.

andrehuela. f. *Córd.* Especie de melón que se guarda para el invierno.

Andrés. n. p. V. **aspa, cruz de San Andrés.**

andriana. (Del fr. *andrienne,* y este de *Andria,* nombre de un personaje en una comedia de Baron.) f. Especie de bata muy ancha y no ajustada al talle, que usaban las mujeres.

andrina. (Del lat. **atrīna,* de *ater,* negro.) f. **endrina.**

andrino. (De *andrina.*) m. **endrino,** ciruelo silvestre.

androceo. (Del gr. ἀνήρ, ἀνδρός, varón, y la terminación *-ceo,* a semejanza de *gineceo.*) m. *Bot.* Verticilo floral masculino de las plantas fanerógamas, constituido por uno o más estambres.

androfobia. f. Aversión morbosa hacia el sexo masculino.

andrógeno. m. Hormona masculina.

andrógino, na. (Del lat. *androgy̆nus,* y este del gr. ἀνδρόγυνος.) adj. Hermafrodita. Ú. t. c. s. ‖ **2.** Dícese de la persona cuyos rasgos externos no se corresponden definidamente con los propios de su sexo. Ú. t. c. s. ‖ **3.** *Bot.* **monoico.** ‖ **4.** *Zool.* Se dice de algunos animales de órdenes inferiores que, aun cuando reúnen los dos sexos, no pueden fecundarse a sí mismos, sino que necesitan, para reproducirse, el concurso de otro individuo de la misma especie.

androide. (Del lat. mod. *androides.*) m. Autómata de figura de hombre.

andrómina. (De or. inc.; quizá del n. de *Andrómeda,* personaje mitológico.) f. fam. Embuste, enredo con que se pretende alucinar. Ú. m. en pl.

androsemo. (Del lat. *androsaemon,* y este del gr. ἀνδρόσαιμον.) m. **todabuena.**

andujareño, ña. adj. Natural de Andújar. Ú. t. c. s. ‖ **2.** Perteneciente o relativo a esta ciudad de Andalucía.

andulario. (Por **haldulario,* de *halda.*) m. **faldulario.**

andulencia. (Del lat. *indulgentĭa.*) f. desus. **indulgencia.** ‖ **2.** pl. desus. **andanzas,** vicisitudes.

andullo. (Del lat. *inductilĭa,* pl. n. de *inductĭlis.*) m. *Mar.* Tejido que se pone en las jaretas y motones de los buques, para evitar el roce. ‖ **2.** Hoja larga de tabaco arrollada. ‖ **3.** Cada uno de los manojos de hojas de tabaco con que suelen formarse los fardos. ‖ **4.** *Cuba.* Mezcla de tabaco y una materia edulcorante para mascar.

andurrial. (De etim. disc.; cf. *andar*[1] y *andorra.*) m. Paraje extraviado o fuera de camino. Ú. m. en pl.

anea. (Del ár. *an-na'ya,* la flauta.) f. Planta de la familia de las tifáceas, que crece en sitios pantanosos, hasta dos metros de altura, con tallos cilíndricos y sin nudos, hojas envainadoras por la base, ensiformes, y flores en forma de espiga maciza y vellosa, de la cual la mitad inferior es femenina y masculina la superior. Sus hojas se emplean para hacer asientos de sillas, ruedos, etc. ‖ **2. espadaña,** planta.

aneaje. m. Acción de anear[1].

anear[1]. (De *ana*[1].) tr. Medir por anas.

anear[2]. (Del m. or. que *aña.*) tr. *Cantabria* y *Ast.* Mecer al niño en la cuna.

anear[3]. (De *anea.*) m. Sitio poblado de aneas.

aneblar. (De *a-*[1] y el lat. mediev. *nebulāre.*) tr. p. us. Cubrir de niebla. Ú. m. c. prnl. ‖ **2.** desus. **anublar,** oscurecer. Ú. t. c. prnl.

anécdota. (Del gr. ἀνέκδοτα, cosas inéditas, probablemente a través del fr. *anecdote.*) f. Relato breve de un hecho curioso que se hace como ilustración, ejemplo o entretenimiento. ‖ **2.** Suceso curioso y poco conocido, que se cuenta en dicho relato. ‖ **3.** Argumento o asunto de una obra. ‖ **4.** Suceso circunstancial o irrelevante.

anecdotario. m. Colección de anécdotas.

anecdótico, ca. adj. Perteneciente o relativo a la anécdota.

anecdotismo. m. Empleo frecuente de anécdotas.

anecdotista. com. Persona que escribe, refiere o gusta de contar anécdotas.

aneciarse. prnl. desus. Hacerse necio.

anegable. adj. p. us. Que puede ser anegado o inundado.

anegación. f. p. us. **anegamiento.**

anegadizo, za. adj. Que frecuentemente se anega o inunda. Ú. t. c. s. m. ‖ **2.** V. **madera anegadiza.**

anegamiento. m. Acción y efecto de anegar o anegarse.

anegar. (Del lat. *enecāre,* matar.) tr. Ahogar a uno sumergiéndolo en el agua. Ú. m. c. prnl. y t. en sent. fig. ANEGARSE *en llanto.* ‖ **2. inundar** de agua. Ú. t. c. prnl. y en sent. fig. ‖ **3.** p. us. Abrumar, agobiar, molestar. ‖ **4.** prnl. **naufragar** la nave.

anegociado, da. adj. ant. Metido en muchos negocios.

anejar. tr. **anexar.**

anejir. (Del ár. *an-našīd,* el canto, la recitación.) m. Refrán o sentencia popular puesta en verso y cantable.

anejo, ja. (Del lat. *annexus,* añadido.) adj. Unido o agregado a otra persona o cosa, con dependencia, proximidad y estrecha relación respecto a ella. Ú. t. c. s. ‖ **2.** Propio, inherente, concerniente. ‖ **3.** m. Cada uno de los libros que se editan como complemento de una revista científica. ‖ **4.** Iglesia parroquial de un lugar, por lo común pequeño, sujeta a la de otro pueblo en donde reside el párroco. ‖ **5.** Iglesia sujeta a otra principal del mismo pueblo. ‖ **6.** Grupo de población rural incorporado a otro u otros, para formar municipio con el nombre de alguno de ellos.

aneldo[1]. (Del lat. *anethŭlus,* d. de *anēthum,* y este del gr. ἄνηθον.) m. **eneldo.**

aneldo[2]. (Del lat. *anhelĭtus.*) m. ant. **aliento.**

anélido. (Del fr. *annélide.*) adj. *Zool.* Dícese de animales pertenecientes al tipo de los gusanos, que tienen el cuerpo casi cilíndrico, con anillos o pliegues transversales externos que corresponden a segmentos internos. En su mayoría viven en el mar, pero muchos residen en el agua dulce, como la sanguijuela, o en la tierra húmeda, como la lombriz. ‖ **2.** m. pl. *Zool.* Clase de estos animales.

anemia. (Del gr. ἀναιμία, carencia de sangre.) f. *Pat.* Empobrecimiento de la sangre por disminución de su cantidad total, como ocurre después de las hemorragias, o por enfermedades, ya hereditarias, ya adquiridas, que amenguan la cantidad de hemoglobina o el número de glóbulos rojos. ‖ **clorótica. clorosis.** ‖ **de células falciformes. drepanocitosis.** ‖ **de los mineros. anquilostomiasis.** ‖ **del recién nacido.** Enfermedad congénita desencadenada por incompatibilidad de uno de los sistemas de grupos sanguíneos entre la madre y su hijo. ‖ **hemolítica.** Disminución del número de hematíes por su destrucción excesiva en el organismo. ‖ **mediterránea. talasemia.** ‖ **perniciosa.** Enfermedad que aparece en la edad madura y se caracteriza por una disminución progresiva del número de los glóbulos rojos con aumento del tamaño de estos.

anémico, ca. adj. Perteneciente o relativo a la anemia. ‖ **2.** Que padece anemia. Ú. t. c. s.

anemocordio. (Del gr. ἄνεμος, viento, y χορδή, cuerda.) m. **arpa eolia.**

anemófilo, la. (Del gr. ἄνεμος, viento, y *-filo.*) adj. *Bot.* Dícese de las plantas en las que la polinización se verifica por medio del viento.

anemografía. (De *anemógrafo.*) f. Parte de la meteorología, que trata de la descripción de los vientos.

anemográfico, ca. adj. Perteneciente o relativo a la anemografía.

anemógrafo, fa. (Del gr. ἄνεμος, viento, y *-grafo.*) m. y f. Persona que profesa la anemografía o en ella tiene especiales conocimientos. ‖ **2.** m. Anemómetro, registrador gráfico.

anemometría. (De *anemómetro.*) f. Parte de la meteorología, que enseña a medir la velocidad o la fuerza del viento.

anemométrico, ca. adj. Perteneciente o relativo a la anemometría o al anemómetro.

anemómetro. (Del gr. ἄνεμος, viento, y *-metro.*) m. Instrumento que sirve para medir la velocidad o la fuerza del viento.

anémona o **anemona.** f. Planta herbácea, vivaz, de la familia de las ranunculáceas, que tiene un rizoma tuberoso, pocas hojas en los tallos, y las flores de seis pétalos, grandes y vistosas. Se cultivan diferentes especies, con flores de colores distintos. ‖ **2.** Flor de esta planta. ‖ **de mar.** Pólipo solitario antozoo, del orden de los hexacorolarios, de colores brillantes, que vive fijo sobre las rocas marinas; su cuerpo, blando y contráctil, tiene en su extremo superior la boca, rodeada de varias filas de tentáculos, que, extendidos, hacen que el animal se parezca a una flor.

anemone. (Del lat. *anemōne,* y este del gr. ἀνεμώνη.) f. **anémona** o **anemona.**

anemoscopio. (Del gr. ἄνεμος, viento, y *-scopio.*) m. Instrumento que sirve para indicar los cambios de dirección del viento.

-áneo, a. (Del lat. *-anĕus.*) suf. de adjetivos que significa pertenencia, condición, relación: *sufrag*ÁNEO, *instant*ÁNEO.

aneota. f. *Gran.* **toronjil.**

anepigráfico, ca. (De *an-* y *epigráfico.*) adj. Dícese de la medalla, lápida, etc., que carece de inscripción, y del escrito que no tiene título o epígrafe.

aneroide. (Del fr. *anéroïde.*) adj. V. **barómetro aneroide.** Ú. t. c. s.

anestesia. (Del gr. ἀναισθησία.) f. Falta o privación general o parcial de la sensibilidad, ya por efecto de un padecimiento, ya artificialmente producida. ‖ **2.** Acción y efecto de anestesiar. ‖ **3.** Sustancia anestésica. Ú. t. en sent. fig.

anestesiar. tr. Privar total o parcialmente de la sensibilidad por medio de la anestesia.

anestésico, ca. adj. Perteneciente o relativo a la anestesia. ‖ **2.** Que produce o causa anestesia. Ú. t. c. s. m.

anestesiología. f. Ciencia y técnica de la anestesia.

anestesiólogo, ga. m. y f. **anestesista.**

anestesista. com. Especialista en anestesia. Ú. t. c. adj.

aneto. (Del lat. *anēthum.*) m. **aneldo**[1].

aneurisma. (Del gr. ἀνεύρυσμα.) amb. *Med.* Dilatación anormal de un sector del sistema vascular. ‖ **cardíaco.** Dilatación localizada de la pared adelgazada del ventrículo izquierdo del corazón, generalmente como consecuencia de un infarto de miocardio.

anexar. (De *anexo.*) tr. Unir o agregar una cosa a otra con dependencia de ella.

anexidad. f. p. us. Conexión de una cosa con otra. ‖ **2.** pl. desus. *Der.* Derechos y cosas anexas a otra principal. Usáb. con la voz **conexidades,** como fórmula en los documentos públicos.

anexión. (Del lat. *annexĭo, -ōnis.*) f. Acción y efecto de anexar.

anexionar. (De *anexión.*) tr. **anexar.** Ú. principalmente hablando de la incorporación de un territorio a otro.

anexionismo. m. Doctrina que favorece y defiende la anexión de territorios.

anexionista. adj. Partidario o defensor del anexionismo. Apl. a pers., ú. t. c. s.

anexitis. f. *Pat.* Inflamación de los anexos.

anexo, xa. (Del lat. *annexus,* p. p. de *annectĕre,* enlazar, unir.) adj. **anejo,** unido o agregado a otra persona o cosa. Ú. t. c. s. ‖ **2. anejo,** propio, inherente, concerniente. ‖ **3.** m. pl. Se llaman así en anatomía, y sobre todo en cirugía, los órganos y tejidos que rodean el útero (trompas, ovarios y peritoneo).

anfesibena. f. **anfisbena.**

anfeta. f. abrev. fam. de **anfetamina.**

anfetamina. (Del ing. *amphetamine.*) f. *Med.* Droga estimulante del sistema nervioso central.

anfi-. (Del gr. ἀμφι-.) elem. compos. que significa «alrededor»: ANFI*teatro*; «a uno y otro lado»: ANFI*próstilo*; «doble»: ANFI*bio*.

anfibio, bia. (Del lat. *amphibĭus,* y este del gr. ἀμφίβιος.) adj. Aplícase en sentido estricto al animal que puede vivir indistintamente en tierra o sumergido en el agua; y por ext., dícese también de los que, como la rana y los sapos, han vivido en el agua cuando jóvenes por tener branquias, y en tierra cuando adultos, al perder dichos órganos adquiriendo pulmones. Ú. t. c. s. y en sent. fig. ‖ **2.** fig. Dícese del vehículo, aparato o tropa militar que puede actuar tanto en el agua como en la tierra o en el aire. ‖ **3.** Dícese también de la operación o maniobra que ejecutan conjuntamente los ejércitos de tierra, mar y aire, o dos de ellos. ‖ **4.** Se dice de las plantas que pueden crecer en el agua o fuera de ella. ‖ **5.** *Zool.* **batracio.** Ú. t. c. s. ‖ **6.** m. pl. *Zool.* Clase de estos animales.

anfíbol. (Del fr. *amphibole.*) m. Mineral compuesto de sílice, magnesia, cal y óxido ferroso, de color por lo común verde o negro, y brillo anacarado.

anfibolita. f. Roca compuesta de anfíbol y algo de feldespato, cuarzo o mica. Es de color verde más o menos oscuro, dura y tenaz. Se emplea en la fabricación de objetos de lujo.

anfibología. (Del lat. *amphibologĭa,* y este del gr. ἀμφίβολος, ambiguo, equívoco.) f. Doble sentido, vicio de la palabra, cláusula, o manera de hablar, a que puede darse más de una interpretación. ‖ **2.** *Ret.* Figura que consiste en emplear adrede voces o cláusulas de doble sentido.

anfibológico, ca. adj. Que tiene o implica anfibología.

anfíbraco. (Del lat. *amphibrăchus,* y este del gr. ἀμφίβραχυς.) m. Pie de la poesía griega y latina, compuesto de tres sílabas, una larga entre dos breves.

anfictión. (Del gr. Ἀμφικτίονες.) m. Cada uno de los diputados de la anfictionía.

anfictionado. m. Cargo de anfictión.

anfictionía. (Del gr. ἀμφικτιονία) f. Confederación de las antiguas ciudades griegas, para asuntos de interés general. ‖ **2.** Asamblea de los anfictiones.

anfictiónico, ca. (Del gr. ἀμφικτιονικός.) adj. Perteneciente o relativo al anfictión o a la anfictionía.

anfímacro. (Del lat. *amphimăcrus,* y este del gr. ἀμφίμακρος.) m. Pie de la poesía griega y latina, compuesto de tres sílabas: la primera y la última, largas, y la segunda, breve.

anfineuro. (Del lat. cient. *amphineura.*) adj. *Zool.* Dícese de moluscos marinos que carecen de cabeza y pie distintos, con simetría bilateral y sistema nervioso formado por una doble cadena ganglionar, semejante a la de los gusanos. Unos son desnudos y otros tienen concha formada por ocho piezas dispuestas en fila y articuladas entre sí, lo que permite al animal arrollarse a la manera que lo hacen las cochinillas de humedad; como el quitón. Ú. t. c. s. m. ‖ **2.** m. pl. *Zool.* Clase de estos animales.

anfión. (Del port. *anfião,* y este del ár. *afiyūn.*) m. **opio.**

anfípodo. (Del lat. cient. *Amphipoda.*) adj. *Zool.* Dícese de crustáceos acuáticos de pequeño tamaño, casi todos marinos, con el cuerpo comprimido lateralmente y el abdomen encorvado hacia abajo; tienen antenas largas, siete pares de patas torácicas, locomotoras, y seis pares de extremidades abdominales, algunas de ellas aptas para saltar; como la pulga de mar. Ú. t. c. s. ‖ **2.** m. pl. *Zool.* Orden de estos animales.

anfipróstilo. (Del lat. *amphiprostȳlos,* y este del gr. ἀμφιπρόστυλος.) m. *Arq.* Edificio con pórtico y columnas en dos de sus fachadas.

anfisbena. (Del lat. *amphisbaena,* y este del gr. ἀμφίσβαινα.) f. Reptil del que los antiguos contaban fábulas y prodigios. No se sabe a punto fijo a cuál de los animales hoy conocidos corresponde. ‖ **2.** *Zool.* Reptil saurio, sin patas, lo cual hace que se asemeje a una pequeña culebra; tiene ojos rudimentarios y su piel está recorrida por surcos longitudinales y transversales que en conjunto forman una fina cuadrícula. Vive debajo de las piedras y es común en el centro y mediodía de España; algunas de sus especies son sudamericanas.

anfiscio, cia. (Del lat. *amphiscĭus,* y este del gr. ἀμφίσκιος.) adj. Entre los antiguos geógrafos, decíase del habitante de la zona tórrida, cuya sombra, al mediodía, mira ya al Norte, ya al Sur, según las estaciones del año. Ú. m. c. s. y en pl.

anfisibena. f. **anfisbena.**

anfiteatro. (Del lat. *amphitheātrum,* y este del gr. ἀμφιθέατρον.) m. Edificio de figura redonda u oval con gradas alrededor, y en el cual se celebraban varios espectáculos, como los combates de gladiadores o de fieras. ‖ **2.** Local con gradas, generalmente en forma semicircular y destinado a actividades docentes. ‖ **3.** En cines, teatros y otros locales, piso alto con asientos en gradería. ‖ **anatómico.** Lugar destinado en los hospitales y otros edificios a la disección de los cadáveres.

anfitrión, na. (De *Anfitrión,* rey de Tebas, espléndido en sus banquetes.) m. y f. fig. y fam. Persona que tiene invitados a su mesa o a su casa. ‖ **2.** Por ext., persona o entidad que recibe en su país o en su sede habitual a invitados o visitantes. *Ganó el equipo* ANFITRIÓN.

ánfora. (Del lat. *amphŏra,* y este del gr. ἀμφορεύς, vaso grande de dos asas.) f. Cántaro alto y estrecho, de cuello largo, con dos asas, terminado en punta, y muy usado por los antiguos griegos y romanos. ‖ **2.** Medida antigua de capacidad, equivalente, entre los romanos, a 26,2 litros. ‖ **3.** pl. Jarras o cántaros, por lo regular de plata, en que el obispo consagra los óleos el Jueves Santo.

anfótero, ra. (Del gr. ἀμφότερος, el uno y el otro.) adj. *Quím.* Dícese del tipo de molécula que puede reaccionar como ácido o como base.

anfractuosidad. f. Calidad de anfractuoso. ‖ **2.** Cavidad sinuosa o irregular en una superficie o terreno. Ú. m. en pl. ‖ **3.** *Anat.* Surco o depresión sinuosa que separa las circunvoluciones cerebrales. Ú. m. en pl.

anfractuoso, sa. (Del lat. *anfractuōsus,* lleno de vueltas o rodeos.) adj. Quebrado, sinuoso, tortuoso, desigual.

-anga. suf. de sustantivos, con valor generalmente despectivo: *bull*ANGA, *frit*ANGA.

anganillas. f. pl. **angarillas.**

angaria. (Del lat. *angarĭa,* y este del gr. ἀγγαρεία, servicio de transporte.) f. Antigua servidumbre o prestación personal. ‖ **2.** *Mar.* Retraso forzoso impuesto a la salida de un buque para emplearlo en un servicio público, generalmente retribuido, que el gobierno de una nación impone a buques extranjeros.

angarillada. f. Carga que de una vez se puede transportar en unas angarillas.

angarillar. tr. Poner angarillas a una cabalgadura.

angarillas. (Del lat. *angarĭa,* acarreo.) f. pl. Armazón compuesta de dos varas con un tabladillo en medio, en que se llevan a mano materiales para edificios y otras cosas. ‖ **2.** Armazón de cuatro palos clavados en cuadro, de los cuales penden unas como bolsas grandes de redes de esparto, cáñamo u otra materia flexible, que sirve para transportar en cabalgaduras cosas delicadas, como vidrios, loza, etc. Tómase alguna vez en singular por cada una de estas bolsas. ‖ **3. aguaderas.** ‖ **4.** Vinagreras para el servicio de la mesa. ‖ **5. jamugas.**

angaripola. f. Lienzo ordinario, estampado en listas de varios colores, que usaron las mujeres del siglo XVII para hacerse guardapiés. ‖ **2.** pl. fam. Adornos de mal gusto y de colores llamativos que se ponen en los vestidos.

ángaro. (Del gr. ἄγγαρον πῦρ, señales por medio del fuego.) m. desus. **almenara[1],** fuego de atalaya.

angazo. (De or. inc. Cf. a. al. ant. *ango,* ing. *angle,* anzuelo.) m. Instrumento para pescar mariscos. ‖ **2.** *Ast.* **rastro,** intrumento agrícola.

ángel. (Del lat. *angĕlus,* y este del gr. ἄγγελος, mensajero.) m. Espíritu celeste criado por Dios para su ministerio. ‖ **2.** *Teol.* Cualquiera de los espíritus celestes que pertenecen al último de los nueve coros. ‖ **3.** V. **cabello, manga de ángel.** ‖ **4.** V. **agua, manjar de ángeles.** ‖ **5.** V. **peje ángel.** ‖ **6.** Con el art. *el,* por antonomasia, el Arcángel San Gabriel. ‖ **7.** fig. Gracia, simpatía. Ú. casi siempre con el verbo *tener.* ‖ **8.** fig. Persona en quien se suponen las cualidades propias de los espíritus angélicos: bondad, belleza, inocencia. ‖ **9.** En el juego de los trucos, cierta ventaja o condición que consiste en poder subir sobre la mesa para jugar las bolas que no se alcanzan desde fuera con la punta del taco. *Dar, tomar o llevar* ÁNGEL. ‖ **10.** *Art.* **palanqueta,** barra de hierro empleada como proyectil. ‖ **bueno.** El que no prevaricó. ‖ **caído, de tinieblas,** o **malo. diablo** del infierno. ‖ **custodio,** o **de la guarda.** El que Dios tiene señalado a cada persona para su guarda o custodia. ‖ **de luz. ángel bueno.** ‖ **patudo.** fig. y fam. Persona que, según el que así la llama, está muy lejos de tener la inocencia o buenas cualidades que otros le atribuyen. ‖ **pasar un ángel.** fr. fig. que se emplea cuando en una conversación se produce un silencio completo.

Ángela. n. p. **¡Ángela María!** expr. que se usa para denotar que se aprueba alguna cosa, que se cae en la cuenta de algo, o que causa extrañeza lo que se oye.

angélica. (Del lat. *angelĭca,* por las virtudes terapéuticas de la planta.) f. Planta herbácea, vivaz, de la familia de las umbelíferas, con tallo ramoso, derecho, empinado y garzo, que crece hasta unos cinco decímetros de altura; hojas con tres segmentos aserrados y ovales, flores de color blanco rojizo, y semilla negra, orbicular y comprimida, que tiene aplicación en farmacia. ‖ **2.** Lección que se canta el Sábado Santo para la bendición del cirio, y la cual se llama así por empezar con estas palabras: *Exúltet jam* ANGÉLICA *turba caelórum.* ‖ **3.** *Farm.* Bebida purgante, compuesta de maná y otros ingredientes. ‖ **arcangélica.** Planta anual de la familia de las umbelíferas, que apenas se diferencia de la **angélica** sino por las hojas más aserradas, las semillas muy aplastadas y el olor aromático, principalmente de la raíz, cuyo cocimiento suele usarse en medicina como tónico y carminativo. ‖ **carlina. ajonjera.**

angelical. adj. Perteneciente o relativo a los ángeles. ‖ **2.** fig. Parecido a los ángeles por su hermosura, candor o inocencia. *Persona* ANGELICAL. ‖ **3.** fig. Que parece de ángel. *Genio, rostro, voz* ANGELICAL.

angelicalmente. adv. m. Con candor e inocencia.

angelico. m. d. de **ángel.** ‖ **2.** fig. **angelito,** niño de poca edad. ‖ **3.** fig. *Ál.* **saltaojos.**

angélico, ca. (Del lat. *angelĭcus.*) adj. **angelical.** ‖ **2.** V. **agua, salutación, tacamaca angélica.**

angelín. (Del port. *angelim.*) m. **pangelín.**

angelino, na. adj. Natural de Los Angeles. Ú. t. c. s. ‖ **2.** Perteneciente o relativo a las ciudades de este nombre de Chile y California.

angelito. m. d. de **ángel.** ‖ **2.** fig. Niño de muy tierna edad, aludiendo a su inocencia. ‖ **3.** fig. Criatura recién fallecida. ‖ **estar con los angelitos.** fr. fig. y fam. **estar en Babia.** ‖ **2.** fig. y fam. Estar dormido o muy distraído.

angelizar. (De *ángel.*) tr. p. us. Comunicar la virtud angélica. ‖ **2.** prnl. Purificarse espiritualmente, aspirando a la perfección angélica.

angelología. (Del lat. *angĕlus* y *-logía.*) f. Estudio de lo referente a los ángeles.

angelón. m. aum. de **ángel.** ‖ **de retablo.** fig. y fam. Persona desproporcionadamente gorda y carrilluda.

angelopolitano, na. adj. Natural de Angelópolis, nombre que se da a la ciudad de Puebla de los Ángeles, en Méjico. Ú. t. c. s. ‖ **2.** Perteneciente o relativo a esta ciudad.

angelota. f. **trébol hediondo.**

angelote. m. aum. de **ángel.** ‖ **2.** fam. Figura grande de ángel, que se pone en los retablos o en otras partes. ‖ **3.** fig. y fam. Niño muy grande, gordo y de apacible condición. ‖ **4.** fig. y fam. Persona muy sencilla y apacible. ‖ **5.** Pez selacio del suborden de los escuálidos, que llega a tener dos metros de largo: es aplastado, de color azul oscuro por encima y blanco por debajo, de cabeza redonda y con aletas pectorales y abdominales muy grandes, a manera de alas blancas. ‖ **6.** Especie de **higueruela,** planta leguminosa.

ángelus. m. Oración en honor del misterio de la Encarnación, que comienza con las palabras ÁNGELUS *Dómini.*

angevino, na. (Del fr. *angevin.*) adj. Perteneciente o relativo a la ciudad de Angers o a la región de Anjou. ‖ **2.** Natural de una u otra. ‖ **3.** Perteneciente o relativo a la casa de Anjou. ‖ **4.** m. Dialecto del francés hablado en el oeste de Francia.

angina. (Del lat. *angīna,* de *angĕre,* sofocar.) f. Inflamación de las amígdalas o de estas y de la faringe. Ú. m. en pl. ‖ **de pecho.** *Pat.* Síndrome caracterizado por accesos súbitos de corta duración con angustia de muerte y dolor violento que desde el esternón se extiende ordinariamente por el hombro, brazo, antebrazo y mano izquierdos.

anginoso, sa. adj. Perteneciente o relativo a la angina, o acompañado de ella.

angio-. (Del gr. ἀγγεῖον, vaso.) Elemento compositivo que entra en la formación de voces científicas españolas con el significado de «de los vasos sanguíneos» o «linfáticos».

angiografía. (De *angio-* y *-grafía.*) f. *Anat.* **angiología.** ‖ **2.** Imagen de los vasos sanguíneos obtenida por cualquier procedimiento.

angiología. (De *angio-* y *-logía.*) f. Rama de la medicina que se ocupa del sistema vascular y de sus enfermedades.

angiólogo, ga. m. y f. Persona especializada en angiología.

angioma. (De *angio-* y *-oma.*) m. *Pat.* Tumor de tamaño variable, generalmente congénito, formado por acumulación de vasos eréctiles y a veces pulsátiles.

angiospermo, ma. (Del lat. cient. *Angiospermae.*) adj. *Bot.* Dícese de plantas fanerógamas cuyos carpelos forman una cavidad cerrada u ovario, dentro de la cual están los óvulos. Ú. t. c. s. f. ‖ **2.** f. pl. *Bot.* Subtipo de estas plantas.

angitis. (De *angio-* e *-itis.*) f. *Med.* Inflamación de un vaso, principalmente sanguíneo o linfático.

anglesita. (Del nombre de la isla de *Anglesey*, donde fue descubierta.) f. Sulfato de plomo natural.

anglicado, da. (De *ánglico.*) adj. Dícese del estilo, lenguaje, frase o palabra en que se advierte influencia de la lengua inglesa. ‖ **2.** Que gusta de imitar lo inglés.

anglicanismo. (De *anglicano.*) m. Conjunto de las doctrinas de la religión reformada predominante en Inglaterra.

anglicanizado, da. (De *anglicano.*) adj. Influido por las costumbres, ideas, etc., de los ingleses o por su lengua.

anglicanizante. (De *anglicano.*) adj. Dícese del léxico, semántica o sintaxis influidos por los de la lengua inglesa y de las costumbres, ideas, etc., de origen inglés. ‖ **2.** Que se inclina a la doctrina de la iglesia anglicana o la imita. Ú. t. c. s.

anglicano, na. (Del lat. *anglicānus.*) adj. Que profesa el anglicanismo. Ú. t. c. s. ‖ **2.** Perteneciente a él. ‖ **3. inglés.**

anglicismo. m. Giro o modo de hablar propio de la lengua inglesa. ‖ **2.** Vocablo o giro de esta lengua empleado en otra. ‖ **3.** Empleo de vocablos o giros ingleses en distintos idiomas.

anglicista. (De *ánglico.*) adj. Que emplea anglicismos. Ú. t. c. s. ‖ **2.** com. **anglista.**

ánglico, ca. (Del lat. medieval *anglĭcus*, de *anglus*, anglo.) adj. Perteneciente o relativo a los anglos o a Inglaterra.

angliparla. (De *anglo* y *parlar.*) f. Lenguaje de los que emplean voces y giros anglicados, hablando o escribiendo en castellano.

anglista. (Del al. *Anglist.*) com. Persona que profesa la anglística o está versada en ella.

anglístico, ca. (De *anglista.*) adj. Dícese de los estudios referentes a la lengua inglesa o a la cultura de los países anglohablantes. ‖ **2.** (Por infl. del al. *Anglistik.*) f. Estudio de esta lengua o cultura.

anglo, gla. (Del lat. *anglus.*) adj. Dícese del individuo de una tribu germánica que en los siglos V y VI se estableció en Inglaterra. Ú. t. c. s. ‖ **2. inglés,** natural de Inglaterra. Ú. t. c. s. ‖ **3. inglés,** perteneciente a esta nación. Ú. t. c. s.

angloamericanismo. m. Vocablo, giro o rasgo idiomático peculiar o procedente del inglés hablado en los Estados Unidos de América.

angloamericano, na. adj. Perteneciente a ingleses y americanos, o compuesto de elementos propios de los países de ambos. ‖ **2.** Dícese del individuo de origen inglés, nacido en América. ‖ **3.** Natural de los Estados Unidos de la América Septentrional. Ú. t. c. s. ‖ **4.** Perteneciente a ellos.

anglocanadiense. adj. Canadiense de ascendencia y lengua inglesas. Ú. t. c. s.

anglofilia. (De *anglo* y *-filia.*) f. Afición o simpatía por lo inglés o los ingleses.

anglófilo, la. (De *anglo*, inglés, y *-filo.*) adj. Que simpatiza con Inglaterra, con los ingleses o con lo inglés. Ú. t. c. s.

anglofobia. (De *anglo* y *fobia.*) f. Aversión a lo inglés o a los ingleses.

anglófobo, ba. (De *anglo*, inglés, y *fobia.*) adj. Desafecto a Inglaterra, a los ingleses o a lo inglés.

anglófono, na. (Del fr. *anglophone.*) adj. Dícese de las personas o países que tienen el inglés como lengua nativa.

anglohablante. (De *anglo* y *hablante.*) adj. Dícese de la persona, comunidad o país que tiene como lengua materna el inglés. Ú. t. c. s.

angloindio, dia. (De *anglo* e *indio.*) adj. Dícese de la persona de origen inglés y establecida en la India. ‖ **2.** Perteneciente o relativo a la India bajo dominio inglés.

anglomanía. (Del *anglo* y *manía.*) f. Afectación en imitar las costumbres inglesas. ‖ **2.** Afectación en emplear anglicismos.

anglómano, na. adj. Que adolece de anglomanía. Ú. t. c. s.

anglonormando, da. adj. Dícese de los normandos que se establecieron en Inglaterra después de la batalla de Hastings (1066). Ú. t. c. s. ‖ **2.** Perteneciente o relativo a los **anglonormandos.** ‖ **3.** Dícese del caballo que procede del cruce entre el caballo inglés de pura raza y el normando. ‖ **4.** m. Dialecto francés normando hablado en Inglaterra.

angloparlante. (De *anglo* y *parlante.*) adj. **anglohablante.**

anglosajón, na. adj. Dícese del individuo procedente de los pueblos germanos que en el siglo V invadieron Inglaterra. Ú. t. c. s. ‖ **2.** Dícese de los individuos y pueblos de procedencia y lengua inglesa. ‖ **3.** Perteneciente a los **anglosajones.** ‖ **4.** m. Lengua hablada por los antiguos **anglosajones** desde las invasiones hasta 1100 aproximadamente, conocida como inglés antiguo.

-ango, ga. suf. despect. de sustantivos y adjetivos. *Frit*ANGA, *maturr*ANGA, *pend*ANGA.

angoja. (Del dialect. *angoja*, y este del lat. *angustĭa.*) f. ant. **congoja.**

angojoso, sa. (De *angoja.*) adj. ant. **congojoso.**

angolán. m. Árbol de la India de la familia de las alangiáceas. El fruto es comestible y la raíz se usa como purgante.

angoleño, ña. adj. Natural de Angola. Ú. t. c. s. ‖ **2.** Perteneciente o relativo a este país africano.

angolino, na. adj. Natural de Angol. Ú. t. c. s. ‖ **2.** Perteneciente o relativo a esta ciudad de Chile.

angor. (Del lat. *angor, -ōris.*) m. *Extr., Lev., Murc.* y *Argent.* Angustia, ansiedad.

ángor. (Del lat. *angor pectoris.*) m. *Med.* **angina de pecho.**

angora. (De *Angora*, ant. nombre de *Ankara*, ciudad de Turquía.) f. Lana obtenida a partir del pelo del conejo de Angora. ‖ **2.** V. **gato de Angora.**

angorina. f. Fibra textil que imita la angora.

angorra. (Del lat. *angarĭa.*) f. Pieza de cuero o tela gruesa, destinada en ciertos oficios a defender las partes del cuerpo expuestas a rozamientos fuertes o quemaduras.

angostamente. adv. m. Con angostura o estrechez.

angostamiento. m. Acción y efecto de angostar o angostarse.

angostar. (Del lat. *angustāre.*) tr. Hacer angosto, estrechar. Ú. t. c. intr. y prnl., y en sent. fig.

angosto, ta. (Del lat. *angustus.*) adj. Estrecho o reducido. ‖ **2.** ant. fig. **escaso.**

angostura[1]**.** f. Calidad de angosto. ‖ **2.** Estrechura o paso estrecho. ‖ **3.** fig. Estrechez intelectual o moral. ‖ **4.** ant. fig. Tristeza, angustia o fatiga.

angostura[2]**.** f. Planta rutácea cuya corteza tiene propiedades medicinales. ‖ **2.** Bebida amarga elaborada a base de corteza de **angostura** y utilizada en algunos cócteles.

angra. (Del port. *angra.*) f. desus. Ensenada.

angrelado, da. (Del fr. *engrêlé.*) adj. Dícese de las piezas de heráldica, de las monedas y de los adornos de arquitectura que rematan en forma de picos o dientes muy menudos.

ángstrom. (Del apellido del físico sueco A. J. *Ångström.*) m. *Fís.* **angstromio.**

angstromio. (De *ángstrom.*) m. *Fís.* Unidad de longitud equivalente a una diezmillonésima de milímetro.

anguarina. (De *hungarina.*) f. Gabán de paño burdo y sin mangas, que, en tiempo de aguas y frío, usaban los labradores de algunas comarcas, a semejanza del tabardo.

angüejo. m. **oreja de abad.**

anguera. (Del lat. *angaria.*) f. **enguera.**

anguila. (Del lat. *anguilla.*) f. Pez teleósteo, fisóstomo, sin aletas abdominales, de cuerpo largo, cilíndrico, y que llega a medir un metro; tiene una aleta dorsal que se une primero con la caudal, y dando después vuelta, con la anal, mientras son muy pequeñas las pectorales. Su carne es comestible. Vive en los ríos, pero cuando sus órganos sexuales llegan a la plenitud de su desarrollo, desciende por los ríos y entra en el mar para efectuar su reproducción en determinado lugar del Océano Atlántico. ‖ **2.** *Mar.* Cada uno de los dos largos maderos, paralelos a la quilla del buque en construcción, que, con otras piezas, constituyen la base sobre la que se bota este al agua desde la grada. Ú. m. en pl. ‖ **de cabo.** En las galeras, **rebenque.**

anguilazo. m. Golpe dado con la anguila de cabo, o rebenque.

anguilero, ra. adj. Perteneciente o relativo a la pesca de la anguila. ‖ **2.** Aplícase al canastillo o cesta que sirve para llevar anguilas. ‖ **3.** m. y f. Persona que pesca o vende anguilas.

anguilo. (De *anguila.*) m. *Cantabria.* Congrio pequeño.

anguilla. (Del lat. *anguilla.*) f. ant. **anguila,** pez. Ú. en Honduras y Nicaragua.

anguina. (Del lat. *inguina,* pl. de *inguen, -inis,* ingle.) f. *Veter.* Vena de las ingles.

angula. (Del vasc. *angula,* alteración del lat. *anguilla.*) f. Cría de la anguila, de seis a ocho centímetros de largo, muy apreciada en gastronomía.

angulado, da. adj. **anguloso.**

angular[1]**.** (Del lat. *angulāris.*) adj. Perteneciente o relativo al ángulo. ‖ **2.** De figura de ángulo. ‖ **3.** V. **piedra angular.** ‖ **4.** *Fotogr.* **gran angular.** Ú. t. c. s. ‖ **5.** m. Pieza de construcción, generalmente de hierro, cuya sección transversal tiene forma de ángulo. ‖ **gran angular.** *Fotogr.* Dícese del objetivo de corta distancia focal y con capacidad de cubrir un ángulo visual de 70° a 180°. Ú. t. c. s.

angular[2]**.** tr. Dar forma de ángulo.

angularmente. adv. m. En figura de ángulo.

angulema. (De *Angoulème,* ciudad de Francia, de donde procede.) f. Lienzo de cáñamo o estopa. ‖ **2.** pl. fam. Zalamerías. *Hacer* ANGULEMAS; *venir con* ANGULEMAS.

ángulo. (Del lat. *angŭlus,* y este del gr. ἀγκύλος, encorvado.) m. *Geom.* Figura geométrica formada en una superficie por dos líneas que parten de un mismo punto; o también la formada en el espacio por dos superficies que parten de una misma línea. ‖ **2. rincón.** ‖ **3.** Esquina o arista. ‖ **4.** V. **secante, secante segunda, seno, tangente, tangente segunda, de un ángulo.** ‖ **5.** fig. Punto de vista; cada uno de los aspectos desde el cual se puede considerar una cosa. ‖ **acimutal.** *Astron.* El comprendido entre el meridiano de un lugar y el plano vertical en que esté la visual dirigida a un objeto cualquiera, a veces un astro. ‖ **agudo.** *Geom.* El menor o más cerrado que el recto. ‖ **cenital.** *Topogr.* El que forma una visual con la vertical del punto de observación. ‖ **complementario.** *Geom.* **complemento,** lo que le falta a un **ángulo** para valer uno recto. ‖ **curvilíneo.** *Geom.* El que forman dos líneas curvas. ‖ **de corte.** *Cant.* El que forma el intradós de una bóveda o un arco con el lecho o sobrelecho de cada una de las dovelas. ‖ **de incidencia.** *Geom.* El formado por una trayectoria con la normal a la superficie de un medio, en el punto en el que lo encuentra. ‖ **del ojo.** Extremo donde se unen uno y otro párpado. ‖ **de mira.** *Art.* El que forma la línea de mira con el eje de la pieza. ‖ **de reflexión.** *Geom.* El formado por una trayectoria que se aleja de un medio con el que ha chocado, y la normal a la superficie de ese medio en el punto de encuentro. ‖ **de refracción.** *Ópt.* El formado por una trayectoria que pasa de un medio a otro, y la normal a la superficie de separación entre ambos medios, al alejarse de ella. ‖ **de tiro.** *Art.* El que forma la línea horizontal con el eje de la pieza. ‖ **diedro.** *Geom.* Cada una de las dos porciones del espacio limitadas por dos semiplanos que parten de una misma recta. ‖ **entrante.** *Geom.* Aquel cuyo vértice entra en la figura o cuerpo de que es parte. ‖ **esférico.** *Geom.* El formado en la superficie de la esfera por dos arcos de círculo máximo. ‖ **facial.** *Anat.* El formado por la intersección de las dos rectas que se pueden imaginar en la cara del hombre y ciertos animales, una desde la frente hasta los alveolos de la mandíbula superior y otra desde este sitio hasta el conducto auditivo. Su valor está en relación con el desarrollo del cerebro. ‖ **horario.** El que forma con el meridiano un círculo horario. ‖ **mixtilíneo,** o **mixto.** *Geom.* El que forman una recta y una curva. ‖ **muerto.** *Fort.* El que no tiene defensa ni está flanqueado. ‖ **oblicuo.** *Geom.* El que no es recto. ‖ **obtuso.** *Geom.* El mayor o más abierto que el recto. ‖ **occipital.** *Zool.* Aquel cuyo vértice está en el intervalo de los cóndilos occipitales, y cuyos lados pasan respectivamente por el vértice de la cabeza y el borde inferior de la órbita. ‖ **óptico.** El formado por las dos visuales que van desde el ojo del observador a los extremos del objeto que se mira. ‖ **plano.** *Geom.* El formado por dos líneas contenidas en el mismo plano. ‖ **poliedro.** *Geom.* El formado por varios planos que concurren en un punto. ‖ **rectilíneo.** *Geom.* Cada una de las dos porciones del plano limitadas por dos semirrectas que parten de un mismo punto. ‖ **recto.** *Geom.* El que forman dos líneas, o dos planos, que se cortan perpendicularmente y equivale a 90 grados. ‖ **saliente.** *Geom.* Aquel cuyo vértice sobresale en la figura o cuerpo de que es parte. ‖ **semirrecto.** *Geom.* El de 45 grados, mitad del recto. ‖ **sólido.** *Geom.* Cada una de las dos porciones del espacio limitadas por una superficie cónica. ‖ **suplementario.** *Geom.* **suplemento,** lo que le falta a un **ángulo** para valer dos rectos. ‖ **triedro.** *Geom.* El formado por tres planos que concurren en un punto. ‖ **ángulos adyacentes.** *Geom.* Los dos que a un mismo lado de una línea recta forma con ella otra que la corta. ‖ **alternos.** *Geom.* Los dos que a distinto lado forma una secante con dos rectas. Son **alternos internos** los que están entre las rectas; **alternos externos,** los que están fuera. ‖ **consecutivos.** *Geom.* Los que tienen el vértice y un lado común y no está uno comprendido en el otro. ‖ **correspondientes.** *Geom.* Los dos que a un mismo lado forma una secante con dos rectas, uno entre ellas y otro fuera. ‖ **opuestos por el vértice.** *Geom.* Los que tienen el vértice común y los lados de cada uno en prolongación de los del otro.

angulosidad. f. Parte angulosa. Ú. m. en pl. ‖ **2.** Condición de anguloso.

anguloso, sa. (Del lat. *angulōsus.*) adj. Que tiene ángulos o esquinas. ‖ **2.** De formas huesudas y señaladas a causa de su delgadez. Aplícase especialmente al rostro humano.

anguria. (Del gr. ἀγγούριον, cohombro, pepino.) f. ant. **sandía.**

angurria. (Falsa separación de *estrangurria.*) f. fam. **estangurria,** micción dolorosa. ‖ **2.** *And.* y *Amér.* Deseo vehemente o insaciable. ‖ **3.** *Amér.* Avidez, codicia. ‖ **4.** *And.* y *Amér.* Hambre.

angurriento, ta. (De *angurria.*) adj. *Amér.* Ávido, codicioso, hambriento.

angustia. (Del lat. *angustĭa,* angostura, dificultad.) f. Aflicción, congoja, ansiedad. ‖ **2.** Temor opresivo sin causa precisa.

‖ **3.** Aprieto, situación apurada. ‖ **4.** Sofoco, sensación de opresión en la región torácica o abdominal. ‖ **5.** Dolor o sufrimiento. ‖ **6.** Náuseas. Ú. solo en sing. ‖ **7.** p. us. Estrechez del lugar o del tiempo.

angustiado, da. p. p. de **angustiar.** ‖ **2.** adj. Que implica o expresa angustia. ‖ **3.** p. us. Estrecho o reducido. ‖ **4.** desus. fig. Apocado, miserable. ‖ **5.** m. *Germ.* Preso y galeote.

angustiador, ra. adj. Que angustia.

angustiar. (Del lat. *angustiāre.*) tr. Causar angustia, afligir, acongojar. Ú. t. c. prnl.

angustioso, sa. adj. Lleno de angustia. ‖ **2.** Que la causa. ‖ **3.** Que la padece.

anhelación. (Del lat. *anhelatĭo, -ōnis.*) f. Acción y efecto de anhelar.

anhelar. (Del lat. *anhelāre.*) intr. desus. Respirar con dificultad. ‖ **2.** tr. Tener ansia o deseo vehemente de conseguir alguna cosa. ANHELAR *empleos, honras, dignidades.* ‖ **3.** desus. fig. Expeler, echar de sí con el aliento.

anhélito. (Del lat. *anhelĭtus.*) m. p. us. Respiración, principalmente corta y fatigosa.

anhelo. (Del lat. *anhēlus.*) m. Deseo vehemente.

anheloso, sa. (Del lat. *anhelōsus.*) adj. Dícese de la respiración frecuente y fatigosa. ‖ **2.** desus. Que respira de este modo. ‖ **3.** Dícese del que tiene o siente anhelo. Ú. especialmente con la prep. *de.* ‖ **4.** Propio de lo que muestra anhelo. *Mirada, búsqueda* ANHELOSA.

anhídrido, da. (De *anhidro* y la terminación *-ido,* de *ácido.*) adj. *Quím.* Dícese del cuerpo formado por una combinación del oxígeno con un elemento no metal y que, al reaccionar con el agua, da un ácido. Ú. t. c. s. m. ‖ **arsénico.** *Quím.* Cuerpo blanco de aspecto vítreo, compuesto de arsénico pentavalente y oxígeno, muy soluble en agua y en alcohol. Es venenoso. ‖ **arsenioso.** *Quím.* Cuerpo blanco, compuesto de arsénico trivalente y oxígeno, sublimable, soluble en el agua caliente y muy venenoso. Se usa en farmacia, en las industrias del vidrio y del cuero y para exterminar animales y plantas nocivos. Se conoce comúnmente con los nombres de arsénico y arsenico blanco. ‖ **bórico.** *Quím.* Cuerpo sólido, no cristalizable, incoloro, transparente, compuesto de boro y oxígeno y que, combinado con el agua, forma el ácido bórico. ‖ **carbónico.** *Quím.* Gas más pesado que el aire, inodoro, incoloro, incombustible y asfixiante que, por la combinación del carbono con el oxígeno, se produce en las combustiones y en algunas fermentaciones. Se usa en la preparación de bebidas espumosas, en extintores de incendios y en medicina. Se llama vulgarmente ácido carbónico y modernamente dióxido de carbono. ‖ **nítrico.** *Quím.* Cuerpo sólido, blanco, compuesto de nitrógeno y oxígeno. Es inestable, desprende oxígeno al descomponerse y se combina con el agua, formando el ácido nítrico con producción de calor. ‖ **sulfúrico.** *Quím.* Cuerpo sólido, incoloro y cristalino, compuesto de azufre y oxígeno. Es fumante al aire y se combina violentamente con el agua para formar ácido sulfúrico. Es corrosivo, tóxico e irritante para las mucosas. ‖ **sulfuroso.** *Quím.* Gas incoloro, de olor fuerte e irritante, que resulta de la combinación del azufre con el oxígeno al quemarse el primero de estos dos cuerpos. Se ha llamado, y aún se llama, ácido sulforoso.

anhidrita. f. Roca de mayor densidad y dureza que el yeso, formada por un sulfato de cal anhidro.

anhidro, dra. (Del gr. ἄνυδρος, sin agua.) adj. *Quím.* Aplícase a los cuerpos en cuya formación no entra el agua, o que la han perdido si la tenían.

anhidrosis. (Del gr. ἀνίδρωσις, sin sudor.) f. *Med.* Disminución o supresión del sudor.

aniaga. (Por *añaga,* del lat. *annus,* año.) f. *Albac.* y *Lev.* Salario que cada año se paga al labrador.

anidación. f. Acción y efecto de anidar.

anidamiento. m. Acción y efecto de anidar o anidarse.

anidar. intr. Hacer nido las aves o vivir en él. Ú. t. c. prnl. ‖ **2.** fig. Morar, habitar. Ú. t. c. prnl. ‖ **3.** Hallarse o existir algo en una persona o cosa. ‖ **4.** En embriología, fijarse o insertarse el huevo, normalmente en el útero. ‖ **5.** tr. fig. Abrigar, acoger.

anidiar. (De *a-*[1] y *nidio.*) tr. *Sal.* Blanquear las paredes de la casa y hacer en esta una limpieza general. ‖ **2.** prnl. *Sal.* Peinarse, arreglarse el pelo.

anidio. m. *Sal.* Acción y efecto de anidiar.

anieblar. tr. **aneblar.** Ú. m. c. prnl. ‖ **2.** prnl. *And.* y *Ar.* Alelarse, entontecerse.

aniego. (De *anegar.*) m. **anegación.**

aniejar. (Por *añejar.*) tr. ant. **añejar.** Usáb. t. c. intr. Ú. en Andalucía.

aniejo, ja. adj. ant. **añejo.** Ú. en Andalucía.

anihilación. f. p. us. **aniquilación.**

anihilamiento. m. p. us. **aniquilamiento.**

anihilar. tr. p. us. **aniquilar.**

anilina. (Del al. *Anilin,* tomado del port. *anil,* añil, índigo.) f. *Quím.* Amina aromática derivada del benceno. Se obtiene industrialmente por reducción del nitrobenceno. Es un líquido oleoso; tóxico por ingestión, inhalación o absorción a través de la piel. Se utiliza en gran escala en la industria. ‖ **2.** Designación popular de diversos productos utilizados como tinte.

anilla. (De *anillo.*) f. Cada uno de los anillos que sirven para colocar colgaduras o cortinas, de modo que puedan correrse y descorrerse fácilmente. ‖ **2.** Anillo al cual se ata un cordón o correa para sujetar un objeto. ‖ **3.** Faja de papel litografiado que se coloca a cada cigarro puro para indicar su vitola y la marca de fábrica. ‖ **4.** Pieza comúnmente metálica que se coloca en la pata de un ave para estudiar sus desplazamientos migratorios. ‖ **5.** pl. En gimnasia, aros, generalmente de metal, de unos 25 centímetros de diámetro, pendientes de cuerdas o cadenas, en los que se hacen diferentes ejercicios.

anillado, da. p. p. de **anillar.** ‖ **2.** adj. Dícese del cabello rizado. ‖ **3.** Que tiene uno o varios anillos. *Columna* ANILLADA. ‖ **4.** *Blas.* Dícese de la cruz o pieza heráldica rematada por anillos. ‖ **5.** *Zool.* Dícese de los animales cuyo cuerpo imita una serie de anillos. Ú. t. c. s. m. ‖ **6.** m. Acción y efecto de anillar.

anillar. tr. Dar forma de anillo. ‖ **2.** Sujetar con anillos. ‖ **3.** Hacer o formar anillos los cuchilleros en las piezas que fabrican. ‖ **4.** Marcar con anillas, especialmente a las aves. ‖ **5.** fig. Ceñir o rodear una cosa. ANILLAR *el cabello.*

anillo. (Del lat. *anĕllus.*) m. Aro pequeño. ‖ **2.** Aro de metal u otra materia, liso o con labores y con perlas o piedras preciosas o sin ellas, que se lleva, principalmente por adorno, en los dedos de la mano. ‖ **3. sortija,** rizo del cabello. ‖ **4.** V. **obispo de anillo.** ‖ **5.** Cada una de las dos series de camones que componen las ruedas hidráulicas. ‖ **6.** Redondel de la plaza de toros. ‖ **7. anilla** para las aves. ‖ **8.** Nombre que se da a algunas estructuras anatómicas de forma circular. ‖ **9.** *Arq.* Moldura que rodea por su sección recta un cuerpo cilíndrico, especialmente en los fustes de las columnas. ‖ **10.** *Arq.* Cornisa circular u ovalada que, asentada en las pechinas y los cuatro arcos torales, sirve de base a la cúpula o media naranja. ‖ **11.** *Astron.* Formación celeste que circunda determinados planetas. ‖ **12.** *Bot.* Cada uno de los círculos leñosos concéntricos que forman el tronco de un árbol. ‖ **13.** *Mat.* Conjunto de elementos entre los que se definen dos reglas de composición, una asimilable a la adición y otra al producto. ‖ **14.** *Quím.* Estructura molecular formada por una cadena cerrada de átomos. ‖ **15.** *Zool.* Cada uno de los segmentos en que está dividido el cuerpo de los gusanos y artrópodos. ‖ **astronómico.** *Astron.* Antiguo instrumento de la especie de las armillas y astrolabios. ‖ **del Pescador.** Sello del Papa, que se estampa en los breves y que representa al apóstol San Pedro sentado en una barca y echando sus redes al mar. ‖ **pastoral.** El que, como insignia de su dignidad, usan y dan a besar los prelados. ‖ **caérsele** a alguien **los anillos.** fr. fig. y fam. Sentirse rebajado o humillado respecto de la propia situación social o jerárquica. Ú. m. en frases negativas. ‖ **como anillo al dedo.** Oportuna, adecuadamente. Ú. con los verbos *venir, caer, llegar,* etc. ‖ **de anillo.** loc. adv. fig. Meramente honorífico, sin renta, emolumentos ni jurisdicción. Dícese de las dignidades y empleos.

ánima. (Del lat. *anĭma,* y este del gr. ἄνεμος, soplo.) f. **alma** del hombre. ‖ **2.** Alma que pena en el purgatorio antes de ir a la gloria. ‖ **3.** V. **altar de ánima.** ‖ **4.** fig. **alma,** lo que se mete en el hueco de algunas piezas para darles solidez. ‖ **5.** fig. En las piezas de artillería y en toda arma de fuego, en general, el hueco del cañón. ‖ **6.** pl. Toque de campanas en las iglesias a cierta hora de la noche, con que se avisa a los fieles para que rueguen a Dios por las **ánimas** del purgatorio. ‖ **7.** Hora a que se tocan las campanas para este fin. *Ya son las* ÁNIMAS; *a las* ÁNIMAS *me volví a casa.* ‖ **bendita,** o **del purgatorio. ánima,** alma que pena. ‖ **descargar** uno **el ánima** de otro. fr. Satisfacer los encargos u obligaciones que le dejó por su última voluntad. ‖ **en mi ánima,** o **en ánima** de otro. loc. Fórmula de juramento para aseverar alguna cosa. ‖ **sacar ánima.** loc. Ganar indulgencia plenaria aplicable a las **ánimas** del purgatorio.

animación. (Del lat. *animatĭo, -ōnis.*) f. Acción y efecto de animar o animarse. ‖ **2.** Viveza, expresión en las acciones, palabras o movimientos. ‖ **3.** Concurso de gente en una fiesta, regocijo o esparcimiento. ‖ **4.** En algunas ciencias humanas, conjunto de acciones destinadas a impulsar la participación de los individuos en una determinada actividad y especialmente en el desarrollo sociocultural del grupo de que forman parte. ‖ **5.** *Cinem.* En las películas de dibujos animados, procedimiento de diseñar los movimientos de los personajes o de los objetos y elementos.

animado, da. p. p. de **animar.** ‖ **2.** adj. Dotado de alma. ‖ **3.** Alegre, divertido. ‖ **4.** Concurrido. ‖ **5.** Dotado de movimiento. ‖ **6.** V. **dibujos animados.** ‖ **7.** *Gram.* V. **nombre animado.**

animador, ra. (Del lat. *animātor, -ōris.*) adj. Que anima. Ú. t. c. s. ‖ **2.** m. y f. Cantante que actúa acompañado por una orquesta de baile y marca el ritmo con ademanes o movimientos. ‖ **3.** Persona que presenta y ameniza un espectáculo de variedades. ‖ **4.** En algunas ciencias humanas, especialista en animación. ‖ **5.** *Cinem.* Especialista en animación. ‖ **6.** *Amér.* Persona que tiene como profesión organizar fiestas o reuniones y mantener el interés y animación de los concurrentes.

animadversión. (Del lat. *animadversĭo, -ōnis.*) f. Enemistad, ojeriza. ‖ **2.** desus. Crítica, advertencia severa.

animadvertencia. (Del lat. *animadvertĕre,* advertir.) f. desus. Aviso o advertencia.

animal[1]. (Del lat. *anĭmal, -ālis.*) m. Ser orgánico que vive, siente y se mueve por propio impulso. ‖ **2. animal** irracional. ‖ **3.** Persona de comportamiento instintivo, ignorante y grosera. Ú. t. c. adj. ‖ **4.** Persona que destaca extraordinariamente por su saber, inteligencia, fuerza o corpulencia. Ú. t. c. adj. ‖ **5.** V. **pedazo de animal.** ‖ **6.** *Méj.* y *Perú.* Bicho, sabandija. ‖ **amansado.** *Der.* El que, mediante el esfuerzo del hombre, ha cambiado su condición natural indómita, y si la recobra puede ser objeto de apropiación. ‖ **de bellota. cerdo.** ‖ **domesticado.** *Der.* **animal amansado.** ‖ **doméstico.** *Der.* El que por su condición vive en la compañía o dependencia del hombre y no es susceptible de apropiación. ‖ **fiero.** *Der.* El que vagando libre por la tierra, el aire o el agua, es objeto adecuado para la apropiación, caza o pesca. ‖ **manso.** *Der.* **animal doméstico.** ‖ **salvaje.** *Der.* **animal fiero.**

animal[2]. (Del lat. *animālis, -e.*) adj. Perteneciente o relativo al animal[1]. ‖ **2.** Perteneciente o relativo a la parte sensitiva de un ser viviente, a diferencia de la parte racional o espiritual. *Apetitos* ANIMALES. ‖ **3.** Que procede de los animales. *Materia* ANIMAL. ‖ **4.** Producido por los animales. *Tracción* ANIMAL. ‖ **5.** Que tiene como base principal los animales. *Ornamentación, alimentación* ANIMAL. ‖ **6.** *Biol.* Perteneciente o relativo a las funciones propias del movimiento o de la sensibililad. ‖ **7.** V. **almidón, carbón, economía, fuerza, negro, vida animal.** ‖ **8.** V. **espíritus animales.**

animalada. (De *animal[1].*) f. fam. Burrada, barbaridad, salvajada. ‖ **2.** fig. y fam. Cantidad grande o excesiva. ‖ **3.** *Argent.* y *Chile.* Conjunto de animales, especialmente ganado.

animalaje. m. *Chile, R. de la Plata* y *Venez.* **animalada,** conjunto de animales.

animalario. m. Edificio donde se tienen los animales destinados a experimentos de laboratorio.

animálculo. m. Animal perceptible solamente con el auxilio del microscopio.

animalero. m. *Col. Guat.* y *Méj.* **animalada,** conjunto de animales.

animalia. f. p. us. **alimaña,** animal irracional. Ú. m. en pl.

animalias. (Del lat. *animalĭa,* pl. de *animālis,* del alma.) f. pl. ant. Sufragios o exequias.

animalidad. (Del lat. *animalĭtas, -ātis.*) f. Condición de animal[1].

animalización. f. Acción y efecto de animalizar o animalizarse.

animalizar. (De *animal[1].*) tr. Convertir los alimentos, particularmente los vegetales, en materia apta para la nutrición. Ú. t. c. prnl. ‖ **2.** p. us. Convertir en ser animal. ‖ **3.** prnl. **embrutecerse.**

animalucho. m. despect. Animal de figura desagradable.

animante. (Del lat. *anĭmans, -antis.*) p. a. ant. de **animar.** Que anima. ‖ **2.** m. ant. **viviente.**

animar. (Del lat. *animāre.*) tr. Vivificar el alma al cuerpo. ‖ **2.** Infundir vigor a un ser viviente. ‖ **3.** Infundir energía moral a uno. ‖ **4.** Excitar a una acción. ‖ **5.** En obras de arte, hacer que parezcan dotadas de vida. ‖ **6.** Tratándose de cosas inanimadas, comunicarles mayor vigor, intensidad y movimiento. ‖ **7.** Dotar de movimiento a cosas inanimadas. ‖ **8.** Dar movimiento, calor y vida a un concurso de gente o a un paraje. Ú. t. c. prnl. ‖ **9.** intr. desus. Vivir, habitar o morar. ‖ **10.** prnl. Cobrar ánimo y esfuerzo.

anime. (Del lat. medieval *amineus,* blanco.) m Resina o goma de diversas especies botánicas de Oriente y América, usada generalmente en medicina y droguería. ‖ **2.** *Amér.* **curbaril.**

animero. m. El que pedía limosna para sufragio de las ánimas del purgatorio.

anímico, ca. (De *ánima.*) adj. **psíquico.**

animismo. (De *ánima.*) m. Doctrina médica de Stahl, que considera al alma como principio de acción de todos los fenómenos vitales, tanto en los estados normales como en los estados patológicos. ‖ **2.** Creencia que atribuye vida anímica y poderes a los objetos de la naturaleza. ‖ **3.** Creencia en la existencia de espíritus que animan a todas las cosas.

animista. adj. Adepto al animismo. Ú. t. c. s. ‖ **2.** Perteneciente o relativo al animismo.

animizar. (De *ánima.*) tr. Dotar de alma a los seres inanimados. ‖ **2.** prnl. Convertirse en alma o espíritu.

ánimo. (Del lat. *anĭmus*, y este del gr. ἄνεμος, soplo.) m. Alma o espíritu en cuanto es principio de la actividad humana. ‖ **2.** Valor, esfuerzo, energía. ‖ **3.** V. **bajeza, estado, igualdad, pasión, presencia de ánimo.** ‖ **4.** Intención, voluntad. ‖ **5.** fig. Atención o pensamiento. ‖ **¡ánimo!** interj. para alentar o esforzar a alguno. ‖ **¡ánimo a las gachas, que son de arrope!** fr. fig. y fam. desus. con que en broma se alienta a la ejecución de alguna cosa fácil y aun agradable. ‖ **¡buen ánimo!** interj. **¡ánimo!** ‖ **caer,** o **caerse, de ánimo.** fr. fig. **desanimarse.** ‖ **dilatar el ánimo.** fr. fig. Causar o sentir consuelo o desahogo en las aflicciones por medio de la esperanza o la conformidad. ‖ **estrecharse de ánimo.** fr. fig. **acobardarse.** ‖ **hacer,** o **tener, ánimo.** fr. fig. Formar o tener intención de hacer alguna cosa.

animosamente. adv. m. Con ánimo, valor, esfuerzo.

animosidad. (Del lat. *animosĭtas, -ātis*.) f. **ánimo,** valor, esfuerzo. ‖ **2.** Aversión, ojeriza, hostilidad.

animoso, sa. (Del lat. *animōsus*.) adj. Que tiene ánimo o valor.

aniñadamente. adv. m. Puerilmente o con propiedades de niño.

aniñado, da. p. p. de **aniñarse.** ‖ **2.** adj. Semejante a los niños por sus acciones, comportamiento o aspecto. Aplícase a personas y cosas y especialmente a los rasgos físicos. *Rostro* ANIÑADO. ‖ **3.** *Chile.* fam. y vulg. Animoso, guapo.

aniñamiento. m. Acción y efecto de aniñarse.

aniñarse. prnl. Adquirir o adoptar rasgos o comportamiento de niño.

anión. (De *an-*[2] e *ion*.) m. *Fís.* Ion con carga negativa.

aniónico, ca. adj. Perteneciente o relativo al anión.

aniquilable. adj. Que fácilmente se puede aniquilar.

aniquilación. f. Acción y efecto de aniquilar o aniquilarse.

aniquilador, ra. adj. Que aniquila. Apl. a pers., ú. t. c. s.

aniquilamiento. m. **aniquilación.**

aniquilar. (Del b. lat. *annichilare*.) tr. Reducir a la nada. Ú. t. c. prnl. ‖ **2.** fig. Destruir o arruinar enteramente. Ú. t. c. prnl. ‖ **3.** fig. Hacer perder el ánimo. ‖ **4.** fig. Extenuar, agotar. ‖ **5.** prnl. fig. Deteriorarse mucho alguna cosa, como la salud o la hacienda. ‖ **6.** desus. fig. Anonadarse, humillarse. ‖ **7.** *Fís.* Reaccionar una partícula elemental con su antipartícula, de forma que desaparecen ambas para convertirse en radiación electromagnética.

anís. (Del lat. *anīsum*, y este del gr. ἄνισος.) m. Planta anual de la familia de las umbelíferas, que crece hasta unos 30 centímetros de altura, con tallo ramoso, hojas primeramente casi redondas y después hendidas en lacinias, flores pequeñas y blancas. Tiene por frutos semillas aovadas, verdosas, menudas y aromáticas. ‖ **2.** Semilla de esta planta. ‖ **3.** Nombre que se da a otras plantas semejantes al **anís,** especialmente por su olor. Ú. generalmente con un adj. o complemento especificativo. ANÍS *dulce, estrellado, de la China.* ‖ **4.** Semilla de estas plantas. ‖ **5.** V. **aceite de anís.** ‖ **6.** Grano de **anís** con baño de azúcar. ‖ **7.** Por ext., toda confitura menuda. ‖ **8.** fig. Aguardiente anisado. ‖ **estar hecho un anís.** *Bol., Ecuad.* y *Perú.* fr. fig. que se aplica a la persona acicalada, vestida con pulcritud. ‖ **llegar a los anises.** fr. fig. y fam. desus. Llegar tarde a algún convite o función. Alude a la antigua costumbre de servir **anises** al fin de la comida. ‖ **no ser grano de anís.** fr. fig. Tener importancia o gravedad.

anisado, da. p. p. de **anisar.** ‖ **2.** Que contiene anís o aroma de anís. ‖ **3.** m. **anís,** aguardiente. ‖ **4.** Acción y efecto de anisar.

anisal. m. *Col.* y *Chile.* **anisar**[1].

anisar[1]**.** m. Tierra sembrada de anís.

anisar[2]**.** tr. Echar anís o espíritu de anís a una cosa.

anisete. (Del fr. *anisette*.) m. Licor compuesto de aguardiente, azúcar y anís.

aniso-. (Del gr. ἄνισος, desigual.) Elemento compositivo que significa «desigual».

anisodonte. (De *aniso-* y el gr. ὀδούς, ὀδόντος, diente.) adj. *Zool.* De dientes desiguales.

anisofilo, la. (De *aniso-* y el gr. φύλλον, hoja.) adj. *Bot.* De hojas desiguales.

anisómero. (De *aniso-* y el gr. μέρος, parte.) adj. *Biol.* Dícese del órgano formado por partes desiguales.

anisopétalo, la. (De *aniso-* y el gr. πέταλον, hoja.) adj. *Bot.* Dícese de la corola que tiene pétalos desiguales y de la flor que tiene esta clase de corola.

anisotropía. f. *Fís.* Calidad de anisótropo.

anisótropo, pa. (De *an-* e *isótropo*.) adj. *Fís.* Dícese de la materia que no es isótropa.

anito. (Del tagalo *anito*.) m. Ídolo familiar adorado por algunos pueblos de Filipinas.

anivelar. tr. desus. **nivelar,** poner a igual altura dos cosas o igualarlas.

aniversario, ria. (Del lat. *anniversarius*, que se repite cada año.) adj. p. us. **anual.** ‖ **2.** m. Oficio y misa que se celebran en sufragio de un difunto el día en que se cumple el año de su fallecimiento. ‖ **3.** Día en que se cumplen años de algún suceso.

anjeo. (De *Angeu*, nombre occitano del ducado de Anjou, de donde procede.) m. Especie de lienzo basto.

anjova. (Cf. *anchova*.) f. *Can.* **pejerrey** fresco o en salazón.

annado, da. (Del lat. *ante natus*, nacido antes.) m. y f. ant. **adnado, da.**

annamita. adj. **anamita.**

ano. (Del lat. *anus*.) m. Orificio en que remata el conducto digestivo y por el cual se expele el excremento.

-ano[1]**, na.** (Del lat. *-ānus*.) suf. de adjetivos que significa procedencia, pertenencia o adscripción: *murci*ANO, *alde*ANA, *francisc*ANO. A veces toma las formas **-iano:** *parnas*IANO, o **-tano:** *anso*TANO.

-ano[2]**.** suf. usado en química orgánica para designar hidrocarburos saturados: *et*ANO, *met*ANO.

anó. (De or. tupí-guaraní.) m. *Argent.* y *Par.* Pájaro de color negro, de la familia de los cucúlidos.

anoa. (De or. malayo.) f. Especie de búfalo, de un metro de altura, que vive en la isla Célebes.

anobio. (Del gr. ἀνά, arriba, y *-bio*.) m. *Zool.* Género de coleópteros xilófagos, llamados vulgarmente carcoma. Ú. m. en pl.

anoche. (Del lat. *ad noctem*.) adv. t. En la noche entre ayer y hoy.

anochecedor, ra. (De *anochecer*[1].) adj. Que se recoge tarde. Ú. t. c. s. Ú. en refranes.

anochecer[1]**.** (De *a-*[1] y *noctescĕre*.) intr. Empezar a faltar la luz del día, venir la noche. ‖ **2.** Llegar o estar en un paraje, situación o condición determinados al empezar la noche. ‖ **3.** tr. p. us. **oscurecer,** privar de luz o claridad. ‖ **4.** *And.* Hacer desaparecer una cosa, hurtarla. ‖ **5.** prnl. poét. Privarse o quedar privada alguna cosa de luz o claridad. ‖ **anochecer y no amanecer.** fr. fig. y fam. Desaparecer o huir repentinamente y a escondidas.

anochecer[2]**.** (De *anochecer*[1].) m. Acción y efecto de anochecer[1]. ‖ **2.** Tiempo durante el cual anochece. ‖ **al anochecer.** loc. adv. Al acercarse la noche.

anochecida. f. **anochecer**[2].

anochecido, da. p. p. de **anochecer**[1]. ‖ **2.** m. **anochecer**[2], noche.

anódico, ca. adj. *Electr.* Perteneciente al ánodo.

anodinia. (Del gr. ἀνωδυνία.) f. *Med.* Falta de dolor.

anodino, na. (Del lat. *anodȳnus*, y este del gr. ἀνώδυνος.) adj. Insignificante, ineficaz, insustancial. ‖ **2.** p. us. *Med.* Dicese del medicamento o sustancia que calma el dolor. Ú. t. c. s. m.

ánodo. (Del gr. ἄνοδος, camino ascendente.) m. *Electr.* Electrodo positivo.

anofeles. (Del lat. cient. *Anopheles.*) adj. *Zool.* Dícese de los mosquitos cuyas hembras son transmisoras del parásito productor de las fiebres palúdicas. Son dípteros, con larga probóscide y palpos tan largos como ella. Sus larvas viven en las aguas estancadas o de escasa corriente. Ú. m. c. s. m.

anomalía. (Del lat. *anomalĭa,* y este del gr. ἀνωμαλία.) f. **irregularidad,** discrepancia de una regla. ‖ **2.** *Astron.* Distancia angular del lugar verdadero o medio de un planeta a su afelio, vista desde el centro del Sol. ‖ **3.** *Biol.* Malformación, alteración biológica, congénita o adquirida. ‖ **media.** *Astron.* La que, en un momento dado, corresponde al lugar medio del astro, o sea el que ocuparía si, por ser su movimiento uniforme, variase igualmente en tiempos iguales el ángulo formado por el radio vector y la línea de los ápsides. ‖ **verdadera.** *Astron.* La que corresponde al lugar verdadero que ocupa el astro en un momento dado.

anomalidad. f. ant. **anomalía.**

anomalístico, ca. (De *anómalo.*) adj. Relativo a la anomalía. ‖ **2.** *Astron.* V. **año, mes anomalístico.**

anómalo, la. (Del lat. *anomălus,* y este del gr. ἀνώμαλος.) adj. Irregular, extraño.

anomia. f. Ausencia de ley. ‖ **2.** *Psicol.* y *Sociol.* Estado de aislamiento del individuo, o de desorganización de la sociedad, debido a ausencia, contradicción o incongruencia de las normas sociales.

anomuro. (Del lat. cient. *Anomura.*) adj. *Zool.* Dícese de crustáceos decápodos cuyo abdomen es muy blando, por lo cual, para protegerlo, se introducen en conchas de caracoles marinos, de las que solo asoman la parte anterior del cefalotórax y los apéndices locomotores; como el ermitaño. Ú. t. c. s. ‖ **2.** m. pl. *Zool.* Suborden de estos animales.

anón. (De or. caribe.) m. **anona**[2]**.**

anona[1]**.** (Del lat. *annōna.*) f. Provisión de víveres.

anona[2]**.** (De *anón.*) f. Árbol de la familia de las anonáceas, de unos cuatro metros de altura, de tronco ramoso, con corteza oscura, hojas grandes, alternas, lanceoladas, lustrosas, verdinegras por encima y más claras por el envés; flores de color blanco amarillento, solitarias, de mal olor, y fruto como una manzana, con escamas convexas, que cubren una pulpa blanca, aromática y dulce, dentro de la cual se hallan las semillas, que son negras, duras y correspondientes una a cada escama del mismo fruto. Es planta propia de países tropicales; pero, se cultiva en las costas del mediodía de España. ‖ **2.** Fruto de este árbol. ‖ **del Perú. chirimoyo.** ‖ **de Méjico. guanábano.**

anonáceo, a. (De *anona*[2], nombre de un género de plantas.) adj. *Bot.* Dícese de árboles y arbustos angiospermos, dicotiledóneos, que tienen hojas alternas, simples y enteras, pimpollos con pelusa, flores casi siempre axilares, solitarias o en manojo, comúnmente verdes o verdosas, y fruto simple o compuesto, seco o carnoso, con pepitas duras y frágiles; como la anona. Ú. t. c. s. f. ‖ **2.** f. pl. *Bot.* Familia de estas plantas.

anonadación. f. Acción y efecto de anonadar o anonadarse.

anonadador, ra. adj. Que anonada.

anonadamiento. m. **anonadación.**

anonadar. (De *a-*[1] y *nonada.*) tr. Reducir a la nada. Ú. t. c. prnl. ‖ **2.** fig. Causar gran sorpresa o dejar muy desconcertada a una persona. ‖ **3.** fig. Apocar, disminuir mucho alguna cosa. ‖ **4.** fig. Humillar, abatir. Ú. t. c. prnl.

anonimato. m. Carácter o condición de anónimo.

anonimia. f. Carácter o condición de **anónimo,** dicho de la obra que no lleva el nombre del autor y de este cuando no es conocido.

anónimo, ma. (Del gr. ἀνώνυμος, sin nombre.) adj. Dícese de la obra o escrito que no lleva el nombre de su autor. Ú. t. c. s. ‖ **2.** Dícese igualmente del autor cuyo nombre no es conocido. Ú. t. c. s. m. ‖ **3.** *Com.* Dícese de la compañía o sociedad que se forma por acciones, con responsabilidad circunscrita al capital que estas representan. ‖ **4.** m. Carta o papel sin firma en que, por lo común, se dice algo ofensivo o desagradable. ‖ **5.** Secreto del autor que oculta su nombre. *Conservar el* ANÓNIMO.

anopluro. (Del gr. ἄνοπλος, sin armas, y οὐρά, cola.) adj. *Zool.* Dícese de insectos hemípteros, sin alas, que viven como ectoparásitos en el cuerpo de algunos mamíferos; como el piojo y la ladilla. Ú. t. c. s. ‖ **2.** m. pl. *Zool.* Suborden de estos animales.

anorak. (De or. esquimal, a través del fr. *anorak.*) m. Chaqueta impermeable, con capucha, usada especialmente por los esquiadores.

anorexia. (Del gr. ἀνορεξία, inapetencia.) f. *Pat.* Falta anormal de ganas de comer.

anoréxico, ca. adj. Que padece anorexia. Apl. a pers., ú. t. c. s.

anoria. (Del ár. *an-nā'ūra.*) f. p. us. **noria.**

anormal. (De *a-*[2] y *normal.*) adj. Dícese de lo que accidentalmente se halla fuera de su natural estado o de las condiciones que le son inherentes. ‖ **2.** Infrecuente. ‖ **3.** com. Persona cuyo desarrollo físico o intelectual es inferior al que corresponde a su edad.

anormalidad. f. Calidad de anormal.

anorza. (Del ár. *al-'uršān,* las parras.) f. **nueza blanca.**

anosmia. (Del gr. ἀν-, pref. priv., y ὀσμή, olor.) f. Pérdida completa del olfato.

anotación. (Del lat. *annotatĭo, -ōnis.*) f. Acción y efecto de anotar. ‖ **preventiva.** *Der.* Asiento temporal y provisional de un título en el registro de la propiedad, como garantía precautoria de un derecho o de una futura inscripción.

anotador, ra. (Del lat. *annotātor, -ōris.*) adj. Que anota. Ú. t. c. s. ‖ **2.** m. y f. *Cinem.* Ayudante del director que se encarga de apuntar durante el rodaje de una película todos los pormenores de cada escena.

anotar. (Del lat. *annotāre.*) tr. Poner notas en un escrito, cuenta o libro. ‖ **2. apuntar.** ‖ **3.** Hacer anotación en un registro público. ‖ **4.** En deportes, marcar tantos.

anoticiar. tr. *Argent.* Dar noticia, hacer saber alguna cosa. Ú. t. c. prnl.

anotomía. f. desus. **anatomía.**

anotómico, ca. adj. desus. Perteneciente a la anatomía. ‖ **2.** m. desus. **anatomista.**

anovelado, da. adj. Que participa de los caracteres de la novela.

anoxia. (Del lat. cient. *anoxia.*) f. *Med.* **hipoxia.** ‖ **2.** *Biol.* Falta de oxígeno en la sangre o en los tejidos corporales.

anquear. (De *anca.*) intr. ant. **amblar,** dicho de las caballerías.

anqueta. f. d. de **anca.** ‖ **estar** uno **de media anqueta.** fr. desus. fam. Estar mal sentado o sentado a medias.

anquialmendrado, da. (De *anca* y *almendra,* por la forma.) adj. Se dice de la caballería que tiene las ancas muy estrechas, de modo que la grupa va en punta hacia la cola.

anquiboyuno, na. adj. Se dice de la caballería que tiene, a semejanza del buey, muy salientes los extremos anteriores de las ancas.

anquiderribado, da. (De *anca* y *derribado.*) adj. Se dice de la caballería que tiene la grupa alta y en declive hasta la parte superior del maslo.

anquilosamiento. m. Acción y efecto de anquilosarse.

anquilosar. tr. Producir anquilosis. ‖ **2.** prnl. fig. Detenerse una cosa en su progreso.
anquilosis. (Del gr. ἀγκύλωσις, soldadura.) f. *Med.* Disminución o imposibilidad de movimiento en una articulación normalmente móvil.
anquilostoma. (Del gr. ἀγκύλος, curvo, y στόμα, boca.) m. *Med.* Gusano nematelminto parásito del hombre, de color blanco o rosado, de diez a dieciocho milímetros de longitud y menos de un milímetro de diámetro, con una cápsula bucal provista de dos pares de ganchos que le sirven para fijarse al intestino delgado, casi siempre al yeyuno o al duodeno. Produce la anquilostomiasis.
anquilostomiasis. (De *anquilostoma.*) f. *Pat.* Enfermedad producida por el gusano anquilostoma y que se caracteriza principalmente por la aparición de variados trastornos gastrointestinales y por una gran disminución del número de glóbulos rojos en la sangre del paciente. Afecta sobre todo a los mineros y a otras personas que permanecen durante mucho tiempo en lugares subterráneos.
anquirredondo, da. (De *anca* y *redondo.*) adj. Se dice de la caballería que tiene las ancas muy carnosas y convexas.
anquiseco, ca. (De *anca* y *seco.*) adj. Se dice de la caballería que tiene las ancas descarnadas.
ansa¹. (Del lat. *ansa.*) f. *Ar.* **asa¹**, parte que sobresale del cuerpo de una vasija, etc.
ansa². (De *hansa.*) f. **hansa.**
ánsar. (Del lat. *anser, -ĕris.*) m. Ave palmípeda, que llega a tener 90 centímetros de largo desde la cabeza hasta la extremidad de la cola, con plumaje general blanco agrisado, completamente blanco en el abdomen y sonrosado en el cuello; alas agudas que pasan de la extremidad de la cola; pico anaranjado, cónico, dentellado y muy fuerte en la base; tarsos robustos y pies rojizos. Tiene plumón abundante, y las penas de las alas se han usado para escribir. Se le denomina también ganso bravo o salvaje. Es una especie propia de países septentrionales. ‖ **2. ganso,** ave.
ansarería. f. Lugar donde se crían ánsares.
ansarero, ra. m. y f. Persona que cuida ánsares.
ansarino, na. adj. Perteneciente al ánsar. ‖ **2.** m. Pollo del ánsar.
ansarón. m. **ánsar.** ‖ **2. ansarino,** pollo del ánsar.
anseático, ca. adj. Perteneciente al ansa².
anseriforme. (Del lat. *anser, -ĕris,* ánsar, y *-forme.*) adj. *Zool.* Dícese de aves nadadoras, de pies palmeados, cuello largo y pico filtrador. Ú. t. c. s. ‖ **2.** f. pl. *Zool.* Orden de estas aves. Comprende gran parte de las antes clasificadas como palmípedas.
ansí. (Del lat. *aeque sic,* o *ad sic.*) adv. m. ant. **así.** Ú. todavía por hablantes rústicos.
ansia. (Del lat. *anxĭa,* f. de *anxĭus,* angustiado.) f. Congoja o fatiga que causa en el cuerpo inquietud o agitación violenta. ‖ **2.** Angustia o aflicción del ánimo. ‖ **3. náusea.** ‖ **4. anhelo.** ‖ **cantar en el ansia.** fr. *Germ.* Confesar en el tormento, especialmente en el de toca.
ansiar. (Del lat. *anxiāre.*) tr. Desear con ansia. ‖ **2.** prnl. Llenarse de ansia.
ansiedad. (Del lat. *anxiĕtas, -ātis.*) f. Estado de agitación, inquietud o zozobra del ánimo. ‖ **2.** *Pat.* Angustia que suele acompañar a muchas enfermedades, en particular a ciertas neurosis y que no permite sosiego a los enfermos.
ansimesmo o **ansimismo.** (De *ansí* y *mesmo* o *mismo.*) adv. m. ant. **así mismo.**
ansina. (De *ansí.*) adv. m. ant. **así.** Ú. todavía por hablantes rústicos.
ansiolítico, ca. (Del lat. *anxĭus,* angustiado, y el gr. λυτικός, que disuelve.) adj. *Farm.* Que disuelve o calma la ansiedad. Ú. t. c. s. m.
ansión. m. aum. de **ansia.** ‖ **2.** *Sal.* Tristeza, nostalgia.
ansiosidad. (De *ansioso.*) f. ant. **ansia,** congoja, fatiga. ‖ **2. ansia,** angustia. ‖ **3. ansia,** anhelo.
ansioso, sa. (Del lat. *anxiōsus.*) adj. Acompañado de ansias o congojas grandes. ‖ **2.** Que tiene ansia o deseo vehemente de alguna cosa.
ansotano, na. adj. Natural de Ansó. Ú. t. c. s. ‖ **2.** Perteneciente a este valle de Aragón.
anta¹. (De *ante¹.*) f. **alce¹.**
anta². (Del lat. *antae, -arum.*) f. **menhir.** ‖ **2.** *Arq.* Pilastra embutida en un muro, del cual sobresale un poco, y que tiene delante una columna de la misma anchura que ella. ‖ **3.** *Arq.* Pilastra que en lo antiguo se levantaba a los costados de la puerta de la fachada de los edificios, principalmente de los templos. ‖ **4.** pl. *Arq.* Pilastras que refuerzan y decoran los extremos de un muro.
antagalla. f. *Mar.* Faja de rizos de las velas de cuchillo.
antagallar. tr. *Mar.* Tomar las antagallas para que la vela oponga menos superficie a la fuerza del viento.
antagónico, ca. adj. Que denota o implica antagonismo. *Doctrinas* ANTAGÓNICAS.
antagonismo. (Del gr. ἀνταγώνισμα, emulación.) m. Contrariedad, rivalidad, oposición sustancial o habitual, especialmente en doctrinas y opiniones.
antagonista. (Del lat. *antagonista,* y este del gr. ἀνταγωνιστής, el que lucha en contra.) com. Persona o cosa opuesta o contraria a otra. ‖ **2.** El principal personaje que se opone al protagonista en el conflicto esencial de una obra literaria, cinematográfica, etc. ‖ **3.** adj. Que pugna contra la acción de algo o se opone a ella. Ú. t. c. s. ‖ **4.** *Anat.* Dícese de los músculos que en una misma región anatómica obran en sentido contrario, como los flexores y los extensores, o de uno de ellos en relación con el otro, considerado agonista. Ú. t. c. s. m. ‖ **5.** *Anat.* Dícese de los nervios que animan funciones contrarias en un mismo órgano. ‖ **6.** *Anat.* Dícese de cada diente o muela de una mandíbula, respecto del opuesto de la otra.
antainar. (De or. inc.) intr. *Ast.* Darse prisa para hacer alguna cosa.
antamilla. f. *Cantabria.* **altamía,** cazuela de barro.
antana (llamarse alguien a). (De *altana.*) fr. fam. **llamarse a andana².**
antañada. (De *antaño.*) f. p. us. **antigualla,** noticia o relación de sucesos muy antiguos.
antañazo. (De *antaño.*) adv. t. p. us. fam. Mucho tiempo ha.
antaño. (Del lat. *ante annum.*) adv. t. desus. En el año pasado, o sea en el que precedió al corriente. ‖ **2.** Por ext., en tiempo pasado. Ú. t. c. s.
antañón, na. (De *antaño.*) adj. Muy viejo.
antarca. (Del quechua *hantarqa.*) adv. fam. *N. Argent.* De espaldas.
antarquear. (De *antarca.*) tr. *N. Argent.* Tirar de espaldas. Ú. t. c. prnl. ‖ **2.** prnl. fig. y fam. *N. Argent.* Envanecerse.
antártico, ca. (Del gr. ἀνταρκτικός, opuesto al ártico, a través del lat. *antarctĭcus.*) adj. *Astron.* y *Geogr.* V. **polo antártico.** ‖ **2.** Perteneciente, cercano o relativo al polo **antártico.** *Tierras* ANTÁRTICAS. ‖ **3.** Por ext. **meridional.**
ante¹. (De *dante¹.*) m. **anta¹.** ‖ **2. búfalo.** ‖ **3.** Piel de **ante** adobada y curtida. ‖ **4.** Piel de algunos otros animales, adobada y curtida a semejanza de la del **ante.**
ante². (Del lat. *ante.*) prep. En presencia de. ‖ **2.** En comparación, respecto de. ‖ **3.** adv. t. ant. **antes.** ‖ **4.** m. Plato o principio con que se empezaba la comida o cena. ‖ **5.** desus. Bebida alimenticia y muy refrigerante que se usa en el Perú, hecha con frutas, vino, canela, azúcar, nuez moscada y otros ingredientes. ‖ **6.** p. us. Postre que se hace en Méjico, de bizcocho mezclado con dulce de huevo, coco, almendra, etc. ‖ **7.** p. us. *Amér. Central* y *Méj.* Almíbar

hecho con harina de garbanzos, fríjoles, etc. ‖ **en ante.** loc. adv. ant. **antes,** prioridad de tiempo o lugar. ‖ **2. antes,** antecedente.

ante-. (Del lat. *ante-*.) elemen. compos. que denota anterioridad en el tiempo y en el espacio. ANTE*ayer*, ANTE*capilla*.

-ante. (Del lat. *-ans, -antis*.) V. **-nte.**

anteado, da. adj. De color de ante[1]. ‖ **2.** V. **azucena anteada.**

antealtar. m. Espacio contiguo a la grada o demarcación del altar.

anteanoche. (De *ante-* y *anoche*.) adv. t. En la noche siguiente a anteayer.

anteanteanoche. adv. t. **trasanteanoche.**

anteanteayer. adv. t. **trasanteayer.**

anteantenoche. (De *ante-* y *antenoche*.) adv. t. **anteanteanoche.**

anteantier. (De *ante-* y *antier*.) adv. t. fam. desus. **anteanteayer.**

anteayer. (De *ante-* y *ayer*.) adv. t. En el día que precedió inmediatamente al de ayer. ‖ **anteayer tarde,** o **noche,** locs. advs. **anteayer** por la tarde, o por la noche.

antebrazo. (De *ante-* y *brazo*.) m. Parte del brazo desde el codo hasta la muñeca. ‖ **2.** *Zool.* **brazuelo,** de los cuadrúpedos.

antecama. f. Especie de tapete para ponerlo delante de la cama.

antecámara. (De *ante-* y *cámara*.) f. Pieza delante de la sala o salas principales de un palacio o casa grande. ‖ **2.** Pieza que está delante de la cámara o habitación donde se recibe. ‖ **hacer antecámara.** fr. **hacer antesala.**

antecapilla. (De *ante-* y *capilla*.) f. Pieza contigua a una capilla y por donde esta tiene la entrada.

antecedencia. (Del lat. *antecedentĭa*.) f. desus. **antecedente,** acción o dicho anterior. ‖ **2.** p. us. **ascendencia.** ‖ **3.** desus. **precedencia.**

antecedente. (Del lat. *antecēdens, -entis*.) p. a. de **anteceder.** Que antecede. ‖ **2.** m. Acción, dicho o circunstancia anterior que sirve para juzgar hechos posteriores. ‖ **3.** *Gram.* El primero de los términos de la relación gramatical. ‖ **4.** *Gram.* Nombre, pronombre u oración a que hacen referencia los pronombres relativos. ‖ **5.** *Lóg.* Primera proposición de un entimema. ‖ **6.** *Mat.* Primer término de una razón.

anteceder. (Del lat. *antecedĕre*.) tr. **preceder.**

antecesor, ra. (Del lat. *antecessor, -ōris*.) adj. Anterior en tiempo. ‖ **2.** m. y f. Persona que precedió a otra en una dignidad, empleo, ministerio, obra o encargo. ‖ **3.** m. **antepasado,** ascendiente.

anteclásico, ca. adj. En literatura y arte, anterior a la época clásica.

anteco, ca. (Del gr. ἄντοικος, que vive al lado opuesto, a través del lat. *antoeci, -ōrum*.) adj. *Geogr.* Aplícase a los moradores del globo terrestre que ocupan puntos de la misma longitud y a igual distancia del Ecuador; pero unos por la parte septentrional y otros por la meridional. Ú. m. c. s. m. y en pl.

antecocina. f. Pieza o habitación que precede a la cocina.

antecoger. tr. Coger a una persona o cosa, llevándola por delante. ‖ **2.** *Ar.* Coger las frutas antes de que estén en sazón.

antecoro. (De *ante-* y *coro*.) m. Pieza que da ingreso al coro.

antecristo. m. **anticristo.**

antecuarto. (De *ante-* y *cuarto*.) m. ant. Recibimiento o antesala.

antedata. (De *ante-* y *data*[1].) f. Fecha falsa de un documento, anterior a la verdadera.

antedatar. tr. Poner antedata a un documento.

antedecir. (Del lat. *antedicĕre*.) tr. desus. **predecir.**

antedespacho. (De *ante-* y *despacho*.) m. Pieza que da acceso a un despacho.

antedía. adv. t. desus. En el día precedente. ‖ **de antedía.** loc. adv. **antedía.**

antedicho, cha. p. p. irreg. de **antedecir.** ‖ **2.** adj. Dicho antes o con anterioridad. Ú. t. c. s.

ante díem. loc. adv. lat. **antedía.** Empléase tratándose de avisos para convocar a los individuos de una junta o congregación. *Citación* ANTE DÍEM; *se avisará* ANTE DÍEM.

antediluviano, na. (De *ante-* y *diluviano*.) adj. Anterior al diluvio universal. ‖ **2.** fig. **antiquísimo.**

anteferir. (Del lat. *anteferre*.) tr. desus. **preferir,** anteponer.

antefija. f. *Arq.* Adorno vertical en el borde de los tejados, especialmente para tapar las juntas de las tejas.

antefirma. f. Fórmula del tratamiento que corresponde a una persona o corporación y que se pone antes de la firma en el oficio, memorial o carta que se le dirige. ‖ **2.** Denominación del empleo, dignidad o representación del firmante de un documento, puesta antes de la firma.

antefoso. m. *Fort.* Foso construido en la explanada delante del foso principal.

anteguerra. f. Período inmediatamente anterior a una guerra.

antehistórico, ca. adj. p. us. **prehistórico.**

anteiglesia. f. Atrio, pórtico o lonja delante de la iglesia. ‖ **2.** En el País Vasco, iglesia parroquial, pueblo o distrito municipal.

anteislámico, ca. (De *ante-* e *islámico*.) adj. Perteneciente a la época del pueblo árabe anterior al islamismo.

antejardín. m. *Col.* y *Chile.* Área libre comprendida entre la línea de demarcación de una calle y la línea de construcción de un edificio.

antejo. m. Árbol silvestre de la isla de Cuba, de corteza morada y madera de textura igual y fibra recta, sin nudos y fácil de trabajar.

antejuego. m. *Chile.* Mecanismo de los coches o carruajes que está sobre el juego delantero y les permite girar.

antejuicio. (De *ante-* y *juicio*.) m. *Der.* Trámite previo establecido como garantía en favor de los jueces y magistrados, y en el que se decide si ha lugar o no a proceder criminalmente contra ellos por razón de su cargo.

antelación. (Del lat. medieval *antelatio*.) f. Anticipación con que, en orden al tiempo, sucede una cosa respecto a otra.

antelar. tr. *Chile.* Anticipar.

antelina. (De *ante*[1].) f. Tejido que imita la piel de ante.

antelucano, na. (Del lat. *antelucānus*.) adj. p. us. Dícese del tiempo anterior al amanecer. Ú. m. c. s. m.

antellevar. tr. *Méj.* Atropellar.

antemano (de). (De *ante-* y *mano*.) loc. adv. t. Con anticipación, anteriormente. Usáb. t. sin la prep.

antemeridiano, na. (Del lat. *antemeridiānus*.) adj. Dícese de la hora comprendida entre medianoche y mediodía. ‖ **2.** adv. Antes de mediodía.

ante merídiem. expr. lat. Antes del mediodía.

antemostrar. (De *ante-* y *mostrar*.) tr. ant. **pronosticar.**

antemural. (Del lat. *antemurāle*.) m. Fortaleza, roca o montaña que sirve de protección o defensa. ‖ **2.** fig. Protección o defensa. ANTEMURAL *de la cristiandad, de la fe.*

antemuralla. (De *ante-* y *muralla*.) f. ant. **antemural.**

antemuro. (De *ante-* y *muro*.) m. *Fort.* **falsabraga.**

antena. (Del lat. *antenna*.) f. **entena,** vara a la que se asegura la vela. ‖ **2.** Dispositivo de formas muy diversas, que en los emisores o receptores de ondas electromagnéticas, sirve para emitirlas o recibirlas. ‖ **3.** Por ext., mástil o torre metálica que remata la entena o **antena** de los barcos, y que sirve de **antena.** ‖ **4.** Cada uno de los apéndices articulados que tienen en la cabeza muchos animales artrópodos, en número de dos, como los insectos y los miriópodos, o de cuatro, como los crustáceos. Ú. m. en pl. ‖ **5.** fig. Capacidad o interés de una persona en escuchar conversaciones ajenas. Ú. m. en pl. ‖ **en antena.** loc. adv. *Radio* y *TV*. En emisión. Ú. generalmente con los verbos *estar* y *poner*.

antenacido, da. adj. p. us. Nacido antes de su debido tiempo o sazón.

antenado, da. (Del lat. *ante nātus,* nacido antes.) m. y f. **entenado.**

antenista. com. Persona que instala, repara y conserva antenas receptoras.

antenoche. (De *ante-* y *noche.*) adv. t. **anteanoche.** ‖ **2.** Antes de anochecer. ‖ **3.** ant. La noche antes.

antenombre. m. Nombre o calificativo que se pone antes del nombre propio; como *don, san,* etc.

antenotar. (De *ante-* y *notar.*) tr. ant. **intitular.**

antenupcial. (De *ante-* y *nupcial.*) adj. p. us. Que precede a la boda o se hace antes de ella.

anteocupar. (Del lat. *anteoccupāre.*) tr. ant. **preocupar.**

anteojera. f. Caja en que se tienen o guardan anteojos. ‖ **2.** pl. En las guarniciones de las caballerías de tiro, piezas de vaqueta que caen junto a los ojos del animal, para que no vean por los lados, sino de frente. Ú. t. en sent. fig. referido a pers.

anteojero. m. El que hace o vende anteojos.

anteojo. (De *antojo,* con recomposición etimológica.) m. Cilindro con un sistema de lentes en su interior que aumentan las imágenes de los objetos. ‖ **2.** pl. Instrumento óptico binocular para ver objetos lejanos. ‖ **3. anteojeras,** piezas de vaqueta. ‖ **4.** Gafas o lentes. ‖ **5. doblescudo.** ‖ **6.** V. **serpiente de anteojos.** ‖ **de caza.** *Mar.* Catalejo provisto de telémetro. ‖ **de estrella.** *Mar.* El pequeñito que se coloca en los instrumentos de reflexión usados a bordo para observar las alturas de las estrellas. ‖ **de larga vista.** El que sirve para ver a larga distancia. ‖ **de línea.** *Mar.* Catalejo de pequeñas dimensiones que lo hacen fácilmente manejable. ‖ **de noche.** *Mar.* El de mucho campo, apto para observaciones nocturnas. ‖ **de pasos.** *Astron.* **anteojo** colocado sobre un eje horizontal y en el plano meridiano, destinado a observar la culminación de los astros. ‖ **directo. anteojo terrestre.** ‖ **doble.** *Astron.* **astrógrafo.** ‖ **inverso.** El que invierte la imagen de los objetos. ‖ **meridiano. anteojo de pasos.** ‖ **prismático.** El que tiene en el interior del tubo una combinación de prismas para ampliar la visión. ‖ **terrestre.** El que presenta los objetos según la posición que realmente tienen. ‖ **mirar,** o **ver,** las cosas **con anteojo de aumento,** o **de larga vista.** fr. fig. y fam. Preverlas mucho antes de que sucedan. ‖ **2.** fig. y fam. Ponderarlas o abultarlas.

anteojudo, da. adj. despect. *Argent., Chile* y *Guat.* Que usa anteojos. Ú. t. c. s.

anteón. m. **bardana,** planta.

antepagar. tr. desus. Pagar con anticipación.

antepalco. (De *ante-* y *palco.*) m. Espacio o pieza que da ingreso a un palco en los edificios destinados a espectáculos públicos.

antepasado, da. p. p. de **antepasar.** ‖ **2.** adj. Dicho de tiempo, anterior a otro tiempo pasado ya. ‖ **3.** m. Ascendiente más o menos remoto de una persona o grupo de personas. Ú. m. en pl.

antepasar. (De *ante-*[2] y *pasar.*) intr. desus. Anteceder, suceder antes.

antepechado, da. adj. Que tiene antepecho. *Ventana* ANTEPECHADA.

antepecho. (De *ante-*[2] y *pecho*[1].) m. Pretil o baranda que se coloca en lugar alto para poder asomarse sin peligro de caer. ‖ **2.** En los coches de estribos, pedazo de vaqueta clavado en los extremos a unos listones de madera con que se cubría el estribo, y en que se aseguraba y apoyaba el que iba sentado en él. ‖ **3.** Pedazo ancho de vaqueta relleno de lana o de borra y cubierto de badana, que forma parte de los arreos de las caballerías de tiro y les cae delante de los pechos para que no se lastimen. ‖ **4.** Se da este nombre a diversas piezas del telar. ‖ **5.** Huesecillo con que se guarnecía la parte superior de la nuez de la ballesta. ‖ **6.** En las minas de Linares y Marbella, **banco,** macizo de mineral.

antepenúltimo, ma. adj. Inmediatamente anterior al penúltimo. Ú. t. c. s.

antepié. m. *Anat.* Parte anterior del pie, formada por los cinco metatarsianos y las falanges de los dedos correspondientes.

anteponer. (Del lat. *anteponĕre.*) tr. Poner delante; poner inmediatamente antes. Ú. t. c. prnl. ‖ **2. preferir,** estimar más. Ú. t. c. prnl.

anteporta. (De *ante-*[2] y *porta.*) f. **anteportada.**

anteportada. f. Hoja que precede a la portada de un libro, y en la cual ordinariamente no se pone más que el título de la obra.

anteportón. m. *Col.* y *Venez.* Puerta interior que separa el zaguán del resto de la casa.

anteposar. (De *ante-*[2] y *posar.*) tr. ant. **anteponer.** Usáb. solo en p. p.

anteposición. (De *ante-*[2] y *posición.*) f. Acción de anteponer.

anteproyecto. m. Conjunto de trabajos preliminares para redactar el proyecto de una obra de arquitectura o de ingeniería. ‖ **2.** Por ext., primera redacción sucinta de una ley, programa, etc.

antepuerta. f. Repostero o cortina que se pone delante de una puerta para abrigo u ornato. ‖ **2.** *Fort.* Puerta interior o segunda que cierra la entrada de una fortaleza.

antepuerto. m. Terreno elevado y escabroso que en las cordilleras precede al puerto. ‖ **2.** *Mar.* Parte avanzada de un puerto artificial, donde los buques esperan para entrar, se disponen para salir u obtienen momentáneamente abrigo.

antepuesto, ta. p. p. irreg. de **anteponer.**

antequerano, na. adj. Natural de Antequera. Ú. t. c. s. ‖ **2.** Perteneciente a esta ciudad de Málaga.

antequino. (De *anti-* y *equino.*) m. *Arq.* **esgucio.**

antera. (Del gr. ἀνθηρά, florida.) f. *Bot.* Parte del estambre de las flores, que forma a modo de un saquito, sencillo o doble, en donde se produce y se guarda el polen.

anterior. (Del lat. *anterĭor, -ōris.*) adj. Que precede en lugar o tiempo. ‖ **2.** V. **cámara anterior de la boca.** ‖ **3.** V. **cámara anterior del ojo.**

anterioridad. (De *anterior.*) f. Precedencia temporal de una cosa con respecto a otra.

antero. m. El que tiene por oficio trabajar en ante.

anterrollo. m. *And., Bad.,* y *Burg.* Collera[1]. ‖ **2.** *And.* Rolla[1].

antes. (De *ante-*[2] con la *s* de *tras.*) adv. t. y l. que denota prioridad de tiempo o lugar. Antepónese con frecuencia a las partículas *de* y *que.* ANTES DE *amanecer;* ANTES QUE *llegue.* ‖ **2.** adv. ord. que denota prioridad o preferencia. ANTES *morir que ofender a Dios;* ANTES *la honra que el provecho.* ‖ **3.** *Amér.* Afortunadamente. ‖ **4.** conj. advers. que denota idea de contrariedad y preferencia en el sentido de una oración respecto del de otra. *El que está limpio de pecado no teme la muerte,* ANTES *la desea.* ‖ **5.** adj. Precedido de un sustantivo que designa unidad de tiempo, equivale a **antecedente** o **anterior.** *El día* ANTES; *la noche* ANTES; *el año* ANTES. ‖ **antes bien.** loc. conjunt. **antes,** que denota idea de contrariedad. ‖ **antes con antes.** loc. adv. **cuanto antes.** ‖ **antes de anoche.** loc. adv. **anteanoche.** ‖ **antes de ayer.** loc. adv. **anteayer.** ‖ **antes hoy que mañana.** expr. con que se da a entender el deseo de que suceda una cosa prontamente. ‖ **antes y con antes.** loc. adv. **antes con antes.** ‖ **de antes.** loc. adv. fam. De tiempo anterior.

antesacristía. f. Espacio o pieza que da entrada a la sacristía.

antesala. f. Pieza delante de la sala o salas principales de una casa. Ú. t. en sent. fig. ‖ **hacer antesala.** fr. Aguardar en ella o en otra habitación a ser recibido por la persona a quien va a ver.

anteseña. (De *ante-*[2] y *seña.*) f. ant. **divisa**[1], señal para distinguir algo.

antestatura. (Del fr. *antestature.*) f. desus. *Fort.* Trinchera o reparo improvisado con estacas y fajinas o sacos de tierra.

antetecho. m. **alero.**

antetemplo. m. Pórtico de un templo.

antetítulo. m. Titular secundario de un periódico que precede al principal.

antevedimiento. (Del lat. *antevidēre,* prever.) m. ant. **previsión.**

antevenir. (Del lat. *antevenīre.*) intr. desus. Venir antes o preceder.

antever. (Del lat. *antevidēre.*) tr. **prever.**

anteviso, sa. (Del lat. *antevīsus,* p. p. de *antevidēre,* prever.) adj. ant. Advertido o avisado.

antevíspera. f. Día inmediatamente anterior al de la víspera.

antevisto, ta. p. p. irreg. de **antever.**

antevocálico, ca. adj. Dícese del sonido que precede a una vocal.

anti-. (Del gr. ἀντι-.) pref. que significa «opuesto» o «con propiedades contrarias»: ANTI*cristo,* ANTI*pútrido.*

antia. (Del lat. *anthĭas,* y este del gr. ἀνθίας.) f. **lampuga.**

antiacadémico, ca. adj. Dícese de lo que va contra la autoridad o influencia de las Academias o contra el academicismo.

antiácido, da. adj. Dícese de la sustancia que se opone o que resiste a la acción de los ácidos. Ú. t. c. s. m. ‖ **2.** m. Sustancia que neutraliza el exceso de acidez gástrica, por ej., el bicarbonato sódico.

antiaéreo, a. adj. Perteneciente o relativo a la defensa contra aviones militares. Aplicado a los cañones, ú. t. c. m.

antiafrodisíaco, ca o **antiafrodisiaco, ca.** (De *anti-* y *afrodisíaco.*) adj. *Farm.* Dícese del medicamento o sustancia que modera o anula el apetito venéreo. Ú. t. c. s.

antiálcali. m. *Quím.* Sustancia que neutraliza los álcalis o disminuye su actividad, como sucede con las soluciones diluidas de los ácidos.

antialcalino, na. adj. *Quím.* Dícese de la sustancia que se opone o que resiste a la acción de los álcalis.

antialcohólico, ca. adj. Que es eficaz contra el alcoholismo.

antiartístico, ca. adj. Contrario al arte o a la estética.

antiartrítico, ca. (De *anti-* y *artrítico.*) adj. *Med.* Que es bueno contra el artritismo. Ú. t. c. s. m.

antiasmático, ca. adj. *Med.* Que sirve para combatir el asma. Ú. t. c. s. m.

antibaquio. (Del lat. *antibacchīus,* y este del gr. ἀντιβάκχειος.) m. Pie de las métricas griega y latina, que consta, al revés que el baquio, de dos sílabas largas seguidas de una breve.

antibiótico, ca. (De *anti-* y *biótico.*) adj. *Microbiol.* Dícese de la sustancia química producida por un ser vivo o fabricada por síntesis, capaz de paralizar el desarrollo de ciertos microorganismos patógenos (acción bacteriostática) o de causar la muerte de ellos (acción bactericida). Ú. t. c. s. m. ‖ **2.** Dícese de la acción de dichas sustancias.

anticanónico, ca. adj. Opuesto a los sagrados cánones y demás disposiciones eclesiásticas.

anticariense. adj. Natural de Anticaria, hoy Antequera. Ú. t. c. s. ‖ **2.** Perteneciente a esta ciudad de la Bética.

anticatólico, ca. adj. Contrario al catolicismo.

anticiclón. (De *anti-* y *ciclón.*) m. *Meteor.* Área de alta presión atmosférica que aumenta hacia el centro. Suele originar tiempo despejado; el viento gira en el sentido de las agujas del reloj en el hemisferio norte y al contrario en el sur.

anticiclónico, ca. adj. Perteneciente o relativo al anticiclón, y en especial, a la rotación de sus vientos.

anticientífico, ca. adj. Opuesto a la ciencia o al espíritu científico.

anticipación. (Del lat. *anticipatĭo, -ōnis.*) f. Acción y efecto de anticipar o anticiparse. ‖ **2.** *Ret.* Figura que consiste en proponerse uno la objeción que otro pudiera hacerle, para refutarla de antemano. ‖ **de anticipación.** loc. adj. De ciencia ficción.

anticipada. (De *anticipar.*) f. Acción traidora de acometer al contrario antes de que se ponga en defensa.

anticipado, da. p. p. de **anticipar.** ‖ **por anticipado.** loc. Con antelación, anticipadamente.

anticipador, ra. (Del lat. *anticipātor, -ōris.*) adj. Que anticipa. Ú. t. c. s.

anticipamiento. m. **anticipación.**

anticipante. p. a. de **anticipar.** Que anticipa o se anticipa. ‖ **2.** adj. *Med.* V. **fiebre anticipante.**

anticipar. (Del lat. *anticipāre.*) tr. Hacer que ocurra o tenga efecto alguna cosa antes del tiempo regular o señalado. ANTICIPAR *los exámenes.* ‖ **2.** Fijar tiempo anterior al regular o señalado para hacer alguna cosa. ANTICIPAR *el día de la marcha.* ‖ **3.** Tratándose de dinero, darlo o entregarlo antes del tiempo regular o señalado. ANTICIPAR *una paga.* ‖ **4.** Anteponer, preferir. ‖ **5.** Sobrepujar, aventajar. ‖ **6.** prnl. Adelantarse una persona a otra en la ejecución de alguna cosa. ‖ **7.** Ocurrir alguna cosa antes del tiempo regular o señalado. ANTICIPARSE *las lluvias, la calentura, la llegada del tren.*

anticipativamente. adv. t. ant. Con anticipación.

anticipo. (De *anticipar.*) m. **anticipación.** ‖ **2.** Dinero anticipado.

anticlerical. adj. Contrario al clericalismo. Apl. a pers., ú. t. c. s. ‖ **2.** Contrario al clero.

anticlericalismo. m. Doctrina o procedimiento contra el clericalismo. ‖ **2.** Animosidad contra todo lo que se relaciona con el clero.

anticlímax. (De *anti-* y *clímax.*) m. Gradación retórica descendente. ‖ **2.** Término más bajo de esta gradación. ‖ **3.** Momento en que desciende o se relaja la tensión después del clímax.

anticlinal. (Del gr. ἀντικλίνειν, inclinar en sentido contrario.) adj. *Geol.* Dícese del plegamiento de las capas del terreno en forma de A o de V invertida. Ú. m. c. s. m.

anticolegialista. adj. *Urug.* Opuesto al régimen colegiado de gobierno. Ú. t. c. s.

anticolonial. adj. Contrario al colonialismo.

anticomunismo. m. Tendencia contraria al comunismo.

anticomunista. adj. Contrario al comunismo. Ú. t. c. s.

anticoncepción. f. Acción y efecto de impedir la concepción.

anticoncepcional. (De *anti-* y *concepción.*) adj. **anticonceptivo.** Ú. t. c. s.

anticoncepcionismo. (De *anti-* y *concepcionismo.*) m. **anticoncepción.** ‖ **2.** Doctrina que propugna el empleo de prácticas para evitar la concepción.

anticonceptivo, va. adj. Dícese del medio, práctica o agente que impide a la mujer quedar embarazada. Ú. t. c. s. m.

anticongelante. adj. Que impide la congelación. ‖ **2.** m. Sustancia que impide la congelación del agua que refrigera los motores.

anticonstitucional. (De *anti-* y *constitucional.*) adj. Contrario a la Constitución o ley fundamental de un Estado.

anticorrosivo, va. adj. Que impide la corrosión. Dícese especialmente de la sustancia que se añade a otra para evitar que se corroa o corroa aquellas con las que se pone en contacto.

anticresis. (Del gr. ἀντίχρησις.) f. Contrato en que el deudor consiente que su acreedor goce de los frutos de la finca que le entrega, hasta que sea cancelada la deuda.

anticresista. com. Acreedor en el contrato de anticresis.

anticrético, ca. adj. Perteneciente o relativo a la anticresis.

anticristiano, na. adj. Contrario al cristianismo.

anticristo. (Del lat. *Antichristus,* y este del gr. Ἀντίχριστος, contrario a Cristo.) m. Ser maligno que, según San Juan, aparecerá antes de la segunda venida de Cristo, para seducir a los cristianos y apartarlos de su fe. Ú. t. en sent. fig.

anticrítico. adj. Contrario u opuesto a la crítica o a los críticos. Ú. t. c. s.

anticuado, da. p. p. de **anticuar.** ‖ **2.** adj. Que está en desuso desde hace tiempo; pasado de moda; propio de otra época. Apl. a pers., ú. t. c. s.

anticuar. (Del lat. *antiquāre.*) tr. p. us. Declarar antigua y sin uso alguna cosa. ‖ **2.** prnl. Quedarse anticuado.

anticuario. (Del lat. *antiquarĭus.*) m. El que hace profesión o estudio particular del conocimiento de las cosas antiguas. ‖ **2.** El que las colecciona o negocia con ellas.

anticuco, ca. adj. *C. Rica, Hond.* y *Nicar.* Muy antiguo.

anticucho. m. *Bol.* y *Perú.* Comida consistente en trocitos de carne, vísceras, etc., ensartados y asados y sazonados con distintos tipos de salsa.

anticuerpo. (De *anti-* y *cuerpo.*) m. *Biol.* y *Med.* Sustancia existente en el organismo animal o producida en él por la introducción de un antígeno, contra cuya acción reacciona específicamente. ‖ **monoclonal. anticuerpo** específico frente a un único antígeno, que se consigue mediante hibridomas.

antidáctilo. (Del lat. *antidactȳlus,* y este del gr. ἀντιδάκτυλος.) m. *Métr.* **anapesto.**

antideportivo, va. adj. Que carece de deportividad.

antideslizante. adj. Que impide que algo se deslice o patine.

antidetonante. (De *anti-* y *detonante.*) adj. Que impide la detonación. Dícese especialmente de la sustancia que se añade a los combustibles líquidos de los motores de explosión para impedir la detonación prematura.

antidiftérico, ca. adj. Que sirve para combatir la difteria. Ú. t. c. s.

antidinástico, ca. adj. Contrario a la dinastía.

antidoral. (Del lat. *antidōrum,* don que se hace por reconocimiento.) adj. *Der.* **remuneratorio.** Aplícase regularmente a la obligación natural que tenemos de corresponder a los beneficios recibidos.

antidotario. (De *antídoto.*) m. Libro que trata de la composición de los medicamentos. ‖ **2.** Lugar donde se ponen en las boticas los específicos de que se hacen los antídotos y los cordiales.

antídoto. (Del lat. *antidŏtus,* y este del gr. ἀντίδοτος.) m. Medicamento contra un veneno. ‖ **2.** Por ext., cualquier otra medicina que preserve de algún mal. ‖ **3.** fig. Medio preventivo para no incurrir en un vicio o falta.

antiemético, ca. (De *anti-* y *emético.*) adj. *Farm.* Que sirve para contener el vómito. Ú. t. c. s. m.

antier. (Del lat. *ante heri.*) adv. t. fam. **anteayer.**

antiescorbútico, ca. (De *anti-* y *escorbútico.*) adj. *Farm.* Que es eficaz contra el escorbuto. Ú. t. c. s. m.

antiespasmódico, ca. (De *anti-* y *espasmódico.*) adj. *Farm.* Que cura o calma los espasmos. Ú. t. c. s. m.

antiespumante. adj. Que impide la formación de espuma. Dícese especialmente del aditivo que se emplea para disminuir la tensión superficial de los líquidos que deben ser agitados, sin formar espuma, durante un proceso químico.

antiestático, ca. adj. Que impide la formación de electricidad estática.

antiestético, ca. adj. Contrario a la estética. ‖ **2.** Feo, mal compuesto, de mal gusto.

antifascismo. m. Tendencia contraria al fascismo.

antifascista. adj. Contrario al fascismo. Ú. t. c. s.

antifaz. (De *antefaz.*) m. Velo, máscara o cosa semejante con que se cubre la cara, especialmente la parte que rodea los ojos. ‖ **2.** Pieza en forma de **antifaz** con que se cubren los ojos para no recibir la luz.

antifebril. adj. **antipirético.** Ú. t. c. s.

antifeminismo. m. Tendencia contraria al feminismo.

antifeminista. adj. Contrario al feminismo. Ú. t. c. s.

antifernales. (Del lat. *antipherna,* y este del gr. ἀντίφερνα.) adj. pl. V. **bienes antifernales.**

antiflogístico, ca. (De *anti-* y el gr. φλογιστός, inflamación.) adj. *Med.* Que sirve para calmar la inflamación. Ú. t. c. s. m.

antífona. (Del lat. *antiphōna,* este del gr. ἀντίφωνος, el que responde.) f. Breve pasaje, tomado por lo común de la Sagrada Escritura, que se canta o reza antes y después de los salmos y de los cánticos en las horas canónicas, y guarda relación con el oficio propio del día. ‖ **2.** fig. y fam. desus. Asentaderas.

antifonal. (De *antífona.*) adj. V. **libro antifonal.** Ú. t. c. s.

antifonario. (De *antífona.*) adj. V. **libro antifonario.** Ú. t. c. s. ‖ **2.** m. fig. y fam. desus. **trasero,** culo.

antifonero, ra. m. y f. Persona destinada en el coro para entonar las antífonas.

antífrasis. (Del lat. *antiphrăsis,* y este del gr. ἀντίφρασις.) f. *Ret.* Figura que consiste en designar personas o cosas con voces que signifiquen lo contrario de lo que se debiera decir.

antifricción. (De *anti-* y *fricción.*) f. En aposición a ciertos sustantivos, como metal, significa que tal sustancia disminuye los efectos del rozamiento de las piezas, como los cojinetes, sometidas a movimientos rápidos o con grandes esfuerzos. Ú. t. c. s. m.

antigás. (De *anti-* y *gas.*) adj. Dícese de la máscara o careta destinadas a evitar la acción de los gases tóxicos.

antigénico, ca. adj. *Med.* Perteneciente o relativo al antígeno.

antígeno. (De *anti-* y *-geno.*) m. *Biol.* y *Med.* Sustancia que, introducida en un organismo animal, da lugar a reacciones inmunitarias como la formación de anticuerpos.

antigo, ga. adj. ant. **antiguo.**

antigramatical. adj. Contrario a las leyes de la gramática.

antigripal. adj. Que sirve para combatir la gripe. Ú. t. c. s. m.

antigualla. (De *antiguo,* a imitación del it. *anticaglia.*) f. Obra u objeto de arte de antigüedad remota. ‖ **2.** Noticia o relación de sucesos muy antiguos. Ú. m. en pl. ‖ **3.** Uso o estilo antiguo. Ú. m. en pl. ‖ **4.** despect. Mueble, traje, adorno o cosa semejante que ya no está de moda.

antiguamente. adv. t. En tiempo remoto, en el pasado.

antiguamiento. m. desus. Acción de antiguar o antiguarse.

antiguar. tr. desus. **anticuar.** ‖ **2.** intr. desus. Adquirir antigüedad cualquier individuo de tribunal, colegio u otra dependencia. Ú. t. c. prnl. ‖ **3.** prnl. desus. **anticuarse.**

antigubernamental. adj. Contrario al Gobierno constituido.

antigüedad. (Del lat. *antiquĭtas, -ātis,* infl. por *antigua.*) f. Calidad de antiguo. ANTIGÜEDAD *de una ciudad, de un edificio, de una familia.* ‖ **2.** Tiempo antiguo. ‖ **3.** Lo que sucedió en tiempo antiguo. ‖ **4.** Los hombres que vivieron en lo antiguo. *Esto creía la* ANTIGÜEDAD. ‖ **5.** Tiempo transcurrido desde el día en que se obtiene un empleo. ‖ **6.** pl. Monumentos u objetos artísticos de tiempo antiguo.

antiguo, gua. (Del lat. *antiquus,* infl. por *antigua,* de *antiqua.*) adj. Que existe desde hace mucho tiempo. ‖ **2.** V. **Antiguo Testamento.** ‖ **3.** Que existió o sucedió en tiempo remoto. ‖ **4.** V. **edad, ley antigua.** ‖ **5.** V. **estilo, mundo antiguo.** ‖ **6.** V. **antigua academia.** ‖ **7.** Dícese de la persona que cuenta mucho tiempo en un empleo, profesión o ejercicio. ‖ **8.** Anticuado, pasado de moda. Apl. a pers., ú. t. c. s. ‖ **9.** m. En los colegios y otras comunidades, el que había salido de moderno o nuevo. ‖ **10.** *Esc.* y *Pint.* Cualquiera de los modelos, principalmente escultóricos, que nos legó el arte griego y romano. ‖ **11.** pl. Los que vivieron en siglos remotos. ‖ **a la antigua,** o **a lo antiguo.** loc. adv. Según costumbre o uso **antiguo.** ‖ **2.** V. **chapado a la antigua.** ‖ **de antiguo.** loc. adv. Desde tiempo remoto, o desde mucho tiempo antes. ‖ **en lo antiguo.** loc. adv. En tiempo remoto.

antihelmíntico, ca. (De *anti-* y el gr. ἕλμινς, ἕλμινθος, lombriz.) adj. *Farm.* Que sirve para extinguir los gusanos productores de enfermedad. Ú. t. c. s. m.

antihéroe. m. En una obra de ficción, personaje que, aunque desempeña las funciones narrativas propias del héroe tradicional, difiere en su apariencia y valores.

antihidrópico, ca. (De *anti-* e *hidrópico.*) adj. *Farm.* Dícese de todo remedio o medicamento que se emplea para combatir la hidropesía.

antihigiénico, ca. adj. Contrario a los preceptos de la higiene.

antihipertensivo, va. adj. *Farm.* Eficaz contra la hipertensión arterial. Ú. t. c. s. m.

antihistérico, ca. (De *anti-* e *histérico.*) adj. *Farm.* Que es eficaz contra el histerismo. Ú. t. c. s. m.

antiimperialismo. m. Doctrina, opinión o movimiento político que condena o se opone a la sujeción política y económica de un país por otro.

antiimperialista. adj. Partidario del antiimperialismo. Ú. t. c. s.

antijurídico, ca. (De *anti-* y *jurídico.*) adj. Que es contra derecho.

antiliberal. adj. Contrario a las ideas liberales o a quienes las defienden. Ú. t. c. s.

antiliberalismo. m. Tendencia contraria al liberalismo.

antilogía. (Del gr. ἀντιλογία.) f. Contradicción entre dos textos o expresiones.

antilógico, ca. (Del gr. ἀντιλογικός.) adj. Contrario a la lógica.

antilogio. m. **antilogía.**

antílope. (Del b. gr. ἀντάλοψ.) m. Cualquiera de los mamíferos rumiantes de cornamenta persistente en la que el núcleo óseo es independiente de su envoltura, que forman un grupo intermedio entre las cabras y los ciervos; como la gacela y la gamuza.

antillano, na. adj. Natural de cualquiera de las Antillas. Ú. t. c. s. ‖ **2.** Perteneciente o relativo a cualquiera de ellas.

Antillas. n. p. f. V. **ipecacuana de las Antillas.**

antimacasar. (De *anti-* y *macasar.*) m. Lienzo o tapete que se ponía en el respaldo de las butacas y otros asientos para que no se manchasen con las pomadas del cabello.

antimagnético, ca. adj. Que está exento de la influencia magnética.

antimateria. f. *Fís.* Materia compuesta de antipartículas, es decir, materia en la cual cada partícula ha sido reemplazada por la antipartícula correspondiente.

antimeridiano. m. *Geogr.* Semimeridiano opuesto al que pasa por un lugar.

antimilitarismo. m. Tendencia contraria al militarismo.

antimilitarista. adj. Que profesa o siente el antimilitarismo. Apl. a pers., ú. t. c. s.

antiministerial. adj. Contrario a la política del ministerio o de los ministros.

antimonial. adj. *Quím.* Que contiene antimonio.

antimónico, ca. adj. *Quím.* Dícese de los compuestos de antimonio en los que este funciona como pentavalente.

antimonio. (Del b. lat. *antimonĭum.*) m. *Quím.* Metal duro, quebradizo, de color blanco azulado y brillante, insoluble en ácido nítrico. En pequeñas cantidades, se alea con diversos metales para darles dureza. Se usaba con el plomo de los caracteres de imprenta. Núm. atómico 51. Símb.: *Sb.*

antimonioso, sa. adj. *Quím.* Dícese de los compuestos de antimonio en los que este funciona como trivalente.

antimonita. f. Mineral de color gris plomo y brillo metálico, con textura fibrosa o granular. Es un sulfuro de antimonio y constituye la principal mena de este metal. Se conoce también como estibina.

antimoniuro. m. *Quím.* Combinación de antimonio con otro elemento químico, preferentemente metal. Alguno, como el de indio, se emplea para fabricar semiconductores.

antimoral. adj. Contrario a la moral.

antinatural. adj. **contranatural.**

antinomia. (Del lat. *antinomĭa,* y este del gr. ἀντινομία; de ἀντί, contra, y νόμος, ley.) f. Contradicción entre dos preceptos legales. ‖ **2.** Contradicción entre dos principios racionales.

antinómico, ca. adj. Que implica antinomia.

antioqueno, na. adj. Natural de Antioquía. Ú. t. c. s. ‖ **2.** Perteneciente o relativo a esta ciudad de Siria.

antioqueño, ña. adj. Natural de Antioquia. Ú. t. c. s. ‖ **2.** Perteneciente o relativo a este departamento de Colombia.

antioxidante. adj. Que evita la oxidación. Ú. t. c. s.

antipalúdico, ca. adj. Que sirve para combatir el paludismo.

antipapa. m. El que no está canónicamente elegido Papa y pretende ser reconocido como tal.

antipapado. m. Dignidad de antipapa. ‖ **2.** Tiempo que dura el ejercicio de esta dignidad.

antipapista. adj. Que no reconoce la soberanía del Papa. Ú. t. c. s.

antipara. (De *ante*[2] y *parar*[2].) f. Cancel o biombo que se pone delante de una cosa para encubrirla. ‖ **2.** Polaina o prenda de vestir que cubre la pierna solo por delante. Ú. m. en pl.

antiparasitario, ria. adj. Que elimina, o previene los parásitos. Ú. t. c. s. m.

antiparero. m. Soldado que usaba antiparas, polainas.

antiparlamentario, ria. adj. Contrario a los usos y prácticas parlamentarios.

antiparras. (De *antipara.*) f. pl. fam. **anteojos,** gafas.

antipartícula. f. *Fís.* Partícula elemental producida artificialmente, que tiene la misma masa, carga igual y contraria y momento magnético de sentido contrario que las de la partícula correspondiente. La unión de una partícula con su **antipartícula** produce la aniquilación de ambas, dando lugar a otras nuevas partículas.

antipatía. (Del lat. *antipathīa,* y este del gr. ἀντιπάθεια.) f. Sentimiento de aversión que, en mayor o menor grado, se experimenta hacia alguna persona, animal o cosa. ‖ **2.** fig. Oposición recíproca entre seres inanimados.

antipático, ca. adj. Que causa antipatía. Apl. a pers., ú. t. c. s.

antipatizar. intr. *Amér.* Sentir antipatía contra algo o alguien.

antipatriota. com. Persona que actúa en contra de su patria.

antipatriótico, ca. adj. Contrario al patriotismo.

antipedagógico, ca. adj. Contrario a los preceptos de la pedagogía.

antipendio. (Del b. lat. *antependium.*) m. Velo o tapiz de tela preciosa que tapa los soportes y la parte delantera de algunos altares entre la mesa y el suelo. ‖ **2. frontal,** para cubrir la parte delantera del altar.

antiperistáltico, ca. adj. *Fisiol.* Se aplica al movimiento de contracción del estómago y de los intestinos, en virtud del cual las materias contenidas en ellos van en sentido inverso de su curso natural o peristáltico.

antiperístasis. (Del gr. ἀντιπερίστασις.) f. Acción de dos cualidades contrarias, una de las cuales excita por su oposición el vigor de la otra.

antiperistático, ca. adj. Perteneciente o relativo a la antiperístasis.

antipirético, ca. (De *anti-* y el gr. πυρετός, fiebre.) adj. Dícese del medicamento eficaz contra la fiebre. Ú. t. c. s. m.

antipirina. (De *anti-* y el gr. πύρινος, ardiente.) f. *Quím.* Sustancia orgánica que se presenta ordinariamente en forma de polvo cristalino de color blanco. Se emplea en medicina como antipirético, analgésico y antirreumático.

antípoca. (De *anti-* y *ápoca.*) f. *Der. Ar.* Escritura de reconocimiento de un censo.

antipocar. (De *antípoca.*) tr. *Ar.* Volver a hacer obligatoria alguna cosa que había estado suspensa por mucho tiempo. ‖ **2.** *Der. Ar.* Reconocer un censo, con escritura pública, obligándose a la paga de sus réditos.

antípoda. (Del gr. ἀντίποδες, antípodas, a través del lat. *antipodes.*) adj. *Geogr.* Dícese de cualquier habitante del globo terrestre con respecto a otro que more en lugar diametralmente opuesto. Ú. m. c. s., especialmente en m. y en pl. ‖ **2.** fig. y fam. Que se contrapone totalmente a otra cosa o persona. Ú. m. c. s., especialmente en m. y en pl. ‖ **en los,** o **las antípodas.** loc. adv. En lugar o posición radicalmente opuesta o contraria.

antipodia. f. ant. **antipodio.**

antipodio. m. ant. **extraordinario,** plato que se añade a la comida habitual.

antipoético, ca. adj. Contrario a los preceptos de la poética.

antipontificado. (De *anti-* y *pontificado.*) m. **antipapado.**

antipútrido, da. (De *anti-* y *pútrido.*) adj. *Med.* Que sirve para impedir la putrefacción. Ú. t. c. s. m.

antiquísimo, ma. (Del lat. *antiquissĭmus.*) adj. sup. de **antiguo.**

antiquismo. (Del lat. *antiqŭus.*) m. desus. **arcaísmo.**

antirrábico, ca. adj. *Farm.* Dícese del medicamento que se emplea contra la rabia. Ú. t. c. s. f.

antirreglamentario, ria. adj. Que se hace o se dice contra lo que dispone el reglamento.

antirreligioso, sa. (De *anti-* y *religioso.*) adj. **irreligioso,** que se opone al espíritu religioso.

antirreumático, ca. (De *anti-* y *reumático.*) adj. *Farm.* Que sirve para curar el reuma. Ú. t. c. s. m.

antirrobo. adj. Dícese del sistema o artilugio destinado a prevenir el robo. *Alarma, cerradura* ANTIRROBO. Ú. t. c. s. amb.

antiscio. (Del gr. ἀντίσκιος, a través del lat. *antiscĭus.*) adj. Dícese de cada uno de los habitantes de las dos zonas templadas que, por vivir sobre el mismo meridiano y en hemisferios opuestos, proyectan al mediodía la sombra en dirección contraria.

antisemita. (De *anti-* y *semita.*) adj. Enemigo de la raza hebrea, de su cultura o de su influencia. Ú. t. c. s.

antisemítico, ca. adj. Perteneciente o relativo al antisemitismo.

antisemitismo. m. Doctrina o tendencia de los antisemitas.

antisepsia. (De *anti-* y el gr. σῆψις, putrefacción.) f. *Med.* Método que consiste en combatir o prevenir los padecimientos infecciosos, destruyendo los microbios que los causan.

antiséptico, ca. (De *anti-* y el gr. σηπτικός, que engendra la putrefacción.) adj. *Med.* Que sirve para la antisepsia. Ú. t. c. s. m.

antisifilítico, ca. (De *anti-* y *sifilítico.*) adj. *Farm.* Que sirve para combatir la sífilis.

antisocial. adj. Contrario, opuesto a la sociedad, al orden social. Referido a personas, ú. t. c. s.

antispasto. (Del lat. *antispastus,* y este del gr. ἀντίσπαστος; de ἀντί, contra, y σπάω, estirar.) m. Pie de las métricas griega y latina, compuesto de un yambo y un troqueo, o sea de dos sílabas largas entre dos breves.

antistrofa. (Del lat. *antistrŏpha,* y este del gr. ἀντιστροφή; de ἀντί, contra, y στροφή, vuelta.) f. En la poesía griega, segunda parte del canto lírico, compuesto de estrofa y **antistrofa,** o de estas dos partes y el epodo. La **antistrofa** consta del mismo número de versos que la estrofa.

antisudoral. adj. Dícese de la sustancia que evita o reduce el sudor excesivo. Ú. t. c. s. m.

antitanque. (De *anti-* y *tanque.*) adj. *Mil.* Dícese de las armas y proyectiles destinados a destruir tanques de guerra y otros vehículos semejantes.

antítesis. (Del lat. *antithĕsis,* y este del gr. ἀντίθεσις; de ἀντί, contra, y θέσις, posición.) f. *Fil.* Oposición o contrariedad de dos juicios o afirmaciones. ‖ **2.** fig. Persona o cosa enteramente opuesta en sus condiciones a otra. ‖ **3.** *Ret.* Figura que consiste en contraponer una frase o una palabra a otra de contraria significación.

antitetánico, ca. (De *anti-* y *tétanos.*) adj. *Med.* Dícese de los medicamentos empleados contra el tétanos. Ú. t. c. s.

antitético, ca. (Del lat. *antithetĭcus,* y este del gr. ἀντιθετικός.) adj. Que denota o implica antítesis.

antíteto. (Del lat. *antithĕton,* y este del gr. ἀντίθετον.) m. ant. *Ret.* **antítesis,** figura retórica.

antitóxico, ca. adj. Dícese de la sustancia que sirve para neutralizar una acción tóxica. Ú. t. c. s. m.

antitoxina. (De *anti-* y *toxina.*) f. *Fisiol.* Anticuerpo que se forma en el organismo a consecuencia de la introducción de una toxina determinada y sirve para neutralizar ulteriormente nuevos ataques de la misma toxina.

antitrago. (Del gr. ἀντίτραγος.) m. Prominencia de la oreja humana, situada en la parte inferior del pabellón y opuesta al trago.

antitrinitario, ria. (De *anti-* y *trinitario.*) adj. Dícese de los que niegan que en Dios haya tres personas distintas. Ú. m. c. s. ‖ **2.** Perteneciente a esta doctrina.

antituberculoso, sa. adj. Perteneciente o relativo a los procedimientos e instituciones para combatir la tuberculosis.

antivariólico, ca. (De *anti-* y *variólico;* del b. lat. *variŏla,* postilla.) adj. Que sirve para combatir la viruela.

antivenéreo, a. adj. Que combate las afecciones venéreas.

antociana. (Del gr. ἄνθος, flor, y κύανος, azul.) f. *Bot.* **antocianina.**

antocianina. (Del gr. ἄνθος, flor, y κύανος, azul.) f. *Bot.* Cualquiera de los pigmentos que se encuentran disueltos en el protoplasma de las células de diversos órganos vegetales, y a los cuales deben su color las corolas de todas las flores azules y violadas y de la mayoría de las rojas, así como también el epicarpio de muchos frutos.

antofagastino, na. adj. Natural de Antofagasta. Ú. t. c. s. ‖ **2.** Perteneciente o relativo a esta ciudad y provincia chilenas.

antófago, ga. (Del gr. ἄνθος, flor, y φάγομαι, comer.) adj. *Zool.* Se dice de los animales que principalmente se alimentan de flores.

antófilo. (Del gr. ἄνθος, flor, y φύλλον, hoja.) m. *Bot.* Hoja más o menos transformada, y por lo común coloreada que forma parte del periantio de las fanerógamas.

antojadizamente. adv. m. Con antojo.

antojadizo, za. (De *antojado.*) adj. Que tiene antojos con frecuencia.

antojado, da. p. p. de **antojarse.** ‖ **2.** adj. Que tiene antojo de alguna cosa.

antojamiento. (De *antojarse.*) m. ant. Acción y efecto de antojarse.

antojana. (Del lat. *ante,* delante, y *ostĭum,* puerta, con el suf. *-ana.*) f. *Ast.* **antuzano.**

antojanza. (De *antojarse.*) f. ant. **antojamiento.**

antojarse. (De *antojo.*) prnl. Hacerse objeto de vehemente deseo alguna cosa. Se usa más generalmente tratándose de lo que se apetece o quiere por puro capricho. Solo se usa en las terceras personas con alguno de los pronombres personales *me, te, le, nos,* etc. SE ME ANTOJÓ *una flor; no hace más que lo que* SE LE ANTOJA. ‖ **2.** Ofrecerse a la consideración como probable alguna cosa. SE ME ANTOJA *que va a llover.*

antojera. (De *antojo.*) f. **anteojera,** pieza de guarnición que cubre por los lados los ojos de las caballerías.

antojitos. m. pl. *Méj.* Aperitivo, tapa.

antojo. (Del lat. *ante ocŭlum,* delante del ojo.) m. Deseo vivo y pasajero de alguna cosa. ‖ **2.** Juicio o aprehensión que se hace de alguna cosa sin bastante examen. ‖ **3.** Lunar, mancha o tumor eréctil que suelen presentar en la piel algunas personas, y que el vulgo atribuye a caprichos no satisfechos de sus madres durante el embarazo. ‖ **4.** *Nav.* y *P. Vasco.* Fastidio, asco, hastío. ‖ **5.** pl. ant. **anteojo,** instrumento óptico. ‖ **6.** *Germ.* **grillos** de los presos.

antojuelo. m. d. de **antojo.**

antología. (Del gr. ἀνθολογία; de ἄνθος, flor, y λέγω, escoger.) f. Colección de piezas escogidas de literatura, música, etc. ‖ **de antología.** loc. adj. fig. Digno de ser destacado, extraordinario.

antológico, ca. adj. Propio de una antología o perteneciente a ella. ‖ **2.** fig. Digno de ser destacado, extraordinario.

antólogo, ga. m. y f. Colector de una antología.

Antón. n. p. V. **cochinilla[1], cochinito, fuego, gusano, mal, vaca de San Antón.**

antoniano, na. adj. Dícese del religioso de la orden de San Antonio Abad. Ú. t. c. s. ‖ **2.** Perteneciente a esta orden.

antonimia. f. *Gram.* Calidad de antónimo.

antónimo, ma. (Del gr. ἀντί, contra, y ὄνομα, nombre.) adj. *Gram.* Dícese de las palabras que expresan ideas opuestas o contrarias: *virtud* y *vicio; claro* y *oscuro; antes* y *después.* Ú. t. c. s. m.

antoniniano, na. (Del lat. *antoninianus.*) adj. Perteneciente o relativo a cualquiera de los emperadores Antoninos. ‖ **2.** m. *Numism.* Moneda de plata y después de vellón que acabó por reemplazar al denario durante la decadencia del Imperio romano.

antonino, na. adj. **antoniano.** Apl. a pers., ú. t. c. s.

antonomasia. (Del lat. *antonomasĭa,* y este del gr. ἀντονομασία.) f. *Ret.* Sinécdoque que consiste en poner el nombre apelativo por el propio, o el propio por el apelativo; v. gr.: *El Apóstol,* por *San Pablo; un Nerón,* por *un hombre cruel.* ‖ **por antonomasia.** loc. adv. que además de su significación propia, se usa para denotar que a una persona o cosa le conviene el nombre apelativo con que se la designa, por ser, entre todas las de su clase, la más importante, conocida o característica.

antonomásticamente. adv. m. Por antonomasia.

antonomástico, ca. adj. Perteneciente o relativo a la antonomasia.

antor. (Del lat. *auctor, -ōris.*) m. *Der. Ar.* Vendedor de quien se ha comprado de buena fe alguna cosa hurtada.

antorcha. (Probablemente del prov. ant. *entorcha.*) f. **hacha[1].** ‖ **2.** fig. Lo que sirve de norte y guía para el entendimiento.

antorchar. tr. **entorchar.**

antorchera. f. *Ar.* **antorchero.**

antorchero. m. Candelero o araña para poner antorchas, que se usó antiguamente.

antoría. f. *Der. Ar.* Derecho de reclamar contra el antor.

antosta. f. *Ar.* Fragmento de tabique o techo desprendido y caído al suelo.

antoviar. (Del lat. *ante* y *obviāre,* salir al encuentro.) tr. ant. **antuviar.** Usáb. m. c. prnl.

antozoo. (Del gr. ἄνθος, flor, y ζῷον, animal.) adj. *Zool.* Dícese de ciertos celentéreos que en el estado adulto viven fijos sobre el fondo del mar, no presentan nunca la forma de medusa y están constituidos, ya por un solo pólipo, ya por una colonia de muchos pólipos que frecuentemente están unidos entre sí por un polipero; los pólipos tienen alrededor de la boca tentáculos en número de ocho, seis o un múltiplo de seis; como la actinia y el coral. Ú. m. c. s. ‖ **2.** m. pl. *Zool.* Clase de estos animales.

antracita. (Del lat. *anthracītes,* y este del gr. ἀνθρακίτης, de ἄνθραξ, carbón.) f. Carbón fósil seco o poco bituminoso que arde con dificultad y sin conglutinarse.

antracosis. (Del gr. ἄνθραξ, -ακος, carbón.) f. *Med.* Neumoconiosis producida por el polvo del carbón.

ántrax. (Del lat. *anthrax,* y este del gr. ἄνθραξ, carbunclo.) m. *Pat.* Inflamación confluente de varios folículos pilosos, generalmente debida al estafilococo, con abundante formación de pus y, a veces, complicaciones locales y generales graves, sobre todo si recae en personas diabéticas. ‖ **maligno. carbunco.**

antro. (Del lat. *antrum,* y este del gr. ἄντρον.) m. Caverna, cueva, gruta. Ú. m. en poesía. ‖ **2.** fig. Local, establecimiento, vivienda, etc., de mal aspecto o reputación.

antropo-. (Del gr. ἀνθρωπο-.) Elemento compositivo que significa «hombre»: ANTROPO*logía,* ANTROPO*morfo.*

antropocéntrico, ca. adj. Perteneciente o relativo al antropocentrismo.

antropocentrismo. (De *antropo-* y *centro.*) m. *Fil.* Doctrina o teoría que supone que el hombre es el centro de todas las cosas, y el fin absoluto de la naturaleza.

antropofagia. (Del gr. ἀνθρωποφαγία.) f. Costumbre de comer el hombre carne humana. ‖ **2.** Acto de comerla.

antropófago, ga. (Del lat. *anthropophăgus,* y este del gr. ἀνθρωποφάγος.) adj. Dícese del que come carne humana. Ú. t. c. s.

antropografía. (De *antropo-* y *-grafía.*) f. Parte de la antropología, que trata de la descripción de las razas humanas y de sus variedades.

antropográfico, ca. adj. Perteneciente o relativo a la antropografía.

antropoide. (Del gr. ἀνθρωποειδής.) adj. *Zool.* Dícese de los animales que por sus caracteres morfológicos externos se asemejan al hombre; se aplica especialmente a los monos antropomorfos. Ú. t. c. s.

antropoideo, a. (De *antropo-* y el suf. *-oideo.*) adj. **antropomorfo.**

antropología. (De *antropo-* y *-logía.*) f. Ciencia que trata de los aspectos biólogicos del hombre y de su comportamiento como miembro de una sociedad.

antropológico, ca. adj. Perteneciente o relativo a la antropología.

antropólogo, ga. (Del gr. ἀνθρωπολόγος.) m. y f. Persona que profesa la antropología o en ella tiene especiales conocimientos.

antropómetra. com. Perito en antropometría.

antropometría. (De *antropo-* y *-metría.*) f. Tratado de las proporciones y medidas del cuerpo humano.

antropométrico, ca. adj. Perteneciente o relativo a la antropometría. ‖ **2.** V. **ficha antropométrica.**

antropomórfico, ca. adj. Perteneciente o relativo al antropomorfismo.

antropomorfismo. (De *antropomorfo.*) m. Conjunto de creencias o de doctrinas que atribuyen a la divinidad la figura o las cualidades del hombre. ‖ **2.** Herejía de los antropomorfitas. ‖ **3.** Tendencia a atribuir rasgos y cualidades humanos a las cosas.

antropomorfita. (Del lat. *anthropomorphītae,* y este del gr. ἀνθρωπομορφῖται.) adj. Dícese de ciertos herejes que atribuyen a Dios cuerpo humano. Ú. m. c. s.

antropomorfo, fa. (Del lat. *anthropomorphos,* y este del gr. ἀνθρωπόμορφος.) adj. Que tiene forma o apariencia humana. ‖ **2.** *Zool.* Dícese de los monos catirrinos, sin cola, como el chimpancé, el gorila, el orangután, etc. Ú. t. c. s. ‖ **3.** m. pl. *Zool.* Grupo de estos animales.

antroponimia. (De *antropo-* y el gr. ὄνομα, nombre.) f. Estudio del origen y significación de los nombres propios de persona.

antroponímico, ca. adj. Perteneciente o relativo a la antroponimia.

antropónimo. m. Nombre propio de persona.

antropopiteco. (De *antropo-* y el gr. πίθηκος, mono.) m. *Paleont.* Animal, cuyos restos fósiles fueron descubiertos en Java, que vivió en el período pleistoceno y al que los partidarios de la doctrina transformista consideran uno de los antepasados del hombre.

antroposofía. (De *antropo-* y el gr. σοφία, sabiduría.) f. Conocimiento de la naturaleza humana. ‖ **2.** Doctrina derivada de la teosofía y fundada a principios del s. XX, por Rudolf Steiner, filósofo austríaco.

antropósofo, fa. (De *antropo-* y el gr. σοφός, sabio.) m. y f. Persona que profesa la antroposofía.

antruejada. (De *antruejar.*) f. Broma grotesca en tiempo de carnaval.

antruejar. (De *antruejo.*) tr. Mojar o hacer otra burla en carnestolendas.

antruejo. (De *entruejo.*) m. Los tres días de carnestolendas.

antruido. (Del lat. *introĭtus,* entrada.) m. ant. **antruejo.**

antuerpiense. (Del lat. *Antuerpiensis.*) adj. Natural de Antuerpia, hoy Amberes. Ú. t. c. s. ‖ **2.** Perteneciente o relativo a esta ciudad de Bélgica.

antuviada. (De *antuviar.*) f. fam. Golpe o porrazo dado de improviso.

antuviado, da. p. p. de **antuviar.** ‖ **2.** adj. ant. Que se anticipa, precoz.

antuviador, ra. adj. ant. Que antuvia. Usáb. t. c. s.

antuviar. (De *ante-* y *uviar.*) tr. ant. Adelantar, anticipar. Usáb. m. c. prnl. ‖ **2.** fam. Dar de repente, o antes que otro, un golpe.

antuvio. (De *antuviar.*) m. ant. Acción anticipada o precipitada.

antuvión. (De *antuvio.*) m. fam. Golpe o acometimiento repentino. ‖ **2.** fig. El que da el golpe anticipado. ‖ **de antuvión.** loc. adv. fam. De repente, inopinadamente. ‖ **jugar de antuvión.** fr. fam. Adelantarse o ganar por la mano al que quiere hacer algún daño o agravio.

antuzano. (Del lat. *ante,* delante, y *ostĭum,* puerta.) m. *Vizc.* Atrio o plazuela delante de una casa.

anual. (Del lat. *annuālis.*) adj. Que sucede o se repite cada año. ‖ **2.** Que dura un año.

anualidad. f. Calidad de anual. ‖ **2.** Importe anual de una renta o carga periódica. ‖ **3.** Renta de un año, que pagaba al erario el que obtenía alguna prebenda eclesiástica. ‖ **de amortización.** *Econ.* La que se destina a amortizar una deuda. ‖ **de capitalización.** *Econ.* La que se destina a formar un capital.

anualmente. adv. t. Cada año.

anuario. (De *anuo.*) m. Libro que se publica cada año como guía para determinadas profesiones, con información, direcciones y otros datos de utilidad. ‖ **2.** Revista de prensa de periodicidad anual.

anúbada. (Del ár. *an-nudba,* la invitación.) f. **anúteba.**

anubado, da. (De *nube.*) adj. **anubarrado.**

anubarrado, da. adj. Nubloso, cubierto de nubes. ‖ **2.** fig. Pintado imitando nubes.

anublar. (De *añublar,* infl. por *nublar.*) tr. Ocultar las nubes el azul del cielo o la luz de un astro, especialmente la del Sol o la Luna. Ú. t. c. prnl. ‖ **2.** fig. Oscurecer, empañar, amortiguar. ANUBLAR *la fama, las virtudes, la alegría.* Ú. t. c. prnl. ‖ **3.** fig. Marchitar o poner mustias y secas las plantas o alguna parte de ellas. Ú. m. c. prnl. ‖ **4.** *Germ.* Cubrir cualquier cosa. ‖ **5.** prnl. Desvanecerse alguna cosa que se deseaba o pretendía.

anublo. (De *anublar.*) m. **añublo.**

anudador, ra. adj. Que anuda. Ú. t. c. s.

anudadura. f. **anudamiento.**

anudamiento. m. Acción y efecto de anudar o anudarse.

anudar. (De *añudar,* infl. por *nudo.*) tr. Hacer uno o más nudos. Ú. t. c. prnl. ‖ **2.** Juntar o unir, mediante un nudo, dos hilos, dos cuerdas, o cosas semejantes. Ú. t. c. prnl. ‖ **3.** fig. Juntar, unir. Ú. t. c. prnl. ‖ **4.** fig. Continuar lo interrumpido. ‖ **5.** prnl. Dejar de crecer o medrar las personas, los animales o las plantas, y no llegar, por consiguiente, a la perfección que podían tener.

anudrido, da. (Del lat. *innutritus,* no alimentado.) adj. *Sal.* Consumido, extenuado, depauperado.

anudrirse. prnl. *Sal.* Extenuarse, desnutrirse, quedar anudrido.

anuencia. (Del lat. *annuens, -entis,* anuente.) f. **consentimiento,** permisión.

anuente. (Del lat. *annŭens, -entis,* p. a. de *annuĕre,* aprobar.) adj. Que consiente.

anulable. adj. Que se puede anular.

anulación. f. Acción y efecto de anular o anularse.

anulador, ra. adj. Que anula. Ú. t. c. s.

anular[1]. (Del lat. *anulāris.*) adj. Perteneciente o relativo al anillo. ‖ **2.** De figura de anillo. ‖ **3.** m. **dedo anular.**

anular[2]. (De *a-*[1] y *nulo.*) tr. Dar por nulo o dejar sin fuerza una disposición, contrato, etc. Ú. t. c. prnl. ‖ **2.** Suspender algo previamente anunciado o proyectado. Ú. t. c. prnl. ‖ **3.** fig. Incapacitar, desautorizar a uno. Ú. t. c. prnl. ‖ **4.** prnl. fig. Retraerse, humillarse o postergarse.

anulativo, va. adj. Dícese de lo que tiene fuerza para anular.

anulete. (Del lat. *anŭlus,* anillo.) m. *Blas.* Pieza en forma de anillo que se dibuja en el escudo.

ánulo[1]. (Del lat. *anŭlus,* anillo.) m. *Arq.* Anillo o gradecilla. Se usa especialmente hablando del astrágalo de los capiteles dóricos griegos formado por tres líneas entrantes.

ánulo[2], la. adj. ant. **anual.**

anuloso, sa. (Del lat. *anŭlus,* anillo.) adj. Compuesto de anillos. ‖ **2. anular[1].**

anumeración. (Del lat. *annumeratĭo, -ōnis.*) f. ant. **numeración.**

anumerar. (Del lat. *annumerāre.*) tr. ant. **numerar.**

anuncia. f. ant. **anuncio,** pronóstico.

anunciación. (Del lat. *annuntiatĭo, -ōnis.*) f. Acción y efecto de anunciar. ‖ **2.** Por antonom., el anuncio que el Arcángel San Gabriel hizo a la Virgen del misterio de la Encarnación.

anunciador, ra. (Del lat. *annuntiātor, -ōris.*) adj. Que anuncia. Ú. t. c. s.

anunciamiento. (De *anunciar.*) m. ant. **anunciación.**

anunciante. p. a. de **anunciar.** Que anuncia. Ú. t. c. s.

anunciar. (Del lat. *annuntiāre.*) tr. Dar noticia o aviso de alguna cosa; publicar, proclamar, hacer saber. ‖ **2. pronosticar.** ‖ **3.** Hacer saber el nombre de un visitante a la persona por quien desea ser recibido. ‖ **4.** Dar publicidad a alguna cosa con fines de propaganda comercial.

anuncio. (Del lat. *annuntĭus.*) m. Acción y efecto de anunciar. ‖ **2.** Conjunto de palabras o signos con que se anuncia algo. ‖ **3. pronóstico,** acción de pronosticar. ‖ **4. pronóstico,** señal que sirve para pronosticar. ‖ **5.** V. **tablón de anuncios.**

anuo, nua. (Del lat. *annŭus.*) adj. **anual.** ‖ **2.** V. **paralaje anua.**

anuria. (Del gr. ἀν, priv., y οὖρον, orina.) f. *Med.* Cesación total de la secreción urinaria.

anuro, ra. (Del gr. ἀν, priv., y οὐρά, cola.) adj. *Zool.* Que carece de cola. ‖ **2.** *Zool.* Dícese de los batracios que tienen cuatro extremidades y carecen de cola; como la rana y el sapo. Ú. t. c. s. ‖ **3.** m. pl. *Zool.* Orden de estos batracios.

anúteba. (Del ár. *an-nudba,* la invitación.) f. ant. Llamamiento a la guerra. ‖ **2.** Antigua prestación personal para reparar los sótanos y muros de los castillos y ponerlos en estado de defensa. ‖ **3.** Tributo que se pagaba por redimirse de este servicio personal. ‖ **4.** ant. Pelotón de gente ocupada en aquella faena.

anverso. (Del lat. *anteversus.*) m. En las monedas y medallas, haz que se considera principal por llevar el busto de una persona o por otro motivo. ‖ **2.** *Impr.* Cara en que va impresa la primera página de un pliego. ‖ **3.** *Impr.* Forma o molde con que se imprime el **anverso** o blanco de un pliego.

-anza. (Del lat. *-antĭa.*) suf. de sustantivos verbales que denota acción y efecto: *alab*ANZA, *veng*ANZA; cualidad: *semej*ANZA, *templ*ANZA; agente: *orden*ANZA; instrumento o medio: *libr*ANZA.

anzoateguiense. adj. Natural del Estado venezolano de Anzoátegui. Ú. t. c. s. ‖ **2.** Perteneciente o relativo a dicho Estado.

anzolar. tr. Poner anzuelos. ‖ **2.** Coger algo con ellos.

anzolero. m. El que hace o vende anzuelos.

anzuelo. (Del lat. **hamiceŏlus,* d. de *hamus,* anzuelo.) m. Arponcillo o garfio, pequeño por lo común, de hierro u otro metal, que, pendiente de un sedal o alambre y, puesto en él algún cebo, sirve para pescar. ‖ **2.** Especie de fruta de sartén. ‖ **3.** fig. y fam. Atractivo o aliciente. ‖ **caer en el anzuelo.** fr. fig. y fam. **caer en el lazo.** ‖ **echar el anzuelo.** fr. fig. y fam. Emplear artificios para atraer, generalmente con engaño. ‖ **picar en el anzuelo.** fr. fig. y fam. **caer en el anzuelo.** ‖ **roer el anzuelo.** fr. fig. y fam. Libertarse de algún riesgo. ‖ **tragar el anzuelo.** fr. fig. y fam. **caer,** o **picar, en el anzuelo.**

aña. (De or. vasco.) f. *Ál.* **nodriza.** ‖ **seca.** *Ál., Cantabria* y *Vizc.* **ama seca.**

-aña. (Del lat. *-anĕa.*) V. **-año.**

añacal. (Del ár. *an-naqqāl,* el que lleva o portea.) m. El que lleva el trigo al molino. ‖ **2.** Tabla en que se lleva el pan al horno, después de amasado, y del horno a las casas, después de cocido. Ú. m. en pl.

añacalero. (De *añacal.*) m. *And.* **añacal.** ‖ **2.** *Cád.* El que acarrea cal, teja, ladrillo y otros materiales para las obras.

añacea. (Del ár. *an-nazāha,* el recreo, la diversión.) f. ant. Fiesta, regocijo, diversión.

añacear. (De *añacea.*) intr. ant. Regocijarse, divertirse.

añada. f. Discurso o tiempo de un año. ‖ **2.** Temporal bueno o malo que hace durante un año. ‖ **3.** Cada una de las hojas de una dehesa o de una tierra de labor. ‖ **4.** Cosecha de cada año, y especialmente la del vino.

añadido, da. p. p. de **añadir.** ‖ **2.** m. Añadidura, adición. ‖ **3. postizo,** y más particularmente trenza postiza que suelen usar las mujeres.

añadidura. f. Lo que se añade a alguna cosa. ‖ **2.** Especialmente lo que el vendedor da más del justo peso, o el pedazo pequeño que añade para completarlo. ‖ **por añadidura.** loc. adv. **además.**

añadimiento. m. ant. **añadidura.**

añadir. (Del lat. **inaddĕre,* de *addĕre,* añadir.) tr. Agregar, incorporar una cosa a otra. ‖ **2.** Aumentar, acrecentar, ampliar.

añafea. (Del ár. *an-nafāya,* el desecho.) f. V. **papel de añafea.**

añafil. (Del ár. *an-nafīr,* la trompeta.) m. Trompeta recta morisca de unos 80 centímetros de longitud, que se usó también en Castilla. ‖ **2. añafilero.**

añafilero. m. El que toca el añafil.

añagaza. (Del ár. *an-naqqāza,* la caza.) f. Señuelo para coger aves. Comúnmente es un pájaro de la especie de los que se trata de cazar. ‖ **2.** fig. Artificio para atraer con engaño.

añal. (Del lat. *annālis.*) adj. **anual.** ‖ **2.** Se dice del cordero, becerro o macho cabrío que tiene un año cumplido. Ú. t. c. s. ‖ **3.** m. Ofrenda que se da por los difuntos el primer año después de su fallecimiento. ‖ **4.** ant. **aniversario,** de un suceso. ‖ **5.** pl. ant. Anales[1], relación de sucesos por año.

añalejo. (De *añal.*) m. Especie de calendario para los eclesiásticos, que señala el orden y rito del rezo y oficio divino de todo el año.

añangotarse. prnl. *Sto. Dom.* **ñangotarse,** ponerse en cuclillas.

añares. m. pl. *R. de la Plata.* Mucho tiempo, muchos años. Ú. m. con el verbo *hacer.*

añás. (De or. quechua.) f. Especie de zorra del Perú.

añascar. (De or. inc.; cf. ár. *an-našq,* el hecho de quedar cogido en una trampa.) tr. desus. Juntar o recoger poco a poco cosas menudas, y de poco valor. ‖ **2.** desus. Enredar, embrollar. Ú. t. c. prnl.

añazme. (Del ár. *an-nazm,* el sartal de perlas.) m. ant. **ajorca.**

añedir. tr. ant. **añadir.**

añejado, da. p. p. de **añejar.** ‖ **2.** m. Acción y efecto de añejar.

añejamiento. m. Acción y efecto de añejar o añejarse.

añejar. (De *añejo.*) tr. Hacer añeja alguna cosa. Ú. t. c. prnl. ‖ **2.** prnl. Alterarse algunas cosas con el transcurso del tiempo, ya mejorándose, ya deteriorándose. Comúnmente se dice del vino y de algunos comestibles.

añejez. (De *añejo.*) f. Calidad de añejo.

añejo, ja. (Del lat. *annicŭlus,* de un año[1].) adj. Dícese de ciertas cosas que tienen uno o más años. *Tocino, vino* AÑEJO. ‖ **2.** fig. y fam. Que tiene mucho tiempo. *Vicio* AÑEJO; *noticia* AÑEJA.

añero, ra. (De *año*[1].) adj. *Chile.* **vecero,** dicho de las plantas.

añicos. (Del ár. *an-niqḍ,* lo deshecho, lo roto.) m. pl. Pedazos o piezas pequeñas en que se divide alguna cosa al romperse. ‖ **hacerse** alguien **añicos.** fr. fig. y fam. Quedarse fatigado, física o moralmente, por un esfuerzo o preocupación.

añidir. tr. ant. **añadir.** Ú. en Soria.

añil. (Del ár. *an-nīl,* la planta del índigo.) m. Arbusto perenne de la familia de las papilionáceas, de tallo derecho, hojas compuestas, flores rojizas en espiga o racimo, y fruto en vaina arqueada, con granillos lustrosos, muy duros, parduscos o verdosos y a veces grises. ‖ **2.** Pasta de color azul oscuro, con visos cobrizos, que de los tallos y hojas de esta planta se saca por maceración en agua. ‖ **3.** Color de esta pasta.

añilar. tr. Dar o teñir de añil.

añilería. f. Hacienda de campo donde se cultiva y elabora el añil.

añinero. m. El que trabaja en añinos. ‖ **2.** El que comercia con ellos.

añino, na. (Del lat. *agnīnus,* de cordero.) adj. **añal,** dicho del cordero. ‖ **2.** m. Cordero de un año. ‖ **3.** pl. Pieles no tonsuradas de corderos de un año o menos. ‖ **4.** Lana de corderos.

añir. m. ant. **añil.**

añirar. tr. ant. **añilar.**

año[1]**.** (Del lat. *annus.*) m. *Astron.* Tiempo que transcurre durante una revolución real del eje de la Tierra en su órbita alrededor del Sol, o aparente del Sol en la eclíptica alrededor de la Tierra. ‖ **2.** Período de doce meses, a contar desde el día 1 de enero hasta el 31 de diciembre, ambos inclusive. ‖ **3.** Período de doce meses, a contar desde un día cualquiera. ‖ **4.** fig. y fam. Seguido de expresiones como *de la nana, de la nanita, de la pera, de la polca,* y otras, indica época remota. ‖ **5.** V. **cabo de año.** ‖ **6.** fig. Persona que cae con otra en el sorteo de damas y galanes que se acostumbraba hacer la víspera de **año** nuevo. ‖ **7.** pl. Día en que alguno cumple **años.** *Celebrar los* AÑOS; *dar los* AÑOS. ‖ **8.** Edad, tiempo vivido. *Está muy joven para sus* AÑOS. ‖ **9.** V. **día de años.** ‖ **académico.** Período de un **año** que comienza con la apertura del curso, después de las vacaciones del anterior. ‖ **anomalístico.** *Astron.* Tiempo que transcurre entre dos pasos consecutivos de la Tierra por el afelio o el perihelio de su órbita; consta de 365 días, 6 horas, 13 minutos y 59 segundos. ‖ **árabe.** *Astron.* **año lunar.** ‖ **astral,** o **astronómico.** *Astron.* **año sidéreo.** ‖ **bisiesto.** El que excede el **año** común en un día, que se añade al mes de febrero. Se repite cada cuatro **años,** a excepción del último de cada siglo cuyo número de centenas no sea múltiplo de cuatro. ‖ **civil.** El que consta de un número cabal de días: 365 si es común o 366 si bisiesto. ‖ **climatérico.** El séptimo o noveno de la edad de una persona y sus múltiplos, en los cuales, según antigua opinión, se opera un cambio notable en la constitución física del hombre. ‖ **2.** El que es calamitoso. ‖ **común.** El que consta de 365 días. ‖ **de gracia. año** de la era cristiana. ‖ **de jubileo. año santo.** ‖ **de luz.** *Astron.* **año luz.** ‖ **de nuestra salud. año de gracia.** ‖ **eclesiástico.** El que gobierna las solemnidades de la Iglesia y empieza en la primera domínica de adviento. ‖ **económico.** Espacio de doce meses durante el cual rigen los presupuestos de gastos e ingresos públicos. ‖ **embolismal.** El que se compone de 13 lunaciones, añadiéndose una sobre las 12 de que consta el **año** puramente lunar para ajustar los **años** lunares con los solares. ‖ **emergente.** El que se empieza a contar desde un día cualquiera que se señala hasta otro igual del **año** siguiente, como el que se da de tiempo en las disposiciones y edictos, empezándose a contar desde el día de la fecha. ‖ **escolar.** Período que comienza con la apertura de las escuelas públicas después de las vacaciones del curso anterior. ‖ **fatal.** *Der.* El que se señalaba como término perentorio para interponer y mejorar las apelaciones en ciertas causas. ‖ **intercalar. año bisiesto.** ‖ **lunar.** *Astron.* Período de 12 revoluciones sinódicas de la Luna, o sea de 354 días. ‖ **luz.** Medida astronómica de longitud, equivalente a la distancia recorrida por la luz en el vacío durante un **año.** ‖ **nuevo.** El que está a punto de empezar o el que ha empezado recientemente. ‖ **2.** V. **día de año nuevo.** ‖ **político. año civil.** ‖ **santo.** El del jubileo universal que se celebra en Roma en ciertas épocas, y después por bula se suele conceder en las iglesias señaladas, para todos los pueblos de la cristiandad. ‖ **santo de Santiago.** Aquel en que están concedidas singulares indulgencias a los que peregrinan a visitar el sepulcro del apóstol Santiago, y es el **año** en que el día del santo cae en domingo. ‖ **sideral,** o **sidéreo.** *Astron.* Tiempo que transcurre entre dos pasos consecutivos de la Tierra por el mismo punto de su órbita. Es el **año** propiamente dicho, y consta de 365 días, 6 horas, 9 minutos y 24 segundos. ‖ **sinódico.** *Astron.* Tiempo que media entre dos conjunciones consecutivas de la Tierra con un mismo planeta. ‖ **trópico.** *Astron.* Tiempo que transcurre entre dos pasos consecutivos y reales de la Tierra o aparentes del Sol por el mismo equinoccio o el mismo solsticio. Consta de 365 días, 5 horas, 48 minutos y 48 segundos. ‖ **vulgar. año común.** ‖ **años de discreción. uso de razón.** ‖ **año y vez.** expr. con que se significa, hablando de tierras, la que se siembra un **año** sí y otro no, y tratándose de árboles, el que produce un **año** sí y otro no. ‖ **de buen año.** loc. adv. Gordo, saludable. Úsase generalmente con el verbo *estar.* ‖ **entrado en años.** expr. De edad provecta. ‖ **entre año.** loc. adv. En el discurso del **año,** durante el **año.** ‖ **estar a años luz.** fr. fig. e hiperbólica con que se indica que una persona o una cosa dista extraordinariamente de otra, bien en un sentido espacial, bien en cualquier otro sentido. ‖ **ganar año.** fr. fam. Ser aprobado el estudiante en los exámenes de fin de curso. ‖ **jugar los años.** fr. fam. Jugar por diversión o entretenimiento, sin que se atraviese interés alguno. ‖ **¡mal año!** interj. fam. que se usa para dar fuerza o énfasis a lo que se dice o asegura. ‖ **mal año para** alguna persona o cosa. expr. fam. que se usa como imprecación. ‖ **no hay quince años feos.** fr. fam. que denota que la juventud suple en las mujeres la falta de hermosura, haciendo que parezcan bien. ‖ **perder año.** fr. fam. No ser aprobado el estudiante en los exámenes de fin de curso. ‖ **por los años de.** loc. Por el tiempo que se indica, sobre poco más o menos. *Esto debió de ocurrir* POR LOS AÑOS DE 1585. ‖ **quitarse** alguien **años.** fr. fig. y fam. Declarar menos **años** de los que tiene. ‖ **saber** alguien **bastante para su año.** fr. fam. Saber manejarse en sus negocios con más habilidad de la que aparenta. ‖ **viva usted mil años,** o **muchos años.** expr. que se emplea para manifestar agradecimiento y como saludo.

año[2]**.** (Del lat. *agnus,* cordero.) m. *Gal.* y *León.* Recental, corderillo de poca edad.

-año, ña. (Del lat. *-anĕus.*) suf. de sustantivos y adjetivos procedentes del lat.: *soterr*AÑO, *extr*AÑO, *entr*AÑA. En español ha formado algunos sustantivos verbales: *traves*AÑO, o derivados de otros sustantivos: *espad*AÑA.

añojada. f. Conjunto de añojos.

añojal. (De *añojo,* de un año.) m. Pedazo de tierra que se cultiva algunos años y después se deja erial por más o menos tiempo. ‖ **2.** Monte de un año después de una roza; monte claro y nuevo.

añojo, ja. (De *año*[1].) m. y f. Becerro o cordero de un año cumplido. ‖ **2.** m. Carne de becerro **añojo** para uso comestible.

añoranza. (Del cat. *enyorança.*) f. Acción de añorar, nostalgia.

añorar. (Del cat. *enyorar.*) tr. Recordar con pena la ausencia, privación o pérdida de persona o cosa muy querida. Ú. t. c. intr.

añoso, sa. (Del lat. *annōsus.*) adj. De muchos años.

añozgar. (Del lat. **innodicāre,* dar un nudo.) tr. *Sal.* **añusgar.**

añublar. (Del lat. *innubilāre.*) tr. **anublar.** Ú. t. c. prnl.

añublo. (De *añublar.*) m. Honguillo parásito que ataca las cañas, hojas y espigas de los cereales, formando globulillos a manera de postillas de color oscuro, que luego se hacen negras, sin dar mal olor.

añudador, ra. adj. Que añuda. Ú. t. c. s.

añudadura. f. **añudamiento.**

añudamiento. m. Acción y efecto de añudar o añudarse.

añudar. (Del lat. *innodāre.*) tr. **anudar.** Ú. t. c. prnl.

añusgarse. (Del lat. **innodicāre*, de *innodāre*, añudar.) prnl. Atragantarse, estrecharse el tragadero como si le hubieran hecho un nudo. ‖ **2.** fig. Enfadarse o disgustarse.

aocar. (Del lat. *ad-occāre*, cavar.) tr. ant. **ahuecar.**

aojador, ra. adj. Que aoja[1]. Ú. t. c. s.

aojadura. f. **aojo.**

aojamiento. f. **aojo.**

aojar[1]. (De *ojo.*) tr. Hacer mal de ojo. ‖ **2.** fig. Desgraciar o malograr una cosa. ‖ **3.** ant. **mirar,** dirigir la vista.

aojar[2]. (De *ox.*) tr. **ojear[2].**

aojo. m. Acción y efecto de aojar[1].

aónides. (Del lat. *Aonĭdes*, de Aonia o Beocia; por hallarse en esta comarca el monte Helicón y la fuente Hipocrene, consagrados a las musas.) f. pl. Las musas.

aonio, nia. (Del lat. *Aonĭus.*) adj. **beocio.** Apl. a pers., ú. t. c. s. ‖ **2.** fig. Perteneciente o relativo a las musas.

aoptarse. (Del lat. *adoptāre.*) prnl. ant. Darse por satisfecho o contento.

aorar. (Del lat. *adorāre*, adorar.) tr. ant. **adorar.**

aoristo. (Del gr. ἀόριστος.) m. Cada uno de ciertos pretéritos indefinidos de la conjugación griega.

aorta. (Del gr. ἀορτή, de ἀείρω, elevar.) f. *Anat.* Arteria que nace del ventrículo izquierdo del corazón de las aves y de los mamíferos y es la mayor del cuerpo. ‖ **2.** *Zool.* Cada una de las dos grandes arterias que nacen del ventrículo o ventrículos del corazón de los lamelibranquios, cefalópodos y reptiles y que en estos últimos animales se juntan luego para formar un solo vaso. ‖ **3.** *Zool.* Arteria que nace del ventrículo del corazón de los gasterópodos, peces y batracios. ‖ **abdominal.** Parte de ella desde que atraviesa el orificio del diafragma hasta que se bifurca. ‖ **torácica.** La parte comprendida entre su nacimiento en el corazón y su paso por el diafragma. ‖ **ventral. aorta abdominal.**

aórtico, ca. adj. Perteneciente o relativo a la aorta.

aortitis. (De *aorta* e *-itis.*) f. *Med.* Inflamación de la aorta.

aovado, da. p. p. de **aovar.** ‖ **2.** adj. De figura de huevo. ‖ **3.** *Bot.* V. **hoja aovada.**

aovado-lanceolada. adj. *Bot.* Dícese de la hoja lanceolada, redondeada en la parte del pecíolo.

aovar. (De *a-*[1] y *huevo.*) intr. Poner huevos las aves y otros animales.

aovillarse. prnl. fig. Encogerse mucho, hacerse un ovillo.

apa (al). (Del quechua *apa*, carga.) loc. adv. *Chile.* A la espalda, a cuestas.

apabilado, da. p. p. de **apabilar.** ‖ **2.** adj. Decaído, extenuado.

apabilar. (De *a-*[1] y *pabilo.*) tr. Preparar el pabilo de las velas para que fácilmente se encienda. ‖ **2.** *Ar.* y *Murc.* Causar aturdimiento y congoja la sensación de un olor fuerte y desagradable. Ú. t. c. prnl. ‖ **3.** prnl. ant. Atenuarse y oscurecerse poco a poco la luz de una vela.

apabullamiento. m. **apabullo.**

apabullante. p. a. de **apabullar.** Que apabulla. ‖ **2.** adj. Abrumador, arrollador.

apabullar. (De or. inc.; cf. *magullar*, infl. probablemente por *apalear.*) tr. fam. Confundir, intimidar a una persona, haciendo exhibición de fuerza o superioridad.

apabullo. m. fam. Acción y efecto de apabullar.

apacar. (De *a-*[1] y el lat. *pacāre*, pacificar.) tr. ant. **apaciguar.**

apacentadero. m. Sitio en que se apacienta ganado.

apacentador, ra. adj. Que apacienta. Ú. t. c. s.

apacentamiento. m. Acción y efecto de apacentar o apacentarse. ‖ **2.** Lo que sirve para el sustento del animal.

apacentar. (Del lat. *adpascens, -entis*, p. a. de *adpascĕre.*) tr. Dar pasto a los ganados. ‖ **2.** fig. Dar pasto espiritual, instruir, enseñar. ‖ **3.** fig. Cebar los deseos, sentidos o pasiones. Ú. t. c. prnl. ‖ **4.** prnl. Pacer el ganado.

apacer. (Del lat. *adpascĕre.*) tr. ant. **apacentar.** Usáb. t. c. intr. ‖ **2.** intr. ant. Alimentarse.

apacibilidad. f. Calidad de apacible.

apacibilísimo, ma. adj. sup. irreg. de **apacible.**

apacible. (De *aplacible.*) adj. Manso, dulce y agradable en la condición y el trato. ‖ **2.** De buen temple, tranquilo, agradable. *Día, viento* APACIBLE.

apaciblemente. adv. m. Con apacibilidad.

apaciguador, ra. adj. Que apacigua. Ú. t. c. s.

apaciguamiento. m. Acción y efecto de apaciguar o apaciguarse.

apaciguar. (De *a-*[1] y el lat. *pacificāre*, pacificar.) tr. Poner en paz, sosegar, aquietar. Ú. t. c. prnl.

apacorral. m. Árbol gigantesco de Honduras, cuya corteza, sumamente amarga, emplean los campesinos como remedio tónico y febrífugo.

apachar. tr. *El Salv.* Aplastar, apachurrar.

apache. (Gentilicio de una tribu de indios.) adj. Dícese del indio nómada de las llanuras de Nuevo Méjico; se caracterizaba por su gran belicosidad. Ú. t. c. s. ‖ **2.** m. fig. Bandido o salteador de París y, por ext., de las grandes poblaciones.

apacheta. f. Montón de piedras que los indios y mestizos de algunas regiones andinas ponen a un lado del camino para invocar la protección de la divinidad.

apachurrar. tr. p. us. **despachurrar.**

apadrinador, ra. adj. Que apadrina. Ú. t. c. s.

apadrinamiento. m. Acción y efecto de apadrinar.

apadrinar. tr. Acompañar o asistir como padrino a una persona. ‖ **2.** fig. Patrocinar, proteger. ‖ **3.** *Equit.* Acompañar un jinete en caballo manso a otro jinete que monta un potro para domarlo. ‖ **4.** prnl. Ampararse, valerse, acogerse.

apagable. adj. Que se puede apagar.

apagadizo, za. (De *apagar.*) adj. Dícese de ciertas materias en las cuales no prende el fuego con facilidad, o que arden muy difícilmente.

apagado, da. p. p. de **apagar.** ‖ **2.** adj. De genio muy sosegado y apocado. ‖ **3.** Tratándose del color, el brillo, etc., amortiguado, poco vivo. ‖ **4.** V. **volcán apagado.** ‖ **5.** V. **cal apagada.**

apagador, ra. adj. Que apaga. Ú. t. c. s. ‖ **2.** m. **matacandelas,** apagavelas. ‖ **3.** Lugar de la tahona destinado a apagar en él las ascuas de la leña con que se ha calentado el horno. ‖ **4.** *Méj.* Interruptor de la corriente eléctrica. ‖ **5.** *Mús.* Palanca del mecanismo de los pianos que, cubierta de fieltro por uno de sus extremos, se alza cuando la tecla obliga al macillo a dar en las cuerdas y baja tan pronto como se deja de oprimir la tecla, para evitar las resonancias.

apagamiento. m. Acción y efecto de apagar o apagarse.

apagapenol. (De *apagar* y *penol.*) m. *Mar.* Cada uno de los cabos que, hechos firmes en las relingas de caída de las velas de cruz, sirven para cerrarlas o cargarlas, o quitarles el viento hacia el penol.

apagar. (De *a-*[1] y el lat. *pacāre*, calmar, mitigar.) tr. Extinguir el fuego o la luz. Ú. t. c. prnl. ‖ **2.** Aplacar, disipar, extinguir. APAGAR *los rencores, la caridad, un afecto.* Ú. t. c. prnl. ‖ **3.** Hablando de la cal viva, echarle agua para que pueda emplearse en obras de fábrica. ‖ **4.** Interrumpir el funcionamiento de un aparato desconectándolo de su fuente de energía. APAGAR *la lámpara, la radio, el gas, un* *motor.* Ú. t. c. prnl. ‖ **5.** *Art.* Hacer cesar con la artillería los fuegos de la del enemigo. ‖ **6.** *Mar.* Cerrar los bolsos o senos que el viento forma en las velas cargadas. ‖ **7.** *Pint.* Rebajar en los cuadros el color demasiado vivo o templar el tono de la luz. ‖ **apaga y vámonos.** expr. fig. y fam. que se emplea al conocer que una cosa toca a su término, o al oír o ver algo muy absurdo, disparatado o escandaloso.

apagavelas. (De *apagar* y *vela*[1].) m. **matacandelas.**

apagón. m. Interrupción pasajera del suministro de energía eléctrica.

apainelado. adj. *Arq.* V. **arco apainelado.**

apaisado, da. adj. Dícese de la figura u objeto de forma rectangular cuya base es mayor que su altura, a semejanza de los cuadros donde suelen pintarse países. *Cuadro, marco, libro* APAISADO. ‖ **2.** V. **aspillera apaisada.**

apalabrar. tr. Concertar de palabra dos o más personas alguna cosa.

apalambrar. (De *a-*[1] y el lat. *perluminãre,* alumbrar mucho.) tr. ant. Incendiar, abrasar.

apalancamiento. m. Acción y efecto de apalancar o apalancarse.

apalancar. tr. Levantar, mover alguna cosa con palanca. ‖ **2.** prnl. fam. Acomodarse en un sitio, permanecer inactivo en él.

apaleador, ra. adj. Que apalea[1]. Ú. t. c. s.

apaleamiento. m. Acción y efecto de apalear[1].

apalear[1]. tr. Dar golpes con palo u otra cosa semejante. ‖ **2.** Sacudir ropas, alfombras, etc., con palo o con vara. ‖ **3.** varear el fruto del árbol.

apalear[2]. tr. Aventar con pala el grano para limpiarlo. ‖ **2.** fig. y fam. Tratándose de oro, plata, dinero o riquezas, tenerlas o ganarlas en abundancia.

apaleo. m. Acción y efecto de apalear[2]. ‖ **2.** Tiempo de apalear[2].

apaliar. tr. desus. **paliar.**

apalmada. (De *palma.*) adj. *Blas.* V. **mano apalmada.**

apalpar. tr. fam. **palpar.**

apanalado, da. adj. Que forma celdillas como el panal. ‖ **2.** V. **cuello apanalado.**

apancora. f. Crustáceo decápodo, braquiuro, de unos diez centímetros de largo, con carapacho oval y espinoso y pinzas grandes y gruesas. Vive en las costas de Chile.

apandar[1]. (De *pando,* infl. por *apañar.*) tr. fam. Pillar, atrapar, guardar alguna cosa con ánimo de apropiársela.

apandar[2]. (De *pando.*) intr. **pandear.** Ú. m. c. prnl.

apandillar. tr. Hacer pandilla. Ú. m. c. prnl.

apaniaguado, da. (De *apaniguado.*) m. y f. ant. **paniaguado.**

apaniguado, da. p. p. de **apaniguar.** ‖ **2.** m. y f. **paniaguado.**

apaniguar. (De *a-*[1] y el lat. *panificãre,* proveer de pan.) tr. ant. Proporcionar a uno alimento.

apanojado, da. adj. *Bot.* Dícese del tallo de algunas plantas y también de la flor dispuesta en forma de panoja.

apantanar. tr. Llenar de agua algún terreno, dejándolo hecho un pantano. Ú. t. c. prnl.

apante. (Del nahua *apanti.*) m. *El Salv.* Acequia.

apantuflado, da. adj. De hechura de pantuflo.

apañacuencos. m. *Ar.* **lañador.**

apañado[1], da. adj. Aplícase a tejidos semejantes al paño en su cuerpo o en lo tupidos.

apañado[2], da. p. p. de **apañar.** ‖ **2.** adj. fig. Hábil, mañoso para hacer alguna cosa. ‖ **3.** fig. y fam. Adecuado, a propósito para el uso a que se destina. ‖ **estar,** o **ir, apañado.** fr. irón. fig. y fam. Estar equivocado o ilusoriamente confiado respecto de una cosa. ¡APAÑADO ESTÁS *si te crees que te vas a librar!*

apañador, ra. adj. Que apaña. Ú. t. c. s.

apañadura. f. Acción y efecto de apañar o apañarse. ‖ **2.** Guarnición que se ponía al canto o extremo de las colchas, frontales y otras cosas. Ú. m. en pl.

apañamiento. m. Acción y efecto de apañar.

apañar. (De *a-*[1] y *paño.*) tr. Coger con la mano; coger en general. ‖ **2.** Recoger, coger con la mano frutos, especialmente del suelo. ‖ **3.** Tomar alguna cosa o apoderarse de ella capciosa e ilícitamente. ‖ **4.** Acicalar, asear, ataviar. ‖ **5.** Aderezar o condimentar la comida. ‖ **6.** Remendar o componer lo que está roto. ‖ **7.** fig. y fam. Poner solución o remedio a un asunto precariamente, con disimulo o por conveniencia. ‖ **8.** fam. Abrigar, arropar. ‖ **9.** *Argent., Bol., Nicar., Perú.* y *Urug.* Encubrir, ocultar o proteger a alguien. ‖ **10.** prnl. fam. Darse maña para hacer alguna cosa. ‖ **apañárselas.** fr. fam. Arreglárselas, componérselas, desenvolverse bien.

apaño. m. Acción y efecto de apañar. ‖ **2.** fam. Compostura, reparo o remiendo hecho en alguna cosa. ‖ **3.** fam. Disposición, maña o habilidad para hacer alguna cosa. ‖ **4.** fam. Respecto de una persona amancebada, la que lo está con ella. ‖ **5.** fam. Relación ilícita con esa persona. ‖ **6.** fam. Acomodo, avío, conveniencia.

apañuscador, ra. adj. fam. Que apañusca. Ú. t. c. s.

apañuscar. tr. fam. Coger y apretar entre las manos alguna cosa ajándola. ‖ **2. apañar,** apoderarse de una cosa ilícitamente.

apapachar. tr. *Méj.* Acariciar, hacer apapachos.

apapacho. m. *Méj.* Caricia, en especial la que se hace con las manos.

apapagayado, da. adj. Semejante al papagayo en alguna cosa. Más comúnmente se dice de la nariz.

aparador, ra. (Del lat. *apparãtor, -ōris.*) adj. Que apara, o cose piezas de cordobán. Ú. m. c. s. ‖ **2.** m. Mueble donde se guarda o contiene lo necesario para el servicio de la mesa. ‖ **3.** Por ext., mesa junto al altar. ‖ **4.** Taller u obrador de algún artífice. ‖ **5. escaparate** de una tienda. ‖ **6.** ant. Guardarropa o armario para guardar vestidos. Ú. hoy en Filipinas. ‖ **7.** *Ar.* **vasar.** ‖ **8.** *Hond.* Refresco o agasajo de dulces, bebidas, etc. ‖ **estar de aparador** una mujer. fr. fig. y fam. desus. Estar muy compuesta y en disposición de recibir visitas.

aparadorista. com. *Amér.* Escaparatista.

aparadura. (De *aparar.*) f. *Mar.* V. **tablón de aparadura.**

aparamento. m. ant. **paramento.**

aparar. (Del lat. *apparãre.*) tr. Acudir con las manos o con la capa, falda, etc., a tomar o coger alguna cosa. Ú. m. en imperativo. APARA, APARE *usted.* ‖ **2.** Dar segunda labor a las plantas ya algo crecidas, quitando la hierbecilla extraña que ha nacido entre ellas. ‖ **3.** Preparar una fruta para comerla, pelándola o mondándola. ‖ **4.** Alargar, poner en las manos. ‖ **5.** Coser las piezas de cordobán, cabritilla u otra materia de que se compone el zapato para unirlas y coserlas después con la plantilla y suela. ‖ **6.** Aparejar, preparar, disponer, adornar. Ú. t. c. prnl. ‖ **7.** Igualar con la azuela tablas o tablones enlazados, para que el conjunto quede formando una superficie lisa.

aparasolado, da. adj. De figura de parasol. ‖ **2.** *Bot.* **umbelífero.** Ú. t. c. s. f.

aparatarse. (De *aparato.*) prnl. Prepararse, disponerse. En Aragón y Colombia, se usa especialmente hablando del cielo cuando anuncia inminente lluvia, nieve o granizo. ‖ **2.** Adornarse, llenarse de pompa y ostentación.

aparatero, ra. adj. *Ál., Ar.* y *Chile.* Aparatoso, afectado, exagerado. Ú. t. c. s.

aparato. (Del lat. *apparãtus.*) m. Apresto, prevención, reunión de lo que se necesita para algún fin. ‖ **2.** Pompa, ostentación. ‖ **3.** Circunstancia o señal que precede o acompaña a alguna cosa. ‖ **4.** Conjunto de piezas construido para funcionar unitariamente con finalidad práctica determinada. En algunas circunstancias se emplea para designar específicamente, según los casos, un avión, un receptor telefónico, un soporte de luz, etc. ‖ **5.** Conjunto de los que deciden la política de un partido o gobierno. ‖ **6.** *Méj.* **quinqué.** ‖ **7.** *Cir.* Apósito, vendaje o artificio que se aplica al cuerpo humano con el fin de curar una enfermedad o corregir una imperfección. ‖ **8.** *Biol.* Conjunto de órganos que en los animales o en las plantas concurren al desempeño de una misma función. APARATO *reproductor, circulatorio, digestivo.* ‖ **9.** *Med.* Conjunto de síntomas con que aparece alguna enfermedad grave.

aparatosamente. adv. m. Con mucho aparato y ostentación.

aparatosidad. f. Calidad de aparatoso.

aparatoso, sa. adj. Que tiene mucho aparato u ostentación. ‖ **2.** Desmedido, exagerado.

aparcacoches. com. Persona que en hoteles, restaurantes y otros establecimientos públicos se encarga de aparcar los vehículos de los clientes y de devolvérselos a la salida.

aparcadero. m. **aparcamiento,** lugar destinado para aparcar vehículos.

aparcamiento. m. Acción y efecto de aparcar un vehículo. ‖ **2.** Lugar destinado a este efecto.

aparcar. (De *a-*[1] y *parque.*) tr. Colocar convenientemente en un campamento o parque los carruajes y, en general, los pertrechos y material de guerra. ‖ **2.** Colocar transitoriamente en un lugar público señalado al efecto por la autoridad, coches u otros vehículos. ‖ **3.** En expresión no técnica, detener el conductor su vehículo automóvil y colocarlo transitoriamente en un lugar público o privado. ‖ **4.** fig. Aplazar, postergar un asunto o decisión.

aparcera. (De *aparcero.*) f. ant. **manceba.**

aparcería. (De *aparcero.*) f. Trato o convenio de los que van a la parte en una granjería. ‖ **2.** *Der.* Contrato mixto, que participa del de sociedad aplicado al arrendamiento de fincas rústicas, y que se celebra con gran variedad de pactos y costumbres supletorias entre el propietario y el cultivador de la tierra. ‖ **3.** *Der.* Contrato de sociedad, anexo al anterior o independiente de él, para repartir productos o beneficios del ganado entre el propietario de este y el que lo cuida o recría. ‖ **4.** *Argent.* y *Urug.* Compañerismo, amistad.

aparcero, ra. (De *a-*[1] y el lat. tardío *partiarĭus,* partícipe.) m. y f. Persona que tiene aparcería con otra u otras. ‖ **2.** Comunero en una heredad o hacienda. ‖ **3.** ant. Partícipe, copartícipe. ‖ **4.** fam. En algunas comarcas, mutua denominación de tratamiento entre personas ligadas por contrato de aparcería. ‖ **5.** *Argent.* y *Urug.* Compañero, amigo.

aparcionero, ra. (De *a-*[1] y *parcionero.*) m. y f. ant. **partícipe.**

apareamiento. m. Acción y efecto de aparear o aparearse.

aparear. (De *a-*[1] y *parear.*) tr. Arreglar o ajustar una cosa con otra, de forma que queden iguales. ‖ **2.** Unir o juntar una cosa con otra, formando par. Ú. t. c. prnl. ‖ **3.** Juntar las hembras de los animales con los machos para que críen. Ú. t. c. prnl.

aparecer. (Del lat. *apparescĕre.*) intr. Manifestarse, dejarse ver, por lo común, causando sorpresa, admiración u otro movimiento del ánimo. Ú. t. c. prnl. ‖ **2.** Encontrarse, hallarse lo que estaba perdido u oculto. Ú. menos c. prnl. ‖ **3.** Cobrar existencia o darse a conocer por primera vez. HAN APARECIDO *casos de tifus en la región. El libro no* APARECIÓ *hasta después de su muerte.* ‖ **4.** Hacer una persona acto de presencia en un lugar, dejarse caer. *Ya nunca* APARECES *por aquí.*

aparecido, da. p. p. de **aparecer.** ‖ **2.** m. Espectro de un difunto.

aparecimiento. (De *aparecer.*) m. Acción y efecto de aparecer.

aparejadamente. adv. m. **aptamente.**

aparejado, da. p. p. de **aparejar.** ‖ **2.** Con los verbos *traer* y *llevar,* inherente o inseparable de aquello de que se trata. *Los terremotos traen* APAREJADOS *muchos males.* ‖ **3.** adj. Apto, idóneo.

aparejador, ra. adj. Que apareja. Ú. t. c. s. ‖ **2.** m. y f. Técnico titulado que interviene con funciones propias en la construcción de edificaciones.

aparejamiento. m. ant. Acción y efecto de aparejar o aparejarse.

aparejar. (De *a-*[1] y *parejo.*) tr. Preparar, prevenir, disponer. Ú. t. c. prnl. ‖ **2.** Vestir con esmero, adornar. Ú. t. c. prnl. ‖ **3.** Poner el aparejo a las caballerías. ‖ **4.** Dar los doradores las manos de cola, yeso y bol arménico a la pieza que se ha de dorar. ‖ **5.** *Mar.* Poner a un buque su aparejo para que esté en disposición de poder navegar. ‖ **6.** *Pint.* **imprimar.** ‖ **7.** prnl. *Amér.* **aparearse,** juntarse machos y hembras.

aparejo. (De *aparejar.*) m. Preparación, disposición para alguna cosa. ‖ **2.** Prevención de lo necesario para conseguir un fin. ‖ **3.** Arreo necesario para montar o cargar las caballerías. ‖ **4.** Conjunto de objetos necesarios para hacer ciertas cosas. ‖ **5.** Sistema de poleas, compuesto de dos grupos, fijo el uno y móvil el otro. Una cuerda, afianzada por uno de sus extremos en la armazón de la primera polea fija, corre por las demás, y a su otro extremo actúa la potencia. ‖ **6.** *Arq.* Forma o modo en que quedan colocados los materiales en una construcción. APAREJO *poligonal.* ‖ **7.** *Mar.* Conjunto de palos, vergas, jarcias y velas de un buque, y que se llama de cruz, de cuchillo, de abanico, etc., según la clase de la vela. ‖ **8.** *Pint.* Preparación de un lienzo o tabla por medio de la imprimación. ‖ **9.** pl. Instrumentos y cosas necesarias para cualquier oficio o maniobra. ‖ **10.** Materiales que usan los doradores para aparejar. ‖ **11.** ant. Conjunto de cabos o adornos menos principales de un vestido. ‖ **12.** *Pint.* **imprimación,** ingredientes con que se impriman los lienzos. ‖ **de gata.** *Mar.* El que sirve para llevar el ancla desde la superficie del agua a la serviola, cuando se leva. ‖ **real.** El que se forma con motones de mayor número de roldanas y cabos más gruesos que los de los **aparejos** ordinarios. ‖ **redondo.** El compuesto de carona, albarda, enjalma, ropón y sufra, con cincha de tarabita, ataharre y petral, si es para cargar las caballerías, y con aciones y enjalma, si es para montarlas. ‖ **2.** Traje típico de las aldeanas, compuesto de varios refajos y faldas que llevan superpuestos y formando muchos pliegues en la cintura.

aparencia. f. ant. **apariencia.**

aparencial. adj. *Fil.* Dícese de lo que solo tiene existencia aparente.

aparentador, ra. adj. Que aparenta.

aparentar. (De *aparente.*) tr. Manifestar o dar a entender lo que no es o no hay. Ú. t. c. intr. ‖ **2.** Hablando de la edad de una persona, tener esta el aspecto correspondiente a dicha edad.

aparente. (Del lat. *appārens, -entis,* p. a. de *apparēre,* aparecer.) adj. Que parece y no es. ‖ **2.** Conveniente, oportuno, adecuado. *Esto es* APARENTE *para el caso.* ‖ **3.** Que aparece y se muestra a la vista. ‖ **4.** Que tiene tal o cual aspecto o apariencia. ‖ **5.** V. **diámetro aparente.** ‖ **6.** fam. Vistoso, de buena apariencia. ‖ **bien aparente.** ant. **bienaparente.**

aparentemente. adv. m. Con apariencia.

aparentoso, sa. adj. *Rioja.* Bien parecido, bien plantado.

a pari. expr. lat. *Lóg.* V. **argumento a pari.**

Aparicio. n. p. V. **aceite de Aparicio.**

aparición. (Del lat. *apparitĭo, -ōnis.*) f. Acción y efecto de aparecer o aparecerse. ‖ **2.** Visión de un ser sobrenatural o fantástico; espectro, fantasma. ‖ **3.** Fiesta que celebra la Iglesia el día de la **aparición** de Cristo a sus apóstoles después de la Resurrección.

apariencia. (Del lat. *apparentĭa.*) f. Aspecto o parecer exterior de una persona o cosa. ‖ **2.** Verosimilitud, probabilidad. ‖ **3.** Cosa que parece y no es. ‖ **4.** pl. Telón, bastidor o caroca con que en el teatro se representaban, por medio de la pintura, cosas verdaderas o fantásticas. ‖ **en apariencia.** loc. adv. Aparentemente, al parecer.

aparir. (Del lat. *apparēre.*) intr. ant. **aparecer.**

aparrado, da. p. p. de **aparrar.** ‖ **2.** adj. Dícese de los árboles cuyas ramas se extienden mucho horizontalmente. ‖ **3.** fig. **achaparrado,** dicho de personas.

aparragarse. (Del m. or. que *aparrar.*) prnl. *Chile* y *Hond.* **achaparrarse.**

aparrar. (De *a-*[1] y *parra*[1].) tr. Hacer que un árbol extienda sus ramas en dirección horizontal.

aparroquiado, da. p. p. de **aparroquiar.** ‖ **2.** adj. Establecido en una parroquia.

aparroquiar. (De *a-*[1] y *parroquia.*) tr. Procurar parroquianos a los tenderos o a los que ejercen ciertas profesiones. ‖ **2.** prnl. Hacerse feligrés de una parroquia.

apartación. (De *apartar.*) f. ant. **repartición.**

apartadamente. adv. m. Separada o secretamente.

apartadero. m. Lugar que sirve en los caminos y canales para que, apartándose las personas, las caballerías, los carruajes o los barcos, quede libre el paso. ‖ **2.** Pedazo de terreno contiguo a los caminos que se deja baldío para que descansen y pasten los ganados y caballerías que van de paso. ‖ **3.** Pieza u oficina donde se apartan o separan las cuatro suertes de lana que hay en cada vellón. ‖ **4.** Sitio donde se aparta a unos toros de otros para encajonarlos. ‖ **5.** Vía corta derivada de la principal, que sirve para apartar en ella vagones, tranvías y locomotoras.

apartadijo. (De *apartado.*) m. **apartadizo,** sitio que se separa de otro mayor. ‖ **2.** Porción o parte pequeña de algunas cosas que estaban juntas. Úsase más en la frase **hacer apartadijos.**

apartadizo, za. (De *apartado.*) adj. Huraño, retirado, que se aparta o huye de la comunicación y del trato de la gente. ‖ **2.** m. Sitio o lugar que se separa de otro mayor, para diferentes usos.

apartado, da. p. p. de **apartar.** ‖ **2.** adj. Retirado, distante, remoto. ‖ **3.** Diferente, distinto, diverso. ‖ **4.** *Nicar.* Huraño, que rehúye el trato social. ‖ **5.** *Der.* V. **juez apartado.** Ú. t. c. s. ‖ **6.** m. Aposento desviado del tráfago y servicio común de la casa. ‖ **7. apartado de correos.** ‖ **8.** Párrafo o serie de párrafos dentro de un escrito en los que se considera algún asunto por separado. ‖ **9.** Acción de separar las reses de una vacada para varios objetos. ‖ **10.** Acción de encerrar los toros en los chiqueros algunas horas antes de la corrida. ‖ **11.** Cualquiera de los 16 individuos que elegía la Asociación General de Ganaderos, y antes el Concejo de la Mesta en sus juntas generales, para entender en los negocios e informar sobre ellos. ‖ **12.** *Min.* Operación por la que se determina la ley del oro o de la plata. ‖ **13.** *Min.* Conjunto de operaciones que se ejecutan con el oro sacado de su mena, para obtenerlo completamente puro. ‖ **14.** *Min. Méj.* Operación de apartar metales. ‖ **15.** *Méj.* Edificio dependiente de la fábrica donde se hacía esta operación. ‖ **de correos.** Servicio de la oficina de correos por el que se alquila al usuario una caja o sección con un número, en donde se deposita su correspondencia. ‖ **2.** Caja, sección o departamento donde se guarda esta correspondencia. ‖ **3.** Número asignado a esa caja o sección.

apartador, ra. adj. Que aparta o separa una cosa de otra. ‖ **2.** m. El que tiene por oficio separar la lana, según sus diferentes calidades. ‖ **3.** El que aparta el ganado, separando unas reses de otras. ‖ **4.** El que cuida en los molinos de papel de separar el trapo, según sus varias especies. ‖ **5.** En Cuba, el que tiene por oficio separar las hojas de tabaco según su calidad. ‖ **6.** Cápsula de cobre destinada a purificar los pallones de oro tratándolos con el agua fuerte. ‖ **7.** Retorta para sacar la plata, destilando los ácidos en que está disuelto el metal. ‖ **general de oro y plata.** Oficial real que había en las casas de moneda de Nueva España.

apartamento. (Del it. *appartamento.*) m. Habitación, vivienda. ‖ **2.** Vivienda compuesta de uno o más aposentos, generalmente con cocina y servicios higiénicos, situada en un edificio donde existen otras viviendas análogas.

apartamiento. m. Acción y efecto de apartar o apartarse. ‖ **2.** Lugar apartado o retirado. ‖ **3. apartamento.** ‖ **4.** Celdilla, cavidad o seno en animales y plantas. ‖ **5.** *Der.* Acto judicial con que alguno desiste y se aparta formalmente de la acción o recurso que tiene deducido. ‖ **de meridiano.** Longitud del arco de paralelo terrestre comprendido entre dos meridianos, expresada en millas u otra medida itineraria.

apartar. (De *a-*[1] y *parte.*) tr. Separar, desunir, dividir. Ú. t. c. prnl. ‖ **2.** Quitar a una persona o cosa del lugar donde estaba, para dejarlo desocupado. Ú. t. c. prnl. ‖ **3.** Alejar, retirar. Ú. t. c. prnl. ‖ **4.** fig. Disuadir a uno de alguna cosa; hacerle que desista de ella. ‖ **5.** Separar las cuatro suertes o clases de lana que se hallan en cada vellón. ‖ **6.** *Méj.* Separar el ganado para clasificarlo. ‖ **7.** *Min. Méj.* Extraer el oro contenido en las barras de plata. ‖ **8.** intr. *Mont.* No hacer caso el perro que sigue el rastro de una res, de otros perros ni aun de otras reses que halle al paso. ‖ **9.** prnl. Divorciarse los casados. ‖ **10.** *Der.* Desistir alguien formalmente de la acción o recurso que entabló.

aparte. (Del lat. *ad,* a, y *pars, partis,* parte.) adv. l. En otro lugar. *Poner un libro* APARTE. ‖ **2.** A distancia, desde lejos. ‖ **3.** adv. m. Separadamente, con distinción. ‖ **4.** m. Lo que en la representación escénica dice cualquiera de los personajes de la obra representada, como hablando para sí o con aquel o aquellos a quienes se dirige y suponiendo que no lo oyen los demás. Ú. t. en sent. fig. ‖ **5.** Lo que en la obra dramática debe recitarse de este modo. *Esa comedia tiene muchos* APARTES. ‖ **6.** Trozo de escrito que empieza en mayúscula y termina en punto y **aparte.** ‖ **7.** Ejemplar de una tirada **aparte.** ‖ **8.** *Ar.* Espacio o hueco que, así en lo impreso como en lo escrito, se deja entre dos palabras. ‖ **9.** *Argent., Col., Urug.* y *Venez.* Separación que se hace en un rodeo, de cierto número de cabezas de ganado. ‖ **10.** adj. Diferente, distinto, singular. *Góngora es un autor* APARTE *en la poesía española.* ‖ **aparte de.** loc. prepos. Con omisión de, con preterición de. Ú. t. sin la prep. y pospuesto al nombre. APARTE *impuestos, impuestos* APARTE.

apartidar. tr. Alzar o tomar partido. ‖ **2.** prnl. Adherirse a una parcialidad.

apartijo. (De *apartar.*) m. **apartadijo.**

aparvadera. (De *aparvar.*) f. **allegadera.**

aparvadero. m. *Burg.* **aparvadera.**

aparvador. m. **allegador,** rastro.

aparvar. tr. Hacer parva, disponer la mies para trillarla. ‖ **2.** Recoger en un montón la mies trillada.

apasanca. (De or. quechua.) f. *N. Argent.* y *Bol.* Araña de gran tamaño, velluda y muy ponzoñosa, afín a la tarántula.

apasionadamente. adv. m. Con pasión o deseo vehemente. ‖ **2.** Con interés o parcialidad.

apasionado, da. p. p. de **apasionar.** ‖ **2.** adj. Poseído de alguna pasión o afecto. Ú. t. c. s. ‖ **3.** Partidario de alguno, o afecto a él. Ú. t. c. s. ‖ **4.** Se decía de la parte del cuerpo afectada de algún dolor o enfermedad. ‖ **5.** m. *Germ.* Alcaide de la cárcel.

apasionamiento. m. Acción y efecto de apasionar o apasionarse.

apasionante. p. a. de **apasionar.** Que apasiona. ‖ **2.** adj. Muy interesante, que capta mucho la atención.

apasionar. tr. Causar, excitar alguna pasión. Ú. m. c. prnl. ‖ **2.** Atormentar, afligir. ‖ **3.** prnl. Aficionarse con exceso a una persona o cosa.

apasote. m. *Méj.* **epazote.**

apastar. (De *a-*[1] y *pastar.*) tr. **apacentar.**

apaste o **apastle.** (Del nahua *apaztli.*) m. *Guat., Hond.* y *Méj.* Lebrillo hondo de barro.

apasto. (De *apastar.*) m. ant. **pasto.**

apastragarse. (Del lat. **pastoricāre*, de *pastor, -ōris.*) prnl. desus. Sentarse en el suelo.

apastrarse. prnl. *Cantabria.* **apastragarse.**

apasturar. tr. ant. **pasturar.** ‖ **2.** ant. **forrajear.**

apatán. m. Medida de capacidad para áridos que se usaba en Filipinas: es la cuarta parte de la chupa y equivale a un dozavo de cuartillo, o sea a 94 mililitros aproximadamente.

apatanado, da. (De *a-*[1] y *patán.*) adj. Rústico, tosco.

apatía. (Del lat. *apathīa*, y este del gr. ἀπάθεια.) f. Impasibilidad del ánimo. ‖ **2.** Dejadez, indolencia, falta de vigor o energía.

apático, ca. adj. Que adolece de apatía.

apátrida. (Del gr. ἄπατρις, -ιδος, sin patria.) adj. Dícese de la persona que carece de nacionalidad. Ú. t. c. s.

apatrocinar. tr. desus. **patrocinar.**

apatusca. f. *Ar.* Juego de muchachos que consiste en tomar número de orden arrojando cada uno una moneda hacia un canto o guijarro, y, apiladas luego aquellas, golpearlas cada uno a su vez con una piedra, y hacer suyas las que, por efecto del golpe, presenten el anverso.

apatusco. m. fam. Adorno, aliño, arreo. ‖ **2. utensilio** casero.

apaularse. prnl. desus. **apaulillarse.**

apaulillarse. (De *a-*[1] y *paulilla.*) prnl. desus. **agorgojarse.**

apayasar. tr. Dar a una cosa el carácter de payasada. ‖ **2.** prnl. Comportarse como un payaso.

apazguado, da. (De *a-*[1] y el lat. *pacificātus*, reconciliado.) adj. ant. Aplicábase a la persona con quien se tenían hechas paces.

apea. (De *apear.*) f. Soga de unos 80 centímetros de largo, con un palo de figura de muletilla a una punta y un ojal en la otra, que sirve para trabar o maniatar las caballerías.

apeadero. (De *apear.*) m. Poyo o sillar que hay en los zaguanes, o junto a la puerta de algunas casas antiguas, para montar en las caballerías o desmontarse de ellas con comodidad. ‖ **2.** Sitio o punto del camino en que los viajeros pueden apearse y es cómodo para descansar. ‖ **3.** En los ferrocarriles, sitio de la vía preparado para el servicio público, pero sin apartadero ni los demás accesorios de una estación. ‖ **4.** fig. Casa que alguien habita interinamente cuando viene de fuera, hasta que establece habitación permanente.

apeador, ra. adj. Que apea. Ú. t. c. s. ‖ **2.** m. El que deslinda y señala los límites, términos y demarcaciones de fincas rústicas.

apealar. (De *a-*[1] y *peal.*) tr. *Amér.* **manganear.**

apeamiento. m. Acción y efecto de desmontar una caballería. ‖ **2.** Acción y efecto de deslindar fincas. ‖ **3. apeo,** de un edificio.

apear. (Del lat. **appedāre*, de *pes, pedis*, pie.) tr. Desmontar o bajar a alguien de una caballería, carruaje o automóvil. Ú. m. c. prnl. ‖ **2.** Tratándose de caballerías, maniatarlas para que no se escapen. ‖ **3.** Calzar algún coche o carro, arrimando a la rueda una piedra o leño para que no ruede. ‖ **4.** Reconocer, señalar o deslindar una o varias fincas, y especialmente las que están sujetas a determinado censo, foro u otro derecho real. ‖ **5.** Cortar un árbol por el pie y derribarlo. ‖ **6.** fig. Sortear, superar, vencer alguna dificultad o cosa muy ardua. ‖ **7.** fig. y fam. Disuadir a alguien de sus opiniones, ideas, creencias, suposiciones, etc. *No pude* APEARLE *de su propósito.* Ú. t. c. prnl. ‖ **8.** fig. Quitar, destituir a alguien de su ocupación o cargo. Ú. t. c. prnl. ‖ **9.** *Arq.* Sostener provisionalmente con armazones, maderos o fábricas el todo o parte de algún edificio, construcción o terreno. ‖ **10.** *Arq.* Bajar de su sitio alguna cosa, como las piezas de un retablo o de una portada. ‖ **11.** intr. desus. Andar a pie, transitar, pasar de una parte a otra. ‖ **12.** prnl. desus. Hospedarse, alojarse. ‖ **13.** *Cuba.* Tomar las viandas con la mano, prescindiendo del cubierto.

apechar. (De *a-*[1] y *pecho*[1].) intr. fig. **apechugar,** cargar con una obligación ingrata. Ú. generalmente con la prep. *con.*

apechugar. (De *a-*[1] y *pechuga.*) intr. Empujar o apretar con el pecho, acometer. Ú. t. c. prnl. y alguna vez c. tr. ‖ **2.** fig. y fam. Cargar con alguna obligación o circunstancia ingrata o no deseada. Ú. generalmente con la prep. *con.* Ú. t. c. prnl. ‖ **3.** prnl. Apretujarse.

apedazar. tr. **despedazar** algo material. ‖ **2.** Echar pedazos, remendar.

apedernalado, da. adj. desus. **pedernalino.** Usáb. en sent. fig. *Entrañas* APEDERNALADAS. Ú. en Andalucía.

apedgar. (Del lat. **appedicāre*, de *pedĭca*, traba.) tr. ant. **apear,** maniatar una caballería.

apedrar. tr. ant. **apedrear,** tirar piedras a una persona. ‖ **2.** ant. **apedrear,** matar a pedradas.

apedrea. f. desus. **apedreo.**

apedreadero. m. desus. Sitio donde solían juntarse los muchachos para la pedrea.

apedreado, da. p. p. de **apedrear.** ‖ **2.** adj. desus. Decíase del ave rapaz manchada o salpicada de varios colores. ‖ **3.** V. **cara apedreada.**

apedreador, ra. adj. Que apedrea. Ú. t. c. s.

apedreamiento. m. Acción y efecto de apedrear o apedrearse.

apedrear. tr. Tirar o arrojar piedras a una persona o cosa. ‖ **2.** Matar a pedradas, género de suplicio usado antiguamente. ‖ **3.** *And.* Hacer aberturas en la carne o pescado que se va a asar y poner en ellas rajas de limón. ‖ **4.** intr. impers. Caer pedrisco. ‖ **5.** prnl. Padecer daño con el pedrisco las viñas, los árboles frutales o las mieses.

apedreo. m. **apedreamiento.**

apegadamente. adv. m. fig. Con apego.

apegaderas. (De *apegar.*) f. *Rioja.* **lampazo,** planta.

apegadizo, za. (De *apegar.*) adj. desus. **pegadizo.** Ú. en Aragón y Navarra.

apegamiento. (De *apegar.*) m. p. us. **pegamiento.** ‖ **2.** fig. **apego.**

apegar. (De *a-*[1] y el lat. *picāre*, de *pix*, pez.) tr. desus. **pegar.** Usáb. t. c. prnl. Hoy se usa en algunas regiones. ‖ **2.** prnl. fig. Cobrar apego.

apego. (De *apegar.*) m. fig. Afición o inclinación hacia una persona o cosa.

apegualar. intr. *Chile.* Hacer uso del pegual.

apelable. (De *apelar*[1].) adj. Que admite apelación.

apelación. (Del lat. *appellatĭo, -ōnis.*) f. *Der.* Acción de apelar. ‖ **2.** fam. desus. Consulta de médicos. ‖ **3.** V. **juez de apelaciones.** ‖ **4.** V. **médico, recurso, sala de apelación.** ‖ **dar por desierta la apelación.** fr. *Der.* Declarar el juez ser pasado el término en que el apelante debió acudir a sostener su recurso. ‖ **desamparar la apelación.** fr. *Der.* No seguir la que interpuso. ‖ **interponer apelación.** fr. *Der.*

apelar[1] de una sentencia. ‖ **mejorar la apelación.** fr. *Der.* En el antiguo procedimiento, exponer el apelante agravios ante el juez superior; en el moderno, suele aplicarse a la petición incidental previa en que el apelante o el apelado solicitan del tribunal superior que extienda o no al efecto suspensivo, la **apelación** admitida en primera instancia. ‖ **no haber,** o **no tener, apelación.** fr. fig. y fam. No haber remedio o recurso en alguna dificultad o aprieto.

apelado[1], **da.** p. p. de **apelar**[1]. ‖ **2.** adj. *Der.* Dícese del litigante que ha obtenido sentencia favorable contra la cual se apela. Ú. t. c. s.

apelado[2], **da.** p. p. de **apelar**[2]. ‖ **2.** adj. Dícese de dos o más caballerías o toros del mismo pelo o color.

apelambrar. tr. Meter los cueros en pelambre o en depósito de agua y cal viva, para que pierdan el pelo.

apelante. p. a. de **apelar**[1]. Que apela. Ú. t. c. s.

apelar[1]. (Del lat. *appellāre,* llamar.) intr. *Der.* Recurrir al juez o tribunal superior para que revoque, enmiende o anule la sentencia que se supone injustamente dada por el inferior. ‖ **2.** fig. Recurrir a una persona o cosa en cuya autoridad, criterio o predisposición se confía para dirimir, resolver o favorecer una cuestión. Ú. menos c. prnl. ‖ **3.** p. us. Incidir, recaer sobre algo.

apelar[2]. intr. Ser del mismo pelo o color dos o más caballerías.

apelativo, va. (Del lat. *appellatīvus.*) adj. Dícese de aquello que apellida o califica. Ú. t. c. s. ‖ **2.** *Ling.* Dícese del lenguaje en cuanto pretende influir y producir un efecto en el oyente o receptor. ‖ **3.** m. **nombre apelativo.** ‖ **4. apellido,** nombre de familia.

apeldar. (Del m. or. que *apellidar.*) intr. p. us. fam. Escapar, huir. Usáb. ordinariamente con el pron. *las.* ‖ **2.** prnl. *Sal.* Juntarse, reunirse.

apelde. (De *apeldar.*) m. En los conventos de la orden de San Francisco, toque de campana antes de amanecer. ‖ **2.** fam. Acción de apeldar.

apelgararse. prnl. *And.* Hacerse pelgar.

apeligrar. tr. desus. Poner en peligro. Ú. en Asturias, Cantabria y América Meridional.

apelmazadamente. adv. m. De manera apelmazada, pesadamente.

apelmazado, da. p. p. de **apelmazar.** ‖ **2.** adj. fig. Dicho de obras literarias, amazacotado, falto de amenidad.

apelmazar. (De *a-*[1] y *pelmazo.*) tr. Hacer que una cosa esté menos esponjada o hueca de lo que requiere para su uso. Ú. t. c. prnl. ‖ **2.** *El Salv.* y *Nicar.* Apisonar.

apelotonar. tr. Formar pelotones o grumos. Ú. t. c. prnl. ‖ **2.** Formar pelotones o aglomeraciones de personas o cosas. Ú. t. c. prnl.

apellar[1]. (De *a-*[1] y el lat. *pellis,* piel.) tr. Untar y adobar la piel sobándola, para que reciba bien los ingredientes del color que se le quiere dar.

apellar[2]. (Del lat. *appellāre,* llamar.) tr. ant. *Der.* **apelar**[1]. ‖ **2.** *Cantabria.* Hacer cantar al carro.

apellidador, ra. adj. Que apellida. Ú. t. c. s. ‖ **2.** m. **apellidero.**

apellidamiento. m. Acción de apellidar.

apellidante. p. a. de **apellidar.** Que apellida. ‖ **2.** m. *Der. Ar.* El que presenta apellido al juez.

apellidar. (Del lat. *appellitāre,* frec. de *appellāre,* llamar, proclamar.) tr. Nombrar, llamar. Ú. t. c. prnl. ‖ **2.** p. us. Gritar convocando, excitando o proclamando. ‖ **3.** p. us. Llamar a las armas, convocar para alguna expedición de guerra. Ú. t. c. prnl. ‖ **4.** p. us. Aclamar a uno confiriéndole un cargo u honor. ‖ **5.** prnl. Tener tal nombre o apellido.

apellidero. m. Hombre de guerra que formaba parte de hueste reunida por apellido.

apellido. (De *apellidar.*) m. Nombre de familia con que se distinguen las personas; como *Córdoba, Fernández, Guzmán.* ‖ **2.** Nombre particular que se da a varias cosas. ‖ **3. sobrenombre,** o mote. ‖ **4.** desus. Convocación, llamamiento de guerra. ‖ **5.** desus. Hueste reunida por este llamamiento. ‖ **6.** desus. Seña que se daba a los soldados para que se aprestasen a tomar las armas. ‖ **7.** desus. Clamor o grito. ‖ **8.** ant. **invocación,** llamada de auxilio. ‖ **9.** *Der. Ar.* Causa o proceso en que, por la conveniencia de su publicidad, pueden intervenir como testigos o declarantes todos cuantos quieran. ‖ **10.** *Der. Ar.* Primer pedimento o escrito que se presenta al juez en cualquiera de los cuatro procesos forales.

apena. adv. m. poét. desus. **apenas.**

apenamiento. m. *Ar.* Acción de apenar o intimar una pena.

apenar. tr. Causar pena, afligir. Ú. t. c. prnl. ‖ **2.** *Ar.* Intimar una pena ya señalada de antemano. Se usaba principalmente contra los que hacían entrar animales de pasto en propiedad ajena. ‖ **3.** prnl. *Amér.* Sentir vergüenza.

apenas. (De *a penas.*) adv. neg. Difícilmente, casi no. *Por la ventana* APENAS *entraba el sol.* ‖ **2.** adv. c. Escasamente, solo. *Hemos llegado* APENAS *hace una semana.* ‖ **3.** conj. t. En cuanto, al punto que. APENAS *bajé a la calle, se puso a llover.* ‖ **apenas si.** loc. adv. **apenas,** casi no. Se usa para evitar la ambigüedad en casos de posible confusión con el uso conjuntivo. APENAS SI *sale de casa; me llama por teléfono (está enfermo).* APENAS *sale de casa, me llama por teléfono (se preocupa por mí).*

apencar. (De *a-*[1] y *penca.*) intr. fam. **apechugar,** cargar con alguna obligación ingrata. Ú. generalmente con la prep. *con.*

apendejarse. prnl. *Col., Pan.* y *Sto. Dom.* Hacerse bobo, estúpido. ‖ **2.** *Cuba, Nicar.* y *Sto. Dom.* Acobardarse.

apendencia. (Del lat. *appendens, -entis,* p. a. de *appendere,* depender.) f. desus. **pertenencia,** cosa accesoria. Usáb. m. en pl.

apéndice. (Del lat. *appendix, -icis.*) m. Cosa adjunta o añadida a otra, de la cual es como parte accesoria o dependiente. ‖ **2.** fig. Satélite, alguacil o persona que sigue o acompaña de continuo a otra. ‖ **3.** *Bot.* Conjunto de escamas, a manera de pedazos de hojas, que tienen en su base algunos pecíolos. ‖ **4.** *Zool.* Parte del cuerpo animal unida o contigua a otra principal. ‖ **cecal, vermicular,** o **vermiforme.** *Anat.* Prolongación delgada y hueca, de longitud variable, que se halla en la parte interna y terminal del intestino ciego del hombre, monos y muchos roedores.

apendicitis. (De *apéndice,* e *-itis.*) f. *Pat.* Inflamación del apéndice vermicular.

apendicular. (Del lat. *appendicŭla,* d. de *appendix,* apéndice.) adj. *Anat.* y *Bot.* Perteneciente o relativo al apéndice.

apensionar. tr. desus. **pensionar,** imponer algún gravamen o pensión. ‖ **2.** prnl. *Col., Chile, Méj.* y *Perú.* Entristecerse, apesadumbrarse.

apeñuscar. tr. Apiñar, agrupar, amontonar. Ú. m. c. prnl.

apeo. m. Acción y efecto de apear un árbol. ‖ **2.** Acción y efecto de apear una finca. ‖ **3.** *Arq.* Acción y efecto de apear un edificio. ‖ **4.** Documento jurídico que acredita el deslinde y demarcación. ‖ **5.** *Arq.* Armazón, madero o fábrica con que se apea el todo o parte de un edificio, construcción o terreno.

apeonar. (De *a-*[1] y *peón.*) intr. Andar a pie y aceleradamente, lo que por lo común se entiende de las aves, y en especial de las perdices.

apepsia. (Del gr. ἀπεψία, de ἄπεπτος, no cocido.) f. *Med.* Falta de digestión.

apepú. (Del guaraní *apepú,* cáscara agrietada.) m. *Argent.* y *Par.* Planta de la familia de las rutáceas. Es un naranjo agrio, de corteza gris oscuro, copa globosa y ramas con fuertes espinas, flores blancas muy aromáticas, dispuestas en pequeños racimos axilares, frutos de corteza rugosa, de color anaranjado rojizo y pulpa amarga y de mucho jugo. ‖ **2.** Fruto de este árbol.

aperado, da. p. p. de **aperar.** ‖ **2.** adj. *And.* Dícese del cortijo abastecido de yuntas, pajares e instrumentos de labranza.

aperador. m. El que tiene por oficio aperar. ‖ **2.** El que cuida de la hacienda del campo y de todas las cosas pertenecientes a la labranza. ‖ **3.** Capataz de una mina.

aperar. (De *apero.*) tr. Componer, aderezar. ‖ **2.** En especial, hacer carros o galeras y aparejos para el acarreo y trajín del campo. ‖ **3.** *Amér.* Proveer, abastecer de instrumentos, herramientas o bastimentos. ‖ **4.** rur. *Argent., Nicar.* y *Urug.* **ensillar,** colocar el apero.

apercebimiento. m. ant. **apercibimiento.**

apercebir. tr. ant. **apercibir.**

apercepción. f. *Fil.* Percepción atenta y clara, con conciencia de ella.

apercibimiento. m. Acción y efecto de apercibir o apercibirse. ‖ **2.** *Der.* Una de las correcciones disciplinarias.

apercibir[1]. (De *a-*[1] y *percibir.*) tr. Prevenir, disponer, preparar lo necesario para alguna cosa. Ú. t. c. prnl. ‖ **2.** Amonestar, advertir. ‖ **3.** *Der.* Hacer saber a la persona citada, emplazada o requerida, las consecuencias que se seguirán de determinados actos u omisiones suyas. ‖ **4.** *Psicol.* Percibir algo reconociéndolo o interpretándolo con referencia a lo ya conocido.

apercibir[2]. (Del fr. *apercevoir.*) tr. Percibir, observar, caer en la cuenta. Ú. t. c. prnl. con la prep. *de.*

apercibo. m. ant. **apercibimiento.**

aperción. (Del lat. *apertĭo, -ōnis.*) f. desus. Acción de abrir.

apercollar. (De *a-*[1] y el lat. *per collum,* por el cuello.) tr. fam. desus. Coger o asir por el cuello a alguno. ‖ **2.** fam. desus. Matar de un golpe en el cogote. ‖ **3.** fig. y fam. desus. Coger algo de prisa y como a escondidas. ‖ **4.** *Ecuad.* Exigir insistente y violentamente algo; especialmente de carácter económico.

aperdigar. tr. **perdigar.**

apereá. (De or. guaraní.) m. Mamífero roedor de la Argentina y del Uruguay, de unos 30 centímetros de longitud, sin cola, parecido al conejo, pero con boca de rata y de un mismo color todo el cuerpo.

apergaminado, da. p. p. de **apergaminarse.** ‖ **2.** adj. Semejante al pergamino.

apergaminarse. (De *a-*[1] y *pergamino.*) prnl. fig. y fam. **acartonarse** uno.

aperital. m. *Argent.* **aperitivo.**

aperitivo, va. (Del lat. *aperitīvus.*) adj. Que sirve para abrir el apetito. Ú. t. c. s. m. ‖ **2.** *Med.* Que sirve para combatir las obstrucciones, devolviendo su natural permeabilidad a los tejidos y abriendo las vías que recorren los líquidos en el estado normal. Ú. t. c. s. m. ‖ **3.** m. Bebida que se toma antes de una comida principal. ‖ **4.** Comida que suele acompañar a esta bebida.

aperlado, da. adj. **perlado.**

apernador, ra. adj. *Mont.* Dícese del perro que apierna. Ú. t. c. s.

apernar. tr. *Mont.* Asir o agarrar el perro por las piernas alguna res.

apero. (Del lat. **apparium,* útil, aparejo.) m. Conjunto de instrumentos y demás cosas necesarias para la labranza. Ú. m. en pl. ‖ **2.** Cualquier instrumento que se emplea en la labranza. ‖ **3.** Conjunto de animales destinados en una hacienda a las faenas agrícolas. Ú. m. en pl. ‖ **4.** Por ext., conjunto de instrumentos y herramientas de otro cualquier oficio. Ú. m. en pl. ‖ **5. majada** de acoger ganado. ‖ **6.** ant. Rebaño o hato de ganado. ‖ **7.** *Amér.* Recado de montar más lujoso que el común, propio de la gente del campo. ‖ **8.** *Argent.* y *Perú.* Recado de montar.

aperreado, da. p. p. de **aperrear.** ‖ **2.** adj. Trabajoso, molesto.

aperreador, ra. adj. desus. fam. Que aperrea. Ú. t. c. s. y en sent. fig.

aperrear. tr. Echar perros a alguien para que lo maten y despedacen. Era un género de suplicio. ‖ **2.** Azuzar perros contra personas o animales. ‖ **3.** fig. y fam. Fatigar mucho a una persona; causarle gran molestia y trabajo. Ú. m. c. prnl. ‖ **4.** *Pan.* Maltratar de palabra a una persona, ofendiéndola gravemente. ‖ **5.** prnl. fig. **emperrarse.**

aperreo. m. fig. y fam. Acción y efecto de aperrear o fatigar.

apersogar. (De *a-*[1], *per* y *soga.*) tr. Atar un animal a un poste u otro animal, para que no huya. Ú. t. c. prnl. Ú. m. en América. ‖ **2.** *Venez.* Por ext., atar cosas juntas. Ú. t. c. prnl. ‖ **3.** prnl. *Argent.* y *Venez.* Unirse en concubinato.

apersonado, da. p. p. de **apersonarse.** ‖ **2.** adj. **bien apersonado.** ‖ **bien,** o **mal, apersonado.** loc. adj. De buena, o mala, persona o presencia.

apersonamiento. m. *Der.* Acción de apersonarse o comparecer.

apersonarse. prnl. **personarse,** comparecer. ‖ **2.** p. us. Engalanarse, vestirse con esmero. ‖ **3.** *Der.* Comparecer como parte en un negocio el que, por sí o por otro, tiene interés en él.

apertar. (Del lat. *appectorāre.*) tr. ant. y vulg. Apretar.

aperto. (De *apertar.*) adj. *Sor.* Junto.

apertura. (Del lat. *apertūra.*) f. Acción de abrir. ‖ **2.** Tratándose de asambleas, corporaciones, teatros, etc., acto de dar principio, o de volver a dárselo, a sus tareas, estudios, espectáculos, etc. ‖ **3.** Tratándose de testamentos cerrados, acto solemne de sacarlos de sus pliegos y darles publicidad y autenticidad. ‖ **4.** Combinación de ciertas jugadas con que se inicia una partida de ajedrez. ‖ **5.** fig. Tendencia o posición favorable, en lo político, ideológico, etc., a actuar conforme a criterios menos cerrados o intransigentes y a colaborar con quienes los propugnan.

aperturismo. m. **apertura,** tendencia o posición.

aperturista. adj. Perteneciente o relativo a la apertura ideológica, política, etc. ‖ **2.** Partidario de esta tendencia o posición. Ú. t. c. s.

apesadumbrar. tr. Causar pesadumbre, afligir. Ú. m. c. prnl.

apesaradamente. adv. m. Con pesar.

apesarar. (De *a-*[1] y *pesar*[1].) tr. **apesadumbrar.** Ú. t. c. prnl.

apesgamiento. m. desus. Acción y efecto de apesgar o apesgarse.

apesgar. (De *pesgar.*) tr. desus. Hacer peso o agobiar a alguno. ‖ **2.** prnl. desus. Agravarse, ponerse muy pesado.

apestar. tr. Causar, comunicar la peste. Ú. t. c. prnl. ‖ **2.** fig. Corromper, viciar. ‖ **3.** fig. y fam. Fastidiar, causar hastío. ‖ **4.** intr. Arrojar o comunicar mal olor. Ú. t. en sent. fig. ‖ **estar** un lugar **apestado de** alguna cosa. fr. fig. y fam. Haber allí gran abundancia de ella. *La plaza* ESTÁ APESTADA DE *verduras.*

apestillar. (De *pestillo.*) tr. Cerrar o encerrar con pestillo. Ú. t. c. prnl. ‖ **2.** *Argent.* y *Chile.* Asir a uno de modo que no pueda escaparse. ‖ **3.** fam. *Argent.* Apremiar a una persona.

apestoso, sa. adj. Que apesta, o tiene mal olor. ‖ **2.** Que causa hastío.

apétalo, la. (Del gr. ἀπέταλος.) adj. *Bot.* Dícese de la flor que carece de pétalos.

apetecedor, ra. adj. Que apetece.

apetecer. (Del lat. *appetĕre.*) tr. Tener gana de alguna cosa, o desearla. En algunas partes, ú. t. c. prnl. ‖ **2.** intr. Gustar, agradar una cosa.

apetecible. adj. Digno de apetecerse.

apetencia. (Del lat. *appetentĭa.*) f. **apetito,** gana de comer. ‖ **2.** Movimiento natural que inclina al hombre a desear alguna cosa.

apetente. adj. Que tiene apetito.

apetite. m. desus. Salsa o sainete para excitar el apetito. ‖ **2.** fig. desus. Estímulo para hacer o desear alguna cosa.

apetitivo, va. (De *apetito.*) adj. Aplícase a la potencia o facultad de apetecer. ‖ **2.** p. us. **apetitoso,** sabroso.

apetito. (Del lat. *appetītus.*) m. Impulso instintivo que nos lleva a satisfacer deseos o necesidades. ‖ **2.** Gana de comer. ‖ **3.** Deseo sexual. ‖ **4.** p. us. fig. Lo que excita el deseo de alguna cosa. ‖ **concupiscible.** El sensitivo, al cual pertenece desear lo que conviene a la conservación y comodidad del individuo o de la especie. ‖ **abrir, o despertar, el apetito.** fr. fig. y fam. Excitar la gana de comer.

apetitoso, sa. adj. Que excita el apetito o deseo. ‖ **2.** Gustoso, sabroso. ‖ **3.** desus. Que gusta de manjares delicados. ‖ **4.** desus. Aficionado a cumplir su gusto o que sigue sus apetitos.

ápex. (Del lat. *apex,* ápice.) m. *Astron.* Punto de la esfera celeste hacia el cual se dirige el Sol arrastrando a los planetas.

apezonado, da. adj. De figura de pezón.

apezuñar. intr. Hincar en el suelo los bueyes las pezuñas, o las caballerías los cascos, como sucede cuando suben una cuesta.

api. (De or. quechua.) m. *NO. Argent.* y *Bol.* Mazamorra de maíz morado triturado, sazonada con diversos ingredientes.

apiadador, ra. adj. Que se apiada.

apiadar. tr. Causar piedad. ‖ **2.** desus. Mirar o tratar con piedad. ‖ **3.** prnl. Tener piedad. Ú. comúnmente con la preposición *de.*

apianar. (De *piano.*) tr. Disminuir sensiblemente la intensidad de la voz o del sonido. Ú. t. c. prnl.

apiaradero. m. Cuenta o cómputo que el ganadero, o su mayoral, hace del número de cabezas de que se compone cada rebaño o piara, pasándolas por el contadero.

apiario. (Del lat. *apiarĭum.*) m. **colmenar.**

apiastro. (Del lat. *apiastrum.*) m. ant. **toronjil.**

apical. adj. Perteneciente o relativo a un ápice o punta, o localizado en ellos. ‖ **2.** *Fon.* Dícese de la consonante en cuya articulación interviene principalmente el ápice de la lengua, como la *l* o la *t.* Ú. t. c. s. f. ‖ **3.** Dícese de la letra que representa este sonido. Ú. t. c. s. f.

apicararse. prnl. Adquirir modales o procederes de pícaro.

ápice. (Del lat. *apex, -ĭcis.*) m. Extremo superior o punta de alguna cosa. Ú. t. en sent. fig. ‖ **2.** desus. Acento o cualquier otro de los signos ortográficos que se ponen sobre las letras. ‖ **3.** fig. Parte pequeñísima, punto muy reducido, nonada. ‖ **4.** fig. Hablando de alguna cuestión o dificultad, lo más arduo o delicado de ella. ‖ **estar en los ápices de** alguna cosa. fr. desus. fig. y fam. Entenderla con perfección, sabiendo todas sus menudencias.

apico-. (Del lat. *apex, -ĭcis,* ápice, punta.) *Fon.* y *Med.* elem. compos. que indica situación o carácter apical. APICO*dental,* APICO*alveolar.*

apícola. (Del lat. *apis,* abeja, y *colĕre,* cultivar.) adj. Perteneciente o relativo a la apicultura.

apículo. (Del lat. *apicŭlum.*) m. *Bot.* Punta corta, aguda y poco consistente.

apicultor, ra. (Del lat. *apis,* abeja, y *cultor, -ōris,* cultivador.) m. y f. Persona que se dedica a la apicultura.

apicultura. (Del lat. *apis,* abeja, y *cultūra,* cultivo.) f. Arte de criar abejas para aprovechar sus productos.

apichonado, da. adj. fam. *Chile.* Amartelado, enamorado.

apilada. adj. V. **castaña apilada.**

apilador, ra. adj. Que apila. Ú. t. c. s.

apilamiento. m. Acción y efecto de apilar.

apilar. tr. Amontonar, poner una cosa sobre otra, haciendo pila o montón.

apimpollarse. prnl. Echar pimpollos las plantas.

apiñado, da. p. p. de **apiñar.** ‖ **2.** adj. De figura de piña.

apiñadura. f. **apiñamiento.**

apiñamiento. m. Acción y efecto de apiñar o apiñarse.

apiñar. (De *a-*[1] y *piña.*) tr. Juntar o agrupar estrechamente personas o cosas. Ú. t. c. prnl.

apiñonado, da. adj. *Méj.* De color de piñón. Dícese, por lo común, de las personas algo morenas.

apio. (Del lat. *apĭum.*) m. Planta de la familia de las umbelíferas, de cinco a seis decímetros de altura, con tallo jugoso, grueso, lampiño, hueco, asurcado y ramoso; hojas largas y hendidas, y flores muy pequeñas y blancas. Apio cado es comestible. ‖ **2.** fig. Hombre afeminado. ‖ **caballar.** Planta silvestre parecida al **apio** común, con tallo lampiño, prismático y asurcado, hojas de tres en rama y flores amarillas por el haz y blancas por el envés. Es diurética. ‖ **cimarrón. apio** silvestre de la Argentina, de propiedades medicinales. ‖ **de ranas. ranúnculo.** ‖ **equino. apio caballar.**

apiojarse. prnl. *Murc.* Llenarse de pulgón las plantas.

apiolar. (De *a-*[1] y *pihuela.*) tr. Poner pihuela o apea. ‖ **2.** Atar un pie con el otro de un animal muerto en la caza, para colgarlo por ellos. Se emplea comúnmente hablando de los conejos, liebres, etc., y también de las aves cuando se enlazan de dos en dos pasándoles una pluma por las ventanas de las narices. ‖ **3.** fig. y fam. **prender,** a una persona. ‖ **4.** fig. y fam. **matar,** a uno.

apiparse. (De *a-*[1] y *pipa,* tonel.) prnl. fam. Atracarse de comida o bebida.

apiporrarse. prnl. fam. **apiparse.**

apirético, ca. (De *a-*[2] y el gr. πυρετικός, febril.) adj. *Med.* Perteneciente o relativo a la apirexia.

apirexia. (Del gr. ἀπυρεξία.) f. *Med.* Falta de fiebre. ‖ **2.** *Med.* Intervalo que media entre una y otra accesión de la fiebre intermitente.

apirgüinarse. prnl. *Chile.* Padecer pirgüín el ganado.

apiri. (De or. quechua.) m. *Amér.* Operario que transporta mineral en las minas.

apirularse. prnl. *Chile.* Acicalarse, endomingarse.

apisonado, da. p. p. de **apisonar.** ‖ **2.** m. **apisonamiento.**

apisonadora. f. Máquina automóvil, montada sobre rodillos muy pesados, que se emplea para apisonar caminos y pavimentos.

apisonamiento. m. Acción y efecto de apisonar.

apisonar. tr. Apretar o allanar tierra, grava, etc., por medio de un pisón o una apisonadora.

apitar. (De *a-*[1] y *pito*[1].) tr. *Sal.* Azuzar a los perros para que saquen el ganado de donde pueda hacer daño. ‖ **2.** *Sal.* **gritar,** en señal de desagrado.

apito. (De *apitar.*) m. ant. *Sal.* **grito,** manifestación vehemente de un sentimiento general.

apitonado, da. p. p. de **apitonar.** ‖ **2.** adj. desus. fam. Colérico, puntilloso, bravucón.

apitonamiento. m. Acción y efecto de apitonar.

apitonar. intr. Echar pitones los animales que crian cuernos. ‖ **2.** Empezar los árboles a brotar o arrojar los botones. ‖ **3.** tr. Romper con el pitón, el pico o la punta, alguna cosa, como las gallinas y otras aves que rompen la cáscara de sus huevos con el pico. ‖ **4.** prnl. desus. fig. y fam. Repuntarse, enojarse.

apizaquense. adj. Natural de Apizaco. Ú. t. c. s. ‖ **2.**

Perteneciente o relativo a esta ciudad mejicana del Estado de Tlaxcala.

apizarrado, da. adj. De color de pizarra, o sea negro azulado.

aplacable. adj. Fácil de aplacar.

aplacación. f. desus. **aplacamiento.**

aplacador, ra. adj. Que aplaca.

aplacamiento. m. Acción y efecto de aplacar o aplacarse.

aplacar. (De *a-*[1] y el lat. *placāre.*) tr. Amansar, suavizar, mitigar. Ú. t. c. prnl.

aplacentar. (De *a-*[1] y el p. a. lat. *placens, -entis,* que agrada.) tr. ant. Dar placer o contento.

aplacer. (De *a-*[1] y el lat. *placēre.*) intr. Agradar, contentar. Ú. t. c. prnl.

aplacerado, da. (De *a-*[1] y *placer*[1].) adj. *Mar.* Dícese del fondo del mar, llano y poco profundo.

aplacible. (De *a-*[1] y *placible.*) adj. desus. **agradable.**

aplaciente. p. a. de **aplacer.** Que aplace.

aplacimiento. (De *aplacer.*) m. ant. Complacencia, placer o gusto.

aplagar. (De *a-*[1] y *plaga,* llaga.) tr. desus. **llagar.**

aplanacalles. (De *aplanar* y *calle.*) com. *Guat.* y *Perú.* **azotacalles.**

aplanadera. f. Instrumento de piedra, madera u otra materia, con que se aplana el suelo, terreno, etc.

aplanador, ra. adj. Que aplana. Ú. t. c. s. ‖ **2.** f. *Amér.* **apisonadora.**

aplanamiento. m. Acción y efecto de aplanar o aplanarse.

aplanar. (De *a-*[1] y *plano.*) tr. **allanar,** poner llano algo. ‖ **2.** fig. y fam. Dejar a alguien pasmado o estupefacto con alguna razón o novedad inopinada. ‖ **3.** p. us. **aplastar** físicamente. ‖ **4.** prnl. desus. Venirse abajo un edificio. ‖ **5.** fig. Perder la animación o el vigor por enfermedad u otra causa.

aplanchado, da. p. p. de **aplanchar.** ‖ **2.** m. **planchado.**

aplanchador, ra. (De *aplanchar.*) m. y f. **planchador.**

aplanchar. tr. **planchar.**

aplanético, ca. (Del gr. ἀ, priv., y πλάνη, error.) adj. *Ópt.* Dícese del espejo cóncavo, lente u objetivo exentos de aberración esférica.

aplantillar. tr. Labrar piedra, madera u otro material con arreglo a plantilla o patrón.

aplastamiento. m. Acción y efecto de aplastar o aplastarse.

aplastante. p. a. de **aplastar.** Que aplasta. ‖ **2.** adj. fig. Abrumador, terminante, definitivo.

aplastar. (De *a-*[1] y *plasta.*) tr. Deformar una cosa por presión o golpe, aplanándola o disminuyendo su grueso o espesor. Ú. t. c. prnl. ‖ **2.** fig. Derrotar, vencer, humillar. ‖ **3.** fig. y fam. **apabullar,** dejar a uno confuso. ‖ **4.** *Argent.* y *Urug.* Reventar a un caballo. Ú. m. c. prnl.

aplatanado, da. p. p. de **aplatanar.** ‖ **2.** adj. Indolente, inactivo.

aplatanamiento. m. Acción y efecto de aplatanar o aplatanarse.

aplatanar. (De *a-*[1] y *plátano.*) tr. Causar indolencia o restar actividad a alguien. ‖ **2.** prnl. Entregarse a la indolencia o inactividad, en especial por influjo del ambiente o clima tropicales. ‖ **3.** *Ant.* y *Filip.* Acriollarse, adoptar un extranjero las costumbres del país.

aplaudidor, ra. adj. Que aplaude. Ú. t. c. s.

aplaudir. (Del lat. *applaudĕre.*) tr. Palmotear en señal de aprobación o entusiasmo. ‖ **2.** fig. Celebrar con palabras u otras demostraciones a personas o cosas.

aplauso. (Del lat. *applausus.*) m. Acción y efecto de aplaudir. ‖ **cerrado.** El unánime y muy nutrido.

aplayar. (De *a-*[1] y *playa.*) intr. desus. Salir el río de madre, extendiéndose por los campos.

aplazable. adj. Que puede aplazarse.

aplazado, da. p. p. de **aplazar.** ‖ **2.** adj. *Amér.* **suspenso,** dicho de un examen. Ú. t. c. s.

aplazamiento. m. Acción y efecto de aplazar.

aplazar. (De *a-*[1] y *plazo.*) tr. **emplazar**[1], citar a una persona. ‖ **2. diferir** un acto. ‖ **3.** *Amér.* Suspender a un examinando. ‖ **4.** prnl. *Sto. Dom.* Amancebarse, vivir en concubinato.

aplebeyar. (De *a-*[1] y *plebeyo.*) tr. Dar carácter plebeyo a algo o a alguien. Ú. t. c. prnl.

aplegar. (Del lat. *applicāre,* allegar.) tr. ant. *Ar.* y *Rioja.* Allegar o recoger. ‖ **2.** *Ar.* y *Rioja.* Arrimar o llegar una cosa a otra.

aplicabilidad. f. Calidad de aplicable.

aplicable. adj. Que puede o debe aplicarse.

aplicación. (Del lat. *applicatĭo, -ōnis.*) f. Acción y efecto de aplicar o aplicarse. ‖ **2.** fig. Afición y asiduidad con que se hace alguna cosa, especialmente el estudio. ‖ **3.** Ornamentación ejecutada en materia distinta de otra a la cual se sobrepone. ‖ **4.** *Mat.* Operación por la que se hace corresponder a todo elemento de un conjunto un solo elemento de otro conjunto.

aplicadero, ra. adj. desus. **aplicable.**

aplicado, da. p. p. de **aplicar.** ‖ **2.** adj. fig. Que muestra aplicación o asiduidad. ‖ **3.** Dícese de la parte de la ciencia enfocada en razón de su utilidad, y también de las artes manuales o artesanales como la cerámica, la ebanistería, etc. Genéricamente, ú. t. en pl.

aplicar. (Del lat. *applicāre,* arrimar.) tr. Poner una cosa sobre otra o en contacto de otra. ‖ **2.** fig. Emplear, administrar o poner en práctica un conocimiento, medida o principio, a fin de obtener un determinado efecto o rendimiento en una cosa o persona. ‖ **3.** fig. Referir a un caso particular lo que se ha dicho en general, o a un individuo lo que se ha dicho de otro. ‖ **4.** fig. Atribuir o imputar a uno algún hecho o dicho. ‖ **5.** fig. Destinar, adjudicar, asignar. ‖ **6.** *Der.* Adjudicar bienes o efectos. ‖ **7.** prnl. fig. Poner esmero, diligencia y cuidado en ejecutar alguna cosa, especialmente en estudiar.

aplicativo, va. adj. Que sirve para aplicar alguna cosa.

aplique. (Del fr. *applique.*) m. Cualquier pieza del decorado teatral que no sea el telón, los bastidores y las bambalinas. ‖ **2.** Candelero de uno o varios brazos, u otra clase cualquiera de lámpara, que se fija en la pared.

aplomado, da. p. p. de **aplomar.** ‖ **2.** adj. Que tiene aplomo. ‖ **3. plomizo.**

aplomar. (De *a-*[1] y *plomo.*) tr. Hacer que algo adquiera mayor peso o alguna otra cualidad del plomo. Ú. t. c. prnl. y en sent. fig. ‖ **2.** *Albañ.* Examinar con la plomada si las paredes u otras partes de la fábrica que se van construyendo están verticales o a plomo. Ú. t. c. intr. ‖ **3.** *Arq.* Poner las cosas verticalmente. ‖ **4.** prnl. p. us. **desplomarse.** ‖ **5.** Cobrar aplomo.

aplomo[1]**.** (De *aplomar.*) m. Gravedad, serenidad, circunspección. ‖ **2.** En el caballo, cada una de las líneas verticales que determinan la dirección que deben tener sus miembros para que esté bien constituido. Ú. m. en pl. ‖ **3. verticalidad.**

aplomo[2]**.** (De la loc. adv. *a plomo.*) m. **plomada,** para indicar la línea vertical.

apnea. (Del gr. ἄπνοια.) f. *Fisiol.* Falta o suspensión de la respiración.

apoastro. (Del gr. ἀπό, lejos de, y ἄστρον, astro.) m. *Astron.* Punto en que un astro secundario se halla a mayor distancia de su principal.

ápoca. (Del lat. *apŏcha,* y este del gr. ἀποχή.) f. *Der. Ar.* Carta de pago o recibo.

apocadamente. adv. m. Con poquedad. ‖ **2.** fig. Con abatimiento o bajeza de ánimo.

apocado, da. p. p. de **apocar.** ‖ **2.** adj. fig. De poco ánimo o espíritu. ‖ **3.** fig. Vil o de baja condición.

apocador, ra. adj. desus. Que apoca o disminuye alguna cosa. Ú. t. c. s.

Apocalipsis. (Del lat. *apocalypsis,* y este del gr. ἀποκάλυψις, revelación.) n. p. m. Último libro canónico del Nuevo Testamento. Contiene las revelaciones escritas por el apóstol San Juan, referentes en su mayor parte al fin del mundo.

apocalíptico, ca. (Del gr. ἀποκαλυπτικός.) adj. Perteneciente o relativo al Apocalipsis. ‖ **2.** fig. Misterioso, oscuro, enigmático. *Estilo* APOCALÍPTICO. ‖ **3.** fig. Terrorífico, espantoso. Dícese de lo que amenaza o implica exterminio o devastación.

apocamiento. (De *apocar.*) m. fig. Cortedad o encogimiento de ánimo. ‖ **2.** fig. **abatimiento,** postración.

apocar. tr. Aminorar, reducir a poco alguna cantidad. Ú. t. en sent. fig. ‖ **2.** fig. Humillar, abatir, tener en poco. Ú. t. c. prnl.

apocatástasis. (Del gr. ἀποκατάστασις, restablecimiento.) f. *Fil.* Retorno de todas las cosas o de cualquiera de ellas a su primitivo punto de partida.

apócema o **apócima.** (Del lat. *apozĕma,* y este del gr. ἀπόζεμα, cocimiento.) f. p. us. *Farm.* **pócima.**

apocináceo, a. (Del lat. *apocy̆num,* y este del gr. ἀπόκυνον, matacán.) adj. *Bot.* Dícese de plantas angiospermas dicotiledóneas, de hojas persistentes, opuestas o verticiladas, sencillas, enteras y coriáceas; flores hermafroditas y regulares; fruto capsular o folicular, y semillas con albumen carnoso o córneo; como la adelfa y la hierba doncella. Ú. t. c. s. f. ‖ **2.** f. pl. *Bot.* Familia de estas plantas.

apócopa. f. *Gram.* **apócope.**

apocopar. tr. *Gram.* Cometer apócope.

apócope. (Del lat. *apocŏpe,* y este del gr. ἀποκοπή, de ἀποκόπτω, cortar.) f. *Gram.* Supresión de algún sonido al fin de un vocablo, como en *primer* por *primero.* Era figura de dicción según la preceptiva tradicional.

apocoyado, da. (De *pocoyo.*) adj. *Nicar.* Amilanado, abatido.

apócrifamente. adv. m. Con fundamentos falsos o inciertos.

apócrifo, fa. (Del lat. *apocry̆phus,* y este del gr. ἀπόκρυφος, oculto.) adj. Fabuloso, supuesto o fingido. ‖ **2.** Dícese de todo libro que, atribuyéndose a autor sagrado, no está, sin embargo, incluido en el canon de la Biblia.

apocrisiario. (Del lat. *apocrisiarĭus,* y este del gr. ἀπόκρισις, respuesta.) m. Embajador, enviado del imperio bizantino. ‖ **2.** Canciller del imperio bizantino. ‖ **3.** Legado eclesiástico en la corte de aquel imperio.

apocromático, ca. (Del gr. ἀπό, sin, y χρωματικός, de color.) adj. *Ópt.* Dícese del sistema óptico muy corregido de aberración cromática.

apochongarse. prnl. *Argent.* y *Urug.* Asustarse, acobardarse.

apodador, ra. adj. Que acostumbra a poner o decir apodos. Ú. t. c. s.

apodamiento. m. ant. **apodo.** ‖ **2.** ant. Valuación o tasa.

apodar. (Del lat. tardío *apputāre,* der. de *putāre,* juzgar.) tr. Poner o decir apodos. ‖ **2.** ant. Comparar una cosa con otra. ‖ **3.** ant. Valuar o tasar alguna cosa. ‖ **4.** prnl. Ser llamado por el apodo.

apodencado, da. adj. Semejante al podenco.

apoderadamente. adv. m. ant. Con cierto dominio o autoridad.

apoderado, da. p. p. de **apoderar.** ‖ **2.** adj. Dícese del que tiene poderes de otro para representarlo y proceder en su nombre. Ú. t. c. s. ‖ **3.** ant. Poderoso o de mucho poder. ‖ **constituir apoderado.** fr. *Der.* Nombrarlo en debida forma.

apoderamiento. m. Acción y efecto de apoderar o apoderarse.

apoderar. tr. Dar poder una persona a otra para que la represente en juicio o fuera de él. ‖ **2.** ant. Poner en poder de alguien una cosa o darle la posesión de ella. ‖ **3.** prnl. Hacerse alguien o algo dueño de alguna cosa, ocuparla, ponerla bajo su poder. Ú. t. en sent. fig. *El pánico* SE APODERÓ *de los espectadores.* ‖ **4.** ant. Hacerse poderoso o fuerte; prevenirse de poder o de fuerzas.

apodíctico, ca. (Del lat. *apodictĭcus,* y este del gr. ἀποδεικτικός, demostrativo.) adj. *Lóg.* Incondicionalmente cierto, necesariamente válido.

apodo. (De *apodar.*) m. Nombre que suele darse a una persona, tomado de sus defectos corporales o de alguna otra circunstancia. ‖ **2.** desus. Chiste o dicho gracioso con que se califica a una persona o cosa, sirviéndose ordinariamente de una ingeniosa comparación.

ápodo, da. (Del gr. ἄπους, ἄποδος.) adj. *Zool.* Falto de pies. ‖ **2.** *Zool.* V. **malacopterigio ápodo.** ‖ **3.** *Zool.* Dícese de batracios de cuerpo vermiforme, sin extremidades y sin cola, o con cola rudimentaria. Ú. t. c. s. m. ‖ **4.** m. pl. *Zool.* Orden de estos animales.

apódosis. (Del lat. *apodŏsis,* y este del gr. ἀπόδοσις, explicación, retribución.) f. *Ret.* Segunda parte del período, en que se completa o cierra el sentido que queda pendiente en la primera, llamada prótasis. ‖ **2.** *Gram.* En los períodos condicionales, la oración principal, que enuncia el resultado o consecuencia de que se cumpla la condición expresada en la subordinada (hipótesis o prótasis), que puede anteceder o seguir a la principal.

apófige. (Del lat. *apophy̆gis,* y este del gr. ἀποφυγή, huida, evitación.) f. *Arq.* Cada una de las pequeñas partes curvas que enlazan las extremidades del fuste de la columna con las molduras de su base o de su capitel.

apófisis. (Del gr. ἀπόφυσις, excrecencia.) f. *Anat.* Parte saliente de un hueso, que sirve para su articulación o para las inserciones musculares. ‖ **coracoides.** La del omóplato situada en la parte más prominente del hombro.

apofonía. (Del gr. ἀπό, lejos de, y φωνή, sonido.) f. *Fon.* Alteración de vocales en palabras de la misma raíz; como *imberbe,* de *barba.*

apogeo. (Del lat. *apogēus,* y este del gr. ἀπόγειος.) m. *Astron.* Punto de la órbita de la Luna, de un satélite artificial o de la trayectoria de un vehículo espacial, que se encuentra más alejado del centro de la Tierra. ‖ **2.** *Fís.* Punto de una órbita, en el cual es máxima la distancia entre el objeto que la describe y su centro de atracción. ‖ **3.** fig. Punto culminante de un proceso.

apógrafo. (Del lat. *apogrăphum,* y este del gr. ἀπόγραφος, transcrito.) m. Copia de un escrito original.

apolillado, da. p. p. de **apolillar.** ‖ **2.** adj. fig. Rancio, viejo, trasnochado.

apolilladura. (De *apolillar.*) f. Señal o agujero que la polilla hace en las ropas, paños y otras cosas.

apolillamiento. m. Acción y efecto de apolillar o apolillarse.

apolillar. tr. Roer, penetrar o destruir la polilla las ropas u otras cosas. Ú. m. c. prnl.

apolinar. (Del lat. *apollinăris.*) adj. poét. **apolíneo.**

apolinarismo. m. Herejía de los apolinaristas.

apolinarista. adj. Sectario de Apolinar, hereje del siglo IV, el cual negaba la naturaleza humana de Jesucristo. Ú. m. c. s.

apolíneo, a. (Del lat. *apollinĕus.*) adj. poét. Perteneciente o relativo a Apolo. ‖ **2.** Que posee alguna de las cualidades atribuidas a Apolo, en especial la hermosura. ‖ **3.** Según la antítesis entre **apolíneo** y dionisíaco, desarrollada por Nietzsche, aplícase a lo equilibrado, coherente, etc.

apolismar. tr. *Cuba, Pan.* y *P. Rico.* Estropear, magullar. ‖ **2.** prnl. *C. Rica.* Holgazanear. ‖ **3.** *C. Rica, P. Rico* y *Venez.* Acobardarse, estar atontado. ‖ **4.** *Col., Guat.* y *P. Rico.* Quedarse pequeño, raquítico, no crecer.

apolismarse. prnl. *Cir.* **aporismarse.**

apoliticismo. m. Condición de apolítico. ‖ **2.** Carencia de carácter o significación políticos.

apolítico, ca. (De *a-*[2] y *político.*) adj. Ajeno a la política.

apologética. (De *apologético.*) f. Ciencia que expone las pruebas y fundamentos de la verdad de la religión católica.

apologético, ca. (Del lat. *apologetĭcus,* y este del gr. ἀπολογητικός.) adj. Perteneciente o relativo a la apología. ‖ **2.** m. desus. **apología.**

apología. (Del lat. *apología,* y este del gr. ἀπολογία.) f. Discurso de palabra o por escrito, en defensa o alabanza de personas o cosas.

apológico, ca. adj. Perteneciente o relativo al apólogo o fábula.

apologista. com. Persona que hace alguna apología.

apologizar. tr. p. us. Hacer la apología de una persona o cosa.

apólogo, ga. (Del lat. *apolŏgus,* y este del gr. ἀπόλογος, cuento.) adj. **apológico.** ‖ **2.** m. **fábula,** composición literaria.

apolónida o **apolonida.** (Del lat. *Apollonĭdes, -ae,* del gr. Ἀπολλωνίδης, -ου.) m. Hijo de Apolo, en el sentido figurado de poeta.

apoltronamiento. m. Acción y efecto de apoltronarse.

apoltronarse. prnl. Hacerse poltrón. Se usa más comúnmente hablando de los que llevan vida sedentaria. ‖ **2.** Arrellanarse, repantigarse.

apolvillarse. (De *a-*[1] y *polvillo,* d. de *polvo.*) prnl. *Chile.* **atizonarse.**

apomazar. tr. Estregar o alisar con la piedra pómez una superficie.

aponer. (Del lat. *apponĕre.*) tr. ant. Imputar, achacar, echar la culpa. ‖ **2.** ant. Imponer, aplicar. ‖ **3.** *Gram.* Adjuntar un nombre o una construcción nominal a un sustantivo o a un pronombre de modo que formen aposición. ‖ **4.** prnl. ant. **proponerse,** determinarse a ejecutar una cosa.

aponeurosis. (Del gr. ἀπονεύρωσις, extremo del músculo.) f. *Anat.* Membrana formada por tejido conjuntivo fibroso cuyos hacecillos están entrecruzados y que sirve de envoltura a los músculos. ‖ **2.** Por ext., tendón ensanchado en forma laminar.

aponeurótico, ca. adj. Perteneciente o relativo a la aponeurosis.

apontocar. tr. Sostener una cosa o darle apoyo con otra.

aponzoñar. tr. ant. **emponzoñar.**

apoplejía. (Del lat. *apoplexĭa,* y este del gr. ἀποπληξία, parálisis.) f. *Pat.* Suspensión súbita y más o menos completa de la acción cerebral, debida a hemorragia, embolia o trombosis de una arteria del cerebro.

apopléjico, ca o **apoplético, ca.** (Del lat. *apoplectĭcus,* y este del gr. ἀποπληκτικός.) adj. Perteneciente o relativo a la apoplejía. ‖ **2.** Que padece apoplejía. Ú. t. c. s. ‖ **3.** Predispuesto a la apoplejía. *Temperamento* APOPLÉTICO; *complexión* APOPLÉTICA.

apoquecer. (De *a-*[1] y *poco.*) tr. ant. Apocar, acortar, abreviar.

apoquinar. tr. vulg. fam. Pagar o cargar, generalmente de mala gana, con los gastos que a uno le corresponden.

aporca. f. *Chile.* **aporcadura.**

aporcador, ra. adj. Que aporca. Ú. t. c. s.

aporcadura. f. Acción y efecto de aporcar.

aporcar. (De *a-*[1] y el lat. *porca,* caballón.) tr. Cubrir con tierra ciertas plantas, como el apio, el cardo, la escarola y otras hortalizas, para que se pongan más tiernas y blancas. ‖ **2.** Remover la tierra para amontonarla en torno a los troncos o los tallos de cualquier planta.

aporía. (Del gr. ἀπορία, dificultad de pasar.) f. *Fil.* Dificultad lógica que presenta un problema especulativo.

aporisma. (Del b. lat. *aporisma,* y este del gr. ἀπορία, dificultad de pasar.) m. *Cir.* Tumor que se forma por derrame de sangre entre cuero y carne, de resultas de una sangría o de una punción semejante, cuando la abertura hecha en la piel es menor que la de la vena, o dejan una y otra de hallarse en correspondencia.

aporismarse. prnl. *Cir.* Hacerse aporisma.

aporque. m. *Col.* y *Perú.* **aporcadura.**

aporracear. (De *a-*[1] y *porrazo.*) tr. *And.* **aporrear,** golpear con porra o de otro modo.

aporrar. (De *a-*[1] y *porro.*) intr. desus. fam. Quedarse alguno sin poder responder ni hablar en ocasión en que debía hacerlo.

aporrarse. (De *a-*[1] y *porra.*) prnl. desus. fam. Hacerse pesado o molesto.

aporreado, da. p. p. de **aporrear.** ‖ **2.** adj. **arrastrado,** pobre, desafortunado. ‖ **3.** m. *Cuba.* Guisado de carne de vaca con manteca, tomate, ajo y otras especias. ‖ **4.** *Cuba* y *Méj.* Guisado de carne o bacalao aderezado con especias.

aporreador, ra. adj. Que aporrea. Ú. t. c. s.

aporreadura. f. **aporreo.**

aporreamiento. m. **aporreo.**

aporrear. tr. Dar golpes insistentemente, con porra o cualquier otra cosa. Ú. t. c. prnl. y en sent. fig. APORREAR *el piano.* ‖ **2.** fig. Machacar, importunar, molestar. APORREAR *los oídos.* ‖ **3.** p. us. Sacudir o ahuyentar las moscas. ‖ **4.** prnl. desus. fig. Atarearse con suma fatiga y aplicación.

aporreo. m. Acción y efecto de aporrear o aporrearse.

aporretado, da. (De *a-*[1] y *porreta,* d. de *porra.*) adj. Dicho de los dedos de la mano, cortos y con más grosor del proporcionado a su longitud.

aporrillarse. (De *a-*[1] y *porrilla.*) prnl. Hincharse las articulaciones con abscesos que dificultan el movimiento.

aportación. (Del lat. *apportatĭo, -ōnis.*) f. Acción y efecto de aportar[2]. ‖ **2.** Conjunto de bienes aportados.

aportadera. (De *aportar*[2].) f. Cada una de las dos cajas grandes, de forma rectangular y con tapa, que, colocadas como tercios sobre el aparejo de las caballerías, sirven para conducir algunas cosas. ‖ **2.** Recipiente de madera con agarraderos laterales que sirve para transportar la uva desde la viña al lagar.

aportadero. m. Paraje donde se puede o suele aportar[1].

aportar[1]**.** intr. p. us. Tomar puerto o arribar a él. ‖ **2.** fig. Llegar, ir a parar a alguna parte, voluntariamente o por azar.

aportar[2]**.** (Del lat. *apportāre;* de *ad,* a, y *portāre,* llevar.) tr. p. us. Llevar, conducir, traer. ‖ **2.** Contribuir, añadir, dar. ‖ **3.** *Der.* Llevar cada cual la parte que le corresponde a la sociedad de que es miembro, y más comúnmente llevar bienes o valores, el marido o la mujer, a la sociedad conyugal.

aporte. (De *aportar*[2].) m. **aportación,** bienes aportados. ‖ **2.** fig. Contribución, participación, ayuda. ‖ **3.** *Geogr.* Acción y efecto de depositar materiales un río, un glaciar, el viento, etc. APORTE *fluvial, glaciar, eólico,* etcétera.

aportellado. (De *a-*[1] y el lat. *portella,* portillo, postigo.) m. Magistrado municipal que administraba justicia en las puertas de los pueblos. ‖ **2.** ant. Dependiente, servidor, criado.

aportillado. p. p. de **aportillar.** ‖ **2.** m. **aportellado.**

aportillar. (De *a-*[1] y *portillo.*) tr. Romper una muralla o pared para poder entrar por la abertura que se haga en ella. ‖ **2.** Romper, abrir o descomponer cualquier cosa unida. Ú. t. c. prnl. y en sent. fig.

após. (Del lat. *ad post.*) adv. t. ant. **después.**

aposar. tr. **posar**[1].

aposentador, ra. adj. Que aposenta. Ú. t. c. s. ‖ **2.** m. El que tiene por oficio aposentar. ‖ **3.** Oficial encargado de aposentar las tropas en las marchas. ‖ **de camino.** El que en las jornadas que hacían las personas reales se adelantaba para disponer el aposentamiento de estas y el de sus familias. ‖ **de casa y corte.** Cada uno de los que componían la Junta de Aposento y tenían voto en ella. ‖ **mayor de casa y corte.** Presidente de la Junta de Aposento. ‖ **mayor de palacio.** El que tenía a su cargo la separación de los cuartos de las personas reales y el señalamiento de parajes para las oficinas y habitación de los que debían vivir dentro de palacio, así como la dirección de la furriera y bujiería de la cámara regia.

aposentaduría. f. Cargo y funciones del aposentador.

aposentamiento. m. Acción y efecto de aposentar o aposentarse. ‖ **2.** p. us. **aposento,** cuarto. ‖ **3.** p. us. **aposento,** posada.

aposentar. (Del lat. *ad,* a, y *pausans, antis,* p. a. de *pausāre,* posar.) tr. Dar habitación y hospedaje. ‖ **2.** prnl. Tomar casa, alojarse.

aposento. (De *aposentar.*) m. Cuarto o pieza de una casa. ‖ **2.** Posada, hospedaje. ‖ **3.** V. **carga, casa, composición, huésped, junta, regalía de aposento.** ‖ **4.** Cada una de las piezas pequeñas de los antiguos teatros, equivalentes a las que ahora se llaman palcos. ‖ **de corte.** Viviendas que se destinaban para criados de la real casa y para ciertos funcionarios que acompañaban a la corte en sus viajes.

aposesionado, da. p. p. de **aposesionar.** ‖ **2.** adj. ant. **hacendado,** que tiene hacienda.

aposesionar. tr. desus. **posesionar.** Ú. m. c. prnl.

aposición. (Del lat. *appositĭo, -ōnis.*) f. *Gram.* Complementación de un nombre, un pronombre o una construcción nominal, a los que por lo común sigue inmediatamente para explicar algo relativo a ellos (MADRID, CAPITAL DE ESPAÑA, *está en el centro de la Península;* ELLA, ENFERMERA DE PROFESIÓN, *le hizo la primera cura*), o para especificar la parte de su significación que debe considerarse (CERVANTES NOVELISTA *es más estimado que* CERVANTES DRAMATURGO). ‖ **2.** *Gram.* Construcción de dos sustantivos unidos, el segundo de los cuales desempeña una función adjetiva respecto del primero, el cual es normalmente el que recibe la terminación de plural. *Obras cumbre, hombres rana, pisos piloto.*

apositivo, va. (Del lat. *appositīvus.*) adj. *Gram.* Concerniente a la aposición.

apósito. (Del lat. *appositum.*) m. *Med.* Remedio que se aplica exteriormente, sujetándolo con paños, vendas, etc.

aposta. (Del lat. *apposĭta ratiōne.*) adv. m. **adrede.**

apostadamente. adv. m. fam. **aposta.** ‖ **2.** ant. **apuestamente.**

apostadero. m. Paraje o lugar donde hay persona o gente apostada. ‖ **2.** Puerto o bahía en que se reúnen varios buques de guerra bajo un solo mando. ‖ **3.** Departamento marítimo mandado por un comandante general.

apostal. m. *Ast.* Sitio oportuno para coger pesca en algún río.

apostamiento. (De *apostar.*) m. ant. **apostura,** gentileza, ademán, actitud.

apostante. p. a. de **apostar.** Que apuesta. Ú. t. c. s.

apostar[1]. (Del lat. *appositum,* de *apponĕre,* colocar.) tr. Pactar entre sí los que disputan que aquel que estuviere equivocado o no tuviere razón, perderá la cantidad de dinero que se determine o cualquier otra cosa. Ú. t. c. prnl. ‖ **2.** Arriesgar cierta cantidad de dinero en la creencia de que alguna cosa, como juego, contienda deportiva, etc., tendrá tal o cual resultado; cantidad que en caso de acierto se recupera aumentada a expensas de las que han perdido quienes no acertaron. Ú. t. c. prnl. ‖ **3.** ant. Adornar, componer, ataviar. ‖ **4.** intr. fig. Competir, rivalizar. Ú. rara vez c. prnl. ‖ **5.** fig. Depositar alguien su confianza o su elección en una persona o en una idea o iniciativa que entraña cierto riesgo. ‖ **apostarlas, o apostárselas, a** alguno, o **con** alguno. fr. fam. Declararse su competidor. ‖ **2.** fam. Amenazarle.

apostar[2]. (De *postar.*) tr. Poner una o más personas o caballerías en determinado puesto o paraje para algún fin. Ú. t. c. prnl. ‖ **2.** *Extr.* **apostar un monte.**

apostasía. (Del lat. *apostasĭa,* y este del gr. ἀποστασία.) f. Acción y efecto de apostatar.

apóstata. (Del lat. *apostăta,* y este del gr. ἀποστάτης.) com. Persona que comete apostasía.

apostatar. (Del lat. *apostatāre.*) intr. Negar la fe de Jesucristo recibida en el bautismo. ‖ **2.** Por ext., abandonar un religioso la orden o instituto a que pertenece. ‖ **3.** Por ext., prescindir habitualmente el clérigo de su condición de tal, por incumplimiento de las obligaciones propias de su estado. ‖ **4.** Por ext., abandonar un partido para entrar en otro, o cambiar de opinión o doctrina.

apostema. (Del lat. *apostēma,* y este del gr. ἀπόστημα, alejamiento, absceso.) f. **postema,** absceso.

apostemación. (De *apostemar.*) f. Acción y efecto de apostemar o apostemarse.

apostemar. tr. Hacer o causar postemas. ‖ **2.** prnl. Llenarse de postemas. ‖ **no apostemársele** a alguien alguna cosa. fr. fig. y fam. **no criarle postema.**

apostemero. (De *apostema.*) m. **postemero.**

apostemoso, sa. adj. Perteneciente o relativo a la apostema.

a posteriori. (En lat., por lo que viene después.) loc. adv. lat. que indica la demostración que consiste en ascender del efecto a la causa, o de las propiedades de una cosa a su esencia. ‖ **2.** Después de examinar el asunto de que se trata.

apostilla. (De *a-*[1] y *postilla*[2].) f. Acotación que comenta, interpreta o completa un texto.

apostillar. tr. Poner apostillas.

apostillarse. prnl. Llenarse de postillas.

apostizo, za. adj. ant. **postizo.**

aposto. m. *Extr.* Acción y efecto de apostar un monte.

apóstol. (Del lat. *apostŏlus,* y este del gr. ἀπόστολος, enviado.) m. Cada uno de los doce principales discípulos de Jesucristo, a quienes envió a predicar el Evangelio por todo el mundo. ‖ **2.** También se da este nombre a San Pablo y a San Bernabé. ‖ **3.** V. **Actos, símbolo de los Apóstoles.** ‖ **4.** Predicador, evangelizador. *San Francisco Javier es el* APÓSTOL *de las Indias.* ‖ **5.** Por ext., propagador de cualquier género de doctrina importante. ‖ **el apóstol,** o **el apóstol de las gentes, o de los gentiles.** San Pablo.

apostolado[1]. (Del lat. *apostolātus.*) m. Oficio de apóstol. ‖ **2.** Congregación de los santos apóstoles. ‖ **3.** Conjunto de las imágenes de los doce apóstoles. ‖ **4.** fig. Campaña de propaganda en pro de alguna causa o doctrina.

apostolado[2]**, da.** adj. desus. **apostólico.** ‖ **2.** desus. Que ejerce funciones de apóstol.

apostolazgo. m. ant. **apostolado**[1]. ‖ **2.** ant. Dignidad de Papa.

apostolical. adj. ant. **apostólico,** perteneciente a los apóstoles o al Papa. ‖ **2.** m. desus. Sacerdote o eclesiástico.

apostólicamente. adv. m. Según las reglas y prácticas apostólicas. ‖ **2.** fam. Pobremente, sin aparato, a pie.

apostolicidad. f. Calidad de **apostólico,** referido a la Iglesia católica.

apostólico, ca. (Del lat. *apostolĭcus.*) adj. Perteneciente o relativo a los apóstoles. ‖ **2.** Perteneciente al Papa, o que dimana de su autoridad. *Juez, indulto* APOSTÓLICO. ‖ **3.** Dícese de la Iglesia católica romana en cuanto su origen y doctrina proceden de los apóstoles. ‖ **4.** Dícese del individuo del partido político que se formó en España después de la revolución de 1820, que defendía el régimen absolutista y la pureza del dogma católico. ‖ **5.** V. **cámara, cancillería, constitución, sede apostólica.** ‖ **6.** V. **colegio, inquisidor, mes, nuncio, padre, protonotario apostólico.** ‖ **7.** V. **Rota de la nunciatura apostólica.** ‖ **8.** V. **constituciones apostólicas.** ‖ **9.** ant. Título que se daba a los reyes de Hungría de la dinastía de los Habsburgo. ‖ **10.** m. ant. **Papa.**

apostoligal. adj. ant. **apostolical.**

apostóligo, ga. adj. ant. **apostólico,** perteneciente al Papa. ‖ **2.** m. ant. **apostólico,** Papa.

apóstolo. m. ant. **apóstol.** ‖ **2.** pl. *Der.* Letras auténticas que, a pedimento de parte, se concedían por los jueces apostólicos y eclesiásticos de cuyas sentencias se apelaba.

apostre. adv. l. y t. ant. **a postre.**

apostrofar. tr. Dirigir apóstrofes.

apóstrofe. (Del lat. *apostrŏphe,* y este del gr. ἀποστροφή.) amb. *Ret.* Figura que consiste en cortar de pronto el hilo del discurso o la narración, ya para dirigir la palabra con vehemencia en segunda persona a una o varias presentes o ausentes, vivas o muertas, a seres abstractos o a cosas inanimadas, ya para dirigírsela a sí mismo en iguales términos. ‖ **2.** fig. **dicterio.**

apóstrofo. (Del gr. ἀπόστροφος.) m. Signo ortográfico (') que indica la elisión de una letra o cifra.

apostura. (De *a-*[1] y *postura.*) f. Gentileza, buena disposición en la persona. ‖ **2.** Actitud, ademán, aspecto. ‖ **3.** ant. Buen orden y compostura de las cosas. ‖ **4.** ant. Adorno, afeite, atavío. ‖ **5.** ant. Añadidura o complemento. ‖ **6.** ant. Pacto o concierto.

apoteca. (Del lat. *apothēca,* y este del gr. ἀποθήκη, almacén.) f. ant. **botica.** ‖ **2.** ant. **hipoteca.**

apotecario. (Del lat. *apothecarĭus.*) m. ant. **boticario.**

apotegma. (Del lat. *apophthegma,* y este del gr. ἀπόφθεγμα.) m. Dicho breve y sentencioso; dicho feliz. Llámase así generalmente al que tiene celebridad por haberlo proferido o escrito algún hombre ilustre o por cualquier otro concepto.

apotema. (Del gr. ἀποτίθημι, deponer, bajar.) *Geom.* Distancia entre el centro de un polígono regular y uno cualquiera de sus lados. ‖ **2.** *Geom.* Altura de las caras triangulares de una pirámide regular.

apoteósico, ca. adj. Perteneciente a la apoteosis. ‖ **2.** fig. Deslumbrante. *Tuvo una despedida* APOTEÓSICA.

apoteosis. (Del lat. *apotheōsis,* y este del gr. ἀποθέωσις, deificación.) f. Concesión y reconocimiento de la dignidad de dioses a los héroes entre los paganos, y acto de tributarles honores divinos. ‖ **2.** fig. Ensalzamiento de una persona con grandes honores o alabanzas. ‖ **3.** fig. Escena espectacular con que concluyen algunas funciones teatrales, normalmente de géneros ligeros.

apoteótico, ca. adj. **apoteósico.**

apoticario. m. ant. **apotecario.**

apotrerar. tr. Dividir una hacienda o fundo en potreros. ‖ **2.** Poner el ganado en un potrero.

apoyadero. m. ant. **apoyo,** sostén de un peso.

apoyadura. (De *apoyar*[1].) f. Raudal de leche que acude a los pechos de las hembras cuando dan de mamar.

apoyar[1]**.** (De etim. disc.; cf. lat. **podiare,* subir.) tr. Sacar el apoyo o apoyadura de los pechos de las hembras.

apoyar[2]**.** (De etim. disc.; cf. it. *appoggiare.*) tr. Hacer que una cosa descanse sobre otra. APOYAR *el codo en la mesa.* ‖ **2.** Basar, fundar. ‖ **3.** fig. Favorecer, patrocinar, ayudar. ‖ **4.** fig. Confirmar, probar, sostener alguna opinión o doctrina. *San Agustín* APOYA *esta sentencia.* ‖ **5.** *Equit.* Bajar el caballo la cabeza, inclinando el hocico hacia el pecho o dejándolo caer hacia abajo. Ú. t. c. prnl. ‖ **6.** *Mil.* Prestar protección una fuerza. ‖ **7.** intr. Cargar, estribar. *La columna* APOYA *sobre el pedestal.* Ú. t. c. prnl. APOYARSE *en el bastón.* ‖ **8.** Tratándose de sonidos, sílabas o palabras, articularlas con más sonoridad o intensidad o deteniéndose en ellas.

apoyatura. (Del it. *appoggiatura,* de *appoggiare,* apoyar.) f. *Mús.* Nota pequeña y de adorno, cuyo valor se toma del signo siguiente para no alterar la duración del compás. ‖ **2. apoyo,** lo que sirve para sostener una cosa. ‖ **3. apoyo,** auxilio, favor. ‖ **4. apoyo,** fundamento de una doctrina.

apoyo[1]**.** (De *apoyar*[1].) m. **apoyadura.**

apoyo[2]**.** (De *apoyar*[2].) m. Lo que sirve para sostener, como el puntal respecto de una pared, y el bastón respecto de una persona. ‖ **2.** fig. Protección, auxilio o favor. ‖ **3.** fig. Fundamento, confirmación o prueba de una opinión o doctrina. ‖ **4.** V. **altura, punto de apoyo.**

apozarse. (De *a-*[1] y *poza.*) prnl. *Col.* y *Chile.* Rebalsarse.

apreciabilidad. f. Calidad de apreciable.

apreciable. adj. Capaz de ser apreciado. ‖ **2.** fig. Digno de aprecio o estima.

apreciación. f. Acción y efecto de apreciar, poner precio a las cosas. ‖ **2.** Acción y efecto de apreciar o apreciarse una moneda. ‖ **3.** Acción y efecto de apreciar, reducir a cálculo o medida la magnitud o intensidad de las cosas.

apreciadamente. adv. m. Con aprecio.

apreciador, ra. adj. Que aprecia. Ú. t. c. s.

apreciadura. f. ant. **apreciación.**

apreciamiento. m. ant. **apreciación.**

apreciar. (Del lat. *appretiāre.*) tr. Poner precio o tasa a las cosas vendibles. ‖ **2.** Aumentar el valor o cotización de una moneda en el mercado de divisas. Ú. t. c. prnl. ‖ **3.** fig. Reconocer y estimar el mérito de las personas o de las cosas. ‖ **4.** fig. Sentir afecto o estima hacia una persona. ‖ **5.** fig. Tratándose de la magnitud, intensidad o grado de las cosas y sus cualidades, reducir a cálculo o medida, percibir debidamente. ‖ **6.** prnl. desus. **preciarse.**

apreciativo, va. adj. Perteneciente al aprecio o estimación que se hace de alguna persona o cosa.

aprecio. m. **apreciación.** ‖ **2.** Acción y efecto de apreciar, reconocer, estimar. ‖ **3.** Estimación afectuosa de una persona.

aprehender. (Del lat. *apprehendĕre.*) tr. Coger, asir, prender a una persona, o bien alguna cosa, especialmente si es de contrabando. ‖ **2. aprender,** llegar a conocer. ‖ **3.** *Fil.* Concebir las especies de las cosas sin hacer juicio de ellas o sin afirmar ni negar. ‖ **4.** *Der. Ar.* **embargar** una cosa.

aprehendiente. p. a. de **aprehender.** Que aprehende.

aprehensión. (Del lat. *apprehensĭo, -ōnis.*) f. Acción y efecto de aprehender. ‖ **2.** desus. **comprehensión.** ‖ **3.** *Der.* Uno de los cuatro procesos forales privilegiados de Aragón, que consistía en poner bajo la jurisdicción real la cosa aprehendida, mientras se justificaba a quién pertenecía.

aprehensivo, va. adj. Perteneciente a la facultad mental de aprehender. ‖ **2.** Que es capaz o perspicaz para aprehender las cosas.

aprehenso, sa. (Del lat. *apprehensus.*) p. p. irreg. desus. de **aprehender.**

aprehensor, ra. (De *aprehenso.*) adj. Que aprehende. Ú. t. c. s.

aprehensorio, ria. (De *aprehensor.*) adj. desus. Que sirve para aprehender o asir.

apremiadamente. adv. m. Con apremio.

apremiador, ra. adj. Que apremia. Ú. t. c. s.

apremiamiento. m. ant. Acción y efecto de apremiar.

apremiantemente. adv. m. De modo apremiante.

apremiar. (De *a-*[1] y *premia.*) tr. Dar prisa, compeler a uno a que haga prontamente alguna cosa. ‖ **2.** Oprimir, apretar. ‖ **3.** Compeler u obligar a uno con mandamiento de autoridad a que haga alguna cosa. ‖ **4.** Imponer apremio o recargo. ‖ **5.** *Der.* Presentar instancia un litigante para que su contrario actúe en el procedimiento.

apremio. m. Acción y efecto de apremiar. ‖ **2.** Mandamiento de autoridad judicial para compeler al pago de alguna cantidad, o al cumplimiento de otro acto obligatorio. ‖ **3.** Recargo de contribuciones o impuestos por causa de demora en el pago. ‖ **4.** V. **comisionado de apremio.** ‖ **5.** Procedimiento ejecutivo que siguen las autoridades administrativas y agentes de la Hacienda para el cobro de impuestos o descubiertos a favor de esta o de entidades a que se extiende su privilegio.

apremir. (Del lat. *apprimĕre.*) tr. ant. Exprimir, apretar. ‖ **2.** ant. fig. **apremiar,** dar prisa.

aprendedor, ra. adj. Que aprende. Ú. t. c. s.

aprender. (Del lat. *apprehendĕre.*) tr. Adquirir el conocimiento de alguna cosa por medio del estudio o de la experiencia. ‖ **2.** Concebir alguna cosa por meras apariencias, o con poco fundamento. ‖ **3.** Tomar algo en la memoria. ‖ **4.** ant. **prender.** ‖ **5.** ant. Enseñar, transmitir unos conocimientos.

aprendiente. p. a. ant. de **aprender.** Que aprende.

aprendiz, za. m. y f. Persona que aprende algún arte u oficio. ‖ **2.** Persona que, a efectos laborales, se halla en el primer grado de una profesión manual, antes de pasar a oficial.

aprendizaje. (De *aprendiz.*) m. Acción y efecto de aprender algún arte, oficio u otra cosa. ‖ **2.** Tiempo que en ello se emplea.

aprensador, ra. adj. Que aprensa. Ú. t. c. s.

aprensadura. (De *aprensar.*) f. desus. **prensadura.** ‖ **2.** *Chile.* Acción de **aprensar,** apretar.

aprensar. tr. desus. **prensar.** Ú. en algunas regiones. ‖ **2.** desus. fig. Oprimir, angustiar. ‖ **3.** *Chile.* Apretar con fuerza.

aprensión. f. **aprehensión.** ‖ **2.** Escrúpulo, recelo de ponerse una persona en contacto con otra o con cosa de que le pueda venir contagio, o bien de hacer o decir algo que teme que sea perjudicial o inoportuno. ‖ **3.** Opinión, figuración, idea infundada o extraña. U. m. en pl. *Eso son* APRENSIONES *tuyas.*

aprensivo, va. (De *aprehensivo.*) adj. Dícese de la persona sumamente pusilánime que en todo ve peligros para su salud, o imagina que son graves sus más leves dolencias. Ú. t. c. s.

aprés. (Del lat. *ad prĕssum,* apretadamente.) adv. t. ant. **cerca**[2], próxima o inmediatamente. ‖ **2.** adv. l. Por influjo del francés, **cerca**[2], dicho de la residencia de un diplomático acreditado en un país extranjero. ‖ **3.** adv. l. y t. ant. **después.**

apresador, ra. adj. Que apresa. Ú. t. c. s.

apresamiento. m. Acción y efecto de apresar.

apresar. (Del lat. *apprensāre.*) tr. Asir, hacer presa con las garras o colmillos. ‖ **2.** Tomar por fuerza alguna nave, apoderarse de ella. ‖ **3.** **aprisionar.**

apresivamente. adv. m. ant. Con fuerza y violencia.

apreso, sa. (Del lat. *apprensus.*) p. p. ant. de **aprender.** ‖ **2.** adj. p. us. Dícese del árbol plantado y que ha prendido. ‖ **3.** ant. **enseñado.** ‖ **4.** ant. Con los advs. *bien* o *mal,* feliz o desgraciado.

aprestar. (De *a-*[1] y *presto.*) tr. Aparejar, preparar, disponer lo necesario para alguna cosa. Ú. t. c. prnl. ‖ **2.** **aderezar** los tejidos.

aprestigiar. tr. *Col.* **prestigiar**[2].

apresto. (De *aprestar.*) m. Prevención, disposición, preparación para alguna cosa. ‖ **2.** Acción y efecto de aprestar las telas. ‖ **3.** Almidón, cola, añil u otros ingredientes que sirven para aprestar las telas.

apresura. (De *apresurar.*) f. ant. Estímulo o apresuramiento.

apresuración. f. **apresuramiento.**

apresurado, da. p. p. de **apresurar.** ‖ **2.** adj. Que muestra apresuramiento.

apresuramiento. m. Acción y efecto de apresurar o apresurarse.

apresurar. (De *a-*[1] y *presura.*) tr. Dar prisa, acelerar. Ú. t. c. prnl.

apresuroso, sa. (De *apresura.*) adj. ant. **presuroso.**

apretadamente. adv. m. Con fuerza que aprieta u oprime, estrechamente. ‖ **2.** Con instancia, con ahínco.

apretadera. f. Cinta, correa o cuerda que sirve para apretar alguna cosa. Ú. m. en pl. ‖ **2.** pl. p. us. fig. y fam. Instancias eficaces con que se estrecha a otro para que haga lo que se le pide.

apretadero, ra. (De *apretar.*) adj. desus. **apretativo.** ‖ **2.** m. desus. **braguero,** de hernia.

apretadizo, za. adj. desus. Que por su calidad se aprieta o comprime fácilmente.

apretado, da. p. p. de **apretar.** ‖ **2.** adj. fig. Arduo, peligroso. ‖ **3.** fig. y fam. Estrecho, mezquino, miserable. ‖ **4.** V. **caso apretado.** ‖ **5.** desus. fig. Apocado, pusilánime. ‖ **6.** Aplicábase al escrito de letra muy metida. Usáb. t. c. s. ‖ **7.** m. *Germ.* **jubón.** ‖ **estar** alguien **muy apretado.** fr. fig. y fam. Hallarse en gran aprieto o peligro. Se usa más comúnmente hablando de los enfermos.

apretador, ra. adj. Que aprieta. Ú. t. c. s. ‖ **2.** m. Instrumento que sirve para apretar. ‖ **3.** Almilla sin mangas. ‖ **4.** Especie de cotilla de badana y cartón muy suave, sin ballena, con que se ajustaba y abrigaba el cuerpo de los niños que aprendían a andar, y a la cual se cosían los andadores. ‖ **5.** Faja que se pone a los niños que están en mantillas. ‖ **6.** Cintillo o banda que servía antiguamente a las mujeres para recogerse el pelo y ceñirse la frente. ‖ **7.** Sábana de lienzo grueso con que se recogían y apretaban los colchones, y sobre la cual se ponían las otras delgadas.

apretadura. f. Acción y efecto de apretar.

apretamiento. (De *apretar.*) m. **aprieto.** ‖ **2.** ant. Avaricia, mezquindad, miseria.

apretar. (Del lat. tardío *appectorāre,* de *pĕctus,* pecho.) tr. Estrechar algo contra el pecho o ceñir de ordinario con la mano o los brazos. ‖ **2.** Oprimir, ejercer presión sobre una cosa. ‖ **3.** Venir los vestidos y otras cosas semejantes muy ajustadas. ‖ **4.** Aguijar, espolear al caballo. ‖ **5.** Tratándose de lo que sirve para estrechar, aumentar su tirantez para que haya mayor presión. ‖ **6.** Estrechar algo o reducirlo a menor volumen. ‖ **7.** Apiñar, juntar estrechamente cosas o personas, dar cabida. APRETAR *la colada en la lavadora.* Ú. t. c. prnl. APRETARSE *la gente en el tren.* ‖ **8.** Acosar, estrechar a uno persiguiéndole o atacándole. ‖ **9.** Tratar con excesivo rigor, con estricto ajustamiento a ley o regla. ‖ **10.** Constreñir, tratar de reducir con amenazas, ruegos o razones. Ú. t. c. intr. ‖ **11.** Activar, tratar de llevar a efecto con urgencia o instancia. ‖ **12.** intr. Obrar una persona o cosa con mayor esfuerzo o intensidad que de ordinario. ‖ **13.** *Pint.* Dar apretones, golpes de color oscuro. ‖ **apretar a correr.** fr. fam. Echar a correr. ‖ **apretar con** uno. fr. fam. Embestirle, cerrar con él. ‖ **¡aprieta!** interj. fam. **¡atiza!**

apretón. (De *apretar.*) m. Presión muy fuerte y rápida. ‖ **2.** Acción de obrar con mayor esfuerzo que de ordinario. ‖ **3.** Acción de acosar, acometida violenta. ‖ **4.** Apretura causada por la excesiva concurrencia de gente. ‖ **5.** fam.

Movimiento violento e incontenible del vientre, que obliga a evacuar. ‖ **6.** fam. Carrera violenta y corta. ‖ **7.** fig. y fam. Ahogo, conflicto. ‖ **8.** *Pint.* Golpe de color oscuro para aumentar la entonación o el efecto de lo que se pinta. ‖ **de manos.** Acción de estrecharse las manos con energía y efusión.

apretujamiento. m. Acción y efecto de apretujar o apretujarse.

apretujar. tr. fam. Apretar mucho o reiteradamente. ‖ **2.** prnl. Oprimirse varias personas en un recinto demasiado estrecho para contenerlas.

apretujón. m. fam. Acción y efecto de apretujar.

apretura. (De *apretar.*) f. Acción y efecto de apretar o apretarse. ‖ **2.** Opresión causada por la excesiva concurrencia de gente. ‖ **3.** Sitio o paraje estrecho. ‖ **4.** fig. **aprieto,** apuro. ‖ **5.** Escasez, falta especialmente de víveres. ‖ **6.** p. us. Apremio, urgencia.

aprevenir. tr. *And., Col.* y *Guat.* **prevenir.**

apriesa. (De *a-*[1] y *priesa.*) adv. m. **aprisa.** Hoy su uso es vulgar.

aprieto. (De *apretar.*) m. **apretura** de la gente. ‖ **2.** fig. Estrecho, conflicto, apuro. ‖ **en amarillentos aprietos.** fr. fam. *Chile* y *Perú.* **en calzas prietas.** Ú. con los verbos *estar, dejar, ver,* etc.

aprimar. (De *a-*[1] y *primo.*) tr. desus. Afinar, intensar, perfeccionar.

a priori. (Lit., *por lo que precede.*) loc. adv. lat. que indica la demostración que consiste en descender de la causa al efecto o de la esencia de una cosa a sus propiedades. De esta especie son todas las demostraciones directas en las matemáticas. ‖ **2.** Antes de examinar el asunto de que se trata.

apriorismo. m. Método en que se emplea sistemáticamente el razonamiento a priori.

apriorístico, ca. adj. Perteneciente o relativo al apriorismo.

aprisa. (De *a-*[1] y *prisa.*) adv. m. Con celeridad, presteza o prontitud.

apriscadero. (De *apriscar.*) m. ant. **aprisco.**

apriscar. (Del lat. **appressicāre,* de *appressus,* de *apprimĕre,* apretar.) tr. Recoger el ganado en el aprisco. Ú. t. c. prnl.

aprisco. (De *apriscar.*) m. Paraje donde los pastores recogen el ganado para resguardarlo de la intemperie.

aprisionar. tr. Poner en prisión, encerrar. Ú. t. en sent. fig. ‖ **2.** Sujetar a alguien con grillos, cadenas, etc. ‖ **3.** fig. Atar o sujetar con fuerza a alguien privándole de libertad de movimiento.

aproar[1]**.** intr. ant. **aprodar.**

aproar[2]**.** (De *proa.*) intr. *Mar.* Volver el buque la proa a alguna parte.

aprobación. (Del lat. *approbatĭo, -ōnis.*) f. Acción y efecto de aprobar. ‖ **2.** desus. **probación,** prueba.

aprobado, da. p. p. de **aprobar.** ‖ **2.** m. En exámenes, calificación mínima de aptitud o idoneidad en la materia objeto de aquellos.

aprobador, ra. (Del lat. *approbātor, -ōris.*) adj. Que aprueba. Ú. t. c. s.

aprobante. p. a. de **aprobar.** Que aprueba. Ú. t. c. s.

aprobanza. f. p. us. fam. **aprobación,** prueba.

aprobar. (Del lat. *approbāre.*) tr. Calificar o dar por bueno o suficiente algo o a alguien. APROBAR *una boda, una opinión, a una persona para un cargo.* ‖ **2.** Tratándose de doctrinas u opiniones, asentir a ellas. ‖ **3.** Tratándose de personas, declarar hábil y competente. ‖ **4.** Obtener la calificación de aprobado en una asignatura o examen. ‖ **5.** ant. Justificar la certeza de un hecho.

aprobativo, va. (Del lat. *approbatīvus.*) adj. **aprobatorio.**

aprobatorio, ria. adj. Que aprueba o implica aprobación.

aproches. (Del fr. *approches,* accesos.) m. pl. *Mil.* Conjunto de trabajos que van haciendo los que atacan una plaza para acercarse a batirla, como son las trincheras, paralelas, baterías, minas, etc. ‖ **2.** *Bol.* Cercanías, inmediaciones.

aprodar. (De *a-*[1] y el lat. *prodis,* provecho.) intr. ant. **aprovechar,** servir de provecho alguna cosa. ‖ **2.** ant. **aprovechar,** adelantar en los estudios, en la práctica de las virtudes, etc.

aprometer. tr. desus. hoy vulg. **prometer.**

aprontamiento. m. Acción y efecto de aprontar.

aprontar. (De *a-*[1] y *pronto.*) tr. Prevenir, disponer con prontitud. ‖ **2.** Entregar sin dilación dinero u otra cosa.

apropiable. adj. Que puede ser apropiado o hecho propio de alguno.

apropiación. (Del lat. *appropriatĭo, -ōnis.*) f. Acción y efecto de apropiar o apropiarse.

apropiadamente. adv. m. Con propiedad.

apropiado, da. p. p. de **apropiar.** ‖ **2.** adj. Acomodado o proporcionado para el fin a que se destina.

apropiador, ra. adj. Que apropia. Ú. t. c. s.

apropiar. (Del lat. *appropriāre.*) tr. Hacer propia de alguno cualquier cosa. ‖ **2.** Aplicar a cada cosa lo que le es propio y más conveniente. ‖ **3.** fig. Acomodar o aplicar con propiedad las circunstancias o moralidad de un suceso al caso de que se trata. Ú. t. c. prnl. ‖ **4.** ant. **asemejar.** ‖ **5.** prnl. Tomar para sí alguna cosa, haciéndose dueño de ella, por lo común de propia autoridad. Ú. t. seguido de la prep. *de.*

apropincuación. (Del lat. *appropinquatĭo, -ōnis.*) f. Acción y efecto de apropincuarse.

apropincuarse. (Del lat. *appropinquāre.*) prnl. **acercarse.** Hoy no se emplea sino en estilo festivo.

apropósito. m. Breve pieza teatral de circunstancias.

aprovecer. (De *a-*[1] y *provecer.*) intr. ant. Aprovechar, hacer progresos, adelantar. Ú. en Asturias. ‖ **2.** ant. Cundir, propagarse, difundirse.

aprovecimiento. m. ant. Acción y efecto de aprovecer.

aprovechable. adj. Que se puede aprovechar.

aprovechadamente. adv. m. Con aprovechamiento.

aprovechado, da. p. p. de **aprovechar.** ‖ **2.** adj. Dícese del que saca provecho de todo, y más aún del que utiliza lo que otros suelen desperdiciar o despreciar. ‖ **3.** Aplicado, diligente. ‖ **4.** Dícese del que saca beneficio de las circunstancias que se le presentan favorables, normalmente sin escrúpulos. Ú. t. c. s.

aprovechador, ra. adj. Que aprovecha.

aprovechamiento. m. Acción y efecto de aprovechar o aprovecharse. ‖ **2.** V. **bienes de aprovechamiento común.** ‖ **de aguas.** *Der.* Derecho por ley, concesión o prescripción de utilizar para usos comunes o privativos aguas de dominio público. ‖ **forestal.** Esquilmo o producto de montes y dehesas.

aprovechante. p. a. de **aprovechar.** Que aprovecha. ‖ **2.** com. Persona que se inicia en los trabajos de hacer redes, para alcanzar la categoría de redero.

aprovechar. intr. Servir de provecho alguna cosa. ‖ **2.** Hablando de la virtud, estudios, artes, etc., adelantar en ellos. Ú. t. c. prnl. ‖ **3.** *Mar.* Orzar cuanto permite la dirección del viento reinante. ‖ **4.** tr. Emplear útilmente alguna cosa, hacerla provechosa o sacarle el máximo rendimiento. APROVECHAR *la tela, el tiempo, la ocasión.* ‖ **5.** p. us. Hacer bien, proteger, favorecer Ú. t. c. intr. ‖ **6.** prnl. Sacar provecho de algo o de alguien, generalmente con astucia o abuso. Ú. con la prep. *de.*

aprovisionamiento. m. Acción y efecto de aprovisionar.

aprovisionar. tr. **abastecer.**

aproximación. f. Acción y efecto de aproximar o aproximarse. ‖ **2.** Máxima diferencia posible entre un valor obtenido en una medición o cálculo y el exacto desconocido. ‖ **3.** En la lotería nacional española, cada uno de los premios que se conceden a los números anterior y posterior de los primeros premios de un sorteo.

aproximadamente. adv. c. y m. Con proximidad, con corta diferencia.

aproximado, da. p. p. de **aproximar.** ‖ **2.** adj. Aproximativo, que se acerca más o menos a lo exacto.

aproximar. (De *a-*[1] y *próximo.*) tr. Arrimar, acercar. Ú. t. c. prnl. ‖ **2.** Obtener un resultado tan cercano al exacto como sea necesario para un propósito determinado. Ú. t. c. prnl.

aproximativo, va. adj. Que se aproxima o acerca.

aproxis. (Del lat. *aproxis.*) m. p. us. **díctamo.**

apsara. (Del sánscrito *ápsarā,* manantial.) f. En la mitología hindú, ninfa acuática del paraíso de Indra.

ápside. (Del gr. ἁψίς, ἴδος.) m. *Astron.* Cada uno de los dos extremos del eje mayor de la órbita trazada por un astro. Ú. m. en pl. ‖ **2.** *Astron.* V. **línea de los ápsides.**

aptamente. adv. m. Con aptitud.

aptar. (Del lat. *aptāre.*) tr. desus. Ajustar, acomodar, adaptar.

apteriginforme. (Del gr. ἀ, priv., y πτέρυξ, -υγος, ala, y *-forme.*) adj. *Zool.* Dícese de aves del tamaño de una gallina, con alas atrofiadas, plumaje con aspecto de pelo y pico largo y curvado hacia el suelo. Viven en Nueva Zelanda. Ú. t. c. s. ‖ **2.** f. pl. *Zool.* Orden de estas aves.

áptero, ra. (Del gr. ἄπτερος.) adj. Que carece de alas. *Insecto* ÁPTERO. ‖ **2.** Dícese de los templos antiguos que carecen de columnas en sus fachadas laterales.

apteza. f. ant. **aptitud.**

aptitud. (Del lat. *aptitūdo.*) f. Cualidad que hace que un objeto sea apto, adecuado o acomodado para cierto fin. ‖ **2.** Suficiencia o idoneidad para obtener y ejercer un empleo o cargo. ‖ **3.** Capacidad y disposición para el buen desempeño o ejercicio de un negocio, industria, arte, etc. Ú. t. en pl.

apto, ta. (Del lat. *aptus.*) adj. Idóneo, hábil, a propósito para hacer alguna cosa.

apud. prep. lat. usada en las citas con la significación de *en la obra,* o *en el libro de.* APUD *Gallardo:* en la obra de Gallardo.

apuesta. f. Acción y efecto de apostar[1]. ‖ **2.** Cosa que se apuesta. ‖ **de,** o **sobre, apuesta.** loc. fam. Con empeño y porfía en la ejecución de alguna cosa, compitiendo con otros.

apuestamente. adv. m. Ordenadamente, con aliño y compostura.

apuesto, ta. (Del lat. *appositus,* p. p. de *apponĕre,* colocar, poner.) p. p. irreg. de **aponer.** ‖ **2.** adj. Dícese de cualquier elemento gramatical que está en aposición a otro. ‖ **3.** Ataviado, adornado, de gentil disposición en la persona. ‖ **4.** ant. Oportuno, conveniente y a propósito. ‖ **5.** m. ant. **apostura,** gentileza, buena disposición de uno. ‖ **6.** ant. Epíteto, renombre, título. ‖ **7.** adv. m. ant. **apuestamente.**

apulgarar. intr. p. us. Hacer fuerza con el dedo pulgar.

apulgararse. prnl. *And.* y *Ast.* Llenarse la ropa blanca, por haberse doblado algo húmeda, de manchas muy menudas, parecidas a las señales que dejan las pulgas.

apulso. (Del lat. *appulsus,* aproximación.) m. *Astron.* Contacto del borde de un astro con el hilo vertical del retículo del anteojo con el cual se le observa. ‖ **2.** *Astron.* Momento en que un astro parece tocar a otro.

apunarse. prnl. *Amér. Merid.* Padecer puna o soroche.

apunchar. (De *a-*[1] y *puncha.*) tr. Abrir los peineros las púas del peine, especialmente las gruesas.

apuntación. f. Acción y efecto de apuntar. ‖ **2.** *Mús.* Acción de escribir las notas y demás signos musicales. ‖ **3.** **notación,** escritura musical.

apuntadamente. adv. m. ant. **puntualmente.**

apuntado, da. p. p. de **apuntar.** ‖ **2.** adj. Que hace puntas por las extremidades. ‖ **3.** V. **arco, sombrero apuntado.** ‖ **4.** *Blas.* Dícese de dos o más figuras o blasones que se tocan por la punta. *Corazones* APUNTADOS; *saetas* APUNTADAS.

apuntador, ra. adj. Que apunta. Ú. t. c. s. ‖ **2.** com. Persona que en los ensayos teatrales apunta a los actores la letra de sus papeles hasta que la aprenden; y que en las representaciones, oculto por la concha o en otro lugar del escenario, vigila para dar la letra al intérprete que sufra un olvido. ‖ **3.** **traspunte.** ‖ **4.** m. En las iglesias catedrales, el que anota la hora en que cada religioso entra en el coro o se sale de él. ‖ **5.** Persona que confecciona las relaciones para la confrontación de las mercancías que se cargan o descargan en un puerto.

apuntalamiento. m. Acción y efecto de apuntalar.

apuntalar. tr. Poner puntales. ‖ **2.** fig. Sostener, afirmar. ‖ **3.** *C. Rica.* Tomar un refrigerio. Ú. m. c. prnl.

apuntamiento. m. Acción y efecto de apuntar. ‖ **2.** *Der.* Resumen o extracto que de los autos forma el secretario de sala o el relator de un tribunal colegiado.

apuntar. (De *a-*[1] y *punto* o *punta.*) tr. Asestar un arma arrojadiza o de fuego. ‖ **2.** Señalar con el dedo o de cualquier otra manera hacia sitio u objeto determinado. ‖ **3.** En un escrito, notar o señalar alguna cosa con una raya, estrella u otra nota, para encontrarla fácilmente. ‖ **4.** Tomar nota por escrito de alguna cosa. ‖ **5.** Inscribir a alguien en una lista o registro, o hacerle miembro de una sociedad. Ú. t. c. prnl. ‖ **6.** Por ext., contar con alguien e incluirlo en las actividades de un grupo. Ú. m. c. prnl. SE APUNTA *a todas las juergas.* ‖ **7.** Hacer un apunte o dibujo ligero. ‖ **8.** En las iglesias catedrales, colegiales y otras que tienen horas canónicas, anotar las faltas que sus individuos hacen en la asistencia al coro o en alguna otra de sus obligaciones. ‖ **9.** Concertar, convenir en pocas palabras. ‖ **10.** Empezar a fijar y colocar alguna cosa interinamente, como se hace cuando se empieza a clavar una tabla o un lienzo sin remachar los clavos. ‖ **11.** Sacar punta a un arma, herramienta u otro objeto. ‖ **12.** En el juego de la banca y otros, poner sobre una carta o junto a ella la cantidad que se quiere jugar. ‖ **13.** Unir ligeramente por medio de puntadas. ‖ **14.** fam. Remendar o zurcir. ‖ **15.** En el obraje de paños, pasar con hilo bramante los dobleces de las piezas, después de lo cual antiguamente se les ponía el sello, en testimonio de estar fabricadas a ley. ‖ **16.** En los teatros, ejercer el apuntador su tarea. ‖ **17.** fig. Señalar o indicar. ‖ **18.** fig. Insinuar o tocar ligeramente algún tema. ‖ **19.** fig. Sugerir al que habla alguna cosa para que recuerde lo olvidado o para que se corrija. ‖ **20.** fig. Pretender, ambicionar. *Su carrera* APUNTA *a lo más alto.* ‖ **21.** desus. **puntuar.** ‖ **22.** desus. **apuntalar.** ‖ **23.** *Impr.* Clavar el pliego en las punturas. ‖ **24.** intr. Empezar a manifestarse alguna cosa. APUNTAR *el día, el bozo.* ‖ **25.** prnl. Hablando del vino, empezar a tener punta de agrio. ‖ **26.** Atribuirse un éxito o un tanto. ‖ **27.** desus. Repuntarse, indisponerse o irritarse. ‖ **28.** fam. Empezar a embriagarse. ‖ **29.** *Méj.* Hablando del trigo y otros cereales, nacerse, entallecerse. ‖ **apuntar y no dar.** fr. fig. y fam. Ofrecer y no cumplir.

apunte. m. Acción y efecto de apuntar. ‖ **2.** Asiento o nota que se hace por escrito de alguna cosa. ‖ **3.** Pequeño dibujo tomado del natural rápidamente. ‖ **4.** En la representación de la obra dramática, voz de la persona que va apuntando a los actores lo que han de decir. ‖ **5.** **apuntador** y traspunte en el teatro. ‖ **6.** Manuscrito o impreso que tiene a la vista el apuntador del teatro para desempeñar sus funciones. ‖ **7. puesta,** en el juego de la banca. ‖ **8. punto,** el que apunta contra el banquero. ‖ **9.** p. us. Persona que causa extrañeza por alguna condición o singularidad. ‖ **10.** p. us. fam. **perillán.** ‖ **11.** pl. Extracto de las explicaciones de un profesor que toman los alumnos para sí, y que a veces se reproduce para uso de los demás. ‖ **segundo apunte.** En el teatro, desígnase así al apuntador que ejerce solamente la función de traspunte.

apuntillar. tr. *Taurom.* **acachetar,** rematar al toro con la puntilla.

apuñadar. (De *a-*[1] y *puñada.*) tr. *Ar.* **apuñear.**

apuñalado, da. p. p. de **apuñalar.** ‖ **2.** adj. De figura parecida a la hoja de un puñal.

apuñalar. (De *a-*[1] y *puñal.*) tr. Dar de puñaladas.

apuñar. (De *a-*[1] y *puño.*) tr. Asir o coger algo con la mano, cerrándola. ‖ **2. apuñear.** ‖ **3.** *And.* y *Amér. Merid.* **heñir.** ‖ **4.** intr. Apretar la mano para que no se caiga lo que se lleva en ella.

apuñear. (De *a-*[1] y *puño.*) tr. p. us. fam. Dar de puñadas.

apuñetear. tr. desus. **apuñear.** Usáb. t. c. prnl.

apuracabos. (De *apurar* y *cabo.*) m. Pieza cilíndrica de loza, alabastro u otra materia y con una púa metálica donde se aseguran los cabos de vela para que puedan arder hasta consumirse.

apuración. f. Acción y efecto de apurar o apurarse.

apuradamente. adv. m. Con apuros. ‖ **2.** p. us. fam. Tasadamente, precisamente. ‖ **3.** ant. Radical o fundamentalmente. ‖ **4.** ant. Con esmero o exactitud.

apuradero. (De *apurar.*) m. desus. Examen, prueba con que se califica la realidad de una cosa.

apurado, da. p. p. de **apurar.** ‖ **2.** adj. Pobre, falto de caudal y de lo que se necesita. ‖ **3.** Dificultoso, peligroso, angustioso. ‖ **4.** Esmerado, exacto. ‖ **5.** Apresurado, con prisa.

apurador, ra. adj. Que apura. Ú. t. c. s. ‖ **2.** m. **apuracabos.** ‖ **3.** *And.* El que después del primer vareo de los olivos va derribando con una vara más corta las aceitunas que han quedado en los árboles. ‖ **4.** *Min.* El que lava de nuevo las tierras depositadas en las tinas.

apuramiento. m. Acción y efecto de apurar.

apuranieves. f. **lavandera blanca,** aguzanieves.

apurar. (De *a-*[1] y *puro.*) tr. Averiguar o desentrañar la verdad ahincadamente o exponerla sin omisión. ‖ **2.** Extremar, llevar hasta el cabo. ‖ **3.** Acabar o agotar. ‖ **4.** fig. Apremiar, dar prisa. En América, ú. m. c. prnl. ‖ **5.** fig. Molestar a uno de modo que se enfade o pierda la paciencia. ‖ **6.** p. us. Purificar o reducir una cosa al estado de pureza separando lo impuro o extraño. ‖ **7.** p. us. Aplicado a la moral, purificar, santificar. ‖ **8.** p. us. Sufrir hasta el extremo. ‖ **9.** ant. Examinar atentamente. ‖ **10.** prnl. Afligirse, acongojarse, preocuparse.

apurativo, va. (De *apurar.*) adj. ant. Que purifica o limpia de materia impura y crasa.

apure. (De *apurar.*) m. *Min.* Acción de apurar, hacer puro físicamente algo. ‖ **2.** *Min.* Residuos resultantes del lavado de los minerales de plomo después de garbillados. ‖ **3.** p. us. fig. y fam. Porción o resto que queda de algo que se acaba. Ú. m. en las frs. **ir de apure,** y **estar en el apure** o **en los apures.**

apureño, ña. adj. Natural de Apure. Ú. t. c. s. ‖ **2.** Perteneciente o relativo a este estado de Venezuela.

apuro. (De *apurar.*) m. Aprieto, conflicto, dificultad. ‖ **2.** Estrechez, escasez, penuria. ‖ **3.** Apremio, prisa, urgencia. ‖ **4.** Vergüenza, reparo.

apurón, na. adj. Que apura o apremia con frecuencia. ‖ **2.** m. *Amér.* Gran apresuramiento. ‖ **3.** *Chile.* Impaciencia. ‖ **andar a los apurones.** *Argent.* Obrar atropelladamente.

apurrir. (De *a-*[1] y el lat. *porrigĕre,* alargar.) tr. *Ast.* y *Cantabria.* **alargar,** alcanzar algo para dárselo a otro.

aquebrazarse. prnl. *Ar.* Formarse quebrazas o grietas en los pies o en las manos.

aquedar. (De *a-*[1] y *quedo.*) tr. desus. Detener o hacer parar. ‖ **2.** ant. Aquietar, sosegar. Usáb. t. c. intr. ‖ **3.** prnl. ant. **dormirse.**

aquejadamente. adv. m. ant. Pronta, apresurada o velozmente.

aquejador, ra. adj. Que aqueja. Ú. t. c. s.

aquejamiento. m. ant. Acción y efecto de aquejar o aquejarse.

aquejar. (De *a-*[1] y *quejarse.*) tr. ant. Estimular, impeler. ‖ **2.** fig. Acongojar, afligir, fatigar. ‖ **3.** fig. Hablando de enfermedades, vicios, defectos, etc., afectar a una persona o cosa, causarles daño. ‖ **4.** ant. fig. Poner en estrecho o aprieto. ‖ **5.** prnl. ant. Apresurarse o darse prisa.

aquejo. (De *aquejar.*) m. ant. **aquejamiento.**

aquejosamente. adv. m. ant. Con ansia o vehemencia.

aquejoso, sa. (De *aquejar.*) adj. desus. Afligido, acongojado. ‖ **2.** ant. **quejicoso.**

aquel, lla, llo, llos, llas. (Del lat. *eccum,* he aquí, e *ille, illa, illud.*) Formas de pron. dem. en los tres géneros m., f. y n., y en ambos núms. sing. y pl. Designan lo que física o mentalmente está lejos de la persona que habla y de la persona con quien se habla. Las formas m. y f. se usan como adj. y como s., y en este último caso se escriben con acento cuando existe riesgo de anfibología: AQUEL *hombre; lo hizo* AQUÉL. ‖ **2.** En oposición a *este* y con referencia a términos mencionados en el discurso, designa el que lo fue en primer lugar. ‖ **3.** m. fam. Voz que se emplea para expresar una cualidad que no se quiere o no se acierta a decir; lleva siempre antepuesto el artículo *el* o *un* o algún adjetivo. Tómase frecuentemente por gracia, donaire y atractivo. *Juana tiene mucho* AQUEL. ‖ **ya pareció aquello.** expr. fam. que se emplea cuando ocurre alguna cosa que se recelaba o presumía.

aquelarre. (Del vasc. *aquelarre,* prado del macho cabrío.) m. Junta o reunión nocturna de brujos y brujas, con la supuesta intervención del demonio ordinariamente en figura de macho cabrío, para la práctica de las artes de esta superstición.

aquele, la, lo. pron. dem. ant. **aquel.**

aquellar. (De *aquello.*) tr. fam. desus. Verbo que se emplea en sustitución de otro cualquiera cuando se ignora este o no se quiere expresar. Usáb. t. c. prnl. *En lo mejor de la loa me* AQUELLÉ, *sabiéndola, como la sabía, mejor que el padrenuestro.*

aquellotrar. (Del ant. *aquell otro.*) tr. ant. **aquillotrar.** Usáb. t. c. prnl.

aquén. adv. l. ant. **aquende.**

aquende. (Del lat. *eccum inde.*) adv. l. De la parte de acá.

aquenio. (Del gr. ἀ, priv., y χαίνειν, abrirse, a través del lat. cient. *achaenium.*) m. *Bot.* Fruto seco, indehiscente, con una sola semilla y con pericarpio no soldado a ella; como el de la lechuga y el girasol.

aqueo, a. (Del lat. *Achaeus.*) adj. Natural de Acaya. Ú. t. c. s. ‖ **2.** Perteneciente a esta región de Grecia. ‖ **3.** Por ext., natural de Grecia antigua. Ú. t. c. s. ‖ **4.** Por ext., perteneciente a Grecia antigua.

aquerarse. (De *quera.*) prnl. *Sor.* Apolillarse la madera.

aquerenciado, da. p. p. de **aquerenciarse.** ‖ **2.** adj. ant. **enamorado.** Ú. en Méjico.

aquerenciarse. prnl. Tomar querencia a un lugar. Se usa principalmente hablando de los animales.

aqueresar. tr. Llenar de queresas. Ú. t. c. prnl.

aquese, sa, so. (Del lat. *eccum,* he aquí, e *ipse,* ese.) pron. dem. **ese**[2]. Ya solo se usa en poesía.

aquestar. tr. ant. **aquistar.**
aqueste, ta, to. (Del lat. *eccum iste.*) pron. dem. **este**[2]. Ya solo se usa en poesía.
aquí. (Del lat. *eccum hic.*) adv. l. En este lugar. ‖ **2.** A este lugar. ‖ **3.** Equivale a veces a **en esto** o **en eso,** o simplemente a **esto** o **eso,** cuando va precedido de las preposiciones *de* o *por.* AQUÍ (*en* ESTO) *está la dificultad; de* AQUÍ (*de* ESTO) *tuvo origen su desgracia; por* AQUÍ (*por* ESTO) *puede conocerse de quién fue la culpa.* ‖ **4.** En correlación con **allí,** suele designar sitio o paraje indeterminado. *Por dondequiera se veían hermosas flores;* AQUÍ, *rosas y dalias;* ALLÍ, *jacintos y claveles.* ‖ **5.** Vulgarmente, se usa para presentar personas cercanas a quien habla. AQUÍ *Pepe, mi compañero de oficina.* ‖ **6.** adv. t. Ahora, en el tiempo presente. En este sentido, empléase únicamente con preposición antepuesta. *Lo cual queda probado con lo que se ha dicho* HASTA AQUÍ (*hasta* AHORA); DE AQUÍ, (*desde* ESTE MOMENTO) *a tres días.* ‖ **7.** Entonces, en tal ocasión. AQUÍ *no se pudo contener don Quijote sin responder.* ‖ **8.** p. us. Se usa en frases interjectivas para invocar auxilio. La persona cuyo auxilio se solicita se construye con la prep. *de.* Por analogía se usa también en frases en que metafóricamente se invoca el auxilio de una cosa no material. ‖ **aquí y allí.** loc. adv. que denota indeterminadamente varios lugares. ‖ **de aquí para allí** o **de aquí para allá.** locs. advs. De una parte a otra, sin permanecer en ninguna.
aquiescencia. (Del lat. *acquiescentĭa.*) f. Asenso, consentimiento.
aquiescente. (Del lat. *acquiescere.*) adj. Que consiente, permite o autoriza.
aquietador, ra. adj. Que aquieta.
aquietamiento. m. Acción y efecto de aquietar o aquietarse.
aquietar. (De *a-*[1] y *quieto.*) tr. Sosegar, apaciguar. Ú. t. c. prnl.
aquifoliáceo, a. (De *aquifolĭum,* nombre de una especie de plantas del género *Ilex.*) adj. *Bot.* Dícese de árboles y arbustos angiospermos dicotiledóneos, siempre verdes, de hojas esparcidas, generalmente coriáceas y con pequeñas estípulas, flores actinomorfas, unisexuales por aborto y casi siempre dispuestas en cimas; fruto en drupa poco carnosa; como el acebo. Ú. t. c. s. f. ‖ **2.** f. pl. *Bot.* Familia de estas plantas.
aquifolio. (Del lat. *aquifolĭum.*) m. **acebo.**
aquilatamiento. m. Acción y efecto de aquilatar.
aquilatar. tr. Examinar y graduar los quilates del oro y de las perlas y piedras preciosas. ‖ **2.** fig. Examinar y apreciar debidamente el mérito de una persona o el mérito o verdad de una cosa. ‖ **3. apurar,** purificar.
aquilea. (Del lat. *achillēa.*) f. **milenrama.**
aquileño, ña. adj. desus. **aguileño,** dicho del rostro o nariz.
Aquiles. n. p. m. V. **argumento Aquiles.** ‖ **2.** fig. V. **talón, tendón, de Aquiles.** ‖ **3.** *Anat.* V. **tendón de Aquiles.**
aquilífero. (Del lat. *aquilĭfer, -ĕri.*) m. El que llevaba las insignias del águila en las antiguas legiones romanas.
aquilino, na. (Del lat. *aquilīnus.*) adj. poét. **aguileño,** dicho del rostro o nariz.
aquilón. (Del lat. *aquĭlo, -ōnis.*) m. **Norte,** polo ártico. ‖ **2. norte,** viento que sopla de esta parte.
aquilonal. (Del lat. *aquilonālis.*) adj. Perteneciente o relativo al aquilón. ‖ **2.** fig. Aplícase al tiempo de invierno.
aquilonar. (Del lat. *aquilonāris.*) adj. p. us. **aquilonal.**
aquillado, da. adj. De figura de quilla. ‖ **2.** *Mar.* Aplícase al buque que tiene mucha quilla, o sea, que es muy largo.
aquillotrar. (De *aquellotrar.*) tr. desus. **quillotrar.** Usáb. t. c. prnl.
aquillotro. m. ant. **quillotro.**
aquintralarse. prnl. *Chile.* Cubrirse de quintral los árboles y arbustos. ‖ **2.** *Chile.* Contraer los melones y otras plantas la enfermedad llamada quintral.
aquistador, ra. adj. p. us. Que aquista. ‖ **2.** m. ant. **conquistador.**
aquistar. (Del it. *acquisitare.*) tr. p. us. Conseguir, adquirir, conquistar.
aquitánico, ca. (Del lat. *Aquitanĭcus.*) adj. Perteneciente a Aquitania, región de Francia antigua.
aquitano, na. (Del lat. *Aquitānus.*) adj. Natural de Aquitania. Ú. t. c. s. ‖ **2. aquitánico.**
aquivo, va. (Del lat. *Achīvus.*) adj. **aqueo.** Apl. a pers., ú. t. c. s.
a quo. expr. lat. *Der.* V. **juez a quo.**
-ar. (Del lat. *-āris.*) suf. de adjetivos y de sustantivos. En los adjetivos significa condición o pertenencia: *espectacul*AR, *axil*AR. En los sustantivos indica el lugar en que abunda el primitivo: *pin*AR, *palom*AR.
ara[1]**.** (Del lat. *ara.*) f. **altar,** montículo, piedra o construcción. ‖ **2.** En el culto católico, losa o piedra consagrada sobre la cual extiende el sacerdote los corporales para celebrar la misa. ‖ **3.** Por ext., **altar,** mesa consagrada. ‖ **4** V. **amigo hasta las aras.** ‖ **acogerse a las aras.** fr. fig. Refugiarse o tomar asilo. ‖ **en aras de.** loc. prep. En honor o en interés de.
ara[2]**.** (De or. guaraní.) m. *Amér.* Nombre de varias aves parleras como el papagayo, la cotorra, el periquito, etc.
árabe. (Del lat. *Arabs, -ăbis,* y este del gr. Ἄραψ, -αβος.) adj. Natural de Arabia. Ú. t. c. s. ‖ **2.** Perteneciente a esta región de Asia. ‖ **3.** Por ext., perteneciente o relativo a los pueblos de lengua **árabe.** ‖ **4.** V. **año árabe.** ‖ **5.** m. Idioma **árabe.**
arabesco, ca. (Del it. *arabesco.*) adj. **arábigo.** ‖ **2.** m. *Esc.* y *Pint.* Dibujo de adorno compuesto de tracerías, follajes, cintas y roleos, y que se emplea más comúnmente en frisos, zócalos y cenefas.
arabí. (Del ár. *'arabī.*) adj. ant. **arábigo,** árabe. Ú. t. c. s. ‖ **2.** m. ant. **arabía,** lengua árabe.
arabía. (Del ár. *'arabiyya,* la lengua árabe.) f. ant. Lengua árabe.
arábico, ca. adj. desus. **arábigo.**
arábigo, ga. (Del lat. *Arabĭcus.*) adj. **árabe,** perteneciente a Arabia. ‖ **2.** V. **goma, numeración arábiga.** ‖ **3.** V. **número arábigo.** ‖ **4.** m. Idioma árabe. ‖ **estar** una cosa **en arábigo.** fr. fig. y fam. Ser muy difícil entenderla.
arabio, bia. (Del lat. *Arabĭus.*) adj. desus. **árabe.** Apl. a pers., ú. t. c. s.
arabismo. m. Giro o modo de hablar propio de la lengua árabe. ‖ **2.** Vocablo o giro de esta lengua empleado en otra.
arabista. com. Especialista en lengua y cultura árabes.
arabización. f. Acción y efecto de arabizar.
arabizar. intr. Hacer que algo o alguien adquiera carácter árabe. Ú. t. c. prnl.
arable. adj. A propósito para ser arado.
arabo. m. Árbol de los trópicos, de la familia de las eritroxiláceas, que alcanza de diez a doce metros de altura, y cuya madera, dura y filamentosa, se emplea para hacer horcones.
aráceo, a. (De *Arum,* nombre de un género de plantas.) adj. *Bot.* Dícese de plantas angiospermas monocotiledóneas, herbáceas, algunas leñosas, con rizomas o tubérculos; hojas alternas, acorazonadas o sagitales; flores en espádice rodeado de una espata; fruto en baya, con semillas de albumen carnoso o amiláceo; como el aro, el arísaro y la cala. Ú. t. c. s. f. ‖ **2.** f. pl. *Bot.* Familia de estas plantas.
arácnido, da. (Del gr. ἀράχνη, araña.) adj. *Zool.* Dícese de los artrópodos sin antenas, de respiración aérea, con cuatro pares de patas y con cefalotórax. Carecen de ojos com-

puestos y tienen dos pares de apéndices bucales variables por su forma y su función. Ú. t. c. s. m. ‖ **2.** m. pl. *Zool.* Clase de estos animales.

aracnoides. (Del gr. ἀραχνοειδής.) adj. *Zool.* Aplícase a una de las tres meninges que tienen los batracios, reptiles, aves y mamíferos, que está colocada entre la duramáter y la piamáter, y formada por un tejido claro y seroso que remeda las telas de araña. Ú. m. c. s. f.

aracnología. (Del gr. ἀράχνη, araña, y *-logía.*) f. Parte de la zoología que trata de los arácnidos.

aracnológico, ca. adj. Perteneciente a la aracnología.

aracnólogo, ga. m. y f. Persona que estudia o profesa la aracnología.

-aracho, cha. V. **-acho.**

arada. f. Acción de arar. ‖ **2.** Tierra labrada con el arado. ‖ **3.** Cultivo y labor del campo. ‖ **4.** Porción de tierra que puede arar en un día una yunta. ‖ **5.** *Sal.* Temporada en que se aran los campos.

-arada. V. **-ada.**

arado. (De *aradro.*) m. Instrumento de agricultura que, movido por fuerza animal o mecánica, sirve para labrar la tierra abriendo surcos en ella. ‖ **2. reja[1],** vuelta que se da a las tierras con el **arado.** ‖ **no prende de ahí el arado.** fr. fig. y fam. desus. con que se denota no estar la dificultad en aquello que se supone.

arador, ra. (Del lat. *arātor, -ōris.*) adj. Que ara. Ú. t. c. s. ‖ **2.** m. **arador de la sarna.** ‖ **de la sarna.** Ácaro diminuto, parásito del hombre, en el cual produce la enfermedad llamada sarna; vive debajo de la capa córnea de la epidermis en galerías que excava la hembra y en las que deposita sus huevos. ‖ **del queso.** Ácaro diminuto que vive en el queso rancio.

aradro. (Del lat. *arātrum.*) m. ant. **arado.**

aradura. f. Acción y efecto de arar. ‖ **2.** *Ast.* **arada,** tierra que ara una yunta en un día.

Aragón. n. p. V. **canchalagua, consejo, justicia mayor de Aragón.**

aragonés, sa. adj. Natural de Aragón. Ú. t. c. s. ‖ **2.** Perteneciente a la región o antiguo reino de este nombre. ‖ **3.** Dícese del dialecto romance llamado también **navarroaragonés.** Ú. t. c. s. ‖ **4.** Dícese de la variedad del castellano que se habla en Aragón. Ú. t. c. s. m. ‖ **5.** Dícese de una especie de uva tinta, cuyos racimos son muy grandes, gruesos y apiñados, y también de las vides y veduños de esta clase. ‖ **6.** V. **carga aragonesa.**

aragonesismo. m. Palabra, locución o giro propio y peculiar de los aragoneses.

aragonito. (De Molina de *Aragón,* donde existe uno de los principales yacimientos.) m. Una de las formas naturales del carbonato cálcico, en la cual los cristales rómbicos se agrupan para formar prismas de apariencia hexagonal. Posee brillo nacarado y cuando es puro es incoloro.

araguato, ta. adj. *Col.* y *Venez.* De color leonado oscuro, como el mono de ese nombre. ‖ **2.** m. Mono americano, de 70 a 80 centímetros de alto, pelaje de color leonado oscuro, pelo hirsuto en la cabeza y barba grande.

aragüeño, ña. adj. Natural del Estado venezolano de Aragua. Ú. t. c. s. ‖ **2.** Perteneciente o relativo a dicho Estado.

aragüirá. (Del guaraní *ara,* día, luz, y *güirá,* pájaro.) m. Pajarillo de la Argentina, de lomo rojizo y pecho y copete de color rojo.

arahuaco, ca. adj. Dícese de numerosos pueblos y lenguas que forman una gran familia y se extendieron desde las Grandes Antillas, por muchos territorios de América del Sur. Ú. t. c. s. y en pl. ‖ **2.** m. Lengua hablada por estos pueblos.

-arajo. V. **-ajo.**

aralia. (De or. iroqués.) f. Arbusto de la familia de las araliáceas, de unos dos metros de altura, con tallo leñoso lleno de espinas, hojas grandes, gruesas y recortadas por el margen, flores en corimbo, pequeñas y blancas, y frutos negruzcos. Es originario del Canadá y se cultiva en Europa como planta de adorno.

araliáceo, a. (De *Aralia,* nombre de un género de plantas.) adj. *Bot.* Dícese de plantas angiospermas dicotiledóneas, derechas o trepadoras, inermes, vellosas o con aguijones, de hojas alternas, enteras, recortadas o compuestas, flores en umbela y fruto drupáceo; como la aralia y la hiedra arbórea. Ú. t. c. s. f. ‖ **2.** f. pl. *Bot.* Familia de estas plantas, que no se distinguen de las umbelíferas más que por estar cubiertas sus semillas por un pericarpio carnoso.

arambel. (De *harambel.*) m. Colgadura de paños unidos o separados que se emplea para adorno o cobertura. ‖ **2.** fig. Andrajo o trapo que cuelga del vestido.

arambol. m. *Pal.* y *Vallad.* Balaustrada de una escalera.

arambre. (Del lat. *aerāmen, -ĭnis,* bronce.) m. ant. **alambre,** hilo de metal. Ú. en Asturias, Burgos y Cantabria.

arameo, a. (Del lat. *Aramaei, -ōrum.*) adj. Descendiente de Aram, hijo de Sem. Apl. a pers., ú. t. c. s. ‖ **2.** Natural de la antigua ciudad y del país de Aram, en el norte de Siria. Ú. t. c. s. ‖ **3.** Perteneciente o relativo a este pueblo bíblico. ‖ **4.** m. Grupo de lenguas semíticas, próximo pariente del fenicio y del hebreo, que se habló en un extenso territorio. Una de esas lenguas dominó en Judea y Samaria.

aramio. (De *arar.*) m. Campo o tierra de labor que después de tener una o dos rejas se deja de barbecho.

arán. (De or. vasco.) m. *Ál.* **endrino,** ciruelo silvestre. ‖ **2.** *Ál.* **endrina.**

arana. f. Embuste, trampa, estafa.

arancel. (De *alancel.*) m. Tarifa oficial que determina los derechos que se han de pagar en varios ramos, como el de costas judiciales, aduanas, ferrocarriles, etc. ‖ **2.** Tasa, valoración, norma, ley.

arancelario, ria. adj. Perteneciente o relativo al arancel. Dícese más comúnmente del de aduanas. *Derechos* ARANCELARIOS; *reforma* ARANCELARIA.

arandanedo. m. Terreno sombrío y húmedo poblado de arándanos.

arándano. m. Planta de la familia de las ericáceas, de dos a cinco decímetros de altura, con ramas angulosas, hojas alternas, aovadas y aserradas, flores solitarias, axilares, de color blanco verdoso o rosado, y por frutos bayas negruzcas o azuladas, dulces y comestibles. ‖ **2.** Fruto de esta planta.

arandela[1]. (Del fr. *rondelle.*) f. Pieza a modo de platillo o tacilla, de vidrio o metal, que tiene un agujero en medio y se pone en la parte superior del candelero, abrazando la vela, para recoger lo que se derrame y caiga de ella o del pabilo. También se usa en los cirios que se llevan en la mano, colocada cerca del pabilo. ‖ **2.** Pieza generalmente circular, fina y perforada que se usa para mantener apretados una tuerca o tornillo, asegurar el cierre hermético de una junta o evitar el roce entre dos piezas. ‖ **3.** Cada una de las piezas circulares concéntricas que tapan el hogar de las cocinas y estufas de carbón. ‖ **4.** En general, cualquier pieza en forma de disco perforado. ‖ **5.** Pieza fuerte de metal, de forma cónica, que se ponía encima de la empuñadura de la lanza para defensa de la mano. ‖ **6.** Cuello encañonado y puños que usaron las mujeres. ‖ **7.** Pieza de hojalata, a manera de embudo, que aplican los hortelanos a los troncos de los árboles, ajustándola con yeso y llenándola de agua, para impedir que las hormigas suban y hagan daño. ‖ **8.** Candelabro con sostén a propósito para fijarse lateralmente. ‖ **9.** *Amér. Merid.* Chorrera y vueltas de la camisola. ‖ **10.** *Amér.* Volante, cenefa, adorno circular femenino. ‖ **11.** *Mar.* Tablero formado de una o dos hojas giratorias alrededor de los cantos horizontales de las portas de los buques, que sirve para cerrar estas e impedir la entrada del agua del mar. En su centro, si el tablero es único, o en la medianía de los cantos libres, si es de dos hojas, tiene sendos rebajos semicirculares que se corresponden y dejan paso justo a la caña del cañón respectivo. ‖ **12.** pl. *Col.* Adornos excesivos del vestuario femenino. ‖ **13.** *Col.* Pastas, bizcochos que se toman con el café, té o chocolate.

arandela[2]. (Del lat. **hirundinella,* d. de *hirundo, -ĭnis.*) f. *Ál.* **golondrina,** pájaro.

arandillo. (De un d. del lat. *hirundo, -ĭnis,* golondrina.) m. Pájaro de unos diez centímetros de largo, ceniciento por el lomo y las alas, blanco por el vientre y la frente, y con las piernas rojas. Gusta de mecerse sobre las cañas y juncos, y se alimenta de semillas e insectos. ‖ **2.** *And.* **caderillas.**

arandino, na. adj. Natural de Aranda de Duero. Ú. t. c. s. ‖ **2.** Perteneciente a esta villa.

aranero, ra. (De *arana.*) adj. Embustero, tramposo, estafador. Ú. t. c. s.

aranés, sa. adj. Natural de cualquiera de los pueblos comprendidos en el valle de Arán. Ú. t. c. s. ‖ **2.** Perteneciente o relativo a este valle de los Pirineos. ‖ **3.** m. Variante del gascón, hablada en este valle.

arangorri. (Del vasc. *arrain,* pez, y *gorri,* rojo.) m. Pez teleósteo del suborden de los acantopterigios, de color rojo y cabeza muy grande. Vive en el mar Cantábrico.

araniego. (De *araña,* red.) adj. V. **gavilán araniego.**

aranoso, sa. adj. **aranero.**

aranzada. (Como *arenzata,* de *arienzo.*) f. Medida agraria de distinta equivalencia según las regiones. La de Castilla equivale a 4.472 metros cuadrados; la de Córdoba a 3.672.

araña. (Del lat. *aranĕa.*) f. Arácnido con tráqueas en forma de bolsas comunicantes con el exterior, con cefalotórax, cuatro pares de patas, y en la boca un par de uñas venenosas y otro de apéndices o palpos que en los machos sirven para la cópula. En el extremo del abdomen tienen el ano y las hileras u órganos productores de la seda con la que tapizan sus viviendas, cazan sus presas y se trasladan de un lugar a otro. ‖ **2.** V. **red, tela de araña.** ‖ **3.** V. **mono, peje araña.** ‖ **4. arañuela,** planta ranunculácea. ‖ **5.** Planta gramínea de las Antillas, de cañas derechas y lampiñas de tres a seis decímetros de alto, nudos muy vellosos, hojas largas, lineares, agudas y ásperas por los bordes, y flores en espigas casi alternas y delgadas, en racimos terminales. ‖ **6.** Especie de candelabro sin pie y con varios brazos, que se cuelga del techo o de un pescante. ‖ **7.** Red para cazar pájaros. ‖ **8.** fig. y fam. Persona muy aprovechada y vividora. ‖ **9.** fig. **mujer pública.** ‖ **10.** *Murc.* **arrebatiña.** ‖ **11.** *Chile* y *Urug.* Carruaje ligero y pequeño, parecido al bombé. ‖ **12.** *Mar.* Conjunto de cabos delgados que desde un punto común se separan para afianzarse convenientemente, pasando a veces por los agujeros de una telera. ‖ **de agua. araña** que hace sus nidos semejantes a campanas de buzo dentro del agua. Tiene el cuerpo revestido de pelos que retienen el aire y le dan aspecto plateado cuando está sumergida. ‖ **de mar.** Nombre de varios cangrejos marinos, decápodos y braquiuros, de caparazón algo triangular o cordiforme, y con las ocho patas posteriores, en general largas, delgadas y puntiagudas. Abundan en todos los mares. ‖ **picacaballos.** Arácnido de Honduras que les pica las patas a los caballos, a consecuencia de lo cual pierden estos los cascos. ‖ **picado de la araña.** fig. *Chile.* **picado de la tarántula.**

arañada. f. **arañamiento.** ‖ **2.** *Ar.* **arañazo.**

arañador, ra. adj. Que araña. Ú. t. c. s.

arañamiento. m. Acción de arañar o arañarse.

arañar. (De etim. disc.; cf. *araña* y *arar.*) tr. Raspar, rasgar, herir ligeramente el cutis con las uñas, un alfiler u otra cosa. Ú. t. c. prnl. ‖ **2.** En algunas cosas lisas, como la pared, el vidrio o el metal, hacer rayas superficiales. ‖ **3.** fig. y fam. Recoger con mucho afán, de varias partes y en pequeñas porciones, lo necesario para algún fin.

arañazo. (De *arañar.*) m. Rasgadura ligera hecha en el cutis con las uñas, un alfiler u otra cosa.

arañero, ra. (De *araña.*) adj. *Cetr.* Dícese del pájaro que no se amansa. ‖ **2.** V. **pájaro arañero.** Ú. t. c. s.

arañil. adj. Propio de la araña o perteneciente a ella.

araño. (De *arañar.*) m. **arañamiento.** ‖ **2. arañazo.**

arañón. m. *Ar.* **arán.**

arañuela. f. d. de **araña.** ‖ **2. arañuelo,** larva de insectos de los plantíos. ‖ **3.** Planta de la familia de las ranunculáceas, que da hermosas flores. Muchas de sus variedades se cultivan en los jardines.

arañuelo. (Del lat. *araneŏlus.*) m. Larva de insectos que destruyen los plantíos, y algunos de los cuales forman una tela semejante a la de la araña. ‖ **2. garrapata,** ácaro. ‖ **3. araña,** red.

arapende. (Del lat. *arapennis.*) m. ant. **arpende.**

arapil. m. *Sal.* Teso, meseta pequeña.

arar[1]. (Del ár. *'ar'ar,* enebro.) m. **alerce africano.** ‖ **2. enebro.**

arar[2]. (Del lat. *arāre.*) tr. Remover la tierra haciendo en ella surcos con el arado. ‖ **2.** fig. Arrugar; hacer en alguna cosa rayas parecidas a los surcos. ‖ **3.** fig. Ir o caminar por un fluido rompiéndolo o cortándolo. ‖ **cuantos aran y cavan.** loc. desus. fig. y fam. **todo el mundo.**

arasá. (De or. guaraní.) m. *Argent., Par.* y *Urug.* Árbol de la familia de las mirtáceas, con la copa ancha y frondosa, madera consistente y flexible y fruto amarillo dorado, comestible. ‖ **2.** Fruto de este árbol del que se hacen confituras.

arate cavate. (Imperat. latinos de *arare* y *cavare.*) fr. fig. desus. con que se indica la tarea diaria del labrador; y por ext., la tosquedad de la persona que solo sabe los rudimentos de su profesión u oficio.

araticú. (Del guaraní *araticú.*) m. *Argent., Par.* y *Urug.* Nombre que en la zona guaraní se da a varias plantas anonáceas. Su fruto es una baya pulposa parecida a la chirimoya.

aratorio, ria. (Del lat. *aratorĭus.*) adj. p. us. Perteneciente o relativo al acto de arar.

araucanista. com. Persona entendida en el idioma o en las costumbres de los araucanos.

araucano[1]**, na.** adj. Natural de la antigua región de Arauco. Ú. t. c. s. ‖ **2.** Dícese del indio perteneciente a alguno de los grupos étnicos que, en la época de la conquista española, habitaban en la zona central de Chile y que después se extendieron por la pampa argentina. Ú. t. c. s. ‖ **3.** Perteneciente a este país de América, hoy una de las provincias de Chile. ‖ **4.** m. **mapuche,** idioma de los **araucanos.**

araucano[2]**, na.** adj. Natural de Arauca. Ú. t. c. s. ‖ **2.** Perteneciente a este departamento de Colombia.

araucaria. (De *Arauco,* región de Chile.) f. Árbol de la familia de las abietáceas, que crece hasta 50 metros de altura, con ramas horizontales cubiertas de hojas verticiladas, rígidas, siempre verdes, que forman una copa cónica y espesa; flores dioicas poco visibles y fruto drupáceo, con una almendra dulce muy alimenticia. Es originario de América, donde forma extensos bosques. ‖ **excelsa.** Especie de **araucaria** muy elevada, de rápido crecimiento, que se cultiva en los jardines.

arauja. f. Planta trepadora del Brasil, de la familia de las asclepiadáceas, de hojas oblongas, blanquecinas por el envés, y flores blancas y olorosas.

aravico. m. Poeta, entre los incas.

-araz. suf. de adjetivos que significan cualidad intensa y de valor un tanto despectivo: *lengu*ARAZ, *mont*ARAZ.

arbalestrilla. (Del lat. *arcuballista,* ballesta.) f. *Mat.* Instrumento antiguo que venía a ser un sextante de alidadas.
arbelcorán. m. *Gran.* **alboquerón.**
arbellón. (Del ár. *al-ballā'a,* la cloaca.) m. **albollón.**
arbequín. (De *Arbeca,* villa de la provincia de Lérida.) adj. V. **olivo arbequín.**
arbitrable. adj. Que pende del arbitrio.
arbitración. (De *arbitrar.*) f. *Der.* **arbitramento.**
arbitradero, ra. (De *arbitrar.*) adj. desus. **arbitrable.**
arbitrador, ra. (Del lat. *arbitrātor, -ōris.*) adj. Que arbitra. Ú. t. c. s. ‖ **2.** V. **juez arbitrador.** Ú. t. c. s.
arbitraje. m. Acción o facultad de arbitrar. ‖ **2.** Juicio arbitral. ‖ **3.** *Com.* Operación de cambio de valores mercantiles, en la que se busca la ganancia aprovechando la diferencia de precios entre unas plazas y otras.
arbitral. (Del lat. *arbitrālis.*) adj. Perteneciente o relativo al arbitrador o al juez árbitro. *Juicio, sentencia* ARBITRAL.
arbitramento. (De *arbitrar.*) m. *Der.* Acción o facultad de dar sentencia arbitral. ‖ **2.** *Der.* Sentencia arbitral.
arbitramiento. m. *Der.* **arbitramento.**
arbitrar. (Del lat. *arbitrāre.*) tr. Dar o proponer arbitrios. ‖ **2.** intr. Proceder uno libremente, usando de su facultad y arbitrio. ‖ **3.** ant. Discurrir, formar juicio. ‖ **4.** *Dep.* Ejercer de árbitro en los deportes. Ú. t. c. tr. ‖ **5.** *Der.* Juzgar como árbitro. ‖ **6.** fig. Resolver un tercero, de manera pacífica, un conflicto entre partes.
arbitrariamente. adv. m. Por arbitrio o al arbitrio. ‖ **2.** Con arbitrariedad.
arbitrariedad. (De *arbitrario.*) f. Acto o proceder contrario a la justicia, la razón o las leyes, dictado solo por la voluntad o el capricho.
arbitrario, ria. (Del lat. *arbitrarĭus.*) adj. Que depende del arbitrio. ‖ **2.** Que procede con arbitrariedad. ‖ **3.** Que incluye arbitrariedad. ‖ **4. arbitral.** ‖ **5.** V. **poder arbitrario.**
arbitrativo, va. adj. desus. **arbitrario,** que depende del arbitrio. ‖ **2.** desus. **arbitral.**
arbitrero, ra. adj. desus. **arbitrario.** ‖ **2.** m. desus. **arbitrista.**
arbitriano. (De *arbitrio.*) m. **arbitrista.**
arbitrio. (Del lat. *arbitrĭum.*) m. Facultad que tiene el hombre de adoptar una resolución con preferencia a otra. ‖ **2.** Autoridad, poder. ‖ **3.** Voluntad no gobernada por la razón, sino por el apetito o capricho. ‖ **4.** Medio extraordinario que se propone para el logro de algún fin. ‖ **5.** Sentencia del juez árbitro. ‖ **6.** pl. Derechos o impuestos con que se arbitran fondos para gastos públicos, por lo general municipales. ‖ **de juez,** o **judicial.** *Der.* Facultad que se deja a los jueces para la apreciación circunstancial a que la ley no alcanza.
arbitrista. (De *arbitrio.*) com. Persona que inventa planes o proyectos disparatados o empíricos, para aliviar la hacienda pública o remediar males políticos.
árbitro, tra. (Del lat. *arbĭter, -ĭtri.*) adj. Dícese del que puede hacer alguna cosa por sí solo sin dependencia de otro. Ú. t. c. s. ‖ **2.** V. **juez árbitro.** Ú. t. c. s. ‖ **3.** m. y f. Persona que en algunas competiciones deportivas de agilidad y destreza cuida de la aplicación del reglamento. ‖ **4.** Persona que arbitra en un conflicto entre partes. ‖ **5.** Persona cuyo criterio se considera autoridad. ÁRBITRO *de la moda.*
árbol. (Del lat. *arbor, -ŏris.*) m. Planta perenne, de tronco leñoso y elevado, que se ramifica a cierta altura del suelo. ‖ **2.** Pieza de hierro en la parte superior del husillo de la prensa de imprimir. ‖ **3.** En los órganos, eje que, movido a voluntad del ejecutante, hace que suene o deje de sonar el registro que este desea. ‖ **4.** Punzón con cabo de madera y punta de acero, que usan los relojeros para horadar el metal. ‖ **5.** Cuerpo de la camisa, sin las mangas. ‖ **6.** *Arq.* Pie derecho alrededor del cual se ponen las gradas de una escalera de caracol. ‖ **7.** *Impr.* Altura de la letra desde la base hasta el hombro. ‖ **8.** *Mar.* **palo,** de un buque. ‖ **9.** *Mec.* Barra fija o giratoria que en una máquina sirve para soportar piezas rotativas o para transmitir fuerza motriz de unos órganos a otros. ‖ **de costados. árbol genealógico.** ‖ **de Diana.** *Quím.* Cristalización arborescente que se obtiene añadiendo mercurio en una disolución de sal de plata. ‖ **de fuego.** Armazón de madera, compuesta de un palo como pie o tronco, y varios listones como brazos o ramas, que sostienen cohetes, bengalas, girándulas y otros fuegos artificiales. ‖ **de Judas. ciclamor.** ‖ **de la canela. canelo, árbol** lauráceo. ‖ **de la cera. árbol** de Cuba, de la familia de las euforbiáceas, que exuda una materia semejante a la cera, y cuya madera, de color blanco amarillento, es dura y compacta, y se emplea en obras de ebanistería. ‖ **2.** Se da el mismo nombre a otros **árboles** que también exudan una materia parecida a la cera. ‖ **de la ciencia del bien y del mal. árbol de la vida.** ‖ **de la cruz.** Cruz en que murió Jesucristo. ‖ **de la leche. árbol** de la familia de las moráceas, propio de Venezuela, cuyo látex, dulce y abundante, se utiliza como alimento. ‖ **del amor. ciclamor.** ‖ **de la seda. mata de la seda.** ‖ **de la vida.** El que, según la Biblia, puso Dios en medio del Paraíso con virtud natural o sobrenatural de prolongar la existencia. ‖ **2. tuya.** ‖ **3.** *Anat.* Conjunto de ramificaciones formadas en el cerebelo por la sustancia gris sobre la blanca. ‖ **del cielo. ailanto.** ‖ **del clavo. clavero[1].** ‖ **del diablo. jabillo.** ‖ **de levas.** *Mec.* Eje rotatorio que mueve una o más levas y se destina a distribuir movimientos que deben estar sincronizados. ‖ **del incienso. árbol** del Asia, de la familia de las anacardiáceas, que da por exudación el incienso. ‖ **del lizo.** En las fábricas de tapices, palo que atraviesa la urdimbre, enfila los lizos y los lleva a manos del operario. ‖ **del pan. árbol** de los trópicos, de la familia de las moráceas, cuyo tronco, grueso y ramoso, alcanza de 10 a 12 metros de altura. Su fruto, de figura oval y muy voluminoso, contiene una sustancia farinácea y sabrosa, y, cocido, se usa como alimento. ‖ **del Paraíso. árbol** de la familia de las eleagnáceas, que alcanza unos 10 metros de altura, con tronco tortuoso y gris, hojas estrechas, lanceoladas, blanquecinas y lustrosas, flores axilares, pequeñas, blancas por fuera y amarillas por dentro, y frutos drupáceos, ovoides y de color amarillo rojizo. ‖ **de María. calambuco.** ‖ **de Marte.** *Quím.* Cristalización arborescente que se forma sobre los cristales de sulfato de hierro introducidos en una disolución de silicato y carbonato potásicos ‖ **de Navidad. árbol,** natural o artificial, que se decora con luces, adornos y regalos para celebrar la Navidad. ‖ **de pie.** El que viene de semilla y no de cepa. ‖ **de pólvora. árbol de fuego.** ‖ **de ruedas.** Eje de las ruedas del reloj. ‖ **de Saturno.** *Quím.* Cristalización arborescente de plomo que se obtiene en disoluciones que contienen una sal de este metal, por diversos medios, en especial sumergiendo en ellas una lámina de cinc. ‖ **genealógico.** Cuadro descriptivo, la mayoría de las veces en figura de **árbol,** de los parentescos en una familia. ‖ **mayor.** *Mar.* **palo mayor.** ‖ **padre.** El que al hacer una corta se deja en pie para que con su semilla se repueble el monte. ‖ **respiratorio.** *Med.* Sistema orgánico formado por la ramificación de los bronquios que parten del tronco de la laringe y de la tráquea.
arbolado, da. adj. Dícese del sitio poblado de árboles. ‖ **2.** V. **mar arbolada.** ‖ **3.** m. Conjunto de árboles.
arboladura. (De *arbolar.*) f. *Mar.* Conjunto de árboles y vergas de un buque.
arbolar. tr. **enarbolar,** levantar banderas, etc. ‖ **2.** Poner los árboles a una embarcación. ‖ **3.** desus. Arrimar derecho un objeto alto a una cosa. ‖ **4. arborizar.** ‖ **5.** intr. Elevarse mucho las olas del mar. Ú. t. c. prnl. ‖ **6.** prnl. **encabritarse** el caballo.

arbolario, ria. adj. p. us. fig. y fam. **herbolario,** botarate. Ú. t. c. s.

arbolecer. intr. **arborecer.**

arboleda. (Del lat. *arborēta,* pl. de *arborētum,* arboledo.) f. Sitio poblado de árboles, principalmente el sombrío y ameno.

arboledo. (Del lat. *arborētum.*) m. desus. **arbolado,** conjunto de árboles.

arbolejo. m. d. de **árbol.**

arbolete. m. d. de **árbol.** ‖ **2.** Rama de árbol que usan los cazadores, hincándola en tierra y poniendo en ella las varetas de liga en que se prenden los pájaros. ‖ **3.** En los antiguos racimos de metralla, el núcleo o palo sobre el que se formaban.

arbolillo. m. d. de **árbol.** ‖ **2.** *And.* **arbolete,** rama de árbol para cazar pájaros. ‖ **3.** *Min.* Cada uno de los dos muros que forman los costados de los hornos de cuba.

arbolista. com. Persona dedicada por oficio al cultivo de los árboles. ‖ **2.** Persona que comercia en ellos.

arbollón. (Del ár. *al-ballāʻa,* la cloaca.) m. **albollón.**

árbor. (Del lat. *arbor, -ŏris.*) m. ant. **árbol.**

arborado, da. adj. ant. Poblado de árboles.

arborecer. (Del lat. *arborescĕre.*) intr. Hacerse árbol.

arbóreo, a. (Del lat. *arborĕus.*) adj. Perteneciente o relativo al árbol. ‖ **2.** Semejante al árbol. ‖ **3.** V. **hiedra, malva arbórea.**

arborescencia. f. Crecimiento o calidad de las plantas arborescentes. ‖ **2.** Lo que presenta formas más o menos semejantes a las de un árbol.

arborescente. (Del lat. *arborescens, -entis.*) adj. Dícese de lo que tiene forma o aspecto que recuerda a un árbol. ‖ **2.** V. **alfalfa arborescente.**

arboreto. (Del lat. *arborētum.*) m. *Bot.* Plantación de árboles destinada a fines científicos como el estudio de su desarrollo, de su acomodación al clima y al suelo, etc.

arbori-. (Del lat. *arbor, -ŏris.*) elem. compos. que significa «árbol». ARBORI*cultura,* ARBORI*forme,* ARBORI*cida.*

arboricida. (De *árbol* y *-cida.*) adj. Que destruye los árboles. Ú. t. c. s.

arborícola. (Del lat. *arbor, -ŏris,* árbol, y *colĕre,* habitar.) adj. Que vive en los árboles.

arboricultor, ra. m. y f. Persona que se dedica a la arboricultura.

arboricultura. (Del lat. *arbor, -ŏris,* árbol, y *cultūra,* cultivo.) f. Cultivo de los árboles. ‖ **2.** Enseñanza relativa al modo de cultivarlos.

arboriforme. (Del lat. *arbor, -ŏris,* árbol, y *forma,* figura.) adj. De figura de árbol.

arborización. f. Figura natural en forma de ramas de árbol que se observa en ciertos minerales y otros cuerpos.

arborizar. tr. Poblar de árboles un terreno. ‖ **2.** Plantar árboles en determinado paraje para que den sombra o sirvan de adorno.

arbotante. (Del fr. *arc-boutant.*) m. *Arq.* Arco por tranquil que se apoya por su extremo inferior en un botarel y por el superior contrarresta el empuje de algún arco o bóveda. ‖ **2.** *Mar.* Palo o hierro que sobresale del casco del buque, en el cual se asegura para sostener cualquier objeto.

arbustivo, va. adj. *Bot.* Que tiene la naturaleza o calidades del arbusto.

arbusto. (Del lat. *arbustum.*) m. Planta perenne, de tallos leñosos y ramas desde la base, como la lila, la jara, etc.

arca[1]. (Del lat. *arca.*) f. Caja, comúnmente de madera sin forrar y con tapa llana que aseguran varios goznes o bisagras por uno de los lados, y uno o más candados o cerraduras por el opuesto. ‖ **2. caja,** para guardar dinero. ‖ **3.** Cada uno de los hornos secundarios de las fábricas de vidrio, donde se ponen las piezas después de labradas, ya para caldearlas hasta cierto grado, ya para enfriarlas. ‖ **4. arca de agua.** ‖ **5.** En Valencia, pedrea que tenían los estudiantes unos con otros. ‖ **6.** ant. Especie de nave o embarcación. ‖ **7.** ant. Sepulcro o ataúd. ‖ **8.** pl. Pieza donde se guarda el dinero en las tesorerías. ‖ **9.** Vacíos que hay entre las costillas y los ijares. ‖ **10.** ant. Parte anterior del pecho o tórax. ‖ **cerrada.** fig. Persona muy reservada. ‖ **2.** fig. Persona o cosa de que aún no se tiene cabal idea. ‖ **de agua.** Casilla o depósito para recibir el agua y distribuirla. ‖ **de la alianza.** Aquella en que se guardaban las tablas de la ley, el maná y la vara de Aarón. ‖ **del cuerpo.** Tronco del cuerpo humano. ‖ **del diluvio. arca de Noé.** ‖ **del pan.** fig. y fam. **vientre.** ‖ **del testamento. arca de la alianza.** ‖ **de Noé.** Especie de embarcación en que, según la Biblia, se salvaron del diluvio Noé y su familia y los animales encerrados en ella. ‖ **2.** Molusco lamelibranquio, muy común en los mares de España, y cuyas valvas son de unos siete centímetros de largo y tres de ancho, rectas por la parte de la charnela, estriadas, y de color blanco con bandas angulosas amarillentas. ‖ **3.** fig. y fam. Pieza, cajón o cofre donde se encierran muchas y varias cosas. ‖ **arca llena y arca vacía.** expr. fig. Alternativa de abundancia y escasez de dinero o de otras cosas. ‖ **hacer arcas.** fr. Abrirlas en las tesorerías con asistencia de los claveros[2], para recibir o entregar alguna cantidad.

arca[2]. (De *arcar.*) f. ant. Acción de **arquear[1],** ahuecar la lana.

arcabucear. tr. Tirar arcabuzazos. ‖ **2.** *Mil.* Ejecutar a una persona con una descarga de arcabucería.

arcabucería. f. Tropa militar armada de arcabuces. ‖ **2.** Fuego de arcabuces. ‖ **3.** Conjunto de arcabuces. ‖ **4.** Fábrica de arcabuces. ‖ **5.** Lugar donde se vendían.

arcabucero. m. Soldado armado de arcabuz. ‖ **2.** Fabricante de arcabuces y de otras armas de fuego.

arcabucete. m. d. de **arcabuz,** arma.

arcabuco. (De or. inc.; quizá del taíno de Santo Domingo.) m. Monte muy espeso y cerrado.

arcabucoso, sa. adj. Que abunda en arcabucos.

arcabuezo. m. ant. **carcavuezo.**

arcabuz. (Del fr. *arquebuse,* de or. germ.) m. Arma antigua de fuego, con cañón de hierro y caja de madera, semejante al fusil, y que se disparaba prendiendo la pólvora del tiro mediante una mecha móvil colocada en la misma arma. ‖ **2. arcabucero,** soldado.

arcabuzal. (De *arcabuezo.*) m. desus. **arcabuco.**

arcabuzazo. m. Tiro de arcabuz. ‖ **2.** Herida y daño producidos por el disparo del arcabuz.

arcacil. m. **alcacil.**

arcada[1]. (De *arco.*) f. Conjunto o serie de arcos en las fábricas, y especialmente en los puentes. ‖ **2. ojo,** de un arco de puente.

arcada[2]. (De *arcar.*) f. Movimiento violento del estómago, anterior o simultáneo al vómito.

árcade. (Del lat. *Arcas, -ădis,* y este del gr. ἀρκάς.) adj. Natural de la Arcadia. Ú. t. c. s. ‖ **2.** Perteneciente a este país de Grecia. ‖ **3.** m. Individuo de la academia de poesía y buenas letras, llamada de los **árcades,** establecida en Roma.

arcádico, ca. adj. Perteneciente o relativo a la Arcadia o a los árcades. ‖ **2.** Idílico, bucólico.

arcadio, dia. (Del lat. *Arcadĭus.*) adj. **árcade,** natural de Arcadia. ‖ **2. árcade,** perteneciente a este país de Grecia.

arcador. m. El que tiene por oficio arcar.

arcaduz. (De *alcaduz.*) m. Caño por donde se conduce el agua. ‖ **2.** Cada uno de los caños de que se compone una cañería. ‖ **3. cangilón,** de noria. ‖ **4.** desus. fig. y fam. Medio por donde se consigue o entabla alguna pretensión y negocio.

arcaduzar. tr. ant. Conducir el agua por arcaduces. Ú. en la Rioja.

arcaico, ca. (Del lat. *archaĭcus,* y este del gr. ἀρχαϊκός.) adj. Muy antiguo o anticuado. ‖ **2.** *Geol.* Dícese del más antiguo de los dos períodos en que se divide la era precámbrica. Ú. t. c. s. m.

arcaísmo. (Del lat. *archaismus*, y este del gr. ἀρχαϊσμός.) m. Calidad de arcaico. ‖ **2.** Elemento lingüístico cuya forma o significado, o ambos a la vez, resultan anticuados en relación con un momento determinado. ‖ **3.** Empleo de **arcaísmos** lingüísticos. ‖ **4.** Imitación de las cosas de la antigüedad.

arcaísta. com. Persona que emplea arcaísmos sistemáticamente.

arcaizante. p. a. de **arcaizar.** Que arcaíza. ‖ **2.** adj. Que tira a arcaico.

arcaizar. (Del gr. ἀρχαΐζω.) intr. Usar arcaísmos. ‖ **2.** tr. Dar carácter de antigua a una lengua, empleando arcaísmos.

arcanamente. adv. m. Con arcano, misteriosamente.

arcángel. (Del lat. *archangĕlus*, y este del gr. ἀρχάγγελος.) m. *Teol.* Espíritu bienaventurado, de orden media entre los ángeles y los principados.

arcangelical. adj. **arcangélico.**

arcangélico, ca. adj. Perteneciente o relativo a los arcángeles. ‖ **2.** V. **angélica arcangélica.**

arcanidad. f. p. us. **arcano,** secreto.

arcano, na. (Del lat. *arcānus.*) adj. Secreto, recóndito, reservado. Dícese más comúnmente de las cosas. ‖ **2.** m. Secreto muy reservado y de importancia. ‖ **3.** Misterio, cosa oculta y muy difícil de conocer.

arcar. tr. **arquear**[1], dar figura de arco. ‖ **2. arquear**[1], ahuecar la lana.

arcatura. f. *Arq.* Arcada figurada, principalmente la voladiza sobre columnitas o modillones que reemplaza a los canecillos en algunos tejaroces del último período románico.

arcaz. m. aum. desus. de **arca**[1].

arcazón. m. *And.* **mimbre.**

arce[1]**.** (Del lat. *acer, acĕris.*) m. Árbol de la familia de las aceráceas, de madera muy dura y generalmente salpicada de manchas a manera de ojos, con ramas opuestas, hojas sencillas, lobuladas o angulosas; flores en corimbo o en racimo, ordinariamente pequeñas, y fruto de dos sámaras unidas.

arce[2]**.** (Del lat. *arger, -ĕris*, cerco.) m. desus. **arcén.**

arce-. V. **archi-.**

arcea. (Del lat. *accēia.*) f. *Ast.* **chocha.**

arcedianadgo. m. ant. **arcedianazgo.**

arcedianato. m. Dignidad de arcediano. ‖ **2.** Territorio de su jurisdicción.

arcedianazgo. m. ant. **arcedianato.**

arcediano. (Del lat. *archidiacŏnus*, y este del gr. ἀρχιδιάκονος.) m. En lo antiguo, el primero o principal de los diáconos. Hoy es dignidad en las iglesias catedrales. ‖ **2.** Juez ordinario que ejercía jurisdicción delegada de la episcopal en determinado territorio, y que más tarde pasó a formar parte del cabildo catedral.

arcedo. m. Sitio poblado de arces[1].

arcén. (De *arce*[2].) m. Margen u orilla. ‖ **2.** En una carretera, los márgenes reservados a un lado y otro de la calzada para uso de peatones, tránsito de vehículos no automóviles, etc. ‖ **3. brocal** del pozo.

arcense. adj. **arcobricense.** Apl. a pers., ú. t. c. s.

arci-. V. **archi-.**

arcidriche. (Del m. or. que *ajedrez.*) m. ant. Tablero de ajedrez.

arcifinio, nia. (Del lat. *arcifinĭum.*) adj. p. us. Dícese del territorio que tiene límites naturales.

arcilla. (De *argilla.*) f. Tierra finamente dividida, constituida por agregados de silicatos de aluminio hidratados, que procede de la descomposición de minerales de aluminio, blanca cuando es pura y con coloraciones diversas según las impurezas que contiene. ‖ **de alfarero.** La que, empapada en agua, da color característico, se hace muy plástica, y por calcinación pierde esta propiedad, se contrae y queda permanentemente endurecida. ‖ **figulina. arcilla de alfarero.**

arcillar. tr. Mejorar las tierras silíceas echándoles arcilla o greda.

arcilloso, sa. (Del lat. *argillōsus.*) adj. Que tiene arcilla. ‖ **2.** Que abunda en arcilla. ‖ **3.** Semejante a ella.

arción[1]**.** (Del lat. **arcio, -ōnis*, de *arcus.*) m. *Col.* y *Méj.* Arzón delantero de la silla de montar.

arción[2]**.** (De *ación*, con infl. de *arción*[1] y *arzón.*) m. **ación,** correa del estribo. ‖ **2.** *Arq.* Dibujo de líneas enlazadas que, imitando las mallas de una red, se usaba en la ornamentación arquitectónica de la Edad Media.

arcionar[1]**.** tr. *Col.* y *Méj.* Sujetar el jinete al arzón o arción[1] de la silla una res vacuna, dando vueltas a la soga con que la ha lazado. Ú. t. c. intr.

arcionar[2]**.** tr. *Méj.* Levantar el jinete la pierna, con arción[2] o arzón y estribo, sobre la cola de un vacuno para sujetar esta a la silla y derribarlo.

arciprestado. m. *Ar.* **arciprestazgo.**

arciprestal. adj. De arcipreste o propio de él.

arciprestazgo. m. Dignidad o cargo de arcipreste. ‖ **2.** Territorio de su jurisdicción.

arcipreste. (Del lat. tardío *archipresbȳter.*) m. En lo antiguo, el primero o principal de los presbíteros. Hoy es dignidad en las iglesias catedrales. ‖ **2.** Presbítero que, por nombramiento del obispo, ejerce ciertas atribuciones sobre los curas e iglesias de un territorio determinado.

arco. (Del lat. *arcus.*) m. *Geom.* Porción continua de una curva. ARCO *de círculo, de elipse.* ‖ **2.** Arma hecha de una varilla de acero, madera u otra materia elástica, sujeta por los extremos con una cuerda o bordón, de modo que forme una curva, y la cual sirve para disparar flechas. ‖ **3.** Vara delgada, corva o doblada en sus extremos, en los cuales se fijan algunas cerdas que sirven para herir las cuerdas de varios instrumentos de música. ‖ **4.** Aro que ciñe y mantiene unidas las duelas de pipas, cubas, etc. ‖ **5. meta,** portería en algunos deportes. ‖ **6.** *Bol.* Ceremonia que se celebra en las bodas populares, a fin de obtener de los invitados dinero con el que constituir la base económica del matrimonio. ‖ **7.** *Arq.* Fábrica en forma de **arco,** que cubre un vano entre dos pilares o puntos fijos. ‖ **8.** *Fís.* **arco eléctrico.** ‖ **9.** *Trigon.* Valor de la función trigonométrica inversa correspondiente, por ej., ARCO *seno,* ARCO *coseno.* ‖ **10.** V. **danza de arcos.** ‖ **11.** V. **secante, seno, tangente de un arco.** ‖ **12.** V. **secante segunda, tangente segunda de un arco.** ‖ **abocinado.** *Arq.* El que tiene más luz en un paramento que en el opuesto. ‖ **adintelado.** *Arq.* El que viene a degenerar en línea recta. ‖ **alveolar.** *Anat.* Cada uno de los dos formados respectivamente por el borde superior y el inferior de cada quijada. ‖ **a nivel.** *Arq.* **arco adintelado.** ‖ **apainelado.** *Arq.* **arco carpanel.** ‖ **apuntado.** *Arq.* El que consta de dos porciones de curva que forman ángulo en la clave. ‖ **a regla.** *Arq.* **arco adintelado.** ‖ **aviajado.** *Arq.* **arco enviajado.** ‖ **botarete.** *Arq.* **arbotante.** ‖ **carpanel.** *Arq.* El que consta de varias porciones de circunferencia tangentes entre sí y trazadas desde distintos centros. ‖ **cegado.** *Arq.* El que tiene tapiada su luz. ‖ **ciego.** *Arq.* **arco cegado.** ‖ **complementario.** *Geom.* **complemento,** el que sumado a otro forma un cuadrante. ‖ **conopial.** *Arq.* El muy rebajado y con una escotadura en el centro de la clave, que lo hace semejante a un pabellón o cortinaje. ‖ **crucero.** *Arq.* El que une en diagonal dos ángulos en la bóveda por arista. ‖ **de círculo.** *Geom.* Parte de la circunferencia. ‖ **degenerante.** *Arq.* **arco adintelado.** ‖ **de herradura.** *Arq.* El que tiene más de media circunferencia y cuyos arranques vuelan tanto como la imposta. ‖ **de igle-**

sia. fig. y fam. Cosa muy difícil de ejecutar. Ú. con el verbo *ser* y generalmente con negación. ‖ **del cielo. arco iris.** ‖ **de medio punto.** *Arq.* El que consta de una semicircunferencia. ‖ **de punto entero.** *Arq.* **arco de todo punto.** ‖ **de punto hurtado.** *Arq.* **arco rebajado.** ‖ **de San Martín.** *Murc.* **arco iris.** ‖ **de todo punto.** *Arq.* El apuntado cuyos dos centros están en los puntos de arranque. ‖ **de triunfo.** Monumento compuesto de uno o varios **arcos,** adornado con obras de escultura y erigido en honor de un ejército o de su caudillo, para conmemorar una victoria o algún suceso notable. ‖ **eléctrico.** *Fís.* Descarga eléctrica entre dos electrones separados y sumergidos en un medio gaseoso, luminosa a causa de las partículas incandescentes que se producen por la vaporización parcial de aquellos. Por ej., **arco** de mercurio, entre electrodos sumergidos en vapor de mercurio. ‖ **enviajado.** *Arq.* El que tiene los machos o apoyos colocados oblicuamente respecto a su planta. ‖ **escarzano.** *Arq.* El que es menor que la semicircunferencia del mismo radio. ‖ **iris. iris, arco** de colores. ‖ **perpiaño.** *Arq.* El resaltado a manera de cincho en la parte interior del cañón de una nave. ‖ **por tranquil.** *Arq.* El que tiene sus arranques a distinta altura uno de otro. ‖ **realzado.** *Arq.* Aquel cuya altura es mayor que la mitad de su luz. ‖ **rebajado.** *Arq.* Aquel cuya altura es menor que la mitad de su luz. ‖ **remontado.** *Arq.* **arco realzado.** ‖ **suplementario.** *Geom.* **suplemento,** el que sumado a otro forma dos cuadrantes. ‖ **tercelete.** *Arq.* El que en las bóvedas por arista sube por un lado hasta la mitad del **arco** diagonal. ‖ **toral.** *Arq.* Cada uno de los cuatro en que estriba la media naranja de un edificio. ‖ **triunfal. arco de triunfo.** ‖ **voltaico.** *Fís.* **arco eléctrico.** ‖ **zarpanel.** *Arq.* **arco carpanel.**

arcobricense. (Del lat. *Arcobrigenses.*) adj. Natural de Arcos de la Frontera. Ú. t. c. s. ‖ **2.** Perteneciente a esta ciudad de la provincia de Cádiz.

arcón, na. m. y f. aum. de **arca**[1].

arcontado. m. Forma de gobierno que en Atenas sustituyó a la monarquía, y en la cual, tras varias vicisitudes, el poder supremo residía en nueve jefes, llamados arcontes, que cambiaban todos los años.

arconte. (Del lat. *archon, -ŏntis,* y este del gr. ἄρχων.) m. Magistrado a quien se confió el gobierno de Atenas después de la muerte del rey Codro. ‖ **2.** Cada uno de los nueve que posteriormente se crearon con el mismo fin.

arcosa. f. Arenisca compuesta de granos de cuarzo mezclados con otros de feldespato. Es de textura variable y se emplea como piedra de construcción y para empedrados.

arcosolio. (Del lat. *arcosolium.*) m. *Arq.* Arco que alberga un sepulcro abierto en la pared.

arcuación. (Del lat. *arcuatĭo, -ōnis.*) f. *Arq.* Curvatura de un arco.

arcuado, da. (Del lat. *arcuātus.*) adj. ant. De figura de arco.

arcual. (Del lat. *arcus,* arco.) adj. ant. **arcuado.**

archa. (Del fr. *arche.*) f. Arma ofensiva que usaban los archeros de Castilla, compuesta de una cuchilla larga fija en la extremidad de un asta.

archero. (Del fr. *archer.*) m. Soldado de la guardia principal de la casa de Borgoña, que trajo a Castilla el emperador Carlos V. ‖ **2.** Soldado de la compañía del capitán preboste.

archi-. (Del gr. ἀρχι-, de la raíz de ἄρχω, ser el primero.) elem. compos. que, con sustantivos, significa preeminencia o superioridad: ARCHI*duque,* ARCHI*diácono.* Con adjetivos se emplea en lenguaje familiar y significa «muy»: ARCHI*notable.* Toma las formas **arce-:** ARCE*diano;* **arci-:** ARCI*preste;* **arqui-:** ARQUI*sinagogo;* **arz-:** ARZ*obispo.*

archí. (Del ár. *jarŷī,* comisario de gastos.) m. Sargento mayor de la milicia turca de los jenízaros argelinos, encargado de la administración económica del batallón.

archibribón, na. adj. Muy bribón. Ú. t. c. s.

archibruto, ta. adj. Muy bruto.

archicofrade. com. Persona que pertenece a una cofradía.

archicofradía. f. Cofradía más antigua o que tiene mayores privilegios que otras.

archidiácono. m. **arcediano.**

archidiócesis. f. Diócesis arquiepiscopal.

archiducado. m. Dignidad de archiduque. ‖ **2.** Territorio perteneciente al archiduque.

archiducal. adj. Perteneciente o relativo al archiduque o al archiducado.

archiduque. m. En lo antiguo, duque revestido de autoridad superior a la de otros duques. Modernamente es dignidad de los príncipes de la casa de Austria.

archiduquesa. f. Princesa de la casa de Austria, o mujer o hija del archiduque.

archilaúd. m. Instrumento de música antiguo, semejante al laúd, pero mayor, con mástil mucho más largo, ocho bordones y cuerdas gruesas para indicar los bajos, siete pares de cuerdas para los acordes y otra sencilla más delgada para la melodía.

archimandrita. (Del lat. *archimandrita,* y este del gr. ἀρχιμανδρίτης.) m. En la iglesia griega, dignidad eclesiástica del estado regular, inferior al obispo. ‖ **2.** *Germ.* Jefe o superior de una junta o comunidad.

archipámpano. m. fest. Persona que ejerce gran dignidad o autoridad imaginaria.

archipiélago. (Del b. gr. ἀρχιπέλαγος.) m. Conjunto, generalmente numeroso, de islas agrupadas en una superficie más o menos extensa, de mar. ‖ **2.** p. us. Por antonom., el mar Egeo. ‖ **3.** fig. **piélago,** lo difícil de enumerar por su abundancia.

archisabido, da. adj. Muy sabido.

architriclino. (Del lat. *architriclīnus,* y este del gr. ἀρχιτρίκλινος.) m. Entre griegos y romanos, persona encargada de ordenar los banquetes y de dirigir el servicio de la mesa.

archivador, ra. adj. Que archiva. Ú. t. c. s. ‖ **2.** m. Mueble de oficina convenientemente dispuesto para archivar documentos, fichas u otros papeles. ‖ **3.** Carpeta convenientemente dispuesta para tales fines.

archivar. tr. Guardar documentos o información en un archivo. ‖ **2.** fig. Dar por terminado un asunto. ‖ **3.** *Méj.* Encarcelar.

archivero, ra. m. y f. Persona que tiene a su cargo un archivo, o sirve como técnico en él. ‖ **2.** m. *Méj.* **archivador,** mueble.

archivista. com. **archivero.**

archivístico, ca. adj. Perteneciente o relativo a los archivos.

archivo. (Del lat. *archivum,* y este del gr. ἀρχεῖον, residencia de los magistrados.) m. Conjunto orgánico de documentos que una persona, sociedad, institución, etc., produce en el ejercicio de sus funciones o actividades. ‖ **2.** Lugar donde se custodia un **archivo** o varios. ‖ **3.** fig. p. us. Persona en quien se confía un secreto o recónditas intimidades y sabe guardarlas. ‖ **4.** fig. p. us. Persona que posee en grado sumo una perfección o conjunto de perfecciones. ARCHIVO *de la cortesía, de la lealtad.* ‖ **5.** *Méj.* Cárcel. ‖ **6.** *Col.* Oficina. ‖ **7.** *Inform.* Espacio que se reserva en el dispositivo de memoria de un computador para almacenar porciones de información que tienen la misma estructura y que pueden manejarse mediante una instrucción única. ‖ **8.** *Inform.* Conjunto de la información almacenada de esa manera.

archivología. f. Disciplina que estudia los archivos en todos sus aspectos.

archivológico, ca. adj. Perteneciente o relativo a la archivología.

archivólogo, ga. m. y f. Persona que se dedica a la archivología o que tiene especiales conocimientos de ella.

archivolta. (Del it. *archivolto.*) f. *Arq.* **arquivolta.**

arda[1]**.** (De *harda.*) f. desus. **ardilla.** Ú. hoy en algunas partes.

arda[2]**.** (De *arder.*) f. *And.* **ardentía,** reverberación fosfórica en el mar.

ardalear. (De *ralear.*) intr. **ralear,** hacerse rala una cosa.

árdea. (Del lat. *ardĕa.*) f. **alcaraván.**

ardedor, ra. adj. *Cuba* y *Méj.* Que arde bien. Dícese especialmente del tabaco.

ardedura. f. p. us. Acción y efecto de arder, ardimiento. ‖ **2.** desus. Fuego, llamarada.

ardeiforme. adj. *Zool.* **ciconiforme.**

ardentía. (De *ardiente.*) f. **ardor.** ‖ **2. pirosis.** ‖ **3.** Especie de reverberación fosfórica que suele mostrarse en las olas agitadas y a veces en la mar tranquila.

ardentísimamente. adv. m. Con mucho ardor.

ardentísimo, ma. (Del lat. *ardentissĭmus.*) adj. sup. de **ardiente.**

arder. (Del lat. *ardēre.*) intr. Estar en combustión. ‖ **2.** Experimentar ardor alguna parte del cuerpo. ‖ **3.** fig. **resplandecer,** despedir rayos de luz. Ú. solo en poesía. ‖ **4.** fig. Repudrirse el estiércol, produciendo calor y vapores. ‖ **5.** fig. Con las preps. *de* o *en,* y tratándose de pasiones o movimientos del ánimo, estar muy agitado por ellos. ARDER DE, O EN, *amor, odio, ira.* ‖ **6.** fig. Con la prep. *en,* y tratándose de guerras, discordias, etc., ser estas muy vivas y frecuentes. ARDER EN *guerras un país.* ‖ **7.** tr. p. us. **abrasar,** quemar. Ú. t. c. prnl. ‖ **8.** prnl. p. us. Echarse a perder por el excesivo calor y la humedad. Se usa referido a las mieses, la paja, el trigo, las aceitunas, el tabaco, etc. ‖ **arder verde por seco.** fr. fig. y fam. desus. **pagar justos por pecadores.**

ardero, ra. (De *arda*[1].) adj. V. **perro ardero.**

ardeviejas. (De *arder* y *vieja.*) f. fam. **aulaga.**

ardicia. (De *arder.*) f. ant. Deseo ardiente o eficaz de alguna cosa.

ardid. (De *ardido.*) adj. ant. **ardido,** valiente. ‖ **2.** desus. Mañoso, astuto, sagaz. ‖ **3.** m. Artificio, medio empleado hábil y mañosamente para el logro de algún intento.

ardidamente. adv. m. ant. Con ardimiento o valor.

ardidez. f. ant. **ardideza.**

ardideza. (De *ardid.*) f. ant. **ardimiento**[2]. ‖ **2.** ant. Maña, astucia, sagacidad.

ardido, da. (De una variante romance del germ. **hardjan,* endurecer.) adj. Valiente, intrépido, denodado. ‖ **2.** *Amér.* Irritado, enojado, ofendido.

ardidosamente. adv. m. ant. **ardidamente.**

ardidoso[1]**, sa.** adj. desus. **ardid,** mañoso, astuto.

ardidoso[2]**, sa.** adj. ant. **ardido.**

ardiente. (Del lat. *ardens, -entis.*) p. a. de **arder.** Que arde. ‖ **2.** adj. Que causa ardor o parece que abrasa. *Sed, fiebre* ARDIENTE. ‖ **3.** fig. Fervoroso, activo, eficaz. ‖ **4.** Apasionado, fogoso, vehemente. ‖ **5.** fig. y poét. De color rojo o de fuego. *Clavel* ARDIENTE. ‖ **6.** fig. V. **capilla ardiente.** ‖ **7.** *Chile* y *Perú.* **rijoso,** lujurioso.

ardientemente. adv. m. Con ardor.

ardil. (De *ardid.*) adj. ant. Mañoso, astuto, sagaz. ‖ **2.** m. vulg. **ardid,** artificio empleado con maña. Ú. m. en América.

ardiloso, sa. (De *ardil.*) adj. *And.* y *Amér.* **ardidoso**[1].

ardilla. (d. de *arda*[1].) f. Mamífero roedor, de unos 20 centímetros de largo, de color negro rojizo por el lomo, blanco por el vientre y con cola muy poblada, que dobla hasta sobresalir de la cabeza. Críase en los bosques; es muy inquieto, vivo y ligero. ‖ **ser** alguien **una ardilla.** fr. fig. y fam. Ser vivo, inteligente y astuto.

ardimiento[1]**.** m. Acción y efecto de arder o arderse.

ardimiento[2]**.** (De *ardido.*) m. Valor, intrepidez, denuedo.

ardínculo. m. *Veter.* Absceso que se presenta en las heridas de las caballerías cuando se declara la gangrena.

ardiondo, da. (Del lat. **ardibundus,* de *ardēre,* arder.) adj. desus. Lleno de ardor o coraje.

ardita. f. *Amér. Merid.* **ardilla.**

ardite. (Probablemente del gascón *ardit,* de or. inc.) m. Moneda de poco valor que hubo antiguamente en Castilla. ‖ **2.** V. **real de ardite.** ‖ **3.** fig. Cosa insignificante, de poco o ningún valor. Ú. en frases como *dársele* o *no dársele a uno un* ARDITE; *no estimarse en un* ARDITE; *no importar* o *no valer* una cosa *un* ARDITE.

-ardo, da. (De or. germ.) suf. de sustantivos y adjetivos, con valor aumentativo o despectivo: *mosc*ARDA, *goli*ARDO.

ardor[1]**.** (Del lat. *ardor, -ōris.*) m. Calor grande. ‖ **2.** Sensación de calor o rubor en alguna parte del cuerpo. ‖ **3.** fig. Brillo, resplandor. ‖ **4.** fig. Encendimiento, enardecimiento de los afectos y pasiones. ‖ **5.** fig. Viveza, ansia, anhelo. ‖ **de estómago. acidez de estómago.** ‖ **en el ardor de la batalla, de la disputa,** etc. loc. fig. En lo más encendido o empeñado de ella.

ardor[2]**.** (De *ardido.*) m. Ardimiento, intrepidez, denuedo.

ardora. (De *ardor*[1].) f. Fosforescencia del mar que indica la presencia de un banco de sardinas.

ardorada. (De *ardor*[1].) f. *Cuen.* Oleada de rubor que pone encendido el rostro.

ardorosamente. adv. m. Con ardor.

ardoroso, sa. adj. Que tiene ardor. ‖ **2.** fig. Ardiente, vigoroso, eficaz.

arduamente. adv. m. Con gran dificultad.

arduidad. (Del lat. *arduĭtas, -ātis.*) f. Calidad de arduo.

arduo, dua. (Del lat. *ardŭus.*) adj. Muy difícil. ‖ **2.** Dícese del terreno áspero y fragoso.

ardura. (De *arduo.*) f. ant. Estrechez, angustia, apuro. Ú. en Álava.

ardurán. (Del berb. *'ayārdan,* trigo.) m. Variedad de la zahína de Berbería.

área. (Del lat. *arĕa.*) f. Espacio de tierra comprendido entre ciertos límites. ‖ **2.** Unidad de superficie que equivale a cien metros cuadrados. ‖ **3. era**[2]**,** cuadro pequeño de tierra. ‖ **4.** Espacio en que se produce determinado fenómeno o que se distingue por ciertos caracteres geográficos, botánicos, zoológicos, económicos, etc. ‖ **5. terreno,** campo o esfera de acción. ‖ **6. terreno,** orden de materia o de ideas de que se trata. ‖ **7.** En determinados juegos, zona marcada delante de la meta, dentro de la cual son castigadas con sanciones especiales las faltas cometidas por el equipo que defiende aquella meta. ‖ **8.** *Geom.* Superficie comprendida dentro de un perímetro. ‖ **9.** *Geom.* Extensión de dicha superficie expresada en una determinada unidad de medida.

areca. f. Palma de tronco algo más delgado por la base que por la parte superior y con corteza surcada por multitud de anillos, hojas aladas, hojuelas ensiformes y lampiñas, peciolos anchos, flores dispuestas en espiga o panoja y fruto del tamaño de una nuez común. ‖ **2.** Fruto de esta planta. Se emplea en tintorería, y sirve en Filipinas para hacer buyo.

arecer. (Del lat. *arescĕre.*) tr. ant. **secar.**

-areda. V. **-edo.**

arefacción. (der. del lat. *arefacĕre,* secarse.) f. **secamiento,** acción y efecto de secar o secarse.

areito. (Voz taína.) m. *Ant.* Canto y danza populares de los antiguos indios de las Grandes Antillas en sus fiestas. Se extendió la voz para otras fiestas en otros lugares del continente.

arel. (Del cat. *erer,* de *era.*) m. Criba grande para limpiar el trigo en la era.

arelar. tr. Limpiar el trigo con arel.

arena. (Del lat. *arēna.*) f. Conjunto de partículas desagregadas de las rocas, sobre todo si son silíceas, y acumuladas, ya en las orillas del mar o de los ríos, ya en capas de los terrenos de acarreo. ‖ **2.** Metal o mineral reducido por la naturaleza o el arte a partes muy pequeñas. ‖ **3.** V. **calza, reloj de arena.** ‖ **4.** fig. Sitio o lugar del combate o la lucha. ‖ **5.** fig. Ruedo de la plaza de toros. ‖ **6.** pl. Piedrecitas o concreciones pequeñas que se encuentran en la vejiga. ‖ **bruja.** *Murc.* La más sutil y menuda que se saca de las acequias cuando se limpian. ‖ **de ampolleta.** La muy fina que se emplea para relojes de **arena.** ‖ **de miga.** La que contiene una pequeña proporción de arcilla. ‖ **de mina.** La que se explota subterráneamente entre las formaciones geológicas. ‖ **de moldeo.** *Metal.* La que se usa en fundición para preparar los moldes destinados a recibir el metal líquido y darle la forma deseada. Se compone generalmente de un soporte de sílice molida y de una arcilla que sirve como aglutinante. ‖ **muerta.** La que por estar pura y sin mezcla de tierra, no sirve para el cultivo. ‖ **arenas movedizas.** Las que en las orillas del mar o en los desiertos, desplaza de lugar el viento. ‖ **2.** Las sueltas y mezcladas con gran proporción de agua, por lo que no soportan pesos. ‖ **edificar sobre arena.** fr. fig. con que se denota la inestabilidad y poca duración de alguna cosa. ‖ **escribir en la arena.** fr. fig. con que se da a entender la poca firmeza o duración en lo que se resuelve o determina. ‖ **sembrar en arena.** fr. fig. que se usa para denotar el trabajo vano e infructuoso.

arenáceo, a. (Del lat. *arenacĕus.*) adj. **arenoso.**

arenación. (Del lat. *arenatio, -ōnis.*) f. *Med.* Operación que consiste en cubrir, del todo o en parte, con arena caliente el cuerpo de un enfermo.

arenal. m. Suelo de arena movediza. ‖ **2.** Extensión grande de terreno arenoso.

arenalejo. m. d. de **arenal.**

arenar. tr. **enarenar,** echar arena. ‖ **2.** Refregar con arena.

arenaza. (De *arena.*) f. *Jaén.* Granito descompuesto que suele encontrarse en contacto con los filones de galena.

arencar. tr. Salar y secar sardinas al modo de los arenques.

arencón. m. Especie de arenque mayor que los comunes que suele expenderse curado al humo.

arenero, ra. m. y f. Persona que vende arena. ‖ **2.** m. Caja en que las locomotoras llevan arena para soltarla sobre los carriles y aumentar la adherencia de las ruedas cuando es necesario. ‖ **3.** *Taurom.* Mozo encargado de mantener en condiciones convenientes, durante la lidia, la superficie de arena del redondel.

arenga. (De etim. disc.; cf. it. *aringa.*) f. Discurso por lo general solemne y de elevado tono. Se llama así especialmente el que se pronuncia con el solo fin de enardecer los ánimos. ‖ **2.** fig. y fam. Discurso, razonamiento largo, impertinente y enfadoso. ‖ **3.** *Chile.* Disputa, pendencia.

arengador, ra. adj. Que arenga. Ú. t. c. s.

arengar. intr. Decir en público una arenga. Ú. t. c. tr.

arenilla. (d. de *arena.*) f. Arena menuda, generalmente de hierro magnético, que se echaba en los escritos recientes para secarlos y que no se borrasen. ‖ **2.** pl. Salitre beneficiado y reducido a granos menudos, al modo de arena, que se emplea en la fabricación de la pólvora. ‖ **3. cálculo** de la vejiga. ‖ **4.** ant. Dados con puntos por una sola cara.

arenillero. (De *arenilla.*) m. **salvadera** para enjugar lo escrito.

arenisco, ca. adj. Aplícase a lo que tiene mezcla de arena. *Vaso, ladrillo, terreno* ARENISCO. ‖ **2.** f. Roca sedimentaria formada por arena de cuarzo cuyos granos están unidos por un cemento silíceo, arcilloso, calizo o ferruginoso que le comunica mayor o menor dureza.

arenoso, sa. (Del lat. *arenōsus.*) adj. Que tiene arena, o abunda en ella. ‖ **2.** Que participa de la naturaleza y propiedades de la arena.

arenque. (Del prov. ant. *arenc.*) m. Pez teleósteo, fisóstomo, de unos 25 centímetros de longitud, cuerpo comprimido, boca pequeña, dientes visibles en las dos mandíbulas, aletas ventrales estrechas, y color azulado por encima, plateado por el vientre, y con una raya dorada a lo largo del cuerpo en la época de la freza.

arenzata. (De *arienzo.*) f. ant. **almudelio.**

areola o **aréola.** (Del lat. *areŏla.*) f. *Med.* Círculo rojizo que limita ciertas pústulas, como en las viruelas y la vacuna. ‖ **2.** *Anat.* Círculo rojizo algo moreno que rodea el pezón del pecho.

areolar. adj. *Anat.* Perteneciente o relativo a las areolas.

areómetro. (Del gr. ἀραιός, tenue, y *-metro.*) m. *Fís.* Instrumento que sirve para determinar las densidades relativas o los pesos específicos de los líquidos, o de los sólidos por medio de los líquidos.

areopagita. (Del lat. *areopagita,* y este del gr. ἀρεοπαγίτης.) m. Cada uno de los jueces del Areópago.

areópago. (Del lat. *areopăgus,* y este del gr. ἀρειόπαγος, colina de Marte.) m. Tribunal superior de la antigua Atenas. ‖ **2.** fig. Grupo de personas graves a quienes se atribuye, las más veces irónicamente, predominio o autoridad para resolver ciertos asuntos.

areosístilo. adj. *Arq.* Dícese del edificio o monumento adornado con columnatas, en las cuales se combinan los módulos del areóstilo con los del sístilo. Ú. t. c. s.

areóstilo. (Del gr. ἀραιόστυλος.) adj. *Arq.* Dícese del monumento o edificio adornado con columnatas, cuyos intercolumnios son de ocho módulos o rara vez más. Ú. t. c. s.

arepa. (Del cumanagoto *erepa,* maíz.) f. *Amér.* Especie de pan de forma circular, hecho con maíz ablandado a fuego lento y luego molido, o con harina de maíz precocida, que se cocina sobre un budare o una plancha.

arepita. (d. de *arepa.*) f. Tortita usada en América, hecha de la masa del maíz, con papelón y queso.

arequipe. (De *Arequipa,* ciudad peruana.) m. *Col.* Dulce de leche.

arequipeño, ña. adj. Natural de Arequipa. Ú. t. c. s. ‖ **2.** Perteneciente o relativo a esta ciudad del Perú.

ares y mares. (De or. inc.; probablemente de la loc. port. *ares e mares,* aires y mares.) loc. *Ar.* y *Nav.* Con los verbos *poseer, contar* y *hacer,* denota abundancia, prodigios o maravillas.

aresta. (Del lat. *arista.*) f. ant. **espina** de planta. ‖ **2.** ant. **tomento** de rastrillar lino.

arestil. (De *aresta.*) m. **arestín.**

arestín. (De *aresta.*) m. Planta perenne de la familia de las umbelíferas, de unos tres decímetros de altura, con tallo ramoso y hojas partidas en tres gajos y llenas de púas en sus bordes, así como el cáliz de la flor; toda la planta es de color azul bajo. ‖ **2.** *Veter.* Excoriación que padecen las caballerías en las cuartillas de pies y manos, con picazón molesta. ‖ **3.** *Veter.* En algunos otros animales, **fuego,** encendimiento de la sangre. ‖ **4.** *And., Argent.* y *Chile.* Sarna.

arestinado, da. adj. *Veter.* Que padece arestín.

aretalogía. (Del gr. ἀρεταλογία.) f. Narración de los hechos prodigiosos de un dios o un héroe.

aretalógico, ca. adj. Perteneciente o relativo a la aretalogía. ‖ **2.** Que narra los hechos prodigiosos de un dios o un héroe.

arete. m. d. de **aro**[1]. ‖ **2.** Arillo de metal, casi siempre precioso, que como adorno llevan algunas mujeres atravesado en el lóbulo de cada una de las orejas.

aretino, na. (Del lat. *Aretīnus*, de *Aretĭum*, Arezzo.) adj. Natural de Arezzo. Ú. t. c. s. ‖ **2.** Perteneciente o relativo a esta ciudad de Italia.

arévaco, ca. (Del lat. *Arevăcus*.) adj. Dícese de un pueblo hispánico prerromano que habitaba territorios correspondientes a parte de las actuales provincias de Soria y Segovia. ‖ **2.** Dícese también de los individuos pertenecientes a este pueblo. Ú. t. c. s. ‖ **3.** Perteneciente o relativo a los **arévacos.**

arfada. f. *Mar.* Acción de arfar.

arfar. (De etim. disc.; cf. port. *arfar*.) intr. *Mar.* **cabecear** el buque.

arfil[1]. m. ant. **alfil[1].** Ú. en América.

arfil[2]. m. ant. **alfil[2].**

argadijo. m. **argadillo.** ‖ **2. argamandijo.**

argadillo. (De un d. del lat. *ergăta*, cabrestante, y este del gr. ἐργάτης.) m. **devanadera.** ‖ **2.** fig. y fam. Persona bulliciosa, inquieta y entremetida. ‖ **3.** ant. fig. Armazón o fábrica del cuerpo humano. ‖ **4.** *Ar.* y *Nav.* Cesto grande de mimbres.

argado. (Del lat. *ergăta*, cabrestante.) m. desus. Enredo, travesura, dislate.

argalia. (Del gr. ἐργαλεῖον, obra.) f. **algalia[2].**

argallera. (De *argolla*.) f. Serrucho curvo para labrar canales en redondo, y especialmente para ruñar los cubos y toneles.

argamandel. (Del ár. *hirqa mandīl*, harapo de lienzo.) m. p. us. **andrajo,** harapo.

argamandijo. m. fam. p. us. Conjunto de varias cosas menudas que sirven para algún arte u oficio o para otro fin. ‖ **2.** V. **dueño, señor del argamandijo.**

argamasa. f. Mortero hecho de cal, arena y agua, que se emplea en las obras de albañilería. ‖ **2.** ant. Lugar público, como alhóndiga.

argamasar. tr. Hacer argamasa. ‖ **2.** Trabar o unir con argamasa los materiales de construcción.

argamasón. m. Pedazo o conjunto de pedazos grandes de argamasa.

argamula. (Del ár. *al-ḥamūl*, ancusa.) f. *And.* **lengua de buey.**

argán. (Del ár. *aryān*, acebuche espinoso.) m. *Bot.* **erguén.**

árgana. (Del lat. vulg. **arganum*, y este del gr. ὄργανα, instrumentos.) f. desus. Máquina a modo de grúa para subir piedras o cosas de mucho peso.

árganas. f. pl. Especie de angarillas, formadas con dos cuévanos o cestos.

arganda. n. p. V. **el herrero de Arganda.** ‖ **2.** m. Vino tinto procedente del pueblo de este nombre.

argandeño, ña. adj. Natural de Arganda, villa de la provincia de Madrid. Ú. t. c. s. ‖ **2.** Perteneciente o relativo a esta villa.

arganel. (Del cat. *arganell*.) m. Círculo pequeño de metal, parte del astrolabio.

arganeo. (Del fr. *arganeau*.) m. *Mar.* Argolla de hierro en el extremo superior de la caña del ancla.

árgano. m. **árgana.**

argaña. (Probablemente de **arganna*, de or. prerromano, emparentado con *árgoma*, brezo.) f. Conjunto de filamentos de la espiga. ‖ **2.** Hierba mala.

argavieso. (Del lat. *aquae versus*, vertedero de agua.) m. desus. **turbión.**

argaya. f. desus. **argaña,** conjunto de filamentos de la espiga.

argayar. intr. Desprenderse argayos.

argayo[1]. m. *Ast., Cantabria* y *Vizc.* Porción de tierra y piedras que se desprende y cae deslizándose por la ladera de un monte. ‖ **de nieve.** *Ast.* **alud.**

argayo[2]. (Como el ant. fr. *hargant*, de or. inc.) m. Prenda de abrigo de paño burdo que los religiosos de Santo Domingo solían ponerse sobre el hábito.

argel. (Del ár. *arŷal*.) adj. Dícese del caballo o yegua que solamente tiene blanco el pie derecho. Suele entenderse que es malo y que trae mala suerte a quien monta en él. Ú. t. c. s. ‖ **2.** *NE. Argent.* y *Par.* Dícese del caballo mañoso y que se considera de mala suerte. Ú. t. c. s. ‖ **3.** *NE. Argent.* y *Par.* Dícese de la persona o cosa que no tiene gracia ni inspira simpatía. Ú. t. c. s.

argelino, na. adj. Natural de Argel o de Argelia. Ú. t. c. s. ‖ **2.** Perteneciente o relativo a esta ciudad y país de África.

argemone. (Del lat. *argemōne*, y este del gr. ἀργεμώνη.) f. Planta anual de la familia de las papaveráceas, de tallo ramoso, hojas dentadas y espinosas y semilla en cápsula ovoide. Se cultiva en Europa como planta de adorno y se emplea en medicina.

argén. (Del prov. o cat. *argent*.) m. desus. **argento.** ‖ **2.** desus. **dinero,** moneda corriente. ‖ **3.** desus. **dinero,** hacienda, bienes. ‖ **4.** *Blas.* Color blanco o de plata.

argent. m. ant. **argento.** Ú. en Aragón.

argentada. (Del lat. *argentata*, plateada.) f. Especie de afeite que usaban las mujeres.

argentado, da. p. p. de **argentar.** ‖ **2.** adj. **plateado,** bañado de plata. ‖ **3. plateado,** de color semejante al de este metal. ‖ **4.** fig. V. **voz argentada.** ‖ **5.** V. **zapato argentado.**

argentador, ra. adj. Que argenta. Ú. t. c. s.

argentar. (Del lat. *argentāre*.) tr. **platear.** ‖ **2.** Guarnecer alguna cosa con plata. ‖ **3.** fig. Dar brillo semejante al de la plata.

argentario. (Del lat. *argentarĭus*.) m. desus. **platero.** ‖ **2.** Gobernador de los monederos.

argente. m. ant. **argento.**

argénteo, a. (Del lat. *argentĕus*.) adj. De plata. ‖ **2.** Dado o bañado de plata. ‖ **3.** fig. De brillo como la plata o semejante a ella en alguna de sus cualidades.

argentería. (De *argentero*.) f. Bordadura brillante de plata u oro. ‖ **2.** p. us. **platería.** ‖ **3.** fig. Ornato, pompa, especialmente de la expresión.

argentero. m. **argentario.**

argéntico, ca. adj. *Quím.* Aplícase a los óxidos y sales de plata.

argentífero, ra. (Del lat. *argentĭfer*.) adj. Que contiene plata. *Mineral* ARGENTÍFERO.

argentinidad. f. Calidad de lo que es peculiar de la República Argentina.

argentinismo. m. Locución, giro o modo de hablar propio de los argentinos.

argentino[1], na. adj. Natural de la República Argentina. Ú. t. c. s. ‖ **2.** Perteneciente o relativo a esta república de América. ‖ **3.** m. Antigua moneda de oro de la República Argentina.

argentino[2], na. (Del lat. *argentīnus*.) adj. **argénteo.** ‖ **2.** fig. Que suena como la plata o de manera semejante. *Timbre* ARGENTINO; *risa* ARGENTINA. ‖ **3.** V. **voz argentina.** ‖ **4.** f. Planta perenne de la familia de las rosáceas, con vástagos tomentosos de tres a cuatro decímetros de altura, hojas divididas en cinco gajos de figura de cuña, por encima verdes y por el envés con vello sedoso plateado, y flores amarillas en corimbo.

argentita. f. *Quím.* Sulfuro de plata natural, de color gris de plomo, que constituye una mena importante de la plata.

argento. (Del lat. *argentum*.) m. poét. **plata.** ‖ **vivo. azogue[1].** ‖ **vivo sublimado.** *Quím.* **sublimado corrosivo.**

argentometría. f. *Quím.* Método de análisis volumétrico en el que se utiliza como indicador la precipitación de sales de plata insolubles.

argentoso, sa. (Del lat. *argentōsus.*) adj. Que tiene mezcla de plata.
argentpel. (Del lat. *argentum,* plata, y *pellis,* piel, forro.) m. ant. Lámina de latón muy batida y con baño de plata.
argila. (Del lat. *argilla,* arcilla.) f. desus. **arcilla.**
argiloso, sa. (De *argila.*) adj. desus. **arcilloso.**
argilla. (Del lat. *argilla.*) f. desus. **arcilla.**
argivo, va. (Del lat. *Argīvus.*) adj. Natural de Argos o de la Argólida. Ú. t. c. s. ‖ **2.** Perteneciente o relativo a esta ciudad y país de Grecia. ‖ **3.** p. us. Por ext., natural de Grecia antigua. Ú. t. c. s. ‖ **4.** p. us. Por ext., perteneciente o relativo a Grecia antigua.
argólico, ca. (Del lat. *Argolĭcus.*) adj. p. us. **argivo.**
argolla. (Del ár. *al-gulla,* el collar, las esposas.) f. Aro grueso, generalmente de hierro, que afirmado debidamente sirve para amarre o de asidero. ‖ **2.** Juego cuyo principal instrumento es una **argolla** de hierro que, con una espiga o punta aguda que tiene, se clava en la tierra de modo que pueda moverse fácilmente alrededor, y por la cual se han de hacer pasar unas bolas de madera que se impelen con palas cóncavas. ‖ **3.** Pena que consistía en exponer al reo a la vergüenza pública, sujeto por el cuello con una **argolla** a un poste. ‖ **4.** Especie de gargantilla que usaban las mujeres por adorno. ‖ **5.** fig. Sujeción, cosa que sujeta a uno a la voluntad de otro. ‖ **6.** ant. Aro, manilla o brazalete que se llevaba como adorno. ‖ **7.** *Argent., Bol., Col., Chile* y *Guat.* Anillo de matrimonio que es simplemente un aro. ‖ **8.** fig. *C. Rica* y *Perú.* **camarilla,** grupo cerrado y homogéneo de personas que, por lo general subrepticiamente, influyen sobre las autoridades o en determinado medio. ‖ **echar** a uno **una argolla.** fr. fig. **echarle una ese y un clavo.** ‖ **poner** a uno **una argolla.** fr. fig. **echarle una argolla.**
argolleta. f. d. de **argolla.**
argollón. m. aum. de **argolla.**
árgoma. f. **aulaga.** ‖ **2. brezo**[1].
argomal. m. Terreno poblado de árgomas.
argón. (Del gr. ἀργόν, n. de ἀργός, inactivo.) m. *Quím.* Gas noble que se encuentra en el aire y en los gases volcánicos. Núm. atómico 18. Símb.: *Ar.*
argonauta. (Del lat. *argonauta,* y este del gr. ἀργοναύτης.) m. Cada uno de los héroes griegos que, según la mitología, fueron a Colcos en la nave Argos a la conquista del vellocino de oro. ‖ **2.** Molusco marino, cefalópodo, dibranquial, octópodo; la hembra, que es mucho mayor que el macho, deposita sus huevos en un receptáculo calcáreo segregado por ella, muy semejante a una concha por su aspecto, de paredes delgadas y blancas, y que el animal mantiene unido a su propio cuerpo con ayuda de los tentáculos dorsales, que están ensanchados en su extremo.
argos. (Por alusión a *Argos,* personaje mitológico a quien se representa con cien ojos.) m. fig. Persona muy vigilante.
argot. (Voz francesa.) m. Jerga, jerigonza. ‖ **2.** Lenguaje especial entre personas de un mismo oficio o actividad.
argucia. (Del lat. *argutĭa.*) f. Sutileza, sofisma, argumento falso presentado con agudeza.
argue. (Del cat. o prov. *argue.*) m. desus. **cabrestante.**
argüe. m. p. us. **argue.**
arguellarse. prnl. *Ar.* Desmedrarse por falta de salud.
arguello. (Del ár. *al-quilla,* la falta, la miseria.) m. *Ar.* Acción y efecto de arguellarse.
árguenas. (Del ár. *arquen,* doble cesto.) f. pl. **angarillas.** ‖ **2. alforjas.** ‖ **3.** *Chile.* **árganas.**
arguenero. m. *Chile.* El que hace o vende árganas.
árgueñas. (Del ár. *al-wanya,* el saco.) f. pl. **árguenas.**
argüidor, ra. adj. Que arguye, impugna o contradice.
arguinas. (Del m. or. que *árguenas.*) f. pl. ant. Aguaderas.
argüir. (Del lat. *arguĕre.*) tr. Sacar en claro, deducir como consecuencia natural. ‖ **2.** Descubrir, probar, dejar ver con claridad. Ú. referido a las cosas que son indicio y como prueba de otras. ‖ **3.** Echar en cara, acusar. ‖ **4.** Aducir, alegar, dar argumentos a favor o en contra de alguien o algo. Ú. t. c. intr. ‖ **5.** intr. Disputar impugnando la sentencia u opinión ajena.
argüitivo, va. adj. desus. Que arguye o contradice.
argullo. m. ant. y hoy pop. **orgullo.**
argulloso, sa. adj. ant. y hoy pop. **orgulloso.**
argumentación. (Del lat. *argumentatĭo, -ōnis.*) f. Acción de argumentar. ‖ **2. argumento** para convencer.
argumentador, ra. (Del lat. *argumentātor, -ōris.*) adj. Que argumenta. Ú. t. c. s.
argumental. adj. Perteneciente o relativo al argumento.
argumentar. (Del lat. *argumentāre.*) tr. p. us. **argüir,** sacar en claro. ‖ **2.** p. us. **argüir,** descubrir, probar. ‖ **3.** intr. Aducir, alegar, poner argumentos. Ú. t. c. tr. y menos c. prnl. ‖ **4.** Disputar, discutir, impugnar una opinión ajena. Ú. menos c. prnl.
argumentativo, va. adj. Propio de la argumentación o del argumento.
argumentista. com. **argumentador.** ‖ **2.** Autor de argumentos para el cine, la radio o la televisión.
argumento. (Del lat. *argumentum.*) m. Razonamiento que se emplea para probar o demostrar una proposición, o bien para convencer a otro de aquello que se afirma o se niega. ‖ **2.** Asunto o materia de que se trata en una obra. ‖ **3.** Sumario que, para dar breve noticia del asunto de la obra literaria o de cada una de las partes en que está dividida, suele ponerse al principio de ellas. ‖ **4.** p. us. Indicio o señal. ‖ **a contrariis.** *Lóg.* El que parte de la oposición entre dos hechos para concluir del uno lo contrario de lo que ya se sabe del otro. ‖ **ad hóminem.** *Lóg.* El que se funda en las opiniones o actos de la misma persona a quien se dirige, para combatirla o tratar de convencerla. ‖ **a pari.** *Lóg.* El fundado en razones de semejanza y de igualdad entre el hecho propuesto y el que de él se concluye. ‖ **Aquiles.** Raciocinio que se tiene por decisivo para demostrar justificadamente una tesis. ‖ **a simili.** *Lóg.* **argumento a pari.** ‖ **cornuto.** *Lóg.* **dilema.** ‖ **disyuntivo.** *Lóg.* El que tiene por mayor una proposición disyuntiva, como cuando se dice: *El vicio debe ser castigado en esta vida o en la otra; es así que no siempre es castigado en esta, luego ha de ser castigado en la otra.* ‖ **negativo.** *Lóg.* El que se toma del silencio de aquellos sujetos de autoridad que, siendo natural que supiesen o hablasen de una cosa, por ser concerniente a la materia que tratan, la omiten. ‖ **ontológico.** *Fil.* El empleado por San Anselmo para demostrar a priori la existencia de Dios, partiendo de la idea que tenemos del Ser perfectísimo. ‖ **apretar el argumento.** fr. *Lóg.* Reforzarlo para dificultar más su solución. ‖ **desatar el argumento.** fr. *Lóg.* Darle solución.
argumentoso, sa. (Del lat. *argumentōsus.*) adj. desus. Solícito, ingenioso. Decíase de la abeja.
arguyente. (Del lat. *argüens, -entis.*) p. a. de **argüir.** Que arguye.
aria. (Del it. *aria.*) f. Composición musical sobre cierto número de versos para que la cante una sola voz.
aribibi. m. *Bol.* Planta herbácea parecida al pimiento. Sus frutos, muy picantes, se usan como condimento. ‖ **2.** Fruto de esta planta.
aricado. m. Acción y efecto de aricar.
aricar. tr. Arar muy superficialmente. ‖ **2. arrejacar.**
aricoma. f. *Bol.* y *Perú.* Tubérculo algo mayor que la patata, que se come crudo.
aridecer. tr. Hacer árida alguna cosa. Ú. t. c. intr. y c. prnl.
aridez. f. Calidad de árido.
árido, da. (Del lat. *arĭdus.*) adj. Seco, estéril; de poco jugo y humedad. ‖ **2.** fig. Falto de amenidad. *Asunto, estilo* ÁRIDO; *poesía, plática* ÁRIDA. ‖ **3.** m. pl. Granos, legum-

bres y otros frutos secos a que se aplican medidas de capacidad. ‖ **4.** Materiales rocosos naturales, como arenas o gravas, empleados en las argamasas.

arienzo. (Del lat. *argentĕus*, de plata.) m. Cierta moneda antigua de Castilla. ‖ **2.** Medida de peso equivalente a 123 centigramos, usada en el Alto Aragón.

aries. (Del lat. *arĭes*, carnero.) n. p. m. *Astron.* Primer signo o parte del Zodiaco, de 30 grados de amplitud, que el Sol recorre aparentemente al comenzar la primavera. ‖ **2.** *Astron.* Constelación zodiacal que en otro tiempo debió de coincidir con el signo de este nombre, pero que actualmente, por resultado del movimiento retrógrado de los puntos equinocciales, se halla delante del mismo signo y un poco hacia el Oriente. ‖ **3.** adj. Referido a persona, nacida bajo este signo del Zodiaco. *Yo soy* ARIES, *ella es piscis.* Ú. t. c. s.

arieta. (Del it. *arietta*.) f. d. de **aria.**

arietar. tr. p. us. Atacar o batir con ariete.

arietario, ria. (Del lat. *arietarĭus*.) adj. Perteneciente al ariete, máquina militar.

ariete. (Del lat. *arĭes, -ĕtis*, carnero.) m. Máquina militar que se empleaba antiguamente para batir murallas. Era una viga larga y muy pesada, uno de cuyos extremos estaba reforzado con una pieza de hierro o bronce, labrada, por lo común, en figura de cabeza de carnero. ‖ **2.** En el futbol, delantero centro. ‖ **3.** *Mar.* Buque de vapor, blindado y con un espolón muy reforzado y saliente, que se usaba para embestir con empuje a otras naves y echarlas a pique. ‖ **hidráulico.** *Mec.* Máquina para elevar agua utilizando el movimiento oscilatorio producido por una columna del mismo líquido.

arietino, na. (Del lat. *arietīnus*.) adj. Semejante a la cabeza del carnero.

arigue. m. *Filip.* Madero, comúnmente enterizo, que sirve para la construcción de edificios.

arije. (Del ár. *'ariš*, parra.) adj. V. **uva arije.**

arijo, ja. (De *arar*[2].) adj. Aplícase a la tierra delgada y fácil de cultivar.

arilación. f. *Quím.* Proceso de síntesis orgánica por el que introducen uno o más radicales arilo en un compuesto.

arílico, ca. adj. *Quím.* Perteneciente o relativo al radical arilo.

arilo[1]**.** (Del it. *arille*.) m. *Bot.* Envoltura, casi siempre carnosa y de colores vivos, que tienen algunas semillas; como las del tejo.

arilo[2]**.** (Palabra formada de *aroma*, y el elemento *-yl*, del gr. ὕλη, materia.) m. *Quím.* Radical orgánico que resulta al eliminar de un hidrocarburo aromático un átomo de hidrógeno.

arillo. (d. de *aro*.) m. Aro de madera, de tres a cuatro centímetros de ancho, que sirve para armar los alzacuellos de los eclesiásticos. ‖ **2. arete,** zarcillo.

arimaspe. m. **arimaspo.**

arimaspo. (Del lat. *Arimaspus*.) m. *Mit.* Cada uno de los pobladores fabulosos de una región asiática, que tenían solamente un ojo y luchaban con los grifos para arrebatarles las riquezas de que estos eran guardadores.

arimez. (Del ár. *al-'imād*, la pilastra, el sostén.) m. *Arq.* Resalto que, como refuerzo o como adorno, suele haber en algunos edificios.

ario, ria. (Del sánscr. *arya*, noble.) adj. Dícese del individuo o estirpe noble, en las lenguas antiguas de India e Irán. Ú. t. c. s. ‖ **2.** Dícese del individuo perteneciente a un pueblo de estirpe nórdica, formado por los descendientes de los antiguos indoeuropeos, que los nazis tenían por superior y oponían a los judíos. ‖ **3.** p. us. Se usa también con el valor de **indoeuropeo,** pueblo o lengua. ‖ **4.** Perteneciente a los **arios.**

-ario, ria. (Del lat. *-arĭus*.) suf. de adjetivos y de sustantivos. En los adjetivos indica relación con la base derivativa: *banc*ARIO, *embrion*ARIO. En los sustantivos significa, entre otras cosas, profesión: *botic*ARIO, *ferrovi*ARIO; persona a quien se cede algo: *concesion*ARIO; lugar donde se guarda lo significado por el primitivo: *campan*ARIO, *relic*ARIO.

aríol. m. ant. **aríolo.**

aríolo. (Del lat. *hariŏlus*.) m. desus. El que adivina por agüeros.

arique. m. *Cuba.* Tira de yagua que se emplea para atar. ‖ **2.** *Can.* Tira de la corteza del plátano que sirve para varios usos y especialmente para envolver tabaco en rama.

ariqueño, ña. adj. Natural de Arica. Ú. t. c. s. ‖ **2.** Perteneciente o relativo a esta ciudad de la provincia chilena de Tarapacá.

arísaro. (Del lat. *arisărus*, y este del gr. ἀρίσαρον.) m. Planta perenne de la familia de las aráceas, herbácea, con hojas radicales, grandes, gruesas, acorazonadas y de color verde claro, entre las que nace un bohordo de unos 20 centímetros con espata blanquecina, cerrada en la base y en forma de capucha por arriba, para envolver flores masculinas y femeninas, separadas y desprovistas de cáliz y corola. Toda la planta es viscosa, de mal olor y muy acre; pero, después de cocida, se come, sobre todo la raíz, de la que se extrae abundante fécula.

arisblanco, ca. (De *arista* y *blanco*.) adj. De aristas o raspas blancas. Dícese del trigo y de la espiga.

ariscarse. prnl. Enojarse, ponerse arisco.

arisco, ca. (De or. inc.) adj. Áspero, intratable. Dícese de las personas y de los animales.

arismética. f. ant. **aritmética.**

arismético, ca. adj. ant. **aritmético.**

arisnegro, gra. adj. De aristas o raspas negras. Dícese del trigo y de la espiga.

arisprieto, ta. (De *arista* y *prieto*.) adj. **arisnegro.**

arisquear. intr. *Argent.* y *Urug.* Mostrarse indócil, arisco.

arista. (Del lat. *arista*.) f. Filamento áspero del cascabillo que envuelve el grano de trigo y el de otras plantas gramíneas. ‖ **2.** Pajilla del cáñamo o lino que queda después de agramarlos. ‖ **3.** Borde de un sillar, madero o cualquier otro sólido, convenientemente labrado. ‖ **4.** Intersección de dos mesas en las armas blancas. ‖ **5.** ant. **espina** de planta. ‖ **6.** *Geom.* Línea que resulta de la intersección de dos superficies, considerada por la parte exterior del ángulo que forman. ‖ **7.** V. **bóveda por arista.** ‖ **de retroceso.** *Geom.* Línea que resulta en las intersecciones sucesivas de las generatrices de una superficie desarrollable.

aristado, da. adj. Que tiene aristas. ‖ **2.** V. **trigo aristado.**

aristarco. (Por alusión a *Aristarco*, famoso crítico de la antigüedad.) m. fig. Crítico entendido, pero excesivamente severo.

aristín. m. *Murc.* **aristino.**

aristino. (De *arista*.) m. *Veter.* **arestín,** escoriación y encendimiento de la sangre en las caballerías.

aristocracia. (Del gr. ἀριστοκρατία.) f. Gobierno en que solamente ejercen el poder las personas más notables del Estado. ‖ **2.** Ejercicio del poder político por una clase privilegiada, generalmente hereditaria. ‖ **3.** Clase noble de una nación, provincia, etc. ‖ **4.** Por ext., clase que sobresale entre las demás por alguna circunstancia. ARISTOCRACIA *del saber, del dinero.*

aristócrata. com. Miembro de la aristocracia. Ú. t. en sent. fig. ‖ **2.** Partidario de la aristocracia.

aristocrático, ca. (Del gr. ἀριστοκρατικός.) adj. Perteneciente o relativo a la aristocracia. ‖ **2.** Fino, distinguido.

aristocratizar. tr. Dar o infundir carácter aristocrático a personas o cosas. Ú. t. c. prnl.

aristofanesco, ca. adj. Propio y característico del

poeta cómico griego Aristófanes. ‖ **2.** Parecido a cualquiera de las dotes o calidades por que se distinguen las producciones de este escritor.

aristofánico, ca. adj. **aristofanesco.**

aristoloquia. (Del lat. *aristolochĭa,* y este del gr. ἀριστολοχία.) f. Planta herbácea de la familia de las aristoloquiáceas, con raíz fibrosa, tallos tenues y ramosos, de unos cuatro decímetros de largo, hojas acorazonadas, flores amarillas y fruto esférico y coriáceo. ‖ **hembra. aristoloquia redonda.** ‖ **larga,** o **macho.** La de raíz fusiforme, hojas pecioladas y obtusas, flores oscuras y fruto en figura de pera. ‖ **redonda.** La de raíz redonda, hojas pecioladas y flores de color pardo amarillento.

aristoloquiáceo, a. (De *Aristolochia,* nombre de un género de plantas.) adj. *Bot.* Dícese de hierbas, matas o arbustos angiospermos dicotiledóneos, con leño no dividido en zonas, tallo nudoso, hojas alternas de pecíolos ensanchados, flores por lo común solitarias, situadas en las axilas de las hojas, frutos capsulares y raras veces abayados y semillas en gran número con albumen carnoso o casi córneo; como la aristoloquia y el ásaro. Ú. t. c. s. f. ‖ **2.** f. pl. *Bot.* Familia de estas plantas.

aristón. m. Instrumento músico de manubrio.

aristoso, sa. adj. Que tiene muchas aristas.

aristotélico, ca. adj. Perteneciente o relativo a Aristóteles. *Sistema* ARISTOTÉLICO; *doctrina* ARISTOTÉLICA. ‖ **2.** Conforme a la doctrina de Aristóteles. ‖ **3.** Partidario de esta doctrina. Ú. t. c. s.

aristotelismo. m. *Fil.* Conjunto de las doctrinas de Aristóteles (384-322 a. de C.). ‖ **2.** Tendencia de diversas escuelas posteriores cuyo punto de partida es el pensamiento aristotélico.

aritenoides. (Del gr. ἀρυταίνα, pistero, y εἶδος, forma.) adj. *Anat.* Dícese de cada uno de los dos cartílagos situados en la parte posterior de la laringe, que se articulan por su base con el cartílago cricoides. Ú. t. c. s. m.

aritmética. (Del lat. *arithmetĭca,* y este del gr. ἀριθμητική, t. f. de -κός, aritmético.) f. Parte de las matemáticas que estudia los números y las operaciones hechas con ellos.

aritmético, ca. (Del lat. *arithmetĭcus,* y este del gr. ἀριθμητικός.) adj. Perteneciente o relativo a la aritmética. ‖ **2.** V. **cálculo aritmético.** ‖ **3.** V. **línea, media, proporción, razón aritmética.** ‖ **4.** m. y f. Persona que profesa la aritmética o en ella tiene especiales conocimientos.

aritmómetro. (Del gr. ἀριθμός, número, y *-metro.*) m. desus. Instrumento que sirve para ejecutar mecánicamente las operaciones aritméticas.

arjorán. (Del ár. *urŷuwān,* púrpura.) m. **ciclamor.**

arlar. tr. Poner las frutas en arlos o colgajos.

arlequín. (Del it. *arlecchino,* y este del ant. fr. *Hellequin,* nombre de un diablo.) m. Personaje cómico de la antigua comedia italiana, que llevaba mascarilla negra y traje de cuadros o losanges de distintos colores. ‖ **2.** Persona vestida con este traje. ‖ **3.** Gracioso o bufón de algunas compañías de volatines. ‖ **4.** desus. Tejido de hilo o lana y de colores variados. ‖ **5.** fig. y fam. Persona informal y ridícula. ‖ **6.** fig. y fam. Sorbete de dos o más sustancias y colores.

arlequinada. f. Acción o ademán ridículo, como los de los arlequines.

arlequinesco, ca. adj. Propio del arlequín o perteneciente a él.

arlo. m. **agracejo,** arbusto berberidáceo. ‖ **2. colgajo** de frutos.

arlota. f. **alrota.**

arlote. (De or. inc.; cf. it. *arlotto.*) adj. ant. Holgazán, bribón. ‖ **2.** *Ál.* y *Ar.* Descuidado, desaseado en el vestido y porte. Ú. t. c. s.

arlotería. (De *arlote.*) f. ant. Holgazanería, bribonería. ‖ **2.** ant. Malicia, picardía.

arlotía. (De *arlote.*) f. ant. **arlotería.**

arma. (Del lat. *arma, -ōrum,* armas.) f. Instrumento, medio o máquina destinados a ofender o a defenderse. ‖ **2.** p. us. Rebato o acometimiento repentino. ‖ **3.** *Mil.* Cada uno de los institutos combatientes de una fuerza militar. *El* ARMA *de infantería, de caballería, de artillería.* ‖ **4.** pl. Conjunto de las que lleva un guerrero. ‖ **5.** V. **cámara de las armas.** ‖ **6.** V. **fiesta, gente, hacha, hecho, hombre, maestro, paje, plaza, rey, suspensión, trance, ujier de armas.** ‖ **7.** Tropas o ejércitos de un Estado. *Las* ARMAS *de España, del Imperio.* ‖ **8.** Defensas naturales de los animales. ‖ **9.** Piezas con que se arman algunos instrumentos, como la sierra, la brújula, etc. ‖ **10.** Milicia o profesión militar. Ú. generalmente contrapuesto a letras. ‖ **11.** Hechos de **armas,** hazañas guerreras. ‖ **12.** fig. Medios que sirven para conseguir alguna cosa. *Yo no tengo más* ARMAS *que la verdad y la justicia.* ‖ **13.** *Blas.* Blasones del escudo de las familias nobles o de los soberanos, naciones, provincias o pueblos. ‖ **14.** *Blas.* **escudo de armas.** ‖ **acorazada.** Conjunto de las unidades acorazadas de un ejército de tierra. ‖ **aérea.** La que se maneja desde un avión de guerra. ‖ **2.** Conjunto combatiente de la aviación militar. ‖ **antiaérea.** La destinada a derribar aviones. ‖ **arrojadiza.** La que se arroja con la mano o con un instrumento elemental (honda, arco, etc.). ‖ **atómica. arma nuclear.** ‖ **automática.** Término general para designar la de fuego en la cual el ciclo completo de cargar, amartillar, disparar, extraer y recargar, es completamente mecánico. Si todas estas operaciones lo son, con excepción del disparo que ha de accionarse por el agente, el **arma** es semiautomática. ‖ **blanca.** La ofensiva de hoja de acero, como la espada. ‖ **de chispa.** La de fuego cuyo cebo se inflamaba con las chispas que daba el rastrillo herido por el pedernal. ‖ **de doble filo** o **de dos filos.** La que tiene filo por ambas partes. ‖ **2.** fig. Dícese de las cosas y acciones que pueden obrar en favor o en contra de lo que se pretende. ‖ **defensiva.** El **arma** blanca o de escaso alcance que se emplea sobre todo para la propia defensa. ‖ **de fuego.** Aquella en que el disparo se verifica con auxilio de la pólvora. ‖ **de mano.** La que el hombre lleva oculta o la que forma parte de un equipo individual. ‖ **de percusión.** La de fuego cebada con mixto fulminante, cuya explosión se produce por golpe. ‖ **de precisión.** La de fuego construida de modo que su tiro es más certero que el de las ordinarias. ‖ **de puño.** La que consiste en una hoja de hierro y acero con punta y corte y un mango proporcionado para empuñarlo con una sola mano. ‖ **falsa.** Acometimiento o ataque fingido para probar la gente o para deslumbrar al enemigo. ‖ **ligera.** La blanca corta, la de fuego manejable con una sola mano y todas las transportables sin auxilio de tracción animal o de motor. ‖ **mecanizada.** La que dispara desde el propio vehículo que la desplaza. ‖ **motorizada.** La que se desplaza con auxilio de camión o tractor. ‖ **naval.** La que se utiliza a bordo de una nave de guerra, o para desembarcos. ‖ **negra.** Espada, florete u otra **arma** semejante de hierro ordinario, sin filo y con un botón en la punta, con que se aprende la esgrima en las escuelas. ‖ **nuclear.** La que produce sus efectos mediante una explosión nuclear. ‖ **ofensiva.** La que sirve para ofender. ‖ **pesada.** La de fuego, que exige ganado o empleo de motores para su transporte. ‖ **armas blancas.** *Blas.* Las que en lo antiguo llevaba el caballero novel, sin empresa en el escudo hasta que por su esfuerzo la ganase. ‖ **falsas.** *Blas.* Las formadas contra las reglas del arte. ‖ **parlantes.** *Blas.* Las que representan un objeto de nombre igual o parecido al de la persona o Estado que las usa, como las de León, Castilla, Granada, etc. ‖ **¡al arma!** exclam. **¡a las armas!** ‖ **¡a las armas!** exclam. con que se previene a los soldados que tomen prontamente las armas. ‖ **alzarse en armas.** fr. Alzarse en sedición, sublevarse. ‖ **¡arma, arma!**

exclam. **¡a las armas!** ‖ **con las armas en la mano.** loc. adv. Estando armado y dispuesto para hacer la guerra. ‖ **dar arma.** fr. ant. Hacer señales el centinela para que acudan los soldados que están de guardia. ‖ **de armas tomar.** loc. adj. Dícese de la persona que muestra bríos y resolución para acometer empresas arriesgadas. ‖ **dejar las armas.** fr. fig. Retirarse del servicio militar. ‖ **descansar las armas.** fr. *Mil.* Aliviarse del peso de ellas los soldados apoyándolas en el suelo. ‖ **descansar sobre las armas.** fr. *Mil.* **descansar las armas.** ‖ **estar en arma** o **en armas.** fr. Estar alterado un pueblo o gente con guerras civiles. ‖ **hacer armas.** fr. Pelear, hacer guerra. ‖ **2.** Amenazar con **arma** en mano. ‖ **3.** Pelear uno cuerpo a cuerpo con otro en sitio aplazado y público. ‖ **hacerse a las armas.** fr. fig. Acostumbrarse y acomodarse a alguna cosa a que obliga la necesidad. ‖ **llegar a las armas.** fr. Llegar a reñir o pelear. ‖ **medir las armas.** fr. fig. Reñir o pelear. ‖ **2.** fig. Contender de palabra, por escrito o de otra manera. ‖ **meter en armas.** fr. ant. **poner en armas.** ‖ **pasar** a alguien **por las armas.** fr. *Mil.* Arcabucearlo o fusilarlo. ‖ **poner en arma.** fr. Dar alarma. ‖ **poner en armas.** fr. Armar o apercibir para combatir. Ú. t. el verbo c. prnl. ‖ **2.** Alterar a un pueblo o gente con guerras civiles. Ú. t. el verbo c. prnl. ‖ **ponerse en arma.** fr. fig. y fam. Apercibirse o disponerse para ejecutar alguna cosa. ‖ **presentar las armas.** fr. *Mil.* Rendir la tropa los honores militares a los reyes y demás personas a quienes por la ordenanza corresponden, poniendo el fusil frente al pecho, con el disparador hacia fuera. ‖ **probar las armas.** fr. *Esgr.* Tentar y reconocer la habilidad y fuerzas de los que las manejan. ‖ **2.** fig. Poner a prueba la capacidad de las personas en cualquier materia o para cualquier cosa. ‖ **publicar armas.** fr. Desafiar a combate público. ‖ **rendir el arma.** fr. *Mil.* Hacer la tropa de infantería los honores al Santísimo, hincando en tierra la rodilla derecha e inclinando las **armas** y el cuerpo hacia adelante, en señal de respeto. ‖ **rendir las armas.** fr. *Mil.* Entregar la tropa sus **armas** al enemigo, reconociéndose vencida. ‖ **sobre las armas.** loc. *Mil.* En su puesto y preparado para lo que pueda ocurrir. Dícese de la tropa, y se usa más con los verbos *estar, poner* y *ponerse.* ‖ **tocar al arma,** o **tocar arma.** fr. *Mil.* Tañer o tocar los instrumentos militares para advertir a los soldados que tomen las **armas.** ‖ **tomar armas.** fr. fig. Armarse. ‖ **tomar las armas.** fr. Armarse para la defensa o el ataque. ‖ **2.** *Mil.* Hacer los honores militares que corresponden al rey, a las personas reales y a los generales y demás oficiales, según su grado. ‖ **tomar** uno **las armas contra** otro. fr. fig. Declararse su contrario y hacerle guerra como a enemigo. ‖ **velar** alguien **las armas.** fr. Guardarlas el que había de ser armado caballero, haciendo centinela por la noche cerca de ellas, sin perderlas de vista. ‖ **vestir las armas.** fr. Ponérselas para entrar en la pelea o armarse con ellas. ‖ **y armas al hombro.** loc. con que se da a entender que alguien se desentiende de una cosa.

armable. adj. Que puede o debe ser dotado de armas. ‖ **2.** Dícese de cualquier objeto adquirido en piezas separadas que puede ser armado o montado fácilmente.

armada. (Del lat. *armāta,* f. de *armātus,* armado.) f. Conjunto de fuerzas navales de un Estado. ‖ **2.** V. **ingeniero de la armada.** ‖ **3. escuadra,** conjunto de buques de guerra. ‖ **4.** *Amér. Merid.* Forma en que se dispone el lazo para lanzarlo. ‖ **5.** *Germ.* Flor que el fullero lleva hecha en los naipes. ‖ **6.** *Mont.* Línea de cazadores que acechan a las reses espantadas o forzadas en la batida. ‖ **7.** *Mont.* Manga de gente con perros que se pone en las batidas para espantar a las reses, obligándolas a salir frente a las paranzas de los cazadores.

armadera. f. *Mar.* **cuaderna de armar.**

armadía. (De *almadía.*) f. Conjunto de vigas o maderos unidos con otros en forma plana, para poderlos conducir fácilmente a flote. ‖ **2.** ant. **armadija.**

armadija. (Del lat. **armatĭcŭla,* de *armatus.*) f. ant. **armadijo.**

armadijo. (De *armadija.*) m. **trampa** para cazar animales. ‖ **2.** Armazón de palos.

armadilla. f. *Germ.* Dinero que uno da a otro para que juegue por él.

armadillo. (De *armado.*) m. Mamífero del orden de los desdentados, con algunos dientes laterales; el cuerpo, que mide de tres a cinco decímetros de longitud, está protegido por un caparazón formado de placas óseas cubiertas por escamas córneas, las cuales son movibles, de modo que el animal puede arrollarse sobre sí mismo. Todas las especies son propias de América Meridional.

armado, da. p. p. de **armar.** ‖ **2.** adj. V. **cemento, hormigón, instituto armado.** ‖ **3.** V. **gallina armada.** ‖ **4.** m. Hombre vestido como los antiguos soldados romanos, que suele acompañar los pasos de las procesiones y dar guardia a los monumentos de Semana Santa.

armador, ra. m. y f. Persona que arma, un mueble, artefacto, etc. ‖ **2.** m. El que por su cuenta arma o avía una embarcación. ‖ **3. corsario,** el que manda una embarcación en corso. ‖ **4.** El que busca y alista marineros para la pesca de la ballena o del bacalao. Ú. en las costas de Cantabria. ‖ **5. jubón,** vestidura.

armadura. (Del lat. *armatūra.*) f. Conjunto de armas de hierro con que se vestían para su defensa los que habían de combatir. ‖ **2.** Pieza o conjunto de piezas unidas unas con otras, en que o sobre que se arma alguna cosa. ‖ **3. esqueleto óseo.** ‖ **4.** p. us. **cornamenta.** ‖ **5.** V. **cuchillo de armadura.** ‖ **6.** ant. **armadijo.** ‖ **7.** *Arq.* Armazón hecha con maderos ensamblados y tablas, con que se cubre una parte de edificio en condiciones de recibir sobre sí el tejado. ‖ **8.** *Fís.* Cada uno de los cuerpos conductores de la electricidad, separados por otro aislador, con que se forman la botella de Leiden y otros condensadores eléctricos. ‖ **9.** *Fís.* Pieza de hierro que sirve para cerrar un circuito magnético. ‖ **10.** *Mar.* Aro de metal con que se refuerza la unión de algunas cosas, y muy especialmente el codaste, las chumaceras y el pozo de la hélice.

armajal. m. **almarjal**[2].

armajo. m. **almarjo,** planta.

armamentista. adj. Referente a la industria de armas de guerra. ‖ **2.** Partidario de la política de armamentos. Ú. t. c. s.

armamentístico, ca. adj. Perteneciente o relativo al armamento.

armamento. (Del lat. *armamentum.*) m. Conjunto de todo lo necesario para la guerra. ‖ **2.** Conjunto de armas de todo género para el servicio de un cuerpo militar. ‖ **3.** Armas y fornitura de un soldado. ‖ **4.** Equipo y provisión de un buque para el servicio a que se le destina. ‖ **5.** p. us. **armadura,** pieza o conjunto de piezas en que se arma una cosa.

armamiento. m. ant. **armamento.** ‖ **2.** ant. **cornamenta.**

armandijo. m. ant. **armadijo.**

armanza. (De *armar.*) f. ant. **armadijo.**

armar. (Del lat. *armāre.*) tr. Vestir o poner a alguien armas ofensivas o defensivas. Ú. t. c. prnl. ‖ **2.** Proveer de armas. Ú. t. c. prnl. ‖ **3.** Apercibir y preparar para la guerra. Ú. m. c. prnl. ‖ **4.** Tratándose de ciertas armas, como la ballesta o el arco, aprestarlas para disparar. ‖ **5.** Concertar y juntar entre sí las varias piezas de que se compone un mueble, artefacto, etc. ARMAR *una cama, una máquina.* ‖ **6.** Sentar, fundar una cosa sobre otra. ‖ **7.** Poner, los pasamaneros y tiradores de oro, este metal o la plata sobre otro metal. *Oro* ARMADO *sobre cobre.* ‖ **8.** Dejar a los árboles una o más guías según la figura, altura o disposición que se les quiere dar. ‖ **9.** V. **cuaderna, espejo de armar.** ‖

10. V. **bragueta de armar.** ‖ **11.** fig. y fam. Disponer, fraguar, formar alguna cosa. ARMAR *un baile, un lío.* Ú. t. c. prnl. ARMARSE *una tempestad.* ‖ **12.** fig. y fam. Tratándose de pleitos, riñas, escándalos, etc., mover, causar. Ú. t. c. prnl. ‖ **13.** fig. y fam. **aviar,** proveer a alguien de lo que le hace falta. Ú. t. c. prnl. ‖ **14.** ant. Poner armadijo o trampa para cazar o coger una res. ‖ **15.** *Mar.* Aprestar una embarcación o proveerla de todo lo necesario. ‖ **16.** intr. Cuadrar o convenir una cosa a alguien, sentarle bien, acomodarse a su genio o dictamen. ‖ **17.** *Min.* Yacer el mineral explotable entre las rocas que lo acompañan o contienen. ‖ **18.** prnl. fig. Ponerse voluntaria y deliberadamente en disposición de ánimo eficaz para lograr algún fin o resistir alguna contrariedad. ARMARSE *de valor, de paciencia.* ‖ **19.** Juntar dinero, enriquecerse. ‖ **20.** *Guat.* y *Méj.* Plantarse un animal. ‖ **21.** *Méj.* Hacerse de dinero o de bienes inesperada o impensadamente. ‖ **armarla.** loc. verbal. fam. En el juego, hacer trampas, componiendo los naipes para ganar. ‖ **2.** fam. Promover riña o alboroto.

armario. (Del lat. *armarĭum.*) m. Mueble con puertas y anaqueles o perchas para guardar ropa y otros objetos. ‖ **empotrado.** El construido en el espesor de un muro o hueco de una pared.

armatoste. (De or. inc.; cf. cat. ant. *armatost.*) m. Objeto grande y de poca utilidad. ‖ **2. armadijo,** armazón de palos. ‖ **3.** Aparato con que se armaban antiguamente las ballestas. ‖ **4.** fig. y fam. Persona corpulenta que para nada sirve.

armazón. (Del lat. *armatĭo, -ōnis.*) amb. **armadura,** pieza o conjunto de piezas sobre que se arma alguna cosa. ‖ **2.** Acción y efecto de armar, concertar, juntar. ‖ **3. armadura,** esqueleto.

armella. (Del lat. *armilla,* aro.) f. Anillo de hierro u otro metal que suele tener una espiga o tornillo para fijarlo. ‖ **2.** ant. **brazalete,** aro del brazo.

armelluela. f. d. de **armella.**

Armenia. n. p. V. **bol, bolo de Armenia.**

arménico, ca. (Del lat. *Armenĭcus.*) adj. V. **bol, bolo arménico.**

armenio, nia. (Del lat. *Armenĭus.*) adj. Natural de Armenia, antigua región del Cáucaso. Ú. t. c. s. ‖ **2.** Perteneciente a este país de Asia. ‖ **3.** Dícese de ciertos cristianos de Oriente, originarios de Armenia, que conservan su antiquísimo rito y forman en lo religioso cuatro patriarcados. Ú. t. c. s. ‖ **4.** m. Lengua **armenia.**

armento. (Del lat. *armentum.*) m. ant. **ganado,** conjunto de animales.

armería. (De *armero.*) f. Edificio o sitio en que se guardan diferentes géneros de armas para curiosidad o estudio. ‖ **2.** Arte de fabricar armas. ‖ **3.** Tienda en que se venden armas. ‖ **4.** Arte del blasón. ‖ **5.** V. **cabo de armería.**

armero. (Del lat. *armarĭus.*) m. Fabricante de armas. ‖ **2.** Vendedor o componedor de armas. ‖ **3.** El encargado de custodiar y tener limpias las armas. ‖ **4.** Aparato de madera para tener las armas en los puestos militares y otros puntos. ‖ **mayor.** Jefe del oficio palatino de la real armería.

armerol. m. desus. Maestro armero.

armífero, ra. (Del lat. *armĭfer.*) adj. poét. Dícese del que lleva armas.

armígero, ra. (Del lat. *armĭger.*) adj. poét. Dícese del que viste o lleva armas. ‖ **2.** fig. Belicoso o inclinado a la guerra. ‖ **3.** m. Escudero que tenía por oficio llevar las armas de su señor. ARMÍGERO *del rey.*

armilar. (Del lat. *armilla,* anillo.) adj. V. **esfera armilar.**

armilla. (Del lat. *armilla.*) f. *Art.* **astrágalo** de los cañones. ‖ **2.** *Arq.* **espira** de la columna. ‖ **3.** *Astron.* Antiguo instrumento que servía para resolver problemas de trigonometría esférica. ‖ **4.** ant. **armella,** brazalete.

arminio. (Del lat. *Armenĭus,* de Armenia.) m. ant. **armiño.**

armiñado, da. p. p. de **armiñar.** ‖ **2.** adj. Dícese de lo guarnecido con piel de armiño. ‖ **3.** Semejante en la blancura a la piel del armiño.

armiñar. tr. Dar a una cosa el color blanco del armiño.

armiño. (Como el fr. *hermine,* del lat. *armenĭus,* de Armenia.) m. Mamífero del orden de los carnívoros, de unos 25 centímetros de largo (sin contar la cola, que tiene ocho, poco más o menos), de piel muy suave y delicada, parda en verano y blanquísima en invierno, exceptuada la punta de la cola, que es siempre negra. ‖ **2.** Piel de este animal. ‖ **3.** fig. Lo puro o limpio. ‖ **4.** Pinta blanca junto al casco de las caballerías. ‖ **5.** *Blas.* Figura convencional, a manera de mota negra y larga, sobre campo de plata, que quiere representar la punta de la cola de este animal.

armipotente. (Del lat. *arma,* armas, y *potens, -entis,* poderoso.) adj. poét. Poderoso en armas.

armisonante. (Del lat. *arma,* armas, y *sonans, -antis,* que suena.) adj. poét. Que lleva o tiene armas que suenan al ser movidas o al chocar unas con otras.

armisticio. (Del lat. mod. *armistitium.*) m. Suspensión de hostilidades pactada entre pueblos o ejércitos beligerantes.

armón. (Del fr. *armon.*) m. Juego delantero de la cureña de campaña, con el cual se completa un carruaje de cuatro ruedas para mayor facilidad en la conducción, y se separa cuando la pieza ha de hacer fuego. ‖ **2.** *Cantabria.* Parte delantera del carro de dos ruedas.

armonía. (Del lat. *harmonia,* y este del gr. ἁρμονία, de ἁρμός, ajustamiento, combinación.) f. Unión y combinación de sonidos simultáneos y diferentes, pero acordes. ‖ **2.** Bien concertada y grata variedad de sonidos, medidas y pausas que resulta en la prosa o en el verso por la feliz combinación de las sílabas, voces y cláusulas empleadas en él. ‖ **3.** fig. Conveniente proporción y correspondencia de unas cosas con otras. ‖ **4.** fig. Amistad y buena correspondencia. ‖ **5.** *Mús.* Arte de formar y enlazar los acordes. ‖ **6.** V. **tabla de armonía.** ‖ **imitativa.** Cierta vaga conveniencia del tono dominante en el lenguaje prosaico o poético con la índole del pensamiento que se exprese o del asunto de que se trate. ‖ **2.** Imitación, por medio de las palabras, de otros sonidos, de ciertos movimientos o de las conmociones del ánimo.

armoníaco o **armoniaco.** adj. desus. **amoniaco.**

armónico, ca. (Del lat. *harmonĭcus,* y este del gr. ἁρμονικός.) adj. Perteneciente o relativo a la armonía. *Instrumento* ARMÓNICO; *composición* ARMÓNICA. ‖ **2.** V. **música, proporción, razón armónica.** ‖ **3.** m. *Fís.* En una onda periódica cualquiera de sus componentes sinusoidales, cuya frecuencia sea un múltiplo entero de la frecuencia fundamental. ‖ **4.** *Mús.* Sonido agudo, concomitante, producido naturalmente por la resonancia de otro fundamental. ‖ **5.** *Mús.* Sonido muy agudo y dulce que se produce en los instrumentos de cuerda apoyando con mucha suavidad el dedo sobre los nodos de la cuerda. ‖ **6.** f. *Mús.* Instrumento provisto de una serie de orificios con lengüeta. Se toca soplando o aspirando por estos orificios. ‖ **armónico fundamental.** *Fís.* El de frecuencia más baja de todos los componentes sinusoidales de una onda periódica.

armonio. (De *armonía.*) m. Órgano pequeño, con la figura exterior del piano, y al cual se da el aire por medio de un fuelle que se mueve con los pies.

armonioso, sa. adj. Sonoro y agradable al oído. ‖ **2.** fig. Que tiene armonía o correspondencia entre sus partes.

armonista. (De *armonía.*) com. ant. **músico,** que cultiva la música.

armónium. m. **armonio.**

armonizable. adj. Que puede armonizarse.

armonización. f. Acción y efecto de armonizar.

armonizador, ra. adj. Que armoniza. Ú. t. c. s.

armonizar. tr. Poner en armonía, o hacer que no discuerden o se rechacen, dos o más partes de un todo, o dos o más cosas que deben concurrir al mismo fin. ‖ **2.** *Mús.* Escoger y escribir los acordes correspondientes a una melodía o a un bajete. ‖ **3.** intr. Estar en armonía.

armoricano, na. adj. Natural de Armórica. Ú. t. c. s. ‖ **2.** Perteneciente o relativo a este antiguo país, hoy Bretaña francesa.

armos. (Del lat. *armus*, la cruz de los animales.) m. pl. *Ar.* En las caballerías, la cruz.

armuelle. (Del lat. *holus molle*, hortaliza suave.) m. Planta anual de la familia de las quenopodiáceas, de un metro de altura, con hojas triangulares, recortadas o arrugadas por su margen, flores en espiga, muy pequeñas y de color verde amarillento, y semilla negra y dura. En varias partes la cultivan y la comen cocida. ‖ **2. bledo.** ‖ **3. orzaga.** ‖ **borde. ceñiglo.**

arna. (De or. inc.) f. Vaso de colmena.

arnacho. m. **asnallo.**

arnadí. (Del ár. *garnāṭī*, granadino.) m. Dulce hecho al horno con calabaza y boniato y relleno de piñones, almendras, nueces, etc.

arnasca. (Del vasco *arn*, piedra, y *asca*, gamella[1].) f. *Ál.* Artesa o pila de piedra. Se usa generalmente refiriéndose a la colocada a la puerta de las casas.

arnaucho. (De or. quechua.) m. *Perú.* Ají pequeño y muy picante.

arnaúte. (Del turco *arnāwud*, albanés.) adj. **albanés[2].** Ú. t. c. s.

arnequín. (De *arlequín*.) m. ant. **maniquí.**

arnés. (Del fr. *harnais*, y este del escand. **herrnest*.) m. Conjunto de armas de acero defensivas que se vestían y acomodaban al cuerpo, asegurándolas con correas y hebillas. ‖ **2.** pl. Guarniciones de las caballerías. ‖ **3.** fig. y fam. Cosas necesarias para algún fin. *Manuel llevaba todos los* ARNESES *para cazar.* ‖ **tranzado.** El compuesto de diversas piezas con sus junturas, para que el hombre armado con él pudiera hacer fácilmente todos los movimientos del cuerpo. ‖ **blasonar del arnés.** fr. fig. Echar fanfarronadas, contar valentías que no se han hecho.

árnica. (Del lat. cient. *arnĭca*, de or. inc.) f. Planta de la familia de las compuestas, de raíz perenne, tallo de unos tres decímetros de altura, hueco, velloso y áspero; ramas colocadas de dos en dos, simples, derechas, desnudas y con una flor terminal amarilla; hojas aovadas y semejantes a las del llantén, ásperas por encima y lampiñas por el envés, y semillas de color pardo, con un vilano que las rodea. Las flores y la raíz tienen sabor acre, aromático y olor fuerte, que hace estornudar. Se emplea en medicina. ‖ **2.** Tintura de **árnica.** ‖ **pedir árnica.** fr. fig. Solicitar compasión, explícita o implícitamente, al sentirse inferior en ideas o acciones.

arnillo. m. Pez teleósteo del mar de las Antillas, del suborden de los acantopterigios, de 20 a 30 centímetros de largo, y figura y color parecidos a los del barbero, aunque no aplastado el cuerpo.

aro[1]. (De or. inc.) m. Pieza de hierro o de otra materia rígida, en figura de circunferencia. ‖ **2.** Argolla o anillo grande de hierro con su espigón movible, que sirve para el juego de la argolla. ‖ **3.** Armadura de madera, circular o no, que sostiene el tablero de la mesa, y con la cual suelen estar ensamblados los pies. ‖ **4.** Juguete en forma de **aro,** que los niños hacen rodar valiéndose de un palo. ‖ **5.** *Argent., Col., Chile* y *Urug.* **arete,** zarcillo. ‖ **entrar,** o **pasar alguien por el aro.** fr. fig. y fam. Ejecutar, vencido por fuerza o maña de otro, lo que no quería.

aro[2]. (Del lat. *arum*, y este del gr. ἄρον.) m. Planta perenne de la familia de las aráceas, con raíz tuberculosa y feculenta, de la cual salen las hojas, que son sagitales, lisas, grandes y de color verde oscuro manchado a veces de negro; bohordo central, de tres a cuatro decímetros de altura, con espata larga y amarillenta que envuelve flores sin cáliz ni corola; espádice purpúreo prolongado en figura de maza, y frutos del color y tamaño de la grosella. ‖ **de Etiopía. cala[3].**

¡aro![3] (De or. aimara.) *N. Argent., Bol.* y *Chile.* Voz que, dicha por la concurrencia, hace que se suspenda el baile para que los bailarines tomen una copa de licor u otra bebida alcohólica o puedan cantar una copla entrecruzando los brazos.

aroca. f. Lienzo labrado en Arouca, villa de Portugal.

aroideo, a. (De *aro*[2].) adj. *Bot.* **aráceo.**

aroma. (Del lat. *arōma*, y este del gr. ἄρωμα.) f. Flor del aromo, es dorada, vellosa, de olor muy fragante, pedunculada y de unos dos centímetros de diámetro. ‖ **2.** m. Cualquier goma, bálsamo, leño o hierba de mucha fragancia. Ú. alguna vez c. f. ‖ **3.** Perfume, olor muy agradable.

aromar. (De *aroma*.) tr. **aromatizar.**

aromaticidad. f. Calidad de aromático. ‖ **2.** *Quím.* Propiedad de las estructuras cíclicas, no saturadas, cuya estabilidad es superior a la de las estructuras de cadena abierta con igual número de enlaces múltiples.

aromático, ca. (Del lat. *aromătĭcus*, y este del gr. ἀρωματικός.) adj. Que tiene aroma, u olor agradable. ‖ **2.** V. **cálamo aromático.** ‖ **3.** *Quím.* Dícese de las estructuras caracterizadas por la aromaticidad.

aromatización. f. Acción y efecto de aromatizar. ‖ **2.** *Quím.* Proceso por el que un compuesto alifático se transforma en otro aromático. Tiene interés especial en la química del petróleo.

aromatizar. (Del lat. *aromatizāre*, y este del gr. ἀρωματίζω.) tr. Dar o comunicar aroma a alguna cosa.

aromatoterapia. (Del gr. ἄρωμα, -ατος, aroma, y *terapia*.) f. *Farm.* y *Med.* Utilización médica de los aceites esenciales.

aromo. (De *aroma*.) m. Árbol de la familia de las mimosáceas, especie de acacia, que crece hasta 17 metros en climas cálidos, con ramas espinosas, hojas compuestas, y por frutos vainas fuertes y encorvadas. Su flor es la aroma.

aromoso, sa. adj. **aromático.**

aron. m. **aro[2].**

arpa. (Del germ. *harpa*, rastrillo, a través del fr. *harpe*.) f. Instrumento músico, de figura triangular, con cuerdas colocadas verticalmente y que se tocan con ambas manos. ‖ **tronar como arpa vieja** una persona o cosa. fr. fig. y fam. desus. Acabar desastrosa y repentinamente.

arpado[1], da. p. p. de **arpar.** ‖ **2.** adj. Que remata en dientecillos como de sierra.

arpado[2], da. (De *arpa*.) adj. poét. Dícese de los pájaros de canto grato y armonioso.

arpador. m. ant. **arpista.**

arpadura. (De *arpar*.) f. Araño o rasguño.

arpar. (Del ant. fr. *harper*, agarrar.) tr. Arañar o rasgar con las uñas. ‖ **2.** Hacer tiras o pedazos alguna cosa.

arpegiar. intr. *Mús.* Hacer arpegios.

arpegio. (Del it. *arpeggio*.) m. *Mús.* Sucesión más o menos acelerada de los sonidos de un acorde.

arpella. (De or. inc.) f. Ave rapaz diurna, de color pardo con manchas rojizas en el pecho y el vientre, y collar y moño amarillentos. Anida en tierra, cerca de los sitios pantanosos.

arpende. (Del lat. *arapennis*.) m. Medida superficial usada por los antiguos hispanos y que, según San Isidoro, equivalía al acto cuadrado de los romanos.

arpeo. (Del ant. fr. *harpeau*, d. de *harpe*, garra.) m. *Mar.* Instrumento de hierro con unos garfios, que sirve para rastrear, o para aferrarse dos embarcaciones.

arpía. (Como *harpía*, del lat. *harpyia*, y este del gr. Ἅρπυια.) f. Ave fabulosa, con rostro de mujer y cuerpo de ave de rapiña. ‖ **2.** fig. y fam. Persona codiciosa que con arte o maña saca cuanto puede. ‖ **3.** fig. y fam. Mujer aviesa. ‖ **4.** fig. y fam. Mujer muy fea y flaca.

arpillador. m. *Méj.* El que tenía por oficio arpillar.

arpilladura. f. desus. *Méj.* Acción y efecto de arpillar.

arpillar. tr. desus. *Méj.* Cubrir fardos o cajones con arpillera.

arpillera. (De or. inc.; cf. fr. *serpillière*, arag. *sarpillera.*) f. Tejido por lo común de estopa muy basta, con que se cubren determinadas cosas para defenderlas del polvo y del agua.

arpista. com. Persona que ejerce o profesa el arte de tocar el arpa.

arpón. (De etim. disc.; cf. fr. *harpon.*) m. Instrumento que se compone de un astil de madera armado por uno de sus extremos con una punta de hierro que sirve para herir o penetrar, y de otras dos que miran hacia el astil y hacen presa. ‖ **2.** ant. **veleta** del viento. ‖ **3.** *Arq.* **grapa** metálica.

arponado, da. adj. Parecido al arpón.

arponar. tr. Herir con arpón.

arponear. tr. Cazar o pescar con arpón. ‖ **2.** intr. Manejar el arpón con destreza.

arponero. m. El que fabrica arpones. ‖ **2.** El que pesca o caza con arpón.

arqueada. f. En los instrumentos músicos de arco, golpe o movimiento de este que hiere las cuerdas pasando por ellas. ‖ **2. arcada,** movimiento violento del estómago.

arqueador[1]**.** m. Perito que arquea o mide la capacidad de las embarcaciones.

arqueador[2]**.** m. El que tiene por oficio arquear la lana.

arqueaje. m. **arqueo**[2]**.**

arqueamiento. m. **arqueo**[2]**.**

arquear[1]**.** tr. Dar figura de arco. Ú. t. c. prnl. ‖ **2.** En el obraje de paños, sacudir y ahuecar la lana con un arco de una o dos cuerdas. ‖ **3.** intr. **nausear.**

arquear[2]**.** (De *arca*[1].) tr. Medir la cabida de una embarcación.

arqueo[1]**.** m. Acción y efecto de arquear[1] o arquearse.

arqueo[2]**.** m. Acción de arquear[2]. ‖ **2.** Cabida de una embarcación. ‖ **3.** V. **tonelada, tonelada métrica de arqueo.**

arqueo[3]**.** (De *arca*[1].) m. Reconocimiento de los caudales y papeles que existen en la caja de una casa, oficina o corporación.

arqueolítico, ca. (Del gr. ἀρχαῖος, antiguo, y λίθος, piedra.) adj. Perteneciente o relativo a la edad de piedra.

arqueología. (Del gr. ἀρχαιολογία.) f. Ciencia que estudia todo lo que se refiere a las artes y a los monumentos de la antigüedad.

arqueológico, ca. (Del gr. ἀρχαιολογικός.) adj. Perteneciente o relativo a la arqueología. ‖ **2.** fig. Antiguo, desusado, sin importancia actual.

arqueólogo, ga. (Del gr. ἀρχαιολόγος.) m. y f. Persona que profesa la arqueología o tiene en ella especiales conocimientos.

arqueozoología. (Del gr. ἀρχαῖος, antiguo, y *zoología.*) f. Parte de la arqueología que se ocupa especialmente del estudio de restos de animales en yacimientos de antiguas culturas.

arquería. f. Serie de arcos.

arquero[1]**.** (De *arca*[1].) m. **cajero** de una tesorería, banco, etc.

arquero[2]**.** (De *arco.*) adj. V. **hierro arquero.** ‖ **2.** m. Soldado que peleaba con arco y flechas. ‖ **3.** El que tiene por oficio hacer arcos o aros para toneles, cubas, etc. ‖ **4. portero,** jugador que, en algunos deportes, defiende la meta de su equipo.

arqueta. f. d. de **arca**[1]**.**

arquetípico, ca. adj. Perteneciente o relativo al arquetipo.

arquetipo. (Del lat. *archetÿpum*, y este del gr. ἀρχέτυπος.) m. *Teol.* Tipo soberano y eterno que sirve de ejemplar y modelo al entendimiento y a la voluntad de los hombres. ‖ **2.** Modelo original y primario en un arte u otra cosa.

arquetón. m. aum. de **arqueta.**

arqui-. V. **archi-.**

arquibanco. m. Banco largo con respaldo o sin él y uno o más cajones a modo de arcas, cuyas tapas sirven de asiento.

arquidiócesis. f. **archidiócesis.**

arquiepiscopal. (De *arqui*, por *archi-*, y *episcopal.*) adj. **arzobispal.**

Arquímedes. n. p. V. **rosca de Arquímedes.**

arquimesa. (De *arca*[1] y *mesa.*) f. Mueble con tablero de mesa y varios compartimientos o cajones.

arquipéndola. (Del it. *archipèndolo.*) f. p. us. Nivel de albañil.

arquíptero. (Del gr. ἀρχή, principio, y *-ptero.*) adj. *Zool.* Dícese de insectos masticadores con metamorfosis sencillas, o complicadas, parásitos o de vida libre, con cuatro alas membranosas y reticuladas; sus larvas son acuáticas y zoófagas en muchas especies; como el caballito del diablo. Ú. t. c. s. ‖ **2.** m. pl. *Zool.* Orden de estos animales.

arquisinagogo. (Del lat. *archisynagōgus*, y este del gr. ἀρχισυνάγωγος.) m. El principal de la sinagoga.

arquitecto, ta. (Del lat. *architectus*, y este del gr. ἀρχιτέκτων.) m. y f. Persona que profesa o ejerce la arquitectura. ‖ **técnico. aparejador.**

arquitectónico, ca. (Del lat. *architectonĭcus*, y este del gr. ἀρχιτεκτονικός.) adj. Perteneciente o relativo a la arquitectura.

arquitector. (Del lat. *architector, -oris.*) m. ant. **arquitecto.**

arquitectura. (Del lat. *architectūra.*) f. Arte de proyectar y construir edificios. ‖ **civil.** Arte de construir edificios y monumentos públicos y particulares no religiosos. ‖ **hidráulica.** Arte de conducir y aprovechar las aguas, o de construir obras debajo de ellas. ‖ **militar.** Arte de fortificar. ‖ **naval.** Arte de construir embarcaciones. ‖ **religiosa.** Arte de construir templos, monasterios, sepulcros y otras obras de carácter religioso.

arquitectural. adj. **arquitectónico.**

arquitrabe. (Del it. *architrave*, trabe maestra.) m. *Arq.* Parte inferior del entablamento, la cual descansa inmediatamente sobre el capitel de la columna.

arquivolta. (Del it. *archivolta.*) f. *Arq.* Conjunto de molduras que decoran un arco en su paramento exterior vertical, acompañando a la curva en toda su extensión y terminando en las impostas.

arra. f. p. us. **arras.** ‖ **2.** *Ar.* Cada una de las dos tortas de pan o de bizcocho que se llevan a las bodas, y de las cuales una es para el cura párroco y otra para los desposados.

arrabá. (Del ár. *ar-rabā'*, el cuadro.) m. *Arq.* Adorno que suele circunscribir el arco de las puertas y ventanas de estilo árabe.

arrabal. (Del ár. *ar-rabad*, el barrio de las afueras.) m. Barrio fuera del recinto de la población a que pertenece. ‖ **2.** Cualquiera de los sitios extremos de una población. ‖ **3.** Población anexa a otra mayor.

arrabalde. m. ant. **arrabal.**

arrabalero, ra. adj. Habitante de un arrabal. Ú. t. c. s. ‖ **2.** fig. y fam. Dícese de la persona, que en su traje, modales o manera de hablar da muestra de mala educación. Ú. t. c. s.

arrabiadamente. adv. m. ant. Con rabia, airadamente.

arrabiatar. tr. *Amér. Central.* **rabiatar,** atar un animal a la cola de otro. ‖ **2.** prnl. *Amér. Central.* Someterse servilmente a la opinión de otro.

arrabillado, da. (De *rabillo.*) adj. Dícese del trigo atizonado.

arrabio. (Probablemente de la voz vasca *[h]arrobia*, la cantera.) m. *Metal.* Fundición de hierro que se obtiene en el alto horno y que constituye la materia prima de la industria del hierro y del acero.

arracacha. (Del quechua *racacha.*) f. Planta de América Meridional, de la familia de las umbelíferas, semejante a la chirivía, pero de raíz más larga y gruesa y muy exquisita. ‖ **2.** fig. *Col.* Sandez, salida de pie de banco.

arracachada. f. *Col.* **arracacha,** sandez.

arracacho, cha. (De *arracacha.*) adj. *Col.* Sandio, torpe, simple.

arracada. (Del ár. *al-qarrāṭ*, el pendiente.) f. Arete con adorno colgante.

arracimado, da. p. p. de **arracimarse.** ‖ **2.** adj. En racimo.

arracimarse. prnl. Unirse o juntarse algunas cosas en figura de racimo.

arraclán[1]**.** (De or. inc.) m. Árbol de la familia de las ramnáceas, sin espinas y de hojas ovales, enteras y con nervios laterales, flores hermafroditas y madera flexible, que da un carbón muy ligero.

arraclán[2]**.** m. *Ar.* y *Sal.* **escorpión,** alacrán.

-arrada. V. **-ada.**

arráez. (Del ár. *ar-ra'īs*, el jefe.) m. Caudillo o jefe árabe o morisco. ‖ **2.** Capitán de embarcación árabe o morisca. ‖ **3.** ant. *And.* Capitán o patrón de un barco. ‖ **4.** *Filip.* Capitán o patrón de un barco de poco porte. ‖ **5.** Jefe de todas las faenas que se ejecutan en la almadraba.

arraezar. (De *a-*[1] y *rahez.*) intr. ant. Dañarse, malearse alguna cosa, como los granos, comestibles, etc. Usáb. t. c. prnl.

arrafiz. (De etim. disc.) m. ant. Cardo comestible.

arragocés, sa. adj. **raguseo.**

arraigadas. (De *arraigar.*) f. pl. *Mar.* Cabos o cadenas para seguridad de las obencaduras de los masteleros.

arraigado, da. p. p. de **arraigar.** ‖ **2.** adj. Que posee bienes raíces. ‖ **3.** m. *Mar.* Amarradura de un cabo o cadena.

arraigadura. (De *arraigar.*) f. ant. Acción y efecto de arraigar.

arraigamiento. (De *arraigar.*) m. ant. **arraigo.**

arraigar. (Del lat. *ad*, a, y *radicāre.*) intr. Echar o criar raíces. Ú. t. c. prnl. ‖ **2.** fig. Hacerse muy firme un afecto, virtud, vicio, uso o costumbre. Ú. m. c. prnl. ‖ **3.** *Der.* Afianzar la responsabilidad a las resultas del juicio. Se usa así porque esta fianza suele hacerse con bienes raíces; pero también se puede hacer por medio de depósito en metálico o presentando fiador abonado. Ú. t. c. prnl. ‖ **4.** fig. Establecerse de manera permanente en un lugar, vinculándose a personas y cosas. Ú. t. c. prnl. ‖ **5.** tr. fig. Establecer, fijar firmemente una cosa. ‖ **6.** Fijar y afirmar a alguien en una virtud, vicio, costumbre, posesión, etc. ‖ **7.** *Amér.* Notificar judicialmente a la persona que no salga de la población, bajo cierta pena.

arraigo. m. Acción y efecto de arraigar o arraigarse. ‖ **2.** **bienes raíces.** Ú. m. en expresiones como estas: *hombre* o *persona de* ARRAIGO; *tener* ARRAIGO. ‖ **3.** V. **fianza de arraigo.**

arraiján. m. vulg. *And., Cuba* y *P. Rico.* **arrayán.**

-arrajo. V. **-ajo.**

arralar. (De *a-*[1] y *ralo.*) intr. **ralear,** hacerse rala una cosa. ‖ **2.** **ralear,** no granar la vid.

arramblar. (De *a-*[1] y *rambla.*) tr. Dejar los ríos, arroyos o torrentes cubierto de arena el suelo por donde pasan, en tiempo de avenidas. ‖ **2.** fig. Arrastrarlo todo, llevándoselo con violencia. ‖ **3.** fig. Recoger y llevarse codiciosamente todo lo que hay en algún lugar. Ú. t. c. intr. y con la prep. *con.* ‖ **4.** prnl. Quedarse el suelo cubierto de arena a causa de una avenida.

arramplar. tr. fam. **arramblar,** llevarse codiciosamente todo lo que hay en algún lugar. Ú. t. c. intr. y con la prep. *con.*

arranarse. (De *a-*[1] y *rana.*) prnl. *Cantabria.* Caer abriéndose de piernas. ‖ **2.** *Sal.* Sentarse en el suelo con las piernas entrecruzadas; ponerse en cuclillas. ‖ **3.** *And.* Apegarse al suelo. ‖ **4.** *And.* Caer de bruces.

arrancaclavos. m. Palanca de uña hendida y encorvada que se usa para arrancar clavos.

arrancada. (De *arrancar.*) f. Partida o salida violenta de una persona o animal. ‖ **2.** ant. Acometimiento, embestida. ‖ **3.** ant. **derrota,** vencimiento completo del enemigo. ‖ **4.** Comienzo del movimiento de una máquina o vehículo que se pone en marcha. ‖ **5.** Aumento repentino de velocidad en la marcha de un buque, automóvil u otro vehículo, o en la carrera de una persona o animal. ‖ **6.** *Mar.* La velocidad de un buque, cuando es notable. ‖ **7.** ant. *Mont.* Huella de la res que sale de su querencia. ‖ **de arrancada.** loc. adv. ant. **de vencida.**

arrancadera. (De *arrancar.*) f. Cencerro en forma de campana que llevan los mansos para levantar y guiar el ganado.

arrancadero. (De *arrancar.*) m. Punto desde donde se echa a correr. ‖ **2.** *Ar.* La parte más gruesa del cañón de la escopeta.

arrancado, da. p. p. de **arrancar.** ‖ **2.** adj. fig. y fam. Arruinado. ‖ **3.** *Blas.* Se dice del árbol o planta que descubre sus raíces, y también de la cabeza o miembro del animal que no están bien cortados. ‖ **4.** *Mar.* V. **boga arrancada.**

arrancador, ra. adj. Que arranca. Ú. t. c. s. ‖ **2.** f. Máquina agrícola para arrancar raíces.

arrancadura. f. Acción de arrancar.

arrancamiento. m. **arrancadura.**

arrancamoños. m. Fruto del **cadillo,** planta.

arrancapinos. (De *arrancar* y *pino*[1].) m. fig. y fam. Hombre de pequeño cuerpo.

arrancar. (De or. inc.) tr. Sacar de raíz. ARRANCAR *un árbol, una planta.* ‖ **2.** Sacar con violencia una cosa del lugar a que está adherida o sujeta, o de que forma parte. ARRANCAR *una muela, un clavo, un pedazo de traje.* ‖ **3.** Quitar con violencia. ‖ **4.** fig. Obtener o conseguir algo de una persona con trabajo, violencia o astucia. ‖ **5.** fig. Conseguir algo en fuerza del entusiasmo, admiración u otro afecto vehemente que se siente o se inspira. ‖ **6.** fig. Separar con violencia o con astucia a una persona de alguna parte, o de costumbres, vicios, etc. ‖ **7.** fig. Despedir o hacer salir la flema arrojándola; ú. t. referido a la voz, suspiros, etc. ‖ **8.** ant. Acometer, embestir. ‖ **9.** ant. **derrotar,** vencer, hacer huir al enemigo. ‖ **10.** *Mar.* Dar a una embarcación o buque mayor velocidad de la que lleva. ‖ **11.** intr. Partir de carrera para seguir corriendo. ‖ **12.** Iniciarse el funcionamiento de una máquina o el movimiento de traslación de un vehículo. Ú. t. c. tr. ‖ **13.** fam. Partir o salir de alguna parte. ‖ **14.** fig. y fam. Empezar a hacer algo de modo inesperado. ARRANCÓ *a cantar.* Ú. t. c. prnl. SE ARRANCÓ *por peteneras.* ‖ **15.** fig. Provenir, traer origen. ‖ **16.** *Arq.* Principiar el arco o la bóveda; empezar a formar su curvatura sobre el salmer o la imposta. ‖ **arrancársele** a alguien. fr. fig. *Cuba* y *Méj.* Acabársele el dinero a alguien. ‖ **2.** *Andes, Caribe* y *Méj.* Morirse.

arrancasiega. f. Acción de arrancar o segar las mieses no crecidas. ‖ **2.** fig. *Ar.* Riña o quimera en que unos y otros se dicen palabras injuriosas.

arranciarse. prnl. Enranciarse.

arranchadera. (De *arranchar*[2].) f. *Perú.* **rebatiña.**

arranchar[1]**.** (Del fr. *ranger.*) tr. *Mar.* Dicho de la costa o de un cabo, un bajo, etc., pasar muy cerca de ellos. ‖ **2.** *Mar.* Tratándose del aparejo de un buque, cazarlo y bracearlo todo lo posible. ‖ **3.** Disponer u ordenar cosas o efectos que no lo estaban.

arranchar[2]. (Cruce con *arrancar.*) tr. *Chile, Ecuad.* y *Perú.* Quitar violentamente algo a alguien.

arrancharse. (De *rancho,* vivienda campesina.) prnl. Juntarse en ranchos. Ú. t. c. intr. ‖ **2.** *Pan.* Domiciliarse en una casa, a título de amigo, pero con disgusto de sus dueños, y sin mostrar disposición a salir de ella. ‖ **3.** *Col.* y *Chile.* Negarse obstinadamente a hacer algo. ‖ **4.** *Méj.* y *Venez.* Acomodarse a vivir en algún sitio o alojarse en forma provisional. ‖ **5.** *Cuba.* Demorarse demasiado en un lugar.

arranchón. (De *arranchar[2].*) m. *Perú.* Acción y efecto de arranchar, quitar algo violentamente.

arranque. m. Acción y efecto de arrancar. ‖ **2.** V. **carbón de arranque.** ‖ **3.** fig. Ímpetu de cólera, piedad, amor u otro afecto. ‖ **4.** fig. Prontitud demasiada en alguna acción. ‖ **5.** fig. Ocurrencia viva o pronta que no se esperaba. ‖ **6.** fig. Pujanza, brío. Ú. m. en pl. ‖ **7.** Dispositivo que pone en marcha el motor de una máquina, especialmente de un vehículo automóvil. ‖ **8.** *Arq.* Principio de un arco o bóveda. ‖ **9.** *Hist. Nat.* Comienzo de un miembro o de una parte de un animal o vegetal. ‖ **estar en el arranque.** fr. fam. *Amér.* Estar arruinado, sin un céntimo.

arranquera. (De *arrancar.*) f. *Can.* y *Cuba.* Falta de dinero.

arrapar. (Del germ. *rapon,* quitar.) tr. Rapar o hurtar de un golpe.

arrapiezo. (despect. de *arrapo.*) m. **harapo,** andrajo. ‖ **2.** fig. y despect. Persona pequeña, de corta edad o humilde condición.

arrapo. m. **harapo,** andrajo. ‖ **2.** Pizca, pequeña cantidad.

arraquive. m. ant. **arrequive.**

¡arrarray! (De or. quechua.) *Ecuad.* interj. con que se expresa la sensación de calor o quemadura.

arras. (Del lat. *arrha,* y este del gr. ἀῤῥαβών.) f. pl. Lo que se da como prenda o señal en algún contrato o concierto. ‖ **2.** Las trece monedas que, al celebrarse el matrimonio, sirven para la formalidad de aquel acto, pasando de las manos del desposado a las de la desposada. ‖ **3.** *Der.* Donación que el esposo hacía a la esposa en remuneración de la dote o por sus cualidades personales, y la cual no podía exceder, en Castilla, de la décima parte, y en Navarra, de la octava de los bienes de aquel. ‖ **4.** Dote que entre los godos tenía muchos puntos de semejanza con esta donación.

Arrás. n. p. V. **paño de Arrás.**

arrasado, da. (De *raso.*) adj. De la calidad del raso, o parecido a él.

arrasadura. (De *arrasar.*) f. **rasadura.**

arrasamiento. m. Acción y efecto de arrasar.

arrasar. (De *a-[1]* y *rasar.*) tr. Allanar la superficie de alguna cosa. ‖ **2.** Echar por tierra, destruir. ‖ **3.** p. us. **rasurar.** ‖ **4.** Igualar con el rasero. ‖ **5.** Llenar de líquido una vasija hasta el borde. ‖ **6.** Llenar o cubrir los ojos de lágrimas. Ú. t. c. prnl. ‖ **7.** intr. Quedar el cielo despejado de nubes. Ú. t. c. prnl.

arrascar. tr. **rascar.** Ú. t. c. prnl.

arrastraculo. m. *Mar.* Vela pequeña que se largaba debajo de la botavara.

arrastradamente. adv. m. fig. y fam. Imperfecta o defectuosamente. ‖ **2.** fig. y fam. Con trabajo o escasez. ‖ **3.** fig. y fam. **infelizmente.**

arrastradera. f. *Mar.* Ala del trinquete.

arrastradero. m. Camino por donde se hace, en el monte, el arrastre de maderas. ‖ **2.** Sitio por donde se sacan arrastrando de la plaza de toros los animales muertos.

arrastradizo, za. (De *arrastrado.*) adj. Que se lleva o puede llevarse a rastra. ‖ **2.** Que ha sido trillado.

arrastrado, da. p. p. de **arrastrar.** ‖ **2.** adj. fig. y fam. Pobre, desastrado y azaroso; afligido de privaciones, molestias y trabajos. *Luciano trae una vida* ARRASTRADA. ‖ **3.** fig. y fam. Pícaro, tunante, bribón. Ú. t. c. s. ‖ **4.** Dícese del juego de naipes en que es obligatorio servir a la carta jugada. *Tute* ARRASTRADO.

arrastradura. f. ant. **arrastramiento.**

arrastramiento. m. Acción de arrastrar o arrastrarse.

arrastrante. p. a. de **arrastrar.** Que arrastra. ‖ **2.** m. El que arrastraba bayetas en las universidades.

arrastrapiés. m. Acción de ir arrastrando los pies por el suelo, como era costumbre en las antesalas de los grandes señores.

arrastrar. (De *a-[1]* y *rastrar.*) tr. Llevar a una persona o cosa por el suelo, tirando de ella. ‖ **2.** Llevar o mover rasando el suelo, o una superficie cualquiera. ‖ **3.** Aplicar fuerza a un mecanismo para producir un movimiento. ‖ **4.** Pasar una cantidad de una cuenta a otra que es la continuación de la anterior. ‖ **5.** fig. Impulsar un poder o fuerza irresistible. ‖ **6.** fig. Llevar uno tras sí, o traer a otro a su dictamen o voluntad. ‖ **7.** fig. Tener por consecuencia inevitable. ‖ **8.** fig. Llevar adelante o soportar algo penosamente. ‖ **9.** intr. Ir una cosa rasando el suelo y como barriéndolo, o pender hasta tocar el suelo. ‖ **10.** Ir de un punto a otro rozando con el cuerpo en el suelo. Ú. m. c. prnl. ‖ **11.** En varios juegos de naipes, jugar carta a que han de servir los demás jugadores. ‖ **12.** prnl. fig. Humillarse vilmente.

arrastre. m. Acción de arrastrar cosas que se llevan así de una a otra parte. Se usa especialmente tratándose de la conducción de madera desde el monte en que se cortó, hasta la orilla del agua o del camino. ‖ **2.** V. **pesca de arrastre.** ‖ **3.** Acción de arrastrar en los juegos de naipes. ‖ **4.** Acción de arrastrar bayetas en las universidades. ‖ **5.** *Min.* Talud o inclinación de las paredes de un pozo de mina. ‖ **6.** *Min. Méj.* Molino donde se pulverizan los minerales de plata que se benefician por amalgamación. ‖ **7.** *Taurom.* Acto de retirar del ruedo el toro muerto en lidia. ‖ **estar para el arrastre.** fr. fig. y fam. Hallarse en extremo decaimiento físico o moral.

arrastrero, ra. adj. Dícese del buque o del barco de arrastre. Ú. t. c. s. m.

arrate. (Del m. or. que *arrelde.*) m. Libra de 16 onzas.

arratonado, da. adj. Comido o roído de ratones.

arrayán. (Del ár. *ar-raiḥān,* el aromático, el mirto.) m. Arbusto de la familia de las mirtáceas, de dos a tres metros de altura, oloroso, con ramas flexibles, hojas opuestas, de color verde vivo, lustrosas, pequeñas, duras y persistentes, flores axilares, solitarias, pequeñas y blancas, y bayas de color negro azulado. ‖ **brabántico.** Mata de la familia de las mirtáceas, de seis a ocho decímetros de altura, con hojas lanceoladas y aserradas por su margen, y cuyo fruto es una baya que puesta a cocer arroja una sustancia semejante a la cera. ‖ **moruno.** El de hojas más pequeñas que el común.

arrayanal. m. Terreno poblado de arrayanes.

arrayano, na. (De *rayano.*) adj. *Sto. Dom.* Dícese del que vive en la zona fronteriza o es oriundo de ella. Ú. t. c. s.

arrayaz. m. **arráez.**

arraz. m. **arráez.**

arre. Voz que se emplea para estimular a las bestias. ‖ **2.** m. fam. Caballería ruin. ‖ **¡arre!** interj. que se usa para denotar que se desaprueba o rechaza algo. ‖ **¡arre allá!** exclam. fam. de desprecio o enfado, que se emplea para rechazar a alguno.

arreada. (De *arrear[1].*) f. desus. *Argent., Chile* y *Méj.* Robo de ganado. ‖ **2.** desus. *Argent.* y *Chile.* Acción y efecto de arrear[1] o llevarse violentamente el ganado. Por ext., ú. referido a las personas.

arreado, da. adj. *And.* y *Amér.* Flojo o cansado para el trabajo.

arreador. (De *arrear*[1].) m. Vareador de aceituna. ‖ **2.** Jornalero que acompaña al ganado de tránsito. ‖ **3.** *And.* Capataz de operarios del campo. ‖ **4.** *Argent., Col., Perú* y *Urug.* Látigo de mango corto y lonja larga, destinado a arrear.

arreala. f. Derecho que se pagaba por ciertos rebaños de la Mesta formados a reala.

arreamiento. (De *arrear*[2].) m. ant. **arreo**[1], adorno.

arrear[1]. (De *arre.*) tr. Estimular a las bestias para que echen a andar, o para que sigan caminando, o para que aviven el paso. ‖ **2.** Dar prisa, estimular. Ú. t. c. intr. ‖ **3.** desus. *Argent.* y *Méj.* Llevarse violenta o furtivamente ganado ajeno. ‖ **4.** intr. Ir, caminar de prisa. ‖ **5.** Con un complemento introducido por la prep. *con,* llevarse de manera violenta alguna cosa; a veces hurtarla o robarla. ‖ **6.** ant. Ejercer el oficio de arriero. ‖ **arrea.** expr. fam. que se emplea para meter prisa. ‖ **¡arrea!** interj. fam. **¡aprieta!** ‖ **2.** Denota vivamente pasmo o asombro.

arrear[2]. (Del lat. vulg. **arredare,* der. del gót. **rēdan,* proveer.) tr. Poner arreos, adornar, hermosear, engalanar.

arrear[3]. (De *arreo*[2].) tr. Dar seguidos tiros, golpes, etc. ‖ **2.** Por ext., pegar o dar un golpe o un tiro.

arrebañaderas. (De *arrebañar.*) f. pl. Ganchos de hierro destinados a sacar los objetos que se caen a los pozos.

arrebañador, ra. adj. **rebañador.** Ú. t. c. s.

arrebañadura. f. fam. **rebañadura.** ‖ **2.** pl. Residuos de alguna cosa, por lo común comestible, que se recogen arrebañando.

arrebañar. tr. **rebañar.**

arrebatacapas. m. V. **puerto de arrebatacapas.**

arrebatadamente. adv. m. Precipitada e impetuosamente. ‖ **2.** fig. Inconsiderada y violentamente.

arrebatadizo, za. adj. fig. Propenso a arrebatarse.

arrebatado, da. p. p. de **arrebatar.** ‖ **2.** adj. Precipitado e impetuoso. ‖ **3.** fig. Inconsiderado y violento. ‖ **4.** Dicho del color del rostro, muy encendido.

arrebatador, ra. adj. Que arrebata. Ú. t. c. s.

arrebatamiento. m. Acción de arrebatar o arrebatarse. ‖ **2.** fig. Furor, enajenamiento causado por la vehemencia de alguna pasión, y especialmente por la ira. ‖ **3.** **éxtasis.**

arrebatapuñadas. m. p. us. **matón.**

arrebatar. (De *a-*[1] y *rebatar.*) tr. Quitar o llevar tras sí con violencia y fuerza. ‖ **2.** fig. Atraer alguna cosa, como la vista, la atención etc. ‖ **3.** fig. Sacar de sí, conmover poderosamente excitando alguna pasión o afecto. Ú. t. c. prnl. ‖ **4.** Arrobar el espíritu. Ú. t. c. prnl. ‖ **5.** Referido a las mieses, agostarlas antes de tiempo el demasiado calor. Ú. t. c. prnl. ‖ **6.** prnl. Enfurecerse, dejarse llevar de alguna pasión, y especialmente de la ira. Por semejanza, ú. t. referido a los animales. ‖ **7.** Asarse o cocerse mal y precipitadamente un alimento por exceso de fuego.

arrebatarse. (De *arrebato*[2].) prnl. ant. Acudir la gente cuando tocan a rebato.

arrebatiña. (Del gall. *rebatiña.*) f. Acción de recoger arrebatada y presurosamente alguna cosa entre muchos que pretenden apoderarse de ella.

arrebato[1]. m. **arrebatamiento,** furor. ‖ **2.** **arrebatamiento,** éxtasis. ‖ **3.** *Bol.* Enfermedad súbita y grave. ‖ **arrebato y obcecación.** *Der.* Una de las circunstancias que atenúan la responsabilidad penal.

arrebato[2]. m. ant. **rebato.**

arrebatoso, sa. adj. Rápido, repentino, arrebatado.

arrebol[1]. (De *arrebolar.*) m. Color rojo de las nubes iluminadas por los rayos del Sol. ‖ **2.** Por ext., el mismo color en otros objetos y especialmente en el rostro de la mujer. ‖ **3.** Colorete. ‖ **4.** pl. **arrebolada.**

arrebol[2]. (Del dialect. *redol* y *ruedo.*) m. *Sal.* Ruedo o refuerzo de la falda.

arrebolada. (De *arrebol*[1].) f. Conjunto de nubes enrojecidas por los rayos del Sol.

arrebolar. (De etim. disc.; acaso de **arruborar.*) tr. Poner de color de arrebol[1]. Ú. m. c. prnl.

arrebolarse. prnl. *Sal.* Ensancharse las sayas o levantarse cuando sopla con fuerza el viento.

arrebolera. f. Salserilla o tacita en que se ponía el arrebol[1]. ‖ **2.** Mujer que vendía salserillas de arrebol[1]. ‖ **3.** **dondiego de noche.**

arrebollarse. prnl. *Ast.* Despeñarse, precipitarse.

arrebozar. tr. **rebozar.** Ú. t. c. prnl. ‖ **2.** fig. Ocultar, encubrir mañosamente. ‖ **3.** prnl. Arracimarse las abejas alrededor de la colmena, o las moscas o las hormigas en alguna parte. ‖ **arrebócese con ello.** fr. fam. **arrópese con ello.**

arrebozo. (De *arrebozar.*) m. **rebozo.**

arrebujadamente. adv. m. fig. Confusa o embozadamente; sin precisión ni claridad.

arrebujar. (De *a-*[1] y *rebujo*[1].) tr. Coger mal y sin orden alguna cosa flexible, como ropa, lienzo, etc. ‖ **2.** Cubrir bien y envolver con la ropa de la cama, arrimándola al cuerpo, o con alguna prenda de vestir de bastante amplitud, como una capa, un mantón, etc. Ú. m. c. prnl. ‖ **3.** Reburujar, revolver, enredar. Ú. m. c. prnl.

arrecadar. (Del lat. **recapitāre,* recoger.) tr. *Sal.* Guardar, poner a buen recaudo.

arreciar. (De *a-*[1] y *recio.*) tr. Dar fuerza y vigor. Ú. t. c. prnl. ‖ **2.** intr. Cobrar fuerza, vigor o gordura. ‖ **3.** Irse haciendo cada vez más recia, fuerte o violenta alguna cosa. ARRECIAR *la calentura, la cólera, la tempestad, el viento.* Ú. t. c. prnl. ‖ **4.** prnl. **arrecirse.**

arrecifar. tr. *And.* Empedrar un camino.

arrecife. (Del ár. *ar-raṣīf,* la calzada.) m. Calzada, camino afirmado o empedrado, y, en general, carretera. ‖ **2.** Afirmado o firme de un camino. ‖ **3.** Banco o bajo formado en el mar por piedras, puntas de roca o poliperos, principalmente madrepóricos, casi a flor de agua. ‖ **4.** *Sto. Dom.* Costa peñascosa, acantilado, farallón.

arrecir. (Del lat. **arrigescĕre,* de *arrigĕre,* atiesarse.) tr. defect. p. us. Hacer que alguien se entumezca por el frío. ‖ **2.** prnl. Entorpecerse o entumecerse por exceso de frío.

arrechar. intr. *Amér. Central* y *Méj.* Sobrar animación y brío. ‖ **2.** *Amér. Central* y *Méj.* Ponerse arrecha una persona.

arrechera. f. *Amér.* Condición del arrecho, celo. ‖ **2.** *Méj.* Antojo, capricho.

arrecho, cha. (Del lat. *arrectus,* p. p. de *arrigĕre,* enderezar.) adj. Tieso, erguido. ‖ **2.** Brioso, arrogante, diligente. ‖ **3.** Dícese de la persona excitada por el apetito sexual.

arrechuchar. (De *arrechucho.*) tr. **empujar.**

arrechucho. (De or. inc.) m. fam. **arranque,** ímpetu de cólera y prontitud excesiva. ‖ **2.** fam. Quebranto leve de salud.

arredilar. tr. Meter en redil.

arredo. adv. l. *Guat.* y *Méj.* Arredro. ‖ **arredo vaya.** expr. *Guat.* y *Méj.* **¡largo de aquí!**

arredomado, da. adj. **redomado.**

arredondar. (De *redondo.*) tr. ant. **arredondear.**

arredondear. tr. **redondear.** Ú. t. c. prnl.

arredor. (De *a-*[1] y *redor.*) adv. l. ant. **alrededor.**

arredramiento. m. Acción y efecto de arredrar o arredrarse.

arredrar. (De *arredro.*) tr. Apartar, separar. Ú. t. c. prnl. ‖ **2.** fig. Retraer, hacer volver atrás, por el peligro que ofrece o el temor que infunde la ejecución de alguna cosa. Ú. t. c. prnl. ‖ **3.** fig. Amedrentar, atemorizar. Ú. t. c. prnl.

arredro. (Del lat. *ad,* hacia, y *retro,* atrás.) adv. l. Atrás, detrás o hacia atrás.

arregazado, da. p. p. de **arregazar.** ‖ **2.** adj. fig. Que tiene la punta hacia arriba. *Nariz* ARREGAZADA.

arregazar. tr. Recoger las faldas hacia el regazo. Ú. m. c. prnl.

arregladamente. adv. m. Con sujeción a regla o con arreglo. ‖ **2. con arreglo a.** *Juan cumplió* ARREGLADAMENTE *lo que se le previno y mandó.* ‖ **3.** fig. Con orden y moderación.

arreglado, da. p. p. de **arreglar.** ‖ **2.** adj. Sujeto a regla. ‖ **3.** fig. Ordenado y moderado.

arreglador, ra. adj. Que arregla.

arreglamiento. (De *arreglar.*) m. ant. **reglamento.**

arreglar. tr. Reducir o sujetar a regla; ajustar, conformar. Ú. t. c. prnl. ‖ **2.** Componer, ordenar, concertar. ‖ **3.** Acicalar, engalanar. Ú. t. c. prnl. ‖ **4.** fam. En frases en futuro se usa como amenaza. *Ya te* ARREGLARÉ *yo.* ‖ **5.** *Mar.* Tratándose de los cronómetros, determinar su estado absoluto y su movimiento. ‖ **arreglárselas.** fr. fam. **componérselas.**

arreglo. m. Acción y efecto de arreglar o arreglarse. ‖ **2.** Regla, orden, coordinación. ‖ **3.** Avenencia, conciliación. ‖ **4.** fam. **amancebamiento.** ‖ **5.** Transformación de una obra musical para poder interpretarla con instrumentos o voces distintos a los originales. ‖ **de cuentas.** Acto de tomarse la justicia por su mano o vengarse. ‖ **parroquial.** Reforma de las categorías y demarcaciones de las parroquias de una diócesis. ‖ **con arreglo a.** loc. prepos. Conformemente, según.

arregostarse. (De *a-*[1] y el lat. *regustāre,* gustar.) prnl. Engolosinarse, aficionarse a alguna cosa.

arregosto. (De *arregostarse.*) m. fam. Gusto que se toma a una cosa, hecho ya costumbre.

arreísmo. (De *a-*[1], y el gr. ῥέω, fluir.) m. *Geogr.* Falta total de afluencia de aguas en un territorio por extrema escasez de lluvias o permeabilidad de suelo.

arrejacar. (De etim. disc.; cf. *arrejaque.*) tr. Dar a los sembrados, cuando ya tienen bastantes raíces, una labor, que consiste en romper la costra del terreno con azadilla, grada o rastra, a través de los surcos que se abrieron para sembrar el grano.

arrejaco. m. **vencejo,** pájaro.

arrejada. (De *a-*[1] y *rejada.*) f. **aguijada** del arado.

arrejaque. (Del ár. *ar-rašāq,* el tridente.) m. Garfio de hierro con tres puntas torcidas, que se usa en algunas regiones para pescar. ‖ **2. vencejo,** pájaro.

arrejerar. (De *a-*[1] y *rejera.*) tr. *Mar.* Sujetar la embarcación con dos anclas por la proa y una por la popa.

arrejonado, da. adj. *Bot.* Dícese de la hoja en forma de rejón.

arrela. f. ant. **arrelde.**

arrelde. (Del ár. *ar-riṭl,* la libra.) m. Peso de cuatro libras. Ú. t. c. f. ‖ **2.** Pesa de un **arrelde,** usada principalmente para pesar carne.

arrellanarse. (De *a-*[1] y *rellano.*) prnl. Ensancharse y extenderse en el asiento con toda comodidad. ‖ **2.** fig. Encontrarse a gusto en un lugar o empleo.

arremangado, da. p. p. de **arremangar.** ‖ **2.** adj. fig. Levantado o vuelto hacia arriba.

arremangar. tr. **remangar.** Ú. t. c. prnl.

arremango. m. **remango.**

arrematar. tr. fam. Rematar, dar fin a una cosa.

arremedador, ra. (De *arremedar.*) adj. ant. **remedador.**

arremedar. (Del lat. *ad,* a, y *re-imitāri.*) tr. **remedar.**

arremembrar. tr. ant. **remembrar.** Usáb. t. c. prnl.

arremetedero. (De *arremeter.*) m. *Mil.* Lugar por donde puede atacarse una plaza fuerte.

arremetedor, ra. adj. Que arremete. Ú. t. c. s.

arremeter. (De *a-*[1] y *remeter.*) tr. desus. Hacer al caballo arrancar con ímpetu. ‖ **2.** intr. Acometer con ímpetu y furia. ‖ **3.** Precipitarse a realizar una acción. ‖ **4.** fig. y fam. Chocar, disonar u ofender a la vista alguna cosa. ‖ **5.** prnl. ant. Meterse con ímpetu, acometer. ‖ **6.** ant. Ponerse, arrogarse algún título o dignidad.

arremetida. f. Acción de arremeter.

arremetimiento. m. **arremetida.**

arremolinadamente. adv. m. Apiñada, amontonadamente.

arremolinarse. (De *remolino.*) prnl. fig. Amontonarse o apiñarse desordenadamente. Se usa referido a la gente, las aguas, el polvo, etc.

arrempujar. tr. desus. y hoy vulg. **empujar.**

arrempujón. m. vulg. **empujón.**

arremueco. (De *mueca.*) m. desus. **arrumaco,** adorno. Ú. en América.

arremuesco. m. ant. **arrumaco.** Ú. en Colombia.

arrendable. adj. Que puede o suele arrendarse[1].

arrendación. f. **arrendamiento.**

arrendadero. (De *arrendar*[2].) m. Anillo de hierro con una armella que se clava en madera o en la pared, y sirve para atar las caballerías en los pesebres por las riendas o por el ramal de la cabezada.

arrendado, da. p. p. de **arrendar**[2]. ‖ **2.** adj. Se dice de las caballerías que obedecen a la rienda.

arrendador[1]**, ra.** m. y f. Persona que da o toma en arrendamiento alguna cosa.

arrendador[2]**, ra.** adj. Que sabe arrendar[2] un caballo. Ú. t. c. s. ‖ **2.** m. **arrendadero.**

arrendajo. (De *arrendar*[3].) m. Ave del orden de las paseriformes, parecida al cuervo, pero más pequeña, de color gris morado, con moño ceniciento, de manchas oscuras y rayas transversales de azul, cuya intensidad varía desde el celeste al de Prusia, en las plumas de las alas. Abunda en Europa, habita en los bosques espesos y se alimenta principalmente de los frutos de diversos árboles. Destruye los nidos de algunas aves canoras, cuya voz imita para sorprenderlas con mayor seguridad, y aprende también a repetir tal cual palabra. ‖ **2.** Ave americana del orden de las paseriformes, de color negro brillante, el pico de igual color, ribeteado de amarillo, y los ojos también negros con un círculo gualdo. Este mismo color tiene en el extremo superior de las alas, en el vientre y muslos y en el arranque de la cola. Una vez domesticada, puede vivir suelta y entrar por sí misma en la jaula. Su canto es hermoso, y tiene la particularidad de remedar la voz de otros animales. Cuelga su nido, en forma de botella, en las ramas delgadas de los árboles más altos. ‖ **3.** fig. y fam. Persona que remeda las acciones o palabras de otra. ‖ **4.** fig. Remedo o copia imperfecta de una cosa. ‖ **ser uno el arrendajo** de otro. fr. fig. y fam. desus. Parecérsele mucho físicamente.

arrendamiento. m. Acción de arrendar[1]. ‖ **2.** Contrato por el cual se arrienda. ‖ **3.** Precio en que se arrienda. ‖ **4.** *Der.* V. **contrato de arrendamiento.**

arrendar[1]**.** (De *a-*[1] y *renda,* renta.) tr. Ceder o adquirir por precio el goce o aprovechamiento temporal de cosas, obras o servicios.

arrendar[2]**.** (De *a-*[1] y *rienda.*) tr. Atar y asegurar por las riendas una caballería. ‖ **2.** Enseñar al caballo a que obedezca a la rienda. ‖ **3.** fig. **sujetar.** ‖ **4.** *Ál., Ast., Gal.* y *Cuba.* **acollar.**

arrendar[3]**.** (De *arremedar.*) tr. p. us. Remedar la voz o las acciones de alguno.

arrendatario, ria. (De *arrendar*[1].) adj. Que toma en arrendamiento alguna cosa. *Compañía* ARRENDATARIA. Apl. a pers., ú. t. c. s.

arrendaticio, cia. adj. *Der.* Perteneciente o relativo al arrendamiento.

arrentado, da. adj. ant. Decíase de quien tenía o gozaba rentas copiosas.

arreo[1]**.** (De *arrear*[2].) m. Atavío, adorno. ‖ **2.** pl. Guarniciones o jaeces de las caballerías de montar o de tiro. ‖ **3.** Adherentes o cosas menudas que pertenecen a otra principal o se usan con ella.

arreo[2]**.** (Del cat. *arreu*, seguido, y este del lat. **arredare*.) adv. t. Sucesivamente, sin interrupción.

arreo[3]**.** m. *Argent., Chile, Par.* y *Urug.* Acción y efecto de separar una tropa de ganado y conducirla a otro lugar.

arrepanchigarse. prnl. fam. **repantigarse.**

arrepápalo. (De *repápalo*.) m. Fruta de sartén, especie de buñuelo.

arrepasarse. prnl. fam. **repasar,** volver a pasar. Usáb. solo en el juego llamado **arrepásate** *acá compadre.*

arrepentida. f. Mujer que se arrepiente de su vida anterior y se encierra en clausura o monasterio fundado para este fin, a vivir religiosamente y en comunidad.

arrepentimiento. (De *arrepentirse*.) m. Pesar de haber hecho alguna cosa. ‖ **2.** *Pint.* Enmienda o corrección que se advierte en la composición y dibujo de los cuadros y pinturas. ‖ **activo.** *Der.* El que manifiesta el reo en actos encaminados a disminuir o reparar el daño de un delito, o a facilitar su castigo. Es circunstancia atenuante.

arrepentirse. (De *a-*[1] y *repentirse*.) prnl. Pesarle a alguien haber hecho o haber dejado de hacer alguna cosa. ‖ **2.** Cambiar de opinión o no ser consecuente con un compromiso.

arrepiso, sa. (De *a-*[1] y *repiso*[2].) p. p. irreg. desus. de **arrepentirse.**

arrepistar. (De *a-*[1], *re* y *pistar*.) tr. Picar y moler el trapo con que se fabrica la pasta del papel de tina.

arrepisto. m. Acción de arrepistar.

arrepticio, cia. (Del lat. *arreptitĭus*.) adj. Endemoniado o espiritado.

arrequesonarse. (De *a-*[1] y *requesón*.) prnl. Cortarse la leche.

arrequife. (Del ár. *ar-rikāb*, [con imela], el soporte, el estribo.) m. Cada una de las dos palomillas de hierro que en el almarrá van sujetas a las extremidades de la empuñadura y mantienen el cilindro paralelo a ella.

arrequín. m. *Amér.* Persona que no se separa de otra para ayudarla o acompañarla. ‖ **2.** *Amér.* Animal que guía la recua.

arrequintar. tr. *Amér.* Apretar fuertemente con cuerda o vendaje.

arrequive. (Del ár. *ar-rakīb*, lo inserto, lo sobrepuesto.) m. Labor o guarnición que se ponía en el borde del vestido, como hoy el ribete o galoncillo que se echa al canto. ‖ **2.** pl. fam. Adornos o atavíos. *Juana iba con todos sus* ARREQUIVES. ‖ **3.** fig. y fam. Cincunstancias o requisitos.

arrestado, da. p. p. de **arrestar.** ‖ **2.** adj. Audaz, arrojado.

arrestar. (Del lat. *ad*, a, y *restāre*, quedar.) tr. Detener, poner preso. Hoy se usa más comúnmente en la milicia. ‖ **2.** p. us. **arriesgar.** ‖ **3.** prnl. Determinarse, resolverse, y por ext., arrojarse a una acción o empresa ardua.

arresto. m. Acción de arrestar. ‖ **2.** Detención provisional del presunto reo. ‖ **3.** Reclusión por un tiempo breve, como corrección o pena. ‖ **4.** Arrojo o determinación para emprender una cosa ardua. Ú. en pl. en determinadas frases como: *tener* ARRESTOS *para algo.* ‖ **mayor.** Pena de privación de libertad desde un mes y un día hasta seis meses. ‖ **menor.** Pena de igual índole que la anterior y de duración de uno a treinta días que en ciertos casos se puede cumplir en el mismo domicilio del reo.

arretín. (De or. inc.; cf. *ratina*.) m. **filipichín.**

arretranca. f. **retranca.**

arrevesado, da. adj. **revesado,** intrincado.

arrevistar. tr. Dar carácter de revista a una obra de teatro lírica. Ú. m. en p. p. *Zarzuela* ARREVISTADA.

arrevolvedor. (De *arrevolver*.) m. ant. **gusano revoltón.**

arrevolver. tr. ant. **revolver.** Ú. en Andalucía y Colombia.

arrezafe. (De etim. disc.) m. p. us. **cardal.**

arrezagar. (Metát. de *arregazar*.) tr. **arremangar.** Ú. t. c. prnl. ‖ **2.** Alzar, mover de abajo arriba. ARREZAGAR *el brazo.*

arria. (De *arre*.) f. **recua.** ‖ **2.** V. **aguja de arria.**

arriacense. (De *Arriaca*, antigua ciudad de la España romana.) adj. Natural de Guadalajara, ciudad española. Ú. t. c. s. ‖ **2.** Perteneciente o relativo a esta ciudad.

arriada[1]**.** (De *a-*[1] y *río*.) f. **riada.**

arriada[2]**.** f. *Mar.* Acción y efecto de arriar.

arriado, da. p. p. de **arriar.** ‖ **2.** m. **arriada**[2].

arrial. m. **arriaz.**

arriamiento. m. Acción y efecto de arriar[1].

arrianismo. m. Herejía de los arrianos.

arriano, na. adj. Dícese del hereje partidario de Arrio, que, a diferencia de los cristianos, negaba la consustancialidad del Verbo. Ú. m. c. s. ‖ **2.** Perteneciente o relativo al arrianismo.

arriar[1]**.** tr. *Mar.* Bajar las velas, las banderas, etc., que estén en lo alto. ‖ **2.** *Mar.* Aflojar o soltar un cabo, cadena, etc.

arriar[2]**.** (De *a-*[1] y *río*.) tr. Inundar, arroyar. ‖ **2.** prnl. Inundarse por una avenida algún lugar.

arriata. f. **arriate.**

arriate. (Del ár. *ar-riyāḍ*, los jardines.) m. Era estrecha y dispuesta para tener plantas de adorno junto a las paredes de los jardines y patios. ‖ **2.** Calzada, camino o paso. ‖ **3.** **encañado**[2], enrejado de cañas.

arriaz. (Del ár. *ar-riyās*, el puño de la espada, el extremo de la vaina.) m. Gavilán de espada. ‖ **2.** Por ext., puño de la espada.

arriba. (Del lat. *ad ripam*, a la orilla.) adv. l. A lo alto, hacia lo alto. ‖ **2.** En lo alto, en la parte alta. ‖ **3.** En lugar anterior o que está antes de otro; pero denotando superioridad, ya real, ya imaginaria. ‖ **4.** En dirección hacia lo que está más alto, respecto de lo que está más bajo. *Cuesta* ARRIBA. ‖ **5.** En los escritos, antes o antecedentemente. ‖ **6.** Con voces expresivas de cantidades o medidas de cualquier especie, denota exceso indeterminado. *De mil pesetas* ARRIBA; *No tiene* ARRIBA *de treinta años.* ‖ **7.** ant. **adelante,** más allá y hacia la parte opuesta a otra. ‖ **¡arriba!** Voz que se emplea para excitar a alguno a que apure una bebida, a que se levante, a que suba, etc. ‖ **2.** En frases exclamativas sin verbo, equivale a **¡viva!** ARRIBA *el Mallorca.* ‖ **arriba de.** loc. *Méj.* Encima de. ‖ **de arriba.** loc. fig. De Dios. *Venir* DE ARRIBA *una cosa.* ‖ **de arriba abajo.** loc. adv. Del principio al fin, de un extremo a otro. *Rodar una escalera* DE ARRIBA ABAJO. ‖ **2.** Con desdén, con aire de superioridad. *Mirar a alguien* DE ARRIBA ABAJO.

arribada. f. Acción de arribar, llegar la nave al puerto de destino. ‖ **2.** Acción de fondear la nave en otro puerto por un peligro, necesidad, etc. ‖ **3.** *Mar.* Bordada que da un buque, dejándose ir con el viento. ‖ **forzosa.** *Der.* Accidente del comercio marítimo, cuyas formalidades y consecuencias jurídicas determina la ley. ‖ **de arribada.** loc. adv. *Mar.* Denota la acción de dirigirse o llegar la nave por algún motivo a puerto que no es el de su destino.

arribaje. (De *arribar*.) m. Acción de arribar la nave al puerto.

arribar. (Del lat. **arripāre*, de *ripa*, orilla.) intr. Llegar la nave a un puerto. ‖ **2.** Llegar por tierra a cualquier parte. Ú. t. c. prnl. ‖ **3.** fig. y fam. Convalecer, ir recobrando la salud o reponiendo la hacienda. ‖ **4.** fig. y fam. Llegar a conseguir lo que se desea. ‖ **5.** *Mar.* Dejarse ir con el viento. ‖ **6.** *Mar.* Girar el buque abriendo el ángulo que forma la dirección de la quilla con la del viento. ‖ **7.** tr. ant. Llevar o conducir.

arribazón. (De *arribar.*) f. Gran afluencia de peces a las costas y puertos en determinadas épocas.

arribeño, ña. (De *arriba.*) adj. *Amér.* Aplícase por los habitantes de las costas, al que procede de las tierras altas. Ú. t. c. s.

arribes. amb. pl. *Sal.* Pendientes escarpadas a ambos lados de los ríos Duero y Águeda.

arribista. (Del fr. *arriviste.*) com. Persona que progresa en la vida por medios rápidos y sin escrúpulos.

arribita. adv. l. d. fam. de **arriba.**

arribo. (De *arribar.*) m. **llegada.**

arribota. adv. l. vulg. aum. de **arriba,** en la parte alta.

arricés. (Del ár. *ar-rizār*, los cierres.) m. Cada una de las dos hebillas con que se sujetan a la silla de montar las aciones de los estribos.

arricesa. f. **arricés.**

arricete. m. **restinga.**

arridar. (Del lat. *ad*, a, y *rigidāre*, poner rígido.) tr. *Mar.* Tratándose de jarcias, etc., **tesar.**

arriedro. adv. l. ant. **arredro.**

arriendo. (De *arrendar*[1].) m. **arrendamiento.**

arriería. f. Oficio o ejercicio de arriero.

arriero. (De *arre.*) m. El que trajina con bestias de carga.

arriesgado, da. p. p. de **arriesgar.** ‖ **2.** adj. Aventurado, peligroso. ‖ **3.** Osado, imprudente, temerario.

arriesgar. tr. Poner a riesgo. Ú. t. c. prnl.

arriesgón. m. Acción y efecto de arriesgar.

arrife. m. *Bad.* Cerro pequeño cuya cumbre está formada de pizarras o canchos. ‖ **2.** *Can.* Terreno poco productivo, pedregoso y enriscado, por lo común de poca extensión.

arrigirse. (Del lat. *arrigĕre*, enderezar, erizar.) prnl. p. us. **arrecirse.**

arrima. (De *arrimar.*) f. ant. Juego de las bochas[1].

arrimadero. m. Cosa en que se puede estribar o a que se puede arrimar.

arrimadillo. m. Estera o tela a modo de friso que, arrimada a la pared o clavada en ella, se pone en una habitación. ‖ **2.** Juego de muchachos que consiste en lanzar contra la pared canicas, monedas, estampitas, etc. Gana el que lanzó el objeto que queda más cerca de la pared.

arrimadizo, za. adj. Aplícase a lo que está hecho de propósito para arrimarlo a alguna parte. ‖ **2.** fig. Dícese del que interesadamente se arrima o pega a otro. Ú. t. c. s. ‖ **3.** m. ant. Puntal o estribo para sostener un edificio.

arrimado, da. p. p. de **arrimar.** ‖ **2.** m. y f. *Amér.* Persona que vive en casa ajena, a costa o al amparo de su dueño. ‖ **3.** *P. Rico.* Persona que mediante la concesión de un pedazo de tierra donde tiene su casa, siembra en parte para sí y en parte para el dueño de la propiedad.

arrimador. (De *arrimar.*) m. Tronco o leño grueso que se pone en las chimeneas para apoyar en él otros al quemarlos.

arrimadura. (De *arrimar.*) f. Acción de arrimar o arrimarse.

arrimar. (De or. inc.) tr. Acercar o poner una cosa junto a otra. Ú. t. c. prnl. ‖ **2.** fig. Con nombres expresivos de cosas materiales, dejar o abandonar la profesión, ejercicio, etc., simbolizados por ellas. ARRIMAR *el bastón* (dejar o abandonar el mando); ARRIMAR *los libros* (dejar o abandonar el estudio). ‖ **3.** fig. **arrinconar,** privar a alguien de su cargo, no hacer caso de él. ‖ **4.** fig. y fam. Con nombres que expresan golpes, daño o con nombres de instrumentos o armas, ajecutar la acción significada por estos nombres. ARRIMAR *un bofetón, un palo, un tiro.* ‖ **5.** prnl. Apoyarse o estribar sobre alguna cosa, como para descansar o sostenerse. ‖ **6.** Agregarse, juntarse a otros, haciendo un cuerpo con ellos. ‖ **7.** Amancebarse. ‖ **8.** fig. Acogerse a la protección de alguien o de algo, valerse de ella. ‖ **9.** fig. Acercarse al conocimiento de alguna cosa. ARRIMARSE *al punto de la dificultad.* ‖ **10.** *Taurom.* Torear o intentar torear en terreno próximo al toro.

arrime. (De *arrimar.*) m. En el juego de las bochas[1], parte o sitio muy inmediato o arrimado al boliche o bolín.

arrimo. m. Acción de arrimar o arrimarse. ‖ **2.** Proximidad, cercanía. ‖ **3.** Apoyo, sostén. ‖ **4.** Ayuda, auxilio. ‖ **5.** Apego, afición, inclinación. ‖ **6.** Pared medianera. ‖ **7.** *Cuba* y *Sto. Dom.* Derecho establecido en favor de un colindante para apoyar su edificación en pared ajena medianera o en una cerca o vallado de otro predio. ‖ **al arrimo de.** loc. adv. En las proximidades de alguna persona o cosa. ‖ **2.** Al amparo de alguien o de algo.

arrimón. m. El que está aguardando en la calle durante mucho tiempo, arrimado a la pared. ‖ **2. arrimadizo,** que interesadamente se arrima a otro. ‖ **estar de arrimón.** fr. fam. Estar largo tiempo en acecho, arrimado a alguna parte. ‖ **hacer el arrimón.** fr. fam. Ir arrimándose a las paredes por no poderse tener bien en pie a causa de la embriaguez. ‖ **2.** fam. Estar los gigantones arrimados a una pared.

arrincada. (De *arrincar.*) f. ant. **arrancada.**

arrincar. tr. ant. **arrancar.** ‖ **2.** ant. Echar, ahuyentar.

arrinconado, da. p. p. de **arrinconar.** ‖ **2.** adj. Apartado, retirado, distante del centro. ‖ **3.** fig. Desatendido, olvidado.

arrinconamiento. (De *arrinconar.*) m. Recogimiento o retiro.

arrinconar. tr. Poner alguna cosa en un rincón o lugar retirado. ‖ **2.** Estrechar a una persona hasta que halle obstáculo para seguir retrocediendo. Ú. t. en sent. fig. ‖ **3.** fig. Privar a alguien del cargo, confianza o favor que gozaba; desatenderlo, no hacer caso de él. ‖ **4.** fig. **arrimar,** abandonar una profesión o ejercicio. ‖ **5.** prnl. fig. y fam. Retirarse del trato de las gentes.

arriñonado, da. adj. De figura de riñón.

arriostrar. tr. **riostrar.**

arriscadamente. adv. m. Con atrevimiento y osadía.

arriscado, da. p. p. de **arriscar.** ‖ **2.** adj. Formado o lleno de riscos. *Monte* ARRISCADO; *altura* ARRISCADA. ‖ **3.** Atrevido, resuelto. ‖ **4.** Ágil, gallardo, libre en la apostura o en la manera de presentarse o de caminar. Dícese de personas y animales. ‖ **5.** *Col., Chile* y *Méj.* Remangado, respingado, vuelto hacia arriba.

arriscador, ra. m. y f. Persona que recoge la aceituna que se cae de los olivos al tiempo de varearlos.

arriscamiento. (De *arriscar.*) m. Atrevimiento, ímpetu denodado, resolución vigorosa.

arriscar. (De *a-*[1] y *risco.*) tr. **arriesgar.** Ú. t. c. prnl. ‖ **2.** p. us. **enriscar.** Ú. t. c. prnl. ‖ **3.** prnl. Despeñarse las reses por los riscos en las fragosidades del monte. ‖ **4.** fig. Encresparse, enfurecerse, alborotarse.

arrisco. (De *arriscar.*) m. **riesgo.**

arritar. tr. Gritar al ganado el pastor con la voz *rite.*

arritmia. (De *a-*[2], y el gr. ϱυθμός, ritmo.) f. Falta de ritmo regular. ‖ **2.** *Fisiol.* Irregularidad y desigualdad en las contracciones del corazón.

arrítmico, ca. adj. Perteneciente o relativo a la arritmia.

arritranca. f. **retranca.**

arrizar. (De *rizo*[2].) tr. *Mar.* **tomar rizos.** ‖ **2.** *Mar.* Colgar alguna cosa en el buque, de modo que resista los balances y movimientos. ‖ **3.** Entre la gente de mar, atar o asegurar a alguien.

-arro. V. **-rro.**

arroaz. m. **delfín**[1], cetáceo.

arroba. (Del ár. *ar-rub'*, la cuarta parte [del quintal].) f. Peso equivalente a 11 kilogramos y 502 gramos. ‖ **2.** En Aragón, peso equivalente a 12 kilogramos y medio. ‖ **3.** Pesa de una **arroba.** ‖ **4.** Medida de líquidos que varía de peso según las provincias y los mismos líquidos. ‖ **echar por arrobas.** fr. fig. y fam. Abultar y ponderar mucho las cosas. ‖ **por arrobas.** loc. adv. fig. **a montones.**

arrobadera. f. Traílla, especialmente la de menor tamaño, apropiada para efectuar pequeños movimientos de tierra previamente removida.

arrobadizo. adj. Que finge o suele arrobarse.

arrobado, da. p. p. de **arrobar**[2]. ‖ **2.** m. ant. Peso por arrobas. ‖ **por arrobado.** loc. adv. ant. Por arrobas o al por mayor.

arrobador[1]**, ra.** (De *arrobar*[1].) adj. Que causa arrobamiento.

arrobador[2]**.** m. ant. El que arroba[2].

arrobal. adj. *And.* Que puede contener una arroba.

arrobamiento. m. Acción de arrobar o arrobarse[1], enajenarse, quedar fuera de sí. ‖ **2. éxtasis.**

arrobar[1]**.** (De *a-*[1] y *robar.*) tr. **embelesar.** ‖ **2.** ant. **robar,** quitar por la fuerza. ‖ **3.** prnl. Enajenarse, quedar fuera de sí.

arrobar[2]**.** tr. ant. Pesar o medir por arrobas.

arrobda. (Del ár. *ar-rubṭ.*) f. ant. **robda**[2].

arrobeño, ña. adj. *And.* **arrobal.**

arrobero, ra. adj. De una arroba de peso o poco más o menos. ‖ **2.** m. y f. p. us. Persona que hace pan y surte de él a una comunidad.

arrobeta. f. *Ar.* Medida de aceite, de 24 libras, a diferencia de la arroba, que es de 36.

arrobo. (De *arrobar*[1], enajenarse.) m. **arrobamiento,** éxtasis.

arrocabe. (Del ár. *ar-rukkāb,* los montantes.) m. Maderamen colocado en lo alto de los muros de un edificio para ligar a estos entre sí y con la armadura que han de sostener. ‖ **2.** Adorno a manera de friso.

arrocado, da. adj. De figura de rueca. ‖ **2.** V. **manga arrocada.**

arrocero, ra. adj. Perteneciente o relativo al arroz. ‖ **2.** V. **molino arrocero.** ‖ **3.** m. y f. Persona que cultiva arroz.

arrocinado, da. p. p. de **arrocinar.** ‖ **2.** adj. Parecido al rocín. Dícese comúnmente de los caballos.

arrocinar. (De *a-*[1] y *rocín.*) tr. fig. y fam. **embrutecer.** Ú. t. c. prnl. ‖ **2.** prnl. fig. y fam. Enamorarse ciegamente.

arrodajarse. (De *a-*[1] y *rodaja.*) prnl. *C. Rica.* Sentarse con las piernas cruzadas, al estilo de los orientales.

arrodalado, da. adj. Manchado de rodales.

arrodeamiento. (De *arrodear.*) m. ant. Turbación, mareo de cabeza.

arrodear. intr. **rodear.** Ú. t. c. tr.

arrodelar. tr. p. us. Resguardar a alguien con rodela. ‖ **2.** prnl. Cubrirse con rodela.

arrodeo. (De *arrodear.*) m. **rodeo.**

arrodillada. f. *Sal.* y *Chile.* Genuflexión, arrodillamiento.

arrodilladura. f. **arrodillamiento.**

arrodillamiento. m. Acción de arrodillar o arrodillarse.

arrodillar. tr. Hacer que alguien hinque la rodilla o ambas rodillas. ‖ **2.** intr. Ponerse de rodillas. Ú. m. c. prnl.

arrodrigar. (De *a-*[1] y *rodrigar.*) tr. *Agr.* **arrodrigonar.**

arrodrigonar. tr. *Agr.* Poner rodrigones a las vides.

arrogación. (Del lat. *arrogatĭo, -ōnis.*) f. Acción y efecto de arrogar o arrogarse.

arrogador, ra. (Del lat. *arrogātor, -ōris.*) adj. Que se arroga alguna cosa. Ú. t. c. s.

arrogancia. (Del lat. *arrogantĭa.*) f. Calidad de arrogante, altanero, valiente y gallardo.

arrogante. (Del lat. *arrŏgans, -antis.*) p. a. de **arrogar.** Que arroga. ‖ **2.** adj. Altanero, soberbio. ‖ **3.** Valiente, alentado, brioso. ‖ **4.** Gallardo, airoso.

arrogar. (Del lat. *arrogāre.*) tr. *Der.* Adoptar o recibir como hijo al huérfano o al emancipado. ‖ **2.** prnl. Atribuirse, apropiarse. Se usa referido a cosas inmateriales, como jurisdicción, facultad, etc.

arrojadizo, za. (De *arrojado.*) adj. Que se puede fácilmente arrojar o tirar. ‖ **2.** V. **arma arrojadiza.** ‖ **3.** ant. fig. **arrojado,** resuelto, osado.

arrojado, da. p. p. de **arrojar**[1]. ‖ **2.** adj. fig. Resuelto, osado, intrépido, imprudente, inconsiderado. ‖ **3.** m. pl. *Germ.* Calzones o zaragüelles.

arrojador, ra. adj. Que arroja[1].

arrojamiento. (De *arrojar*[1].) m. ant. fig. **arrojo.**

arrojar[1]**.** (Del lat. **rotulāre,* de *rotŭlus,* rodillo.) tr. Impeler con violencia una cosa, de modo que recorra una distancia, movida del impulso que ha recibido. ‖ **2. echar,** hacer que alguna cosa vaya a parar a alguna parte. ‖ **3. echar,** despedir de sí. ‖ **4. echar,** hacer que una cosa caiga de un sitio determinado. ‖ **5. echar,** hacer salir a uno de algún lugar. ‖ **6. echar,** deponer a alguien de su cargo. ‖ **7. echar,** brotar las plantas. ‖ **8.** fig. Tratándose de cuentas, documentos, etc., presentar, dar de sí como consecuencia o resultado. ‖ **9.** fam. **vomitar** la comida. ‖ **10.** prnl. Precipitarse, dejarse ir con violencia de alto a bajo. ARROJARSE *al mar, por una ventana.* ‖ **11.** Ir violentamente hacia una persona o cosa hasta llegar a ella. SE ARROJÓ *a Pedro para matarle;* SE ARROJÓ *a las llamas para salvar a Miguel.* ‖ **12.** fig. Resolverse a emprender o hacer alguna cosa sin reparar en sus dificultades o riesgos. ‖ **arrojar** uno **de sí** a otro. fr. fig. Despedirle con enojo.

arrojar[2]**.** (De *a-*[1] y *rojo.*) tr. *Ast.* Calentar el horno hasta enrojecerlo.

arroje. m. Cada uno de los hombres que en los teatros se arrojaban desde el telar para hacer que con el peso de su cuerpo subiese el telón, a cuyas cuerdas iban sujetos o asidos. ‖ **2.** pl. Sitio del telar desde donde se arrojaban estos hombres.

arrojo. (De *arrojar*[1].) m. fig. Osadía, intrepidez.

arrollable. adj. Que se puede arrollar.

arrollado, da. p. p. de **arrollar**[1]. ‖ **2.** m. *Argent., Chile, Perú* y *Urug.* Carne de vaca o puerco que, cocida y aderezada, se acomoda en rollo formado de la piel cocida del mismo animal. ‖ **3.** *Argent.* Fiambre, matambre envuelto en forma de rollo. ‖ **4.** *Argent.* **brazo de gitano,** pieza de repostería.

arrollador, ra. adj. Que arrolla.

arrollamiento[1]**.** m. Acción y efecto de arrollar[1]. ‖ **2.** *Fís.* **bobina,** circuito eléctrico.

arrollamiento[2]**.** (De *arrollar*[2].) m. ant. **arrullo** de la paloma.

arrollar[1]**.** (Del lat. **rotulāre,* de *rotŭlus,* rodillo.) tr. Envolver una cosa de tal suerte que resulte en forma de rollo lo que antes la tenía plana y extendida. ‖ **2.** Dar vueltas en un mismo sentido a un hilo, alambre, papel, etc. para fijarlo sobre un eje o carrete. ‖ **3.** Llevar rodando la violencia del agua o del viento alguna cosa sólida. ARROLLAR *las piedras, los árboles.* ‖ **4.** Atropellar un vehículo a una persona, animal o cosa. ‖ **5.** fig. Desbaratar o derrotar al enemigo. ‖ **6.** fig. Atropellar, no hacer caso de leyes, respetos ni otros miramientos ni inconvenientes. ‖ **7.** fig. Vencer, dominar, superar. ‖ **8.** fig. Confundir una persona a otra, dejándola sin poder replicar, en controversia o disputa verbal o por escrito.

arrollar[2]**.** (De la onomat. *ro,* sobre el modelo de *aullar* y *maullar.*) tr. fig. Cunear, dormir al niño meciéndolo en la cuna o en los brazos.

arromadizar. tr. Causar romadizo. ‖ **2.** prnl. Contraer romadizo.

arromanzar. tr. Poner en romance o traducir de otro idioma al castellano.

arromar. tr. Poner roma alguna cosa. Ú. t. c. prnl.
arromper. tr. fam. Romper o roturar.
arrompido, da. p. p. de **arromper.** ‖ **2.** m. **rompido,** tierra que se rompe para cultivarla.
arrompimiento. m. ant. Acción de arromper.
-arrón. V. **-ón**[1].
arronjar. tr. desus. **arrojar**[1], impeler con violencia.
arronquecer. intr. ant. **enronquecer.**
arronzar. tr. *Mar.* **ronzar** una cosa pesada. ‖ **2.** ant. *Mar.* **levar anclas.** ‖ **3.** intr. *Mar.* Caer el buque demasiado a sotavento.
arropamiento. m. Acción y efecto de arropar[1] o arroparse.
arropar[1]. tr. Cubrir o abrigar con ropa. Ú. t. c. prnl. ‖ **2.** Por ext., cubrir, abrigar. ‖ **3.** *And.* Cubrir la vid injertada con un montoncito de tierra para preservarla de la acción del calor y del frío. ‖ **4.** Rodear o cercar los cabestros a las reses bravas para conducirlas. ‖ **arrópate, que sudas.** loc. irón. que se dice del que, habiendo trabajado poco, aparenta estar muy cansado. ‖ **arrópese con ello.** fr. fam. con que se rechaza despectivamente lo que a uno le dan. Ú. también el verbo en otros tiempos. *Bien se puede* ARROPAR CON ELLO.
arropar[2]. tr. Echar arrope al vino.
arrope. (Del ár. *ar-rurb,* el jugo de frutas cocido.) m. Mosto cocido hasta que toma consistencia de jarabe, y en el cual suelen echarse trozos de calabaza u otra fruta. ‖ **2.** *Extr.* y *Mancha.* Almíbar de miel cocida y espumada. ‖ **3.** *Farm.* Jarabe concentrado hecho con miel blanca y que contiene alguna sustancia vegetal y medicinal. ARROPE *de moras, de granada, de saúco.* ‖ **4.** *Argent.* Dulce hecho con la pulpa de algunas frutas, hervida lentamente hasta que adquiere consistencia de jalea. ARROPE *de tuna;* ARROPE *de chañar,* etc.
arropera. f. Vasija para arrope.
arropía. (De *arrope.*) f. **melcocha.**
arropiero, ra. m. y f. Persona que hace o vende arropía.
arroscar. tr. ant. **enroscar.** Usáb. t. c. prnl.
arrostrado, da. p. p. de **arrostrar.** ‖ **2.** adj. **agestado.** Ú. con los advs. *bien* o *mal.*
arrostrar. (De *a-*[1] y *rostro.*) tr. Hacer cara, resistir, sin dar muestras de cobardía, a las calamidades o peligros. ‖ **2.** Sufrir o tolerar a una persona o cosa desagradable. Ú. t. c. intr. ‖ **3.** prnl. Atreverse, arrojarse a batallar rostro a rostro con el contrario.
arrotado, da. adj. *Chile.* Dícese de la persona que tiene aire o modales de roto, persona de la clase baja. Ú. t. c. s.
arroto, ta. (Del lat. *eruptus.*) p. p. irreg. de **arromper.** ‖ **2.** m. *León.* Porción de terreno recién roturado para dedicarlo al cultivo de cereales.
arrotura. (De *arroto.*) f. ant. **arrompido,** tierra que se rompe para cultivarla.
arroyada. (De *arroyar.*) f. Valle por donde corre un arroyo. ‖ **2.** Corte, surco o hendedura producida en la tierra por el agua corriente. ‖ **3.** Crecida de un arroyo e inundación consiguiente a ella.
arroyadero. m. **arroyada,** valle por donde corre un arroyo. ‖ **2. arroyada,** surco o hendedura producida en la tierra por el agua.
arroyamiento. m. Erosión difusa, producida por las aguas, que no llega a formar una red de ríos o arroyos. ‖ **2.** Acción y efecto de la **arroyada,** crecida de un río o arroyo.
arroyar. tr. Formar la lluvia arroyadas, o hendeduras en la tierra. Ú. m. c. prnl. ‖ **2.** Formar arroyos.
arroyarse. prnl. Contraer roya las plantas.
arroyato. m. ant. **arroyo,** caudal corto de agua.
arroyo. (De la voz hisp. *arrugia,* galería de mina y arroyo.) m. Caudal corto de agua, casi continuo. ‖ **2.** Cauce por donde corre. ‖ **3.** V. **sopa de arroyo.** ‖ **4.** Parte de la calle por donde suelen correr las aguas. ‖ **5.** Por ext., **calle,** vía en poblado. ‖ **6.** fig. Afluente o corriente de cualquier cosa líquida. ARROYOS *de lágrimas, de sangre.* ‖ **7.** *Amér. Merid.* Río navegable de corta extensión. ‖ **plantar,** o **poner,** a alguien **en el arroyo.** fr. fig. y fam. **plantar,** o **poner en la calle.**
arroyuela. (De *arroyo,* por criarse junto a ellos.) f. **salicaria.**
arroyuelo. m. d. de **arroyo.**
arroz. (Del ár. *ar-ruz* o *ar-ruzz.*) m. Planta anual propia de terrenos muy húmedos. Tiene por fruto un grano oval rico en almidón. ‖ **2.** Fruto de esta planta. ‖ **arroz y gallo muerto.** expr. fam. con que festivamente se pondera la esplendidez de una comida o banquete, aludiendo a los de las aldeas. Ú. m. con los verbos *haber* y *tener.*
arrozal. m. Tierra sembrada de arroz.
arruar. (De etim. disc.) intr. *Mont.* Dar el jabalí cierto gruñido cuando huye viéndose perseguido.
arruchar. (De *ruche.*) tr. **pelar,** dejar sin dinero.
arrufadía. (De *arrufar.*) f. ant. **engreimiento.**
arrufado, da. (De *a-*[1] y *rufo*[1].) adj. ant. **arrufianado.**
arrufadura. (De *arrufar.*) f. *Mar.* Curvatura que hacen las cubiertas, cintas, galones y bordas de los buques, levantándose más, respecto de la superficie del agua, por la popa y proa que por el centro.
arrufaldado, da. p. p. de **arrufaldarse.** ‖ **2.** adj. Levantado y arremangado; dicho del sombrero, levantado de ala.
arrufaldarse. prnl. ant. Arrufarse, envalentonarse. Ú. en Murcia.
arrufar. (De etim. disc.) tr. ant. Encoger o arquear. ‖ **2.** Instigar, azuzar. ‖ **3.** *Mar.* Dar arrufo al buque en su construcción. ‖ **4.** intr. *Mar.* Hacer arrufo. ‖ **5.** prnl. ant. Gruñir los perros hinchando el hocico y las narices y enseñando los dientes. ‖ **6.** ant. Envanecerse, ensoberbecerse.
arrufianado, da. adj. Parecido al rufián en las costumbres, modales u otras cualidades. ‖ **2.** Dícese también de las mismas cualidades en que consiste esta semejanza.
arrufo. (De *arrufar.*) m. *Mar.* **arrufadura.**
arruga. (De *arrugar.*) f. Pliegue que se hace en la piel, ordinariamente por efecto de la edad. ‖ **2.** Pliegue deforme o irregular que se hace en la ropa o en cualquier tela o cosa flexible.
arrugable. adj. Que forma arrugas con el uso.
arrugación. f. **arrugamiento.**
arrugamiento. m. Acción y efecto de arrugar o arrugarse.
arrugar. (Del lat. *irrugāre,* arrugar.) tr. Hacer arrugas. Ú. t. c. prnl. ‖ **2.** V. **media de arrugar.** ‖ **3.** Con el complemento directo *frente, ceño, entrecejo,* y siendo el sujeto nombre de persona, mostrar en el semblante ira o enojo. ‖ **4.** prnl. **encogerse.** ‖ **5.** *Germ.* Huir, escaparse.
arrugia. (Voz española y latinizada, según Plinio, *Hist. Nat.,* 33, 70.) f. Excavación subterránea que hacían los antiguos mineros españoles para producir el hundimiento de las tierras de aluvión que, sometidas después al lavado, daban el oro. ‖ **2.** Mina de oro.
arruinado, da. p. p. de **arruinar.** ‖ **2.** adj. *Amér. Merid.* y *Méj.* Enclenque, enfermizo.
arruinador, ra. adj. Que arruina. Ú. t. c. s.
arruinamiento. m. Acción y efecto de arruinar o arruinarse.
arruinar. tr. Causar ruina. Ú. t. c. prnl. ‖ **2.** fig. Destruir, ocasionar grave daño. Ú. t. c. prnl.
arrullador, ra. adj. Que arrulla. Ú. t. c. s.
arrullar. (De la onomat. *ru,* sobre el modelo de *aullar* y *maullar.*) tr. Atraer con arrullos el palomo o el tórtolo a la hembra,

o al contrario. ‖ **2.** fig. Adormecer al niño con arrullos. ‖ **3.** Por ext., adormecer un sonido o ruido. ‖ **4.** fig. y fam. Decir palabras dulces y halagüeñas los enamorados. Ú. t. c. prnl.

arrullo. (De *arrullar.*) m. Canto grave y monótono con que se enamoran las palomas y las tórtolas. ‖ **2.** fig. Habla dulce y halagüeña con que se enamora a una persona. ‖ **3.** fig. Cantarcillo grave y monótono para adormecer a los niños. ‖ **4.** fig. Susurro y también todo ruido que sirve para arrullar.

arruma. (De *arrumar.*) f. *Mar.* División que se hace en la bodega de un buque para colocar la carga.

arrumaco. (De *remoque.*) m. fam. Demostración de cariño hecha con gestos o ademanes. Ú. m. en pl. ‖ **2.** fam. Adorno o atavío estrafalario.

arrumaje. (De *arrumar.*) m. *Mar.* Distribución y colocación de la carga en un buque.

arrumar. (Del neerl. *ruim,* espacio, lugar.) tr. *Mar.* Distribuir y colocar la carga en un buque. ‖ **2.** prnl. *Mar.* Cargarse de nubes el horizonte.

arrumazón. f. *Mar.* Acción y efecto de arrumar. ‖ **2.** *Mar.* Conjunto de nubes en el horizonte.

arrumbación. f. Conjunto de faenas que efectúan en las bodegas los arrumbadores. ‖ **2.** *Mar.* Acción de **arrumbar**[2], fijar el rumbo de una nave.

arrumbada. f. *Mar.* Corredor que tenían las galeras en la parte de proa a una y otra banda, en el que se colocaban los soldados para hacer fuego.

arrumbador, ra. adj. Que arrumba[1]. Ú. t. c. s. ‖ **2.** m. Obrero que en las bodegas efectúa la operación de sentar las botas y las de trasegar, cabecear y clarificar los vinos. ‖ **3.** Obrero portuario que efectúa el apilado de las mercancías en los muelles y almacenes y los que las cargan desde los muelles a los camiones, vagones y otros medios de transporte.

arrumbamiento. (De *arrumbar*[2].) m. **rumbo**[1], dirección en el horizonte. ‖ **2.** *Geol.* Dirección que adoptan las formaciones o los accidentes geológicos.

arrumbar[1]**.** (De un cruce entre *arrimar* y *arrumar.*) tr. Poner una cosa como inútil en un lugar retirado o apartado. ‖ **2.** Desechar, abandonar o dejar fuera de uso. ‖ **3.** fig. Arrollar a alguien en la conversación, obligándole a callar. ‖ **4.** fig. **arrinconar** a alguien, no hacerle caso.

arrumbar[2]**.** (De *a-*[1] y *rumbo.*) tr. *Mar.* Determinar la dirección que sigue una costa para establecerla en la carta hidrográfica en su verdadera posición. ‖ **2.** *Mar.* Hacer coincidir dos o más objetos en una sola marcación o arrumbamiento. ‖ **3.** intr. *Mar.* Fijar el rumbo a que se navega o a que se debe navegar. ‖ **4.** prnl. *Mar.* **marcarse.**

arrumueco. (De *remoque.*) m. p. us. **arrumaco.** Ú. m. en pl.

arrunflar. (De *a-*[1] y *runfla.*) tr. En los juegos de naipes, juntar muchas cartas de un mismo palo. Ú. m. c. prnl.

arruruz. (Del ing. *arrow root,* raíz de flecha, porque se emplea para curar las heridas de flechas emponzoñadas.) m. Fécula que se extrae de las raíces y tubérculos de algunas plantas tropicales.

arrusticado, da. p. p. de **arrusticar.** ‖ **2.** adj. Que participa de las cualidades de lo rústico.

arrusticar. tr. Dar a alguna persona o cosa cualidades de rústico. ‖ **2.** prnl. Adquirir tales cualidades.

arrutar. (De *rutar*[1].) tr. Espantar los pájaros.

arrutinar. tr. Convertir en rutina lo que se acostumbra o repite. Ú. t. c. prnl.

arsafraga. f. **berrera.**

arsenal. (Del it. *arsenale,* del m. or. que *dársena* y *atarazana.*) m. Establecimiento militar o particular en que se construyen, reparan y conservan las embarcaciones, y se guardan los pertrechos y géneros necesarios para equiparlas. ‖ **2.** Depósito o almacén general de armas y otros efectos de guerra. ‖ **3.** fig. Conjunto o depósito de noticias, datos, etc. *Esa obra es el* ARSENAL *de donde Antonio saca sus noticias.*

arseniato. m. *Quím.* Sal formada por la combinación del ácido arsénico con una base.

arsenical. adj. *Quím.* Perteneciente al arsénico. ‖ **2.** *Quím.* Que contiene arsénico. ‖ **3.** *Quím.* V. **pirita arsenical.**

arsénico. (Del lat. *arsenĭcum,* y este del gr. ἀρσενικόν, de ἄρσην, varonil, macho.) adj. *Quím.* V. **ácido arsénico.** ‖ **2.** m. *Quím.* Metaloide de color, brillo y densidad semejantes a los del hierro colado; agrio y volatilizable a un calor de 300 grados, sin fundirse. Los ácidos producidos por combinación del oxígeno con este metaloide son venenos violentos. Núm. atómico 33. Símb.: *As.* ‖ **3.** *Quím.* **anhídrido arsenioso.** ‖ **amarillo. oropimente.** ‖ **blanco. anhídrido arsenioso.** ‖ **rojo. rejalgar.**

arsenioso. adj. *Quím.* V. **ácido, anhídrido arsenioso.**

arsenito. m. *Quím.* Sal formada por la combinación del ácido arsenioso con una base.

arseniuro. m. *Quím.* Combinación del arsénico con otro cuerpo simple.

arsolla. f. **arzolla.**

arta. f. **plantaina.** ‖ **de agua. zaragatona.** ‖ **de monte.** Planta perenne de la familia de las plantagináceas, de tallo corto y leñoso, hojas lanceoladas, vellosas y blanquecinas, escapos afelpados y flores en espiga, pequeñas y blancas. Se cría en parajes áridos.

ártabro, bra. adj. Dícese del habitante de una región galaica que se extendía desde el puerto de Camariñas hasta los cabos Ortegal y de Vares, y desde el mar hasta las sierras de Montemayor y la Faladora. Ú. t. c. s. ‖ **2.** Perteneciente a esta región.

artado. adj. **arctado.**

artal. m. ant. Especie de empanada.

artalejo. m. d. de **artal.**

artalete. m. d. de **artal.**

artanica. f. **artanita.**

artanita. (De etim. disc.) f. **pamporcino.**

artar. (Del lat. *arctāre,* apretar, estrechar.) tr. ant. *Ar.* **precisar.**

arte. (Del lat. *ars, artis.*) amb. Virtud, disposición y habilidad para hacer alguna cosa. ‖ **2.** Acto o facultad mediante los cuales, valiéndose de la materia, de la imagen o del sonido, imita o expresa el hombre lo material o lo inmaterial, y crea copiando o fantaseando. ‖ **3.** Conjunto de preceptos y reglas necesarios para hacer bien alguna cosa. ‖ **4.** desus. Libro que contiene los preceptos de la gramática latina. ‖ **5.** Cautela, maña, astucia. ‖ **6.** V. **mujer del arte.** ‖ **7.** Con los adjetivos *buen* o *mal* antepuestos, buena o mala disposición personal de alguien. ‖ **8.** Aparato que sirve para pescar. ‖ **9.** V. **copla de arte mayor.** ‖ **10.** V. **verso de arte menor.** ‖ **11.** *Mancha.* **noria** para sacar agua. ‖ **12.** pl. Lógica, física y metafísica. *Curso de* ARTES. ‖ **13.** V. **licencia de artes.** ‖ **14.** V. **bachiller, maestro en artes.** ‖ **abstracto.** Modalidad artística peculiar de nuestro tiempo, caracterizada por la transmisón de la idea o sentimiento del artista, desligado, en mayor o menor medida, de asociaciones tangibles. ‖ **angélico.** Medio por el cual se suponía supersticiosamente que con el auxilio del ángel de la guarda o de otro ángel bueno podía adquirir el hombre la sabiduría por infusión. ‖ **bella.** Cualquiera de las que tienen por objeto expresar la belleza. Se da más ordinariamente esta denominación a la pintura, la escultura, la arquitectura y la música. Ú. m. en pl. con el calificativo antepuesto. *Academia de* BELLAS ARTES. ‖ **cisoria.** La de trinchar. ‖ **conceptual.** Movimiento artístico surgido hacia el final de la década de 1960 que, restando importancia a la obra de **arte** en cuanto objeto material o resultado meritorio de una ejecución, hace hincapié, en cambio, en el concepto o idea del proceso artístico. ‖ **decorativa.** La pintura o la escultura en cuanto no crean obras independientes, sino subordinadas al embellecimiento de edificios. ‖ **de los espíritus. arte angélico.** ‖ **de maestría mayor.** Artificio rítmico usado antiguamente, y el cual consiste en repetir los mismos consonantes en todas las coplas o estrofas de una composición. ‖ **de maestría media.** El mismo artificio, con la sola diferencia de poderse variar una rima en cada copla o estrofa. ‖ **figurativo.** El que consiste en la representación artística de objetos existentes en la realidad. ‖ **liberal.** Cualquiera de las que principalmente requieren el ejercicio del entendimiento. Ú. m. en pl. ‖ **2.** Antiguamente, cada una de las disciplinas que componían el trivio y el cuadrivio. ‖ **mecánica.** Cualquiera de aquellas en que principalmente se necesita el trabajo manual o el uso de máquina. ‖ **metálica. metálica.** ‖ **métrica. métrica.** ‖ **militar.** Conjunto de preceptos y reglas para la creación, organización, sostenimiento, progreso y empleo de las instituciones armadas de los Estados. ‖ **noble. arte bella.** ‖ **notoria.** Medio por el cual se suponía supersticiosamente que con ayunos, confesiones y otras ceremonias podía el hombre adquirir la sabiduría por infusión. ‖ **plumaria.** La que imita pinturas mediante plumas de colores adheridas a un plano; como se practicaba en Méjico antes de la conquista. ‖ **poética. poética,** tratado de las reglas de la poesía. ‖ **popular.** El realizado por artistas, generalmente anónimos, con base no académica, sino fundada en la tradición. ‖ **servil. arte mecánica.** ‖ **tormentaria.** La de las armas de guerra. ‖ **artes marciales.** Conjunto de antiguas técnicas de lucha de Extremo Oriente, que hoy se practican como deporte. Ú. t. en sing. ‖ **de arte que.** loc. adv. ant. **de suerte que.** ‖ **de mal arte.** loc. adv. En mal estado o disposición. ‖ **malas artes.** Medios o procedimientos reprobables de los que se vale alguien para conseguir algún fin. ‖ **no ser, o no tener, arte ni parte en** alguna cosa. fr. No intervenir en ella de ningún modo. ‖ **por arte de birlibirloque, o de encantamiento.** loc. fam. con que se denota haberse hecho una cosa por medios ocultos y extraordinarios. ‖ **por arte del diablo.** expr. fig. Por vía o medio que parece fuera del orden natural.

artefacto. (Del lat. *arte factus,* hecho con arte.) m. Obra mecánica hecha según arte. ‖ **2.** Máquina, aparato. ‖ **3.** despect. Máquina, mueble, y en general, cualquier objeto de cierto tamaño. ‖ **4.** Cualquier carga explosiva, como mina, petardo, granada, etc. ‖ **5.** En los experimentos biológicos, formación producida exclusivamente por los reactivos empleados y perturbadora de la recta interpretación de los resultados obtenidos. ‖ **6.** *Med.* En el trazado de un aparato registrador, toda variación no originada por el órgano cuya actividad se desea registrar.

artejo. (Del lat. *articŭlus,* d. de *artus,* artejo, nudo.) m. **nudillo** de los dedos. ‖ **2.** *Zool.* Cada una de las piezas articuladas entre sí de que se forman los apéndices de los artrópodos.

artellería. f. ant. Conjunto de máquinas, ingenios o instrumentos de que se servían antiguamente en la guerra para combatir alguna plaza o fortaleza.

artemisa. (De *artemisia.*) f. Planta olorosa de la familia de las compuestas, de tallo herbáceo, empinado, que crece hasta un metro de altura; hojas hendidas en gajos agudos, lampiños y verdes por encima, blanquecinos y tomentosos por el envés, y flores de color blanco amarillento, en panojas. Es medicinal. ‖ **2. matricaria.** ‖ **3.** Planta americana de la familia de las compuestas, de metro y medio de altura, de tallo estriado, hojas parecidas a las de la **artemisa** común, y flores verdes y amarillentas. Es medicinal. ‖ **bastarda. milenrama.** ‖ **pegajosa.** Especie muy parecida a la común, pero de cabezuelas más pequeñas, tallos estriados y hojas glutinosas.

artemisia. (Del lat. *artemisĭa,* y este del gr. ἀρτεμισία, de Ἄρτεμις, Diana.) f. **artemisa.**

artera. (Del gr. ἄρτος, pan.) f. Instrumento de hierro con que cada uno marca su pan antes de enviarlo a un horno común.

arteria. (Del lat. *arterĭa,* y este del gr. ἀρτηρία.) f. Cada uno de los vasos que llevan la sangre desde el corazón a las demás partes del cuerpo. ‖ **2.** fig. Calle de una población, a la cual afluyen muchas otras. ‖ **celiaca.** *Anat.* La que lleva la sangre al estómago y otros órganos abdominales. ‖ **coronaria.** *Anat.* Cada una de las dos que nacen de la aorta y dan ramas que se distribuyen por el corazón. ‖ **emulgente.** *Anat.* Cada una de las que llevan la sangre a los riñones. ‖ **ranina.** *Anat.* La que da ramas que se distribuyen por la parte anterior de la lengua. ‖ **subclavia.** *Anat.* Cada una de las dos que, partiendo del tronco braquiocefálico, a la derecha, y del cayado de la aorta, a la izquierda, corren hacia el hombro respectivo, y al pasar por debajo de la clavícula cambian su nombre por el de **arteria axilar.**

artería. (De *artero.*) f. Amaño, astucia que se emplea para algún fin. Hoy se toma siempre en mal sentido.

arterial. adj. Perteneciente o relativo a las arterias.

arterioesclerosis. f. *Pat.* **arteriosclerosis.**

arteriografía. (Del gr. ἀρτηρία, arteria, y *-grafía.*) f. Descripción de las arterias. ‖ **2.** Fotografía obtenida por los rayos X de una o varias arterias, hechas previamente opacas por la inyección de una sustancia no transparente a dichos rayos.

arteriola. f. Arteria pequeña.

arteriología. (Del gr. ἀρτηρία, arteria, y *-logía.*) f. Parte de la anatomía, que trata de las arterias.

arteriosclerósico, ca. adj. **arteriosclerótico.**

arteriosclerosis. (Del gr. ἀρτηρία, arteria, y σκλήρωσις, endurecimiento.) f. *Pat.* Endurecimiento de las arterias.

arteriosclerótico, ca. adj. Perteneciente o relativo a la arteriosclerosis. ‖ **2.** Que padece arteriosclerosis. Ú. t. c. s.

arterioso, sa. adj. **arterial.** ‖ **2.** Abundante en arterias. ‖ **3.** V. **conducto arterioso.**

arteritis. (De *arteria,* e *-itis.*) f. *Pat.* Inflamación de las arterias.

artero, ra. (De *arte,* cautela, astucia.) adj. Mañoso, astuto. Hoy se toma siempre en mal sentido.

artesa. (De or. inc.) f. Cajón cuadrilongo, por lo común de madera, que por sus cuatro lados va angostando hacia el fondo. Sirve para amasar el pan y para otros usos.

artesanado. m. **artesanía,** clase social de artesanos. ‖ **2.** Actividad, ocupación u oficio del artesano.

artesanal. adj. **artesano,** perteneciente o relativo a la artesanía.

artesanía. f. Clase social constituida por los artesanos. ‖ **2.** Arte u obra de los artesanos.

artesano, na. (Del it. *artigiano.*) adj. Perteneciente o relativo a la artesanía. ‖ **2.** m. y f. Persona que ejercita un arte u oficio meramente mecánico. Modernamente se distingue con este nombre al que hace por su cuenta objetos de uso doméstico imprimiéndoles un sello personal, a diferencia del obrero fabril.

artesiano, na. (Del b. lat. *Artesiānus,* y este del lat. *Artesĭa,* Artois.) adj. Natural del Artois. Ú. t. c. s. ‖ **2.** Perteneciente a esta antigua provincia de Francia. ‖ **3.** V. **agua artesiana.** ‖ **4.** V. **pozo artesiano.**

artesilla. (d. de *artesa.*) f. Cajón de madera que en las norias sirve de recipiente al agua que vierten los arcaduces. ‖ **2.** Juego que consistía en que un hombre pasase corriendo a caballo por debajo de una artesa pequeña llena de agua, golpeándola en la parte inferior de tal manera que el agua cayera por detrás sin mojar al caballo ni al caballero.

artesón. m. Recipiente de base redonda o cuadrada que regularmente sirve en las cocinas para fregar. ‖ **2.** *Arq.* Elemento constructivo poligonal, cóncavo, moldurado y con adornos, que dispuesto en serie constituye el artesonado. ‖ **3.** *Arq.* **artesonado,** techo adornado con artesones.

artesonado, da. adj. *Arq.* Adornado con artesones. ‖ **2.** m. *Arq.* Techo, armadura o bóveda formado con artesones de madera, piedra u otros materiales.

artesonar. tr. Hacer artesones en un techo.

artesuela. f. d. de **artesa.**

artético, ca. (Del lat. *arthritĭcus,* y este del gr. ἀρθριτικός.) adj. Dícese del que padece dolores en las articulaciones. ‖ **2.** Dícese también de estos mismos dolores. ‖ **3.** V. **gota artética.**

artica. f. *Ar.* **artiga.**

ártico, ca. (Del lat. *arctĭcus,* y este del gr. ἀρκτικός.) adj. *Astron.* y *Geogr.* V. **polo ártico.** ‖ **2.** *Astron.* y *Geogr.* Perteneciente, cercano o relativo al polo **ártico.** *Tierras* ÁRTICAS.

articulación. (Del lat. *articulatĭo, -ōnis.*) f. Acción y efecto de articular o articularse. ‖ **2.** Unión entre dos piezas rígidas que permite el movimiento relativo entre ellas. ‖ **3.** Pronunciación clara y distinta de las palabras. ‖ **4.** *Bot.* Especie de coyuntura que forma en las plantas la unión de una parte con otra distinta de la cual puede desgajarse; como la unión del aguijón o de la rama con el tallo o el tronco, del pecíolo con la rama, etc. ‖ **5.** *Bot.* Nudo a manera de soldadura en algunas partes de ciertas plantas; como la caña o tallo de las gramíneas. ‖ **6.** *Gram.* Posición y movimiento de los órganos de la voz para la pronunciación de una vocal o consonante. ‖ **7.** *Anat.* Unión de un hueso u órgano esquelético con otro, ya sea del dermatoesqueleto o del neuroesqueleto. ‖ **artificial.** Juego de los órganos orales, con emisión o sin emisión de sonidos, empleado por los sordomudos para darse a entender. ‖ **universal.** *Mec.* La que transmite la rotación entre dos árboles cuyos ejes pueden formar entre sí cualquier ángulo.

articuladamente. adv. m. Con pronunciación clara y distinta.

articulado, da. p. p. de **articular.** ‖ **2.** adj. Que tiene articulaciones. ‖ **3.** V. **tuya articulada.** ‖ **4.** *Zool.* Decíase del animal cuyo exoesqueleto está formado de piezas que se articulan unas con otras; como el de los insectos, los arácnidos y los crustáceos. Ú. t. c. s. ‖ **5.** m. Conjunto o serie de los artículos de un tratado, ley, reglamento, etc. ‖ **6.** *Der.* Conjunto o serie de los medios de prueba que propone un litigante. ‖ **7.** pl. *Zool.* Uno de los grandes grupos de la antigua clasificación zoológica, que comprendía los animales **articulados.**

articulador, ra. adj. Que articula.

articular[1]**.** (Del lat. *articulāris,* de *articŭlus,* artejo, nudo.) adj. Perteneciente o relativo a la articulación o a las articulaciones.

articular[2]**.** (Del lat. *articulāre,* de *articŭlus,* juntura.) tr. Unir dos piezas de modo que mantengan entre sí alguna libertad de movimiento rotatorio o deslizante. Ú. t. c. prnl. ‖ **2.** Pronunciar las palabras clara y distintamente. ‖ **3.** Colocar los órganos de la voz en la forma que requiere la pronunciación de cada sonido. ‖ **4.** *Der.* Proponer medios de prueba o preguntas para los litigantes o los testigos.

articulario, ria. (Del lat. *articularĭus.*) adj. **articular**[1]**.**

articulatorio, ria. adj. *Gram.* Perteneciente o relativo a la articulación de los sonidos del lenguaje. *Canal* ARTICULATORIO, *movimiento* ARTICULATORIO.

articulista. com. Persona que escribe artículos para periódicos o publicaciones análogas.

artículo. (Del lat. *articŭlus.*) m. **artejo.** ‖ **2.** Una de las partes en que suelen dividirse los escritos. ‖ **3.** Cada una de las divisiones de un diccionario encabezada con distinta palabra. ‖ **4.** Cada una de las disposiciones numeradas de un tratado, ley, reglamento, etc. ‖ **5.** Cualquiera de los escritos de mayor extensión que se insertan en los periódicos u otras publicaciones análogas. ‖ **6.** Mercancía, cosa con que se comercia. ‖ **7.** ant. **dedo** de la mano o del pie. ‖ **8.** ant. Punto, asunto, cuestión. ‖ **9.** ant. **arte,** cautela, maña, astucia. ‖ **10.** *Der.* Cuestión incidental en un juicio. ‖ **11.** *Der.* Cualquiera de las probanzas, o párrafo distinto de un interrogatorio. ‖ **12.** *Gram.* Parte de la oración, que sirve principalmente para denotar la extensión en que ha de tomarse el nombre al cual se antepone. ‖ **adicional.** Cada uno de los que al final de una ley, regulan la implantación, alcance y vigencia de ella. ‖ **de comercio.** Cosa comerciable. ‖ **de fe.** Verdad que se debe creer como revelada por Dios, y propuesta, como tal, por la Iglesia. ‖ **de fondo.** El que en los periódicos políticos se inserta en lugar preferente, por lo común sin firma, y trata temas de actualidad con arreglo al criterio de la redacción. ‖ **de la muerte.** Último estado o tiempo de la vida, próximo a la muerte. ‖ **de previo pronunciamiento.** *Der.* El incidente que, mientras se decide, paraliza la tramitación del asunto principal. ‖ **de primera necesidad.** Cualquiera de las cosas más indispensables para el sostenimiento de la vida; como el agua, el pan, etc. ‖ **definido** o **determinado.** *Gram.* El que principalmente sirve para limitar la extensión del nombre a un objeto ya consabido del que habla y de aquel a quien se dirige la palabra. Tiene en singular las formas *el, la, lo,* según el género, y en plural, *los, las.* ‖ **genérico, indefinido** o **indeterminado.** *Gram.* El que se antepone al nombre para indicar que este se refiere a un objeto no consabido del que habla ni del que escucha. Es en singular *un, una,* y en plural, *unos, unas.* ‖ **formar artículo.** fr. *Der.* Introducir la cuestión incidental llamada **artículo** para que sobre ella recaiga pronunciamiento judicial. ‖ **formar,** o **hacer, artículo de** alguna cosa. fr. fig. Dificultarla o contradecirla.

artífice. (Del lat. *artĭfex, -fĭcis.*) com. **artista,** que cultiva alguna arte bella. ‖ **2.** Persona que ejecuta científicamente una obra mecánica o aplica a ella alguna de las bellas artes. ‖ **3.** fig. **autor,** el que es causa de algo. ‖ **4.** fig. Persona que tiene arte para conseguir lo que desea.

artificiado, da. p. p. ant. de **artificiar.** ‖ **2.** adj. ant. **artificial.**

artificial. (Del lat. *artificiālis.*) adj. Hecho por mano o arte del hombre. ‖ **2.** V. **agnación, articulación, bálsamo, día, espino, fecundación, horizonte, imán, inseminación, luz, memoria, neumotórax, respiración, seda, venturina artificial.** ‖ **3.** V. **fuegos artificiales.** ‖ **4.** No natural, falso. ‖ **5.** ant. fig. **artificioso,** disimulado, cauteloso.

artificiar. tr. ant. Hacer con artificio alguna cosa.

artificiero. (De *artificio.*) m. *Art.* Artillero especialmente instruido en la clasificación, reconocimiento, conservación, empaque, carga y descarga de proyectiles, cartuchos, espoletas y estopines. ‖ **2.** Técnico en el manejo de explosivos. ‖ **3. pirotécnico,** obrero que trabaja en los artificios de fuego.

artificio. (Del lat. *artificĭum.*) m. Arte, primor, ingenio o habilidad con que está hecha alguna cosa. ‖ **2.** Predominio de la elaboración artística sobre la naturalidad. ‖ **3. artefacto,** máquina. ‖ **4.** fig. Disimulo, cautela, doblez.

artificiosidad. f. Calidad de artificioso.

artificioso, sa. (Del lat. *artificiōsus.*) adj. Hecho o elaborado con artificio, arte y habilidad. ‖ **2.** fig. Disimulado, cauteloso, doble. ‖ **3.** *Der.* V. **agnación artificiosa.**

artífico, ca. adj. ant. Hecho con arte y primor.

artiga. (De etim. disc.) f. Acción y efecto de artigar. ‖ **2.** Tierra artigada.

artigar. (De *artiga.*) tr. Romper un terreno para cultivarlo, después de quitar y quemar el monte bajo o el matorral.

artilugio. m. Mecanismo, artefacto, sobre todo si es de cierta complicación; suele usarse con sentido despectivo. ‖ **2.** Ardid o maña, especialmente cuando forma parte de algún plan para alcanzar un fin. ‖ **3.** Herramienta de un oficio.

artillado, da. p. p. de **artillar.** ‖ **2.** m. Artillería de un buque o de una plaza de guerra.

artillar. (Del fr. *artilier,* y este del lat. **apiculāre,* de *aptāre,* adaptar.) tr. Armar de artillería las fortalezas o las naves. ‖ **2.** Colocar en disposición de combate la artillería de una batería, obra, fortaleza o nave.

artillería. (Del fr. *artillerie.*) f. Arte de construir, conservar y usar todas las armas, máquinas y municiones de guerra. ‖ **2.** Tren de cañones, morteros, obuses y otras máquinas de guerra que tiene una plaza, un ejército o un buque. ‖ **3.** Cuerpo militar destinado a este servicio. ‖ **4.** V. **parque, pieza de artillería.** ‖ **5.** V. **general de la artillería.** ‖ **6.** ant. Conjunto de varias piezas de alguna máquina. ‖ **antiaérea.** La destinada a combatir contra los aviones militares. ‖ **de a lomo. artillería de montaña.** ‖ **de batalla,** o **de campaña.** La que forma parte de los ejércitos destinados a operaciones campales. ‖ **de costa.** La que se destina a las obras defensivas de los frentes marítimos de las plazas. ‖ **de montaña.** La de pequeño calibre, que es conducida a lomo y se destina a las columnas que han de operar en terreno montuoso. ‖ **de plaza,** o **de sitio.** La que se emplea indistintamente en el ataque y defensa de las plazas fuertes y posiciones fortificadas. ‖ **ligera, montada, rodada,** o **volante.** La de campaña que acompaña a la infantería siempre que el terreno permita el paso de carruajes. ‖ **apear la artillería.** fr. ant. **desmontar la artillería.** ‖ **asestar toda la artillería.** fr. fig. Hacer todo el esfuerzo posible para conseguir alguna cosa. ‖ **clavar la artillería.** fr. Meter clavos o hierros por los fogones de las piezas para dejarlas inservibles. ‖ **desmontar la artillería.** fr. Sacarla de las cureñas o afustes. ‖ **encabalgar la artillería.** fr. ant. **montar la artillería.** ‖ **montar la artillería.** fr. Ponerla o colocarla en las cureñas. ‖ **poner toda la artillería.** fr. fig. **asestar toda la artillería.**

artillero, ra. adj. Perteneciente o relativo a la artillería. ‖ **2.** m. El que profesa por principios teóricos la facultad de la artillería. ‖ **3.** Individuo que sirve en la artillería del ejército o de la armada. ‖ **4.** Individuo que se encarga de cargar y dar fuego a los explosivos. ‖ **5.** *Bol.* Borracho habitual, especialmente el que consume licores fuertes. ‖ **de mar.** Marinero destinado especialmente al servicio de la artillería de los buques.

artimaña. (De *arte* y *maña.*) f. **trampa** para cazar animales. ‖ **2.** fam. Artificio o astucia para engañar a alguien, o para otro fin. ‖ **3.** ant. **industria,** maña, destreza.

artimón. (Del lat. *artĕmo, -ōnis,* y este del gr. ἀρτέμων.) m. *Mar.* Una de las velas que se usaban en las galeras. ‖ **2.** *Mar.* Palo de la nave más próximo a la popa.

artina. f. Fruto de la cambronera.

artiodáctilo. (Del gr. ἄρτιος, par y δάκτυλος, dedo.) adj. *Zool.* Dícese del mamífero ungulado cuyas extremidades terminan en un número par de dedos, de los cuales apoyan en el suelo por lo menos dos, que son simétricos. Ú. t. c. s. ‖ **2.** m. pl. *Zool.* Orden de estos animales, que comprende los paquidermos y los rumiantes.

artista. adj. Dícese del que estudiaba el curso de artes. *Colegial* ARTISTA. ‖ **2.** com. Persona que ejercita alguna arte bella. ‖ **3.** Persona dotada de la virtud y disposición necesarias para alguna de las bellas artes. ‖ **4.** Persona que actúa profesionalmente en un espectáculo teatral, cinematográfico, circense, etc., interpretando ante el público. ‖ **5. artesano,** persona que ejerce un oficio. ‖ **6.** fig. Persona que hace alguna cosa con suma perfección.

artístico, ca. adj. Perteneciente o relativo a las artes, especialmente a las que se denominan bellas. ‖ **2.** V. **belleza, sensibilidad artística.** ‖ **3.** V. **director artístico.**

artizado, da. p. p. de **artizar.** ‖ **2.** adj. ant. Aplicábase a la persona que sabía algún arte. ‖ **3.** ant. **artificioso,** disimulado, cauteloso.

artizar. (De *arte.*) tr. desus. Hacer alguna cosa con arte. ‖ **2.** desus. **artificiar.**

arto. (De etim. disc.) m. **cambronera.** ‖ **2.** Por ext., nombre que se da a varias plantas espinosas que se emplean para formar setos vivos.

artocarpáceo, a. adj. *Bot.* **artocárpeo.**

artocárpeo, a. (De *artocarpus,* nombre lat. dado por Linneo al árbol del pan; del gr. ἄρτος, pan, y καρπός, fruto.) adj. *Bot.* Dícese de árboles o arbustos de la familia de las moráceas, con jugo lechoso, ramos a veces nudosos, hojas alternas, simples y con estípulas caedizas, flores unisexuales sentadas sobre un receptáculo carnoso y raras veces en espiga, fruto vario, compuesto, y semilla sin albumen; como el árbol del pan.

artolas. (De *cartolas.*) f. pl. Aparato que, en forma parecida a las aguaderas y compuesto de dos asientos, se coloca sobre la caballería para que puedan ir sentadas dos personas.

artos. m. **arto.**

artralgia. (Del gr. ἄρθρον, articulación, y *-algia.*) f. *Pat.* Dolor de las articulaciones.

artrítico, ca. (Del lat. *arthritĭcus,* y este del gr. ἀρθριτικός.) adj. *Med.* Perteneciente o relativo a la artritis. ‖ **2.** Perteneciente o relativo al artritismo. ‖ **3.** Que padece artritis o artritismo. Ú. t. c. s.

artritis. (Del lat. *arthrītis,* y este del gr. ἀρθρῖτις, de ἄρθρον, articulación.) f. *Pat.* Inflamación de las articulaciones.

artritismo. (De *artritis.*) m. *Pat.* Supuesta predisposición constitucional a padecer enfermedades como las afecciones articulares, el eczema, la obesidad, la jaqueca, hemorroides y diversas litiasis.

artrografía. (Del gr. ἄρθρον, articulación y *-grafía.*) f. Descripción de las articulaciones.

artrología. (Del gr. ἄρθρον, articulación, y *-logía.*) f. Parte de la anatomía, que trata de las articulaciones.

artropatía. (Del gr. ἄρθρον, articulación, y *-patía.*) f. Enfermedad de las articulaciones.

artrópodo. (Del gr. ἄρθρον, articulación, y πούς, ποδός, pie.) adj. *Zool.* Dícese de animales invertebrados, de cuerpo con simetría bilateral formado por una serie lineal de segmentos más o menos ostensibles y provisto de apéndices compuestos de piezas articuladas o artejos; como los insectos y las arañas. Ú. t. c. s. ‖ **2.** m. pl. *Zool.* Tipo de estos animales.

artrosis. f. *Med.* Alteración patológica de las articulaciones, de carácter degenerativo y no inflamatorio. Suele producir deformaciones muy visibles de la articulación a que afecta, y entonces recibe el nombre de **artrosis** deformante.

artuña. (De *abortar.*) f. Entre pastores, oveja parida que ha perdido la cría.

artúrico, ca. adj. Perteneciente o relativo al legendario rey Artús o Arturo.

aruera. (Del port. *aroeira.*) f. *Urug.* **aguaraibá,** árbol.

arugas. f. pl. **matricaria.**

árula. (Del lat. *arŭla,* d. de *ara.*) f. *Arqueol.* Ara pequeña.

arundense. adj. Natural de Arunda, hoy Ronda. Ú. t. c. s. ‖ **2.** Perteneciente a esta ciudad de la Bética.

arundíneo, a. (Del lat. *arundinĕus.*) adj. Perteneciente o relativo a las cañas.

aruñar. (De *arañar,* infl. por *uña.*) tr. fam. **arañar.**

aruñazo. (De *aruñar.*) m. fam. **arañazo.**

aruño. (De *aruñar.*) m. fam. **araño.**

aruñón. m. vulg. *And.* **arañazo.** ‖ **2.** *Amér.* **amenaza.**

arúspice. (Del lat. *haruspex, -ĭcis.*) m. Sacerdote que en la antigua Roma examinaba las entrañas de las víctimas para hacer presagios.

aruspicina. (Del lat. *haruspicina.*) f. Arte supersticiosa de adivinar por las entrañas de los animales.

arveja. (Del lat. *ervilĭa.*) f. **algarroba,** planta. ‖ **2. algarroba,** semilla. ‖ **3.** *Argent., Col.* y *Chile.* Guisante. ‖ **silvestre. áfaca.**

arvejal. m. Terreno poblado de arvejas.

arvejana. f. **arveja.**

arvejar. m. **arvejal.**

arvejera. (De *arveja.*) f. **algarroba,** planta papilionácea.

arvejo. (De *arveja.*) m. **guisante.**

arvejón. (De *arvejo.*) m. *And.* **almorta.**

arvejona. f. *And.* **arveja,** planta papilionácea. ‖ **loca.** *And.* **arveja silvestre.**

arvejote. m. *Ál.* **arvejón.**

arvense. (Del lat. *arva,* campo cultivado.) adj. *Bot.* Aplícase a toda planta que crece en los sembrados.

arz-. V. **archi-.**

arzobispado. m. Dignidad de arzobispo. ‖ **2.** Territorio en que el arzobispo ejerce jurisdicción. ‖ **3.** Edificio u oficina donde funciona la curia arzobispal.

arzobispal. adj. Perteneciente o relativo al arzobispo.

arzobispazgo. m. ant. **arzobispado.**

arzobispo. (Del lat. *archiepiscŏpus,* y este del gr. ἀρχιεπίσκοπος.) m. Obispo de iglesia metropolitana o que tiene honores de tal.

arzolla. f. Planta anual de la familia de las compuestas, con tallo herbáceo de unos siete decímetros de altura, armado de espinas triples en el arranque de las hojas, que son largas, hendidas y blanquecinas por debajo, y con fruto oval y espinoso. ‖ **2. cardo lechero.** ‖ **3. almendruco.** ‖ **4.** *Ar.* Planta herbácea de la familia de las compuestas, de tallo muy ramoso, de unos 30 centímetros de altura, blanquecino, como todo el vegetal; hojas lineales divididas en lacinias, y flores purpúreas con cabezuela cubierta de espinas.

arzón. (Del b. lat. *arcĭo, -ōnis,* y este del lat. *arcus.*) m. Parte delantera o trasera que une los dos brazos longitudinales del fuste de una silla de montar. ‖ **2.** *Ar.* Cada uno de los palos o espigas que se ponen en las colleras para sujetarlas al yugo de labrar.

as. (Del lat. *as, assis.*) m. Primitiva moneda romana, fundida en bronce y de peso variable hasta que se le fijó el de una libra. Después se acuñó y se le minoró el peso, pero conservando su valor de 12 onzas. ‖ **2.** Carta que en la numeración de cada palo de la baraja de naipes lleva el número uno. ‖ **3.** Punto único señalado en una de las seis caras del dado. ‖ **4.** fig. Persona que sobresale de manera notable en un ejercicio o profesión. *Los* ASES *de la aviación.* ‖ **hereditario.** *Der.* Neto haber universal de una sucesión testada o intestada.

asa[1]**.** (Del lat. *ansa.*) f. Parte que sobresale del cuerpo de una vasija, cesta, bandeja, etc., generalmente de figura curva o de anillo, y sirve para asir el objeto a que pertenece. ‖ **2.** V. **amigo del asa.** ‖ **3.** fig. **asidero,** ocasión o pretexto. ‖ **4.** *Germ.* **oreja,** parte externa del oído. ‖ **en asas.** loc. adv. **en jarras.** ‖ **ser del asa,** o **muy del asa.** fr. fam. Ser amigo íntimo, o de la parcialidad, de otro.

asa[2]**.** (Del persa *aze,* almáciga.) f. Jugo que fluye de diversas plantas umbelíferas. ‖ **dulce.** Gomorresina muy apreciada en la antigüedad, producida por la planta que llamaban laserpicio y que suele confundirse con el benjuí. ‖ **fétida.** Planta perenne, exótica, de la familia de las umbelíferas, de unos dos metros de altura, con tallo recto, hojas de pecíolos envainadores y divididas en lóbulos, flores amarillas y fruto seco en cápsula estrellada. ‖ **2.** Gomorresina de esta planta, concreta, de color amarillento sucio, con grumos blancos o blanquizcos de olor muy fuerte y fétido, semejante al del puerro, y de sabor amargo y nauseabundo. Fluye naturalmente o por incisiones hechas en el cuello de la raíz, y se usa en medicina como antiespasmódico. ‖ **olorosa. asa dulce.**

asa[3]**.** (Del lat. *acer.*) f. *Gran.* **acebo.**

asá. (De *así,* con la *a* de *acá,* según la correlación *aquí, acá.*) V. **así que asá.**

asaborado, da. p. p. de **asaborar.** ‖ **2.** adj. ant. fig. Divertido, embebecido con el gusto de alguna cosa.

asaborar. (De *a-*[1] y *sabor.*) tr. ant. **saborear.**

asaborgar. (De *a-*[1] y *saborgar.*) tr. ant. **asaborar.**

asaborir. tr. ant. **asaborar.**

asacador, ra. (De *asacar.*) adj. ant. Calumniador, cizañero. Usáb. t. c. s.

asacamiento. m. ant. Acción y efecto de asacar.

asacar. (De *a-*[1] y *sacar.*) tr. Sacar, inventar. ‖ **2.** Fingir, pretextar. ‖ **3.** Achacar, imputar. ‖ **4.** ant. Levantar un testimonio.

asación. f. Acción y efecto de asar. ‖ **2.** *Farm.* Cocimiento asativo.

asacristanado, da. adj. Que participa de las cualidades propias del sacristán, o que se parece a él.

asadero, ra. adj. A propósito para ser asado. ‖ **2.** m. Lugar donde hace mucho calor. ‖ **3.** ant. **asador.**

asado, da. p. p. de **asar.** ‖ **2.** V. **así que asado.** ‖ **3.** m. Carne asada. ‖ **pasarse el asado.** fr. fig. y fam. *Ar.* Perderse la oportunidad.

asador, ra. m. y f. Persona que se dedica a asar. ‖ **2.** m. Varilla puntiaguda en que se clava y se pone al fuego lo que se quiere asar. ‖ **3.** Aparato o mecanismo para igual fin. ‖ **parecer que** alguien **come, o ha comido, asadores.** fr. fig. y fam. Andar muy tieso.

asadura. (De *asar.*) f. Conjunto de las entrañas del animal. Ú. t. en pl. ‖ **2.** Hígado y bofes. ‖ **3. hígado,** víscera del abdomen. ‖ **4.** Derecho que se pagaba por el paso de los ganados. Díjose así porque se pagaba una **asadura** o res por cierto número de cabezas. ‖ **echar las asaduras.** fr. fig. y fam. **echar el bofe, o los bofes.**

asaduría. f. **asadura,** derecho que se pagaba por el paso de ganados.

asaetar. (De *a-*[1] y *saetar.*) tr. **asaetear.**

asaeteador, ra. adj. Que asaetea. Ú. t. c. s.

asaetear. (De *a-*[1] y *saetear.*) tr. Disparar saetas contra alguien. ‖ **2.** Herir o matar con saetas. ‖ **3.** fig. Causar a alguien repetidamente disgustos o molestias.

asaetinado, da. adj. Aplícase a ciertas telas, parecidas al saetín.

asafétida. f. **asa fétida.**

asainetado, da. adj. Parecido al sainete. *Comedia* ASAINETADA.

asainetear. (De *a-*[1] y *sainete.*) tr. **salpimentar,** amenizar.

asalariado, da. p. p. de **asalariar.** ‖ **2.** adj. Que percibe un salario por su trabajo. Ú. t. c. s. ‖ **3.** Dícese del que, en ideas o en conducta, supedita su propio criterio al de quien le paga.

asalariar. tr. Señalar salario a una persona.

asalir. intr. ant. Salir al encuentro.

asalmerar. (De *a-*[1] y *salmer.*) tr. *Cant.* Dar a la parte superior de los estribos la forma de plano inclinado, para apoyar en ellos un arco o bóveda.

asalmonado, da. adj. Que se parece en la carne al salmón. Dícese de los pescados, y especialmente de la trucha. ‖ **2.** De color parecido al salmón.

asaltador, ra. adj. Que asalta. Ú. t. c. s.

asaltante. p. a. de **asaltar.** Que asalta. Ú. t. c. s.

asaltar. (De *a-*[1] y *salto.*) tr. Acometer impetuosamente una plaza o fortaleza para entrar en ella escalando las defensas. ‖ **2.** Acometer repentinamente y por sorpresa. *La* ASALTARON *los periodistas.* ASALTARON *dos veces el banco.*

‖ **3.** fig. Acometer, sobrevenir, ocurrir de pronto alguna cosa; como una enfermedad, la muerte, un pensamiento, etcétera.

asalto. m. Acción y efecto de asaltar. ‖ **2.** Variedad del juego de tres en raya, en el que el asaltante dispone de 24 peones y el defensor solo de 2. ‖ **3.** V. **carro, guardia de asalto.** ‖ **4.** fig. Baile o diversión que organizan varios amigos en una casa particular conocida, sin avisar previamente al dueño. ‖ **5.** *Esgr.* Acometimiento que se hace metiendo el pie derecho y la espada al mismo tiempo. ‖ **6.** *Esgr.* Combate simulado entre dos personas, a arma blanca. ‖ **7.** En boxeo, cada una de las partes o tiempos de que consta un combate. ‖ **dar asalto.** fr. **asaltar,** acometer una plaza o fortaleza. ‖ **2. asaltar,** acometer por sorpresa a una persona.

asamblea. (Del fr. *assemblée.*) f. Reunión numerosa de personas convocadas para algún fin. ‖ **2.** Cuerpo político y deliberante, como el Congreso o el Senado. Tómase especialmente por el que es único y no se halla partido en dos cámaras. ‖ **3.** Tribunal peculiar de la orden de San Juan, compuesto de caballeros profesos y capellanes de justicia de la misma orden. ‖ **4.** Conjunto de los principales funcionarios de las órdenes de Carlos III o de Isabel la Católica, o de la militar de San Hermenegildo. ‖ **5.** *Mil.* Reunión numerosa de tropas para su instrucción o para entrar en campaña. ‖ **6.** *Mil.* Toque para que la tropa se una y forme en sus cuerpos respectivos y lugares determinados.

asambleísta. com. Persona que forma parte de una asamblea convocada.

asamiento. m. ant. **asación.**

asañar. (De *ensañar,* con cambio de prefijo.) tr. ant. **ensañar.** Usáb. t. c. prnl.

asar. (Del lat. *assāre.*) tr. Hacer comestible un alimento por la acción directa del fuego, o la del aire caldeado, y a veces rociándolo con grasa o con algún líquido. ‖ **2.** fig. Tostar, abrasar. ‖ **3.** prnl. fig. Sentir extremado ardor o calor. ‖ **asarse vivo.** fr. fig. y fam. **asarse,** sentir extremado calor.

asarabácara. (Del lat. *asărum,* ásaro, y *baccar,* esclarea.) f. **ásaro.**

asáraca. f. **ásaro.**

asardinado, da. (De *a-*[1] y *sardina,* v. *sardinel.*) adj. Aplícase a la obra hecha de ladrillos o adobes puestos de canto.

asarero. (De *ásaro.*) m. **endrino,** ciruelo silvestre.

asargado, da. adj. Parecido a la **sarga**[1], tela.

asarina. f. Planta perenne de la familia de las escrofulariáceas, que nace entre las peñas y echa vástagos rastreros de unos tres decímetros de largo; las hojas son vellosas, acorazonadas y aserradas y las flores de color violado.

ásaro. (Del lat. *asărum,* y este del gr. ἄσαρον.) m. Planta perenne de la familia de las aristoloquiáceas, con rizoma rastrero, hojas radicales, arriñonadas y gruesas, y bohordo central con flores terminales de color rojo que tira a negro. Toda la planta tiene olor fuerte y nauseabundo.

asativo, va. (De *asar.*) adj. *Farm.* Aplícase al cocimiento que se hace de alguna cosa con su propio zumo, sin ningún líquido ni humedad extraña.

asayar. (Del lat. *exagiāre,* ensayar.) tr. ant. **experimentar.**

asaz. (Del lat. *ad satis,* a través del prov. *assatz,* mucho.) adv. c. Bastante, harto, muy. Ú. generalmente en poesía. ‖ **2.** adj. Bastante, mucho. Ú. solo en poesía.

asbestino, na. adj. Perteneciente o relativo al asbesto.

asbesto. (Del lat. *asbestos,* y este del gr. ἄσβεστος, incombustible, inextinguible.) m. Mineral de composición y caracteres semejantes a los del amianto, pero de fibras duras y rígidas que pueden compararse con el cristal hilado.

asbestosis. (De *asbesto* y *-osis.*) f. *Med.* Enfermedad pulmonar crónica producida por la inhalación repetida del polvo del asbesto.

asca. f. *Bot.* **teca**[2], célula que contiene las esporas de algunos hongos.

ascalonia. (Del lat. *ascalonia.*) f. **chalote.** ‖ **2.** V. **ajo de ascalonia.**

ascalonita. adj. Natural de Ascalón. Ú. t. c. s. ‖ **2.** Perteneciente a esta ciudad de Palestina.

áscar. (Del ár. *'askar,* ejército.) m. En Marruecos, **ejército,** gente de guerra y fuerzas militares de la nación.

áscari. (Del ár. *'askarī,* soldado.) m. Soldado de infantería marroquí.

ascáride. (Del lat. *ascarĭdae, -ārum,* y este del gr. ἀσκαρίς.) f. **lombriz intestinal.**

ascarita. f. *Quím.* Asbesto recubierto de una capa de hidróxido sódico que se emplea para absorber anhídrido carbónico.

ascendencia. f. Serie de ascendientes o antecesores de una persona. ‖ **2.** Por ext., origen, procedencia de alguna cosa.

ascendente. (Del lat. *ascendens, -entis.*) p. a. de **ascender.** Que asciende. ‖ **2.** m. *Astrol.* Punto de la eclíptica en que se inicia la primera casa celeste, al observar el cielo para realizar una predicción. ‖ **3.** adj. V. **fuente, nodo, progresión, tren ascendente.**

ascender. (Del lat. *ascendĕre.*) intr. Subir de un sitio a otro más alto. ‖ **2.** fig. Adelantar en empleo o dignidad. *Juan* ASCENDIÓ *a director.* ‖ **3.** tr. Dar o conceder un ascenso. *Miguel* ASCENDIÓ *a sus empleados.* ‖ **4.** Importar una cuenta.

ascendiente. p. a. de **ascender, ascendente.** ‖ **2.** com. Padre, madre, o cualquiera de los abuelos, de quien desciende una persona. ‖ **3.** m. Predominio moral o influencia.

ascensión. (Del lat. *ascensĭo, -ōnis.*) f. Acción y efecto de ascender a un lugar alto. ‖ **2.** Por excelencia, la de Cristo a los cielos. ‖ **3.** n. p. f. Fiesta movible con que anualmente celebra la iglesia católica este misterio, el jueves, cuadragésimo día después de la Pascua de Resurrección. ‖ **4.** f. Exaltación a una dignidad suprema, como la del pontificado o del trono. ‖ **oblicua.** *Astron.* Arco del Ecuador, tomado desde el principio de Aries hacia el Oriente, hasta aquel punto que nace o llega al horizonte al mismo tiempo que el astro en la esfera oblicua. ‖ **recta.** *Astron.* Arco del Ecuador, contado de Occidente a Oriente y comprendido entre el punto equinoccial de primavera y el horario o meridiano de un astro.

ascensional. adj. Aplícase al movimiento de un cuerpo hacia arriba. ‖ **2.** Dícese también de la fuerza que produce la ascensión. ‖ **3.** *Astron.* Perteneciente o relativo a la ascensión de los astros.

ascensionista. com. Persona que asciende a puntos muy elevados de las montañas. ‖ **2.** p. us. **aeronauta.**

ascenso. (Del lat. *ascensus.*) m. p. us. **subida** a lugar más alto. ‖ **2.** fig. Promoción a mayor dignidad o empleo. ‖ **3.** fig. Cada uno de los grados señalados para el adelanto en una carrera o jerarquía.

ascensor. (Del lat. *ascensor, -ōris.*) m. Aparato para trasladar personas de unos a otros pisos. ‖ **2. montacargas.**

ascensorista. com. Persona que tiene a su cargo el manejo del ascensor. ‖ **2.** Persona que tiene por oficio arreglar y construir ascensores.

ascesis. f. Reglas y prácticas encaminadas a la liberación del espíritu y el logro de la virtud.

asceta. (Del b. lat. *ascēta,* y este del gr. ἀσκητής, profesional, atleta.) com. Persona que hace vida ascética.

asceterio. (Del lat. *asceterĭum,* lugar para practicar ejercicios.) m. En el monacato oriental, colonia o agregación de anacoretas o eremitas.

ascética. f. **ascetismo,** doctrina de la vida ascética.

ascético, ca. (Del gr. ἀσκητικός, de ἀσκέω, ejecutar.) adj. Dicese de la persona que se dedica particularmente a la práctica y ejercicio de la perfección espiritual. ‖ **2.** Perteneciente o relativo a este ejercicio y práctica. *Vida* ASCÉTICA. ‖ **3.** Que trata de la vida **ascética,** ensalzándola o recomendándola. *Escritor, libro* ASCÉTICO. ‖ **4.** V. **teología ascética.**

ascetismo. m. Profesión de la vida ascética. ‖ **2.** Doctrina de la vida ascética.

ascio, cia. (Del lat. *ascĭus,* y este del gr. ἄσκιος.) adj. *Geogr.* Dícese del habitante de la zona tórrida, donde dos veces al año, a la hora de mediodía, cae verticalmente el sol, y los cuerpos no proyectan sombra lateral. Ú. t. c. s. y m. en pl.

ásciro. (Del lat. *ascy̆ron,* y este del gr. ἄσκυρον.) m. Planta indígena de España, muy parecida al hipérico, con tallo cuadrangular y hojas perforadas de puntitos solo en las márgenes.

asciterio. (Del lat. *asceterĭum,* y este del gr. ἀσκητήριον.) m. ant. **monasterio.**

ascítico, ca. adj. *Pat.* Que padece ascitis. Ú. t. c. s.

ascitis. (Del lat. *ascītes,* y este del gr. ἀσκίτης, de ἀσκός, odre.) f. *Pat.* Hidropesía del vientre, ocasionada por acumulación de serosidad en la cavidad del peritoneo.

asclepiadáceo, a. (De *Asclepias,* nombre de un género de plantas.) adj. *Bot.* Dícese de hierbas, arbustos y árboles angiospermos dicotiledóneos, con hojas alternas, opuestas o verticiladas, sencillas y enteras; flores en racimo, corimbo o umbela, y fruto en folículo con muchas semillas provistas de albumen; como la mata de la seda, la cornicabra y la arauja. Ú. t. c. s. f. ‖ **2.** f. pl. *Bot.* Familia de estas plantas.

asclepiadeo[1]**.** (Del lat. *asclepiadēus,* de *Asclepyades,* poeta griego, propagador de este metro.) adj. V. **verso asclepiadeo.** Ú. t. c. s.

asclepiadeo[2]**, a.** adj. *Bot.* **asclepiadáceo.**

asco. (De *asqueroso.*) m. Alteración del estómago causada por la repugnancia que se tiene a alguna cosa que incita a vómito. ‖ **2.** fig. Impresión desagradable causada por alguna cosa que repugna. ‖ **3.** fig. Esta misma cosa. ‖ **4.** fig. y fam. **miedo.** ‖ **estar hecho un asco.** fr. fig. y fam. Estar muy sucio. ‖ **hacer ascos.** fr. fig. y fam. Hacer afectadamente desprecio poco justificado de una cosa. ‖ **no hacer ascos a algo.** fr. fam. e irón. Aceptarlo de buena gana. ‖ **ser un asco** una cosa. fr. fig. y fam. Ser muy indecorosa y despreciable. ‖ **2.** fig. y fam. Ser muy mala o imperfecta, no valer nada. ‖ **sin asco.** loc. adv. *Argent., Bol., Col., Chile, Perú* y *Urug.* Con decisión, sin escrúpulos.

-asco, ca. V. **-sco.**

ascomiceto, ta. (Del gr. ἀσκός, odre, y μύκης, -ητος, hongo.) adj. *Bot.* Dícese de los hongos que tienen los esporidios encerrados en saquitos. Ú. t. c. s. m. ‖ **2.** m. pl. *Bot.* Orden de estos hongos.

asconder. (Del lat. *abscondĕre,* esconder.) tr. ant. **esconder.** Usáb. t. c. prnl. Ú. en Burgos y Soria.

ascondidamente. adv. m. ant. **escondidamente.**

ascondido, da. p. p. del ant. **asconder.** ‖ **en ascondido.** loc. adv. ant. **en escondido.**

ascondimiento. (De *asconder.*) m. ant. **escondrijo.**

ascondredijo. m. ant. **escondrijo.**

ascondrijo. (De *esconder.*) m. ant. **escondrijo.**

ascoroso, sa. adj. ant. **asqueroso.**

ascosidad. (De *ascoso.*) f. Podre e inmundicia que mueve a asco.

ascoso, sa. (De *asco.*) adj. Que causa asco.

ascreo, a. (Del lat. *Ascraeus.*) adj. Natural de Ascra. Ú. t. c. s. ‖ **2.** Perteneciente a esta antigua aldea de Beocia.

ascua. f. Pedazo de cualquier materia sólida y combustible que por la acción del fuego se pone incandescente y sin llama. ‖ **de oro.** fig. Cosa que brilla y resplandece mucho. ‖ **arrimar** alguien **el ascua a su sardina.** fr. fig. y fam. Aprovechar, para lo que le interesa o importa, la ocasión o coyuntura que se le ofrece. ‖ **¡ascuas!** interj. fest. con que se manifiesta dolor o extrañeza. ‖ **estar en,** o **sobre, ascuas.** fr. fig. y fam. Estar inquieto, sobresaltado. Ú. t. con los verbos, *tener, poner,* y análogos. ‖ **sacar** alguien **el ascua con la mano del gato,** o **con mano ajena.** fr. fig. y fam. Valerse de tercera persona para la ejecución de alguna cosa de que puede resultar daño o disgusto.

ascuso (a o **en).** (Del lat. *absconsus,* p. p. de *abscondĕre.*) loc. adv. ant. **a escuso.**

aseado, da. p. p. de **asear.** ‖ **2.** adj. Limpio, curioso.

asear. (Del lat. **assediāre* o **assedāre.*) tr. Adornar, componer con curiosidad y limpieza. Ú. t. c. prnl.

asecución. (Del b. lat. *assecutĭo, -ōnis.*) f. ant. **consecución.**

asechador, ra. adj. Que asecha. Ú. t. c. s.

asechamiento. m. **asechanza.**

asechanza. (De *asechar.*) f. Engaño o artificio para hacer daño a otro. Ú. m. en pl.

asechar. (Del lat. *assectāri,* ir al alcance de alguien.) tr. Poner o armar asechanzas.

asecho. (De *asechar.*) m. **asechanza.**

asechoso, sa. (De *asecho.*) adj. ant. Dispuesto con asechanzas. ‖ **2.** Propio para ellas.

asedar. tr. Poner suave como la seda alguna cosa. Se usa más comúnmente refiriéndose al cáñamo o al lino.

asediador, ra. adj. Que asedia. Ú. t. c. s.

asediar. (Del lat. *obsidiāri.*) tr. Cercar un punto fortificado, para impedir que salgan los que están en él o que reciban socorro de fuera. ‖ **2.** fig. Importunar a alguien sin descanso con pretensiones.

asedio. m. Acción y efecto de asediar.

aseglararse. prnl. Relajarse el clérigo o religioso en las exigencias de su estado, portándose y viviendo como seglar.

aseglarizar. tr. p. us. Relajar la virtud propia del estado religioso, haciendo que el clérigo se porte como un seglar.

aseguir. (Del lat. *assĕqui.*) tr. ant. **conseguir.**

asegundar. (De *a-*[1] y *segundo.*) tr. p. us. Repetir un acto inmediatamente o poco después de haberlo llevado a cabo por vez primera.

asegurable. adj. Que se puede asegurar.

aseguración. f. **seguro,** contrato. ‖ **2.** ant. Acción y efecto de asegurar.

aseguradamente. adv. m. ant. **seguramente.**

asegurado, da. p. p. de **asegurar.** ‖ **2.** adj. Dícese de la persona que ha contratado un seguro. Ú. t. c. s.

asegurador, ra. adj. Que asegura. Ú. t. c. s. ‖ **2.** Dícese de la persona o empresa que asegura riesgos ajenos. Ú. t. c. s.

aseguramiento. m. Acción y efecto de asegurar. ‖ **2.** **seguro,** salvoconducto. ‖ **de bienes litigiosos.** *Der.* Conjunto de medidas adoptadas por el juez para impedir el deterioro o fraude, especialmente tratándose de árboles, minas o industrias. ‖ **2.** *Der.* Procedimiento especial para acordar esas medidas.

aseguranza. (De *asegurar.*) f. ant. Seguridad, resguardo. Ú. en Salamanca.

asegurar. (De *a-*[1] y *seguro.*) tr. Dejar firme y seguro; establecer, fijar sólidamente. ASEGURAR *el edificio.* ASEGURAR *el clavo en la pared.* ‖ **2.** Poner a una persona en condiciones que le imposibiliten la huida o la defensa. ‖ **3.** Librar de cuidado o temor; tranquilizar, infundir confianza. Ú. t. c. prnl. ‖ **4.** Dejar seguro de la realidad o certeza de alguna cosa. ‖ **5.** Afirmar la certeza de lo que se refiere. Ú. t. c. prnl. ‖ **6.** Preservar o resguardar de daño a las personas y las cosas; defenderlas e impedir que pasen a poder de otro. ASEGURAR *el reino de las invasiones enemigas.* Ú. t. c. prnl. ‖ **7.** Dar firmeza o seguridad, con hipoteca o prenda que haga cierto el cumplimiento de una obligación. ‖ **8.** Poner a cubierto una cosa de la pérdida que por naufragio, incendio o cualquier otro accidente o motivo pueda tener en ella su dueño, obligándose a indemnizar a este del importe total o parcial de dicha pérdida, con sujeción a las condiciones pactadas. ASEGURAR *un buque, una finca, mercaderías, muebles.*

aseidad. (Del lat. *a se,* por sí.) f. Atributo de Dios, por el cual existe por sí mismo o por necesidad de su propia naturaleza.

aseladero. m. Sitio en que se aselan las gallinas.

aselador. m. **aseladero.**

aselarse. (De *sel.*) intr. *Sal.* Acomodarse las gallinas y otros animales para pasar la noche.

asemblar. (Del lat. *assimulāre.*) tr. ant. Juntar, reunir.

asemejar. (De *a-*[1] y *semejar.*) tr. Hacer una cosa con semejanza a otra. ‖ **2.** Representar una cosa semejante a otra. Ú. t. c. prnl. ‖ **3.** intr. Tener semejanza. ‖ **4.** prnl. Mostrarse semejante.

asemillar. (De *a-*[1] y *semilla.*) intr. *Chile.* **cerner.** Referido a las plantas.

asencio. m. ant. **asenjo.**

asendereado, da. p. p. de **asenderear.** ‖ **2.** adj. V. **camino asendereado.** ‖ **3.** fig. Agobiado de trabajos o adversidades. ‖ **4.** fig. Práctico, experto.

asenderear. tr. Hacer o abrir sendas o senderos. ‖ **2.** Perseguir a alguien haciéndole salir de los caminos y andar fugitivo por los senderos. ‖ **3.** fig. Llevar y traer a alguien causándole molestias. ‖ **4.** fig. Importunar con pretensiones o propuestas.

asengladura. f. *Mar.* **singladura.**

asenjo. m. ant. **ajenjo,** planta.

asensio. m. ant. **asenjo,** planta.

asenso. (Del lat. *assensus.*) m. Acción y efecto de asentir. ‖ **dar asenso.** fr. **dar crédito.**

asentación. (Del lat. *assentatĭo, -ōnis.*) f. ant. Adulación o lisonja.

asentada. f. **sentada.**

asentadamente. adv. m. ant. Llana y terminantemente. ‖ **2.** ant. **habitualmente.**

asentaderas. (De *asentar.*) f. pl. fam. Nalgas.

asentadillas (a). (De *asentar.*) loc. adv. **a mujeriegas.**

asentado, da. p. p. de **asentar.** ‖ **2.** adj. **sentado,** juicioso. ‖ **3.** fig. Estable, permanente. ‖ **4.** m. *And.* Acción de asentar la paja para la formación del pajar. ‖ **a asentadas.** loc. adv. ant. **a mujeriegas.**

asentador. m. El que asienta o cuida de que asiente una cosa. ‖ **2.** El que contrata al por mayor víveres para un mercado público. ‖ **3.** Instrumento de hierro con boca de acero, a manera de formón, que sirve al herrero para repasar su obra y quitarle desigualdades. ‖ **4.** **suavizador** de las navajas de afeitar. ‖ **5.** *And.* Obrero que lleva la dirección en la formación del pajar. ‖ **6.** *And.* El que paga el arbitrio correspondiente por cada carga de frutas u hortalizas que introduce en el mercado. ‖ **7.** *Impr. Méj.* **tamborilete** para igualar los tipos. ‖ **de real.** El que tenía a su cuidado acuartelar o alojar un ejército.

asentadura. (De *asentar.*) f. ant. Acción y efecto de asentar.

asentamiento. m. Acción y efecto de asentar o asentarse. ‖ **2.** **establecimiento,** lugar donde se ejerce una profesión. ‖ **3.** Lugar que ocupa cada pieza o cada batería en una posición. ‖ **4.** ant. Situación o asiento. ‖ **5.** ant. Sitio, solar. ‖ **6.** ant. **asiento,** mueble u otra cosa para sentarse. ‖ **7.** fig. Juicio, cordura. ‖ **8.** *Der.* Tenencia o posesión que daba el juez al demandador de algunos bienes del demandado, por rebeldía de este. ‖ **9.** Instalación provisional por la autoridad gubernativa, de colonos o cultivadores, en tierras destinadas a expropiarse. ‖ **de real.** ant. Alojamiento de ejército.

asentar. (De *a-*[1] y *sentar.*) tr. **sentar** en silla, banco, etc. Ú. m. c. prnl. ‖ **2.** Colocar a alguien en determinado lugar o asiento, en señal de posesión de algún empleo o cargo. Ú. t. c. prnl. ‖ **3.** Poner o colocar alguna cosa de modo que permanezca firme. ‖ **4.** Tratándose de pueblos o edificios, situar, fundar. ‖ **5.** Tratándose de golpes, darlos con tino y violencia. ‖ **6.** Aplanar o alisar, planchando, apisonando, etc. ASENTAR *una costura, el piso.* ‖ **7.** Afinar, poner plano o suave el filo de una navaja de afeitar o cualquier otro instrumento. ‖ **8.** Presuponer o hacer supuesto de alguna cosa. ‖ **9.** Afirmar, dar por cierto un hecho. ‖ **10.** Ajustar o hacer un convenio o tratado. ‖ **11.** Anotar o poner por escrito algo, para que conste. ‖ **12.** ant. Poner o colocar a uno en servicio de otro. ‖ **13.** ant. Imponer o situar una renta sobre bienes raíces o fincas. ‖ **14.** *Der.* Poner al demandador en posesión de algunos bienes del demandado, por la rebeldía de este en no comparecer o no responder a la demanda. ‖ **15.** intr. **sentar,** cuadrar, caer bien una cosa a otra. ‖ **16.** prnl. Posarse las aves. ‖ **17.** Establecerse en un pueblo o lugar. ‖ **18.** Tratándose de líquidos, **posarse.** ‖ **19.** Dicho del aparejo, la silla o la albarda, hacer daño o lastimar a las caballerías. ‖ **20.** Hacer asiento una obra. ‖ **21.** Estancarse algún alimento indigesto o sin digerir en el estómago o en los intestinos.

asentimiento. (De *asentir.*) m. **asenso.** ‖ **2.** **consentimiento.**

asentir. (Del lat. *assentīre.*) intr. Admitir como cierto o conveniente lo que otro ha afirmado o propuesto antes.

asentista. m. El que hace asiento o contrata con el gobierno o con el público, para la provisión o suministro de víveres u otros efectos, a un ejército, armada, presidio, plaza, etc.

aseñorado, da. adj. Dícese de la persona ordinaria que imita los modales del señor o de la señora. ‖ **2.** Parecido a lo que es propio de señor o señora.

aseñoritado, da. adj. Dícese de la persona ordinaria que imita los modales del señorito o de la señorita. ‖ **2.** Parecido a lo que es propio de señorito o señorita.

aseo. (De *asear.*) m. Limpieza, curiosidad. ‖ **2.** Adorno, compostura. ‖ **3.** Esmero, cuidado. ‖ **4.** Apostura, gentileza, buena disposición. ‖ **5.** **cuarto de aseo.**

asépalo, la. (De *a-*[2] y *sépalo.*) adj. *Bot.* Dícese de la flor que carece de sépalos.

asepsia. (De ἀ, priv., y σῆψις, putrefacción.) f. *Med.* Ausencia de materia séptica; estado libre de infección. ‖ **2.** *Med.* Conjunto de procedimientos científicos destinados a preservar de gérmenes infecciosos el organismo. Se aplican principalmente a la esterilización del material quirúrgico.

aséptico, ca. (De *a-*[2] y *séptico.*) adj. *Med.* Perteneciente o relativo a la asepsia.

asequi. (Del ár. *az-zakā,* [con imela] *az-zaki,* el azaque.) m. Cierto derecho que se pagaba en Murcia por todo ganado menor, en llegando a cuarenta cabezas.

asequible. (Del lat. *assĕqui,* conseguir, obtener.) adj. Que puede conseguirse o alcanzarse.

aserción. (Del lat. *assertĭo, -ōnis.*) f. Acción y efecto de afirmar o dar por cierta alguna cosa. ‖ **2.** Proposición en que se afirma o da por cierta alguna cosa.

aserenar. tr. **serenar.** Ú. t. c. prnl.

aseriarse. prnl. Ponerse serio.

asermonado, da. adj. Que participa de las cualidades propias del sermón. *Discurso* ASERMONADO.

aserradero. m. Lugar donde se asierra la madera u otra cosa.

aserradizo, za. adj. A propósito para ser aserrado. ‖ **2.** Dícese del madero que ha sido aserrado para reducirlo al grueso y ancho convenientes.

aserrado, da. p. p. de **aserrar.** ‖ **2.** adj. *Bot.* V. **hoja aserrada.** ‖ **3.** m. Acción de aserrar.

aserrador, ra. adj. Que sierra. ‖ **2.** m. El que tiene por oficio aserrar. ‖ **3.** f. Máquina de aserrar. ‖ **4. serrería.**

aserradura. (De *aserrar.*) f. Corte que hace la sierra. ‖ **2.** Parte donde se ha hecho el corte. ‖ **3.** pl. **aserrín.**

aserrar. tr. **serrar.**

aserrería. f. **serrería.**

aserrín. m. **serrín.**

aserrío. m. *Col.* y *Pan.* **aserradero.**

aserruchar. tr. *Col., Chile, Hond.* y *Perú.* Cortar o dividir con serrucho la madera u otra cosa.

asertivo, va. (De *aserto.*) adj. **afirmativo.**

aserto. (Del lat. *assertus.*) m. Afirmación de la certeza de una cosa.

asertor, ra. (Del lat. *assertor, -ōris.*) m. y f. Persona que afirma, sostiene o da por cierta una cosa.

asertórico. adj. *Fil.* **asertorio.**

asertorio. (Del lat. *assertorĭus.*) adj. *Fil.* Se dice del juicio que no excluye la posibilidad lógica de una contradicción. ‖ **2.** V. **juramento asertorio.**

asesado, da. (De *seso,* prudencia.) adj. Prudente, de buen juicio.

asesar. tr. Hacer que alguien adquiera seso o cordura. ‖ **2.** intr. Adquirir seso o cordura.

asesinar. (De *asesino.*) tr. Matar a una persona con premeditación, alevosía, etc. ‖ **2.** fig. Causar viva aflicción o grandes disgustos. ‖ **3.** fig. Engañar en un asunto grave una persona en quien se confía.

asesinato. m. Acción y efecto de asesinar.

asesino, na. (Del ár. *ḥaššāšīn,* los bebedores de *hachís.*) adj. Que asesina, homicida; *gente, mano* ASESINA; *puñal* ASESINO. Ú. t. c. s.

asesor, ra. (Del lat. *assessor, -ōris,* de *assidēre,* asistir, ayudar a otro.) adj. Que asesora. Ú. t. c. s. ‖ **2.** Dícese del letrado a quien por razón de oficio incumbe aconsejar o ilustrar con su dictamen a un juez lego. Ú. m. c. s.

asesoramiento. m. Acción y efecto de asesorar o asesorarse.

asesorar. (De *asesor.*) tr. Dar consejo o dictamen. ‖ **2.** prnl. Tomar consejo del letrado asesor, o consultar su dictamen. ‖ **3.** Por ext., tomar consejo una persona de otra, o ilustrarse con su parecer.

asesoría. f. Oficio de asesor. ‖ **2.** Estipendio o derechos del asesor. ‖ **3.** Oficina del asesor.

asestadero. m. *Ar.* **sesteadero.**

asestadura. f. Acción de asestar.

asestar[1]. (De *a-*[1] y *sestar.*) tr. Dirigir un arma hacia el objeto que se quiere amenazar u ofender con ella. ASESTAR *el cañón, la lanza.* ‖ **2.** Dirigir la vista, los anteojos, etc. ‖ **3.** Descargar contra algo o alguien un proyectil, un golpe de un arma o de un objeto semejante. ASESTAR *un tiro, una puñalada, una pedrada, un puñetazo.* ‖ **4.** fig. Intentar causar daño. ‖ **5.** fig. desus. Preparar, tener pensado. ‖ **6.** intr. fig. Poner la mira, dirigirse.

asestar[2]. (De *a-*[1] y *siesta.*) intr. Sestear el ganado.

aseveración. (Del lat. *asseveratĭo, -ōnis.*) f. Acción y efecto de aseverar.

aseverancia. (De *aseverar.*) f. ant. **aseveración.**

aseverar. (Del lat. *asseverāre.*) tr. Afirmar o asegurar lo que se dice.

aseverativo, va. adj. Que asevera o afirma. ‖ **2.** *Ling.* **enunciativo.**

asexuado, da. adj. Que carece de sexo.

asexual. (De *a-*[2] y el lat. *sexus,* sexo.) adj. Sin sexo; ambiguo, indeterminado. ‖ **2.** *Biol.* Dícese de la reproducción que se verifica sin intervención de los dos sexos; como la gemación.

asfaltado, da. p. p. de **asfaltar.** ‖ **2.** m. Acción de asfaltar. ‖ **3.** Solado de asfalto.

asfaltar. tr. Revestir de asfalto.

asfáltico, ca. adj. De asfalto. ‖ **2.** Que tiene asfalto.

asfalto. (Del lat. *asphaltus,* y este del gr. ἄσφαλτος.) m. Sustancia de color negro que constituye la fracción más pesada del petróleo crudo. Se encuentra a veces en grandes depósitos naturales, como en el Lago Asfaltites o Mar Muerto; por eso se llamó betún de Judea. Se utiliza mezclado con arena o gravilla para pavimentar caminos y como revestimiento impermeable de muros y tejados.

asfíctico, ca. adj. p. us. Perteneciente o relativo a la asfixia.

asfixia. (Del gr. ἀσφυξία, de ἄσφυκτος.) f. Suspensión o dificultad en la respiración. ASFIXIA *por sumersión.* ‖ **2.** fig. Sensación de agobio producida por el excesivo calor o por el enrarecimiento del aire.

asfixiante. p. a. de **asfixiar.** Que asfixia. ‖ **2.** adj. Dícese de lo que hace difícil la respiración. *Olor, atmósfera* ASFIXIANTE.

asfixiar. tr. Producir asfixia. Ú. t. c. prnl.

asfíxico, ca. adj. p. us. **asfíctico.**

asfódelo. (Del lat. *asphodĕlus,* y este del gr. ἀσφόδελος.) m. **gamón.**

asgo. m. ant. **asco.**

así. (Del lat. *sīc.*) adv. m. De esta, o de esa manera. Puede llevar un complemento con *de. Unas gafas* ASÍ DE *gruesas.* ‖ **2.** Denota extrañeza o admiración. *¿*ASÍ *me abandonas?* ‖ **3.** ant. También, igualmente. *A la muy alta e* ASÍ *esclarecida princesa doña Isabel, la tercera de nombre.* ‖ **4.** adv. c. Tan; seguido de la prep. *de* y de un adjetivo. *¿*ASÍ DE *delgado es?* ‖ **5.** conj. consecutiva. En consecuencia, por lo cual, de suerte que; generalmente precedido de la conj. copulativa *y. Nadie quiso ayudarle,* Y ASÍ *tuvo que desistir de su noble empeño.* ‖ **6.** desus. Correspondiéndose con la conjunción *que,* equivale a **tanto, de tal manera.** ASÍ *le habían desfigurado las penas,* QUE *no lo conocí.* ‖ **7.** conj. comparativa. Tanto, de igual manera. Se corresponde con las partículas *como* o *cual. La virtud infunde respeto* ASÍ *a los buenos* COMO *a los malos.* ‖ **8.** conj. concesiva. Aunque, por más que. *No paso por su casa,* ASÍ *me aspen.* ‖ **9.** interj. Ojalá. ASÍ *Dios te ayude.* ‖ **10.** En función de adj. invar., equivale a **tal, semejante.** *Con sueldos* ASÍ *no se puede vivir.* ‖ **así así.** loc. adv. Mediocre, medianamente. ‖ **2.** loc. adj. Mediano, mediocre. ‖ **así como.** loc. adv. Tan pronto como. ‖ **2.** loc. adv. y conjunt. que denota comparación, equivaliendo a como, o a de igual manera que. *Todas las cosas criadas,* ASÍ COMO *tienen limitada esencia, tienen limitado poder.* En el segundo término de la comparación repítese frecuentemente esta voz. *Todas las cosas criadas,* ASÍ COMO *tienen limitada esencia,* ASÍ *tienen limitado poder.* ‖ **así como así.** loc. adv. De cualquier manera, de todos modos. ‖ **2.** Sin reflexionar. ‖ **así es que.** loc. conjunt. consecutiva. **así que,** en consecuencia. ‖ **así o asá; así o así.** exprs. fams. **así que asá.** ‖ **así pues.** loc. conjunt. consecutiva. En consecuencia, por lo cual. ‖ **así que.** loc. adv. Tan pronto como, al punto que. ASÍ QUE *amanezca se dará la batalla.* ‖ **2.** loc. conjunt. consecutiva. En consecuencia, de suerte que, por lo cual. *El enemigo había cortado el puente;* ASÍ QUE *no fue posible seguir adelante.* ‖ **así que asá,** o **así que asado.** expr. fam. Sin importar el modo. Ú. con los verbos *ser, dar* y *tener.* ‖ **así que así.** loc. adv. **así como así.**

asiano, na. adj. ant. **asiático.** Apl. a pers., usáb. t. c. s.

asiático, ca. (Del gr. ἀσιατικός, a través del lat. *Asiaticus.*) adj. Natural de Asia. Ú. t. c. s. ‖ **2.** Perteneciente a esta parte del mundo. ‖ **3.** V. **cólera, lujo, tifo asiático.**

asibilación. f. *Fon.* Acción de asibilar.

asibilar. (Del lat. *assibilāre.*) tr. *Fon.* Hacer sibilante un sonido.

asicar. tr. *Sto. Dom.* Hostigar, fastidiar.
asidero. m. Parte por donde se ase alguna cosa. ‖ **2.** fig. Ocasión o pretexto.
asidilla. f. ant. **asidero.**
asidonense. (Del lat. *Asidonensis.*) adj. Natural de Asido, hoy Medinasidonia. Ú. t. c. s. ‖ **2.** Perteneciente a esta ciudad de la Bética. ‖ **3.** Natural de la actual Medinasidonia. Ú. t. c. s. ‖ **4.** Perteneciente a esta ciudad de la provincia de Cádiz.
asiduidad. (Del lat. *assiduĭtas, -ātis.*) f. Frecuencia, puntualidad o aplicación constante a una cosa.
asiduo, dua. (Del lat. *assidŭus.*) adj. Frecuente, puntual, perseverante.
asiento. (De *asentar.*) m. Mueble para sentarse. ‖ **2.** Plaza en un vehículo, en un espectáculo público, etc. ‖ **3.** Lugar que tiene alguien en cualquier tribunal o junta. ‖ **4.** Sitio en que está o estuvo fundado un pueblo o edificio. ‖ **5.** Parte inferior de las vasijas, botellas, etc. ‖ **6.** Pieza fija en la que descansa otra. ‖ **7. poso,** sedimento de un líquido. ‖ **8.** Acción y efecto de asentar un material en obra. ‖ **9.** Descenso por mayor unión de los materiales de un edificio a causa de la presión de los unos sobre los otros. ‖ **10.** Tratado o ajuste de paces. ‖ **11.** Contrato u obligación que se hace para proveer de dinero, víveres o géneros a un ejército, asilo, etc. ‖ **12.** Anotación o apuntamiento de una cosa para que no se olvide. ‖ **13.** Parte del freno que entra en la boca de la caballería. ‖ **14.** Espacio sin dientes en la mandíbula posterior de las caballerías sobre el cual asienta el cañón del freno. ‖ **15.** Estancamiento de alguna sustancia indigesta o sin digerir en el estómago o en los intestinos. ‖ **16.** Capa de argamasa sobre la que se colocan los ladrillos, baldosas, etc., cuando se pavimenta. ‖ **17.** fig. Estabilidad, permanencia. ‖ **18.** fig. Cordura, prudencia, madurez. *Hombre de* ASIENTO. ‖ **19.** fig. Estado y orden que deben tener las cosas. *No se puede hacer nada hasta que se tome el* ASIENTO *conveniente.* ‖ **20.** V. **culo de mal asiento.** ‖ **21.** *Amér.* Territorio y población de las minas. ‖ **22.** *Com.* Anotación que se hace en los libros de cuentas para registrar una operación contable. ‖ **23.** pl. Perlas desiguales, que por un lado son chatas o llanas y por el otro redondas. ‖ **24.** Tirillas de lienzo doblado que se ponen en los cuellos y puños de la camisa y otras piezas de ropa. ‖ **25. asentaderas.** ‖ **de colmenas.** Trozo de monte bajo en el cual hay un colmenar no cercado. ‖ **de molino.** Piedra armada y con toda la disposición necesaria para moler. ‖ **de pastor.** Mata de la familia de las papilionáceas, de quince a veinte centímetros de altura, redondeada, de ramas entrelazadas y muy espinosas, hojas lineares y flores de color azul blanquecino o violáceo. Abunda en España y florece en primavera y verano. ‖ **de presentación.** *Der.* Primera y sucinta toma de razón de un título en el registro de la propiedad, a cuya fecha se retrotraen los efectos de la ulterior inscripción, y determina la preferencia entre estas cuando son varias y están relacionadas. ‖ **de tahona. asiento de molino.** ‖ **estar de asiento.** fr. Estar establecido en un pueblo o lugar. ‖ **hacer asiento.** fr. **tomar asiento,** establecerse en un pueblo. ‖ **no calentar el asiento.** fr. fig. y fam. Durar poco en el empleo, destino o puesto que tiene. ‖ **pegársele** a alguien **el asiento.** fr. fig. y fam. **pegársele la silla.** ‖ **quedarse de asiento.** fr. Quedarse establecido en un pueblo o lugar. ‖ **tomar asiento.** fr. Sentarse. ‖ **2.** Establecerse en un pueblo o lugar.
asignable. adj. Que se puede asignar.
asignación. (Del lat. *assignatĭo, -ōnis.*) f. Acción y efecto de asignar. ‖ **2.** Cantidad señalada por sueldo o por otro concepto.
asignado, da. p. p. de **asignar.** ‖ **2.** m. Cada uno de los títulos que sirvieron de papel moneda en Francia durante la Revolución. ‖ **3.** *Ar.* Sueldo, haber de un funcionario.
asignar. (Del lat. *assignāre.*) tr. Señalar lo que corresponde a una persona o cosa. ‖ **2.** Señalar, fijar. ‖ **3.** p. us. Nombrar, designar.
asignatario, ria. m. y f. *Der. Amér.* Persona a quien se asigna la herencia o el legado.
asignatura. (Del lat. *assignātus,* signado.) f. Cada uno de los tratados o materias que se enseñan en un instituto docente, o forman un plan académico de estudios.
asilado, da. p. p. de **asilar.** ‖ **2.** m. y f. **acogido** a un establecimiento de beneficencia. ‖ **3.** Persona que por motivos políticos, encuentra asilo con protección oficial, en otro país o en embajadas o centros que gozan de inmunidad diplomática.
asilar. tr. Dar asilo. ‖ **2.** Albergar en un asilo. Ú. t. c. prnl. ‖ **3.** prnl. Tomar asilo en algún lugar.
asilo[1]. (Del lat. *asȳlum,* y este del gr. ἄσυλον, sitio inviolable.) m. Lugar privilegiado de refugio para los perseguidos. ‖ **2.** Establecimiento benéfico en que se recogen menesterosos, o se les dispensa alguna asistencia. ‖ **3.** fig. Amparo, protección, favor. ‖ **político.** Protección que un Estado concede a los perseguidos por motivos políticos.
asilo[2]. (Del lat. *asĭlus.*) m. Insecto díptero, del suborden de los braquíceros, de abdomen alargado, con trompa larga que utiliza para matar otros insectos de cuyo cuerpo se alimenta.
asilvestrado, da. adj. Dícese de la planta silvestre que procede de semilla de planta cultivada. ‖ **2.** Dícese del animal doméstico o domesticado que vive en las condiciones de un animal salvaje.
asilla[1]. f. ant. **islilla,** sobaco.
asilla[2]. f. d. de **asa[1].** ‖ **2.** Asidero, ocasión o pretexto.
asimesmo. adv. m. ant. **así mismo.**
asimetría. f. Falta de simetría.
asimétrico, ca. (De *a-*[2] y *simétrico.*) adj. Que no guarda simetría. ‖ **2.** *Geom.* Que carece de simetría.
asimiento. m. Acción de asir. ‖ **2.** fig. Adhesión, apego o afecto.
asimilable. adj. Que puede asimilarse.
asimilación. (Del lat. *assimilatĭo, -ōnis.*) f. Acción y efecto de asimilar o asimilarse. ‖ **2.** *Biol.* **anabolismo.**
asimilado, da. p. p. de **asimilar.** ‖ **2.** adj. Dícese de la persona que ejerce su profesión dentro del ámbito militar y goza de las prerrogativas del grado que se le atribuye, como los médicos, ingenieros, capellanes, etc. Ú. t. c. s.
asimilador, ra. adj. **asimilativo.**
asimilar. (Del lat. *assimilāre.*) tr. Asemejar, comparar. Ú. t. c. prnl. ‖ **2.** Conceder a los individuos de una carrera o profesión, derechos u honores iguales a los que tienen los individuos de otra. ‖ **3.** *Biol.* Incorporarse a las células sustancias aptas para cooperar a la formación de protoplasma. ‖ **4.** fig. Comprender lo que se aprende; incorporarlo a los conocimientos previos. ‖ **5.** *Fon.* Alterar la articulación de un sonido del habla asemejándolo a otro inmediato o cercano mediante la sustitución de uno o varios caracteres propios de aquel por otros de este. Ú. m. c. prnl. ‖ **6.** intr. desus. Ser semejante una cosa a otra. Ú. t. c. prnl.
asimilativo, va. adj. Que asimila, capaz de asimilar. ‖ **2.** Capaz de hacer semejante a sí mismo algo externo.
asimilatorio, ria. adj. **asimilativo.**
a símili. (Lit., *por semejanza.*) expr. lat. *Lóg.* V. **argumento a símili.**
asimilismo. m. Política que pretende suprimir las peculiaridades forales y de otra índole de las minorías étnicas o lingüísticas, o de una colonia, a fin de asentar la unidad nacional sobre una legislación única.
asimilista. adj. Perteneciente o relativo al asimilismo. ‖ **2.** Partidario del asimilismo. Ú. t. c. s.
asimismo. adv. m. **así mismo.**

asimplado, da. adj. Que parece simple. *Persona* ASIMPLADA. ‖ **2.** Que parece de simple. *Rostro* ASIMPLADO.
asín. (De *así*, con la *n* de otras partículas.) adv. m. vulg. **así.**
asina. (De *asín.*) adv. m. vulg. **así.**
asincrónico, ca. adj. Dícese de lo carente de sincronía.
asincronismo. m. Falta de coincidencia en los hechos. ‖ **2.** Falta de simultaneidad en el tiempo.
asíncrono, na. (Como *sincrónico*, con el pref. negativo *a-*[2].) adj. Dícese del proceso o del efecto que no ocurre en completa correspondencia temporal con otro proceso u otra causa.
asindético, ca. adj. *Ret.* Dícese del enlace por asíndeton. ‖ **2.** *Ret.* Dícese del estilo o enunciación en que predomina la figura del asíndeton.
asíndeton. (Del lat. *asyndĕton*, y este del gr. ἀσύνδετον, desatado.) m. *Ret.* Figura que consiste en omitir las conjunciones para dar viveza o energía al concepto.
asinergia. (De *a-*[2] y *sinergia.*) f. *Fisiol.* Defecto o carencia de sinergia.
asinino, na. (Del lat. *asininus.*) adj. **asnino.**
asinita. adv. m. vulg. d. de **asín** y **asina.**
asintiente. p. a. de **asentir.** Que asiente.
asíntota. (Del gr. ἀσύμπτωτος, que no coincide.) f. *Geom.* Línea recta que, prolongada indefinidamente, se acerca de continuo a una curva, sin llegar nunca a encontrarla.
asintótico, ca. (De *asíntota.*) adj. *Geom.* Dícese de la curva que se acerca de continuo a una recta o a otra curva sin llegar nunca a encontrarla.
asir. (Tal vez de *asa.*) tr. Tomar o coger con la mano, y en general, tomar, coger, prender. ‖ **2.** intr. p. us. Tratándose de plantas, arraigar o prender en la tierra. ‖ **3.** prnl. Agarrarse de alguna cosa. ASIRSE *de una cuerda.* Ú. t. en sent. fig. ASIRSE *a una idea.* ‖ **4.** fig. Tomar ocasión o pretexto para decir o hacer lo que se quiere. ‖ **5.** fig. p. us. Reñir o contender dos o más, de obra o de palabra.
asiriano, na. adj. ant. **asirio.** Apl. a pers., usáb. t. c. s.
asirio, ria. (Del lat. *Assyrĭus.*) adj. Natural de Asiria. Ú. t. c. s. ‖ **2.** Perteneciente a este país de Asia antigua. ‖ **3.** Dícese de la rama de los acadios establecida en el norte de Mesopotamia. Ú. t. c. s. ‖ **4.** m. Lengua **asiria.**
asiriología. (De *asiriólogo.*) f. Ciencia que trata de la escritura, lengua, historia y antigüedades de Asiria y Babilonia.
asiriólogo, ga. (De *Asiria*, y el gr. λέγω, tratar.) m. y f. Persona versada en asiriología.
asisia. (Del b. lat. *assisia*, cláusula de proceso.) f. ant. *Der. Ar.* Cláusula de proceso, y principalmente la que contenía declaración de testigos. ‖ **2.** ant. *Der. Ar.* Pedimento que se daba sobre algún incidente que sobrevenía empezado ya el proceso.
asistencia. f. Acción de prestar socorro, favor o ayuda. ‖ **2.** Acción de estar o hallarse presente. ‖ **3.** Conjunto de personas que están presentes en un acto. ‖ **4.** Recompensa o emolumentos que se ganan con la **asistencia** personal. ‖ **5.** Empleo o cargo del **asistente,** funcionario público. ‖ **6.** *Col.* **casa de comidas,** establecimiento en donde se sirven comidas. ‖ **7.** *Chile* y *Perú.* **casa de socorro.** ‖ **8.** desus. *Méj.* Pieza destinada para recibir las visitas de confianza y que por lo común está en el piso alto de la casa. ‖ **9.** *Méj.* V. **casa de asistencia.** ‖ **10.** pl. Medios que se dan a alguien para que se mantenga. ‖ **11.** *Taurom.* Conjunto de los mozos de plaza. ‖ **jurídica.** Servicio que los abogados prestan a las personas que precisan de sus conocimientos jurídicos para defender sus derechos.
asistencial. adj. Perteneciente o relativo a la asistencia social.
asistenta. f. Mujer del antiguo **asistente,** funcionario público. ‖ **2.** En algunas órdenes religiosas de mujeres, monja que asiste, ayuda y suple a la superiora. ‖ **3.** Criada que servía en el palacio real a damas, señoras de honor y camaristas que habitaban en él. ‖ **4.** Criada seglar que sirve en convento de religiosas de las órdenes militares. ‖ **5.** Mujer que sirve como criada en una casa sin residir en ella y que cobra generalmente por horas.
asistente. (Del lat. *assistens, -entis.*) p. a. de **asistir.** Que asiste. Ú. t. c. s. ‖ **2.** m. Cualquiera de los dos obispos que ayudan al consagrante en la consagración de otro. ‖ **3.** Funcionario público que en ciertas villas y ciudades, como Marchena, Santiago y Sevilla, tenía las mismas atribuciones que el corregidor en otras partes. ‖ **4.** En algunas órdenes regulares, religioso nombrado para asistir al general en el gobierno universal de la orden y en el particular de las respectivas provincias. ‖ **5.** Soldado destinado al servicio personal de un general, jefe u oficial. ‖ **a Cortes.** Cada uno de los consejeros de la real cámara que, de orden del rey, reconocían los poderes de los procuradores a Cortes y asistían a sus deliberaciones. ‖ **social.** com. Persona titulada, cuya profesión es allanar o prevenir dificultades de orden social o personal en casos particulares o a grupos de individuos, por medio de consejo, gestiones, informes, ayuda financiera, sanitaria, moral, etc.
asistido, da. p. p. de **asistir.** ‖ **2.** adj. Que se hace con ayuda de medios mecánicos. *Fecundación, respiración, traducción* ASISTIDA.
asistimiento. (De *asistir.*) m. *Sal.* Servicio, asistencia.
asistir. (Del lat. *assistĕre;* detenerse junto a algún lugar.) tr. Acompañar a alguien en un acto público. ‖ **2.** Servir o atender a una persona, especialmente de un modo eventual o desempeñando tareas específicas. ‖ **3.** Servir interinamente. *Estoy ahora sin criada, y me* ASISTE *Martina.* ‖ **4.** Socorrer, favorecer, ayudar. ‖ **5.** Tratándose de enfermos, cuidarlos y procurar su curación. *Le* ASISTE *un médico famoso; estoy* ASISTIENDO *a Rafael.* ‖ **6.** Referido a la razón, el derecho, etc., estar de parte de una persona. ‖ **7.** intr. Concurrir a una casa o reunión, tertulia, curso, acto público, etc. ‖ **8.** Estar o hallarse presente. ‖ **9.** En ciertos juegos de naipes, echar cartas del mismo palo que el de aquella que se jugó primero. ‖ **10.** *Col.* Vivir, habitar. *Aurelio* ASISTE *en la montaña.*
asistolia. (De *a-*[2] y *sístole.*) f. *Pat.* Síndrome que es signo de extrema gravedad en ciertas enfermedades, debido a una extraordinaria debilidad de la sístole cardiaca.
asistólico, ca. adj. *Pat.* Perteneciente a la asistolia.
askenazí. adj. **asquenazí.** Ú. t. c. s.
aslilla. (Del lat. **axillella*, d. de *axilla*, sobaco.) f. ant. **islilla,** sobaco.
asma. (Del lat. *asthma*, y este del gr. ἄσθμα, jadeo, asma.) f. Enfermedad de los bronquios, caracterizada por accesos ordinariamente nocturnos e infebriles, con respiración difícil y anhelosa, tos, expectoración escasa y espumosa, y estertores sibilantes.
asmadamente. adv. m. ant. Considerada o atentamente.
asmadero, ra. (De *asmar.*) adj. ant. Que discierne o hace discernir.
asmadura. f. ant. **asmamiento.**
asmamento. m. ant. **asmamiento.**
asmamiento. m. ant. Acción de asmar.
asmar. (Del lat. *adaestimāre*, estimar.) tr. ant. **estimar,** apreciar el valor de una cosa. ‖ **2.** ant. **estimar,** formar opinión de algo. ‖ **3.** ant. **comparar.**
asmático, ca. (Del lat. *asthmatĭcus*, y este del gr. ἀσθματικός.) adj. Perteneciente o relativo al asma. ‖ **2.** Que la padece. Ú. t. c. s.
asmoso, sa. (De *asmar.*) adj. ant. Discursivo, capaz de pensar.

asna. (Del lat. *asĭna.*) f. Hembra del asno. ‖ **2.** pl. Costaneras, maderos que cargan sobre la viga principal.

asnacho. (De or. inc., quizá de *asno.*) m. Mata de la familia de las papilionáceas, de uno a dos metros de altura, con ramillas verdosas estriadas; hojuelas oblongas, velludas y blanquizcas por debajo; flores en hacecillo de corolas amarillas y fruto en vaina lampiña, pequeña, negruzca, con cuatro semillas. ‖ **2. gatuña.**

asnada. f. fig. y fam. **asnería.**

asnado. (De *asno.*) m. En las minas de Almadén, cada madero de los que se ponen de trecho en trecho para asegurar los costados de la mina.

asnal. (Del lat. *asinālis.*) adj. Perteneciente o relativo al **asno,** animal. ‖ **2.** fam. Bestial o brutal. ‖ **3.** fig. V. **media asnal.**

asnalmente. adv. m. fam. Cabalgando en un asno. ‖ **2.** fam. Bestial o brutalmente.

asnallo. m. **gatuña.**

asnejón. m. aum. y despect. de **asno,** persona torpe.

asnería. f. fam. Conjunto de asnos. ‖ **2.** fig. y fam. Necedad, tontería.

asnerizo. (De *asnero.*) m. ant. Arriero de asnos.

asnero. (De *asno.*) m. ant. **asnerizo.**

asnico. (d. de *asno.*) m. *Ar.* Instrumento de cocina para afirmar el asador.

asnilla. (d. de *asna.*) f. Sostén formado con un madero horizontal apoyado en cuatro tornapuntas arriostradas que sirven de pies. ‖ **2.** *Albañ.* Pieza de madera sostenida por dos pies derechos, para que descanse y se mantenga en ella la parte del edificio que amenaza ruina.

asnillo. (d. de *asno.*) m. Insecto coleóptero, de unos tres centímetros de largo, con antenas rectas, cabeza grande y semicircular, élitros cortos que apenas cubren la mitad del cuerpo y abdomen eréctil terminado en dos tubillos, por donde lanza un líquido volátil. Es insectívoro y muy voraz. ‖ **2.** *Ar.* **asnico.**

asnino, na. (Del lat. *asinīnus.*) adj. fam. Perteneciente al asno, animal.

asno. (Del lat. *asĭnus.*) m. Animal solípedo, como de metro y medio de altura, de color, por lo común, ceniciento, con las orejas largas y la extremidad de la cola poblada de cerdas. Es muy sufrido y se le emplea como caballería y como bestia de carga y a veces también de tiro. ‖ **2.** fig. Persona ruda y de muy poco entendimiento. Ú. t. c. adj. ‖ **3.** fig. y fam. V. **puente de los asnos.** ‖ **asno cargado de letras.** fig. y fam. Erudito de cortos alcances. ‖ **silvestre.** Variedad del **asno,** de pelo pardo y andar muy veloz, que en grandes manadas habita algunas regiones de África y del centro y occidente de Asia. ‖ **apearse** alguien **de** su **asno.** fr. fig. y fam. **caer de su asno.** ‖ **caer de su asno.** fr. fig. y fam. Conocer que ha errado en alguna cosa el mismo que la sostenía y defendía como acertada. ‖ **no ver siete, o tres, sobre un asno.** fr. fig. y fam. Ver muy poco. ‖ **por dar en el asno, dar en la albarda.** fr. fig. y fam. Tocar y confundir las cosas, sin acertar en lo que se hace o dice.

asnuno, na. adj. ant. Perteneciente al **asno,** animal.

asobarcar. tr. fam. **sobarcar.**

asobinarse. (Del lat. *supināre,* poner boca arriba.) prnl. Quedar una bestia, al caer, con la cabeza metida entre las patas delanteras, de modo que no pueda levantarse por sí misma. ‖ **2.** Por ext., quedar una persona hecha un ovillo al caer.

asocairarse. prnl. *Mar.* Ponerse al abrigo o socaire de algún cabo, punta, etc.

asocarronado, da. adj. Que parece socarrón. *Persona* ASOCARRONADA. ‖ **2.** Que parece de socarrón. *Gesto* ASOCARRONADO.

asociable. adj. Dícese de lo que se puede asociar a otra cosa.

asociación. f. Acción y efecto de asociar o asociarse. ‖ **2.** Conjunto de los asociados para un mismo fin y, en su caso, persona jurídica por ellos formada. ‖ **3.** *Ret.* Figura que consiste en decir de muchos lo que solo es aplicable a varios o a uno solo, ordinariamente con el fin de atenuar el propio elogio o la censura de los demás. ‖ **de ideas.** Conexión mental entre ideas, imágenes o representaciones, por su semejanza, contigüidad o contraste. ‖ **vegetal.** *Biol.* Conjunto de plantas que comprende individuos de varias especies, pero que se caracteriza por una o más especies dominantes que le dan nombre e indican su significado biológico.

asociacionismo. m. Doctrina psicológica, sostenida principalmente por algunos pensadores ingleses, que explica todos los fenómenos psíquicos por las leyes de la asociación de las ideas. ‖ **2.** Movimiento social partidario de crear asociaciones cívicas, políticas, culturales, etc.

asociacionista. adj. Dícese del estudioso, partidario, etc., del asociacionismo psicológico. Ú. t. c. s. ‖ **2.** Dícese de la persona o movimiento social partidario del asociacionismo. Apl. a pers., ú. t. c. s.

asociado, da. p. p. de **asociar.** ‖ **2.** adj. Dícese de la persona que acompaña a otra en alguna comisión o encargo. Ú. t. c. s. ‖ **3.** m. y f. Persona que forma parte de una asociación o compañía ‖ **4. profesor asociado.**

asocial. adj. Que no se integra o vincula al cuerpo social.

asociamiento. m. **asociación,** acción de asociar o asociarse. ‖ **2. asociación,** conjunto de los asociados.

asociar. (Del lat. *associāre.*) tr. Dar a alguien por compañero persona que le ayude en el desempeño de algún cargo, comisión o trabajo. ‖ **2.** Juntar una cosa con otra, de suerte que se hermanen o concurran a un mismo fin. ‖ **3.** Tomar alguien compañero que le ayude. ‖ **4.** prnl. Juntarse, reunirse para algún fin.

asociativo, va. adj. Que asocia o que resulta de una asociación o tiende a ella.

asocio. (De *asociar.*) m. *Amér. Central, Col.* y *Ecuad.* Compañía, colaboración, asociación. Ú. en la loc. **en asocio.**

asohora. (De *a-*[1], *so*[3] y *hora.*) adv. t. ant. De improviso, repentina o impensadamente.

asolación. f. **asolamiento.**

asolador, ra. adj. Que asola[1] o destruye.

asoladura. f. ant. **asolamiento.**

asolamiento. m. Acción y efecto de asolar[1].

asolanar. tr. Dañar o echar a perder el viento solano alguna cosa, como frutas, legumbres, mieses, vino, etc. Ú. m. c. prnl.

asolapar. (De *a-*[1] y *solapo.*) tr. Asentar una teja, losa, etc., sobre otra, de modo que solo cubra parte de ella.

asolar[1]. (Del lat. *assolāre,* derribar.) tr. Destruir, arruinar, arrasar. ‖ **2.** ant. Echar por el suelo, derribar. ‖ **3.** prnl. *Ar.* y *Cuen.* Tratándose de líquidos, **posarse.**

asolar[2]. (De *a-*[1] y *sol*[1].) tr. Secar los campos, o echar a perder sus frutos, el calor, una sequía, etcétera. Ú. m. c. prnl.

asolazar. tr. ant. **solazar.** Usáb. t. c. prnl.

asoldadar. (De *a-*[1] y *soldada.*) tr. **asoldar.** Ú. t. c. prnl.

asoldamiento. (De *asoldar.*) m. ant. Sueldo o salario que se daba por servicio.

asoldar. (De *a-*[1] y *sueldo.*) tr. Tomar a sueldo, asalariar. Se usaba especialmente en lo antiguo tratándose de gente de guerra. Usáb. t. c. prnl.

asoleada. (De *asolearse.*) f. Acción y efecto de asolear o asolearse. ‖ **2.** *Col., Chile* y *Guat.* **insolación.**

asoleamiento. (De *asolear.*) m. ant. **insolación.**

asolear. tr. Tener al sol una cosa por algún tiempo. ‖ **2.** prnl. Acalorarse tomando el sol. ‖ **3.** Ponerse muy moreno por haber andado mucho al sol. ‖ **4.** *Veter.* Contraer asoleo los animales.

asolejar. (De *a-*[1] y *solejar.*) tr. ant. **asolear.**

asoleo. m. Acción y efecto de asolear. ‖ **2.** *Mil.* Operación de secar la pólvora al sol o al aire libre, después de granulada. ‖ **3.** *Veter.* Enfermedad de ciertos animales, caracterizada principalmente por sofocación y violentas palpitaciones.

asolvamiento. m. **azolvamiento.**

asolvar. tr. ant. **azolvar.**

asomada. (De *asomar.*) f. Acción y efecto de manifestarse o dejarse ver por poco tiempo. ‖ **2.** Lugar desde el cual se empieza a ver algún sitio.

asomadera. f. *Sto. Dom.* Acción de asomarse reiteradamente.

asomar. (De *a-*[1] y *somo.*) intr. Empezar a mostrarse. ‖ **2.** ant. fig. Subir a un estado superior. ‖ **3.** tr. Sacar o mostrar alguna cosa por una abertura o por detrás de alguna parte. ASOMAR *la cabeza a la ventana.* Ú. t. c. prnl. ‖ **4.** desus. Indicar, apuntar. ‖ **5.** prnl. fam. Tener algún principio de borrachera. ‖ **6.** fam. Empezar a enterarse de una cosa sin propósito de profundizar en su estudio. Ú. más en frases negativas.

asómate. (Del imperat. prnl. de *asomar.*) m. *Geol.* Pequeño collado en la aguda crestería de las sierras, desde el que se divisa amplio panorama.

asombradizo, za. (De *asombrado,* p. p. de *asombrar.*) adj. **espantadizo.** ‖ **2.** ant. **sombrío,** de poca luz.

asombrador, ra. adj. Que asombra.

asombramiento. (De *asombrar.*) m. ant. **asombro.**

asombrar. (De *a-*[1] y *sombra.*) tr. p. us. Hacer sombra una cosa a otra. ‖ **2.** fig. Asustar, espantar. Ú. t. c. prnl. ‖ **3.** fig. Causar gran admiración. Ú. t. c. prnl. ME ASOMBRÉ *de sus proezas.* ‖ **4.** *Pint.* Oscurecer un color mezclándolo con otro.

asombro. (De *asombrar.*) m. Susto, espanto. ‖ **2.** Gran admiración. ‖ **3.** Persona o cosa asombrosa.

asombroso, sa. adj. Que causa asombro.

asomo. (De *asomar.*) m. Acción de asomar o asomarse. ‖ **2.** Indicio o señal de alguna cosa. ‖ **3.** Sospecha, presunción. ‖ **ni por asomo.** loc. adv. De ningún modo.

asonada. (De *asonar*[2].) f. Reunión o concurrencia numerosa para conseguir tumultuaria y violentamente cualquier fin, por lo común político.

asonadía. f. ant. Hostilidad cometida por los que iban en asonadas.

asonancia. (De *asonar*[1].) f. Correspondencia de un sonido con otro. ‖ **2.** fig. Correspondencia o relación de una cosa con otra. *Esto tiene* ASONANCIA *con lo que se dijo antes.* ‖ **3.** *Métr.* Identidad de vocales en las terminaciones de dos palabras a contar desde la última acentuada, cualesquiera que sean las consonantes intermedias o las vocales no acentuadas de los diptongos. En los esdrújulos no se cuenta tampoco la sílaba penúltima. ‖ **4.** *Ret.* Vicio así de la prosa como de la poesía, que consiste en el uso inmotivado de voces que se correspondan unas con otras, hiriendo el oído. ‖ **5.** *Ret.* Figura que consiste en emplear adrede, al fin de dos o más cláusulas o miembros del período, voces que terminan en sílaba o sílabas iguales.

asonantar. intr. Ser una palabra asonante de otra. ‖ **2.** Incurrir en el vicio de la asonancia. ‖ **3.** tr. Emplear en la rima una palabra como asonante de otra.

asonante. p. a. ant. de **asonar**[1]. Que asuena o hace asonancia. ‖ **2.** adj. Dícese de cualquier voz con respecto a otra de la misma asonancia. Ú. t. c. s.

asonántico, ca. adj. Perteneciente o relativo a los asonantes.

asonar[1]**.** (Del lat. *assonāre.*) intr. Hacer asonancia o convenir un sonido con otro. ‖ **2.** tr. ant. Poner en música.

asonar[2]**.** (De *so*[2] y *uno.*) tr. ant. Juntar en asonada, y en general, juntar, reunir. Usáb. t. c. prnl.

asondar. tr. ant. **sondar.**

asordar. (De *a-*[1] y *sordo.*) tr. Ensordecer a alguien con ruido o con voces, de suerte que no oiga.

asorocharse. prnl. *Amér. Merid.* Padecer soroche. ‖ **2.** *Chile.* Ruborizarse, abochornarse.

asosegadamente. adv. m. ant. **sosegadamente.**

asosegar. tr. desus. **sosegar.** Ú. hoy en algunas partes de Cantabria y América Meridional. Ú. t. c. intr. y c. prnl.

asosiego. m. desus. **sosiego.**

asotanar. tr. Excavar el suelo de un edificio para construir en él sótanos o bodegas.

asotilar. tr. ant. **asutilar.** Usáb. t. c. prnl.

aspa. (Del a. al. ant. *haspa,* madeja.) f. Conjunto de dos maderos o palos atravesados el uno sobre el otro de modo que formen la figura de una X. ‖ **2.** Instrumento que sirve para aspar el hilo, y que por lo regular se compone de un palo y de otros dos menos gruesos atravesados en los extremos de aquel con dirección opuesta entre sí. ‖ **3.** Aparato exterior del molino de viento, que figura una cruz o **aspa,** en cuyos brazos se ponen unos lienzos a manera de velas, y el cual, girando a impulso del viento, mueve el molino. ‖ **4.** Cada uno de los brazos de este aparato. ‖ **5.** Cualquier agrupación, figura, representación o signo en forma de X. ‖ **6.** rur. *Argent.* y *Urug.* **asta,** cuerno vacuno. ‖ **7.** *Blas.* **sotuer.** ‖ **8.** *Min.* Punto de intersección de dos vetas. ‖ **9.** pl. *Mancha.* Dos maderos en cruz que, movidos con el peón, hacen andar la rueda donde están los arcaduces. ‖ **de San Andrés.** Insignia de la casa de Borgoña, que se pone en ciertas banderas de España y en los blasones de algunas familias. ‖ **2.** Cruz de paño o bayeta colorada, en figura de **aspa,** que se ponía en el capotillo amarillo que llevaban los penitenciados por la Inquisición.

aspadera. (De *aspar.*) f. **aspa,** instrumento para aspar el hilo.

aspado, da. p. p. de **aspar.** ‖ **2.** adj. Dícese del que por penitencia, que más comúnmente se hacía en Semana Santa, llevaba los brazos extendidos en forma de cruz, atados por las espaldas a una barra de hierro, espada, madero u otra cosa. Ú. t. c. s. ‖ **3.** Que tiene forma de aspa. ‖ **4.** fig. y fam. Aplícase al que no puede manejar con facilidad los brazos por oprimirle el vestido o no estar acostumbrado a él. ‖ **5.** *Blas.* Adornado de aspa.

aspador, ra. adj. Que aspa. Ú. t. c. s. ‖ **2.** m. **aspadera.**

aspálato. (Del lat. *aspalăthus,* y este del gr. ἀσπάλαθος.) m. Nombre dado a varias plantas espinosas parecidas a la retama y a algunas maderas olorosas.

aspalto. m. desus. **asfalto.**

aspar. tr. Hacer madeja el hilo en el aspa. ‖ **2.** Fijar o clavar en un aspa a una persona. Es género de suplicio de muerte. ‖ **3.** fig. y fam. Mortificar o dar que sentir a alguien. ‖ **4.** prnl. fig. Mostrar con quejidos y gestos enojo excesivo o dolor vehemente. ASPARSE *a gritos.*

aspaventar. (Del it. *spaventare.*) tr. Atemorizar o espantar.

aspaventero, ra. adj. Que hace aspavientos. Ú. t. c. s.

aspaventoso, sa. adj. **aspaventero.**

aspaviento. (De *aspaventar.*) m. Demostración excesiva o afectada de espanto, admiración o sentimiento.

aspearse. (De *despearse.*) prnl. **despearse.**

aspecto. (Del lat. *aspectus.*) m. Apariencia de las personas y los objetos a la vista. *El* ASPECTO *venerable de un anciano; el* ASPECTO *del campo, del mar.* ‖ **2.** V. **visita de aspectos.** ‖ **3.** Particular situación de un edificio respecto al Oriente, Poniente, Norte o Mediodía. ‖ **4.** Categoría gramatical que, en ciertas lenguas, distingue formalmente en el verbo diferentes clases de acción, según se la conciba como durativa, perfecta o terminada, reiterativa, puntual, etc. ‖ **5.** *Astrol.* Fases y situación respectiva de dos astros con relación a las casas celestes que ocupan. ‖ **cuadrado.** *Astrol.* El de dos astros cuando quedan entre ambos dos casas celestes vacías. ‖ **partil.** *Astrol.* Aquel en que la diferencia de longitudes de los dos astros es un múltiplo exacto de la dozava parte del círculo. ‖ **sextil.** *Astrol.* El de dos astros cuando queda entre ambos una casa celeste vacía. ‖ **trino.** *Astrol.* El de dos astros cuando quedan entre ambos tres casas celestes vacías. ‖ **al, o a, primer aspecto.** loc. adv. **a primera vista.**

aspectual. adj. *Filol.* Perteneciente o relativo al aspecto verbal.

asperarteria. (De *áspero*[2] y *arteria.*) f. ant. **tráquea,** conducto del aparato respiratorio.

asperear. intr. Tener sabor áspero. ‖ **2.** tr. ant. **exasperar.** Usáb. t. c. prnl.

asperedumbre. f. ant. **aspereza.**

asperete. m. **asperillo.**

asperez. f. ant. **aspereza.**

aspereza. f. Calidad de áspero. ‖ **2.** Desigualdad del terreno, que lo hace escabroso y difícil para caminar por él. ‖ **limar asperezas.** fr. Conciliar y vencer dificultades, opiniones, etc., contrapuestas en cualquier asunto.

aspergear. tr. **asperjar.**

asperger. (Del lat. *aspergere,* rociar.) tr. **asperjar.**

asperges. (Voz latina, de *aspergĕre,* rociar.) m. fam. Antífona que comienza con esta palabra y que dice el sacerdote al rociar con agua bendita el altar y la congregación de fieles. ‖ **2.** fam. y fest. Rociadura o aspersión. ‖ **3.** fig. y fam. **hisopo** para asperjar. ‖ **quedarse alguien asperges.** fr. fig. y fam. desus. No lograr lo que esperaba.

asperidad. (Del lat. *asperĭtas, -ātis.*) f. **aspereza.**

asperiego, ga. (De *áspero*[2].) adj. V. **manzano asperiego.** Ú. t. c. s. ‖ **2.** V. **manzana asperiega.** Ú. t. c. s.

asperilla. (d. de *áspero*[2].) f. Planta herbácea, olorosa, de la familia de las rubiáceas, con tallos nudosos que no crecen más de 15 centímetros, hojas ásperas en verticilo y casi lineales, flores de color blanco azulado y fruto redondo lleno de puntitas romas.

asperillo. (d. de *áspero*[2].) m. Regusto agrio de la fruta no bien madura, o el que por su naturaleza tiene alguna comida o bebida.

asperjar. (De *aspergear.*) tr. **hisopear.** ‖ **2. rociar,** esparcir en menudas gotas un líquido.

áspero[1]. m. **aspro.**

áspero[2]**, ra.** (Del lat. *asper, -ĕra, -ĕrum.*) adj. Insuave al tacto, por tener la superficie desigual, como la piedra o madera no pulimentada, la tela grosera, etc. ‖ **2. escabroso;** dicho del terreno desigual. ‖ **3.** fig. Desapacible al gusto o al oído. *Fruta, voz* ÁSPERA; *estilo* ÁSPERO. ‖ **4.** fig. Tempestuoso o desapacible, referido al tiempo. ‖ **5.** fig. Violento, referido a combates o disidencias. ‖ **6.** fig. Desabrido, riguroso, rígido, falto de afabilidad o suavidad. *Genio* ÁSPERO. ‖ **7.** V. **espíritu áspero.**

asperón[1]. (aum. de *áspero*[2].) m. Arenisca de cemento silíceo o arcilloso, que se emplea en los usos generales de construcción y también, cuando es de grano fino y uniforme, en piedras de amolar.

asperón[2]. m. ant. **esperón.**

aspérrimo, ma. (Del lat. *asperrĭmus.*) adj. sup. de **áspero**[2].

aspersión. (Del lat. *aspersĭo, -ōnis.*) f. Acción de asperjar.

aspersor. (Del lat. *aspersus.*) m. Mecanismo destinado a esparcir un líquido a presión, como el agua para el riego o los herbicidas químicos.

aspersorio. (Del lat. *aspersus,* de *aspergĕre,* rociar.) m. Instrumento con que se asperja.

asperura. (De *áspero*[2].) f. **aspereza.**

áspid. (Del lat. *aspis, -ĭdis,* y este del gr. ἀσπίς.) m. Víbora que apenas se diferencia de la culebra común más que en tener las escamas de la cabeza iguales a las del resto del cuerpo. Es muy venenosa y se encuentra en los Pirineos y en casi todo el centro y el norte de Europa. ‖ **2.** Culebra venenosa propia de Egipto y que puede alcanzar hasta dos metros de longitud; es de color verde amarillento con manchas pardas y cuello extensible. ‖ **3.** Pieza de artillería antigua, de pequeño calibre.

áspide. m. **áspid.**

aspidistra. (Del lat. cient. *aspidistra,* formado a partir del gr. ἀσπίς, escudo.) f. Planta de la familia de las liliáceas, acaule, con hojas persistentes, grandes, de tres a cuatro decímetros de longitud y ocho a diez centímetros de ancho, verdinegras, pecioladas y de nervios bien señalados. Es originaria de la China.

aspilla. f. *And.* Listón delgado de madera que, en el sentido de su longitud, lleva señalada una escala que permite apreciar, en recipientes de cabida y forma conocidas, el volumen de la parte que tienen ocupada por un líquido.

aspillador. m. El que aspilla.

aspillar. tr. *And.* Averiguar, mediante la aspilla, la cantidad de vino envasado en cubas.

aspillera. (De etim. disc.; cf. cat. ant. *espillera.*) f. *Fort.* Abertura larga y estrecha en un muro para disparar por ella. ‖ **apaisada.** *Fort.* La que tiene su mayor dimensión en sentido horizontal. ‖ **invertida.** *Fort.* La que es más ancha por la parte exterior que por la interior del muro o pared.

aspillerar. tr. Hacer aspilleras.

aspiración. (Del lat. *aspiratĭo, -ōnis.*) f. Acción y efecto de aspirar o atraer el aire a los pulmones. ‖ **2.** Acción y efecto de pretender o desear algún empleo, dignidad u otra cosa. ‖ **3.** En la teología mística, afecto encendido del alma hacia Dios. ‖ **4.** *Fon.* Sonido del lenguaje que resulta del roce del aliento, cuando se emite con relativa fuerza, hallándose abierto el canal articulatorio. ‖ **5.** *Mús.* Espacio menor de la pausa y que solo da lugar a respirar.

aspirado, da. p. p. de **aspirar.** ‖ **2.** adj. *Fon.* Dícese del sonido que se pronuncia emitiendo con cierta fuerza el aire de la garganta; como la *h* alemana y la *j* castellana. ‖ **3.** *Fon.* Por ext., dícese de la letra que representa este sonido. Ú. t. c. s. ‖ **4.** m. ant. Acción y efecto de aspirar o atraer el aire a los pulmones.

aspirador, ra. adj. Que aspira el aire. ‖ **2.** m. *Tecnol.* Nombre de diversos aparatos y máquinas destinados a aspirar fluidos. ‖ **3.** m. y f. Electrodoméstico que sirve para limpiar el polvo, absorbiéndolo.

aspirante. p. a. de **aspirar.** Que aspira. Ú. t. c. s. ‖ **2.** adj. V. **bomba aspirante.** ‖ **3.** V. **bomba aspirante e impelente.** ‖ **4.** m. Persona que ha obtenido derecho a ocupar un cargo público, según las disposiciones legales. ‖ **5.** com. Persona que pretende un empleo, distinción, título, etc. ‖ **de marina.** Cadete de la Escuela Naval Militar en sus dos primeros años.

aspirar. (Del lat. *aspirāre.*) tr. Atraer el aire exterior a los pulmones. ‖ **2.** Originar una corriente de un fluido mediante la producción de una baja de presión. ‖ **3.** Pretender o desear algún empleo, dignidad u otra cosa. ASPIRA *a una vida mejor.* ‖ **4.** desus. Exhalar aromas. ‖ **5.** ant. fig. **inspirar,** infundir afectos, ideas, etc. ‖ **6.** *Gram.* Pronunciar con aspiración. ‖ **7.** intr. ant. Alentar, respirar.

aspirina. (Del al. *Aspirin.*) f. *Farm.* Cuerpo blanco cristalizado en agujas. Lo constituyen los radicales de los ácidos acético y salicílico y se usa como analgésico y antipirético.

aspro. (Del gr. mod. ἄσπρον.) m. Moneda turca cuyo valor ha variado, según los tiempos y lugares.

asqueamiento. m. Acción y efecto de asquear.

asquear. intr. Causar asco alguna cosa. *Este trabajo me* ASQUEA. Ú. t. c. tr.

asquenazí. adj. Dícese del judío oriundo de Europa central y oriental. Ú. t. c. s.

asquerosidad. (De *asqueroso.*) f. Suciedad que mueve a asco.

asqueroso, sa. (Del lat. *eschăra,* y este del gr. ἐσχάρα, costra, postilla.) adj. Que causa asco. ‖ **2.** Que tiene asco. ‖ **3.** Propenso a tenerlo.

asta. (Del lat. *hasta.*) f. Arma ofensiva de los antiguos romanos, compuesta de hierro, astil y regatón. Empleábase como lanza, y también como dardo, para arrojarla con la mano contra el enemigo. ‖ **2.** Palo de la lanza, pica, venablo, etc. ‖ **3.** Lanza o pica. ‖ **4.** Palo a cuyo extremo o en medio del cual se pone una bandera. ‖ **5. cuerno.** ‖ **6.** desus. Hilada de ladrillos. ‖ **7.** *Mar.* Cada una de las piezas del enramado del buque que van desde la cuadra a popa y proa. ‖ **8.** *Mar.* Extremo superior de un mastelerillo. ‖ **9.** *Mar.* Verguita en que se fija un gallardete para suspenderlo del tope de un palo. ‖ **10.** *Mont.* Tronco principal del cuerno del ciervo. ‖ **11.** *Pint.* Mango de brocha o de pincel. ‖ **pura. asta** sin hierro que los capitanes romanos daban por recompensa al soldado que se distinguía en la batalla. ‖ **astas de la médula.** *Med.* Porciones anterior y posterior de la sustancia gris de la médula espinal, que a lo largo de toda ella penetran en el seno de la sustancia blanca de modo tal, que su sección transversal las presenta en forma semejante a dos pares de cuernos romos. ‖ **a media asta.** loc. adv. Dicho de banderas, a medio izar, en señal de luto. ‖ **darse de las astas.** fr. fig. y fam. desus. Batallar hasta estrecharse y mezclarse unos con otros. ‖ **2.** fig. y fam. desus. Repuntarse dos o más en la conversación, diciéndose palabras picantes. ‖ **3.** fig. y fam. desus. **porfiar,** discutir. ‖ **de asta.** loc. adv. *Albañ.* Referido a ladrillos, **a tizón.** ‖ **dejar** a alguien **en las astas del toro.** fr. fig. y fam. Abandonarlo en un peligro. ‖ **de media asta.** loc. adv. *Albañ.* Referido a ladrillos, **a soga.**

astabatán. (Del vasc. *astoa,* burro, y *batán,* menta.) m. *Ál.* **marrubio.**

astado, da. (Del lat. *hastātus.*) adj. Provisto de asta. ‖ **2.** m. **astero.**

astamenta. f. **cornamenta.**

astático, ca. (Del gr. ἀ, priv., y στατικός, estático.) adj. Dícese del equilibrio en que se mantiene un cuerpo sólido cualquiera que sea la posición en que se coloque. ‖ **2.** V. **aguja astática.** ‖ **3.** V. **sistema astático.**

ástato. (Del gr. ἄστατος, inestable.) m. *Quím.* Elemento químico radiactivo que pertenece al grupo de los halógenos. Tiene propiedades análogas a las del yodo. Debe su nombre a la inestabilidad de todos sus isótopos. Núm. atómico, 85. Símb.: *At.*

asteísmo. (Del lat. *asteismus,* y este del gr. ἀστεϊσμός.) m. *Ret.* Figura que consiste en dirigir graciosa y delicadamente una alabanza con apariencia de represión o vituperio.

astenia. (Del gr. ἀσθένεια, debilidad.) f. *Pat.* Falta o decaimiento considerable de fuerzas. Cf. **adinamia.**

asténico, ca. (Del gr. ἀσθενικός, valetudinario, enfermizo.) adj. Perteneciente o relativo a la astenia. ‖ **2.** Que la padece. Ú. t. c. s.

aster. (Del gr. ἀστήρ, estrella, a través del lat. *aster.*) m. Género de plantas de la familia de las compuestas, generalmente vivaces, con hojas alternas, sencillas, y flores con cabezuelas solitarias reunidas en panoja o corimbo.

asterisco. (Del gr. ἀστερίσκος.) m. Signo ortográfico (*) empleado para llamada a notas, u otros usos convencionales. ‖ **2.** En lingüística, se usa para indicar que una forma, palabra o frase es hipotética, incorrecta o agramatical.

asterismo. (Del gr. ἀστερισμός.) m. *Astron.* **constelación,** conjunto de estrellas.

astero. (Del lat. *hastarĭus.*) m. Soldado de la antigua milicia romana, que peleaba con asta. ‖ **2.** El encargado de dar las lanzas a los justadores. ‖ **3.** El que fabricaba astas.

asteroide. (Del gr. ἀστεροειδής, de figura de estrella.) adj. De figura de estrella. ‖ **2.** m. Cada uno de los planetas telescópicos, cuyas órbitas se hallan comprendidas, en su mayoría, entre las de Marte y Júpiter.

astifino. adj. Dícese del toro de astas delgadas y finas.

astigitano, na. (Del lat. *Astigitānus.*) adj. Natural de Ástigi, hoy Écija. Ú. t. c. s. ‖ **2.** Perteneciente o relativo a esta ciudad de la Bética.

astigmático, ca. adj. Que padece o tiene astigmatismo. ‖ **2.** Perteneciente o relativo al astigmatismo.

astigmatismo. (Del gr. ἀ, priv., y στίγμα -ατος, punto, pinta.) m. *Med.* Defecto de visión debido a curvatura irregular de superficies de refracción del ojo. ‖ **2.** *Fís.* Defecto de un sistema óptico que le hace reproducir un punto como un segmento lineal.

astigmómetro. m. *Med.* Instrumento que sirve para apreciar o medir el astigmatismo y su dirección.

astil. (Del lat. *hastīle.*) m. Mango, ordinariamente de madera, que tienen las hachas, azadas, picos y otros instrumentos semejantes. ‖ **2.** Palillo o varilla de la saeta. ‖ **3.** Barra horizontal, de cuyos extremos penden los platillos de la balanza. ‖ **4.** Vara de hierro por donde corre el pilón de la romana. ‖ **5.** Eje córneo que continúa el cañón y del cual salen las barbas de la pluma. ‖ **6.** ant. Pie que sirve para sostener alguna cosa.

astilla. (Del lat. **astella,* de *astŭla.*) f. Fragmento irregular que salta o queda de una pieza u objeto de madera que se parte o rompe violentamente. Ú. t. en sent. fig. ‖ **2.** Fragmento que salta o queda del pedernal y otros minerales. ‖ **3.** ant. Peine para tejer. ‖ **sacar astilla.** fr. fig. y fam. Lograr un beneficio, lucro o ganancia, o, cuando menos, alguna parte de lo que se desea.

astillable. adj. Que se rompe formando astillas.

astillar. tr. Hacer astillas. Ú. t. c. prnl.

astillazo. m. Golpe que da una astilla al desprenderse de la madera.

astillero. (De *astilla.*) m. Percha en que se ponen las astas o picas y lanzas. ‖ **2.** Establecimiento donde se construyen y reparan buques. ‖ **3.** Depósito de maderos. ‖ **4.** ant. Fondo de la nave. ‖ **5.** ant. Oficial que hacía peines para telares. ‖ **6.** *Méj.* Lugar del monte en que se hace corte de leña. ‖ **en astillero.** loc. fig. desus. En puesto, dignidad o empleo importante.

astillón. m. aum. de **astilla.**

astilloso, sa. (De *astilla.*) adj. Aplícase a los cuerpos que fácilmente saltan o se rompen formando astillas. ‖ **2.** *Mineral.* Dícese de la fractura de los minerales, que, al quebrarse, tienen sus caras o superficies ásperas como las de las astillas.

asto. (Del lat. *astus.*) m. ant. **astucia.**

astorgano, na. adj. Natural de Astorga. Ú. t. c. s. ‖ **2.** Perteneciente o relativo a esta ciudad de la provincia de León.

astracán. (De *Astrajan,* ciudad rusa del Caspio.) m. Piel de cordero nonato o recién nacido, muy fina y con el pelo rizado. ‖ **2.** Tejido de lana o de pelo de cabra, de mucho cuerpo y que forma rizos en la superficie exterior.

astracanada. f. fam. Farsa teatral disparatada y chabacana.

astrágalo. (Del lat. *astragălus,* y este del gr. ἀστράγαλος.) m. **tragacanto.** ‖ **2.** *Arq.* Cordón en forma de anillo, que rodea el fuste de la columna debajo del tambor del capitel. ‖ **3.** *Art.* Adorno de las piezas de artillería antiguas compuesto de un cordón o junquillo colocado entre dos filetes. ‖ **4.** *Anat.* Uno de los huesos del tarso, que está articulado con la tibia y el peroné. Vulgarmente se denomina **taba.**

astrago. (Por *estrado,* del lat. *strātus.*) m. ant. **suelo.**

astral[1]**.** (Del lat. *astrālis.*) adj. Perteneciente o relativo a los astros. ‖ **2.** *Astron.* V. **año astral.** ‖ **3.** V. **carta astral.**

astral[2]**.** m. *Ar.* **destral.**

-astre. V. **-astro.**

astreñir. (Del lat. *adstringĕre*, apretar.) tr. **astringir.**

astricción. (Del lat. *astrictĭo, -ōnis.*) f. Acción y efecto de astringir.

astrictivo, va. (De *astricto.*) adj. Que astringe o tiene virtud de astringir.

astricto, ta. (Del lat. *astrictus.*) p. p. irreg. de **astringir.** ‖ **2.** adj. *Der. Ar.* V. **procurador astricto.**

astrífero, ra. (Del lat. *astrĭfer, -ĕri.*) adj. poét. Estrellado o lleno de estrellas.

astringencia. f. Calidad de astringente. ‖ **2. astricción.**

astringente. (Del lat. *adstringens, -entis.*) p. a. de **astringir.** Que astringe. Dícese principalmente de los alimentos o remedios. Ú. t. c. s. m. ‖ **2.** adj. Dícese de lo que en contacto con la lengua produce en esta una sensación mixta entre la sequedad intensa y el amargor, como, especialmente, ciertas sales metálicas.

astringir. (Del lat. *adstringĕre.*) tr. Apretar, estrechar, contraer alguna sustancia los tejidos orgánicos. ‖ **2.** fig. Sujetar, obligar, constreñir.

astriñir. (Del lat. *adstringĕre.*) tr. **astringir.**

astro. (Del lat. *astrum*, y este del gr. ἄστρον.) m. Cualquiera de los innumerables cuerpos celestes que pueblan el firmamento. ‖ **2.** fig. Referido a un hombre, **estrella,** que sobresale. *Un* ASTRO *de la pantalla.*

-astro, tra. suf. de sustantivos, con significado despectivo: *musicASTRO, politicASTRO, madrASTRA.* A veces toma la forma **-astre:** *pillASTRE.*

astrofísica. f. Parte de la astronomía que estudia las propiedades de los cuerpos celestes, tales como luminosidad, tamaño, masa, temperatura y composición, así como su origen y evolución.

astrofísico, ca. adj. Perteneciente o relativo a la astrofísica. ‖ **2.** m. y f. Persona que profesa la astrofísica.

astrografía. f. Descripción de los cuerpos celestes según su distribución y posición en el firmamento.

astrográfico, ca. adj. Perteneciente o relativo a la astrografía, o a la fotografía de los cuerpos celestes. ‖ **2.** Perteneciente o relativo al **astrógrafo.**

astrógrafo. (De *astro* y *-grafo.*) m. Aparato astronómico formado por dos anteojos, uno visual y otro fotográfico, unidos en un solo cuerpo.

astrolabio. (Del gr. ἀστρολάβιον.) m. *Astron.* Antiguo instrumento en el que estaba representada la esfera celeste y se usaba para observar y determinar la posición y el movimiento de los astros.

astrolito. (Del gr. ἄστρον, astro, y λίθος, piedra.) m. **aerolito.**

astrologal. (De *astrólogo.*) adj. ant. **astrológico.**

astrologar. tr. desus. Averiguar o pronosticar por la astrología.

astrología. (Del lat. *astrologĭa*, y este del gr. ἀστρολογία.) f. Estudio de la posición y del movimiento de los astros, a través de cuya interpretación y observación se pretende conocer y predecir el destino de los hombres y pronosticar los sucesos terrestres. ‖ **2.** ant. **astronomía.** ‖ **judiciaria. astrología** aplicada a los pronósticos.

astrológico, ca. (Del lat. *astrologĭcus*, y este del gr. ἀστρολογικός.) adj. Perteneciente o relativo a la astrología.

astrólogo, ga. (Del lat. *astrolŏgus*, y este del gr. ἀστρολόγος.) adj. **astrológico.** ‖ **2.** m. y f. Persona que profesa la astrología. ‖ **3.** m. ant. **astrónomo.**

astronauta. (De *astro* y *nauta.*) com. Persona que tripula una astronave o que está entrenada para este trabajo.

astronáutica. (De *astro* y *náutica.*) f. Ciencia o técnica de navegar más allá de la atmósfera terrestre.

astronáutico, ca. adj. Perteneciente o relativo a la astronáutica.

astronave. (De *astro* y *nave.*) f. Vehículo capaz de navegar más allá de la atmósfera terrestre.

astronomero. (De *astrónomo.*) m. ant. **astrólogo,** que profesa la astrología.

astronomía. (Del lat. *astronomĭa*, y este del gr. ἀστρονομία.) f. Ciencia que trata de cuanto se refiere a los astros, y principalmente a las leyes de sus movimientos.

astronomiano. (De *astronomía.*) m. ant. **astrólogo,** que profesa la astrología.

astronomiático. (De *astronomía.*) m. ant. **astrólogo,** que profesa la astrología.

astronómico, ca. (Del lat. *astronomĭcus*, y este del gr. ἀστρονομικός.) adj. Perteneciente o relativo a la astronomía. ‖ **2.** V. **efemérides astronómicas.** ‖ **3.** V. **geografía astronómica.** ‖ **4.** fig. y fam. Dícese de lo que se considera desmesuradamente grande. *Sumas, distancias* ASTRONÓMICAS. ‖ **5.** *Astron.* V. **anillo, año, día astronómico.** ‖ **6.** *Astron.* V. **mes, solar astronómico.**

astrónomo, ma. (Del lat. *astronŏmus*, y este del gr. ἀστρονόμος.) m. y f. Persona que profesa la astronomía o tiene en ella especiales conocimientos.

astroso, sa. (Del lat. *astrōsus*, de *astrum*, astro.) adj. fig. Desaseado o roto. ‖ **2.** fig. Vil, abyecto, despreciable. ‖ **3.** desus. Infausto, malhadado, desgraciado.

astucia. (Del lat. *astutia.*) f. Calidad de astuto. ‖ **2. ardid** para lograr un intento.

astucioso, sa. (De *astucia.*) adj. **astuto.**

astur. adj. Natural de una antigua región de España, cuya capital era Astúrica, hoy Astorga, y cuyo río principal era el Ástura, hoy Esla. ‖ **2.** Natural de Asturias. Ú. t. c. s.

asturcón, na. (Del lat. *asturco*, caballo de Asturias.) adj. Dícese de un caballo de cierta raza, de pequeña alzada, originario de la sierra del Sueve en Asturias. Ú. t. c. s.

asturianismo. m. Locución, giro o modo de hablar peculiar y propio de los asturianos.

asturiano, na. adj. Natural de Asturias. Ú. t. c. s. ‖ **2.** Perteneciente a este principado. ‖ **3.** Dícese de la variedad **asturiana** del dialecto romance asturleonés. Ú. t. c. s. m.

Asturias. n. p. V. **princesa, príncipe de Asturias.**

asturicense. (Del lat. *Asturicensis.*) adj. Natural de Astúrica, hoy Astorga. Ú. t. c. s. ‖ **2.** Perteneciente o relativo a esta ciudad de la Hispania Tarraconense.

asturión[1]. (De *esturión.*) m. **esturión.**

asturión[2]. (De *astur.*) m. **jaca.**

asturleonés, sa o **astur-leonés, sa.** adj. Perteneciente o relativo a Asturias y León. *La monarquía* ASTURLEONESA. ‖ **2.** Dícese del dialecto romance nacido en Asturias y en el antiguo reino de León como resultado de la peculiar evolución experimentada allí por el latín. Ú. t. c. s. m.

astuto, ta. (Del lat. *astūtus.*) adj. Agudo, hábil para engañar o evitar el engaño o para lograr artificiosamente cualquier fin. ‖ **2.** Que implica astucia.

asuardado, da. (De *a-*[1] y *suarda.*) adj. **juardoso.**

asubiadero. m. *Cantabria.* Lugar donde puede alguien asubiarse.

asubiar. (De *a-*[1], *so*[3] y el ant. *uviar*, llegar.) intr. *Cantabria.* Guarecerse de la lluvia. Ú. t. c. prnl.

asuelo. (De *asolar*[1].) m. ant. **asolamiento.**

asueto, ta. (Del lat. *assuētus.*) adj. ant. Acostumbrado, habituado. ‖ **2.** m. Vacación por un día o una tarde, y especialmente la que se da a los estudiantes. *Día, tarde de* ASUETO.

asulcar. tr. ant. **sulcar.**

asumadamente. adv. m. ant. En suma o compendio.

asumar. tr. ant. **sumar.**

asumir. (Del lat. *assumĕre.*) tr. Atraer a sí, tomar para sí. ‖ **2.** Hacerse cargo, responsabilizarse de algo, aceptarlo. ‖ **3.** Adquirir, tomar una forma mayor.

asunceno, na o **asunceño, ña.** adj. Natural de la

Asunción de Paraguay. Ú. t. c. s. ‖ **2.** Perteneciente o relativo a esta ciudad.

asunción. (Del lat. *assumptĭo, -ōnis.*) f. Acción y efecto de asumir. ‖ **2.** Por excelencia, en el catolicismo, la subida al cielo de la Virgen María. ‖ **3.** Elevación, generalmente del espíritu. ‖ **4.** Dicho de las primeras dignidades, como el pontificado, el imperio, etc., acto de ser ascendido a ellas por elección o aclamación. ‖ **de deuda.** *Der.* Acto de hacerse cargo de una deuda ajena, de acuerdo con el acreedor y liberando al deudor primitivo.

asuncionista. adj. Dícese del religioso que pertenece a la congregación agustiniana de la Asunción de María, fundada en Francia en el siglo XIX. Ú. t.c. s.

asuntar. tr. *And., Tol.* y *Ant.* Poner atención, atender, comprender bien algo. Ú. t. c. intr. y prnl. ‖ **2.** intr. *Urug.* Pensar, reflexionar, argumentar.

asuntejo. m. d. fam. de **asunto,** negocio. Suele ser empleado con intención irónica.

asuntillo. m. d. de **asunto,** negocio. Suele emplearse con diversos matices, irónico, despectivo, minorativo, etc.

asunto, ta. (Del lat. *assumptus,* tomado.) p. p. irreg. de **asumir.** ‖ **2.** m. Materia de que se trata. ‖ **3.** Tema o argumento de una obra. ‖ **4.** Lo que se representa en una composición pictórica o escultórica. ‖ **5.** Negocio, ocupación, quehacer. ‖ **6.** Aventura amorosa que por uno u otro motivo interesa mantener en secreto.

asurar. (Del lat. *arsūra,* de *ardēre,* arder.) tr. Requemar los guisados en la vasija donde se cuecen, por falta de jugo o de humedad. Ú. m. c. prnl. ‖ **2.** Abrasar los sembrados el calor excesivo. Ú. m. c. prnl. ‖ **3.** Quemar o abrasar la ropa. ‖ **4.** fig. Inquietar mucho. Ú. m. c. prnl. ‖ **5.** prnl. **asarse.**

asurcado, da. p. p. de **asurcar.** ‖ **2.** adj. Que tiene surcos o hendeduras.

asurcano, na. adj. p. us. Aplícase a las tierras contiguas y a las labores y surcos hechos en ellas.

asurcar. tr. **surcar.**

asuso. (Del lat. *ad sursum.*) adv. l. ant. **arriba.**

asustadizo, za. adj. Que se asusta con facilidad.

asustar. (Del lat. *suscitāre,* levantar.) tr. Dar o causar susto. Ú. t. c. prnl. ‖ **2.** Producir desagrado o escándalo. Ú. t. c. prnl.

asutilar. (De *a-*[1] y *sutil.*) tr. desus. **sutilizar.** Usáb. t. c. prnl.

ata. prep. ant. **hasta.**

-ata. V. **-ato**[1].

atabaca. (Del ár. *aṭ-ṭabbāqa,* el eupatorio.) f. *And.* **olivarda**[2].

atabacado, da. adj. De color de tabaco.

atabal. (Del ár. *aṭ-ṭabal,* el tímpano.) m. Timbal semiesférico de un parche. ‖ **2.** Tamborcillo o tamboril que suele tocarse en fiestas públicas. ‖ **3. atabalero.** ‖ **traer** alguien **los atabales a cuestas.** fr. fig. y fam. Ser conocido de todos por hacer públicas sus bellaquerías.

atabalear. intr. Producir los caballos con las manos ruido semejante al que hacen los atabales. ‖ **2.** Imitar con los dedos sobre una mesa u otro mueble, el golpear de los palillos sobre los atabales o el tambor.

atabalejo. m. d. de **atabal.**

atabalero. m. El que toca el atabal.

atabalete. m. d. de **atabal.**

atabanado, da. (De *a-*[1] y *tábano.*) adj. Dícese del caballo o yegua de pelo oscuro y con pintas blancas en los ijares y en el cuello.

atabardillado, da. adj. Aplícase al accidente o enfermedad que participa de las calidades del tabardillo. *Tercianas* ATABARDILLADAS.

atabe. (Del ár. *aṭ-ṭaqb,* el agujero.) m. Abertura pequeña que dejan los fontaneros a las cañerías que suben por las paredes, para desventarlas o reconocer si llega hasta allí el agua.

atabernado. (De *a-*[1] y *taberna.*) adj. V. **vino atabernado.**

atabillar. (De *a-*[1] y *tabellar.*) tr. En el obraje de paños y otros tejidos de lana, doblarlos o plegarlos, dejándolos sueltos por las orillas para que por todas partes se puedan registrar.

atabladera. (De *atablar.*) f. Tabla que, arrastrada por caballerías, sirve para allanar la tierra ya sembrada.

atablar. (De *a-*[1] y *tabla.*) tr. Allanar con la atabladera la tierra ya sembrada.

atacable. adj. Que puede ser atacado.

atacadera. f. Barra para atacar la carga de los barrenos hechos en las rocas.

atacado, da. p. p. de **atacar**[1]. ‖ **2.** adj. V. **calzas atacadas.** ‖ **3.** fig. y fam. desus. Encogido, irresoluto. ‖ **4.** fig. y fam. desus. Miserable, mezquino.

atacador[1]**, ra.** adj. desus. Que **ataca,** ajusta un vestido. ‖ **2.** Que **ataca,** aprieta el taco en un arma de fuego, barreno, etc. ‖ **3.** m. Instrumento para atacar los cañones de artillería. ‖ **4.** *Germ.* **puñal**[1], arma.

atacador[2]**, ra.** adj. Que **ataca,** acomete. ‖ **2.** Que **ataca,** estrecha a una persona con argumentos. Ú. t. c. s.

atacadura. f. desus. Acción y efecto de atacar o atacarse una prenda de vestir.

atacameño, ña. adj. Natural de Atacama. Ú. t. c. s. ‖ **2.** Perteneciente o relativo a esta provincia chilena.

atacamiento. m. desus. **atacadura.**

atacamita. (Por haberse descubierto en el territorio de *Atacama.*) f. Mineral cobrizo, de color verde, que se funde con facilidad, dando cobre.

atacar[1]**.** (De *taco.*) tr. Apretar el taco en un arma de fuego, una mina o un barreno. ‖ **2.** p. us. Apretar, atestar, atiborrar. ‖ **3.** p. us. Atar, abrochar, ajustar al cuerpo cualquier pieza del vestido que lo requiere. Ú. t. c. prnl.

atacar[2]**.** (Del it. *attaccare battaglia,* comenzar la batalla.) tr. Acometer, embestir. ‖ **2.** fig. Impugnar, refutar, contradecir. ‖ **3.** fig. Apretar o estrechar a una persona en algún argumento o sobre alguna pretensión. ‖ **4.** fig. Tratándose del sueño, enfermedades, plagas, etc., **acometer,** venir repentinamente. ‖ **5.** Afectar dañosamente, irritar. ‖ **6.** Tratándose de composiciones musicales, empezar a ejecutarlas. ‖ **7.** *Mús.* Producir un sonido por medio de un golpe seco y fuerte para que se destaque. ‖ **8.** *Quím.* Ejercer acción una sustancia sobre otra, combinándose con ella o simplemente variando su estado.

atacir. (Del ár. *at-ta'ṯīr,* el influjo de los astros.) m. *Astrol.* División de la bóveda celeste en doce partes iguales o casas por medio de meridianos. ‖ **2.** *Astrol.* Instrumento en que se halla representada esta división.

atacola. (De *atar* y *cola*[1].) m. Tira de cuero o de tela fuerte con hebillas o cintas con que se mantiene recogida la cola del caballo.

atachonado, da. (De *a-*[1] y *tachón*[2].) adj. ant. Abrochado.

ataderas. f. pl. fam. desus. Ligas para atar las medias.

atadero. m. Lo que sirve para atar. ‖ **2.** Parte por donde se ata alguna cosa. ‖ **3.** Gancho, anillo, etc., en que se ata alguna cosa, especialmente el ramal de las bestias. ‖ **no tener atadero.** fr. fig. y fam. No tener orden ni concierto. Aplícase a personas y cosas. Úsase también con otros verbos. *No se le puede tomar* ATADERO; *no se le encuentra* ATADERO.

atadijo. (De *atado.*) m. fam. Lío pequeño y mal hecho. ‖ **2.** Lo que sirve para atar.

atado, da. p. p. de **atar.** ‖ **2.** adj. fig. desus. Dícese de la persona que se apoca por cualquier cosa. ‖ **3.** m. Conjunto de cosas atadas. *Un* ATADO *de ropa, de medias.* ‖ **4.** *Amér.* Cajetilla o paquete de cigarrillos.

atador, ra. adj. Que ata. Ú. t. c. s. ‖ **2.** m. Entre segadores, el que ata los haces o gavillas.

atadura. f. Acción y efecto de atar. ‖ **2.** Cosa con que se ata. ‖ **3.** fig. Unión o enlace.
atafagar. (De *tafo.*) tr. Sofocar, aturdir, hacer perder el uso de los sentidos, especialmente con olores fuertes, buenos o malos. Ú. t. c. prnl. ‖ **2.** fig. fam. Molestar a alguien con insufrible importunidad. ‖ **3.** prnl. Estar sobrecargado de trabajo.
atafago. m. Acción y efecto de atafagar.
atafarra. (Del ár. *aṭ-ṭafara,* el baste.) f. ant. **ataharre.**
atafea. (Del ár. *aṭ-ṭafāḥa,* la plenitud.) f. desus. Hartazgo.
atafetanado, da. adj. Semejante al tafetán.
atagallar. intr. *Mar.* Navegar un buque muy forzado de vela. ‖ **2.** *Cuba* y *Sto. Dom.* Trabajar afanosamente, atosigado por diversos apremios. ‖ **3.** tr. *Cuba* y *Sto. Dom.* Ansiar, desear, con vehemencia.
ataguía. (De *atajar.*) f. Macizo de tierra arcillosa u otro material impermeable, para atajar el paso del agua durante la construcción de una obra hidráulica.
ataharre. (De *atafarra.*) m. Banda de cuero, cáñamo o esparto que, sujeta por sus puntas o cabos a los bordes laterales y posteriores de la silla, albarda o albardón, rodea los ijares y las ancas de la caballería y sirve para impedir que la montura o el aparejo se corran hacia adelante.
atahona. (Del ár. *aṭ-ṭaḥūna,* el molino de cereales.) f. **tahona.**
atahonero. m. **tahonero.**
atahorma. (Del ár. *at-tafurma,* la hembra del halcón.) f. Ave rapaz diurna, africana, de color ceniciento, con el pecho manchado de gris rojizo, la cola blanca y los tarsos amarillos, se alimenta de pequeños mamíferos, aves, batracios y reptiles, sin exceptuar las serpientes. Es ave de paso, y solo en el invierno permanece en España.
atahúlla. f. **tahúlla.**
ataifor. (Del ár. *aṭ-ṭaifūr,* la bandeja, la mesilla.) m. Plato hondo para servir viandas, que se usaba antiguamente. ‖ **2.** Mesa redonda y pequeña usada por los musulmanes.
atairar. tr. Hacer ataires.
ataire. (Del ár. *ad-dā'ir,* lo que circunda, el círculo.) m. Moldura en las escuadras y tableros de puertas o ventanas.
atajada. f. *Chile, Perú* y *Urug.* Acción de atajar, salir al encuentro. ‖ **2.** *Chile, Perú* y *Urug.* Acción de ir por un atajo. ‖ **3.** *Chile, Perú* y *Urug.* Acción de impedir el curso de una cosa.
atajadamente. adv. m. ant. **solamente.**
atajadero. m. Caballón, lomo u obstáculo de tierra, madera o piedra, que se pone en las caceras, acequias o regueras para hacer entrar o distribuir el agua en una finca.
atajadizo. m. Tabique o cualquier otra cosa con que se ataja un sitio o terreno. ‖ **2.** Porción menor del sitio o terreno atajado.
atajador, ra. (De *atajar.*) adj. Que ataja. Ú. t. c. s. ‖ **2.** m. ant. *Mil.* **explorador.** ‖ **3.** *Chile.* El que guía la recua. ‖ **de ganado.** ant. El que hurta ganado con engaño o fuerza.
atajamiento. m. Acción de atajar o atajarse.
atajar. (De *a-*[1] y *tajar.*) intr. Ir o tomar por el atajo. ‖ **2.** tr. Tratándose de personas o animales que huyen o caminan, salirles al encuentro por algún atajo. ‖ **3.** Cortar o dividir algún sitio o terreno, dejando alguna parte de él separada de la otra por medio de un tabique, un biombo, un cancel, surco, etc. ‖ **4.** Señalar con rayas en un escrito la parte que se ha de omitir al leerlo, recitarlo o copiarlo. ‖ **5.** Tratándose de un rebaño, dividirlo en atajos o porciones, o disgregar de él una parte. ‖ **6.** Cortar o interrumpir alguna acción o proceso. ATAJAR *el fuego, un pleito.* ‖ **7.** fig. Interrumpir a alguien en lo que va diciendo. ‖ **8.** ant. Reconocer o explorar la tierra. ‖ **9.** prnl. fig. Cortarse o correrse de vergüenza, respeto, miedo o perplejidad. ‖ **10.** *And.* **emborracharse.**
atajasolaces. (De *atajar* y *solaz.*) m. desus. **espantagustos.**
atajea. f. **atarjea.**
atajía. f. **atarjea.**
atajo. (De *atajar.*) m. Senda o lugar por donde se abrevia el camino. ‖ **2.** fig. Procedimiento o medio rápido. ‖ **3.** Separación o división de alguna cosa. ‖ **4.** Acción y efecto de atajar un escrito. ‖ **5.** **hatajo,** pequeño grupo de ganado. ‖ **6.** despect. **hatajo,** grupo de personas o cosas. ‖ **7.** ant. fig. Ajuste, corte que se da para finalizar un negocio. ‖ **8.** *Esgr.* Treta para herir al adversario por el camino más corto esquivando la defensa. ‖ **dar atajo** a una cosa. fr. ant. Atajarla, cerrarla con prontitud. ‖ **echar por el atajo.** fr. fig. y fam. Emplear medio por donde salir brevemente de cualquier dificultad o mal paso. ‖ **poner el atajo.** fr. *Esgr.* Poner la espada sobre la del contrario, cortándola. ‖ **salir al atajo.** fr. fig. y fam. Interrumpir el discurso a otro.
atal. adj. ant. **tal.**
atalador, ra. adj. ant. **talador.** Usáb. t. c. s.
ataladrar. tr. ant. **taladrar.**
atalaero. (De *atalayero.*) m. ant. **atalayador.**
atalajar. tr. Poner el atalaje a las caballerías de tiro y engancharlas. Ú. m. en artillería.
atalaje. m. **atelaje.** Ú. m. en artillería. ‖ **2.** fig. y fam. Ajuar o equipo.
atalantar[1]. (De *a-*[1] y *talante.*) intr. p. us. Agradar, convenir. ‖ **2.** tr. *Extrem.* Tranquilizar. U. t. c. prnl. ‖ **3.** prnl. ant. Prendarse, enamorarse.
atalantar[2]. tr. desus. **atarantar.** Ú. t. c. prnl.
atalar. tr. ant. **talar**[2].
atalaya. (Del ár. *aṭ-ṭalā'i',* los centinelas.) f. Torre hecha comúnmente en lugar alto, para registrar desde ella el campo o el mar y dar aviso de lo que se descubre. ‖ **2.** Cualquier eminencia o altura desde donde se descubre mucho espacio de tierra o mar. ‖ **3.** fig. Estado o posición desde la que se aprecia bien una verdad. ‖ **4.** m. desus. Hombre destinado a registrar desde la **atalaya** y avisar de lo que descubre. ‖ **5.** desus. El que atisba o procura inquirir y averiguar lo que sucede. ‖ **6.** *Germ.* **ladrón.**
atalayador, ra. adj. Que atalaya. Ú. t. c. s. ‖ **2.** fig. y fam. Que atisba o procura inquirir y averiguar todo lo que sucede. Ú. t. c. s.
atalayamiento. m. ant. Acción y efecto de atalayar.
atalayar. tr. Registrar el campo o el mar desde una atalaya o altura, para dar aviso de lo que se descubre. ‖ **2.** fig. Observar o espiar las acciones de otros. ‖ **3.** prnl. ant. Mostrarse.
atalayero. (De *atalayar.*) m. El que servía en el ejército en puestos avanzados, para observar y avisar los movimientos del enemigo. ‖ **2.** *Vizc.* Persona que desde una atalaya vigila el mar para detectar la presencia de bancos de peces y transmitir su localización a los pescadores mediante señales de humo.
atalear. tr. ant. **atalayar.**
ataludar. tr. Dar talud.
ataluzar. tr. **ataludar.**
atalvina. (Del ár. *at-talbina,* el manjar hecho con harina, leche y miel.) f. **talvina.**
atamán. m. Jefe militar entre los antiguos cosacos.
atambor. (Del ár. *aṭ-ṭunbūr,* el tambor, la cítara.) m. desus. **tambor,** instrumento músico. ‖ **2.** desus. Persona que lo toca.
atamiento. m. ant. **atadura.** ‖ **2.** fig. y fam. Encogimiento o cortedad de ánimo. ‖ **3.** ant. fig. Estorbo, impedimento. ‖ **4.** ant. fig. **obligación,** exigencia moral. ‖ **5.** ant. fig. **obligación,** vínculo que sujeta a hacer una cosa o abstenerse de ella. ‖ **6.** ant. fig. **obligación,** correspondencia al beneficio recibido.
atamor. m. ant. **atambor.**
atán. adv. c. ant. **tan,** apóc. de **tanto.**

atanasia[1]. (Del gr. ἀθανασία, inmortalidad.) f. **hierba de Santa María.**

atanasia[2]. (De San *Atanasio,* por ser su vida la primera obra que se imprimió con esa letra.) f. *Impr.* Carácter de letra de catorce puntos, intermedia entre la de texto y la de lectura.

atancar. tr. ant. **atrancar,** asegurar una puerta. ‖ **2.** ant. **atrancar,** atascar un conducto. ‖ **3.** prnl. ant. Atascarse.

atanco. (De *atancar.*) m. p. us. Atasco, atranco.

atandador. m. *Murc.* El encargado de fijar la tanda o turno en el riego.

atanor. (Del ár. *at-tannūr,* el horno circular, la boca del pozo.) m. Cañería para conducir el agua. ‖ **2.** Cada uno de los tubos de barro cocido de que suele formarse dicha cañería. ‖ **3.** V. **hornillo de atanor.**

atanquía. (Del ár. *at-tanqiya,* la limpiadura.) f. desus. Ungüento depilatorio, ordinariamente compuesto de cal viva, aceite y otras cosas. ‖ **2.** desus. **adúcar,** seda exterior del capullo de seda. ‖ **3.** desus. **cadarzo,** seda basta de los capullos.

atañedero, ra. (De *atañer.*) adj. Tocante o perteneciente.

atañer. (Del lat. *attangĕre,* por *attingĕre.*) intr. Afectar, incumbir, corresponder. Ú. solo en tercera persona.

atapar. tr. desus. y hoy vulg. **tapar.**

atapierna. (De *atar* y *pierna.*) f. ant. **liga** para sujetar las medias y calcetines.

ataque. m. Acción de atacar, o acometer. ‖ **2.** Conjunto de trabajos de trinchera para tomar o expugnar una plaza. ‖ **3.** *Mil.* V. **paso de ataque.** ‖ **4.** fig. Acceso repentino ocasionado por un trastorno o una enfermedad, o bien por un sentimiento extremo. ATAQUE *de nervios, de ira.* ATAQUE *al corazón.* ‖ **5.** fig. Impugnación, crítica, palabra o acción ofensiva.

ataquiza. f. *Agr.* Acción y efecto de ataquizar.

ataquizar. (De etim. disc., quizá de *taco,* o del ár. *at-takāṭar.*) tr. *Agr.* **amugronar.**

atar. (Del lat. *aptāre,* ajustar, adaptar.) tr. Unir, juntar o sujetar con ligaduras o nudos. ‖ **2.** fig. Impedir o quitar el movimiento. ‖ **3.** fig. Juntar, relacionar, conciliar. ‖ **4.** prnl. fig. No saber cómo salir de un negocio o apuro. ‖ **5.** fig. Ceñirse o reducirse a una cosa o materia determinada. ‖ **al atar de los trapos.** expr. fig. y fam. desus. Al fin, o al dar las cuentas. ‖ **atar corto** a alguien. fr. fig. y fam. Reprimirle, sujetarle. ‖ **no atar ni desatar.** fr. fig. y fam. Hablar sin concierto. ‖ **2.** fig. y fam. No resolver ni determinar nada en ningún sentido.

ataracea. (Del ár. *at-tarṣī'a,* la incrustación.) f. **taracea.**

ataracear. tr. p. us. **taracear.**

atarantado, da. p. p. de **atarantar.** ‖ **2.** adj. Picado de la tarántula. ‖ **3.** fig. y fam. Inquieto y bullicioso, que no para ni sosiega. ‖ **4.** fig. y fam. Aturdido o espantado.

atarantamiento. m. Acción y efecto de atarantar o atarantarse.

atarantar. (De *a-*[1] y *tarántula.*) tr. **aturdir,** turbar los sentidos. Ú. t. c. prnl.

ataraxia. (Del gr. ἀταραξία, imperturbabilidad.) f. *Fil.* **imperturbabilidad.**

atarazana. (Del hispanoárabe *dár-as-sána,* del mismo origen que *dársena* y *arsenal.*) f. **arsenal** de embarcaciones. ‖ **2.** Cobertizo o recinto en que trabajan los cordeleros o los fabricantes de márragas u otras telas de estopa o cáñamo. ‖ **3.** *And.* Lugar donde se guarda el vino en toneles.

atarazanal. m. ant. **arsenal** de embarcaciones.

atarazar. (De *a-*[1] y *tarazar.*) tr. Morder o rasgar con los dientes.

atardecer[1]. intr. Empezar a caer la tarde.

atardecer[2]. m. Último período de la tarde.

atardecida. f. **atardecer**[2].

atarea. f. ant. **tarea.**

atarear. tr. Poner o señalar tarea. ‖ **2.** prnl. Entregarse mucho al trabajo o a las ocupaciones.

atarfe. (Del ár. *aṭ-ṭarfā',* el tamariz.) f. ant. **taray.**

-atario, ria. (Del lat. *-atarĭus.*) suf. de sustantivos procedentes del latín o derivados en español de verbos de la primera conjugación. Denota la persona en cuyo favor se realiza la acción: *arrend*ATARIO, *destin*ATARIO, *prest*ATARIO.

atarjea. (De etim. disc.; cf. ár. *aṭ-ṭarḥiyya,* la vía de los excrementos.) f. Caja de ladrillo con que se visten las cañerías para su defensa. ‖ **2.** Conducto o encañado por donde las aguas de la casa van al sumidero. ‖ **3.** *And., Can.* y *Méj.* Canalito de mampostería, a nivel del suelo o sobre arcos, que sirve para conducir agua.

atarquinar. tr. Llenar de tarquín. Ú. m. c. prnl.

atarraga[1]. f. **olivarda**[2].

atarraga[2]. (Del ár. *aṭ-ṭarrāqa,* el instrumento que golpea, el martillo.) m. ant. **martillo.**

atarragar[1]. (De *atarraga*[2].) tr. desus. Entre herradores, dar con el martillo la forma conveniente a la herradura y a los clavos, para su mejor aplicación al casco de la bestia.

atarragar[2]. tr. *Col., Méj.* y *Venez.* Atracar, atiborrar de comida. Ú. m. c. prnl.

atarrajar. tr. **aterrajar.**

atarraya. (Del ár. *aṭ-ṭarrāḥa,* la red.) f. **esparavel,** red redonda para pescar.

atarugamiento. m. fam. Acción y efecto de atarugar o atarugarse.

atarugar. tr. Asegurar el carpintero un ensamblado con tarugos, cuñas o clavijas. ‖ **2.** Tapar con tarugos o tapones los agujeros de los pilones, pilas o vasijas, para impedir que se escape el líquido que contengan. ‖ **3.** fig. y fam. Hacer callar a alguien, dejándole sin saber qué responder. Ú. t. c. prnl. ‖ **4.** fig. y fam. **atestar,** henchir apretando. ‖ **5.** fig. y fam. **atracar,** hartar. Ú. t. c. prnl. ‖ **6.** prnl. fig. y fam. **atragantarse.** ‖ **7.** fig. Atontarse, aturdirse.

atasajado, da. p. p. de **atasajar.** ‖ **2.** adj. fam. Dícese de la persona que va tendida sobre una caballería.

atasajar. tr. p. us. Hacer tasajos la carne.

atascadero. m. Lodazal o sitio donde se atascan los carruajes, las caballerías o las personas. ‖ **2.** fig. Estorbo u obstáculo que impide la continuación de un proyecto, empresa, pretensión, etc.

atascado, da. p. p. de **atascar.** ‖ **2.** adj. *Murc.* Pertinaz, obstinado, terco.

atascamiento. (De *atascar.*) m. **atasco.**

atascar. (De *a-*[1] y *tasco.*) tr. Tapar con tascos o estopones las aberturas que hay entre tabla y tabla y las hendeduras de ellas, como se hace cuando se calafatea un buque. ‖ **2.** Obstruir o cegar un conducto con alguna cosa. Ú. m. c. prnl. ATASCARSE *una cañería.* ‖ **3.** fig. Poner obstáculos a cualquier negocio para que no prosiga. ‖ **4.** fig. Detener, impedir a alguien que prosiga lo comenzado. ‖ **5.** prnl. Quedarse detenido en un pantano o barrizal de donde no se puede salir sino con gran dificultad. ‖ **6.** fam. Quedarse detenido por algún obstáculo, no pasar adelante. ‖ **7.** fig. Quedarse en algún razonamiento o discurso sin poder proseguir.

atasco. (De *atascar.*) m. Impedimento que no permite el paso. ‖ **2.** Obstrucción de un conducto, con materias sólidas que impiden el paso de las líquidas. ‖ **3. embotellamiento,** congestión de vehículos. ‖ **4.** Dificultad que retrasa la marcha de un asunto.

atasquería. (De *atasco.*) f. *Murc.* **terquedad.**

¡atatay! (De or. quechua.) *Ecuad.* interj. con que se expresa la sensación de asco.

ataucar. tr. **taucar.**

ataúd. (Del ár. *at-tābūt,* la caja, el arca.) m. Caja, ordinariamente de madera, donde se pone un cadáver para llevarlo a enterrar. ‖ **2.** Cierta medida antigua de granos.

ataudado, da. adj. De figura de ataúd.

ataujía. (Del ár. *at-tawšiya*, el adorno con dibujo en colores.) f. Obra de adorno que se hace con filamentos de oro o plata embutiéndolos en ranuras o huecos previamente abiertos en piezas de hierro u otro metal. ‖ **2.** fig. Labor primorosa, o de difícil combinación o engarce.

ataujiado, da. adj. Dicho del metal, trabajado o adornado con ataujía.

ataurique. (Del ár. *at-tawrīq*, el adorno foliáceo.) m. *Arq.* Ornamentación árabe de tipo vegetal.

ataviar. (De *atavío*.) tr. Componer, asear, adornar. Ú. t. c. prnl.

atávico, ca. adj. Perteneciente o relativo al atavismo.

atavío. (De or. inc.) m. Compostura y adorno. ‖ **2.** fig. **vestido,** conjunto de las piezas que lo componen. ‖ **3.** pl. Objetos que sirven para adorno.

atavismo. (Del lat. *atăvus*, cuarto abuelo, antepasado.) m. Semejanza con los abuelos o antepasados lejanos. ‖ **2.** fig. Tendencia a imitar o a mantener formas de vida, costumbres, etc., arcaicas. ‖ **3.** *Biol.* Tendencia, en los seres vivos, a la reaparición de caracteres propios de sus ascendientes más o menos remotos.

ataxia. (Del gr. ἀταξία.) f. *Pat.* Desorden, irregularidad, perturbación de las funciones del sistema nervioso. ‖ **locomotriz.** La que afecta a los movimientos voluntarios; como en la tabes dorsal.

atáxico, ca. adj. *Pat.* Perteneciente o relativo a la ataxia. ‖ **2.** *Pat.* Que padece ataxia. U. t. c. s.

ate. m. *Méj.* Pasta dulce o carne hecha de frutas como membrillo, durazno, guayaba, etcétera.

-ate. suf. que en algunas palabras equivale a **-ado:** *aven*ATE. Es también la terminación de algunos nombres de origen americano: *chocol*ATE, *tom*ATE.

atear. (De *a-*[1] y *tea*.) tr. ant. Encender, avivar. Ú. t. c. prnl.

atediante. p. a. de **atediar.** Que atedia. ‖ **2.** adj. **tedioso.**

atediar. tr. Causar tedio. Ú. t. c. prnl.

ateísmo. m. Opinión o doctrina del ateo.

ateísta. adj. **ateo.** Apl. a pers., ú. t. c. s.

ateje. m. Árbol de Cuba, de la familia de las borragináceas, de unos tres metros de altura, con las ramas y ramillas trifurcadas, hojas parecidas a las del cafeto, y fruto colorado, dulce y gomoso, en figura de racimo. Su madera se emplea en las artes, y su raíz, en medicina.

atelaje. (Del fr. *attelage*.) m. **tiro,** caballerías que tiran de un carruaje. Ú. m. en artillería. ‖ **2.** Conjunto de guarniciones de las bestias de tiro. Ú. m. en artillería.

atelana. (Del lat. *atellāna* [*fabŭlla*]; de *Atella*, ciudad de los oscos, célebre por su anfiteatro y sus representaciones graciosas.) adj. Aplícase a una pieza cómica de los latinos, semejante al entremés o sainete. Ú. t. c. s. f.

atembado, da. adj. fam. *Col.* Atolondrado, atontado. Ú. t. c. s.

atembar. tr. *Col.* Atolondrar, aturdir. Ú. t. c. prnl.

atemorar. tr. ant. **atemorizar.**

atemorizar. tr. Causar temor. Ú. t. c. prnl.

atempa. (De or. inc.; cf. lat. *tempēa*, cañadas.) f. *Ast.* Pastos en llanuras o en lugares bajos y descampados.

atemperación. f. Acción y efecto de atemperar o atemperarse.

atemperador, ra. adj. Que atempera.

atemperante. p. a. de **atemperar.** Que atempera. Ú. t. c. s.

atemperar. (Del lat. **attemperāre*, de *temperāre*, templar.) tr. Moderar, templar. Ú. t. c. prnl. ‖ **2.** Acomodar una cosa a otra. Ú. t. c. prnl.

atempero. (De *atemperar*.) m. ant. Estado de la atmósfera.

atenacear. tr. Arrancar con tenazas pedazos de carne a una persona. Era un género de suplicio. ‖ **2.** fig. **atenazar,** torturar, afligir.

atenazado, da. p. p. de **atenazar.** ‖ **2.** adj. Dícese de las fortificaciones en forma de tenaza, que forman grandes ángulos entrantes y salientes.

atenazador, ra. adj. Que atenaza.

atenazar. tr. **atenacear.** ‖ **2.** Sujetar fuertemente con tenazas o como con tenazas. ‖ **3.** Referido a los dientes, ponerlos apretados por la ira o el dolor. ‖ **4.** fig. Torturar, afligir a alguien un pensamiento o sentimiento.

atención. (Del lat. *attentĭo, -ōnis*.) f. Acción de atender. ‖ **2.** Cortesía, urbanidad, demostración de respeto u obsequio. ‖ **3.** Entre ganaderos, contrato de compra o venta de lanas, sin determinación de precio, sino remitiéndose al que otros hicieren. ‖ **4.** pl. Negocios, obligaciones. ‖ **atención.** *Mil.* Voz preventiva con que se advierte a los soldados formados que va a empezar un ejercicio o maniobra. ‖ **2.** Se usa también para que se aplique especial cuidado a lo que se va a decir o hacer. ‖ **llamar la atención.** fr. Provocarla o atraerla, una persona o cosa que despierte interés o curiosidad. ‖ **2.** Sorprender, causar sorpresa. ‖ **3.** Reconvenir. ‖ **en atención a.** loc. adv. Atendiendo, teniendo presente.

atendalar. (De *a-*[1] y *tendal*.) intr. ant. *Mil.* **atendar.** Usáb. t. c. prnl.

atendar. intr. ant. Acampar, armando las tiendas de campaña. Usáb. t. c. prnl.

atendedor, ra. m. y f. *Impr.* Persona que atiende a lo que va leyendo el corrector.

atendencia. f. desus. Acción de atender.

atender. (Del lat. *attendĕre*.) tr. Esperar o aguardar. ‖ **2.** Acoger favorablemente, o satisfacer un deseo, ruego o mandato. Ú. t. c. intr. ‖ **3.** intr. Aplicar voluntariamente el entendimiento a un objeto espiritual o sensible. Ú. t. c. tr. ‖ **4.** Tener en cuenta o en consideración alguna cosa. ‖ **5.** Mirar por alguna persona o cosa, o cuidar de ella. Ú. t. c. tr. ‖ **6.** Con la prep. *por*, y referido a animales, llamarse. *El perro perdido* ATIENDE POR *Rayo*. ‖ **7.** *Impr.* Leer uno para sí el original de un escrito, con el fin de ver si está conforme con él la prueba que va leyendo en voz alta el corrector.

atendible. adj. Digno de atención o de ser atendido. *Razones* ATENDIBLES.

atendimiento. m. ant. Acción y efecto de atender, esperar.

atenebrarse. (De *a-*[1] y el lat. *tenebrāre*, oscurecer.) prnl. Entenebrecerse.

atenedor. m. ant. Parcial, el que se atiene a un partido.

ateneísta. com. Socio de un ateneo.

atenencia. (De *atener*.) f. ant. Amistad, parcialidad, concordia.

ateneo[1]. (Del lat. *Athenaeum*, y este del gr. Ἀθήναιον, templo de Minerva en Atenas.) m. Nombre de algunas asociaciones, la mayor parte de las veces científicas o literarias. ‖ **2.** Local en donde se reúnen.

ateneo[2], **a.** (Del lat. *Athenaeus*, y este del gr. ἀθηναῖος.) adj. **ateniense.** No se usa, por lo común, sino en lenguaje poético. Ú. t. c. s.

atener. (Del lat. *attinēre*.) tr. ant. Mantener, guardar u observar alguna cosa. ‖ **2.** intr. ant. Seguido de las preps. *a* o *con*, andar igualmente o al mismo paso que otro. ‖ **3.** prnl. Arrimarse, adherirse a una persona o cosa, teniéndola por más segura. ‖ **4.** Ajustarse, sujetarse alguien en sus acciones a alguna cosa. ATENERSE *a una orden, a lo dicho, a las resultas*.

ateniense. (Del lat. *Atheniensis*.) adj. Natural de Atenas. Ú. t. c. s. ‖ **2.** Perteneciente a esta ciudad de Grecia o a la antigua república del mismo nombre.

ateniés, sa. adj. ant. **ateniense.** Usáb. t. c. s.

atenorado, da. adj. Dícese de la voz parecida a la del tenor y de los instrumentos cuyo sonido tiene timbre parecido.

atentación. (Del lat. *attentatĭo, -ōnis.*) f. **atentado,** procedimiento abusivo de una autoridad.

atentadamente. adv. m. Con tiento, con prudencia. ‖ **2.** Contra el orden o forma que previenen las leyes.

atentado, da. p. p. de **atentar.** ‖ **2.** adj. desus. Cuerdo, prudente, moderado. ‖ **3.** desus. Hecho con mucho tiento, sin meter ruido. ‖ **4.** m. p. us. Procedimiento abusivo de cualquier autoridad. ‖ **5.** Agresión o desacato grave a la autoridad u ofensa a un principio u orden que se considera recto. ‖ **6.** Agresión contra la vida o la integridad física o moral de una persona. ‖ **7.** *Der.* Delito que consiste en la violencia o resistencia grave contra la autoridad o sus agentes en el ejercicio de funciones públicas, sin llegar a la rebelión ni sedición.

atentar[1]**.** tr. desus. **tentar,** ejercitar el sentido del tacto. Ú. en Chile. ‖ **2.** desus. **tentar,** examinar o reconocer por medio de este sentido. Ú. en Chile. ‖ **3.** prnl. desus. Ir o proceder con cuidado, contenerse, moderarse.

atentar[2]**.** (Del lat. *attentāre.*) tr. desus. Emprender o ejecutar alguna cosa ilegal o ilícita. ‖ **2.** desus. Intentar, especialmente tratándose de un delito. ‖ **3.** intr. Cometer atentado.

atentatorio, ria. (De *atentar.*) adj. Que lleva en sí la tendencia, el conato o la ejecución del atentado.

atento, ta. (Del lat. *attentus.*) p. p. irreg. de **atender.** ‖ **2.** adj. Que tiene fija la atención en alguna cosa. ‖ **3.** Cortés, urbano, comedido. ‖ **atento a.** loc. adv. p. us. **en atención a.**

atenuación. (Del lat. *attenuatĭo, -ōnis.*) f. Acción y efecto de atenuar. ‖ **2.** *Ret.* Figura que consiste en no expresar todo lo que se quiere dar a entender, sin que por esto deje de ser bien comprendida la intención del que habla. Cométese generalmente negando lo contrario de aquello que se quiere afirmar, v. gr.: *No soy tan insensato; en esto no os alabo.*

atenuante. p. a. de **atenuar.** Que atenúa. ‖ **2.** adj. V. **circunstancia atenuante.** Ú. t. c. s. f.

atenuar. (Del lat. *attenuāre.*) tr. Poner tenue, sutil o delgada alguna cosa. ‖ **2.** fig. Minorar o disminuir alguna cosa. Ú. t. c. prnl.

ateo, a. (Del lat. *athĕus,* y este del gr. ἄθεος.) adj. Que niega la existencia de Dios. Apl. a pers., ú. t. c. s.

atepocate. (Del nahua *atepocatl.*) m. *Méj.* **renacuajo.**

atercianado, da. adj. Que padece tercianas. Ú. t. c. s.

aterciopelado, da. adj. Semejante al terciopelo. ‖ **2.** De finura y suavidad comparables a las del terciopelo.

aterecer. (De *aterir.*) tr. p. us. Hacer temblar. ‖ **2.** prnl. Aterirse.

aterecimiento. m. ant. Acción y efecto de aterecerse.

atericia. f. ant. **ictericia.**

atericiarse. (De *atericia.*) prnl. ant. **atiriciarse.**

aterimiento. m. Acción y efecto de aterirse.

aterir. (De or. inc., quizá del mismo origen onomatopéyico que *tiritar.*) tr. defect. Pasmar de frío. Ú. m. c. prnl.

atérmano, na. (Del gr. ἀ, priv., y θέρμη, calor.) adj. *Fís.* Que difícilmente da paso al calor.

aternecer. tr. ant. **enternecer.**

ateroesclerosis. f. *Pat.* **aterosclerosis.**

ateroma. (Del gr. ἀθήρα, papilla, y *-oma.*) m. *Med.* Quiste sebáceo. ‖ **2.** *Med.* Arteriosclerosis con alteraciones grasientas de la pared arterial.

aterosclerosis. (Del gr. ἀθήρα, pulpa, papilla, y *esclerosis.*) f. *Pat.* Estado patológico caracterizado por un endurecimiento de los vasos sanguíneos, principalmente las arterias.

aterrada. f. *Mar.* Aproximación de un buque a tierra. ‖ **2. recalada.**

aterrador, ra. adj. Que aterra o aterroriza.

aterrajar. tr. Labrar con la terraja las roscas de los tornillos y tuercas. ‖ **2.** Hacer molduras con la terraja. ‖ **3.** V. **macho de aterrajar.**

aterraje. m. Acción de aterrar un buque o un aviador con su aparato. ‖ **2.** *Mar.* Determinación geográfica del punto en que ha aterrado una nave.

aterramiento. (De *aterrar.*) m. Aumento del depósito de tierras, limo o arena en el fondo de un mar o de un río por acarreo natural o voluntario. ‖ **2. terror,** miedo. ‖ **3.** Humillación, abatimiento.

aterrar[1]**.** (De *tierra.*) tr. Bajar al suelo. ‖ **2. derribar,** abatir. ‖ **3.** Cubrir con tierra. ‖ **4.** *Min.* Echar los escombros y escorias en los terreros. ‖ **5.** intr. Llegar a tierra. ‖ **6.** *Mar.* Acercarse a tierra los buques en su derrota.

aterrar[2]**.** (Del lat. *terrēre.*) tr. **aterrorizar.** Ú. t. c. prnl.

aterrecer. (De *a-*[1] y *terrecer.*) tr. ant. **aterrorizar.**

aterrerar. (De *a-*[1] y *terrero.*) tr. *Min.* **aterrar** los escombros.

aterrizaje. (Del fr. *atterrissage.*) m. Acción de aterrizar. ‖ **2.** V. **tren de aterrizaje.**

aterrizar. intr. Posarse un avión o un artefacto volador cualquiera, tras una maniobra de descenso, sobre tierra firme o sobre cualquier pista o superficie que sirva a tal fin. ‖ **2.** Llegar a tierra el piloto, el pasajero, el paracaidista, etc. ‖ **3.** fig. y fam. Caer al suelo. ‖ **4.** fig. y fam. Aparecer, presentarse una persona inopinadamente en alguna parte.

aterronar. tr. Hacer terrones alguna materia suelta. Ú. m. c. prnl.

aterrorizar. (De *a-*[1] y *terror.*) tr. Causar terror. Ú. t. c. prnl.

atesar. (De *a-*[1] y *tesar.*) tr. ant. **atiesar.** ‖ **2.** *Mar.* **tesar** cabos, velas, etc., de la nave.

atesoramiento. m. *Econ.* Retención de dinero o riquezas, sin incidencia en la actividad económica.

atesorar. (De *a-*[1] y *tesoro.*) tr. Reunir y guardar dinero o cosas de valor. ‖ **2.** fig. Tener muchas buenas cualidades, gracias o perfecciones.

atestación. (Del lat. *attestatĭo, -ōnis.*) f. Deposición de testigo o de persona que testifica o afirma alguna cosa.

atestado[1]**.** m. Instrumento oficial en que una autoridad o sus delegados hacen constar como cierta alguna cosa. Aplícase especialmente a las diligencias de averiguación de un delito, instruidas por la autoridad gubernativa o policía judicial como preliminares de un sumario. ‖ **2.** pl. Testimoniales.

atestado[2]**, da.** (De *a-*[1] y *testa.*) adj. p. us. Terco, obstinado, testarudo.

atestadura. f. **atestamiento.** ‖ **2.** Porción de mosto con que se atiestan las cubas de vino.

atestamiento. m. Acción y efecto de atestar[1] con mosto las cubas.

atestar[1]**.** (De *a-*[1] y *tiesto*[2]*.*) tr. Henchir alguna cosa hueca, apretando lo que se mete en ella. ATESTAR *de lana un costal.* ‖ **2.** Meter o introducir una cosa en otra. ‖ **3.** Meter o colocar excesivo número de personas o cosas en un lugar. ‖ **4.** Rellenar, rehenchir con mosto las cubas de vino para suplir la merma producida por la fermentación. ‖ **5.** fig. y fam. Atracar[1] de comida. Ú. m. c. prnl.

atestar[2]**.** (Del lat. *attestāri.*) tr. *Der.* **testificar,** atestiguar. ‖ **ir, salir,** o **venir, atestando.** fr. fam. p. us. con que se denota que alguien va enfadado y lo manifiesta con maldiciones, amenazas u otras expresiones de enojo.

atestar[3]**.** (De *testa.*) intr. Dar con la cabeza. ‖ **2.** fig. **porfiar.** ‖ **3.** tr. *Sto. Dom.* Pegar a alguien, por la fuerza, a una pared o a un árbol.

atestiguación. f. Acción de atestiguar.

atestiguamiento. m. **atestiguación.**

atestiguar. (Del lat. *ad*, a, y *testificāre*.) tr. Deponer, declarar, afirmar como testigo alguna cosa. ‖ **2.** Ofrecer indicios ciertos de alguna cosa cuya existencia no estaba establecida u ofrecía duda.

atetado, da. adj. De figura de teta.

atetar. tr. Dar la teta. Se usa más comúnmente referido a los animales. ‖ **2.** intr. *Sal.* Mamar de la teta.

atetillar. (De *a-*[1] y *tetilla*.) tr. *Agr.* Hacer una excava alrededor de los árboles, dejando un poco de tierra arrimada al tronco.

atetosis. (Del gr. ἄθετος, mal fijado.) f. *Pat.* Trastorno de origen nervioso caracterizado por movimientos continuos involuntarios, principalmente de dedos y manos.

atezado, da. p. p. de **atezar.** ‖ **2.** adj. Que tiene la piel tostada y oscurecida por el sol. ‖ **3.** De color negro.

atezamiento. m. Acción y efecto de atezar.

atezar. (De *a-*[1] y *tez*.) tr. Poner liso, terso o lustroso. ‖ **2. ennegrecer.** Ú. t. c. prnl.

atibar. (Del lat. *stipāre*, estibar, con cambio de pref.) tr. *Min.* Rellenar con zafras, tierra o escombros, las excavaciones de una mina que no conviene dejar abierta.

atibiar. tr. ant. **entibiar.**

atiborrar. (De *atibar* y *borra*.) tr. Llenar alguna cosa de borra, apretándola de suerte que quede repleta. ‖ **2.** fig. Henchir con exceso alguna cosa, llenarla forzando su capacidad. ‖ **3.** fig. y fam. Atracar[1] de comida. Ú. m. c. prnl. ‖ **4.** fig. Atestar de algo un lugar, especialmente de cosas inútiles. ‖ **5.** fig. Llenar la cabeza de lecturas, ideas, etc. Ú. t. c. prnl.

aticismo. (Del lat. *atticismus*, y este del gr. ἀττικισμός.) m. Delicadeza, elegancia que caracteriza a los escritores y oradores atenienses de la edad clásica. ‖ **2.** Por ext., esta misma delicadeza de gusto en escritores y oradores de cualquier época o país. ‖ **3.** *Filol.* Giro o vocablo peculiar del dialecto ático.

aticista. adj. Que practica el aticismo. Ú. t. c. s.

ático, ca. (Del lat. *Atticus*, y este del gr. ἀττικός, del Ática.) adj. Natural del Ática o de Atenas. Ú. t. c. s. ‖ **2.** Perteneciente a este país o a esta ciudad de Grecia. ‖ **3.** Perteneciente o relativo al aticismo. ‖ **4.** V. **sal ática.** ‖ **5.** *Arq.* V. **basa, columna ática.** ‖ **6.** m. Uno de los dialectos de la lengua griega. ‖ **7.** Último piso de un edificio, generalmente retranqueado y del que forma parte, a veces, una azotea. ‖ **8.** *Arq.* Último piso de un edificio, más bajo de techo que los inferiores, que se construye para encubrir el arranque de las techumbres y a veces por ornato. ‖ **9.** *Arq.* Cuerpo que se coloca por ornato sobre la cornisa de un edificio.

atiemposo, sa. adj. *Sto. Dom.* Oportuno en servir con eficacia.

atierre. (De *aterrar*.) m. *Min.* Escombro que por hundimiento natural llena a veces los sitios de labor de las minas.

atiesar. tr. Poner tiesa una cosa. Ú. t. c. prnl.

atiesto. (De *atestar*[1].) m. ant. **atestamiento.**

atifle. (Del ár. *aṯāfī*, puntos de apoyo de una marmita, trébedes.) m. Utensilio de barro, a manera de trébedes, que ponen los alfareros en el horno, entre pieza y pieza, para evitar que se peguen al cocerse.

atigrado, da. adj. Manchado como la piel del tigre. *Tela* ATIGRADA; *piel* ATIGRADA. ‖ **2.** De piel **atigrada.** Dicho de varios animales. *Caballo* ATIGRADO.

atijara. (Del ár. *at-tiŷāra*, la mercancía, el negocio comercial.) f. desus. Mercancía, comercio. ‖ **2.** desus. Precio de transporte de una mercancía. ‖ **3.** desus. Merced, recompensa.

atijarero. (De *atijara*.) m. **porteador.**

-átil. (Del lat. *-atĭlis*.) suf. que tiene, entre otros significados, los de disposición, posibilidad, semejanza. Aparece en adjetivos que en su mayoría existían ya en latín: *err*ÁTIL, *vers*ÁTIL, *vol*ÁTIL. Otros se han formado en español: *burs*ÁTIL, *mod*ÁTIL, *port*ÁTIL.

atildado, da. p. p. de **atildar.** ‖ **2.** adj. Pulcro, elegante.

atildadura. f. **atildamiento.**

atildamiento. m. Acción y efecto de atildar o atildarse.

atildar. tr. Poner tildes a las letras. ‖ **2.** fig. Componer, asear. Ú. t. c. prnl.

atinar. (De *a-*[1] y *tino*.) intr. Encontrar lo que se busca a tiento, sin ver el objeto. ‖ **2.** Dar por sagacidad natural o por un feliz acaso con lo que se busca o necesita. Ú. t. c. tr. ‖ **3.** Acertar a dar en el blanco. ‖ **4.** Acertar una cosa por conjeturas.

atíncar. (Del ár. *at-tinkār*, el bórax.) m. **bórax.**

atinconar. tr. *Min.* Asegurar provisionalmente los hastiales con estemples para evitar hundimientos.

atinencia. f. **atingencia.**

atinente. (Del lat. *attĭnens, -entis*, p. a. de *attinēre*, pertenecer.) adj. Tocante o perteneciente.

atingencia. f. *Amér.* Relación, conexión, correspondencia. *Tener un asunto* ATINGENCIA *con otro.*

atingente. p. a. de **atingir.** ‖ **2.** adj. **atinente.**

atingido, da. adj. *Bol.* Dícese de la persona que está pasando por un momento particularmente difícil en lo económico.

atingir. (Del lat. *attingĕre*.) intr. *Amér.* **atañer.** ‖ **2.** *Amér.* Afligir, oprimir, tiranizar. Ú. t. c. prnl.

atino. (De *atinar*.) m. ant. **tino**[1].

atiparse. (Del cat. *atipar-se*, de *tip*, harto, ahíto.) prnl. Atracarse, hartarse.

atipicidad. f. Calidad de atípico.

atípico, ca. adj. Que por sus caracteres se aparta de los modelos representativos o de los tipos conocidos, insólito.

atiplado, da. p. p. de **atiplar.** ‖ **2.** adj. Agudo, en tono elevado. Dícese de la voz o del sonido.

atiplar. tr. Elevar la voz o el sonido de un instrumento hasta el tono de tiple. ‖ **2.** prnl. Volverse la cuerda del instrumento, o la voz, del tono grave al agudo.

atirantar. tr. Poner tirante. ‖ **2.** *Arq.* Afirmar con tirantes.

atirelado, da. (De *a-*[1] y *tirela*.) adj. ant. Aplicábase a la tela tejida en listas.

atiriciarse. prnl. p. us. Contraer la ictericia.

atisbador, ra. adj. Que atisba. Ú. t. c. s.

atisbadura. f. desus. **atisbo.**

atisbar. (De or. inc.; quizá metátesis jergal de *avistar*.) tr. Mirar, observar con cuidado, recatadamente. ‖ **2. vislumbrar,** ver tenue o confusamente. ‖ **3. vislumbrar,** conocer por indicios, conjeturar.

atisbo. m. **atisbadura.** ‖ **2. vislumbre,** conjetura.

atisbón, na. adj. *Col.* **atisbador.** Ú. t. c. s.

atisuado, da. adj. Parecido al tisú.

-ativo, va. V. **-ivo.**

atizacandiles. (De *atizar* y *candil*.) com. fig. y fam. Entremetido, servidor oficioso e impertinente.

atizadero. m. Lo que sirve para atizar.

atizador, ra. adj. Que atiza. Ú. t. c. s. ‖ **2.** m. Instrumento que sirve para atizar. ‖ **3.** El que en los molinos de aceite cuida de arrimar con una pala la aceituna para que pase la piedra por ella, y de apartar la que ya está molida.

atizar. (Del lat. **attitiāre*, de *titĭo, -ōnis*, tizón.) tr. Remover el fuego o añadirle combustible para que arda más. ‖ **2.** Despabilar o dar más mecha a velas o candiles para que alumbre mejor. ‖ **3.** fig. Avivar pasiones o discordias. ‖ **4.** fig. y fam. Con voces expresivas de golpes, daño o de instrumentos o armas, **dar.** ATIZAR *un puntapié, un palo.* Ú. t. c. prnl. ‖ **5.** Sin complemento directo expreso, golpear, zurrar, dar. Ú. t. c. prnl. ‖ **¡atiza!** interj. fam. que se emplea para reprobar por incoherente o desatinada alguna cosa, y también para indicar sorpresa.

atizonar. tr. *Albañ.* Enlazar y asegurar la trabazón en una obra de mampostería con piedras colocadas a tizón. ‖ **2.** *Albañ.* Hacer que un madero entre y descanse en alguna pared. ‖ **3.** prnl. Contraer tizón el trigo y otros cereales.

atlante. (Del lat. *atlantes.*) m. *Arq.* Cada una de las estatuas de hombres que, en lugar de columnas, se ponen en el orden atlántico, y sustentan sobre sus hombros o cabeza los arquitrabes de las obras. ‖ **2.** fig. Persona que es firme sostén y ayuda de algo pesado o difícil.

atlanticense. adj. Natural de Atlántico. Ú. t. c. s. ‖ **2.** Perteneciente o relativo a este departamento de Colombia.

atlántico, ca. (Del lat. *Atlantĭcus.*) adj. Perteneciente al monte Atlas o Atlante. ‖ **2.** Perteneciente o relativo al océano **Atlántico,** o a los territorios que baña. ‖ **3.** V. **folio atlántico.** ‖ **4.** *Arq.* V. **orden atlántico.** ‖ **5.** *Impr.* V. **papel atlántico.**

atlantiquense. adj. **atlanticense.**

atlantismo. m. Actitud política de adhesión a los principios de la Organización del Tratado del Atlántico Norte (OTAN) y favorable a su extensión y afianzamiento en Europa.

atlantista. adj. Perteneciente o relativo a la Organización del Tratado del Atlántico Norte (OTAN). ‖ **2.** com. Partidario del atlantismo.

atlas. (Del lat. *Atlas,* y este del gr. Ἄτλας, nombre del gigante a quien se suponía que sostenía con sus hombros la bóveda celeste.) m. Colección de mapas geográficos, históricos, etc., en un volumen. ‖ **2.** Colección de láminas, la mayor parte de las veces aneja a una obra. ‖ **3.** *Anat.* Primera vértebra de las cervicales, así llamada porque sostiene inmediatamente la cabeza, por estar articulada con el cráneo mediante los cóndilos del occipital. No está bien diferenciada más que en los reptiles, aves y mamíferos.

atleta. (Del lat. *athlēta,* y este del gr. ἀθλητής.) m. El que tomaba parte en los antiguos juegos públicos de Grecia y Roma. ‖ **2.** fig. Defensor enérgico. ‖ **3.** com. Persona que practica el atletismo. ‖ **4.** Persona fuerte y musculosa.

atlético, ca. (Del lat. *athletĭcus,* y este del gr. ἀθλητικός.) adj. Perteneciente o relativo al atleta o a los juegos públicos o los ejercicios propios de aquel. ‖ **2.** m. ant. **atleta.**

atletismo. m. Conjunto de actividades y normas deportivas que comprenden las pruebas de velocidad, saltos y lanzamiento.

atmósfera o **atmosfera.** (Del gr. ἀτμός, vapor, aire, y σφαῖρα, esfera.) f. Capa de aire que rodea la Tierra. ‖ **2.** Capa gaseosa que rodea un cuerpo celeste u otro cuerpo cualquiera. ‖ **3.** fig. Espacio a que se extienden las influencias de una persona o cosa, o ambiente que rodea a estas. ‖ **4.** fig. Prevención o inclinación de los ánimos, favorable o adversa, a una persona o cosa. ‖ **5.** *Mec.* Presión o tensión equivalente al peso de una columna de aire de toda la altura de la **atmósfera.**

atmosférico, ca. adj. Perteneciente o relativo a la atmósfera. ‖ **2.** V. **constitución atmosférica.** ‖ **3.** V. **inestabilidad atmosférica.**

-ato[1], ta. (Del lat. *-atŭs* o *-ātum.*) suf. de sustantivos y adjetivos. En algunos sustantivos masculinos significa dignidad, cargo o jurisdicción: *decan*ATO, *cardenal*ATO, *virrein*ATO; instituciones sociales: *orfan*ATO, *sindic*ATO. En ciertos sustantivos masculinos y en otros femeninos denota acción o efecto: *asesin*ATO, *camin*ATA, *peror*ATA. Aplicado a nombres de animales, designa la cría: *cev*ATO, *ballen*ATO. En adjetivos significa cualidad: *nov*ATO, *pazgu*ATA.

-ato[2]. *Quím.* suf. con el que se designa una sal o un éster derivados del ácido correspondiente: *bor*ATO, *clor*ATO, *acet*ATO, *nitr*ATO; una sal de un ácido aromático: *benzo*ATO; o un alcoholato.

atoar. (De *a-*[1] y *toar.*) tr. *Mar.* Llevar a remolque una nave, por medio de un cabo que se echa por la proa para que tiren de él una o más lanchas. ‖ **2.** *Mar.* **espiar[2].**

atoba. (Del ár. *aṭ-ṭūba,* el ladrillo.) f. *Murc.* **adobe[1].**

atobar. (De or. inc.; cf. cat. ant. *atobar.*) tr. ant. Aturdir o sorprender y admirar. Usáb. t. c. prnl.

atocinado, da. p. p. de **atocinar.** ‖ **2.** adj. fig. y fam. Dícese de la persona muy gorda.

atocinar. tr. Partir el puerco en canal. ‖ **2.** Hacer los tocinos y salarlos. ‖ **3.** fig. y fam. desus. Asesinar o matar a alguien alevosamente. ‖ **4.** prnl. fig. y fam. Irritarse, amostazarse. ‖ **5.** fig. y fam. p. us. Enamorarse perdidamente.

atocha. f. **esparto,** planta.

atochada. f. En algunas provincias, lomo que se hace en los bancales, con atocha, romero o broza y tierra, para contener el agua.

atochado, da. (De *a-*[1] y *tocho.*) adj. ant. Atontado o asimplado.

atochal. (De *atocha.*) m. **espartizal.**

atochar[1]. m. **atochal.**

atochar[2]. (De *atocha.*) tr. Llenar alguna cosa de esparto. ‖ **2.** Por ext., llenar alguna cosa de cualquier otra materia, apretándola. ‖ **3.** *Mar.* Oprimir el viento una vela contra su jarcia u otro objeto firme cualquiera. Ú. t. c. prnl. ‖ **4.** prnl. *Mar.* Sufrir un cabo presión entre dos objetos que dificultan su laboreo.

atochero, ra. m. y f. Persona que en otros tiempos llevaba la atocha a los puntos de consumo.

atochón. m. Caña de la atocha. ‖ **2. esparto,** planta.

atochuela. f. d. de **atocha.**

atojar. tr. *C. Rica, Cuba* y *Pan.* Ajotar, azuzar a un perro, incitarlo para que ataque.

atol. m. *C. Rica, Cuba, Guat., Nicar.* y *Venez.* **atole.**

atole. (Del nahua *atúlli.*) m. *Méj.* Bebida caliente de harina de maíz disuelta en agua o leche, a la que se pueden agregar sabores edulcorantes. ‖ **dar atole,** o **atol, con el dedo** a alguien. fr. fig. *Guat.* y *Méj.* Engañarle, embaucarle.

atoleadas. (De *atole.*) f. pl. Fiestas familiares que se celebran en Honduras entre julio y diciembre y en las cuales se obsequia a los invitados con atole de elote.

atolería. (De *atolero.*) f. Lugar donde se hace o vende atole.

atolero, ra. m. y f. Persona que hace o vende atole.

atolillo. (De *atole.*) m. *C. Rica, Hond.* y *Nicar.* Gachas de harina de maíz, azúcar y huevo. ‖ **dar atolillo con el dedo** a alguien. fr. fig. *C. Rica.* **dar atole,** o **atol, con el dedo** a alguien.

atolón. (De *atolu,* voz de las Maldivas.) m. Isla madrepórica de forma anular, con una laguna interior que comunica con el mar por pasos estrechos. Esta clase de islas abunda en los archipiélagos de Malasia y de Polinesia.

atolondrado, da. p. p. de **atolondrar.** ‖ **2.** adj. fig. Que procede sin reflexión.

atolondramiento. m. Acción de atolondrar o atolondrarse.

atolondrar. (De *a-*[1] y *tolondro.*) tr. **aturdir,** causar aturdimiento. Ú. t. c. prnl.

atolladal. m. *Extr.* **atolladero.**

atolladar. m. *Extr.* **atolladal.**

atolladero. (De *atollar.*) m. **atascadero.**

atollar. (De *a*[2] y *tollo.*) intr. Dar en un atolladero. Ú. t. c. prnl. ‖ **2.** prnl. fig. y fam. **atascarse,** quedarse detenido por algún obstáculo.

atomecer. (Del lat. *ad,* a, y *tumescĕre,* hincharse.) tr. ant. **entumecer.** Usáb. m. c. prnl.

atómico, ca. adj. Perteneciente o relativo al átomo. ‖ **2.** V. **núcleo, número, peso atómico.** ‖ **3.** V. **energía, masa, pila atómica.** ‖ **4.** Relacionado con los usos de la energía **atómica** o sus efectos. *Bomba* ATÓMICA, *refugio* ATÓMICO.

atomir. (Del lat. *ad*, a, y *tumēre*, hincharse.) intr. ant. **helarse.**

atomismo. m. Doctrina que explica la formación del mundo por el concurso fortuito de los átomos.

atomista. com. Partidario del atomismo.

atomístico, ca. adj. Perteneciente o relativo al atomismo.

atomización. f. Acción y efecto de atomizar.

atomizador. m. Pulverizador de líquidos.

atomizar. (De *átomo*.) tr. Dividir en partes sumamente pequeñas, pulverizar.

átomo. (Del lat. *atŏmus*, y este del gr. ἄτομος.) m. La partícula de un cuerpo simple más pequeña capaz de entrar en las reacciones químicas. Está formado por un núcleo masivo, compuesto de protones y neutrones y circundado de electrones repartidos en diferentes órbitas. En el **átomo** neutro el número de electrones es igual al de protones, y es este número el que determina sus propiedades químicas. ‖ **2.** Partícula material de pequeñez extremada. ‖ **3.** fig. Cualquier cosa muy pequeña. ‖ **gramo.** Número de gramos de un elemento, igual a su peso atómico. ‖ **en un átomo.** expr. fig. y fam. En la cosa más mínima o pequeña.

atona. (De or. inc.) f. Oveja que cría un cordero de otra madre.

atonal. (De *a-*[2] y *tonal*.) adj. *Mús.* Dícese de la composición en que no existe una tonalidad bien definida.

atonalidad. f. *Mús.* Calidad de atonal. ‖ **2.** *Mús.* Dodecafonía.

atonalismo. m. *Mús.* **atonalidad.**

atonar. (Del lat. *attonare*, atronar, dejar atónito.) tr. desus. Aturdir, desconcertar, asombrar o espantar. Usáb. t. c. prnl.

atondar. (Del lat. *ad*, a, y *tundĕre*, golpear.) tr. *Equit.* Estimular el jinete con las piernas al caballo.

atonía. (Del lat. *atonĭa*, y este del gr. ἀτονία.) f. *Fisiol.* Falta de tono y de vigor, o debilidad de los tejidos orgánicos, particularmente de los contráctiles.

atónico, ca. adj. **átono.**

atónito, ta. (Del lat. *attonĭtus*.) adj. Pasmado o espantado de un objeto o suceso raro.

átono, na. (Del gr. ἄτονος.) adj. *Gram.* Aplícase a la vocal, sílaba o palabra que se pronuncia sin acento prosódico y que con más propiedad se llama vocal, sílaba o palabra inacentuada.

atontado, da. p. p. de **atontar.** ‖ **2.** adj. Dícese de la persona tonta o que no sabe cómo conducirse.

atontamiento. m. Acción y efecto de atontar o atontarse.

atontar. (De *tonto*.) tr. Aturdir o atolondrar. Ú. t. c. prnl. ‖ **2.** Entontecer. Ú. t. c. prnl.

atontecer. tr. ant. **atontar.**

atontolinar. tr. fam. **atontar.** Ú. m. c. prnl.

atopadizo, za. adj. *Ast.* Dícese del lugar muy frecuentado y en el que es fácil tropezar con personas conocidas. ‖ **2.** *Ast.* Dícese del lugar cómodo, agradable, donde se está a gusto.

atopile. (Del nahua *atl*, agua, y *topilli*, criado, alguacil.) m. *Méj.* El que en las haciendas de caña tiene por oficio hacer diariamente la distribución general de las aguas para los riegos.

atoque. (Del ár. *aṭ-ṭawq*, el collar.) m. *Ar.* Adorno en paños, labores, etc. ‖ **2.** *Ar.* Listón de madera que forma el borde de un escalón, de un pesebre, o de otra construcción similar hecha de yeso.

atora. (Del hebr. *ha-Tōrāh*, la institución, el precepto, la ley divina.) f. ant. La ley de Moisés.

atoramiento. (De *atorar*[1].) m. Acción de atorarse o atragantarse.

atorar[1]**.** (Del lat. *obturāre*, cerrar.) tr. Atascar, obstruir. Ú. t. c. intr. y c. prnl. ‖ **2.** prnl. **atragantarse,** turbarse en la conversación.

atorar[2]**.** (De *a-*[1] y *tuero*.) tr. Partir leña en tueros.

atorcer. (De *a-*[1] y *torcer*.) intr. ant. Separarse, desviarse. Usáb. t. c. prnl.

atordecer. tr. ant. **aturdir,** causar aturdimiento. Usáb. t. c. prnl.

atordecimiento. (De *atordecer*.) m. ant. **aturdimiento.**

atorgar. tr. ant. **otorgar.** Ú. hoy en algunas regiones.

-atorio, ria. V. **-torio.**

atormecer. tr. ant. **adormecer.** Usáb. t. c. prnl.

atormecimiento. (De *atormecer*.) m. ant. **adormecimiento.**

atormentador, ra. adj. Que atormenta. Ú. t. c. s.

atormentar. (De *a-*[1] y *tormentar*.) tr. Causar dolor o molestia corporal. Ú. t. c. prnl. ‖ **2.** Dar tormento al reo o a un testigo para obtener una confesión. ‖ **3.** Batir con la artillería. ‖ **4.** fig. Causar aflicción, disgusto o enfado. Ú. t. c. prnl.

atornasolado, da. adj. **tornasolado.**

atornillador. m. **destornillador.**

atornillar. tr. Introducir un tornillo haciéndolo girar alrededor de su eje. ‖ **2.** Sujetar con tornillos. ‖ **3.** fig. Mantener obstinadamente a alguien en un sitio, cargo, trabajo, etc. Ú. m. c. prnl. ‖ **4.** fig. Presionar, obligar a una conducta.

atoro. m. *Chile.* **atoramiento.**

atorozonarse. prnl. Padecer torozón las caballerías.

atorra. (Del vasc. *atorra*, camisa de mujer.) f. *Ál.* Enagua o saya bajera de lino o cáñamo.

atorrante. m. *Argent.* Vago, callejero y generalmente sin domicilio. ‖ **2.** *Argent.* Desfachatado, desvergonzado.

atortolar. (De *a-*[1] y *tórtola*.) tr. fam. Aturdir, confundir o acobardar. Ú. t. c. prnl. ‖ **2.** prnl. Enamorarse tierna y ostensiblemente. Ú. m. en p. p.

atortorar. tr. *Mar.* Fortalecer con tortores.

atortujar. (De *a-*[1] y *torta*.) tr. Aplanar o aplastar alguna cosa apretándola.

atosigador, ra. adj. Que atosiga. Ú. t. c. s.

atosigamiento. m. Acción de atosigar[2].

atosigar[1]**.** (De *tósigo*, veneno.) tr. p. us. Emponzoñar con tósigo o veneno.

atosigar[2]**.** (Del lat. **tussicāre*, toser, fatigarse.) tr. fig. Fatigar u oprimir a alguno, dándole mucha prisa para que haga una cosa. Ú. t. c. prnl. ‖ **2.** Inquietar, acuciar con exigencias o preocupaciones. Ú. t. c. prnl.

atoxicar. (De *a-*[1] y *tóxico*.) tr. p. us. **atosigar**[1]. Ú. t. c. prnl.

atóxico, ca. (De *a-*[2] y *tóxico*.) adj. Que no es tóxico. ‖ **2.** Que no es producido por un tóxico.

atrabajado, da. p. p. de **atrabajar.** ‖ **2.** adj. desus. Abrumado de trabajos. ‖ **3.** desus. Sobado, hecho a fuerza de trabajo, falto de naturalidad, de fluidez. Se decía del estilo, los versos, etc.

atrabajar. tr. p. us. Hacer pasar trabajos; cansar a alguien con ellos.

atrabancar. (De *a-*[1] y *trabanco*.) tr. Pasar o saltar de prisa, salvar obstáculos. Ú. t. c. intr. ‖ **2.** *And.* y *Can.* Abarrotar, llenar.

atrabanco. m. Acción de atrabancar.

atrabiliario, ria. adj. *Med.* Perteneciente o relativo a la atrabilis. ‖ **2.** fam. De genio destemplado y violento. Ú. t. c. s. ‖ **3.** *Zool.* V. **cápsula atrabiliaria.**

atrabilioso, sa. adj. *Med.* Perteneciente o relativo a la atrabilis.

atrabilis. (Del lat. *atra*, negra, y *bilis*, cólera.) f. *Med.* Cólera negra y acre.

atracada[1]. f. *Cuba, Méj., Nicar.* y *Perú.* **atracón.**

atracada[2]. f. *Mar.* Acción y efecto de atracar una embarcación. ‖ **2.** Maniobra correspondiente. ‖ **a la holandesa.** La violenta por mala maniobra. ‖ **a la rusa.** Aquella en que por mala maniobra queda la proa de la embarcación menor en dirección de la popa del buque a cuyo costado se ha atracado.

atracadero. (De *atracar*[2].) m. Lugar donde pueden sin peligro arrimarse a tierra las embarcaciones menores.

atracador, ra. m. y f. Persona que atraca con propósito de robo. ‖ **2.** *Cuba.* Persona que saca dinero de otra con amenazas o engaño.

atracar[1]. tr. fam. Hacer comer y beber con exceso, hartar. Ú. t. c. prnl. ‖ **2.** Cerrar el hueco por el cual se ha introducido el explosivo, a fin de asegurar su efecto.

atracar[2]. (Del ár. *at-taraqqā*, la acción de anclar la nave.) tr. *Mar.* Arrimar unas embarcaciones a otras, o a tierra. Ú. t. c. intr. ‖ **2.** Acercar, arrimar. ‖ **3.** Asaltar con propósito de robo, generalmente en poblado. ‖ **4.** *And.* y *Chile.* Golpear, zurrar.

atracción. (Del lat. *attractio, -ōnis.*) f. Acción de atraer. ‖ **2.** Fuerza para atraer. ‖ **3.** *Der.* Preferencia de los autos a los cuales son acumulados otros. ‖ **4.** pl. Espectáculos o diversiones variados que se celebran en un mismo lugar o forman parte de un mismo programa. *Parque de* ATRACCIONES. ‖ **molecular.** *Fís.* La que ejercen recíprocamente todas las moléculas de los cuerpos mientras están unidas o en contacto. ‖ **universal.** *Fís.* La que ejercen unos sobre otros todos los cuerpos que componen el universo y que depende de las masas y distancias respectivas de estos. Principalmente se denomina así la que ejercen recíprocamente los astros.

atraco. m. Acción de atracar[2] o saltear.

atracón. m. fam. Acción y efecto de atracar[1] de comida. ‖ **2.** Por ext., exceso en una actividad cualquiera. ATRACÓN *de trabajar, de llorar.*

atractivo, va. (Del lat. *attractīvus.*) adj. Que atrae o tiene fuerza para atraer. ‖ **2.** Que gana o inclina la voluntad. ‖ **3.** Dícese de la persona que por su físico despierta interés y agrado en las demás. ‖ **4.** m. Gracia en el semblante o en las palabras, acciones o costumbres, que atrae la voluntad.

atractriz. adj. f. *Fís.* Que atrae.

atraer. (Del lat. *attrahĕre.*) tr. Acercar y retener un cuerpo en virtud de sus propiedades físicas a otro externo a sí mismo, o absorberlo dentro de sí. *El imán* ATRAE *el hierro. Un remolino* ATRAJO *al marinero.* ‖ **2.** fig. Hacer algo o alguien que acudan a sí otras cosas, animales o personas. *La miel* ATRAE *las moscas. El hechicero* ATRAJO *la lluvia con una danza.* ‖ **3.** fig. Acarrear, ocasionar, dar lugar a algo. *El cambio de gobierno* ATRAJO *la inversión extranjera.* ‖ **4.** fig. Ganar una persona o cosa la voluntad, afecto, gusto o atención de otra. Ú. t. c. prnl. *El rey* SE ATRAJO *a las masas.* ‖ **5.** prnl. Mantener las partículas de los cuerpos su cohesión recíproca en virtud de sus propiedades físicas. *Los átomos y las moléculas* SE ATRAEN.

atrafagar. (De *a-*[1] y *tráfago.*) intr. Fatigarse o afanarse. Ú. t. c. prnl.

atragantar. (De *a-*[1] y *tragante.*) tr. p. us. Tragar, pasar con dificultad. ‖ **2.** Ahogar o producir ahogos a alguien por detenerse algo en la garganta. Ú. m. c. prnl. ‖ **3.** fig. Causar fastidio o enfado. Ú. m. c. prnl. ‖ **4.** prnl. fig. y fam. Cortarse o turbarse en la conversación. Ú. alguna vez c. tr.

atraíble. adj. Que se puede atraer.

atraicionar. tr. **traicionar.**

atraidorado, da. adj. Que procede como traidor. ‖ **2.** Peculiar o propio del traidor.

atraillar. tr. Atar con traílla. Ú. comúnmente referido a los perros. ‖ **2.** Seguir el cazador la res, yendo guiado del perro que lleva asido con la traílla. ‖ **3.** fig. Dominar o sujetar. Ú. t. c. prnl.

atraimiento. m. Acción de atraer.

atramento. (Del lat. *atramentum*, tinta, licor negro.) m. p. us. Color negro.

atramentoso, sa. (De *atramento.*) adj. ant. Que tiene virtud de teñir de negro.

atrampar. (De *a-*[1] y *trampa.*) tr. Coger o pillar en la trampa o en lugar del que no se puede salir. Ú. t. c. prnl. ‖ **2.** prnl. Cegarse o taparse un conducto. ‖ **3.** Caerse el pestillo de la puerta, de modo que no se pueda abrir. ‖ **4.** fig. y fam. Detenerse o embarazarse en alguna cosa, sin poder salir de ella.

atramuz. m. **altramuz,** planta. ‖ **2. altramuz,** fruto de esta planta.

atrancar. (De *a-*[1] y *tranca.*) tr. Asegurar la puerta por dentro con una tranca. ‖ **2. atascar,** obstruir. Ú. m. c. prnl. ‖ **3.** intr. fam. p. us. Dar trancos o pasos largos. ‖ **4.** prnl. fig. y fam. Atragantarse o cortarse al hablar o leer. Ú. menos c. intr. ‖ **5.** Encerrarse asegurando la puerta con una tranca.

atranco. (De *atrancar.*) m. **atolladero.** ‖ **2.** Impedimento u obstáculo.

atranque. m. **atranco.**

atrapamoscas. (De *atrapar* y *mosca.*) m. Planta americana de la familia de las droseráceas, cuyas hojas tienen en su haz numerosas y diminutas glándulas y seis pelos sensitivos. Cuando un insecto toca estos pelos al posarse sobre la hoja, las dos mitades del limbo de esta giran sobre el nervio central y se juntan, aprisionando al insecto, cuyas partes blandas son digeridas por el líquido que segregan las mencionadas glándulas.

atrapar. (Del fr. *attraper.*) tr. fam. Coger al que huye o va de prisa. ‖ **2.** fam. Coger alguna cosa. ‖ **3.** fig. y fam. Conseguir alguna cosa de provecho. ATRAPAR *un empleo.* ‖ **4.** fig. y fam. Engañar, atraer a alguien con maña.

atraque[1]. (De *atracar*[1].) m. Acción de atracar el hueco por el cual se ha introducido el explosivo. ‖ **2.** Tierra, arena u otro material que se arrima a una carga de explosivo para que su efecto sea más demoledor. ‖ **3.** *Sto. Dom.* Apuro, necesidad apremiante.

atraque[2]. m. Acción y efecto de atracar una embarcación. ‖ **2.** Maniobra correspondiente. ‖ **3.** Muelle donde se atraca.

atraquina. f. fam. **atracón.**

atrás. (De *a-*[1] y *tras.*) adv. l. Hacia la parte que está o queda a las espaldas de uno. ‖ **2.** En la parte hacia donde se tiene vuelta la espalda; a las espaldas. ‖ **3.** En la zona posterior a aquella en que está situado lo que se toma como punto de referencia. *La farmacia no está en ese edificio, sino en el de* ATRÁS. ‖ **4.** En las últimas filas de un grupo de personas congregadas. *No oyen bien los que están* ATRÁS. ‖ **5.** En el fondo de un lugar. *Pongan* ATRÁS *las sillas que sobran.* ‖ **6.** En la parte opuesta a la fachada o entrada principal de un edificio o local. *La escalera de servicio está* ATRÁS. ‖ **7.** Úsase también para expresar tiempo pasado. ‖ **8.** Aplicado al hilo del discurso, **anteriormente.** ‖ **9.** *Mil.* V. **paso atrás.** ‖ **¡atrás!** Voz que se usa para mandar retroceder a alguien.

atrasado, da. p. p. de **atrasar.** ‖ **2.** adj. Que está empeñado o tiene deudas.

atrasamiento. m. ant. Acción y efecto de atrasar.

atrasar. (De *atrás.*) tr. **retardar.** Ú. t. c. prnl. ‖ **2.** Fijar un hecho en época posterior a aquella en que ha ocurrido. ‖ **3.** Hacer que retrocedan las agujas del reloj, o tocar su registro a fin de que el volante o la péndola marchen con menos velocidad. ‖ **4.** Hacer que el reloj señale tiempo que ya ha pasado. ‖ **5.** intr. Señalar el reloj tiempo que ya ha pasado, o no marchar con la debida velocidad. Ú. t. c. prnl. ‖ **6.** prnl. **quedarse atrás.** Ú. t. en sent. fig. ‖ **7. retrasarse,** llegar tarde. ‖ **8.** Dejar de crecer las personas, los animales o las plantas; no llegar a su completo desarrollo.

atraso. m. Efecto de atrasar o atrasarse. ‖ **2.** Falta o insuficiencia de desarrollo en la civilización o en las costumbres. ‖ **3.** pl. Pagas o rentas vencidas y no cobradas.

atravesado, da. p. p. de **atravesar.** ‖ **2.** adj. Que no mira derecho. ‖ **3.** Dícese del animal cruzado o mestizo. ‖ **4.** fig. Que tiene mala intención o mal carácter. ‖ **5.** fig. y fam. V. **alma atravesada.** ‖ **6.** *And.* Mulato o mestizo. ‖ **7.** *Nicar.* Dícese de la persona que se expresa de manera disparatada, incongruente o confusa.

atravesador, ra. adj. Que atraviesa. ‖ **2.** p. us. **acaparador.** Ú. t. c. s.

atravesaño. m. **travesaño.**

atravesar. (De *a-*[1] y *través.*) tr. Poner una cosa de modo que pase de una parte a otra. ATRAVESAR *un madero en una calle, en un arroyo.* ‖ **2.** Pasar un objeto por sobre otro o hallarse puesto sobre él oblicuamente. ‖ **3.** Tender a una persona o cosa sobre una caballería, o sobre la carga que esta lleva. ‖ **4.** Pasar un cuerpo penetrándolo de parte a parte. ‖ **5.** Poner delante algo que impida el paso o haga caer. ‖ **6.** Pasar cruzando de una parte a otra. ATRAVESAR *la plaza, el monte, el camino.* ‖ **7.** fig. Pasar circunstancialmente por una situación favorable o desfavorable. Son complementos habituales *un buen, un mal momento, un bache, una crisis,* etc. ‖ **8.** En el juego, poner traviesas, apostar alguna cosa fuera de lo que se juega; lo que suelen también hacer los mirones, ateniéndose a alguno de los que juegan. ‖ **9.** En el juego del hombre, y otros, meter triunfo a la carta que viene jugada, para que el que sigue no la pueda tomar sin triunfo superior. ‖ **10.** p. us. **acaparar** productos para dar ley al mercado. ‖ **11. aojar**[1], hacer mal de ojo. ‖ **12.** *Mar.* Poner una embarcación en facha, al pairo o a la capa. Ú. t. c. prnl. ‖ **13.** prnl. Ponerse alguna cosa entremedias de otras, o en mitad de un conducto o camino, obstaculizando el paso. ‖ **14.** fig. p. us. Interrumpir la conversación de otros, mezclándose en ella. ‖ **15** fig. Interesarse, mezclarse en algún empeño o lance de otro. ‖ **16.** fig. Intervenir, ocurrir alguna cosa que altera el curso de otra. ‖ **17.** fig. p. us. Encontrarse con alguien, tener pendencia con él. ‖ **18.** fig. **atragantarse,** sentir repulsión o antipatía. ‖ **19.** fig. En los juegos de interés, arriesgar una cantidad.

atravesía. f. ant. **travesía.**

atrayente. (Del lat. *attrăhens, -entis.*) p. a. de **atraer.** Que atrae.

atrazar. tr. ant. **trazar.**

atregar. (De *atreguar.*) tr. ant. Asegurar, tomar a su cargo la defensa y amparo de algo.

atreguadamente. adv. m. ant. Con manía, alocadamente.

atreguado, da. p. p. de **atreguar.** ‖ **2.** adj. desus. **lunático.** ‖ **3.** desus. Que está en tregua con su enemigo.

atreguar. (Del gót. *triggwa.*) tr. desus. Dar o conceder treguas. Ú. t. c. prnl.

atrenzo. m. *Amér.* Conflicto, apuro, dificultad.

atrepsia. (Del gr. ἀτρεψία, fijeza, endurecimiento.) f. *Med.* Atrofia general de los recién nacidos.

atresia. (Del gr. ἀ, priv., y τρῆσις, agujero.) f. *Med.* Imperforación u oclusión de un orificio o conducto normal del cuerpo humano.

atresnalar. tr. Poner y ordenar los haces en tresnales.

atreudar. (De *a-*[1] y *treudo.*) tr. *Ar.* Dar en enfiteusis.

atrevencia. f. desus. **atrevimiento.**

atrever. (Del lat. *tribuěre,* atribuir.) tr. desus. Dar atrevimiento. ‖ **2.** prnl. Determinarse a algún hecho o dicho arriesgado. *No* SE ATREVE *a dar el salto.* Se usa a veces con la prep. *con. No* SE ATREVIÓ *conmigo.* ‖ **3.** Insolentarse, faltar al respeto debido. ‖ **4.** ant. Confiarse en una persona. ‖ **5.** fig. Llegar a competir, rivalizar.

atrevido, da. p. p. de **atrever.** ‖ **2.** adj. Que se atreve. Ú. t. c. s. ‖ **3.** Hecho o dicho con atrevimiento.

atrevimiento. m. Acción y efecto de atreverse, determinarse a algo arriesgado. ‖ **2.** Acción y efecto de atreverse, insolentarse.

atrezo. (Del it. *atrezzo.*) m. Conjunto de útiles, como bastidores, decorados, etc., que se usan en la escena del teatro o en un plató.

atrezzo. m. **atrezo.**

atríaca o **atriaca.** (Del ár. *at-tiryāq,* el antídoto, y este del gr. θηριακή.) f. ant. **tríaca** para las mordeduras de animales venenosos.

atriaquero. (De *atriaca.*) m. ant. **boticario** de medicinas.

atribución. (Del lat. *attributĭo, -ōnis.*) f. Acción de atribuir. ‖ **2.** Cada una de las facultades que da a una persona el cargo que ejerce. ‖ **3.** V. **objeto de atribución.**

atribuir. (Del lat. *attribuěre.*) tr. Aplicar, a veces sin conocimiento seguro, hechos o cualidades a alguna persona o cosa. Ú. t. c. prnl. ‖ **2.** Señalar o asignar una cosa a alguien como de su competencia.

atribulación. (De *atribular.*) f. **tribulación.**

atribular. (De *a-*[1] y *tribular.*) tr. Causar tribulación. ‖ **2.** prnl. Padecerla.

atributar. tr. ant. Imponer tributo sobre alguna finca.

atributivo, va. adj. *Gram.* Dícese de la función desempeñada por el atributo. ‖ **2.** En algunas gramáticas, dícese de los verbos copulativos *(ser, estar)* y de otros verbos con que se construye el atributo (*parecer, juzgar, considerar, nombrar,* etc.)

atributo. (Del lat. *attribūtum.*) m. Cada una de las cualidades o propiedades de un ser. ‖ **2.** En obras artísticas, símbolo que denota el carácter y representación de las figuras; como la *palma,* ATRIBUTO *de la victoria; el caduceo, de Mercurio,* etc. ‖ **3.** *Gram.* Función que desempeña el adjetivo cuando se coloca en posición inmediata al sustantivo de que depende. *Ojos* AZULES. BUENA *persona.* ‖ **4.** Para algunos gramáticos, término que identifica o cualifica a otro mediante *ser, estar,* u otro verbo. *Su padre fue* MÉDICO. *La oferta parece* ACEPTABLE. *Lo considero* AMIGO MÍO. ‖ **5.** *Teol.* Cualquiera de las perfecciones propias de la esencia de Dios; como su omnipotencia, su sabiduría, su amor, etc.

atrición. (Del lat. *attritĭo, -ōnis.*) f. *Rel.* Pesar de haber ofendido a Dios, no tanto por el amor que se le tiene como por temor a las consecuencias de la ofensa cometida. ‖ **2.** ant. *Veter.* Encogimiento del nervio maestro de la mano de una caballería.

atril. (Por *el [l]atril,* del lat. **lectorīle,* de *lector, -ōris,* lector.) m. Mueble en forma de plano inclinado, con pie o sin él, que sirve para sostener libros, partituras, etc., y leer con más comodidad.

atrilera. f. Cubierta que se pone al atril o facistol en que se cantan la epístola y el evangelio en las misas solemnes.

atrincar. tr. *Col., C. Rica, Cuba, Chile, Ecuad., Méj., Nicar., Perú, Sto. Dom.* y *Venez.* Trincar, sujetar, asegurar con cuerdas y lazos. ‖ **2.** *Cuba, Méj., Nicar.* y *Perú.* Apretar.

atrincheramiento. m. Acción y efecto de atrincherar o atrincherarse. ‖ **2.** Conjunto de trincheras, y, en general, toda obra de defensa o fortificación pasajera o de campaña.

atrincherar. (De *a-*[1] y *trinchera.*) tr. Fortificar una posición militar con atrincheramientos. ‖ **2.** prnl. Ponerse en trincheras a cubierto del enemigo. ‖ **3.** fig. Guardarse, protegerse, mantenerse en una posición o en una actitud con tenacidad exagerada.

atrio. (Del lat. *atrĭum.*) m. Espacio descubierto y por lo común cercado de pórticos, que hay en algunos edificios. ‖ **2.** Andén que hay delante de algunos templos y palacios, por lo regular enlosado y más alto que el piso de la calle. ‖ **3. zaguán.** ‖ **4.** *Min.* Cabecera de la mesa de lavar.

atrípedo, da. (Del lat. *ater,* negro, y *pes, pedis,* pie.) adj. *Zool.* Se dice de los animales que tienen negros los pies.

atrirrostro, tra. (Del lat. *ater,* negro, y *rostrum,* pico.) adj. *Zool.* Se dice de las aves que tienen negro el pico.

atristar. (De *a-*[1] y *triste.*) tr. ant. **entristecer.** Usáb. t. c. prnl.

atrito, ta. (Del lat. *attrītus,* quebrantado.) adj. Que tiene atrición.

atrocidad. (Del lat. *atrocĭtas, -ātis.*) f. Crueldad grande. ‖ **2.** fam. Exceso, demasía. ‖ **3.** fam. Dicho o hecho muy necio o temerario. ‖ **4.** fam. Error o disparate grave. ‖ **5.** fam. Insulto, increpación de fuerte carácter ofensivo.

atrochar. intr. Andar por trochas o sendas. ‖ **2.** Ir por la trocha o a campo traviesa para llegar más pronto que por el camino al sitio adonde alguien se dirige.

atrofia. (Del lat. *atrophĭa,* y este del gr. ἀτροφία, falta de nutrición.) f. Falta de desarrollo de cualquier parte del cuerpo. ‖ **2.** *Fisiol.* Disminución en el tamaño o número, o en ambas cosas a la vez, de uno o varios tejidos de los que forman un órgano, con la consiguiente minoración del volumen, peso y actividad funcional, a causa de escasez o retardo en el proceso nutritivo. ‖ **degenerativa.** La que va acompañada de un proceso destructor de las células de un tejido. ‖ **fisiológica.** La de algunos tejidos u órganos que en la evolución natural del organismo resultan innecesarios. ‖ **senil.** La de los tejidos y órganos cuando el individuo llega a edad avanzada.

atrofiar. tr. Producir atrofia. ‖ **2.** prnl. Padecer atrofia.

atrófico, ca. adj. Perteneciente a la atrofia.

atrojar. (De *a-*[1] y *troj.*) tr. **entrojar.** ‖ **2.** prnl. fig. y fam. desus. *Méj.* No hallar alguien salida en algún empeño o dificultad; aturdirse.

atrompetado, da. (De *a-*[1] y *trompeta.*) adj. **abocardado.** Dícese de las escopetas y también de las narices gordas y torcidas.

atronado, da. p. p. de **atronar.** ‖ **2.** adj. Dícese del que hace las cosas precipitadamente, sin cordura ni reflexión. ‖ **3.** *Veter.* V. **casco atronado.**

atronador, ra. adj. Que atruena.

atronadura. f. Daño de algunas maderas, consistente en hendeduras que desde la periferia penetran en lo interior del tronco del árbol, según la dirección de los radios medulares. ‖ **2.** *Veter.* **alcanzadura.**

atronamiento. m. Acción de atronar o atronarse. ‖ **2.** Aturdimiento causado, regularmente, por algún golpe. ‖ **3.** *Veter.* Enfermedad que padecen las caballerías en los cascos de pies y manos, y suele proceder de algún golpe o zapatazo.

atronar. (Del lat. *attonāre.*) intr. ant. **tronar.** ‖ **2.** tr. Asordar o perturbar con ruido como de trueno. ‖ **3. aturdir,** causar aturdimiento. ‖ **4.** Tapar los oídos de una caballería para que no se espante con el ruido. ‖ **5.** Dejar sin sentido a una res en el matadero con un golpe de porra, para degollarla después. ‖ **6.** Matar un toro, acertando a herirlo de punta en medio de la cerviz estando echado. ‖ **7.** prnl. Aturdirse y quedarse sin acción vital con el ruido de los truenos. Ú. tratándose de los pollos al tiempo o antes de salir del cascarón, y de los gusanos de seda y otras crías, que se pierden o mueren cuando truena.

atronerar. tr. Abrir troneras.

atropado, da. p. p. de **atropar.** ‖ **2.** adj. *Agr.* Dícese de las plantas de ramas recogidas.

atropar. tr. Juntar gente en tropas o en cuadrillas, sin orden ni formación. Ú. t. c. prnl. ‖ **2.** Juntar, reunir. Ú. especialmente tratándose de la mies que se recoge en gavillas, y del heno que antes se ha esparcido para que se seque.

atropellado, da. p. p. de **atropellar.** ‖ **2.** adj. Que habla u obra con precipitación.

atropellador, ra. adj. Que atropella. Ú. t. c. s.

atropellamiento. m. **atropello.**

atropellaplatos. f. fest. Criada o fregona torpe.

atropellar. (De *a-*[1] y *tropel.*) tr. Pasar precipitadamente por encima de alguna persona. ‖ **2.** Derribar o empujar violentamente a alguien para abrirse paso. ‖ **3.** Alcanzar violentamente un vehículo a personas o animales, chocando con ellos y ocasionándoles, por lo general, daños. ‖ **4.** fig. Agraviar a alguien empleando violencia o abusando de la fuerza o poder que se tiene. ‖ **5.** fig. Ultrajar a alguien de palabra, sin darle ocasión de hablar o exponer su razón. ‖ **6.** fig. Proceder sin miramiento a leyes, respetos o inconvenientes, persiguiendo un intento a cualquier costa. Ú. t. c. intr. con la prep. *por. Pedro* ATROPELLÓ POR *todos los inconvenientes.* ‖ **7.** fig. Hacer una cosa precipitadamente y sin el cuidado necesario. ‖ **8.** fig. Oprimir o abatir a alguien el tiempo, los achaques o las desgracias. ‖ **9.** prnl. fig. Apresurarse demasiado en las obras o palabras.

atropello. m. Acción y efecto de atropellar o atropellarse.

atropina. (De *Atropa,* nombre científico de la belladona, y este del gr. Ἄτροπος, parca que cortaba el hilo de la vida del hombre.) f. *Quím.* Alcaloide venenoso que, cristalizado en agujas blancas y brillantes, se extrae de la belladona y se emplea en medicina para dilatar las pupilas de los ojos y para otros usos terapéuticos.

atroz. (Del lat. *atrox, -ōcis.*) adj. Fiero, cruel, inhumano. ‖ **2.** Enorme, grave. ‖ **3.** fam. Muy grande o desmesurado. *Estatura* ATROZ.

atruchado, da. adj. Dícese del hierro colado o fundición cuyo grano semeja a las pintas de la trucha.

atruendo. m. desus. **atuendo.**

atruhanado, da. adj. Aplícase al que en sus palabras o modales parece truhán. ‖ **2.** También se dice de las cosas que parecen de truhán.

atto-. (Del noruego y danés *atten,* dieciocho.) elem. compos. de nombres que significan la trillonésima parte (10^{-18}) de las respectivas unidades. ATTO*gramo.*

atuendo. (Del lat. *attonĭtus,* asombrado.) m. Aparato, ostentación. ‖ **2.** Atavío, vestido. ‖ **3.** *Sal.* Mueble viejo e inútil. ‖ **4.** pl. *Ál.* y *Cantabria.* Aparejos y ornamentos de las caballerías.

atufadamente. adv. m. Con enfado o enojo.

atufado[1]**, da.** adj. Enfadado, enojado. ‖ **2.** Envenenado por el **tufo**[1], emanación gaseosa. ‖ **3.** *Bol.* y *Ecuad.* Atolondrado, que ha perdido la serenidad necesaria para hacer algo.

atufado[2]**, da.** adj. Dícese del que usa tufos[2].

atufamiento. m. Acción y efecto de atufar.

atufar[1]**.** (De *a-*[1] y *tufo*[1].) tr. Trastornar con el **tufo**[1]**,** emanación gaseosa. Ú. m. c. prnl. ‖ **2.** fig. Enfadar, enojar. Ú. m. c. prnl. ‖ **3.** prnl. Recibir o tomar **tufo**[1]**,** emanación gaseosa. ‖ **4.** fig. Recibir o tomar **tufo**[1]**,** ensoberbecerse. ‖ **5.** Tratándose de licores, y especialmente del vino, avinagrarse o apuntarse. ‖ **6.** *Bol.* y *Ecuad.* **atolondrarse.**

atufar[2]**.** (De *a-*[1] y *tufo*[2].) tr. Arreglar el pelo. Ú. m. c. prnl.

atufo. (De *atufar*[1].) m. desus. Enfado o enojo.

atumecerse. (De *a-*[1] y el lat. *tumescĕre,* hincharse.) prnl. ant. **entumecerse.**

atumecimiento. (De *atumecerse.*) m. ant. **entumecimiento.**

atumno. (Del lat. *autumnus.*) m. ant. **otoño.**

atumultuar. tr. p. us. **tumultuar.** Ú. t. c. prnl.

atún. (Del ár. *at-tūn* o *at-tunn*, y este del lat. *thunnus*.) m. Pez teleósteo, acantopterigio, común en los mares de España, frecuentemente de dos a tres metros de largo, negro azulado por encima y gris plateado por debajo, y con los ojos muy pequeños. Su carne, tanto fresca como salada, es de gusto agradable. ‖ **2.** fig. y fam. Hombre ignorante y rudo. ‖ **por atún y a ver al duque.** expr. fig. y fam. p. us. que se dice de los que hacen alguna cosa con dos fines.

atunara. (De *atún*.) f. **almadraba,** lugar en que se pescan atunes.

atunera. f. Anzuelo grande para pescar atunes.

atunero, ra. m. y f. Persona que trata en atún o lo vende. ‖ **2.** m. Pescador de atún. ‖ **3.** adj. Dícese del barco destinado a la pesca del atún. Ú. t. c. s. m.

aturada. (De *aturar*[1].) f. ant. Duración o detención.

aturadamente. (De *aturar*[1].) adv. m. ant. Con ahínco o vehemencia.

aturador, ra. adj. ant. Que sufre o aguanta mucho el trabajo.

aturar[1]**.** (Del lat. *obdurāre*, durar.) tr. ant. Hacer durar. ‖ **2.** ant. Hacer parar o detener a las bestias. Ú. en Aragón. ‖ **3.** intr. ant. Aguantar, perseverar. ‖ **4.** ant. **durar.** Ú. en Salamanca. ‖ **5.** fig. Obrar con cordura y juicio.

aturar[2]**.** (Del lat. *obturare*.) tr. fam. Tapar y cerrar muy apretadamente alguna cosa.

aturbonado, da. adj. Perteneciente o relativo al turbón o a la turbonada.

aturdido, da. p. p. de **aturdir.** ‖ **2.** adj. **atolondrado.**

aturdidor, ra. adj. Que aturde.

aturdimiento. (De *aturdir*.) m. Perturbación de los sentidos por efecto de un golpe, de un ruido extraordinario, etc. ‖ **2.** fig. Perturbación moral ocasionada por una desgracia, una mala noticia, etc. ‖ **3.** fig. Torpeza, falta de serenidad y desembarazo para ejecutar alguna cosa. ‖ **4.** *Med.* Estado morboso en que los sonidos se confunden y parece que los objetos giran alrededor de uno.

aturdir. (De *tordo*[2].) tr. Causar aturdimiento. Ú. t. c. prnl. ‖ **2.** fig. Confundir, desconcertar, pasmar. Ú. t. c. prnl.

aturquesado, da. (De *a-*[1] y *turquesa*[1].) adj. De color azul turquí.

aturrar. (Voz onomatopéyica.) tr. ant. *Sal.* Aturdir, ensordecer.

aturriar. tr. ant. *Sal.* **aturrar.**

aturrullar. (De *aturullar*.) tr. fam. Confundir a alguien, turbarle de modo que no sepa qué decir o cómo hacer una cosa. Ú. t. c. prnl.

aturullamiento. (De *aturullar*.) m. **atolondramiento.**

aturullar. (De *a-*[1] y *turullo*.) tr. **aturrullar.** Ú. t. c. prnl.

atusador, ra. adj. Que atusa. Ú. t. c. s.

atusar. (Del lat. *attonsus*, p. p. de *attondēre*, pelar, trasquilar.) tr. Recortar e igualar el pelo con tijeras. ‖ **2.** Igualar los jardineros con tijeras las murtas y otras plantas. ‖ **3.** Alisar el pelo, especialmente pasando por él la mano o el peine mojados. ‖ **4.** prnl. fig. Componerse o adornarse con demasiada afectación y prolijidad.

atutía. (Del ár. *at-tūtiyā*, el cinc, o el antimonio.) f. Óxido de cinc, generalmente impurificado con otras sales metálicas, que, de manera de costra dura y de color gris, se adhiere a los conductos y chimeneas de los hornos donde se tratan minerales de cinc o se fabrica latón. ‖ **2.** Ungüento medicinal hecho con **atutía.** ‖ **3.** ant. **azogue**[1]**.**

auca[1]**.** (Del lat. *auca*.) f. *Ar.* **oca**[1]**.**

auca[2]**.** (Voz quechua que significa *guerrero*.) adj. Dícese del indio de una rama de los araucanos, que corría la Pampa en las cercanías de Mendoza. Ú. t. c. s. ‖ **2.** Perteneciente a esta rama.

aucción. (Del lat. *auctĭo, -ōnis*, acción de aumentar.) f. ant. Acción o derecho a alguna cosa. ‖ **2.** **almoneda.**

aucténtico, ca. adj. ant. **auténtico.**

auctor. m. ant. **autor.**

auctoridad. f. ant. **autoridad.**

auctorizar. tr. ant. **autorizar.**

audacia. (Del lat. *audacĭa*.) f. Osadía, atrevimiento.

audaz. (Del lat. *audax, -ācis*.) adj. Osado, atrevido.

audibilidad. f. Calidad de audible.

audible. (Del lat. *audibĭlis*.) adj. Que se puede oír.

audición. (Del lat. *auditĭo, -ōnis*.) f. Acción de oír. ‖ **2.** Concierto, recital o lectura en público. ‖ **3.** Prueba que se hace a un actor, cantante, músico, etc. ante el empresario o director de un espectáculo.

audidor. m. ant. **auditor.**

audiencia. (Del lat. *audientĭa*.) f. Acto de oír los soberanos u otras autoridades a las personas que exponen, reclaman o solicitan alguna cosa. ‖ **2.** Ocasión para aducir razones o pruebas que se ofrece a un interesado en juicio o en expediente. ‖ **3.** Lugar destinado para dar **audiencia.** ‖ **4.** Tribunal de justicia colegiado y que entiende en los pleitos o en las causas de determinado territorio. ‖ **5.** Distrito de la jurisdicción de este tribunal. ‖ **6.** Edificio en que se reúne. ‖ **7.** Conjunto de personas que, en sus domicilios respectivos o en lugares diversos, atienden en un momento dado un programa de radio o de televisión. ‖ **8.** **auditorio,** concurso de oyentes. ‖ **de los grados.** Se llamó así la **audiencia** de Sevilla, en la cual se refundió la jurisdicción de diferentes jueces, ante quienes, de grado en grado, se repetían muchas veces las apelaciones. ‖ **eclesiástica.** Tribunal de un juez eclesiástico. ‖ **en justicia.** *Der.* Procedimiento especial para revisar, a petición del funcionario judicial corregido, la sanción que sus superiores le han impuesto por incidencia, al conocer de asunto en que aquel intervino. ‖ **pretorial.** En Indias, la que no dependía del virrey para algunos efectos. ‖ **provincial.** La que solo tiene jurisdicción en lo penal, limitada a una provincia. ‖ **territorial.** La sucesora de las antiguas chancillerías, con jurisdicción especialmente civil y de apelación sobre varias provincias o una región histórica. ‖ **dar audiencia.** fr. Admitir el rey, sus ministros u otras autoridades a los sujetos que tienen que exponer, reclamar o solicitar alguna cosa. ‖ **hacer audiencia.** fr. *Der.* Ver y determinar los pleitos y causas. ‖ **prestar audiencia.** fr. *Der.* Atender la pretensión del litigante rebelde, otorgándole rescisión del fallo dictado sin oírle, y sentenciando de nuevo oída su defensa.

audienciero. adj. ant. Decíase de los ministros inferiores de las audiencias o tribunales seculares o eclesiásticos, como los escribanos, notarios, alguaciles, etc. Usáb. t. c. s.

audífono. m. Aparato para percibir mejor los sonidos, especialmente usado por los sordos.

audímetro. m. *Acúst.* Instrumento para medir la sensibilidad del aparato auditivo. ‖ **2.** Aparato que, acoplado al receptor de radio o de televisión, sirve para medir las horas concretas en que están encendidos y el tiempo total de funcionamiento.

audio-. (Del lat. *audīre*, oír.) elem. compos. que significa «sonido» o «audición»: AUDIÓ*metro*, AUDIO*visual*.

audiófono. m. **audífono.**

audiofrecuencia. (De *audio-* y *frecuencia*.) f. *Acúst.* Cualquiera de las frecuencias de onda empleadas en la transmisión de los sonidos.

audiograma. (De *audio-* y *-grama*.) m. Curva que representa el grado de agudeza con que percibe un individuo los sonidos.

audiometría. f. *Acúst.* Mensuración de la agudeza auditiva en relación con las diferentes frecuencias del sonido.

audiómetro. m. **audímetro.**

audioprótesis. f. Adaptación de audífonos u otras piezas artificiales para la corrección de deficiencias del aparato auditivo. ‖ **2.** Pieza o dispositivo electroacústico destinado a esta corrección.

audioprotesista. com. Profesional especializado en audioprótesis.

audiovisual. adj. Que se refiere conjuntamente al oído y a la vista, o los emplea a la vez. Dícese especialmente de métodos didácticos que se valen de grabaciones acústicas acompañadas de imágenes ópticas.

auditar. (Del ing. *to audite.*) tr. Examinar la gestión económica de una entidad a fin de comprobar si se ajusta a lo establecido por ley o costumbre.

auditivo, va. (De *audito.*) adj. Que tiene virtud para oír. ‖ **2.** Perteneciente al órgano del oído. ‖ **3.** m. **auricular**[1], pieza del aparato telefónico destinada para oír.

audito. (Del lat. *audītus.*) m. ant. Sentido del oído. ‖ **2.** ant. Acción de oír.

auditor, ra. (Del lat. *audītor, -ōris.*) adj. Que realiza auditorías. Ú. t. c. s. ‖ **2.** m. ant. **oyente.** ‖ **3.** Persona nombrada por el juez entre las elegidas por el obispo o entre los jueces del tribunal colegial, cuya misión consiste en recoger las pruebas y entregárselas al juez, si surge alguna duda en el ejercicio de su ministerio. ‖ **de guerra.** Funcionario del cuerpo jurídico militar que informa sobre la interpretación o aplicación de las leyes y propone la resolución correspondiente en los procedimientos judiciales y otros instruidos en el ejército o región militar donde tiene su destino. ‖ **de la nunciatura.** Consejero del nuncio en España. ‖ **de la Rota.** Persona nombrada por el Papa, para conocer en apelación de las causas eclesiásticas de todo el orbe católico. ‖ **de marina.** Juez letrado de alta categoría que entiende en las causas del fuero de mar. ‖ **de Rota. auditor de la Rota.**

auditoría. f. Empleo de auditor. ‖ **2.** Tribunal o despacho del auditor. ‖ **3. auditoría contable.** ‖ **contable.** Revisión de la contabilidad de una empresa, sociedad, etc., realizada por un auditor.

auditorio[1]. (Del lat. *auditorĭum.*) m. Concurso de oyentes. ‖ **2.** ant. **audiencia,** lugar para dar audiencias. ‖ **3.** Sala destinada a conciertos, recitales, conferencias, coloquios, lecturas públicas, etc.

auditorio[2]**, ria.** (Del lat. *auditorĭus.*) adj. **auditivo,** que tiene virtud para oír. ‖ **2. auditivo,** perteneciente al oído.

auditórium. (Del lat. *auditorium.*) m. **auditorio**[1], sala.

auge. (Del ár. *awŷ,* el punto más alto del cielo.) m. Periodo o momento de mayor elevación o intensidad de un proceso o estado de cosas. AUGE *de las letras, de una civilización.* ‖ **2.** *Astron.* **apogeo** de la Luna.

augita. (Del lat. *augītes,* y este del gr. αὐγῖτις, especie de piedra preciosa.) f. Mineral formado por un silicato doble de cal y magnesia, brillante, de color verde oscuro o negro y textura cristalina, y que se halla enclavado en los basaltos.

augmentación. f. ant. **aumentación.**

augmentar. tr. desus. **aumentar.**

augur. (Del lat. *augur, -ŭris.*) m. Ministro de la religión gentílica, que en la antigua Roma practicaba oficialmente la adivinación por el canto, el vuelo y la manera de comer de las aves y por otros signos. ‖ **2.** Por ext., persona que vaticina.

auguración. (Del lat. *auguratĭo, -ōnis.*) f. Adivinación por el comportamiento de ciertas aves u otros signos.

augurador, ra. adj. Que augura.

augural. (Del lat. *augurālis.*) adj. Perteneciente al agüero o a los agoreros.

augurar. (Del lat. *augurāre.*) tr. Adivinar, pronosticar por el vuelo o canto de las aves u otras observaciones. ‖ **2.** Presagiar, presentir, predecir.

augurio. (Del lat. *augurĭum.*) m. Presagio, anuncio, indicio de algo futuro.

augustal. (Del lat. *augustālis.*) adj. Perteneciente o relativo al emperador romano Augusto o establecido en honor suyo. *Prefecto* AUGUSTAL; *juegos* AUGUSTALES. ‖ **2.** V. **sacerdote, séviro augustal.**

augustamente. adv. m. Excelente, ilustre o eminentemente.

augusto, ta. (Del lat. *augustus.*) adj. Dícese de lo que infunde o merece gran respeto y veneración por su majestad y excelencia. ‖ **2.** Título de Octaviano César, que llevaron después todos los emperadores romanos y sus mujeres. ‖ **3.** m. Payaso de circo.

aula. (Del lat. *aula.*) f. Sala donde se celebran las clases en los centros docentes. ‖ **2.** poét. Palacio de un príncipe soberano.

aulaga. (Del ár. *ŷawlaq,* nombre de la misma planta.) f. Planta de la familia de las papilionáceas, como de un metro de altura, espinosa, con hojas lisas terminadas en púas y flores amarillas. Las puntas tiernas gustan al ganado; el resto de la planta se machaca, aplastando las espinas, para darlo en pienso. ‖ **2.** Por ext., nombre que se da a varias matas de la misma familia, espinosas y de flores amarillas. ‖ **merina. asiento de pastor.** ‖ **vaquera.** Planta de la familia de las papilionáceas, de un metro de altura, muy ramosa, con ramillas de espinas cortas y axilares y flores amarillas. ‖ **estar en aulagas.** fr. fig. y fam. *Col.* Estar en afanes o dificultades.

aulagar. m. Sitio poblado de aulagas.

áulico, ca. (Del lat. *aulĭcus.*) adj. Perteneciente a la corte o al palacio. ‖ **2.** Cortesano o palaciego. Ú. t. c. s.

aulladero. m. *Mont.* Sitio donde de noche se juntan y aúllan los lobos.

aullador, ra. adj. Que aúlla. ‖ **2.** V. **mono aullador.**

aullar. (Del lat. *ululāre.*) intr. Dar aullidos.

aullido. (De *aullar.*) m. Voz triste y prolongada del lobo, el perro y otros animales. Ú. t. en sent. fig.

aúllo. (De *aullar.*) m. **aullido.**

aumentable. adj. Que se puede aumentar.

aumentación. (Del lat. *augmentatĭo, -ōnis.*) f. ant. **aumento.** ‖ **2.** *Ret.* Especie de gradación en que el sentido va de menos a más.

aumentada. (De *aumentar.*) adj. *Mús.* V. **séptima, sexta aumentada.**

aumentador, ra. adj. Que aumenta alguna cosa.

aumentar. (Del lat. *augmentāre.*) tr. Acrecentar, dar mayor extensión, número o materia a alguna cosa. Ú. t. c. intr. y c. prnl. ‖ **2.** Adelantar o mejorar en conveniencias, empleos o riquezas. Ú. t. c. prnl.

aumentativo, va. adj. Que aumenta. ‖ **2.** *Gram.* Dícese del sufijo que aumenta la magnitud del significado del vocablo al que se une, así, *-ón* en *picarón* o *-azo* en *golpazo.* Pueden sumarse dos seguidos *(picaronazo),* y cambiar el género femenino del positivo correspondiente *(cucharón,* de *cuchara).* Ú. t. c. s. ‖ **3.** m. *Gram.* Palabra formada con uno o más sufijos **aumentativos.**

aumento. (Del lat. *augmentum.*) m. Acrecentamiento o extensión de una cosa. ‖ **2.** Adelantamiento o medra en conveniencia o empleos. Ú. m. en pl. ‖ **3.** Potencia o facultad amplificadora de una lente, anteojo o telescopio. ‖ **4.** Unidad de la potencia amplificadora de una lente.

aun. (Del lat. *adhuc.*) adv. t. **todavía,** hasta un momento determinado. ‖ **2.** adv. m. **todavía,** no obstante, sin embargo. ‖ **3. todavía,** en sentido concesivo. ‖ **4. todavía,** en sentido de encarecimiento o ponderación. ‖ **5.** Denota a veces idea de encarecimiento en sentido afirmativo o negativo. Se escribe con acento cuando pueda sustituirse por **todavía** sin alterar el sentido de la frase: AÚN *está enfermo; está enfermo* TODAVÍA. En los demás casos, es decir, con el significado de *hasta, también, inclusive* (o *siquiera,* con negación), se escribirá sin tilde. *Te daré cien duros, y* AUN (hasta) *doscientos, si los necesitas; no tengo yo tanto, ni*

AUN (ni siquiera) *la mitad.* ‖ **aun cuando.** loc. conjunt. advers. **aunque.**

aunable. adj. Que puede aunarse.

aunamiento. m. ant. Acción y efecto de aunar o aunarse.

aunar. (Del lat. *adunāre,* juntar.) tr. Unir, confederar para algún fin. Ú. m. c. prnl. ‖ **2. unificar.** Ú. t. c. prnl. ‖ **3.** Poner juntas o armonizar varias cosas. Ú. t. c. prnl.

aungar. (Del lat. **adunicāre,* de *adunāre,* juntar.) tr. ant. Unir o juntar.

auniga. f. Ave palmípeda de Filipinas, que tiene el pico más largo que la cabeza, delgado y hendido, el cuello muy largo y delgado, la cola larga y redondeada y las uñas corvas y robustas.

aunque. (De *aun que.*) conj. conc. que expresa las relaciones propias de esta clase de conjunciones. AUNQUE *estoy malo, no faltaré a la cita; haz el bien que pudieres,* AUNQUE *nadie te lo agradezca;* AUNQUE *severo, es justo.* ‖ **2.** conj. advers. que expresa las relaciones propias de esta clase de conjunciones. *Tengo ya tres mil libros,* AUNQUE *querría tener más; creo que ha llegado,* AUNQUE *no lo sé con certeza.* ‖ **aunque más.** loc. conjunt. **por mucho que.** *Pero* AUNQUE MÁS *tendimos la vista, ni poblado, ni persona, ni senda, ni camino descubrimos.*

aúpa. interj. que se usa para animar a alguien a levantarse o a levantar algo. La usan especialmente los niños cuando quieren que los cojan en brazos. Ú. t. en sent. fig. ‖ **ser** algo o alguien **de aúpa.** fr. fam. Ser de mala condición, violento, desagradable. ‖ **2. ser de cuidado.**

aupar. (De *aúpa.*) tr. Levantar o subir a una persona. Ú. t. c. prnl. ‖ **2.** fig. Ensalzar, enaltecer. Ú. t. c. prnl.

auquénido. m. *Perú.* Denominación popularizada de los camélidos de los Andes meridionales. Comprende cuatro especies: llama, alpaca, guanaco y vicuña.

aura[1]**.** (Del lat. *aura,* y este del gr. αὔρα, de ἄω, soplar.) f. Viento suave y apacible. Ú. m. en poesía. ‖ **2.** Hálito, aliento, soplo. ‖ **3.** Irradiación luminosa de carácter paranormal que algunos individuos dicen percibir alrededor de los cuerpos humanos, animales o vegetales. ‖ **4.** fig. Favor, aplauso, aceptación general. ‖ **5.** *Patol.* Sensación o fenómeno de orden cutáneo, psíquico, motor, etc., que anuncia o precede a una crisis de epilepsia o de alguna otra enfermedad.

aura[2]**.** (Voz americana.) f. Ave rapaz diurna, del tamaño de una gallina, de plumaje negro con visos verdes, cabeza desnuda y tarsos y pico de color de carne. Despide olor hediondo, vive en grandes bandadas y se alimenta con preferencia de animales muertos. En ciertos puntos de América, de donde es indígena, se la llama gallinaza o gallinazo.

auranciáceo, a. (De *Aurantium,* nombre de una especie de plantas del género *Citrus.*) adj. Dícese de árboles y arbustos de la familia de las rutáceas, siempre verdes, con hojas alternas, cáliz persistente, ovario de muchas celdillas y fruto carnoso, como el naranjo, el limonero y el cidro. Ú. t. c. s. f.

aurelianense. (Del lat. *Aurelianensis,* de *Aurelĭa,* Orleans.) adj. Perteneciente o relativo a Orleans, ciudad de Francia.

áureo, a. (Del lat. *aurĕus.*) adj. De oro. Ú. m. en poesía. ‖ **2.** Parecido al oro o dorado. Ú. m. en poesía. ‖ **3.** V. **leyenda áurea.** ‖ **4.** *Cronol.* V. **áureo número.** ‖ **5.** m. Moneda de oro que corría en tiempo del rey Fernando III el Santo. ‖ **6.** Peso de cuatro escrúpulos, que se usaba en farmacia. ‖ **7.** *Numism.* Moneda de oro, y especialmente la acuñada por los emperadores romanos.

aureola o **auréola.** (Del lat. *aureŏla,* dorada.) f. Resplandor, disco o círculo luminoso que suele figurarse detrás de la cabeza de las imágenes sagradas. ‖ **2. areola.** ‖ **3.** fig. Gloria que alcanza una persona por sus méritos o virtudes. ‖ **4.** *Astron.* Corona sencilla o doble que en los eclipses de Sol se ve alrededor del disco de la Luna. ‖ **5.** *Teol.* Resplandor que, como premio no esencial, corresponde en la bienaventuranza a cada estado y jerarquía. AUREOLA *de las vírgenes, de los mártires, de los doctores.*

aureolar. tr. fig. Adornar como con aureola.

aureomicina. f. *Med.* Antibiótico producido por el *streptomycer aureofaciens.*

aurero. m. *Cuba.* Lugar donde se reúnen muchas auras[2].

aurgitano, na. adj. Natural de Aurgi, hoy Jaén. Ú. t. c. s. ‖ **2.** Perteneciente o relativo a esta ciudad de la Hispania Tarraconense.

auricalco. (Del lat. *orichalcum,* y este del gr. ὀρείχαλκος, cobre de montaña.) m. ant. Cobre, bronce o latón.

áurico, ca. adj. De oro.

aurícula. (Del lat. *auricŭla cordis.*) f. *Zool.* Cavidad, que puede ser única, doble o cuádruple, del corazón de los moluscos, que recibe sangre arterial. ‖ **2.** *Zool.* Cavidad de la parte anterior del corazón de los peces, que recibe sangre venosa. ‖ **3.** *Anat.* Cada una de las dos cavidades de la parte anterior (superior en el hombre) del corazón de los batracios, reptiles, aves y mamíferos, que reciben sangre aportada por las venas. ‖ **4.** *Bot.* Prolongación de la parte inferior del limbo de las hojas.

auriculado, da. (Del lat. *auricŭla.*) adj. Dícese de órganos o partes del cuerpo de animales o vegetales cuya forma recuerda una oreja, como algunas conchas de moluscos, v. gr. la del abulón. Ú. t. c. s.

auricular[1]**.** (Del lat. *auricularis.*) adj. Perteneciente o relativo al oído. ‖ **2.** V. **confesión auricular.** ‖ **3.** V. **dedo auricular.** Ú. t. c. s. ‖ **4.** m. En los aparatos telefónicos y, en general, en todos los empleados para percibir sonidos, parte de los mismos o pieza aislada que se aplica a los oídos.

auricular[2]**.** (De *aurícula.*) adj. Perteneciente o relativo a las aurículas del corazón.

auriense. adj. Natural de Auria o Aregia, hoy Orense. Ú. t. c. s. ‖ **2.** Perteneciente o relativo a esta ciudad de la Hispania Tarraconense. ‖ **3. orensano.** Apl. a pers., ú. t. c. s.

aurífero, ra. (Del lat. *aurĭfer, -ĕri.*) adj. Que lleva o contiene oro.

auriga. (Del lat. *auriga.*) m. El que en las antiguas Grecia y Roma gobernaba los caballos de los carros en las carreras de circo. ‖ **2.** poét. Por ext., el que gobierna las caballerías de un carruaje.

aurígero, ra. (Del lat. *aurĭger, -ĕri.*) adj. **aurífero.**

aurívoro, ra. (Del lat. *aurum,* oro, y *vorāre,* devorar.) adj. poét. Codicioso de oro.

aurora. (Del lat. *aurōra,* de *aura,* brillo, resplandor.) f. Luz sonrosada que precede inmediatamente a la salida del Sol. ‖ **2.** fig. Canto religioso que se entona al amanecer, antes del rosario, y con el que se da comienzo a la celebración de una festividad de la Iglesia. ‖ **3.** fig. Principio o primeros tiempos de alguna cosa. ‖ **4.** fig. Hermosura del rostro, y por ext., el rostro sonrosado. ‖ **5.** fig. Bebida compuesta de leche de almendras y agua de canela. ‖ **austral.** *Meteor.* Meteoro luminoso que en el hemisferio austral se observa hacia el Sur y se atribuye a la electricidad. ‖ **boreal.** *Meteor.* Meteoro luminoso que en el hemisferio septentrional se observa hacia el Norte y se atribuye a la electricidad. ‖ **despuntar,** o **romper, la aurora.** fr. Empezar a amanecer.

auroral. adj. Perteneciente o relativo a la aurora.

aurragado, da. (Del vasc. *aurraca,* a empujones, de prisa.) adj. Aplícase a la tierra mal labrada.

arúspice. m. **arúspice.**

auscultación. (Del lat. *auscultatĭo, -ōnis.*) f. *Med.* Acción y efecto de auscultar.

auscultar. (Del lat. *auscultāre.*) tr. *Med.* Aplicar el oído a la pared torácica o abdominal, con instrumentos adecuados o sin ellos, a fin de explorar los sonidos o ruidos normales o patológicos producidos en los órganos que las cavidades del pecho o vientre contienen. ‖ **2.** fig. Sondear el pensamiento de otras personas, el estado de un negocio, la disposición ajena ante un asunto, etc.

ausencia. (Del lat. *absentĭa.*) f. Acción y efecto de ausentarse o de estar ausente. ‖ **2.** Tiempo en que alguno está ausente. ‖ **3.** Falta o privación de alguna cosa. ‖ **4.** *Psicol.* Distracción del ánimo respecto de la situación o acción en que se encuentra el sujeto. ‖ **5.** *Der.* Condición legal de la persona cuyo paradero se ignora. ‖ **6.** *Med.* Pérdida pasajera de la conciencia. ‖ **buenas,** o **malas, ausencias.** Encomio o vituperio que se hace de una persona ausente, o buenas o malas noticias que se dan de ella. Ú. con los verbos *hacer, tener, deber, merecer,* etc. ‖ **brillar** alguien o algo **por su ausencia.** loc. fam. No estar presente una persona o cosa en el lugar en que era de esperar.

ausentado, da. p. p. de **ausentar.** ‖ **2.** adj. **ausente.**

ausentar. (Del lat. *absentāre.*) tr. Hacer que alguien parta o se aleje de un lugar. ‖ **2.** fig. Hacer desaparecer alguna cosa. ‖ **3.** prnl. Separarse de una persona o lugar, y especialmente de la población en que se reside. ‖ **4.** Desaparecer alguna cosa.

ausente. (Del lat. *absens, -entis.*) adj. Dícese del que está separado de alguna persona o lugar, y especialmente de la población en que reside. Ú. t. c. s. ‖ **2.** Distraído, ensimismado. ‖ **3.** com. *Der.* Persona de quien se ignora si vive todavía y dónde está.

ausetano, na. (Del lat. *Ausetānus.*) adj. Natural de Ausa, hoy Vich. Ú. t. c. s. ‖ **2.** Perteneciente o relativo a esta ciudad de la Hispania Tarraconense. ‖ **3.** **vigitano.** Apl. a pers., ú. t. c. s.

ausol. (Del nahua *at,* agua, y *soloni,* hervir ruidosamente.) m. *El Salv.* **solfatara,** fuente termal.

ausonense. adj. **ausetano.**

ausonio, nia. (Del lat. *Ausonĭus.*) adj. Natural de Ausonia. Ú. t. c. s. ‖ **2.** Perteneciente o relativo a este país de Italia antigua. ‖ **3.** Por ext., **italiano.** Apl. a pers., ú. t. c. s.

auspiciar. (De *auspicio.*) tr. Patrocinar, favorecer. ‖ **2.** Presagiar, adivinar, predecir.

auspicio. (Del lat. *auspicĭum.*) **agüero.** ‖ **2.** Protección, favor. ‖ **3.** pl. Señales prósperas o adversas que en el comienzo de una actividad parecen presagiar su resultado.

auspicioso, sa. adj. De buen auspicio o agüero, favorable.

austeridad. (Del lat. *austerĭtas, -ātis.*) f. Calidad de austero. ‖ **2.** Mortificación de los sentidos y pasiones.

austero, ra. (Del lat. *austērus,* y este del gr. αὐστηρός.) adj. Agrio, astringente y áspero al gusto. ‖ **2.** Retirado, mortificado y penitente. ‖ **3.** Severo, rigurosamente ajustado a las normas de la moral. ‖ **4.** Sobrio, morigerado, sencillo, sin ninguna clase de alardes.

austral¹. (Del lat. *austrālis.*) adj. Perteneciente al austro, y en general al polo y al hemisferio del mismo nombre. ‖ **2.** *Astron.* V. **corona, hemisferio, nodo, pez, triángulo austral.** ‖ **3.** *Astron.* y *Geogr.* V. **polo austral.** ‖ **4.** *Meteor.* V. **aurora austral.** ‖ **5.** m. Unidad monetaria de la República Argentina desde 1985.

austral². (De *Austria.*) adj. ant. **austriaco¹.**

australiano, na. adj. Natural de Australia. Ú. t. c. s. ‖ **2.** Perteneciente o relativo a este continente o gran isla de Oceanía.

australino, na. adj. Natural de la región austral de Chile. Ú. t. c. s. ‖ **2.** Perteneciente o relativo a esta región.

australopiteco. m. *Zool.* Antropomorfo fósil de África del Sur, que vivió hace más de un millón de años y era capaz de tallar guijarros.

austriaco¹, ca o **austríaco, ca.** adj. Natural de Austria. Ú. t. c. s. ‖ **2.** Perteneciente o relativo a esta nación de Europa.

austriaco². m. *And.* **lampuga.**

austrida. adj. p. us. **austriaco¹.**

austrino¹, na. (Del lat. *austrīnus.*) adj. ant. **austral¹.**

austrino², na. adj. p. us. De la casa de Austria, perteneciente a ella.

austro. (Del lat. *auster, -tri.*) m. Viento que sopla de la parte del Sur. ‖ **2.** **Sur,** punto cardinal.

aután. (Del lat. *alid,* otro, y *tantum,* tanto.) adv. m. ant. Tanto o igualmente.

autarcía. f. **autarquía².**

autarquía¹. (Del gr. αὐταρχία, poder de unos.) f. Poder para gobernarse a sí mismo.

autarquía². (Del gr. αὐτάρκεια, autosuficiencia.) f. **autosuficiencia.** ‖ **2.** Política de un estado que pretende bastarse con sus propios recursos, evitando, en lo posible, las importaciones de otros países.

autárquico¹, ca. adj. Perteneciente o relativo a la autarquía, poder para gobernarse a sí mismo.

autárquico², ca. adj. Perteneciente o relativo a la autarquía económica, autosuficiente.

auténtica. (Del lat. *authentĭca,* t. f. de *-cus,* auténtico.) f. Certificación con que se testifica la identidad y verdad de alguna cosa. ‖ **2.** Copia autorizada de alguna orden, carta, etc. ‖ **3.** *Der.* Cualquiera de las Constituciones recopiladas de orden de Justiniano después del Código, y también la parte dispositiva de cada una de ellas, trasladada en los títulos respectivos del mismo Código.

autenticación. f. Acción y efecto de autenticar.

autenticar. (De *auténtico.*) tr. Autorizar o legalizar alguna cosa. ‖ **2.** **acreditar,** dar fe de la verdad de un hecho o documento con autoridad legal.

autenticidad. f. Calidad de auténtico.

auténtico, ca. (Del lat. *authentĭcus,* y este del gr. αὐθεντικός.) adj. Acreditado de cierto y positivo por los caracteres, requisitos o circunstancias que en ello concurren. ‖ **2.** Autorizado o legalizado; que hace fe pública. ‖ **3.** ant. Se aplicaba a los bienes o heredades sujetos u obligados a alguna carga o gravamen. ‖ **4.** *Der.* V. **interpretación auténtica.** ‖ **5.** *Mús.* V. **modo auténtico.**

autentificar. tr. **autenticar,** autorizar o legalizar una cosa.

autillo¹. (d. de *auto*¹.) m. Auto¹ particular del tribunal de la Inquisición, a distinción del general.

autillo². (Del lat. *otus.*) m. Ave rapaz nocturna, parecida a la lechuza, pero algo mayor, de color pardo rojizo con manchas blancas, y las remeras y timoneras rayadas de gris y rojo.

autismo. (Del gr. αὐτός, uno mismo.) m. Concentración habitual de la atención de una persona en su propia intimidad, con el consiguiente desinterés respecto del mundo exterior. Su intensidad excesiva es patológica, y se presenta con especial frecuencia en la esquizofrenia.

autista. adj. Dícese del individuo afecto de autismo. Ú. t. c. s.

autístico, ca. adj. Perteneciente o relativo al autismo.

auto¹. (De *acto.*) m. *Der.* Forma de resolución judicial, fundada, que decide cuestiones secundarias, previas o incidentales, para las que no se requiere sentencia. ‖ **2.** desus. Escritura o documento. ‖ **3.** Composición dramática de breves dimensiones y en que, por lo común, intervienen personajes bíblicos o alegóricos. ‖ **4.** ant. Acto o hecho. Ú. en Aragón. ‖ **5.** pl. *Der.* Conjunto de actuaciones o piezas de un procedimiento judicial. ‖ **6.** *Der.* V. **pieza de autos.** ‖ **acordado.** *Der.* Determinación que tomaba por punto general algún consejo o tribunal supremo con asistencia de todas las salas. ‖ **de fe.** Castigo público de los penitenciados por el tribunal de la Inquisición. ‖ **definitivo.** *Der.* El que impide la continuación del pleito o deja resuelta alguna de las cuestiones litigiosas, aunque sea dictado incidentalmente. ‖ **de legos.** *Der.* Providencia o despacho que un tribunal superior expedía para que algún juez eclesiástico se inhibiera del conocimiento de una causa puramente civil y entre personas legas, remitiéndola al juez competente. ‖ **de oficio.** *Der.* El que provee el juez sin pedimiento de parte. ‖ **de providencia.** *Der.* El que da el juez mandando lo que debe ejecutarse en algún caso, sin perjuicio del derecho de las partes; disposición que solo dura hasta la definitiva. ‖ **de tunda.** *Der.* En los juzgados ordinarios de la corte, el que proveía el juez mandando de una vez diferentes cosas, como que alguno reconociera el vale, y reconocido, se le notificara que pagase, y que no haciéndolo, se le exigiera fianza de saneamiento, y que no dándola, se le pusiera preso. ‖ **interlocutorio.** *Der.* El que decide asunto incidental durante el curso del juicio. ‖ **sacramental. auto** dramático escrito en loor del misterio de la Eucaristía. ‖ **arrastrar los autos.** fr. *Der.* **arrastrar la causa.** ‖ **auto en favor.** loc. fig. y fam. p. us. Con tanta más razón. ‖ **constar de autos,** o **en autos.** fr. fig. y fam. Estar enterado de alguna cosa. ‖ **estar,** o **ir, cosido a los autos.** fr. fig. y fam. p. us. Acompañar siempre a persona determinada. ‖ **hacer auto de fe** de una cosa. fr. fig. y fam. Quemarla. ‖ **lo que no está en los autos no está en el mundo.** *Der.* fr. que expresa que los tribunales deben fallar por el resultado de las actuaciones y no por sus referencias privadas. ‖ **poner a** alguien **en autos.** fr. fig. Enterarle de algún negocio.

auto[2]. m. abrev. de **automóvil,** coche destinado al transporte de personas. A veces se usa como primer elemento de compuestos: AUTO*camión.*

auto-. (Del gr. αὐτο-.) elem. compos. que significa «propio» o «por uno mismo». AUTO*sugestión,* AUTO*biografía,* AUTO*móvil.*

autobiografía. (De *auto* y *biografía.*) f. Vida de una persona escrita por ella misma.

autobiográfico, ca. adj. Perteneciente o relativo a la autobiografía.

autobiógrafo, fa m. y f. Autor de una autobiografía.

autobombo. (De *auto-* y *bombo.*) m. fest. Elogio desmesurado y público que hace uno de sí mismo.

autobús. (Del fr. *autobus,* de *auto* y *omnibus.*) m. Vehículo automóvil de transporte público y trayecto fijo que se emplea habitualmente en el servicio urbano. ‖ **2. autocar.**

autocamión. m. **camión** automóvil.

autocar. (Del fr. *autocar,* de *auto* y el ing. *car,* coche.) m. Vehículo automóvil de gran capacidad concebido para el transporte de personas, que generalmente realiza largos recorridos por carretera.

autocarril. m. *Bol., Chile* y *Nicar.* **autovía.**

autocine. (De *auto*[2] y *cine.*) m. Recinto al aire libre donde se proyecta una película que se puede seguir desde el interior de un automóvil.

autoclave. (De *auto-* y *clave.*) f. Aparato en forma de vasija cilíndrica, de paredes resistentes y con cubierta cerrada y atornillada herméticamente que, por medio del vapor a presión y temperaturas elevadas, sirve para destruir gérmenes patógenos, esterilizando todos los objetos y sustancias que se emplean en las operaciones y curas quirúrgicas. También se utiliza en la industria para esterilizar conservas, vasijas, etcétera.

autocopista. f. Aparato que permite sacar varias copias de un escrito o dibujo, empleando para ello tinta especial y una prensa.

autocracia. (Del gr. αὐτοκράτεια.) f. Sistema de gobierno en el cual la voluntad de una sola persona es la suprema ley.

autócrata. (Del gr. αὐτοκρατής.) com. Persona que ejerce por sí sola la autoridad suprema en un Estado. Se daba especialmente este título al emperador de Rusia.

autocrático, ca. adj. Perteneciente o relativo al autócrata o a la autocracia.

autocrítica. f. Juicio crítico que se realiza sobre obras o comportamientos propios. ‖ **2.** Breve noticia crítica de una obra teatral, escrita por el autor de ella para que se publique antes del estreno.

autoctonía. f. Calidad de autóctono.

autóctono, na. (Del lat. *autochthŏnes,* y este del gr. αὐτόχθων, -θονος.) adj. Aplícase a los pueblos o gentes originarios del mismo país en que viven. Apl. a pers., ú. t. c. s. ‖ **2.** Dícese de lo que ha nacido o se ha originado en el mismo lugar donde se encuentra.

autodeterminación. f. Decisión de los pobladores de una unidad territorial acerca de su futuro estatuto político.

autodidacto, ta. (Del gr. αὐτοδίδακτος.) adj. Que se instruye por sí mismo, sin auxilio de maestro. Ú. t. c. s.

autodominio. m. Dominio de sí mismo.

autódromo. (De *auto*[2] y el gr. δρόμος, carrera.) m. Pista para ensayos y carreras de automóviles.

autoescuela. (De *auto*[2] y *escuela.*) f. Centro para enseñar a conducir automóviles.

autógeno, na. (De *auto-* y *-geno.*) adj. Dícese de la soldadura de metales que se hace, sin intermedio de materia extraña, fundiendo con el soplete de oxígeno y acetileno las partes por donde ha de hacerse la unión.

autogestión. f. *Econ.* Sistema de organización de una empresa según el cual los trabajadores participan activamente en todas las decisiones sobre su desarrollo, economía, funcionamiento, etc.

autogiro. (De *auto-* y *giro.*) m. Avión provisto de alas en forma de hélice, articuladas en un eje vertical, que giran por efecto de la resistencia del aire durante el avance del aparato y le sirven de sustentación.

autognosis. f. Conocimiento de sí mismo, reflexión sobre sí mismo.

autografía. (De *auto-* y *-grafía.*) f. Procedimiento por el cual se traslada un escrito hecho con tinta y en papel de condiciones especiales a una piedra preparada al efecto, para tirar con ella muchos ejemplares del mismo escrito. ‖ **2.** Oficina o dependencia donde se autografía.

autografiar. tr. Reproducir un escrito por medio de la autografía.

autográfico, ca. adj. Perteneciente o relativo a la autografía.

autógrafo, fa. (Del lat. *autogrăphus,* y este del gr. αὐτόγραφος.) adj. Que está escrito de mano de su mismo autor. Ú. t. c. s. m. ‖ **2.** m. Firma de una persona famosa o notable.

autoinducción. (De *auto-* e *inducción.*) f. *Fís.* Producción de una fuerza electromotriz en un circuito por la variación de la corriente que pasa por él.

autointoxicación. (De *auto-* e *intoxicación.*) f. Intoxicación del organismo por productos que él mismo elabora y que debían ser eliminados.

autolatría. (De *auto-* y el gr. λατρεία, adoración.) f. **egolatría.**

autómata. (Del lat. *automăta,* t. f. de *-tus,* y este del gr. αὐτόματος, espontáneo.) m. Instrumento o aparato que encierra dentro de sí el mecanismo que le imprime determinados movimientos. ‖ **2.** Máquina que imita la figura y los movimientos de un ser animado. ‖ **3.** fig. y fam. Persona estúpida o excesivamente débil, que se deja dirigir por otra.

automaticidad. f. Calidad de automático.

automático, ca. adj. Perteneciente o relativo al autómata. ‖ **2.** Dícese de los mecanismos que funcionan en todo o en parte por sí solos. Ú. t. c. s. ‖ **3.** V. **arma automática.** ‖ **4.** V. **fusil automático.** ‖ **5.** Que sigue a determinadas circunstancias de un modo inmediato y la mayoría de las veces indefectible. *Después de su mala gestión, el cese fue* AUTOMÁTICO. ‖ **6.** fig. Maquinal o indeliberado. ‖ **7.** m. Especie de corchete que se cierra sujetando el macho con los dientes de la hembra, que actúan como un resorte. ‖ **8.** f. Ciencia que trata de sustituir en un proceso el operador humano por dispositivos mecánicos o electrónicos.

automatismo. (Del gr. αὐτοματισμός.) m. *Fisiol.* Ejecución de actos diversos sin participación de la voluntad.

automatización. f. Acción y efecto de automatizar.

automatizar. tr. Convertir ciertos movimientos corporales en movimientos automáticos o indeliberados. ‖ **2.** Aplicar la automática a un proceso, a un dispositivo, etc.

automedonte. (Por alusión a *Automedonte*, conductor del carro de Aquiles.) m. fig. **auriga** de un carruaje.

automoción. f. Facultad o condición de lo que se mueve por sí mismo. ‖ **2.** Estudio o descripción de las máquinas que se desplazan por la acción de un motor y particularmente de los automóviles. ‖ **3.** Sector de la industria relativo al automóvil.

automotor, ra. (De *auto-* y *motor.*) adj. Dícese de la máquina, instrumento o aparato que ejecuta determinados movimientos sin la intervención directa de una acción exterior. Apl. a vehículos de tracción mecánica, ú. t. c. s. m.

automotriz. (De *auto-* y *motriz.*) adj. f. **automotora.**

automóvil. (De *auto-* y *móvil.*) adj. Que se mueve por sí mismo. Aplícase principalmente a los vehículos que pueden ser guiados para marchar por una vía ordinaria sin necesidad de carriles y llevan un motor, generalmente de explosión, que los pone en movimiento. Ú. m c. s. m. ‖ **2.** V. **torpedo automóvil.** ‖ **3.** m. Por antonom., **coche**[1] destinado al transporte de personas. ‖ **deportivo.** Automóvil generalmente de pequeño tamaño y de dos plazas, diseñado para que alcance grandes velocidades y sea fácil de maniobrar. ‖ **de turismo.** El destinado al transporte de personas, con capacidad hasta de nueve plazas, incluido el conductor.

automovilismo. m. Conjunto de conocimientos teóricos y prácticos referentes a la construcción, funcionamiento y manejo de vehículos automóviles. ‖ **2.** Ejercicio del que conduce un automóvil. ‖ **3.** Deporte que se practica con el automóvil, en el que los participantes compiten en velocidad, habilidad y resistencia.

automovilista. com. Persona que conduce un automóvil.

automovilístico, ca. adj. Perteneciente o relativo al automovilismo.

autonomía. (Del lat. *autonomĭa*, y este del gr. αὐτονομία.) f. Estado y condición del pueblo que goza de entera independencia política. ‖ **2.**Condición del individuo que de nadie depende en ciertos conceptos. ‖ **3.** Potestad que dentro del Estado pueden gozar municipios, provincias, regiones u otras entidades de él, para regir intereses peculiares de su vida interior, mediante normas y órganos de gobierno propios. ‖ **4. comunidad autónoma.** ‖ **5.** Capacidad máxima de un vehículo marítimo, aéreo o terrestre, para efectuar un recorrido ininterrumpido sin repostarse.

autonómico, ca. adj. Perteneciente o relativo a la autonomía.

autonomista. adj. Partidario de la autonomía política o que la defiende. Apl. a pers., ú. t. c. s.

autónomo, ma. (Del gr. αὐτόνομος.) adj. Que goza de autonomía.

autopiloto. m. Aparato que automáticamente gobierna una aeronave para que no se aparte del rumbo fijado.

autopista. (De *auto*[2] y *pista.*) f. Carretera con calzadas separadas para los dos sentidos de la circulación, cada una de ellas con dos o más carriles, sin cruces a nivel.

autoplastia. (De *auto-* y el gr. πλαστός, formado.) f. *Cir.* Implantación de injertos orgánicos para restaurar partes enfermas o lesionadas del organismo por otras procedentes del mismo individuo.

autopropulsado, da. (De *auto-* y *propulsar.*) adj. Movido por autopropulsión.

autopropulsión. (De *auto-* y *propulsión.*) f. Acción de trasladarse una máquina por su propia fuerza motriz.

autopsia. (Del gr. αὐτοψία, acción de ver por los propios ojos.) f. *Anat.* Examen anatómico del cadáver. ‖ **2.** fig. Examen analítico minucioso.

autópsido, da. (De *auto-* y el gr. ὄψις, vista.) adj. Dícese de los minerales que tienen aspecto metálico.

autor, ra. (Del lat. *auctor, -ōris.*) m. y f. El que es causa de alguna cosa. ‖ **2.** El que la inventa. ‖ **3.** Persona que ha hecho alguna obra científica, literaria o artística. ‖ **4.** En las compañías cómicas, hasta principios del siglo XIX, el que cuidaba del gobierno económico de ellas y de la distribución de caudales. ‖ **5.** *Der.* En lo criminal, persona que comete el delito, o fuerza o induce directamente a otras a ejecutarlo, o coopera a la ejecución por un acto sin el cual no se habría ejecutado. ‖ **6.** *Der.* **causante.** ‖ **7.** ant. *Der.* **actor**[1], demandante o querellante.

autoría. f. Calidad de autor. ‖ **2.** Empleo de autor de las antiguas compañías cómicas.

autoridad. (Del lat. *auctorĭtas, -ātis.*) f. Carácter o representación de una persona por su empleo, mérito o nacimiento. ‖ **2.** Potestad, facultad. ‖ **3.** Potestad que en cada pueblo ha establecido su constitución para que lo rija y gobierne, ya dictando leyes, ya haciéndolas observar, ya administrando justicia. ‖ **4.** Poder que tiene una persona sobre otra que le está subordinada. ‖ **5.** Persona revestida de algún poder, mando o magistratura. ‖ **6.** Crédito y fe que, por su mérito y fama, se da a una persona o cosa en determinada materia. ‖ **7.** Ostentación, fausto, aparato. ‖ **8.** Texto, expresión o conjunto de expresiones de un libro o escrito, que se citan o alegan en apoyo de lo que se dice. ‖ **pasado en autoridad de cosa juzgada.** loc. *Der.* Se dice de lo que está ejecutoriado. ‖ **2.** fig. Se dice de cualquier cosa que se da por sabida y de que es ocioso tratar.

autoritario, ria. adj. Que se funda exclusivamente en la autoridad. ‖ **2.** Partidario extremado del principio de autoridad. Ú. t. c. s.

autoritarismo. (De *autoritario.*) m. Sistema fundado en la sumisión incondicional a la autoridad.

autoritativo, va. (Del lat. *auctorĭtas, -ātis*, autoridad.) adj. p. us. Que incluye o supone autoridad.

autorizable. adj. Que se puede autorizar.

autorización. f. Acción y efecto de autorizar. ‖ **previa.** *Der.* En algunos sistemas políticos y procesales, la que se reserva el Gobierno para impedir o permitir el procesamiento de sus subordinados por hechos que ejecutan como funcionarios.

autorizadamente. adv. m. Con autoridad. ‖ **2.** Con autorización.

autorizado, da. p. p. de **autorizar.** ‖ **2.** adj. Dícese de la persona respetada o digna de respeto por sus cualidades o circunstancias.

autorizador, ra. adj. Que autoriza. Ú. t. c. s.

autorizamiento. m. **autorización.**

autorizar. (De *autor.*) tr. Dar a alguien autoridad o facultad para hacer alguna cosa. ‖ **2.** Dar fe el escribano o notario en un documento. ‖ **3.** Confirmar, comprobar una cosa con autoridad, texto o sentencia de algún autor. ‖ **4.** Aprobar o abonar. ‖ **5.** Permitir. ‖ **6.** Dar importancia y lustre a una persona o cosa.

autorregulable. adj. Que es capaz de regularse por sí mismo.

autorregulación. f. Acción y efecto de autorregularse.

autorregulador, ra. adj. Que se autorregula. ‖ **2.** Dícese del sistema, natural o artificial, que produce autorregulación.

autorregularse. prnl. Regularse por sí mismo.

autorretrato. (De *auto-* y *retrato.*) m. Retrato de una persona hecho por ella misma.

autoservicio. (De *auto-* y *servicio.*) m. Sistema de venta empleado en algunos almacenes, en el que se disponen los artículos al alcance del comprador, el cual va tomando los que le interesan y los paga al salir del establecimiento. ‖ **2.** Sistema análogo que se emplea en algunos restaurantes, bares y cafeterías.

autostop. (Del fr. *auto-stop,* de *auto* y el ing. *stop.*) m. Manera de viajar por carretera solicitando transporte gratuito a los automóviles que transitan.

autostopista. adj. Dícese del que practica el autostop. Ú. t. c. s.

autosuficiencia. (De *auto-* y *suficiencia.*) f. Estado o condición del que se basta a sí mismo. ‖ **2. suficiencia,** presunción.

autosuficiente. adj. Que se basta a sí mismo. ‖ **2. suficiente,** que habla o actúa con suficiencia.

autosugestión. (De *auto-* y *sugestión.*) f. *Psiquiat.* Sugestión que nace espontáneamente en una persona, independientemente de toda influencia extraña.

autosugestionarse. prnl. Sugestionarse a sí mismo, experimentar autosugestión.

autotrófico, ca. adj. Dícese de las propiedades y procesos de los organismos autótrofos considerados como tales.

autótrofo, fa. (De *auto-* y el gr. τροφός, alimentador.) adj. *Biol.* Dícese del organismo que es capaz de elaborar su propia materia orgánica a partir de sustancias inorgánicas; por ejemplo, las plantas clorofílicas.

autovía. f. Coche de ferrocarril propulsado por un motor de combustión interna. ‖ **2.** Carretera con calzadas separadas para los dos sentidos de la circulación, cuyas entradas y salidas no se someten a las exigencias de seguridad de las autopistas.

autrigón, na. (Del lat. *Autrigōnes.*) adj. Dícese de un pueblo hispánico prerromano que en el norte de España ocupó el territorio que media entre Bilbao y la ría de Oriñón, Medina de Pomar y Miranda de Ebro, Haro y Briviesca. ‖ **2.** Dícese también de los individuos que formaban este pueblo. Ú. t. c. s. ‖ **3.** Perteneciente o relativo a los **autrigones.**

autumnal. (Del lat. *autumnālis.*) adj. **otoñal.**

auxiliador, ra. (Del lat. *auxiliātor, -ōris.*) adj. Que auxilia. Ú. t. c. s.

auxiliar[1]**.** (Del lat. *auxiliāris.*) adj. Que auxilia. Ú. t. c. s. ‖ **2.** V. **obispo auxiliar.** ‖ **3.** *Gram.* V. **verbo auxiliar.** Ú. t. c. s. ‖ **4.** com. En los ministerios y otras dependencias del Estado, funcionario técnico o administrativo de categoría subalterna. ‖ **5.** Profesor encargado de sustituir a los catedráticos en ausencias y enfermedades. ‖ **de vuelo.** Persona destinada en los aviones a la atención de los pasajeros y de la tripulación. ‖ **técnico sanitario.** Profesional titulado que, siguiendo las instrucciones de un médico, asiste a los enfermos, y que está autorizado para realizar ciertas intervenciones de cirugía menor.

auxiliar[2]**.** (Del lat. *auxiliāre.*) tr. Dar auxilio. ‖ **2.** Ayudar a bien morir. ‖ **3.** *Gram.* Intervenir un verbo en la formación de los tiempos compuestos de otro.

auxiliaría. f. Cargo de auxiliar.

auxiliatorio, ria. (De *auxiliar*[2].) adj. *Der.* Aplícase al despacho o provisión que se daba por los tribunales superiores, para que se obedecieran y cumplieran los mandatos y providencias de los inferiores y de otros tribunales y jueces. Ú. t. c. s. f.

auxilio. (Del lat. *auxilĭum.*) m. Ayuda, socorro, amparo. ‖ **2.** V. **denegación de auxilio.** ‖ **impartir el auxilio.** fr. *Der.* Prestar **auxilio** o socorro una jurisdicción o autoridad a otra.

avacado, da. adj. Dícese de la caballería parecida a la vaca en que tiene mucho vientre y pocos bríos.

avadar. (De *vado.*) intr. Menguar los ríos y arroyos tanto, que se puedan vadear. Ú. m. c. prnl. ‖ **2.** ant. fig. Sosegarse, mitigarse una pasión. Usáb. m. c. prnl.

avahado, da. p. p. de **avahar.** ‖ **2.** adj. ant. Lleno de vaho. Se aplicaba al sitio falto de ventilación.

avahar. tr. Echar vaho, dirigiéndolo hacia una persona o cosa. ‖ **2.** Calentar con el vaho alguna cosa. ‖ **3.** intr. Echar de sí o despedir vaho. Ú. t. c. prnl.

aval. (Del fr. *aval.*) m. *Com.* Firma que se pone al pie de una letra u otro documento de crédito, para responder de su pago en caso de no efectuarlo la persona principalmente obligada a él. ‖ **2.** Escrito en que uno responde de la conducta de otro, especialmente en materia política.

avalador, ra. adj. Que avala. Ú. t. c. s.

avalancha. (Del fr. *avalanche.*) f. **alud.**

avalar. tr. Garantizar por medio de aval.

avalentado, da. adj. p. us. Propio del valentón; como el traje, el aire en el andar, etcétera.

avalentamiento. m. p. us. Bravuconada, alarde de valentía.

avalentar. tr. p. us. Dar ánimos; envalentonar. Ú. m. c. prnl.

avalentonado, da. adj. p. us. **valentón.**

avaliar. (De *a*[2] y *valía.*) tr. ant. **valuar.**

avalío. (De *avaliar.*) m. ant. **avalúo.**

avalista. com. Persona que avala.

avalorar. tr. Dar valor o precio a alguna cosa. ‖ **2.** Aumentar el valor o la estimación de una cosa. ‖ **3.** fig. Infundir valor o ánimo.

avaluación. f. **valuación.**

avaluar. tr. **valuar.**

avalúo. (De *avaluar.*) m. **valuación.**

avallar. tr. p. us. Cerrar con valla una heredad.

avambrazo. (De *aván,* por *avante,* adelante, y *brazo.*) m. Pieza del arnés o armadura antigua, que servía para cubrir y defender el antebrazo.

avampiés. (Del fr. *avant-pied.*) m. ant. Parte de la polaina o botín, que cubre el empeine del pie.

avancarga (de). (De *aván,* por *avante,* y *carga.*) loc. adj. Se dice de las armas de fuego que se cargan por la boca.

avance. m. Acción de **avanzar,** mover o prolongar hacia adelante. ‖ **2.** Acción de **avanzar,** ir hacia adelante. ‖ **3.** Anticipo de dinero o de otra cosa. ‖ **4.** En ciertos coches, parte anterior de la caja, que es de quita y pon, a voluntad de los que los usan. ‖ **5. avanzo,** balance de un comerciante. ‖ **6. avanzo,** presupuesto de una obra. ‖ **7.** *Chile.* Juego de pelota en campo raso y abierto, de modo que cada adversario pueda avanzar con ella hasta hacerla pasar del término propuesto. ‖ **8.** *Cinem.* Fragmentos de una película que se proyectan antes de su estreno con fines publicitarios. ‖ **informativo.** Parte de una información que se adelanta y que tendrá ulterior desarrollo.

avandicho, cha. (De *aván,* por *avante,* y *dicho.*) adj. ant. **sobredicho.**

avanecerse. (De *a-*[1] y *vano*[1].) prnl. **acorcharse.** Ú. hablando de la fruta.

avanguarda. f. desus. *Mil.* **avanguardia.**

avanguardia. (De *aván,* por *avante,* y *guardia.*) f. desus. *Mil.* **vanguardia.**

avantal. (De *avante.*) m. **devantal.**

avante. (Del lat. *ab ante.*) adv. l. y t. **adelante.** ‖ **2.** *Mar.* V. **orza de avante.**
avantrén. (Del fr. *avant-train.*) m. Juego delantero de los carruajes de que se sirve la artillería.
avanzada. f. Partida de soldados destacada del cuerpo principal, para observar de cerca al enemigo y precaver sorpresas. ‖ **2.** Por ext., lo que se adelanta, anticipa o aparece en primer término.
avanzadilla. f. **avanzada.**
avanzado, da. p. p. de **avanzar.** ‖ **2.** adj. V. **edad avanzada.** ‖ **3.** Aplícase a todo lo que se distingue por su audacia o novedad en las artes, la literatura, el pensamiento, la política, etc. Ú. t. c. s. ‖ **4.** fig. Aplícase a todo lo que aparece en primera línea, bien en cosas que están en primer término o bien refiriéndose a seres animados y personas que se mueven hacia adelante.
avanzar. (Del lat. **abantiāre,* de *ab ante.*) tr. Adelantar, mover o prolongar hacia adelante. ‖ **2.** intr. Ir hacia adelante, especialmente las tropas. Ú. t. c. prnl. ‖ **3.** Tratándose de tiempo, acercarse a su fin. Ú. t. c. prnl. ‖ **4.** ant. Entre mercaderes y tratantes, sobrar de las cuentas alguna cantidad. ‖ **5.** fig. Adelantar, progresar o mejorar en la acción, condición o estado.
avanzo. (De *avanzar.*) m. **balance** de un comerciante. ‖ **2.** **presupuesto,** de una obra. ‖ **3.** ant. Sobra o alcance en las cuentas.
avaramente. adv. m. **avariciosamente.**
avaricia. (Del lat. *avaritĭa.*) f. Afán desordenado de poseer y adquirir riquezas para atesorarlas.
avariciar. tr. ant. Desear con avaricia. Usáb. t. c. intr.
avaricioso, sa. (De *avaricia.*) adj. Que tiene avaricia. Ú. t. c. s.
avarientez. (De *avariento.*) f. ant. **avaricia.**
avariento, ta. (De *avaro.*) adj. **avaricioso.** Ú. t. c. s.
avariosis. (Del fr. *avariose.*) f. Sífilis.
avaro, ra. (Del lat. *avārus,* de *avēre,* desear con ansia.) adj. **avaricioso.** Ú. t. c. s. ‖ **2.** fig. Que reserva, oculta o escatima alguna cosa.
avasallador, ra. adj. Que avasalla. Ú. t. c. s.
avasallamiento. m. Acción y efecto de avasallar o avasallarse. ‖ **2.** ant. **vasallaje.**
avasallar. (De *a-*[1] y *vasallo.*) tr. Sujetar, rendir o someter a obediencia. ‖ **2.** prnl. Hacerse súbdito o vasallo de algún rey o señor. ‖ **3.** Sujetarse, someterse por impotencia o debilidad al que tiene poder o valimiento.
avatar. (Del sánscr. *avatara,* descenso.) m. En la religión hindú, encarnación terrestre de alguna deidad, en especial Visnú. ‖ **2.** Reencarnación, transformación. ‖ **3.** fig. Fase, cambio, vicisitud. Ú. m. en pl.
avatí. m. **abatí.**
ave. (Del lat. *avis.*) f. *Zool.* Animal vertebrado, ovíparo, de respiración pulmonar y sangre de temperatura constante, pico córneo, cuerpo cubierto de plumas, con dos patas y dos alas aptas por lo común para el vuelo. En el estado embrionario tiene amnios y alantoides. ‖ **2.** pl. *Zool.* Clase de estos animales. ‖ **brava. ave silvestre.** ‖ **de cuchar,** o **de cuchara. cuchareta, ave** ardeiforme. ‖ **del paraíso.** Cualquiera de las exóticas, principalmente de Oceanía, de plumaje exuberante. ‖ **de paso.** La que, siendo migratoria, se detiene en una localidad solamente el tiempo necesario para descansar y comer durante sus viajes periódicos. ‖ **2.** fig. y fam. Persona que se detiene poco en pueblo o sitio determinado. ‖ **de rapiña.** Cualquiera de las carnívoras que tienen pico y uñas muy robustos, encorvados y puntiagudos; como el águila y el buitre. ‖ **2.** fig. y fam. Persona que se apodera con violencia o astucia de lo que no es suyo. ‖ **de ribera.** Cualquiera de las que viven a orillas del agua, ya sea en ríos, lagos o pantanos. ‖ **fría. avefría.** ‖ **2.** fig. y fam. Persona de poco espíritu y viveza. ‖ **lira.** Pájaro dentirrostro, originario de Australia, del tamaño de una gallina, en cuyo plumaje predominan los matices pardos. El macho tiene una magnífica cola, erguida, compuesta de 16 plumas, de las que las dos laterales son muy largas, anchas y encarnadas y forman en conjunto la figura de una lira. ‖ **migratoria.** La que cada año hace un largo viaje, en primavera o en otoño, a partir del lugar donde nidifica, y retorna a este en el otoño o en la primavera siguiente. ‖ **pasajera. ave de paso.** ‖ **rapaz. ave de rapiña.** ‖ **rapiega. ave de rapiña.** ‖ **ratera.** La que va volando muy cerca de la tierra. ‖ **silvestre.** La que huye de poblado y nunca o rara vez se domestica. ‖ **tonta.** Pájaro indígena de España, del tamaño del gorrión, de color pardo verdoso por encima y amarillento por el pecho y el abdomen, con alas y cola casi negras. Hace sus nidos en tierra, y se deja coger con mucha facilidad. ‖ **zonza. ave tonta.** ‖ **2.** fig. y fam. Persona descuidada, simple, tarda y sin viveza. ‖ **ser** alguien **un ave.** fr. fig. y fam. Ser muy ligero o veloz.
avecilla. (Del lat. *avicella.*) f. d. de **ave.** ‖ **de las nieves. aguzanieves.**
avecinar. (De *a-*[1] y *vecino.*) tr. Acercar. Ú. m. c. prnl. ‖ **2.** **avecindar.** Ú. m. c. prnl.
avecindamiento. Acción y efecto de avecindarse. ‖ **2.** Lugar en que alguien está avencindado.
avecindar. tr. Dar vecindad o admitir a alguien en el número de los vecinos de un pueblo. ‖ **2.** prnl. Establecerse en algún pueblo en calidad de vecino. ‖ **3.** fig. Arraigar o estar de asiento una persona o cosa. ‖ **4.** p. us. Avecinarse, acercarse.
avechucho. m. Ave de figura desagradable. ‖ **2.** fig. y fam. Sujeto despreciable por su figura o costumbres.
avefría. f. Ave limícola migratoria de unos 20 centímetros de largo, de color verde oscuro en el dorso y blanco en el vientre, con alas y pico negros, timoneras externas blancas, tarsos largos y delgados, y en la cabeza un moño de cinco o seis plumas que se encorvan en la punta.
avejar. tr. ant. **vejar.**
avejentar. tr. Poner a alguien sus males, o cualquier otra causa, en estado de parecer viejo antes de serlo por la edad. Ú. m. c. prnl.
avejigar. tr. Levantar vejigas sobre alguna cosa. Ú. t. c. intr. y c. prnl.
avelar. tr. ant. Poner a la vela el buque.
avelenar. tr. ant. **avenenar.**
avellana. (Del lat. *abellāna* [*nux*], de *Abella,* ciudad de Campania.) f. Fruto del avellano; es casi esférico, de unos dos centímetros de diámetro, con corteza dura, delgada y de color de canela, dentro de la cual, y cubierta con una película rojiza, hay una carne blanca, aceitosa y de gusto agradable. ‖ **2.** Carbón mineral de la cuenca de Puertollano, lavado y clasificado, cuyos trozos han de tener un tamaño reglamentario comprendido entre 15 y 25 milímetros. ‖ **de la India,** o **índica. mirobálano.**
avellanado, da. p. p. de **avellanar.** ‖ **2.** m. Acción y efecto de avellanar una pieza.
avellanador. m. Barrena cuya rosca está sustituida por una cabecilla de forma de avellana y estriada, la cual suele emplearse para ensanchar o alisar los taladros o barrenos.
avellanal. m. **avellanar**[1].
avellanar[1]. m. Sitio poblado de avellanos.
avellanar[2]. (De *avellana.*) tr. Ensanchar en una corta porción de su longitud los agujeros para los tornillos, a fin de que la cabeza de estos quede embutida en la pieza taladrada. ‖ **2.** prnl. Arrugarse y ponerse enjuta, como las avellanas secas, una persona o cosa.
avellanate. (Del cat. *avellanat.*) m. Guiso o pasta con avellanas.
avellaneda. (De *avellana,* con el suf. *-eda.*) f. **avellanar**[1].
avellanedo. (De *avellano,* con el suf. *-edo.*) m. **avellaneda.**

avellanera. f. **avellano.** ‖ **2.** La que vende avellanas.
avellanero. m. El que vende avellanas.
avellano. (De *avellana.*) m. Arbusto de la familia de las betuláceas, de tres a cuatro metros de altura, bien poblado de tallos, hojas anchas, acorazonadas en la base, pecioladas y aserradas por el margen; flores masculinas y femeninas en la misma o en distintas ramas, y cuyo fruto es la avellana. La madera de esta planta es dura y correosa, y muy usada para aros de pipas y barriles. ‖ **2.** Madera de este árbol. ‖ **3.** Árbol de la isla de Cuba, de la familia de las euforbiáceas, de madera tierna, viscosa y blanca; hojas alternas y flores verdosas e inodoras, de cinco pétalos; su fruto es una baya de tres cavidades con sendas almendras blancas, de sabor algo semejante al de la avellana. Del jugo de su tronco se obtiene goma elástica.
avemaría. (Del lat. *ave,* voz empleada como salutación, y *Maria,* nombre de la Virgen.) f. Oración compuesta de las palabras con que el Arcángel San Gabriel saludó a la Virgen María, de las que dijo Santa Isabel y de otras que añadió la Iglesia católica. ‖ **2.** Cada una de las cuentas pequeñas del rosario, llamada así porque al pasarla se reza aquella oración. ‖ **3. ángelus.** ‖ **al avemaría.** loc. adv. **al anochecer.** Dícese así por la costumbre que hay de tocar a estas horas las campanas y rezar la salutación angélica en memoria de la Encarnación del Verbo Divino. ‖ **en una avemaría.** loc. fig. y fam. En un instante. ‖ **saber como el avemaría** alguna cosa. fr. fig. y fam. Tenerla en la memoria con tanta claridad y orden que puntualmente se pueda referir.
¡ave María! exclam. con que se denota asombro o extrañeza. ‖ **2.** Úsase también como saludo al llamar a una puerta o entrar en una casa. ‖ **¡ave María Purísima!** exclam. **¡ave María!**
avena. (Del lat. *avēna.*) f. Planta anual de la familia de las gramíneas, con cañas delgadas, guarnecidas de algunas hojas estrechas, y flores en panoja radiada, con una arista torcida, más larga que la flor, inserta en el dorso del cascabillo. Se cultiva para alimento. ‖ **2.** Conjunto de granos de esta planta. ‖ **3.** poét. **zampoña,** flauta rústica. ‖ **caballuna.** Especie muy parecida a la loca, pero que tiene todos los ramos de la panoja a un solo lado. ‖ **loca. ballueca.** ‖ **morisca.** *Cád.* **avena loca.**
avenado[1], da. p. p. de **avenar.** ‖ **2.** adj. Que tiene vena de loco.
avenado[2], da. adj. ant. Perteneciente a la avena o que tiene avena.
avenamiento. m. Acción y efecto de avenar.
avenar. (De *a-*[1] y *vena.*) tr. Dar salida y corriente a las aguas muertas o a la excesiva humedad de los terrenos, por medio de zanjas o cañerías.
avenate[1]. m. Bebida fresca y pectoral, hecha de avena mondada, cocida en agua, y molida a manera de almendrada.
avenate[2]. (De *a-*[1] y *vena.*) m. *And.* Arranque de locura.
avenedizo, za. adj. ant. **advenedizo.**
avenenar. (De *a-*[1] y *veneno.*) tr. **envenenar.**
avenencia[1]. (De *avenir.*) f. Convenio, transacción. ‖ **2.** Conformidad y unión.
avenencia[2]. f. p. us. **venencia.**
avenenteza. (Del lat. *adveniens, -entis,* que se acerca.) f. ant. Ocasión, coyuntura, oportunidad.
avenible. adj. Fácil de avenirse o concertarse.
aveníceo, a. adj. Perteneciente a la avena.
avenida. (De *avenir.*) f. Creciente impetuosa de un río o arroyo. ‖ **2.** Camino que conduce a un pueblo o paraje determinado. ‖ **3.** Vía ancha, a veces con árboles a los lados. ‖ **4.** fig. Concurrencia de varias cosas. ‖ **5.** *Ar.* **avenencia[1].** ‖ **6.** *Mil.* Desfiladero, barranco, camino, puente, etc., que conduce a una plaza fuerte, campamento o posición.

avenidero, ra. adj. ant. **advenidero.**
avenidizo, za. adj. ant. **advenedizo.**
avenido, da. p. p. de **avenir.** ‖ **2.** adj. Con los advs. *bien* o *mal,* concorde o conforme con personas o cosas, o al contrario.
avenidor, ra. (De *avenir.*) adj. Que media entre dos o más sujetos, para componer sus diferencias o discordias. Ú. t. c. s.
avenimiento. m. Acción y efecto de avenir o avenirse. ‖ **2.** ant. **advenimiento.** ‖ **3.** ant. Caso o suceso. ‖ **4.** ant. Avenida de aguas.
avenir. (Del lat. *advenire.*) tr. Concordar, ajustar las partes discordes. Ú. m. c. prnl. ‖ **2.** intr. **suceder,** efectuarse un hecho. Ú. en el infinit. y en las terceras personas de sing. y pl. ‖ **3.** ant. Concurrir, juntarse. ‖ **4.** ant. Tratándose de ríos o arroyos, salir de madre o tener avenidas. ‖ **5.** prnl. Componerse o entenderse bien con alguna persona o cosa. ‖ **6.** Ajustarse, ponerse de acuerdo en materia de opiniones o pretensiones. ‖ **7.** Amoldarse, hallarse a gusto, conformarse o resignarse con algo. ‖ **8.** Tratándose de cosas, hallarse en armonía o conformidad. ‖ **allá se las avenga,** o **avengan,** o **se lo avenga,** o **avenga,** o **te las avengas,** o **te lo avengas.** locs. fams. **allá se las haya,** o **hayan,** etc.
aventadero. m. ant. Sitio donde se avienta. ‖ **2.** ant. **aventador,** máquina para aventar. ‖ **3.** ant. **aventador,** bieldo. ‖ **4.** ant. **aventador,** soplillo o abanico. ‖ **5.** ant. Abanico para espantar moscas.
aventado, da. p. p. de **aventar.** ‖ **2.** adj. **atolondrado.** ‖ **3.** p. us. Dícese del que tiene anchas las ventanas de la nariz, o a quien se le hinchan las narices. ‖ **4.** *Col., Guat.* y *Perú.* Arrojado, audaz, atrevido.
aventador, ra. adj. Dícese del que avienta y limpia los granos. Ú. t. c. s. ‖ **2.** Aplícase a la máquina o instrumento que se emplea con este fin. Ú. t. c. s. ‖ **3.** m. **bieldo.** ‖ **4.** Soplillo, mosqueador o abanico. ‖ **5.** *Min.* Válvula de suela, colocada en la parte superior del tubo de aspiración de las bombas.
aventadura. (De *aventar.*) f. Enfermedad de las caballerías, que consiste en levantarse la carne y formarse hinchazón y tumor.
aventaja. (Del fr. *avantage.*) f. ant. **ventaja.** ‖ **2.** pl. *Der. Ar.* **adventajas.**
aventajado, da. p. p. de **aventajar.** ‖ **2.** adj. Que aventaja a lo ordinario o común en su línea; notable, digno de llamar la atención. ‖ **3.** Ventajoso, provechoso, conveniente. ‖ **4.** m. Antiguamente, soldado raso que por merced particular tenía alguna ventaja en el sueldo.
aventajamiento. (De *aventajar.*) m. **ventaja.**
aventajar. tr. Adelantar, poner en mejor estado, conceder alguna ventaja o preeminencia. Ú. t. c. prnl. ‖ **2.** Anteponer, preferir. ‖ **3.** Mejorar o poner en mejor estado a una persona. Ú. t. c. prnl. ‖ **4.** intr. Llevar o sacar ventaja, superar o exceder a otro en alguna cosa. Ú. t. c. tr.
aventamiento. m. Acción de aventar.
aventar. (De *a-*[1] y *viento.*) tr. Hacer o echar aire a alguna cosa. ‖ **2.** Echar al viento alguna cosa. Ú. ordinariamente refiriéndose a los granos que se limpian en la era. ‖ **3.** Impeler el viento alguna cosa. ‖ **4.** fig. y fam. Echar o expulsar. Ú. más comúnmente refiriéndose a personas. ‖ **5.** *Cuba.* En los ingenios, exponer el azúcar al aire y al sol. ‖ **6.** intr. ant. Resollar por las narices. ‖ **7.** prnl. Llenarse de gases algún cuerpo. ‖ **8.** fig. y fam. Huir, escaparse. ‖ **9.** *Extr.* Tratándose de carnes comestibles, oler mal o empezar a corromperse. ‖ **10.** *Col.* Arrojarse, lanzarse sobre alguna persona o cosa.
aventear. tr. ant. **ventear.**
aventón. (De *aventar.*) m. *Guat., Méj., Nicar.* y *Perú.* Empujón. ‖ **2.** *Guat.* y *Méj.* Acción de llevar un conductor a un pasajero gratuitamente. Ú. m. en la fr. **dar un aventón.**

aventura. (Del lat. *adventūra*, t. f. del p. f. de *advenīre*, llegar, suceder.) f. Acaecimiento, suceso o lance extraño. ‖ **2.** Casualidad, contingencia. ‖ **3.** Empresa de resultado incierto o que presenta riesgos. *Embarcarse en* AVENTURAS. ‖ **4.** Relación amorosa ocasional.

aventurado, da. p. p. de **aventurar.** ‖ **2.** adj. Arriesgado, atrevido, inseguro. ‖ **3.** ant. Venturoso, afortunado.

aventurar. (De *aventura*.) tr. Arriesgar, poner en peligro. Ú. t. c. prnl. ‖ **2.** Decir alguna cosa atrevida o de la que se tiene duda o recelo.

aventureramente. adv. m. **a la ventura.** ‖ **2.** A modo de aventurero.

aventurero, ra. adj. Que busca aventuras. Ú. t. c. s. ‖ **2.** V. **caballero aventurero.** Ú. t. c. s. ‖ **3.** V. **estómago aventurero.** ‖ **4.** Que voluntariamente tomaba parte en las justas o torneos. Ú. t. c. s. ‖ **5.** Que entraba voluntariamente en la milicia y servía a su costa al rey. Ú. t. c. s. ‖ **6.** Dícese del soldado o gente colecticia y mal disciplinada de la antigua milicia. Ú. t. c. s. ‖ **7.** p. us. Que sin obligación va a vender comestibles u otros géneros a algún lugar. Ú. t. c. s. ‖ **8.** Aplícase a la persona de oscuros o malos antecedentes, sin oficio ni profesión, que por medios desconocidos o reprobados trata de conquistar en la sociedad un puesto que no le corresponde. Ú. m. c. s. ‖ **9.** *Cuba.* Dícese del maíz, arroz, etc., que se produce fuera del tiempo apropiado para su cultivo. ‖ **10.** desus. *Méj.* Decíase del trigo que se siembra de secano. ‖ **11.** m. desus. *Méj.* Mozo que los tratantes en bestias, especialmente en mulas, alquilaban para que los ayudara a conducirlas, y una vez vendidas, lo despedían. ‖ **12.** *Mar.* Aspirante sin sueldo ni uniforme, que alternaba a bordo con los guardias marinas.

averar. tr. ant. **adverar.**

averdugar. (De *a-*[1] y *verdugo*.) tr. *Veter.* Apretar o ajustar con exceso, hasta causar lesión o daño. Ú. especialmente tratándose de herraduras.

avergonzado, da. p. p. de **avergonzar.** ‖ **2.** adj. ant. **vergonzante.**

avergonzamiento. m. ant. Acción y efecto de avergonzar o avergonzarse.

avergonzar. tr. Causar vergüenza. ‖ **2.** fig. Superar en perfección o dejar atrás una cosa. ‖ **3.** prnl. Tener vergüenza o sentirla.

avergoñar. tr. ant. **avergonzar.**

avería[1]**.** f. Casa o lugar donde se crían aves. ‖ **2. averío.**

avería[2]**.** (Del ár. *al-'awāriyya*, las mercaderías estropeadas, probablemente a través del cat. *avaria*.) f. Daño que padecen las mercaderías o géneros. ‖ **2. derecho de avería.** ‖ **3.** fam. Azar, daño o perjuicio. ‖ **4.** Daño que impide el funcionamiento de un aparato, instalación, vehículo, etc. ‖ **5.** *Mar.* Daño que por cualquier causa sufre la embarcación o su carga. ‖ **gruesa.** Daño o gasto causado deliberadamente en el buque o en el cargamento, para salvarlo o para preservar otros buques, pagadero por cuantos tienen interés en el salvamento que se ha procurado. ‖ **simple.** La que no afecta a todos los interesados en el riesgo o salvamento. ‖ **vieja.** En la Casa de la Contratación de Indias, derecho y repartimiento que se hacía para satisfacer el descubierto en que estaban las arcas de la **avería**[2], gabela impuesta a los mercaderes. ‖ **de avería.** loc. adj. *Argent.* **de cuidado,** peligroso.

averiar. (De *avería*[2].) tr. Producir avería. Ú. t. c. prnl. ‖ **2.** prnl. Maltratarse, echarse a perder o estropearse una cosa.

averiguable. adj. Que se puede averiguar.

averiguación. f. Acción y efecto de averiguar.

averiguadamente. adv. m. **seguramente.**

averiguador, ra. adj. Que averigua. Ú. t. c. s.

averiguamiento. m. **averiguación.**

averiguar. (De *a-*[1] y el lat. *verificāre*.) tr. Inquirir la verdad hasta descubrirla. ‖ **averiguarse con** alguien. fr. fam. Avenirse con él, sujetarlo o reducirlo a la razón. *No hay quien* SE AVERIGÜE CON *Manuel.*

averío. (De *haberío*, con contaminación de *ave*.) m. Conjunto de aves de corral.

averno[1]**.** (Del lat. *avernus, -i*.) m. poét. **infierno,** lugar de los condenados por la justicia divina. ‖ **2.** *Mit.* **infierno,** según los paganos.

averno[2]**, na.** (Del lat. *avernus, a, um*.) adj. Perteneciente o relativo al averno[1].

averroísmo. m. Sistema o doctrina del filósofo árabe Averroes, natural de Córdoba, y especialmente su opinión sobre la unidad del entendimiento agente en todos los hombres.

averroísta. adj. Que profesa el averroísmo. Apl. a pers., ú. t. c. s.

averrugado, da. adj. Que tiene muchas verrugas.

aversar. (Del lat. *aversāri*, intens. de *avertĕre*, apartar, desechar.) tr. ant. Repugnar, contradecir, manifestar aversión a alguna cosa.

aversario, ria. adj. ant. **adversario.** ‖ **2.** m. y f. ant. **adversario, ria.**

aversión. (Del lat. *aversĭo, -ōnis*.) f. Oposición y repugnancia que se tiene a alguna persona o cosa.

averso, sa. (Del lat. *aversus*.) adj. ant. Opuesto y contrario. ‖ **2.** ant. Malo, perverso.

avés. (Del lat. *ad vix*, apenas.) adv. m. ant. **abés.**

Avesta. (Del avéstico *Avestā*, pelvi *apastāk*, lo establecido, texto fundamental.) n. p. m. Colección de los libros sagrados de los antiguos persas, donde se exponen las doctrinas atribuidas a Zoroastro.

avéstico, ca. adj. Perteneciente o relativo al Avesta. ‖ **2.** m. Lengua en que está escrito el Avesta; pertenece al grupo iranio de las lenguas indoeuropeas y se habló antiguamente en la parte septentrional de Persia. Se la ha llamado también **zendo.**

avestruz. (De *ave* y el ant. *estruz*.) m. Ave del orden de las estrucioniformes; es la única especie actual del mismo. En anteriores clasificaciones zoológicas se incluía en las llamadas corredoras. Llega a los dos metros de altura y es la mayor de las aves actuales. Tiene dos dedos en cada pie, piernas largas y robustas, cabeza y cuello casi desnudos, el plumaje suelto y flexible, negro en el macho y gris en la hembra, y blancas en ambos las remeras y timoneras. Habita en África y en Arabia. ‖ **de América. ñandú.**

avetado, da. adj. Veteado, que tiene vetas.

avetarda. (Del lat. *avis tarda*, ave torpe, pesada.) f. **avutarda.**

avetoro. (Tal vez del lat. *botaurus*, nombre científico de este pájaro.) m. Ave zancuda parecida a la garza, de color leonado con pintas pardas, cabeza negra y alas con manchas transversales negruzcas.

aveza. (De *veza*, con la *a* del art. *la*.) f. *Ar.* **arveja.**

avezadura. (De *avezar*.) f. ant. **costumbre,** hábito.

avezar. (De *a-*[1] y *vezar*.) tr. **acostumbrar.** Ú. t. c. prnl.

avezón. (Del lat. *vicia*, arveja.) m. **eneldo.**

aviación. (De *ave*.) f. Locomoción aérea por medio de aparatos más pesados que el aire. ‖ **2.** Cuerpo militar que utiliza este medio de locomoción para la guerra. ‖ **civil.** La que no está afecta a servicios militares. ‖ **comercial.** La que se destina al transporte de mercancías. ‖ **de transporte.** La que se destina al de viajeros y mercancías.

aviador[1]**, ra.** adj. Dícese de la persona que gobierna un aparato de aviación y especialmente la que está provista de licencia para ello. Ú. t. c. s. ‖ **2.** m. Individuo que presta servicio en la aviación militar.

aviador[2]**, ra.** adj. Que avía, dispone o prepara una cosa. Ú. t. c. s. ‖ **2.** m. Barrena que usan los calafates. ‖ **3.** *Amér.* El que costea labores de minas. ‖ **4.** *Amér.* El que presta dinero o efectos a labrador, ganadero o minero.

aviajado, da. adj. *Arq.* V. **arco aviajado.**

aviamiento. (De *aviar*[1].) m. **avío,** prevención, apresto.

aviar[1]. (De a-[1] y el lat. *via,* camino.) tr. Prevenir o disponer alguna cosa para el camino. ‖ **2.** Aderezar la comida. ‖ **3.** fam. Alistar, aprestar, arreglar, componer. AVIAR *a una persona;* AVIAR *una habitación.* Ú. t. c. prnl. ‖ **4.** fam. Despachar, apresurar y avivar la ejecución de lo que se está haciendo. *Vamos* AVIANDO. ‖ **5.** fam. Proporcionar a alguien lo que hace falta para algún fin, y especialmente dinero. Ú. t. c. prnl. ‖ **6.** *Amér.* Prestar dinero o efectos a labrador, ganadero o minero. ‖ **7.** *Chile.* Costear las labores de una mina para que continúe la explotación de la misma, con el fin de resarcirse de los préstamos hechos a su dueño. ‖ **8.** prnl. Ponerse el traje adecuado para salir a la calle, recibir visita, etc. ‖ **9.** ant. Encaminarse o dirigirse a alguna parte. Usáb. t. c. tr. ‖ **estar aviado** alguien. fr. fig. y fam. Estar rodeado de dificultades o contratiempos.

aviar[2]. adj. **aviario.**

aviario, ria. adj. Perteneciente o relativo a las aves, y especialmente a sus enfermedades. ‖ **2.** m. Colección de aves distintas, ya vivas, ya disecadas, ordenada para exhibición o estudio.

avica. (d. de *ave.*) f. *Ál.* **reyezuelo,** pájaro.

aviciar. tr. ant. **enviciar.** Usáb. t. c. prnl. ‖ **2.** *Sal.* Abonar la tierra; estercolar. ‖ **3.** *Agr.* Dar vicio y frondosidad a las plantas.

avícola. (Del lat. *avis,* ave, y *colĕre,* cultivar.) adj. Perteneciente o relativo a la avicultura.

avicultor, ra. (Del lat. *avis,* ave, y *cultor, -ōris,* que cultiva.) m. y f. Persona que se dedica a la avicultura.

avicultura. (Del lat. *avis,* ave, y *cultūra,* cultivo.) f. Arte de criar y fomentar la reproducción de las aves y de aprovechar sus productos.

avidez. (De *ávido.*) f. Ansia, codicia.

ávido, da. (Del lat. *avĭdus.*) adj. Ansioso, codicioso.

aviejar. (De *a-*[1] y *viejo.*) tr. **avejentar.** Ú. m. c. prnl.

avienta. (De *aventar.*) f. Aventamiento del grano.

aviento. (De *aventar.*) m. **bieldo.** ‖ **2.** Instrumento a manera de bieldo y mayor que él, con que se carga la paja en los carros.

aviesas. (De *avieso.*) adv. m. ant. Al revés, puesto al contrario.

avieso, sa. (Del lat. *aversus,* desviado, torcido.) adj. Torcido, fuera de regla. ‖ **2.** fig. Malo o mal inclinado. ‖ **3.** m. ant. Maldad, delito. ‖ **4.** ant. **extravío** del camino. ‖ **en avieso.** loc. adv. ant. **aviesamente.** ‖ **2.** ant. **de través.**

aviespa. f. En algunas regiones, avispa.

avifauna. (De *ave* y *fauna.*) f. Conjunto de las aves de un país o región.

avifáunico, ca. adj. Perteneciente o relativo a la avifauna.

avigorar. tr. **vigorar.**

avilantarse. (De *avilantez.*) prnl. Insolentarse.

avilantez. (De *a-*[1] y *vil.*) f. Audacia, insolencia.

avilanteza. f. **avilantez.**

avilar. (De *a-*[1] y *vil.*) tr. desus. **envilecer.**

avilés, sa. adj. Natural de Ávila. Ú. t. c. s. ‖ **2.** Perteneciente o relativo a esta ciudad o a su provincia.

avilesino, na. adj. Natural de Avilés. Ú. t. c. s. ‖ **2.** Perteneciente o relativo a esta población asturiana.

aviltación. (De *aviltar.*) f. ant. **envilecimiento.**

aviltamiento. (De *aviltar.*) m. ant. Envilecimiento, baldón, injuria.

aviltanza. f. ant. **aviltación.**

aviltar. (Del dialect. *viltat,* y este del lat. **vilĭtas, -ātis,* vileza.) tr. ant. Envilecer, menospreciar, afrentar. Usáb. t. c. prnl.

avillanado, da. p. p. de **avillanar.** ‖ **2.** adj. Que parece villano. *Persona* AVILLANADA. ‖ **3.** Que parece de villano. *Lenguaje* AVILLANADO.

avillanamiento. m. Acción y efecto de avillanar o avillanarse.

avillanar. tr. Hacer que alguien degenere de su nobleza y proceda como villano. Ú. m. c. prnl.

avinagrado, da. p. p. de **avinagrar.** ‖ **2.** adj. fig. y fam. De condición acre y áspera.

avinagrar. (De *a-*[1] y *vinagre.*) tr. Poner aceda o agria una cosa. Ú. m. c. prnl. ‖ **2. acetificar.** Ú. m. c. prnl.

avinenteza. f. ant. **avenenteza.**

aviñonense. adj. **aviñonés.** Apl. a pers., ú. t. c. s.

aviñonés, sa. adj. Natural de Aviñón. Ú. t. c. s. ‖ **2.** Perteneciente o relativo a esta ciudad de Francia.

avío. (De *aviar*[1].) m. Prevención, apresto. ‖ **2.** Entre pastores y gente de campo, provisión que llevan al hato para alimentarse durante el tiempo que tardan en volver al pueblo o cortijo. ‖ **3.** Conveniencia, interés o provecho personal. Ú. m. con posesivo antepuesto. *Ir a su* AVÍO, *hacer su* AVÍO. ‖ **4.** *Amér.* Préstamo en dinero o efectos, que se hace al labrador, ganadero o minero. ‖ **5.** pl. fam. Utensilios necesarios para alguna cosa. AVÍOS *de escribir, de coser, de afeitar.* ‖ **¡al avío!** loc. fam. que se emplea para excitar a alguien a que se ocupe en lo que tenga que hacer, o a que se apresure en la ejecución de alguna cosa.

avión[1]. (De *gavión*[1], de or. inc.) m. Pájaro, especie de vencejo.

avión[2]. (Del fr. *avion.*) m. Aeronave más pesada que el aire, provista de alas, cuya sustentación y avance son consecuencia de la acción de uno o varios motores. ‖ **de caza.** El de tamaño reducido y gran velocidad destinado principalmente a reconocimientos y combates aéreos.

avioneta. f. Avión pequeño y de poca potencia.

aviónica. (Del ing. *avionics.*) f. Electrónica aplicada a las técnicas aeronáuticas y espaciales.

avisación. (De *avisar.*) f. ant. **avisamiento.**

avisacoches. m. Persona que, mediante una gratificación, se encarga de avisar al conductor de un automóvil estacionado cuando el dueño o el ocupante lo requiere.

avisadamente. adv. m. Con prudencia, discreción o sagacidad.

avisado, da. p. p. de **avisar.** ‖ **2.** adj. Prudente, discreto, sagaz. ‖ **3.** *Taurom.* Dícese del toro que, bien por disposición natural o bien por la experiencia adquirida al ser toreado, atiende a cuanto se mueve en la plaza, dificultando y haciendo peligrosa su lidia. ‖ **mal avisado.** Que obra sin deliberación ni consejo.

avisador, ra. adj. Que avisa. Ú. t. c. s. ‖ **2.** m. Persona que se ocupa en llevar avisos de una parte a otra. ‖ **3.** Persona empleada en el teatro que lleva y trae recados entre este y el exterior. ‖ **4.** ant. **denunciador.**

avisamiento. (De *avisar.*) m. ant. **aviso,** noticia. ‖ **2.** ant. **aviso,** advertencia.

avisar. (De *aviso.*) tr. Dar noticia de algún hecho. ‖ **2.** Advertir o aconsejar. ‖ **3.** Llamar a alguien para que preste un servicio. AVISAR *al médico.* AVISAR *al electricista.* ‖ **4.** Prevenir a alguien de alguna cosa. ‖ **5.** prnl. ant. Instruirse, informarse del estado de una cosa.

aviso. (Del lat. *ad visum.*) m. Noticia o advertencia que se comunica a alguien. ‖ **2.** Indicio, señal. ‖ **3.** Advertencia, consejo. ‖ **4.** Precaución, atención, cuidado. ‖ **5.** Prudencia, discreción. ‖ **6.** *Amér.* Anuncio. ‖ **7.** *Mar.* Buque de guerra de vapor, pequeño y muy ligero, para llevar de parte de la autoridad, pliegos, órdenes, etc. ‖ **8.** *Taurom.* Advertencia que hace la presidencia de la corrida de toros al espada cuando este prolonga la faena de matar más tiempo del prescrito por el reglamento. ‖ **andar, o estar, sobre aviso,** o **sobre el aviso.** fr. Estar prevenido y con cuidado.

avisón. (De *aviso.*) Voz usada a manera de adverbio, con la significación de **alerta.**

avispa. (Del lat. *vespa*, avispa, con la *a* de *abeja.*) f. Insecto himenóptero, de un centímetro a centímetro y medio de largo, de color amarillo con fajas negras, y el cual tiene en la extremidad posterior del cuerpo un aguijón con que pica, introduciendo un humor acre que causa escozor e inflamación. Vive en sociedad y fabrica panales con sus compañeras.

avispado, da. p. p. de **avispar.** ‖ **2.** adj. fig. y fam. Vivo, despierto, agudo.

avispar. (De *avispa.*) tr. Avivar o picar con látigo u otro instrumento a las caballerías. ‖ **2.** fig. y fam. Hacer despierto y avisado a alguno. *Hay que* AVISPAR *a este muchacho.* Ú. t. c. prnl. ‖ **3.** *Germ.* Inquirir, avizorar. ‖ **4.** *Germ.* y *Chile.* **espantar,** infundir miedo. Ú. t. c. prnl. ‖ **5.** prnl. fig. Inquietarse, desasosegarse.

avispero. m. Panal que fabrican las avispas. ‖ **2.** Lugar en donde las avispas fabrican sus panales y el cual suele ser el tronco de un árbol, el hueco de una peña u otro cualquier paraje oculto. ‖ **3.** Conjunto o multitud de avispas. ‖ **4.** fig. y fam. Negocio enredado y que ocasiona disgustos. *No quiero meterme en tal* AVISPERO. ‖ **5.** *Med.* Grupo o aglomeración de diviesos, con varios focos de supuración, al modo de las celdillas del panal de las avispas.

avispón[1]. m. aum. de **avispa.** ‖ **2.** Especie de avispa, mucho mayor que la común, y la cual se distingue por una mancha encarnada en la parte anterior de su cuerpo. Se oculta en los troncos de los árboles, de donde sale a cazar abejas, que son su principal mantenimiento. ‖ **3.** *Germ.* El que anda viendo dónde se puede robar.

avispón[2], na. adj. *Col.* **avispado,** despierto, vivo, agudo.

avistar. tr. Alcanzar con la vista alguna cosa. ‖ **2.** prnl. Reunirse una persona con otra para tratar algún negocio.

avitaminosis. (De *a-*[2] y *vitamina.*) f. *Med.* Carencia o escasez de vitaminas. ‖ **2.** Enfermedad producida por la escasez o falta de ciertas vitaminas.

avitelado, da. adj. Parecido a la vitela.

avituallamiento. m. Acción y efecto de avituallar.

avituallar. tr. Proveer de vituallas.

avivadamente. adv. m. Con viveza.

avivador, ra. adj. Que aviva. ‖ **2.** m. Pequeño espacio hueco que se deja entre dos molduras para hacerlas resaltar. ‖ **3.** Cepillo especial de que se valen los carpinteros y tallistas para hacer esas molduras. ‖ **4.** *Murc.* Papel con varios agujeros, que se pone encima de la simiente de los gusanos de seda, para que suban los gusanitos que se van avivando.

avivamiento. m. Acción y efecto de avivar o avivarse.

avivar. (De *a-*[1] y *vivo.*) tr. Dar viveza, excitar, animar. ‖ **2.** fig. Encender, acalorar. ‖ **3.** fig. Tratándose del fuego, hacer que arda más. ‖ **4.** fig. Tratándose de la luz artificial, hacer que dé más claridad. ‖ **5.** fig. Tratándose de los colores, ponerlos más vivos, encendidos, brillantes o subidos. ‖ **6.** intr. Tratándose de la semilla de los gusanos de seda, empezar a vivir o nacer estos. Ú. t. c. prnl. ‖ **7.** Cobrar vida, vigor. Ú. t. c. prnl.

avizor. (Como el fr. *aviseur,* del lat. *visor, -ōris.*) adj. V. **ojo avizor.** ‖ **2.** m. El que avizora.

avizorador, ra. adj. Que avizora. Ú. t. c. s.

avizorar. (De *avizor.*) tr. **acechar.**

avo. m. desus. Parte pequeña de una cosa.

-avo, va. suf. aplicado a numerales cardinales para significar las partes iguales en que se divide la unidad: *tres dieciseis*AVOS, *la dieciocha*AVA *parte.*

avocación. (Del lat. *advocatĭo, -ōnis.*) f. *Der.* Acción y efecto de avocar.

avocamiento. (De *avocar.*) m. *Der.* **avocación.**

avocar. (Del lat. *advocāre.*) tr. *Der.* Atraer o llamar a sí un juez o tribunal superior, sin que medie apelación, la causa que se estaba litigando o debía litigarse ante otro inferior. Hoy está absolutamente prohibido. ‖ **2.** Atraer o llamar a sí cualquier superior un negocio que está sometido a examen y decisión de un inferior.

avoceta. (Del it. *avocetta.*) f. Ave zancuda, de cuerpo blanco con manchas negras, pico largo, delgado y encorvado hacia arriba, cola corta y dedos palmeados.

avol. adj. ant. Vil, malo, ruin.

avolcanado, da. adj. Aplícase al lugar, tierra o monte donde hay volcanes o que muestra señales de haberlos tenido.

avoleza. (De *avol.*) f. ant. Vileza, maldad, ruindad.

avoluntamiento. m. ant. **voluntariedad.**

avolvimiento. (Del lat. *advolvĕre,* revolver, mezclar.) m. ant. Mezcla de una cosa con otra.

avucasta. (Del lat. *avis casta.*) f. **avutarda.**

avucastro. (De *avucasta,* por alusión a la pesadez de esta zancuda.) m. ant. Persona pesada y enfadosa.

avugo. m. Fruta del avuguero, la más temprana y pequeña de todas las peras, redonda, como de un centímetro de diámetro, sostenida por un cabillo de unos tres centímetros, de color verde que tira a amarillo, y de gusto poco agradable.

avuguero m. Árbol, variedad del peral, cuyo fruto es el avugo.

avugués. m. *Rioja.* **gayuba.**

avulsión. (Del lat. *avulsĭo, -ōnis.*) f. *Cir.* **extirpación.**

avutarda. (Cruce de *avetarda* y *autarda,* del lat. *avis tarda.*) f. Ave zancuda, muy común en España, de unos ocho decímetros de longitud desde la cabeza hasta la cola, y de color rojo manchado de negro, con las remeras exteriores blancas y las otras negras, el cuello delgado y largo, y las alas pequeñas, por lo cual su vuelo es corto y pesado. Hay otra especie algo más pequeña. ‖ **menor. sisón[1].**

avutardado, da. adj. Parecido o semejante a la avutarda.

¡ax! interj. desus. de dolor. ‖ **2.** m. ant. Aje o achaque.

axe. m. ant. **eje.**

axial. (Del fr. *axial.*) adj. **axil.**

axil. (Del lat. *axis,* eje.) adj. Perteneciente o relativo al eje.

axila. (Del lat. *axilla.*) f. *Bot.* Ángulo formado por la articulación de cualquiera de las partes de la planta con el tronco o la rama. ‖ **2.** *Anat.* **sobaco** del brazo.

axilar. adj. *Bot.* y *Anat.* Perteneciente o relativo a la axila.

axinita. (Del gr. ἀξίνη, hacha.) f. Mineral compuesto de ácido bórico, sílice y alúmina, con cal, óxidos de hierro y manganeso: es de color gris, azul o violado, translúcido y con brillo cristalino.

axioma. (Del lat. *axiōma,* y este del gr. ἀξίωμα.) m. Proposición tan clara y evidente que se admite sin necesidad de demostración.

axiomático, ca. (De *axioma.*) adj. Incontrovertible, evidente. ‖ **2.** f. Conjunto de definiciones, axiomas y postulados en que se basa una teoría científica.

axiomatización. f. Acción y efecto de axiomatizar.

axiomatizar. tr. Construir la axiomática de una ciencia.

axiómetro. (Del gr. ἄξιος, justo, y *-metro.*) m. *Mar.* Instrumento compuesto de una porción de círculo graduado, en cuyo centro hay una manecilla giratoria que, engranada con el eje de la rueda del timón, da a conocer sobre cubierta la dirección que este tiene.

axis. (Del lat. *axis,* eje.) m. *Anat.* Segunda vértebra del cuello, sobre la cual se verifica el movimiento de rotación de la cabeza. No está bien diferenciada más que en los reptiles, aves y mamíferos.

axoideo, a. (Del lat. *axis,* eje, y el gr. εἶδος, forma.) adj. Perteneciente o relativo al axis. *Músculo* AXOIDEO.

axón. (Del lat. *axis,* eje.) m. *Zool.* **neurita.**

axonometría. f. Sistema de representación de un cuerpo en un plano mediante las proyecciones obtenidas según tres ejes.

axovar. (Del m. or. que *ajuar.*) m. *Ar.* Heredad que en algunas comarcas aragonesas recibe de sus ascendientes la esposa, sin facultad de enajenarla mientras no tenga descendencia, y que se convierte en dote ordinaria desde que nace prole.

¡ay! interj. con que se expresan muchos y muy diversos movimientos del ánimo, y más ordinariamente aflicción o dolor. Seguida de la partícula *de* y un nombre o pronombre, denota pena, temor, conmiseración o amenaza. ¡AY *de mí!*, ¡AY *del que me ofenda!* ‖ **2.** m. Suspiro, quejido. *Tiernos* AYES; *estar en un* AY. ‖ **¡ay me!** interj. ant. **¡ay de mí!**

aya. (De *ayo.*) f. Mujer que en las casas acomodadas está encargada de custodiar niños y cuidar de su crianza.

ayacuá. (Del guaraní *aña qua.*) m. desus. Diablo pequeño e invisible que algunas generaciones de indios argentinos se imaginaban armado de arco, y a cuyas heridas atribuían sus dolencias.

ayahuasca. f. *Ecuad.* y *Perú.* Planta narcótica, que tomada en infusión embriaga y produce visiones fantásticas.

ayalés, sa. adj. Natural del valle de Ayala. Ú. t. c. s. ‖ **2.** Perteneciente o relativo a este valle.

ayate. (Del nahua *ayatl,* tela rala de hilo de maguey.) m. *Méj.* Tela rala de fibra de maguey, de palma, henequén o algodón.

ayatolá. (Del ár *aia,* signo, y *Allāh,* Dios.) m. Entre los chiítas islámicos, título de una de las más altas autoridades religiosas. ‖ **2.** Religioso que ostenta este título.

¡ayayay! (De *¡ay!*) interj. con que se expresan diversos sentimientos, especialmente los de aflicción y dolor.

ayear. intr. p. us. Repetir ayes en manifestación de algún sentimiento, pena o dolor.

ayeaye. (Voz onomatopéyica del grito de este animal.) m. Prosimio del tamaño de un gato, con hocico agudo, la cola más larga que el cuerpo y muy poblada; los dedos muy largos y delgados y con uñas corvas y puntiagudas, excepto los pulgares de las extremidades posteriores que las tienen planas.

ayer. (Del lat. *ad heri.*) adv. t. En el día que precedió inmediatamente al de hoy. ‖ **2.** fig. Poco tiempo ha. ‖ **3.** fig. En tiempo pasado. ‖ **4.** m. Tiempo pasado. ‖ **de ayer acá. de ayer a hoy.** exprs. figs. En breve tiempo; de poco tiempo a esta parte.

ayermar. tr. Convertir en yermo. Ú. t. c. prnl.

ayllu. (Voz aimara.) m. *Bol.* y *Perú.* Cada uno de los grupos en que se divide una comunidad indígena, cuyos componentes son generalmente de un linaje.

¡aymé! interj. ant. **¡ay me!**

ayo. (Del gót. **hagja,* guarda.) m. Hombre encargado en las casas principales de custodiar niños o jóvenes y de cuidar de su crianza y educación.

ayocote. (Del nahua *ayecotli,* frijoles gordos.) m. *Méj.* Especie de frijol más grueso que el común.

ayote. (Del nahua *ayotli,* calabaza.) m. *Amér. Central* y *Méj.* **calabaza,** fruto. ‖ **ahumarse el ayote.** fr. fig. *Hond.* Salir mal algo. ‖ **dar ayotes.** fr. fig. *Guat.* **dar calabazas.**

ayotera. (De *ayote.*) f. *Amér. Central.* **calabacera,** planta.

ayúa. (Voz guaraní.) f. Árbol de América, de la familia de las rutáceas, de madera blanda, que se raja con facilidad y está cubierta de púas, hojas compuestas de hojuelas lanceoladas, dentadas, verdosas, algo vellosas por el envés y en número impar; flores pequeñas y fruto compuesto de cinco cápsulas unidas por la parte inferior y rojas cuando están maduras. Se emplea en construcción y en medicina.

ayuda. (De *ayudar.*) f. Acción y efecto de ayudar. ‖ **2. ayuda de costa.** ‖ **3.** Persona o cosa que ayuda. ‖ **4.** Entre pastores, **aguador.** ‖ **5. enema**[2]. ‖ **6.** V. **perro de ayuda.** ‖ **7.** *Equit.* Estímulo que el jinete comunica al caballo por medio de la brida, espuela, voz o cualquier otro medio eficaz. ‖ **8.** m. Subalterno que en alguno de los oficios de palacio servía bajo las órdenes de su jefe. AYUDA *de la furriera.* ‖ **9.** *Gran.* **piensador.** ‖ **10.** *Mar.* Cabo o aparejo que se pone para mayor seguridad de otro. ‖ **de cámara.** Criado cuyo principal oficio es cuidar del vestido de su amo. ‖ **de costa.** Socorro en dinero para costear en parte alguna cosa. ‖ **2.** Gratificación que se solía dar, además del sueldo, al que ejercía algún empleo o cargo. ‖ **de oratorio.** Clérigo que en los oratorios de palacio hacía el oficio de sacristán. ‖ **de parroquia.** Iglesia que sirve para ayudar a alguna parroquia en sus ministerios. ‖ **de vecino.** fam. Auxilio ajeno. *No necesitar* AYUDA DE VECINO.

ayudado, da. p. p. de **ayudar.** ‖ **2.** adj. *Taurom.* Dícese del pase de muleta en cuya ejecución intervienen las dos manos del matador. Ú. t. c. s.

ayudador, ra. adj. Que ayuda. Ú. t. c. s. ‖ **2.** m. Pastor que cuida de las ovejas y conduce las piaras de ganado; tiene el primer lugar después del mayoral.

ayudamiento. (De *ayudar.*) m. ant. Ayuda o auxilio.

ayudanta. f. Mujer que realiza trabajos subalternos, por lo general en oficios manuales.

ayudante. p. a. de **ayudar.** Que ayuda. ‖ **2.** com. En algunos cuerpos y oficinas, oficial subalterno. ‖ **3.** Maestro subalterno que enseña en las escuelas, bajo la dirección de otro superior, y le suple en ausencias y enfermedades. ‖ **4.** Profesor subalterno que ayuda a otro superior en el ejercicio de su facultad. ‖ **5.** m. *Mil.* Oficial destinado personalmente a las órdenes de un general o jefe superior. AYUDANTE *general, mayor, de campo, de plaza.* ‖ **de montes.** Facultativo que con título profesional está a las órdenes de un ingeniero de montes. ‖ **de obras públicas.** El que, con ciertos conocimientos facultativos, auxilia oficialmente a los ingenieros de caminos, canales y puertos.

ayudantía. f. Empleo de ayudante. ‖ **2.** Oficina de ayudante.

ayudar. (Del lat. *adiutāre.*) tr. Prestar cooperación. ‖ **2.** Por ext., auxiliar, socorrer. ‖ **3.** prnl. Hacer un esfuerzo, poner los medios para el logro de alguna cosa. ‖ **4.** Valerse de la cooperación o ayuda de otro.

ayudorio. (Del lat. *adiutorium.*) m. ant. **ayudamiento.**

ayuga. (Del lat. *aiūga.*) f. **mirabel,** planta.

ayunador, ra. adj. Que ayuna. Ú. t. c. s.

ayunar. (Del lat. *ieiunāre.*) intr. Abstenerse total o parcialmente de comer o beber; especialmente guardar el ayuno eclesiástico. ‖ **2.** fig. Privarse o estar privado de algún gusto o deleite. ‖ **ayunar después de harto.** fr. fig. y fam. p. us. con que se advierte a los que ostentan mortificación y viven regaladamente. ‖ **ayunarle** a alguien. fr. fig. y fam. p. us. Temerle o respetarle.

ayuno[1]. (Del lat. *ieiunĭum.*) m. Acción y efecto de ayunar. ‖ **2.** Manera de mortificación por precepto eclesiástico o por devoción, y la cual consiste sustancialmente en no hacer más que una comida al día, absteniéndose por lo regular de ciertos alimentos. ‖ **natural.** Abstinencia de toda comida y bebida desde las doce de la noche antecedente.

ayuno[2]**, na.** (De *ayunar.*) adj. Que no ha comido. ‖ **2.** fig. Privado de algún gusto o deleite. ‖ **3.** fig. Que no tiene noticia de lo que se habla, o no lo comprende. ‖ **en ayunas, o en ayuno.** loc. adv. Sin haberse desayunado. ‖ **2.** fig. y fam. Sin tener noticia de alguna cosa, o sin penetrarla o comprenderla. Ú. m. con los verbos *quedar* o *estar.*

ayunque. m. **yunque.**

ayuntable. adj. ant. Que se puede ayuntar.

ayuntablemente. adv. m. ant. **ayuntadamente.**

ayuntación. f. ant. Acción y efecto de ayuntar.

ayuntadamente. adv. m. ant. **juntamente.** ‖ **2.** ant. **por junto.**

ayuntador, ra. adj. Que ayunta. Ú. t. c. s.

ayuntamiento. (De *ayuntar*.) m. Acción y efecto de ayuntar o ayuntarse. ‖ **2. junta,** reunión de personas para tratar algún asunto. ‖ **3.** Corporación compuesta de un alcalde y varios concejales para la administración de los intereses de un municipio. ‖ **4. casa consistorial.** ‖ **5.** Coito. ‖ **6.** V. **alguacil de ayuntamiento.**

ayuntanza. f. ant. **ayuntamiento,** coito.

ayuntar. (De *ayunto*.) tr. ant. **juntar,** unir unas cosas con otras. Usáb. t. c. prnl. ‖ **2.** ant. **añadir.** ‖ **3.** prnl. ant. Realizar el coito.

ayunto. (Del lat. *adiunctus*, junto.) m. ant. **junta,** reunión de personas para tratar algún asunto.

ayuso. (Del lat. *ad deorsum*, hacia abajo.) adv. l. desus. **abajo.**

ayustar. (De *a-*[1] y el lat. *iuxta*, cerca, al lado de.) tr. *Mar.* Unir dos cabos por sus chicotes o las piezas de madera por sus extremidades.

ayuste. m. *Mar.* Acción de ayustar. ‖ **2.** *Mar.* Costura o unión de dos cabos.

azabachado, da. adj. Semejante al azabache en el color o en el brillo.

azabache. (Del ár. *as-sabaŷ*.) m. Variedad de lignito, dura, compacta, de color negro y susceptible de pulimento. Se emplea como adorno en collares, pendientes, etc. y para hacer esculturas. ‖ **2.** Pájaro de unos ocho centímetros de largo, con el lomo de color ceniciento oscuro, el vientre blanco y la cabeza y las alas negras. ‖ **3.** pl. Conjunto de dijes de **azabache.**

azabachero. m. Artífice que labra el azabache. ‖ **2.** El que vende azabaches.

azabara. (Del ár. *aṣ-ṣabbāra*, el áloe.) f. **zabila.**

azacán, na. (Del ár. *as-saqqā'*, el aguador.) adj. Que se ocupa en trabajos humildes y penosos. Ú. t. c. s. ‖ **2.** m. **aguador,** que transporta o vende agua. ‖ **3.** ant. **odre,** cuero para líquidos. ‖ **hecho un azacán.** loc. fig. y fam. Muy afanado en dependencias o negocios. Úsase, por lo común, con los verbos *andar* y *estar*.

azacanarse. prnl. p. us. Afanarse.

azacanear. (De *azacán*.) intr. Azacanarse, trabajar con afán.

azacaneo. m. Acción y efecto de azacanarse.

azacaya. (Del ár. *as-saqāya*, la fuente, el depósito de agua, la reguera.) f. ant. Noria grande. ‖ **2.** *Gran.* Ramal o conducto de aguas.

azache. (Del ár. *as-sāŷ*, cierta tela de seda.) adj. V. **seda azache.** Ú. t. c. s.

azada. (Del lat. **asciāta*, de *ascĭa*.) f. Instrumento que consiste en una lámina o pala cuadrangular de hierro, ordinariamente de 20 a 25 centímetros de lado, cortante uno de estos y provisto el opuesto de un anillo donde encaja y se sujeta el astil o mango, formando con la pala un ángulo un tanto agudo. Sirve para cavar tierras roturadas o blandas, remover el estiércol, amasar la cal para mortero, etc. ‖ **2. azadón.**

azadada. f. Golpe dado con azada.

azadazo. m. **azadada.**

azadilla. (d. de *azada*.) f. **almocafre.**

azadón. (aum. de *azada*.) m. Instrumento que se distingue de la azada en que la pala, cuadrangular, es algo curva y más larga que ancha. Sirve para rozar y romper tierras duras, cortar raíces delgadas y otros usos análogos. ‖ **2. azada.** ‖ **de peto, o de pico. zapapico.**

azadonada. f. Golpe dado con azadón. ‖ **a la primera azadonada.** loc. adv. fig. p. us. con que se da a entender haberse hallado a la primera diligencia lo que se buscaba. ‖ **a tres azadonadas, sacar agua.** fr. fig. p. us. con que se da a entender que alguno a poca diligencia suele conseguir lo que pretende.

azadonazo. m. **azadonada.**

azadonero. m. El que trabaja con azadón. ‖ **2.** ant. *Mil.* **gastador,** soldado que abre trincheras. ‖ **3.** ant. *Mil.* **gastador,** soldado que franquea el paso en las marchas.

azafata. (De *azafate*.) f. Criada de la reina, a quien servía los vestidos y alhajas que se había de poner y los recogía cuando se los quitaba. ‖ **2.** Mujer encargada de atender a los pasajeros a bordo de un avión, tren, autocar, etc. ‖ **3.** Empleada de compañías de aviación, viajes, etc., que atiende al público en diversos servicios. ‖ **4.** Muchacha que, contratada al efecto, proporciona informaciones y ayuda a quienes participan en reuniones, congresos, etc.

azafate. (Del ár. *as-safaṭ*, la cesta, el canastillo.) m. Canastillo, bandeja o fuente con borde de poca altura, tejidos de mimbres o hechos de paja, oro, plata, latón, loza u otras materias. ‖ **2.** *Col.* Jofaina de madera.

azafrán. (Del ár. *az-za'farān*.) m. Planta de la familia de las iridáceas, con rizoma en forma de tubérculo, hojas lineales, perigonio de tres divisiones externas y tres internas algo menores: tres estambres, ovario triangular, estilo filiforme, estigma de color rojo anaranjado, dividido en tres partes colgantes, y caja membranosa con muchas semillas. Procede de Oriente y se cultiva en varias provincias de España. ‖ **2.** Estigma de las flores de esta planta. Se usa como condimento y en medicina. ‖ **3.** V. **rosa del azafrán.** ‖ **4.** *Mar.* Madero exterior que forma parte de la pala del timón y se une con pernos a la madre. ‖ **5.** *Pint.* Color amarillo anaranjado para iluminar, que se saca del estigma del **azafrán** desleído en agua. ‖ **bastardo. alazor.** ‖ **de Marte.** *Farm.* Herrumbre. ‖ **romí,** o **romín. azafrán bastardo.**

azafranado, da. p. p. de **azafranar.** ‖ **2.** adj. De color de azafrán. ‖ **3.** V. **mielga azafranada.**

azafranal. m. Terreno plantado de azafrán.

azafranar. tr. Teñir de azafrán. ‖ **2.** Poner azafrán en un líquido. ‖ **3.** Mezclar, juntar azafrán con otra cosa.

azafranero, ra. m. y f. Persona que cultiva o vende azafrán.

azagadero. m. **azagador.**

azagador. (De *azagar*.) m. Senda, por la que las ovejas y cabras tienen que ir azagadas.

azagar. (De *zaga*.) intr. Ir las ovejas o cabras una tras otra en las sendas.

azagaya. (Del berb. *az-zagāya*, el venablo, la lanza.) f. Lanza o dardo pequeño arrojadizo.

azagón. m. **azagador.** ‖ **2.** Modo de ir las ovejas o cabras en fila por las sendas.

azaguán. m. ant. **zaguán.**

azahar. (Del ár. *al-azhār*, flores blancas.) m. Flor blanca, y por antonomasia la del naranjo, limonero y cidro.

azainadamente. adv. m. **a lo zaino.**

azalá. (Del ár. *aṣ-ṣalā*, la oración ritual.) m. Entre musulmanes, **oración,** ruego o súplica.

azalea. (Del lat. cient. *azalea*.) f. Arbolito de la familia de las ericáceas, originario del Cáucaso, de unos dos metros de altura, con hojas oblongas y hermosas flores reunidas en corimbo, con corolas divididas en cinco lóbulos desiguales, que contienen una sustancia venenosa.

azamboa. (Del ár. *az-zanbu'a*, la toronja.) f. Fruto del azamboero, variedad de cidra muy arrugada.

azamboero. m. Árbol, variedad del cidro, cuya fruta es la azamboa.

azamboo. m. **azamboero.**

azanahoriate. m. Zanahoria confitada. ‖ **2.** fig. y fam. desus. Cumplimiento o expresión muy afectada.

azanca. (De or. inc.) f. *Min.* Manantial de agua subterránea.

azándar. (Del ár. *aṣ-ṣandal*, el sándalo, y este del gr. σάνταλον, madera olorosa.) m. *And.* **sándalo,** planta herbácea.

azanefa. f. desus. **cenefa.**

azanoria. (Del ár. *isfanāriya*, pastinaca.) f. **zanahoria.**

azanoriate. m. *Ar.* **azanahoriate.**

azaque. (Del ár. *az-zakā*, la limosna ritual.) m. Tributo que los muslimes están obligados a pagar de sus bienes y consagrar a Dios.

azaquefa. (Del ár. *as-saqīfa*, el pórtico, el vestíbulo.) f. ant. **pórtico.** ‖ **2.** ant. Patio con trojes cubiertos en los molinos de aceite.

azar. (Del ár. *az-zahr*, el dado para jugar.) m. Casualidad, caso fortuito. ‖ **2.** Desgracia imprevista. ‖ **3.** En los juegos de naipes o dados, carta o dado que tiene el punto con que se pierde. ‖ **4.** En el juego de trucos o billar, cualquiera de los dos lados de la tronera que miran a la mesa. ‖ **5.** En el juego de pelota, esquina, puerta, ventana u otro estorbo. ‖ **6.** V. **juego de azar.** ‖ **al azar.** loc. Sin rumbo ni orden. ‖ **salir azar.** fr. fig. y fam. desus. Malograrse o salir mal una cosa.

azaramiento[1]. m. Acción y efecto de azarar o azararse.

azaramiento[2]. m. **azoramiento.**

azarandar. tr. **zarandar.**

azarar. (De *azorar*.) tr. Conturbar, sobresaltar, avergonzar. Ú. t. c. prnl. ‖ **2.** prnl. Ruborizarse, sonrojarse.

azararse. (De *azar*.) prnl. p. us. Torcerse un asunto o lance por un caso imprevisto. Se usa más generalmente con referencia al juego.

azarba. f. ant. **azarbe.**

azarbe. (Del ár. *as-sarb*, el correntío, la cloaca.) m. Cauce adonde van a parar por las azarbetas los sobrantes o filtraciones de los riegos.

azarbeta. f. d. de **azarbe.** ‖ **2.** Cada una de las acequias o cauces pequeños que recogen los sobrantes o filtraciones de un riego y los llevan al azarbe.

azarcón. (Del ár. *az-zarqūn*, el carbonato de plomo.) m. **minio.** ‖ **2.** *Pint.* Color anaranjado muy encendido.

azarearse. prnl. *Chile, Guat., Hond., Nicar., Perú* y *Urug.* Turbarse, avergonzarse. ‖ **2.** *Chile* y *Perú.* Irritarse, enfadarse.

azarja. (Del ár. *as-sāriŷa*, y este del lat. *sericŭla*.) f. Instrumento que sirve para coger la seda cruda, y se compone de cuatro costillas unidas en dos rodetes agujereados por medio, para que pueda pasar el huso.

azarnefe. (Del ár. *az-zarnīŷ*, el arsénico.) m. ant. **oropimente.**

azaro. (De *azarote*.) m. ant. **sarcocola.**

azarolla. f. **acerola.** ‖ **2.** *Ar.* **serba.**

azarollo. m. **acerolo.** ‖ **2.** *Ar.* **serbal.**

azarosamente. adv. m. Con azar o desgracia.

azaroso, sa. adj. Que tiene en sí azar o desgracia. ‖ **2.** Turbado, temeroso.

azarote. (Del ár. *'anzarūt*, sarcocola.) m. ant. **azaro.**

azaya. f. *Gal.* **cantueso.**

azcarrio. (Del vasc. *ascarr*.) m. *Ál.* **arce[1].**

azcón. m. ant. **azcona.**

azcona. (De or. inc., acaso del vasc.) f. Arma arrojadiza, como dardo, usada antiguamente.

azerbaijano, na. adj. **azerbaiyano.**

azerbaiyano, na. adj. Natural de Azerbaiyán. Ú. t. c. s. ‖ **2.** Perteneciente o relativo a este país.

azerí. adj. Azerbaiyano. Aplícase principalmente a la lengua y la naturaleza de esta nación.

azeuxis. (De *a-*[2] y el gr. ζεῦξις, unión.) f. Hiato, encuentro de dos vocales que se pronuncian en sílabas diferentes.

-azgo. (De *-adgo*.) suf. de sustantivos que significa dignidad o cargo: *almirant*AZGO, *arciprest*AZGO; condición o estado: *novi*AZGO; tributo: *almojarif*AZGO; acción y efecto: *hall*AZGO, *hart*AZGO.

ázimo. (Del lat. *azȳmus*, y este del gr. ἄζυμος.) adj. V. **pan ázimo.**

azimut. m. *Astron.* **acimut.**

azimutal. adj. *Astron.* **acimutal.**

aznacho. (De *asnacho*.) m. Pino rodeno, generalmente achaparrado. ‖ **2.** Madera de este árbol.

aznallo. m. **aznacho.** ‖ **2. gatuña.**

-azo, za. suf. de valor aumentativo: *perr*AZO, *man*AZA, o despectivo: *aceit*AZO. A veces significa golpe dado con lo designado por la base derivativa: *porr*AZO, *almohadill*AZO; y, en algún caso, golpe dado en lo significado por dicha base: *espaldar*AZO.

azoado, da. p. p. de **azoar.** ‖ **2.** adj. Que tiene ázoe. Dícese principalmente de las aguas.

azoar. tr. *Quím.* Impregnar de ázoe o nitrógeno. Ú. t. c. prnl.

azoato. (De *ázoe*.) m. *Quím.* **nitrato.**

azocar. (De *zueco*.) tr. *Mar.* Tratándose de nudos, trincas, ligaduras, etc., apretarlos bien. ‖ **2.** *Cuba* Apretar demasiado una cosa. *Tabaco* AZOCADO.

azoche. m. ant. **azogue.**

ázoe. (De or. inc.; cf. fr. *azote*.) m. *Quím.* **nitrógeno.**

azoomia. (De *ázoe* y el gr. αἷμα, sangre.) f. *Pat.* Existencia de sustancias nitrogenadas en la sangre. Se ha aplicado este nombre impropiamente al nitrógeno de la urea contenida en la sangre.

azofaifa. f. **azufaifa.**

azofaifo. m. **azufaifo.**

azófar. (Del ár. *aṣ-ṣufar*, el cobre.) m. **latón[1].**

azofeifa. f. ant. **azufaifa.**

azofeifo. m. ant. **azufaifo.**

azofra. (Del ár. *as-sufra*, el impuesto, el trabajo forzoso y gratuito.) f. **prestación personal.** ‖ **2.** *Ar.* **sufra,** correón de las varas del carro.

azofrar. intr. *Ar.* Realizar la prestación personal o azofra.

azogadamente. adv. m. fig. y fam. Con mucha celeridad y agitación.

azogado, da. p. p. de **azogar.** ‖ **2.** adj. Dícese de la persona que se azoga por haber absorbido vapores de azogue[1]. Ú. t. c. s. ‖ **3.** m. Acción y efecto de azogar.

azogamiento. m. Acción y efecto de azogar o azogarse.

azogar[1]. tr. Cubrir con azogue alguna cosa, como se hace con los cristales para que sirvan de espejos. ‖ **2.** prnl. Contraer la enfermedad producida por la absorción de los vapores de azogue, cuyo síntoma más visible es un temblor continuado. ‖ **3.** fig. y fam. Turbarse y agitarse mucho.

azogar[2]. tr. Apagar la cal rociándola con agua, de modo que se deshaga sin formar lechada.

azogue[1]. (Del ár. *az-za'ūq*, el mercurio.) m. *Quím.* **mercurio,** metal. ‖ **2.** Cada una de las naves destinadas antes para conducir **azogue** de España a América. ‖ **ser un azogue.** fr. fig. y fam. Ser muy inquieto.

azogue[2]. (Del ár. *as-sūq*, el mercado.) m. Plaza de algún pueblo, donde se tiene el trato y comercio público.

azoguejo. m. d. de **azogue[2].**

azoguería. (De *azoguero*.) f. *Min.* Oficina donde se hacen las operaciones de la amalgamación.

azoguero. (De *azogue*[1].) m. *Min.* Amalgamador, jefe que dirige las operaciones de la amalgamación.

azoico[1]. (De *ázoe*.) adj. *Quím.* Dícese de los colorantes que poseen grupos cromóforos con funciones nitrogenadas.

azoico[2]. (De *a-*[2] y un der. del gr. ζωή, vida.) adj. *Geol.* Término utilizado para designar los terrenos anteriores al período precámbrico, en los que no se encuentra resto alguno de vida. Ú. t. c. s.

azoláceo, a. (Del port. *azola*, nombre de un género de plantas.) adj. *Bot.* Dícese de plantas pteridofitas de la clase de las hidropteríneas, con tallo filiforme provisto de raíces de trecho en trecho, hojas simples e imbricadas. Tiene por frutos esporangios y esporocarpios, situados en la base del tallo, dehiscentes y llenos de esporas redondas o angulosas. Ú. t. c. s. f. ‖ **2.** f. pl. *Bot.* Familia de estas plantas.

azolar. tr. *Carp.* Desbastar la madera con azuela.

azoleo, a. (Del port. *azola,* nombre de un género de plantas.) adj. *Bot.* **azoláceo.**

azolvamiento. m. p. us. Acción y efecto de azolvar.

azolvar. (Del ár. *aṣ-ṣulba,* la obstrucción, la detención.) tr. Cegar o tupir con alguna cosa un conducto. Ú. t. c. prnl.

azolve. (De *azolvar.*) m. *Méj.* Lodo o basura que obstruye un conducto de agua.

azolle. (Del lat. *sūile,* pocilga.) f. *Ar.* y *Nav.* **zolle.**

azomamiento. m. ant. Acción de azomar.

azomar. (De *asomar.*) tr. ant. Incitar a los animales para que embistan.

-azón. (Del lat. *-atĭo, -ōnis.*) suf. de sustantivos derivados de verbos de la primera conjugación, que significa acción y efecto, a veces con cierto valor intensivo: *hinch*AZÓN, *pic*AZÓN, *gran*AZÓN; tiempo en que se realiza dicha acción: *rodrig*AZÓN; conjunto de los objetos que constituyen un todo: *esquif*AZÓN; *clav*AZÓN.

azor[1]. (Del lat. **acceptor, -ōris,* por *accipĭter, -tris.*) m. Ave rapaz diurna, como de medio metro de largo, por encima de color negro y por el vientre blanca con manchas negras; de alas y pico negros, cola cenicienta, manchada de blanco, y piernas amarillas. ‖ **desbañado.** *Cetr.* El que no ha tomado el agua los días que le hacen volar.

azor[2]. (Del ár. *as-sūr,* la muralla.) m. ant. **muro,** pared.

azorafa. (Del ár. *az-zurāfa.*) f. ant. **jirafa.**

azoramiento. m. Acción y efecto de azorar o azorarse.

azorar. (De *azor[1].*) tr. Asustar, perseguir o alcanzar el azor a las aves. ‖ **2.** fig. Conturbar, sobresaltar. Ú. t. c. prnl. ‖ **3.** fig. p. us. Irritar, encender, infundir ánimo. Ú. t. c. prnl.

azorero. (De *azor[1].*) m. *Germ.* El que acompaña al ladrón y lleva lo que este hurta.

azoro. m. *And.* y *Amér.* **azoramiento.**

azorramiento. m. Efecto de azorrarse.

azorrarse. (De *a-[1]* y *zorra[1].*) prnl. Quedarse como adormecido por tener la cabeza muy cargada.

azotable. adj. Que merece ser azotado.

azotacalles. (De *azotar* y *calle.*) com. fig. y fam. Persona ociosa que anda continuamente callejeando.

azotado, da. p. p. de **azotar.** ‖ **2.** adj. De varios colores unidos confusamente y sin orden. Dícese más de las flores. ‖ **3.** m. Reo castigado con pena de azotes. ‖ **4.** Disciplinante de semana santa.

azotador, ra. adj. Que azota. Ú. t. c. s.

azotaina. f. fam. Zurra de azotes.

azotalenguas. (De *azotar* y *lengua.*) f. *And.* **amor de hortelano.**

azotamiento. m. Acción y efecto de azotar o azotarse.

azotar. tr. Dar azotes a alguien. Ú. t. c. prnl. ‖ **2.** Dar golpes con la cola o con las alas. ‖ **3.** Cortar el aire violentamente. ‖ **4.** fig. Golpear una cosa o dar repetida y violentamente contra ella. *El mar* AZOTA *los peñascos.* ‖ **5.** fig. Producir daños o destrozos de gran importancia. *El hambre* AZOTÓ *el país.*

azotazo. m. Golpe grande dado con el azote. ‖ **2.** Golpe grande dado en las nalgas con la mano.

azote. (Del ár. *as-sūṭ,* el látigo.) m. Instrumento de suplicio formado con cuerdas anudadas y a veces erizadas de puntas, con que se castigaba a los delincuentes. ‖ **2.** Vara, vergajo u objeto semejante que sirve para azotar. ‖ **3.** Golpe dado con el **azote.** ‖ **4.** Golpe dado en las nalgas con la mano. ‖ **5.** fig. Embate o golpe repetido del agua o del aire. ‖ **6.** fig. Aflicción, calamidad, castigo grande. ‖ **7.** fig. Persona que es causa o instrumento de este castigo, calamidad o aflicción. ‖ **8.** pl. Pena que se imponía a ciertos criminales. ‖ **azotes y galeras.** fig. y fam. p. us. Comida ordinaria que no se varía. ‖ **besar el azote.** fr. fig. Recibir el castigo con resignación. ‖ **no salir de azotes y galeras.** fr. fig. y fam. p. us. No medrar, no prosperar.

azotea. (Del ár. *as-suṭaiḥa,* el terradillo.) f. Cubierta llana de un edificio, dispuesta para poder andar por ella.

azotina. f. fam. **azotaina.**

azre. m. ant. **arce[1].**

azteca. (Del nahua *aztécatl,* habitante de *Aztlan.*) adj. Dícese del individuo de un antiguo pueblo invasor y dominador del territorio conocido después con el nombre de Méjico. Ú. t. c. s. ‖ **2.** Perteneciente o relativo a este pueblo. ‖ **3.** m. Idioma **azteca.**

aztequismo. m. **nahuatlismo.**

aztor. (Del lat. *acceptor, -ōris.*) m. desus. **azor[1],** ave.

azua. f. **chicha[2].**

azúcar. (Del ár. *as-sukkar.*) amb. Cuerpo sólido, cristalizable, perteneciente al grupo químico de los hidratos de carbono, de color blanco en estado puro, soluble en el agua y en el alcohol y de sabor muy dulce. Se extrae de la caña dulce, de la remolacha y de otros vegetales. Según su estado de pureza o refinación, se distinguen diversas clases. ‖ **2.** V. **caña, costra, ingenio, pan de azúcar.** ‖ **3.** *Quím.* Nombre genérico de un grupo de hidratos de carbono que tienen un sabor más o menos dulce. ‖ **amarilla. azúcar moreno.** ‖ **blanco,** o **blanca. azúcar de flor.** ‖ **blanquilla.** El semirrefinado, modelado en forma de cortadillo. ‖ **cande,** o **candi.** El obtenido por evaporación lenta, en cristales grandes, cuyo color varía desde el blanco transparente y amarillo al pardo oscuro, por agregación de melaza o sustancias colorantes. ‖ **centrífuga.** El semirrefinado de primera producción, pero amarillo y de grano grueso. ‖ **comprimido.** El refinado, cuyo moldeado se hace comprimiendo el polvo o grano fino en forma de cortadillo. ‖ **de cortadillo. azúcar** refino, moldeado en aparatos centrífugos y del que se expenden fracciones en pequeños trozos o terrones, de forma regular, embalados en cajas. ‖ **de flor.** El refinado, obtenido en polvo muy tamizado. ‖ **de leche.** Hidrato de carbono, de sabor dulce, que se halla disuelto en la leche. ‖ **de lustre.** El molido y pasado por cedazo. ‖ **de malta. maltosa.** ‖ **de pilón.** El refinado, obtenido en panes de figura cónica. ‖ **de plomo.** *Quím.* Acetato de plomo neutro, de sabor dulce; incoloro, soluble en agua y eflorescente que se emplea en la obtención del albayalde y como mordiente y astringente. ‖ **de quebrados.** El refino moldeado, imperfectamente elaborado. ‖ **de redoma.** El que se queda en las paredes y suelo de las vasijas que han contenido jarabes. ‖ **de Saturno.** *Quím.* **azúcar de plomo.** ‖ **de uva.** Glucosa que forma el principio dulce de la uva y de otras frutas. ‖ **florete.** El semirrefinado, en pedazos irregulares mezclados con polvo. ‖ **granulado.** El semirrefinado, en cristales sueltos y gruesos. ‖ **jugosa. azúcar** blanquilla de caña ligeramente fermentada. ‖ **mascabado,** o **mascabada.** El de caña, de segunda producción. ‖ **moreno,** o **morena. azúcar** de segunda producción, cuyo color varía desde el amarillo claro al pardo oscuro, según la cantidad de mezcla que queda adherida a los cristales. ‖ **moscabado,** o **moscabada. azúcar mascabado.** ‖ **negro** o **negra. azúcar moreno.** ‖ **piedra. azúcar cande.** ‖ **quebrado,** o **quebrada.** El que no ha sido blanqueado. ‖ **refinado. azúcar** de la mayor pureza que se fabrica en las refinerías. ‖ **refino,** o **refina. azúcar** refinado muy puro. ‖ **rosado,** o **rosada.** El elaborado con extracto de rosas. ‖ **semirrefinado.** El que se produce directamente en las fábricas que elaboran la caña o la remolacha, de color blanco, aunque de menor pureza que el refinado. ‖ **terciado,** o **terciada. azúcar amarilla.** ‖ **azúcar y canela.** loc. Color de algunos caballos mezcla de blanco y rojo.

azucarado, da. p. p. de **azucarar.** ‖ **2.** adj. Semejante al azúcar en el gusto. ‖ **3.** fig. y fam. Blando, afable y meloso en las palabras. ‖ **4.** m. Especie de afeite que usaban las mujeres.

azucarar. tr. Bañar con azúcar. ‖ **2.** Endulzar con azúcar. ‖ **3.** fig. y fam. Suavizar y endulzar alguna cosa. ‖ **4.** prnl. Bañar con almíbar. ‖ **5.** *Amér.* Cristalizarse el almíbar de las conservas.

azucarera. f. Recipiente para servir el azúcar en la mesa. ‖ **2.** Fábrica en que se extrae y elabora el azúcar.

azucarería. f. desus. *Cuba* y *Méj.* Tienda en que se vendía azúcar al por menor.

azucarero, ra. adj. Perteneciente o relativo al azúcar. ‖ **2.** m. Persona técnica en la fabricación de azúcar. Antes se llamaba así el maestro de labores en un ingenio de azúcar. ‖ **3.** Ave trepadora de los países tropicales, de cuerpo pequeño, colores hermosos y variados, pico largo, agudo y algo encorvado y con los dos dedos exteriores soldados. Se alimenta de insectos, miel y jugos azucarados de las plantas. ‖ **4. azucarera,** recipiente para azúcar.

azucarí. (Del ár. *as-sukkarī,* azucarado, dulce.) adj. *And.* **azucarado,** con gusto a azúcar. Aplícase a ciertos frutos.

azucarillo. (d. de *azúcar.*) m. Porción de masa esponjosa que se hace con almíbar muy en punto, clara de huevo y zumo de limón. Empapado en agua o deshecho en ella, sirve para endulzarla ligeramente. ‖ **2.** Terrón de azúcar.

azucena. (Del ár. *as-sūsāna,* el lirio.) f. Planta perenne de la familia de las liliáceas, con un bulbo de que nacen varias hojas largas, estrechas y lustrosas, tallo alto y flores terminales grandes, blancas y muy olorosas. Sus especies y variedades se diferencian en el color de las flores y se cultivan para adorno en los jardines. ‖ **2.** Flor de esta planta. ‖ **3.** fig. Persona o cosa especialmente calificada por su pureza o blancura. ‖ **anteada.** Planta perenne de la familia de las liliáceas, de hojas parecidas a las de la **azucena,** pero de tallo ramoso y flor de color de ante. ‖ **de agua.** *Sal.* **nenúfar.** ‖ **de Buenos Aires.** Planta perenne de la familia de las amarilidáceas, con tallo de cuatro a seis decímetros de altura, hojas tiernas de color verde claro y flores abigarradas de rojo, amarillo, blanco y negro, de las cuales nacen varias juntas. ‖ **de Guernesey.** Planta perenne de la familia de las amarilidáceas, con hojas largas, estrechas y romas, que nacen desde la raíz, bohordo de tres a cuatro decímetros de altura y flores terminales de color encarnado vivo.

azuche. (Del lat. *soccus,* zueco, calzado.) m. Punta de hierro que suele colocarse en la extremidad inferior del pilote.

azud. (Del ár. *as-sudd,* la barrera, la presa.) amb. Máquina con que se saca agua de los ríos para regar los campos. Es una gran rueda afianzada por el eje en dos fuertes pilares, y la cual, movida por el impulso de la corriente, da vueltas y arroja el agua fuera. ‖ **2.** Presa hecha en los ríos a fin de tomar agua para regar y para otros usos.

azuda. f. **azud.**

azuela. (Del lat. **asciŏla,* d. de *ascĭa.*) f. Herramienta de carpintero, compuesta de una plancha de hierro acerada y cortante, de 10 a 12 centímetros de anchura, y un mango corto de madera que forma recodo. Sirve para desbastar.

azufaifa. (Del ár. *az-zufaizafa,* y este del gr. ζίζυφον.) f. Fruto del azufaifo: es una drupa elipsoidal, de poco más de un centímetro de largo, encarnada por fuera y amarilla por dentro, dulce y comestible. Se usaba como medicamento pectoral.

azufaifo. m. Árbol de la familia de las ramnáceas, de cinco a seis metros de altura, con tronco tortuoso, ramas ondeadas, inclinadas al suelo y llenas de aguijones rectos, que nacen de dos en dos; hojas alternas, festoneadas y lustrosas, de unos tres centímetros de largo, y flores pequeñas y amarillas. Su fruto es la azufaifa. ‖ **de Túnez.** Variedad del **azufaifo,** espontánea en algunas partes de España, y cuyo fruto es agrio. ‖ **loto. loto,** árbol de África.

azufeifa. f. **azufaifa.**

azufeifo. m. **azufaifo.**

azufrado, da. p. p. de **azufrar.** ‖ **2.** adj. **sulfuroso.** ‖ **3.** Parecido en el color al azufre. ‖ **4.** m. Acción y efecto de azufrar, especialmente las vides.

azufrador, ra. adj. Que azufra. Ú. t. c. s. ‖ **2.** m. **enjugador,** camilla para sahumar la ropa con azufre. ‖ **3.** Instrumento o aparato con que se azufran las vides atacadas del oídio.

azuframiento. m. Acción o efecto de azufrar.

azufrar. tr. Echar azufre en alguna cosa. ‖ **2.** Dar o impregnar de azufre. ‖ **3.** Sahumar con él.

azufre. (Del lat. *sulphur, -ŭris.*) m. *Quím.* Metaloide de color amarillo, quebradizo, insípido, craso al tacto, que por frotación se electriza fácilmente y da olor característico; se funde a temperatura poco elevada, y arde con llama azul, desprendiendo anhídrido sulfuroso. Abunda en estado nativo. Núm. atómico, 16. Símb.: *S.* ‖ **vegetal.** Materia pulverulenta amarilla, compuesta de esporos de licopodio. ‖ **vivo.** El nativo.

azufrera. f. Mina de azufre.

azufrero, ra. adj. Dícese de todo lo relacionado con la explotación del azufre. *La industria* AZUFRERA.

azufrón. (De *azufre.*) m. Mineral piritoso en estado pulverulento.

azufroso, sa. adj. Que contiene azufre.

azul. (Del ár. persa *lāzūrd,* por *lāzaward,* lapislázuli, azulita.) adj. Del color del cielo sin nubes. Ú. t. c. s. Es el quinto color del espectro solar. ‖ **2.** V. **caparrosa, ceniza, lengua, libro, malaquita, príncipe, sangre, trigo, zorro azul.** ‖ **3.** *Quím.* V. **vitriolo azul.** ‖ **4.** *Amér.* V. **diablos azules.** ‖ **5.** m. El cielo, el espacio. Ú. m. en lenguaje poético. ‖ **celeste.** El más claro. ‖ **de cobalto.** Materia colorante muy usada en la pintura, que resulta de calcinar una mezcla de alúmina y fosfato de cobalto. ‖ **de mar.** El de matiz más oscuro parecido al que suelen tener las aguas del mar. ‖ **de montaña.** Carbonato de cobre natural. ‖ **de Prusia.** Sustancia de color **azul** subido, compuesta de cianógeno y hierro. Úsase en la pintura, y ordinariamente se expende en forma de panes pequeños fáciles de pulverizar. ‖ **de Sajonia.** Disolución de índigo en ácido sulfúrico concentrado, que se emplea como materia colorante. ‖ **de ultramar.** Lapislázuli pulverizado que se usa mucho como color en la pintura. ‖ **2.** Materia colorante que se fabrica calcinando una mezcla de sulfato de hierro, bisulfuro de sodio y arcilla, y sirve para sustituir a la anterior. ‖ **3.** Pasta de añil. ‖ **marino. azul** oscuro. ‖ **turquí.** El más oscuro. Es el sexto color del espectro solar. ‖ **ultramarino,** o **ultramaro. azul de ultramar.**

azulado, da. p. p. de **azular.** ‖ **2.** adj. De color azul o que tira a él.

azulaque. (Del ár. *as-sulāqa,* el betún.) m. **zulaque.**

azular. tr. Dar o teñir de azul.

azulear. intr. Mostrar alguna cosa el color azul que en sí tiene. ‖ **2.** Tirar a azul.

azulejar. tr. Revestir de azulejos.

azulejería. f. Oficio de azulejero. ‖ **2.** Obra hecha o revestida de azulejos[2].

azulejero. m. El que hace azulejos[2].

azulejo[1], ja. adj. d. de **azul.** ‖ **2.** V. **trigo azulejo.** ‖ **3.** *Amér.* **azulado,** que tira a azul. ‖ **4.** *Argent.* Dícese del caballo de manchas blancas y negras con reflejos azulados. Ú. t. c. s. ‖ **5.** m. **carraca[2].** ‖ **6.** Pájaro americano de unos 12 centímetros de largo; en verano el macho es de color azul que tira a verdoso hacia la rabadilla y a negro en las alas y la cola, y en invierno, lo mismo que la hembra en todo tiempo, es moreno oscuro con algunas fajas azules y visos verdosos. ‖ **7. aciano menor.**

azulejo[2]. (Del ár. *az-zulaiŷ,* el ladrillito.) m. Ladrillo vidriado, de varios colores, usado para revestir paredes, suelos, etc., o para decorar.

azulenco, ca. adj. *Hist. Nat.* **azulado,** que tira a azul. ‖ **2.** V. **trigo azulenco.**

azulete. m. Viso de color azul que se daba a las medias de seda blanca y a otras prendas de vestir. ‖ **2.** *Ar.* Pasta de añil en bolas.

azulino, na. adj. Que tira a azul.

azulón. m. Especie de pato, de gran tamaño, muy frecuente en lagos y albuferas.

azulona. f. Especie de paloma de las Antillas, de unos tres decímetros de largo: tiene la cabeza y el cuello azules con una faja blanca, el cuerpo morado, y el vientre, del mismo color más claro.

azuloso, sa. adj. **azulado.**

azúmbar. (Del ár. *as-sunbul,* la espiga, el nardo.) m. Planta perenne de la familia de las alismatáceas, con escapo de 10 a 15 centímetros, hojas acorazonadas, flores blancas en umbela terminal y fruto en forma de estrella de seis puntas. ‖ **2. espicanardo.** ‖ **3. estoraque,** bálsamo.

azumbrado, da. adj. Medido por azumbres. ‖ **2.** fig. y fam. **ebrio.**

azumbre. (Del ár. *aṭ-ṭumn,* la octava parte [de la cántara].) amb. Medida de capacidad para líquidos, que equivale a unos 2 litros. Ú. m. c. f.

azuquita. amb. d. fam. de **azúcar.** Ú. en Andalucía, Chile y Santo Domingo.

azuquítar. amb. d. fam. de **azúcar.**

azur. (Del fr. *azur.*) adj. *Blas.* Dícese del color heráldico que en pintura se representa con el azul oscuro, y en el grabado, por medio de líneas horizontales muy espesas. Ú. t. c. s. m.

azurita. (De *azur.*) f. Mineral de color azul de Prusia, de textura cristalina o fibrosa, algo más duro y más raro que la verdadera malaquita. Es un bicarbonato de cobre.

azurronarse. prnl. No poder salir del zurrón o cáscara la espiga de trigo por causa de la sequía.

azut. m. *Ar.* **azud.**

azutea. f. desus. **azotea.**

azutero. m. *Ar.* El que cuida del azut.

azuzador, ra. adj. Que azuza. Ú. t. c. s.

azuzar. (De *a-*[1] y *¡sus!*) tr. Incitar a los perros para que embistan. ‖ **2.** fig. Irritar, estimular.

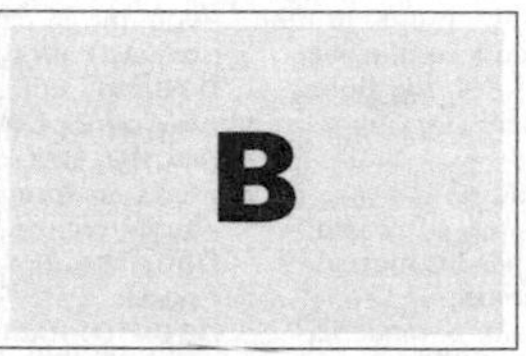

b. f. Segunda letra del abecedario español, y primera de sus consonantes. Representa un sonido de articulación bilabial sonora, y oclusiva cuando va en posición inicial absoluta o después de nasal, como en *bien, ambos;* en cualquier otra posición es, por lo general, fricativa, como en *lobo, árbol, sobre,* etc. Su nombre es **be.**

baalita. adj. Adorador de Baal, divinidad semita. Ú. t. c. s.

baba. (Voz onomatopéyica.) f. Saliva espesa y abundante que a veces fluye de la boca del hombre y de algunos mamíferos. ‖ **2.** *Zool.* Líquido viscoso segregado por ciertas glándulas del tegumento de la babosa, el caracol y otros invertebrados. ‖ **3.** Por ext., jugo viscoso de algunas plantas. ‖ **4.** Jugo viscoso generado por la baya del café, cuando está madura, entre la parte interior de la corteza y el grano. ‖ **5.** fig. *P. Rico.* y *Sto. Dom.* Palabrería, dicho insustancial. ‖ **caérsele** a alguien **la baba.** fr. fig. y fam. con que se da a entender, o que es bobo, o que experimenta gran complacencia viendo u oyendo cosa que le sea grata.

babada. (De *baba.*) f. **babilla** de las extremidades posteriores de los cuadrúpedos. ‖ **2.** *Ar.* y *Cast.* Barro que se forma en los campos a consecuencia del deshielo. ‖ **3.** *P. Rico.* Tontería.

babadero. (De *baba.*) m. **babero.**

babador. (De *baba.*) m. **babero.**

babaidor. (Del tagalo y el bisaya *babae,* mujer.) adj. *Filip.* **mujeriego,** hombre dado a las mujeres. Ú. t. c. s.

babanca. (De *baba.*) com. ant. Persona boba. Ú. en Salamanca.

babanco. (De *baba.*) m. *Sal.* Persona boba.

babatel. ((De *baba.*) m. ant. Cualquier cosa desaliñada que cuelga del cuello cerca de la barba.

babaza. (aum. de *baba.*) f. Baba que segregan algunos animales y plantas. ‖ **2. babosa,** molusco gasterópodo.

babazorro, rra. (De *valvasor.*) adj. *Ar.* Joven atrevido y arriscado. Ú. t. c. s. ‖ **2.** *Ar.* Rústico, tosco. Ú. t. c. s. ‖ **3.** Natural de Álava. Ú. con sent. despect.

babear. (De *baba.*) intr. Expeler o echar de sí la baba. ‖ **2.** fig. y fam. Hacer demostraciones de excesivo rendimiento ante una persona o cosa.

babel. (Del hebr. *Bābēl,* la ciudad o el imperio de Babilonia, y esta voz de *baibĕl,* confusión [de lenguas].) amb. fig. y fam. Lugar en que hay gran desorden y confusión o donde hablan muchos sin entenderse; por alusión a la torre de Babel. ‖ **2.** fig. y fam. Desorden y confusión.

babélico, ca. adj. Perteneciente o relativo a la torre de Babel. ‖ **2.** fig. Confuso, ininteligible.

babeo. (De *babear.*) m. Acción de babear.

babequía. (De *babieca.*) f. ant. **bobería.**

babera. (De *baba.*) f. Pieza de la armadura antigua que cubría la boca, barba y quijadas. ‖ **2. babero.**

babero. (De *baba.*) m. Pedazo de lienzo u otra materia que para limpieza se pone a los niños pendiente del cuello y sobre el pecho. ‖ **2.** Bata o mandilón que usan los muchachos. ‖ **3.** Trozo de lienzo que, a manera de peto, usan ciertas órdenes religiosas.

baberol. m. **babera** de la armadura.

babi. m. fam. **babero,** bata.

Babia. (Territorio de las montañas de León.) n. p. **estar** alguien **en Babia.** fr. fig. y fam. Estar distraído y como ajeno a aquello de que se trata.

babiano, na. adj. Natural de Babia. Ú. t. c. s. ‖ **2.** Perteneciente a este territorio de León.

babieca. (De *baba.*) com. fam. Persona floja y boba. Ú. t. c. adj.

babilar. m. En los molinos harineros, eje sobre el que se mueve la canaleja.

babilón, na. adj. Natural de Babilonia. Ú. t. c. s. ‖ **2.** desus. Torpe, bobo.

babilonia. (Por alusión a la célebre torre de la ciudad de aquel nombre en Asia.) f. fig. y fam. **babel.** ‖ **2.** V. **sauce de Babilonia.**

babilónico, ca. (Del lat. *Babylonĭcus.*) adj. Perteneciente o relativo a Babilonia. ‖ **2.** fig. Fastuoso, ostentoso.

babilonio, nia. (Del lat. *Babylōnius.*) adj. Natural de Babilonia. Ú. t. c. s.

babilla. (d. de *baba.*) f. En los cuadrúpedos, región de las extremidades posteriores formada por los músculos y tendones que articulan el fémur con la tibia y la rótula; en ella el humor sinovial es muy abundante y parecido a la baba. Equivale a la rodilla del hombre. ‖ **2.** Choquezuela o rótula de los cuadrúpedos. ‖ **3.** desus. *Méj.* Humor que a consecuencia de la desgarradura de los tejidos, o fractura de los huesos, se extravasa e impide la buena consolidación.

babirusa. (Del malayo *babi,* cerdo, y *rusa,* ciervo.) m. Cerdo salvaje que vive en Asia, de mayor tamaño que el jabalí, cuyos colmillos salen de la boca dirigiéndose hacia arriba y luego se encorvan hacia atrás. Su carne es comestible.

babismo. (Del ár. *bāb,* puerta, en el sentido místico de medio que permite comunicar con el interior.) m. Sistema religioso, fundado en Persia en el siglo XIX por Mirza Alí Mohámed, que pretendió una renovación y abolición de ciertas leyes sociales de Mahoma.

bable. (Voz onomatopéyica.) m. Dialecto de los asturianos.

baboquía. (De *babieca.*) f. ant. **bobería.**

babor. (Del neerl. *bakboord.*) m. *Mar.* Lado o costado izquierdo de la embarcación mirando de popa a proa.

babosa. (De *baba.*) f. Molusco gasterópodo pulmonado, terrestre, sin concha, que cuando se arrastra deja como huella de su paso una abundante baba; por su voracidad es muy dañoso en las huertas. ‖ **2.** *Ar.* Cebolla añeja que se planta y produce otra. ‖ **3.** *Ar.* **cebolleta,** planta parecida a la cebolla.

babosear. (De *baboso.*) tr. Llenar o rociar de babas. ‖ **2.** intr. fig. y fam. Obsequiar a una mujer con exceso.

baboseo. m. fig. y fam. Acción de babosear, obsequiando rendidamente a una mujer.

babosilla. f. Especie de babosa más pequeña que la ordinaria.

baboso, sa. adj. Que echa muchas babas. Ú. t. c. s. ‖ **2.** fig. y fam. Enamoradizo y rendidamente obsequioso con las mujeres. Aplícase solo a los hombres. Ú. t. c. s. m. ‖ **3.** fig. y fam. Aplícase al que no tiene edad y condiciones para lo que hace, dice o intenta. Ú. t. c. s. ‖ **4.** fig. Bobo, tonto, simple. ‖ **5.** fig. Adulador, pelotillero. Ú. t. c. s. ‖ **6.** m. **budión.**

babosuelo, la. adj. d. de **baboso.** Ú. t. c. s.

babucha. (Del ár. *bābūš*, a través del fr. *babouche*.) f. Zapato ligero y sin tacón, usado principalmente por los moros. ‖ **a babucha.** loc. adv. *Argent.* y *Urug.* **a cuestas.**

babuchero, ra. m. y f. Persona que hace o vende babuchas. ‖ **2.** m. Lugar destinado en algunos edificios islámicos para depositar las babuchas.

baca[1]. (De or. inc.; cf. fr. *bâche*.) f. Artefacto en forma de parrilla que se coloca en el techo de los automóviles para llevar bultos; portaequipaje. ‖ **2.** Sitio en la parte superior de las diligencias y demás coches de camino, donde podían ir pasajeros y se colocaban equipajes y otros efectos, resguardados con una cubierta. ‖ **3.** Esta cubierta.

baca[2]. (Del lat. *bacca*.) f. Fruto o baya del laurel.

bacada. (Voz onomatopéyica.) f. ant. **batacazo.**

bacalada. f. Bacalao curado. ‖ **2.** *P. Vasco.* **bacaladilla.**

bacaladero, ra. adj. Perteneciente o relativo al bacalao, a la pesca y comercio de este pez. ‖ **2.** m. Barco destinado a la pesca del bacalao.

bacaladilla. f. Pez marino de fondo, de la familia de los gádidos.

bacalao. (De or. inc.; cf. neerl. ant. *bakeljauw*, variante de *kabeljauw*.) m. Pez teleósteo, anacanto, de cuerpo simétrico con tres aletas dorsales y dos anales, y una barbilla en la sínfisis de la mandíbula inferior. ‖ **2.** Carne de **bacalao,** curado y salado para su conserva. ‖ **al pil-pil.** Guiso típico del País Vasco que se hace de abadejo, aceite, guindillas y ajos, en cazuela de barro, y se sirve hirviendo. ‖ **de Escocia.** El que se pesca entre Escocia e Islandia y es más apreciado que el común. ‖ **cortar el bacalao.** fr. fig. y fam. Ser el que de hecho manda o dispone en una colectividad o en un asunto.

bacallao. m. **bacalao.**

bacallar. (Del b. lat. *baccallarĭus*, siervo de una corta heredad.) m. Hombre rústico, villano.

bacanal. (Del lat. *bacchanālis*.) adj. Perteneciente al dios Baco. Aplícase a las fiestas que celebraban los gentiles en honor de este dios. Ú. m. c. s. f. y en pl. ‖ **2.** f. fig. Orgía con mucho desorden y tumulto.

bacante. (Del lat. *bacchans, -antis*.) f. Mujer que celebraba las fiestas bacanales. ‖ **2.** fig. Mujer descocada, ebria y lúbrica.

bácara. (De *bácaris*.) f. **amaro[1].**

bacará. (Del fr. *baccara*.) m. Juego de naipes, de los llamados de azar, en que juega el banquero contra los puntos.

bacaray. m. *Argent.* y *Urug.* **vacaraí.**

bácaris. (Del lat. *baccăris*, y este del gr. βάκκαρις.) f. **bácara.**

bacarrá. m. **bacará.**

bacelar. (Del gall. port. *bacelar*.) m. **parral[1],** conjunto de parras.

bacera. (De *bazo*.) f. Enfermedad carbuncosa de los ganados vacuno, lanar y cabrío, acompañada de profundas alteraciones en el bazo.

baceta. (De *baza*.) f. Naipes que, en varios juegos, quedan sin repartir, después de haber dado a cada jugador los que le corresponden.

bacía. (Del lat. *bacchīa*, taza, en San Isidoro.) f. **vasija,** pieza cóncava para contener líquidos o cosas destinadas a la alimentación. ‖ **2.** La que usaban los barberos para remojar la barba, y tenía, por lo común, una escotadura semicircular en el borde. ‖ **3.** ant. Taza de una fuente.

báciga. (Del fr. *bésigue*.) f. Juego de naipes entre dos o más personas, cada una con tres cartas. ‖ **2.** Lance principal con que en dicho juego se gana la partida, y que consiste en hacer un punto que no pase de nueve.

bacilar. adj. *Microbiol.* Perteneciente o relativo a los bacilos. ‖ **2.** *Mineral.* De textura en fibras gruesas.

bacilo. (Del lat. *bacillum*, báculo pequeño.) m. *Microbiol.* Bacteria en forma de bastoncillo o filamento más o menos largo, recto o encorvado según las especies.

bacillar. (Del lat. *bacillum*, sarmiento.) m. **bacelar.** ‖ **2.** Viña nueva.

bacillo. (Del lat. *bacillum*, palo.) m. *León* y *Zam.* Vástago o renuevo de la vid.

bacín. (Del ant. cat. *bacín*.) m. Recipiente de barro vidriado, alto y cilíndrico, que servía para recibir los excrementos mayores del cuerpo humano. ‖ **2.** Bacineta para pedir limosna. ‖ **3.** fig. y fam. Hombre despreciable por sus acciones. ‖ **4.** ant. **bacía,** vasija para contener líquidos o alimentos. ‖ **5.** ant. **bacía,** recipiente empleado por los barberos.

bacina. (Del lat. *baccīnum*, taza.) f. ant. **bacía.** ‖ **2.** *Extr.* Caja o cepo que llevan los demandadores para recoger las limosnas.

bacinada. f. Inmundicia arrojada del bacín. ‖ **2.** fig. y fam. Acción indigna y despreciable.

bacinador. (De *bacina*.) m. ant. **bacinero.**

bacinejo. m. d. de **bacín.**

bacinero, ra. (De *bacina*.) m. y f. Demandante de limosna para el culto religioso o para obras pías.

bacineta. (d. de *bacina*.) f. Bacía pequeña que sirve para recoger limosna y para otros usos.

bacinete. (Del fr. *bassinet*.) m. Pieza de la armadura antigua, que cubría la cabeza a modo de yelmo. ‖ **2.** Soldado que vestía coraza y **bacinete.** ‖ **3.** *Anat.* **pelvis.**

bacinica. (d. de *bacina*.) f. **bacineta.** ‖ **2.** Bacín bajo y pequeño.

bacinilla. (d. de *bacina*.) f. **bacinica.**

bacisco. (De *bazo*, moreno amarillento.) m. Mineral menudo y tierra de la mina, con que se hace barro y se moldean adobes que entran en la carga de los hornos de Almadén. Ú. m. en pl.

baconiano, na. adj. Perteneciente al método y doctrina del filósofo inglés Bacon.

bacoreta. f. Pez de la familia de los escómbridos parecido al bonito del que se diferencia por la escotadura de la primera aleta dorsal, y por tener los dos tercios posteriores del dorso con manchas oscuras y sinuosas y otras lenticulares en la región pectoral.

bacteria. (Del gr. βακτηρία, bastón.) f. *Bot.* Organismo unicelular, microscópico, sin clorofila ni núcleo, pero con gránulos de cromatina dispersos en el protoplasma y provistos a veces de flagelos o cilios mediante los cuales se mueve en un medio líquido. Muchas de sus especies viven en las aguas, dulces o marinas; abundan en sustancias orgánicas, en el suelo y en materias orgánicas en putrefacción; otras son parásitas, más o menos patógenas.

bacteriano, na. adj. Perteneciente o relativo a las bacterias.

bactericida. (De *bacteria*, y *-cida*.) adj. Que destruye las bacterias. *Suero* BACTERICIDA.

bacteriemia. (Del gr. βακτηρία, bastón, y αἷμα, sangre.) f. *Med.* Presencia de bacterias patógenas en la sangre.

bacteriología. (De *bacteriólogo*.) f. Parte de la microbiología, que tiene por objeto el estudio de las bacterias.

bacteriológico, ca. adj. Perteneciente o relativo a la bacteriología.

bacteriólogo, ga. (De *bacteria* y *-logo*.) m. y f. Persona que profesa la bacteriología o tiene en ella especiales conocimientos.

bacteriostático, ca. (De *bacteria* y el gr. στατικός, que posee la virtud de detener.) adj. Dícese de las sustancias que impiden o inhiben la actividad vital de las bacterias. Ú. t. c. s. m.

bactriano, na. (Del lat. *Bactrianus.*) adj. Natural de la antigua Bactriana. Ú. t. c. s. ‖ **2.** Perteneciente a esta región de Asia central.

báculo. (Del lat. *bacŭlum.*) m. Palo o cayado que llevan en la mano para sostenerse los que están débiles o viejos. ‖ **2.** fig. Alivio, arrimo y consuelo. ‖ **3.** *Zool.* Hueso pequeño, alargado y de forma muy variable, que los machos de algunos mamíferos tienen dentro del pene. También se llama hueso peniano. ‖ **pastoral.** El que usan los obispos como pastores espirituales del pueblo creyente.

bachata. f. *Cuba* y *P. Rico.* Juerga, holgorio.

bachatear. intr. *Cuba* y *P. Rico.* Divertirse, bromear.

bachatero, ra. m. y f. *Cuba* y *P. Rico.* Persona amiga de bromear y divertirse.

bache[1]**.** m. Hoyo que se hace en el pavimento de calles o caminos, por el uso, u otras causas. ‖ **2.** Interrupción accidental que se produce en una actividad continuada. ‖ **3.** Desigualdad de la densidad atmosférica que determina un momentáneo descenso del avión. ‖ **4.** fig. Abatimiento, postración súbita y que se supone pasajera, en la salud, en la situación anímica o en el curso de un negocio.

bache[2]**.** m. Sitio donde se encierra el ganado lanar para que sude, antes de esquilarlo.

bachear. tr. Arreglar las vías públicas rellenando los baches[1].

bacheo. m. Acción de bachear.

bachicha. com. *Argent., Chile, Par.* y *Urug.* Apodo con que se designaba al italiano. ‖ **2.** f. pl. *Méj.* Resto o sobra de los cigarrillos que dejan los fumadores; colilla.

bachiche. com. *Ecuad.* y *Perú.* **bachicha,** inmigrante italiano.

bachiller[1]**.** (Del fr. *bachelier.*) com. Persona que ha recibido el primer grado académico que se otorgaba antes a los estudiantes de facultad, y que ahora se concede en las de teología y derecho canónico en los seminarios. ‖ **2.** Persona que ha obtenido el grado que se concede al terminar la segunda enseñanza. ‖ **en artes. bachiller,** persona que ha recibido el primer grado académico.

bachiller[2]**, ra.** (De *bachiller*[1].) m. y f. fig. y fam. Persona que habla mucho e impertinentemente. Ú. t. c. adj.

bachilleradgo. m. ant. **bachillerato.**

bachilleramiento. m. Acción y efecto de bachillerar o bachillerarse.

bachillerar. tr. Dar el grado de bachiller. ‖ **2.** prnl. Tomar el grado de bachiller.

bachillerato. m. Grado de bachiller[1]. ‖ **2.** Estudios necesarios para obtener dicho grado.

bachillerear. (De *bachiller*[2].) intr. fig. y fam. Hablar mucho e impertinentemente.

bachillerejo, ja. m. y f. despect. de **bachiller**[2]**.**

bachillería. (De *bachiller*[2].) f. fam. Locuacidad impertinente. ‖ **2.** fig. y fam. Cosa dicha sin fundamento.

bada. f. **abada.**

badajada. f. **badajazo.** ‖ **2.** fig. y fam. Necedad, despropósito.

badajazo. m. Golpe que da el badajo.

badajear. (De *badajo.*) intr. fig. y fam. Hablar mucho y neciamente.

badajo. (Del lat. vulg. **batuaculum,* der. de *battuere,* batir.) m. Pieza metálica, generalmente en forma de pera, que pende en lo interior de las campanas, y con la cual se golpean estas para hacerlas sonar. En los cencerros y esquilas suele ser de madera o hueso. ‖ **2.** fig. y fam. Persona habladora, tonta y necia.

badajocense. adj. Natural de Badajoz. Ú. t. c. s. ‖ **2.** Perteneciente o relativo a esta ciudad o a su provincia.

badajoceño, ña. adj. **badajocense.**

badal[1]**.** (Del b. lat. *badallum,* acial.) m. ant. Bozal para las bestias. ‖ **2. acial.** ‖ **3.** Balancín que, enganchado a los tirantes de las caballerías, sirve para arrastrar maderos, trillos, etc. ‖ **echar** a alguien **un badal a la roca.** fr. ant. fig. Dejarle sin tener qué responder.

badal[2]**.** (Del ár. *badila,* la carne entre el pecho y la axila.) m. *Ar.* Carne de la espalda y las costillas, principalmente hacia el pescuezo, en las reses que sirven para el abasto.

badalonés, sa. adj. Natural de Badalona. Ú. t. c. s. ‖ **2.** Perteneciente o relativo a esta ciudad de la provincia de Barcelona.

badallar. intr. *Ar.* **bostezar.**

badán. (Del ár. *badan,* tronco del cuerpo.) m. Tronco del cuerpo en el animal.

badana. (Del ár. *biṭāna,* forro.) f. Piel curtida de carnero u oveja. ‖ **2.** Tira de este cuero o de otro material, que se cose al borde interior de la copa del sombrero para evitar que se manche con el sudor. ‖ **3.** m. fam. Persona floja y perezosa. Ú. m. en pl. *Tu yerno es un* BADANAS. ‖ **zurrarle** a alguien **la badana.** fr. fig. y fam. Darle de golpes. ‖ **2.** fig. y fam. Maltratarle de palabra.

badanado, da. adj. ant. Forrado o cubierto con badana.

badaza. (De *bizaza.*) f. ant. **barjuleta,** bolsa que usaban los caminantes.

badea. (Del ár. *batīja,* cucurbitácea.) f. Sandía o melón de mala calidad. ‖ **2.** En algunas partes, pepino o cohombro insípido y amarillento. ‖ **3.** fig. y fam. Persona floja. ‖ **4.** fig. y fam. Cosa sin sustancia.

badelico. m. *Germ.* **badil.**

badén. (Del ár. *baṭn,* cavidad, depresión del suelo.) m. Zanja o depresión que forma en el terreno el paso de las aguas llovedizas. ‖ **2.** Cauce enlosado o empedrado, que se hace en una carretera para dar paso a un corto caudal de agua.

baderna. (Del prov. *baderno,* o fr. *baderne.*) f. *Mar.* Cabo trenzado, de uno a dos metros de largo, que se emplea para sujetar el cable al virador, trincar la caña del timón, etcétera.

badián. (Del persa *bādiyān,* anís.) m. Árbol de Oriente, siempre verde, de la familia de las magnoliáceas, de hasta seis metros de altura, con hojas alternas, enteras y lanceoladas; flores blancas, solitarias y axilares, y fruto capsular, estrellado, con carpelos leñosos igualmente desarrollados y terminados en punta arqueada; sus semillas son pequeñas, lustrosas y aromáticas, y se emplean en medicina y como condimento con el nombre de anís estrellado.

badiana. f. **badián.** ‖ **2.** Fruto de este árbol.

badil. (Del lat. *batillum.*) m. Paleta de hierro o de otro metal, para mover y recoger la lumbre en las chimeneas y braseros.

badila. (De *badil.*) f. **badil,** y más comúnmente el del brasero. ‖ **dar** a alguien **con la badila en los nudillos.** fr. fig. y fam. Vejarlo, molestarlo indirecta o disimuladamente. ‖ **gustarle** a alguien **que le den con la badila en los nudillos.** fr. fig. y fam. que se aplica irónicamente al que disimula un agravio o contrariedad.

badilazo. m. Golpe dado con el badil o la badila.

badilejo. (d. de *badil.*) m. **llana** del albañil.

badina. (Del m. or. que *badén.*) f. *Ar.* Balsa o charca de agua.

bádminton o **badminton.** (Del ing. *Badminton,* lugar donde se practicó por primera vez en Gran Bretaña.) m. **volante,** juego.

badomía. (De *mahomía.*) f. ant. Despropósito, disparate.

badulacada. f. Acción propia del **badulaque,** hombre necio, inconsistente.

badulaque. m. Afeite compuesto de varios ingredientes, que se usaba en otro tiempo. ‖ **2.** ant. **chanfaina,** guiso. ‖ **3.** com. fig. y fam. Hombre necio, inconsistente. Ú. t. c. adj. ‖ **4.** *Ecuad.* Persona impuntual en el cumplimiento de sus compromisos.

badulaquear. intr. Portarse como un badulaque.
baenero, ra. adj. Perteneciente o relativo a Baena. ‖ **2.** Natural de esta población de la provincia de Córdoba. Ú. t. c. s.
baezano, na. adj. Natural de Baeza. Ú. t. c. s. ‖ **2.** Perteneciente o relativo a esta ciudad de la provincia de Jaén.
bafar. intr. ant. **vahear.**
bafear. (Voz onomatopéyica.) intr. *Sal.* **vahear.**
bafle. (Del ing. *baffle.*) m. Dispositivo que facilita la mejor difusión y calidad del sonido de un altavoz.
baga[1]. (Del lat. *baca, bacca,* baya.) f. Cápsula que contiene la linaza o semillas del lino.
baga[2]. (Del prov. *baga,* carga.) f. *Ar.* Soga con que se atan y aseguran las cargas que llevan las caballerías.
bagá. m. Árbol de la isla de Cuba, de la familia de las anonáceas, que crece hasta ocho metros de altura, de hojas elípticas y lustrosas y fruto globoso, que sirve de alimento para toda clase de ganados. Sus raíces son tan porosas, que se usan como corcho en las redes, boyas, etc.
bagacera. (De *bagazo.*) f. Lugar de los ingenios de azúcar, en que se tiende el bagazo de la caña, para que, secándose al sol, sirva de combustible.
bagaje. (Del fr. *bagage,* de *bague,* y este del escand. *baggi,* paquete.) m. Equipaje militar de un ejército o tropa cualquiera en marcha. ‖ **2.** Bestia que, para conducir el equipaje militar y en ocasiones algunos individuos del ejército y sus familias, se tomaba en los pueblos por vía de carga concejil, pero mediante remuneración. ‖ **3. equipaje,** conjunto de cosas que se llevan en los viajes. ‖ **4.** fig. Con adjetivos como *intelectual, artístico,* etc., conjunto de conocimientos o noticias de que dispone una persona. ‖ **5.** *Bol.* Cantidad que recibe un subordinado en concepto de dietas de un viaje, independientemente de los viáticos ordinarios. Ú. m. en pl.
bagajero. m. El que conduce el bagaje militar.
bagar. intr. Echar el lino baga[1] y semilla. *El lino* HA BAGADO *bien; está bien* BAGADO.
bagarino. (Del ár. *baḥrī,* marino, marinero.) m. ant. Remero libre asalariado, a diferencia del galeote o forzado.
bagasa. (De or. inc.) f. ant. **ramera.**
bagatela. (Cf. fr. *bagatelle,* it. *bagatella.*) f. Cosa de poca sustancia y valor.
bagazal. m. *Cuba.* Terreno en que abundan los bagaes o bagás.
bagazo. (De *baga*[1].) m. Cáscara que queda después de deshecha la baga y separada de ella la linaza. ‖ **2.** En algunas partes, residuo de aquellas cosas que se exprimen fuertemente para sacar el licor o zumo; como de la naranja, aceituna o caña de azúcar.
bago. (De etim. disc.; cf. lat. *pagus,* aldea, y lat. *vacuus,* vacante.) m. *León.* **pago[2],** distrito de tierras.
bagre. (Del cat. *bagre.*) m. Pez teleósteo, de cuatro a ocho decímetros de longitud, abundante en la mayor parte de los ríos de América, sin escamas, pardo por los lados y blanquecino por el vientre, de cabeza muy grande, hocico obtuso, y con barbillas. Su carne es amarillenta, sabrosa y con pocas espinas.
bagual, la. (De *Bagual,* cacique indio argentino.) adj. desus. *Argent.* y *Urug.* **incivil.** ‖ **2.** m. *Argent., Bol.* y *Urug.* Potro o caballo no domado. ‖ **3.** f. *Argent.* Canción popular argentina, que suele cantarse en corro, con acompañamiento de caja o tambor. Se basa generalmente en tres notas similares a las de un acorde perfecto mayor y se caracteriza por el paso de la voz grave a la aguda y, sobre todo, el falsete.
bagualada. f. rur. *Argent.* y *Urug.* Manada de baguales, caballada.
baguarí. (Del guaraní *mbaguarí.*) m. *Argent., Par.* y *Urug.* Especie de cigüeña de un metro aproximadamente de longitud, cuerpo blanco, alas negras, pico recto y patas rojas.
baguio. m. Huracán en el archipiélago filipino.
¡bah! interj. con que se denota incredulidad o desdén. Ú. también repetida.
bahague. (Del bisaya *bajag,* tapado.) m. *Filip.* **taparrabo,** tejido para cubrir las partes pudendas.
bahaí. adj. Perteneciente o relativo al bahaísmo. ‖ **2.** Partidario de esta religión. Ú. t. c. s.
bahaísmo. (Del ár. *Bahā' Allāh,* el esplendor de dios, sobrenombre del fundador.) m. Religión de los discípulos de Bahā' Allāh, nacida del babismo, que propone la síntesis de las enseñanzas de todas las religiones y sociedades.
bahareque. (De or. taíno.) m. *Col.* y *Venez.* **bajareque,** pared de palos entretejidos con cañas y barro.
baharí. (Del ár. *baḥrī,* marino, marinero.) m. **halcón peregrino.**
bahía. (De or. inc., quizá del vasco.) f. Entrada de mar en la costa, de extensión considerable, que puede servir de abrigo a las embarcaciones.
bahorrina. (Voz onomatopéyica.) f. fam. p. us. Conjunto de muchas cosas asquerosas mezcladas con agua sucia. ‖ **2.** fig. y fam. p. us. Conjunto de gente soez y ruin. ‖ **3.** p. us. **suciedad.**
bahúno, na. adj. p. us. **bajuno.**
bahurrero. m. ant. *Ar.* Cazador de aves con lazos o redes.
baída. (Del ár. *baiḍa,* casco, capacete; originariamente: huevo, cosa blanca.) adj. *Arq.* Dícese de la bóveda formada de un hemisferio cortado por cuatro planos verticales, y cada dos de ellos paralelos entre sí. Ú. t. c. s. f.
baifo, fa. m. y f. *Can.* **cabrito,** cría de la cabra desde que nace hasta que deja de mamar.
baila[1]. (Del lat. *luparĭa.*) f. **raño,** pez.
baila[2]. f. ant. **baile[1],** acción de bailar. ‖ **2.** ant. **baile[1],** manera de bailar. ‖ **3.** ant. **baile[1],** festejo en que se baila.
bailable. adj. Dícese de la música compuesta para bailar. ‖ **2.** m. Cada una de las danzas, más o menos largas y complicadas, que se ejecutan en el espectáculo compuesto de mímica y baile, y especialmente en algunas óperas u obras dramáticas.
bailadero, ra. adj. ant. **bailable.** ‖ **2.** m. En algunos lugares, sitio destinado para los bailes públicos.
bailado, da. p. p. de **bailar.** ‖ **¡que me quiten lo bailado!** fr. fam. con que una persona indica que, sean cualesquiera las contrariedades que hayan surgido o puedan surgirle, no pueden invalidar el placer o satisfacciones ya obtenidas.
bailador, ra. adj. Que baila. Ú. m. c. s. ‖ **2.** m. y f. Bailarín o bailarina profesional que ejecuta bailes populares de España, especialmente andaluces.
bailanta. f. rur. *NE. Argent.* Fiesta de pueblo en la que se baila. ‖ **2.** rur. *NE. Argent.* Lugar donde se realiza.
bailante. p. a. de **bailar.** Que baila. ‖ **2.** adj. **bailarín.**
bailar. (De or. inc.; cf. lat. *ballāre.*) intr. Ejecutar movimientos acompasados con el cuerpo, brazos y pies. Ú. t. c. tr. BAILAR *una polca.* ‖ **2.** Moverse una cosa sin salir de un espacio determinado. *Le* BAILA *un diente, el vaso* BAILA *en la vitrina.* ‖ **3.** Girar rápidamente una cosa en torno de su eje manteniéndose en equilibrio sobre un extremo de él, como la peonza, la perinola, etc. Ú. t. c. tr. ‖ **4.** Retozar de gozo. ‖ **5.** Referido a la vista, adquirir o tener viveza. ‖ **6.** *Equit.* Ejecutar el caballo algunos movimientos irregulares y de índole nerviosa, ya andando, ya estando parado. ‖ **7.** *Impr.* Desplazarse una línea, palabra, tipo o espacio a un lugar no adecuado. ‖ **otra,** o **otro que tal** o **que tal baila.** expr. fig. y fam. con que se da a entender que una persona se parece a otra u otras en un vicio o en una cualidad no digna de encomio.
bailarín, na. adj. Que baila. Ú. t. c. s. ‖ **2.** V. **peuco**

bailarín. ‖ **3.** m. y f. Persona que ejercita o profesa el arte de bailar.

baile[1]. m. Acción de bailar. ‖ **2.** Cada una de las maneras de bailar. ‖ **3.** Festejo en que se juntan varias personas y se baila. ‖ **4.** Local o recinto público destinado a bailar. ‖ **5.** Espectáculo teatral en que se representa una acción por medio de la mímica y se ejecutan varias danzas. ‖ **6.** fig. Alteración por error del orden de algo. BAILE *de cifras, de letras.* ‖ **7.** fig. Cambios reiterados de algo en su configuración o de personas en relación con el puesto u orden que ocupaban. BAILE *de fronteras, de ministros.* ‖ **de botón gordo, de candil** o **de cascabel gordo.** Festejo o diversión en que la gente vulgar, o los que querían imitarla, se regocijaban y alegraban. ‖ **de cuenta. baile** de figuras. ‖ **de máscaras.** Aquel cuyos participantes van vestidos de máscara. ‖ **de piñata.** El de máscaras que se celebra el primer domingo de cuaresma y que suele incluir la diversión de romper la piñata. ‖ **de San Vito.** Nombre vulgar de varias enfermedades convulsivas, como el corea. ‖ **de trajes.** Aquel en que los asistentes van caprichosamente vestidos de manera no acostumbrada. ‖ **serio.** El de etiqueta, por contraposición al que no la requiere.

baile[2]. (Del lat. *baiŭlus*, teniente, el que ayuda a sobrellevar un cargo.) m. Antiguamente, en la corona de Aragón, juez ordinario en ciertos pueblos de señorío. ‖ **2.** En Andorra, magistrado de menor categoría que la del veguer, encargado principalmente de fallar, oyendo asesor, en primera instancia. ‖ **general.** Antiguamente, ministro superior del real patrimonio. ‖ **local.** El que en algunos territorios entendía en primera instancia de lo tocante a rentas reales.

bailete. (De *baile*[1].) m. Baile de corta duración que solía introducirse en la representación de algunas obras dramáticas.

bailía. (De *baile*[2].) f. Territorio sometido a la jurisdicción del baile. ‖ **2.** Territorio de alguna encomienda de las órdenes.

bailiaje. (De *bailía.*) m. Especie de encomienda o dignidad en la orden de San Juan, que los caballeros profesos obtenían por su antigüedad y a veces por gracia particular del gran maestre de la orden.

bailiazgo. m. **bailía.**

bailinista. adj. desus. Decíase del poeta que escribía la letra para los bailes. Usáb. t. c. s.

bailío. (De *baile*[2].) m. Caballero profeso de la orden de San Juan, que tenía bailiaje.

bailista. com. p. us. Bailarín o bailarina.

bailón, na. adj. Dícese de la persona muy aficionada a bailar. Ú. t. c. s.

bailongo, ga. adj. coloq. Que incita al baile. ‖ **2.** m. y f. coloq. Persona a la que le gusta bailar. ‖ **3.** m. Baile de baja estimación.

bailotear. intr. Bailar mucho, y en especial cuando se hace sin gracia ni formalidad.

bailoteo. m. Acción y efecto de bailotear.

baivel. (Del ant. fr. *baivel*, mod. *biveau.*) m. Escuadra falsa con uno de sus brazos recto y curvo el otro, usada generalmente por los canteros al labrar dovelas.

baja. (De *bajar.*) f. Disminución del precio, valor y estimación de una cosa. BAJA *del trigo, de los tributos.* ‖ **2. alemanda.** ‖ **3.** ant. **bajío,** elevación del fondo en los mares, ríos y lagos. ‖ **4.** *Mil.* Pérdida o falta de un individuo. *El ejército enemigo tuvo mil* BAJAS *en el combate.* ‖ **5.** *Mil.* Documento que acredita o en que consta la falta de un individuo. ‖ **6.** Acto en que se declara la cesación en industrias o profesiones sometidas a impuesto. ‖ **7.** Formulario fiscal para tales declaraciones. ‖ **8. baja temporal.** ‖ **9.** Documento que acredita la **baja** laboral. ‖ **10.** Cese de una persona en un cuerpo, profesión, carrera, etc. ‖ **temporal.** La que se otorga a los trabajadores por un período de tiempo en casos de enfermedad, accidente, etc. ‖ **dar baja** una cosa. fr. Perder mucho de su estimación. ‖ **dar de baja.** fr. *Mil.* Tomar nota de la falta de un individuo, ocasionada por muerte, enfermedad, deserción, etc. ‖ **2.** Eliminar a una persona del escalafón o nómina de un cuerpo o sociedad. ‖ **3.** Cumplir las formalidades necesarias para poner a alguien o algo en situación de **baja.** Apl. a pers., ú. t. c. prnl. ‖ **darse de baja.** fr. fig. Cesar en el ejercicio de una industria o profesión. ‖ **2.** Dejar de pertenecer voluntariamente a una sociedad o corporación. ‖ **de,** o **en, baja.** loc. adv. Disminuyendo la estimación de una cosa o persona. Ú. m. con los verbos *ir* y *estar.* ‖ **jugar a la baja.** fr. *Com.* Especular con las mudanzas de la cotización de los valores públicos o mercantiles, previendo **baja** en la misma. ‖ **ser baja.** fr. *Mil.* Dejar de estar en un cuerpo un individuo por habérsele destinado a otro, o por muerte, enfermedad, deserción, etc.

bajá. (Del ár. *bāšā*, este del turco *pāšā*, y este del persa *pādišāh.*) m. En el imperio otomano, antiguamente, el que obtenía algún mando superior, como el de la mar, o el de alguna provincia en calidad de virrey o gobernador. Hoy es título honorífico en algunos países musulmanes.

bajacaliforniano, na. adj. Natural de la Baja California. Ú. t. c. s. ‖ **2.** Perteneciente o relativo a esta región mejicana.

bajada. f. Acción de bajar. ‖ **2.** Camino o senda por donde se baja desde alguna parte. ‖ **3.** *Argent.* y *Urug.* Disminución del caudal de un río o arroyo. ‖ **al foso.** *Fort.* Excavación en rampa que hace el sitiador por debajo del camino cubierto, avanzando en galería blindada subterránea hasta cortar la contraescarpa, enfrente de la brecha abierta por la artillería en la escarpa. ‖ **de aguas.** Canal o conjunto de caños que en un edificio recogen el agua llovediza y le dan salida. ‖ **de bandera.** Puesta en marcha del contador en los taxis urbanos. ‖ **2.** Tarifa inicial fija que se paga en los taxis independiente del importe del recorrido y de los suplementos.

bajalato. m. Dignidad de bajá. ‖ **2.** Territorio de su mando.

bajamanero. (De *bajamano.*) m. *Germ.* Ladrón ratero.

bajamano. (De *bajar* y *mano.*) m. *Germ.* Ladrón que entra en una tienda y, señalando con una mano alguna cosa, hurta con la otra lo que tiene junto a sí. ‖ **2.** adv. m. *Germ.* Debajo del sobaco.

bajamar. (De *bajar* y *mar.*) f. Fin o término del reflujo del mar. ‖ **2.** Tiempo que este dura.

bajamente. adv. m. fig. Con bajeza o abatimiento.

bajamiento. m. ant. Acción y efecto de bajar.

bajante. p. a. de **bajar.** Que baja. Ú. t. c. s. f. ‖ **2.** amb. En una construcción, tubería de desagüe. ‖ **3.** m. *Ar.* Ladera o parte baja de una montaña. ‖ **4.** f. *Amér.* Descenso del nivel de las aguas.

bajar. (De *bajo.*) intr. Ir desde un lugar a otro que esté más bajo. Ú. t. c. prnl. ‖ **2.** Disminuirse alguna cosa. BAJAR *la calentura, el precio, el valor.* Ú. t. c. tr. y en sent. fig. *Le* BAJARÉ *los humos.* ‖ **3.** Referido a los expedientes y provisiones, remitirse despachados al tribunal o secretaría que los ha de publicar. ‖ **4.** tr. Poner alguna cosa en lugar inferior a aquel en que estaba. ‖ **5. rebajar** el nivel. BAJAR *el piso.* ‖ **6. apear.** Ú. t. c. intr. y c. prnl. ‖ **7.** Inclinar hacia abajo. BAJAR *la cabeza, el cuerpo.* ‖ **8.** Disminuir la estimación, precio o valor de alguna cosa. ‖ **9.** *Mús.* Descender en el sonido de un instrumento o de la voz, desde un tono agudo a otro más grave. ‖ **10.** prnl. Inclinarse uno hacia el suelo.

bajareque. m. *Cuba.* Bohío o casucho muy pobre o ruinoso. ‖ **2.** *Amér. Central, Col., Ecuad., Sto. Dom.* y *Venez.* Pared de palos entretejidos con cañas y barro. ‖ **3.** *Pan.* Llovizna menuda que cae en sitios altos.

bajativo. m. *Bol., Chile, Ecuad.* y *Perú.* Copa de algún licor que se toma después de las comidas. ‖ **2.** *Bol., Chile* y *Urug.* **tisana.**

bajear. tr. *Bol.* Acompañar un canto o melodía con las notas graves. ‖ **2.** *Ecuad.* En el juego de naipes, jugar sistemáticamente a las cartas bajas.

bajedad. f. ant. **bajeza.**

bajel. (Del cat. *vaixell.*) m. **buque,** barco. ‖ **sentenciar** a alguien **a bajeles.** fr. Condenarle a servicio forzado en los buques de guerra, pena usada antiguamente.

bajelero. m. Dueño, patrón o fletador de un bajel.

bajeo. m. *Bol.* Acción y efecto de **bajear,** acompañar con notas bajas.

bajera. f. ant. Bajada o pendiente de una cuesta. ‖ **2.** fam. Diarrea, flujo de vientre. ‖ **3.** *Amér. Central, Col., Méj.* y *Venez.* Cada una de las hojas inferiores de la planta del tabaco, que son de mala calidad. ‖ **4.** *Argent.* y *Urug.* **abajera,** pieza del recado de montar.

bajero, ra. adj. **bajo,** que está en lugar inferior. ‖ **2.** Que se usa o se pone debajo de otra cosa. *Sábana, falda* BAJERA. ‖ **3.** fam. Que padece diarrea.

bajete. m. d. despect. de **bajo.** ‖ **2.** *Mús.* Voz de barítono. ‖ **3.** *Mús.* Tema escrito en clave de bajo, que se da al discípulo de armonía para que se ejercite escribiendo sus acordes y modulaciones.

bajez. f. ant. **bajeza.**

bajeza. (De *bajo.*) f. Hecho vil o acción indigna. ‖ **2.** fig. Abatimiento, humillación, condición de humildad o inferioridad. ‖ **3.** ant. Lugar bajo u hondo. ‖ **de ánimo.** fig. **poquedad,** cobardía. ‖ **de nacimiento.** fig. Humildad y oscuridad de nacimiento.

bajial. (De *bajío.*) m. *Perú.* Lugar bajo en las provincias litorales, que se inunda en el invierno.

bajillo. (Del lat. *vascĕllum,* vaso.) m. *Ar.* Cuba o tonel en que se guarda el vino en las bodegas.

bajío, a. (De *bajo.*) adj. ant. **bajo.** ‖ **2.** m. **bajo,** elevación del fondo en los mares, ríos y lagos y más comúnmente el de arena. ‖ **3.** ant. fig. **bajón**[2], notable disminución de alguna cosa. Usáb. más con el verbo *dar.* ‖ **4.** *Amér.* Terreno bajo. ‖ **dar en un bajío.** fr. fig. Tropezar en un grave inconveniente que puede destruir el fin a que se aspiraba.

bajista. adj. Perteneciente o relativo a la baja de los valores en la bolsa. ‖ **2.** com. Persona que juega a la baja en la bolsa. ‖ **3.** Persona que toca el **bajo,** instrumento musical.

bajo, ja. (Del lat. *bassus.*) adj. De poca altura. ‖ **2.** Dícese de lo que está en lugar inferior respecto de otras cosas de la misma clase o naturaleza. *Piso* BAJO; *sala* BAJA. ‖ **3.** Inclinado hacia abajo y que mira al suelo. *Cabeza* BAJA; *ojos* BAJOS. ‖ **4.** Referido a colores, poco vivo. ‖ **5.** Dícese del oro y de la plata, cuando tienen sobrada liga. ‖ **6.** Dícese de la fiesta movible o de la cuaresma que cae más pronto que en otros años. ‖ **7.** Dícese del puyazo, par o medio par de banderillas, pinchazo o estocada que hiere al toro por debajo del alto de las agujas. ‖ **8.** Dícese de las últimas etapas de un determinado período histórico. *El* BAJO *imperio.* ‖ **9.** Dícese de las clases sociales más humildes. ‖ **10.** fig. Humilde, despreciable, abatido. ‖ **11.** fig. Aplicado a expresiones, lenguaje, estilo, etc., vulgar, ordinario, innoble. ‖ **12.** fig. Dicho del precio de las cosas, corto, poco considerable. ‖ **13.** fig. Tratándose de sonidos, **grave.** ‖ **14.** fig. Que no se oye de lejos. ‖ **15.** V. **agua, caja, cámara, planta, plaza baja.** ‖ **16.** V. **baja danza, baja latinidad.** ‖ **17.** V. **bajo alemán, bajo latín, bajo relieve.** ‖ **18.** V. **carmín, llar, monte, truco bajo.** ‖ **19.** *Fís.* Dícese de ciertas magnitudes físicas (temperatura, presión, frecuencia, etc.) para indicar que en determinada ocasión tienen un valor inferior al ordinario. ‖ **20.** m. Sitio o lugar hondo. ‖ **21.** En los mares, ríos y lagos navegables, elevación del fondo, que impide flotar a las embarcaciones. ‖ **22.** Casco de las caballerías. Ú. m. en pl. ‖ **23.** Dobladillo de la parte inferior de la ropa. ‖ **24.** Piso **bajo** de las casas que tienen dos o más. ‖ **25.** *Mús.* La más grave de las voces humanas. ‖ **26.** *Mús.* Instrumento que produce los sonidos más graves de la escala general. ‖ **27.** *Mús.* Persona que tiene aquella voz, o que toca este instrumento. ‖ **28.** *Mús.* Nota que sirve de base a un acorde. ‖ **29.** *Mús.* Parte música escrita para ser ejecutada por un cantor o un instrumentista de la cuerda de **bajos.** ‖ **30.** pl. *Equit.* Manos y pies del caballo. ‖ **31.** adv. l. p. us. **abajo.** ‖ **32.** adv. m. En voz **baja** o que apenas se oiga. ‖ **33.** prep. En lugar inferior a, **debajo de.** BAJO *techado.* ‖ **34.** fig. Indica sometimiento a personas o cosas: BAJO *tutela,* BAJO *pena de muerte.* ‖ **bajo cantante.** *Mús.* Barítono de voz tan robusta como la del **bajo.** ‖ **cifrado.** *Mús.* Parte de **bajo** sobre cuyas notas se escriben números y signos que determinan la armonización correspondiente. ‖ **continuo.** *Mús.* Parte de música que no tiene pausas y sirve para la armonía de acompañamiento instrumental. ‖ **de agujas.** *Equit.* Dícese del caballo más **bajo** de cruz que de grupa. ‖ **profundo.** *Mús.* Cantante cuya voz excede en volumen y gravedad a la ordinaria de **bajo.** ‖ **lo bajo.** La parte inferior o más **baja.** ‖ **por lo bajo.** loc. adv. fig. Recatada o disimuladamente. ‖ **2.** Acompañando a la expresión de una cantidad, indica que esta no es exacta, sino la mínima que se calcula como probable.

bajoca. (Del cat. *bajoca.*) f. *Murc.* Judía verde. ‖ **2.** *Murc.* Gusano de seda que enferma y se muere, quedándose tieso como la vaina de la judía.

bajocar. m. *Murc.* Haza sembrada de bajocas.

bajón[1]**.** (aum. de *bajo.*) m. Instrumento músico de viento, construido de una pieza de madera como de 80 centímetros de longitud, con ocho agujeros para los dedos y otro u otros dos que se tapan con llaves; en su parte lateral superior se encaja un tudel de cobre, de forma curva, y en este una pipa de cañas con la cual se hace sonar el instrumento, que tiene la extensión de bajo. ‖ **2. bajonista.** ‖ **3.** p. us. **bajo,** persona que tiene voz grave.

bajón[2]**.** m. aum. de **baja.** ‖ **2.** fig. Descenso brusco en los valores de lo que puede someterse a la interpretación de una escala. BAJÓN *de la temperatura, de la Bolsa, en una enfermedad.* Úsase más con el verbo *dar. Francisco* HA DADO *un gran* BAJÓN.

bajonado. m. Pez de los mares de Cuba, parecido a la dorada.

bajonazo. m. aum. de **bajón**[2]. ‖ **2.** Bajón en la salud, caudal, facultades, etc. ‖ **3.** despect. *Taurom.* Estocada excesivamente baja.

bajoncillo. (d. de *bajón*[1].) m. Instrumento músico parecido al bajón, pero de menor tamaño, proporcionado según este al tono de tiple, de contralto o de tenor.

bajonista. com. Persona que ejercita o profesa el arte de tocar el bajón[1].

bajorrelieve. m. Bajo relieve.

bajotraer. (De *bajo* y *traer.*) m. ant. Abatimiento, humillación, envilecimiento.

bajuelo, la. adj. d. de **bajo.**

bajuno, na. (Del m. or. que *vaho.*) adj. Bajo, soez.

bajura. f. Falta de elevación. ‖ **2.** V. **pesca de bajura.** ‖ **3.** ant. **bajeza,** acción indigna. ‖ **4.** ant. **bajeza,** abatimiento, humillación.

bala. (De or. inc.; cf. a. al. ant. *bal,* bola, fardo; it. *palla,* pelota.) f. Proyectil de diversos tamaños y de forma esférica o cilíndrico-ojival, generalmente de plomo o hierro, para cargar las armas de fuego. ‖ **2.** Confite redondo, liso, todo de azúcar. ‖ **3.** Pelotilla hueca, de cera coloreada, llena de agua de olor o común, que se usaba por burla en carnestolendas. ‖ **4.** En el comercio, cualquier fardo apretado de mercaderías, y en especial de los que se transportan embarcados. ‖ **5.** Entre impresores y libreros, atado de 10 resmas de papel. ‖ **6.** *Impr.* Almohadilla circular con que se toma tinta para ponerla sobre las galeradas cuando se quiere sacar pruebas de una composición. ‖ **de cadena,** o **encadenada.** La de hierro, partida en dos mitades, unidas por la parte inferior con una cadenilla. Se usaba en la carga de artillería de marina, para romper la arboladura de los buques enemigos. ‖ **enramada. palanqueta,** barra con dos cabezas, usada como proyectil. ‖ **fría.** fig. La que llega sin fuerza para herir. ‖ **naranjera. naranja, bala** del tamaño de una naranja. ‖ **perdida.** La que va a dar en un punto apartado de aquel adonde el tirador quiso dirigirla. ‖ **2.** fig. y fam. **tarambana,** persona sin juicio. Ú. m. c. m. ‖ **rasa.** La sólida y esférica que se lanzaba aisladamente, o sea como único proyectil en cada disparo. ‖ **2.** fig. y fam. **balarrasa.** ‖ **roja.** La de hierro que, hecha ascua, se metía en la pieza de artillería, y se usaba para incendiar. ‖ **como una bala.** expr. fig. y fam. con que se pondera la presteza y velocidad con que camina o va de una a otra parte una persona o cosa. ‖ **tirar con bala** o **con bala rasa.** loc. fig. y fam. Hablar con mala intención.

balaca. f. desus. *Argent.* y *Ecuad.* Baladronada, fanfarronada.

balacada. f. *Ecuad.* **balaca.**

balacera. (De *balazo.*) f. *Amér.* Tiroteo.

balada. (Del prov. *balada.*) f. **balata.** ‖ **2.** Composición poética de carácter lírico dividida generalmente en estrofas iguales, y en la cual, por lo común, se refieren sencilla y melancólicamente sucesos legendarios o tradicionales. ‖ **3.** Composición poética provenzal dividida en estrofas de varia rima que terminan en un mismo verso a manera de estribillo. ‖ **4.** Canción de ritmo lento y de carácter popular, cuyo asunto es generalmente amoroso.

baladí. (Del ár. *baladī,* del propio país.) adj. ant. Propio de la tierra o del país. ‖ **2.** De poca importancia. ‖ **3.** V. **clavo baladí.**

baladista. com. Persona que canta baladas.

balador, ra. adj. Que bala.

baladrar. (Del lat. **balatrāre,* de *balatrus,* alborotador.) intr. Dar baladros.

baladre. (Del cat. *baladre.*) m. **adelfa.**

baladrear. (De *baladro.*) intr. ant. **baladronear.**

baladrero, ra. (De *baladro.*) adj. Gritador, alborotador.

baladro. (De *baladrar.*) m. Grito, alarido o voz espantosa.

baladrón, na. (Del lat. *balătro, -ōnis.*) adj. Fanfarrón y hablador que, siendo cobarde, blasona de valiente.

baladronada. f. Hecho o dicho propio de baladrones.

baladronear. (De *baladrón.*) intr. Hacer o decir baladronadas.

balagar. (De *bálago.*) m. *Ast.* Montón o haz grande de bálago, que se guarda para sustento de las bestias en el invierno.

balagariense. adj. Natural de Balaguer. Ú. t. c. s. ‖ **2.** Perteneciente o relativo a esta ciudad de la provincia de Lérida.

bálago. m. Paja larga de los cereales después de quitarle el grano. ‖ **2.** En algunas partes, paja trillada. ‖ **3.** Espuma crasa del jabón, de la cual se hacen bolas. ‖ **4. balaguero.** ‖ **menear, sacudir,** o **zurrar** a alguien **el bálago.** fr. fig. y fam. p. us. **zurrarle la badana.**

balagre. m. *Hond.* Bejuco algo grueso y espinoso que sirve para hacer nasas.

balaguero. m. Montón grande de bálago, que se hace en la era cuando se limpia el grano.

balaj. (Del ár. *balajš* o *balājš,* y este de *Balajšān,* variante del nombre del territorio de *Badajšān,* donde se encuentran estas piedras.) m. **balaje.**

balaje. (De *balaj.*) m. Rubí de color morado.

balalaica. (Del ruso *balalaika.*) f. Instrumento músico parecido a la guitarra, pero con caja de forma triangular. Es de uso popular en Rusia.

balamido. (De *balar.*) m. *Murc.* Rumor confuso de los balidos de un rebaño. ‖ **2.** Ruido continuado y lejano.

bálamo. m. *P. Vasco* y *Cantabria.* Banco de pesca, especialmente de sardinas.

balance. (De *balanzar.*) m. Movimiento que hace un cuerpo, inclinándose ya a un lado, ya a otro. ‖ **2.** Estudio comparativo de los hechos favorables y desfavorables de una situación. ‖ **3.** desus. fig. Vacilación, inseguridad. ‖ **4.** *Com.* Confrontación del activo y el pasivo para averiguar el estado de los negocios o del caudal. ‖ **5.** *Com.* Estado demostrativo del resultado de dicha operación. ‖ **6.** *Esgr.* Movimiento que se hace inclinando el cuerpo hacia adelante o hacia atrás, sin mover los pies. ‖ **7.** *Mar.* Movimiento que hace la nave de babor a estribor, o al contrario.

balanceador, ra. adj. Que balancea fácilmente.

balancear. (De *balanzar.*) intr. Dar o hacer balances. Se usa más tratándose de naves. Ú. t. c. tr. y c. prnl. ‖ **2.** fig. Dudar, estar perplejo en la resolución de alguna cosa. ‖ **3.** tr. Igualar o poner en equilibrio, contrapesar.

balanceo. (De *balancear.*) m. Acción y efecto de balancear o balancearse.

balancero. m. **balanzario.**

balancín. m. d. de **balanza** de pesar. ‖ **2.** Madero que se atraviesa paralelamente al eje de las ruedas delanteras de un carruaje, fijándolo en su promedio a la tijera, y por los extremos a los del eje mismo, con dos hierros que se llaman guardapolvos. ‖ **3.** Madero que se cuelga de la vara de guardia, y a cuyas extremidades se enganchan los tirantes de las caballerías. ‖ **4.** Palo largo que usan los volatineros para mantenerse en equilibrio sobre la cuerda. ‖ **5.** Volante pequeño para sellar monedas y medallas. ‖ **6.** Barra fuerte e inflexible que puede moverse alrededor de un eje y se emplea en las máquinas de vapor como órgano intermedio para transformar un movimiento alternativo rectilíneo en otro circular continuo. ‖ **7.** Mecedora. ‖ **8.** En los jardines, playas, terrazas, etc., asiento colgante cubierto de toldo. ‖ **9.** desus. *Perú.* Carruaje del tipo de la calesa. ‖ **10.** pl. *Mar.* Cabos que penden de la entena de la nave y sirven para ponerla en medio, o para llamarla hacia una de las bandas. ‖ **11.** *Zool.* Cada uno de los dos órganos del equilibrio que tienen los dípteros a los lados del tórax, detrás de las alas. ‖ **grande. balancín,** madero paralelo al eje delantero de las ruedas. ‖ **pequeño. balancín,** madero al que se enganchan los tirantes de las caballerías.

balandra. (Del fr. *balandre,* y este del neerl. *bijlander.*) f. Embarcación pequeña con cubierta y solo un palo.

balandrán. (Del prov. *balandran,* de *balandrà,* balancear.) m. Vestidura talar ancha y con esclavina que suelen usar los eclesiásticos.

balandrista. com. Persona que gobierna un balandro.

balandro. m. Balandra pequeña. ‖ **2.** Barco pescador aparejado de balandra, que se usa en la isla de Cuba.

balanitis. (De *bálano* e *-itis.*) f. Inflamación de la membrana mucosa que reviste el bálano o glande.

bálano o **balano.** (Del lat. *balănus,* bellota, y este del gr. βάλανος.) m. Parte extrema o cabeza del miembro viril. ‖ **2.** Crustáceo cirrípedo, sin pedúnculo, que vive fijo sobre las rocas. Algunas de sus especies son tan abundantes que cubren la superficie de las peñas hasta el límite de las mareas.

balante. p. a. de **balar.** Que bala. ‖ **2.** m. *Germ.* **carnero**[1], mamífero rumiante.

balanza. (Del lat. *bilanx, -cis.*) f. Instrumento que sirve para pesar o, más propiamente, para medir masas. En su forma más sencilla consiste en una barra de cuyos extremos penden sendos platillos; en uno se pone lo que se pretende pesar y en el otro las pesas necesarias para lograr el equilibrio. ‖ 2. V. **derecho, juez, maestro de balanza.** ‖ 3. fig. Comparación o juicio que el entendimiento hace de las cosas. ‖ 4. n. p. **Libra,** signo del Zodiaco y constelación. ‖ **comercial,** o **de comercio.** Estado comparativo de la importación y exportación de artículos mercantiles en un país. ‖ **de pagos.** Estado comparativo de los cobros y pagos exteriores de una economía nacional por todos conceptos, como intereses de empréstitos o de valores particulares, fletes, derechos de patentes, turismo, etc. ‖ **acostarse la balanza.** fr. ant. *And.* Inclinarse a un lado, perdiendo el equilibrio. ‖ **caer la balanza.** fr. Inclinarse a una parte más que a otra. ‖ **en balanza,** o **en balanzas.** loc. fig. p. us. En peligro o en duda. ‖ **inclinar la balanza.** fr. Inclinar un asunto a favor de alguien o de algo. Ú. t. c. prnl. ‖ **poner en balanza.** fr. fig. p. us. Hacer dudar o titubear.

balanzar. (De *balanza.*) tr. ant. **balancear,** igualar, contrapesar.

balanzario. (De *balanza.*) m. El que en las casas de moneda tiene el oficio de pesar los metales antes y después de amonedarlos.

balanzo. (De *balanzar.*) m. ant. **balance.**

balanzón. (De *balanza,* por la forma.) m. Vasija, por lo común de cobre, circular u oval, con mango de hierro, que usan los plateros para blanquecer o limpiar la plata o el oro. ‖ 2. *And.* y *Méj.* Cogedor de la balanza con el que se recogen los granos que se van a pesar.

balar. (Del lat. *balāre.*) intr. Dar balidos. ‖ **balar por** una cosa. fr. fig. y fam. p. us. **suspirar por** ella.

balarrasa. (De *bala* y *rasa.*) m. fig. y fam. Aguardiente fuerte. ‖ 2. fig. y fam. **tarambana,** persona de poco juicio.

balastar. (De *balasto.*) tr. Tender el balasto.

balasto. (Del ing. *ballast,* lastre.) m. Capa de grava o de piedra machacada, que se tiende sobre la explanación de los ferrocarriles para asentar y sujetar sobre ella las traviesas. ‖ 2. *Col.* Capa de grava o de piedra machacada que se tiende sobre la explanación de las carreteras para colocar sobre ella el pavimento.

balastro. m. **balasto.**

balata. (Del it. *ballata.*) f. Composición poética que se hacía para ser cantada al son de la música de los bailes.

balate[1]. (Del ár. *balāṭ,* camino.) m. Margen de una parata. ‖ 2. Terreno pendiente, lindazo, etc., de muy poca anchura. ‖ 3. Borde exterior de las acequias, aunque estén en terrenos llanos.

balate[2]. m. Especie de cohombro de mar, que abunda en las costas de las islas situadas entre Asia y Australia, y es muy estimado en China como alimento.

balausta. (Del lat. *balaustĭum,* flor del granado.) f. *Bot.* Fruto complejo desarrollado a partir de un ovario ínfero, dividido, como el del granado, que contiene muchas semillas carnosas.

balaustra. (Del lat. *balaustĭum,* flor del granado.) f. Árbol, variedad de granado, que se diferencia del común en que sus flores son dobles, mayores y de color más vivo.

balaustrada. f. Serie u orden de balaustres colocados entre los barandales.

balaustrado, da. adj. De figura de balaustre.

balaustral. adj. **balaustrado.**

balaustre o **balaústre.** (De *balaustra,* por la semejanza del adorno.) m. Cada una de las columnitas que con los barandales forman las barandillas o antepechos de balcones, azoteas, corredores y escaleras.

balaustrería. f. ant. **balaustrada.**

balaustriado, da. adj. ant. **balaustrado.**

balay. (Del port. *balaio,* retama, escoba.) m. *Amér.* Cesta de mimbre o de carrizo. ‖ 2. *Col.* Cedazo formado por un aro de bejuco grueso en el que se asegura un tejido de tiras de hoja de palma, usado para cerner harinas, como la de maíz, trigo, etc. ‖ 3. *Cuba* y *Sto. Dom.* Plato de madera, especie de batea, con que se avienta el arroz antes de cocerlo.

balayo. m. *Can.* **balay,** cesto de paja o mimbre.

balazo. m. Golpe de bala disparada con arma de fuego. ‖ 2. Herida o daño causado por una bala.

balboa. (Del nombre del conquistador Vasco Núñez de *Balboa.*) m. Unidad monetaria de Panamá.

balbucear. intr. **balbucir.** Ú. t. c. tr.

balbucencia. f. Acción y efecto de balbucir.

balbuceo. m. Acción de balbucear.

balbucir. (Del lat. *balbutire.*) intr. defect. Hablar o leer con pronunciación dificultosa, tarda y vacilante, trastocando a veces las letras o las sílabas. Ú. t. c. tr.

balbusardo. m. **águila pescadora.**

balcánico, ca. adj. Perteneciente o relativo a la región europea de los Balcanes.

balcarrotas. f. pl. *Méj.* Mechones de pelo que los indios de Méjico dejaban colgar a ambos lados de la cara, llevando rapado el resto de la cabeza. ‖ 2. *Col.* Patillas, porción de barba que se deja solo en las mejillas.

balcón. (Del it. *balcone;* cf. a. al. ant. *balko,* palo.) m. Hueco abierto al exterior desde el suelo de la habitación, con barandilla por lo común saliente. ‖ 2. Esta barandilla. ‖ 3. fig. **miranda.** ‖ 4. **balcón corrido.** ‖ 5. V. **casa de balcón.** ‖ **corrido.** El que comprende varios huecos de una fachada.

balconada. f. *Gal.* Balcón o miradero que domina un vasto horizonte.

balconaje. m. Conjunto de balcones de un edificio.

balconcillo. m. d. de **balcón.** ‖ 2. Galería que en los teatros estaba más baja y delante de la primera fila de palcos. ‖ 3. Localidad de la plaza de toros, con barandilla o antepecho, situada sobre la puerta o sobre la salida del toril.

balconería. f. ant. **balconaje.**

balda[1]. f. Anaquel de armario o alacena.

balda[2]. (Del ár. *bāṭila,* cosa vana, inútil.) f. ant. Cosa de poquísimo precio y de ningún provecho.

balda[3]. (De *aldaba.*) f. *Ar.* y *Val.* **aldaba,** barra para atrancar las puertas.

baldado[1]. m. *C. Rica.* Contenido de un cubo o balde.

baldado[2], da. p. p. de **baldar.** ‖ 2. adj. Cansado, fatigado. ‖ 3. (De *balde[2]*.) ant. Dado de balde.

baldadura. f. Impedimento físico del que está baldado.

baldamiento. m. **baldadura.**

baldaquín. (De *Baldac,* nombre dado en la Edad Media a Bagdad, de donde venía una tela así llamada.) m. Especie de dosel o palio hecho de tela de seda. ‖ 2. Pabellón que cubre el altar.

baldaquino. m. **baldaquín.**

baldar. (Del ár. *battala,* anular, inutilizar.) tr. Impedir o privar una enfermedad o accidente el uso de los miembros o de alguno de ellos. Ú. t. c. prnl. ‖ 2. **fallar[2]** en juegos de cartas. ‖ 3. ant. Inutilizar, impedir, embarazar. ‖ 4. fig. Causar gran contrariedad. ‖ 5. *Ar.* **descabalar.**

baldazo. m. Acción y efecto de arrojar sobre alguien o algo el contenido de un balde.

balde[1]. (De or. inc.) m. Cubo que se emplea para sacar y transportar agua, sobre todo en las embarcaciones. ‖ 2. Por ext., cualquier recipiente de forma y tamaño parecidos a los del cubo, destinado a diversos usos.

balde[2]. (Del ár. *bāṭil,* vano, inútil, sin valor, ocioso.) **de balde.** loc. adv. Gratuitamente, sin coste alguno. ‖ 2. **en balde.** ‖ 3. p. us. Sin motivo, sin causa. ‖ **en balde.** loc. adv. **en vano.** ‖ **estar de balde.** fr. Estar de más, estar ocioso.

baldear. tr. Regar con baldes cualquier suelo, en especial las cubiertas de los buques con el fin de refrescarlas. ‖ **2.** Achicar con baldes el agua de una excavación.

baldeo[1]. m. Acción y efecto de baldear.

baldeo[2]. m. *Germ.* **espada,** arma.

baldero, ra. (De *balde[2]*.) adj. ant. Ocioso, baldío.

baldés. (De *baldrés.*) m. Piel de oveja curtida, suave y endeble, que sirve para guantes y otras cosas.

baldíamente. adv. m. En balde, vana, inútil u ociosamente. ‖ **2.** Sin guarda.

baldío, a. (De *balda[2]*.) adj. Aplícase a la tierra que ni se labra ni está adehesada. Dícese en algunas partes, en especial de los terrenos comunales. Ú. t. c. s. ‖ **2.** Dícese del terreno de particulares que huelga, que no se labra. ‖ **3.** Vano, sin motivo ni fundamento. ‖ **4.** Vagabundo, perdido, sin ocupación ni oficio. ‖ **5.** *Col.* Dícese del terreno del dominio eminente del Estado, susceptible de apropiación privada, mediante ocupación acompañada del trabajo, o de la adquisición de bonos del Estado. ‖ **6.** m. *Argent., Bol., Guat., Par.* y *Urug.* **solar,** terreno urbano sin edificar.

baldo[1]. m. **fallo[2],** falta de un palo en algunos juegos de naipes.

baldo[2], da. adj. **fallo[2],** desfallecido. ‖ **2.** Dícese de la espiga que no ha granado bien. ‖ **3.** vulg. *Col.* y *P. Rico.* Baldado, impedido, privado del uso de algún miembro. ‖ **a la balda.** loc. adv. ant. Descuidada u ociosamente.

baldón. (De or. inc.; cf. a. al. ant. *ban,* orden con amenaza y castigo.) m. Oprobio, injuria o palabra afrentosa. ‖ **en baldón.** loc. adv. ant. **de balde.**

baldonado, da. p. p. de **baldonar.** ‖ **2.** adj. f. ant. Aplicábase a la mujer de mala vida.

baldonador, ra. adj. Que baldona. Ú. t. c. s.

baldonamiento. m. ant. Acción y efecto de baldonar.

baldonar. (De *baldón.*) tr. Injuriar a alguno de palabra en su cara.

baldonear. tr. **baldonar.** Ú. t. c. prnl.

baldono, na. (De *balda[2]*.) adj. ant. **barato,** vendido a bajo precio.

baldosa[1]. (De or. inc.; cf. prov. *baudosa.*) f. Antiguo instrumento músico de cuerda parecido al salterio.

baldosa[2]. (De or. inc.) f. Ladrillo, fino por lo común, que sirve para solar.

baldosador. m. El que tiene por oficio embaldosar.

baldosar. tr. **embaldosar.**

baldosín. (d. de *baldosa[2]*.) m. Baldosa pequeña y fina.

baldosón. m. aum. de **baldosa[2].**

baldragas. m. Hombre flojo, sin energía.

baldrés. (De or. inc.; cf. ant. fr. *baldret.*) m. ant. **baldés.**

baldrufa. (Del cat. *ballarufa.*) f. Perinola, peonza pequeña.

balduque. (De *Bois-le-Duc,* nombre francés de *Hertogenbosch,* ciudad holandesa donde se tejían estas cintas.) m. Cinta angosta, por lo común encarnada, que se usa en las oficinas para atar legajos.

balea. (Del célt. *balazn,* retama.) f. Escobón para barrer las eras.

baleador, ra. adj. Que balea. Ú. t. c. s. ‖ **2.** Que hiere o mata a balazos. Ú. t. c. s.

balear[1]. (Del lat. *Baleāris.*) adj. Natural de las islas Baleares. Ú. t. c. s. ‖ **2. baleárico.** ‖ **3.** Dícese del pueblo indígena prerromano de las islas Gimnesias o Baleares en su antiguo sentido estricto, es decir, las actuales Mallorca y Menorca. Ú. t. c. s. ‖ **4.** Dícese también de los individuos que componían este pueblo. Ú. t. c. s. ‖ **5.** m. Variedad de la lengua catalana que se habla en las islas Baleares.

balear[2]. (De *baleo.*) tr. *Ar.* y *Sal.* **abalear[1].**

balear[3]. (De *bala.*) tr. *Amér.* Tirotear, disparar balas sobre alguien o algo.

baleárico, ca. (Del lat. *Balearĭcus.*) adj. Perteneciente o relativo a las islas Baleares.

baleario, ria. adj. **baleárico.**

balele. m. Baile que ejecutan los indígenas de algunos pueblos de África al son de tambores primitivos.

balénido. (Del lat. *balaena.*) adj. *Zool.* Dícese de los mamíferos cetáceos que en el estado adulto carecen de dientes y cuya boca está provista de grandes láminas córneas, insertas en la mandíbula superior, con las cuales retienen en la boca los pequeños animales, crustáceos por lo común, que les sirven de alimento; como la ballena. Ú. t. c. s. ‖ **2.** m. pl. *Zool.* Familia de estos animales.

baleo[1]. (Del célt. *balazn,* retama.) m. Ruedo o felpudo. ‖ **2. aventador** del fuego. ‖ **3.** *Sal.* Nombre con el cual se designan diversas especies de plantas recias y ásperas que se utilizan para hacer escobas.

baleo[2]. m. *Amér.* Acción y efecto de **balear[3],** disparar balas; tiroteo.

balería. f. Provisión de balas de un ejército o una plaza.

balerío. m. **balería.**

balero. (De *bala.*) m. *Argent., Col., Ecuad., Méj., P. Rico* y *Urug.* **boliche,** juego de niños. ‖ **2.** fig. y fam. *Argent.* y *Urug.* **cabeza** humana.

baleta. f. d. de **bala,** fardo de mercancías.

balhurria. (Por *bahurria,* de la onomat. *baf.*) f. *Germ.* Gente baja.

balicero. m. El que cuidaba de las balizas.

balido. (De *balar.*) m. Voz del carnero, el cordero, la oveja, la cabra, el gamo y el ciervo.

balimbín. m. Árbol de Filipinas de la familia de las oxalidáceas, de hoja pequeña, flor colorada y fruta agria. El dulce que se hace de ella es muy estimado.

balín. m. d. de **bala.** ‖ **2.** Bala de menor calibre que la ordinaria de fusil.

balista. (Del lat. *balista,* y este del gr. βάλλω, lanzar, arrojar.) f. Máquina usada antiguamente en los sitios de las ciudades y fortalezas para arrojar piedras de mucho peso.

balística. (De *balista.*) f. Ciencia que estudia las trayectorias de los proyectiles.

balístico, ca. adj. Perteneciente o relativo a la balista o a la balística. *Método* BALÍSTICO; *teoría* BALÍSTICA.

balita. f. Medida agraria de Filipinas, equivalente a 27 áreas y 95 centiáreas aproximadamente.

balitadera. (De *balitar.*) f. Instrumento hecho de un trozo de caña hendido por la parte del nudo, que, tocándolo con la boca, imita la voz del gamo nuevo y hace acudir a la madre.

balitar. (Del lat. *balitāre,* frec. de *balāre,* balar.) intr. Balar con frecuencia.

balitear. intr. **balitar.**

baliza. (De or. inc.; cf. port. *baliza.*) f. *Mar.* Señal fija o móvil que se pone de marca para indicar lugares peligrosos o para orientación del navegante. ‖ **2.** Por ext., otras señales utilizadas para fines semejantes en el tráfico aéreo y terrestre. ‖ **3.** *Mar.* **balizaje.** ‖ **estar fuera de balizas.** fr. *Mar.* Navegar en franquía al salir de un puerto.

balizaje. m. ant. Título del derecho que en algunos puertos pagaban las embarcaciones por el auxilio y buen servicio que les prestaban las balizas establecidas.

balizamiento. (De *balizar.*) m. **abalizamiento.**

balizar. (De *baliza.*) tr. **abalizar.**

balneario, ria. (Del lat. *balnearĭus.*) adj. Perteneciente o relativo a baños públicos, especialmente a los medicinales. ‖ **2.** m. Edificio con baños medicinales y en el cual suele darse hospedaje.

balneoterapia. (Del lat. *balnĕum,* baño, y *terapia.*) f. *Med.* Tratamiento de las enfermedades por medio de baños generales o locales.

balo. m. **embalo.**

balompédico, ca. adj. Perteneciente o relativo al balompié.

balompié. (De *balón* y *pie.*) m. **fútbol.**

balón. m. aum. de **bala.** ‖ **2.** Fardo grande de mercancías. ‖ **3.** Pelota grande, de diverso peso, usada en juegos o con fines terapéuticos. ‖ **4. fútbol,** juego entre dos equipos. ‖ **5.** Recipiente flexible, dispuesto para contener cuerpos gaseosos. ‖ **6.** Recipiente esférico de vidrio con cuello prolongado. ‖ **7.** *Col., Chile* y *Perú.* Bombona de metal para gases. ‖ **de papel.** Fardo que incluye veinticuatro resmas de papel.

baloncestista. adj. Perteneciente o relativo al baloncesto. Apl. a pers., ú. t. c. s.

baloncesto. m. Juego entre dos equipos de cinco jugadores cada uno, que consiste en introducir el balón en el cesto o canasta del contrario, situada a una altura determinada.

balonmano. m. Juego entre dos equipos de siete jugadores cada uno, que consiste en introducir el balón en la portería contraria siguiendo unas determinadas reglas, de las que la más característica es servirse de las manos.

balonvolea. (De *balón* y *volea.*) m. **voleibol.**

balota. (Del fr. *ballotte.*) f. Bolilla que algunas comunidades usan para votar.

balotada. (Del fr. *ballotade,* de *balloter,* bailar.) f. *Equit.* Salto que da el caballo alzando las patas en tal forma que deja ver las herraduras, como si fuese a tirar un par de coces.

balotaje. (Del fr. *ballottage.*) m. *Amér.* **escrutinio,** recuento de votos.

balotar. intr. Votar con balotas.

balsa[1]**.** f. Hueco del terreno que se llena de agua, natural o artificialmente. ‖ **2.** En los molinos de aceite, estanque donde van a parar las heces, agua y demás desperdicios de aquel líquido. ‖ **3.** En la vinatería y tonelería de la Andalucía Baja, media bota. ‖ **de aceite.** fig. y fam. Lugar o concurso de gente muy tranquilo. ‖ **de sangre.** *Ar.* Aquella en que, a fuerza de mucho trabajo y costa, se recoge agua para los ganados y, en algunos territorios, para las personas.

balsa[2]**.** f. Plataforma flotante, originariamente formada por maderos unidos. ‖ **2.** Árbol de América Meridional del género de la ceiba del que existen diversas variedades. ‖ **3.** Madera de este árbol.

balsadera. f. Paraje en la orilla de un río, donde hay balsa en que pasarlo.

balsadero. m. **balsadera.**

balsamar. (De *bálsamo.*) tr. ant. **embalsamar.**

balsamera. f. Vasija pequeña y cerrada usada para poner bálsamo.

balsamerita. (d. de *balsamera.*) f. **balsamera.**

balsamía. (De *blasfemia.*) f. ant. Cuento fabuloso, hablilla.

balsámico, ca. (Del lat. *balsamĭcus.*) adj. Que tiene bálsamo o cualidades de tal.

balsamina. (Del gr. βαλσαμίνη, de βάλσαμον, bálsamo.) f. Planta anual de la familia de las cucurbitáceas, con tallos de cerca de un metro de altura, sarmentosos y llenos de zarcillos trepadores; hojas pequeñas, recortadas, semejantes a las de la vid, pedunculadas y de color verde brillante; flores axilares, dioicas, amarillas, encarnadas o blanquecinas, y fruto capsular, alargado, de color rojo amarillento, con semillas grandes en forma de almendra. Es planta americana, naturalizada en España. ‖ **2.** Planta perenne originaria del Perú, de la familia de las balsamináceas, con tallo ramoso como de medio metro de altura, hojas gruesas, alternas y lanceoladas, flores amarillas y fruto redondo que, estando maduro, arroja con fuerza la semilla en cuanto se le toca. Se emplea en medicina como vulneraria.

balsamináceo, a. (De *Impatiens Balsamina,* nombre de una especie de plantas.) adj. *Bot.* Dícese de plantas herbáceas angiospermas, dicotiledóneas, con tallos generalmente carnosos, hojas sin estípulas, alguna vez con glándulas en los pecíolos; flores cigomorfas con cálices frecuentemente coloreados que tienen uno de sus sépalos con espolón; fruto en forma de cápsula carnosa; como la balsamina del Perú. Ú. t. c. s. f. ‖ **2.** f. pl. *Bot.* Familia de estas plantas.

balsamita. (Del lat. *balsamīta.*) f. **jaramago.** ‖ **mayor. berro.**

bálsamo. (Del lat. *balsămum,* y este del gr. βάλσαμον.) m. Sustancia aromática, líquida y casi transparente en el momento en que por incisión se obtiene de ciertos árboles, pero que va espesándose y tomando color a medida que, por la acción atmosférica, los aceites esenciales que contiene se cambian en resina y en ácido benzoico y cinámico. ‖ **2.** *Farm.* Medicamento compuesto de sustancias comúnmente aromáticas, que se aplica como remedio en las heridas, llagas y otras enfermedades. ‖ **3.** fig. Consuelo, alivio. ‖ **artificial. bálsamo,** medicamento aplicado en las heridas y llagas. ‖ **de calaba.** Resina de calaba o calambuco. ‖ **de copaiba.** Oleorresina del copayero, blanca la primera que sale, y dorada y más espesa la segunda. Se emplea en medicina contra las inflamaciones de las mucosas. ‖ **de copaiba de la India.** Oleorresina procedente de plantas de la misma familia a que pertenece el copayero, aunque de distinto género, y cuyos caracteres y virtud medicinal son semejantes a los del **bálsamo** de copaiba. ‖ **de Judea,** o **de la Meca. opobálsamo.** ‖ **del Canadá.** Oleorresina de una especie de abeto muy usada en microscopia. ‖ **del Perú.** Resina muy parecida al **bálsamo** de Tolú, pero de calidad algo inferior. ‖ **de María. bálsamo de calaba.** ‖ **de Tolú.** Resina que se extrae del tronco de un árbol de la familia de las papilionáceas, muy abundante en Colombia. Se usa en medicina como pectoral. ‖ **natural. bálsamo** que se obtiene de algunos árboles. ‖ **tranquilo.** Aceite de oliva preparado con plantas aromáticas y narcóticas que se emplea para fricciones. ‖ **ser** una cosa **un bálsamo.** fr. fig. Ser muy generosa, de mucha fragancia y perfecta en su especie. Dícese por lo común del buen vino añejo.

balsar. (De *barza.*) m. **barzal.**

balsear. tr. Pasar en balsas los ríos.

balsería. f. *Pan.* Festividad anual de los indios guaimíes en la que usan, como arma arrojadiza y para vencer al contrario, estacas de madera de balsa.

balsero. m. El encargado de conducir la balsa.

balsete. (De *balsa.*) m. *Ar.* Balsilla o charca pequeña.

balso. (Del lat. *baltĕus.*) m. *Mar.* Lazo grande, de dos o tres vueltas, que sirve para suspender pesos o elevar a los marineros a lo alto de los palos o a las vergas.

balsopeto. (De *falsopeto.*) m. desus. fam. Bolsa grande que de ordinario se trae junto al pecho. ‖ **2.** desus. fig. y fam. Interior del pecho.

bálteo. (Del lat. *baltĕus.*) m. *Mil.* Cíngulo militar, insignia de oficial, que se usaba antiguamente.

báltico, ca. (Del lat. *Baltĭcus.*) adj. Perteneciente o relativo al mar Báltico, o a los territorios que baña. Apl. a pers., ú. t. c. s. ‖ **2.** Dícese de las lenguas indoeuropeas asentadas en la ribera del mar Báltico: el grupo lingüístico formado por el lituano, letón y antiguo prusiano. Ú. t. c. s. m. ‖ **3.** Dícese también de los pueblos que las hablan.

balto, ta. (De *báltico.*) adj. Dícese de uno de los linajes más ilustres de los godos. Apl. a pers., ú. t. c. s.

balto-eslavo, va. adj. Dícese del conjunto de las lenguas bálticas y eslavas. Ú. t. c. s. m.

baltra. (De *veltrón.*) f. *Sal.* Vientre, panza.

baluarte. (De or. inc.; cf. a. al. med. y neerl. med. *bollwerk,* empalizada de defensa.) m. Obra de fortificación de figura pentagonal, que sobresale en el encuentro de dos cortinas, y se compone de dos caras que forman ángulo saliente, dos flancos que las unen al muro y una gola de entrada. ‖ **2.** fig. Amparo y defensa. BALUARTE *de la religión.*

baluma. (Del lat. *volumĭna,* bultos.) f. ant. **balumba.** ‖ **2.** *Mar.* Caída de popa de las velas de cuchillo.

balumba. (Del lat. *volumĭna*, bultos.) f. Bulto que hacen muchas cosas juntas. ‖ **2.** Conjunto desordenado y excesivo de cosas.

balumbo. (De *balumba*.) m. Lo que abulta mucho y es más embarazoso por su volumen que por su peso.

balume. (Del lat. *volūmen*.) m. ant. **balumbo.**

ballación. (Del lat. *ballatĭo, -ōnis*, danza.) f. ant. Acción de bailar.

ballar. (Del lat. *ballāre*, danzar.) tr. ant. Bailar y cantar.

ballarte. (Como el fr. *baillard, bayart*, angarillas, del lat. *baiŭlus*, cargador.) m. *Ar.*, *Nav.* y *Sor.* **bayarte.**

ballena. (Del lat. *balaena, ballaena*.) f. Cetáceo, el mayor de todos los animales conocidos, que llega a crecer hasta más de 30 metros de longitud. Su color es, en general, oscuro por encima y blanquecino por debajo. Vive en todos los mares, y generalmente en los polares. Su pesca es una industria importantísima. ‖ **2.** V. **aceite, barba, esperma de ballena.** ‖ **3.** Cada una de las láminas córneas y elásticas que tiene la **ballena** en la mandíbula superior, y que, cortadas en tiras más o menos anchas, sirven para diferentes usos. ‖ **4.** Cada una de estas tiras.

ballenato. m. Hijo de la ballena. ‖ **2.** desus. Natural de Madrid.

ballener. (Del cat. *bullener*.) m. Bajel largo, abierto y bajo de costados, de figura de ballena, que se usó en la Edad Media. Generalmente era de guerra.

ballenero, ra. adj. Perteneciente o relativo a la pesca de la ballena. *Barco, arpón* BALLENERO. ‖ **2.** m. Barco especialmente destinado a la captura de ballenas. ‖ **3.** Pescador de ballenas. ‖ **4.** f. Bote o lancha auxiliar que suelen llevar los barcos **balleneros.**

ballesta. (Del lat. *ballista*.) f. Máquina antigua de guerra para arrojar piedras o saetas gruesas. ‖ **2.** Arma portátil, antigua, compuesta de una caja de madera como la del fusil moderno, con un canal por donde salían flechas y bodoques impulsados por la fuerza elástica de un muelle, que primero fue de hierro forjado y después se hizo de acero, a los extremos del cual iba atada una cuerda que se tesaba con una gafa y se aseguraba en la nuez hasta quedar libre en el momento del disparo y transmitir a los proyectiles la fuerza de dicho muelle propulsor. ‖ **3.** Armadijo para cazar pájaros. ‖ **4.** Muelle, en forma de arco, construido con varias láminas elásticas de acero superpuestas, utilizado en la suspensión de los carruajes. ‖ **5.** V. **canal de ballesta.** ‖ **armar la ballesta.** fr. Disponerla para tirar. ‖ **encabalgar la ballesta.** fr. Montarla sobre su tablero.

ballestada. f. Tiro de ballesta.

ballestazo. m. Golpe dado con el proyectil de la ballesta.

ballesteador. (De *ballestear*.) m. ant. **ballestero.**

ballestear. tr. *Mont.* Tirar con la ballesta.

ballestera. adj. V. **hierba ballestera.** ‖ **2.** f. Tronera o abertura por donde en las naves o muros se disparaban las ballestas.

ballestería. (De *ballestero*.) f. Arte de la caza mayor. ‖ **2.** Conjunto de ballestas. ‖ **3.** Gente armada de ellas. ‖ **4.** Casa en que se alojaban los ballesteros y se guardaban los instrumentos de caza.

ballestero. (Del lat. *ballistarĭus*.) m. El que usaba la ballesta o servía con ella en la guerra. ‖ **2.** El que tenía por oficio hacer ballestas. ‖ **3.** El que por oficio cuidaba de las escopetas o arcabuces de las personas reales y las asistía cuando salían a cazar. ‖ **4.** V. **hierba de ballestero.** ‖ **de corte.** Cada uno de los porteros del rey y de su consejo, que tenían obligación de cumplir mandamientos de los alcaldes. ‖ **de maza.** Cada uno de los maceros o porteros que había antiguamente en palacio, en los tribunales y ayuntamientos, etc. ‖ **mayor.** Jefe de los **ballesteros** del rey, oficio antiguo de la casa real de Castilla.

ballestilla. (d. de *ballesta*.) f. En carretería, balancín pequeño. ‖ **2.** desus. Cierta fullería en los juegos de naipes. ‖ **3.** *Astron.* Antiguo instrumento, usado principalmente en la navegación, para tomar las alturas de los astros. ‖ **4.** *Mar.* Arte de anzuelo y cordel, a modo de arco de ballesta. ‖ **5.** desus. *Veter.* **fleme.**

ballestrinque. m. *Mar.* Nudo marinero que se forma con dos vueltas de cabo, dadas de tal modo que resultan cruzados los chicotes.

ballet. (Del fr. *ballet*.) m. Danza clásica de conjunto, representada sobre un escenario. ‖ **2.** Música de esta danza. ‖ **3.** Compañía que interpreta este tipo de danza.

ballico. m. Planta vivaz de la familia de las gramíneas, muy parecida a la cizaña, de la cual difiere en ser más baja y tener las espigas sin aristas. Es buena para pasto y para formar céspedes.

ballueca. f. Especie de avena, cuya caña se levanta hasta un metro o más de altura, con hojas estriadas y estrechas, y flores en panoja desparramada, vellosas en su base. Crece entre los trigos, a los cuales perjudica mucho.

bamba. (Voz onomatopéyica.) f. **bambarria,** acierto casual. ‖ **2.** Bollo redondo, generalmente relleno de crema, nata, etc. ‖ **3.** Ritmo bailable iberoamericano.

Bamba. n. p. V. **caballito de Bamba.**

bambador. m. *Hond.* Faja de cuero o de fibra que, sujeta en la frente, sirve para llevar grandes pesos a la espalda.

bambalear. (Voz onomatopéyica.) intr. **bambolear.** Ú. m. c. prnl. ‖ **2.** fig. No estar segura o firme alguna cosa. Ú. m. c. prnl.

bambalina. (De *bambalear*.) f. Cada una de las tiras de lienzo pintado que cuelgan del telar del teatro de uno a otro lado del escenario, y figuran la parte superior de lo que la decoración representa.

bambalinón. m. En los teatros, bambalina grande que, con los bastidores de ropa, forma un marco que reduce el hueco de la embocadura.

bambanear intr. **bambonear.** Ú. m. c. prnl. ‖ **2.** Estar vacilante o perplejo.

bambarria. (De *bamba*.) com. fam. Persona tonta o boba. Ú. t. c. adj. ‖ **2.** f. desus. En el juego de trucos y en el de billar, acierto o logro casual.

bambarrión. m. fam. desus. aum. de **bambarria,** acierto casual del juego de trucos y de billar.

bambochada. (Del it. *bambocciato*.) f. Cuadro o pintura que representa borracheras o banquetes ridículos.

bamboche. (Del it. *bamboccio*.) m. fam. p. us. Persona rechoncha y de cara abultada y encendida.

bambolear. (Voz onomatopéyica.) intr. Moverse una persona o cosa a un lado y otro sin perder el sitio en que está. Ú. m. c. prnl.

bamboleo. m. Acción y efecto de bambolear o bambolearse.

bambolla. (Voz onomatopéyica.) f. Burbuja, ampolla, vejiga. ‖ **2.** fig. Cosa fofa, abultada y de poco valor. ‖ **3.** fam. Boato, fausto u ostentación excesiva y de más apariencia que realidad.

bambollero, ra. adj. fam. Dícese de la persona que gasta mucha bambolla.

bambonear. (Voz onomatopéyica.) intr. **bambolear.** Ú. m. c. prnl.

bamboneo. m. **bamboleo.**

bambú. (Del port. *bambu*.) m. Planta de la familia de las gramíneas, originaria de la India, con tallo leñoso que llega a más de 20 metros de altura, y de cuyos nudos superiores nacen ramitos muy cargados de hojas grandes de color verde claro, y con flores en panojas derechas, ramosas y extendidas. Las cañas, aunque ligeras, son muy resistentes, y se emplean en la construcción de casas y en la fabricación de muebles, armas, instrumentos, vasijas y otros objetos; las hojas, para envolver las cajas de té que venían de China; la corteza, en las fábricas de papel; los nudos proporcionan una especie de azúcar, y los brotes tiernos son comestibles.

bambuc. m. **bambú.**

bambuco. (Quizá de *Bambuc,* región africana.) m. Baile popular en Colombia y en Esmeraldas (Ecuador). ‖ **2.** Tonada de este baile.

banaba. f. Árbol de las islas Filipinas, de la familia de las litráceas, que crece hasta 10 ó 12 metros de altura, de hojas alternas, lanceoladas, enteras y lampiñas y flores grandes, encarnadas, axilares y terminales, dispuestas en racimos. Se conocen dos especies: una de madera roja y otra blanca; la primera es más estimada, por su tenacidad, para toda clase de obras. ‖ **2.** Madera de este árbol.

banal. (Del fr. *banal.*) adj. Trivial, común, insustancial.

banalidad. f. Calidad de banal. ‖ **2.** Dicho banal.

banana. (Voz de origen desconocido.) f. *Argent.* y *Urug.* **plátano,** planta musácea. ‖ **2.** *Argent., Bol., Par.* y *Urug.* **plátano,** fruto. ‖ **3.** *Guat.* Variedad del **plátano,** fruto. ‖ **4.** *Col.* Nombre de una variedad de confites.

bananal. m. *NE. Argent., Bol., C. Rica, Hond., Nicar., Pan., Par.* y *Venez.* Conjunto de plátanos o bananos que crecen en un lugar.

bananar. m. *Bol., Guat.* y *Venez.* **bananal.**

bananero, ra. adj. Perteneciente o relativo al banano. ‖ **2.** Dícese del terreno poblado de bananos o plátanos. ‖ **3.** Aplicado a países del Caribe, dependiente de los países y compañías compradoras de plátanos. ‖ **4. tercermundista.** En relación, principalmente, con ciertos países de Iberoamérica. ‖ **5.** m. y f. *Col.* Persona que cultiva el plátano o negocia con él. ‖ **6.** m. **plátano,** planta musácea.

banano. (De *banana.*) m. **plátano,** planta musácea. ‖ **2.** Fruto de esta planta. ‖ **3.** *Col., Guat., Nicar.* y *Pan.* Fruta, variedad de plátano, que se come cruda. ‖ **4. cambur.**

banas. (Del germ. *ban,* anuncio público, a través del fr. *ban,* amonestación matrimonial.) f. pl. ant. Amonestaciones matrimoniales.

banasta. (Del célt. *benna,* cesta, cruzado con *canasta.*) f. Cesto grande formado de mimbres o listas de madera delgadas y entretejidas. Los hay de distintos tamaños y figuras.

banastero, ra. m. y f. Persona que hace o vende banastas.

banasto. (De *banasta.*) m. Banasta redonda.

banca. (De *banco,* asiento.) f. Asiento de madera, sin respaldo y a modo de mesilla baja. ‖ **2.** Cajón donde se colocan las lavanderas para lavar la ropa. ‖ **3.** Embarcación pequeña usada en Filipinas. ‖ **4.** Mesa puesta en el mercado u otro lugar, donde se tienen las frutas y otras cosas que se venden. ‖ **5.** Mole de hielo que se encuentra flotando en los mares de altas latitudes. ‖ **6.** *Amér.* **banco,** asiento. ‖ **7.** *Argent., Par.* y *Urug.* Puesto o asiento en el Parlamento, obtenido en elecciones. *La mayoría ganó treinta* BANCAS *y la minoría ganó diez* BANCAS. ‖ **8.** *Murc.* **bancal** de tierra. ‖ **9.** (y acepciones siguientes, cf. it. *banca,* fr. *banque.*) Conjunto de entidades que tienen por objeto básico facilitar la financiación de las distintas actividades económicas. ‖ **10.** fig. Conjunto de bancos y banqueros. ‖ **11.** Juego que consiste en poner el que lleva el naipe una cantidad de dinero y en apuntar los demás, a las cartas que eligen, la cantidad que quieren. ‖ **12.** Cantidad de dinero que pone el que lleva el naipe. ‖ **estar en la banca.** fr. fig. *Chile.* **estar en el banco.** ‖ **tener banca.** fr. fig. *Argent.* y *Par.* Tener influencia, poder, valimiento.

bancada. f. Mesa o banco grande con un pequeño colchón encima, sobre el cual se tundían los tejidos en las fábricas de paños. ‖ **2.** Porción de paño preparada para ser tundida. ‖ **3.** *Argent., Par., Perú* y *Urug.* Conjunto de los legisladores de un mismo partido. *Las palabras del orador fueron acogidas con entusiastas aplausos de la* BANCADA *oficialista.* ‖ **4.** *Arq.* Trozo de obra. ‖ **5.** *Mar.* Tabla o banco donde se sientan los remeros. ‖ **6.** *Mec.* Basamento firme para una máquina o conjunto de ellas. ‖ **7.** *Min.* Trozo o escalón en las galerías subterráneas.

bancal. (De *banco.*) m. En las sierras y terrenos pendientes, rellano de tierra que natural o artificialmente se forma, y que se aprovecha para algún cultivo. ‖ **2.** Pedazo de tierra cuadrilongo, dispuesto para plantar legumbres, vides, olivos u otros árboles frutales. ‖ **3.** Arena amontonada a la orilla del mar, al modo de la que se amontona dentro de él dejando poco fondo. ‖ **4.** Tapete o cubierta que se pone sobre el banco para adorno o para cubrir su madera. ‖ **5.** Árbol de Filipinas, de la familia de las rubiáceas, que llega hasta 10 metros de altura. Su madera, de color amarillo, es apreciada por su tenacidad y duración. ‖ **6.** Madera de este árbol.

bancalero. m. Tejedor de bancales o tapetes para cubrir bancos.

bancario, ria. adj. Perteneciente o relativo a la banca mercantil.

bancarrota. (Del it. *bancarotta.*) f. **quiebra** comercial, y más comúnmente la completa o casi total que procede de falta grave, o la fraudulenta. ‖ **2.** fig. Desastre, hundimiento, descrédito de un sistema o doctrina.

bance. m. Cada uno de los palos sueltos que, atravesados a cierta distancia unos de otros y en sentido horizontal, sirven para cerrar los portillos de las fincas.

banco. (Del germ. *bank,* asiento.) m. Asiento con respaldo o sin él, en que pueden sentarse varias personas. ‖ **2.** Madero grueso escuadrado que se coloca horizontalmente sobre cuatro pies y sirve como de mesa para muchas labores de los carpinteros, cerrajeros, herradores y otros artesanos. ‖ **3.** Cama[2] del freno. Ú. m. en pl. ‖ **4.** En los mares, ríos y lagos navegables, bajo que se prolonga en una gran extensión. ‖ **5.** Conjunto de peces que van juntos en gran número. ‖ **6.** fig. y fam. V. **pata, pie de banco.** ‖ **7.** *Arq.* **sotabanco** de una casa. ‖ **8.** *Geol.* Estrato de gran espesor. ‖ **9.** *Min.* Macizo de mineral que presenta dos caras descubiertas, una horizontal superior y otra vertical. ‖ **10.** (Del it. *banca,* mesa de los cambistas.) Establecimiento público de crédito, constituido en sociedad por acciones. ‖ **11.** (Del m. or. que la anterior.) Establecimiento médico donde se conservan y almacenan órganos, tejidos o líquidos fisiológicos humanos para cubrir necesidades quirúrgicas, de investigación, etc. BANCO *de ojos, de sangre.* ‖ **12.** (Del m. or. que la anterior.) p. us. El que cambia moneda. ‖ **azul.** Por antonom., aquel donde tienen su asiento los ministros del Gobierno en las Cortes españolas. ‖ **de arena.** Bajío arenoso en el mar o en un río. ‖ **de datos.** Conjunto de datos almacenados en fichas, cintas o discos magnéticos, del cual se puede extraer, en cualquier momento, generalmente mediante un computador electrónico, una determinada información. ‖ **de hielo.** Extensa planicie formada de agua del mar congelada, que, en las regiones polares o procedente de ellas, flota en el mar. ‖ **de la paciencia.** *Mar.* El que estaba en el alcázar de los navíos delante del palo de mesana. ‖ **de piedra.** Veta de una cantera, que contiene una sola especie de piedra. ‖ **pinjado.** Antigua máquina militar hecha de maderos bien trabados, con cubierta difícil de quemarse, debajo de la cual se llevaba el ariete. ‖ **estar en el banco.** fr. En algunos deportes, permanecer un jugador en un **banco** lateral, destinado a los suplentes, fuera del terreno de juego, a la espera de ser llamado a intervenir en el juego. ‖ **2.** *Sto. Dom.* Por ext. del uso deportivo, se aplica al personaje político que, en determinado momento, no disfruta de cargo alguno. ‖ **estar en el banco de la paciencia.** fr. fig. y fam. Estar aguantando o sufriendo alguna grave molestia. ‖ **herrar,** o **quitar el banco.** fr.

fig. y fam. con que se excita a alguien a ejecutar alguna cosa o a desistir cuanto antes de llevarla a cabo.

bancocracia. (De *banco* y *-cracia.*) f. Influjo abusivo de la banca en la administración de un Estado.

banda[1]. (Del germ. *band,* faja, cinta.) f. Cinta ancha o tafetán de colores determinados que se lleva atravesada desde un hombro al costado opuesto. Antiguamente fue distintivo de los oficiales militares, y hoy lo es de grandes cruces, así españolas como extranjeras. ‖ **2.** Zona limitada por cada uno de los dos lados más largos de un campo deportivo, y otra línea exterior, que suele ser la del comienzo de las localidades donde se sitúa el público. ‖ **3.** V. **orden de la banda.** ‖ **4.** Faja. ‖ **5.** **humeral,** paño que usan los sacerdotes. ‖ **6.** *Ar.* **llanta[2]** de la rueda. ‖ **7.** *Ant., C. Rica, Ecuad.* y *Méj.* Correa del ventilador del coche. ‖ **8.** *Fís.* Cualquier intervalo finito en el campo de variación de una magnitud física. ‖ **de frecuencia.** En radiodifusión y televisión, todas las frecuencias comprendidas entre dos límites definidos de frecuencia. ‖ **de sonido. banda sonora.** ‖ **sonora.** Franja longitudinal de la película cinematográfica, donde está registrado el sonido.

banda[2]. (Del gót. *bandwo,* signo, bandera.) f. Grupo de gente armada. ‖ **2.** Parcialidad o número de gente que favorece y sigue el partido de alguno. ‖ **3.** Bandada, manada. ‖ **4.** V. **rey de banda.** ‖ **5.** **lado** de algunas cosas. *De la* BANDA *de acá del río; de la* BANDA *de allá del monte.* ‖ **6.** **baranda** de la mesa del billar. ‖ **7.** ant. Refiriéndose a personas, **lado** o **costado.** ‖ **8.** *Blas.* Pieza honorable que representa la insignia distintiva de las altas jerarquías militares, y se coloca diagonalmente de derecha a izquierda. ‖ **9.** *Mar.* Costado de la nave. ‖ **10.** *Mil.* Conjunto de tambores y cornetas, o de músicos que pertenecen a institutos de a pie, o de trompetas que sirven en cuerpos montados del ejército. A veces la **banda** comprende toda clase de instrumentos de viento. ‖ **11.** Por ext., se da el mismo nombre a otros cuerpos de músicos no militares. ‖ **12.** pl. *Impr.* Carriles de hierro sobre los cuales va y viene el carro o la platina en algunas máquinas de imprimir. ‖ **arriar en banda.** fr. *Mar.* Soltar enteramente los cabos. ‖ **caer en banda.** fr. *Mar.* **estar en banda,** pender en el aire. ‖ **cerrarse a la banda.** fr. fig. y fam. Mantenerse firme en un propósito, negarse rotundamente a todo acomodamiento o a conceder lo que se pretende o desea. ‖ **cerrarse de banda** o **en banda.** fr. fig. y fam. **cerrarse a la banda.** ‖ **dar a la banda.** fr. *Mar.* Tumbar la embarcación sobre un costado para descubrir sus fondos y limpiarlos o componerlos. ‖ **de banda a banda.** loc. adv. De parte a parte, o de uno a otro lado. ‖ **estar en banda.** fr. *Blas.* Estar colocadas las piezas del blasón en los dos campos del escudo partido en **banda.** ‖ **2.** *Mar.* Pender en el aire moviéndose. *Ese cabo* ESTÁ EN BANDA. ‖ **partido en,** o **por, banda.** loc. *Blas.* V. **escudo partido en,** o **por, banda.**

bandada. (De *banda[2]*.) f. Número crecido de aves que vuelan juntas. ‖ **2.** Por ext., conjunto de peces. ‖ **3.** Tropel o grupo bullicioso de personas.

bandado, da. (De *banda[1]*.) adj. ant. **bandeado.**

bandarria. (Del lat. *manuarĭa,* manual.) f. *Mar.* **mandarria.**

bandazo. (De *banda[2]*.) m. *Mar.* Tumbo o balance violento que da una embarcación hacia cualquiera de los dos lados. ‖ **2.** fig. Cambio brusco de rumbo que experimenta una acción. *Dar un* BANDAZO *en la política.*

bandeado, da. p. p. de **bandear.** ‖ **2.** adj. **listado,** que forma o tiene listas.

bandear[1]. (De *bando[2]*.) tr. ant. Guiar, conducir. ‖ **2.** intr. ant. Andar en bandos o parcialidades. ‖ **3.** ant. Inclinarse a un bando o parcialidad.

bandear[2]. (De *banda[2]*.) tr. ant. Mover a una y otra banda alguna cosa; como una cuerda floja, etc. ‖ **2.** *And.* y *Amér.* Atravesar, pasar de parte a parte; taladrar. ‖ **3.** *Amér.* Cruzar un río de una banda a otra. ‖ **4.** prnl. Saberse gobernar o ingeniar para satisfacer las necesidades de la vida o para salvar otras dificultades. ‖ **5.** *Ar.* **columpiarse.**

bandeja. (Del port. *bandeja.*) f. Pieza de metal o de otra materia, plana o algo cóncava para servir, presentar o depositar cosas. ‖ **2.** Pieza movible, en forma de caja descubierta y de poca altura, que divide horizontalmente el interior de un baúl, maleta, etc. ‖ **3.** Cajón de mueble con pared delantera rebajada o sin ella. ‖ **pasar la bandeja.** fr. Hacerlo para recoger donativos o limosnas. ‖ **2.** fig. y fam. Pedir un favor o servicio a quien antes ha sido servido o favorecido por uno. ‖ **servir en bandeja** o **en bandeja de plata.** fr. fig. y fam. Dar a alguien grandes facilidades para que consiga alguna cosa.

bandejador, ra. (De *bandejar.*) adj. ant. Que andaba en bandos o parcialidades. Usáb. t. c. s.

bandejar. intr. ant. Hacer o sustentar bandos[2], facciones o partidos.

bandeo. m. Acción y efecto de bandear[2].

bandera. (De *banda[2]*.) f. Lienzo, tafetán u otra tela, de figura comúnmente cuadrada o cuadrilonga, que se asegura por uno de sus lados a un asta o una driza, y se emplea como insignia o señal. Sus colores o el escudo que lleva, indican la potencia o nación a que pertenece el castillo, la fortaleza, la embarcación, etc., en que está izada. ‖ **2.** Nacionalidad a que pertenecen los buques mercantes que la ostentan. ‖ **3.** V. **bajada, beneficio, capitán, derecho, derecho diferencial, habilitación de bandera.** ‖ **4.** Lienzo u otra tela, que suele ser de diversos colores, y sirve para adornar alguna cosa en las grandes fiestas, y también en las escuadras y torres de la costa para hacer señales. ‖ **5.** Insignia que usan las tropas de infantería: consiste en un tafetán de metro y medio a dos metros en cuadro, asegurado por un lado en un asta o pica de unos dos metros y medio de largo con regatón y moharra, y con las armas o distintivo del cuerpo militar que la lleva y las de la nación a que este pertenece. ‖ **6.** V. **cuarto de banderas.** ‖ **7.** Gente o tropa que milita debajo de una misma **bandera.** ‖ **8.** Cada una de las compañías de los antiguos tercios españoles, y también actualmente de ciertas unidades tácticas. ‖ **9.** ant. Montón o tropel de gente. ‖ **blanca. bandera de paz,** como señal de paz o amistad. ‖ **de combate.** La nacional de gran tamaño que largan a popa los buques en las acciones de guerra y en otras grandes solemnidades. ‖ **de inteligencia.** *Mar.* La que, con arreglo al código de señales, sirve para indicar que se han entendido las comunicaciones recibidas. ‖ **de paz.** La que se enarbola como señal de querer tratar de convenio o paz, y en los buques en señal de que son amigos. Regularmente es blanca. ‖ **2.** fig. Convenio y ajuste cuando ha habido disensión. ‖ **de recluta.** Partida de tropa mandada por un oficial o sargento, que estaba destinada a reclutar soldados. ‖ **morrón.** *Mar.* La que está amorronada. ‖ **negra.** La de este color, que izaban los piratas para anunciar que no daban ni esperaban cuartel. ‖ **2.** loc. fig. con que se denota hostilidad o rigor extremado contra algo, o contra alguien. ‖ **repetidora.** *Mar.* La que, con arreglo al código de señales, repite alguna que se halla colocada sobre ella. ‖ **a banderas desplegadas.** loc. adv. fig. Abierta o descubiertamente, con toda libertad. ‖ **2.** Con insistencia u ostentación. ‖ **afianzar,** o **afirmar, la bandera.** fr. *Mar.* **asegurar la bandera.** ‖ **alzar bandera,** o **banderas.** fr. fig. **levantar bandera,** o **banderas.** ‖ **arriar bandera,** o **la bandera.** fr. *Mar.* Rendirse uno o más buques al enemigo. ‖ **asegurar** un buque **la bandera.** fr. *Mar.* Disparar un cañonazo con bala al tiempo de izar el pabellón, como señal de la legitimidad del que se arbola o tremola. ‖ **batir banderas.** fr. *Mil.* Hacer reverencia con ellas al superior, inclinándolas o bajándolas en reconocimiento de su grado y dignidad. ‖ **dar** a alguien **la bandera.** fr. fig. Cederle la primacía, reconocerle ventaja en alguna materia. ‖ **de bandera.** loc. adj. Excelente en su línea. ‖ **jurar la bandera** o **jurar bandera.** fr. Otorgar la jura militar o civil de la **bandera.** ‖ **levantar bandera,** o **banderas.** fr. fig. Convocar gente de guerra. ‖ **2.** fig. Hacerse cabeza de bando. ‖ **llevarse** alguien **la bandera.** fr. fig. **llevarse la palma.** ‖ **militar** uno **debajo de la bandera** de otro. fr. fig. Ser de su opinión, bando o partido. ‖ **rendir la bandera.** fr. *Mar.* Arriarla en señal de respeto y cortesía. ‖ **2.** *Mil.* En algunos países de tradición católica, inclinarla de modo que apoye en el suelo la moharra, lo cual se hace por honor militar al Santísimo Sacramento. ‖ **salir con banderas desplegadas.** fr. *Mil.* Conceder uno de los honores en algunas capitulaciones a los sitiados, para la entrega de las plazas. ‖ **seguir la bandera de** alguien. fr. fig. **militar debajo de** su **bandera.**

banderado. (De *bandera.*) m. ant. **abanderado.**

banderazo. m. *Méj.* **bajada de bandera.**

bandería. (De *bandera.*) f. Bando o parcialidad.

banderilla. (d. de *bandera.*) f. Palo delgado de siete a ocho decímetros de largo, armado de una lengüeta de hierro en uno de sus extremos, y que, revestido de papel picado y adornado a veces con una banderita, usan los toreros para clavarlo en el cerviguillo de los toros. ‖ **2.** fig. Tapa de aperitivo pinchada en un palillo. ‖ **3.** fig. y fam. Dicho picante o satírico; pulla. Ú. principalmente con los verbos *clavar, plantar* o *poner.* ‖ **4.** *Impr.* Papel que se pega en las pruebas o en el original para añadir o enmendar el texto. ‖ **5.** *Min.* Papel dispuesto en forma de cucurucho que el barrenero coloca junto a la mecha de los barrenos cargados, para que el pegador pueda distinguirlos fácilmente. ‖ **de fuego.** La que está guarnecida de petardos que estallan al clavarla en el toro. ‖ **negra.** La de doble lengüeta más larga y gruesa que la de ordinario y palo así mismo más largo, revestida de negro. Ha sustituido a la **banderilla** de fuego y se utiliza como esta en los toros que no toman las varas reglamentarias.

banderillazo. (De *banderilla.*) m. fig. *Col.* Petardo, parche o sablazo.

banderillear. tr. Poner banderillas a los toros.

banderillero. m. Torero que pone banderillas.

banderín. m. d. de **bandera.** ‖ **2.** Cabo o soldado que sirve de guía a la infantería en sus ejercicios, y lleva al efecto una banderita en la bayoneta o cuchillo bayoneta del fusil. ‖ **de enganche.** Oficina destinada a la inscripción de voluntarios para servicio militar.

banderizamente. adv. m. ant. Con bando o parcialidad.

banderizar. (De *banderizo.*) tr. **abanderizar.** Ú. t. c. prnl.

banderizo, za. (De *bandera.*) adj. Que sigue bando o parcialidad. Ú. t. c. s. ‖ **2.** fig. Fogoso, alborotado.

bandero, ra. (De *bando*[2].) adj. ant. **banderizo,** que sigue bando.

banderola. (Del cat. *banderola.*) f. Bandera pequeña, como de 30 centímetros en cuadro y con asta, que tiene varios usos en la milicia, en la topografía y en la marina. ‖ **2.** Bandera pequeña que se pone en las efigies de Cristo resucitado, San Juan Bautista y otros santos. ‖ **3.** Adorno que llevan los soldados de caballería en las lanzas, y es una cinta o pedazo de tela que se coloca debajo de la moharra. ‖ **4.** *Argent., Par.* y *Urug.* Montante, ventana sobre una puerta.

bandidaje. m. **bandolerismo.**

bandido, da. p. p. del ant. **bandir.** ‖ **2.** adj. Fugitivo de la justicia llamado por bando[1]. Ú. t. c. s. ‖ **3.** m. **bandolero,** salteador de caminos. ‖ **4.** Persona perversa y desenfrenada.

bandín[1]. (De *banda*[1].) m. Banda corta que los condecorados con una gran cruz llevan debajo del chaleco, pero en dirección menos inclinada que la banda, y que substituye a esta en actos menos solemnes.

bandín[2]. (De *banda*[2].) m. *Mar.* Cada uno de los asientos que se ponen en las galeras, galeotas, botes y otras embarcaciones, alrededor de las bandas o costados que forman la popa.

bandir. (Del gót. *bandwjan,* desterrar, pregonar.) tr. ant. Publicar bando contra un reo ausente, con sentencia de muerte en su rebelión.

bando[1]. (De *bandir.*) m. Edicto o mandato solemnemente publicado de orden superior. ‖ **2.** Solemnidad o acto de publicarlo. ‖ **echar bando.** fr. Publicar un edicto o mandato.

bando[2]. (Del gót. *bandwo,* signo, bandera.) m. Facción, partido, parcialidad. ‖ **2. bandada,** número crecido de aves. ‖ **3.** Cardumen o banco de peces. ‖ **4.** V. **rey de bando.**

bandola[1]. (Del lat. *pandūra,* y este del gr. πανδοῦρα, guitarra de tres cuerdas.) f. **bandolina,** instrumento músico.

bandola[2]. (De *banda*[1].) f. *Mar.* Armazón provisional que, para seguir navegando, se pone en el buque que ha perdido algún palo por cualquier accidente. ‖ **en bandolas.** loc. adv. *Mar.* Con **bandolas** en lugar de palos.

bandolera[1]. f. Mujer que vive con bandoleros, o toma parte en sus delitos.

bandolera[2]. (De *bandola*[2].) f. Correa que cruza por el pecho y la espalda desde el hombro izquierdo hasta la cadera derecha, y que en el remate lleva un gancho de acero para colgar un arma de fuego. Es distintivo de los guardas jurados. ‖ **2.** Banda usada por los guardias de Corps, con galones de plata en forma de cuadritos del color con que debía distinguirse cada una de las compañías de aquel cuerpo. Actualmente, en los institutos montados del ejército, para días de gala y ciertos servicios llevan los jefes y oficiales una **bandolera** de charol o de correa con cartera portapliegos; y los soldados, dos de correa, cruzadas sobre el pecho y la espalda, para suspender respectivamente la carabina y el morral del pan. ‖ **3.** fig. Plaza de la antigua guardia de Corps. ‖ **en bandolera.** loc. adv. En forma de **bandolera,** cruzando desde un hombro a la cadera contraria.

bandolerismo. m. Existencia continuada de bandoleros en una comarca. ‖ **2.** Desafueros y violencias propias de los bandoleros.

bandolero. (De *bando*[2].) m. Ladrón, salteador de caminos. ‖ **2.** fig. **bandido,** persona perversa.

bandolín. (De *bandola*[1].) m. d. de **bandola**[1].

bandolina[1]. (Del fr. *bandoline.*) f. Mucílago que servía para mantener asentado el cabello después de atusado.

bandolina[2]. f. Instrumento músico pequeño de cuatro cuerdas y de cuerpo curvado como el del laúd.

bandolinista. com. Persona que toca la bandolina.

bandolón. (De *bandola*[1].) m. aum. de **bandola.** ‖ **2.** Instrumento músico semejante en la figura a la bandurria, pero del tamaño de la guitarra. Sus cuerdas, de acero unas, de latón otras, y de entorchado las demás, son 18, repartidas en seis órdenes de a tres, y se hieren con una púa.

bandolonista. com. Persona que toca el bandolón.

bandoneón. (Del al. *Bandoneon,* del nombre de su inventor, H. Band, en el s. XIX.) m. Variedad de acordeón, de forma exagonal y escala cromática, muy popular en la Argentina.

bandosidad. (De *bando*[2].) f. ant. Bando o parcialidad.

bandrullo. (Del lat. *ventricŭlus.*) m. *León* y *Sal.* **bandujo.**

bandujo. m. Tripa grande de cerdo, carnero o vaca, llena de carne picada. ‖ **2.** *Sal.* **bandullo.**

bandullo. m. fam. Vientre o conjunto de las tripas.

bandurria. (Del lat. *pandūra,* y este del gr. πανδοῦρα.) f. Instrumento músico de cuerda, semejante a la guitarra, pero de menor tamaño; suele tener 12 cuerdas pareadas y el mástil con 14 trastes fijos de metal; se toca con una púa y sirve de tiple en el concierto de instrumentos de su clase, principalmente de música popular. ‖ **sonora.** La que, en lugar de seis cuerdas de tripa, tiene otras tantas de alambre.

bandurrista. com. Persona que toca la bandurria.

bangaña. f. *Amér. Central, Col.* y *Sto. Dom.* Fruto de ciertas cucurbitáceas cuya cáscara se utiliza como vasija. ‖ **2.** *Col., Cuba* y *Pan.* Vasija tosca.

bangaño. m. *Cuba* y *Sto. Dom.* **bangaña.**

baniano. m. Comerciante de la India, por lo común sin residencia fija.

banir. (Del fr. *bannir,* y este del franco **bannjan,* desterrar.) tr. ant. Pregonar a uno por un delito.

banjo. (Del ing. *banjo,* de *bandore,* y este probablemente del esp. *bandurria.*) m. Instrumento músico de cuerda. Se compone de una caja de resonancia circular, construida con una piel tensada sobre un aro metálico, y un mástil largo con clavijas. Puede tener de cinco a nueve cuerdas que se pulsan con los dedos o con un plectro. Es de origen africano.

banqueo. m. Desmonte de un terreno en planos escalonados.

banquera. f. *Ar.* Sitio donde se ponen en línea las colmenas sobre bancos. ‖ **2.** *Ar.* Colmenar pequeño sin cerca.

banquero. m. Jefe de una casa de banca. ‖ **2.** El que se dedica a operaciones mercantiles de giro, descuento, cuentas corrientes y otras análogas sobre dinero o valores. ‖ **3.** En el juego de la banca y otros, el que lleva el naipe.

banqueta. f. Asiento de tres o cuatro pies y sin respaldo. ‖ **2.** Banco corrido y sin respaldo. ‖ **3. escabel,** banquillo muy bajo para poner los pies. ‖ **4.** Andén de alcantarilla subterránea. ‖ **5.** *Guat.* y *Méj.* **acera** de la calle, paso a lo largo de la fachada de las casas. ‖ **6.** *Equit.* Obstáculo hecho de tepes que se utiliza en los concursos hípicos. ‖ **7.** *Fort.* Obra a modo de banco corrido desde el cual pueden disparar dos filas de soldados protegidos por un parapeto o muro.

banquete. (Del it. *banchetto,* a través del fr. *banquet.*) m. Comida a que concurren muchas personas para celebrar algún acontecimiento. ‖ **2.** Comida espléndida.

banquetear. tr. Dar banquetes o participar en ellos con frecuencia. Ú. t. c. intr. y c. prnl.

banquillo. m. d. de **banco.** ‖ **2.** Asiento en que se coloca el procesado ante el tribunal. ‖ **3.** *Dep.* Lugar de espera de los jugadores reservas y entrenadores, fuera del juego.

banquina. f. *Argent.* y *Urug.* **arcén,** franja lateral de un camino, comprendida entre el pavimento y el campo.

bantú. adj. Dícese de un grupo de lenguas afines habladas en África ecuatorial y meridional por pueblos de caracteres étnicos diversos. Ú. t. c. s. ‖ **2.** Dícese del individuo de uno de los pueblos que hablan lenguas **bantúes.** Ú. t. c. s.

banyo. m. **banjo.**

banzo. m. Cada uno de los dos listones de madera más gruesos del bastidor para bordar, guarnecidos con tiras de lienzo, a que se cose la tela. ‖ **2.** Cada uno de los dos largueros paralelos o apareados que sirven para afianzar una armazón; como una escalera de mano, el respaldo de una silla, etc. ‖ **3. quijero.**

banzón. m. *Ast.* y *Gal.* Bolita de cristal que sirve para juegos infantiles.

baña. (De *bañar.*) f. *Mont.* **bañadero.**

bañadera. f. *Amér.* Bañera. ‖ **2.** *Argent.* Ómnibus descubierto en el que se realizaban paseos o excursiones. ‖ **3.** *Urug.* Ómnibus viejo de alquiler.

bañadero. m. Charco o paraje donde suelen bañarse y revolcarse los animales monteses.

bañado, da. p. p. de **bañar.** ‖ **2.** m. **bacín** para excrementos. ‖ **3.** *Amér.* Terreno húmedo, a trechos cenagoso y a veces inundado por las aguas pluviales o por las de un río o laguna cercana.

bañador, ra. (Del lat. *balneātor, -ōris.*) adj. Que baña. Apl. a pers., ú. t. c. s. ‖ **2.** m. Cajón o vaso que sirve para bañar algunas cosas; como, por ejemplo, las velas de cera. ‖ **3.** Cualquier prenda o conjunto de prendas para bañarse.

bañar. (Del lat. *balneāre.*) tr. Meter el cuerpo o parte de él en el agua o en otro líquido, por limpieza, para refrescarse o con un fin medicinal. Ú. t. c. prnl. ‖ **2.** Sumergir alguna cosa en un líquido. ‖ **3.** Humedecer, regar o tocar el agua alguna cosa. ‖ **4.** Tocar algún paraje el agua del mar, de un río, etc. *El río* BAÑA *las murallas de la ciudad.* ‖ **5.** Cubrir una cosa con una capa de otra sustancia, mediante su inmersión en esta o untándola con ella. ‖ **6.** Entre zapateros, dejar un borde a la suela en todo el contorno del zapato, para evitar que el material roce con el suelo. ‖ **7.** Tratándose del sol, de la luz o del aire, dar de lleno en alguna cosa. ‖ **8.** *Pint.* Dar una mano de color transparente sobre otro.

bañera. f. Mujer que cuida de los baños y sirve a las que se bañan. ‖ **2. baño**[1], pila.

bañero. (De *baño*[1].) m. Dueño de un **baño**[1], lugar para bañarse. ‖ **2.** El que cuida de los baños y sirve a los que se bañan. ‖ **3. bañador,** que baña.

bañezano, na. adj. Natural de La Bañeza. Ú. t. c. s. ‖ **2.** Perteneciente a esta ciudad de la provincia de León.

bañil. (De *baño*[1].) m. *Mont.* **bañadero.**

bañista. com. Persona que concurre a tomar baños. ‖ **2.** Por ext., **agüista.**

baño[1]**.** (Del lat. *balnĕum.*) m. Acción y efecto de bañar o bañarse. ‖ **2.** Acción y efecto de someter el cuerpo o parte de él al influjo intenso o prolongado de un agente físico (calor, frío, vapor, sol, lodo, etc.). ‖ **3.** Agua o líquido para bañarse. ‖ **4.** Pila que sirve para bañar, o lavar todo el cuerpo o parte de él. ‖ **5. cuarto de baño.** ‖ **6.** Sitio donde hay aguas para bañarse. ‖ **7.** V. **casa de baños.** ‖ **8. servicio,** retrete. ‖ **9.** V. **colegial de baño.** ‖ **10.** Capa de materia extraña con que queda cubierta la cosa bañada; como la de azúcar en los dulces, la de cera en varios objetos, y la de plata u oro en cubiertos y alhajas. ‖ **11.** ant. Lavadero público. ‖ **12.** fig. **tintura,** conocimiento superficial de una ciencia. ‖ **13.** fig. y fam. **revolcón,** acción de vencer y deslucir al adversario. ‖ **14.** *Metal.* Masa de metal fundido, junta en la plaza o crisol de un horno. ‖ **15.** *Pint.* Mano de color que en la pintura de brocha gorda se da sobre lo ya pintado. ‖ **16.** *Quím.* Calor templado por la interposición de alguna materia entre el fuego y lo que se calienta. Tiene diferentes nombres, según la diversidad de las materias que se interponen; como **baño** de arena, de cenizas, etc. ‖ **17.** pl. **balneario,** edificio con aguas medicinales. ‖ **de asiento.** *Med.* Aquel en el cual se sienta en la bañera quien lo toma, con objeto de no mojarse más que las piernas, las caderas y las nalgas. Hay bañeras especialmente construidas para este fin. ‖ **de María** o **baño María.** Recipiente con agua puesto a la lumbre y en el cual se mete otra vasija para que su contenido reciba un calor suave y constante en ciertas operaciones químicas, farmacéuticas o culinarias. ‖ **de sangre.** fig. y fam. Matanza de un elevado número de personas. ‖ **de vapor.** *Med.* Remedio que consiste en someter el cuerpo o parte de él a la acción del vapor de agua o de otro líquido caliente.

baño[2]**.** (De or. inc.; cf. ár. *bunayya,* edificio.) m. Especie de corral grande o patio con aposentillos o chozas alrededor, en el cual los moros tenían encerrados a los cautivos.

Bañón. (De *Bañón,* población de la provincia de Teruel.) n. p. V. **palo de Bañón.**

bañuelo. (Del lat. *balneŏlum,* bañito.) m. d. de **baño**[1].

bao. (Del fr. *bau;* cf. a. al. ant. *balko,* palo.) m. *Mar.* Cada uno de los miembros de madera, hierro o acero que, puestos de trecho en trecho de un costado a otro del buque, sirven de consolidación y para sostener las cubiertas. ‖ **2.** *Mar.* Cada uno de los dos barrotes que, empernados en las cacholas, en el sentido de la quilla, sirven para sostener las cofas.

baobab. m. Árbol del África tropical, de la familia de las bombacáceas, con tronco derecho de 9 a 10 metros de altura y hasta 10 de circunferencia, ramas horizontales de hasta 20 metros de largo, flores grandes y blancas, y frutos capsulares, carnosos y de sabor acídulo agradable.

baptismal. (De *baptismo.*) adj. ant. **bautismal.**

baptismo. (Del lat. *baptismus,* y este del gr. βαπτισμός.) m. ant. **bautismo.** ‖ **2.** Doctrina religiosa protestante cuya idea esencial es que el bautismo solo debe ser administrado a los adultos.

baptista. adj. Perteneciente o relativo al baptismo. ‖ **2.** Adepto a dicha doctrina. Ú. t. c. s.

baptisterio. (Del lat. *baptisterĭum,* y este del gr. βαπτιστήριον.) m. Sitio donde está la pila bautismal. ‖ **2. pila bautismal.** ‖ **3.** *Arq.* Edificio por lo común de planta circular o poligonal, próximo a un templo y generalmente pequeño, donde se administraba el bautismo.

baptizador. (De *baptizar.*) m. ant. El que bautiza.

baptizar. (Del lat. *baptizāre,* y este del gr. βαπτίζω, sumergir.) tr. ant. **bautizar.**

baptizo. (De *baptizar.*) m. ant. **bautizo.**

baque. (Voz onomatopéyica.) m. Golpe que da el cuerpo o cualquier cosa pesada cuando cae. ‖ **2. batacazo.**

baqueano, na. adj. **baquiano.**

baquear. (De *baque.*) intr. *Mar.* Navegar al amor del agua cuando la corriente de esta supera en rapidez a la que daría a la nave el impulso del viento.

baquelita. (De su descubridor Leo Hendrik *Baekeland.*) f. Resina sintética que se obtiene calentando formaldehído y fenol en presencia de un catalizador. Tiene mucho uso en la industria, especialmente en la preparación de barnices y lacas y en la fabricación de objetos moldeados.

baquero. adj. V. **sayo baquero.** Ú. t. c. s.

baqueta. (Del it. *bacchetta.*) f. Vara delgada de hierro o madera, con un casquillo de cuerno o metal, que servía para atacar las armas de fuego y hoy para desembarazar su ánima. ‖ **2.** Varilla seca de membrillo u otro árbol, que usan los picadores para el manejo de los caballos. ‖ **3.** *Arq.* **junquillo,** moldura estrecha. ‖ **4.** pl. Palillos con que se toca el tambor. ‖ **carrera de baquetas, o a la baqueta.** fr. fig. y fam. Mandar despóticamente. ‖ **tratar a baqueta,** o **a la baqueta,** a alguien. fr. fig. y fam. **tratar a baquetazos.**

baquetazo. m. Golpe dado con la baqueta. ‖ **tratar a baquetazos** a alguien. fr. fig. y fam. Tratarle con desprecio o severidad.

baqueteado, da. p. p. de **baquetear.** ‖ **2.** adj. fig. Experimentado en un trabajo, negocio, etc. ‖ **3.** Maltratado por una situación o vida difíciles.

baquetear. (De *baqueta.*) tr. Dar o ejecutar el castigo de baquetas. ‖ **2.** fig. Incomodar demasiado. ‖ **3.** fig. y fam. *And.* y *Amér.* **tratar a la baqueta** a alguien. ‖ **4.** fig. Adiestrar, ejercitar.

baqueteo. m. Acción y efecto de baquetear.

baquetón. m. *Arq.* Baqueta grande.

baquía. (De or. haitiano.) f. Conocimiento práctico de las sendas, atajos, caminos, ríos, etc., de un país. ‖ **2.** *Amér.* Habilidad y destreza para obras manuales.

baquiano, na. (De *baquía.*) adj. Experto, cursado. ‖ **2.** Práctico de los caminos, trochas y atajos. Apl. a pers., ú. t. c. s. ‖ **3.** m. Guía para poder transitar por ellos.

báquico, ca. (Del lat. *bacchĭcus,* y este del gr. βακχικός.) adj. Perteneciente o relativo a Baco. *Furor* BÁQUICO. ‖ **2.** fig. Perteneciente a la embriaguez.

baquio. (Del lat. *bacchīus,* y este del gr. βακχεῖος.) m. Pie de las métricas griega y latina, compuesto de tres sílabas: la primera, breve, y las otras dos, largas.

báquira. (De or. caribe.) m. **saíno.**

bar[1]**.** (Del ing. *bar,* barra.) m. Local en que se despachan bebidas que suelen tomarse de pie, ante el mostrador. Por ext., se da también este nombre a ciertas cervecerías.

bar[2]**.** m. **baro** en la terminología internacional.

baraca. (Del ár. *baraka,* bendición, don carismático.) f. En Marruecos, don divino atribuido a los jerifes o morabitos.

baracaldés, sa. adj. Natural de Baracaldo. Ú. t. c. s. ‖ **2.** Perteneciente o relativo a esta ciudad de Vizcaya.

barafunda. (De or. inc.; cf. port. *barafunda,* y fr. *baragouin.*) f. ant. **barahúnda.**

barahá. (Del hebr. *berajah,* bendición.) f. ant. Entre los judíos, oración que se hace a Dios y que contiene cierta fórmula de bendición a Él.

barahúnda. (De *barafunda.*) f. Ruido y confusión grandes.

barahustar. tr. ant. **barajustar.**

baraja. f. Conjunto de naipes que sirven para varios juegos. La **baraja** española consta de 48 naipes, y la francesa de 52. ‖ **2.** Riña, contienda o reyerta entre varias personas. Ú. m. en pl. ‖ **echarse** alguien **en la baraja.** fr. fig. **entrarse en baraja,** desistir de una pretensión. ‖ **entrarse en baraja.** fr. En algunos juegos de naipes, dar por perdida la mano. ‖ **2.** fig. Desistir de una pretensión o intento. ‖ **irse a la baraja.** fr. fig. **entrarse en baraja.** ‖ **jugar** alguien **con dos barajas.** fr. fig. y fam. Proceder con doblez. ‖ **meterse en baraja.** fr. **entrarse en baraja** en el juego. ‖ **peinar la baraja.** fr. **peinar los naipes.**

barajada. f. **barajadura.**

barajador, ra. (De *barajar.*) adj. ant. Pendenciero, pleiteador.

barajadura. f. Acción de barajar.

barajar. (De or. inc.; cf. port. *baralhar.*) tr. En el juego de naipes, mezclarlos unos con otros antes de repartirlos. ‖ **2.** En el juego de la taba o dados, impedir o estorbar la suerte que se va a hacer. ‖ **3.** fig. Mezclar y revolver unas personas o cosas con otras. Ú. t. c. prnl. ‖ **4.** En las reflexiones o hipótesis que preceden a una resolución, considerar las varias posibilidades o probabilidades que pueden darse. ‖ **5.** ant. Atropellar, someter, maltratar. ‖ **6.** *Argent., Par.* y *Urug.* Tomar en el aire un objeto que se arroje. ‖ **7.** *Argent., Chile* y *Urug.* Parar los golpes del adversario. ‖ **8.** *Equit.* Tirar al caballo de una y otra rienda para refrenarlo. ‖ **9.** *Mar.* **barajar la costa.** ‖ **10.** intr. Reñir, altercar o contender unos con otros. ‖ **barajárselas.** fr. fam. Manejarse bien, resolver con tino los problemas o las situaciones.

baraje. (De *barajar.*) m. **barajadura.**

barajón. (Del b. lat. *barallio, -ōnis,* y este del lat. *vara.*) m. Bastidor de madera que sujeta un tejido de varas y se ata debajo del pie para que este no se hunda al andar sobre la nieve. Se hace también de una tabla con tres agujeros en los cuales entran los tarugos de las almadreñas. Ú. m. en pl.

barajustar. tr. ant. **baraustar,** confundir, trastornar.

baranda[1]**.** (Del lat. *vara.*) f. **barandilla.** ‖ **2.** Borde o cerco que tienen las mesas de billar. ‖ **echar** alguien **de baranda.** fr. fig. y fam. Exagerar o ponderar mucho una cosa.

baranda[2]**.** m. vulg. despect. Deixis para referirse a una persona.

barandado. (De *baranda.*) m. **barandilla.**

barandaje. (De *baranda.*) m. **barandilla.**

barandal. (De *baranda.*) m. Listón de hierro u otra materia, sobre el que se sientan los balaustres. ‖ **2.** El que los sujeta por arriba. ‖ **3. barandilla.**

barandilla. (d. de *baranda.*) f. Antepecho compuesto de balaustres de madera, hierro, bronce u otra materia, y de los barandales que los sujetan: sirve comúnmente para los balcones, pasamanos de escaleras y división de piezas.

barangay. (Del tagalo *balañgay.*) m. Embarcación de remos, baja de bordo, usada en Filipinas. ‖ **2.** Cada uno de los grupos de 45 a 50 familias de raza indígena o de mestizos, en que se dividía la vecindad de los pueblos de Filipinas, y que estaba bajo la dependencia y vigilancia de un jefe. ‖ **3.** V. **cabeza de barangay.** ‖ **4.** *Filip.* Barrio, zona o pequeño distrito en una ciudad.

barangayán. (De *barangay.*) m. **gubán.**

baraña. f. Broza del monte. ‖ **2.** Sombra o mota que se ve por defecto de la vista.

baraño. (De *baraña.*) m. *Sal.* Fila de heno recién guadañado y tendido en tierra. ‖ **2.** *Sal.* Parte de ella que corresponde a cada uno de los cortes o golpes de la guadaña.

barata[1]**.** (De *baratar.*) f. **baratura.** ‖ **2.** Trueque, cambio. ‖ **3. mohatra,** venta fingida. ‖ **4.** En el juego de las tablas reales, disposición de las piezas que miraba a ocupar las dos últimas casas del contrario, donde se terminaba el juego con piezas dobles. ‖ **5.** *Méj.* **barato,** venta a bajo precio. ‖ **6.** ant. **barato,** fraude, engaño. ‖ **mala barata.** ant. Desperdicio, abandono y profusión de los bienes. ‖ **a la barata.** loc. adv. Confusamente, sin gobierno ni orden.

barata[2]**.** (Del lat. *blatta.*) f. *Zam.* y *Chile.* **cucaracha.**

baratador, ra. (De *baratar.*) adj. ant. Embustero, engañador. Usáb. t. c. s. ‖ **2.** Que hace baratas o trueques. Ú. t. c. s.

baratamente. adv. m. A poca costa.

baratar. (De or. inc.) tr. ant. Permutar o trocar unas cosas por otras. ‖ **2.** ant. Dar o recibir una cosa por menos de su precio ordinario. ‖ **3.** ant. Proceder, obrar.

baratear. (De *barato.*) tr. Dar una cosa por menos de su precio ordinario. ‖ **2.** Regatear una cosa antes de comprarla.

baratería. (De *baratero.*) f. ant. Delito cometido con fraude. ‖ **2.** *Der.* Engaño, fraude en compras, ventas o trueques. ‖ **3.** *Der.* Delito del juez que admite dinero o regalos por dar una sentencia justa. ‖ **de capitán, o de patrón.** Negligencia de los que mandan o tripulan un buque, o cualquier acto cometido por estos en perjuicio del armador, del cargador o de los aseguradores.

baratero, ra. (De *barato.*) adj. ant. **engañoso.** ‖ **2.** m. El que de grado o por fuerza cobraba el barato de los jugadores.

baratez. (De *barato.*) f. *Cuba* y *Urug.* **baratura.**

baratía. (De *barato.*) f. *Col.* **baratura.**

baratija. (De *barato.*) f. Cosa menuda y de poco valor. Ú. m. en pl.

baratillero, ra. m. y f. Persona que tiene baratillo.

baratillo. (d. de *barato.*) m. Conjunto de cosas de lance, o de poco precio, que están de venta en lugar público. ‖ **2.** Tienda o puesto en que se venden. ‖ **3.** Sitio fijo en que se hacen estas ventas. ‖ **4.** desus. Conjunto de gente ruin que al anochecer se solía poner en los rincones de las plazas, donde vendían lo viejo por nuevo y se engañaban unos a otros.

baratista. (De *baratar.*) com. ant. Persona que tenía por oficio o costumbre trocar unas cosas por otras.

barato, ta. (De *baratar.*) adj. Dícese de cualquier cosa vendida, comprada u ofrecida a bajo precio. ‖ **2.** fig. Que se logra con poco esfuerzo. ‖ **3.** m. Venta de efectos que se hace a bajo precio con el fin de despacharlos pronto. ‖ **4.** V. **corredor de baratos.** ‖ **5.** Porción de dinero que daba voluntariamente el que ganaba en el juego, y también la que exigía por fuerza el baratero. ‖ **6.** ant. Fraude o engaño. ‖ **7.** ant. Abundancia, sobra, baratura. ‖ **8.** adv. m. Por poco precio. ‖ **ahorcado sea tal barato.** expr. fam. que se usaba para denotar que una cosa se daba o se vendía por un precio muy bajo. ‖ **cobrar el barato.** fr. fig. y fam. Predominar una persona por el miedo que impone a otras. ‖ **dar de barato.** fr. fig. y fam. Conceder gratuitamente alguna cosa por no entorpecer el fin principal que se pretende. ‖ **de barato.** loc. adv. De balde, sin interés. ‖ **hacer barato.** fr. Dar las mercancías a menos precio por deshacerse pronto de ellas. ‖ **hacer mal barato.** fr. ant. Obrar o proceder mal. ‖ **echar a barato.** fr. fam. **meter a barato** lo que alguien va a decir. ‖ **lo barato es caro.** fr. con que se da a entender que lo que cuesta poco suele salir caro por su mala calidad o poca duración. ‖ **meter a barato.** fr. fam. Confundir y oscurecer lo que alguien va a decir, metiendo bulla y dando grandes voces. ‖ **2.** ant. Dicho de un país, tierra, etc., talarlos, destruirlos.

baratón, na. (De *baratar.*) m. y f. ant. **baratista.** ‖ **2.** ant. **chalán,** mañoso en compras y ventas.

báratro. (Del lat. *barăthrum,* y este del gr. βάραθρον.) m. poét. **infierno** de los condenados por Dios. ‖ **2.** *Mit.* **infierno** del paganismo.

baratura. (De *barato.*) f. Bajo precio de las cosas vendibles.

baraúnda. f. **barahúnda.**

baraustar. (De *barahustar.*) tr. p. us. **asestar** un arma. ‖ **2.** p. us. Desviar el golpe de un arma. ‖ **3.** ant. Confundir, trastornar.

barauste. (Del lat. *balaustĭum,* granada.) m. ant. **balaustre.**

barba. (Del lat. *barba.*) f. Parte de la cara, que está debajo de la boca. ‖ **2.** Pelo que nace en esta parte de la cara y en los carrillos. Ú. t. en pl. ‖ **3.** Este mismo pelo crecido y, por lo general, cuidado y cortado de diversas formas. ‖ **4.** Por ext., cualquier pelo o conjunto de pelos o filamentos que recuerdan las **barbas.** Ú. t. en pl. ‖ **5.** En el ganado cabrío, mechón de pelo pendiente del pellejo que cubre la quijada inferior. ‖ **6.** Carúnculas colgantes que en la mandíbula inferior tienen algunas aves. ‖ **7.** Entre colmeneros, primer enjambre que sale de la colmena. ‖ **8.** Parte superior de la colmena, donde se ponen las abejas cuando se va formando nuevo enjambre. ‖ **9.** m. desus. Comediante que hace el papel de viejo o anciano. ‖ **10.** f. pl. *Bot.* Conjunto de raíces delgadas de las plantas. ‖ **11.** Bordes desiguales del papel de tina. ‖ **12.** V. **papel de barba** o **de barbas.** ‖ **13.** *Zool.* Filamentos sutiles que guarnecen el astil de la pluma; generalmente están unidos entre sí por medio de otros más tenues que hay en sus bordes. ‖ **14.** fig. Los diversos colgantes, virutas, rebabas, etc., en adornos y herramientas. ‖ **15.** Suciedad de los fondos de los buques o de una vasija cualquiera. ‖ **16.** Aristas o filamentos de la espiga. ‖ **17.** Puntas aguzadas hacia atrás, de la lengüeta de la saeta. ‖ **18. barbilla,** tumor debajo de la lengua. ‖ **19.** fig. *Amér.* Flecos de un pañolón, rebozo, colcha, etc. ‖ **cabruna.** Planta perenne de la familia de las compuestas, de unos ocho decímetros de altura, con tallo lampiño, hojas lisas y lanceoladas, flores amarillas y raíz comestible después de cocida. ‖ **cerrada.** fig. La del hombre muy poblada y fuerte. ‖ **complida.** ant. fig. Hombre valiente, esforzado. ‖ **corrida.** La del hombre que se la deja crecer toda sin afeitar parte ninguna de ella. ‖ **de ballena. ballena,** lámina córnea de la ballena. ‖ **de cabra.** Hierba vivaz de la familia de las rosáceas, con tallos delgados de 60 a 70 centímetros, hojas partidas, duras, ásperas y dentadas, y flores en panojas colgantes, blancas y de buen olor. ‖ **honrada.** fig. Persona digna y respetable. ‖ **barbas de chivo.** fig. y fam. Las que son escasas en los carrillos y largas debajo de la boca. ‖ **2.** fig. y fam. Hombre que las tiene de este modo. ‖ **3.** Planta anual de la familia de las gramíneas, con hojas radicales muy delgadas, de unos cinco centímetros de largo, que forman un césped, del cual salen cañitas lampiñas de unos 20 centímetros, con nudos casi negros y hojas más cortas que sus vainas; las flores forman panoja cilíndrica, blanca y brillante, y las aristas son muy finas por la parte superior. ‖ **de macho. barbas de chivo.** ‖ **de zamarro.** fig. y fam. Las muy pobladas y crespas. ‖ **2.** fig. y fam. Hombre que las tiene de este modo. ‖ **a barba regada.** loc. adv. p. us. Con mucha abundancia. ‖ **a la barba.** loc. adv. **en las barbas.** ‖ **andar con la barba por el suelo.** fr. fig. y fam. Ser muy anciano o estar decrépito. ‖ **andar con la barba sobre el hombro.** fr. fig. Estar alerta, vivir con vigilancia y cuidado. ‖ **barba a barba.** loc. adv. **cara a cara.** ‖ **con más barbas que un zamarro.** expr. con que se reprende y da en cara al que ya es hombre, por alguna acción aniñada que ejecuta o intenta. ‖ **con toda la barba.** loc. adj. con que se pondera la plenitud de cualidades a que se hace referencia. ‖ **echar a la buena barba.** fr. p. us. Señalar a alguno para que pague lo que él y sus compañeros han comido o gastado. ‖ **echar a las barbas.** fr. fig. **echar a la cara, o en cara.** ‖ **en las barbas** de alguien. loc. adv. En su presencia, a su vista, en su cara. ‖ **estar con la barba sobre el hombro.** fr. fig. **andar con la barba sobre el hombro.** ‖ **fondear a barba de gato.** fr. fig. *Mar.* Fondear con dos anclas, de manera que sus cables formen aproximadamente ángulo recto. ‖ **hacer la barba.** fr. Afeitar la **barba** o el bigote. ‖ **2.** fig. y fam. Fastidiar, incomodar. ‖ **3.** fig. y fam. Adular, obsequiar con fines interesados. ‖ **llevar** a alguien **de la barba.** fr. fig. y fam. Gobernarlo, doctrinarlo. ‖ **mentir por la barba.** fr. fig. y fam. Mentir con descaro. ‖ **para mis barbas.** loc. Fórmula de juramento para aseverar alguna cosa. ‖ **pelarse las barbas.** fr. fig. Manifestar con ademanes gran ira y enojo. ‖ **por barba.** loc. adv. Por cabeza o por persona. *A perdiz* POR BARBA. ‖ **subirse** uno **a las barbas** de otro. fr. fig. y fam. Atreverse o perder el respeto al superior, o quererse igualar con quien le excede. ‖ **temblarle** a alguien **la barba.** fr. fig. y fam. Tener miedo, estar con recelo. ‖ **tener** una mujer **buenas barbas.** fr. fig. y fam. desus. Ser bien parecida. ‖ **tener** alguien **pocas barbas.** fr. fig. y fam. Tener pocos años o poca experiencia. ‖ **tentarse las barbas.** fr. fam. **tentarse la ropa.** ‖ **tirarse de las barbas.** fr. fig. **pelarse las barbas.** ‖ **traer la barba sobre el hombro.** fr. fig. **andar con la barba sobre el hombro.**

barbacana. (Del ár. *bāb al-báqara,* puerta de las vacas.) f. *Fort.* Obra avanzada y aislada para defender puertas de plazas, cabezas de puente, etc. ‖ **2.** Muro bajo con que se suelen rodear las plazuelas que algunas iglesias tienen alrededor de ellas o delante de alguna de sus puertas. ‖ **3.** Saetera o tronera.

barbacoa. (De or. antillano.) f. Parrilla usada para asar al aire libre carne o pescado. ‖ **2.** *Amér.* Zarzo cuadrado u oblongo, sostenido con puntales, que sirve de camastro. ‖ **3.** *Amér.* Andamio en que se ponen los muchachos para guardar los maizales. ‖ **4.** *Amér.* Casita construida en alto sobre árboles o estacas. ‖ **5.** *Amér.* Zarzo o tablado tosco en lo alto de las casas, donde se guardan granos, frutos, etc. ‖ **6.** *C. Rica.* Emparrado o armazón sobre la que se extienden las plantas enredaderas. ‖ **7.** *Guat.* y *Méj.* Conjunto de palos de madera verde puesto en un hoyo en la tierra, a manera de parrilla, para asar carne. ‖ **8.** *Méj.* Carne asada de este modo, generalmente de cordero o de chivo.

barbacuá. f. **barbacoa.**

barbada. (De *barba.*) f. Quijada inferior de las caballerías. ‖ **2.** Cadenilla o hierro corvo que se pone a las caballerías por debajo de la barba, atravesada de una cama a otra del freno, para regirlas y sujetarlas. ‖ **3.** Pieza de madera que se adosa al violín en la parte inferior izquierda para apoyar la barba el que lo toca. ‖ **4.** Pez teleósteo anacanto, parecido al abadejo, pero de cabeza más gruesa, dos aletas dorsales en vez de tres, y una barbilla en la mandíbula inferior, a lo cual debe el nombre. Vive en el Mediterráneo, crece hasta unos siete decímetros de largo, es negruzco por el lomo y azul plateado por el abdomen.

barbadamente. adv. m. ant. Fuertemente, varonilmente.

barbado, da. p. p. de **barbar.** ‖ **2.** adj. Que tiene barbas. Apl. a pers., ú. t. c. s. ‖ **3.** ant. **barbato.** ‖ **4.** m. Árbol que se planta con raíces, o sarmiento con ellas que sirve para plantar viñas. ‖ **5.** Renuevo o hijuelo que brota de las raíces de los árboles o arbustos. ‖ **plantar de barbado.** fr. *Agr.* Trasplantar un vástago o sarmiento que ha echado ya raíces.

barbaja. (despect. de *barba.*) f. Planta perenne de la familia de las compuestas, parecida a la escorzonera, de unos tres decímetros de altura, con tallo recto y ramoso, hojas lanceoladas, lineales y aserradas, y flores rojizas. Abunda en España. ‖ **2.** pl. *Agr.* Primeras raíces que echan los vegetales recién plantados.

barbaján. adj. *Cuba* y *Méj.* Tosco, rústico, brutal. Ú. t. c. s.

barbajuelas. f. pl. d. de **barbajas,** primeras raíces que echan los vegetales.

barbar. intr. Echar barbas el hombre. ‖ **2.** Entre colmeneros, criar las abejas. ‖ **3.** *Agr.* Echar raíces las plantas.

bárbaramente. adv. m. Brutal o cruelmente. ‖ **2.** Con barbaridad, grosera y toscamente. ‖ **3.** Muy bien, estupendamente.

barbarería. f. ant. Barbaridad, barbarie.

barbaresco, ca. adj. ant. **barbárico.**

barbaria. (Del lat. *barbarĭa.*) f. ant. **barbarie.**

barbáricamente. adv. m. Al modo de los pueblos bárbaros.

barbárico, ca. (Del lat. *barbarĭcus.*) adj. Perteneciente o relativo a los pueblos bárbaros.

barbaridad. f. Calidad de bárbaro. ‖ **2.** Dicho o hecho necio o temerario. ‖ **3. atrocidad,** exceso, demasía. ‖ **4.** fig. y fam. Cantidad grande o excesiva. ‖ **5.** Acción o acto exagerados o excesivos.

barbarie. (Del lat. *barbarĭes.*) f. fig. Rusticidad, falta de cultura. ‖ **2.** fig. Fiereza, crueldad.

barbarismo. (Del lat. *barbarismus.*) m. Vicio del lenguaje, que consiste en pronunciar o escribir mal las palabras, o en emplear vocablos impropios. ‖ **2.** *Ling.* Extranjerismo no incorporado totalmente al idioma. ‖ **3. barbaridad,** dicho o hecho temerario. ‖ **4.** fig. y fam. **barbarie,** falta de cultura. ‖ **5.** poét. Multitud de bárbaros.

barbarizar. (Del lat. *barbarizāre.*) tr. p. us. Adulterar una lengua con barbarismos. ‖ **2.** intr. fig. Decir barbaridades.

bárbaro, ra. (Del lat. *barbărus,* y este del gr. βάρβαρος, extranjero.) adj. Dícese del individuo de cualquiera de los pueblos que en el siglo V abatieron el imperio romano y se difundieron por la mayor parte de Europa. Ú. t. c. s. ‖ **2.** Perteneciente a estos pueblos. ‖ **3.** fig. Fiero, cruel. ‖ **4.** fig. Arrojado, temerario. ‖ **5.** fig. Inculto, grosero, tosco. ‖ **6.** Grande, excesivo, extraordinario. ‖ **7.** Excelente, llamativo, magnífico. ‖ **¡qué bárbaro!** exclam. que indica asombro, admiración, extrañeza.

barbarote. adj. fam. aum. de **bárbaro,** fiero, cruel. ‖ **2. bárbaro,** arrojado, temerario. ‖ **3. bárbaro,** inculto, grosero.

barbastrense. adj. **barbastrino.** Apl. a pers., ú. t. c. s.

barbastrino, na. adj. Natural de Barbastro. Ú. t. c. s. ‖ **2.** Perteneciente a esta ciudad de la provincia de Huesca.

barbato. (Del lat. *barbātus.*) adj. *Astron.* V. **cometa barbato.**

barbaza. f. aum. de **barba,** pelo que nace en la cara.

barbear. tr. Llegar con la barba a cierta altura. *Los toros, vacas y otros animales saltan toda la altura que* BARBEAN. ‖ **2. hacer la barba,** afeitar la barba o el bigote. ‖ **3.** fig. *Méj.* **hacer la barba,** adular, obsequiar interesadamente. ‖ **4.** fig. *Méj.* Asir una res vacuna, particularmente si es pequeña, por el hocico y el testuz o el cuerno, y haciendo fuerza con las manos en direcciones opuestas, torcer el cuello hasta dar en tierra con el animal. ‖ **5.** intr. Trabajar el barbero en su oficio. ‖ **6.** fig. Acercarse o llegar casi una cosa a la altura de otra. ‖ **7.** fig. *C. Rica.* Halagar, lisonjear. ‖ **8.** *Taurom.* Andar el toro a lo largo de las tablas, rozándolas con el hocico, como olfateando y buscando la salida del ruedo.

barbechada. (De *barbechar.*) f. **barbechera,** acción y efecto de barbechar.

barbechar. (De *barbecho.*) tr. Arar o labrar la tierra disponiéndola para la siembra. ‖ **2.** Arar la tierra para que se meteorice y descanse.

barbechera. f. Conjunto de varios barbechos. ‖ **2.** Tiempo en que se barbecha. ‖ **3.** Acción y efecto de barbechar.

barbecho. (Del lat. *vervactum,* de *vervagĕre,* arar la tierra en la primavera.) m. Tierra labrantía que no se siembra durante uno o más años. ‖ **2.** Acción de barbechar. ‖ **3.** Haza arada para sembrar después. ‖ **firmar en barbecho,** o **como en un barbecho.** fr. fig. y fam. Hacerlo sin examinar lo que firma.

barbera. f. Mujer del barbero. ‖ **2.** fam. *And.* y *Amér.* **navaja de afeitar.**

barbería. f. Local donde trabaja el barbero. ‖ **2.** Oficio de barbero. ‖ **3.** Sala o pieza destinada en las comunidades y otros establecimientos para servicios de barbero o peluquero.

barberil. adj. fam. Propio de barberos.

barbero[1], ra. (De *barba.*) adj. V. **navaja barbera.** ‖ **2.** fig. *Méj.* **adulador.** ‖ **3.** m. El que tiene por oficio afeitar o hacer la barba. ‖ **4.** Pez del mar de las Antillas, del orden de los acantopterigios, de 15 a 20 centímetros de largo y la mitad de ancho, de color de chocolate, cola ahorquillada, boca pequeña, ojos grandes y negros con cerco amarillo, una espina dura y puntiaguda junto a la cola, y piel muy áspera. Hay varias especies.

barbero[2]. (De *barbo.*) m. *Al.* Red que se tiende de orilla a orilla en los ríos, para pescar barbos.

barberol. (De *barba.*) m. *Zool.* Pieza que, con otras, forma el labio inferior de los insectos masticadores.

barbeta. (Del fr. *barbette.*) f. *Fort.* Trozo de parapeto, ordinariamente en los ángulos de un bastión, destinado a que tire la artillería a descubierto. ‖ **2.** *Mar.* Trozo de meollar o filástica. ‖ **a barbeta.** loc. adv. *Art.* y *Fort.* Dícese de la fortificación cuyo parapeto no tiene troneras ni merlones, ni cubre a los artilleros. ‖ **2.** Dícese de la artillería puesta sobre este género de fortificación.

barbián, na. (Del caló *barbán,* aire.) adj. fam. Desenvuelto, gallardo, arriscado. Ú. t. c. s.

barbiblanco, ca. adj. **barbicano.**

barbicacho. (Del lat. *barba,* y *capsus,* caja.) m. Cinta o toca que se echa por debajo de la barba.

barbicano, na. adj. Que tiene cana la barba.

barbicastaño, ña. adj. Que tiene la barba de color castaño.

barbiespeso, sa. adj. Que tiene espesa la barba.

barbihecho. (De *barba* y *hacer.*) adj. Recién afeitado.

barbijo. (De *barba.*) m. *Sal., Argent., Bol., Par.* y *Urug.* **barbiquejo,** cinta de sujetar que pasa por debajo de la barba. ‖ **2.** *Argent.* y *Bol.* **chirlo,** herida en la cara. ‖ **3.** *Argent.* Pieza de tela con que, por asepsia, los médicos y auxiliares se cubren la boca y la nariz.

barbilampiño. (De *barba* y *lampiño.*) adj. Dícese del varón adulto que no tiene barba, o tiene poca.

barbilindo. (De *barba* y *lindo.*) adj. Galancete, preciado de lindo y bien parecido.

barbilucio. (De *barba* y *lucio*[2].) adj. **barbilindo.**

barbiluengo, ga. (De *barba* y *luengo.*) adj. Que tiene larga la barba.

barbilla. (d. de *barba.*) f. Punta o remate de la barba o parte de la cara que está debajo de la boca. ‖ **2.** Papada, abultamiento carnoso. ‖ **3.** Apéndice carnoso que algunos peces tienen en la parte inferior de la cabeza, a manera de mamellas. ‖ **4.** Cartílago que, a modo de fleco, rodea como aleta a ciertos peces, como el lenguado y el pejesapo. ‖ **5.** *Carp.* Corte dado oblicuamente en la cara de un madero para que encaje en el hueco poco profundo de otro. ‖ **6.** *Veter.* **sapillo,** tumor bajo la lengua. ‖ **7.** pl. *Zool.* Filamentos diminutos de las barbas de las plumas de las aves. ‖ **8.** m. pl. usado c. sing. Hombre de barba escasa.

barbillera. (De *barbilla.*) f. Rollo de estopa que se pone alrededor de las cubas de vino para que, si al tiempo de hervir sale algo de mosto, tropezando este con la estopa, destile y caiga por las puntas del rollo, que se dejan pendientes, en la vasija que se pone debajo para recogerlo. ‖ **2.** Especie de barboquejo que se suele poner a los cadáveres para cerrarles la boca.

barbillón. m. **barbilla,** apéndice carnoso.

barbimoreno, na. adj. Que tiene la barba morena.

barbinegro, gra. adj. Que tiene negra la barba.

barbiponiente. (De *barbipungente.*) adj. fam. Dícese del joven a quien empieza a salir la barba. Ú. t. c. s. ‖ **2.** fig. y fam. p. us. **principiante** en un arte u oficio.

barbipungente. (Del lat. *barba,* barba, y *pungens, -entis,* punzante.) adj. **barbiponiente,** que empieza a salirle la barba.

barbipuniente. adj. **barbiponiente,** que comienza a tener barba. Ú. t. c. s.

barbiquejo. (Del lat. *barba,* y **capsus,* quijada, por *capsa,* caja.) m. **barboquejo,** cinta para sujetar por debajo de la barba. ‖ **2.** *Perú.* Pañuelo que, a modo de venda, se pasa por debajo de la barba y ata por encima de la cabeza, o a un lado de la cara. ‖ **3.** *Mar.* Cabo o cadena que sujeta el bauprés al tajamar o a la roda.

barbirralo. (De *barba* y *ralo.*) adj. Dícese del individuo que tiene rala la barba.

barbirrapado, da. adj. Que tiene rapada la barba.

barbirrojo, ja. adj. Que tiene roja la barba.

barbirrubio, bia. adj. Que tiene rubia la barba.

barbirrucio, cia. (De *barba* y *rucio.*) adj. Que tiene la barba mezclada de pelos blancos y negros.

barbitaheño, ña. (De *barba* y *taheño.*) adj. Que tiene roja o bermeja la barba.

barbiteñido, da. adj. Que lleva teñida la barba.

barbitonto, ta. (De *barba* y *tonto.*) adj. Que tiene cara de tonto.

barbitúrico. (Del al. *Barbitur* en *Barbitursäure,* ácido barbitúrico, e *-ico.*) adj. *Quím.* Dícese de cierto ácido orgánico cristalino cuyos derivados tienen propiedades hipnóticas y sedantes. En dosis excesivas poseen acción tóxica. ‖ **2.** m. Cualquiera de estos derivados.

barbo. (Del lat. *barbus,* de *barba,* barba.) m. Pez de río, fisóstomo, de color fusco por el lomo y blanquecino por el vientre. Crece hasta unos 60 centímetros de longitud y tiene cuatro barbillas en la mandíbula superior, dos hacia el centro y otras dos, más largas, a uno y otro lado de la boca. Es comestible. ‖ **de mar. salmonete.** ‖ **hacer el barbo.** fr. fig. y fam. Abrir la boca y gesticular una persona en un coro fingiendo cantar.

barbón. m. Hombre barbado. ‖ **2.** En la orden de la Cartuja, religioso lego, porque se deja crecer la barba. ‖ **3.** **cabrón,** macho de la cabra.

barboquejo. (De *barbiquejo.*) m. Cinta con que se sujeta por debajo de la barba el sombrero o morrión para que no se los lleve el aire.

barbotar. (Voz onomatopéyica.) intr. **barbotear[1].** Ú. t. c. tr.

barbote. (De *barba.*) m. **babera,** pieza de la armadura que cubría la boca. ‖ **2.** Pequeño palo o barra de plata que, embutida en el labio inferior, llevan como insignia algunas parcialidades de indios de la Argentina.

barboteadura. f. ant. Material y obra con que se barbotea[2].

barbotear[1]. (De *barbotar.*) intr. Barbullar, mascullar.

barbotear[2]. tr. ant. Atrancar y fortificar.

barboteo. m. Acción y efecto de barbotear[1].

barbucha. f. despect. de **barba.**

barbudo, da. (De *barba.*) adj. Que tiene muchas barbas. ‖ **2.** V. **águila barbuda.** ‖ **3.** m. **barbado,** renuevo de una planta.

bárbulas. f. pl. *Zool.* **barbillas** de las plumas de las aves.

barbulla. (De *barbullar.*) f. fam. Ruido, voces y gritería de los que hablan a un tiempo confusa y atropelladamente.

barbullar. (Voz onomatopéyica.) intr. fam. Hablar atropelladamente y a borbotones, metiendo mucha bulla.

barbullido. (Voz onomatopéyica.) m. Rizado que produce en la superficie de la mar el paso de un banco de sardinas.

barbullón, na. (De *barbullar.*) adj. fam. Que habla confusa y atropelladamente. Ú. t. c. s.

barbuquejo. m. **barboquejo,** cinta para sujetar bajo la barba.

barbusano. m. Árbol de las islas Canarias, de la familia de las lauráceas, que crece hasta 16 metros de altura. Su madera es durísima, pero frágil, algo parecida a la caoba y de mucha duración. ‖ **2.** Madera de este árbol.

barca. (Del lat. *barca.*) f. Embarcación pequeña para pescar o traficar en las costas del mar, o para atravesar los ríos. ‖ **2. barcaje,** precio que se paga por pasar el río en una **barca.**

barcada. f. Carga que transporta o lleva una barca en cada viaje. ‖ **2.** Cada viaje de una barca.

barcaje. m. Transporte de efectos en una barca. ‖ **2.** Precio o flete que por él se paga. ‖ **3.** Precio o derecho que se pagaba por pasar de una a otra parte del río en una barca.

barcal. (De *barca.*) adj. V. **madero, tabla barcal.** Ú. t. c. s. ‖ **2.** m. Artesa de una pieza, en la cual, al medir vino, se colocan las vasijas para recoger el que se derrame. ‖ **3. dornajo.** ‖ **4.** Cajón chato, con abrazaderas de hierro, que se usa en vez de espuerta en las minas de la provincia de Huelva.

barcarola. (Del it. *barcarola.*) f. Canción popular de Italia, y especialmente de los gondoleros de Venecia. ‖ **2.** Canto de marineros, en compás de seis por ocho, que imita por su ritmo el movimiento de los remos.

barcaza. (aum. de *barca.*) f. Lanchón para transportar carga de los buques a tierra, o viceversa.

Barcelona. n. p. V. **conde de Barcelona.**

barcelonés, sa. adj. Natural de Barcelona. Ú. t. c. s. ‖ **2.** Perteneciente o relativo a esta ciudad o a su provincia. ‖ **3.** Natural de Barcelona, capital del Estado venezolano de Anzoátegui. Ú. t. c. s. ‖ **4.** Perteneciente o relativo a dicha capital.

barceno, na. adj. **barcino.**

barceo. m. **albardín.**

barcia. f. Desperdicio o ahechaduras que se sacan al limpiar el grano.

barcina. (De *barceo.*) f. *And.* **herpil.** ‖ **2.** *And.* Carga o haz grande de paja.

barcinador. m. *And.* El que barcina.

barcinar. (De *barcina.*) intr. *And.* Coger las gavillas de mies, echarlas en el carro y conducirlas a la era.

barcino, na. (Del ár. *barši*, de color mixto de cetrino o negro, y rojo, es decir, abigarrado, manchado.) adj. Dícese de los animales de pelo blanco y pardo, y a veces rojizo; como ciertos perros, toros y vacas.

barcinonense. (Del lat. *Barcinonensis.*) adj. **barcelonés.** Apl. a pers., ú. t. c. s.

barco. (De *barca.*) m. Construcción cóncava de madera, hierro u otra materia, capaz de flotar en el agua y que sirve de medio de transporte. ‖ **2.** Barranco poco profundo. ‖ **3.** fig. y fam. *Méj.* Profesor poco exigente con el que es fácil aprobar. ‖ **cisterna.** El dedicado a transportar líquidos.

barcolongo. (Del gall. y port. *barco longo.*) m. Embarcación antigua larga y estrecha, de dos palos y muy velera. ‖ **2.** También han tenido este nombre otros buques de proa redonda, con cubierta, un solo mástil y vela de popa a proa.

barcoluengo. (De *barco* y *luengo.*) m. **barcolongo.**

barcón. (De *barca.*) m. Embarcación menor que se llevaba a remolque o sobre cubierta en los galeones y bajeles grandes para servicios auxiliares de los mismos principalmente en tiempo de guerra. ‖ **mastelero.** El que, aparejado de mástil y de velas, servía para navegaciones costeras.

barcote. m. aum. de **barco.**

barchilón, na. (De *Barchilón*, apellido de un español caritativo que vivió en el Perú en el siglo XVI.) m. y f. *Amér.* Enfermero de un hospital.

barchilla. (Del mozár. *barchella*, del lat. *particella*, partecilla.) f. Medida de capacidad para áridos, usada en las provincias de Alicante, Castellón y Valencia. En la primera equivale a 2.077 centilitros; en la segunda, a 1.660, y en la tercera, a 1.675.

barda[1]. (Del it. *barda*, del ár. *bārda'a*, albarda.) f. Arnés o armadura de vaqueta o hierro, o de una y otro juntamente, con que en lo antiguo se guarnecían el pecho, los costados y las ancas de los caballos para su defensa en la guerra, en los torneos, etc. ‖ **2.** ant. Borrén de la silla.

barda[2]. (De or. inc.) f. Cubierta de sarmientos, paja, espinos o broza, que se pone, asegurada con tierra o piedras, sobre las tapias de los corrales, huertas y heredades, para su resguardo. ‖ **2.** *Ar.* y *Méj.* Seto o vallado de espinos. ‖ **3.** *Sal.* **quejigo,** roble que no ha alcanzado su desarrollo. ‖ **4.** *Argent.* En las montañas de la región patagónica, ladera acantilada o barrancosa. ‖ **5.** *Mar.* Nubarrón oscuro, alargado y de mal aspecto, que sobresale pegado al horizonte.

bardado, da. (De *barda*[1].) adj. Armado o defendido con la barda o armadura.

bardaguera. f. Arbusto de la familia de las salicáceas, muy ramoso, de dos a cuatro metros de altura, con hojas lanceoladas, verdes y lampiñas por la cara superior, blanquecinas y algo vellosas por el envés, y flores verdes en amentos muy precoces. Los ramos más delgados sirven para hacer canastillas y cestas. ‖ **2.** p. us. **barda[2],** cubierta de espinos.

bardaja. m. **bardaje.**

bardaje. (Del ár. *bardaŷ*, mancebo, cautivo.) m. Sodomita paciente.

bardal. m. **barda[2],** cubierta o vallado de espinos. ‖ **saltando bardales.** expr. fig. y fam. Huyendo sin reparar en obstáculos.

bardana. (Como el fr. *bardane*, de or. inc.) f. **lampazo,** planta compuesta, con flores purpúreas de espinas en anzuelo. ‖ **menor. cadillo,** planta.

bardanza (andar de). fr. fam. p. us. Andar de aquí para allí.

bardar. (De *barda*[2].) tr. Poner bardas a los vallados, paredes o tapias.

bardiota. (Del gr. bizantino βαρδαριώτης.) adj. Decíase de ciertos soldados de la milicia bizantina encargados de guardar las personas del emperador y de los príncipes de su familia. Ú. t. c. s.

bardiza. (De *barda*[2].) f. *Murc.* Vallado de cañas con que se cerca una heredad.

bardo[1]**.** (Del lat. *bardus,* y este del célt. *bardd,* poeta.) m. Poeta de los antiguos celtas. ‖ **2.** Por ext., poeta heroico o lírico de cualquier época o país.

bardo[2]**.** (Del m. or. que *barro.*) m. Barro, fango. ‖ **2.** Vallado de leña, cañas o espinos. ‖ **3.** Vivar de conejos, especialmente el que tiene varias bocas y está cubierto de maleza.

bardoma. f. *Ar.* Suciedad, porquería y lodo corrompido.

bardomera. f. *Murc.* Broza que, de los montes y otros parajes, traen en las avenidas los ríos y arroyos.

baremación. f. Acción y efecto de establecer un baremo de evaluación.

baremo. (De B. F. *Barrême,* matemático francés.) m. Cuaderno o tabla de cuentas ajustadas. ‖ **2.** Lista o repertorio de tarifas. ‖ **3.** Conjunto de normas establecidas convencionalmente para evaluar los méritos personales, la solvencia de empresas, etc.

bareque. m. **albareque.**

bargueño, ña. adj. Natural de Bargas, en la provincia de Toledo. Ú. t. c. s. ‖ **2.** Perteneciente a esta población. ‖ **3.** m. Mueble de madera con muchos cajoncitos y gavetas, adornado con labores de talla o de taracea, en parte dorados y en parte de colores vivos, al estilo de los que se construían en Bargas.

barí. (Del caló *baré,* grande, excelente.) adj. *Caló.* **excelente,** que sobresale en su especie.

baria. (Del gr. βάρος, pesadez.) f. *Fís.* En el sistema cegesimal, unidad de presión equivalente a una dina por centímetro cuadrado.

baría. (De or. cubano.) f. Árbol de la isla de Cuba, de la familia de las borragináceas, que crece hasta ocho metros de altura. La babaza de su corteza se emplea para clarificar el azúcar.

baril. adj. *Caló.* **barí.**

barinés, sa. adj. Natural de Barinas, capital del Estado venezolano del mismo nombre. Ú. t. c. s. ‖ **2.** Perteneciente o relativo a dicha capital.

bario. (De *barita,* por haberse extraído de este mineral.) m. *Quím.* Metal blanco amarillento, dúctil y difícil de fundir. En contacto con el aire, y más aún con el agua, se oxida rápidamente. Núm. atómico 56. Símb.: *Ba.*

barisfera. (Del gr. βαρύς, pesado, y σφαῖρα, esfera.) f. Núcleo central del globo terrestre.

barita. (Del gr. βαρύς, pesado.) f. Óxido de bario, que en forma de polvo blanco se obtiene en los laboratorios. Combinado con el ácido sulfúrico, se encuentra generalmente en la naturaleza, formando la baritina.

baritel. m. Malacate movido por caballerías para sacar agua o minerales.

baritina. f. Sulfato de barita, de formación natural, que se usa para falsificar el albayalde.

barítono. (Del lat. *barytŏnus,* y este del gr. βαρύτονος, de voz grave.) m. *Mús.* Voz media entre la de tenor y la de bajo. ‖ **2.** *Mús.* El que tiene esta voz.

barjuleta. (Tal vez del b. lat. *bursa,* bolsa.) f. Bolsa grande de tela o cuero, cerrada con una cubierta, que llevan a la espalda los caminantes, con ropa, utensilios o menesteres. ‖ **2.** Bolsa con dos senos, que se usaba en algunos cabildos de la corona de Aragón para repartir las distribuciones. ‖ **3.** Bolsa del estómago o de la matriz.

barloa. (Del fr. *par lof,* del ant. nórd. *lof,* viento.) f. *Mar.* Cable o calabrote con que se sujetan los buques abarloados.

barloar. (De *barloa.*) tr. *Mar.* **abarloar.** Ú. t. c. intr. y c. prnl.

barloventear. (De *barlovento.*) intr. *Mar.* Ganar distancia contra el viento, navegando de bolina. ‖ **2.** fig. y fam. Andar de una parte a otra, sin permanencia en ningún lugar.

barlovento. (De *barloa* y *-vento,* a imitación de *sotavento.*) m. *Mar.* Parte de donde viene el viento, con respecto a un punto o lugar determinado. ‖ **ganar el barlovento.** fr. Situarse dejando al enemigo u otra escuadra o buque a sotavento y en disposición de poder arribar sobre él. ‖ **2.** fig. p. us. Aventajar a otro en cualquier línea.

barnabita. (Del lat. *Barnăba,* Bernabé.) adj. Dícese de los clérigos regulares de la congregación de San Pablo, que tomaron este nombre por haber dado principio a su ejercicio el año 1530 en la iglesia de San Bernabé de Milán. Ú. t. c. s.

barnacla. (Del ing. *barnacle,* de or. inc.) m. Ave anseriforme marina propia de las costas europeas, que se creyó que nacía de las conchas o mariscos que se adhieren a los vegetales que crecen en la orilla del mar; hay varias especies.

barniz. (De *berniz.*) m. Disolución de una o más sustancias resinosas en un líquido que al aire se volatiliza o se deseca. Con ella se da a las pinturas, maderas y otras cosas, con objeto de preservarlas de la acción de la atmósfera, del polvo, etc., y para que adquieran lustre. ‖ **2.** Baño que se da en crudo al barro, loza y porcelana y que se vitrifica con la cocción. ‖ **3.** Baño o afeite con que se componían el rostro las mujeres. ‖ **4.** fig. **tintura,** noción superficial de una ciencia. ‖ **5.** *Impr.* Compuesto de trementina y aceite cocido, con el cual y polvos de humo de pez se hacía la tinta para imprimir. ‖ **de almáciga.** El preparado con la resina de este nombre. ‖ **del Japón.** Maque, zumaque del Japón. ‖ **2.** Por confusión con las especies vegetales que segregan el zumaque del Japón, **ailanto.** ‖ **de pulimento.** El que, después de seco, adquiere tanta dureza que puede pulimentarse como el mármol. ‖ **al barniz blando.** loc. adv. V. **grabado al barniz blando.**

barnizado, da. p. p. de **barnizar.** ‖ **2.** m. Acción y efecto de barnizar.

barnizador, ra. adj. Que barniza. Ú. t. c. s. ‖ **2.** m. y f. Persona que tiene por oficio barnizar.

barnizadura. f. Acción y efecto de barnizar.

barnizar. tr. Dar un baño de barniz.

baro. (Del gr. βάρος, pesadez.) m. *Fís.* Unidad de medida de la presión atmosférica, equivalente a cien millones de pascalios.

baro-, -baro, ra. (Del gr. βάρος, pesadez.) Elemento compositivo que significa «pesantez», y por ext., «presión atmosférica», v. gr. BARO*rreceptores,* *isó*BARAS.

barógrafo. (De *baro-* y *-grafo.*) m. Barómetro registrador.

barométrico, ca. adj. Perteneciente o relativo al barómetro. *Escala* BAROMÉTRICA. ‖ **2.** V. **columna barométrica.**

barómetro. (De *baro-* y *-metro.*) m. Instrumento que sirve para determinar la presión atmosférica. ‖ **2.** fig. Cualquier cosa que se considera índice o medida de un determinado proceso o estado. *La prensa es un* BARÓMETRO *que señala el grado de cultura de un pueblo.* ‖ **aneroide. barómetro metálico.** ‖ **de mercurio.** El que indica la presión atmosférica de un gas por la diferencia de nivel entre dos recipientes llenos de mercurio, comunicados entre sí, uno de los cuales es un tubo vertical de unos 90 cm de largo, en cuya parte superior se ha hecho el vacío por encima del nivel de mercurio. El otro recipiente puede ser otro tubo o un depósito cualquiera y en él la superficie del mercurio está directamente en contacto con la atmósfera o con el gas cuya presión se quiere medir. ‖ **holostérico. barómetro metálico.** ‖ **metálico.** El constituido por un recipiente metálico, con paredes muy elásticas, del cual se ha extraído el aire y que modifica su forma cuando la presión de la atmósfera varía. Tal modificación se transmite amplificada a una aguja que señala la presión. ‖ **registrador.** El que inscribe automáticamente las variaciones de la presión atmosférica en un cilindro giratorio.

barón. (Del germ. *baro,* hombre libre.) m. Título de dignidad, de más o menos preeminencia según los diferentes países. ‖ **2.** V. **corona de barón.**

baronesa. f. Mujer del barón. ‖ **2.** Mujer que goza una baronía.

baronía. f. Dignidad de barón. ‖ **2.** Territorio o lugar sobre el que recae este título o en que ejercía jurisdicción un barón.

baroto. m. Barca muy pequeña que se usa en Filipinas y que, careciendo de batangas, solo se emplea en las aguas tranquilas.

barquear. tr. Atravesar en barca un río o lago. ‖ **2.** intr. Utilizar los botes o lanchas para trasladarse de un punto a otro.

barqueo. m. Acción de barquear.

barquero, ra. m. y f. Persona que gobierna la barca.

barquete. m. d. de **barco.**

barquía. f. *Cantabria.* Embarcación capaz, a lo sumo, de cuatro remos por banda.

barquichuelo. m. d. de **barco.**

barquilla. (d. de *barca.*) f. Molde prolongado, a manera de barca, que sirve para hacer pasteles. ‖ **2.** Cesto o artefacto en que van los tripulantes de un globo o de una aeronave. ‖ **3.** *Mar.* Tablita en figura de sector de círculo, con una chapa de plomo en el arco para que se mantenga vertical en el agua, y en cuyo vértice se afirma el cordel de la corredera que mide lo que anda la nave.

barquillero, ra. m. y f. Persona que hace o vende barquillos. ‖ **2.** m. Molde de hierro para hacer barquillos. ‖ **3.** V. **palillo de barquillero.** ‖ **4.** f. Recipiente metálico en que el **barquillero** lleva su mercancía. Suele tener en la tapa un mecanismo giratorio que sirve para determinar por la suerte el número de barquillos que corresponden a cada tirada.

barquillo. (d. de *barco.*) m. Hoja delgada de pasta hecha con harina sin levadura y azúcar o miel y por lo común canela, la cual, en moldes calientes, recibía en otro tiempo figura convexa o de barco, y hoy suele tomar la de canuto, más ancho por uno de sus extremos que por el otro.

barquín. (De *barquino.*) m. Fuelle grande que se usa en las ferrerías y fraguas.

barquinazo. (De *barco.*) m. fam. Tumbo o vaivén recio de un carruaje, y también vuelco del mismo.

barquinera. f. **barquín.**

barquino. (Del lat. [*follis*] *vervecinus,* de morueco.) m. **odre,** cuero para líquidos. ‖ **2. barquín.** ‖ **3. estómago.**

barquisimetano, na. adj. Natural de Barquisimeto, capital del Estado venezolano de Lara. Ú. t. c. s. ‖ **2.** Perteneciente o relativo a dicha capital.

barra. (De or. inc., quizá del lat. vulg. *barra.) f. Pieza de metal u otra materia, de forma generalmente prismática o cilíndrica y mucho más larga que gruesa. ‖ **2.** Palanca de hierro que sirve para levantar o mover cosas de mucho peso. ‖ **3.** Rollo de oro, plata u otro metal sin labrar. ‖ **4.** V. **cabo de barra.** ‖ **5.** Pieza prolongada de hierro, de diferentes figuras y pesos, con la cual se juega, tirándola desde un sitio determinado. Gana el que la arroja a mayor distancia, cuando aquella cae de punta. ‖ **6.** Pieza de hierro para barretear. ‖ **7.** Barandilla que, en la sala donde un tribunal, corporación o asamblea celebra sus sesiones, separa el lugar destinado al público. ‖ **8.** En la mesa de trucos, hierro en forma de arco, distante de la barandilla unos ocho decímetros. ‖ **9.** Pieza de pan de forma alargada. ‖ **10.** La que suelen tener los bares y otros establecimientos semejantes a lo largo del mostrador; y de aquí el mismo mostrador: *servicio de* BARRA; *tomar un café en la* BARRA. ‖ **11.** Banco o bajo de arena que se forma a la entrada de algunas rías, en la embocadura de algunos ríos y en la estrechura de ciertos mares o lagos, y que hace peligrosa su navegación. ‖ **12.** Defecto de algunos paños en el tejido, consistente en cierta señal de distinto color, a modo de lista. ‖ **13. barra fija.** ‖ **14.** *Chile.* **marro,** juego de muchachos. ‖ **15.** *Amér.* Público que asiste a las sesiones de un tribunal, asamblea o corporación. ‖ **16.** *Chile.* Público que asiste a un espectáculo al aire libre. ‖ **17.** *Argent., Par.* y *Urug.* Pandilla, grupo de amigos que suelen reunirse para conversar o solazarse. ‖ **18.** *Blas.* Pieza honorable que representa el tahalí de la espada del caballero y ocupa diagonalmente, de izquierda a derecha, el tercio central del escudo. Cuando este lleva dos **barras,** se colocan a los lados, y los muebles se dice que están en **barra.** ‖ **19.** vulg. Por ext., otras listas o bastones verticales. *Las* BARRAS *de Aragón.* ‖ **20.** *Mar.* La de hierro con grilletes, en que se aseguraban los presos a bordo. ‖ **21.** *Min. Amér.* Cada una de las acciones o participaciones en que se dividía una empresa para el laboreo de alguna mina. ‖ **22.** pl. En el juego de la argolla, el frente de ella señalado con unas rayas atravesadas en forma de **barras.** ‖ **23.** Arcos de madera que usan los albarderos para formar sobre ellos las albardas y los albardones, y darles hueco. ‖ **24.** Dos listones de madera delgados, con agujeros que entran en los banzos del bastidor de bordar y que, por medio de clavijas que se ponen en los agujeros, sirven para tenerlo tirante. ‖ **de labios. pintalabios.** ‖ **de bastardía.** *Blas.* Pieza honorable disminuida, es decir, menor que el tercio del escudo, que, a diferencia de la **barra,** se coloca, como la banda, de derecha a izquierda. Sobre cualquier escudo personal o el franco cuartel de uno familiar, sirve, como otros signos heráldicos, para distinguir la rama bastarda del apellido de la legítima. ‖ **fija.** La sujeta horizontalmente a la altura conveniente para hacer ciertos ejercicios gimnásticos o el aprendizaje de la danza. ‖ **2.** *Dep.* Aparato de gimnasia deportiva que consiste en una **barra** cilíndrica horizontal, sostenida a 2,5 m de altura por dos postes verticales. ‖ **barras del día.** *Urug.* loc. fam. con que los campesinos designan los primeros fulgores de la aurora. ‖ **barras paralelas.** *Dep.* **paralelas.** ‖ **a barras derechas.** loc. adv. Sin engaño. ‖ **de barra a barra.** loc. adv. De parte a parte o de extremo a extremo. ‖ **estar** alguien **en barras.** fr. En el juego de la argolla, hallarse próximo a embocar la bola por el aro. ‖ **2.** fig. y fam. Tener su pretensión, negocio o dependencia en buen estado. ‖ **estirar** alguien **la barra.** fr. fig. y fam. Hacer todo el esfuerzo posible para conseguir alguna cosa. ‖ **hacer barra.** fr. fig. *Perú.* Alentar en un espectáculo al favorito de una **barra.** ‖ **llevar a la barra** a alguien. fr. fig. Residenciarle. ‖ **sin mirar, pararse, reparar,** o **tropezar, en barras.** locs. advs. figs. Sin consideración de los inconvenientes, sin reparo. ‖ **tirar** alguien **a la barra.** fr. Ejercitar el juego que se ejecuta con la **barra.** ‖ **tirar** alguien **la barra.** fr. fig. y fam. Vender las cosas al mayor precio que puede. ‖ **2.** fig. y fam. **estirar la barra.**

barrabás. (Por alusión a *Barrabás,* judío indultado con preferencia a Jesús.) m. fig. y fam. Persona mala, traviesa, díscola.

barrabasada. (De *barrabás.*) f. fam. Travesura grave, acción atropellada.

barraca. (Del cat. *barraca.*) f. Caseta o albergue construido toscamente y con materiales ligeros. ‖ **2.** Vivienda rústica, propia de las huertas de Valencia y Murcia, hecha con adobes y cubierta con cañas a dos aguas muy vertientes. ‖ **3.** *Amér.* Edificio en que se depositan cueros, lanas, maderas, cereales u otros efectos destinados al tráfico. ‖ **de feria.** Construcción provisional desmontable, que se destina a espectáculos, diversiones, etc., en las fiestas populares.

barracón. m. aum. de **barraca,** caseta tosca.

barracuda. f. Pez acantopterigio de los mares tropicales y templados, con el cuerpo alargado y provisto de poderosos dientes; puede alcanzar los dos metros de longitud y es muy voraz. Su carne es comestible, pero al llegar a cierta edad se vuelve venenosa.

barrachel. (De or. inc.; cf. it. ant. *barigello.*) m. ant. Jefe de los alguaciles.

barrado, da. p. p. de **barrar.** ‖ **2.** adj. Dícese del paño o tejido que saca alguna lista o tira que desdice de lo demás. ‖ **3.** *Blas.* Aplícase a la pieza sobre la cual se ponen barras.

barragán[1]. adj. ant. Esforzado, valiente. ‖ **2.** m. ant. **compañero,** persona que se acompaña con otra. ‖ **3.** ant. Mozo soltero. Ú. en Salamanca.

barragán[2]. (Del ár. *barrakān,* chamelote basto, y manto hecho de esta tela.) m. Tela de lana, impenetrable al agua. ‖ **2.** Abrigo de esta tela, para uso de los hombres.

barragana. (De *barragán[1]*.) f. Concubina en general. ‖ **2.** Concubina que vivía en la casa del que estaba amancebado con ella. ‖ **3.** ant. Mujer legítima, aunque de condición desigual y sin el goce de los derechos civiles. ‖ **4.** ant. **compañera,** persona que se acompaña con otra.

barraganada. (De *barragán[1]*.) f. ant. Barrumbada, mocedad, travesura.

barraganería. (De *barragana.*) f. **amancebamiento.**

barraganete. m. *Mar.* Última pieza alta de la cuaderna.

barraganía. f. ant. **barraganería.** ‖ **2.** ant. **barraganada.**

barral. (Del m. or. que *barril;* en b. lat. *barrāle.*) m. *Ar.* Redoma grande y capaz de una arroba de agua o vino, poco más o menos.

barranca. f. **barranco.**

barrancal. m. Sitio donde hay muchos barrancos.

barranco. (De or. inc., quizá prerromano.) m. Despeñadero, precipicio. ‖ **2.** Quiebra profunda producida en la tierra por las corrientes de las aguas o por otras causas. ‖ **3.** *Pan.* Borde en pendiente de un río, por oposición a borde llano. ‖ **4.** fig. Dificultad o estorbo en lo que se intenta o ejecuta. ‖ **salir** alguien **del barranco.** fr. fig. Desembarazarse de una grave dificultad o librarse de un gran trabajo.

barrancoso, sa. adj. Que tiene muchos barrancos.

barranquera. f. **barranco.**

barranquillero, ra. adj. Natural de Barranquilla. Ú. t. c. s. ‖ **2.** Perteneciente a esta ciudad de Colombia.

barraque. m. V. **a traque barraque.**

barraquera. f. **verraquera.**

barraquero, ra. adj. Relativo o perteneciente a la barraca. ‖ **2.** m. y f. Dueño o administrador de una barraca. ‖ **3.** m. *Murc.* Constructor de barracas.

barraquillo. (De *varraco.*) m. Pieza pequeña de artillería, reforzada y corta, que se usaba para campaña.

barrar[1]. (De *barro[1]*.) tr. **embarrar[1].**

barrar[2]. (De *barra.*) tr. ant. **barrear,** cerrar o fortificar un sitio abierto.

barrasco. m. En la explotación de resinas, costra de miera solidificada, impregnada de polvo y otras impurezas, que se va formando sobre la superficie de la entalladura a lo largo de la campaña y se recoge al final de esta, después de la última remasa.

barreal. (De *barro[1]*.) m. **barrizal.**

barrear. (De *barra.*) tr. Cerrar, fortificar con maderos o fajinas cualquier sitio abierto. ‖ **2. barretear.** ‖ **3.** *Ar.* Borrar lo escrito, tachando el renglón con una raya. ‖ **4.** intr. Resbalar la lanza por encima de la armadura del caballero acometido. ‖ **5.** prnl. ant. **atrincherarse.**

barrearse. (De *barro[1]*.) prnl. *Extr.* Revolcarse los jabalíes en los lugares donde hay barro o lodo.

barreda. (De *barra.*) f. **barrera[1],** valla o antepecho de madera.

barredero, ra. (De *barrer.*) adj. fig. Que arrastra o se lleva cuanto encuentra. ‖ **2.** V. **red barredera.** Ú. t. c. s. ‖ **3.** m. Varal con unos trapos a su extremo, con el que se barre el horno antes de meter el pan a cocer. ‖ **4.** f. Máquina usada en las grandes poblaciones para barrer las calles.

barredor, ra. adj. Que barre. Ú. t. c. s.

barreduela. (De *barreda.*) f. *And.* Plazoleta, por lo común sin salida.

barredura. f. Acción de barrer. ‖ **2.** pl. Inmundicia o desperdicios que se juntan con la escoba cuando se barre. ‖ **3.** Residuos que suelen quedar como desecho de algunas cosas, especialmente de las sueltas y menudas, como granos, etc.

barrena. (De or. inc.; cf. lat. *veruina.*) f. Instrumento de acero, de varios gruesos y tamaños, con una rosca en espiral en su punta y una manija en el extremo opuesto; sirve para taladrar o hacer agujeros en madera, metal, piedra u otro cuerpo duro. Otras hay sin manija, que se usan con berbiquí. ‖ **2.** Barra de hierro con uno o los dos extremos cortantes, que sirve para agujerear peñascos, sondear terrenos, etc. ‖ **de mano.** La que tiene manija. ‖ **entrar en barrena.** fr. Empezar a descender un avión verticalmente y en giro, por faltarle, deliberadamente o por accidente, la velocidad mínima indispensable para sostenerse en el aire.

barrenado, da. p. p. de **barrenar.** ‖ **2.** adj. fam. Que tiene perturbadas las facultades mentales.

barrenar. (De *barrena.*) tr. Abrir agujeros con barrena o barreno en algún cuerpo, como hierro, madera, piedra, etc. ‖ **2. dar barreno.** ‖ **3.** fig. Desbaratar la pretensión de alguno; impedirle maliciosamente el logro de alguna cosa. ‖ **4.** fig. Hablando de leyes, derechos, etc., traspasar, conculcar. ‖ **5.** *Taurom.* Hincar la puya o el estoque revolviéndolos a modo de barrena.

barrendero, ra. m. y f. Persona que tiene por oficio barrer.

barrenero. m. El que hace o vende barrenas. ‖ **2.** Operario que abre los barrenos en las minas, en las canteras o en las obras de desmonte en roca.

barrenillo. (d. de *barreno.*) m. Insecto coleóptero que ataca a los árboles, horadando la corteza y comiendo la albura. ‖ **2.** Enfermedad que produce este insecto en los olmos y otros árboles.

barreno. (De *barrena.*) m. **barrena,** instrumento de acero para taladrar o hacer agujeros. Comúnmente se usa para significar la de mayor tamaño. ‖ **2.** Agujero que se hace con la barrena. ‖ **3.** Agujero relleno de pólvora u otra materia explosiva, en una roca o en una obra de fábrica, para volarla. ‖ **4.** V. **pico barreno.** ‖ **5.** fig. p. us. Vanidad, presunción o altanería. ‖ **6.** fig. p. us. Tema o manía. ‖ **dar barreno.** fr. *Mar.* Agujerear una embarcación para que se vaya a fondo. ‖ **llevarle el barreno** a alguien. fr. fig. y fam. p. us. *Méj.* Acomodarse a su gusto o humor, aparentando aceptar sus opiniones y seguir su dictamen.

barreño, ña. (De *barro[1]*.) adj. De barro. *Jarros* BARREÑOS ‖ **2.** m. y f. Vasija de barro, metal, plástico, etc., de bastante capacidad y generalmente más ancha por la boca que por el asiento; sirve para fregar la loza y para otros usos.

barrer. (Del lat. *verrĕre.*) tr. Quitar del suelo con la escoba el polvo, la basura, etc. ‖ **2.** fig. No dejar nada de lo que había en alguna parte, llevárselo todo. ‖ **3.** fig. Recorrer un espacio mediante instrumento adecuado para observar o registrar aquello que se pretende. BARRER *con el escáner, con la cámara de cine.* ‖ **4.** fig. Arrollar, vencer de una manera clara. ‖ **barrer hacia,** o **para, dentro.** fr. fig. Comportarse interesadamente.

barrera[1]. (De *barra.*) f. Valla, compuerta, madero, cadena u otro obstáculo semejante con que se cierra un paso o se cerca un lugar. ‖ **2.** En la fortificación antigua, parapeto para defenderse de los enemigos. ‖ **3.** Antepecho de madera con que se cierra alrededor el redondel en las principales plazas de toros. ‖ **4.** fig. En las mismas plazas, **de-**

lantera, primera fila de cierta clase de asientos. ‖ **5.** En ciertos juegos deportivos, fila de jugadores que, uno al costado del otro, se coloca delante de su meta para protegerla de un lanzamiento contrario. ‖ **6.** fig. Obstáculo, embarazo entre una cosa y otra. ‖ **de golpe.** La que, cerrándose en virtud de su propia fuerza de gravedad, queda asegurada al dar el golpe contra su quicio. ‖ **2.** La que, en los pasos a nivel de los ferrocarriles, está dispuesta de manera que funciona automáticamente, cerrándose al aproximarse los trenes. ‖ **sacar a barrera.** fr. fig. Sacar al público. ‖ **salir** alguien **a barrera.** fr. fig. p. us. Manifestarse o exponerse a la pública censura o contienda.

barrera[2]. (De *barro[1]*.) f. Sitio de donde se saca el barro de que se hace uso en los alfares, y para otras obras. ‖ **2.** Montón de tierra que queda después de haber sacado el salitre. ‖ **3.** Escaparate o alacena para guardar vasijas de barro[1].

barrero. (De *barro[1]*.) m. **alfarero.** ‖ **2. barrera,** sitio de donde se saca el barro en los alfares. ‖ **3. barrizal.** ‖ **4.** Terreno salitroso de algunos lugares de América del Sur, que lamen los ganados cuando se alimentan de pastos muy dulces.

barreta[1]. f. d. de **barra.** ‖ **2.** Barra o palanca pequeña de hierro que usan los mineros, albañiles, etc. ‖ **3.** Tira de cuero que suele ponerse en lo interior del calzado para reforzar la costura. ‖ **4.** *And.* Trozo de arropía, cuadrado por lo común, en cuya composición entran cañamones o garbanzos tostados en lugar de harina.

barreta[2]. (De *birrete*.) f. ant. **gorra,** prenda para cubrir la cabeza. ‖ **2.** ant. **capacete,** pieza de la armadura que cubría la cabeza.

barrete. m. ant. **barreta[2].**

barretear. (De *barreta[1]*.) tr. Afianzar o asegurar alguna cosa con barras de metal o de madera, como se hace con los baúles, cofres, cajones, etc.

barretero. m. *Min.* El que trabaja con barra, cuña o pico.

barretina. (De *barreta[2]*.) f. **gorro catalán.**

barriada. f. **barrio.** ‖ **2.** Parte de un barrio. ‖ **3.** *Perú.* Barrio marginal, generalmente de construcciones pobres y precarias.

barrial[1]. (De *barro[1]*.) adj. ant. Aplicábase a la tierra gredosa o arcilla. Ú. en Méjico y Colombia c. s. m. ‖ **2.** m. **barrizal.** Ú. m. en América.

barrial[2]. adj. *Amér.* Perteneciente o relativo al barrio.

barrica. (Del gascón *barrique*, de or. inc.) f. Especie de tonel mediano que sirve para diferentes usos. ‖ **bordelesa.** Tonel de vino de cabida de 225 litros.

barricada. (Del fr. *barricade* o del it. *barricata*.) f. Especie de parapeto que se hace, ya con barricas, ya con carruajes volcados, tablas, palos, piedras del pavimento, etc. Sirve para estorbar el paso al enemigo, y es de más uso en las revueltas populares que en el arte militar.

barrido, da. p. p. de **barrer.** ‖ **2.** m. Acción de barrer. ‖ **3.** Barreduras. ‖ **4.** *Fís.* Proceso por el que un dispositivo explora sistemática y repetidamente un área o un espacio reconociéndolos punto por punto para transformar la imagen de cada uno de ellos en señales eléctricas transmisibles a distancia, que, a su recepción, por otro proceso inverso y similar, se convierten en imágenes. Es el fundamento de la televisión, el radar, el microscopio de **barrido,** etc. ‖ **5.** Proceso automático por el que se miden secuencial y repetidamente las diversas magnitudes de un sistema, para controlarlas. Es el que, por ejemplo, realiza el piloto automático de un avión.

barriga. (Quizá de *barrica*.) f. **vientre,** cavidad abdominal de los vertebrados que contiene diversos órganos. ‖ **2.** fam. **vientre,** conjunto de vísceras. ‖ **3.** fig. Parte media abultada de una vasija, columna, etc. ‖ **4.** fig. Comba que hace una pared. ‖ **estar,** o **hallarse, con la barriga a la boca.** fr. fig. y fam. Hallarse en días de parir. ‖ **sacar la barriga de mal año.** fr. fig. y fam. **sacar el vientre de mal año.** ‖ **tener la barriga a la boca.** fr. fig. y fam. **estar con la barriga a la boca.**

barrigón, na. adj. fam. **barrigudo.** ‖ **2.** m. aum. de **barriga.**

barrigudo, da. adj. Que tiene gran barriga.

barriguera. f. Correa que se pone en la barriga a las caballerías de tiro.

barril. (Como *barrica*, de or. inc.) m. Vasija de madera, de varios tamaños y hechuras, que sirve para conservar y transportar diferentes licores y géneros. ‖ **2.** Vaso de barro, de gran vientre y cuello angosto, en que ordinariamente tienen los segadores y gente del campo el agua para beber. ‖ **3.** *Córd.* y *Gran.* Frasco de vidrio, botella. ‖ **4.** *Chile.* Nudo, por lo general de figura de un barrilito, que por adorno se hace en las riendas. ‖ **bizcochero.** El que sirve para llevar el bizcocho en las embarcaciones.

barrila. (De *barril*.) f. *Cantabria.* **botija.**

barrilaje. m. *Méj.* **barrilamen.**

barrilamen. m. **barrilería,** conjunto de barriles.

barrilería. f. Conjunto de barriles. ‖ **2.** Taller donde se fabrican. ‖ **3.** Sitio donde se venden.

barrilero. m. El que hace o vende barriles.

barrilete. m. d. de **barril.** ‖ **2.** Instrumento grueso de hierro y de la figura de un siete, que usan los carpinteros y otros artesanos para asegurar sobre el banco los materiales que labran. ‖ **3.** En algunas provincias, cometa de forma hexagonal y más alta que ancha. ‖ **4.** Cangrejo de mar, decápodo, cuyas pinzas, una de las cuales es mucho mayor que la otra, suelen crecer de nuevo cuando se las arranca. ‖ **5.** *Méj.* Ayudante de un profesional, aprendiz, sobre todo de los abogados. ‖ **6.** *Mar.* Especie de nudo en forma de barril que se hace en algunos cabos para que no pasen del sitio en que deben quedar firmes o para que sirva de apoyo a un mojel, a una boza o a cosa semejante. ‖ **7.** *Mús.* La pieza cilíndrica del clarinete más inmediata a la boquilla.

barrilla. (d. de *barra*.) f. Planta de la familia de las quenopodiáceas, ramosa, empinada, con tallos lampiños, hojas blanquecinas, crasas, semicilíndricas, puntiagudas, pero no espinosas, y flores verduscas, axilares y solitarias. Crece en terrenos salados, y sus cenizas, que contienen muchas sales alcalinas, sirven para obtener la sosa. ‖ **2.** Estas mismas cenizas. ‖ **borde.** Planta muy parecida a la anterior, de la que se distingue por ser vellosa, de tallos tumbados y terminar las hojas en espina. ‖ **de Alicante.** Planta de la misma familia que las anteriores y con hojas más pequeñas y cilíndricas. Sus cenizas dan la **barrilla** mejor que se conoce, y por esto se cultiva mucho en Alicante, Cartagena y otras partes de España.

barrillar. m. Sitio poblado de barrilla. ‖ **2.** Paraje donde se quema.

barrillero, ra. adj. Que contiene o puede producir barrilla.

barrillo[1]. (d. de *barro[1]*.) m. V. **miel de barrillos.**

barrillo[2]. m. **barro[2],** granillo del rostro.

barrio. (Del ár. *barrī*, exterior, propio de las afueras, arrabal.) m. Cada una de las partes en que se dividen los pueblos grandes o sus distritos. ‖ **2.** V. **alcalde de barrio.** ‖ **3. arrabal,** afueras de una población. *El* BARRIO *de Triana en Sevilla.* ‖ **4.** V. **gente de barrio.** ‖ **5.** Grupo de casas o aldehuela dependiente de otra población, aunque estén apartadas de ella. ‖ **bajo.** En Madrid y otras ciudades, aquel en que vive la gente modesta, visto a veces como lugar pintoresco. Ú. m. en pl. ‖ **chino.** En algunas poblaciones, aquel en que se concentran los locales destinados a la prostitución y otras actividades de malvivir. ‖ **el otro barrio.** fr. fig. y fam. El otro mundo, la eternidad. ‖ **andar,** o **estar,** alguien **de barrio,** o **vestido de barrio.** fr. fam. p. us. Andar de trapillo.

barriobajero, ra. adj. Propio de los barrios bajos. ‖ **2.** Que vive o radica en los barrios bajos. ‖ **3.** Ineducado, desgarrado en el comportamiento o en su hablar.

barrioso, sa. adj. ant. **barroso**[1], dicho del terreno donde hay barro.

barriquería. f. Conjunto de barricas o toneles.

barriscar. (De *barrer.*) tr. *Ar.* Dar o entregar a bulto y sin peso ni medida cosas vendibles.

barrisco (a). (De *barriscar.*) loc. adv. En junto, sin distinción.

barrista. com. Artista de circo que trabaja en las barras fijas.

barritar. intr. Dar barritos o berrear el elefante.

barrito. (Del lat. *barrītus.*) m. Berrido del elefante.

barrizal. m. Sitio o terreno lleno de barro o lodo.

barro[1]. m. Masa que resulta de la mezcla de tierra y agua. ‖ **2.** Lodo que se forma en las calles cuando llueve. ‖ **3.** **búcaro**[1], vasija de cierta arcilla. ‖ **4.** Cualquier vasija u objeto de cerámica o alfarería, hecho a base de arcilla endurecida por la cocción. ‖ **5.** V. **lana en barro.** ‖ **6.** V. **tabaco de barro.** ‖ **7.** fig. Cosa despreciable, nonada. ‖ **blanco. arcilla figulina.** ‖ **de hierbas.** Búcaro adornado con relieves de la misma tierra, que representan o imitan hierbas. ‖ **a arrastra barro.** loc. adv. que se dice cuando se siembra sobre llovido, y el arado se embarra al cubrir la simiente. ‖ **dar** a alguien **barro a mano.** fr. fig. y fam. p. us. Darle dinero u otros medios para que haga alguna cosa, o cumpla su gusto. ‖ **estar** alguien **comiendo,** o **mascando, barro.** fr. fig. y fam. **estar comiendo,** o **mascando, tierra.** ‖ **no ser barro** una cosa. fr. fig. y fam. Tener valor, no ser despreciable. ‖ **tener** alguien **barro a mano.** fr. fig. y fam. p. us. Contar con dinero o recursos en abundancia.

barro[2]. (Del lat. *varus,* grano en la cara.) m. Cada uno de los granillos de color rojizo que salen al rostro, particularmente a los que empiezan a tener barbas. ‖ **2.** Cada uno de los tumorcillos que salen al ganado mular y vacuno.

barroco, ca. (Del fr. *baroque,* y este resultante de fundir en un vocablo *Baroco,* figura de silogismo, y el port. *barroco,* perla irregular.) adj. Dícese del estilo de ornamentación caracterizado por la profusión de volutas, roleos y otros adornos en que predomina la línea curva, que se desarrolló, principalmente, en los siglos XVII y XVIII. ‖ **2.** fig. Por ext., aplícase a lo excesivamente recargado de adornos. ‖ **3.** m. Período de la cultura europea, y su influencia y desarrollo en América, en que prevaleció dicho estilo artístico y que va desde finales del siglo XVI a los primeros decenios del XVIII.

barrocho. (Del it. *biroccio.*) m. **birlocho.**

barrón. m. aum. de **barra.** ‖ **2.** Planta perenne de la familia de las gramíneas, con tallos de cerca de un metro de altura y derechos; hojas arrolladas, punzantes y glaucas, y flores en panoja amarillenta y cilíndrica, con pelos cortos. Crece en los arenales marítimos y sirve para consolidarlos.

barroquismo. m. Tendencia a lo barroco.

barroso[1], **sa.** (De *barro*[1].) adj. Dícese del terreno o sitio que tiene barro o en que se forma barro fácilmente. ‖ **2.** De color de barro; que tira a rojo.

barroso[2], **sa.** (De *barro*[2].) adj. Se aplica al rostro que tiene barros.

barrote. m. Barra gruesa. ‖ **2.** Barra de hierro con que se aseguran las mesas por debajo. ‖ **3.** Barra de hierro que sirve para afianzar o asegurar alguna cosa; como cofre, ventana, etc. ‖ **4.** *Carp.* Palo que se pone atravesado sobre otros palos o tablas para sostener o reforzar.

barrueco. (Voz onomatopéyica.) m. Perla irregular. ‖ **2.** Nódulo esferoidal que suele encontrarse en las rocas.

barrujo. m. Acumulación de hojas secas de pino que suele cubrir, más o menos completamente, el suelo de los pinares.

barrumbada. (Voz onomatopéyica.) f. fam. Dicho jactancioso. ‖ **2.** fam. Gasto excesivo hecho por jactancia.

barrunta. (De *barruntar.*) f. ant. fig. Penetración o trascendencia.

barruntador, ra. adj. Que barrunta.

barruntamiento. m. **barrunte,** indicio, noticia.

barruntar. (Quizá del lat. *promptāre,* descubrir.) tr. Prever, conjeturar o presentir por alguna señal o indicio

barrunte. (De *barruntar.*) m. Indicio, noticia. ‖ **2.** ant. **espía**[1].

barrunto. m. Acción de barruntar. ‖ **2.** **barrunte,** indicio, noticia.

bartola (a la). (De *Bartolo,* forma abreviada de Bartolomé.) loc. adv. fam. Con los verbos *echarse, tenderse* y *tumbarse,* descuidar o abandonar el trabajo u otra actividad. ‖ **2.** Con esos mismos verbos, despreocuparse, quedar libre de toda inquietud o preocupación.

bartolillo. m. Pastel pequeño en forma casi triangular, relleno de crema o carne.

bartolina. f. p. us. *Méj.* Calabozo estrecho, oscuro e incómodo.

bartulear. (De *bártulos.*) intr. *Chile.* Cavilar, devanarse los sesos.

bartuleo. m. *Chile.* Acción de bartulear.

bártulos. (De *Bártolo,* famoso jurisconsulto italiano del siglo XIV.) m. pl. fig. Enseres que se manejan. ‖ **liar los bártulos.** fr. fig. y fam. Arreglarlo todo para una mudanza o un viaje. ‖ **preparar los bártulos.** fr. fig. y fam. Disponer los medios de ejecutar alguna cosa.

baruca. (De *boruca.*) f. fam. desus. Enredo o artificio de que se usa para impedir el efecto de alguna cosa.

barullero, ra. adj. Enredador, que promueve barullo o es propenso a causarlo. Apl. a pers., ú. t. c. s.

barullo. (Del port. *barulho;* cf. lat. *involūcrum.*) m. fam. Confusión, desorden, mezcla de gentes o cosas de varias clases. ‖ **a barullo.** loc. adv. fam. En gran cantidad.

barza. (Del lat. *virgĕa,* de varas.) f. *Ar.* **zarza.**

barzal. (De *barza.*) m. Terreno cubierto de zarzas y maleza.

barzón. (De or. inc., acaso de **brazón,* der. de *brazo.*) m. Paseo ocioso. Ú. en algunas partes de Andalucía y Extremadura en la fr. **dar, echar** o **hacer barzones.** ‖ **2.** *Agr.* Anillo de hierro, madera o cuero por donde pasa el timón del arado en el yugo. ‖ **3.** *C. Rica.* **coyunda,** correa o soga fuerte con que se uncen los bueyes. ‖ **4.** **arzón.**

barzonear. (De *barzón.*) intr. Andar vago y sin destino.

basa[1]. (De *basar.*) f. **base,** fundamento o apoyo en que estriba una cosa. ‖ **2.** *Arq.* Asiento sobre el que se pone la columna o estatua. ‖ **3.** *Arq.* Pieza inferior de la columna en todos los órdenes arquitectónicos excepto en el dórico. ‖ **ática.** La formada por una escocia entre dos filetes y dos toros. Es la más usada y de ella se derivaron otras. ‖ **corintia.** La formada por dos escocias y uno o dos junquillos entre dos toros. ‖ **toscana.** La formada por un filete y un toro.

basa[2]. f. *Ar.* **balsa**[1], depresión del terreno que se llena de agua.

basada. (De *basa*[1].) f. Aparato armado en la grada debajo del buque, para botarlo al agua.

basal. adj. Situado en la base de una formación orgánica o de una construcción. ‖ **2.** *Zool.* Dícese del segmento de la base de la aleta de los peces. ‖ **3.** *Fisiol.* Dícese del nivel de actividad de una función orgánica durante el reposo y el ayuno.

basáltico, ca. adj. Formado de basalto o que participa de su naturaleza.

basalto. (Del lat. *basaltes.*) m. Roca volcánica, por lo común de color negro o verdoso, de grano fino, muy dura, compuesta principalmente de feldespato y piroxena o augita, y a veces de estructura prismática.

basamento. (De *basar.*) m. *Arq.* Cualquier cuerpo que se pone debajo de la caña de la columna, y que comprende la basa y el pedestal.

basanita. (Del lat. *basanītes.*) f. **basalto.**

basar. tr. Asentar algo sobre una base. ‖ **2.** fig. Fundar, apoyar. Ú. t. c. prnl. ‖ **3.** Partir, en las operaciones geodésicas, de una base previamente determinada; referirse constantemente a la misma base. Ú. t. c. prnl.

basáride. (Del lat. *bassăris, -ĭdis,* y este del gr. βασσαρίς, vulpeja.) f. Mamífero carnívoro, parecido a la comadreja, pero de mayor tamaño, que tiene la piel de color leonado y en la cola ocho anillos negros. Habita en Méjico, en California y en otros lugares de América, y vive en las oquedades de las tapias y paredes. Los indios la ponen disecada como trofeo en los techos y soportales de sus cabañas.

basca. (De *bascar.*) f. Ansia, desazón e inquietud que se experimenta en el estómago cuando se quiere vomitar. Ú. m. en pl. ‖ **2.** Por ext., en algunas partes, ansia, desazón, furia que siente el perro o animal rabioso durante los ataques o accesos, y que le impele irresistiblemente a morder a otros animales o a las personas. ‖ **3.** fig. y fam. Arrechucho o ímpetu colérico o muy precipitado, en una acción o asunto. *Juan obrará según le dé la* BASCA. ‖ **4.** fam. Pandilla, grupo de amigos o de personas afines.

bascar. (Quizá del lat. **versicāre,* de *versāre,* volver.) intr. ant. **basquear.** ‖ **2.** ant. fig. Tener o padecer cualquier ansia o congoja de cuerpo o ánimo.

basco. (De *bascar.*) m. ant. **basca,** ansia en el estómago cuando se quiere vomitar.

bascosidad. (De *bascoso.*) f. Inmundicia, suciedad.

bascoso, sa. adj. Que padece bascas.

báscula. (Del fr. *bascule.*) f. Aparato para medir pesos, generalmente grandes, que se colocan sobre un tablero, y por medio de una combinación de palancas se equilibran con el pilón de un brazo de romana, donde está la escala correspondiente. ‖ **2.** *Fort.* Máquina para alzar el puente levadizo.

bascular. intr. Moverse un cuerpo de un lado a otro girando sobre un eje vertical. ‖ **2.** Oscilar un cuerpo sobre un eje horizontal. ‖ **3.** En algunos vehículos de transporte, inclinarse la caja, mediante un mecanismo adecuado, de modo que la carga resbale hacia afuera por su propio peso.

basculero. m. Encargado de la báscula oficial en puertos, estaciones, etc.

bascuñana. f. Trigo, variedad del fanfarrón, de aristas azuladas y negras, buen grano y excelente paja.

base. (Del lat. *basis,* y este del gr. βάσις.) f. Fundamento o apoyo principal en que estriba o descansa alguna cosa. ‖ **2.** V. **ley de bases.** ‖ **3.** Conjunto de personas representadas por un mandatario, delegado o portavoz suyo. ‖ **4.** *Arit.* Cantidad fija y distinta de la unidad, que ha de elevarse a una potencia dada para que resulte un número determinado. ‖ **5.** *Arq.* **basa**[1], de una columna o estatua. ‖ **6.** *Dep.* En el juego del béisbol, cada una de las cuatro esquinas del campo que defienden los jugadores. ‖ **7.** *Geom.* Línea o superficie en que se supone que insiste una figura. En algunas de estas, como el trapecio, cilindro, etc., se llama también **base** la línea o superficie paralela a aquella. ‖ **8.** *Quím.* Cada uno de los cuerpos, de procedencia orgánica o inorgánica, que tienen la propiedad de combinarse con los ácidos para formar sales. ‖ **9.** *Topogr.* Recta que se mide sobre el terreno y de la cual se parte en las operaciones geodésicas y topográficas. ‖ **aérea.** *Mil.* Aeropuerto militar. ‖ **del cráneo.** Porción inferior del cráneo, formada principalmente por los huesos occipital y temporales cuya lesión o rotura es especialmente grave, por su proximidad a las porciones vitales del sistema nervioso. ‖ **de numeración.** *Arit.* Números que componen el conjunto de símbolos que se utiliza en un sistema de numeración. ‖ **de operaciones.** *Mil.* Lugar, comarca o línea fronteriza donde se concentra y prepara un ejército para la guerra. ‖ **imponible.** Suma de todos los rendimientos netos, positivos y negativos, más el exceso de los incrementos de patrimonio sobre las disminuciones de patrimonio. ‖ **naval.** Puerto o parte de costa en que las fuerzas navales se preparan y pertrechan para combatir o navegar. ‖ **a base de.** loc. prepos. Tomando como **base,** fundamento o componente principal.

baseláceo, a. (De *Basella,* nombre de un género de plantas.) adj. *Bot.* Dícese de plantas angiospermas dicotiledóneas, herbáceas o arbustivas y propias de los países tropicales, de caracteres semejantes a los de las portulacáceas y cuyos tubérculos, en general, son comestibles; como el melloco. Ú. t. c. s. f. ‖ **2.** f. pl. *Bot.* Familia de estas plantas.

básico, ca. adj. Perteneciente a la base o bases sobre que se sustenta una cosa; fundamental. ‖ **2.** *Quím.* Dícese de la sal en que predomina la base.

basilar. adj. Perteneciente o relativo a la base.

basilense. adj. **basiliense.** Apl. a pers., ú. t. c. s.

basílica. (Del lat. *basilĭca,* y este del gr. βασιλική, regia.) adj. *Anat.* V. **vena basílica.** Ú. t. c. s. ‖ **2.** f. Palacio o casa real. ‖ **3.** Edificio público que servía a los romanos de tribunal y de lugar de reunión y de contratación. ‖ **4.** Cada una de las trece iglesias de Roma, siete mayores y seis menores, que se consideran como las primeras de la cristiandad en categoría y gozan de varios privilegios. ‖ **5.** Iglesia notable por su antigüedad, extensión o magnificencia, o que goza de ciertos privilegios, por imitación de las **basílicas** romanas. ‖ **mayor.** Cada una de las siete de Roma que son estaciones para ganar el jubileo y tienen título cardenalicio con un prelado por vicario. ‖ **menor.** Cada una de las seis de Roma que gozan de menores privilegios que las demás.

basilical. adj. Perteneciente o relativo a la basílica.

basílicas. f. pl. Colección de leyes formada por orden del emperador bizantino Basilio el Macedonio y de su hijo León.

basilicón. (Del lat. *basilĭcon,* y este del gr. βασιλικόν, real, regio.) adj. V. **ungüento basilicón.** Ú. t. c. s.

basiliense. adj. Natural de Basilea. Ú. t. c. s. ‖ **2.** Perteneciente o relativo a esta ciudad de Suiza.

basilio, lia. adj. Dícese de los religiosos que siguen la regla de San Basilio. Ú. t. c. s.

basilisco. (Del lat. *basiliscus,* y este del gr. βασιλίσκος, reyezuelo.) m. Animal fabuloso, al cual se atribuía la propiedad de matar con la vista. ‖ **2.** Pieza antigua de artillería, de muy crecido calibre y mucha longitud. ‖ **3.** *Ecuad.* Reptil de color verde muy hermoso y del tamaño de una iguana pequeña. ‖ **4.** fig. Persona furiosa o dañina. ‖ **estar hecho un basilisco.** fr. fig. y fam. Estar muy airado.

basis. (Del lat. *basis.*) amb. ant. Base o fundamento.

basna. f. *Cantabria.* Especie de **narria,** cajón o escalera de carro, para llevar arrastrando cosas de gran peso.

baso, sa. (Del lat. *bassus,* gordo, bajo.) adj. ant. **bajo.**

basquear. intr. Tener o padecer bascas. ‖ **2.** tr. Producir bascas.

básquet. m. *Argent.* y *Par.* **basquetbol.**

basquetbol. (Del ing. *basketball.*) m. *Argent., Méj.* y *Par.* **baloncesto.**

basquilla. (d. de *basca.*) f. Enfermedad que padece el ganado lanar por abundancia de sangre.

basquiña. (De *vasco.*) f. Saya, negra por lo común, que usan las mujeres sobre la ropa interior para salir a la calle.

basta. (De *bastar*[2].) f. **hilván.** ‖ **2.** Cada una de las puntadas o ataduras que suele tener a trechos el colchón de lana para mantener esta en su lugar. ‖ **3.** V. **colchón sin bastas.** ‖ **4.** *Chile* y *Perú.* **bastilla,** dobladillo.

bastadamente. adv. c. ant. **bastantemente.**

bastaje. (Del cat. *bastaix.*) m. **ganapán** de oficio.

bastante. (De *bastar*[1].) p. a. de **bastar.** Que basta. ‖ **2.** adv. c. Ni mucho ni poco, ni más ni menos de lo regular, ordinario o preciso; sin sobra ni falta. ‖ **3.** No poco. *Es* BASTANTE *rico;* BASTANTE *bella.*

bastantear. (De *bastante.*) intr. *Der.* Afirmar un abogado, por escrito y bajo su responsabilidad, que un instrumento público, en donde consta un contrato de mandato, es suficiente para dar valor legal a una o más actuaciones del mandatario. Ú. t. c. tr. ‖ **2.** Por ext., declarar persona competente que un poder u otro documento es bastante para el fin con que ha sido otorgado. Ú. t. c. tr.

bastantemente. adv. m. Suficiente y cumplidamente; tanto cuanto es menester.

bastanteo. m. Acción de bastantear. ‖ **2.** Documento o sello con que se hace constar.

bastantero. (De *bastantear.*) m. *Der.* En la chancillería de Valladolid y otros tribunales, cargo para reconocer si los poderes que se presentaban eran bastantes.

bastar[1]**.** (De or. inc.; cf. port. *bastar,* it. *bastare.*) intr. Ser suficiente y proporcionado para alguna cosa. Ú. t. c. prnl. ‖ **2. abundar,** tener en abundancia. ‖ **3.** tr. ant. Dar o suministrar lo que se necesita. ‖ **basta.** Voz que sirve para poner término a una acción o discurso.

bastar[2]**.** (Del germ. **bastjan,* zurcir, pespuntar, ant. a. al. *besten.*) tr. ant. **bastear.** Ú. en Venezuela.

bastarda. (De *bastardo.*) f. Lima de grano más fino que usan los cerrajeros para dar lustre a las piezas. ‖ **2.** Culebrina cuya longitud no alcanzaba a treinta veces el calibre o diámetro de la boca.

bastardar. intr. **bastardear.**

bastardear. (De *bastardo.*) intr. Degenerar de su naturaleza. Se usa referido a animales y plantas. ‖ **2.** fig. Refiriéndose a personas, apartarse en sus obras de lo que conviene a su origen. ‖ **3.** fig. Refiriéndose a cosas, apartarse de la pureza e institución primitiva. ‖ **4.** tr. Apartar una cosa de la pureza primitiva de ella.

bastardelo. (Del it. *bastardello.*) m. **minutario.**

bastardería. f. ant. **bastardía.**

bastardía. f. Calidad de bastardo. ‖ **2.** fig. Dicho o hecho que desdice o es indigno del estado u obligaciones de cada uno.

bastardilla. f. Instrumento músico, especie de flauta.

bastardillo, lla. (d. de *bastardo.*) adj. V. **letra bastardilla.** Ú. t. c. s.

bastardo, da. (Del ant. fr. *bastard.*) adj. Que degenera de su origen o naturaleza. ‖ **2.** V. **acacia, águila, ala, artemisa, galera, manzanilla, silla, vela bastarda.** ‖ **3.** V. **ácoro, azafrán, hermano bastardo.** ‖ **4.** V. **hijo bastardo.** Ú. t. c. s. ‖ **5.** V. **letra bastarda.** Ú. t. c. s. ‖ **6.** m. **boa,** serpiente americana, la mayor de las conocidas. ‖ **7.** *Gal.* y *Sal.* Culebra grande. ‖ **8.** *Mar.* Vela que antiguamente se usaba en los navíos y galeras. ‖ **9.** *Mar.* Especie de racamento. ‖ **a la bastarda.** loc. adv. *Equit.* En silla **bastarda.**

baste. (De *bastar*[2].) m. Cada una de las almohadillas que lleva la silla de montar o la albarda en su parte inferior, para evitar rozaduras y molestias a la caballería. ‖ **2. basta,** hilván, costura de puntadas largas.

bastear. tr. Echar bastas.

bastecedor, ra. (De *bastecer.*) adj. ant. **abastecedor.** Usáb. t. c. s.

bastecer. (De *bastir.*) tr. ant. **abastecer.** ‖ **2.** ant. fig. Tramar o maquinar.

bastecimiento. (De *bastecer.*) m. ant. **abastecimiento.**

bastedad. f. Calidad de basto.

basterna. (Del lat. *Basterna.*) m. Individuo de un pueblo antiguo sármata que al norte de los montes Cárpatos y cerca de las fuentes del Vístula, ocupó sobre los ríos Dniéster y Dniéper el territorio donde hoy están Podolia y Ucrania. Ú. m. en pl. ‖ **2.** f. Carro peculiar de los antiguos **basternas.** ‖ **3.** Litera cubierta, comúnmente llevada por dos mulas o asnos, que en la antigüedad usaban las damas romanas.

bastero. m. El que hace o vende las albardas o aparejos llamados bastos.

bastetano, na. (Del lat. *Bastetānus.*) adj. Dícese de un pueblo hispánico prerromano que habitaba territorios correspondientes a parte de las actuales provincias de Granada, Jaén y Almería, con capital en Basti (hoy Baza). Ú. t. c. s. ‖ **2.** Dícese también de los individuos que componían este pueblo. Ú. t. c. s. ‖ **3.** Perteneciente o relativo a los **bastetanos.**

basteza. (De *basto*[2].) f. Grosería, tosquedad.

bastida. (De *bastir.*) f. Máquina militar que se usaba antiguamente para batir los castillos y plazas fuertes.

bastidor. (De *bastir.*) m. Armazón de palos o listones de madera o de barras delgadas de metal, en la cual se fijan lienzos para pintar y bordar; sirve también para armar vidrieras y para otros usos análogos. ‖ **2.** Armazón de listones o maderos, sobre la cual se extiende y fija un lienzo o papel pintados; y especialmente cada uno de los que, dando frente al público, se ponen a un lado y otro del escenario y forman parte de la decoración teatral. ‖ **3.** Armazón metálica que soporta la caja de un vagón, de un automóvil, etc. A veces se da este nombre al conjunto de dicha armazón con el motor y las ruedas. ‖ **4.** *Mar.* Refiriéndose a la hélice, armazón de hierro o bronce en que aquella apoya su eje cuando no es fija, como sucede en ciertos buques mixtos. ‖ **de ropa, arlequín,** bastidor lateral. ‖ **entre bastidores.** loc. fam. Dícese de lo que se refiere a la organización interior de las representaciones teatrales y a los dichos y ocurrencias particulares de los actores y demás gente relacionada con el arte escénico. ‖ **2.** Por ext., dícese también de todo aquello que se trama o prepara reservadamente entre algunas personas y de modo que no trascienda al público.

bastilla. (d. de *basta.*) f. Doblez que se hace y asegura con puntadas, a manera de hilván menudo, a los extremos de la tela para que esta no se deshilache.

bastimentar. tr. Proveer de bastimentos[1], víveres.

bastimentero. (De *bastimentar.*) m. ant. **abastecedor.**

bastimento[1]**.** (De *bastir.*) m. **embarcación,** barco. ‖ **2.** Provisión para sustento de una ciudad, ejército, etc. ‖ **3.** V. **tenedor de bastimentos.** ‖ **4.** En la orden de Santiago, derecho de cobrar o pagar las primicias o efectos que constituían las encomiendas de este nombre. ‖ **5.** ant. **edificio.** ‖ **6.** pl. En la orden de Santiago, primicias de que en algunos territorios se constituía encomienda, y así se decía: *Encomienda y comendador de* BASTIMENTOS.

bastimento[2]**.** m. ant. Conjunto de bastas de colcha o colchón.

bastión. (Del it. *bastione,* y este del m. or. que *bastir.*) m. *Fort.* **baluarte,** obra de figura pentagonal que sobresale en el encuentro de dos cortinas de muralla. ‖ **2.** *Col.* Cada uno de los apoyos de piedra, adobe o ladrillo que sostienen la techumbre de ciertas construcciones, como graneros, hornos, enramadas, etc.

bastionar. tr. **abastionar.**

bastir. (Del germ. *bastjan,* construir.) tr. ant. Hacer, disponer alguna cosa. ‖ **2.** ant. Construir, fabricar. ‖ **3.** ant. **abastecer.**

bastitano, na. (Del lat. *Bastitāni, -ōrum.*) adj. Natural de Baza. Ú. t. c. s. ‖ **2.** Perteneciente a esta ciudad de la provincia de Granada.

basto[1]**.** (De or. inc.; cf. lat. vulg. *bastum,* palo.) m. Cierto género de aparejo o albarda que llevan las caballerías de carga. ‖ **2.** As en el palo de naipes llamado **bastos.** Úsase más con el artículo. ‖ **3.** Cualquiera de los naipes del palo de **bastos.** ‖ **4.** pl. Uno de los cuatro palos de la baraja española, en cuyos naipes está representado por una o varias figuras de leños a modo de clavas. ‖ **5.** *Amér.* Almohadas que forman el lomillo.

basto[2], ta. (De *bastar.*) adj. Grosero, tosco, sin pulimento. ‖ **2.** fig. Dícese de la persona rústica, tosca o grosera. ‖ **3.** V. **esparto basto.** ‖ **4.** ant. Decíase de lo que estaba abastecido.

bastón. (De or. inc.; cf. it. *bastone,* fr. *bâton.*) m. Vara de una u otra materia, por lo común con puño y contera y más o menos pulimento, que sirve para apoyarse al andar. ‖ **2.** Insignia de mando o de autoridad, generalmente de caña de Indias. ‖ **3.** En el arte de la seda, palo redondo de unos cuatro decímetros de largo, en que está envuelta toda la tela junta para pasarla desde allí al plegador. ‖ **4.** *Sal.* Tallo o brote tierno de barda o carrasco. ‖ **5.** *Blas.* Cada una de las dos o más listas que parten el escudo de alto a bajo, como las que tiene el de Aragón. ‖ **6.** *Histol.* **bastoncillo,** prolongación fotosensible de ciertas células de la retina. ‖ **7.** pl. ant. **bastos[1],** palo de la baraja. ‖ **dar bastón.** fr. Entre cosecheros de vino, moverlo con un palo en la vasija cuando se ha ahilado, para deshacer la coagulación. ‖ **empuñar** alguien **el bastón.** fr. fig. Tomar o conseguir el mando. ‖ **meter** alguien **el bastón.** fr. fig. p. us. Meterse de por medio o poner paz.

bastonada. f. **bastonazo.**

bastonazo. m. Golpe dado con el bastón.

bastoncillo. (d. de *bastón.*) m. Bastón pequeño. ‖ **2.** Galón angosto que sirve para guarnecer. ‖ **3.** *Histol.* Prolongación cilíndrica fotosensible de ciertas células de la retina de los vertebrados, que recibe las impresiones luminosas incoloras.

bastonear. tr. Dar golpes con bastón o palo. ‖ **2. dar bastón.** ‖ **3.** intr. *Sal.* Comer bastones el ganado.

bastonera. f. Mueble en que se colocan paraguas y bastones. ‖ **2.** La que dirigía ciertos bailes.

bastonero. m. El que hace o vende bastones. ‖ **2.** El que en ciertos bailes designa el lugar que deben ocupar las parejas y el orden en que han de bailar. ‖ **3.** Ayudante del alcaide de la cárcel. ‖ **4.** *Venez.* Rufián.

bástulo, la. (Del lat. *Bastŭlus.*) adj. Dícese de un pueblo indígena prerromano que habitaba la costa meridional de España, desde el estrecho hasta la región de la actual Almería. Ú. t. c. s. ‖ **2.** Dícese también de los individuos que formaban este pueblo. Ú. t. c. s. ‖ **3.** Perteneciente o relativo a los **bástulos.**

basura. (Del lat. *versūra,* de *verrĕre,* barrer.) f. Inmundicia, suciedad, y especialmente la que se recoge barriendo. ‖ **2.** Desecho o estiércol de las caballerías. ‖ **3.** Desecho, residuos de comida, papeles y trapos viejos, trozos de cosas rotas y otros desperdicios. ‖ **4.** fig. Lo repugnante o despreciable.

basural. m. *Amér.* **basurero,** sitio donde se echa la basura.

basurear. tr. fam. *Argent., Perú* y *Urug.* Tratar mal o despectivamente a una persona.

basurero, ra. m. y f. Persona que tiene por oficio recoger basura. ‖ **2.** m. Sitio en donde se arroja y amontona la basura.

bata[1]. (Del ár. *batt,* vestido grosero a modo de alquicel.) f. Prenda de vestir holgada, con mangas y abierta por delante, que se usa al levantarse y para estar por casa. ‖ **2.** Traje holgado y cómodo que usan las mujeres para las tareas caseras. ‖ **3.** Traje que usaban las mujeres para ir a visitas o funciones, y que solía tener cola. ‖ **4.** Prenda de uso exterior a manera de blusa larga, de tela lavable, generalmente blanca, que se ponen sobre el vestido los que trabajan en laboratorios, clínicas, oficinas, peluquerías, etc. ‖ **5.** *Perú.* Ropón que se pone al niño para bautizarlo. ‖ **de cola.** Vestido femenino con volantes y cola, usado en Andalucía. ‖ **media bata. batín.**

bata[2]. (De or. tagalo.) adj. *Filip.* **niño** o **niña,** que se halla en la niñez. ‖ **2.** m. *Filip.* Criado joven.

batacazo. (De *bacada,* por metátesis.) m. Golpe fuerte y con estruendo que da alguna persona cuando cae. ‖ **2.** Caída inesperada de un estado o condición. ‖ **3.** *Argent., Chile, Par., Perú* y *Urug.* Triunfo inesperado de un caballo en unas carreras. Ú. m. en la expr. **dar el batacazo.** ‖ **4.** *Argent., Chile, Par., Perú* y *Urug.* Por ext., se dice de cualquier otro triunfo o suceso afortunado y sorprendente.

batahola. (Del it. *battagliola.*) f. fam. Bulla, ruido grande.

batalán. (der. tagalo de *batea.*) m. *Filip.* Especie de terraza o balcón de madera o bambú, sin techo, situado en la trasera de las casas, donde se guardan los útiles de lavar.

batalla. (Del fr. *bataille.*) f. Combate de un ejército con otro, o de una armada naval con otra. ‖ **2.** Acción bélica en que toman parte todos o los principales elementos de combate. ‖ **3.** Antiguamente, centro del ejército, a distinción de la vanguardia y retaguardia. ‖ **4.** Cada una de las partes en que se dividía antiguamente el ejército. ‖ **5.** Orden de **batalla.** *Formar la* BATALLA. ‖ **6.** V. **artillería, caballo, campo, frente, mar, mesa, orden, sargento general de batalla.** ‖ **7.** V. **centro, cuerpo de la batalla.** ‖ **8.** Justa o torneo. ‖ **9.** Encaje de la nuez donde en la ballesta se ponía el lance para que al tiempo de dispararla diese la cuerda en él. ‖ **10.** Parte de la silla de montar en que descansa el cuerpo del jinete. ‖ **11.** Distancia de eje a eje en los carruajes de cuatro ruedas. ‖ **12.** fig. Agitación e inquietud interior del ánimo. ‖ **13.** ant. **guerra,** rompimiento de paz. ‖ **14.** ant. **guerra,** lucha armada entre dos o más pueblos. ‖ **15.** *Esgr.* Pelea de los que juegan con espadas negras. ‖ **16.** *Pint.* Cuadro en que se representa alguna **batalla** o acción de guerra. ‖ **campal.** *Mil.* La general y decisiva entre dos ejércitos completos. ‖ **2.** *Mil.* La que se da en campo raso. ‖ **cibdadana.** ant. **guerra civil.** ‖ **de flores.** Regocijo público en que los concurrentes se arrojan flores. ‖ **dar la batalla.** fr. fig. Arrostrar las dificultades de un asunto. ‖ **de batalla.** loc. que se aplica a las prendas, utensilios u objetos de uso ordinario o distinción de los que han de tratarse con más miramiento. ‖ **en batalla.** loc. adv. *Mil.* Con el frente de la tropa extendido y con poco fondo. ‖ **perder la batalla.** fr. *Mil.* Ser vencido en ella. ‖ **presentar la batalla.** fr. *Mil.* Desplegar las tropas ante las del enemigo, provocándolo al combate. ‖ **representar la batalla.** fr. ant. *Mil.* **presentar la batalla.**

batallador, ra. adj. Que batalla. ‖ **2.** Renombre que se aplicaba al que había dado muchas batallas. *El rey don Alfonso el* BATALLADOR. ‖ **3.** m. **esgrimidor.**

batallar. (De *batalla.*) intr. Pelear, reñir con armas. ‖ **2.** fig. **disputar,** debatir, porfiar. ‖ **3.** fig. Fluctuar, vacilar. ‖ **4.** *Esgr.* Contender una persona con otra, jugando con espadas negras.

batallaroso, sa. (De *batallar.*) adj. ant. Guerrero, belicoso, marcial.

batallola. (Del it. *battagliola.*) f. *Mar.* **batayola,** barandilla de las bordas del buque para sostener los empalletados.

batallón. (De *batalla.*) m. Unidad compuesta de varias compañías, y mandada normalmente por un teniente coronel o un comandante. ‖ **2.** fig. Grupo numeroso de gente. *Vino con un* BATALLÓN *de amigos.* ‖ **3.** V. **capitán, fuego de batallón.** ‖ **4.** Antiguamente, escuadrón de caballería.

batallona. (De *batallar.*) adj. fam. V. **cuestión batallona.**

batalloso, sa. adj. ant. Perteneciente o relativo a las batallas. ‖ **2.** ant. Muy reñido o disputado. ‖ **3.** ant. **batallaroso.**

batán. (De or. inc.; cf. ár. *baṭṭân*, lat. *battuĕre*.) m. Máquina generalmente hidráulica, compuesta de gruesos mazos de madera, movidos por un eje, para golpear, desengrasar y enfurtir los paños. ‖ **2.** V. **tierra de batán.** ‖ **3.** Edificio en que funciona esta máquina. ‖ **4.** *Perú.* Piedra lisa sobre la cual se muele a mano en las cocinas. ‖ **5.** *Perú.* Caderas de una persona. ‖ **6.** *Col.* Tienda o lugar donde se venden productos toscos de lana. ‖ **7.** *Col.* Conjunto de productos toscos de lana, como mantas, cobijas, colchones, ruanas, etc. ‖ **8.** pl. Juego que se hace entre dos o más personas, las cuales se tienden en el suelo pie con cabeza, y levantando las piernas alternativamente, dan un golpe en el suelo, otro en la mano y otro en las nalgas del que tiene las piernas levantadas, con un zapato u otra cosa que tienen en la mano, al compás del son que les tocan.

batanar. (De *batán*.) tr. **abatanar.**

batanear. (De *batán*.) tr. fig. y fam. Sacudir o dar golpes a alguien.

batanero. m. El que cuida de los batanes o trabaja en ellos.

batanga. f. Cada uno de los refuerzos o balancines de cañas gruesas de bambú que llevan a lo largo de los costados las embarcaciones filipinas.

bataola. f. **batahola.**

batata. (De *patata*.) f. Planta vivaz de la familia de las convolvuláceas, de tallo rastrero y ramoso, hojas alternas, acorazonadas y profundamente lobuladas, flores grandes, acampanadas, rojas por dentro, blancas por fuera, y raíces como las de la patata. ‖ **2.** Cada uno de los tubérculos de las raíces de esta planta, que son de color pardo por fuera y amarillento o blanco por dentro, del tamaño de unos doce centímetros de largo, cinco de diámetro y figura fusiforme. Es comestible. ‖ **3.** p. us. *Argent., Par.* y *Urug.* Apocamiento, falta de palabras o de reacción a causa de turbación, desconcierto o timidez. ‖ **en polvo. polvo de batata.**

batatín. m. d. de **batata,** tubérculo de las raíces de la batata. ‖ **2.** *And.* Batata menuda.

batato, ta. adj. fam. *And.* y *Col.* Dícese de la persona gruesa y de poca estatura. Ú. t. c. s.

Batavia. n. p. V. **caña, lágrima de Batavia.**

bátavo, va. (Del lat. *Batāvus*.) adj. Natural de Batavia. Ú. t. c. s. ‖ **2.** Perteneciente a este país de Europa antigua.

batayola. (De *batallola*.) f. *Mar.* Barandilla, fija o elevadiza, hecha de madera, que, encajada en los candeleros, se colocaba sobre las bordas del buque para sostener los empalletados. ‖ **2.** *Mar.* Caja cubierta con encerados que se construyen sobre la regala de los buques, a lo largo de esta, y en que se acomodan o recogen los coyes de la tripulación.

batazo. m. Golpe dado con el bate.

bate. (Del ing. *bat*.) m. Palo más grueso por el extremo libre que por la empuñadura, con el que se golpea la pelota en el béisbol y en otros juegos.

batea. (Del ár. *bātiya*, gamella.) f. Bandeja o azafate de diferentes hechuras y tamaños, de madera pintada, o con pajas sentadas sobre la madera. ‖ **2. bandeja,** pieza para servir. ‖ **3. dornajo,** especie de artesa. ‖ **4.** Embarcación en forma de artesa, que se usa en los puertos y arsenales. ‖ **5.** Vagón descubierto, con los bordes muy bajos. ‖ **6.** *Amér.* Artesa para lavar.

bateador. m. El que maneja el bate en el juego de béisbol.

bateaguas. m. Canal o ingenio que se coloca para impedir que el agua de lluvia penetre en el edificio o se deslice perjudicialmente. ‖ **2.** *Ar., Nav.* y *Rioja.* **paraguas.**

batear[1]. (Del lat. *baptidiāre*, bautizar.) tr. ant. **bautizar,** administrar el sacramento del bautismo.

batear[2]. tr. En el béisbol y otros juegos, dar a la pelota con el bate. Ú. t. c. intr. ‖ **2.** intr. Usar el bate.

batehuela. f. d. de **batea.**

batel. (Del ant. fr. *batel*, del ant. ing. *bāt*, bote.) m. **bote[3],** barco pequeño.

batelejo. m. d. de **batel,** bote, barco pequeño.

batelero, ra. m. y f. Persona que gobierna el **batel,** bote, barco pequeño.

bateo[1]. (De *batear[1]*.) m. fam. **bautizo.**

bateo[2]. m. Acción de golpear con el bate o de usar el bate.

batería. (Del fr. *batterie*.) f. Conjunto de piezas de artillería dispuestas para hacer fuego al enemigo. ‖ **2.** Unidad de tiro de artillería, que se compone de un corto número de piezas y de los artilleros que las sirven. Es mandada normalmente por un capitán. ‖ **3.** Obra de fortificación destinada a contener algún número de piezas de artillería reunidas y a cubierto. ‖ **4.** En los buques mayores de guerra antiguos, conjunto de cañones que hay en cada puente o cubierta cuando siguen de popa a proa. ‖ **5.** Espacio o entrepuente en que los mismos cañones están colocados ‖ **6.** Acción y efecto de batir. ‖ **7. brecha,** rotura que hace en una muralla o pared la artillería u otro ingenio. ‖ **8. batería eléctrica.** ‖ **9.** Conjunto de instrumentos de percusión en una banda u orquesta. ‖ **10.** Conjunto de instrumentos de esta clase montados en un dispositivo único, que toca un solo ejecutante. ‖ **11.** fig. En los teatros, fila de lámparas situada en el borde del proscenio, sustitutiva de las antiguas candilejas. ‖ **12.** Conjunto de aparatos análogos, instalados en el mismo local, que realizan la misma función o trabajo. ‖ **13.** fig. p. us. Cualquier cosa que hace gran impresión en el ánimo. ‖ **14.** fig. p. us. Multitud o repetición de empeños e importunaciones para que alguna persona haga lo que se le pide. ‖ **15.** Conjunto ordenado de pruebas o experimentaciones que se emplean en algunas ciencias: pedagogía, psicología, medicina, etc. ‖ **16.** com. Individuo que toca la **batería** en un conjunto musical. ‖ **de cocina.** Conjunto de utensilios necesarios para la cocina, que son comúnmente de cobre, hierro, aluminio o acero. ‖ **eléctrica.** *Fís.* Acumulador de electricidad, o conjunto de ellos. ‖ **dar batería.** fr. ant. Combatir una plaza o muro. ‖ **en batería.** loc. adj. o adv. Modo de aparcar o estacionar vehículos colocándolos paralelamente unos a otros. ‖ **hacer batería.** fr. p. us. **batir,** dar golpes, golpear.

batero, ra. m. y f. Persona que tiene por oficio hacer batas.

batey. (De or. caribe.) m. Lugar ocupado por las casas de vivienda, calderas, trapiche, barracones, almacenes, etc., en los ingenios y demás fincas de campo de las Antillas.

batial. (Palabra moderna, formada sobre el gr. βαθύς, profundo.) adj. *Geol.* Perteneciente o relativo a las partes profundas del mar. ‖ **2.** *Oceanogr.* Dícese de las profundidades oceánicas comprendidas entre 200 y 2.000 metros, con referencia especial a sus fondos.

batiboleo. (De *batir* y *bolear*.) m. fam. *And.* y *Amér.* Batahola, algazara, desorden.

batiborrillo. m. **baturrillo.**

batiburrillo. m. **baturrillo.**

baticabeza. (De *batir* y *cabeza*.) m. Coleóptero de cuerpo prolongado, estrecho y atenuado hacia atrás, que, por la disposición de las piezas de su esternón, puede dar saltos cuando cae de espaldas, golpeando el suelo con el cuerpo hasta que logra colocarse en la posición normal.

baticola. (De *batir*, ludir, rozar, y de *cola*.) f. Correa sujeta al fuste trasero de la silla o albardilla, que termina en una especie de ojal, donde entra el maslo de la cola. Sirve para evitar que la montura se corra hacia adelante. ‖ **ser de la baticola floja.** *Perú.* loc. que se aplica a la mujer de costumbres livianas. ‖ **tener la baticola floja.** loc. fam. *Perú.* Tener diarrea.

baticor. (De *batir* y *cor,* corazón.) m. ant. Pena, dolor.

baticulo. (De *batir* y *culo.*) m. p. us. Golpe en el culo. ‖ **2.** p. us. Vestido cuyos vuelos dan en el culo. ‖ **3.** *Mar.* Cabo grueso que se da en ayuda de los viradores de los masteleros. ‖ **4.** *Mar.* Cangrejo pequeño que, en buenos tiempos, arman y orientan en una de sus aletas los faluchos y otras embarcaciones latinas.

batida. f. En la montería, acción de batir el monte para que las reses que haya salgan a los puestos donde están esperando los cazadores. ‖ **2.** Acción de explorar varias personas una zona buscando a alguien o algo. ‖ **3.** Acción de batir o acuñar moneda. ‖ **4.** Allanamiento, que por sorpresa realiza la policía, de locales donde se supone que se reúnen maleantes u otras personas para efectuar actos ilegales: juego, consumo de drogas, prostitución, etc.

batidera. f. Instrumento parecido al azadón, de astil muy largo, y que se emplea para batir o mezclar la cal con la arena y el agua al hacer argamasa. ‖ **2.** Instrumento pequeño con que se cortan los panales al catar las colmenas.

batidero. (De *batir.*) m. Continuo golpear de una cosa con otra. ‖ **2.** Lugar donde se bate y golpea. ‖ **3.** Terreno desigual que por los hoyos, piedras o rodadas hace molesto y difícil el movimiento de los carruajes. ‖ **4.** pl. *Mar.* Conjunto de los pedazos de tabla en forma de triángulo puestos en la parte inferior de las bandas del tajamar para evitar los golpes de las aguas en las cabezadas. ‖ **5.** *Mar.* Refuerzo de lona que se pone a las velas en los sitios que pueden rozar con las cofas, crucetas, etc. ‖ **guardar los batideros.** fr. Ir con tiento por ellos. ‖ **2.** fig. y fam. p. us. Prevenir y evitar todos los inconvenientes.

batido, da. p. p. de **batir.** ‖ **2.** adj. Aplícase a los tejidos de seda que, por tener la urdimbre de un color y la trama de otro, resultan con visos distintos. ‖ **3.** Aplícase al camino muy andado y trillado. ‖ **4.** V. **oro batido.** ‖ **5.** m. Masa o gachuela de que se hacen hostias y bizcochos. ‖ **6.** Claras, yemas o huevos batidos. ‖ **7.** Bebida que se hace batiendo helado, leche u otros ingredientes.

batidor, ra. adj. Que bate. ‖ **2.** m. Instrumento para batir. ‖ **3.** Explorador que descubre y reconoce el campo o el camino para ver si está libre de enemigos. ‖ **4.** Cada uno de los dos o cuatro jinetes que preceden al rey, persona real o generales en revistas y solemnidades. ‖ **5.** Cada uno de los soldados escogidos de caballería que, como los gastadores en infantería, preceden al regimiento. ‖ **6.** Peine claro de púas y a veces compartido en dos mitades, una más espesa que otra. ‖ **7.** *Mont.* El que levanta la caza en las batidas. ‖ **8.** m. y f. Instrumento que mediante movimiento giratorio bate los ingredientes de manjares, condimentos o bebidas. ‖ **9.** vulg. *Argent.* y *Urug.* Persona que delata o denuncia. ‖ **de oro,** o **plata.** El que hace panes de oro o plata para dorar o platear.

batiente. p. a. de **batir.** Que bate. ‖ **2.** m. Parte del cerco de las hojas de puertas, ventanas y otras cosas semejantes, en que se detienen y baten cuando se cierran. ‖ **3.** Cada una de las hojas de una puerta o ventana. ‖ **4.** Mamperlán de escalones o puertas. ‖ **5.** Lugar donde la mar bate el pie de una costa o de un dique. ‖ **6.** En los claves y pianos, listón de madera forrado de paño por la parte inferior, en el cual baten los martinetes o los macillos cuando se pulsan las teclas. ‖ **7.** *Fort.* Madero de unos dos metros de largo y unos 20 centímetros de grueso, que se coloca al pie de la cañonera para impedir que las ruedas de la cureña deterioren el parapeto. ‖ **8.** *Mar.* Cada uno de los dos cantos verticales de las portas de las baterías.

batifondo. m. fam. *Argent.* Barullo, bochinche, desorden.

batifulla. (De *batir* y el cat. *fulla,* hoja.) m. ant. *Ar.* **batihoja.**

batihoja. (De *batir* y *hoja.*) m. **batidor de oro,** o **plata.** ‖ **2.** Artífice que a golpes de mazo labra metales, reduciéndolos a láminas.

batimán. (Del fr. *battement.*) m. Movimiento rápido de los brazos, accionando al hablar. ‖ **2.** *Danza.* Movimiento que se hace alzando una pierna y llevándola rápidamente hacia la otra como para sacudirla.

batimento. m. *Pint.* **esbatimento.**

batimetría. (Del gr. βαθύς, profundo, y *-metría.*) f. *Geofís.* Estudio de las profundidades oceánicas mediante el trazado de mapas de isóbaras, así como de la distribución de animales y vegetales marinos en sus zonas isobáticas. Por ext., ese mismo estudio aplicado a los lagos grandes.

batimétrico, ca. adj. Perteneciente o relativo a la batimetría.

batimiento. m. Acción de batir. ‖ **2.** *Fís.* Variación periódica de la amplitud de una oscilación, al combinarse con otra de frecuencia ligeramente diferente.

batín. m. Bata con haldillas que llega solo un poco más abajo de la cintura. ‖ **2.** Por ext., bata más o menos larga que usan los hombres para estar en casa.

batintín. m. Campana que llevan los chinos a bordo; es una especie de caldero compuesto de dos metales y sumamente sonoro, que tocan con una bola cubierta de lana y forrada, fija en el extremo de un palito. ‖ **2.** Instrumento de percusión que consiste en un disco rebordeado de una aleación metálica muy sonora y que, suspendido, se toca como el instrumento anterior.

batipelágico, ca. (Del gr. βαθύς, profundo, y πέλαγος, mar.) adj. Perteneciente o relativo a las grandes profundidades marinas.

batiportar. (De *batir* y *porta.*) tr. *Mar.* Trincar la artillería de modo que las bocas de las piezas se apoyen en el batiporte alto de las portas respectivas.

batiporte. m. *Mar.* Canto alto o bajo de la porta de una batería.

batir. (Del lat. *battuĕre.*) tr. Dar golpes, golpear. ‖ **2.** Golpear para destruir o derribar, arruinar, echar por tierra alguna pared, edificio, etc. ‖ **3.** Por ext., tratándose de la tienda o el toldo, recogerlo, desarmarlo. ‖ **4.** Referido al sol, el agua, o el aire, dar en una parte sin estorbo alguno. ‖ **5.** Mover con ímpetu y fuerza alguna cosa. BATIR *las alas, los remos.* ‖ **6.** Mover y revolver alguna cosa para que se condense o trabe, o para que se liquide o disuelva. ‖ **7.** Martillar una pieza de metal hasta reducirla a chapa. ‖ **8.** Peinar el pelo hacia arriba, a fin de que se ahueque y esponje. ‖ **9.** Ajustar y acomodar las resmas de papel. ‖ **10.** Derrotar al enemigo. ‖ **11.** Atacar y derruir con la artillería; por extensión, dominar con armas de fuego un terreno, posición, etc. ‖ **12.** Acuñar moneda. ‖ **13.** Lavar la ropa aclarada. ‖ **14.** Con voces significativas de terreno en despoblado, como *campo, estrada, monte, selva, soto,* etc., reconocer, registrar, recorrer, ya para operaciones militares, ya para cazar, buscar delincuentes, sospechosos o con otro motivo. Úsase especialmente en esta acepción como voz técnica de la milicia y la montería. ‖ **15.** *Dep.* Vencer, ganar a un contrincante. ‖ **16.** *Encuad.* Golpear con mazo o martillo el volumen para disminuir su grosor y hacer que desaparezca el resalto de la impresión. ‖ **17.** ant. Arrojar, derribar. ‖ **18.** *Ar.* y *Nav.* Arrojar o echar desde lo alto alguna cosa. BATIR *el agua por la ventana.* ‖ **19.** *Ar.* y *Nav.* Derribar, dejar caer al suelo. ‖ **20.** vulg. *Argent.* y *Urug.* Delatar, denunciar. ‖ **21.** intr. Referido al corazón, latir este con violencia. ‖ **22.** prnl. Combatir, pelear. ‖ **23.** Combatir en duelo. ‖ **24. abatirse,** descender el ave de rapiña.

batiscafo. (Del gr. βαθύς, profundo, y σκάφη, barco.) m. Especie de embarcación sumergible preparada para resistir grandes presiones y destinada a explorar las profundidades del mar.

batista. (De *Baptiste*, Bautista, nombre del primer fabricante de esta tela, en Cambray.) f. Lienzo fino muy delgado.

batisterio. m. ant. **baptisterio.**

bato[1]. (De or. inc.) m. Hombre tonto, o rústico y de pocos alcances.

bato[2]. (Del caló *bato*.) m. vulg. Padre.

batojar. (Del lat. **battuculāre*, de *battuĕre*, batir.) tr. **varear,** derribar con vara los frutos de los árboles.

batolito. (Del gr. βάθος, profundidad, y λίθος, piedra.) m. Masa de roca eruptiva, de grandes dimensiones, consolidada en la corteza terrestre a gran profundidad.

batología. (Del gr. βαττολογία, balbuceo.) f. *Ret.* Repetición de vocablos inmotivada y enojosa.

batómetro. (Del gr. βάθος, profundidad y *-metro*.) m. *Fís.* Aparato que sirve para medir la profundidad del mar, sin necesidad de la sonda.

batracio. (Del lat. *batrachĭum*, y este del gr. βατράχειος, propio de las ranas.) adj. *Zool.* Dícese de los vertebrados de temperatura variable que son acuáticos y respiran por branquias durante su primera edad; se hacen aéreos y respiran por pulmones en su estado adulto; en el estado embrionario carecen de amnios y alantoides; como la salamandra y el sapo. Ú. m. c. s. ‖ **2.** m. pl. *Zool.* En clasificaciones desusadas, clase de estos animales.

batucar. tr. **bazucar.**

batuda. (De *batudo*.) f. Serie de saltos que dan los gimnastas por el trampolín unos tras otros. ‖ **2.** ant. Huella, rastro.

batudo, da. p. p. ant. de **batir.**

Batuecas. (Valle de la provincia de Salamanca.) n. p. **estar en las Batuecas.** fr. fig. y fam. **estar en Babia.**

batueco, ca. (De *bato*.) adj. Natural de las Batuecas. Ú. t. c. s. ‖ **2.** m. *Ar.* y *Nav.* Huevo huero.

batuquear. tr. **bazuquear.**

baturrada. f. Acción, dicho o hecho propios de baturro.

baturrillo. (De *batir*, mezclar, revolver.) m. Mezcla de cosas que no dicen bien unas con otras. Úsase más tratándose de guisados. ‖ **2.** fig. y fam. En la conversación y en los escritos, mezcla de cosas inconexas y que no vienen a propósito.

baturro, rra. (De *bato*.) adj. Rústico aragonés. Ú. t. c. s. ‖ **2.** Perteneciente o relativo al **baturro.** *Cuento* BATURRO.

batuta. (Del it. *battuta*, pulsación.) f. Bastón corto con que el director de una orquesta, banda, coro, etc., marca el compás en la ejecución de una pieza de música. ‖ **2.** fig. Director de orquesta. ‖ **llevar** alguien **la batuta.** fr. fig. y fam. Dirigir una corporación o conjunto de personas, determinando lo que se ha de hacer o la conducta que se debe seguir.

baudio. (Del nombre *Baudot*, inventor francés.) m. Unidad usada para medir la velocidad de transmisión de señales telegráficas y telefónicas correspondientes a 1 bit por segundo.

baúl. (Acaso del fr. *bahut*.) m. Mueble parecido al arca, frecuentemente de tapa convexa, cubierto por lo común de piel, tela u otra materia, que sirve generalmente para guardar ropas. ‖ **2.** fig. y fam. **vientre,** cavidad del cuerpo de los vertebrados que contiene diversos órganos. ‖ **mundo.** El grande y de mucho fondo. ‖ **henchir,** o **llenar, el baúl.** fr. fig. y fam. Comer mucho.

baulero. m. El que tiene por oficio hacer o vender baúles.

bauprés. (De or. inc.; cf. ing. *bowsprit*, acaso del b. al. med. *baghspret*.) m. *Mar.* Palo grueso, horizontal o algo inclinado, que en la proa de los barcos sirve para asegurar los estayes del trinquete, orientar los foques y algunos otros usos.

baurac. (Del ár. *bawraq*, bórax.) m. desus. **bórax.**

bausa. f. *Perú.* Holganza, haraganería.

bausán o **bausano, na.** (Del ant. *babusana*.) m. y f. Figura de hombre, embutida de paja, heno u otra materia semejante y vestida de armas. ‖ **2.** Persona boba, simple, necia.

bausero, ra. m. y f. *Perú.* Persona que huelga o haraganea.

bautismal. adj. Perteneciente o relativo al bautismo. ‖ **2.** V. **pila bautismal.**

bautismo. (De *baptismo*.) m. Primero de los sacramentos de la Iglesia, con el cual se da el ser de gracia y el carácter cristiano. ‖ **2. bautizo.** ‖ **de fuego.** Hecho de entrar por primera vez en combate. ‖ **de sangre.** Hecho de ser herido en combate por primera vez. ‖ **romper el bautismo** a alguien fr. fig. y fam. **romperle la crisma.**

bautista. (Del lat. *baptista*, y este del gr. βαπτιστής.) m. El que bautiza. ‖ **el Bautista.** Por antonom., San Juan, el precursor de Cristo.

bautisterio. m. **baptisterio.**

bautizar. (De *baptizar*.) tr. Administrar el sacramento del bautismo. ‖ **2.** fig. Poner nombre a una cosa. ‖ **3.** fig. y fam. Dar a una persona o cosa otro nombre que el que le corresponde. ‖ **4.** fig. y fam. Tratándose del vino, mezclarlo con agua. ‖ **5.** fig. y fest. Arrojar casual o intencionadamente sobre una persona agua u otro líquido.

bautizo. m. Acción de bautizar y fiesta con que esta se solemniza.

bauxita. (De *Baux*, zona cercana a Arlés.) f. Óxido hidratado de aluminio que contiene generalmente cierta cantidad de óxido de hierro y suele ser de color blanquecino, gris o rojizo.

bauyúa. f. *Cuba.* Árbol lauráceo, de buena madera, llamado también aguacatillo.

bauza. f. Madero sin labrar de dos a tres metros de longitud.

bauzado. m. *Cantabria.* Techumbre de una cabaña, armada con bauzas.

bauzador, ra. (Del b. lat. *bausiator*, de *bausia*.) adj. ant. **embaucador.**

bávara. (De *bávaro*.) f. Coche antiguo al modo de los llamados estufas, aunque más prolongado.

bávaro, ra. (Del lat. *Bavārus*.) adj. Natural de Baviera. Ú. t. c. s. ‖ **2.** Perteneciente o relativo a este territorio alemán.

baya. (Del fr. *baie*.) f. Tipo de fruto carnoso con semillas, como el tomate y la uva. ‖ **2.** Planta de la familia de las liliáceas, de raíz bulbosa y hojas radicales, que son estrechas y cilíndricas; el bohordo, de 10 a 12 centímetros de altura, produce en su extremidad multitud de florecitas de color azul oscuro. ‖ **3. matacandiles.**

bayadera. (Del port. *bailadeira*, bailarina, a través del fr. *bayadère*.) f. Bailarina y cantora india, dedicada a intervenir en las funciones religiosas o solo a divertir a la gente con sus danzas o cantos.

bayal[1]. (Del ár. *ba'l*, tierra de secano, o planta que no se riega.) adj. V. **lino bayal.**

bayal[2]. m. Palanca compuesta de dos maderos, uno derecho y otro encorvado, unidos con una abrazadera de hierro, que sirve en las tahonas para volver las piedras de un lado a otro cuando es necesario picarlas.

bayamés, sa. adj. Natural de Bayamo. Ú. t. c. s. ‖ **2.** Perteneciente o relativo a esta ciudad de Cuba.

bayanismo. m. Herejía propugnada en el siglo XVII por Miguel Bay o Bayo, uno de los precursores del jansenismo, que sostiene la participación del primer hombre en lo sobrenatural antes del pecado original.

bayano, na. adj. Natural de Bayas. Ú. t. c. s. ‖ **2.** Perteneciente o relativo a esta antigua ciudad de Italia.

bayarte. (Del fr. *baiart*.) m. **parihuela,** artefacto de dos varas gruesas con unas tablas atravesadas, en el cual se coloca la carga para llevarla entre dos. Úsase especialmente en Aragón y Navarra.

bayeta. (De or. inc.; cf. it. *baietta*, ant. fr. *baiette*.) f. Tela de lana, floja y poco tupida. ‖ **2.** Paño que sirve para fregar el suelo y otras superficies. ‖ **arrastrar bayetas.** fr. Ir el que pretendía beca en un colegio a visitar al rector y a los colegiales y hacer los actos de opositor con bonete y hábitos de **bayeta** sueltos y arrastrando. ‖ **2.** fig. y fam. desus. Cursar en una universidad. ‖ **3.** fig. y fam. desus. Andar en pretensiones.

bayetón. m. aum. de **bayeta.** ‖ **2.** Tela de lana con mucho pelo, que se usa para abrigo.

bayo, ya. (Del lat. *badĭus*.) adj. De color blanco amarillento. Se aplica más comúnmente a los caballos y a su pelo. Ú. t. c. s. ‖ **2.** m. Mariposa del gusano de seda, que los pescadores de caña ponen como cebo en el anzuelo. ‖ **pescar de bayo.** fr. Pescar empleando como cebo la mariposa del gusano de seda.

bayoco[1]. (Del it. *baiocco*.) m. Moneda de cobre de escaso valor, que tuvo curso en Roma y en gran parte de Italia.

bayoco[2]. m. *Murc.* Higo o breva por madurar o que se ha perdido o secado en el árbol antes de llegar a sazón.

bayón. (De *bodón*, espadaña, del lat. *buda*.) m. Saco de estera hecha con las hojas del burí, usado en Filipinas para empaquetar o embalar ciertos artículos de comercio. ‖ **2.** *Extr.* y *Sal.* **espadaña,** planta tifácea.

Bayona. n. p. usado en la expr. fig. y fam. **arda Bayona** con que se denota el poco cuidado que a alguien se le da de que se gaste mucho en alguna cosa.

bayonense. adj. **bayonés.** Apl. a pers., ú. t. c. s.

bayonés, sa. adj. Natural de Bayona. Ú. t. c. s. ‖ **2.** Perteneciente o relativo a esta ciudad de Francia.

bayonesa. f. Especie de pastel, hecho con dos capas delgadas de masa al horno, que llevan entremedias cabello de ángel.

bayoneta. (Del fr. *baïonnette*, y este de *Bayona*.) f. Arma blanca que usan los soldados de infantería, complementaria del fusil, a cuyo cañón se adapta exteriormente junto a la boca. Modernamente ha sido reemplazada por el cuchillo **bayoneta.** ‖ **a bayoneta.** loc. adv. con que se designa la manera de sujetar una pieza encajándola a presión en otra. ‖ **a la bayoneta.** loc. adv. *Mil.* Sirviéndose de ella armada en el fusil sin hacer fuego. ‖ **armar la bayoneta.** fr. *Mil.* Asegurarla en la boca del fusil. ‖ **calar la bayoneta.** fr. *Mil.* Ajustar a la boca del cañón del fusil el mango de la antigua **bayoneta.** ‖ **2.** *Mil.* Poner el fusil con la punta de la **bayoneta** al frente, apoyándolo en la mano izquierda y empuñándolo con la derecha por la garganta.

bayonetazo. m. Golpe dado con la bayoneta. ‖ **2.** Herida hecha con esta arma.

bayoque. m. **bayoco[1].**

bayosa. f. *Germ.* **espada,** arma blanca larga, con guarnición y empuñadura.

bayú. m. *Cuba.* Casa, sitio o reunión indecente u obscena.

bayúa. f. *Cuba.* **ayúa.**

bayuca. f. fam. **taberna.**

bayunco[1]. (De *bayón*.) m. *And.* y *Extr.* **espadaña,** planta.

bayunco[2], ca. adj. *Amér. Central.* Rústico, grosero.

baza. (De or. inc.; cf. it. *bazza*, ár. *bazza*.) f. Número de cartas que en ciertos juegos de naipes recoge el que gana la mano. ‖ **asentar** alguien **bien** su **baza.** fr. fig. Establecer bien su crédito, opinión o intereses. ‖ **asentar** alguien **la baza,** o su **baza.** fr. Levantar, el que gana, las cartas de cada jugada y ponerlas a su lado. ‖ **doblar la baza.** fr. En el tresillo y otros juegos, recogerla su dueño. ‖ **entrar a** alguien **en baza.** fr. En el juego del revesino, obligar a hacer **baza** al que tiene cuatro ases. ‖ **hacer baza.** fr. fig. y fam. Prosperar en cualquier asunto o negocio. ‖ **meter baza.** fr. fig. y fam. Intervenir en la conversación de otros, especialmente sin tener autoridad para ello. ‖ **meterse en bazas.** fr. fig. En el tresillo, procurar hacer **bazas** el jugador que no robó primero. ‖ **no dejar meter baza.** fr. fig. y fam. Hablar una persona de modo que no deje hablar a otra. ‖ **sentada esta baza,** o **la baza.** loc. fig. y fam. Sentado este principio, o el principio; esto supuesto. ‖ **soltar la baza.** fr. En el juego de naipes, dejarla pudiéndola ganar.

bazar. (Del persa *bāzār*, mercado con puertas y cubierto.) m. En Oriente, mercado público o lugar destinado al comercio. ‖ **2.** Tienda en que se venden productos de varias industrias, comúnmente a precio fijo.

bazo, za. (Del lat. *badĭus*, rojizo.) adj. De color moreno y que tira a amarillo. ‖ **2.** V. **pan bazo.** ‖ **3.** m. *Anat.* Víscera propia de los vertebrados, de color rojo oscuro y forma variada, situada casi siempre a la izquierda del estómago, que destruye los hematíes caducos y participa en la formación de los linfocitos.

bazofia. (Del it. *bazzoffia*.) f. Mezcla de heces, sobras o desechos de comida. ‖ **2.** fig. Cosa soez, sucia y despreciable. ‖ **3.** Comida poco apetitosa.

bazuca. (Del ing. *bazooka*.) f. *Mil.* Lanzagranadas portátil consistente en un tubo que se apoya en el hombro. Se usa principalmente contra los tanques.

bazucar. tr. p. us. Menear o revolver una cosa líquida moviendo la vasija en que está. ‖ **2.** p. us. **traquetear,** mover o agitar líquidos y otras cosas.

bazuquear. tr. **bazucar.**

bazuqueo. m. Acción y efecto de bazuquear.

be[1]. f. Nombre de la letra *b.* ‖ **be por be.** loc. adv. fig. **ce por be.**

be[2]. Onomatopeya de la voz del carnero, de la oveja y de la cabra. ‖ **2.** m. **balido.**

beaciense. adj. **baezano.**

beamontés, sa. adj. Dícese de una antigua facción de Navarra que acaudillaba el condestable don Luis de Beaumont y de los individuos de este bando, enemigo del de los agramonteses. Apl. a pers., ú. t. c. s.

bearnés, sa. adj. Natural del Bearne. Ú. t. c. s. ‖ **2.** Perteneciente a esta región del sur de Francia. ‖ **3.** V. **salsa bearnesa.** Ú. t. c. s. ‖ **4.** m. Dialecto hablado en esta región de Francia.

beata. (De *beato*.) f. Mujer que viste hábito religioso y, sin pertenecer a ninguna comunidad, vive en su casa con recogimiento, ocupándose en obras de virtud. ‖ **2.** La que vive con otras en clausura o sin ella bajo cierta regla. ‖ **3.** La que con hábito religioso se emplea en pedir limosnas o en otros menesteres en nombre de la comunidad a que está agregada. ‖ **4.** fam. Mujer que frecuenta mucho los templos y se dedica a toda clase de devociones. ‖ **5.** fam. **peseta,** moneda.

beatería. (De *beato*.) f. Acción de afectada virtud. ‖ **2.** Reunión o conjunto de gente beata.

beaterio. m. Casa en que viven las beatas formando comunidad y siguiendo alguna regla.

beatificación. f. Acción de beatificar.

beatíficamente. adv. m. *Teol.* Con visión beatífica.

beatificar. (Del lat. *beatificāre.*.) tr. Declarar el Sumo Pontífice que algún fiel difunto, cuyas virtudes han sido previamente calificadas, goza de la eterna bienaventuranza y se le puede dar culto. ‖ **2.** Hacer feliz a alguien. ‖ **3.** Hacer respetable o venerable una cosa.

beatífico, ca. (Del lat. *beatifĭcus*.) adj. *Teol.* Que hace bienaventurado a alguien. ‖ **2.** *Teol.* V. **visión beatífica.**

beatilla. (De *beata*.) f. Especie de lienzo delgado y ralo.

beatísimo, ma. adj. sup. de **beato.** ‖ **2.** V. **beatísimo Padre.**

beatitud. (Del lat. *beatitūdo*.) f. Bienaventuranza eterna. ‖ **2.** Tratamiento que se da al Sumo Pontífice. ‖ **3.** ant. **felicidad.**

beato, ta. (Del lat. *beātus.*) adj. Feliz o bienaventurado. ‖ **2.** Dícese de la persona beatificada por el Sumo Pontífice. Ú. m. c. s. ‖ **3.** Que se ejercita en obras de virtud y se abstiene de las diversiones comunes. Ú. t. c. s. ‖ **4.** fig. Que afecta virtud. Ú. t. c. s. ‖ **5.** m. El que lleva hábito religioso sin vivir en comunidad ni seguir regla determinada. ‖ **6.** fam. Hombre que frecuenta mucho los templos y se dedica a toda clase de devociones.

beatuco, ca. adj. despect. de **beato.**

bebdar. (De *bebdo.*) tr. ant. **embeodar.** Usáb. t. c. prnl.

bebdez. (De *bebdo.*) f. ant. **beodez.**

bebdo, da. adj. ant. **bébedo.**

bebé. (Del fr. *bébé.*) m. Niño de pecho.

bebe, ba. m. y f. *Argent., Perú* y *Urug.* **nene,** niño pequeñito. Suele usarse también refiriéndose a personas de más edad consideradas por el que habla como muy jóvenes con respecto a alguien o a algo.

bebedero, ra. adj. Aplícase al agua u otro licor que es bueno de beber. ‖ **2.** m. Vaso en que se echa la bebida a los pájaros de jaula y a otras aves domésticas, como gallinas, palomas, etc. ‖ **3.** Paraje donde acuden a beber las aves. ‖ **4.** Pico saliente que en el borde tienen algunas vasijas y que sirve para beber. ‖ **5.** Conducto o canal de salida del acero líquido o de la fundición. ‖ **6. abrevadero.** ‖ **7.** *Méj.* Fuente para beber agua potable en parques, colegios y otros lugares públicos. ‖ **8.** pl. Piezas o pedazos largos de tela que se ponen en los extremos del vestido, como en las delanteras y bocamangas, por la parte de adentro, para reforzarlos.

bebedizo, za. adj. **potable.** ‖ **2.** m. Bebida que se da por medicina. ‖ **3.** Bebida que supersticiosamente se decía tener virtud para conciliar el amor de otras personas. ‖ **4.** Bebida confeccionada con veneno.

bébedo, da. (Del lat. *bibĭtus.*) adj. ant. **bebido,** casi embriagado. Ú. en Asturias.

bebedor, ra. (Del lat. *bibĭtor, -ōris.*) adj. Que bebe. ‖ **2.** fig. Que abusa de las bebidas alcohólicas. Ú. t. c. s. ‖ **3.** m. *Ar.* **bebedero** para gallinas, pájaros, etc.

bebendurria. f. Reunión en la que se bebe mucho.

bebentina. f. *Sto. Dom.* Ingestión en exceso de bebidas alcohólicas por una o más personas.

beber[1]. m. desus. **bebida,** líquido que se bebe.

beber[2]. (Del lat. *bibĕre.*) intr. Ingerir un líquido. Ú. t. c. tr. ‖ **2. brindar, beber** por la felicidad de otros. ‖ **3.** fig. Hacer por vicio uso frecuente de bebidas alcohólicas. ‖ **4.** fig. Absorber, devorar, consumir. ‖ **5.** Recibir, tomar, admitir. ‖ **6.** fig. Refiriéndose al juicio, trastornarlo u ofuscarlo. ‖ **beber con blanco,** o **en blanco.** fr. Tener blanco el belfo un caballo. *El caballo de Pedro es castaño y* BEBE EN BLANCO. ‖ **beber fresco.** fr. fig. p. us. Estar sin cuidado ni sobresalto de lo que pueda suceder.

bebería. f. ant. Exceso o continuación de beber.

beberrón, na. adj. fam. Que bebe mucho. Ú. t. c. s.

bebestible. (De *beber[2]*, a imitación de *comestible.*) adj. fam. Que se puede beber. Ú. t. c. s.

bebetura. (Del lat. *bibitūra,* p. f. de *bibĕre,* beber.) f. ant. **bebida.**

bebible. (De *beber[2]*.) adj. fam. Aplícase a los líquidos que no son del todo desagradables al paladar.

bebida. f. Acción y efecto de beber. ‖ **2.** Cualquier líquido simple o compuesto que se bebe. ‖ **3.** En sentido restricto, líquido compuesto, como la horchata o los medicinales, y más especialmente los alcohólicos. ‖ **4.** *Ar.* Tiempo que descansan los trabajadores, principalmente en el campo y en que toman algún bocado o beben un trago.

bebido, da. p. p. de **beber.** ‖ **2.** adj. Que ha **bebido** en demasía y está casi embriagado. ‖ **3.** m. desus. **bebida,** líquido que se bebe.

bebienda. (Del lat. *bibenda,* que se ha de beber.) f. **bebida,** líquido que se bebe.

bebistrajo. (De *beber[2]*, a imitación de *comistrajo.*) m. fam. Mezcla irregular y extravagante de bebidas. ‖ **2.** fam. Bebida nauseabunda o muy desagradable.

beborrotear. intr. fam. Beber a menudo y en poca cantidad.

beca. f. Faja que como insignia llevaban los estudiantes sobre el manto y que iba cruzada en bandolera por el pecho y la espalda. Hoy sólo se usa en actos académicos solemnes. ‖ **2.** Embozo de capa. ‖ **3.** Especie de chía de seda o paño que colgaba del cuello hasta cerca de los pies, y que usaban sobre sus lobas los clérigos constituidos en dignidad. ‖ **4.** fig. Plaza o prebenda de colegial. ‖ **5.** fig. p. us. El mismo colegial. ‖ **6.** fig. Estipendio o pensión temporal que se concede a alguien para que continúe o complete sus estudios.

becacina. f. **agachadiza.**

becada. (Del celtolat. *beccus,* pico.) f. Ave limícola del tamaño de una perdiz, de pico largo, recto y delgado, cabeza comprimida y plumaje pardo rojizo con manchas negras en las partes superiores y de color claro finamente listado en las inferiores. Vive con preferencia en terrenos sombríos, se alimenta de orugas y lombrices y su carne es comestible.

becado, da. p. p. de **becar.** ‖ **2.** m. y f. **becario,** persona que disfruta de una beca.

becafigo. (De un inus. *beccar,* picar, der. del celtolat. *beccus,* pico, y de *figo.*) m. **oropéndola,** ave.

becante. adj. Que beca, que sufraga u otorga una beca. Ú. t. c. s.

becar. tr. Sufragar o conceder a alguien una beca o estipendio para estudios.

becardón. (Del fr. *béccard.*) m. *Ar.* **agachadiza.**

becario, ria. m. y f. Persona que disfruta de una beca para estudios. ‖ **2.** m. Colegial o seminarista que disfruta de una beca.

becerra. (De *becerro.*) f. Hija de la vaca hasta que cumple uno o dos años o poco más. ‖ **2. dragón,** planta escrofulariácea. ‖ **3.** *Gal.* Parte de masa apelmazada y húmeda que aparece en el interior de algunos panes, bizcochos, hojaldres, etc., mal cocidos o de escasa levadura.

becerrada. f. Lidia o corrida de becerros.

becerrero. m. Peón, casi siempre mozo, que en los hatos cuida de los becerros.

becerril. adj. Perteneciente al becerro.

becerrillo. m. d. de **becerro.** ‖ **2.** Piel de becerro curtida.

becerrista. m. Lidiador de becerros.

becerro. (Del lat. *ibex, -ĭcis,* rebeco.) m. Hijo de la vaca hasta que cumple uno o dos años o poco más. En lenguaje taurino se llama a veces así a los novillos. ‖ **2.** Piel de ternero o ternera curtida y dispuesta para varios usos, y principalmente para hacer zapatos y otras clases de calzado. ‖ **3.** Libro en que las iglesias y monasterios antiguos copiaban sus privilegios para el uso manual y corriente. ‖ **4.** Libro en que algunas comunidades tienen asentadas sus pertenencias. ‖ **5. libro de becerro.** ‖ **6.** V. **pie de becerro.** ‖ **de las behetrías.** Libro en que, de orden del rey don Alfonso XI y de su hijo el rey don Pedro, se escribieron las behetrías de las merindades de Castilla y los derechos que pertenecían en ellas a la corona y a otros partícipes. ‖ **de oro. dinero,** moneda corriente. ‖ **marino. foca.**

becoquín. m. **papalina,** gorro de dos picos.

becoquino. m. **ceriflor.**

becqueriano, na. adj. Perteneciente o relativo al poeta Gustavo Adolfo Bécquer (1836-1870). ‖ **2.** f. Poema lírico breve semejante a las *Rimas* de Bécquer.

becuadrado. (De *becuadro.*) m. *Mús.* Primera de las llamadas propiedades en el canto llano o gregoriano, la cual se funda en el hexacordo *sol, la, si, do, re, mi,* notas que, al ser solfeadas, cambian sus nombres en *do, re, mi, fa, sol, la.* ‖ **cantar por becuadrado.** fr. *Mús.* Girar dentro de los grados de la escala diatónica de *do,* principiando en el quinto grado, que antiguamente se marcaba con una G.

becuadro. (De *be*[1] y *cuadro,* por su forma de una *b* cuadrada.) m. *Mús.* Signo con el cual se expresa que la nota o notas a que se refiere deben sonar con su entonación natural.

bechamel. f. **besamel.**

bedano. (Del fr. *bedâne.*) m. **escoplo.**

bedel, la. (Del prov. *bedel,* y este del germ. *bidal,* alguacil.) m. y f. En los centros de enseñanza, persona cuyo oficio es cuidar del orden fuera de las aulas, además de otras funciones auxiliares. ‖ **2.** Por ext., ordenanza.

bedelía. f. Empleo de bedel.

bedelio. (Del lat. *bdellĭum,* y este del gr. βδέλλιον.) m. Gomorresina de color amarillo, gris o pardo, olor suave y sabor amargo, procedente de árboles burseráceos que crecen en la India, en Arabia y en el nordeste de África. Entra en la composición de varias preparaciones farmacéuticas para uso externo.

bederre. m. *Germ.* **verdugo,** ejecutor de la justicia.

beduino, na. (Del ár. *badawi,* el que vive en desierto o despoblado.) adj. Dícese de los árabes nómadas que habitan su país originario o viven esparcidos por Siria y el África septentrional. Ú. m. c. s. ‖ **2.** m. fig. Hombre bárbaro y desaforado.

beduro. (De *be*[1] y *duro.*) m. *Mús.* **becuadrado.**

befa. (Voz onomatopéyica.) f. Grosera e insultante expresión de desprecio.

befabemí. (De la letra *b* y de las notas musicales *fa, mi.*) m. En la música antigua, indicación del tono que principia en el séptimo grado de la escala diatónica de *do* y se desarrolla según los preceptos del canto llano y del canto figurado.

befar. (Voz onomatopéyica.) intr. Mover los caballos el befo, alargándolo para alcanzar la cadenilla del freno. ‖ **2.** tr. Burlar, mofar, escarnecer.

befedad. f. Calidad de befo o zambo.

befo, fa. adj. **belfo,** que tiene más grueso el labio inferior que el superior. Ú. t. c. s. ‖ **2.** De labios abultados y gruesos. Ú. t. c. s. ‖ **3.** Zambo o zancajoso. Ú. t. c. s. ‖ **4.** m. **belfo,** labio de un animal. ‖ **5.** Especie de mico.

befre. (Del lat. *fiber, -bri.*) m. ant. **bíbaro,** castor.

begardo, da. (Del fr. *begard,* y este del neerl. *beggaert,* monje mendicante.) m. y f. Hereje de los siglos XIII y XIV, que profesaba doctrinas muy análogas a las de los gnósticos e iluminados, defendiendo, entre otras cosas, la impecabilidad del alma humana cuando llega a la visión directa de Dios, la cual creía posible en esta vida. Se extendieron mucho por Italia, Francia y los Países Bajos, y llegaron a penetrar en Cataluña.

begastrense. adj. Natural de Begastro, hoy ruinas próximas a Cehegín, en la provincia de Murcia. Ú. t. c. s. ‖ **2.** Perteneciente a esta ciudad episcopal.

begonia. (Del fr. *bégonia.*) f. Planta perenne, originaria de América, de la familia de las begoniáceas, de unos cuatro decímetros de altura, con tallos carnosos, hojas grandes, acorazonadas, dentadas, de color verde bronceado por encima, rojizas y con nervios muy salientes por el envés, y flores monoicas, con pedúnculos largos y dicótomos, sin corola y con el cáliz de color de rosa.

begoniáceo, a. (De *begonia,* nombre de un género de plantas.) adj. *Bot.* Dícese de un género de plantas angiospermas dicotiledóneas, que pertenecen exclusivamente al género de la begonia. Ú. t. c. s. f. ‖ **2.** f. pl. *Bot.* Familia de estas plantas.

beguina. (Del fr. *béguine,* f. de *begard,* begardo.) f. Beata que forma parte de ciertas comunidades religiosas existentes en Bélgica.

beguino, na. (De *beguina.*) m. y f. **begardo.**

behaísmo. m. **bahaísmo.**

behaviorismo. (Del ing. *behaviorism.*) m. *Psicol.* **conductismo.**

behetría. (De *benefactría.*) f. Antiguamente, población cuyos vecinos, como dueños absolutos de ella, podían recibir por señor a quien quisiesen. ‖ **2.** V. **becerro de las behetrías.** ‖ **3.** fig. Confusión o desorden. ‖ **cerrada, de entre parientes,** o **de linaje.** La que podía elegir por señor a quien quisiese, con tal que fuese de determinados linajes que tuviesen naturaleza en aquel lugar. ‖ **de mar a mar.** La que libremente podía elegir señor sin sujeción a linaje determinado, por haber sido extranjeros sus conquistadores y haberse luego ausentado de los reinos de la Península.

behíque. m. *Ant.* Sacerdote y médico entre los indios taínos.

beicon. (Del ing. *bacon.*) m. Panceta ahumada.

beige. (Del fr. *beige.*) adj. Dícese del color castaño claro.

beis. adj. **beige.** Ú. t. c. s. m., invar. en pl.

béisbol. m. Juego entre dos equipos, en el que los jugadores han de recorrer ciertos puestos o bases de un circuito, en combinación con el lanzamiento de una pelota desde el centro de dicho circuito.

bejarano, na. adj. Natural de Béjar. Ú. t. c. s. ‖ **2.** Perteneciente o relativo a esta ciudad de Salamanca. ‖ **3.** Dícese de una facción que luchaba en Badajoz contra la de los portugaleses en tiempos del rey don Sancho el Bravo y de los individuos de este bando. Apl. a pers., ú. t. c. s.

bejerano, na. adj. **bejarano.** Apl. a pers., ú. t. c. s.

bejín. (Del lat. **vissīnus,* de *vissīre,* ventosear.) m. Hongo de color blanco, cuyo cuerpo fructífero, cerrado y semejante a una bola, a veces muy voluminosa, se desgarra cuando llega a la madurez y deja salir un polvo negro, que está formado por las esporas y se emplea para restañar la sangre y para otros usos. ‖ **2.** p. us. Persona que se enfada y enoja con poco motivo, y más comúnmente, muchacho que llora mucho y se irrita.

bejina. (Del lat. *faecīna,* f. de *-īnus,* que tiene muchas heces.) f. ant. *And.* **alpechín.**

bejinero. (De *bejina.*) m. ant. *And.* El que arrendaba la bejina para sacar el aceite. ‖ **2.** ant. *And.* Cualquiera que entendía en este aprovechamiento.

bejucal. m. Sitio donde se crían o hay muchos bejucos.

bejuco. (De or. caribe.) m. Nombre de diversas plantas tropicales, sarmentosas, y cuyos tallos, largos y delgados, se extienden por el suelo o se arrollan a otros vegetales. Se emplean, por su flexibilidad y resistencia, para toda clase de ligaduras y para jarcias, tejidos, muebles, bastones, etc. ‖ **de campanilla.** *Cuba.* **aguinaldo,** planta convolvulácea.

bejuquear. (De *bejuco.*) tr. *Ecuad., Guat., Méj., Nicar.* y *P. Rico.* Varear, apalear. ‖ **2.** *Méj.* Tejer el bejuco.

bejuqueda. f. **bejucal.**

bejuquillo. (d. de *bejuco.*) m. Cadenita de oro fabricada en China con que se adornaban el cuello las mujeres. ‖ **2.** **ipecacuana.**

bel[1]**.** m. *Fís.* **belio** en la nomenclatura internacional.

bel[2]**, la.** (Del prov. o cat. *bell.*) adj. ant. **bello.**

belcebú. (Del lat. bíblico *Beelzebūb,* entendido como príncipe de los demonios en el Nuevo Testamento.) m. Demonio, diablo.

belcho. (Quizá del lat. **pestŭlum,* cerrojo.) m. Mata de la familia de las efedráceas, de medio metro a uno de altura, muy ramificada, sin hojas, con flores en amento y frutos en forma de baya, carnosos y encarnados. Vive principalmente en los arenales.

beldad. (Del lat. **bellĭtas, -ātis,* de *bellus,* bello.) f. Belleza o hermosura y más particularmente la de la mujer. ‖ **2.** Mujer notable por su belleza.

beldar. (Del lat. *ventilāre.*) tr. Aventar con el bieldo las mieses, legumbres, etc., trilladas, para separar del grano la paja.

belduque. (Del m. or. que *balduque*, por la procedencia de estos cuchillos.) m. *Col.* Cuchillo grande de hoja puntiaguda.

belemnita. (Del gr. βέλεμνον, flecha.) **belemnites.**

belemnites. f. *Paleont.* Fósil de figura cónica o de maza. Es la extremidad de la concha interna que, a semejanza de las jibias, tenían ciertos cefalópodos que vivieron en los períodos jurásico y cretáceo.

belén. m. fig. **nacimiento,** representación del de Jesucristo. ‖ **2.** fig. y fam. Sitio en que hay mucha confusión. ‖ **3.** fig. y fam. La misma confusión. ‖ **4.** fig. y fam. Negocio o lance que puede ocasionar contratiempos o disturbios. Ú. m. en pl. *Meterse en* BELENES. ‖ **estar, o estar bailando,** alguien **en Belén.** fr. fig. y fam. p. us. Estar embobado, en Babia.

belenista. com. Persona que por oficio o afición proyecta o fabrica belenes.

beleño. (Quizá del lat. *venēnum*, veneno.) m. Planta de la familia de las solanáceas, como de un metro de altura, con hojas anchas, largas, hendidas y vellosas, flores a lo largo de los tallos, amarillas por encima y rojas por debajo, y fruto capsular con muchas semillas pequeñas, redondas y amarillentas. Toda la planta, especialmente la raíz, es narcótica. ‖ **blanco.** Planta del mismo género que la anterior, de la cual se diferencia en tener las hojas redondeadas y las flores amarillas por fuera y verdosas por dentro. ‖ **negro. beleño.**

belérico. m. **mirobálano.**

belesa. (Del got. **bilisa.*) f. Planta vivaz de la familia de las plumbagináceas, como de un metro de altura, con tallos rectos, delgados y cilíndricos, cubiertos de hojas alternas, lanceoladas y ásperas, y coronados por flores purpúreas, muy menudas, en espiga. Tiene virtudes narcóticas.

belez. (De or. inc., probablemente ár.) m. **vasija** para líquidos u otras cosas. ‖ **2.** Parte del menaje de casa, ajuar. ‖ **3.** *Alcarria.* Tinaja para echar vino o aceite.

belezo. m. *Vall.* **belez,** menaje, ajuar.

belfo, fa. adj. Dícese del que tiene más grueso el labio inferior, como suelen tenerlo los caballos. Apl. a pers., ú. t. c. s. ‖ **2.** m. Cualquiera de los dos labios del caballo y otros animales.

belga. (Del lat. *Belga.*) adj. Natural de Bélgica. Ú. t. c. s. ‖ **2.** Perteneciente o relativo a este país de Europa.

bélgico, ca. adj. p. us. Perteneciente o relativo a los belgas, o a Bélgica.

belhez. m. ant. **belez,** menaje, ajuar.

belicismo. (De *bélico.*) m. Tendencia a tomar parte en conflictos armados.

belicista. adj. Partidario del belicismo. Ú. t. c. s.

bélico, ca. (Del lat. *bellĭcus.*) adj. **guerrero,** perteneciente a la guerra.

belicosidad. f. Calidad de belicoso.

belicoso, sa. (Del lat. *bellicōsus.*) adj. Guerrero, marcial. ‖ **2.** fig. Agresivo, pendenciero.

belido, da. (Del lat. *bellis, -ĭdis,* margarita.) adj. V. **hierba belida.**

beligerancia. f. Calidad de beligerante. ‖ **conceder,** o **dar, beligerancia** a alguien. fr. Atribuirle la importancia bastante para contender con él. Ú. más con negación.

beligerante. (Del lat. *belligĕrans, -antis.*) adj. Aplícase a la potencia, nación, etc., que está en guerra. Ú. t. c. s. y más en pl.

belígero, ra. (Del lat. *bellĭger, -ĕri.*) adj. poét. Dado a la guerra, belicoso, guerrero.

belio. (Del apellido de Alejandro G. *Bell,* inventor del teléfono.) m. *Fís.* Unidad con la que se miden diversas magnitudes relacionadas con la sensación fisiológica originada por los sonidos, por ejemplo, la sonoridad, la intensidad acústica, el poder amplificador o atenuador, etc. Suele emplearse el decibelio.

belísono, na. (Del lat. *bellisŏnus.*) adj. De ruido bélico o marcial.

belitre. (Del fr. *belitre,* y este del germ. *bettler,* mendigo.) adj. fam. Pícaro, ruin y de viles costumbres. Ú. t. c. s.

belorta. f. **vilorta,** abrazadera del arado.

belua. (Del lat. *bellŭa.*) f. ant. **bestia,** animal cuadrúpedo de carga.

bellacada. f. ant. Junta de bellacos. ‖ **2. bellaquería.**

bellaco, ca. (De or. inc.) adj. Malo, pícaro, ruin. Ú. t. c. s. ‖ **2.** Astuto, sagaz. Ú. t. c. s.

belladona. (Del it. *belladonna.*) f. Planta de la familia de las solanáceas, que es muy venenosa y se utiliza con fines terapéuticos, principalmente por contener el alcaloide llamado atropina.

bellamente. (De *bello.*) adv. m. Con primor o perfección.

bellaquear. intr. Hacer bellaquerías.

bellaquería. f. Calidad de bellaco. ‖ **2.** Acción o dicho propio de bellaco.

bellasombra. (De *bella* y *sombra.*) f. *And.* **ombú.**

belleguín. m. ant. Corchete o alguacil.

belleza. (De *bello.*) f. Propiedad de las cosas que nos hace amarlas, infundiendo en nosotros deleite espiritual. Esta propiedad existe en la naturaleza y en las obras literarias y artísticas. ‖ **2.** Mujer notable por su hermosura. ‖ **artística.** La que se produce de modo cabal y conforme a los principios estéticos, por imitación de la naturaleza o por intuición del espíritu. ‖ **ideal.** Prototipo, modelo o ejemplar de **belleza,** que sirve de norma al artista en sus creaciones. Es frase usada principalmente por los estéticos platónicos. ‖ **decir bellezas.** fr. fig. Decir una cosa con gracia y primor.

bellido, da. adj. Bello, agraciado, hermoso.

bellísima. f. *Amér. Central, Col., Ecuad., Perú* y *Venez.* Planta trepadora de flores en festones y de tres colores: blanco, rosado pálido y rojo subido.

bellista. adj. Perteneciente o relativo a la vida y obras del escritor venezolano Andrés Bello. ‖ **2.** Dedicado con especialidad al estudio de las obras de Andrés Bello y cosas que le pertenecen. Apl. a pers., ú. t. c. s.

bello, lla. (Del lat. *bellus.*) adj. Que tiene belleza. ‖ **2.** Bueno, excelente. ‖ **3.** V. **arte bella.** ‖ **4.** V. **bellas letras.** ‖ **5.** V. **bello sexo.**

bellota. (Del ár. *balluṭa,* encina.) f. Fruto de la encina, del roble y otros árboles del mismo género. Es un aquenio muy voluminoso, ovalado, algo puntiagudo, de dos o más centímetros de largo, y se compone de una cáscara medianamente dura, de color castaño claro, dentro de la cual está la única semilla, desprovista de albumen y con sus cotiledones carnosos y muy ricos en fécula. Se emplea como alimento del ganado de cerda. ‖ **2.** Bálano o glande. ‖ **3.** Botón o capullo del clavel sin abrir. ‖ **4.** p. us. Vasija pequeña, de figura de **bellota** por lo común, y de una u otra materia, en que se echan bálsamos u otras especies aromáticas. ‖ **5.** Adorno de pasamanería, que consiste en una piececita de madera, de forma de **bellota,** cubierta de hilo de seda o lana. ‖ **6.** Extremidad de las capas y hojas córneas de que va desprendiéndose el cuerno del toro con los años, y que queda en forma de dedal en la punta. Desaparece totalmente a los tres años. ‖ **7.** V. **animal de bellota.** ‖ **de mar. bálano,** crustáceo marino.

bellote. m. Clavo de unos 20 centímetros de largo y uno de grueso, y con la cabeza parecida al cascabillo de la bellota.

bellotear. intr. Comer la bellota el ganado de cerda.

bellotera. f. La que coge o vende bellotas. ‖ **2.** Tiempo de recoger la bellota. ‖ **3.** Cosecha de bellota. ‖ **4. montanera.**

bellotero. m. El que coge o vende bellotas. ‖ **2. bellotera,** tiempo de recoger la bellota. ‖ **3. montanera.** ‖ **4.** ant. Árbol que lleva bellotas.

bellotillo. m. d. de **bellote.** ‖ **2.** V. **clavo bellotillo.**

belloto. (De *bellota.*) m. Árbol chileno, de la familia de las lauráceas, cuyo fruto es una especie de nuez que sirve de alimento a los animales.

bemba. f. *Can.* y *Amér.* Boca de labios gruesos y abultados, como suele ser la de los negros.

bembo. m. *Cuba, Ecuad.* y *P. Rico.* **bezo,** y especialmente el del negro bozal.

bembón, na. (De *bembo.*) adj. *Ant., Col., Perú* y *Venez.* **bezudo.** Dícese solo de las personas.

bemol. (De *b,* letra musical, que en la gama antigua representaba la nota *si,* y *mol,* por *mole,* suave, blando.) adj. *Mús.* Dícese de la nota cuya entonación es un semitono más baja que la de su sonido natural. *Re* BEMOL. Ú. t. c. s. ‖ **2.** m. *Mús.* Signo (♭) que representa esta alteración del sonido natural de la nota o notas a que se refiere. ‖ **doble bemol.** *Mús.* Nota cuya entonación es de dos semitonos más baja que la de su sonido natural. *El la* DOBLE BEMOL. ‖ **2.** *Mús.* Signo compuesto de dos **bemoles,** que representa esta doble alteración del sonido natural de la nota o notas a que se refiere. ‖ **tener bemoles,** o **tres bemoles.** fr. fig. y fam. con que se pondera lo que se tiene por muy grave y dificultoso.

bemolado, da. adj. Con bemoles.

ben[1]**.** (Del ár. *bān.*) m. Árbol de la familia de las moringáceas que crece en países intertropicales, con tronco recto, de mediana altura y flores blancas, y cuyo fruto, del tamaño de la avellana, da por presión un aceite que no se enrancia y que se emplea en relojería y perfumería.

ben[2]**.** adv. m. ant. **bien.**

bencénico, ca. adj. *Quím.* Perteneciente o relativo al benceno y a sus derivados.

benceno. (De *benzoe.*) m. *Quím.* Hidrocarburo cíclico, aromático, de seis átomos de carbono. Es un líquido incoloro e inflamable, de amplia utilización como disolvente y como reactivo en operaciones de laboratorio y usos industriales.

bencina. (De *benzoe.*) f. *Quím.* Líquido incoloro, volátil e inflamable, obtenido del petróleo, y que se emplea como disolvente. ‖ **2. gasolina.**

bendecidor, ra. adj. Que bendice. ‖ **2.** ant. Que dice bien, o habla bien y con razón.

bendecir. (Del lat. *benedicĕre.*) tr. Alabar, engrandecer, ensalzar. ‖ **2.** Colmar de bienes a alguien la Providencia; hacerlo prosperar. ‖ **3.** Invocar en favor de alguna persona o cosa la bendición divina. ‖ **4.** Consagrar al culto divino alguna cosa, mediante determinada ceremonia. ‖ **5.** Hacer el obispo o el presbítero la señal de la cruz sobre personas o cosas.

bendicera. (De *bendecir.*) f. ant. Mujer que santiguaba con señales y oraciones supersticiosas, para sanar a los enfermos.

bendición. (Del lat. *benedictĭo, -ōnis.*) f. Acción y efecto de bendecir. ‖ **2.** V. **fruto, hijo de bendición.** ‖ **3.** pl. Ceremonias con que se celebra el sacramento del matrimonio. Regularmente se dicen **bendiciones nupciales.** ‖ **episcopal,** o **pontifical.** La que en días solemnes dan el Papa, los obispos y otros prelados, haciendo tres veces la señal de la cruz cuando se nombran las tres personas de la Trinidad. ‖ **echar la bendición** a una cosa. fr. fig. y fam. Levantar mano en algún negocio; no querer ya mezclarse en él. ‖ **echar la bendición** a alguien. fr. fig. y fam. Renunciar a toda relación con él. ‖ **hacerse con bendición** una cosa. fr. fig. Hacerse con acierto y felicidad. ‖ **ser** una cosa **bendición de Dios,** o **una bendición.** fr. fig. y fam. Ser muy abundante, o muy excelente, o muy digna de admirar.

bendicir. tr. ant. **bendecir.**

bendicho, cha. (Del lat. *benedictus,* bendito.) p. p. irreg. ant. de **bendecir.** ‖ **2.** adj. ant. **bendito.**

benditera. f. *Cantabria.* Pila de agua bendita.

bendito, ta. (Del lat. *benedictus.*) p. p. irreg. de **bendecir.** ‖ **2.** adj. Santo o bienaventurado. Ú. t. c. s. ‖ **3. dichoso,** feliz. ‖ **4. dichoso,** que incluye o trae dicha o felicidad. ‖ **5.** V. **agua, ánima bendita.** ‖ **6.** V. **cardo, pan bendito.** ‖ **7.** m. y f. Persona sencilla y de pocos alcances. ‖ **8.** m. Oración que empieza así: BENDITO *y alabado sea,* etc. ‖ **de Dios. bendito,** persona sencilla. ‖ **¡ay, bendito!** *P. Rico.* exclam. popular que expresa dolor, sorpresa, asombro y otros sentimientos. ‖ **¡bendito!** exclam. **¡ay, bendito!** ‖ **saber** alguien una cosa **como el bendito.** fr. fig. y fam. *Chile.* **saber** alguien **como el avemaría** alguna cosa.

benedícite. (Del lat. *benedicite,* bendecid.) m. Licencia que los religiosos piden a sus prelados para ir a alguna parte. ‖ **2.** Oración que empieza con esta palabra, para bendecir la comida al sentarse a la mesa.

benedicta. (Del lat. *benedicta,* bendita, santa.) f. Electuario o confección de varios polvos de hierbas y raíces purgantes y estomacales mezclados con miel espumada.

benedictino, na. (Del lat. *Benedictus,* Benito.) adj. Perteneciente a la regla u orden de San Benito. Apl. a pers., ú. t. c. s. ‖ **2.** m. Licor que fabrican los frailes de esta orden.

benefactor, ra. (Del lat. *benefactor, -ōris.*) adj. **bienhechor.** Ú. t. c. s.

benefactoría. (De *benefactor.*) f. ant. **benefactría.**

benefactría. (De *benefactoría.*) f. ant. Acción buena. ‖ **2.** ant. **behetría,** población.

beneficencia. (Del lat. *beneficentĭa.*) f. Virtud de hacer bien. ‖ **2.** V. **casa de beneficencia.** ‖ **3.** Conjunto de instituciones y servicios benéficos.

beneficiación. f. Acción y efecto de beneficiar.

beneficiado, da. p. p. de **beneficiar.** ‖ **2.** m. y f. Persona en beneficio de la cual se ejecuta una función de teatro u otro espectáculo público. ‖ **3.** m. Presbítero o, por rara excepción, clérigo de grado inferior que goza un beneficio eclesiástico que no es curato o prebenda.

beneficiador, ra. adj. Que beneficia. Ú. t. c. s.

beneficial. (Del lat. *beneficiālis.*) adj. Perteneciente a beneficios eclesiásticos.

beneficiar. (De *beneficio.*) tr. Hacer bien. Ú. t. c. prnl. ‖ **2.** Hacer que una cosa produzca fruto, rendimiento o se convierta en algo aprovechable. BENEFICIAR *la tierra, un árbol, un argumento.* ‖ **3.** Extraer de una mina las sustancias útiles. ‖ **4.** Someter estas mismas sustancias al tratamiento metalúrgico cuando lo requieren. ‖ **5.** Conseguir un empleo por dinero. ‖ **6.** Administrar por cuenta de la real hacienda las rentas que procedían del servicio de millones. ‖ **7.** Referido a efectos, libranzas y otros créditos, cederlos o venderlos por menos de lo que importan. ‖ **8.** ant. Dar o conceder un beneficio eclesiástico. ‖ **9.** *Cuba, Chile* y *P. Rico.* Referido a una res, descuartizarla y venderla al menudeo. ‖ **10.** prnl. Sacar provecho de algo o de alguien, aprovecharse. ‖ **beneficiarse** una persona a otra. fr. fig. vulg. Tener trato carnal con ella.

beneficiario, ria. (Del lat. *beneficiarĭus.*) adj. Dícese de la persona a quien beneficia un contrato de seguro. Ú. t. c. s. ‖ **2.** m. y f. *Der.* El que goza un territorio, predio o usufructo que recibió graciosamente de otro superior a quien reconoce.

beneficio. (Del lat. *beneficium.*) m. Bien que se hace o se recibe. ‖ **2.** Utilidad, provecho. ‖ **3.** Labor y cultivo que se da a los campos, árboles, etc. ‖ **4.** Acción de beneficiar minas o minerales. ‖ **5.** V. **hacienda de beneficio.** ‖ **6.** Conjunto de derechos y emolumentos que obtiene un eclesiástico, inherentes o no a un oficio. ‖ **7.** Acción de beneficiar empleos por dinero, o de dar los créditos por menos de lo que importan. ‖ **8.** Función de teatro u otro espectáculo público, cuyo producto se concede a una persona, corporación, establecimiento, etc. ‖ **9.** *Amér.* Ingenio o hacienda donde se benefician productos agrícolas. ‖ **10.** *Der.* Derecho que compete a alguien por ley o privilegio. ‖ **amovible, o amovible ad nútum. beneficio** eclesiástico que no es colativo, y del cual puede, el que lo da, remover al que lo goza. ‖ **compulso.** En las órdenes militares, el que por su cortísimo valor se llegó a unir e incorporar a otro; y se decía así porque para su servicio se compelía a los religiosos. ‖ **consistorial.** El que el Papa provee en consistorio. ‖ **curado.** El eclesiástico que tiene obligación aneja de cura de almas. ‖ **de bandera.** Disminución de los derechos arancelarios que pagan las mercancías transportadas en buques de la propia nación, o en los de nación extranjera a quien por tratado se ha concedido esta ventaja. ‖ **de deliberar.** *Der.* El concedido por la ley al heredero para diferir la adición o repudiación de la herencia hasta que se haya hecho el inventario. ‖ **de excusión. excusión.** ‖ **de inventario.** Facultad que la ley concede al heredero, de aceptar la herencia con la condición de no quedar obligado a pagar a los acreedores del difunto más de lo que importe la herencia misma, por lo cual se compromete a hacer inventario formal de los bienes en que consiste. ‖ **exento.** Aquel cuya provisión está reservada exclusivamente al Papa. ‖ **simple.** El eclesiástico que no tiene obligación aneja de cura de almas. ‖ **a beneficio de inventario.** loc. adv. Modo de aceptar la herencia acogiéndose a ese **beneficio.** ‖ **2.** fig. Con reserva, con precaución, con su cuenta y razón. ‖ **3.** Sin seriedad o esfuerzo, frívola o despreocupadamente. ‖ **desconocer el beneficio.** fr. No corresponder a él, ser ingrato.

beneficioso, sa. (Del lat. *beneficiōsus.*) adj. Provechoso, útil.

benéfico, ca. (Del lat. *beneficus.*) adj. Que hace bien. ‖ **2.** Perteneciente o relativo a la ayuda gratuita que se presta a los necesitados.

benemerencia. (der. del lat. *benemĕrens, -entis,* benemérito.) f. ant. Mérito o servicio.

benemérito, ta. (Del lat. *benemerĭtus.*) adj. Digno de galardón. ‖ **la benemérita.** La guardia civil.

beneplácito. (Del lat. *bene placĭtus,* bien querido.) m. Aprobación, permiso. ‖ **2.** Complacencia.

benevolencia. (Del lat. *benevolentĭa.*) f. Simpatía y buena voluntad hacia las personas.

benevolente. (Del lat. *benevŏlens.*) adj. Que tiene benevolencia, favorable.

benévolo, la. (Del lat. *benevŏlus.*) adj. Que tiene buena voluntad o afecto.

bengala. (De *Bengala,* antigua provincia de la India.) f. **caña de Bengala.** ‖ **2.** Insignia antigua de mando militar a modo de cetro o bastón. ‖ **3. luz de Bengala.** ‖ **4.** desus. Tela fina.

bengalí. adj. Natural de Bengala. Ú. t. c. s. ‖ **2.** Perteneciente a esta provincia del Indostán. ‖ **3.** m. Lengua derivada del sánscrito y que se habla en Bengala. ‖ **4.** Pájaro pequeño, de pico cónico, alas puntiagudas, patas delgadas y vivos colores, que habita en las regiones intertropicales del antiguo continente.

beniano, na. adj. Natural de Beni. Ú. t. c. s. ‖ **2.** Perteneciente a este departamento de Bolivia.

benignidad. (Del lat. *benignĭtas, -ātis.*) f. Calidad de benigno.

benigno, na. (Del lat. *benignus.*) adj. Afable, benévolo, piadoso. ‖ **2.** fig. Templado, suave, apacible. *Estación* BENIGNA. ‖ **3.** Dícese de las enfermedades cuando no revisten gravedad, y también de los tumores que no son malignos.

benimerín. (Del ár. *Banī Marīn,* los descendientes de *Marīn.*) adj. Dícese del individuo de una tribu belicosa de Marruecos que durante los siglos XIII y XIV d. de J. C. fundó una dinastía en el norte de África y sustituyó a los almohades en el imperio de la España musulmana. Ú. t. c. s. y m. en pl.

benino, na. adj. ant. **benigno.**

benito, ta. (Del lat. *benedictus.*) adj. **benedictino.** Apl. a pers., ú. t. c. s.

benjamín. (Por alusión a *Benjamín,* hijo último y predilecto de Jacob.) m. fig. Hijo menor y por lo común el más querido de sus padres.

benjamita. adj. Descendiente de la tribu de Benjamín. Ú. t. c. s. ‖ **2.** Perteneciente o relativo a Benjamín.

benjuí. (Del ár. *laban ŷāwī,* incienso de Java.) m. Bálsamo aromático que se obtiene por incisión en la corteza de un árbol del mismo género botánico que el que produce el estoraque en Malaca y en varias islas de la Sonda.

benquerencia. f. ant. **bienquerencia.**

benteveo. m. *Argent.* y *Urug.* **bienteveo,** pájaro.

bento-. (Del gr. βένθος, profundidad.) Elemento compositivo que significa «profundidad»; generalmente alude a las profundidades marinas.

bentónico, ca. (Del gr. βένθος, profundidad.) adj. *Biol.* Dícese del animal o planta que habitualmente vive en contacto con el fondo del mar, aun cuando pueda separarse del mismo y flotar o nadar en el agua durante algún tiempo.

bentonita. (De Fort *Benton,* EE. UU., donde se encontró.) f. Arcilla de gran poder de absorción con múltiples usos industriales.

bentos. (Del gr. βένθος, fondo del mar.) m. *Biol.* Conjunto de los seres bentónicos.

benz- o **benzo.** Primer elemento compositivo relacionado con la familia del benceno.

benzina. (Del al. *Benzin,* gasolina.) f. **bencina,** gasolina.

benzoato. m. *Quím.* Sal resultante de la combinación del ácido benzoico con una base.

benzoe. (lat. cient.) m. **benjuí.**

benzoico, ca. (De *benzoe,* benjuí.) adj. *Quím.* Perteneciente o relativo al benjuí. ‖ **2.** *Quím.* V. **ácido benzoico.**

benzol. (De *benzoe,* benjuí, y la term. *-ol,* de *alcohol.*) m. *Quím.* **benceno.**

benzolismo. m. *Med.* Intoxicación por el benzol o sus vapores.

beocio, cia. (Del lat. *Boeotĭus.*) adj. Natural de Beocia. Ú. t. c. s. ‖ **2.** Perteneciente a esta región de la Grecia antigua. ‖ **3.** fig. Ignorante, estúpido, tonto.

beodera. (De *beodo.*) f. ant. **beodez.**

beodez. (De *beodo.*) f. Embriaguez o borrachera.

beodo, da. (De *beudo.*) adj. Embriagado o borracho. Ú. t. c. s.

beorí. m. Tapir americano.

beque. (Del lat. célt. *beccus,* pico; cf. cat. *bec,* fr. *bec,* ing. *beak.*) m. *Mar.* Obra exterior de proa. ‖ **2.** *Mar.* En los barcos, retrete de la marinería. Ú. m. en pl. ‖ **3.** fig. **orinal,** recipiente para excrementos humanos. Ú. m. en América.

béquico, ca. adj. *Farm.* Eficaz contra la tos.

berbajo. m. **brebajo,** refresco que se da al ganado.

berbén. m. *Méj.* **loanda.**

berberecho. (Del gr. βέρβερι, ostra de las perlas.) m. Molusco bivalvo, de unos cuatro centímetros de largo y conchas estriadas casi circulares. Se cría en las costas del norte de España y se come crudo o guisado.

berberí. (Del ár. *barbarī,* bárbaro, natural de Berbería.) adj. **beréber.** Apl. a pers., ú. t. c. s.

berberidáceo, a. (De *Berberis,* nombre de un género de plantas.) adj. *Bot.* Dícese de arbustos y matas angiospermas dicotiledóneas, con hojas sencillas o compuestas, flores hermafroditas regulares, fruto en baya seca o carnosa y semillas con albumen; como el arlo. Ú. t. c. s. f. ‖ **2.** f. pl. *Bot.* Familia de estas plantas.

berberídeo, a. (De *berberís.*) adj. *Bot.* **berberidáceo.**
berberís. (Del ár. *barbāris,* espino de fruto rojo y ácido.) m. **agracejo,** arbusto berberidáceo.
berberisco, ca. adj. **beréber.** Apl. a pers., ú. t. c. s. ‖ **2.** V. **hoja berberisca.**
bérbero. (De *berberís.*) m. **agracejo,** arbusto berberidáceo.‖ **2.** Fruto del **bérbero,** llamado también agracejina. ‖ **3.** Confección hecha con este fruto.
bérberos. m. **bérbero.**
berbí. (De *Verviers,* ciudad de Bélgica, célebre por sus paños.) adj. V. **paño berbí.**
berbiquí. (Del fr. *vilebrequin,* y este del neerl. *wimmelkijn.*) m. Manubrio semicircular o en forma de doble codo, que puede girar alrededor de un puño ajustado en una de sus extremidades, y tener sujeta en la otra la espiga de cualquier herramienta propia para taladrar.
berceo. m. **barceo.**
bercería. f. ant. Paraje donde se venden berzas o verduras.
bercero, ra. (De *berza.*) m. y f. ant. **verdulero.**
bercial. m. Sitio poblado de berceos.
berciano, na. adj. Natural del Bierzo. Ú. t. c. s. ‖ **2.** Perteneciente o relativo a este territorio.
beréber o **bereber.** (Del ár. *barbar,* bárbaro, natural de Berbería.) adj. Natural de Berbería. Ú. t. c. s. ‖ **2.** Perteneciente o relativo a esta región de África. ‖ **3.** Dícese del individuo de la raza más antigua y numerosa de las que habitan el África Septentrional desde los desiertos de Egipto hasta el océano Atlántico y desde las costas del Mediterráneo hasta lo interior del desierto del Sahara. Ú. t. c. s. ‖ **4.** m. Lengua hablada por los **beréberes.**
berebere. adj. **beréber.**
berengario, ria. adj. Seguidor de Berenger, heresiarca francés del siglo XI que negaba la presencia real de Jesucristo en la Eucaristía. Ú. m. c. s. y en pl.
Berenice. n. p. V. **cabellera de Berenice.**
berenjena. (Del ár. *bādinŷāna.*) f. Planta anual de la familia de las solanáceas, de cuatro a seis decímetros de altura; ramosa, con hojas grandes, aovadas, de color verde, casi cubiertas de un polvillo blanco y llenas de aguijones; flores grandes y de color morado, y fruto aovado, de 10 a 12 centímetros de largo, cubierto por una película morada y lleno de una pulpa blanca dentro de la cual están las semillas. ‖ **2.** Fruto de esta planta. ‖ **catalana.** Variedad de la común, cuyo fruto es casi cilíndrico y de color morado muy oscuro. ‖ **de huevo.** Variedad de la común, cuyo fruto, en su hechura, tamaño y color, es enteramente semejante a un huevo de gallina. ‖ **morada,** o **moruna. berenjena catalana.** ‖ **zocata.** La que estando ya muy madura se pone amarilla y como hinchada.
berenjenado, da. (De *berenjena.*) adj. ant. **aberenjenado.**
berenjenal. m. Sitio plantado de berenjenas. ‖ **2.** fig. y fam. Embrollo, jaleo, lío. Ú. especialmente en la frase *Meterse en un* BERENJENAL.
berenjenín. m. d. de **berenjena.** ‖ **2.** Variedad de la berenjena común, cuyo fruto es casi cilíndrico, de 12 a 14 centímetros de largo, y de color enteramente blanco, o blanco rayado de rojo o de morado claro.
bergadán, na. adj. Natural de Berga. Ú. t. c. s. ‖ **2.** Perteneciente o relativo a esta ciudad catalana y a su comarca.
bergadano, na. adj. **bergadán.**
bergamasco, ca. adj. Natural de Bérgamo. Ú. t. c. s. ‖ **2.** Perteneciente o relativo a esta ciudad de Italia.
bergamota. (Del it. *bergamotta,* de *Bérgamo.*) f. Variedad de pera muy jugosa y aromática. ‖ **2.** Variedad de lima muy aromática, de la cual se extrae una esencia usada en perfumería.
bergamote. (Del fr. *bergamote,* y este del it. *bergamotta.*) m. **bergamoto.**
bergamoto. m. Limero que produce la bergamota. ‖ **2.** Peral que produce la bergamota.
bergante. (Del gót. *brikan,* golpear, luchar; cf. cat. *bergant,* individuo de una brigada de trabajo, y cast. *bregar* y *brigar.*) m. Pícaro, sinvergüenza.
bergantín. (Del it. *brigantino,* a través del fr. *brigantin* o del cat. *bergantí.*) m. Buque de dos palos y vela cuadra o redonda. ‖ **goleta.** El que usa aparejo de goleta en el palo mayor. ‖ **estar, o ser, bergantín.** fr. fig. En el tresillo, no tener cartas más que de dos palos.
beriberi. (Del cingalés *beri,* debilidad.) m. *Pat.* Enfermedad caracterizada por polineuritis, debilidad general y rigidez dolorosa de los miembros. Es una forma de avitaminosis producida por el consumo casi exclusivo de arroz descascarillado.
berilio. (Del m. or. que *berilo.*) m. Metal alcalino térreo, ligero, de color blanco y sabor dulce, al que debe el nombre de glucinio con el que también se conoce. Núm. atómico 4. Símb.: *Be.*
berilo. (Del lat. *beryllus,* y este del gr. βήρυλλος.) m. Silicato de alúmina y glucina, variedad de esmeralda, de color verdemar y a veces amarillo, blanco o azul. Cuéntase entre las piedras preciosas cuando es hialino y de color uniforme.
beritense. (Del lat. *Berytensis.*) adj. Natural de Berito. Ú. t. c. s. ‖ **2.** Perteneciente o relativo a esta antigua ciudad de Fenicia.
berlandina. f. desus. **bernardina.**
berlanga. (Del ant. a. al. *bretling,* tablilla.) f. Juego de naipes en que se gana reuniendo tres cartas iguales, como tres reyes, tres ases, etc.
berlina[1]. (De *Berlín,* ciudad donde se construyeron los primeros.) f. Coche de caballos cerrado de dos asientos comúnmente. ‖ **2.** En las diligencias y otros carruajes de dos o más departamentos, el que era cerrado, estaba delante y solo tenía una fila de asientos. ‖ **3.** Coche de cuatro puertas. ‖ **4.** Departamento en los coches de los ferrocarriles, que se distinguía por esta última circunstancia.
berlina[2] (en). (Del it. *berlina,* picota.) loc. adv. fig. **en ridículo.** Ú. con los verbos *estar, poner* o *quedar.* ‖ **2.** *Perú.* Con los verbos mencionados, quedarse aislado. ‖ **3.** *Argent.* En situación de pena o castigo en algunos juegos.
berlinés, sa. adj. Natural de Berlín. Ú. t. c. s. ‖ **2.** Perteneciente o relativo a esta ciudad de Alemania.
berlinga. (Del germ. *bret-ling,* tabla pequeña.) f. Pértiga de madera verde con que se remueve la masa fundida en los hornos metalúrgicos. ‖ **2.** *And.* Palo hincado en el suelo, desde el cual se ata a otro semejante un cordel o soga para tender ropa al sol y para otros usos. ‖ **3.** *Mar.* **percha[1],** tronco de árbol que sirve para piezas de arboladura.
berlingar. tr. Remover con la berlinga una masa metálica incandescente.
berma. (Del fr. *berme,* y este del neerl. *baerm,* borde, margen.) f. *Fort.* Espacio al pie de la muralla y declive exterior del terraplén, que servía para que la tierra y las piedras que se desprendían de ella al batirla el enemigo, se detuviesen y no cayeran dentro del foso.
bermejal. (De *bermejo.*) m. Extensión grande del terreno bermejo.
bermejear. intr. Mostrar alguna cosa el color bermejo que en sí tiene. ‖ **2.** Tirar a bermejo.
bermejecer. intr. ant. **bermejear.** ‖ **2.** prnl. ant. Ponerse bermejo.
bermejenco, ca. adj. ant. **bermejo.**
bermejez. f. ant. **bermejura.**
bermejía. f. ant. Agudeza maliciosa y perjudicial, que se atribuía a los bermejos.

bermejizo, za. adj. Que tira a bermejo. ‖ **2.** m. **panique.**
bermejo, ja. (Del lat. *vermicŭlus,* gusanillo.) adj. Rubio, rojizo. ‖ **2.** V. **calzas bermejas.**
bermejón, na. (aum. de *bermejo.*) adj. De color bermejo o que tira a él. ‖ **2.** m. ant. **bermellón.**
bermejor. (De *bermejo.*) m. ant. **bermejura.**
bermejuela. (d. de *bermeja.*) f. Pez teleósteo, fisóstomo, común en algunos ríos de España, de unos cinco centímetros de largo, y cuyo color varía, pues los hay enteramente verdosos con una mancha negra junto a la cola, y otros tienen bandas y manchas doradas y encarnadas. ‖ **2.** Pez, también común en algunos ríos de España, del mismo género y tamaño que el anterior, pero más comprimido, con el lomo constantemente negruzco y el vientre blanco y algunas veces rojo. ‖ **3.** *And.* **brezo**[1].
bermejura. f. Color bermejo.
bermellón. (Del fr. *vermillon.*) m. Cinabrio reducido a polvo, que toma color rojo vivo.
bermudas. m. pl. **pantalón bermudas.** Ú. t. c. f. pl. ‖ **2.** Bañador masculino semejante al pantalón **bermudas.** Ú. t. c. f. pl.
bermudina. (Del poeta Salvador *Bermúdez* de Castro.) f. Octava endecasílaba o decasílaba, cuyos versos cuarto y octavo tienen rima común aguda. Los demás tienen terminación llana; pareados el segundo y el tercero, así como el sexto y el séptimo, quedando sueltos el primero y el quinto.
bernardina. (De or. inc.) f. fam. **fanfarronada.** Ú. t. en pl.
bernardo, da. adj. Dícese del monje o monja de la orden del Císter. Ú. t. c. s.
bernegal. (De or. inc.; cf. *berniz.*) m. Taza para beber, ancha de boca y de figura ondeada. ‖ **2.** *Can.* y *Venez.* Tinaja que recibe el agua que destila el filtro.
bernés, sa. adj. Natural de Berna. Ú. t. c. s. ‖ **2.** Perteneciente o relativo a esta ciudad y cantón de Suiza.
bernia. (De or. inc.; probablemente de *Bernia,* o *Hibernia,* hoy Irlanda, donde se fabricaba esta tela.) f. Tejido basto de lana, semejante al de las mantas y de varios colores, del que se hacían capas de abrigo. ‖ **2.** Capa hecha de esta tela.
bernio. m. ant. **bernia.**
berniz. (Del lat. *veronix, -icis,* de *Beronice,* ciudad de Egipto.) m. *Ar.* **barniz,** disolución de sustancias resinosas.
berón, na. (Del pl. lat. *Berones.*) adj. Dícese del pueblo céltico que en la época de la conquista romana habitaba territorios de la actual provincia de Logroño. Ú. t. c. s. ‖ **2.** Dícese también de los individuos que componían este pueblo. Ú. t. c. s. ‖ **3.** Perteneciente o relativo a los **berones.**
berozo. (Del célt. **vroicĕus,* de **vroicus,* brezo.) m. *Ál.* **brezo**[1].
berquelio. (De *Berkeley,* California, donde fue descubierto.) m. *Quím.* Elemento radiactivo artifical que se obtiene bombardeando el americio con partículas alfa. Núm. atómico 97. Símb.: *Bk.*
berra. (Del lat. *berŭla,* berro.) f. **berraza,** berro crecido.
berraña. f. Planta, variedad del berro común, del que se distingue por tener los tallos más robustos y las hojas grandes, de 8 a 16 lóbulos casi iguales, ovales u oblongos. No es comestible.
berrar. (Voz onomatopéyica.) intr. **berrear,** gritar o cantar desentonadamente las personas.
berraza. f. **berrera.** ‖ **2.** Berro crecido y talludo.
berrea. f. Acción y efecto de berrear. ‖ **2.** Brama del ciervo y algunos otros animales.
berrear. (Voz onomatopéyica.) intr. Dar berridos los becerros u otros animales. ‖ **2.** Llorar o gritar desaforadamente un niño. ‖ **3.** fig. Gritar o cantar desentonadamente las personas. ‖ **4.** prnl. *Germ.* Descubrir, declarar o confesar alguna cosa.
berrenchín. (Del lat. *verres,* verraco.) m. Vaho o tufo que arroja el jabalí furioso. ‖ **2.** fig. y fam. **berrinche.**
berrendearse. (De *berrendo.*) prnl. *And.* Pintarse el trigo.
berrendo, da. (Del lat. *variandus,* ger. de *variāre,* variar, presentar diferentes matices.) adj. Manchado de dos colores por naturaleza o por arte. ‖ **2.** Dícese del toro que tiene manchas de color distinto del de la capa. Ú. t. c. s. ‖ **3.** V. **trigo berrendo.** ‖ **4.** *Murc.* Se aplica al gusano de seda que tiene el color moreno, y al que adquiere cierta enfermedad que le hace tomar este color. ‖ **5.** m. Animal mamífero, del orden de los rumiantes, que habita en los Estados del norte de la República mejicana. Tiene de color castaño la parte superior del cuerpo, el vientre blanco, lo mismo que la cola, y es semejante al ciervo en lo esbelto, en la clase de pelo, con una cornamenta encorvada y hacia atrás. Vive en estado salvaje, formando manadas numerosas.
berreo. m. Acción y efecto de berrear.
berreón, na. (De *berrear.*) adj. Gritador, chillón.
berrera. (De *berro.*) f. Planta de la familia de las umbelíferas, que se cría en las orillas y remansos de los riachuelos y en las balsas, de seis a siete decímetros de altura, con tallos cilíndricos y ramosos, hojas anchas, compuestas de hojuelas dentadas, lisas, algo duras y de un verde hermoso, y flores blancas.
berrido. (De *berrar.*) m. Voz del becerro y otros animales que berrean. ‖ **2.** fig. Grito desaforado de persona, o nota alta y desafinada al cantar.
berrín. (Del lat. *verres,* verraco.) m. **bejín,** persona enojadiza.
berrinche. (Del lat. *verres,* verraco.) m. fam. Coraje, enojo grande, y más comúnmente el de los niños.
berrinchudo, da. adj. Que se encorajina o enoja con frecuencia o por leve motivo.
berro. (De *berra.*) m. Planta de la familia de las crucíferas, que crece en lugares aguanosos, con varios tallos de unos tres decímetros de largo, hojas compuestas de hojuelas lanceoladas, y flores pequeñas y blancas. Toda la planta tiene un gusto picante y las hojas se comen en ensalada. ‖ **enviar** a alguien **a buscar berros.** fr. fig. Despedirlo, hacer que se vaya.
berrocal. m. Sitio lleno de berruecos graníticos.
berroqueña. (De *berrueco.*) adj. V. **piedra berroqueña.** Ú. t. c. s.
berrueco. m. Tolmo granítico. ‖ **2. barrueco,** perla irregular. ‖ **3.** Lesión con aspecto de verruga que aparece en el iris de los ojos.
berta. (Del n. p. *Berta.*) f. desus. Tira de punto o blonda que adornaba generalmente el vestido de las mujeres, por el pecho, hombros y espalda.
bervete. (Del fr. *brevet.*) m. ant. Apuntación breve de alguna cosa.
berza. (Del lat. *virdĭa,* pl. n. de *virdis, virĭdis,* verde.) f. **col.** ‖ **de pastor. ceñiglo.** ‖ **de perro,** o **perruna. vencetósigo.** ‖ **estar en berza.** fr. Estar tiernos o en hierba los sembrados.
berzal. m. Campo plantado de berzas.
berzas. com. fig. **berzotas,** persona ignorante o necia.
berzotas. com. fig. Persona ignorante o necia.
bes. (Del lat. *bes, bessis.*) m. Peso de ocho onzas aprox., o sea dos tercios de la libra romana.
besalamano. m. Esquela con la abreviatura B. L. M., que se redacta en tercera persona y que no lleva firma.
besamanos. (De *besa manos.*) m. Acto en que concurrían muchas personas a manifestar su adhesión al rey y personas reales, y en el cual antiguamente se les besaba la mano. ‖ **2.** Acto público de saludo a las autoridades. ‖ **3.** Modo de saludar a algunas personas, tocando o acercando la mano derecha a la boca y apartándola de ella una o más veces. ‖ **4.** Acto en que se besa la palma de la mano a un sacerdote después de su primera misa. ‖ **dar** a alguien **besamanos.** fr. fig. y fam. Gratificarle por algún favor que se le deba o se espere de él.

besamel o **besamela.** (Del fr. *béchamel.*) f. Salsa blanca que se hace con harina, crema de leche y manteca.
besana. (der. del lat. *versāre,* volver.) f. Labor de surcos paralelos que se hace con el arado. ‖ **2.** Primer surco que se abre en la tierra cuando se empieza a arar. ‖ **3.** Medida agraria usada en Cataluña, que equivale a 2.187 centiáreas. ‖ **4.** *Esp., Cuba* y *Méj.* **haza,** porción de tierra labrantía.
besante. (Del ant. fr. *besant.*) m. Antigua moneda bizantina de oro o plata, que también tuvo curso entre los mahometanos y en el occidente de Europa. ‖ **2.** *Blas.* Figura heráldica que representa la moneda de este nombre.
besar. (Del lat. *basiāre.*) tr. Tocar u oprimir con un movimiento de labios, a impulso del amor o del deseo o en señal de amistad o reverencia. ‖ **2.** Hacer el ademán propio del beso, sin llegar a tocar con los labios. ‖ **3.** fig. y fam. Tratándose de cosas inanimadas, tocar unas a otras. ‖ **4.** prnl. fig. y fam. Tropezar impensadamente una persona con otra, dándose un golpe en la cara o en la cabeza. ‖ **besadme, y abrazaros he.** fr. que se decía cuando alguien pedía más que prometía.
besico. m. d. de **beso.** ‖ **de monja. farolillo,** planta sapindácea con hojas lanceoladas, flores blanco-amarillentas y fruto globoso.
beso. (Del lat. *basĭum.*) m. Acción y efecto de besar. ‖ **2.** Ademán simbólico de besar. ‖ **3.** fig. Golpe violento que mutuamente se dan dos personas en la cara o en la cabeza, o el que se dan las cosas cuando se tropiezan unas con otras. ‖ **de Judas.** fig. **beso** u otra manifestación de afecto que encubre traición. ‖ **de paz.** El que se da en muestra de cariño y amistad. ‖ **comerse a besos** a alguien. fr. fig. y fam. Besarle con repetición y vehemencia.
bestezuela. f. d. de **bestia.**
bestia. (Del lat. *bestĭa.*) f. Animal cuadrúpedo. Más comúnmente se entiende por los domésticos de carga, como caballo, mula, etc. ‖ **2.** Monstruo, ser fantástico y espantoso. ‖ **3.** com. fig. Persona ruda e ignorante. Ú. t. c. adj. ‖ **de albarda. asno.** Usáb. esta locución por fórmula en las sentencias de causas criminales cuando se condenaba al reo a un castigo afrentoso. ‖ **de carga.** Animal destinado para llevar carga, como el macho, la mula, el jumento. ‖ **de guía.** La que, para llevar una carga o persona, daban las justicias en virtud de guía o pasaporte que para ello se concedía. ‖ **negra.** fig. Persona que concita particular rechazo o animadversión por parte de alguien. ‖ **parda.** fig. **bestia negra.** ‖ **gran bestia. anta**[1]. ‖ **2. tapir.** ‖ **quedarse** alguien **por bestia.** fr. fam. y fest. desus. Quedarse en su sitio por no hallar cabalgadura en que trasladarse a otro.
bestiaje. m. Conjunto de bestias de carga.
bestial. (Del lat. *bestiālis.*) adj. Brutal o irracional. *Deseo, apetito* BESTIAL. ‖ **2.** fig. y fam. De grandeza desmesurada, extraordinario. ‖ **3.** m. desus. Bestia vacuna, mular, caballar o asnal.
bestialidad. (De *bestial.*) f. Brutalidad o irracionalidad. ‖ **2. bestialismo.** ‖ **3.** fig. y fam. **barbaridad,** cantidad grande o excesiva. ‖ **4.** fig. y fam. **barbaridad,** acción o acto exagerados. *Es una* BESTIALIDAD *pagar tanto por una falda.*
bestialismo. m. Anormalidad consistente en buscar gozo sexual con animales.
bestializarse. prnl. Hacerse bestial, vivir o proceder como las bestias.
bestiame. m. ant. **bestiaje.**
bestiario. (Del lat. *bestiarĭus.*) m. Hombre que luchaba con las fieras en los circos romanos. ‖ **2.** En la literatura medieval, colección de fábulas referentes a animales reales o quiméricos.
bestiedad. f. ant. **bestialidad.**
bestihuela. f. ant. d. de **bestia.**
bestión[1]. m. aum. de **bestia.** ‖ **2.** Bicha o monstruo de uso en la ornamentación arquitectónica.
bestión[2]. m. ant. **bastión.**
bestizuela. f. ant. d. de **bestia.**
bestoba. (De *bestoga.*) f. *And.* **aguijada** del arado.
bestoga. (Del lat. *festūca,* vara.) f. *And.* **aguijada** del arado.
béstola. f. **aguijada** del arado.
best-séller. (Del ing. *best-seller.*) m. Obra literaria de gran éxito y de mucha venta.
besucador, ra. adj. fam. **besucón.** Ú. t. c. s.
besucar. tr. fam. **besuquear.**
besucón, na. adj. fam. Que besuca. Ú. t. c. s.
besugada. f. Francachela en que solo se come besugo o en que este pescado es el plato principal.
besugo. m. Pez teleósteo, acantopterigio, provisto de algunos dientes cónicos en la parte anterior de las mandíbulas, y de dos filas de otros tuberculosos en la posterior. El **besugo** común con una mancha negra sobre la axila de las aletas torácicas, y el de Laredo, de mayor tamaño y con la mancha sobre las aletas, son comunes en el Cantábrico y muy apreciados por su carne. ‖ **2.** *Lev.* **aligote.** ‖ **3.** fig. Persona torpe o necia. ‖ **4.** fig. y fam. V. **ojo de besugo.** ‖ **te veo, o ya te veo, besugo, que tienes el ojo claro.** fr. fig. y fam. con que se da a entender que se penetra la intención de alguno.
besuguera. f. La que vende besugos. ‖ **2.** Cazuela ovalada que sirve para guisar besugos u otros pescados.
besuguero. m. El que vende o transporta besugos. ‖ **2.** *Ast.* Anzuelo para pescar besugos.
besuguete. m. d. de **besugo.** ‖ **2. pagel.**
besuqueador, ra. adj. fam. **besucón.** Ú. t. c. s.
besuquear. (De *besucar.*) tr. fam. Besar repetidamente.
besuqueo. m. Acción de besuquear.
beta[1]. (Del gr. βῆτα.) f. Nombre de la segunda letra del alfabeto griego, que corresponde a la que en el nuestro se llama *be.*
beta[2]. (Del lat. *vitta,* venda.) f. **veta.**
betarraga. (Del fr. *betterave.*) f. **remolacha.**
betarrata. f. **betarraga.**
betel. (Del malabar *betle.*) m. Planta trepadora de la familia de las piperáceas, que se cultiva en el Extremo Oriente. Sus hojas, hendidas en la base, aovadas, aguzadas y con los nervios medio esparcidos, tienen cierto sabor a menta y sirven en Filipinas para la composición del buyo; y su fruto, en forma de baya, contiene una semilla o grano como de pimienta. ‖ **2. buyo.**
bético, ca. (Del lat. *Baetĭcus.*) adj. Natural de la antigua Bética, hoy Andalucía. Ú. t. c. s. ‖ **2.** Perteneciente a ella.
betijo. (Del lat. **vitticŭlum,* de *vitta,* venda.) m. Palito de torvisco que se les pone a los chivos atravesado en la boca por encima de la lengua, de modo que les impida mamar, pero no pacer. Con un cordel que lleva atado a ambos extremos se sujeta en los cuernos del animal.
betlehemita. adj. **betlemita.**
betlehemítico, ca. adj. **betlemítico.**
betlemita. (Del lat. *Bethlemītes,* de Belén.) adj. Natural de Belén. Ú. t. c. s. ‖ **2.** Perteneciente o relativo a esta ciudad de Tierra Santa. ‖ **3.** Dícese del religioso profeso de la orden fundada en Guatemala en el siglo XVII por Pedro de Betencourt. Ú. t. c. s.
betlemítico, ca. (Del lat. *Bethlemitĭcus.*) adj. Perteneciente a Belén. ‖ **2.** Perteneciente a los betlemitas.
betónica. (Del lat. *betonĭca.*) f. Planta de la familia de las labiadas, como de medio metro de altura, con tallo cuadrado y lleno de nudos, de cada uno de los cuales nacen dos hojas, y de flores moradas y alguna vez blancas. Sus hojas y raíces son medicinales. ‖ **2.** Planta silvestre de la isla de Cuba, muy parecida a la anterior, y de la cual, en-

tre otras aplicaciones que tiene, se hace aguardiente aromático. ‖ **coronaria. gariofilea.**

betuláceo, a. (Del lat. *betŭla,* abedul.) adj. *Bot.* Dícese de árboles o arbustos angiospermos dicotiledóneos, de hojas alternas, simples, aserradas o dentadas, flores monoicas en amento que pueden carecer de cáliz, y fruto en forma de sámara o aquenio, a veces protegido por una cúpula; como el abedul, el aliso y el avellano. Ú. t. c. s. f. ‖ **2.** f. pl. *Bot.* Familia de estas plantas.

betume o **betumen.** m. ant. **betún.**

betuminoso, sa. adj. **bituminoso.**

betún. (Del lat. *bitūmen.*) m. Nombre genérico de varias sustancias, compuestas principalmente de carbono e hidrógeno, que se encuentran en la naturaleza y arden con llama, humo espeso y olor peculiar. ‖ **2.** Mezcla de varios ingredientes, líquida o en pasta, que se usa para poner lustroso el calzado, especialmente el de color negro. ‖ **3. zulaque.** ‖ **4.** Nombre genérico con que se designaba el producto de la destilación seca de los pinos. ‖ **de Judea,** o **judaico. asfalto.**

betunar. (De *betún.*) tr. ant. **embetunar.**

betunería. f. Fábrica de betunes. ‖ **2.** Tienda donde los venden.

betunero. m. El que elabora o vende betunes. ‖ **2. limpiabotas.**

beudez. (De *beudo.*) f. ant. **beodez.**

beudo, da. (De *vebdo.*) adj. ant. **beodo.**

beuna. (De *Beaune,* ciudad de Borgoña.) f. *Ar.* Uva de color bermejo, pequeña y de hollejo tierno. ‖ **2.** m. *Ar.* Vino de color de oro que se hace de esta uva.

bevra. (Del lat. *bifĕra,* f. de *bifer.*) f. ant. **breva.**

bey. (Del turco *bey,* en otras formas *beg* o *bek,* título honorífico.) m. Gobernador de una ciudad, distrito o región del imperio turco. Hoy se emplea también como título honorífico.

bezaar. (Del ár. *bezahār,* antídoto, contraveneno.) m. **bezoar.**

bezaártico, ca. adj. ant. **bezoárdico.**

bezante. (De *besante.*) m. *Blas.* Figura redonda, llana y maciza como el tortillo, pero de metal.

bezar. m. **bezoar.**

bezo. (Voz onomatopéyica.) m. Labio grueso. ‖ **2. labio,** cada una de las dos partes exteriores de la boca que cubren la dentadura. ‖ **3.** fig. Carne que se levanta alrededor de la herida enconada.

bezoar. (De *bezaar.*) m. Concreción calculosa que suele encontrarse en las vías digestivas y en las urinarias de algunos mamíferos, y que se ha considerado como antídoto y medicamento. ‖ **occidental.** El del cuajar o cuarta cavidad del estómago de algunas especies de cabras. ‖ **oriental.** El de la misma cavidad del estómago del antílope.

bezoárdico, ca. adj. **bezoárico.**

bezoárico, ca. adj. Aplícase a lo que contiene bezoar y también a los medicamentos contra el veneno o contra enfermedades malignas. Ú. m. c. s. m. ‖ **mineral.** Peróxido de antimonio, sustancia blanca y pulverulenta obtenida por la acción repetida del ácido nítrico sobre el metal, y a la cual se han atribuido virtudes medicinales parecidas a las del bezoar.

bezón. (De *bezo.*) m. ant. **bozón.**

bezote. (De *bezo.*) m. Adorno o arracada que usaban los indios de América en el labio inferior.

bezudo, da. (De *bezo.*) adj. Grueso de labios. Dícese de las personas y también de las cosas inanimadas o materiales como monedas, etc.

bi-. (Del lat. *bi-,* por *bis.*) elem. compos. que significa «dos»: BI*corne,* o «dos veces»: BI*mensual.* A veces toma las formas **bis-** o **biz-:** BIS*nieto,* BIZ*cocho.*

biajaiba. f. Pez del mar de las Antillas, de unos 30 centímetros de largo, con la aleta dorsal y las pectorales de color rojo claro y la cola ahorquillada y rojiza. Su carne es apreciada.

biangular. adj. Que tiene dos ángulos.

bianual. (De *bi-* y *anual.*) adj. Que ocurre dos veces al año. Ú. t. c. s.

biarca. (Del lat. *biarchus,* y este del gr. βίαρχος.) m. Oficial que en la milicia romana cuidaba especialmente de los víveres y de las pagas, bajo la dependencia del prefecto de los reales.

biarrota. adj. Natural de Biarritz. Ú. t. c. s. ‖ **2.** Perteneciente a esta población del sur de Francia.

biaural. adj. Dícese de la audición que se realiza simultáneamente con los dos oídos.

biauricular. (De *bi-* y *auricular.*) adj. Perteneciente o relativo a ambos oídos.

biaxial. (De *bi-* y el lat. *axis,* eje.) adj. Que tiene dos ejes.

biaza. f. **bizaza.**

bíbaro. (Del celtolat. *biber, -bri.*) m. ant. **castor,** mamífero roedor de pelo castaño, patas cortas y cola aplastada.

biberón. (Del fr. *biberon.*) m. Utensilio para la lactancia artificial: es una botella pequeña de cristal, porcelana u otra materia, con un pezón, generalmente de goma elástica, para la succión de la leche. ‖ **2.** Leche que contiene este frasco y que toma el niño cada vez.

bibicho. (Quizá de *micho.*) m. *Hond.* **gato**[1], animal doméstico.

bibijagua. f. Especie de hormiga de la isla de Cuba, muy perjudicial a los árboles y plantas.

bibir. tr. ant. **beber.**

Biblia. (Del lat. *biblia,* y este del gr. βιβλία, libros.) f. La Sagrada Escritura, o sea, los libros canónicos del Antiguo y Nuevo Testamento. ‖ **2.** fig. Obra que reúne los conocimientos o ideas relativos a una materia y que es considerada por sus seguidores modelo ideal. ‖ **3.** V. **papel biblia.**

bíblico, ca. adj. Perteneciente o relativo a la Biblia.

biblio-. (Del gr. βιβλίον.) elem. compos. que significa «libro».

bibliobús. m. Biblioteca pública móvil instalada en un autobús.

bibliofilia. (De *bibliófilo.*) f. Pasión por los libros, y especialmente por los raros y curiosos.

bibliófilo, la. (Del gr. βιβλίον, libro, y *-filo.*) m. y f. Persona aficionada a las ediciones originales, más correctas o más raras de los libros. ‖ **2.** En general, persona amante de los libros.

bibliografía. (Del gr. βιβλιογραφία, copia de libros.) f. Descripción, conocimiento de libros, de sus ediciones, etc. ‖ **2.** Relación o catálogo de libros o escritos referentes a materia determinada.

bibliográfico, ca. adj. Perteneciente o relativo a la bibliografía.

bibliógrafo, fa. (Del gr. βιβλιογράφος, copista.) m. y f. Persona versada en libros, en especial antiguos, dedicada a localizarlos, historiar sus vicisitudes y describirlos, con el fin de facilitar su estudio a los interesados. ‖ **2.** Persona especialmente versada en libros, monografías, artículos, etc., que tratan sobre una cuestión determinada.

bibliología. (Del gr. βιβλίον, libro, y *-logía.*) f. Estudio general del libro en su aspecto histórico y técnico.

bibliomancia o **bibliomancía.** f. Arte adivinatoria que consiste en abrir un libro por una página al azar e interpretar lo que allí se dice.

bibliomanía. (Del gr. βιβλίον, libro, y μανία, locura, pasión violenta.) f. Pasión de tener muchos libros raros o los pertenecientes a tal o cual ramo, más por manía que para instruirse.

bibliómano, na. m. y f. Persona que tiene bibliomanía.

bibliopola. (Del gr. βιβλίον, libro, y πωλέω, vender.) m. p. us. Librero, vendedor de libros.

biblioteca. (Del lat. *bibliothēca*, y este del gr. βιβλιοθήκη.) f. Local donde se tiene considerable número de libros ordenados para la lectura. ‖ **2.** Mueble, estantería, etc., donde se colocan libros. ‖ **3.** Conjunto de estos libros. ‖ **4.** Obra en que se da cuenta de los escritores de una nación o de un ramo del saber y de las obras que han escrito. *La* BIBLIOTECA *de don Nicolás Antonio.* ‖ **5.** Colección de libros o tratados análogos o semejantes entre sí, ya por las materias de que tratan, ya por la época y nación o autores a que pertenecen. BIBLIOTECA *de Jurisprudencia y Legislación;* BIBLIOTECA *de Escritores Clásicos Españoles.* ‖ **6.** V. **ratón de biblioteca.** ‖ **circulante.** Aquella cuyos libros pueden prestarse a los lectores bajo determinadas condiciones.

bibliotecario, ria. m. y f. Persona que tiene a su cargo el cuidado, ordenación y servicio de una biblioteca.

bibliotecología. (De *biblioteca* y *-logía*.) f. Ciencia que estudia las bibliotecas en todos sus aspectos.

bibliotecológico, ca. adj. Perteneciente o relativo a la bibliotecología.

bibliotecólogo, ga. m. y f. Persona que profesa la bibliotecología o tiene especial conocimiento de ella.

biblioteconomía. f. Arte de conservar, ordenar y administrar una biblioteca.

bical. (Del fr. *bécard*, y este del celtolat., *beccus*, pico.) m. Salmón macho.

bicameral. (Del fr. *bicaméral*.) adj. Dícese del poder legislativo, cuando está compuesto de dos cámaras.

bicapsular. adj. *Bot.* Dícese del fruto que tiene dos cápsulas.

bicarbonatado, da. adj. Que tiene bicarbonato.

bicarbonato. (De *bi-* y *carbonato*.) m. *Quím.* Sal ácida del ácido carbónico.

bicéfalo, la. (De *bi-* y el gr. κεφαλή, cabeza.) adj. Que tiene dos cabezas.

bicentenario. m. Día o año en que se cumplen dos siglos del nacimiento o muerte de una persona ilustre o de un suceso famoso. ‖ **2.** Fiestas que alguna vez se celebran por dichos motivos. ‖ **3.** Fiesta que se celebra de doscientos en doscientos años.

bíceps. (Del lat. *biceps*.) adj. De dos cabezas, dos puntas, dos cimas o cabos. ‖ **2.** *Anat.* Dícese de los músculos pares que tienen por arriba dos porciones o cabezas. Ú. t. c. s. ‖ **braquial.** *Anat.* El que va desde el omóplato a la parte superior del radio y, al contraerse, dobla el antebrazo sobre el brazo. ‖ **femoral.** *Anat.* El que está situado en la parte posterior del muslo y, contrayéndose, dobla la pierna sobre este.

bicerra. (Del lat. *ibex, -ĭcis*, cabra montés.) f. **gamuza,** mamífero.

bici. f. abrev. de **bicicleta.**

bicicleta. f. Velocípedo de dos ruedas de igual tamaño cuyos pedales transmiten el movimiento a la rueda trasera por medio de dos piñones y una cadena.

biciclo. (De *bi-* y el lat. *cyclus*, rueda.) m. Velocípedo de dos ruedas, cuyos pedales actúan directamente sobre una de ellas.

bicípite. (Del lat. *biceps*.) adj. **bicéfalo.**

bicoca. (Del it. *bicocca*, y este de la batalla y lugar de *Bicocca*.) f. ant. Fortificación pequeña y de poca defensa. ‖ **2.** fig. y fam. Cosa de poca estima y aprecio. ‖ **3.** fig. y fam. Ganga, cosa apreciable que se adquiere a poca costa o con poco trabajo.

bicolor. (Del lat. *bicŏlor, -ōris*.) adj. De dos colores.

bicóncavo, va. (De *bi-* y *cóncavo*.) adj. *Geom.* Dícese del cuerpo que tiene dos superficies cóncavas opuestas.

biconvexo, xa. (De *bi-* y *convexo*.) adj. *Geom.* Dícese del cuerpo que tiene dos superficies convexas opuestas

bicoquete. (Del fr. *bicoquet*.) m. **papalina**[1], gorra con dos puntas.

bicoquín. m. **papalina**[1], gorra con dos puntas.

bicorne. (Del lat. *bicornis*.) adj. poét. De dos cuernos o dos puntas.

bicornio. (De *bicorne*.) m. Sombrero de dos picos.

bicos. (Del célt. *beccus*, pico.) m. pl. Ciertas puntillas de oro que se ponían en los birretes de terciopelo con que antiguamente se cubría la cabeza.

bicromato. m. *Quím.* Sal doble del ácido crómico.

bicromía. (De *bi-* y el gr. χρῶμα, color.) f. *Impr.* Impresión en dos colores.

bicuento. (De *bi-* y *cuento*.) m. *Arit.* **billón.**

bicúspide. adj. Que tiene dos cúspides. Ú. m. en odontología.

bicha. (Del dialect. *bicha*, y este del lat. *bestĭa*, bestia.) f. **bicho.** ‖ **2.** fam. Entre personas supersticiosas, **culebra,** porque creen de mal agüero el pronunciar este nombre. ‖ **3.** *Arq.* Figura fantástica, en forma de mujer de medio cuerpo arriba y de pez u otro animal en la parte inferior, que entre frutas y follajes se emplea como objeto de ornamentación.

bicharraco. m. despect. de **bicho.**

biche. adj. *Col.* y *Pan.* Dícese de lo que no ha logrado su plenitud o culminación. Aplícase especialmente a los frutos.

bichero. m. *Mar.* Asta larga que en uno de los extremos tiene un hierro de punta y gancho, y que sirve en las embarcaciones menores para atracar y desatracar y para otros diversos usos.

bicho. (Del dialect. *bicho*, y este del lat. *bestĭus*, bestia.) m. Término impreciso que se aplica generalmente con valor despectivo a cualquier animal pequeño o grande. ‖ **2.** Toro de lidia. ‖ **3.** fig. Persona de figura ridícula. ‖ **4.** fig. Persona aviesa, de malas intenciones. ‖ **de luz.** *Argent.* y *Urug.* **gusano de luz,** luciérnaga. ‖ **viviente.** fam. **alma viviente.** *Ya no hay* BICHO VIVIENTE *que no sepa tal cosa.* ‖ **mal bicho.** fig. Persona de perversa intención.

bichoco, ca. adj. *Argent., Chile* y *Urug.* Dícese del animal inútil para las carreras o que, por vejez o achaques, no puede moverse con rapidez. Ú. t. c. s. ‖ **2.** *Argent., Chile* y *Urug.* Por ext., se aplica a las personas que tienen achaques. Ú. t. c. s.

bichozno. (De *bi-* y *chozno*.) m. Quinto nieto, o sea hijo del cuadrinieto.

bidé. (Del fr. *bidet*, caballito.) m. Recipiente ovalado instalado en el cuarto de baño que recibe el agua de un grifo y que sirve para el aseo de las partes pudendas.

bidente. (Del lat. *bidens, -entis*.) adj. poét. De dos dientes. ‖ **2.** m. Palo largo con una cuchilla en forma de media luna que usaban los primitivos españoles. ‖ **3.** poét. Especie de azada o azadón de dos dientes. ‖ **4.** ant. **carnero**[1], mamífero rumiante con cuernos. ‖ **5.** ant. **oveja,** hembra del carnero.

bidma. (Del lat. *epithĕma*, y este del gr. ἐπίθεμα.) f. ant. **bizma.**

bidón. (Del fr. *bidon*.) m. Recipiente de forma, tamaño y material diversos, con cierre hermético, que se destina al transporte de líquidos o de sustancias que requieren aislamiento.

biela. (Del fr. *bielle*.) f. Barra que en las máquinas sirve para transformar el movimiento de vaivén en otro de rotación, o viceversa.

bielda. (De *beldar*.) f. Instrumento agrícola que solo se diferencia del bieldo en tener seis o siete puntas y dos palos atravesados, que con las puntas o dientes forman como una rejilla, y el cual sirve para recoger, cargar y encerrar la paja. ‖ **2.** Acción de beldar.

bieldar. tr. **beldar.**

bieldo. (De *beldar*.) m. Instrumento para beldar, compuesto de un palo largo, de otro de unos 30 centímetros de longitud, atravesado en uno de los extremos de aquel, y de cuatro o más fijos en el transversal, en figura de dientes. ‖ **2. bielda,** instrumento para recoger paja.

bielga. (Del lat. *merga,* horca, cruzado con *bieldo.*) f. *And.* Bieldo de dobles dimensiones que el ordinario y que se emplea para hacer los pajares.

bielgo. (De *bielga.*) m. **bieldo.**

bielorruso, sa. adj. Natural de Bielorrusia o Rusia blanca. Ú. t. c. s. ‖ **2.** Perteneciente o relativo a esta república soviética. ‖ **3.** m. Lengua oficial de Bielorrusia.

bien. (Del lat. *bene,* bien.) adv. m. Según es debido, con razón, perfecta o acertadamente, de buena manera. *Juan se conduce siempre* BIEN; *Pedro lo hace todo* BIEN. ‖ **2.** Con buena salud, sano. *Juan no se encuentra* BIEN. *¿Cómo está Vd.?* BIEN ‖ **3.** Según se apetece o requiere, felizmente, de manera propia o adecuada para algún fin. ‖ **4.** Con gusto, de buena gana. *Yo* BIEN *accedería a tu súplica, pero no puedo.* ‖ **5.** Sin inconveniente o dificultad. BIEN *puedes creerlo.* BIEN *se puede hacer esta labor.* ‖ **6.** A veces equivale a bastantemente o mucho, modificando la significación del verbo; y a muy si califica la de adverbios o adjetivos, a los cuales en este caso ha de ir siempre antepuesto. BIEN *se conoce que eres su amigo; entérate* BIEN; BIEN *hemos caminado hoy; cenó* BIEN; BIEN *tarde;* BIEN *desdichadamente;* BIEN *rico;* BIEN *malo.* ‖ **7.** Úsase con algunos participios pasivos, casi a manera de prefijo, llegando a veces a formar con ellos una sola palabra; BIEN *criado;* BIEN *hablado.* ‖ **8.** Empléase también para denotar cálculo aproximado, y en este caso equivale a ciertamente o seguramente, y va siempre antepuesto al verbo. BIEN *andaríamos cinco leguas.* ‖ **9.** Denota a veces condescendencia o asentimiento. *¿Iremos al teatro esta noche?* BIEN. ‖ **10.** Úsase repetido, haciendo veces de conjunción distributiva. *Se te enviará el diploma,* BIEN *por el correo de hoy,* BIEN *por el de mañana.* ‖ **11.** m. Aquello que en sí mismo tiene el complemento de la perfección en su propio género, o lo que es objeto de la voluntad, la cual ni se mueve ni puede moverse sino por el **bien,** sea verdadero o aprehendido falsamente como tal. ‖ **12.** V. **árbol de la ciencia del bien y del mal.** ‖ **13.** V. **gente, hombre, hombría de bien.** ‖ **14.** Utilidad, beneficio. *El* BIEN *de la patria.* ‖ **15.** ant. Caudal o hacienda. ‖ **16.** *Fil.* En la teoría de los valores, la realidad que posee un valor positivo y por ello es estimable. ‖ **17.** Hacienda, riqueza, caudal. Ú. m. en pl. ‖ **18.** *Der.* V. **alzamiento, cesión, colación, entramiento de bienes.** ‖ **bienes acensuados.** *Der.* **bienes** raíces gravados con algún censo. ‖ **adventicios.** *Der.* Los que el hijo de familia que está bajo la patria potestad adquiere por su trabajo en algún oficio, arte o industria o por fortuna; y los que hereda de propios o extraños. ‖ **alodiales.** *Der.* Los que estaban libres de toda carga y derecho señorial. ‖ **antifernales.** Los que el marido donaba a la mujer en compensación y para seguridad de la dote. ‖ **castrenses.** *Der.* Los que adquiere el hijo de familia por la milicia o con ocasión del servicio militar. ‖ **comunes.** Utilidades, beneficios de todos los ciudadanos. ‖ **comunales,** o **concejiles.** Los que pertenecen al común o concejo de algún pueblo. ‖ **cuasi castrenses.** *Der.* Los que adquiere el hijo de familia ejerciendo cargo público, profesión o arte liberal. ‖ **de abadengo.** Los que estaban situados en el territorio jurisdiccional de alguna autoridad eclesiástica, y se hallaban, por tal motivo, exentos de ciertas contribuciones. ‖ **de abolengo.** *Der.* Los heredados de los abuelos. ‖ **de aprovechamiento común.** Los comunales, que en cuanto a la propiedad pertenecen a un pueblo y en cuanto al uso a todos y a cada uno de sus vecinos. ‖ **de difuntos.** En las antiguas colonias hispanas, los de españoles y extranjeros que allí morían, y cuyos herederos se hallaban ausentes. ‖ **de equipo.** Insumos. ‖ **de fortuna. bienes.** ‖ **de ninguno.** Los que o nunca han pertenecido a nadie o han sido abandonados por su dueño. ‖ **de propios. bienes propios.** ‖ **de realengo.** Los que estaban afectos a los tributos y derechos reales, a diferencia de los libres de todos o de algunos tributos, como los de abadengo. ‖ **dotales.** *Der.* Los que constituyen la dote de la mujer en el matrimonio. ‖ **forales.** *Der.* Los que concede el dueño a otra persona, reservándose el dominio directo por algún tiempo, mediante el pago de un reconocimiento o pensión anual. ‖ **fungibles.** *Der.* Los muebles de que no puede hacerse el uso adecuado a su naturaleza sin consumirlos y aquellos en reemplazo de los cuales se admite legalmente otro tanto de igual calidad. ‖ **gananciales.** Los adquiridos por el marido o la mujer, o por ambos, durante la sociedad conyugal, en virtud de título que no los haga privativos del adquirente, sino partibles por mitad. ‖ **heridos.** Los que están ya gravados con alguna carga. ‖ **inmuebles. bienes raíces.** ‖ **libres.** Los que no están vinculados y los que no tienen ninguna otra carga. ‖ **mostrencos.** Los muebles o los semovientes que, por no tener dueño conocido, se aplican al Estado. Suele, sin embargo, darse este nombre en general a todos los que carecen de dueño conocido, ya sean muebles, ya raíces. ‖ **muebles.** Los que pueden trasladarse de una parte a otra sin menoscabo de la cosa inmueble que los contiene. ‖ **nacionales.** Los que posee el Estado, sea por su calidad de mostrencos o vacantes, sea por haberlos sacado del poder de manos muertas, o por cualquier otra razón o causa. ‖ **nullius.** *Der.* **bienes** sin dueño. ‖ **parafernales.** *Der.* Los que lleva la mujer al matrimonio fuera de la dote y los que adquiere durante él por título lucrativo, como herencia o donación. ‖ **profecticios.** *Der.* Los que adquiere el hijo que vive bajo la patria potestad con los de su padre, o le vienen por respecto de este. ‖ **propios.** Los comunales que formaban el patrimonio de un pueblo, y cuyos productos sirven para objetos de utilidad común. ‖ **raíces.** Las tierras, edificios, caminos, construcciones y minas y los adornos, artefactos o derechos a los cuales atribuye la ley consideración de inmuebles. ‖ **relictos.** *Der.* Los que dejó alguien o quedaron de él a su fallecimiento. ‖ **reservables,** o **reservativos.** *Der.* Los heredados bajo precepto legal de que pasen después a otra persona en casos determinados. ‖ **secularizados.** Los que fueron eclesiásticos y se han desamortizado. ‖ **sedientes. bienes raíces.** ‖ **semovientes.** Los que consisten en ganados de cualquier especie. ‖ **sitos,** o **sitios. bienes sedientes.** ‖ **troncales.** *Der.* Los patrimoniales que, muerto el poseedor sin posteridad, en vez de pasar al heredero regular, vuelven, por ministerio de la ley, a la línea, tronco o raíz de donde vinieron. ‖ **vacantes.** Los inmuebles que no tienen dueño conocido. ‖ **a base de bien.** loc. adv. fam. Mucho, en abundancia. *Se rieron* A BASE DE BIEN. ‖ **a bien que.** loc. adv. Por fortuna. Ú. en frs. de sentido concesivo. ‖ **aprehender los bienes.** fr. *Der. Ar.* Embargarlos. ‖ **bien a bien.** loc. adv. p. us. De buen grado, sin contradicción ni disgusto. ‖ **bien así.** expr. ant. comparativa que equivalía a *así también.* ‖ **bien así como,** o **bien como.** loc. conjunt. **así como,** o al modo o de igual modo que. ‖ **bien de.** loc. Gran número. ‖ **bien haya.** expr. que se usa en frases exclamativas, como bendición. ‖ **bien que.** loc. conjunt. **aunque.** ‖ **bien que mal.** loc. conjunt. **mal que bien.** ‖ **contar mil bienes** de alguien. fr. fig. y fam. **decir mil bienes.** ‖ **de bien a bien.** loc. adv. **bien a bien.** ‖ **de bien en mejor.** loc. adv. Cada vez más acertada o prósperamente. ‖ **decir mil bienes** de alguien. fr. fig. y fam. Alabarlo mucho. ‖ **desamparar** alguien sus **bienes.** fr. *Der.* Hacer cesión de ellos a los acreedores. ‖ **ejecutar en los bienes** a alguien. fr. *Der.* Venderlos para pagar a los acreedores. ‖ **el bien le hace mal.** loc. fam. que se dice de quien convierte en daño propio el **bien** que tiene. ‖ **hacer bien.** fr. Beneficiar, socorrer, dar limosna. ‖ **no bien.**

loc. adv. Apenas, luego que, al punto que. ‖ **no parar en bien.** fr. **malparar.** ‖ **por bien.** loc. adv. **bien a bien.** ‖ **por bien de paz.** fr. Por vía de transacción o arreglo amistoso. ‖ **pues bien.** loc. conjunt. que se usa para admitir o conceder algo. ‖ **si bien.** loc. conjunt. **aunque.** Se emplea para contraponer un concepto a otro o denotar alguna excepción. ‖ **tener** alguien **a bien,** o **por bien.** fr. Estimar justo o conveniente, querer o dignarse mandar o hacer alguna cosa. ‖ **y bien.** expr. que sirve para introducirse a preguntar alguna cosa. Y BIEN, *¿cómo marcha ese asunto?*

bienal. (Del lat. *biennālis.*) adj. Que sucede o se repite cada bienio. Ú. t. c. s. ‖ **2.** Que dura un bienio. ‖ **3.** f. Exposición o manifestación artística o cultural que se repite cada dos años.

bienalmente. adv. t. Cada dos años.

bienandancia. f. ant. **bienandanza.**

bienandante. (De *bien* y *andante,* p. a. de *andar.*) adj. Feliz, dichoso, afortunado.

bienandanza. (De *bien* y *andanza.*) f. Felicidad, dicha, fortuna en los sucesos.

bienaparente. (De *bien* y *aparente.*) adj. ant. Bien parecido.

bienaventurado, da. p. p. del ant. **bienaventurar.** ‖ **2.** adj. Que goza de Dios en el cielo. Ú. t. c. s. ‖ **3.** Afortunado, feliz. ‖ **4.** irón. Dícese de la persona demasiado sencilla o cándida. Ú. t. c. s.

bienaventuranza. (De *bienaventurar.*) f. Vista y posesión de Dios en el cielo. ‖ **2.** Prosperidad o felicidad humana. ‖ **3.** pl. Las ocho felicidades que manifestó Cristo a sus discípulos para que aspirasen a ellas.

bienaventurar. (De *bien* y *aventura.*) tr. ant. Hacer bienaventurado a alguien.

bienestar. (De *bien* y *estar.*) m. Conjunto de las cosas necesarias para vivir bien. ‖ **2.** Vida holgada o abastecida de cuanto conduce a pasarlo bien y con tranquilidad. ‖ **3.** Estado de la persona humana, en el que se le hace sensible el buen funcionamiento de su actividad somática y psíquica.

bienfacer. (De *bien* y *facer.*) m. ant. **beneficio.**

bienfamado, da. adj. ant. De buena fama.

bienfecho. (De *bienfacer.*) m. ant. **beneficio.**

bienfechor, ra. (Del lat. *benefactor, -ōris.*) adj. ant. **bienhechor.** Usáb. t. c. s.

bienfechoría. (De *bien* y *fechoría.*) f. ant. **beneficencia,** virtud de hacer bien.

bienfetría. (De *benefactoría.*) f. ant. **behetría.**

bienfortunado, da. adj. **afortunado,** que tiene buena suerte.

biengranada. (De *bien* y *granada.*) f. Planta aromática, de la familia de las quenopodiáceas, como de medio metro de altura, con hojas ovaladas, medio hendidas, de color verde amarillento, y flores de color bermejo que nacen en racimos pequeños junto a las hojas. Se ha aplicado como específico contra la hemoptisis.

bienhablado, da. adj. Que habla cortésmente y sin murmurar.

bienhaciente. (De *bien* y *haciente.*) adj. ant. **bienhechor.**

bienhadado, da. (De *bien* y *hadado,* de *hado.*) adj. **afortunado.**

bienhechor, ra. (Del lat. *benefactor, -ōris.*) adj. Que hace bien a otro. Ú. t. c. s.

bienintencionado, da. (De *bien* e *intencionado.*) adj. Que tiene buena intención.

bienio. (Del lat. *biennĭum.*) m. Tiempo de dos años. ‖ **2.** Incremento económico de un sueldo o salario correspondiente a cada dos años de servicio activo.

bienllegada. (De *bien* y *llegada.*) f. desus. **bienvenida.**

bienmandado, da. (De *bien* y *mandado.*) adj. Obediente de buen grado.

bienmereciente. (De *bien* y *mereciente.*) adj. ant. **benemérito.**

bienmesabe. (De *bien* y *me sabe.*) m. Dulce de claras de huevo y azúcar clarificado, con el cual se forman los merengues. ‖ **2.** *And., Can., Cuba* y *Venez.* Dulce que se hace con yemas de huevo, almendra molida, azúcar, etc. ‖ **3.** Nombre dado a otros dulces de diversa composición.

bienoliente. (De *bien* y *oliente.*) adj. **fragante.**

bienplaciente. (De *bien* y *placiente.*) adj. ant. Muy agradable.

bienquerencia. (De *bienquerer*[2].) f. Buena voluntad, cariño.

bienquerer[1]. (De *bienquerer*[2].) m. **bienquerencia.**

bienquerer[2]. (De *bien* y *querer*[2].) tr. Querer bien, estimar, apreciar.

bienquiriente. p. a. ant. de **bienquerer**[2]. Que bienquiere.

bienquistar. (De *bienquisto.*) tr. Conciliar a una o más personas entre sí. Ú. t. c. prnl.

bienquisto, ta. (De *bien* y *quisto.*) p. p. irreg. de **bienquerer.** ‖ **2.** adj. De buena fama y generalmente estimado.

bienteveo. (De *bien* y *te veo.*) m. **candelecho.** ‖ **2.** *Argent.* y *Urug.* Pájaro de un palmo de longitud, lomo pardo, pecho y cola amarillos y una mancha blanca en la cabeza.

bienvenida. f. desus. Venida o llegada feliz. ‖ **2.** Recibimiento cortés que se hace a una persona.

bienvenido, da. adj. Dícese de la persona o cosa cuya venida se acoge con agrado o júbilo. ‖ **2.** m. p. us. **bienvenida,** parabién.

bienvista. (De *bien* y *vista.*) f. ant. Juicio prudente o buen parecer.

bienvivir. intr. Vivir con holgura. ‖ **2.** Vivir honestamente.

bienza. f. *Ar.* **binza,** fárfara del huevo. ‖ **2. binza,** telilla del cuerpo del animal.

biérgol. (Del lat. *mergŭla.*) m. *And.* y *Extr.* **bieldo.**

bierva. (Del lat. *priva,* privada.) f. *Ast.* Vaca que ha perdido, o a la cual se ha quitado la cría y sigue dando leche.

bierzo. n. p. V. **carga del Bierzo.** ‖ **2.** m. Lienzo labrado en el Bierzo, territorio de la provincia de León.

bies. (Del fr. *biais,* sesgo.) m. Trozo de tela cortado en sesgo respecto al hilo, que se aplica a los bordes de prendas de vestir. ‖ **al bies.** loc. adv. En sesgo, en diagonal.

bifásico, ca. (De *bi-* y *fase.*) adj. *Fís.* Se dice de un sistema de dos corrientes eléctricas alternas iguales, procedentes del mismo generador y desplazadas en el tiempo, la una respecto de la otra, un semiperíodo.

bife. m. *Argent., Chile* y *Urug.* **bistec,** lonja de carne cruda o cocida. ‖ **2.** *Argent., Perú* y *Urug.* Cachetada, bofetada. ‖ **3.** fig. y fam. *Argent.* Inflamación producida en la nalga al cabalgar.

bífero, ra. (Del lat. *bifĕrus.*) adj. *Bot.* Dícese de la planta que fructifica dos veces al año.

bífido, da. (Del lat. *bifĭdus,* partido en dos.) adj. *Biol.* Dícese de lo que está hendido en dos partes o se bifurca.

bifloro, ra. (De *bi-* y el lat. *flos, flōris,* flor.) adj. Que tiene o encierra dos flores.

bifocal. adj. *Ópt.* Que tiene dos focos. Dícese principalmente de las lentes que tienen una parte adecuada para corregir la visión a corta distancia y otra para lo lejos.

biforme. (Del lat. *biformis.*) adj. De dos formas.

bifronte. (Del lat. *bifrons, -ontis.*) adj. De dos frentes o dos caras.

bifurcación. (Del lat. *bifurcatĭo, -ōnis.*) f. Acción y efecto de bifurcarse. ‖ **2.** Lugar donde un camino, río, etc., se divide en dos ramales o brazos.

bifurcado, da. p. p. de **bifurcarse.** ‖ **2.** adj. De figura de horquilla.

bifurcarse. (Del lat. *bifurcus,* ahorquillado.) prnl. Dividirse en dos ramales, brazos o puntas una cosa. BIFURCARSE *un río, la rama de un árbol.*

biga. (Del lat. *biga.*) f. Carro de dos caballos. ‖ **2.** poét. Tronco de caballos que tiran de la **biga.**

bigamia. (De *bígamo.*) f. *Der.* Estado de un hombre casado con dos mujeres a un mismo tiempo, o de la mujer casada con dos hombres. ‖ **2.** *Der.* Segundo matrimonio que contrae el que sobrevive de los dos consortes. ‖ **interpretativa.** La que resulta del matrimonio con una mujer que notoriamente ha perdido su virginidad, bien por haberse prostituido, bien por haberse declarado nulo su primer matrimonio. ‖ **similitudinaria.** Entre los canonistas, aquella en que incurre un religioso profeso o un clérigo casándose de hecho, aunque de derecho sea nulo su matrimonio.

bígamo, ma. (Del lat. *bigămus,* casado con dos.) adj. Que se casa por segunda vez, viviendo el primer cónyuge. Ú. t. c. s. ‖ **2.** Casado segunda vez. Ú. t. c. s. ‖ **3.** Casado con viuda, o casada con viudo. Ú. t. c. s.

bigarda. f. *León.* **billalda.**

bigardear. (De *bigardo.*) intr. fam. Andar uno vago y mal entretenido.

bigardía. f. Burla, fingimiento, disimulación.

bigardo, da. (De *begardo.*) adj. fig. que se solía aplicar a los frailes desenvueltos y de vida libre. Usáb. t. c. s. ‖ **2.** fig. Vago, holgazán. U. t. c. s.

bígaro. m. Molusco gasterópodo marino, de hasta tres centímetros de largo, concha estriada longitudinalmente y color negro verdoso; abunda en el Cantábrico y su carne es comestible.

bigarrado, da. adj. **abigarrado.**

bigarro. m. **bígaro.**

bigato. (Del lat. *bigātus.*) m. Moneda antigua romana de plata, que representa en el reverso una biga.

bignonia. (Por haber sido dedicada a *Bignon,* bibliotecario de Luis XIV.) f. Planta exótica y trepadora, de la familia de las bignoniáceas, con grandes flores encarnadas: se cultiva en los jardines.

bignoniáceo, a. (De *bignonia,* nombre de un género de plantas.) adj. *Bot.* Aplícase a plantas arbóreas angiospermas, dicotiledóneas, sarmentosas y trepadoras, con hojas generalmente compuestas, cáliz de una pieza con cinco divisiones, corola gamopétala con cinco lóbulos, cuatro estambres fértiles y uno estéril, y fruto en cápsula; como la bignonia. Ú. t. c. s. f. ‖ **2.** f. pl. *Bot.* Familia de estas plantas.

bigorneta. (d. de *bigornia.*) f. Yunque pequeño que se puede poner sobre el banco.

bigornia. (Del lat. *bicornĭa,* pl. n. de *bicornĭus,* de dos cuernos.) f. Yunque con dos puntas opuestas. ‖ **los de la bigornia.** *Germ.* Los guapos que andaban en cuadrilla para hacerse temer.

bigornio. (De *bigornia.*) m. *Germ.* Guapo o valentón de los que andaban en cuadrilla.

bigorrella. f. Piedra de gran peso que sirve para calar las collas.

bigote. (Del al. *bî Got,* por Dios.) m. Pelo que nace sobre el labio superior. Ú. t. en pl. ‖ **2. bigotera,** bocera. Ú. m. en pl. ‖ **3.** V. **hombre de bigote al ojo, hombre de bigotes.** ‖ **4.** *Impr.* Línea horizontal, comúnmente de adorno, gruesa por en medio y delgada por los extremos. ‖ **5.** *Min.* Abertura semicircular que los hornos de cuba tienen en la delantera, para que salga la escoria fundida. ‖ **6.** pl. *Min.* Llamas que salen por esta abertura. ‖ **7.** *Min.* Infiltraciones del metal en las hendeduras o grietas de lo interior del horno. ‖ **no tener malos bigotes.** fr. fig. y fam. p. us. Ser una mujer bien parecida. ‖ **tener** alguien **bigotes.** fr. fig. y fam. Tener tesón y constancia en sus resoluciones, y no dejarse manejar fácilmente.

bigotera. (De *bigote.*) f. Tira de gamuza, redecilla, u otra materia con que se cubrían los bigotes estando en casa o en la cama, para que no se descompusieran. ‖ **2.** Bocera de vino u otro licor, que cuando se bebe queda en el labio de arriba. Ú. m. en pl. ‖ **3.** Cierto adorno de cintas, en figura de bigotes, que usaban las mujeres para el pecho. ‖ **4.** Asiento estrecho que se ponía enfrente de la testera en las berlinas y otros coches, y podía doblarse, u ocultarse en la caja, cuando no se hacía uso de él. ‖ **5.** Puntera del calzado. ‖ **6.** Compás provisto de una varilla graduable para fijar su abertura. ‖ **7.** *Murc.* Añadido que suele ponerse a las galeras y tartanas unido por delante a la tienda, fijo unas veces y otras movible, con fuelle para resguardarse del sol o de la lluvia. ‖ **pegar** a alguien **una bigotera.** fr. fig. y fam. p. us. Estafarle o pegarle un petardo. ‖ **salirle** a alguien **la bigotera al revés.** fr. fig. y fam. *Ecuad.* **salirle el tiro por la culata.** ‖ **tener buenas bigoteras.** fr. fig. y fam. p. us. **no tener malos bigotes.**

bigotudo, da. adj. Que tiene mucho bigote. ‖ **2.** m. Ave de la familia de los páridos, vive en carrizales y otras zonas húmedas. Es de color leonado por el dorso, y el macho tiene una mancha negra a los lados del pico, a modo de un llamativo bigote. Su tamaño es de 16 centímetros.

bigudí. (Del fr. *bigoudi.*) m. Laminita de plomo, larga y estrecha, forrada de piel, de tela u otro material, que usan las mujeres para ensortijar el cabello.

bija. (Del caribe *bija,* encarnado, rojo.) f. Árbol de la familia de las bixáceas, de poca altura, con hojas alternas, aovadas y de largos pecíolos, flores rojas y olorosas, y fruto oval y carnoso que encierra muchas semillas. Críase en regiones cálidas de América; del fruto, cocido, se hace una bebida medicinal y refrigerante, y de la semilla se saca por maceración una sustancia de color rojo que los indios empleaban antiguamente para teñirse el cuerpo y hoy se usa en pintura y en tintorería. En Venezuela se utiliza también para colorear los alimentos. ‖ **2.** Fruto de este árbol. ‖ **3.** Semilla de este fruto. ‖ **4.** Pasta tintórea que se prepara con esta semilla.

bijao. (Del taíno *bihao.*) m. *Ant., Col., Pan.* y *Venez.* Planta de lugares cálidos y húmedos, de hojas similares a las del plátano, largas hasta de un metro, que se usan para envolver especialmente alimentos, así como para fabricar techos rústicos.

bijol. (Nombre de una marca industrial derivado de *bija.*) m. *Cuba.* Polvo que se obtiene triturando los granos de la bija o achiote y que se emplea como sustituto del azafrán para condimentar y dar color amarillo a los alimentos.

bikini. (De *Bikini,* nombre de un atolón de las islas Marshall.) m. **biquini.**

bilabiado, da. adj. *Bot.* Dícese del cáliz o corola cuyo tubo se halla dividido por el extremo superior en dos partes.

bilabial. (De *bi-* y *labio.*) adj. *Fon.* Dícese del sonido en cuya pronunciación intervienen los dos labios; como la *b* y la *p.* ‖ **2.** *Fon.* Dícese de la letra que representa este sonido. Ú. t. c. s. f.

bilao. m. Bandeja o batea que se labra en Filipinas con tiras de caña.

bilateral. (De *bi-* y *lateral.*) adj. Perteneciente o relativo a los dos lados, partes o aspectos que se consideran. ‖ **2.** *Der.* V. **contrato bilateral.**

bilbaíno, na. adj. Natural de Bilbao. Ú. t. c. s. ‖ **2.** Perteneciente o relativo a esta villa o a su provincia.

bilbilitano, na. (Del lat. *Bilbilitānus.*) adj. Natural de Bílbilis. Ú. t. c. s. ‖ **2.** Perteneciente o relativo a esta antigua ciudad. ‖ **3.** Natural de Calatayud. Ú. t. c. s. ‖ **4.** Perteneciente o relativo a esta ciudad de la provincia de Zaragoza.

biliar. adj. Perteneciente o relativo a la bilis. *Conductos* BILIARES. ‖ **2.** V. **litiasis, vesícula biliar.**

biliario, ria. adj. **biliar.**

-bilidad. V. **-dad.**

bilimbín. m. Arbolillo de Filipinas, de la familia de las oxalidáceas, de fruto comestible.

bilingüe. (Del lat. *bilinguis.*) adj. Que habla dos lenguas. ‖ **2.** Escrito en dos idiomas.

bilingüismo. (De *bilingüe.*) m. Uso habitual de dos lenguas en una misma región o por una misma persona.

bilioso, sa. (Del lat. *biliōsus.*) adj. Abundante de bilis. ‖ **2. atrabiliario,** que tiene mal genio. ‖ **3.** *Med.* Aplícase a aquello en que predomina la bilis. *Temperamento, cólico* BILIOSO.

bilis. (Del lat. *bilis.*) f. Jugo amarillento que segrega el hígado de los vertebrados, importante en el proceso de la digestión. ‖ **2.** Cólera, enojo, irritabilidad. ‖ **3.** V. **vejiga de la bilis.** ‖ **vitelina.** La de color amarillo oscuro. ‖ **cortar la bilis.** fr. Atenuarla tomando alguna cosa para el efecto. ‖ **exaltársele** a alguien **la bilis.** fr. fig. Conmoverse, irritarse.

bilítero, ra. (De *bi-* y el lat. *littĕra,* letra.) adj. De dos letras.

bilma. (De *bidma.*) f. **bizma.**

bilmar. (De *bilma.*) tr. *Sal., Cuba,* y *Chile.* **bizmar.**

bilobulado, da. adj. Que tiene dos lóbulos.

bilocación. f. Acción y efecto de bilocarse.

bilocarse. (De *bi-* y el lat. *locāre,* de *locus,* lugar.) prnl. Según ciertas creencias, hallarse alguien en dos lugares distintos a la vez.

biloculado, da. adj. *Bot.* Bilocular.

bilocular. adj. *Bot.* Fruto dividido en dos cavidades.

bilogía. (De *bi-* y *-logía.*) f. p. us. Libro, tratado o composición literaria que consta de dos partes.

billa. (Del fr. *bille,* y este del célt. ***bilion,* palo, taco.) f. En el juego de billar, jugada que consiste en meter una bola en la tronera después de haber chocado con otra bola. Llámase **limpia** cuando la bola que entra en la tronera es la del jugador, y **sucia** cuando es cualquier otra.

billalda. (De *billarda.*) f. **tala,** juego de muchachos en que dan con un palo en un extremo de otro más pequeño haciéndolo saltar.

billamarquín. m. *Col.* **villabarquín.**

billar. (Del fr. *billard.*) m. Juego de destreza que se ejecuta impulsando con tacos bolas de marfil en una mesa rectangular forrada de paño, rodeada de barandas elásticas y con troneras o sin ellas. ‖ **2.** Casa pública o aposento privado donde están la mesa o mesas para este juego. ‖ **romano.** Juego de salón que consiste en hacer correr unas bolitas sobre un tablero inclinado y erizado de púas o clavos, y gana el que alcanza mejores puntos, según el paradero de su bolita.

billarda. (Del fr. *billard,* de *bille,* palo, taco.) f. **billalda.** ‖ **2.** *Hond.* Trampa para coger lagartos.

billarista. com. Jugador de billar.

billarístico, ca. adj. Perteneciente o relativo al juego de billar.

billetado, da. (De *billete.*) adj. *Blas.* **cartelado.**

billetaje. m. Conjunto o totalidad de los billetes de un teatro, tranvía, etc.

billete. (Del fr. *billet,* del ant. fr. *bullete,* documento.) m. Carta breve por lo común. ‖ **2.** Tarjeta o cédula que da derecho para entrar u ocupar asiento en alguna parte o para viajar en un tren o vehículo cualquiera. ‖ **3.** Cédula impresa o manuscrita que acredita participación en una rifa o lotería. ‖ **4.** Cédula impresa o grabada que representa cantidades de numerario. ‖ **5. billete** de banco. ‖ **6.** *Blas.* **cartela,** pieza heráldica. ‖ **circular.** El de ferrocarril que da derecho a recorrer un circuito de varias estaciones con facultad de detenerse en cualquiera de ellas a condición de regresar al punto de partida dentro de cierto plazo. ‖ **de banco.** Documento al portador que ordinariamente emite el banco nacional de un país y circula como medio legal de pago. ‖ **kilométrico.** El que autoriza para recorrer por ferrocarril cierto número de kilómetros en un plazo determinado.

billetero, ra. m. y f. Cartera pequeña de bolsillo para llevar billetes de banco. ‖ **2.** *Méj.* y *Pan.* Persona que se dedica a vender billetes de lotería. ‖ **3.** *P. Rico.* Persona que lleva la ropa con remiendos.

billón. (Del fr. *billon,* de *bi* por *bis,* y la terminación de *millón.*) m. *Arit.* Un millón de millones, que se expresa por la unidad seguida de doce ceros. ‖ **2.** En Norteamérica, un millar de millones.

billonésimo, ma. (De *billón.*) adj. *Arit.* Aplícase a cada una de las partes, iguales entre sí, de un todo dividido, o que se considera dividido, en un billón de ellas. Ú. t. c. s. ‖ **2.** *Arit.* Que ocupa en una serie el lugar al cual preceden otros 999.999.999.999 lugares.

bimano, na o **bímano, na.** (De *bi-* y el lat. *manus,* mano.) adj. *Zool.* De dos manos. Dícese solo del hombre. Ú. t. c. s. ‖ **2.** m. pl. *Zool.* Grupo del orden de los primates, al cual solo pertenece el hombre.

bimba. (Voz onomatopéyica.) f. fam. **chistera,** sombrero de copa.

bimbalete. (Quizá de *guimbalete.*) m. desus. *Méj.* Palo redondo, largo y rollizo, que se empleaba para sostener tejados y para otros varios usos.

bimbral. m. fam. **mimbreral.**

bimbre. (De *vimbre.*) m. fam. **mimbre.**

bimembre. (Del lat. *bimembris.*) adj. De dos miembros o partes.

bimensual. (De *bi-* y el lat. *mensis,* mes.) adj. Que se hace u ocurre dos veces al mes.

bimestral. adj. Que sucede o se repite cada bimestre. ‖ **2.** Que dura un bimestre.

bimestre. (Del lat. *bimestris.*) adj. **bimestral.** ‖ **2.** m. Tiempo de dos meses. ‖ **3.** Renta, sueldo, pensión, etc., que se cobra o paga por cada bimestre.

bimetal. m. Dispositivo usado para control de temperatura, formado por dos láminas metálicas soldadas, con diferentes coeficientes de dilatación térmica.

bimetalismo. (De *bi-* y *metal.*) m. Sistema monetario que admite como patrones el oro y la plata, conforme a la relación que la ley establece entre ellos.

bimetalista. adj. Propio del bimetalismo o relativo a él. ‖ **2.** com. Partidario del bimetalismo.

bimotor. m. Avión provisto de dos motores.

bina. f. Acción y efecto de binar las tierras o viñas.

binación. f. Acción de binar el sacerdote.

binador. m. El que bina. ‖ **2.** Instrumento que sirve para binar o cavar.

binadura. f. Acción y efecto de binar las tierras o las viñas.

binar. (Del lat. *binus,* de dos en dos.) tr. Dar segunda reja a las tierras de labor. ‖ **2.** Hacer la segunda cava en las viñas. ‖ **3.** intr. Celebrar un sacerdote dos misas en un mismo día.

binario, ria. (Del lat. *binarĭus.*) adj. Compuesto de dos elementos, unidades o guarismos. ‖ **2.** *Astron.* V. **estrella binaria.** ‖ **3.** *Mús.* V. **compás binario.**

binazón. f. **bina.**

bingarrote. m. Aguardiente destilado del binguí, que se hace en Méjico.

bingo. (Del ing. *bingo.*) m. Juego de azar variedad de lotería. ‖ **2.** Local o casa donde se juega al **bingo.**

binguí. m p. us. Bebida que en Méjico extraen del tronco del maguey, asado y fermentado en una vasija que haya tenido pulque.

binocular. (Del lat. *binus*, doble, y *ocularis*, ocular.) adj. Dícese de la visión en que intervienen simultáneamente los dos ojos. ‖ **2.** Se aplica al instrumento óptico que se emplea simultáneamente con los dos ojos. Ú. t. c. s.

binóculo. (Del lat. *binus*, doble, y *ocŭlus*, ojo.) m. Anteojo con lunetas para ambos ojos.

binomio. (De *bi-* y el gr. νομός, parte, porción.) m. *Álg.* Expresión compuesta de dos términos algebraicos unidos por los signos más o menos. ‖ **2.** Conjunto de dos nombres de personalidades que desempeñan un importante papel en la vida política, deportiva, artística, etc.

bínubo, ba. (Del lat. *binŭbus*.) adj. Casado por segunda vez. Ú. t. c. s.

binza. (De *brinza*.) f. **fárfara**[2]. ‖ **2.** Película que tiene la cebolla por la parte exterior. ‖ **3.** Cualquier telilla o panículo del cuerpo del animal. ‖ **4.** *Murc.* Simiente del tomate o del pimiento.

bio- o **-bio.** (Del gr. βιο-.) elem. compos. que significa «vida»: BIO*grafía*, BIO*lógico*, BIO*química*, *micro*BIO, *anaero*BIO.

biocenosis. (De *bio-* y un mod. der. abstracto del gr. κοινός, común.) f. *Biol.* Conjunto de organismos de especies diversas, vegetales o animales, que viven y se reproducen en determinadas condiciones de un medio o biótopo.

biodegradable. adj. *Quím.* Dícese del compuesto químico que puede ser degradado por acción biológica.

biodegradación. (De *bio-* y *degradación*.) f. *Quím.* Proceso de descomposición de una sustancia mediante la acción de organismos vivientes.

biodinámica. (De *bio-* y *dinámica*.) f. Ciencia de las fuerzas vitales.

bioelectricidad. f. *Biol.* Conjunto de fenómenos eléctricos que se producen en los procesos biológicos.

bioeléctrico, ca. adj. Perteneciente o relativo a la bioelectricidad.

bioelemento. m. *Bot.* y *Zool.* Cada uno de los elementos químicos necesarios para el desarrollo normal de una especie.

bioestadística. f. Ciencia que aplica el análisis estadístico a los problemas y objetos de estudio de la biología.

bioestratigrafía. f. *Geol.* Estudio de los estratos basado en los fósiles que contienen. ‖ **2.** Disposición que presentan tales estratos.

bioética. (De *bio-* y *ética*.) f. Disciplina científica que estudia los aspectos éticos de la medicina y la biología en general, así como de las relaciones del hombre con los restantes seres vivos.

biofísica. (De *bio-* y *física*.) f. Estudio de los fenómenos vitales mediante los principios y los métodos de la física.

biofísico, ca. adj. Perteneciente o relativo a la biofísica. ‖ **2.** m. y f. Persona que profesa la biofísica o tiene en ella especiales conocimientos.

biogeografía. f. Parte de la biología que se ocupa de la distribución geográfica de animales y plantas.

biografía. (Del gr. mod. βιογραφία, de βιογράφος, biógrafo.) f. Historia de la vida de una persona.

biografiado, da. m. y f. Persona cuya vida es el objeto de una biografía.

biografiar. tr. Escribir la biografía de alguien.

biográfico, ca. adj. Perteneciente o relativo a la biografía.

biógrafo, fa. (De *bio-* y *-grafo*.) m. y f. Autor de una biografía.

biología. (De *biólogo*.) f. Ciencia que trata de los seres vivos. ‖ **molecular.** Parte de la **biología** que estudia los seres vivientes y los fenómenos vitales con arreglo a las propiedades de su estructura molecular.

biológico, ca. adj. Perteneciente o relativo a la biología.

biólogo, ga. (Del gr. βιολόγος.) m. y f. Persona que profesa la biología o tiene en ella especiales conocimientos.

bioluminiscencia. (De *bio-* y *luminiscencia*.) f. Propiedad que tienen algunos seres vivos de emitir luz. ‖ **2.** Luz así emitida.

biomasa. f. *Biol.* Suma total de la materia de los seres que viven en un lugar determinado, expresada habitualmente en peso estimado por unidad de área o de volumen, cuya medida es de interés en ecología como índice de la actividad o de la producción de energía de los organismos.

biombo. (Del japonés *byó*, protección, y *bu*, viento.) m. Mampara compuesta de varios bastidores unidos por medio de goznes, que se cierra, abre y despliega.

biomecánica. (De *bio-* y *mecánica*.) f. Ciencia que estudia la aplicación de las leyes de la mecánica a las estructuras y los órganos de los seres vivos.

biomecánico, ca. adj. Perteneciente o relativo a la biomecánica.

biomedicina. f. Medicina clínica basada en los principios de las ciencias naturales (biología, biofísica, bioquímica, etc.).

biomédico, ca. adj. Perteneciente o relativo a la biomedicina.

biometría. (De *bio-* y *-metría*.) f. Estudio mensurativo o estadístico de los fenómenos o procesos biológicos.

biométrico, ca. adj. Perteneciente o relativo a la biometría.

biopolímero. m. *Biol.* Sustancia de naturaleza química polimérica, que participa de los procesos biológicos. Las proteínas y los ácidos nucleicos son los **biopolímeros** más importantes.

bioprótesis. (De *bio-* y *prótesis*.) f. *Cir.* Pieza de tejido animal destinada a reparar o sustituir una parte del cuerpo humano; como la válvula cardíaca, etc.

biopsia. (De *bio-* y el gr. ὄψις, vista.) f. *Med.* Examen que se hace de un trozo de tejido tomado de un ser vivo, generalmente para completar un diagnóstico.

bioquímica. (De *bio-* y *química*.) f. Parte de la química que estudia la composición y las transformaciones químicas de los seres vivos.

bioquímico, ca. adj. Perteneciente o relativo a la bioquímica o a la realidad que esta estudia. ‖ **2.** m. y f. Persona versada en bioquímica, especialmente la que cuenta con los estudios precisos para ejercitarla o enseñarla.

biorritmo. m. Ciclo periódico de fenómenos fisiológicos que en las personas puede traducirse en sentimientos, actitudes o estados de ánimo repetidos cada cierto tiempo. ‖ **2.** Por ext., estudio de la posible influencia que estos ciclos tienen sobre el comportamiento humano.

biosfera. (De *bio-* y *esfera*.) f. *Biol.* Conjunto de los medios donde se desarrollan los seres vivos. ‖ **2.** *Biol.* El conjunto que forman los seres vivos en el medio en que se desarrollan.

biot. (Del apellido de Juan Bautista *Biot*, científico francés, 1774-1862.) m. *Fís.* Unidad de corriente eléctrica en el sistema magnético C G S. Equivale a 10 amperios.

biota. f. *Biol.* Conjunto de la fauna y la flora de una región.

biótico, ca. (De *bio-* y *-tico*.) adj. *Biol.* Característico de los seres vivos o que se refiere a ellos. ‖ **2.** *Biol.* Perteneciente o relativo a la biota.

biotipo. (De *bio-* y el gr. τύπος, tipo.) m. *Biol.* Forma típica de animal o planta que puede considerarse característica de su especie, variedad o raza.

biotipología. f. Ciencia que trata de los biotipos.

biotipológico, ca. adj. Perteneciente o relativo a la biotipología.

biótopo. (De *bio-* y el gr. τόπος, lugar.) m. *Biol.* Territorio o espacio vital cuyas condiciones ambientales son las adecuadas para que en él se desarrollen seres vivos.

bióxido. (De *bi-* y *óxido.*) m. *Quím.* Combinación de un radical simple o compuesto con dos átomos de oxígeno.

bipartición. (Del lat. *bipartitĭo, -ōnis.*) f. División de una cosa en dos partes.

bipartidismo. m. Sistema político con predominio de dos partidos que compiten por el poder o se turnan en él.

bipartidista. adj. Perteneciente o relativo al bipartidismo. Ú. t. c. s.

bipartido, da. (Del lat. *bipartītus;* de *bis,* dos veces, y *partītus,* partido.) adj. Partido en dos, dividido en dos pedazos o partes. Ú. en el lenguaje poético y en el científico.

bipartito, ta. adj. Que consta de dos partes.

bipedación. f. *Antrop.* y *Biol.* Modo de andar el hombre y los animales de dos patas, o con las dos extremidades posteriores los cuadrúpedos.

bipedalismo. m. *Antrop.* y *Biol.* **bipedación.**

bípede. (Del lat. *bipes, -ĕdis.*) adj. **bípedo.**

bipedestación. (Del lat. *bipes, -ĕdis,* bípedo y *statĭo, -ōnis,* estación.) f. Posición en pie.

bípedo, da. (Del lat. *bipĕdus, -ĕdis.*) adj. De dos pies. Ú. t. c. s. m. ‖ **2.** m. Conjunto de dos remos de un cuadrúpedo.

biplano. (De *bi-* y *plano.*) m. Avión con cuatro alas que, dos a dos, forman planos paralelos.

biplaza. m. Vehículo de dos plazas.

bipolar. adj. Que tiene dos polos.

bipontino, na. (Del lat. mod. *Bipontīum,* con que se designa la ciudad alemana de Zweibrücken, en la frontera del Sarre.) adj. Natural de Dos Puentes (Zweibrücken). Ú. t. c. s. ‖ **2.** Perteneciente o relativo a esta ciudad, antiguamente capital del ducado y Estado alemán del mismo nombre, en el Palatinado. Dícese en especial de las ediciones de clásicos griegos y latinos publicadas en esta ciudad a partir de 1779, muy estimadas por el esmero de su impresión.

biquini. (De *bikini.*) m. Conjunto de dos prendas femeninas de baño, constituido por un sujetador y una braguita ceñida.

biraró. m. *Argent.* y *Urug.* **viraró.**

biribís. (Del it. *biribisso.*) m. **bisbís.**

biricú. (De *bridecú.*) m. Cinto del que penden dos correas unidas por la parte inferior, en que se engancha el espadín, sable, etcétera.

birimbao. (Voz imitativa del sonido de este instrumento.) m. Instrumento músico pequeño, que consiste en una barrita de hierro en forma de herradura, que lleva en medio una lengüeta de acero que se hace vibrar con el índice de la mano derecha, teniendo con la izquierda el instrumento entre los dientes.

birla. (De *birlar.*) f. *Ar.* **bolo**[1], trozo de palo labrado y base plana. ‖ **2.** *Cantabria.* Juego de la tala.

birlador, ra. adj. Que birla. Ú. t. c. s.

birlar. (De *birlo.*) tr. Tirar por segunda vez la bola en el juego de bolos desde el lugar donde se detuvo la primera vez que se tiró. ‖ **2.** fig. y fam. Matar o derribar a alguien de un golpe o disparo. ‖ **3.** fig. y fam. Quitar con malas artes.

birlesco. (De *birlar.*) m. *Germ.* Ladrón y rufián.

birlí. m. *Impr.* Parte inferior que queda en blanco en las páginas de un impreso. ‖ **2.** *Impr.* Ganancia que por ello obtiene el impresor; y también la que consigue aprovechando para distinta tirada la composición ya hecha.

birlibirloque. m. V. **por arte de birlibirloque.**

birlo. (Del b. lat. *pirŭlus,* d. del lat. *pirum,* pera.) m. ant. **bolo**[1], trozo de palo labrado y base plana. ‖ **2.** *Germ.* **ladrón,** el que hurta o roba. ‖ **3.** pl. ant. Juego de los bolos[1].

birlocha. (De *milocha,* infl. por *birlo* o *birlar.*) f. **cometa,** juguete que se eleva en el aire.

birlocho. (Del it. *biroccio.*) m. Carruaje ligero y sin cubierta, de cuatro ruedas y cuatro asientos, dos en la testera y dos enfrente, abierto por los costados y sin portezuelas.

birlón. (De *birlo.*) m. *Ar.* En el juego de bolos, bolo grande que se pone en medio.

birlonga. (Del al. *bretling,* tabla, a través del ant. fr. *berlenc.*) f. Variedad del antiguo juego del hombre en que el que tiene la espada está obligado a entrar, y cuando carece de juego, arrima este naipe al basto o a un rey, y toma las restantes cartas, descubriendo la última, que es el triunfo. ‖ **a la birlonga.** loc. adv. fig. y fam. desus. Al descuido o con desaliño. ‖ **andar** alguien **a la birlonga.** fr. fig. y fam. desus. Andar a la suerte y a lo que sale, sin dedicarse a nada de provecho.

birmano, na. adj. Natural de Birmania. Ú. t. c. s. ‖ **2.** Perteneciente o relativo a este país de Asia, hoy llamado Myanmar.

birome. (Del ing. *biro,* del nombre de su inventor húngaro *Biró.*) f. *Argent.* **bolígrafo.**

birreactor. m. Avión dotado de dos reactores.

birrectángulo. (De *bi-* y *rectángulo.*) adj. *Geom.* V. **triángulo esférico birrectángulo.**

birreme. (Del lat. *birēmis.*) adj. De dos órdenes de remos. Dícese de una antigua especie de nave. Ú. t. c. s.

birreta. (Del fr. *birrete.*) f. Bonete cuadrangular que usan los clérigos. Suele tener en la parte superior una borla del mismo color de la tela; esta es roja para los cardenales, morada para los obispos y negra para los demás.

birrete. (Del fr. *birrete, barrette,* der. de *barre,* del célt. *barr,* extremidad.) m. **birreta.** ‖ **2.** Gorro armado en forma prismática y coronado por una borla que llevan en los actos solemnes los profesores, magistrados, jueces y abogados. ‖ **3. gorro,** prenda redonda para cubrir la cabeza. ‖ **4. bonete,** especie de gorra con picos usada por algunos eclesiásticos.

birretina. (d. de *birreta.*) f. Gorro o birrete pequeño. ‖ **2.** Gorra de pelo que usaban los granaderos del ejército en el siglo XVIII, y posteriormente, algunos regimientos de húsares.

birria. f. Zaharrón, moharracho. ‖ **2.** Mamarracho, facha, adefesio. ‖ **3.** fig. Persona o cosa de poco valor o importancia. ‖ **4.** *Col.* y *Pan.* Tema, capricho, obstinación.

birrión. m. *Cuba.* Chafarrinón que se produce en la cara al maquillarse defectuosamente.

biruje o **biruji.** m. fam. Viento muy frío.

bis. (Del lat. *bis,* dos veces.) adv. c. Se emplea en los papeles de música y en impresos o manuscritos castellanos para dar a entender que una cosa debe repetirse o está repetida. ‖ **2.** adv. numeral lat. que significa dos veces, y que añadido a cualquier número entero indica que tal número se ha repetido por segunda vez. ‖ **3.** Se usa como interjección para pedir la repetición de un número musical. ‖ **4.** m. Ejecución o declamación repetida, para corresponder a los aplausos del público, de una obra musical o recitada o de un fragmento de ella.

bis-. V. **bi-.**

bisabuelo, la. (De *bis-* y *abuelo.*) m. y f. Respecto de una persona, el padre o la madre de su abuelo o de su abuela. ‖ **2.** m. pl. El **bisabuelo** y la **bisabuela.**

bisagra. (De or. inc.) f. Herraje de dos piezas unidas o combinadas que, con un eje común y sujetas una a un sostén fijo y otra a la puerta o tapa, permiten el giro de estas. ‖ **2.** Palo de boj, corto y cuadrado, con algunas molduras en los extremos, que usan los zapateros para alisar y dar lustre al canto de la suela de los zapatos después de desvirada. ‖ **3.** Hendidura a lo largo de cada tapa en su unión con el lomo, para facilitar la apertura de un libro.

bisagüelo, la. m. y f. ant. **bisabuelo.**

bisalta. (Del lat. *Bisalta.*) adj. Dícese del individuo de un antiguo pueblo de Macedonia. Ú. m. c. s. y en pl.

bisalto. (Quizá del lat. *pĭsum sapĭdum.*) m. *Ar.* y *Nav.* **guisante.**

bisar. (De *bis.*) tr. Repetir, a petición de los oyentes, la ejecución de un número musical.
bisarma. (Del ant. fr. *guisarme.*) f. ant. **alabarda,** arma ofensiva.
bisaya. m. Lengua de los bisayos.
bisayo, ya. adj. Natural de las Bisayas. Ú. t. c. s. ‖ **2.** Perteneciente o relativo a estas islas del archipiélago filipino. ‖ **3.** m. Lengua **bisaya.**
bisbís. (Voz onomatopéyica) m. Juego que se hace en un tablero o lienzo dividido en casillas con números y figuras, en cada una de las cuales colocan los jugadores las puestas que quieren. Sacado a la suerte el número de una de aquellas, el banquero paga al jugador favorecido su puesta multiplicada, y los demás pierden las suyas. ‖ **2.** Tablero o lienzo que sirve para este juego.
bisbisar. (De *bisbís.*) tr. fam. **musitar.**
bisbisear. tr. fam. **bisbisar.**
bisbiseo. m. Acción de bisbisar.
biscocho. m. **bizcocho.**
biscote. (Del it. *biscotto,* a través del fr.) m. Rebanada de pan especial, tostado en el horno, que se puede conservar durante mucho tiempo.
bisecar. (De *bis-* y el lat. *secāre,* cortar.) tr. *Geom.* Dividir en dos partes iguales.
bisección. (De *bi-* y *sección.*) f. *Geom.* Acción y efecto de bisecar. Aplícase generalmente a la división de los ángulos.
bisector, triz. (De *bi-* y *sector,* el que corta.) adj. *Geom.* Que divide en dos partes iguales. Aplícase comúnmente a un plano o a una recta. Ú. t. c. s.
bisel. (Del dialect. *bisel,* fr. *biseau.*) m. Corte oblicuo en el borde o en la extremidad de una lámina o plancha; como en el filo de una herramienta, en el contorno de un cristal labrado, etc.
biselador. m. El que tiene por oficio hacer biseles en espejos y lunas.
biselar. tr. Hacer biseles.
bisemanal. (De *bi-* y *semana.*) adj. Que se hace u ocurre dos veces por semana. ‖ **2.** Que se hace u ocurre cada dos semanas.
bisemanario. m. Revista que se publica quincenalmente.
bisextil. (Del b. lat. *bisextilis.*) adj. ant. **bisiesto.**
bisexual. (De *bi-* y el lat. *sexus,* sexo.) adj. **hermafrodita.** ‖ **2.** Dícese de la persona que alterna las prácticas homosexuales con las heterosexuales. Ú. t. c. s.
bisiesto. (Del lat. *bisextus.*) adj. V. **año bisiesto.** Ú. t. c. s. ‖ **mudar** alguien **bisiesto,** o **de bisiesto.** fr. fig. y fam. p. us. Variar de lenguaje o de conducta.
bisilábico, ca. adj. **bisílabo.**
bisílabo, ba. (Del lat. *bisyllăbus.*) adj. De dos sílabas. Ú. t. c. s.
bismutina. f. *Min.* Mineral de color gris plomo y brillo metálico, a menudo con manchas amarillas; cristaliza en el sistema rómbico, formando agujas y masas hojosas. Se encuentra en el continente americano y se utiliza como mena de bismuto.
bismutita. f. *Min.* Carbonato natural hidratado de bismuto; es un polvo blanco, inodoro, insípido e insoluble en agua y alcohol, que se utiliza en medicina y en la industria cerámica.
bismuto. (Del al. *wismut,* y a través del lat. cient. *bismut[h]um.*) m. *Quím.* Metal muy brillante, de color gris rojizo, hojoso, muy frágil y fácilmente fusible. Se encuentra o en estado nativo o combinado con oxígeno y azufre, y algunas de sus sales se emplean en medicina. Núm. atómico 83. Símb.: *Bi.* ‖ **vítreo. bismutina.**
bisnieto, ta. (De *bis-* y *nieto.*) m. y f. Respecto de una persona, hijo o hija de su nieto o de su nieta.
biso. (Del gr. βύσσος, lino de la India.) m. *Zool.* Producto de secreción de una glándula situada en el pie de muchos moluscos lamelibranquios, que se endurece en contacto del agua y toma la forma de filamentos mediante los cuales se fija el animal a las rocas u otros cuerpos sumergidos; como en el mejillón.
bisojo, ja. (Del lat. *versāre,* volver, y *ocŭlus,* ojo.) adj. Dícese de la persona que padece estrabismo. Ú. t. c. s.
bisonte. (Del lat. *bison, -ōntis,* de or. germ.) m. Bóvido salvaje, parecido al toro, con la parte anterior del cuerpo hasta la cruz, muy abultada, cubierto de pelo áspero y con cuernos poco desarrollados. Se conocen dos especies: una europea y otra americana.
bisoñada. (De *bisoño.*) f. fig. y fam. Dicho o hecho de quien no tiene conocimiento o experiencia.
bisoñé. (Quizá del fr. *besogneux,* necesitado, der. de *besoin,* con la *i* de *bisoño.*) m. Peluca que cubre solo la parte anterior de la cabeza.
bisoñería. f. fig. y fam. **bisoñada.**
bisoño, ña. (Del it. *bisogno.*) adj. Aplícase al soldado o tropa nuevos. Ú. t. c. s. ‖ **2.** fig. y fam. Nuevo e inexperto en cualquier arte u oficio. Ú. t. c. s.
bispón. m. Rollo de encerado de cerca de un metro de largo, de que se valen los espaderos para varios usos.
bisté. m. **bistec.**
bistec. (Del ing. *beefsteak;* de *beef,* buey, y *steak,* lonja, tajada.) m. Lonja de carne de vaca soasada en parrillas o frita. ‖ **2.** Por ext., cualquier loncha de carne preparada de esta manera.
bístola. f. *Mancha.* **béstola.**
bistorta. (De *bi-* y el lat. *torta,* torcida.) f. Planta de la familia de las poligonáceas, de unos cuatro decímetros de altura, de raíz leñosa y retorcida, tallo sencillo, hojas aovadas de color verde obscuro, y flores en espiga, pequeñas y de color encarnado claro. La raíz es astringente.
bistraer. (De *bi-* y el lat. *trahĕre,* traer.) tr. *Ar.* Anticipar, dar dinero de antemano o tomarlo. ‖ **2.** *Ar.* **anticipar.**
bistrecha. (De *bi-* y el lat. *tracta,* p. p. de *trahĕre,* traer.) f. p. us. Anticipo de un pago.
bistreta. (De *bistraer.*) f. *Ar.* **bistrecha.** ‖ **2.** *Ar.* Cantidad que en lo antiguo se adelantaba a un procurador.
bisturí. (Del fr. *bistouri.*) m. *Cir.* Instrumento en forma de cuchillo pequeño, de hoja fija en un mango metálico y que sirve para hacer incisiones en tejidos blandos. ‖ **eléctrico.** Electrodo romo o puntiforme conectado a un generador de alta frecuencia, con el que se obtienen corte, coagulación y hemostasia.
bisulco, ca. (Del lat. *bisulcus.*) adj. *Zool.* De pezuñas partidas.
bisulfito. m. *Quím.* Cualquiera de las sales ácidas del ácido sulfuroso, y en especial la de sodio.
bisulfuro. (De *bi-* y *sulfuro.*) m. *Quím.* Combinación de un radical simple o compuesto con dos átomos de azufre.
bisunto, ta. (De *bis-* y *unto.*) adj. Sucio, sobado y grasiento.
bisurco. adj. Dícese del arado mecánico que por tener dos rejas abre dos surcos paralelos.
bisutería. (Del fr. *bijouterie.*) f. Industria que produce objetos de adorno, hechos de materiales no preciosos. ‖ **2.** Local o tienda donde se venden dichos objetos. ‖ **3.** Estos mismos objetos de adorno.
bisutero, ra. m. y f. Persona que hace objetos de bisutería o comercia con ellos.
bit. (Del ing. *bit,* acrónimo de *binary digit.*) m. *Inform.* Unidad de medida de información equivalente a la elección entre dos posibilidades igualmente probables. ‖ **2.** *Inform.* Unidad de medida de la capacidad de memoria, equivalente a la posibilidad de almacenar la selección entre dos posibilidades, especialmente usada en los computadores.

bita. (Del fr. *bitte*, y este del ant. nórdico *biti*, travesaño.) f. *Mar.* Cada uno de los postes de madera o de hierro que, fuertemente asegurados a la cubierta en las proximidades de la proa, sirven para dar vuelta a los cables del ancla cuando se fondea la nave.

bitácora. (Del fr. *bitacle*, por *habitacle*.) f. *Mar.* Especie de armario, fijo a la cubierta e inmediato al timón, en que se pone la aguja de marear. ‖ **2.** V. **aguja, cuaderno de bitácora.**

bitadura. (De *bita*.) f. *Mar.* Porción del cable del ancla, que se tiene preparada sobre cubierta, desde las bitas hacia proa, cuando la nave está próxima a fondear.

bitango. (De *beta*, cuerda.) adj. V. **pájaro bitango.**

bitar. (De *bita*.) tr. *Mar.* **abitar.**

bíter. (Cf. holandés *bitter*, amargo.) m. Bebida generalmente amarga, que se obtiene macerando diversas sustancias en ginebra y que se toma como aperitivo.

bitínico, ca. (Del lat. *Bithynĭcus*.) adj. Perteneciente a Bitinia, país de Asia antigua.

bitinio, nia. (Del lat. *Bithynĭus*.) adj. Natural de Bitinia. Ú. t. c. s.

bitneriáceo, a. (De *Bitneria*, nombre de un género dedicado a *Büttner*, botánico alemán del siglo XVIII.) adj. *Bot.* **esterculiáceo.**

bitonal. adj. Que presenta bitonalidad.

bitonalidad. f. Presencia simultánea de dos tonalidades en una composición musical.

bitongo. adj. fam. V. **niño bitongo.**

bitoque. (De *bita*.) m. Tarugo de madera con que se cierra el agujero o piquera de los toneles. ‖ **2.** fig. y fam. V. **ojos de bitoque.** ‖ **3.** fig. *Col.*, *Chile* y *Méj.* Cánula de la jeringa. ‖ **4.** *Méj.* **grifo**[1], llave de cañería o depósito de líquidos.

bitor. (Del fr. *butor*.) m. **rey de codornices.**

bitume. m. ant. **bitumen.**

bitumen. (Del lat. *bitūmen, -ĭnis*, betún.) m. ant. **betún,** nombre de varias sustancias compuestas principalmente de carbono e hidrógeno.

bituminado, da. (Del lat. *bituminātus*.) adj. ant. **bituminoso.**

bituminoso, sa. (Del lat. *bituminōsus*.) adj. Que tiene betún o semejanza con él.

biunívoco, ca. (De *bi-* y *unívoco*.) adj. V. **correspondencia biunívoca.**

bivalente. adj. *Quím.* Que tiene dos valencias.

bivalvo, va. (De *bi-* y *valva*.) adj. Que tiene dos valvas.

bixáceo, a. adj. *Bot.* Dícese de árboles y arbustos angiospermos dicotiledóneos, que tienen hojas alternas, sencillas y enteras, con estípulas caducas, flores axilares hermafroditas, apétalas o con cinco pétalos, y fruto en cápsula; como la bija. Ú. t. c. s. f. ‖ **2.** f. pl. *Bot.* Familia de estas plantas.

bixíneo, a. (De *bixa*, antigua ortografía de *bija*.) adj. *Bot.* **bixáceo.**

biz-. V. **bi-.**

biza. f. **bonito**[1].

bizantinismo. m. Corrupción por lujo en la vida social, o por exceso de ornamentación en el arte. ‖ **2.** Afición a discusiones bizantinas.

bizantino, na. (Del lat. *Byzantīnus*.) adj. Perteneciente o relativo a Bizancio o a su imperio. ‖ **2.** Natural de esta antigua ciudad o imperio. ‖ **3.** fig. Dícese de las discusiones baldías, intempestivas o demasiado sutiles.

bizarramente. adv. m. Con bizarría.

bizarrear. intr. Ostentar bizarría u obrar con ella.

bizarría. (De *bizarro*.) f. Gallardía, valor. ‖ **2.** Generosidad, lucimiento, esplendor. ‖ **3.** *Pint.* Colorido o adorno exagerado.

bizarro, rra. (De it. *bizzarro*, iracundo.) adj. **valiente,** esforzado. ‖ **2.** Generoso, lucido, espléndido.

bizarrón. m. Candelero grande, o blandón.

bizaza. (Del lat. *bissaccĭa*, pl. n. de *bissaccĭum*, alforja.) f. Alforja de cuero. Ú. m. en pl.

bizcar. (Del lat. **versicāre*, de *versāre*, volver.) intr. **bizquear.** Ú. t. c. tr.

bizco, ca. (Del lat. **versĭcus*, de *versus*, vuelto.) adj. **bisojo.** Ú. t. c. s. ‖ **2.** Dícese de la mirada torcida o del ojo que tiene esta mirada. ‖ **3.** Dícese de algunos miembros y otras cosas torcidas.

bizcochada. f. Sopa de bizcochos que comúnmente se hace con leche. ‖ **2.** Panecillo de masa sobada y figura prolongada, con una cortadura en medio y a lo largo.

bizcochar. (De *bizcocho*.) tr. Recocer el pan para que se conserve mejor.

bizcochería. f. *Col.* Tienda donde se venden bizcochos y algunos otros comestibles, como chocolate, azucarillos, etc.

bizcochero, ra. adj. V. **barril bizcochero.** Ú. t. c. s. ‖ **2.** m. y f. Persona que hace bizcochos por oficio, y la que los vende.

bizcocho. (De *bi-* y el lat. *coctus*, cocido.) m. Masa compuesta de la flor de la harina, huevos y azúcar, que se cuece en hornos pequeños, y se hace de diferentes especies y figuras. ‖ **2.** Pan sin levadura, que se cuece por segunda vez para que se enjugue y dure mucho tiempo. ‖ **3.** Yeso que se hace de yesones. ‖ **4.** Objeto de loza o porcelana después de la primera cochura y antes de recibir algún barniz o esmalte. ‖ **5.** *Col.* Pastel de crema o dulce. ‖ **borracho.** El empapado en almíbar y vino generoso. ‖ **de soleta,** o **de soletilla. bizcocho** blando cuya forma recuerda la de una soleta. ‖ **embarcarse** alguien **con poco bizcocho.** fr. fig. y fam. p. us. Empeñarse en un negocio o empresa sin tener lo necesario para salir bien de ello.

bizcorneado, da. p. p. de **bizcornear.** ‖ **2.** adj. **bizco.** ‖ **3.** Dícese del madero alabeado. ‖ **4.** *And.* Dícese del bovino que tiene los cuernos asimétricos. ‖ **5.** *Impr.* Se aplica al pliego que por haber sido mal marcado o apuntado sale torcido.

bizcornear. (De *bizcuerno*.) intr. **bizcar,** padecer estrabismo.

bizcorneta. (De *bizcuerno*.) adj. *Col.* **bizco.**

bizcorneto, ta. adj. fam. y fest. *Col.*, *Méj.* y *Venez.* **bizco.**

bizcotela. (Del it. *biscottella*, d. de *biscotto*.) f. Especie de bizcocho ligero, cubierto de un baño blanco de azúcar.

bizcuerno, na. (Del lat. *versāre*, volver, y *cornu*, cuerno.) adj. *Ar.* De mirada torcida o de miembros torcidos.

bizma. (De *bidma*.) f. Emplasto para confortar, compuesto de estopa, aguardiente, incienso, mirra y otros ingredientes. ‖ **2.** Pedazo de baldés o lienzo cubierto de emplasto y cortado en forma adecuada a la parte del cuerpo a que ha de aplicarse.

bizmar. tr. Poner bizmas. Ú. t. c. prnl.

bizna. (De *binza*.) f. Película que separa los cuatro gajos de la nuez.

biznaga. (Del mozár. *bišnaqa*, y este del lat. *pastināca*.) f. Planta de la familia de las umbelíferas, como de un metro de altura, con tallos lisos, hojas hendidas muy menudamente, flores pequeñas y blancas, y fruto oval y lampiño. ‖ **2.** Cada uno de los piececillos de las flores de esta planta, que se emplean en algunas partes para mondadientes. ‖ **3.** Planta de Méjico, de la familia de las cactáceas, notable por consistir solo en un tallo muy corto, casi cilíndrico y sin hojas. Es propia de tierras más que templadas y crece sin cultivo en terrenos áridos. Hay de ella varias especies. ‖ **4.** *And.* Ramillete de jazmines en forma de bola.

biznagal. m. Terreno en el que hay muchas biznagas.

biznieto, ta. m. y f. **bisnieto.**

bizquear. (De *bizco*.) intr. fam. Padecer estrabismo o simularlo. ‖ **2.** tr. **guiñar,** cerrar un ojo momentáneamente.

bizquera. (De *bizco.*) f. **estrabismo.**

blago. (Del lat. *bacŭlum,* bastón.) m. ant. **báculo.**

blanca. (De *blanco.*) f. Moneda antigua de vellón, que según los tiempos tuvo diferentes valores. ‖ **2.** ant. Moneda de plata. ‖ **3.** *Murc.* **urraca.** ‖ **4.** *Mús.* Nota que tiene la mitad de duración que la redonda. ‖ **morfea.** *Veter.* **albarazo,** especie de lepra. ‖ **estar sin blanca.** fr. fig. **no tener blanca.** ‖ **no tener blanca.** fr. fig. No tener dinero.

blancal. (De *blanco.*) adj. V. **perdiz blancal.**

blancarte. m. **ganga**[2], materia no aprovechable que acompaña a los minerales.

blancazo, za. adj. fam. **blanquecino.**

blanco, ca. (Del a. al. ant. *blanc(k),* blanco, brillante.) adj. De color de nieve o leche. Es el color de la luz solar, no descompuesta en los varios colores del espectro. Ú. t. c. s. ‖ **2.** Dícese de las cosas que sin ser **blancas** tienen color más claro que otras de la misma especie. *Pan, vino* BLANCO. ‖ **3.** Tratándose de la especie humana, dícese del color de la raza europea o caucásica, en contraposición con el de las demás. Apl. a pers., ú. t. c. s. ‖ **4.** V. **abeto, ajo, álamo, amate, azúcar, barro, beleño, caballo, cabo, cedro, díctamo, eléboro, espino, flujo, heno, libro, lirio, mangle, maravedí, metal, monte, oso, palo, papel, pescado, plomo, precipitado, rosal, ruibarbo, sauce, tomillo, verso, vino, vitriolo, zafiro blanco.** ‖ **5.** V. **acacia, agua, águila, arma, azúcar, bandera, cancha, caparrosa, carta, cera, espada, espina, estepa, helada, hulla, jara, labor, lavandera, lepra, magia, morera, mostaza, nueza, perdiz, pez, pimienta, retama, ropa, salsa blanca.** ‖ **6.** V. **armas, carnes, moscas blancas.** ‖ **7.** V. **carpintero de blanco.** ‖ **8.** V. **cédula, firma, madera, millar, papel, patente en blanco.** ‖ **9.** fig. y fam. **cobarde,** pusilánime, sin valor. Ú. t. c. s. ‖ **10.** *And.* V. **miel blanca.** ‖ **11.** *Gran.* V. **pino blanco.** ‖ **12.** m. Mancha o lunar de pelo **blanco** que tienen algunos caballos y otros animales en la cabeza y en el extremo inferior de los miembros. ‖ **13.** Objeto situado lejos para ejercitarse en el tiro y puntería, o bien para adiestrar la vista en medir distancias, y a veces para graduar el alcance de las armas. ‖ **14.** Por ext., todo objeto sobre el cual se dispara un arma de fuego. ‖ **15.** Hueco o intermedio entre dos cosas. ‖ **16.** Espacio que en los escritos se deja sin llenar. ‖ **17.** Intermedio en la representación de dos obras dramáticas. ‖ **18.** fig. Fin u objeto a que se dirigen deseos o acciones. ‖ **19.** *P. Rico.* Formulario impreso con espacios en **blanco** para llenar a mano o a máquina. ‖ **20.** *Impr.* Forma o molde con que se imprime la primera cara de cada pliego. ‖ **blanco de España.** Nombre común al carbonato básico de plomo, al subnitrato de bismuto y a la creta lavada. ‖ **de huevo.** Afeite que se hacía con cáscaras de huevo. ‖ **de la uña.** Faja blanquecina estrecha y arqueada que se nota en el nacimiento de la uña. ‖ **de los ojos. esclerótica.** ‖ **de plomo. albayalde.** ‖ **en blanco.** loc. adj. Dícese del libro, cuaderno u hoja que no están escritos o impresos. ‖ **2.** Dicho de la espada, desenvainada. ‖ **3.** fig. y fam. **a la luna,** o **a la luna de Valencia.** Ú. con los verbos *dejar* y *quedarse.* ‖ **4.** Sin comprender lo que se oye o lee. Ú. con el verbo *quedarse.* ‖ **en el blanco de la uña.** loc. adv. fig. y fam. En lo más mínimo. ‖ **conocérsele** a alguien alguna cosa **en lo blanco de los ojos.** fr. fig. y fam. con que se explica que se ha penetrado la intención o deseo de alguno, y no se quiere decir el medio o señal por donde se ha conocido o se ha dado a entender. ‖ **hacer blanco.** fr. Dar en el **blanco** a que se dispara. ‖ **no distinguir** alguien **lo blanco de lo negro.** fr. fig. y fam. Ser muy lerdo o ignorante.

blancor. m. **blancura.**

blancote, ta. adj. aum. de **blanco.** ‖ **2.** fig. y fam. **cobarde,** pusilánime, sin valor. Ú. t. c. s.

blancura. f. Calidad de blanco. ‖ **del ojo.** *Veter.* **nube del ojo.**

blancuzco, ca. adj. Que tira a blanco, o es de color blanco sucio.

blanchete. (Del fr. *blanchet,* blanquecino.) m. ant. Perrito blanco. Usáb. t. c. adj. ‖ **2.** ant. Ribete con que se guarnecía el cuero que cubría la silla.

blanda. (De *blando.*) f. *Germ.* **cama**[1], armazón para descansar las personas.

blandamente. adv. m. Con blandura. ‖ **2.** fig. Suave y mansamente.

blandeador, ra. adj. Que blandea.

blandear[1]**.** (De *blando.*) intr. Aflojar, ceder. Ú. t. c. prnl. ‖ **2.** tr. Hacer que alguien mude de parecer o propósito. ‖ **blandear con** alguien. fr. Contemporizar con él o complacerle.

blandear[2]**.** tr. **blandir**[1]. Ú. t. c. intr. y c. prnl.

blandengue. adj. despect. Blando, con blandura poco grata. ‖ **2.** Referido a personas, de excesiva debilidad de fuerzas o de ánimo. ‖ **3.** m. *Argent.* Soldado armado con lanza, que defendía los límites de la provincia de Buenos Aires.

blandenguería. f. Calidad de blandengue, de excesiva debilidad de fuerzas.

blandense. adj. Natural de Blanes. Ú. t. c. s. ‖ **2.** Perteneciente o relativo a esta villa de la provincia de Gerona.

blandeza. (Del lat. *blanditĭa.*) f. ant. **blandicia,** molicie, delicadeza.

blandicia. (Del lat. *blandicia.*) f. Adulación, halago. ‖ **2.** Molicie, delicadeza.

blandicioso, sa. (De *blandicia.*) adj. ant. Adulador, halagüeño, lisonjero.

blandimiento. (Del lat. *blandimentum.*) m. ant. **blandicia,** adulación, halago.

blandir[1]**.** (Del fr. *brandir,* y este der. del germ. *brand,* espada.) tr. defect. Mover un arma u otra cosa con movimiento trémulo o vibratorio. ‖ **2.** intr. p. us. Moverse con agitación trémula o de un lado a otro. Ú. t. c. prnl.

blandir[2]**.** (Del lat. *blandire.*) tr. ant. Adular, halagar, lisonjear.

blando, da. (Del lat. *blandus.*) adj. Tierno, suave; que cede fácilmente al tacto. ‖ **2.** Tratándose de los ojos, **tierno.** ‖ **3.** Tratándose del tiempo o la estación, **templado.** ‖ **4.** V. **jabón blando.** ‖ **5.** fig. Suave, dulce, benigno. ‖ **6.** fig. **flojo,** perezoso. ‖ **7.** fig. De genio y trato apacibles. ‖ **8.** fig. y fam. V. **ojos blandos.** ‖ **9.** fig. y fam. **cobarde,** pusilánime, sin valor. ‖ **10.** *Mús.* **bemolado.** ‖ **11.** adv. m. Blandamente, con suavidad, con blandura. ‖ **tomar los blandos.** fr. *Taurom.* Herir al toro sin tropezar en hueso.

blandón. (Del fr. *brandon,* y este del germ. *brand,* cosa encendida.) m. Hacha de cera de un pabilo. ‖ **2.** Candelero grande en que se ponen estas hachas.

blanducho, cha. adj. Blando, con blandura excesiva o poco grata.

blandujo, ja. adj. fam. **blanducho.**

blandura. f. Calidad de blando. ‖ **2.** Emplasto que se aplica a los tumores para que se ablanden y maduren. ‖ **3.** Temple del aire húmedo, que deshace los hielos y nieves. ‖ **4. blanquete.** ‖ **5.** fig. Regalo, deleite, delicadeza. ‖ **6.** fig. Dulzura, afabilidad en el trato. ‖ **7.** fig. Palabra halagüeña o requiebro. ‖ **8.** *And.* y *Cuba.* Relente, rocío. ‖ **9.** *Cant.* Capa o costra blanda que tienen algunas piedras calizas, y que debe quitarse al labrarlas.

blandurilla. (d. de *blandura.*) f. Pomada hecha de manteca de cerdo batida y aromatizada con esencia de espliego o de otras plantas olorosas, que se usaba como afeite.

blanduzco, ca. adj. Algo blando.

blanqueación. (De *blanquear.*) f. **blanquición.** ‖ **2. blanqueo.**

blanqueador, ra. adj. Que blanquea. Ú. t. c. s.

blanqueadura. (De *blanquear.*) f. **blanqueo.**

blanqueamiento. m. **blanqueo.**

blanquear. (De *blanco.*) tr. Poner blanca una cosa. ‖ **2.** Dar una o varias manos de cal o de yeso blanco, diluidos en agua, a las paredes, techos o fachadas de los edificios. ‖ **3.** Dar las abejas cierto betún a los panales en que empiezan a trabajar después del invierno. ‖ **4. blanquecer,** sacar el color al oro, plata, etc. ‖ **5.** Hervir durante unos minutos un alimento para que pierda su acidez o la sangre. ‖ **6.** Ajustar a la legalidad fiscal el dinero procedente de negocios delictivos o injustificables. ‖ **7.** intr. Mostrar una cosa la blancura que en sí tiene. ‖ **8.** Tirar a blanco. ‖ **9.** Ir tomando una cosa color blanco.

blanquecedor. m. Oficial que se ocupaba en blanquecer las monedas.

blanquecer. (De *blanco.*) tr. En las casas de moneda y entre plateros, limpiar y sacar su color al oro, plata y otros metales. ‖ **2. blanquear,** poner blanca una cosa.

blanquecimiento. (De *blanquecer.*) m. **blanquición.**

blanquecino, na. adj. Que tira a blanco.

blanqueo. m. Acción y efecto de blanquear.

blanquero, ra. (De *blanco.*) m. y f. *Ar.* **enjalbegador.** ‖ **2.** m. *Ar.* **curtidor.**

blanqueta. f. Tejido basto de lana, que se usaba antiguamente.

blanquete. m. Afeite que usaban las mujeres para blanquearse el cutis.

blanquíbolo. (De *blanco* y *bolo,* arcilla.) m. ant. **albayalde.**

blanquición. f. Acción y efecto de blanquear los metales.

blanquilla. f. Enfermedad en las perdices enjauladas que se manifiesta por deyecciones de color lechoso.

blanquillo, lla. (d. de *blanco.*) adj. **candeal.** Ú. t. c. s. m. ‖ **2.** V. **azúcar blanquilla.** ‖ **3.** V. **pino blanquillo.** ‖ **4.** fam. V. **soldado blanquillo.** Ú. t. c. s. ‖ **5.** m. En el juego del tresillo el triunfo que no es estuche ni figura. ‖ **6.** *Chile* y *Perú.* Durazno de cáscara blanca. ‖ **7.** *Argent.* y *Urug.* Árbol de corteza blanquecina y cuya madera se usa para postes y piques. ‖ **8.** Pez chileno, de unos tres decímetros de longitud, de color rojizo más o menos pardo por el lomo y plateado por el vientre.

blanquimento. m. **blanquimiento.**

blanquimiento. m. Disolución, generalmente de un cloruro, que se emplea para blanquear telas, metales, etc.

blanquinegro, gra. adj. Que tiene color blanco y negro.

blanquinoso, sa. adj. **blanquecino.**

blanquizal. (De *blanquizo.*) m. Terreno gredoso.

blanquizar. m. **blanquizal.**

blanquizco, ca. adj. **blanquecino.**

blanquizo, za. adj. ant. **blanquecino.**

blao. (Del a. al. ant. *blâo.*) adj. ant. **azul.** ‖ **2.** ant. Decíase de la tela de este color. Usáb. t. c. s. ‖ **3.** *Blas.* **azur.** Ú. t. c. s. m.

Blas. n. p. **díjolo Blas, punto redondo.** expr. con que se replica al que presume de llevar siempre la razón.

blasfemable. (Del lat. *blasphemabĭlis.*) adj. **vituperable.**

blasfemador, ra. (Del lat. *blasphemātor, -ōris.*) adj. Que blasfema. Ú. t. c. s.

blasfemamente. adv. m. Con blasfemia.

blasfemante. p. a. de **blasfemar.** Que blasfema. Ú. t. c. s.

blasfemar. (Del lat. *blasphemāre,* y este del gr. βλασφημέω.) intr. Decir blasfemias. ‖ **2.** fig. Maldecir, vituperar.

blasfematorio, ria. adj. **blasfemo,** que contiene blasfemia.

blasfemia. (Del lat. *blasphemĭa,* y este del gr. βλασφημία.) f. Palabra injuriosa contra Dios, la Virgen o los santos. ‖ **2.** fig. Palabra gravemente injuriosa contra una persona.

blasfemo, ma. (Del lat. *blasphēmus,* y este del gr. βλάσφημος.) adj. Que contiene blasfemia. ‖ **2.** Que dice blasfemia. Ú. t. c. s.

blasmar. (Del lat. *blasphemāre,* insultar.) tr. ant. Hablar mal de una persona o cosa. ‖ **2.** ant. **acusar,** imputar a alguien algún delito, culpa, etc. ‖ **3.** ant. Reprobar, vituperar.

blasmo. (De *blasmar.*) m. ant. Desdoro, vituperio.

blasón. (Del fr. *blason.*) m. Arte de explicar y describir los escudos de armas de cada linaje, ciudad o persona. ‖ **2.** Cada figura, señal o pieza de las que se ponen en un escudo. ‖ **3. escudo de armas.** ‖ **4.** Honor o gloria. ‖ **hacer** alguien **blasón.** fr. fig. **blasonar,** jactarse.

blasonado, da. p. p. de **blasonar.** ‖ **2.** adj. Ilustre por sus blasones.

blasonador, ra. adj. Que blasona o se jacta de alguna cosa.

blasonar. (De *blasón.*) tr. Disponer el escudo de armas de una ciudad o familia según la regla del arte. ‖ **2.** intr. fig. Hacer ostentación de alguna cosa con alabanza propia.

blasonería. (De *blasonar.*) f. **baladronada.**

blasonista. com. Persona que tiene por oficio pintar blasones. ‖ **2.** Persona versada en heráldica.

blastema. (Del gr. βλάστημα, germen, retoño.) m. *Biol.* Conjunto de células embrionarias que, mediante su proliferación, llegan a formar un órgano determinado.

blastoderma. m. **blastodermo.**

blastodermo. (Del gr. βλαστός, germen, y δέρμος, piel.) m. *Biol.* Conjunto de las células procedentes de la segmentación del huevo de los animales, que suele tener la forma de disco o de membrana.

blavo, va. (Del ant. fr. *blave,* de or. inc.; cf. germ **blēwa,* de color [azul] oscuro.) adj. ant. De color compuesto de blanco y pardo, o algo bermejo.

ble. m. **ple.**

-ble. (Del lat. *-bĭlis.*) suf. de adjetivos casi siempre verbales, que significa posibilidad pasiva, es decir, capacidad o aptitud para recibir la acción del verbo. Si el verbo es de la primera conjugación, el sufijo toma la forma **-able**: *prorrog*ABLE; si es de la segunda o tercera, toma la forma **-ible**: *reconoc*IBLE, *distingu*IBLE. Los derivados de verbos intransitivos o de sustantivos suelen tener valor activo: *agrad*ABLE, *serv*IBLE.

bleda. (Del lat. *beta,* acelga, cruzado con *blitum,* bledo.) f. ant. **acelga.**

bledo. (Del lat. *blitum.*) m. Planta anual de la familia de las quenopodiáceas, de tallos rastreros, de unos tres decímetros de largo, hojas triangulares de color verde oscuro y flores rojas, muy pequeñas y en racimos axilares. ‖ **2.** fig. Cosa insignificante, de poco o ningún valor. Ú. en frases como *dársele, o no dársele a alguien un* BLEDO; *importarle, o no importarle a alguien un* BLEDO; *no valer un* BLEDO.

blefaritis. (Del gr. βλέφαρον, párpado, e *-itis.*) f. *Pat.* Inflamación aguda o crónica de los párpados.

blefaroplastia. (Del gr. βλέφαρον, párpado, y πλαστός, adj. verbal de πλάσσω, formar.) f. *Cir.* Restauración del párpado o de una parte de él por medio de la aproximación de la piel inmediata.

blenda. (Del al. *Blende.*) f. Sulfuro de cinc, que se halla en la naturaleza en cristales muy brillantes, de color que varía desde el amarillo rojizo al pardo oscuro, y se utiliza para extraer el cinc.

blenorragia. (Del gr. βλέννος, mucosidad, y ῥήγνυμι, romper, brotar.) f. *Pat.* Flujo mucoso ocasionado por la inflamación de una membrana, principalmente de la uretra. Se usa casi exclusivamente refiriéndose a la uretritis gonocócica.

blenorrágico, ca. adj. Perteneciente o relativo a la blenorragia.

blenorrea. (Del gr. βλέννος, mucosidad, y ῥέω, fluir.) f. *Pat.* Blenorragia crónica.

blezo. (De *brezo*[2].) m. ant. **brizo.**

blibia. (De *biblia.*) f. ant. **biblia.**

blincar. (De *blinco.*) intr. vulg. **brincar.**

blinco. (Del lat. *vincŭlum,* atadero.) m. vulg. **brinco.**

blinda. (Del fr. *blinde,* y este del al. *blenden.*) f. *Fort.* Viga gruesa que con fajinas, zarzos, tierra, estiércol, etc., constituye un cobertizo defensivo. ‖ **2.** Bastidor de madera compuesto de dos montantes y dos travesaños, que sirve para contener las tierras y las fajinas en las trincheras.

blindado, da. p. p. de **blindar.** ‖ **2.** adj. Recubierto por un blindaje. ‖ **3.** V. **columna, división blindada.**

blindaje. m. Acción y efecto de blindar. ‖ **2.** Conjunto de materiales que se utilizan para blindar. ‖ **3.** *Fort.* Cobertizo o defensa que se hace con blindas u otro material, para resguardarse de los tiros por elevación de la artillería. ‖ **4.** *Mar.* Conjunto de planchas que sirven para blindar.

blindar. (Del fr. *blinder,* y este del al. *blenden.*) tr. Proteger exteriormente con diversos materiales las cosas o los lugares, contra los efectos de las balas, el fuego, etc. Actualmente se aplican con preferencia a este fin planchas metálicas.

blister. (Del ing. *blisterpack.*) m. *Tecnol.* Envase para manufacturados pequeños que consiste en un soporte de cartón o cartulina sobre el que va pegada una lámina de plástico transparente con cavidades en las que se alojan los distintos artículos.

bloc. m. **bloque,** conjunto de hojas de papel.

bloca. (Como el fr. *boucle,* del lat. *buccŭla,* centro del escudo.) f. Punta aguda de forma cónica o piramidal que tenían en el centro algunos escudos y rodelas.

blocao. (Del al. *Blockhaus,* pequeña fortificación.) m. *Fort.* Fortín de madera que se desarma y puede transportarse fácilmente para armarlo en el lugar que más convenga.

blonda. (Del fr. *blonde.*) f. Encaje de seda de que se hacen y guarnecen vestidos de mujer y otras ropas.

blondina. (d. de *blonda.*) f. Blonda angosta.

blondo, da. (Cf. ant. fr. *blond,* rubio, probablemente de or. germ.) adj. **rubio,** de color rojo claro.

bloque. (Del fr. *bloc,* y este del neerl. *blok,* bloque.) m. Trozo grande de piedra sin labrar. ‖ **2.** Sillar artificial hecho de hormigón. ‖ **3.** Paralelepípedo recto rectangular de materia dura. ‖ **4.** Conjunto de hojas de papel superpuestas y con frecuencia sujetas convenientemente de modo que se puedan desprender con facilidad. ‖ **5.** Agrupación ocasional de partidos políticos. ‖ **6.** Manzana de casas. ‖ **7.** Edificio que comprende varias casas de la misma altura y de características semejantes. ‖ **8.** *Mec.* En los motores de explosión, pieza de fundición en cuyo interior se ha labrado el cuerpo de uno o varios cilindros, y está provista de dobles paredes para que circule entre ellas el agua de refrigeración. ‖ **en bloque.** loc. fig. En conjunto, sin distinción.

bloqueador, ra. adj. Que bloquea. Ú. t. c. s.

bloquear. (Del fr. *bloquer.*) tr. Realizar una operación militar o naval consistente en cortar las comunicaciones de una plaza, de un puerto, de un territorio o de un ejército. ‖ **2.** Impedir el funcionamiento de un mecanismo o el desarrollo de un proceso con un obstáculo que lo paraliza. Ú. t. en sent. fig. y c. prnl. ‖ **3.** Interrumpir la prestación de un servicio, por la interposición de un obstáculo o por sometérsele a un exceso de demanda. ‖ **4.** desus. Reemplazar provisionalmente en una parte de la composición las letras que faltan en las cajas por otras cualesquiera, que se ponen ojo abajo, a fin de reconocerlas más fácilmente en el momento de cambiarlas por las que deben servir para la tirada. ‖ **5.** *Com.* Inmovilizar la autoridad una cantidad o crédito, privando a su dueño de disponer de ellos total o parcialmente por cierto tiempo.

bloqueo. m. Acción y efecto de bloquear. ‖ **2.** *Mar.* Fuerza marítima que bloquea. ‖ **efectivo.** El que se hace con fuerzas marítimas suficientes para cortar las comunicaciones. ‖ **en el papel.** El que consiste solo en declaraciones escritas, sin estar apoyado por fuerzas bastantes para que resulte efectivo. ‖ **declarar el bloqueo.** fr. Proclamarlo o notificarlo inicialmente la potencia bloqueadora. ‖ **violar el bloqueo.** fr. Entrar un buque neutral en punto o paraje bloqueado, o salir de él.

blues. (Del ing. *blues.*) m. Forma musical del folclore de los negros de Estados Unidos de América. Se pronuncia aprox. /*blus*/. pl. invar.

blusa. (Del fr. *blouse.*) f. Vestidura exterior a manera de túnica holgada y con mangas. ‖ **2.** Prenda exterior de tela fina, que usan las mujeres y los niños, y que cubre la parte superior del cuerpo.

blusón. m. Prenda de vestir, exterior y por lo común suelta, más larga que la blusa.

boa. (Del lat. *boa.*) f. Serpiente americana de hasta 10 metros de largo, con la piel pintada de vistosos dibujos; no es venenosa, sino que mata a sus presas comprimiéndolas con los anillos de su cuerpo. Hay varias especies, unas arborícolas y otras de costumbres acuáticas; todas son vivíparas. ‖ **2.** m. Prenda femenina de piel o pluma y en forma de serpiente, para abrigo o adorno del cuello.

boalaje. m. Dehesa boyal. ‖ **2.** *Ar.* Tributo que se pagaba por los pastos de la dehesa.

boalar. (Del lat. **boālis,* der. de *boe,* por *bovem,* buey.) m. **dula,** sitio donde pastan los ganados de los vecinos. ‖ **2.** ant. *Ar.* **boalaje,** dehesa boyal.

boarda. f. ant. **buharda.**

boardilla. (d. de *boarda.*) f. **buharda.**

boato. (Del lat. *boātus,* grito, alboroto.) m. Ostentación en el porte exterior. ‖ **2.** ant. Vocería o gritos en aclamación de una persona.

bobada. f. **bobería.**

bobalias. com. fam. Persona muy boba.

bobalicón, na. adj. fam. aum. de **bobo.** Ú. t. c. s.

bobamente. adv. m. Con bobería. ‖ **2.** Sin cuidado ni estudio, o sin trabajo.

bobarrón, na. adj. fam. aum. de **bobo.** Ú. t. c. s.

bobatel. m. fam. Hombre bobo.

bobático, ca. adj. fam. Aplícase a lo que se dice o hace neciamente o con bobería.

bobear. (De *bobo.*) intr. Hacer o decir boberías. ‖ **2.** fig. Emplear y gastar el tiempo en cosas vanas e inútiles.

bobedad. f. ant. **bobería.**

bobera. (De *bobo.*) f. **bobería.**

bobería. (De *bobo.*) f. Dicho o hecho necio.

bóbilis, bóbilis (de). loc. adv. fam. **de balde**[2]. ‖ **2.** fam. Sin trabajo.

bobillo. (d. de *bobo.*) m. Jarro vidriado y barrigudo, con un asa como la del puchero. ‖ **2.** Encaje que llevaban las mujeres prendido alrededor del escote, y que caía hacia abajo como valona.

bobina. (Del fr. *bobine.*) f. Cilindro de hilo, cordel, etc., arrollado en torno a un canuto de cartón u otras materias. ‖ **2.** Rollo de hilo, cable, papel, etc., con una ordenación determinada, montado o no sobre un soporte. ‖ **3.** *Fís.* Componente de un circuito eléctrico formado por un alambre, revestido de una capa aisladora, que se arrolla en forma de hélice con un paso igual al diámetro del alambre. ‖ **4.** Rollo de papel continuo que emplean las rotativas.

bobinado, da. p. p. de **bobinar.** ‖ **2.** m. Acción y efecto de bobinar. ‖ **3.** Conjunto de bobinas que forman parte de un circuito eléctrico. ‖ **4.** *Fís.* **bobina,** componente de un circuito eléctrico. ‖ **5.** *Fís.* Alambre que forma la bobina.

bobinadora. f. Máquina destinada a hilar y a bobinar.

bobinar. tr. Arrollar o devanar hilos, alambre, etc., en forma de bobina, generalmente sobre un carrete. ‖ **2.**

Arrollar papel, película, cinta magnética, etc., generalmente alrededor de un carrete.

bobo, ba. (Del lat. *balbus,* balbuciente.) adj. De muy corto entendimiento y capacidad. Ú. t. c. s. ‖ **2.** Extremada y neciamente candoroso. Ú. t. c. s. ‖ **3.** fam. Bien cumplido, no escaso. ‖ **4.** V. **manga boba.** ‖ **5.** V. **pájaro, sayo bobo.** ‖ **6.** fig. y fam. V. **paraíso de los bobos.** ‖ **7.** m. Adorno que usaban antiguamente las mujeres, y se echaba por debajo de la barba para abultar la cara. ‖ **8.** En el teatro español primitivo, personaje cuya simpleza provocaba efectos cómicos. ‖ **9.** *Cuba.* **mona**[1], juego de naipes. ‖ **10.** Pez de los ríos de Guatemala y Méjico, de unos 60 centímetros de largo y 12 de ancho, de piel negra y sin escamas, carne blanca y con pocas espinas. Se le llama así por la facilidad con que se deja atrapar. ‖ **de capirote. tonto de capirote.** ‖ **de Coria.** Personaje proverbial, símbolo de tontería y mentecatez. ‖ **a bobas.** loc. adv. ant. Necia o bobamente. ‖ **entre bobos anda el juego.** fr. irón. que se usa cuando los que tratan alguna cosa son igualmente diestros y astutos. ‖ **hacerse el bobo.** fr. fam. **hacerse el tonto.**

bobote. adj. fam. aum. de **bobo.** Ú. t. c. s.

boca. (Del lat. *bucca.*) f. Abertura anterior del tubo digestivo de los animales, situada en el extremo anterior del cuerpo, o sea en la cabeza. Sirve de entrada a la cavidad bucal. También se aplica a toda la expresada cavidad en la cual está colocada la lengua y los dientes cuando existen. ‖ **2.** En ciertas herramientas, como escoplos, cinceles, azadones, etc., parte afilada con que cortan. ‖ **3.** En algunas herramientas de percusión, como martillo, maceta, martellina, etc., cada una de las caras destinadas a golpear. ‖ **4.** En los libros con lomo destacado, hueco entre este y el lomo de los pliegos cosidos. ‖ **5.** *Zool.* Pinza con que termina cada una de las patas delanteras de los crustáceos. ‖ **6.** fig. Entrada o salida. BOCA *de horno, de cañón, de calle, de metro, de puerto, de río.* Con esta última aplicación se usa frecuentemente en plural. *Las* BOCAS *del Danubio, del Ródano.* ‖ **7.** V. **cocina, cola, gentilhombre, municiones, oficio, telón de boca.** ‖ **8.** V. **cámara anterior, cámara posterior, cielo, oficio de la boca.** ‖ **9.** V. **caballo de buena boca.** ‖ **10.** fig. Abertura, agujero. BOCA *de tierra.* ‖ **11.** fig. Hablando de vinos, gusto o sabor. *Este vino tiene buena* BOCA. ‖ **12.** fig. Órgano de la palabra. *No abrir,* o *no despegar, la* BOCA; *buscarle a alguien la* BOCA. ‖ **13.** fig. Persona o animal a quien se mantiene y da de comer. ‖ **14.** pl. En el juego de la argolla, parte del aro que tiene las rayas que se dicen barras, las cuales ha de volver a deshacer el que mete la bola por ellas, para poder en adelante ganar raya. ‖ **de cangrejo. boca de la isla.** ‖ **de dragón. dragón,** planta escrofulariácea. ‖ **de escorpión.** fig. Persona muy maldiciente. ‖ **de espuerta.** fig. y fam. La muy grande y rasgada. ‖ **de fraile.** loc. que se emplea con algunos verbos para indicar demasía en el pedir. También se dice *haberle hecho* a alguien *la* BOCA *un fraile.* ‖ **de fuego.** Cualquier arma que se carga con pólvora, y especialmente la escopeta, la pistola, el cañón, etc. ‖ **de gachas.** fig. y fam. Persona que habla con tanta blandura que no se le entiende. ‖ **2.** fig. y fam. Persona que hace mucha saliva, salpicando con ella cuando habla. ‖ **de guácharo,** o **guacho. pamplina,** planta papaverácea. ‖ **de la isla.** Pinza grande arrancada al barrilete, crustáceo común en las costas del norte de África y de Cádiz, que le sirve al animal de tapa o puerta del escondrijo en que se alberga en la arena. ‖ **del estómago.** Parte central de la región epigástrica. ‖ **2. cardias.** ‖ **de lobo.** expr. fig. Muy oscuro. Más comúnmente se dice: **estar como boca de lobo,** u **obscuro como boca de lobo.** ‖ **2.** *Mar.* Agujero cuadrado en el medio de la cofa, por el que entra el calcés del palo, quedando espacio a banda y banda para el paso de la gente que sube a maniobrar. ‖ **de oro.** fig. **pico de oro.** ‖ **de riego.** Abertura en un conducto de agua en la cual se enchufa una manga para regar calles, jardines, etc. ‖ **de risa.** fig. Afabilidad y agrado en el semblante y en las palabras. ‖ **de verdades.** fig. Persona que dice a otra con claridad lo que sabe o siente. ‖ **2.** irón. Persona que miente mucho. ‖ **rasgada.** La grande, que no guarda proporción con las demás facciones de la cara. ‖ **regañada.** fig. La que tiene un frunce que la desfigura y le impide cerrarse por completo. ‖ **a boca.** loc. adv. Verbalmente o de palabra. ‖ **a boca de cañón.** loc. adv. **a quema ropa,** disparando desde muy cerca. ‖ **a boca de costal.** loc. adv. Sin medida, sin tasa. ‖ **a boca de invierno.** loc. adv. A principio o entrada de invierno. ‖ **a boca de jarro.** loc. adv. que denota la acción de beber sin tasa. ‖ **2.** fig. **a bocajarro.** ‖ **a boca de noche.** loc. adv. **al anochecer.** ‖ **a boca llena.** loc. adv. Con claridad, abiertamente, hablando sin rebozo. ‖ **abrir boca.** fr. fig. Despertar el apetito con algún alimento o bebida. ‖ **andar de boca en boca** una cosa. fr. fig. Saberse de público, estar divulgada una noticia o asunto. ‖ **andar en boca de** alguno o algunos. fr. fig. Ser objeto de lo que este o estos hablen o digan. ‖ **andar en boca de todos.** fr. fig. **andar de boca en boca.** ‖ **a pedir de boca.** loc. adv. fig. **a medida del deseo.** ‖ **2.** fig. Con toda propiedad, exactamente. ‖ **a qué quieres, boca.** loc. adv. fig. **a pedir de boca.** ‖ **blando de boca.** fig. Se dice de las bestias de freno que sienten mucho los toques del bocado. ‖ **2.** fig. Se dice de la persona fácil en decir lo que debiera callar. ‖ **boca abajo.** loc. adv. Tendido con la cara hacia el suelo. ‖ **2.** Tratándose de vasijas y otros recipientes, en posición invertida. ‖ **3.** Doblegado a la voluntad despótica de otro. ‖ **boca a boca.** loc. adv. **a boca.** ‖ **2.** En determinados accidentes respiratorios, forma de respiración artificial que consiste en aplicar la **boca** a la de la persona accidentada para insuflarle aire con un ritmo determinado. ‖ **boca arriba.** loc. adv. Tendido de espaldas. ‖ **boca con boca.** loc. adv. Estando muy juntos. ‖ **boca por boca.** loc. adv. ant. **boca a boca.** ‖ **buscar** a alguien **la boca.** fr. fig. Dar motivo, con lo que se dice o hace, para que alguno hable y diga lo que de otro modo callaría. ‖ **calentársele** a alguien **la boca.** fr. fig. Hablar con extensión, explayarse en el discurso o conversación acerca de algún punto. ‖ **2.** fig. Enardecerse, prorrumpir en verdades, frescas o palabras descompuestas. ‖ **callar la boca.** fr. fam. **callar,** no hablar; cesar de hablar; cesar de gritar, de llorar, de hacer ruido, etc. ‖ **cerrar la boca** a alguien. fr. fig. y fam. Hacerle callar. ‖ **cerrar la boca.** fr. **callar la boca.** ‖ **con la boca abierta,** o **con tanta boca abierta.** loc. adv. fig. y fam. Suspenso o admirado de alguna cosa que se ve o se oye. Ú. con los verbos *estar, quedarse,* etc. ‖ **coserse la boca.** fig. y fam. **cerrar la boca.** ‖ **de boca.** loc. adv. con que se califican acciones o cualidades de las que alguien se jacta sin motivo. ‖ **de boca en boca.** loc. adv. con que se denota la manera de propagarse de unas personas a otras noticias, rumores, alabanzas, etc. ‖ **de buena boca.** loc. adj. Dícese de la persona benévola que de todo habla bien. ‖ **decir** alguna cosa **con la boca chica,** o **chiquita.** fr. fig. y fam. Ofrecer algo por mero cumplimiento. ‖ **decir lo primero que** a alguien **le viene a la boca.** fr. fig. y fam. Decir algo irreflexivamente, sin previa meditación. ‖ **decir** alguien **lo que se le viene a la boca.** fr. fig. y fam. No tener reparo ni miramiento en lo que dice. ‖ **despegar,** o **desplegar,** alguien **la boca.** fr. **hablar.** Ú. más en frases negativas. ‖ **duro de boca.** fig. Se dice de las bestias de freno que sienten poco los toques del bocado. ‖ **echar boca.** fr. fig. Acerar la de una herramienta cuando por el uso se ha gastado. ‖ **2.** Referido a los tacos de billar, trucos y otras cosas, calzarlos; esto es, añadirles la materia conveniente a la punta ya gastada. ‖ **echar** alguien **de,** o **por, aquella boca.** fr. fam. Decir contra otro con imprudencia y enojo palabras injuriosas y ofensivas. ECHABA POR AQUELLA BOCA *sa-*

pos y culebras. ‖ **estar** alguien **a qué quieres boca.** fr. fig. Disfrutar de gran regalo. ‖ **estar colgado,** o **pendiente, de la boca** de alguien. fr. fig. **estar colgado,** o **pendiente, de las palabras de** alguien. ‖ **estar con la boca a la pared,** o **pegada a la pared.** fr. fig. y fam. Hallarse en extrema necesidad y no tener a quién recurrir. ‖ **ganar** a alguien **la boca.** fr. fig. Persuadirlo o procurar reducirlo a que siga algún dictamen u opinión, precisándole a que calle o disimule la suya propia. ‖ **guardar** alguien **la boca.** fr. fig. No hacer exceso en la comida. ‖ **2.** fig. Callar lo que no conviene decir. ‖ **hablar** una persona **por boca de** otra. fr. fig. Conformarse, en lo que dice, con la opinión y voluntad ajena. ‖ **hablar** alguien **por boca de ganso.** fr. fig. y fam. Decir lo que otro le ha sugerido. ‖ **hacer boca.** fr. fig. y fam. Tomar algún alimento ligero y aperitivo, o beber en pequeña cantidad algún licor estimulante, a fin de preparar el estómago para la comida. ‖ **hacer la boca** a una caballería. fr. fig. Acostumbrarla a llevar el bocado. ‖ **hacérsele** a alguien **la boca agua.** fr. fam. Pensar con deleite en el buen sabor de algún alimento. ‖ **2.** fig. y fam. Deleitarse con la esperanza de conseguir alguna cosa agradable, o con su memoria. ‖ **halagar con la boca y morder con la cola.** fr. fig. y fam. Mostrarse amigo y proceder como enemigo. ‖ **heder la boca** a alguien. fr. fig. y fam. Ser pedigüeño. ‖ **irse** alguien **de boca.** fr. fig. Dejarse llevar del vicio. ‖ **2.** fig. **írsele la boca** a alguien. ‖ **irse la boca a donde está el corazón.** fr. fig. Hablar alguien conforme a sus deseos. ‖ **írsele la boca** a alguien. fr. fig. Hablar mucho y sin consideración, o con imprudencia. ‖ **la boca hace juego.** loc. fam. que se usa para denotar que en el juego se debe estar a lo que se dice, aunque sea contra la intención del que lo ha dicho. ‖ **2.** fig. Significa también que se debe cumplir lo que una vez se dice. ‖ **mentir con toda la boca.** fr. fig. y fam. Mentir de todo en todo o absolutamente. ‖ **meterse en la boca del lobo.** loc. fam. Exponerse sin necesidad a un peligro cierto. ‖ **no abrir** alguien **la boca.** fr. fig. Callar cuando se debería hablar. ‖ **no caérsele** a alguien **de la boca** alguna cosa. fr. fig. Decirla con frecuencia y repetición. ‖ **no decir esta boca es mía.** fr. fig. y fam. No hablar palabra. ‖ **no descoser la boca.** fr. fig. y fam. **no abrir la boca.** ‖ **no salir** una cosa **de la boca** de alguien. fr. fig. Callarla. ‖ **no tomar** alguien **en boca,** o **en la boca,** a una persona o cosa. fr. fig. No hablar ni hacer mención de ella. ‖ **oler la boca** a alguien. fr. fig. y fam. **heder la boca** a alguien. ‖ **pegar la boca a la pared.** fr. fig. Resolverse a callar la necesidad que padece. ‖ **poner boca,** o **la boca, en** alguien. fr. fig. Hablar mal de él. ‖ **poner bocas.** fr. fig. *Ecuad.* Pedir de manera oral y particular, recomendaciones o propaganda para cualquier servicio, en especial el doméstico. ‖ **poner en boca de** alguien algún dicho. fr. fig. Atribuírselo. ‖ **poner la boca al viento.** fr. fam. No tener qué comer. ‖ **por una boca.** loc. adv. **a una voz.** ‖ **quitar** a alguien **de la boca** alguna cosa. fr. fig. y fam. Anticiparse alguien a decir lo que iba a decir otro. ‖ **quitárselo** alguien **de la boca.** fr. fig. y fam. Privarse de las cosas precisas para dárselas a otro. ‖ **repulgar la boca.** fr. Plegar los labios, formando un género de hocico o doblez con ellos. ‖ **respirar por la boca de** otro. fr. fig. Vivir sujeto a la voluntad de otro, o no hacer o decir cosa sin su dictamen. ‖ **saber** algo **de boca,** o **de la boca, de** otro. fr. Saberlo o tener de ello noticia por habérselo oído referir. ‖ **ser la boca** de alguien **medida.** fr. fig. y fam. Darle todo cuanto quiera o pida. ‖ **tapar bocas.** fr. fig. y fam. Impedir que se continúe censurando a una persona. ‖ **tapar la boca** a alguien. fr. fig. y fam. Cohecharle con dinero u otra cosa para que calle. ‖ **2.** fig. y fam. Citarle un hecho o darle una razón tan concluyente que no tenga qué responder. ‖ **tener buena,** o **mala, boca.** fr. fig. Dícese de las caballerías según sean o no obedientes al freno. ‖ **2.** fig. Hablar bien, o mal, de otros. ‖ **tener** a alguien **sentado en la boca del estómago.** fr. fig. y fam. No tragarlo, no soportarlo. ‖ **tomar en boca** a alguien. fr. fig. **traer en bocas** a alguien; hablar frecuentemente de él. ‖ **torcer la boca.** fr. Volver el labio inferior hacia alguno de los carrillos, en ademán o en demostración de disgusto. ‖ **traer en bocas** a alguien. fr. fig. Murmurar frecuentemente de él. ‖ **2.** fig. Hablar frecuentemente de él. ‖ **traer siempre en la boca** una cosa. fr. fig. Repetirla mucho, hablar frecuentemente de ella. ‖ **venírsele** a alguien **a la boca** alguna cosa. fr. Sentir el sabor de alguna cosa que hay en el estómago. ‖ **2.** fig. Ofrecerse algunas ideas y palabras para proferirlas.

bocabajo. adv. m. **boca abajo.** ‖ **2.** m. *P. Rico.* Persona servil, aduladora, claudicante. ‖ **3.** *Cuba* y *P. Rico.* Castigo de azotes que se daba a los esclavos haciéndoles tenderse boca abajo.

bocabarra. (De *boca* y *barra.*) f. *Mar.* Cada una de las muescas abiertas en el sombrero del cabrestante, donde se encajan las barras para hacerlo girar.

bocacalle. (De *boca* y *calle.*) f. Entrada o embocadura de una calle. ‖ **2.** Calle secundaria que afluye a otra.

bocacaz. (De *boca* y *caz.*) m. Abertura o boca que hay en una presa para que por ella salga cierta porción de agua destinada al riego o a otro fin.

bocací. (Del ár. *buġāzī,* tela de seda grosera.) m. Tela de hilo, de color, más gorda y basta que la holandilla.

bocacín. m. ant. **bocací.**

bocacha. f. aum. de **boca.** ‖ **2. trabuco naranjero.**

bocacho, cha. (De *bocacha.*) m. y f. *Pan.* Persona que ha perdido uno o varios dientes delanteros.

bocada. f. ant. **bocado** de comida. ‖ **2.** Bocanada de un líquido. ‖ **3.** ant. **boqueada.**

bocadear. tr. Partir en bocados una cosa.

bocadillo. (d. de *bocado.*) m. Cierto lienzo delgado y poco fino. ‖ **2.** Especie de cinta de las más angostas. ‖ **3.** Refrigerio que los trabajadores y estudiantes suelen tomar entre el desayuno y la comida. ‖ **4.** Panecillo partido longitudinalmente en dos mitades entre las cuales se colocan alimentos variados. ‖ **5. bocado,** un poco de comida. ‖ **6.** Dulce de guayaba conservado en corta cantidad y envuelto en hojas de plátano. Son muy celebrados los de Mérida de Venezuela y los de Vélez de Colombia. ‖ **7.** Dulce que en unas partes, como en Honduras y Méjico, se hace de coco, y en otras, como en Cuba, de boniato. ‖ **8.** En grabados, dibujos, caricaturas, tebeos, etc., letrero, generalmente circundado por una línea curva que sale de la boca o cabeza de una figura, y en el cual se representan palabras o pensamientos atribuidos a ella. ‖ **9.** *Teatro.* Intervención de un actor en el diálogo cuando consiste solo en pocas palabras.

bocado. m. Porción de comida que naturalmente cabe de una vez en la boca. ‖ **2.** Un poco de comida. *Tomar un* BOCADO. ‖ **3.** Mordedura o herida que se hace con los dientes. ‖ **4.** Pedazo de cualquier cosa que se saca o arranca con la boca. ‖ **5.** Pedazo arrancado de cualquier cosa con el sacabocados o violentamente. ‖ **6.** Parte del freno que entra en la boca de la caballería. ‖ **7. freno** de las caballerías. ‖ **8.** Estaquilla de retama que se pone en la boca a las reses lanares para que babeen. ‖ **9.** V. **potro de primer,** y **de segundo bocado.** ‖ **10.** Escalerilla para tener abierta la boca del animal cuando hay que mirarla o hacer alguna cura en ella. ‖ **11.** p. us. Veneno que se da a alguien en la comida. ‖ **12.** pl. Fruta en conserva, partida en pedazos que se dejan secar. ‖ **de Adán.** Nuez de la garganta. ‖ **sin hueso.** fig. y fam. Bien sin mezcla de mal. ‖ **2.** fig. y fam. Provecho sin desperdicio. ‖ **3.** fig. y fam. Empleo de mucha utilidad y poco trabajo. ‖ **beber a bocados.** fr. ant. Beber de bruces en una fuente o río. ‖ **buen bocado.** loc. fig. y fam. con que se encarece la excelencia de ciertas cosas que no son de comer; como un empleo lucrativo, etc. ‖ **caro bocado.** loc. fig. y fam. Lo que cuesta mucho o tiene malas resultas. ‖ **comer** una cosa **en un bocado,** o **en dos bocados.** fr. fig. y fam. Comerla muy deprisa. ‖ **con el bocado en la boca.** loc. que complementa a algunos verbos de acción, indicando que esta se realiza inmediatamente después de haber terminado de comer. *Tuve que salir* CON EL BOCADO EN LA BOCA. ‖ **contarle** a alguien **los bocados.** fr. fig. Darle poco de comer. ‖ **2.** fig. y fam. Tener particular cuenta con sus acciones. ‖ **dar** a alguien **un bocado.** fr. fig. Darle de comer por caridad o conmiseración. ‖ **me lo comeré, me lo comería,** o **quisiera comérmelo, a bocados.** fr. fig. y fam. con que se pondera el furor o rabia que se tiene contra alguno. ‖ **2.** fig. y fam. con que se expresa la vehemencia del cariño. ‖ **no haber para un bocado.** fr. fig. y fam. Ser muy escasa la comida, o no haber cantidad bastante de alguna otra cosa. ‖ **no tener para un bocado.** fr. fig. y fam. Estar alguien en extrema necesidad. ‖ **2.** fig. y fam. **no haber para un bocado.**

bocajarro (a). (De *a boca de jarro.*) loc. adv. Tratándose del disparo de un arma de fuego, a quemarropa, desde muy cerca. ‖ **2.** fig. De improviso, inopinadamente, sin preparación ninguna.

bocal[1]. (Del lat. *baucālis,* y este del gr. βαύκαλις, especie de vaso.) m. Jarro de boca ancha y cuello corto para sacar el vino de las tinajas. ‖ **2.** Recipiente usado en laboratorios, farmacias, hospitales, etc. ‖ **3. pecera,** recipiente donde se tienen peces vivos.

bocal[2]. (De *boca.*) adj. **bucal.** ‖ **2.** *Mar.* V. **tabla bocal.** ‖ **3.** m. ant. **boquilla** de los instrumentos de viento. ‖ **4.** *Ar.* **presa,** azud.

bocallave. f. Parte de la cerradura, por la cual se mete la llave.

bocamanga. (De *boca* y *manga.*) f. Parte de la manga que está más cerca de la muñeca, y especialmente por lo interior o el forro.

bocamina. f. Boca de la galería o pozo que sirve de entrada a una mina.

bocana. (De *boca.*) f. Paso estrecho de mar que sirve de entrada a una bahía o fondeadero.

bocanada. f. Cantidad de líquido que de una vez se toma en la boca o se arroja de ella. ‖ **2.** Porción de humo que se echa cuando se fuma. ‖ **de aire.** fig. **bocanada de viento** ‖ **de gente.** fig. y fam. Tropel de gente que sale con dificultad de algún local o lugar cerrado. ‖ **de viento.** fig. Golpe de viento que viene o entra de repente y cesa luego. ‖ **echar** alguien **bocanadas.** fr. fig. y fam. Hablar con jactancia. ‖ **echar** alguien **bocanadas de sangre.** fr. fig. y fam. Hacer alarde de ser muy noble o de estar emparentado con personas ilustres. ‖ **hablar** alguien **a bocanadas.** fr. fig. y fam. Hablar sin ton ni son o con fanfarronería.

bocarda. (De or. inc.) m. Trabuco naranjero.

bocarte[1]. m. **boquerón,** pez semejante a la sardina, pero mucho más pequeño.

bocarte[2]. (Del m. or. que *abocardo.*) m. Martillo para romper minerales.

bocata. m. fam. **bocadillo,** panecillo.

bocateja. (De *boca* y *teja.*) f. Teja primera de cada una de las canales de un tejado, junto al alero o a la lima hoya.

bocatijera. (De *boca* y *tijera.*) f. En los carruajes de cuatro ruedas, parte del juego delantero en donde se afirma y juega la lanza.

bocatoma. (De *boca* y *tomar.*) f. **bocacaz.**

bocaza. f. aum. de **boca.** ‖ **2.** com. fig. y fam. Persona que habla más de lo que aconseja la discreción.

bocazas. com. fam. **bocaza,** que habla más de lo discreto.

bocazo. m. Explosión que sale por la boca del barreno sin producir efecto.

bocear. intr. **bocezar,** mover los labios el caballo.

bocel. (Del ant. fr. *bossel.*) m. *Arq.* Moldura convexa lisa, de sección semicircular y a veces elíptica. ‖ **2.** adj. V. **cepillo bocel.** Ú. t. c. s. ‖ **cuarto bocel.** *Arq.* Moldura convexa, cuya sección es un cuarto de círculo. ‖ **medio bocel.** *Arq.* **cuarto bocel.**

bocelar. tr. Formar bocel a una pieza de plata u otra materia.

bocelete. m. d. de **bocel.** ‖ **2. bocel.**

bocelón. m. aum. de **bocel.**

bocera. (Del lat. *buccĕa,* bocado.) f. Lo que queda pegado a la parte exterior de los labios después de haber comido o bebido. ‖ **2. boquera,** excoriación en la comisura de los labios.

boceras. com. Bocaza, hablador, jactancioso. ‖ **2.** Persona despreciable.

boceto. (Del it. *bozzetto.*) m. En pintura, el borroncillo en colores previo a la ejecución del cuadro; en escultura, el modelado sin pormenor, y en tamaño reducido de la figura o de la composición. Por ext., se usa refiriéndose a otras obras de arte que no tienen forma acabada.

bocezar. (De *bozo.*) intr. Mover los labios el caballo y demás bestias hacia uno y otro lado, como lo hacen cuando toman el pienso o beben. ‖ **2.** ant. **bostezar.**

bocezo. (De *bocezar.*) m. ant. **bostezo.**

bocín. (Del lat. *buxis, pyxis,* caja.) m. Pieza redonda de esparto o de hierro, que se pone por defensa alrededor de los cubos de las ruedas de carros y galeras. ‖ **2.** En los molinos de cubo, agujero estrecho por donde cae el agua al rodezno. ‖ **3.** *Col.* Anillo de unos cinco centímetros de diámetro, usado en el juego del turmequé. ‖ **dar** alguien **en el bocín.** fr. fig. y fam. *Col.* Acertar en algún asunto.

bocina. (Del lat. *bucina,* trompeta, infl. por *voz.*) f. **cuerno,** instrumento músico. ‖ **2.** Instrumento de metal, en figura de trompeta, con ancha embocadura para meter los labios, y que se usa principalmente en los buques para hablar de lejos. ‖ **3.** Instrumento semejante al anterior, que se hace sonar mecánicamente en los automóviles y otros artefactos. ‖ **4.** Pabellón con que se refuerza el sonido en los gramófonos. ‖ **5. caracola** para tocar a modo de trompa. ‖ **6.** *Méj.* En los aparatos telefónicos, parte de los mismos a la que se aplica la boca al hablar, para recoger la voz. ‖ **7.** *Mar.* Revestimiento metálico con que se guarnece interiormente un orificio. ‖ **8.** n. p. **Osa Menor.**

bocinar. (Del lat. *bucināre.*) intr. Tocar la bocina o usarla para hablar.

bocinazo. m. Ruido fuerte producido con una bocina. ‖ **2.** fig. Grito para reprender o amonestar a alguien. Se usa especialmente con los verbos *dar* y *pegar.*

bocinegro, gra. adj. **boquinegro,** dicho del animal de boca negra. ‖ **2.** m. *Can.* **pagro.**

bocinero. m. El que toca la bocina.

bocio. (Del b. lat. *bocĭa.*) m. Aumento, difuso o nodular, de la glándula tiroidea. ‖ **exoftálmico.** Variedad del **bocio** caracterizada por acompañarse de exoftalmía e hipertiroidismo.

bock. (Del al. *Bock,* cerveza de Einbeck.) m. Jarro de cerveza de un cuarto de litro de capacidad. ‖ **2.** El contenido de este jarro.

bocón, na. adj. fam. **bocudo.** Ú. t. c. s. ‖ **2.** fig. y fam. Que habla mucho y echa bravatas. Ú. t. c. s. ‖ **3.** m. Especie de sardina del mar de las Antillas, mayor que la común y de ojos y boca muy grandes.

boconada. f. Fanfarronería, bravata.

bocoy. (Del fr. *boucaut,* de or. germ.) m. Barril grande para envase.

bocudo, da. adj. Que tiene grande la boca.

bocha[1]. (Del it. *boccia.*) f. Bola de madera, de mediano tamaño, que sirve para tirar en el juego de **bochas.** ‖ **2.** pl.

Juego entre dos o más personas, que consiste en tirar a cierta distancia unas bolas medianas y otra más pequeña, y gana el que se arrima más a esta con las otras. ‖ **a bocha.** loc. adv. *Urug.* En profusión.

bocha[2]. (Como el fr. *bouche*, del celta *bulga*, bolsa.) f. *Murc.* **bolsa,** arruga que forma una tela.

bochar. tr. En el juego de bochas, dar con una bola tirada por el aire un golpe a otra para apartarla del sitio en que está. ‖ **2.** fig. y fam. *Sto. Dom., Urug.* y *Venez.* **dar boche.**

bochazo. m. Golpe dado con una bocha a otra.

boche[1]. m. **buche,** borrico.

boche[2]. (Quizá de *bache*[1].) m. Hoyo pequeño y redondo que hacen los muchachos en el suelo para jugar, tirando a meter dentro de él las piezas con que juegan.

boche[3]. (De *bocha*[1].) m. *Venez.* **bochazo.** ‖ **2.** fig. y fam. *Venez.* Repulsa, desaire. ‖ **dar boche, o un boche,** a alguien. fr. fig. y fam. Rechazarlo, desairarlo. ‖ **echar** a alguien **un boche.** fr. fam. *P. Rico* y *Sto. Dom.* Reprenderle, reconvenirle, regañarle.

boche[4]. m. *Chile.* **bochinche.** ‖ **2.** *Chile* y *Perú.* Pendencia. ‖ **3.** *Chile.* Fiesta bulliciosa.

bochín. (Del prov. *botchi*, cat. *botxí*, carnicero, verdugo.) m. ant. Verdugo, ejecutor de la justicia.

bochinche. m. Tumulto, barullo, alboroto, asonada. ‖ **2.** *Extr.* **buche,** porción de líquido.

bochinchero, ra. adj. Que toma parte en los bochinches o los promueve. Ú. t. c. s.

bochista. com. Persona diestra en bochar.

bocho. m. *Ál., Nav.* y *Vizc.* Boche, agujero, hoyo.

bochorno. (Del lat. *vulturnus*, viento del Este.) m. Aire caliente y molesto que se levanta en el estío. ‖ **2.** Calor sofocante, por lo común en horas de calma o por fuego excesivo. ‖ **3.** Encendimiento pasajero del rostro. ‖ **4.** Desazón o sofocamiento producido por algo que ofende, molesta o avergüenza. ‖ **5.** fig. Encendimiento y alteración del rostro por haber recibido alguna ofensa o sentirse avergonzada una persona.

bochornoso, sa. adj. Que causa o da bochorno.

boda. (Del lat. *vota*, pl. de *votum*, voto, promesa.) f. Casamiento y fiesta con que se solemniza. Ú. m. en pl. ‖ **2.** V. **anillo, lista de boda.** ‖ **3.** V. **noche de bodas.** ‖ **4.** V. **pan de la boda.** ‖ **5.** V. **perrillo de todas bodas.** ‖ **6.** V. **la vaca de la boda.** ‖ **7.** fig. Gozo, alegría, fiesta. *A* BODAS *me convidan.* ‖ **de negros.** fig. y fam. Cualquier función en que hay mucha bulla, confusión, grita y algazara. ‖ **bodas de diamante.** Aniversario sexagésimo de la **boda** o de otro acontecimiento solemne o muy señalado en la vida de quien lo celebra. ‖ **de oro.** Aniversario quincuagésimo de los mismos hechos. ‖ **de plata.** Aniversario vigésimo quinto. ‖ **no ir a bodas.** fr. fig. y fam. No ir a divertirse, sino a pasar trabajos.

bode. (Probablemente, de or. prerromano.) m. **macho cabrío.**

bodega. (Del lat. *apothēca*, y este del gr. ἀποθήκη, depósito, almacén.) f. Lugar donde se guarda y cría el vino. ‖ **2.** Almacén de vinos. ‖ **3.** Tienda de vinos. ‖ **4.** Establecimiento, generalmente industrial, para la elaboración de vinos. ‖ **5.** Cosecha o mucha abundancia de vino en algún lugar. *La* BODEGA *de Arganda, de Valdepeñas.* ‖ **6. despensa.** ‖ **7.** Troj o granero. ‖ **8.** En los puertos de mar, pieza o piezas bajas que sirven de almacén a los comerciantes. ‖ **9.** *Cantabria.* Pieza baja que sirve de habitación en las casas de vecindad de los barrios pobres. ‖ **10.** *Méj.* Almacén, depósito. ‖ **11.** *Cuba.* Abacería. ‖ **12.** *Mar.* Espacio interior de los buques desde la cubierta inferior hasta la quilla.

bodegaje. m. *C. Rica, Chile* y *Nicar.* **almacenaje.**

bodego. m. desus. **bodegón,** tienda donde se dan comidas. ‖ **2. bodegón,** taberna.

bodegón. (aum. de *bodega.*) m. Sitio o tienda donde se guisan y dan de comer viandas ordinarias. ‖ **2. taberna.** ‖ **3.** Composición pictórica que representa por lo general cosas comestibles o seres inanimados. ‖ **echar** alguien **el bodegón por la ventana.** fr. fig. y fam. **echar la casa por la ventana.** ‖ **2.** fig. y fam. Enfadarse o encolerizarse con demasía. ‖ **¿en qué bodegón hemos comido juntos?** fr. fig. y fam. que reprende al que se toma demasiada familiaridad con quien no debería usarla.

bodegoncillo. m. d. de **bodegón.** ‖ **de puntapié.** Tiendecilla ambulante donde se venden cosas de comer.

bodegonero, ra. m. y f. Persona que tiene bodegón.

bodeguero, ra. m. y f. Dueño de una bodega de vinos. ‖ **2.** Persona que tiene a su cargo la bodega.

bodegueta. f. d. ant. de **bodega.**

bodigo. (Del lat. *panis votīvus*, pan ofrecido en voto.) m. Panecillo hecho de la flor de la harina, que se suele llevar a la iglesia por ofrenda.

bodijo. m. fam. Boda desigual. ‖ **2.** fam. Boda sin aparato ni concurrencia.

bodocal. (De *bodoque.*) adj. V. **uva bodocal.** Ú. t. c. s. ‖ **2.** Dícese también de las vides y del veduño de esta especie.

bodocazo. m. Golpe que da el bodoque disparado de la ballesta.

bodollo. (Del lat. *vidubĭum.*) m. *Ar.* **podón.**

bodón. (Del lat. *buda*, espadañal.) m. Charca o laguna invernal que se seca en verano. ‖ **2. espadañal.**

bodonal. (De *bodón.*) m. *Sal.* Terreno encenagado. ‖ **2.** *Sal.* **juncar.**

bodoque. (Del ár. *bunduq*, avellana, bolita, y este del gr. ποντικόν κάρυον, nuez póntica.) m. Pelota o bola de barro hecha en turquesa y endurecida al aire, como una bala de mosquete, la cual servía para tirar con ballesta de **bodoques.** ‖ **2. burujo** de lana o de masa. ‖ **3.** Reborde con que se refuerzan los ojales del colchón por donde se pasan las bastas. ‖ **4.** Relieve de forma redonda que sirve de adorno en algunos bordados. ‖ **5.** fig. y fam. Persona de cortos alcances. Ú. t. c. adj. ‖ **6.** *C. Rica.* Pelotilla de papel. ‖ **7.** *El Salv.* y *Guat.* Pelota o pedazo informe de papel, masa, lodo o cualquier otro material blando. ‖ **8.** fig. *Guat.* y *Méj.* Chichón, bollo, y en general hinchazón de forma redonda en cualquier parte del cuerpo. ‖ **9.** *Méj.* **bodrio,** cosa mal hecha. ‖ **10.** *Méj.* Bulto duro formado en una cosa blanda. ‖ **11.** fig. y fam. *Méj.* Ser querido, sobre todo referido a niños pequeños. Ú. t. en pl. ‖ **estar** alguien **haciendo bodoques.** fr. fig. y fam. **estar comiendo,** o **mascando, tierra.**

bodoquera. f. Molde o turquesa para bodoques de barro. ‖ **2.** Escalerita de cuerda de vihuela que se formaba en medio de la cuerda de la ballesta, y la cual, cuando esta se armaba, abrazaba el bodoque que se ponía encima, como en una caja, y lo tenía sujeto para que no se cayese ni torciese. ‖ **3. cerbatana,** cañuto para disparar bodoques.

bodorrio. m. fam. **bodijo.**

bodrio. (De *brodio.*) m. Caldo con algunas sobras de sopa, mendrugos, verduras y legumbres que de ordinario se daba a los pobres en las porterías de algunos conventos. ‖ **2.** Guiso mal aderezado. ‖ **3.** Sangre de cerdo mezclada con cebolla para embutir morcillas. ‖ **4.** Cosa mal hecha, desordenada o de mal gusto. *Ese cuadro es un* BODRIO; *en ese teatro no representan más que* BODRIOS.

boe. (Del lat. *boem*, por *bovem.*) m. ant. **buey.**

bóer. (Del neerl. *boer*, colono.) adj. Dícese de los habitantes del África Austral, al norte de El Cabo, y que son de origen holandés. Ú. t. c. s. ‖ **2.** Perteneciente a esta región del sur de África.

boezuelo. (De *boe.*) m. d. de **buey.** ‖ **2.** Figura que representa un buey y que se usa en la caza de perdices.

bofarse. (Voz onomatopéyica.) prnl. Esponjarse, ponerse fofa una cosa. ‖ **2.** Afollarse una pared.

bofe. (Voz onomatopéyica.) m. Pulmón de las reses que se destina a consumo. Ú. m. en pl. ‖ **echar el bofe,** o **los bofes.** fr. fig. y fam. Afanarse, trabajar excesivamente. ‖ **echar el bofe,** o **los bofes, por** una cosa. fr. fig. y fam. Solicitarla con toda ansia. ‖ **ser un bofe.** fr. fig. *C. Rica* y *Cuba.* Ser muy pesado, molesto, pelma, inoportuno.

bofena. (De *bofe.*) f. **bofe.**

bofeña. (De *bofe.*) f. *Mancha.* **bohena,** longaniza de bofes.

bófeta. (Del ár. *bafta,* tela de algodón blanco de las Indias.) f. Cierta tela de algodón delgada y tiesa.

bofetada. (De or. inc.; cf. ing. *buffet,* puñetazo, manotazo.) f. Golpe que se da en el carrillo con la mano abierta. ‖ **2.** fig. Sensación fuerte de calor, frío, olor, etc., recibida repentinamente. ‖ **3.** fig. Desaire, desprecio u ofensa. ‖ **4.** *Chile.* **puñetazo.** ‖ **de cuello vuelto.** loc. fam. La que se da con gran violencia. ‖ **darse de bofetadas** una cosa **con** otra. fr. fig. y fam. No tener armonía entre sí. *Esta falda* SE DA DE BOFETADAS CON *esta blusa.*

bofetán. m. **bófeta.**

bofetón. (Del m. or. que *bofetada.*) m. Bofetada dada con fuerza. ‖ **2. bofetada.** ‖ **3.** Tramoya de teatro que se funda en un quicio como de puerta y que, al girar, hace aparecer o desaparecer ante los espectadores personas u objetos. ‖ **4.** *Can.* y *Cuba.* Hoja de papel litografiado con que en las cajas de cigarros puros van estos cubiertos.

bofo, fa. (Voz onomatopéyica.) adj. **fofo.**

bofordar. intr. ant. **bohordar.**

bofordo. m. ant. **bohordo,** lanza arrojadiza usada en los juegos de caballería.

boga[1]. (Del lat. *boca.*) f. Pez teleósteo, fisóstomo, que puede alcanzar 40 centímetros de largo, aunque comúnmente es menor, de color plateado y con aletas casi blancas. Abunda en los ríos españoles y es comestible. ‖ **2.** Pez teleósteo, acantopterigio, de cuerpo comprimido, color blanco azulado, con seis u ocho rayas por toda su longitud: las superiores, negruzcas, y las inferiores, doradas y plateadas. Abunda en los mares de España y es comestible.

boga[2]. (De *bogar.*) f. Acción de bogar o remar. ‖ **2.** com. **bogador.** ‖ **arrancada.** *Mar.* La que se hace con la mayor fuerza y precipitación, y echando muy a proa las palas de los remos al meterlos en el agua. ‖ **larga.** *Mar.* La pausada, que se hace manteniendo el remo el mayor tiempo posible debajo del agua. ‖ **a boga lenta.** loc. adv. *Mar.* Remando despacio.

boga[3]. (Del fr. *vogue,* moda.) f. fig. Buena aceptación, fortuna o felicidad creciente. Ú. principalmente en la frase **en boga.**

boga[4]. f. *Extr.* Cuchillo pequeño de dos filos, ancho a modo de rejón.

bogada[1]. (De *bogar.*) f. Espacio que la embarcación navega por el impulso de un solo golpe de los remos.

bogada[2]. (De *bugada.*) f. *Ast.* **colada[1],** acción de colar la ropa. ‖ **2.** *Ast.* Lejía en que se cuela. ‖ **3.** *Ast.* Ropa colada.

bogador, ra. m. y f. Persona que boga.

bogar. (De or. inc.; cf. lat. *vocāre,* it. *vogare;* al. *Woge,* ola.) intr. *Mar.* **remar** en una embarcación. ‖ **2.** tr. ant. Conducir remando. ‖ **3.** *Min. Chile.* **desnatar,** quitar la escoria al metal. ‖ **a pareles. bogar** dos remos en cada bancada, uno por cada banda.

bogavante[1]. (De *bogar* y *avante.*) m. Primer remero de cada banco de la galera. ‖ **2.** Lugar en que se sentaba este remero.

bogavante[2]. m. Crustáceo marino, decápodo, de color vivo, muy semejante por su forma y tamaño a la langosta, de la cual se distingue principalmente porque las patas del primer par terminan en pinzas muy grandes y robustas.

bogotano, na. adj. Natural de Bogotá. Ú. t. c. s. ‖ **2.** Perteneciente o relativo a esta ciudad de Colombia.

bohardilla. (d. de *bufarda.*) f. **buhardilla.**

Bohemia. n. p. V. **granate, rubí de Bohemia.**

bohemiano, na. adj. **bohemo.** Apl. a pers., ú. t. c. s.

bohémico, ca. adj. Perteneciente a Bohemia.

bohemio, mia. (Del lat. *Bohemĭus.*) adj. Natural de Bohemia. Apl. a pers., ú. t. c. s. ‖ **2. gitano.** Apl. a pers., ú. t. c. s. ‖ **3.** Dícese de la vida que se aparta de las normas y convenciones sociales, principalmente la de artistas y literatos. ‖ **4.** Dícese de la persona que lleva este tipo de vida. Ú. t. c. s. ‖ **5.** m. Lengua checa. ‖ **6.** Capa corta que usaba la guardia de archeros.

bohemo, ma. (Del lat. *Bohēmus.*) adj. **bohemio,** natural de Bohemia. Ú. t. c. s. ‖ **2. bohémico.**

bohena. f. **pulmón.** ‖ **2.** Longaniza hecha de los bofes del puerco.

boheña. (De *bofe.*) f. ant. **pulmón.** ‖ **2.** Longaniza de bofes.

bohío. (Voz de las Antillas.) m. Cabaña de América, hecha de madera y ramas, cañas o pajas y sin más respiradero que la puerta.

bohíque. m. *Ant.* **behíque.**

bohonería. f. ant. **buhonería.**

bohonero. m. ant. **buhonero.**

bohordar. intr. ant. Tirar o arrojar bohordos en los juegos de caballería.

bohordo. (Del fr. *bohort.*) m. Junco de la espadaña. ‖ **2.** Lanza corta arrojadiza, que se usaba en los juegos y fiestas de caballería, y que comúnmente servía para arrojarla contra una armazón de tablas. ‖ **3.** En los juegos de cañas y ejercicios de la jineta, varita o caña de seis palmos y de cañutos muy pesados, derecha y limpia. El primer cañuto delantero se llenaba de arena o de yeso fraguado, a fin de que no se torciese y estuviese más pesada para poderla arrojar. ‖ **4.** *Bot.* Tallo herbáceo y sin hojas que sostiene las flores y el fruto de algunas amarilidáceas, como el agave, liliáceas, como el lirio, etc.

boicot. (De *Boycott,* nombre del primer administrador irlandés a quien se aplicó el boicoteo, en 1880.) m. **boicoteo.**

boicotear. (De *boicot.*) tr. Privar a una persona o a una entidad de toda relación social o comercial para perjudicarla y obligarla a ceder en lo que de ella se exige.

boicoteo. m. Acción de boicotear.

boíl. (Del lat. **boïle,* por *bovile.*) m. **boyera.**

boina. f. Gorra sin visera, redonda y chata, de lana y generalmente de una sola pieza.

boira. (De or. inc.; cf. cat. y gall. *boira.*) f. **niebla.**

boj[1]. (Del cat. y arag. *boix,* y este del lat. *buxus.*) m. Arbusto de la familia de las buxáceas, de unos cuatro metros de altura, con tallos derechos, muy ramosos, hojas persistentes, opuestas, elípticas, duras y lustrosas; flores pequeñas, blanquecinas, de mal olor, en hacecillos axilares, y madera amarilla, sumamente dura y compacta, muy apreciada para el grabado, obras de tornería y otros usos. La planta se emplea como adorno en los jardines. ‖ **2.** Madera de este arbusto. ‖ **3.** Bolo de madera con un remate a modo de oreja, sobre el cual se cosen los pedazos de cordobán de que se hace el zapato.

boj[2]. (De *bojar[2].*) m. *Mar.* **bojeo.**

boja[1]. f. **abrótano.**

boja[2]. (Como el it. *bogia,* vesícula, del lat. *bubĭa,* pezón.) f. *Vallad.* **ampolla** de la piel. ‖ **2.** ant. **buba.**

bojar[1]. tr. Quitar la flor, las aguas y las manchas al cordobán de colores, rayéndolo con la estira.

bojar[2]. (Quizá del neerl. *buigen,* doblar, torcer.) tr. *Mar.* Medir el perímetro de una isla, cabo o porción saliente de la costa. ‖ **2.** intr. Tener una isla, cabo o porción saliente de la costa determinado perímetro. ‖ **3.** Rodear, recorrer dicho circuito navegando.

boje[1]. m. **boj[1],** arbusto buxáceo. ‖ **2. boj[1],** madera de este arbusto.

boje[2]. (Del ing. *boogie*.) m. Conjunto de dos pares de ruedas montadas sobre sendos ejes próximos, paralelos y solidarios entre sí, que se utilizan en ambos extremos de los vehículos de gran longitud destinados a circular sobre carriles. El vehículo se apoya en cada **boje** por medio de un eje vertical, gracias a lo cual puede describir curvas muy cerradas.

bojear. tr. *Mar.* **bojar**[2], medir el perímetro de una isla. ‖ **2.** intr. *Mar.* **bojar**[2], tener este perímetro determinada dimensión. ‖ **3.** Navegar a lo largo de una costa.

bojedal. (der. del lat. *buxetum*, lugar de bojes.) m. Sitio poblado de bojes.

bojeo. m. *Mar.* Acción de bojear. ‖ **2.** Perímetro o circuito de una isla o cabo.

bojeta. f. ant. *Ar.* Sardina pequeña.

bojiganga. (Del lat. *vessīca*, vejiga.) f. Compañía corta de farsantes, que en lo antiguo representaba algunas comedias y autos en los pueblos pequeños.

bojo. m. *Mar.* Acción de **bojar**[2].

bojote. m. *Col., Ecuad., Hond., P. Rico, Sto. Dom.* y *Venez.* Lío, bulto, envoltorio, paquete. ‖ **2.** *Sto. Dom.* Abundancia. ‖ **estar de a bojote.** fr. fig. y fam. *Sto. Dom.* Tener mucho dinero. ‖ **estar** alguien **hecho un bojote.** fr. fig. y fam. *P. Rico.* Estar mal vestido.

bojotero. m. *Col.* El que en los trapiches forma bojotes de bagazo para echarlos a la hornilla.

bol[1]. (Del ing. *bowl*.) m. **ponchera.** ‖ **2. tazón,** recipiente sin asa.

bol[2]. (Del lat. *bolus*, y este del gr. βόλος, de βάλλω, lanzar.) m. **redada,** lance de la red. ‖ **2. jábega**[1].

bol[3]. m. **bolo**[1]. ‖ **arménico, o de Armenia.** Arcilla rojiza procedente de Armenia y usada en medicina, en pintura y como aparejo en el arte de dorar.

bola. (Del prov. *bola*.) f. Cuerpo esférico de cualquier materia. ‖ **2.** Juego que consiste en tirar con la mano una **bola** de hierro, a pie quieto o a la carrera, según se conviene, y en el cual gana el jugador que al fin de la partida ha pasado con su **bola** más adelante. ‖ **3.** En algunos juegos de naipes, como el tresillo, lance que consiste en hacer uno todas las bazas. ‖ **4. canica.** Ú. m. en pl. ‖ **5.** Armazón compuesta de dos discos negros y cruzados entre sí perpendicularmente por los diámetros, la cual tiene apariencia de **bola** y sirve para hacer señales en los buques y en otros sitios. ‖ **6. betún** para el calzado. ‖ **7.** V. **comendador de la bola.** ‖ **8.** V. **golpe en bola.** ‖ **9.** V. **guerra de bolas.** ‖ **10.** V. **niño de la bola.** ‖ **11.** fig. y fam. Embuste, mentira. ‖ **12.** *Amér.* La **bola** empleada como arma ofensiva y para cazar o sujetar animales. Ú. m. en pl. ‖ **13.** *Chile.* Rumor falso, generalmente relacionado con asuntos políticos. Ú. m. en pl. ‖ **14.** *Venez.* Tamal de figura esférica. ‖ **15.** *Col., Guat.* y *Pan.* **bulo,** infundio con fines interesados. ‖ **16.** fam. *Méj.* Reunión bulliciosa de gente en desorden. ‖ **17.** *Méj.* Riña, tumulto, revolución. ‖ **18.** pl. *Cuba* y *Chile.* **argolla,** juego. ‖ **de nieve. mundillo,** arbusto. ‖ **2.** Flores de este arbusto. ‖ **a bola vista.** loc. adv. fig. A las claras, descubiertamente, con evidencia y seguridad. ‖ **acertar con las bolas.** loc. fig. *Urug.* Bolear; envolver, enredar a alguien; hacerle una mala partida. ‖ **andar como bola sin manija.** loc. fig. *R. de la Plata.* Estar desorientado, agitarse o moverse sin hacer nada eficaz. ‖ **correr la bola.** expr. fam. *Guat.* y *Perú.* Divulgar noticias inquietantes. ‖ **2.** *Chile* y *Perú.* Divulgar una noticia antes ignorada. ‖ **¡dale bola!** expr. fig. y fam. que denota el enfado que causa una cosa cuando se repite muchas veces. ‖ **dar, o darle, a la bola.** fr. fig. *Col.* y *Méj.* **atinar.** ‖ **dar bola** a alguien. fr. fig. *Argent., Chile, Perú* y *Urug.* Prestarle atención. ‖ **dejar que ruede,** o **dejar rodar, la bola.** fr. fig. y fam. Dejar que un suceso o negocio siga su curso sin intervenir en él. ‖ **2.** fig. y fam. Mirar con indiferencia que las cosas vayan de uno o de otro modo. ‖ **en bola.** loc. adv. *Méj.* En montón. ‖ **escurrir la bola.** fr. fig. y fam. Huir, escapar. ‖ **hacer bolas.** fr. fig. y fam. **hacer novillos.** ‖ **hacerse** alguien **bolas.** fr. *Méj.* Desorientarse, enredarse, hacerse un lío. ‖ **parar** o **poner bolas.** fr. fig. y fam. *Col.* Poner o conceder atención a lo que dice o quiere una persona. ‖ **ruede la bola.** expr. fig. y fam. con que alguien manifiesta el deseo de **dejar que ruede la bola.**

bolacero, ra. adj. *Argent.* Mentiroso, disparatero. Ú. m. c. s.

bolada. f. Tiro que se hace con la bola. ‖ **2.** Caña del cañón de artillería. ‖ **3.** *Perú.* **bola,** rumor. ‖ **4.** *Argent., Par.* y *Urug.* Ocasión propicia favorable.

bolado. (De *bola*.) m. **azucarillo.**

bolaga. f. *Cád.* y *Murc.* **torvisco.**

bolagar. m. *Murc.* Sitio donde abunda la bolaga.

bolán. V. **de bolín, de bolán.**

bolandista. (Del P. Juan van *Bolland*, fundador de la sociedad de este nombre.) m. Individuo de una sociedad formada por miembros de la Compañía de Jesús, para publicar y depurar críticamente los textos originales de las vidas de los santos.

bolañego, ga. adj. Natural de Bolaños. Ú. t. c. s. ‖ **2.** Perteneciente a esta villa de la provincia de Ciudad Real.

bolaño. m. Bola o pelota de piedra que disparaban las bombardas y pedreros.

bolar. (De *bol*[3].) adj. V. **tierra bolar.**

bolardo. (Del ing. *bollard*.) m. *Mar.* Noray de hierro colado o acero, con la extremidad superior encorvada, que se coloca junto a la arista exterior de un muelle, para que las amarras no estorben el paso. ‖ **2.** Poste de hierro colado u otra materia hincado en el suelo y destinado a impedir el paso o aparcamiento de vehículos.

bolazo. m. Golpe de bola. ‖ **2.** fig. *Argent., Par.* y *Urug.* **disparate,** despropósito. ‖ **3.** Mentira, embuste. ‖ **de bolazo.** loc. adv. fig. y fam. p. us. De prisa y sin esmero.

bolchaca. (Del lat. *bursa*.) f. fam. *Ar.* y *Murc.* Bolsillo o faltriquera.

bolchaco. m. fam. y despect. *Ar.* **bolchaca.**

bolchevique. (Del ruso *bolshevik*, uno de la mayoría, a través del fr. *bolchevique*.) adj. Partidario del bolcheviquismo. Ú. t. c. s. ‖ **2.** Dícese del miembro de la facción mayoritaria y más radical del partido socialdemócrata ruso, a partir de 1903. Ú. t. c. s. ‖ **3.** Desde la revolución de 1917, dícese del comunista ruso. Ú. t. c. s.

bolcheviquismo. m. **bolchevismo.**

bolchevismo. m. Sistema de gobierno establecido en Rusia por la revolución social de 1917, que practicaba el colectivismo mediante la dictadura que ejerce en nombre del proletariado. ‖ **2.** Doctrina defensora de tal sistema.

boldina. f. Alcaloide extraído del boldo; es de sabor amargo.

boldo. (Voz araucana.) m. Arbusto de la familia de las monimiáceas, originario de Chile, de hojas siempre verdes, flores blancas en racimos cortos, y fruto comestible. La infusión de sus hojas es muy aromática y de uso medicinal.

boleado, da. p. p. de **bolear**[1]. ‖ **2.** adj. fig. *Argent.* Aturullado, confundido.

boleador. (De *bolear*[2].) m. *Germ.* El que hace caer a otro.

boleadoras. (De *bolear*[1].) f. pl. Instrumento que se arroja a los pies o al pescuezo de los animales para aprehenderlos. Se usa en América del Sur, y está compuesto de dos o tres bolas de piedra u otra materia pesada, forradas de cuero y sujetas fuertemente a sendas guascas. Las de dos se emplean para cazar avestruces, venados y animales semejantes; y las de tres, para toros y caballos.

bolear[1]. (De *bola*.) intr. En los juegos de trucos y billar, jugar por puro entretenimiento, sin interés y sin hacer partido. ‖ **2.** Tirar las bolas de madera o de hierro, apostando a quién las arroja más lejos. ‖ **3.** Arrojar la bola en cualquier juego en que se la utilice. ‖ **4.** Derribar muchos bolos en el juego. ‖ **5.** *Murc.* Decir muchas mentiras. ‖ **6.** tr. *Argent.* Confundir, aturullar. Ú. t. c. prnl. ‖ **7.** fig. *Urug.* Envolver, enredar a uno; hacerle una mala partida. Ú. t. c. prnl. ‖ **8.** *Argent.* y *Urug.* Echar o arrojar las boleadoras a un animal. ‖ **9.** *Méj.* Embetunar el calzado, limpiarlo y darle lustre. ‖ **10.** prnl. En el béisbol, arrojarse la bola o pelota un jugador a otro. ‖ **11.** rur. *Argent.* Empinarse el potro sobre las patas y caer de lomo.

bolear[2]**.** (De *bol*[2].) tr. fam. Arrojar, lanzar, impeler.

boleo. m. Acción de bolear[1]. ‖ **2.** Sitio en que se bolea o tira la bola.

bolera. (De *bolo.*) f. Lugar destinado al juego de bolos.

boleras. f. pl. **bolero**[2]**,** canto popular.

bolero[1]**, ra.** (De *bola.*) adj. p. us. **novillero,** que hace novillos, no asistiendo a alguna parte. ‖ **2.** V. **escarabajo bolero.** ‖ **3.** fig. y fam. Que dice muchas mentiras. Ú. t. c. s. ‖ **4.** m. *C. Rica.* **boliche**[1]**,** juguete formado por una bola y un asta para ensartarla. ‖ **5.** *Méj.* **limpiabotas.**

bolero[2]**, ra.** m. y f. Persona que ejerce o profesa el arte de bailar el **bolero** o cualquier otro baile nacional de España. ‖ **2.** m. Aire musical popular español, cantable y bailable en compás ternario y de movimiento majestuoso. ‖ **3.** Chaquetilla corta de señora. ‖ **4.** *Guat.* y *Hond.* **chistera,** sombrero de copa. ‖ **a lo bolero.** loc. adv. Con meneos parecidos a los de quien baila el **bolero.**

boleta. (Del it. *bolletta.*) f. Cédula que se da para poder entrar sin inconveniente en alguna parte. ‖ **2.** Cédula que se da a los militares cuando entran en un lugar, señalando a cada uno la casa donde ha de alojarse. ‖ **3.** Especie de libranza para tomar o cobrar alguna cosa. ‖ **4.** Papelillo con una corta porción de tabaco, que se vendía al por menor. ‖ **5.** Cédula que se insacula llevando inscrito un número, o nombre de persona o cosa. ‖ **dar boleta,** o **dar la boleta.** fr. fam. Despedir a personas que molestan o desagradan; romper con ellas.

boletar. tr. Hacer boletas o papelillos de tabaco.

boletería. (De *boleta.*) f. *Amér.* Taquilla, casillero o despacho de billetes.

boletero[1]**.** m. Individuo encargado de hacer y repartir las boletas de alojamiento.

boletero[2]**, ra.** m. y f. *Amér.* Persona que vende boletos.

boletín. (Del it. *bollettino,* de *bolletta.*) m. d. de **boleta.** ‖ **2.** Libramiento para cobrar dinero. ‖ **3. boleta,** cédula para entrar en algún lugar. ‖ **4. boleta,** cédula que se da a los militares para que se alojen en alguna parte. ‖ **5.** Cédula de suscripción a una obra o empresa. ‖ **6.** Publicación destinada a tratar de asuntos científicos, artísticos, históricos o literarios, generalmente publicada por alguna corporación. BOLETÍN *de la Real Academia Española.* ‖ **7.** Periódico que contiene disposiciones oficiales. ‖ **informativo** o **de noticias.** Conjunto de noticias que, a horas determinadas, transmiten la radio o la televisión.

boleto. (De *boleta.*) m. **billete** de teatro, tren, etc. ‖ **de venta** o **de compraventa.** *Argent.* y *Par.* Promesa, contrato preparatorio de compraventa.

bolichada. f. Lance de la red llamada boliche. ‖ **2.** fig. y fam. Lance afortunado en que median intereses pecuniarios. ‖ **de una bolichada.** loc. adv. fig. y fam. De un golpe, de una vez.

boliche[1]**.** (De *bola.*) m. Bola pequeña que se usa en el juego de las bochas. ‖ **2.** Juego que se ejecuta en una mesa cóncava, donde hay unos cañoncillos que salen como un palmo hacia la circunferencia, y echando con las manos tantas bolas como hay cañoncillos, según el mayor número de bolas que entran por ellos, se gana lo apostado o parado. ‖ **3.** Juego de bolos. ‖ **4. bolera.** ‖ **5.** Juguete de madera o hueso, que se compone de un palo terminado en punta por un extremo y con una cazoleta en el otro, y de una bola taladrada sujeta por un cordón al medio del palo y que, lanzada al aire, se procura recoger, ya en la cazoleta, ya acertando a meterle en el taladro la punta del palo. ‖ **6.** Adorno de forma torneada por lo común, en que rematan ciertas partes de algunos muebles. ‖ **7.** Horno pequeño para hacer carbón de leña. ‖ **8.** Horno pequeño de reverbero y de dos plazas, para fundir minerales de plomo. ‖ **9.** *And., Argent., Par.* y *Urug.* Establecimiento comercial o industrial de poca importancia, especialmente el que se dedica al despacho y consumo de bebidas y comestibles. ‖ **10.** *Argent.* Por ext., bar, discoteca. ‖ **11.** *P. Rico.* Tabaco de clase inferior. ‖ **12.** *Perú.* **choloque,** árbol. ‖ **13.** *Perú.* **choloque,** fruto de este árbol. ‖ **14.** *Germ.* **casa de juego.**

boliche[2]**.** (De *bol*[2].) m. Jábega pequeña. ‖ **2.** Pescado menudo que se saca con ella. ‖ **3.** *Mar.* Bolina de las velas menudas.

bolichear. (De *boliche*[1].) intr. *And.* Ocuparse por entretenimiento en negocios de poca importancia. ‖ **2.** *Argent.* Frecuentar los bares o boliches.

bolicheo. m. *And.* Acción y efecto de bolichear.

bolichero[1]**.** m. *And.* Vendedor del pescado llamado boliche.

bolichero[2]**, ra.** m. y f. Persona que tiene por su cuenta un boliche, juego de mesa con cañoncitos. ‖ **2.** *Argent., Par.* y *Urug.* Propietario o encargado de un boliche o establecimiento comercial de poca importancia.

bólido. (Del lat. *bolis, -ĭdis,* y este del gr. βολίς, arma arrojadiza, tiro.) m. *Meteor.* Masa de materia cósmica de dimensiones apreciables a simple vista que, a manera de globo inflamado, atraviesa rápidamente la atmósfera y suele estallar y dividirse en pedazos. ‖ **2.** fig. Vehículo automóvil que alcanza extraordinaria velocidad, especialmente el que participa en carreras.

bolígrafo. (De *bola* y *-grafo.*) m. Instrumento para escribir que tiene en su interior un tubo de tinta especial y, en la punta, en lugar de pluma, una bolita metálica que gira libremente.

bolilla. f. *Argent., Par.* y *Urug.* Bola pequeña numerada que se usa en los sorteos. ‖ **2.** *Argent., Par.* y *Urug.* Cada uno de los temas numerados en que se divide el programa de una materia para su enseñanza. *El profesor no explicó todas las* BOLILLAS. *En el examen me tocó una* BOLILLA *que sabía muy bien.* ‖ **dar bolilla** a alguien o a algo. fr. fig. y fam. *Argent.* **dar bola.**

bolillero. (De *bolillo.*) m. **mundillo,** almohadilla para hacer encaje de bolillos. ‖ **2.** *Argent., Par.* y *Urug.* **bombo,** caja esférica que contiene las bolillas numeradas que se usan en un sorteo.

bolillo. m. d. de **bolo**[1]. ‖ **2.** Palito torneado que sirve para hacer encajes y pasamanería: el hilo se arrolla o devana en la mitad superior, que es más delgada, y queda tirante por el peso de la otra mitad, que es más gruesa. ‖ **3.** En la mesa de trucos, hierro redondo, de 10 a 12 centímetros de alto, puesto perpendicularmente en una cabecera, enfrente de la barra. ‖ **4.** Horma para aderezar vuelos de gasa o de encaje. ‖ **5.** Cada uno de estos vuelos. ‖ **6.** Hueso a que está unido el casco de las caballerías. ‖ **7.** *Col.* Instrumento cilíndrico, de unos cincuenta centímetros de longitud, que los agentes de la policía usan como signo de autoridad. ‖ **8.** pl. Barritas de masa dulce.

bolín. m. d. de **bolo**[1]. ‖ **2.** Bolita del juego de las bochas. ‖ **de bolín, de bolán.** loc. adv. fam. p. us. Inconsideradamente, sin reflexión.

bolina. (Del ing. *bowline.*) f. *Mar.* Cabo con que se hala hacia proa la relinga de barlovento de una vela para que reciba mejor el viento. ‖ **2.** *Mar.* **sonda,** cuerda con un peso al extremo. ‖ **3.** *Mar.* Cada uno de los cordeles que forman las arañas que sirven para colgar los coyes. ‖ **4.** V. **viento de bolina.** ‖ **5.** *Mar.* Castigo que se daba a los marineros a bordo, y que consistía en azotar al reo, corriendo este al lado de una cuerda que pasaba por una argolla asegurada a su cuerpo. ‖ **6.** *Mar.* Respecto a un rumbo de la aguja, cada uno de los dos que distan seis cuartas de él, por banda y banda. ‖ **7.** fig. y fam. Ruido o bulla de pendencia o alboroto. ‖ **echar** alguien **de bolina.** fr. fig. y fam. Proferir bravatas. ‖ **2.** fig. y fam. Exagerar sin consideración. ‖ **ir, o navegar, de bolina.** fr. *Mar.* Navegar de modo que la dirección de la quilla forme con la del viento el ángulo menor posible.

bolinche. (De *bola.*) m. Bolita para jugar; canica. ‖ **2.** Remate o adorno de algunos muebles en figura de bola.

bolindre. (De *bola.*) m. **bolinche,** remate o adorno. ‖ **2. canica** con que juegan los niños.

bolineador, ra. adj. *Mar.* Dícese del buque que bolinea bien.

bolinear. intr. *Mar.* **ir, o navegar, de bolina.**

bolinero, ra. adj. *Mar.* Dícese del buque que tiene la propiedad de navegar bien de bolina. ‖ **2.** *Chile.* Alborotador, bullanguero.

bolisa. (Del lat. **pulvicĕus,* de *pulvis,* polvo.) f. En algunas partes, **pavesa.**

bolívar. (Del nombre de Simón *Bolívar,* que inició la independencia de América.) m. Unidad monetaria de Venezuela.

bolivarense. adj. Natural de Bolívar. Ú. t. c. s. ‖ **2.** Perteneciente o relativo a este departamento de Colombia.

bolivariano, na. adj. Perteneciente o relativo a Simón Bolívar o a su historia, su política, etc. *Congreso* BOLIVARIANO; *doctrina* BOLIVARIANA.

bolivianismo. m. Locución, giro o modo de hablar propio y peculiar de los bolivianos.

boliviano, na. adj. Natural de Bolivia. Ú. t. c. s. ‖ **2.** Perteneciente o relativo a esta república de América. ‖ **3.** m. Unidad monetaria de Bolivia.

bolo[1]. (De *bola.*) m. Trozo de palo labrado, de forma alargada, con base plana para que se tenga derecho. ‖ **2. bola,** en los juegos de naipes. ‖ **3.** En el juego de las cargadas, el que no hace ninguna baza. ‖ **4.** fig. y fam. Hombre ignorante o de escasa habilidad. Ú. t. c. adj. ‖ **5.** Actor independiente de una compañía, contratado solo para hacer un determinado papel. ‖ **6.** Reunión de pocos y medianos cómicos que recorren los pueblos, para explotar alguna obra famosa. ‖ **7.** Representación o representaciones que, en escaso número, ofrece una compañía teatral para actuar en una o varias poblaciones con el fin de aprovechar circunstancias que se juzgan económicamente favorables. Ú. m. en pl. *Esa compañía va a hacer unos* BOLOS *por el Norte.* ‖ **8.** *And.* Caña llena de vino. ‖ **9.** *Ar.* Almohadilla prolongada y redonda en que las mujeres hacen encajes. ‖ **10.** *Arq.* **nabo,** cilindro vertical colocado en una armazón. ‖ **11.** *Farm.* Píldora más grande que la ordinaria. ‖ **12.** *Terap.* Dosis de medicamento o medio de contraste radiográfico que se inyecta rápidamente mediante una sola embolada en el aparato circulatorio. ‖ **13.** pl. Juego que consiste en poner derechos sobre el suelo cierto número de **bolos** y derribar cada jugador los que pueda, arrojándoles sucesivamente las bolas que correspondan por jugada. ‖ **14.** V. **diez, veinte de bolos.** ‖ **alimenticio.** Alimento masticado e insalivado que de una vez se deglute. ‖ **arménico, o de Armenia. bol arménico.** ‖ **echar** alguien **a rodar los bolos.** fr. fig. y fam. Promover reyerta o disturbio, prescindiendo de todo miramiento o consideración. ‖ **estar, o ponerse de bolo.** fr. Entre cazadores, sentarse el conejo o la liebre sobre el cuarto trasero con el cuerpo muy erguido. ‖ **mudarse los bolos.** fr. fig. y fam. Descomponerse o mejorarse los medios o empeños de una pretensión o negocio. ‖ **quedarse, o volver, bolo.** fr. fig. que se dice del cazador que no cobra pieza ninguna. ‖ **tener** alguien **bien puestos los bolos.** fr. fig. y fam. Tener bien tomadas las medidas para el logro de algún fin. ‖ **trocarse los bolos.** fr. fig. y fam. **mudarse los bolos.**

bolo[2]. m. Cuchillo grande, a manera de machete, de que se sirven los filipinos como arma, y para cortar ramas y otros varios usos.

bolo[3], la. adj. *C. Rica* y *Guat.* Ebrio. Ú. t. c. s.

bolo[4]. m. *Méj.* Participación de un bautizo y regalo de monedas que avienta el padrino a los chiquillos asistentes al bautizo. Ú. t. en pl.

bolón. (De *molón.*) m. *Chile.* Piedra de regular tamaño que se emplea en los cimientos de las construcciones.

bolonio. adj. fam. Dícese de los estudiantes y graduados del Colegio Español de Bolonia. Ú. t. c. s. ‖ **2.** fig. y fam. Necio, ignorante. Ú. t. c. s.

boloñés, sa. adj. Natural de Bolonia. Ú. t. c. s. ‖ **2.** Perteneciente o relativo a esta ciudad de Italia.

bolsa[1]. (Del lat. *bursa.*) f. Especie de talega o saco de tela u otra materia flexible, que sirve para llevar o guardar alguna cosa. ‖ **2.** Saquillo de cuero o de otra cosa en que se echa dinero, y que se ata o cierra para que este no se salga. ‖ **3.** Recipiente de material resistente para guardar en viajes o traslados, ropa u otras cosas y que se puede llevar a mano o colgado del hombro. BOLSA *de deporte.* ‖ **4.** Talequilla de tafetán o moaré negro con una cinta en la parte superior que usaban los hombres para llevar recogido el pelo. ‖ **5. folgo.** ‖ **6.** Arruga que hace un vestido cuando viene ancho o no ajusta bien al cuerpo, o la que forman dos telas cosidas cuando una es más larga o ha dado de sí más que la otra. ‖ **7.** Abultamiento de la piel debajo de los ojos. ‖ **8.** Pieza de estera en forma de saco, que pende entre los varales del carro o galera, y debajo de la zaga de los coches o calesas, para colocar efectos. ‖ **9.** fig. Caudal o dinero de una persona. *A Juan se le acabó la* BOLSA. ‖ **10.** *Amér. Central* y *Méj.* Bolsillo de las prendas de vestir. ‖ **11.** *Cir.* Cavidad llena de pus, linfa, etc. ‖ **12.** *Mil.* Entrante muy profundo que se forma en un frente de combate, con mayor ensanchamiento en su parte central. ‖ **13.** *Min.* Parte de un criadero donde el mineral está reunido con mayor abundancia y en forma redondeada. ‖ **14.** pl. Las dos cavidades del escroto en las cuales se alojan los testículos. ‖ **de corporales.** Pieza de dos hojas de cartón cuadradas y forradas de tela, entre las cuales se guardan plegados los corporales. ‖ **de Dios.** ant. fig. **limosna** que se da por amor de Dios. ‖ **de hierro.** fig. Persona miserable. ‖ **de la compra. cesta de la compra.** ‖ **de trabajo.** Organismo encargado de recibir ofertas y peticiones de trabajo y de ponerlas en conocimiento de los interesados. ‖ **marsupial.** *Zool.* **marsupio.** ‖ **rota.** fig. **manirroto.** ‖ **turca.** Vaso de vaqueta, plegable y a propósito para llevarlo en el bolsillo, que solía usarse para beber en él cuando se iba al campo o de viaje. ‖ **aflojar la bolsa.** fr. fig. Pagar obligado. ‖ **alargar** alguien **la bolsa.** fr. fig. y fam. Prevenir dinero para un gasto grande. ‖ **castigar** a alguien **en la bolsa.** fr. fam. Imponerle alguna pena o responsabilidad pecuniaria. ‖ **dar como en bolsa.** fr. fig. *Urug.* Castigar duramente de palabra o de hecho. ‖ **estar peor que en la bolsa.** fr. fig. y fam. que se dice para denotar la incertidumbre o poca seguridad que se tiene del empleo de algún dinero. ‖ **llevar bien herrada la bolsa.** fr. ant. **tener bien herrada la bolsa.** ‖ **no echarse nada en la bolsa.** fr. fig. **no echarse nada en el bolsillo.** ‖ **tener bien herrada la bolsa.** fr. ant. Estar o ir bien provisto de dineros. ‖ **tener** alguna cosa **como en la bolsa.** fr. Tener entera seguridad de conseguirla.

bolsa[2]. (Del it. *borsa.*) f. Reunión oficial de los que operan con efectos públicos. ‖ **2.** Lugar donde se celebran estas reuniones. ‖ **3.** Conjunto de operaciones con efectos públicos. ‖ **4.** Cotización de los valores negociados en **bolsa.** ‖ **bajar la bolsa.** fr. fig. Bajar el precio de los valores fiduciarios que se cotizan en ella, y especialmente los de la deuda pública. ‖ **jugar a la bolsa.** fr. fig. Comprar o vender al descubierto y a plazo, valores cotizables previendo ganancias en las diferencias que resulten. ‖ **subir la bolsa.** fr. fig. Subir el precio de los valores fiduciarios que se cotizan en ella, y especialmente los de la deuda pública.

bolsada. f. *Min.* **bolsa** de un criadero de mineral.

bolsear. intr. *Ar.* Hacer bolsas el vestido, las tapicerías, paños, etc. ‖ **2.** tr. *C. Rica, Guat., Hond.* y *Méj.* Quitarle a alguien furtivamente lo que tenga de valor.

bolsera. f. Bolsa o talega para el pelo que usaban las mujeres.

bolsería. (De *bolsero.*) f. Oficio de hacer bolsas. ‖ **2.** Fábrica de bolsas. ‖ **3.** Lugar donde se venden. ‖ **4.** Conjunto de ellas.

bolsero, ra. m. y f. Persona que hace o vende bolsas o bolsillos. ‖ **2.** m. ant. Tesorero, depositario. Ú. en Álava.

bolsico. (d. de *bolso.*) m. ant. fig. **bolsa,** caudal de una persona. ‖ **2.** *Chile.* **bolsillo** de los vestidos.

bolsillo. (d. de *bolso.*) m. **bolsa** en que se guarda el dinero. ‖ **2.** Saquillo más o menos grande cosido en una u otra parte de los vestidos, y que sirve para meter en él algunas cosas usuales. ‖ **3.** V. **brújula, pañuelo, pistola de bolsillo.** ‖ **4.** fig. **bolsa,** caudal de una persona. *Mateo tiene un buen* BOLSILLO. ‖ **de parche.** El sobrepuesto a la prenda, de la misma tela que esta, sin forro y con cartera y botón. ‖ **secreto.** Cierto caudal que antiguamente tenía destinado el rey, para diferentes gastos particulares. ‖ **aflojar el bolsillo.** fr. fig. Pagar obligado. ‖ **consultar** alguien **con el bolsillo.** fr. fig. y fam. Examinar el estado de su caudal para emprender alguna cosa. ‖ **de bolsillo.** loc. adj. Dícese de la cosa que por su hechura y tamaño es adecuada para llevarla en el **bolsillo.** ‖ **no echarse** alguien **nada en el bolsillo.** fr. fig. y fam. No resultarle provecho alguno en aquello de que se trata. ‖ **rascarse el bolsillo.** fr. fig. y fam. Soltar dinero, gastar, comúnmente de mala gana. ‖ **tener** alguien **en el bolsillo** a otro. fr. fig. y fam. Contar con él con entera seguridad.

bolsín. m. d. de **bolsa**[2]. ‖ **2.** Reunión de los bolsistas para sus tratos, fuera de las horas y sitio de reglamento. ‖ **3.** Lugar donde habitualmente se verifica dicha reunión.

bolsiquear. tr. *Amér. Merid.* **bolsear,** quitar a alguien una cosa de los bolsillos.

bolsista. (De *bolsa*[2].) com. Persona que se dedica a especulaciones bursátiles.

bolso. (De *bolsa*[1].) m. **bolsillo** del dinero. ‖ **2. bolsillo** de la ropa. ‖ **3.** Bolsa de mano generalmente pequeña, de cuero, tela u otras materias, provista de cierre y frecuentemente de asa, usada por las mujeres para llevar dinero, documentos, objetos de uso personal, etc. ‖ **4.** *Mar.* Seno que por la acción del viento se forma en las velas cuando se efectúan en ellas ciertas maniobras, como las de cargar o arrizar.

bolsón. (aum. de *bolso.*) m. En los molinos de aceite, tablón de madera con que se forra el suelo del alfarje desde la solera a la superficie. ‖ **2.** *Albañ.* Abrazadera de hierro en un barrón vertical de este metal, donde se fijan los tirantes o barras, también de hierro, que abrazan horizontalmente las bóvedas, para su mayor firmeza.

bolsor. (Del ant. fr. *volsoir,* de **volsus,* vuelto, por *volūtus.*) m. ant. **dovela.**

bolla[1]**.** (Del lat. *bulla,* sello.) f. Derecho que se pagaba en Cataluña al tiempo de vender al por menor los tejidos de lana y seda que se consumían en el principado, a los cuales se ponía un sello en la aduana. ‖ **2.** Derecho que se pagaba por fabricar naipes.

bolla[2]**.** (Del lat. *bulla,* bola.) f. *León.* Bollo de harina de flor y leche. ‖ **2.** *León.* Mollete o panecillo de una libra de peso, con que las cofradías religiosas de Astorga obsequian a los cofrades en determinados días del año.

bolladura. (De *bollar*[2].) f. **abolladura.**

bollar[1]**.** (De *bolla*[1].) tr. Poner un sello de plomo en los tejidos para que se conozca la fábrica de donde salen.

bollar[2]**.** (De *bollo*[2].) tr. Repujar formando bollones. ‖ **2.** *Mál.* Abollar algo de un golpe.

bollecer. (De *bollir.*) intr. ant. Meter bulla o ruido, alborotarse.

bollén. m. Árbol chileno, de la familia de las rosáceas, cuya madera, que es muy dura, se emplea para hacer mangos y en la construcción de casas. Sus hojas son febrífugas. ‖ **2.** Madera de este árbol.

bollería. f. Establecimiento donde se hacen bollos o panecillos. ‖ **2.** Tienda donde se venden. ‖ **3.** Conjunto de bollos de diversas clases que se ofrecen para la venta o el consumo.

bollero, ra. m. y f. Persona que hace o vende bollos.

bolliciador, ra. (De *bolliciar.*) adj. ant. Que mueve inquietudes y alborotos. Usáb. t. c. s.

bolliciar. tr. ant. Alborotar o causar bullicio. Usáb. t. c. prnl.

bollicio. (De *bollir.*) m. ant. **bullicio.** Ú. en Salamanca.

bollición. f. ant. Acción y efecto de bollir.

bollimiento. m. ant. **bollición.**

bollir. (Del lat. *bullīre,* bullir.) intr. ant. **bullir.**

bollo[1]**.** (Del lat. *bulla,* bola.) m. Pieza esponjosa de varias formas y tamaños, hecha con masa de harina y agua y cocida al horno; como ingredientes de dicha masa entran frecuentemente leche, manteca, huevos, etc. ‖ **2.** Cierto plegado de tela, de forma esférica, usado en las guarniciones de trajes de señora y en los adornos de tapicería. ‖ **3.** fig. **chichón.** ‖ **4.** *Pan.* Pasta de maíz tierno. ‖ **5.** fig. y fam. Lío, alboroto, confusión. *Se armó un gran* BOLLO. ‖ **de relieve.** Resalto esférico o elipsoidal que se hace repujando o estampando piezas de plata, como salvillas, bandejas, etc. ‖ **maimón.** Roscón de masa de bizcocho. ‖ **2.** Mazapán relleno de conservas. ‖ **ese bollo no se ha cocido en su horno.** loc. fig. y fam. con que se da a entender que un dicho o escrito no procede originariamente de quien pasa por su autor. ‖ **no cocérsele** a alguien **el bollo.** fr. fig. y fam. **no cocérsele** a alguien **el pan.** ‖ **perdonar el bollo por el coscorrón.** fr. fig. y fam. con que se indica la conveniencia de renunciar a alguna cosa por el demasiado esfuerzo que costaría el lograrla.

bollo[2]**.** (De *abollar*[1].) m. fam. **abolladura.**

bollón. (aum. de *bollo*[1].) m. Clavo de cabeza grande, comúnmente dorada, que sirve para adorno. ‖ **2.** Broquelillo o pendiente con solo un botón. ‖ **3. bollo de relieve.** ‖ **4.** *Ar.* Botón que echan las plantas, principalmente la vid.

bollonado, da. adj. Adornado con bollones.

bomba. (Del lat. *bombus,* ruido, zumbido.) f. Máquina para elevar el agua u otro líquido y darle impulso en dirección determinada. Se compone generalmente del cuerpo de **bomba** y de los correspondientes tubos con válvulas para aspiración o impulso, o ambas cosas a la vez, según su clase. ‖ **2.** Proyectil esférico, ordinariamente de hierro, hueco y lleno de pólvora, de máximo calibre, que se disparaba con mortero y precisamente por elevación. En el agujero por donde se cargaba llevaba una espoleta llena de un mixto con el cual se inflamaba la pólvora y hacía estallar la **bomba.** ‖ **3.** Cualquier pieza hueca, llena de materia explosiva y provista del artificio necesario para que estalle en el momento conveniente. ‖ **4.** Ú. en aposición para denotar que el objeto al que se pospone va cargado con un explosivo. *Carta, coche* BOMBA. ‖ **5.** Pieza hueca de cristal, abierta por la parte superior y la inferior, y generalmente esférica, que se pone en las lámparas y otros utensilios semejantes, con el fin de que alumbre mejor y la luz no ofenda la vista. También las hay con una sola abertura circular en la parte superior, que se usan para las lámparas eléctricas. ‖ **6.** En los instrumentos músicos de metal, tubo encorvado que por sus extremos enchufa con otros abiertos en la mitad del instrumento, y sirve, sacándolo más o menos, para la buena afinación. La flauta, el clarinete y el fagot tienen otra especie de **bomba,** que sirve para alargar un poco el instrumento y bajar su entonación. ‖ **7.** En los molinos de aceite, tinaja soterrada donde se recoge el agua que sale del pozuelo, y sirve para separar de esta el aceite que pueda contener. ‖ **8.** V. **cuerpo de bomba.** ‖ **9.** fig. Noticia inesperada que se suelta de improviso y causa estupor. Ú. t. c. adj. ‖ **10.** fig. y fam. Versos que improvisa la gente del pueblo en sus jaranas. ‖ **11.** fig. *Col., Hond.* y *Sto. Dom.* **pompa,** burbuja. ‖ **12.** fig. y fam. *And., Ecuad., Guat., Hond.* y *Perú.* Embriaguez. ‖ **13.** fig. *And.* y *Cuba.* **chistera,** sombrero de copa. ‖ **14.** adv. fam. Muy bien, estupendamente. *Nos lo pasamos* BOMBA. ‖ **alimenticia.** La que sirve para proveer de agua la caldera de una máquina de vapor. ‖ **aspirante.** La que eleva el líquido por combinación con la presión atmosférica. ‖ **aspirante e impelente.** La que saca el agua de profundidad por aspiración y luego la impele con esfuerzo. ‖ **atómica.** Artefacto bélico cuyo gran poder explosivo se debe a la liberación súbita de energía como consecuencia de la fisión de determinados materiales, como uranio o plutonio. ‖ **centrífuga.** Aquella en que se hace la aspiración y elevación del agua por medio de una rueda de paletas que gira rápidamente dentro de una caja cilíndrica. ‖ **de alimentación. bomba alimenticia.** ‖ **de cobalto.** Aparato empleado en radioterapia que utiliza la radiación gamma emitida por el cobalto-60, lo que permite un tratamiento delimitado y en zonas profundas. ‖ **de chorro.** Dispositivo para arrastrar o extraer un fluido de un recinto mediante la acción de un chorro de otro fluido a gran velocidad. ‖ **de gasolina.** *Col.* **surtidor** de gasolina. ‖ **de hidrógeno.** La termonuclear cuya energía se libera por la fusión de los núcleos de isótopos del hidrógeno. ‖ **de mano.** *Mil.* La explosiva de tamaño reducido que se puede lanzar con la mano. ‖ **de neutrones.** La termonuclear de baja potencia cuyo poder destructivo reside fundamentalmente en los neutrones emitidos. Normalmente carece de fulminante de fisión y es letal, aunque su capacidad de destrucción sea limitada. ‖ **de relojería. bomba** explosiva provista de un dispositivo que la hace estallar en un momento determinado. ‖ **de sodio.** *Biol.* Diferencia de potencial entre ambos lados de una membrana celular debida a un transporte de sodio. Participa en los fenómenos eléctricos de células especializadas ‖ **de tiempo. bomba de relojería.** ‖ **impelente.** La que no saca el agua de profundidad, sino que la eleva desde el plano mismo que ocupa la máquina. ‖ **neumática.** La que se emplea para extraer el aire y a veces para comprimirlo. ‖ **rotatoria. bomba centrífuga.** ‖ **¡bomba!** exclam. fig. con que en ciertos convites anunciaba alguien que iba a pronunciar un brindis, a decir unos versos o a dar pie para ellos. ‖ **caer como una bomba.** fr. fig. y fam. que se dice de la persona que se presenta inopinadamente en una reunión o de la noticia inesperada que se comunica, y cuya respectiva aparición o referencia deja atónitos a los circunstantes. ‖ **estar echando bombas** una cosa. fr. fig. y fam. Estar muy caldeada. ‖ **estar echando bombas** una persona. fr. fig. y fam. Estar muy enojada.

bombacáceo, a. (De *Bombax,* nombre de un género de plantas.) adj. *Bot.* Dícese de árboles y arbustos intertropicales dicotiledóneos, con hojas alternas, por lo común palmeadas, flores axilares, en racimo o en panoja, fruto vario y semilla frecuentemente cubierta de lana o pulpa; como el baobab. Ú. t. c. s. f. ‖ **2.** f. pl. *Bot.* Familia de estas plantas.

bombáceo, a. adj. *Bot.* **bombacáceo.**

bombacha. f. *Amér.* Calzón o pantalón bombacho. Ú. t. en pl.

bombacho. adj. V. **calzón bombacho.** ‖ **2.** V. **pantalón bombacho.** Ú. t. c. s.

bombarda. (Del b. lat. *bombarda,* y este del lat. *bombus,* ruido.) f. Máquina militar de metal, con un cañón de gran calibre, que se usaba antiguamente. ‖ **2.** Nombre genérico que se daba a las antiguas piezas de artillería. ‖ **3.** Buque de dos palos, armado de morteros instalados en la parte de proa. ‖ **4.** Embarcación de cruz, sin cofas, de dos palos, el mayor casi en el centro y el otro a popa, usada en el Mediterráneo. ‖ **5.** Antiguo instrumento músico de viento, del género de la chirimía, construido de una pieza de madera con lengüeta de caña. ‖ **6.** Registro del órgano, compuesto de grandes tubos con lengüeta que producen sonidos muy fuertes y graves.

bombardear. (De *bombarda.*) tr. **bombear**[1]. ‖ **2.** Arrojar bombas desde una aeronave. ‖ **3.** Hacer fuego violento y sostenido de artillería, dirigiendo los proyectiles contra lo interior de una población u otro recinto más que contra sus muros y defensas. ‖ **4.** *Fís.* Someter un cuerpo a la acción de ciertas radiaciones o al impacto de neutrones u otros elementos del átomo.

bombardeo. m. Acción de bombardear.

bombardero, ra. adj. V. **lancha bombardera.** ‖ **2.** m. Avión especialmente diseñado para transportar y arrojar bombas. ‖ **3.** Oficial o soldado de artillería destinado al servicio de las bombardas. ‖ **4.** Artillero que estaba destinado al servicio especial del mortero. ‖ **5.** ant. **artillero.**

bombardino. (De *bombarda.*) m. Instrumento músico de viento, de metal, semejante al figle, pero con pistones o cilindros en vez de llaves, y que pertenece a la clase de bajos.

bombardón. (aum. de *bombardo.*) m. Instrumento músico de viento, de grandes dimensiones, de metal y con cilindros, que sirve de contrabajo en las bandas militares.

bombasí. (Del ant. fr. *bombasin,* tela de seda y otros tejidos.) m. **fustán,** tela gruesa de algodón, con pelo.

bombástico, ca. (Del ing. *bombastic,* de *bombast,* algodón de enguatar.) adj. Dícese del lenguaje hinchado, campanudo o grandilocuente, sobre todo cuando la ocasión no lo justifica. ‖ **2.** Aplícase a la persona que habla o escribe de este modo.

bombazo. m. Golpe que da la bomba al caer. ‖ **2.** Explosión y estallido de este proyectil. ‖ **3.** Daño que causa.

bombé. (Del fr. [*voiture*] *bombée,* carruaje combado.) m. Carruaje muy ligero de dos ruedas y otros tantos asientos, abierto por delante.

bombear[1]**.** tr. Arrojar o disparar bombas de artillería. ‖ **2.** Lanzar por alto una pelota o balón haciendo que siga una trayectoria parabólica. ‖ **3.** Elevar agua u otro líquido por medio de una bomba. ‖ **4.** fig. *Argent.* Perjudicar deliberadamente a alguien.

bombear[2]**.** tr. **dar bombo.**

bombeo. (De *bomba.*) m. Comba, convexidad. ‖ **2.** Acción y efecto de bombear líquidos.

bombero. m. El que tiene por oficio trabajar con la bomba hidráulica. ‖ **2.** Cada uno de los operarios encargados de extinguir los incendios. ‖ **3.** En un buque tanque, el que tiene a su cargo las tuberías, bombas y faenas de carga, descarga y conservación de ellas. ‖ **4.** Cañón que sirve para disparar bombas.

bombilla. (d. de *bomba.*) f. **bombillo** para sacar líquidos. ‖ **2.** Globo de cristal en el que se ha hecho el vacío y dentro del cual va colocado un hilo de platino, carbón, tungsteno, etc., que al paso de una corriente eléctrica se pone incandescente y sirve para alumbrar. ‖ **3.** Caña delgada que se usa para sorber el mate en América; tiene unos 20 centímetros de largo y medio de diámetro, y por la parte que se introduce en el líquido termina en figura de una almendra llena de agujeritos, para que pase la infusión y no la hierba del mate. También las hay de metal. ‖ **4.** *Mar.* Farol muy usado a bordo, el cual lleva sobre la candileja y adherido a ella un cristal casi esférico y remata en un anillo para colgarlo.

bombillo. (d. de *bombo.*) m. Aparato con sifón para evitar la subida del mal olor en las bajadas de aguas inmundas, como las de los retretes o letrinas. ‖ **2.** Tubo de hojalata o de plata con un ensanche en la parte inferior, para sacar líquidos. ‖ **3.** *Amér. Central, Ant., Col.* y *Venez.* **bombilla** eléctrica. ‖ **4.** *Mar.* Bomba pequeña, generalmente portátil, que se destina a varios usos y principalmente a extinguir incendios.

bombín. (De *bomba.*) m. fam. Sombrero hongo.

bombo, ba. (Del lat. *bombus,* ruido.) adj. fam. Aturdido, atolondrado por alguna novedad extraordinaria o por algún dolor agudo. ‖ **2.** m. Tambor muy grande que se toca con una maza y se emplea en las orquestas y en las bandas militares. ‖ **3.** El que toca este instrumento. ‖ **4.** Buque de fondo chato, poco calado, muy romo o lleno en la proa, que sirve para carga o para el paso de un brazo estrecho de mar. ‖ **5.** Caja cilíndrica o esférica y giratoria que sirve para contener bolas numeradas, cédulas escritas o cualesquiera otros objetos que han de sacarse a la suerte. ‖ **6.** Vaso, ordinariamente de cuero y de figura semejante a la de una botella ancha y de gollete muy corto, que en ciertos juegos de billar sirve para contener bolas numeradas que han de distribuirse por suerte entre los jugadores. ‖ **7.** fig. Elogio exagerado y ruidoso con que se ensalza a una persona o se anuncia o publica alguna cosa. *Con mucho* BOMBO *se viene anunciando esa obra.* ‖ **a bombo y platillo** o **a bombo y platillos.** loc. adv. con que se da a entender la extremada publicidad de una noticia o suceso. ‖ **con bombo,** o **con bombos y platillos.** loc. adv. **a bombo y platillo.** ‖ **dar bombo.** fr. fig. y fam. Elogiar con exageración, especialmente por medio de la prensa periódica. Ú. t. c. prnl. ‖ **de bombo y platillos.** loc. adj. **de cascabel gordo.**

bombón[1]**.** (Del fr. *bonbon,* voz infantil, bueno, bueno.) m. Pieza pequeña de chocolate o azúcar, que en lo interior puede contener licor o crema.

bombón[2]**.** (De *bomba.*) m. Vasija usada en Filipinas, destinada comúnmente para contener líquidos, y la cual se hace de un trozo de caña espina, aprovechando el nudo para que sirva de suelo.

bombona. (Del fr. *bonbonne.*) f. Vasija de vidrio, loza, plástico, etc., de boca estrecha, muy barriguda y de bastante capacidad, que se usa para el transporte de ciertos líquidos. ‖ **2.** Vasija metálica muy resistente, de forma cilíndrica o acampanada y cierre hermético. Sirve para contener gases a presión y líquidos que, por ser muy volátiles, originan grandes presiones si se impide la salida del vapor. ‖ **3.** Recipiente de metal cilíndrico y de poca altura, en el que se guardan gasas y algodones, por lo común esterilizados.

bombonaje. m. Planta de la familia de las pandanáceas, de tallo sarmentoso y hojas alternas y palmeadas que, cortadas en tiras, sirven para fabricar objetos de jipijapa. Es originario de las regiones tropicales de América.

bombonera. f. Cajita para bombones.

bomborombillos (en). loc. adv. *And.* A horcajadas, sobre los hombros de una persona.

bon, na. (Proclítico, del lat. *bonus,* bueno.) adj. ant. **bueno.**

Bona[1]**.** n. p. V. **trigo de Bona.**

bona[2]**.** (Del lat. *bona,* bienes, riquezas.) f. ant. **buena,** hacienda, bienes, herencia.

bonachón, na. (aum. de *bueno.*) adj. fam. De genio dócil, crédulo y amable. Ú. t. c. s.

bonachonería. f. Calidad de bonachón.

bonaerense. adj. Natural de la ciudad o provincia de Buenos Aires. Ú. t. c. s. ‖ **2.** Perteneciente o relativo a esta ciudad o provincia de la Argentina.

bonancible. (De *bonanza.*) adj. Tranquilo, sereno, suave. Dícese del mar, del tiempo y del viento.

bonanza. (Del lat. **bonacia,* alteración de *malacia,* calma chicha.) f. Tiempo tranquilo o sereno en el mar. ‖ **2.** V. **mar bonanza,** o **en bonanza.** ‖ **3.** fig. **prosperidad.** ‖ **4.** *Min.* Zona de mineral muy rico. ‖ **ir en bonanza.** fr. *Mar.* Navegar con viento suave. ‖ **2.** fig. Caminar con felicidad en lo que se desea y pretende.

bonanzoso, sa. (De *bonanza.*) adj. Próspero, bondadoso.

bonapartismo. m. Partido o comunión política de los bonapartistas.

bonapartista. adj. Partidario de Napoleón Bonaparte, o del imperio y dinastía fundados por él. Apl. a pers., ú. t. c. s. ‖ **2.** Perteneciente o relativo al bonapartismo.

bonaventuriano, na. adj. Perteneciente o relativo a la doctrina de San Buenaventura.

bonazo, za. adj. **buenazo.**

bondad. (Del lat. *bonĭtas, -ātis.*) f. Calidad de bueno. ‖ **2.** Natural inclinación a hacer el bien. ‖ **3.** Blandura y apacibilidad de genio.

bondadoso, sa. adj. Lleno de bondad, de genio apacible.

bondoso, sa. adj. **bondadoso.**

boneta. (De *bonete,* por la forma.) f. *Mar.* Paño que se añade a algunas velas para aumentar su superficie.

bonetada. f. fam. p. us. Cortesía que se hace quitándose el bonete o el sombrero.

bonetazo. m. Golpe dado con el bonete.

bonete. (Del fr. *bonnet,* y este del b. lat. *abonnis.*) m. Especie de gorra de varias hechuras y comúnmente de cuatro picos, usada por los eclesiásticos y seminaristas, y antiguamente por los colegiales y graduados. ‖ **2.** fig. Clérigo secular, a diferencia del regular, que se llama capilla. ‖ **3.** Dulcera de vidrio ancha de boca y angosta de suelo. ‖ **4.** V. **pimiento de bonete.** ‖ **5. gorro.** ‖ **6.** *Cuba, P. Rico* y *Sto. Dom.* **capó.** ‖ **7.** *Fort.* Obra exterior en las plazas y castillos, con dos ángulos entrantes y tres salientes, y más ancha por el frente que por la gola, a manera de cola de golondrina. ‖ **8.** *Zool.* Redecilla de los rumiantes. ‖ **bravo bonete.** expr. irón. p. us. Persona tonta e idiota. ‖ **gran bonete.** p. us. Persona importante y de gran influencia. ‖ **2.** irón. **bravo bonete.** ‖ **a tente bonete.** loc. adv. fig. y fam. p. us. Con insistencia, con empeño, con demasía. *Porfiar, beber* A TENTE BONETE. ‖ **hasta tente bonete.** loc. adv. fig. y fam. **a tente bonete.** ‖ **tirarse los bonetes.** fr. fig. y fam. p. us. Disputar o porfiar descompuestamente.

bonetería. f. Oficio de bonetero. ‖ **2.** Taller donde se fabrican bonetes. ‖ **3.** Tienda donde se venden.

bonetero, ra. adj. V. **calabaza bonetera.** ‖ **2.** m. y f. Persona que tiene por oficio hacer o vender bonetes. ‖ **3.** m. Arbusto de la familia de las celastráceas, de tres a cuatro metros de altura, derecho, ramoso, con hojas opuestas, aovadas, dentadas y de pecíolo muy corto, flores pequeñas y blanquecinas, y por frutos cápsulas rojizas con tres o cuatro lóbulos obtusos. Florece en verano, se cultiva en los jardines de Europa, sirve para setos, y su carbón se emplea en la fabricación de la pólvora.

bonetillo. (d. de *bonete.*) m. Cierto adorno de las mujeres sobre el tocado.

bonetón. m. En Chile, juego de prendas muy parecido al de la pájara pinta.

bonga. f. *Filip.* **areca.**

bongo. m. Especie de canoa usada por los indios de la

América Central. ‖ **2.** *Cuba.* Barca de pasaje y de carga a manera de **balsa,** conjunto de maderos.

bongó. m. Instrumento músico de percusión, usado en algunos países del Caribe, y que consiste en un tubo de madera cubierto en su extremo superior por un cuero de chivo bien tenso y descubierto en la parte inferior.

boniatillo. (De *boniato.*) m. *Cuba.* Cafiroleta hecha sin coco.

boniato. (Voz caribe.) m. Planta de la familia de las convolvuláceas, de tallos rastreros y ramosos, hojas alternas lobuladas, flores en campanilla y raíces tuberculosas de fécula azucarada. ‖ **2.** Cada uno de los tubérculos de la raíz de esta planta. Son comestibles.

bonico, ca. adj. d. de **bueno.** ‖ **a bonico.** loc. adv. *Ar.* y *Murc.* En voz baja; en silencio.

bonificación. f. Acción y efecto de bonificar. ‖ **2.** Descuento; particularmente en algunas pruebas deportivas, descuento en el tiempo empleado, etc.

bonificar. (Del lat. *bonus,* bueno, y *facĕre,* hacer.) tr. ant. **abonar,** hacer buena una cosa o mejorarla. ‖ **2.** Tomar en cuenta y asentar una partida en el haber. ‖ **3.** Conceder, por algún concepto, un aumento, generalmente proporcional y reducido, en una cantidad que alguien ha de cobrar, o un descuento en la que ha de pagar.

bonificativo, va. (De *bonificar.*) adj. ant. Que hace buena alguna cosa.

bonillo, lla. adj. ant. d. de **bueno.** ‖ **2.** ant. Que es algo crecido y va siendo grande.

bonina. (Del lat. *bonus,* bueno.) f. **manzanilla loca.**

bonísimo, ma. adj. sup. de **bueno.**

bonista. com. Persona que posee bonos, títulos de deuda pública.

bonítalo. m. **bonito**[1].

bonitamente. adv. m. Con tiento, maña o disimulo.

bonitero, ra. adj. Perteneciente o relativo al bonito. ‖ **2.** Dícese de la lancha destinada a la pesca del bonito. Ú. t. c. f. ‖ **3.** f. Pesca del bonito. ‖ **4.** Temporada en que se efectúa esta pesca.

bonito[1]**.** (Del b. lat. *boniton.*) m. Pez teleósteo comestible, parecido al atún, pero más pequeño.

bonito[2]**, ta.** adj. d. de **bueno.** *Tiene un* BONITO *mayorazgo.* ‖ **2.** Lindo, agraciado de cierta proporción y belleza.

bonitura. f. Lindeza, hermosura.

bonizal. m. Terreno poblado de bonizo.

bonizo. m. Especie de panizo, de poca altura y de granos muy menudos, que en Asturias nace espontáneamente entre los maizales y hortalizas.

bono, na. adj. ant. **bueno.** ‖ **2.** m. Tarjeta o medalla que puede canjearse por comestibles u otros artículos de primera necesidad, y a veces por dinero. ‖ **3.** Tarjeta de abono que da derecho a la utilización de un servicio durante cierto tiempo o un determinado número de veces. ‖ **4.** *Com.* Título de deuda emitido comúnmente por una tesorería pública, empresa industrial o comercial.

bonobús. (Acrónimo de *bono* y *autobús.*) m. *Esp.* Tarjeta que autoriza al portador para un cierto número de viajes en autobús.

bonoloto. f. *Esp.* Variedad de lotería estatal con sorteo diario.

bononiense. (Del lat. *Bononiensis,* de *Bononĭa,* Bolonia.) adj. **boloñés.** Apl. a pers., ú. t. c. s.

bonote. m. Filamento extraído de la corteza del coco.

bonsái. (De or. japonés.) m. Planta ornamental sometida a una técnica de cultivo que impide su crecimiento mediante corte de raíces y poda de ramas. pl. **bonsáis.**

bonzo. (Del japonés *bonsa.*) m. Sacerdote del culto de Buda en Asia Oriental.

boñiga. (Del lat. **bovinica,* de *bovīnus,* de buey.) f. Excremento del ganado vacuno y el semejante de otros animales.

boñigar. (De *boñigal.*) adj. V. **higo boñigar.** Ú. t. c. s.

boñigo. (De *boñiga.*) m. Cada una de las porciones o piezas del excremento del ganado vacuno.

boñiguero. m. **abanto,** ave semejante al buitre.

boque. (Del al. *Bock,* macho cabrío.) m. *Ar.* **buco**[1]**,** macho de la cabra.

boqueada. (De *boquear.*) f. Acción de abrir la boca. Solo se dice hablando de los que están para morir. Ú. m. en pl. ‖ **dar las boqueadas,** o **estar dando las boqueadas.** fr. fig. y fam. **boquear,** estar acabándose una cosa.

boquear. intr. Abrir la boca. ‖ **2.** Estar expirando. ‖ **3.** fig. y fam. Estar una cosa acabándose en los últimos términos. ‖ **4.** *And.* Hablar mucho, generalmente con indiscreción. ‖ **5.** tr. Pronunciar una palabra o expresión.

boquera. (De *boca.*) f. Boca o puerta de piedra que se hace en el caz o cauce para regar las tierras. ‖ **2.** Ventana por donde se echa la paja o el heno en el pajar. ‖ **3.** *Ast.* Abertura que se hace en las heredades cerradas, para entrada de los ganados. ‖ **4.** *Murc.* Sumidero grande adonde van a parar las aguas inmundas. ‖ **5.** Excoriación que se forma en las comisuras de los labios de las personas y les impide abrir la boca con facilidad. ‖ **6.** *Veter.* Llaga en la boca de los animales. ‖ **7.** com. pl. usado c. sing. vulg. *And.* **boceras.**

boquerón. m. aum. de **boquera.** ‖ **2.** Abertura grande. ‖ **3.** Pez teleósteo, fisóstomo, semejante a la sardina, pero mucho más pequeño. Abunda en el Mediterráneo y parte del Océano y con él se preparan las anchoas.

boqueta. adj. *And.* y *Amér.* Que tiene el labio hendido.

boquete. (De *boca.*) m. Entrada angosta de un lugar. ‖ **2.** **brecha,** abertura hecha en una pared.

boqui. m. Especie de enredadera de Chile, de la familia de las vitáceas, cuyo tallo, que es muy resistente, se emplea en la fabricación de cestos y canastos.

boquiabierto, ta. adj. Que tiene la boca abierta. ‖ **2.** fig. Que está embobado o pasmado mirando alguna cosa.

boquiancho, cha. adj. De boca ancha.

boquiangosto, ta. adj. De boca estrecha.

boquiblando, da. adj. **blando de boca.**

boquiconejuno, na. adj. Dícese del caballo o yegua que tiene la boca parecida a la del conejo.

boquidulce. (De *boca* y *dulce.*) m. Escualo que puede alcanzar más de tres metros, con siete aberturas branquiales a cada lado.

boquiduro, ra. adj. **duro de boca.**

boquifresco, ca. adj. Aplícase a las caballerías que tienen la boca muy salivosa, y por eso se les mantiene siempre fresca y son dóciles y obedientes al freno. ‖ **2.** fig. y fam. Aplícase a la persona que con serenidad y sin reparo dice verdades desagradables.

boquifruncido, da. (De *boca* y *fruncido,* p. p. de *fruncir.*) adj. Dícese de la caballería que tiene bajas o estrechas las comisuras de los labios.

boquihendido, da. adj. De boca muy hendida. Se dice principalmente de las caballerías.

boquihundido, da. (De *boca* y *hundido,* p. p. de *hundir.*) adj. Dícese de la caballería que tiene muy altas las comisuras de los labios.

boquilla. (d. de *boca.*) f. Abertura inferior del calzón, por donde sale la pierna. ‖ **2.** Cortadura o abertura que se hace en las acequias a fin de extraer las aguas para el riego. ‖ **3.** Pieza pequeña y hueca, y en general cónica, de metal, marfil o madera, que se adapta al tubo de varios instrumentos de viento y sirve para producir el sonido, apoyando los labios en los bordes de ella. ‖ **4.** Tubo pequeño, de varias materias y diversas formas, en cuya parte más ancha se pone el cigarro para fumarlo aspirando el humo por el extremo opuesto. También se llama así la parte de la pipa que se introduce en la boca. ‖ **5.** Escopleadura que se abre en las piezas de madera para ensamblarlas. ‖ **6.** Tercera abrazadera del fusil, y que es la más próxima a la boca del mismo. ‖ **7.** Orificio cilíndrico por donde se introduce la pólvora en las bombas y granadas, y en donde se asegura la espoleta. ‖ **8.** Pieza de metal que guarnece la boca o entrada de la vaina de un arma blanca. ‖ **9.** Pieza donde se produce la llama en los aparatos de alumbrado. ‖ **10.** Portalámpara. ‖ **11.** Extremo anterior del cigarro puro, por el cual se enciende. ‖ **12.** Rollito o tubo de cartulina que se coloca en uno de los extremos de ciertos cigarrillos, y por el cual se aspira el humo al fumar. ‖ **13.** Banda estrecha de paja, corcho, seda, oro, etc., con que suele sustituirse aquel rollito. ‖ **14.** *Ecuad.* Hablilla, rumor. ‖ **de boquilla.** loc. adv. con que se denota que el jugador hace la postura sin aprontar el dinero. ‖ **2.** Con falsedad. ‖ **3.** *P. Rico.* Gratis, sin pagar.

boquillero, ra. adj. *Cuba* y *P. Rico.* Jactancioso, que habla de boquilla. Ú. t. c. s. ‖ **2.** *Cuba* y *P. Rico.* Charlatán. Ú. t. c. s.

boquimuelle. (De *boca* y *muelle,* blando, suave.) adj. **blando de boca,** dicho del animal que siente mucho el freno. ‖ **2.** fig. Aplícase a la persona fácil de manejar o engañar.

boquín[1]. m. Bayeta tosca, de menos ancho que la fina.

boquín[2]. (Del m. or. que *bochín.*) m. ant. **verdugo,** ejecutor de la justicia.

boquinatural. (De *boca* y *natural.*) adj. Dícese de la caballería que ni es blanda ni dura de boca, sino que tiene en ella regular sensación.

boquinegro, gra. adj. Aplícase a los animales que tienen la boca u hocico negro, siendo de otro color lo restante de la cabeza o de la cara. ‖ **2.** m. Caracol terrestre muy común en varias regiones de España, redondo, chato, de unos tres centímetros de diámetro, liso, lustroso, de color amarillo con zonas rojizas y puntos blancos, y negra la boca o abertura.

boquino, na. (De *boca.*) adj. *And.* Dícese de la persona que por defecto congénito o por lesión sufrida no puede cerrar enteramente los labios. ‖ **2.** *And.* Dícese del cántaro u otra vasija que, por habérsele roto la boca, no puede taparse como antes ni servir cómodamente.

boquirrasgado, da. adj. De boca rasgada.

boquirroto, ta. (De *boca* y *roto.*) adj. **boquirrasgado.** ‖ **2.** fig. y fam. Fácil en hablar.

boquirrubio, bia. (De *boca* y *rubio.*) adj. fig. Que sin necesidad ni reserva dice cuanto sabe. ‖ **2.** Inexperto, candoroso. ‖ **3.** m. fam. Mozalbete presumido de lindo y de enamorado.

boquiseco, ca. adj. Que tiene seca la boca. ‖ **2.** Dícese de la caballería que no saborea el freno ni hace espuma.

boquisumido, da. (De *boca* y *sumido,* p. p. de *sumir.*) adj. **boquihundido.**

boquitorcido, da. adj. **boquituerto.**

boquituerto, ta. (De *boca* y *tuerto.*) adj. Que tiene torcida la boca.

boratera. f. *Chile.* Mina de borato.

boratero, ra. adj. *Chile.* Perteneciente o relativo al borato. ‖ **2.** m. y f. *Argent.* y *Chile.* Yacimiento de bórax. ‖ **3.** m. *Chile.* El que trabaja o negocia en borato.

borato. m. *Quím.* Combinación del ácido bórico con una base.

bórax. (Del ár. *bawraq,* bórax, nitro.) m. Sal blanca compuesta de ácido bórico, sosa y agua, que se encuentra formada en las playas y en las aguas de varios lagos de China, Tíbet, Ceilán y Potosí, y también se prepara artificialmente. Se emplea en medicina y en la industria.

borbolla. f. Burbuja o glóbulo de aire que se forma en el interior del agua producido por la lluvia u otras causas. ‖ **2.** Borbollón o borbotón.

borbollar. (Del lat. *bullāre,* con reduplicación.) intr. Hacer borbollones el agua.

borbollear. intr. **borbollar.**

borbolleo. m. Acción de borbollear.

borbollón. (De *borbollar.*) m. Erupción que hace el agua de abajo para arriba, elevándose sobre la superficie. ‖ **a borbollones.** loc. adv. fig. **atropelladamente.**

borbollonear. (De *borbollón.*) intr. **borbollar.**

borbónico, ca. adj. Perteneciente o relativo a los Borbones.

borbor. (Voz onomatopéyica.) m. Acción de borbotar.

borborigmo. (Del gr. βορβορυγμός.) m. Ruido de tripas producido por el movimiento de los gases en la cavidad intestinal. U. m. en pl.

borboritar. (Voz onomatopéyica.) intr. Borbotar, borbollar.

borborito. (De *borboritar.*) m. *Sal.* **borbotón.**

borbotar. (Voz onomatopéyica.) intr. Nacer o hervir el agua impetuosamente o haciendo ruido.

borbotear. intr. **borbotar.**

borboteo. m. Acción de borbotear.

borbotón. (De *borbotar.*) m. **borbollón.** ‖ **a borbotones.** loc. adv. **a borbollones.** ‖ **hablar a borbotones.** fr. fig. y fam. Hablar acelerada y apresuradamente, queriendo decirlo todo de una vez.

borceguí. (De or. inc.) m. Calzado que llegaba hasta más arriba del tobillo, abierto por delante y que se ajustaba por medio de correas o cordones.

borceguinería. (De *borceguinero.*) f. Taller donde se hacían borceguíes. ‖ **2.** Tienda o barrio donde se vendían borceguíes.

borceguinero, ra. m. y f. Persona que hacía o vendía borceguíes.

borcellar. (Del lat. *buccella,* boquilla.) m. Borde de una vasija o vaso.

borda[1]. (De *borde[1].*) f. ant. **borde,** orilla. ‖ **2.** *Mar.* Vela mayor en las galeras. ‖ **3.** *Mar.* Canto superior del costado de un buque. ‖ **4.** V. **motor fuera borda,** o **fuera de borda.** ‖ **echar,** o **tirar, por la borda.** fr. fig. y fam. Deshacerse inconsideradamente de una persona o cosa.

borda[2]. (Del franco *_borda,_ tabla.) f. Choza o cabaña que, en el Pirineo, sirve para albergue de pastores y ganado.

bordada. (De *bordo.*) f. *Mar.* Derrota o camino que hace entre dos viradas una embarcación cuando navega, voltejeando para ganar o adelantar hacia barlovento. ‖ **2.** fig. y fam. Paseo reiterado de una parte a otra. ‖ **dar bordadas.** fr. *Mar.* Navegar de bolina alternativa y consecutivamente de una y otra banda. ‖ **rendir** el buque **una bordada.** fr. *Mar.* Llegar al sitio en que conviene virar.

bordadillo. (De *bordado.*) m. ant. Tafetán doble labrado.

bordado, da. p. p. de **bordar.** ‖ **2.** adj. V. **pintura bordada.** ‖ **3.** m. Acción de bordar. ‖ **4. bordadura,** labor de aguja en relieve. ‖ **a canutillo.** El que se hace con hilo de oro o plata rizado en canutos. ‖ **al pasado.** El que se hace pasando las hebras de un lado a otro de la tela o piel en que se ejecuta el trabajo, formando dibujos, sin cosido. ‖ **a tambor.** El que se hace con punto de cadeneta en un bastidor pequeño, que en la figura se parece al tambor, o en bastidor regular, con una aguja que, fija por un extremo en un cabo de palo, hueso o marfil, remata por el otro en un ganchito. ‖ **de imaginería.** El de figuras. ‖ **de pasado. bordado al pasado.** ‖ **de realce.** Aquel en que sobresalen mucho las figuras o adornos ejecutados con la aguja. ‖ **de sobrepuesto.** El que se hace bordando las figuras o adornos separadamente y sueltos y aplicándolos luego al campo de la tela o piel que han de adornar.

bordador, ra. m. y f. Persona que tiene por oficio bordar.

bordadura. f. Labor de relieve ejecutada en tela o piel con aguja y diversas clases de hilo. ‖ **2.** *Blas.* **bordura.**

bordar. (De or. inc.; probablemente del germ. **bruzdōn,* bordar, infl. por *borde*[1].) tr. Adornar una tela o piel con bordadura, labrándola en relieve. ‖ **2.** fig. Ejecutar alguna cosa con arte y primor.

borde[1]**.** (Del franco *bord,* lado de la nave, a través del fr. *bord.*) m. Extremo u orilla de alguna cosa. ‖ **2.** En las vasijas, orilla o labio que tienen alrededor de la boca. ‖ **3. bordo** de la nave. ‖ **a borde.** loc. adv. A pique o cerca de suceder alguna cosa.

borde[2]**.** (Cf. cat. *bord,* lat. tardío *bŭrdus,* bastardo. V. *burdel.*) adj. *Bot.* Aplícase a plantas no injertas ni cultivadas. ‖ **2.** Dícese del hijo o hija nacidos fuera de matrimonio. Ú. t. c. s. ‖ **3.** fam. Tosco, torpe. ‖ **4.** V. **armuelle, barrilla, caña, té borde.** ‖ **5.** m. ant. Vástago de la vid, que no nace de la yema.

bordear. tr. Ir por el borde, o cerca del borde u orilla de una cosa: BORDEAR *una montaña.* ‖ **2.** Hablando de una serie o fila de cosas, hallarse en el borde u orilla de otra. *Los mojones* BORDEAN *la finca; las flores* BORDEAN *el lago.* ‖ **3. frisar**[1], acercarse mucho a una cosa. ‖ **4.** Tratándose de condiciones o cualidades morales o intelectuales, aproximarse a un grado o estado de ellas. Ú. m. en sentido peyorativo: *Una exaltación que* BORDEA *la locura; chistes chocarreros que* BORDEAN *la indecencia.* ‖ **5.** intr. *Mar.* **dar bordadas.**

bordelés, sa. (Del ant. fr. *Bourdel,* Burdeos.) adj. Natural de Burdeos. Ú. t. c. s. ‖ **2.** Perteneciente o relativo a esta ciudad de Francia. ‖ **3.** V. **barrica bordelesa.** Ú. t. c. s. f.

bordillo. (d. de *borde*[1].) m. **encintado** de la acera, de un andén, etc.

bordiona. (De *borde*[2].) f. ant. **ramera.**

bordo. (De *borde*[1].) m. Lado o costado exterior de la nave. ‖ **2. bordada** de la nave. ‖ **3.** *Alm.* y *Ast.* **linde** de heredades. ‖ **4.** ant. **borde**[1], orilla. Ú. en Colombia y Guatemala. ‖ **5.** *Guat.* y *Méj.* Reparo, por lo común de céspedes y estacas, que forman los labradores en los campos, con objeto de represar las aguas, ya para formar aguajes, ya para enlamar las tierras. ‖ **6.** *Argent.* y *Guat.* Elevación natural de un terreno no rocoso. ‖ **7.** *Argent.* **caballón.** ‖ **8.** V. **motor fuera bordo,** o **fuera de bordo.** ‖ **a bordo.** loc. adv. En la embarcación. *Comer* A BORDO. ‖ **al bordo.** loc. adv. Al costado de la nave. ‖ **dar bordos.** fr. *Mar.* **dar bordadas.** ‖ **de alto bordo.** expr. que se dice de los buques mayores. ‖ **2.** V. **capitán, navío de alto bordo.** ‖ **3.** fig. Dícese también del sujeto o negocio de mucha cuenta. ‖ **rendir el bordo en,** o **sobre,** alguna parte. fr. *Mar.* Llegar a ella el buque.

bordón. (Del b. lat. *burdo, -ōnis,* mulo, zángano.) m. Bastón o palo más alto que la estatura de un hombre, con una punta de hierro y en el medio de la cabeza unos botones que lo adornan. ‖ **2.** Verso quebrado que se repite al fin de cada copla. ‖ **3.** Conjunto de tres versos, normalmente un pentasílabo y dos heptasílabos, que se añade a una seguidilla. ‖ **4.** Voz o frase que inadvertidamente y por hábito vicioso repite una persona con mucha frecuencia en la conversación. ‖ **5.** En los instrumentos músicos de cuerda, cualquiera de las más gruesas que hacen el bajo. ‖ **6.** Cuerda de tripa atravesada diametralmente en el parche inferior del tambor. ‖ **7.** fig. Persona que guía y sostiene a otra. ‖ **8.** *Cir.* Cuerda de tripa que se emplea para dilatar conductos naturales o conservar los que se han abierto artificialmente.

bordona. f. *Argent., Par.* y *Urug.* **bordón,** cualquiera de las tres cuerdas más bajas de la guitarra, preferentemente la sexta.

bordoncillo. (d. de *bordón.*) m. **bordón,** voz o frase que se repite viciosamente.

bordonear. intr. Ir tentando o tocando la tierra con el bordón o bastón. ‖ **2.** Dar palos con el bordón o bastón. ‖ **3.** Pulsar el bordón de la guitarra. ‖ **4.** fig. Andar vagando y pidiendo por no trabajar.

bordoneo. m. Sonido ronco del bordón de la guitarra.

bordonería. (De *bordonero.*) f. Costumbre viciosa de andar vagando como peregrino.

bordonero, ra. (De *bordonear.*) adj. **vagabundo.** Ú. t. c. s.

bordura. (Del fr. *bordure,* orilla.) f. *Blas.* Pieza honorable que rodea el ámbito del escudo por lo interior de él, tomando, según unos, la décima parte de su latitud, y según otros, la sexta.

boreal. (Del lat. *boreālis.*) adj. Perteneciente al bóreas. ‖ **2.** *Astron.* y *Geogr.* **septentrional.** ‖ **3.** *Astron.* V. **corona, hemisferio, nodo, polo, triángulo boreal.** ‖ **4.** *Metcor.* V. **aurora boreal.**

bóreas. (Del lat. *borĕas,* y este del gr. βορέας.) m. Viento norte.

bóreo. (Del lat. *borēus,* boreal.) adj. V. **noto bóreo.**

borgoña. n. p. V. **cruz, pez de Borgoña.** ‖ **2.** m. fig. Vino de Borgoña.

borgoñés, sa. adj. **borgoñón.** ‖ **a la borgoñesa.** loc. adv. **a la borgoñona.**

borgoñón, na. adj. Natural de Borgoña. Ú. t. c. s. ‖ **2.** Perteneciente o relativo a esta antigua provincia de Francia. ‖ **a la borgoñona.** loc. adv. Al uso o al modo de Borgoña.

borgoñota. adj. V. **celada borgoñota.** Ú. t. c. s. ‖ **a la borgoñota.** loc. adv. **a la borgoñona.**

borguil. m. *Ar.* **almiar,** montón de heno.

boria. f. **boira.**

boricado, da. adj. Dícese de algunos preparados que contienen ácido bórico.

bórico. (De *bórax.*) adj. *Quím.* V. **ácido, anhídrido bórico.**

boricua. adj. **puertorriqueño.** Ú. m. en tono festivo. Ú. t. c. s.

borincano, na. adj. **borinqueño.**

borinqueño, ña. (De *Borinquén,* antiguo nombre de la isla de Puerto Rico.) adj. **puertorriqueño.** Apl. a pers., ú. t. c. s.

borla. (Del lat. **burrŭla,* d. de *burra,* borra.) f. Conjunto de hebras, hilos o cordoncillos que, sujetos y reunidos por su mitad o por uno de sus cabos en una especie de botón y sueltos por el otro o por ambos, penden en forma de cilindro o se esparcen en figura de media bola. También se hacen de filamentos de pluma para aplicar los polvos que se usan como cosmético. ‖ **2.** Insignia de los graduados de doctores y maestros en las universidades, que consiste en una **borla** cuyo botón está fijo en el centro del bonete, y cuyos hilos se esparcen alrededor cayendo por los bordes. ‖ **3.** pl. **amaranto.** ‖ **tomar la borla.** fr. fig. Graduarse de doctor o maestro.

borlilla. (d. de *borla.*) f. **antera.**

borlón. m. aum. de **borla.** ‖ **2.** Tela de lino y algodón sembrada de borlitas, semejante a la cotonía. ‖ **3.** pl. **amaranto.**

borne[1]**.** (Del fr. *borne,* extremo, límite.) m. Extremo de la lanza de justar. ‖ **2.** Cada uno de los botones de metal en que suelen terminar ciertas máquinas y aparatos eléctricos, y a los cuales se unen los hilos conductores. ‖ **3.** Tornillo en el cual puede sujetarse el extremo de un conductor para poner en comunicación el aparato en que va montado con un circuito independiente de él.

borne[2]**.** (Del lat. *laburnum.*) m. **codeso.**

borne[3]**.** (Del lat. *alburnum,* albura.) adj. V. **madera, roble borne.**

borneadizo, za. (De *bornear*[1].) adj. Fácil de torcerse o combarse.

borneadura. (De *bornear*[2].) f. **borneo**[2].

bornear[1]**.** (De *borne*[1].) tr. Dar vuelta, revolver, torcer o ladear. ‖ **2.** Labrar en contorno las columnas. ‖ **3.** Disponer y mover oportunamente los sillares y otras piezas de arquitectura, hasta sentarlos y dejarlos colocados en su debido lugar. ‖ **4.** intr. *Sal.* Hacer pasos en el baile. ‖ **5.** *Mar.* Girar el buque sobre sus amarras estando fondeado. ‖ **6.** prnl. Torcerse la madera, hacer combas.

bornear[2]. (Del fr. *bornoyer*, de *borgne*, tuerto.) tr. Mirar con un solo ojo, teniendo el otro cerrado, para examinar si un cuerpo o varios están en una misma línea con otro u otros, o si una superficie tiene alabeo.

borneo[1]. m. Acción y efecto de bornear[1] o bornearse. ‖ **2.** Balance o movimiento del cuerpo en el baile.

borneo[2]. m. Acción de bornear[2].

bornero, ra. adj. V. **piedra bornera.** ‖ **2.** V. **trigo bornero.**

borní. (Del ár. *burnī*, especie de halcón.) m. Ave rapaz diurna, que tiene el cuerpo de color ceniciento y la cabeza, el pecho, las remeras y los pies de color amarillo oscuro; habita en lugares pantanosos y anida en la orilla del agua.

bornizo. (De *borne*[3].) adj. V. **corcho bornizo.** ‖ **2.** m. *Ar.* **vástago** de una planta.

boro. (De *bórax.*) m. *Quím.* Metaloide de color pardo oscuro, que solo se presenta combinado, como en el bórax y el ácido bórico. Núm. atómico 5. Símb.: *B.*

borona. (Del célt. *bron*, pan.) f. **mijo.** ‖ **2. maíz.** ‖ **3.** En varias provincias, pan de maíz. ‖ **4.** *Amér.* **migaja** de pan.

borondanga. f. **morondanga.**

boronía. (Del ár. *būrāniyya*, guiso.) f. **alboronía.**

borra[1]. (Del lat. *burra.*) f. Cordera de un año. ‖ **2.** Parte más grosera o corta de la lana. ‖ **3.** Pelo de cabra de que se rellenan las pelotas, cojines y otras cosas. ‖ **4.** Pelo que el tundidor saca del paño con la tijera. ‖ **5.** Pelusa que sale de la cápsula del algodón. ‖ **6.** Pelusa polvorienta que se forma y reúne en los bolsillos, entre los muebles y sobre las alfombras cuando se retarda la limpieza de ellos. ‖ **7.** Tributo sobre el ganado, que consiste en pagar, de cierto número de cabezas, una. ‖ **8.** Hez o sedimento espeso que forman la tinta, el aceite, etc. ‖ **9.** fig. y fam. Cosas, expresiones y palabras inútiles y sin sustancia. ‖ **¿acaso es borra?** loc. fig. y fam. con que se da a entender que una cosa no es tan despreciable como se piensa. ‖ **meter borra.** fr. fig. y fam. **meter ripio.**

borra[2]. f. **bórax.**

borracha. (De or. inc.; quizá del cat. *morratxa*, redoma, con infl. de *botella.*) f. Bota para el vino.

borrachada. f. **borrachera.**

borrachear. (De *borracho.*) intr. Emborracharse frecuentemente.

borrachera. f. Efecto de emborracharse. ‖ **2.** Banquete o función en que hay algún exceso en comer y beber. ‖ **3.** fig. y fam. Disparate grande. ‖ **4.** fig. y fam. Exaltación extremada en la manera de hacer o decir alguna cosa.

borrachería. f. ant. **borrachera,** efecto de emborracharse. ‖ **2. borrachera,** disparate. ‖ **3. borrachera,** exaltación extremada en la manera de proceder. ‖ **4.** vulg. **taberna.**

borrachero. (De *borracho.*) m. Arbusto de América Meridional, de la familia de las solanáceas, de unos cuatro metros de altura, muy ramoso, de hojas grandes, vellosas y aovadas, flores blancas de forma tubular y fruto drupáceo. Despide olor desagradable de día y grato y narcótico de noche, y comido el fruto, causa delirio.

borrachez. (De *borracho.*) f. **embriaguez** por la bebida. ‖ **2.** fig. Turbación del juicio o de la razón.

borrachín, na. (De *borracho.*) adj. Dícese de la persona que tiene el hábito de embriagarse. Ú. frecuentemente con valores afectivos, ya atenuadores, ya despectivos. Ú. m. c. s.

borracho, cha. (De *borracha.*) adj. **ebrio,** embriagado por la bebida. Ú. t. c. s. ‖ **2.** Que se embriaga habitualmente. Ú. t. c. s. ‖ **3.** V. **bizcocho, palo borracho.** ‖ **4.** V. **sopa borracha.** ‖ **5.** Aplícase a algunos frutos y flores de color morado. *Pero* BORRACHO; *zanahoria* BORRACHA. ‖ **6.** fig. y fam. Vivamente poseído o dominado de alguna pasión, y especialmente de la ira.

borrachuela. (d. de *borracha.*) f. **cizaña,** planta.

borrachuelo, la. adj. d. de **borracho.** Apl. a pers., ú. t. c. s.

borrado, da. p. p. de **borrar.** ‖ **2.** adj. *Perú.* Picado de viruelas.

borrador, ra. (De *borrar.*) adj. Que borra. Ú. t. c. s. ‖ **2.** m. Escrito de primera intención, en que se hacen o pueden hacerse adiciones, supresiones o enmiendas. ‖ **3.** Libro en que los comerciantes y hombres de negocios hacen sus apuntes para arreglar después sus cuentas. ‖ **4.** Utensilio que sirve para borrar lo escrito con tiza en una pizarra o sitio semejante. ‖ **5.** *Gal.* y *Vallad.* Cartera que suelen usar los niños para llevar en ella, cuando van a la escuela, libros, papeles y demás cosas que emplean en sus estudios. ‖ **6. goma de borrar.** ‖ **sacar de borrador** a alguien. fr. fig. y fam. p. us. Vestirle limpia y decentemente.

borradura. f. Acción y efecto de borrar con rayas lo escrito.

borragináceo, a. (Del lat. *borrāgo, -ĭnis*, borraja.) adj. *Bot.* Dícese de plantas angiospermas dicotiledóneas, la mayor parte herbáceas, cubiertas de pelos ásperos, con hojas sencillas y alternas, flores gamopétalas y pentámeras, dispuestas en espigas, racimo o panoja, y fruto en cariópside, cápsula o baya con una sola semilla sin albumen; como la borraja y el heliotropo. Ú. t. c. s. f. ‖ **2.** f. pl. *Bot.* Familia de estas plantas.

borragíneo, a. (Del lat. *borrāgo, -ĭnis*, borraja.) adj. *Bot.* **borragináceo.**

borraj. m. **bórax.**

borraja. (Del cat. *borratja*, y este del lat. *borrāgo, -ĭnis.*) f. Planta anual de la familia de las borragináceas, de 20 a 60 centímetros de altura, con tallo grueso y ramoso, hojas grandes y aovadas, flores azules dispuestas en racimo y semillas muy menudas. Está cubierta de pelos ásperos y punzantes, es comestible y la infusión de sus flores se emplea como sudorífico. ‖ **2.** V. **agua de borrajas.**

borrajear. (De *borrar.*) tr. Escribir sin asunto determinado. ‖ **2.** Hacer rúbricas, rasgos o figuras por mero entretenimiento o por ejercitar la pluma.

borrajo. (De or. inc.; cf. lat. *burrus-a-um.*) m. **rescoldo,** brasa bajo la ceniza. ‖ **2.** Hojarasca de los pinos.

borrar. (De *borra*[1].) tr. Hacer rayas horizontales o transversales sobre lo escrito, para que no pueda leerse o para dar a entender que no sirve. ‖ **2.** Hacer que la tinta se corra y desfigure lo escrito, poniéndola en contacto con alguna cosa cuando está fresca. Ú. t. c. prnl. ‖ **3.** Hacer desaparecer por cualquier medio lo representado con tinta, lápiz, etc. Ú. t. c. prnl. ‖ **4.** fig. Desvanecer, quitar, hacer que desaparezca una cosa. Ú. t. c. prnl. *Es difícil* BORRAR *esa vileza; aquel lance no* SE BORRARÁ *nunca de mi memoria.*

borrasca. (Del lat. *borras* por *borĕas*, viento norte.) f. Tempestad, tormenta del mar. ‖ **2.** fig. Temporal fuerte o tempestad que se levanta en tierra. ‖ **3.** Perturbación atmosférica caracterizada por fuertes vientos, abundantes precipitaciones y, a veces, fenómenos eléctricos. ‖ **4.** fig. Riesgo, peligro o contradicción que se padece en algún negocio. ‖ **5.** fig. y fam. **orgía,** festín con excesos. ‖ **6.** fig. *Méj.* En las minas, carencia de mineral útil en el criadero.

borrascoso, sa. adj. Que causa borrascas. *Viento* BORRASCOSO. ‖ **2.** Propenso a ellas. *El cabo de Hornos es* BORRASCOSO. ‖ **3.** fig. y fam. Dícese de la vida, diversiones, etc., en que predominan el desorden y el libertinaje. ‖ **4.** fig. Agitado, violento, dicho de reuniones, movimientos históricos o políticos, épocas, etc.

borrasquero, ra. adj. fig. y fam. Dícese de la persona dada a diversiones borrascosas y ocasionadas.

borregada. f. Rebaño o número crecido de borregos o corderos.

borrego, ga. (De *borra*[1].) m. y f. Cordero o cordera de uno a dos años. ‖ **2.** fig. y fam. Persona sencilla o ignorante. Ú. t. c. adj. ‖ **3.** Persona que se somete gregaria o dócilmente a la voluntad ajena. ‖ **4.** m. fig. Nubecilla blanca, redondeada. ‖ **5.** fig. *Cuba.* **pajarota.** ‖ **6.** *Méj.* Chaqueta con forro de lana de **borrego.** ‖ **no haber tales borregos.** fr. fig. y fam. **no haber tales carneros.**

borreguero, ra. adj. Dícese del coto, dehesa o terreno cuyos pastos son de mejores condiciones para borregos que para otra clase de ganados. ‖ **2.** V. **cielo borreguero.** ‖ **3.** m. y f. Persona que cuida de los borregos.

borreguil. adj. Perteneciente o relativo al borrego.

borrén. (Del lat. **burrāgo, -ĭnis,* de *burra,* borra.) m. Cada una de las almohadillas forradas de cuero que corresponden a los arzones de la montura. Dícese **borrén** delantero y **borrén** trasero.

borrena. f. ant. **borrén.**

borrero. (Del fr. *bourreau.*) m. ant. **verdugo,** ejecutor de la justicia.

borrica. (De *borrico.*) f. Hembra del borrico. ‖ **2.** V. **señal de borrica frontina.** ‖ **3.** fig. y fam. Mujer necia. Ú. t. c. adj.

borricada. f. Conjunto o multitud de borricos. ‖ **2.** Cabalgata que se hace en borricos por diversión y bulla. ‖ **3.** fig. y fam. Dicho o hecho necio.

borrical. adj. **asnal.**

borrico. (Del lat. *burrĭcus, burĭcus,* caballejo.) m. **asno,** animal solípedo. ‖ **2.** Armazón compuesta de tres maderos que, unidos y cruzándose en ángulos agudos hacia su parte superior, forman una especie de trípode que sirve a los carpinteros para apoyar en ella la madera que labran. ‖ **3.** fig. y fam. **asno,** hombre muy necio. Ú. t. c. adj. ‖ **caer** alguien **de** su **borrico.** fr. fig. y fam. **caer de** su **asno.** ‖ **poner** a alguien **sobre un borrico.** fr. que solía emplearse para amenazar con el castigo afrentoso de azotes o vergüenza pública. ‖ **puesto en el borrico.** expr. fig. y fam. con que se denota que alguien está ya resuelto a seguir el empeño en que se halla metido, aunque sea a costa de más gravamen. ‖ **ser un borrico.** fr. fig. y fam. Ser de mucho aguante o sufrimiento en el trabajo.

borricón. (aum. de *borrico.*) m. fig. y fam. Hombre que sufre resignadamente. Ú. t. c. adj.

borricote. m. fig. y fam. **borricón.** Ú. t. c. adj.

borrina. (Del lat. *borra, borĕas,* norte, con la term. de *calina.*) f. *Ast.* Niebla densa y húmeda.

borriqueño, ña. adj. Propio del borrico o perteneciente a él. ‖ **2.** V. **cardo borriqueño.**

borriquero, ra. adj. **borriqueño.** ‖ **2.** V. **cardo borriquero.** ‖ **3.** V. **mosca borriquera.** ‖ **4.** m. Guarda o conductor de una borricada.

borriquete. m. **borrico** de carpintero. ‖ **2.** Vela que se pone sobre el trinquete para servirse de ella en caso de rifarse este.

borro. (De *borra.*) m. Cordero que pasa de un año y no llega a dos. ‖ **2.** Cierto tributo sobre el ganado lanar, semejante al tributo de borra.

borrominesco. adj. Dícese del gusto introducido en la arquitectura española por los italianos Borromini y otros, en el siglo XVII.

borrón[1]**.** (De *borrar.*) m. Gota de tinta que cae, o mancha de tinta que se hace en el papel. ‖ **2. borrador,** escrito de primera intención. ‖ **3.** fig. Denominación que por modestia suelen dar los autores a sus escritos. Ú. m. en pl. *Haced buena acogida a estos* BORRONES. ‖ **4.** fig. Imperfección que desluce o afea. ‖ **5.** fig. Acción indigna que mancha y oscurece la reputación o fama. ‖ **6.** *Pint.* Primera invención para un cuadro, hecha con colores o de claro y oscuro. ‖ **7.** pl. *Impr.* Exceso parcial de engrudo que ha servido para fijar las alzas sobre el cilindro de una máquina de imprimir. También se usa tratándose de cualquier cuerpo extraño introducido debajo de las alzas y que produce mal efecto. ‖ **borrón y cuenta nueva.** loc. fig. y fam. con que se expresa la decisión de olvidar deudas, errores, enfados, etc., y continuar como si nunca hubiesen existido.

borrón[2]**.** (Del lat. **burāre,* quemar.) m. **hormiguero,** montón de hierbas inútiles.

borroncillo. m. **borrón**[1], primera invención para un cuadro.

borronear. (De *borrón*[1].) tr. **borrajear.**

borrosidad. f. Calidad de borroso, confuso.

borroso, sa. adj. Lleno de borra o heces, como sucede al aceite, la tinta y otras cosas líquidas que no están claras. ‖ **2.** Dícese del escrito, dibujo o pintura cuyos trazos aparecen desvanecidos y confusos. ‖ **3.** Que no se distingue con claridad.

borrufalla. (De or. inc.; cf. b. lat. *bŭrra,* borra, lana grosera.) f. fam. *Ar.* Hojarasca, fruslería, cosa de poca sustancia.

borrumbada. (Voz onomatopéyica.) f. fam. **barrumbada.**

bortal. (De *borto.*) m. *Ál.* **madroñal.**

borto. (De *alborto.*) m. *Ál., Burg.* y *Logr.* Alborocera, madroño.

boruca. (Del vasc. *buruka,* lucha, topetazo.) f. Bulla, algazara.

boruga. f. *Cuba* y *Sto. Dom.* Requesón que, después de coagulada la leche, sin separar el suero, se bate con azúcar y se toma como refresco.

borujo. (Del lat. **volucŭlum,* envoltura.) m. **burujo.** ‖ **2.** Masa que resulta del hueso de la aceituna después de molida y exprimida. ‖ **3.** ant. **orujo** de la uva.

borujón. m. **burujón.**

borundés, sa. adj. Natural del valle de la Borunda o de la Barranca. Ú. t. c. s. ‖ **2.** Perteneciente o relativo a esta comarca navarra.

boruro. m. *Quím.* Combinación del boro con un metal.

borusca. (De *brusca.*) f. **seroja.**

bosadilla. (De *bosar.*) f. ant. **vómito.**

bosar. (Del lat. *vorsāre, versāre,* volver.) tr. ant. **rebosar.** ‖ **2.** ant. **vomitar** lo contenido en el estómago. ‖ **3.** ant. fig. Proferir palabras descomedidas.

boscaje. m. Bosque de corta extensión. ‖ **2.** *Pint.* Cuadro o tapiz que representa un paisaje poblado de árboles, matorrales y animales.

boscoso, sa. adj. Que tiene bosques.

bosniaco, ca o **bosníaco, ca.** adj. **bosnio.** Apl. a pers., ú. t. c. s.

bosnio, nia. adj. Natural de Bosnia. Ú. t. c. s. ‖ **2.** Perteneciente o relativo a este país de Europa.

bosque. (De or. inc.) m. Sitio poblado de árboles y matas. ‖ **2.** V. **alcalde de obras y bosques.** ‖ **3.** fig. Abundancia desordenada de alguna cosa; confusión, cuestión intrincada. ‖ **4.** *Germ.* **barba,** pelo que nace en la cara.

bosquejar. (De *bosquejo.*) tr. Pintar o modelar, sin definir los contornos ni dar la última mano a la obra. ‖ **2.** Disponer o trabajar cualquier obra, pero sin concluirla. ‖ **3.** fig. Indicar con alguna vaguedad un concepto o plan.

bosquejo. (De *bosque.*) m. Traza primera y no definitiva de una obra pictórica, y en general de cualquier producción del ingenio. ‖ **2.** fig. Idea vaga de alguna cosa. ‖ **en bosquejo.** loc. adj. No perfeccionado, no concluido.

bosquete. m. d. de **bosque.** ‖ **2.** Bosque artificial y de recreo, en los jardines o en las casas de campo.

bosquimán. (Del afrikaans *boschjesman,* hombre del bosque.) m. Individuo de una tribu de África Meridional al norte de El Cabo.

bosquimano. m. **bosquimán.**

bosta. (De *bostar.*) f. Excremento del ganado vacuno o del caballar.

bostar. (Del lat. *bostar, -āris.*) m. ant. **boyera.**

bostear. (De *bosta.*) intr. *Argent., Chile, Perú* y *Urug.* Excretar el ganado vacuno o el caballar, y por ext., cualquier animal.

bostezador, ra. adj. Que bosteza con frecuencia.

bostezar. (Del lat. *oscitāre.*) intr. Hacer involuntariamente, abriendo mucho la boca, inspiración lenta y profunda y luego espiración, también prolongada y generalmente ruidosa. Es indicio de tedio, debilidad, etc., y más ordinariamente de sueño.

bostezo. m. Acción de bostezar.

bota[1]. (Del lat. *buttis,* odre.) f. Cuero pequeño empegado por su parte inferior y cosido por sus bordes, que remata en un cuello con brocal de cuerno o madera por donde se llena de vino y se bebe. ‖ **2.** Cuba para guardar vino y otros líquidos. ‖ **3.** Medida para líquidos, equivalente a 32 cántaras o 516 litros aprox. ‖ **sentar las botas.** fr. En Jerez, colocarlas en hileras a lo largo de las paredes de las bodegas.

bota[2]. (Del fr. *botte.*) f. Calzado, generalmente de cuero, que resguarda el pie y parte de la pierna. ‖ **2.** Especie de borceguí de piel o tela que usan las mujeres. ‖ **de montar.** La que cubre las piernas por encima del pantalón o del calzón y usan los jinetes para cabalgar, o como prenda de uniforme, los militares de cuerpos montados. ‖ **de potro.** *Argent.* y *Urug.* **bota** de montar hecha de una pieza con la piel de la pierna de un caballo. ‖ **fuerte.** La de montar más holgada, alta y de material resistente. ‖ **estar de botas,** o **con las botas puestas.** fr. fig. Estar dispuesto para hacer un viaje. ‖ **2.** fig. Estar dispuesto para cualquier cosa. ‖ **ponerse las botas.** fr. fig. y fam. Enriquecerse o lograr un provecho extraordinario. ‖ **2.** Aprovecharse extremadamente, y muchas veces desconsideradamente, de algo.

botador, ra. adj. Que bota. ‖ **2.** *Amér. Central* (menos *C. Rica), Chile, Ecuad., Méj.* y *P. Rico.* Derrochador, manirroto. ‖ **3.** m. Palo largo o varal con que los barqueros hacen fuerza en la arena para desencallar o para hacer andar los barcos. ‖ **4.** *Carp.* Instrumento de hierro, a modo de cincel sin afilar, para arrancar los clavos que no se pueden sacar con las tenazas, o para embutir sus cabezas. ‖ **5.** *Cir.* Hierro en forma de escoplillo, dividido en dos dientes o puntas, que usan los dentistas. ‖ **6.** *Impr.* Trozo de madera fuerte, agudo por un extremo, que sirve para apretar y aflojar las cuñas de la forma.

botadura. (De *botar.*) f. Acto de echar al agua un buque.

botafuego. (De *botar,* arrojar, y *fuego.*) m. *Art.* Varilla de madera en cuyo extremo se ponía la mecha encendida para pegar fuego, desde cierta distancia, a las piezas de artillería. ‖ **2.** fig. y fam. Persona que se acalora fácilmente y es propensa a suscitar disensiones y alborotos.

botafumeiro. (De or. gallego. Por alusión al *Botafumeiro,* gran incensario de la catedral de Compostela.) m. **incensario.** ‖ **2.** fig. y fam. **adulación.** ‖ **manejar el botafumeiro.** fr. fig. y fam. **adular.**

botagueña. (Del lat. **botus,* de *botŭlus,* embutido, y *güeña,* de bofes.) f. Longaniza hecha de asadura de puerco.

botaina. f. *Ant.* y *Col.* **botana,** vaina que se coloca sobre los espolones del gallo de pelea.

botalomo. m. *Chile.* Instrumento de hierro con que los encuadernadores forman la pestaña en el lomo de los libros.

botalón. (De *botar,* echar fuera.) m. Palo largo que se saca hacia la parte exterior de la embarcación cuando conviene, para varios usos. ‖ **2.** Bauprés de una embarcación pequeña. ‖ **3.** Mastelero del bauprés en un velero grande. ‖ **4.** *Col.* y *Venez.* Poste hincado en el suelo, bramadero. ‖ **5.** V. **torpedo de botalón.**

botamen. m. Conjunto de botes de una oficina de farmacia. ‖ **2.** *Mar.* Pipería de los buques.

botana. (De *bota[1].*) f. Remiendo que se pone en los agujeros de los odres para que no se salga el líquido. ‖ **2.** Taruguito de madera que se pone con el mismo objeto en las cubas de vino. ‖ **3.** fig. y fam. Parche que se pone en una llaga para que se cure. ‖ **4.** fig. y fam. Cicatriz de una llaga. ‖ **5.** *Cuba* y *Méj.* Vaina de cuero, acolchada con lana o algodón, que se coloca sobre los espolones del gallo de pelea para que no hiera al adversario. ‖ **6.** *Méj.* Aperitivo, piscolabis.

botánica. (Del lat. *botanĭca,* y este del gr. βοτανική, t. f. de -κός, botánico.) f. Ciencia que trata de los vegetales. ‖ **2.** *P. Rico.* Sitio donde se venden hierbas medicinales.

botánico, ca. (Del lat. *botanĭcus,* y este del gr. βοτανικός, de βοτάνη, hierba.) adj. Perteneciente a la botánica. ‖ **2.** V. **jardín botánico.** ‖ **3.** m. y f. Persona que profesa la botánica o tiene en ella especiales conocimientos. ‖ **4.** *P. Rico.* Curandero que receta principalmente hierbas, yerbatero.

botanista. com. **botánico,** persona que profesa la botánica.

botar. (Del germ. **bōtan,* golpear.) tr. Arrojar, tirar, echar fuera a una persona o cosa. ‖ **2.** Echar al agua un buque haciéndolo resbalar por la grada después de construido o carenado. ‖ **3.** ant. Embotar, entorpecer. ‖ **4.** En el juego de pelota, hacerla saltar el jugador, lanzándola contra el suelo. ‖ **5.** *Mar.* Echar o enderezar el timón a la parte que conviene, para encaminar la proa al rumbo que se quiere seguir. BOTAR *a babor, a estribor.* ‖ **6.** intr. Cambiar de dirección un cuerpo elástico por chocar con otro cuerpo duro. ‖ **7.** Saltar la pelota o balón al chocar contra una superficie dura. ‖ **8.** Saltar o levantarse otra cosa cualquiera como hace la pelota. ‖ **9.** Saltar alguien desde el suelo. ‖ **10.** Dar botes el caballo. ‖ **11.** fig. Estar alguien sumamente indignado o dolorido, como si la indignación o el dolor le obligaran a dar botes. ‖ **12.** fig. **saltar,** irrumpir violentamente en la conversación con energía o ira. ‖ **13.** ant. **salir** de dentro afuera. ‖ **14.** fig. y fam. Manifestar alguien su ira o su alegría de alguna manera. *Está que* BOTA. ‖ **15.** prnl. *Equit.* Sustraerse el caballo a la acción del bocado, intentando por medio de saltos y movimientos desconcertados derribar al jinete.

botaratada. f. fam. Dicho o hecho propio de un botarate.

botarate. (De *botar,* saltar.) m. fam. Hombre alborotado y de poco juicio. Ú. t. c. adj. ‖ **2.** *Can.* y *Amér.* Persona derrochadora, manirrota. Ú. t. c. adj.

botarel. (Del m. or. que *botar.*) m. *Arq.* **contrafuerte,** manchón para fortalecer un muro.

botarete. (Del m. or. que *botar.*) adj. *Arq.* V. **arco botarete.**

botarga. (Del apodo *Bottarga,* especie de caviar, que se aplicaba al actor italiano que usaba estos calzones.) f. Especie de calzón ancho y largo que se usaba antiguamente. ‖ **2.** Vestido ridículo de varios colores, que se usa en las mojigangas y en algunas representaciones teatrales. ‖ **3.** El que lleva este vestido. ‖ **4.** Armazón de ballenas o de alambre, revestida de tela, que usan los actores debajo de los trajes para deformar la figura. ‖ **5.** Especie de embuchado. ‖ **6.** *Ar.* Dominguillo que se usaba en la fiesta de toros.

botasela. f. ant. **botasilla.**

botasilla. (De *botar,* echar, y *silla.*) f. *Mil.* En los cuerpos de caballería, toque de clarín para que los soldados ensillen los caballos.

botavante. (De *botar,* arrojar, y *avante.*) m. Asta larga herrada por uno de los extremos, como un chuzo, que usaban los marineros para defenderse en los abordajes.

botavara. (De *botar* y *vara.*) f. *Mar.* Palo horizontal que, apoyado en el coronamiento de popa y asegurado en el mástil más próximo a ella, sirve para cazar la vela cangreja.

bote[1]. (De *botar.*) m. Golpe que se da con ciertas armas enastadas, como lanza o pica. ‖ **2.** Cada salto que da el caballo cuando desahoga su alegría o su impaciencia, o cuando quiere tirar a su jinete. ‖ **3.** Salto que da la pelota al chocar con el suelo. ‖ **4.** Salto que da una persona, o una cosa cualquiera, botando como la pelota. ‖ **5.** Cada salto que da la bala de cañón u obús disparada a rebote. ‖ **6. boche**[2], hoyo. ‖ **de carnero.** Salto que, para tirar a su jinete, da el caballo metiendo la cabeza entre los brazos y botando sobre estos y sobre las piernas simultáneamente. ‖ **de bote y voleo.** expr. fig. y fam. Sin dilación, a toda prisa, con presteza, inconsideradamente, sin reflexión.

bote[2]. (Del m. or. que *pote.*) m. Recipiente pequeño, comúnmente cilíndrico, que sirve para guardar medicinas, aceites, pomadas, tabaco, conservas, etc. ‖ **2.** V. **pastel en bote.** ‖ **de metralla.** Tubo de metal u otra materia cargado de balas o pedazos de hierro, y que se disparan con cañón u obús. ‖ **chupar del bote.** fr. fig. y fam. Sacar indebidamente provecho material de un cargo, una situación, etc.

bote[3]. (Del ing. ant. *bāt.*) m. Barco pequeño y sin cubierta, cruzado de tablones que sirven de asiento a los que reman. Se usa para los transportes de gente y equipajes a los buques grandes, y para todo tráfico en los puertos. ‖ **2.** V. **patrón de bote.** ‖ **3.** fig. y fam. *Méj.* Prisión, cárcel. ‖ **salvavidas.** El insumergible y acondicionado para abandono de un buque o salvamento de náufragos. ‖ **tocarle** a alguien **amarrar el bote.** fr. fig. y fam. *Venez.* Quedarse el último en la recompensa, el trabajo o el peligro.

bote[4]. (Del germ. *bock*, macho cabrío.) f. *Sor.* **macho cabrío.**

bote[5] **(de bote en).** (Del fr. *de bout en bout*, de extremo a extremo.) loc. fig. y fam. que se dice de cualquier sitio o local completamente lleno de gente.

boteal. (Del lat. *puteālis*, de *putĕus*, pozo.) m. desus. Lugar en que abundan charcas de aguas manantiales.

botear. tr. *Cuba.* Recoger viajeros en ruta fija y trayectos distintos.

botecario. (Del lat. *apothecarĭus*, bodeguero.) m. Cierto tributo que se pagaba en tiempo de guerra.

botedad. (De *boto.*) f. ant. **embotamiento.**

boteja. f. *Ar.* **botijo.**

botella. (Del dialect. *botella*, o del fr. *bouteille*, del lat. *butticŭla.*) f. Vasija de cristal, vidrio o barro cocido, con el cuello angosto, que sirve para contener líquidos. ‖ **2.** Todo el líquido que cabe en una **botella.** BOTELLA *de vino.* ‖ **3.** Medida de capacidad para ciertos líquidos, equivalente a cuartillo y medio, o sea a 756,3 mililitros. ‖ **4.** fig. *Ant., C. Rica* y *Pan.* Cargo bien retribuido, prebenda, sinecura. ‖ **de Leiden.** *Fís.* La que, llena de hojuelas de oro, forrada con papel de estaño hasta más de la mitad de su altura y tapada con un corcho bien lacrado y atravesado por una varilla de cobre o latón, recibe y acumula electricidad. ‖ **no es soplar y hacer botellas.** fr. fig. y fam. con la que se denota que una cosa no es tan fácil como parece.

botellazo. m. Golpe dado con una botella.

boteller. (Del prov. *boteller.*) m. ant. **botillero.**

botellero. m. El que fabrica botellas o trafica con ellas. ‖ **2.** *And.* El que embotella.

botellín. m. Botella pequeña.

botellón. m. aum. de **botella.** ‖ **2.** *Méj.* **damajuana.**

botequín. (Del neerl. *bootkin*, barquito.) m. desus. *Mar.* Bote pequeño.

botería. f. Taller o tienda del botero. ‖ **2.** *Mar.* **botamen,** pipería de un buque.

botero[1]. m. El que hace, adereza o vende botas o pellejos para vino, vinagre, aceite, etcétera.

botero[2]. m. Patrón de un bote.

botero[3]. (De *botear.*) m. *Cuba.* Taxi que botea.

boteza. f. ant. **botedad.**

botica. (Del b. gr. ἀποθήκη, almacén; véase *bodega.*) f. Farmacia, laboratorio y despacho de medicamentos. ‖ **2.** Asistencia de medicamentos durante un plazo. *Dar médico y* BOTICA. ‖ **3.** En algunas partes, tienda de mercader. ‖ **4.** ant. Vivienda o aposento surtido del ajuar preciso para habitarlo. ‖ **5.** fig. Medicamento, droga o mejunje. ‖ **haber de todo** en alguna parte **como en botica.** fr. fig. y fam. Haber allí provisión, colección o surtido completo o muy variado de cosas diversas. ‖ **recetar de buena botica.** fr. fig. y fam. p. us. Gastar largamente por tener padres u otras personas que le asisten con todo lo que necesita.

boticaje. (De *botica.*) m. ant. Derecho o alquiler de la tienda en que se vendía alguna cosa.

boticario, ria. (De *botica.*) m. y f. Persona que profesa la farmacia y que prepara y expende las medicinas. ‖ **2.** m. V. **ojo de boticario.** ‖ **3.** f. fam. Mujer del **boticario.**

botiga. (Del lat. *apothēca*, bodega.) f. En algunas partes, **botica,** tienda.

botiguero. (De *botiga.*) m. En algunas partes, mercader de tienda abierta.

botija. (Del lat. *butticŭla.*) f. Vasija de barro mediana, redonda y de cuello corto y angosto. ‖ **estar hecho una botija.** fr. fig. y fam. Se dice del niño cuando se enoja y llora. ‖ **2.** fig. y fam. Dícese también del que está demasiado gordo.

botijero, ra. m. y f. Persona que hace o vende botijas o botijos.

botijo. (De *botija.*) m. Vasija de barro poroso, que se usa para refrescar el agua. Es de vientre abultado, con asa en la parte superior, a uno de los lados boca proporcionada para echar el agua, y al opuesto un pitón para beber. ‖ **2. tren botijo.**

botijuela. f. d. de **botija.** ‖ **2. agujeta,** propina. ‖ **3. alboroque.** ‖ **4.** *Sto. Dom.* Por ext., las botijas ocultadas en muros o en tierra con monedas de la época colonial. ‖ **encontrar una botijuela.** fr. Encontrar un tesoro.

botilla. (d. de *bota*[2].) f. Cierto calzado que usaban las mujeres. ‖ **2. borceguí.**

botiller. (Del fr. *bouteiller.*) m. El que tiene a su cargo la botillería de un palacio, familia noble, etc. ‖ **2. botillero.**

botillería. (De *botillero.*) f. Casa o tienda, a manera de café, donde se hacen y venden bebidas heladas o refrescos. ‖ **2. botecario.** ‖ **3.** ant. Despensa para guardar licores y comestibles. ‖ **4.** *Chile* y *Perú.* Comercio de venta de vinos o licores embotellados.

botillero. (De *botella.*) m. El que hace o vende bebidas heladas o refrescos. ‖ **2.** En los bares, cafeterías, etc., persona entendida en las mezclas de vinos y licores para su consumo en el local.

botillo[1]. (De *boto*[2].) m. Pellejo pequeño que sirve para llevar vino.

botillo[2]. (Del lat. *botĕllus*, d. de *botŭlus*, embutido.) m. *León.* Embutido grueso, redondeado, hecho principalmente con carne de cerdo y algunos huesos.

botín[1]. (De *bota*[2].) m. Calzado antiguo de cuero, que cubría todo el pie y parte de la pierna. ‖ **2.** Calzado de cuero, paño o lienzo, que cubre la parte superior del pie y parte de la pierna, a la cual se ajusta con botones, hebillas o correas.

botín[2]. (Del prov. *botin*, y este del germ. **bytin*, presa.) m. Despojo que se concedía a los soldados, como premio de conquista, en el campo o plazas enemigas. ‖ **2.** Conjunto de las armas, provisiones y demás efectos de una plaza o de un ejército vencido y de los cuales se apodera el vencedor.

botina. (De *bota*[2].) f. Calzado que pasa algo del tobillo.

botinería. (De *botín*[1].) f. Taller donde se hacen botines. ‖ **2.** Tienda donde se venden.

botinero[1]. (De *botín*[2].) m. El que guardaba o vendía botín o presa.

botinero[2], ra. (De *botín*[1].) adj. Dícese de la res vacuna de pelo claro que tiene negras las extremidades. ‖ **2.** m. El que hace o vende botines.

botiondo, da. (De *bote*, macho cabrío.) adj. En algunas partes, dícese de la cabra en celo y, por ext., del macho cabrío.

botiquería. f. ant. Botica o tienda donde se vendían botes de olor.

botiquín. (d. de *botica*.) m. Mueble, caja o maleta para guardar medicinas o transportarlas a donde convenga. ‖ **2.** Conjunto de estas medicinas. ‖ **3.** Habitación donde se encuentra el **botiquín** y se aplican los primeros auxilios.

botito. (De *bota*[2].) m. Especie de bota de hombre, con elásticos o con botones, que se ciñe al tobillo.

botivoleo. (De *bote* y *voleo*.) m. Acción de golpear la pelota impulsándola en el aire después que ha botado en el suelo.

boto[1]. (De *bota*, calzado.) m. *And.*, *Extr.* y *Sal.* Bota alta enteriza para montar a caballo.

boto[2]. (Del lat. *buttis*, odre, tonel.) m. Cuero pequeño para echar vino, aceite u otro líquido. ‖ **2.** *Ast.* Tripa de vaca llena de manteca.

boto[3], ta. (Del gót. *bauths*, obtuso.) adj. **romo,** obtuso y sin punta. ‖ **2.** fig. Rudo o torpe de ingenio o de algún sentido.

botocudo, da. adj. Dícese de cada uno de los individuos de varias tribus del Brasil que se deforman el labio inferior. Ú. t. c. s.

botón. (De *botar*.) m. **yema** de un vegetal. ‖ **2.** Flor cerrada y cubierta de las hojas que unidas la defienden, hasta que se abre y extiende. ‖ **3.** Pieza pequeña y de forma varia, de metal, hueso, nácar u otra materia, forrada de tela o sin forrar, que se pone en los vestidos para que, entrando en el ojal, los abroche y asegure. También se ponen por adorno. ‖ **4.** Resalto de forma cilíndrica o esférica que se atornilla en algún objeto, para que sirva de tirador, asidero, tope, etc., según los casos. ‖ **5.** Labor a modo de anillo formado por bolitas o medias bolitas con que se adornan balaustres, llaves y otras piezas de piedra, metal u otra materia. ‖ **6.** En el timbre eléctrico, pieza en forma de **botón** que, al oprimirla, cierra el circuito de la corriente y hace que suene aquel. ‖ **7.** V. **baile de botón gordo.** ‖ **8.** *Bot.* Parte central, ordinariamente esférica, de las flores de la familia de las compuestas. ‖ **9.** *Esgr.* Chapita redonda de hierro, en figura de **botón,** que se pone en la punta de la espada o del florete para no hacerse daño en la esgrima. ‖ **10.** *Mont.* Pedazo de palo que tiene la red o tela de caza para asegurarla en los ojales que corresponden del lado opuesto. ‖ **11.** *Mús.* En los instrumentos músicos de pistones, pieza circular y metálica que recibe la presión del dedo para funcionar. ‖ **12.** *Mús.* Pieza en forma de **botón** que tienen los instrumentos de arco en su parte inferior para sujetar a ella el trascoda. ‖ **13.** *Metal.* y *Quím.* Porción de metal de forma semiesférica que se obtiene en los ensayos docimásticos. ‖ **de fuego.** *Cir.* Cauterio que se da con un hierro u otra pieza de metal enrojecida al fuego. Ordinariamente tiene figura esférica. Ú. especialmente con los verbos *dar* o *poner*. ‖ **de mando.** Tecla de un aparato; por analogía con el **botón** del timbre. ‖ **de muestra.** fig. Ejemplo o indicio de algo. Cf. **para muestra, basta un botón.** ‖ **de oro. ranúnculo.** ‖ **contarle** una persona **los botones** a otra. fr. *Esgr.* Ser tanta la destreza de alguno, que da a su adversario las estocadas donde quiere. ‖ **de botones adentro.** loc. adv. fig. y fam. p. us. En lo interior del ánimo.

botonadura. f. Juego de botones para un traje o prenda de vestir.

botonazo. m. *Esgr.* Golpe dado con el botón de la espada o del florete.

botonería. f. Fábrica de botones. ‖ **2.** Tienda en que se venden.

botonero, ra. m. y f. Persona que hace o vende botones.

botones. (De *botón*, por los que suele lucir en su uniforme.) m. Muchacho que sirve en hoteles y otros establecimientos para llevar los recados u otras comisiones que se le encargan.

botor. (Del ár. *buṭūr*, postemas.) m. ant. Buba o tumor.

botoral. adj. ant. Perteneciente al botor o semejante a él.

botoso, sa. adj. ant. **boto**[3], romo, obtuso y sin punta. ‖ **2.** ant. **boto**[3], rudo, torpe.

bototo. (De *bota*[1].) m. *Amér.* Calabaza para llevar agua.

botrino. (Del lat. *vulturinus*, buitre.) m. *Ál.*, *Ar.*, *Burg.* y *Logr.* **butrino.**

botulismo. (Del lat. *botŭlus*, embutido.) m. Enfermedad producida por la toxina de un bacilo específico contenido en los alimentos envasados en malas condiciones.

botuto. (De or. caribe.) m. Pezón largo y hueco que sostiene la hoja del lechoso o papayo. ‖ **2.** Trompeta sagrada y de guerra de los indios del Orinoco.

bou. (Del cat. *bou*.) m. Pesca en que dos barcas, apartadas la una de la otra, tiran de la red, arrastrándola por el fondo. ‖ **2.** Barca o vaporcito destinado a este arte de pesca.

boutique. (Del fr. *boutique*.) f. Tienda de ropa de moda y de temporada. ‖ **2.** Por ext., tienda de productos selectos. Se pronuncia aprox. */butik/*.

bovaje. (Del cat. *bovatge*.) m. En el antiguo reino catalanoaragonés, tributo pagado al rey sobre las yuntas de bueyes.

bovático. (Del lat. medieval *bovatĭcum*.) m. **bovaje.**

bóveda. (Quizá del lat. **volvĭta*, de *volvĕre*, volver.) f. *Arq.* Obra de fábrica curvada, que sirve para cubrir el espacio comprendido entre dos muros o varios pilares. ‖ **2.** Habitación labrada sin madera alguna, cuya cubierta o parte superior es de **bóveda.** ‖ **3. cripta,** lugar subterráneo. ‖ **4. sepultura,** lugar de enterramiento. ‖ **5.** *Argent.* Panteón familiar. ‖ **baída.** *Arq.* **baída.** ‖ **celeste. firmamento,** esfera aparente que rodea la tierra. ‖ **claustral. bóveda de aljibe.** ‖ **craneal.** *Anat.* Parte superior e interna del cráneo. ‖ **de aljibe,** o **esquifada.** *Arq.* Aquella cuyos dos cañones semicilíndricos se cortan el uno al otro. ‖ **de,** o **en cañón.** *Arq.* La de superficie generalmente semicilíndrica que cubre el espacio comprendido entre dos muros paralelos. ‖ **encamonada.** *Arq.* La construida de tabique, bajo un techo o armadura, para imitar una **bóveda.** ‖ **fingida. bóveda encamonada.** ‖ **palatina.** *Anat.* **cielo de la boca.** ‖ **por arista. bóveda claustral.** ‖ **tabicada.** *Arq.* La que se hace de ladrillos puestos de plano sobre la cimbra, unos a continuación de otros, de modo que viene a ser toda la **bóveda** como un tabique. ‖ **falsa bóveda.** *Arq.* Forma primitiva de **bóveda,** obtenida por aproximación sucesiva de hiladas. ‖ **hablar de bóveda,** o **en bóveda.** fr. fig. ant. Hablar hueco y con arrogancia.

bovedar. tr. ant. **abovedar.**

bovedilla. (d. de *bóveda*.) f. Bóveda pequeña que se forja entre viga y viga del techo de una habitación, para cubrir el espacio comprendido entre ellas. Antiguamente se hacían de yeso; hoy se hacen de ladrillo u hormigón. ‖ **2.** *Mar.* Parte arqueada de la fachada de popa de los buques, desde el yugo principal hasta el de la segunda cubierta. En los buques que no la tienen, suele darse este nombre a la parte que ella ocuparía, caso de existir. ‖ **subirse a las bovedillas.** fr. fig. y fam. p. us. **montar en cólera.**

bóvido, da. (Del lat. *bos, bovis*, buey, y del gr. εἶδος, forma.) adj. Dícese de todo mamífero rumiante con cuernos óseos cubiertos por estuche córneo, no caedizos, y que existen tanto en el macho como en la hembra. Están desprovistos de incisivos en la mandíbula superior y tienen ocho en la inferior, como la cabra y el toro. Ú. t. c. s. m. ‖ **2.** m. pl. *Zool.* Familia de estos animales.

bovino, na. (Del lat. *bovīnus.*) adj. Perteneciente al toro o a la vaca. ‖ **2.** Dícese de todo mamífero rumiante, con el estuche de los cuernos liso, el hocico ancho y desnudo y la cola larga con un mechón en el extremo. Son animales de gran talla y muchos de ellos están reducidos a domesticidad. ‖ **3.** m. Animal **bovino.** ‖ **4.** m. pl. *Zool.* Tribu de estos animales.

box. m. *Méj.* **boxeo.**

boxeador. m. El que se dedica al boxeo; púgil.

boxear. (Del ing. *to box,* golpear.) intr. Practicar el boxeo.

boxeo. (De *boxear.*) m. Deporte que consiste en la lucha de dos púgiles, con las manos enfundadas en guantes especiales y de conformidad con ciertas reglas.

bóxer. (Del ing. *boxer.*) m. Miembro de una sociedad secreta china de carácter religioso y político, que en 1900 dirigió una sublevación contra la intromisión extranjera en China.

boxístico, ca. adj. Perteneciente o relativo al boxeo.

boy. m. ant. dialect. **buey**[1].

boya[1]. (Del germ. **baukan.*) f. Cuerpo flotante sujeto al fondo del mar, de un lago, de un río, etc., que se coloca como señal, y especialmente para indicar un sitio peligroso o un objeto sumergido. ‖ **2.** Corcho que se pone en la red para que las plomadas o piedras que la cargan no la lleven al fondo, y sepan los pescadores dónde está cuando vuelven por ella.

boya[2] **(buena).** (Del it. *bonuvoglia* o *buonavoglia.*) loc. **buenaboya.** ‖ **de buena boya.** loc. adv. p. us. De buena voluntad, de buena gana, espontáneamente.

boyacense. adj. Natural de Boyacá. Ú. t. c. s. ‖ **2.** Perteneciente o relativo a este departamento de Colombia.

boyada. (De *buey*[1].) f. Manada de bueyes y vacas.

boyal. (De *buey*[1].) adj. Perteneciente o relativo al ganado vacuno. Aplícase comúnmente a las dehesas o prados comunales donde el vecindario de un pueblo suelta o apacienta sus ganados, aunque estos no sean vacunos.

boyante[1]. p. a. de **boyar.** Que boya. ‖ **2.** adj. fig. Que tiene fortuna o felicidad creciente. ‖ **3.** *Mar.* Dícese del buque que por llevar poca carga no cala todo lo que debe calar.

boyante[2]. (De *buey*[1].) adj. Dícese del toro que acomete de modo franco.

boyar. (De *boya*[1].) intr. *Mar.* Volver a flotar la embarcación que ha estado en seco.

boyarda. f. Mujer del boyardo.

boyardo. m. Señor ilustre, antiguo feudatario de Rusia o Transilvania.

boyarín. m. Flotador pequeño que usan algunos artes de pesca, y en especial la pequeña boya del orinque del ancla.

boyazo. m. aum. de **buey**[1].

boyera. f. Corral o establo donde se recogen los bueyes. ‖ **2.** V. **lavandera boyera.**

boyeral. (De *boyero.*) adj. ant. **boyal.**

boyeriza. f. **boyera.**

boyerizo. m. **boyero,** que guarda bueyes o los conduce.

boyero. (De *buey*[1].) m. El que guarda bueyes o los conduce. ‖ **2.** *Argent.* y *Urug.* Pájaro pequeño que acompaña a los animales vacunos o caballares cuando están pastando, se posa en sus lomos o se preserva del sol a la sombra de ellos.

boyezuelo. m. d. de **buey**[1].

boyuno, na. adj. **bovino.** ‖ **2.** V. **caracol, esparaván boyuno.**

boza. (De etim. disc.; probablemente del fr. *bosse,* o del it. *bozza.*) f. Pedazo de cuerda hecho firme por un extremo en un punto fijo del buque, y que por medio de vueltas que da al calabrote, cadena, etc., que trabaja, impide que se escurra. ‖ **2.** *Mar.* Cabo de pocas brazas de longitud, hecho firme en la proa de las embarcaciones menores, que sirve para amarrarlas a un buque, muelle, etc.

bozal. (De *bozo.*) adj. Dícese del negro recién sacado de su país. Ú. t. c. s. ‖ **2.** fig. y fam. **bisoño,** inexperto en algún arte u oficio. Ú. t. c. s. ‖ **3.** fig. y fam. Simple, necio o idiota. Ú. t. c. s. ‖ **4.** Tratándose de caballerías, **cerril,** no domado. ‖ **5.** m. Esportilla, comúnmente de esparto, la cual, colgada de la cabeza, se pone en la boca a las bestias de labor y de carga, para que no hagan daño a los panes o se paren a comer. ‖ **6.** Aparato, comúnmente de correas o alambres, que se pone en la boca a los perros para que no muerdan. ‖ **7.** Tableta con púas de hierro, que se pone a los terneros para que las madres no les dejen mamar. ‖ **8.** Adorno con campanillas o cascabeles, que se pone a los caballos en el bozo. ‖ **9.** *Amér.* **bozo,** ramal o cordel que, anudado al cuello de la caballería, forma un cabezón.

bozalejo. m. d. de **bozal** de los perros. ‖ **2. bozal,** instrumento que se pone a los terneros para evitar que mamen.

bozo. (Del lat. **buccĕus,* de la boca.) m. Vello que apunta a los jóvenes sobre el labio superior antes de nacer la barba. ‖ **2.** Parte exterior de la boca. ‖ **3.** Cabestro o cuerda que se echa a las caballerías sobre la boca, y dando un nudo por debajo de ella, forma un cabezón con solo un cabo o rienda.

bozón. (Como el fr. *bouson* y el it. *bolzone,* del franco *bultjo,* ariete.) m. ant. **ariete** para batir murallas.

brabante. (De *Brabant.*) m. Lienzo fabricado en el territorio de este nombre.

brabántico. adj. V. **arrayán brabántico.**

brabanzón, na. adj. Natural de Brabante. Ú. t. c. s. ‖ **2.** Perteneciente o relativo a este territorio de los Países Bajos.

bracamarte. m. Espada usada antiguamente, de un solo filo y de lomo algo encorvado cerca de la punta.

bracarense. (Del lat. *Bracarensis.*) adj. Natural de Braga. Ú. t. c. s. ‖ **2.** Perteneciente o relativo a esta ciudad de Portugal.

braceada. f. Movimiento de brazos ejecutado con esfuerzo y valentía.

braceador, ra. adj. Dícese del caballo que bracea[1].

braceaje[1]. (De *brazo.*) m. En las casas de moneda, trabajo y labor de ella. ‖ **2.** V. **derecho de braceaje.**

braceaje[2]. (De *braza.*) m. *Mar.* Profundidad del mar en determinado lugar.

bracear[1]. intr. Mover repetidamente los brazos, por lo común con esfuerzo o gallardía. ‖ **2.** Nadar sacando los brazos fuera del agua y volteándolos hacia adelante. ‖ **3.** fig. Esforzarse, forcejear. ‖ **4.** *Equit.* Doblar el caballo los brazos con soltura al andar, levantándolos de manera que parece que toque la cincha con ellos.

bracear[2]. intr. *Mar.* Halar de las brazas para hacer girar las vergas.

braceo[1]. m. Acción de bracear[1].

braceo[2]. m. Acción de bracear[2].

braceral. m. **brazal** de la armadura.

bracero, ra. (De *brazo.*) adj. Aplícase al arma que se arrojaba con el brazo. *Chuzo* BRACERO; *lanza* BRACERA. ‖ **2.** m. El que da el brazo a otro para que se apoye en él. Se usa comúnmente refiriéndose a los que dan el brazo a las señoras. ‖ **3. peón**[1], jornalero no especializado. ‖ **4.** El que tiene buen brazo para tirar barra, lanza u otra arma arrojadiza. ‖ **5.** *Méj.* Trabajador que emigra temporalmente a otro país. ‖ **de bracero.** loc. adv. con que se denota que dos personas van asidas una al brazo de la otra.

bracete. m. d. de **brazo.** ‖ **de bracete.** loc. adv. fam. **de bracero.**

bracil. (Del lat. *brachĭle.*) m. **brazal** de la armadura.

bracillo. (d. de *brazo.*) m. Cierta pieza del freno de los caballos.

bracista. com. *Dep.* Nadador especializado en el estilo braza.

bracmán. m. **brahmán.**

braco, ca. (Del a. al. ant. *braccho,* a través del it. *bracco* o ant. fr. *brac[on],* perro de caza.) adj. V. **perro braco.** Ú. t. c. s. ‖ **2.** fig. y fam. Aplícase a la persona que tiene la nariz roma y algo levantada. Ú. t. c. s.

bráctea. (Del lat. *bractĕa,* hoja delgada de metal.) f. *Bot.* Hoja que nace del pedúnculo de las flores de ciertas plantas, y suele diferir de la hoja verdadera por la forma, la consistencia y el color.

bractéola. (Del lat. *bracteŏla.*) f. *Bot.* Bráctea pequeña.

bradi-. (Del gr. βραδύς.) Elemento compositivo que entra en la formación de algunas voces españolas con el significado de «lento».

bradicardia. (De *bradi-* y el gr. καρδία, corazón.) f. *Fisiol.* Ritmo cardiaco más lento que el normal.

bradilalia. (De *bradi-* y el gr. λαλέω, hablar.) f. *Pat.* Emisión lenta de la palabra; se observa en algunas enfermedades nerviosas.

bradipepsia. (Del gr. βραδυπεψία.) f. *Pat.* Digestión lenta.

bradita. (Del gr. βραδύς, lento.) f. *Astron.* Estrella fugaz de poco brillo y que se mueve con lentitud.

brafonera. (De *brahonera.*) f. Pieza de la armadura antigua, que cubría la parte superior del brazo. Poníase también a los caballos armados. ‖ **2.** ant. **brahonera.**

braga[1]. (Del celtolat. *braca.*) f. Prenda interior usada por las mujeres y los niños de corta edad, que cubre desde la cintura hasta el arranque de las piernas, con aberturas para el paso de estas. Ú. m. en pl. ‖ **2. calzón,** prenda de vestir masculina. Ú. m. en pl. ‖ **3. metedor,** pañal de los niños. ‖ **4.** Conjunto de plumas que cubren las patas de las aves calzadas. ‖ **5.** pl. Especie de calzones anchos. ‖ **calzarse las bragas.** fr. fig. y fam. **calzarse,** o **ponerse, los calzones.**

braga[2]. (De *briaga.*) f. Cuerda con que se ciñe un fardo, un tonel, una piedra, etc., para suspenderlo en el aire.

bragada. (De *braga*[1].) f. Cara interna del muslo del caballo y de otros animales. ‖ **2.** *Mar.* Parte más ancha de una pieza curva o angular de madera que asegura dos maderos en ángulo.

bragado, da. (Del lat. *bracātus.*) adj. Aplícase al buey y a otros animales que tienen la bragadura de diferente color que el resto del cuerpo. ‖ **2.** fig. Dícese de la persona de dañada intención, con alusión a las mulas **bragadas,** que por lo común son falsas. ‖ **3.** fig. y fam. Aplícase a la persona de resolución enérgica y firme.

bragadura. f. Entrepiernas del hombre o del animal. ‖ **2.** Parte de las bragas, calzones o pantalones, que da ensanche al juego de los muslos.

bragazas. (f. pl. aum. de *bragas.*) m. fig. y fam. Hombre que se deja dominar o persuadir con facilidad, especialmente por su mujer. Ú. t. c. adj.

braguero. (De *braga*[1].) m. Aparato o vendaje destinado a contener las hernias o quebraduras. ‖ **2.** *Méj.* Cuerda que a modo de cincha rodea el cuerpo del toro, y de la cual se ase el que lo monta en pelo. ‖ **3.** *Art.* y *Mar.* Cabo grueso, que, pasado por el ojo del cascabel de una pieza de artillería y hecho firme por sus extremos a uno y otro lado de la porta o de la parte anterior de la explanada, servía en los buques para moderar el retroceso producido por el disparo.

bragueta. (De *braga*[1].) f. Abertura de los calzones o pantalones por delante. ‖ **2.** V. **hidalgo de bragueta.** ‖ **de armar.** Pieza de la armadura que cubría las partes naturales del guerrero.

braguetazo. m. aum. de **bragueta.** ‖ **dar braguetazo.** fr. fig. y fam. Casarse por interés un hombre con una mujer rica.

braguetero. (De *bragueta.*) adj. fam. Dícese del hombre dado al vicio de la lascivia. Ú. t. c. s.

braguillas. (f. pl. d. de *bragas.*) m. fig. Niño que empieza a usar los calzones. ‖ **2.** fig. Niño pequeño y mal dispuesto.

brahmán. (Del sánscr. *brahmāna,* hombre de la casta sacerdotal.) m. Miembro de la primera de las cuatro castas tradicionales de la India.

brahmanismo. m. Religión de la India, que reconoce y adora a Brahma como a dios supremo.

brahmín. m. **brahmán.**

brahón. (Del ant. fr. *braon,* y este del nórdico *brado,* músculo.) m. Rosca o doblez que ceñía la parte superior del brazo en algunos vestidos antiguos.

brahonera. f. **brahón.**

braille. (De *Braille,* nombre de su inventor.) m. Sistema de escritura para ciegos que consiste en signos dibujados en relieve para poder leer con los dedos.

brama. (De *bramar.*) f. Acción y efecto de bramar. Ú. especialmente para designar el celo de los ciervos y algunos otros animales salvajes, y también la temporada en que se hallan poseídos de él.

bramadera. (De *bramar.*) f. Pedazo de tabla delgada, en forma de rombo, con un agujero y una cuerda atada en él, que usan los muchachos como juguete. Cogida esta cuerda por el extremo libre, se agita con fuerza en el aire la tabla, de modo que forme un círculo cuyo centro sea la mano, y hace ruido semejante al del bramido del viento. ‖ **2.** Instrumento que usan los pastores para llamar y guiar el ganado. ‖ **3.** Instrumento que usaban los guardas de campo, viñas u olivares para espantar los ganados. Se hacía de un medio cántaro cubierto con una piel de cordero y atravesado con un cordel delgado, con dos pequeños agujeros, uno para arrimar los labios, y otro para que saliera la voz. ‖ **4.** *Col.* y *Cuba.* **bravera.**

bramadero. (De *bramar.*) m. Poste al cual en América amarran en el corral los animales para herrarlos, domesticarlos o matarlos. ‖ **2.** *Mont.* Sitio adonde acuden con preferencia los ciervos y otros animales salvajes cuando están en celo.

bramador, ra. adj. Que brama. Ú. t. c. s.

bramante. (De *brabante.*) m. Hilo gordo o cordel muy delgado hecho de cáñamo. Ú. t. c. adj. ‖ **2. brabante.**

bramar. (De etim. disc.; cf. it. *bramire;* port., prov. *bramar.*) intr. Dar bramidos. ‖ **2.** fig. Manifestar alguien con voces articuladas o inarticuladas y con extraordinaria violencia la ira de que está poseído. ‖ **3.** fig. Hacer ruido estrepitoso el viento, el mar, etc., cuando están violentamente agitados.

bramido. (De *bramar.*) m. Voz del toro y de otros animales salvajes. ‖ **2.** fig. Grito o voz fuerte y confusa del hombre cuando está colérico y furioso. ‖ **3.** fig. Ruido grande producido por la fuerte agitación del aire, del mar, etc.

bramona (soltar la). (De *bramar.*) fr. fig. desus. Entre tahúres, prorrumpir en dicterios.

bramuras. (De *bramar.*) f. pl. Imprecaciones, amenazas, muestras de gran enojo.

bran de Inglaterra. (Del fr. *branle,* cierto baile antiguo.) m. Baile usado en España antiguamente.

branca[1]. f. ant. **branquia.**

branca[2]. (Del lat. *branca,* garra.) f. *Ar.* Tallo que arranca desde la raíz de la planta. ‖ **2.** ant. Punta de una cuerna. ‖ **ursina. acanto,** planta.

brancada. (Del lat. *branca,* garra.) f. Red barredera con que se suelen atajar los ríos o un brazo de mar para encerrar la pesca y poderla coger a mano.

brancal. (Del lat. *branca,* garra.) m. Conjunto de las dos viguetas largas o gualderas del bastidor de un carruaje o cureña de artillería, que descansan por intermedio de cojinetes sobre los extremos de los ejes de rotación de las ruedas.

brancha. (Del fr. *branche.*) f. ant. **branquia.**

brandal. m. *Mar.* Cada uno de los dos ramales de cabo sobre los cuales se forman las escalas de viento que se utilizan en algunos casos para subir a los buques. ‖ **2.** *Mar.* Cabo grueso, firme o volante, que se da en ayuda de los obenques de juanete.

brandecer. tr. ant. Ablandar o suavizar.

brandís. (Del fr. *brandebourgeois,* de *Brandebourg.*) m. Casacón grande que solapaba sobre el pecho, se abrochaba con botones y se ponía sobre la casaca, para abrigo.

brandy. (Del neerl. *brandewijn,* vino quemado, a través del ing. *brandy.*) m. Nombre que, por razones legales, se da hoy comercialmente a los tipos de coñac elaborado fuera de Francia y otros aguardientes.

branque. (Del ant. normando *brant,* proa.) m. *Mar.* **roda**[2].

branquia. (Del lat. *branchĭa,* y este del pl. n. gr. βράγχια.) f. *Zool.* Órgano respiratorio de muchos animales acuáticos, como peces, moluscos, cangrejos y gusanos, constituido por láminas o filamentos de origen tegumentario; las **branquias** están al descubierto o en cavidades cerradas por un opérculo. Ú. m. en pl.

branquial. adj. Perteneciente o relativo a las branquias. *Respiración* BRANQUIAL.

branquífero, ra. (De *branquia* y el lat. *ferre,* llevar.) adj. Que tiene branquias.

branquiuro. (De *branquia* y el gr. οὐρά, cola.) adj. *Zool.* Dícese de crustáceos copépodos caracterizados por tener la boca en forma de probóscide, parásitos de los peces. Ú. t. c. s. ‖ **2.** m. pl. *Zool.* Orden de estos animales.

branza. f. Argolla en que se aseguraba la cadena de los forzados en las galeras.

braña. (Del lat. *vorāgo, -ĭnis,* abismo.) f. *Ast.* y *Cantabria.* Pasto de verano, que por lo común está en la falda de algún montecillo donde hay agua y prado. ‖ **2.** *Ast.* Prado para pasto, donde hay agua o humedad, aun cuando no haya monte. ‖ **3.** *Ast.* Poblado, antes veraniego y hoy permanente, habitado por los vaqueiros de alzada.

braquete. m. d. de **braco,** perro perdiguero.

braquiación. f. *Zool.* Acción y efecto de braquiar.

braquiador, ra. adj. *Zool.* Que practica la braquiación. Ú. t. c. s.

braquial. (Del lat. *brachiālis.*) adj. *Anat.* Perteneciente o relativo al brazo. *Arteria* BRAQUIAL. ‖ **2.** *Anat.* V. **bíceps, tríceps braquial.**

braquiar. (der. del gr. βραχίων, brazo.) intr. *Zool.* Desplazarse con ayuda de los brazos, mediante impulsos pendulares, como lo hacen los gibones y otros monos.

braquicefalia. f. Cualidad de braquicéfalo.

braquicéfalo, la. (Del gr. βραχύς, breve, y κεφαλή, cabeza.) adj. Dícese de la persona cuyo cráneo es casi redondo, porque su diámetro mayor excede en menos de un cuarto al menor. Ú. t. c. s.

braquícero. (Del gr. βραχύς, breve, y κέρας, cuerno.) adj. *Zool.* Dícese de los insectos dípteros que tienen cuerpo grueso, alas anchas y antenas cortas. Ú. t. c. s. ‖ **2.** m. pl. *Zool.* Suborden de estos animales, que se conocen con el nombre de moscas.

braquigrafía. (Del gr. βραχύς, breve, y *-grafía.*) f. Estudio de las abreviaturas.

braquiocefálico, ca. (Del gr. βραχίων, brazo, y κεφαλή, cabeza.) adj. *Anat.* Dícese de los vasos que se distribuyen por la cabeza y por los brazos.

braquiópodo. (Del gr. βραχίων, brazo, y πούς, ποδός, pie.) adj. *Zool.* Dícese de invertebrados marinos que por su concha bivalva se parecen a los moluscos lamelibranquios, pero cuya organización es muy diferente. Por lo general tienen valvas desiguales, una ventral y otra dorsal. Se conocen de ellos numerosas formas fósiles y algunas vivientes menos numerosas. Son todos sedentarios o fijos cuando adultos. Por ejemplo las terebrátulas. Ú. t. c. s.

braquiuro. (Del gr. βραχύς, breve, y οὐρά, cola.) adj. *Zool.* Dícese de crustáceos decápodos cuyo abdomen es corto y está recogido debajo del pereion, no sirviéndole al animal para nadar; como la centolla. Ú. t. c. s. ‖ **2.** m. pl. *Zool.* Suborden de estos animales.

brasa. (De etim. disc.) f. Leña o carbón encendidos, rojos, por total incandescencia. ‖ **estar como en brasas,** o **en brasas.** fr. fig. y fam. **estar en ascuas.** ‖ **estar** alguien **hecho unas brasas.** fr. fig. Estar muy encendido de rostro. ‖ **pasar como sobre brasas.** fr. fig. Tocar muy de pasada un asunto de que no cabe prescindir. ‖ **sacar la brasa con mano ajena,** o **de gato.** fr. fig. y fam. **sacar el ascua,** etc.

brasar. (De *brasa.*) tr. ant. **abrasar.**

brasca. (Del fr. *brasque.*) f. *Min.* Mezcla de polvo de carbón y arcilla con que se forma la plaza y copela de algunos hornos metalúrgicos, y también se rellenan los crisoles cuando han de sufrir fuego muy vivo.

brasear. (Del fr. *braiser.*) tr. Asar ciertos alimentos directamente sobre la brasa.

brasero. (De *brasa.*) m. Pieza de metal, honda, ordinariamente circular, con borde, y en la cual se echa o se hace lumbre para calentarse. Suele ponerse sobre una tarima, caja o pie de madera o metal. ‖ **2.** Sitio que se destinaba para quemar a ciertos delincuentes. ‖ **3.** *Méj.* **hogar** de la cocina.

brasil[1]**.** (De *brasa,* por el color rojo.) m. Árbol de la familia de las papilionáceas, que crece en los países tropicales, y cuya madera es el palo **brasil.** ‖ **2. palo brasil.** ‖ **3.** Color encarnado que servía para afeite de las mujeres.

Brasil[2]**.** n. p. V. **loro, palo, rubí, topacio del Brasil.**

brasilado, da. adj. De color encarnado o de brasil.

brasileño, ña. adj. Natural del Brasil. Ú. t. c. s. ‖ **2.** Perteneciente o relativo a este país de América.

brasilero, ra. adj. **brasileño.**

brasilete. m. Árbol de la misma familia que el brasil[1], y cuya madera es menos sólida y de color más bajo que la de este. ‖ **2.** Madera de este árbol.

brasmología. (Del gr. βράσμα, ebullición, agitación, y *-logía.*) f. Tratado acerca del flujo y reflujo del mar.

bravamente. adv. m. Con bravura. ‖ **2. cruelmente.** ‖ **3.** Bien, perfectamente. ‖ **4.** Copiosa, abundantemente. BRAVAMENTE *hemos comido;* BRAVAMENTE *ha llovido.*

bravata. (Del it. *bravata.*) f. Amenaza proferida con arrogancia para intimidar a alguien. ‖ **2. baladronada.**

bravato, ta. (De *bravata.*) adj. ant. Que ostenta arrogancia y descaro.

braveador, ra. adj. Que bravea. Ú. t. c. s.

bravear. (De *bravo.*) intr. Echar bravatas o amenazas.

bravera. (Del lat. *vaporarĭa,* pl. de *vaporarĭum,* boca del horno.) f. Ventana o respiradero que tienen algunos hornos.

bravería. (De *bravo.*) f. ant. **bravata.**

braveza. f. **bravura,** fiereza de los brutos. ‖ **2. bravura,** valentía de las personas. ‖ **3.** Ímpetu de los elementos; como el del mar embravecido, el de la tempestad, etc.

bravío, a. (De *bravo.*) adj. Feroz, indómito, salvaje. Regularmente se dice de los animales cerriles o que andan por los montes y están por domesticar o domar. ‖ **2.** fig. Se dice de los árboles y plantas silvestres. ‖ **3.** fig. Se aplica al que tiene costumbres rústicas por falta de buena educación o del trato de gentes. ‖ **4.** m. Referido a toros y otras fieras, **bravura.**

bravo, va. (Del lat. *pravus,* malo, inculto.) adj. Valiente, esforzado. ‖ **2.** Bueno, excelente. ‖ **3.** Dicho de animales, fiero o feroz. ‖ **4.** Aplícase al mar cuando está alborotado y embravecido. ‖ **5.** Áspero, inculto, fragoso. ‖ **6.** Enojado, enfadado, violento. ‖ **7.** V. **ave, caña, madera, paja, palma, paloma, tuna brava.** ‖ **8.** V. **ganado, ganso, pino bravo.** ‖ **9.** fam. Valentón o preciado de guapo. ‖ **10.** fig. y fam. De genio áspero. ‖ **11.** fig. y fam. Suntuoso, magnífico, soberbio. ‖ **12.** m. *Germ.* **juez.** ‖ **¡bravo!** interj. de aplauso. Ú. también repetida.

bravocear. (De *bravo.*) tr. p. us. Infundir bravura. ‖ **2.** intr. **bravear.**

bravonel. (De *bravo.*) m. **fanfarrón,** valentón.

bravosamente. adv. m. ant. **bravamente.**

bravosía. f. **bravosidad.**

bravosidad. (De *bravoso.*) f. Gallardía o gentileza. ‖ **2.** Arrogancia, baladronada.

bravoso, sa. adj. **bravo.**

bravote. (De *bravo.*) m. *Germ.* Fanfarrón o matón.

bravucón, na. (De *bravo.*) adj. fam. Esforzado solo en la apariencia. Ú. t. c. s.

bravuconada. f. Dicho o hecho propio del bravucón.

bravuconear. intr. Echar bravatas.

bravuconería. f. Calidad de bravucón. ‖ **2. bravuconada.**

bravura. (De *bravo.*) f. Fiereza de los brutos. ‖ **2.** Esfuerzo o valentía de las personas. ‖ **3. bravata.**

braza. (Del lat. *brachĭa,* pl. de *brachĭum,* brazo, por ser la distancia media entre los dedos pulgares del hombre, extendidos horizontalmente los brazos.) f. Medida de longitud, generalmente usada en la marina y equivalente a 2 varas ó 1,6718 metros. ‖ **2.** Medida agraria usada en Filipinas, centésima parte del loán, y equivalente a 36 pies cuadrados, o sea a 2 centiáreas y 79 miliáreas. ‖ **3.** Estilo de natación en el que el cuerpo avanza boca abajo sobre el agua dando brazadas y moviendo a la vez las piernas. ‖ **4.** *Mar.* Cabo que laborea por el penol de las vergas y sirve para mantenerlas fijas y hacerlas girar en un plano horizontal.

brazada. f. Movimiento que se hace con los brazos, extendiéndolos y recogiéndolos como cuando se saca de un pozo un cubo de agua o cuando se rema o se nada. ‖ **2. brazado.** ‖ **3.** ant. **braza,** medida de longitud. Ú. en Colombia, Chile y Venezuela. ‖ **de piedra.** *Méj.* Medida que servía de unidad en la compraventa de mampuestos.

brazado. m. Cantidad de leña, palos, bálago, hierba, etc., que se puede abarcar y llevar de una vez con los brazos.

brazaje[1]**.** m. **braceaje**[1]**.**

brazaje[2]**.** m. *Mar.* **braceaje**[2]**.**

brazal. (Del lat. *brachiālis.*) m. Pieza de la armadura antigua, que cubría el brazo. ‖ **2. embrazadura** del escudo, pavés, etc. ‖ **3.** En el juego del balón, instrumento de madera labrado por fuera en forma de puntas de diamante y hueco por dentro, que se encaja en el brazo desde la muñeca al codo, y se empuña por un asa que tiene en el extremo. ‖ **4.** Sangría que se saca de un río o acequia grande para regar. ‖ **5.** Tira de tela que ciñe el brazo izquierdo por encima del codo y que sirve de distintivo. Indica luto, si la tela es negra. ‖ **6.** ant. **brazalete.** ‖ **7.** ant. **asa**[1] para asir. ‖ **8.** *Mar.* Cada uno de los maderos fijados por sus extremos en una y otra banda desde la serviola al tajamar, tanto para la sujeción de este y del mascarón de proa, como para la formación de los enjaretados y beques.

brazalete. m. Aro de metal o de otra materia, con piedras preciosas o sin ellas, que rodea el brazo por más arriba de la muñeca y se usa como adorno. ‖ **2. brazal** de la armadura.

brazar. (De *brazo.*) tr. ant. **abrazar.**

braznar. tr. ant. **estrujar.**

brazo. (Del lat. *brachĭum.*) m. Miembro del cuerpo, que comprende desde el hombro a la extremidad de la mano. ‖ **2.** Parte de este miembro desde el hombro hasta el codo. ‖ **3.** Cada una de las patas delanteras de los cuadrúpedos. ‖ **4.** En las arañas y demás aparatos de iluminación, candelero que sale del cuerpo central y sirve para sostener las luces. ‖ **5.** Cada uno de los dos palos que salen desde la mitad del respaldo del sillón hacia adelante y sirven para que descanse o afirme los **brazos** el que está sentado en él. ‖ **6.** En la balanza, cada una de las dos mitades de la barra horizontal, de cuyos extremos cuelgan o en los cuales se apoyan los platillos. ‖ **7.** Pértiga articulada de una grúa. ‖ **8.** Rama de árbol. ‖ **9.** *Mar.* Cada una de las partes del ancla que terminan en uña. ‖ **10.** fig. Valor, esfuerzo, poder. *Nada resiste a su* BRAZO. ‖ **11.** *Mec.* Cada una de las distancias del punto de apoyo de la palanca, a las direcciones de la potencia y la resistencia. ‖ **12.** pl. fig. Protectores, valedores. *Valerse de buenos* BRAZOS. ‖ **13.** fig. Braceros, jornaleros. ‖ **de cruz.** Mitad del más corto de los dos palos que la forman, y por ext., cada una de las dos partes superior e inferior del palo vertical, especialmente cuando son iguales. ‖ **de Dios.** Poder y grandeza de Dios. ‖ **de gitano.** Capa delgada de bizcocho, con crema o dulce de fruta por encima que se arrolla en forma de cilindro. ‖ **de la nobleza.** Estado o cuerpo de la nobleza, que representaban sus diputados en las Cortes. ‖ **del reino.** Cada una de las distintas clases que representaban al reino junto en Cortes. ‖ **de mar.** Canal ancho y largo del mar, que entra tierra adentro. ‖ **de río.** Parte del río que, separándose de él, corre independientemente hasta reunirse de nuevo con el cauce principal o desembocar en el mar. ‖ **eclesiástico.** Estado o cuerpo de los diputados que representaban la voz del clero en las Cortes o juntas del reino. ‖ **real, secular** o **seglar.** Autoridad temporal que se ejerce por los tribunales y magistrados reales. ‖ **abiertos los brazos.** loc. adv. fig. **con los brazos abiertos.** ‖ **a brazo.** loc. adv. Con el **brazo.** ‖ **a brazo partido.** loc. adv. Con los **brazos** solos, sin usar de armas. ‖ **2.** fig. A viva fuerza, de poder a poder. ‖ **andar a los brazos con** alguien. fr. fig. **venir** algunos, o uno con otro, **a las manos.** ‖ **brazo a brazo.** loc. adv. Cuerpo a cuerpo y con iguales armas. ‖ **brazo por brazo.** loc. adv. ant. **brazo a brazo.** ‖ **con los brazos abiertos.** loc. adv. fig. Con agrado y amor. Ú. con los verbos *recibir, admitir,* etc. ‖ **con los brazos cruzados.** loc. adv. fig. **con las manos cruzadas.** ‖ **cruzarse de brazos.** fr. fig. Estar o quedarse **con los brazos cruzados.** ‖ **2.** Abstenerse de obrar o de intervenir en un asunto. ‖ **dar el brazo** a alguien. fr. fig. y fam. Ofrecérselo para que se apoye en él. ‖ **2.** fig. **dar la mano** a alguien, ampararle, ayudarle. ‖ **dar los brazos** a alguien. fr. fig. y fam. Abrazarlo. ‖ **dar** alguien **su brazo a torcer.** fr. fig. Rendirse, desistir de su dictamen o propósito. Ú. m. con neg. ‖ **dar un brazo por** alguna cosa. fr. fig. y fam. **dar una mano.** ‖ **del brazo.** loc. **de bracero.** ‖ **echarse en brazos** de alguien. fr. fig. **ponerse en manos** de alguien. ‖ **entregar al brazo secular** una cosa. fr. fig. y fam. Ponerla en poder de quien dé fin de ella prontamente. ‖ **entregarse en brazos** de alguien. fr. fig. **ponerse en manos** de alguien. ‖ **hecho un brazo de mar.** loc. fig. y fam. Dícese de la persona ataviada con mucho lujo y lucimiento. Ú. más con los verbos *ir, venir* y *estar.* ‖ **ponerse,** o **tomarse, a brazos** de alguien. fr. Luchar. ‖ **ponerse en brazos de** alguien. fr. fig. **ponerse en manos de** alguien. ‖ **quedar** a alguien **el brazo sabroso.** fr. fig. Estar contento y ufano de alguna acción propia y con deseo de reiterarla. ‖ **quedar el brazo sano** a alguien. fr. fig. Tener caudal de reserva después de haber hecho grandes gastos. ‖ **ser el brazo derecho** de alguien. fr. fig. Ser la persona de su mayor confianza, de quien se sirve principalmente para que le ayude en el manejo de sus negocios. ‖ **soltar los brazos.** fr. Dejarlos caer como miembros muertos. ‖ **tener brazo.** fr. fig. y fam. Tener mucha robustez y fuerza. ‖ **venir a brazos con** alguien. fr. fig. **andar a los brazos.** ‖ **venirse con los brazos cruzados.** fr. fig. **volverse con los brazos cruzados.** ‖ **vivir por su brazo,**

o **sus brazos.** fr. fig. y fam. **vivir por sus manos.** ‖ **volverse** alguien **con los brazos cruzados.** fr. fig. Volverse sin haber hecho lo que le encargaron.

brazola. (Del cat. *braçola*, de *braç*, brazo.) f. *Mar.* Reborde con que se refuerza la boca de las escotillas y se evita, en lo posible, la caída del agua u otros objetos a las cubiertas inferiores de la nave.

brazolargo. m. *Amér.* **mono araña.**

brazuelo. (Del lat. *brachiŏlum.*) m. d. de **brazo.** ‖ **2.** *Zool.* Parte de las patas delanteras de los mamíferos comprendida entre el codo y la rodilla. ‖ **3. bracillo.** ‖ **4.** *León.* Pértigo de los carros en forma de Y.

brea. (De *brear*[1].) f. Sustancia viscosa de color rojo oscuro que se obtiene haciendo destilar al fuego la madera de varios árboles de la familia de las coníferas. Se emplea en medicina como pectoral y antiséptico. ‖ **2.** Especie de lienzo muy basto y embreado con que se suelen cubrir y forrar los fardos de ropa y cajones, para su resguardo en los transportes. ‖ **3.** Arbusto de Chile, de la familia de las compuestas, del cual se extraía una resina que se usaba en lugar de **brea.** ‖ **4.** *Mar.* Mezcla de **brea,** pez, sebo y aceite de pescado, que se usa en caliente para calafatear y pintar las maderas y jarcias. ‖ **crasa.** Mezcla de partes iguales de colofonia, alquitrán y pez negra. ‖ **líquida. alquitrán.** ‖ **mineral.** Sustancia crasa y negra semejante a la **brea,** que se obtiene por destilación de la hulla. ‖ **seca. colofonia.**

brear[1]**.** (Del fr. *brayer*, de or. inc., a través del occit. *breù.*) tr. ant. **embrear.**

brear[2]**.** (Del lat. *verberāre*, azotar.) tr. Maltratar, molestar, dar que sentir a alguien. ‖ **2.** fig. y fam. Zumbar, chasquear.

brebaje. (Del fr. *breuvage.*) m. Bebida, y en especial la compuesta de ingredientes desagradables al paladar. ‖ **2.** En los buques, vino, cerveza o sidra que bebían los marineros.

brebajo. m. **brebaje.** ‖ **2.** *Sal.* Refresco compuesto de salvado, sal y agua que se da al ganado como medicina.

breca. (Del ing. *bleak*, albur.) f. **albur**[1]. ‖ **2.** Variedad de pagel con las aletas azuladas.

brécol. (De *broculi.*) m. Variedad de la col común, cuyas hojas, de color más oscuro, son más recortadas que las de esta y no se apiñan. Ú. m. en pl.

brecolera. f. Especie de brécol, que echa pellas a semejanza de la coliflor.

brecha[1]**.** (Del a. al. ant. *brëhhan*, romper, a través del it. *breccia* o fr. *brèche*, brecha.) f. Rotura o abertura que hace en la muralla o pared la artillería u otro ingenio. ‖ **2.** Cualquier abertura hecha en una pared o edificio. ‖ **3.** Rotura de un frente de combate. ‖ **4.** fig. Impresión que hace en el ánimo la razón o sugestión ajena o algún sentimiento propio. Ú. más con el verbo *hacer*. ‖ **5.** fig. Herida, especialmente en la cabeza. ‖ **abrir brecha.** fr. *Mil.* Arruinar con las máquinas de guerra parte de la muralla de una plaza, castillo, etc., para poder dar el asalto. ‖ **2.** fig. Persuadir a alguien, hacer impresión en su ánimo. ‖ **batir en brecha.** fr. *Mil.* Percutir un muro o muralla para abrir **brecha** en ellos. ‖ **2.** *Mil.* **batir en ruina.** ‖ **3.** fig. Perseguir a una persona hasta derribarla de su valimiento. ‖ **estar siempre en la brecha.** fr. fig. Estar siempre preparado y dispuesto para defender un negocio o interés. ‖ **montar la brecha.** fr. *Mil.* Asaltar la plaza por la **brecha.**

brecha[2]**.** (Del it. *breccia.*) f. *Geol.* Masa rocosa consistente constituida por fragmentos de rocas de diferentes formas y tamaños. ‖ **2.** V. **mármol brecha.**

brechero. (De *brecha*[1].) m. *Germ.* El que metía dado falso.

brega. f. Acción y efecto de bregar[1]. ‖ **2.** Riña o pendencia. ‖ **3.** fig. Chasco, zumba, burla. Ú. con el verbo *dar.* ‖ **4.** V. **capote de brega.** ‖ **andar a la brega.** fr. Trabajar afanosamente.

bregadura[1]**.** (De *bregar*[1].) f. desus. **brega, riña, pendencia.**

bregadura[2]**.** (De *bregar*[2].) f. desus. **costurón,** cicatriz de una herida.

bregar[1]**.** (Del gót. *brikan*, golpear.) intr. Luchar, reñir, forcejear unos con otros. ‖ **2.** Ajetrearse, agitarse, trabajar afanosamente. ‖ **3.** fig. Luchar con los riesgos y trabajos o dificultades para superarlos.

bregar[2]**.** (Del lat. *plicāre*, doblar.) tr. Amasar de cierta manera.

breguero, ra. adj. ant. Amigo de bregas, riñas, pendencias.

bren. (Del célt. *bran, brenn.*) m. **salvado.**

brenca[1]**.** (Del m. or. que *brancal.*) f. Poste que en las acequias sujeta las compuertas o presas de agua para que esta suba hasta alcanzar los repartidores. ‖ **2.** ant. **culantrillo.**

brenca[2]**.** (De **brinīca*, del célt. **brinos*, fibra.) f. Fibra, filamento, y especialmente el estigma del azafrán.

brenga. (De **brinīcus*, del célt. **brinos*, fibra.) f. *Ast.* Fibra o haz de fibras reviradas en un tronco.

breña. (De or. inc.) f. Tierra quebrada entre peñas y poblada de maleza.

breñal. m. Sitio de breñas.

breñar. m. **breñal.**

breñoso, sa. adj. Lleno de breñas.

breque. (Del ing. *bleak*, albur.) m. **breca,** variedad de pagel. ‖ **2.** V. **ojo de breque.**

bresca. (Del célt. **brisca*, panal.) f. Panal de miel.

brescar. (De *bresca.*) tr. **castrar** las colmenas.

bretador. (De *brete*[1].) m. ant. Reclamo o silbo para cazar aves.

bretánico, ca. adj. ant. **británico.**

bretaña. f. Lienzo fino fabricado en Bretaña. ‖ **2. jacinto,** planta liliácea y su flor.

brete[1]**.** (Del a. al. ant. *brett*, tabla, tal vez a través del occit. *bret.*) m. Cepo o prisión estrecha de hierro que se ponía a los reos en los pies para que no pudieran huir. ‖ **2.** p. us. fig. **calabozo**[1]. ‖ **3.** fig. Aprieto sin efugio o evasiva. Ú. por lo común en las frases **estar,** y **poner, en un brete.** ‖ **4.** *Argent., Par.* y *Urug.* En las estancias, estaciones ferroviarias y mataderos, pasadizo corto entre dos estacadas, con atajadizos en ambos extremos para enfilar el ganado a fin de marcarlo, curarlo, descornarlo, conducirlo al baño o al vagón, o matarlo.

brete[2]**.** (Del m. or. que *betel.*) m. En la India, comida que los naturales hacen de una hoja que es de forma de corazón, grande como una mano y de olor, sabor y color de clavo. Junta con otras cosas, la mascan, echan fuera el primer zumo y tragan el resto.

bretón[1]**.** (De *brotón.*) m. Variedad de la col, cuyo troncho, que crece a la altura de un metro poco más o menos, echa muchos tallos, y arrancados estos, brotan otros. ‖ **2.** Renuevo o tallo de esta planta.

bretón[2]**, na.** (Del lat. *Britto, -ōnis*, bretón.) adj. Natural de Bretaña. Ú. t. c. s. ‖ **2.** Perteneciente o relativo a esta antigua provincia de Francia. ‖ **3.** m. Lengua, derivada del celta, que hablan los **bretones.**

bretoniano, na. adj. Propio y característico de Bretón de los Herreros como escritor, o que tiene semejanza con las dotes y calidades por las que se distinguen sus obras.

bretónica. f. **betónica.**

breva. (De *bevra.*) f. Primer fruto que anualmente da la higuera breval, y que es mayor que el higo. ‖ **2.** Bellota temprana. ‖ **3.** Cigarro puro algo aplastado y menos apretado que los de forma cilíndrica. ‖ **4.** Cigarro parejo de buen tamaño elaborado con tabaco sazonado muy oscuro. ‖ **5.** fig. Provecho logrado sin sacrificio; empleo o negocio lucrativos y poco trabajosos; ventaja inesperada. ‖ **6.** *Cuba, El Salv., Méj., Pan.* y *Perú.* Tabaco en rama, elaborado a propósito para masticarlo. ‖ **más blando que una breva.** loc. fig. Se dice del que, habiendo estado antes muy tenaz, se ha reducido a la razón o a lo que otros le han persuadido. ‖ **no caerá esa breva.** fr. fig. que expresa la falta de esperanza de alcanzar algo que se desea vivamente.

brevador. m. ant. **abrevadero.**

breval. (De *breva.*) adj. V. **higuera breval.** Ú. t. c. s. m.

breve. (Del lat. *brevis.*) adj. De corta extensión o duración. ‖ **2.** V. **sílaba, vocal breve.** ‖ **3.** Aplicado a palabras, **grave,** que lleva el acento en la penúltima sílaba. ‖ **4.** m. Documento pontificio redactado en forma menos solemne que las bulas, expedido para llevar la correspondencia papal y dictar resoluciones concernientes al gobierno de la Iglesia. ‖ **5.** Noticia de corta extensión publicada en columna o en bloque con otras semejantes. ‖ **6.** ant. **membrete.** ‖ **7.** f. *Mús.* Nota antigua equivalente en duración al doble de la **semibreve** o redonda. ‖ **8.** adv. t. **en breve.** ‖ **en breve.** loc. adv. Dentro de poco tiempo, muy pronto.

brevedad. (Del lat. *brevĭtas, -ātis.*) f. Corta extensión o duración de una cosa, acción o suceso.

brevera. (De *breva.*) f. *Ál.* y *Sal.* **higuera breval.**

brevete. (Del fr. *brevet.*) m. d. de **breve,** documento pontificio. ‖ **2. membrete.** ‖ **3.** *Perú.* Permiso de conducir.

breveza. (De *breve.*) f. ant. **brevedad.**

breviario. (Del lat. *breviarĭus,* compendioso, sucinto.) m. Libro que contiene el rezo eclesiástico de todo el año. ‖ **2.** Epítome o compendio. ‖ **3.** ant. Libro de memoria o de apuntamiento. ‖ **4.** *Impr.* Fundición de nueve puntos, como la que solía usarse en las antiguas impresiones del Breviario romano.

brevipenne. (Del lat. *brevis,* breve, y *penna,* pluma.) adj. Dícese de las aves corredoras. Ú. t. c. s. ‖ **2.** f. pl. *Zool.* En clasificaciones desusadas, familia de estas aves.

brezal. m. Sitio poblado de brezos.

brezar. (Del lat. **vertiāre,* de *vertĕre,* volver.) tr. Acunar, cunear.

brezo[1]. (Del célt. **vroicĕus,* de **vroicos.*) m. Arbusto de la familia de las ericáceas, de uno a dos metros de altura, muy ramoso, con hojas verticales, lineales y lampiñas, flores pequeñas en grupos axilares, de color blanco verdoso o rojizas, madera dura y raíces gruesas, que sirven para hacer carbón de fragua y pipas de fumador.

brezo[2]. (De *brezar.*) m. **cuna** para niños.

briadado, da. adj. ant. Decíase del caballo o yegua que tenía puesta la brida.

briaga. (Del lat. *ebriăca,* f. de *-cus,* borracho.) f. Maroma gruesa de esparto con que se ceñía el pie u orujo de la uva en los lagares, para exprimirlo con la viga o prensa. ‖ **2. braga[2].**

briago, ga. adj. *Méj.* Borracho, ebrio. Ú. t. c. s.

brial. (Del ant. fr. y prov. *blialt.*) m. Vestido de seda o tela rica que usaban las mujeres. ‖ **2.** Faldón de seda u otra tela que traían los hombres de armas desde la cintura hasta encima de las rodillas.

briba. (De *bribia.*) f. Holgazanería picaresca. ‖ **andar,** o **echarse, a la briba.** fr. Vivir en holgazanería picaresca o darse a este género de vida.

bribar. (De *briba.*) intr. ant. **andar a la briba.**

bribia. (De *blibia.*) f. ant. **briba.** ‖ **2.** *Germ.* Arte y modo de engañar halagando con buenas palabras. ‖ **echar la bribia.** fr. fig. y fam. Hacer arenga de pobre, representando necesidad y miseria.

bribiar. (De *bribia.*) intr. ant. **bribar.**

bribiático, ca. (De *bribia.*) adj. ant. Propio de la briba o perteneciente a ella.

bribión. (De *bribia.*) m. *Germ.* El que halaga con buenas palabras para engañar.

bribón, na. (De *briba.*) adj. Haragán, dado a la briba. Ú. t. c. s. ‖ **2.** Pícaro, bellaco. Ú. t. c. s.

bribonada. (De *bribón.*) f. Picardía, bellaquería.

bribonear. intr. Hacer vida de bribón. ‖ **2.** Hacer bribonadas.

bribonería. f. Vida o ejercicio de bribón.

bribonesco, ca. adj. Perteneciente o relativo al bribón.

bribonzuelo, la. adj. d. de **bribón.** Ú. t. c. s.

bricbarca. (Del ing. *brig,* barco con dos mástiles, y *barca.*) m. Buque de tres o más palos sin vergas de cruz en la mesana.

bricolaje. (Del fr. *bricolage.*) m. Actividad manual que se manifiesta en obras de carpintería, fontanería, electricidad, etc., realizadas en la propia vivienda sin acudir a profesionales.

bricho. (De or. inc.) m. Hoja angosta y sutil de plata u oro que sirve para bordados, telas y galones.

brida. (Del a. al. medio *brīdel,* rienda, a través del fr. *bride.*) f. Freno del caballo con las riendas y todo el correaje, que sirve para sujetarlo a la cabeza del animal. ‖ **2.** V. **cincha de brida.** ‖ **3.** Reborde circular en el extremo de los tubos metálicos para acoplar unos a otros con tornillos o roblones. ‖ **4.** *Equit.* Arte o modo de andar a caballo, cuyo ornato era distinto del que hoy se usa. ‖ **5.** pl. *Cir.* Filamentos membranosos que se forman en los labios de las heridas o en los abscesos. ‖ **a la brida.** loc. adv. *Equit.* A caballo en silla de borrenes o rasa con los estribos largos. ‖ **a toda brida.** fr. fig. **a todo correr.** ‖ **beber la brida.** fr. *Equit.* Coger el caballo la embocadura entre las muelas por tener la boca rasgada, con lo que se anula la acción de la mano del jinete.

bridar. (De *brida.*) tr. ant. **embridar,** poner la brida a las caballerías.

bridecú. (De or. inc.) m. **biricú.**

bridón. (De *brida.*) m. El que va montado a la brida. ‖ **2.** Brida pequeña que se pone a los caballos por si falta la grande. ‖ **3.** Varilla de hierro, compuesta regularmente de tres pedazos, enganchando uno en otro, que se pone a los caballos debajo del bocado. Tiene cabezada diversa de la del freno, y las riendas van unidas a él. ‖ **4.** Caballo ensillado y enfrenado a la brida. ‖ **5.** p. us. En estilo poético o elevado, caballo brioso y arrogante.

briega. (De *brega.*) f. **brega.**

brigada. (Del fr. *brigade;* cf. *bergante, bregar.*) f. *Mil.* Gran unidad homogénea, integrada por dos o más regimientos de un arma determinada. BRIGADA *acorazada,* BRIGADA *aérea.* ‖ **2.** *Mil.* Antiguamente, cierta agregación de tropa, de número y procedencia variables; hoy se usa con diferentes denominaciones: de artillería, de cadetes de los colegios militares, sanitaria, etc. ‖ **3.** *Mil.* Categoría superior dentro de la clase de suboficial. ‖ **4.** V. **sargento mayor de brigada.** ‖ **5.** Cierto número de bestias con sus tiros y conductores para llevar los trenes y provisiones de campaña. ‖ **6.** Conjunto de personas reunidas para dedicarlas a ciertos trabajos. BRIGADA *de trabajadores.* ‖ **7.** *Mar.* Cada una de las secciones en que se divide la marinería de un buque para los servicios militar y marinero. ‖ **8.** m. *Mil.* Suboficial de grado superior al sargento primero. ‖ **mixta.** *Mil.* Gran unidad equivalente en efectivo a la de **brigada** de un arma sola, pero formada con fuerzas de diferentes armas.

brigadero. m. Paisano que sirve en las brigadas de acémilas contratadas para el ejército de campaña.

brigadier. (Del fr. *brigadier.*) m. Oficial general cuya categoría era inmediatamente superior a la de coronel en el ejército y a la de contraalmirante en la marina. Hoy ha sido reemplazada esta categoría por la de general de brigada en el ejército y la de contraalmirante en la marina. ‖ **2.** Militar que entre los antiguos guardias de Corps desempeñaba en su compañía las funciones del sargento mayor de brigada del ejército. ‖ **3.** En las antiguas compañías de guardias marinas, el que ejercía las funciones de cabo, y actualmente, el aspirante naval o guardia marina que en la escuela cuida del orden de su sección, y en los buques, del de la camareta.

brigadiera. f. fam. Mujer del brigadier.

brigantina. (De or. inc.; cf. ant. fr. *brigandine*, peto de acero.) f. Coraza disimulada en forma de jubón, de tejido fuerte, totalmente forrado de láminas metálicas.

brigantino, na. (Del lat. *Brigantīnus*, de *Brigantĭum*, nombre antiguo de La Coruña y de otras ciudades.) adj. Propio de La Coruña o relativo a ella.

Bright. n. p. V. **enfermedad de Bright.**

brigola. (Del ant. prov. *bricola*, y este del a. al. medio *brechen*, romper.) f. *Mil.* Máquina usada antiguamente para batir las murallas.

Briján. n. p. Ú. únicamente en la fr. fig. y fam. **saber más que Briján.** Ser muy advertido, tener mucha trastienda o perspicacia.

brilla. (De *billa*.) f. *Cantabria.* **cachurra.**

brillador, ra. adj. Que brilla.

brilladura. (De *brillar*.) f. ant. **brillo.**

brillante. p. a. de **brillar.** Que brilla. ‖ **2.** adj. fig. Admirable o sobresaliente en su línea. ‖ **3.** m. **diamante brillante.**

brillantemente. adv. m. De manera brillante, con mucho lucimiento.

brillantez. (De *brillante*.) f. **brillo.**

brillantina. f. Preparación cosmética que se usa para dar brillo al cabello.

brillar. (Del it. *brillare*.) intr. Emitir, reflejar luz un cuerpo. ‖ **2.** fig. Sobresalir en talento, hermosura, etc.

brillazón. m. rur. *Argent.* Brillo repentino y fugaz que produce la reverberación solar en la atmósfera.

brillo. (De *brillar*.) m. Luz que refleja o emite un cuerpo. ‖ **2.** fig. Lucimiento, gloria. ‖ **absoluto.** *Fís.* El intrínseco de una fuente luminosa, con diferencia del que aparenta.

brin. (Del célt. **brinos*, fibra; fr. *brin*.) m. **vitre.** ‖ **2.** Tela ordinaria y gruesa de lino, que comúnmente se usa para forros y para pintar al óleo. ‖ **3.** *Ar.* Brizna o hebra del azafrán.

brincador, ra. adj. Que brinca.

brincar. (De *brinco*.) intr. Dar brincos o saltos. ‖ **2.** fig. y fam. Omitir con cuidado alguna cosa pasando a otra, para disimular u ocultar en la conversación o lectura algún hecho o cláusula. ‖ **3.** fig. y fam. Alterarse a causa de alguna emoción. ‖ **4.** tr. Jugar con un niño elevándolo en brazos y bajándolo sucesivamente, como si se le hiciera **brincar.** ‖ **5.** p. us. **saltar,** ascender a un puesto elevado sin pasar por el inmediato superior.

brincia. f. **binza,** película de la cebolla.

brinco. (Del lat. *vincŭlum*, atadura.) m. Movimiento que se hace levantando los pies del suelo con ligereza. ‖ **2.** fig. Sobresalto, alteración. Ú. con el verbo *dar.* ‖ **3.** Joyel pequeño que usaron las mujeres colgado de las tocas. ‖ **en dos brincos,** o **en un brinco.** loc. En un momento.

brincho. m. En el juego de las quínolas, flux mayor.

brindador, ra. adj. Que brinda. Ú. t. c. s.

brindar. (De *brindis*.) intr. Manifestar, al ir a beber vino u otro licor, el bien que se desea a personas o cosas. ‖ **2.** Ofrecer voluntariamente a alguien alguna cosa, convidarle con ella. Ú. t. c. tr. ‖ **3.** fig. Ofrecer una cosa una oportunidad o provecho. *Viajar* BRINDA *la ocasión de conocer gente.* ‖ **4.** prnl. Ofrecerse voluntariamente a ejecutar o hacer alguna cosa.

brindis. (Del al. *bring dir's*, yo te lo ofrezco.) m. Acción de brindar con vino o licor. ‖ **2.** Lo que se dice al brindar.

brinquillo. (d. de *brinco*.) m. **brinquiño,** alhaja pequeña.

brinquiño. (d. port. de *brinco*.) m. Alhaja pequeña. ‖ **2.** Dulce menudo y muy delicado que se hace generalmente en Portugal. ‖ **estar,** o **ir, hecho un brinquiño.** fr. fig. y fam. Estar, o ir, muy compuesto y adornado.

brinza. (Del célt. **brincĕa*, de **brinos*, filamento.) f. **brizna.** ‖ **2.** Partecilla delgada de alguna cosa.

briñón. (Del fr. *brugnon*, y este del lat. **pruneŭm*, de *prunum*, ciruela.) m. **griñón**[2].

brío. (Del célt. **brigos*, fuerza.) m. **pujanza.** Ú. más en pl. *Hombre de* BRÍOS. ‖ **2.** fig. Espíritu, valor, resolución. ‖ **3.** fig. Garbo, desembarazo, gallardía, gentileza.

briocense. adj. Natural de Brihuega. Ú. t. c. s. ‖ **2.** Perteneciente o relativo a este pueblo de la provincia de Guadalajara.

briofito, ta. (Del gr. βρύον, musgo, y *-fito*.) adj. *Bot.* Dícese de las plantas criptógamas que tienen tallos y hojas, pero no vasos ni raíces, haciendo las veces de estas últimas unos filamentos que absorben del suelo el agua con las sales minerales que el vegetal necesita para su nutrición; en su mayoría son terrestres y viven en lugares húmedos, pero algunas son acuáticas; como los musgos. Ú. t. c. s. ‖ **2.** f. pl. *Bot.* Tipo de estas plantas.

briol. (Del fr. *breuil*, y este der. de *braie*, braga.) m. *Mar.* Cada uno de los cabos que sirven para cargar las relingas de las velas de cruz, cerrándolas y apagándolas para facilitar la operación de aferrarlas.

brionia. (Del lat. *bryonĭa*, y este del gr. βρυωνία.) f. **nueza.**

brios! (¡voto a). expr. fam. p. us. **¡voto a Dios!**

briosamente. adv. m. Con brío.

brioso, sa. (De *brío*.) adj. Que tiene brío.

briqueta. (Del neerl. med. *brick*, a través del fr. *briquette*.) f. Conglomerado de carbón u otra materia en forma de ladrillo.

brisa[1]**.** (Del ant. *briza*.) f. Viento de la parte del Nordeste, contrapuesto al vendaval. ‖ **2.** Airecillo que en las costas suele tomar dos direcciones opuestas: por el día viene de la mar, y por la noche de la parte de la tierra, a causa de la alternativa de rarefacción y condensación del aire sobre el terreno. ‖ **3.** Viento suave.

brisa[2]**.** (Del lat. *brisa*.) f. **orujo** de la uva.

brisca. (Del fr. *brisque*.) f. Juego de naipes, en el cual se dan al principio tres cartas a cada jugador, y se descubre otra que indica el palo de triunfo: después se van tomando una a una de la baraja hasta que se concluye. Gana el que al fin tiene más puntos. ‖ **2.** El as o el tres de los palos que no son triunfo en el juego de la **brisca** y en el del tute.

briscado, da. p. p. de **briscar.** ‖ **2.** adj. Se dice del hilo de oro o plata, rizado, escarchado o retorcido, y a propósito para emplearse entre seda, en el tejido de ciertas telas. ‖ **3.** m. Labor hecha con este hilo.

briscar. (Del ant. *brescado*, bordado con canutillo de oro o plata.) tr. Tejer o hacer labores con hilo briscado.

brisera. (De *brisa*[1].) f. Especie de guardabrisa usado en América.

brisote. m. Brisa dura y con fuertes chubascos, propia de las costas de la América Septentrional.

brístol. (Del nombre de la ciudad inglesa de *Bristol*.) m. Especie de cartulina satinada. ‖ **2.** Papel para dibujar.

brisura. (Del fr. *brisure*, de *briser*, romper.) f. *Blas.* **lambel,** u otra pieza de igual significado.

británica. (Del lat. *britannĭca*.) f. Romaza de hojas vellosas y de color morado oscuro.

británico, ca. (Del lat. *Britannĭcus*.) adj. Perteneciente a la antigua Britania (Sur de la Gran Bretaña). ‖ **2.** Natural del Reino Unido de Gran Bretaña e Irlanda del Norte. Ú. t. c. s. ‖ **3.** Perteneciente o relativo a este reino.

britano, na. (Del lat. *Britannus*.) adj. Natural de la antigua Britania. Ú. t. c. s. ‖ **2. inglés,** natural de Inglaterra. Ú. t. c. s. ‖ **3. británico.**

briza[1]**.** f. Género de plantas de la familia de las gramíneas, de tallo poco elevado, hojas en corto número y ordinariamente provistas de una lígula visible; flores de dos glumas y en espigas que forman racimos más o menos ramificados según las especies. Se utilizan como plantas de adorno; vegetan en casi todos los terrenos y son muy estimadas como pasto, especialmente por el ganado lanar.

briza[2]. f. ant. **brisa**[1].

brizar. (De *brezar.*) tr. Acunar, cunear.

brizna. (De *brinza.*) f. Filamento o hebra, especialmente de plantas o frutos. ‖ **2.** Parte delgada de alguna cosa.

briznoso, sa. adj. Que tiene muchas briznas.

brizo. m. ant. **brezo**[2], cuna.

broa[1]. (Del port. o gall. *broa,* borona.) f. Especie de galleta o bizcocho.

broa[2]. (Acaso del célt. *broga,* orilla.) f. Abra o ensenada llena de barras y rompientes.

broca. (Del lat. *broccus,* dentón.) f. Carrete que dentro de la lanzadera lleva el hilo para la trama de ciertos tejidos. ‖ **2.** Barrena de boca cónica que se usa con las máquinas de taladrar. ‖ **3.** Clavo redondo y de cabeza cuadrada, con que los zapateros afianzan la suela en la horma al tiempo de hacer o remendar el calzado. ‖ **4.** ant. **botón** de un vestido. ‖ **5.** ant. **tenedor** de comer.

brocadillo. (d. de *brocado.*) m. Tela de seda y oro, de inferior calidad y más ligera que el brocado.

brocado, da. (Del it. *broccato,* y este de *brocco.*) adj. ant. Decíase de la tela entretejida con oro o plata. ‖ **2.** m. Guadamecí dorado o plateado. ‖ **3.** Tela de seda entretejida con oro o plata, de modo que el metal forme en la cara superior flores o dibujos briscados. ‖ **4.** Tejido fuerte, todo de seda, con dibujos de distinto color que el del fondo.

brocadura. (Del m. or. que *broca.*) f. ant. Mordedura de oso.

brocal. (Del lat. *buccularĕ,* taza.) m. Antepecho alrededor de la boca de un pozo, para evitar el peligro de caer en él. ‖ **2. boquilla** de la vaina de las armas blancas. ‖ **3.** Cerco de madera o de cuerno que se pone a la boca de la bota para llenarla con facilidad y beber por él. ‖ **4.** Ribete de acero que guarnece el escudo. ‖ **5.** *Mil.* Moldura que refuerza la boca de las piezas de artillería. ‖ **6.** *Min.* Boca de un pozo.

brocalado, da. (De *broca.*) adj. ant. Bordado.

brocamantón. (De *broca* y *mantón.*) m. Joya grande de oro o piedras preciosas, a manera de broche, que llevaban las mujeres en el pecho.

brocárdico. m. desus. Entre los profesores de derecho, sentencia, axioma legal o refrán.

brocatel. (Del cat. *brocatell,* de *brocat,* brocado.) adj. V. **mármol brocatel.** Ú. t. c. s. ‖ **2.** m. Tejido de cáñamo y seda, a modo de damasco, que se emplea en muebles y colgaduras. ‖ **de seda. brocado,** tejido de seda con dibujos de distinto color que el fondo.

brocato. m. *Ar.* **brocado,** guadamecí dorado. ‖ **2.** *Ar.* **brocado,** tejido de seda con dibujos de distinto color que el del fondo.

brocearse. (De *broza.*) prnl. *Min. Amér. Merid.* Esterilizarse una mina.

brocense. adj. Natural de las Brozas. Ú. t. c. s. ‖ **2.** Perteneciente o relativo a esta villa de la provincia de Cáceres.

broceo. m. *Min. Amér. Merid.* Acción y efecto de brocearse.

brocino. m. **porcino,** chichón.

brócol. m. *And.* **brécol.**

brócul. m. *Ál.* y *Ar.* **bróculi.** ‖ **2.** *Sal.* **coliflor.**

bróculi. (Del it. *broccoli,* y este de *brocco.*) m. **brécol.**

brocha[1]. (De or. inc.; cf. fr. dialect. *brouche;* it. *brusca.*) f. Escobilla de cerda atada al extremo de una varita o mango, que sirve para pintar y también para otros usos. ‖ **de brocha gorda.** expr. fig. Dícese del pintor y de la pintura de puertas, ventanas, etc. ‖ **2.** fig. y fam. Dícese del mal pintor. ‖ **3.** fig. y fam. Aplícase a las obras de ingenio despreciables por su tosquedad o mal gusto. ‖ **dar brocha.** *Pan.* **dar coba.** ‖ **ser** alguien **muy brocha.** fr. fig. y fam. *Col.* Ser muy burdo, inculto, grosero.

brocha[2]. (Del fr. *broche.*) f. Entre fulleros, dado falso y cargado. ‖ **2.** ant. Botón de un vestido. ‖ **3.** ant. **joya,** pieza de adorno.

brochada. (De *brocha*[1].) f. Cada una de las idas y venidas de la brocha sobre la superficie que se pinta.

brochado, da. (Del fr. *brocher,* bordar.) adj. Aplícase a los rasos, brocados y otros tejidos de seda que tienen alguna labor de oro, plata o seda, con el torzal o hilo retorcido o levantado.

brochadura. (De *broche.*) f. Juego de broches que se solía llevar en las capas y casacas.

brochal. (De *broche.*) m. *Arq.* Madero atravesado entre otros dos de un suelo y ensamblado en ellos, con objeto de recibir los intermedios que para dejar un hueco no han de llegar hasta el muro.

brochazo. (De *brocha*[1].) m. **brochada.**

broche. (Del fr. *broche,* y este del lat. *broccus,* dentón.) m. Conjunto de dos piezas, por lo común de metal, una de las cuales engancha o encaja en la otra. ‖ **2. alfiler** de figura de **broche** para sujetar prendas o adornarlas. ‖ **de oro.** loc. fig. Final feliz y brillante de un acto público, reunión, discurso, gestión, etc., o de una serie de ellos.

brocheta. (De *brocha*[2].) f. **broqueta.**

brocho, cha. (Del lat. **broccŭlus,* dentón.) adj. Se dice del ganado ovino que tiene los cuernos muy cortos.

brochón[1]. m. aum. de **brocha**[1]. ‖ **2.** Escobilla de cerdas atada a un asta de madera, y que sirve para blanquear las paredes.

brochón[2]. (De *brocha*[2].) m. p. us. Botón del vestido.

brodete. m. fam. d. de **brodio.**

brodio. (Del germ. *brod,* caldo.) m. **bodrio.**

brodista. com. desus. **sopista.**

brollador, ra. adj. Que brolla. Ú. t. c. s. m.

brollar. (Del cat. *brollar,* brotar.) intr. **borbotar.**

broma[1]. (Del gr. βρῶμα, teredón, de βιβρώσκω, carcomer.) f. Molusco lamelibranquio marino de aspecto vermiforme, con sifones desmesuradamente largos y concha muy pequeña, que deja descubierta la mayor parte del cuerpo. Las valvas de la concha, funcionando a manera de mandíbulas, perforan las maderas sumergidas, practican en ellas galerías que el propio animal reviste de una materia calcárea segregada por el manto, y causan así graves daños en las construcciones navales. ‖ **2.** Persona o cosa pesada y molesta. ‖ **3.** Bulla, algazara, diversión. ‖ **4.** Chanza, burla.

broma[2]. (Del gr. βρόμος, avena.) f. Masa de cascote, piedra y cal, que solía emplearse para rellenar huecos en cimientos y paredes. ‖ **2.** Papilla o masa de avena.

bromar. (De *broma,* molusco lamelibranquio.) tr. Roer la broma la madera.

bromatología. (Del gr. βρῶμα, -ατος, alimento, y *-logia.*) f. Ciencia que trata de los alimentos.

bromatológico, ca. adj. *Med.* Perteneciente o relativo a la bromatologia.

bromatólogo, ga. m. y f. Persona que profesa la bromatología o tiene en ella especiales conocimientos.

bromazo. m. Broma pesada.

bromear. (De *broma*[1].) intr. Utilizar bromas o chanzas. Ú. t. c. prnl.

bromeliáceo, a. (De *Bromelia,* nombre de un género de plantas dedicado a *Bromel,* botánico sueco del siglo XVIII.) adj. *Bot.* Dícese de hierbas y matas angiospermas, monocotiledóneas, por lo común anuales y de raíz fibrosa, casi siempre parásitas, con las hojas reunidas en la base, envainadoras, rígidas, acanaladas, dentadas y espinosas por el margen; flores en espiga, racimo o panoja y con una bráctea, y por frutos bayas o cápsulas con semillas de albumen amiláceo;

como el ananás. Ú. t. c. s. f. ‖ **2.** f. pl. *Bot.* Familia de estas plantas.

bromista. (De *broma*[1].) adj. Aficionado a dar bromas. Ú. t. c. s.

bromo[1]**.** (Del gr. βρῶμος, fetidez.) m. *Quím.* Metaloide, líquido a la temperatura ordinaria, de color rojo pardusco y olor fuerte y repugnante. Es venenoso, destruye los colores orgánicos y se halla formando bromuros, principalmente en las aguas y algas marinas. Núm. atómico 35. Símb.: *Br.*

bromo[2]**.** (Del lat. *bromos*, y este del gr. βρόμος, avena.) m. Planta de la familia de las gramíneas, de medio metro a uno de altura, con hojas planas, flores en panoja laxa y con aristas que salen de una hendedura del cascabillo. Sirve para forraje.

bromuro. (De *bromo*[1].) m. *Quím.* Combinación del bromo con un radical simple o compuesto. Varios **bromuros** se usan como medicamentos.

bronca. (Tal vez de *bronco*.) f. Riña o disputa ruidosa. ‖ **2.** Reprensión áspera. ‖ **3.** Manifestación colectiva y ruidosa de desagrado en un espectáculo público, especialmente en los toros. ‖ **4.** *Amér.* Enojo, enfado, rabia. ‖ **tener bronca** a alguien. fr. fig. y fam. *Amér.* **tener entre ojos.**

bronce. (De or. inc.; cf. fr. *bronze*, it. *bronzo*.) m. Cuerpo metálico que resulta de la aleación del cobre con el estaño y a veces con adición de cinc o algún otro cuerpo. Es de color amarillento rojizo, muy tenaz y sonoro. ‖ **2.** V. **edad, enfermedad del bronce.** ‖ **3.** fig. Estatua o escultura de **bronce.** ‖ **4.** fig. y fam. V. **gente del bronce.** ‖ **5.** fig. poét. El cañón de artillería, la campana, el clarín o la trompeta. ‖ **6.** *Numism.* Moneda de cobre. ‖ **de aluminio.** Cuerpo metálico que resulta de la aleación del cobre con el aluminio, y se usa en quincallería por su color muy parecido al del oro. ‖ **escribir** alguien **en bronce** alguna cosa. fr. fig. Retenerla constantemente en la memoria. ‖ **ser** alguien **de bronce,** o **un bronce.** fr. fig. y fam. Ser duro e inflexible y apiadarse dificultosamente. ‖ **2.** fig. y fam. Ser robusto e infatigable en el trabajo.

bronceado, da. p. p. de **broncear.** ‖ **2.** adj. De color de bronce. ‖ **3.** m. Acción y efecto de broncear o broncearse.

bronceador, ra. adj. Que broncea. ‖ **2.** m. Sustancia cosmética que produce o favorece el bronceado de la piel.

bronceadura. f. Acción y efecto de broncear.

broncear. tr. Dar color de bronce. ‖ **2.** fig. Dar color moreno a la piel la acción del sol o de un agente artificial. Ú. t. c. prnl. ‖ **3.** prnl. Tomar color de bronce.

broncería. f. Conjunto de piezas de bronce.

broncíneo, a. adj. De bronce. ‖ **2.** Parecido a él.

broncista. m. El que trabaja en bronce.

bronco, ca. (Del lat. *broncus*, por *broccus*, dentón.) adj. Tosco, áspero, sin desbastar. ‖ **2.** Aplícase a los metales vidriosos, quebradizos, poco dúctiles y sin elasticidad. ‖ **3.** fig. Dícese de la voz y de los instrumentos de música que tienen sonido desagradable y áspero. ‖ **4.** fig. De genio y trato ásperos. ‖ **5.** *Méj.* Caballo sin domar.

bronconeumonía. (Del gr. βρόγχος, traquearteria, y πνευμονία, pulmonía.) f. *Pat.* Inflamación de la mucosa bronquial y del parénquima pulmonar.

broncorragia. (Del gr. βρόγχος, bronquio, y ῥήγνυμι, brotar.) f. *Pat.* Hemorragia de la mucosa bronquial. Se manifiesta generalmente por vómito abundante de sangre muy roja.

broncorrea. (Del gr. βρόγχος, traquearteria, y ῥέω, fluir.) f. *Pat.* Secreción excesiva y expectoración de moco bronquial, a veces purulento.

broncha[1]**.** (De *brocha*[1].) f. ant. Brocha de pintar.

broncha[2]**.** (De *brocha*[2].) f. Arma corta, especie de puñal. ‖ **2.** ant. **joya** de ricos metales o de piedras preciosas.

bronquedad. f. Calidad de bronco.

bronquial. adj. Perteneciente o relativo a los bronquios.

bronquiectasia. (Del gr. βρόγχος, bronquio, y ἔκτασις, dilatación.) f. *Pat.* Enfermedad crónica, caracterizada principalmente por tos insistente con copiosa expectoración, producida por la dilatación de uno o varios bronquios.

bronquina. (De *bronca*.) f. fam. Quimera, pendencia, riña.

bronquio. (Del lat. *bronchĭa*, y este del gr. βρόγχια, pl. de βρόγχιον, traquearteria.) m. *Anat.* Cada uno de los dos conductos fibrocartilaginosos en que se bifurca la tráquea y que entran en los pulmones. Ú. m. en pl.

bronquiolo o **bronquíolo.** (De *bronquio*.) m. *Anat.* Cada uno de los pequeños conductos en que se dividen y subdividen los bronquios dentro de los pulmones. Ú. m. en pl.

bronquitis. (De *bronquio* e *-itis*.) f. *Pat.* Inflamación aguda o crónica de la membrana mucosa de los bronquios.

bronzo. m. desus. **bronce.**

broquel. (Del ant. fr. *bocler*, bulto en el centro del escudo, y este del lat. *buccŭla*, mejilla pequeña.) m. Escudo pequeño de madera o corcho. ‖ **2. escudo,** arma defensiva. ‖ **3.** fig. Defensa o amparo. ‖ **4.** *Mar.* Posición en que quedan las velas y vergas cuando se abroquelan.

broquelarse. (De *broquel*.) prnl. **abroquelarse.**

broquelazo. m. Golpe dado con broquel.

broquelero. (De *broquel*.) m. El que hacía broqueles. ‖ **2.** El que los usaba. ‖ **3.** fig. Hombre amigo de pendencias.

broquelillo. (d. de *broquel*.) m. Botoncillo, con colgante o sin él, que, pendiente de las orejas, usan las mujeres como adorno.

broqueta. (De *broca*.) f. Aguja o estaquilla con que se sujetan las patas de las aves para asarlas, o en que se ensartan o espetan pajarillos, pedazos de carne u otro alimento.

bróquil. (De *bróculi*.) m. *Ar.* **brécol.**

brosla. (De *broslar*.) f. ant. **brosladura.**

broslador. (De *broslar*.) m. ant. **bordador.**

brosladura. (De *broslar*.) f. ant. **bordadura,** labor de relieve.

broslar. (Del germ. *bruzdan*, bordar.) tr. ant. **bordar.**

brosquil. (Del lat. **vervecīle*, de *vervex, -ēcis*, carnero.) m. *Ar.* **redil.**

brota. f. **brote** de las plantas.

brotadura. f. Acción de brotar.

brótano. m. **abrótano.**

brotante. m. ant. *Arq.* **arbotante,** arco apoyado en un botarel.

brotar. (Del lat. *abortāre*, o del gót. *brutón*.) intr. Nacer o salir la planta de la tierra. BROTAR *el trigo.* ‖ **2.** Nacer o salir en la planta renuevos, hojas, flores, etc. ‖ **3.** Echar la planta hojas o renuevos. *Este árbol empieza a* BROTAR. ‖ **4.** Manar, salir el agua de los manantiales. ‖ **5.** fig. Tratándose de viruelas, sarampión, granos, etc., salir al cutis. ‖ **6.** fig. Tener principio o empezar a manifestarse alguna cosa. ‖ **7.** tr. Echar la tierra plantas, hierba, flores, etc. ‖ **8.** fig. Arrojar, producir.

brote. (De *brotar*.) m. Pimpollo o renuevo que empieza a desarrollarse. ‖ **2.** Acción de brotar o aparecer por primera vez algo no previsto y considerado nocivo. BROTE *de viruela, de racismo.* ‖ **3.** *Murc.* Migaja, pizca.

broto. (De *brotar*.) m. ant. **brote** de las plantas. Ú. en Salamanca.

brotón. (De *brotar*.) m. ant. **brochón,** brocha del sayo. ‖ **2.** ant. Vástago o renuevo que sale del árbol.

broza. (De or. inc.) f. Conjunto de hojas, ramas, cortezas y otros despojos de las plantas. ‖ **2.** Desecho o desperdicio de alguna cosa. ‖ **3.** Maleza o espesura de arbustos y plantas en los montes y campos. ‖ **4.** fig. Cosas inútiles que se dicen de palabra o por escrito. ‖ **5.** fig. y fam. V. **gente de toda broza.** ‖ **6.** *Impr.* **bruza.** ‖ **meter broza.** fr. fig. y fam.

meter ripio. ‖ **servir de toda broza.** fr. fig. Servir de todo o para todo, sin destino especial.

brozador. (De *brozar.*) m. *Impr.* **bruzador.**

brozar. (De *broza.*) tr. *Impr.* **bruzar.**

broznamente. (De *brozno.*) adv. m. Ásperamente, duramente. ‖ **2.** ant. Neciamente, rústicamente.

broznedad. (De *brozno.*) f. ant. Necedad, rusticidad.

brozno, na. adj. Bronco, dicho de cosas. ‖ **2.** fig. Tosco, rudo, dicho de personas o de sus cualidades.

brozoso, sa. adj. Que tiene o cría mucha broza.

brucero. m. El que hace o vende bruzas, cepillos, escobillas, etc.

bruces (a, o de). (Variante de *buces.*) loc. adv. **boca abajo.** Se junta con varios verbos. *Beber* DE BRUCES; *echarse* DE BRUCES. ‖ **caer,** o **dar, de bruces.** fr. fam. Dar con la cara, o caer dando con ella, en una parte.

brucio, cia. adj. ant. **abruzo.** Apl. a pers., usáb. t. c. s.

brucita. (De A. *Bruce,* mineralogista norteamericano.) f. Mineral formado de magnesia hidratada, de color blanco o gris y brillo anacarado, infusible al soplete, y que se halla en cristales o masas compactas. Se emplea en medicina.

brugo. (Del lat. *bruchus,* y este del gr. βροῦχος.) m. Larva de un lepidóptero pequeño y nocturno que devora las hojas de los encinares y robledales. ‖ **2.** Larva de una especie de pulgón.

bruja. adj. *Murc.* V. **arena bruja.** ‖ **2.** f. **lechuza,** ave nocturna. ‖ **3.** Mujer que, según la opinión vulgar, tiene pacto con el diablo y, por ello, poderes extraordinarios. ‖ **4.** fig. y fam. Mujer fea y vieja. ‖ **5.** V. **casabe de bruja.** ‖ **creer en brujas.** fr. fig. y fam. Ser demasiado crédulo y de pocos alcances. ‖ **parecer que** a alguien **le chupan,** o **le han chupado, brujas,** o **las brujas.** fr. fig. y fam. Estar muy flaco y descolorido.

brujear. (De *bruja.*) intr. Hacer brujerías.

brujería. (De *bruja.*) f. Conjunto de prácticas mágicas o supersticiosas que ejercen los brujos y las brujas.

brujesco, ca. adj. Propio del brujo o de la brujería, o perteneciente a ellos.

brujidor. m. **grujidor.**

brujilla. (De *bruja.*) f. **dominguillo,** tentetieso.

brujir. tr. **grujir.**

brujo[1]**.** m. Hombre al que se le atribuyen poderes mágicos obtenidos del diablo. ‖ **2.** Hechicero supuestamente dotado de poderes mágicos en determinadas culturas.

brujo[2]**, ja.** adj. Embrujador, que hechiza. ‖ **2.** *Chile.* Falso, fraudulento. ‖ **3.** *Cuba* y *P. Rico.* Empobrecido, arrancado, sin dinero. Ú. m. en terminación femenina, aun con sustantivos masculinos. Ú. t. c. s. m. ‖ **estar alguien bruja.** fr. *Méj.* Estar pobre, sin dinero.

brújula. (Del it. *bussola,* y este del lat. *buxis, pyxis,* caja.) f. Instrumento para determinar las direcciones de la superficie terrestre. ‖ **2.** *Mar.* Instrumento que se usa a bordo, compuesto de una caja redonda de bronce en la que se hallan dos círculos concéntricos: el interior es de cartón o talco; está puesto en equilibrio sobre una púa, y tiene la rosa náutica; lleva adherida a su línea Norte-Sur una barrita o flechilla imantada, la cual, arrastrando en su movimiento la rosa de los vientos, indica el rumbo de la nave, por comparación con el otro círculo exterior, que está fijo y lleva señalada la dirección de la quilla del buque. ‖ **3.** Abertura que sirve para precisar la puntería de la escopeta y que corresponde a lo que hoy se llama mira, aunque es de otra figura. ‖ **4.** Abertura por donde, entrecerrando los ojos, se mira mejor un objeto. ‖ **giroscópica.** La que consta de un giroscopio de eje horizontal, cuyo bastidor puede girar en torno de la vertical, con lo que se orienta en el meridiano. ‖ **magnética.** La que consiste en una o varias agujas imantadas que giran libremente. ‖ **mirar por brújula.** fr. fig. **brujulear** en el juego de naipes. ‖ **perder la brújula.** fr. fig. Perder el tino en el manejo de algún negocio. ‖ **ver por brújula.** fr. fig. Mirar desde un lugar por donde se descubre poco.

brujulear. (De *brújula.*) tr. En el juego de naipes, descubrir poco a poco las cartas para conocer por las rayas o pintas de qué palo son. ‖ **2.** fig. y fam. Descubrir por indicios y conjeturas algún suceso o negocio que se está tratando. ‖ **3.** fig. y fam. Buscar con diligencia y por varios caminos el logro de una pretensión.

brujuleo. m. Acción de brujulear.

brulote. (Del fr. *brûlot,* de *brûler,* quemar.) m. Barco cargado de materias combustibles e inflamables, que se dirigía sobre los buques enemigos para incendiarlos.

bruma. (Del lat. *bruma,* solsticio de invierno.) f. Niebla, y especialmente la que se forma sobre el mar. ‖ **2.** ant. **invierno,** estación del año.

brumador, ra. (De *brumar.*) adj. **abrumador.**

brumal. (Del lat. *brumālis.*) adj. Perteneciente o relativo a la bruma. ‖ **2.** ant. fig. Perteneciente o relativo al invierno.

brumamiento. m. Acción y efecto de brumar.

brumar. (De *broma*[1], cosa molesta.) tr. **abrumar.** ‖ **2.** Magullar, moler a palos.

brumario. (Del fr. *brumaire,* y este del lat. *bruma,* bruma.) m. Segundo mes del calendario republicano francés, cuyos días primero y último coincidían, respectivamente, con el 22 de octubre y el 20 de noviembre.

brumazón. m. aum. de **bruma.** ‖ **2.** Niebla espesa y grande.

brumo. (De *grumo.*) m. Cera blanca y bien purificada que usan los cereros para dar el último baño a las hachas y cirios blancos.

brumoso, sa. adj. Con bruma.

brunela. f. **consuelda.**

bruneta. (De *bruno*[2].) adj. ant. V. **plata bruneta.** ‖ **2.** f. ant. Paño negro.

brunete. (De *bruno*[2].) m. ant. Cierto paño basto de color negro.

bruno[1]**.** (Del lat. *prunum,* ciruela, y de *prunus,* ciruelo.) m. Ciruela negra que se coge en el norte de España. ‖ **2.** Árbol que la da.

bruno[2]**, na.** (Del germ. *brūn,* moreno.) adj. De color negro u oscuro.

bruñido, da. p. p. de **bruñir.** ‖ **2.** m. Acción y efecto de bruñir.

bruñidor, ra. adj. Que bruñe. Ú. t. c. s. ‖ **2.** m. Instrumento para bruñir.

bruñidura. f. **bruñido,** acción de bruñir.

bruñimiento. m. **bruñido,** acción de bruñir.

bruñir. (Del germ. **brunjan, brūn,* moreno.) tr. Sacar lustre o brillo a una cosa; como metal, piedra, etc. ‖ **2.** fig. y fam. Maquillar el rostro con varios ingredientes. ‖ **3.** fig. *C. Rica, Guat.* y *Nicar.* Molestar, fastidiar.

bruño. (Del lat. **pruněum,* de *prunum,* ciruela.) m. **bruno**[1]**.**

brusca. f. Planta de la familia de las papilionáceas, de flores amarillas, parecidas a las de la cañafístula. Crece en los alrededores de Caracas, donde usan el cocimiento de su raíz como remedio contra los dolores reumáticos y el cólico uterino. ‖ **2.** **chamarasca,** leña menuda. ‖ **3.** *Mar.* Ramaje que se usa para aplicar fuego exteriormente a los fondos de las embarcaciones, a fin de matar la broma. ‖ **4.** *Mar.* Regla o medida de compás para el arqueo de baos, palos y vergas. ‖ **5.** *Mar.* Medida que se toma en la orilla de la lona para determinar el corte diagonal de un paño de cuchillo.

bruscadera. f. *Mar.* Horquilla de mango largo con que se enganchan los haces de brusca para aplicar fuego a las embarcaciones.

bruscamente. adv. m. De manera brusca.

bruscate. m. Cierto guisado antiguo de asadura de carnero o cabrito.

brusco, ca. (Del lat. *ruscus.*) adj. Áspero, desapacible. ‖ **2.** Rápido, repentino, pronto. ‖ **3.** m. Planta perenne de la familia de las liliáceas, como de medio metro de altura, con tallos ramosos, flexibles y estriados cubiertos de cladodios ovalados, retorcidos en el eje, y de punta aguda; flores verdosas que nacen en el centro de los cladodios, y bayas del color y tamaño de una guinda pequeña. ‖ **4.** Lo que se desperdicia en las cosechas por muy menudo.

brusela. (Del fr. *pucelle,* doncella.) f. **hierba doncella.**

bruselas. f. pl. Pinzas anchas que usan los plateros para arrancar los pallones de oro o plata que quedan en las copelas al hacer los ensayos.

bruselense. adj. Natural de Bruselas. Ú. t. c. s. ‖ **2.** Perteneciente o relativo a esta ciudad de Bélgica.

brusquedad. f. Calidad de brusco. ‖ **2.** Acción o procedimiento bruscos.

brutal. (Del lat. *brutālis.*) adj. Propio de los animales por su violencia o irracionalidad. ‖ **2.** Extremadamente violento y habitualmente grosero. ‖ **3.** m. ant. **bruto,** animal irracional.

brutalidad. (De *brutal.*) f. Calidad de bruto. ‖ **2.** fig. Excesivo desorden de los afectos y pasiones. ‖ **3.** fig. Acción torpe, grosera o cruel. ‖ **4.** fig. y fam. **barbaridad,** cantidad grande o excesiva.

brutalizarse. (De *brutal.*) prnl. p. us. Proceder como los brutos o irracionales; embrutecerse.

brutedad. (De *bruto.*) f. ant. **brutalidad.**

brutesco, ca. adj. **grutesco.**

brutez. (De *bruto.*) f. ant. **brutalidad.**

bruteza. (De *bruto.*) f. **brutalidad.** ‖ **2.** Falta de pulimento, adorno o artificio.

bruto, ta. (Del lat. *brutus.*) adj. Necio, incapaz. Ú. t. c. s. ‖ **2.** Vicioso, torpe, o excesivamente desarreglado en sus costumbres. ‖ **3.** Violento, rudo, carente de miramiento y civilidad. ‖ **4.** Dícese de las cosas toscas y sin pulimento. ‖ **5.** V. **diamante, peso bruto.** ‖ **6.** m. Animal irracional. Comúnmente se entiende de los cuadrúpedos. ‖ **7.** fig. y fam. V. **pedazo de bruto.** ‖ **en bruto.** loc. adj. Sin pulir o labrar. ‖ **2.** Dícese de las cosas que se toman por peso sin rebajar la tara.

bruza. (De or. inc.; cf. al. *Bürste,* cepillo.) f. Cepillo de cerdas muy espesas y fuertes, generalmente con una abrazadera de cuero para meter la mano, y el cual sirve para limpiar las caballerías, los moldes de imprenta, etc.

bruzador. (De *bruzar.*) m. *Impr.* Tablero inclinado para limpiar las formas con la bruza.

bruzar. tr. Limpiar con la bruza.

bruzas (de). (De *debruzar.*) loc. adv. ant. **de bruces.**

bruzos (de). (De *debruzar.*) loc. adv. ant. **de bruces.**

bu. fam. Voz expresiva con que se asusta a los niños aludiendo a fantasma o ser imaginario. ‖ **2.** m. fam. y fest. Persona o cosa que mete o pretende meter miedo. ‖ **3.** fam. Fantasma o ser imaginario que se menciona para asustar a los niños. *Mira que viene el* BU. ‖ **hacer el bu.** fr. fig. Asustar, amedrentar.

búa. (De *buba.*) f. Postilla o tumorcillo de pus que sale en el cuerpo. ‖ **2.** pl. Bubas, tumores blandos.

buaro. (Como *buharro,* de *búho.*) m. **buharro.**

buba. (De *bubón.*) f. Postilla o tumorcillo de pus. ‖ **2.** Tumor blando, comúnmente doloroso y con pus, que se presenta de ordinario en la región inguinal como consecuencia del mal venéreo, y también a veces en las axilas y en el cuello. Ú. m. en pl. ‖ **3.** En Santo Domingo y otros países tropicales, **pian.** ‖ **4.** En la provincia colombiana del Cauca, **actinomicosis.** Ú. m. en pl. ‖ **5.** También se denominan así otros tumores análogos de distinto origen.

búbalo, la. (Del lat. *bubălus,* y este del gr. βούβαλος.) m. y f. Búfalo de Asia, del cual proceden los búfalos domésticos de Egipto, Grecia e Italia.

bubático, ca. adj. Perteneciente o relativo a las bubas. ‖ **2. buboso,** que padece bubas. Ú. t. c. s.

bubi. m. Miembro de la población indígena de la isla de Malabo, antes Fernando Poo, perteneciente a Guinea Ecuatorial.

bubón. (Del gr. βουβών, tumor en la ingle.) m. Tumor purulento y voluminoso. ‖ **2.** pl. Bubas, tumores venéreos.

bubónico, ca. adj. Perteneciente o relativo al bubón. ‖ **2.** V. **peste bubónica.** ‖ **3.** Que padece bubas.

buboso, sa. adj. Que padece bubas. Ú. t. c. s. ‖ **2.** ant. Llagado o herido.

bucal. (Del lat. *bucca,* boca.) adj. Perteneciente o relativo a la boca.

bucanero. (Del fr. *boucanier.*) m. Pirata que en los siglos XVII y XVIII se entregaba al saqueo de las posesiones españolas de ultramar.

bucaral. m. Sitio plantado de bucares.

bucarán. (En fr. *bouquerant.*) m. *Ar.* **bocací.**

bucardo. (De *buco*[1].) m. *Ar.* Macho de la cabra montés.

bucare. m. Árbol americano de la familia de las papilionáceas, de unos 10 metros de altura, con espesa copa, hojas compuestas de hojuelas puntiagudas y truncadas en la base, y flores blancas. Sirve en Venezuela para defender contra el rigor del sol los plantíos de café y de cacao, dándoles sombra.

búcare. m. En algunos países de América, **bucare.**

búcaro[1]**.** (Del lat. *pocŭlum,* vaso, taza.) m. Tierra roja arcillosa, que se traía primitivamente de Portugal, y se usaba para hacer vasijas que se estimaban por su olor característico, especialmente como jarras para servir agua. ‖ **2.** Vasija hecha con esta arcilla, principalmente para usarla como jarra para servir agua. ‖ **3. florero,** recipiente para poner flores. ‖ **4.** *And.* **botijo.**

búcaro[2]**.** m. *Sto. Dom.* Ave zancuda, en vías de extinción, que emite un sonido particular a intervalos, por lo cual la gente dice que da la hora.

buccino. (Del lat. *buccĭnum.*) m. Caracol marino de concha pequeña y abocinada, cuya tinta solían mezclar los antiguos con las de las púrpuras y los múrices para teñir las telas.

buceador, ra. adj. Que bucea. Ú. t. c. s.

bucear. (De *buzo.*) intr. Nadar con todo el cuerpo sumergido. ‖ **2.** Trabajar como buzo. ‖ **3.** fig. Explorar acerca de algún tema o asunto material o moral.

bucéfalo. (Del nombre del caballo de Alejandro Magno, Βουκέφαλος.) m. fig. y fam. Hombre rudo, estúpido, incapaz.

bucelario. (Del lat. *buccellarĭus.*) m. Soldado de ciertas milicias bizantinas. ‖ **2.** Entre los visigodos, hombre libre que voluntariamente se sometía al patrocinio de un magnate, a quien prestaba determinados servicios, y del cual recibía el disfrute de alguna propiedad.

buceo. (De *bucear.*) m. Acción de bucear.

bucero, ra. adj. V. **perro bucero.** Ú. t. c. s.

buces (de). (De or. inc.; cf. *bozo,* parte inferior de la cara, con influencia de *buz,* labio.) loc. adv. **de bruces.**

bucio. (Del port. *búzio.*) m. Especie de caracol marino.

bucle. (Del fr. *boucle,* y este del lat. *buccŭla,* boquita.) m. Rizo de cabello en forma helicoidal.

buco[1]**.** (Del a. al. ant. *bukk.*) m. **cabrón,** macho de la cabra.

buco[2]**.** m. ant. **buque,** cabida, espacio para contener.

buco[3]**.** (Del lat. *bucca,* boca.) m. *Hist. Nat.* Abertura o agujero.

bucólica[1]**.** (Del lat. *bucolĭa,* t. f. de *-cus,* bucólico.) f. Composición poética del género bucólico.

bucólica[2]**.** (Del lat. *bucca,* boca.) f. fam. **comida,** alimento en general.

bucólico, ca. (Del lat. *bucolĭcus*, y este del gr. βουκολικός, de βουκόλος, boyero.) adj. Aplícase al género de poesía o a cualquier composición poética en que se trata de cosas concernientes a los pastores o a la vida campestre. Las composiciones **bucólicas** son por lo común dialogadas. ‖ **2.** Perteneciente o relativo a este género de poesía. ‖ **3.** Aplícase al poeta que lo cultiva. Ú. t. c. s.

bucha. f. ant. **hucha.**

buchaca. (De *burjaca.*) f. Bolsa, bolsillo. ‖ **2.** *Col.*, *Cuba* y *Méj.* Bolsa de la tronera de la mesa de illar.

buchada. (De *buche*[1].) f. **bocanada.**

buche[1]**.** (En fr. *poche.*) m. Bolsa membranosa que comunica con el esófago de las aves, en la cual se reblandece el alimento. ‖ **2.** En algunos animales cuadrúpedos, **estómago.** ‖ **3.** Porción de líquido que cabe en la boca. ‖ **4.** p. us. **bolsa,** arruga del vestido. ‖ **5.** En las almadrabas, red colocada en el vértice del ángulo que forman las dos alas o raberas de la manga, y en la cual entran y quedan encerrados los atunes hasta que conviene sacarlos. ‖ **6.** V. **almadraba de buche.** ‖ **7.** fam. Estómago de las personas. *Cristóbal ha llenado bien el* BUCHE. ‖ **8.** fig. y fam. Pecho, o lugar en que se finge que se reservan los secretos. *No le cupo en el* BUCHE *tal cosa.* ‖ **buche y pluma.** loc. *Ant.* **buchipluma.** ‖ **sacar el buche** a alguien. fr. fig. y fam. Hacerle desembuchar o decir todo lo que sabe.

buche[2]**.** (De la voz *buch*, con que se llama a este animal.) m. Borrico recién nacido y mientras mama.

bucheta. f. desus **bujeta.**

buchete. (d. de *buche*[1].) m. desus. Mejilla inflada.

buchín. (Del fr. *boucher*, verdugo, y este del germ. **bukka*, macho cabrío.) m. ant. **bochín.**

buchinche. m. Café, taberna, tienda pequeña de aspecto descuidado.

buchipluma. (De *buche* y *pluma.*) adj. despect. *Ant.* Dícese de la persona que promete y no cumple, o de quien se las echa de algo sin poder hacerlo. Ú. t. c. s. ‖ **2.** m. *Ant.* Dicho o hecho sin valor o sin sustancia.

buchón, na. (De *buche*[1].) adj. Dícese del palomo o paloma domésticos que se distinguen por la propiedad de inflar el buche desmesuradamente.

buda[1]**.** (De or. hispano o africano.) f. Espadaña de agua, anea.

buda[2]**.** (Del sánscrito.) m. Título genérico que se da en el pensamiento budista a la persona que ha alcanzado la sabiduría y el conocimiento perfecto. ‖ **2.** Por antonom., el fundador del budismo.

budare. m. Plato de barro o de hierro, de unos 60 centímetros de diámetro, que en Venezuela se usa para cocer el pan de maíz y el cazabe.

búdico, ca. adj. Perteneciente o relativo al budismo.

budín. (Del ing. *pudding.*) m. **pudín.**

budinera. f. Recipiente de cobre o hierro estañado en que se hace el budín.

budión. m. Pez teleósteo, del suborden de los acantopterigios, caracterizado por los dobles labios carnosos que cubren sus mandíbulas; es de forma oblonga y está revestido de escamas. Se hallan varias especies en las costas de España y es su carne bastante apreciada.

budismo. m. Doctrina filosófica y religiosa, derivada del brahmanismo, fundada en la India en el siglo VI a. J. C. por el buda Gotama.

budista. adj. Perteneciente o relativo al budismo. ‖ **2.** com. Persona que profesa el budismo.

bué. (Del lat. *boem*, por *bovem*, de *bos, bovis*, buey.) m. ant. **buey**[1]**.** Ú. en León y en Salamanca.

búe. (Del mismo origen que *bué.*) m. ant. **bué.**

buega. f. *Ar.* Mojón que señala el límite entre dos heredades.

buéis. (Del lat. *boes*, por *boves*, bueyes.) m. pl. ant. de **buey**[1]**.**

bueitre. (Cruce del vulg. *buetre*, y de *buitre.*) m. ant. **buitre.**

buen. adj. apóc. de **bueno.** Ú. precediendo a un sustantivo, como BUEN *año*, o a un verbo en infinito, como BUEN *andar*. ‖ **2.** V. **buen bocado, dinero, mozo, paso, rato, sastre, varón.** ‖ **3.** V. **buen Juan.** ‖ **4.** V. **El Buen Pastor.** ‖ **5.** V. **el buen ladrón.**

buena. (Del lat. *bona*, bienes.) f. ant. Hacienda o bienes, herencia.

buenaboya. (Del it. *bonavoglia* o *buonavoglia.*) f. ant. **bagarino.**

buenamente. adv. m. Fácilmente, cómodamente, sin mucha fatiga, sin dificultad. ‖ **2. voluntariamente.**

buenamersciente. adj. ant. **bienmereciente.**

buenandanza. f. **bienandanza.**

buenaventura. (De *buena* y *ventura.*) f. Buena suerte, dicha de alguno. ‖ **2.** Adivinación supersticiosa de la suerte de las personas, que hacen las gitanas por el examen de las rayas de las manos y por su fisonomía.

buenaventuriano, na. adj. **bonaventuriano.**

buenazo, za. adj. aum. de **bueno.** ‖ **2.** fam. Dícese de la persona pacífica o de buen natural. Ú. t. c. s.

bueno, na. (Del lat. *bonus.*) adj. Que tiene bondad en su género. ‖ **2.** Útil y a propósito para alguna cosa. ‖ **3.** Gustoso, apetecible, agradable, divertido. ‖ **4. grande,** que excede a lo común. BUENA *calentura*, BUENA *cuchillada.* ‖ **5. sano.** ‖ **6.** Dícese, por lo común irónicamente, de la persona simple, bonachona o chocante. Ú. m. c. s. *El* BUENO *de Fulano.* ‖ **7.** No deteriorado y que puede servir. *Este vestido todavía está* BUENO. ‖ **8.** Bastante, suficiente. ‖ **9.** V. **ángel, dolo, hombre, sueldo bueno.** ‖ **10.** V. **hierba, noche buena.** ‖ **11.** V. **buena fe, figura, firma, moneda, moza, muerte, noche, obra, pasta, pieza, presa, pro, sociedad, ventura.** ‖ **12.** V. **buenas letras.** ‖ **13.** V. **maravedí de los buenos.** ‖ **14.** fig. V. **buena mano, paga.** ‖ **15.** fig. y fam. V. **buena planta, tijera.** ‖ **16.** Usado irónicamente, antepuesto a los verbos *ser* y *estar*, extraño, particular, notable. *Lo* BUENO ES *que quiera enseñar a su maestro;* BUENO ESTARÍA *que ahora negase lo que ha dicho tantas veces.* ‖ **17.** Usado como adverbio a manera de exclamación, denota aprobación, contentamiento, sorpresa, etc., o equivale a **basta** o **no más.** ‖ **18.** m. En exámenes, nota superior a la de aprobado, inferior a la de notable. ‖ **a buenas.** loc. adv. fig. De grado, voluntariamente. ‖ **¿adónde bueno?** expr. fam. Salutación familiar que implica cierto interés por el destino del interlocutor. ‖ **¡buena es esa,** o **esta!** expr. irón. con que se denota, ya extrañeza, ya desaprobación. ‖ **¡buenas y gordas!** exclam. fam. con que se desdeña cualquier asunto muy trillado, falso o absurdo. ‖ **bueno a bueno.** loc. **de buenas a buenas.** ‖ **2.** Lealmente, en igualdad de condiciones. ‖ **¡bueno es eso,** o **esto!** expr. irón. **¡buena es esa,** o **esta!** ‖ **bueno está.** expr. fam. Basta, o no más, o ya está bien. ‖ **bueno está lo bueno.** fr. fam. con que se da a entender que cuando una cosa está bien no conviene violentarla o sacarla de quicio por el empeño de que esté mejor. ‖ **2.** expr. para denotar protesta o disconformidad con algo que se viene tolerando y que ya ha llegado a su límite. ‖ **de buenas.** loc. fam. De buen humor, alegre y complaciente. Ú. m. con verbos *hallarse, estar* y otros análogos. ‖ **de buenas a buenas.** loc. adv. fam. Buenamente o sin repugnancia. ‖ **de buenas a primeras.** loc. adv. A la primera vista, en el principio, al primer encuentro. ‖ **de bueno a bueno.** loc. adv. **de buenas a buenas.** ‖ **¿de dónde bueno?** expr. fam. ¿De dónde viene, que en hora **buena** sea su venida? ‖ **¿dónde bueno?** expr. fam. **¿de dónde bueno?** ‖ **¡esa, o esta, es buena!** o **¡eso, o esto, es bueno!** exprs. iróns. **¡buena es esa, o esta!** ‖ **por buenas,** o **por la buena.** loc. adv. fig **a buenas.**

Buenos Aires. n. p. V. **azucena de Buenos Aires.**

buera. (De *bo[q]uera.*) f. *Murc.* Postilla o grano que sale en la boca.

buétago. m. ant. **bofe.**

buetre. (Del lat. *vultur, -ŭris,* buitre.) m. ant. **buitre.**

buey[1]**.** (Del lat. *bos, bovis.*) m. Macho vacuno castrado. ‖ **2.** V. **día de bueyes.** ‖ **3.** V. **herradura, lengua, nervio, ojo de buey.** ‖ **4.** pl. *Germ.* Naipes. ‖ **de cabestrillo,** o **de caza. buey** del que se sirven los cazadores atándole una traílla a los cuernos y a una oreja para gobernarlo, y escondiéndose detrás de él para tirar a la caza. ‖ **2.** Armazón de arcos ligeros y de lienzo pintado, dentro de la cual se mete el cazador para tirar desde allí a la caza. ‖ **de marzo. marzadga.** ‖ **marino. vaca marina.** ‖ **hablar de bueyes perdidos.** fr. fig. y fam. *R. de la Plata.* Hablar de cosas baladíes o inconexas. ‖ **saber** una persona **con qué buey** o **bueyes ara.** loc. fam. Conocer bien a las personas con las que puede o debe contar.

buey[2]**.** (Del gr. βόλος, golpe, tirada.) **buey de agua.** m. Medida hidráulica aproximada, que usan en algunas localidades para apreciar el volumen del agua que pasa por una acequia o brota de un manantial cuando es en gran cantidad. ‖ **2.** Golpe o caudal muy grueso de agua que sale por un encañado, canal o nacimiento. ‖ **3.** *Mar.* Golpe de mar que entra por una porta, desfondada por efecto del mismo golpe o abierta por descuido.

bueyuno, na. adj. **boyuno.**

bufa. (Del it. *buffa.*) f. Burla, bufonada. ‖ **2.** En la armadura antigua, pieza de refuerzo que se colocaba en la parte anterior del guardabrazo izquierdo, asegurándola con uno o más tornillos.

bufado, da. p. p. de **bufar.** ‖ **2.** adj. V. **vidrio bufado.**

bufador. m. **fumarola.**

bufalino, na. adj. Perteneciente o relativo al búfalo.

búfalo, la. (Del lat. *bufălus.*) m. y f. Bisonte que vive en América del Norte. ‖ **2.** Bóvido corpulento, con largos cuernos deprimidos, de cuyas dos especies principales una es de origen asiático y otra de origen africano.

bufanda. (Del m. or. que *bufar,* acaso a través del ant. fr. *bouffante.*) f. Prenda, por lo común de lana o seda, con que se envuelve y abriga el cuello y la boca. ‖ **2.** Gratificación extraordinaria que recibe de su empresa un trabajador.

búfano, na. (De *búfalo.*) m. y f. ant. **búfalo.**

bufar. (Voz onomatopéyica.) intr. Resoplar con ira y furor el toro, el caballo y otros animales. ‖ **2.** ant. **soplar,** despedir aire por la boca. Ú. en Murcia. ‖ **3.** fig. y fam. Manifestar alguien su ira o enojo extremo de algún modo. ‖ **4.** prnl. **bofarse,** afollarse una pared.

bufarda. (De *bufar.*) f. *Sal.* Agujero abierto a ras de tierra en la carbonera, por el cual respira esta mientras se hace el carbón.

bufé. (Del fr. *buffet.*) m. Comida, por lo general nocturna, compuesta de platos calientes y fríos, con que se cubre de una vez la mesa. ‖ **2.** Mesa o conjunto de mesas donde, en reuniones o espectáculos públicos, se ofrecen estos platos. ‖ **3.** Local para tomar refacción ligera en estaciones de ferrocarriles y otros sitios.

bufeo. m. **delfín,** cetáceo.

bufeta. f. d. de **bufa,** pieza de la armadura.

bufete[1]**.** (Del fr. *buffet,* aparador.) m. Mesa de escribir con cajones. ‖ **2.** fig. Estudio o despacho de un abogado. ‖ **3.** fig. Clientela del abogado. ‖ **4.** *Nicar.* Mueble para guardar trastos de cocina.

bufete[2]**.** (De *bufar.*) m. ant. **fuelle** para lanzar aire.

bufí. m. ant. *Ar.* Especie de tela como camelote de aguas.

bufia. (De *bufar.*) f. *Germ.* Bota de vino.

bufido. (De *bufar.*) m. Voz del animal que bufa. ‖ **2.** fig. y fam. Expresión o demostración de enojo o enfado.

bufo, fa. (Del it. *buffo.*) adj. Aplícase a lo cómico que raya en grotesco y burdo. ‖ **2. bufón**[2]**,** chocarrero. ‖ **3.** m. y f. Persona que hace papel de gracioso en la ópera italiana.

bufón[1]**.** m. **buhonero.**

bufón[2]**, na.** (Del it. *buffone,* y este de *buffo.*) adj. **chocarrero.** ‖ **2.** m. y f. Truhán que se ocupa en hacer reír.

bufonada. f. Dicho o hecho propio de bufón. ‖ **2.** Chanza satírica. Se usa generalmente en sentido peyorativo. *Con buena* BUFONADA *te vienes.*

bufonearse. (De *bufón*[2].) prnl. Burlarse, decir bufonadas. Ú. t. c. intr.

bufonería[1]**.** f. **bufonada.**

bufonería[2]**.** f. ant. *Ar.* **buhonería.**

bufonesco, ca. adj. Bufo, chocarrero.

bufonizar. (De *bufón*[2].) intr. Decir bufonadas.

bufos. (Voz onomatopéyica.) m. pl. ant. Papos, antiguo tocado de las mujeres.

bugada. (Del germ. *bukon,* suciedad.) f. ant. **bogada**[2]**.**

bugalla. (De or. inc.; cf. port. *bugalho.*) f. *Occ. penins.* Agalla del roble y otros árboles, que sirve para tintes o tinta.

buganvilla. (De *Bougainville,* navegante francés que la trajo a Europa.) f. Arbusto trepador sudamericano de la familia de las nictagináceas, con hojas ovales o elípticas, brácteas florales muy vistosas y flores pequeñas y de color blanco. Se utiliza en jardinería.

bugle. (Cf. fr. *bugle,* ing. *bugle horn,* lat. *bucŭlus,* boyezuelo.) m. Instrumento músico de viento, formado por un largo tubo cónico de metal, arrollado de distintas maneras y provisto de pistones en número variable.

buglosa. (Del lat. *buglossa,* y este del gr. βούγλωσσον.) f. **lengua de buey.**

buhar. (Voz onomatopéyica.) intr. ant. **bufar.**

buharda. (Voz onomatopéyica.) f. **buhardilla.**

buhardilla. (d. de *buharda.*) f. Ventana que se levanta por encima del tejado de una casa, con su caballete cubierto de tejas o pizarras, y sirve para dar luz a los desvanes o para salir por ella a los tejados. ‖ **2. desván.**

buharro. (despect. de *búho.*) m. **corneja,** ave rapaz.

buhedal. (De *buhedo.*) m. ant. Lugar cenagoso.

buhedera. (De *buhar.*) f. Tronera, agujero.

buhedo. (Del lat. *budētum* de *budo,* espadaña.) m. **bodón.**

buhero. (De *búho.*) m. El que cuidaba de los búhos de caza.

buhío. m. **bohío.**

búho. (Del lat. *bufus,* dialect. de *bubo, -ōnis.*) m. Ave rapaz nocturna, indígena de España, de unos 40 centímetros de altura, de color mezclado de rojo y negro, calzada de plumas, con el pico corvo, los ojos grandes y colocados en la parte anterior de la cabeza, sobre la cual tiene unas plumas alzadas que figuran orejas. ‖ **2.** fig. y fam. Persona huraña.

buhonería. (De *buhonero.*) f. Chucherías y baratijas de poca monta, como botones, agujas, cintas, peines, etc. ‖ **2.** pl. Objetos de **buhonería.**

buhonero. (De *bufón*[1].) m. El que lleva o vende cosas de buhonería.

buido, da. (Del cat. *buit,* y este del lat. *vocĭtus,* hueco.) adj. Aguzado, afilado. ‖ **2.** Acanalado o con estrías.

buitre. (Del lat. *vultur, -ŭris.*) m. Ave rapaz de cerca de dos metros de envergadura, con el cuello desnudo, rodeado de un collar de plumas largas, estrechas y flexibles, cuerpo leonado, remeras oscuras y una faja blanca a través de cada ala. Se alimenta de carne muerta y vive en bandadas. ‖ **2.** fig. Persona que se ceba en la desgracia de otro. ‖ **franciscano.** Casi tan grande como el anterior, pero menos abundante, se caracteriza por el color castaño oscuro de su plumaje y por las plumas suaves que rodean la cabeza y simulan en conjunto una capucha. ‖ **monje. buitre franciscano.** ‖ **negro. buitre franciscano.** ‖ **gran buitre de las Indias. cóndor.**

buitrear. intr. *Chile.* Cazar buitres. ‖ **2.** *Chile* y *Perú.* Vomitar.

buitrera. (De *buitre.*) f. Lugar en que los cazadores ponen el cebo al buitre. ‖ **2.** Lugar donde anidan y se posan los buitres. ‖ **estar ya para buitrera.** fr. Dícese de la bestia flaca que está cerca de morirse y ser alimento de buitres.

buitrero, ra. adj. Perteneciente al buitre. ‖ **2.** m. Cazador de buitres. ‖ **3.** El que les pone el cebo en las buitreras.

buitrino. m. desus. **buitrón,** red para cazar perdices.

buitrón. (De *buitre.*) m. Arte de pesca en forma de cono prolongado, en cuya boca hay otro más corto, dirigido hacia adentro y abierto por el vértice para que entren los peces y no puedan salir. ‖ **2.** Cierta red para cazar perdices. ‖ **3.** Horno de manga usado en América para fundir minerales argentíferos. ‖ **4.** Era honda y solada donde, en las minas de América, se benefician los minerales argentíferos, mezclándolos con azogue y magistral después de molidos y calcinados en hornos. ‖ **5.** Cenicero del hogar en los hornos metalúrgicos. ‖ **6.** Uno de los pájaros más pequeños europeos que canta bamboleándose en el aire. Es de color pardo manchado de oscuro con garganta y partes inferiores blancuzcas y cola corta y redondeada; su tamaño es de 10 centímetros. ‖ **7.** *Mont.* Artificio formado con setos de estacas entretejidas con ramas, el cual, estrechándose, va a rematar en una hoya grande, para que, acosada con el ojeo la caza, venga a caer en ella. ‖ **8.** *Germ.* Bolsillo de grandes dimensiones que la tomadora lleva colgado debajo de la falda para guardar lo que hurta. ‖ **9.** *Col.* **chimenea,** salida de humos. ‖ **10.** *Col.* Cenicero de los hornos de cocer el pan, calentados con leña.

buja. (Del fr. *vouge.*) f. ant. **guja.**

bujalazor. m. p. us. **bujarasol.** Ú. t. c. adj.

bujarasol. m. Variedad de higo de carne colorada que se cría en Albacete y Murcia. Ú. t. c. adj.

bujarda. f. Martillo de dos bocas cuadradas cubiertas de dientes, usado en cantería.

bujarrón. (Del it. *buggerone,* y este del lat. tardío *būgerum.*) adj. **sodomita.** Ú. t. c. s.

buje. (Del lat. *buxis,* caja.) m. Pieza cilíndrica de hierro o de cobre que guarnece interiormente el cubo de las ruedas de los carruajes, para disminuir el rozamiento con los ejes. ‖ **2.** *Mec. Argent.* Cojinete de una sola pieza.

bujeda. (Del lat. *buxēta,* pl. de *buxētum,* lugar de bojes.) f. **bujedal.**

bojedal. m. **bujedal.**

bujedo. (Del lat. *buxētum,* lugar de bojes.) m. **bujedal.**

bujelada. f. ant. Especie de afeite para el rostro.

bujeo. f. *And.* **buhedo.**

bujería. f. Mercadería de estaño, hierro, vidrio, etc., de poco valor y precio.

bujeta. (Del prov. *boiseta,* y este del lat. *buxis,* caja.) f. desus. Caja de madera. ‖ **2.** desus. Pomo para perfumes que se solía llevar en la faltriquera. ‖ **3.** desus. Cajita en que se guardaba este pomo.

bujía. (Del n. p. de la ciudad de *Bujía,* en África.) f. Vela de cera blanca, de esperma de ballena o estearina. ‖ **2.** Candelero en que se pone. ‖ **3.** Unidad empleada para medir la intensidad de un foco de luz artificial. ‖ **4.** Pieza que en los motores de combustión interna sirve para que salte la chispa eléctrica que ha de inflamar la mezcla gaseosa.

bujier. (Del fr. *bougier,* der. de *bougie,* bujía.) m. Jefe de la bujiería.

bujiería. (De *bujier.*) f. Pieza de la casa real donde se guardaban y distribuían los combustibles.

bujo. (Del lat. *buxus,* boj.) m. ant. **boj**[1]. Ú. en Burgos.

bula. (Del lat. *bulla.*) f. Distintivo, a manera de medalla, que en la antigua Roma llevaban al cuello los hijos de familias nobles hasta que vestían la toga. ‖ **2.** Sello de plomo que va pendiente de ciertos documentos pontificios y que por un lado representa las cabezas de San Pedro y San Pablo y por el otro lleva el nombre del Papa. ‖ **3.** Documento pontificio relativo a materia de fe o de interés general, concesión de gracias o privilegios o asuntos judiciales o administrativos, expedido por la cancillería apostólica y autorizado por el sello de su nombre u otro parecido estampado con tinta roja. ‖ **4. bula de carne.** ‖ **5.** ant. **burbuja.** ‖ **de carne.** La que daba el Papa en dispensación de comer de vigilia en ciertos días. ‖ **de composición.** La que daba el comisario general de Cruzada a los que poseen bienes ajenos cuando no les consta el dueño de ellos. ‖ **de difuntos.** La que se tomaba con el objeto de aplicar a un difunto las indulgencias en ella indicadas. ‖ **de la Cruzada. bula de la Santa Cruzada.** ‖ **de lacticinios.** La que permitía a los eclesiásticos el uso de lacticinios en ocasiones en que les está vedado. ‖ **de la Santa Cruzada. bula** apostólica en que los romanos pontífices concedían diferentes indulgencias a los que iban a la guerra contra infieles o acudían a los gastos de ella con limosnas. ‖ **2.** Sumario de la misma **bula,** que expedía el comisario general de Cruzada y se repartía impreso. ‖ **de oro.** Ordenanza hecha por el emperador de Alemania Carlos IV el año 1356 y aprobada por todos los príncipes del Imperio, que servía en él de ley fundamental; determinaba las ceremonias y forma de la elección de emperador y fijaba el número de electores. ‖ **echar las bulas** a alguien. fr. Antiguamente, encomendarle por carga concejil la administración de las **bulas** y la cobranza de su importe en cada pueblo. ‖ **2.** fig. y fam. Imponerle alguna carga o gravamen. ‖ **3.** fig. y fam. Reprenderle severamente. ‖ **haber bulas para difuntos.** fr. fig. y fam. p. us. Haber privilegio o favor para eximirse de alguna carga o precepto. ‖ **no poder con la bula.** fr. fig. y fam. p. us. Estar sin fuerzas para nada. ‖ **no valerle** a alguien **la bula de Meco.** fr. fig. y fam. No haber remedio para él. Se usa generalmente en son de amenaza. NO LE VALDRÁ LA BULA DE MECO. ‖ **tener bula** para algo. fr. fig. y fam. Contar con facilidades negadas a los demás para conseguir cosas u obtener dispensas difíciles o imposibles.

bular. (De *bula,* sello.) tr. ant. Sellar o marcar con hierro encendido al esclavo o al reo.

bulárcama. f. *Mar.* **sobreplán.**

bulario. m. Colección de bulas.

bulbar. adj. *Med.* Perteneciente o relativo al bulbo raquídeo.

bulbo. (Del lat. *bulbus.*) m. *Bot.* Yema gruesa, por lo común subterránea, cuyas hojas están cargadas con sustancias de reserva. ‖ **escamoso.** *Bot.* El que tiene sus hojas a modo de escamas estrechas o imbricadas, como el de la azucena. ‖ **piloso.** *Anat.* Abultamiento ovoideo en que termina la raíz del pelo de los mamíferos por su extremo profundo. ‖ **raquídeo.** *Anat.* Porción de la médula que se prolonga desde la protuberancia anular hasta el agujero occipital del cráneo. ‖ **tunicado.** *Bot.* El que tiene sus hojas formando envolturas completas a manera de túnica, como el de la cebolla.

bulboso, sa. adj. *Bot.* Que tiene bulbos. ‖ **2.** Que tiene forma de bulbo.

bulbul. (Del ár. *bulbul.*) m. *Lit.* Ruiseñor.

bulda. f ant. **bula.**

buldar. (De *bulda.*) tr. ant. **bular.**

buldería. (De *buldero.*) f. ant. Palabra de injuria o denuesto.

buldero. (De *bulda.*) m. ant. **bulero.**

bule. m. *Méj.* Calabaza, guaje. ‖ **2.** *Méj.* Vasija hecha de este fruto, ya seco.

bulerías. f. pl. Cante popular andaluz de ritmo vivo que se acompaña con palmoteo. ‖ **2.** Baile que se ejecuta al son de este cante.

bulero. m. Persona comisionada para distribuir las bulas de la Santa Cruzada y recaudar el producto de la limosna que daban los fieles.

buleto. (De *bula.*) m. **breve,** documento pontificio.

bulevar. (Del fr. *boulevard;* cf. *baluarte.*) m. Nombre que se da a ciertas calles, generalmente anchas y con árboles.

búlgaro, ra. adj. Natural de Bulgaria. Ú. t. c. s. ‖ **2.** Perteneciente o relativo a este Estado europeo. ‖ **3.** m. Lengua **búlgara.**

bulí. m. *Filip.* **burí.**

bulimia. (Del gr. βουλιμία, de βούλιμος, muy hambriento.) f. *Med.* **hambre canina.**

bulo. m. Noticia falsa propalada con algún fin.

bulón. (Del fr. *boulon.*) m. *Argent.* Tornillo grande de cabeza redondeada.

bulto. (Del lat. *vultus,* rostro.) m. Volumen o tamaño de cualquier cosa. ‖ **2.** Cuerpo indistinguible por la distancia, por falta de luz o por estar cubierto. ‖ **3.** Elevación de una superficie causada por cualquier tumor o hinchazón. ‖ **4.** Busto o estatua. ‖ **5.** Fardo, caja, baúl, maleta, etc., comúnmente tratándose de transportes o viajes. ‖ **6.** Almohada, colchoncillo. ‖ **7.** V. **figura de bulto.** ‖ **8.** ant. **túmulo.** ‖ **redondo.** Obra escultórica aislada, y por tanto visible por todo su contorno. ‖ **a bulto.** loc. adv. fig. Aproximadamente, sin cálculo previo. ‖ **a menos bultos, más claridad.** loc. fam. con que se da a entender que no tiene importancia la ausencia o la retirada de personas convocadas a una reunión. ‖ **buscar** a alguien **el bulto.** fr. fam. Perseguirlo con intención hostil. ‖ **coger** a alguien **el bulto.** fr. fig. y fam. Tenerle a las manos. ‖ **escurrir, guardar,** o **huir,** alguien **el bulto.** fr. fig. y fam. Eludir o esquivar un trabajo, riesgo o compromiso. ‖ **menear** a alguien **el bulto.** fig. y fam. Cascarle, sacudirle, darle golpes. ‖ **pescar** a alguien **el bulto.** fr. fig. y fam. **coger** a alguien **el bulto.** ‖ **poner de bulto** una cosa. fr. fig. Referirla de modo que llame vivamente la atención y pueda ser apreciada en todo su valor o importancia. ‖ **ser de bulto** una cosa. fr. fig. Ser muy manifiesta y clara. ‖ **tentar,** o **tocar,** a alguien **el bulto.** fr. fig. y fam. **menear** a alguien **el bulto.**

bululú. (Voz imitativa.) m. Farsante que antiguamente representaba el solo, en los pueblos por donde pasaba, una comedia, loa o entremés, mudando la voz según la calidad de las personas que iban hablando. ‖ **2.** *Venez.* Alboroto, tumulto, escándalo.

bulla[1]. (De *bullir.*) f. Gritería o ruido que hacen una o más personas. ‖ **2.** *And.* Prisa, apresuramiento. ‖ **3.** Concurrencia de mucha gente. ‖ **meter a bulla.** fr. fig. y fam. p. us. Impedir que se prosiga en un asunto, introduciendo muchas especies extrañas.

bulla[2]. f. *Nav.* **bolla**[1].

bullabesa. (Del fr. *bouillabaisse.*) f. Sopa de pescados y crustáceos, sazonada con especias fuertes, vino y aceite, que suele servirse con rebanadas de pan.

bullaje. (De *bulla*[1].) m. Concurso y confusión de mucha gente.

bullanga. (De *bulla*[1].) f. Tumulto, rebullicio.

bullanguero, ra. adj. Alborotador, amigo de bullangas. Ú. t. c. s.

bullar. (Del lat. *bulla,* bola.) tr. *Ar.* y *Nav.* **bollar**[1].

bullarengue. m. fam. Prenda que usaron las mujeres para dar a las nalgas apariencia voluminosa. ‖ **2.** fig. y fam. Nalgas de la mujer. ‖ **3.** *Cuba.* Cosa fingida o postiza.

bullebulle. (De *bullir.*) com. fig. y fam. Persona inquieta, entremetida y de viveza excesiva.

bullecer. (Del lat. *bullescĕre.*) intr. ant. **bullir.**

bullicio. (De *bullir.*) m. Ruido y rumor que causa la mucha gente. ‖ **2.** Alboroto, sedición o tumulto.

bullición. f. ant. **bullicio,** alboroto.

bulliciosamente. adv. m. Con inquietud, con bullicio.

bullicioso, sa. adj. Dícese de lo que causa bullicio o ruido y de aquello en que lo hay. *Asamblea, fiesta, corriente, calle* BULLICIOSA. ‖ **2.** Inquieto, desasosegado, que no para, que se mueve mucho o con gran viveza. ‖ **3.** Sedicioso, alborotador. Ú. t. c. s.

bullidor, ra. adj. Que bulle o se mueve con viveza.

bullidura. (De *bullir.*) f. ant. **bullicio.**

bullir. (Del lat. *bullīre.*) intr. Hervir el agua u otro líquido. ‖ **2.** Agitarse una cosa con movimiento parecido al del agua que hierve. ‖ **3.** fig. Agitarse a semejanza del agua hirviendo una masa de personas, animales u objetos. ‖ **4.** fig. Moverse, agitarse una persona con viveza excesiva; no parar, no estarse quieta en ninguna parte. ‖ **5.** fig. Moverse como dando señal de vida. Ú. t. c. prnl. ‖ **6.** fig. Ocurrir con frecuencia y actividad cosas de una misma naturaleza. BULLIR *las pláticas;* BULLIR *las asonadas.* ‖ **7.** tr. fig. Mover, menear. *Don Quijote no* BULLÍA *pie ni mano.* ‖ **8.** ant. Menear, revolver alguna cosa. BULLIR *una confección farmacéutica.* ‖ **bullirle** a alguien una cosa. fr. fig. y fam. con que se expresa el deseo vehemente que se tiene de algo.

bullón[1]. (De *bullir,* hervir.) m. Tinte que está hirviendo en la caldera.

bullón[2]. (Del lat. *bulla,* bola.) m. Pieza de metal con varias labores y en figura de cabeza de clavo que sirve para guarnecer las cubiertas de los libros grandes, especialmente los de coro. ‖ **2. bollo**[1], plegado de las telas. ‖ **3.** Especie de cuchillo usado antiguamente.

bumangués, sa. adj. Natural de Bucaramanga. Ú. t. c. s. ‖ **2.** Perteneciente o relativo a esta ciudad de Colombia.

bumerán. (De or. australiano, a través del ing. *boomerang.*) m. Arma arrojadiza formada por una lámina de madera encorvada de tal manera que, lanzada con movimiento giratorio, puede volver al punto de partida. Es propia de los indígenas de Australia.

buna. (Del al. *Buna,* acrónimo comercial.) f. **caucho sintético.**

bungaló. (Del hindi *bangla,* bengalí, a través del ing. *bungalow.*) m. Casa pequeña de una sola planta que se suele construir en parajes destinados al descanso.

buniatal. m. Campo plantado de boniatos.

buniato. m. **boniato.**

bunio. (Del lat. *bunĭon,* y este del gr. βούνιον.) m. Nabo que se deja para simiente y que crece y se endurece mucho.

búnker. (Del ing. *bunker,* carbonera de un barco, a través del al. *Bunker.*) m. Fortín, fuerte pequeño. ‖ **2.** Por ext., refugio, por lo general subterráneo, para protegerse de bombardeos. ‖ **3.** Grupos resistentes a cualquier cambio político.

buñolería. (De *buñolero.*) f. Tienda en que se hacen y venden buñuelos.

buñolero, ra. m. y f. Persona que por oficio hace o vende buñuelos.

buñuelo. (De or. inc.) m. Fruta de sartén que se hace de masa de harina bien batida y frita en aceite. Cuando se fríe se esponja y sale de varias figuras y tamaños. ‖ **2.** fig. y fam. Cosa hecha mal y atropelladamente. ‖ **de viento.** El que se rellena de crema, cabello de ángel u otro dulce. ‖ **a freír buñuelos.** loc. fig. y fam. **a freír espárragos.** Ú. m. con el verbo *mandar* o con los imperativos de *andar* o *irse.* ‖ **¿es buñuelo?, no es buñuelo** o **no son buñuelos.** exprs. figs. y fams. con que se nota la inconsideración del que quiere que se haga una cosa sin dar el tiempo necesario.

buque. (Del fr. *buc,* casco.) m. **cabida,** espacio para contener. ‖ **2.** Casco de la nave. ‖ **3.** *Mar.* Barco con cubierta que, por su tamaño, solidez y fuerza, es adecuado para navegaciones o empresas marítimas de importancia. ‖ **4.** V. **corredor intérprete de buques.** ‖ **a la carga.** *Mar.* El que está en el puerto esperando cargamento. ‖ **de cabotaje.** *Mar.* El que se dedica a esta especie de navegación. ‖ **de cruz.** *Mar.* El que lleva velas cuadras cuyas vergas se cruzan sobre los palos. ‖ **de guerra.** *Mar.* El del Estado, construido y armado para usos militares. ‖ **de hélice.** *Mar.* El que se mueve por tal medio. ‖ **de pozo.** *Mar.* El que no tiene cubierta sobre la de la batería. ‖ **de ruedas.** *Mar.* El de vapor cuyo propulsor consistía en una rueda montada a popa, o en dos; una a cada costado. ‖ **de torres.** *Mar.* Suele llamarse así el que las lleva sobre cubierta, blindadas y fijas o giratorias, y en el interior de las cuales funcionan cañones de grueso calibre. ‖ **de transporte.** *Mar.* El del Estado, empleado en la conducción de hombres o efectos de guerra. ‖ **de vapor.** *Mar.* El que navega a impulso de una o más máquinas de esta especie. ‖ **de vela.** *Mar.* El que aprovecha con cualquier aparejo la fuerza del viento. ‖ **en lastre.** *Mar.* El que navega sin carga útil. ‖ **en rosca.** *Mar.* El que está acabado de construir, sin aparejo ni máquinas y con solo el casco. ‖ **escuela.** Barco de la marina de guerra en que completan su instrucción los guardias marinas. ‖ **mercante.** El de persona o empresa particular y que se emplea en la conducción de pasajeros y mercancías. ‖ **mixto.** *Mar.* El que está habilitado para navegar a impulso del viento y del vapor. ‖ **submarino.** *Mar.* El de guerra que puede cerrarse herméticamente, sumergirse a voluntad con su tripulación y, por medio de una máquina eléctrica, navegar dentro del agua para hacer reconocimientos en los buques enemigos y lanzarles torpedos, o para exploraciones submarinas.

buqué. (Del fr. *bouquet.*) m. Aroma del vino.

buraco. m. vulg. **agujero,** abertura redonda.

burato. (Del it. *buratto.*) m. Tejido de lana o seda que servía para alivio de lutos en verano y para manteos. ‖ **2.** Cendal o manto transparente.

burbuja. (Voz onomatopéyica.) f. Glóbulo de aire u otro gas que se forma en el interior de algún líquido y sale a la superficie del mismo.

burbujear. intr. Hacer burbujas.

burbujeo. m. Acción de burbujear.

burchaca. f. **burjaca.**

burche. (Del ár. *burŷ*, torre de fuerte o castillo, y este del gr. πύργος.) f. **torre,** construcción defensiva.

burda. f. *Mar.* Brandal de los masteleros de juanete.

burdallo, lla. adj. ant. **burdo.**

burdamente. adv. m. De modo burdo.

burdégano. (der. del lat. tardío *bŭrdus*, bastardo.) m. Animal resultante del cruzamiento entre caballo y asna.

burdel. (Del cat. *bordell* o prov. *bordel.*) adj. Lujurioso, vicioso. ‖ **2.** m. **mancebía,** casa de mujeres públicas. ‖ **3.** fig. y fam. Casa o lugar en que se falta al decoro con ruido y confusión.

burdelero, ra. m. y f. ant. Alcahuete, mozo de burdel.

burdelesco, ca. adj. Dícese del dicho o hecho propios del burdel.

burdeos. m. fig. Vino que se cría en la región de la ciudad francesa de Burdeos. ‖ **2.** Color semejante al vino. Ú. t. c. adj. invar.

burdinalla. f. ant. *Mar.* Cabo o conjunto de cabos delgados que sujetaban el mastelero de la sobrecebadera y se hacían firmes en el estay mayor.

burdo, da. (Del lat. *burdus.*) adj. Tosco, basto, grosero. *Paño* BURDO; *justificación* BURDA.

burebano, na. adj. Natural de la comarca burgalesa de la Bureba. Ú. t. c. s. ‖ **2.** Perteneciente o relativo a esta comarca.

burel. (Del ant. fr. *burel.*) m. *Blas.* Pieza que consiste en una faja cuyo ancho es la novena parte del escudo.

burelado. (De *burel.*) adj. *Blas.* V. **escudo burelado.**

burengue. m. *Murc.* Esclavo mulato.

bureo. (Del fr. *bureau.*) m. Junta formada por altos dignatarios palatinos y presidida por el mayordomo mayor que resolvía los expedientes administrativos de la casa real y ejercía jurisdicción sobre las personas sujetas al fuero de ella. ‖ **2.** fig. Entretenimiento, diversión. ‖ **entrar en bureo.** fr. ant. fig. Juntarse para tratar de alguna cosa.

bureta. (Del fr. *burette.*) f. Recipiente de vidrio, en forma de tubo graduado para análisis químicos.

burga. (Tal vez del vasc. *bero-ur-ga*, lugar de agua caliente.) f. Manantial de agua caliente. *Las* BURGAS *de Orense.*

burgado. (Acaso del lat. *murex, -ĭcis*, concha de la púrpura.) m. Caracol terrestre, de color moreno y del tamaño de una nuez pequeña.

burgalés, sa. adj. Natural de Burgos. Ú. t. c. s. ‖ **2.** Perteneciente o relativo a esta ciudad o a su provincia. ‖ **3.** V. **dinero, maravedí, sueldo burgalés.**

burgés, sa. (Del lat. *burgensis.*) adj. ant. **burgués,** natural de un burgo. ‖ **2.** Perteneciente a él. Apl. a pers., usáb. t. c. s.

burgo. (Del b. lat. *burgus*, y este del germ. *burg.*) m. ant. Aldea o población muy pequeña, dependiente de otra principal.

burgomaestre. (Del al. *Bürgermeister*, alcalde.) m. Primer magistrado municipal de algunas ciudades de Alemania, los Países Bajos, Suiza, etc.

burgrave. (Del al. *Burggraf;* de *Burg*, ciudad, villa, y *Graf*, conde.) m. Señor de una ciudad, título usado antiguamente en Alemania.

burgraviato. m. Dignidad de burgrave. ‖ **2.** Territorio del burgrave.

burgueño, ña. adj. ant. Natural de un burgo. Usáb. t. c. s. ‖ **2.** ant. **burgalés.** Apl. a pers., usáb. t. c. s.

burgués, sa. adj. ant. Natural o habitante de un burgo. Usáb. t. c. s. ‖ **2.** Perteneciente al burgo. ‖ **3.** Perteneciente o relativo al **burgués,** ciudadano de la clase media. ‖ **4.** Vulgar, mediocre, carente de afanes espirituales o elevados. Ú. t. c. s. ‖ **5.** m. y f. Ciudadano de la clase media, acomodada u opulenta. Ú. hoy comúnmente en contraposición a proletario.

burguesía. f. Cuerpo o conjunto de burgueses o ciudadanos de las clases acomodadas o ricas.

burguesismo. m. Conjunto de cualidades y costumbres propias de los burgueses.

burí. m. Palma que se cría en Filipinas, de tronco alto, muy grueso y derecho; hojas por extremo grandes, de figura de parasol; flores que forman una gran panoja; fruto de drupa globosa, y semilla redonda, membranácea y dura. De la médula del tronco se obtiene el sagú; de las espatas de las flores, la tuba, y de las hojas, un filamento textil. ‖ **2.** Este filamento.

buriel. (Acaso del lat. *burĭus*, rojizo.) adj. De color rojo, entre negro y leonado. ‖ **2.** V. **paño buriel.** Ú. t. c. s.

burielado, da. adj. ant. Semejante o perteneciente al color o paño buriel.

buril. (Del fr. *burin.*) m. Instrumento de acero, prismático y puntiagudo, que sirve a los grabadores para abrir y hacer líneas en los metales. ‖ **chaple redondo.** El que tiene la punta en forma de gubia. ‖ **chaple en forma de escoplo.** El que tiene la punta en figura de escoplo. ‖ **de punta.** El que tiene la punta aguda.

burilada. f. Trazo o rasgo de buril. ‖ **2.** Porción de plata que los ensayadores sacan con un buril del parragón y de la pieza que prueban, para ver si es de ley.

burilador, ra. adj. Que burila. Ú. t. c. s.

buriladura. f. Acción y efecto de burilar.

burilar. tr. Grabar con el buril.

burjaca. (De or. inc.; cf. lat. *bursa*, cat. *butxaca.*) f. Bolsa grande de cuero que los peregrinos o mendigos suelen llevar debajo del brazo izquierdo colgando de una correa, cinta o cordel desde el hombro derecho, y en la cual meten el pan y las demás cosas que les dan de limosna.

burla. (Del lat. **burrŭla*, de *burrae, -ārum*, necedades, bagatelas.) f. Acción, ademán o palabras con que se procura poner en ridículo a personas o cosas. ‖ **2. chanza.** ‖ **3. engaño.** ‖ **4.**

pl. Bromas o mentiras. Se usa en contraposición de **veras** y, especialmente en exprs. como *de* BURLAS, *decir* o *hablar entre* BURLAS *y veras, mezclar* BURLAS *con veras.* ‖ **burla burlando.** loc. adv. fam. Sin advertirlo o sin darse cuenta de ello. BURLA BURLANDO *hemos andado ya tres kilómetros.* ‖ **2.** fam. Disimuladamente o como quien no quiere la cosa. BURLA BURLANDO *consiguió su empleo.*

burladero, ra. (De *burlar.*) adj. ant. **burlón.** ‖ **2.** m. Valla que se pone delante de las barreras de las plazas y corrales de toros, separada de ellas lo suficiente para que pueda refugiarse el lidiador, burlando al toro que le persigue.

burlador, ra. adj. Que burla. Ú. t. c. s. ‖ **2.** m. Libertino habitual que hace gala de deshonrar a las mujeres, seduciéndolas y engañándolas. ‖ **3.** Vaso de barro que, por tener ciertos agujeros ocultos, moja y burla a quien se lo lleva a la boca para beber. ‖ **4.** Conducto oculto de agua que, a voluntad del que lo dirige, la esparce fuera para mojar a los que se acercan incautamente.

burlar. (De *burla.*) tr. Chasquear, zumbar. Ú. m. c. prnl. ‖ **2. engañar,** hacer creer lo que no es verdad. ‖ **3.** Esquivar a quien va a impedir el paso o a detenerlo. ‖ **4.** Frustrar, desvanecer la esperanza, el deseo, etc., de alguien. ‖ **5.** Seducir con engaño a una mujer. ‖ **6.** *Taurom.* Esquivar la acometida del toro. ‖ **7.** prnl. Hacer burla de personas o cosas. Ú. t. c. intr.

burlería. f. Burla, engaño. ‖ **2.** Cuento fabuloso o conseja de viejas. ‖ **3.** Engaño, ilusión. ‖ **4.** Irrisión, mengua.

burlesco, ca. adj. fam. Festivo, jocoso, sin formalidad, que implica burla o chanza.

burleta. f. d. de **burla.**

burlete. (Del fr. *bourrelet,* d. del ant. *bourrel.*) m. Tira de vendo o tela, con relleno de estopa o algodón, que se pone al canto de las hojas de puertas, balcones o ventanas para que al cerrarse queden cubiertos los intersticios y no pueda entrar por ellos el aire en las habitaciones. ‖ **2.** Cualquier tira de tejido o materia análoga destinada a la finalidad del **burlete.**

burlón, na. adj. Inclinado a decir burlas o a hacerlas. Ú. t. c. s. ‖ **2.** Que implica o denota burla.

burlote. m. Entre jugadores, el monte o partida más pequeña que alguno de ellos pone, acabada por cualquier motivo la primera.

buro. (Del lat. *butyrum,* manteca.) m. *Ar.* **greda.**

buró. (Del fr. *bureau.*) m. Mueble para escribir, a manera de cómoda, que tiene una parte más alta que el tablero, provista frecuentemente de cajones o casillas; se cierra levantando el tablero o, si este es fijo, mediante una cubierta de tablillas paralelas articuladas. ‖ **2.** *Méj.* **mesa de noche.**

burocracia. (Del fr. *bureaucratie,* y este de *bureau,* oficina, escritorio, y el gr. κράτος, poder.) f. Influencia excesiva de los empleados públicos en los negocios del Estado. ‖ **2.** Conjunto de funciones y trámites destinados a la ejecución de una decisión administrativa, principalmente de carácter político. ‖ **3.** Clase social que forman los empleados públicos.

burócrata. com. Persona que pertenece a la burocracia, clase social de los empleados públicos.

burocrático, ca. adj. Perteneciente o relativo a la burocracia.

burra. (De *burro.*) f. Hembra del burro. ‖ **2.** fig. Mujer ruda y de poco entendimiento. Ú. t. c. adj. ‖ **3.** fig. y fam. **burra de carga.** ‖ **4.** fig. y fam. V. **panza de burra.** ‖ **de carga.** fig. y fam. Mujer laboriosa y de mucho aguante. ‖ **caer** alguien **de su burra.** fr. fig. y fam. **caer** alguien **de su burro.** ‖ **descargar la burra.** fr. fig. y fam. que se usa para advertir al que, sin causa bastante, rehúsa el trabajo que le corresponde, echando la carga a otro. ‖ **2.** Cierto juego de tablas entre dos, en que, según los puntos que señalan los dados, se ponen todas las piezas en las seis casas y después se van sacando, y el que primero las saca todas gana el juego. ‖ **estarle** a alguien una cosa **como a la burra las arracadas.** fr. fig. y fam. Sentar mal una cosa al que se la pone. ‖ **írsele** a alguien **la burra.** fr. fig. y fam. **írsele la lengua.**

burrada. f. Cabaña o manada de burros. ‖ **2.** fig. En el juego del burro, jugada hecha contra regla. ‖ **3.** fig. y fam. Dicho o hecho necio o brutal. ‖ **4.** fig. y fam. **barbaridad,** cantidad grande o excesiva. *Una* BURRADA *de coches.*

burrajear. tr. **borrajear.**

burrajo. (Del lat. **buratŭlum,* quema.) m. Estiércol seco de las caballerizas, usado en algunas partes como combustible.

burral. adj. p. us. **asnal,** bestial.

burreño. (De *burro.*) m. **burdégano.**

burrero. m. El que tenía o conducía burras para vender la leche de ellas. ‖ **2.** *Méj.* Dueño o arriero de burros.

burrez. f. **burricie.**

burricie. f. Calidad de burro, torpeza, rudeza.

burriciego, ga. adj. vulg. **cegato.**

burriel. (De *buriel.*) adj. desus. **buriel.**

burrillo. (d. de *burro.*) m. fam. **añalejo.**

burrito. m. d. de **burro.** ‖ **2.** desus. *Méj.* **flequillo.**

burro. (De *borrico.*) m. **asno,** animal solípedo. ‖ **2.** Armazón compuesta de dos brazos que forman ángulo y un travesaño que se puede colocar a diferentes alturas por medio de clavijas. Sirve para sujetar y tener en alto una de las cabezas del madero que se ha de aserrar, haciendo descansar la otra en el suelo. ‖ **3.** Rueda dentada de madera con la cual se ponen en movimiento todas las estrellas o ruedas que en el torno de la seda sirven para torcerla. ‖ **4.** Nombre que se da a distintos juegos de naipes. ‖ **5.** V. **pájaro burro.** ‖ **6.** V. **casco, mosca, pie de burro.** ‖ **7.** fig. y fam. **asno,** hombre rudo y de poco entendimiento. Ú. t. c. adj. ‖ **8.** fig. Hombre o niño bruto e incivil. ‖ **9.** fig. y fam. **burro de carga.** ‖ **10.** fig. El que pierde en cada mano en el juego del **burro.** ‖ **11.** fig. *Méj.* **escalera de tijera.** ‖ **12.** *Méj.* Mueble plegable que sirve de apoyo para planchar. ‖ **13.** fig. y fam. *Argent.* Caballo de carreras. ‖ **cargado de letras.** fig. Persona que, a pesar de haber estudiado mucho, no discurre con inteligencia. ‖ **de arranque.** *Argent.* Dispositivo eléctrico que, acoplado al motor de un automóvil, sirve para ponerlo en marcha. ‖ **de carga.** fig. y fam. Hombre laborioso y de mucho aguante. ‖ **caer** alguien **de su burro.** fr. fig. y fam. **caer de su asno.** ‖ **correr burro** una cosa. fr. fig. y fam. p. us. Desaparecer, perderse, extraviarse. ‖ **puesto en el burro.** expr. fig. y fam. **puesto en el borrico.**

burrumbada. (Voz onomatopéyica.) f. **barrumbada.**

bursátil. (Del lat. *bursa,* bolsa.) adj. *Com.* Concerniente a la bolsa, a las operaciones que en ella se hacen y a los valores cotizables.

burseráceo, a. (De *Bursera,* nombre de un género de plantas.) adj. *Bot.* Dícese de plantas angiospermas dicotiledóneas, semejantes a las simarubáceas, de las que difieren especialmente por tener en su corteza conductos que destilan resinas y bálsamos; como el arbolito que produce el incienso. Ú. t. c. s. ‖ **2.** f. pl. *Bot.* Familia de estas plantas.

buruca. f. *Guat.* **boruca.**

burucuyá. m. *Argent., Par.* y *Urug.* **pasionaria.**

burujo. (Del lat. **volucŭlum,* por *volucra, -ae,* envoltura.) m. Bulto pequeño o pella que se forma uniéndose y apretándose unas con otras las partes que estaban o debían estar sueltas, como en la lana, en la masa, en el engrudo, etc. ‖ **2. borujo,** masa y hueso de la aceituna después de molida. ‖ **3. orujo,** hollejo de la uva después de exprimida.

burujón. m. aum. de **burujo.** ‖ **2. chichón.**

burundanga. (De *borondanga.*) f. *Col., Cuba* y *P. Rico.* **morondanga.** ‖ **2.** *P. Rico.* Plato en que entran diferentes hortalizas.

buruquiento, ta. (De *boruca.*) adj. *Méj.* Bullicioso, alegre, ruidoso.
bus. m. fam. **autobús.**
busarda. f. **buzarda.**
busca[1]. f. Acción de buscar. ‖ **2.** Tropa de cazadores, monteros y perros que corre el monte para hallar o levantar la caza. ‖ **3.** V. **can, perro de busca.** ‖ **4.** Selección y recogida de materiales u objetos aprovechables entre escombros, basura u otros desperdicios.
busca[2]. m. abrev. de **buscapersonas.**
buscada. (De *buscar.*) f. **busca,** acción de buscar.
buscador, ra. adj. Que busca. Ú. t. c. s. ‖ **2.** m. Anteojo pequeño de mucho campo que forma cuerpo con los telescopios, refractores y reflectores para facilitar su puntería.
buscamiento. (De *buscar.*) m. ant. **busca.**
buscaniguas. (De *buscar* y *nigua.*) m. *Col.* y *Guat.* **buscapiés.**
buscapersonas. m. **mensáfono.**
buscapié. (De *buscar* y *pie.*) m. fig. Especie que se suelta en conversación o por escrito para dar a alguno motivos de charla o para rastrear y poner en claro alguna cosa.
buscapiés. (De *buscar* y *pie.*) m. Cohete sin varilla que, encendido, corre por la tierra entre los pies de la gente.
buscapique. (De *buscar* y *pique.*) m. *Perú.* **buscapiés.**
buscapleitos. (De *buscar* y *pleito.*) com. *Amér.* Buscarruidos, picapleitos.
buscar. tr. Hacer algo para hallar a alguna persona o cosa. *Ven a* BUSCAR*me a casa. Estoy* BUSCANDO *un libro.* ‖ **2.** *Germ.* Hurtar rateramente o con mañas ‖ **buscársela.** fr. fam. Ingeniarse para hallar los medios de subsistencia.
buscarla. f. Pájaro insectívoro de pequeño tamaño y muy activo. De color pardo, vive entre carrizos, juncos y aneas, donde se mueve con gran agilidad, pero se muestra reacio al vuelo.
buscarruidos. (De *buscar* y *ruido.*) com. fig. y fam. Persona inquieta, provocativa, que anda moviendo alborotos, pendencias y discordias. ‖ **2.** m. *Mar.* Embarcación menor que iba de exploradora delante de una flota.
buscavida. com. **buscavidas,** persona diligente en buscar el modo de vivir.
buscavidas. (De *buscar* y *vida.*) com. fig. y fam. Persona demasiado curiosa en averiguar las vidas ajenas. ‖ **2.** fig. y fam. Persona diligente en buscarse por cualquier medio lícito el modo de vivir.
busco[1]. (Del fr. *bisc.*) m. Umbral de una puerta de esclusa.
busco[2]. (De *buscar.*) m. ant. Rastro que dejan los animales.
buscón, na. (De *buscar.*) adj. Que busca. Ú. t. c. s. ‖ **2.** Dícese de la persona que hurta rateramente o estafa con socaliña. Ú. t. c. s. ‖ **3.** f. **ramera.**
buseta. (De *bus.*) f. *Col.* Autobús pequeño.
busier. m. **bujier.**
busilis. (Del lat. *in diebus illis,* mal separado por un ignorante que dijo no entender qué significaba el *busillis.*) m. fam. Punto en que se estriba la dificultad del asunto de que se trata. ‖ **dar en el busilis.** fr. fam. **dar en el hito.**
busito. m. *Pan.* Autobús pequeño.
buso. m. ant. **agujero,** abertura más o menos redonda.
búsqueda. (De *buscar.*) f. **busca,** acción de buscar. Ú. con frecuencia en los archivos y escribanías.
busquillo. (De *buscar.*) m. fam. *Chile* y *Perú.* **buscavidas,** persona diligente en buscar el modo de vivir.
búster. (Del ing. *booster.*) m. *C. Rica* y *Guat.* Servofreno.
busto. (Del lat. *bustum,* por análisis de *combustum,* quemado.) m. Escultura o pintura de la cabeza y parte superior del tórax. ‖ **2.** Parte superior del cuerpo humano. ‖ **3.** Pecho de la mujer.
bustrófedon o **bustrofedon.** (Del gr. βουστροφηδόν.) adv. m. Manera de escribir que consiste en trazar un renglón de izquierda a derecha y el siguiente de derecha a izquierda. Usóse en Grecia antigua, y tomó nombre de su semejanza con los surcos que abren los bueyes al arar.
butaca. (Del cumanagoto *putaca,* asiento.) f. Silla de brazos con el respaldo inclinado hacia atrás. ‖ **2. luneta, butaca** de teatro. ‖ **3.** Entrada, tique, etc., para ocupar una luneta o **butaca** en el teatro.
butadieno. m. Gas que se emplea para producir el caucho sintético y que es uno de los hidrocarburos isómeros.
butano. m. Hidrocarburo gaseoso natural o derivado del petróleo que, envasado a presión, tiene los mismos usos que el gas del alumbrado.
buten (de). loc. vulg. Excelente, lo mejor en su clase.
butiá. m. *Urug.* Palmera y su fruto, del tamaño y color del damasco.
butifarra. (Del cat. *botifarra.*) f. Cierto embuchado que se hace principalmente en Cataluña, las Baleares y Valencia. ‖ **2.** *Perú.* Pan dentro del cual se pone un trozo de jamón y un poco de ensalada. ‖ **3.** *Col., Chile* y *Pan.* Embutido a base de carne de cerdo. ‖ **4.** fig. y fam. Calza o media muy ancha o que no ajusta bien.
butifarrero, ra. m. y f. Persona que tiene por oficio hacer butifarras o venderlas.
butiondo, da. (De *bote,* macho cabrío.) adj. **botiondo.**
butiro. (Del lat. *butȳrum,* y este del gr. βούτυρον.) m. desus. **mantequilla** obtenida de la leche batida.
butiroso, sa. (De *butiro.*) adj. desus. **mantecoso.**
butomáceo, a. (De *Botumus,* nombre de un género de plantas.) adj. *Bot.* Dícese de hierbas angiospermas monocotiledóneas, perennes, palúdicas, con bohordo, hojas radicales, flores solitarias o en umbela, frutos capsulares y semillas sin albumen, como el junco florido. Ú. t. c. s. f. ‖ **2.** f. pl. *Bot.* Familia de estas plantas.
butomeo, a. (Del gr. βούτομος, junco florido.) adj. *Bot.* **butomáceo.**
butrino. (De *botrino.*) m. **buitrón,** arte de pesca.
butrón. m. **buitrón,** arte de pesca. ‖ **2.** *Ál.* Agujero o chimenea que sirve para la ventilación de cuevas abiertas bajo tierra donde se guarda el vino. ‖ **3.** Entre delincuentes, agujero hecho en suelos, techos o paredes para robar.
butronero. m. Ladrón que roba abriendo butrones en techos o paredes.
buxáceo, a. (De *Buxus,* nombre de un género de plantas.) adj. *Bot.* Dícese de plantas angiospermas dicotiledóneas, muy semejantes a las euforbiáceas, de las que difieren principalmente por los caracteres del fruto, que es capsular, y por la disposición de los óvulos en el ovario; como el boj. Ú. t. c. s. f. ‖ **2.** f. pl. *Bot.* Familia de estas plantas.
buyador. m. *Ar.* **latonero**[1].
buyo. m. Mixtura hecha con el fruto de la areca, hojas de betel y cal de conchas, que se masca en algunos países orientales.
buz. (Voz onomatopéyica.) m. p. us. Beso de reconocimiento y reverencia. ‖ **2. labio** de la boca. ‖ **hacer** alguien **el buz.** fr. fig. y fam. Hacer alguna demostración de obsequio, rendimiento o lisonja.
buzamiento. (De *buzar.*) m. Inclinación de un filón o de una capa del terreno.
búzano. (Del lat. *bucĭna,* cuerno de boyero.) m. p. us. **buzo** de oficio. ‖ **2.** Cierta pieza de artillería que se usaba antiguamente.
buzaque. (Quizá del ár. *abūzaqq,* el del zaque.) m. **beodo.**
buzar[1]. (Del lat. **vortiāre,* de *vortĕre, vertĕre,* volver.) intr. Inclinarse hacia abajo los filones o las capas del terreno.
buzar[2]. (De *buzo.*) intr. **bucear.**
buzarda. f. *Mar.* Cada una de las piezas curvas con que se liga y fortalece la proa de la embarcación.
buzcorona. (De *buz* y *coronar.*) m. Burla que se hacía dan-

do a besar la mano y descargando un golpe sobre la cabeza y carrillo del que la besaba.

buzo. (Del port. *búzio*, caracol, del lat. *bucĭna*, cuerno de boyero.) m. El que tiene por oficio trabajar enteramente sumergido en el agua, bien conteniendo largo rato la respiración, bien efectuándola con auxilio de aparatos adecuados. ‖ **2.** V. **campana de buzo.** ‖ **3.** Cierta embarcación antigua. ‖ **4.** *Germ.* Ladrón muy diestro o de buena vista.

buzón. (De *bozón.*) m. Conducto artificial o canal por donde desaguan los estanques. ‖ **2.** Abertura por la que se echan las cartas y papeles para el correo o para otro destino. ‖ **3.** Por ext., caja o receptáculo donde caen los papeles echados por el **buzón.** ‖ **4.** Tapón de cualquier agujero para dar entrada o salida al agua u otro líquido.

buzonear. intr. Repartir publicidad o propaganda en los buzones de las casas particulares.

buzoneo. m. Acción y efecto de buzonear.

buzonera. (De *buzón.*) f. *Tol.* Sumidero de patio.

buzos (de). (De *bruzos.*) loc. adv. ant. **de bruces.**

c. f. Tercera letra del abecedario español, y segunda de sus consonantes. Su nombre es **ce.** Ante las vocales *e, i (cena, cifra)* representa un sonido interdental como el de *z,* con las mismas variedades de articulación e igual extensión geográfica y social del seseo. En cualquier otra posición puede tener articulación velar, oclusiva y sorda *(coma, cola, cuba, clero, clima, crema, criba, cromo, acto, efecto, ictericia, octavo, tic).* Con frecuencia, en posición final de sílaba, el sonido velar oclusivo de esta letra se debilita y suaviza haciéndose sonoro y fricativo *(anécdota, técnica, acción, facsímil).* ‖ **2.** Letra numeral que tiene el valor de ciento en la numeración romana, y que también se usa en español. Cuando se le ponía una línea encima, valía cien mil.

ca[1]**.** (Del lat. *quia.*) conj. causal ant. **porque.**

¡ca![2] interj. fam. **¡quia!**

caaminí o caá-miní. (Del guaraní *caá,* hierba, y *miri,* pequeña, en polvo.) m. *Argent. (Misiones)* y *Par.* Variedad de yerba mate, elaborada, bien molida, sin palillos.

cabadelante. (De *cabo*[1] y *adelante.*) adv. m. ant. En adelante.

cabal. (De *cabo,* extremo.) adj. Ajustado a peso o medida. ‖ **2.** Dícese de lo que cabe a cada uno. ‖ **3.** fig. Excelente en su clase. ‖ **4.** Completo, exacto, perfecto. ‖ **5.** m. ant. **caudal,** hacienda, dinero. ‖ **6.** *Ar.* Pegujal del segundogénito. ‖ **7.** adv. m. **cabalmente.** ‖ **al cabal.** loc. adv. ant. Cabalmente, al justo. ‖ **no estar** alguien **en sus cabales.** fr. fig. **estar fuera de juicio.** ‖ **por su cabal.** loc. adv. ant. Con mucho empeño, con mucho ahínco, poniendo uno cuanto está de su parte. ‖ **por sus cabales.** loc. adv. Cabalmente o perfectamente. ‖ **2.** Por su justo precio. ‖ **3.** Por el orden regular.

cábala. (Del hebr. *qabbalah,* tradición.) f. En la tradición judía, sistema de interpretación mística y alegórica del Antiguo Testamento. ‖ **2.** Conjunto de doctrinas teosóficas basadas en la Sagrada Escritura, que a través de un método esotérico de interpretación y transmitidas por vía de iniciación, pretendía revelar a los iniciados doctrinas ocultas acerca de Dios y del mundo. ‖ **3.** fig. Cálculo supersticioso para adivinar una cosa. ‖ **4.** fig. y fam. Intriga, maquinación. ‖ **5.** fig. Conjetura, suposición. Ú. m. en pl.

cabalar. (De *cabal.*) tr. p. us. **acabalar.**

cabalero. (De *cabal.*) adj. *Ar.* Dícese del hijo de familia que no es heredero. Ú. t. c. s.

cabalfuste. (De *caballo* y *fuste.*) m. ant. **cabalhuste.**

cabalgada. (De *cabalgar*[2].) f. Tropa de gente de a caballo que salía a correr el campo. ‖ **2.** Servicio que debían hacer los vasallos al rey, saliendo en **cabalgada** por su orden. ‖ **3.** Despojo o presa que se hacía en las **cabalgadas** sobre las tierras del enemigo. ‖ **4.** Jornada larga a caballo. ‖ **5.** Larga marcha que realizan varias personas a caballo. ‖ **6.** ant. **correría** de guerra. ‖ **doble.** La que hacía una partida, entrando dos veces en las tierras del enemigo antes de volver al lugar de donde había salido.

cabalgador, ra. m. y f. Persona que cabalga. ‖ **2.** m. ant. **montador,** poyo para montar.

cabalgadura. f. Bestia en que se cabalga o se puede cabalgar. ‖ **2. bestia de carga.**

cabalgamiento. m. *Ret.* **hipermetría.**

cabalgar[1]**.** (De *cabalgar*[2].) m. ant. Conjunto de los arreos y arneses para andar a caballo.

cabalgar[2]**.** (Del lat. *caballicāre.*) intr. Subir o montar a caballo. Ú. t. c. tr. ‖ **2.** Andar o pasear a caballo. ‖ **3.** Ir una cosa sobre otra. ‖ **4.** *Equit.* Mover el caballo los remos cruzando el uno sobre el otro. ‖ **5.** tr. Cubrir el caballo u otro animal a su hembra. ‖ **6.** fig. Poner una cosa sobre otra.

cabalgata. (Del it. *cavalcata,* de *cavalcare,* cabalgar.) f. Reunión de muchas personas que van cabalgando. ‖ **2.** Desfile de jinetes, carrozas, bandas de música, danzantes, etc., que se organiza como festejo popular.

cabalgazón. f. Acción de cubrir o cabalgar el caballo u otro animal a su hembra.

cabalhuste. (De *cabalfuste.*) m. **caballete,** pieza del guadarnés.

cabalino, na. (Del lat. *caballīnus,* de *caballus,* caballo.) adj. poét. Perteneciente o relativo al mitológico caballo Pegaso, al monte Helicón y a la fuente Hipocrene.

cabalista. m. El que profesa la cábala.

cabalístico, ca. adj. Perteneciente o relativo a la cábala. *Libro, concepto* CABALÍSTICO. ‖ **2.** fig. De sentido enigmático.

cabalmente. adv. m. Precisa, justa o perfectamente.

cabalonga. f. *Cuba* y *Méj.* **haba de San Ignacio,** y por ext., nombre de diversos tipos de arbustos silvestres venenosos.

caballa. (Del lat. *caballa,* yegua.) f. Pez teleósteo, de tres a cuatro decímetros de largo, de color azul y verde con rayas negras por el lomo. Vive en cardúmenes en el Atlántico Norte y se pesca activamente para su consumo.

caballada. f. Manada de caballos o de caballos y yeguas. ‖ **2.** *León.* **cabalgata.** ‖ **3.** *Amér.* **animalada.**

caballaje. (De *caballo.*) m. Acción de acaballar o cubrir el caballo o el burro a la yegua. ‖ **2.** Precio que se paga por acaballar.

caballar. adj. Perteneciente o relativo al caballo. ‖ **2.** Parecido a él. ‖ **3.** V. **apio caballar.**

caballazo. m. *Chile, Méj.* y *Perú.* Encontrón o golpe que da un jinete a otro o a alguno de a pie, echándole encima el caballo.

caballear. intr. fam. Andar frecuentemente a caballo.

caballejo. m. d. o despect. de **caballo.** ‖ **2. caballete,** potro de madera.

caballerango. m. *Méj.* Mozo de espuela.

caballerato. (De *caballero.*) m. desus. Derecho o título concedido por dispensa pontificia al seglar que contrae matrimonio, para percibir pensiones eclesiásticas. ‖ **2.** La misma pensión. ‖ **3.** Categoría intermedia entre la nobleza y el estado llano, que el rey concedía por privilegio o gracia a los naturales de Cataluña.

caballerazo. m. fam. aum. de **caballero.** ‖ **2.** Caballero cumplido.

caballerear. intr. Hacerse el caballero.

caballeresco, ca. adj. Propio de caballero. ‖ **2.** Perteneciente o relativo a la caballería de los siglos medios. *Costumbres* CABALLERESCAS. ‖ **3.** Aplícase especialmente a los libros y composiciones poéticas en que se cuentan las empresas o fabulosas hazañas de los antiguos paladines o caballeros andantes.

caballerete. m. d. de **caballero.** ‖ **2.** fam. Caballero joven, presumido en su traje y acciones.

caballería. (De *caballero.*) f. Cualquier animal solípedo, que, como el caballo, sirve para cabalgar en él. Llámase mayor si es mula o caballo, y menor si es borrico. ‖ **2.** Cuerpo de soldados montados y del personal y material de guerra complementarios que forman parte de un ejército. ‖ **3.** Cualquier porción del mismo cuerpo. ‖ **4.** Cualquiera de las órdenes militares que ha habido y hay en España, como las de la Banda, Santiago, Calatrava, etc. ‖ **5.** Preeminencia y exenciones de que goza el caballero. ‖ **6.** Empresa o acción propia de un caballero. ‖ **7.** Instituto propio de los caballeros que hacían profesión de las armas. ‖ **8.** Cuerpo de nobleza de una provincia o lugar. ‖ **9.** Conjunto, concurso o multitud de caballeros. ‖ **10.** Servicio militar que se hacía a caballo. ‖ **11.** Porción que de los despojos tocaba a cada caballero en la guerra. ‖ **12.** Porción de tierra que se repartía a los caballeros que habían contribuido a la conquista o a la colonización de un territorio. ‖ **13.** Suerte de tierra que, por la corona, los señores o las comunidades, se daba en usufructo a quien se comprometía a sostener en guerra o en paz un hombre de armas con su caballo. ‖ **14.** Medida agraria equivalente a 60 fanegas o a 3.863 áreas aprox. ‖ **15.** Medida agraria usada en la isla de Cuba, equivalente a 1.343 áreas. ‖ **16.** Medida agraria usada en la isla de Puerto Rico, equivalente a 7.858 áreas. ‖ **17.** Arte y destreza de manejar el caballo, jugar las armas y hacer otros ejercicios de caballero. ‖ **18.** ant. Generosidad y nobleza de ánimo propias del caballero. ‖ **19.** ant. Expedición militar. ‖ **20.** *Ar.* Rentas que señalaban los ricoshombres a los caballeros que acaudillaban para la guerra. ‖ **andante.** Profesión, regla u orden de los caballeros aventureros. ‖ **ligera.** Arma de combate constituida por soldados de poco peso, armados con lanza, carabina o sable, y montados en caballos de poca alzada, ágiles y maniobreros. ‖ **andarse en caballerías.** fr. fig. y fam. Hacer galanterías o cumplimientos innecesarios.

caballeril. adj. ant. Perteneciente al caballero. ‖ **2.** V. **pendón caballeril.**

caballerilmente. adv. m. ant. **caballerosamente.**

caballeriza. (De *caballería.*) f. Sitio o lugar cubierto destinado para estancia de los caballos y bestias de carga. ‖ **2.** Conjunto de caballos o mulas de una **caballeriza.** ‖ **3.** Conjunto de los criados y dependientes que la sirven. ‖ **4.** Mujer del caballerizo. ‖ **mancarse en la caballeriza.** fr. fig. y fam. p. us. con que se reprueba la ociosidad o cobardía de alguno.

caballerizo. m. El que tiene a su cargo el gobierno y cuidado de la caballeriza y de los que sirven en ella. ‖ **de campo,** o **del rey.** Empleado de la servidumbre de palacio, que tenía por oficio ir a caballo a la izquierda del coche de las personas reales. ‖ **mayor del rey.** Uno de los jefes de palacio a cuyo cargo estaba el cuidado y gobierno de las caballerizas de S. M., de la armería real y otras dependencias. ‖ **primer caballerizo del rey.** Inmediato subalterno y lugarteniente del **caballerizo mayor.**

caballero, ra. (Del lat. *caballarĭus.*) adj. Que cabalga o va a caballo. CABALLERO *en un rocín, en una mula, en un asno.* ‖ **2.** fig. Seguido de nombres regidos por la prep. *en,* que expresen actos de voluntad, o de inteligencia, como *propósito, empeño, porfía, opinión,* etc., dícese de la persona obstinada que no se deja disuadir por ninguna consideración. ‖ **3.** V. **perspectiva caballera.** ‖ **4.** m. Hidalgo de calificada nobleza. ‖ **5.** El que pertenece a una orden de caballería. ‖ **6.** El que se porta con nobleza y generosidad. ‖ **7.** Persona de alguna consideración o de buen porte. ‖ **8. señor,** término de cortesía. ‖ **9.** Baile antiguo español. ‖ **10.** Depósito de tierra sobrante colocado al lado y en lo alto de un desmonte. ‖ **11.** V. **espuela de caballero.** ‖ **12.** V. **maestro de los caballeros.** ‖ **13.** ant. Dueño de una caballería, porción de tierra adjudicada a los caballeros que habían contribuido a su conquista. ‖ **14.** ant. Soldado de a caballo. ‖ **15.** *Fort.* Obra de fortificación defensiva, interior y bastante elevada sobre otras de una plaza, para mejor protegerlas con sus fuegos o dominarlas si las ocupase el enemigo. ‖ **andante.** El que en los libros de caballerías se finge que anda por el mundo buscando aventuras. ‖ **2.** fig. y fam. Hidalgo pobre y ocioso que andaba vagando de una parte a otra. ‖ **aventurero. caballero andante.** ‖ **cuantioso.** Hacendado que en las costas de Andalucía y otras partes tenía obligación de mantener armas y caballo para salir a la defensa de la costa cuando la acometían los moros. ‖ **cubierto.** Grande de España que gozaba de la preeminencia de ponerse el sombrero en presencia del monarca. ‖ **2.** fig. y fam. Hombre descortés que no se descubre cuando lo reclama la urbanidad. ‖ **de alarde.** El que tenía obligación de pasar muestra o revista a caballo. ‖ **de conquista.** Conquistador a quien se repartían las tierras que ganaba. ‖ **de contía,** o **cuantía. caballero cuantioso.** ‖ **de espuela dorada.** El que siendo hidalgo era solemnemente armado **caballero.** ‖ **de industria,** o **de la industria.** Hombre que con apariencia de **caballero** vive a costa ajena por medio de la estafa o del engaño. ‖ **de la jineta.** Soldado que montaba a la jineta. ‖ **de la sierra. caballero de sierra.** ‖ **del hábito.** El que lo es de alguna de las órdenes militares. ‖ **de mohatra.** Persona que aparenta ser **caballero** no siéndolo. ‖ **2. caballero de industria.** ‖ **de premia.** El que estaba obligado a mantener armas y caballo para ir a la guerra. ‖ **de sierra.** En algunos pueblos, guarda de a caballo de los montes. ‖ **de trinchera.** *Fort.* Obras culminantes sobre las demás de ataque a una plaza, que se construyen a inmediación de las trincheras para instalar las baterías de brecha. ‖ **en plaza.** El que torea a caballo con garrochón o rejoncillo. ‖ **gran cruz. gran cruz,** dignidad superior en ciertas órdenes militares. ‖ **mesnadero.** Descendiente de un jefe de mesnada. ‖ **novel.** El que aún no tenía divisa por no haberla ganado con las armas. ‖ **pardo.** El que, no siendo noble, alcanzaba privilegios del rey para no pechar y gozar las preeminencias de hidalgo. ‖ **a caballero.** loc. adv. fig. A o desde mayor altura. ‖ **armar caballero** a alguien. fr. Vestirle las armas otro **caballero** o el rey, el cual le ciñe la espada tras ciertas ceremonias, para darle entrada en la orden de la caballería. Hoy se observa y practica con los **caballeros** de las órdenes militares y de algunas otras, que son armados por otro de su orden. ‖ **de caballero a caballero.** fr. Entre **caballeros,** a estilo de **caballeros.**

caballerosamente. adv. m. Generosamente, como caballero.

caballerosidad. f. Calidad de caballeroso. ‖ **2.** Proceder caballeroso.

caballeroso, sa. adj. Propio de un caballero, por su gentileza, desprendimiento, cortesía, nobleza de ánimo u otras cualidades semejantes. ‖ **2.** V. **manto caballeroso.**

caballerote. m. aum. de **caballero.** ‖ **2.** fam. Caballero tosco y desairado en su persona.

caballeta. (De *caballo,* por la forma.) f. **saltamontes.**

caballete. m. d. de **caballo.** ‖ **2.** Línea horizontal y más elevada de un tejado, de la cual arrancan dos vertientes. ‖ **3.** Potro de madera, en que se daba tormento. ‖ **4.** Madero en que se quebranta el cáñamo o el lino. ‖ **5.** Pieza de los guadarneses, que se compone de dos tablas juntas a lo largo, de modo que formen lomo, y las cuales, elevadas sobre cuatro pies, sirven para tener las sillas de manera que no se maltraten los fustes. ‖ **6.** **asnilla,** sostén portátil. ‖ **7.** **caballón,** lomo de tierra entre dos surcos. ‖ **8.** Extremo o parte más alta de la chimenea, que suele formarse de una teja vuelta hacia abajo o de dos tejas o ladrillos empinados que forman un ángulo, para que no entre el agua cuando llueve y no impida la salida del humo. ‖ **9.** Prominencia que la nariz suele tener en medio y la hace corva. ‖ **10.** Quilla de las aves. ‖ **11.** **atifle.** ‖ **12.** **boca de la isla.** ‖ **13.** *Impr.* Pedazo de madero asegurado con un tornillo en la pierna izquierda de la prensa de mano, donde descansa y se detiene la barra o manubrio. ‖ **14.** *Min. Méj.* **caballo,** masa de roca estéril. ‖ **15.** *Pint.* Armazón de madera compuesta de tres pies, con una tablita transversal donde se coloca el cuadro. Los hay también verticales, en los cuales la tablita o soporte se sube y baja por medio de una manivela.

caballico. m. d. de **caballo.** ‖ **2.** *Ar.* **galápago,** molde en que se hacen las tejas.

caballillo. (d. de *caballo.*) m. ant. **caballete,** parte del tejado de donde arrancan las vertientes. ‖ **2.** ant. **caballón,** lomo de tierra entre dos surcos.

caballista. com. Persona que entiende de caballos y monta bien. ‖ **2.** m. *And.* Ladrón de a caballo.

caballito. m. d. de **caballo.** ‖ **2.** pl. Juego de azar, en el que se gana o se pierde según sea la casilla numerada donde cesa la rotación de una figura de caballo. ‖ **3.** **tiovivo.** ‖ **4.** *Perú.* Especie de balsa compuesta de dos odres fuertemente unidos entre sí, en la cual puede navegar un solo hombre, aun en días en que el mar esté muy alborotado. ‖ **de Bamba.** fr. Persona o cosa que es inútil o sirve para poco. ‖ **del diablo.** Insecto del orden de los odonatos, con cuatro alas estrechas e iguales y de abdomen muy largo y filiforme. De menor tamaño que las libélulas, se distingue de estas por el menor número de venas de las alas y porque pliega estas cuando se posa. ‖ **de mar.** **hipocampo,** pez teleósteo. ‖ **de San Vicente.** *Cuba* y *Hond.* **caballito del diablo.** ‖ **de totora.** *Amér.* Haz de totora, de tamaño suficiente para que, puesta sobre él a horcajadas una persona, pueda mantenerse a flote. ‖ **2.** *Perú.* Embarcación o balsa hecha de haces de totora destinada al transporte.

caballo. (Del lat. *caballus* y este del gr. καβάλλης.) m. Mamífero del orden de los perisodáctilos, solípedo, de cuello y cola poblados de cerdas largas y abundantes, que se domestica fácilmente y es de los más útiles al hombre. ‖ **2.** Pieza grande del juego de ajedrez, única que salta sobre las demás y que pasa oblicuamente de escaque negro a blanco, dejando en medio uno negro, o de blanco a negro, dejando en medio uno blanco. ‖ **3.** Naipe que representa un **caballo** con su jinete. ‖ **4.** **burro,** armazón para sujetar un madero que se asierra. ‖ **5.** Aparato gimnástico formado por cuatro patas y un cuerpo superior, muy alargado y terminado en punta por uno de sus extremos; se salta apoyando las manos, tendiendo el cuerpo y evitando rozar en el salto el extremo puntiagudo. ‖ **6.** Hebra de hilo que se cruza y atraviesa al tiempo de formar la madeja en el aspa. ‖ **7.** **bubón,** tumor venéreo. ‖ **8.** coloq. Por influjo del inglés, **heroína.** ‖ **9.** V. **alma, cola, uña de caballo.** ‖ **10.** V. **cepa caballo.** ‖ **11.** ant. **tonel,** medida de arqueo de embarcaciones. ‖ **12.** *Sal.* En la vid, el sarmiento que brota con más pujanza. ‖ **13.** *Albañ.* y *Arq.* Bastidor triangular de maderos de la misma escuadría o rollizos fuertemente trabados, en el que se clavan las alfarjías para asiento de las tejas o techumbre. ‖ **14.** *Mil.* V. **cuerpo de caballo.** ‖ **15.** *Min.* Masa de roca estéril que corta el filón metalífero. ‖ **16.** pl. *Mil.* Soldados con sus correspondientes **caballos.** *El ejército tiene cinco mil* CABALLOS. ‖ **aguilillla.** En algunos países de América, cierto **caballo** muy veloz en el paso. ‖ **albardón.** ant. **caballo** de carga. ‖ **blanco.** Persona que apronta el dinero para una empresa de resultado dudoso. ‖ **coraza.** ant. Coracero de a **caballo.** ‖ **de agua.** **caballo marino.** ‖ **de albarda.** ant. **caballo albardón.** ‖ **de aldaba.** **caballo de regalo.** ‖ **de batalla.** El que los antiguos guerreros y paladines se reservaban para el día del combate, por ser el más fuerte, diestro y seguro entre los que poseían. También lo tienen hoy los oficiales generales y otros de alta graduación. ‖ **2.** fig. Aquello en que sobresale el que profesa un arte o ciencia y en que más suele ejercitarse. *La legislación testamentaria es el* CABALLO DE BATALLA *de tal abogado; tal ópera es el* CABALLO DE BATALLA *de tal cantante.* ‖ **3.** fig. Punto principal de una controversia. ‖ **de buena boca.** fig. y fam. Persona que se acomoda fácilmente a todo, sea bueno o malo. Se usa más comúnmente referido a la comida. ‖ **de Frisa,** o **Frisia.** *Mil.* Madero de regular escuadría, cilíndrico u ochavado, atravesado por largas púas de hierro o estacas aguzadas, que se usa como defensa contra la caballería y para cerrar pasos importantes. ‖ **del diablo.** **caballito del diablo.** ‖ **de mano.** desus. El que se engancha a la derecha de la lanza. ‖ **de mar.** **caballo marino.** ‖ **de palo.** fig. y fam. **caballete,** potro de madera. ‖ **2.** fig. y fam. Cualquier embarcación. ‖ **de regalo.** El que se tiene reservado para el lucimiento. ‖ **de silla.** El que se usa para montar. ‖ **2.** desus. El que se engancha a la izquierda de la lanza. ‖ **de vapor.** Unidad de medida que expresa la potencia de una máquina y representa el esfuerzo necesario para levantar, a un metro de altura, en un segundo, 75 kilogramos de peso, lo cual equivale a 75 kilográmetros. ‖ **lanza.** ant. Lancero de a **caballo.** ‖ **ligero.** El que no lleva armas defensivas, y por eso se revuelve y maneja con más facilidad y ligereza. ‖ **2.** pl. **caballería ligera.** ‖ **marino.** **hipopótamo.** ‖ **2.** **hipocampo,** pez. ‖ **mulero.** El aficionado a mulas y que se enciende demasiado con ellas. ‖ **padre.** El que los criadores tienen destinado para la monta de las yeguas. ‖ **recelador.** El destinado para incitar a las yeguas. ‖ **a caballo.** loc. adv. Montado uno en una caballería y, por ext., en una persona o cosa. ‖ **2.** fig. Apoyándose en dos cosas contiguas o participando de ambas. ‖ **3.** V. **aguisado de a caballo.** ‖ **de caballo.** loc. adj. coloq. Dicho de una enfermedad, grave o muy acusada. ‖ **a mata caballo.** loc. adv. Atropelladamente, muy de prisa. ‖ **armarse el caballo.** fr. Impedir el **caballo** el efecto de la brida, encorvando el cuello hasta apoyar en el pecho las camas del bocado. ‖ **caer** alguien **bien,** o **mal, a caballo.** fr. fig. y fam. Estar airoso a **caballo** y manejarlo con garbo, o al contrario. ‖ **con mil de a caballo.** expr. fam. de enojo. Úsase más generalmente para despedir a alguien. Dícese también *con cuatrocientos, con dos mil o con cien mil* DE A CABALLO. ‖ **de caballos.** loc. adv. ant. Montado en una caballería. ‖ **montar a caballo.** fr. Montar en una caballería. ‖ **poner** a alguien **a caballo.** fr. Empezar a enseñarle y a adiestrarle en el arte o habilidad de andar a **caballo.** ‖ **ponerse bien,** o **mal, en un caballo.** fr. **caer bien,** o **mal, a caballo.** ‖ **sacar bien,** o **limpio, el caballo.** fr. En el manejo de caballería, y particularmente en las corridas de toros, salir del lance o de la suerte sin que el **caballo** padezca y siguiendo la mano y el paso que enseñan las reglas del manejo. ‖ **2.** fig. Salir bien de una disputa, empeño o acusación. ‖ **3.** fig. Hacer una cosa difícil o peligrosa, evitando todo daño. ‖ **subir a caballo.** fr. **montar a caballo.**

caballón. (aum. de *caballo.*) m. Lomo entre surco y surco de la tierra arada. ‖ **2.** El que se levanta con la azada para formar y dividir las eras de las huertas y para plantar las hortalizas o aporcarlas. ‖ **3.** El que se dispone para contener las aguas o darles dirección en los riegos.

caballuelo. m. d. de **caballo.**

caballuno, na. adj. Perteneciente o semejante al caballo. ‖ **2.** V. **avena caballuna.**

cabaña. (Del lat. *capanna,* choza, de *capěre,* caber.) f. Casa pequeña y tosca hecha en el campo, generalmente de palos entretejidos con cañas y cubierta de ramas, para refugio o habitación de pastores, pescadores y gente humilde. ‖ **2.** Número considerable de cabezas de ganado. ‖ **3.** Conjunto de los ganados de una provincia, región, país, etc. ‖ **4.** Recua de caballerías que se emplea en portear granos. ‖ **5.** En el juego de billar, espacio dividido por una raya a la cabecera de la mesa, desde el cual juega el que tiene bola en mano. ‖ **6.** *Pint.* Cuadro en que hay pintadas **cabañas** de pastores con aves y animales domésticos. ‖ **7.** *Argent.* y *Urug.* Establecimiento rural destinado a la cría de ganado de raza. ‖ **real.** Conjunto de ganado trashumante propio de los ganaderos que componían el Concejo de la Mesta.

cabañal. adj. Dícese del camino o vereda por donde pasan las cabañas. ‖ **2.** m. Población formada de cabañas. ‖ **3.** *Sal.* Cobertizo formado con maderos y escobas para cobijar el ganado.

cabañera. (De *cabaña.*) f. *Ar.* **cañada**[1], vía para el ganado.

cabañería. (De *cabañero.*) f. Ración de pan, aceite, vinagre y sal que se da a los pastores.

cabañero, ra. adj. Perteneciente o relativo a la **cabaña,** casa pequeña y tosca. ‖ **2.** Perteneciente o relativo a la **cabaña,** cabezas de ganado. ‖ **3.** Perteneciente o relativo a la **cabaña,** recua para portear grano. ‖ **4.** *Argent.* y *Urug.* Dícese del propietario de una cabaña o del encargado de ella. Ú. t. c. s. ‖ **5.** m. El que cuida de la **cabaña,** cabezas de ganado. ‖ **6.** El que cuida de la **cabaña,** recua para portear el grano.

cabañil. adj. Perteneciente a las cabañas de los pastores. ‖ **2.** V. **mula cabañil.** ‖ **3.** m. El que cuida de la cabaña o recua de caballerías para portear el grano.

cabañuela. f. d. de **cabaña.** ‖ **2.** pl. Cálculo que, observando las variaciones atmosféricas en los doce, dieciocho o veinticuatro primeros días de enero o de agosto, forma el vulgo para pronosticar el tiempo que ha de hacer durante cada uno de los meses del mismo año o del siguiente. ‖ **3.** *Méj.* Lluvias de invierno. ‖ **4.** *Bol.* Primeras lluvias de verano. ‖ **5.** V. **fiesta de las cabañuelas.**

cabaré. (Del fr. *cabaret.*) m. Lugar de esparcimiento donde se bebe y se baila y en el que se ofrecen espectáculos de variedades, habitualmente de noche.

cabaretero, ra. adj. Perteneciente o relativo al cabaré. ‖ **2.** m. y f. Artista o empleado de cabaré.

cabarga. f. *Bol.* y *Perú.* Envoltura de cuero usada en los Andes para proteger, a modo de herradura, las patas del ganado vacuno.

cabarra. (Del lat. **crabrus,* der. regres. de *crabro, -onis,* tábano.) f. *Vallad.* Caparra, garrapata.

cabarrón. (Del lat. *crabro, -ōnis.*) m. *Cantabria.* Persona pesada y molesta.

cabás. (Del fr. *cabas.*) m. Sera pequeña, esportilla o cestillo para guardar la compra. ‖ **2.** Especie de cartera en forma de caja o pequeño baúl, con asa, que usan las niñas para llevar al colegio sus libros y útiles de trabajo. ‖ **3.** Maletín pequeño.

cabaza. (De or. inc.) f. ant. Manto largo o gabán.

cabción. f. ant. **caución.**

cabdal. (Del lat. *capitālis,* de *caput, -ĭtis,* cabeza.) adj. V. **águila cabdal.** ‖ **2.** ant. **principal,** primero en importancia. Decíase de las insignias o banderas que llevaban los caudillos. ‖ **3.** ant. **caudaloso,** de mucha agua. ‖ **4.** m. ant. **caudal**[1].

cabdellador. (De *cabdellar.*) m. ant. Caudillo.

cabdellar. tr. ant. **acaudillar.**

cabdiello. m. ant. **caudillo.**

cabdillamiento. (De *cabdillar.*) m. ant. **acaudillamiento.**

cabdillar. (De *cabdillo.*) tr. ant. **acaudillar.**

cabdillazgo. m. ant. Empleo de caudillo.

cabdillo. (Del lat. *capitellum,* d. de *caput, -ĭtis,* cabeza.) m. ant. **caudillo.**

cabe[1]**.** (Voz onomatopéyica.) m. Golpe de lleno que en el juego de la argolla da una bola a otra, impelida por la pala, de forma que llegue al remate del juego, con que se gana raya. ‖ **a paleta. cabe de paleta.** ‖ **de pala.** fig. y fam. Ocasión o lance que impensadamente se ofrece para lograr lo que se desea. ‖ **de paleta.** En el juego de la argolla, suerte que consiste en quedar las dos bolas a tal distancia que al menos quepa entre ellas la pala con que se juega. ‖ **dar un cabe.** fr. fig. y fam. Causar un perjuicio o menoscabo. DAR UN CABE *al bolsillo, a la hacienda.*

cabe[2]**.** (De *cabo,* orilla, borde.) prep. ant. Cerca de, junto a. Ú. aún en poesía.

cabear. tr. ant. Poner cabos, extremos, puntas o vivos.

cabeceado. (De *cabecear.*) m. Mayor grueso que se daba en la parte superior al palo de algunas letras, como la *b* o la *d.*

cabeceador, ra. adj. Que cabecea o da cabezadas. ‖ **2.** m. ant. **cabezalero,** testamentario, albacea.

cabeceamiento. m. **cabeceo.**

cabecear. intr. Mover o inclinar la cabeza, ya a un lado, ya a otro, o moverla reiteradamente hacia adelante. ‖ **2.** Volver la cabeza de un lado a otro en demostración de que no se asiente a lo que se oye o se pide. ‖ **3.** Dar cabezadas o inclinar la cabeza hacia el pecho cuando uno, de pie o sentado, se va durmiendo. ‖ **4.** Mover los caballos reiteradamente la cabeza de alto a bajo. ‖ **5.** Hacer la embarcación un movimiento de proa a popa, bajando y subiendo alternativamente una y otra. ‖ **6.** Moverse demasiado hacia adelante y hacia atrás la caja de un carruaje. ‖ **7.** Inclinarse a una parte o a otra lo que debía estar en equilibrio, como el peso o tercio de una carga. ‖ **8.** En el fútbol, golpear la pelota con la cabeza. ‖ **9.** *Chile.* Formar las puntas o cabezas de los cigarros. ‖ **10.** tr. Dar a los palos de las letras el cabeceado. ‖ **11.** Echar un poco de vino añejo en las cubas o tinajas del nuevo para darle más fuerza. ‖ **12.** En vinicultura, formar de varias clases de vinos uno solo. ‖ **13.** Poner el encuadernador cabezadas a un libro. ‖ **14.** Coser en los extremos de las esteras o ropas unas listas o guarniciones que, cubriendo la orilla, la hagan más fuerte y de mejor vista. ‖ **15.** Poner nuevo pie a las calcetas. ‖ **16.** *And.* Contar el número de las reses de pago por el acogido de los ganados en una dehesa o cortijo. ‖ **17.** *Cuba.* Unir cierto número de hojas de tabaco, atándolas por los pezones. ‖ **18.** *Agr.* Arar las cabeceras o los extremos de una tierra. ‖ **19.** *Carp.* Poner cabezas en los tableros.

cabeceo. m. Acción y efecto de cabecear.

cabecequia. (De *cabo*[1] y *acequia.*) m. *Ar.* Persona que tiene a su cargo el cuidado de las acequias y la distribución de las aguas para el riego.

cabecera. (De *cabeza.*) f. Principio o parte principal de algunas cosas. ‖ **2.** Parte superior o principal de un sitio en que se juntan varias personas, y en la cual se sientan las más dignas y autorizadas. *La* CABECERA *del tribunal, del estrado.* ‖ **3.** Parte de la cama, donde se ponen las almohadas. ‖ **4.** Tabla o barandilla que se suele poner en la cama para que no se caigan las almohadas. ‖ **5.** V. **médico de cabecera.** ‖ **6.** Tratándose de la mesa, principal y más honorífico asiento de ella. ‖ **7.** Origen de un río. ‖ **8.** Capital o población principal de un territorio o distrito. ‖ **9.** Adorno que se pone a la cabeza de una página, capítulo o parte de un impreso. ‖ **10.** Cada uno de los dos extremos del lomo de un libro. ‖ **11.** Cada uno de los dos extremos de una tierra de labor, adonde no puede llegar el surco que abre el arado. ‖ **12. almohada** de la cama. ‖ **13.** Nombre de un periódico registrado como propiedad de una persona o entidad mercantil que suele ir en la primera página. ‖ **14.** ant. Cabeza o principio de un escrito. ‖ **15.** ant. **cabezalero.** ‖ **16.** ant. Oficio de albacea. ‖ **17.** m. ant. Capitán o cabeza de un ejército, provincia o pueblo. ‖ **18.** *Sal.* **cabeza,** jefe de una familia. ‖ **19.** *Min.* Jefe de una cuadrilla de barreneros. ‖ **20.** f. pl. *Impr.* Cuñas de madera con que, por la parte superior, se asegura el molde a la rama. ‖ **de línea.** Extremo del trayecto de una línea de autobuses. ‖ **de puente. cabeza de puente.** ‖ **a la cabecera.** loc. adv. Al lado o cerca de la **cabecera** de la cama. ‖ **asistir,** o **estar, a la cabecera** de un enfermo. fr. Asistirle continuamente para todo lo que necesite.

cabecero, ra. adj. ant. **cabezudo,** de cabeza grande. ‖ **2.** m. **cabecera** de la cama. ‖ **3.** ant. **cabeza de casa.** ‖ **4.** ant. **albacea.**

cabeciancho, cha. adj. De cabeza ancha.

cabeciduro, ra. (De *cabeza* y *duro.*) adj. **testarudo.**

cabecilla. f. d. de **cabeza.** ‖ **2.** Conjunto de dobleces con que se cierra el tubo de papel de algunas clases de cigarrillos para que no se caiga la picadura. ‖ **3.** com. Jefe de rebeldes. ‖ **4.** Por ext., persona que está a la cabeza de un movimiento o grupo cultural, político, etc. ‖ **5.** fig. y fam. Persona de mal porte, de mala conducta o de poco juicio.

cabedero, ra. adj. ant. Que tiene cabida.

cabellado, da. adj. De color castaño con visos. ‖ **2.** ant. **cabelludo.**

cabelladura. (Del lat. *capillatūra.*) f. ant. **cabellera.**

cabellar. intr. ant. Echar cabello. ‖ **2.** ant. Ponérselo postizo. Ú. t. c. prnl.

cabellejo. m. d. de **cabello.**

cabellera. (De *cabello.*) f. El pelo de la cabeza, especialmente el largo y tendido sobre la espalda. ‖ **2.** Pelo postizo, peluca. ‖ **3.** Ráfaga luminosa de que aparece rodeado el cometa crinito.

cabello. (Del lat. *capillus.*) m. Cada uno de los pelos que nacen en la cabeza. ‖ **2.** Conjunto de todos ellos. ‖ **3.** pl. Barbas de la mazorca del maíz. ‖ **cabello,** o **cabellos, de ángel.** Dulce de almíbar que se hace con la parte fibrosa de la cidra cayote y almíbar. ‖ **2.** *Col., P. Rico, R. de la Plata* y *Venez.* **huevos hilados.** ‖ **3.** *Argent., C. Rica, Cuba, Chile, Perú* y *Urug.* Fideos finos. ‖ **4.** *Cuba.* Planta ranunculácea. ‖ **de capuchino. cuscuta.** ‖ **merino.** El crespo y muy espeso. ‖ **asirse de un cabello.** fr. fig. y fam. Aprovecharse o valerse de cualquier razón para conseguir sus deseos. ‖ **cortar un cabello en el aire.** fr. fig. Tener gran perspicacia o viveza en comprender las cosas. ‖ **en cabello.** loc. adv. Con el **cabello** suelto. ‖ **2.** ant. **en cabellos,** dicho de la mujer soltera. ‖ **en cabellos.** loc. adv. Con la cabeza descubierta y sin adornos. ‖ **2.** ant. Decíase de la mujer soltera. Usáb. con los sustantivos *moza, manceba,* etc. ‖ **estar colgado de los cabellos.** fr. fig. y fam. Estar con sobresalto, duda o temor esperando el fin de algún suceso. ‖ **estar** una cosa **pendiente de un cabello.** fr. fig. y fam. Estar en riesgo inminente. ‖ **hender un cabello en el aire.** fr. fig. **cortar un cabello en el aire.** ‖ **llevar** a alguien **de un cabello.** fr. fig. y fam. con que se denota la facilidad que hay de inclinar a lo que se quiere al que es muy dócil. ‖ **llevar** a alguien **de,** o **por, los cabellos.** fr. fig. Llevarle contra su voluntad o con violencia. ‖ **no faltar un cabello** a una cosa. fr. fig. y fam. Estar completa o en inminencia muy próxima de estarlo. ‖ **no montar un cabello** una cosa. fr. fig. y fam. Ser de muy poca importancia. ‖ **partir un cabello en el aire.** fr. fig. **cortar un cabello en el aire.** ‖ **podérsele ahogar** a alguien **con un cabello.** fr. fig. y fam. Estar muy acongojado y falto de espíritu. ‖ **ponérsele** a alguien **los cabellos de punta,** o **tan altos.** fr. **ponérsele los pelos de punta.** ‖ **tirar** a alguien **de,** o **por, los cabellos.** fr. fig. **llevar** a alguien **de,** o **por, los cabellos.** ‖ **tocar** a alguien **en un cabello.** fr. fig. Ofenderle en una cosa muy leve. ‖ **traer** algo **por los cabellos.** fr. fig. Aducir o traer a una argumentación una materia que no guarda relación con ella. ‖ **tropezar en un cabello.** fr. fig. y fam. Hallar dificultad o detenerse en cosas de poca monta.

cabelloso, sa. (Del lat. *capillōsus.*) adj. ant. **cabelludo.**

cabelludo, da. adj. De mucho cabello. ‖ **2.** Aplícase a la fruta o planta cubierta de hebras largas y vellosas. ‖ **3.** V. **cuero cabelludo.**

cabelluelo. m. d. de **cabello.**

caber. (Del lat. *capĕre,* coger.) intr. Poder contenerse una cosa dentro de otra. ‖ **2.** Tener lugar o entrada. ‖ **3.** Tocarle a uno o pertenecerle alguna cosa. ‖ **4.** Ser posible o natural. ‖ **5.** ant. Tener parte en alguna cosa o concurrir a ella. ‖ **6.** tr. Coger, tener capacidad. ‖ **7. admitir.** ‖ **8.** ant. Comprender, entender. ‖ **no cabe más.** expr. con que se da a entender que una cosa es extremada en su línea. ‖ **no caber en** alguno alguna cosa. fr. fig. y fam. No ser capaz de ella. ‖ **no caber en** sí. fr. fig. Tener mucha vanidad o alegría. Ú. t. con la prep. *de* seguida de términos como *contento, gozo,* etc. ‖ **todo cabe en** fulano. fr. fig. y fam. que da a entender ser alguno capaz de cualquier acción mala.

cabero, ra. (De *cabo*[1].) adj. ant. **último,** en lugar postrero. Ú. en Méjico. ‖ **2.** m. En Andalucía Baja, el que tiene por oficio echar cabos, mangos o astiles a las herramientas de campo, como azadas, azadones, escardillos, etc., y hacer otras de madera, como rastrillos, aguijadas u horcas.

cabestraje. m. Conjunto de cabestros. ‖ **2.** Agasajo que se hace a los vaqueros que han conducido con los cabestros la res vendida. ‖ **3.** ant. Acción de poner el cabestro a los animales.

cabestrante. m. **cabrestante.**

cabestrar. tr. Echar cabestros a las bestias que andan sueltas. ‖ **2.** intr. Cazar con buey de cabestrillo.

cabestrear. intr. Seguir sin resistencia la bestia al que la lleva del cabestro.

cabestrería. (De *cabestrero.*) f. Taller donde se hacen cabestros, cuerdas, jáquimas, cinchas, etc. ‖ **2.** Tienda donde se venden.

cabestrero, ra. (Del lat. *capistrarĭus.*) adj. *And.* Aplícase a las caballerías que empiezan a dejarse llevar del cabestro. *Potro* CABESTRERO. ‖ **2.** m. El que hace o vende cabestros y otras obras de cáñamo. ‖ **3.** El que conduce las reses vacunas de un sitio a otro por medio de los cabestros.

cabestrillo. (d. de *cabestro.*) m. Banda o aparato pendiente del hombro para sostener la mano o el brazo lastimados. ‖ **2.** Cadena delgada de oro, plata o aljófar, que se llevaba al cuello por adorno. ‖ **3.** V. **buey de cabestrillo.**

cabestro. (Del lat. *capistrum.*) m. Ronzal que se ata a la cabeza o al cuello de la caballería para llevarla o asegurarla. ‖ **2.** Buey manso que suele llevar cencerro y sirve de guía en las toradas. ‖ **3. cabestrillo,** cadena delgada de oro o plata. ‖ **llevar,** o **traer, del cabestro** a alguien. fr. fig. y fam. **llevarle,** o **traerle, de los cabezones.**

cabete. (De *cabo,* extremo.) m. **herrete,** pieza metálica que se pone al extremo de las agujetas.

cabeza. (Del lat. *capitĭa.*) f. Parte superior del cuerpo del hombre y superior o anterior de muchos animales, en la que están situados algunos órganos de los sentidos. Contiene importantes centros nerviosos, como el encéfalo en los vertebrados. ‖ **2.** En el hombre y algunos mamíferos parte superior y posterior de ella, que comprende desde la frente hasta el cuello, excluida la cara. ‖ **3.** Principio o parte extrema de una cosa. *Las* CABEZAS *de una viga, las de un puente.* ‖ **4.** Extremidad roma y abultada, opuesta a la punta de un clavo, alfiler, etc. ‖ **5.** Parte superior del corte de un libro. ‖ **6.** Parte superior de la armazón de madera y barrotes de hierro en que está sujeta la campana. ‖ **7.** Cumbre o parte más elevada de un monte o sierra. ‖ **8.** fig. Manantial, origen, principio. ‖ **9.** fig. Juicio, talento y capacidad. *Pedro es hombre de buena* CABEZA; *es gran* CABEZA. ‖ **10.** fig. **persona,** individuo de la especie humana. ‖ **11.** fig. **res.** ‖ **12.** fig. **capital,** población principal. ‖ **13.** ant. **capítulo** de un libro o escrito. ‖ **14.** ant. **encabezamiento** para el pago de la contribución. ‖ **15.** *Méj.* **corona** del reloj. ‖ **16.** *Carp.* Listón de madera que se machihembra contrapeado al extremo de un tablero para evitar que este se alabee. ‖ **17.** m. Superior, jefe que gobierna, preside o acaudilla una comunidad, corporación o muchedumbre. ‖ **18.** Jefe de una familia que vive reunida. ‖ **19.** f. pl. Juego que consistía en poner en el suelo o en un palo tres o cuatro figuras de **cabeza** humana o de animales, y enristrarlas con espada o lanza o herirlas con dardo o pistola, al pasar corriendo a caballo. ‖ **20.** *Méj.* Por antonom., las de carnero, preparadas para comida popular. ‖ **a pájaros.** fig. y fam. Persona atolondrada, ilusa o ligera. ‖ **de agua.** *Mar.* La mayor creciente, o sea la de la conjunción de la Luna. ‖ **de ajo, o de ajos.** Conjunto de las partes o dientes que forman el bulbo de la planta llamada ajo cuando están todavía reunidos formando un solo cuerpo. ‖ **de barangay.** Jefe administrativo de estas colectividades, que formaba parte de la principalía de Filipinas. ‖ **de casa.** El que por legítima descendencia del fundador tiene la primogenitura y hereda todos sus derechos. ‖ **de chorlito.** fig. y fam. Persona ligera y de poco juicio. ‖ **de desembarco. cabeza** de puente establecida en una costa. ‖ **de fierro.** ant. **testa de ferro.** ‖ **de ganado mayor. cabeza mayor,** buey, caballería, etc. ‖ **de hierro.** fig. y fam. Persona terca y obstinada en sus opiniones. ‖ **2.** fig. La que no se cansa ni fatiga, aunque por mucho tiempo se ocupe de algún trabajo mental. ‖ **de la Iglesia.** Atributo o título que se da al Papa respecto de la Iglesia católica. ‖ **de linaje. cabeza de casa.** ‖ **de lobo.** Cosa que se exhibe u ostenta para atraerse el favor de los demás. ‖ **de olla.** Sustancia que sale en las primeras tazas que se sacan de la olla. ‖ **2. calderón,** delfín de gran tamaño. ‖ **de partido.** Ciudad o villa principal de un territorio, que comprende distintos pueblos dependientes de ella en lo judicial, y antiguamente también en lo gubernativo. ‖ **de perro. celidonia menor.** ‖ **de playa. cabeza** de desembarco establecida en una playa. ‖ **de proceso.** Auto de oficio que provee el juez para la investigación del delito y de los delincuentes. ‖ **de puente.** Fortificación que lo defiende. ‖ **2.** Posición militar que establece un ejército en la orilla de un río o del mar, situada en territorio enemigo, para preparar el paso del grueso de las fuerzas. ‖ **3.** fig. En actividades no bélicas, logro que permite ulteriores penetraciones o influencias. ‖ **de tarro.** fig. y fam. Persona que tiene grande la **cabeza.** ‖ **2.** fig. y fam. Persona necia. ‖ **de testamento.** Principio de él hasta donde empieza la parte dispositiva. ‖ **de turco.** Persona a quien se suele hacer blanco de inculpaciones por cualquier motivo o pretexto. ‖ **magnética.** *Electr.* Dispositivo electromagnético que sirve para registrar, borrar o leer señales en un disco, cinta o hilo magnético. ‖ **mayor.** La de algún linaje o familia. ‖ **2.** El buey, el caballo o la mula respecto del carnero o la cabra. ‖ **menor.** El carnero o la cabra respecto del buey, el caballo o la mula. ‖ **moruna.** La del caballo de color claro que la tiene negra. ‖ **redonda.** fig. y fam. Persona de rudo entendimiento y que no puede comprender las cosas. *No es esto para* CABEZAS REDONDAS. ‖ **torcida.** fig. y fam. Persona hipócrita. ‖ **vana.** fig. y fam. La que está débil y flaca por enfermedad o demasiado trabajo. ‖ **mala cabeza.** fig. y fam. Persona que procede sin juicio ni consideración. ‖ **abrir la cabeza.** fr. fig. y fam. **descalabrar,** herir en la cabeza. ‖ **a la cabeza.** loc. adv. **delante,** en primer lugar. ‖ **alzar cabeza** alguien. fr. fig. y fam. Salir de la pobreza o desgracia en que se hallaba. ‖ **2.** fig. y fam. Recobrarse o restablecerse de una enfermedad. ‖ **andársele** a alguien **la cabeza.** fr. fig. y fam. Estar perturbado o débil, pareciéndole que todo lo que ve se mueve a su alrededor. ‖ **2.** fig. y fam. Estar amenazado de perder su dignidad o empleo. ‖ **apostar** o **apostarse la cabeza.** fr. fig. Que se usa para asegurar lo que se dice. ‖ **bajar la cabeza.** fr. fig. y fam. Obedecer y ejecutar sin réplica lo que se manda. ‖ **2.** fig. y fam. Conformarse, tener paciencia cuando no hay otro remedio. ‖ **bullirle** a alguien algo **en la cabeza.** fr. fig. y fam. Acudir algo a la mente de alguien con insistencia. ‖ **cabeza abajo.** loc. adv. Al revés o vuelto lo de arriba abajo. ‖ **2.** fig. y fam. Con desconcierto o trastorno. ‖ **calentarle** a alguien **la cabeza.** fr. fig. y fam. **quebrantarle** a alguien **la cabeza,** cansarlo con pláticas molestas. ‖ **2. levantarle de cascos.** ‖ **calentarse la cabeza.** fr. fig. y fam. Fatigarse en el trabajo mental. ‖ **cargársele** a alguien **la cabeza.** fr. Sentir en ella pesadez o entorpecimiento. ‖ **dar con la cabeza en las paredes.** fr. fig. y fam. Precipitarse en un negocio con daño suyo. ‖ **dar** alguien **de cabeza.** fr. fig. y fam. Caer de su fortuna o autoridad. ‖ **dar en la cabeza** a alguien. fr. fig. Frustrar sus designios, vencerle. ‖ **2.** ant. fig. Porfiar indiscretamente. ‖ **darse con la cabeza en la pared** o **en las paredes.** fr. fig. y fam. Desesperarse por haber obrado torpemente. ‖ **de cabeza.** loc. adv. **de memoria.** Ú. con los verbos *aprender, hablar, tomar,* etc. ‖ **2.** Con rapidez y decisión, sin vacilaciones, sin pararse en obstáculos. ‖ **3.** Con muchos quehaceres urgentes. Ú. m. con los verbos *andar, estar.* ‖ **de mi cabeza, de** su **cabeza,** etc. expr. De propio ingenio o invención. ‖ **dejar** una cosa **en cabeza de mayorazgo.** fr. Vincularla. ‖ **descomponérsele** a alguien **la cabeza.** fr. Turbársele la razón, o perder el juicio. ‖ **doblar la cabeza.** fr. fig. y fam. **bajar la cabeza.** ‖ **2. morir.** ‖ **dolerle** a alguien **la cabeza.** fr. fig. y fam. Estar próximo a caer de su privanza y autoridad. ‖ **echar de cabeza.** fr. *Agr.* Tratándose de vides y otras plantas, enterrar algunos de sus sarmientos o varas para que arraiguen y se puedan transplantar después. ‖ **2.** fig. *Méj.* Denunciar o descubrir a alguien en un asunto reservado. ‖ **en cabeza.** loc. adv. **a la cabeza,** delante, en primer lugar. ‖ **2.** *Amér.* A pelo, con la cabeza descubierta. ‖ **en cabeza de mayorazgo.** loc. fig. y fam. con que se pondera la mucha estimación que se hace de una cosa. ‖ **encajársele** a alguien **en la cabeza** alguna cosa. fr. fig. **metérsele** a alguien **en la cabeza** alguna cosa. ‖ **encasquetarle** a alguien **en la cabeza** alguna cosa. fr. fig. y fam. Darle con ella un golpe como para encajársela en el cráneo. ‖ **2.** fig. Convencerle de ella. ‖ **en volviendo la cabeza.** fr. fig. y fam. **a un volver de cabeza.** ‖ **escarmentar en cabeza ajena.** fr. Tener presente el suceso adverso ajeno para evitar la misma suerte. ‖ **estar** una cosa **en cabeza de mayorazgo.** fr. Estar vinculada. ‖ **flaco de cabeza.** expr. Se dice de la persona poco firme en sus juicios e ideas. ‖ **hacer cabeza.** fr. Ser el principal en un negocio o grupo de personas. ‖ **2.** ant. Hacer frente a los enemigos. ‖ **henchir** a alguien **la cabeza de viento.** fr. fig. y fam. Adularlo, lisonjearlo, llenarle de vanidad. ‖ **hundir de cabeza.** fr. *Agr.* **echar de cabeza.** ‖ **ir cabeza abajo.** fr. fig. y fam. Decaer, arruinarse por grados. ‖ **írsele** a alguien **la cabeza.** fr. fig. Perturbársele el sentido o la razón. ‖ **2.** fig. **andársele** a alguien **la cabeza.** ‖ **jugarse la cabeza.** fr. fig. Ponerse en gran peligro o en peligro de muerte. ‖ **2.** fig. Apostarse la **cabeza.** ‖ **levantar cabeza.** fr. fig. y fam. **alzar cabeza.** ‖ **levantar** alguien **de su cabeza** alguna cosa. fr. fig. y fam. Fingirla o inventarla. ‖ **llenar** a alguien **la cabeza de viento.** fr. fig. y fam. **henchir** a alguien **la cabeza de viento.** ‖ **llevar en la cabeza.** fr. fig. y fam. Salir alguien mal de algún lance. ‖ **meter** a alguien **en la cabeza** alguna cosa. fr. fig. y fam. Persuadirle de ella eficazmente. ‖ **2.** fig. y fam. Hacérsela comprender o enseñársela, venciendo con trabajo su torpeza o ineptitud. ‖ **meter la cabeza** en alguna parte. fr. fig. y fam. Conseguir introducirse o ser admitido en ella. ‖ **meter la cabeza en un puchero.** fr. fig. y fam. con que se da a entender que, aunque ha padecido equivocación notoria en alguna materia, mantiene su dictamen con gran tesón y terquedad. ‖ **meterse de cabeza.** fr. fig. y fam. Entrar de lleno en un negocio. ‖ **metérsele** a alguien **en la cabeza** alguna cosa. fr. fig. y fam. Figurársela con poco o ningún fundamento y obstinarse en considerarla cierta o probable. ‖ **2.** fig. y fam. Perseverar en un propósito o capricho. ‖ **no haber donde volver la cabeza.** fr. fig. **no tener donde volver la cabeza.** ‖ **no levantar cabeza.** fr. fig. Estar muy atareado, especialmente en leer y escribir. ‖ **2.** fig. No acabar de convalecer de una enfermedad, padeciendo frecuentes recaídas. ‖ **3.** fig. No poder salir de la pobreza o miseria. ‖ **no tener donde volver la cabeza** fr. fig. No hallar auxilio, carecer de todo favor y amparo. ‖ **oler la cabeza a pólvora.** fr. fig. y fam. Estar en peligro de ejecución o muerte violenta. ‖ **otorgar de cabeza.** fr. Bajarla para decir que sí. ‖ **pasarle** a alguien una cosa **por la cabeza.** fr. fig. y fam. Antojársele, imaginarla. ‖ **pasársele** a alguien **la cabeza.** fr. Resfriarse. ‖ **perder la cabeza.** fr. fig. Faltarle u ofuscársele la razón o el juicio por algún accidente. ‖ **podrido de cabeza.** expr. ant. fig. **loco,** que ha perdido la razón. ‖ **2.** ant. fig. **necio.** ‖ **poner** una cosa **en cabeza de mayorazgo.** fr. **dejarla en cabeza de mayorazgo.** ‖ **ponérsele** a alguien **en la cabeza** alguna cosa. fr. **metérsele en la cabeza.** ‖ **poner sobre la cabeza** alguna cosa. fr. Tratándose de bulas, breves, despachos reales, etc., ponerlos sobre su **cabeza** el que los recibe, en señal de respeto y reverencia. ‖ **2.** fig. Hacer grandísima estimación de alguna cosa. ‖ **por** su **cabeza.** loc. adv. Por su dictamen, sin consultar ni tomar consejo. ‖ **quebrantar** a alguien **la cabeza.** fr. fig. Humillar su soberbia, sujetarlo. ‖ **2.** fig. Cansarlo y molestarlo con pláticas y conversaciones necias, porfiadas o pesadas. ‖ **quebrarle** a alguien **la cabeza.** fr. fig. y fam. **quebrantar la cabeza,** cansarle con pláticas molestas. ‖ **quebrarse la cabeza.** fr. fig. y fam. Hacer o solicitar alguna cosa con gran cuidado, diligencia o empeño, o buscarla con mucha solicitud, especialmente cuando es difícil o imposible su logro. ‖ **quitar** a alguien **de la cabeza** alguna cosa. fr. fig. y fam. Disuadirle del concepto que había formado o del ánimo que tenía. ‖ **quitar la cabeza.** fr. fig. y fam. con que se denota que una persona o cosa causa extremada admiración. ‖ **romper** a alguien **la cabeza.** fr. Descalabrarle o herirle en ella. ‖ **2.** fig. y fam. **quebrantar la cabeza,** cansar y molestar. ‖ **romperse la cabeza.** fr. fig. y fam. **devanarse los sesos.** ‖ **sacar** alguien **de** su **cabeza** alguna cosa. fr. fig. y fam. **levantarla de** su **cabeza.** ‖ **sacar la cabeza.** fr. fig. y fam. Manifestarse o dejarse ver alguno o alguna cosa que no se había visto en algún tiempo. *Empiezan los bulos a* SACAR LA CABEZA. ‖ **2.** fig. y fam. Gallear, empezar a atreverse a hablar o hacer alguna cosa el que estaba antes abatido o tímido. ‖ **sentar la cabeza.** fr. fig. y fam. Hacerse juicioso y moderar su conducta el que era turbulento y desordenado. ‖ **subirse** una cosa **a la cabeza.** fr. Ocasionar aturdimiento alguna cosa material o inmaterial, como el vino, la vanagloria, etc. ‖ **tener la cabeza a las once,** o **a pájaros.** fr. fig. y fam. No tener juicio. ‖ **2.** fig. y fam. Estar distraído. ‖ **tener la cabeza como una olla de grillos.** fr. fig. y fam. Estar atolondrado. ‖ **tener la cabeza en su sitio.** fr. fig. Ser muy juicioso. ‖ **tener mala cabeza.** fr. fig. y fam. Proceder sin juicio ni consideración. ‖ **tocado de la cabeza.** expr. fig. y fam. Dícese de la persona que empieza a perder el juicio. ‖ **torcer** alguien **la cabeza.** fr. fig. y fam. **enfermar.** ‖ **2.** fig. y fam. **morir,** acabar uno la vida. ‖ **tornar cabeza** a alguna cosa. fr. fig. Tener atención o consideración a ella. ‖ **traer** algo o alguien a una persona **de cabeza.** fr. fig. Provocarle molestias. *Este asunto* ME TRAE DE CABEZA. Ú. t. con el verbo *llevar.* ‖ **2.** fig. Estar muy enamorado. ‖ **traer** alguien **sobre** su **cabeza** a una persona o cosa. fr. fig. **ponerla sobre la cabeza,** hacer grandísima estimación de ella. ‖ **vestirse por la cabeza** una persona. fr. fig. y fam. Ser del sexo femenino o bien clérigo o religioso. ‖ **volver la cabeza** a alguna cosa. fr. fig. **tornar cabeza.** ‖ **volvérsele** a alguien **la cabeza.** fr. **perder la cabeza.**

cabezada. f. Golpe dado con la cabeza. ‖ **2.** El que se recibe en ella chocando con un cuerpo duro. ‖ **3.** Cada movimiento o inclinación que hace con la cabeza el que, sin estar acostado, se va durmiendo. ‖ **4.** Inclinación de cabeza, como saludo de cortesía. ‖ **5.** Acción de cabecear una embarcación. ‖ **6.** Correaje que ciñe y sujeta la cabeza de una caballería, al que está unido el ramal. ‖ **7.** Guarnición de cuero, cáñamo o seda que se pone a las caballerías en la cabeza y sirve para afianzar el bocado. ‖ **8.** Cordel con que los encuadernadores cosen las cabeceras de los libros. ‖ **9.** En las botas, cuero que cubre el pie. ‖ **10.** Parte más elevada de una haza de tierra. ‖ **11.** *Argent., Ecuad.* y *Par.* Arzón de la silla de montar. ‖ **12.** *Argent., Cuba* y *Méj.* Cabecera de un río. ‖ **potrera.** La de cáñamo que se pone a los potros. ‖ **dar cabezadas.** fr. fam. **cabecear** el que está durmiendo. ‖ **dar la cabezada.** fr. fig. y fam. Dar el pésame. ‖ **darse de cabezadas.** fr. fig. y fam. Fatigarse en inquirir o averiguar alguna cosa sin poder dar con ella. ‖ **darse de cabezadas por las paredes.** fr. fig. y fam. **darse contra las paredes.** ‖ **echar una cabezada.** fr. fam. Dormir una siesta breve.

cabezador. (De *cabeza.*) m. ant. **cabezalero,** testamentario.

cabezaje. m. ant. **capitación.** ‖ **a cabezaje.** loc. adv. ant. Por cabezas.

cabezal. m. Almohada pequeña, comúnmente cuadrada o cuadrilonga, en que se reclina la cabeza. ‖ **2.** Pedazo de lienzo con varios dobleces que se ponía sobre la cisura de la sangría, y que en cirugía sirve también para otros usos análogos. ‖ **3.** Almohada larga que ocupa toda la cabecera de la cama. ‖ **4.** Colchoncillo angosto para dormir en los escaños o poyos junto a la lumbre. ‖ **5.** En los coches, parte que va sobre el juego delantero, y se compone de dos pilares labrados, con su asiento, de dos piezas chicas llamadas tijeras, de otra que cubre la clavija maestra y de la telera. ‖ **6.** *Ar.* Melena o yugo de la campana. ‖ **7.** *Fort.* Larguero superior del bastidor de encofrado de una mina. ‖ **8.** *Fort.* En el puente levadizo, viga que se apoya en la contraescarpa o en la primera pila del puente. ‖ **9.** *Mec.* Pieza fija del torno en la que gira el árbol.

cabezalejo. m. d. de **cabezal.**

cabezalería. (De *cabezalero.*) f. ant. **albaceazgo.**

cabezalero, ra. m. y f. **testamentario.** ‖ **2.** Persona que hace cabeza entre los que llevan foro, y cobra y paga el canon por todos, entendiéndose con el dueño.

cabezazo. m. Golpe dado con la cabeza.

cabezcaído, da. (De *cabeza* y *caído.*) adj. desus. **cabizcaído.**

cabezo. (Del lat. *capitĭum,* de *caput,* cabeza.) m. Cerro alto o cumbre de una montaña. ‖ **2.** Montecillo aislado. ‖ **3. cabezón** de la camisa. ‖ **4.** *Mar.* Roca de cima redonda que sobresale del agua o dista poco de la superficie de esta.

cabezón[1]. m. aum. de **cabeza.** ‖ **2.** Padrón o lista de los contribuyentes y contribuciones, y escritura de obligación de la cantidad que se ha de pagar de alcabala y otros impuestos. ‖ **3. renacuajo,** larva de rana. ‖ **4.** Lista de lienzo doblado que se cosía en la parte superior de la camisa y, rodeando el cuello, se aseguraba con unos botones o cintas. ‖ **5.** Abertura que tiene cualquier ropaje para poder sacar la cabeza. ‖ **6. cabezada,** correaje de una caballería.

En algunas regiones, la de correa fuerte y holgada, sin frontalera y muy alta de muserola en cuya parte anterior lleva la argolla para el ronzal. ‖ **7. cabezón de serreta.** ‖ **8.** ant. **encabezamiento** para el pago de la contribución. ‖ **de cuadra. cabezada** de una caballería. ‖ **de serreta.** Cabezada con serreta. ‖ **agarrar, llevar,** o **traer, de los cabezones** a alguien. fr. fig. y fam. Llevarle a donde se quiere o contra su voluntad.

cabezón[2], na. adj. fam. **cabezudo,** que tiene grande la cabeza. Ú. t. c. s. ‖ **2.** Terco, obstinado. Ú. t. c. s. ‖ **3.** Dícese de la bebida de alta graduación, que se sube a la cabeza.

cabezonada. (De *cabezón.*) f. fam. Acción propia de persona terca u obstinada.

cabezorro. m. aum. fam. Cabeza grande y desproporcionada.

cabezota. f. aum. de **cabeza.** ‖ **2.** com. fam. Persona que tiene la cabeza muy grande. ‖ **3.** fig. y fam. Persona terca y testaruda. Ú. t. c. adj.

cabezote. m. *And., Can.* y *Cuba.* Piedra sin labrar y de buen tamaño empleada en mampostería.

cabezudamente. adv. m. Terca y obstinadamente.

cabezudo, da. adj. Que tiene grande la cabeza. ‖ **2.** fig. y fam. Terco, obstinado. ‖ **3.** fig. y fam. Dícese del vino muy espiritoso. ‖ **4.** V. **sarmiento cabezudo.** ‖ **5.** m. Figura que resulta de ponerse una persona una gran cabeza de cartón, lo que le da la apariencia de enano. Suelen acompañar a los gigantones en algunas fiestas. ‖ **6. mújol.** ‖ **7.** *Ar.* **renacuajo,** larva de anfibio.

cabezuela. f. d. de **cabeza.** ‖ **2.** Harina más gruesa que sale del trigo después de sacada la flor. ‖ **3.** Heces que cría el vino a los dos o tres meses de haberse desliado el mosto. ‖ **4.** Planta perenne de la familia de las compuestas, de 10 a 12 decímetros de altura, con tallo anguloso, ramos mimbreños y velludos, hojas aserradas, ásperas y erizadas, y flores blancas o purpúreas con los cálices cubiertos de espinas muy pequeñas. Es indígena de España y se emplea para hacer escobas. ‖ **5.** Botón de la rosa, que se usa en las boticas para preparar agua de olor. ‖ **6.** *Bot.* Inflorescencia cuyas flores, que son sentadas o tienen un pedúnculo muy corto, están insertas en un receptáculo, comúnmente rodeado de brácteas. ‖ **7.** com. fig. y fam. Persona de poco juicio. ‖ **quitar la cabezuela al vino.** fr. Trasegar el vino a los dos o tres meses de haberse desliado el mosto, para separarlo de las heces que nuevamente ha criado.

cabezuelo. m. d. de **cabezo.**

cabida. (De *caber.*) f. Espacio o capacidad que tiene una cosa para contener otra. ‖ **2.** Extensión superficial de un terreno o heredad. ‖ **tener cabida,** o **gran cabida, con** alguna persona o **en** alguna parte. fr. fig. Tener valimiento.

cabido, da. p. p. de **caber.** ‖ **2.** adj. ant. Bien admitido, estimado. ‖ **3.** En la orden de San Juan, decíase del caballero o freile que por opción o derecho disfrutaba o beneficiaba una encomienda.

cabila. (Del ár. *qabila,* tribu.) f. Tribu de beduinos o de beréberes.

cabildada. f. fam. Resolución atropellada o imprudente de una comunidad o cabildo.

cabildante. m. *Amér. Merid.* Regidor o concejal.

cabildear. (De *cabildo.*) intr. Gestionar con actividad y maña para ganar voluntades en un cuerpo colegiado o corporación.

cabildeo. m. Acción y efecto de cabildear. ‖ **andar de cabildeos.** fr. **intrigar.**

cabildero. m. El que cabildea.

cabildo. (Del lat. *capitŭlum.*) m. Cuerpo o comunidad de eclesiásticos capitulares de una iglesia catedral o colegial. ‖ **2.** En algunos pueblos, cuerpo o comunidad que forman los eclesiásticos que hay con privilegio para ello. ‖ **3. ayuntamiento,** corporación que rige un municipio. ‖ **4.** Junta celebrada por un **cabildo.** ‖ **5.** Sala donde se celebra. ‖ **6.** Capítulo que celebran algunas religiones para elegir sus prelados y tratar de su gobierno. ‖ **7.** Junta de hermanos de ciertas cofradías, aunque sean legos. ‖ **8.** En algunos puertos, corporación o gremio de matriculados que atiende principalmente a socorros mutuos. ‖ **9.** Sesión celebrada por este gremio. ‖ **10.** Corporación que en Canarias representa a los pueblos de cada isla y administra los intereses comunes de ellos y los peculiares de esta.

cabileño, ña. adj. Propio de la cabila o perteneciente a ella. ‖ **2.** m. Individuo de una cabila.

cabilla. (dialect. del lat. **cavicŭla,* por *clavicŭla,* clavija.) f. V. **hierro cabilla.** ‖ **2.** *Mar.* Barra redonda de hierro, de seis a ocho centímetros de grueso, con la cual se clavan las curvas y otros maderos que entran en la construcción de los buques. ‖ **3.** *Mar.* Cada una de las barritas de madera o de metal que sirven para manejar la rueda del timón y para amarrar los cabos de labor.

cabillero. m. *Mar.* Pieza de madera o metal con agujeros, por los que se atraviesan las cabillas que sirven para amarrar y tomar vuelta a los cabos de labor.

cabillo[1]. (d. de *cabo*[1].) m. **pezón** de las plantas.

cabillo[2]. m. ant. **cabildo.**

cabimiento. m. **cabida,** espacio para contener. ‖ **2.** En la orden de San Juan, opción o derechos que por antigüedad tenían los caballeros y freiles para obtener las encomiendas o beneficios de ella. ‖ **tener cabimiento.** fr. Referido a juros, caber o tener lugar en el valor de la renta sobre que estaban consignados.

cabina. (Del fr. *cabine.*) f. Cuarto pequeño, generalmente aislado, para usos muy diversos. ‖ **2.** Cada uno de los compartimientos que hay en un locutorio para uso individual del teléfono. ‖ **3.** Por ext., caseta, generalmente acristalada, instalada en la calle para uso del teléfono público. ‖ **4.** En los cines, aulas, salas de conferencias, etc., recinto aislado donde están los aparatos de proyección y los registros de sonido. ‖ **5.** En aeronaves, camiones y otros vehículos automóviles, espacio reservado para el piloto, conductor y demás personal técnico. En los aviones, es también el espacio en que se acomodan los pasajeros. ‖ **6.** En playas e instalaciones deportivas, recinto para cambiarse de ropa. ‖ **electoral.** La utilizada para garantizar el voto secreto antes de llegar a la urna.

cabinera. (De *cabina.*) f. *Col.* Azafata de avión.

cabio. (De *cabrio.*) m. Vara o listón que se atraviesa a las vigas para formar suelos y techos. ‖ **2.** *Arq.* Madero menor que la carrera, sobre el cual van asentados los maderos de suelo. ‖ **3.** *Arq.* Madero de suelo, más grueso que los demás del entramado, que cierra de cada lado el hueco de una chimenea y lleva ensamblado el brochal. ‖ **4.** *Arq.* **cabrio** de la armadura del tejado. ‖ **5.** *Arq.* Travesaño superior e inferior que con los largueros forman el marco de las puertas o ventanas.

cabizbajo, ja. adj. Dícese de la persona que tiene la cabeza inclinada hacia abajo por abatimiento, tristeza o cuidados graves.

cabizcaído, da. (De *cabezcaído.*) adj. **cabizbajo.**

cabizmordido, da. (Del ant. *cabezmordido.*) adj. fam. desus. Deprimido de nuca.

cable. (De or. inc., probablemente del b. lat. *capŭlum,* cuerda.) m. Maroma gruesa. ‖ **2. cablegrama.** ‖ **3.** fig. Ayuda que se presta al que está en una situación comprometida. Ú. m. en las frases *echar, lanzar* o *tender un* CABLE. ‖ **4.** *Mar.* Cabo grueso que se hace firme en el arganeo de un ancla. ‖ **5.** *Mar.* Décima parte de la milla, equivalente a 185 metros. ‖ **de alambre.** El construido con alambres torcidos en espiral. ‖ **de cadena.** *Mar.* Cadena gruesa de hierro, cada uno de cuyos eslabones tiene en medio un dado que forma dos ojos o agujeros, para que no pueda enredarse ni hacer cocas. ‖ **eléctrico.** Cordón formado con varios conductores aislados unos de otros y protegido generalmente por una envoltura que reúna la flexibilidad y resistencia necesarias al uso a que el **cable** se destine. ‖ **herciano.** Sistema de comunicación realizado mediante ondas electromagnéticas dirigidas, bien entre dos estaciones directas, bien con ayuda de repetidores intermedios. ‖ **submarino.** El eléctrico algo reforzado y aislado con esmero, que se forra con una envoltura que lo defiende de la humedad, y se rodea después de una armadura formada por vueltas de alambre, para evitar los peligros del roce con las rocas, la acción destructora de los peces, etc. Se emplea como conductor en las líneas telegráficas submarinas.

cableado. m. *Electr.* Operación de establecer conexiones eléctricas mediante cables. ‖ **2.** *Electr.* Conjunto de los cables que forman parte de un sistema o aparato eléctrico.

cablear. (De *cable.*) tr. *Electr.* Unir mediante cables las diferentes partes de un dispositivo eléctrico.

cablegrafiar. (De *cable* y *-grafo,* terminación de telégrafo.) tr. Transmitir noticias por cable submarino.

cablegráfico, ca. adj. Perteneciente o relativo al cablegrama.

cablegrama. (De *cable* y *-grama,* terminación de *telegrama.*) m. Telegrama transmitido por cable submarino.

cablero, ra. adj. Dícese del buque destinado a tender y reparar cables telegráficos submarinos. Ú. t. c. s.

cablieva. (Del b. lat. *caplevāre,* fiar.) f. ant. Fianza de saneamiento.

cabo[1]. (Del lat. *caput,* cabeza.) m. Cualquiera de los extremos de las cosas. ‖ **2.** V. **verso de cabo roto.** ‖ **3.** Extremo o parte pequeña que queda de alguna cosa. CABO *de hilo, de vela.* ‖ **4. mango[1].** ‖ **5.** En algunos oficios, hilo o hebra. ‖ **6.** En las aduanas, lío pequeño que no llega a fardo. ‖ **7.** Lengua de tierra que penetra en el mar. *El* CABO *de Buena Esperanza.* ‖ **8.** En el juego del revesino, carta inferior de cualquiera de los cuatro palos, como el dos. ‖ **9.** En el mismo juego, cualquier otra carta cuando han salido todas las superiores a ella. ‖ **10.** Caudillo, capitán, jefe. ‖ **11.** Parte, lugar, sitio o lado. ‖ **12.** fig. **fin,** término de una cosa. ‖ **13.** fig. **fin,** límite o confín. ‖ **14.** ant. Parte, requisito, circunstancia. ‖ **15.** ant. fig. Suma perfección. ‖ **16.** *Ar.* Párrafo, división o capítulo. ‖ **17.** *Mar.* **cuerda** de atar o suspender pesos. ‖ **18.** *Mil.* Individuo de la clase de tropa inmediatamente superior al soldado. En algunos cuerpos ha habido **cabos** primeros y segundos que se diferenciaban casi exclusivamente en el distintivo. ‖ **19.** prep. ant. **cabe[2].** ‖ **20.** pl. Piezas sueltas que se usan con el vestido y que son aditamentos o adornos, pero no partes principales de él. ‖ **21.** Patas, hocico y crines del caballo o yegua. *Yegua castaña con* CABOS *negros.* ‖ **22.** fig. Diversos temas que se han tocado en algún asunto o discurso. ‖ **blanco.** *Mar.* El que no está alquitranado. ‖ **de agua.** El fogonero encargado, en buques grandes de vapor, de vigilar a fogoneros y paleros y controlar el nivel de regulación del agua. ‖ **de año. aniversario,** oficio, misa en sufragio de un difunto. ‖ **de armería.** *Nav.* Casa solariega de un linaje. ‖ **de barra.** Real de a ocho mejicano, que en su forma muestra que es el último hecho de la barra o remate de ella. ‖ **2.** desus. Última moneda que se da cuando se ajusta una cuenta, aunque no llegue a completarla o exceda algo de ella. ‖ **de cañón.** *Mar.* Soldado o marinero encargado del manejo de una pieza de artillería. ‖ **de casa.** ant. Superior o cabeza de una familia. ‖ **de escuadra.** *Mil.* El que manda una escuadra de soldados. ‖ **de fila.** *Mil.* Soldado que está a la cabeza de la fila. ‖ **de labor.** *Mar.* Cada una de las cuerdas que sirven para manejar el aparejo. ‖ **de maestranza.** Capataz de una brigada de obreros. ‖ **de mar.** Individuo de clase superior en la marinería de un buque de guerra. ‖ **de rancho.** En los de marinería y tropa, su jefe, y en los de oficiales y subalternos, el que los administra. ‖ **de ronda.** Alguacil que iba gobernando la ronda. ‖ **2.** En el resguardo de rentas, el que mandaba una partida de guardas para impedir los contrabandos. ‖ **3.** *Mil.* Militar que manda una patrulla de noche. ‖ **suelto.** fig. y fam. Circunstancia imprevista o que ha quedado pendiente en algún negocio. ‖ **segundo cabo.** Título jerárquico que vulgarmente se daba al que ejercía la autoridad militar inmediatamente después del capitán general. ‖ **cabos negros.** En las mujeres, pelos, cejas y ojos negros. ‖ **a cabo.** loc. adv. ant. **al cabo.** ‖ **al cabo.** loc. adv. Al fin, por último. ‖ **al cabo, al cabo.** loc. fam. Después de todo, por último, al fin. ‖ **al cabo de.** loc. prepos. Después de. ‖ **al cabo de Dios os salve,** o **te salve.** loc. adv. Después de mucho tiempo. ‖ **al cabo de la jornada.** loc. fam. **al cabo, al cabo.** ‖ **al cabo del mundo.** loc. fam. A cualquier parte, por distante y remota que esté. ‖ **al cabo y a la postre.** loc. fam. **al cabo, al cabo.** ‖ **al cabo y al fin.** loc. adv. **al fin y al cabo.** ‖ **atar cabos.** fr. fig. Reunir o tener en cuenta datos, premisas o antecedentes para sacar una consecuencia. ‖ **cabo adelante.** loc. adv. ant. **cabadelante.** ‖ **dar cabo.** fr. ant. fig. Dar luz, abrir camino. ‖ **2.** *Mar.* Remolcar una nave a otra. ‖ **3.** Auxiliar a una persona caída al agua. ‖ **dar cabo a** una cosa. fr. Perfeccionarla. ‖ **dar cabo de** una cosa. fr. Acabarla, destruirla. ‖ **de cabo.** loc. adv. ant. **nuevamente.** ‖ **2.** ant. **al cabo.** ‖ **de cabo a cabo.** loc. adv. Del principio al fin. ‖ **de cabo a rabo.** loc. adv. fam. **de cabo a cabo.** ‖ **echar a cabo** un negocio. fr. ant. Concluirlo, olvidarlo. ‖ **echar al cabo del tranzado** una cosa. fr. fig. y fam. **echar al trenzado** una cosa. ‖ **echar un cabo** a alguien. fr. fig. Ayudarle en situación comprometida o dificultosa. ‖ **en cabo.** loc. adv. ant. **al cabo.** ‖ **en mi cabo, en tu cabo, en su cabo.** loc. adv. ant. **en mi, en tu, en su solo cabo.** ‖ **en mi, en tu, en su solo cabo.** loc. adv. **a solas.** ‖ **2.** Sin ayuda ajena. ‖ **estar al cabo de** una cosa, o **al cabo de la calle.** fr. fig. y fam. Haber entendido bien alguna cosa y comprendido todas sus circunstancias. ‖ **estar al cabo,** o **muy al cabo.** fr. fig. Estar para morir, en el fin de la vida. ‖ **hasta el cabo del mundo.** loc. fam. **al cabo del mundo.** ‖ **juntar cabos.** fr. fig. **atar cabos.** ‖ **llevar a cabo** o **al cabo,** una cosa. fr. Ejecutarla, concluirla. ‖ **2. darle cabo.** ‖ **3.** fig. **llevarla hasta el cabo.** ‖ **llevar hasta el cabo** una cosa. fr. fig. Seguirla con tenacidad hasta el extremo. LLEVÓ *la disputa, la afición* HASTA EL CABO. ‖ **no tener** una cosa **cabo ni cuerda.** fr. fig. y fam. Estar tan llena de dificultades y contradicciones que no se sabe cómo ponerla en claro o por dónde se ha de empezar. ‖ **ponerse al cabo de** una cosa o **al cabo de la calle.** fr. fig. y fam. Llegar a entender bien alguna cosa y a comprender todas sus circunstancias. ‖ **por cabo,** o **por el cabo.** loc. adv. **extremadamente.** ‖ **por ningún cabo.** loc. adv. De ningún modo, por ningún medio. ‖ **recoger cabos.** fr. fig. **atar cabos.** ‖ **tener** alguna cosa **al cabo del trenzado.** fr. fig. y fam. Conocerla bien. ‖ **unir cabos.** fr. fig. **atar cabos.**

Cabo[2]. n. p. V. **carnero del Cabo.**

caboral. (De *caporal.*) adj. ant. **capital.** ‖ **2.** m. ant. Capitán o cabo que mandaba alguna gente.

caboso, sa. (De *cabo[1]*, extremo.) adj. ant. Cabal, perfecto.

cabotaje. (De *cabo[1]*.) m. *Mar.* Navegación o tráfico que hacen los buques entre los puertos de su nación sin perder de vista la costa, o sea siguiendo derrota de cabo a cabo. La legislación marítima y la aduanera de cada país suelen alterar sus límites en el concepto administrativo, pero sin modificar su concepto técnico. ‖ **2.** V. **buque de cabotaje.** ‖ **3.** Tráfico marítimo en las costas de un país determinado. ‖ **4.** *Argent.* Transporte aeronáutico mediante pago, entre puntos de un mismo Estado. ‖ **gran cabotaje.** El que un buque hace entre los puertos españoles de la Península,

Baleares, Canarias, norte de África, y los puertos extranjeros situados en el Mediterráneo o en la costa africana del Atlántico hasta el cabo Blanco.

caboverdiano, na. adj. Natural de Cabo Verde. Ú. t. c. s. ‖ **2.** Perteneciente o relativo a esta República.

cabra. (Del lat. *capra.*) f. Mamífero rumiante doméstico, como de un metro de altura, ligero, esbelto, con pelo corto, áspero y a menudo rojizo, cuernos huecos, grandes, esquinados, nudosos y vueltos hacia atrás, un mechón de pelos largos colgante de la mandíbula inferior y cola muy corta. ‖ **2.** Hembra de esta especie, algo más pequeña que el macho y a veces sin cuernos. ‖ **3. ariete,** máquina militar. ‖ **4.** Molusco marino de hasta 15 centímetros de largo, de concha formada por dos valvas iguales, pero no equiláteras, abierta por los extremos y sobre todo por el posterior. Se encuentra en Cantabria. ‖ **5.** V. **barba, pata, pie de cabra.** ‖ **6.** *Sal.* Espiga que, por no haberse segado, queda en los rastrojos. ‖ **7.** *Col.* y *Cuba.* **brocha**[1] de pintar. ‖ **8.** *Chile.* Carruaje ligero de dos ruedas. ‖ **9.** fig. y fam. *Chile.* Muchacha. ‖ **10.** pl. **cabrillas,** manchas de las piernas. ‖ **de almizcle. almizclero,** animal que segrega el almizcle. ‖ **del Tíbet. cabra** de pelo muy largo y fino que vive en el Tíbet. ‖ **montés.** Especie salvaje, de color ceniciento o rojizo, con las patas, la barba y la punta de la cola negras, una línea del mismo color a lo largo del espinazo y los cuernos muy grandes, rugosos, echados hacia atrás y con la punta retorcida. Vive en las regiones más escabrosas de España. ‖ **cargar las cabras** a alguien. fr. fig. y fam. Hacer que pague solo lo que con otro u otros ha perdido. ‖ **2.** fig. y fam. Echar la culpa al que no la tiene. ‖ **echar cabras,** o **las cabras.** fr. fig. y fam. Jugar los que han perdido algún partido para ver quien ha de pagar lo que se ha perdido entre todos. ‖ **echar las cabras** a alguien. fr. fig. y fam. **cargar las cabras** a alguien. ‖ **estar como una cabra.** fr. fig. Estar loco, chiflado. ‖ **la cabra siempre tira al monte.** expr. con que se significa que regularmente se obra según el origen o natural de cada uno. ‖ **meterle** a alguien **las cabras en el corral.** fr. fig. y fam. Atemorizarle, infundirle miedo.

cabracho. m. **escorpina.**

cabrada. f. Rebaño de cabras.

cabrafigar. (Del lat. *caprificāre.*) tr. ant. **cabrahigar.**

cabrafigo. (Del lat. *caprificus.*) m. ant. **cabrahígo.**

cabrahigadura. f. Acción y efecto de cabrahigar.

cabrahigal. m. **cabrahigar**[1].

cabrahigar[1]**.** m. Terreno poblado de cabrahígos.

cabrahigar[2]**.** (De *cabrafigar.*) tr. Colgar sartas de higos silvestres o cabrahígos en las ramas de las higueras, con lo cual se cree que, por mejor fecundación, los frutos de estas serán más sazonados y dulces.

cabrahígo. (Del lat. *caprificus.*) m. Higuera silvestre. ‖ **2.** Fruto de este árbol.

cabrear. tr. Meter ganado cabrío en un terreno. ‖ **2.** fig. y fam. Enfadar, amostazar, poner a alguien malhumorado o receloso. Ú. m. c. prnl. ‖ **3.** *Perú.* Esquivar engañosamente, sobre todo en juegos deportivos o infantiles. ‖ **4.** intr. *Chile.* Ir saltando y brincando.

cabreia. (Del lat. *caprĕa,* cabra.) f. ant. **cabra,** máquina militar.

cabreo[1]**.** (Del b. lat. *capibrevĭum,* y este del lat. *caput,* cabeza, y *brevis,* pequeña.) m. *Ar.* **becerro,** libro de los privilegios de una iglesia. ‖ **2.** *Ar.* **becerro,** el libro que servía para anotar las pertenencias de ella. ‖ **3.** *Ar.* **becerro,** el que servía para sentar las iglesias y piezas de real patronato.

cabreo[2]**.** m. Acción y efecto de cabrear o cabrearse.

cabrera. f. Pastora de cabras. ‖ **2.** Mujer del cabrero.

cabrería. (De *cabrero.*) f. Lugar en que se vende leche de cabras. ‖ **2.** Casa en donde se recogen las cabras por la noche. ‖ **3.** ant. Ganado cabrío.

cabreriza. f. Choza en que se guarda el hato y en que se recogen de noche los cabreros, situada en la inmediación de los corrales donde se meten las cabras. ‖ **2. cabrera,** mujer del cabrero.

cabrerizo, za. adj. Perteneciente o relativo a las cabras. ‖ **2.** m. **cabrero,** pastor de cabras.

cabrero. (Del lat. *caprarĭus.*) m. Pastor de cabras. ‖ **2.** Pájaro poco más grande que el canario, de cabeza negra con listas blancas y cuerpo amarillo anaranjado, con una mancha verdosa en el lomo. Abunda en la isla de Cuba, donde anida hasta en la jaula.

cabrestante. (De or. inc.; cf. prov. *cabestran.*) m. Torno de eje vertical que se emplea para mover grandes pesos por medio de una maroma o cable que se va arrollando en él a medida que gira movido por la potencia aplicada en unas barras o palancas que se introducen en las cajas abiertas en el canto exterior del cilindro o en la parte alta de la máquina. ‖ **2.** Torno de diferentes formas, generalmente accionado por un motor, y destinado a levantar y desplazar grandes pesos.

cabrevación. f. *Ar.* Acción y efecto de cabrevar.

cabrevar. (Del b. lat. *capibrevĭum,* cabreo.) tr. *Ar.* Apear en los terrenos realengos las fincas que estaban sujetas al pago de los derechos del patrimonio real.

cabreve. m. *Ar.* Acción de cabrevar.

cabria. (Del lat. *caprĕa,* cabra.) f. Máquina para levantar pesos, cuya armazón consiste en dos vigas ensambladas en ángulo agudo, mantenidas por otra que forma trípode con ellas, o bien por una o varias amarras. Un torno colocado entre las dos vigas y una polea suspendida del vértice reciben la cuerda con que se maniobra el peso.

cabrial. m. ant. **cabrio** de la armadura del tejado.

cabrilla. (d. de *cabra.*) f. Pez teleósteo, acantopterigio, de unos dos decímetros de largo, boca grande con muchos dientes, color azulado oscuro, con cuatro fajas encarnadas a lo largo del cuerpo y la cola mellada. Salta mucho en el agua y su carne es blanda e insípida. ‖ **2.** Trípode de madera en que los carpinteros y aserradores sujetan los maderos grandes para labrarlos o aserrarlos. ‖ **3.** pl. Manchas o vejigas que se hacen en las piernas por permanecer mucho tiempo cerca del fuego. ‖ **4.** Juego de muchachos, que consiste en tirar piedras planas sobre la superficie del agua y de modo que corran largo trecho rebotando. ‖ **5.** Pequeñas olas blancas y espumosas que se levantan en el mar cuando este empieza a agitarse.

cabrillear. intr. Formarse cabrillas en el mar. ‖ **2. rielar** la luz.

cabrilleo. m. Acción de cabrillear.

cabrina. (Del lat. *caprina,* de cabra.) f. ant. Piel de cabra.

cabrio. (Del lat. *caprĕus.*) m. *Arq.* Madero colocado paralelamente a los pares de una armadura de tejado para recibir la tablazón. ‖ **2.** Madero de construcción, variable según las comarcas, de tres a seis metros de longitud y de 10 a 15 centímetros de tabla. ‖ **3.** *Blas.* Pieza honorable, en forma de medio sotuer, cuya punta se alarga hasta el centro del jefe y queda como un compás abierto.

cabrío, a. adj. Perteneciente a las cabras. ‖ **2.** V. **macho cabrío.** ‖ **3.** m. Ganado **cabrío;** rebaño de cabras. ‖ **4.** ant. **cabrón,** macho de la cabra.

cabriol. (Del lat. *capreŏlus.*) m. ant. **cabrio.**

cabriola. (Del it. *capriola.*) f. Brinco que dan los que danzan, cruzando varias veces los pies en el aire. ‖ **2.** fig. **voltereta** en el aire. ‖ **3.** fig. Salto que da el caballo, soltando un par de coces mientras se mantiene en el aire.

cabriolar. intr. Dar o hacer cabriolas.

cabriolé. (Del fr. *cabriolet.*) m. Especie de birlocho o silla volante. ‖ **2.** Especie de capote con mangas o aberturas en los lados para sacar por ellas los brazos, y que con diferentes hechuras usaban hombres y mujeres.

cabriolear. intr. **cabriolar.**

cabríolo. (Del lat. *capreŏlus.*) m. ant. **cabrito,** cría de la cabra.

cabrita. (d. de *cabra.*) f. **cabra,** máquina militar. ‖ **2.** ant. Piel de cabrito adobada.

cabritada. f. Acción malintencionada.

cabritero, ra. adj. V. **navaja cabritera.** ‖ **2.** V. **cuchillo cabritero.** ‖ **3.** m. y f. Persona que vende carne de cabrito. ‖ **4.** m. ant. El que aderezaba y adobaba cabritillas.

cabritilla. f. Piel curtida de cualquier animal pequeño, como cabrito, cordero, etc.

cabrito. m. Cría de la cabra desde que nace hasta que deja de mamar. ‖ **2.** fig. **cabrón,** el que consiente el adulterio de su mujer. ‖ **3.** Cliente de casas de lenocinio. ‖ **4.** pl. *Chile.* Rosetas de maíz.

cabrituno, na. adj. Perteneciente o relativo al cabrito.

cabro. (Del lat. *caper, -pri.*) m. **cabrón,** macho de la cabra. ‖ **2.** *Bol., Chile* y *Ecuad.* Niño, jovencillo.

cabrón. (aum. de *cabra.*) m. Macho de la cabra. ‖ **2.** fig. y vulg. El que consiente el adulterio de su mujer. Ú. t. c. adj. ‖ **3.** El casado con mujer adúltera. ‖ **4.** El que aguanta cobardemente los agravios o impertinencias de que es objeto. ‖ **5.** El que hace cabronadas o malas pasadas a otro. ‖ **6.** *Amér. Merid.* Rufián que trafica con mujeres públicas.

cabronada. (De *cabrón,* que consiente el adulterio de su mujer.) f. vulg. Acción infame consentida contra la propia honra. ‖ **2.** fig. y vulg. Cualquier incomodidad grave e importuna que hay que aguantar por alguna consideración. ‖ **3.** fig. y vulg. Mala pasada, acción malintencionada o indigna contra otro.

cabronzuelo. m. d. de **cabrón.**

cabruna. f. ant. Piel de cabra. Ú. en Aragón.

cabruno, na. adj. Perteneciente o relativo a la cabra. ‖ **2.** V. **barba, ruda cabruna.** ‖ **3.** V. **sauce cabruno.**

cabruñar. tr. *Ast.* Sacar o renovar el corte al dalle o guadaña, picándolo en toda su longitud con un martillo adecuado sobre un yunque pequeño que se clava en tierra.

cabruño. m. *Ast.* Acción y efecto de cabruñar.

cabujón. (Del fr. *cabochon.*) m. Piedra preciosa pulimentada y no tallada, de forma convexa.

caburé. (De or. guaraní.) m. Ave de rapiña, menor que el puño, parda, redondita y fornida; aturde con su chillido a los pájaros de tal manera que no huyen al acercárseles ella para devorarlos. Vive en las selvas del Paraguay y de la Argentina, y sus plumas son muy codiciadas por el vulgo, que les atribuye poder mágico.

cabuya. (De or. caribe.) f. **pita**[1]. ‖ **2.** Fibra de la pita, con que se fabrican cuerdas y tejidos. ‖ **3.** *And.* y *Amér.* Cuerda, y especialmente la de pita. ‖ **4.** *Mar.* **cabuyería.** ‖ **dar cabuya.** fr. *Amér. Merid., Cuba* y *P. Rico.* **amarrar** con cuerdas o cadenas. ‖ **2.** fig. *P. Rico.* Dar largas. ‖ **ponerse en la cabuya.** fr. fig. *Amér. Merid.* Coger el hilo, ponerse al cabo de algún asunto.

cabuyera. f. Conjunto de las cabuyas o cuerdas que a cada extremo lleva la hamaca.

cabuyería. (De *cabuya.*) f. *Mar.* Conjunto de cabos menudos.

caca. (Voz infantil como en el lat. *cacāre.*) f. fam. Excremento humano, y especialmente el de los niños pequeños. ‖ **2.** fig. y fam. Defecto o vicio. Ú. comúnmente con los verbos *callar, ocultar, tapar* o *descubrir.* ‖ **3.** fig. y fam. Suciedad, inmundicia.

cacahual. m. *Méj.* **cacaotal.**

cacahuate. m. *Méj.* **cacahuete.**

cacahuatero, ra. m. y f. *Méj.* Vendedor de cacahuates.

cacahué. m. **cacahuete.**

cacahuero. m. *Amér.* Propietario de huertas de cacao, y por ext., individuo que se ocupa especialmente en esta almendra, ya como cultivador, zarandero, cargador de sacos de ella o negociante exportador.

cacahuete. (Del nahua *cacahuatl.*) m. Planta papilionácea anual procedente de América, con tallo rastrero y velloso, hojas alternas lobuladas y flores amarillas. El fruto tiene cáscara coriácea y, según la variedad, dos a cuatro semillas blancas y oleaginosas, comestibles después de tostadas. Se cultiva también para la obtención del aceite. ‖ **2.** Fruto de esta planta.

cacahuey. m. **cacahuete.**

cacalote. (Del nahua *cacalotl.*) m. *Méj.* **cuervo,** ave de plumaje negro. ‖ **2.** *Amér. Central* y *Méj.* Rosetas de maíz.

cacán. m. Lengua hablada por los diaguitas.

cacana. m. **cacán.**

cacao[1]**.** (Del nahua *cacahuatl.*) m. Árbol de América, de la familia de las esterculiáceas, de tronco liso de 5 a 8 metros de altura, hojas alternas, lustrosas, lisas, duras y aovadas; flores pequeñas, amarillas y encarnadas. Su fruto brota directamente del tronco y ramos principales, contiene de 20 a 40 semillas y se emplea como principal ingrediente del chocolate. ‖ **2.** Semilla de este árbol. ‖ **3.** Moneda mesoamericana, que consistía en granos de **cacao.** ‖ **no valer un cacao** alguna cosa. fr. fam. Ser de muy escaso valor.

cacao[2]**.** (Onomatopeya de la voz del gallo que huye.) Ú. solo en la fr. **pedir cacao.** *Méj., Sto. Dom.* y *Venez.* **pedir alafia.**

cacaotal. m. Terreno poblado de cacaos.

cacaotero, ra. m. y f. *Col.* Persona que cultiva cacao o negocia con él.

cacaraña. f. Cada uno de los hoyos o señales que hay en el rostro de una persona, sean o no ocasionados por la viruela.

cacarañado, da. p. p. de **cacarañar.** ‖ **2.** adj. Lleno de cacarañas.

cacarañar. tr. *Guat.* Ocasionar cacarañas la viruela. ‖ **2.** desus. *Méj.* Pellizcar una cosa blanda dejándola llena de hoyos semejantes a las cacarañas.

cacareador, ra. adj. Que cacarea. ‖ **2.** fig. y fam. Que exagera y pondera con arrogancia sus cosas.

cacarear. (Voz imitativa; en lat. *cucurire.*) intr. Dar voces repetidas el gallo o la gallina. ‖ **2.** tr. fig. y fam. Ponderar, exagerar con exceso las cosas propias.

cacareo. m. Acción de cacarear.

cacarizo, za. adj. *Méj.* **cacarañado,** lleno de cacarañas.

cacarro. m. *Ál.* Agalla del roble.

cacaste. m. *Nicar.* **cacastle.** ‖ **2.** *Nicar.* Esqueleto fantasma de toro o vaca que, de noche y en el campo, embiste a los caminantes. ‖ **dejar el cacaste.** fr. fig. *Nicar.* Morir.

cacastle. (Del azteca *cacaxtli,* armazón.) m. *Guat.* y *Méj.* Armazón de madera, de una u otra forma, para llevar algo a cuestas. ‖ **2.** *Guat.* y *Méj.* Especie de banasta para transportar frutos, hortalizas, etc. ‖ **3.** *Guat.* y *Méj.* Esqueleto de los vertebrados, especialmente del hombre.

cacastlero. m. desus. *Guat.* El que transporta mercancía u otras cosas en cacastle.

cacatúa. (Del malayo *kakatw,* voz imitativa de su canto.) f. Ave trepadora de Oceanía, del orden de las psitaciformes, con pico grueso, corto, ancho y dentado en los bordes; mandíbula superior sumamente arqueada, un moño de grandes plumas movibles a voluntad, cola corta y plumaje blanco brillante. Aprende a hablar con facilidad y, domesticada, vive en los climas templados de Europa.

cácavo. (Del lat. *caccăbus.*) m. ant. Cazo, caldera.

cacaxtle. m. *Guat.* y *Méj.* **cacastle.**

cacaxtlero. m. *Guat.* y *Méj.* **cacastlero.**

cacea. f. **caceo.** ‖ **a la cacea.** loc. adv. Procedimiento de pescar a base de remolcar un aparejo de un solo anzuelo, generalmente con cebo artificial o señuelo blanco.

cacear. tr. Revolver una cosa con el cazo. ‖ **2.** intr. *Ast.*

y *Cantabria.* Mover los pescadores el anzuelo incensantemente de un lado a otro.

caceo. m. Acción de cacear.

cacera[1]. (De *caz.*) f. Zanja o canal por donde se conduce el agua para regar.

cacera[2]. (De *cazar.*) f. *Murc.* **cacería,** partida de caza. ‖ **2. cacería,** conjunto de lo cazado.

cacereño, ña. adj. Natural de Cáceres. Ú. t. c. s. ‖ **2.** Perteneciente a esta ciudad o a su provincia.

cacería. f. Partida de caza. ‖ **2.** Conjunto de animales muertos en la caza. ‖ **3.** *Pint.* Cuadro que figura una caza.

cacerina. (De *caza.*) f. Bolsa grande de cuero con divisiones, que se usa para llevar cartuchos y balas. ‖ **2.** *Mar.* Caja pequeña de metal que el cabo de cañón llevaba sujeta a la cintura y en la cual guardaba los estopines o fulminantes con que se daba fuego a la pieza.

cacerola. (De *cazo.*) f. Vasija de metal, de figura cilíndrica, con asas o mango, la cual sirve para cocer y guisar en ella.

cacerolada. f. Protesta mediante una cencerrada de cacerolas.

caceta. f. Cazo con mango corto y fondo taladrado en diversos sitios, que usan los boticarios a modo de colador.

cacica. f. Mujer del cacique. ‖ **2.** Señora de vasallos en alguna provincia o pueblo de indios.

cacicada. f. Acción arbitraria propia de un cacique o de quien se comporta de igual modo.

cacicato. m. **cacicazgo.**

cacicatura. f. **cacicazgo,** autoridad o poder.

cacicazgo. m. Dignidad de cacique o de cacica. ‖ **2.** Territorio que posee el cacique o la cacica. ‖ **3.** fam. Autoridad o poder del cacique de un pueblo o comarca.

cacillo. m. Cazo pequeño.

cacimba. (De *cachimba.*) f. Hoyo que se hace en la playa o en el lecho seco de un río para buscar agua potable. ‖ **2.** Oquedad natural de las rocas en que se deposita el agua de lluvia. ‖ **3. balde[1].**

cacique. (De or. caribe.) m. Señor de vasallos o superior en alguna provincia o pueblo de indios. ‖ **2.** fig. y fam. Persona que en un pueblo o comarca ejerce excesiva influencia en asuntos políticos o administrativos. ‖ **3.** Por ext., persona que en una colectividad o grupo ejerce un poder abusivo.

caciquear. intr. Intervenir en asuntos usando indebidamente autoridad, valimiento o influencia. ‖ **2.** fam. **mangonear,** entrometerse alguien en lo que no le incumbe.

caciquil. adj. Perteneciente o relativo al cacique de un pueblo o comarca.

caciquismo. m. Dominación o influencia del cacique de un pueblo o comarca. ‖ **2.** Por ext., intromisión abusiva de una persona o una autoridad en determinados asuntos, valiéndose de su poder o influencia.

cacle. (Del nahua *cactli,* zapato o sandalia.) m. Sandalia de cuero, usada en Méjico. ‖ **2.** *Méj.* Familiarmente, todo tipo de calzado.

caco. (Del lat. *Cacus,* Caco, ladrón mitológico.) m. fig. Ladrón que roba con destreza. ‖ **2.** fig. y fam. Hombre muy tímido, cobarde y de poca resolución.

cacodilato. m. Nombre genérico de las sales formadas por el ácido cacodílico. La de mayor uso en medicina es el **cacodilato** sódico.

cacodílico. (De *cacodilo.*) adj. *Quím.* V. **ácido cacodílico.**

cacodilo. (Del gr. κακός, malo, y la raíz ὀδ, del verbo ὄζω, oler.) m. *Quím.* Arseniuro de metilo.

cacofonía. (Del gr. κακοφωνία, de κακόφωνος, malsonante.) f. Disonancia que resulta de la inarmónica combinación de los elementos acústicos de la palabra.

cacofónico, ca. adj. Que tiene cacofonía.

cacografía. (Del gr. κακός, malo, y *-grafía.*) f. Escritura viciosa contra las normas de la ortografía.

cacomite. (Del nahua *cacomitl.*) m. Planta de la familia de las iridáceas, oriunda de Méjico, de hojas opuestas y ensiformes, flores grandes en forma de copa, por lo común rojas en la periferia y amarillas en el centro, pero con manchas también rojas. La raíz es tuberculosa y feculenta, y se come cocida.

cacomiztle. m. *Méj.* **basáride.**

cacoquimia. (Del gr. κακοχυμία, de κακόχυμος, que tiene o produce mal jugo.) f. *Med.* Depravación de los humores normales. ‖ **2.** *Pat.* **caquexia,** estado de extrema desnutrición.

cacoquímico, ca. adj. Perteneciente o relativo a la cacoquimia. ‖ **2.** Que padece cacoquimia. Ú. t. c. s.

cacoquimio, mia. (De *cacoquimia.*) m. y f. Persona que padece tristeza o disgusto que le ocasiona estar pálida y melancólica.

cacorro. m. *Col.* Marica, maricón.

cacosmia. (Del gr. κακοσμία, mal olor.) f. *Med.* Olor fétido. ‖ **2.** Perversión del sentido del olfato, que hace agradables los olores repugnantes o fétidos.

cacota. f. *Col.* Residuos que quedan después de descerezar el café.

cactáceo, a. (De *cacto.*) adj. *Bot.* Dícese de plantas angiospermas dicotiledóneas, originarias de América, sin hojas, con tallos carnosos casi esféricos, prismáticos o divididos en paletas que semejan grandes hojas, y con flores grandes y olorosas; como la chumbera y el cacto. ‖ **2.** f. pl. *Bot.* Familia de estas plantas.

cácteo, a. adj. *Bot.* **cactáceo.**

cacto. (Del lat. *cactus,* y este del gr. κάκτος, hoja espinosa.) m. Planta de la familia de las cactáceas, procedente de Méjico, con tallo globoso provisto de costillas y grandes surcos meridianos y con grandes flores amarillas sobre las costillas.

cactus. m. **cacto.**

caculear. (De *caculo.*) intr. fig. *P. Rico.* Mariposear.

caculo. m. *P. Rico.* Especie de escarabajo dañino, cuya larva es blanca, de cabeza negra y gruesa. Vive en la tierra durante tres años, y destroza toda clase de plantas.

cacumen. (Del lat. *cacūmen.*) m. ant. **altura,** cumbre de los montes. ‖ **2.** fig. y fam. Agudeza, perspicacia.

cacuminal. (Del lat. *cacūmen, -ĭnis.*) adj. *Fon.* Dícese de los sonidos que se articulan con la lengua elevada hacia los alveolos superiores o el paladar, de modo que los toque con el borde o cara inferiores de su ápice.

cacuy. m. *Argent.* Ave nocturna de unos 30 centímetros de largo, de color plomizo, pico corto, ojos negros con los párpados ribeteados de amarillo.

cacha[1]. (Del lat. *capŭla,* pl. de *capŭlum,* puño.) f. Cada una de las dos chapas que cubren o de las dos piezas que forman el mango de las navajas, de algunos cuchillos y de algunas armas de fuego. Ú. m. en pl. ‖ **2.** Cada una de las ancas de la caza menor, como liebres, conejos, etc. ‖ **3. cachete,** carrillo de la cara. ‖ **4. nalga.** ‖ **5.** Mango de cuchillo o de navaja. ‖ **6.** pl. usado c. sing. m. Hombre musculoso y fornido. ‖ **hacer la cacha.** fr. fig. *El Salv.* Hacer lo posible por alcanzar o conseguir algo. ‖ **hasta las cachas.** loc. adv. fig. Sobremanera, a más no poder. Dícese principalmente del que se mete en alguna empresa o quehacer.

cacha[2]. f. *Col.* **cacho[3],** cuerna o aliara.

cachaco, ca. adj. *Col.* Dícese del joven, elegante, servicial y caballeroso. ‖ **2.** *Col., Ecuad.* y *Venez.* Gomoso, lechuguino, petimetre. ‖ **3.** m. despect. *Perú.* Policía; militar en general. ‖ **4.** m. y f. *P. Rico.* Nombre que se da a los españoles de buena posición económica en la zona campesina de la isla.

cachada[1]. (De *cacho[3].*) f. Golpe que dan los muchachos con el hierro del trompo en la cabeza de otro trompo.

cachada[2]. (De *cachar*[2].) f. *Col., Ecuad., El Salv., Hond., Nicar.* y *Urug.* **cornada** de un animal.

cachada[3]. f. fam. *Argent., Par.* y *Urug.* Acción y efecto de cachar[3], hacer objeto de una broma a una persona.

cachador, ra. adj. fam. *Argent., Par.* y *Urug.* Perteneciente o relativo a la cachada[3]. ‖ **2.** m. y f. fam. *Argent., Par.* y *Urug.* Individuo que toma el pelo a otro o que es aficionado a ello.

cachafaz. adj. *Amér. Merid.* Pícaro, desvergonzado.

cachalote. m. Cetáceo que vive en los mares templados y tropicales, de 15 a 20 metros de largo, de cabeza muy gruesa y larga, con más de 20 dientes cónicos en la mandíbula inferior y otros tantos agujeros en la superior, para alojarlos cuando cierra la boca. De la parte dorsal de su cabeza se extrae una sustancia grasa llamada esperma de ballena, y de su intestino se saca el ámbar gris.

cachamarín. m. **cachemarín.**

cachanlagua. (Del araucano *cachanlahuen.*) f. **canchalagua.**

cachano. m. fam. El diablo. ‖ **llamar a Cachano** o **llamar a Cachano con dos tejas.** fr. fig. y fam. Pedir auxilio inútilmente.

cachapa. f. *Venez.* Pan hecho con masa de maíz tierno molido, leche, sal, papelón o azúcar; se prepara en forma de bollo envuelto en la hoja de la mazorca y hervido, o cocido y a manera de torta.

cachapera. f. *Vallad.* Choza hecha de ramaje.

cachar[1]. tr. Hacer cachos o pedazos una cosa. ‖ **2.** Partir o rajar madera en el sentido de las fibras. ‖ **3.** Arar una tierra alomada llevando la reja por el medio de cada uno de los lomos, de modo que estos queden abiertos.

cachar[2]. (De *cacha*[2].) tr. *Ast., Amér. Central, Col.* y *Chile.* **cornear,** dar cornadas.

cachar[3]. tr. vulg. *Argent., Nicar.* y *Urug.* Agarrar, asir, coger. ‖ **2.** *Amér. Central.* Hurtar. ‖ **3.** fig. y fam. *Argent.* y *Chile.* Sorprender a alguien, descubrirle. ‖ **4.** *Chile.* Sospechar. ‖ **5.** fig. y fam. *Argent., C. Rica, Ecuad., Par.* y *Urug.* Burlarse de una persona, hacerla objeto de una broma, tomarle el pelo.

cachar[4]. (Del ing. *to catch.*) tr. *Amér. Central, Col., El Salv.* y *Venez.* En algunos juegos, coger al vuelo una pelota que un jugador lanza a otro. ‖ **2.** *Amér. Central, Col., El Salv.* y *Venez.* Por ext., agarrar cualquier objeto pequeño que una persona arroja por el aire a otra.

cacharpari. (Del m. or. que *cacharpas.*) m. *Perú.* Convite que por despedida se ofrece al que va a emprender un viaje. ‖ **2.** *Perú.* Baile que se celebra con este motivo.

cacharpas. (Del quechua *cacharpayani,* despachar, aviar al caminante.) f. pl. *Amér. Merid.* Trebejos, trastos de poco valor.

cacharpaya. f. *N.* de la *Argent.* Fiesta con que se despide al carnaval y, en ocasiones, al viajero.

cacharrería. (De *cacharrero.*) f. Tienda de cacharros o loza ordinaria.

cacharrero, ra. m. y f. Persona que vende cacharros o loza ordinaria.

cacharro. (De *cacho*[1].) m. Vasija tosca. ‖ **2.** Pedazo de ella en que se puede echar alguna cosa. ‖ **3.** fam. Aparato viejo, deteriorado o que funciona mal. ‖ **4.** Vasija o recipiente para usos culinarios.

cachava. f. Juego de niños, que consiste en hacer entrar con un palo una pelota en hoyuelos abiertos en la tierra a cierta distancia unos de otros. ‖ **2.** Palo que sirve para este juego. ‖ **3. cayado,** palo o bastón curvado en la parte superior.

cachavazo. m. Golpe dado con la cachava.

cachavo. m. **cachava,** cayado.

cachaza. f. fam. Lentitud y sosiego en el modo de hablar o de obrar; flema, frialdad de ánimo. ‖ **2.** Aguardiente de melaza de caña. ‖ **3.** Espumas e impurezas que sobrenadan en el jugo de la caña de azúcar al someterlo a la acción del fuego. ‖ **4.** *Col.* Espuma de cualquier cocimiento. ‖ **5.** *Col.* Espuma que suele producir el caballo al tascar el freno y la que se forma en los bordes de la gualdrapa o alfombra de la caballerías cuando sudan copiosamente. ‖ **6.** *Col.* Espuma que queda al sacar la fibra del fique. ‖ **7.** *Col.* y *Ecuad.* Desvergüenza, descaro.

cachazudo, da. adj. Que tiene cachaza. Apl. a pers., ú. t. c. s. ‖ **2.** m. *Cuba.* Gusano de unos cuatro centímetros de longitud y de cabeza negra y dura. Es muy perjudicial para los tabacales, porque roe de noche las hojas y el tallo del tabaco.

cachear. (Del gall. *cachear.*) tr. Registrar a alguien para saber si oculta objetos prohibidos como armas, drogas, etc.

cachelos. (De *cacho*[1].) m. pl. *Gal.* Trozos de patata cocida que se sirven acompañando a carne o pescado.

cachemarín. m. **quechemarín.**

cachemir. (Del n. p. *Kashmir, Cachemira,* país al oeste del Himalaya.) m. Tejido de pelo de cabra mezclado, a veces, con lana.

cachemira. f. **cachemir.**

cacheo[1]. m. Acción y efecto de cachear.

cacheo[2]. m. *Sto. Dom.* Palma de cuya médula se prepara una bebida fermentada. ‖ **2.** *Sto. Dom.* Bebida que se saca de esta palma.

cachera. (Del ár. *qišra,* corteza, vestido.) f. Ropa de lana muy tosca y de pelo largo.

cacheta. f. **gacheta**[2].

cachetada. (De *cachete.*) f. **bofetada.**

cachete. (Del lat. *capŭlus,* puño.) m. Golpe que con la palma de la mano se da en la cabeza o en la cara. ‖ **2.** Carrillo de la cara, y especialmente el abultado. ‖ **3. cachetero,** puñal. ‖ **4.** *And.* y *Chile.* **cacha**[1], nalga. ‖ **5.** fig. *P. Rico.* Disfrute gratuito de algo. ‖ **de cachete.** loc. adv. Gratis, a costa de otro.

cachetear. tr. *And.* y *Amér.* Golpear a alguien en la cara con la mano abierta. ‖ **2.** prnl. fam. *Chile.* Comer en abundancia y a gusto.

cachetero. (De *cachete.*) m. Especie de puñal corto y agudo que antiguamente usaban los malhechores. ‖ **2.** Puñal de forma semejante con que se remata a las reses. ‖ **3.** Torero que remata al toro con este instrumento. ‖ **4.** Hombre que mata con el puñal **cachetero.** ‖ **5.** fig. y fam. El postrero entre los que causan un daño a una persona o cosa.

cachetina. f. Riña a cachetes. ‖ **2.** Azotaina, tunda.

cachetón, na. adj. *Col., Chile, Ecuad., Guat., Méj., Pan., Perú, P. Rico* y *Venez.* **cachetudo.** ‖ **2.** fig. y fam. *Chile.* Farsante.

cachetudo, da. (De *cachete.*) adj. **carrilludo.**

cachicamo. (De or. tamanaco.) m. *Amér.* **armadillo.**

cachicán. m. **capataz** de una hacienda de labranza. ‖ **2.** fig. y fam. Hombre astuto, diestro. Ú. t. c. adj.

cachicuerno, na. adj. Aplícase al cuchillo u otra arma que tiene las cachas o mango de cuerno.

cachidiablo. (Del it. *cacciadiàvoli,* exorcista, que expulsa los diablos.) m. fam. El que se viste de botarga, imitando la figura con que suele pintarse al diablo.

cachifollar. (De *cachi-* y *afollar.*) tr. fam. Dejar a alguien deslucido y humillado. ‖ **2.** Estropear.

cachigordete, ta. adj. fam. d. de **cachigordo.**

cachigordo, da. (De *cachi-* y *gordo.*) adj. fam. Dícese de la persona pequeña y gorda.

cachila. f. *Argent.* y *Urug.* Pájaro pequeño de color pardo y vuelo acrobático, que anida en cuevas que hace en la tierra.

cachillada. (Del lat. *catŭlus,* cachorrillo.) f. **lechigada** de un parto.

cachimán. m. Zaquizamí, hueco o lugar en una casa donde se guardan objetos de diversas naturalezas.

cachimba. (Del port. *cacimba,* y este del bantú *cazimba.*) f. **cachimbo,** pipa[1] para fumar. ‖ **2.** rur. p. us. *Argent.* **cacimba,** hoyo para captar agua potable.

cachimbo. (De *cachimba.*) m. *Amér.* **pipa[1]** para fumar. ‖ **2.** *Col.* **búcare,** árbol. ‖ **3.** despect. *Perú.* Guardia nacional. ‖ **4.** *Perú.* Músico de banda militar o pueblerina. ‖ **5.** *Perú.* Estudiante de enseñanza superior que cursa el primer año. ‖ **chupar cachimbo.** fr. *Venez.* Fumar en pipa. ‖ **2.** fam. *Venez.* Chuparse el niño, durante la lactancia, algún dedo de la mano.

cachipodar. (Del lat. *caput putāre,* podar la cabeza.) tr. Podar las ramas pequeñas y encimeras de un árbol.

cachipolla. f. Insecto de unos dos centímetros de largo, de color ceniciento, con manchas oscuras en las alas y tres cerdas en la parte posterior del cuerpo. Habita en las orillas del agua y apenas vive un día.

cachiporra. (De *cachi-* y *porra.*) f. Palo enterizo que termina en una bola o cabeza abultada. ‖ **2.** adj. *Chile.* Farsante, vanidoso.

cachiporrazo. m. Golpe dado con una cachiporra u otro instrumento parecido.

cachiporrearse. (De *cachiporra,* vanidoso.) prnl. *Chile.* Jactarse, alabarse de alguna cosa.

cachiquel. adj. Aplícase a una parcialidad indígena que habita el oriente de Guatemala. Ú. t. c. s. ‖ **2.** Perteneciente o relativo a estos indios y su idioma. ‖ **3.** m. Lengua que habla este grupo de la familia maya.

cachirla. f. *Argent.* y *Urug.* **cachila.**

cachirolada. f. *And.* Porción de comida que cabe en una cacerola.

cachirulo. (Del lat. *capsŭla.*) m. Vasija de vidrio, barro u hojalata en que se suele guardar el aguardiente u otros licores. ‖ **2.** Embarcación muy pequeña de tres palos con velas al tercio. ‖ **3.** Adorno que las mujeres usaban en la cabeza a fines del siglo XVIII. ‖ **4. moña[2]** que se pone al toro de lidia. ‖ **5.** En estilo bajo, **cortejo,** persona que tiene relaciones amorosas, y especialmente ilícitas. ‖ **6.** *And.* Vasija ordinaria y pequeña. ‖ **7.** *Ar.* Pañuelo que, en el atuendo típico aragonés, llevan los hombres atado a la cabeza. ‖ **8.** *Val.* **cometa,** juguete que se eleva en el aire. ‖ **9.** *Méj.* Forro de paño o de gamuza que se pone al pantalón por la parte interior de los muslos y el asiento, y que se usa especialmente para montar o, en general, parche o remiendo.

cachivache. m. despect. Vasija, utensilio, trebejo. Ú. m. en pl. ‖ **2.** despect. Cosa de este género, rota o arrinconada por inútil. Ú. m. en pl. ‖ **3.** fig. y fam. Hombre ridículo, embustero e inútil.

cachizo. adj. V. **madero cachizo.** Ú. t. c. s.

cacho[1]. (Del lat. *capŭlus,* de *capĕre,* coger.) m. Pedazo pequeño de alguna cosa, y más especialmente el del pan. ‖ **2.** Juego de naipes que se juega con media baraja, repartiendo a cada jugador tres cartas; cuando llegan a ligarse las tres de un palo se forma el **cacho,** y se llama **cacho mayor** el conjunto de tres reyes. ‖ **3.** *Argent., Par.* y *Urug.* Racimo de bananas.

cacho[2]. (Del lat. *catŭlus,* animal pequeño.) m. Pez teleósteo, fisóstomo, de 15 a 20 centímetros de largo, comprimido, de color oscuro y con la cola mellada y de color blanquecino como las aletas. Es muy común en ríos caudalosos.

cacho[3]. m. *Amér.* **cuerno** de animal. ‖ **2.** *Chile* y *Guat.* Cuerna o aliara. ‖ **3.** *Chile.* Maula; objeto inservible. ‖ **4.** *Bol., Col., Chile, Ecuad.* y *Perú.* Cubilete. ‖ **5.** *Ecuad.* Chascarrillo, generalmente obsceno.

cacho[4], cha. (Del lat. *coactus,* p. p. de *cogĕre,* recoger, condensar.) adj. **gacho.**

cachola. f. *Mar.* Cada una de las dos curvas con que se forma el cuello de un palo, y en cuyas pernadas superiores sientan los baos que sostienen las cofas. ‖ **2.** *Mar.* Cada uno de los pedazos gruesos de tablón colocados a uno y otro lado de la cabeza del bauprés.

cachón. (De *cachar.*) m. Ola de mar que rompe en la playa y hace espuma. Ú. m. en pl. ‖ **2.** Chorro de agua que cae de poca altura y rompe formando espuma. ‖ **3.** *And.* Fila de bocoyes que se colocan en las bodegas formando pisos.

cachondearse. prnl. vulg. Burlarse, guasearse.

cachondeo. m. vulg. Acción y efecto de cachondearse. ‖ **2.** vulg. Por ext., desbarajuste, desorden, guirigay.

cachondez. (De *cachondo.*) f. Apetito venéreo.

cachondiez. f. ant. **cachondez.**

cachondo, da. (Del lat. *catŭlus,* cachorro.) adj. Dícese de la perra salida. ‖ **2.** fig. Dominado del apetito venéreo. ‖ **3.** fig. y fam. Burlón, jocundo, divertido. ‖ **4.** f. pl. Calzas acuchilladas que se usaban antiguamente.

cachopín. m. **cachupín.**

cachopo. m. *Ast.* Tronco seco de árbol.

cachorreñas. (De *cachorro.*) f. pl. Sopas hechas con agua caliente, aceite, ajos, cornetilla colorada o pimentón, sal y vinagre.

cachorrillo. (d. de *cachorro.*) m. Pistola pequeña.

cachorro, rra. (Del lat. *catŭlus.*) m. y f. Perro de poco tiempo. ‖ **2.** Hijo pequeño de otros mamíferos, como león, tigre, lobo, oso, etc. ‖ **3.** m. **cachorrillo.** ‖ **4.** Asiento generalmente de piedra, labrado o construido al lado de las ventanas en los castillos y en otros edificios antiguos.

cachú. m. **cato[1].**

cachua. f. Baile de los indios del Perú, Ecuador y Bolivia, suelto y zapateado, que tiene tres figuras.

cachucha. (De *cachucho[1].*) f. Bote o lanchilla. ‖ **2.** Especie de gorra. ‖ **3.** Baile popular de Andalucía, en compás ternario y con castañuelas. ‖ **4.** Canción y tañido de este baile.

cachuchero. m. El que hace o vende cachuchas o gorras. ‖ **2.** El que hace o vende cachuchos, alfileteros.

cachucho[1]. (De *cacha[2].*) m. Medida de aceite equivalente a la sexta parte de una libra, o sea poco más de ocho centilitros. ‖ **2.** En la aljaba, hueco en que se metía cada flecha. ‖ **3. alfiletero.** ‖ **4. cachucha,** bote o lanchilla. ‖ **5.** ant. **cartucho** de pólvora. ‖ **6.** *And.* Vasija tosca y pequeña.

cachucho[2]. m. Pez común en el Atlántico oriental, de unos 40 centímetros de largo, color escarlata, más claro por el vientre y aletas ventrales y pectorales y más vivo en las aletas anal y dorsal, así como en la cola, que la tiene ahorquillada; ojos muy grandes y negros con cerco rojo. Su carne es estimada.

cachudo, da. (De *cacho[3].*) adj. *Col., Chile, Ecuad., Méj.* y *Perú.* Dícese del animal que tiene los cuernos grandes. ‖ **2.** *Méj.* Dícese de la persona de gesto adusto o mala cara.

cachuela. (De *cazuela.*) f. Guisado que hacen en Extremadura de la asadura del puerco. ‖ **2.** Guisado que hacen los cazadores, compuesto de hígados, corazones y riñones de conejo. ‖ **3. molleja** de las aves.

cachuelo. (d. de *cacho[2].*) m. Pez teleósteo, fisóstomo, abundante en los ríos de la mitad meridional de España, de unos ocho centímetros de largo, de color azulado por el lomo y blanco amarillento por el vientre, con dos barbillas en los extremos de la boca, aletas pintadas de puntos pardos y cola ahorquillada. Su carne es fina y apreciada.

cachulera. (Del lat. *caveŏla,* jaula.) f. *Murc.* Cueva o sitio donde alguno se esconde.

cachulero. (Del lat. *caveŏla,* jaula.) m. *Murc.* Gayola, especie de jaula.

cachumba. f. Planta de la familia de las compuestas, del mismo género que el alazor, propia de las islas Filipinas, donde se emplea en vez del azafrán.

cachumbo. m. **gachumbo.**

cachunde. (Como el port. *cachú*, del malayo *kachú*.) f. Pasta compuesta de almizcle, ámbar y cato, de la cual se forman unos granitos que se llevan en la boca y sirven para fortificar el estómago. ‖ **2. cato**[1].

cachupín, na. (d. del port. *cachopo*, niño.) m. y f. despect. fam. *Amér.* Español establecido en América.

cachupinada. f. fig. y fam. Reunión de gente, en que se baila y se hacen juegos.

cachurra. (Del lat. *caia*, garrote.) f. *Cantabria.* Juego de niños semejante al de la cachava. ‖ **2.** *Cantabria.* Palo que sirve para este juego.

cada[1]**.** (Del fr. *cade*.) m. **enebro.** ‖ **2.** V. **aceite de cada.**

cada[2]**.** (Del lat. *cata*, y este del gr. κατά, según, conforme a.) Pronombre en función adjetiva que establece una correspondencia distributiva entre los miembros numerables de una serie, cuyo nombre singular precede, y los miembros de otra. *Dos libros a* CADA *alumno; el pan nuestro de* CADA *día.* Puede construirse con nombres en plural precedidos de un numeral cardinal. *Paga mil pesetas* CADA *tres meses.* ‖ **2.** Pronombre en función adjetiva que, con un cierto énfasis, precede a un nombre numerable singular individualizándolo dentro de la serie a que pertenece. *Viene indefectiblemente* CADA *lunes.* ‖ **3.** Úsase como adjetivo ponderativo en ciertas frases generalmente elípticas: *dice* CADA *verdad..., tiene* CADA *ocurrencia...* ‖ **4.** ant. A cada uno. ‖ **cada cual.** pron. para designar separadamente a una persona en relación a las otras. ‖ **cada cuando que.** loc. conjunt. **cada y cuando que.** ‖ **cada que.** loc. adv. Siempre que, o **cada** vez que. ‖ **cada quien.** pron. *Amér.* **cada cual.** ‖ **cada quisque.** loc. fam. **cada cual.** ‖ **cada uno.** pron. **cada cual.** ‖ **cada y cuando que.** loc. conjunt. Siempre que, o luego que.

cadafalso. (Del prov. *cadafalcs*.) m. ant. **cadalso,** tablado para un acto solemne.

cadahalso. (De *cadafalso*.) m. Cobertizo o barraca de tablas. ‖ **2.** ant. **cadalso,** tablado para un acto solemne.

cadaldía. adv. t. ant. Cada día.

cadalecho. (Del lat. vulg. **catalectus*.) m. Cama tejida de ramas, que se usa para las chozas.

cadalso. (De *cadahalso*.) m. Tablado que se levanta en cualquier sitio para un acto solemne. ‖ **2.** El que se levanta para la ejecución de la pena de muerte. ‖ **3.** ant. Fortificación o baluarte de madera.

cadañal. adj. ant. Que se hace o sucede cada año.

cadañego, ga. adj. ant. **cadañal.** ‖ **2.** Aplícase a las plantas que dan fruto abundante todos los años.

cadañero, ra. adj. **anual.** ‖ **2.** Que pare cada año. Ú. t. c. s. f.

cadarzo. (Del gr. ἀκάθαρτος, impuro.) m. Seda basta de los capullos enredados, que no se hila a torno. ‖ **2.** Camisa del capullo. ‖ **3.** *Ast.* Cinta estrecha de seda basta.

cadascuno, na. (De *cada*[2] y *cascuno*.) adj. ant. **cada uno.**

cádava. f. *Ast.* Tronco de árgoma o de tojo que, chamuscado, queda en pie en terreno donde ha habido una quema, y sirve para leña.

cadaval. m. *Ast.* Terreno donde quedan en pie muchas cádavas.

cadáver. (Del lat. *cadāver*.) m. Cuerpo muerto. ‖ **2.** V. **depósito de cadáveres.**

cadavera. f. ant. **calavera,** conjunto de huesos de la cabeza.

cadávera. (Del lat. *cadavĕra*, cadáveres.) f. ant. **cadáver.**

cadavérico, ca. adj. Perteneciente o relativo al cadáver. ‖ **2.** fig. Pálido y desfigurado como un cadáver.

cadaverina. f. Amina alifática que se produce en la degradación de las proteínas y es la causa del hedor de los cadáveres.

cadaveroso, sa. (Del lat. *cadaverōsus*.) adj. desus. **cadavérico.**

cadejo[1]**.** (De or. inc.) m. Parte del cabello muy enredada que se separa para desenredarla y peinarla. ‖ **2.** Madeja pequeña de hilo o seda. ‖ **3.** Conjunto de muchos hilos para hacer borlas u otra obra de cordonería.

cadejo[2]**.** m. *Amér. Central.* Animal fantástico que, en la tradición popular, se aparece a algunas personas, para asustarlas o llevárselas.

cadena. (Del lat. *catēna*.) f. Serie de muchos eslabones enlazados entre sí. Hácense de hierro, plata y otros metales o materias. ‖ **2. cadena de agrimensor.** ‖ **3.** Cuerda de galeotes o presidiarios que iban encadenados a cumplir la pena que se les había impuesto. ‖ **4.** Conjunto de personas que se enlazan cogiéndose de las manos en la danza o en otras ocasiones. ‖ **5.** Serie de perchas, masteleros o piezas semejantes de madera, unidas a tope por medio de cables o eslabones, que sirve para cerrar la boca de un puerto, de una dársena o de un río. ‖ **6.** V. **bala, cable de cadena.** ‖ **7.** fig. Conjunto de establecimientos, instalaciones o construcciones de la misma especie o función, organizadas en sistema y pertenecientes a una sola empresa o sometidas a una sola dirección. ‖ **8.** fig. Conjunto de instalaciones destinadas a la fabricación o montaje de un producto industrial y organizadas para reducir al mínimo el gasto de tiempo y esfuerzo. ‖ **9.** Grupo de transmisores y receptores de radio o de televisión que, conjugados entre sí, radiodifunden o televisan el mismo programa. ‖ **10.** Sucesión de hechos, acaecimientos, obras, etc., relacionados entre sí. ‖ **11.** fig. Continuación de sucesos. ‖ **12.** *Arq.* Bastidor de maderos fuertemente ensamblados, sobre el cual se levanta una fábrica, como el revestimiento de un pozo, o una armazón, como el chapitel de una torre. ‖ **13.** *Arq.* Madero o barra que resguarda la arista horizontal de un fogón de cocina. ‖ **14.** *Arq.* Machón de sillería con que se fortifica un muro de mampostería o ladrillo. ‖ **15.** *Der.* Pena aflictiva, de gravedad variable según los códigos, y llamada así porque antiguamente los condenados a ella llevaban sujeta al cuerpo una **cadena.** ‖ **16.** *Quím.* Conjunto de átomos, iguales o distintos, unidos por enlaces covalentes. La longitud de la **cadena** es muy variable. ‖ **17.** *Tecnol.* Sucesión de elementos, dirigidos al mismo fin, que funcionan enlazados de manera que cada uno recibe información del anterior, actúa o no sobre ella y la transmite al siguiente. ‖ **de agrimensor.** La de metal y de eslabones largos unidos cada uno al siguiente por una anilla; ordinariamente tiene 10 metros de largo y cada pieza uno o dos decímetros. Suele usarse para las mediciones topográficas. ‖ **de medida.** *Fís.* Sistema formado por un sensor que capta una señal y la transmite a un aparato que la mide. ‖ **de montañas. cordillera,** serie de montañas enlazadas. ‖ **de música, musical,** o **de sonido.** Equipo estereofónico compuesto por diversos aparatos de reproducción de sonido, independientes uno de otro. ‖ **fónica.** *Ling.* **cadena hablada.** ‖ **hablada.** Sucesión de elementos lingüísticos en el habla. ‖ **lateral.** *Quím.* Parte de la molécula de un compuesto orgánico, que va unida a la estructura o esqueleto molecular principal. ‖ **perpetua.** *Der.* Pena aflictiva que duraba como la vida del condenado. ‖ **2.** *Der.* Por ext., la pena aflictiva cuya gravedad solo es menor que la de la pena de muerte. ‖ **sin fin.** Conjunto de piezas metálicas, iguales, articuladas entre sí, que forman un circuito cerrado. ‖ **en cadena.** loc. adj. y adv. Ú. con referencia a acciones o acaecimientos que se efectúan o producen por transmisión o sucesión continuadas, y a veces provocando cada uno el siguiente. *Trabajo* EN CADENA, *bombardeo* EN CADENA, *reacción* EN CADENA. ‖ **estar en cadena.** fr. Dícese del que estaba en la cárcel asegurado a una **cadena** fija por los dos extremos. ‖ **2.** fig. Estar muy sujeto, oprimido y mortificado. ‖ **renunciar la cadena.** fr. En la antigua jurisprudencia de Castilla, hacer cesión de bienes el preso por deudas, con el fin de salir de carcelería, sujetándose además a llevar una argolla de hierro al cuello y a vivir en poder de sus acreedores hasta satisfacer todos los créditos.

cadenado. (Del lat. *catenātus*, de *catenāre*, sujetar con cadenas.) m. ant. **candado,** especie de cerradura.

cadencia. (Del it. *cadenza*.) f. Repetición de fenómenos que se suceden regularmente. ‖ **2.** Serie de sonidos o movimientos que se suceden de un modo regular o medido. ‖ **3.** Proporcionada y grata distribución o combinación de los acentos y de los cortes o pausas, así en la prosa como en el verso. ‖ **4.** Efecto de tener un verso la acentuación que le corresponde para constar o para no ser duro o defectuoso. ‖ **5.** *Danza.* Medida del sonido, que regla el movimiento de la persona que danza. ‖ **6.** *Danza.* Conformidad de los pasos del que danza con la medida indicada por el instrumento. ‖ **7.** *Fon.* Bajada última de la voz en la parte descendente de la frase. ‖ **8.** *Mús.* Manera de terminar una frase musical; reposo marcado de la voz o del instrumento. ‖ **9.** *Mús.* Ritmo, sucesión o repetición de sonidos diversos que caracterizan una pieza musical. ‖ **10.** *Mús.* Resolución de un acorde disonante sobre un acorde consonante.

cadenciosamente. adv. m. De modo cadencioso.

cadencioso, sa. adj. Que tiene cadencia, serie de sonidos que se suceden de un modo regular. ‖ **2.** Dícese de lo que tiene proporcionada distribución de acentos y pausas, en la prosa y en el verso.

cadenero, ra. adj. El encargado de manejar la cadena de agrimensor.

cadeneta. f. Labor o randa que se hace con hilo o seda, en figura de cadena muy delgada. ‖ **2.** Labor hecha por los encuadernadores en las cabeceras de los libros para firmeza del cosido. ‖ **3.** Labor que se forma con tiras de papel de varios colores y se suele usar como adorno en verbenas y otras funciones populares.

cadenilla. (d. de *cadena*.) f. Cadena estrecha que se pone por adorno en las guarniciones. ‖ **de barbada. barbada,** hierro del freno de las caballerías. ‖ **y media cadenilla.** Perlas que se distinguen y separan por razón del tamaño o hechura.

cadente. (Del lat. *cadens, -entis*, p. a. de *cadĕre*, caer.) adj. Que amenaza ruina o está para caer o destruirse. ‖ **2. cadencioso.**

cader. (Del lat. *cadĕre*.) intr. ant. Caer, postrarse, humillarse.

cadera. (Del lat. *cathedra*, asiento, silla, y este del gr. καθέδρα.) f. Cada una de las dos partes salientes formadas a los lados del cuerpo por los huesos superiores de la pelvis. ‖ **2.** ant. **silla.** ‖ **3.** *Zool.* **coxa.** ‖ **4.** pl. **caderillas.** ‖ **5.** ant. V. **silla de caderas.** ‖ **derribar las caderas** a un caballo. fr. *Equit.* Derribarlo.

caderamen. m. fam. Caderas de mujer, generalmente voluminosas.

caderillas. f. pl. Tontillo pequeño y corto que solo servía para ahuecar la falda por la parte correspondiente a las caderas.

cadetada. (De *cadete*.) f. fam. p. us. Acción irreflexiva o ligereza propia de adolescente.

cadete. (Del fr. *cadet*, joven noble, generalmente segundón, que iniciaba la carrera militar.) m. Joven noble que se educaba en los colegios de infantería o caballería o servía en algún regimiento y ascendía a oficial sin pasar por los grados inferiores. ‖ **2.** *Amér.* Aprendiz o meritorio de un establecimiento comercial. ‖ **3.** com. Alumno de una academia militar. ‖ **hacer el cadete.** fr. fig. y fam. p. us. Hacer cadetadas.

cadi[1]**.** m. Especie de palmera del Ecuador, cuyas hojas, gigantescas, se usan para el techado de las casas en los pueblos y en el campo. Su fruto es la tagua.

cadi[2]**.** (Del ing. *caddie*.) m. Muchacho que lleva los palos de los jugadores de golf.

cadí. (Del ár. *qāḍī*, juez.) m. Entre turcos y moros, juez que entiende en las causas civiles.

cadiazgo. m. Cargo de cadí.

cadillar. m. Sitio en que abunda el **cadillo,** planta.

cadillo. (Del lat. *catĕllus*, perrillo.) m. ant. Perro de poco tiempo. Ú. en Aragón. ‖ **2.** Planta umbelífera, muy común en los campos cultivados, que crece hasta unos 30 centímetros de altura; hojas anchas, con dientes profundos; flores de color rojo o purpúreo y fruto elipsoidal, erizado de espinas tiesas. ‖ **3.** Planta de la familia de las compuestas, con tallo ahorquillado, de unos 60 centímetros de altura; flores de color verde amarillento y frutos aovados cubiertos de espinas ganchudas. Es muy común entre los escombros y en los campos áridos de toda Europa. ‖ **4.** Fruto de esta planta. ‖ **5. verruga** de la piel. ‖ **6.** pl. Primeros hilos de la urdimbre de la tela. ‖ **7.** *Ar.* Flor del olivo.

cadira[1]**.** (Del lat. *cathedra*, asiento.) f. ant. **silla,** asiento con respaldo.

cadira[2]**.** (Del ár. *qadra*, olla.) f. ant. Olla pequeña.

cadmía. (Del lat. *cadmia*, y este del gr. καδμεία.) f. Óxido de cinc sublimado durante la fundición de este metal, y que lleva ordinariamente consigo óxido de cadmio. ‖ **2.** Por ext., cualquier sublimado metálico adherido a una chimenea o a la bóveda de un horno.

cádmico, ca. adj. Perteneciente o relativo al cadmio.

cadmio. (Del lat. cient. *cadmium*.) m. *Quím.* Metal de color blanco algo azulado, brillante y muy parecido al estaño, dúctil y maleable. Núm. atómico 48. Símb.: *Cd.* Los minerales que lo contienen son poco abundantes y suelen estar asociados a los de cinc.

cado. m. *Ar.* **cao**[1]**.**

cadoce. m. **gobio.**

cadoz. m. *Ast.* **cadoce.**

cadozo. (Del lat. *cadus*, olla.) m. **olla,** remolino que hacen las aguas.

caducamente. adv. m. **débilmente.**

caducar. (De *caduco*.) intr. **chochear,** perder con la edad las facultades mentales. ‖ **2.** Perder su fuerza una ley, testamento, contrato, etc. ‖ **3.** Extinguirse un derecho, una facultad, una instancia o recurso. ‖ **4.** fig. Arruinarse o acabarse alguna cosa por antigua y gastada.

caduceador. (Del lat. *caduceātor, -ōris*.) m. Rey de armas que publicaba la paz y llevaba en la mano el caduceo.

caduceo. (Del lat. *caducēum*, y este del gr. κηρύκειον, del heraldo.) m. Vara delgada, lisa y cilíndrica, rodeada de dos culebras, atributo de Mercurio. Los gentiles la consideraron como símbolo de la paz, y hoy suele emplearse como símbolo del comercio.

caducidad. f. Acción y efecto de caducar, perder su fuerza una ley o un derecho. ‖ **2.** Calidad de caduco. ‖ **de la instancia.** *Der.* Presunción legal de que los litigantes han abandonado sus pretensiones cuando, por determinado plazo, se abstienen de gestionar en los autos.

caducifolio, lia. adj. Dícese de los árboles y plantas de hoja caduca, que se les cae al empezar la estación desfavorable.

caduco, ca. (Del lat. *cadūcus*.) adj. Decrépito, muy anciano. ‖ **2.** Perecedero, poco durable. ‖ **3.** V. **gota caduca.** ‖ **4.** V. **mal caduco.** ‖ **5.** *Zool.* V. **membrana caduca.** Ú. m. c. s. f.

caduquez. f. desus. Caducidad, calidad de caduco.

caecer. (Del lat. *cadescĕre*, incoat. de *cadĕre*.) intr. ant. **acaecer.**

caedizo, za. adj. Que cae fácilmente, que amenaza caerse.

caedura. f. Lo que en los telares se desperdicia o cae de los materiales que se tejen.

caer. (Del lat. *cadĕre*.) intr. Moverse un cuerpo de arriba abajo por la acción de su propio peso. Ú. t. c. prnl. ‖ **2.** Perder un cuerpo el equilibrio hasta dar en tierra o cosa firme que lo detenga. Ú. t. c. prnl. ‖ **3.** Desprenderse o separarse una cosa del lugar u objeto a que estaba adherida. CAER *las hojas de los árboles.* Ú. t. c. prnl., y solo como tal cuando se trata de cosas pertenecientes a un cuerpo animado. CAERSE *los dientes, el pelo.* ‖ **4.** Seguido de la prep. *de* y del nombre de alguna parte del cuerpo, venir al suelo dando en él con la parte nombrada. CAER DE *espaldas,* DE *cabeza.* ‖ **5.** Venir a dar un animal o una persona en el armadijo o engaño dispuesto contra él o ella. CAER *en la red, en la trampa, en la emboscada, en el garlito.* ‖ **6.** fig. Venir impensadamente a encontrarse en alguna desgracia o peligro. ‖ **7.** fig. Dejar de ser, desaparecer. CAER *un imperio, un ministerio.* ‖ **8.** fig. Perder la prosperidad, fortuna, empleo o valimiento. ‖ **9.** fig. Con la prep. *en,* incurrir en algún error o ignorancia o en algún daño o peligro. ‖ **10.** fig. Con la prep. *en,* tratándose de operaciones del entendimiento, venir en conocimiento, llegar a comprender. *Ahora* CAIGO EN *lo que querías decir.* ‖ **11.** fig. Minorarse, disminuir, debilitarse alguna cosa. CAER *el caudal, el favor, la salud, el ánimo.* ‖ **12.** fig. Tratándose del color, bajar, perder su viveza. ‖ **13.** fig. Ir a parar a distinta parte de aquella que uno se propuso al principio. ‖ **14.** fig. Cumplirse los plazos en que empiezan a devengarse o deberse algunos frutos o réditos. ‖ **15.** fig. Tocar o corresponder a alguno una alhaja, empleo, carga o suerte. ‖ **16.** fig. Estar situado en alguna parte o cerca de ella. *La puerta* CAE *a la derecha, a oriente.* ‖ **17.** fig. Quedar incluido en alguna denominación o categoría, o sujeto a una regla. ‖ **18.** fig. Corresponder un suceso a determinada época del año. *La Pascua* CAE *en marzo; San Juan* CAYÓ *en viernes.* ‖ **19.** fig. Venir o sentar bien o mal. ‖ **20.** fig. Dicho del Sol, del día, de la tarde, etc., acercarse a su ocaso o a su fin. ‖ **21.** fig. Dicho del viento o del oleaje, disminuir de intensidad. ‖ **22.** fig. **sobrevenir.** ‖ **23.** fig. y fam. **morir,** acabar la vida. ‖ **24.** ant. **caber,** ser posible o natural. ‖ **25.** *Fís.* Pasar algo espontáneamente de un nivel a otro al que se ha asignado un valor más bajo. *Un electrón* CAE *de una órbita externa a otra interior.* ‖ **26.** tr. En algunas regiones, hacer, dejar **caer.** ‖ **27.** *Mar.* Desviarse un barco de su rumbo hacia una u otra banda. ‖ **28.** prnl. fig. Desconsolarse, afligirse, descaecer. ‖ **al caer de la hoja,** o **de la pámpana.** loc. adv. fam. Al fin del otoño, al acercarse el invierno. ‖ **caer bien,** o **mal,** una persona. fr. fig. y fam. Obtener buena, o mala, acogida. ‖ **caer de plano.** fr. **caer** tendido a la larga. ‖ **caer enfermo,** o **malo.** fr. Contraer enfermedad. ‖ **caer** una cosa **por defuera.** fr. fam. No perjudicar notablemente a uno o no sentir este demasiado el perjuicio que recibe. ‖ **caer que hacer.** fr. fam. Ofrecerse inopinadamente ocasión de trabajar o de hacer alguna cosa. ‖ **2.** Sobrevenir trabajos o adversidades. ‖ **caer redondo.** fr. fig. **caerse redondo.** ‖ **caerle gordo.** fr. fig. Serle antipático, desagradable. ‖ **caerse de maduro.** fr. fig. y fam. Estar el viejo decrépito cercano a la muerte. ‖ **caerse de suyo.** fr. fig. Tener poca firmeza las cosas mal fundadas, que sin extraño impulso se desbaratan. ‖ **2.** fig. Ser una cosa muy natural o fácil de comprender. ‖ **caerse muerto.** fr. fig. Con la prep. *de* y algunos nombres, como *miedo, susto, gozo, risa,* etc., se emplea para ponderar el sumo miedo, susto, etc., que alguno padece. ‖ **caerse redondo.** fr. fig. Venir al suelo por algún desmayo u otro accidente. ‖ **cayendo y levantando.** loc. fig. y fam. Con alternativas adversas y favorables; sin fijeza en lo bueno o conveniente. Dícese con más frecuencia de los enfermos que experimentan algún alivio de cuando en cuando. ‖ **estar al caer.** fr. fig. Tratándose de personas o cosas, estar a punto de llegar, sobrevenir o suceder.

café. (Del ár. *qahwa,* a través del turco *qahwé.*) m. **cafeto.** ‖ **2.** Semilla del cafeto, como de un centímetro de largo, de color amarillento verdoso, convexa por una parte y plana, con un surco longitudinal, por la otra. ‖ **3.** Bebida que se hace por infusión con esta semilla tostada y molida. ‖ **4.** Casa o sitio público donde se vende y toma esta bebida y otras consumiciones. ‖ **5.** fig. y fam. *Chile, Perú* y *R. de la Plata.* **reprimenda.** ‖ **6.** adj. *Méj.* **marrón[2].** ‖ **café-cantante.** Sala donde se despachan bebidas y se interpretan canciones de carácter frívolo o ligero. ‖ **descafeinado.** Aquel al que se ha reducido el contenido de cafeína. ‖ **café-teatro.** Sala donde se despachan **café** y otras consumiciones, y en la que se representa una obra teatral corta.

cafeína. f. *Quím.* Alcaloide que se obtiene de las semillas y de las hojas del café, del té y de otros vegetales; se emplea como tónico del corazón.

cafetal. m. Sitio poblado de cafetos.

cafetalero, ra. adj. Que tiene cafetales. Ú. t. c. s.

cafetalista. com. *Cuba.* Persona dueña de un cafetal.

cafetear. intr. Tomar café, en general con frecuencia o por costumbre. ‖ **2.** *Pan.* Tomar café mientras se vela un difunto. ‖ **3.** tr. fig. *Pan.* Matar a una persona. ‖ **4.** fig. y fam. p. us. *Perú* y *R. de la Plata.* Reprender.

cafetería. f. Despacho de café y otras bebidas, donde a veces se sirven aperitivos y comidas. En algunos países se reserva este nombre para el local en que el cliente se sirve sin intervención de otra persona.

cafetero, ra. adj. Perteneciente o relativo al café. ‖ **2.** Dícese de la persona muy aficionada a tomar café. Ú. t. c. s. ‖ **3.** m. y f. Persona que en los cafetales tiene por oficio coger la simiente en el tiempo de la cosecha. ‖ **4.** Dueño de un café. ‖ **5.** Persona que vende café en un sitio público. ‖ **6.** Persona que negocia en café. ‖ **7.** *Col.* **caficultor.** ‖ **8.** f. Recipiente para preparar o servir el café. ‖ **9.** fig. y fam. Vehículo viejo que hace mucho ruido al andar.

cafetín. m. d. de **café,** local donde se toma esta bebida.

cafeto. m. Árbol de la familia de las rubiáceas, originario de Etiopía, de cuatro a seis metros de altura, con hojas opuestas, lanceoladas, persistentes y de un hermoso color verde; flores blancas y olorosas, parecidas a las del jazmín, y fruto en baya roja, cuya semilla es el café.

cafetucho. m. despect. de **café,** local donde se toma esta bebida.

caficultor, ra. m. y f. Persona que cultiva el café.

cáfila. (Del ár. *qāfila,* caravana.) f. fam. Conjunto o multitud de gentes, animales o cosas. Se llaman así especialmente las que están en movimiento y van unas tras otras.

cafiroleta. f. *Cuba.* Dulce compuesto de boniato, coco rallado y azúcar.

cafiz. (Del ár. *qafīz,* medida de capacidad para áridos.) m. ant. **cahíz,** medida de capacidad.

cafizamiento. m. ant. Derecho que se pagaba por regar cada cahizada.

cafre. (Del ár. *kāfir,* infiel, incrédulo.) adj. Habitante de la antigua colonia inglesa de Cafrería, en Sudáfrica. Ú. t. c. s. ‖ **2.** fig. Bárbaro y cruel. Ú. m. c. s. ‖ **3.** fig. Zafio y rústico. Ú. m. c. s.

caftán. (Del ár. *qafṭān,* especie de vestido.) m. Vestimenta que cubre el cuerpo desde el pescuezo hasta la mitad de la pierna, sin cuello, abierta por delante, con mangas cortas y usada por hombres y mujeres entre turcos y moros.

cagaaceite. (Llamado así por la calidad oleosa de su excremento.) m. **zorzal charlo.**

cagachín. (Del lat. *cacāre,* cagar, y *acĭnum,* baya, oliva.) m. Mosquito que se diferencia del común en ser mucho más pequeño y de color rojizo. ‖ **2.** Pájaro más pequeño que el jilguero, con plumaje de tonos azules en la parte superior, verdoso en la espalda, pardo con manchas blancas en la garganta, blanco en el abdomen y alas negruzcas con listas rojizas. Es común en España. ‖ **3. tarabilla**[3].

cagada. (Del lat. *cacāta.*) f. Excremento que sale cada vez que se evacua el vientre. ‖ **2.** fig. y fam. Acción que resulta de una torpeza. ‖ **a buscar la cagada del lagarto.** expr. fig. y fam. que se emplea para despedir a uno con desprecio.

cagadero. (De *cagar.*) m. Sitio donde, en algunas partes, va la gente a evacuar el vientre.

cagado, da. p. p. de **cagar.** ‖ **2.** adj. fig. y fam. Cobarde, miedoso, de poco espíritu. Ú. t. c. s.

cagafierro. (De *cagar* y *fierro.*) m. Escoria de hierro.

cagajón. (De *cagar.*) m. Porción del excremento de las caballerías.

cagalaolla. (De *cagar* y *olla.*) m. fam. El que va vestido de botarga, con máscara o sin ella, en algunas fiestas en que hay danzantes.

cagalar. (De *cagar.*) m. V. **tripa del cagalar.**

cagalera. (De *cagalar.*) f. fam. Diarrea.

cagaluta. f. **cagarruta.**

caganido o **caganidos.** (Del lat. *cubāre* y *nīdum,* con influjo de *cagar.*) m. El último pájaro nacido en la pollada. ‖ **2.** fig. El hijo último de una familia. ‖ **3.** fig. Persona enclenque o raquítica.

cagar. (Del lat. *cacāre.*) intr. Evacuar el vientre. Ú. t. c. tr. y c. prnl. ‖ **2.** tr. fig. y fam. Manchar, deslucir, echar a perder alguna cosa. ‖ **3.** prnl. Acobardarse. Ú. m. con la prep. *de.*

cagarrache. (De *cagar* y *erraj,* residuos de la aceituna.) m. Operario de la almazara dependiente del maestro o contramaestre. ‖ **2. cagaaceite.**

cagarria. f. **colmenilla.** ‖ **2. diarrea.** ‖ **3.** fig. Persona cobarde, pusilánime.

cagarropa. (De *cagar* y *ropa.*) m. **cagachín,** mosquito.

cagarruta. (De *cagar.*) f. Porción de excremento de ganado menor y, por ext., de otros animales.

cagatinta o **cagatintas.** (De *cagar* y *tinta.*) m. fam. despect. **oficinista.**

cagatorio. m. **cagadero.**

cagón, na. (De *cagar.*) adj. Que exonera el vientre muchas veces. Apl. a pers., ú. t. c. s. ‖ **2.** fig. y fam. Dícese de la persona muy medrosa y cobarde. Ú. t. c. s.

caguama. (De or. caribe.) f. Tortuga marina, algo mayor que el carey, y cuyos huevos son más estimados que los de este. ‖ **2.** Materia córnea de esta tortuga, no tan estimada como la del carey.

caguaso. m. *Cuba.* Planta ciperácea de hojas ásperas que abunda en los terrenos húmedos. ‖ **2.** *Cuba.* Caña de azúcar poco aprovechable por su baja calidad. ‖ **3.** fig. *Cuba.* Por ext., cosa despreciable, desecho. ‖ **4.** *Sto. Dom.* Variedad de la pasionaria.

cagueta. (De *cagar.*) adj. Dícese de la persona pusilánime, cobarde. Ú. t. c. s.

cahíz. (De *cafiz.*) m. Medida de capacidad para áridos, de distinta cabida según las regiones. El de Castilla tiene 12 fanegas y equivale a 666 litros aprox. ‖ **2. cahizada.** ‖ **3.** Medida de peso, usada en la provincia de Madrid para el yeso, equivalente a 690 kilogramos.

cahizada. f. Porción de terreno que se puede sembrar con un cahíz de grano. ‖ **2.** Medida agraria, usada en la provincia de Zaragoza, equivalente a 38 áreas y 140 miliáreas aprox.

cahuín. m. *Chile.* Comilona, borrachera.

cahuerco. m. ant. **carcavuezo.**

cai. (Del fr. *quai,* muelle.) m. ant. **cortina de muelle.**

caíble. adj. Que puede caer.

caico. m. *Cuba.* Bajo o arrecife grande que llega a veces a formar isletas.

caicobé. f. *Argent.* y *Urug.* **sensitiva.**

caíd. (Del m. or. que *(al)caide.*) m. Especie de juez o gobernador en el antiguo reino de Argel y otros países musulmanes.

caída. f. Acción y efecto de caer. ‖ **2.** Declinación o declive de alguna cosa, como la de una cuesta a un llano. ‖ **3.** Dicho de tapices, cortinas u otras colgaduras, cada una de las partes de ellas que penden de alto abajo. ‖ **4.** Manera de plegarse o de caer los paños y ropajes. ‖ **5.** Galería interior de las casas de Manila, con las vistas al patio. ‖ **6.** fig. *Rel.* Culpa de los ángeles malos y del primer hombre. ‖ **7.** *Ar.* **añadidura** que da el vendedor además del peso o para completarlo. ‖ **8.** *Mar.* Altura de las velas de cruz desde el grátil al pujamen, y largo de popa de las de cuchillo. ‖ **9.** *Mar.* Cesación o templanza del viento, oleaje o mal tiempo. ‖ **10.** *Mar.* Inclinación o ángulo agudo que, con la vertical, forma el palo de un barco. ‖ **11.** pl. Entre los tratantes de lana, la que se desprende del vellón, y también la que el ganado lanar cría hacia el anca y otras partes. ‖ **12.** V. **lana de caídas.** ‖ **13.** fig. y fam. Dichos oportunos, y en especial los que ocurren naturalmente y sin estudio. ‖ **de latiguillo.** La que sufre un picador que, por efecto de la acometida del toro, es arrojado del caballo por la grupa y choca contra el suelo de espaldas a todo lo largo de su cuerpo. ‖ **de ojos.** Manera habitual de bajarlos una persona. ‖ **de presión.** *Tecnol.* Disminución de la presión de un fluido a lo largo del conducto por el que circula. ‖ **de tensión.** *Fís.* Disminución de la tensión o voltaje que experimenta la corriente eléctrica a lo largo de su conducción. ‖ **2.** *Med.* Disminución brusca de la presión sanguínea. ‖ **libre.** *Fís.* La que experimenta un cuerpo sometido exclusivamente a la acción de la gravedad. ‖ **a la caída de la tarde.** loc. adv. Al concluirse, estando para finalizar la tarde. ‖ **a la caída del Sol.** loc. adv. Al ir a ponerse. ‖ **andar, o ir, alguien de caída.** fr. fig. y fam. **andar de capa caída.**

caído, da. p. p. de **caer.** ‖ **2.** adj. fig. Desfallecido, amilanado. ‖ **3.** Seguido de la prep. *de* y el nombre de una parte del cuerpo, se dice de la persona o animal que tiene demasiado declive en dicha parte. CAÍDO DE *hombros,* CAÍDO DE *ancas.* ‖ **4.** Dícese del muerto en defensa de una causa. Ú. t. c. s. ‖ **5.** *Mar.* Dícese del palo que no está vertical. Ú. t. c. s. m. ‖ **6.** m. Cada una de las líneas oblicuas del papel pautado en que se aprende a escribir. ‖ **7.** pl. Réditos ya devengados.

caigua. f. Planta de la familia de las cucurbitáceas, indígena del Perú, cuyos frutos, que son unas pequeñas calabazas de cáscara gruesa, rellenos de carne picada, constituyen un plato usual en aquel país. Plántase también como enredadera.

caiguá. adj. Dícese del indio de América Meridional que habitaba en los montes del Uruguay, Paraná y Paraguay. Ú. t. c. s.

caimacán. (Del ár. *qā'im maqām,* lugarteniente.) m. Lugarteniente del gran visir. ‖ **2.** *Col.* Persona de autoridad.

caimán. (Del taíno *kaimán.*) m. Reptil del orden de los emidosaurios, propio de los ríos de América, muy parecido al cocodrilo, pero algo más pequeño, con el hocico obtuso y las membranas de los pies muy poco extensas. ‖ **2.** fig. Persona que con astucia y disimulo procura salir con sus intentos.

caimiento. (De *caer.*) m. **caída,** acción y efecto de caer. ‖ **2.** fig. Desfallecimiento de ánimo o de fuerzas corporales.

caimital. m. Terreno en que abundan los caimitos.

caimito. (De or. arahuaco.) m. Árbol silvestre de las Antillas y Nicaragua, de la familia de las sapotáceas, de corteza rojiza, madera blanda, hojas alternas y ovales, flores blancuzcas y fruto redondo, del tamaño de una naranja, de pulpa azucarada, mucilaginosa y refrigerante. ‖ **2.** Árbol del Perú de la misma familia que el anterior, pero de distinta especie. ‖ **3.** Fruto de estos árboles.

Caín. n. p. V. **alma de Caín.** ‖ **las de Caín.** loc. fam. Intenciones aviesas. Úsase en frases como: *Traer* LAS DE CAÍN; *venir con* LAS DE CAÍN. ‖ **pasar las de Caín.** fr. fig. y fam. Sufrir grandes apuros y contratiempos.

cainita. (De *Caín.*) adj. Perteneciente o relativo a Caín. ‖ **2.** Dícese especialmente del odio o enemistad contra allegados o afines, o de quien se deja llevar por tal impulso. Apl. a pers., ú. t. c. s.

caique. (Del turco *qā'iq*, barca.) m. Barca muy ligera que se usaba en los mares de Levante. ‖ **2.** Esquife destinado al servicio de las galeras.

caire. m. *Germ.* Dinero, especialmente el ganado por una prostituta.

cairel. (Del cat. *cairell.*) m. Cerco de cabellera postiza que imita al pelo natural y suple por él. ‖ **2.** Guarnición que queda colgando a los extremos de algunas ropas, a modo de fleco. ‖ **3.** Entre peluqueros, hebras de seda a las que han afianzado el pelo con que forman después la cabellera, cosiéndola a la red. ‖ **4.** Trozo de cristal de distintas formas, que adorna candelabros, arañas, etc. ‖ **5.** *Méj.* Rizo de cabello en forma de espiral; tirabuzón. Ú. t. en pl.

cairelar. tr. Guarnecer la ropa con caireles.

cairino, na. (De *El Cairo*, capital de Egipto.) adj. **cairota.** Ú. t. c. s. ‖ **2.** Perteneciente o relativo a El Cairo.

cairota. adj. Natural de El Cairo. Ú. t. c. s. ‖ **2.** Perteneciente o relativo a esta ciudad, capital de Egipto.

caite. m. *Amér. Central.* **cacle.**

caja. (Del lat. *capsa.*) f. Recipiente de materia y forma variables, que cubierto con una tapa suelta o unida a la parte principal, sirve para guardar o transportar en él alguna cosa. ‖ **2. caja** por lo común de hierro o acero, para guardar con seguridad dinero, alhajas y otros objetos de valor. ‖ **3. ataúd** de un cadáver. ‖ **4.** Parte del coche de caballos destinada para las personas que se sirven de él, y en la cual van sentadas. ‖ **5. tambor,** instrumento músico. ‖ **6.** Tamborcillo usado entre algunas poblaciones aborígenes americanas. ‖ **7.** Parte exterior de madera que cubre y resguarda algunos instrumentos, como el órgano, piano, etc., o que forma parte principal del instrumento, como en el violín, la guitarra, etc. ‖ **8.** Hueco o espacio en que se introduce alguna cosa. CAJA *en que entra la espiga de un madero.* ‖ **9.** Armazón o tarima de madera con un hueco en medio, donde se pone el brasero. ‖ **10.** Pieza de la balanza y de la romana, en que entra el fiel cuando el peso está equilibrado. ‖ **11.** En las armas de fuego portátiles, pieza de madera en que se ponen y aseguran el cañón y la llave. ‖ **12.** En la ballesta, hueco que está en el tablero donde anda y se encaja la nuez. ‖ **13.** Espacio o hueco en que se forma la escalera de un edificio. ‖ **14.** Oficina pública de correos situada en un pueblo, donde se recogen las cartas de otros varios para dirigirlas a su destino y se distribuyen las que para ellos se reciben de otras partes. ‖ **15.** Pieza, sitio o dependencia destinada en las tesorerías, bancos y casas de comercio a recibir o guardar dinero o valores equivalentes y para hacer pagos. ‖ **16.** Alguna vez, el mismo cajero. ‖ **17.** V. **jubileo, libro, notario de caja.** ‖ **18. caja de reclutamiento.** ‖ **19.** En los escenarios, espacio comprendido entre cada dos bastidores. ‖ **20.** ant. Almacén o depósito de géneros y mercaderías para el comercio. ‖ **21.** *Bot.* **cápsula,** fruto seco, dehiscente. ‖ **22.** *Impr.* Cajón con varias separaciones o cajetines, en cada uno de los cuales se ponen los caracteres que representan una misma letra o signo tipográfico. ‖ **23.** *Impr.* Espacio de la página lleno por la composición impresa. ‖ **24.** pl. Recado de escribir que llevaban consigo los escribanos. ‖ **25.** V. **hilo de cajas.** ‖ **alta.** *Impr.* Parte superior izquierda de la **caja,** en la que se colocan las letras mayúsculas o versales y algunos otros signos. ‖ **2.** *Impr.* V. **letra de caja alta.** ‖ **baja.** *Impr.* Parte inferior de la **caja,** en la que se colocan las minúsculas, los números, la puntuación y los espacios. ‖ **2.** *Impr.* V. **letra de caja baja.** ‖ **de ahorros.** Establecimiento destinado a guardar los ahorros de los particulares, proporcionándoles un interés. ‖ **de amortización.** Establecimiento público que tenía a su cargo liquidar y clasificar las deudas del Estado, pagar los réditos y extinguir los capitales, administrando y recaudando los fondos aplicados a este objeto. ‖ **de cambios.** Mecanismo que permite el cambio de velocidad en un automóvil. ‖ **de caudales. caja** de hierro para guardar dinero y cosas de valor. ‖ **de consulta.** Parte narrativa o expositiva que precede al dictamen del tribunal o cuerpo que hace la consulta. ‖ **de dientes.** *Col.* y *Sto. Dom.* Dentadura postiza. ‖ **de las muelas.** fam. Encías. ‖ **2.** fam. Toda la boca. *Le deshizo,* o *descompuso, la* CAJA DE LAS MUELAS. ‖ **del cuerpo. tórax.** ‖ **del tambor,** o **del tímpano.** *Anat.* Parte media del órgano del oído de la mayoría de los vertebrados, formada por una cavidad existente en el hueso temporal, que contiene los huesecillos del oído y está separada del conducto auditivo externo por el tímpano. ‖ **de música.** Instrumento pequeño de barretas de acero, a las cuales hace sonar un cilindro con púas, movido por un muelle de reloj. Las hay con fuelle y flautas en lugar de barretas. ‖ **de pesas.** Colección de pesas convenientemente elegidas. ‖ **de reclutamiento.** Organismo militar encargado de la inscripción, clasificación y destino a cuerpo activo de los reclutas. ‖ **de resonancia.** La de madera que forma parte de algunos instrumentos musicales para amplificar y modular su sonido. ‖ **2.** Por ext., cualquier recinto que cumpla función análoga. ‖ **3.** fig. Institución, lugar o persona cuya relevancia le permite recibir y difundir las noticias que conciernen a sus intereses o ámbito de acción. ‖ **de velocidades. caja de cambios.** ‖ **fuerte. caja de caudales.** ‖ **negra.** *Fís.* Método de análisis de un sistema en el que únicamente se considera la relación entre las entradas o excitaciones y las salidas o respuestas, prescindiendo de su estructura interna. ‖ **2. caja** resistente de acero que contiene aparatos registradores de las principales magnitudes y vicisitudes del vuelo de una aeronave. ‖ **perdida.** *Impr.* Parte de la **caja** alta donde se pone el galerín, y que contiene los signos de poco uso. ‖ **registradora.** La que se usa en el comercio, y que, por medio de un mecanismo, señala y suma automáticamente el importe de las ventas. ‖ **despedir,** o **echar,** a alguien **con cajas destempladas.** fr. fig. y fam. Despedirlo o echarlo de alguna parte con gran aspereza o enojo. ‖ **en caja.** loc. fig. y fam. En buen estado de salud o en vida ordenada, dicho de las personas, o en regla y concierto, dicho de las cosas. Ú. m. con los verbos *entrar* y *estar.*

cajá. adj. *Cuba.* V. **palo cajá.**

cajamarquino, na. adj. Natural de Cajamarca. Ú. t. c. s. ‖ **2.** Perteneciente a esta ciudad del Perú.

cajel. (Del cat. *catxell.*) adj. V. **naranja cajel.**

cajera. f. Mujer que está encargada de la caja en los comercios, bancos, etc. ‖ **2.** *Mar.* Abertura donde se colocan las roldanas de motones y cuadernales.

cajería. f. Tienda de cajas.

cajero. (Del lat. *capsarius.*) m. El que hace cajas. ‖ **2.** El que en las tesorerías, bancos, casas de comercio y en algunas particulares está encargado de la entrada y salida de caudales. ‖ **3.** En acequias o canales, parte de talud comprendida entre el nivel ordinario del agua y la superficie del terreno. ‖ **4.** Por ext., pared que forma la caja de un acueducto. ‖ **5. cajero automático.** ‖ **6. buhonero.** ‖ **7.** *Argent.* Músico que toca la caja. ‖ **automático.** Máquina que, accionada por el cliente mediante una clave, realiza algunas funciones del **cajero.**

cajeta[1]**.** f. d. de **caja.** ‖ **2.** *Ar.* Caja o cepo para recoger limosnas. ‖ **3.** desus. *Cuba.* Caja de tabaco, tabaquera. ‖

4. *Amér. Central* y *Méj.* Dulce de leche de cabra, sumamente espeso. ‖ **5.** desus. *Guat.* y *Méj.* Caja con tapa que se usaba para poner postres y jaleas. ‖ **6.** desus. *Méj.* y *Nicar.* Dulce que contiene esta caja. ‖ **7.** *C. Rica.* Especie de turrón que puede tener diferentes formas y tamaños.

cajeta². (Del ing. *gasket.*) f. *Mar.* Trenza hecha de filásticas o meollar.

cajete. (Del nahua *caxitl*, escudilla.) m. *El Salv., Guat.* y *Méj.* Cazuela honda y gruesa sin vidriar. ‖ **2.** *Méj.* Hueco u hoyo en la tierra que se utiliza para plantar.

cajetilla. (d. de *cajeta¹*.) f. Paquete de tabaco picado o de cigarrillos con envoltura de papel o cartulina. ‖ **2.** m. fig. *Argent.* Hombre presumido y afectado.

cajetín. m. d. de **cajeta¹**. ‖ **2.** Sello de mano con que en determinados papeles de las oficinas y en títulos y valores negociables se estampan diversas anotaciones. ‖ **3.** Cada una de estas anotaciones. ‖ **4.** Caja metálica con tapa articulada que usaban los cobradores del tranvía para llevar los tacos de los billetes. ‖ **5.** *Electr.* Listón de madera que se cubre con una moldura y tiene dos ranuras en las que se alojan por separado los conductores eléctricos. ‖ **6.** *Impr.* Cada uno de los compartimientos de la caja.

cají. (De or. cubano.) m. *Cuba.* Pez como de 30 centímetros de largo, de cola ahorquillada y color morado y amarillo, que se cría en el mar de las Antillas.

cajiga. f. **quejigo.**

cajigal. m. **quejigal.**

cajigo. (De una voz prerromana **cassus* o **cassinus.*) m. **quejigo.**

cajilla. (De *caja.*) f. *Bot.* **cápsula,** fruto seco, dehiscente. ‖ **2.** pl. **mandíbula.**

cajín. (De un der. del cat. *caixa.*) adj. *Murc.* V. **granada cajín.**

cajista. (De *caja.*) com. Oficial de imprenta que, juntando y ordenando las letras, compone lo que se ha de imprimir.

cajo. (Del lat. *capsus*, caja.) m. Pestaña que forma el encuadernador en el lomo de un libro sobre las primeras y últimas hojas, para que quepan cómodamente los cartones que han de cubrirlas al encuadernarlo.

cajón. (aum. de *caja.*) m. **caja,** comúnmente de madera y de forma prismática, cuadrilonga o cúbica, destinada a guardar o preservar las cosas que se ponen dentro de ella. ‖ **2.** Cualquiera de los receptáculos que se pueden sacar y meter en ciertos huecos, a los cuales se ajustan, de armarios, mesas, cómodas y otros muebles. ‖ **3.** En los estantes de libros y papeles, espacio que media entre tabla y tabla. ‖ **4.** Casilla o garita de madera que sirve de tienda o de obrador. ‖ **5.** *Chile.* Cañada larga por cuyo fondo corre algún río o arroyo. ‖ **6.** *Amér.* Correspondencia que llegaba de España en los galeones. ‖ **7.** En algunos lugares de América, **comercio,** tienda de abacería. ‖ **8.** *Amér. Central* y *Merid.* Ataúd, caja en que se pone un cadáver para enterrarlo. ‖ **9.** *Arq.* Cada uno de los espacios en que queda dividida una tapia o pared por los machones y verdugadas de material más fuerte. ‖ **10.** *Taurom.* **cajón** prismático de base rectangular, con las puertas levadizas y montado sobre ruedas, que se utiliza para el traslado de los toros. ‖ **de sastre.** fig. y fam. Conjunto de cosas diversas y desordenadas. ‖ **2.** fig. y fam. Persona que tiene en su imaginación gran variedad de ideas desordenadas y confusas. ‖ **ser de cajón** una cosa. fr. fig. y fam. Ser evidente, obvia, estar fuera de toda duda o discusión.

cajonada. (De *cajón.*) f. *Mar.* Encasillado a una y otra banda del sollado para colocar las maletas de la marinería.

cajonera. f. Conjunto de cajones que hay en las sacristías para guardar las vestiduras sagradas y ropas de altar. ‖ **2.** Especie de cajón que tienen las mesas o pupitres escolares para guardar libros y otras cosas.

cajonería. f. Conjunto de cajones de un armario o estantería.

cajonero. m. Mozo o criado que en las jornadas y viajes antiguos cuidaba de las acémilas y de su carga. ‖ **2.** En algunos lugares de América, dueño de un cajón o tienda. ‖ **3.** *Min.* Operario que en el brocal de un pozo de mina recibe o amaina las vasijas en que se extraen las aguas.

cajonga. (De or. americano.) f. *Hond.* Tortilla grande de maíz mal molido.

cajuela. f. d. de **caja.** ‖ **2.** *Cuba.* Árbol silvestre, de buena madera y color amarillo y pardusco. Pertenece a las euforbiáceas. ‖ **3.** *Méj.* Maletero del automóvil.

cajuil. m. **marañón,** árbol.

cakchiquel. adj. **cachiquel.**

cal¹. (Del lat. *calx.*) f. Óxido de calcio. Substancia alcalina de color blanco o blanco grisáceo, que al contacto del agua se hidrata o se apaga, con desprendimiento de calor, y mezclada con arena, forma la argamasa o mortero. ‖ **2.** V. **agua, cloruro, piedra de cal.** ‖ **3.** Nombre con que se designan diversas formas del óxido de calcio y algunas de las sustancias en que este interviene o que se obtienen a partir de él. ‖ **4.** ant. Nombre que recibe el calcio en la denominación de algunos de sus compuestos, como ocurre al llamar sulfato de **cal** al yeso, que es sulfato de calcio. ‖ **5.** Entre alquimistas, cualquier óxido metálico o escoria. ‖ **apagada.** Polvo blanco, compuesto principalmente por hidróxido de calcio, que se obtiene tratando la **cal** con agua. ‖ **hidráulica.** La que se produce de la calcinación de piedras calizas en cuya composición entra además de la **cal,** alrededor del veinte por ciento de arcilla y que, pulverizada y mezclada con agua, fragua como el cemento. ‖ **muerta.** La apagada. ‖ **viva.** Óxido cálcico. ‖ **a cal y canto.** loc. adv. con la cual se expresa que la acción de cerrar, encerrar o encerrarse en un local se realiza con intención de que nadie pueda entrar (o salir, si hay alguien dentro). ‖ **ahogar la cal.** fr. Apagarla. ‖ **de cal y canto.** expr. fig. y fam. Fuerte, macizo y muy durable. ‖ **una de cal y otra de arena.** loc. fig. y fam. Alternar cosas diversas o contrarias para contemporizar.

cal². f. ant. **calle.**

cala¹. (De *calar²*.) f. Acción y efecto de calar un melón u otras frutas semejantes. ‖ **2.** Pedazo cortado de una fruta para probarla. ‖ **3.** Supositorio laxante. ‖ **4.** Rompimiento hecho para reconocer el grueso de una pared o su fábrica o para descubrir bajo el pavimento cañerías, conducciones de agua, electricidad, etc. ‖ **5.** Parte más baja en lo interior de un buque. ‖ **6.** **calado,** parte del barco que se sumerge en el agua. ‖ **7.** Plomo que hace hundirse a la sonda o al anzuelo. ‖ **8.** Pieza que, en las linotipias, regula la anchura de la caja y el largo de las líneas. ‖ **9.** Lugar distante de la costa, propio para pescar con anzuelo. ‖ **10.** Tienta que mete el cirujano para reconocer la profundidad de una herida. ‖ **11.** Investigación en algún campo inexplorado del saber. *Seis* CALAS *en la expresión literaria española.* ‖ **a cala y a prueba.** loc. adv. **a prueba,** con derecho a comprobar la calidad y gusto de un artículo comestible, antes de efectuar la compra. ‖ **hacer cala,** o **hacer cala y cata.** fr. Reconocer alguna cosa para saber su cantidad o calidad. Se usó primero en minería con el sentido de **calicata.** ‖ **hacer la cala.** fr. *Mar.* Operación de echar las redes en la pesca.

cala². (Del ár. *kallā'*, fondeadero abrigado.) f. Ensenada pequeña.

cala³. (Del lat. *calla*, cierta planta.) f. Planta acuática aroidea, con hojas radicales de pecíolos largos, espádice amarillo y espata grande y blanca.

calaba. (De or. americano.) f. **calambuco.** ‖ **2.** V. **bálsamo de calaba.**

calabacear. tr. fig. y fam. **dar calabazas.** ‖ **2.** prnl. **darse de calabazadas.**

calabacera. f. Mujer que vende calabazas. ‖ **2.** Planta anual de la familia de las cucurbitáceas, con tallos rastreros muy largos y cubiertos de pelo áspero, hojas anchas y lobuladas y flores amarillas. Su fruto es la calabaza.

calabacero[1]. m. El que vende calabazas.

calabacero[2]. m. *Amér. Central* y *Méj.* **jícaro.**

calabacil. (De *calabaza.*) adj. V. **pera calabacil.**

calabacilla. (d. de *calabaza.*) f. **cohombrillo amargo.** ‖ **2.** Colgante del pendiente o arete de las orejas, cuando tiene forma semejante a una calabacita.

calabacín. m. Pequeña calabaza cilíndrica de corteza verde y carne blanca. ‖ **2.** fig. y fam. **calabaza,** persona inepta.

calabacinate. m. Guisado hecho con calabacines.

calabacino. m. Calabaza seca y hueca, para tener vino u otro líquido.

Calabar. n. p. V. **haba del Calabar.**

calabaza. f. **calabacera,** planta. ‖ **2.** Fruto de la **calabaza,** muy vario en su forma, tamaño y color; por lo común grande, redondo y con multitud de pipas o semillas. ‖ **3. calabacino.** ‖ **4.** fig. y fam. Persona inepta y muy ignorante. ‖ **5.** fig. y fam. *Mar.* Buque pesado y de malas condiciones náuticas. ‖ **bonetera, o pastelera.** La de forma de bonete y gran tamaño. ‖ **confitera, o totanera.** La de mayor tamaño entre las conocidas. ‖ **vinatera.** La que forma cintura en medio y es más ancha por la parte de la flor. Sirve después de seca para llevar vino u otro líquido. ‖ **beber de calabaza.** fr. fig. y fam. p. us. Aprovechar la confusión u oscuridad de un negocio para lucrarse sin que se le entienda. Se dijo porque no se sabe cuánto bebe el que lo hace de una **calabaza.** ‖ **dar calabazas.** fr. fig. y fam. Reprobar a uno en exámenes. ‖ **2.** fig. y fam. Desairar o rechazar la mujer al que la pretende o requiere de amores. ‖ **echar en calabaza.** fr. fig. y fam. p. us. Perder el tiempo, especialmente cuando le faltan a uno a la palabra dada. ‖ **nadar sin calabazas.** fr. fig. y fam. Saber manejarse uno por sí solo en la vida. ‖ **no necesitar de calabazas para nadar.** fr. fig. y fam. **nadar sin calabazas.** ‖ **salir** alguien **calabaza.** fr. fig. y fam. No corresponder al buen concepto que se había formado de él.

calabazada. f. **cabezada,** golpe dado en la cabeza. ‖ **2. cabezada,** el que se recibe en ella. ‖ **darse de calabazadas.** fr. fig. y fam. Fatigarse por averiguar o conseguir alguna cosa.

calabazar. m. Sitio sembrado de calabazas.

calabazate. m. Dulce seco de calabaza. ‖ **2.** Cascos de calabaza en miel o arrope.

calabazazo. m. Golpe dado con el fruto llamado calabaza. ‖ **2.** fam. Golpe que uno recibe en la cabeza.

calabazo. m. **calabaza,** fruto. ‖ **2. calabacino.** ‖ **3.** *Cuba.* **güiro,** instrumento músico. ‖ **4.** *Col.* **totumo.** ‖ **5.** *Mar.* **calabaza,** buque pesado.

calabazón. m. aum. de **calabaza.** ‖ **2.** *Ál.* Especie de cerezo cuyos frutos son mayores y de pulpa más consistente que los del cerezo común.

calabazona. f. *Ál.* **calabazón,** especie de cerezo. ‖ **2.** *Murc.* Calabaza inverniza.

calabazuela. f. *And.* Planta usada contra la mordedura de la víbora.

calabobos. (De *calar*[2] y *bobo.*) m. fam. Llovizna pertinaz.

calabocero. m. Encargado de los presos que están en el calabozo.

calabozaje. m. Derecho que pagaba al carcelero el que había estado preso en calabozo.

calabozo[1]. (Del lat. **calafodĭum,* de *fodĕre,* cavar.) m. Lugar seguro, generalmente lóbrego e incluso subterráneo, donde se encierra a determinados presos. ‖ **2.** Aposento de cárcel para incomunicar a un preso.

calabozo[2]. (De *calagozo.*) m. Instrumento de hoja acerada, ancha y fuerte, para podar y rozar árboles y matas.

calabre. (De or. inc.; cf. port. *calabre,* cuerda gruesa.) m. ant. *Mar.* **cable,** maroma gruesa.

calabrés, sa. adj. Natural de Calabria. Ú. t. c. s. ‖ **2.** Perteneciente o relativo a esta región de Italia.

calabriada. f. Mezcla de vinos, especialmente de blanco y tinto. ‖ **2.** fig. Mezcla de cosas diversas.

calabriar. tr. desus. Mezclar vino blanco y tinto.

calabrotar. tr. *Mar.* **acalabrotar.**

calabrote. (De *calabre.*) m. *Mar.* Cabo grueso hecho de nueve cordones colchados de izquierda a derecha, en grupos de a tres y en sentido contrario cuando se reúnen para formar el cabo.

calacuerda. (De *calar*[2] y *cuerda.*) f. *Mil.* Toque militar antiguo para acometer resueltamente al enemigo. Servía para mandar que, en los mosquetes y arcabuces, se aplicase la mecha o cuerda encendida a sus cazoletas u oídos, cebados con pólvora.

calada. f. Acción y efecto de **calar**[2], penetrar un líquido en un cuerpo. ‖ **2.** Acción y efecto de **calar**[2], sumergir en el agua redes u otros objetos. ‖ **3.** Vuelo rápido del ave de rapiña, ya abatiéndose, ya levantándose. ‖ **4.** Chupada que se da a un cigarro, puro, etc. ‖ **5.** ant. Camino estrecho y áspero. ‖ **dar una calada.** fr. fig. y fam. p. us. Reprender ásperamente.

caladelante. (De *cal*[2] y *adelante.*) adv. t. y l. ant. **caradelante.**

caladera. (De *calar*[2].) f. *Murc.* Red que se usa para la pesca de mújoles y lisas.

caladero. m. Sitio a propósito para calar las redes de pesca.

calado[1]. (De *calar*[2].) m. Labor que se hace con aguja en alguna tela o tejido, sacando o juntando hilos, con que se imita la randa o encaje. ‖ **2.** En las labores de punto, adorno que se hace aumentando o disminuyendo puntos para que queden huecos con arreglo a un dibujo. ‖ **3.** Labor que consiste en taladrar el papel, tela, madera, metal u otra materia, con sujeción a un dibujo. ‖ **4.** *Mar.* Profundidad que alcanza en el agua la parte sumergida de un barco. ‖ **5.** *Mar.* Altura que alcanza la superficie del agua sobre el fondo. ‖ **6.** pl. Encajes o galones con que las mujeres guarnecían los jubones desde los hombros bajando en punta hasta más abajo de la cintura.

calado[2]**, da.** p. p. de **calar**[2]. ‖ **2.** adj. V. **cuerda calada.**

calador, ra. (De *calar*[2].) m. y f. Persona que cala. ‖ **2.** Persona encargada de calar las redes denominadas sedal y cinta en las almadrabas. ‖ **3.** Persona que realiza trabajos de calado en las varillas de los abanicos. ‖ **4.** Persona que realiza sobre tela bordados y calados, a mano o a máquina. ‖ **5.** m. Tienta del cirujano. ‖ **6.** Hierro cilíndrico por uno de sus extremos, plano y algo afilado por el otro, con que los calafates introducen las estopas en las costuras al carenar las embarcaciones. ‖ **7.** *Chile.* Punzón o aguja grande para abrir los sacos, barriles, etc., y robar el contenido sin que se note. ‖ **8.** *Argent.* y *Méj.* Barrena acanalada para sacar muestras de los granos sin abrir los bultos que las contienen, a fin de conocer su clase o calidad. ‖ **9.** f. *Venez.* Piragua grande.

caladre. f. **calandria**[1], pájaro.

caladura. (De *calar*[2].) f. **cala**[1], acción y efecto de calar un melón u otra fruta.

calafate. (Del ár. *qalfāṭ.*) m. El que calafatea las embarcaciones. ‖ **2. carpintero de ribera.**

calafateado. m. Arte del calafate. ‖ **2. calafateo.**

calafateador. m. El que calafatea.

calafateadura. f. **calafateo.**

calafatear. (De *calafate.*) tr. Cerrar las junturas de las maderas de las naves con estopa y brea para que no entre el agua. ‖ **2.** Por ext., cerrar o tapar otras junturas.

calafateo. m. Acción y efecto de calafatear.

calafatería. f. **calafateo.**
calafatín. m. Aprendiz de calafate.
calafetear. tr. **calafatear.**
calagozo. m. **calabozo**[2].
calagraña. f. Variedad de uva de mala calidad. ‖ **2. uva torrontés.**
calaguala. f. Helecho de la familia de las polipodiáceas, originario del Perú, con hojas rastreras, ensiformes, lisas, de unos ocho decímetros de largo, y raíz rastrera y dura. Se emplea en medicina.
calaguasca. f. *Col.* **aguardiente.**
calagurritano, na. (Del lat. *Calagurritānus.*) adj. Natural de la antigua Calagurris o de la moderna Calahorra, ciudad de la Rioja. Ú. t. c. s. ‖ **2.** Perteneciente a esta ciudad. ‖ **3.** V. **hambre calagurritana.**
calahorra. (En ár. *qalahurra.*) f. ant. Edificio público con rejas por donde se daba el pan en tiempo de escasez. ‖ **2. castillo,** fortaleza.
calahorrano, na. (De *Calahorra.*) adj. **calagurritano.**
calahorreño, ña. adj. **calagurritano.**
Calaínos. n. p. V. **coplas de Calaínos.**
calaíta. (Del lat. *callaïs,* y este del gr. κάλλαϊς.) f. **turquesa**[2].
calaje. m. *Ar.* Cajón o naveta.
calalú. m. *Cuba.* Potaje compuesto de hojas de la planta de su nombre, verdolaga, calabaza, bledo y otros vegetales picados y cocidos con sal, vinagre, manteca y otros condimentos. ‖ **2.** Nombre que se da en Cuba a una planta amarantácea que produce una legumbre que sirve para aderezar el **calalú.** También se llama jaboncillo. ‖ **3.** *El Salv.* **quingombó.**
calaluz. (De or. inc.) m. Embarcación usada en la India.
calamaco. m. Tela de lana delgada y angosta, que tiene un torcidillo como jerga y se parece al droguete.
calamar. (Del lat. *calamarĭus,* de *calămus,* caña o pluma de escribir.) m. Molusco cefalópodo de cuerpo alargado, con una concha interna en forma de pluma de ave y diez tentáculos provistos de ventosas, dos de ellos más largos que el resto. Vive formando bancos que son objeto de una activa pesca.
calambac. (Del persa *kalanbak.*) m. Árbol del Extremo Oriente, leguminoso, con hojas sencillas, lanceoladas, y flores en racimos erguidos, terminales. Su madera es el palo áloe.
calambre. (De or. inc.; cf. germ. **kramp,* angosto, comprimido.) m. Contracción espasmódica, involuntaria, dolorosa y poco durable de ciertos músculos, particularmente de los de la pantorrilla. ‖ **2.** Estremecimiento producido por una descarga eléctrica de baja intensidad. ‖ **3.** Enfermedad caracterizada por el espasmo de ciertos grupos de músculos, generalmente de la mano, que dificulta o impide el ejercicio de la función de esta, en algunos oficios y profesiones; como de escribiente, telegrafista, pianista, etc. ‖ **de estómago.** *Pat.* Gastralgia; dolor muy fuerte de estómago, generalmente causado por lesión en el mismo.
calambreña. f. *Cuba* y *P. Rico.* Árbol silvestre que se cría en los terrenos pobres y cuya madera solo se emplea para quemar.
calambuco. (De *calaba.*) m. Árbol americano, de la familia de las gutíferas, de unos 30 metros de altura, con tronco negruzco y rugoso, hojas aovadas, lisas, duras y lustrosas, flores en ramillete, blancas y olorosas, y frutos redondos y carnosos. Su resina es el bálsamo de María.
calambur. (Del fr. *calembour.*) m. *Ret.* Agrupación de las sílabas de una o más palabras de tal manera que se altera totalmente el significado de estas. Por ejemplo: *plátano es/plata no es.*
calamento[1]. (Del gr. καλάμινθος.) m. Planta vivaz, de la familia de las labiadas, de unos seis decímetros de altura, ramosa, velluda, con hojas aovadas y flores purpúreas en racimos. Despide olor agradable, y se usa en medicina.
calamento[2]. (De *calar*[2].) m. Acción de calar las redes o cualquier arte de pesca.
calameño, ña. adj. Natural de Calama. Ú. t. c. s. ‖ **2.** Perteneciente o relativo a esta ciudad de Chile.
calamida. f. ant. **calamita**[2].
calamidad. (Del lat. *calamĭtas, -ātis.*) f. Desgracia o infortunio que alcanza a muchas personas. ‖ **2.** fig. Persona incapaz, inútil o molesta.
calamiforme. (De *cálamo* y *forma.*) adj. Dícese de las partes vegetales o animales que tienen figura de cañón de pluma.
calamillera. f. **caramilleras.**
calamina. (Del lat. *cadmea,* b. lat. *calamina.*) f. Carbonato de cinc, anhidro, pétreo, blanco o amarillento, o rojizo cuando lo tiñe el hierro. Es la mena de que generalmente se extrae el cinc. ‖ **2.** Cinc fundido.
calaminar. adj. V. **piedra calaminar.**
calaminta. (Del lat. *calaminthe,* y este del gr. καλαμίνθη.) f. **calamento**[1].
calamistro. (Del lat. *calamister, -tri.*) m. *Arqueol.* Hierro usado antiguamente para rizar el pelo.
calamita[1]. f. **calamite.**
calamita[2]. (Del m. or. que *caramida.*) f. **piedra imán.** ‖ **2. brújula,** flechilla imanada al Norte.
calamite. (Del lat. *calamītes,* y este del gr. καλαμίτης, el que mora entre cañas.) f. Sapo pequeño, verde, con una línea amarilla a lo largo del dorso.
calamitosamente. adv. m. Con calamidad, desgraciadamente.
calamitoso, sa. (Del lat. *calamitōsus.*) adj. Que causa calamidades o es propio de ellas. ‖ **2.** Infeliz, desdichado.
cálamo. (Del lat. *calămus.*) m. Especie de flauta antigua. ‖ **2.** Parte inferior hueca del eje de las plumas de las aves, que no lleva barbas y se inserta en la piel. ‖ **3.** poét. **caña,** tallo de las gramíneas. ‖ **4.** poét. Pluma de ave o de metal para escribir. ‖ **aromático.** Raíz medicinal del ácoro, de unos dos centímetros de diámetro, nudosa, ligera y de olor agradable, usada como ingrediente para componer la triaca. ‖ **2.** Planta medicinal gramínea, muy parecida al esquenanto y cuya raíz sustituye a la del ácoro.
calamocano, na. adj. Dícese de la persona que está algo embriagada. ‖ **2.** m. fam. **chocho**[2], que chochea.
calamoco. m. **canelón**[2], carámbano.
cálamo currente. (En lat., *al correr de la pluma.*) loc. adv. fig. Sin reflexión previa, con presteza y de improviso. Por lo común se usa referido a escritos.
calamocha. f. Ocre amarillo de color muy bajo.
calamón[1]. m. Ave limícola semejante a la focha pero de tamaño mayor, color azul intenso y pico, frente y patas rojos. ‖ **2.** Clavo de cabeza en forma de botón, que se usa para tapizar o adornar. ‖ **3.** Cada uno de los dos palos con que se sujeta la viga en el lagar y en el molino de aceite.
calamón[2]. m. Parte superior de la alcoba de la balanza, donde se introduce y sujeta el vástago del garabato de que esta se cuelga, cuando no es de pie.
calamonarse. prnl. *Ar.* Corromperse o fermentar la hierba u otro vegetal.
calamorra. adj. Se dice de la oveja que tiene lana en la cara. ‖ **2.** f. fam. **cabeza** del hombre.
calamorrada. (De *calamorrar.*) f. fam. **cabezada,** golpe que se da o se recibe en la cabeza.
calamorrar. (De *calamorra.*) intr. ant. Darse de testaradas o topar los carneros unos con otros.
calamorrazo. (De *calamorra.*) m. fam. Golpe en la cabeza.
calamorro. m. *Chile.* Zapato grueso y de forma grosera.
calandraca. f. *Mar.* Sopa que se hace a bordo con pe-

dazos de galleta cuando escasean los víveres. ‖ **2.** fig. *Murc.* Conversación molesta y enfadosa.

calandraco, ca. adj. *Amér.* **calandrajo**[1], persona ridícula.

calandrado. m. Acción y efecto de calandrar.

calandrajo[1]**.** (Del lat. *caliendrum*, cairel, colgante.) m. fam. Pedazo de tela grande, rota y desgarrada, que cuelga del vestido. ‖ **2.** fam. Trapo viejo. ‖ **3.** fig. y fam. Persona ridícula y despreciable.

calandrajo[2]**.** m. *Sal.* Suposición, comentario, invención.

calandrar. tr. Pasar el papel o la tela por la calandria, a fin de satinarlo.

calandria[1]**.** (Del gr. κάλανδρος.) f. Pájaro de la misma familia que la alondra, de dorso pardusco, vientre blanquecino, alas anchas, de unos 40 centímetros de envergadura, y pico grande y grueso. ‖ **2.** com. fam. Persona que se finge enferma para tener vivienda y comida en un hospital.

calandria[2]**.** (Del lat. *cylindrum*, y este del gr. κύλινδρος, cilindro.) f. Máquina compuesta de varios cilindros giratorios, calentados generalmente a vapor, que sirven para prensar y satinar ciertas telas o el papel. También se usa para planchar la ropa blanca. ‖ **2.** Cilindro hueco de madera, giratorio alrededor de un eje horizontal, movido por el peso del hombre o los hombres que entran en él. Se emplea para levantar cosas pesadas, por medio de un torno.

cálanis. m. **cálamo aromático.**

calántica. (Del lat. *calantĭca*, cofia.) f. Tocado de tela semejante a una mitra, que usaban las mujeres de la antigüedad clásica.

calaña[1]**.** (De un der. del lat. *qualis.*) f. Muestra, modelo, patrón, forma. ‖ **2.** fig. Índole, calidad, naturaleza de una persona o cosa. *Ser de buena,* o *mala,* CALAÑA. Ú. m. en sent. despect.

calaña[2]**.** f. Abanico muy ordinario con varillaje de caña.

Calañas. (De *Calañas*, en Huelva.) n. p. V. **sombrero de Calañas.**

calañés, sa. adj. Natural de Calañas, pueblo de la provincia de Huelva. Ú. t. c. s. ‖ **2.** Perteneciente o relativo a este pueblo. ‖ **3.** V. **sombrero calañés.** Ú. t. c. s.

calaño, ña. (De *calaña*[1].) adj. ant. Compañero, igual, semejante.

cálao. m. Ave grande, trepadora, que tiene sobre el pico, que es grueso, un voluminoso apéndice córneo, de figura variada. Conócense diversas especies, que viven en Filipinas y en otras islas del océano Pacífico.

calapé. m. *Amér.* Tortuga asada en su concha.

calar[1]**.** (De *cal*[1].) adj. **calizo.** ‖ **2.** m. Lugar en que abunda la piedra caliza.

calar[2]**.** (Del lat. *chalāre*, bajar, descender, y este del gr. χαλάω.) tr. Penetrar un líquido en un cuerpo permeable. ‖ **2.** Atravesar un instrumento, como espada, barrena, etc., otro cuerpo de una parte a otra. ‖ **3.** Agujerear tela, papel, metal o cualquier otra materia en hojas, de forma que resulte un dibujo parecido al de la randa o encaje. ‖ **4.** Cortar de un melón o de otras frutas un pedazo con el fin de probarlas. ‖ **5.** Dicho de la gorra, el sombrero, etc., ponérselos, haciéndolos entrar mucho en la cabeza. Ú. t. c. prnl. ‖ **6.** Dicho de las picas y otras armas, inclinarlas hacia adelante en disposición de herir. ‖ **7.** fig. y fam. Tratándose de personas, conocer sus cualidades o intenciones. ‖ **8.** fig. y fam. Penetrar, comprender el motivo, razón o secreto de una cosa. ‖ **9.** fig. y fam. Entrarse, introducirse en alguna parte. Ú. m. c. prnl. ‖ **10.** *Col.* Apabullar, cachifollar. ‖ **11.** *Méj.* Sacar con el calador una muestra en un fardo. ‖ **12.** *Germ.* Meter la mano en la faltriquera para hurtar lo que hay dentro. ‖ **13.** *Mar.* Arriar o bajar un objeto resbalando sobre otro, como mastelero, verga, etc., sirviéndose de un aro u otro medio adecuado para guiar su movimiento. ‖ **14.** *Mar.* Disponer en el agua debidamente un arte para pescar. ‖ **15.** intr. *Mar.* Alcanzar un buque en el agua determinada profundidad por la parte más baja de su casco. ‖ **16.** prnl. Mojarse una persona hasta que el agua, penetrando la ropa, llegue al cuerpo. ‖ **17.** Abalanzarse las aves sobre alguna cosa para hacer presa en ella.

calarse. (Del fr. *caler*, del m. or. que *calar*[2].) prnl. Pararse bruscamente un motor de explosión por producir una potencia inferior a la que el vehículo necesita para moverse.

calasancio, cia. adj. **escolapio.**

cálato. (Del gr. κάλαθος, canastillo.) m. *Arqueol.* Cesto de juncos o de mimbres entrelazados, de forma semejante a un cáliz sin el pie. ‖ **2.** *Arq.* Tambor del capitel del orden corintio.

calato, ta. adj. *Perú.* Desnudo, en cueros.

Calatrava. n. p. V. **cruz de Calatrava.**

calatraveño, ña. adj. Natural de Calatrava. Ú. t. c. s. ‖ **2.** Perteneciente o relativo a esta antigua fortaleza y villa de La Mancha o a su campo.

calatravo, va. adj. Dícese de los caballeros, freires y personas de la orden militar de Calatrava. Ú. t. c. s.

calavera. (Del lat. *calvarĭa*, cráneo.) f. Conjunto de los huesos de la cabeza mientras permanecen unidos, pero despojados de la carne y de la piel. ‖ **2.** Mariposa de la familia de los esfíngidos, de cuerpo grueso y peludo, con un dibujo en el tórax que recuerda a una **calavera.** ‖ **3.** m. fig. Hombre de poco juicio y asiento. ‖ **4.** fig. Hombre dado al libertinaje.

calaverada. (De *calavera*, hombre de poco juicio.) f. fam. Acción propia de hombre de poco juicio o libertino.

calaverear. (De *calavera*, hombre de poco juicio.) intr. fam. Hacer calaveradas.

calaverna. (Del lat. *cadaverĭna*, t. f. de *-nus*, de cadáver.) f. ant. **calavera,** conjunto de huesos de la cabeza.

calavernario. (De *calaverna.*) m. **osario**[1].

calavero. m. ant. **calavera,** conjunto de huesos de la cabeza. Ú. en Salamanca.

calaverón. m. aum. de **calavera.**

calboche. (De *calibo.*) m. *Sal.* Olla de barro con asa y boca como las del cántaro, y agujereada toda, excepto el asiento, y usada para asar castañas.

calbote. m. *Sal.* Castaña asada.

calbotes. m. pl. *Ál.* Judías verdes.

calca. (De *calcar*, pisar.) f. Acción y efecto de pisar y huella que queda.

calcadera. (De *calcar.*) f. ant. **calcañar.**

calcado. m. Acción de calcar.

calcador, ra. m. y f. Persona que calca. ‖ **2.** m. Instrumento para calcar.

calcáneo. (Del lat. *calcanĕum.*) m. *Anat.* Uno de los huesos del tarso, que en el hombre está situado en el talón o parte posterior del pie.

calcañal. m. **calcañar.**

calcañar. (De *calcaño.*) m. Parte posterior de la planta del pie.

calcaño. (Del lat. *calcanĕum*, talón.) m. **calcañar.**

calcañuelo. m. Cierta enfermedad que padecen las abejas.

calcar. (Del lat. *calcāre.*) tr. Sacar copia de un dibujo, inscripción o relieve por contacto del original con el papel o la tela a que han de ser trasladados. ‖ **2.** Apretar con el pie. ‖ **3.** fig. Imitar, copiar o reproducir con exactitud y a veces servilmente.

calcáreo, a. (Del lat. *calcarĭus.*) adj. Que tiene cal.

calce[1]**.** (De *calzar.*) m. **llanta**[2] de rueda. ‖ **2.** Porción de hierro o acero que se añade a la boca o punta de algunas herramientas o a la reja del arado cuando están gastadas. ‖ **3.** Cuña o alza que se introduce para ensanchar o rellenar el espacio entre dos cuerpos. ‖ **4. calza**[2], cuña[2]. ‖ **5.** *Guat.*, *Méj.* y *P. Rico.* Pie de un documento. *El Presidente firmó al* CALCE.

calce[2]. (Del lat. *calix, -ĭcis,* tubo de conducción.) m. ant. **cáliz,** vaso sagrado y, en sentido poético, copa. ‖ **2.** ant. **caz.** Ú. en Burgos. ‖ **3.** *Ál.* **cauce.**

calceatense. adj. Natural de Santo Domingo de la Calzada. Ú. t. c. s. ‖ **2.** Perteneciente o relativo a esta ciudad de la Rioja.

calcedonense. adj. **calcedonio.**

calcedonia. (De *Calcedonia,* ciudad de Bitinia, de donde procede esta piedra.) f. Ágata muy translúcida, de color azulado o lechoso.

calcedonio, nia. adj. Natural de Calcedonia. Ú. t. c. s. ‖ **2.** Perteneciente o relativo a esta antigua ciudad de Bitinia.

cálceo. (Del lat. *calcĕus.*) m. *Arqueol.* Calzado alto y cerrado que usaban los romanos.

calceolaria. (Del lat. *calceŏlus,* zapatito.) f. Planta anual, de la familia de las escrofulariáceas, cuyas flores, en corimbo y de color de oro, semejan un zapato. Es originaria de América Meridional, y se cultiva en los jardines.

calcés. (Del it. *calcese.*) m. *Mar.* Parte superior de los palos mayores y masteleros de gavia, comprendida entre la cofa o cruceta y el tamborete.

calceta. (d. de *calza*[2].) f. **media** del pie y pierna. ‖ **2.** Tejido de punto. ‖ **3.** fig. Grillete que se ponía al forzado. ‖ **4** *Murc.* Embuchado en tripa gruesa, por el estilo de la butifarra. ‖ **5.** *C. Rica.* **calceto.** ‖ **hacer calceta.** Hacer labor de punto.

calcetar. intr. Hacer calceta o media.

calcetería. f. Oficio de calcetero. ‖ **2.** Tienda donde se vendían calzas y calcetas.

calcetero[1]**, ra.** m. y f. Persona que hace y compone medias y calcetas. ‖ **2.** m. Maestro sastre que hacía las calzas de paño.

calcetero[2]**, ra.** adj. Dícese de la res vacuna de capa oscura y extremidades blancas.

calcetín. m. d. de **calceta,** media. ‖ **2.** Calceta o media que cubre el tobillo y parte de la pierna sin llegar a la rodilla.

calceto. adj. *Col.* Dícese del pollo calzado. Ú. t. c. s.

calcetón. m. aum. de **calceta,** media. ‖ **2.** Media de lienzo o paño para debajo de la bota.

cálcico, ca. adj. *Quím.* Perteneciente o relativo al calcio.

calcicosis. (Del lat. *calx, calcis,* cal, y *-osis.*) f. *Pat.* Neumoconiosis causada por el polvo de la cal.

calcídico. (Del lat. *chalcidĭcum.*) m. *Arqueol.* Galería o corredor construido generalmente en sentido perpendicular al eje de un edificio.

calcificación. (De *calcificar.*) f. *Biol.* Acción o efecto de calcificar o calcificarse. ‖ **2.** *Med.* Transformación de los tejidos, tumores y paredes de los vasos, por depositarse en ellos sales de cal.

calcificar. (Del lat. *calx, calcis,* cal, y *facĕre,* hacer.) tr. Producir por medios artificiales carbonato de cal. ‖ **2.** *Biol.* Dar a un tejido orgánico propiedades calcáreas mediante la adición de sales de calcio. ‖ **3.** prnl. Modificarse o degenerar en esta forma un tejido orgánico.

calcilla. f. *Ar.* Media sin pie, pero con una trabilla que sirve para sujetarla.

calcillas. (De *calza.*) f. pl. Calzas más cortas y estrechas que las ordinarias. ‖ **2.** m. pl. usado c. sing. fig. y fam. Hombre tímido o cobarde. ‖ **3.** fig. y fam. Hombre de corta estatura.

calcímetro. (Del lat. *calx, calcis,* cal, y *-metro.*) m. Aparato que sirve para determinar la cal contenida en las tierras de labor.

calcina. (Del lat. *calx, calcis,* cal.) f. **hormigón**[1].

calcinable. adj. Que puede calcinarse.

calcinación. f. Acción y efecto de calcinar. ‖ **2.** V. **horno de calcinación.**

calcinado, da. p. p. de **calcinar.** ‖ **2.** adj. V. **ocre calcinado.**

calcinador, ra. adj. Que calcina. Ú. t. c. s.

calcinamiento. m. **calcinación.**

calcinar. (Del lat. *calx, calcis,* cal.) tr. Reducir a cal viva los minerales calcáreos, privándolos del ácido carbónico por el fuego. ‖ **2.** *Quím.* Someter al calor los minerales de cualquier clase, para que de ellos se desprendan las sustancias volátiles.

calcinatorio. m. Vasija en que se calcina.

calcinero. m. **calero,** el que saca la piedra para hacer cal.

calcio. (Del lat. cient. *calcium,* de *calx, calcis,* cal.) m. *Quím.* Metal blanco, muy alterable al aire y al agua, que, combinado con el oxígeno, forma la cal. Núm. atómico, 20. Símb.: *Ca.*

calciotermia. (De *calcio* y *-termia.*) f. Técnica para obtener un metal por reducción de un compuesto del mismo, con empleo de calcio y la consiguiente elevación de temperatura.

calcita. (De *calcio.*) f. *Mineral.* Carbonato de calcio, muy abundante, que cristaliza en formas del sistema hexagonal, generalmente blanco puro, a veces transparente.

calcitrapa. f. **cardo estrellado.**

calco. (De *calcar.*) m. Acción y efecto de calcar, copiar o imitar. ‖ **2.** Copia que se obtiene calcando. ‖ **3.** Plagio, imitación o reproducción idéntica o muy próxima al original. ‖ **4.** fam. **zapato.** ‖ **5.** *Ling.* Adaptación de una palabra extranjera, traduciendo su significado completo o el de cada uno de sus elementos formantes. Así, *baloncesto* es un **calco** del ing. *basket-ball.* ‖ **semántico.** Adopción de un significado extranjero para una palabra ya existente en una lengua: *endosar,* en la acepción «respaldar», es **calco semántico** del ing. *to endorse,* o *romance,* «amoríos», del ing. *romance.*

calcografía. (Del gr. χαλκός, bronce, cobre, y *-grafía.*) f. Arte de estampar con láminas metálicas grabadas. ‖ **2.** Oficina donde se hace dicha estampación.

calcografiar. tr. Estampar por medio de la calcografía.

calcográfico, ca. adj. Perteneciente a la calcografía.

calcógrafo, fa. m. y f. Persona que ejerce el arte de la calcografía.

calcolítico, ca. (Del gr. χαλκός, bronce, y *lítico.*) adj. Dícese de culturas del período eneolítico. ‖ **2.** *Arqueol.* **eneolítico.** Ú. t. c. s.

calcomanía. (Del fr. *décalcomanie.*) f. Entretenimiento que consiste en pasar de un papel a objetos diversos de madera, porcelana, seda, estearina, etc., imágenes coloridas preparadas con trementina. ‖ **2.** Imagen obtenida por este medio. ‖ **3.** El papel o cartulina que tiene la figura, antes de transportarla.

calcopirita. (Del gr. χαλκός, cobre, y de *pirita.*) f. *Mineral.* Sulfuro natural de cobre y hierro, de color amarillo claro y brillante y no muy duro.

calcorrear. (De *calcorro.*) intr. *Germ.* **correr,** caminar.

calcorro. (De *calcar.*) m. *Germ.* **zapato.**

calcotipia. (Del gr. χαλκός, cobre, y τύπος, molde.) f. Procedimiento de grabado en cobre, para reproducir en planchas sólidas en relieve una composición tipográfica de caracteres movibles.

calculable. adj. Que puede reducirse a cálculo.

calculación. (Del lat. *calculatĭo, -ōnis.*) f. **cálculo,** cuenta, cómputo. ‖ **2.** ant. Acción de calcular.

calculadamente. adv. m. Con cálculo.

calculador, ra. (Del lat. *calculātor, -ōris.*) adj. Que calcula.

Ú. t. c. s. ‖ **2.** Dícese a veces de la persona que realiza o impulsa determinados actos para obtener un provecho. Ú. t. c. s. ‖ **3.** Dícese del que considera una cosa con atención y cuidado. ‖ **4.** m. y f. Aparato o máquina que por un procedimiento mecánico o electrónico obtiene el resultado de cálculos matemáticos.

calcular. (Del lat. *calculāre.*) tr. Hacer cálculos. ‖ **2.** Considerar, reflexionar una cosa con atención y cuidado.

calculatorio, ria. (Del lat. *calculatorĭus.*) adj. Que es propio del cálculo.

calculista. (De *cálculo.*) adj. **proyectista.** Ú. t. c. s.

cálculo. (Del lat. *calcŭlus.*) m. Cómputo, cuenta o investigación que se hace de alguna cosa por medio de operaciones matemáticas. ‖ **2. conjetura.** ‖ **3.** Concreción anormal que se forma en la vejiga de la orina y también en la de la bilis, en los riñones y en las glándulas salivales. Su expulsión ocasiona accesos de cólicos que se llaman nefríticos o hepáticos, según los casos. ‖ **4.** pl. **mal de piedra.** ‖ **algebraico.** *Mat.* El que se hace con letras que representan las cantidades, aunque también se empleen algunos números. ‖ **aritmético.** *Mat.* El que se hace con números exclusivamente y algunos signos convencionales. ‖ **diferencial.** *Mat.* Parte de las matemáticas que trata de las diferencias infinitamente pequeñas de las cantidades variables. ‖ **infinitesimal.** *Mat.* Conjunto de los **cálculos** diferencial e integral. ‖ **integral.** *Mat.* Parte de las matemáticas que enseña a determinar las cantidades variables, conocidas sus diferencias infinitamente pequeñas. ‖ **prudencial.** El que se hace a bulto, con aproximación y sin buscar la exactitud.

calculoso, sa. (Del lat. *calculōsus.*) adj. Perteneciente o relativo al mal de piedra. ‖ **2.** Que padece esta enfermedad. Ú. t. c. s.

calcha. (Del arauc. *calcha,* pelos interiores.) f. *Chile.* **cerneja.** Ú. m. en pl. ‖ **2.** *Chile.* Pelusa o pluma que tienen algunas aves en los tarsos. ‖ **3.** *Chile.* Conjunto de las ropas de vestir y cama de los trabajadores.

calchacura. (Del arauc. *calcha* y *cura,* pelo o barba de la piedra.) f. *Chile.* Liquen semejante al islándico y de aplicación igual en medicina.

calchaquí. adj. Se aplica al indio que habita en un valle del Tucumán, llamado de Calchaquí, y también al sur del Chaco, junto a la provincia de Santa Fe, originario quizá del mismo valle. Ú. t. c. s.

calchín. adj. Dícese del indio de origen guaraní que, en tribus, habita hoy el Rincón de San José, al norte de Santa Fe. Ú. t. c. s.

calchón, na. (De *calcha.*) adj. *Chile.* Dícese del ave que tiene calchas. ‖ **2.** *Chile.* Dícese de la caballería que tiene muchas cernejas.

calchona. (De *calchón.*) f. *Chile.* Ser fantástico y maléfico que atemoriza a los caminantes solitarios. Al son de este nombre se cometen robos y otros daños. ‖ **2.** *Chile,* **bruja,** mujer que tiene pacto con el diablo. ‖ **3.** *Chile.* Mujer vieja y fea.

calchudo, da. adj. *Chile.* **calchón.**

calda. (Del lat. *calda.*) f. Acción y efecto de caldear. ‖ **2.** Acción de introducir en los hornos de fundición cierta cantidad de combustibles, para producir en ellos un aumento de temperatura. ‖ **3.** Ordalía en que el acusado introducía la mano o el brazo en agua hirviente y si al cabo de determinados días no tenía quemaduras quedaba libre de la acusación. ‖ **4.** pl. Baños de aguas minerales calientes. ‖ **dar calda,** o **una calda,** a alguien. fr. fig. y fam. Acalorarlo, estimularlo para que haga alguna cosa. ‖ **dar una calda.** fr. Recalentar en la fragua el hierro que se trabaja en estado candente, cada vez que pierde por enfriamiento su color rojizo brillante.

caldaico, ca. (Del lat. *Chaldaĭcus.*) adj. Perteneciente a Caldea, antigua región asiática.

caldaria. (Del lat. *caldarĭa,* de *caldus,* caliente.) adj. V. **ley caldaria.**

caldario. (Del lat. *caldarĭum.*) m. Sala donde en las casas de baños de los antiguos romanos se tomaban los de vapor.

caldeamiento. m. Acción y efecto de caldear.

caldear. (Del lat. *caldus,* caliente.) tr. Hacer que algo que antes estaba frío aumente perceptiblemente de temperatura. Ú. t. c. prnl. ‖ **2.** Excitar, apasionar el ánimo de quien estaba tranquilo e indiferente. Ú. t. c. prnl. ‖ **3.** fig. Animar, estimular el ánimo de un auditorio, de un ambiente, de una reunión, etc. Ú. t. c. prnl. ‖ **4.** Hacer ascua el hierro para labrarlo o para soldar un trozo con otro. Ú. t. c. prnl.

caldeísmo. m. Giro o modo de hablar propio de la lengua caldea.

caldén. m. Árbol leguminoso, que alcanza más de 10 metros de altura y cuya madera se emplea en carpintería. Abunda en la República Argentina.

caldense. adj. Natural de Caldas. Ú. t. c. s. ‖ **2.** Perteneciente o relativo a este departamento de Colombia.

caldeo[1]. (De *caldear.*) m. Acción y efecto de caldear.

caldeo[2], a. (Del lat. *Chaldaeus,* y este del gr. χαλδαῖος.) adj. Dícese de un pueblo semítico que se estableció en la baja Mesopotamia y dominó este país, con su capital en Babilonia, en los siglos VII y VI antes de Cristo Ú. t. c. s. ‖ **2. caldaico.** ‖ **3.** m. Lengua de los **caldeos,** una de las semíticas. ‖ **4.** ant. **astrólogo,** que profesa la astrología. ‖ **5.** ant. **matemático,** que profesa las matemáticas.

caldera. (Del lat. *caldarĭa.*) f. Vasija de metal, grande y redonda, que sirve comúnmente para poner a calentar o cocer algo dentro de ella. ‖ **2.** Recipiente metálico dotado de una fuente de calor, donde se calienta el agua que circula por los tubos y radiadores de la calefacción de un edificio. ‖ **3.** Recipiente metálico cerrado que se emplea para calentar o evaporar líquidos. ‖ **4. calderada.** ‖ **5.** Caja del timbal hecha con latón o cobre. ‖ **6.** V. **miel de caldera.** ‖ **7.** *R. de la Plata.* Jarro con pico vertedor en que se calentaba el agua para cebar el mate. ‖ **8.** *NE.* de la *Argent.* y *Urug.* Pava, recipiente de metal con asa en la parte superior, tapa y pico, para calentar agua. ‖ **9.** *Geol.* Depresión de grandes dimensiones y con paredes escarpadas, originada por explosiones o erupciones volcánicas muy intensas. ‖ **10.** *Blas.* Figura artificial que se pinta con las asas levantadas, terminadas en cabezas de serpientes. En España fue señal de ricahombría. Se usan casi siempre en número de dos, en el campo del escudo o en orla. ‖ **11.** *Min.* Parte más baja de un pozo, donde se hacen afluir las aguas para extraerlas más fácilmente. ‖ **de jabón. jabonería,** fábrica de jabón. ‖ **de vapor.** Recipiente donde hierve el agua, cuyo vapor en tensión constituye la fuerza motriz de la máquina. ‖ **tubular.** La de esta clase que lleva en su interior varios tubos longitudinales, por entre los cuales penetran los gases y llamas del hogar, para aumentar la superficie de calefacción del agua que los rodea. ‖ **las calderas de Pero Botero.** expr. fig. y fam. El infierno.

calderada. f. Lo que cabe de una vez en una caldera.

calderería. f. Oficio de calderero. ‖ **2.** Tienda y barrio en que se hacen o venden obras de calderero. ‖ **3.** Parte o sección de los talleres de metalurgia donde se cortan, forjan, entraman y unen barras y planchas de hierro o de acero, con mecanismos apropiados.

calderero. m. El que hace o vende obras de calderería. ‖ **2.** Operario que cuida de una caldera.

caldereta. f. d. de **caldera.** ‖ **2. calderilla** de agua bendita. ‖ **3.** Guisado que se hace cociendo el pescado fresco con sal, cebolla y pimiento, y echándole aceite y vinagre antes de apartarlo del fuego. ‖ **4.** Guisado que hacen los pastores con carne de cordero o cabrito. ‖ **5.** *Mar.* La pequeña caldera que para suministrar vapor en las faenas de carga y descarga suelen llevar los buques mercantes de vapor. ‖ **6.** *Mar.* Viento terral, acompañado de lluvia y truenos, que corre de la parte del sur en Costa Firme, desde junio a fin de septiembre.

calderetero. m. *Mar.* El fogonero de la caldereta. ‖ **2.** *Mar.* El que en un buque mercante dirige al personal subalterno de máquinas y vigila sus trabajos tanto de limpieza como de conservación.

calderil. m. *Sal.* Palo con muescas para colgar el caldero en las cocinas. Hace el oficio de las llares.

calderilla. (d. de *caldera.*) f. Caldera pequeña para llevar el agua bendita. ‖ **2.** Numerario de cobre, bronce u otro metal no precioso, que tiene limitada por la ley su fuerza liberatoria. ‖ **3.** fig. Monedas de escaso valor. ‖ **4.** Arbusto de la familia de las saxifragáceas, de uno a dos metros de altura, con hojas pequeñas, acorazonadas y lampiñas, flores de color amarillo verdoso en racimos colgantes, y bayas rojas, carnosas e insípidas.

caldero. (Del lat. *caldarĭum.*) m. Caldera pequeña de suelo casi semiesférico, y con asa sujeta a dos argollas en la boca. ‖ **2.** Lo que cabe en esta vasija.

calderón. m. aum. de **caldera.** ‖ **2.** Cetáceo de hasta cinco metros de longitud, de cabeza voluminosa, casi globosa, y de aletas pectorales estrechas y largas; es de color blanquecino por debajo y negro por encima. Suele ir en bandadas y se alimenta principalmente de calamares. ‖ **3.** *Ál.* Juego de muchachos parecido al de la tala. ‖ **4.** *Arit.* Signo (ID) con que se denotaban abreviadamente los millares. ‖ **5.** *Gram.* Signo ortográfico (©) usado antiguamente como el párrafo (§). Lo empleaban también los impresores como signatura de los pliegos que no formaban parte del texto principal. ‖ **6.** *Mús.* Signo (𝄐) que representa la suspensión del movimiento del compás. ‖ **7.** *Mús.* Esta suspensión. ‖ **8.** *Mús.* Frase o floreo que el cantor o el tañedor ejecuta ad líbitum durante la momentánea suspensión del compás.

calderoniano, na. adj. Propio y característico de don Pedro Calderón de la Barca como escritor, o que tiene semejanza con cualquiera de las dotes o calidades por que se distinguen sus producciones.

calderuela. f. d. de **caldera.** ‖ **2.** Vasija en que los cazadores nocturnos llevan la luz para encandilar y deslumbrar las perdices, que huyendo de ella caen en la red.

caldibache. m. despect. **calducho.**

caldibaldo. (De *caldo* y *baldo.*) m. **calducho.**

caldillo. (d. de *caldo.*) m. Salsa de algunos guisados. ‖ **2.** *Méj.* Picadillo de carne con caldo, sazonado con orégano y otras especias. ‖ **3.** *Chile.* Caldo en cuya composición entran de preferencia pescados y mariscos, cebolla y patatas.

caldo. (Del lat. *caldus*, caliente.) m. Líquido que resulta de cocer en agua algunos alimentos. ‖ **2.** Aderezo de la ensalada o del gazpacho. ‖ **3.** *And., Can.* y *Méj.* Jugo o guarapo de la caña. ‖ **4.** *Agr.* y *Com.* Cualquiera de los jugos vegetales destinados a la alimentación, y directamente extraídos de los frutos: como el vino, aceite, sidra, etc. Ú. m. en pl. ‖ **alterado.** El que se hacía cociendo juntas ternera, perdices, ranas, víboras y varias hierbas. ‖ **bordelés.** Nombre con que son designados varios líquidos que contienen sulfato de cobre en disolución y se utilizan para impedir el desarrollo del hongo microscópico que produce el mildiu de la vid. ‖ **de cultivo.** *Biol.* Líquido convenientemente preparado para favorecer la proliferación de determinados microorganismos. ‖ **2.** Por ext., disposición o ambiente propicios para el arraigo de algo que se juzga perjudicial. Ú. t. en sent. fig. ‖ **esforzado.** El que presta vigor y esfuerzo al que está desmayado. ‖ **al que no quiere caldo, la taza llena,** o **taza y media,** o **tres tazas.** fr. fig. y fam. que se dice cuando alguien es obligado a hacer o padecer con exceso lo mismo que repugnaba. ‖ **amargar el caldo.** fr. fig. y fam. Dar a alguien una pesadumbre. ‖ **hacer** a alguien **el caldo gordo.** fr. fig. y fam. Obrar de modo que aproveche a otro, involuntaria o inadvertidamente por lo general. ‖ **haz de ese caldo tajadas.** expr. fig. y fam. que denota la dificultad suma o imposibililad de una cosa. ‖ **revolver caldos.** fr. fig. y fam. Desenterrar cuentos viejos, para mover disputas o rencillas. ‖ **revolver el caldo.** fr. fig. y fam. **revolver el ajo.**

caldoso, sa. adj. Que tiene mucho caldo.

calducho. m. despect. Caldo de poca sustancia o mal sazonado.

calduda. f. *Chile* y *Perú.* Empanada caldosa de huevos, pasas, aceitunas, etc.

caldudo, da. adj. **caldoso.**

cale. (De *calar*, apabullar.) m. Apabullo, golpe dado con la mano y sin gran violencia. *Dar un* CALE *en el sombrero.*

calé[1]. (De *caló.*) m. **gitano** de raza.

calé[2]. m. Moneda de cobre que valía un cuarto, o sea cuatro maravedises. ‖ **2.** *Col.* y *Ecuad.* Moneda de cuartillo de real.

calecer. (Del lat. *calescĕre.*) intr. ant. Ponerse caliente alguna cosa. Ú. en algunas regiones.

calecerse. (De *calesa*[2].) prnl. *Sal.* Corromperse la carne; criar calesa.

calecico. m. d. de **cáliz.**

caledoniano, na. (De *caledonio.*) adj. Perteneciente o relativo a Caledonia, denominación romana del norte de Gran Bretaña. ‖ **2.** *Geol.* Relativo o perteneciente al movimiento orogénico ocurrido en la era paleozoica, que afectó a extensas zonas de la corteza terrestre, como Escocia, Escandinavia, etc.

caledonio, nia. (Del lat. *Caledonĭus.*) adj. Natural de Caledonia, antigua región de la Gran Bretaña, parte septentrional de Escocia. Ú. t. c. s. ‖ **2.** Perteneciente o relativo a esta región.

calefacción. (Del lat. *calefactĭo, -ōnis.*) f. Acción y efecto de calentar o calentarse. ‖ **2.** Conjunto de aparatos destinados a calentar un edificio o parte de él. ‖ **central.** La procedente de un solo foco que eleva la temperatura en todo un edificio.

calefactor, ra. adj. Que calienta. Ú. t. c. s. ‖ **2.** m. y f. Persona que construye, instala o repara aparatos de calefacción.

calefactorio. (Del lat. *calefactorĭus.*) m. Lugar que en algunos conventos se destina para calentarse los religiosos.

calefón. m. *Argent.* Aparato a través de cuyo serpentín circula el agua que se calienta para uso generalmente doméstico.

caleidoscopio. m. **calidoscopio.**

calejo. m. *Sal.* **canto rodado.**

calembé. m. desus. *Cuba.* **taparrabo.**

calenda. (Del lat. *kalendae, -ārum*, primer día de mes.) f. Lección del martirologio romano, con los nombres y hechos de los santos, y las fiestas pertenecientes a cada día. ‖ **2.** pl. En el antiguo cómputo romano y en el eclesiástico, el primer día de cada mes. ‖ **3.** fam. Época o tiempo pasado. ‖ **las calendas griegas.** expr. irón. que denota un tiempo que no ha de llegar, porque los griegos no tenían **calendas.**

calendar. (De *calenda.*) tr. p. us. Poner en las escrituras, cartas u otros instrumentos la fecha o data del día, mes y año.

calendario. (Del lat. *calendarĭum.*) m. **almanaque.** ‖ **2.** ant. **data,** del tiempo o lugar. ‖ **americano. calendario de pared.** ‖ **de Flora.** *Bot.* Tabla de las épocas del año en que florecen ciertas plantas. ‖ **de pared.** El formado por un taco de tantas hojas como los días, las semanas o los meses del año. Arrancada la hoja del día, la semana o el mes transcurridos, queda a la vista la siguiente. ‖ **gregoriano.** El que no cuenta como bisiestos los años que terminan siglo, excepto cuando caen en decena de siglo. En la actualidad el más adoptado por el mundo occidental. ‖ **juliano.** El que cuenta como bisiestos todos los años cuyo número de días es divisible por 4, aunque terminen siglo. Lo estableció Julio César para todo el imperio romano, lo conservan todavía los cismáticos griegos, y en las naciones musulmanas lo emplean para los cálculos astronómicos y los usos de la agricultura. ‖ **nuevo. calendario gregoriano.** ‖ **perpetuo.** El que puede utilizarse siempre, ya por estar fundado en la oportuna distribución de las letras dominicales que señalan los días de la semana y las fiestas movibles en cualquier año, o ya por corresponder a un mecanismo ingenioso en el que a voluntad se van cambiando en un disco giratorio o en una faja de papel los números de los días del mes, los nombres de los días de la semana y el de cada mes y el número del año cuyo **calendario** se quiere formar. ‖ **reformado. calendario gregoriano.** ‖ **hacer calendarios.** fr. fig. y fam. Estar pensativo, discurriendo a solas sin objeto determinado. ‖ **2.** fig. y fam. Hacer cálculos o pronósticos aventurados. ‖ **parecer** una cosa **calendario de vicario.** fr. fig. y fam. que se aplica a los deseos, proyectos o discursos del que todo lo encamina a su provecho.

calendarista. com. Persona que hace o compone calendarios.

calendata. (De *calendar.*) f. ant. *Der. Ar.* **data**[1] del tiempo o lugar.

caléndula. (De *calendŭla,* nombre cient. de esta planta.) f. **maravilla,** planta de las compuestas.

calentador, ra. adj. Que calienta. ‖ **2.** m. Recipiente con lumbre, agua, vapor o corriente eléctrica, que sirve para calentar la cama, el baño, etc. ‖ **3.** fig. y fam. p. us. Reloj de bolsillo demasiado grande.

calentamiento. (De *calentar.*) m. Acción de calentar. ‖ **2.** Enfermedad que padecen las caballerías en las ranillas y el pulmón. ‖ **3.** *Dep.* Ejercicios que hacen los deportistas antes de una competición o entrenamiento para desentumecer los músculos y entrar en calor.

calentano, na. (De *caliente.*) adj. *Amér.* Natural de Tierra Caliente. Ú. t. c. s. ‖ **2.** *Amér.* Perteneciente o relativo a este territorio de Centroamérica.

calentar. (Del lat. *calentāre.*) tr. Comunicar calor a un cuerpo haciendo que se eleve su temperatura. Ú. t. c. prnl. ‖ **2.** En el juego de la pelota, detenerla algún tanto en la paleta o en la mano antes de arrojarla o rebatirla. ‖ **3.** fig. Avivar o dar calor a una cosa, para que se haga con más celeridad. ‖ **4.** fig. y fam. Azotar, dar golpes. ‖ **5.** Excitar sexualmente. Ú. t. c. prnl. ‖ **6.** prnl. fig. Enfervorizarse en la disputa o porfía.

calentito, ta. (d. de *caliente.*) adj. fig. fam. Recién hecho o sucedido. ‖ **2.** m. *And.* **cohombro,** fruta de sartén. Ú. m. en pl.

calentón. m. fam. Acto de calentar o calentarse de prisa o fugazmente. Ú. m. en la fr. **darse un calentón.**

calentura. (De *calentar.*) f. **fiebre.** ‖ **2. pupa,** erupción en los labios. ‖ **3.** ant. **calor.** ‖ **4.** En Cuba, descomposición por fermentación lenta que sufre el tabaco apilado. ‖ **5.** En Cuba, nombre de una planta silvestre, de tallo cilíndrico, hojas lanceoladas, alternas y lustrosas y florecilla anaranjada. Crece en la humedad, es emética, y se usa en la cordelería. ‖ **calentura de pollo por comer gallina.** expr. fig. y fam. que se dice del que finge alguna enfermedad por no trabajar o por que le regalen.

calenturiento, ta. adj. Dícese del que tiene indicios de calentura. Ú. t. c. s. y en sent. fig. *Imaginación* CALENTURIENTA. ‖ **2.** *Chile.* **tísico.**

calenturón. m. Fiebre alta.

calenturoso, sa. adj. **calenturiento.**

caleño[1]**, ña.** adj. Que puede dar o producir cal. ‖ **2. calizo.**

caleño[2]**, ña.** adj. Natural de Cali. Ú. t. c. s. ‖ **2.** Perteneciente o relativo a esta ciudad de Colombia.

calepino. (De *Calepino,* lexicógrafo italiano.) m. p. us. fig. Diccionario latino.

caler. (Del lat. *calēre,* estar caliente.) intr. desus. Ser menester. Ú. en Aragón.

calera[1]**.** f. Cantera que da la piedra para hacer cal. ‖ **2.** Horno donde se calcina la piedra caliza.

calera[2]**.** (De *cala*[1].) f. Chalupa que sale a pescar en parajes distantes de la costa de Vizcaya y Guipúzcoa.

calería. f. Sitio donde se muele y vende la cal.

calero, ra. adj. Perteneciente a la cal, o que participa de ella. ‖ **2.** m. El que saca la piedra y la calcina en la calera. ‖ **3.** El que vende cal.

calés. (Del fr. *calèche.*) m. **calesa**[1].

calesa[1]**.** (Del checo *kolesa,* a través del fr. *calèche.*) f. Carruaje de cuatro y, más comúnmente, de dos ruedas, con la caja abierta por delante, dos o cuatro asientos y capota de vaqueta.

calesa[2]**.** (De *caresa.*) f. *Sal.* Cresa o queresa, gusanillo que en verano cría la carne manida o el jamón cuando empieza a corromperse.

calesera. f. Chaqueta con adornos, a estilo de la que usan los caleseros andaluces. ‖ **2.** Cante popular andaluz que solían entonar los caleseros para alivio de los viajes. La copla es una seguidilla sin estribillo.

calesero, ra. adj. V. **doblón calesero.** ‖ **2.** m. El que tiene por oficio conducir calesas. ‖ **a la calesera.** loc. adv. Dícese de los arreos y guarniciones de coches y trajes de cochero que imitan los de las antiguas calesas.

calesín. (d. de *calés.*) m. Carruaje ligero, de cuatro ruedas y dos asientos, del cual tiraba una sola caballería.

calesinero. m. El que alquilaba calesines. ‖ **2.** El que tenía por oficio conducirlos.

calesita. f. *And.* y *Amér. Merid.* Tiovivo.

caleta[1]**.** f. d. de **cala**[2]. ‖ **2.** *Amér.* Barco que va tocando, fuera de los puertos mayores, en las calas o **caletas.** ‖ **3.** En Venezuela, gremio de porteadores de mercancías, especialmente en los puertos de mar.

caleta[2]**.** (De *cala,* agujero.) m. *Germ.* Ladrón que hurtaba por agujero.

caletear. intr. *Chile.* Tocar un barco en todos los puertos de la costa y no solo en los mayores. Por ext., se aplica también al avión y al ferrocarril.

caletero[1]**.** m. *Germ.* Ladrón que entra en una casa por una puerta abierta.

caletero[2]**, ra.** adj. *Chile.* y *Perú.* Dícese de la embarcación que va tocando las caletas. ‖ **2.** m. *Venez.* Trabajador que pertenece a la caleta[1], estibador.

caletre. (Del lat. *character.*) m. fam. Tino, discernimiento, capacidad.

caleza. (De *calar.*) f. ant. Penetración, capacidad.

cali. (Del ár. *qāli,* la sosa.) m. *Quím.* **álcali.**

cálibe. (Del pl. lat. *Chalȳbes.*) m. Individuo de un pueblo que habitaba cerca del río Termodonte en el Ponto, y se ocupaba en beneficiar y labrar el hierro. Ú. m. en pl.

cálibo. (Del ár. *qālib, qālab,* molde.) m. ant. **calibre.**

calibración. f. Acción y efecto de calibrar.

calibrador, ra. adj. Que sirve para calibrar. ‖ **2.** m. Instrumento para calibrar. ‖ **3.** Tubo cilíndrico de bronce, por el cual se hace correr el proyectil para apreciar su calibre. ‖ **4.** Obrero que tiene por oficio calibrar.

calibrar. tr. Medir o reconocer el calibre de las armas de fuego o el de otros tubos. ‖ **2.** Medir o reconocer el calibre de los proyectiles, o el grueso de los alambres, chapas de metal, etc. ‖ **3.** Dar al alambre, al proyectil o al ánima del arma el calibre que se desea. ‖ **4.** *Fís.* Establecer, con la mayor exactitud posible, la correspondencia entre las indicaciones de un instrumento de medida y los valores de la magnitud que se mide con él. ‖ **5.** fig. Apreciar la valía, las cualidades o la importancia de alguien o de algo.

calibre. (De *cálibo*.) m. *Art.* Diámetro interior de las armas de fuego. ‖ **2.** *Art.* Por ext., diámetro del proyectil o de un alambre. ‖ **3.** Diámetro interior de muchos objetos huecos; como tubos, conductos, cañerías. ‖ **4.** V. **compás de calibres.** ‖ **5.** fig. Tamaño, importancia, clase.

calicanto. (De *cal*[1] y *canto*[2].) m. Obra de mampostería.

calicata. (De *cala*[1] y *cata*[1].) f. *Min.* Exploración que se hace con labores mineras en un terreno, o perforación que se practica para determinar la existencia de minerales o la naturaleza del subsuelo. ‖ **2.** Exploración que se hace en cimentaciones de edificios, muros, firmes de carreteras, etc., para determinar los materiales empleados. ‖ **3.** fig. Indagación que se hace en un asunto para esclarecer algún punto.

cálice. (Del lat. *calix, -icis*.) m. ant. **cáliz.**

caliciflora. (De *cáliz* y *flor*.) adj. *Bot.* Dícese de la planta cuyos pétalos y estambres parecen insertarse en el cáliz. Ú. t. c. s.

caliciforme. (De *cáliz* y *-forme*.) adj. *Bot.* Que tiene forma de cáliz.

calicillo. (d. de *cáliz*.) m. *Bot.* Verticilo de apéndices foliáceos.

calicinal. (De *cáliz*.) adj. *Bot.* Perteneciente o relativo al cáliz de las flores. *Hojas, sépalos,* CALICINALES.

calicó. (Del fr. *calicot*.) m. Tela delgada de algodón.

calicud. (De *Calicut*, en la India.) f. ant. Tejido delgado de seda.

caliculado, da. adj. *Bot.* Dícese de las flores que tienen calículo.

calicular. adj. *Bot.* Perteneciente o relativo al calículo. ‖ **2.** *Bot.* En forma de calículo.

calículo. (Del lat. *calicŭlus*, d. de *calix, -icis*, cáliz.) m. *Bot.* Conjunto de brácteas que simulan un cáliz alrededor del verdadero cáliz o del involucro, como en la malva, el clavel y la fresa.

calicut. f. ant. **calicud.**

caliche[1]**.** (De *cal*.) m. Piedrecilla que, introducida por descuido en el barro, se calcina al cocerlo. ‖ **2.** En los melones y otras frutas, **maca.** ‖ **3.** Costrilla de cal que suele desprenderse del enlucido de las paredes. ‖ **4.** Sustancia arenosa que aflora en abundancia, especialmente en el desierto de Atacama, al norte de Chile. Contiene nitrato de sodio y otras sustancias. Constituye la materia prima para la obtención del nitrato de Chile. ‖ **5.** *And.* Raja en una vasija. ‖ **6.** *Murc.* Juego del hito. ‖ **7.** *Bol., Chile* y *Perú.* **calichera.** ‖ **8.** *Perú.* **barrera**[2]**,** montón de tierra que queda después de haber sacado el salitre.

caliche[2] **(a).** loc. *And.* Forma de beber agua u otro líquido a chorro.

calichera. f. *Bol., Chile* y *Perú.* Yacimiento de caliche; terreno en que hay caliche.

calidad[1]**.** (Del lat. *qualĭtas, -ātis*.) f. Propiedad o conjunto de propiedades inherentes a una cosa, que permiten apreciarla como igual, mejor o peor que las restantes de su especie. *Esta tela es de* CALIDAD *inferior*. ‖ **2.** En sentido absoluto, buena **calidad,** superioridad o excelencia. *La* CALIDAD *del vino de Jerez ha conquistado los mercados*. ‖ **3.** Carácter, genio, índole. ‖ **4.** Condición o requisito que se pone en un contrato. ‖ **5.** Estado de una persona, su naturaleza, su edad y demás circunstancias y condiciones que se requieren para un cargo o dignidad. ‖ **6.** Nobleza del linaje. ‖ **7.** V. **voto de calidad.** ‖ **8.** fig. Importancia o gravedad de alguna cosa. ‖ **9.** desus. *Fil.* **cualidad.** ‖ **10.** pl. Prendas del ánimo. ‖ **11.** Condiciones que se ponen en algunos juegos de naipes. ‖ **a calidad de que.** loc. adv. Con la condición de que. ‖ **dar, o pedir, calidades.** fr. En el arriendo de las rentas reales, comunicar relación jurada del estado de las cobranzas y pagos. ‖ **de calidad.** loc. adj. que se aplica a personas que gozan de estimación general. ‖ **en calidad de.** loc. Con el carácter o la investidura de.

calidad[2]**.** (De *cálido*[1].) f. desus. **calidez.**

calidez. (De *cálido*[1].) f. *Med.* Calor, ardor.

cálido[1]**, da.** (Del lat. *calĭdus*.) adj. Que da calor, o porque está caliente, o porque excita ardor en el organismo animal. ‖ **2. caluroso.** ‖ **3.** *Pint.* Se dice del colorido en que predominan los matices dorados o rojizos.

cálido[2]**, da.** (Del lat. *callĭdus*.) adj. ant. **astuto.**

calidonio, nia. (Del lat. *Calydonĭus*.) adj. Natural de Calidonia. Ú. t. c. s. ‖ **2.** Perteneciente o relativo a esta ciudad de Grecia antigua.

calidoscópico, ca. adj. Perteneciente o relativo al calidoscopio.

calidoscopio. (Del gr. καλός, bello; εἶδος, imagen, y σκοπέω, observar.) m. Tubo ennegrecido interiormente, que encierra dos o tres espejos inclinados y en un extremo dos láminas de vidrio, entre las cuales hay varios objetos de figura irregular, cuyas imágenes se ven multiplicadas simétricamente al ir volteando el tubo, a la vez que se mira por el extremo opuesto.

calientapiés. m. Calorífero destinado especialmente a calentar los pies.

calientaplatos. m. Utensilio que se emplea para mantener los platos calientes.

caliente. (Del lat. *calens, -entis*.) adj. Que tiene o produce calor. ‖ **2.** Referido a habitaciones, vestiduras, etc., que proporcionan calor y comodidad. ‖ **3.** V. **lino caliente.** ‖ **4.** fig. Acalorado, vivo, si se trata de disputas, riñas, peleas, etc. ‖ **5.** fig. V. **paños calientes.** ‖ **6.** *Pint.* **cálido**[1]**,** dicho del colorido en que predominan los matices dorados o rojizos. ‖ **¡caliente!** interj. que se usa para advertir a una persona que está cerca de encontrar un objeto escondido o de acertar algo. ‖ **en caliente.** loc. adv. fig. Inmediatamente, sin ningún retraso que haga perder el interés o vehemencia de la acción. ‖ **2.** Bajo la impresión inmediata de las circunstancias del caso. ‖ **estar caliente.** fr. fig. Sentir apetito sexual las personas o animales. ‖ **ser caliente.** fr. fig. Ser lujurioso, muy propenso al apetito sexual.

califa. (Del ár. *jalīfa*, sucesor, lugarteniente, a través del fr. *khalife*.) m. Título de los príncipes sarracenos que, como sucesores de Mahoma, ejercieron la suprema potestad religiosa y civil en Asia, África y España. ‖ **2.** fig. fam. e irón. Apodo que se da a los toreros ilustres naturales de Córdoba. Ú. t. c. adj.

califal. adj. Dícese de la época en que reinaron los califas, o de lo perteneciente a ellos.

califato. m. Dignidad de califa. ‖ **2.** Tiempo que duraba el gobierno de un califa. ‖ **3.** Territorio gobernado por el califa. ‖ **4.** Período histórico en que hubo califas.

califero, ra. (Del lat. *calx*, cal, y *ferre*, llevar.) adj. Que contiene cal.

calificable. adj. Que se puede calificar.

calificación. f. Acción y efecto de calificar.

calificadamente. adv. m. Con calificación, de manera calificada.

calificado, da. p. p. de **calificar.** ‖ **2.** adj. Dícese de la persona de autoridad, mérito y respeto. ‖ **3.** Dícese de la cosa que tiene todos los requisitos necesarios. *Pruebas muy* CALIFICADAS. ‖ **4. cualificado,** trabajador especializado.

calificador, ra. adj. Que califica. Ú. t. c. s. ‖ **del Santo Oficio.** Teólogo nombrado por el tribunal de la Inquisición para censurar libros y proposiciones.

calificar. (Del b. lat. *qualificare*.) tr. Apreciar o determinar las calidades o circunstancias de una persona o cosa. ‖ **2.**

Expresar o declarar este juicio. ‖ **3.** Juzgar el grado de suficiencia o la insuficiencia de los conocimientos demostrados por un alumno u opositor en un examen o ejercicio. ‖ **4.** fig. Ennoblecer, ilustrar, acreditar una persona o cosa. ‖ **5.** prnl. fig. Probar alguien legalmente su nobleza.

calificativo, va. adj. Que califica. ‖ **2.** *Gram.* V. **adjetivo calificativo.** Ú. t. c. s.

california. f. *Amér. Merid.* Carrera de caballos.

californiano, na. adj. **californio**[1]. Ú. t. c. s. ‖ **2.** Perteneciente o relativo a California, país de América.

califórnico, ca. adj. **californiano,** perteneciente o relativo a California.

californio[1]**, nia.** adj. Natural de California. Ú. t. c. s.

californio[2]**.** (De *California,* en cuya Universidad fue descubierto.) m. *Quím.* Elemento radiactivo artificial que se obtiene bombardeando el curio con partículas alfa. Núm. atómico, 98. Símb.: *Cf.*

cáliga. (Del lat. *calĭga.*) f. Especie de sandalia guarnecida de clavos que usaban los soldados de Roma antigua. ‖ **2.** Cada una de las polainas que usaron los monjes en la Edad Media y posteriormente los obispos. Ú. m. en pl.

calígine. (Del lat. *calīgo, -igĭnis.*) f. Niebla, oscuridad, tenebrosidad.

caliginidad. f. ant. **calígine.**

caliginoso, sa. (Del lat. *caliginōsus.*) adj. Denso, oscuro, nebuloso.

caligrafía. (Del gr. καλλιγραφία.) f. Arte de escribir con letra bella y correctamente formada, según diferentes estilos. ‖ **2.** Conjunto de rasgos que caracterizan la escritura de una persona, un documento, etc.

caligrafiar. tr. Hacer un escrito con hermosa letra.

caligráfico, ca. adj. Relativo a la caligrafía.

calígrafo, fa. (Del gr. καλλιγράφος.) m. y f. Persona que escribe a mano con letra excelente. ‖ **2.** Persona que tiene especiales conocimientos de caligrafía.

caligrama. (Del fr. *calligramme.*) m. Escrito, por lo general poético, en que la disposición tipográfica procura representar el contenido del poema.

calilo, la. (Del ár. *qalil,* escaso [de entendimiento].) adj. *Ar.* **tonto,** escaso de entendimiento. Ú. t. c. s.

calilla. f. d. de **cala**[1], supositorio. ‖ **2.** *Guat.* y *Hond.* Persona molesta y pesada. ‖ **3.** fam. *Amér.* Molestia, pejiguera. ‖ **4.** fam. *Chile.* **calvario,** serie de adversidades. ‖ **5.** fam. *Chile.* Deuda.

calima[1]**.** (De *calina,* infl. por *bruma.*) f. **calina.**

calima[2]**.** (Del gr. κάλυμμα, red.) f. *Mar.* Conjunto de corchos enfilados a modo de rosario y que en algunas partes sirven de boya.

calimaco. m. **calamaco,** tela.

calimba. f. *Cuba.* Hierro con que se marcan los animales.

calimbar. (De *calimba.*) tr. *Cuba.* **herrar,** marcar.

calimbo. (De *calimba.*) m. fig. Calidad, pelaje, marca.

calimoso, sa. (De *calima*[1].) adj. **calinoso.**

calimote. (De *calima*[2].) m. El corcho del medio de los tres que se ponen a la entrada del copo para pescar.

calina. (Del lat. *calīgo, -igĭnis,* oscuridad.) f. Accidente atmosférico que enturbia el aire y suele producirse por vapores de agua.

calinda. f. *Cuba.* Baile de los antiguos esclavos, que se ejecutaba al son de tambores.

calinoso, sa. (Del lat. *caliginōsus.*) adj. Cargado de calina.

calípedes. m. **perezoso,** mamífero.

calipedia. (Del gr. καλλιπαιδία.) f. Arte quimérica de procrear hijos hermosos.

calipédico, ca. adj. Perteneciente a la calipedia.

calípico. adj. Dícese del ciclo lunar equivalente a un período de 76 años, ideado por el astrónomo griego Calipo para corregir, cuadruplicándolo, el áureo número.

calipso. m. Canción y danza propias de las Antillas Menores.

calisaya. (De *Calisaya,* nombre de una colina de Bolivia, donde se halló por primera vez.) adj. Dícese de una especie de quina muy estimada, llamada también quina amarilla. Ú. t. c. s.

calistenia. (Del ing. *callisthenics.*) f. Conjunto de ejercicios que conducen al desarrollo de la agilidad y fuerza física.

calitipia. (Del gr. καλός, bello, y τύπος, molde, modelo.) f. Procedimiento para sacar pruebas fotográficas, empleando un papel sensible que da imágenes de color de sepia o violado.

calivo. (Del lat. **calīvus.*) m. *Ar.* **rescoldo.**

cáliz. (Del lat. *calix, -ĭcis,* copa.) m. Vaso sagrado de oro o plata que sirve en la misa para echar el vino que se ha de consagrar. ‖ **2.** V. **paño de cáliz.** ‖ **3.** poét. Copa o vaso. ‖ **4.** fig. Con los verbos *beber, apurar* y otros análogos, expresos o sobrentendidos, conjunto de amarguras, aflicciones o trabajos. ‖ **5.** *Bot.* Verticilo externo de las flores completas, casi siempre formado por hojas verdosas y más a menudo recias. ‖ **actinomorfo.** *Bot.* **cáliz regular.** ‖ **irregular.** *Bot.* El que no queda dividido en dos partes simétricas por todos los planos que pasan por el eje de la flor y por la línea media de un sépalo. ‖ **regular.** *Bot.* El que queda dividido en dos partes simétricas por cualquier plano que pase por el eje de la flor y por la línea media de un sépalo. ‖ **zigomorfo.** *Bot.* **cáliz irregular.**

caliza. f. Roca formada de carbonato de cal. ‖ **fétida.** La que desprende olor desagradable cuando se la frota con un cuerpo duro. ‖ **hidráulica.** La que por calcinación da cal hidráulica. ‖ **lenta. dolomía.**

calizo, za. adj. Aplícase al terreno o a la piedra que tiene cal. ‖ **2.** V. **espato calizo.**

calma. (Del lat. *cauma* y este del gr. καῦμα, bochorno.) f. Estado de la atmósfera cuando no hay viento. ‖ **2.** V. **mar en calma.** ‖ **3. sofoco,** sensación de calor acompañada de sudor. ‖ **4.** fig. Cesación o suspensión de algunas cosas. CALMA *en los dolores, en los negocios.* ‖ **5.** fig. Paz, tranquilidad. ‖ **6.** fig. y fam. Cachaza, pachorra. ‖ **7.** desus. Angustia, pena. ‖ **chicha.** Se dice, especialmente en la mar, cuando el aire está en completa quietud. ‖ **2.** fig. y fam. Pereza, indolencia. ‖ **en calma.** loc. adv. Dícese del mar cuando no levanta olas.

calmado, da. p. p. de **calmar.** ‖ **2.** adj. *Sal.* Sudoroso, caliente, fatigado.

calmante. p. a. de **calmar.** Que calma. ‖ **2.** adj. *Farm.* Dícese de los medicamentos narcóticos o de los que disminuyen o hacen desaparecer un dolor u otro síntoma molesto. Ú. t. c. s. m.

calmar. (De *calma.*) tr. Sosegar, adormecer, templar. Ú. t. c. prnl. ‖ **2.** intr. Estar en calma o tender a ella.

calmaría. f. ant. **calma,** estado de la atmósfera sin viento.

calmazo. m. aum. de **calma.** ‖ **2. calma chicha.**

calmería. f. ant. Calma o falta de viento en el mar.

calmil. (Del nahua *calli,* casa, y *milli,* sementera.) m. *Méj.* Tierra sembrada junto a la casa del labrador.

calmo, ma. (De *calmar.*) adj. Dícese del terreno o tierra erial sin árboles ni matas. ‖ **2.** Que está en descanso.

calmoso, sa. adj. Que está en calma. ‖ **2.** fam. Aplícase a la persona cachazuda, indolente, perezosa. ‖ **3.** *Mar.* V. **viento calmoso.**

calmuco, ca. adj. Natural de cierto distrito de Mongolia. Ú. t. c. s. ‖ **2.** Perteneciente a los **calmucos.**

calmudo, da. adj. **calmoso.**

calnado. (Del lat. *catenātus.*) m. ant. **candado.** Hoy tiene uso en algunas partes.

calo[1]**.** (De *calar*[2].) m. *Cantabria.* Profundidad sondeable del agua. ‖ **hacer calo.** fr. fig. *Cantabria.* **hacer pie** en el agua.

calo[2]**.** m. *Ecuad.* Caña gruesa y larga que contiene agua en su interior.

caló. m. Lenguaje de los gitanos españoles.

calobiótica. (Del gr. καλός, bello, y βίος, vida.) f. Arte de vivir bien. ‖ **2.** Tendencia natural del hombre a una vida ordenada y regular.

calocéfalo, la. (Del gr. καλός, bello, y κεφαλή, cabeza.) adj. *Zool.* Que tiene hermosa cabeza.

calofilo, la. (Del gr. καλός, bello, y φύλλον, hoja.) adj. *Bot.* Que tiene hermosas hojas.

calofriarse. prnl. Sentir calofríos.

calofrío. m. **escalofrío.** Ú. m. en pl.

calografía. f. **caligrafía.**

calología. (Del gr. καλός, bello, y *-logía.*) f. **estética.**

caloma. f. *And.* Cordel a que se ata la boya.

calomanco. m. ant. *Ar.* **calamaco,** tela.

calomel. m. **calomelanos.**

calomelanos. (Del gr. καλός, bello, y μέλας, -ανος, negro.) m. pl. *Farm.* Protocloruro de mercurio sublimado, empleado como purgante, vermífugo y antisifilítico.

calomnia. f. ant. **caloña.**

calón. (De *calar*[2].) m. Palo redondo, de cerca de un metro de largo, que sirve para mantener extendidas las redes, colgándolas de él por uno de sus costados. ‖ **2.** Pértiga con que se puede medir la profundidad de un río, canal o puerto. ‖ **3.** *Min.* Vena de hierro cargado de arena en las minas de Vizcaya.

calonche. m. Bebida alcohólica hecha con zumo de tuna brava o colorada y azúcar.

calonge. (Del cat. *canonge.*) m. ant. **canónigo.**

calongía. (De *calonge.*) f. ant. **canonjía.** ‖ **2.** ant. Casa inmediata a la iglesia, donde habitan los canónigos.

caloniar. tr. ant. **caloñar.**

calonnia. f. ant. **caloña.**

caloña. (Del lat. *calumnĭa,* calumnia.) f. ant. **calumnia.** ‖ **2.** ant. Pena pecuniaria que se imponía por ciertos delitos o faltas. ‖ **3.** ant. **querella.** ‖ **4.** ant. Tacha, censura.

caloñar. (Del lat. *calumniāri,* calumniar.) tr. ant. **calumniar.** ‖ **2.** ant. Exigir responsabilidad, principalmente pecuniaria, por un delito o falta.

caloñosamente. adv. m. ant. Con calumnia.

calóptero, ra. (Del gr. καλός, bello, y πτερόν, ala.) adj. *Zool.* Que tiene hermosas alas.

calor. (Del lat. *calor, -ōris.*) m. Sensación que se experimenta al recibir directa o indirectamente la radiación solar, aproximarse al fuego, etc. Ú. a veces c. f. ‖ **2.** Sensación análoga producida por causas fisiológicas o morbosas. ‖ **3.** fig. Ardimiento, actividad, ligereza. ‖ **4.** fig. Favor, buena acogida. ‖ **5.** Entusiasmo, fervor. ‖ **6.** fig. Lo más fuerte y vivo de una acción. ‖ **7.** *Fís.* Energía que pasa de un cuerpo a otro cuando están en contacto y es causa de que se equilibren sus temperaturas. Esta energía se manifiesta elevando la temperatura y dilatando los cuerpos y llega a fundir los sólidos y a evaporar los líquidos. ‖ **atómico.** *Fís.* Cantidad de **calor** que por átomo gramo necesita un elemento para que su temperatura se eleve un grado centígrado. ‖ **canicular.** fig. El excesivo y sofocante. ‖ **del hígado.** Mancha o conjunto de manchas de color rojo violado que, por efervescencia crónica, aparece en una o ambas mejillas y se achaca a enfermedad del hígado. ‖ **específico.** *Fís.* Cantidad de **calor** que por kilogramo necesita un cuerpo para que su temperatura se eleve en un grado centígrado. ‖ **latente.** *Fís.* El que, sin aumentar la temperatura del cuerpo que lo recibe, se invierte en cambios de estado, como el de los cuerpos sólidos que pasan al estado líquido y el de los líquidos al convertirse en gases o vapores. ‖ **natural.** El que producen las funciones orgánicas del cuerpo, estando sano, que es el propio y necesario para conservar la vida. ‖ **negro.** El producido por un radiador eléctrico, cuyo elemento incandescente está oculto a la vista. ‖ **ahogarse de calor.** fr. fig. y fam. Estar muy fatigado por el excesivo **calor.** ‖ **al calor de.** loc. prepos. fig. y fam. Al amparo y con la ayuda de. ‖ **asarse de calor.** fr. fig. **asarse,** sentir mucho **calor.** ‖ **coger calor.** fr. Recibir la impresión del **calor.** ‖ **dar calor.** fr. fig. Avivar, ayudar a otro para acelerar alguna cosa. ‖ **dejarse caer el calor.** fr. fig. y fam. Hacer mucho **calor.** ‖ **entrar en calor.** fr. fig. Empezar a sentirlo el que tenía frío. ‖ **freírse de calor.** fr. fig. y fam. Padecer, sentir un **calor** excesivo. ‖ **gastar el calor natural en** una cosa. fr. fig. y fam. Poner en ella más atención de la que se merece. ‖ **2.** fig. y fam. Emplear en ella el mayor empeño y esfuerzo. ‖ **meter en calor.** fr. fig. Mover el ánimo eficazmente hacia algún intento. ‖ **tomar calor** una cosa. fr. fig. Avivarse o acelerarse eficazmente. ‖ **tomar con calor** una cosa. fr. fig. Poner mucha diligencia en ejecutarla.

caloría. f. *Fís.* Unidad de energía térmica equivalente a la cantidad de calor necesaria para elevar la temperatura de un gramo de agua en un grado centígrado de 14,5° a 15,5° C a la presión normal, equivale a 4,185 julios y se indica con el símbolo *cal.* También se la denomina **caloría** gramo o **caloría** pequeña.

caloriamperímetro. (De *caloría,* y *amperímetro.*) m. *Electr.* Aparato para medir la intensidad de una corriente eléctrica por el método calorimétrico.

caloricidad. f. *Fisiol.* Propiedad por la que los animales conservan una temperatura superior a la del medio en que viven.

calórico. (De *calor.*) m. *Fís.* Principio o agente hipotético de los fenómenos del calor. ‖ **2.** Sensación de calor.

caloridoro. (De *calor,* y el gr. δῶρον, regalo.) m. Aparato usado en tintorería para aprovechar el calor de los baños después de haber agotado los tintes.

calorífero, ra. (Del lat. *calor,* calor, y *ferre,* llevar.) adj. Que conduce o propaga el calor. ‖ **2.** m. Aparato con que se calientan las habitaciones. ‖ **3. calientapiés.** ‖ **de aire.** El que calienta aire para dirigirlo a las diversas piezas de la casa. ‖ **de vapor.** El que tiene una caldera con agua, cuyo vapor circula por los tubos de calefacción.

calorificación. (De *calorífico.*) f. *Fisiol.* Función del organismo vivo, de la cual procede el calor de cada individuo.

calorífico, ca. (Del lat. *calorifĭcus.*) adj. Que produce o distribuye calor. ‖ **2.** Perteneciente o relativo al calor.

calorífugo. (De *calor* y *fugĕre,* huir.) adj. Que se opone a la transmisión del calor. ‖ **2. incombustible.**

calorimetría. (De *calorímetro.*) f. *Fís.* Medición del calor que se desprende o absorbe en los procesos biológicos, físicos o químicos.

calorimétrico, ca. adj. *Fís.* Perteneciente o relativo a la calorimetría.

calorímetro. (Del lat. *calor, -ōris,* calor, y *-metro.*) m. *Fís.* Aparato para medir cantidades de calor.

calorimotor. m. *Fís.* Aparato para producir calor por medio de una corriente eléctrica de mucha potencia.

calorina. (De *calor,* sobre el modelo de *calina.*) f. *Murc.* **calina.** ‖ **2.** En algunas regiones, calor fuerte y sofocante, bochorno.

calorosamente. adv. m. **calurosamente.**

caloroso, sa. adj. **caluroso.**

calosfriarse. (De *calor* y *esfriar.*) prnl. **escalofriarse.**

calosfrío. (De *calosfriarse.*) m. **escalofrío.** Ú. m. en pl.

caloso, sa. (De *calar*[2].) adj. Dícese del papel que se cala.

calostro. (Del lat. *colostrum.*) m. Primera leche que da la hembra después de parida. Ú. t. en pl.

calote. m. *Argent.* Engaño, trampa. ‖ **dar calote.** fr. *Argent.* Eludir un pago, estafar.

calotear. tr. *Argent.* Engañar, timar.

calotipia. f. **calitipia.**
caloto. m. Metal proveniente de la campana de un pueblo colombiano así llamado y que, según el vulgo, poseía ciertas virtudes.
caloyo. m. Cordero o cabrito recién nacido. ‖ **2.** fig. *Ál.* y *Murc.* **quinto,** soldado mientras recibe la instrucción.
calpamulo, la. adj. *Méj.* Decíase del mestizo de albarazado y negra o de negro y albarazada. Usáb. t. c. s.
calpense. (Del nombre antiguo de Gibraltar.) adj. Natural de Gibraltar. Ú. t. c. s.
calpixque. (Del nahua *calli,* casa, y *pixqui,* guardián.) m. *Méj.* Capataz encargado por los encomenderos del gobierno de los indios de su repartimiento y del cobro de los tributos, en la época colonial.
calpuchero. (De *calboche,* infl. por *puchero.*) m. *Sal.* **calboche.**
calpul. m. *Guat.* Reunión, conciliábulo. ‖ **2.** *Hond.* Montículo que señala los antiguos pueblos de indios aborígenes.
calquín. (De or. pampa.) m. *Argent.* Variedad mediana del águila, que vive en los Andes patagónicos.
calseco, ca. adj. Curado con cal.
calta. (Del lat. *caltha.*) f. Planta anua de la familia de las ranunculáceas, de unos cuatro metros de altura, con tallos lisos, hojas gruesas y acorazonadas y flores terminales, grandes y amarillas.
caltrizas. f. pl. *Ar.* **angarillas** de mano.
calucha. f. *Bol.* La segunda corteza o corteza interior del coco, almendra o nuez.
caluma. f. *Perú.* Cada una de las gargantas o estrechuras de la cordillera de los Andes. ‖ **2.** *Perú.* Puesto o lugar de indios.
calumbarse. (Del m. or. que *columpiar.*) prnl. *Ast.* y *Cantabria.* Chapuzarse, zambullirse.
calumbo. (De *calumbarse.*) m. *Ast.* y *Cantabria.* Acción y efecto de calumbarse.
calumbre. (Del lat. *canus,* cano.) f. Moho del pan.
calumbrecerse. prnl. ant. Enmohecerse.
calumbriento, ta. adj. ant. Mohoso, tomado del orín.
calumnia. (Del lat. *calumnĭa.*) f. Acusación falsa, hecha maliciosamente para causar daño. ‖ **2.** *Der.* Delito perseguible a instancia de parte, consistente en la imputación falsa de un delito perseguible de oficio ‖ **3.** *Der.* V. **juramento de calumnia.** ‖ **afianzar de calumnia.** fr. *Der.* Antiguamente, obligarse el acusador a probar su imputación contra el acusado, bajo las penas establecidas si no lo probare.
calumniador, ra. (Del lat. *calumniātor, -ōris.*) adj. Que calumnia. Ú. t. c. s.
calumniar. (Del lat. *calumniāri.*) tr. Atribuir falsa y maliciosamente a alguno palabras, actos o intenciones deshonrosas. ‖ **2.** ant. Vengar o reparar agravios. ‖ **3.** *Der.* Imputar falsamente la comisión de un delito perseguible de oficio, fuera del proceso en que se persiga ese delito. ‖ **calumnia, que algo queda.** fr. con la cual sentenciosamente se comenta que siempre permanece algo de la falsedad divulgada con mala intención.
calumniosamente. adv. m. Con calumnia.
calumnioso, sa. (Del lat. *calumniōsus.*) adj. Que contiene calumnia.
calungo. m. *Col.* y *Venez.* Especie de perro de pelo crespo.
calunia. f. ant. **calumnia.**
caluña. f. ant. **caloña,** pena pecuniaria.
calura. f. p. us. **calor.**
caluro. m. *Amér. Central.* y *Méj.* Ave trepadora, de plumaje verde y negro por el cuerpo y negro y blanco por las alas, pico delgado y encorvado hacia la punta.
calurosamente. adv. m. Con calor.
caluroso, sa. adj. Que siente o causa calor. ‖ **2.** fig. Vivo, ardiente.
caluyo. m. *Bol.* Baile indio, zapateado y con mudanzas.
calva. (Del lat. *calva.*) f. Parte de la cabeza de la que se ha caído el pelo. ‖ **2.** Parte de una piel, felpa u otro tejido semejante que ha perdido el pelo por el uso. ‖ **3.** Sitio en los sembrados, plantíos y arbolados donde falta la vegetación correspondiente. ‖ **4.** Juego que consiste en tirar los jugadores a proporcionada distancia piedras a la parte superior de un madero sin tocar antes en tierra. ‖ **de almete.** Parte superior de esta pieza de armadura que cubre el cráneo.
calvar. tr. En el juego de la calva, dar en la parte superior del madero o hito. ‖ **2.** Engañar a alguien.
calvario. (Del lat. *calvarĭum.*) m. **vía crucis.** ‖ **2.** Lugar, generalmente en las afueras de un poblado, en el que ha habido o hay una o varias cruces; humilladero. ‖ **3.** fig. y fam. Serie o sucesión de adversidades y pesadumbres. ‖ **4.** fig. y fam. Conjunto numeroso de deudas, especialmente por comprar al fiado, que se van apuntando con rayas y cruces. ‖ **5.** ant. **osario**[1]. ‖ **6.** *Anat.* Bóveda del cráneo.
calvatrueno. (De *calva* y *trueno.*) m. fam. Calva grande que coge toda la cabeza. ‖ **2.** fig. y fam. Hombre alocado, atronado.
calvecer. (Del lat. *calvescĕre.*) intr. ant. **encalvecer.**
calverizo, za. (De *calvero.*) adj. Aplícase al terreno de muchos calveros.
calvero. (De *calva.*) m. Paraje sin árboles en lo interior de un bosque. ‖ **2. gredal,** terreno gredoso.
calveta. f. ant. **calvete,** estaca.
calvete. adj. d. de **calvo.** Ú. t. c. s. ‖ **2.** m. ant. **estaca.**
calvez. (Del lat. *calvitĭes.*) f. **calvicie.**
calveza. (Del lat. *calvitĭa,* calvicie.) f. ant. **calvicie.**
calvicie. (Del lat. *calvitĭes.*) f. Falta de pelo en la cabeza.
calvijar. m. **calvero.**
calvinismo. m. Doctrina reformista de Calvino. ‖ **2.** Comunidad de los seguidores de Calvino.
calvinista. adj. Perteneciente a la doctrina de Calvino. Apl. a pers., ú. t. c. s.
calvitar. m. **calvero.**
calvo, va. (Del lat. *calvus.*) adj. Que ha perdido el pelo de la cabeza. Ú. t. c. s. ‖ **2.** Dicho del terreno, sin vegetación alguna. ‖ **3.** Dícese del paño y otros tejidos que han perdido el pelo.
calz. (De *calce*[2].) m. ant. **caz.**
calza[1]. (Del lat. *calx, calcis.*) f. ant. **cal**[1].
calza[2]. (Del lat. *calcĕus,* calzado.) f. Prenda de vestir que, según los tiempos, cubría, ciñéndolos, el muslo y la pierna, o bien, en forma holgada, solo el muslo o la mayor parte de él. Ú. m. en pl. ‖ **2.** Liga o cinta con que se suele señalar a algunos animales para distinguirlos de otros de la misma especie. ‖ **3.** Cuña con que se calza. ‖ **4. braga**[1], especie de calzones anchos. ‖ **5.** fam. **media.** ‖ **6.** *Sal.* **pina** de la rueda del carro. ‖ **7.** *Col., Ecuad.* y *Pan.* Empaste de un diente o muela. ‖ **de arena.** Talego lleno de arena con que se azotaba a alguno, a veces hasta matarle. ‖ **calzas atacadas.** Calzado antiguo que cubría las piernas y muslos y se unía a la cintura con agujetas. ‖ **2.** V. **hombre de calzas atacadas.** ‖ **bermejas. calzas** rojas que usaban los nobles. ‖ **medias calzas. calzas** que solo subían hasta la rodilla. ‖ **echarle una calza** a alguien. fr. fig. y fam. Notarle para conocerle y guardarse de él. ‖ **en calzas prietas.** expr. fig. y fam. En aprieto o apuro. Ú. con los verbos *poner, verse,* etc. ‖ **en calzas y jubón.** loc. adv. fig. que denota estar las cosas informes o incompletas. ‖ **tomar calzas,** o **las calzas, de Villadiego.** fr. fig. y fam. **coger,** o **tomar, las de Villadiego.**
calzacalzón. (De *calza*[2] y *calzón.*) m. Calza más larga que la ordinaria.

calzada. (Del lat. vulg. **calciāta*, camino empedrado.) f. Camino pavimentado y ancho. ‖ **2.** Parte de la calle comprendida entre dos aceras. ‖ **3.** En las carreteras, parte central dispuesta para la circulación de vehículos. ‖ **romana.** Cualquiera de las grandes vías construidas por los romanos en su imperio.

calzadera. (De *calzar*.) f. Cuerda delgada de cáñamo para atar y ajustar las abarcas. ‖ **2.** Hierro con que se calza la rueda del carruaje para que sirva de freno. ‖ **3.** *Guadal.* **calzadura,** cada uno de los trozos de madera que forman la llanta del carro. ‖ **apretar las calzaderas.** fr. fig. y fam. p. us. Huir.

calzado, da. p. p. de **calzar.** ‖ **2.** adj. Dícese de algunos religiosos porque usan zapatos, en contraposición a los descalzos. ‖ **3.** Dícese del ave cuyos tarsos están cubiertos de plumas hasta el nacimiento de los dedos. ‖ **4.** Aplícase al cuadrúpedo cuyas patas tienen en su parte inferior color distinto del resto de la extremidad. ‖ **5.** V. **águila, frente, paloma calzada.** ‖ **6.** *Blas.* Se dice del escudo dividido por dos líneas que parten de los ángulos superiores del jefe y se encuentran en la punta. Es lo contrario de cortinado. ‖ **7.** m. Todo género de zapato, borceguí, abarca, alpargata, almadreña, etc., que sirve para cubrir y resguardar el pie. ‖ **8.** Todo cuanto se usa para cubrir y adornar el pie y la pierna, y así, por un **calzado** se entienden también medias y ligas. ‖ **9.** pl. p. us. Medias, calcetas y ligas que se pone una persona cuando se viste.

calzador. (De *calzar*.) m. Utensilio de diversas materias que ayuda a meter el pie en el zapato. ‖ **2.** El que pone calces de hierro o acero en azadas, layas, rejas de arado, etc. ‖ **3.** *Bol.* **lapicero** en que se pone el lápiz. ‖ **entrar** una cosa **con calzador.** fr. fig. y fam. Ser dificultosa o estar forzada.

calzadura. f. Acción de calzar los zapatos u otra cosa. ‖ **2.** Propina con que se retribuía al que calzaba los zapatos. ‖ **3.** Cada uno de los trozos de madera fuerte que, en las ruedas de carros o carretas, sustituyen a la llanta.

calzar. (Del lat. **calceāre*, de *calcĕus*, calzado.) tr. Cubrir el pie y algunas veces la pierna con el calzado. Ú. t. c. prnl. ‖ **2.** Tratándose de guantes, espuelas, etc., usarlos o llevarlos puestos. Ú. t. c. prnl. ‖ **3.** Poner calces. ‖ **4.** Poner una cuña entre el piso y alguna rueda de un carruaje o máquina, que los inmovilice, o que debajo de cualquier mueble o trasto lo afirme de modo que no cojee. ‖ **5.** En los coches y carros, ponerles una piedra u otro obstáculo arrimado a la rueda, para que se detengan cuando están en cuesta. ‖ **6.** Admitir las armas de fuego bala de un calibre determinado. ‖ **7.** En la reja del arado, poner otra nueva para reemplazar a la ya gastada. ‖ **8.** fig. y fam. Tener pocos o muchos alcances. ‖ **9.** *Col.* y *Ecuad.* Empastar un diente o muela. ‖ **10.** *Guat.* **aporcar.** ‖ **11.** *Impr.* Poner con alzas los clisés o grabados a la altura de la letra. ‖ **calzarse** a alguien. fr. fig. y fam. Gobernarlo, manejarlo. ‖ **calzarse** alguien una cosa. fr. fig. y fam. Conseguirla. ‖ **2.** Ganarse una reprimenda o castigo. *Como vuelvas a llegar tarde,* TE *la* HAS CALZADO.

calzatrepas. (De *calzar*, y el b. lat. *trappa*, trampa.) f. ant. Trampa o cepo.

calzo. (De *calzar*.) m. **calce**[1], cuña que se introduce entre dos cuerpos. ‖ **2.** Muelle sobre el cual se aseguraba la patilla de la llave del arcabuz cuando se la ponía en el punto. ‖ **3.** *Mar.* Cada uno de los maderos de forma adecuada que se disponen a bordo para que en ellos descansen y puedan afirmarse algunos objetos pesados. ‖ **4.** *Mar.* **calza**[2], cuña con que se calza. ‖ **5.** pl. Las extremidades de un caballo o yegua. Se designan especialmente cuando son de color distinto del pelo general del cuerpo. *Un caballo pío con* CALZOS *negros.*

calzón. m. Prenda de vestir con dos perneras que cubre el cuerpo desde la cintura hasta una altura variable de los muslos. ‖ **2. pantalón,** prenda interior femenina. ‖ **3.** Lazo de cuerda con que los pizarreros se sostienen en los tejados ciñéndoselo a los muslos. ‖ **4. tresillo,** juego de naipes. ‖ **5.** ant. *Méj.* Enfermedad de la caña de azúcar en que, por falta de riego, se secan las dos hojitas inmediatas al pie de la planta, cuyo desarrollo se detiene. ‖ **bombacho. calzón** ancho y abierto por un lado, que se usaba especialmente en Andalucía. Ú. m. en pl. ‖ **corto. calzón,** prenda de vestir. ‖ **a calzón quitado.** loc. adv. Sin empacho, descaradamente. ‖ **calzarse,** o **ponerse,** una mujer **los calzones.** fr. fig. y fam. Mandar o dominar en la casa, supeditando al marido. ‖ **en calzones.** loc. adv. *Mar.* Se dice de las velas mayores cuando para disminuir su superficie, a causa de la mucha fuerza del viento, se cargan los brioles, dejando más o menos cazados los puños. ‖ **tener bien puestos los calzones** o **tener muchos calzones.** frs. figs. y fams. **ser muy hombre.**

calzona. f. Calzón con portañuela, que llega a media pierna. Lo usan especialmente picadores y vaqueros. Ú. t. en pl.

calzonario. m. *Ecuad.* **bragas,** prenda interior de las mujeres. Ú. t. en pl.

calzonazos. (aum. de *calzones*.) m. fig. y fam. Hombre de carácter débil y condescendiente.

calzoncillo. (d. de *calzones*.) m. Prenda de la ropa interior masculina, que cubre desde la cintura hasta parte de los muslos, cuyas perneras pueden ser de longitud variable. Ú. m. en pl.

calzoneras. (De *calzón*.) f. pl. ant. *Méj.* Pantalón abotonado de arriba abajo por ambos costados.

calzoneta. f. *Guat.* y *Nicar.* Bañador.

calzonudo, da. adj. *Argent.* Torpe, timorato. ‖ **2.** m. *C. Rica* y *Méj.* Nombre con que las mujeres designan al varón.

calzorras. m. fig. y fam. **calzonazos.**

calla. f. *Amér.* Palo puntiagudo usado para sacar plantas con sus raíces y abrir hoyos para sembrar.

callacuece. m. fam. *And.* **mátalas callando.**

callada[1]**.** f. Silencio o efecto de callar. ‖ **2.** *Mar.* Intermisión de la fuerza del viento o de la agitación de las olas. ‖ **a las calladas.** loc. adv. fam. **de callada.** ‖ **dar la callada por respuesta.** fr. fam. Dejar intencionadamente de contestar. ‖ **de callada.** loc. adv. fam. Sin estruendo, secretamente.

callada[2]**.** f. Francachela en que única o principalmente se comen callos.

calladamente. adv. m. Con secreto o con silencio.

callado, da. p. p. de **callar.** ‖ **2.** adj. Silencioso, reservado. ‖ **3.** Se dice de lo hecho con silencio o reserva. ‖ **4.** V. **condición callada.**

callador, ra. adj. ant. **callado.**

callamiento. m. Acción de callar.

callampa. (Del quechua *ccallampa*.) f. *Chile.* **seta**[2], especie de hongo. ‖ **2.** fig. y fam. *Chile.* Sombrero de fieltro. ‖ **3.** fig. *Chile.* Vivienda muy pobre construida generalmente por el propio habitante, en la periferia de las ciudades, con materiales de desecho.

callana. (De or. quechua.) f. *Amér.* Vasija tosca que usan los indios americanos para tostar maíz o trigo. ‖ **2.** Manchas callosas que se dice tienen en las nalgas los descendientes de negros o zambos. ‖ **3.** Escoria metalífera que puede beneficiarse. ‖ **4.** Crisol para ensayar metales. ‖ **5.** fig. *Chile.* Reloj de bolsillo, muy grande. ‖ **6.** *Perú.* **tiesto**[1], pedazo de vasija de barro.

callandico, to. (De *callando*.) advs. m. fams. En silencio, con disimulo.

callando. (De *callar*.) adv. m. **callandico.**

callantar. (De *callante*.) tr. **acallar.**

callante. p. a. ant. de **callar.** Que calla.

callantío, a. (De *callante.*) adj. ant. Callado, silencioso.

callao. (Como el gall. port. *callau* y el fr. *caillou*, de una forma céltica **caliavo*, de *cal*, piedra.) m. Guijarro. ‖ **2.** En las islas Canarias, terreno llano y cubierto de cantos rodados.

callapo. (Del aimara *callapu.*) m. *Min. Chile.* **entibo,** madero para apuntalar. ‖ **2.** *Min. Chile.* Grada de escalera en la mina.

callar. (Del lat. *chalāre*, bajar, y este del gr. χαλάω.) intr. No hablar, guardar silencio una persona. CALLA *como un muerto.* Ú. t. c. prnl. ‖ **2.** Cesar de hablar. *Cuando esto hubo dicho,* CALLÓ. Ú. t. c. prnl. ‖ **3.** Cesar de llorar, de gritar, de cantar, de tocar un instrumento músico, de meter bulla o ruido. Ú. t. c. prnl. ‖ **4.** Abstenerse de manifestar lo que se siente o se sabe. Ú. t. c. prnl. ‖ **5.** Cesar ciertos animales en sus voces, como dejar de cantar un pájaro, de ladrar un perro, de croar una rana, etc. Ú. t. c. prnl. ‖ **6.** Dejar de hacer ruido el mar, el viento, un volcán, etc. Ú. m. en estilo poét. y t. c. prnl. ‖ **7.** fig. Cesar de sonar un instrumento músico. Ú. t. c. prnl. ‖ **8.** tr. Omitir, no decir una cosa. Ú. t. c. prnl. ‖ **¡calla!** interj. fam. **¡calle!** ‖ **calla callando.** loc. adv. fam. **chiticallando.** ‖ **calla y cuez.** fr. fig. con que se recomienda a uno que atienda al trabajo útil sin perder el tiempo en cosas fútiles. ‖ **¡calle!** interj. fam. con que se denota extrañeza.

calle. (Del lat. *callis*, senda, camino.) f. Vía entre edificios o solares en una población. ‖ **2.** desus. Denominación del pueblo que depende de otro, como si estuviese dentro de él. ‖ **3.** Camino entre dos hileras de árboles o de otras plantas. ‖ **4.** En los juegos de damas y ajedrez, serie de casillas en línea diagonal en el primero, y diagonal y paralela a las orillas del tablero en el segundo. ‖ **5.** Como complemento de ciertos verbos, libertad, por contraste de cárcel, detención, etc. *Estar en la* CALLE, *poner en la* CALLE. ‖ **6.** fig. La gente, el público en general, como conjunto no minoritario que opina, desea, reclama, etc. ‖ **7.** *Méj.* y *Perú.* Tramo, en una vía urbana, comprendido entre dos esquinas. ‖ **8.** *Dep.* En ciertas competiciones de atletismo y natación, franja por la que ha de desplazarse cada deportista. ‖ **9.** *Impr.* Línea de espacios vertical u oblicua que se forma ocasionalmente en una composición tipográfica y la afea. ‖ **de la amargura.** loc. Situación angustiosa prolongada. ‖ **mayor.** En el juego de damas, la fila diagonal de casillas que tiene mayor número en el tablero, según el color sobre el que se juega. ‖ **peatonal.** La que es de uso exclusivo de peatones. ‖ **pública.** La de uso comunal. ‖ **abrir calle.** fr. fig. y fam. Apartar a la gente que está aglomerada, para poder pasar alguno por medio de ella. ‖ **alborotar la calle.** fr. fig. y fam. Inquietar la vecindad. ‖ **azotar calles.** fr. fig. y fam. Andarse ocioso de **calle** en **calle.** ‖ **calle hita.** loc. adv. que se usa para denotar que se visitan todas las casas de una **calle,** o todas las **calles** de un pueblo para empadronar los vecinos o para otros fines. ‖ **coger la calle.** fr. fam. **coger la puerta.** ‖ **coger las calles.** fr. Cerrarlas, impidiendo el paso. ‖ **dejar** a alguien **en la calle.** fr. fig. y fam. Quitarle la hacienda o empleo con que se mantenía. ‖ **doblar la calle.** fr. Pasar de una **calle** a otra contigua. ‖ **echar** a alguien **a la calle.** fr. fig. y fam. Expulsarlo de casa, de un cargo o trabajo, etc. ‖ **echar a,** o **en, la calle** alguna cosa. fr. fig. y fam. Publicarla. ‖ **echar por la calle de en medio** o **del medio.** fr. fig. y fam. Atropellar por todo para conseguir un fin. ‖ **2.** fig. y fam. **echar por en medio.** ‖ **echarse a la calle.** fr. Salir de casa. ‖ **2.** Amotinarse. ‖ **hacer calle.** fr. fig. y fam. **abrir calle.** ‖ **2.** fig. y fam. Franquear la salida de alguna cosa. ‖ **hacer huir una calle de hombres.** fr. fig. y fam. **llevarse una calle de hombres.** ‖ **hacer la calle.** fr. fig. y coloq. Buscar la prostituta a sus clientes en la **calle.** ‖ **ir desempedrando las calles.** fr. fig. y fam. p. us. Correr velozmente por ellas en coche o a caballo. ‖ **llevar,** o **llevarse,** a alguien **de calle.** fr. fig. y fam. Superar, arrollar, dominar. ‖ **2.** fig. y fam. Convencer, confundir con razones y argumentos. ‖ **3.** fig. y fam. Conquistarlo, atraerlo, cautivarlo. ‖ **llevarse una calle de hombres.** fr. fig. y fam. Hacer huir a mucha gente junta. ‖ **pasear la calle** a una mujer. fr. fig. y fam. Cortejarla o galantearla. ‖ **plantar,** o **poner,** a alguien **en la calle.** fr. fig. y fam. **echarlo a la calle.** ‖ **poner** a alguien **en la calle.** fr. fig. Destituirle del empleo o cargo que tenía, dejándole sin medios de subsistencia. ‖ **ponerse en la calle.** fr. Salir de casa. ‖ **2.** Presentarse en público. ‖ **quedar,** o **quedarse, en la calle.** fr. fig. y fam. Perder la hacienda o medios con que se mantenía. ‖ **rondar la calle** a una mujer. fr. fig. **pasear la calle** a una mujer. ‖ **ser buena** una cosa **solo para echada a la calle.** fr. fig. y fam. que denota el desprecio que se hace de ella.

callear. (De *calle.*) tr. Cortar o separar en las viñas los sarmientos que atraviesan los entreliños, para facilitar la vendimia.

callecalle. amb. *Chile.* Nombre de una planta irídea, de flores blancas y que es medicinal.

callecer. (De *callo.*) intr. ant. **encallecer.**

calleja[1]. (De *callejo.*) f. d. de **calle.** ‖ **2. callejuela.**

Calleja[2]. n. p. m. **sépase,** o **ya se verá,** o **ya verán, quién es Calleja.** expr. fam. p. us. con que alguno se jacta de su poder o autoridad. ‖ **2.** También se dice en sentido irónico hablando del poder o habilidad de otra persona.

Calleja[3]. (Del nombre de una editorial famosa por sus cuentos para niños.) n. p. V. **tener más cuento que Calleja.**

callejear. (De *calleja[1].*) intr. Andar frecuentemente y sin necesidad de calle en calle.

callejeo. (De *callejear.*) m. Acción y efecto de callejear.

callejero, ra. (De *calleja[1].*) adj. Perteneciente o relativo a la calle. Dícese más especialmente de lo que actúa, se mueve o existe en la calle. *Murga* CALLEJERA. ‖ **2.** Que gusta de callejear. ‖ **3.** m. Lista de las calles de una ciudad populosa que traen las guías descriptivas de ella. ‖ **4.** Registro o nota de los domicilios de los suscriptores, que usan los repartidores de periódicos y de otras publicaciones.

callejo. (Del lat. *callĭculus*, senda.) m. *Cantabria.* Callejuela o callejón.

callejón. m. aum. de **calleja[1].** ‖ **2.** Paso estrecho y largo entre paredes, casas o elevaciones del terreno. ‖ **3.** *Perú.* Casa de vecindad con habitaciones generalmente simétricas a lo largo de algún pasadizo descubierto. ‖ **4.** *Taurom.* Espacio existente entre la valla o barrera que circunda el redondel y el muro en que comienza el tendido. ‖ **sin salida.** fig. y fam. Negocio o conflicto de muy difícil o de imposible resolución.

callejuela. f. d. despect. de **calleja[1]**, calle estrecha. ‖ **2.** fig. y fam. p. us. Evasiva o pretexto para no conceder alguna cosa o eludir alguna dificultad. ‖ **todo se sabe, hasta lo de la callejuela.** fr. fig. y fam. que explica que con el tiempo aun lo más escondido se descubre.

callentar. tr. ant. **calentar.** Usáb. t. c. prnl.

callera. (De *callo.*) adj. V. **hierba callera.** ‖ **2.** f. Mujer que vende callos.

calletre. m. ant. **caletre.**

callialto, ta. (De *callo* y *alto.*) adj. Aplícase al herraje o herradura que tiene los callos más gruesos para suplir el defecto de los cascos en las caballerías. Ú. t. c. s.

callicida. (De *callo* y *-cida.*) amb. Sustancia preparada para extirpar los callos. Ú. m. c. m.

callista. com. Persona que se dedica a cortar o extirpar y curar callos, uñeros y otras dolencias de los pies.

callizo. (De *calle.*) m. *Ar.* **callejón,** calleja[1]. ‖ **2.** *Ar.* **callejuela.**

callo. (Del lat. *callum.*) m. Dureza que por roce o presión se llega a formar en los pies, manos, rodillas, etc. ‖ **2.** Cualquiera de los dos extremos de la herradura. ‖ **3.** Cada una de las chapas a modo de herradura, con que se refuerzan las pezuñas de los bueyes domésticos. ‖ **4.** fig. y fam. Mujer muy fea. ‖ **5.** *Cir.* Cicatriz que se forma en la reunión de los fragmentos de un hueso fracturado. ‖ **6.** pl. Pedazos del estómago de la vaca, ternera o carnero, que se comen guisados. ‖ **criar, hacer,** o **tener callos.** fr. fig. y fam. Habituarse a los trabajos, al maltrato o a los vicios.

callón. (De *callao.*) m. Utensilio para afilar las leznas.

callonca. (De *callo.*) adj. Dícese de la castaña o bellota a medio asar. ‖ **2.** fig. Mujer jamona y corrida. ‖ **3.** fam. **cellenca.**

callosar. (De *calloso.*) intr. ant. Criar callos o endurecer la carne y otras cosas.

callosidad. (Del lat. *callosĭtas, -ātis.*) f. Dureza de la especie del callo, menos profunda. ‖ **2.** pl. Durezas en algunas úlceras crónicas. ‖ **isquiática.** *Zool.* Cada una de las dos que tienen en las nalgas muchos simios catirrinos. Ú. m. en pl.

calloso, sa. (Del lat. *callōsus.*) adj. Que tiene callo. ‖ **2.** Relativo a él. ‖ **3.** *Zool.* V. **cuerpo calloso.**

callueso. (Del lat. *cariōsus.*) m. *Murc.* Insecto que roe y destruye las hortalizas.

cama[1]. (Del lat. de San Isidoro *cama,* por *camba.*) f. Armazón de madera, bronce o hierro en que generalmente se pone jergón o colchón de muelles, colchones de lana, sábanas, mantas, colcha y almohadas, y que sirve para dormir y descansar en ella las personas. ‖ **2.** Esta armazón por sí sola. ‖ **3.** V. **coche, sofá cama.** ‖ **4.** V. **colgadura de cama.** ‖ **5.** V. **cosido de la cama.** ‖ **6.** V. **casa de camas.** ‖ **7.** Plaza para un enfermo en el hospital o sanatorio o para un alumno interno en un colegio. ‖ **8.** fig. Sitio donde se echan los animales para su descanso. CAMA *de liebres, de conejos, de lobos.* ‖ **9.** fig. Mullido de paja, helecho u otras plantas que en los establos sirve para que el ganado descanse y hacer estiércol. ‖ **10.** fig. Suelo o plano del carro o carreta. ‖ **11.** fig. En el melón y otros frutos, parte que está pegada contra la tierra mientras están en la mata. ‖ **12.** fig. En los guisados, porción de vianda que se echa extendida encima de otra para que se comuniquen el sabor. ‖ **13.** fig. **camada,** conjunto de animales nacidos de un parto. ‖ **14.** ant. **sepulcro.** ‖ **15.** *Mar.* Hoyo que forma en la arena o en el fango una embarcación varada. ‖ **camera.** La de tamaño intermedio entre la de una sola persona y la de matrimonio. ‖ **de galgos,** o **de podencos.** fig. y fam. La mal acondicionada y revuelta. ‖ **de matrimonio.** La que tiene capacidad para dos personas. ‖ **nido.** Conjunto de dos **camas** que forman un solo mueble, en el que una se guarda debajo de la otra. ‖ **redonda.** Aquella en que duermen varias personas. ‖ **turca.** Especie de sofá ancho, sin respaldo ni brazos, que puede servir para dormir en él. ‖ **2.** Armazón compuesta de un colchón de muelles o de tela metálica y cuatro patas plegables. ‖ **media cama.** La compuesta solamente de un colchón, una sábana, una manta y una almohada. ‖ **2.** Se usa para explicar que dos duermen en una **cama.** ‖ **caer en cama,** o **en la cama.** fr. Caer enfermo. ‖ **estar en cama, guardar cama,** o **la cama, hacer cama.** frs. Estar en ella por necesidad. ‖ **hacer la cama.** fr. Prepararla para acostarse en ella. ‖ **hacerle** a alguien **la cama.** fr. fig. Trabajar en secreto para perjudicarlo. ‖ **irse a la cama.** fr. Acostarse. ‖ **saltar de la cama.** fr. fig. y fam. Levantarse de ella con rapidez.

cama[2]. (Del celtolat. *camba.*) f. Cada una de las barretas o palancas del freno, a cuyos extremos interiores van sujetas las riendas. Ú. m. en pl. ‖ **2.** En el arado, pieza encorvada de madera o de hierro, en la cual encajan por la parte inferior delantera el dental y la reja, y por detrás la esteva; por el otro extremo está afianzada en el timón. ‖ **3. pina** de la rueda de un carro. ‖ **4.** Cada uno de los pedazos de tafetán con que se hacían los mantos de las mujeres. ‖ **5.** pl. Nesgas que se ponían a las capas para que resultasen redondas.

camá. m. *Cuba.* **camao.**

camacero. m. Árbol de la familia de las solanáceas, que se cría en los países tropicales de América y da un fruto parecido a la totuma, pero más grande y de pericarpio más grueso.

camachil. m. Árbol de Filipinas y Guam, de la familia de las leguminosas. Tiene utilidad porque proporciona forraje.

camachuelo. m. **pardillo,** pájaro cantor de color pardusco.

camada. (De *cama[1].*) f. Conjunto de las crías de ciertos animales nacidas en el mismo parto. ‖ **2.** Conjunto o serie de cosas numerables, extendidas horizontalmente de modo que puedan colocarse otras sobre ellas. *Una* CAMADA *de huevos.* ‖ **3.** fig. y fam. Cuadrilla de ladrones o de pícaros. ‖ **4.** *Min.* Piso de ademes en las galerías de las minas.

camafeo. (En b. lat. *camahutus.*) m. Figura tallada de relieve en ónice u otra piedra dura y preciosa. ‖ **2.** La misma piedra labrada.

camagón. m. Árbol de Filipinas, de la familia de las ebenáceas, de buena madera rojiza, con vetas y manchas negras.

camagua. (Del nahua *camahuac.*) adj. *C. Rica, El Salv., Hond.* y *Méj.* Dícese del maíz que empieza a madurar o del que se seca sin haber madurado. ‖ **2.** f. *El Salv.* **elote.** ‖ **3.** *Cuba.* Árbol silvestre, de tronco recto, que alcanza unos 3,5 metros de altura y 15 decímetros de diámetro, y de madera blanca y fuerte. Su fruto sirve de alimento a varias especies de animales.

camagüe. m. *Guat.* **camagua.**

camagüeyano, na. adj. Natural del Camagüey, región y provincia de la isla de Cuba. Ú. t. c. s. ‖ **2.** Perteneciente o relativo a este territorio.

camagüira. f. *Cuba.* Árbol silvestre, de buena madera, compacta, dura y de color amarillo veteado, que admite pulimento.

camahuas. m. pl. *Etnogr.* Antigua tribu de salvajes que vivía en las orillas del Ucayali, en el Perú.

camal. (Del lat. *camus,* freno, bozal.) m. Cabestro de cáñamo o cabezón con que se ata la bestia. ‖ **2.** Palo grueso del que se suspende por las patas traseras al cerdo muerto. ‖ **3.** ant. Cadena gruesa, con su argolla, que se ponía a los esclavos para que no huyesen. ‖ **4.** *Ar.* Rama gruesa. ‖ **5.** *Perú.* Matadero.

camalara. f. *Cuba.* Árbol silvestre, de buena madera amarilla verdosa capaz de pulimento.

camáldula. (De *Camaldoli,* en Toscana, donde se fundó esta orden.) f. Orden monástica fundada por San Romualdo en el siglo XI, bajo la regla de San Benito.

camaldulense. (De *camáldula.*) adj. Perteneciente o relativo a la orden de la Camáldula. Apl. a pers., ú. t. c. s.

camaleja. (De *cama[2].*) f. *Murc.* Ballestilla del trillo.

camaleón. (Del lat. *chamaeleon,* y este del gr. χαμαιλέων.) m. Reptil saurio de cuerpo comprimido, cola prensil y ojos de movimiento independiente. Se alimenta de insectos que caza con su lengua, larga y pegajosa, y posee la facultad de cambiar de color según las condiciones ambientales. Existen unas 80 especies. ‖ **2.** fig. y fam. Persona que tiene habilidad para cambiar de actitud y conducta, adoptando en cada caso la más ventajosa. ‖ **3.** *Bol.* **iguana.** ‖ **4.** *Cuba.* Lagarto verde, grande, que trepa con ligereza a los árboles. También le llaman chipojo. ‖ **5.** *C. Rica.* Ave de rapiña, pequeña, común, que suele posarse en las ramas de los árboles para acechar su presa. ‖ **mineral.** Nombre vulgar del permanganato potásico.

camaleónico, ca. adj. fig. Perteneciente o relativo al camaleón, persona voluble.
camalero. (De *camal.*) m. *Perú.* **matarife.** ‖ **2.** *Perú.* Traficante de carnes.
camalotal. m. Lugar cubierto de camalotes en las orillas de los ríos y pantanos.
camalote. m. *Amér.* Planta gramínea forrajera acuática o propia de lugares pantanosos; zacate. ‖ **2.** *Méj.* Planta poligonácea acuática que abunda en las costas de Méjico y cuyo tallo contiene una médula, con la cual se hacen flores y figuras para adornar cajas de dulces. ‖ **3.** *Argent., Par.* y *Urug.* Nombre común a varias plantas acuáticas y especialmente a ciertas pontederiáceas que abundan en las orillas de ríos, arroyos, lagunas, etc. Son por lo general de hojas y flores flotantes. ‖ **4.** *Argent., Par.* y *Urug.* Conjunto de estas plantas que, enredadas con otras de diferente especie, forman como islas flotantes.
camama. f. vulg. Embuste, falsedad, burla.
camambú. (Del guaraní *camambú,* ampolla.) m. *Amér.* Planta silvestre americana, de la familia de las solanáceas, de flor amarilla, que da un fruto pequeño, redondo, blanco y muy dulce.
camamila. (Del lat. *chamaemēlon,* y este del gr. χαμαίμηλον.) f. **camomila.**
camanance. (Del nahua *camac,* boca, y *nance,* fruto.) m. *Amér. Central.* Hoyuelo que se forma a cada lado de la boca en algunas personas cuando se ríen.
camanchaca. f. *Chile* y *Perú.* Niebla espesa y baja.
camándula. f. **camáldula.** ‖ **2.** Rosario de uno o tres dieces. ‖ **3.** fig. y fam. Hipocresía, astucia. Ú. m. en la fr. **tener muchas camándulas.**
camandulear. (De *camándula.*) intr. Ostentar falsa o exagerada devoción. ‖ **2.** *Sal.* Corretear, chismear. ‖ **3.** *Amér.* Intrigar, obrar con hipocresía.
camandulense. adj. **camaldulense.**
camandulería. f. **gazmoñería.**
camandulero, ra. (De *camándula.*) adj. fam. Hipócrita, astuto, embustero y bellaco. Ú. t. c. s.
camanonca. f. Tela antigua para forros de vestidos.
camao. m. *Cuba.* Paloma pequeña, silvestre, de color pardo.
cámara. (Del lat. *camăra,* y este del gr. καμάρα, bóveda, cámara.) f. Sala o pieza principal de una casa. ‖ **2. ayuntamiento,** junta. CÁMARA *de comercio;* CÁMARA *agrícola.* ‖ **3.** Cada uno de los cuerpos colegisladores en los gobiernos representativos. Comúnmente se distinguen con los nombres de **Cámara alta** y **baja.** ‖ **4.** En el palacio real, pieza en donde solo tenían entrada los gentileshombres y ayudas de **cámara,** los embajadores y algunas otras personas. ‖ **5.** En casas de labranza, local alto destinado a recoger y guardar los granos. ‖ **6. cilla.** ‖ **7.** Cualquiera de los departamentos que en los buques de guerra se destina a alojamiento de los generales, jefes y oficiales, y en los mercantes, al de la oficialidad o al servicio común de los pasajeros. ‖ **8.** Compartimiento que tiene comunicación con los hornos metalúrgicos, para condensar o transformar las sustancias volatilizadas. ‖ **9.** En las armas de fuego, espacio que ocupa la carga. ‖ **10.** Anillo tubular de goma, que forma parte de los neumáticos, y está provisto de una válvula para inyectar aire a presión. ‖ **11.** Especie de globo o vejiga de goma con una boquilla por la que se infla con aire a presión y que va alojada en el cuero de algunos balones de deportes. ‖ **12. cámara fotográfica.** ‖ **13.** Aparato destinado a registrar imágenes animadas para el cine o la televisión. ‖ **14.** En la filmación de películas, voz con que se advierte al actor o grupo que esté listo para realizar una toma. ‖ **15. morterete** que se usaba en las salvas. ‖ **16. deposición,** evacuación de vientre. ‖ **17.** Excremento humano. ‖ **18.** V. **ayuda, clericato, clérigo, feudo, gentilhombre, montero, moza, paje, penas, ropa, ujier de cámara.** ‖ **19.** V. **maestría, maestro de la cámara.** ‖ **20.** ant. Residencia o corte del rey o del poseedor de algún Estado. *La ciudad de Burgos es cabeza de Castilla y* CÁMARA *de S. M.* ‖ **21.** ant. Alcoba o aposento donde se duerme. ‖ **22.** ant. **ayuntamiento,** corporación municipal. ‖ **23.** pl. *Pat.* **diarrea.** ‖ **alta.** Llámase así al senado u otros cuerpos legisladores análogos. ‖ **anterior de la boca.** Espacio que se extiende desde la abertura de la boca hasta el istmo de las fauces. ‖ **anterior del ojo.** Espacio comprendido entre la córnea y el iris. ‖ **apostólica.** Tesoro pontificio. ‖ **2.** Junta que lo administra, presidida por el cardenal camarlengo. ‖ **ardiente. cámara mortuoria.** ‖ **baja.** Llámase así al congreso de los diputados o sus equivalentes, a diferencia de la llamada **cámara alta.** ‖ **clara. cámara lúcida.** ‖ **de aire.** *Arq.* Espacio hueco que se deja en el interior de los muros y paredes para que sirva de aislamiento. ‖ **de apelaciones.** *Argent.* Tribunal colegiado de segunda o última instancia. ‖ **de Castilla.** Órgano ejecutivo del Consejo de Castilla, que se componía del presidente o gobernador y tres o cuatro ministros de él para resolver asuntos de trámite y de suma urgencia. ‖ **de combustión.** En los motores de explosión, espacio libre entre la cabeza del pistón y la culata, donde se produce la ignición de los gases. ‖ **de compensación.** Asociación voluntaria de bancos, encaminada a simplificar y facilitar el intercambio de cheques, pagarés, letras, etc., y saldar las diferencias entre el debe y el haber de cada banco asociado, en cuanto se refiere a tales efectos, con el menor movimiento posible de numerario. ‖ **de Comptos.** Tribunal de Navarra que conocía de los negocios de la real hacienda. ‖ **de gas.** Recinto hermético destinado a producir, por medio de gases tóxicos, la muerte de los condenados a esta pena. ‖ **2.** Recinto cerrado en el que se inyectaban gases tóxicos para dar muerte colectiva a prisioneros o detenidos en los campos de concentración. ‖ **de Indias.** Tribunal compuesto de ministros del Consejo de Indias, que ejercía respecto de los dominios de Ultramar las mismas funciones que la **Cámara** de Castilla respecto de la Península. ‖ **de las armas.** ant. **armería,** lugar donde se guardan las armas. ‖ **de los Comunes.** Asamblea parlamentaria y legislativa en Inglaterra, equivalente al Congreso de los diputados. ‖ **de los Lores.** Asamblea de nobles que, juntamente con la **Cámara** de los Comunes, constituye el Parlamento en Inglaterra. ‖ **de los paños.** Oficio antiguo para el gobierno de todo lo que tocaba a ropas y vestidos de palacio. ‖ **del rey.** Fisco real. ‖ **doblada.** Aposento con alcoba. ‖ **fotográfica.** Aparato que sirve para hacer fotografías, y que consta de un medio óptico (objetivo) y de un medio mecánico (obturador). ‖ **frigorífica.** Recinto dotado de instalaciones de frío artificial, que se destina a conservar alimentos u otros productos que podrían descomponerse a la temperatura ambiente. ‖ **lenta.** *Cinem.* expr. con que se designa el rodaje acelerado de una película para producir un efecto de lentitud al proyectar la imagen a la velocidad normal. ‖ **lúcida.** Aparato óptico en el que, por medio de prismas o espejos, se proyecta la imagen virtual de un objeto exterior en una superficie plana sobre la cual puede dibujarse el contorno y las líneas de dicha imagen. ‖ **mortuoria. capilla ardiente,** oratorio provisional donde se celebran las primeras exequias por una persona. ‖ **oscura.** Aparato óptico consistente en una caja cerrada y opaca con un orificio en su parte anterior por donde entra la luz, la cual reproduce dentro de la caja una imagen invertida de la escena situada ante ella. ‖ **posterior de la boca.** Espacio comprendido entre el istmo de las fauces y la parte posterior de la faringe. ‖ **posterior del ojo.** Espacio comprendido entre el iris y el cristalino. ‖ **de cámara.** loc. adj. Aplícase al que en el palacio real tiene determinado cometido. ‖ **2.** V. **médico de cámara.** ‖ **3.** Di-

cese de la obra musical compuesta para un número reducido de instrumentos, que actúan como solistas. ‖ **chupar cámara.** fr. fig. y fam. En fotografía, en televisión, etc., situarse en primer plano o hacerse notar en detrimento de otras personas. ‖ **irse de cámaras.** fr. Hacer aguas mayores sin querer. ‖ **padecer cámaras.** fr. Tener flujo de vientre. ‖ **tener cámaras en la lengua.** fr. fig. y fam. Ser hablador indiscreto.

camarada. (De *cámara,* por dormir en un mismo aposento.) com. El que acompaña a otro y come y vive con él. ‖ **2.** El que anda en compañía con otros, tratándose con amistad y confianza. ‖ **3.** En ciertos partidos políticos y sindicatos, correligionario o compañero. ‖ **4.** f. Compañía o junta de **camaradas.** ‖ **5.** ant. **batería,** conjunto de piezas de artillería. ‖ **6.** ant. **batería,** fortificación para poner a cubierto estas piezas.

camaradería. f. Amistad o relación cordial que mantienen entre sí los buenos camaradas.

camaraje. m. Alquiler de la pieza o cámara donde se tienen guardados los granos.

camaranchón. (De *cámara.*) m. despect. Desván de la casa, o lo más alto de ella, donde se suelen guardar trastos viejos.

camarera. (De *camarero.*) f. Mujer de más respeto entre las que sirven en las casas principales. ‖ **2.** Empleada que sirve en los hoteles, bares, cafeterías u otros establecimientos análogos, y también en los barcos de pasajeros. ‖ **3.** En las cofradías o hermandades religiosas, mujer que tiene a su cargo cuidar el altar y las imágenes. ‖ **mayor.** Señora de más autoridad entre las que servían a la reina. Había de ser Grande de España.

camarería. f. Empleo u oficio de camarera. ‖ **2.** Descuento que llevaba el camarero del rey en las libranzas extraordinarias, y que se extendió después a ciertos sueldos militares.

camarero. (Del lat. *camerarius, camerarius,* de *camara.*) m. Oficial de la cámara del Papa. ‖ **2.** En la etiqueta de la casa real de Castilla, jefe de la cámara del rey. ‖ **3.** En algunos lugares, el encargado del trigo del pósito o de los diezmos y tercias, o del grano que se echa en las cámaras. ‖ **4.** Criado distinguido en las casas de los grandes, encargado de cuanto pertenecía a su cámara. ‖ **5.** Empleado que sirve en los hoteles y barcos de pasajeros y cuida de los aposentos y camarotes. ‖ **6.** Mozo de café, bar u otro establecimiento semejante. ‖ **mayor. camarero,** jefe de la cámara del rey.

camareta. f. d. de **cámara.** ‖ **2.** *N. Argent., Bol., Chile* y *Perú.* Mortero usado en las fiestas populares y religiosas para disparar bombas de estruendo. ‖ **3.** *Mar.* Cámara de los buques pequeños. ‖ **4.** *Mar.* Local que en los buques de guerra sirve de alojamiento a los guardias marinas.

camareto. m. *Cuba.* Planta parecida al aje, que tiene el sarmiento morado, como las venas de las hojas, que son cordiformes, y sus tubérculos son blancos interiormente, aunque también morados al exterior.

camarico. (De or. quechua.) m. Ofrenda que hacían los indios americanos a los sacerdotes, y después a los españoles. ‖ **2.** fig. y fam. *Chile.* Lugar preferido de una persona. ‖ **3.** fig. y fam. *Chile.* Amorío, enredo amoroso. *Tener un* CAMARICO.

camariento, ta. adj. desus. Que padece cámaras, diarrea. Ú. t. c. s.

camarilla. (d. de *cámara.*) f. Conjunto de personas que influyen subrepticiamente en los asuntos de Estado o en las decisiones de alguna autoridad superior.

camarillera. f. **camarina.**

camarillesco, ca. adj. despect. Propio de una camarilla.

camarín. m. d. de **cámara.** ‖ **2.** Capilla pequeña colocada algo detrás de un altar y en la cual se venera alguna imagen. ‖ **3.** Pieza en que se guardan las alhajas y vestidos de una imagen. ‖ **4. camerino.** ‖ **5.** Pieza pequeña retirada donde se guardaban las bujerías de búcaros, barros, cristales y porcelanas, y también alhajas de más precio. ‖ **6. tocador**[1], aposento para el peinado y aseo. ‖ **7.** Pieza retirada para el despacho de los negocios. ‖ **8.** *Ál.* **cambarín.**

camarina. m. Arbusto parecido al brezo y de una familia botánica afín, con flores blancas o rosadas, según la especie. Se da en la costa atlántica de la Península Ibérica.

camariñas. f. **camarina.**

camarista. m. Miembro de la antigua Cámara de Castilla. ‖ **2.** ant. El que vivía en alguna cámara de posada y no tenía trato con los demás hospedados. ‖ **3.** f. Criada distinguida de la reina, princesa o infantas. ‖ **4.** com. *Argent.* Miembro de la cámara de apelaciones.

camarlengo. (Del germ. **kamerling,* camarero.) m. Título de dignidad entre los cardenales de la Santa Iglesia Romana, presidente de la Cámara Apostólica y gobernador temporal en sede vacante. ‖ **2.** Título de dignidad en la casa real de Aragón, semejante al de camarero en Castilla.

cámaro. (Del lat. *cammărus,* y este del gr. κάμμαρος.) m. **camarón,** crustáceo.

camarógrafo, fa. (De *cámara* y *-grafo.*) m. y f. *Cinem.* y *TV.* **operador.**

camarón. (aum. de *cámaro.*) m. Crustáceo decápodo, macruro, de tres a cuatro centímetros de largo, parecido a una gamba diminuta, de color pardusco. Es comestible y se conoce también con los nombres de quisquilla y esquila. ‖ **2.** *C. Rica.* Propina o gratificación. ‖ **3.** *Perú.* **camaleón,** persona que muda con facilidad de pareceres o doctrina. ‖ **4.** *Sto. Dom.* Persona que lleva en secreto datos, noticias, etc., para transmitirlos a quien interesa.

camaronear. intr. *Perú.* Mudar de opinión o de bando por favor o interés. ‖ **2.** *Méj.* Pescar camarones.

camaronera. f. Mujer que vende camarones. ‖ **2.** Red para pescar camarones.

camaronero. m. El que pesca o vende camarones. ‖ **2.** *Perú.* **martín pescador.**

camarote. (De *cámara.*) m. Cada uno de los compartimientos de dimensiones reducidas que hay en los barcos para poner las camas o las literas.

camarotero. (De *camarote.*) m. *Amér.* Camarero que sirve en los barcos.

camarroya. f. Achicoria silvestre.

camarú. (De or. guaraní.) m. Árbol del Brasil y otros países de América del Sur. Se le llama también roble de Orán, porque su madera se parece a la del roble, así como su corteza se parece a la quina, y se emplea como medicamento.

camastro. (De *cama*[1].) m. despect. Lecho pobre y sin aliño.

camastrón, na. m. y f. fam. Persona disimulada y doble que espera oportunidad para hacer o dejar de hacer las cosas, según le conviene. Ú. t. c. adj.

camastronería. f. fam. Cualidad y modo de proceder del camastrón.

camatón. m. *Ar.* Haz pequeño de leña.

camaza. f. *Amér. Central.* Fruta del camacero, especialmente cuando ha sido aserrada y preparada como la totuma.

camba. (Del celtolat. *camba,* corva.) f. **cama**[2] del freno. ‖ **2.** *Ast., Cantabria* y *Sal.* **pina,** pieza curva de la rueda de un carro. ‖ **3.** pl. **cama**[2], nesgas de las capas.

cambada. f. *Cantabria.* Faja de prado cuya hierba queda cortada cada vez que el operario la ha segado con la guadaña a lo largo o lo ancho de la finca. ‖ **2.** Hilada de hierba segada en cada una de las dichas carreras o fajas.

cambado, da. (De *camba.*) adj. *Col., R. de la Plata* y *Venez.* Dícese del estevado o patizambo.

cambalachar. tr. **cambalachear.**

cambalache. (De *cambiar.*) m. fam. Trueque, con frecuencia malicioso, de objetos de poco valor. ‖ **2.** Trueque, considerado con desprecio, jactancia, satisfacción, pesar u otro movimiento del ánimo que se expresa por el tono y el contexto. ‖ **3.** Por ext., cualquier trueque hecho con afán de ganancia. ‖ **4.** Trueque de diversos objetos, valiosos o no. Ú. t. c. despect. ‖ **5.** *Argent.* y *Urug.* **prendería.**

cambalachear. (De *cambalache.*) tr. fam. Hacer cambalaches.

cambalachero, ra. adj. Que cambalachea. Ú. t. c. s.

cambalada. (De *camba.*) f. *And.* Vaivén del hombre ebrio.

cambaleo. m. Compañía antigua de la legua, compuesta ordinariamente de cinco hombres y una mujer que cantaba.

cambalud. (De *camba.*) m. *Sal.* Tropezón violento pero sin caída.

camballada. f. *And.* **cambalada.**

cambar. (Del celtolat. *camba.*) tr. *Can.* y *Venez.* Combar, encorvar.

cámbara. (De *cámbaro.*) f. En el Cantábrico, es el nombre de la centolla.

cambará. (De or. guaraní.) m. Árbol de América del Sur, frondoso, de hoja discolora, verde y blanca y flor blanca diminuta. Su corteza se emplea como febrífugo.

cambarín. (De *cambra.*) m. *Ál.* Descansillo, meseta o rellano de la escalera.

cámbaro. (Del lat. *cammărus.*) m. Crustáceo marino, decápodo, braquiuro, más ancho que largo, con el caparazón verde, y fuertes pinzas en el primer par de patas. Algunas de sus especies son comestibles. ‖ **mazorgano. nécora,** crustáceo. ‖ **volador.** Crustáceo marítimo, braquiuro, de cuerpo casi discoidal, liso y deprimido. Se encuentra en alta mar.

cambera. (De *camba.*) f. Red pequeña para pescar cámbaros y otros crustáceos. ‖ **2.** *Cantabria.* Camino de carros.

cambero. (De *camba.*) m. *Ast.* Rama delgada, en la que el pescador ensarta por las agallas los peces que coge.

cambeto, ta. (De *camba.*) adj. *Venez.* **patiestevado.**

cambia. f. ant. *Der.* **permuta.**

cambiable. adj. Que se puede cambiar.

cambiada. f. *Equit.* Acción de cambiar el paso de un caballo. ‖ **2.** *Mar.* Acción de cambiar la posición del aparejo, el rumbo, etc.

cambiadizo, za. (De *cambiar.*) adj. ant. **mudadizo.**

cambiador, ra. adj. Que cambia. ‖ **2.** m. ant. **cambista.** ‖ **3.** *Chile* y *Méj.* **guardagujas.** ‖ **4.** *Chile.* Pieza que sirve para mudar la cuerda o correa, en las máquinas, de la polea fija a la mudable y viceversa.

cambiamiento. (De *cambiar.*) m. Mutación, variedad.

cambiante. p. a. de **cambiar.** Que cambia. ‖ **2.** m. Variedad de colores o visos que hace la luz en algunos cuerpos. Ú. m. en pl. y hablando de algunas telas. ‖ **3.** El que tiene por oficio cambiar moneda.

cambiar. (Del galo-lat. *cambiāre.*) tr. Tomar o hacer tomar, en vez de lo que se tiene, algo que lo sustituya. Ú. t. c. prnl., y con la prep. *de,* como intr. CAMBIAR DE *nombre, lugar, destino, oficio, vestido, opinión, gusto, costumbre.* ‖ **2.** Convertir en otro, especialmente en lo opuesto o en lo contrario. CAMBIAR *el agua en vino, la pena en gozo, el odio en amor, la risa en llanto, la esclavitud en dominio.* Ú. t. c. prnl. ‖ **3.** Dar o tomar valores o monedas por sus equivalentes. ‖ **4.** Dar o tomar, en sistema de comercio o particularmente, géneros u otras cosas. ‖ **5.** Intercambiar cosas materiales, especialmente por razones de amistad. ‖ **6.** Intercambiar algunas acciones, como ideas, palabras, miradas, risas. ‖ **7.** intr. Mudar o alterar una persona o cosa su condición o apariencia física o moral. Ú. t. c. prnl. ‖ **8.** Hablando del viento, se refiere especialmente a su dirección. ‖ **9.** En los vehículos de motor, pasar de una marcha o velocidad a otra de distinto grado. ‖ **10.** *Equit.* Hacer que galope con pie y mano derechos el caballo que va galopando con pie y mano izquierdos, o al contrario. ‖ **11.** *Mar.* Bracear el aparejo, cuando se navega ciñendo por una banda, a fin de orientarlo por la contraria. ‖ **12.** *Mar.* **virar,** cambiar de rumbo. ‖ **13.** *Mar.* **virar,** dar vueltas al cabrestante para levar anclas, etc.

cambiario, ria. adj. Relativo al negocio de cambio o a la letra de cambio.

cambiavía. (De *cambiar* y *vía.*) m. *Col., Cuba* y *Méj.* **guardagujas.**

cambiazo. m. aum. de **cambio.** ‖ **dar el cambiazo.** fr. Cambiar fraudulentamente una cosa por otra.

cambija. (De *camba.*) f. Arca de agua elevada sobre las cañerías que la conducen.

cambil. m. ant. *Veter.* Compuesto de bol de Armenia, que se usó como medicina contra la diarrea de los perros.

cambímbora. f. *P. Rico.* Abertura u hoyo profundo e irregular en la tierra, por lo general cubierto de vegetación y peligroso para el hombre y el ganado.

cambín. m. Nasa de junco parecida a un sombrero redondo, que sirve para cierta clase de pesca.

cambio. (De *cambiar.*) m. Acción y efecto de cambiar. ‖ **2.** Dinero menudo. ‖ **3.** V. **agente, cédula, contrato, letra de cambio.** ‖ **4.** V. **corredor, caja, mesa de cambios.** ‖ **5.** p. us. **cambista.** ‖ **6.** *Com.* Tanto que se abona o cobra, según los casos, sobre el valor de una letra de **cambio.** ‖ **7.** *Com.* Precio de cotización de los valores mercantiles. ‖ **8.** *Com.* Valor relativo de las monedas de países diferentes o de las de distinta especie de un mismo país. ‖ **9.** *Ferr.* Mecanismo formado por las agujas y otras piezas de las vías férreas, que sirve para que las locomotoras, los vagones o los tranvías vayan por una u otra de las vías que concurren en un punto. ‖ **10.** *Der.* **permuta.** ‖ **11. cambio de velocidades.** ‖ **de velocidades.** *Mec.* Sistema de engranajes u otros dispositivos que permite cambiar, valiéndose de un mando o automáticamente, la relación entre la velocidad de un motor y la del órgano útil arrastrado por él. ‖ **minuto. cambio,** valor relativo de las monedas. ‖ **libre cambio. librecambio.** ‖ **2.** Régimen aduanero fundado en esta doctrina. ‖ **a, o en, cambio de.** loc. prepos. En lugar de, cambiando una cosa por otra. A CAMBIO DE *su renuncia, le prometieron una vivienda moderna.* ‖ **a las primeras de cambio.** loc. adv. fig. **de buenas a primeras.** ‖ **en cambio.** loc. adv. Por el contrario; se emplea para expresar una oposición o contraste. *Tú siempre llegas puntual,* EN CAMBIO *yo siempre llego tarde.*

cambista. com. Que cambia moneda. ‖ **2.** m. **banquero,** el que tiene una casa de banca.

cambiza. (De *camba.*) f. *Sal.* Trozo de madera encorvado, en cuyos extremos se sujetan dos cordeles que luego se unen y se atan al yugo para poder amontonar la parva, ya trillada, y hacer la limpia del grano.

cambizar. tr. *Sal.* Recoger con la cambiza la parva para limpiarla.

cambizo. (De *camba.*) m. *Sal.* El timón del trillo.

cambo. (De *camba.*) m. *Sal.* Aposento donde se cuelgan, en varales, los chorizos, morcillas y longanizas para que se curen o sazonen.

cambocho. (De *camba.*) m. *Ál.* Nombre de uno de los dos palos con que se juega al calderón.

cambón. (De *camba.*) m. *Ast.* Trozo de la rueda de la carreta, que sirve de sostén a las cambas y en el medio del cual penetra el eje.

camboyano, na. adj. Natural de Camboya. Ú. t. c. s. ‖ **2.** Perteneciente o relativo a este Estado de Asia.

cambra. (Del lat. *camĕra*, cámara.) f. ant. **cámara.**

cambray. (De *Cambray*, ciudad de Francia.) m. Especie de lienzo blanco y sutil.

cambrayado, da. (De *cambray*.) adj. **acambrayado.**

cambrayón. m. Lienzo parecido al cambray, pero menos fino.

cambriano, na. adj. *Geol.* **cámbrico.** Ú. t. c. s.

cámbrico, ca. (De *Cambria*, forma latinizada de Cymry, Gales.) adj. *Geol.* Dícese del más antiguo de los seis períodos geológicos en que se divide la era paleozoica. Ú. t. c. s. ‖ **2.** *Geol.* Perteneciente o relativo a los terrenos de este período en el que predominan los trilobites, algas marinas y representantes de muchos invertebrados. ‖ **3.** Dícese de los antiguos habitantes del país de Gales. Ú. t. c. s. ‖ **4.** Perteneciente a este país o a sus habitantes.

cambrillón. (Del fr. *cambrillon*.) m. Suela angosta que los zapateros ponen de relleno entre la exterior y la plantilla del calzado para armarlo.

cambrón. (Del lat. *crabro, -ōnis*, avispón.) m. Arbusto de la familia de las ramnáceas, de unos dos metros de altura, con ramas divergentes, torcidas, enmarañadas y espinosas, hojas pequeñas y glaucas, flores solitarias blanquecinas y bayas casi redondas. ‖ **2. espino cerval.** ‖ **3. zarza.** ‖ **4.** pl. **espina santa.**

cambronal. m. Sitio o paraje en que abundan los cambrones o las cambroneras.

cambronera. (De *cambrón*.) f. Arbusto de la familia de las solanáceas, de unos dos metros de altura, con multitud de ramas mimbreñas, curvas y espinosas, hojas cuneiformes, flores axilares, sonrosadas o purpúreas y bayas rojas elipsoidales. Suele plantarse en los vallados de las heredades.

cambroño. (De *cambrón*.) m. Piorno que se cría en las sierras de Guadarrama, Gata y Peña de Francia.

cambrún. m. *Col.* Cierta clase de tela de lana.

cambucha. (De *camba*.) m. *Ast.* **pina,** pieza curva de la rueda de un carro. ‖ **2.** f. *Chile.* Cometa pequeña y sin palillos con que juegan los niños.

cambucho. (De *camba*.) m. *Chile* y *Perú.* **cucurucho,** papel, cartón, etc., arrollado en forma cónica. ‖ **2.** *Chile.* Cesta o canasto en que se echan los papeles inútiles, o se guarda la ropa sucia. ‖ **3.** *Chile.* Habitación muy pequeña. ‖ **4.** *Chile* y *Perú.* Funda o forro de paja que se pone a las botellas para que no se quiebren.

cambuí. (De or. guaraní.) m. *R. de la Plata.* Árbol de tronco liso, semejante al guayabo, que da semillas coloradas en racimos. ‖ **2.** Fruto de este árbol.

cambuj. (Del ár. *kanbūš*, velo con que se cubren el rostro las mujeres.) m. Mascarilla o antifaz. ‖ **2.** Capillo de lienzo que ponen prendido a los niños para que tengan derecha la cabeza.

cambujo, ja. (De *camba*.) adj. Tratándose de caballerías menores, **morcillo**[2]. ‖ **2.** *Méj.* Decíase del descendiente de zambaigo y china o de chino y zambaiga. Usáb. t. c. s. ‖ **3.** *Méj.* Dícese del ave que tiene negras la pluma y la carne.

cambullo. m. *Can.* **cambullón,** cambalache, trueque de cosas de poco valor.

cambullón. (Del port. *cambulhão*.) m. *Can.,* y *Col.* Cambalache, trueque de cosas de poco valor. ‖ **2.** *Can.* Tráfico que consiste en cambiar o vender a bordo de navíos, especialmente extranjeros, productos del país. ‖ **3.** *Can.* Porción de víveres detraídos de la gambuza. ‖ **4.** *Can.* y *Perú.* Enredo, trampa, cambalache de mal género. ‖ **5.** *Chile.* Cosa hecha por confabulación de algunos, con engaño o malicia, para alterar la vida social o política.

cambullonero, ra. (De *cambullón*.) m. y f. *Can.* Persona que practica el tráfico con géneros del país. ‖ **2.** *Can.* Persona que trafica con víveres detraídos de la gambuza.

cambur. m. Planta de la familia de las musáceas, parecida al plátano, pero con la hoja más ovalada y el fruto más redondeado, e igualmente comestible. ‖ **amarillo.** El que da fruto de este color y del mismo tamaño que el pigmeo. ‖ **criollo.** Variedad de fruto verdoso. ‖ **hartón. cambur topocho.** ‖ **higo.** Variedad de fruto más pequeño que el del titiaro. ‖ **manzano.** Especie muy fina y cuyo fruto tiene un ligero sabor a manzana. ‖ **morado.** El de fruto morado o escarlata. ‖ **pigmeo.** El de tallo más pequeño y fruto más largo que el del criollo. ‖ **titiaro.** Variedad de fruto pequeño. ‖ **topocho.** El de fruto semejante a un plátano pequeño.

cambute. m. Planta tropical gramínea, que alcanza unos 40 centímetros de largo, hojas algo anchas y agudas y flores en espigas pareadas y divergentes. ‖ **2.** *Cuba.* **cambutera.** ‖ **3.** *Cuba.* Nombre del fruto y la flor de la cambutera. ‖ **4.** En Costa Rica, caracol grande y comestible.

cambutera. (De *cambute*.) f. *Cuba.* Bejuco silvestre de la familia de las convolvuláceas, de hojas alternas y cuya flor, de cinco pétalos y color rojo, tiene figura de estrella. Es trepadora y se cultiva en los jardines.

cambuto, ta. adj. *Perú.* Pequeño, rechoncho, grueso. Se aplica a personas y cosas.

camedrio. (Del lat. *chamaedrȳs*, y este del gr. χαμαίδρυς.) m. Planta de la familia de las labiadas, pequeña, de tallos duros, vellosos, hojas pequeñas parecidas a las del roble y flores purpúreas en verticilos colgantes, usadas como febrífugo.

camedris. m. **camedrio.**

camedrita. m. Vino preparado con la infusión del camedrio.

camelador, ra. adj. Que camela.

camelar. (De *camelo*.) tr. fam. Galantear, requebrar. ‖ **2.** fam. Seducir, engañar adulando. ‖ **3.** fam. Amar, querer, desear. ‖ **4.** *Méj.* Ver, mirar, acechar.

camelete. (De *camello*, pieza antigua de artillería.) m. Pieza grande de artillería que se usó para batir murallas.

camelia. (De G. J. *Kamel*, botánico moravo del siglo XVII.) f. Arbusto de la familia de las teáceas, originario del Japón y de la China, de hojas perennes, lustrosas y de un verde muy vivo y flores muy bellas, inodoras, blancas, rojas o rosadas. ‖ **2.** Flor de este arbusto. ‖ **3.** *Cuba.* **amapola.**

camélido. (Del lat. *camēlus*.) adj. *Zool.* Dícese de rumiantes artiodáctilos que carecen de cuernos y tienen en la cara inferior del pie una excrecencia callosa que comprende los dos dedos; como el camello, el dromedario y la llama. Ú. t. c. s. ‖ **2.** m. pl. *Zool.* Familia de estos animales.

cameliео, a. adj. *Bot.* **teáceo.**

camelina. f. Planta de la familia de las crucíferas, con semillas oleaginosas, de las que se obtiene aceite para diversos usos. Vive en gran parte de Europa.

camelista. com. fest. Persona que practica el camelo, y especialmente la que aparenta conocimientos, virtudes o cualidades que no posee.

camelístico, ca. adj. Perteneciente o relativo al camelo; que contiene camelos.

camelo. m. fam. **galanteo.** ‖ **2.** fam. Chasco, burla. ‖ **3.** Noticia falsa. ‖ **4.** Dicho o discurso intencionadamente desprovisto de sentido. ‖ **5.** Simulación, fingimiento, apariencia engañosa. ‖ **6.** *Cuba.* Malva roja y sin olor y más grande que la ordinaria.

camelotado, da. adj. Dícese del tejido o tela hechos por el estilo del camelote.

camelote[1]. (Del ant. fr. *camelot*, var. dialect. de *chamelot*.) m. Tejido fuerte e impermeable, generalmente de lana. ‖ **de aguas.** El prensado y lustroso. ‖ **de pelo.** El muy fino.

camelote[2]. m. Planta tropical gramínea, con el tallo ramoso, rastrero y lampiño, vainas infladas, hojas cortas y flores en espigas pareadas.

camelotina. f. Especie de camelote[1].

camelotón. m. Tela bastante parecida al camelote[1].

camella[1]. f. **gamella[1].**

camella[2]. (Del lat. *camella*.) f. **gamella[2].**

camella[3]. f. Hembra del camello. ‖ **2. camellón,** lomo de tierra entre dos surcos.

camellejo. m. d. de **camello.**

camellería. f. Oficio de camellero.

camellero. m. El que cuida o conduce camellos.

camello. (Del lat. *camēlus*, y este del gr. κάμηλος.) m. Artiodáctilo rumiante, oriundo del Asia Central, corpulento y más alto que el caballo. Tiene el cuello largo, la cabeza proporcionalmente pequeña y dos gibas en el dorso, formadas por acumulación de tejido adiposo. ‖ **2.** V. **hilo, paja, pelo de camello.** ‖ **3.** Pieza antigua de artillería gruesa de batir, de dieciséis libras de bala, pero corta y de poco efecto. ‖ **4.** fig. Persona que vende drogas tóxicas al por menor. ‖ **5.** *Mar.* Mecanismo flotante destinado a suspender un buque o una de sus extremidades, disminuyendo su calado. ‖ **pardal. jirafa.**

camellón[1]. (De *camello*, por la forma.) m. **caballón.** ‖ **2.** En algunas partes, **camelote[1].**

camellón[2]. (De *camella[2]*.) m. Artesa cuadrilonga para abrevar el ganado vacuno.

camena. (Del lat. *camēna*.) f. poét. **musa,** deidad de la poesía.

camenal. (De *camena*.) adj. Perteneciente o relativo a las camenas o musas.

cámera. (Del lat. *camĕra*.) f. ant. **cámara.**

camerá. f. *Col.* Especie de conejo silvestre.

camerano, na. adj. Natural de la sierra de Cameros. Ú. t. c. s. ‖ **2.** Perteneciente o relativo a ella.

camerino. (Del it. *camerino*.) m. Aposento individual o colectivo, donde los artistas se visten, maquillan o preparan para actuar.

camero, ra. adj. Dícese de la cama grande, en contraposición a la más estrecha o catre. ‖ **2.** Lo relativo a ella. *Colchón* CAMERO, *manta* CAMERA. ‖ **3.** m. y f. Persona que hace camas, colgaduras u otras cosas pertenecientes a ellas. ‖ **4.** Persona que alquila camas.

camia. f. Árbol frutal de Filipinas, de la familia de las oxalidáceas, del tamaño de un ciruelo, que da su fruto, no en las ramas, sino en el mismo tronco.

camiar. (Del lat. *cambiāre*.) tr. ant. **cambiar.** ‖ **2.** ant. Vomitar, arrojar del estómago.

camíbar. m. *C. Rica* y *Nicar.* **copayero.** ‖ **2.** *C. Rica* y *Nicar.* **bálsamo de copaiba.**

cámica. f. *Chile.* Declive del techo.

camicace. (Del japonés *kamikaze*, viento divino.) m. Avión suicida empleado por los japoneses contra barcos norteamericanos en la II Guerra Mundial. ‖ **2.** Por ext., el piloto de este avión. ‖ **3.** Por ext., persona o acción temeraria. *Conductor, acto* CAMICACE.

camilo[1]. (Del lat. *camillus*, ministro.) m. Muchacho que los romanos empleaban en el servicio del culto.

camilo[2]. adj. Dícese del clérigo que pertenece a la congregación fundada en Roma por San Camilo de Lelis para el servicio de los enfermos. Ú. t. c. s.

camilucho, cha. adj. *Amér.* Dícese del indio jornalero del campo. Ú. t. c. s.

camilla. (d. de *cama*.) f. Cama que servía para estar medio vestido en ella. ‖ **2.** Mesa, generalmente redonda, bajo la cual suele haber una tarima para colocar el brasero. ‖ **3.** Cama estrecha y portátil, que se lleva sobre varas a mano o sobre ruedas. Sirve para transportar enfermos, heridos o cadáveres.

camillero. m. El que transporta la camilla. ‖ **2.** *Mil.* Soldado práctico en conducir heridos en camilla y hasta en hacerles algunas curas elementales.

caminada. (De *caminar*.) f. ant. **jornada** de un día. ‖ **2.** ant. Camino o viaje de aguadores o jornaleros.

caminador, ra. adj. Que camina mucho.

caminante. p. a. de **caminar.** Que camina. Ú. m. c. s. ‖ **2.** m. **mozo de espuela.** ‖ **3.** Ave chilena muy parecida a la alondra. Tiene el pico largo, algo encorvado, pluma de color gris rojizo, como el del terreno, y cola corta.

caminar. (De *camino*.) intr. Ir de viaje. ‖ **2.** Ir andando de un lugar a otro el hombre o el animal. ‖ **3.** fig. Seguir su curso las cosas inanimadas. CAMINAR *los ríos, los planetas.* ‖ **4.** tr. Andar determinada distancia. *Hoy* HE CAMINADO *diez kilómetros.* ‖ **5.** Dirigirse a un lugar o meta, avanzar hacia él. ‖ **caminar derecho.** fr. fig. y fam. Proceder con rectitud.

caminata. (Del it. *camminata*.) f. fam. Paseo o recorrido largo y fatigoso. ‖ **2.** Viaje corto que se hace por diversión.

caminejo. m. d. despect. de **camino.**

caminero, ra. adj. Relativo al camino. ‖ **2.** V. **peón, serón caminero.** ‖ **3.** m. y f. ant. **caminante,** que camina.

caminí. m. **caaminí.**

camino. (Del celtolat. *cammīnus*.) m. Tierra hollada por donde se transita habitualmente. ‖ **2.** Vía que se construye para transitar. ‖ **3.** Jornada de un lugar a otro. ‖ **4.** fig. Dirección que ha de seguirse para llegar a algún lugar. ‖ **5.** Cada uno de los viajes que hace el aguador o el conductor de otras cosas. ‖ **6.** V. **aposentador, coche de camino.** ‖ **7.** V. **tenedor de caminos.** ‖ **8.** V. **ingeniero de caminos, canales** y **puertos.** ‖ **9.** fig. Medio o arbitrio para hacer o conseguir alguna cosa. ‖ **asendereado. camino trillado,** de tránsito común y frecuente. ‖ **capdal.** ant. **camino real.** ‖ **carretero,** o **carretil.** El que está expedito para el tránsito de coches o de otros carruajes. ‖ **2.** fig. y fam. **camino trillado,** modo normal de obrar o discurrir. ‖ **carril. carril** capaz tan solo para el paso de un carro. ‖ **cubierto.** En las obras de fortificación permanente, terraplén de tránsito y vigilancia que rodea y defiende el foso y tiene a lo largo una banqueta, desde la cual puede hacer fuego la guarnición por encima del glacis, que le sirve de parapeto. ‖ **de cabaña. cañada[1]** para el paso de ganado. ‖ **2. cordel,** vía de ganado de la Mesta de 45 varas. ‖ **de herradura.** El que es estrecho de modo que puedan transitar caballerías, pero no carros. ‖ **de hierro. ferrocarril.** ‖ **derecho.** fig. Conjunto de medios conducentes para lograr algún fin sin andar con rodeos. ‖ **de ronda.** El exterior e inmediato a la muralla de una plaza o contiguo al borde de la misma. ‖ **de ruedas. camino carretero.** ‖ **de sirga.** El que a orillas de los ríos y canales sirve para llevar las embarcaciones tirando de ellas desde tierra. ‖ **real.** El construido a expensas del Estado, más ancho que los otros, capaz para carruajes y que ponía en comunicación entre sí poblaciones de cierta importancia. ‖ **2.** fig. Medio más fácil y seguro para la consecución de algún fin. ‖ **seronero.** *Cuba.* Vereda por donde solo puede pasar una caballería con serón abierto. ‖ **trillado,** o **trivial.** El que es común, usado y frecuentado. ‖ **2.** fig. Modo común o regular de obrar o discurrir. ‖ **vecinal.** El construido y conservado por el municipio, cuyas necesidades sirve, y suele ser más estrecho que las carreteras. ‖ **abrir camino.** fr. Facilitar el tránsito de una parte a otra. Ú. t. c. prnl. ‖ **2.** fig. Hallar, sugerir o allanar el medio de vencer una dificultad o mejorar de fortuna. *Dios* ABRIRÁ CAMINO. Ú. t. c. prnl. ‖ **3.** fig. Iniciar o inventar alguna cosa. ‖ **andar al camino.** fr. fig. Dedicarse al contrabando o al robo en despoblado. ‖ **camino de.** loc. Hacia, en dirección a. ‖ **coger** alguien **el camino.** fr. fig. **coger la puerta.** ‖ **cruzarse en el camino** de alguien. fr. fig. Entorpecer el cumplimiento de sus propósitos. ‖ **de camino.** loc. adv. **de paso,** al ir a otra parte o al tratar de otro asunto.

‖ **2.** loc. Dícese del traje y avíos que suelen usar los que van de viaje. ‖ **de un camino, dos mandados.** loc. fam. que denota la oportunidad que unas diligencias ofrecen para otras. ‖ **echar cada cual por su camino.** fr. fig. **ir cada cual por su camino.** ‖ **entrar** a alguien **por camino.** fr. fig. **meterle por camino.** ‖ **hacer,** o **hacerse, camino.** fr. fig. Alcanzar fama y provecho en la profesión u oficio que se ejerce. ‖ **ir cada cual por su camino.** fr. fig. Estar discordes dos o más personas en sus dictámenes. ‖ **ir** alguien **su camino.** fr. Seguir el que lleva. ‖ **2.** fig. Dirigirse a su fin sin distraerse en otra cosa. ‖ **ir** una cosa **fuera de camino.** fr. fig. No estar puesta en razón. ‖ **ir fuera de camino.** fr. fig. Proceder con error. ‖ **2.** fig. Obrar sin método, orden ni razón. ‖ **llevar camino** una cosa. fr. fig. Tener fundamento o razón. ‖ **2.** Estar en vías de lograrse. ‖ **meter** a alguien **por camino.** fr. fig. Reducirlo a la razón, sacándolo del error o dictamen torcido en que estaba. ‖ **no llevar camino** una cosa. fr. fig. No ser acertado el discurso o el parecer que oímos. ‖ **partir el camino.** fr. Elegir un lugar intermedio para reunirse las personas o zanjar una desavenencia con mutuas concesiones. ‖ **ponerse en camino.** fr. Emprender viaje. ‖ **procurar el camino.** fr. **abrir camino** para otro lugar. ‖ **quedarse a medio camino.** fr. fig. y fam. No acabar la cosa o el discurso comenzado. ‖ **romper un camino.** fr. Abrirlo. ‖ **salir al camino.** fr. fig. **salir al encuentro.** ‖ **2.** fig. **saltear,** para robar. ‖ **ser** una cosa **fuera de camino.** fr. fig. y fam. No estar puesta en razón. ‖ **tomar el camino en las manos.** fr. fam. p. us. **ponerse en camino.** ‖ **traer** a alguien **a buen camino.** fr. fig. Sacarlo del error o apartarlo de la mala vida.

camio. m. ant. **cambio.**

camión. (Del fr. *camion.*) m. Carro de cuatro o más ruedas, grande y fuerte, que se usa principalmente para transportar cargas o fardos muy pesados. ‖ **2. camión** automóvil. ‖ **3.** En algunas partes designa también el autobús. ‖ **de sonido.** *Cinem.* Cabina sonora montada sobre un automóvil que se utiliza para el rodaje de películas sonoras en exteriores o en el estudio, si este carece de cabina fija.

camionada. f. Carga que cabe en un camión.

camionaje. (De *camión.*) m. Servicio de transportes hecho con camión. ‖ **2.** Precio de este servicio.

camionero, ra. m. y f. Persona que conduce un camión.

camioneta. (Del fr. *camionette,* d. de *camion.*) f. Vehículo automóvil menor que el camión y que sirve para transporte de toda clase de mercancías. ‖ **2.** En algunos lugares, **autobús.**

camisa. (Del b. lat. *camisĭa,* de or. inc.) f. Prenda de vestir, por lo común de hombre, con cuello, mangas y abotonada por delante, que cubre el torso. ‖ **2.** Prenda de vestido interior hecha de lienzo, algodón u otro tela, de media largura, que cubre el torso. ‖ **3.** Telilla con que están inmediatamente cubiertos algunos frutos, legumbres y granos, como la almendra, el guisante, el trigo, etc. ‖ **4.** Epidermis de los ofidios, de que el animal se desprende periódicamente después de haberse formado debajo de ella un nuevo tejido que la sustituye. ‖ **5.** En el juego de la rentilla, suerte en que salen en blanco los seis dados. ‖ **6.** Revestimiento interior de un artefacto o una pieza mecánica. ‖ **7.** Capa de cal, yeso o tierra blanca que se echa en la pared cuando se enluce o enjalbega. ‖ **8.** Funda en forma de red, hecha con fibras de metales raros, con la cual se cubre la llama de ciertos aparatos de alumbrado para que, poniéndose candente, aumente la fuerza luminosa y disminuya el consumo de combustible. ‖ **9.** Cubierta suelta de papel fuerte con que se protege un libro y lleva impreso el título de la obra. ‖ **10.** p. us. Menstruo o regla de las mujeres. ‖ **11.** ant. **alba,** vestidura de lienzo blanco del sacerdote. ‖ **12.** ant. **dote,** número de tantos que, en el juego de naipes, toma cada jugador. ‖ **13.** fig. Envoltura de papel de un expediente o legajo. ‖ **14.** *Chile.* Entre los empapeladores, papel ordinario que suele ponerse debajo del fino para que este asiente y pegue mejor. ‖ **15.** *Fort.* Parte de la muralla, hacia la campaña, que solía revestirse con piedras o ladrillos de color claro. ‖ **16.** *Impr.* Lienzo que se pone encima del muletón o pañete, como forro exterior y más suave del rodillo de imprimir. ‖ **alquitranada,** o **de fuego.** Pedazo de vela de buque o de otra tela parecida que, impregnado de alquitrán, brea u otra materia inflamable, servía en la guerra para incendiar embarcaciones, descubrir de noche los trabajos del enemigo, etc. ‖ **de fuerza.** Especie de **camisa** fuerte abierta por detrás, con mangas cerradas en su extremidad, propia para sujetar los brazos de quien padece demencia o delirio violento. ‖ **embreada. camisa alquitranada.** ‖ **romana.** ant. **roquete**[1]. ‖ **cambiar de camisa.** fr. fig. **cambiar de chaqueta.** ‖ **dejar** a alguien **sin camisa.** fr. fig. y fam. Arruinarlo enteramente. ‖ **en camisa.** loc. adv. fig. y fam. Tratándose de la esposa, recibirla sin dote. ‖ **jugarse hasta la camisa.** fr. fig. y fam. Tener desordenada afición al juego. ‖ **meterse** alguien **en camisa de once varas.** fr. fig. y fam. Inmiscuirse en lo que no le incumbe o no le importa. ‖ **no dejarle** a alguien **ni aun camisa.** fr. fig. y fam. **dejar** a alguien **sin camisa.** ‖ **no llegarle** a alguien **la camisa al cuerpo.** fr. fig. y fam. Estar lleno de zozobra y temor por algún riesgo que amenaza. ‖ **vender** alguien **hasta la camisa.** fr. fig. y fam. Vender todo lo que tiene, sin reservar cosa alguna.

camisería. (De *camisero.*) f. Tienda en que se venden camisas. ‖ **2.** Taller donde se hacen.

camisero, ra. adj. Referente o relativo a la camisa. Ú. t. c. s. ‖ **2.** m. y f. Persona que hace o vende camisas.

camiseta. f. Camisa corta y con mangas anchas. ‖ **2.** Camisa corta, ajustada y sin cuello, de franela, algodón, seda, o de cualquier otra tela, ordinariamente de punto, y que por lo común se pone sobre la carne.

camisola. (Del it. *camisola.*) f. Camisa fina de hombre, de la cual se planchan especialmente el cuello, puños y pechera. ‖ **2.** Camisa de lienzo delgado que se ponía sobre la interior, y solía estar guarnecida de puntillas o encajes en la abertura del pecho y en los puños. ‖ **3.** *Chile.* **jubón.**

camisolín. (d. de *camisola.*) m. Pieza de tela planchada, con cuello y sin espalda, que se pone sobre la camiseta delante del pecho, para excusar la camisola.

camisón. m. aum. de **camisa.** ‖ **2.** Camisa larga, que cubre total o parcialmente las piernas, y se emplea para permanecer en la cama. ‖ **3.** En algunas regiones, camisa de hombre. ‖ **4.** *Ant., C. Rica* y *Perú.* Camisa de mujer. ‖ **5.** *Col., Chile* y *Venez.* Vestido, traje de mujer, excepto cuando es de seda negra.

camisote. (De *camisa.*) m. Cota de mallas con mangas que llegaban hasta las manos.

camita. adj. Descendiente de Cam, hijo de Noé. Ú. t. c. s.

camítico, ca. adj. Perteneciente o relativo a los camitas. ‖ **2.** Individuo de la raza que habita ciertas zonas del nordeste de África. ‖ **3.** Dícese de las lenguas habladas por algunos habitantes de Egipto y Etiopía.

camoatí. (Del guaraní *caba,* avispa, y *atí,* reunión.) m. Nombre que en el Río de la Plata dan a una especie de avispa. ‖ **2.** *R. de la Plata.* Panal que fabrica este insecto.

camocán. (Del ár. *kamujā,* brocado.) m. Brocado usado en Oriente y en España en los siglos medios.

camochar. (De or. inc., como *escamochar.*) tr. *Hond.* Desmochar los árboles y otras plantas.

camomila. (De *camamila.*) f. **manzanilla,** hierba compuesta. ‖ **2. manzanilla,** flor.

camón[1]. m. aum. de **cama**[1]. ‖ **2.** Trono real portátil que se colocaba junto al presbiterio cuando asistían los reyes en público a la real capilla. ‖ **3. mirador,** balcón encristalado. ‖ **de vidrios.** Cancel de vidrios que sirve para dividir una pieza.

camón[2]. m. aum. de **cama**[2]. ‖ **2.** Cada una de las piezas curvas que componen los dos anillos o cercos de las ruedas hidráulicas. ‖ **3.** *Cuba.* **pina,** pieza curva de la rueda del carro. ‖ **4.** *Arq.* Armazón de cañas o listones con que se forman las bóvedas que llaman encamonadas o fingidas. ‖ **5.** pl. Maderos gruesos de encina con que se forran las pinas de las ruedas de las carretas y sirven de calce.

camonadura. f. *Cuba.* Conjunto de camones[2], maderos con que se forran las pinas de las ruedas de las carretas.

camoncillo. (De *camón*[1].) m. Taburete pequeño de estrado.

camorra. (De or. inc., probablemente hispánico.) f. fam. Riña o pendencia. ‖ **2.** *Ar.* Panecillo largo con un trozo de longaniza dentro.

camorrear. intr. *And., Argent.* y *Urug.* Reñir, armar camorra.

camorrero, ra. adj. **camorrista.**

camorrista. adj. fam. Que fácilmente y por causas leves arma camorras y pendencias. Ú. t. c. s.

camota. (Del cat. *cabota.*) f. *Burg.* **cabeza,** en sentido humorístico. ‖ **2.** *Burg.* Cabeza de un alfiler o de un clavo. ‖ **3.** fig. *Murc.* **cabezota,** persona de cabeza grande. ‖ **4.** fig. *Murc.* **cabezota,** persona testaruda.

camotal. m. *Amér.* Terreno plantado de camotes.

camote. (Del nahua *camotli.*) m. *Amér.* **batata.** ‖ **2.** *Amér.* **bulbo.** ‖ **3.** fig. En algunos lugares de América, **enamoramiento.** ‖ **4.** fig. En algunos lugares de América, amante, querida. ‖ **5.** fig. *Chile.* Mentira, bola. ‖ **6.** fig. *Méj.* Bribón, desvergonzado. ‖ **7.** fig. *El Salv.* Verdugón, cardenal. ‖ **8.** fig. *Ecuad.* y *Méj.* Persona tonta, boba. ‖ **tomar un camote.** fr. fig. y fam. En algunos lugares de América, tomar afecto o cariño a una persona, generalmente del otro sexo. ‖ **tragar camote.** fr. fig. y fam. *Méj.* Expresarse con dificultad por no saber o no querer hacerlo claramente.

camotear. intr. p. us. *Méj.* Andar vagando sin acertar con lo que se busca.

camotero, ra. adj. *Méj.* Se dice de la persona que vende camotes.

camotillo. m. *Chile* y *Perú.* Dulce de camote machacado. ‖ **2.** *Méj.* Madera de color violado, veteada de negro. ‖ **3.** *El Salv., Guat.* y *Hond.* **cúrcuma,** planta monocotiledónea. ‖ **4.** *C. Rica.* **yuquilla,** planta acantácea.

campa. (De *campo.*) adj. V. **tierra campa.**

cámpago o **campago.** (Del lat. *campăgus.*) m. Zapato usado por los dignatarios romanos y bizantinos.

campal. adj. desus. Perteneciente al campo. ‖ **2.** *Mil.* V. **batalla campal.**

campamento. (De *campar.*) m. Acción de acampar o acamparse. ‖ **2.** *Mil.* Lugar en despoblado donde se establecen temporalmente fuerzas del ejército, resguardadas de la intemperie bajo tiendas de campaña o barracas, distribuidas de modo que dejen entre sí fácil tránsito para la vigilancia y rápida formación en caso de alarma. ‖ **3.** *Mil.* Tropa acampada. ‖ **4.** Por ext., instalación eventual, en terreno abierto, de personas que van de camino o que se reúnen para un fin especial, como en las monterías, en la observación de los eclipses, etc. ‖ **5.** Lugar al aire libre, especialmente dispuesto para albergar viajeros, turistas, personas en vacaciones, etc., mediante retribución adecuada.

campamiento. m. Acción y efecto de acampar.

campana. (Del lat. *campāna,* de *Campania,* en Italia, donde se usó por primera vez.) f. Instrumento metálico, generalmente en forma de copa invertida, que suena al ser golpeado por un badajo o por un martillo exterior. ‖ **2.** fig. Cualquier cosa que tiene forma semejante a la **campana,** abierta y más ancha en la parte inferior. CAMPANA *de la chimenea;* CAMPANA *de vidrio.* ‖ **3.** fig. Iglesia o parroquia. *Estos diezmos se deben a la* CAMPANA. ‖ **4.** desus. fig. Territorio de una iglesia o parroquia. ‖ **5.** V. **reloj, vuelta de campana.** ‖ **6.** V. **juego de la campana.** ‖ **7.** En algunas partes, **queda, campana** destinada al toque de queda. ‖ **8.** *Germ.* Saya o basquiña. ‖ **de buzo.** Aparato dentro del cual descienden los buzos para trabajar debajo del agua, y donde se renueva continuamente el aire respirable. ‖ **a campana herida,** o **tañida.** loc. adv. A toque de **campana.** ‖ **doblar las campanas.** fr. **doblar,** tocar a muerto. ‖ **echar las campanas a vuelo.** fr. fig. y fam. Dar publicidad con júbilo a alguna cosa. ‖ **no haber oído campanas.** fr. fig. y fam. Carecer de conocimiento en las cosas comunes. ‖ **oír campanas y no saber dónde.** fr. fig. y fam. Entender mal una cosa o tergiversar una noticia. ‖ **picar la campana.** fr. *Mar.* Tocarla a bordo para señalar la hora.

campanada. f. Golpe que da el badajo de la campana. ‖ **2.** Sonido que hace. ‖ **3.** fig. Escándalo o novedad ruidosa.

campanario. m. Torre, espadaña o armadura donde se colocan las campanas. ‖ **2.** *Sal.* Flor de la piña. ‖ **3.** Una de las partes que forman el telar de mano. Cada telar tiene dos **campanarios.** ‖ **de campanario.** loc. Dícese del hecho o propósito ruin y mezquino. ‖ **2.** Dícese de lo que, espiritualmente, es limitado, estrecho y falto de sentido de lo universal.

campanear. intr. Tocar insistentemente las campanas. ‖ **2.** fig. Oscilar, balancear, contonear. Ú. t. c. prnl. ‖ **3.** fig. Divulgar al instante un suceso real o verdadero; propalarlo. ‖ **4.** fig. Girar anormalmente un proyectil durante la trayectoria. ‖ **allá se las campanee,** o **se las campaneen,** o **te las campanees.** locs. fams. **allá se las haya,** o **se las hayan,** o **te las hayas.**

campanela. (Del it. *campanella,* campanilla.) f. Paso de danza que consiste en dar un salto, describiendo al par un círculo con uno de los pies cerca de la punta del otro. ‖ **2.** Sonido de la cuerda de guitarra que se toca en vacío, en medio de un acorde hecho a bastante distancia del puente del instrumento.

campaneo. m. Reiterado toque de campanas. ‖ **2.** fig. y fam. **contoneo.** ‖ **3.** fig. Acción y efecto de campanear un proyectil.

campanero. m. Artífice que vacía y funde las campanas. ‖ **2.** El que tiene por oficio tocarlas. ‖ **3.** Pájaro del género de los mirlos, que habita en los bosques de Venezuela e imita el sonido de una campana con lo pausado, sonoro y vibrante de su canto.

campaneta. f.d. de **campana.**

campaniforme. adj. De forma de campana.

campanil. (De *campana.*) adj. V. **metal campanil.** ‖ **2.** m. **campanario,** torre o espadaña donde se colocan las campanas. ‖ **3.** *Ál.* Término municipal. ‖ **4.** *Ar.* Una clase de piedra de sillería.

campanilla. (d. de *campana.*) f. Campana manual y de usos más variados que la grande. Sirve en las iglesias para muchas ceremonias religiosas; en las casas, para llamar desde la puerta; en las reuniones numerosas, para que el presidente reclame la atención de los circunstantes, etc. ‖ **2. burbuja.** ‖ **3. úvula.** ‖ **4.** Flor cuya corola es de una pieza, y de figura de campana, que producen la enredadera y otras plantas. ‖ **5.** Adornos de figura de campana; como las borlitas de los flecos, cenefas, etc. ‖ **6.** V. **toro de campanilla.** ‖ **7.** *Cuba.* V. **bejuco de campanilla.** ‖ **8.** *Impr.* Letra mal encajada que suele caer haciendo ruido sobre la platina. ‖ **de campanillas,** o **de muchas campanillas.** loc. adj. fig. y fam. Dícese de la persona de gran autoridad o de circunstancias muy relevantes.

campanillazo. m. Toque fuerte de la campanilla.

campanillear. intr. Tocar reiteradamente la campanilla.

campanilleo. m. Sonido frecuente o continuado de la campanilla.

campanillero. m. El que por oficio toca la campanilla. ‖ **2.** *And.* Individuo de un grupo que en algunos pueblos entona canciones de carácter religioso con acompañamiento de guitarras, campanillas y otros instrumentos.

campanillo. m. *Ál.* Cencerro de cobre o bronce en forma de campana.

campano[1]**.** (De *campana.*) m. **cencerro.** ‖ **2. esquila**[1], campana pequeña de los conventos. ‖ **3.** Árbol americano, cuya madera se emplea en la construcción de buques.

campano[2]**, na.** adj. Dícese de la caballería que va delante de la recua y de la res vacuna que sirve de guía.

campanología. f. Arte del campanólogo.

campanólogo, ga. m. y f. Persona que toca piezas musicales haciendo sonar campanas o vasos de cristal de diferentes tamaños.

campante. p. a. de **campar.** Que campa o sobresale. ‖ **2.** adj. fam. Ufano, satisfecho.

campanudo, da. adj. Que tiene alguna semejanza con la figura de la campana; como ciertos trajes de las mujeres. ‖ **2.** Dícese del vocablo de sonido muy fuerte y lleno, y del lenguaje o estilo hinchado y retumbante. ‖ **3.** Referido a personas, que se expresa en estilo **campanudo.**

campánula. f. **farolillo,** planta campanulácea.

campanuláceo, a. (De *Campánula,* nombre de un género de plantas.) adj. *Bot.* Dícese de plantas angiospermas dicotiledóneas, con hojas sin estípulas, flores de corola gamopétala y fruto capsular con muchas semillas y de albumen carnoso; como el farolillo y el rapónchigo. Ú. t. c. s. ‖ **2.** f. pl. Familia de estas plantas.

campaña. (Del lat. **campanĕa,* de *campus,* campo.) f. Campo llano sin montes ni aspereza. ‖ **2.** fig. Conjunto de actos o esfuerzos de índole diversa que se aplican a conseguir un fin determinado. CAMPAÑA *contra la usura, contra los toros,* etc. ‖ **3.** V. **artillería, cepo, fortificación, misa, olla, tienda de campaña.** ‖ **4.** fig. Período de tiempo en el que se realizan diversas actividades encaminadas a un fin determinado. CAMPAÑA *política, parlamentaria, periodística, mercantil, de propaganda,* etc. ‖ **5.** *Amér.* **campo,** terreno fuera de poblado. ‖ **6.** *Blas.* Pieza de honor, en forma de faja, que ocupa en la parte inferior del escudo todo el ancho de él y la cuarta parte de su altura. ‖ **7.** *Mar.* Período de operaciones de un buque o de una escuadra, desde la salida de un puerto hasta su regreso a él o comienzo de ulterior servicio. ‖ **8.** *Mil.* Tiempo que cada año estaban los ejércitos fuera de cuarteles en operaciones de guerra. ‖ **9.** *Mil.* Duración de determinado servicio militar. ‖ **batir la campaña.** fr. *Mil.* **batir el campo.** ‖ **correr la campaña.** fr. *Mil.* Reconocerla para saber el estado de los enemigos y observar sus intentos y operaciones. ‖ **estar,** o **hallarse, en campaña.** fr. *Mil.* Hallarse en operaciones de guerra. ‖ **salir a campaña,** o **a la campaña.** fr. *Mil.* Ir a la guerra.

campañista. m. *Chile.* Pastor que cuida de los animales en las fincas que tienen campaña, cerros o montañas.

campañol. m. Mamífero roedor, muy parecido al ratón, que vive en galerías subterráneas, comúnmente en las proximidades de estanques y charcas.

campar. (De *campo.*) intr. **sobresalir,** aventajarse. ‖ **2.** desus. **acampar.**

camparín. m. *Ál.* **cambarín.**

campeada. (De *campear.*) f. ant. Correría, salida repentina, expedición súbita contra el enemigo en son de algarada. ‖ **2.** *Chile.* Acción de campear, salir al campo en busca de una persona, animal o cosa.

campeador. (De *campear.*) adj. Decíase del que sobresalía en el campo con acciones señaladas. Este calificativo se dio por excelencia al Cid Ruy Díaz de Vivar. Usáb. t. c. s.

campear. (De *campo.*) intr. Salir a pacer los animales domésticos, o salir de sus cuevas o manidas y andar por el campo los que son salvajes. ‖ **2.** Verdear ya las sementeras. ‖ **3. campar,** sobresalir, aventajarse. ‖ **4.** V. **campear de sol a sombra.** ‖ **5.** rur. *Chile* y *R. de la Plata.* Salir en busca de alguna persona, o animal o cosa. Ú. t. c. tr. ‖ **6.** *Mil.* **estar en campaña.** ‖ **7.** *Mil.* Salir el ejército a combatir en campo raso. ‖ **8.** *Mil.* Correr o reconocer con tropas el campo para ver si hay en él enemigos. ‖ **9.** tr. ant. *Mil.* Tremolar banderas o estandartes.

campechana. f. *Mar.* Enjaretado que llevan algunas embarcaciones menores en la parte exterior de la popa. ‖ **2.** *Cuba* y *Méj.* Bebida compuesta de diferentes licores mezclados; por ext., se aplica también a otras mezclas, sobre todo en comidas. ‖ **3.** *Méj.* Bizcocho hojaldrado. ‖ **4.** *Venez.* **hamaca.** ‖ **5.** *Venez.* **mujer pública.**

campechanamente. adv. m. De manera campechana; a la buena de Dios.

campechanía. f. Calidad de campechano.

campechano[1]**, na.** adj. fam. Franco, dispuesto para cualquier broma o diversión. ‖ **2.** Que se comporta con llaneza y cordialidad, sin imponer distancia en el trato. ‖ **3.** fam. **dadivoso.** ‖ **4.** fam. Afable, sencillo; que no muestra interés alguno por las ceremonias y formulismos.

campechano[2]**, na.** adj. Natural de Campeche. Ú. t. c. s. ‖ **2.** Perteneciente o relativo a esta ciudad y Estado de la república mejicana.

campeche. (De *Campeche,* ciudad de Méjico.) m. V. **palo campeche,** o **de Campeche.**

campejar. intr. ant. **campear,** sobresalir, aventajarse.

campeo. m. *Sal.* Sitio donde holgadamente puede campear el ganado.

campeón, na. (Del lat. *campus,* campo de batalla, a través del germ. e it. *campione.*) m. y f. Persona que obtiene la primacía en el campeonato. ‖ **2.** fig. Persona que defiende esforzadamente una causa o doctrina. ‖ **3.** m. Héroe famoso en armas. ‖ **4.** El que en los desafíos antiguos hacía campo y entraba en batalla.

campeonato. (De *campeón.*) m. Certamen o contienda en que se disputa el premio en ciertos juegos o deportes. ‖ **2.** Preeminencia o primacía obtenida en las luchas deportivas. *Fulano se alzó con el* CAMPEONATO *de ciclismo.* ‖ **de campeonato.** loc. adj. Que excede lo normal, en lo positivo o en lo negativo. *Un actor, un frío* DE CAMPEONATO.

camperear. tr. *Urug.* **campear,** buscar por el campo.

camperero, ra. (De *campero.*) adj. *Sal.* Dícese de la persona que tiene a su cargo cuidar de los cerdos en la montanera.

campería. (De *campero.*) f. *Sal.* Temporada de montanera en que los cerdos andan al rebusco de la bellota.

campero, ra. (Del lat. *camparĭus,* del campo.) adj. Perteneciente o relativo al campo, es decir, al terreno fuera de poblado. ‖ **2.** Dícese de lo que en el campo está descubierto y expuesto a todos los vientos. ‖ **3.** Se aplica al ganado y a otros animales cuando duermen en el campo y no se recogen a cubierto. ‖ **4.** *Amér.* Dícese del animal muy adiestrado en el paso de los ríos, montes zanjas, etc. ‖ **5.** *Méj.* Dícese de cierto andar del caballo, a manera de trote muy suave. ‖ **6.** *And., Argent., Par.* y *Urug.* Aplícase a la persona muy práctica en el campo, así como en las operaciones y usos peculiares de los cortijos o estancias. ‖ **7.** *Agr.* Dícese de las plantas que tienen las hojas o los tallos tendidos por el suelo u horizontalmente en el aire. ‖ **8.** m. En algunas comunidades, religioso destinado a cuidar de las haciendas del campo. ‖ **9.** *Ast.* y *León.* Claro en un bosque, sin árboles ni matas. ‖ **10.** *Sal.* Cerdo que anda a la campería. ‖ **11.** *Col.* Automóvil de todo terreno.

‖ **12.** ant. El que corría el campo para guardarlo. Ú. en Chile. ‖ **13.** f. *Argent.* y *Chile.* Chaqueta de uso informal o deportivo.

campés, sa. (De *campo.*) adj. ant. Silvestre, campestre.

campesinado. m. Conjunto o clase social de los campesinos.

campesino, na. adj. Dícese de lo que es propio del campo o perteneciente a él. ‖ **2.** Dícese de la persona que vive y trabaja de ordinario en el campo. Ú. t. c. s. ‖ **3.** Silvestre, espontáneo, inculto. ‖ **4.** Natural de Tierra de Campos, en Castilla la Vieja. Ú. t. c. s. ‖ **5.** Perteneciente a ella.

campestre. (Del lat. *campestris.*) adj. **campesino,** del campo. ‖ **2.** Dícese de las fiestas, reuniones, comidas, etc., que se celebran en el campo. ‖ **3.** V. **halcón campestre.** ‖ **4.** m. Baile antiguo de Méjico.

campichuelo. (d. de *campo.*) m. p. us. *Argent.* Campo pequeño abierto y cubierto de hierba.

campilán. m. Sable recto y ensanchado hacia la punta, usado por los indígenas de Joló (Filipinas).

campillo. m. d. de **campo.** ‖ **2. ejido.**

campiña. (Del lat. *campania,* a través del mozár. *kanbāniya,* con imela.) f. Espacio grande de tierra llana labrantía. ‖ **cerrarse de campiña.** fr. fig. y fam. **cerrarse de banda.**

campiñés, sa. adj. Natural de Villacarrillo, en la provincia de Jaén. Ú. t. c. s. ‖ **2.** Perteneciente o relativo a dicha villa.

campión. (Del it. *campione,* y este del longobardo *kamphio,* paladín.) m. ant. **campeón.**

campirano, na. (De *campero.*) adj. *C. Rica.* Patán, rústico. ‖ **2.** *Méj.* **campesino.** Ú. t. c. s. ‖ **3.** *Méj.* Entendido en las faenas del campo. Ú. t. c. s. ‖ **4.** *Méj.* Diestro en el manejo del caballo y en domar o sujetar a otros animales. Ú. t. c. s.

campista. m. *Min. Amér.* Arrendador o partidario de minas. ‖ **2.** *Hond.* Persona que por oficio recorre los bosques o sabanas para ver el ganado de los hatos.

campizal. m. Terreno corto cubierto a trechos de césped.

campo. (Del lat. *campus,* terreno llano, campo de batalla.) m. Terreno extenso fuera de poblado. ‖ **2.** Tierra laborable. ‖ **3.** En contraposición a sierra o monte, **campiña.** ‖ **4.** Sembrados, árboles y demás cultivos. *Están perdidos los* CAMPOS. ‖ **5.** Sitio que se elige para salir a algún desafío. ‖ **6.** Terreno de juego, en el fútbol y otros deportes. ‖ **7.** *Dep.* Terreno de juego, localidades e instalaciones anejas, donde se practican o contemplan ciertos deportes, como el fútbol. ‖ **8.** *Dep.* Mitad del terreno de juego que, en ciertos deportes, como el fútbol, corresponde defender a cada uno de los dos equipos. ‖ **9. término,** terreno contiguo a una población. ‖ **10.** Terreno reservado para ciertos ejercicios. CAMPO *de instrucción;* CAMPO *de juego.* ‖ **11.** V. **alguacil, caballerizo, casa, día, hombre, maestre, mariscal, partida de campo.** ‖ **12.** V. **mozo de campo y plaza.** ‖ **13.** V. **albahaquilla, oráculo del campo.** ‖ **14.** fig. Ámbito real o imaginario propio de una actividad. *El* CAMPO *de sus aventuras. El* CAMPO *de la erudición o de la siderurgia.* ‖ **15.** fig. Orden determinado de materias, ideas o conocimientos. *El* CAMPO *de la teología* o *de las matemáticas.* ‖ **16.** fig. Parte lisa o de un solo color en telas, tablas o papeles que tienen labores o dibujos. ‖ **17.** fig. En el grabado y las pinturas, espacio que no tiene figuras o sobre el cual se representan estas. ‖ **18.** *Blas.* Superficie total e interior del escudo, donde se dibujan las particiones y figuras. Debe tener, por lo menos, uno de los esmaltes. ‖ **19.** *Ópt.* Espacio abarcado por el objetivo de un instrumento óptico, como una cámara o un microscopio. ‖ **20.** *Fís.* Magnitud distribuida en el espacio, mediante la cual se ejercen las acciones a distancia entre partículas, tal como el **campo** eléctrico o el **campo** gravitatorio. ‖ **21.** *Mil.* Terreno o comarca ocupados por un ejército o por fuerzas considerables de él durante las operaciones de guerra. ‖ **22.** *Mil.* Algunas veces, el ejército mismo. *Este oficial procedía del* CAMPO *carlista.* ‖ **de Agramante.** fig. Lugar donde hay mucha confusión y en que nadie se entiende. ‖ **de batalla.** *Mil.* Sitio donde combaten dos ejércitos. ‖ **de concentración.** Recinto cercado para reclusos, especialmente presos políticos y prisioneros de guerra. ‖ **de deportes.** Espacio de terreno acotado para la práctica de deportes. ‖ **del honor.** fig. Sitio donde conforme a ciertas reglas combaten dos o más personas. ‖ **2.** fig. **campo de batalla.** ‖ **de medida.** *Tecnol.* Conjunto de los valores de una magnitud que pueden medirse con un instrumento dado. ‖ **de tiro.** *Mil.* Terreno designado para prácticas de tiro de armas de fuego. ‖ **2.** *Mil.* Sector de terreno que puede ser batido por una o varias armas de fuego. ‖ **raso.** El que es llano y sin árboles ni casas. ‖ **regadío.** *Ar.* Tierra de cultivo con agua de riego permanente. ‖ **santo.** Cementerio de los católicos. ‖ **semántico.** *Ling.* Sector del vocabulario que comprende términos ligados entre sí por referirse a un mismo orden de realidades o ideas: por ej., los nombres de las partes del cuerpo, los de parentesco, los de vicios y virtudes, la terminología de la vida intelectual o afectiva, etc. ‖ **vectorial.** Región del espacio en cada uno de cuyos puntos existe un vector. ‖ **visual.** El espacio que abarca la vista estando el ojo inmóvil. ‖ **2.** *Astron.* Área o espacio que se ve con un anteojo o telescopio. ‖ **Campos Elíseos,** o **Elisios.** *Mit.* Lugar delicioso donde, según los gentiles, iban a parar las almas de los que merecían este premio. ‖ **medio campo.** En los **campos** de juego, la zona central comprendida entre sus dos bandas. ‖ **2.** También la mitad del **campo** que defiende uno de los equipos. ‖ **a campo abierto.** loc. adv. Se aplicaba al duelo entre caballeros que se efectuaba sin valla hasta rendir el vencedor al vencido, no bastando que este cediese el **campo,** como bastaba en el palenque cerrado. ‖ **a campo raso.** loc. adv. Al descubierto, a la inclemencia. ‖ **a campo traviesa,** o **través.** loc. adv. Dejando el camino y cruzando el **campo.** ‖ **batir el campo.** fr. *Mil.* Reconocerlo. ‖ **campo a campo.** loc. adv. *Mil.* **de poder a poder.** ‖ **correr el campo.** fr. Correr la tierra. ‖ **dejar el campo abierto, desembarazado, expedito, libre,** etc. fr. fig. Retirarse de algún empeño en que hay competidores. ‖ **descubrir campo, o el campo.** fr. *Mil.* Reconocer, explorar la situación del ejército enemigo. ‖ **2.** fig. Sondear a alguno, averiguar alguna cosa. ‖ **entrar en campo con** alguien. fr. Pelear con él en desafío. ‖ **estar bien gobernado el campo.** fr. **estar bien gobernada la tierra.** ‖ **hacer campo.** fr. Desembarazar de gente un paraje o lugar. ‖ **2.** Batallar cuerpo a cuerpo en desafío. ‖ **hacerse al campo.** fr. Retirarse al **campo,** huyendo de algún peligro o para robar o vengarse de sus enemigos. ‖ **juntar campo.** fr. Reunir gente de guerra. ‖ **levantar el campo.** fr. Abandonar una tropa su campamento. ‖ **2.** fig. Dar por terminada una empresa o desistir de ella. ‖ **mantener campo.** fr. ant. **hacer campo,** batallar cuerpo a cuerpo. ‖ **marcar el campo.** fr. *Mil.* Determinar con estacas u otras señales el espacio que ha de ocupar un ejército para acampar. ‖ **partir el campo.** fr. **partir el sol.** ‖ **quedar el campo por** alguien. fr. fig. **quedar señor del campo.** ‖ **quedar en el campo.** fr. fig. Caer muerto en acción de guerra o en desafío. ‖ **reconocer el campo.** fr. Explorarlo. ‖ **2.** fig. Prevenir los inconvenientes en algún negocio. ‖ **sacar al campo a** alguien. fr. fig. Retarlo, hacerlo que salga a desafío. ‖ **salir a campo, o al campo.** fr. fig. Ir a reñir en desafío. ‖ **salir en campo contra** alguien. fr. ant. **salir a campaña.** ‖ **2.** ant. **salir a campo, o al campo.**

camporruteño, ña. adj. Natural de Camporrobles,

villa de la provincia de Valencia. Ú. t. c. s. ‖ **2.** Perteneciente o relativo a dicha villa.

camposanto. m. **campo santo.**

camposino, na. adj. Natural de Villalcampo, en la provincia de Zamora. Ú. t. c. s. ‖ **2.** Perteneciente o relativo a dicho pueblo.

campuroso, sa. adj. *Sal.* Espacioso, holgado.

campurriano, na. adj. Natural de Campoo. Ú. t. c. s. ‖ **2.** Perteneciente a esta comarca de Cantabria, confinante con Palencia y Burgos.

campus. (Del ing. *campus.*) m. invar. Conjunto de terrenos y edificios pertenecientes a una universidad.

camuatí. (De or. guaraní.) m. *R. de la Plata.* **camoatí.** ‖ **2.** En las barrancas del Paraná, rancho de leñadores y caleros.

camucha. f. fam. despect. de cama[1], armazón para dormir.

camuesa. f. Fruto del camueso, especie de manzana fragante y sabrosa.

camueso. m. Árbol, variedad de manzano. ‖ **2.** fig. y fam. Hombre muy necio e ignorante.

camuflajo. (Del fr. *camouflage.*) m. Acción y efecto de camuflar.

camuflar. (Del fr. *camoufler.*) tr. *Mil.* Disimular la presencia de armas, tropas, material de guerra, barcos, etc., dándoles apariencia que pueda engañar al enemigo. ‖ **2.** Por ext., disimular dando a una cosa el aspecto de otra.

camuliano, na. (Del azteca *camilhui.*) adj. *Hond.* Se dice de las frutas cuando empiezan a madurar.

camuña. (De *comuña.*) f. En algunas partes, toda especie de semillas, menos trigo, centeno o cebada.

camuza. (Del lat. *camox, -ōcis.*) f. **gamuza.**

camuzón. m. aum. de **camuza.**

can[1]. (Del lat. *canis.*) m. **perro[2]**, animal. ‖ **2.** Pieza pequeña de bronce en la artillería antigua. ‖ **3. gatillo** de las armas de fuego. ‖ **4.** ant. **as** del dado. ‖ **5.** *Ál., Burg., Cantabria, Pal.* y *Sor.* Cada uno de los golpes que en el juego del peón se dan al trompo que ha perdido. ‖ **6.** *Arq.* Cabeza de una viga del techo interior, que carga en el muro y sobresale al exterior, sosteniendo la corona de la cornisa. ‖ **7.** *Arq.* **modillón.** ‖ **de busca** *Mont.* **perro de busca.** ‖ **de levantar.** ant. *Mont.* Perro que sirve para levantar o echar la caza. ‖ **que mata al lobo. perro mastín.** ‖ **rostro.** ant. Especie de perro de caza. ‖ **calar el can.** fr. fig. Poner en el disparador la llave del arma de fuego.

can[2]. m. **kan.**

cana[1]. (Del lat. *cana;* de *canus,* blanco.) f. Cabello que se ha vuelto blanco. Ú. m. en pl. ‖ **echar una cana al aire.** fr. fig. y fam. Esparcirse, divertirse. ‖ **peinar canas.** fr. fig. y fam. Ser viejo. ‖ **quitar mil canas** a alguien. fr. fig. y fam. Causarle gran gusto y satisfacción.

cana[2]. (Del lat. *canna,* caña.) f. Medida como de dos varas, usada en Cataluña y otras partes. Esta dimensión fue variable. También se llamaba estado. ‖ **2.** *Cuba.* V. **palma cana.** ‖ **de rey.** Medida agraria usada en Tarragona, equivalente a 6.084 centiáreas.

cana[3]. f. vulg. *Col., Chile, Perú* y *Urug.* Cárcel.

canaballa. f. ant. Barca pescadora.

canabíneo, a. (Del lat. *cannăbis,* cáñamo.) adj. *Bot.* **cannabáceo.**

canaca. (Voz de Oceanía.) m. *Chile.* Nombre despectivo que se da al individuo de raza amarilla. ‖ **2.** *Chile.* Dueño de un burdel.

canáceo, a. (Del lat. *canna,* caña.) adj. *Bot.* **cannáceo.**

canaco, ca. m. y f. Nombre que se da a los indígenas de varias islas de Oceanía, Taití y otras.

canacuate. (Del azteca *canautli,* pato, y *coatl,* culebra.) m. *Méj.* Cierta serpiente acuática de gran tamaño.

Canadá. n. p. m. V. **bálsamo, raigón del Canadá.**

canadiella. (De *cañada*[2].) f. Antigua medida para líquidos.

canadiense. adj. Natural del Canadá. Ú. t. c. s. ‖ **2.** Perteneciente o relativo a este país de América.

canadillo. m. **belcho.**

canado. (Del ant. *cadnado,* y este del lat. *catenātus,* candado.) m. ant. **candado,** cerradura.

canal. (Del lat. *canālis.*) amb. Cauce artificial por donde se conduce el agua para darle salida o para diversos usos. ‖ **2.** Parte más profunda y limpia de la entrada de un puerto. ‖ **3.** En el mar, lugar estrecho por donde sigue el hilo de la corriente hasta salir a mayor anchura y profundidad. ‖ **4.** Cualquiera de las vías por donde las aguas o los gases circulan en el seno de la tierra. ‖ **5.** Llanura larga y estrecha entre dos montañas. ‖ **6.** Teja delgada y mucho más combada que las comunes, la cual sirve para formar en los tejados los conductos por donde corre el agua. ‖ **7.** Cada uno de estos conductos. ‖ **8.** Cualquier conducto del cuerpo. ‖ **9. camellón[2].** ‖ **10.** Res muerta y abierta, sin las tripas y demás despojos. ‖ **11.** Cavidad que se forma entre las dos ancas del caballo cuando está **muy gordo.** ‖ **12.** Peine que usan los tejedores de lienzo. ‖ **13.** Cáñamo que se saca limpio de la primera operación en el rastrillo. ‖ **14.** Corte delantero y acanalado de un libro encuadernado, no siendo en rústica. Es la parte opuesta al lomo. ‖ **15. faringe.** ‖ **16.** V. **sombrero, tabla de canal.** ‖ **17.** *Arq.* **estría,** mediacaña de la columna. ‖ **18.** m. Estrecho marítimo, que a veces es obra de la industria humana, como el de Suez y el de Panamá. ‖ **19.** Cada una de las bandas de frecuencia en que puede emitir una estación de televisión y radio. ‖ **20.** Estación de televisión y radio. ‖ **de ballesta.** Hueco largo en la cara del tablero de la ballesta, más arriba de la nuez. ‖ **maestra.** En los tejados, la principal, que recibe aguas de las otras **canales** menores. ‖ **2.** En los ríos, madre o lecho. ‖ **3.** fig. y fest. **tragadero,** faringe. ‖ **torácico.** *Anat.* Uno de los dos grandes conductos colectores de la linfa que existen en el cuerpo de los vertebrados, que en el hombre se extiende desde la tercera vértebra lumbar hasta la vena subclavia izquierda, y al cual afluyen los vasos linfáticos de los miembros inferiores del abdomen, del brazo y lado izquierdo de la cabeza, del cuello y del pecho. ‖ **abrir en canal.** loc. adv. Abrir de arriba abajo. ‖ **correr las canales.** fr. Caer el agua por ellas, por haber llovido en abundancia.

canalado, da. (De *canal.*) adj. **acanalado,** en forma de canal. ‖ **2. acanalado,** con estrías.

canalador. (De *canal.*) m. ant. **acanalador.**

canaladura. (De *canal.*) f. *Arq.* Moldura hueca que se hace en algún miembro arquitectónico, en línea vertical.

canaleja. (Del lat. *canalicŭla,* canalita.) f. d. de **canal.** ‖ **2.** Pieza de madera unida a la tolva, por donde pasa el grano a la muela.

canalera. f. *Ar.* Canal del tejado. ‖ **2.** *Ar.* Agua que cae por ella cuando llueve.

canaleta. f. *Ar.* **canaleja,** pieza de madera unida a la tolva. ‖ **2.** Pieza de madera en forma de teja de los telares de terciopelos, en la cual apoya el pecho el obrero. ‖ **3.** *Chile.* Canal pequeña. ‖ **4.** *Argent., Bol., Chile* y *Par.* **canalón,** conducto que recibe y vierte el agua de los tejados.

canalete. (De or. inc.) m. Remo de pala muy ancha, generalmente postiza y ovalada, con el cual se boga sin escálamo ni chumacera, y sirve al mismo tiempo para gobernar las canoas. Los hay también con dos palas, una a cada extremo. ‖ **2.** *Mar.* Devanadera para hacer meollar.

canaleto. m. **mediacaña** de la columna.

canalí. m. *Cuba.* Remo o paleta hecho de palma cana, que servía para impulsar y dirigir la canoa.

canaliega. f. ant. **canal,** teja más combada que las otras.

canalizable. adj. Que puede ser canalizado.

canalización. f. Acción y efecto de canalizar.

canalizar. tr. Abrir canales. ‖ **2.** Regularizar el cauce o la corriente de un río o arroyo. ‖ **3.** Aprovechar para el riego o la navegación las aguas corrientes o estancadas, dándoles conveniente dirección por medio de canales o acequias. ‖ **4.** fig. Recoger corrientes de opinión, iniciativas, aspiraciones, actividades, etc., y orientarlas eficazmente, encauzarlas.

canalizo. m. *Mar.* Canal estrecho entre islas o bajos.

canalón. (aum. de *canal.*) m. Conducto que recibe y vierte el agua de los tejados. ‖ **2. sombrero de teja.**

canalla. (Del it. *canaglia.*) f. ant. **perrería,** muchedumbre de perros. ‖ **2.** fig. y fam. Gente baja, ruin. ‖ **3.** com. fig. y fam. Persona despreciable y de malos procederes.

canallada. f. Acción o dicho propios de un canalla.

canallesco, ca. adj. Propio de la canalla o de un canalla.

canana. (Del ár. *kinâna,* aljaba.) f. Cinto dispuesto para llevar cartuchos.

cananeo, a. (Del lat. *Cananēus.*) adj. Natural de la tierra de Canaán. Ú. t. c. s. ‖ **2.** Perteneciente a este antiguo país asiático.

cananga. (De or. malayo.) f. Planta olorosa de Siam, de la familia de las anonáceas, usada en perfumería.

canapé. (Del fr. *canapé.*) m. Escaño que comúnmente tiene acolchado el asiento y el respaldo para mayor comodidad, y sirve para sentarse o acostarse. ‖ **2.** Aperitivo consistente en una rebanadita de pan sobre la que se extienden o colocan otras viandas. ‖ **3.** *And.* Banco de paseo o jardín, con respaldo.

canaricultura. f. Arte de criar canarios.

canariense. adj. **canario,** natural de las Canarias. Ú. t. c. s. ‖ **2. canario,** perteneciente a ellas.

canariera. f. Jaula grande o lugar a propósito para la cría de canarios.

canario, ria. adj. Natural de las islas Canarias. Ú. t. c. s. ‖ **2.** Perteneciente o relativo a ellas. ‖ **3.** m. Pájaro originario de las islas Canarias, que alcanza unos 13 centímetros de longitud; tiene las alas puntiagudas, cola larga y ahorquillada, pico cónico y delgado y plumaje amarillo, verdoso o blanquecino, a veces con manchas pardas. Es una de las aves de mejor canto. ‖ **4.** Baile antiguo procedente de las islas Canarias, que se ejecutaba en compás ternario y con gracioso zapateo. ‖ **5.** Tañido de este baile. ‖ **6.** Cierta embarcación latina que se usa en las islas Canarias y en el Mediterráneo. ‖ **7.** fig. *Chile.* **pito**[1], vasija de barro con agua para imitar el gorjeo de los pájaros. ‖ **8.** *C. Rica.* Planta de flores amarillas que crece en los terrenos pantanosos. ‖ **9. gayomba.** ‖ **10.** f. Hembra del **canario.** ‖ **¡canario!** interj. con que se indica sorpresa, agradable o desagradable.

canasta. (De *canasto,* con la term. de *cesta.*) f. Cesto de mimbres, ancho de boca, que suele tener dos asas. ‖ **2.** Medida para aceitunas, usada en el Aljarafe de Sevilla; su cabida es de media fanega. ‖ **3.** Juego de naipes con dos o más barajas francesas entre dos bandos de jugadores. ‖ **4.** En este juego, reunión de siete naipes del mismo número que se extienden sobre el tapete por un solo jugador o ayudado por sus compañeros. ‖ **5.** En el juego del baloncesto, aro metálico sujeto horizontalmente a un tablero vertical, y del que pende una red tubular sin fondo en la que es necesario introducir el balón para el enceste. ‖ **6.** Cada una de las introducciones del balón en la **canasta,** y que según las jugadas, vale por uno, dos o tres tantos. ‖ **7.** *Mar.* Conjunto de vueltas de cabo, la última mordida, con que se tiene aferrada, mientras se iza, una vela o una bandera y que permite largarlas, cuando han llegado a su lugar, con solo dar un estrechón a la tira que se conserva en la mano.

canastada. f. Lo que cabe en una canasta.

canastero, ra. m. y f. Persona que hace o vende canastas. ‖ **2.** *Chile.* Vendedor ambulante de frutas y legumbres, que lleva en canastos. ‖ **3.** *Chile.* Mozo de las panaderías, que traslada el pan en canasto desde el horno al enfriadero. ‖ **4.** m. *Chile.* Ave indígena, que hace su nido en forma de canasto alargado. Es de color oscuro por el lomo y vientre y amarillo por la garganta y pecho; su tamaño es el de un mirlo. ‖ **5.** f. Pájaro insectívoro, que divaga en bandadas buscando alimento. Alas largas y puntiagudas y cola ahorquillada que recuerda, volando, a una gran golondrina parda, pero en el pico y la cabeza rememora a la perdiz; su tamaño es de 23 centímetros.

canastilla. (d. de *canasta.*) f. Cestilla de mimbres en que se tienen objetos menudos de uso doméstico. *La* CANASTILLA *de la costura.* ‖ **2.** Ropa que se previene para la novia o el niño que ha de nacer. *Hacer, preparar la* CANASTILLA. ‖ **3.** Regalo de dulces que se solía dar a las damas de palacio cuando iban a ver alguna función pública. ‖ **4.** Agasajo de dulces y chocolate que se daba a los Consejos cuando asistían a las diversiones públicas.

canastillero, ra. m. y f. Persona que hace o vende canastillos.

canastillo. (Del lat. *canīstĕllum,* infl. por *canasto.*) m. Azafate hecho con mimbres.

canastita. (d. de *canasta.*) f. *Argent.* Avecita de laguna, más chica que el chorlito, fina y bien proporcionada.

canasto. (De *canastro.*) m. Canasta de boca estrecha. ‖ **¡canastos!** interj. con que se indica sorpresa.

canastro. (Del gr. κάναστρον.) m. En algunas partes, **canasto.**

canaula. (Del lat. *cannabŭla,* collera.) f. *Ar.* Collar de madera, del que pende la esquila, que se pone al cuello de una res.

cancagua. (De or. mapuche.) f. En Chile y otros países de América, arenilla consistente, usada para ladrillos, hornos, braseros y como cemento en las construcciones.

cáncamo[1]**.** (Del gr. κάγκαμον, a través del lat. *cancămum.*) m. Sustancia conocida de los antiguos y que era, a lo que parece, resina o goma de un árbol de Oriente.

cáncamo[2]**.** (Del gr. κάγκαμον, anillo.) m. *Mar.* Pieza o cabilla de hierro en forma de armella, clavada en la cubierta o costado del buque, y que sirve para enganchar motones, amarrar cabos, etc. ‖ **de mar.** *Mar.* Ola gruesa o fuerte golpe de mar.

cancamurria. f. fam. **murria**[1]**.**

cancamusa. f. fam. desus. Dicho o hecho con que se pretende desorientar a alguien para que no advierta el engaño de que va a ser objeto.

cancán[1]**.** (Del fr. *cancan.*) m. Danza frívola y muy movida, que se importó de Francia en la segunda mitad del siglo XIX, y que hoy se ejecuta solo por mujeres como parte de un espectáculo.

cancán[2]**.** m. *Murc.* Molestia, fastidio.

cancán[3]**.** m. *C. Rica.* Especie de loro que no aprende a hablar.

cáncana[1]**.** (Del b. lat. *carcannum,* picota, y este del gr. καρκίνος, tenaza.) f. Banquillo raso en que el maestro, como castigo, hacía sentar a los muchachos para avergonzarlos.

cáncana[2]**.** (Del ár. *'ankaba,* araña.) f. Araña gruesa, de patas cortas y color oscuro.

cancaneado, da. adj. *Cantabria* y *C. Rica.* Se dice de la persona picada de viruelas.

cancanear. (Voz onomatopéyica.) intr. fam. Errar, vagar o pasear sin objeto determinado. ‖ **2.** *Col., C. Rica* y *Nicar.* Tartajear, tartamudear. ‖ **3.** *Cuba.* Trepidar con un ruido especial el motor que empieza a fallar.

cancaneo. (De *cancanear.*) m. *And.* Acción de cancanear o vagar sin rumbo fijo, holganza. ‖ **2.** fam. *C. Rica, Méj.*

y *Nicar.* Tartamudeo, tartajeo. ‖ **3.** *Cuba.* Trepidación y ruido del motor que empieza a fallar.

cancanilla. (d. de *cáncana*[1].) f. ant. Especie de armadijo. ‖ **2.** ant. fig. Engaño o trampa.

cáncano. (Del ár. *qamqam,* piojo.) m. fam. **piojo,** insecto hemíptero.

cancano, na. adj. *Sal.* Dícese de la persona tonta o simple.

cancanoso, sa. adj. *Murc.* Dícese de la persona de conversación molesta.

cancel. (Del ant. fr. *cancel.*) m. Contrapuerta, generalmente de tres hojas, una de frente y dos laterales, ajustadas estas a las jambas de una puerta de entrada y cerrado todo por un techo. Evita las corrientes de aire y amortigua los ruidos exteriores. ‖ **2.** Reja, generalmente baja, que en una iglesia separa el presbiterio de la nave. ‖ **3.** En la capilla de palacio, vidriera detrás de la cual se ponía de incógnito el rey. ‖ **4.** Armazón vertical de madera u otra materia, que divide espacios en una sala o habitación. ‖ **5.** ant. fig. Término o límite hasta donde se puede extender alguna cosa. ‖ **6.** *Argent.* y *Méj.* Cancela, puerta o verja que separa del zaguán el vestíbulo o el patio.

cancela. (De *cancel.*) f. Verja pequeña que se pone en el umbral de algunas casas para reservar el portal o zaguán del libre acceso del público. ‖ **2.** Verja, comúnmente de hierro y muy labrada, que en muchas casas de Andalucía sustituye a la puerta divisoria del portal y el recibimiento o pieza que antecede al patio, de modo que las macetas y otros adornos de este se vean desde la calle.

cancelación. (Del lat. *cancellatĭo, -ōnis.*) f. Acción y efecto de cancelar. ‖ **2.** *Der.* Asiento en los libros del Registro de la propiedad, que anula total o parcialmente los efectos de una inscripción o de una anotación preventiva.

canceladura. f. **cancelación.**

cancelar. (Del lat. *cancellāre.*) tr. Anular, hacer ineficaz un instrumento público, una inscripción en registro, una nota o una obligación que tenía autoridad o fuerza. ‖ **2.** fig. Borrar de la memoria, abolir, derogar.

cancelaría. (De *cancelería.*) f. Tribunal romano, por donde se despachaban las gracias apostólicas.

cancelariato. m. Dignidad y oficio de cancelario.

cancelario. (Del lat. *cancellarĭus.*) m. El que en las universidades tenía la autoridad pontificia y regia para dar los grados. ‖ **2.** *Bol.* Rector de universidad.

cancelería. (Del m. or. que *cancellería.*) f. **cancelaría.**

canceller. m. ant. **canciller,** magistrado supremo. ‖ **2.** ant. En algunas iglesias, **maestrescuela.**

cancellería. (De *canceller,* canciller.) f. ant. Oficina destinada para registrar y sellar los despachos y provisiones reales.

cancellero. (Del lat. *cancellarĭus.*) m. ant. **canciller,** magistrado supremo.

cáncer. (Del lat. *cancer.*) m. *Pat.* Tumor maligno, duro o ulceroso, que invade y destruye los tejidos orgánicos animales y es casi siempre incurable. ‖ **2.** n. p. m. *Astron.* Cuarto signo del Zodíaco, de 30° de amplitud, que el Sol recorre aparentemente al comenzar el verano. ‖ **3.** *Astron.* Constelación zodiacal que en otro tiempo debió de coincidir con el signo de este nombre, pero que actualmente, por resultado del movimiento retrógrado de los puntos equinocciales, se halla delante del mismo signo y un poco hacia el Oriente. ‖ **4.** adj. Referido a personas, las nacidas bajo este signo del Zodíaco. *Yo soy* CÁNCER, *ella es piscis.* Ú. t. c. s.

cancerado, da. adj. Que participa del cáncer. ‖ **2.** Atacado del cáncer. ‖ **3.** fig. Epíteto que se aplica al corazón y al alma del hombre corrompido o de aviesa intención.

cancerar. (De *cáncer.*) intr. Padecer de cáncer o degenerar en cancerosa alguna úlcera. Ú. t. c. prnl. ‖ **2.** tr. fig. Consumir, enflaquecer, destruir. ‖ **3.** fig. Mortificar, castigar, reprender.

cancerbero. (De *can*[1] y *Cerbero.*) m. *Mit.* Perro de tres cabezas que, según la fábula, guardaba la puerta de los infiernos. ‖ **2.** fig. Portero o guarda severo e incorruptible o de bruscos modales.

canceriforme. (De *cáncer* y *-forme.*) adj. Que tiene forma o aspecto de cáncer.

cancerígeno, na. adj. Capaz de provocar la enfermedad cancerosa. Ú. t. c. s. m.

cancerología. f. Rama de la medicina que se ocupa del cáncer.

cancerológico, ca. adj. *Med.* Perteneciente o relativo a la cancerología.

cancerólogo, ga. m. y f. Especialista en cancerología.

canceroso, sa. adj. Tocado del cáncer o que participa de su naturaleza.

cancilla. (Del lat. *cancelli,* celosía.) f. Puerta hecha a manera de verja, que cierra los huertos, corrales o jardines.

canciller. (De *chanciller;* cf. al. *Kanzler.*) m. Empleado auxiliar en las embajadas, legaciones, consulados y agencias diplomáticas y consulares. ‖ **2.** Magistrado supremo en algunos países. ‖ **3.** En muchos países, ministro de Asuntos Exteriores. ‖ **4.** Funcionario de alta jerarquía. ‖ **5.** En lo antiguo, secretario encargado del sello real, con el que autorizaba los privilegios y cartas reales. Empezó este oficio en tiempo de Alfonso VII. ‖ **6.** Título que lleva, en algunos Estados de Europa, un alto funcionario, que es a veces jefe o presidente del gobierno. ‖ **7.** ant. Cancelario de las universidades para dar los grados. ‖ **del sello de la puridad.** El que hasta 1496 tenía el sello secreto que se ponía en las cartas que el rey daba por sí. ‖ **mayor.** El que guardaba el sello real y lo ponía en los despachos por sí o por sus tenientes. ‖ **mayor de Castilla.** El que tenía a su cargo los sellos reales para autorizar cartas o provisiones regias hasta que el título fue honorífico y se vinculó en el Arzobispo Primado de Toledo. ‖ **gran canciller de las Indias.** El que tenía a su cargo los sellos reales para autorizar las cartas y provisiones tocantes a las Indias.

cancillera. (De *calce*[2].) f. *Sal.* Cuneta o canal de desagüe en las lindes de las tierras labrantías.

cancilleresco, ca. adj. Perteneciente o relativo a la cancillería. ‖ **2.** V. **letra cancilleresca.** ‖ **3.** Ajustado al estilo, reglas o fórmulas de cancillería.

cancillería. f. Oficio de canciller. ‖ **2.** Oficina especial en las embajadas, legaciones, consulados y agencias diplomáticas y consulares. ‖ **3.** Alto centro diplomático en el cual se dirige la política exterior. Ú. m. en pl. ‖ **4.** Antiguamente, tribunal superior de justicia. ‖ **apostólica.** Oficina romana que registra y expide las disposiciones pontificias, y principalmente las bulas.

cancín, na. adj. Dícese de la res lanar que tiene más de un año y no llega a dos. Ú. t. c. s. ‖ **2.** f. *Vallad.* Cordera que sin pasar de un año tiene ya cría.

canción. (Del lat. *cantĭo, -ōnis.*) f. Composición en verso, que se canta, o hecha a propósito para que se pueda poner en música. ‖ **2.** Música con que se canta esta composición. ‖ **3.** Composición lírica a la manera italiana, dividida casi siempre en estancias largas, todas de igual número de versos endecasílabos y heptasílabos, menos la última, que es más breve. ‖ **4.** Nombre antiguo de composiciones poéticas de distintos géneros, tonos y formas, muchas con todos los caracteres de la oda. ‖ **5.** fig. Cosa dicha con repetición insistente o pesada. *Venir* o *volver con la misma* CANCIÓN; *ya estás con esa* CANCIÓN. ‖ **6.** fig. Noticia, pretexto, etc., sin fundamento. Ú. m. en pl. *No me vengas con* CANCIONES. ‖ **de cuna.** Cantar con que se procura hacer dormir a los niños, generalmente al mecerlos en la cuna. ‖ **de gesta. cantar de gesta.** ‖ **de trilla.** Cantar suave y monótono peculiar de los trilladores en su faena. ‖ **ser otra canción.** fr. fig. y fam. **ser otro cantar,** ser otro asunto, cosa distinta. ‖ **meter** o **poner en canción.** loc. fig. y fam. Hacer concebir deseo o ilusión de alguna cosa innecesaria o inoportuna. ‖ **saber una canción con dos guiaderas.** fr. fig. p. us. que alude a los hombres solapados o de dos caras.

cancioneril. (De *cancionero.*) adj. Dícese del estilo propio de las antiguas canciones poéticas. ‖ **2.** Relativo a los tipos de poesía culta que se observan en los cancioneros del siglo XV, especialmente la escrita en metros menores.

cancionero. m. Colección de canciones y poesías, por lo común de diversos autores.

cancioneta. (Del it. *canzonetta.*) f. d. de **canción.**

cancionista. com. Persona que compone o canta canciones.

canco. (Del mapuche *can,* cántaro y *co,* agua.) f. *Chile.* Especie de olla hecha de greda. ‖ **2.** *Chile.* **maceta**[2] para criar flores. ‖ **3.** *Bol.* **nalga.** ‖ **4.** pl. *Chile.* Caderas anchas en la mujer.

cancón. (De etim. disc.; tal vez de una alteración de *coco*[1].) m. fam. **bu.**

cancona. (Del m. or. que *canco.*) adj. *Chile.* Se dice de la mujer de anchas caderas. Ú. t. c. s.

cancro. (Del lat. *cancer, -cri.*) m. **cáncer,** tumor maligno. ‖ **2.** *Bot.* Úlcera que se manifiesta por manchas blancas o rosadas en la corteza de los árboles, la cual se resquebraja por el sitio dañado y segrega un líquido acre y rojizo.

cancroide. (De *cancro* y *-oide.*) m. Tumor parecido al cáncer.

cancroideo, a. (De *cancro* y el gr. εἶδος, forma.) adj. Que tiene aspecto de cáncer o cancro.

cancha[1]**.** (Del quechua *cancha,* recinto, cercado.) f. Local destinado a la práctica de diversos deportes. ‖ **2.** Local destinado a juego de pelota, riñas de gallos u otros usos análogos. ‖ **3.** Suelo del frontón o trinquete con pavimento de piedra o cemento y del mismo ancho que el frontis. ‖ **4.** *Amér.* En general, terreno, espacio, local o sitio llano y desembarazado. ‖ **5.** *Amér.* Corral o cercado espacioso para depositar ciertos objetos. CANCHA *de maderas.* ‖ **6.** *Amér.* **hipódromo.** ‖ **7.** *Amér.* Lugar en que el cauce de un río es más ancho y desembarazado. ‖ **8.** *Col.* y *Par.* Lo que cobra el dueño de una casa de juego. ‖ **9.** *Chile, R. de la Plata* y *Perú.* Campo de fútbol. ‖ **10.** *Urug.* Senda o camino. ‖ **11.** fig. *Argent., C. Rica, Chile, Par.* y *Perú.* Habilidad que se adquiere con la experiencia. ‖ **¡cancha!** *Argent., C. Rica, Chile, Par.* y *Perú.* interj. que se emplea para pedir que abran paso. Ú. m. en las expresiones **abrir, dar** o **pedir cancha.** ‖ **estar en su cancha.** fr. fig. *Chile* y *Par.* **estar en su elemento.** ‖ **tener cancha.** fr. fig. *Argent.* Tener experiencia.

cancha[2]**.** (Del quechua *camcha,* maíz tostado.) f. Maíz o habas tostadas que se comen en América del Sur. ‖ **2.** *Perú.* Maíz tostado. ‖ **blanca.** *Perú.* Rosetas de maíz.

canchal. (De *cancho*[1].) m. Peñascal o sitio de grandes piedras descubiertas. ‖ **2.** *Sal.* Caudal, abundancia de dinero.

canchalagua. (Del araucano *cachanlagua,* hierba contra el dolor de costado.) f. Planta anual, americana, de la familia de las gencianáceas, muy semejante a la centaura menor, pero con los tallos más delgados y las hojas más estrechas. Se usa en medicina. ‖ **de Aragón.** Lino purgante.

canchamina. f. *Chile.* Cancha o patio cercado en una mina para recoger el mineral y escogerlo.

canchaminero. m. *Chile.* El que trabaja en una canchamina.

canchear[1]**.** (De *cancho*[1].) intr. Trepar o subir por los canchos[1] o peñascos.

canchear[2]**.** (De *cancha*[1].) intr. *Amér. Merid.* Buscar entretenimiento por no trabajar seriamente.

canchelagua. f. **canchalagua.**

cancheo. m. *Chile.* Acción y efecto de canchear.

canchera. f. *Sal.* Llaga, herida grande.

canchero, ra. m. y f. *P. Vasco* y *Amér.* Persona que tiene una cancha de juego o cuida de ella. ‖ **2.** adj. *Argent., Chile, Par., Perú* y *Urug.* Ducho y experto en determinada actividad. ‖ **3.** *Argent.* y *Chile.* Se aplica al trabajador encargado de una cancha.

cancho[1]**.** (De or. inc.) m. Peñasco grande. ‖ **2. canchal,** peñascal. Ú. m. en pl. ‖ **3.** *Sal.* Borde, canto o grueso de un objeto. ‖ **4.** *Sal.* Casco de la cebolla o parte carnosa del pimiento.

cancho[2]**.** (De *cancha*[1].) m. desus. fam. *Chile.* Paga que exigen por servicios nimios algunas personas, especialmente abogados y clérigos.

canchón. (De *cancha*[1].) m. *Perú.* Terreno amplio, cercado o no, donde existen o se depositan cosas de poco valor.

candado. (Del lat. *catenātus.*) m. Cerradura suelta contenida en una caja de metal, que por medio de armellas asegura puertas, ventanas, tapas de cofres, maletas, etc. ‖ **2.** *Extr.* **zarcillo**[1], pendiente, arracada. ‖ **3.** *Col.* Perilla de la barba. ‖ **4.** fig. y fam. Cláusula de un proyecto de ley, ratificado en ella, que fija o retrotrae su vigencia desde la presentación de tal proyecto. ‖ **5.** pl. Las dos concavidades inmediatas a las ranillas que tienen las caballerías en los pies. ‖ **echar,** o **poner, un candado a la boca,** o **a los labios.** fr. fig. y fam. Callar o guardar un secreto.

candajón, na. adj. *Cantabria, León* y *Sal.* Corretero, visitero.

candalera. f. *Vallad.* Montón de cándalos.

candaliza. f. *Mar.* Cada uno de los cabos que hacen en los cangrejos oficio de brioles.

cándalo. (De or. inc.; cf. lat. *candēre,* arder.) m. Rama seca. ‖ **2.** Por ext., tronco seco, especialmente el de pino.

candamo. m. Antiguo baile rústico.

cándano. (Cf. *cándalo.*) m. Palo seco.

candar. (Del lat. *catenāre,* sujetar con cadenas.) tr. Cerrar con llave. ‖ **2.** Por ext., cerrar de cualquier modo.

cándara. f. *Ar.* **criba,** instrumento de cribar.

cande[1]**.** (Del ár. *qand,* azúcar cristalizado.) adj. V. **azúcar cande.**

cande[2]**.** (Del lat. *candĭdus.*) adj. *Ast.* **blanco,** de color de nieve o leche.

candeal. (De *cande*[2].) adj. V. **pan, trigo candeal.** Ú. t. c. s. ‖ **2.** fig. *Sal.* Dícese de la persona franca, noble, leal. ‖ **3.** m. *Argent.* y *Par.* Especie de ponche de huevo, leche, canela y aguardiente.

candeda. f. **candela** de encender.

candela[1]**.** (Del lat. *candēla.*) f. **vela**[1] de encender. ‖ **2. candelero** para sostener velas. ‖ **3.** fam. **lumbre.** ‖ **4.** fig. Claro que deja el fiel de la balanza cuando se inclina a la cosa que se pesa. ‖ **5.** *Ál.* **luciérnaga.** ‖ **6.** *Fís.* Unidad fotométrica internacional, basada en la radiación de un cuerpo negro a la temperatura de solidificación del platino. Dicha radiación, por centímetro cuadrado, equivale a 60 **candelas.** ‖ **acabarse la candela.** fr. fig. Terminar en las subastas el tiempo señalado para los remates. ‖ **2.** fig. y fam. Estar alguno próximo a morir. ‖ **a mata candelas.** loc. adv. con que se explica la última lectura de la excomunión, tomado de que en ella se apagan las **candelas** en agua. ‖ **2. acabarse la candela,** terminar en las subastas el tiempo para los remates. ‖ **arrear candela.** fr. fig. y fam. **arrimar candela.** ‖ **arrimar candela.** fr. fig. y fam. Pegar, dar de palos. ‖ **como unas candelas.** loc. adv. fig. y fam. Lindamente, por lo que las **candelas** brillan y alegran de noche la casa. ‖ **en candela.** loc. adv. *Mar.* En posición vertical. Dícese de los palos del buque y de otros objetos semejantes. ‖ **estar con la candela en la mano.** fr. fig. Estar próximo a morir el enfermo.

candela[2]. (Cf. *cándalo.*) f. Flor del castaño. ‖ **2.** *Ál.* **carámbano** de hielo. ‖ **3.** *Sal.* Flor de la encina y del alcornoque.

candelabro. (Del lat. *candelābrum.*) m. Candelero de dos o más brazos, que se sustenta sobre su pie o sujeto en la pared. ‖ **2.** Planta de la familia de las cactáceas, cuyos frutos se llaman tunas, peladas, o chulas. Alcanza una altura de más de seis metros y se cría en varias provincias de la República Argentina y en Méjico.

candelada. (De *candela*[1].) f. **hoguera.**

candelaria. (De *candela*[1].) n. p. f. Fiesta que celebra la iglesia católica el 2 de febrero con motivo de la Purificación. Se hace una procesión con candelas encendidas y se asiste a la misa con ellas. ‖ **2.** f. **gordolobo.** ‖ **3.** Flor de la **candelaria** o gordolobo.

candelecho. (De *cadalecho.*) m. Choza levantada sobre estacas, desde donde el viñador otea y guarda toda la viña.

candeledano, na. adj. Natural de Candeleda. Ú. t. c. s. ‖ **2.** Perteneciente o relativo a esta villa de la provincia de Ávila.

candeleja. f. *Chile* y *Perú.* **arandela**[1] del candelero.

candelejón. adj. *Col., Chile* y *Perú.* Cándido, inocentón o de cortos alcances.

candelera. f. ant. **candelaria,** fiesta de la Iglesia. ‖ **2.** **gordolobo.**

candelerazo. m. Golpe dado con un candelero de velas.

candelería. (De *candelero.*) f. ant. **velería.**

candelero. (De *candela.*) m. Utensilio que sirve para mantener derecha la vela o candela, y consiste en un cilindro hueco unido a un pie por una barreta o columnilla. ‖ **2.** **velón,** lámpara de aceite. ‖ **3.** Instrumento para pescar de noche, deslumbrando a los peces con teas encendidas. ‖ **4.** El que hace o vende candelas. ‖ **5.** ant. **velero**[1], que hace o vende velas[1] para alumbrar. ‖ **6.** *Fort.* Bastidor de madera, compuesto de una solera y dos montantes, entre los cuales se ponen fajinas o sacos terreros, y que se emplea como defensa contra el fuego enemigo. ‖ **7.** *Mar.* Cualquiera de los puntales verticales, generalmente de metal, que se colocan en diversos lugares de una embarcación para asegurar en ellos cuerdas, telas, listones o barras y formar barandales, batayolas y otros accesorios. ‖ **ciego.** *Mar.* El que no tiene anillo en la parte superior. ‖ **de ojo.** *Mar.* El que tiene anillo. ‖ **en candelero** o **en el candelero.** loc. fig. En circunstancia de poder o autoridad, fama o éxito. Ú. principalmente con los verbos *estar* y *poner.* ‖ **2.** loc. adv. con que se da a entender la extremada publicidad de un suceso o noticia.

candeleta. f. **candaliza.**

candelilla. f. d. de **candela.** ‖ **2.** Instrumento flexible de goma elástica u otra sustancia no metálica, que emplean los cirujanos para explorar las vías urinarias o curar sus estrecheces. ‖ **3.** Planta euforbiácea que da un jugo lechoso y drástico. ‖ **4.** *Bot.* **amento,** espiga de planta articulada por su base. ‖ **5.** **candela,** flor de la encina. ‖ **6.** *Cuba.* Costura, especie de hilván. ‖ **7.** *C. Rica, Chile* y *Hond.* Luciérnaga, gusano de luz. ‖ **8.** *Chile.* **fuego fatuo.** Ú. m. en pl. ‖ **acabarse la candelilla.** fr. fig. **acabarse la candela** en las subastas. ‖ **hacerle** a alguien **candelillas los ojos.** fr. fig. y fam. Brillarle los ojos con los vapores del vino, por estar medio borracho.

candelizo. (De *candela*[2].) m. fam. **carámbano** de hielo.

candelón. m. *Ant.* **mangle.**

candelor. m. ant. **candelaria,** fiesta.

candencia. (Del lat. *candentĭa.*) f. Calidad de candente.

candente. (Del lat. *candens, -entis,* brillante.) adj. Dícese del cuerpo, generalmente metal, cuando se enrojece o blanquea por la acción del calor. ‖ **2.** fig. V. **cuestión candente.**

candi. adj. **cande**[1].

candial. adj. **candeal,** dicho del pan o del trigo. Ú. m. en América.

candidación. (De *cándido.*) f. Acción de cristalizarse el azúcar.

candidado. m. ant. **candidato.**

cándidamente. adv. m. Sencillamente, con candor.

candidato, ta. (Del lat. *candidātus.*) m. y f. Persona que pretende alguna dignidad, honor o cargo. ‖ **2.** Persona propuesta o indicada para una dignidad o un cargo, aunque no lo solicite. ‖ **3.** fam. *Argent.* Persona cándida, que se deja engañar.

candidatura. f. Reunión de candidatos a un empleo. ‖ **2.** Aspiración a cualquier honor o cargo o a la propuesta para él. ‖ **3.** Papeleta en que va escrito o impreso el nombre de uno o varios candidatos. ‖ **4.** Propuesta de persona para una dignidad o un cargo.

candidez. f. Calidad de cándido.

cándido, da. (Del lat. *candĭdus.*) adj. **blanco,** de color de nieve o leche. ‖ **2.** Sencillo, sin malicia ni doblez. ‖ **3.** Simple, poco advertido.

candiel. m. Dulce preparado con vino blanco, yemas de huevo, azúcar y algún otro ingrediente.

candil. (Del lat. *candēla,* a través del mozár. *qindil.*) m. Utensilio para alumbrar, dotado de un recipiente de aceite y torcida y una varilla con gancho para colgarlo. ‖ **2.** Lamparilla manual de aceite, usada antiguamente, en forma de taza cubierta, que tenía en su borde superior, por un lado, la piquera o mechero, y por el otro el asa. ‖ **3.** Punta alta de las cuernas de los venados. ‖ **4.** V. **baile, sombrero de candil.** ‖ **5.** V. **sombrero de tres candiles.** ‖ **6.** fig. y fam. Pico del sombrero en el de **candil.** ‖ **7.** fig. y fam. Pico largo y desigual que solían tener las sayas de las mujeres. ‖ **8.** ant. **velón,** lámpara de metal. ‖ **9.** ant. **candelero** para pescar deslumbrando a los peces con teas encendidas. ‖ **10.** *Cuba.* Pez teleósteo, del suborden de los acantopterigios, de unos 30 centímetros de largo, y grandes escamas. ‖ **11.** *Méj.* **araña,** especie de candelabro colgado y sin pie. ‖ **12.** pl. Planta aristoloquiácea que nace espontánea en Andalucía y trepa por los troncos de los árboles. ‖ **13.** Planta muy parecida al aro y que difiere de él en tener la espata amarillenta y las hojas veteadas de blanco, con aurículas divergentes y puntiagudas. ‖ **14.** **arisaro.** ‖ **arder en un candil,** o **poder arder en un candil.** fr. fig. y fam. con que se pondera la fuerza de un vino. ‖ **2.** fig. y fam. Empléase también para ponderar la agudeza o sagacidad de las personas y la eficacia de las cosas. ‖ **ni buscado con un candil.** expr. fig. y fam. que se aplica a la persona muy hábil y apta para el desempeño de lo que ha de encomendársele. ‖ **pescar al candil.** fr. Hacerlo de noche, deslumbrando a los peces con una tea o antorcha.

candilada. f. fam. Porción de aceite que se ha derramado o caído de un candil.

candilazo. m. Golpe dado en un candil o con él. ‖ **2.** fig. Arrebol crepuscular.

candileja. (De *candil.*) f. Vaso interior del candil. ‖ **2.** Cualquier vaso pequeño en que se pone aceite u otra materia combustible para que ardan una o más mechas. ‖ **3.** **neguilla,** planta. ‖ **4.** pl. Línea de luces en el proscenio del teatro.

candilejo. m. d. de **candil** metálico de dos recipientes para alumbrar. ‖ **2.** **neguilla,** planta.

candilera. (De *candil.*) f. Mata de la familia de las labiadas, de hojas lineales y flores amarillas con el cáliz cubierto de pelos largos.

candilero. m. *Murc.* Percha de madera con agujeros para colgar los candiles.

candiletear. (De *candil.*) intr. *Ar.* Andar vagando para curiosear lo que ocurre.

candiletero, ra. (De *candiletear.*) m. y f. *Ar.* Persona ociosa y entremetida.

candilillo. (d. de *candil.*) m. **arísaro.** Ú. m. en pl.

candilón. m. aum. de **candil** metálico de dos recipientes para alumbrar. ‖ **estar con el candilón.** fr. fig. Estar moribundo un enfermo. Se decía así porque en algunos hospitales se les ponía un **candilón** cerca de la cama.

candinga[1]. f. *Chile.* Cansera, majadería, machaqueo. ‖ **2.** *Hond.* Enredo, baturrillo.

candinga[2]. m. *Méj.* y *Nicar.* **mandinga,** diablo.

candiota. adj. Natural de Candía. Ú. t. c. s. ‖ **2.** Perteneciente a esta ciudad o a esta isla del Mediterráneo. ‖ **3.** f. Barril que sirve para llevar o tener vino u otro licor. ‖ **4.** Vasija de barro como de un metro de alto y medio de ancho, empegada por dentro y con una espita por la parte inferior; sirve para tener vino y se pone, como las tinajas del agua, sobre un pie.

candiote. adj. ant. **candiota,** natural de Candía. Apl. a pers., ú. t. c. s. ‖ **2. candiota,** perteneciente a ella. Apl. a pers., ú. t. c. s.

candiotera. (De *candiota.*) f. Local donde están ordenados los envases en que se cría y conserva el vino. ‖ **2.** Conjunto de estos envases.

candiotero. m. El que hace o vende candiotas para vino.

candirse. prnl. *Ar.* Consumirse, aniquilarse poco a poco una persona o un animal que sufren una enfermedad larga.

candombe. (Voz de origen africano.) m. Baile de ritmo muy vivo de procedencia africana, muy popular todavía en ciertos carnavales de América del Sur. ‖ **2.** Casa o sitio donde se ejecuta. ‖ **3.** Tambor prolongado, de un solo parche, que se usa para acompañar este baile.

candonga. (De *candongo.*) f. fam. **cancamusa.** ‖ **2.** fam. Chasco o burla que se hace a alguien de palabra con apodos o chanzas continuadas. ‖ **3.** fam. Mula de tiro. ‖ **4.** *Hond.* Lienzo en dobleces con que se faja el vientre a los niños recién nacidos. ‖ **5.** *Mar.* Vela triangular que algunas embarcaciones latinas largan en el palo de mesana para capear el temporal. ‖ **6.** pl. *Col.* Pendientes, arracadas.

candongo, ga. adj. fam. Zalamero y astuto. Ú. t. c. s. ‖ **2.** fam. Que tiene maña para huir del trabajo. Ú. t. c. s. ‖ **3.** V. **seda de candongo,** o **de candongos.**

candonguear. tr. fam. p. us. Gastar bromas o candongas. ‖ **2.** intr. fam. *Sal.* Eludir el trabajo.

candonguero, ra. adj. fam. Que suele dar candonga a otros o chasquearlos.

candor. (Del lat. *candor, -ōris.*) m. Suma blancura. ‖ **2.** Sinceridad, sencillez, ingenuidad y pureza del ánimo.

candorga. f. *Sal.* Planta parietal de hojas largas y carnosas, que las mujeres empleaban como supersticioso amuleto contra brujerías, llevándola en contacto con la piel cerca de la cintura.

candoroso, sa. adj. Que tiene candor, sencillo, sincero.

candray. m. Embarcación pequeña de dos proas, que se usa en el tráfico de algunos puertos.

canducho, cha. adj. *Sal.* Fornido, robusto.

cané. (De *sacanete.*) m. Juego de azar parecido al monte.

canear. intr. *And.* **encanecer,** ponerse cano. ‖ **2.** tr. *Murc.* Calentar al sol alguna cosa.

caneca. (Del port. *caneca.*) f. Frasco cilíndrico de barro vidriado, que sirve para contener ginebra u otros licores. ‖ **2.** Botella de barro llena de agua caliente, que sirve de calentador. ‖ **3.** *Argent. (Cuyo).* Vasija de madera de paredes rectas y boca sin tapa, que se usaba para que los vendimiadores vaciaran en ella las cestas llenas de uvas. ‖ **4.** *Col.* y *Ecuad.* Envase de latón para transportar petróleo y otros líquidos. ‖ **5.** *Col.* Cubo o lata de la basura. ‖ **6.** *Cuba.* Medida de capacidad para líquidos, equivalente a 19 litros. ‖ **7.** *Ecuad.* **alcarraza.**

canecer. (Del lat. *canescĕre.*) intr. ant. **encanecer,** ponerse cano. ‖ **2.** prnl. Florecerse el pan.

caneciente. (De *canecer.*) adj. ant. **cano.**

canecillo. m. *Arq.* **can[1],** cabeza de una viga. ‖ **2. can[1],** modillón.

caneco, ca. (Del port. *caneco.*) adj. *Bol.* Que está ebrio, achispado. ‖ **2.** m. **caneca,** frasco de barro vidriado.

canéfora. (Del gr. κανηφόρος, a través del lat. *canephŏra.*) f. Doncella que en algunas fiestas de la antigüedad pagana llevaba en la cabeza un canastillo con flores, ofrendas y cosas necesarias para los sacrificios.

caneforias. (Del gr. κανηφορία, acción de llevar la canastilla sagrada.) f. pl. *Mit.* Fiestas griegas en honra de Diana.

caneicito. (d. de *Caney,* pueblo de Cuba.) m. *Cuba.* Diversión popular en la que, a semejanza de las del pueblo que le da nombre, hay música, rifas, venta de dulces, etc. Ú. m. en pl.

canela. (De etim. disc.; cf. ant. fr. *canele,* port. *canela.*) f. Corteza de las ramas, quitada la epidermis, del canelo, de color rojo amarillento y de olor muy aromático y sabor agradable. ‖ **2.** V. **leche de canela.** ‖ **3.** fig. y fam. Cosa muy fina y exquisita. ‖ **4.** *Col.* Fuerza, vigor. ‖ **canela fina.** expr. fig. y fam. para encarecer la valía de algo o de alguien.

caneláceo, a. (De *Canella,* nombre de un género de plantas.) adj. *Bot.* Dícese de plantas angiospermas dicotiledóneas, leñosas, propias de países tropicales, que están agrupadas en un pequeño número de especies y son muy semejantes a las miristicáceas; como la cúrbana. Ú. t. c. s. f. ‖ **2.** f. pl. *Bot.* Familia de estas plantas.

canelada. f. *Cetr.* Cierta clase de comida que se daba al halcón.

canelado, da. (De *canela.*) adj. **acanelado.**

canelar. m. Plantío de canelos.

canelazo. (De *canela.*) m. *Ecuad.* Bebida de aguardiente, canela y azúcar.

canelero. m. **canelo,** árbol de la canela.

canelilla. f. Árbol de la familia de las euforbiáceas que se cría en Méjico y Cuba.

canelillo. m. *C. Rica.* **canelo,** planta laurácea.

canelina. f. *Quím.* Sustancia cristalizable contenida en la canela blanca.

canelita. f. *Geol.* Especie de roca meteórica.

canelo, la. adj. De color de canela, aplicado especialmente a los perros y caballos. ‖ **2.** *Can.* Aplícase en general al color castaño. ‖ **3.** m. Árbol originario de Ceilán, de la familia de las lauráceas, que alcanza de siete a ocho metros de altura, con tronco liso, flores terminales blancas y de olor agradable y por fruto drupas ovales de color pardo azulado. La segunda corteza de sus ramas es la canela. ‖ **4.** Árbol chileno perteneciente a la familia de las magnoliáceas, cuyo tronco alcanza a veces 15 metros de altura; tiene ramas en forma de cruz, hojas grandes, alternas, parecidas a las del laurel, flores blancas y olorosas y bayas ovales y de color negro. ‖ **5.** *C. Rica.* Planta laurácea, de la que solo se utiliza la madera en ebanistería. ‖ **hacer el canelo.** fr. fig. y fam. **hacer el primo.**

canelón[1]. (De *canela.*) m. Confite largo que tiene dentro una raja larga de canela o de acitrón. ‖ **2.** Cada una de ciertas labores tubulares de pasamanería, como los flecos huecos y las caídas de las charreteras de oro o plata de los militares. ‖ **3.** fam. Extremo de los ramales de las disciplinas, más grueso y retorcido que ellos. ‖ **4.** *R. de la Plata.* **capororoca.** ‖ **5.** *Venez.* Rizo hecho en el pelo por medio de tenacillas.

canelón[2]. (Del m. or. que *canalón.*) m. **canalón** de tejados. ‖ **2.** Carámbano largo y puntiagudo que cuelga de las canales cuando se hiela el agua de lluvia o se derrite la nieve.

canelón[3]. (Del it. *cannellone.*) m. Pasta de harina de trigo, cortada de forma rectangular, de aproximadamente cuatro centímetros por ocho, con la que se envuelve un relleno de carne, pescado, verduras, etc. Ú. m. en pl.

canequí. m. **caniquí.**

canequita. (d. de *caneca.*) f. *Cuba.* Medida para líquidos, equivalente a dos frascos, o sea algo más de dos litros.

canero. (Del lat. *canarĭus,* perruno.) m. *Ar.* Salvado grueso. ‖ **2.** *Extr., León* y *Zam.* **colmillo.**

canesú. (Del fr. *canezou.*) m. Cuerpo de vestido de mujer corto y sin mangas. ‖ **2.** Pieza superior de la camisa o blusa a que se pegan el cuello, las mangas y el resto de la prenda.

caney. (De or. taíno.) m. *Cuba.* Recodo de un río. ‖ **2.** *Cuba.* Especie de bohío cónico con garita en su cumbre. ‖ **3.** *Venez.* Cobertizo con techo de paja o palma.

canez. (Del lat. *canitĭes.*) f. ant. **canicie.** ‖ **2.** ant. fig. Estado de la persona que se acerca a la vejez.

canfín. (De or. inc.) m. *C. Rica.* **petróleo,** queroseno.

canfinflero. m. *Argent.* Rufián.

canfor. (Del ár. *kāfūr.*) m. ant. **alcanfor.**

cánfora. f. ant. **canfor.**

canforar. (De *canfor.*) tr. ant. **alcanforar.**

canga[1]. (Del celtolat. **cambica,* de **cambos,* curvo.) f. *And.* Yunta de cualesquiera animales, excepto bueyes. ‖ **2.** *Sal.* Arado dispuesto para una sola caballería.

canga[2]. (De *ganga*[2].) f. *Amér. Merid.* Mineral de hierro con arcilla.

canga[3]. (Del port. *canga,* yugo, probablemente del anamita *gong.*) f. En China, instrumento de suplicio, en que se aprisionan el cuello y las muñecas del reo. ‖ **2.** En China, suplicio que se aplica con este instrumento.

cangagua. f. *Ecuad.* Tierra que se usa para hacer adobes.

cangalla[1]. (De *canga*[1].) f. *Sal.* **andrajo,** jirón de ropa muy usada. ‖ **2.** *Bol.* Aparejo con albarda para llevar cargas las bestias. ‖ **3.** com. *Col.* Persona o animal enflaquecidos. ‖ **4.** desus. *Argent., Perú* y *Urug.* Persona cobarde, pusilánime, despreciable.

cangalla[2]. (De *canga*[2].) f. *Argent., Bol.* y *Chile.* Desperdicios de los minerales.

cangallar. tr. *Bol.* y *Chile.* Robar en las minas metales o piedras metalíferas.

cangallero. m. *Chile* y *Perú.* Ladrón de metales o piedras metalíferas de la mina donde trabaja. ‖ **2.** *Chile.* El que compra cangalla robada. ‖ **3.** *Perú.* Vendedor de objetos a bajo precio.

cangallo. (De *canga*[1].) m. fam. *And.* Apodo que se da a la persona muy alta o flaca. ‖ **2.** *Sal.* **zancajo,** hueso del talón. ‖ **3.** *Sal.* Objeto estropeado.

cangar. tr. *Ast.* Estorbar, entorpecer, ocupar un sitio indebidamente. CANGAR *una habitación.* ‖ **2.** *Sal.* Quitar la vez o turno para jugar a la pina.

cangilón. (Tal vez del lat. *congĭus,* congio.) m. Recipiente grande de barro o metal, principalmente en forma de cántaro, que sirve para transportar, contener o medir líquidos. ‖ **2.** Vasija de barro o metal que sirve para sacar agua de los pozos y ríos, atada con otras a una maroma doble que descansa sobre la rueda de la noria. ‖ **3.** Cada uno de los recipientes de hierro que forman parte de ciertas dragas y extraen del fondo de los puertos, ríos, etc., el fango, piedras y arena que los obstruyen. ‖ **4.** Cada uno de los pliegues hechos con molde y forma de cañón en los cuellos apanalados o escarolados.

cangre. m. *Cuba.* Mata o tallo de yuca.

cangreja. (De *Cangrejo,* nebulosa de la constelación de Toro.) adj. *Mar.* V. **vela cangreja.** Ú. t. c. s.

cangrejal. m. *R. de la Plata.* Terreno pantanoso e intransitable por la abundancia de ciertos cangrejillos negruzcos que en él se crían.

cangrejera. f. Nido de cangrejos.

cangrejero, ra. m. y f. Persona que coge o vende cangrejos. ‖ **2.** adj. V. **garcilla cangrejera.** ‖ **3.** m. *Chile.* **cangrejera.** ‖ **4.** *Guat.* Carnívoro semejante al perro y que se alimenta de cangrejos.

cangrejo. (d. de *cangro.*) m. Cualquiera de los artrópodos crustáceos del orden de los decápodos. ‖ **2.** V. **boca, ojos de cangrejo.** ‖ **3.** En las armaduras antiguas, conjunto de láminas articuladas para facilitar el movimiento en las corvas y en la sangría del brazo. ‖ **4.** *Mar.* Verga que tiene en uno de sus extremos una boca semicircular por donde ajusta con el palo del buque, y la cual puede correr de arriba abajo o viceversa, y girar a su alrededor mediante los cabos que se emplean para manejarla. ‖ **5.** n. p. *Astron.* **Cáncer,** constelación zodiacal. ‖ **cacerola.** Artrópodo marino de cuerpo semiesférico, con un largo apéndice caudal. Alcanza los 50 centímetros de longitud y, a pesar de su nombre, se encuentra emparentado con los arácnidos antes que con los crustáceos. ‖ **de mar. cámbaro.** ‖ **de río.** Crustáceo decápodo, macruro, de unos diez centímetros de largo, con caparazón de color verdoso, y gruesas pinzas en los extremos de las patas del primer par. Abunda en muchos ríos españoles, es comestible y su carne es muy apreciada. ‖ **ermitaño.** Crustáceo decápodo de abdomen muy blando, que se protege alojándose en conchas vacías de caracoles marinos. ‖ **moro.** *And.* y *Amér.* El de mar, con manchas rojas. ‖ **violinista.** Crustáceo que agita constantemente su pinza derecha como si tocara un violín.

cangrejuelo. m. d. de **cangrejo,** artrópodo crustáceo.

cangrena. f. desus. **gangrena.**

cangrenarse. prnl. desus. **gangrenarse.**

cangro. (De *cancro.*) m. *And., Col., Guat.* y *Méj.* **cáncer,** tumor maligno.

cangroso, sa. (De *cangro.*) adj. ant. Que adolece de cáncer.

canguelo. (De or. caló.) m. fam. Miedo, temor.

cangüeso. m. Pez marino, teleósteo, acantopterigio, de color pardo aceitunado, con manchas más oscuras, oblongo y que alcanza unos 12 centímetros de largo; tiene la cabeza ancha, la cola redondeada y exuda por toda la piel una materia mucosa.

canguil. m. *Ecuad.* Maíz pequeño y muy estimado, del cual hay varias especies.

canguro. (De or. australiano, a través del fr. *kangourou.*) m. Mamífero marsupial, herbívoro, propio de Australia e islas adyacentes con las extremidades posteriores muy desarrolladas, mediante las cuales se traslada a saltos. La cola es también muy robusta, y se apoya en ella cuando está parado. ‖ **2.** Prenda de abrigo corta, generalmente de tela impermeable, con capucha y un gran bolsillo en la parte delantera. ‖ **3.** com. fig. y fam. Persona, generalmente joven, que se encarga de atender a niños pequeños en ausencia corta de los padres y, por lo regular, a cambio de una compensación económica.

cania. (Del lat. *canĭa.*) f. **ortiga menor.**

caníbal. (De *caribal.*) adj. Dícese del salvaje de las Antillas, que era tenido por antropófago. Ú. t. c. s. ‖ **2. antropófago.** Ú. t. c. s. ‖ **3.** fig. Dícese del hombre cruel y feroz. Ú. t. c. s. ‖ **4.** *Zool.* Dícese del animal que come carne de otros de su misma especie.

canibalismo. m. Antropofagia atribuida a los caníbales. ‖ **2.** fig. Ferocidad o inhumanidad propias de caníbales. ‖ **3.** *Zool.* Costumbre alimentaria de los animales caníbales.

canica[1]. (Del port. *cana,* caña y canela.) f. Canela silvestre de la isla de Cuba.

canica[2]. (Del neerl. *knikker,* bola de jugar los niños.) f. Juego de niños que se hace con bolitas de barro, vidrio u otra materia dura. Ú. m. en pl. ‖ **2.** Cada una de estas bolitas.

canicie. (Del lat. *canities.*) f. Color cano del pelo.

canícula. (Del lat. *canicŭla.*) f. Período del año en que es más fuerte el calor. ‖ **2.** *Astron.* Tiempo del nacimiento heliaco de Sirio, que antiguamente coincidía con la época más calurosa del año, pero que hoy no se verifica hasta fines de agosto.

canicular. (Del lat. *caniculāris.*) adj. Perteneciente a la canícula. ‖ **2.** fig. V. **calor canicular.** ‖ **3.** m. pl. Días que dura la canícula.

caniculario. (Del lat. *canicŭla,* perrita.) m. **perrero** de las iglesias.

cánido. (Del lat. *canis,* perro.) adj. *Zool.* Dícese de mamíferos carnívoros digitígrados, de uñas no retráctiles, con cinco dedos en las patas anteriores y cuatro en las posteriores; como el perro y el lobo. Ú. t. c. s. ‖ **2.** m. pl. *Zool.* Familia de estos animales.

canido, da. (Del lat. *canēre,* blanquear.) adj. Enmohecido, especialmente referido al pan.

canijo, ja. (De or. inc., probablemente del lat. *canicŭla,* perrita.) adj. fam. Débil y enfermizo. Ú. t. c. s. ‖ **2.** Por ext., bajo, pequeño. Ú. t. c. s.

canil. (De *can*[1].) m. Morena[2] o pan de perro. ‖ **2.** *Ast.* **colmillo.**

canilla[1]**.** (Del lat. **cannella,* d. de *canna,* caña.) f. Cualquiera de los huesos largos de la pierna o del brazo y especialmente la tibia. ‖ **2.** Cualquiera de los huesos principales del ala del ave. ‖ **3. espita,** canuto de la cuba. ‖ **4.** Carrete metálico en que se devana la seda o el hilo y que va dentro de la lanzadera en las máquinas de tejer y coser. ‖ **5.** Lista que en los tejidos suelen formar, por descuido, algunas hebras de distinto color o grueso. ‖ **6. pierna,** especialmente si es muy delgada. ‖ **7.** *Col.* y *Perú.* **pantorrilla.** ‖ **8.** *Argent.* y *Chile.* **espinilla,** parte anterior de la pierna. ‖ **9.** *Argent.* y *Urug.* **grifo,** llave. ‖ **10.** fig. *Méj.* Fuerza física. ‖ **irse como una canilla,** o **de canilla.** fr. fig. y fam. p. us. Padecer excesivo flujo de vientre. ‖ **2.** fig. y fam. p. us. Hablar sin reflexión cuanto se viene a la boca.

canilla[2]**.** (De *cano.*) adj. V. **uva canilla.**

canillado, da. (De *canilla*[1].) adj. **acanillado.**

canillera. (De *canilla*[1].) f. **espinillera,** pieza de la armadura que defendía la espinilla. ‖ **2.** *Argent.* y *Chile.* **espinillera,** almohadilla que protege la parte anterior de la pierna. ‖ **3.** *Col., C. Rica, Ecuad., Hond., Pan., P. Rico, Sto. Dom.* y *Venez.* Temblor de piernas, originado por el miedo o por otra causa.

canillero, ra. m. y f. Persona que hace canillas para tejer. ‖ **2.** m. Agujero que se hace en las tinajas o cubas para poner la canilla. ‖ **3.** *Sal.* **sauquillo.**

canillita. f. d. de **canilla**[1]. ‖ **2.** m. *Argent., Bol., Ecuad., Par., Perú, Sto. Dom.* y *Urug.* Vendedor callejero de periódicos.

canilludo, da. adj. *Amér. Merid., C. Rica, Guat.* y *Sto. Dom.* Zanquilargo, persona de canillas o piernas largas.

canime. m. Árbol de Colombia y Perú, de la familia de las gutíferas, que produce un aceite medicinal.

canina. (De *canino.*) f. Excremento de perro. ‖ **2.** ant. **canícula.**

caninamente. adv. m. Rabiosamente, como un perro.

caninero. (De *canina.*) m. El que recogía la canina.

caninez. (De *canino.*) f. Ansia extremada de comer.

canino, na. (Del lat. *caninus.*) adj. Relativo al can. *Raza* CANINA. ‖ **2.** Aplícase a las propiedades que tienen semejanza con las del perro. ‖ **3.** V. **diente canino.** Ú. t. c. s. ‖ **4.** V. **hambre, lengua, letra canina.**

caniquí. (Del indico *khanki.*) m. Tela delgada hecha de algodón, que venía de la India.

canistel. m. *Cuba.* Árbol de la familia de las sapotáceas, de hoja lanceolada y terminada en punta, y cuyo fruto, de figura oblonga, semejante al mango, es comestible. ‖ **2.** Fruto de este árbol.

canistro. (Del lat. *canistrum.*) m. *Arqueol.* Cesta de junco, de la cual se servían los antiguos en sus fiestas públicas.

canivete. (De or. inc.; cf. cat. ant. *canivet,* hoy *ganivet.*) m. Navaja. ‖ **2.** ant. Cuchillo pequeño.

canje. (De *canjear.*) m. Cambio, trueque o sustitución. Ú. en la diplomacia, la milicia y el comercio. CANJE *de notas diplomáticas, de prisioneros de guerra, de láminas representativas de valores,* etc.

canjeable. adj. Que se puede canjear.

canjear. (Del it. *cangiare,* y este del lat. *cambiāre.*) tr. Hacer canje. Ú. en la diplomacia, la milicia y el comercio.

canjilón, na. adj. Natural de Canjáyar, en la provincia de Almería. Ú. t. c. s. ‖ **2.** Perteneciente o relativo a esta villa.

canjura. f. *Hond.* Cierto veneno tan activo como la estricnina.

canjuro. m. *C. Rica.* Árbol de cuyo fruto se alimentan los pavones silvestres.

canmiar. tr. ant. **cambiar.**

cannabáceo, a. (Del lat. *cannăbis,* cáñamo.) adj. *Bot.* Dícese de plantas angiospermas dicotiledóneas, herbáceas, sin látex, con tallo de fibras tenaces, hojas opuestas, flores unisexuales dispuestas en cimas, fruto en cariópside o aquenio y semillas sin albumen; como el cáñamo y el lúpulo. Ú. t. c. s. f. ‖ **2.** f. pl. *Bot.* Familia de estas plantas.

cannáceo, a. (Del lat. *canna,* caña.) adj. *Bot.* Dícese de plantas angiospermas monocotiledóneas, perennes, con raíz fibrosa, hojas alternas, sencillas, anchas, envainadoras en la base del tallo; flores irregulares en racimo o en panoja y fruto en cápsula; como el cañacoro. Ú. t. c. s. f. ‖ **2.** f. pl. *Bot.* Familia de estas plantas.

cano, na. (Del lat. *canus.*) adj. Que tiene blanco todo o gran parte del pelo o de la barba. ‖ **2.** fig. Anciano o antiguo. ‖ **3.** fig. y poét. **blanco,** de color de nieve o leche. ‖ **4.** V. **hierba, uva cana.**

canoa. (De or. taino.) f. Embarcación de remo muy estrecha, ordinariamente de una pieza, sin quilla y sin diferencia de forma entre proa y popa. ‖ **2.** Bote muy ligero que llevan algunos buques, generalmente para uso del capitán o comandante. ‖ **3. sombrero de canoa.** ‖ **4.** *Amér.* Canal de madera u otra materia para conducir el agua. ‖ **5.** *Chile.* Vaina grande y ancha de los coquitos de la palmera. ‖ **6.** *C. Rica* y *Chile.* Canal del tejado, que generalmente es de cinc. ‖ **7.** *Chile* y *Nicar.* Especie de artesa o cajón de forma oblonga que sirve para dar de comer a los animales y otros usos.

canódromo. (Del lat. *canis,* perro, y el gr. δρόμος, carrera.) m. Terreno convenientemente preparado para las carreras de galgos.

canoero, ra. m. y f. Persona que gobierna la canoa. ‖ **2.** m. *Méj.* El que trajina con una canoa o es dueño de ella.

canon. (Del gr. κανών, regla, modelo, a través del lat. *canon.*) m. Regla o precepto. ‖ **2.** Decisión o regla establecida en algún concilio de la iglesia católica sobre el dogma o la disciplina. ‖ **3.** Catálogo de los libros tenidos por la Iglesia católica como auténticamente sagrados. ‖ **4.** Catálogo o lista. ‖ **5.** Parte de la misa, que empieza *Te igitur* y acaba con el *Páter nóster.* ‖ **6.** El libro que usan los obispos en la misa, desde el principio del **canon** hasta terminar las abluciones. ‖ **7.** V. **privilegio del canon.** ‖ **8.** Regla de las proporciones de la figura humana, conforme al tipo ideal aceptado por los escultores egipcios y griegos. ‖ **9.** Modelo de características perfectas. ‖ **10.** Prestación pecuniaria periódica que grava una concesión gubernativa o un disfrute en el dominio público, regulado en minería según el número de pertenencias o de hectáreas, sean o no explotadas. ‖ **11.** Percepción pecuniaria convenida o estatuida para cada unidad métrica que se extraiga de un yacimiento o que sea objeto de otra operación mercantil o industrial, como embarque, lavado, calcinación, etc. ‖ **12.** *Der.* Lo que paga periódicamente el censatario al censualista. ‖ **13.** *Der.* Precio del arrendamiento rústico. También, precio del arrendamiento de un inmueble. CANON *conducticio.* ‖ **14.** *Impr.* Caracteres gruesos equivalentes al cuerpo de veinticuatro puntos. ‖ **15.** *Mús.* Composición de contrapunto en que sucesivamente van entrando las voces, repitiendo o imitando cada una el canto de la que le antecede. ‖ **16.** pl. **derecho canónico.** ‖ **de superficie.** *Min.* **canon,** prestación pecuniaria que grava una concesión de mina. ‖ **gran canon.** *Impr.* Grado de letra de imprenta, la mayor que se usaba. ‖ **los cánones.** irón. Conjunto de normas o reglas establecidas por la costumbre como propias de cualquier actividad. *Torear según* LOS CÁNONES; *Visitó a todos los directivos de la empresa, como mandan* LOS CÁNONES.

canonesa. (De *canonisa.*) f. Mujer que en las abadías flamencas y alemanas vive en comunidad, pero sin hacer votos solemnes ni obligarse a perpetua clausura.

canonía. f. ant. **canonjía,** prebenda de iglesia.

canónica. (Del lat. *canonĭca,* t. f. de *-cus,* canónico.) f. Vida conventual de los canónigos, según las antiguas reglas. *La* CANÓNICA *agustiniana.*

canonical. (De *canónico.*) adj. Perteneciente al canónigo. ‖ **2.** fig. y fam. V. **vida canonical.**

canónicamente. adv. m. Conforme a reglas o cánones.

canonicato. m. **canonjía,** prebenda de iglesia.

canónico, ca. (Del lat. *canonĭcus,* regular, conforme a las reglas.) adj. Con arreglo a los sagrados cánones y demás disposiciones eclesiásticas. ‖ **2.** Se aplica a los libros y epístolas que se contienen en el canon de los libros auténticos de la Sagrada Escritura. ‖ **3.** Que se ajusta exactamente a las características de un canon de normalidad o perfección. ‖ **4.** V. **compurgación, degradación, elección, institución, penitencia, purgación canónica.** ‖ **5.** V. **derecho canónico.** ‖ **6.** V. **horas canónicas.** ‖ **7.** ant. Se aplicaba a la iglesia o casa donde residían los canónigos reglares. Usáb. t. c. s.

canóniga. (De *canónigo.*) f. fam. Siesta que se duerme antes de comer.

canonigado. m. ant. **canonicato.**

canónigo. (Del lat. *canonĭcus.*) m. El que tiene una canonjía. ‖ **2.** fig. y fam. V. **vida de canónigo.** ‖ **doctoral.** Prebendado de oficio. Es el asesor jurídico del cabildo catedral y debe estar graduado en derecho canónico o ser perito en cánones. ‖ **lectoral.** Prebendado de oficio. Es el teólogo del cabildo, y deberá ser licenciado o doctor en teología. ‖ **magistral.** Prebendado de oficio. Es el predicador propio del cabildo. ‖ **penitenciario.** Prebendado de oficio. Es el confesor propio del cabildo. ‖ **reglar,** o **regular.** El perteneciente a cabildo que observa vida conventual, siguiendo generalmente la regla de San Agustín, como en la Orden premonstratense y en las colegiatas de Covadonga y Roncesvalles.

canonisa. (Del b. lat. *canonissa,* y este del lat. *canon,* canon.) f. ant. **canonesa.**

canonista. (De *canon.*) com. Persona que profesa el derecho canónico o versada en él. ‖ **2.** Estudiante de cánones.

canonizable. (De *canonizar.*) adj. Digno de ser canonizado.

canonización. f. Acción y efecto de canonizar.

canonizar. (Del b. lat. *canonizāre,* y este del gr. κανονίζω.) tr. Declarar solemnemente santo y poner el Papa en el catálogo de ellos a un siervo de Dios, ya beatificado. ‖ **2.** fig. Calificar de buena a una persona o cosa, aun cuando no lo sean. ‖ **3.** fig. Aprobar y aplaudir alguna cosa.

canonje. (Del prov. *canonge.*) m. ant. **canónigo.**

canonjía. (De *canonje.*) f. Prebenda por la que se pertenece al cabildo de iglesia catedral o colegial. ‖ **2.** fig. y fam. Empleo de poco trabajo y bastante provecho. ‖ **de penitenciario.** La que pertenece al canónigo penitenciario. ‖ **doctoral.** La que pertenece al canónigo doctoral. ‖ **lectoral.** La que pertenece al canónigo lectoral. ‖ **magistral.** La que pertenece al canónigo magistral.

canonjible. adj. ant. Perteneciente al canónigo o a la canonjía.

canope. (Del fr. *canope.*) m. *Arqueol.* Vaso que se encuentra en las antiguas tumbas de Egipto y estaba destinado a contener las vísceras de los cadáveres momificados.

canoro, ra. (Del lat. *canōrus.*) adj. Dícese del ave de canto grato y melodioso. *El* CANORO *ruiseñor.* ‖ **2.** Grato y melodioso, referido a la voz de las aves y de las personas, y en sentido figurado, de la poesía, instrumentos músicos, etc.

canoso, sa. (Del lat. *canōsus.*) adj. Que tiene muchas canas.

canquén. (Del mapuche *canqueñ.*) m. *Chile.* Ganso silvestre que tiene la cabeza y el cuello cenicientos; el pecho, plumas y cola bermejos, y las patas negras y anaranjadas. La hembra tiene en casi todo el cuerpo fajas negras. En algunos lugares es doméstico.

cansadamente. adv. m. Importuna y molestamente. ‖ **2.** De modo cansado o experimentando cansancio.

cansado, da. p. p. de **cansar.** ‖ **2.** adj. Dícese de las cosas que declinan o decaen y de las degeneradas o enervadas. *Tierra* CANSADA, *pluma* CANSADA. ‖ **3.** V. **vista cansada.** ‖ **4.** Aplícase a la persona o cosa que produce cansancio. Ú. m. con el verbo *ser.* ‖ **estar cansada** una persona **de** una cosa. fr. fig. y fam. Haber realizado mucho la actividad introducida por la prep. *de. Estoy* CANSADO DE *viajar en avión. Llevo veinte años haciéndolo.*

cansamiento. m. ant. **cansancio.**

cansancio. (De *cansar.*) m. Falta de fuerzas que resulta de haberse fatigado. ‖ **2.** fig. Hastío, tedio, fastidio.

cansar. (Del lat. *campsare,* doblar, volver, y este del gr. κάμψαι.) tr. Causar cansancio. Ú. t. c. prnl. ‖ **2.** Quitar fertilidad a la tierra, bien por la continuidad o la índole de la cosecha o bien por la clase de los abonos. Ú. t. c. prnl. ‖ **3.** fig. Enfadar, molestar. Ú. t. c. prnl. ‖ **4.** intr. ant. **cansarse.**

cansera. (De *cansar.*) f. fam. Molestia y enojo causados por la importunación. ‖ **2.** Cansancio, galbana, fatiga. ‖ **3.** *Col.* y *Méj.* Tiempo perdido o gastado inútilmente.

cansí. m. Entre los indígenas de la isla de Cuba, en la época precolombina, bohío o choza del cacique.

cansino, na. (De *cansar.*) adj. Aplícase al hombre o al animal cuya capacidad de trabajo está disminuida por el cansancio. ‖ **2.** Que por la lentitud y pesadez de los movimientos revela cansancio. ‖ **3.** *And.* Cansado, pesado.

cansío, a. adj. *Sal.* Cansado, fatigado.

canso, sa. (De *cansar.*) adj. **cansado,** a veces dicho de las cosas que declinan o decaen.

cansoso, sa. (De *cansar.*) adj. ant. **cansado,** dicho de la persona o cosa que causa cansancio o hastío.

canstadiense. (De *Canstadt,* ciudad de Alemania, donde aparecieron los primeros restos fósiles.) adj. *Geol.* Dícese de una época de la historia de la Tierra, en que aparece la llamada raza de Canstadt.

canta. f. *Ar.* y *Col.* Cantar, canción o copla.

cantable. (Del lat. *cantabĭlis.*) adj. Que se puede cantar. ‖ **2.** *Mús.* Que se canta despacio. ‖ **3.** m. Parte que el autor del libreto de una zarzuela escribe en versos, debidamente acentuados, para que puedan ponerse en música. ‖ **4.** Escena de la zarzuela en que se canta, para diferenciarla de aquella en que se habla. ‖ **5.** *Mús.* Trozo de música majestuoso y sencillo.

cantábrico, ca. (Del lat. *Cantabrĭcus.*) adj. Perteneciente o relativo a Cantabria.

cantabrio, bria. (Del lat. *Cantabrius.*) adj. ant. **cántabro.** Usáb. t. c. s.

cántabro, bra. (Del lat. *Cantăber, -bri.*) adj. Natural de Cantabria. Ú. t. c. s.

cantadera. (De *cantar*[2].) f. ant. **cantadora.**

cantado, da. p. p. de **cantar**[2]. ‖ **2.** adj. V. **misa cantada.** ‖ **3.** f. **cantata.** ‖ **estar cantado** algo. fr. fig. y fam. Saberse anticipadamente. *Su elección* ESTABA CANTADA.

cantador, ra. (De *cantar*[2].) adj. ant. **cantor.** Usáb. t. c. s. ‖ **2.** m. y f. Persona que tiene habilidad para cantar coplas populares. ‖ **3.** Persona que tiene por oficio cantarlas.

cantal. m. Canto de piedra. ‖ **2. cantizal.**

cantalear. (De *cantar*[2].) intr. Gorjear, arrullar las palomas.

cantaleta. (De *cantar*[2].) f. Ruido y confusión de voces e instrumentos con que se burlaban de alguna persona. ‖ **2.** Canción burlesca con que, ordinariamente de noche, se hacía mofa de una o varias personas. ‖ **3.** fig. y fam. Chasco, vaya, zumba. ‖ **4.** *And.* y *Amér.* Estribillo, repetición enfadosa.

cantaletear. (De *cantaleta.*) tr. *And.* y *Amér.* Repetir las cosas hasta causar fastidio. ‖ **2.** *Méj.* Dar cantaleta o vaya.

cantalinoso, sa. (De *cantal.*) adj. Dícese de la tierra o terreno en que abundan los cantos de piedra.

cantamañanas. com. fam. Persona informal, fantasiosa, irresponsable, que no merece crédito.

cantamisa. f. *And.* y *Amér.* Acto de cantar su primera misa un sacerdote.

cantante. p. a. de **cantar.** Que canta. ‖ **2.** adj. V. **bajo, voz cantante.** ‖ **3.** com. Persona que canta por profesión.

cantar[1]**.** (De *cantar*[2].) m. Copla o breve composición poética puesta en música para cantarse, o adaptable a alguno de los aires populares, como el fandango, la jota, etc. ‖ **2.** Especie de saloma que usan los trabajadores de tierra. ‖ **de gesta.** Poesía popular en que se referían hechos de personajes históricos, legendarios o tradicionales. ‖ **ser otro cantar.** loc. fig. y fam. Ser cosa distinta.

cantar[2]**.** (Del lat. *cantāre,* frec. de *canĕre.*) intr. Formar con la voz sonidos melodiosos y variados. Se usa referido a personas y, por ext., a los animales, principalmente a las aves. Ú. t. c. tr. ‖ **2.** Producir algunos insectos sonidos estridentes, haciendo vibrar ciertas partes de su cuerpo. ‖ **3.** fig. Componer o recitar alguna poesía. Ú. t. c. tr. ‖ **4.** fig. En ciertos juegos de naipes, decir el punto o calidades. ‖ **5.** fig. y fam. Rechinar y sonar los ejes y otras piezas de los carruajes cuando se mueven. ‖ **6.** fig. y fam. Sonar las abrazaderas del fusil, ludiendo contra el cañón. ‖ **7.** fig. y fam. Descubrir o confesar lo secreto. ‖ **8.** fig. y fam. Dicho de ciertas partes del cuerpo, oler mal. CANTARLE *a alguien los sobacos.* ‖ **9.** fig. y fam. Poner en evidencia. Ú. con la prep. *a. Esta ropa* CANTA A *vieja.* ‖ **10.** *Mar.* **avisar,** dar noticia. ‖ **11.** *Mar.* Sonar el pito como señal de mando. ‖ **12.** *Mar.* **salomar.** ‖ **13.** *Mús.* Ejecutar con un instrumento el canto de una pieza concertante. ‖ **cantar** alguien **de plano.** fr. fig. y fam. Confesar todo lo que se le pregunta o sabe. ‖ **cantarlas claras.** fr. Hablar recio, sin pelos en la lengua. ‖ **cantar mal y porfiar.** fr. fam. contra los impertinentes y presumidos que molestan repitiendo lo que no saben hacer.

cántara. (De *cántaro.*) f. Medida de capacidad para líquidos, que tiene ocho azumbres y equivale a 1.613 centilitros aprox. ‖ **2. cántaro.**

cantarada. (De *cántaro.*) f. **cántaro,** líquido que cabe en el cántaro. ‖ **2.** *Cast.* Obsequio de un cántaro de vino que los mozos de un pueblo exigían al forastero para dejarle hablar la primera vez por la reja a una joven.

cantaral. (De *cántaro.*) m. *Ar.* **cantarera,** poyo o armazón para poner cántaros.

cantarano. m. Mueble la mitad cómoda y la mitad escritorio.

cantarela. (Del ant. it. *cantarello,* cantador.) f. Nombre de la prima del violín o de la guitarra.

cantarera. f. Poyo de fábrica o armazón de madera que sirve para poner los cántaros. ‖ **2.** fig. vulg. Hueco supraclavicular.

cantarería. (De *cantarero.*) f. Lugar donde se venden cántaros.

cantarero. (De *cántaro.*) m. **alfarero.**

cantárida. (Del gr. κανθαρίς, a través del lat. *canthăris, -ĭdis.*) f. Insecto coleóptero, que alcanza de 15 a 20 milímetros de largo y de color verde oscuro brillante, que vive en las ramas de los tilos y, sobre todo, de los fresnos. Empleábase en medicina. ‖ **2.** Ampolla o llaga que producen las **cantáridas** sobre la piel. *Le han curado las* CANTÁRIDAS. ‖ **3.** desus. Parche de **cantáridas** que se aplica a los enfermos.

cantarilla. (d. de *cántara.*) f. Vasija de barro, sin baño, del tamaño y forma de una jarra ordinaria y boca redonda.

cantarillo. m. d. de **cántaro.**

cantarín, na. adj. fam. Aficionado con exceso a cantar. ‖ **2.** Dícese de sonidos suaves y agradables al oído. *Risa* CANTARINA, *arroyo* CANTARÍN. ‖ **3.** m. y f. p. us. **cantante** de profesión.

cántaro. (Del gr. κάνθαρος, a través del lat. *canthărus.*) m. Vasija grande de barro o metal, angosta de boca, ancha por la barriga y estrecha por el pie y por lo común con una o dos asas. ‖ **2.** Todo el líquido que cabe en un **cántaro.** *Bebió medio* CÁNTARO *de agua.* ‖ **3.** Medida de vino, de diferente cabida según las varias regiones de España. ‖ **4.** Arquilla, cajón o vasija en que se echan las bolas o cédulas para hacer sorteos. ‖ **5.** V. **alma, moza de cántaro.** ‖ **6.** *Ar.* Impuesto municipal sobre el vino, aceite o bebidas alcohólicas compuestas, que se percibe al venderse toda o parte de la cosecha. ‖ **a cántaros.** loc. adv. En abundancia, con mucha fuerza. Ú. con los verbos *llover, caer, echar,* etc. ‖ **entrar en cántaro.** fr. fig. p. us. Entrar, o estar, en suerte para algún oficio u otro efecto. ‖ **estar** alguien **en cántaro.** fr. fig. p. us. Estar propuesto para algún empleo o próximo a conseguirlo.

cantarrana. (De *cantar*[2] y *rana.*) f. *Ál.* Juguete que consiste en una cáscara de nuez cubierta con un pedazo de pergamino y sujeta por un hilo que, girando rápidamente por un palito que se une al otro extremo del hilo, produce un ruido semejante al croar de la rana.

cantata. (Del it. *cantata.*) f. Composición poética de alguna extensión, escrita para que se le ponga música y se cante.

cantatriz. (Del lat. *cantātrix.*) f. p. us. **cantante,** mujer que canta por profesión.

cantautor, ra. m. y f. Cantante, por lo común solista, que suele ser autor de sus propias composiciones, en las que prevalece sobre la música un mensaje de intención crítica o poética.

cantazo. m. Pedrada o golpe dado con canto.

cante. (De *canto*[1].) m. Acción y efecto de cantar cualquier canto popular andaluz o próximo. ‖ **2.** Cualquier género de canto de estas características. ‖ **3.** Acción y efecto de **cantar**[2], poner en evidencia. ‖ **4.** *Ast.* Canción, sonsonete. ‖ **flamenco.** El andaluz agitanado. ‖ **hondo. cante jondo.** La h se aspira. ‖ **jondo.** El más genuino andaluz, de profundo sentimiento.

canteado, da. p. p. de **cantear.** ‖ **2.** adj. Dícese de la piedra, ladrillo u otro material puestos o asentados de canto.

cantear. tr. Labrar los cantos de una tabla, piedra u otro material. ‖ **2.** Poner de canto los ladrillos. ‖ **3.** *Sal.* Tirar cantos contra otros. ‖ **4.** *Chile.* Labrar la piedra de sillería para las construcciones.

cantel. (Del cat. *cantell.*) m. *Mar.* Pedazo de cabo que sirve para arrumar la pipería. Ú. m. en pl.

cantera. (De *canto*[2].) f. Sitio de donde se saca piedra, greda u otra sustancia análoga para obras varias. ‖ **2.** V. **agua de cantera.** ‖ **3.** fig. Talento, ingenio y capacidad que muestra alguna persona. ‖ **4.** fig. Lugar, institución, etc., de procedencia de individuos especialmente dotados para una determinada actividad. *El equipo solo ficha jugadores de la* CANTERA *regional. Esta Facultad ha sido siempre una buena* CANTERA *de investigadores.* ‖ **armar, levantar,** o **mover, una cantera.** fr. fig. y fam. p. us. Causar o agravar una lesión o enfermedad por impericia o descuido. ‖ **2.** fig. y fam. Dar causa con algún dicho o acción a que haya grandes disensiones.

cantería. (De *cantero.*) f. Arte de labrar las piedras para las construcciones. ‖ **2.** Obra hecha de piedra labrada. ‖ **3.** Porción de piedra labrada. ‖ **4.** ant. **cantera** de que se saca piedra.

canterios. (Del lat. *cantherius.*) m. pl. Vigas que se colocan en sentido transversal para formar el techo de un edificio.

canterito. m. Pedazo pequeño de pan.

canterla. f. *Ast.* **cantesa.**

cantero. (De *canto*[2].) m. El que labra las piedras para las construcciones. ‖ **2.** Extremo de algunas cosas duras que se pueden partir con facilidad. *Un* CANTERO *de pan.* ‖ **3.** Cada una de las porciones, por lo común bien delimitadas, en que se divide una tierra de labor para facilitar su riego. ‖ **4.** *Amér.* Cuadro de un jardín o de una huerta.

cantesa. f. *Ast.* Abrazadera de fleje o alambre para sujetar las almadreñas cuando se agrietan.

cantía. f. ant. **cuantía,** cantidad.

cántica. (Del lat. *cantĭca,* pl. de *canticum,* cántico.) f. ant. **cantar**[1], breve composición poética.

canticar. (Del lat. *canticāre.*) intr. ant. **cantar**[2], emitir voces armoniosas. Usáb. t. c. tr.

canticio. m. fam. Canto frecuente y molesto.

cántico. (Del lat. *cantĭcum.*) m. Cada una de las composiciones poéticas de los libros sagrados y los litúrgicos en que sublime o arrebatadamente se dan gracias o tributan alabanzas a Dios; como los CÁNTICOS *de Moisés,* el *Tedéum,* el *Magníficat,* etc. ‖ **2.** En estilo poético, suele también darse este nombre a ciertas poesías profanas. CÁNTICO *de alegría, de amor, guerrero, nupcial.*

cantidad. (Del lat. *quantĭtas, -ātis.*) f. Propiedad de lo que es capaz de número y medida y puede ser mayor o menor que algo con que se lo compara. ‖ **2.** Cierto número de unidades. ‖ **3.** Porción grande o abundancia de algo. ‖ **4.** V. **rata por cantidad.** ‖ **5.** Porción indeterminada de dinero. ‖ **6.** *Mat.* Objetos de una clase entre los que se puede definir la igualdad y la suma. ‖ **7.** *Pros.* Tiempo que se invierte en la pronunciación de una sílaba. Hay lenguas, como el griego y, con más o menos perfección, otras, en las que el ritmo del verso está basado en la distribución de las **cantidades** de las sílabas. ‖ **8.** adv. coloq. **mucho.** *Me gusta* CANTIDAD. ‖ **alzada.** La suma total de dinero que se considera suficiente para algún objeto. ‖ **concurrente.** La necesaria para completar cierta suma. ‖ **constante.** *Mat.* **constante.** ‖ **continua.** *Mat.* La que consta de unidades o partes que no están separadas unas de otras, como la longitud de una cinta, el área de una superficie, el volumen de un sólido, la cabida de un vaso, etc. ‖ **discreta.** *Mat.* La que consta de unidades o partes separadas unas de otras, como los árboles de un monte, los soldados de un ejército, los granos de una espiga, etc. ‖ **imaginaria.** *Mat.* La que se produce al extraer la raíz cuadrada de una **cantidad** negativa. ‖ **negativa.** *Mat.* La que por su naturaleza disminuye el valor de las **cantidades** positivas a que se contrapone. En los cálculos, a la expresión de esta **cantidad** se antepone siempre el signo (—) menos. ‖ **positiva.** *Mat.* La que agregada a otra la aumenta. En las expresiones algebraicas y numéricas va precedida del signo (+) más, y siendo única, o encabezando un polinomio, no lleva signo alguno. ‖ **racional.** *Mat.* Aquella en cuya expresión no entra radical alguno. ‖ **real.** *Mat.* La que realmente puede existir, en oposición a la imaginaria. ‖ **variable.** *Mat.* **variable.** ‖ **hacer buena** una **cantidad.** fr. Abonarla. ‖ **cantidad de.** loc. adj. **mucho, cha.** *Tengo* CANTIDAD DE *cosas que hacer. En esta tienda hay* CANTIDAD DE *vestidos.*

cantiga o **cántiga.** (Del lat. *cantĭca,* pl. n. de *canticum.*) f. Antigua composición poética destinada al canto. ‖ **2.** ant. **cantar**[1], breve composición poética.

cantil. (De *canto*[2].) m. Sitio o lugar que forma escalón en la costa o en el fondo del mar. ‖ **2.** *Amér.* Borde de un despeñadero. ‖ **3.** *Guat.* Especie de culebra grande.

cantilena. (Del lat. *cantilēna.*) f. Cantar, copla, composición poética breve, hecha generalmente para que se cante. ‖ **2.** fig. y fam. Repetición molesta e importuna de alguna cosa. *Siempre vienen con esa* CANTILENA.

cantillo. (De *canto*[2].) m. Piedra pequeña con que los muchachos hacen el juego de los **cantillos.** ‖ **2.** Cantón, esquina de un edificio. ‖ **3.** V. **juego de los cantillos.**

cantimpla. adj. p. us. *R. de la Plata.* **tonto.** Ú. t. c. s.

cantimplora. (Del cat. *cantimplora.*) f. **sifón,** tubo encorvado para sacar líquidos. ‖ **2.** Recipiente de metal que sirve para enfriar el agua, y es semejante a la garrafa. ‖ **3.** Frasco aplanado y revestido de cuero, paja o bejuco, para llevar la bebida. ‖ **4.** *Sal.* Olla grande. ‖ **5.** *Sal.* Vasija o bota de vino de gran tamaño. ‖ **6.** *Col.* Frasco de la pólvora. ‖ **7.** *Guat.* **papera,** bocio.

cantina. (Del it. *cantina.*) f. Sótano donde se guarda el vino para el consumo de la casa. ‖ **2.** Puesto público en que se venden bebidas y algunos comestibles. ‖ **3.** Pieza de la casa donde se tiene el repuesto del agua para beber. ‖ **4.** Caja de madera, metal o corcho, cubierta de cuero y dividida en varios compartimientos, para llevar las provisiones de boca. ‖ **5.** *Col.* Recipiente de forma cilíndrica con boca de diámetro igual o menor que el del cuerpo y provisto de tapa, que se utiliza para guardar y transportar leche. ‖ **6.** *Argent., Méj., Par.* y *Urug.* **taberna.** ‖ **7.** *Méj.* Mueble para guardar las bebidas, copas, etc. ‖ **8.** pl. Estuche doble con fiambreras y divisiones a propósito para llevar en los viajes las provisiones diarias. ‖ **9.** *Méj.* Dos bolsas cuadradas de cuero, con sus tapas, que, unidas, se colocan junto al borrén trasero de la silla de montar, quedando una a cada lado, como las antiguas alforjas. Sirven para llevar comida.

cantinela. f. **cantilena.**

cantinera. (De *cantinero.*) f. Mujer que tenía por oficio servir bebidas a la tropa, hasta durante las acciones de guerra. ‖ **2.** Mujer que tiene a su cargo una cantina.

cantinero. (De *cantina.*) m. El que cuida de los licores y bebidas. ‖ **2.** El que tiene cantina, puesto de bebidas y de algunos comestibles. ‖ **3.** *Méj.* En los bares, tabernas y cantinas, el encargado de preparar y servir las bebidas.

cantinflada. f. *Méj.* Dicho o acción propios de quien habla o actúa como Cantinflas.

cantinflas. (De *Cantinflas,* popular actor mejicano.) m. fig. *Méj.* Persona que habla o actúa como Cantinflas.

cantinflear. intr. *Méj.* Hablar de forma disparatada e incongruente y sin decir nada. ‖ **2.** *Méj.* Actuar de la misma manera.

cantinflesco, ca. adj. *Méj.* **acantinflado.**

cantiña. (Del gall. *cantiña.*) f. fam. p. us. **cantar[1]**, breve composición poética. Llámase así comúnmente el que usa el vulgo.

cantista. adj. p. us. **cantor,** que canta. Ú. t. c. s.

cantitativo, va. adj. ant. **cuantitativo.**

cantizal. m. Terreno donde hay muchos cantos y guijarros.

canto[1]. (Del lat. *cantus.*) m. Acción y efecto de cantar. ‖ **2.** Arte de cantar. ‖ **3.** Acción y efecto de emitir sonidos armoniosos o rítmicos ciertos animales, especialmente algunas aves, anfibios e insectos. ‖ **4.** Poema corto del género heroico, llamado así por su semejanza con cada una de las divisiones del poema épico, a que se da este mismo nombre. ‖ **5.** También se llama así a otras composiciones de distinto género. CANTO *fúnebre, guerrero, nupcial.* ‖ **6.** Composición lírica, genéricamente hablando. *Los* CANTOS *del poeta.* ‖ **7.** Cada una de las partes en que se divide el poema épico. Hay algunos poemas, considerados como tales, que por excepción constan de un solo **canto.** ‖ **8.** ant. **cántico** de los libros sagrados y litúrgicos. ‖ **9.** ant. *Mús.* V. **instrumento de canto.** ‖ **10.** *Mús.* Parte melódica que da carácter a una pieza de música concertante. ‖ **ambrosiano.** El introducido por San Ambrosio en la iglesia de Milán. ‖ **de órgano,** o **figurado.** El que se compone de notas diferentes en forma y duración y se puede acomodar a distintos ritmos o compases. ‖ **del cisne.** fig. Última obra o actuación de una persona o grupo de personas. ‖ **gregoriano,** o **llano.** El propio de la liturgia cristiana, cuyos puntos o notas son de igual y uniforme figura y proceden con la misma medida de tiempo. ‖ **mensurable. canto de órgano.** ‖ **al canto del gallo.** loc. adv. fam. **al amanecer.** ‖ **al canto de los gallos.** loc. adv. fam. A la medianoche, que es cuando regularmente cantan la primera vez. ‖ **en canto llano.** loc. adv. fig. y fam. Con sencillez y claridad. ‖ **2.** fig. y fam. De manera vulgar y corriente. ‖ **ser canto llano** una cosa. fr. fig. y fam. Ser sencilla y corriente. ‖ **2.** fig. y fam. No tener adorno. ‖ **3.** fig. y fam. No ofrecer dificultad.

canto[2]. (Del gr. κανθός, esquina, a través del lat. *canthus.*) m. Extremidad o lado de cualquier parte o sitio. ‖ **2.** Extremidad, punta, esquina o remate de alguna cosa. CANTO *de mesa, de vestido.* ‖ **3. cantón[1]**, esquina de un edificio. ‖ **4.** En el cuchillo o en el sable, lado opuesto al filo. ‖ **5.** Corte del libro, opuesto al lomo. ‖ **6.** Grueso de alguna cosa. ‖ **7.** Dimensión menor de una escuadría. ‖ **8.** Trozo de piedra. ‖ **9.** Juego que consiste en tirar una piedra, de modo convenido, y gana el que la arroja más lejos. ‖ **10.** *Ar.* Bizcocho rectangular bañado en azúcar que dan las cofradías a cada uno de sus individuos el día de la fiesta mayor. ‖ **de pan.** Cantero de pan. ‖ **pelado,** o **rodado.** Piedra alisada y redondeada a fuerza de rodar impulsada por las aguas. ‖ **a canto,** o **al canto.** loc. adv. A pique o muy cerca de. ‖ **2.** Inmediata y efectivamente; a veces, inevitablemente. *Sacó dinero* AL CANTO; *tendremos pelea* AL CANTO. Muy usado en frases elípticas, generalmente después de un sustantivo. *Discusión* AL CANTO; *pruebas* AL CANTO. ‖ **con un canto a los pechos.** loc. adv. fam. Con mucho gusto y complacencia. ‖ **darse con un canto en los dientes, en los nudillos,** o **en los pechos.** fr. fig. y fam. Darse por contento cuando lo que ocurre es más favorable o menos adverso de lo que podía esperarse. ‖ **de canto.** loc. adv. De lado, no de plano. ‖ **el canto de un duro.** fig. y fam. **un pelo,** muy poco. *Perdí por* EL CANTO DE UN DURO; *le faltó* EL CANTO DE UN DURO *para alcanzar el tren.* ‖ **echar cantos.** fr. fig. **tirar piedras.**

cantollanista. com. Persona perita en el arte del canto llano.

cantón[1]. (De *canto[2]*.) m. **esquina** de un edificio. ‖ **2.** Cada una de las divisiones administrativas del territorio de ciertos estados, como Suiza, Francia y algunos americanos. ‖ **3. acantonamiento,** sitio de tropas acantonadas. ‖ **4.** *Ál., Ar.* y *Bilbao.* Calleja que corta dos calles importantes y en la que carecen de puerta, o por los menos de puerta principal, las casas que la forman. ‖ **5.** *Hond.* Parte alta aislada en medio de una llanura. ‖ **6.** *Blas.* Cada uno de los cuatro ángulos que pueden considerarse en el escudo, y sirven para designar el lugar de algunas piezas. CANTÓN *diestro,* o *siniestro, del jefe.* ‖ **7.** *Blas.* Cada una de estas piezas. ‖ **8.** *Blas.* Cada uno de los ángulos que hay entre dos brazos en las cruces. ‖ **de honor.** *Blas.* **francocuartel.** ‖ **redondo.** *Carp.* **limatón.**

cantón[2]. (De *Cantón,* ciudad de China, hoy Guangzhou.) m. *Méj.* Tela de algodón que imita al cachemir y tiene los mismos usos.

cantonada. f. ant. *Ar.* **cantón[1]** de un edificio. ‖ **dar cantonada** a alguien. fr. fig. **darle esquinazo.** ‖ **2.** fig. Dejarle burlado, no haciendo caso de él.

cantonado, da. adj. *Blas.* Se aplica a la cruz o sotuer cuando en sus cantones los acompañan otras piezas.

cantonal. (De *cantón[1]*, territorio.) adj. Partidario o defensor del cantonalismo. Ú. t. c. s. ‖ **2.** Perteneciente o relativo al cantón o al cantonalismo.

cantonalismo. (De *cantonal.*) m. Sistema político que aspira a dividir el Estado en cantones casi independientes. ‖ **2.** fig. Desconcierto político caracterizado por una gran relajación del poder soberano en la nación.

cantonalista. adj. **cantonal,** partidario del cantonalismo. Ú. t. c. s.

cantonar. (De *cantón[1]*.) tr. **acantonar.** Ú. t. c. prnl.

cantonear. (De *cantón[1]*.) intr. Andar vagando ociosamente de esquina en esquina.

cantonearse. (De *cantón[2]*.) prnl. fam. **contonearse.**

cantoneo. (De *cantonear.*) m. fam. **contoneo.**

cantonera. (De *cantón[1]*.) f. Pieza que se pone en la esquina de libros, muebles u otros objetos para proteger, adornar o fijar a una base. ‖ **2. rinconera** que se pone en el rincón de una habitación. ‖ **3. ramera,** mujer que por oficio tiene relación carnal con hombres.

cantonero, ra. (De *cantón[1]*.) adj. Que cantonea. Ú. t. c. s. ‖ **2.** m. Instrumento con que los encuadernadores doran los cantos de los libros.

cantor, ra. (Del lat. *cantor, -ōris.*) adj. Que canta, principalmente si lo tiene por oficio. Ú. t. c. s. ‖ **2.** *Zool.* Dícese de las aves que, por tener la siringe muy desarrollada, son capaces de emitir sonidos melodiosos y variados; como el mirlo y el ruiseñor. ‖ **3.** m. ant. Compositor de cánticos y salmos. ‖ **4.** f. fam. *Chile.* **bacín** de excrementos. ‖ **5.** f. pl. *Zool.* En clasificaciones desusadas, orden de las aves **cantoras.**

cantoral. (De *cantor.*) m. **libro de coro.**

cantoría. f. ant. **canturía,** ejercicio de cantor. ‖ **2. canturía,** canto de música.

cantorral. m. **cantizal.**

cantoso, sa. adj. Dícese del cantizal.

cantú. m. Planta de jardín del Perú, de la familia de las polemoniáceas, cuyas hojas y madera tiñen de color amarillo.

cantúa. f. *Cuba.* Dulce seco, compuesto de boniato, coco, ajonjolí y azúcar moreno.

cantuariense. (Del lat. *Cantuariensis,* de *Cantuaria,* Canterbury.) adj. Natural de Canterbury. Ú. t. c. s. ‖ **2.** Perteneciente o relativo a esta ciudad de Inglaterra.

cantueso. m. Planta perenne, de la familia de las labiadas, semejante al espliego, de cinco a seis decímetros de altura, con tallos derechos y ramosos, hojas oblongas, estrechas y vellosas, y flores olorosas y moradas, en espiga que remata en un penacho. ‖ **2.** fig. y fam. V. **flores de cantueso.**

canturía. f. Ejercicio de cantar. ‖ **2.** Canto de música. ‖

3. Canto monótono. ‖ **4.** *Mús.* Modo o aire de cantarse que tienen las composiciones músicas. *Esta composición tiene buena* CANTURÍA.

canturrear. intr. fam. Cantar a media voz.

canturreo. m. Acción de canturrear.

canturria. f. *And., Argent.* y *Perú.* **canturía,** canto monótono.

canturriar. intr. fam. **canturrear.**

cantusar. (De *cantar.*) tr. ant. **engatusar.** ‖ **2.** intr. *And.* y *Murc.* **canturrear.**

cantuta. (De or. quechua.) f. *Amér. Merid.* **clavellina,** clavel, también llamada flor de los incas.

canudo, da. (Del lat. *canūtus.*) adj. ant. **canoso.** ‖ **2.** ant. fig. Antiguo, anciano.

cánula. (Del lat. *cannŭla,* cañita.) f. Caña pequeña. ‖ **2.** Tubo corto que se emplea en diferentes operaciones de cirugía o que forma parte de aparatos físicos o quirúrgicos. ‖ **3.** Tubo terminal o extremo de las jeringas.

canular. adj. Que tiene forma de cánula.

canutas (pasarlas). fr. fam. Verse en situación muy apurada.

canutazo. m. *And.* y *Cuba.* Soplo, delación.

canute. (Del cat. *canut.*) m. *Murc.* Cañuto, cerbatana. ‖ **2.** *Murc.* Gusano de seda que enferma después de despertar y muere a los pocos días.

canutero. m. **cañutero.** ‖ **2.** *Amér.* Mango de la pluma de escribir.

canutillo. m. **cañutillo.** ‖ **2.** V. **bordado a canutillo.** ‖ **3.** V. **carbón de canutillo.**

canuto[1]. m. **cañuto,** parte de un tallo comprendido entre dos nudos. ‖ **2.** Tubo de longitud y grosor no muy grandes. ‖ **3.** Pastel de hojaldre en forma de rollo relleno de crema, nata, etc. ‖ **4.** Licencia absoluta del soldado. Se dice por el cañuto en que solía encerrarse. Ú. principalmente con el verbo *dar.* ‖ **5.** fam. Porro, cigarrillo de hachís o marihuana. ‖ **6.** *Zool.* Tubo formado por la tierra que se adhiere a los huevos que la langosta y otros ortópteros depositan después de haber introducido verticalmente el abdomen en el suelo. ‖ **7.** *And.* Caña pequeña para beber aguardiente. ‖ **8.** *Amér. Central* y *Venez.* Mango de la pluma de escribir. ‖ **9.** *Méj.* Sorbete de leche, huevo y azúcar, cuajado en moldes que tienen la forma de **canuto.**

canuto[2]. (De *Canut,* famoso pastor protestante.) m. Nombre que el pueblo de Chile da a los ministros o pastores protestantes.

caña. (Del lat. *canna.*) f. Tallo de las plantas gramíneas, por lo común hueco y nudoso. ‖ **2.** Planta gramínea, indígena de Europa Meridional: tiene tallo leñoso, hueco, flexible y de tres a cuatro metros de altura; hojas anchas, un tanto ásperas, y flores en panojas muy ramosas; se cría en parajes húmedos. ‖ **3.** V. **aguardiente, miel, papa, papel, patata de caña.** ‖ **4. caña de Indias.** ‖ **5.** Canilla del brazo o de la pierna. ‖ **6. tuétano.** ‖ **7.** Parte de la bota o de la media que cubre entre la rodilla y el pie. ‖ **8.** Vaso de forma cilíndrica o ligeramente cónica, alto y estrecho, que se usa para beber vino o cerveza. Por ext., vaso de otra forma para cerveza. ‖ **9.** Líquido contenido en uno de estos vasos. ‖ **10.** Medida de vino. ‖ **11.** Medida superficial agraria, que tiene exactamente seis codos cuadrados. Se usa en el sudeste de España. ‖ **12.** Grieta en la hoja de la espada. ‖ **13.** Parte de la caja del arma portátil de fuego en que descansa el cañón. ‖ **14.** Tercer cuerpo del antiguo cañón de artillería. ‖ **15. caña de azúcar.** ‖ **16. caña de pescar.** ‖ **17.** *Arq.* **fuste** de la columna. ‖ **18.** *Min.* Galería de mina. ‖ **19.** pl. Fiesta de a caballo en que diferentes cuadrillas hacían varias escaramuzas, arrojándose recíprocamente las **cañas,** de que se resguardaban con las adargas. ‖ **20.** Cierta canción popular de procedencia andaluza. ‖ **agria.** *C. Rica.* Nombre de varias especies de plantas, de la familia de las cingiberáceas, cuyo jugo, extraído por maceración e infusión, se usa en medicina como diurético. ‖ **amarga.** Planta gramínea de la América tropical, con tallos derechos, de unos dos metros de altura, hojas prolongadas y aserradas finamente, y flores unisexuales en panojas ramosísimas y difusas. ‖ **borde.** Especie de carrizo, cuyos tallos alcanzan mayores dimensiones. ‖ **brava.** *Col., C. Rica, Hond., Perú* y *Venez.* Gramínea silvestre muy dura, con cuyos tallos se hacen tabiques y se emplean en los tejados para sostener las tejas. ‖ **danta.** *C. Rica.* Nombre de una variedad de palmera. ‖ **de azúcar.** Planta gramínea, originaria de la India, con el tallo leñoso, de unos dos metros de altura, hojas largas, lampiñas, y flores purpúreas en panoja piramidal; el tallo está lleno de un tejido esponjoso y dulce, del que se extrae azúcar. ‖ **de Batavia.** Planta gramínea, de unos tres metros de altura, con el tallo de color de violeta, nudos vellosos, hojas de color verde oscuro y jugo abundante, acuoso y poco azucarado. ‖ **de Bengala. caña de la India.** ‖ **de Castilla.** *Col.* **caña de azúcar.** ‖ **de cuentas. cañacoro.** ‖ **de Indias. cañacoro.** ‖ **de la India. rota[3].** ‖ **del ancla.** *Mar.* Parte comprendida entre la cruz y el arganeo. ‖ **del pulmón. tráquea** del aparato respiratorio del hombre. ‖ **del timón.** *Mar.* Palanca encajada en la cabeza del timón y con la cual se maneja. ‖ **de pescar.** La que sirve para pescar y lleva en el extremo más delgado una cuerda de la que pende el sedal con el anzuelo. ‖ **de vaca.** Hueso de la pierna de la vaca. ‖ **2.** Tuétano de este hueso. ‖ **dulce. caña de azúcar.** ‖ **espina.** Especie de bambú, cuyo tallo, de nudos espinosos, llega a 30 metros de altura y 18 centímetros de diámetro; sus hojas son ensiformes y ásperas en los bordes. ‖ **hueca.** *C. Rica.* **caña,** planta gramínea. ‖ **melar. caña de azúcar.** ‖ **correr cañas.** fr. Hacer fiesta a caballo en que se arrojaban las **cañas.** ‖ **dar** o **meter, caña.** fr. y fig. y fam. *Esp.* Pegar, golpear, vapulear. ‖ **2.** fig. y fam. Incitar, provocar, excitar. ‖ **jugar** a alguien **a las cañas.** fr. fig. Acañaverearle. ‖ **ser** alguien **brava, buena,** o **linda, caña de pescar.** fr. fig. y fam. p. us. Ser muy astuto o taimado.

cañabota. f. Tiburón de hasta 5 metros de largo, con seis aberturas branquiales a cada lado de la cabeza.

cañabrava. f. *Amér.* **caña brava.**

cañacoro. (De *caña* y *ácoro.*) m. Planta herbácea de la familia de las cannáceas, de metro y medio de altura, con grandes hojas aovadas y espigas de flores encarnadas. El fruto es una cápsula llena de muchas semillas globosas de que se hacen cuentas de rosario, y servían a los indios en lugar de balas.

cañada[1]. (Del lat. *canna,* caña.) f. Espacio de la tierra entre dos alturas poco distantes entre sí. ‖ **2.** Vía para los ganados trashumantes, que debía tener noventa varas de ancho. ‖ **3. caña de vaca,** tuétano del hueso de la pierna de la vaca. ‖ **4. medula,** sustancia grasa del interior de los huesos. ‖ **5.** *Sal.* Tributo que pagaban los ganaderos a los guardas del campo por el paso de los ganados por el cordel o **cañada.** ‖ **6.** *Argent., Par.* y *Urug.* Terreno bajo entre lomas, cuchillas o sierras, bañado de agua a trechos o en toda su extensión, y con vegetación propia de tierras húmedas. ‖ **real cañada. cañada,** vía para los ganados.

cañada[2]. (Del lat. *canna,* medida.) f. En Asturias y en algunas partes de Aragón, cierta medida de vino.

cañadilla. f. Molusco gasterópodo marino comestible, con la concha provista de numerosas espinas y prolongada en un tubo largo y estrecho. De él extraían los antiguos el tinte púrpura.

cañado. m. Medida para líquidos usada en Galicia, equivalente a unos 37 litros aproximadamente.

cañadón. m. aum. de **cañada,** espacio de tierra entre dos alturas. ‖ **2.** *And.* y *Ar.* Cañada[1] honda. ‖ **3.** *Argent., Cuba* y *Urug.* Cauce antiguo y profundo entre dos lomas o sierras.

cañaduz. (Del lat. *canna,* caña, y *duz.*) f. *And.* y *Col.* **caña de azúcar.**

cañaduzal. (De *cañaduz.*) m. *And., Col., Cuba* y *Filip.* **cañamelar.**

cañafístola. f. **cañafístula.**

cañafístula. (De *caña* y *fístula,* tubo, cañón.) f. Árbol de la familia de las papilionáceas, de unos 10 metros de altura, con tronco ceniciento y hojas compuestas, flores amarillas en racimos colgantes, y por fruto vainas cilíndricas de color pardo, que contienen una pulpa negruzca y dulce que se usa en medicina. ‖ **2.** Fruto de este árbol.

cañaheja. (De *cañaherla.*) f. Planta umbelífera, de unos dos metros de altura, con raíces crasas, tallo recto, cilíndrico, hueco y ramoso, hojas divididas en tiras muy delgadas y flores amarillas; por incisiones hechas en la base se saca una gomorresina parecida al sagapeno. ‖ **2.** Tallo principal de esta planta después de cortado y seco. ‖ **hedionda. tapsia.**

cañaherla. (Del lat. *canna ferŭla.*) f. **cañaheja,** planta umbelífera.

cañahierla. f. ant. **cañaherla.**

cañahuatal. m. Terreno plantado de cañahuates.

cañahuate. m. Árbol de Colombia, especie de guayaco.

cañahueca. com. fig. Persona habladora y que no guarda secreto. ‖ **2.** f. *Bol.* **cañaheja.**

cañaílla. f. *Cád.* **cañadilla.**

cañajelga. (De *cañaherla.*) f. **cañaheja.**

cañal. (De *caña.*) m. **cañaveral.** ‖ **2.** Cerco de cañas que se hace en los ríos para pescar. ‖ **3.** Canal pequeño que se hace al lado de algún río para que entre la pesca y se pueda recoger con facilidad y abundancia. ‖ **4.** ant. **cañería.** ‖ **5.** ant. Caño del agua.

cañaliega. f. **cañal,** cerco de cañas.

cáñama. f. Repartimiento de cierta contribución, que se hacía unas veces a proporción del haber y otras por cabezas. ‖ **2.** V. **casa cáñama.**

cañamar. m. Sitio sembrado de cáñamo.

cañamazo. (Del lat. **cannabacĕus,* de *cannăbum,* cáñamo.) m. Estopa de cáñamo. ‖ **2.** Tela tosca de cáñamo. ‖ **3.** Tela de tejido ralo, dispuesta para bordar en ella con seda o lana de colores. ‖ **4.** La misma tela después de bordada. ‖ **5.** *Cuba.* Planta silvestre, gramínea, permanente y muy común, que comen los animales.

cañamelar. (De *cañamiel.*) m. Plantío de cañas de azúcar.

cañameño, ña. adj. Hecho con hilo de cáñamo.

cañamero[1]. (De *cáñamo.*) m. *Ál.* **verderón[1].**

cañamero[2], ra. adj. Perteneciente o relativo al cáñamo. *Industria* CAÑAMERA *de Tarrasa.*

cañamiel. (Del lat. *canna,* caña, y *mel,* miel.) f. **caña melar.**

cañamiza. (De *cáñamo.*) f. **agramiza,** desperdicio de la caña del cáñamo o lino.

cáñamo. (Del lat. *cannăbum,* por *cannăbis.*) m. Planta anual, de la familia de las cannabáceas, de unos dos metros de altura, con tallo erguido, ramoso, áspero, hueco y velloso, hojas lanceoladas y opuestas, y flores verdosas. ‖ **2.** Filamento textil de esta planta. ‖ **3.** Lienzo de **cáñamo.** ‖ **4.** Por sinécdoque, suele tomarse por alguna de varias cosas que se hacen de **cáñamo,** como la honda, la red, la jarcia, etc. ‖ **5.** *Amér.* Nombre que se da a varias plantas textiles. ‖ **6.** *C. Rica, Chile* y *Hond.* Bramante[2] de **cáñamo.** ‖ **de Manila.** Filamento del abacá. ‖ **indico.** Variedad de cultivo del **cáñamo** común, de menor talla y peor calidad textil, pero con mucho mayor concentración del alcaloide que segregan los pelos de sus hojas, principalmente en las sumidades floridas de los pies femeninos. Tiene propiedades estupefacientes e hipnóticas. V. **grifa, hachís** y **mariguana** o **marihuana.**

cañamón. (De *cáñamo.*) m. Simiente del cáñamo, con núcleo blanco, redondo, más pequeño que la pimienta y cubierto de una corteza lisa de color gris verdoso. Se emplea principalmente para alimentar pájaros.

cañamonado, da. (De *cañamón.*) adj. *And.* Dícese de algunas aves que tienen plumas de color verdoso como el cañamón.

cañamoncillo. (De *cañamón.*) m. Arena muy fina que sirve para mezclas en tierras y argamasas.

cañamonero, ra. m. y f. Persona que vende cañamones.

cañar. m. Cañaveral. ‖ **2.** Cerco de cañas en los ríos para que entre la pesca.

cañareja. f. **cañaheja.**

cañarí. (De *caña.*) adj. *And.* Dícese de lo que es hueco como caña.

cañariega. (De *cañar.*) f. *Sal.* Canal que se abre en las pesqueras de los molinos, para repartir el agua e impedir que la arena se acumule en un solo sitio.

cañariego, ga. (De *cañada.*) adj. Aplícase al pellejo de la res lanar que se muere en las cañadas. ‖ **2.** Dícese también de los hombres, perros y caballerías que van con los ganados trashumantes.

cañarroya. (De *caña* y *royo.*) f. **parietaria.**

cañavera. (Del lat. *canna vera,* caña verdadera.) f. **carrizo,** planta.

cañaveral. (De *cañavera.*) m. Sitio poblado de cañas o cañaveras. ‖ **2.** Plantío de cañas. ‖ **recorrer** alguien **los cañaverales.** fr. fig. y fam. Andar de casa en casa, buscando dónde le den algo.

cañaverar. tr. ant. **cañaverear.**

cañaverear. (De *cañavera.*) tr. **acañaverear.**

cañavería. (De *cañaverero.*) f. Paraje donde se vendían cañas.

cañaverero. (De *cañavera.*) m. El que vendía cañas.

cañazo. m. Golpe dado con una caña. ‖ **2.** *Amér.* **aguardiente de caña.** ‖ **3.** *Cuba.* Herida o golpe que se da el gallo de pelea, o le dan, en las cañas o piernas. ‖ **dar cañazo** a alguien fr. fig. y fam. Dejarle entristecido o pensativo. ‖ **darse cañazo.** fr. fig. y fam. *Cuba.* Engañarse, chasquearse.

cañear. (De *caña.*) intr. Beber cañas de manzanilla o de cerveza.

cañedo. (Del lat. *cannētum.*) m. **cañaveral.**

cañeo. m. Acción de cañear.

cañera. f. **cañero[2],** utensilio para sujetar las cañas de vino.

cañería. f. Conducto formado de caños por donde se distribuyen las aguas o el gas.

cañerla. f. **cañaherla.**

cañero[1]. (De *caño.*) m. El que hace cañerías. ‖ **2.** El que tiene por oficio cuidarlas.

cañero[2], ra. (De *caña.*) adj. Perteneciente o relativo a la caña de azúcar. ‖ **2.** m. *And.* Utensilio en forma de doble bandeja, con agujeros en la parte superior para sujetar las cañas o vasos del vino de manzanilla al servirlos. ‖ **3.** *Extr.* Pescador de caña. ‖ **4.** *Cuba.* Vendedor de caña dulce. ‖ **5.** *And.* y *Hond.* El que tiene hacienda de caña de azúcar y destila el aguardiente. ‖ **6.** *Col.* y *C. Rica.* Cultivador de caña de azúcar. ‖ **7.** *Méj.* Lugar en que se deposita la caña en los ingenios.

cañeta. (d. de *caña.*) f. **carrizo,** planta.

cañete. m. d. de **caño.** ‖ **2.** V. **ajo cañete.**

cañí. adj. De raza gitana. Ú. t. c. s.

cañiceras. (De *caña.*) f. pl. *Sal.* Polainas de vaqueta que protegen toda la pierna hasta el tobillo.

cañifla. f. *C. Rica* y *Hond.* El brazo o pierna flacos o enjutos.

cañiherla. f. ant. **cañerla.**

cañihua. f. *Perú.* Especie de mijo que sirve de alimento a los indios y con el cual, fermentado, se hace chicha.

cañihueco. (De *caña* y *hueco.*) adj. V. **trigo cañihueco.**

cañilavado, da. (De *caña* y *lavado*, p. p. de *lavar.*) adj. Aplícase a los caballos y mulas que tienen las canillas delgadas.

cañilero. (De *cañirla.*) m. *Sal.* **saúco,** arbusto.

cañilla. (De *caña.*) f. *Chile.* Palo o cañita en que se envuelve el hilo de las cometas.

cañillera. f. **canillera.**

cañinque. adj. *Amér.* **enclenque.**

cañirla. m. **cañerla.**

cañista. (De *caña.*) com. Persona que hace cañizos. ‖ **2.** m. El que tiene por oficio colocarlos en las obras.

cañivano. (De *caña* y *vano.*) adj. **cañihueco.**

cañivete. (De *canivete.*) m. ant. Cuchillo pequeño.

cañiza. (Del lat. *cannicĭa.*) adj. V. **madera cañiza.** ‖ **2.** f. Especie de lienzo. ‖ **3.** *León* y *Sal.* Conjunto de cañizos unidos entre sí por medio de pielgas, que sirve para formar corraliza o redil en que se encierran las ovejas en el campo.

cañizal. m. **cañizar.**

cañizar. (De *cañiza.*) m. **cañaveral.**

cañizo. (Del lat. *cannicĭus*, de *canna*, caña.) m. Tejido de cañas y bramante o tomiza que sirve para camas en la cría de gusanos de seda, armazón en los toldos de los carros, sostén del yeso en los cielos rasos, etc. ‖ **2.** *Sal.* **cancilla.** ‖ **3.** Timón del trillo.

caño. (De *caña.*) m. Tubo corto de metal u otro material, particularmente el que forma, junto con otros, las tuberías. ‖ **2. albañal,** conducto de desagüe. ‖ **3.** Tubo por donde sale un chorro de agua u otro líquido, principalmente el de una fuente. ‖ **4.** El mismo chorro. ‖ **5.** En el órgano, conducto del aire que produce el sonido. ‖ **6.** Cueva donde se enfría el agua. ‖ **7.** En las bodegas, subterráneos donde están las cubas. ‖ **8.** Galería de mina. ‖ **9.** En las marismas, brazo de agua poco profundo. ‖ **10.** ant. Mina o camino subterráneo para comunicarse de una parte a otra. ‖ **11.** *Ar.* **vivar** de conejos. ‖ **12.** *Mar.* Canal angosto, aunque navegable, de un puerto o bahía. ‖ **13.** *Mar.* **canalizo.** ‖ **de escape.** *Argent.* y *Par.* Tubo de escape.

cañocal. adj. *Mar.* Dícese de la madera que se abre o raja fácilmente.

cañocazo. adj. ant. V. **lino cañocazo.**

cañón. (aum. de *caño.*) m. Pieza hueca y larga, a modo de caña. CAÑÓN *de escopeta, de órgano, de anteojo, de fuelle, de chimenea.* ‖ **2.** En los vestidos, parte que por su figura o doblez imita de algún modo al **cañón,** como, por ejemplo, ciertos pliegues de las togas, los de una clase de planchado que se llama encañonado, etc. ‖ **3. cálamo,** parte hueca de la pluma. ‖ **4.** Pluma del ave cuando empieza a nacer. ‖ **5.** Pluma de ave con que se escribía. ‖ **6.** Lo más recio, inmediato a la raíz, del pelo de la barba. ‖ **7.** Pieza de artillería, de gran longitud respecto a su calibre, destinada a lanzar balas, metralla o cierta clase de proyectiles huecos. Tiene diferentes denominaciones, según el uso a que se le destina o el lugar que ocupa, como **cañón** de batir, de campaña, de montaña, de crujía, etc. ‖ **8.** Pieza de la antigua armadura, que pertenecía al brazal y se unía a él por la parte superior. ‖ **9.** Cada uno de los dos hierros redondos que, unidos por el desveno o enlazados por un anillo, componen la embocadura de los frenos de los caballos. ‖ **10.** Cencerro algo más pequeño que la zumba. ‖ **11.** Paso estrecho o garganta profunda entre dos altas montañas, por donde suelen correr los ríos. ‖ **12.** Foco de luz concentrada usado en artes escénicas. ‖ **13.** V. **cabo, carne, pólvora de cañón.** ‖ **14.** V. **bóveda de,** o **en cañón.** ‖ **15.** *Col.* Tronco de un árbol. ‖ **16.** *Germ.* Criado de rufián. ‖ **17.** *Germ.* Soplón. ‖ **18.** *TV.* Teleobjetivo. ‖ **19.** adj. invar. *Esp.* Estupendo, fenomenal, muy bueno. Ú. m. con el verbo *estar.* ‖ **lanzacabos.** El pequeño, que sirve para disparar un proyectil especial con un cabo delgado unido a otro más grueso, por el cual, palmeándose, puedan salvarse los náufragos. ‖ **naranjero.** El que calza bala del diámetro de una naranja. ‖ **obús.** Pieza de artillería muy semejante al **cañón** ordinario, que se emplea para hacer fuego por elevación con proyectiles huecos. ‖ **rayado.** El que tiene en el ánima estrías helicoidales para aumentar su alcance.

cañonazo. m. Disparo hecho con cañón. ‖ **2.** Ruido originado por el mismo. ‖ **3.** Herida o daño producido por el disparo del cañón. ‖ **4.** En el fútbol, disparo potente a portería.

cañonear. (De *cañón.*) tr. Batir a cañonazos. Ú. t. c. prnl.

cañoneo. m. Acción y efecto de cañonear.

cañonera. f. **tronera** para disparar los cañones. ‖ **2.** Espacio en las baterías para colocar la artillería. ‖ **3.** Tienda de campaña para soldados. ‖ **4.** *Amér.* **pistolera.** ‖ **5.** *Mar.* Porta para el servicio de la artillería.

cañonería. f. Conjunto de los cañones de un órgano. ‖ **2.** Conjunto de cañones de artillería.

cañonero, ra. adj. Aplícase a los barcos o lanchas que montan algún cañón. Ú. t. c. s.

cañota. (De *caña.*) f. *Bot.* **carrizo,** planta.

cañucela. f. Caña delgada.

cañuela. f. d. de **caña.** ‖ **2.** Planta anual, gramínea, de un metro de altura, hojas anchas, puntiagudas, planas, ligeramente estriadas y panojas laxas, verdes o violáceas. ‖ **3.** *Can.* **cañilla** de la máquina tejedora. ‖ **4.** *Chile.* **cañilla.**

cañutazo. (De *cañuto.*) m. fig. y fam. Soplo o chisme.

cañutería. (De *cañuto.*) f. **cañonería,** conjunto de cañones de un órgano. ‖ **2.** Labor de oro o plata hecha con cañutillo de cristal en pasamanería.

cañutero. (De *cañuto.*) m. **alfiletero.**

cañutillo. (d. de *cañuto.*) m. Tubo pequeño de vidrio que se emplea en trabajos de pasamanería. ‖ **2.** Hilo de oro o de plata rizado para bordar. ‖ **3.** Vaina con que la langosta protege sus huevos. ‖ **4.** *Cuba.* Planta silvestre muy común, de la familia de las commelináceas, de hojas pequeñas y flores de color azul celeste. ‖ **de suplicaciones. suplicación,** barquillo en forma de canuto. ‖ **de cañutillo.** loc. adv. Uno de los modos de injertar, que se hace poniendo en contacto con el pie el trozo de rama con las yemas que han de recibir la savia y producir el nuevo árbol.

cañuto. (De *caño.*) m. En las cañas, en los sarmientos y demás tallos semejantes, parte intermedia entre nudo y nudo. ‖ **2. canuto,** tubo de longitud y grosor no muy grandes. ‖ **3.** fig. y fam. **soplón.** ‖ **4.** ant. fig. **cañutazo.** ‖ **5.** *Ar.* **cañutero.**

cao¹. (Del lat. *cavum.*) m. *Ar.* Huronera, madriguera.

cao². m. *Cuba.* y *Sto. Dom.* Ave carnívora de la familia de los córvidos, de plumaje negro y pico corvo. Se conocen dos especies, llamadas **cao montero** y **cao pinatero.**

caoba. (De or. caribe.) f. Árbol de América, de la familia de las meliáceas, que alcanza unos 20 metros de altura, con tronco recto y grueso, hojas compuestas, flores pequeñas y blancas en panoja colgante y fruto capsular, leñoso, semejante a un huevo de pava. Su madera es muy estimada para muebles. ‖ **2.** Madera de este árbol.

caobana. f. **caoba,** árbol.

caobilla. (De *caoba.*) f. *Bot.* Árbol silvestre de las Antillas, de la familia de las euforbiáceas, cuya madera es parecida a la caoba, y también imita algo al cedro por su color amarillento.

caobo. m. **caoba,** árbol.

caolín. (Del chino *kaoling*, alta colina, nombre del lugar donde se encontró, a través del fr. *kaolin.*) m. Arcilla blanca muy pura que se emplea en la fabricación de porcelanas, aprestos y medicamentos.

caolinización. f. *Geol.* Transformación de los feldespatos y de otros silicatos en caolín, por la acción meteorológica.

caos. (Del lat. *chaos,* y este del gr. χάος, abertura.) m. Estado amorfo e indefinido que se supone anterior a la constitución del cosmos. ‖ **2.** fig. Confusión, desorden.

caostra. f. ant. **claustro,** galería de iglesia o convento.

caótico, ca. adj. Perteneciente o relativo al caos.

cap. (Cf. cat. *cap,* cabeza.) m. *Ar.* Cabeza principal. ‖ **2.** V. **jurado en cap.**

capa. (Del lat. *cappa,* especie de tocado de cabeza.) f. Prenda de vestir larga y suelta, sin mangas, abierta por delante, que se lleva sobre los hombros encima del vestido. ‖ **2.** Lo que cubre o baña alguna cosa. *Una* CAPA *de nieve, de pintura, de azúcar.* ‖ **3.** Zona superpuesta a otra u otras, con las que forma un todo. CAPAS *de la atmósfera, de la sociedad.* ‖ **4.** Hoja tersa de tabaco que es envoltura superior del cigarro puro. ‖ **5.** Cubierta con que se preserva de daño una cosa. ‖ **6.** Color. Dicho de los caballos y otros animales. ‖ **7. paca,** mamífero roedor. ‖ **8.** V. **veinticuatreno, veintidoseno de capas.** ‖ **9.** ant. En las aves, plumaje que cubre el lomo. ‖ **10.** fig. Pretexto o apariencia con que se encubre una cualidad, una falta o una razón. *A veces los vicios se disimulan con* CAPA *de virtud.* ‖ **11.** fig. **encubridor.** CAPA *de ladrones.* ‖ **12.** fig. Caudal, hacienda. ‖ **13.** *Germ.* **noche,** tiempo en que falta la claridad del sol. ‖ **14.** *Blas.* División del escudo abierto en pabellón desde la mitad del jefe hasta la de los flancos. ‖ **15.** *Com.* Cantidad que percibe el capitán de una nave, y se hace constar en la póliza de fletamento. ‖ **16.** *Fort.* Especie de revestimiento que se hace con tierra y tepes sobre el talud del parapeto en las obras de campaña, para disimularlas y dar consistencia a las tierras de que están formadas. ‖ **17.** *Geol.* **estrato** de los terrenos. ‖ **aguadera.** La que se hace de tela impermeable. ‖ **2.** *Mar.* Trozo de lona embreada que rodea al palo de un buque en la parte próxima a la cubierta, y que se clava a esta para impedir que entre el agua por la fogonadura. ‖ **consistorial. capa magna.** ‖ **de coro.** La que usan las dignidades, canónigos y demás prebendados de las iglesias catedrales y colegiales para asistir en el coro a los oficios divinos y horas canónicas y para otros actos capitulares. ‖ **2.** Prebendado de alguna iglesia catedral o colegial. ‖ **del cielo.** fig. El mismo cielo, que cubre todas las cosas. ‖ **de rey.** Especie de lienzo que se usaba antiguamente. ‖ **2. papagayo,** planta amarantácea. ‖ **española.** La de hombre, de paño, de amplio vuelo, usualmente con los bordes delanteros forrados de terciopelo. ‖ **gascona. capa aguadera.** ‖ **inversora.** *Astron.* Zona media de la envoltura gaseosa del Sol, formada por gases incandescentes que tienen la propiedad de invertir el espectro, haciendo brillantes sus rayas. ‖ **magna.** La que se ponen los arzobispos y obispos para asistir, en el coro de sus iglesias, a los oficios divinos y otros actos capitulares. ‖ **negra.** fig. V. **gente, hombre de capa negra.** ‖ **parda.** fig. V. **gente de capa parda.** ‖ **pigmentaria.** La más profunda de la epidermis, formada por las células que contienen el pigmento. ‖ **pluvial.** La que se ponen principalmente los prelados y los prestes en actos del culto divino. Lleva una cenefa ancha en los bordes delanteros y capillo o escudo por la espalda. ‖ **rota.** fig. y fam. Persona que se envía disimuladamente para algún negocio de consideración. ‖ **torera.** La que usan los toreros para su oficio. ‖ **2. capa** corta y airosa propia de la gente joven, muy señaladamente en Andalucía. ‖ **andar de capa caída.** fr. fig. y fam. Padecer gran decadencia en bienes, fortuna o salud. ‖ **a so capa.** loc. adv. Secretamente, con soborno. ‖ **de capa y espada.** loc. adv. V. **comedia, consejero, hombre, ministro, plaza de capa y espada.** ‖ **de capa y gorra.** loc. adv. fig. y fam. Con traje de llaneza y confianza. ‖ **defender a capa y espada** a una persona o cosa. fr. fig. Patrocinarla a todo trance. ‖ **defender** alguien su **capa.** fr. fig. y fam. Velar por su hacienda o derecho. ‖ **dejar la capa al toro.** fr. fig. y fam. Perder algo por salvarse de otro peligro mayor. ‖ **derribar la capa.** fr. Echarla hacia la espalda, desembarazando la acción de brazos y piernas. ‖ **de so capa.** loc. adv. ant. **a so capa.** ‖ **echar** uno **la capa** a otro. fr. fig. Ocultar sus defectos, ampararlo. ‖ **echar la capa al toro.** fr. fig. y fam. Intervenir en asunto que interesa a otro, para favorecerle. ‖ **esperar, estar,** o **estarse, a la capa.** fr. *Mar.* **capear.** ‖ **2.** fig. Guardar reserva, observando y esperando una ocasión favorable para algún fin. ‖ **guardar** alguien su **capa.** fr. fig. y fam. **defender** alguien su **capa.** ‖ **hacer** alguien **de** su **capa un sayo.** fr. fig. y fam. Obrar alguien según su propio albedrío y con libertad en cosas o asuntos que a él solo pertenecen o atañen. ‖ **hacer** a alguien **la capa.** fr. fig. y fam. Encubrirlo. ‖ **ir de capa caída.** fr. fig. y fam. **andar de capa caída.** ‖ **no tener más que la capa en el hombro.** fr. fig. y fam. Estar muy pobre. ‖ **pasear la capa.** fr. fig. y fam. **callejear.** ‖ **ponerse a la capa.** fr. *Mar.* **capear.** ‖ **quitar** a alguien **la capa.** fr. fig. y fam. Robarle, cobrarle con título de derechos más de lo lícito y justo. ‖ **sacar la capa.** fr. En la lidia, desviar del cuerpo al toro con la **capa,** pasándola con limpieza por encima de este. ‖ **sacar** alguien **la capa,** o su **capa.** fr. fig. Justificarse o argüir bien en algún trance apretado. ‖ **salir** alguien **de capa de raja.** fr. fig. y fam. Pasar de trabajos y miserias a mejor fortuna. ‖ **so capa de.** loc. prepos. Con pretexto de. ‖ **soltar la capa.** fr. fig. **dejar la capa al toro.** ‖ **tirar** a alguien **de la capa.** fr. fig. y fam. Advertirle de algún mal, defecto o peligro, para que no caiga en él.

capá. (De or. americano.) m. Árbol de las Antillas, de la familia de las borragináceas, cuya madera es de mucho uso en la construcción de buques, porque no la ataca la broma[1].

capacear. intr. ant. *Ar.* Detenerse con frecuencia en la calle para hablar con las personas. ‖ **2.** tr. *Murc.* Transportar en capazos[1].

capaceta. f. *Sal.* Capa de hojas anchas, como de parra o de higuera, con que se cubren los cestos en que se transporta la fruta.

capacete. (Del fr. *cabasset.*) m. Pieza de la armadura, que cubría y defendía la cabeza. ‖ **2.** *Cuba.* Pieza de paño que cubría por delante el quitrín o volante para resguardar, a los que ocupaban el asiento, del sol, del polvo o de la lluvia.

capacidad. (Del lat. *capacĭtas, -ātis.*) f. Propiedad de una cosa de contener otras dentro de ciertos límites. CAPACIDAD *de una vasija, de un local.* ‖ **2.** Aptitud, talento, cualidad que dispone a alguien para el buen ejercicio de algo. ‖ **3.** desus. fig. Oportunidad, lugar o medio para ejecutar alguna cosa. ‖ **4.** *Der.* Aptitud legal para ser sujeto de derechos y obligaciones, o facultad más o menos amplia de realizar actos válidos y eficaces en derecho. ‖ **5.** *Fís.* Referido a un condensador eléctrico, cociente que resulta de dividir la carga de una de las armaduras por la diferencia de potencial existente entre ambas cuando es despreciable la influencia de cualquier otro conductor.

capacitación. f. Acción y efecto de capacitar o capacitarse.

capacitar. tr. Hacer a alguien apto, habilitarlo para alguna cosa. Ú. t. c. prnl.

capacha. f. **capacho,** media sera de esparto. ‖ **2.** Esportilla de palma para llevar fruta y otras cosas menudas. ‖ **3.** fig. y fam. Orden de San Juan de Dios, cuyos religiosos en un principio recogían en **capachas** la limosna que pedían para los pobres.

capachada. f. *Chile.* Lo que cabe en un capacho o capacha.

capachero, ra. m. y f. Persona que tiene por oficio fabricar o vender capachos. ‖ **2.** m. El que se ocupa en portear en capachos alguna mercadería.

capacho. (De *capazo.*) m. Espuerta de juncos o mimbres que suele servir para llevar fruta. ‖ **2. capazo**[1], espuerta acondicionada como cuna. ‖ **3.** Media sera de esparto con que se cubren los cestos de frutas y las seras del carbón y donde suelen comer los bueyes. ‖ **4.** Especie de espuerta de cuero o de estopa muy recia, en que los albañiles llevan la mezcla de cal y arena desde el montón para la obra. ‖ **5.** En las almazaras, sera redonda de esparto que se llena con la aceituna ya molida para prensarla. ‖ **6. chotacabras,** pájaro. ‖ **7.** Planta tropical del género del cañacoro y de fruto comestible. ‖ **8.** fig. y fam. Religioso de la orden de San Juan de Dios. ‖ **9.** *Venez.* Planta de la familia de las cannáceas, cuya raíz es comestible y de uso en medicina. Hay dos variedades: una blanca y otra morada. ‖ **10.** *Venez.* Raíz de esta planta.

capadillo. m. ant. Especie de chilindrón o parte de él.

capadocio, cia. adj. Natural de Capadocia. Ú. t. c. s. ‖ **2.** Perteneciente o relativo a esta región de Asia Menor.

capador. m. El que tiene el oficio de capar. ‖ **2. castrapuercas.**

capadura. f. Acción y efecto de capar. ‖ **2.** Cicatriz que queda al castrado. ‖ **3.** Hoja de tabaco de calidad inferior, que se emplea para picadura y alguna vez para tripas.

capanga. (Voz del port. brasileño.) m. *NE.* de la *Argent.* Guardaespaldas.

capar. (De *capón*[1].) tr. Extirpar o inutilizar los órganos genitales. ‖ **2.** fig. y fam. Disminuir o cercenar.

caparaaroch. m. Ave de rapiña de las nocturnas, que vive en América.

caparazón. (Del prov. *capairon.*) m. Cubierta que se pone al caballo que va de mano para tapar la silla y aderezo, y también la de cuero con que se preserva de la lluvia a las caballerías de tiro. ‖ **2.** Cubierta que se pone encima de algunas cosas para su defensa. ‖ **3.** Serón que contiene el pienso y se cuelga de la cabeza de la caballería. ‖ **4.** Esqueleto torácico del ave. ‖ **5.** Cubierta dura, de distinta naturaleza según los casos, que protege el cuerpo de ciertos animales, como protozoos, crustáceos y quelonios.

caparidáceo, a. (De *Cappăris,* nombre de un género de plantas.) adj. *Bot.* Dícese de plantas angiospermas dicotiledóneas, herbáceas o arbóreas, sin látex, con hojas simples o compuestas, flores actinomorfas o cigomorfas y fruto en baya o silicua; como la alcaparra. Ú. t. c. s. ‖ **2.** f. pl. *Bot.* Familia de estas plantas.

caparídeo, a. (Del lat. *cappăris,* alcaparra.) adj. *Bot.* **caparidáceo.**

caparina. f. *Ast.* **mariposa,** insecto lepidóptero.

caparra[1]. (Del lat. **crabrus,* der. regres. de *crabro, -ōnis,* tábano.) f. En algunas partes, **garrapata,** ácaro que chupa la sangre. ‖ **2.** fig. y fam. *Ar.* Persona pesada en su conversación o advertencias.

caparra[2]. (Del it. *caparra,* de *capo,* cabeza, y *-arra.*) f. **señal,** cantidad que se adelanta en algunos contratos.

caparra[3]. f. *Ar.* **alcaparra.**

caparro. m. *Perú* y *Venez.* Mono lanoso de pelo blanco.

caparrón. (De *caparra*[3].) m. Botón que sale de la yema de la vid o del árbol. ‖ **2.** *Ál.* Alubia más corta y gruesa que la común. ‖ **3.** *Rioja.* Judía de vainas sin briznas y de semilla corta y redondeada. ‖ **4.** *Rioja.* Fruto o semilla de esta planta.

caparrós. m. *Ar.* **caparrosa.**

caparrosa. (De or. inc.; cf. fr. *couperose.*) f. Nombre común a varios sulfatos nativos de cobre, hierro o cinc. ‖ **azul.** Sulfato cúprico. Se emplea en medicina y tintorería. ‖ **blanca.** Sulfato de cinc. ‖ **roja.** Variedad de la verde, roja o amarilla de ocre. ‖ **verde.** Sulfato ferroso. Se usa en tintorería.

capasurí. m. *C. Rica.* Venado que tiene los cuernos cubiertos por la piel.

capataz. (Del lat. *caput, -ĭtis,* cabeza.) m. El que gobierna y vigila a cierto número de trabajadores. ‖ **2.** Persona a cuyo cargo está la labranza y administración de las haciendas de campo. ‖ **3.** En las casas de moneda, el encargado de recibir el metal marcado y pesado para las labores. ‖ **de cultivo.** Persona de conocimientos prácticos para auxiliar a los ingenieros agrónomos y a los de montes.

capataza. f. Mujer que desempeña las funciones del capataz. ‖ **2.** Mujer del capataz.

capaz. (Del lat. *capax, -ācis.*) adj. Que tiene ámbito o espacio suficiente para recibir o contener en sí otra cosa. ‖ **2.** Grande o espacioso. ‖ **3.** fig. Apto, con talento o cualidades para una cosa determinada. ‖ **4.** *Der.* Apto legalmente para una cosa. ‖ **ser capaz de todo.** fr. Ser audaz, atrevido, arriesgado. ‖ **es capaz que.** loc. *Amér.* Es posible, puede ser.

capaza. (De *capazo*[1].) f. *Ar.* y *Murc.* **capacho,** seroncillo de esparto. ‖ **2.** *Sal.* **capaceta.**

capazmente. adv. m. Con capacidad, con anchura.

capazo[1]. (Del lat. *capax, -ācis,* capaz.) m. Espuerta grande de esparto o de palma. ‖ **2.** Espuerta acondicionada como cuna, frecuentemente encajada en una armazón con ruedas que facilitan su desplazamiento.

capazo[2]. m. Golpe dado con la capa. ‖ **acabarse, o salir, a capazos.** fr. fig. y fam. Parar una reunión en desavenencia o riña.

capazón. f. Acción de capar los machos del ganado.

capción. (Del lat. *captĭo, -ōnis.*) f. **captación.** ‖ **2.** *Der.* **captura.**

capcionar. (De *capción.*) tr. ant. *Der.* **capturar**

capciosidad. f. Calidad de capcioso.

capcioso, sa. (Del lat. *captiōsus.*) adj. Dícese de las palabras, doctrinas, proposiciones, etc., falaces o engañosas. ‖ **2.** Dícese de las preguntas, argumentaciones, sugerencias, etc., que se hacen para arrancar al contrincante o interlocutor una respuesta que pueda comprometerlo, o que favorezca propósitos de quien las formula.

capdal. (Del lat. *capitālis,* capital.) adj. ant. **cabdal.** ‖ **2.** ant. V. **camino capdal.**

capea. f. Acción de capear al toro. ‖ **2.** Lidia de becerros o novillos por aficionados.

capeada. f. *Guat.* Acción de capear o hacer novillos un estudiante.

capeadera. f. *Guat.* Capeada reiterada.

capeador, ra. adj. Decíase del que capeaba o robaba la capa. Ú. m. c. s. m. ‖ **2.** Dícese de la persona diestra en dar lances de capa. Ú. m. c. s. ‖ **3.** m. y f. *Guat.* Estudiante o escolar que capea o hace novillos.

capear. tr. Despojar a alguien de la capa, especialmente en poblado y de noche. ‖ **2.** Hacer suertes con la capa al toro o novillo. ‖ **3.** fig. y fam. Entretener a alguien con engaños o evasivas. ‖ **4.** fig. y fam. Eludir mañosamente un compromiso o un trabajo desagradable. ‖ **5.** *Guat.* Entre escolares y estudiantes, faltar a sus clases sin motivo justificado, a espaldas de sus padres o tutores. ‖ **6.** *Mar.* Disponer las velas de modo que la embarcación ande poco. ‖ **7.** *Mar.* Mantenerse sin retroceder más de lo inevitable cuando el viento es duro y contrario. ‖ **8.** *Mar.* Sortear el mal tiempo con adecuadas maniobras.

capeja. f. despect. Capa pequeña o mala.

capel. (Del cat. *capell.*) m. *Ar.* Capullo del gusano de seda.

capelán. m. Pez de la familia de los salmónidos, de color verde oscuro por el lomo, con aletas grises orilladas de negro. Vive en los mares septentrionales y se utiliza generalmente como cebo para la pesca del abadejo.

capelardente. (Del lat. **capella*, capilla, y *ardens, -entis*, ardiente.) f. ant. **capilla ardiente.**

capelete. (Del it. *cappelletto.*) m. Tocado alto, usado especialmente por albaneses y turcos. ‖ **2. capuleto.**

capelina. f. *Cir.* **capellina,** vendaje en forma de gorro.

capelo. (Del it. *cappello.*) m. Sombrero rojo, insignia de los cardenales. ‖ **2.** fig. Dignidad de cardenal. *El Papa dio el* CAPELO; *vacó el* CAPELO. ‖ **3.** Cierto derecho que los obispos percibían del estado eclesiástico. ‖ **4.** ant. **sombrero,** prenda de la cabeza de copa y ala. ‖ **5.** *Amér.* **fanal,** campana de cristal. ‖ **6.** *Blas.* Timbre del escudo de los prelados, consistente en el sombrero forrado de gules y los cordones pendientes con 15 borlas, en los cardenales; sombrero de sinople para los arzobispos y obispos, y negro o sable para los abades. Las borlas de los cordones son 10 para los primeros y 6 y 3 en los demás. ‖ **de doctor.** *Amér.* **capirote,** muceta con capillo.

capellada. (De *capilla.*) f. **puntera,** contrafuerte que se pone en la punta del zapato. ‖ **2.** Remiendo que se echa en la pala a los zapatos rotos. ‖ **3. pala** del calzado. ‖ **4.** V. **tabla de capellada.**

capellán. (Probablemente del prov. *capelán.*) m. El que obtiene alguna capellanía. ‖ **2.** Cualquier eclesiástico, aunque no tenga capellanía. ‖ **3.** Sacerdote que dice misa en un oratorio privado y frecuentemente mora en la casa. ‖ **4.** V. **colegial capellán.** ‖ **5.** Pez de la familia de los gádidos, semejante a la faneca, con el hocico puntiagudo, tres aletas dorsales y la cola pequeña. Abunda en el Mediterráneo. ‖ **de altar.** El que cantaba las misas solemnes en palacio los días en que no había capilla pública. ‖ **2.** Sacerdote destinado para asistir al que celebra. ‖ **de coro.** Sacerdote sin prebenda, asistente al coro en los oficios divinos y horas canónicas. Suele tener cada uno nombre especial, como el sochantre, etc. ‖ **de honor.** El que decía misa a las personas reales en su oratorio privado y asistía a funciones de la capilla real en el banco llamado de **capellanes.** ‖ **del ejército y de la armada.** El que ejerce sus funciones en las fuerzas de mar y tierra. ‖ **mayor.** Superior de un cabildo o comunidad de **capellanes.** ‖ **mayor de los ejércitos. vicario general castrense.** ‖ **mayor del rey.** Prelado que tenía la jurisdicción espiritual y eclesiástica en palacio y en las casas y sitios reales, como también sobre los criados de S. M. Esta la ejercía el Patriarca de las Indias. ‖ **real.** El nombrado por el rey, para las capillas reales de Toledo, Sevilla, Granada, etc.

capellanía. (De *capellán.*) f. Fundación en la cual ciertos bienes quedan sujetos al cumplimiento de misas y otras cargas pías. ‖ **colativa.** La que el ordinario erige en beneficio, reservando para sí la colación. ‖ **laical.** Aquella en que no intervenía la autoridad eclesiástica.

capellar. (Del lat. **cappella*, d. de *cappa*, capa.) m. Especie de manto a la morisca que se usó en España.

capellina. (Del lat. **cappella*, d. de *cappa*, capa.) f. Pieza de la armadura que cubría la parte superior de la cabeza. ‖ **2.** Capucho usado por la gente del campo para resguardarse del agua y del aire frío. ‖ **3.** fig. Soldado de a caballo armado de **capellina.** ‖ **4.** *Cir.* Vendaje en forma de gorro. ‖ **5.** *Min.* Campana de hierro o bronce bajo la cual se colocaban en América las pellas de plata en sus vasos y hornillos para desazogarlas por destilación y afinar la plata por el fuego. ‖ **6.** *Min.* Mufla de grandes dimensiones para afinar la plata en cantidad considerable.

capeo. m. Acción de robar la capa. ‖ **2.** Acción de capear al toro. ‖ **3.** pl. **capea,** lidia de novillos por aficionados.

capeón. m. Novillo que se capea.

capero. (De *capa.*) adj. V. **tabaco capero.** ‖ **2.** m. El que en iglesias catedrales, colegiales y otras asiste al coro y al altar con capa pluvial, por días o semanas, conforme a los estatutos. ‖ **3. cuelgacapas.**

caperol. m. *Mar.* Extremo superior de cualquier pieza de construcción, y especialmente el de la roda en las embarcaciones menores.

caperucear. (De *caperuza.*) tr. desus. Quitarse el sombrero, gorra o caperuza para saludar.

caperuceta. f. desus. d. de **caperuza** de la cabeza.

caperuza. (Del b. lat. *capero*, y este del lat. *cappa*, capa.) f. Bonete que remata en punta inclinada hacia atrás. ‖ **2.** Cilindro hueco de barro con que se cubría la plata mientras se desazogaba esta por medio del fuego. ‖ **3.** Pieza que cubre la salida de humo de la chimenea, protegiéndola de los accidentes atmosféricos. ‖ **4.** Cubierta de la punta o extremo de una cosa. CAPERUZA *de un bolígrafo.* ‖ **dar en caperuza** a alguien. fr. fig. y fam. Darle en la cabeza, hacerle daño, frustrarle sus designios o dejarlo cortado en la disputa. ‖ **echar caperuzas a la tarasca.** fr. con que se reprendía la ambición insaciable o la ingratitud de algunas personas.

caperuzado, da. adj. *Blas.* **capirotado.**

caperuzón. m. aum. de **caperuza** de la cabeza.

capeta. f. d. de **capa** de hombre. ‖ **2.** Capa corta y sin esclavina, que no pasa de la rodilla.

capetonada. f. Vómito violento que ataca a los europeos que pasan la zona tórrida.

capi. (De or. quechua.) m. *Amér. Merid.* **maíz.** ‖ **2.** *Bol.* Harina blanca de maíz. ‖ **3.** *Chile.* Vaina de simiente, como el fréjol, cuando está tierna.

capia. (Del quechua *qaphia*, frágil, quebradizo.) f. *N. Argent., Col.* y *Perú.* Maíz blanco y muy dulce que se emplea en la preparación de golosinas. ‖ **2.** *N. Argent.* y *Col.* Dulce o masita compuesta con harina de **capia** y azúcar. ‖ **3.** *Bol.* Harina de maíz tostado y masa hecha con esa harina.

capialzado. adj. *Arq.* Dícese del arco o dintel más levantado por uno de sus frentes para formar el derrame o declive en una puerta o ventana. Ú. t. c. s.

capialzar. (De *cap* [del lat. *caput*, cabeza], y *alzar.*) tr. *Arq.* Levantar un arco o dintel por uno de sus frentes para formar el derrame volteado sobre una puerta o ventana.

capialzo. m. *Arq.* Pendiente o derrame del intradós de una bóveda.

capiatí. (Del guaraní *captíi*, pasto, y *ati*, espina, espinoso.) m. *Argent.* Planta de uno a dos metros de altura y cuyas hojas se usan como remedio en algunas enfermedades de la boca.

capibara. f. **carpincho.**

capicatí. (Del guaraní *capií catí*, pasto oloroso.) m. Planta ciperácea americana cuya raíz, muy aromática y de sabor cálido y acre, sirve para fabricar un licor especial en el Paraguay.

capicúa. (Del cat. *cap-i-cua.*) m. En el juego del dominó, modo de ganar con una ficha que puede colocarse en cualquiera de los dos extremos. ‖ **2.** En el uso común, un número que, como 1331, es igual leído de izquierda a derecha que de derecha a izquierda. Ú. t. c. adj. invar. ‖ **3.** Por ext., billete, boleto, etc., cuyo número es **capicúa.** Ú. t. c. adj. invar.

capichola. f. Tejido de seda que forma un cordoncillo a manera de burato.

capicholado, da. adj. Semejante a la capichola.

capidengue. (De *capa* y *dengue.*) m. Especie de pañuelo o manto pequeño con que se cubrían las mujeres.

capigorra. (De *capa* y *gorra.*) m. **capigorrón,** ocioso y vagabundo.

capigorrista. adj. fam. **capigorrón,** ocioso y vagabundo. Ú. t. c. s.

capigorrón. adj. fam. Dícese del ocioso y vagabundo que andaba comúnmente de capa y gorra. Ú. t. c. s. ‖ **2.**

Decíase del que tenía órdenes menores y se mantenía así sin pasar a las mayores. Ú. t. c. s.

capiguara. (Del guaraní *capiiguá.*) m. *Amér.* **carpincho.**

capilar. (Del lat. *capillāris,* de *capillus,* cabello.) adj. Perteneciente o relativo al cabello. ‖ **2.** fig. Se aplica a los tubos muy angostos, comparables al cabello. ‖ **3.** *Fís.* Dícese de los fenómenos producidos por la capilaridad. ‖ **4.** m. *Anat.* Cada uno de los vasos muy finos que, en forma de red, enlazan en el organismo la terminación de las arterias con el comienzo de las venas.

capilaridad. f. Calidad de capilar. ‖ **2.** *Fís.* Propiedad de atraer un cuerpo sólido y hacer subir por sus paredes, hasta cierto límite, el líquido que las moja, como el agua, y de repeler y formar en su rededor un hueco o vacío con el líquido que no las moja, como el mercurio.

capilarímetro. m. *Fís.* Aparato para graduar la pureza de los alcoholes.

capilla. (Del lat. **cappella,* d. de *cappa,* capa.) f. Capucha sujeta al cuello de las capas, gabanes o hábitos. ‖ **2.** Edificio contiguo a una iglesia o parte integrante de ella, con altar y advocación particular. ‖ **3.** Cuerpo o comunidad de capellanes, ministros y dependientes de ella. ‖ **4.** Cuerpo de músicos asalariados de alguna iglesia. ‖ **5.** En los colegios, junta o cabildo que hacen los colegiales para tratar de los negocios de su comunidad. ‖ **6.** Oratorio portátil de los regimientos y otros cuerpos militares. ‖ **7.** Oratorio privado. ‖ **8.** V. **maestro de capilla.** ‖ **9.** ant. Capullo o vaina en que se cría la semilla de algunas hierbas. ‖ **10.** fig. Pequeño grupo de adictos a una persona o a una idea. Ú. m. en d., y por lo común en sent. despect. ‖ **11.** fig. y fam. Religioso regular, a diferencia del clérigo secular. ‖ **12.** *Impr.* Pliego que se entrega suelto durante la impresión de una obra. ‖ **ardiente.** La de la iglesia en que se levanta el túmulo y se celebran honras solemnes por algún difunto. Se llama ardiente por estar alumbrada con muchas luces. ‖ **2.** Oratorio fúnebre provisional donde se celebran las primeras exequias por una persona, en la misma casa en que ha fallecido. ‖ **3.** fig. Cámara donde se vela un cadáver o se le tributan honras. ‖ **mayor.** Parte principal de la iglesia, en que están el presbiterio y el altar mayor. ‖ **negra.** ant. fig. **paro carbonero.** ‖ **real.** La de regio patronato. ‖ **2.** La que tenía el rey en su palacio. ‖ **estar en capilla,** o **en la capilla.** fr. Estar el reo desde que se le notifica la sentencia de muerte hasta la ejecución, en cualquiera pieza de la cárcel dispuesta como **capilla.** ‖ **2.** fig. y fam. Hallarse alguien en el trance de pasar una prueba o de conocer el resultado de algo que le preocupa.

capillada. f. Lo que cabe en una capilla o caperuza. ‖ **2.** Golpe dado con la capilla o capucha de las prendas de vestir.

capilleja. f. d. de **capilla,** capucha de las prendas de vestir. ‖ **2.** ant. **caperuceta.**

capillejo. m. d. de **capillo,** capucha que usaban las mujeres. ‖ **2.** Especie de cofia que se usaba antiguamente. ‖ **3.** Madeja de seda, doblada y torcida en disposición de usarla para coser.

capiller. m. **capillero.** ‖ **2.** En algunas partes, muñidor de cofradía.

capillero. m. Encargado de una capilla y de lo perteneciente a ella.

capilleta. f. d. de **capilla,** edificio contiguo a la iglesia. ‖ **2. capilla,** comunidad de capellanes. ‖ **3.** Nicho o hueco en forma de capilla.

capillo. (Del lat. **cappellus,* d. de *cappa,* capa.) m. Gorrito de lienzo que se pone a los niños de pecho. ‖ **2.** Capucha y mantilla del traje popular de algunas zonas. ‖ **3.** Gorrito de tela blanca que se pone a los niños al bautizarlos. ‖ **4.** Derecho de uso del **capillo** que cobraba la iglesia en los bautizos. ‖ **5.** Paño con que se cubría la ofrenda de pan, etc., que se hacía a la iglesia. ‖ **6. capirote,** caperuza de cuero que se ponía a las aves. ‖ **7.** Refuerzo con que se ahueca la punta del zapato para que no se lastimen los dedos. ‖ **8. rocadero,** envoltura del copo de la rueca. ‖ **9.** Red con que se tapan las bocas de los vivares después de haber echado el hurón para que los conejos que salen huyendo se enreden en ella. ‖ **10.** Manga de lienzo para colar la cera. ‖ **11. capullo,** envoltura del gusano de seda y de las larvas de otros insectos. ‖ **12. capullo,** botón de las flores. ‖ **13. capullo,** prepucio. ‖ **14.** Hoja de tabaco que forma la primera envoltura de la tripa de los cigarros puros. ‖ **15.** *Sal.* Trampa, engaño. ‖ **16.** *Mar.* Cubierta de hojalata o madera con que se preservan de la humedad las bitácoras cuando están forradas de cobre. ‖ **17.** *Mar.* Pedazo de lona con que se recubren los chicotes de los obenques. ‖ **18.** pl. *Ecuad.* Puñado de monedas metálicas con que el padrino de un bautizo corresponde al grito de **¡capillos!,** que le dirigen los muchachos reunidos en el exterior de la iglesia. ‖ **capillo de hierro. capacete** de la armadura.

capilludo, da. adj. Perteneciente a la capilla o capucha de las prendas, o semejante a ella. ‖ **2.** Que tiene o usa ese tipo de capucha.

capín. m. *Amér. Merid.* Planta forrajera de la familia de las gramíneas.

capincho. m. En algunos lugares del Río de la Plata, **carpincho.**

capingo. m. Capa corta y de poco ruedo que se usó en Chile en el siglo XVIII y principios del siguiente.

capio. m. *Col.* **capia.**

capipardo. (De *capa parda.*) m. Hombre del pueblo bajo, artesano.

capirón. (Del lat. **cappero, -ōnis,* de *cappa.*) m. ant. Cubierta de la cabeza.

capirotada. (De *capirote.*) f. Aderezo hecho con hierbas, huevos, ajos y otros ingredientes para cubrir y rebozar con él otros alimentos. ‖ **2.** *Amér.* Plato criollo que se hace con carne, maíz tostado y queso, manteca y especias. ‖ **3.** desus. *Méj.* Entre el vulgo, la fosa común del cementerio.

capirotado, da. (De *capirote.*) adj. *Blas.* Dícese de cualquier figura humana o animal con caperuza, singularmente las aves de caza con el capirote puesto.

capirotazo. m. Golpe que se da, generalmente en la cabeza, haciendo resbalar con violencia, sobre la yema del pulgar, el envés de la última falange de otro dedo de la misma mano.

capirote. (De *capirón.*) adj. Dícese de la res vacuna que tiene la cabeza de distinto color que el cuerpo. ‖ **2.** m. Capucho antiguo con falda que caía sobre los hombros y a veces llegaba a la cintura. ‖ **3.** Capucho, unido a veces a la loba cerrada, que se usó como traje de luto en los siglos XVI y XVII. ‖ **4.** Muceta con capillo, del color respectivo de cada facultad, que usan los doctores en ciertos actos solemnes. ‖ **5.** Beca que usaban los colegiales militares de Salamanca. ‖ **6.** Cucurucho de cartón, cubierto de tela blanca o de color, que llevaban en la cabeza los disciplinantes en las procesiones de cuaresma. ‖ **7.** El que llevan, cubierto de holandilla negra o de otro color, los que van a las procesiones de Semana Santa tocando las trompetas o alumbrando. ‖ **8.** Caperuza de cuero que se pone a las aves de cetrería para que se estén quietas, hasta que han de volar. ‖ **9. capota**[1] de algunos carruajes. ‖ **10. capirotazo.** ‖ **11.** fam. V. **bobo, tonto de capirote.** ‖ **de colmena.** Barreño o medio cesto invertido con que se suelen cubrir las colmenas cuando tienen mucha miel.

capirotera. (De *capirote.*) f. ant. **caperuza,** bonete con punta hacia atrás.

capirotero. adj. Dícese del azor o del halcón acostumbrado al capirote.

capirucho. m. fam. **capirote,** capucho antiguo con falda sobre los hombros. ‖ **2.** *El Salv.* **boliche,** juego de niños. Tiene la forma de un cono truncado.

capisayo. m. Vestidura corta a manera de capotillo abierto, que sirve de capa y sayo. ‖ **2.** Vestidura común de los obispos. ‖ **3.** *Col.* **camiseta.**

capiscol. (Del b. lat. *capischolus.*) m. **chantre.** ‖ **2.** En algunas provincias, sochantre que rige el coro, gobernando el canto llano. ‖ **3.** *Germ.* **gallo,** ave.

capiscolía. f. Dignidad de capiscol, chantre.

capistro. (Del lat. *capistrum.*) m. *Arqueol.* Arnés con que los romanos protegían la cabeza de los caballos de batalla.

cápita. V. **per cápita.**

capitá. m. *Amér. Merid.* Pajarillo de cuerpo negro y cabeza de color rojo encendido.

capitación. (Del lat. *capitatĭo, -ōnis.*) f. Repartimiento de tributos y contribuciones por cabezas.

capital. (Del lat. *capitālis.*) adj. Tocante o perteneciente a la cabeza. ‖ **2.** En la doctrina cristiana, aplícase a los siete pecados o vicios que son cabeza u origen de otros; como la soberbia, etc. ‖ **3.** Dícese de la población principal y cabeza de un estado, provincia o distrito. Ú. t. c. s. f. ‖ **4.** fig. Principal o muy grande. Dícese solo de algunas cosas. *Enemigo, error* CAPITAL. ‖ **5.** V. **letra capital.** Ú. t. c. s. f. ‖ **6.** V. **pecado, pena capital.** ‖ **7.** m. Hacienda, caudal, patrimonio. ‖ **8.** Cantidad de dinero que se presta, se impone o se deja a censo sobre una o varias fincas. ‖ **9.** Caudal o bienes que aportaba el marido al matrimonio. ‖ **10.** Valor de lo que, de manera periódica o accidental, rinde u ocasiona rentas, intereses o frutos. ‖ **11.** *Econ.* Elemento o factor de la producción constituido por inmuebles, maquinaria o instalaciones de cualquier género, que, en colaboración con otros factores, se destina con carácter permanente a la obtención de un producto. ‖ **12.** *Econ.* Conjunto de bienes materiales aportados por los socios fundadores al constituir una empresa y eventualmente los accionistas. ‖ **13.** f. *Fort.* Línea imaginaria que es bisectriz en un ángulo saliente en el trazado de una fortificación. ‖ **circulante,** o **de rotación.** El que, destinado a producir, cambia sucesivamente de forma, siendo primeras materias, productos elaborados, numerario, créditos, etc. ‖ **fijo.** El que, constituido por inmuebles, instalaciones y maquinarias, se destina, con carácter permanente, a la producción. ‖ **líquido.** Residuo del activo, detraído el pasivo de una persona natural o jurídica. ‖ **nacional.** *Econ.* La parte del patrimonio nacional constituida por bienes producidos por el hombre. ‖ **social.** *Der.* Conjunto de las sumas o de los bienes valorados que los socios de una sociedad aportan a esta, para desarrollar su actividad lucrativa y responder de sus obligaciones.

capitalidad. f. Calidad de ser una población cabeza o capital de partido, de provincia, región o estado.

capitalino, na. adj. Perteneciente o relativo a la capital del Estado.

capitalismo. m. Régimen económico fundado en el predominio del capital como elemento de producción y creador de riqueza. ‖ **2.** Conjunto de capitales o capitalistas, considerado como entidad económica.

capitalista. (De *capital,* caudal.) adj. Propio del capital o del capitalismo. ‖ **2.** V. **socio capitalista.** ‖ **3.** com. Persona acaudalada, principalmente en dinero o valores, a diferencia del hacendado, poseedor de fincas valiosas. ‖ **4.** *Com.* Persona que coopera con su capital a uno o más negocios, en oposición a la que contribuye con sus servicios o su pericia.

capitalizable. adj. Que puede capitalizarse.

capitalización. f. Acción y efecto de capitalizar.

capitalizar. tr. Fijar el capital que corresponde a determinado rendimiento o interés, según el tipo que se adopta para el cálculo. ‖ **2.** Agregar al capital el importe de los intereses devengados, para computar sobre la suma los réditos ulteriores, que se denominan interés compuesto. ‖ **3.** fig. Utilizar en propio beneficio una acción o situación, aunque sean ajenas. *El ayuntamiento* CAPITALIZÓ *el triunfo del artista local.*

capitalmente. adv. m. p. us. Mortalmente, gravemente.

capitán. (Del b. lat. *capitanus.*) m. Oficial del ejército al que corresponde en general el mando de compañía, escuadrón o batería, o unidad similar. ‖ **2.** El que manda un buque mercante o un barco de pasajeros. ‖ **3.** Antiguamente, solía llamarse así al comandante del barco de guerra. ‖ **4.** Genéricamente, caudillo militar. ‖ **5.** El que es cabeza de alguna gente forajida. CAPITÁN *de salteadores, de bandoleros.* ‖ **6.** El que capitanea un grupo de personas, en especial un equipo deportivo. ‖ **7.** V. **baratería de capitán.** ‖ **8.** *Cuba* y *Méj.* Jefe de camareros. ‖ **9.** ant. *Mil.* **general,** que tiene empleo superior a coronel. ‖ **10.** fig. y fam. V. **las cuentas del Gran Capitán.** ‖ **a guerra.** Autoridad civil habilitada para entender en asuntos de guerra. Antiguamente eran los corregidores, gobernadores y alcaldes mayores. ‖ **de alto bordo. capitán de navío.** ‖ **de bandera.** En la armada, el que manda y gobierna el buque en que va el general. ‖ **de batallón.** El que mandaba una compañía de infantería de marina. ‖ **de corbeta.** Oficial del cuerpo general de la armada, cuya categoría equivale a la de comandante de ejército. ‖ **de fragata.** Oficial del cuerpo general de la armada, cuya categoría equivale a la de teniente coronel de ejército. ‖ **de guardias de Corps.** El que mandaba, con inmediata subordinación al rey, una compañía de estos guardias. ‖ **de lanzas.** El que, en la antigua organización del ejército español, mandaba cierto número de soldados de caballería armados de lanzas. ‖ **de llaves.** En las plazas de armas, el encargado de abrir y cerrar las puertas a las horas de ordenanza. ‖ **de maestranza.** desus. Comandante de arsenal. ‖ **de mar y guerra.** El que mandaba navío de guerra. ‖ **de navío.** Oficial del cuerpo general de la armada, cuya categoría equivale a la de coronel de ejército. En la organización antigua de la marina, el **capitán** de navío de primera clase tenía categoría igual a la de brigadier de ejército. ‖ **de partido.** Autoridad que ejercía en la isla de Cuba funciones administrativas y judiciales bajo la dependencia de los gobernadores y sus tenientes. ‖ **de proa.** Marinero encargado, generalmente por castigo, de la limpieza de los buques. ‖ **de puerto.** Oficial de la marina de guerra encargado del orden y policía del puerto. ‖ **general.** *Esp.* Grado supremo del ejército. ‖ **2.** Cargo correspondiente al mando militar supremo en las regiones terrestres y en los departamentos marítimos. ‖ **3.** El que gobernaba, en América, la demarcación territorial llamada capitanía general. ‖ **mayor.** ant. **capitán general.** ‖ **pasado.** En Filipinas, nombre del que había sido gobernadorcillo. ‖ **preboste.** Oficial nombrado en tiempo de guerra para velar sobre todo lo concerniente a la policía.

capitana. f. Nave en que va embarcado y arbola su insignia el jefe de una escuadra. ‖ **2.** fam. Mujer que es cabeza de una tropa. ‖ **3.** fam. Mujer del capitán.

capitanear. tr. Mandar tropa haciendo oficio de capitán. ‖ **2.** fig. Guiar o conducir cualquier gente, aunque no sea militar ni armada.

capitaneja. f. *C. Rica, Méj.* y *Nicar.* Planta perenne de la familia de las compuestas, que se emplea en la medicina rural.

capitanejo. m. *Argent.* Capitán, subalterno de un cacique, que guiaba una partida de indios. ‖ **2.** p. us. *Argent.* Caudillo local subordinado a otro. Ú. m. en sent. despect.

capitanía. f. Empleo de capitán. ‖ **2.** Voz genérica que se empleó hasta el siglo XVI para designar la fuerza militar equivalente al batallón o regimiento modernos. ‖ **3.** Compañía de soldados con sus oficiales subalternos, mandada por un capitán. ‖ **4.** **anclaje,** tributo por fondear en un puerto. ‖ **5.** ant. Gobierno militar. ‖ **6.** ant. **señorío,** dominio sobre una cosa. ‖ **7.** ant. **señorío,** territorio perteneciente a un señor. ‖ **de puerto.** Oficina del capitán de puerto. ‖ **general.** Cargo que ejerce un capitán general de región o territorio. ‖ **2.** Territorio de la misma. ‖ **3.** Edificio donde reside el capitán general, con sus oficinas militares. ‖ **4.** En América, durante la dominación española, extensa demarcación territorial gobernada con relativa independencia del virreinato a que pertenecía.

capitel. (Del prov. ant. *capitel.*) m. *Arq.* Parte superior de la columna y de la pilastra que las corona con figura y ornamentación distintas, según el estilo de arquitectura a que corresponde. ‖ **2.** *Arq.* **chapitel,** remate piramidal de las torres. ‖ **compuesto.** El que tiene ábaco chaflanado, volutas como el jónico y hojas de acanto como el corintio. ‖ **corintio.** El formado por hojas de acanto superpuestas, caulículos y volutas de ángulo. ‖ **dórico.** En Grecia, el formado por ábaco liso, equino y anulos. En Roma, el de ábaco moldurado, cuarto bocel en vez de equino, collarino con florones y astrágalo, tambor adornado con volutas y astrágalo. ‖ **jónico.** El que tiene voluta doble ancha, de tal modo que su circunferencia rebasa el ábaco. ‖ **toscano.** El que tiene ábaco liso, cuarto bocel, collarino también liso y astrágalo.

capitidisminuido, da. p. p. de **capitidisminuir.** ‖ **2.** adj. Debilitado, mermado.

capitidisminución. f. Acción y efecto de capitidisminuir.

capitidisminuir. tr. Reducir la capacidad o las posibilidades de alguien o de algo.

capítol. (Del cat. *capitol.*) m. ant. **capítulo** de un libro o escrito. ‖ **2.** ant. **cabildo** de una iglesia catedral.

capitolino, na. (Del lat. *Capitolīnus.*) adj. Perteneciente o relativo al Capitolio. *Júpiter* CAPITOLINO, *Monte* CAPITOLINO. ‖ **2.** m. Cada una de las cabezas o puntas de piedras preciosas que se usan para adorno de ciertos objetos.

capitolio. (Del lat. *capitolĭum.*) m. fig. Edificio majestuoso y elevado. ‖ **2.** *Arqueol.* **acrópolis.**

capitón. (Del lat. *capĭto, -ōnis.*) m. Mújol o cabezudo. ‖ **2.** *Sal.* **cabezada,** golpe que se da o se recibe en la cabeza. ‖ **3.** *Sal.* Vuelta, voltereta.

capitoso, sa. (Del lat. *capĭto, -ōnis,* cabezudo.) adj. ant. Caprichoso, terco o tenaz en su dictamen u opinión.

capitoste. (Del cat. *capitost.*) m. Persona con influencia, mando, etc. Ú. con sent. despect.

capítula. (Del lat. *capitŭla,* capítulos.) f. *Rel.* Pasaje de la Sagrada Escritura que se reza en todas las horas del oficio divino después de los salmos y las antífonas, excepto en maitines.

capitulación. (Del lat. *capitulatĭo, -ōnis.*) f. Concierto o pacto hecho entre dos o más personas sobre algún asunto, comúnmente grave. ‖ **2.** Convenio en que se estipula la rendición de un ejército, plaza o punto fortificado. ‖ **3.** pl. Conciertos que se hacen entre los futuros esposos y se autorizan por escritura pública, al tenor de los cuales se ajusta el régimen económico de la sociedad conyugal. ‖ **4.** Escritura pública en que constan tales pactos.

capitulado, da. (Del lat. *capitulātus.*) adj. Resumido, compendiado. ‖ **2.** m. Disposición capitular, capitulación, concierto constante de artículos.

capitulante. p. a. de **capitular.** Que capitula. ‖ **2.** m. ant. **capitular.**

capitular[1]**.** adj. Perteneciente o relativo a un cabildo secular o eclesiástico o al capítulo de una orden. *Casas* CAPITULARES, *Sala* CAPITULAR. ‖ **2.** V. **manto capitular.** ‖ **3.** *Impr.* Dícese de la letra mayúscula, impresa o manuscrita. Ú. t. c. s. f. ‖ **4.** *Impr.* Dícese de la letra con que empieza el capítulo de un libro cuando es resaltada en tamaño o por algún adorno. Ú. t. c. s. f. ‖ **5.** m. Individuo de alguna comunidad eclesiástica o secular con voto en ella, como el canónigo en su cabildo y el regidor en su ayuntamiento.

capitular[2]**.** (De *capítulo.*) intr. Pactar, hacer algún ajuste o concierto. ‖ **2.** Entregarse una plaza de guerra o un cuerpo de tropas bajo determinadas condiciones. ‖ **3.** *Rel.* Cantar las capítulas de las horas canónicas. ‖ **4.** Disponer, ordenar, resolver. ‖ **5.** Abandonar una pugna o discusión por cansancio o por la fuerza de los argumentos contrarios. ‖ **6.** tr. Hacer a una persona capítulos de cargos por excesos o delitos en el ejercicio de su empleo.

capitulario. m. Libro de coro que contiene las capítulas.

capitularmente. adv. m. En forma de capítulo o cabildo.

capitulero, ra. adj. *Perú.* Dícese de la persona electorera que busca votos y que forma grupos. Ú. t. c. s.

capítulo. (Del lat. *capitŭlum.*) m. Junta que hacen los religiosos y clérigos regulares a determinados tiempos, conforme a los estatutos de sus órdenes, para las elecciones de prelados y para otros asuntos. ‖ **2.** En las órdenes militares, junta de los caballeros y demás vocales de alguna de ellas para sus asuntos comunes, y también la que se hace para poner el hábito a algún caballero. ‖ **3.** Cabildo secular. ‖ **4.** Reprensión grave que se da a un religioso en presencia de su comunidad. ‖ **5.** Cargo que se hace a quien ejerció un empleo. ‖ **6.** División que se hace en los libros y en cualquier otro escrito para el mejor orden y más fácil inteligencia de la materia. ‖ **7.** fig. Determinación, resolución. ‖ **8.** *Ar.* **cabildo,** comunidad eclesiástica. ‖ **9.** *Bot.* **cabezuela,** inflorescencia. ‖ **de culpas. capítulo,** cargo a quien ejerció un empleo. ‖ **provincial.** En la orden de San Juan, tribunal de apelación, compuesto de cinco vocales. ‖ **capítulos matrimoniales. capitulación,** concierto económico de los futuros esposos. ‖ **2. capitulación,** escritura en que consta dicho concierto. ‖ **ganar,** o **perder, capítulo.** fr. fig. y fam. Conseguir o no lo que se pretendía o trataba entre muchos. ‖ **llamar,** o **traer,** a alguien **a capítulo.** fr. fig. Pedirle cuentas de sus actos, reprenderle. ‖ **ser capítulo aparte.** loc. Ser cuestión distinta o que merece una consideración más detenida.

capizana. (De or. inc.; cf. cat. *capçana,* correaje de la cabeza de la caballería, cf. lat. *capitĭum.*) f. Pieza de la barda o armadura del caballo, que cubría la parte superior del cuello y se componía de varias launas en escama.

capnomancia o **capnomancía.** (Del gr. καπνός, humo, y μαντεία, predicción.) f. Adivinación supersticiosa hecha por medio del humo, que practicaban los antiguos.

capo. (Del it. *capo,* cabeza, aplicado a los jefes de la mafia.) m. Jefe de una mafia, especialmente de narcotraficantes. ‖ **2.** *Argent.* y *Urug.* Jefe. ‖ **3.** *Argent.* y *Urug.* Persona muy competente.

capó. (Del fr. *capot.*) m. Cubierta del motor del automóvil.

capolado. (De *capolar.*) m. *Ar.* **picadillo.**

capolar. (Del cat. *capolar.*) tr. desus. Despedazar, dividir en trozos. ‖ **2.** *Ar.* Picar la carne para hacer picadillo. ‖ **3.** *Murc.* Cortar la cabeza a alguien, degollarle.

capón[1]**.** (Del lat. vulg. **cappo,* por *capo, -ōnis.*) adj. Dícese del hombre y del animal castrado. Ú. t. c. s. ‖ **2.** m. Pollo que se castra cuando es pequeño, y se ceba para comerlo. ‖ **3.** Haz de sarmientos. ‖ **4.** *Mar.* Cadena o cabo grueso, firme en la serviola, que sirve para tener suspendida el ancla por el arganeo. ‖ **de galera.** Especie de gazpacho que se hace con bizcocho, aceite, vinagre, ajos, aceitunas y otros ingredientes. ‖ **de leche.** El cebado en caponera.

capón[2]**.** (Del lat. vulg. **cappo, -ōnis.*) m. fam. Golpe dado en la cabeza con el nudillo del dedo corazón. ‖ **de ceniza.** fam.

Golpe dado en la frente con un trapo lleno de ceniza y atado.

capona. (De *capón*[1].) adj. V. **llave capona.** ‖ **2.** f. Hombrera militar a modo de pala como la charretera, pero sin canelones; sirvió de divisa, generalmente, en los cuerpos montados. ‖ **de capona.** loc. adj. y adv. *Mar.* y *Mil.* A costa del servicio, dicho de cosas utilizadas o adquiridas, o de la acción de utilizarlas, adquirirlas o disfrutar de ellas.

caponada. f. *Ál.* Fogata que se hace con leña menuda o ramaje.

caponar. (De *capón*[1].) tr. Atar los sarmientos en la vid para que no estorben al labrar la tierra. ‖ **2.** ant. **capar** los órganos genitales.

caponera. adj. V. **yegua caponera.** Ú. t. c. s. ‖ **2.** f. Jaula de madera en que se pone a los capones para cebarlos. ‖ **3.** fig. y fam. Sitio o casa en que alguien halla conveniencia, asistencia o regalo sin costa alguna. ‖ **4.** fig. y fam. **cárcel,** edificio de presos. Ú. en la fr. **estar metido en caponera.** ‖ **5.** *Fort.* Obra de fortificación que primitivamente consistió en una estacada con aspilleras y troneras para defender el foso. ‖ **6.** *Fort.* Galería o casamata colocada en sitios diversos para el flanqueo de un foso o de varios, del cuerpo de plaza. ‖ **doble.** Comunicación desde la plaza a las obras exteriores, trazada al través del foso seco y defendida por ambos lados con parapetos, generalmente provistos de troneras o de aspilleras.

caporal. (Del it. *caporale.*) adj. ant. Capital o principal. Decíase solo de algunas cosas, como de los vientos. ‖ **2.** m. El que hace de cabeza de alguna gente y la manda. ‖ **3.** El que tiene a su cargo el ganado que se emplea en la labranza. ‖ **4.** *Amér.* Capataz de una estancia de ganado. ‖ **5.** *Mil.* **cabo de escuadra.**

caporalista. m. **caporal,** el que hace de cabeza de alguna gente.

capororoca. (Del guaraní *caá* y *pororog,* hierba que estalla.) m. *R. de la Plata.* Árbol de la familia de las mirsináceas, de tronco empinado, ramas altas y hojas de color verde oscuro.

caporos. (Del lat. *capori, -ōrum.*) m. pl. Antiguo pueblo de Galicia, el más meridional del Convento lucense, y cuyo territorio se extendía desde las fuentes de los ríos Ulla y Tambre hasta el Padrón.

capota[1]**.** (Del lat. *caput,* cabeza.) f. Cabeza de la cardencha. ‖ **2.** Tocado femenino ceñido a la cabeza y sujeto con cintas por debajo de la barbilla. ‖ **3.** Cubierta plegable que llevan algunos vehículos.

capota[2]**.** (De *capote.*) f. **capeta,** capa corta.

capotar. (Del fr. *capoter.*) intr. Volcar un vehículo automóvil quedando en posición invertida, o dar con la proa en tierra un aparato de aviación.

capotazo. m. Suerte del toreo hecha con el capote para ofuscar o detener al toro.

capote. (Del fr. *capot.*) m. Capa de abrigo hecha con mangas y con menor vuelo que la capa común. ‖ **2.** Especie de gabán ceñido al cuerpo y con largos faldones, usado por los soldados. ‖ **3. capote de monte.** ‖ **4. capote de brega.** ‖ **5.** fig. y fam. **ceño**[2] del rostro. ‖ **6.** fig. y fam. **cargazón,** aglomeración de nubes. ‖ **de brega.** Capa de color vivo, por lo común rojo, algo más larga que el **capote** de paseo, usada por los toreros para la lidia. ‖ **de dos faldas,** o **haldas. capotillo de dos faldas,** o **haldas.** ‖ **de montar.** Prenda de uniforme que usan, para su abrigo a caballo, las plazas montadas del ejército. ‖ **de monte.** Manta de jerga o paño, con una abertura guarnecida de cuello en el centro, para sacar la cabeza, y a veces con botones para cerrar los costados. ‖ **de paseo.** Capa corta de seda con esclavina, bordada de oro o plata con lentejuelas, que los toreros de a pie usan en el desfile de las cuadrillas y al entrar y salir de la plaza. ‖ **a,** o **para, mi capote.** loc. adv. fig. y fam. A mi modo de entender, en mi interior. ‖ **dar capote.** fr. fig. y fam. En algunos juegos de naipes, hacer uno de los jugadores todas las bazas en una mano. ‖ **dar capote** a alguien. fr. fig. y fam. **llevar capote.** ‖ **2.** fig. y fam. Dejarlo corrido y sin tener que contestar en discusión o controversia. ‖ **3.** fig. y fam. Dejarlo sus compañeros sin comer por haber llegado tarde. ‖ **4.** *Chile* y *Méj.* Capotearlo, engañarlo, burlarlo. ‖ **de capote.** loc. adv. desus. *Méj.* Ocultamente, a escondidas. ‖ **decir** alguien **a,** o **para,** su **capote** alguna cosa. fr. fig. y fam. **decirla a,** o **para,** su **sayo.** ‖ **echar un capote.** fr. fig. y fam. Terciar en una conversación o disputa para desviar su curso o evitar un conflicto entre dos o más personas. ‖ **llevar capote.** fr. fig. y fam. En algunos juegos de naipes, quedarse un jugador sin hacer baza en una mano.

capotear. (De *capote.*) tr. Capear al toro. ‖ **2.** fig. **capear,** entretener con engaños. ‖ **3.** fig. Evadir mañosamente las dificultades y compromisos.

capoteo. m. Acción de capotear al toro.

capotera. (De *capote.*) f. *Amér.* Percha para la ropa. ‖ **2.** *Venez.* Maleta de viaje hecha de lienzo y abierta por los extremos.

capotero, ra. (De *capote.*) adj. V. **aguja capotera.** ‖ **2.** m. y f. Persona que hacía capotes.

capotillo. (d. de *capote.*) m. Prenda a manera de capote o capa, que llegaba hasta la cintura. ‖ **de dos faldas, o haldas.** Casaquilla hueca, abierta por los costados hasta abajo y cerrada por delante y por detrás, con mangas que se podían dejar caer a la espalda. ‖ **2.** Capote que para distintivo ponía la Inquisición a los penitentes reconciliados.

capotudo, da. (De *capote,* ceño.) adj. **ceñudo.**

cappa. f. **kappa.**

caprario, ria. (Del lat. *caprarĭus.*) adj. Perteneciente a la cabra.

capricornio. (Del lat. *capricornus.*) n. p. m. *Astron.* Décimo signo o parte del Zodíaco, de 30° de amplitud, que el Sol recorre aparentemente al comenzar el invierno. ‖ **2.** *Astron.* Constelación zodiacal que en otro tiempo debió de coincidir con el signo de este nombre, pero que actualmente, por resultado del movimiento retrógrado de los puntos equinocciales, se halla delante del mismo signo y un poco hacia el Oriente. ‖ **3.** adj. Referido a personas, las nacidas bajo este signo del Zodíaco. *Yo soy* CAPRICORNIO, *ella es Piscis.* Ú. t. c. s.

capricho. (Del it. *capriccio.*) m. Determinación que se toma arbitrariamente, inspirada por un antojo, por humor o por deleite en lo extravagante y original. ‖ **2.** La persona, animal o cosa que es objeto de tal determinación. ‖ **3.** Obra de arte en que el ingenio o la fantasía rompen la observancia de las reglas. ‖ **4.** *Mús.* Pieza compuesta de forma libre y fantasiosa.

caprichoso, sa. adj. Que obra por capricho y lo sigue con tenacidad. *Es un niño malcriado y* CAPRICHOSO. ‖ **2.** Que se hace por capricho. Ú. t. en sent. fig. *En los acantilados las rocas presentan formas* CAPRICHOSAS.

caprichudo, da. (De *capricho.*) adj. Que obra por capricho.

caprifoliáceo, a. (Del lat. *caprifolĭum,* madreselva.) adj. *Bot.* Dícese de matas y arbustos angiospermos de hojas opuestas, cáliz adherente al ovario y semillas con albumen carnoso, de cubierta crustácea; como el saúco, el mundillo o bola de nieve, el durillo y la madreselva. Ú. t. c. s. ‖ **2.** f. pl. *Bot.* Familia de estas plantas.

caprino, na. (Del lat. *caprinus.*) adj. **cabruno.**

caprípede. adj. poét. **caprípedo.**

caprípedo, da. (Del lat. *capripes, -ĕdis.*) adj. De pies de cabra.

capsueldo. (Calco del cat. *capsou.*)m. *Ar.* Beneficio que se concede al que paga por adelantado.

cápsula. (Del lat. *capsŭla*, d. de *capsa*, caja.) f. Casquillo metálico con que se cierran herméticamente las botellas después de llenas y taponadas con corcho. ‖ **2.** Envoltura insípida y soluble de ciertos medicamentos desagradables al paladar. ‖ **3.** Por ext., el conjunto de la **cápsula** y el medicamento en ella incluido. ‖ **4.** Pieza cilíndrica de metal que se ajusta a la chimenea de las armas y sirve para comunicar el fuego. ‖ **5.** Parte de la nave espacial donde se instalan los tripulantes, si los hay. ‖ **6.** *Bot.* Fruto seco, con una o más cavidades que contienen varias semillas y cuya dehiscencia se efectúa según el plano que no es perpendicular al eje del fruto; como el de la amapola. ‖ **7.** *Quím.* Vasija de bordes muy bajos que se emplea principalmente para evaporar líquidos. ‖ **atrabiliaria,** o **renal.** ant. *Anat.* **cápsula suprarrenal.** ‖ **del cristalino.** *Anat.* La que contiene a este. ‖ **interna.** *Anat.* Porción de la sustancia blanca del cerebro, comprendida entre el cuerpo estriado y el tálamo óptico. ‖ **sinovial.** *Anat.* Membrana en forma de saco cerrado, que tapiza las superficies articulares de los huesos y contiene un líquido llamado sinovia. ‖ **suprarrenal.** *Anat.* **glándula suprarrenal.**

capsular[1]. adj. Perteneciente o semejante a la cápsula.

capsular[2]. tr. Cerrar definitivamente las botellas, poniéndoles la cápsula.

captación. f. Acción y efecto de captar.

captador, ra. adj. Que capta. Ú. t. c. s. CAPTADOR *de herencias.*

captar. (Del lat. *captāre*, frec. de *capĕre*, coger.) tr. Referido a aguas, recoger convenientemente las de uno o más manantiales. ‖ **2.** Percibir por medio de los sentidos o de la inteligencia, percatarse, comprender. CAPTAR *un ruido, un propósito oculto.* ‖ **3.** Recibir, recoger sonidos, imágenes, ondas, emisiones radiodifundidas. ‖ **4.** Con complemento directo de persona, atraer, ganar la voluntad o el afecto. ‖ **5.** Con voces como *benevolencia, estimación, atención, antipatía,* etc., atraer, conseguir, lograr lo que estas voces significan. Ú. t. c. prnl.

captatorio, ria. adj. Que capta.

captenencia. (De *captener.*) f. ant. Conservación, amparo o protección.

captener. (Del lat. *caput*, cabeza y *tenēre*, guardar.) tr. ant. Conservar o proteger.

captivar. tr. ant. **cautivar.**

captiverio. m. ant. **cautiverio.**

captividad. f. ant. **cautividad.**

captivo, va. (Del lat. *captīvus*, cautivo.) adj. ant. **cautivo.** Ú. t. c. s. ‖ **2.** m. ant. **cautiverio.**

captor, ra. (Del lat. *captor.*) adj. Que capta. ‖ **2.** Que captura. Ú. t. c. s. ‖ **3.** m. *Der. Amér.* El que hace una presa marítima.

captura. (Del lat. *captūra.*) f. Acción y efecto de capturar.

capturar. (De *captura.*) tr. Aprehender a persona que es o se reputa delincuente, y no se entrega voluntariamente. ‖ **2.** Por ext., aprehender, apoderarse de cualquier persona, animal o cosa que ofrezca resistencia.

capuceta. (De *capuz.*) f. En algunas comarcas, diminutivo de capuz o chapuz.

capucete. (De *capuzar.*) m. *Ar.* y *Nav.* Capuceta, chapuz. ‖ **2.** *Ar.* y *Nav.* Acción de arrojarse de cabeza al agua para bañarse.

capucha. (De *capucho.*) f. Capilla que las mujeres llevaban en las manteletas, caída ordinariamente sobre la espalda. ‖ **2.** **capucho,** prenda puntiaguda de la cabeza. ‖ **3.** *Impr.* **acento circunflejo.** ‖ **4.** *Zool.* Conjunto de plumas que cubre la parte superior de la cabeza de las aves.

capuchina. (De *capucha.*) f. Planta trepadora de la familia de las tropeoláceas, de tallos sarmentosos, que alcanza de tres a cuatro metros de largo, con hojas alternas abroqueladas y flores en forma de capucha, de color rojo anaranjado, olor aromático suave y sabor algo picante. Es originaria del Perú, se cultiva por adorno en los jardines, y es comestible. ‖ **2.** Lamparilla portátil de metal, con apagador en forma de capucha. ‖ **3.** Dulce de yema cocido al baño de María, y comúnmente en figura de capucha. ‖ **4.** Cometa de papel en forma de capucha y sin armadura. ‖ **5.** *Impr.* Conjunto de dos o más chibaletes unidos por su parte posterior.

capuchino, na. (Del it. *cappuccino.*) adj. Dícese del religioso o religiosa descalzos que pertenecen a la orden reformada de San Francisco. Ú. t. c. s. ‖ **2.** Perteneciente o relativo a la orden de los **capuchinos.** ‖ **3.** V. **mono capuchino.** ‖ **4.** *Chile.* Aplícase a la fruta muy pequeña. ‖ **5.** m. Café con leche espumoso. ‖ **6.** V. **polvo de capuchino.** ‖ **7.** *P. Rico.* y *Sto. Dom.* Cometa más pequeña que la chiringa, de papel y sin varillas. ‖ **llover capuchinos,** o **capuchinos de bronce.** fr. fig. y fam. Caer la lluvia con gran intensidad o ímpetu.

capucho. (Del it. *cappuccio.*) m. Pieza del vestido, que sirve para cubrir la cabeza; remata en punta, y se puede echar a la espalda. ‖ **2.** ant. **capullo** del gusano de seda. ‖ **3.** ant. **capullo** de las larvas de otros insectos.

capuchón. m. aum. de **capucha,** capilla que usaban las mujeres. ‖ **2.** **capucha,** capucho. ‖ **3.** Abrigo, a manera de capucha, que solían usar las damas, sobre todo de noche. ‖ **4.** Prenda carcelaria, destinada a estorbar la comunicación entre los presos fuera de las celdas. ‖ **5.** Traje de carnaval, como el dominó, algo más corto que el usual. ‖ **6.** Cubierta de la pluma estilográfica, bolígrafo, etc.

capuera. (Del port. brasileño *capueira*, y este del guaraní *cácuera.*) f. *NE. Argent.* y *Par.* Terreno desbrozado, parte de selva que se ha talado y limpiado para destinarla al cultivo; huerta.

capuleto. (Del it. *Capuletto.*) m. Individuo de una familia veronesa enemiga tradicional de otra llamada de los Montescos. Ú. t. en sent. fig.

capulí. (De *capulín.*) m. Árbol de América, de la familia de las rosáceas, que alcanza unos 15 metros de altura, especie de cerezo, que da un fruto de gusto y olor agradables. ‖ **2.** Fruto de este árbol. ‖ **3.** *Cuba.* **capulina,** cereza del capulí. ‖ **4.** **capulina,** árbol de las tiliáceas. ‖ **5.** *Perú.* Fruto de una planta solanácea, parecido a una uva, de sabor agridulce, que se emplea como condimento.

capúlido. (De *cápulo.*) adj. *Zool.* Dícese de moluscos gasterópodos, existentes en todos los mares, cuya concha se distingue por su figura de bonete cónico y por su ancha abertura. Ú. t. c. s. m. ‖ **2.** m. pl. *Zool.* Familia de estos animales.

capulín. (De or. azteca.) m. **capulí,** árbol.

capulina. f. *Amér.* Cereza que produce el capulí. ‖ **2.** *Cuba.* Árbol silvestre, de la familia de las tiliáceas, que alcanza hasta 20 metros de altura; de ramas velludas con hojas oblongas, flores blancas, fruta globosa, pequeña, rojiza y agradable. Su madera es dura, fina, amarillenta, con venas parduscas. ‖ **3.** *Méj.* Araña negra muy venenosa. ‖ **4.** p. us. *Méj.* **ramera.** ‖ **5.** adj. *Méj.* V. **vida capulina.**

cápulo. (Del lat. *capŭlus*, puño de espada.) m. Molusco gasterópodo, tipo de la familia de los capúlidos.

capultamal. m. *Méj.* Tamal o torta de capulí, fruta de este árbol.

capullina. (De *capullo.*) f. *Sal.* Copa de árbol.

capullo. (Probablemente de *capillo*, influido en su terminación por la del lat. *cucullus*, capucho.) m. Envoltura de forma oval dentro de la cual se encierra, hilando su baba, el gusano de seda para transformarse en crisálida. ‖ **2.** Obra análoga de las larvas de otros insectos. ‖ **3.** Botón de las flores, especialmente de la rosa. ‖ **4.** Cascabillo de la bellota. ‖ **5.** Manojo de lino cocido, cuyas hebras se anudan por las puntas o cabezas. ‖ **6.** Tela basta hecha de seda de capu-

llos. ‖ 7. V. **seda de capullos,** o **de todo capullo.** ‖ **8. prepucio.** ‖ **9.** fig. y fam. Inocentón, torpe; novato. ‖ **ocal.** El formado por dos o más gusanos de seda juntos. ‖ **en capullo.** loc. fam. Dícese de lo que está en sus comienzos y ya muestra lo que puede llegar a ser.

capuz. (Del fr. *capuce,* y este del it. *cappuccio.*) m. **capucho,** prenda puntiaguda de la cabeza. ‖ **2.** Vestidura larga y holgada, con capucha y una cola que arrastraba: se ponía encima de la ropa, y servía en los lutos. ‖ **3.** Cierta capa o capote que antiguamente se usaba por gala. ‖ **4. chapuz[1].**

capuzar. (Del lat. *caput,* cabeza, y **puteāre,* sumergir.) tr. **chapuzar.** ‖ **2.** *Mar.* Cargar y hacer calar el buque de proa.

capuzón. (De *capuzar.*) m. En algunas regiones del Oriente de la Península, **chapuzón.**

caquéctico, ca. (Del gr. καχεκτικός.) adj. Relativo a la caquexia. ‖ **2.** Que padece caquexia. Apl. a pers., ú. t. c. s.

caquetense. adj. Natural del Caquetá. Ú. t. c. s. ‖ **2.** Perteneciente o relativo a este distrito de Colombia.

caquexia. (Del gr. καχεξία, mala constitución.) f. *Bot.* Decoloración de las partes verdes de las plantas por falta de luz. ‖ **2.** *Pat.* Estado de extrema desnutrición producido por enfermedades consuntivas; como la tuberculosis, las supuraciones, el cáncer, etc.

caqui[1]. m. Árbol de la familia de las ebenáceas, originario del Japón y de la China, del que se cultivan numerosas variedades en Europa y América del Sur; su fruto, dulce y carnoso, del tamaño de una manzana aproximadamente, es comestible. ‖ **2.** Fruto de este árbol.

caqui[2]. (Del urdu *khākī,* de color de polvo, a través del ing. *khaki.*) m. Tela de algodón o de lana, cuyo color varía desde el amarillo de ocre al verde gris. Se empezó a usar para uniformes militares en la India, y de allí se extendió su empleo a otros ejércitos. ‖ **2.** Color de esta tela.

caquino. (Del lat. *cachinnus.*) m. desus. *Méj.* Risa muy ruidosa, carcajada. Usáb. m. en pl.

car[1]. (Del gr. mediev. κάρουν.) m. *Mar.* Extremo inferior y más grueso de la entena.

car[2]. (Del lat. *quare.*) conj. causal ant. **porque.**

cara.[1] (Del lat. *cara.*) f. Parte anterior de la cabeza humana desde el principio de la frente hasta la punta de la barbilla. Se usa, por ext., para designar la de algunos animales. ‖ **2. semblante,** expresión del rostro. *José me recibió con buena* CARA. ‖ **3.** V. **encaje de la cara.** ‖ **4.** Parte inferior o base del pan de azúcar. ‖ **5.** V. **miel de caras.** ‖ **6.** Fachada o frente de alguna cosa. ‖ **7.** Superficie de alguna cosa. *Las* CARAS *de una moneda, de una lámina.* ‖ **8. anverso** de las monedas. ‖ **9.** fig. Presencia de alguien. *Lo hizo en su* CARA. *Hay* CARAS *nuevas.* ‖ **10.** fig. Aspecto o apariencia de una cosa o asunto. *El pastel, el negocio tienen buena* CARA. ‖ **11.** fig. y fam. En ciertas expresiones, desfachatez, descaro. *Fulano tiene mucha* CARA. *Se necesita* CARA *para hacer eso.* ‖ **12.** fig. V. **hombre de dos caras.** ‖ **13.** *Agr.* Conjunto de entalladuras contiguas hechas en un árbol. ‖ **14.** *Geom.* Cada plano de un ángulo diedro o poliedro. ‖ **15.** *Geom.* Cada una de las superficies que forman o limitan un poliedro. ‖ **16.** prep. ant. **hacia.** ‖ **apedreada.** fig. y fam. **cara de rallo.** ‖ **con dos haces.** fig. y fam. Persona que habla u obra de modo diverso en presencia o en ausencia de alguien. ‖ **de acelga.** fig. y fam. Persona de color pálido o verdinegro. ‖ **de aleluya.** fig. y fam. **cara de pascua.** ‖ **de gualda.** fig. y fam. Persona muy pálida. ‖ **de hereje.** fig. y fam. Catadura fea, horrible. ‖ **de juez,** o **de justo juez.** fig. y fam. Semblante severo y adusto. ‖ **del montón.** *Agr.* Parte del trigo que en la limpia cae del lado que sopla el viento, y es el grano mejor y de más peso. ‖ **de pascua.** fig. y fam. La apacible, risueña y placentera. ‖ **de perro.** fig. y fam. Semblante expresivo de hostilidad o de reprobación. ‖ **de pocos amigos.** fig. y fam. La que tiene el aspecto desagradable o adusto. ‖ **de rallo.** fig. y fam. La muy picada de viruelas. ‖ **de risa.** fig. y fam. **cara de pascua.** ‖ **de vaqueta.** fig. y fam. Semblante muy serio, hostil. ‖ **2.** fig. y fam. **caradura.** ‖ **de viernes.** fig. y fam. La macilenta y triste. ‖ **de vinagre.** fig. y fam. **cara de pocos amigos.** ‖ **dura. caradura.** ‖ **empedrada.** fig. y fam. **cara de rallo.** ‖ **larga.** fig. y fam. La que expresa tristeza o contrariedad. ‖ **a cara o cruz.** loc. adv. **echar a cara o cruz.** ‖ **a cara o sello.** loc. adv. **a cara o cruz.** ‖ **cara o ceca.** *Argent.* **cara o cruz.** ‖ **cara o cruz. cara y cruz.** ‖ **cara y cruz.** Juego de las chapas. ‖ **a cara descubierta.** loc. adv. fig. **paladinamente.** ‖ **andar a cara descubierta.** fr. fig. Obrar sin disimulo, como suele hacerlo quien procede bien y conforme a razón. ‖ **a primera cara.** loc. adv. ant. **a primera vista.** ‖ **caérsele** a alguien **la cara de vergüenza.** fr. fig. y fam. Sonrojarse. ‖ **cara a.** loc. prepos. Mirando en dirección a. CARA *al mar.* ‖ **2.** fig. **ante, con vistas a.** CARA *al futuro.* ‖ **cara a cara.** loc. adv. En presencia de otro y descubiertamente. Dícese también figuradamente de algunas cosas inanimadas. ‖ **2.** En presencia, delante de alguno. ‖ **cruzar la cara** a alguien. fr. Darle en ella una bofetada, un latigazo, etc. ‖ **dar cara** a una persona. fr. fig. **plantar cara.** ‖ **dar en cara** a alguien. fr. fig. Reconvenirle afeándole alguna cosa. ‖ **dar la cara.** fr. fig. Responder de los propios actos y afrontar las consecuencias. ‖ **dar** uno **la cara por** otro. fr. fig. y fam. Salir a su defensa. ‖ **2.** fig. y fam. Abonarlo, responder por él. ‖ **de cara.** loc. adv. **enfrente,** en parte opuesta o delante. *Da el sol* DE CARA. ‖ **de cara a.** loc. prepos. En relación con. ‖ **echar a cara o cruz** una cosa. fr. Jugarla o librar su decisión a cierto azar que consiste en tirar por alto una moneda, apostando uno a que, al llegar al suelo, quedará hacia arriba la **cara,** y el otro a que quedará la cruz. ‖ **echar a la cara,** o **en cara,** o **en la cara,** a alguien alguna cosa. fr. fig. **darle en cara.** ‖ **2.** fig. Recordarle algún beneficio que se le ha hecho. ‖ **echarse a la cara.** fr. Dicho de escopetas, fusiles, etc., colocar estas armas en posición de apuntar. ‖ **echarse** a alguien **a la cara.** fr. Encontrarlo. ‖ **en la cara se le conoce.** expr. fam. **la cara se lo dice.** ‖ **escupir en la cara** a alguien. fr. fig. y fam. Burlarse de él **cara** a **cara,** despreciándolo mucho. ‖ **estar mirando a la cara** a alguien. fr. fig. y fam. Poner sumo esmero en complacerlo. ‖ **ganar la cara.** fr. fig. Ir con cuidado a ponerse enfrente de los toros. ‖ **guardar la cara.** fr. fig. Ocultarse, procurar no ser visto ni conocido. ‖ **hacer a dos caras.** fr. fig. Proceder con doblez. ‖ **hacer cara.** fr. **plantar cara.** ‖ **2.** fig. y fam. Condescender, dar oídos a lo que se propone. ‖ **huir la cara.** fr. fig. Evitar el trato de alguna persona. ‖ **la cara se lo dice.** expr. fam. con que se denota la conformidad entre las inclinaciones o costumbres de una persona y su semblante. Ú. generalmente en sentido peyorativo. ‖ **lavar la cara** a una cosa. fr. fig. y fam. Limpiarla, asearla. ‖ **lavar la cara** a alguien. fr. fig. y fam. Adularlo, lisonjearlo. ‖ **mírame esta cara,** o **la cara.** expr. fam. con que se le da a entender a alguien que desconoce el mérito de quien habla. ‖ **no conocer la cara al miedo, a la necesidad,** etc. fr. fig. y fam. No tener miedo, necesidad, etc. ‖ **no haber visto la cara al enemigo.** fr. fig. con que se denota que un soldado no se ha hallado en ninguna acción de guerra. ‖ **no mirar la cara** a alguien. fr. fig. y fam. Tener enfado con él. ‖ **no saber dónde se tiene la cara.** fr. fig. y fam. con que se denota la incapacidad de alguien en su profesión. ‖ **no tener a quien volver la cara.** fr. fig. y fam. **no tener donde volver la cabeza.** ‖ **no volver la cara atrás.** fr. fig. Proseguir con tesón y constancia lo empezado. ‖ **partirle** a alguien **la cara.** fr. fig. y fam. Dejarlo en una pelea muy maltrecho. Se usa m. como amenaza. ‖ **plantar cara** a alguien. fr. fig. y fam. Desafiarlo, oponerse, resistir a su autoridad. ‖ **poner buena,** o **mala, cara.** fr. fam. Acoger bien, o mal, a una persona, o una idea o propuesta. ‖ **por su bella,** o **linda, cara.** loc. adv. fig. y fam. con que se tacha de injustificada una pretensión del que carece de méritos para lograrla. ‖ **quitar la cara.** fr. fig. y fam. que se usa para amenazar a alguien que se le castigará rigurosamente. ‖ **romperse la cara por** alguien o **por** algo. fr. fig. Defenderlo con vehemencia. ‖ **sacar** alguien **la cara.** fr. fig. Presentarse como interesado en algún asunto. Ú. más con negación. *No quiere* SACAR LA CARA. ‖ **sacar la cara por** otro. fr. fig. y fam. **dar la cara por** otro. ‖ **salir a la cara** a alguien alguna cosa. fr. fig. y fam. Conocérsele en el semblante. ‖ **2.** fig. y fam. Tener que sentir por haber hecho o dicho algo. ‖ **saltar a la cara.** fr. fig. y fam. Responder a los consejos o reprensiones con descompostura, ira o descomedimiento. ‖ **2.** fig. y fam. Ser una cosa cierta y evidente. ‖ **su cara defiende su casa.** fr. fig. y fam. Ponderación de la fealdad de una persona. ‖ **tener cara de alejijas.** fr. fig. y fam. *And.* **parecer que** se **han comido alejijas.** ‖ **tener cara de corcho.** fr. fig. y fam. Tener poca vergüenza. ‖ **terciar la cara** a alguien. fr. Cortársela, cruzársela o herírsela de filo, para dejarlo afrentado y señalado. ‖ **verse las caras.** fr. fig. y fam. Avistarse una persona con otra para manifestar vivamente enojo o para reñir. NOS VEREMOS LAS CARAS. ‖ **volver a la cara** una cosa. fr. fig. y fam. No admitirla, devolverla con desprecio. ‖ **volver a la cara las palabras, las injurias,** etc. fr. fig. y fam. Corresponder con otras equivalentes. ‖ **volver la cara al enemigo.** fr. fig. Rehacerse los que van huyendo, y pelear con los que los perseguían.

cara[2]. m. abrev. de **caradura.** *Ese tipo es un* CARA.

cáraba. (De *cárabo*[1].) f. Cierta embarcación grande usada en Levante.

caraba. (Del ár. *qaraba,* aproximación.) f. *Extr., León* y *Sal.* En algunos pueblos, jolgorio, broma, conversación. ‖ **ser la caraba.** Ser algo o alguien fuera de serie, extraordinario, tanto para bien como para mal.

carabalí. (De *Calabar,* con metátesis.) adj. Dícese del negro o negra de la región africana de la costa de Calabar, que eran famosos por su carácter indómito. Ú. t. c. s.

carabao. (Del bisaya *karabáw.*) m. Rumiante parecido al búfalo, pero de color gris azulado y cuernos largos, aplanados y dirigidos hacia atrás. Es la principal bestia de tiro en Filipinas.

cárabe. (Del persa *kāh,* paja, y *rubā,* que atrae, a través del ár. *kahrabā',* ámbar amarillo.) m. **ámbar,** resina fósil.

carabear. (De *caraba.*) intr. *Sal.* Descuidarse, holgar, distraerse.

carabela. (Del port. o gall. *caravela.*) f. Antigua embarcación muy ligera, larga y angosta, con una sola cubierta, espolón a proa, popa llana, con tres palos y cofa solo en el mayor, entenas en los tres para velas latinas, y algunas vergas de cruz en el mayor y en el de proa. ‖ **2.** *Gal.* Cesta muy grande que suelen llevar las mujeres en la cabeza, para transportar comestibles.

carabelón. (De *carabela.*) m. Carabela pequeña.

carabero, ra. adj. *Sal.* Amigo de caraba o de holgarse.

carábido. (De *cárabo*[1].) adj. *Zool.* Dícese de insectos coleópteros, pentámeros, carnívoros, que son muy voraces, y beneficiosos para la agricultura, porque destruyen muchas orugas y otros animales perjudiciales. ‖ **2.** m. pl. *Zool.* Familia de estos insectos, que comprende muchos millares de especies.

carabina. (Del fr. *carabine.*) f. Arma de fuego, portátil, compuesta de las mismas piezas que el fusil, pero de menor longitud. ‖ **2.** fig. y fam. Mujer de edad que acompañaba a ciertas señoritas cuando salían a la calle de paseo o a sus quehaceres. ‖ **rayada.** La que tiene estrías en lo interior del cañón. ‖ **ser** una cosa **la carabina de Ambrosio,** o **lo mismo que la carabina de Ambrosio.** fr. fam. No servir para nada.

carabinazo. m. Disparo hecho con carabina. ‖ **2.** Ruido originado por el mismo. ‖ **3.** Herida o daño producido por el disparo de la carabina.

carabinera. f. *Sal.* Alondra moñuda.

carabinero[1]. m. Soldado que usaba carabina. ‖ **2.** Soldado destinado a la persecución del contrabando. ‖ **carabineros reales.** Cuerpo de caballería que pertenecía a la guardia real.

carabinero[2]. m. Crustáceo de carne comestible semejante a la quisquilla, pero mayor.

carablanca. m. *Col.* y *C. Rica.* Mono del género *cebus.* También se llama en Colombia mico maicero.

cárabo[1]. (Del lat. *carăbus.*) m. Embarcación pequeña, de vela y remo, usada por los moros. ‖ **2.** Insecto coleóptero, tipo de la familia de los carábidos, que es el de mayor tamaño de ellos y llega a alcanzar cuatro centímetros de largo. Durante el día vive debajo de las piedras. ‖ **3.** ant. **cáraba.** ‖ **4.** ant. **cangrejo,** artrópodo crustáceo de los decápodos.

cárabo[2]. (Del ár. *qarūb,* ave nocturna.) m. **autillo**[2].

cárabo[3]. (Del ár. *kalb,* perro.) m. ant. Cierto perro de caza.

carabobeño, ña. adj. Natural del Estado venezolano de Carabobo. Ú. t. c. s. ‖ **2.** Perteneciente o relativo a dicho Estado.

carabritear. (De *cabrito.*) intr. Perseguir el macho cabrío montés en celo a la hembra.

caraca. f. *Cuba.* Especie de bollo de maíz.

caracal. m. Animal carnicero, especie de lince, que habita en los climas cálidos y es temible por su ferocidad.

caracalla. (Del nombre del emperador romano *Caracalla.*) f. Prenda de vestir de origen galo, a manera de sobretodo, adoptada por los romanos. ‖ **2.** Peinado que estuvo de moda en el siglo XVIII.

caracará. (De or. guaraní, onomat. del canto de esta ave.) m. *R. de la Plata.* Carancho, ave de rapiña.

cará-cará. (De or. guaraní, reduplicación de *cará,* hábil, diestro.) com. Indio americano perteneciente a una tribu que, en la época de la conquista española, habitaba en la margen derecha del río Paraná, en la región próxima a la desembocadura del río Carcarañá. ‖ **2.** adj. Perteneciente o relativo a esta tribu de indios.

caracas. m. Cacao procedente de la costa de Caracas, Venezuela. ‖ **2.** desus. fig. y fam. *Méj.* **chocolate.**

caracatey. m. *Cuba.* Ave crepuscular, de color ceniciento salpicado de verde y con una mancha blanca. Se alimenta de mosquitos, que caza en el aire.

caracense. (De *Caracca,* antigua ciudad española supuestamente la actual Guadalajara.) adj. **guadalajareño.** Ú. t. c. s.

caracoa. (Del ár. *qarqūra.*) f. Embarcación de remo, que se usa en Filipinas.

caracol. (Tal vez de una raíz expresiva *cacar-* que designaría la cáscara de este molusco; o del lat. **cochleolus.*) m. Cualquiera de los moluscos testáceos de la clase de los gasterópodos. De sus muchas especies, algunas de las cuales son comestibles, unas viven en el mar, otras en las aguas dulces y otras son terrestres. ‖ **2.** Concha de **caracol.** ‖ **3.** V. **escalera de caracol.** ‖ **4.** Pieza del reloj, cónica, con un surco en el cual se enrosca la cuerda. ‖ **5.** Rizo de pelo. ‖ **6.** desus. *Méj.* Especie de camisón ancho y corto que usaban las mujeres para dormir. ‖ **7.** desus. *Méj.* Blusa de lienzo bordada que usaban las señoras. ‖ **8.** desus. *Méj.* **chambra.** ‖ **9.** *Anat.* Una de las cavidades que constituyen el laberinto del oído de los vertebrados, que en los mamíferos es un conducto arrollado en espiral. ‖ **10.** *Equit.* Cada una de las vueltas y tornos que el jinete hace dar al caballo o las que hace un camino. ‖ **11.** pl. Variedad del cante andaluz, caracterizada por la repetición de la palabra **¡caracoles!** a modo de estribillo. ‖ **boyuno.** Especie comestible con la concha de color negruzco. ‖ **chupalandero.** *Murc.* El que se cría en los árboles y en las hierbas. ‖ **judío.** El de concha muy blanca, pero de cuerpo oscuro. Poco apreciado como alimento. Común en el mediodía y oriente de España. ‖ **moro.** De concha blanca, pero de boca negra. Vive en los mismos países que el anterior. ‖ **sapenco.** De color verdoso con rayas transversas pardas. Es terrestre, común y poco apreciado. ‖ **serrano,** o **de monte.** Blancuzco, con listas negras a lo largo y la superficie de la concha áspera. Muy estimado. ‖ **¡caracoles!** interj. **¡caramba!** ‖ **no se le da, no importa, no vale, un caracol,** o **dos caracoles.** fr. fig. que demuestra el desprecio o poca estimación de alguna cosa.

caracola. f. Concha de un caracol marino de gran tamaño, de forma cónica, que, abierta por el ápice y soplando por ella, produce un sonido como de trompa. ‖ **2.** *Ar.* Caracol terrestre de concha blanca. ‖ **3.** *Ar.* **tuerca.** ‖ **4.** *Murc.* Planta trepadora de jardín. ‖ **5.** *Murc.* Flor de esta planta.

caracolada. f. Guisado de caracoles.

caracolear. intr. Hacer caracoles el caballo.

caracolejo. m. d. de **caracol,** molusco.

caracoleo. m. Acción y efecto de caracolear.

caracolero, ra. m. y f. Persona que coge o vende caracoles.

caracoleta. f. *Ar.* Caracol pequeño. ‖ **2.** *Ar.* Niña diminuta, despejada y traviesa.

caracolí. m. *Col.* **anacardo,** árbol.

caracolillo. m. d. de **caracol,** molusco. ‖ **2.** Planta de jardín, originaria de América Meridional, leguminosa, con tallos volubles, hojas romboidales puntiagudas, flores grandes, blancas y azules, aromáticas y enroscadas en figura de espiral. ‖ **3.** Flor de esta planta. Ú. t. en pl. ‖ **4.** Cierta clase de café muy estimado, cuyo grano es más pequeño y redondo que el común. ‖ **5.** Cierta clase de caoba que tiene muchas vetas. ‖ **6.** pl. Guarnición que solía ponerse al canto de los vestidos.

carácter. (Del lat. *character.*) Como forma culta tiene el pl. **caracteres.** m. Señal o marca que se imprime, pinta o esculpe en alguna cosa. ‖ **2.** Signo de escritura o de imprenta. Ú. m. en pl. ‖ **3.** Estilo o forma de los signos de la escritura o de los tipos de la imprenta. CARÁCTER *cursivo, redondo.* CARACTERES *elzevirianos.* ‖ **4.** Señal o figura mágica. ‖ **5.** Marca o hierro con que se distinguen de los animales de un rebaño los de otro. ‖ **6.** Conjunto de cualidades o circunstancias propias de una cosa, de una persona o de una colectividad, que las distingue, por su modo de ser u obrar, de las demás. *El* CARÁCTER *español. El* CARÁCTER *insufrible de Fulano.* ‖ **7.** Condición dada a una persona o a una cosa por la dignidad que sustenta o la función que desempeña. *El* CARÁCTER *de juez, de padre. Medidas de* CARÁCTER *transitorio.* ‖ **8.** Señal espiritual que queda en una persona como efecto de un conocimiento o experiencia importantes, como, en la religión católica, la dejada por los sacramentos del bautismo, confirmación y orden. Ú. generalmente con los verbos *imprimir* e *imponer.* ‖ **9.** Fuerza y elevación de ánimo natural de alguien, firmeza, energía. *Un hombre de* CARÁCTER. ‖ **10.** En las obras literarias y artísticas, aquella fuerza y originalidad de intención y de estilo que las diferencia notablemente de lo común y vulgar. ‖ **11.** V. **comedia, drama de carácter.** ‖ **12.** Modo de decir, o estilo. ‖ **adquirido.** Cada uno de los rasgos anatómicos o funcionales no heredados, sino adquiridos por el animal durante su vida. ‖ **heredado.** Cada uno de los rasgos funcionales o anatómicos que se transmiten de una generación a otra, en los animales y plantas. ‖ **sexual.** Cada uno de los rasgos anatómicos o funcionales que distinguen al organismo del macho y al de la hembra. ‖ **de medio carácter.** loc. fam. Sin cualidades bien definidas, como la música de un género entre el grave y el cómico. ‖ **imprimir carácter.** fr. Dar o dotar de ciertas condiciones esenciales y permanentes a una persona y, por ext., a una cosa. Se dice de los cargos, empleos y honores.

caracterismo. (De *carácter.*) m. **carácter,** índole, conjunto de rasgos que distinguen una cosa entre las demás.

característica. (De *característico.*) f. *Argent.* y *Urug.* **prefijo** del teléfono. ‖ **2.** *Mat.* Cifra o cifras que indican la parte entera de un logaritmo.

característicamente. adv. m. **señaladamente.**

característico, ca. adj. Perteneciente o relativo al carácter. ‖ **2.** Aplícase a la cualidad que da carácter o sirve para distinguir una persona o cosa de sus semejantes. Ú. t. c. s. f. ‖ **3.** m. y f. Actor y más comúnmente actriz que representa papeles de personas de edad.

caracterización. f. Acción y efecto de caracterizar o caracterizarse.

caracterizado, da. p. p. de **caracterizar.** ‖ **2.** adj. Distinguido, autorizado por prendas personales, por categoría social o por oficio público.

caracterizador, ra. adj. Que caracteriza. ‖ **2.** m. y f. **maquillador.**

caracterizar. tr. Determinar los atributos peculiares de una persona o cosa, de modo que claramente se distinga de las demás. Ú. t. c. prnl. ‖ **2.** Autorizar a una persona con algún empleo, dignidad u honor. ‖ **3.** Representar un actor su papel con la verdad y fuerza de expresión necesarias para reconocer al personaje representado. ‖ **4.** prnl. Pintarse la cara o vestirse el actor conforme al tipo o figura que ha de representar.

caracterología. (De *carácter* y *-logia.*) f. Parte de la psicología, que estudia el carácter y personalidad del hombre. ‖ **2.** Conjunto de peculiaridades que forman el carácter de una persona.

caracterológico, ca. adj. Perteneciente o relativo a la caracterología.

caracú. (De or. guaraní.) m. *Argent., Bol., Chile, Par.* y *Urug.* Tuétano de los animales, en particular vacunos. Por ext., el hueso que lo contiene.

caracul. (Del ruso *Karakul,* topónimo de la región de Bujara, en el Asia central.) adj. Variedad de ganado ovino procedente del Asia central que se distingue por la cola ancha y el pelo rizado. ‖ **2.** m. Piel de los corderos de esta raza, muy apreciada en peletería.

caracha. (De or. quechua.) m. Enfermedad de los pacos o llamas y otros animales, semejante a la sarna o roña. En el Perú se llama también así la sarna de las personas.

carache. m. **caracha.**

carachento, ta. adj. *Amér. Merid.* **carachoso.**

¡caracho! interj. de sentido semejante al de **¡caramba!** o **¡caray!**

caracho, cha. adj. De color violáceo.

carachoso, sa. adj. *Perú.* **sarnoso.**

carachupa. f. *Perú.* **zarigüeya.**

caradelante. (De *cara* y *adelante.*) adv. t. ant. En adelante. ‖ **2.** adv. l. ant. Hacia adelante.

carado, da. (De *cara.*) adj. Con los adverbios *bien* o *mal,* que tiene buena o mala cara.

caradriforme. (Del gr. χαραδριός, chorlito, y *-forme.*) adj. *Zool.* Dícese de un grupo de aves de tamaño pequeño o mediano, zancudas y de pico generalmente largo, la mayoría de las cuales viven en la costa o son marinas. Ú. t. c. s. ‖ **2.** f. pl. *Zool.* Orden de estas aves, que comprende limícolas, gaviotas y alcas.

caradura. com. Persona que no tiene vergüenza.

carago. m. *El Salv.* y *Hond.* **carao.**

caraguatá. (De or. guaraní.) f. *Amér.* Especie de agave o pita del Río de la Plata y otros lugares de América. Es buena planta textil. En varias regiones le llaman *cháguar* y *cardo,* y antiguamente los españoles *garabatá.* ‖ **2.** Filamento producido por esta planta textil.

caraguay. m. *Bol.* Lagarto grande.
caraipo. m. Planta de América del Sur.
caraira. f. *Cuba.* Ave de rapiña diurna, especie de gavilán, de color leonado y cabeza negra, alas largas y robustas. Es muy voraz; vuela horizontalmente y su vista es de gran perspicacia.
caraísmo. m. Doctrina de los caraítas.
caraíta. (Del hebr. *qara'ī*.) adj. Dícese del individuo de una secta judaica que profesa escrupulosa adhesión al texto literal de la Escritura, rechazando las tradiciones. Ú. t. c. s. ‖ **2.** Perteneciente o relativo a los **caraítas.**
caraja. f. *Mar.* Vela cuadrada que los pescadores de Veracruz largan en un botalón.
carajás. m. pl. Tribu indígena del Brasil, del grupo de los tapuyas.
carajillo. m. Bebida que se prepara generalmente añadiendo una bebida alcohólica fuerte al café caliente.
carajo. m. **pene,** miembro viril. Es voz malsonante. ‖ **2.** Usase como interjección.‖ **irse al carajo.** fr. fam. Echarse algo a perder, tener mal fin. ‖ **mandar** a alguien **al carajo.** fr. fam. Rechazarle con insolencia y desdén. ‖ **no valer un carajo.** fr. fam. No valer o servir de nada o para nada.
caralla. m. *Sal.* Higo de pepita negra.
carama. f. **escarcha.**
caramanchel. (Por **camaranchel*, de *cámara*.) m. Cubierta fija o móvil, a modo de tejadillo, con que se cierran las escotillas de algunos buques. ‖ **2.** Tugurio, chiribitil, desván. ‖ **3. cantina,** puesto público donde sirven bebidas y algunos comestibles. ‖ **4.** *Ecuad.* Puesto de vendedor ambulante, que lo sitúa en los soportales para vender sus chucherías. ‖ **5.** *Perú.* **cobertizo** para resguardarse de la intemperie.
caramanchelero, ra. m. y f. Persona que vende en un caramanchel o cantina.
caramanchón. m. **camaranchón.**
caramañola. (De *Carmagnola*, ciudad del Piamonte, a través del fr. *carmagnole*.) f. *León.* Vasija con tubo para beber. ‖ **2.** *Argent.* y *Chile.* **caramayola.**
caramarama. f. *Cuba.* Especie de culantrillo que comen las reses vacunas y caballares.
caramayola. (De *caramañola*.) f. *Chile.* Recipiente de aluminio en forma de cantimplora, que usan los soldados para llevar agua.
caramba[1]. (De *Caramba*, n. p.) f. Moña que llevaban las mujeres sobre la cofia, a fines del siglo XVIII.
¡caramba![2] (Eufemismo por *carajo*.) interj. con que se denota extrañeza o enfado.
carambanado, da. adj. Helado, o hecho carámbano.
carámbano. (Del lat. **calamŭlus*, de *calămus*, caña, palito.) m. Pedazo de hielo más o menos largo y puntiagudo. ‖ **estar hecho un carámbano.** fr. fig. y fam. Tener mucho frío.
carambillo. m. **caramillo,** planta barrillera.
carambola. (De or. inc.; cf. port. *carambola*, fruto del carambolo; en sent. fig. *enredo*.) f. Fruto del carambolo, del tamaño de un huevo de gallina, amarillo y de sabor agrio, que contiene pepitas en cuatro celdillas. ‖ **2.** Lance del juego de trucos o billar en el que la bola arrojada toca a otras dos una tras otra (**carambola** limpia) o bien solo a una y esta, a su vez, a otra (**carambola** sucia o rusa). ‖ **3.** En los trucos o billar, juego con tres bolas y sin palos. ‖ **4.** En el juego del revesino, jugada en que a un tiempo se sacan el as y el caballo de copas. ‖ **5.** Lance de caza que consiste en matar dos piezas de un solo disparo. ‖ **6.** fig. y fam. Doble resultado que se alcanza mediante una sola acción. ‖ **7.** fig. y fam. Enredo, embuste o trampa para alucinar y burlar a alguno. ‖ **8. chiripa,** casualidad favorable. ‖ **por carambola.** loc. adv. fig. y fam. Indirectamente, por rodeos.
carambolero, ra. m. y f. *Argent.* y *Chile.* **carambolista.**
carambolí. m. *Cuba.* Flor de color anaranjado muy subido, que se produce en ramilletes.
carambolista. com. Persona que juega bien o frecuentemente las carambolas, en el billar.
carambolo. (Del malayo *karambil*, a través del port. *carambolo*.) m. Árbol de la familia de las oxalidáceas, indígena de la India y de otros países intertropicales del antiguo continente, que alcanza unos tres metros de altura, con hojas compuestas de folíolos aovados, flores rojas y bayas amarillas y comestibles.
caramel. (Del m. or. que *caramelo*.) m. Variedad de sardina, propia del Mediterráneo. ‖ **2.** ant. **caramelo,** pasta de azúcar.
caramela. f. ant. **caramillo,** flautilla.
caramelear. tr. fig. y fam. *Col.* Dilatar engañosamente la solución de un asunto.
carameleo. m. fig. y fam. *Col.* Acción y efecto de caramelear.
caramelizar. tr. **acaramelar,** bañar de azúcar en punto de caramelo. Ú. t. c. prnl.
caramelo. (Del port. *caramelo*, carámbano, caramelo.) m. Azúcar fundido y endurecido. ‖ **2.** Golosina hecha con **caramelo** y aromatizada con esencias de frutas, hierbas, etc. ‖ **3.** V. **punto de caramelo.** ‖ **4.** *Filip.* **azucarillo.**
caramente. adv. m. **costosamente.** ‖ **2. encarecidamente.** ‖ **3. rigurosamente.** Usáb. en las fórmulas de los juramentos.
caramera. f. *Venez.* Dentadura mal ordenada.
caramida. (Del ár. *qaramīṭ*, aguja imantada.) f. **imán**[1], mineral.
caramiello. m. Tocado o sombrero a manera de mitra, usado por las mujeres en Asturias y León.
caramilla. (De *calamina*.) f. **calamina.**
caramillar[1]. m. Terreno poblado de caramillos.
caramillar[2]. intr. ant. Tocar el instrumento musical llamado caramillo.
caramilleras. (Del lat. **cremacŭlum*, y este del gr. κρεμαστήρ, colgador.) f. pl. *Cantabria.* **llar**[2], cadena del hogar.
caramillo[1]. (Del lat. *calamellus*, cañita.) m. Flautilla de caña, madera o hueso, con sonido muy agudo. ‖ **2. zampoña,** instrumento a modo de flauta o compuesto de varias. ‖ **3.** Planta del mismo género y usos de la barrilla, con el tallo fruticoso, erguido y pubescente, y hojas de color verde claro y agudas.
caramillo[2]. (De or. inc.) m. Montón mal hecho. ‖ **2.** fig. Chisme, enredo, embuste. Ú. m. en las frs. **armar,** o **levantar, un caramillo.**
caramilloso, sa. (De *caramillo*, enredo.) adj. fam. **quisquilloso.**
caramujo. m. Rosal silvestre. ‖ **2.** Especie de caracol pequeño que se pega a los fondos de los buques.
caramullo. (Del lat. *cumŭlus*, con infl. de *culullus*.) m. *Ar.* **colmo**[1], lo que sobresale del recipiente.
caramuzal. (Del ár. *qārib musaṭṭaḥ*, barco aplanado.) m. Buque mercante turco de tres palos, con popa muy elevada.
carancho. m. *Argent.* y *Urug.* Ave de rapiña, de la familia de las falcónidas, que alcanza medio metro de longitud, de cabeza blancuzca, capucho pardo, pico de color salmón, pecho rayado de pardo, alas pardas con una mancha blanca. Se alimenta de animales muertos, insectos, reptiles, etc. ‖ **2.** *Perú.* **búho,** ave rapaz nocturna.
caranday o **carandaí.** (Voz guaraní que significa fruta redonda.) m. *Argent.* Especie de palmera alta, originaria del Brasil y muy abundante en toda América del Sur. Su madera se emplea en construcción. De sus hojas, en forma de abanico, se hacen pantallas y sombreros, y produce además una cera excelente.
carandero. m. Palmera pequeña de la isla de Ceilán.
caranegra. adj. *Argent.* Dícese de una oveja de raza es-

pecial, por el color de su cara. Ú. t. c. s. ‖ **2.** m. *Col., C. Rica* y *Venez.* **mono araña** negro.

caranga. f. *Hond.* **carángano.**

caranganal. m. *León.* Terreno de poco fondo y de baja calidad.

carángano. m. *Amér.* **cáncano**[1]. ‖ **2.** *Col.* y *Venez.* Instrumento musical popular, de cuerda y percusión a la vez.

carantamaula. f. fam. Careta de cartón, de aspecto horrible y feo. ‖ **2.** desus. fig. y fam. Persona mal encarada. Usáb. m. c. m.

carantoña. f. fam. Halago y caricia que se hacen a alguien para conseguir de él alguna cosa. Ú. m. en pl. ‖ **2.** fam. p. us. **carantamaula,** persona mal encarada. ‖ **3.** fig. y fam. p. us. Mujer vieja y fea que se aplica afeites y se compone el rostro para disimular su fealdad.

carantoñero, ra. m. y f. fam. Persona que hace caricias, halagos o carantoñas.

caraña. (De or. americano.) f. Resina medicinal de ciertos árboles gutíferos americanos, sólida, quebradiza, gris amarillenta, algo lustrosa y de mal olor. ‖ **2.** *C. Rica.* Nombre de estos árboles, que son de poca altura.

carao. m. *Amér. Central.* Árbol de la familia de las papilionáceas, con flores rosadas, dispuestas en racimos y frutos provistos de celdillas que contienen una especie de melaza.

caraos. m. ant. **carauz.**

caraota. f. *Venez.* Alubia o judía.

carapa. f. Planta meliácea de las Antillas, de semilla aceitosa.

carapachay. m. *R. de la Plata.* Nombre de los antiguos habitantes del delta del Paraná. ‖ **2.** *Argent.* y *Par.* Leñador carbonero.

carapacho. m. Caparazón que cubre las tortugas, los cangrejos y otros animales. ‖ **2.** *Cuba.* Guisado que se hace en la misma concha de los mariscos. ‖ **3.** pl. Pueblo indígena del Perú, en el departamento de Huánuco.

carapato. (De *carapa.*) m. Aceite de ricino.

¡carape! interj. **¡caramba!**

carapico. m. Planta rubiácea y de flor pequeña, propia de la Guayana.

carapopela. (De or. inc.; cf. port. *carapobeda.*) m. Especie de lagarto muy venenoso del Brasil.

carapucho. (De *capirucho.*) m. *Ast.* **capucho,** capucha de una prenda de vestir. ‖ **2.** *Ast.* Sombrero de forma ridícula. ‖ **3.** *Perú.* Planta gramínea, cuyas semillas embriagan y producen delirio.

carapulca. (De or. quechua.) f. Cierto guisado criollo, hecho de carne, papa seca y ají.

caraqueño, ña. adj. Natural de Caracas. Ú. t. c. s. ‖ **2.** Perteneciente o relativo a esta ciudad de Venezuela.

caraquilla. (De *caracol.*) f. *Ál.* Molusco parecido al caracol, pero de menor tamaño.

carasol. (De *cara al sol.*) m. **solana,** sitio donde da el sol.

carate. m. Especie de sarna, común en algunos países de América. ‖ **2.** *Col.* **caratea.**

caratea. f. *Col., Ecuad.* y *Venez.* Enfermedad escrofulosa, propia de los países cálidos y húmedos de América, común en Colombia.

carato[1]. m. *Amér.* **jagua.**

carato[2]. m. *Venez.* Bebida refrescante hecha con arroz o maíz molido o con el jugo de la piña o de la guanábana y aderezada con azúcar blanco o papelón y agua. ‖ **2.** *P. Rico.* Bebida refrescante hecha con el jugo de la guanábana y aderezada con azúcar blanco y agua.

carátula. f. Máscara para ocultar la cara. ‖ **2.** fig. **cara,** rostro. ‖ **3.** fig. **cara,** expresión. ‖ **4.** fig. p. us. Profesión del actor, **farándula.** ‖ **5.** Cubierta o portada de un libro o de los estuches de discos, casetes, cintas de video, etc. ‖ **6.** *Méj.* **esfera** del reloj.

caratulado, da. adj. Que tiene cubierto el rostro con carátula o careta.

caratular. tr. Hacer carátulas para los libros. ‖ **2.** *Argent.* Poner a un libro la carátula, portada. ‖ **3.** *Argent.* Cubrir la cara con carátula, máscara. ‖ **4.** *Argent.* Calificar, describir, titular.

caratulero, ra. m. y f. Persona que hace o vende carátulas o caretas.

carau. (De *caraú.*) m. Ave zancuda, que alcanza unos 35 centímetros de alto, de pico largo y encorvado y color castaño oscuro. Vive solitaria en la República Argentina, en el Paraguay y en el Uruguay.

caraú. (De or. guaraní, del grito de esta ave.) m. **carau.**

carauz. (Del al. *gar aus,* en el sentido de apurar el vaso.) m. ant. Acto de brindar apurando el vaso.

Caravaca. n. p. V. **cruz de Caravaca.**

caravana. (Del persa arabizado *karawān,* recua.) f. Grupo de gentes que en Asia y África se juntaban para hacer un viaje con seguridad, generalmente en camello u otras cabalgaduras, por razones religiosas o comerciales. ‖ **2.** En la orden militar de San Juan o de Malta, cada una de las primeras campañas que hacían los caballeros por la mar, en persecución de piratas y moros. ‖ **3.** Cuadrilla o comitiva de personas, montadas o a pie, que viajan juntas. ‖ **4.** Recua de animales o conjunto de carruajes que van juntos. ‖ **5.** Tráfico denso en carretera que obliga a los automóviles a marchar lentamente y a poca distancia entre ellos. ‖ **6.** Vehículo acondicionado para cocinar y dormir en él, que, remolcado por un automóvil, se usa en viajes largos; y, también el automóvil mismo dispuesto para aquellos fines. ‖ **7.** fig. y fam. Gran número de personas que se reúnen para ir juntas, y principalmente de campo. ‖ **8.** En la parte oriental de Cuba, **casilla,** trampa para pájaros. ‖ **9.** *Hond.* y *Méj.* **reverencia,** inclinación del cuerpo, en señal de respeto o cortesía. ‖ **10.** pl. *Argent., Bol., Chile* y *Urug.* Pendientes, arracadas. ‖ **correr,** o **hacer, caravanas,** o **las caravanas.** fr. En la orden de San Juan, servir los caballeros novicios por espacio de tres años, andando a corso en las galeras y navíos, o defendiendo algún castillo contra infieles, requisito para poder profesar. ‖ **2.** fig. y fam. Hacer las diligencias conducentes para lograr alguna pretensión.

caravanero. m. Conductor de una caravana, asiática o africana.

caravasar. (Del persa *karawān sarāy,* palacio de las caravanas.) m. Posada en Oriente destinada a las caravanas.

caray[1]. m. **carey,** gran tortuga de mar. ‖ **2. carey,** su concha.

¡caray![2]. interj. **¡caramba!**[2].

carayá. (De or. guaraní.) m. *Argent., Col.* y *Par.* Mono grande, aullador, de color negro, cola prensil y que alcanza unos 70 centímetros de alto, sin contar la cola, que tiene otros tantos.

carayaca. m. *Venez.* **carayá.**

carba. f. *Sal.* Matorral espeso de carbizos. ‖ **2.** *Sal.* Sitio donde sestea el ganado.

carbalí. adj. **carabalí.**

cárbaso. (Del lat. *carbăsus.*) m. Variedad de lino muy delgado que, según Plinio, se halló primeramente en España. ‖ **2.** fig. Vestidura hecha de este lino. ‖ **3.** poét. **lino,** vela de la nave.

carbinol. (De *carbono* y *-ol*[1], terminación genérica de los alcoholes.) m. *Quím.* **alcohol metílico.**

carbizal. (De *carbizo.*) m. *Sal.* Matorral de carbizos.

carbizo. (De *carba.*) m. *Sal.* Roble basto que produce la bellota gorda y áspera, y tiene la hoja ancha como la del castaño.

carbodinamita. (De *carbono* y *dinamita.*) f. *Quím.* Materia explosiva derivada de la nitroglicerina.

carbógeno. (De *carbono* y el gr. γεννάω, engendrar.) m. Polvo que sirve para preparar el agua de Seltz.

carbol. m. *Quím.* **fenol.**

carbólico. (De *carbol.*) adj. *Quím.* **fénico.**

carbolíneo. (De *carbón* y el lat. *olĕum*, aceite.) m. Sustancia líquida, grasa y de color verdoso, obtenida por destilación del alquitrán de hulla, y que sirve para hacer impermeable la madera.

carbón. (Del lat. *carbo, -ōnis.*) m. Materia sólida, ligera, negra y muy combustible, que resulta de la destilación o de la combustión incompleta de la leña o de otros cuerpos orgánicos. ‖ **2. carbón de piedra.** ‖ **3.** Brasa o ascua después de apagada. ‖ **4. carboncillo** de dibujar. ‖ **5.** V. **horno de carbón.** ‖ **6.** V. **papel carbón.** ‖ **7.** *Col.* **carbunco,** enfermedad. ‖ **animal.** El que por calcinación se obtiene de los huesos y sirve para descolorar ciertos líquidos. ‖ **de arranque.** El que se hace de raíces. ‖ **de canutillo.** El que se fabrica de las ramas delgadas de algunos árboles. ‖ **de piedra,** o **mineral.** Sustancia fósil, dura, bituminosa y tórrea, de color oscuro o casi negro, que resulta de la descomposición lenta de la materia leñosa, y arde con menos facilidad, pero dando más calor que el **carbón vegetal.** ‖ **vegetal.** El de leña.

carbonada. f. Cantidad grande de carbón que se echa de una vez en la hornilla. ‖ **2.** Carne cocida picada, y después asada en las ascuas o en las parrillas. ‖ **3.** Bocado hecho de leche, huevo y dulce, y después frito con manteca. ‖ **4.** *Argent., Chile, Perú* y *Urug.* Guisado compuesto de carne en trozos, choclos, zapallo, patatas, arroz y, en ocasiones, durazno.

carbonado. m. Diamante negro.

carbonalla. f. Mortero o mezcla de arena, arcilla y carbón, que sirve para construir el suelo de los hornos de reverbero.

carbonar. tr. Hacer carbón. Ú. t. c. prnl.

carbonario, ria. (Traducción del it. *carbonaro.*) adj. Se dijo de cada una de ciertas sociedades secretas fundadas en Italia en el siglo XIX con fines políticos o revolucionarios. *Las logias* CARBONARIAS. ‖ **2.** m. Individuo afiliado a alguna de estas sociedades.

carbonarismo. m. Movimiento de los carbonarios.

carbonatado, da. adj. *Quím.* Se aplica a toda base combinada con el ácido carbónico, formando carbonato. *Cal* CARBONATADA.

carbonatar. tr. *Quím.* Convertir en carbonato. Ú. t. c. prnl.

carbonato. (De *carbono.*) m. *Quím.* Sal resultante de la combinación del ácido carbónico con un radical simple o compuesto.

carboncillo. (d. de *carbón.*) m. Palillo de brezo, sauce u otra madera ligera, que, carbonizado, sirve para dibujar. ‖ **2.** Dibujo hecho con este palillo. ‖ **3. tizón,** hongo parásito del trigo. ‖ **4. hongo,** planta talofita. ‖ **5.** Una clase de arena de color negro por la acción del sol. ‖ **6.** *Cuba* y *Chile.* **carbonilla,** carbón a medio quemar. ‖ **7.** *C. Rica.* Árbol de la familia de las mimosáceas, con flores grandes y rosadas, que están provistas de largos pelos.

carbonear. tr. Hacer carbón de leña. ‖ **2.** Embarcar carbón un buque, para transporte o para su consumo.

carboneo. m. Acción y efecto de carbonear.

carbonera. (De *carbón.*) f. Pila de leña, cubierta de arcilla para el carboneo. ‖ **2.** Lugar donde se guarda carbón. ‖ **3.** Mujer que vende carbón. ‖ **4.** *Col.* Mina de hulla. ‖ **5.** *Chile.* Parte del ténder en que va el carbón. ‖ **6.** *Hond.* Cierta planta de los jardines. ‖ **7.** *Mar.* Nombre vulgar de la vela de estay mayor.

carbonería. f. Puesto o almacén donde se vende carbón. ‖ **2.** *Chile.* Instalación destinada en los campos a hacer carbón de leña mediante el empleo de hornos.

carbonerica. f. *Ál.* **paro carbonero.**

carbonero[1]**.** m. *Cuba* y *P. Rico.* Árbol de la familia de las mimosáceas, de madera dura, compacta, blanquecina y correosa.

carbonero[2]**, ra.** (Del lat. *carbonarĭus.*) adj. Perteneciente o relativo al carbón. ‖ **2.** V. **paro carbonero.** ‖ **3.** m. El que hace o vende carbón. ‖ **tiznar al carbonero.** fr. fig. y fam. desus. *Méj.* Engañar al que se da de advertido y astuto.

carbónico, ca. adj. *Quím.* Se aplica a muchas combinaciones o mezclas en que entra el carbono. ‖ **2.** *Quím.* V. **ácido, anhídrido carbónico.**

carbónidos. m. pl. *Quím.* Grupo de sustancias que comprenden los cuerpos formados de carbono puro o combinado.

carbonífero, ra. (Del lat. *carbo, -ōnis*, carbón, y *ferre*, producir.) adj. Dícese del terreno que contiene carbón mineral. ‖ **2.** *Geol.* Dícese del quinto de los seis períodos geológicos en que se divide la era paleozoica. Ú. t. c. s. ‖ **3.** Perteneciente al período durante el cual se han formado los yacimientos de carbón a partir de grandes bosques pantanosos y donde aparecen los primeros reptiles.

carbonilo. m. *Quím.* Radical formado por un átomo de carbono y otro de oxígeno. Símb.: *CO.*

carbonilla. f. Carbón mineral menudo que, como residuo, suele quedar al mover y trasladar el grueso. ‖ **2.** Conjunto de trozos menudos de carbón a medio quemar que pasan a través de la parrilla de los hogares.

carbonita. (De *carbón.*) f. Sustancia carbonosa de las hulleras de Virginia central. Es semejante al coque. ‖ **2.** Sustancia explosiva, compuesta de nitroglicerina, sulfuro de benzol y un polvo hecho con serrín, nitrato de potasio o sodio y carbonato de sodio. Se emplea con los mismos fines que la dinamita.

carbonización. f. Acción y efecto de carbonizar o carbonizarse.

carbonizar. tr. Reducir a carbón un cuerpo orgánico. Ú. t. c. prnl.

carbono. (Del lat. *carbo, -ōnis*, carbón.) m. *Quím.* Metaloide muy abundante en la naturaleza, que forma compuestos orgánicos en combinación con el hidrógeno, oxígeno, etc. En su estado puro se presenta como diamante o grafito. Núm. atómico 6. Símb.: *C.*

carbonoso, sa. adj. Que tiene carbón. ‖ **2.** Parecido al carbón.

carborundo. m. *Quím.* Carburo de silicio que se prepara sometiendo a elevadísima temperatura una mezcla de coque, arena silícea y cloruro de sodio, y resulta una masa cristalina que por su gran dureza, próxima a la del diamante, se usa para sustituir ventajosamente al asperón y al esmeril.

carboxílico, ca. adj. Perteneciente o relativo al carboxilo.

carboxilo. m. *Quím.* Radical que caracteriza a los ácidos orgánicos. Símb.: *COOH.*

carbuncal. adj. Perteneciente o relativo al carbunco.

carbunclo. (Del lat. *carbuncŭlus.*) m. **carbúnculo.** ‖ **2. carbunco,** enfermedad.

carbunco. (De *carbunclo.*) m. *Pat.* Enfermedad virulenta y contagiosa, frecuente y mortífera en el ganado lanar, vacuno, cabrío y a veces en el caballar; es transmisible al hombre, y está causada por una bacteria específica. ‖ **2.** *C. Rica.* **cocuyo,** insecto coleóptero. ‖ **sintomático.** *Pat.* Enfermedad virulenta, contagiosa, muy mortífera en los animales jóvenes del ganado vacuno y lanar; no se transmite al hombre y está causada por una bacteria que no es la del **carbunco** común.

carbuncosis. f. *Pat.* Infección carbuncosa.

carbuncoso, sa. adj. **carbuncal.**

carbúncula. f. ant. **carbúnculo.**

carbúnculo. (Del lat. *carbuncŭlus.*) m. **rubí.**

carburación. (De *carburar.*) f. Acto por el que se combinan el carbono y el hierro para producir el acero. ‖ **2.** *Quím.* Acción y efecto de carburar.

carburador. m. Aparato que sirve para carburar. ‖ **2.** Pieza de los automóviles, donde se efectúa la carburación.

carburante. p. a. de **carburar.** ‖ **2.** m. Mezcla de hidrocarburos que se emplea en los motores de explosión y de combustión interna.

carburar. (De *carburo.*) tr. *Quím.* Mezclar los gases o el aire atmosférico con los carburantes gaseosos o con los vapores de los carburantes líquidos, para hacerlos combustibles o detonantes. ‖ **2.** fig. y fam. Funcionar bien, dar una persona o una cosa su correcto rendimiento. Ú. m. con neg. *Esta máquina* NO CARBURA. *La cabeza* NO *le* CARBURA.

carburina. f. Sulfuro de carbono usado en tintorería y en economía doméstica para quitar las manchas de grasa en los tejidos.

carburo. m. *Quím.* Combinación del carbono con un radical simple.

carca[1]. adj. despect. **carcunda.** Ú. t. c. s.

carca[2]. f. *Amér.* Olla en que se cuece la chicha.

carcaj. (De etim. disc.) m. **aljaba.** ‖ **2.** Especie de cuja pendiente de un tahalí, en que se mete el extremo del palo de la cruz cuando se lleva ésta en procesión. ‖ **3.** *Amér.* Funda de cuero para el rifle.

carcajada. (Del ár. *qahqaha,* risa violenta.) f. Risa impetuosa y ruidosa. ‖ **a carcajada tendida.** loc. adv. Con risa estrepitosa y prolongada.

carcajear. intr. Reír a carcajadas. Ú. t. c. prnl.

carcamal. (De *cárcamo.*) m. fam. Persona decrépita y achacosa. Suele tener valor despectivo. Ú. t. c. adj.

carcamán[1]**, na.** m. y f. *Argent.* y *Perú.* Persona de muchas pretensiones y poco mérito. ‖ **2.** desus. *Argent.* Apodo con que se designaba despectivamente al italiano, en particular al genovés. ‖ **3.** *Argent.* **carcamal.**

carcamán[2]. (De *cárcamo.*) m. *Mar.* Cualquier buque grande, malo y pesado.

cárcamo. (De *cárcavo.*) m. **cárcavo** del molino. ‖ **2.** Hoyo, zanja.

carcañal. m. **calcañar.**

carcaño. m. **calcaño.**

carcasa. (Del fr. *carcasse.*) f. Cierta bomba incendiaria. ‖ **2.** **armazón,** esqueleto.

cárcava. (De *cárcavo.*) f. Hoya o zanja grande que suelen hacer las avenidas de agua. ‖ **2.** Zanja o foso. ‖ **3.** Hoyo en la tierra para enterrar un cadáver.

carcavar. (De *cárcava.*) tr. ant. **carcavear.**

carcavear. (De *cárcava.*) tr. ant. Fortificar un campo o ciudad, haciéndole una cárcava alrededor.

carcavera. adj. ant. Decíase de la ramera que ejercía la prostitución en las cárcavas. Usáb. t. c. s.

carcavina. f. **cárcava.**

carcavinar. (De *carcavina.*) intr. *Sal.* Heder las sepulturas.

cárcavo. (Del lat. *caccăbus,* olla, infl. por *concavāre,* cavar.) m. Hueco donde gira el rodezno de los molinos. ‖ **2.** ant. Cóncavo del vientre del animal.

carcavón. m. aum. de **cárcava.** ‖ **2.** Hoyo o barranco que hacen las avenidas de agua en la tierra movediza.

carcavonera. (De *carcavón.*) f. *Sal.* **peñascal.**

carcavuezo. (De *cárcavo.*) m. Hoyo profundo en la tierra.

carcax[1]. m. **carcaj.**

carcax[2]. (Del ár. *jaljāl.*) m. **ajorca.**

carcaza. f. **carcaj,** aljaba.

cárcel. (Del lat. *carcer, -ĕris.*) f. Local destinado a reclusión de presos. ‖ **2.** V. **visita de cárcel,** o **de cárceles.** ‖ **3.** Unidad de medida para la venta de leñas, que en Segovia tiene 100 pies cúbicos y en Valsaín 160. ‖ **4.** Ranura por donde corren los tablones de una compuerta. ‖ **5.** *Carp.* Barra de madera con dos salientes, entre los cuales se colocan y oprimen con un tornillo o con cuñas dos piezas de madera encoladas, para que se peguen. ‖ **6.** *Impr.* Par de tablas iguales que, afirmadas en las piernas de la prensa, abrazan y sujetan el husillo. ‖ **a la cárcel, ni por lumbre.** fr. fig. y fam. que puede extenderse al trato y amistad con ciertas personas mal reputadas o antipáticas.

carcelaje. m. Derecho que al salir de la cárcel pagaban los presos. ‖ **2.** **carcelería,** detención forzada.

carcelario, ria. (Del lat. *carcerarĭus.*) adj. Perteneciente o relativo a la cárcel. *Fiebre* CARCELARIA.

carcelera. f. Canto popular andaluz, cuyo tema son los trabajos y penalidades de los presidiarios.

carcelería. f. Detención forzada, aunque no sea en la cárcel. ‖ **2.** **fianza carcelera.** ‖ **3.** ant. Conjunto de delincuentes presos en una cárcel. ‖ **guardar carcelería.** fr. No salir el reo del pueblo o lugar designado para su retención.

carcelero, ra. (Del lat. *carcerarĭus.*) adj. **carcelario.** ‖ **2.** V. **fiador carcelero.** ‖ **3.** V. **fianza carcelera.** ‖ **4.** m. y f. Persona que tiene cuidado de la cárcel.

carceraje. m. ant. **carcelaje.**

carcerar. (Del lat. *carcerāre.*) tr. ant. **encarcelar,** poner en la cárcel.

carcinógeno, na. adj. Sustancia o agente que produce cáncer.

carcinología. (Del gr. καρκίνος, crustáceo, y *-logía.*) f. Parte de la zoología, que trata de los crustáceos.

carcinológico, ca. adj. Perteneciente o relativo a la carcinología o a los crustáceos.

carcinoma. (Del lat. *carcinōma,* y éste del gr. καρκίνωμα.) m. *Pat.* Cáncer formado a expensas del tejido epitelial de los órganos, con tendencia a difundirse y producir metástasis.

cárcola. (Del it. *càlcola,* de *calcare,* pisar.) f. **premidera.**

carcoma. (De etim. disc.) f. Nombre que se aplica a diversas especies de insectos coleópteros, muy pequeños y de color oscuro, cuyas larvas roen y taladran la madera produciendo a veces un ruido perceptible. ‖ **2.** Polvo que produce este insecto después de digerir la madera que ha roído. ‖ **3.** fig. Cuidado grave y continuo que mortifica y consume al que lo tiene. ‖ **4.** fig. Persona o cosa que poco a poco va gastando y consumiendo la hacienda.

carcomecer. tr. ant. **carcomer.** Usáb. t. c. prnl.

carcomer. tr. Roer la carcoma la madera. ‖ **2.** fig. Consumir poco a poco alguna cosa; como la salud, la virtud, etc. Ú. t. c. prnl. ‖ **3.** prnl. Llenarse de carcoma alguna cosa.

carcomiento, ta. (De *carcoma.*) adj. ant. fig. Que padece carcoma o consunción.

carcón. m. Correa con argollas en sus extremos, en que se afirman las varas de la silla de manos.

carcunda. (Del gallego-portugués *carcunda,* designación de los absolutistas en las luchas políticas portuguesas de principios del siglo XIX.) adj. despect. **carlista,** y por ext., persona de actitudes retrógradas. Ú. t. c. s.

carda. f. Acción y efecto de cardar. ‖ **2.** Cabeza terminal del tallo de la cardencha. Sirve para sacar el pelo a los paños y felpas. ‖ **3.** Especie de cepillo con púas de alambre que se usa en la industria textil para limpiar y separar unas fibras de otras. ‖ **4.** fig. y fam. Amonestación, reprensión. ‖ **5.** V. **gente de carda,** o **de la carda.** ‖ **6.** ant. Especie de embarcación semejante a la galeota. ‖ **dar una carda.** fr. fig. y fam. Reprender fuertemente. ‖ **todos somos de la carda.** fr. fig. y despect. Todos somos de la misma condición o clase.

cardada. f. Porción de lana que se carda de una vez.

cardado, da. p. p. de **cardar.** ‖ **2.** m. Acción y efecto de cardar.

cardador, ra. m. y f. Persona cuyo oficio es cardar. ‖

2. m. Miriópodo de cuerpo cilíndrico y liso, con poros laterales por donde sale un licor fétido. Se alimenta de sustancias en descomposición, y, cuando se ve sorprendido, se arrolla en espiral.

cardadura. f. Acción de cardar la lana.

cardaestambre. (De *cardar* y *estambre*.) m. ant. **cardador,** que carda la lana.

cardal. m. **cardizal.**

cardamina. f. **mastuerzo,** planta hortense.

cardamomo. (Del lat. *cardamōmum*.) m. Planta medicinal, especie de amomo, con el fruto más pequeño, triangular y correoso, y las semillas esquinadas, aromáticas y de sabor algo picante.

cardán. (De Gerolamo *Cardano*, inventor italiano, a través del fr. *cardan*.) m. *Mec.* Articulación para transmitir un movimiento de rotación en direcciones distintas. ‖ **2.** *Mec.* Suspensión consistente en dos círculos concéntricos, cuyos ejes forman ángulo recto.

cardancho. (De *cardo*.) m. *Rioja.* Cardillo áspero y grueso no comestible.

cardar. (De *cardo*.) tr. Preparar con la carda una materia textil para el hilado. ‖ **2.** Sacar suavemente el pelo con la carda a los paños, felpas u otros tejidos. ‖ **3.** Peinar, cepillar el pelo desde la punta hasta la raíz a fin de que, al alisar ligeramente su superficie, quede hueco.

cardario. m. Pez selacio del suborden de los ráyidos, que tiene en el dorso de la cola numerosos aguijones a modo de carda.

cardelina. (Del lat. *carduelis*.) f. **jilguero.**

cardenal[1]**.** (Del lat. *cardinālis*, fundamental.) m. Cada uno de los prelados que componen el Sacro Colegio; son los consejeros del Papa en los asuntos graves de la Iglesia, y forman el cónclave para la elección del Sumo Pontífice. Su distintivo es capelo, birreta y vestido encarnados. ‖ **2.** V. **colegio de cardenales.** ‖ **3.** Pájaro americano que alcanza 12 centímetros de largo, ceniciento, con una faja negra alrededor del pico, que se extiende hasta el cuello, y con un alto penacho rojo, al cual debe su nombre. Es muy erguido, inquieto y arisco, pero se halla bien en la jaula. Su canto es sonoro, variado y agradable. Vive unos veinticinco años. El de Venezuela es más pequeño; tiene el pico y los pies negros, el pecho rojizo, el lomo azul oscuro y el penacho rojo, en forma de mitra. ‖ **4.** *Chile.* **geranio.** ‖ **de Santiago.** Cada uno de los siete canónigos de la iglesia compostelana, que tienen este título y algunas preeminencias exclusivamente suyas. ‖ **in péctore,** o **in petto.** Eclesiástico elevado a **cardenal,** pero cuya proclamación e institución se reserva hasta momento oportuno el Papa.

cardenal[2]**.** (De *cárdeno*.) m. Mancha amoratada, negruzca o amarillenta de la piel a consecuencia de un golpe u otra causa.

cardenaladgo. m. ant. **cardenalazgo.**

cardenalato. m. Dignidad de cardenal.

cardenalazgo. m. ant. **cardenalato.**

cardenalía. f. ant. **cardenalato.**

cardenalicio, cia. adj. Perteneciente al cardenal[1] del Sacro Colegio.

cardencha. (Del lat. *cardincŭlus, de *cardŭus*, cardo.) f. Planta bienal, de la familia de las dipsacáceas, que alcanza unos dos metros de altura, con las hojas aserradas, espinosas y que abrazan al tallo, y flores purpúreas, terminales, cuyos involucros, largos, rígidos y con la punta en figura de anzuelo, forman cabezas que usan los pelaires para sacar el pelo a los paños en la percha. ‖ **2. carda,** instrumento para cardar la lana.

cardenchal. m. Sitio donde nacen y se crían las plantas llamadas cardenchas.

cardenilla. (De *cárdeno*.) f. Variedad de uva menuda, tardía y de color amoratado.

cardenillo. (d. de *cárdeno*.) m. *Quím.* Mezcla venenosa de acetatos básicos de cobre; es una materia verdosa o azulada, que se forma en los objetos de cobre o sus aleaciones. ‖ **2.** Acetato de cobre que se emplea en la pintura. ‖ **3.** Color verde claro semejante al del acetato de cobre.

cárdeno, na. (Del lat. *cardĭnus*, de *cardŭus*, cardo.) adj. De color amoratado. ‖ **2.** Dícese del toro cuyo pelo tiene mezcla de negro y blanco. ‖ **3.** Dícese del agua de color opalino. ‖ **4.** V. **lirio cárdeno.**

cardeña. f. ant. Piedra preciosa de color cárdeno. ‖ **2.** *Sal.* Mota o pavesa de la lumbre.

cardería. f. Taller en donde se carda la lana. ‖ **2.** Fábrica de cardas.

cardero. m. El que hace cardas.

cardiaca o **cardíaca.** (De *cardiaco*.) f. **agripalma.**

cardiáceo, a. (Del gr. καρδία, corazón.) adj. Que tiene forma de corazón.

cardíaco, ca o **cardiaco, ca.** (Del lat. *cardiăcus*, y este del gr. καρδιακός.) adj. Perteneciente o relativo al corazón. ‖ **2.** Que padece del corazón. Ú. t. c. s. ‖ **3.** *Anat.* V. **vena cardiaca.**

cardial. adj. ant. **cardiaco.**

cardialgia. (Del gr. καρδιαλγία.) f. *Pat.* Dolor agudo que se siente en el cardias y oprime el corazón.

cardiálgico, ca. (Del gr. καρδιαλγικός.) adj. *Pat.* Perteneciente o relativo a la cardialgia.

cardias. (Del gr. καρδία, estómago.) m. *Anat.* Orificio que sirve de comunicación entre el estómago y el esófago de los vertebrados terrestres.

cárdigan. (Del conde de *Cardigan*, militar inglés.) m. Chaqueta deportiva de punto, con escote en pico, generalmente sin cuello.

cardillar. m. Sitio en que abundan los cardillos.

cardillo[1]**.** (d. de *cardo*.) m. Planta bienal, compuesta, que se cría en sembrados y barbechos, con flores amarillentas y hojas rizadas y espinosas por la margen, de las cuales la penquita se come cocida cuando está tierna.

cardillo[2]**.** m. *Méj.* **escardillo,** reflejo del sol producido por un espejo u otro cuerpo brillante.

cardimuelle. (De *cardo* y *muelle*.) m. *Ál.* **cerraja**[2]**,** hierba compuesta.

cardinal. (Del lat. *cardinālis*.) adj. Principal, fundamental. ‖ **2.** V. **número, punto, viento, virtud cardinal.** ‖ **3.** *Astron.* Se aplica a los signos Aries, Cáncer, Libra y Capricornio. Llámanse así porque tienen su principio en los cuatro puntos **cardinales** del Zodíaco, y entrando el Sol en ellos, empiezan respectivamente las cuatro estaciones del año. ‖ **4.** *Gram.* Dícese del adjetivo numeral que expresa exclusivamente cuántas son las personas, animales o cosas de que se trata; como *uno, diez, ciento.*

cardinas. f. pl. *Arq.* Hojas parecidas a las del cardo, que se usan como adorno en el estilo ojival.

cardinche. (Del m. or. que *cardencha*.) m. *Ál.* **cardimuelle.**

cardiocirujano, na. m. y f. Cirujano cardiaco.

cardiografía. (Del gr. καρδία, corazón, y *-grafía*.) f. *Med.* Estudio y descripción del corazón.

cardiógrafo. m. Aparato que registra gráficamente la intensidad y el ritmo de los movimientos del corazón.

cardiograma. (Del gr. καρδία, corazón, y *-grama*.) m. Trazado que se obtiene con el cardiógrafo.

cardiología. (Del gr. καρδία, corazón, y *-logía*.) f. Tratado del corazón y de sus funciones y enfermedades.

cardiólogo, ga. m. y f. Médico especializado en las enfermedades del corazón.

cardiópata. (Del gr. καρδία, corazón, y πάθος, enfermedad.) adj. Dícese de la persona que padece alguna afección cardiaca. Ú. t. c. s.

cardiopatía. f. *Pat.* Enfermedad del corazón.

cardítico, ca. (De *carditis*.) adj. Relativo al corazón.

carditis. (Del gr. καρδία, corazón, e *-itis.*) f. *Pat.* Inflamación del tejido muscular del corazón.

cardizal. m. Sitio en que abundan los cardos y otras plantas.

cardo. (Del lat. *cardus.*) m. Planta anual, compuesta, que alcanza un metro de altura, hojas grandes y espinosas como las de la alcachofa, flores azules en cabezuela, y pencas que se comen crudas o cocidas, después de aporcada la planta para que resulten más blancas, tiernas y sabrosas. ‖ **2.** fig. Persona arisca. ‖ **3.** *Amér.* **caraguatá.** ‖ **ajonjero,** o **aljonjero. ajonjera.** ‖ **bendito. cardo santo.** ‖ **borriqueño,** o **borriquero.** El que llega a unos tres metros de altura, con las hojas rizadas y espinosas; el tallo con dos bordes membranosos, y flores purpúreas en cabezuelas terminales. ‖ **corredor.** Planta anual, umbelífera, de un metro de altura, tallo subdividido, hojas coriáceas, espinosas por el borde, flores blancas en cabezuelas y fruto ovoide espinoso. ‖ **de María. cardo mariano.** ‖ **estelado corredor. cardo corredor.** ‖ **estrellado.** El de tallo peloso, hojas laciniadas, y flores blancas o purpúreas, dispuestas en cabezuelas laterales y sentadas, con espinas blancas. ‖ **huso.** Planta anual, especie de alazor o cártamo. ‖ **lechar,** o **lechero.** El de tallo derecho y leñoso, que alcanza unos dos metros de altura, hojas grandes, sinuosas, dentadas y con espinas; flores de color amarillento rojizo, solitarias, terminales y sentadas. La planta está cubierta de un jugo viscoso y blanquecino. ‖ **mariano.** El de tallos derechos, hojas abrazadoras, escotadas, espinosas por el margen y manchadas de blanco, y flores purpúreas en cabezuelas terminales. ‖ **santo.** El de tallo cuadrangular, ramoso y velludo, que alcanza de tres a cuatro decímetros de altura, hojas envainadoras con dientes espinosos y flores amarillas dispuestas en cabezuelas terminales y escamosas. El zumo es narcótico y purgante, pero de uso peligroso. ‖ **setero. cardo corredor.** ‖ **yesquero. cardo borriquero.** ‖ **más áspero que un cardo.** expr. fig. y fam. Dícese de la persona adusta y desabrida.

cardón. (De *cardo.*) m. **cardencha,** planta dipsacácea. ‖ **2.** Acción y efecto de sacar pelo al paño o al fieltro antes de tundirlo. ‖ **3.** Planta bromeliácea que abunda en Chile, y cuyo fruto es el chagual. ‖ **4.** *Argent.* Especie de cacto gigante que sirve para setos vivos y como planta forrajera. ‖ **5.** *Bol.* Cacto de gran tamaño, pues alcanza unos 20 metros de altura. ‖ **6.** *C. Rica, Méj.* y *Perú.* Planta cactácea de la que existen varias especies.

cardona. (De *cardón.*) f. *Cuba.* Especie de cacto que se cría en la costa.

Cardona. n. p. **más listo que Cardona.** expr. fig. y fam. con que se pondera el despejo, trastienda y presteza de alguien.

cardonal. m. *N. Argent., Col., Chile* y *Venez.* Sitio en que abundan los cardones, plantas.

cardoncillo. (d. de *cardón.*) m. **cardo mariano.**

carducha. f. Carda gruesa de hierro.

cardume. (Del port. y gall. *cardume.*) m. **cardumen,** banco de peces.

cardumen. m. **banco** de peces. ‖ **2.** *Chile* y *Urug.* Multitud y abundancia de cosas.

carduza. f. ant. **carda,** instrumento para cardar.

carduzador, ra. m. y f. Persona que carduza. ‖ **2.** *Germ.* El que deshace y transforma la ropa robada a fin de que no sea reconocida.

carduzal. m. **cardizal.**

carduzar. (De *carduza.*) tr. **cardar.**

carea. f. *Sal.* Acción y efecto de carear o dirigir el ganado hacia alguna parte.

careado, da. p. p. de **carear.** ‖ **2.** adj. *Sal.* Se aplica al ganado que está o va de careo.

careador. (De *carear.*) adj. *Cast.* Se aplica al perro destinado a carear o guiar las ovejas, en oposición al mastín que se emplea en defenderlas. ‖ **2.** m. *Sto. Dom.* El que cuida del gallo durante la riña.

carear. (De *cara.*) tr. Poner a una o varias personas en presencia de otra u otras, con objeto de apurar la verdad de dichos o hechos. ‖ **2.** Dirigir el ganado hacia alguna parte. ‖ **3.** Pacer o pastar el ganado cuando va de camino. ‖ **4.** Dar la última mano a la cara del pan de azúcar para limpiarle el barro de la purga. ‖ **5.** fig. Cotejar una cosa con otra. ‖ **6.** *Sal.* Oxear, espantar. ‖ **7.** intr. Dar o presentar la faz hacia una parte. ‖ **8.** prnl. Verse las personas para algún negocio. ‖ **9.** Ponerse resueltamente cara a cara dos o más personas a fin de resolver algún asunto desagradable para cualquiera de ellas.

carecer. (Del lat. **carescĕre,* de *carēre.*) intr. Tener falta de alguna cosa.

carecimiento. (De *carecer.*) m. **carencia,** falta de algo.

careicillo. m. *Cuba.* Arbusto silvestre de hojas ásperas y flores blancas en ramillete.

carel. m. *Mar.* Borde superior de una embarcación pequeña donde se fijan los remos que la mueven.

carena. (De etim. disc.; cf. lat. *carīna.*) f. **obra viva,** parte normalmente sumergida de la nave. ‖ **2.** *Mar.* Reparo y compostura que se hace en el casco de la nave para hacerlo estanco. ‖ **3. carenado,** revestimiento. ‖ **4.** fig. y fam. Burla y chasco con que se zahiere y reprende. Úsase con los verbos *dar, sufrir, llevar, aguantar.* ‖ **5.** ant. Penitencia hecha por espacio de cuarenta días ayunando a pan y agua.

carenado, da. p. p. de **carenar.** ‖ **2.** m. **carenadura.** ‖ **3.** Revestimiento de fibra de vidrio, plástico u otro material que se adapta a las motocicletas y a algunos bólidos con fines ornamentales y aerodinámicos.

carenadura. f. Acción y efecto de carenar.

carenar. (Del lat. *carināre.*) tr. *Mar.* Reparar o componer el casco de la nave. ‖ **2.** Añadir accesorios ornamentales o aerodinámicos a una motocicleta o a un bólido. ‖ **carenar de firme.** fr. *Mar.* Reparar completamente el barco.

carencia. (Del lat. *carentĭa.*) f. Falta o privación de alguna cosa. ‖ **2.** *Med.* Falta de determinadas sustancias en la ración alimenticia, especialmente vitaminas. *Enfermedades por* CARENCIA. ‖ **3.** En seguros, período en el que el cliente nuevo no puede disfrutar de determinados servicios ofrecidos.

carencial. adj. *Med.* Perteneciente o relativo a la carencia de sustancias alimenticias o de vitaminas.

carenero. m. *Mar.* Sitio en que se carenan buques.

carenóstilo. m. Insecto de la familia de los carábidos, común en España y en otros países meridionales.

carenote. (De *carena.*) m. *Mar.* Cada uno de los tablones que se aplican a los lados de la quilla de una embarcación, para que se mantenga derecha cuando se vara en la playa.

carente. p. a. irreg. de **carecer.** Que carece.

careo. m. Acción y efecto de carear o carearse. ‖ **2.** *Extr.* Porción de terreno dividido para la montanera de bellota o hayuco. ‖ **3.** *Sal.* **pasto,** hierba que pace el ganado. ‖ **4.** *Sal.* Conversación, charla, holgorio.

carero, ra. adj. fam. Que acostumbra vender caro.

caresa. f. **cresa.**

carestía. (Del b. lat. *carestia,* con influjo de *caro.*) f. Falta o escasez de alguna cosa; por antonom., de los víveres. ‖ **2.** Subido precio de las cosas de uso común.

careta. (De *cara.*) f. Máscara o mascarilla de cartón u otra materia, para cubrir la cara. ‖ **2.** Mascarilla de alambres con que los colmeneros se preservan la cara de las picaduras de las abejas. ‖ **3.** Máscara de red metálica con la cual se guardan la cara de los golpes del contrario quienes se ensayan en la esgrima. ‖ **4.** Máscara, fingimiento, disimulo. ‖ **5.** Parte delantera de la cabeza del cerdo, salada para su conservación. ‖ **6.** V. **judía de careta.**

careto, ta. (De *careta*.) adj. Dícese del animal de raza caballar o vacuna que tiene la cara blanca, y la frente y el resto de la cabeza de color oscuro. ‖ **2.** *El Salv., Hond.* y *Nicar.* Dícese de la persona que tiene la cara sucia y pringada.

carey. (Del taíno *carey*.) m. Tortuga de mar, de hasta un metro de longitud, con las extremidades anteriores más largas que las posteriores, los pies palmeados, las mandíbulas festoneadas y el espaldar de color pardo o leonado y dividido en segmentos imbricados. Su carne es indigesta, pero sus huevos se aprecian como manjar excelente; abunda en las costas de las Indias Orientales y del golfo de Méjico, donde se pesca por el valor que tiene en el comercio. ‖ **2.** Materia córnea que se saca en chapas delgadas calentando por debajo las escamas del **carey.** ‖ **3.** *Cuba.* Bejuco de hojas anchas y tan ásperas, que se usa como lija. ‖ **4.** *Cuba.* Arbusto de las costas, de la familia de las ramnáceas.

careza. (De *caro*.) f. p. us. **carestía.**

carga. (De *cargar*.) f. Acción y efecto de cargar. ‖ **2.** Cosa que hace peso sobre otra. ‖ **3.** Cosa transportada a hombros, a lomo, o en cualquier vehículo. ‖ **4.** Peso sostenido por una estructura. ‖ **5.** Repuesto del depósito o chasis de un utensilio o aparato cuyo contenido se agota periódicamente. CARGA *de un bolígrafo, de una batería.* ‖ **6.** Unidad de medida de algunos productos forestales, como leñas, carbones, frutos, etc. ‖ **7.** Cierta cantidad de granos, que en unas partes es de cuatro fanegas y en otras de tres. ‖ **8.** Cantidad de sustancia explosiva que se pone en un arma de fuego, en una mina, en un barreno, etc. ‖ **9.** Boquilla del frasco u otra medida de la pólvora que corresponde a cada disparo. ‖ **10.** Dicho de un motor, trabajo útil que suministra en cada unidad de tiempo. ‖ **11.** Acción de cargar en algunos deportes. ‖ **12.** V. **bestia, fila, indio, navío, paso de carga.** ‖ **13.** ant. Acción de disparar a un tiempo muchas armas de fuego. ‖ **14.** fig. Impuesto, tributo, cualquier gravamen ligado a una propiedad o a un estado y al uso que de estos se hace. CARGAS *fiscales.* ‖ **15.** fig. Obligación aneja a un estado, empleo u oficio. ‖ **16.** fig. Cuidados y aflicciones del ánimo. ‖ **17.** fig. y fam. V. **burro de carga.** ‖ **18.** *Electr.* **carga eléctrica.** ‖ **19.** *Mar.* V. **buque a la carga.** ‖ **20.** *Mil.* Embestida o ataque resuelto al enemigo o, en situaciones que afectan al orden público, la efectuada por los cuerpos de policía contra aquellos que lo alteran. ‖ **21.** *Veter.* Bizma para las caballerías, compuesta de harina, claras de huevos, ceniza y bol arménico, todo batido con la sangre del mismo animal. ‖ **abierta.** *Mil.* Embestida al arma blanca en formación espaciada. ‖ **a fondo.** *Mil.* **carga de petral.** ‖ **aragonesa.** La de tres quintales; el quintal tenía cuatro arrobas, y la arroba, 36 libras. ‖ **catalana.** La que constaba de tres quintales; el quintal, de cuatro arrobas, y la arroba, de 26 libras de 12 onzas cada una. ‖ **cerrada.** *Mil.* Embestida al arma blanca en formación compacta. ‖ **2.** ant. **descarga cerrada.** ‖ **3.** fig. y fam. Reprensión áspera y fuerte. ‖ **concejil.** Servicio o gravamen exigible a todos los vecinos no exentos por la ley; como los de alojamientos, bagajes, etc. ‖ **de aposento.** La que durante el siglo XVII impuso a las casas de Madrid que tenían dos pisos la obligación de ceder uno de ellos al rey para alojamiento de la Corte. Era redimible mediante el pago de una contribución anual. ‖ **de justicia.** Obligación contraída por el Estado de indemnizar a los sucesores de los antiguos dueños de oficios o derechos enajenados de la corona o poseedores de donaciones y privilegios reales, o bien a los que deben percibir ciertas cantidades por causa onerosa. ‖ **del Bierzo.** Unidad de medida para terrenos usada en esta región leonesa, equivalente a cuatro fanegas o 400 estadales cuadrados, de cuatro varas de lado cada uno aproximadamente. ‖ **de petral.** *Mil.* Embestida de caballería contra caballería y cuerpo a cuerpo. ‖ **de profundidad.** Explosivo arrojadizo para atacar o destruir objetivos submarinos. ‖ **eléctrica.** *Fís.* Cantidad de electricidad acumulada en un cuerpo. ‖ **elemental.** *Fís.* La **carga** del electrón o la del protón, que son opuestas y valen 1,602 x 10^{-19} culombios. ‖ **mayor.** La que suele llevar una acémila. ‖ **menor.** La que puede llevar un asno. ‖ **personal.** Servicio a que están obligadas las personas. ‖ **real.** Gravamen impuesto sobre bienes inmuebles, quienquiera que sea el poseedor de estos. ‖ **vecinal. carga concejil.** ‖ **a carga cerrada.** loc. adv. Dícese de lo que se compra a bulto y sin previo examen, por alusión a la manera como suelen comprarse ciertas especies, como el carbón, las frutas, etc. ‖ **2.** fig. Sin reflexión, consideración ni examen. ‖ **3.** fig. Sin distinguir, sin restricción. ‖ **4.** fig. A un tiempo, de una vez. ‖ **a cargas.** loc. adv. fig. y fam. Con mucha abundancia. A CARGAS *le vienen los regalos.* ‖ **acodillar con la carga.** fr. fig. y fam. desus. No poder cumplir con la obligación de su empleo. ‖ **echar** uno **la carga** a otro. fr. fig. y fam. Transferirle lo más pesado de la obligación propia. ‖ **echar** uno **la carga de sí.** fr. fig. Eludir un gravamen o cuidado. ‖ **echar** uno **las cargas** a otro. fr. fig. y fam. Imputarle lo que no ha hecho. ‖ **echarse con la carga.** fr. fig. y fam. Enfadarse o rendirse y abandonarlo todo. ‖ **llevar la carga.** fr. fig. Asumir cuidado o trabajo de alguna cosa. ‖ **¿por qué carga de agua?** loc. fig. y fam. desus. ¿Por qué razón? ¿Por qué causa o motivo? ‖ **sentarse la carga.** fr. fig. Lastimar la **carga** a la bestia por no estar bien puesta. ‖ **2.** fig. y fam. Hacerse molesta una obligación o empresa. ‖ **ser de ciento en carga** una cosa. fr. fig. y fam. Ser ordinaria y de poca estimación. ‖ **ser en carga.** fr. desus. Molestar, enfadar. ‖ **soltar la carga.** fr. fig. **echar la carga de sí.** ‖ **terciar la carga.** fr. Repartirla en porciones iguales. ‖ **volver a la carga.** fr. fig. Insistir en un empeño o tema.

cargadal. m. *Ar.* Acumulación de tierra y otras sustancias en el fondo de los ríos y acequias.

cargadas. f. pl. Juego de naipes en que el que no hace baza es bolo y pierde, y cuando todos los que juegan hacen bazas, el que tiene más, por estar cargado de ellas, pierde también.

cargadera. (De *cargar*.) f. *Mar.* Cabo con que se facilita la operación de arriar o cerrar las velas volantes y de cuchillo.

cargadero. m. Sitio donde se cargan y descargan las mercancías que se transportan. ‖ **2.** Conjunto de artefactos instalados para estas operaciones. ‖ **3.** *Arq.* **dintel.** ‖ **4.** Boca superior del horno, particularmente del de fundición.

cargadilla. (De *cargar*.) f. fam. Aumento que, por la acumulación de intereses, va teniendo una deuda.

cargado, da. p. p. de **cargar.** ‖ **2.** adj. Dícese del tiempo o de la atmósfera bochornosos. ‖ **3.** Aplícase a la oveja próxima a parir. En algunas partes se dice también de otras hembras, y aun de las mujeres. ‖ **4.** Fuerte, espeso, saturado; como el café. ‖ **5.** *C. Rica.* **cargante.** ‖ **6.** *Blas.* Dícese de la pieza o armas sobre las que se han pintado otra u otras que no sean brisura. ‖ **7.** f. En el juego del monte, la carta a que se ha puesto más dinero, de las dos que forman el albur y el gallo. ‖ **8.** m. *Danza.* Movimiento de la danza española, que se hace alzando el pie derecho y poniéndolo sobre el otro, de manera que lo quite de su asiento y quede él en su lugar.

cargador, ra. adj. Que carga. Ú. t. c. s. ‖ **2.** m. El que embarca las mercancías para que sean transportadas. ‖ **3.** El que tiene por oficio conducir cargas. ‖ **4.** El que carga las escopetas en la caza de ojeo. ‖ **5.** Bieldo grande para cargar y encerrar la paja. ‖ **6.** Estuche metálico con un muelle impulsor en el que se disponen los proyectiles para las armas automáticas ligeras. ‖ **7.** *Amér.* **mozo de cordel.** ‖ **8.** *Col.* Banda o cuerda de cuero, fique, etc., que sirve para sujetar una maleta o bulto análogo que se lleva a la espalda. ‖ **9.** *Chile.* Sarmiento algo recortado en la poda, que se deja para que lleve el peso del nuevo fruto. ‖ **10.** *Guat.* Cohete muy ruidoso. ‖ **11.** *Art.* Sirviente que introduce la carga en las piezas de artillería. ‖ **12.** pl. *Col.* Tirantes para sujetar los pantalones.

cargamento. m. Conjunto de mercaderías que carga una embarcación.

cargancia. (De *cargar.*) f. *Sal.* Molestia, pesadez.

cargante. p. a. de **cargar.** ‖ **2.** adj. Que carga, molesta, incomoda o cansa por su insistencia o modo de ser.

cargar. (Del lat. vulg. *carricāre,* y este del lat. *carrus,* carro.) tr. Poner o echar peso sobre una persona o una bestia. ‖ **2.** Embarcar o poner en un vehículo mercancías para transportarlas. ‖ **3.** Introducir la carga o el cartucho en el cañón, recámara, etc., de un arma de fuego. ‖ **4.** Proveer a algún utensilio o aparato de aquello que necesita para funcionar. CARGAR *una estilográfica, un cartucho, una máquina fotográfica, una batería,* etc. ‖ **5.** Acumular energía eléctrica en un cuerpo. ‖ **6.** En el fútbol y otros juegos similares, desplazar de su sitio un jugador a otro mediante un choque violento con el cuerpo. ‖ **7.** Acopiar con abundancia algunas cosas. ‖ **8.** fig. Con algunos adverbios, como *mucho, demasiado,* etc., llenarse, comer o beber destempladamente. Ú. t. c. prnl. ‖ **9.** fig. Aumentar, agravar el peso de alguna cosa. ‖ **10.** fig. Imponer a las personas o cosas un gravamen, carga u obligación. ‖ **11.** fig. Imputar, achacar a alguien alguna cosa. ‖ **12.** fig. En los juegos de la malilla, y otros, echar sobre la carta jugada otra que la gane. ‖ **13.** fig. En el juego del monte, aumentar el dinero puesto a una carta. ‖ **14.** fig. y fam. Incomodar, molestar, cansar. ‖ **15.** *Blas.* Pintar sobre una pieza o armas otra u otras que no sean brisura. ‖ **16.** *Com.* Anotar en las cuentas corrientes las partidas que corresponden al debe. ‖ **17.** *Fís.* Almacenar en las armaduras de un condensador sendas cargas eléctricas iguales y de signo contrario, estableciendo una diferencia de potencial entre las armaduras. ‖ **18.** *Fís.* Hacer pasar a un acumulador una corriente opuesta a la que este suministra, a fin de que recupere la energía que había perdido. ‖ **19.** *Mar.* Dicho de las velas, cerrar o recoger sus paños, dejándolas listas para ser aferradas. ‖ **20.** *Veter.* Untar las bestias caballares desde la cruz hasta las caderas con su propia sangre, mezclada con otros ingredientes después de haberlas sangrado. ‖ **21.** intr. Efectuar una carga contra el enemigo o contra una multitud. ‖ **22.** Inclinarse una cosa hacia alguna parte. CARGÓ *la tempestad hacia el puerto.* Ú. t. c. prnl. SE CARGÓ *el viento al Norte.* ‖ **23.** Mantener, tomar o **cargar** sobre sí algún peso. ‖ **24.** Estribar o descansar una cosa sobre otra. ‖ **25.** Junto con la prep. *con,* llevarse, tomar. ‖ **26.** Llevar los árboles fruto en gran abundancia. ‖ **27.** fig. Concurrir mucha gente a un lugar. ‖ **28.** fig. Tomar o tener sobre sí alguna obligación o cuidado. ‖ **29.** fig. Con la prep. *sobre,* hacer a alguien responsable de culpas o defectos ajenos. ‖ **30.** fig. Junto con la misma prep., instar, importunar a alguien para que condescienda con lo que se le pide. CARGARON *tanto* SOBRE *Ramón, que no pudo negarse.* ‖ **31.** *Fon.* Tratándose de acentuación o pronunciación, tener un sonido o una sílaba más valor prosódico que otros de la misma palabra. ‖ **32.** prnl. Echar el cuerpo hacia alguna parte. ‖ **33.** fig. En las cuentas, admitir el cargo de alguna cantidad. ‖ **34.** fig. Tratándose del tiempo, el cielo, el horizonte, etc., irse aglomerando y condensando las nubes. ‖ **35.** fig. Con la prep. *de,* llenarse o llegar a tener copia o abundancia de ciertas cosas. CARGARSE *uno* DE *razón,* DE *años,* DE *hijos;* CARGARSE DE *lágrimas los ojos.* ‖ **cargar delantero.** fr. fig. y fam. Haber bebido demasiado. ‖ **cargarse** a alguien. fr. fig. y fam. Matarle, privarle de la vida. ‖ **2.** fig. Suspenderle en un examen o ejercicio. ‖ **3.** fig. Derrotarle, dominarle por la fuerza de la razón. ‖ **cargarse** una cosa. fr. fig. y fam. Romperla, estropearla.

cargareme. (De *cargaré* y *me.*) m. Documento con que se hace constar el ingreso de alguna cantidad en caja o tesorería.

cargazón. (De *cargar.*) f. **cargamento.** ‖ **2.** Pesadez sentida en alguna parte del cuerpo, como la cabeza, el estómago, etc. ‖ **3.** Aglomeración de nubes espesas. ‖ **4.** Abundancia de frutos en los árboles y otras plantas. ‖ **5.** *Argent.* Recargamiento, exceso de adornos.

cargo. m. Acción de cargar. ‖ **2.** Carga o peso. ‖ **3.** Cantidad de piedra para mampostería o afirmado, aproximadamente de un tercio de metro cúbico. ‖ **4.** Pila de capachos llenos de aceituna molida, dispuestos para ser prensados. ‖ **5.** Cantidad de uva ya pisada, que se pone de una vez bajo la acción de la viga o la prensa en el lagar. ‖ **6.** Unidad de medida de maderas que se usa en Granada, equivalente a una vara cúbica. ‖ **7.** En las cuentas, conjunto de cantidades de las que se debe dar satisfacción. ‖ **8.** Pago que se hace o debe hacerse con dinero de una cuenta, y apuntamiento que de él se hace. ‖ **9.** V. **pino de cargo.** ‖ **10.** fig. Dignidad, empleo, oficio. ‖ **11.** fig. Persona que lo desempeña. ‖ **12.** fig. Obligación de hacer o cumplir alguna cosa. ‖ **13.** fig. Gobierno, dirección, custodia. ‖ **14.** fig. Falta que se imputa a alguien en su comportamiento. ‖ **15.** *Sal.* **dintel.** ‖ **16.** *Chile.* y *Perú.* Certificado que al pie de los escritos pone el secretario judicial para señalar el día o la hora en que fueron presentados. ‖ **concejil.** Oficio obligatorio para los vecinos, como el de regidor, etc. ‖ **de conciencia.** Lo que la grava. ‖ **de la república. cargo concejil.** ‖ **alto cargo.** Empleo de elevada responsabilidad. ‖ **2.** Persona que lo desempeña. ‖ **a cargo de.** loc. prepos. con que se indica que algo está confiado al cuidado de una persona. ‖ **2.** A expensas, a costa, a cuenta de. ‖ **con cargo a.** loc. prepos. **a cargo de,** a expensas de. ‖ **hacer cargo** a alguien **de** alguna cosa. fr. Imputársela, reconvenirle con ella. ‖ **hacerse cargo de** alguna cosa. fr. Encargarse de ella. ‖ **2.** Formar concepto de ella. ‖ **3.** Considerar todas sus circunstancias. ‖ **ser uno en cargo** a otro. fr. Ser su deudor.

cargosear. tr. *Argent., Chile, Perú* y *Urug.* Importunar, molestar.

cargoso, sa. (De *cargar.*) adj. Que causa disgusto, padecimiento o fatiga. ‖ **2.** Gravoso, oneroso, que ocasiona gastos o dificultades. ‖ **3.** *Argent., Chile, Par.* y *Urug.* **cargante,** que molesta, incomoda o cansa.

cargue. m. ant. Acción y efecto de cargar una embarcación. ‖ **2.** ant. Pasaporte o licencia para cargar.

carguerío. (De *carguero.*) m. ant. **carguío.**

carguero, ra. adj. Que lleva carga. Ú. t. c. s. ‖ **2.** m. Buque, tren, etc., de carga. ‖ **3.** m. y f. Persona que se dedica a llevar cargas. ‖ **4.** *Argent.* **bestia de carga.**

carguillero, ra. adj. *Sal.* Dícese del que tiene por oficio llevar cargas de leña para calentar los hornos.

carguío. m. Cantidad de géneros u otras cosas que componen la carga. ‖ **2. carga,** cosa transportada a hombros o en un vehículo.

cari. (Del mapuche *cari,* verde.) adj. *Argent.* y *Chile.* De color pardo o plomizo. *Manta* CARI. ‖ **2.** m. *Chile.* Pimienta de la India.

caria. f. *Arq.* Fuste o caña de columna.

cariacedo, da. (De *cara* y *acedo.*) adj. Desapacible, desagradable, enojado.

cariaco. (Del caribe *cariacu,* corza.) m. desus. *Cuba.* Baile popular parecido a la titundia. ‖ **2.** *Guay.* Bebida fermentada de jarabe de caña, de cazabe y de patatas.

cariacontecido, da. (De *cara* y *acontecido.*) adj. fam. Que muestra en el semblante pena, turbación o sobresalto.

cariacos. m. pl. Indios caribes de las Antillas en la época del descubrimiento.

cariacuchillado, da. (De *cara* y *acuchillado.*) adj. Que tiene en la cara alguna cicatriz.

cariado, da. p. p. de **cariar.** ‖ **2.** adj. Dícese de los huesos dañados o podridos.

cariadura. (De *cariar.*) f. El daño del hueso cariado.

cariaguileño, ña. (De *cara* y *aguileño.*) adj. fam. Que tiene larga la cara, enjutos los carrillos y algo corva la nariz.

carialegre. adj. De semblante risueño. ‖ **2.** Que se ríe con facilidad.

carialzado, da. adj. Que tiene la cara levantada.

cariampollado, da. adj. **cariampollar.**

cariampollar. (De *cara* y *ampolla.*) adj. **mofletudo.**

cariancho, cha. adj. fam. Que tiene ancha la cara.

cariaquito. (De or. caribe.) m. Arbusto vivaz de la familia de las verbenáceas, propio de los lugares cálidos, secos y áridos, que crece hasta poco más de un metro de altura, con ramos angulosos y cubiertos de pelos ásperos, hojas recias, dentadas y salpicadas de puntos blanquecinos en un fondo verde sin brillo; flores pequeñas, blancas o moradas, y fruto dulce, consistente en una pequeña baya globulosa que encierra una semilla. Toda la planta despide un aroma suave.

cariar. (De *caries.*) tr. Corroer, producir caries. Ú. m. c. prnl.

cariátide. (Del lat. *caryătis, -idis,* y este del gr. καρυᾶτις.) f. *Arq.* Estatua de mujer con traje talar, y que hace oficio de columna o pilastra. ‖ **2.** *Arq.* Por ext., cualquier figura humana que en un cuerpo arquitectónico sirve de columna o pilastra.

caríbal. (De *caribe.*) adj. **caníbal,** salvaje de las Antillas. Ú. t. c. s.

caribe. adj. Dícese del individuo de un pueblo que en otro tiempo dominó una parte de las Antillas y se extendió por el norte de América del Sur. Ú. t. c. s. ‖ **2.** Perteneciente a este pueblo. ‖ **3.** *P. Rico, Sto. Dom.* y *Venez.* **picante,** que excita el paladar. *Ají* CARIBE. ‖ **4.** *P. Rico, Sto. Dom.* y *Venez.* **picante,** que pinza o muerde. *Hormiga* CARIBE. ‖ **5.** m. Lengua de los **caribes,** dividida en numerosos dialectos. ‖ **6. piraña.** ‖ **7.** fig. Hombre cruel e inhumano. Se usa con alusión a los indios de la provincia de Caribana.

caribello. (De *cara* y *bello.*) adj. Dícese del toro que tiene la cabeza oscura y la frente con manchas blancas.

caribeño, ña. adj. Dícese del habitante de la región del Caribe. Ú. t. c. s. ‖ **2.** Perteneciente o relativo al mar Caribe, o a los territorios que baña.

cariblanca. m. *Col.* y *C. Rica.* **carablanca.**

cariblanco. m. *C. Rica.* Puerco montés más pequeño que el jabalí europeo y más feroz, y de carne más estimada que el saíno. Vive en grandes manadas en los bosques vírgenes de los países cálidos.

caribú. m. Reno salvaje del Canadá.

caricáceo, a. (De *Carica,* nombre de un género de plantas.) adj. *Bot.* Dícese de árboles angiospermos dicotiledóneos con tallo poco ramificado y jugoso, flores generalmente unisexuales, de cáliz muy pequeño y corola gamopétala y pentámera; fruto en baya, de carne apretada al exterior y pulposa en lo interior, con semillas semejantes a las de las cucurbitáceas; como el papayo. Ú. t. c. s. f. ‖ **2.** f. pl. *Bot.* Familia de estas plantas.

caricari. (De or. caribe.) m. Halcón brasileño que se alimenta de reptiles, ratones, pájaros e insectos.

caricarillo, lla. m. y f. *Vallad.* Cada uno de los hijos de un cónyuge con relación a los del otro, cuando siendo ambos cónyuges viudos contraen entre sí matrimonio.

caricato. (Del it. *caricato,* exagerado.) m. Bajo cantante que en la ópera hace los papeles de bufo. ‖ **2.** Actor cómico especializado en la imitación de personajes conocidos. ‖ **3.** *Amér.* **caricatura.**

caricatura. (Del it. *caricatura.*) f. Dibujo satírico en que se deforman las facciones y el aspecto de alguna persona. ‖ **2.** Obra de arte que ridiculiza o toma en broma el modelo que tiene por objeto. Ú. t. en sent. despect. para referirse a las obras que no alcanzan a ser aquello que pretenden.

caricaturar. tr. **caricaturizar.**

caricaturesco, ca. adj. Relativo a la caricatura o hecho al modo de ésta.

caricaturista. com. Dibujante de caricaturas.

caricaturización. f. Acción y efecto de caricaturizar.

caricaturizar. tr. Representar por medio de caricatura a una persona o cosa.

caricia. (Del it. *carizze,* variante de *carezza.*) f. Demostración cariñosa que consiste en rozar suavemente con la mano el cuerpo de una persona, de un animal, etc. ‖ **2.** Halago, agasajo, demostración amorosa.

cariciosamente. adv. m. Haciendo caricias.

caricioso, sa. (De *caricia.*) adj. **cariñoso.**

carichato, ta. adj. Chato, que tiene la cara aplanada.

caridad. (Del lat. *carĭtas, -ātis.*) f. En la religión cristiana, una de las tres virtudes teologales, que consiste en amar a Dios sobre todas las cosas, y al prójimo como a nosotros mismos. ‖ **2.** Virtud cristiana opuesta a la envidia y a la animadversión. ‖ **3.** Limosna que se da, o auxilio que se presta a los necesitados. ‖ **4.** Actitud solidaria con el sufrimiento ajeno. ‖ **5.** Refresco de vino, pan y queso u otro refrigerio, que en algunos lugares dan las cofradías a los que asisten a la fiesta del santo que se celebra. ‖ **6.** Agasajo que se hacía en muchos pueblos pequeños, con motivo de las honras de los difuntos. ‖ **7.** V. **obra de caridad.** ‖ **8.** Tratamiento usado en ciertas órdenes religiosas de mujeres, y en alguna cofradía devota de varones. Suele ir precedido por el posesivo *su* o *vuestra.* ‖ **9.** p. us. *Méj.* Comida de los presos. ‖ **10.** *Mar.* Quinta ancla de respeto que solían llevar los navíos en la bodega. ‖ **¡por caridad!** expr. fam. que se usa para pedir clemencia, comprensión o benevolencia.

caridelantero, ra. (De *cara* y *delantero.*) adj. fam. Descarado y entremetido.

caridoliente. (De *cara* y *doliente.*) adj. Que en el semblante manifiesta dolor.

caridoso, sa. (De *caridad.*) adj. ant. **caritativo.**

cariedón. m. Insecto que roe las nueces.

carientismo. (Del lat. *charientismos,* y este del gr. χαριεντισμός.) m. *Ret.* Figura que consiste en disfrazar ingeniosa y delicadamente la ironía o la burla.

caries. (Del lat. *carĭes.*) f. *Pat.* Destrucción localizada de tejidos duros. ‖ **2. tizón,** hongo parásito del trigo. ‖ **seca.** Enfermedad de los árboles, que convierte el tejido leñoso en una sustancia amarillenta, seca y estoposa.

carifruncido, da. adj. fam. Que tiene fruncida la cara.

carigordo, da. adj. fam. Que tiene gorda la cara.

cariharto, ta. (De *cara* y *harto.*) adj. **carirredondo.**

carilampiño, ña. adj. **barbilampiño.**

carilargo, ga. adj. fam. Que tiene larga la cara.

carilindo, da. adj. De linda cara. Ú. t. c. s.

carilucio, cia. (De *cara* y *lucio,* terso.) adj. fam. Que tiene lustrosa la cara.

carilla. (d. de *cara.*) f. **careta** de los colmeneros. ‖ **2. dieciocheno,** moneda que se acuñó en Valencia. ‖ **3.** Plana o página. ‖ **4. judía de careta.**

carilleno, na. (De *cara* y *lleno.*) adj. fam. Que tiene abultada la cara.

carillo, lla. (d. de *caro.*) adj. Que es caro, amado o querido. ‖ **2.** m. y f. Amante, novio. Ú. m. en lenguaje rústico y poético.

carillón. (Del fr. *carillon.*) m. Grupo de campanas en una torre, que producen un sonido armónico por estar acordadas. ‖ **2.** Juego de tubos o planchas de acero que producen un sonido musical. ‖ **3.** Reloj con **carillón.**

carimba. f. desus. *Perú.* **carimbo.** ‖ **2.** *Cuba.* **calimba.**

carimbar. tr. desus. *Perú.* **calimbar.**

carimbo. (De *calimbo.*) m. *Bol.* Calimba, hierro para marcar reses. ‖ **2.** desus. *Bol., Perú, P. Rico* y *Urug.* Hierro para marcar esclavos.

carincho. m. Guisado americano, hecho con patatas cocidas enteras, carne de vaca, carnero o gallina y salsa con ají.

carinegro, gra. (De *cara* y *negro.*) adj. Que tiene muy morena la cara.

carininfo, fa. (De *cara* y *ninfa.*) adj. desus. De cara afeminada.

cariñana. (Por María de Borbón, princesa de *Carignan,* que la introdujo en España.) f. Toca femenina del siglo XVII ajustada al rostro, como las que usan las religiosas.

cariñar. (Del m. or. que *cariño.*) intr. *Ar.* Sentir nostalgia o añoranza. Ú. t. c. prnl.

cariñena. m. Vino tinto muy dulce y oloroso, que se elabora en la ciudad de este nombre de la provincia de Zaragoza.

cariño. (De etim. disc.; cf. lat. *carēre,* carecer, arag. *cariño,* nostalgia.) m. Inclinación de amor o buen afecto que se siente hacia una persona o cosa. ‖ **2.** Por ext., manifestación de dicho sentimiento. Ú. m. en pl. ‖ **3.** Añoranza, nostalgia. ‖ **4.** Esmero, afición con que se hace una labor o se trata una cosa. ‖ **5.** *Col., C. Rica, Chile* y *Nicar.* Regalo, obsequio.

cariñoso, sa. (De *cariño.*) adj. Afectuoso, amoroso. ‖ **2.** ant. **enamorado.**

cario, ria. adj. Natural de la Caria. Ú. t. c. s. ‖ **2.** Perteneciente a esta antigua región asiática. ‖ **3.** *Amér.* **guaraní.**

carioca. adj. Natural de Río de Janeiro. Ú. t. c. s. ‖ **2.** Perteneciente o relativo a esta ciudad o a su provincia.

cariocar. m. Árbol de la América tropical, de gran altura, tipo de la familia de las cariocariáceas.

cariocariáceo, a. (De *Caryocar,* nombre de un género de plantas.) adj. *Bot.* Dícese de plantas angiospermas dicotiledóneas, casi siempre leñosas, con frutos drupáceos provistos de una o cuatro semillas que pueden contener materias albuminoideas y grasa, pero nunca fécula, y hojas divididas en tres lóbulos. Ú. t. c. s. f. ‖ **2.** f. pl. *Bot.* Familia de estas plantas.

cariocinesis. (Del gr. κάρυον, núcleo y κίνησις, movimiento.) f. *Biol.* División del núcleo de la célula.

cariocinético, ca. (De *cariocinesis.*) adj. *Biol.* Perteneciente o relativo a la cariocinesis.

cariofiláceo, a. (De *cariofileo.*) adj. *Bot.* Dícese de hierbas o matas angiospermas dicotiledóneas, con tallos erguidos, nudosos y articulados, o tendidos, frecuentemente provistos de estípulas membranosas; flores regulares, hermafroditas, y fruto en cápsula; como el clavel, la minutisa y la quebrantapiedras. Ú. t. c. s. f. ‖ **2.** f. pl. *Bot.* Familia de estas plantas.

cariofileo, a. (Del lat. *caryophyllon,* y este del gr. καρυόφυλλον, clavo de especia.) adj. *Bot.* **cariofiláceo.**

cariofilina. (De *cariofileo.*) f. *Quím.* Sustancia contenida en gran cantidad en el clavo de las Molucas.

cariópside. (Del gr. κάρυον, nuez, y ὄψις, vista, aspecto.) f. *Bot.* Fruto seco e indehiscente a cuya única semilla está íntimamente adherido el pericarpio; como el grano de trigo.

carioquinesis. f. **cariocinesis.**

carioso, sa. (Del lat. *cariōsus.*) adj. ant. Que tiene caries.

cariparejo, ja. (De *cara* y *parejo,* igual, lo mismo de un modo que de otro.) adj. fam. Se dice de la persona cuyo semblante no se inmuta por nada.

caripelado. m. *Col.* Especie de mono.

carirraído, da. (De *cara* y *raído.*) adj. fam. Descarado o sin vergüenza.

carirredondo, da. adj. fam. Redondo de cara.

carisea. (De or. inc.; cf. ing. *kersey.*) f. Tela basta de estopa, que se tejía en Inglaterra, muy usada en España en los siglos XVI y XVII para ropas de cama pobre. También se hacía de lana a modo de estameña.

cariseto. (Del fr. *cariset.*) m. Tela basta de lana.

carisias. (Del gr. χαρίσια, de χάρις, la gracia.) f. pl. *Mit.* Fiestas griegas nocturnas en honor de las Gracias.

carisma. (Del lat. *charisma,* y este del gr. χάρισμα, de χαρίζομαι, agradar, hacer favores.) m. *Teol.* Don gratuito que Dios concede a algunas personas en beneficio de la comunidad. ‖ **2.** Por ext., don que tienen algunas personas de atraer o seducir por su presencia o su palabra.

carismático, ca. adj. Perteneciente o relativo al carisma.

carisquio. m. Árbol de la familia de las mimosáceas, parecido a la acacia, que vive en los países cálidos del Antiguo Mundo, y cuyas especies, algunas de las cuales se cultivan en los jardines, son apreciadas por su buena madera.

caristias. (Del lat. *charistĭa.*) f. pl. *Mit.* Convite familiar que los romanos celebraban el 18 y 20 de febrero de cada año, para hacer las paces entre los parientes.

caristio, tia. (Del gr. Καριστοί.) adj. Dícese de un pueblo hispánico prerromano, de nombre probablemente indoeuropeo, que habitaba al oeste del río Deva, en territorios correspondientes a parte de las actuales provincias de Guipúzcoa y Vizcaya. Ú. t. c. s. ‖ **2.** Dícese también de los individuos que formaban este pueblo. Ú. t. c. s. ‖ **3.** Perteneciente o relativo a los **caristios.**

carita. f. *N.* de la *Argent.* **cromo,** estampa con que juegan los niños.

caritán. m. Colector de la tuba en Filipinas.

caritatero. (Del lat. *carĭtas, -ātis,* caridad.) m. *Ar.* Canónigo de la catedral de Zaragoza, encargado de repartir limosnas.

caritativo, va. (Del lat. *carĭtas, -ātis,* caridad.) adj. Que ejercita la caridad. ‖ **2.** Perteneciente o relativo a la caridad.

carite. m. *Ant.* Pez parecido al pez sierra, pero más largo y delgado.

cariucho. (De or. quechua.) m. *Ecuad.* Guiso de carne y patatas con ají.

cariz. (De or. inc.; cf. cat. *caris.*) m. Aspecto de la atmósfera. ‖ **2.** fig. Aspecto que presenta un asunto o negocio.

carla. f. Tela pintada de las Indias.

carlán. (Acaso del cat. ant. *castlà,* forma sincopada de *castellà.*) m. El que en Aragón tenía cierta jurisdicción y derechos en un territorio.

carlanca. (De or. inc.; cf. lat. tardío *carcannum,* collar.) f. Collar ancho y fuerte, erizado de puntas de hierro, que preserva a los mastines de las mordeduras de los lobos. ‖ **2.** fig. y fam. Maula, picardía, roña. Ú. m. en pl. ‖ **3.** *Col.* y *C. Rica.* **grillete.** ‖ **4.** *Ecuad.* Especie de trangallo o palo que se cuelga de la cabeza a los animales para que no entren en los sembrados. ‖ **5.** *Chile* y *Hond.* Molestia causada por alguna persona machacona y fastidiosa. ‖ **6.** *Hond.* Persona de tal condición. ‖ **tener muchas carlancas.** fr. fig. y fam. **tener muchas conchas.**

carlanco. m. Ave zancuda del tamaño de un pollo pequeño, y de color azulado, que vive en España en estado salvaje.

carlancón, na. m. y f. Persona astuta que tiene muchas carlancas o picardías. Ú. t. c. adj.

carlanga. (De *carlanca.*) f. p. us. *Méj.* Pingajo, harapo, guiñapo.

carlanía. f. Dignidad de carlán. ‖ **2.** Territorio sujeto a él.

carlear. (De or inc.; tal vez de **calorear*, der. de *calor.*) intr. desus. **jadear.** Se usa hoy solo en algunas zonas rurales, refiriéndose especialmente a perros.

carleta. (Del fr. *carlette.*) f. Lima para desbastar el hierro. ‖ **2.** *Mineral.* Especie de pizarra francesa procedente de Angers.

carlín. (Del it. *carlino*, de Carlos I de Anjou, rey de Nápoles.) m. Moneda española pequeña y de plata, que circuló en España desde el s. XVI.

carlina. adj. V. **angélica carlina.** Ú. t. c. s.

carlincho. (De *cardinche.*) m. *Ál.* Cardo corredor o setero.

carlinga. (Del nord. ant. *kerling*, a través del fr. *carlingue.*) f. Espacio destinado en el interior de los aviones para la tripulación y los pasajeros. ‖ **2.** *Mar.* Hueco, generalmente cuadrado, en que se encaja la mecha de un árbol u otra pieza semejante.

carlismo. m. Orden de ideas profesadas por los carlistas. ‖ **2.** Rama dinástica iniciada con D. Carlos María Isidro de Borbón contra la entronización de Isabel II de España, que defiende el absolutismo y propugna reformas dentro de una continuidad tradicionalista.

carlista. adj. Perteneciente o relativo al carlismo. ‖ **2.** Partidario del carlismo. Ú. t. c. s.

carlita. f. *Ópt.* Luneta que sirve para leer.

carló. m. Vino tinto que se produce en varios lugares, así llamado por ser parecido al de Benicarló, al norte de Castellón de la Plana.

carlón. m. *And.*, *Argent.* y *Urug.* **carló.**

carlota. (De *Carlota*, esposa de Jorge II de Inglaterra.) f. Torta hecha con leche, huevos, azúcar, cola de pescado y vainilla. ‖ **rusa. carlota.**

carlovingio, gia. adj. **carolingio.** Ú. t. c. s.

carmañola. (Del fr. *carmagnole.*) f. Especie de chaqueta parecida al marsellés y de cuello estrecho. ‖ **2.** Canción y danza de la Revolución francesa popular durante la época del Terror (1793-94).

carme. (Del ár. *karm*, viña.) m. *Gran.* **carmen[2].**

carmel. m. Especie de llantén.

carmelina. (De *carmenar.*) f. Segunda lana que se saca de la vicuña.

carmelita. (Del monte *Carmelo.*) adj. Dícese del religioso de la orden del Carmen. Ú. t. c. s. ‖ **2. carmelitano.** ‖ **3.** *Cuba* y *Chile.* Dícese del color pardo, castaño claro o acanelado, por alusión al del hábito de los **carmelitas.** ‖ **4.** f. Flor de la planta llamada capuchina, que se suele echar en las ensaladas.

carmelitano, na. (De *carmelita.*) adj. Perteneciente a la orden del Carmen.

carmen[1]. (Del monte *Carmelo.*) m. Orden regular de religiosos y religiosas mendicantes, fundada en el siglo XIII.

carmen[2]. (Del m. or. que *carme.*) m. En Granada, quinta con huerto o jardín.

carmen[3]. (Del lat. *carmen.*) m. Verso o composición poética.

carmenador. (Del lat. *carminātor, -ōris.*) m. El que carmena. ‖ **2.** Instrumento para carmenar. ‖ **3. batidor,** peine para el cabello.

carmenadura. f. Acción y efecto de carmenar.

carmenar. (Del lat. *carmināre.*) tr. Desenredar, desenmarañar y limpiar el cabello, la lana o la seda. Ú. t. c. prnl. ‖ **2.** fig. y fam. **repelar,** tirar del pelo. ‖ **3.** fig. y fam. Quitar a alguien dinero o cosas de valor.

carmentales. (Del lat. *carmentalĭa.*) f. pl. Fiestas romanas en honra de la ninfa Carmenta.

carmentina. f. Planta de la familia de las acantáceas, usada en medicina como pectoral.

carmes. m. **quermes,** insecto.

carmesí. (Del ár. *qirmizī*, rojo, color del carmes o quermes.) adj. Aplícase al color de grana dado por el insecto quermes. Ú. t. c. s. ‖ **2.** Aplícase también a lo que es de este color. ‖ **3.** m. Polvo de color de la grana quermes. ‖ **4.** Tela de seda roja.

carmesín. adj. ant. **carmesí,** color que da el insecto llamado quermes. Usáb. t. c. s.

carmesita. f. *Mineral.* Silicato hidratado de hierro y alúmina.

cármeso. m. ant. **quermes,** insecto.

carmín. (De or. inc.; probablemente del m. or. que *quermes* o *carmesí.*) m. Materia de color rojo encendido. ‖ **2.** Este mismo color. ‖ **3.** Pintalabios. ‖ **4.** Rosal silvestre cuyas flores son de color **carmín.** ‖ **5.** Flor de esta planta. ‖ **6.** V. **hierba carmín.** ‖ **bajo.** El que se hace con yeso mate y la materia colorante llamada cochinilla.

carminar. (Del lat. *carmināre*, cardar.) tr. ant. **expeler.**

carminativo, va. (De *carminar.*) adj. *Med.* Dícese del medicamento que favorece la expulsión de los gases desarrollados en el tubo digestivo. Ú. t. c. s. m.

carmíneo, a. adj. De carmín. ‖ **2.** De color de carmín.

carminita. (De *carmín.*) f. *Mineral.* Arseniato anhidro de hierro y de plomo.

carminoso, sa. adj. De color que tira a carmín.

carnación. (De *carne*[1].) f. *Blas.* Color natural y no heráldico, que se da en el escudo a varias partes del cuerpo humano. *Cara y manos de* CARNACIÓN. ‖ **2.** Color de carne.

carnada. (De *carne*[1].) f. Cebo animal para pescar o cazar. ‖ **2.** fig. y fam. **añagaza,** engaño.

carnadura. (De *carne*[1].) f. Musculatura, robustez, abundancia de carnes. ‖ **2. encarnadura,** disposición de los tejidos para cicatrizar.

carnaje. m. **tasajo,** señaladamente cuando lo llevan las embarcaciones. ‖ **2.** ant. Destrozo grande o mortandad que resulta de una batalla.

carnal. (Del lat. *carnālis.*) adj. Perteneciente a la carne. ‖ **2.** Lascivo o lujurioso. ‖ **3.** Perteneciente a la lujuria. ‖ **4.** V. **trato carnal.** ‖ **5.** fig. Terrenal y que mira solamente las cosas del mundo. ‖ **6.** V. **hermano, primo, sobrino, tío carnal.** ‖ **7.** m. Tiempo del año que no es cuaresma. ‖ **8.** ant. **carnaval.**

carnalidad. (Del lat. *carnalĭtas, -ātis.*) f. Vicio y deleite de la carne.

carnalmente. adv. m. Con carnalidad.

carnario. (Del lat. *carnarĭum*, de *caro, carnis*, carne.) m. ant. **carnero[2].**

carnauba. f. **carandaí.**

carnaval. (Del it. *carnevale*, del lat. *carnem levare*, quitar la carne.) m. Los tres días que preceden al comienzo de la cuaresma. ‖ **2.** Fiesta popular que se celebra en tales días, y consiste en mascaradas, comparsas, bailes y otros regocijos bulliciosos. ‖ **ser** una cosa **un carnaval.** fr. fig. y fam. Dícese de cualquier reunión muy alegre y ruidosa. ‖ **2.** fig. y despect. Dícese del conjunto de informalidades y fingimientos que se reprochan en una reunión o en el trato de un negocio.

carnavalada. f. Acción o broma propia del tiempo de carnaval.

carnavalesco, ca. adj. Perteneciente o relativo al carnaval.

carnaválico, ca. adj. p. us. **carnavalesco.**

carnavalito. (De *carnaval.*) m. *Argent.* Baile colectivo, tradicional en las provincias del noroeste, cuya música es acompañada por coplas.

carnaza. f. Cara de las pieles que ha estado en contacto con la carne y opuesta a la flor de las mismas. ‖ **2. car-**

nada, cebo para pescar. ‖ **3.** fam. Abundancia de carnes en una persona. ‖ **4.** fig. despect. Víctima inocente, que carga sobre sí el riesgo o el daño que incumbe a otro. *Servir alguien de* CARNAZA, *echar a alguien de* CARNAZA.

carnazón. f. *Sal.* Inflamación de una herida.

carne[1]. (Del lat. *caro, carnis.*) f. Parte muscular del cuerpo de los animales. ‖ **2.** Por antonom., la comestible de vaca, ternera, cerdo, carnero, etc., y muy señaladamente la que se vende para el abasto común del pueblo. ‖ **3.** Alimento consistente en todo o parte del cuerpo de un animal de la tierra o del aire, en contraposición a la comida de pescados y mariscos. ‖ **4.** Parte mollar de la fruta, que está bajo la cáscara o el pellejo. ‖ **5.** Uno de los tres enemigos del alma que, según el catecismo de la doctrina cristiana, inclina a la sensualidad y lascivia. ‖ **6.** Parte material o corporal del hombre, considerada en oposición al espíritu. ‖ **7.** V. **bula, comida, día de carne.** ‖ **8.** V. **mosca de la carne.** ‖ **9.** *Amér.* **cerne.** ‖ **10.** *Teol.* V. **resurrección de la carne.** ‖ **ahogadiza.** La de los animales que han muerto ahogados, cuando se emplea como alimento. ‖ **blanca. carnes blancas.** ‖ **cediza.** La que empieza a corromperse. ‖ **de cañón.** fig. Tropa inconsideradamente expuesta a peligro de muerte. ‖ **2.** fig. y fam. Gente ordinaria, tratada sin miramientos. ‖ **de doncella.** Nombre que en el siglo XVII se daba al color rosado de algunas telas finas. ‖ **2.** *Cuba.* Árbol silvestre común con hojas ovales, obtusas, coriáceas, verde oscuro por encima y blanquecinas por debajo, y flor rosada. Alcanza unos 6 metros de altura por medio de diámetro, y su madera, colorada y fuerte, se emplea en lanzas de carretas. ‖ **de gallina.** fig. Daño que en algunas maderas se manifiesta por el color blanco amarillento, y es comienzo de podredumbre, que suele aumentar después de apeado el árbol. ‖ **2.** fig. Aspecto que toma la epidermis del cuerpo humano, semejante a la piel de las gallinas y debido al frío, horror o miedo. ‖ **de membrillo. codoñate.** ‖ **de pelo.** La de conejos, liebres y demás caza análoga, en contraposición a la de pluma. ‖ **de pluma.** La de las aves comestibles. ‖ **de sábado.** Los extremos, despojos y grosura de los animales, que se permitía comer en este día. ‖ **magra.** La que no tiene grasa ni nervios. ‖ **mollar.** La magra y sin hueso. ‖ **momia.** La embalsamada de una persona o animal. ‖ **2.** fam. La de parte escogida y sin hueso. ‖ **3.** ant. **caromomia.** ‖ **nueva.** La que se vende por Pascua de Resurrección, por ser la primera que se come después de la cuaresma. Ú. m. en pl. ‖ **salvajina.** La de animales monteses, como el venado, jabalí y otros. ‖ **sin hueso.** fig. y fam. Conveniencia o empleo de mucha utilidad y de poco o ningún trabajo. ‖ **valiente.** Tendones en forma de cinta gruesa, fibrosa y blanca, que enlazan los músculos del cuello de las reses con las agujas. ‖ **viciosa. fungosidad.** ‖ **viva.** En la herida o llaga, la sana, a distinción de la que está con pus o en putrefacción. ‖ **carnes blancas.** Las comestibles de reses tiernas o de aves. ‖ **abrírsele** a alguien **las carnes.** fr. fig. y fam. Estremecerse de horror. ‖ **carne y sangre.** loc. fig. Hermanos y parientes. ‖ **cobrar carnes.** fr. fam. Engordar el que estaba flaco. ‖ **criar carnes.** fr. Ir engordando. ‖ **echar carnes.** fr. fam. **cobrar carnes.** ‖ **en carnes.** loc. adv. En cueros o desnudo. ‖ **en carne viva.** loc. adv. Dícese de la parte del cuerpo animal accidentalmente despojada de epidermis. ‖ **en vivas carnes.** loc. adv. **en carnes.** ‖ **hacer carne.** fr. fig. Dicho de los animales carnívoros, matar, hacer carnicería. ‖ **2.** fig. y fam. Herir o maltratar a otro. ‖ **hacer carne y sangre de** una cosa. fr. fig. y fam. Servirse de una cosa ajena, sin pensar en restituirla o pagarla. ‖ **hacerse carne.** fr. fig. Cebarse en el dolor. ‖ **2.** fig. Alborotarse y maltratar alguien su propia **carne.** ‖ **3.** fig. Encarnarse, tomar realidad. ‖ **metido en carnes.** loc. adj. Dícese de la persona algo gruesa, sin llegar a la obesidad. ‖ **no ser carne ni pescado.** fr. fig. y fam. Dícese de lo que resulta indeciso, indefinido o insípido. ‖ **poner toda la carne en el asador.** fr. fig. y fam. Arriesgarlo todo de una vez, o extremar el conato. ‖ **ser de carne y hueso.** fr. fig. y fam. Ser sensible como los demás a las experiencias y vicisitudes de la vida humana. ‖ **temblarle las carnes** a alguien. fr. fig. y fam. Tener gran miedo y horror de alguna cosa. ‖ **tener carne de perro.** fr. fig. y fam. Ser recio y de buena encarnadura. ‖ **tomar carnes.** fr. fam. **cobrar carnes.** ‖ **yo soy la carne y usted el cuchillo.** expr. fig. que denota sumisión a la voluntad de otro.

carne[2]. (De or. inc.; probablemente el mismo que *carne[1]*.) f. En el juego de la taba, parte que esta tiene algo cóncava, y forma una figura como de S, contraria a la parte lisa.

carné. (Del fr. *carnet.*) m. Librito de apuntaciones. ‖ **2.** Documento que se expide a favor de una persona, provisto de su fotografía y que la faculta para ejercer ciertas actividades o la acredita como miembro de determinada agrupación. ‖ **de identidad. tarjeta de identidad.**

carneada. f. *Amér.* Acción y efecto de carnear reses. ‖ **2.** Lugar en que se carnean las reses.

carnear. (De *carne[1]*.) tr. *Amér.* Matar y descuartizar las reses, para aprovechar su carne. ‖ **2.** desus. *Argent.* y *Méj.* Herir y matar con arma blanca en un combate o en un alcance. ‖ **3.** vulg. *Méj.* Engañar a alguien.

cárneas. (Del gr. κάρνεια, de Κάρνειος, sobrenombre de Apolo.) f. pl. Fiestas lacedemonias en honor de Apolo.

carnecilla. (d. de *carne[1]*.) f. Carnosidad pequeña que se levanta en alguna parte del cuerpo.

cárneo, a. (Del lat. *carnĕus.*) adj. ant. Que tiene carne.

carnerada. f. Rebaño de carneros.

carneraje. m. Derecho o contribución que antiguamente se pagaba por los carneros. ‖ **2.** *Chile, Méj.* y *Urug.* Carnerada.

carnerario. m. *Ar.* **carnero[2]**, lugar donde se echan los cadáveres.

carnereamiento. (De *carnerear.*) m. Pena que se imponía por haber hecho daño los carneros en alguna parte.

carnerear. (De *carnero[1]*.) tr. Matar, degollar reses, en pena de haber hecho algún daño.

carnerero. m. Pastor de carneros.

carneril. (De *carnero[1]*.) adj. V. **dehesa carneril.**

carnero[1]. (Del lat. [*agnus*] *carnarĭus,* de carne.) m. Mamífero rumiante, que alcanza de siete a ocho decímetros de altura hasta la cruz, frente convexa, cuernos huecos, angulosos, arrugados transversalmente y arrollados en espiral, y lana espesa, blanca, negra o rojiza. ‖ **2.** V. **bote, pie de carnero.** ‖ **3.** ant. **ariete,** máquina militar. ‖ **4.** *Ar.* Piel de **carnero** curtida. ‖ **5.** desus. *Argent., Bol.* y *Perú.* **llama[2].** ‖ **6.** *Argent., Chile* y *Perú.* Persona que no tiene voluntad ni iniciativa propias. ‖ **7.** n. p. m. ant. El signo de Aries. ‖ **adalid.** ant. **carnero** manso para guía. ‖ **de cinco cuartos.** Especie africana de testuz prominente, cuernos cortos, lana larga y cola muy gruesa. ‖ **de dos dientes.** ant. El que pasa de un año y no ha entrado en el tercero. ‖ **de la sierra,** o **de la tierra.** desus. *Argent.* Nombre común a la alpaca, vicuña, guanaco y llama. ‖ **del Cabo.** Ave palmípeda, muy voraz, mayor que el ganso, cuyo plumaje tiene algún parecido al vellón del **carnero.** Hállase en el Océano Pacífico. ‖ **de simiente.** El que se guarda para morueco. ‖ **llano.** fig. El que está castrado. ‖ **marino. foca.** ‖ **verde.** El guisado con perejil, ajos partidos, rajitas de tocino, pan, yemas de huevo y especias finas. ‖ **no haber tales carneros.** fr. fig. y fam. No ser cierto lo que se dice.

carnero[2]. (Del lat. *carnarĭum,* fosa.) m. Lugar donde se echan los cadáveres. ‖ **2. osario[1].** ‖ **3.** Sepulcro de familia que solía haber en algunas iglesias, elevado como una vara del suelo. ‖ **4.** ant. Sitio o lugar donde se guarda la carne. ‖ **cantar para el carnero.** fr. fam. *Argent.* y *Urug.* Morir, fallecer.

carnero[3]**, ra.** m. y f. *Argent.*, *Chile* y *Par.* Persona que no se adhiere a una huelga o protesta de sus compañeros o que desiste de ella. Ú. m. en m.

carneruno, na. adj. Perteneciente al carnero[1], mamífero ovino. ‖ **2.** Semejante a él.

carnestolendas. (Del lat. *caro, carnis*, carne, y *tollendus*, de *tollĕre*, quitar, retirar.) f. pl. **carnaval.**

carnicería. (De *carnicero*.) f. Tienda o lugar donde se vende al por menor la carne para el abasto público. ‖ **2.** Destrozo y mortandad de gente causados por la guerra u otra gran catástrofe. ‖ **3.** Por ext., herida, lesión, etc., con efusión de sangre. ‖ **4.** *Ecuad.* Matadero, rastro. ‖ **hacer carnicería.** fr. fig. y fam. Hacer muchas heridas o cortar mucha carne a alguno. ‖ **parecer carnicería.** fr. fam. con que se denota el gran desorden en gritar y hablar muchos a un tiempo.

carnicero, ra. (De *carniza*.) adj. Dícese del animal que da muerte a otros para comérselos. Ú. t. c. s. ‖ **2.** Se aplica al coto o dehesa donde pace el ganado que se destina al abasto público. ‖ **3.** V. **cazuela, libra, olla carnicera.** ‖ **4.** fam. Dícese de la persona que come mucha carne. ‖ **5.** fig. Cruel, sanguinario, inhumano. ‖ **6.** m. y f. Persona que vende carne.

cárnico, ca. adj. Perteneciente o relativo a las carnes destinadas al consumo. *Industrias* CÁRNICAS.

carnicol. (De *carne*[2] y terminación disc.) m. **pesuño.** ‖ **2.** ant. **taba** de carnero para jugar. Usáb. m. en pl.

carnícoles. (Del lat. *carnicŭla*, carnecita.) m. pl. *Sal.* Ú. en la fr. **estar en carnícoles,** aplicada a las aves que están sin pluma.

carnificación. (De *carnificarse*.) f. *Med.* Alteración morbosa del tejido de ciertos órganos, como el del pulmón, etc., que toma el aspecto y consistencia del tejido muscular.

carnificarse. (Del lat. *carnificāre*.) prnl. Sufrir carnificación algún órgano o tejido.

carnífice. (Del lat. *carnifex, -icis*, carnicero.) m. *Alq.* Fuego. ‖ **2.** ant. **verdugo,** ejecutor de la justicia.

carniforme. adj. Que tiene aspecto de carne.

carnina. f. *Quím.* Principio amargo contenido en el extracto de carne.

carniola. (De *Carniola*, antigua región del norte del Adriático.) f. *Mineral.* Roca dolomítica que debido a la disolución de la caliza por las aguas infiltradas, adquiere una apariencia cavernosa.

carnios. m. pl. Antiguo pueblo que habitó la Italia septentrional y dio nombre a la Carniola.

carniseco, ca. (De *carne*[1] y *seco*.) adj. Delgado, de pocas carnes.

carnívoro, ra. (Del lat. *carnivŏrus*.) adj. Dícese del animal que se alimenta de carne o puede hacerlo, por oposición al herbívoro o frugívoro. ‖ **2.** Se dice igualmente de ciertas plantas de la familia de las droseráceas y otras afines, que se nutren de ciertos insectos que cogen por medio de órganos dispuestos para ello. ‖ **3.** *Zool.* Dícese de los mamíferos terrestres, unguiculados, cuya dentición se caracteriza por tener caninos robustos y molares con tubérculos cortantes; como el oso, la hiena y el tigre. Ú. t. c. s. ‖ **4.** m. pl. *Zool.* Orden de estos animales.

carniza. (Del lat. **carnicēus, -a*, de *caro, carnis*, carne.) f. fam. Desperdicio de la carne de matanza. ‖ **2.** fam. Carne muerta.

carnosidad. (Del lat. *carnosĭtas, -ātis*.) f. Carne superflua que crece en una llaga. ‖ **2.** Carne irregular que sobresale en alguna parte del cuerpo. ‖ **3.** Gordura extremada.

carnoso, sa. (Del lat. *carnōsus*.) adj. De carne[1] de animal. ‖ **2.** Que tiene muchas carnes. ‖ **3.** Rico, sustancioso. ‖ **4.** *Bot.* Dícese de los órganos vegetales formados por parénquima blando.

carnudo, da. (De *carne*[1].) adj. **carnoso,** que tiene muchas carnes.

carnuz. (De *carne*[1].) m. *Ar.* **carroña.**

carnuza. f. despect. Carne basta o excesiva, que produce hastío.

caro[1]**, ra.** (Del lat. *carus*.) adj. Que excede mucho del valor o estimación regular. ‖ **2.** De precio elevado. ‖ **3.** Dícese de cualquier cosa vendida, comprada u ofrecida a un precio más alto que el de otra tomada como punto de referencia, la cual es más barata con relación a aquella. ‖ **4.** Amado, querido. ‖ **5.** ant. Gravoso o dificultoso. ‖ **6.** fam. V. **cara mitad.** ‖ **7.** fig. y fam. V. **caro bocado.** ‖ **8.** adv. m. A un precio alto o subido.

caro[2]**.** m. *Cuba.* Comida que se hace de huevas de cangrejo y cazabe, y también las mismas huevas.

caroba. f. Nombre de varios árboles americanos, de la familia de las bignoniáceas, a cuyas hojas y corteza se atribuyen propiedades medicinales.

caroca. (De or. inc.; cf. lat. *carrūca*, carroza.) f. Decoración de lienzos y bastidores con que, para regocijo público en determinadas solemnidades, se adornan ciertas calles o plazas, o que en algún tiempo ostentaron los teatros ambulantes, sobre todo en las fiestas del Corpus; la cual ofrece pintadas escenas graciosas, picarescas o epigramáticas. ‖ **2.** Composición bufa, a semejanza de los mimos antiguos, escrita para solazar a la gente. ‖ **3.** fig. y fam. **carantoña,** halago, caricia. Ú. m. en pl.

carocha. (Del lat. *cariōsus*, carcomido.) f. **carrocha.**

carochar. (De *carocha*.) tr. **carrochar.**

carola. (Del fr. *carole*.) f. Danza antigua acompañada generalmente de canto.

carolina. f. *Cuba.* **cuyá.**

carolingio, gia. adj. Perteneciente o relativo a Carlomagno y a su familia y dinastía o a su tiempo. Ú. t. c. s.

carolino, na. adj. Natural de las Carolinas. Ú. t. c. s. ‖ **2.** Perteneciente o relativo a estas islas. ‖ **3.** Dícese también de lo referente a la persona o reinado de algún Carlos, especialmente Carlos V. ‖ **4.** V. **álamo carolino** o **de la Carolina.**

carolo. (Del lat. *collȳra*, pan basto.) m. *Sal.* Pedazo de pan que se suele dar de merienda a los jornaleros en algunos lugares.

cárolus. (Del neerl. *carolusgulden*, florín de Carlos.) m. Moneda flamenca que se usó en España en tiempos de Carlos V.

caromomia. (Del lat. *caro*, carne, y de *momia*.) f. Carne seca de los cuerpos humanos embalsamados. Se usó antiguamente en medicina, y se daba mucha importancia a la que venía de Egipto.

carona. (De or. inc.; cf. lat. *caro, carnis*, carne.) f. Pedazo de tela gruesa acojinado que, entre la silla o albarda y el sudadero, sirve para que no se lastimen las caballerías. ‖ **2.** Parte interior de la albarda. ‖ **3.** Parte del lomo sobre la cual cae la **carona** de la albarda. ‖ **4.** *Germ.* **camisa,** prenda interior. ‖ **a carona.** loc. adv. ant. Inmediato a la carne o pellejo del cuerpo. ‖ **blando de carona.** loc. adj. Se dice de las bestias en cuyo pellejo delicado se hacen fácilmente mataduras con la silla o albarda. ‖ **2.** fig. y fam. Flojo y para poco trabajo. ‖ **3.** fig. y fam. **enamoradizo.** ‖ **corto,** o **largo, de carona.** loc. adj. Dícese del caballo o yegua que tiene corta, o larga, la parte del lomo donde se coloca la **carona.** ‖ **hacer la carona.** fr. fig. y fam. Esquilar a las caballerías la **carona.**

caronchado, da. (De *caroncho*.) adj. *Sal.* Dícese de la madera carcomida.

caroncharse. (De *caroncho*.) prnl. *Sal.* Carcomerse, pudrirse la madera.

caroncho. (De or. inc., tal vez del lat. **cariuncŭla*, d. de *caries*, carcoma.) m. *Occ. Pen.* **carcoma,** insecto.

caronchoso, sa. (De *caroncho.*) adj. *Sal.* Dícese de la madera carcomida o podrida.
caronjo. (Del m. or. que *caroncho.*) m. *León.* **caroncho.**
caroñoso, sa. (De *carona.*) adj. Aplícase a las caballerías que están desolladas o tienen mataduras.
caroquero, ra. adj. Que hace carocas. Ú. t. c. s.
caroreño, ña. adj. Natural de Carora, ciudad de Venezuela. Ú. t. c. s. ‖ **2.** Perteneciente o relativo a esta ciudad.
carosiera. f. Fruto del carosiero.
carosiero. m. Especie de palmera del Brasil, cuyo fruto es muy parecido al del manzano.
carosis. (Del gr. κάρωσις, adormecimiento.) f. *Pat.* Sopor profundo acompañado de insensibilidad completa.
caroteno. m. *Quím.* Hidrocarburo de color rojo anaranjado, que forma parte del pigmento llamado clorofila y existe además, en gran cantidad en las células de ciertos órganos vegetales, como los pétalos de las flores de la capuchina y la raíz de la zanahoria.
carótida. (Del gr. καρωτίδες, de καρόω, adormecer, amodorrar.) adj. *Anat.* Dícese de cada una de las dos arterias, propias de los vertebrados, que por uno y otro lado del cuello llevan la sangre a la cabeza. Ú. m. c. s.
carotina. (Del lat. *carōta,* zanahoria.) f. **caroteno.**
carotinoide. (De *carotina* y *-oide.*) adj. *Bioquím.* Sustancia con estructura molecular, aspecto y propiedades semejantes a la carotina. Ú. t. c. s.
caroto. m. Árbol de madera pesada, propio de la República del Ecuador.
carozo. (Del lat. vulg. *carudĭum,* der. del gr. καρύδιον, avellana.) m. Corazón de la mazorca. ‖ **2.** Hueso del melocotón y otras frutas. ‖ **3.** *Sal.* Hueso de la aceituna bien molido con que se ceba a los cerdos. ‖ **4.** En dialectos del occidente de la Península y en América, diferentes partes más o menos duras de frutas.
carpa[1]**.** (Del gót. **karpa,* a través del lat. vulg. *carpa.*) f. Pez teleósteo fisóstomo, verdoso por encima y amarillo por abajo, boca pequeña sin dientes, escamas grandes y una sola aleta dorsal; vive muchos años en las aguas dulces. Hay una especie procedente de la China, de color rojo y dorado.
carpa[2]**.** (Del m. or. que *grapa;* en fr. *grappe.*) f. Gajo de uvas.
carpa[3]**.** (Del quechua *carppa,* toldo, enramada.) f. Gran toldo que cubre un circo o cualquier otro recinto amplio. ‖ **2.** *Amér.* **tienda de campaña.** ‖ **3.** *Argent., Perú* y *Urug.* Tienda de playa. ‖ **4.** *N. Argent.* Tienda montada durante algunas fiestas populares, donde se venden comestibles y bebidas.
carpancho. (Como el port. *carapanho,* del célt. *carpan,* carro en forma de cesto.) m. *Cantabria.* Batea redonda de mimbres o de tiras de avellano, para llevar, comúnmente sobre la cabeza, pescado, hortalizas, etc.
carpanel. (De *zarpanel,* escrito antiguamente *çarpanel* y perdida la cedilla.) adj. *Arq.* V. **arco carpanel.**
carpanta. f. fam. Hambre violenta. ‖ **2.** *Sal.* Galbana, flojera. ‖ **3.** desus. *Méj.* Pandilla o trulla de gente alegre o maleante.
carpe. (Del lat. *carpīnus.*) m. Planta leñosa de la familia de las betuláceas, con hojas aserradas y lampiñas; flores femeninas en racimos flojos; frutos de una sola semilla, con brácteas de tres lóbulos y mucho mayores que los frutos. ‖ **2.** *Cuba.* Árbol silvestre, bastante alto y tortuoso, que florece en mayo y da una madera muy dura y resistente, que se utiliza para entramados y empalizadas.
carpedal. m. Plantío de carpes.
carpelar. adj. *Bot.* Perteneciente o relativo a los carpelos.
carpelo. (Del gr. καρπός, fruto.) m. *Bot.* Hoja transformada para formar un pistilo o parte de un pistilo.
carpentear. (Del lat. *carpens, -entis,* p. a. de *carpĕre,* arrancar, desgarrar.) tr. ant. **arrejacar.**
carpeño, ña. adj. Natural de Carpio, de El Carpio o de El Carpio del Tajo. Ú. t. c. s. ‖ **2.** Perteneciente o relativo a dichos pueblos.
carpeta. (Del fr. *carpette,* tapete, y este del ing. *carpet.*) f. Cubierta de badana o de tela que se pone sobre las mesas y arcas para aseo y limpieza. ‖ **2.** Cartera grande para escribir sobre ella y guardar papeles. ‖ **3.** Cubierta con que se resguardan y ordenan los legajos. ‖ **4.** Manta, cortina o paño que se ponía en las puertas de las tabernas. ‖ **5.** Factura o relación detallada de los valores o efectos públicos o comerciales que se presentan al cobro, al canje o a la amortización. ‖ **6.** *Ar.* Sobre de carta. ‖ **7.** *Argent.* y *Urug.* Tapete verde, que cubre la mesa de juego. ‖ **8.** *Argent.* Tapete de adorno o protección que se coloca sobre algunos muebles o bandejas. ‖ **9.** fig. *Argent.* y *Urug.* Habilidad, o experiencia en el trato con los demás. Ú. m. en la frase **tener carpeta.** ‖ **provisional.** La que se expide en tanto no se fabrican las definitivas, y puede negociarse como ellas.
carpetano, na. (Del lat. *Carpetānus.*) adj. Dícese de un pueblo prerromano, en cuya onomástica hay importantes elementos indoeuropeos, que ocupaba la actual provincia de Madrid y parte de las de Guadalajara, Toledo y Ciudad Real. Ú. t. c. s. ‖ **2.** Dícese también de los individuos que componían dicha tribu. Ú. t. c. s. ‖ **3.** Perteneciente o relativo a los **carpetanos.** ‖ **4.** Natural del reino de Toledo. Ú. t. c. s. ‖ **5.** Perteneciente o relativo al reino de Toledo.
carpetazo (dar). (De *carpeta.*) fr. fig. En las oficinas, dejar tácita y arbitrariamente sin curso ni resolución una solicitud o expediente. ‖ **2.** fig. Dar por terminado un asunto o desistir de proseguirlo.
carpetero, ra. m. y f. *Cuba.* Recepcionista.
carpetovetónico, ca. adj. Perteneciente o relativo a los carpetanos y vetones. ‖ **2.** fig. Dícese de las personas, costumbres, ideas, etc., que se tienen por españolas a ultranza, y sirven de bandera frente a todo influjo foráneo.
carpiano, na. adj. *Anat.* Perteneciente o relativo al carpo.
carpidor. m. *Amér.* Instrumento usado para carpir.
carpincho. m. *Amér.* Roedor anfibio, de un metro de largo, que vive en el Brasil, Paraguay, Argentina, Chile y otros países americanos, a orillas de los ríos y lagunas; se alimenta de peces y de hierbas y se le domestica con facilidad.
carpintear. intr. Trabajar en el oficio de carpintero. ‖ **2.** fam. Hacer obra de carpintero por afición y mero entretenimiento.
carpintera. adj. V. **abeja carpintera.** ‖ **2.** f. *Zam.* **santateresa.**
carpintería. f. Taller o tienda en donde trabaja el carpintero. ‖ **2.** Oficio de carpintero. ‖ **3.** Obra o labor del carpintero. ‖ **metálica.** La que en vez de madera emplea metales para la construcción de muebles, armaduras de puertas y ventanas, etc.
carpinteril. (De *carpintero.*) adj. Dícese de lo relativo o perteneciente al carpintero o a la carpintería.
carpintero. (Del lat. *carpentarĭus.*) m. El que por oficio trabaja y labra madera, ordinariamente común. ‖ **2. abeja carpintera.** ‖ **3. pájaro carpintero.** ‖ **4.** V. **pico carpintero.** ‖ **5.** V. **martillo de carpintero.** ‖ **de armar. carpintero de obra de afuera.** ‖ **de blanco.** El que trabaja en taller y hace mesas, bancos, etc. ‖ **de cámara.** El ebanista de un buque de pasajeros. ‖ **de carretas. carretero,** el que hace carros. ‖ **de obra de afuera.** El que hace las armaduras, entramados y demás armazones de madera para los edificios. ‖ **de prieto. carpintero de carretas.** ‖ **de ribera.** El que trabaja en obras navales.

carpintesa. f. *Zam.* **santateresa.**
carpir. (Del lat. *carpĕre,* tirar, arrancar.) tr. p. us. Rasgar, arañar o lastimar. Ú. t. c. prnl. ‖ **2.** Dejar a alguien pasmado y sin sentido. Ú. t. c. prnl. ‖ **3.** *Amér.* Limpiar o escardar la tierra, quitando la hierba inútil o perjudicial.
carpo. (Del lat. *carpus,* y este del gr. καρπός.) m. *Anat.* Conjunto de huesos que, en número variable, forman parte del esqueleto de las extremidades anteriores de los batracios, reptiles y mamíferos, y que por un lado está articulado con el cúbito y el radio y por otro con los huesos metacarpianos. En el hombre constituye el esqueleto de la muñeca y está compuesto de ocho huesos íntimamente unidos y dispuestos en dos filas.
carpobálsamo. (Del lat. *carpobalsămum,* y este del gr. καρποβάλσαμον.) m. Fruto del árbol que produce el opobálsamo.
carpófago, ga. (Del gr. καρπός, fruto, y *-fago.*) adj. Se dice del animal que principalmente se alimenta de frutos.
carpología. (Del gr. καρπός, fruto, y *-logía.*) f. *Bot.* Parte de la botánica que estudia el fruto de las plantas.
carqueja. f. Arbusto dioico de 30 a 60 cm de altura, áfilo; posee tallos articulados, provistos longitudinalmente de dos alas de 2 a 3 mm de ancho, y se multiplica por división de matas.
carquerol. (Del cat. *carquerol,* y este de *cárcola.*) m. Cada una de las piezas de los telares de terciopelo, de las que penden unas cuerdas que se fijan en las cárcolas. Ú. m. en pl.
carquesa. (Del lat. *carchesĭum,* y este del gr. καρχήσιον, vaso.) f. Horno para templar objetos de vidrio.
carquesia. (Del m. or. que *carquesa.*) f. Mata leñosa, de la familia de las papilionáceas, parecida a la retama, con ramas rastreras y ramillas herbáceas, hojas escasas, alternas, lanceoladas, algo vellosas y flores amarillas. Es medicinal.
carquiñol. (Del cat. *carquinyol.*) m. *Ar., Cat.* y *Lev.* Pasta de harina, huevos y almendra machacada, a la que luego se dan varias formas.
carra. f. En los teatros, plataforma deslizante sobre la que va un decorado o parte de él, que aparece, desaparece o se desplaza según lo requiera la representación.
carraca[1]. (De or. inc.; cf. ár. *ḥarrāqa,* nave grande.) f. Antigua nave de transporte de hasta 2.000 toneladas, inventada por los italianos. ‖ **2.** despect. Barco viejo o tardo en navegar. ‖ **3.** despect. Por ext., cualquier artefacto deteriorado o caduco. ‖ **4.** Sitio en que se construían en lo antiguo los bajeles.
carraca[2]. (De la onomat. *crac.*) f. Instrumento de madera, en que los dientes de una rueda, levantando consecutivamente una o más lengüetas, producen un ruido seco y desapacible. ‖ **2.** *Col.* Mandíbula o quijada seca de algunos animales. ‖ **3.** *Mec.* Mecanismo de rueda dentada y linguete que tienen algunas herramientas para que el movimiento de vaivén del mango solo actúe en un mismo sentido. ‖ **4.** Pájaro de tamaño algo menor que la corneja, de cabeza, alas y vientre azules, dorso castaño y pico ganchudo en la punta. Es ave migratoria que pasa el verano en Europa, donde cría.
carracero, ra. adj. Natural de Alcarraz, pueblo de la provincia de Lérida. Ú. t. c. s. ‖ **2.** Perteneciente o relativo a este pueblo.
carraco, ca. (De la onomat. *crac.*) adj. fam. Viejo achacoso o impedido. Ú. t. c. s. ‖ **2.** m. *Col.* **aura**[2]. ‖ **3.** *C. Rica.* Ánade más pequeño que el común, con la cabeza y cuello tornasolados y las alas de color oscuro.
carracón. (De *carraca*[1].) m. ant. Buque que se usaba en la Edad Media.
Carracuca. n. p. **estar más perdido que Carracuca.** fr. con que se suele ponderar la situación angustiosa o comprometida de una persona.
carrada. (De *carro.*) f. **carretada,** carga de un carro.
carrafa. (Del ár. *jarrūba,* a través del cat. *carrafa.*) f. *Sal.* Fruto del algarrobo.
carral[1]. (De *carro*[1].) m. Barril o tonel a propósito para acarrear vino.
carral[2]. m. *Murc.* y *Sal.* **carraco,** viejo achacoso.
carraleja[1]. f. Insecto coleóptero, heterómero, de color por lo común negro y con rayas transversales rojas; carece de alas posteriores, tiene élitros cortos y abdomen que arrastra al andar. Es de la familia de las cantáridas y sus propiedades terapéuticas son semejantes, por lo que se usa en veterinaria. Hay en España varias especies.
carraleja[2]. (De *cañaheja.*) f. ant. **cañaheja.**
carralero. m. El que hace carrales o toneles.
carramarro. (De *cámbaro.*) m. *Ál.* **cámbaro.**
carramplón. (Del fr. *crampon,* tachuela de calzado.) m. Tachuela del calzado. ‖ **2.** *Col., Méj.* y *Venez.* Fusil.
carranca[1]. f. **carlanca,** collar de pinchos.
carranca[2]. (Del vasco *carra,* hielo.) f. *Ál.* Capa de hielo en las charcas y lagunas.
carrancudo, da. adj. Cuellierguido, tieso de carácter, orgulloso.
carranza. (Del m. or. que *carranca*[1].) f. Cada una de las puntas de hierro de la carlanca.
carraña. f. *Ar.* Ira, enojo. ‖ **2.** *Ar.* Persona propensa a estas pasiones.
carrañaca. f. *And.* Tableta o chapa metálica rayada que suena al rascarla con un palito. Se emplea para hacer ruido en las comparsas de Carnaval.
carrañón. adj. *Ar.* **regañón,** que regaña o riñe. Ú. t. c. s.
carrañoso. adj. *Ar.* **carrañón.** Ú. t. c. s.
carrao. m. *Venez.* Ave zancuda y de pico largo.
carraón. (De or. inc.) m. Especie de trigo de poca altura, con espigas dísticas comprimidas y grano también comprimido, parecido al de la escanda.
carrasca[1]. (De una raíz prerromana *kurr-.*) f. Encina, generalmente pequeña, o mata de ella.
carrasca[2]. (De or. inc.) f. *Col.* Instrumento músico primitivo.
carrascal. m. Sitio o monte poblado de carrascas[1]. ‖ **2.** *Chile.* **pedregal.**
carrascalejo. m. d. de **carrascal.**
carrasco. adj. V. **pino carrasco.** ‖ **2.** m. **carrasca**[1], encina. ‖ **3.** *Amér.* Extensión grande de terreno cubierto de vegetación leñosa.
carrascón. m. aum. de **carrasca**[1].
carrascoso, sa. adj. Dícese del terreno que abunda en carrascas[1].
carraspada. f. Bebida compuesta de vino tinto aguado, o del pie de este vino con miel y especias.
carraspear. (Voz onomatopéyica.) intr. Sentir o padecer carraspera. ‖ **2.** Emitir una tosecilla repetidas veces a fin de aclarar la garganta y evitar el enronquecimiento de la voz.
carraspeño, ña. (De *carraspear.*) adj. Áspero, bronco.
carraspeo. m. Acción y efecto de carraspear.
carraspera. f. fam. Cierta aspereza de la garganta, que obliga a desembarazarla tosiendo. ‖ **2. carraspeo.**
carraspina. (Del lat. *crispus.*) f. *Ál.* **colmenilla.**
carraspique. (Del prov. *taraspic,* quizá a través del valenciano *carraspic.*) m. Planta de jardín, herbácea, crucífera, que alcanza cuatro decímetros de altura, con tallos rectos, hojas lanceoladas y flores moradas o blancas en corimbos redondos muy apretados.
carrasposa. (Voz onomatopéyica.) f. *Col.* Cierta planta de hojas ásperas.
carrasposo, sa. (Voz onomatopéyica.) adj. Dícese de la persona que padece carraspera crónica. Ú. t. c. s. ‖ **2.** *Col.* y *Venez.* Dícese de lo que es áspero al tacto, que raspa la mano.

carrasquear. (Voz onomatopéyica.) intr. *Ál.* Crujir o rechinar entre los dientes una sustancia algo dura, seca y quebradiza.

carrasqueño, ña. adj. Perteneciente o relativo a la carrasca[1]. ‖ **2.** Semejante a ella. ‖ **3.** V. **pino, roble carrasqueño.** ‖ **4.** fig. y fam. Áspero o duro.

carrasquera. f. **carrascal,** sitio de carrascas.

carrasquilla. (De *carrasca*[1].) f. *Ál.* y *Ar.* Aladierna, nevadilla.

carrasquizo. m. *Ar.* Arbusto parecido a la carrasca por sus hojas y fruto.

carraza. (De or inc.; cf. gr. χαράκια, cat. *carràs.*) f. *Ar.* **ristra** de ajos o cebollas.

carrazo. (Del m. or. que *carraza.*) m. *Ar.* Racimo pequeño, principalmente de uvas.

carrazón. (Del gr. χαριστίων, balanza.) m. *Ar.* Romana grande. ‖ **2.** *Ar.* Aparato para colocar la romana y facilitar su uso cuando los pesos son grandes.

carrear. (De *carro*[1].) tr. ant. **acarrear,** transportar en carro o de otro modo.

carredano, na. adj. Natural de Villacarriedo, en Cantabria. Ú. t. c. s. ‖ **2.** Perteneciente o relativo a dicha villa.

carrejar. (De *carro*[1].) tr. ant. **carrear.**

carrejo. (Del lat. *curricŭlum,* carrera.) m. **pasillo,** pieza de paso de un edificio.

carrendera. f. *Sal.* Camino real o carretera.

carrendilla. f. *Chile.* Sarta, hilera. ‖ **de carrendilla.** loc. adv. **de carrerilla.**

carreña. (De or. inc.) f. *León.* Sarmiento con muchos racimos.

carrera. (Del lat. **carraria,* de *carrus,* carro.) f. Acción de correr el hombre o el animal cierto espacio. ‖ **2.** Sitio destinado para correr. ‖ **3.** Curso de los astros. ‖ **4.** Camino real o carretera. ‖ **5.** Calle que fue antes camino. *La* CARRERA *de San Jerónimo.* ‖ **6.** Trayecto o recorrido señalado para un desfile, procesión, etc. ‖ **7.** Fiesta de parejas o apuestas, que se hacía a pie o a caballo para diversión o para probar la ligereza. ‖ **8.** Pugna de velocidad entre personas que corren, guían vehículos o montan animales. ‖ **9.** Pugna de velocidad entre animales no cabalgados, como avestruces, galgos, liebres, etc. ‖ **10.** Línea de llegada de una **carrera.** ‖ **11.** Recorrido que hacía un coche de alquiler, y todavía hacen algunos vehículos de la misma índole, transportando clientes, por un precio fijo, de un punto a otro de la ciudad, dentro de un perímetro delimitado. ‖ **12.** Cada uno de los servicios que hace un vehículo de alquiler transportando clientes de un punto a otro de la ciudad, según tarifa establecida. ‖ **13.** Línea regular de navegación. ‖ **14.** fig. Conjunto o serie de cosas puestas en orden o hilera. CARRERA *de árboles.* ‖ **15.** fig. Línea o puntos que se sueltan en la media o en otro tejido análogo. ‖ **16.** fig. **crencha,** raya del pelo. ‖ **17.** fig. Camino o curso que se sigue en las acciones. ‖ **18.** fig. Curso o duración de la vida humana. ‖ **19.** Conjunto de estudios que habilitan para el ejercicio de una profesión. ‖ **20.** fig. Profesión de las armas, letras, ciencias, etc. ‖ **21.** fig. Camino, medio o modo de hacer alguna cosa. ‖ **22.** *Arq.* Viga horizontal para sostener otras, o para enlace de las construcciones. ‖ **23.** *Danza* y *Mús.* **carrerilla.** ‖ **24.** pl. Pugna de velocidad entre caballos de raza especial montados por yoqueis. ‖ **de baquetas.** *Mil.* Castigo que consistía en correr el reo, con la espalda desnuda, por entre dos filas de soldados, que le azotaban. ‖ **2.** fig. Serie de molestias o vejámenes inferidos a una persona. ‖ **de gamos.** Fiesta antigua de montería, que consistía en cercar con una red cierta extensión de terreno, que se iba estrechando poco a poco hasta obligar a los gamos que quedaban encerrados a entrar en una especie de calle formada por lienzos; al final de esta había un tablado para los reyes e invitados, debajo del cual esperaban a las reses para que las desjarretasen los criados y monteros. ‖ **de Indias.** Navegación que se hacía a las Indias con naves que iban y volvían de aquellos reinos con mercaderías. ‖ **de relevos.** *Dep.* Modalidad de competición atlética en la que los corredores de cada equipo se reemplazan sucesivamente a lo largo del recorrido, cubriendo todos ellos distancias iguales. ‖ **del Sol.** Curso diario que aparentemente sigue. ‖ **abrir carrera.** fr. ant. Franquear o dar paso y lugar a alguien. ‖ **a carrera abierta. a carrera tendida. a la carrera.** locs. advs. **a más correr.** ‖ **aparejar carrera.** fr. ant. **abrir camino,** facilitar el tránsito. ‖ **2.** ant. **abrir camino,** hallar el medio de vencer una dificultad. ‖ **cubrir la carrera.** fr. Situar a ambos lados del recorrido de un cortejo o desfile fuerzas del ejército o de vigilancia para impedir el acceso del público. ‖ **dar carrera** a alguien. fr. Costearle los estudios hasta habilitarle para ejercer alguna facultad, arte u oficio. ‖ **2.** ant. **abrir carrera.** ‖ **de carrera.** loc. adv. Con facilidad y presteza. ‖ **2.** fig. Sin reflexión. ‖ **entrar por carrera.** fr. fig. Salir del error persistente. ‖ **estar en carrera.** fr. Empezar a servir en algún destino o profesión. ‖ **estar en carrera de salvación.** fr. En la teología cristiana, tener ya asegurada su salvación las ánimas del purgatorio, habiendo satisfecho la pena debida por sus culpas. ‖ **hacer carrera.** fr. Prosperar en sociedad. ‖ **no poder hacer carrera con,** o **de,** alguno. fr. fam. No poder reducirle a que haga lo que es razón y debe hacer. ‖ **hacer la carrera.** fr. Recorrer la calle una prostituta a la busca de clientes. ‖ **partir de carrera.** fr. fig. Emprender irreflexivamente una cosa. ‖ **tomar carrera.** fr. Retroceder para poder avanzar con más ímpetu.

carrerilla. (d. de *carrera.*) f. En la danza española, dos pasos cortos acelerados hacia adelante, inclinándose a uno u otro lado. ‖ **2.** *Mús.* Subida o bajada, por lo común de una octava, pasando ligeramente por los puntos intermedios. ‖ **3.** *Mús.* Notas que expresan la **carrerilla.** ‖ **de carrerilla.** loc. adv. fam. De memoria y de corrido, sin enterarse mucho de lo que se ha leído o estudiado. Ú. principalmente con los verbos *decir* y *saber.* ‖ **hacer** algo **de carrerilla.** fr. Hacerlo seguido y deprisa. ‖ **tomar carrerilla.** fr. **tomar carrera.** ‖ **2.** Tomar afán para hacer algo. ‖ **3.** Hacer muy deprisa una cosa.

carrerista. com. Persona aficionada o concurrente a las carreras. ‖ **2.** La que apuesta en ellas. ‖ **3.** La que hace carreras de velocípedos, bicicletas, etc. ‖ **4.** m. Caballerizo que iba delante del coche que ocupaban las personas reales.

carrero. (De *carro*[1].) m. **carretero,** el que guía un carro. ‖ **2.** *Ast.* Rastro o huella que dejan en los caminos la gente, los animales o los carros. ‖ **3.** *Ast.* **estela**[1] que queda en el agua.

carreta. (De *carro*[1].) f. Carro largo, angosto y más bajo que el ordinario, cuyo plano se prolonga en una lanza en que se sujeta el yugo. Comúnmente tiene solo dos ruedas, sin herrar. ‖ **2.** Carro cerrado por los lados, que no tiene las ruedas herradas, sino calzadas con pinas de madera. ‖ **3.** V. **carpintero de carretas.** ‖ **4.** V. **tren carreta.** ‖ **cubierta.** *Mil.* Especie de galería o testudo con que se cubrían los sitiadores para acercarse a la muralla.

carretada. f. Carga que lleva una carreta o un carro. ‖ **2.** Medida equivalente a unos 1.300 kilos que se usaba en Méjico para vender y comprar cal. ‖ **3.** fig. y fam. Gran cantidad de cualquier especie de cosas. ‖ **a carretadas.** loc. adv. fig. y fam. En abundancia.

carretaje. m. Trato y trajín que se hace con carretas y carros.

carretal. (De *carreta.*) m. Sillar toscamente desbastado.

carrete. (De *carro*[1].) m. Cilindro de madera, metal, plástico, etc., generalmente taladrado por el eje, con rebordes en sus bases, que sirve para devanar y mantener arrollados en él hilos, alambres, cordeles, cables, cintas, etc. ‖ **2.** Cilindro de la caña de pescar en que se enrolla el sedal. ‖ **3.** Cilindro en el que se enrolla la película fotográfica. ‖ **4.** Rollo de película para hacer fotografías. ‖ **5.** Cilindro de metal o plástico, taladrado y de poca altura, con dos láminas circulares en sus extremos, entre las cuales se arrolla la cinta de una máquina de escribir. ‖ **6.** *Fís.* **bobina,** circuito eléctrico. ‖ **dar carrete.** fr. Ir largando el sedal para que no lo rompa el pez grande que ha caído en el anzuelo. ‖ **dar carrete** a alguien. fr. fig. Entretener su instancia o empeño con estudiadas dilatorias.

carretear[1]. (Voz onomatopéyica.) intr. *Cuba.* Gritar las cotorras y loros, sobre todo cuando son jóvenes.

carretear[2]. (De *carreta.*) tr. Conducir una cosa en carreta o carro. ‖ **2.** Gobernar un carro o carreta. ‖ **3.** prnl. Inclinar el cuerpo con los pies hacia afuera los bueyes o mulas tirando de un carruaje.

carretel. m. *Can.* y *Amér.* Carrete de hilo para coser. ‖ **2.** *Extr.* **carrete** de pescar en que se enrolla el sedal. ‖ **3.** *Mar.* Carrete grande, propio para enrollar cables.

carretela. (Del it. *carrettella.*) f. Coche de cuatro asientos, con caja poco profunda y cubierta plegadiza. ‖ **2.** *Chile.* Vehículo de dos ruedas, que se dedica por lo general al acarreo de bultos.

carretera. (De *carreta.*) f. Camino público, ancho y espacioso, pavimentado y dispuesto para el tránsito de vehículos. ‖ **2.** *Sal.* Cobertizo que se hace en el corral, para colocar los carros y aperos de labranza.

carretería. f. Conjunto de carretas. ‖ **2.** Ejercicio de carretear. ‖ **3.** Taller en que se fabrican o reparan carros y carretas. ‖ **4.** Barrio, plaza o calle en que abundan estos talleres. ‖ **5.** Lugar donde antiguamente pernoctaban al aire libre las carretas de transporte, en los arrabales o afueras de una población. ‖ **6.** Baile del siglo XVII a imitación de los que usaban los carreteros y trajinantes.

carreteril. adj. Perteneciente o relativo a los carreteros.

carretero. adj. V. **camino carretero.** ‖ **2.** m. El que hace carros y carretas. ‖ **3.** El que guía las caballerías o los bueyes que tiran de tales vehículos. ‖ **4.** fig. Persona que habla o se comporta con escasa educación o blasfema con facilidad. ‖ **hablar** o **jurar como un carretero.** fr. fig. y fam. Blasfemar, o echar muchas maldiciones.

carretil. adj. Perteneciente o relativo a la carreta. ‖ **2.** V. **camino, hierro carretil.**

carretilla. (d. de *carreta.*) f. Carro pequeño de mano, generalmente de una sola rueda, con un cajón para poner la carga y, en la parte posterior, dos varas para dirigirlo y dos pies en que descansa. En las obras sirve para trasladar tierra, arena y otros materiales. ‖ **2.** Bastidor de madera con tres ruedas por pies, y una manija de la cual se asen los niños para aprender a andar. ‖ **3. buscapiés.** ‖ **4. pintadera.** ‖ **5.** Utensilio que se usa en las cocinas para cortar la masa de las empanadillas, formado con un mango que termina en una rodaja, generalmente dentada. ‖ **6.** *Argent.* y *Urug.* Carro común de menores dimensiones que la carreta. ‖ **7.** *Argent., Chile* y *Urug.* Quijada, mandíbula, carrillera. ‖ **8.** *Argent.* Fruto del trébol de **carretilla.** ‖ **9.** V. **trébol de carretilla.** ‖ **de carretilla.** loc. adv. fig. y fam. **de carrerilla.**

carretillada. f. Lo que cabe en una carretilla.

carretillero. m. El que conduce una carretilla. ‖ **2.** *R. de la Plata.* **carretero,** el que guía un carro.

carretillo. m. Especie de garrucha o polea que tienen los telares de galones.

carretón[1]. m. Carro pequeño a modo de un cajón abierto, con dos o cuatro ruedas, que puede ser arrastrado por una caballería. ‖ **2.** Armazón con una rueda, y a modo de carro pequeño, en donde lleva el afilador las piedras y un barril con agua. ‖ **3.** Taburete sobre cuatro ruedas pequeñas, en donde se pone a los niños que están en mantillas. ‖ **4.** En Toledo, carro en que se representaban los autos sacramentales el día del Corpus. ‖ **5.** ant. **cureña** de cañón. ‖ **6.** V. **trébol carretón.** ‖ **de lámpara.** Garrucha para subir y bajar las lámparas de las iglesias.

carretón[2]. m. *And.* y *Col.* Planta leguminosa silvestre o que se cultiva para forraje.

carretonada. f. Lo que cabe en un carretón.

carretonaje. m. *Chile.* Transporte en carretón. ‖ **2.** *Chile.* Precio de cada uno de estos transportes.

carretoncillo. (d. de *carretón.*) m. Carro muy pequeño. ‖ **2.** Especie de trineo, usado en algunas montañas cubiertas de nieve.

carretonero. m. El que conduce el carretón.

carric. (Probablemente del ing. *carrick,* coche ligero, gabán de cochero, a través del fr. *carrick.*) m. Especie de gabán o levitón muy holgado, con varias esclavinas sobrepuestas de mayor a menor. Estuvo en uso en la primera mitad del siglo XIX.

carricar. (Del lat. *carricāre.*) tr. ant. **acarrear,** transportar en carro. ‖ **2.** ant. **acarrear,** transportar de otra manera.

carricera. (De *carrizo.*) f. Planta perenne de la familia de las gramíneas, con el tallo de más de dos metros de altura, hojas surcadas por canalillos, y flores blanquecinas en panoja muy ramosa, con aristas largas.

carricerín. m. Pájaro insectívoro que se distingue del carricero por su plumaje pardo manchado con listas o filas de motas en el occipucio, y por ser un poco menor.

carricero. m. Pequeño pájaro insectívoro de color pardo casi uniforme. Su tamaño es de 12,5 a 19 centímetros. Generalmente habita en los carrizales y vegetación próxima al agua.

carricillo. m. d. de **carrizo.** ‖ **2.** *Cuba.* Nombre vulgar de una planta ramosa, de hojas oblongas, puntiagudas, vellosas en su base y de color amarillento, y semilla negra y lustrosa. Es hierba de pasto. ‖ **3.** *C. Rica.* Gramínea trepadora, común en las breñas.

carricoche. m. Carro cubierto cuya caja era como la de un coche. ‖ **2.** despect. Coche viejo o de mala figura. ‖ **3.** *Murc.* Chirrión o carro de la basura.

carricuba. (De *carro*[1] y *cuba.*) f. Carro que tiene un depósito para transportar líquidos.

carriego. (De *carro*[1].) m. **buitrón,** arte de pesca. ‖ **2.** Cesta grande para echar en colada las madejas de lino cuando se cura y blanquea.

carriel. (Del prov. *carnier,* morral de caza, de *carn,* carne.) m. *Col., Ecuad.* y *Venez.* **garniel,** maletín de cuero. ‖ **2.** *C. Rica.* Bolsa de viaje con varios compartimientos para papeles y dinero. ‖ **3.** *C. Rica.* **ridículo**[1].

carril. adj. ant. **camino carretero.** ‖ **2.** m. Huella que dejan en el suelo las ruedas del carruaje. ‖ **3. surco** hecho con el arado. ‖ **4.** Camino capaz tan solo para el paso de un carro. ‖ **5.** En las vías férreas, cada una de las barras de hierro o de acero laminado que, formando dos líneas paralelas, sustentan y guían las locomotoras y vagones que ruedan sobre ellas. ‖ **6.** Por ext., ranura guía sobre la que se desliza un objeto en una dirección determinada, como en una puerta de corredera. ‖ **7.** En una vía pública, cada banda longitudinal destinada al tránsito de una sola fila de vehículos.

carrilada. f. **carril,** huella de la rueda. ‖ **2.** *C. Rica.* **carrera,** puntos que se sueltan en un tejido.

carrilano. m. *Chile.* Operario del ferrocarril. ‖ **2.** *Chile.* Ladrón, bandolero.

carrilera. f. **carril,** huella de la rueda. ‖ **2.** *Col.* **emparrillado.**

carrilete. m. *Cir.* Cierto instrumento quirúrgico usado antiguamente.

carrillada. (De *carrillo.*) f. Parte grasa que tiene el puerco a uno y otro lado de la cara. ‖ **2.** Tiritón que hace temblar y chocar las mandíbulas. Ú. m. en pl. ‖ **3.** ant. **carrillera,** quijada de ciertos animales. ‖ **4.** ant. **bofetón.** Ú. hoy en Cantabria. ‖ **5.** pl. *Extr.* Cascos de carnero o de vaca.

carrillera. (De *carrillo.*) f. Quijada de ciertos animales. ‖ **2.** Cada una de las dos correas, por lo común cubiertas de escamas de metal, que forman el barboquejo del casco o chacó.

carrillo. (d. de *carro*[1].) m. Parte carnosa de la cara, desde los pómulos hasta lo bajo de la quijada. ‖ **2. garrucha,** polea. ‖ **carrillos de monja boba, de trompetero,** etc. loc. fig. y fam. Los muy abultados. ‖ **comer,** o **masticar, a dos carrillos.** fr. fig. y fam. Comer con rapidez y voracidad. ‖ **2.** fig. y fam. Tener a un mismo tiempo varios cargos o empleos lucrativos. ‖ **3.** fig. y fam. Sacar utilidad de dos personas o parcialidades de opiniones contrarias, complaciendo o sirviendo al mismo tiempo a la una y la otra.

carrilludo, da. adj. Que tiene abultados los carrillos.

carrindanga. f. fam. *Argent.* **carricoche,** coche viejo.

carriño. (De *carro*[1].) m. *Art.* En la milicia antigua, **avantrén.**

carriola. (Del siciliano *carriola.*) f. Cama baja o tarima con ruedas. ‖ **2.** Carro pequeño con tres ruedas, lucidamente vestido, en que solían pasearse las personas reales.

carriona. (Del lat. *caryon,* nuez.) adj. *Ál.* Aplícase a la nuez ferreña, muy dura y desmedrada. Ú. t. c. s.

carrique. m. **carric.**

carriquí. m. *Col.* Pájaro de la familia de los córvidos, de cola amarilla y muy arisco.

carrizada. f. *Mar.* Fila de pipas amarradas que se conducen a remolque flotando sobre el agua.

carrizal. m. Sitio poblado de carrizos.

carrizo. (Del lat. **caricĕus,* de *carex, -ĭcis.*) m. Planta gramínea, indígena de España, con la raíz larga, rastrera y dulce, tallo de dos metros, hojas planas, lineares y lanceoladas, y flores en panojas anchas y copudas. Se cría cerca del agua; sus hojas sirven para forraje; sus tallos servían para construir cielos rasos, y sus panojas, para hacer escobas. ‖ **2.** Planta indígena de Venezuela, gramínea, de tallos nudosos y de seis a siete centímetros de diámetro, que contienen agua dulce y fresca. ‖ **3.** *Ast.* Pajarillo muy común, de color pardo, que anida en los vallados.

carro[1]**.** (Del lat. *carrus.*) m. Carruaje de dos ruedas, con lanza o varas para enganchar el tiro, y cuya armazón consiste en un bastidor con listones o cuerdas para sostener la carga, y varales o tablas en los costados, y a veces en los frentes, para sujetarla. ‖ **2.** Cualquier vehículo o armazón con ruedas que se emplea para transportar objetos diversos, como el cesto de la compra, libros, comida, equipaje, etc. ‖ **3.** Carga de un carro. ‖ **4.** Juego del carruaje, sin la caja. ‖ **5.** fig. Cantidad grande de algo. *Un* CARRO *de preocupaciones. Tengo un* CARRO *de asuntos sin resolver.* ‖ **6.** *Amér.* Coche, automóvil. ‖ **7.** *Impr.* Aparato compuesto de un tablero de hierro en que se coloca la forma que se va a imprimir, y que, por medio de una cigüeña u otro mecanismo, corre sobre las bandas de la máquina. ‖ **8.** *Mec.* Pieza de algunas máquinas dotada de un movimiento de traslación horizontal; como la que sostiene el papel en las máquinas de escribir o la que sirve de portaherramientas en el torno. ‖ **9.** *Mil.* Tanque de guerra. ‖ **de asalto.** Tanque grande, fuertemente blindado y de mucho poder ofensivo. ‖ **de combate.** Tanque de guerra. ‖ **de oro.** Tela tornasolada, muy fina, de lana. ‖ **de tierra.** *Cantabria.* Medida agraria superficial, cuyo lado oscila entre 44 y 48 pies. ‖ **falcado.** El que antiguamente tenía fijas en los ejes unas cuchillas fuertes y afiladas, para herir al enemigo y servía para guarnecer los costados del ejército. ‖ **fuerte.** El de gran resistencia, mucho más largo que ancho y sin bordes, formado su tablero con cuartones, fuertemente unidos, y dos ruedas, para transportar grandes pesos. ‖ **triunfal. carro** grande con asientos, pintado y adornado, que se usa en las procesiones y festejos. ‖ **carros y carretas.** loc. fig. y fam. Contrariedades, contratiempos o incomodidades graves que se soportan pacientemente. Ú. m. con los verbos *pasar* y *aguantar.* ‖ **cogerle** a alguien **el carro.** fr. fig. y fam. Ocurrirle algo que le moleste o perjudique. ‖ **parar el carro.** fr. fig. y fam. Contenerse o moderarse el que está enojado u obra arrebatadamente. No se usa, por lo común, sino en imperativo. PARE *usted* EL CARRO. ‖ **tirar del carro.** fr. fig. y fam. Pesar sobre una o más personas exclusivamente el trabajo en que otras debieran o pudieran tomar parte. ‖ **untar el carro.** fr. fig. fam. Regalar o gratificar a alguien para conseguir lo que se desea.

carro[2]**.** m. *C. Rica.* Árbol que da fruto comestible y vive en la vertiente del Pacífico.

carro[3]**, rra.** adj. *Ál.* Podrido, pasado. Se dice en especial de la fruta.

carrocería. (De *carrocero.*) f. Establecimiento en que se construyen, venden y componen carruajes. ‖ **2.** Parte de los vehículos automóviles o ferroviarios que, asentada sobre el bastidor, reviste el motor y otros elementos, y en cuyo interior se acomodan los pasajeros o la carga.

carrocero. (De *carroza.*) adj. Perteneciente o relativo a la carroza o a la carrocería. ‖ **2.** m. Constructor de carruajes. ‖ **3.** El que fabrica, monta o repara carrocerías. ‖ **4.** ant. **cochero.**

carrocín. (d. de *carroza.*) m. **silla volante.**

carrocha. (De *carocha.*) f. Huevos del pulgón o de otros insectos.

carrochar. (De *carrocha.*) intr. Poner sus huevos los insectos.

carromatero. m. El que gobierna un carromato.

carromato. (Del it. ant. *carro matto.*) m. Carro grande de dos ruedas, con dos varas para enganchar una caballería o más en reata, y que suele tener bolsas de cuerda para recibir la carga, y un toldo de lienzo y cañas. ‖ **2.** fig. Cualquier carruaje demasiado grande, incómodo y desvencijado.

carrón. (De *carro*[1].) m. Cantidad de ladrillos que puede llevar un hombre de una vez. ‖ **2.** *Cuba.* Macizo de hierro colado usado en los ingenios.

carronada. (Del ing. *carronade,* de *Carron,* lugar de Escocia.) f. Cañón antiguo de marina, corto y montado sobre correderas.

carroña. (Del it. *carogna.*) f. Carne corrompida. ‖ **2.** fig. Persona, idea o cosa ruin y despreciable.

carroñar. (De *carroña.*) tr. Causar roña o infectar con ella al ganado lanar.

carroñero, ra. adj. Perteneciente o relativo a la carroña. ‖ **2.** Dícese del animal que se alimenta principalmente de carroña. Ú. t. c. s.

carroño, ña. (De *carroña.*) adj. Podrido, corrompido.

carroñoso, sa. adj. Que huele a carroña. Ú. t. en sent. fig.

carroza. (Del it. *carrozza.*) f. Coche grande, ricamente vestido y adornado. ‖ **2.** Por ext., se llama así a la que se construye para funciones públicas. ‖ **3.** *Mar.* Armazón de hierro o madera que, cubierta con una funda o toldo generalmente de lona, sirve para defender de la intemperie algunas partes del buque. Se usa en particular refiriéndose a la cámara de las góndolas y falúas.

carrozable. adj. *Ecuad.* Aplícase al camino que se destina a vehículos de tracción animal o mecánica.

carrozar. tr. Poner carrocería a un vehículo.

carruaje. (Del prov. ant. *cariatge.*) m. Vehículo formado por una armazón de madera o hierro, montada sobre ruedas. ‖ **2.** desus. Conjunto de carros, coches, calesas, etc., que se previene para un viaje. ‖ **3.** ant. Trato o trajín con carros, coches, calesas, etc.

carruajero. m. El que guía o conduce cualquier clase de carruaje. ‖ **2.** *Amér.* El que fabrica carruajes.

carruata. f. Especie de pita de la Guayana y otros puntos de América, que sirve para hacer cuerdas muy resistentes.

carruca. (Del lat. *carrūca.*) f. Coche de lujo, introducido en Roma en la época imperial.

carrucar. intr. *Sal.* Correr la peonza.

carruco. (De *carro*[1].) m. despect. de **carro**[1]. ‖ **2.** Carro pequeño cuyo eje da vueltas con las ruedas, que carecen de rayos. ‖ **3.** Porción de tejas que puede cargar un hombre.

carrucha. (De *carro*[1].) f. **polea.**

carruchera. f. *Murc.* Dirección, vía.

carrujado, da. adj. **encarrujado,** rizado o plegado con arrugas menudas. ‖ **2.** m. **encarrujado,** labor de arrugas que se usaba en algunos tejidos.

carrujo. m. **copa** de un árbol.

carruna. (De *carro*[1].) f. En el Bierzo, senda o camino carretil.

carrusel. (Del fr. *carrousel.*) m. Espectáculo en que varios jinetes ejecutan vistosas evoluciones. ‖ **2. tiovivo.**

cárstico, ca (Del topónimo al. *karst*, meseta próxima a Trieste.) adj. Dícese de diversas formaciones calizas, producidas por la acción erosiva o disolvente del agua.

carta. (Del lat. *charta.*) f. Papel escrito, y ordinariamente cerrado, que una persona envía a otra para comunicarse con ella. ‖ **2.** Despacho o provisión expedidos por los tribunales superiores. ‖ **3.** Cada uno de los naipes de la baraja. ‖ **4.** Constitución escrita o código fundamental de un Estado. ‖ **5.** Lista de platos y bebidas que se pueden elegir en un restaurante o establecimiento análogo. ‖ **6. mapa** de la Tierra o parte de ella. ‖ **7.** V. **hilo, juego, polvos de cartas.** ‖ **8.** ant. Papel para escribir. ‖ **9.** ant. Hoja escrita de papel o pergamino. ‖ **10.** ant. Documento público. Se conserva su uso en muy pocos lugares. ‖ **abierta.** La dirigida a una persona y destinada a la publicidad. ‖ **2.** Despacho y provisión real, con carácter de generalidad. ‖ **3.** La de crédito, por cuantía indefinida. ‖ **acordada.** La que contiene reprensión o advertencia reservada de un tribunal superior a un cuerpo o persona pública. ‖ **astral.** Gráfico de la posición de los planetas y de otros factores que concurren en el instante del nacimiento de una persona, a partir del cual los astrólogos interpretan los rasgos y tendencias constitucionales de esta. ‖ **blanca.** Nombramiento para un empleo, sin el nombre del agraciado, para poderlo poner después a favor de quien parezca. ‖ **2.** La que se da a una autoridad para que obre discrecionalmente. ‖ **3.** Naipe que no es figura o no tiene valor especial en muchos juegos. ‖ **4.** fig. y fam. Facultad amplia que se da a alguno para obrar en determinado negocio. ‖ **cuenta.** La que contiene la razón y cuenta de alguna cosa. ‖ **de ahorría,** o **de ahorro. carta de horro.** ‖ **de ajuste.** Gráfico fijo con líneas y colores para poder ajustar la imagen en los televisores. ‖ **de amparo.** La que daba el rey a alguien, estatuyendo las duras penas con que podría ser castigado quien le ofendiese. ‖ **de comisión.** *Der.* Provisión que despachaba el tribunal superior, cometiendo y dando delegación para algún negocio, causa o diligencia. ‖ **de compañería. carta de mancebía.** ‖ **de contramarca.** La dada por un soberano para que los súbditos suyos pudieran corsear y apresar las naves y efectos de los de otra potencia que hubiese dado **cartas** de represalia o de marca. ‖ **de crédito.** La que previene a uno que dé a otro dinero por cuenta del que la escribe. ‖ **2.** ant. **carta de creencia.** ‖ **de creencia.** La que lleva uno para ser creído en la dependencia o negocio que va a tratar. ‖ **2. cartas credenciales.** ‖ **de dote.** Escritura pública que expresa la aportación de bienes que hace la esposa. ‖ **de emplazamiento.** *Der.* Despacho que se expedía para citar o emplazar a alguno o algunos. ‖ **de encomienda. carta de amparo.** ‖ **de espera.** *Der.* Moratoria concedida al deudor por un tiempo señalado. ‖ **de examen.** Despacho que se daba a alguno, aprobándolo y habilitándolo para ejercer el oficio que había aprendido. ‖ **de fletamento.** Escritura en que consta el contrato de fletamento. ‖ **de gracia. carta forera,** privilegio real de fueros e inmunidades. ‖ **2.** *Der.* Pacto de retroventa. ‖ **de guía.** Despacho que se daba para que el que iba por tierra extraña pudiera ir seguro, sin que nadie le impidiera su camino. ‖ **de hermandad.** Título que expide el prelado de una comunidad religiosa a favor del que admite por hermano. ‖ **de hidalguía. ejecutoria.** ‖ **de horro.** Escritura de libertad que se daba al esclavo. ‖ **de legos.** *Der.* **auto de legos.** ‖ **de libre.** ant. *Der.* Finiquito o liberación que los menores dan al tutor, concluida la tutela. ‖ **de mancebía.** La que se hacía para seguridad del contrato de mancebía. ‖ **de marca. patente de corso.** ‖ **de marear.** Mapa en que se describe el mar, o una porción de él, con sus costas o los lugares donde hay escollos o bajios. ‖ **de naturaleza.** Concesión a un extranjero de la gracia de ser tenido por natural del país. ‖ **de pago.** Escritura en que el acreedor confiesa haber recibido lo que se le debía, o parte de ello. ‖ **de pago y lasto.** Documento que da quien cobra de otro que no es el principal obligado, y cede al pagador la acción para que repita contra el deudor, pidiendo reembolso. ‖ **de personería.** ant. Poder para pleitos y otras dependencias. ‖ **de porte.** Documento que es título legal del contrato de transporte terrestre. ‖ **de quitación,** o **de quito.** ant. **carta de repudio.** ‖ **de repudio.** Documento en que se acreditaba antiguamente el repudio de la mujer. ‖ **desaforada.** Despacho derogatorio de una exención, franqueza o privilegio. ‖ **2.** Provisión que se expedía contra justicia o fuero, y que no debía cumplirse, para prender, matar, desterrar o penar de cualquier otra manera a una persona. ‖ **de seguro. carta de amparo.** ‖ **de trabajo.** Documento personal, expedido por autoridad sindical o gubernativa, que permite ejercer o encontrar ocupación, en las profesiones corporativamente monopolizadas. ‖ **2.** Fuero o estatuto en que se regulan las relaciones entre patronos y obreros. ‖ **de Urías.** fig. Medio falso y traidor que uno emplea para dañar a otro, abusando de su confianza y buena fe. ‖ **de vecindad.** Despacho o título que se daba a uno para que fuese reconocido como vecino de algún lugar o villa. ‖ **de venta.** Escritura pública en la que se vende alguna cosa. ‖ **dotal.** La de dote. ‖ **ejecutoria,** o **carta ejecutoria de hidalguía. ejecutoria,** título de nobleza. ‖ **falsa.** En algunos juegos de naipes, la que no es triunfo, o es de poco o ningún valor. ‖ **familiar.** Se llama así especialmente a la que se escribe a un pariente o amigo, en que se trata de asuntos muy íntimos o de la vida privada. ‖ **forera.** Provisión arreglada a los fueros y leyes. ‖ **2.** Provisión que se obtenía para poner demanda a una persona dentro del año de su fecha, porque pasado este no tenía efecto. ‖ **3.** Privilegio real de exenciones, fueros e inmunidades. ‖ **náutica. carta de marear.** ‖ **orden.** La que contiene una orden o mandato. ‖ **2.** *Der.* Comunicación dirigida por autoridad judicial a sus inferiores. ‖ **partida por A, B, C.** Documento que se escribía dos veces en un mismo papel o pergamino, poniendo en medio las letras A, B, C, por donde se cortaban en zigzag las escrituras, y la autenticidad del contrato se comprobaba al aproximar los bordes de ambos documentos por la parte en que estaban dichas letras. ‖ **2.** Cada uno de los dos pedazos del pergamino o papel así escrito. ‖ **pastoral.** Escrito o discurso que con instrucciones o exhortaciones dirige un prelado a sus diocesanos. ‖ **pécora. pergamino,** documento o título. ‖ **plomada.** Escritura con sello de plomo. ‖ **puebla.** Diploma en que se contiene el repartimiento de tierras y derechos que se concedían a los nuevos pobladores del sitio o lugar en que se fundaba pueblo. ‖ **receptoria.** Despacho en que se encomendaba recibir o hacer alguna probanza o diligencia. ‖ **urgente.** La que se envía y entrega al destinatario con preferencia a la **carta** ordinaria. ‖ **vista.** En el juego del revesino, partido que consiste en poder ver antes la **carta** que toca, para quedarse con ella o dejarla. ‖ **viva.** fig. Persona que, yendo a alguna parte, lleva encargo de decir a otro lo que se le había de comunicar por escrito. ‖ **cartas credenciales.** Las que se dan al embajador o ministro para que se le admita y reconozca por tal. Ú. t. en sing. ‖ **expectativas. letras expectativas.** ‖ **recredenciales.** Las que se dan al embajador o ministro para que se despida, al cesar en su destino, del jefe del Estado donde se hallaba acreditado. ‖ **a carta cabal.** loc. adj. Intachable, completo. *Hombre de bien, mujer honrada,* A CARTA CABAL. ‖ **apartar las cartas.** fr. En el correo, no incluirlas en reparto, para darlas separadamente. ‖ **carta canta.** expr. fig. y fam. que sirve para denotar que hay documento con que probar lo que se dice. ‖ **conocer las cartas** a alguien. fr. fig. **conocerle el juego.** ‖ **echar las cartas.** fr. Hacer con los naipes ciertas combinaciones, fingiendo con ellas adivinar cosas ocultas o venideras. ‖ **enseñar las cartas.** fr. fig. **poner las cartas boca arriba.** ‖ **entregar la carta.** fr. fig. y fam. Declarar la intención, o soltar algo que no se quería manifestar o descubrir. ‖ **irse de una buena carta.** fr. fig. y fam. Desprenderse voluntariamente de algún elemento favorable para el logro de una pretensión o deseo. ‖ **jugar a cartas vistas.** fr. fig. y fam. Obrar a ciencia cierta, por tener datos de que carecen los demás. ‖ **2.** fig. Proceder franca y abiertamente. ‖ **jugar** alguien **bien sus cartas.** fr. fig. Desempeñarse con astucia en un asunto delicado. ‖ **jugar la última carta.** fr. fig. Emplear el último recurso en casos de apuro. ‖ **jugárselo todo a una carta.** fr. fig. **jugarse el todo por el todo.** ‖ **jugarse todo a una carta.** fr. fig. Hacer depender de un solo recurso la solución de una grave dificultad. ‖ **no saber a qué carta quedarse.** fr. fam. Estar indeciso en el juicio o en la resolución que se ha de tomar. ‖ **no ver carta.** fr. fig. y fam. Tener malos naipes. ‖ **perder con buenas cartas.** fr. fig. y fam. Perder alguna pretensión, teniendo méritos y buenos medios para conseguirla. ‖ **poner las cartas boca arriba.** fr. fig. Poner alguien de manifiesto un propósito u opinión que se guardaba oculto. ‖ **por carta de más, o de menos.** fr. fig. y fam. con que se nota el exceso, o defecto, en lo que se hace o dice. ‖ **sacar cartas.** Juego de naipes en que toma uno la baraja, va contando desde el as todos los puntos, y si casualmente saca el punto que cuenta, lo guarda, y las otras **cartas** las pone otra vez al fin de la baraja: lo mismo hacen los otros, y después que acaban las **cartas,** gana el que ha juntado mayor número. ‖ **tomar cartas en** algún negocio. fr. fig. y fam. Intervenir en él. ‖ **traer malas cartas. venir con malas cartas.** frs. figs. y fams. No tener los medios proporcionados para conseguir algún fin.

cartabón. (De etim. disc.; cf. occitano *escartabon,* it. *quartabono.*) m. Plantilla de madera, plástico u otro material en forma de triángulo rectángulo escaleno que se utiliza en delineación. ‖ **2.** Instrumento formado por dos reglas ortogonales que se utiliza en carpintería para marcar ángulos rectos. ‖ **3.** Regla graduada, con dos topes, uno fijo y otro movible, que los zapateros usan para medir la longitud del pie. ‖ **4.** *Arq.* Ángulo que forman en el caballete las dos vertientes de una armadura de tejado. ‖ **5.** Instrumento constituido por un prisma octogonal montado sobre un bastón utilizado en topografía para dirigir visuales en ángulo recto. ‖ **echar el cartabón.** fr. fig. y fam. Tomar medidas para lograr alguna cosa.

cartagenero, ra. adj. Natural de Cartagena (España) y de Cartagena de Indias (Colombia). Ú. t. c. s. ‖ **2.** Perteneciente o relativo a estas ciudades.

cartaginense. (Del lat. *Carthaginiensis.*) adj. **cartaginés.** Apl. a pers., ú. t. c. s.

cartaginés, sa. adj. Natural de Cartago. Ú. t. c. s. ‖ **2.** Perteneciente a esta antigua ciudad de África. ‖ **3. cartagenero.** Apl. a pers., ú. t. c. s. ‖ **4.** Natural de Cartago, provincia y ciudad de Costa Rica. Ú. t. c. s. ‖ **5.** Perteneciente a esta ciudad de Costa Rica o a su provincia.

cartaginiense. adj. **cartaginense.** Apl. a pers., ú. t. c. s.

cártama. f. **cártamo.**

cártamo. (Del ár. *qurṭum.*) m. **alazor.**

cartapacio. (De or. inc., quizá del b. lat. *chartapacium,* carta de paz.) m. Cuaderno para escribir o tomar apuntes. ‖ **2.** Funda de badana, hule, cartón u otra materia adecuada, en que los muchachos que van a la escuela meten sus libros y papeles. ‖ **3.** Conjunto de papeles contenidos en una carpeta. ‖ **4.** fig. y fam. V. **razón de cartapacio.**

cartapel. (De *carta* y *papel.*) m. Papel que contiene cosas inútiles o impertinentes. ‖ **2.** ant. Cartel o edicto. ‖ **3.** *Sal.* **rocadero,** envoltura que se pone en la parte superior de la rueca.

cartazo. m. aum. de **carta.** ‖ **2.** fam. Carta o papel que contiene alguna grave reprensión o disgusto.

carteado, da. p. p. de **cartear.** ‖ **2.** adj. V. **juego carteado.** Ú. t. c. s.

cartear. intr. Jugar las cartas falsas, para tantear el juego. ‖ **2.** ant. Hojear los libros. ‖ **3.** prnl. Corresponderse por cartas.

cartel[1]**.** (Del it. *cartello,* a través del cat. *cartell.*) m. Papel, pieza de tela o lámina de otra materia, en que hay inscripciones o figuras y que se exhibe con fines noticieros, de anuncio, propaganda, etc. ‖ **2.** Papel encartonado, con letras, sílabas o palabras en grandes caracteres, que sirve en las escuelas para enseñar a leer. ‖ **3.** desus. Escrito relativo al canje o rescate de los prisioneros, o a alguna otra proposición de los enemigos. ‖ **4.** Escrito que se hacía público y en que uno desafiaba a otro para reñir con él. ‖ **5.** Red que sirve para la pesca de la sardina. ‖ **6. pasquín.** ‖ **tener cartel.** fr. fig. y fam. Tener la reputación bien sentada en el asunto de que se trata.

cartel[2] o **cártel.** (Del al. *Kartell.*) m. *Econ.* Convenio entre varias empresas similares para evitar la mutua competencia y regular la producción, venta y precios en determinado campo industrial. ‖ **2.** Agrupación de personas que persigue fines ilícitos. CARTEL *de Medellín.*

cartela. (Del it. *cartella,* d. de *carta.*) f. Pedazo de cartón, madera u otra materia, a modo de tarjeta, destinado para poner o escribir en él alguna cosa. ‖ **2.** Ménsula a modo de modillón, de más altura que vuelo. ‖ **3.** Cada uno de los hierros que sostienen los balcones cuando no tienen repisa de albañilería. ‖ **4.** *Blas.* Cada una de las piezas heráldicas ordinarias, pequeñas y de forma rectangular, que se ponen verticalmente y en serie en la parte superior del escudo. ‖ **abierta.** *Blas.* La que lleva en el medio una especie de agujero redondo o cuadrado de otro esmalte. ‖ **acostada.** *Blas.* **cartela** puesta no en sentido vertical, sino al contrario.

cartelado, da. adj. *Blas.* Se dice del escudo o pieza heráldica sembrada de cartelas.

cartelear. tr. ant. Poner carteles infamatorios.

cartelera. f. Armazón con superficie adecuada para fijar los carteles o anuncios públicos. ‖ **2.** Cartel anunciador de funciones teatrales o de otros espectáculos. ‖ **3.** Sección de los periódicos donde se anuncian estas funciones y espectáculos.

cartelero, ra. adj. Dícese del espectáculo, autor, artista, torero, etc., que tiene cartel o atrae al público. ‖ **2.** m. El que pone carteles en lugares públicos.

cartelista. com. Persona que tiene por oficio diseñar o pintar carteles, anuncios, etcétera.

carteo. m. Acción y efecto de cartear o cartearse.

cárter. (De J. H. *Carter*, nombre del inventor.) m. *Mec.* Pieza de la bicicleta destinada a proteger la cadena de transmisión. ‖ **2.** *Mec.* En los automóviles y otras máquinas, pieza o conjunto de piezas que protege determinados órganos y a veces sirve como depósito de lubricante.

cartera. (De *carta*.) f. Objeto rectangular hecho de piel u otro material, plegado por su mitad, con divisiones internas, que se lleva en el bolsillo y sirve para contener documentos, tarjetas, billetes de banco, etc. ‖ **2.** Objeto de forma cuadrangular hecho de cuero u otra materia generalmente flexible que se usa para llevar en su interior documentos, papeles, libros, etc. ‖ **3.** Cubierta formada de dos hojas rectangulares de cartón o piel, unidas por uno de sus lados, que sirve para dibujar o escribir sobre ella y para resguardar estampas o papeles. ‖ **4.** Adorno o tira de tela que cubre la abertura del bolsillo de algunas prendas del vestido. ‖ **5.** V. **ministro sin cartera.** ‖ **6.** fig. Empleo de ministro, jefe de un ministerio. ‖ **7.** fig. Ejercicio de las funciones propias de cada ministerio. ‖ **8.** *Amér.* Bolso de las mujeres. ‖ **9.** *Com.* Valores o efectos comerciales de curso legal, que forman parte del activo de un comerciante, banco o sociedad, y por ext., de un particular. ‖ **tener en cartera** una cosa. fr. fig. Tenerla preparada o en estudio para su próxima ejecución.

cartería. f. Empleo de cartero. ‖ **2.** Oficina inferior de correos, donde se recibe y despacha la correspondencia pública.

carterista. m. Ladrón de carteras de bolsillo.

cartero, ra. m. y f. Persona cuyo oficio es repartir las cartas del correo.

cartesianismo. m. Sistema filosófico de Cartesio o Descartes y de sus discípulos.

cartesiano, na. (De *Cartesius*, nombre latino de *Descartes*.) adj. Partidario del cartesianismo o perteneciente a él. Apl. a pers., ú. t. c. s. ‖ **2.** *Geom.* V. **coordenada cartesiana.**

carteta. (De *carta*.) f. **parar[1].**

cartiero. (Del lat. *quartarĭus*, cuarta parte.) m. ant. Una de las cuatro partes en que se distribuía el año para algunos fines.

cartilágine. (Del lat. *cartilāgo, -ĭnis*.) m. **cartílago.**

cartilagíneo, a. (Del lat. *cartilaginĕus*.) adj. *Zool.* Dícese de los peces cuyo neuroesqueleto consta de piezas cartilaginosas.

cartilaginoso, sa. (Del lat. *cartilaginōsus*.) adj. Relativo a los cartílagos. ‖ **2.** Semejante al cartílago o de tal naturaleza.

cartílago. (Del lat. *cartilāgo*.) m. *Anat.* Cualquiera de las piezas formadas por tejido cartilaginoso, que pertenecen al endoesqueleto de los animales vertebrados y constituyen la envoltura de los centros nerviosos de los cefalópodos.

cartilla. (d. de *carta*.) f. Cuaderno pequeño, impreso, que contiene las letras del alfabeto y los primeros rudimentos para aprender a leer. ‖ **2.** Cualquier tratado breve y elemental de algún oficio o arte. ‖ **3.** Testimonio que se da a los sacerdotes ordenados de la Iglesia católica para que conste que lo están. ‖ **4.** Cuaderno o libreta donde se anotan ciertas circunstancias o vicisitudes que interesan a determinada persona, como las que dan las cajas de ahorros a los imponentes. ‖ **5. añalejo.** ‖ **militar.** La que se da al soldado cuando se licencia y en la que se hacen constar, además de los datos personales, las vicisitudes de su servicio, las obligaciones a que queda sujeto, etc. ‖ **cantarle,** o **leerle,** a alguien **la cartilla.** fr. fig. y fam. Reprenderle, advirtiendo lo que debe hacer en algún asunto. ‖ **no estar en la cartilla** una cosa. fr. fig. y fam. Ser irregular o fuera de lo ordinario. ‖ **no saber la cartilla.** fr. fig. y fam. Ignorar los principios de un arte u oficio. ‖ **saberse la cartilla** o **tener aprendida la cartilla.** fr. fig. Haber recibido instrucciones sobre el modo de proceder en determinado asunto.

cartivana. (De *carta* y *vana*.) f. Tira de papel o tela, que se pone en las láminas u hojas sueltas para que se puedan encuadernar de modo conveniente.

cartografía. (De *carta* y *-grafía*.) f. Arte de trazar cartas geográficas. ‖ **2.** Ciencia que las estudia.

cartografiar. (De *cartografía*.) tr. Levantar y trazar la carta geográfica de una porción de superficie terrestre.

cartográfico, ca. adj. Perteneciente o relativo a la cartografía.

cartógrafo, fa. (De *cartografía*.) m. y f. Persona que traza cartas geográficas.

cartolas. (Del vasc. *kartolak* jamugas.) f. pl. **artolas.** ‖ **2.** *Ál.* Adrales hechos de tablas y no de carrizo.

cartomancia o **cartomancía.** (De *carta* y el gr. μαντεία, adivinación.) f. Arte que pretende adivinar el futuro por medio de los naipes.

cartomántico, ca. adj. Que practica la cartomancia. Ú. t. c. s. ‖ **2.** Perteneciente o relativo a la cartomancia.

cartometría. (De *cartómetro*.) f. Medición de las líneas de las cartas geográficas.

cartométrico, ca. adj. Relativo a la cartometría.

cartómetro. (De *carta* y *-metro*.) m. Curvímetro, aparato que sirve para medir las líneas trazadas en las cartas geográficas.

cartón. (De *carta*, papel.) m. Conjunto de varias hojas superpuestas de pasta de papel que, en estado húmedo, se adhieren unas a otras por compresión y se secan después por evaporación. ‖ **2.** Hoja de varios tamaños, hecha de pasta de trapo, papel viejo y otras materias. ‖ **3.** Adorno que imita las hojas largas de algunas plantas; se hace de hierro, latón u otro metal, y rara vez de madera. ‖ **4.** Envase de **cartón** que suele contener diez cajetillas de cigarrillos. ‖ **5.** *Arq.* Adorno prominente de la clave del arco romano y de los modillones. Suele llevar sobrepuesta una hoja de acanto. ‖ **6.** *Pint.* Dibujo sobre papel, a veces colorido, de una composición o figura, ejecutado en el mismo tamaño que ha de tener la obra de pintura, mosaico, tapicería o vidriería para la que servirá de modelo. Por ext., se aplica a los modelos para tapices pintados sobre lienzo. ‖ **piedra.** Pasta de **cartón** o papel, yeso y aceite secante que luego se endurece mucho y con la cual puede hacerse toda clase de figuras. ‖ **ser** algo o alguien **de cartón piedra.** fr. fig. Ser falso, artificial.

cartonaje. m. Obras de cartón.

cartoné. (Del fr. *cartonée*, de *cartonner*, encartonar.) m. *Impr.* Encuadernación que se hace con tapas de cartón y forro de papel.

cartonera. (De *cartón*.) f. *Amér.* Especie de avispa cuyo nido semeja una caja de cartulina.

cartonería. f. Fábrica en que se hace el cartón. ‖ **2.** Tienda en que se vende.

cartonero, ra. adj. Perteneciente o relativo al cartón. ‖ **2.** m. y f. Persona que hace o vende cartones u obras hechas en cartón.

cartonista. com. Persona que tiene por oficio proyectar tapices y alfombras mediante dibujos en colores.

cartuchera. f. Caja, generalmente de cuero, y destinada a llevar la dotación individual de cartuchos de guerra o caza. ‖ **2. canana.** ‖ **quien manda, manda, y cartuchera en el cañón.** expr. fig. y fam. con que se impone la obediencia ciega.

cartucho. (Del it. *cartoccio*.) m. Carga de pólvora y municiones, o de pólvora sola, correspondiente a cada tiro de algún arma de fuego, envuelta en papel o lienzo o encerrada en un tubo metálico, para cargar de una vez. ‖ **2.** Envoltorio cilíndrico de monedas de una misma clase. ‖ **3.** Dispositivo intercambiable, de forma, tamaño y material variables, provisto de lo necesario para que funcionen ciertas máquinas, aparatos e instrumentos. *Un* CARTUCHO *fotográfico, de una estilográfica.* ‖ **4.** Bolsa hecha de cartulina, para contener dulces, frutas y cosas semejantes. ‖ **5. cucurucho.** ‖ **de fogueo.** El que se emplea sin bala para adiestramiento de la tropa, salvas, etc. ‖ **de perdigones.** Engañifa consistente de ordinario en entregar, con apariencia de un rollo de monedas, otra cosa de ningún valor. ‖ **2.** fig. Cualquier otra de la que se es víctima por exceso de simplicidad. ‖ **quemar el último cartucho.** fr. fig. Emplear el último recurso en casos apurados.

cartuja. (Del b. lat. *Cartusia,* luego *Chartreuse,* lugar del Delfinado.) n. p. f. Orden religiosa muy austera, que fundó San Bruno el año 1086. ‖ **2.** f. Monasterio o convento de esta orden.

cartujano, na. adj. Perteneciente a la Cartuja. ‖ **2. cartujo.** Apl. a pers., ú. t. c. s. ‖ **3.** Se dice del caballo o yegua que ofrece las señales más características de la raza andaluza.

cartujo. adj. Dícese del religioso de la Cartuja. Ú. t. c. s. ‖ **2.** m. fig. y fam. Hombre taciturno o muy retraído.

cartulario. (Del lat. *chartularĭum,* de *chartŭla,* escritura pública.) m. En algunos archivos, libro becerro o tumbo. ‖ **2. escribano** autorizado para dar fe. Principalmente el de número de un juzgado, o el notario en cuyo oficio se custodian las escrituras de que se habla.

cartulina. (Del lat. *chartŭla,* d. de *charta,* papel, a través del it. *cartolina.*) f. Cartón delgado, generalmente terso, que se usa para tarjetas, diplomas y cosas análogas.

cartusana. f. Galón de bordes ondulados.

caruata. f. *Venez.* **carruata.**

caruja. (Del lat. *caryon,* nuez.) f. *León.* Pera inverniza, dura y desabrida, pero buena para dulce.

carúncula. (Del lat. *caruncŭla,* d. de *caro,* carne.) f. Especie de carnosidad de color rojo vivo y naturaleza eréctil, que poseen en la cabeza algunos animales, como el pavo y el gallo. ‖ **lagrimal.** *Anat.* Grupo pequeño de glándulas en el ángulo interno del ojo, cubierto por una membrana mucosa.

carunculado, da. adj. Que tiene carúnculas.

caruncular. adj. Perteneciente o relativo a las carúnculas.

carupanero, ra. adj. Natural de la ciudad venezolana de Carúpano. Ú. t. c. s. ‖ **2.** Perteneciente o relativo a dicha ciudad.

carurú. (De or. guaraní.) m. Planta americana de la familia de las amarantáceas, como de medio metro de altura, que sirve para hacer lejía.

caruto. m. Nombre de una planta, especie de jagua, propia de la región del Orinoco.

carvajal. m. **robledal.**

carvajo. (De *carba.*) m. **carvallo.**

carvallar. m. **robledal.**

carvalleda. f. **robledal.**

carvalledo. m. **robledal.**

carvallo. (De *carba.*) m. **roble,** árbol.

carvayo. m. *Ast.* **roble,** árbol.

carvi. (Del lat. *carēum* [*carum, carvi* en Nebrija].) m. *Farm.* Simiente de la alcaravea.

cas[1]**.** f. Apócope de **casa.** Hoy solo tiene uso en el habla rústica y muy vulgar.

cas[2]**.** m. Árbol que crece en las costas templadas de Costa Rica, que alcanza unos 12 metros de altura, de buena madera y un fruto semejante a la guayaba redonda, pero excesivamente ácido, que se usa para refrescos. ‖ **2.** Este fruto.

casa. (Del lat. *casa,* choza.) f. Edificio para habitar. ‖ **2.** Piso o parte de una **casa,** en que vive un individuo o una familia. ‖ **3.** Edificio, mobiliario, régimen de vida, etc., de alguien. *Echo de menos las comodidades de* CASA. ‖ **4. familia** de una **casa.** ‖ **5.** Estados, vasallos y rentas que poseía un señor. ‖ **6.** Descendencia o linaje que tiene un mismo apellido y viene del mismo origen. ‖ **7.** Establecimiento industrial o mercantil. *Esta* CASA *es la más antigua en su ramo.* ‖ **8. escaque.** ‖ **9.** En el juego de tablas reales, cada uno de los semicírculos laterales cortados en el mismo tablero, en donde se van colocando las piezas. ‖ **10. cabaña,** espacio señalado en la mesa de billar. ‖ **11.** V. **cabeza, cabo, casco, composición, cuerpo de casa.** ‖ **12.** V. **gentilhombre de la casa.** ‖ **13.** V. **mujer de su casa.** ‖ **14.** V. **aposentador de casa y corte.** ‖ **15.** *Der. Ar.* V. **casamiento en casa.** ‖ **16.** pl. *Chile.* **casa** principal de un fundo. ‖ **17.** ant. **casa,** edificio para habitar. ‖ **abierta.** Domicilio y también estudio o despacho del que ejerce profesión, arte o industria. ‖ **2.** Tienda a puerta de calle. ‖ **a la malicia.** La que con cabida para alojar dos familias se edificaba en Madrid durante el siglo XVII, sobre traza arquitectónica en fachada de un solo piso, rehuyendo así la carga de aposento. ‖ **cabeza de armería. casa de cabo de armería.** ‖ **cáñama. casa dezmera,** o **excusada.** ‖ **celeste.** *Astrol.* Cada una de las 12 partes en que se considera dividido el cielo por círculos de longitud o por los del atacir. ‖ **civil.** Conjunto de personas que tienen a su cargo los servicios no militares del palacio o residencia del jefe del Estado. ‖ **consistorial. casa** de la villa o ciudad adonde concurren los concejales de su ayuntamiento a celebrar sus juntas. Ú. t. en pl. ‖ **cuna. inclusa**[1]. ‖ **2. guardería infantil.** ‖ **cural.** La que ocupa el cura en algunos lugares y que, generalmente, es propiedad de la Iglesia. ‖ **de altos.** *Argent., Chile, Hond., Par., P. Rico* y *Urug.* **casa** que además de la planta baja tiene otro u otros pisos. ‖ **de aposento.** La sujeta al servicio que la villa de Madrid hacía al rey, dando una parte de todas las **casas** para el aposento de la corte. ‖ **2.** Vivienda que se repartía a los que gozaban de tal privilegio. ‖ **3. carga de aposento.** ‖ **de asistencia.** *Méj.* **casa de huéspedes.** ‖ **de balcón.** *Col.* **casa** de varios pisos, que solía tener balcón corrido en su parte superior. ‖ **de banca. banca,** comercio que realiza operaciones de giro, cambio, descuento, compra y venta de efectos públicos. ‖ **de baños.** Establecimiento en que se tienen baños para el servicio público. ‖ **de beneficencia.** Hospital, hospicio o asilo. ‖ **de cabo de armería.** En Navarra, **casa** solariega del pariente mayor, cabeza de su linaje. ‖ **de cadena.** *Perú.* **casa** que gozaba el derecho de asilo. ‖ **de calderas.** *Cuba.* Edificio contiguo al trapiche, donde se hallan las piezas y utensilios necesarios para la fabricación del azúcar. ‖ **de camas. mancebía, casa** de mujeres públicas. ‖ **de campo.** La que está fuera de poblado y sirve para cuidar del cultivo, para recrearse o para ambos objetos a la vez. ‖ **de citas.** Aquella en que se facilita, clandestinamente, y por precio, habitación para las relaciones sexuales. ‖ **de coima.** ant. **casa de juego.** ‖ **de comidas. figón, casa** donde se guisan cosas ordinarias. ‖ **de compromiso,** o **de compromisos. casa de citas.** ‖ **de conversación.** En el siglo XVII, casino o círculo de recreo. ‖ **de devoción.** Templo o santuario donde se venera alguna imagen en particular. ‖ **de Dios.** Templo o iglesia. ‖ **de dormir.** Aquella en que se da hospedaje solo para pasar la noche. ‖ **de empeño.** Establecimiento donde se presta dinero mediante la entrega condicionada de alhajas o ropas u otros bienes muebles, en prenda. ‖ **de empeños. casa de empeño.** ‖ **de esgrimidores.** La desaliñada y sin alhajas. ‖ **de estado.** ant. **hostería.** ‖ **de expósitos. inclusa**[1]. ‖ **de fieras.** En Madrid, antiguo parque zoológico.

‖ **de ganado.** *Ast.* **casa** en el campo para recoger el ganado en la parte baja o corte, y almacenar el heno en el piso alto o henal. ‖ **de huéspedes.** Aquella en que, mediante cierto precio, se da estancia y comida, o solo alojamiento, a algunas personas. ‖ **de juego.** La que está destinada a la explotación de juegos de azar. ‖ **de labor,** o **de labranza.** Aquella en que habitan los labradores y en que tienen sus ganados y aperos. ‖ **de lenocinio. casa** de mujeres públicas. ‖ **de locos. manicomio.** ‖ **2.** fig. Aquella en que hay mucho bullicio, inquietud y falta de gobierno. ‖ **del rey. casa real.** ‖ **del Señor. casa de Dios.** ‖ **de malicia. casa a la malicia.** ‖ **de mancebía. casa** de mujeres públicas. ‖ **de moneda.** La destinada para fundir, fabricar y acuñar moneda. ‖ **de moradores.** *Murc.* **casa de vecindad.** ‖ **de oración. casa de Dios.** ‖ **de orates. casa de locos.** ‖ **de pailas.** En Cuba, **casa de calderas.** ‖ **de placer.** p. us. **casa de recreo.** ‖ **de posada,** o **de posadas. casa de huéspedes.** ‖ **de postas.** Parada donde tomaban caballos de refresco los correos y los que viajaban en posta. ‖ **de préstamos. casa de empeño.** ‖ **de prostitución. casa de lenocinio.** ‖ **de pupilos. casa de huéspedes.** ‖ **de putas.** fam. **casa de lenocinio.** ‖ **2.** fig. y fam. Lugar de gran desorden. ‖ **de recreo.** La situada en el campo como lugar de descanso y distracción. ‖ **de socorro.** Establecimiento benéfico donde se prestan los primeros auxilios facultativos a heridos o atacados de cualquier repentino accidente. ‖ **de tía.** fam. **cárcel,** edificio para presos. ‖ **de tócame Roque.** fig. y fam. Aquella en que vive mucha gente y hay mala dirección y el consiguiente desorden. ‖ **de tolerancia.** Lupanar, mancebía. ‖ **de trato. casa** de mujeres públicas. ‖ **de trueno.** fig. y fam. Aquella en que suele faltar buena crianza, y aun sana moral. ‖ **de vacas.** Establecimiento donde se tienen vacas, para vender su leche. ‖ **de vecindad.** La que contiene muchas viviendas reducidas, por lo común con acceso a patios y corredores. ‖ **dezmera,** o **excusada.** La del vecino hacendado que se elegía para percibir los diezmos. ‖ **fuerte.** La fabricada para habitar en ella, con fortalezas y reparos para defenderse de los enemigos. ‖ **2.** La muy acaudalada. ‖ **grande.** ant. Entre jugadores, nombre con que designaban los reyes de la baraja. ‖ **llana. casa** de mujeres públicas. ‖ **2.** ant. **casa** en el campo, sin fortificación ni defensa. ‖ **militar.** Conjunto de militares que se hallan como ayudantes al servicio inmediato del jefe del Estado. ‖ **mortuoria. casa** donde recientemente ha muerto alguna persona. ‖ **paterna.** Domicilio de los padres. ‖ **profesa.** La de religiosos que viven en comunidad. ‖ **pública. casa** de mujeres públicas. ‖ **real. palacio** real. ‖ **2.** Personas reales y conjunto de sus familias. ‖ **robada.** fig. y fam. La que carece del moblaje más preciso. ‖ **santa.** Por antonom., la de Jerusalén, en que está el santo sepulcro de Cristo. ‖ **solar,** o **solariega.** La más antigua y noble de una familia. ‖ **las casas.** *Argent., Chile* y *Urug.* En una estancia, el casco o edificio principal. ‖ **afumar casa.** fr. ant. Tener **casa** abierta, sostenerla. ‖ **¡ah de,** o **de la, casa!** expr. fam. para llamar en **casa** ajena. ‖ **apartar casa.** fr. Separarse los que vivían juntos. ‖ **arderse la casa.** fr. fig. y fam. Haber en ella mucho alboroto por cuestión o riña. ‖ **armar** una **casa.** fr. Hacer de madera la armazón de ella, para vestirla después de fábrica. ‖ **arrancar la casa.** fr. fig. y fam. **levantar la casa.** ‖ **asentar casa.** fr. Ponerla de nuevo y de asiento. ‖ **caérsele** a alguien **la casa a cuestas,** o **encima.** fr. fig. y fam. Hacerse insoportable la permanencia en ella. ‖ **2.** fig. y fam. Sobrevenirle grave contrariedad o contratiempo. ‖ **casa hita.** loc. adv. **casa** por **casa.** ‖ **como una casa.** loc. comparativa. Dícese de lo que es muy grande o de gran envergadura. ‖ **de entre casa.** loc. adj. y adv. *Argent.* y *Urug.* **de trapillo.** ‖ **de** su **casa.** loc. adv. De propia invención o ingenio. ‖ **de la casa,** loc. adj. Dícese, en los establecimientos que sirven o venden comidas y bebidas, de aquellas que preparan o sirven habitualmente o constituyen su especialidad. *Vino* DE LA CASA, *postre* DE LA CASA. ‖ **deshacerse** una **casa.** fr. fig. Venir a menos, parar en la pobreza una familia rica. ‖ **echar,** o **tirar, la casa por la ventana.** fr. fig. y fam. Gastar con esplendidez en un convite o con cualquier otro motivo. ‖ **en casa.** loc. adv. En la **casa** propia. ‖ **entrar** una cosa **como por su casa.** fr. fig. y fam. Venir ancha y muy holgada; como el zapato, calzón, etc. ‖ **estar de casa.** fr. fig. Estar vestido con sencillez, o descuidadamente y con vestidos caseros. ‖ **franquear** a alguien **la casa.** fr. Darle pie para que la frecuente. ‖ **guardar la casa.** fr. fig. Estarse en ella por necesidad. ‖ **levantar** alguien **la casa.** fr. fig. Mudar su residencia a otro lugar. ‖ **llovérsele** a alguien **la casa.** fr. fig. y fam. Empezar a venir a menos. ‖ **no caber en toda la casa.** fr. fig. y fam. Estar muy enojado el señor de ella, y alborotarse con todos. ‖ **no hará casa con azulejos.** expr. fig. con que se moteja al dilapidador y al holgazán. ‖ **no parar** alguien **en casa,** o **en su casa.** fr. fig. Pasar fuera de ella la mayor parte del tiempo. ‖ **no tener casa ni hogar.** fr. fam. Ser sumamente pobre. ‖ **2.** fam. Ser un vagabundo. ‖ **oler la casa a hombre.** fr. fig. y fam. para dar a entender que alguno quiere hacerse obedecer en su **casa,** por lo común sin conseguirlo. ‖ **para andar por casa.** loc. adj. que, por metáfora de la indumentaria casera, se aplica a procedimientos, soluciones, explicaciones, etcétera, de poco valor, hechas sin rigor, etc. ‖ **poner casa.** fr. Tomar **casa** el que antes no la tenía, haciéndose cabeza de familia. ‖ **poner la casa** a alguien. fr. Amueblársela para que pueda habitar en ella. ‖ **ser** alguien **de la casa,** o **como de la casa.** fr. Ser muy amigo de la familia, y merecer de ella un trato llano y desinhibido. ‖ **ser** alguien **muy de casa.** fr. fam. Ser muy hogareño, poco amigo de salir a divertirse. ‖ **tener casa y tinelo.** fr. ant. *Ar.* Dar de comer a todo el que quiera ir; tener mesa franca. ‖ **tener la casa como una colmena.** fr. fig. y fam. Tenerla llena y abastecida. ‖ **vivir** una **casa.** fr. Habitar en ella.

casabe. m. **cazabe.** ‖ **2.** *Cuba* y *Sto. Dom.* Pez del mar de las Antillas, que tiene unos 20 centímetros de largo y forma de media luna; es de color amarillento, y no tiene escamas. ‖ **de bruja.** *Cuba.* Especie de hongo.

casabillo. m. *Cuba.* Lunar blanco en el rostro, y por lo común cerca de los ojos.

casaca. (De or. inc.; cf. fr. *casaque,* del it. *casacca.*) f. Vestidura ceñida al cuerpo, con mangas que llegan hasta la muñeca, y con faldones hasta las corvas. Suele ser prenda de uniforme. ‖ **2.** fam. **casamiento,** contrato o capitulación matrimonial. ‖ **3.** *Col.* Frac. ‖ **cambiar, mudar,** o **volver, casaca,** o **la casaca.** fr. fig. y fam. **cambiar de chaqueta.**

casación. f. *Der.* Acción de casar[2] o anular. ‖ **2.** *Der.* V. **recurso de casación.**

casada. f. ant. *Ar.* **casal,** casa solariega.

casadero, ra. adj. Que está en edad de casarse.

casado, da. p. p. de **casar**[3]. Ú. t. c. s. ‖ **2.** m. *Impr.* Modo de colocar las páginas en la platina para que, doblado el pliego, queden numeradas correlativamente.

casador. (De *casar*[2].) m. ant. *Der.* El que anula, borra o inutiliza una escritura u otra cosa.

casaisaco. m. *Cuba.* Vegetal parásito adherido al tronco de las palmeras, con el que algunos pájaros fabrican sus nidos. Tiene hojas anchas y de color morado.

casal. (Del lat. *casāle.*) m. **casería,** casa de campo. ‖ **2.** Solar o casa solariega. ‖ **3.** *Ál.* Solar sin edificar, o sitio donde hubo edificios. ‖ **4.** *Can., Argent.* y *Urug.* Pareja de macho y hembra.

casalero, ra. m. y f. ant. Persona que vivía en un casal o casería.

casalicio. m. Casa, edificio.

casamata. (Tal vez de *casa* y *mata*[3]; en it. *casamatta.*) f. *Fort.* Bóveda muy resistente para instalar una o más piezas de artillería.

casamentar. (De *casamiento.*) intr. ant. **casar**[3], contraer matrimonio.

casamentero, ra. (De *casamiento.*) adj. Que propone una boda o interviene en el ajuste de ella. Se dice más bien del que con frecuencia entiende en tales negocios, por afición o por interés. Ú. t. c. s.

casamiento. m. Acción y efecto de casar[3] o casarse, contraer matrimonio. ‖ **2.** Ceremonia nupcial. ‖ **3.** Contrato hecho con las solemnidades legales entre hombre y mujer, para vivir maridablemente. ‖ **4.** ant. **dote,** caudal que la mujer aporta al matrimonio o lo adquiere después de él. ‖ **a sobre bienes.** *Der. Ar.* Sociedad familiar que se contrae pactando comunidad de bienes un matrimonio con otro que no tiene hijos y haciendo implícitamente herederos a los nuevos cónyuges, de los cuales, a lo menos uno es pariente. ‖ **en casa.** *Der. Ar.* El autorizado por el cónyuge que antes muere al sobreviviente, sea por manifestación directa, sea mediante fideicomisarios, para que, contraído el nuevo matrimonio, la casa y bienes del premuerto queden en poder del que sobrevive, y en ellos tengan iguales derechos los hijos de ambos enlaces. ‖ **no perderás por eso casamiento.** expr. fig. y fam. que da a entender que uno no desmerece por hacer alguna cosa que juzga impropia.

casampulga. f. *El Salv.* y *Hond.* Araña venenosa del tamaño de un guisante, patas cortas y abdomen de color rojo.

casamuro. (De *casa* y *muro.*) m. En la fortificación antigua, muralla ordinaria y sin terraplén.

casanarense. adj. Natural de Casanare. Ú. t. c. s. ‖ **2.** Perteneciente a este distrito de Colombia.

casanareño, ña. adj. Natural de Casanare. Ú. t. c. s. ‖ **2.** Perteneciente o relativo a este distrito de Colombia.

casanova. (Del n. p. it. *Casanova.*) m. Hombre famoso por sus aventuras amorosas.

casapuerta. (De *casa* y *puerta.*) f. Zaguán o portal.

casaquilla. (d. de *casaca,* vestidura.) f. Casaca muy corta.

casaquín. m. d. despect. de **casaca,** vestidura.

casar[1]**.** m. Conjunto de casas que no llegan a formar pueblo. ‖ **2.** ant. Solar, pueblo arruinado, o conjunto de restos de edificios antiguos.

casar[2]**.** (Del lat. *cassāre,* de *cassus,* vano, nulo.) tr. *Der.* Anular, abrogar, derogar.

casar[3]**.** (De *casa.*) intr. **contraer matrimonio.** Ú. m. c. prnl. ‖ **2.** Corresponder, conformarse, cuadrar una cosa con otra. ‖ **3.** tr. Autorizar un ministro de la Iglesia el sacramento del matrimonio, o tratándose del matrimonio civil, autorizar este el juez o la autoridad competente. ‖ **4.** fam. Disponer un padre o superior el casamiento de persona que está bajo su autoridad. ‖ **5.** fig. Poner sobre una carta un jugador y el banquero cantidades iguales. ‖ **6.** fig. Unir o juntar una cosa con otra. ‖ **7.** fig. Disponer y ordenar algunas cosas de suerte que hagan juego o tengan correspondencia entre sí. Ú. t. c. intr. ‖ **casarás y amansarás.** fr. fam. con que se ponderan las sujeciones inherentes al matrimonio. ‖ **no casarse con nadie.** fr. fig. y fam. Conservar la independencia de opinión o actitud.

casariego, ga. adj. *Ast.* **casero,** que gusta de estar en su casa y de ocuparse en su gobierno y economía.

casarón. m. aum. de **casa.** ‖ **2. caserón,** casa grande y destartalada.

casateniente. m. ant. El que tenía casa en un pueblo y era cabeza de familia.

casatienda. (De *casa* y *tienda.*) f. Tienda junta con la vivienda del mercader.

casca. (De *cascar.*) f. Hollejo de la uva después de pisada y exprimida. ‖ **2.** Corteza de ciertos árboles, que se usa para curtir las pieles y teñir artes y aparejos de pesca. ‖ **3.** Rosca compuesta de mazapán y cidra o batata, bañada y cubierta con azúcar. ‖ **4. cáscara** de huevos, frutas, etc. ‖ **5.** *Tol.* **aguapié** de vino.

cascabel. (Del lat. *cascăbus* por *caccăbus,* puchero.) m. Bola hueca de metal, ordinariamente del tamaño de una avellana o de una nuez, con asa y una abertura debajo rematada en dos agujeros. Lleva dentro un pedacito de hierro o latón para que, moviéndolo, suene. Sirve para ponerlo al cuello a algunos animales, en los jaeces de los caballos y para otros usos. ‖ **2.** Remate posterior, en forma casi esférica, de algunos cañones de artillería. ‖ **3.** V. **culebra, serpiente de cascabel.** ‖ **de cascabel gordo.** loc. adj. fig. y fam. Dícese de las obras literarias o artísticas toscas, vanas y aparentes, y solo capaces de producir efecto grosero o de mala ley. ‖ **2.** V. **baile de cascabel gordo.** ‖ **echar el cascabel.** fr. fig. y fam. Soltar en la conversación alguna noticia u opinión insólita para ver cómo se toma. ‖ **echar** uno **el cascabel** a otro. fr. fig. y fam. Excusarse de algún cargo gravoso, para que recaiga en otro. ‖ **poner el cascabel al gato.** fr. fig. y fam. Arrojarse a alguna acción peligrosa o muy difícil. Ú. también en la fr. interrogativa **¿quién ha de poner,** o **le pone, el cascabel al gato?** ‖ **ser un cascabel.** fr. fig. y fam. Tener poco juicio y asiento. ‖ **2.** Ser muy alegre. ‖ **soltar** uno **el cascabel** a otro. fr. fig. y fam. **echarle el cascabel.** ‖ **tener** alguien **cascabel.** fr. fig. y fam. Estar con algún cuidado que fatiga su imaginación.

cascabela. f. *C. Rica.* Crótalo o serpiente de cascabel.

cascabelada. f. Fiesta ruidosa y lugareña que se hacía con los pretales de cascabeles. ‖ **2.** fig. y fam. Dicho o hecho que denota poco juicio.

cascabelear. (De *cascabel.*) tr. fig. y fam. Alborotar a alguien con esperanzas lisonjeras y vanas para que ejecute alguna cosa. ‖ **2.** intr. Hacer sonar cascabeles o producir un sonido semejante al de los cascabeles. ‖ **3.** fig. y fam. Portarse con ligereza y poco juicio.

cascabeleo. m. Ruido de cascabeles o de voces o risas que lo semejan.

cascabelero, ra. (De *cascabel.*) adj. fig. y fam. Se dice de la persona de poco seso y fundamento y particularmente alegre y desenfadada. Ú. t. c. s. ‖ **2.** m. **sonajero.**

cascabelillo. (d. de *cascabel.*) m. Variedad de ciruela, chica y redonda, de color purpúreo oscuro y de sabor dulce, que suelta con facilidad el hueso, y que, expuesta al sol o al aire, se reduce a pasa.

cascabillo. (Del m. or. que *cascabel.*) m. **cascabel** de sonar. ‖ **2.** Cascarilla en que se contiene el grano de trigo o de cebada. ‖ **3.** Cúpula de la bellota.

cascabullo. m. *Sal.* **cascabillo,** cúpula de la bellota.

cascaciruelas. (De *cascar* y *ciruela.*) com. fig. y fam. p. us. Persona inútil y despreciable. ‖ **hacer lo que Cascaciruelas.** fr. fig. y fam. Afanarse mucho por nada, o sin resultado equivalente al trabajo.

cascada. (Del it. *cascata,* caída.) f. Caída desde cierta altura del agua de un río u otra corriente por rápido desnivel del cauce.

cascado, da. p. p. de **cascar.** ‖ **2.** adj. Dícese de lo que está gastado o muy trabajado, o que carece de fuerza, sonoridad, entonación, etc. Se aplica especialmente a las cosas humanas.

cascadura. f. Acción y efecto de cascar o cascarse.

cascajal. m. Lugar en donde hay mucho cascajo o guijo.
cascajar. m. Lugar en donde hay mucho cascajo o guijo. ‖ **2.** Vertedero de la casca de la uva fuera del lagar.
cascajera. f. **cascajal.**
cascajo. (De *cascar.*) m. Guijo, fragmentos de piedra y de otras cosas que se quiebran. ‖ **2.** Conjunto de frutas de cáscaras secas, como nueces, avellanas, castañas, piñones, etc., que se suelen comer en las navidades. ‖ **3.** fam. Vasija rota e inútil. Se usa también referido a algunos trastos o muebles viejos; como coches, sillas, etc. ‖ **4.** fig. y fam. **moneda de vellón.** ‖ **estar hecho un cascajo.** fr. fig. y fam. Estar decrépito.
cascajoso, sa. adj. Abundante en piedras o guijo.
cascajuelo, la. adj. Natural de Villalmanzo, pueblo de la provincia de Burgos. Ú. t. c. s. ‖ **2.** Perteneciente o relativo a dicha villa.
cascalbo. (De *casca* y *albo.*) adj. V. **pino, trigo cascalbo.**
cascalote. m. Árbol americano, de la familia de las mimosáceas, muy alto y grueso, cuyo fruto abunda en tanino y se emplea para curtir, y también en medicina como astringente.
cascalleja. f. *Ál.* Grosella silvestre.
cascamajar. (De *cascar* y *majar.*) tr. Quebrantar una cosa, machacándola algo.
cascamiento. (De *cascar.*) m. **cascadura.**
cascanueces. (De *cascar* y *nuez.*) m. Instrumento de hierro o de madera, a modo de tenaza, para partir nueces. ‖ **2.** Pájaro conirrostro de la familia de los fringílidos. ‖ **3.** fig. y fam. **trincapiñones,** mozo de poco juicio.
cascapiñones. (De *cascar* y *piñón.*) com. Persona que saca los piñones de las piñas calientes, y después les rompe la cáscara y monda la almendra. ‖ **2.** m. Tenaza para cascar los piñones.
cascar. (Del lat. **quassicāre,* de *quassāre,* golpear.) tr. Quebrantar o hender una cosa quebradiza. Ú. t. c. prnl. ‖ **2.** fam. Dar a alguien golpes con la mano u otra cosa. ‖ **3.** fig. y fam. Quebrantar la salud de alguien. Ú. t. c. prnl. ‖ **4.** intr. fig. y fam. **morir.** ‖ **5.** fam. **charlar.** Ú. t. c. tr.
cáscara. (De *cascar.*) f. Corteza o cubierta exterior de los huevos, de varias frutas y de otras cosas. ‖ **2.** Corteza de los árboles. ‖ **3.** *Murc.* Capillo del que se extrae el gusano de seda muerto para hacer el filadiz. ‖ **4.** *Murc.* Pimiento desecado al aire libre y preparado para la molienda. ‖ **sagrada.** Corteza de una planta leñosa, de la familia de las ramnáceas, que vive en América Septentrional; se utiliza en medicina por sus propiedades tónicas y laxantes. ‖ **¡cáscaras!** interj. fam. que denota sorpresa o admiración. ‖ **ser de,** o **de la, cáscara amarga.** fr. fig. y fam. Ser travieso y valentón. ‖ **2.** fig. y fam. Ser persona de ideas muy avanzadas.
cascarela. f. **cuatrillo.**
cascarilla. (d. de *cáscara.*) f. Corteza de un árbol de América, de la familia de las euforbiáceas, amarga, aromática y medicinal, que cuando se quema despide un olor como de almizcle. ‖ **2.** Quina delgada, y más comúnmente la que se llama de Loja. ‖ **3.** Laminilla de metal muy delgada que se emplea en cubrir o revestir varios objetos. *Botones de* CASCARILLA. ‖ **4.** Blanquete hecho de cáscara de huevo. ‖ **5.** Cáscara de cacao tostada, de cuya infusión se hace una bebida que se toma caliente.
cascarillal. m. *Perú.* Lugar poblado de muchos árboles silvestres de quina.
cascarillero, ra. m. y f. Persona que recoge o vende cascarilla. ‖ **2.** m. **cascarillo.**
cascarillina. f. *Quím.* Principio amargo de la corteza del cascarillo.
cascarillo. m. *Amér.* Arbusto que produce la quina o cascarilla.
cascarón. m. aum. de **cáscara.** ‖ **2.** Cáscara de huevo de cualquier ave, y más particularmente la rota por el pollo al salir de él. ‖ **3.** En el juego de la cascarela, lance de ir a robar con espada y basto. ‖ **4.** *Urug.* Árbol parecido al alcornoque. ‖ **5.** *Arq.* Bóveda cuya superficie es la cuarta parte de la de una esfera. ‖ **de nuez.** fam. Embarcación muy pequeña para el uso a que se destina.
cascarrabias. (De *cascar* y *rabia.*) com. fam. Persona que fácilmente se enoja, riñe o demuestra enfado.
cascarria. f. **cazcarria.**
cascarrina. f. *Ál.* **granizo** de las nubes.
cascarrinada. f. *Ál.* **granizada** de las nubes.
cascarrinar. intr. impers. *Ál.* **granizar** de las nubes.
cascarrioso, sa. adj. **cazcarriento.**
cascarrojas. m. pl. Insectos o gusanillos que se crían en los buques.
cascarrón, na. (De *cascar.*) adj. fam. Bronco, áspero y desapacible. ‖ **2.** *Mar.* Dícese del ventarrón que obliga a tomar rizos a las gavias. Ú. m. c. s.
cascarudo, da. adj. Que tiene gruesa la cáscara.
cascaruja. f. *Murc.* **cascajo,** conjunto de frutas de cáscara seca.
cascaruleta. f. **cuchareta,** variedad de trigo propia de Andalucía. ‖ **2.** fam. Ruido que se hace en los dientes, dándose golpes con la mano en la barbilla.
cascás. m. *Chile.* Insecto coleóptero, notable por sus mandíbulas en figura de gancho.
cascatreguas. (De *cascar* y *tregua.*) m. ant. El que quebranta las treguas.
casco. (De *cascar.*) m. **cráneo.** ‖ **2.** Fragmento que queda de un vaso o vasija al romperse o de una bomba después de estallar. ‖ **3.** Cáscara dura de algunos frutos. ‖ **4. gajo,** cada una de las divisiones interiores de algunas frutas. ‖ **5.** Cada una de las capas gruesas de la cebolla. ‖ **6.** Copa del sombrero. ‖ **7.** Pieza de la armadura, que cubre y defiende la cabeza. ‖ **8.** Cobertura de metal o de otra materia, que se usa para proteger la cabeza de heridas, contusiones, etc. ‖ **9.** Armazón de la silla de montar. ‖ **10.** Recipiente, como tonel o botella, cuando está vacío. ‖ **11.** Cuerpo de la nave o avión con abstracción del aparejo y las máquinas. ‖ **12.** Embarcación filipina de fondo plano y costados verticales, con batangas y velas de estera, que carga unas 50 toneladas. ‖ **13.** En las bestias caballares, uña del pie o de la mano, que se corta y alisa para sentar la herradura. ‖ **14. casquete,** empegado de pez que se ponía a los tiñosos. ‖ **15.** fam. **cabeza,** parte superior del cuerpo. Ú. m. en pl. ‖ **16.** fam. **cabeza,** juicio, talento, capacidad. Ú. m. en pl. ‖ **17.** *Chile.* Suelo de una propiedad rústica aparte de los edificios y plantaciones. ‖ **18.** *Blas.* Pieza que imita el **casco** de la armadura y sirve para timbrar el escudo, poniéndolo inmediatamente encima de la línea superior del jefe. ‖ **19.** pl. Cabeza de carnero o de vaca, quitados los sesos y la lengua. ‖ **20.** Aparato que consta de dos auriculares unidos por una tira de metal curvada o algo semejante, que se ajusta a la cabeza y se usa para una mejor recepción de los sonidos. ‖ **atronado.** *Veter.* El de la caballería que se ha dado algún alcance o zapatazo. ‖ **de burro.** *El Salv.* Especie de molusco. ‖ **de casa.** Lo material del edificio, sin adornos ni otros adherentes. ‖ **de estancia.** *Argent.* Espacio ocupado por las edificaciones centrales de una estancia. ‖ **de mantilla.** Su tela, aparte de la guarnición y el velo. ‖ **de mula.** *Guat.* Especie de tortuga. ‖ **de población.** Conjunto de edificaciones de una ciudad, hasta donde termina su agrupación. ‖ **urbano. casco de población.** ‖ **cascos azules.** Tropas que por encargo de las Naciones Unidas intervienen como fuerzas neutrales en zonas conflictivas. ‖ **abajar el casco.** fr. *Veter.* Cortar mucho del **casco** de las caballerías. ‖ **alegre,** o **barrenado, de cascos.** loc. fam. Dícese de la persona de poco asiento y reflexión. ‖ **calentar** a alguien **los cascos.** fr. fig.

y fam. Inquietarle con preocupaciones. Ú. t. c. prnl. ‖ **cortar a casco.** fr. Podar de modo que el corte quede raso y limpio. ‖ **de cascos lucios.** loc. fam. **alegre de cascos.** ‖ **lavar el casco,** o **los cascos,** a alguien. fr. fig. y fam. **lavarle la cara.** ‖ **levantar de cascos** a alguien. fr. fig. y fam. **cascabelear** a alguien. ‖ **ligero de cascos.** loc. fam. **alegre de cascos.** ‖ **meter** a alguien **en los cascos** alguna cosa. fr. fig. y fam. **metérsela en la cabeza.** ‖ **metérsele** a alguien **en los cascos** alguna cosa. fr. fig. y fam. **metérsele en la cabeza.** ‖ **parecerse los cascos a la olla.** fr. fig. y fam. Heredar y practicar una persona las malas costumbres de sus padres. ‖ **quitarle,** o **raerle,** a alguien **del casco** alguna cosa. fr. fig. y fam. Disuadirle de algún pensamiento o idea que se le había fijado. ‖ **romper** a alguien **los cascos.** fr. **romperle la cabeza.** ‖ **2.** fig. y fam. Molestarlo y fatigarlo con discursos impertinentes. ‖ **romperse los cascos.** fr. fig. y fam. Fatigarse mucho con el estudio, o procurando investigar alguna cosa. ‖ **tener cascos de calabaza,** o **los cascos a la jineta,** o **malos cascos.** frs. figs. y fams. Tener poco asiento y reflexión. ‖ **untar el casco,** o **los cascos,** a alguien. fr. fig. y fam. **lavarle el casco,** o **los cascos.**

cascol. m. Resina de un árbol de la Guayana, que sirve para fabricar lacre negro.

cascolitro. m. Planta gramínea de América del Sur.

cascorvo, va. (De *casco corvo.*) adj. Aplícase a la caballería que tiene las patas corvas. ‖ **2.** ant. Patizambo, zancajoso. Ú. en Colombia, Méjico y Venezuela. ‖ **3.** m. ant. Hoz, podadera.

cascote. (De *casco.*) m. Fragmento de alguna fábrica derribada o arruinada. ‖ **2.** Conjunto de escombros, usado para otras obras nuevas.

cascudo, da. adj. Aplícase a los animales que tienen mucho casco en los pies.

cascué. m. Especie de esturión que vive en el río Nilo.

cascún. adj. ant. Apócope de **cascuno.**

cascuno, na. (Del lat. *quisque unus.*) adj. ant. **cada uno.**

caseación. (Del lat. *casĕus,* queso.) f. Acción de cuajarse o endurecerse la leche.

caseico, ca. adj. *Quím.* **caseoso.** ‖ **2.** Dícese de un ácido producido por la descomposición del queso.

caseificación. f. Acción y efecto de caseificar.

caseificar. (Del lat. *casĕus,* queso, y *facĕre,* hacer.) tr. Transformar en caseína. ‖ **2.** Separar o precipitar la caseína de la leche.

caseína. (Del lat. *casĕus,* queso.) f. *Quím.* Sustancia albuminoidea de la leche, que, junto con otros componentes de la misma, forma la cuajada que se emplea para fabricar el queso.

cáseo, a. (Del lat. *casĕus,* queso.) adj. **caseoso,** perteneciente y semejante al queso. ‖ **2.** m. **cuajada.**

caseoso, sa. (Del lat. *casĕus,* queso.) adj. Perteneciente o relativo al queso. ‖ **2.** Semejante a él. ‖ **3.** *Med.* Dícese de una sustancia albuminoidea que se encuentra en algunas lesiones, principalmente en las tuberculosas, y que determina la degeneración de los tejidos en que tiene asiento.

caseramente. adv. m. Con llaneza, sin ceremonia.

casería. f. **caserío,** casa de campo con dependencias y fincas rústicas. ‖ **2.** Gobierno económico interior de una casa, propio de las mujeres. ‖ **3.** ant. Cría de gallinas en casa.

caserillo. m. Especie de lienzo casero.

caserío. m. Conjunto de casas que no llegan a constituir un pueblo. ‖ **2.** Casa aislada en el campo, con edificios dependientes y fincas rústicas unidas y cercanas a ella.

caserna. (Del prov. *cazerna.*) f. Bóveda, a prueba de bomba, que se construye debajo de los baluartes y sirve para alojar soldados y también para almacenar víveres y otras cosas. ‖ **2.** *Cuen.* Casa a orilla de un camino, generalmente destinada a mesón o parador.

casero, ra. adj. Que se hace o cría en casa o pertenece a ella. *Pan, conejo* CASERO. ‖ **2.** Que se hace en las casas, entre personas de confianza, sin aparato ni cumplimiento. *Función* CASERA. ‖ **3.** fam. Según el saber popular, sin dificultad o ciencia, aunque eficaz. *Remedio, ejemplo* CASERO. ‖ **4.** fam. Dícese de la persona que está frecuentemente en su casa, y también la que cuida mucho de su gobierno y economía. ‖ **5.** Dícese del juez deportivo o del arbitraje que favorecen al equipo en cuyo campo se juega. ‖ **6.** ant. Decíase de los árboles cultivados, a diferencia de los silvestres. ‖ **7.** m. y f. Dueño de alguna casa, que la alquila a otro. ‖ **8.** Administrador de ella. ‖ **9.** Persona que que cuida de una casa y vive en ella, ausente el dueño. ‖ **10.** **inquilino,** persona que toma casa en alquiler. ‖ **11.** Arrendatario agrícola de tierras que forman un lugar o casería. ‖ **12.** ant. Habitante, morador. ‖ **13.** *Chile, Ecuad.* y *Perú.* Parroquiano, cliente. ‖ **14.** *Chile* y *Ecuad.* El vendedor asiduo respecto de su cliente. ‖ **15.** f. *Ar.* Ama o mujer de gobierno que sirve a hombre solo. ‖ **estar muy casera** una mujer. fr. fam. Estar en su traje ordinario, y sin adorno.

caserón. m. aum. de **casa.** ‖ **2.** Casa muy grande y destartalada.

caseta. (De *casa.*) f. Casa pequeña que solo tiene el piso bajo. ‖ **2.** Casilla donde se cambian de ropa los bañistas. ‖ **3.** Vestuario para los deportistas. ‖ **de derrota.** *Mar.* Cámara o habitación sobre cubierta, en que se guardan los mapas y derroteros. ‖ **de feria. barraca de feria.**

casete[1]**.** (Del fr. *cassette.*) amb. Cajita de material plástico que contiene una cinta magnética para el registro y reproducción del sonido, o, en informática, para el almacenamiento y lectura de la información suministrada a través del ordenador. ‖ **2.** m. Pequeño magnetófono que utiliza **casetes.**

casete[2]**.** m. abrev. fam. de **radiocasete.**

casetera. f. Dispositivo donde se inserta la casete para su grabación o lectura.

casetero. m. Estuche, mueble o lugar para guardar casetes.

caseto. m. *Sal.* y otras provincias del Norte. **caseta,** casa pequeña que solo tiene piso bajo.

casetón. (De *casa.*) m. *Arq.* **artesón,** adorno que se pone en los techos y en el interior de las bóvedas.

casi. (Del lat. *quasi.*) adv. c. Cerca de, poco menos de, aproximadamente, con corta diferencia, por poco. También se usa repetido. CASI, CASI *me caigo.* ‖ **casi que.** loc. que tiene sentido modal. CASI QUE *parece de ayer.*

casia. (Del lat. *casĭa,* y este del gr. κασία.) f. *Bot.* Arbusto de la India, de la familia de las papilionáceas, de unos cuatro metros de altura, con ramas espinosas, hojas compuestas y puntiagudas, flores amarillas y olorosas, y semillas negras y duras. ‖ **2.** ant. **canela,** corteza de ramas del canelo.

casicontrato. m. *Der.* **cuasicontrato.**

casida. (Del ár. *qaṣīda,* composición poética.) f. Composición poética arábiga y también persa, monorrima, de asuntos variados, y con un número indeterminado de versos.

casidulina. f. *Zool.* Foraminífero microscópico, habitante en muchos mares, cuyo caparazón tiene dos series paralelas de celdas o cavidades.

casilla. (d. de *casa.*) f. Casa o albergue pequeño y aislado, del guarda de un campo, paso a nivel, almenara, puerta de jardín, etc. ‖ **2.** En muchas poblaciones, despacho de billetes de los teatros y cines. ‖ **3.** Casa o escaque del ajedrez o del juego de damas. ‖ **4.** Por ext., cada uno de los compartimentos en que quedan divididos los tableros de otros juegos. ‖ **5.** Cada una de las divisiones del papel rayado verticalmente o en cuadrículas, en que se anotan separados y en orden guarismos u otros datos. ‖ **6.** Cada uno de los senos o divisiones del casillero. ‖ **7.** Cada uno de los compartimentos que se hacen en algunas cajas, estanterías y en varios recipientes. ‖ **8.** *Cuba.* Trampa para cazar pájaros. ‖ **postal.** *Amér.* Apartado de correos. ‖ **sacar** a alguien **de** sus **casillas.** fr. fig. y fam. Alterar su método de vida. ‖ **2.** fig. y fam. Hacerle perder la paciencia. ‖ **salir** alguien **de** sus **casillas.** fr. fig. y fam. Excederse, especialmente por ira u otra pasión.

casiller. (De *casilla,* retrete.) m. Mozo que antiguamente sacaba y limpiaba los bacines y orinales en palacio.

casillero. (De *casilla.*) m. Mueble con varios senos o divisiones, para tener clasificados papeles u otros objetos.

casimba. f. *Cuba* y *Perú.* **cacimba,** hoyo en la playa para buscar agua potable.

casimir. m. **cachemir.**

casimira. (De *casimir.*) f. **casimir.**

casimodo. m. ant. **cuasimodo.**

casimpulga. f. *Nicar.* **casampulga.**

casina. f. Planta arbórea de la familia de las aquifoliáceas, parecida al acebo y al mate, que crece espontáneamente en las Antillas y Florida y con la que se preparan infusiones, bebidas dulces y helados.

casineta. (Del fr. *cassinette.*) f. Tejido delgado de lana que en la República Argentina se usaba para forros. ‖ **2. casinete.**

casinete. m. *Argent., Chile, Hond.* y *Perú.* Cierta tela de calidad inferior al casimir. ‖ **2.** *Ecuad., Perú* y *Venez.* Pañete barato.

casinita. f. *Mineral.* Feldespato de barita.

casino. (Del it. *casino,* casa de campo.) m. desus. Casa de recreo, situada por lo común fuera de poblado. ‖ **2.** desus. Sociedad de hombres que se juntan en una casa, aderezada a sus expensas, para conversar, leer, jugar y otros esparcimientos, y en la que se entra mediante presentación y pago de una cuota de ingreso y otra mensual. ‖ **3. club,** sociedad de recreo. ‖ **4.** Asociación análoga, formada por los adeptos de un partido político o por hombres de una misma clase o condición. CASINO *liberal;* CASINO *agrícola;* CASINO *militar.* ‖ **5.** Edificio en que esta sociedad se reúne. ‖ **6.** Local donde mediante pago, puede asistirse a espectáculos, conciertos, bailes y otras diversiones. Es propio de playas, balnearios, etc.; generalmente está destinado a la práctica de juegos de azar.

Casio. (Médico y alquimista del siglo XVII, descubridor del precipitado de oro que lleva su nombre.) n. p. m. V. **púrpura de Casio.**

casiopiri. m. Arbusto que se cría en toda la India, y que se cultiva en los jardines europeos por su hermosura y fragancia.

casis. (Del lat. *cassis,* casco.) f. Planta muy parecida al grosellero, pero de fruto negro. ‖ **2.** m. Molusco gasterópodo, con concha arrollada en espiral, una sola branquia y pie provisto de un opérculo que cierra la abertura de la concha cuando el animal se introduce en esta. Vive en el Mediterráneo y otros mares.

casitéridos. (Del lat. *cassitĕrum,* y este del gr. κασσίτερος, estaño.) m. pl. *Quím.* Grupo de elementos que comprende el estaño, el antimonio, el cinc y el cadmio.

casiterita. (Del lat. *cassitĕrum,* y este del gr. κασσίτερος, estaño.) f. Bióxido de estaño, mineral de color pardo y brillo diamantino, del que principalmente se extrae dicho metal.

casmodia. (Del gr. χασμωδία, bostezo frecuente.) f. *Pat.* Enfermedad o fenómeno morboso que consiste en bostezar con excesiva frecuencia por afección espasmódica.

caso[1]. (Del lat. *casus.*) m. Suceso, acontecimiento. ‖ **2.** Casualidad, acaso. ‖ **3.** Lance, ocasión o coyuntura. ‖ **4.** Asunto de que se trata o que se propone para consultar a alguno y pedirle su dictamen. ‖ **5.** Tratándose de enfermedades, y principalmente de las epidémicas, cada una de las invasiones individuales. ‖ **6.** *Argent.* Relato popular de una situación, real o ficticia, que se ofrece como ejemplo. ‖ **7.** *Gram.* Relación sintáctica de carácter nominal que una palabra mantiene en una oración con su contexto, según la función que desempeña. En muchas lenguas, la palabra varía de forma, recibiendo determinados morfemas para expresar dichas relaciones. Cada una de estas formas se llama también **caso.** ‖ **clínico.** *Med.* Cualquier proceso morboso individual. Dícese especialmente de los no habituales. ‖ **de conciencia.** Punto dudoso en materia moral. ‖ **de corte.** *Der.* Causa civil o criminal que por su gravedad, su cuantía o la calidad de las personas, se podía litigar desde la primera instancia en el Consejo, sala de alcaldes de corte, chancillerías y audiencias, excluidas de su conocimiento las justicias ordinarias. ‖ **de honra.** Lance en que está empeñada la reputación personal. ‖ **de menos valer.** Acción de que resulta a alguno mengua o deshonor. ‖ **fortuito.** Suceso, por lo común dañoso, que acontece inesperadamente. ‖ **2.** *Der.* Hecho no imputable a la voluntad del obligado, que impide y excusa el cumplimiento de obligaciones. ‖ **oblicuo.** *Gram.* Cada uno de los de la declinación, excepto el nominativo y el vocativo. ‖ **perdido.** fig. Persona de mala conducta cuya enmienda no es de esperar. ‖ **recto.** *Gram.* El nominativo y el vocativo. ‖ **reservado.** Culpa grave de que solo puede absolver el superior, o quien tenga licencia suya. ‖ **a caso hecho.** loc. adv. **de caso pensado.** ‖ **2. a cosa hecha.** ‖ **caer en mal caso.** fr. fam. Incurrir en mala nota. ‖ **caso de.** loc. adv. **caso que.** ‖ **caso que.** loc. adv. **en caso de que.** ‖ **dado caso que.** expr. **dado que.** ‖ **de caso pensado.** loc. adv. De propósito, deliberadamente, con premeditación. ‖ **demos caso.** expr. Supongamos tal o tal cosa. ‖ **en caso de que.** loc. adv. Si sucede tal o tal cosa. ‖ **en todo caso.** loc. adv. Como quiera que sea, o sea lo que fuere. ‖ **estar en el caso.** fr. fam. Estar bien enterado de un asunto. ‖ **hablar al caso.** fr. Hablar con oportunidad y acierto. ‖ **hacer al caso** una cosa. fr. fam. Venir al propósito de lo que se trata. ‖ **2.** fam. Convenir, importar o conducir para algún efecto. ‖ **hacer caso** a alguien o a algo. fr. Prestar a una persona la atención que merece. ‖ **2.** Obedecer, ser dócil a alguien o algo. ‖ **3.** Acceder o asentir a lo solicitado. ‖ **4.** Conceder credibilidad a rumores, noticias, etc. ‖ **hacer caso, de** alguien, o **de** algo. fr. fig. y fam. **hacer caso** a alguien o a algo. ‖ **hacer caso omiso.** fr. Prescindir de alguna cosa, no hacer hincapié en ella. ‖ **poner caso.** fr. Dar por supuesta alguna cosa. ‖ **poner por caso.** fr. **poner caso.** ‖ **2.** Poner por ejemplo. ‖ **por el mismo caso.** loc. adv. Por igual razón o motivo. ‖ **prestar el caso.** fr. *Der.* Responder alguien de las contingencias fortuitas. ‖ **ser caso negado.** fr. fam. Ser casi imposible que suceda o se ejecute alguna cosa. ‖ **ser del caso** una cosa. fr. fam. **hacer, venir al caso,** venir al propósito. ‖ **ser** alguien **un caso.** fr. fig. y fam. con que se designa a la persona que se distingue de las demás para bien o para mal. Ú. m. en sentido peyorativo. ‖ **si es caso.** loc. adv. **en caso de que.** ‖ **vamos al caso.** expr. fam. que se usa para que, dejando lo accesorio o inútil, se pase a tratar de lo principal. ‖ **venir al caso** una cosa. fr. fam. Venir al propósito.

caso[2], sa. (Del lat. *cassus,* vano.) adj. ant. *Der.* **nulo,** sin fuerza para obligar.

casón, na. m. y f. aum. de **casa.** ‖ **2.** f. *Cantabria* y *Urug.* Casa señorial antigua.

casorio. m. fam. Casamiento hecho sin juicio ni consideración, o de poco lucimiento.

caspa. (De or. inc.; probablemente de or. prerromano.) f. Conjunto de escamillas blancuzcas que se forman en el cuero cabelludo. ‖ **2.** La que forman las herpes o queda de las hinchazones o llagas, después de sanas. ‖ **3.** *Sal.* Musgo que se cría en la corteza de algunos árboles. ‖ **4.** *Mineral.* Óxido y pátina que se desprende del cobre antes de fundirlo.

caspera. (De *caspa.*) f. **lendrera.**

caspia. f. *Ast.* Corazón de la manzana o de cualquier otro fruto.

caspicias. f. pl. fam. Resto, sobras de ningún valor.

caspio, pia. (Del lat. *Caspĭus.*) adj. Dícese del individuo de un antiguo pueblo de Hircania. Ú. t. c. s. y en pl. ‖ **2.** Perteneciente o relativo a este pueblo.

caspiroleta. f. *Amér.* Bebida compuesta de leche caliente, huevos, canela, aguardiente, azúcar y algún otro ingrediente.

¡cáspita! interj. con que se denota extrañeza o admiración.

caspolino, na. adj. Natural de Caspe. Ú. t. c. s. ‖ **2.** Perteneciente o relativo a esta ciudad de la provincia de Zaragoza.

casposo, sa. adj. Lleno de caspa.

casquería. f. Tienda del casquero.

casquero, ra. (De *casco.*) m. y f. Persona que vende vísceras y otras partes comestibles de la res no consideradas carne. ‖ **2.** m. Lugar donde se cascan los piñones del pino doncel.

casquetada. (De *casquete.*) f. p. us. **calaverada.**

casquetazo. (De *casquete.*) m. **cabezazo.**

casquete. (De *casco.*) m. Pieza de la armadura, que cubría y defendía el casco de la cabeza. ‖ **2.** Cubierta de tela, cuero, papel, etc., que se ajusta al casco de la cabeza. ‖ **3.** Empegado de pez y otros ingredientes que se ponía en la cabeza de los tiñosos a fin de curarlos. ‖ **4.** Media peluca que cubre solamente una parte de la cabeza. ‖ **5. cairel,** cerco o hebras de seda que sujetan la cabellera postiza. ‖ **esférico.** *Geom.* Parte de la superficie de la esfera, cortada por un plano que no pasa por su centro. ‖ **polar.** *Geogr.* Superficie terrestre comprendida entre el círculo polar y el polo respectivo. ‖ **a casquete quitado.** loc. adv. fam. Libremente y sin miramientos.

casquiacopado, da. (De *casco* y *copa.*) adj. Aplícase al caballo o yegua que tiene el casco alto, redondo y hueco, a manera de copa.

casquiblando, da. adj. Dícese del caballo o yegua que tiene blandos los cascos.

casquiderramado, da. (De *casco* y *derramado.*) adj. Aplícase al caballo o yegua que tiene ancho de palma el casco.

casquijo. (De *casco.*) m. Cantidad de piedra menuda que sirve para hacer hormigón y, como grava, para afirmar los caminos.

casquilucio, cia. (De *casco* y *lucio*[2].) adj. **casquivano.**

casquilla. (De *casco.*) f. Entre colmeneros, cubierta de las celdas o nichos donde se crían las reinas; tiene la figura de una rodela lisa por dentro como un capullo de gusano de seda, y por fuera áspera y de color tostado. ‖ **2.** pl. Cápsulas pequeñas de plata que sirven a los plateros para graduar el peso de los ensayes en la balanza de precisión.

casquillo. (d. de *casco.*) m. Anillo o abrazadera de metal, que sirve para reforzar la extremidad de una pieza de madera. ‖ **2.** Hierro de la saeta o flecha. ‖ **3.** Parte metálica del cartucho de cartón. ‖ **4.** Cartucho metálico vacío. ‖ **5.** Parte metálica fijada en la bombilla de una lámpara eléctrica, que permite conectar esta con el circuito. ‖ **6.** *Amér. Central.* **herradura** de las caballerías. ‖ **7.** *Hond.* Forro de tafilete u otro cuero suave y adobado que se pone a los sombreros. ‖ **reír a casquillo quitado.** fr. fig. y fam. **reír a mandíbula batiente.**

casquimuleño, ña. (De *casco* y *mulo.*) adj. Dícese del caballo o yegua que tiene los cascos pequeños, duros y encanutados como los de las mulas.

casquiñón. m. *Murc.* **carquiñol.**

casquite. adj. *Venez.* Agriado, aplicado a la bebida llamada carato. ‖ **2.** *Venez.* Por ext., se dice de la persona de mal carácter.

casquivano, na. (De *casco* y *vano.*) adj. fam. **alegre de cascos.** Ú. t. c. s. ‖ **2.** f. Mujer que no tiene formalidad en su trato con el sexo masculino.

casta. (De or. inc.; cf. lat. *casta,* f. de *castus,* puro; cf. gót. ***kats,*** grupo de animales.) f. Ascendencia o linaje. Se usa también referido a los irracionales. ‖ **2.** En la India, grupo social de una unidad étnica mayor que se diferencia por su rango, que impone la endogamia y donde la pertenencia es un derecho de nacimiento. ‖ **3.** En otras sociedades, grupo que forma una clase especial y tiende a permanecer separado de los demás por su raza, religión, etc. ‖ **4.** V. **perro de casta.** ‖ **5.** fig. Especie o calidad de una cosa. ‖ **6.** *Zool.* En una sociedad animal, conjunto de individuos especializados por su estructura o función. Se usa en especial referido a los insectos sociales, v. gr. la obrera en una colmena.

castálidas. (Del lat. *Castalĭdes,* por el nombre de la fuente Castalia, consagrada a ellas.) f. pl. Las musas.

castalio, lia. (Del lat. *castalĭum.*) adj. Perteneciente a la fuente Castalia. ‖ **2.** Perteneciente a las musas.

castaña. (Del lat. *castanĕa.*) f. Fruto del castaño, muy nutritivo y sabroso, del tamaño de la nuez, y cubierto de una cáscara gruesa y correosa de color pardo oscuro. ‖ **2.** Vasija o frasco de figura semejante a la de la **castaña.** Sirve para contener líquidos. ‖ **3.** Especie de moño que con la mata del pelo se hacen las mujeres en la parte posterior de la cabeza. ‖ **4.** fig. y fam. Borrachera. ‖ **5.** fig y fam. Bofetada, cachete. ‖ **6.** fig y fam. Golpe, trompazo, choque. ‖ **7.** fig y fam. Persona o cosa aburrida o fastidiosa. ‖ **8.** *Cuba.* Pieza que sirve de chumacera a la maza mayor en los ingenios. ‖ **9.** p. us. *Méj.* Barril pequeño. ‖ **apilada. castaña pilonga.** ‖ **maya.** *Gal.* **castaña pilonga.** ‖ **pilonga.** La que se ha secado al humo y se guarda todo el año. ‖ **regoldana.** La que da el castaño silvestre. ‖ **dar** a alguien **la castaña.** fr. fig. y fam. Engañarle. ‖ **2.** fig. y fam. Molestar, fastidiar a alguien. ‖ **dar** a alguien **para castañas.** fr. fig. y fam. **darle para peras.** ‖ **parecerse** una cosa a otra **como una castaña a un huevo.** fr. fig. y fam. **parecerse como un huevo a una castaña.** ‖ **sacar castañas del fuego con la mano del gato.** fr. fig. y fam. **sacar el ascua con la mano del gato.** ‖ **sacar las castañas del fuego.** fr. fig. y fam. Ejecutar en beneficio de otro alguna cosa de la que puede resultar daño o disgusto para sí.

castañal. m. **castañar.**

castañar. m. Sitio poblado de castaños.

castañazo. m. fam. Golpetazo, puñetazo.

castañear. intr. *Méj.* **castañetear,** sonarle a uno los dientes.

castañedo. (Del lat. *castanētum.*) m. *Ast.* **castañar.**

castañero, ra. m. y f. Persona que vende castañas. ‖ **2.** m. *Zool.* Cierta ave palmípeda.

castañeta. (De *castaña,* por la semejanza de su forma.) f. **castañuela,** instrumento músico. ‖ **2.** Sonido que resulta de juntar la yema del dedo de en medio con la del pulgar, y hacerla resbalar con fuerza y rapidez para que choque en el pulpejo. ‖ **3.** V. **guarnición de castañeta.** ‖ **4.** Pez chileno, de unos dos decímetros de largo, de color azul apizarrado por el dorso y plateado por el vientre. ‖ **5.** *Ál.* **reyezuelo,** pájaro. ‖ **6. moña**[2] de los toreros.

castañetada. f. **castañetazo.**

castañetazo. m. Golpe recio que se da con las castañetas o castañuelas, o con los dedos. ‖ **2.** Estallido que da la castaña cuando revienta en el fuego. ‖ **3.** Chasquido fuerte que suelen dar las coyunturas de los huesos por razón de algún movimiento extraordinario o violento.

castañete. adj. V. **ajo castañete.**

castañeteado. m. Son que se hace con las castañuelas, tocándolas para bailar.

castañetear. intr. Tocar las castañuelas, instrumento músico. ‖ **2.** Sonarle a alguien los dientes, dando los de una mandíbula contra los de la otra. Ú. t. c. tr. ‖ **3.** Sonar las rodillas al andar. Ú. t. c. prnl. ‖ **4.** Producir el macho de la perdiz unos sonidos sueltos, a manera de chasquidos. ‖ **5.** tr. p. us. Chasquear los dedos.

castañeteo. m. Acción de castañetear.

castaño, ña. adj. Dícese del color de la cáscara de la castaña. Ú. t. c. s. ‖ **2.** Que tiene este color. ‖ **3.** m. Árbol de la familia de las cupulíferas, de unos 20 metros de altura, con tronco grueso, copa ancha y redonda, hojas grandes, lanceoladas, aserradas y correosas, flores blancas y frutos a manera de zurrones espinosos parecidos al erizo, que encierran la castaña. ‖ **4.** Madera de este árbol. ‖ **de Indias.** Árbol de la familia de las hipocastanáceas, de madera blanca y amarillenta, hojas palmeadas compuestas de siete hojuelas, flores en racimos derechos, y fruto que contiene las semillas. Es planta de adorno originaria de la India. ‖ **regoldano.** El silvestre o no injerto. ‖ **pasar de castaño oscuro** una cosa. fr. fig. y fam. Ser demasiado enojosa o grave.

castañola. (Del cat. *castanyola,* y este d. de *castaña.*) f. Pez grande, teleósteo, del suborden de los acantopterigios, de color de acero, con el hocico romo, el cuerpo más levantado por la parte anterior que por la posterior, escamas blandas que cubren las aletas, y carne blanca y floja. Abunda en el Mediterráneo y es comestible.

castañuela. (d. de *castaña.*) f. Instrumento músico de percusión, compuesto de dos mitades cóncavas, hecho de madera u otro material. Por medio de un cordón que atraviesa las orejas del instrumento, se sujeta este al dedo pulgar o al de en medio y se repica con los demás dedos. ‖ **2.** desus. Antigua labor femenina en forma de castaña, que servía para adornar vestidos. ‖ **3.** Planta ciperácea, delgada, larga y de raíz tuberculosa y negruzca, que se cría en la Andalucía Baja, en lagunas y sitios pantanosos, y sirve para cubrir las chozas y para otros usos. ‖ **estar como unas castañuelas.** fr. fig. y fam. Estar muy alegre.

castañuelo, la. adj. d. de **castaño.** Dícese del color de los caballos y yeguas. ‖ **2.** V. **ajo castañuelo.**

castel. m. ant. **castillo.**

castellán. m. **castellano,** alcaide de un castillo. Ú. solo en la orden de San Juan, en Aragón, referido al **castellán** de Amposta.

castellana. f. Señora de un castillo. ‖ **2.** Mujer del castellano. ‖ **3.** Copla de cuatro versos de romance octosílabo. ‖ **de oro. castellano,** moneda de oro de la Edad Media.

castellanamente. adv. m. Según las costumbres y usos castellanos.

castellanía. (De *castellano.*) f. Territorio o jurisdicción independiente, con leyes particulares y jurisdicción separada para el gobierno de su capital y pueblos de su distrito. ‖ **2. castellanidad,** carácter de castellano.

castellanidad. f. Carácter y condición de castellano. ‖ **2.** Peculiaridad de Castilla y de lo castellano.

castellanismo. m. Palabra o modo de hablar propio de Castilla. ‖ **2.** Palabra o modo de hablar castellanos en otra lengua.

castellanización. f. Acción y efecto de castellanizar o castellanizarse.

castellanizar. tr. Dar carácter castellano. Ú. t. c. prnl. ‖ **2.** Dar forma castellana a un vocablo de otro idioma. ‖ **3.** Enseñar el castellano a los que no lo saben. ‖ **4.** prnl. Hacerse hablante del castellano.

castellano, na. (Del lat. *Castellānus.*) adj. Natural de Castilla. Ú. t. c. s. ‖ **2.** Perteneciente a esta región de España. ‖ **3.** V. **horno, mulo, paso, rosal castellano.** ‖ **4.** V. **lanza castellana.** ‖ **5.** Aplícase a cierta variedad de gallinas negras muy ponedoras. ‖ **6.** m. Español, lengua española. ‖ **7.** Dialecto románico nacido en Castilla la Vieja, del que tuvo su origen la lengua española. ‖ **8.** Variedad de la lengua española hablada modernamente en Castilla la Vieja. ‖ **9.** Nombre que se dio vulgarmente a ciertas monedas de oro **castellanas** de la Edad Media. ‖ **10.** Cincuentava parte del marco oro, equivalente a ocho tomines o a 46 decigramos aprox. ‖ **11. lanza,** hombre de armas provisto de dos cabalgaduras. ‖ **12.** Señor de un castillo. ‖ **13.** Alcaide o gobernador de un castillo. ‖ **14.** *Ál.* Viento sur.

castellanohablante. adj. Que habla castellano sin dificultad, bien por ser esta su lengua materna, bien por tener gran dominio de ella. Ú. t. c. s.

castellar. (Del lat. *castellarius.*) m. **todabuena.** ‖ **2.** ant. Campo donde hay o hubo castillo.

castellería. f. ant. **castillería,** derecho que se pagaba al pasar por el territorio de un castillo.

castellero. (Del lat. *castellarĭus.*) m. ant. **castillero.**

castellonense. adj. Natural de Castellón de la Plana. Ú. t. c. s. ‖ **2.** Perteneciente o relativo a esta ciudad o a su provincia.

casticidad. f. Calidad de castizo.

casticismo. m. Afición a lo castizo en las costumbres, usos y modales. ‖ **2.** Actitud de quienes al hablar o escribir evitan los extranjerismos y prefieren el empleo de voces y giros de su propia lengua, aunque estén desusados.

casticista. com. Persona que practica el casticismo idiomático o literario.

castidad. (Del lat. *castĭtas, -ātis.*) f. Calidad de casto. ‖ **2.** Virtud del que se abstiene de todo goce carnal. ‖ **conyugal.** La que se guardan mutuamente los casados.

castigación. (Del lat. *castigatĭo, -ōnis.*) f. **castigo,** pena de un delito.

castigadamente. adv. m. ant. **correctamente.**

castigadera. (De *castigar.*) f. Entre arrieros, correa o cuerda con que se ata el badajo del cencerro.

castigador, ra. (Del lat. *castigātor, -ōris.*) adj. Que castiga. Ú. t. c. s. ‖ **2.** ant. Que reprende y amonesta a otro para su enmienda. Usáb. t. c. s. ‖ **3.** fig. y fam. Que enamora. Ú. t. c. s.

castigamento o **castigamiento.** m. ant. **castigo.**

castigar. (Del lat. *castigāre.*) tr. Ejecutar algún castigo en un culpado. ‖ **2.** Mortificar y afligir. ‖ **3.** Estimular con el látigo o con las espuelas a una cabalgadura para que acelere la marcha. ‖ **4. escarmentar,** corregir con rigor al que ha errado. ‖ **5.** fig. Tratándose de obras o escritos, corregirlos, enmendarlos. ‖ **6.** fig. Tratándose de gastos, aminorarlos. ‖ **7.** fig. Enamorar por puro pasatiempo o jactancia. ‖ **8.** ant. Advertir, prevenir, enseñar. ‖ **9.** prnl. ant. Enmendarse, corregirse, abstenerse.

castigo. (De *castigar.*) m. Pena que se impone al que ha cometido un delito o falta. ‖ **2.** V. **pase de castigo.** ‖ **3.** ant. Reprensión, aviso, consejo, amonestación o corrección. ‖ **4.** ant. Ejemplo, advertencia, enseñanza. ‖ **5.** fig. Tratándose de obras o escritos, enmienda, corrección. ‖ **6.** *Chile.* Acción y efecto de **castigar,** aminorar gastos. ‖ **ser de castigo** una cosa. fr. fig. Ser penosa o ardua.

castila. (De *Castilla.*) adj. *Filip.* **español.** Apl. a pers., Ú. t. c. s. ‖ **2.** m. *Filip.* Idioma español.

Castilla[1]**.** n. p. V. **algodón, cámara, canciller mayor, caña de Castilla.** ‖ **ancha, o ancha es, Castilla.** expr. fam. con que se alienta uno a sí mismo o anima a otros para obrar libre y desembarazadamente.

castilla[2]**.** (De *Castilla,* de donde procedía esta tela.) f. *Chile.* **bayetón,** tela de lana con mucho pelo.

castillado, da. adj. *Blas.* Se aplica al escudo o pieza sembrados de castillos y a la bordura cargada de ellos.

castillaje. m. **castillería,** derecho que se pagaba al pasar por el territorio de un castillo.

castillejo. (d. de *castillo.*) m. Juego infantil que consiste en tirar a distancia una o más nueces sobre un montoncito formado por otras cuatro. Gana el que derriba el **castillejo.** ‖ **2.** Este montoncito. ‖ **3.** Andamio que se arma para levantar pesos considerables, generalmente en la construcción de edificios. ‖ **4.** Una de las partes del telar de mano. Cada uno tiene dos **castillejos.** ‖ **5.** p. us. Carretón en que se pone a los niños para que aprendan a andar. ‖ **6.** desus. *Méj.* Cada una de las dos armazones verticales de hierro colocadas a ambos lados del trapiche o molino de cañas, en las cuales descansan los ejes de los cilindros moledores o mazas.

castillería. (De *castillero.*) f. Derecho que se pagaba al pasar por el territorio de un castillo. ‖ **2.** ant. Alcaidía de un castillo.

castillero. (De *castillo.*) m. ant. **castellano,** alcaide de un castillo.

castillete. m. d. de **castillo.** ‖ **2.** Armazón de distintas formas y materias que sirve para sostener alguna cosa.

castillo. (Del lat. *castellum.*) m. Lugar fuerte, cercado de murallas, baluartes, fosos y otras fortificaciones. ‖ **2.** Máquina de madera, en forma de torre, usada en la guerra antiguamente, puesta sobre elefantes. ‖ **3. maestril.** ‖ **4.** Cabida de un carro, desde la escalera hasta lo alto de los varales. ‖ **5.** Rimero de tablas. ‖ **6.** *Blas.* Figura que representa una o más torres, en este caso, unidas por cortinas. ‖ **7.** *Mar.* Parte de la cubierta alta o principal del buque, comprendida entre el palo trinquete y la proa. ‖ **8.** *Mar.* Cubierta parcial que, en la misma sección, tienen algunos buques a la altura de la borda. ‖ **de fuego.** Armazón vestida de varios fuegos artificiales, que se usa en algunos regocijos públicos. ‖ **de popa.** p. us. *Mar.* **toldilla.** ‖ **castillos en el aire.** Ilusiones lisonjeras con poco o ningún fundamento. Ú. con los verbos *hacer, forjar,* etc. ‖ **hacer castillos de naipes.** fr. fig. y fam. Confiar en el logro de una cosa, contando para ello con medios débiles e ineficaces. ‖ **levantar castillos de naipes.** fr. fig. **hacer castillos de naipes.**

castilluelo. m. d. de **castillo.**

castimonia. (Del lat. *castimonĭa.*) f. ant. **castidad.**

castina. (Del al. *Kalkstein;* de *Kalk,* cal, y *Stein,* piedra.) f. Fundente calcáreo que se emplea cuando el mineral que se trata de fundir contiene mucha arcilla.

castizamente. adv. m. De manera castiza y pura.

castizo, za. (De or. inc.; cf. lat. **casticēus;* esp. *casta.*) adj. De buen origen y casta. ‖ **2.** Por ext., típico, puro, genuino de cualquier país, región o localidad. ‖ **3.** Aplícase al lenguaje puro y sin mezcla de voces ni giros extraños. ‖ **4.** Muy prolífico, referido a animales. ‖ **5.** desus. *Méj.* **cuarterón,** nacido en América de mestizo y española o de español y mestiza. Usáb. t. c. s.

casto, ta. (Del lat. *castus.*) Dícese de la persona que se abstiene de todo goce sexual, o se atiene a lo que se considera como lícito. ‖ **2.** Que no posee en sí sensualidad. CASTO *amor, deleite.* ‖ **3.** ant. Referido al estilo, **castizo,** puro.

castor. (Del lat. *castor, -ōris.*) m. Mamífero roedor, de cuerpo grueso, que llega a tener 65 centímetros de largo, cubierto de pelo castaño muy fino; patas cortas, pies con cinco dedos palmeados, y cola aplastada, oval y escamosa. Vive mucho en el agua, se alimenta de hojas, cortezas y raíces de los árboles, y construye con destreza sus viviendas a orillas de ríos o lagos, haciendo verdaderos diques de gran extensión. Se le caza para quitarle la piel, que se aprovecha en peletería, así como para extraerle el castóreo. Habita en Asia, en América Septentrional y en el norte de Europa. ‖ **2.** Pelo de este animal. ‖ **3.** Cierta tela de lana, así llamada por la semejanza que tiene con la suavidad del pelo de **castor.** ‖ **4.** Paño o fieltro hecho con pelo del **castor.**

Cástor y Pólux. (Héroes mitológicos.) n. p. m. **Fuego de Santelmo.**

castora. (De *castor.*) f. *And.* y *Extr.* **sombrero de copa alta.**

castorcillo. (d. de *castor.*) m. Tela de lana, tejida como la estameña, con pelo semejante al del paño.

castoreño. (De *castor.*) adj. V. **sombrero castoreño.** Ú. t. c. s.

castóreo. (Del lat. *castorēum.*) m. *Zool.* Sustancia crasa, untuosa, de color castaño, aspecto resinoso y olor fuerte y desagradable, segregada por dos glándulas abdominales que tiene el castor. Es medicamento antiespasmódico.

castorina. f. Especie de tejido parecido a la tela de castor. ‖ **2.** *Quím.* Materia grasa especial contenida en el castóreo.

castorio. m. ant. **castóreo.**

castra. f. Acción de castrar. ‖ **2.** Tiempo en que se suele hacer esta operación.

castración. (Del lat. *castratĭo, -ōnis.*) f. Acción y efecto de castrar o extirpar los órganos genitales.

castradera. (Del lat. *castratorĭa,* propia para castrar.) f. Instrumento de hierro que sirve para castrar las colmenas.

castrado. p. p. de **castrar.** ‖ **2.** adj. Que ha sufrido la castración. Ú. t. c. s.

castrador. (Del lat. *castrātor, -ōris.*) m. El que castra. ‖ **2. castrapuercas.**

castradura. (Del lat. *castratūra.*) f. **castración.** ‖ **2. capadura,** cicatriz que queda al castrado.

castrametación. (Del lat. *castra,* campamento, y *metatĭo, -ōnis,* medición, limitación.) f. Arte de ordenar los campamentos militares.

castrapuercas. (De *castrar* y *puerca.*) m. Silbato compuesto de varios cañoncillos unidos, que usan los capadores para anunciarse.

castrapuercos. m. **castrapuercas.**

castrar. (Del lat. *castrāre.*) tr. **capar,** extirpar o inutilizar los órganos genitales. ‖ **2.** Secar o enjugar las llagas. Ú. t. c. prnl. ‖ **3. podar.** ‖ **4.** Quitar a las colmenas panales con miel, dejando los suficientes para que las abejas puedan mantenerse y fabricar nueva miel. ‖ **5.** Arrancar o cortar al maíz las matas sobrantes, para que las otras se desarrollen mejor. ‖ **6.** fig. Debilitar, enervar, apocar.

castrazón. (Del lat. *castratĭo, -ōnis.*) f. Acción y efecto de castrar las colmenas. ‖ **2.** Tiempo de castrarlas.

castrense. (Del lat. *castrensis,* perteneciente al campamento.) adj. Aplícase a algunas cosas o personas pertenecientes o relativas al ejército y al estado o profesión militar. ‖ **2.** V. **corona castrense.** ‖ **3.** V. **vicario general castrense.** ‖ **4.** *Der.* V. **bienes castrenses.** ‖ **5.** *Der.* V. **bienes cuasi castrenses.** ‖ **6.** *Der.* V. **peculio castrense.** ‖ **7.** *Der.* V. **peculio cuasi castrense.**

castreño, ña. adj. Natural de Castrojeriz, de Castro Urdiales o de Castro del Río. Ú. t. c. s. ‖ **2.** Perteneciente o relativo a dichos pueblos.

castrino, na. adj. Natural de Castro. Ú. t. c. s. ‖ **2.** Perteneciente o relativo a esta ciudad de Chile.

castrismo. (De Fidel *Castro,* político cubano.) m. Movimiento político de ideología comunista, iniciado con la revolución cubana triunfante en 1959.

castrista. adj. Perteneciente o relativo al castrismo. ‖ **2.** com. Partidario del castrismo o seguidor de él.

castro[1]. (Del lat. *castrum.*) m. Juego que usan los muchachos, dirigiendo unas piedrecitas por unas rayas, dispuestas al modo de un ejército acampado. ‖ **2.** Poblado iberorromano fortificado. ‖ **3.** ant. Real o sitio donde estaba acampado y fortificado un ejército. ‖ **4.** *Ast.* y *Gal.* Altura donde hay vestigios de fortificaciones antiguas. ‖ **5.** *Ast.* y

Gal. Peñasco que avanza de la costa hacia el mar, o que sobresale aislado en este y próximo a aquella.

castro[2]**.** (De *castrar.*) m. desus. Acción y efecto de castrar colmenas.

castrón. m. Macho cabrío, morueco o puerco castrado.

castuga. f. *Amér.* Cierto insecto lepidóptero.

cástula. (Del lat. *castŭla.*) f. *Indum.* Túnica larga que las mujeres romanas usaban en contacto con la piel y ceñida por debajo de los pechos.

castúo, a. (De *castudo,* der. de *casta.*) adj. *Extr.* Mantenedor de la casta de labradores que cultivaron por sí mismos sus propias tierras. ‖ **2. extremeño,** natural de Extremadura. ‖ **3.** m. Por ext., modalidad de habla de Extremadura.

casual. (Del lat. *casuālis.*) adj. Que sucede por casualidad. ‖ **2.** *Der.* V. **condición casual.** ‖ **3.** *Der. Ar.* Aplícase a las firmas o decretos judiciales concebidos para impedir atentados. ‖ **4.** *Gram.* Perteneciente o relativo al caso.

casualidad. (De *casual.*) f. Combinación de circunstancias que no se pueden prever ni evitar.

casualismo. (De *casual.*) m. Teoría que funda en el acaso el origen de todos los acontecimientos.

casualista. com. Persona que profesa el casualismo.

casualmente. adv. m. Por casualidad, impensadamente.

casuárido, da. adj. *Zool.* **casuariforme.**

casuariforme. (De *casuario* y *-forme.*) adj. *Zool.* Dícese de aves afines al avestruz, habitantes de la región australiana y que, en clasificaciones hoy en desuso, formaban junto a aquel el grupo de las llamadas corredoras. Ú. t. c. s. ‖ **2.** f. pl. *Zool.* Orden de estas aves.

casuarina. (De *casuario,* por la semejanza de sus hojas con las plumas de esta ave.) f. Árbol de la familia de las casuarináceas, que vive en Australia, Java, Madagascar y Nueva Zelanda. Sus hojas son parecidas a las plumas del casuario, y sus ramas producen con el viento un sonido algo musical.

casuarináceo, a. (De *casuarina.*) adj. *Bot.* Dícese de plantas angiospermas dicotiledóneas, leñosas, que viven en Australia y en otras islas del océano Pacífico y por muchos de sus caracteres se asemejan a las gimnospermas. Tienen flores unisexuales sin periantio o con periantio sencillo, y están provistas las masculinas de un solo estambre; la polinización se verifica por medio del viento; como la casuarina. Ú. t. c. s. f. ‖ **2.** f. pl. *Bot.* Familia de estas plantas.

casuario. (Del malayo *casuguaris.*) m. *Zool.* Ave casuariforme de menor tamaño que el avestruz, con tres dedos en cada pie, la cabeza de colores rojo y azul y sobre ella una protuberancia ósea cubierta con un estuche córneo. Hay pocas especies, que habitan en Nueva Guinea, Australia e islas vecinas.

casuca. f. d. de **casa.** ‖ **2.** despect. **casucha.**

casucha, cho. f. y m. despect. Casa pequeña y mal construida.

casuismo. m. Doctrina casuística.

casuista. (Del lat. *casus,* caso.) adj. Dícese del autor que expone casos prácticos de teología moral. Ú. t. c. s. ‖ **2.** Por ext., se aplica también al que expone casos prácticos propios de cualquiera de las ciencias morales o jurídicas. Ú. t. c. s.

casuística. (De *casuista.*) f. En teología moral, aplicación de los principios morales, a los casos concretos de las acciones humanas. ‖ **2.** Consideración de los diversos casos particulares que se pueden prever en determinada materia.

casuístico, ca. adj. Perteneciente o relativo al casuista o a la casuística. ‖ **2.** Se dice de las disposiciones legales que rigen casos especiales y no tienen aplicación genérica.

casulla. (Del lat. *casubla,* capa con capucha.) f. Vestidura que se pone el sacerdote sobre las demás para celebrar la misa, consistente en una pieza alargada, con una abertura en el centro para pasar la cabeza. ‖ **2.** *Hond.* Grano de arroz que conserva la cáscara, entre los demás ya descascarillados.

casullero. m. El que hace casullas y demás vestiduras y ornamentos para el servicio del culto divino.

casus belli. expr. lat. Caso o motivo de guerra.

cata[1]**.** f. Acción y efecto de catar. ‖ **2.** Porción de alguna cosa que se prueba. ‖ **3.** ant. Cordel con un plomo en un extremo, para medir alturas. ‖ **4.** *Col.* y *Méj.* **calicata.** ‖ **5.** *Col.* Cosa oculta o encerrada. ‖ **dar cata.** fr. fam. Catar, mirar o advertir. ‖ **2. catear,** buscar, procurar. ‖ **darse cata de** una cosa. fr. Percatarse de ella. ‖ **echar cata.** fr. ant. Mirar o buscar con cuidado alguna cosa.

cata[2]**.** f. *Argent.* Acción de catear o explorar.

cata[3]**.** (Abreviación de *Catalina,* apodo aplicado a esta ave; cf. *catita.*) f. *Argent.* y *Chile.* Cotorra, perico. ‖ **2.** *Bol.* **catita.** ‖ **3.** *Cuba.* **perico,** ave trepadora. ‖ **4.** p. us. *Méj.* **catarina.**

cata-. (Del gr. κατα-.) pref. cuyo significado primitivo es «hacia abajo»: CATA*plasma,* CATA*clismo.*

catabejas. (De *catar* y *abeja.*) m. **paro carbonero.**

catabólico, ca. adj. *Biol.* Perteneciente o relativo al catabolismo.

catabolismo. (Del gr. κατά, abajo, y βάλλω, echar.) m. *Fisiol.* Conjunto de procesos metabólicos de degradación de sustancias para obtener otras más simples.

catabre o **catabro.** m. *Col.* Vasija de calabaza en que se lleva el grano para sembrar.

catacaldos. (De *catar* y *caldo.*) com. fig. y fam. Persona que emprende muchas cosas sin fijarse en ninguna. ‖ **2.** Persona entremetida.

cataclismo. (Del lat. *cataclysmus,* y este del gr. κατακλυσμός, inundación.) m. Trastorno grande del globo terráqueo, producido por el agua. ‖ **2.** Por ext., cualquier otro tipo de trastorno grave producido por un fenómeno natural. ‖ **3.** fig. Gran trastorno en el orden social o político. ‖ **4.** fig. y fam. Disgusto, contratiempo, suceso que altera la vida cotidiana.

catacresis. (Del lat. *catachrēsis,* y este del gr. κατάχρησις, uso indebido.) f. *Ret.* Tropo que consiste en dar a una palabra sentido traslaticio para designar una cosa que carece de nombre especial; v. gr.: *La hoja de la espada; una hoja de papel.*

catacumbas. (Del lat. tardío *catacumbae.*) f. pl. Subterráneos en los cuales los primitivos cristianos, especialmente en Roma, enterraban sus muertos y practicaban las ceremonias del culto.

catachín. m. *Ál.* **pinzón,** pájaro.

catadióptrico, ca. (Del gr. κατά, hacia abajo, y διοπτρικός, dióptrico.) adj. *Ópt.* Dícese del sistema óptico que produce la refracción total del rayo incidente, con independencia de su orientación. ‖ **2.** m. Aparato que incorpora este sistema.

catador. (Del lat. *captātor, -ōris.*) m. El que cata. ‖ **2.** El que cata colmenas. ‖ **3. catavinos,** el que tiene por oficio catar vinos.

catadura. f. Acción y efecto de catar. ‖ **2.** Gesto o semblante. Ú. generalmente con los calificativos de *mala, fea,* etc.

catafalco. (Del it. *catafalco,* túmulo solemne.) m. Túmulo adornado con magnificencia, el cual suele ponerse en los templos para las exequias solemnes.

catáfora. (Del gr. καταφορά, que lleva hacia abajo.) f. *Ling.* Tipo de deixis que cumplen ciertas palabras, para anticipar una parte aún no enunciada del discurso, que va a ser emitida a continuación; v. gr., *esto* en la frase *lo que dijo es* ESTO: *que renunciaba.*

catafórico, ca. adj. Relativo o perteneciente a la catáfora.

catalán, na. adj. Perteneciente o relativo a Cataluña. ‖ **2.** Natural de Cataluña. Ú. t. c. s. ‖ **3.** Perteneciente a este antiguo principado. ‖ **4.** V. **berenjena, carga catalana.** ‖ **5.** V. **gorro catalán.** ‖ **6.** V. **fruta a la catalana.** ‖ **7.** m. Lengua romance vernácula que se habla en Cataluña y en otros dominios de la antigua Corona de Aragón.

catalanidad. f. Calidad o carácter de lo que es catalán.

catalanismo. (De *catalán.*) m. Afecto a Cataluña o a las características propias de Cataluña. ‖ **2.** Movimiento que propugna el reconocimiento político de Cataluña y defiende sus valores históricos y culturales. ‖ **3.** Expresión, vocablo o giro propio de la lengua catalana.

catalanista. adj. Perteneciente o relativo al catalanismo. ‖ **2.** com. Partidario del catalanismo.

cataláunico, ca. (Del lat. *Catalaunĭcus.*) adj. Perteneciente a la antigua Catalaunia, hoy Châlons de Marne. Aplícase a los campos en que fue derrotado Atila.

cataldo. m. *Mar.* Vela triangular que los bombos, quechemarines y lugres largan a modo de arrastradera.

cataléctico. (Del lat. *catalectĭcus,* y este del gr. καταληκτικός.) adj. V. **verso cataléctico.** Ú. t. c. s.

catalecto. (Del lat. *catalectus.*) adj. **cataléctico.** Ú. t. c. s.

catalejo. (De *catar,* ver, y *lejos.*) m. Tubo extensible que sirve para ver a larga distancia.

catalepsia. (Del lat. *catalepsis,* y este del gr. κατάληψις, acción de coger, sorprender.) f. *Pat.* Accidente nervioso repentino, de índole histérica, que suspende las sensaciones e inmoviliza el cuerpo en cualquier postura en que se le coloque.

cataléptico, ca. (Del lat. *catalepticus,* y este del gr. καταληπτικός.) adj. Perteneciente o relativo a la catalepsia. ‖ **2.** Atacado de catalepsia. Ú. t. c. s.

catalicón. m. *Farm.* **diacatolicón.**

catalicores. (De *catar,* probar, y *licor.*) m. *Ál.* Pipeta muy larga para tomar pruebas de un líquido en su envase.

catalina[1]. f. Excremento humano.

catalina[2]. adj. V. **rueda catalina.**

catalineta. (d. del n. p. *Catalina;* cf. *catalufa*[2].) f. *Cuba.* Pez de unos 30 centímetros de largo, color amarillo con fajas oscuras, cola ahorquillada y escamas ásperas. Se cría en el mar de las Antillas.

catálisis. (Del gr. κατάλυσις, disolución acabamiento.) f. *Quím.* Transformación química motivada por cuerpos que al finalizar la reacción aparecen inalterados.

catalítico, ca. adj. *Quím.* Relativo a la catálisis.

catalizador. (De *catálisis.*) m. *Quím.* Cuerpo capaz de producir la transformación catalítica.

catalnica. (De *Catalinica,* d. de *Catalina,* n. p.) f. fam. **cotorra,** papagayo pequeño.

catalogación. f. Acción y efecto de catalogar.

catalogador, ra. adj. Que cataloga. ‖ **2.** m. y f. Persona que forma catálogos.

catalogar. tr. Apuntar, registrar ordenadamente libros, documentos, etc., formando catálogo de ellos. Ú. t. en sent. fig.

catálogo. (Del lat. *catalŏgus,* y este del gr. κατάλογος, lista, registro.) m. Relación ordenada en la que se incluyen o describen de forma individual libros, documentos, personas, objetos, etc. que están relacionados entre sí. Ú. t. en sent. fig.

catalpa. (De una lengua india de Norteamérica, a través del ing. *catalpa.*) f. Árbol de adorno, de la familia de las bignoniáceas, de unos 10 metros de altura, hojas en verticilo, grandes y acorazonadas; flores en hacecillos terminales, blancas, con puntos purpúreos, y por fruto vainas largas, casi cilíndricas.

catalufa[1]. (Del it. ant. *cataluffa,* cierto paño fabricado en Venecia.) f. Tejido de lana tupido y afelpado, con variedad de dibujos y colores, del cual se hacen alfombras. ‖ **2.** ant. Tafetán doble labrado.

catalufa[2]. (De *Catalina,* n. p.; cf. *cataluja.*) f. *Cuba.* **catalineta.**

cataluja. (Del m. or. que *catalufa*[2]; cf. *catalnica.*) f. *Cuba.* **catalineta.**

catamarán. (Del tamil *kattumaran,* a través del ing. *catamaran.*) m. Balsa de troncos usada por los indígenas de Coromandel, en la India. ‖ **2.** Embarcación por lo común de vela, de dos cascos unidos.

catamarqueño, ña. adj. Natural de la provincia o de la ciudad de Catamarca, en la República Argentina. Ú. t. c. s. ‖ **2.** Perteneciente o relativo a esta ciudad o a su provincia.

catamenial. (Del gr. καταμήνιος, mensual.) adj. Se aplica a lo que tiene relación con la función menstrual.

catamiento. (De *catar,* ver, examinar.) m. ant. Observación, advertencia.

catán. (Del ár. *qaṭ'ā',* cortante, dicho de una espada.) m. Especie de alfanje que usaban los indios y otros pueblos del Oriente.

catana[1]. f. **catán.** ‖ **2.** despect. *Chile.* Sable, en especial el largo y viejo, que usaban los policías. ‖ **3.** *Cuba.* Cosa pesada, tosca, deforme.

catana[2]. (De *Catalina,* n. p.; cf. *catey.*) f. *Venez.* Loro verde y azul. Hay otras variedades.

catanga. (Del quechua *aka,* excremento, y *tankay,* empujar.) f. *Argent.* y *Chile.* **acatanca,** escarabajo pelotero. ‖ **2.** *Argent.* y *Chile.* **acatanca,** excremento. ‖ **3.** *Col.* **nasa,** arte de pesca. ‖ **4.** *Bol.* Carrito tirado por un caballo, para el transporte de frutas.

cataplasma. (Del lat. *cataplasma,* y este del gr. κατάπλασμα.) f. Tópico de consistencia blanda, que se aplica para varios efectos medicinales, y más particularmente el que es calmante o emoliente. ‖ **2.** fig. y fam. Persona pesada y fastidiosa.

cataplexia. (Del lat. *cataplexis,* y este del gr. καταπλήσσω, pasmar.) f. *Pat.* Especie de asombro o estupefacción que se manifiesta, sobre todo en los ojos. ‖ **2.** Embotamiento súbito de la sensibilidad en una parte del cuerpo. ‖ **3.** ant. **apoplejía.** ‖ **4.** *Veter.* Catalepsia de los animales.

¡cataplum! Exclamación que se usa para expresar ruido, explosión o golpe.

catapulta. (Del lat. *catapulta.*) f. Máquina militar antigua para arrojar piedras o saetas. ‖ **2.** Mecanismo lanzador de aviones para facilitar su despegue en plataformas u otros espacios reducidos.

catapultar. tr. Lanzar con catapulta los aviones. ‖ **2.** fig. Dar impulso decisivo a una actividad, empeño o empresa.

catapum o **catapún.** fam. Voz que unida a determinados nombres indica una fecha remota e indefinida. *Eso ocurrió en el año* CATAPÚN; *en los tiempos de* CATAPÚN. ‖ **2.** **¡cataplum!**

catar. (Del lat. *captāre,* coger, buscar.) tr. Probar, gustar alguna cosa para examinar su sabor o sazón. ‖ **2.** ant. Ver, examinar, registrar. ‖ **3.** **castrar** las colmenas. ‖ **4.** p. us. **mirar,** fijar la vista en un objeto. Ú. t. c. prnl. ‖ **5.** desus. **mirar,** tener por fin alguna cosa. ‖ **6.** desus. **mirar,** estar situada una cosa enfrente de otra. ‖ **7.** desus. **mirar,** pensar, juzgar. ‖ **8.** desus. **mirar,** inquirir, informarse de una cosa. ‖ **9.** ant. Buscar, procurar, solicitar. ‖ **10.** ant. Guardar, tener. ‖ **11.** ant. **curar** un enfermo.

cataraña. f. Ave zancuda, variedad de garza, con el cuerpo blanco, y los ojos, el pico y los pies de color verde rojizo. Vive en el mediodía de Europa y norte de África. ‖ **2.** Lagarto de las Antillas.

catarata. (Del lat. *cataracta,* y este del gr. καταρράκτης.) f. Cascada o salto grande de agua. ‖ **2.** Opacidad del cristalino del ojo, o de su cápsula, o del humor que existe entre uno y otra, causada por una especie de telilla que impide el paso de los rayos luminosos y produce necesariamente la ceguera. ‖ **3.** pl. p. us. Las nubes cargadas de agua, en el momento en que la vierten copiosamente. *Abrirse las* CATARATAS *del cielo.* ‖ **batir la catarata.** fr. *Cir.* Hacerla bajar a la parte inferior de la cámara posterior del globo del ojo. ‖ **extraer la catarata.** fr. *Cir.* Sacar el cristalino por una abertura hecha en la córnea transparente. ‖ **tener cataratas.** fr. fig. y fam. Estar ofuscado por ignorancia o por pasión.

catarinita. (d. de *Catalina,* n. p.; cf. *catana*[2].) f. *Méj.* **catalnica.** ‖ **2.** *Méj.* Coleóptero pequeño y de color rojo.

cátaro, ra. (Del lat. med. *cathari,* del gr. καθαρός, puro.) adj. Perteneciente o relativo a varias sectas heréticas que se extendieron por Europa durante los siglos XI-XIII, y propugnaban la necesidad de llevar una vida ascética y la renuncia al mundo para alcanzar la perfección. Ú. m. c. s. m. y en pl.

catarral. adj. Perteneciente o relativo al catarro.

catarribera. (De *catar,* ver, examinar, y *ribera.*) m. *Cetr.* Sirviente de a caballo que tomaba los puestos y seguía a los halcones para cogerlos cuando bajaban con la presa. ‖ **2.** fam. Se daba este nombre a los abogados que se empleaban en residencias y pesquisas, y a los alcaldes mayores y corregidores de letras, así como a los pretendientes de estas plazas.

catarrino. m. **catirrino.**

catarro. (Del lat. *catarrhus,* y este del gr. κατάρρους, de καταρρέω, afluir.) m. Flujo o destilación procedente de las membranas mucosas. ‖ **2.** Inflamación aguda o crónica de estas membranas, con aumento de la secreción habitual de moco.

catarroso, sa. adj. Que habitualmente padece catarro. Ú. t. c. s. ‖ **2.** Que padece catarro, normalmente ligero.

catarrufín. m. *Murc.* Mata que suele abundar en los eriales, y tiene flores blancas y hojas que frotándolas exhalan un olor desagradable.

catarsis. (Del gr. κάθαρσις, purga, purificación.) f. Para los antiguos griegos, purificación ritual de personas o cosas afectadas de alguna impureza. ‖ **2.** Efecto que causa la tragedia en el espectador al suscitar y purificar la compasión, el temor u horror y otras emociones. ‖ **3.** Por ext., sentimiento de purificación o liberación suscitado por alguna vivencia causada por cualquier obra de arte. ‖ **4.** *Fisiol.* Expulsión espontánea o provocada de sustancias nocivas al organismo. ‖ **5.** Por ext., eliminación de recuerdos que perturban la conciencia o el equilibrio nervioso.

catártico, ca. (Del gr. καθαρτικός.) adj. Relativo a la catarsis psíquica o determinante de ella. ‖ **2.** *Farm.* Aplícase a algunos medicamentos purgantes.

catartiforme. (Del gr. χαθαρτής, purificador, y *-forme.*) adj. *Zool.* Dícese de aves rapaces carroñeras, propias de América y semejantes al buitre europeo; como el cóndor y el aura. ‖ **2.** f. pl. *Zool.* Orden de estas aves.

catasalsas. (De *catar,* probar, y *salsa.*) com. fig. y fam. **catacaldos.**

catascopio. (Del lat. *catascopium,* y este del verbo gr. κατασκοπέω, espiar.) m. Nave muy ligera que en la antigüedad se empleaba para transmitir noticias o para hacer descubiertas en tiempo de guerra.

catasta. (Del lat. *catasta.*) f. ant. Potro de tortura en el que se descoyuntaba al condenado.

catástasis. (Del gr. κατάστασις, constitución, temperamento.) f. *Ret.* Punto culminante del asunto de un drama, tragedia o poema épico.

catastral. adj. Perteneciente o relativo al catastro.

catastro. (Cf. it. *catasto,* fr. *cadastre.*) m. Contribución real que pagaban nobles y plebeyos, y se imponía sobre todas las rentas fijas y posesiones que producían frutos anuales, fijos o eventuales; como censos, hierbas, bellotas, molinos, casas, ganados, etc. ‖ **2.** Censo y padrón estadístico de las fincas rústicas y urbanas.

catástrofe. (Del lat. *catastrŏphe,* y este del gr. καταστροφή, de καταστρέφω, abatir, destruir.) f. Última parte del poema dramático, con el desenlace, especialmente cuando es doloroso. ‖ **2.** Por ext., desenlace desgraciado de otros poemas. ‖ **3.** fig. Suceso infausto que altera gravemente el orden regular de las cosas. ‖ **4.** fig. Hiperbólicamente se aplica a cosas que son de mala calidad o resultan mal, producen mala impresión, están mal hechas, etc. *Esta pluma es una* CATÁSTROFE; *el estreno fue una* CATÁSTROFE; *el encuadernador ha dejado el libro hecho una* CATÁSTROFE.

catastrófico, ca. adj. Relativo a una catástrofe o con caracteres de tal. ‖ **2.** fig. Desastroso, muy malo. *Los jugadores locales tuvieron una actuación* CATASTRÓFICA; *el resultado de mi visita fue* CATASTRÓFICO.

catastrofismo. m. Teoría según la cual los mayores cambios geológicos y biológicos se debieron a catástrofes naturales. ‖ **2.** Tendencia pesimista a predecir catástrofes.

catastrofista. adj. Partidario del catastrofismo. Ú. t. c. s. ‖ **2.** Que predice catástrofes.

catata. f. *Cuba.* Mate amarillo grande.

catatán. m. fam. *Chile.* **castigo** corporal.

catatar. tr. *Amér.* Hechizar, fascinar.

catatė. adj. *Cuba.* Aplícase a la persona fatua, despreciable o insignificante. Ú. t. c. s.

catatipia. (De la combinación de *catálisis* y *tipo.*) f. Procedimiento fotográfico para obtener pruebas por medio de la catálisis.

cataubas. m. pl. *Etnogr.* Tribu indígena, ya extinguida, de América del Norte.

catauro. m. En las Antillas, especie de cesto formado de yaguas, y muy usado para transportar frutas, carne y otros efectos.

cataviento. (De *catar* y *viento.*) m. *Mar.* Hilo como de medio metro de largo que lleva ensartadas varias ruedecitas de corcho algo separadas unas de otras y que puesto en un asta manual se coloca en la borda de barlovento, para que, al flotar en el aire, indique su dirección aproximadamente. ‖ **2.** V. **manga catavientos.**

catavino. (De *catar* y *vino.*) m. Jarro pequeño o taza destinada para dar a probar el vino de las cubas o tinajas. ‖ **2.** Copa de cristal fino con la que se examinan, huelen y prueban los mostos y los vinos. ‖ **3.** *Mancha.* Agujero en la parte superior de la tinaja, para probar el vino. ‖ **4.** *Ar.* Tubo abierto por ambos extremos y terminado por uno de ellos en forma de pera, que se introduce en la cuba para sacar algo de vino tapando el orificio superior.

catavinos. (De *catar* y *vino.*) com. Persona que tiene por oficio catar los vinos para informar de su calidad y sazón. ‖ **2.** m. fig. y fam. Borracho que anda de taberna en taberna.

cate[1]. m. Medida de peso común que se usaba en Filipinas, décima parte de la chinanta, igual a una libra castellana y seis onzas, o a 632,63 gramos.

cate[2]. m. Golpe, bofetada. ‖ **2.** Nota de suspenso en los exámenes.

cateada. f. fam. *Chile.* Acción y efecto de catear[1].

cateador. m. *Min. Amér.* El que hace catas para hallar minerales. ‖ **2.** *Min.* Martillo de punta y mazo que usan los mineros para romper los minerales que van a estudiar.

catear[1]. (De *cata*[1].) tr. p. us. **catar,** procurar, solicitar. ‖ **2.** Buscar, descubrir, espiar, acechar. ‖ **3.** *Argent., Col., Chile, Ecuad.* y *Perú.* Explorar terrenos en busca de alguna veta minera. ‖ **4.** *Amér.* Allanar la casa de alguno.

catear[2]. (De *cate*[2], nota de suspenso.) tr. fig. y fam. Suspender en los exámenes a un alumno.

catecismo. (Del m. or. que *catequismo.*) m. Libro de instrucción elemental que contiene la doctrina cristiana, escrito en forma de preguntas y respuestas. ‖ **2.** Obra que, redactada frecuentemente en preguntas y respuestas, contiene la exposición sucinta de alguna ciencia o arte.

catecú. m. **cato**[1].

catecumenado. m. Ejercicio de dar instrucción en la fe católica con el fin de recibir el bautismo. ‖ **2.** Tiempo en que se imparte o recibe esta instrucción.

catecumenia. (Del gr. κατηχουμενεῖα.) f. ant. Galería alta u otro lugar reservado en las antiguas iglesias, donde se colocaban los catecúmenos.

catecúmeno, na. (Del lat. *catechumĕnus,* y este del gr. κατηχούμενος, el que se instruye.) m. y f. Persona que se está instruyendo en la doctrina y misterios de la fe católica, con el fin de recibir el bautismo.

cátedra. (Del lat. *cathedra,* y este del gr. καθέδρα, asiento.) f. Asiento elevado, desde donde el maestro da lección a los discípulos. ‖ **2. aula** en que se enseña una asignatura. ‖ **3.** Especie de púlpito con asiento, donde los catedráticos y maestros leen y explican las ciencias a sus discípulos. ‖ **4.** fig. Empleo y ejercicio del catedrático. ‖ **5.** fig. Facultad o materia particular que enseña un catedrático. ‖ **6.** fig. Dignidad pontificia o episcopal. ‖ **7.** fig. Capital o matriz donde reside el prelado. ‖ **8.** fig. y fam. En el juego de pelota, grupo de aficionados en el que se supone superior conocimiento de los jugadores y de sus probabilidades de triunfo. ‖ **del Espíritu Santo. púlpito** de las iglesias. ‖ **de San Pedro.** Dignidad del Sumo Pontífice. ‖ **pasear la cátedra.** fr. fig. p. us. Asistir a ella cuando no acuden los discípulos. ‖ **poder poner cátedra.** fr. fig. Dominar una ciencia o arte. ‖ **poner cátedra.** fr. fig. **sentar cátedra.** ‖ **sentar cátedra.** fr. fig. Pronunciarse docta y concluyentemente sobre alguna materia o asunto. Ú. m. en sent. irón.

catedral. (De *cátedra.*) adj. V. **iglesia catedral.** Ú. m. c. s. f.

catedralicio, cia. adj. Perteneciente o relativo a una catedral.

catedralidad. f. Dignidad de ser catedral una iglesia.

catedrar. intr. ant. Conseguir cátedra en un establecimiento de enseñanza.

catedrático, ca. (Del lat. *cathedratĭcus.*) m. y f. Profesor o profesora titular de una cátedra. ‖ **2.** Persona que tiene cátedra para dar enseñanza en ella. ‖ **3.** m. Cierto derecho que se pagaba al prelado eclesiástico. ‖ **4.** f. Mujer del **catedrático.** ‖ **catedrático de prima.** El que tenía este tiempo destinado para sus lecciones.

catedrilla. (d. de *cátedra.*) f. Cátedra servida generalmente por bachilleres que aspiraban a la licenciatura.

cátedro. m. En lenguaje estudiantil, **catedrático,** profesor titular de una cátedra.

categorema. (Del lat. *categorēma,* y este del gr. κατηγόρημα.) f. *Lóg.* Cualidad por la que un objeto se clasifica en una u otra categoría.

categoremático, ca. (Del lat. mediev. *categorematĭcus.*) adj. *Ling.* y *Lóg.* Dícese de las palabras que significan seres, objetos, cualidades, actividades, etc., a diferencia de las palabras que solo ejercen en la frase oficios determinativos, modificadores o de relación.

categoría. (Del lat. *categorĭa,* y este del gr. κατηγορία, cualidad atribuida a un objeto.) f. Cada una de las jerarquías establecidas en una profesión o carrera. ‖ **2.** fig. Condición social de unas personas respecto de las demás. ‖ **3.** fig. Uno de los diferentes elementos de clasificación que suelen emplearse en las ciencias. ‖ **4.** *Fil.* En la lógica aristotélica, cada una de las diez nociones abstractas y generales siguientes: sustancia, cantidad, calidad, relación, acción, pasión, lugar, tiempo, situación y hábito. ‖ **5.** *Fil.* En la crítica de Kant, cada una de las formas del entendimiento; a saber: cantidad, cualidad, relación y modalidad. ‖ **6.** *Fil.* En los sistemas panteísticos, cada uno de los conceptos puros o nociones a priori con valor trascendental al par lógico y ontológico. ‖ **de categoría.** loc. adj. Dícese de la persona de elevada condición o mérito. ‖ **2.** Dícese también de cosas buenas, elegantes o valiosas. ‖ **3.** Así mismo se dice de lo que es importante. *Un negocio* DE CATEGORÍA, *un disgusto* DE CATEGORÍA.

categóricamente. adv. m. Decisivamente, afirmando o negando clara y sencillamente alguna cosa.

categórico, ca. (Del lat. *categorĭcus,* y este del gr. κατηγορικός.) adj. Dícese del juicio o raciocinio en que se afirma o niega sin restricción ni condición.

categorismo. m. Sistema de categorías.

catela. (Del lat. *catella,* d. de *catena,* cadena.) f. Cadenilla de oro o de plata que los romanos solían poner en cualquier alhaja.

catenaria. (Del lat. *catenarĭa,* propia de la cadena.) adj. Dícese de la curva que forma una cadena, cuerda o cosa semejante suspendida entre dos puntos que no están situados en la misma vertical. Ú. m. c. s.

catenular. (Del lat. *catenŭla,* cadenilla.) adj. De forma de cadena.

cateo. m. ant. Acción y efecto de catear[1]. Ú. en América.

catequesis. (Del lat. *catechēsis,* y este del gr. κατήχησις.) f. **catequismo.**

catequismo. (Del lat. *catechismus,* y este del gr. κατηχισμός, de κατηχέω, instruir.) m. Ejercicio de instruir en cosas pertenecientes a la religión. ‖ **2.** Arte de instruir por medio de preguntas y respuestas. ‖ **3.** ant. **catecismo.**

catequista. (Del lat. *catechista,* y este del gr. κατηχιστής.) com. Persona que instruye a los catecúmenos. ‖ **2.** La que ejerce el catequismo.

catequístico, ca. adj. Perteneciente o relativo al catequismo. ‖ **2.** Dícese de lo que está escrito en preguntas y respuestas, como el catecismo.

catequización. f. Acción y efecto de catequizar.

catequizador, ra. (De *catequizar.*) m. y f. Persona que intenta persuadir a otra a que ejecute o consienta lo que antes era contrario a su voluntad. ‖ **2. catequista,** persona que instruye a los catecúmenos.

catequizar. (Del lat. *catechizāre,* y este del gr. κατηχίζω, instruir.) tr. Instruir en la doctrina de la fe católica. ‖ **2.** Persuadir a alguien a que ejecute o consienta algo que es contrario a su voluntad.

cateramba. f. Coloquíntida de Egipto.

catéresis. (Del gr. καθαίρεσις, destrucción, disminución.) f. *Med.* Debilitación producida por un medicamento. ‖ **2.** Acción cáustica moderada.

caterético, ca. adj. Perteneciente o relativo a la catéresis. ‖ **2.** Que debilita o deprime. Ú. t. c. s. ‖ **3.** m. y f. *Med.* Cáustico superficial.

caterva. (Del lat. *caterva.*) f. Multitud de personas o cosas consideradas en grupo, pero sin concierto, o de poco valor e importancia. Ú. t. en sent. peyorativo.

catervarios. (Del lat. *catervarĭus,* caterva.) m. pl. Gladiadores romanos que luchaban formados en grupos o compañías.

catete. m. *Chile.* Nombre que el vulgo da al demonio.

catéter. (Del lat. mediev. *cathĕter,* y este del gr. καθετήρ.) m. *Cir.* **tienta** para exploración. ‖ **2.** *Cir.* **algalia**[2]. ‖ **3.** *Cir.* Sonda metálica o de otra sustancia, que se introduce por la uretra o por cualquier otro conducto, natural o artificial, para explorarlo o dilatarlo o para servir de guía y vehículo a otros instrumentos.

cateterismo. (Del lat. *catheterismus,* y este del gr. καθετηρισμός.) m. *Cir.* Acto quirúrgico o exploratorio, que consiste en introducir un catéter o algalia en un conducto o cavidad.

cateto[1]**.** (Del lat. *cathĕtus,* y este del gr. κάθετος, perpendicular.)

m. *Geom.* Cada uno de los dos lados que forman el ángulo recto en el triángulo rectángulo.

cateto[2], **ta.** (De or. inc.) m. y f. despect. Lugareño, palurdo.

catetómetro. (Del gr. κάθετος, cateto, y *-metro.*) m. *Fís.* Instrumento que sirve para medir longitudes verticales.

catey. (Abrev. de *Catalina* y *-ey*, terminación propia de la fauna y flora de Cuba.) m. *Cuba.* **perico,** ave trepadora. ‖ **2.** En algunas islas de las Antillas, nombre de una de las especies de palmera.

cateya. (Del lat. *catēia,* voz de origen celta.) f. Arma arrojadiza de punta acerada, provista de una correa en el extremo opuesto, para recogerla después de hecho el tiro. Fue bastante común en los pueblos de la antigüedad.

catibía. f. *Cuba.* Raíz de la yuca, rallada, prensada y exprimido el anaiboa. Se hace con ella una especie de panatela.

catibo. m. *Cuba.* Pez de forma de anguila, especie de murena, negra y amarilla, que se cría en los ríos y tiene cerca de un metro de largo.

catifa. (Del ár. *catifa,* terciopelo.) f. ant. **alcatifa,** tapete o alfombra fina.

catiguá. m. Árbol de la familia de las meliáceas, de 12 a 14 metros de altura, propio de la provincia de Corrientes, en la República Argentina.

catilinaria. adj. Dícese de las oraciones pronunciadas por Cicerón contra Catilina. Ú. m. c. s. f. ‖ **2.** f. fig. Escrito o discurso vehemente dirigido contra alguna persona.

catimbao. m. *Chile* y *Perú.* Máscara o figurón que sale en la procesión del Corpus. ‖ **2.** *Chile.* Persona ridículamente vestida. ‖ **3.** *Chile.* **payaso.** ‖ **4.** *Perú.* Persona obesa y de corta estatura.

catimia. f. ant. Vena mineral honda de la que se saca oro o plata.

catín. m. Crisol en que se refina el cobre para obtener las rosetas.

catinga. (De or. guaraní.) f. Olor que algunas personas exhalan al transpirar. ‖ **2.** *Amér.* Olor fuerte y desagradable propio de algunos animales y plantas. ‖ **3.** Por ext., cualquier olor desagradable e intenso que emana de aglomeraciones de personas.

catingoso, sa. adj. desus. *Argent.* Se aplica a lo que tiene catinga o mal olor.

catingudo, da. adj. **catingoso.**

catino. (Del lat. *catīnus.*) m. ant. Escudilla o cazuela. ‖ **2.** *Min.* Especie de hornilla dispuesta para recoger los metales derretidos, según iban saliendo del fuego.

catión. (De *cata-* y *ion.*) m. *Fís.* Ion con carga positiva.

catipunan. (De or. tagalo.) m. Sociedad secreta fundada en Filipinas en 1892, a fin de promover el alzamiento en armas de la población indígena contra la soberanía política de España. ‖ **2.** fam. Grupo o peña de personas que, obrando con disimulo, defiende su interés particular.

catire, ra. (De or. cumanagoto.) adj. *Amér.* Dícese del individuo rubio, en especial del que tiene el pelo rojizo y ojos verdosos o amarillentos, por lo común hijo de blanco y mulata, o viceversa.

catirrino. (Del gr. κατά, hacia abajo, y ῥίς, ῥινός, nariz.) adj. *Zool.* Dícese de los simios cuyas fosas nasales están separadas por un tabique cartilaginoso, tan estrecho que las ventanas de la nariz quedan dirigidas hacia abajo. Ú. t. c. s. ‖ **2.** m. pl. *Zool.* Grupo de estos animales. Viven en Asia y África.

catita. (d. del n. p. *Catalina;* cf. *catarinita.*) f. *Argent.* y *Bol.* Especie de loro, de unos 15 a 20 centímetros de largo, de color verde claro brillante y remos azules. Es muy inquieto y puede aprender algunas palabras. Anda en bandadas, vive en los árboles y se alimenta de granos, sobre todo de maíz. Hay varias especies, según su color, que a veces es rojo.

catite. m. Panecillo hecho con azúcar muy refinado. ‖ **2.** V. **sombrero de catite.** ‖ **3.** Golpe o bofetada.

catitear. (De *catite.*) intr. p. us. *Argent.* Cabecear involuntariamente los ancianos. ‖ **2.** fig. Andar escaso de dinero.

cativar. tr. ant. **cautivar.**

cativí. f. *Hond.* Especie de herpe que produce unas manchas moradas en todo el cuerpo.

cativo[1], **va.** (Del lat. *captīvus,* cautivo.) adj. ant. **cautivo.** Ú. t. c. s. ‖ **2.** ant. Malo, infeliz, desgraciado. Ú. en Galicia. ‖ **3.** *Ast.* y *Gal.* Niño o niña pequeños.

cativo[2]. m. *C. Rica* y *Nicar.* Árbol colosal de la familia de las papilionáceas, que llega a 60 metros de altura y vive en las llanuras cenagosas del litoral del Atlántico. Sus flores, agrupadas en espigas menudas, son blancas, y sus frutos, en vainas colgantes de una sola semilla, muy abundantes.

catleya. (De *Catlley,* botánico inglés.) f. Género de plantas de la familia de las orquidáceas, propias de la América tropical y cuyas flores son de gran belleza.

cato[1]. m. Sustancia medicinal concreta y astringente, que por decocción se extrae de los frutos verdes y de la parte central del leño de una especie de acacia. Se utiliza industrialmente para proteger redes de pesca contra la putrefacción.

cato[2]. m. *Bol.* Medida agraria equivalente a 40 varas en cuadro.

catódico, ca. adj. *Electr.* Perteneciente al cátodo.

cátodo. (Del gr. κάθοδος, camino descendente.) m. *Electr.* Electrodo negativo.

catodonte. (Del gr. κατά, debajo, y ὀδών, ὀδόντος, diente.) m. *Zool.* **cachalote.**

católicamente. adv. m. Conforme a la doctrina católica.

catolicidad. f. Universalidad de la doctrina católica. Es uno de sus caracteres.

catolicismo. (De *católico.*) m. Comunidad y gremio universal de los que viven en la religión católica. ‖ **2.** Creencia de la Iglesia católica.

católico, ca. (Del lat. *cathŏlĭcus,* y este del gr. καθολικός, universal.) adj. **universal,** que comprende y es común a todos; y por esta calidad se ha dado este nombre a la Iglesia Romana. ‖ **2.** V. **epístola, fe, religión católica.** ‖ **3.** Verdadero, cierto, infalible, de fe divina. ‖ **4.** Que profesa la religión **católica.** Apl. a pers., ú. t. c. s. ‖ **5.** Renombre que de antiguo tienen los reyes de España, y especialmente aplicado a los reyes don Fernando V y doña Isabel I. ‖ **6.** fig. y fam. Sano y perfecto. Ú. por lo común en la fr. **no estar muy católico.**

catolicón. (Del gr. καθολικόν [ἴαμα], universal [remedio].) m. *Farm.* **diacatolicón.**

catolizar. tr. Convertir a la fe católica. Ú. t. c. prnl. ‖ **2.** Predicarla, propagarla. Ú. t. c. intr.

catón[1]. (Por alusión a Marco Porcio *Catón,* célebre por la austeridad de sus costumbres.) m. fig. Censor severo.

catón[2]. (De Dionisio *Catón,* gramático latino.) m. Libro compuesto de frases y períodos cortos y graduados para ejercitar en la lectura a los principiantes.

catoniano, na. adj. Aplícase a las virtudes de M. P. Catón y de sus imitadores.

catonismo. m. Imitación o tendencia a imitar las virtudes catonianas. *Fingiendo un rígido* CATONISMO.

catonizar. (De *Catón.*) intr. Censurar con rigor y aspereza, a la manera de Catón.

catóptrica. (Del gr. κατοπτρική, t. f. de -κός, catóptrico.) f. Parte de la óptica que trata de las propiedades de la luz refleja.

catóptrico, ca. (Del gr. κατοπτρικός, de κάτοπτρον, espejo.)

adj. Perteneciente o relativo a la catóptrica. ‖ **2.** Dícese de los aparatos que muestran los objetos por medio de la luz refleja.

catoptromancia o **catoptromancía.** (Del gr. κάτοπτρον, espejo, y μαντεία, adivinación.) f. Arte supuesto de adivinar por medio del espejo.

catoptroscopia. (Del gr. κάτοπτρον, espejo, y σκοπέω, examinar.) f. *Med.* Reconocimiento del cuerpo humano por medio de aparatos catóptricos.

catoquita. (Del gr. κάτοχος, que retiene.) f. *Mineral.* Piedra bituminosa de la isla de Córcega.

catorce. (Del lat. *quattuordĕcim.*) adj. Diez más cuatro. ‖ **2.** **decimocuarto.** *Luis* CATORCE, *número* CATORCE, *año* CATORCE. Apl. a los días del mes, ú. t. c. s. *El* CATORCE *de abril.* ‖ **3.** m. Conjunto de signos con que se representa el número **catorce.** *En la pared había un* CATORCE *medio borrado.*

catorceavo, va. (De *catorce* y *-avo.*) adj. Dícese de cada una de las 14 partes iguales en que se divide un todo. Ú. t. c. s. m.

catorcén. adj. *Ar.* Se dice del madero en rollo de 14 medias varas de longitud y un diámetro de 10 a 13 dedos. Ú. m. c. s.

catorcena. f. Conjunto de catorce unidades.

catorceno, na. (De *catorce.*) adj. **decimocuarto.** ‖ **2.** Dícese de cierta especie de paño basto cuya urdimbre consta de catorce centenares de hilos. Ú. t. c. s. ‖ **3.** Que tiene catorce años.

catorrazo. m. fam. *Méj.* aum. de **cate,** golpe. ‖ **2.** fam. *Méj.* Efecto que produce este golpe.

catorzal. adj. Se dice de la pieza de madera de hilo de 14 pies de longitud y escuadría de 8 pulgadas de tabla por 6 de canto. Ú. m. c. s.

catorzavo, va. adj. **catorceavo.**

catos. (Del lat. *Catti, -os.*) m. pl. Antiguo pueblo germano que habitó las tierras que hoy forman los antiguos ducados de Hesse y Nassau y el territorio de Westfalia.

catracho, cha. adj. fam. **hondureño.** Ú. t. c. s.

catre. (Del port. *catre.*) m. Cama ligera para una sola persona. ‖ **de tijera.** El que tiene lecho de tela o de cuerdas entrelazadas, y armazón compuesta de dos largueros y cuatro pies cruzados en aspa y sujetos con una clavija para poderlo plegar.

catrecillo. (d. de *catre.*) m. Silla pequeña de tijera.

catricofre. m. desus. Cofre destinado para recoger la cama en él, y que tiene dentro unos bastidores que pueden servir de catre.

catrín, na. adj. *Guat.* y *Nicar.* Elegante, bien vestido, engalanado, emperejilado. Ú. t. c. s.

catrintre. m. *Chile.* Queso hecho de leche desnatada. ‖ **2.** *Chile.* Pobre mal vestido.

caturra. f. *Chile.* Cotorra o loro pequeño.

cauba. f. Arbolito espinoso de la República Argentina, que sirve de adorno y cuya madera se usa en ebanistería.

cauca. m. *Col.* y *Ecuad.* Hierba forrajera que se siembra en los potreros cercados, para alimento de las bestias. ‖ **2.** *Bol.* Bizcocho de harina de trigo.

caucano, na. adj. Natural de Cauca. Ú. t. c. s. ‖ **2.** Perteneciente o relativo a este departamento de Colombia.

caucáseo, a. (Del lat. *Caucasēus.*) adj. Perteneciente a la cordillera del Cáucaso.

caucasiano, na. adj. **caucáseo.**

caucásico, ca. adj. Aplícase a la raza blanca o indoeuropea, por suponerla oriunda del Cáucaso.

caucáu. m. *Perú.* Guiso picante hecho con el estómago de la vaca cortado en trozos pequeños.

cauce. (Del lat. *calix, -ĭcis,* tubo de conducción.) m. Lecho de los ríos y arroyos. ‖ **2.** Conducto descubierto o acequia por donde corren las aguas para riegos u otros usos. ‖ **3.** Modo, procedimiento o norma. *La vida política discurría por antiguos* CAUCES.

caucel. (Del azteca *quauh-ocelotl,* tigre de árbol.) m. *C. Rica, Hond.* y *Nicar.* Gato montés o tigrillo americano, animal inofensivo, a diferencia del ocelote, que es feroz. Vive en los árboles a orillas de los ríos y tiene la piel, que es hermosa, manchada como el jaguar.

caucense. (De *Cauca.*) adj. Natural de Coca. Ú. t. c. s. ‖ **2.** Perteneciente o relativo a esta villa de la provincia de Segovia.

caucera. (De *cauce.*) f. ant. **cacera**[1].

caución. (Del lat. *cautĭo, -ōnis.*) f. Prevención, precaución o cautela. ‖ **2.** *Der.* Seguridad personal de que se cumplirá lo pactado, prometido o mandado. ‖ **de conducta.** *Der.* Pena que obliga al reo a presentar un fiador abonado que se haga responsable de que no se ejecutará el mal que se trata de precaver, obligándose a entregar, si se causare, la cantidad fijada en la sentencia; si no la diere el penado incurrirá en la pena de destierro. ‖ **de indemnidad.** *Der.* La que se otorga para dejar a otro exento de alguna obligación. ‖ **juratoria.** *Der.* La que se abona con juramento. ‖ **2.** *Der.* Obligación que hacía el pobre que no tenía fiador, para salir de la cárcel, jurando volver a ella cuando se le mandase.

caucionar. tr. *Der.* Dar caución. ‖ **2.** *Der.* Precaver cualquier daño o perjuicio.

caucionero. m. ant. El que hace la fianza y da caución.

caucos. (Del lat. *Cauci, -os.*) m. pl. Antiguo pueblo del nordeste de la Germania.

caucha. f. *Chile.* Especie de cardo, de hojas lanceoladas, de 20 centímetros de largo. Se usa como antídoto de la picadura de la araña venenosa.

cauchal. m. Sitio que abunda en plantas de caucho.

cauchau. m. *Chile.* Fruto de la luma, semejante en la figura y gusto a la murtilla.

cauchero, ra. adj. Perteneciente o relativo al caucho. ‖ **2.** m. El que busca o trabaja el caucho. ‖ **3.** f. Planta de la cual se extrae el caucho.

cauchil. (Voz mozárabe, del lat. **calicellus,* de *calix, -ĭcis,* cauce.) m. *Gran.* **arca de agua.**

caucho. (Voz americana, que significa impermeable.) m. Látex producido por varias moráceas y euforbiáceas intertropicales, que después de coagulado, es una masa impermeable muy elástica, y tiene muchas aplicaciones en la industria. ‖ **2.** Por ext., en América, árbol del que se extrae este látex, hevea. ‖ **3.** *Venez.* Neumático de los automóviles, bicicletas, motocicletas, etc. ‖ **4.** *Venez.* Prenda de vestir que se usa para resguardarse de la lluvia. ‖ **5.** *Col.* y *Venez.* Cubierta exterior del neumático.

cauchotina. f. *Quím.* Compuesto de caucho, muy usado en las tenerías para dar flexibilidad e impermeabilidad a las pieles.

cauda. (Del lat. *cauda,* cola.) f. Falda o cola de la capa magna o consistorial.

caudado, da. (Del lat. *caudātus,* con cola.) adj. *Blas.* Aplícase al cometa o estrella heráldicos que tiene cola o una punta más larga que las otras y de esmalte diferente. *Un cometa* CAUDADO *de oro.*

caudal[1]**.** (Del lat. *capitālis,* capital.) adj. **caudaloso,** de mucha agua. ‖ **2.** V. **águila caudal.** ‖ **3.** ant. **principal,** que es el más importante. ‖ **4.** m. Cantidad de agua que mana o corre. ‖ **5.** Hacienda, bienes de cualquier especie, y más comúnmente dinero. ‖ **6.** fig. Abundancia de cosas que no sean dinero o hacienda. ‖ **7.** ant. Capital o fondo. ‖ **relicto.** *Der.* **bienes relictos.** ‖ **echar caudal en** alguna cosa. fr. Gastarlo en ella. ‖ **hacer caudal de** una persona o cosa. fr. fig. p. us. Tenerla en aprecio y estimación, haciendo mucho caso de ella. *Es la mejor gente que tiene el rey y de que más*

CAUDAL HACE. ‖ **redondear** alguien **el,** o **su, caudal.** fr. Completarlo, sanearlo.

caudal[2]. (Del lat. *cauda,* cola.) adj. Perteneciente o relativo a la cola.

caudalejo. m. d. de **caudal**[1], hacienda, bienes.

caudalosamente. adv. m. Con mucho caudal o con gran abundancia.

caudaloso[1], **sa.** (De *caudal*[1].) adj. De mucha agua. *Río, lago, manantial* CAUDALOSO. ‖ **2. acaudalado,** que tiene muchos bienes.

caudaloso[2], **sa.** (De *caudal*[2].) adj. V. **águila caudalosa.**

caudatario. (Del b. lat. *caudatarĭus,* y este del lat. *cauda,* cola.) m. Eclesiástico doméstico del obispo o arzobispo, destinado a llevarle alzada la cauda.

caudato, ta. (Del lat. *caudātus,* con cola.) adj. V. **cometa, soneto caudato.** ‖ **2.** *Blas.* **caudado.**

caudatrémula. (Del lat. *cauda tremŭla,* cola temblona.) f. **aguzanieves.**

caudillaje. m. Mando o gobierno de un caudillo. ‖ **2.** *Amér.* **caciquismo.** ‖ **3.** *Argent., Chile* y *Perú.* Conjunto o sucesión de caudillos. ‖ **4.** *Argent.* y *Perú.* Época de su predominio histórico.

caudillismo. m. Sistema de caudillaje o gobierno de un caudillo.

caudillo. (Del lat. **capitellum* por *capitŭlum,* cabeza.) m. El que como cabeza, guía y manda la gente de guerra. ‖ **2.** El que dirige algún gremio, comunidad o cuerpo.

caudimano o **caudímano.** (Del lat. *cauda* y *manus.*) adj. *Zool.* Dícese del animal que tiene cola prensil y del que se sirve de ella como instrumento de trabajo; como el castor.

caudino, na. (Del lat. *Caudīnus.*) adj. Natural de Caudio. Ú. t. c. s. ‖ **2.** Perteneciente a esta antigua ciudad samnita.

caudón. (Del lat. *cauda,* cola.) m. **alcaudón.**

caujazo. m. Planta americana, de la familia de las borragináceas.

cauje. m. *Ecuad.* **caimito.**

caula. f. *Chile, Guat.* y *Hond.* Treta, engaño, ardid.

caulescente. (Del lat. *caulescens, -entis,* de *caulescĕre,* crecer en tallo.) adj. *Bot.* Dícese de la planta cuyo tallo se distingue fácilmente de la raíz por estar bien desarrollado.

caulícolo. m. *Arq.* **caulículo.**

caulículo. (Del lat. *caulicŭlus,* d. de *caulis,* tallo.) m. *Arq.* Cada uno de los vástagos que nacen del interior de las hojas que adornan el capitel corintio, y van a enroscarse en los ángulos y medios del ábaco.

caulífero, ra. (Del lat. *caulis,* tallo, y *ferre,* llevar.) adj. *Bot.* Dícese de las plantas cuyas flores nacen sobre el tallo.

cauliforme. (Del lat. *caulis,* tallo, y *-forme.*) adj. De forma de tallo.

caulinar. (Del lat. *caulis,* tallo.) adj. *Bot.* Perteneciente o relativo al tallo.

caulote. (Del azteca *quauhziotl,* herpe de árbol.) m. *Hond.* Árbol malváceo, semejante al moral en la hoja y fruto. El mucílago que abunda en la corteza se emplea contra la disentería.

cauno. m. **chajá.**

cauque. m. *Chile.* Pejerrey grande. ‖ **2.** fig. *Chile.* Persona lista y viva.

cauquén. m. *Chile.* **canquén.**

cauquenino, na. adj. Natural de la ciudad de Cauquenes. Ú. t. c. s. ‖ **2.** Perteneciente o relativo a esta ciudad de Chile.

cauri. (De or. bengalí.) m. Molusco gasterópodo que abunda en las costas del Oriente y cuya concha blanca y brillante servía de moneda en la India y costas africanas.

cauriense. (Del lat. *Cauriensis.*) adj. Natural de Caurio, hoy Coria. Ú. t. c. s. ‖ **2.** Perteneciente a esta antigua ciudad de la provincia de Cáceres.

cauro. (Del lat. *caurus.*) m. **noroeste,** viento.

causa[1]. (Del lat. *causa.*) f. Lo que se considera como fundamento u origen de algo. ‖ **2.** Motivo o razón para obrar. ‖ **3.** Empresa o doctrina en que se toma interés o partido. ‖ **4. litigio,** pleito judicial. ‖ **5.** *Der.* Proceso criminal que se instruye de oficio o a instancia de parte. ‖ **6.** *Der.* V. **continencia de la causa.** ‖ **eficiente.** *Fil.* Primer principio productivo del efecto, o la que hace o por quien se hace alguna cosa. ‖ **final.** *Fil.* Fin con que o por que se hace alguna cosa. ‖ **formal.** La que hace que alguna cosa sea formalmente lo que es. ‖ **ilícita.** La que se opone a las leyes o a la moral. ‖ **impulsiva.** *Fil.* Razón o motivo que inclina a hacer alguna cosa. ‖ **instrumental.** La que sirve de instrumento. ‖ **lucrativa.** *Der.* Título dimanado de la liberalidad, por oposición al conmutativo u oneroso. ‖ **motiva. causa impulsiva.** ‖ **onerosa.** *Der.* La que implica conmutación de prestaciones. ‖ **primera.** *Fil.* La que con independencia absoluta produce el efecto, y así, solo Dios es propiamente **causa** primera. ‖ **pública.** Utilidad y bien del común. ‖ **segunda.** *Fil.* La que produce su efecto con dependencia de la primera. ‖ **causas mayores.** En el derecho canónico, las que son reservadas a la Sede Apostólica, de las cuales solo juzga el Papa. ‖ **a causa de.** loc. prepos. Por el motivo que se indica. ‖ **acriminar la causa.** fr. *Der.* Agravar o hacer mayor el delito o la culpa. ‖ **arrastrar la causa.** fr. *Der.* Avocar un tribunal el conocimiento de alguna **causa** que pendía en otro. ‖ **conocer de una causa.** fr. *Der.* Ser juez de ella. ‖ **dar la causa por conclusa.** fr. *Der.* Declararla terminada y a punto de sentenciarla. ‖ **formar,** o **hacer,** uno **causa común con** otro. fr. Aunarse con una persona para un mismo fin. ‖ **hacer** uno **la causa de** otro. fr. Favorecerla. ‖ **salir** uno **a la causa.** fr. *Der.* **salir a la demanda,** mostrarse parte en un pleito.

causa[2]. (Del quechua *causay,* el sustento de la vida.) f. fam. *Perú.* Puré de papas, aderezado con lechugas, queso fresco, aceitunas, choclo y ají. Se come frío y es plato criollo.

causador, ra. adj. Que causa. Ú. t. c. s.

causahabiente. m. *Der.* Persona que ha sucedido o se ha subrogado por cualquier otro título en el derecho de otra u otras.

causal. (Del lat. *causālis.*) adj. Que se refiere a la causa[1] o se relaciona con ella. ‖ **2.** *Gram.* V. **conjunción causal.** ‖ **3.** *Gram.* Dícese de la oración subordinada que contiene la causa de lo expresado en la oración principal. ‖ **4.** f. p. us. Razón y motivo de alguna cosa.

causalidad. (De *causal.*) f. Causa, origen, principio. ‖ **2.** *Fil.* Ley en virtud de la cual se producen efectos.

causante. p. a. de **causar.** Que causa. Ú. t. c. s. ‖ **2.** m. *Der.* Persona de quien proviene el derecho que alguno tiene.

causar. (Del lat. *causāre.*) tr. Producir la causa su efecto. ‖ **2.** Ser causa, razón y motivo de que suceda una cosa. Ú. t. c. prnl. ‖ **3.** Por ext., ser ocasión o darla para que una cosa suceda. Ú. t. c. prnl. ‖ **4.** *Ar.* Hacer causa o proceso.

causativo, va. (Del lat. *causatīvus.*) adj. Que es origen o causa de alguna cosa. ‖ **2.** *Gram.* V. **verbo causativo.**

causear. intr. *Chile.* Tomar el causeo; merendar. ‖ **2.** *Chile.* Comer a deshora fiambres. ‖ **3.** tr. *Chile.* Comer, en general. ‖ **4.** fig. *Chile.* Vencer con facilidad a una persona.

causeo. (De *causear.*) m. *Chile.* Comida que se hace fuera de horas, ordinariamente de fiambres o cosas secas.

causeta. (Del lat. *capsa,* caja.) f. *Chile.* Nombre de una hierba que nace entre el lino.

causía. (Del lat. *causĭa,* del gr. καυσία.) f. *Indum.* Sombrero de fieltro y alas anchas, usado por los antiguos griegos y romanos.

causídica. f. *Arq.* Crucero de iglesia.

causídico, ca. (Del lat. *causidĭcus.*) adj. *Der.* Perteneciente a causas o pleitos. ‖ **2.** m. **abogado** en cuestiones legales.

causón. (Del lat. *causon, -ōnis,* y este del gr. καῦσος, ardor.) m. Fiebre alta y pasajera sin graves consecuencias.

cáusticamente. adv. m. De una manera acre, mordicante.

causticar. (De *cáustico.*) tr. Dar causticidad a alguna cosa.

causticidad. f. Calidad de cáustico. ‖ **2.** fig. Malignidad en lo que se dice o escribe, mordacidad.

cáustico, ca. (Del lat. *caustĭcus,* que quema.) adj. Dícese de lo que quema y destruye los tejidos animales. ‖ **2.** fig. Mordaz, agresivo. ‖ **3.** *Cir.* Aplícase al medicamento que desorganiza los tejidos como si los quemase, produciendo una escara. Ú. m. c. s. m. ‖ **4.** m. **vejigatorio.**

cautela. (Del lat. *cautēla,* de *cautus,* cauto.) f. Precaución y reserva con que se procede. ‖ **2.** Astucia, maña y sutileza para engañar. ‖ **absolver a cautela.** fr. Se dice en el juicio eclesiástico cuando, en la duda de si alguno ha incurrido o no en la excomunión, se le absuelve.

cautelar[1]. (De *cautela.*) tr. Prevenir, precaver. ‖ **2.** prnl. Precaverse, recelarse.

cautelar[2]. adj. *Der.* Preventivo, precautorio. Ú. t. en sent. fig. ‖ **2.** *Der.* Dícese de las medidas o reglas para prevenir la consecución de determinado fin o precaver lo que pueda dificultarlo. *Acción, procedimiento, sentencia,* CAUTELARES.

cauteloso, sa. adj. Que obra con cautela. ‖ **2.** fig. Se aplica también a las acciones y a las cosas hechas con cautela.

cauterio. (Del lat. *cauterĭum,* y este del gr. καυτήριον.) m. **cauterización.** ‖ **2.** fig. Lo que corrige o ataja eficazmente algún mal. ‖ **3.** *Cir.* Medio empleado en cirugía para convertir los tejidos en una escara. ‖ **actual.** *Cir.* Instrumento que consiste en una varilla metálica con mango en uno de sus extremos y diversamente conformada en el otro, la cual se aplica candente para la formación instantánea de una escara. ‖ **potencial.** *Cir.* El que obra con más o menos lentitud por sus propiedades químicas.

cauterización. f. Acción y efecto de cauterizar.

cauterizador, ra. adj. Que cauteriza. Ú. t. c. s.

cauterizar. (Del lat. *cauterizāre.*) tr. *Cir.* Restañar la sangre, castrar las heridas y curar otras enfermedades con el cauterio. ‖ **2.** fig. Corregir con aspereza o rigor algún vicio. ‖ **3.** fig. Calificar o tildar con alguna nota.

cautín. m. Aparato para soldar con estaño.

cautivador, ra. adj. Que cautiva.

cautivar. (Del lat. *captivāre.*) tr. Aprisionar al enemigo en la guerra, privándole de libertad. ‖ **2.** fig. Atraer, ganar. CAUTIVAR *la atención, la voluntad.* ‖ **3.** fig. Ejercer irresistible influencia en el ánimo por medio de atractivo físico o moral. ‖ **4.** intr. Ser hecho cautivo, o entrar en cautiverio.

cautiverio. (De *cautivo.*) m. Privación de libertad en manos de un enemigo. ‖ **2.** Por ext., **encarcelamiento,** vida en la cárcel. ‖ **3.** Privación de la libertad a los animales no domésticos. ‖ **4.** Estado de vida de estos animales.

cautividad. (Del lat. *captivĭtas, -ātis.*) f. **cautiverio.**

cautivo, va. (Del lat. *captivus.*) adj. Aprisionado en la guerra. Aplicábase más particularmente a los cristianos hechos prisioneros por los infieles. Ú. t. c. s. ‖ **2.** ant. **cativo[1],** infeliz, desgraciado.

cauto, ta. (Del lat. *cautus,* p. p. de *cavēre,* precaver.) adj. Que obra con sagacidad o precaución.

cauz. (Del lat. *calix, -icis,* conducto de agua.) m. **caz.**

cauza. (Del lat. *capsa,* caja.) f. *Murc.* Caja de esparto, donde se incuba el huevo del gusano de seda.

cava[1]. (De *cavar.*) f. Acción de cavar; y más comúnmente, la labor que se hace a las viñas, cavándolas. ‖ **de líneas.** Labor equivalente a la chasca; la que se da a la planta en el sitio próximo al tallo donde no pudo llegar la labor mecánica.

cava[2]. (Del lat. *cava,* zanja, cueva.) f. En palacio, dependencia donde se cuidaba del agua y del vino que bebían las personas reales. ‖ **2. foso,** excavación en torno de un fuerte. ‖ **3.** ant. Cueva u hoyo. ‖ **4.** Cueva donde se elabora cierto vino espumoso, al estilo del que se fabrica en la Champaña, región del norte de Francia. ‖ **5.** m. Ese mismo vino.

cavacote. (De *cavar* y *coto.*) m. Montón pequeño de tierra hecho con la azada para que sirva de señal o mojón.

cavada. (De *cavar.*) f. ant. Hoyo que se forma en la tierra, generalmente cavándola.

cavadiza. adj. Aplícase a la arena o tierra que se separa cavando.

cavado, da. (Del lat. *cavātus.*) adj. ant. **cóncavo,** de superficie deprimida en el centro.

cavador. (Del lat. *cavātor, -ōris.*) m. El que tiene por oficio cavar la tierra. ‖ **2.** ant. Enterrador o sepulturero.

cavadura. (Del lat. *cavatūra.*) f. Acción y efecto de cavar.

cavalillo. (De *caballo.*) m. *Agr.* Reguera o canal entre dos fincas.

caván. m. Medida filipina de capacidad para áridos, igual a 25 gantas, y a una fanega, cuatro celemines y medio cuartillo, o a 75 litros aprox.

cavanillero, ra. m. y f. *Sal.* Persona que tiene las piernas largas y delgadas.

cavar. (Del lat. *cavāre.*) tr. Levantar y mover la tierra con la azada, azadón u otro instrumento semejante. ‖ **2.** intr. Ahondar, penetrar. ‖ **3.** desus. fig. **cavilar.**

cavaria. f. Ave americana que defiende a las demás de ciertas aves de rapiña.

cavaril. m. *Sal.* **cavador,** que tiene por oficio cavar.

cavaros. (Del lat. *Cavares.*) m. pl. Antiguo pueblo de la Galia céltica, o mediodía de Francia.

cavatina. (Del it. *cavatina,* der. del lat. *cavāre,* cavar.) f. *Mús.* Aria de cortas dimensiones, que a veces consta de dos tiempos o partes.

cavazón. f. Acción de cavar las tierras.

cávea. (Del lat. *cavĕa.*) f. *Arqueol.* Jaula romana para aves y otros animales. ‖ **2.** *Arqueol.* Cada una de las dos zonas en que se dividía la gradería de los teatros y de los circos romanos.

cavedio. (Del lat. *cavaedĭum.*) m. *Arqueol.* Patio de la casa, entre los antiguos romanos.

caverna. (Del lat. *caverna.*) f. Concavidad profunda, subterránea o entre rocas. ‖ **2.** *Med.* Hueco que resulta en algunos tejidos orgánicos después de evacuada la materia tuberculosa, o de salir el pus de un absceso, y en algunas úlceras cuando ha habido pérdida de sustancia.

cavernario, ria. adj. Propio de las cavernas, o que tiene caracteres de ellas. ‖ **2.** Dícese del hombre prehistórico que vivía en cavernas.

cavernícola. adj. Que vive en las cavernas. Ú. t. c. s. ‖ **2.** despect. fig. y fam. **retrógrado,** partidario de instituciones políticas que se consideran anticuadas.

cavernidad. f. **cavernosidad.**

cavernosidad. f. Oquedad, hueco natural de la tierra, cueva. Ú. m. en pl.

cavernoso, sa. (Del lat. *cavernōsus.*) adj. Perteneciente, relativo o semejante a la caverna en alguna de sus cualidades. *Humedad, oscuridad* CAVERNOSA. ‖ **2.** Aplícase especialmente a la voz, a la tos, a cualquier sonido sordo y bronco. ‖ **3.** Que tiene muchas cavernas.

cavero. (De *cava,* zanja.) m. *Ál.* Obrero dedicado a abrir zanjas de desagüe en las tierras labrantías.

caveto. (Del it. *cavetto.*) m. *Arq.* Moldura cóncava cuyo perfil es un cuarto de círculo.

caví. m. Raíz seca y guisada de la oca del Perú.

cavia[1]. (Del lat. *cavĕa.*) f. Especie de alcorque o excavación.

cavia[2]. m. **conejillo de Indias.**

cavial. (Del it. *caviale.*) m. desus. **caviar.**

caviar. (Del turco *havyar*, a través del it. ant. *caviare*, hoy *caviale*.) m. Manjar que consiste en huevas de esturión frescas y salpresas.
cavicornio. (Del lat. *cavus*, hueco, y *cornu*, cuerno.) adj. *Zool.* Dícese de los rumiantes de la familia de los bóvidos porque tienen huecos los cuernos. Ú. t. c. s. pl.
cavidad. (Del lat. *cavĭtas, -ātis*.) f. Espacio hueco dentro de un cuerpo cualquiera. ‖ **paleal.** *Zool.* Espacio prácticamente cerrado, formado por un repliegue libre del manto de los moluscos, donde se sitúan las branquias.
cavilación. (Del lat. *cavillatĭo, -ōnis*.) f. Acción y efecto de cavilar. ‖ **2. cavilosidad.**
cavilar. (Del lat. *cavillāre*.) tr. Pensar con intención o profundidad en alguna cosa. Ú. t. c. intr.
cavilo. m. desus. Razón sofística o engañosa.
cavilosamente. adv. m. Con cavilación.
cavilosidad. (De *caviloso*.) f. Aprensión infundada, juicio poco meditado.
caviloso, sa. (Del lat. *cavillōsus*.) adj. Que por sobrada suspicacia, desconfianza y aprensión, se deja preocupar de alguna idea, dándole excesiva importancia y deduciendo consecuencias imaginarias.
cavío. (De *cavar*.) m. *Sal.* **cava,** acción de cavar.
cavo[1]**.** (Del lat. *cavum*.) m. Huronera o madriguera.
cavo[2]**, va.** (Del lat. *cavus*.) adj. ant. **cóncavo,** de superficie deprimida en el centro. ‖ **2.** *Anat.* V. **vena cava.** Ú. t. c. s.
cavón. (De *cavar*.) m. *León, Vallad.* y *Zam.* Terrón grande en las tierras de labor.
cavorca. f. *Val.* **cueva.**
cay o **caí.** (Voz guaraní de or. onomatopéyico.) m. *Argent.* **mono capuchino.**
cayá. m. Cargo o dignidad personal en Argel, inmediatamente inferior al agá.
cayada. (Del lat. *caia*, garrote.) f. **cayado,** bastón corvo rústico.
cayadilla. (De *cayada*.) f. Instrumento que usan los forjadores, y consiste en un hierro largo como de 70 centímetros, con el que agrupan el carbón en el centro del hogar.
cayado. (Del lat. *caia*, garrote.) m. Palo o bastón corvo por la parte superior. Suelen usarlo los pastores para prender y retener las reses. ‖ **2.** Báculo pastoral de los obispos. ‖ **de la aorta.** Arco que describe esta arteria cerca de su nacimiento en el ventrículo izquierdo, para descender a lo largo del tórax y del abdomen.
cayajabo. m. *Cuba.* Semilla muy dura, de color rojo oscuro, de una planta papilionácea. ‖ **2.** *Cuba.* Mate amarillo.
cayama. f. *Cuba.* Ave zancuda, acuática, que se alimenta de peces; construye su nido en la copa de los árboles.
cayán. m. **tapanco.**
cayana. f. **callana,** vasija de los indios.
cayanco. m. *Hond.* Cataplasma de hierbas calientes.
cayapear. intr. *Venez.* Reunirse muchos para atacar a uno sobre seguro.
cayapona. f. Planta americana, de la familia de las cucurbitáceas, de cuyo fruto se extrae un purgante muy enérgico.
cayapós. m. pl. *Etnogr.* Pueblo de indígenas del Brasil, en el Goyaz meridional.
cayarí. m. *Cuba.* Cangrejo pequeño, de color rojo, que vive en agujeros que abre en terrenos húmedos, a orillas de los ríos.
cayaya. f. *Cuba.* Arbusto silvestre, de la familia de las borragináceas, de flores blancas en racimos, y fruta parecida a la pimienta. ‖ **2.** *Guat.* Especie de chachalaca.
cayena. (Del tupí *quiynha* con infl. de *Cayena*, capital de la Guayana francesa.) f. Especia muy picante extraída del guindillo de Indias.
cayente. (Del lat. *cadens, -entis*.) p. a. de **caer.** Que cae.
cayeputi. (Del malayo *kāyu putì*, árbol blanco.) m. Árbol de la India Oriental y de Oceanía, de la familia de las mirtáceas, con el tronco negro y los ramos blancos, hojas alternas, lanceoladas, puntiagudas y falcadas, flores en espiga y frutos capsulares con muchas semillas. De las hojas se saca por destilación un aceite fuertemente aromático que se emplea en medicina.
cayetés. m. pl. *Etnogr.* Nombre de una antigua tribu de indígenas del Brasil que existían al tiempo de su descubrimiento.
cayo. (De or. antillano.) m. Cualquiera de las islas rasas, arenosas, frecuentemente anegadizas y cubiertas en gran parte de mangle, muy comunes en el mar de las Antillas y en el golfo mejicano.
cayota. f. *Ast.* y *Argent.* **cayote**[1]**.**
cayote[1]**.** (Del nahua *chayutli*, calabaza blanca.) m. **chayote.** ‖ **2.** V. **cidra cayote.**
cayote[2]**.** m. *Zool.* **coyote.**
cayuco[1]**.** m. Embarcación india de una pieza, más pequeña que la canoa, con el fondo plano y sin quilla, que se gobierna y mueve con el canalete.
cayuco[2]**, ca.** m. y f. *Cuba.* Persona de cabeza grande.
cayuela. f. *Ál.* y *Cantabria.* Roca caliza, de color azulado, que abunda en fósiles del período cretáceo.
cayumbo. m. *Cuba.* Especie de junco que nace en las ciénagas y en los ríos.
cayutana. f. Planta de Filipinas, perteneciente a la familia de las rutáceas.
caz. (Del lat. *calix, -icis*, conducto de agua.) m. Canal para tomar el agua y conducirla a donde es aprovechada.
caza[1]**.** (De *cazar*.) f. Acción de cazar. ‖ **2.** Conjunto de animales salvajes, antes y después de cazados. ‖ **3. alcance,** seguimiento, persecución. ‖ **4.** V. **anteojo, buey, cuerno, partida, pólvora de caza.** ‖ **5.** m. **avión de caza.** ‖ **de brujas** (Del ing. *witch-hunting*.) Persecución debida a prejuicios sociales o políticos. ‖ **mayor.** La de jabalíes, lobos, ciervos, etc. ‖ **menor.** La de liebres, conejos, perdices, palomas, etc. ‖ **alborotar la caza.** fr. fig. y fam. **levantar la caza.** ‖ **andar a caza de** una cosa. fr. fig. y fam. Procurarla o solicitarla. ‖ **andar a caza de gangas.** fr. fig. y fam. Procurar proporcionarse utilidades y ventajas con poco trabajo o a poca costa. ‖ **2.** ant. fig. y fam. Empeñarse en conseguir una cosa difícil, con riesgo de quedar burlado. ‖ **dar caza.** fr. Perseguir a un animal para cogerlo o matarlo. Ú. t. en sent. fig. ‖ **2.** Procurar con afán llegar a comprender o conseguir alguna cosa. DAR CAZA *a un secreto, a un empleo.* ‖ **3.** *Mar.* Perseguir una embarcación a otra con toda diligencia para alcanzarla. ‖ **espantar la caza.** fr. fig. y fam. Precipitar o perder un negocio, por anticipar importunamente los medios para conseguirlo, o por emplear los que no son a propósito. ‖ **ir a caza de gangas.** fr. fig. y fam. **andar a caza de gangas.** ‖ **levantar la caza.** fr. fig. y fam. Llamar la atención sobre algún asunto dando lugar a que otro se entremeta en él. ‖ **ponerse en caza.** fr. *Mar.* Maniobrar para que una nave se ponga en fuga y escape de otra que la persigue. ‖ **seguir la caza.** fr. fig. y fam. **seguir la liebre.**
caza[2]**.** (De *Gaza*.) f. Lienzo muy delgado semejante a la gasa, usado antiguamente.
cazabe. (Del arahuaco *cazabi*, pan de yuca.) m. Torta que se hace en varias partes de América con una harina sacada de la raíz de la mandioca.
cazabombardero. m. Avión de combate que combina la capacidad de perseguir a otro, enemigo, con la de arrojar bombas sobre un determinado objetivo.
cazaclavos. (De *cazar* y *clavo*.) m. Especie de tenaza que sirve para arrancar los clavos.
cazadero, ra. adj. Que puede ser cazado. ‖ **2.** m. Sitio en que se caza o apropiado para cazar.

cazado, da. p. p. de **cazar.** ‖ **2.** adj. Dícese del perro acostumbrado a la caza. *Este perro está aún poco* CAZADO.

cazador, ra. adj. Que caza por oficio o por diversión. Ú. t. c. s. ‖ **2.** V. **misa de los cazadores.** ‖ **3.** Se dice de los animales que por instinto persiguen y cazan otros animales; como de los perros y los gatos. ‖ **4.** fig. y fam. Dícese del que gana a otro, trayéndolo a su partido. ‖ **5.** m. Soldado que hacía el servicio en tropas ligeras. ‖ **6.** *C. Rica.* Ave muy vivaz y de lindo plumaje de color amarillo limón, que vive de insectos, emigra en su época y gorjea de un modo agradable. ‖ **7.** *Col.* Serpiente de gran tamaño no venenosa. ‖ **de alforja.** El que no mata la caza con escopeta, sino con perros, lazos u otro artificio. ‖ **mayor.** Oficio de gran honor en palacio, que ejercía el montero mayor. Era jefe de la volatería y cetrería. ‖ **al mejor cazador se le va la liebre.** fr. fig. que expresa cómo el más hábil en cualquier materia puede errar por equivocación u olvido.

cazadora. f. Especie de chaqueta usada por lo general para la caza y el deporte. ‖ **2.** Por ext., la que es corta y ajustada a la cadera, de línea deportiva, hecha de material resistente, como paño, cuero, etc.

cazadotes. (De *cazar* y *dote.*) m. El que trata de casarse con una mujer rica.

cazaguate. m. *Méj.* Planta semejante a la pasionaria.

cazalla. f. Aguardiente fabricado en Cazalla de la Sierra, pueblo de la provincia de Sevilla.

cazallero, ra. adj. Natural de Cazalla. Ú. t. c. s. ‖ **2.** Perteneciente a esta ciudad.

cazar. (Del lat. **captiāre,* de *captāre,* coger.) tr. Buscar o seguir a las aves, fieras y otras muchas clases de animales para cobrarlos o matarlos. ‖ **2.** fig. y fam. Adquirir con destreza alguna cosa difícil o que no se esperaba. ‖ **3.** fig. y fam. Prender, cautivar la voluntad de alguno con halagos o engaños. ‖ **4.** fig. y fam. Sorprender a alguno en un descuido, error o acción que desearía ocultar. ‖ **5.** *Mar.* Poner tirante la escota, hasta que el puño de la vela quede lo más cerca posible de la borda. ‖ **cazar largo,** o **muy largo.** fr. fig. y fam. Ser muy advertido o sagaz.

cazarete. m. Una de las piezas de la jábega o del boliche.

cazarra. (De *cazo.*) f. *Ál.* Pesebre hecho del tronco de un árbol, que sirve para dar en el campo pienso al ganado, más comúnmente al lanar.

cazarrica. (d. de *cazarra.*) f. *Ál.* Artesa pequeña para la comida de las aves de corral.

cazarro. (De *cazo.*) m. *Ál.* Tronco de árbol ahuecado en figura de canal, para desalojar agua sobrante.

cazata. f. **cacería,** partida de caza. ‖ **2. cacería,** piezas cobradas.

cazatalentos. (Traducción del ing. *talent scout* o *headhunter.*) com. Persona dedicada a buscar individuos idóneos para ser contratados por compañías necesitadas de ellos.

cazatorpedero. m. *Mar.* Buque de guerra pequeño y bien armado, de marcha muy rápida, destinado a la persecución de los torpederos enemigos.

cazcalear. intr. fam. Andar de una parte a otra fingiendo hacer algo útil.

cazcarria. f. Lodo o barro que se coge y seca en la parte de la ropa que va cerca del suelo. Ú. m. en pl.

cazcarriento, ta. adj. fam. Que tiene muchas cazcarrias.

cazcarrioso, sa. adj. **cazcarriento.**

cazcorvo, va. adj. **cascorvo.**

cazo. (Posiblemente del b. lat. *cattĭa.*) m. Recipiente de cocina, de metal, porcelana, etc., generalmente más ancho por la boca que por el fondo, pero a veces cilíndrico, con mango y, por lo general, un pico para verter. ‖ **2.** Utensilio de cocina que consta de un recipiente semiesférico con mango largo y que se destina a transvasar alimentos líquidos o de poca consistencia de un recipiente a otro. ‖ **3.** Recipiente metálico con mango, que usan los carpinteros para hacer o calentar la cola. ‖ **4. cazoleta,** pieza de hierro que se pone a la espada para resguardo de la mano. ‖ **5.** fig. y fam. V. **mano de cazo.**

cazolada. f. Cantidad de comida que cabe en una cazuela.

cazoleja. f. d. de **cazuela.** ‖ **2. cazoleta** de las armas de fuego.

cazolero. (De *cazuela.*) adj. **cominero.** Ú. t. c. s.

cazoleta. f. d. de **cazuela.** ‖ **2.** Pieza de la llave de las armas de chispa, inmediata al oído del cañón; era cóncava, a modo de media esfera, y se llenaba de pólvora, para que, recibiendo las chispas del pedernal, inflamase la carga e hiciese disparar el tiro. ‖ **3.** Pieza redonda de acero, que se fija en el medio de la parte exterior del broquel para cubrir su empuñadura, y se hace de varias figuras. ‖ **4.** Pieza de hierro u otro metal, que se pone debajo del puño de la espada y del sable, y sirve para resguardo de la mano. ‖ **5.** Especie de perfume. ‖ **6.** Receptáculo pequeño que llevan algunos objetos, como el palo del boliche, el depósito del tabaco en la pipa o el narguile, etc.

cazoletear. intr. **cucharetear,** meterse en negocios ajenos.

cazoletero. adj. **cazolero.** Ú. t. c. s.

cazolón. m. aum. de **cazuela.**

cazón[1]. (De *cazar.*) m. Pez selacio del suborden de los escuálidos, de unos dos metros de largo, de cuerpo esbelto y semejante al del marrajo, pero la aleta caudal no es semilunar y la cola carece de quillas longitudinales en su raíz. Tiene los dientes agudos y cortantes.

cazón[2]. (Del fr. *casson,* pan de azúcar.) m. ant. Azúcar que, por no estar bien purificado, es moreno.

cazonal. (De *cazón[1].*) m. Conjunto de arreos y aparejos que sirven para la pesca de los cazones, como redes, cuerdas, anzuelos, barcos, etc. ‖ **2.** Red de grandes mallas que se cala al fondo del agua para pescar cazones y otros peces grandes. ‖ **3.** fig. y fam. Negocio o empeño muy arduo y sin salida. *Meterse en un* CAZONAL.

cazonete. m. *Mar.* Muletilla cilíndrica de madera, que se pone a la extremidad de un cabo para pasarla por una gaza.

cazorría. (De *cazurro.*) f. ant. Dicho indecoroso o malsonante.

cazudo, da. (De *cazo.*) adj. desus. Decíase del cuchillo que tiene mucho recazo, o que lo tiene pesado.

cazuela. ((De *cazo.*) f. Vasija, por lo común redonda y de barro, más ancha que honda, que sirve para guisar y otros usos. ‖ **2.** Guisado que se hace en ella, compuesto de varias legumbres y carne. ‖ **3.** Recipiente de cocina, hecho de metal, más ancho que alto, con dos asas y tapa. ‖ **4.** Sitio que ocupaban las mujeres en el corral de comedias. ‖ **5.** Galería alta o paraíso, en los teatros. ‖ **6.** fig. **cazolada.** ‖ **7.** *Impr.* Componedor ancho que puede contener varias líneas. ‖ **carnicera.** La grande, en que se puede guisar mucha carne. ‖ **mojí,** o **mojina.** Torta cuajada, hecha en **cazuela,** con queso, pan rallado, berenjenas, miel y otras cosas.

cazumbrar. (De *cazumbre.*) tr. Juntar con cazumbre las duelas y tablas de las cubas de vino, uniéndolas a golpe de mazo para que no se salgan.

cazumbre. m. Cordel de estopa poco torcida, con que se unen las tablas y duelas de las cubas de vino. ‖ **2.** *Ast.* Savia de los árboles y zumo de las frutas.

cazumbrón. m. Oficial que cazumbra.

cazurrear. intr. Comportarse o proceder como cazurro.

cazurrería. f. Calidad de cazurro.

cazurría. f. ant. Cualidad o acto de cazurro, en el sentido de grosería o bajeza.

cazurro, rra. (Del ár. *qadūr*, insociable, sucio.) adj. fam. Malicioso, reservado y de pocas palabras. Ú. t. c. s. ‖ **2.** Tosco, basto, zafio. ‖ **3.** Torpe, lento en comprender. ‖ **4.** ant. Decíase de las palabras, expresiones o actos bajos y groseros. ‖ **5.** ant. Decíase del que las profería o los practicaba.

cazuz. (Del gr. κισσός, hiedra, a través del ár. *qissūs*.) m. **hiedra.**

cazuzo, za. (De *gazuza*.) adj. *Chile.* **hambriento.**

ce[1]. f. Nombre de la letra *c*. ‖ **ce por be.** loc. fig. y fam. que indicaba sustitución indebida de una cosa por otra. Usábase principalmente con verbos como *poner*, *decir*, etc. ‖ **2. ce por ce.** ‖ **ce por ce.** loc. adv. fig. y fam. **punto por punto.** *Le refirió* CE POR CE *cuanto había pasado.* ‖ **por ce o por be.** loc. adv. fig. y fam. De un modo o de otro. POR CE O POR BE *se salió con la suya.*

ce[2]. (De or. inc.; cf. *che*[2].) interj. ant. con que se llamaba, se hacía detener o se pedía atención a una persona.

cea. f. **cía[1].**

ceajo, ja. (De *cegajo*.) m. y f. *Ar.* Chivo o cordero que no llega a primal.

ceanoto. (Del gr. κεάνωθος.) m. Planta rámnea americana y oceánica, cuya especie más importante, vulgarmente conocida con el nombre de té de Jersey, se emplea por los indios americanos contra la disentería y la sífilis.

cearina. f. Pomada de color blanco, que sirve de excipiente de otras pomadas y se prepara con cera, ceresina y parafina líquida.

ceática. f. desus. **ciática[1].**

ceba. (De *cebar*.) f. Alimentación abundante y esmerada que para que engorde se da al ganado, especialmente al que sirve para el sustento del hombre. ‖ **2.** fig. Acción de alimentar los hornos con el combustible necesario. ‖ **3.** *Cantabria.* Hierba seca acopiada para el invierno. ‖ **4.** ant. *Mont.* **cebo[1]**, alimento.

cebada. (Del lat. *cibata*, t. f. del p. p. de *cibāre*, cebar.) f. Planta anual, de la familia de las gramíneas, parecida al trigo, con cañas de algo más de seis decímetros, espigas prolongadas, flexibles, un poco arqueadas, y semilla ventruda, puntiaguda por ambas extremidades y adherida al cascabillo, que termina en arista larga; sirve de alimento a diversos animales, y tiene además otros usos. ‖ **2.** Conjunto de granos de esta planta. ‖ **ladilla.** Especie de **cebada** cuya espiga tiene dos órdenes de granos, y estos son chatos y pesados. ‖ **perlada.** La mondada y redondeada a máquina. ‖ **dar cebada.** fr. Echar o dar pienso a las caballerías.

cebadal. m. Terreno sembrado de cebada.

cebadar. tr. Dar cebada a las bestias.

cebadazo, za. adj. Perteneciente a la cebada. *Paja* CEBADAZA.

cebadera[1]. (De *cebada*.) f. Morral o manta que sirve de pesebre para dar cebada al ganado en el campo. ‖ **2.** Arca o cajón en que los posaderos y mayorales de labor tienen la cebada para las caballerías.

cebadera[2]. (De *cebar*.) f. *Mar.* Vela que se envergaba en una percha cruzada bajo el bauprés, fuera del barco. ‖ **2.** *Min.* Caja de palastro que no tiene tapa ni uno de los costados, y sirve para introducir la carga en el horno a través del cebadero.

cebadería. f. ant. Lugar donde se vendía cebada.

cebadero[1]. (De *cebada*.) m. El que vende cebada. ‖ **2. mozo de paja y cebada.** ‖ **3.** Macho que, a prevención, llevaban los arrieros cargado de cebada, para dar de comer a la recua. ‖ **4.** Caballería que va delante en las cabañas del ganado mular, a la cual siguen las otras.

cebadero[2]. (De *cebar*.) m. El que tenía por oficio cebar y adiestrar a las aves de la cetrería. ‖ **2.** Lugar destinado a cebar animales. ‖ **3.** Sitio en que se acostumbra echar el cebo a la caza. ‖ **4.** Pintura de aves domésticas en acto de comer. ‖ **5.** *Min.* Abertura por donde se introduce mineral en el horno.

cebadilla. (d. de *cebada*.) f. Especie de cebada que crece espontánea en las paredes y caminos: tiene unos tres decímetros de altura, hojas blandas y vellosas, y espigas terminales densas con aristas muy largas. ‖ **2.** Fruto de una planta mejicana del mismo género que el eléboro blanco; es una cápsula de la forma, tamaño y color de tres granos de cebada reunidos, y contiene seis semillas negruzcas, algo relucientes y arrugadas, cuyo polvo se usa como estornutatorio y para matar insectos. ‖ **3.** Raíz del eléboro blanco, cuyo polvo tiene los mismos usos.

cebado, da. p. p. de **cebar.** ‖ **2.** adj. *Amér.* Dícese de la fiera que por haber probado carne humana, es más temible. ‖ **3.** *Blas.* V. **lobo cebado.**

cebador, ra. adj. Que ceba. ‖ **2.** m. y f. *R. de la Plata.* Persona que ceba el mate. ‖ **3.** m. Frasquito en que se lleva la pólvora para cebar las armas de fuego. ‖ **4.** *Tecnol.* Dispositivo que sirve para iniciar un proceso físico o químico.

cebadura. f. Acción y efecto de cebar o cebarse. ‖ **2.** *R. de la Plata.* y *Urug.* Cantidad de yerba que se pone en el mate cuando se prepara la infusión.

cebar. (Del lat. *cibāre*.) tr. Dar comida a los animales para aumentar su peso. ‖ **2.** Dar a los animales comida para atraerlos o alimentarlos. ‖ **3.** fig. Alimentar, fomentar; como echar aceite a la luz, leña al fuego, mineral al horno, etc. ‖ **4.** fig. Poner el cebo o materia explosiva en armas de fuego o artefactos destinados a explosionar. ‖ **5.** fig. Dicho de máquinas o aparatos, ponerlos en condiciones de empezar a funcionar; como un sifón llenándolo de líquido, una máquina de vapor dando vueltas con la mano al volante, etc. ‖ **6.** fig. Tratándose de la aguja magnética, tocarla a un imán para darle o renovarle la fuerza. ‖ **7.** fig. Fomentar o alimentar un afecto o pasión. Ú. t. c. prnl. ‖ **8.** *R. de la Plata.* **cebar mate.** ‖ **9.** intr. fig. Penetrar, prender, agarrar o asirse una cosa en otra; como el clavo en la madera, el tornillo en la tuerca, etc. Ú. t. c. tr. ‖ **10.** prnl. fig. Entregarse con mucha eficacia e intensión a una cosa. ‖ **11.** fig. Encarnizarse, ensañarse. SE CEBÓ *en su víctima.*

cebellina. (Del ruso *sobolj*, marta, a través del fr. *zibeline* o del it. ant. *zibellino*.) adj. V. **marta cebellina.** Ú. t. c. s.

cebera. (Del lat. *cibaria*, t. f. de *-rĭus*.) f. ant. **cibera,** porción de trigo que se echa en la tolva. ‖ **2. cibera,** cualquier simiente que puede servir de alimento.

cebero. (Del lat. *cibarius*, de cebo.) m. *Murc.* Capazo en que se echa el grano que sirve de pienso a las bestias.

cebiche. (De *cebo*.) m. *C. Rica, Ecuad., Pan.* y *Perú.* Plato de pescado o marisco crudo cortado en trozos pequeños y preparado en un adobo de jugo de limón o naranja agria, cebolla picada, sal y ají.

cebil. m. Árbol leguminoso que vive en el Río de la Plata. Es alto y corpulento; su madera se emplea en las construcciones, sus hojas las come el ganado en años de escasez, y su corteza, que contiene mucho tanino, es un curtiente enérgico.

cebipero. m. Árbol del Brasil, de la familia de las papilionáceas, a cuya corteza, de propiedades astringentes, se atribuyen virtudes medicinales.

cebique. m. *Sal.* Cebo que dan las aves a sus hijuelos.

cebo[1]. (Del lat. *cibus*.) m. Comida que se da a los animales para alimentarlos, engordarlos o atraerlos. ‖ **2.** En la pesca, alimentos que el pescador ofrece a los peces para atraerlos y cogerlos. ‖ **3.** Por ext., artificios que simulan estos alimentos. ‖ **4.** fig. Porción de materia explosiva que se coloca en determinados puntos de las armas de fuego, los proyectiles huecos, los torpedos y los barrenos, para producir, al inflamarse, la explosión de la carga. ‖ **5.** fig. Porción de mineral que se echa de una vez para cebar el horno. ‖ **6.** fig. Fomento o pábulo que se da a un afecto o pasión. ‖ **cebo de anzuelo y carne de buitrera.** fr. fig. y fam. Se aplica para comparar cosas engañosas, como el **cebo** del anzuelo y la carne para cazar buitres.

cebo[2]**.** (Del lat. *cepus,* y este del gr. κῆπος.) m. **cefo.**

cebolla. (Del lat. *cepŭlla,* cebolleta, d. de *cēpa.*) f. Planta hortense, de la familia de las liliáceas, con tallo de seis a ocho decímetros de altura, hueco, fusiforme e hinchado hacia la base; hojas fistulosas y cilíndricas, flores de color blanco verdoso en umbela redonda, y raíz fibrosa que nace de un bulbo esferoidal, blanco o rojizo, formado de capas tiernas y jugosas, de olor fuerte y sabor más o menos picante. ‖ **2.** Cepa o bulbo de esta planta que se come tierna antes de florecer. ‖ **3.** V. **papel cebolla.** ‖ **4.** V. **tela de cebolla.** ‖ **5.** V. **horca de cebollas.** ‖ **6. bulbo** de planta. ‖ **7.** fig. Corazón del madero o pieza de madera acebollados. ‖ **8.** fig. Parte redonda del velón, en la cual se echa el aceite. ‖ **9.** fig. Pieza esférica de plomo o cinc, con agujeros pequeños, que se pone en las cañerías para que por ellas no pase broza. ‖ **albarrana.** Planta perenne y medicinal, de la familia de las liliáceas, como de metro y medio de altura, con las hojas de color verde oscuro, aovadas, lanceoladas, onduladas por los bordes y algo carnosas; flores blancas en racimo, y un bulbo semejante al de la **cebolla** común, con los cascos interiores más gruesos, viscosos, muy acres y amargos. ‖ **escalonia. chalote.**

cebollada. f. Guiso hecho con cebolla como principal ingrediente.

cebollana. f. Planta muy parecida a la cebolla, con el tallo cilíndrico, de unos cuatro decímetros de altura, las flores violadas, uno o varios bulbos pequeños y ovoides, de sabor dulce, y hojas jugosas, que se comen en ensalada.

cebollar. m. Sitio sembrado de cebollas.

cebollero, ra. adj. Perteneciente o relativo a la cebolla. ‖ **2.** V. **alacrán, grillo cebollero.** ‖ **3.** m. y f. Persona que vende cebollas.

cebolleta. f. Planta muy parecida a la cebolla, con el bulbo pequeño y parte de las hojas comestibles. ‖ **2.** Cebolla común que, después del invierno, se vuelve a plantar y se come tierna antes de florecer. ‖ **3.** *Cuba.* Especie de juncia.

cebollino. m. Sementero de cebollas, cuando están en sazón para ser transplantadas. ‖ **2.** Simiente de cebolla. ‖ **3. cebollana.** ‖ **4.** fig. Persona torpe e ignorante. ‖ **arráncate, cebollino.** *Ar.* **arráncate, nabo.** ‖ **escardar cebollinos.** fr. fig. y fam. No hacer nada de provecho. Ú. en sent. despect. con los verbos *enviar, ir, estar,* etc., y más generalmente para echar a alguno en hora mala.

cebollón. m. aum. de **cebolla.** ‖ **2.** Variedad de cebolla, de figura aovada, menos picante y acre que la común.

cebolludo, da. adj. Aplícase a las plantas y flores que son de cebolla o nacen de ella. ‖ **2.** ant. Decíase de la persona tosca y basta, o gruesa y abultada.

cebón, na. (De *cebar.*) adj. Dícese del animal que está cebado. Ú. t. c. s. ‖ **2.** m. **puerco.**

ceborrincha. f. Cebolla silvestre y cáustica.

cebra. (De etim. disc.; probablemente del lat. *equifĕrus,* caballo salvaje.) f. Animal solípedo del África Austral, parecido al asno, de pelo blanco amarillento, con listas transversales pardas o negras. Hay varias especies, y alguna del tamaño del caballo. ‖ **2.** ant. Onagro, asno. ‖ **3.** V. **paso de cebra.**

cebrado, da. (De *cebra.*) adj. Dícese del caballo o yegua que tiene, como la cebra, manchas negras transversales, por lo común alrededor de los antebrazos, piernas o corvejones, o debajo de estas partes. Por ext., dícese también de otros animales.

cebratana. f. **cerbatana.**

cebrión. m. Insecto coleóptero de cuerpo prolongado y de élitros blandos. Los hay de varias especies.

cebro. m. ant. **onagro,** asno salvaje.

cebruno, na. (De *ciervo.*) adj. **cervuno,** dicho del color del caballo parecido al del ciervo.

cebtí. (Del ár. *sabtī,* relativo a *Sabta,* Ceuta.) adj. ant. **ceutí.** Apl. a pers., usáb. t. c. s.

cebú. (De or. tibetano.) m. Variedad del toro común, caracterizada por la giba adiposa que tiene sobre el lomo. Vive doméstico en la India y en África. ‖ **2.** Variedad del mono llamado carayá.

cebuano, na. adj. Natural de Cebú. Ú. t. c. s. ‖ **2.** Perteneciente a esta isla del archipiélago filipino. ‖ **3.** m. Lengua **cebuana.**

ceburro. adj. Dícese del trigo candeal. ‖ **2.** V. **mijo ceburro.**

ceca[1]**.** (Del ár. *sikka,* cuño o troquel de moneda, lugar en que se acuña.) f. Casa donde se labra moneda. ‖ **2.** En Marruecos, moneda. ‖ **3.** *Argent.* **cruz,** reverso de la moneda.

Ceca[2]**.** n. p. f. **de Ceca en Meca. de la Ceca a la Meca.** locs. figs. y fams. De una parte a otra, de aquí para allí.

cecal. (Del lat. *caecus,* ciego.) adj. Perteneciente o relativo al intestino ciego. ‖ **2.** *Anat.* V. **apéndice cecal.**

ceceante. p. a. de **cecear**[1]. Que cecea. ‖ **2.** adj. Que da a la *s* el sonido de *c.*

cecear[1]**.** intr. Pronunciar la *s* con articulación igual o semejante a la de la *c* ante *e, i,* o a la de la *z.* En los siglos XV al XVII, pronunciar las antiguas *s* y *ss* como las antiguas *z* y *ç.*

cecear[2]**.** tr. Llamar a uno diciendo *ce, ce.*

ceceo. m. Acción y efecto de cecear[1].

ceceoso, sa. (De *cecear*[1].) adj. Que pronuncia la *s* como *c.* Ú. t. c. s.

cecesmil. (Del azteca *cecelic,* tierno, y *milli,* campo cultivado.) m. *Hond.* Plantío de maíz temprano.

cecí. m. *Cuba.* **sesí.**

cecial. (Del lat. **sicciālis,* de *siccus,* seco.) m. Merluza u otro pescado parecido a ella, seco y curado al aire. Ú. t. c. adj. *Pescado* CECIAL.

cecias. (Del lat. *caecias,* y este del gr. καικίας.) m. Viento del nordeste.

cecidia. f. **agalla** de algunos árboles y arbustos.

cecina. (Del lat. **siccīna,* carne seca, de *sĭccus,* seco.) f. Carne salada, enjuta y seca al aire, al sol o al humo. ‖ **2.** *Argent.* y *Par.* Tira de carne de vacuno, delgada, seca y sin sal. ‖ **3.** *Chile.* Embutido de carne. ‖ **4.** *Ecuad.* Loncha de carne fresca.

cecinar. (De *cecina.*) tr. **acecinar.** ‖ **2.** *Ecuad.* Cortar la carne en forma de cecina.

ceción. (Del lat. *accesĭo, -ōnis,* entrada.) f. ant. **cición,** calentura intermitente.

cecografía. (Del lat. *caecus* y *-grafía.*) f. Escritura y modo de escribir de los ciegos.

cecógrafo. (Del lat. *caecus* y *-grafo.*) m. Aparato con que escriben los ciegos.

cécubo. (Del lat. *caecŭbum.*) m. Vino célebre en Roma antigua, que procedía de un pago del mismo nombre en Campania.

cecuciente. (Del lat. *caecutĭens, -entis.*) adj. Que va quedándose ciego.

cechero. (De *acechar.*) m. Acechador, el que acecha en la caza.

ceda[1]**.** (Del lat. *seta.*) f. **cerda,** pelo grueso de algunos animales.

ceda[2]**.** f. **zeda.**

cedacear. (De *cedazo.*) intr. Dicho de la vista, disminuir, oscurecerse.

cedacería. (De *cedacero.*) f. Sitio donde se hacen cedazos. ‖ **2.** Tienda donde se venden.

cedacero. m. El que por oficio hace o vende cedazos.

cedacillo. (d. de *cedazo*.) m. Planta anual, de la familia de las gramíneas, parecida a la tembladera, de la cual se distingue por tener las espiguillas acorazonadas y violáceas.

cedazo. (Del lat. *saetacĕum*, cribo de seda.) m. Instrumento compuesto de un aro y de una tela, por lo común de cerdas, más o menos clara, que cierra la parte inferior. Sirve para separar las partes sutiles de las gruesas de algunas cosas; como la harina, el suero, etc. ‖ **2.** Cierta red grande para pescar.

cedazuelo. m. d. de **cedazo.**

ceder. (Del lat. *cedĕre*.) tr. Dar, transferir, traspasar a otro una cosa, acción o derecho. ‖ **2.** intr. Rendirse, sujetarse. ‖ **3.** p. us. Ser, resultar o convertirse una cosa en bien o mal, estimación o alabanza, etc., de alguno. ‖ **4.** Dicho de ciertas cosas, como el viento, la fiebre, etc., mitigarse, disminuirse su fuerza. ‖ **5.** Disminuirse o cesar la resistencia de una cosa. ‖ **6.** p. us. Ser inferior una persona o cosa a otra con la que se compara. Ú. m. en frases negativas.

cedicio, cia. (Del lat. **sedititīus*, dejado, de *sedere*, estar sentado.) adj. ant. **lacio,** marchito. ‖ **2. cedizo.**

cedilla. (d. de *ceda*[2].) f. Signo ortográfico formado por una *c* y una virgulilla suscrita (ç), que en español medieval y clásico, así como en otras lenguas, representa ante las vocales *a, o, u,* la misma articulación que la *c* tiene ante *e, i.* ‖ **2.** Esta misma virgulilla.

cedizo, za. (Del m. or. que *cedicio*.) adj. Dícese de algunas cosas de comer que empiezan a pudrirse o corromperse. ‖ **2.** V. **carne cediza.**

cedo. (Del lat. *cito*, pronto.) adv. t. ant. Luego, presto, al instante. Ú. en el norte de España.

cedoaria. (Del ár. *zadwār*.) f. Raíz medicinal, redonda, nudosa, de sabor acre algo amargo y de olor aromático, que proviene de una planta de la India oriental, del mismo género de la cúrcuma. ‖ **amarilla.** Raíz de propiedades análogas a las de la anterior, procedente de una planta de la India oriental, del género del jengibre. ‖ **larga. cedoaria.**

cedra. (Del lat. *cithăra*.) f. ant. **cítara.**

cedras. f. pl. Alforjas de pellejo en que los pastores llevan el avío.

cedreleón. (Del gr. κέδρος, cedro, y ἔλαιον, aceite.) m. Aceite de cedro; especie de resina que usaban los antiguos.

cedreno. m. *Quím.* Parte líquida de la esencia de cedro.

cedrero. (De *cedra*.) m. ant. **citarista.**

cedria. (Del lat. *cedria*, y este del gr. κεδρία.) f. Resina que destila el cedro.

cédride. (Del lat. *cedris, -ĭdis*, y este del gr. κεδρίς.) f. Fruto del cedro, que es como una piña pequeña formada por escamas muy apretadas.

cedrino, na. (Del lat. *cedrĭnus*.) adj. Perteneciente al cedro. *Tabla* CEDRINA.

cedrito. m. Bebida preparada con vino dulce y resina de cedro.

cedro. (Del lat. *cedrus*, y este del gr. κέδρος.) m. Árbol de la familia de las abietáceas, que alcanza unos 40 metros de altura, con tronco grueso y derecho, ramas horizontales, hojas persistentes casi punzantes, flores rojas al principio y después amarillas, y cuyo fruto es la cédride. ‖ **2.** Madera de este árbol. ‖ **amargo,** o **blanco.** *C. Rica.* Una clase de las más estimadas por su madera olorosa y duradera. Abunda en la vertiente del Pacífico. ‖ **colorado. cedro dulce.** ‖ **de España. sabina.** ‖ **de la India.** El de ramas inclinadas y hojas no punzantes. Cultívase como árbol de adorno. ‖ **del Líbano. cedro,** árbol abietáceo. ‖ **de Misiones.** *Argent.* Especie de **cedro** que forma grandes bosques en las vertientes de los ríos Paraná y Uruguay; produce madera fina y un extracto febrífugo. Hay varias clases, que se diferencian muy poco. ‖ **deodara. cedro de la India.** ‖ **dulce.** *C. Rica.* Uno gigantesco de madera menos estimada, aunque de hermosa apariencia, que se cría en la vertiente del Atlántico.

cedróleo. (De *cedro* y *óleo*.) m. *Quím.* Aceite esencial extraído del cedro.

cedrón. m. Planta verbenácea, olorosa y medicinal, originaria del Perú, pero que se cría también en Chile, la República Argentina y Uruguay. ‖ **2.** Planta de Costa Rica, Nicaragua y Honduras, cuyas semillas, muy amargas, se emplean contra las calenturas y el veneno de las serpientes.

cédula. (Del lat. *schedŭla*, d. de *scheda*, hoja de papel.) f. Pedazo de papel o pergamino escrito o para escribir en él alguna cosa. ‖ **2.** Documento en que se reconoce una deuda u otra obligación. ‖ **3.** *Der.* V. **pleito de cédula.** ‖ **ante díem.** Papel firmado, regularmente por el secretario de alguna comunidad, por el que se cita a sus individuos para juntarse al día siguiente, y en él se expresa el asunto que se ha de tratar. ‖ **de abono.** La que se daba por los tribunales de Hacienda cuando el rey perdonaba a un pueblo algún débito, a fin de que el recaudador se la admitiese en data de igual cantidad. ‖ **de cambio.** ant. *Com.* **letra de cambio.** ‖ **de comunión.** La que se da en las parroquias en tiempo del cumplimiento de iglesia, para que conste. ‖ **de diligencias.** Despacho que se expedía por el Consejo de la Cámara, dando comisión a un juez para hacer alguna averiguación. ‖ **de identidad.** *Argent.*, *Chile* y *Urug.* **tarjeta de identidad.** ‖ **de inválidos.** Orden del rey, en que concedía a algún soldado el pase a las compañías de inválidos. ‖ **de preeminencias.** La que se daba a algunos individuos de un cuerpo que, habiendo servido muchos años sus oficios, no podían continuar por enfermos u ocupados, o por otras justas causas. ‖ **2.** En la milicia, orden del rey por la que se conservaba en su grado el fuero militar al oficial que se retiraba. ‖ **de vecindad. cédula personal.** ‖ **en blanco.** La que va firmada y se da a alguno con facultad de llenarla según le pareciere. ‖ **hipotecaria.** *Der.* Documento que da fe de un crédito hipotecario y en especial el título emitido por un banco del préstamo otorgado con garantía hipotecaria. ‖ **personal.** Documento oficial que expresaba el nombre, profesión, domicilio y demás circunstancias de cada vecino; acreditaba el pago de un impuesto, y servía para identificar a la persona. ‖ **real.** Despacho del rey, expedido por algún consejo o tribunal superior, en que se concede una merced o se toma alguna providencia. ‖ **testamentaria. memoria,** escrito simple considerado como parte integrante de un testamento. ‖ **real cédula. cédula real.** ‖ **dar cédula de vida.** fr. fig. y fam. que se dice de los preciados de guapos, porque parece que hacen gracia en no quitar la vida.

cedulaje. m. Derecho que se pagaba por el despacho de las cédulas reales.

cedular. (De *cédula*.) tr. p. us. Publicar una cosa por medio de carteles puestos en las paredes. ‖ **2.** *Col., Ecuad., El Salv.* y *Nicar.* Expedir una cédula de identidad, de ciudadanía, etc.

cedulario. m. Colección de reales cédulas.

cedulón. m. fam. aum. de **cédula.** ‖ **2.** Edicto o anuncio que se fija en sitios públicos. ‖ **3.** fig. **pasquín.**

cefalalgia. (Del lat. *cephalalgĭa*, y este del gr. κεφαλαλγία.) f. *Med.* Dolor de cabeza.

cefalálgico, ca. adj. *Pat.* Relativo a la cefalalgia.

cefalea. (Del lat. *cephalaea*, y este del gr. κεφαλαία, de κεφαλή, cabeza.) f. *Pat.* Cefalalgia violenta y tenaz, alguna vez intermitente y grave, que afecta ordinariamente a uno de los lados de la cabeza; como la jaqueca.

-cefalia. (Del gr. κεφαλή, cabeza, e *-ia*.) elem. compos. que indica «estado o cualidad de la cabeza»: *dolico*CEFALIA, *meso*CEFALIA.

cefálico, ca. (Del lat. *cephalĭcus*, y este del gr. κεφαλικός.) adj. *Anat.* Perteneciente a la cabeza. ‖ **2.** *Anat.* V. **índice cefá-**

lico. ‖ **3.** *Anat.* V. **vena cefálica.** Ú. t. c. s. ‖ **4.** *Anat.* V. **vena yugular cefálica.**

cefalitis. (Del gr. κεφαλή, cabeza, e *-itis.*) f. *Pat.* Inflamación de la cabeza.

céfalo. (Del lat. *cephălus,* y este del gr. κέφαλος.) m. **róbalo.**

-céfalo, la. (Del gr. -κέφαλος, de la raíz de κεφαλή.) elem. compos. que significa «cabeza»: *dolico*CÉFALO, *meso*CÉFALO.

cefalópodo. (Del gr. κεφαλή, cabeza, y πούς, ποδός, pie.) adj. *Zool.* Dícese de los moluscos marinos que tienen el manto en forma de saco con una abertura por la cual sale la cabeza, que se distingue bien del resto del cuerpo y está rodeada de tentáculos largos a propósito para la natación y provistos de ventosas. Ú. t. c. s. ‖ **2.** m. pl. *Zool.* Clase de estos animales.

cefalorraquídeo. (Del gr. κεφαλή, cabeza, y *raquídeo.*) adj. *Anat.* Dícese del sistema nervioso cerebroespinal por hallarse este alojado en la cabeza y en la columna vertebral; aplícase asimismo al líquido incoloro y transparente, ligeramente alcalino, en el que están sumergidos los centros nerviosos de los vertebrados, que llena también los ventrículos del encéfalo y ejerce una acción protectora de aquellos órganos.

cefalotórax. (Del gr. κεφαλή, cabeza, y θώραξ, pecho.) m. *Zool.* Parte del cuerpo de los crustáceos y arácnidos que está formada por la unión de la cabeza y el tórax.

cefea. (De *cefear.*) f. *Sal.* Comida que buscan los cerdos hozando en la tierra.

cefear. intr. *Sal.* **hozar.**

céfiro. (Del lat. *Zephўrus,* y este del gr. ζέφυρος.) m. **poniente,** viento. ‖ **2.** poét. Cualquier viento suave y apacible. ‖ **3.** Tela de algodón casi transparente y de colores variados.

cefo. (Del lat. *cephus,* y este del gr. κῆπος, mono de cola larga.) m. Mamífero cuadrumano, originario de Nubia, de unos seis decímetros de largo, sin contar la cola, y con el cuerpo rojo, menos la nariz, que es blanca.

cefrado, da. adj. *Extr.* Cansado, agotado, especialmente por efecto de haber corrido.

cegador, ra. (De *cegar,* deslumbrar.) adj. Que ciega o deslumbra. ‖ **2.** ant. Adulador y lisonjero. Usáb. t. c. s.

cegajear. (De *cegajo.*) intr. ant. Tener malos los ojos. ‖ **2.** ant. Ver poco.

cegajez. (De *cegajo.*) f. ant. Dolencia de los ojos.

cegajo, ja. (Del lat. **caecacŭlus,* d. de *caecus,* ciego.) adj. Dícese del cordero o chivo que no llega a primal. Ú. t. c. s.

cegajoso, sa. (De *cegajo.*) adj. Que habitualmente tiene cargados y llorosos los ojos. Ú. t. c. s.

cegama. com. **cegato.**

cegamiento. (De *cegar.*) m. ant. **ceguedad.**

cegar. (Del lat. *caecāre.*) intr. Perder enteramente la vista. ‖ **2.** tr. Quitar la vista a alguno. ‖ **3.** Dejar una luz repentina e intensa momentáneamente ciega a una persona. Ú. t. c. prnl. ‖ **4.** fig. Turbar la razón, ofuscar el entendimiento. Ú. t. c. intr. ‖ **5.** Cerrar, macizar alguna cosa que antes estaba hueca o abierta; como puerta, pozo, cañería, etc. Ú. t. c. prnl. ‖ **6.** fig. Tratándose de conductos, veredas u otros pasos estrechos, impedir, obstaculizar con broza, piedras u otros estorbos el tránsito por ellos. ‖ **7.** Disminuir el calado de un canal, puerto o rada por los acarreos de arenas, tierra o limo hasta quedar impracticable para la navegación. ‖ **antes ciegues que tal veas.** fr. fig. y fam. Que en ninguna manera suceda el mal que otro nos predice o anuncia.

cegarra. (De *ciego.*) adj. fam. **cegato.** Ú. t. c. s.

cegarrita. (d. de *cegarra.*) adj. fam. Dícese de la persona corta de vista que cierra casi los ojos para ver mejor. Ú. t. c. s. ‖ **a cegarritas.** loc. adv. fam. **a ojos cegarritas.**

cegatero, ra. (Del ár. *saqqāṭ,* revendedor.) m. y f. ant. **regatón**[2].

cegato, ta. (De *ciego.*) adj. fam. Corto de vista, o de vista escasa. Ú. t. c. s.

cegatón, na. adj. **cegato.**

cegatoso, sa. (De *cegato.*) adj. **cegajoso.** Ú. t. c. s.

cegesimal. (De *c, g* y *s,* iniciales de *centímetro, gramo* y *segundo.*) adj. V. **sistema cegesimal.**

cegrí. (Del ár. *tagrī,* fronterizo.) m. Individuo de una familia del reino musulmán de Granada. ‖ **cegríes y abencerrajes.** loc. fig. **tirios y troyanos.**

cegua. f. *Nicar.* **ciguanaba,** fantasma.

ceguecillo, lla. adj. d. de **ciego.** Ú. t. c. s.

ceguedad. (De *ciego.*) f. Total privación de la vista. ‖ **2.** fig. Alucinación, afecto que ofusca la razón.

ceguera. (De *ciego.*) f. **ceguedad.** ‖ **2.** Especie de oftalmía que suele dejar ciego al enfermo. ‖ **verbal.** *Pat.* **alexia.**

ceguezuelo, la. adj. d. de **ciego.** Ú. t. c. s.

ceiba. (Voz indígena de la isla de Sto. Domingo.) f. Árbol americano bombacáceo, de 15 a 30 metros de altura, de tronco grueso, ramas rojizas, flores rojas tintóreas y frutos de 10 a 30 centímetros de largo que contienen seis semillas envueltas en una especie de algodón. ‖ **2.** Alga marina de figura de cinta, de unos tres decímetros de largo y menos de un centímetro de ancho.

ceibal. m. Lugar plantado de ceibas o ceibos.

ceibo. m. Árbol americano, de la familia de las papilionáceas, notable por sus flores de cinco pétalos, rojas y brillantes, que nacen antes que las hojas, que son lanceoladas, verdes por la cara superior y gríseas por el envés; fruto de unos 15 centímetros de largo, peludo y con semillas ovoides. Tiene diferentes nombres según la región en que se cría.

ceibón. m. *Cuba.* Especie de ceiba, que alcanza más de 20 metros de altura. Su madera es ligera; la corteza, verdosa; las hojas, lanceoladas, discoloras; las flores, blancas, y el fruto, grueso.

Ceilán. n. p. V. **jacinto de Ceilán.**

ceína. (Del gr. ζέα, espelta.) f. *Quím.* Sustancia extraída del maíz.

ceisatita. f. *Mineral.* Variedad de ópalo.

ceja. (Del lat. *cilĭa,* pl. n. de *cilĭum,* ceja.) f. Parte prominente y curvilínea cubierta de pelo, sobre la cuenca del ojo. ‖ **2.** Pelo que la cubre. ‖ **3.** fig. Parte que sobresale un poco en algunas cosas, como en las encuadernaciones de los libros, en los vestidos, en algunas obras de arquitectura y carpintería, etc. ‖ **4.** fig. Lista o banda de nubes que suele haber sobre las cumbres de los montes. ‖ **5.** fig. Parte superior o cumbre del monte o sierra. ‖ **6.** *Cuba.* Camino estrecho, senda o vereda en una faja de bosque. ‖ **7.** *Bol.* y *R. de la Plata.* Borde de un bosque que a la distancia aparece como banda o faja de vegetación elevada. Ú. m. en la expresión **ceja de monte.** ‖ **8.** *Mús.* Listón que tienen los instrumentos de cuerda entre el clavijero y el mástil, para apoyo y separación de las cuerdas. ‖ **9.** *Mús.* **cejilla,** pieza suelta en el mástil de la guitarra. ‖ **arquear las cejas.** fr. fam. Levantarlas, poniéndolas en figura de arco, como sucede cuando uno se admira. ‖ **dar** a alguien **entre ceja y ceja.** fr. fig. y fam. Decirle en su cara alguna cosa que le sea muy sensible. ‖ **hasta las cejas.** loc. adv. fig. y fam. Hasta lo sumo, al extremo. ‖ **llevar** alguien, o **metérsele,** o **ponérsele,** a alguien, **entre ceja y ceja** alguna cosa. fr. fig. y fam. **tenerla entre ceja y ceja.** ‖ **quemarse las cejas.** fr. fig. y fam. Estudiar mucho. ‖ **tener** a alguien **entre cejas,** o **entre ceja y ceja.** fr. fig. y fam. Mirarle con prevención desfavorable. ‖ **tener entre ceja y ceja** alguna cosa. fr. fig. y fam. Fijarse en un pensamiento o propósito.

cejadero. (De *cejar.*) m. En los carruajes, tirante que se asegura en la retranca de la guarnición, y, trabado en el roscón que se encaja en la lanza, sirve para cejar y retroceder.

cejador. (De *cejar.*) m. **cejadero.**

cejar. (Del lat. *cessāre,* retirarse.) intr. Retroceder, andar hacia atrás, ciar. ‖ **2.** Andar hacia atrás las caballerías que tiran de un carruaje. ‖ **3.** fig. Aflojar o ceder en un negocio, empeño o discusión.

ceje. (Del ár. *šḥ,* planta aromática.) m. *Murc.* Cierta mata que se emplea para curar las erupciones.

cejijunto, ta. (De *ceja* y *junto.*) adj. Que tiene las cejas muy pobladas de pelo hacia el entrecejo, por lo que casi se juntan. ‖ **2.** fig. **ceñudo.**

cejilla. f. *Mús.* **ceja,** en los instrumentos de cuerda, listón en que se apoyan las cuerdas. ‖ **2.** Pieza suelta que, aplicada transversalmente sobre la encordadura de la guitarra y sujeta al mástil por medio de una abrazadera o de otro modo, sirve para elevar por igual la entonación del instrumento. cf. **cejuela.**

cejo[1]. (Del lat. *cilĭum,* ceja.) m. Niebla que suele levantarse sobre los ríos y arroyos después de salir el Sol. ‖ **2.** ant. Ceño o sobrecejo. ‖ **3.** *Murc.* Corte vertical y profundo de una montaña.

cejo[2]. (Del lat. *cingŭlum.*) m. Atadura de esparto con que se sujetan los manojos de la misma planta.

cejudo, da. adj. Que tiene las cejas muy pobladas y largas.

cejuela. f. d. de **ceja.** ‖ **2.** *Mús.* **cejilla,** pieza que se coloca en el mástil de la guitarra.

cejunto, ta. adj. **cejijunto.**

cela. (Del lat. *cella,* dormitorio, hueco.) f. ant. **celda.** ‖ **2.** ant. **cilla.**

celada. (Del lat. [*cassis*] *caelāta,* [yelmo] cincelado.) f. Pieza de la armadura que servía para cubrir y defender la cabeza. ‖ **2.** Parte de la llave de la ballesta que se arrima a la quijera. ‖ **3.** Soldado de a caballo que usaba **celada.** ‖ **borgoñota.** Pieza de la armadura, que, dejando descubierta la cara, cubría y defendía la parte superior de la cabeza.

celadamente. adv. m. ant. A escondidas, encubiertamente.

celado, da. p. p. de **celar**[2]. ‖ **2.** adj. Oculto, encubierto. ‖ **3.** f. Emboscada de gente armada en paraje oculto, acechando al enemigo para asaltarlo descuidado o desprevenido. ‖ **4.** Engaño o fraude dispuesto con artificio o disimulo. ‖ **caer en la celada.** fr. fig. **caer en el lazo.**

celadón. m. **verdeceladón.**

celador, ra. (Del lat. *celātor, -ōris.*) adj. Que cela o vigila. ‖ **2.** m. y f. Persona destinada por la autoridad para ejercer la vigilancia.

celaduría. f. Oficina o despacho del celador.

celaje. (De *cielo.*) m. Aspecto que presenta el cielo cuando hay nubes tenues y de varios matices. Ú. m. en pl. ‖ **2.** Claraboya o ventana, y la parte superior de ella. ‖ **3.** fig. Presagio, anuncio o principio de lo que se espera o desea. ‖ **4.** *Mar.* Conjunto de nubes.

celajería. (De *celaje.*) f. *Mar.* **celaje,** conjunto de nubes.

celambre. f. Celos que uno tiene de la mujer amada.

celán. m. Especie de arenque.

celandés, sa. adj. **zelandés.** Apl. a pers., ú. t. c. s.

celante. p. a. ant. de **celar.** Que cela. ‖ **2.** adj. Dícese del religioso franciscano que, a diferencia de los llamados conventuales, observa la regla rígidamente en cuanto a no poseer bienes.

celar[1]. (Del lat. *zelāre,* emular.) tr. Procurar con particular cuidado el cumplimiento y observancia de las leyes, estatutos u otras obligaciones o encargos. ‖ **2.** Observar los movimientos y acciones de una persona por recelos que se tienen de ella. ‖ **3.** Vigilar a los dependientes o inferiores; cuidar de que cumplan con sus deberes. ‖ **4.** Atender con esmero al cuidado y observación de la persona amada, por tener celos de ella. ‖ **5.** ant. **recelar,** desconfiar.

celar[2]. (Del lat. *celāre.*) tr. **encubrir,** ocultar. Ú. t. c. prnl.

celar[3]. (Del lat. *caelāre.*) tr. Grabar en láminas de metal o madera para sacar estampas. ‖ **2.** Cortar con buril o cinceles metal, piedra o madera, para darles alguna forma o esculpir con cualquiera de ellos.

celastráceo, a. (De *celastrus,* nombre de un género de plantas, y este del gr. κήλαστρος, cambrón.) adj. *Bot.* Dícese de árboles y arbustos angiospermos dicotiledóneos que tienen hojas opuestas o alternas, con estípulas; flores hermafroditas o unisexuales, con cáliz y corola tetrámeros o pentámeros; fruto seco, dehiscente, y semillas con arilo; como el bonetero. Ú. t. c. s. f. ‖ **2.** f. pl. *Bot.* Familia de estas plantas.

celastríneo, a. adj. *Bot.* **celastráceo.**

celastro. (Del gr. κήλαστρος, cambrón.) m. Arbusto de la familia de las celastráceas, del que se conocen varias especies que viven en América Septentrional y en África.

celda. (Del lat. *cellŭla,* d. de *cella,* celda.) f. Aposento destinado al religioso o religiosa en su convento. ‖ **2.** Aposento individual en colegios y otros establecimientos análogos. ‖ **3.** Cada uno de los aposentos donde se encierra a los presos en las cárceles celulares. ‖ **4.** **celdilla** de los panales. ‖ **5.** ant. Alojamiento o camarote que tiene el patrón en su nave. ‖ **6.** ant. Cámara o aposento. ‖ **caliente.** *Metal.* Instalación para manipular, procesar e investigar materiales irradiados.

celdilla. (d. de *celda.*) f. Cada una de las casillas de que se componen los panales de las abejas, avispas y otros insectos. ‖ **2.** fig. **nicho.** ‖ **3.** **célula,** pequeña cavidad o seno. ‖ **4.** *Bot.* Cada uno de los huecos que ocupan las simientes en la caja o cajilla.

celdrana. (De *Celdrana,* apellido del introductor de esta variedad.) f. *Murc.* Variedad de aceituna gorda.

cele. adj. *C. Rica.* **celeque.** *Fruta* CELE; *mango* CELE.

celebérrimo, ma. (Del lat. *celeberrĭmus.*) adj. sup. de **célebre.**

celebración. (Del lat. *celebratĭo, -ōnis.*) f. Acción de celebrar. ‖ **2.** Aplauso, aclamación.

celebrador, ra. (Del lat. *celebrator, -ōris.*) adj. Que celebra o aplaude alguna cosa. ‖ **2.** m. y f. ant. Persona que mandaba celebrar a sus expensas la fiesta de algún santo en el templo.

celebrante. p. a. de **celebrar.** Que celebra. ‖ **2.** m. Sacerdote que está diciendo misa o preparado para decirla.

celebrar. (Del lat. *celebrāre.*) tr. **Alabar, aplaudir algo.** CELEBRO *tu sabia decisión.* Usáb. t. referido a personas. ‖ **2.** Reverenciar, venerar solemnemente con culto público los misterios de la religión y la memoria de sus santos. ‖ **3.** Realizar un acto, una reunión, un espectáculo, etc. Ú. t. c. prnl. ‖ **4.** Conmemorar, festejar una fecha, un acontecimiento. CELEBRAMOS *el cumpleaños de Juan.* ‖ **5.** **decir misa.** Ú. t. c. intr.

célebre. (Del lat. *celĕber, -bris.*) adj. **famoso,** que tiene fama. ‖ **2.** **famoso,** que se distingue por sus dichos y hechos extravagantes.

celebrero. (De *celebrar.*) m. ant. Clérigo que asistía a los entierros.

celebridad. (Del lat. *celebrĭtas, -ātis.*) f. Fama, renombre o aplauso que tiene una persona o cosa. ‖ **2.** Conjunto de aparatos, festejos y otras cosas con que se solemniza y celebra una fiesta o suceso. ‖ **3.** Persona famosa.

celebro. m. desus. **cerebro.**

celedón. m. **celadón.**

celemí. (Del ár. *ṯumnī,* relativo a la octava parte, o sea el tomín.) m. ant. **celemín.**

celemín. (De *celemí.*) m. Medida de capacidad para áridos, que tiene cuatro cuartillos y equivale en Castilla a 4,625 litros aprox. ‖ **2.** Porción de grano, semillas u otra cosa semejante que llena exactamente la medida del **celemín.** ‖ **3.** Medida antigua superficial que en Castilla equivalía a 537 metros cuadrados aprox., y era el espacio de

terreno que se consideraba necesario para sembrar un **celemín** de trigo.
celeminada. (De *celemín.*) f. **celemín,** porción de grano que llena un celemín.
celeminear. intr. *Sal.* Andar de un sitio para otro.
celeminero. (De *celemín.*) m. **mozo de paja y cebada.**
celentéreo. (Del gr. κοῖλος, hueco y ἔντερον, intestino.) adj. *Zool.* Dícese de animales con simetría radiada, como pólipos, medusas y ctenóforos, cuyo cuerpo presenta una cavidad única gastrovascular, que comunica con el exterior por un orificio que es a la vez boca y ano. Ú. t. c. s. ‖ **2.** m. pl. *Zool.* Grupo que forman tales seres y que constituye una de las grandes divisiones del reino animal.
celeque. (Del azteca *celic.*) adj. *C. Rica, El Salv., Hond.* y *Nicar.* Dícese de las frutas tiernas o en leche.
celera. f. Celos que alguien tiene de la persona amada.
celerado, da. (Del lat. *scelerātus,* de *scelus, scelĕris,* maldad.) adj. ant. Malvado, perverso.
celeramiento. (De *celerar.*) m. ant. **aceleramiento.**
celerar. (Del lat. *celerāre.*) tr. ant. **acelerar.**
celerario, ria. (Del lat. *scelus, scelĕris,* maldad.) adj. ant. **celerado.**
célere. (Del lat. *celer, -ĕris.*) adj. Pronto, rápido. ‖ **2.** m. Individuo del orden ecuestre en los primeros tiempos de Roma. ‖ **3.** f. pl. *Mit.* Las horas.
celeridad. (Del lat. *celerĭtas, -ātis.*) f. Prontitud, rapidez, velocidad.
celerizo. m. ant. **cellerizo.**
celescopio. (Del gr. κοῖλος, hueco, y σκοπέω, examinar.) m. *Fís.* Aparato que sirve para iluminar las cavidades de un cuerpo orgánico.
celesta. f. *Mús.* Instrumento de teclado en que los macillos producen el sonido golpeando láminas de acero.
celeste. (Del lat. *caelestis.*) adj. Perteneciente al cielo. *Los cuerpos* CELESTES; *la* CELESTE *eternidad.* ‖ **2.** V. **azul celeste.** Ú. t. c. s. ‖ **3.** V. **bóveda, esfera, globo, mecánica, ocular celeste.** ‖ **4.** *Astrol.* V. **casa, estado, figura, tema celeste.**
celestial. (De *celeste.*) adj. Perteneciente al cielo, considerado como la mansión eterna de los bienaventurados. ‖ **2.** fig. Perfecto, delicioso. ‖ **3.** irón. Bobo, tonto o inepto. ‖ **4.** fig. V. **música, patria celestial.**
celestialmente. adv. m. Por virtud, orden o disposición del cielo. ‖ **2.** fig. Perfecta, agradable, admirablemente.
celestina[1]**.** (Por alusión al personaje de la Tragicomedia de Calisto y Melibea.) f. fig. **alcahueta.**
celestina[2]**.** (De *celeste.*) f. Mineral formado por sulfato de estronciana, de color azulado generalmente y de fractura concoidea; es insoluble en los ácidos y comunica a la llama vivo color carmesí.
celestina[3]**.** f. Ave canora, de Tucumán, de alas verdes y azuladas, y lo demás del cuerpo de amarillo claro.
celestinazgo. m. Acción de celestinear.
celestinear. intr. Ejercer o practicar la función propia de una celestina[1].
celestinesco, ca. (De *celestina*[1].) adj. Perteneciente o relativo a la celestina.
celestino, na. adj. Dícese del religioso perteneciente a la orden fundada por el papa Celestino V en 1251. ‖ **2.** Perteneciente o relativo a esta orden.
celestre. (De *celeste,* por el color.) m. Baño o calda que se daba a los paños.
celfo. m. **cefo.**
celia. f. Bebida de los antiguos habitantes de la Península Ibérica, que se hacía de trigo echado en infusión, al modo de la cerveza o de la chicha[2].
celiaca. (Del lat. *coeliăca,* t. f. de *-cus,* celiaco.) f. *Pat.* Diarrea blanquecina.
celíaco, ca o **celiaco, ca.** (Del lat. *coeliăcus,* y este del gr. κοιλιακός, de κοιλία, vientre.) adj. *Anat.* Perteneciente o relativo al vientre o a los intestinos. ‖ **2.** *Anat.* V. **arteria celiaca.** Ú. t. c. s. ‖ **3.** Enfermo de celiaca. Ú. t. c. s. ‖ **4.** Perteneciente o relativo a esta enfermedad.
celibato. (Del lat. *caelibātus.*) m. **soltería.** ‖ **2.** fam. Hombre célibe.
célibe. (Del lat. *caelebs, -ĭbis.*) adj. Dícese de la persona que no ha tomado estado de matrimonio. Ú. t. c. s.
célico, ca. (Del lat. *caelĭcus,* celeste.) adj. poét. **celeste,** perteneciente al cielo. ‖ **2.** poét. **celestial,** perfecto, delicioso.
celícola. (Del lat. *caelum,* cielo, y *colĕre,* habitar.) m. Habitante del cielo.
celidonato. m. *Quím.* Sal resultante de la combinación del ácido celidónico con una base.
celidonia. (Del lat. *chelidonĭa,* y este del gr. χελιδόνιον, de χελιδών, golondrina, porque vulgarmente se creía que esta ave la usaba para dar vista a sus polluelos.) f. Hierba de la familia de las papaveráceas, con tallo ramoso de unos cinco decímetros de altura, hojas verdes por encima y amarillentas por el envés, flores en umbela, pequeñas y amarillas, y por frutos vainas capsulares muy delgadas. Por cualquier parte que se corte, echa un jugo amarillo y cáustico que se ha usado en medicina, principalmente para quitar las verrugas. ‖ **menor.** Hierba de la familia de las ranunculáceas, de tallo tendido, hojas lustrosas acorazonadas, enteras o festoneadas, y flores amarillas. Es venenosa y se la ha empleado en medicina.
celidónico, ca. adj. *Quím.* Dícese de un ácido contenido en la celidonia, en combinación con la cal y con ácidos orgánicos.
celidueña. (Del lat. *chelidonĭa.*) f. ant. **celidonia.**
celinda. f. Arbusto de la familia de las saxifragáceas, con tallos de hasta dos metros de altura, muy ramosos, de hojas sencillas, aovadas, puntiagudas y casi lampiñas; flores dispuestas en racimos, con el tubo del cáliz aovado y la corola de cuatro a cinco pétalos, blancos y muy fragantes, muchos estambres y cuatro o cinco estilos. ‖ **2.** Flor de esta planta.
celindrate. (Del cat. *celindrat,* de *celindre,* cilantro.) m. Guisado compuesto con cilantro.
celo[1]**.** (Del lat. *zelus,* y este del gr. ζῆλος.) m. Cuidado, diligencia, esmero que alguien pone al hacer algo. ‖ **2.** Interés extremado y activo que alguien siente por una causa o persona. ‖ **3.** Recelo que alguien siente de que cualquier afecto o bien que disfrute o pretenda, llegue a ser alcanzado por otro. Ú. m. en pl. ‖ **4.** Apetito de la generación en los irracionales. ‖ **5.** Época en que los animales sienten este apetito. ‖ **6.** V. **huelga de celo.** ‖ **7.** pl. Sospecha, inquietud y recelo de que la persona amada haya mudado o mude su cariño, poniéndolo en otra. ‖ **dar celos.** fr. Dar una persona motivo para que otra los sienta. ‖ **pedir celos.** fr. Hacer cargo a la persona amada de haber puesto su cariño en otra.
celo[2]**.** (Abrev. de *cellotape,* variante del nombre comercial ing. *sellotape.*) m. Cinta de celulosa o plástico, adhesiva por uno de sus lados, que se emplea para pegar. Cf. **papel celo.**
celofán. (Del fr. *Cellophane,* nombre de una marca registrada.) m. Película que se obtiene por regeneración de la celulosa contenida en las soluciones de viscosa. Es transparente y flexible, y se utiliza principalmente como envase o envoltura. Cf. **papel celo.**
celoidina. f. Preparación que se emplea en papeles fotográficos, que los hace sensibles a la luz.
celoma. (Del gr. κοῖλος, hueco, y *-oma.*) m. *Anat.* Cavidad que en el hombre y ciertos grupos de animales se desarrolla entre la pared del cuerpo y las vísceras.
celomado, da. adj. *Anat.* Dícese del organismo que presenta celoma. Ú. t. c. s. ‖ **2.** m. pl. *Anat.* Grupo de los animales que poseen celoma.

celomático, ca. adj. *Anat.* Perteneciente o relativo al celoma. *Cavidad* CELOMÁTICA.

celosa. f. *Cuba.* Arbusto espinoso, de la familia de las verbenáceas, de flores azuladas, en espiga, y madera amarilla, con vetas suaves, dura, compacta y pesada.

celosamente. adv. m. Con celo[1].

celosía. (De *celoso.*) f. Enrejado de listoncillos de madera o de hierro, que se pone en las ventanas de los edificios y otros huecos análogos, para que las personas que están en el interior vean sin ser vistas. ‖ **2.** Por ext., enrejado parecido a la **celosía.** ‖ **3. celotipia.**

celoso, sa. (Del lat. *zelōsus.*) adj. Que tiene celo, o celos. ‖ **2. receloso.** ‖ **3.** *Mar.* Aplícase a la embarcación que por falta de estabilidad suficiente aguanta poca vela.

celota. com. Persona perteneciente a un grupo religioso del pueblo judío caracterizado por la vehemencia y rigidez de su integrismo religioso.

celotipia. (Del lat. *zelotypĭa,* y este del gr. ζηλοτυπία, de ζηλότυπος, celoso.) f. Pasión de los celos.

celsitud. (Del lat. *celsitūdo,* de *celsus,* elevado.) f. Elevación, grandeza y excelencia de alguna cosa o persona. ‖ **2. alteza,** tratamiento. Diose este tratamiento en lo antiguo a las personas reales.

celta. (Del lat. *celta.*) adj. Dícese de un grupo de pueblos indoeuropeos establecidos antiguamente en la mayor parte de la Galia, en las Islas Británicas, y en buena parte de España y Portugal, así como en Italia del norte, Suiza, Alemania del oeste y sur, Austria, Bohemia y la Galacia en Asia Menor. ‖ **2.** Dícese también de los individuos que formaban estos pueblos. Ú. t. c. s. ‖ **3.** Perteneciente o relativo a los **celtas.** ‖ **4.** m. Idioma de los **celtas.**

celtibérico, ca. (Del lat. *celtiberĭcus.*) adj. **celtíbero,** natural de Celtiberia. Ú. t. c. s. ‖ **2.** Perteneciente o relativo a los celtíberos o a Celtiberia, territorio de la Hispania Tarraconense que se extendía por gran parte de las actuales provincias de Zaragoza, Teruel, Cuenca, Guadalajara y Soria.

celtiberio, ria. (Del lat. *celtiberĭus.*) adj. **celtibérico.** Apl. a pers., ú. t. c. s.

celtíbero, ra o **celtibero, ra.** (Del lat. *celtĭer, -ēri.*) adj. Dícese de un pueblo hispánico prerromano, de lengua céltica, establecido en la Celtiberia, territorio de la Hispania Tarraconense que se extendía por gran parte de las provincias actuales de Zaragoza, Teruel, Cuenca, Guadalajara y Soria. ‖ **2.** Dícese también de los individuos que formaban este pueblo. Ú. t. c. s. ‖ **3. celtibérico,** perteneciente o relativo a los **celtíberos** o a Celtiberia.

céltico, ca. (Del lat. *celtĭcus.*) adj. Perteneciente a los celtas. ‖ **2.** Dícese de pueblos así llamados en sentido estricto, que en la antigüedad se establecieron en el sur de Lusitania y norte de la Bética en territorios que hoy corresponderían al sur de Portugal y a parte de las provincias de Badajoz, Sevilla y Córdoba. ‖ **3.** Dícese también de los individuos que componían estos pueblos. Ú. t. c. s.

celtídeo, a. (Del lat. *celtis,* almez.) adj. *Bot.* Dícese de árboles o arbustos pertenecientes a la familia de las ulmáceas, con hojas alternas, enteras o aserradas, casi siempre de tres nervios, estípulas caedizas, flores hermafroditas o unisexuales, solitarias, en racimo o en panoja, y por frutos drupas carnosas con una sola semilla; como el almez. Ú. t. c. s. ‖ **2.** f. pl. *Bot.* Familia de estas plantas.

celtismo. (De *celta.*) m. Doctrina que supone ser la lengua céltica origen de la mayoría de las modernas. ‖ **2.** Tendencia de algunos arqueólogos a reputar célticos los monumentos megalíticos. ‖ **3.** Afición al estudio de lo relativo a los pueblos celtas.

celtista. com. Persona que cultiva el estudio de la lengua y literatura célticas.

celtohispánico, ca. adj. Dícese de los monumentos o restos de la cultura céltica existentes en la España peninsular.

celtohispano, na. adj. **celtohispánico.**

celtolatino, na. adj. Dícese de las palabras de origen céltico incorporadas al latín.

celtre. m. ant. **acetre.**

célula. (Del lat. *cellŭla,* d. de *cella,* hueco.) f. Pequeña celda, cavidad o seno. ‖ **2.** *Biol.* Cada uno de los elementos, generalmente microscópicos, constituidos por protoplasmas y dotados de vida propia, que, según la teoría celular, son las unidades morfológicas y fisiológicas que componen el cuerpo de las plantas y de los animales. ‖ **3.** fig. Grupo reducido de personas que funciona de modo independiente dentro de una organización política, religiosa, etc. ‖ **fotoeléctrica.** Dispositivo que permite transformar las variaciones de intensidad luminosa, en variaciones de intensidad de una corriente eléctrica. ‖ **huevo. cigoto.** ‖ **pigmentaria.** La que contiene glándulas de pigmento.

celulado, da. adj. Provisto de células o dispuesto en forma de ellas.

celular. (De *célula.*) adj. Perteneciente o relativo a las células. ‖ **2.** *Anat.* V. **tejido celular.** ‖ **3.** *Der.* Dícese del establecimiento carcelario donde los reclusos están sistemáticamente incomunicados. ‖ **4.** V. **coche celular.**

celulario, ria. adj. Compuesto de muchas celdillas o células.

celulita. (De *célula.*) f. Especie de pasta, muy usada en la industria, que se obtiene machacando la fibra leñosa y mezclándola con sustancias minerales, cera y caucho.

celuloide. (Del lat. *cellŭla,* hueco, y *-oide.*) m. Sustancia fabricada con pólvora de algodón y alcanfor. Es un cuerpo sólido, casi transparente y muy elástico, que se emplea en la industria fotográfica y cinematográfica y en las artes para imitar el marfil, la concha, el coral, etc.

celulosa. (Del lat. *cellŭla,* hueco.) f. *Quím.* Cuerpo sólido insoluble en el agua, el alcohol y el éter, perteneciente al grupo químico de los hidratos de carbono, que forma casi totalmente la membrana envolvente de las células vegetales. Mediante la ebullición en ácidos minerales concentrados se descompone en hidratos de carbono más sencillos, y con el ácido nítrico da un compuesto fulminante análogo a la nitroglicerina. Compone casi por completo el papel blanco sin cola. ‖ **nítrica.** *Quím.* La que sirve para formar el colodión.

celulósico, ca. adj. Perteneciente o relativo a la celulosa.

cella. (Del lat. *cella.*) f. *Arq.* Espacio interior que constituye el núcleo de la construcción en los templos griegos y romanos. De forma rectangular, comunica por uno de sus lados con el pronaos o pórtico.

cellar. (De *cello.*) adj. V. **hierro cellar.**

cellenco, ca. (Del ant. *sellenco,* de *siella,* silla.) adj. fam. Dícese de la persona que, por vejez o achaques, no se maneja sino con trabajo y dificultad. ‖ **2.** f. **mujer pública.**

cellerizo. m. ant. **cillerizo.** ‖ **2. cillerero.**

cellero. (Del lat. *cellarĭus.*) m. ant. **cillero.**

cellisca. f. Temporal de agua y nieve muy menuda, impelidas con fuerza por el viento.

cellisquear. intr. impers. Caer agua y nieve muy menuda, impelidas con fuerza por el viento.

cello. (Del lat. *cingŭlum,* ceñidor.) m. Aro con que se sujetan las duelas de las cubas, comportas, pipotes, etc.

cembo. m. *León.* Cada uno de los caballones que hay a los bordes de un río, arroyo, canal o acequia, así como los de los senderos y caminos.

cembrio. m. *León.* Parte superior de la ladera de una montaña, muy batida por el viento, que ofrece paso fácil al viandante en tiempo de nieve.

cementación. f. Acción y efecto de cementar.

cementante. m. Materia utilizada para endurecer superficialmente por carburación piezas de acero.
cementar. (De *cemento.*) tr. Calentar una pieza de metal en contacto con otra materia en polvo o en pasta. ‖ **2.** *Min.* Meter barras de hierro en disoluciones de sales de cobre para que este metal se precipite.
cementerial. adj. Perteneciente al cementerio.
cementerio. (Del lat. *coemeterĭum,* y este del gr. κοιμητήριον.) m. Terreno, generalmente cercado, destinado a enterrar cadáveres.
cementero, ra. adj. Perteneciente o relativo al cemento. *Industria* CEMENTERA. Ú. t. c. s. f.
cemento. (Del lat. *cementum,* usado en la Vulgata por argamasa.) m. Mezcla formada de arcilla y materiales calcáreos, sometida a cocción y muy finamente molida, que mezclada a su vez con agua se solidifica y endurece. ‖ **2.** Materia con que se cementa una pieza de metal. ‖ **3.** Masa mineral que une los fragmentos o arenas de que se componen algunas rocas. ‖ **4.** *Anat.* Tejido óseo que cubre el marfil en la raíz de los dientes de los vertebrados. ‖ **armado. hormigón armado.** ‖ **de Pórtland. cemento** hidráulico así llamado por su color, semejante al de la piedra de las canteras inglesas de Pórtland. ‖ **hidráulico. cemento,** producto de la cocción de materiales calcáreos y arcilla. ‖ **real.** Pasta compuesta de cuatro partes de arcilla seca, una de caparrosa y otra de sal marina, que los orífices y plateros usaban para los apartados del oro.
cementoso, sa. adj. Dícese de lo que tiene los caracteres del cemento.
cemita. (De *acemite.*) f. *El Salv.* y *Nicar.* Pastel formado por dos capas de pan de salvado, con relleno de dulce, hecho con alguna fruta tropical. ‖ **2.** *NO. Argent.* Pan hecho de harina morena, grasa y otros ingredientes.
cempasúchil. (Del nahua *cempoalli,* veinte, y *xóchitl,* flor.) m. *Méj.* **maravilla,** planta herbácea; flor de muerto. ‖ **2.** *Méj.* Flor de esta planta.
cempoal. m. *Méj.* **cempasúchil.**
cena[1]**.** (Del lat. *cena.*) f. Última comida del día, que se hace al atardecer o por la noche. ‖ **2.** Acción de cenar. *La* CENA *duró tres horas.* ‖ **3.** V. **jueves de la cena.** ‖ **del rey.** En Navarra y Aragón, tributo que se pagaba al rey para su mesa, y equivalía al que en Castilla se pagaba con el nombre de yantar. ‖ **última cena.** La de Jesucristo con sus apóstoles.
cena[2]**.** (Por **ecena,* del lat. *scaena,* escena.) f. ant. **escena.**
cenáculo. (Del lat. *cenacŭlum,* cenador.) m. Sala en que Jesucristo celebró la última cena. ‖ **2.** fig. Reunión poco numerosa de personas que profesan las mismas ideas, y más comúnmente de literatos y artistas.
cenacho. (Del ár. *ṣannāŷ,* capacho del molino de aceite.) m. Espuerta de esparto o palma, con una o dos asas, que sirve para llevar carne, pescado, hortalizas, frutas o cosas semejantes.
cenadero. (Del lat. *cenatorĭum,* cenador.) m. Sitio destinado para cenar. ‖ **2. cenador** de los jardines.
cenado, da. (Del lat. *cenātus,* cenado.) p. p. de **cenar**[2]**.** ‖ **2.** adj. Dícese del que ha cenado.
cenador, ra. (De *cenar*[2]*.*) adj. Que cena. Ú. t. c. s. ‖ **2.** Que cena con exceso. Ú. t. c. s. ‖ **3.** m. Espacio, comúnmente redondo, que suele haber en los jardines, cercado y vestido de plantas trepadoras, parras o árboles. ‖ **4.** Cada una de las galerías que hay en la planta baja de algunas casas de Granada, a los lados del patio, sin pared que de él las separe y con un techo correspondiente, que suele servir de piso a otra galería alta.
cenaduría. (De *cenador.*) f. *Méj.* Fonda o figón en que sirven comidas por la noche.
cenaga. (De *cenagar.*) f. *Burg.* **lodazal.**
cenagal. (De *ciénaga.*) m. Sitio o lugar lleno de cieno. ‖ **2.** fig. y fam. Negocio de difícil salida. Ú. con los verbos *meter, salir,* etc.
cenagar. (Del lat. **coenicāre,* enlodar.) tr. ant. **enlodar.**
cenagoso, sa. (Del lat. **coenicōsus,* de *coenum,* cieno.) adj. Lleno de cieno.
cenal. (Del lat. *seni,* de seis en seis.) m. *Mar.* Aparejo que llevan los faluchos y sirve para cargar la vela por alto.
cenancle. m. *Méj.* Mazorca del maíz.
cenaoscuras. (De *cenar* y *a oscuras.*) com. fig. y fam. Persona huraña. ‖ **2.** fig. y fam. Persona que por tacañería se priva de las comodidades regulares.
cenar[1]**.** m. ant. **cena**[1]**.**
cenar[2]**.** (Del lat. *cenāre.*) intr. Tomar la cena. ‖ **2.** tr. Comer en la cena tal o cual cosa. CENAR *perdices.*
cenata. (De *cena*[1]*.*) f. *Col.* Cena copiosa y alegre entre amigos.
cenca. f. *Perú.* Cresta de las aves.
cencapa. f. *Perú.* Jáquima que se pone a la llama.
cencellada. (De *cierzo.*) f. *Sal.* Rocío, escarcha.
cenceñada. f. *Sal.* **cencellada.**
cenceño, ña. (De or. inc.; cf. lat. *sincērus,* puro; *cincinnus,* tirabuzón.) adj. Delgado o enjuto. Dícese de las personas, de los animales e incluso de las plantas. ‖ **2.** ant. Puro, sencillo, sin composición. ‖ **3.** V. **pan cenceño.**
cencero, ra. (Del m. or. que *cencido.*) adj. *Ar.* **cenceño.**
cencerra. f. **cencerro.**
cencerrada. f. fam. Ruido desapacible que se hace con cencerros, cuernos y otras cosas para burlarse de los viudos la primera noche de sus nuevas bodas. *Dar* CENCERRADA.
cencerrado, da. adj. ant. **encerrado,** breve, sucinto.
cencerrear. intr. Tocar o sonar insistentemente cencerros. ‖ **2.** fig. y fam. Tocar un instrumento destemplado, o tocarlo sin arreglo a la música; comúnmente se aplica a la guitarra. ‖ **3.** fig. y fam. Sonar desagradablemente las puertas y ventanas, las piezas de hierro u otro metal, por no estar bien ajustadas.
cencerreo. m. Acción y efecto de cencerrear.
cencerril. adj. ant. Perteneciente al cencerro.
cencerrillas. f. pl. *Ál.* Colleras con campanillas o cencerros para las caballerías.
cencerrión. m. ant. **cerrión.**
cencerro. (Formación onomatopéyica de or. inc., probablemente del vasco *zinzerri,* campanilla del perro.) m. Campana pequeña y cilíndrica, tosca por lo común, hecha con chapa de hierro o de cobre. Se usa para el ganado y suele atarse al pescuezo de las reses. ‖ **zumbón.** El que se pone a la guía o cabestro, y por lo regular se le echa un sobrecerco a la boca para que suene más. ‖ **a cencerros tapados.** loc. adv. Rellenando con hierbas u otra cosa, para que no suenen, los **cencerros** de las reses, por lo común cuando entran a comer sementeras o pastos del ganado de otro dueño. ‖ **2.** fig. y fam. Callada y cautelosamente. ‖ **estar como un cencerro.** fr. fig. y fam. Estar chiflado.
cencerrón. m. **redrojo,** racimo de uvas que queda sin recoger.
cencido, da. (De or. inc., probablemente del lat. *sancĭtus,* prohibido.) adj. Dícese de la hierba, dehesa o terreno antes de ser hollado.
cencio. (Del lat. *circĭus,* cierzo.) m. *Sal.* Viento frío, escarcha, niebla.
cencío. (Del m. or. que *cencido.*) adj. *And.* **cencido.**
cencivera. f. *Ar.* Cierta clase de uva menuda y temprana.
cenco. m. Reptil del orden de los ofidios, que vive en América.
cencuate. (Del nahua *centli,* mazorca de maíz, y *coatl,* serpiente.) m. *Méj.* Culebra venenosa de más de un metro de largo y muy pintada.

cencha. (Del lat. *cingŭla,* pl. n. de *cingŭlum.*) f. Traviesa en que se fijan los pies de las butacas, camas, etc.

cendal. (Del prov. *sendal,* y este del lat. *sindon, -ōnis,* con cambio de sufijo.) m. Tela de seda o lino muy delgada y transparente. ‖ **2. humeral,** paño litúrgico. ‖ **3.** Barbas de la pluma. ‖ **4.** ant. Especie de guarnición para el vestido. ‖ **5.** *Mar.* Embarcación moruna muy larga, con tres palos y aparejo de jabeque y armada en guerra por lo común. ‖ **6.** pl. Algodones que se ponían en el fondo del tintero.

cendalí. adj. Perteneciente o relativo al cendal.

céndea. f. En Navarra, congregación de varios pueblos que componen un ayuntamiento.

cendolilla. (De or. inc., probablemente del ár. vulg. *sandālīya,* der. de *sandal,* ocioso, desocupado.) f. Muchacha inquieta y de poco juicio.

cendra. (De *cendrar.*) f. Pasta de ceniza de huesos, limpia y lavada, con que se preparan las copelas para afinar el oro y la plata. ‖ **ser una cendra,** o **vivo como una cendra.** fr. fig. y fam. Tener mucha viveza.

cendrada. (De *cendrar.*) f. **cendra.** ‖ **2.** Asiento de ceniza que se pone en la plaza del horno de afinar la plata.

cendradilla. (d. de *cendra.*) f. *Min.* Horno pequeño de afinación para metales ricos.

cendrado, da. (De *cendrar.*) adj. **acendrado,** puro y sin mancha.

cendrar. (Del lat. *cinerāre,* hacer ceniza.) tr. **acendrar.**

cendrazo. (De *cendra.*) m. Parte de la copela que se arranca con los pallones de plata antes de pesarlos.

cenefa. (Del ár. *ṣanifa,* borde o fimbria del vestido.) f. Lista sobrepuesta o tejida en los bordes de las cortinas, doseles, pañuelos, etc., de la misma tela y a veces de otra distinta. ‖ **2.** En las casullas, lista de en medio, la cual suele ser de tela o color diferente de la de los lados. ‖ **3.** Dibujo de ornamentación que se pone a lo largo de los muros, pavimentos y techos y suele consistir en elementos repetidos de un mismo adorno. ‖ **4.** *Mar.* Madero grueso que rodea una cofa, o en que termina y apoya su armazón. ‖ **5.** *Mar.* Cada uno de los cantos circulares de la armazón de los tambores en las ruedas de un vapor. ‖ **6.** *Mar.* Tira de lona que cuelga de las relingas del toldo, para que no entre el sol por el costado.

cenegar. (Del lat. *coenicāre,* enlodar.) tr. *Rioja.* **enlodar.**

ceneja. f. *Murc.* Tejido de esparto; **cañidor.**

ceneque. m. fam. **panecillo** o trozo de pan.

cenero. (Del lat. *sincērus,* puro, intacto.) m. *Ar.* Terreno o campo no pacido.

cenestesia. (Del gr. κοινός, común, y αἴσθησις, sensación.) f. *Psicol.* Sensación general de la existencia y del estado del propio cuerpo, independiente de los sentidos externos, y resultante de la síntesis de las sensaciones, simultáneas y sin localizar, de los diferentes órganos y singularmente los abdominales y torácicos.

cenestésico, ca. adj. *Psicol.* Relativo o perteneciente a la cenestesia.

cenete. (Del beréber *Zanāta,* tribu de este nombre.) adj. Dícese del individuo de la tribu berberisca de Zeneta, una de las más antiguas y principales del África Septentrional. Ú. m. c. s. y en pl. ‖ **2.** Perteneciente a esta tribu.

cenhegí. (Del beréber *ṣinhāŷī,* de la tribu de los *Ṣinhāŷa.*) adj. Dícese del individuo de la tribu berberisca de Zanhaga, una de las más antiguas y principales del África Septentrional, y de cuyo seno salieron los almorávides. Ú. m. c. s. y en pl. ‖ **2.** Perteneciente a esta tribu.

cení. (Del ár. *ṣinī,* perteneciente o relativo a la China.) m. Especie de latón o de azófar muy fino.

cenia. (Del ár. *sāniya.*) f. Azuda o máquina simple para elevar el agua y regar terrenos, muy usada al norte de la provincia de Valencia. ‖ **2.** En Marruecos, **noria** para sacar agua. ‖ **3.** En Marruecos, huerto o jardín que se riega con este artefacto.

cenicense. adj. Natural de Cenia, villa de la provincia de Tarragona. Ú. t. c. s. ‖ **2.** Perteneciente o relativo a dicha villa.

cenicerense. adj. Natural de Cenicero, ciudad de la provincia de Logroño. Ú. t. c. s. ‖ **2.** Perteneciente o relativo a dicha villa.

cenicero. m. Espacio que hay debajo de la rejilla del hogar, para que en él caiga la ceniza. ‖ **2.** Sitio donde se recoge o echa la ceniza. ‖ **3.** Recipiente donde se dejan la ceniza y residuos del cigarro.

cenícero. m. *Amér. Merid.* **cenízaro.**

cenicienta. (Del nombre de la protagonista del cuento así llamado.) f. Persona o cosa injustamente postergada, despreciada.

ceniciento, ta. adj. De color de ceniza. ‖ **2.** V. **luz cenicienta.**

cenicilla. (d. de *ceniza.*) f. **oidio.**

cenit. (Del m. or. que *acimut,* por error de transcripción de los copistas.) m. *Astron.* Punto del hemisferio celeste superior al horizonte, que corresponde verticalmente a un lugar de la Tierra. ‖ **2.** fig. Punto culminante o momento de apogeo de una persona o cosa. *Está en el* CENIT *de su gloria.*

cenital. adj. Perteneciente o relativo al cenit. ‖ **2.** V. **ángulo, luz cenital.**

ceniza. (Del lat. *cinisĭa, de *cinis.*) f. Polvo de color gris claro que queda después de una combustión completa, y está formado, generalmente, por sales alcalinas y térreas, sílice y óxidos metálicos. ‖ **2.** V. **capón, día, miércoles de ceniza.** ‖ **3. cenicilla.** ‖ **4.** fig. Reliquias o residuos de un cadáver. Ú. m. en pl. ‖ **5.** *Pint.* **cernada,** aparejo para imprimar los lienzos. ‖ **azul,** o **cenizas azules.** Carbonato de cobre artificial, mezclado ordinariamente con cal y oxido de cobre. ‖ **verde,** o **cenizas verdes.** Mezcla de sulfato de cobre con cierta combinación arsenical. ‖ **convertir en cenizas** una cosa. fr. fig. **reducirla a cenizas.** ‖ **descubrir la ceniza.** fr. fig. y fam. Mover disputas y pleitos ya olvidados. ‖ **escribir en la ceniza.** fr. fig. **escribir en la arena.** ‖ **hacer ceniza,** o **cenizas,** una cosa. fr. fig. **reducirla a cenizas.** ‖ **2.** fig. y fam. Destruirla, o disiparla del todo. ‖ **poner** a alguien **la ceniza en la frente.** fr. fig. y fam. Vencerle, excediéndole en alguna habilidad o convenciéndole en alguna disputa. ‖ **reducir a cenizas** una cosa. fr. fig. Destruirla, arruinarla, reduciéndola a partes muy pequeñas. *La artillería* REDUJO A CENIZAS *la muralla.* ‖ **tomar la ceniza.** fr. Recibirla en la frente de manos del sacerdote el primer día de cuaresma.

cenizal. m. **cenicero,** sitio donde se recoge la ceniza.

cenízaro. m. *C. Rica.* Árbol de copa ancha, de la familia de las mimosáceas, que se cubre de flores rosadas o rojas, según la variedad, y cuya fruta, en vainas, sirve de alimento al ganado. Su madera es dura y fina.

cenizo, za. adj. De color de ceniza. ‖ **2.** m. Planta silvestre, de la familia de las quenopodiáceas, con tallo herbáceo, blanquecino, erguido, de seis a ocho decímetros de altura; hojas romboidales, dentadas, verdes por encima y cenicientas por el envés, y flores verdosas en panoja. ‖ **3. cenicilla.** ‖ **4.** fam. Aguafiestas, persona que tiene mala sombra o que la trae a los demás.

cenizoso, sa. adj. Que tiene ceniza. ‖ **2.** Cubierto de ceniza. ‖ **3.** De color de ceniza.

cenobial. adj. Perteneciente al cenobio.

cenobio. (Del lat. *coenobĭum,* y este del gr. κοινόβιον, vida en común.) m. **monasterio.**

cenobita. (Del lat. *coenobita.*) com. Persona que profesa la vida monástica.

cenobítico, ca. adj. Perteneciente al cenobita.

cenobitismo. m. Método de vida que observan los cenobitas. ‖ **2.** Cosa peculiar de ellos.

cenojil. (Del ant. *zenojil*, y este der. del lat. *genucŭlum*, rodilla.) m. **henojil.**

cenopegias. (Del lat. *scenopegĭa*, y este del gr. σκηνοπηγία.) f. pl. **fiesta de los tabernáculos.**

cenoso, sa. (Del lat. *coenōsus*.) adj. ant. **cenagoso.**

cenotafio. (Del lat. *cenotaphĭum*, y este del gr. κενοτάφιον, sepulcro vacío.) m. Monumento funerario en el cual no está el cadáver del personaje a quien se dedica.

cenote. (Del maya *tz'onot*, pozo, abismo.) m. Depósito de agua manantial, que se halla en Yucatán (Méjico) y otras partes de América, generalmente a alguna profundidad.

cenozoico, ca. (Del gr. καινός, nuevo, y ζῷον, animal.) adj. *Geol.* Aplícase a los períodos terciario y cuaternario. Ú. t. c. s. ‖ **2.** Dícese de la cuarta era geológica de las que constituyen la historia de la Tierra, que comprende desde el final del cretácico hasta la época actual.

censal. (De *censo*.) adj. **censual.** ‖ **2.** m. **censo,** contrato.

censalero. m. *Murc.* **censatario.**

censalista. com. *Ar.* **censualista.**

censar. tr. Incluir o registrar en el censo. ‖ **2.** intr. Hacer el censo o empadronamiento de los habitantes de algún lugar.

censatario, ria. adj. Dícese de la persona obligada a pagar los réditos de un censo. Ú. m. c. s.

censido, da. adj. *Der.* Gravado con censo.

censista. com. Funcionario que interviene en la confección de censos demográficos o electorales.

censo. (Del lat. *census*.) m. Padrón o lista que los censores romanos hacían de las personas y haciendas. ‖ **2.** Padrón o lista de la población o riqueza de una nación o pueblo. ‖ **3.** Contribución o tributo que entre los antiguos romanos se pagaba por cabeza, en reconocimiento de vasallaje y sujeción. ‖ **4.** Pensión que anualmente pagaban algunas iglesias a su prelado por razón de superioridad u otras causas. ‖ **5.** *Der.* Contrato por el cual se sujeta un inmueble al pago de una pensión anual, como interés de un capital recibido en dinero, y reconocimiento de un dominio que no se transmite con el inmueble. ‖ **6.** Registro general de ciudadanos con derecho de sufragio activo. ‖ **censo al quitar. censo** redimible. ‖ **consignativo.** Aquel en que se recibe alguna cantidad por la cual se ha de pagar una pensión anual, asegurando dicha cantidad o capital con bienes raíces. ‖ **de agua.** En Madrid, pensión que pagaban a la villa los dueños de casas que tenían agua de pie, a proporción de la que se les repartía. ‖ **de por vida.** El que se impone por una o más vidas. ‖ **electoral. censo,** registro general de ciudadanos. ‖ **enfitéutico. enfiteusis.** ‖ **fructuario.** El que se paga en frutos. ‖ **irredimible. censo** perpetuo que por pacto no podía redimirse nunca. En la actualidad todos son redimibles. ‖ **mixto.** El que se impone sobre una finca, quedando además obligada la persona; de modo que aun cuando la finca perezca, pueda reclamarse la pensión. ‖ **muerto. censo irredimible.** ‖ **perpetuo.** Imposición hecha sobre bienes raíces, en virtud de la cual queda obligado el comprador a pagar al vendedor cierta pensión cada año, contrayendo también la obligación de no poder enajenar la casa o heredad que con esta carga ha comprado, sin dar cuenta primero al señor del **censo,** para que use una de las dos acciones que le competen, que son: o tomarla por el tanto que otro diere, o percibir la veintena parte de todo el precio en que se ajustare; pero aunque no pague algunos años la pensión, o venda sin licencia, no cae en comiso, a menos que se pacte expresamente. ‖ **reservativo.** Aquel en que se da un edificio o heredad con pacto de pagar el adquirente al enajenante cierta pensión cada año. ‖ **cargar censo.** fr. Imponerlo sobre alguna casa, hacienda, etc. ‖ **constituir un censo.** fr. Recibir o entregar un capital gravando fincas determinadas con las obligaciones consiguientes. ‖ **2.** Trasladar el dominio útil, o el directo y útil de ellas, pactando pagar, el que recibe el capital o las fincas, el rédito anual dentro del límite señalado por las leyes. ‖ **fundar un censo.** fr. fig. Establecer una renta, hipotecando para su seguridad algunos bienes, que regularmente son raíces. ‖ **ser** alguien, o algo, **un censo,** o **un censo perpetuo.** fr. fig. y fam. Ocasionar gastos repetidos o continuos.

censor, ra. (Del lat. *censor, -ōris*.) adj. Que censura. Ú. t. c. s. ‖ **2.** m. y f. En ciertos gobiernos, funcionario encargado de revisar todo tipo de publicaciones, películas, mensajes publicitarios, etc., y de proponer, en su caso, que se modifiquen o prohíban. ‖ **3.** En situaciones políticas especiales, funcionario encargado de intervenir las comunicaciones privadas. ‖ **4.** En las academias y otras corporaciones, individuo encargado principalmente de velar por la observancia de estatutos, reglamentos y acuerdos. ‖ **5.** Persona que es propensa a murmurar o criticar las acciones o cualidades de los demás. ‖ **6.** m. Magistrado de la república romana, a cuyo cargo estaba formar el censo de la ciudad, velar sobre las costumbres de los ciudadanos y castigar con la pena debida a los viciosos. ‖ **jurado de cuentas.** Profesor titulado independiente, especializado en el examen de la contabilidad y administración de empresas.

censorino, na. (Del lat. *censorinus*.) adj. **censorio.**

censorio, ria. (Del lat. *censorĭus*.) adj. Relativo al censor o a la censura.

censual. (Del lat. *censuālis*.) adj. Perteneciente al censo.

censualista. com. Persona a cuyo favor se impone o está impuesto un censo, o la que tiene derecho a percibir sus réditos.

censuar. (Del lat. *census*, censo.) tr. ant. **acensuar.**

censuario. (Del lat. *censuarĭus*.) m. **censatario.**

censura. (Del lat. *censūra*.) f. Entre los antiguos romanos, oficio y dignidad de censor. ‖ **2.** Dictamen y juicio que se hace o da acerca de una obra o escrito. ‖ **3.** Nota, corrección o reprobación de alguna cosa. ‖ **4.** Murmuración, detracción. ‖ **5.** Pena eclesiástica del fuero externo, impuesta por algún delito con arreglo a los cánones. ‖ **6.** Intervención que ejerce el censor gubernativo. ‖ **7.** *Psicoanál.* Vigilancia que ejercen el yo y el superyó sobre el ello, para impedir el acceso a la conciencia de impulsos nocivos para el equilibrio psíquico. ‖ **8.** ant. Padrón, asiento, registro o matrícula. ‖ **9.** V. **voto de censura.** ‖ **de cuentas.** La ejercida por el censor jurado de cuentas. ‖ **ferendae sententiae. excomunión ferendae sententiae.** ‖ **latae sententiae. excomunión latae sententiae.** ‖ **previa censura.** Examen y aprobación que anticipadamente hace el censor gubernativo de ciertos escritos antes de darse a la imprenta.

censurable. adj. Digno de censura.

censurador, ra. adj. Que censura. Ú. t. c. s.

censurar. (De *censura*.) tr. Formar juicio de una obra u otra cosa. ‖ **2.** Corregir, reprobar o notar por mala alguna cosa. ‖ **3.** Murmurar, vituperar. ‖ **4.** Ejercer su función el censor oficial o de otra clase; imponer en calidad de tal, supresiones o cambios. ‖ **5.** ant. Hacer registro o matrícula.

censurista. com. Persona que tiene propensión a censurar o reprender a las demás.

centalla. (Del lat. *scintilla*.) f. **chispa.**

centaura. (De *centaurea*.) f. Planta perenne, de la familia de las compuestas, de tallo ramoso, recto, de uno a dos metros de altura, con hojas grandes divididas en lacinias aserradas desigualmente, y flores de color pardo purpúreo en corimbo irregular, con cáliz de cabecilla escamosa. ‖ **mayor. centaura.** ‖ **menor.** Planta de la familia de las gencianáceas, con tallo de tres a cuatro decímetros de altura, cuadrangular, lampiño por abajo y ramoso por arriba; hojas radicales lisas, pequeñas, aovadas y estrechas, y casi lineales las superiores; flores en ramillete, róseas o blancas y de forma de embudo partido en cinco pétalos.

centaurea. (Del lat. *centaurĕa.*) f. **centaura.**

centaurina. (De *centauro.*) f. *Quím.* Sustancia que existe en ciertas plantas amargas y que se ha extraído del cardo bendito y del cardo estrellado.

centauro. (Del lat. *centaurus,* y este del gr. κένταυρος.) m. Monstruo fingido por los antiguos, mitad hombre y mitad caballo.

centavo, va. (De *ciento* y *-avo.*) adj. **centésimo,** dícese de cada una de las cien partes de un todo. Ú. t. c. s. m. ‖ **2.** m. Moneda americana de bronce, cobre o níquel, que vale un céntimo.

centella. (Del lat. *scintilla.*) f. **rayo,** chispa eléctrica. Se usa vulgarmente referido al de poca intensidad. ‖ **2.** Chispa o partícula de fuego que se desprende o salta del pedernal herido con el eslabón o cosa semejante. ‖ **3.** desus. fig. Reliquia de algún vivo afecto del ánimo, de alguna discordia o de otras cosas semejantes. ‖ **4.** fig. Persona o cosa muy veloz. Úsase principalmente como término de comparación. *Pasó rápido como una* CENTELLA. ‖ **5.** *Ar.* Enfermedad del trigo, que seca la espiga antes de granar. ‖ **6.** *Sal.* Hierba venenosa que se cría en los hondonales. ‖ **7.** *Chile.* **ranúnculo.**

centellador, ra. adj. Que centellea.

centellar. (Del lat. *scintillāre.*) intr. **centellear.**

centellear. (De *centella.*) intr. Despedir rayos de luz como indecisos o trémulos, o de intensidad y coloración variables por momentos.

centelleo. m. Acción y efecto de centellear.

centellón. m. aum. de **centella.**

centén. (De *centeno*[2].) m. Moneda española de oro, que valía cien reales.

centena[1]**.** (Del lat. *centena.*) f. *Arit.* Conjunto de cien unidades.

centena[2]**.** f. ant. Caña del centeno.

centenada. (De *centeno*[2].) f. **centena**[1]. ‖ **a centenadas.** loc. adv. fig. **a centenares.**

centenal[1]**.** m. **centenar**[1]. ‖ **2.** *Ar.* Cuenda de una madeja.

centenal[2]**.** m. Sitio sembrado de centeno.

centenar[1]**.** m. **centena**[1]. ‖ **2. centenario,** fiesta que se celebra de cien en cien años. ‖ **a centenares.** loc. adv. con que se pondera la abundancia de algunas cosas.

centenar[2]**.** m. **centenal**[2].

centenario, ria. (Del lat. *centenarĭus.*) adj. Perteneciente a la centena. ‖ **2.** Dícese de la persona que tiene cien años de edad, o poco más o menos. Ú. t. c. s. ‖ **3.** m. Tiempo de cien años. ‖ **4.** Fiesta que se celebra de cien en cien años. ‖ **5.** Día en que se cumplen una o más centenas de años del nacimiento o muerte de alguna persona ilustre, o de algún suceso famoso. CENTENARIO *de Cervantes;* CENTENARIO *del Dos de Mayo.* ‖ **6.** Fiestas o actos que alguna vez se celebran con dichos motivos. ‖ **7.** ant. **centena**[1].

centenaza. (De *centeno*[1].) adj. V. **paja centenaza.** Ú. t. c. s.

centenero, ra. adj. Aplícase al terreno en que se da bien el centeno.

centenilla. f. Género de plantas primuláceas de América que comprende varias especies.

centeno[1]**.** (Del lat. *centēnum,* sobrentendiéndose *hordĕum,* de *centum,* ciento.) m. Planta anual, de la familia de las gramíneas, muy parecida al trigo, con el tallo delgado, fuerte y flexible, de uno a dos metros de altura, hojas planas y estrechas, espiga larga, estrecha y comprimida, de la que se desprenden con facilidad los granos, que son de figura oblonga, puntiagudos por un extremo y envueltos en un cascabillo áspero por el dorso y terminado en arista. ‖ **2.** Conjunto de granos de esta planta. Es muy alimenticia y sirve para los mismos usos que el trigo.

centeno[2]**, na.** (Del lat. *centēnus.*) adj. **centésimo,** adjetivo ordinal.

centenoso, sa. adj. Mezclado con mucho centeno.

centesimal. (De *centésimo.*) adj. Dícese de cada uno de los números del uno al noventa y nueve inclusive.

centésimo, ma. (Del lat. *centesĭmus.*) adj. Que sigue inmediatamente en orden al o a lo nonagésimo nono. ‖ **2.** Dícese de cada una de las cien partes iguales en que se divide un todo. Ú. t. c. s. ‖ **3.** m. Fracción de la unidad monetaria de algunos países americanos, céntimo.

centi-. (Del lat. *centi-.*) elem. compos. que significa «cien»: CENTI*mano;* o «centésima parte»: CENTI*metro,* CENTI*litro.*

centiárea. f. Medida de superficie, que tiene la centésima parte de una área, es decir, un metro cuadrado.

centígrado, da. (De *centi-* y *gradus,* grado.) adj. V. **grado centígrado.** ‖ **2.** Dícese de la escala en que cada división vale un grado **centígrado,** o de los termómetros que se ajustan a esta escala.

centigramo. (De *centi-* y *gramo.*) m. Peso que es la centésima parte de un gramo.

centilación. (Del lat. *scintillatĭo, -ōnis.*) f. ant. **centelleo.**

centilitro. (De *centi-* y *litro.*) m. Medida de capacidad que tiene la centésima parte de un litro.

centiloquio. (De *centi-* y el lat. *eloquĭum,* habla, discurso.) m. Obra que tiene cien partes, tratados o documentos.

centillero. (Del lat. *scintilla,* centella.) m. Candelabro de siete luces, que se usa en la exposición del Santísimo Sacramento.

centimano o **centímano.** (De *centi-* y el lat. *manus.*) adj. De cien manos. Aplícase a Briareo y a otros gigantes que tenían cien manos, según la mitología. Ú. t. c. s.

centímetro. (De *centi-* y *metro.*) m. Medida de longitud que tiene la centésima parte de un metro. ‖ **cuadrado.** Medida superficial correspondiente a un cuadrado que tenga un **centímetro** de lado. ‖ **cúbico.** Medida de volumen correspondiente a un cubo cuyo lado es un **centímetro.**

céntimo, ma. (Del fr. *centime,* con cambio de acento por analogía con *décimo.*) adj. **centésimo,** cada una de las cien partes de un todo. ‖ **2.** m. Moneda, real o imaginaria, que vale la centésima parte de la unidad monetaria, real, peseta, escudo o peso.

centinela. (Del it. *sentinella.*) m. *Mil.* Soldado que vela guardando el puesto que se le encarga. Úsab. t. c. s. f. ‖ **2.** com. fig. Persona que está en observación de alguna cosa. ‖ **de vista.** p. us. La que se pone al preso para no perderlo de vista. ‖ **perdida.** p. us. *Mil.* La que se envía para que, corriendo la campaña, observe mejor al enemigo, y va muy expuesta a perderse. ‖ **estar de centinela.** fr. *Mil.* Estar el soldado guardando algún puesto. ‖ **falsear las centinelas.** fr. *Mil.* **falsear las guardas,** ganar con soborno las de una fortaleza. ‖ **hacer centinela.** fr. *Mil.* **estar de centinela.**

centinodia. (Del lat. *centynodĭa.*) f. Planta de la familia de las poligonáceas, con hojas enteras, oblongas y pequeñas, tallos cilíndricos con muchos nudos y tendidos sobre la tierra, y pequeña la semilla, que es muy apetecida de las aves. Es medicinal. ‖ **2.** Planta de la familia de las poligonáceas, de poco más de un metro de altura, con tallo recto y de articulaciones muy abultadas, hojas lanceoladas, flores en espiga terminal, inodoras y de color verde o de rosa.

centiplicado, da. (De *centi-* y el lat. *plicātus,* doblado.) adj. Que está centuplicado.

centipondio. (De *centi-* y el lat. *pondus,* peso.) m. **quintal.**

centola. f. **centolla.**

centolla. (De *centollo.*) f. **centollo.**

centollo. (De or. inc.; cf. lat. *centocŭlus,* de cien ojos, celt. *cintullos.*) m. Crustáceo decápodo marino, braquiuro, de caparazón casi redondo cubierto de pelos y tubérculos ganchudos, y con cinco pares de patas largas y vellosas. Vive entre las piedras y su carne es muy apreciada.

centón. (Del lat. *cento, -ōnis.*) m. Manta hecha de gran número de piececitas de paño o tela de diversos colores. ‖ **2.** Manta grosera con que antiguamente se cubrían las máquinas militares. ‖ **3.** fig. Obra literaria, en verso o prosa, compuesta enteramente, o en la mayor parte, de sentencias y expresiones ajenas.

centonar. (De *centón.*) tr. Amontonar cosas o trozos de ellas sin el orden debido. ‖ **2.** fig. Componer obras literarias con retazos y sentencias de otras.

centrado, da. (Del lat. *centrātus.*) adj. Dícese del instrumento matemático o de la pieza de una máquina cuyo centro se halla en la posición que debe ocupar. ‖ **2.** fig. Dícese del individuo que se halla adaptado a la actividad o ambiente en que se mueve. ‖ **3.** *Blas.* V. **globo, mundo centrado.**

central. (Del lat. *centrālis.*) adj. Perteneciente al centro. ‖ **2.** Que está en el centro. ‖ **3.** Dícese del lugar que está entre dos extremos. *América* CENTRAL. ‖ **4.** Que ejerce su acción sobre todo un campo o territorio. ‖ **5.** Esencial, importante. ‖ **6.** V. **aduana, calefacción central.** ‖ **7.** f. Instalación donde están unidos o centralizados varios servicios públicos de una misma clase. CENTRAL *de Correos, de Teléfonos.* ‖ **8.** Casa o establecimiento principal de algunas empresas particulares. ‖ **9.** Cada una de las diversas instalaciones donde se produce, por diferentes medios, energía eléctrica. CENTRAL *nuclear* o *nucleoeléctrica, térmica, hidroeléctrica.* ‖ **10.** *Cuba, El Salv., Nicar., P. Rico* y *Sto. Dom.* Ingenio o fábrica de azúcar.

centralidad. f. Condición de central.

centralismo. m. Doctrina de los centralistas.

centralista. (De *central.*) adj. Relativo a la centralización política o administrativa. ‖ **2.** Partidario de este tipo de centralización. Ú. t. c. s. ‖ **3.** com. Persona encargada de una red de comunicaciones, en especial de una centralita telefónica. ‖ **4.** *P. Rico.* Dueño de una central azucarera.

centralita. (d. de *central.*) f. Aparato que conecta una o varias líneas telefónicas con diversos teléfonos instalados en los locales de una misma entidad. ‖ **2.** Lugar, dentro del mismo edificio, donde está instalado este aparato.

centralización. f. Acción y efecto de centralizar o centralizarse.

centralizador, ra. adj. Que centraliza.

centralizar. (De *central.*) tr. Reunir varias cosas en un centro común. Ú. t. c. prnl. ‖ **2.** Hacer que varias cosas dependan de un poder central. Ú. t. c. prnl. ‖ **3.** Asumir el poder público facultades atribuidas a organismos locales.

centrar. (De *centro.*) tr. Determinar el punto céntrico de una superficie o de un volumen. ‖ **2.** Colocar una cosa de modo que su centro coincida con el de otra. ‖ **3.** Entre cazadores, apuntar a la pieza de forma que esta quede en el centro de dispersión de la munición. ‖ **4.** Hacer que se reúnan en el lugar conveniente los proyectiles de un arma de fuego, los rayos procedentes de un foco luminoso, etc. ‖ **5.** Dirigir el interés o la atención hacia un objetivo concreto. *Ha* CENTRADO *su investigación en la época de Carlos V.* ‖ **6.** *Carp.* y *Cerraj.* Colocar el objeto que se va a tornear de modo que las puntas del torno determinen el eje de rotación. ‖ **7.** intr. *Dep.* En el fútbol, lanzar un jugador el balón desde un lado del terreno hacia la parte central próxima a la portería contraria.

centrarco. (Del gr. κέντρον, aguijón.) m. *Amér.* Pez teleósteo, del suborden de los acantopterigios, que tiene muchas espinas en las aletas.

centrical. (De *céntrico.*) adj. ant. **central.**

céntrico, ca. (De *centro.*) adj. Que pertenece al centro o está en él. ‖ **2.** V. **punto céntrico.**

centrifugación. f. Acción de centrifugar.

centrifugado, da. p. p. de **centrifugar.** ‖ **2.** m. Acción y efecto de centrifugar.

centrifugador, ra. adj. Que centrifuga. ‖ **2.** f. Máquina que separa los diferentes componentes de una mezcla por la acción de la fuerza centrífuga.

centrifugar. tr. Aprovechar la fuerza centrífuga para secar ciertas sustancias o para separar los componentes de una masa o mezcla según sus distintas densidades. ‖ **2.** Escurrir la ropa por medio de la centrifugación.

centrífugo, ga. (Del lat. cient. *centrifugus.*) adj. *Mec.* Que aleja del centro. ‖ **2.** V. **azúcar, bomba, fuerza centrífuga.** ‖ **3.** f. *Mec.* **centrifugadora,** máquina.

centrina. (Del gr. κέντρον, aguijón.) f. Pez selacio, del suborden de los escuálidos, que vive en el Mediterráneo y en el Atlántico y puede alcanzar más de un metro de longitud. Cada una de sus aletas dorsales, la primera de las cuales es mucho mayor que la segunda, está cruzada por una robusta espina, incluida casi por completo en el espesor de la aleta.

centrípeto, ta. (Del lat. cient. *centripetus.*) adj. *Mec.* Que atrae, dirige o impele hacia el centro. ‖ **2.** *Mec.* V. **fuerza centrípeta.**

centris. m. Insecto himenóptero propio de América del Sur.

centrisco. (Del gr. κεντρίσκος.) m. **trompetero,** pez.

centrismo. m. **centro,** conjunto de tendencias políticas de ideología intermedia entre la derecha y la izquierda.

centrista. adj. Partidario de una política de centro. Ú. t. c. s.

centro. (Del lat. *centrum,* y este del gr. κέντρον, aguijón, punta del compás en la que se apoya el trazado de la circunferencia.) m. *Geom.* Punto en lo interior del círculo, del cual equidistan todos los de la circunferencia. ‖ **2.** *Geom.* En la esfera, punto interior del cual equidistan todos los de la superficie. ‖ **3.** *Geom.* En los polígonos y poliedros, punto en que todas las diagonales que pasan por él quedan divididas en dos partes iguales. ‖ **4.** *Geom.* En las líneas y superficies curvas, punto de intersección de todos los diámetros. ‖ **5.** Lo más distante o retirado de la superficie exterior de una cosa. ‖ **6.** Lo que está en medio o más alejado de los límites, orillas, fronteras, extremos, etc. ‖ **7.** Lugar de donde parten o a donde convergen acciones particulares coordenadas. ‖ **8.** Punto donde habitualmente se reúnen los miembros de una sociedad o corporación. ‖ **9.** Tendencia o agrupación políticas cuya ideología es intermedia entre la derecha y la izquierda. ‖ **10.** Ministerio, dirección general o cualquier otra dependencia de la administración del Estado. ‖ **11.** Traje de bayeta que usan las indias y mestizas ecuatorianas. ‖ **12.** Instituto dedicado a cultivar o a fomentar determinados estudios e investigaciones. ‖ **13.** fig. Parte central de una ciudad o de un barrio. ‖ **14.** Punto o calles más concurridos de una población o en los cuales hay más actividad comercial o burocrática. ‖ **15.** Lugar o situación donde una cosa o una persona tiene su natural asiento y acomodo. ‖ **16.** Lugar en que se desarrolla más intensamente una actividad determinada. CENTRO *comercial;* CENTRO *industrial.* ‖ **17.** Lugar donde se reúnen, acuden o concentran personas o grupos por algún motivo o con alguna finalidad. CENTRO *de movilización.* CENTRO *de resistencia.* ‖ **18.** Lugar donde se reúne o produce algo en cantidades importantes. CENTRO *industrial.* CENTRO *editorial.* ‖ **19.** fig. Fin u objeto principal a que se aspira o del que se siente atracción. ‖ **20.** *Cuba.* Saya de raso u otra tela de color, que se trasluce por el traje de género claro que se le sobrepone. ‖ **21.** desus. *Cuba.* Conjunto de pantalón, camisa y chaleco. ‖ **22.** *Cuba.* **asiento,** tirilla de lienzo que se pone en las camisas. ‖ **23.** *Hond.* **chaleco.** ‖ **24.** *Dep.* En el fútbol, acción y efecto de centrar.

‖ **25.** *Esgr.* Punto en que, según su situación y figura, está la fuerza del cuerpo. ‖ **de gravedad.** *Fís.* Punto en donde, aplicando una sola fuerza vertical, se podrían equilibrar todas las de la gravedad que actúan en un cuerpo. ‖ **de la batalla.** *Mil.* Parte del ejército, que está en medio de las dos alas. ‖ **de mesa.** Vasija de porcelana, cristal o metal, que se utiliza frecuentemente para colocarla con flores en medio de las mesas de comedor. ‖ **de población.** Agrupación de viviendas, en la que existen los elementos necesarios para la vida común de los habitantes. *Los* CENTROS *de población pequeños y grandes.* ‖ **de simetría.** *Geom.* Punto de una figura u objeto, tal que cualquier recta que por él pase ha de encontrar a ambos lados y a la misma distancia puntos correspondientes. ‖ **urbano.** Parte de una ciudad donde se agrupan monumentos históricos, órganos de la administración, del comercio y de la vida pública en general. ‖ **centros nerviosos.** *Zool.* Parte del sistema nervioso, que recibe las impresiones de la periferia y transmite las excitaciones motrices a los órganos correspondientes.

centroafricano, na. adj. Natural de África central. Ú. t. c. s. ‖ **2.** Natural de la República Centroafricana. Ú. t. c. s. ‖ **3.** Perteneciente o relativo a África central o a la República Centroafricana.

centroamericano, na. adj. Natural de Centroamérica. Ú. t. c. s. ‖ **2.** Perteneciente o relativo a esta parte del Nuevo Mundo.

centrobárico, ca. (Del gr. κέντρον, aguijón, y βάρος, pesadez.) adj. *Mec.* Perteneciente o relativo al centro de gravedad.

centrocampista. com. Miembro de un equipo que, en el fútbol y otros juegos deportivos, tiene como misión principal contener los avances del equipo contrario en el centro del campo y ayudar tanto a la defensa como a la delantera del equipo propio.

centroeuropeo, a. adj. Dícese de los países situados en la Europa central, y de lo perteneciente a los mismos.

centunviral. (Del lat. *centumvirālis.*) adj. Perteneciente o relativo a los centunviros.

centunvirato. (Del lat. *centumvirātus.*) m. Consejo de los centunviros.

centunviro. (Del lat. *centumvir, -ĭri.*) m. Cada uno de los cien ciudadanos que en la antigua Roma asistían al pretor urbano encargado de fallar en juicios sobre asuntos civiles.

centuplicar. (Del lat. *centuplicāre.*) tr. Hacer cien veces mayor una cosa. Ú. t. c. prnl. ‖ **2.** *Arit.* Multiplicar una cantidad por ciento.

céntuplo, pla. (Del lat. *centŭplus.*) adj. *Arit.* Dícese del producto de la multiplicación por 100 de una cantidad cualquiera. Ú. t. c. s. m.

centuria. (Del lat. *centurĭa.*) f. Número de cien años, siglo. ‖ **2.** En la milicia romana, compañía de cien hombres.

centurión. (Del lat. *centurĭo, -ōnis.*) m. Jefe de una centuria en la milicia romana.

centurionazgo. m. Empleo de centurión.

cenuro. (Voz formada con el gr. κοινός, común, y οὐρά, cola.) m. *Zool.* Tenia cuyos quistes o cisticercos provocan en el ganado lanar la enfermedad llamada modorra.

cenutrio. m. Lerdo, zoquete, estúpido.

cenzalino, na. adj. Perteneciente al cénzalo.

cénzalo. (Voz onomatopéyica.) m. **mosquito,** insecto díptero.

cenzaya. (Del vasc. *sein,* niño, y *zai,* guarda.) f. *Ál.* **cinzaya.**

cenzayo. (De *cenzaya.*) m. *Ál.* Marido de la que ha sido cenzaya o niñera.

cenzonte. m. *Guat., Hond.* y *Méj.* **cenzontle.**

cenzontle. (Del nahua *centzuntli,* que tiene cuatrocientas voces.) m. Pájaro americano de plumaje pardo y con las extremidades de las alas y de la cola, el pecho y el vientre blancos. Su canto es muy variado y melodioso.

ceñar. (De *ceño*[2].) tr. *Ar.* Guiñar, hacer señas.

ceñida. f. *Náut.* Navegación a vela contra el viento.

ceñideras. (De *ceñir.*) f. pl. Prenda que usan algunos obreros y trabajadores del campo para cubrir los pantalones y evitar su deterioro.

ceñidero. (De *ceñir.*) m. ant. **ceñidor.**

ceñido, da. p. p. de **ceñir.** ‖ **2.** adj. fig. Moderado y reducido en sus gastos. ‖ **3.** Apretado, ajustado. ‖ **4.** Aplícase a los insectos que tienen muy señalada la división entre el tórax y el abdomen; como la mosca, la hormiga y la abeja.

ceñidor. m. Faja, cinta, correa o cordel con que se ciñe el cuerpo por la cintura.

ceñidura. f. Acción y efecto de ceñir o ceñirse.

ceñiglo. m. **cenizo,** planta quenopodiácea.

ceñimiento. m. Acción y efecto de ceñir o ceñirse.

ceñir. (Del lat. *cingĕre.*) tr. Rodear, ajustar o apretar la cintura, el cuerpo, el vestido u otra cosa. ‖ **2.** Cerrar o rodear una cosa a otra. ‖ **3.** fig. Abreviar una cosa o reducirla a menos. ‖ **4.** *Mar.* **navegar de bolina.** ‖ **5.** prnl. fig. Moderarse o reducirse en los gastos, en las palabras, etc. ‖ **6.** fig. Amoldarse, concretarse a una ocupación, trabajo o asunto.

ceño[1]**.** (Del lat. *cingŭlum,* ceñidor.) m. Cerco o aro que ciñe alguna cosa. ‖ **2.** *Veter.* Especie de cerco elevado que suele hacerse en la tapa del casco a las caballerías.

ceño[2]**.** (Del lat. tardío *cĭnnus,* señal que se hace con los ojos.) m. Demostración o señal de enfado y enojo, que se hace con el rostro, dejando caer el sobrecejo o arrugando la frente. ‖ **2.** fig. Aspecto imponente y amenazador que toman ciertas cosas. *El* CEÑO *del mar, el de las nubes.* ‖ **3.** **entrecejo,** espacio que hay entre las cejas.

ceñoso[1]**, sa.** (De *ceño*[1].) adj. *Veter.* Que tiene ceño[1].

ceñoso[2]**, sa.** (De *ceño*[2].) adj. **ceñudo.**

ceñudo, da. (De *ceño*[2].) adj. Dícese de la persona que tiene ceño o sobrecejo y especialmente de quien lo arruga.

ceo. (Del lat. *zeus.*) m. **gallo,** pez acantopterigio.

cepa. (De *cepo*[1].) f. Parte del tronco de cualquier árbol o planta, que está dentro de tierra y unida a las raíces. ‖ **2.** Tronco de la vid, del cual brotan los sarmientos, y, por extensión, toda la planta. ‖ **3.** Raíz o principio de algunas cosas, como el de las astas y colas de los animales. ‖ **4.** fam. V. **agua, zumo de cepas.** ‖ **5.** fig. Núcleo de un nublado. ‖ **6.** fig. Tronco u origen de una familia o linaje. ‖ **7.** *Hond.* Conjunto de varias plantas que tienen una raíz común. ‖ **8.** *Méj.* Foso, hoyo. ‖ **9.** *Arq.* En los arcos y puentes, parte del machón desde que sale de la tierra hasta la imposta. ‖ **caballo. ajonjera.** ‖ **virgen.** Planta sarmentosa, muy parecida a la vid. ‖ **a cepa revuelta.** loc. adv. Dícese del viñedo viejo, cuyas **cepas** no conservan la alineación y orden con que fueron plantadas. ‖ **de buena cepa.** loc. adj. De calidad u origen reconocidos por buenos. Ú. t. en sent. fig. ‖ **de pura cepa.** loc. adj. Aplicado a personas, auténtico, con los caracteres propios de una clase. *Un andaluz* DE PURA CEPA.

cepadgo. m. ant. Lo que pagaba el preso al que le ponía en el cepo.

cepazo. m. *And.* Caída de golpe.

cepeda. f. Lugar en que abundan arbustos y matas de cuyas cepas se hace carbón.

cepejón. (De *cepa.*) m. Raíz gruesa que arranca del tronco del árbol.

cepellón. (De *cepa.*) m. Pella de tierra que se deja adherida a las raíces de los vegetales para trasplantarlos.

cepera. (De *cepa.*) f. **cepeda.** ‖ **2.** *Sal.* Inflamación de las pezuñas del ganado cabrío.

cepilladura. (De *cepillar.*) f. Acción y efecto de cepillar. ‖ **2.** Viruta que se saca de la materia que se cepilla.

cepillar. (De *cepillo.*) tr. Alisar con cepillo la madera o los metales. ‖ **2.** Limpiar, quitar el polvo con cepillo de cerda, esparto, etc. ‖ **3.** fig. y fam. **pulir,** componer, alisar una cosa. ‖ **4.** fig. y fam. **pulir,** quitar a alguien la rusticidad, instruirle. ‖ **5.** fig. y fam. Quitar a alguien el dinero, desplumarlo. ‖ **6.** *Amér.* Adular. ‖ **7.** prnl. fig. y fam. Matar. ‖ **8.** fig. y fam. Liquidar un asunto rápidamente. ‖ **9.** fig. y fam. En el lenguaje estudiantil, suspender. ‖ **10.** fig. y vulg. Tener trato sexual con alguien.

cepillo. (d. de *cepo.*) m. Caja de madera u otra materia, con cerradura y una abertura por la que se introducen las limosnas, que se pone fija en las iglesias y otros lugares. ‖ **2.** Instrumento de carpintería formado por un prisma cuadrangular de madera dura, que lleva embutido en una abertura transversal y sujeto por una cuña un hierro acerado con filo, el cual sobresale un poco de la cara que ha de ludir con la madera que se quiere labrar. ‖ **3.** Instrumento semejante al anterior, pero todo de hierro, que se usa para labrar metales. ‖ **4.** Instrumento hecho de manojitos de cerdas, o cosa semejante, sujetos en agujeros distribuidos convenientemente en una plancha de madera, hueso, pasta, etc., de modo que queden iguales las cerdas. Se hace de varias formas y tamaños, y sirve para quitar el polvo a la ropa, para menesteres de aseo personal y para otros usos de limpieza. ‖ **bocel. cepillo** con canales y hierros semicirculares que usan los carpinteros y tallistas para hacer mediascañas en la madera.

cepita. (Del lat. *cepa,* cebolla.) f. *Mineral.* Especie de ágata formada de conchas o capas concéntricas como una cebolla.

cepo[1]**.** (Del lat. *cippus.*) m. Gajo o rama de árbol. ‖ **2.** Madero grueso y de más de medio metro de alto, en que se fijan y asientan la bigornia, yunque, tornillos y otros instrumentos de los herreros, cerrajeros y operarios de otros oficios. ‖ **3.** Instrumento hecho de dos maderos gruesos, que unidos forman en el medio unos agujeros redondos, en los cuales se aseguraba la garganta o la pierna del reo, juntando los maderos. ‖ **4.** Cierto instrumento para devanar la seda antes de torcerla. ‖ **5.** Artefacto de distintas formas y mecanismos que sirve para cazar animales mediante un dispositivo que se cierra aprisionando al animal cuando este lo toca. ‖ **6.** Por ext., instrumento que sirve para inmovilizar automóviles aparcados en zona prohibida. ‖ **7. cepillo** para recoger limosnas, donativos, etc. ‖ **8.** Instrumento de madera con que se amarra y afianza la pieza de artillería en el carro. ‖ **9.** Utensilio compuesto de una o dos varillas de madera o metal, que sirve para sujetar los periódicos y revistas sin doblarlos, en cafés, hoteles y otros locales de pública lectura. ‖ **10.** *Arq.* Conjunto de dos vigas entre las cuales se sujetan piezas de madera, como los pilotes de una cimentación. ‖ **colombiano.** *Argent.* y *Hond.* Castigo militar que se ejecutaba oprimiendo al reo entre dos fusiles, uno de los cuales pasaba bajo las corvas y el otro sobre la nuca, ligados por un tiento o correa. ‖ **de campaña.** *Amér.* **cepo colombiano.** ‖ **del ancla.** *Mar.* Pieza de madera o hierro, que se adapta a la caña del ancla cerca del arganeo, en sentido perpendicular a ella y al plano de los brazos, y sirve para que alguna de las uñas penetre y agarre en el fondo. ‖ **cepos quedos.** expr. fig. y fam. que se usa para decir a alguien que se esté quieto, o para cortar una conversación que disgusta u ofende.

cepo[2]**.** (Del lat. *cephus.*) m. **cefo.**

cepola. f. Pez teleósteo del suborden de los fisóstomos, provisto de largas aletas, que vive en el Mediterráneo y en el Atlántico y del cual se conocen varias especies.

cepón. m. aum. de **cepa** de una planta.

ceporrez. f. fam. Calidad de ceporro, persona torpe e ignorante.

ceporro. m. Cepa vieja que se arranca para la lumbre. ‖ **2.** fig. y fam. Persona torpe e ignorante.

cepote. (De *cepo*[1].) m. *Mil.* Pieza de hierro del fusil, que aseguraba por la parte inferior el arco del guardamonte.

ceprén. (Del cat. *alçaprem.*) m. *Ar.* **palanca** para remover o levantar pesos.

ceptí. adj. desus. **ceutí.**

cequeta. f. *Murc.* Acequia estrecha.

cequí. (Del ár. *sikkī,* relativo a la ceca, moneda de oro.) m. Moneda antigua de oro, acuñada en varios estados de Europa, especialmente en Venecia, y que, admitida en el comercio de África, recibió de los árabes este nombre.

cequia. (Del ár. *sāqiya.*) f. **acequia.**

cequiaje. (De *cequia.*) m. Tributo de cequia.

cequión. (aum. de *cequia.*) m. *Murc.* Caz de un molino u otro artefacto hidráulico. ‖ **2.** *Chile* y *Perú.* Canal o acequia grande.

-cer. V. **-ecer.**

cera. (De lat. *cera.*) f. Sustancia sólida, blanda, amarillenta y fundible que segregan las abejas para formar las celdillas de los panales y que se emplea principalmente para hacer velas; también la fabrican algunos otros insectos. ‖ **2.** Conjunto de velas o hachas de **cera,** que sirven en alguna función. ‖ **3.** V. **árbol de la cera.** ‖ **4.** V. **color, librillo de la cera.** ‖ **5.** *Bot.* Sustancia muy parecida a la **cera** elaborada por los insectos que producen algunas plantas y se deposita sobre las células de la epidermis de hojas, flores y frutos. ‖ **6.** *Zool.* Membrana que rodea la base del pico de algunas aves, como las rapaces, gallinas y palomas. ‖ **7.** pl. Entre colmeneros, conjunto de las casillas de **cera** que fabrican las abejas en las colmenas. ‖ **aleda.** Betún o primera **cera** con que las abejas untan por dentro la colmena. ‖ **amarilla.** La que tiene el color que saca comúnmente del panal, después de separada de la miel derretida y colada. ‖ **blanca.** La que reducida a hojas, se blanquea puesta al sol. ‖ **de los oídos.** Sustancia crasa segregada por ciertas glándulas, parecidas a las sudoríparas, que existen en el conducto auditivo externo. ‖ **de palma.** Sustancia dura y porosa, semejante a la **cera** elaborada por los insectos, que se extrae del tronco de algunas palmas sudamericanas. ‖ **toral. cera** por curar o que está aún amarilla. ‖ **vana.** La de los panales sin miel. ‖ **vegetal.** *Hond.* La que se extrae de las semillas del arbusto llamado pimientilla. ‖ **vieja.** La de los cabos que quedan de velas o cirios. ‖ **virgen.** Entre colmeneros, la que no está aún melada. ‖ **2.** La que está en el panal y sin labrarse. ‖ **hacer de** alguien **cera y pabilo.** fr. fig. Reducirle con facilidad a que haga lo que se quiere. ‖ **hacer la cera.** Depilar por el procedimiento de extender sobre el cutis **cera** derretida y retirarla cuando se enfría y solidifica. Ú. t. c. prnl. ‖ **melar las ceras.** fr. **melar**[2]**,** hacer las abejas la miel. ‖ **no hay más cera que la que arde.** expr. fig. y fam. con que se nota que uno no tiene más que lo que se ve de aquello de lo que se trata. ‖ **no quedar** a alguien **cera en el oído.** fr. fig. y fam. Haber consumido todos sus bienes. ‖ **pesar a cera** a alguien fr. Cumplir la promesa piadosa de dar tanta **cera** para el culto de una iglesia, capilla o imagen como pesa la persona que hizo o por quien se hizo tal voto. ‖ **ser como una cera,** o **hecho de cera,** o **una cera.** fr. fig. y fam. Ser de genio blando y dócil.

ceracate. (De *cera* y *ácates.*) f. *Mineral.* Especie de ágata de color de cera.

ceración. (De *cera.*) f. *Quím.* Operación de fundir metales.

cerafolio. (Del lat. *chaerefolĭum,* y este del gr. χαιρέφυλλον, hoja elegante.) m. **perifollo,** planta.

ceragallo. m. *C. Rica.* Planta perenne herbácea, de la familia de las lobeliáceas, con tallo ramoso y flores rojas y amarillas.

cerámica. (Del gr. κεραμική, t. f. de -κός.) f. Arte de fabricar vasijas y otros objetos de barro, loza y porcelana, de todas clases y calidades. CERÁMICA *griega, morisca,* etc. ‖ **2.** Conjunto de estos objetos. ‖ **3.** Conocimiento científico de los mismos objetos, desde el punto de vista arqueológico.

cerámico, ca. (Del gr. κεραμικός.) adj. Perteneciente o relativo a la cerámica.

ceramista. com. Persona que fabrica objetos de cerámica.

ceramita. (Del lat. *ceramītes.*) f. Especie de piedra preciosa. ‖ **2.** Ladrillo de resistencia superior a la del granito.

cerapez. (De *cera* y *pez²*.) f. **cerote** de los zapateros para encerar los hilos.

cerasiote. (Del lat. *cerasium,* cereza.) m. *Farm.* Purgante que contiene jugo de cerezas.

cerasita. f. *Mineral.* Silicato de alúmina y magnesia.

cerasta. (Del lat. *cerasta,* y este del gr. κεράστης, de κέρας, cuerno.) f. Víbora de más de seis decímetros de longitud y con manchas de color pardo rojizo, que tiene una especie de cuernecillos encima de los ojos. Se cría en los arenales de África y es muy venenosa.

cerastas. f. **cerasta.**

ceraste. m. **cerasta.**

cerastes. (Del lat. *cerastes.*) m. **ceraste.**

cerástide. (De *cerasta.*) m. Lepidóptero nocturno que vive en Europa.

cerate. m. Pesa usada antiguamente en España.

ceratias. (Del lat. *ceratĭas,* y este del gr. κερατίας.) m. *Astron.* Cometa de dos colas.

cerato. (Del lat. *cerātum.*) m. *Farm.* Composición que tiene por base una mezcla de cera y aceite, y se diferencia del ungüento en no contener resinas. ‖ **de Galeno. cerato** simple con agua de rosas. ‖ **de Saturno. cerato** de Galeno, al que se añade subacetato de plomo líquido, o sea extracto de Saturno. ‖ **simple.** El que solo tiene aceite y cera.

ceraunia. (Del lat. *ceraunĭa,* y este del gr. κεραυνός, rayo.) f. **piedra de rayo.**

ceraunomancia o **ceraunomancía.** (Del gr. κεραυνός, rayo, y μαντεία, adivinación.) f. Adivinación por medio de las tempestades.

ceraunómetro. (Del gr. κεραυνός, rayo, y *-metro.*) m. *Fís.* Aparato para medir la intensidad de los relámpagos.

ceraza. (De *cera.*) f. ant. Ungüento o pasta de cera.

cerbas. m. Árbol muy corpulento de la India.

cerbatana. (Del ár. *zarbaṭāna,* cañuto para tirar a los pájaros.) f. Cañuto en que se introducen bodoques u otras cosas, para despedirlas o hacerlas salir impetuosamente después, soplando con violencia por una de sus extremidades. ‖ **2.** Instrumento parecido al anterior, hecho de carrizo, y que como arma de caza usan algunos indios de América para disparar flechas. ‖ **3.** Trompetilla para los sordos. ‖ **4.** Culebrina de muy poco calibre usada antiguamente. ‖ **hablar** alguien **por cerbatana.** fr. fig. y fam. desus. Manifestar por medio de otro lo que no quiere decir por sí mismo.

cerbelo. m. ant. **cerebelo.**

cerbero. (Del lat. *Cerbĕrus,* y este del gr. Κέρβερος.) m. **cancerbero.** ‖ **2.** Arbusto pequeño del que hay variedades, alguna con cierto principio o jugo venenoso.

cerbillera. (De *cerbillo.*) f. **capacete** de la armadura.

cerbillo. (Del lat. *cerebellum.*) m. ant. **cerebro.**

cerca¹. (De *cercar.*) f. Vallado, tapia o muro que se pone alrededor de algún sitio, heredad o casa para su resguardo o división. ‖ **2.** ant. Cerco de una ciudad o plaza. ‖ **3.** *Mil.* Formación de infantería, parecida al cuadro moderno, en que la tropa presentaba por todas partes el frente al enemigo, teniendo los flancos cubiertos unos con otros y dejando vacío el centro.

cerca². (Del lat. *circa.*) adv. l. y t. Próxima o inmediatamente. ‖ **2.** m. pl. *Pint.* Objetos situados en el primer término de un cuadro. ‖ **cerca de.** loc. prepos. Junto a *Ponte* CERCA DE *mí. Vive* CERCA DE *la escuela.* ‖ **2.** loc. prepos. (por infl. del francés). Sirve para designar la residencia de un ministro en determinada corte extranjera. *Embajador* CERCA DE *la Santa Sede;* CERCA DE *Su Majestad Católica.* ‖ **3.** loc. adv. Con un complemento de cantidad, casi. *Murieron* CERCA DE *dos mil hombres. Son* CERCA DE *las diez* ‖ **4.** loc. prep. p. us. **acerca de.** ‖ **de cerca.** loc. adv. A corta distancia. ‖ **en cerca.** loc. adv. ant. En contorno o alrededor. ‖ **tener buen,** o **mal, cerca.** fr. fam. Parecer bien, o mal, mirado desde **cerca.**

cercado. (De *cercar.*) m. Huerto, prado u otro sitio rodeado de valla, tapia u otra cosa para su resguardo. ‖ **2. cerca¹,** vallado. ‖ **3.** *Perú.* División territorial que comprende la capital de un Estado o provincia y los pueblos que de aquella dependen.

cercador, ra. (Del lat. *circātor, -ōris.*) adj. Que cerca. Ú. t. c. s. ‖ **2.** m. Entre cinceladores, hierro adelgazado, pero sin corte, que sirve para dibujar cualquier contorno en piezas de chapa delgada sin cortarla, rehundiendo la huella que hace, y presentándola en relieve por la parte opuesta.

cercadura. f. ant. **cerca¹,** vallado.

cercamiento. m. ant. Acción y efecto de cercar.

cercanamente. adv. l. y t. Próximamente, a poca distancia.

cercandanza. (De *cerca²* y *andanza.*) f. ant. Acción de andar cerca o aproximarse alguna cosa.

cercanía. f. Calidad de cercano. ‖ **2.** Lugar cercano o circundante.

cercanidad. f. ant. **cercanía.**

cercano, na. (De *cerca²*.) adj. Próximo, inmediato.

cercar. (Del lat. *circāre,* rodear.) tr. Rodear o circunvalar un sitio con vallado, tapia o muro, de suerte que quede cerrado, resguardado y separado de otros. ‖ **2.** Poner cerco o sitio a una plaza, ciudad o fortaleza. ‖ **3.** Rodear mucha gente a una persona o cosa. ‖ **4.** ant. **acercar.** Ú. t. c. prnl.

cercaria. f. *Zool.* Forma larval con cola de ciertos gusanos trematodos.

cercear. (De *cierzo.*) intr. impers. *León.* Soplar con fuerza el viento cierzo o norte, sobre todo cuando le acompaña llovizna.

cercen. (Del lat. *circen, -ĭnis,* círculo.) adv. m. **cercén.**

cercén. (De *cercen.*) adv. m. **a cercén.** ‖ **a cercén.** loc. adv. Enteramente y en redondo. *Cortar un brazo* A CERCÉN.

cercenadamente. adv. m. Con cercenadura.

cercenador, ra. adj. Que cercena. Ú. t. c. s.

cercenadura. f. Acción y efecto de cercenar. ‖ **2.** Parte o porción que se quita de la cosa cercenada.

cercenamiento. m. **cercenadura.**

cercenar. (Del lat. *circināre.*) tr. Cortar las extremidades de alguna cosa. ‖ **2.** Disminuir o acortar. CERCENAR *el gasto, la familia.*

cércene. (Del lat. *circen, -ĭnis,* círculo.) adv. m. *Sal.* **cercén.** ‖ **a cércene.** loc. adv. *Sal.* **a cercén.**

cérceno, na. (Del lat. *circĭnus,* círculo.) adj. *Sal.* Cortado de un solo golpe; a cercén.

cercera. (De *cierzo.*) f. Cierzo fuerte. ‖ **2.** Ventana o abertura para ventilación.

cerceta¹. (Del lat. **cercedŭla,* por *querquedŭla.*) f. Ave del orden de las palmípedas, del tamaño de una paloma, con la cola corta y el pico grueso y ancho por la parte superior, que cubre a la inferior; es parda, cenicienta, salpicada de pequeños lunares más oscuros, con un orden de plumas blancas en las alas, y otro de verdes tornasoladas por la mitad.

cerceta². (De *cercillo,* con cambio de sufijo.) f. ant. **coleta,** cabello envuelto desde el cogote en una cinta en forma de cola. ‖ **2.** pl. Pequeños pitones blancos que le nacen al ciervo en la frente.

cercillo. (Del lat. *circellus,* circulito.) m. desus. **zarcillo**[1], pendiente. ‖ **2.** *Sal.* Corte que, como señal, se hace al ganado en una oreja, de modo que le quede colgando la parte de ella a modo de zarcillo. ‖ **de vid.** *Agr.* **tijereta,** zarcillo de la vid.

cerciorar. (Del b. lat. *certiorare.*) m. tr. Asegurar a alguien la verdad de una cosa. Ú. m. c. prnl. y con la prep. *de.* CERCIORARSE DE *un hecho.*

cerco. (Del lat. *circus,* círculo.) m. Lo que ciñe o rodea. ‖ **2.** Aro de cuba, de rueda y de otros objetos. ‖ **3. cerca**[1], vallado, tapia o muro. ‖ **4.** Asedio que pone un ejército, rodeando una plaza o ciudad para combatirla. ‖ **5. corrillo.** ‖ **6.** Giro o movimiento circular. ‖ **7.** Figura supersticiosa que trazan en el suelo los hechiceros y nigrománticos para invocar dentro de ella a los demonios y hacer sus conjuros. ‖ **8.** Arte de rodeo que consiste en una red de 1.300 a 1.500 metros de largo por 20 ó 30 de ancho. Se usa en las costas de Galicia para la pesca de la sardina. ‖ **9. halo.** ‖ **10. marco** que rodea algunas cosas. ‖ **11.** *Hond.* **seto vivo.** ‖ **de jareta. traíña.** ‖ **alzar el cerco.** fr. Apartarse, desistir del sitio o asedio de una plaza. ‖ **en cerco.** loc. adv. ant. **alrededor,** en torno. ‖ **levantar el cerco.** fr. **alzar el cerco.** ‖ **poner cerco.** fr. Sitiar una plaza o ponerle sitio.

cercopiteco. (Del gr. κέρκος, rabo, y πίθηκος, mono.) m. Mono catarrino, propio de África, de formas ligeras, provisto de abazones y con las callosidades isquiáticas muy desarrolladas.

cércopo. (Del lat. *cercōpis.*) m. Insecto hemíptero, de cabeza alongada, cuatro alas, dos coriáceas y dos membranosas, y del que hay algunas variedades. Sus larvas viven sobre las plantas y están envueltas en una espuma blanca segregada por el propio animal.

cercote. (De *cerco.*) m. Red para cercar los peces.

cercha. (De **cercho,* del lat. *circŭlus.*) f. *Albañ.* **cimbra,** armazón que sostiene un arco. ‖ **2.** *Cuba.* Cada una de las varas curvas que sostienen y dan forma a las capotas de los quitrines. ‖ **3.** *Cuba.* Cada una de las varillas que sostienen el mosquitero o la colgadura de la cama. ‖ **4.** *Arq.* Regla delgada y flexible de madera, que sirve para medir superficies cóncavas o convexas. ‖ **5.** *Arq.* Patrón de contorno curvo, sacado de una tabla, que se aplica de canto en un sillar para labrar en él una superficie cóncava o convexa. ‖ **6.** *Carp.* Cada una de las piezas de tabla aserradas que forman segmentos de círculo, con las cuales, encoladas unas con otras, se forma el aro de una mesa redonda, un arco, o cosas semejantes. ‖ **7.** *Mar.* Círculo de madera que forma la rueda del timón, en el que se afirman las cabillas.

cerchar. (Del lat. *circulāre,* rodear, encorvar.) tr. *Agr.* Tratándose de las vides, **acodar,** meter bajo tierra el vástago de una planta.

cerchearse. (De *cercha.*) prnl. *Ar.* y *Murc.* Doblarse o encorvarse las vigas u otras maderas que sustentan algún peso, por la humedad u otra causa.

cerchón. (De *cercha.*) m. *Arq.* **cimbra,** armazón que sostiene un arco.

cerda. (Del lat. *setŭla,* d. de *seta,* pelo grueso.) f. Pelo grueso, duro y largo que tienen las caballerías en la cola y en la cima del cuello. También se llama así el pelo de otros animales, como el jabalí, puerco, etc., que, aunque más corto, es recio. ‖ **2.** Pelo de cepillo, de brocha, etc., de materia animal o artificial. ‖ **3.** V. **ganado de cerda.** ‖ **4.** Hembra del cerdo. ‖ **5.** Tumor carbuncoso que se le forma al cerdo en las partes laterales del cuello. ‖ **6.** Alar o lazo hecho de **cerda,** para cazar perdices. Ú. m. en pl. ‖ **7.** Mies segada. *Se han traído a la era cinco carros de* CERDA. ‖ **8.** Manojo pequeño de lino sin rastrillar. ‖ **9.** fig. **puerca,** mujer sucia. Ú. t. c. adj. ‖ **10.** fig. **puerca,** mujer grosera. Ú. t. c. adj. ‖ **11.** fig. **puerca,** mujer ruin. Ú. t. c. adj.

cerdada. (De *cerdo.*) f. **guarrada.**

cerdamen. m. Manojo de cerdas atadas y dispuestas para hacer brochas, cepillos, etcétera.

cerdear[1]. (De *cerdo,* por el andar de este animal.) intr. Flaquear de los brazuelos el animal, por lo que no puede asentar las manos con igualdad. Se usa especialmente refiriéndose a los toros cuando están heridos de muerte, y a los caballos cuando padecen alguna debilidad en los brazuelos. ‖ **2.** Sonar mal o ásperamente las cuerdas de un instrumento. ‖ **3.** fig. y fam. Resistirse a hacer algo, o andar buscando excusas para no hacerlo.

cerdear[2]. (De *cerda.*) tr. Cortar las crines, cerdas, etc. de las caballerías.

cerdo. (De *cerda,* pelo grueso.) m. Mamífero paquidermo doméstico, que tiene unos siete decímetros de alto y aproximadamente un metro de largo; cabeza grande, orejas caídas, jeta casi cilíndrica, con la cual hoza la tierra y las inmundicias; cuerpo muy grueso, con cerdas fuertes y ralas, patas cortas, pies con cuatro dedos, los del medio envueltos por la uña, y rudimentales los de los lados, y cola corta y delgada. Se cría y ceba para aprovechar su carne y grasa. ‖ **2.** fig. **puerco,** hombre sucio. Ú. t. c. adj. ‖ **3.** fig. **puerco,** hombre grosero, sin modales. Ú. t. c. adj. ‖ **4.** fig. **puerco,** hombre ruin. Ú. t. c. adj. ‖ **5.** V. **queso de cerdo.** ‖ **de muerte.** El que ha pasado de un año, y está ya en disposición de poderlo matar. ‖ **de vida.** El que no ha cumplido un año, y no está todavía bien criado para la matanza. ‖ **marino. marsopa.**

cerdoso, sa. adj. Que cría y tiene muchas cerdas. ‖ **2.** Parecido a ellas por su aspereza. ‖ **3.** m. Jabalí.

cerdudo, da. adj. **cerdoso.** ‖ **2.** fig. Dícese del hombre que tiene mucho pelo y fuerte en el pecho. ‖ **3.** m. ant. **cerdo,** animal doméstico.

cereal. (Del lat. *cereālis.*) adj. Perteneciente o relativo a la diosa Ceres. ‖ **2.** Aplícase a las plantas gramíneas que dan frutos farináceos, o a estos mismos frutos; como el trigo, el centeno y la cebada. Ú. t. c. s. m. y f. ‖ **3.** Conjunto de las semillas de estas plantas. *Mercado de* CEREALES.

cerealina. (De *cereal.*) f. *Quím.* Fermento nitrogenado contenido en el salvado, que tiene la propiedad de sacarificar el almidón y alterar el gluten.

cerealista. adj. Relativo a la producción y tráfico de cereales. *Primer Congreso* CEREALISTA.

cerebelo. (Del lat. *cerebellum.*) m. *Anat.* Uno de los centros nerviosos constitutivos del encéfalo, que ocupa la parte posterior de la cavidad craneana.

cerebración. f. Proceso mental que se considera resultado de la actividad cerebral.

cerebral. adj. Perteneciente o relativo al cerebro. ‖ **2.** V. **circunvolución cerebral.** ‖ **3.** Intelectual, en oposición a emocional, apasionado, vital, etc.; imaginario, en oposición a vivido. Ú. t. c. s. aplicado a persona. ‖ **4.** *Fon.* **cacuminal.**

cerebralismo. m. Predominio de lo cerebral o preferencia por ello.

cerebrina. (De *cerebro.*) f. *Farm.* Medicamento antineurálgico, compuesto de antipirina, cafeína y cocaína.

cerebro. (Del lat. *cerebrum.*) m. *Anat.* Uno de los centros nerviosos constitutivos del encéfalo, existente en todos los vertebrados y situado en la parte anterior y superior de la cavidad craneal. ‖ **2.** fig. **cabeza,** talento, juicio, capacidad. ‖ **3.** fig. Persona que concibe o dirige un plan de acción. ‖ **4.** fig. Persona sobresaliente en actividades culturales, científicas o técnicas. ‖ **electrónico.** Dispositivo electrónico que regula automáticamente las secuencias de un proceso mecánico, químico, de cálculo, etc.

cerebroespinal. adj. *Anat.* Que tiene relación con el

cerebro y con la espina dorsal. Aplícase principalmente al sistema constituido por los centros nerviosos de los vertebrados y al líquido cefalorraquídeo.

cereceda. (De *cereza.*) f. **cerezal,** sitio poblado de cerezos.

cerecilla. f. **guindilla,** pimiento pequeño muy picante. ‖ **2.** V. **pimiento de cerecilla.**

ceremonia. (Del lat. *caeremonĭa.*) f. Acción o acto exterior arreglado, por ley, estatuto o costumbre, para dar culto a las cosas divinas, o reverencia y honor a las profanas. ‖ **2.** Ademán afectado, en obsequio de una persona o cosa. ‖ **3.** V. **maestro de ceremonias.** ‖ **4.** V. **traje, vestido de ceremonia.** ‖ **de ceremonia.** loc. adv. con que se denota que se hace una cosa con todo el aparato y solemnidad que le corresponde. ‖ **2. por ceremonia.** ‖ **guardar ceremonia.** fr. Observar compostura exterior y las formalidades acostumbradas. Ú. frecuentemente en los tribunales y comunidades. ‖ **por ceremonia.** loc. adv. con que se denota que uno hace alguna cosa tan solo por cumplir con otro.

ceremonial. (Del lat. *caeremoniālis.*) adj. Perteneciente o relativo al uso de las ceremonias. ‖ **2.** m. Serie o conjunto de formalidades para cualquier acto público o solemne. ‖ **3.** Libro, cartel o tabla en que están escritas las ceremonias que se deben observar en ciertos actos públicos.

ceremoniático, ca. adj. **ceremonioso.**

ceremoniero. adj. **ceremonioso,** que gusta de ceremonias.

ceremonioso, sa. (Del lat. *caeremoniōsus.*) adj. Que observa con puntualidad las ceremonias. ‖ **2.** Que gusta de ceremonias y cumplimientos exagerados.

cereño[1], ña. (De *cera.*) adj. De color de cera. Aplícase a los perros.

cereño[2], ña. adj. *Ar.* Fuerte, duro, resistente.

céreo, a. (Del lat. *cerĕus.*) adj. De cera.

cerería. (De *cerero.*) f. Casa o local donde se trabaja, guarda o vende la cera.

cerero, ra. (Del lat. *cerarĭus.*) m. y f. Persona que labra o vende la cera. ‖ **mayor.** En la casa real, persona que tenía a su cargo el lugar donde se guardaba y repartía la cera.

ceresina. (De *cerezo.*) adj. V. **goma ceresina.** Ú. t. c. s.

ceretano, na. adj. Dícese del pueblo hispánico prerromano que habitaba la Ceretania, hoy Cerdaña, en el Pirineo oriental. Ú. t. c. s. ‖ **2.** Dícese de los individuos que formaban este pueblo. Ú. t. c. s. ‖ **3.** Perteneciente o relativo a los **ceretanos** o a la Ceretania.

cerevisina. (Del celtolat. *cerevisĭa.*) f. Levadura de la cerveza. Se usa como medicina.

cereza. (Del lat. *cerasĭa*, pl. n. de *cerasĭum.*) f. Fruto del cerezo. Es una drupa con cabillo largo, casi redonda, de unos dos centímetros de diámetro, con surco lateral, piel lisa de color encarnado más o menos oscuro, y pulpa muy jugosa, dulce y comestible. ‖ **2.** *Centro Amér., Col., Cuba, Pan.* y *P. Rico.* Cáscara del grano del café. ‖ **3.** Color rojo oscuro que ofrecen algunos minerales, como el antimonio rojo. ‖ **4.** Grado de incandescencia de algunos metales, que toman un color rojo vivo. Se llama también rojo **cereza.** ‖ **5.** *Bot. C. Rica.* Fruta empalagosa y muy diferente de la europea, producida por un árbol muy frondoso de la familia de las malpigiáceas, que se cultiva en los jardines. ‖ **mollar. cereza** común. ‖ **póntica. guinda[1].**

cerezal. m. Sitio poblado de cerezos. ‖ **2.** *Ast.* y *Sal.* **cerezo,** árbol.

cerezo. (Del lat. *cerasĭus.*) m. Árbol frutal de la familia de las rosáceas, de unos cinco metros de altura, que tiene tronco liso y ramoso, copa abierta, hojas ásperas lanceoladas, flores blancas y por fruto la cereza. Su madera, de color castaño claro, se emplea en ebanistería. ‖ **2.** Madera de este árbol. ‖ **3.** V. **laurel cerezo.** ‖ **4.** *Amér.* **chaparro,** arbusto malpigiáceo. ‖ **de los hotentotes. celastro.** ‖ **silvestre. cornejo.**

ceriballo. m. *Sal.* Rastro, vestigio.

ceribón. (Del lat. *cede bona.*) m. ant. **cesión de bienes.** ‖ **hacer ceribones.** fr. ant. fig. Hacer excesivos rendimientos y sumisiones, como algunas veces los que hacían cesión de bienes.

cérido. m. *Quím.* Nombre genérico de los cuerpos simples cuyo tipo es el cerio.

cerífero, ra. (Del lat. *cera*, cera, y *ferre*, llevar.) adj. Que produce o da cera.

cerífica. (Del lat. *cera*, cera, y *facĕre*, hacer.) adj. V. **pintura cerífica.**

ceriflor. (De *cera* y *flor.*) f. Planta de la familia de las borragináceas, de unos tres decímetros de altura, con ramos alternos, hojas envainadoras, aovadas, dentadas, tuberculosas y de color verde claro; flores algo amarillentas y cuatro semillas dentro de dos nueces huesosas contenidas en el fondo del cáliz, que es persistente. Supónese vulgarmente que de la flor de esta planta sacan la cera con preferencia las abejas. ‖ **2.** Flor de la misma planta.

cerilla. (De *cera.*) f. Vela de cera, muy delgada y larga. ‖ **2.** Varilla fina de cera, madera, cartón, etc., con una cabeza de fósforo que se enciende al frotarla con una superficie adecuada. ‖ **3.** Masilla de cera compuesta con otros ingredientes, que usaban las mujeres para afeites. ‖ **4. cera de los oídos.**

cerillero, ra. m. y f. **fosforera,** estuche. ‖ **2.** Persona que vende cerillas y también tabaco, en cafés, bares y locales de este tipo.

cerillo. m. **cerilla,** vela de cera. ‖ **2.** *And.* y *Méj.* Cerilla, fósforo. ‖ **3.** *Cuba.* Árbol silvestre de la familia de las rubiáceas, que alcanza hasta ocho metros de altura, y cuya madera, muy estimada en carpintería por sus vetas, se usa también para hacer bastones. ‖ **4.** *C. Rica.* Planta gutífera de los países cálidos. Mana de su corteza una goma amarilla que al cuajarse parece cera, y que los indios utilizaban para calafatear sus canoas.

cerina. f. Especie de cera que se extrae del alcornoque. ‖ **2.** *Mineral.* Silicato de cerio. ‖ **3.** *Quím.* Sustancia que se obtiene de la cera blanca.

cerio. (De *Ceres*, diosa romana.) m. *Mineral.* Metal de color pardo rojizo que se oxida en el agua hirviendo y se emplea en medicina. Núm. atómico 58. Símb.: *Ce.*

ceriolario. (Del lat. *ceriolarĭum.*) m. *Arqueol.* Candelabro para velas de cera, que usaban los romanos.

ceriondo, da. (Del lat. *serotĭnus*, tardío.) adj. *Sal.* Aplícase a los cereales que empiezan a sazonarse tomando color amarillo.

cerita. (De *cerio.*) f. *Mineral.* Mineral formado por la combinación de los silicatos de cerio, lantano y didimio, que se encuentra en masas amorfas con lustre como de cera en el gneis del norte de Europa.

cerito. m. *C. Rica.* Arbusto de la costa, cuyas flores blancas parecen de cera.

cermeña. (Del lat. *sarminĭa*, perifollo.) f. Fruto del cermeño, que es una pera pequeña muy aromática y sabrosa, y madura al fin de la primavera.

cermeñal. m. ant. **cermeño.**

cermeño. (De *cermeña.*) m. Especie de peral, con las hojas de figura de corazón, vellosas por el envés, y cuyo fruto es la cermeña. ‖ **2.** p. us. fig. Hombre tosco, sucio, necio. Ú. t. c. adj.

cerna. (Del lat. *circĭnus*, círculo.) f. **cerne,** parte interior y más dura del tronco de los árboles maderables.

cernada. (De un der. del lat. *cinis, cinĕris*, ceniza.) f. Parte no disuelta de la ceniza, que quedaba en el cernadero después de echada la lejía sobre la ropa. ‖ **2.** *Pint.* Aparejo de ceniza y cola para imprimir los lienzos que se han de pintar, especialmente al temple. ‖ **3.** *Veter.* Cataplasma de ceniza y otros ingredientes, para fortalecer las partes lastimadas de las caballerías.

cernadero. (De *cernada.*) m. Lienzo gordo que se ponía en el cesto o coladero sobre toda la ropa, para que, echando sobre él la lejía, pasase a la ropa solo el agua con las sales que llevaba en disolución deteniéndose en él la cernada. ‖ **2.** Lienzo de hilo, o de hilo y seda, con el que se hacían valonas. ‖ **3.** Paño de lienzo que se ponía a los niños pequeños debajo del pañal.

cernaja. (De *cerneja.*) f. *Sal.* Especie de fleco, terminado en borlitas, que se pone a los bueyes en el testuz para espantarles las moscas. Ú. m. en pl.

cerne. (Del lat. *circen, -ĭnis,* círculo.) adj. Se dice de lo que es sólido y fuerte. Aplícase especialmente a las maderas. ‖ **2.** m. Parte más dura y sana del tronco de los árboles, que se prefiere para las artes y construcciones de importancia.

cernear. (De *cerner.*) tr. *Sal.* Mover con violencia alguna cosa.

cernedera. f. Marco de madera del tamaño de la artesa, sobre el cual se pone uno o dos cedazos para cerner con más facilidad la harina que cae dentro de la artesa. Ú. m. en pl.

cernedero. m. Lienzo que se pone por delante la persona que cierne la harina, para no enharinarse la ropa. ‖ **2.** Lugar destinado para cerner la harina.

cernedor, ra. m. y f. Persona que cierne. ‖ **2.** m. Torno para cerner harina.

cerneja. (Del lat. *cernicŭlum,* separación.) f. Mechón de pelo que tienen las caballerías detrás del menudillo, de longitud, espesor y finura diferentes según las razas. Ú. por lo común en pl.

cernejudo, da. adj. Que tiene muchas cernejas.

cerner. (Del lat. *cernĕre,* separar.) tr. Separar con el cedazo la harina del salvado, o cualquier otra materia reducida a polvo, de suerte que lo más grueso quede sobre la tela, y lo sutil caiga al sitio destinado para recogerlo. ‖ **2.** fig. Atalayar, observar, examinar. ‖ **3.** fig. Depurar, afinar los pensamientos y las acciones. ‖ **4.** intr. Tratándose de la vid, del olivo, del trigo y de otras plantas, caer el polen de la flor. ‖ **5.** intr. impers. fig. Llover suave y menudo. ‖ **6.** prnl. Andar o menearse moviendo el cuerpo a uno y otro lado, como quien cierne. ‖ **7.** Mover las aves sus alas, manteniéndose en el aire sin apartarse del sitio en que están. ‖ **8.** fig. Amenazar de cerca algún mal.

cernera. (De *cerner.*) f. *Murc.* Caballete para mover el cedazo en la artesa.

cernícalo. (Del lat. *cernicŭlum,* criba.) m. Ave de rapiña, común en España, de unos cuatro decímetros de largo, con cabeza abultada, pico y uñas negros y fuertes, y plumaje rojizo más oscuro por la espalda que por el pecho y manchado de negro. ‖ **2.** fig. y fam. Hombre ignorante y rudo. Ú. t. c. adj. ‖ **coger,** o **pillar, un cernícalo.** fr. desus. fig. y fam. Embriagarse.

cernidero. m. *Sal.* **cernedero.**

cernidillo. (d. de *cernido.*) m. Lluvia muy menuda. ‖ **2.** fig. Modo de andar con pasos cortos y contoneándose.

cernido, da. p. p. de **cerner.** ‖ **2.** m. Acción de cerner. ‖ **3.** Cosa **cernida,** y principalmente harina **cernida** para hacer el pan.

cernidura. f. Acción de cerner. ‖ **2.** pl. Lo que queda después de cernida la harina.

cernina. f. *Ast.* Trampa en el juego.

cernir. tr. **cerner.**

cerno. (Del lat. *circĭnus,* círculo.) m. *Ast.* **cerne,** parte más dura del tronco de un árbol. ‖ **2.** Corazón de algunas maderas duras, como el roble.

cero. (Del ár. *ṣifr,* vacío o exento de cantidad o de número.) adj. Cardinal que expresa una cantidad nula, nada, ninguno. CERO *puntos.* ‖ **2.** m. Signo con que se representa el CERO. ‖ **3.** *Arit.* Signo sin valor propio, que en la numeración arábiga sirve para ocupar los lugares donde no haya de haber cifra significativa. Colocado a la derecha de un número entero, decuplica su valor; pero a la izquierda, en nada lo modifica. ‖ **4.** *Fís.* En las diversas escalas de los termómetros, manómetros y otros aparatos semejantes, punto desde el cual se cuentan los grados y otras fracciones de medida. ‖ **absoluto.** *Fís.* Mínima temperatura alcanzable según los principios de la termodinámica, que corresponde a -273,16° C. ‖ **al cero.** loc. adv. Hablando del corte de pelo, al rape. ‖ **ser** alguien **cero,** o **un cero, a la izquierda.** fr. fig. y fam. Ser inútil, o no valer para nada. ‖ **2.** fig. y fam. No ser alguien valorado o tenido en cuenta por los de su entorno.

ceroferario. (Del lat. *ceroferarĭus.*) m. Acólito que lleva el cirial en la iglesia y procesiones.

cerógrafo. (Del gr. κηρογράφος, que pinta al encausto.) m. *Arqueol.* Anillo con que los romanos sellaban en cera los cofres y armarios.

ceroleína. (Del lat. *cera,* y *olĕum,* aceite.) f. *Quím.* Una de las tres sustancias que constituyen la cera de las abejas.

cerollo, lla. (Del lat. **serucŭlus,* d. de *serus,* tardío.) adj. Aplícase a las mieses que al tiempo de segarlas están algo verdes y correosas.

ceroma. (Del lat. *cerōma,* y este del gr. κήρωμα.) f. *Arqueol.* Ungüento cuyo principal ingrediente era la cera, y con el que se frotaban los miembros los atletas antes de empezar la lucha.

ceromancia o **ceromancía.** (Del gr. κηρός, cera, y μαντεία, adivinación.) f. Arte de adivinar, que consiste en ir echando gotas de cera derretida en una vasija llena de agua, para hacer cómputos o deducciones según las figuras que se forman.

ceromático, ca. (Del lat. *ceromatĭcus,* untado con ceroma.) adj. *Farm.* Dícese del medicamento en que entran aceite y cera.

ceromiel. m. *Med.* Mezcla de una parte de cera y dos de miel, que antiguamente se empleaba en la cura de las úlceras y heridas.

cerón. m. Residuo, escoria o heces de los panales de la cera.

ceronero. adj. Dícese del que se dedica a comprar cerones. Ú. t. c. s.

ceroplástica. (Del gr. κηροπλαστική, f. de κηροπλαστικός, arte del cerero.) f. Arte de modelar la cera.

cerorrinco. (Del gr. κέρας, -ατος, cuerno, y ῥύγχος, pico.) m. Ave de rapiña parecida al halcón, que vive en América.

ceroso, sa. (Del lat. *cerōsus.*) adj. Que tiene cera, o se parece a ella.

cerote. (De *cera.*) m. Mezcla de pez y cera que usan los zapateros para encerar los hilos con que cosen el calzado. Se hace también de pez y aceite. ‖ **2.** fig. y fam. **miedo** de un mal posible.

cerotear. tr. Dar cerote los zapateros a los hilos con que cosen el calzado. ‖ **2.** intr. *Chile.* Gotear la cera de las velas encendidas.

cerotero. (De *cerote.*) m. Pedazo de fieltro con que los pirotécnicos untan de pez los cohetes.

ceroto. (Del lat. *cerōtum,* y este del gr. κηρωτόν.) m. *Farm.* **cerato.**

cerpa. f. *Ar.* Cantidad de lana que una persona puede coger con los dedos.

cerquillo. (d. de *cerco.*) m. Círculo de cabello que queda después de rapar la parte superior e inferior de la cabeza. Se estila en algunas órdenes religiosas masculinas. ‖ **2. vira,** tira de refuerzo del calzado.

cerquita. (d. de *cerca.*) adv. l. y t. Muy cerca, a poca distancia.

cerra. (De *cerrar.*) f. *Germ.* **mano** del cuerpo humano.

cerracatín, na. m. y f. Tacaño, miserable.

cerrada[1]. f. Parte de la piel del animal que corresponde al cerro o lomo.

cerrada[2]. f. ant. Acción y efecto de cerrar.

cerradamente. adv. m. ant. **implícitamente.**

cerradera. f. **cerradero,** parte de la cerradura en que encaja el pestillo. ‖ **echar** alguien **la cerradera.** fr. fig. y fam. Negarse del todo a lo que se le pide, sin querer oír más razones en el asunto de que se trata.

cerradero, ra. adj. desus. Aplícase al lugar que se cierra, o al instrumento con que se ha de cerrar alguna cosa. Ú. t. c. s. m. y f. ‖ **2.** m. Parte de la cerradura, en forma de cajuela, en la cual penetra el pestillo. Se pone en el marco o en la otra hoja de la puerta o mueble que se ha de cerrar. ‖ **3.** Agujero que se suele hacer en algunos marcos para el mismo fin, aunque no se le ponga caja de chapa. ‖ **4.** Cordones con que se cierran y abren las bolsas y bolsillos.

cerradizo, za. adj. Que se puede cerrar.

cerrado, da. p. p. de **cerrar.** ‖ **2.** adj. V. **arca, barba, behetría, carga, curva, descarga, escala, espejuela, loba, mar, octava, sílaba, vocal cerrada.** ‖ **3.** V. **aplauso, cólico, millar, monte, testamento cerrado.** ‖ **4.** fig. Con algunos sustantivos significa estricto, rígido, terminante. *Un criterio muy* CERRADO. ‖ **5.** fig. Dícese del acento o pronunciación que presentan rasgos nacionales o locales muy marcados, generalmente con dificultad para la comprensión. ‖ **6.** fig. Dícese de la persona que habla con tal acento o pronunciación. Ú. generalmente con gentilicios. ‖ **7.** fig. Se dice del cielo o de la atmósfera cuando se presentan muy cargados de nubes. ‖ **8.** fig. y fam. Aplícase a la persona muy callada, disimulada y silenciosa o torpe de entendimiento. CERRADO *de mollera.* ‖ **9.** m. **cercado,** huerto con valla. ‖ **10. cercado,** tapia.

cerrador, ra. adj. Que cierra. Ú. t. c. s. ‖ **2.** m. Cualquier cosa con que se cierra otra.

cerradura. (De *cerrar.*) f. desus. **cierre,** acción y efecto de cerrar o cerrarse. ‖ **2.** Mecanismo de metal que se fija en puertas, tapas de cofres, arcas, cajones, etc., y sirve para cerrarlos por medio de uno o más pestillos que se hacen jugar con la llave. ‖ **3.** ant. **cercado,** huerto o prado rodeado de valla. ‖ **4.** ant. **cercado,** esta misma valla. ‖ **5.** ant. Acción y efecto de encerrar; clausura, prisión. ‖ **de golpe,** o **de golpe y porrazo.** La que, por tener pestillo de muelle, se cierra automáticamente y sin llave. ‖ **de loba.** Aquella en que los dientes de las guardas son semejantes a los del lobo. ‖ **de molinillo.** La que tiene movible y giratorio el caño por donde entra la tija de la llave.

cerraduría. (De *cerrador.*) f. ant. Acción y efecto de cerrar.

cerraja[1]. (Del lat. *seracŭlum,* de *serāre,* cerrar.) f. **cerradura,** mecanismo que sirve para cerrar.

cerraja[2]. (Del lat. *serralĭa.*) f. Hierba de la familia de las compuestas, de seis a ocho decímetros de altura, con tallo hueco y ramoso, hojas lampiñas, jugosas, oblongas y con dientecillos espinosos en el margen, y flores amarillas en corimbos terminales. ‖ **2.** V. **agua de cerrajas.**

cerraje. (Del persa *serāy,* serrallo, palacio.) m. ant. **serrallo** mahometano.

cerrajear. intr. Ejercer el oficio de cerrajero.

cerrajería. f. Oficio de cerrajero. ‖ **2.** Taller y tienda donde se fabrican o venden cerraduras y otros instrumentos de hierro. ‖ **3.** Calle donde había **cerrajerías.**

cerrajerillo. m. *Ál.* **reyezuelo,** pájaro.

cerrajero. (De *cerraja*[1].) m. Maestro u oficial que hace cerraduras, llaves, candados, cerrojos y otras cosas de hierro. ‖ **2.** *Ál.* **calandria[1],** pájaro.

cerrajón. m. Cerro alto y escarpado.

cerralle. (Del lat. *seracŭlum,* cierre.) m. ant. **cerco,** lo que ciñe o rodea.

cerramiento. m. Acción y efecto de cerrar. ‖ **2.** Cosa que cierra o tapa cualquier abertura, conducto o paso. ‖ **3.** Cercado y coto. ‖ **4.** Entre albañiles, división que se hace con tabique, y no con pared gruesa, en una pieza o estancia. ‖ **5.** *Arq.* Lo que cierra y termina el edificio por la parte superior. ‖ **de razones.** ant. *Der.* Conclusión de los alegatos.

cerrar. (Del lat. **serrare,* de *serare.*) tr. Asegurar con cerradura, pasador, pestillo, tranca u otro instrumento, una puerta, ventana, tapa, etc., para impedir que se abra. ‖ **2.** Encajar en su marco la hoja o las hojas de una puerta, balcón, ventana, etc., de manera que impidan el paso del aire o de la luz. CERRAR *una ventana.* ‖ **3.** Hacer que el interior de un edificio, recinto, receptáculo, etc., quede incomunicado con el espacio exterior. CERRAR *una habitación.* ‖ **4.** Juntar los párpados, los labios, o los dientes de abajo con los de arriba, haciendo desaparecer la abertura que forman estas partes del cuerpo cuando están separadas. ‖ **5.** Juntar o aproximar los extremos libres de dos miembros del cuerpo, o de dos partes de una cosa articuladas por el otro extremo. CERRAR *las piernas, las tijeras, una navaja,* etc. ‖ **6.** *Fon.* Hacer que se aproximen entre sí los órganos articuladores al emitir un sonido, estrechando el paso del aire. Ú. t. c. prnl. ‖ **7.** Tratándose de libros, cuadernos, etc., juntar todas sus hojas de manera que no se puedan ver las páginas interiores. ‖ **8.** Tratándose de los cajones de una mesa o cualquier otro mueble, de los cuales se haya tirado hacia fuera sin sacarlos del todo, volver a hacerlos entrar en su hueco. ‖ **9.** Estorbar o impedir el tránsito por un paso, camino u otra vía. ‖ **10.** Cercar, vallar, rodear, acordonar. ‖ **11.** Tapar, macizar u obstruir aberturas, huecos, conductos, etc. Ú. t. c. prnl. ‖ **12.** Poner el émbolo de un grifo, espita, llave de paso, etc., de manera que impida la salida o circulación del fluido contenido en el recipiente o conducto en que se hallan colocados dichos instrumentos. Ú. t. c. prnl. ‖ **13.** Tratándose de arcos o bóvedas, formar la clave de ellos. ‖ **14.** Completar un perfil o figura uniendo el final del trazado con el principio de él. CERRAR *una circunferencia.* ‖ **15.** Hablando de heridas o llagas, cicatrizarlas. Ú. t. c. prnl. ‖ **16.** Encoger, doblar o plegar lo que estaba extendido, o encogerlo más de lo que ya estaba y apretarlo. CERRAR *la mano, la cola* ciertas aves, *un abanico, un paraguas.* ‖ **17.** Apiñar, agrupar, unir estrechamente. Ú. t. c. prnl. CERRAR *el escuadrón.* ‖ **18.** Tratándose de cartas, paquetes, sobres, cubiertas o cosa semejante, disponerlos, pegarlos o lacrarlos de modo que no sea posible ver lo que contienen, ni abrirlos sin despegarlos o romperlos por alguna parte. ‖ **19.** fig. Concluir ciertas cosas o ponerles término. CERRAR *el debate.* ‖ **20.** fig. Tratándose de certámenes, concursos de opositores, subscripciones, empréstitos, etc., declarar fenecido el plazo dentro del cual era posible tomar parte en ellos. ‖ **21.** fig. Hablando de cuerpos o establecimientos políticos, administrativos, científicos, literarios, artísticos, comerciales o industriales, poner fin a las tareas, ejercicios o negocios propios de cada uno de ellos. Ú. t. c. prnl. CERRAR *las Cortes.* ‖ **22.** Tratándose de ajustes, tratos o contratos, darlos por concertados y firmes. ‖ **23.** fig. Refiriéndose a locales en que ciertas personas practican ordinariamente su profesión, cesar en el ejercicio de ella. CERRAR *el bufete.* ‖ **24.** En una serie ordenada, ir en último lugar. CERRAR *la marcha, el desfile, la lista, el festival.* ‖ **25. encerrar,** meter a alguien o algo en parte de que no pueda salir. Ú. t. c. prnl. ‖ **26.** intr. **cerrarse** o poderse **cerrar** una cosa. *Este armario, este reloj, este medallón, esta puerta* CIERRA *bien,* o *mal,* o *no* CIERRA. ‖ **27.** En el juego del dominó, poner una ficha que impida seguir colocando las demás que aún tengan los jugadores. ‖ **28.** Dicho de las caballerías, llegar a igualarse todos sus dientes, lo que se verifica a la edad de siete años. ‖ **29.** Referido a la noche, llegar esta a su plenitud. Ú. t. c. prnl. CERRAR *la noche*. ‖ **30.** fig. Trabar batalla, embestir, acometer. Ú. frecuentemente con la prep. *con*. CERRAR CON *el enemigo*. ‖ **31.** prnl. Tratándose de flores, juntarse unos con otros sus pétalos sobre el botón o capullo. ‖ **32.** Refiriéndose al cielo, a la atmósfera, al horizonte, etc., encapotarse, o cargarse de nubes o vapores que producen oscuridad. ‖ **33.** Hablando del vehículo o del conductor que toma una curva, ceñirse al lado de mayor curvatura. ‖ **34.** fig. Mantenerse firme en un propósito. ‖ **cerrar en falso.** fr. Echar la llave, cerrojo o falleba de modo que, no cebando en el cerradero o armella, se abra sin dificultad alguna. ‖ **cerrarse en falso.** fr. Se dice de la herida que no está bien curada, aunque en lo exterior aparenta estarlo.

cerras. (De *cerro*.) f. pl. *León*. Fleco de ciertas prendas de vestir. *Un pañuelo de* CERRAS.

cerrateño, ña. adj. Perteneciente o relativo a la comarca del Cerrato, en las provincias de Palencia, Valladolid y Burgos. Ú. t. c. s. ‖ **2.** Perteneciente o relativo a esta comarca.

cerrazón[1]. (De *cerrar*.) f. Oscuridad grande que suele preceder a las tempestades, cubriéndose el cielo de nubes muy negras. ‖ **2.** *Argent*. Niebla espesa que dificulta la visibilidad. ‖ **3.** *Fon*. Cualidad que adquiere un sonido al cerrarse los órganos articuladores. ‖ **4.** fig. Incapacidad de comprender algo por ignorancia o prejuicio. ‖ **5.** fig. Obstinación, obcecación.

cerrazón[2]. (De *cerro*.) f. **cerrajón.** ‖ **2.** *Col*. Contrafuerte de una cordillera.

cerrebojar. (De *rebojo*.) tr. *Sal*. Espigar, rebuscar o andar al rebusco, así del grano como de la uva, almendra y aceituna.

cerrejón. m. Cerro pequeño.

cerrería. (De *cerrero*.) f. desus. fig. Desorden o desenfreno de costumbres. Ú. m. en pl.

cerrero, ra. (De *cerro*.) adj. desus. Que vaga de un lugar a otro sin rumbo determinado. ‖ **2. cerril,** animal sin domar. ‖ **3.** ant. fig. Altanero, soberbio. ‖ **4.** fig. *Amér*. Dícese de la persona inculta, brusca. ‖ **5.** *Venez*. Dícese de líquidos, como el café, muy cargados o fuertes y sin endulzar.

cerreta. (De *cerrar*.) f. *Mar*. **brazal,** madero que se fija por sus extremos a una y otra banda.

cerretano, na. (Del lat. *Cerretānus*.) adj. Natural de Cerretania, hoy Cerdaña. Ú. t. c. s. ‖ **2.** Perteneciente o relativo a esta región de la España Tarraconense.

cerrevedijón. (De *cerro* y *vedija*.) m. desus. Vedija, mechón grande de lana.

cerrica. (Voz onomatopéyica.) f. *Ast*. Ave diminuta, de color rubio en parte, y en parte amoratado.

cerril. (De *cerro*, elevación de tierra menor que el monte.) adj. Aplícase al terreno áspero y escabroso. ‖ **2.** Dícese del ganado mular, caballar o vacuno no domado. ‖ **3.** V. **puente cerril.** ‖ **4.** fig. y fam. Grosero, tosco, rústico. ‖ **5.** fig. Dícese del que se obstina en una actitud o parecer, sin admitir trato ni razonamiento.

cerrilidad. f. Calidad o condición de cerril.

cerrilismo. m. **cerrilidad.**

cerrilmente. adv. m. De manera cerril. ‖ **2.** p. us. A secas, con laconismo descortés.

cerrilla. f. Instrumento para cerrillar la moneda.

cerrillar. tr. Poner el cordoncillo a las piezas de moneda.

cerrillo. (d. de *cerro*.) m. **grama del norte.** ‖ **2.** pl. Hierros en que está grabado el cordoncillo para cerrillar.

cerrión. (Del or. inc.; cf. lat. *cērĕus*, cirio.) m. **canelón,** carámbano.

cerristopa. f. *Sal*. Camisa dominguera o de fiesta, cuya parte delantera y superior se hace de cerro y el faldón de estopa.

cerro. (Del lat. *cirrus*, copo.) m. Cuello o pescuezo del animal. ‖ **2.** Espinazo o lomo. ‖ **3.** Elevación de tierra aislada y de menor altura que el monte o la montaña. ‖ **4.** Manojo de lino o cáñamo, después de rastrillado y limpio. ‖ **testigo.** *Geogr*. Relieve de figura de cono o pirámide truncados, a consecuencia de la mayor resistencia del estrato superior, residuo de la erosión de materiales de origen sedimentario. ‖ **troncocónico. cerro testigo.** ‖ **echar por esos cerros.** fr. fig. y fam. **echar por esos trigos.** ‖ **en cerro.** loc. adv. **en pelo.** ‖ **por los cerros de Úbeda.** loc. fig. y fam. Por sitio o lugar muy remoto y fuera de camino. Con esta locución se da a entender que lo que se dice es incongruente o fuera de propósito, o que alguien divaga o se extravía en el raciocinio o discurso. Úsase con los verbos *echar, ir* o *irse*, etc.

cerrojazo. (De *cerrojo*.) m. Acción de echar el cerrojo recia y bruscamente. Se usa con más frecuencia con el verbo *dar*. ‖ **2.** Clausura o final brusco de cualquier actividad, reunión, charla, etc. Ú. en la expr. **dar el cerrojazo.**

cerrojillo, to. (ds. de *cerrojo*.) m. **herreruelo[1],** pájaro.

cerrojo. (Del lat. *verucŭlum*, barra de hierro.) m. Barreta cilíndrica de hierro, con manija, por lo común en forma de T, que está sostenida horizontalmente por dos armellas, y entrando en otra o en un agujero dispuesto al efecto, cierra y ajusta la puerta o ventana con el marco, o una con otra las hojas, si la puerta es de dos. ‖ **2.** En los fusiles y otras armas ligeras, cilindro metálico que contiene los elementos de percusión, de obturación y de extracción del casquillo.

cerrón. (De *cerro*, manojo de lino o cáñamo.) m. Lienzo basto que se fabrica en Galicia, y es una especie de estopa algo mejor que la común.

cerrotino. m. ant. Cerro que se saca del cáñamo o lino cuando se rastrilla.

cerruma. (Del lat. *cirrus*, copo.) f. *Veter*. **cuartilla,** en las caballerías, parte media entre los menudillos y la corona del casco.

certamen. (Del lat. *certāmen*.) m. ant. Desafío, duelo, pelea o batalla entre dos o más personas. ‖ **2.** Función literaria en que se argumenta o disputa sobre algún asunto, comúnmente poético. ‖ **3.** Concurso abierto para estimular con premios determinadas actividades o competiciones.

certanedad. (De *certano*.) f. ant. **certeza.**

certano, na. adj. ant. **cierto.**

certeneja. (De *sarteneja*.) f. *Méj*. Pantano pequeño y profundo.

certería. (De *certero*.) f. p. us. Acierto, tino y destreza en tirar.

certero, ra. (De *cierto*.) adj. Diestro y seguro en tirar. ‖ **2.** Seguro, acertado. ‖ **3.** Cierto, sabedor, bien informado.

certeza. (De *cierto*.) f. Conocimiento seguro y claro de alguna cosa. ‖ **2.** Firme adhesión de la mente a algo conocible, sin temor de errar.

certidumbre. (Del lat. *certitūdo, -ĭnis*.) f. **certeza.** ‖ **2.** ant. Seguro, obligación de cumplir alguna cosa.

certificable. adj. Que puede o debe certificarse.

certificación. f. Acción y efecto de certificar. ‖ **2.** Instrumento en que se asegura la verdad de un hecho.

certificadamente. adv. m. ant. Cierta o seguramente.

certificado, da. p. p. de **certificar.** ‖ **2.** adj. Dícese de la carta o paquete que se certifica. Ú. t. c. s. ‖ **3.** m. **certificación,** documento en que se certifica.

certificador, ra. adj. Que certifica. Ú. t. c. s.

certificar. (Del lat. *certificāre*.) tr. Asegurar, afirmar, dar por cierta alguna cosa. Ú. t. c. prnl. ‖ **2.** Tratándose de cartas o paquetes que se han de remitir por el correo, obtener, mediante pago, un certificado o resguardo por el cual el servicio de Correos se obliga a hacerlos llegar a su destino. ‖ **3.** *Der.* Hacer cierta una cosa por medio de instrumento público. ‖ **4.** intr. ant. Fijar, señalar con certeza.

certificatoria. f. ant. **certificación,** documento en que se certifica.

certificatorio, ria. adj. Que certifica o sirve para certificar.

certinidad. f. desus. **certeza.**

certísimo, ma. adj. sup. de **cierto.**

certitud. (Del lat. *certitūdo.*) f. **certeza.**

ceruca. (Del lat. *siliqŭa.*) f. *Ál.* Vaina de legumbre.

cerúleo, a. (Del lat. *caerulĕus.*) adj. Aplícase al color azul del cielo despejado, o de la alta mar o de los grandes lagos.

cerulina. (De *cerúleo.*) f. *Quím.* Azul de añil soluble.

ceruma. f. *Veter.* **cerruma.**

cerumen. (De *cera.*) m. **cera de los oídos.**

cerusa. (Del lat. *cerussa.*) f. *Quím.* Carbonato de plomo.

cerusita. f. *Mineral.* **cerusa.**

cerval. adj. **cervuno,** perteneciente al ciervo o parecido a él. ‖ **2.** V. **espino, gato, jara, lengua, lobo, miedo cerval.**

cervantesco, ca. adj. **cervantino.**

cervántico, ca. adj. **cervantino.**

cervantino, na. adj. Propio y característico de Cervantes como escritor, o que tiene semejanza con cualquiera de las dotes o calidades por que se distinguen sus producciones.

cervantismo. m. Influencia de las obras de Miguel de Cervantes en la literatura general. ‖ **2.** Estudio de la vida y obras de Cervantes. ‖ **3.** Giro o locución cervantina.

cervantista. adj. Dedicado con especialidad al estudio de las obras de Cervantes y cosas que le pertenecen. Apl. a pers., ú. t. c. s.

cervantófilo, la. (De *Cervantes* y *-filo.*) adj. Devoto de Cervantes. ‖ **2.** Aficionado a coleccionar ediciones de las obras de Cervantes. Ú. t. c. s.

cervariense. adj. Natural de la ciudad de Cervera, en la provincia de Lérida. Ú. t. c. s. ‖ **2.** Perteneciente o relativo a dicha ciudad.

cervario, ria. (Del lat. *cervarĭus.*) adj. **cerval,** perteneciente al ciervo o parecido a él.

cervatica. f. **langostón.**

cervatillo. (d. de *cervato.*) m. **almizclero,** animal rumiante.

cervato. m. Ciervo menor de seis meses.

cerveceo. m. Fermentación de la cerveza.

cervecería. (De *cervecero.*) f. Fábrica de cerveza. ‖ **2.** Local donde se vende y se toma cerveza.

cervecero, ra. adj. Perteneciente o relativo a la cerveza. ‖ **2.** fam. Dícese de la persona aficionada al consumo de cerveza. ‖ **3.** m. y f. Persona que hace cerveza. ‖ **4.** Dueño de una cervecería.

cerverano, na. adj. Natural de Cervera. Ú. t. c. s. ‖ **2.** Perteneciente a esta villa.

cerveza. (Del celtolat. *cerevisĭa.*) f. Bebida alcohólica hecha con granos germinados de cebada u otros cereales fermentados en agua, y aromatizada con lúpulo, boj, casia, etc. ‖ **doble. cerveza** fuerte.

cervicabra. (De *ciervo* y *cabra.*) f. Especie de antílope de la India, tipo del género, notable por sus cuernos divergentes, retorcidos y largos como de 80 centímetros.

cervical. (Del lat. *cervicālis.*) adj. Perteneciente o relativo a la cerviz. ‖ **2.** f. pl. Vértebras **cervicales.**

cervicular. (Del lat. *cervicŭla,* d. de *cervix, -īcis,* cerviz.) adj. **cervical.**

cérvido. (Del lat. *cervus,* ciervo, y el gr. εἶδος, forma.) adj. *Zool.* Dícese de mamíferos artiodáctilos rumiantes cuyos machos tienen cuernos ramificados que caen y se renuevan periódicamente; como el ciervo y el reno. Ú. t. c. s. ‖ **2.** m. pl. *Zool.* Familia de estos animales.

cervigón. m. **cerviguillo.**

cervigudo, da. adj. ant. De cerviz abultada y gruesa. ‖ **2.** ant. fig. Porfiado, terco, testarudo.

cerviguillo. m. Parte exterior de la cerviz, cuando es gruesa y abultada.

cervino, na. (Del lat. *cervīnus.*) adj. **cervuno,** perteneciente al ciervo o parecido a él. ‖ **2.** V. **lengua cervina.**

cerviz. (Del lat. *cervix, -īcis.*) f. Parte dorsal del cuello, que en el hombre y en la mayoría de los mamíferos consta de siete vértebras, de varios músculos y de la piel. Con el atlas, que es la primera de dichas vértebras, se articula el cráneo. ‖ **bajar,** o **doblar, la cerviz.** fr. fig. Humillarse, deponiendo el orgullo y altivez. ‖ **levantar la cerviz.** fr. fig. Engreírse, ensoberbecerse. ‖ **ser de dura cerviz.** fr. fig. Ser indómito.

cervuno, na. adj. Perteneciente al ciervo. ‖ **2.** Parecido a él. ‖ **3.** Dícese del color del caballo o yegua que es intermedio entre el oscuro y zaino, o que tiene ojos parecidos a los del ciervo o la cabra. ‖ **4.** V. **jara cervuna.**

cesación. (Del lat. *cessatĭo, -ōnis.*) f. Acción y efecto de cesar. ‖ **a divinis.** Suspensión canónica de los divinos oficios en una iglesia violada.

cesamiento. (De *cesar.*) m. **cesación.**

cesante. p. a. de **cesar.** Que cesa o ha cesado. ‖ **2.** adj. Dícese del empleado del gobierno a quien se priva de su empleo, dejándole, en algunos casos, parte del sueldo. Ú. t. c. s. ‖ **3.** *Chile.* Dícese de la persona que ha quedado sin trabajo. Ú. t. c. s.

cesantía. f. Estado de cesante. ‖ **2.** Paga que, según las leyes, disfruta el empleado cesante en quien concurren ciertas circunstancias. ‖ **3.** Correctivo por el que se priva al empleado de su destino, sin que le incapacite para volver a desempeñarlo.

cesar. (Del lat. *cessāre.*) intr. Suspenderse o acabarse una cosa. ‖ **2.** Dejar de desempeñar algún empleo o cargo. ‖ **3.** Dejar de hacer lo que se está haciendo.

césar. (Del n. p. lat. *Caesar, -ăris.*) m. Sobrenombre de la familia romana Julia, que como título de dignidad llevaron juntamente con el de Augusto los emperadores romanos, y el cual fue también distintivo especial de la persona designada para suceder en el imperio. ‖ **2.** m. **emperador,** jefe supremo del Imperio Romano. ‖ **o césar, o nada.** expr. fig. con que se pondera la extremada ambición de algunas personas.

cesaraugustano, na. adj. Natural de la antigua Cesaraugusta, hoy Zaragoza. Ú. t. c. s. ‖ **2.** Perteneciente o relativo a esta ciudad.

cesarense. adj. Natural del departamento del Cesar. Ú. t. c. s. ‖ **2.** Perteneciente o relativo a este departamento de Colombia.

cesáreo, a. (Del lat. *caesarĕus.*) adj. Perteneciente al imperio o a la majestad imperial. ‖ **2.** V. **derecho cesáreo.** ‖ **3.** f. *Cir.* **operación cesárea.**

cesariano, na. (Del lat. *caesariānus.*) adj. Perteneciente a Julio César. ‖ **2.** Partidario de este emperador. Ú. t. c. s. ‖ **3.** Perteneciente al césar.

cesariense. (Del lat. *Caesariensis.*) adj. Natural de Cesarea. Ú. t. c. s. ‖ **2.** Perteneciente o relativo a cualquiera de las antiguas ciudades de este nombre.

cesarino, na. (Del lat. *caesarīnus.*) adj. ant. **cesariano.**

cesarismo. (De *césar.*) m. Sistema de gobierno en el cual una sola persona asume y ejerce los poderes públicos.

cesarista. m. Partidario o servidor del cesarismo.

cese. (imperat. del verbo *cesar.*) m. Acción y efecto de cesar en un empleo o cargo. ‖ **2.** Nota o documento en el que se consigna el **cese** de un empleo o cargo. ‖ **dar el cese.** fr. Destituir a alguien de su empleo o cargo.

cesenés, sa. adj. Natural de Cesena. Ú. t. c. s. ‖ **2.** Perteneciente o relativo a esta ciudad de Italia.

cesible. (Del lat. *cessus,* p. p. de *cedĕre,* ceder.) adj. *Der.* Que se puede ceder o dar a otro.

cesio. (Del lat. *caesĭus,* azul.) m. Metal alcalino, muy parecido al potasio, cuyos compuestos producen dos rayas azules en el espectroscopio y se hallan en varias aguas minerales. Es el más electropositivo de todos los cuerpos simples. Núm. atómico 55. Símb.: *Cs.*

cesión[1]. (Del lat. *cessĭo, -ōnis.*) f. Renuncia de alguna cosa, posesión, acción o derecho, que una persona hace a favor de otra. ‖ **de bienes.** *Der.* Dejación que los deudores hacen de sus bienes, cuando no pueden pagar prontamente a sus acreedores, para que estos cobren sus créditos según sean reconocidos y graduados.

cesión[2]. (Del lat. *accesĭo, -ōnis,* entrada.) f. ant. **ción.**

cesionario, ria. m. y f. Persona en cuyo favor se hace alguna cesión.

cesionista. com. Persona que hace cesión de bienes.

ceso. (Del lat. *cessus,* cedido.) m. ant. **cesión[1].**

cesolfaút. (De la letra *c* y de las notas musicales *sol, fa, ut.*) m. En la música antigua, indicación del tono que empieza en el primer grado de la escala diatónica de *do* y se desarrolla según los preceptos del canto llano o del canto figurado.

cesonario, ria. m. y f. **cesionario.**

césped. (De *céspede.*) m. Hierba menuda y tupida que cubre el suelo. ‖ **2. tepe.** ‖ **3.** Corteza que se forma en el corte por donde han sido podados los sarmientos. ‖ **inglés. ballico.**

céspede. (Del lat. *caespes, -ĭtis.*) m. **césped.**

cespedera. f. Prado de donde se sacan céspedes.

cespitar. (Del lat. *caespitāre,* tropezar en el césped.) intr. desus. Titubear, vacilar.

cespitoso, sa. (Del lat. *caespes, -ĭtis,* césped.) adj. Que crece en forma de la hierba del césped.

cesta. (Del lat. *cista.*) f. Recipiente tejido con mimbres, juncos, cañas, varillas de sauce u otra madera flexible, que sirve para recoger o llevar ropas, frutas y otros objetos. ‖ **2.** Especie de pala de tiras de madera de castaño entretejidas, cóncava y en figura de uña, que, sujeta a la mano, sirve para jugar a la pelota. ‖ **3.** Carruaje de cuatro asientos con caja de mimbre cubierta por un toldo y provista de cortinas plegables. ‖ **4. canasta,** aro con red en el baloncesto. ‖ **5. canasta,** enceste en el baloncesto. ‖ **de la compra.** fig. Precio de los alimentos. ‖ **de remonte.** La de jugar, más corta que la ordinaria y de curvatura muy reducida. ‖ **llevar la cesta.** fr. fig. y fam. Estar presente una persona en el coloquio íntimo de una pareja de enamorados.

cestada. f. Lo que puede caber en una cesta.

cestaño. (De *cesta.*) m. *Rioja.* **canastilla,** cestilla de mimbres.

cestería. (De *cestero.*) f. Sitio donde se hacen cestos o cestas. ‖ **2.** Tienda donde se venden. ‖ **3.** Arte del cestero.

cestero, ra. m. y f. Persona que hace o vende cestos o cestas.

cestiario. (Del lat. *caestiarĭus,* luchador de cesto.) m. Gladiador que combatía armado con el cesto[2].

cesto[1]. (De *cesta.*) m. Cesta grande y más alta que ancha, formada a veces con mimbres, tiras de caña o varas de sauce sin pulir. ‖ **2. tabaque[1].** ‖ **3.** V. **cordero de so cesto.** ‖ **4.** *Dep.* **canasta** o cesta para el baloncesto. ‖ **de los papeles. papelera,** recipiente. ‖ **estar hecho un cesto.** fr. fig. y fam. Estar poseído del sueño o de la embriaguez. ‖ **ser un cesto.** fr. fig. y fam. Ser ignorante, rudo e incapaz.

cesto[2]. (Del lat. *caestus.*) m. Armadura de la mano, usada en el pugilato por los antiguos atletas, que consistía en correas guarnecidas con puntas de metal, y que se ataba alrededor de la mano y de la muñeca, y a veces subía hasta el codo.

cestodo. (Del lat. *cestus,* correa.) adj. *Zool.* Dícese de gusanos platelmintos de cuerpo largo y aplanado semejante a una cinta y dividido en segmentos y que carecen de aparato digestivo; viven en cavidades del cuerpo de otros animales, a cuyas paredes se fijan mediante ventosas o ganchos, y se alimentan absorbiendo por su piel líquidos nutritivos del cuerpo de su huésped; como la solitaria. Ú. t. c. s. ‖ **2.** m. pl. *Zool.* Orden de estos animales.

cestón. (aum. de *cesto[1].*) m. **gavión[1],** cestón de tierra de la fortificación y de obras hidráulicas. ‖ **2.** Cesto grande.

cestonada. f. *Mil.* Fortificación hecha con cestones.

cestro. (Del lat. *sistrum,* instrumento músico, del gr. σεῖστρον.) m. ant. **sistro.**

cesura. (Del lat. *caesūra,* de *caedĕre,* cortar.) f. En la poesía moderna, corte o pausa que se hace en el verso después de cada uno de los acentos métricos reguladores de su armonía. ‖ **2.** En la poesía griega y latina, sílaba con que termina una palabra, después de haber formado un pie, y sirve para empezar otro.

ceta. f. **zeta.**

cetáceo, a. (Del lat. *cētus,* y este del gr. κῆτος.) adj. *Zool.* Dícese de mamíferos pisciformes, marinos, algunos de gran tamaño, que tienen las aberturas nasales en lo alto de la cabeza, por las cuales sale el aire espirado, cuyo vapor acuoso, cuando el ambiente es frío, suele condensarse en forma de nubecillas que simulan chorros de agua; los miembros anteriores transformados en aletas, sin los posteriores, y el cuerpo terminado en una sola aleta horizontal; como la ballena y el delfín. Viven en todos los mares. Ú. t. c. s. m. ‖ **2.** m. pl. *Zool.* Orden de estos animales.

cetárea. f. **cetaria.**

cetaria. (Del lat. *cetarĭa.*) f. Vivero, situado en comunicación con el mar, de langostas y otros crustáceos destinados al consumo.

cetario. (Del lat. *cetarĭa.*) m. Paraje en que la ballena y otros vivíparos marinos suelen fijarse para parir y criar sus hijuelos.

cético, ca. (Del lat. *cētus,* cetáceo.) adj. Dícese de un ácido extraído de la cetina.

cetil. m. Moneda portuguesa, corriente en Castilla en el siglo XVI, y cuyo valor era la tercera parte de una blanca.

cetilato. m. *Quím.* Sal formada por el ácido de cetilo y una base.

cetilo. (Del lat. *cētus,* cetáceo.) m. *Quím.* Hidrocarburo que contiene el radical alcohol propio de este cuerpo y demás compuestos de la serie del mismo.

cetina. (Del lat. *cētus,* cetáceo.) f. **esperma de ballena.**

cetís. (Del ár. *sabtī.*) m. Moneda antigua portuguesa, que tuvo curso en Galicia y valía la sexta parte de un maravedí de plata.

cetonia. f. Insecto coleóptero pentámero, con reflejos metálicos, que frecuenta las flores; su larva vive en las colmenas y se alimenta de miel.

cetra. (Del lat. *cetra.*) f. Escudo de cuero que usaron antiguamente los españoles en lugar de adarga o de broquel.

cetrarina. f. *Quím.* Materia amarga señalada en algunos líquenes.

cetre. m. *Sal.* Sacristán segundo o acólito que lleva el acetre.

cetrería. (De *cetrero[2].*) f. Arte de criar, domesticar, enseñar y curar los halcones y demás aves que servían para la caza de volatería. ‖ **2.** Caza de aves y algunos cuadrúpedos que se hacía con halcones, azores y otros pájaros que perseguían la presa hasta herirla o matarla.

cetrero[1]. (De *cetro.*) m. Ministro que servía con capa y cetro en las funciones de iglesia.

cetrero[2]. (De *acetrero.*) m. El que ejercía la cetrería, cazando con halcones y otros pájaros.

cetrino, na. (Del lat. *citrīnus,* de *citrus,* cidra.) adj. Aplícase al color amarillo verdoso. ‖ **2.** Compuesto con cidra o que participa de sus cualidades. ‖ **3.** fig. Melancólico y adusto.

cetro. (Del lat. *sceptrum,* y este del gr. σκῆπτρον.) m. Vara de oro u otra materia preciosa, labrada con primor, que usaban solamente emperadores y reyes por insignia de su dignidad. ‖ **2.** Vara larga de plata, o cubierta de ella que usaban en la iglesia los prebendados o los capellanes que acompañaban al preste en el coro y en el altar. ‖ **3.** Vara de plata, o de madera dorada, plateada o pintada, que usan en sus actos públicos las congregaciones, cofradías o sacramentales, llevándola sus mayordomos o diputados. ‖ **4.** Vara o percha de la alcándara. ‖ **5.** fig. Reinado de un príncipe. ‖ **6.** fig. Dignidad de tal. ‖ **empuñar el cetro.** fr. fig. Empezar a reinar.

ceugma. f. *Gram.* **zeugma.**

ceutí. (Del ár. *sabtī.*) adj. Natural de Ceuta. Ú. t. c. s. ‖ **2.** Perteneciente o relativo a esta ciudad. ‖ **3.** V. **limón ceutí.** ‖ **4.** m. Cierta moneda antigua de Ceuta.

cevicho. m. *C. Rica, Ecuad., Pan.* y *Perú.* **cebiche.**

cevil. adj. ant. y hoy vulgar en algunas partes, **civil.**

cía[1]. (Del lat. *scias,* y este del gr. ἰσχιάς.) f. desus. Hueso de la cadera.

cía[2]. (De *cilla.*) f. *Ar.* Silo de guardar semillas o forraje.

ciaboga. (De *ciar* y *bogar.*) f. *Mar.* Vuelta que se da a una embarcación bogando avante los remos de una banda y al revés o para atrás los de la otra. También puede hacerse manejando un solo remo. ‖ **2.** Por analogía, hacer igual maniobra un buque de vapor sirviéndose del timón y la máquina. ‖ **hacer ciaboga.** fr. fig. Hacer remolino algunas personas para huir o para otro fin.

ciabogar. intr. Dar ciaboga, tomar la ciaboga.

cianato. m. *Quím.* Sal resultante de la combinación del ácido ciánico con una base o con un radical alcohólico.

cianea. (Del gr. κύανος, azul.) f. *Mineral.* **lazulita.**

cianhídrico. (Del gr. κύανος, azul, e ὕδωρ, agua.) adj. *Quím.* V. **ácido cianhídrico.**

cianí. (Del ár. *zayānī* o *ziyānī,* perteneciente o relativo a *Abū Zayān,* rey de Tremecén.) m. Moneda de oro de baja ley, usada entre los moros de África, y que valía cien aspros.

ciánico, ca. (Del gr. κύανος, azul.) adj. Dícese de un ácido resultante de la oxidación e hidratación del cianógeno.

cianita. (Del gr. κύανος, azul.) f. Turmalina de color azul o silicato natural de alúmina.

cianógeno. (Del gr. κύανος, azul, y *-geno.*) m. *Quím.* Gas incoloro, de olor penetrante, y compuesto de ázoe y carbono. Sigue las leyes de los cuerpos simples en la mayor parte de sus combinaciones y entra en la composición del azul de Prusia.

cianosis. (Del gr. κυάνωσις.) f. *Pat.* Coloración azul y alguna vez negruzca o lívida de la piel, procedente de la mezcla de la sangre arterial con la venosa, de la alteración de la sangre, como en el cólera morbo, o de su estancación en los vasos capilares.

cianótico, ca. adj. Perteneciente o relativo a la cianosis. ‖ **2.** Que la padece.

cianuro. m. *Quím.* Sal resultante de la combinación del cianógeno con un radical simple o compuesto.

ciar. intr. Andar hacia atrás, retroceder. ‖ **2.** *Mar.* Remar hacia atrás. ‖ **3.** fig. Abandonar un empeño o negocio.

ciática. f. *Perú.* Arbusto de hojas largas y estrechas como cintas, y flor semejante a la campanilla, pero de un hermoso color de oro, que gotea, al ser cortada del tallo, un líquido blanco y venenoso, como lo es la simiente, especie de nuez vómica.

ciático, ca. (Del lat. *sciatĭcus,* de *scias,* cía[1].) adj. Perteneciente a la cadera. ‖ **2.** V. **nervio ciático.** Ú. t. c. s. ‖ **3.** f. *Pat.* Neuralgia del nervio ciático.

ciato. (Del lat. *cyathus,* copa.) m. *Arqueol.* Vaso usado por los romanos para trasegar los líquidos.

cibaje. m. *Amér.* Una variedad del pino.

cibal. (Del lat. *cibus,* alimento.) adj. p. us. Perteneciente o relativo a la alimentación.

cibarcos. (Del lat. *Cibarci, -cos.*) m. pl. Pueblo antiguo que habitaba la costa norte de Galicia.

cibario, ria. (Del lat. *cibarĭus,* de *cibus,* comida.) adj. Aplícase a las leyes romanas que regulaban las comidas y convites del pueblo.

cibdad. f. ant. **ciudad.**

cibdadano, na. adj. ant. **ciudadano.** ‖ **2.** ant. **batalla cibdadana.**

cibeleo, a. (De *Cibeles.*) adj. poét. Perteneciente o relativo a la diosa Cibeles.

cibelina. adj. V. **cebellina.**

cibera. (Del lat. *cibarĭa,* trigo, alimento.) f. Porción de grano que se echa en la tolva del molino para cebar la rueda. ‖ **2.** Todo género de simiente que puede servir para mantenimiento y cebo. ‖ **3.** Residuo de los frutos después de exprimidos. ‖ **4.** *Extr.* **tolva** del molino. ‖ **5.** V. **agua cibera.**

cibernética. (Del gr. κυβερνητική [τέχνη] arte del piloto.) f. *Med.* Ciencia que estudia el funcionamiento de las conexiones nerviosas en los seres vivos. ‖ **2.** *Electr.* Ciencia que estudia comparativamente los sistemas de comunicación y regulación automática de los seres vivos con sistemas electrónicos y mecánicos semejantes a aquellos. Entre sus aplicaciones está el arte de construir y manejar aparatos y máquinas que mediante procedimientos electrónicos efectúan automáticamente cálculos complicados y otras operaciones similares.

cibernético, ca. adj. Perteneciente o relativo a la cibernética. ‖ **2.** Dícese de la persona que cultiva la cibernética. Ú. t. c. s.

cibi. m. *Cuba.* Nombre común de una clase de peces marítimos de regular tamaño y comestibles, aunque algunas especies suelen producir la ciguatera.

cibiaca. f. **parihuela.**

cibica. (Del ár. *sabīka,* lingote.) f. Barra de hierro dulce, que se embute como refuerzo en la parte superior de la manga de los ejes de madera de los carruajes. ‖ **2.** *Mar.* Grapa con que se sujeta una pieza a otra mayor.

cibicón. m. aum. de **cibica.** ‖ **2.** Barra de hierro dulce, más gruesa que la cibica y destinada al mismo fin.

cibo. (Del lat. *cibus.*) m. ant. **cebo[1]**, comida de los animales.

cíbola. f. Hembra del cíbolo.

cíbolo. m. **bisonte.**

ciborio. (Del lat. *ciborĭum,* copa.) m. *Arqueol.* Copa para beber, usada entre los antiguos griegos y romanos. ‖ **2.** Baldaquino que corona un altar o tabernáculo en los primitivos templos cristianos.

cibucán. (Voz antillana.) m. *Sto. Dom.* Talega o manga de pleita, caña o tela muy basta, que se utiliza para exprimir la yuca rallada y eliminar el yare o zumo venenoso que contiene, a fin de hacer el cazabe. Usáb. en Colombia, Cuba y Venezuela.

cica[1]. (Del ár. *ziqq,* odre.) f. *Germ.* **bolsa** para el dinero.

cica[2]. (Del gr. κοῖξ, ϰοικος.) f. Planta de la familia de las cicadáceas, originaria de Java. Alcanza de uno a dos metros de altura, con el tronco o estípite simple, leñoso, cubierto de cicatrices; hojas de cincuenta centímetros a dos metros de largo, rígidas, pinnadas, con las pinnas lineares, de color verde oscuro en la cara superior, más claro en la inferior, con los márgenes doblados; estróbilos masculinos oblongos, cilíndricos, erguidos, de treinta a cuarenta centímetros de largo, leñosos, castaños, con escamas aplanadas; hojas carpelares con dos o más óvulos; flores dioicas y semillas rojas. Se multiplica por hijuelos. Es planta ornamental.

cicadáceas. (De *Cycas,* nombre científico de un género de plantas.) f. pl. *Bot.* Familia de plantas gimnospermas propias de los países tropicales, semejantes a las palmeras y helechos arborescentes.

cicádeo, a. (Del lat. *cicāda,* cigarra.) adj. Semejante a la cigarra.

cicádido. (Del lat. *cicāda,* cigarra.) adj. *Zool.* Dícese de insectos hemípteros del suborden de los homópteros cuyos machos tienen en la base del abdomen una especie de timbal, el parche del cual puede vibrar, produciendo un sonido estridente y monótono, como la cigarra. Ú. t. c. s. m. ‖ **2.** m. pl. *Zool.* Familia de estos animales.

cicalar. (Del ár. *ṣiqāl,* pulimento.) tr. ant. **acicalar.**

cicatear. (Del ár. *saqaṭ,* quitar, restar.) intr. fam. Hacer cicaterías.

cicatería. (De *cicatero.*) f. Calidad de cicatero. ‖ **2.** Acción propia del cicatero.

cicatero, ra. (Del ár. *saqqāṭ,* baratillero.) adj. Mezquino, ruin, miserable, que escatima lo que debe dar. Ú. t. c. s. ‖ **2.** Que da importancia a pequeñas cosas o se ofende por ellas. Ú. t. c. s. ‖ **3.** m. *Germ.* Ladrón que hurta bolsas.

cicatricera. (De *cicatriz.*) f. Mujer que en los antiguos ejércitos españoles curaba a los heridos.

cicatricial. adj. Perteneciente o relativo a la cicatriz.

cicatriz. (Del lat. *cicātrix, -īcis.*) f. Señal que queda en los tejidos orgánicos después de curada una herida o llaga. ‖ **2.** fig. Impresión que queda en el ánimo por algún sentimiento pasado.

cicatrización. f. Acción y efecto de cicatrizar o cicatrizarse.

cicatrizal. adj. Perteneciente o relativo a la cicatriz.

cicatrizamiento. m. ant. **cicatrización.**

cicatrizante. p. a. de **cicatrizar.** Que cicatriza. Ú. t. c. s.

cicatrizar. (De *cicatriz.*) tr. Completar la curación de las llagas o heridas, hasta que queden bien cerradas. Ú. t. c. intr. y prnl.

cicatrizativo, va. adj. Que tiene virtud de cicatrizar.

cicca. f. *Bot.* Arbusto de la familia de las euforbiáceas, cuyas semillas son purgantes.

cícera. (Del lat. *cicĕra.*) f. Especie de garbanzo, cicércula o almorta.

cicércula. (Del lat. *cicercŭla,* d. de *cicer,* garbanzo.) f. **almorta.**

cicercha. (Del lat. *cicercŭla.*) f. **cicércula.**

cícero. (Del lat. *Cicĕro,* Cicerón, por ser del cuerpo 12 o lectura los tipos de una de las primeras ediciones de sus obras.) m. *Impr.* **lectura,** clase de letra. ‖ **2.** *Impr.* Unidad de medida usada generalmente en tipografía para la justificación de líneas, páginas, etc. Tiene 12 puntos y equivale a poco más de cuatro milímetros y medio.

cicerón. (Por alusión al famoso orador romano.) m. fig. Hombre muy elocuente.

cicerone. (Del it. *Cicerone,* Cicerón, por alusión a la facundia de estos guías.) m. Persona que enseña y explica las curiosidades de una localidad, edificio, etc.

ciceroniano, na. (Del lat. *Ciceroniānus.*) adj. Propio y característico de Cicerón como orador o literato, o que tiene semejanza con cualquiera de las dotes o calidades por que se distinguen sus obras.

cicial. (Del lat. **sicciālis,* de *siccus,* seco.) m. ant. **cecial.**

cicimate. (De *cimate.*) m. *Méj.* Especie de hierba cana medicinal.

cicindela. (Del lat. *cicindēla,* luciérnaga.) f. Coleóptero pentámero, zoófago, cuya larva vive en agujeros que hace en el suelo y en los cuales aguarda a su presa para devorarla.

cicindélido. (De *cicindela* y el gr. εἶδος, forma.) adj. *Zool.* Dícese de los coleópteros del tipo de la cicindela, que tienen colores variados con brillo metálico, y élitros verdes o amarillos. Ú. t. c. s. ‖ **2.** m. pl. *Zool.* Familia de estos animales.

ción. (Del lat. *accessĭo, -ōnis.*) f. ant. Calentura intermitente que entra con frío. ‖ **2.** *Tol.* **terciana.**

ciclada. (Del lat. *cyclas, -ădis,* y este del gr. κυκλάς, -άδος.) f. Vestidura larga y redonda que usaron antiguamente las mujeres.

ciclamen. m. **ciclamino.**

ciclamino. (Del lat. *cyclamīnum.*) m. **pamporcino.**

ciclamor. (Del lat. *sycomōrus,* del gr. συκόμορον.) m. Árbol de la familia de las papilionáceas, que alcanza unos seis metros de altura, con tronco y ramas tortuosos, hojas sencillas y acorazonadas, flores de color carmesí anteriores a las hojas y en racimos abundantes, que nacen en las ramas o en el mismo tronco. Es planta de adorno, muy común en España.

ciclán. (Del ár. *siqlab,* y este del lat. *sclavus.*) adj. Que tiene un solo testículo. Ú. t. c. s. ‖ **2.** m. Borrego o primal cuyos testículos están en el vientre y no salen al exterior.

ciclar. (Del ár. *ṣiqāl,* pulimento.) tr. Bruñir y abrillantar las piedras preciosas.

ciclatón. (Del ár. *siqlāṭūn,* y este del lat. *cyclas, -ădis,* ciclada.) m. Vestidura de lujo usada en la Edad Media. Tenía la forma de túnica, y a veces de manto. ‖ **2.** Tela de seda y oro con que se hacían dichas vestiduras.

cíclico, ca. (Del lat. *cyclĭcus,* y este del gr. κυκλικός.) adj. Perteneciente o relativo al ciclo. ‖ **2.** Aplícase al poeta que refiere en alguna obra todos los casos de un ciclo, o a la misma poesía épica que abarca y comprende el ciclo todo. ‖ **3.** Aplícase a la enseñanza o instrucción gradual de una o varias materias. ‖ **4.** *Med.* Aplícase a un antiguo método curativo de las enfermedades crónicas. ‖ **5.** *Quím.* Perteneciente o relativo a las estructuras moleculares en anillo, como la del benceno.

ciclismo. (Del fr. *cyclisme.*) m. Deporte de los aficionados a la bicicleta o al velocípedo.

ciclista. (Del fr. *cycliste.*) com. Persona que anda o sabe andar en bicicleta. Ú. t. c. adj. ‖ **2.** Persona que practica el ciclismo. Ú. t. c. adj. ‖ **3.** adj. **ciclístico.**

ciclístico, ca. adj. Perteneciente o relativo al ciclismo.

ciclo. (Del lat. *cyclus,* y este del gr. κύκλος, círculo.) m. Período de tiempo o cierto número de años que, acabados, se vuelven a contar de nuevo. ‖ **2.** Serie de fases por las que pasa un fenómeno periódico hasta que se reproduce una fase anterior. ‖ **3.** Conjunto de una serie de fenómenos u operaciones que se repiten ordenadamente. Así, **ciclo** de un motor de explosión, de una máquina herramienta, de la corriente eléctrica, etc. ‖ **4.** Serie de conferencias u otros actos de carácter cultural relacionados entre sí, generalmente por el tema. ‖ **5.** Conjunto de tradiciones épicas concernientes a determinado período de tiempo, a un grupo de sucesos o a un personaje heroico. *El* CICLO *troyano*; *el* CICLO *bretón*; *el* CICLO *del rey Artús o Arturo.* ‖ **6.** *Bot.* Cada una de las espiras que forman alrededor del tallo los puntos de inserción de las hojas. ‖ **7.** *Quím.* Molécula cerrada con un número definido de átomos, como el benceno. ‖ **8.** *Cuba.* Bicicleta. ‖ **decemnovenal, decemnovenario,** o **lunar.** *Cronol.* Período de 19 años, en que los novilunios y demás fases de la Luna vuelven a suceder en los mismos días del año, con diferencia de hora y media aproximadamente. ‖ **2.** *Cronol.* Número de años en que el de una fecha excede al de **ciclos** lunares justos, contados desde el año anterior al de la era cristiana. ‖ **económico.** Período de la economía de un país en el que se reiteran fases de expansión y contracción, de duración no muy variable. ‖ **pascual.** *Cronol.* Período de 532 años, producto de los **ciclos** lunar y solar, en el cual se creyó que caerían los días de Pascua y demás fiestas movibles en iguales días del año. ‖ **solar.** *Cronol.* Período de 28 años, en el cual, en el calendario juliano, volvían los días de la semana a caer en los mismos días del mes.

ciclohexano. m. *Quím.* Hidrocarburo alifático cíclico de seis átomos de carbono.

cicloidal. adj. Perteneciente o relativo a la cicloide.

cicloide. (Del gr. κυκλοειδής, en forma de círculo.) f. *Geom.* Curva plana descrita por un punto de la circunferencia cuando esta rueda por una línea recta.

cicloideo, a. adj. **cicloidal.**

ciclomotor. (Del fr. *cyclomoteur.*) m. Bicicleta provista de un motor de pequeña cilindrada y que no puede alcanzar mucha velocidad.

ciclón. (Del gr. κυκλῶν, p. a. de pres. de κυκλόω, remolinarse.) m. **huracán.** ‖ **2.** Aparato estático, que mediante la fuerza centrífuga originada por un fluido en movimiento turbulento, separa las partículas sólidas que este lleva en suspensión. ‖ **3.** *Meteor.* **borrasca,** régimen de vientos. ‖ **4.** fig. Persona llena de ímpetu.

ciclonal. adj. **ciclónico.**

ciclónico, ca. adj. Perteneciente o relativo al ciclón y, en especial, a la rotación de sus vientos.

cíclope o **ciclope.** (Del lat. *cyclops, -ōpis,* y este del gr. κύκλωψ.) m. Gigante de la mitología griega con un solo ojo.

ciclópeo, a. (Del lat. *cyclopēus.*) adj. Perteneciente o relativo a los cíclopes. ‖ **2.** Aplícase a ciertas construcciones antiquísimas que se distinguen por el enorme tamaño de las piedras que entran en ellas, por lo común sin argamasa. ‖ **3.** fig. **gigantesco,** excesivo o muy sobresaliente.

ciclópico, ca. adj. **ciclópeo.**

ciclorama. (Del gr. κύκλος, círculo, y ὅραμα, vista.) m. **panorama,** vista pintada en un cilindro. ‖ **2.** En el teatro, gran superficie cóncava situada al fondo del escenario, hasta gran altura, sobre la que se proyectan el cielo y los efectos cinematográficos como crepúsculos, paso de nubes, tormentas, etc.

ciclostil o **ciclostilo.** (Del ing. *cyclostyle.*) m. Aparato que sirve para copiar muchas veces un escrito o dibujo por medio de una tinta especial sobre una plancha gelatinosa.

ciclóstoma. (Del gr. κύκλος, círculo y στόμα, boca.) m. Molusco gasterópodo pulmonado, muy común en España, terrestre y de pequeño tamaño, la abertura de cuya concha es circular.

ciclóstomo. (Del gr. κύκλος, círculo, y στόμα, boca.) adj. *Zool.* Dícese de peces de cuerpo largo y cilíndrico, esqueleto cartilaginoso, piel sin escamas, con seis o siete pares de branquias contenidas en cavidades en forma de bolsas, y boca circular, que les sirve para la succión de sus alimentos; como la lamprea. Ú. t. c. s. m. ‖ **2.** m. pl. *Zool.* Orden de estos animales.

ciclotimia. (Del gr. κύκλος, círculo, y θυμός, ánimo.) f. *Psiquiat.* **psicosis maniaco-depresiva.**

ciclotímico, ca. adj. Perteneciente o relativo a la ciclotimia. ‖ **2.** Dícese de la persona que la padece. Ú. t. c. s.

ciclotrón. (Del gr. κύκλος, círculo, y la term. *-tron* de *electrón.*) m. *Electr.* Aparato que actúa mediante fuerzas electromagnéticas sobre partículas desprendidas de un átomo, haciéndoles recorrer determinada órbita con movimiento acelerado hasta imprimirles una enorme velocidad con el fin de que sirvan de proyectiles para bombardear otros átomos.

-cico, ca. V. **-ico.**

cicoleta. (De *cieca,* cequia.) f. *Ar.* Acequia muy pequeña.

ciconiforme. (Del lat. *ciconia,* cigüeña y *-forme.*) adj. *Zool.* Dícese de aves generalmente grandes, de patas largas con cuatro dedos, unidos tres de ellos por una membrana, de cuello largo y flexible y pico recto, puntiagudo y fuerte; como la cigüeña, la garza y la grulla. Ú. t. c. s. ‖ **2.** f. pl. *Zool.* Orden de estas aves.

cicoria. f. **chicoria.**

cicuta. (Del lat. *cicūta.*) f. Planta de la familia de las umbelíferas, de unos dos metros de altura, con tallo rollizo, estriado, hueco, manchado de color purpúreo en la base y muy ramoso en lo alto; hojas blandas, fétidas, verdinegras, triangulares y divididas en gajos elípticos, puntiagudos y dentados; flores blancas, pequeñas, y semilla negruzca menuda. Su zumo es venenoso y se usa como medicina. ‖ **menor.** Hierba venenosa de la familia de las umbelíferas, semejante al perejil, del cual apenas se distingue más que por el color oscuro y el olor desagradable de sus hojas.

cicutina. f. Alcaloide contenido en la cicuta, que se presenta como un aceite amarillento y es muy venenoso.

cid. (Por alusión al *Cid* Campeador.) m. fig. Hombre fuerte y muy valeroso.

-cida. (Del lat. *-cīda,* de la raíz de *caedĕre,* matar.) elem. compos. que significa «matador» o «exterminador»: *herbi*CIDA, *insecti*CIDA.

cidiano, na. adj. Perteneciente o relativo al Cid.

-cidio. (Del lat. *-cidĭum,* de la raíz de *caedĕre,* matar.) elem. compos. que significa «acción de matar»: *fili*CIDIO, *sui*CIDIO.

cidra. (Del lat. *citra,* pl. n. de *-um.*) f. Fruto del cidro, semejante al limón, y comúnmente mayor, oblongo y algunas veces esférico; la corteza es gorda, carnosa y sembrada de vejiguillas muy espesas, llenas de aceite volátil, de olor muy desagradable, y el centro, pequeño y agrio. Se usa en medicina. ‖ **cayote.** Planta cucurbitácea. ‖ **2.** Fruto de esta planta, de corteza lisa y verde con manchas blanquecinas y amarillentas, y simiente comúnmente negra. Su carne es jugosa, blanca, y tan fibrosa que después de cocida se asemeja a una cabellera enredada, de la cual se hace el dulce llamado cabello de ángel.

cidrada. f. Conserva hecha de cidra.

cidral. m. Sitio poblado de cidros. ‖ **2. cidro.**

cidrayota. f. *Chile.* **chayotera.**

cidrera. f. **cidro.**

cidria. (Del lat. *citrĕa,* t. f. de *-us.*) f. **cedria.**

cidro. (Del lat. *citrus.*) m. Árbol de la familia de las rutáceas, con tronco liso y ramoso de unos cinco metros de altura, hojas permanentes, duras y agudas, verdes y lustrosas por encima, rojizas por el envés, y flores encarnadas olorosas. Su fruto es la cidra.

cidronela. (De *cidra,* por el olor de la planta.) f. **toronjil.**

cieca. f. *And., Ar.* y *Murc.* **cequia.**

ciegamente. adv. m. Con ceguedad. ‖ **2.** Firmemente, con pleno convencimiento. *Creer* CIEGAMENTE *en el triunfo.*

ciegayernos. (De *cegar* y *yerno.*) m. fig. y fam. Cosa de poco valor que aparenta tenerlo grande.

ciego, ga. (Del lat. *caecus.*) adj. Privado de la vista. Ú. t. c. s. ‖ **2.** V. **coplas, oración, palo, relación, romance de ciego.** ‖ **3.** V. **arco, cocuyo, lazo, nudo, paquete ciego.** ‖ **4.** V. **gallina, morcilla, obediencia, olla, piedra ciega.** ‖ **5.** fig. Poseído con vehemencia de alguna pasión. CIEGO *de ira, de amor.* ‖ **6.** fig. Ofuscado, alucinado. ‖ **7.** p. us. fig. Aplícase al pan o queso que no tiene ojos. ‖ **8.** fig. Dícese del conducto o vano obstruido o tapiado. *Arco* CIEGO ‖ **9.** fig. y fam. Atiborrado de comida, bebida o drogas. ‖ **10.** *Mar.* V. **candelero ciego.** ‖ **11.** m. **intestino ciego.** ‖ **12.** *Ecuad.* Pez de los ríos de este país. ‖ **13.** *R. Plata.* Jugador que tiene malas cartas o no tiene triunfos. ‖ **a ciegas.** loc. adv. **ciegamente.** ‖ **2.** fig. Sin conocimiento, sin reflexión. ‖ **no tener con qué hacer cantar, o rezar, a un ciego.** fr. fig. y fam. Ser muy pobre.

cieguecico, ca, llo, lla, to, ta. adjs. ds. de **ciego.** Ú. t. c. s.

cieguezuelo, la. adj. d. de **ciego.** Ú. t. c. s.

cielito (el). (d. de *cielo.*) m. *Argent.* y *Urug.* Baile campesino acompañado por tonada en el que las parejas ejecutan variadas figuras.

cielo. (Del lat. *caelum.*) m. Esfera aparente azul y diáfana que rodea a la Tierra, y en la cual parece que se mueven los astros. ‖ **2. atmósfera** que rodea la tierra. ‖ **3.** Clima o temple. *España goza de benigno* CIELO *o* CIELO *saludable.* ‖ **4.** Morada en que los ángeles, los santos y los bienaventurados gozan de la presencia de Dios. Ú. t. en pl. ‖ **5.** V. **reino de los cielos.** ‖ **6.** Gloria o bienaventuranza. ‖ **7.** V. **árbol, arco, capa, tocino del cielo.** ‖ **8.** fig. Dios o su providencia. Ú. t. en pl. ¡*Valedme,* CIELOS! ‖ **9.** fig. Parte superior que cubre algunas cosas. *El* CIELO *de la cama*; *el* CIELO *del coche.* ‖ **borreguero. cielo** aborregado. ‖ **de la boca. paladar,** parte superior de la boca. ‖ **raso.** En el interior de los edificios, techo de superficie plana y lisa. ‖ **viejo.** *Mar.* Color azul visible a través de los rompimientos del celaje durante los malos tiempos. ‖ **medio cielo.** *Astron.* Meridiano superior, esto es, parte del círculo meridiano que está sobre el horizonte. ‖ **a cielo abierto.** loc. adv. Sin techo ni cobertura alguna. ‖ **a cielo descubierto.** loc. adv. **al descubierto.** ‖ **bajado del cielo.** expr. fig. y fam. Prodigioso, excelente, peregrino y cabal en todo. ‖ **cerrarse el cielo.** fr. fig. Cubrirse de nubes. ‖ **clamar** una cosa **al cielo.** fr. fig. Ser una cosa manifiesta o indignamente injusta o disparatada. ‖ **coger el cielo con las manos.** fr. fig. y fam. **tomar el cielo con las manos.** ‖ **comprar,** o **conquistar el cielo.** fr. fig. **ganar el cielo.** ‖ **descargar el cielo.** fr. Llover, nevar o granizar. ‖ **desencapotarse el cielo.** fr. fig. Despejarse de nubes y quedar claro. ‖ **desgarrarse el cielo.** fr. fig. Ser muy copiosa la lluvia, o muy fuerte una tempestad. ‖ **despejarse el cielo.** fr. **desencapotarse el cielo.** ‖ **entoldarse el cielo.** fr. fig. **cerrarse el cielo.** ‖ **escupir** alguien **al cielo.** fr. fig. Decir o hacer cosas ilícitas que se vuelven en su daño. ‖ **estar hecho un cielo.** fr. fig. y fam. Estar muy iluminado y adornado un templo u otro sitio. ‖ **ganar el cielo.** fr. fig. Conseguir el **cielo** o la bienaventuranza con virtudes y buenas obras. ‖ **herir los cielos** con voces, lamentos, quejas, etc. fr. fig. **herir el aire.** ‖ **irse al cielo calzado y vestido,** o **vestido y calzado.** fr. fig. y fam. Ganar el **cielo** sin pasar por el purgatorio. Se usa hablando de la persona a quien por su inocencia o sus virtudes se cree digna de este premio. ‖ **juntársele** a alguien **el cielo con la tierra.** loc. fam. Verse impensadamente en un trance grave o peligroso. ‖ **llovido del cielo.** loc. fig. y fam. que denota la oportunidad con que llega una persona u ocurre alguna cosa donde o cuando más convenía. ‖ **mover cielo y tierra.** fr. fig. y fam. Hacer con suma diligencia todas las gestiones posibles para el logro de alguna cosa. ‖ **mudar cielo,** o **de cielo.** fr. **mudar aires,** o **de aires.** ‖ **nublársele el cielo** a alguien. fr. fig. Entristecerse y acongojarse demasiado. ‖ **poner en el cielo,** o **los cielos,** a una persona o cosa. fr. fig. **poner en,** o **sobre, las nubes** a una persona o cosa. ‖ **tomar el cielo con las manos.** fr. fig. y fam. Recibir gran enfado o enojo por alguna cosa, manifestándolo con demostraciones exteriores. ‖ **¡vaya usted al cielo!** expr. fig. y fam. con que uno desprecia lo que otro dice. ‖ **venido del cielo.** expr. fig. y fam. **bajado del cielo.** ‖ **venirse el cielo abajo.** fr. fig. y fam. Desatarse una tempestad o lluvia grande. ‖ **2.** fig. y fam. Suceder un alboroto o ruido extraordinario. ‖ **ver** alguien **el cielo abierto,** o **los cielos abiertos.** fr. fig. y fam. Presentársele ocasión o coyuntura favorable para salir de un apuro o conseguir lo que deseaba. ‖ **ver el cielo por embudo.** fr. fig. y fam. Tener poco conocimiento del mundo, por haberse criado con mucho recogimiento. ‖ **volar al cielo.** fr. fig. Separarse del cuerpo el alma bienaventurada.

ciella. (Del lat. *cella,* granero.) f. ant. **cilla.**

ciemo. (Cruce de *cieno* y *fiemo.*) m. rúst. Fimo, estiércol.

ciempiés. (De *cien pies.*) m. Miriópodo de cuerpo prolongado y estrecho, con un par de patas en cada uno de los 21 anillos en que tiene dividido el cuerpo; dos antenas, cuatro ojos, y en la boca mandibulillas córneas y ganchudas que, al morder el animal, sueltan un veneno activo. Vive oculto entre las piedras y en parajes húmedos. Se conocen varias especies. ‖ **2.** fig. y fam. Obra o trabajo desatinado o incoherente.

cien. adj. apóc. de **ciento.** Úsase siempre antes de sustantivo. CIEN *doblones;* CIEN *años.* ‖ **2.** Expresa con sentido ponderativo una cantidad indeterminada equivalente a *muchos, muchas.* ‖ **3.** V. **rosal de cien hojas.** ‖ **4.** fig. V. **cuchillada de cien reales.** ‖ **cien por cien.** loc. adv. En su totalidad, del principio al fin. ‖ **a cien.** loc. adv. fam. En o con un alto grado de excitación. Ú. m. con los verbos *poner* e *ir.*

ciénaga. (De *ciénega.*) f. Lugar o paraje lleno de cieno o pantanoso.

ciénago. (De *ciénego.*) m. ant. **cieno.** ‖ **2.** ant. **cenagal,** lugar de cieno.

ciencia. (Del lat. *scientĭa.*) f. Conocimiento cierto de las cosas por sus principios y causas. ‖ **2.** Cuerpo de doctrina metódicamente formado y ordenado, que constituye un ramo particular del saber humano. ‖ **3.** fig. Saber o erudición. *Tener mucha,* o *poca,* CIENCIA; *ser un pozo de* CIENCIA; *hombre de* CIENCIA *y virtud.* ‖ **4.** fig. Habilidad, maestría, conjunto de conocimientos en cualquier cosa. *La* CIENCIA *del caco, del palaciego, del hombre vividor.* ‖ **5.** V. **hombre de ciencia.** ‖ **6.** pl. Conjunto de conocimientos relativos a las **ciencias** exactas, fisicoquímicas y naturales. *Facultad de* CIENCIAS, a diferencia de *Facultad de* LETRAS. ‖ **ficción.** Género de obras literarias o cinematográficas, cuyo contenido se basa en hipotéticos logros científicos y técnicos del futuro. ‖ **infusa.** Saber no adquirido mediante el estudio. Ú. m. en sent. irón. ‖ **pura.** Estudio de los fenómenos naturales y otros aspectos del saber por sí mismos, sin tener en cuenta sus aplicaciones. ‖ **gaya ciencia.** Arte de la poesía. ‖ **ciencias exactas.** Matemáticas. ‖ **humanas.** Las que, como la psicología, antropología, sociología, historia, filosofía, etc., se ocupan de aspectos del hombre no estudiados en las **ciencias** naturales. ‖ **naturales.** Las que tienen por objeto el estudio de la naturaleza (geología, botánica, zoología, etc., a veces se incluyen la física, la química, etc.). ‖ **ocultas.** Conocimientos y prácticas misteriosos, como la magia, la alquimia, la astrología, etc., que, desde la antigüedad, pretenden penetrar y dominar los secretos de la naturaleza. ‖ **sociales.** Aplícase a menudo a las **ciencias humanas.** ‖ **a,** o **de, ciencia cierta.** loc. adv. Con toda seguridad, sin duda alguna. Ú. por lo común con el verbo *saber.* ‖ **a ciencia y paciencia.** loc. adv. Con noticia, permisión o tolerancia de alguno.

ciénega. (Del lat. **caenīca,* de *caenum,* cieno.) f. **ciénaga.**

ciénego. (Del lat. **caenīcum,* de *caenum,* cieno.) m. *Argent., Chile* y *Ecuad.* **ciénago.**

cienmilésimo, ma. (De *cien* y *milésimo.*) adj. Dícese de cada una de las 100.000 partes iguales en que se divide un todo. Ú. t. c. s.

cienmilímetro. (De *cien* y *milímetro.*) m. Centésima parte de un milímetro.

cienmilmillonésimo, ma. (De *cien, mil* y *millonésimo.*) adj. Dícese de cada una de los cien mil millones de partes iguales en que se divide un todo. Ú. t. c. s.

cienmillonésimo, ma. (De *cien* y *millonésimo.*) adj. Dícese de cada una de los cien millones de partes iguales en que se divide un todo. Ú. t. c. s.

cieno. (Del lat. *caenum.*) m. Lodo blando que forma depósito en ríos, y sobre todo en lagunas o en sitios bajos y húmedos.

cienoso, sa. (Del lat. *caenōsus.*) adj. **cenagoso.**

ciensayos. (De *cien* y *sayo.*) m. Pájaro fabuloso, del que se decía que debajo de su plumaje, de colores diversos, tenía un vello muy espeso.

cientanal. (De *ciento* y el lat. *annus,* año.) adj. ant. De cien años. Decíase solo de cosas.

ciente. (Del lat. *sciens, -entis,* p. a. de *scire,* saber.) adj. ant. **esciente.**

cientemente. adv. m. ant. **escientemente.**

cienteñal. (De *ciento* y *año.*) adj. ant. **cientanal.**

científicamente. adv. m. Según los preceptos de una ciencia o arte.

cientificismo. m. Teoría según la cual las cosas se pueden conocer mediante la ciencia como son realmente, y la investigación científica basta para satisfacer las necesidades de la inteligencia humana. ‖ **2.** Teoría según la cual los métodos científicos deben extenderse a todos los dominios de la vida intelectual y moral sin excepción. ‖ **3.** Teoría según la cual los únicos conocimientos válidos son los que se adquieren mediante las ciencias positivas, y, por consiguiente, la razón no tiene otro papel que el que representa en la constitución de las ciencias. ‖ **4.** Confianza plena en los principios y resultados de la investigación científica, y práctica rigurosa de sus métodos. ‖ **5.** Tendencia a dar excesivo valor a las nociones científicas o pretendidamente científicas.

cientificista. adj. Partidario del cientificismo o inclinado a él. Ú. t. c. s. ‖ **2.** Perteneciente o relativo al cientificismo.

científico, ca. (Del lat. *scientificus.*) adj. Perteneciente o relativo a la ciencia. ‖ **2.** Que se dedica a una o más ciencias. Ú. t. c. s.

ciento. (Del lat. *centum.*) adj. Diez veces diez. ‖ **2. centésimo,** ordinal. *Número* CIENTO; *año* CIENTO. ‖ **3.** m. Signo o conjunto de signos con que se representa el número **ciento.** *En la pared había un* CIENTO *medio borrado.* ‖ **4. centenar**[1]. *Un* CIENTO *de huevos, de agujas.* ‖ **5.** V. **Consejo de Ciento.** ‖ **6.** V. **doblón de a ciento.** ‖ **7.** V. **tanto por ciento.** ‖ **8.** pl. Tributo que llegó hasta el cuatro por **ciento** de las cosas que se vendían y pagaban alcabala. ‖ **0.** Juego de naipes que comúnmente se juega entre dos, y el que primero llega a hacer cien puntos, según las leyes establecidas, gana la suerte. ‖ **ciento por ciento.** loc. adv. **cien por cien.** ‖ **ciento y la madre.** loc. fig. y fam. Muchedumbre de personas. ‖ **dar ciento y raya** a otro. fr. fig. y fam. **dar quince y raya.** ‖ **por ciento.** loc. De cada **ciento.** Se construye precedido de un número que indica el tanto por **ciento.** Se representa con el signo %.

cientoemboca. (De *ciento en boca.*) m. *And.* Mostachón muy pequeño, del tamaño y forma del fruto del altramuz.

cientopiés. m. **ciempiés,** miriópodo.

cierna. (De *cerner.*) f. Antera que cae de la flor del trigo, de la vid y de otras plantas.

cierne. (De *cerner.*) m. Acción de **cerner,** estar fecundándose la flor de la vid y otras plantas. ‖ **2. cierna.** ‖ **en cierne.** loc. adv. En flor. Dícese de la vid, del olivo, del trigo y de otras plantas. ‖ **estar en cierne,** o **en ciernes,** una cosa. fr. fig. Estar muy a sus principios, faltarle mucho para su perfección.

cierre. m. Acción y efecto de cerrar o cerrarse. *El* CIERRE *de una carta, de un abanico.* ‖ **2.** Lo que sirve para cerrar. ‖ **3.** Clausura temporal de tiendas y otros establecimientos mercantiles, por lo regular concertada entre los dueños. ‖ **4.** Bloque de acero destinado a obturar la culata de los cañones y otras armas pesadas. ‖ **5. cierre metálico.** ‖ **6.** *Gran Canaria.* Invernáculo para defender las plantas contra el frío. ‖ **7.** *Impr.* Tratándose de periódicos, revistas y otras publicaciones análogas, acción de dar por terminada la admisión de originales para la edición que está en prensa. ‖ **en fundido.** *Cinem.* Desaparición gradual de la imagen cinematográfica hasta la total oscuridad. ‖ **metálico.** Cortina metálica arrollable que cierra y defiende la puerta de una tienda u otro establecimiento. ‖ **relámpago.** En la Argentina y algunos otros países de América, cremallera de prendas de vestir, bolsos, etc.

cierro. m. Acción y efecto de cerrar. ‖ **2.** *And.* **mirador,** balcón encristalado. ‖ **3.** *Chile.* Cerca, tapia o vallado. ‖ **4.** *Chile.* **sobre,** cubierta de carta, pliego, etc.

ciertamente. adv. m. Con certeza.

ciertísimo, ma. adj. fam. **certísimo.**

cierto, ta. (Del lat. *certus.*) adj. Conocido como verdadero, seguro, indubitable. ‖ **2.** Se usa precediendo inmediatamente al sustantivo en sentido indeterminado. CIERTO *lugar;* CIERTA *noche.* ‖ **3.** Se dice de aquellos perros que dan señas **ciertas** de la caza, y que con seguridad la levantan. ‖ **4.** Sabedor, seguro de la verdad de algún hecho. ‖ **5.** ant. **certero.** ‖ **6.** *Germ.* **fullero.** ‖ **7.** adv. afirm. **ciertamente.** ‖ **al cierto.** loc. adv. **ciertamente.** ‖ **de cierto.** loc. **ciertamente.** ‖ **dejar lo cierto por lo dudoso.** fr. fig. Perder o abandonar lo seguro por adquirir lo que suele no lograrse. ‖ **en cierto.** loc. ant. **de cierto.** ‖ **no, por cierto.** loc. adv. No, ciertamente; no, en verdad. ‖ **por cierto.** loc. adv. Ciertamente, a la verdad. ‖ **2.** A propósito, viniendo al caso de lo que se dice. ‖ **sí, por cierto.** loc. adv. Ciertamente, en verdad.

cierva. (Del lat. *cerva.*) f. Hembra del ciervo.

ciervo. (Del lat. *cervus.*) m. Animal mamífero rumiante, de un metro 30 centímetros de altura más o menos, esbelto, de pelo áspero, corto y pardo rojizo en verano y gris en invierno; más claro por el vientre que por el lomo; patas largas y cola muy corta. El macho está armado de astas o cuernas estriadas y ramosas, que pierde y renueva todos los años, aumentando con el tiempo el número de puntas, que llega a 10 en cada asta. Es animal indomesticable y se caza para utilizar su piel, sus astas y su carne. ‖ **2.** V. **lengua de ciervo.** ‖ **volante.** Insecto coleóptero de unos cinco centímetros de largo, parecido al escarabajo, de color negro, con cuatro alas, y las mandíbulas lustrosas, ahorquilladas y ramosas, como los cuernos del **ciervo.**

cierzas. f. pl. Vástagos o renuevos de la vid.

cierzo. (Del lat. *cercĭus,* por *circĭus.*) m. Viento septentrional más o menos inclinado a Levante o a Poniente, según la situación geográfica de la región en que sopla.

cifaque. (Del ár. *sifāq,* abdomen.) m. ant. **peritoneo.**

cifela. (Del pl. gr. κύφελλα, nubes.) m. Hongo que crece y vive entre el musgo de los tejados.

cifosis. (Del gr. κύφος, convexo.) f. *Med.* Encorvadura defectuosa de la espina dorsal, de convexidad posterior.

cifra. (Del ár. *ṣifr,* nombre del cero, aplicado luego a los demás números.) f. Número dígito. ‖ **2.** Signo con que se representa este número. ‖ **3.** Escritura en que se usan signos, guarismos o letras convencionales, y que solo puede comprenderse conociendo la clave. ‖ **4.** Enlace de dos o más letras, generalmente las iniciales de nombres y apellidos, que como abreviatura se emplea en sellos, marcas, etc. ‖ **5. abreviatura,** representación de una palabra con solo algunas de sus letras. ‖ **6. abreviatura,** palabra así representada. ‖ **7.** Cantidad de dinero. ‖ **8.** Modo vulgar de escribir música por números. ‖ **9.** fig. Suma y compendio, emblema. ‖ **en cifra.** loc. adv. fig. Oscura y misteriosamente. ‖ **2.** fig. Con brevedad, en compendio.

cifradamente. adv. m. En cifra; resumidamente.

cifrado, da. p. p. de **cifrar.** ‖ **2.** adj. Dícese de algunas cosas escritas en cifra. ‖ *Mús.* V. **bajo cifrado.**

cifrar. tr. Transcribir en guarismos, letras o símbolos, de acuerdo con una clave, un mensaje cuyo contenido se quiere ocultar. ‖ **2.** fig. Valorar cuantitativamente, en especial pérdidas y ganancias. ‖ **3.** fig. Compendiar, reducir muchas cosas a una, o un discurso a pocas palabras. Ú. t. c. prnl. ‖ **4.** fig. Seguido de la prep. *en,* reducir exclusivamente a cosa, persona o idea determinadas lo que ordinariamente procede de varias causas. CIFRAR *la dicha* EN *la estimación pública; la esperanza,* EN *Dios.*

cigala[1]. (Del lat. *cicāla,* por *cicāda.*) f. Crustáceo marino, de color claro y caparazón duro, semejante al cangrejo de río. Es comestible y los hay de gran tamaño.

cigala[2]. (Del fr. *cigale.*) f. *Mar.* Forro, generalmente de piola, que se pone al arganeo de anclotes y rezones.

cigallo. m. *Mar.* **cigala**[2].

cigarra. (Del lat. *cicāla* por *cicāda.*) f. Insecto hemíptero, del suborden de los homópteros, de unos cuatro centímetros de largo, de color comúnmente verdoso amarillento, con cabeza gruesa, ojos salientes, antenas pequeñas, cuatro alas membranosas y abdomen cónico, en cuya base tienen los machos un aparato con el cual producen un ruido estridente y monótono. Después de adultos solo viven un verano. ‖ **2.** *Germ.* **bolsa** para el dinero. ‖ **de mar.** Crustáceo decápodo, marino, semejante a la langosta de mar. Común en el Mediterráneo.

cigarral. (De *cigarra.*) m. En Toledo, huerta cercada fuera de la ciudad, con árboles frutales y casa para recreo.

cigarralero, ra. m. y f. Persona que habita en un cigarral o cuida de él.

cigarrera. f. Mujer que hace o vende cigarros. ‖ **2.** Caja o mueblecillo en que se tienen a la vista cigarros puros. ‖ **3. petaca** para llevar cigarros o cigarrillos.

cigarrería. f. *Amér.* Tienda en que se venden cigarros.

cigarrero. m. El que hace o vende cigarros.

cigarrillo. (d. de *cigarro.*) m. Cigarro pequeño de picadura envuelta en un papel de fumar.

cigarro. (Del maya *siyar.*) m. Rollo de hojas de tabaco, que se enciende por un extremo y se chupa o fuma por el opuesto. ‖ **2. cigarrillo.** ‖ **de papel. cigarrillo.** ‖ **puro. cigarro,** rollo de hojas de tabaco.

cigarrón. m. aum. de **cigarra.** ‖ **2. saltamontes.**

cigofiláceo, a. (De *zygophyllum,* nombre científico de la morsana.) adj. *Bot.* Dícese de plantas leñosas, rara vez herbáceas, angiospermas dicotiledóneas, que tienen hojas compuestas, opuestas por lo común; flores actinomorfas, con cáliz y corola tetrámeros o pentámeros, el primero sin glándulas; fruto en cápsula, en drupa o en baya, y semillas con albumen córneo o sin albumen; como la morsana, el abrojo y el guayacán. Ú. t. c. s. f. ‖ **2.** f. pl. *Bot.* Familia de estas plantas.

cigofíleo, a. adj. *Bot.* **cigofiláceo.**

cigomático, ca. (Del gr. ζύγωμα, -ατος, pómulo.) adj. *Anat.* Perteneciente o relativo a la mejilla o al pómulo. *Arco* CIGOMÁTICO.

cigomorfo, fa. adj. *Bot.* **zigomorfo.**

cigoñal. (De *cigüeña,* por imitación de su forma.) m. Pértiga enejada sobre un pie de horquilla, y dispuesta de modo que, atando una vasija a un extremo y tirando de otro, puede sacarse agua de pozos someros. ‖ **2.** *Fort.* Viga que sirve para mover la báscula de un puente levadizo, y de la cual pende la cadena que lo levanta.

cigoñino. (Del lat. *ciconīnus,* infl. por *cigüeña.*) m. Pollo de la cigüeña.

cigoñuela. (De *cigüeña.*) f. Ave zancuda, menor que la cigüeña, de plumaje blanco, algo sonrosado por el pecho y abdomen; nuca, espaldas y alas negras, cola cenicienta, pico largo recto y anaranjado y pies rojos.

cigoto. m. *Biol.* **zigoto.**

cigua. (Abrev. de *ciguanaba.*) f. **ciguanaba.** ‖ **2.** Árbol de las Antillas, de la familia de las lauráceas, con tronco maderable, hojas gruesas, elípticas, pecioladas, lampiñas, flores verdosas en grupos axilares, y bayas ovoides sostenidas por el cáliz de la flor. ‖ **3.** *Cuba.* Caracol de mar.

ciguanaba. (Del nahua *cihuat,* mujer, y *nahual,* espanto.) f. *El Salv.* y *Nicar.* Fantasma, en forma de mujer, que según la creencia popular, se aparece de noche a los hombres para espantarlos.

ciguapa. (Voz americana.) f. *Cuba.* Ave de rapiña, nocturna, semejante a la lechuza y menor que ella; de pico corto, azulado; color pardo con manchas amarillas, el pecho y vientre más claros, con pintas rojizas. ‖ **2.** *Sto. Dom.* Fantasma, ser ilusorio con forma de mujer vieja y los pies hacia atrás, que se presenta de noche, al borde de las corrientes de agua. ‖ **3.** m. *C. Rica* y *Cuba.* Árbol de la familia de las sapotáceas, que produce una especie de zapotillos de carne color de yema de huevo y semilla semejante a la del mamey.

ciguapate. (Del azteca *cihuapatli,* remedio femenino.) f. *El Salv.* y *Hond.* Planta umbelífera, aromática, que crece a orillas de los ríos, y cuyas hojas, alternas, vellosas y pecioladas, se emplean en medicina.

ciguaraya. f. *Cuba.* Planta meliácea, de hojas opuestas, ovales, coriáceas, flores axilares en racimos y cápsulas coriáceas y rojizas. Se usa en medicina y en la industria.

ciguatarse. prnl. **aciguatarse.**

ciguatera. f. Enfermedad que suelen contraer los peces y crustáceos de las costas del golfo de Méjico y que produce perniciosos efectos a las personas que los comen.

ciguato, ta. adj. Que padece ciguatera. Ú. t. c. s.

cigüeña. (Del lat. *ciconĭa.*) f. Ave zancuda, como de un metro de altura, de cabeza redonda, cuello largo, cuerpo generalmente blanco, alas negras, patas largas y rojas, lo mismo que el pico, con el cual crotora sacudiendo rápidamente la parte superior sobre la inferior. Es ave de paso, anida en las torres y árboles elevados, y se alimenta de sabandijas. ‖ **2.** Hierro sujeto a la cabeza de la campana, donde se asegura la cuerda para tocarla. ‖ **3.** Codo que tienen los tornos y otros instrumentos y máquinas en la prolongación del eje, por cuyo medio se les da con la mano movimiento rotatorio. ‖ **4.** V. **pico de cigüeña.** ‖ **negra.** La que se distingue principalmente de la ordinaria por el color negro metálico de su plumaje. ‖ **pintar la cigüeña.** fr. fig. y fam. **pintarla.**

cigüeñal. m. **cigoñal.** ‖ **2.** *Mec.* Doble codo en el eje de ciertas máquinas.

cigüeñato. m. **cigoñino.**

cigüeño. m. p. us. Macho de la cigüeña.

cigüeñuela. f. **cigüeña,** codo del eje de ciertas máquinas. ‖ **2. cigoñuela.**

cigüete. adj. V. **uva cigüete.** Ú. t. c. s.

cija. (Del lat. *sedilĭa,* asientos.) f. Cuadra para encerrar el ganado lanar durante el mal tiempo. ‖ **2. pajar.** ‖ **3.** *Ar.* Prisión estrecha o calabozo. ‖ **4.** *Ar.* **cilla,** cámara de granos.

cilampa. (Del quechua *tzirapa,* llovizna.) f. *C. Rica.* y *El Salv.* **llovizna.**

cilanco. m. Charco que deja un río en la orilla al retirar sus aguas, o en el fondo cuando se ha secado.

cilantro. (Del lat. *coriandrum.*) m. Hierba de la familia de las umbelíferas, con tallo lampiño de seis a ocho decímetros de altura, hojas inferiores divididas en segmentos dentados, y filiformes las superiores, flores rojizas y simiente elipsoidal, aromática y de virtud estomacal.

ciliado, da. (De *cilio.*) adj. *Biol.* Dícese de la célula o microorganismo que tiene cilios. Ú. t. c. s. m. ‖ **2.** m. pl. *Zool.* Clase de protozoos, que comprende animales provistos de cilios. Muchas de sus especies viven en las aguas dulces o marinas, y algunas son parásitas.

ciliar. (De *cilio.*) adj. *Anat.* y *Biol.* Perteneciente o relativo a las cejas o a los cilios.

cilicio. (Del lat. *cilicium.*) m. Saco o vestidura áspera que se usaba antiguamente para la penitencia. ‖ **2.** Faja de cerdas o de cadenillas de hierro con puntas, ceñida al cuerpo junto a la carne, que para mortificación usan algunas personas. ‖ **3.** *Mil.* **centón,** manta con que se cubrían las máquinas militares.

cilindrada. f. *Mec.* Capacidad del cilindro o cilindros de un motor, expresada en centímetros cúbicos.

cilindrado, da. p. p. de **cilindrar.** ‖ **2.** m. Acción y efecto de cilindrar.

cilindrar. tr. Comprimir con el cilindro o rodillo.

cilíndrico, ca. (De *cilindro.*) adj. *Geom.* V. **superficie cilíndrica.** ‖ **2.** *Geom.* Perteneciente al cilindro. *Hélice* CILÍNDRICA. ‖ **3.** De forma de cilindro. *Cañón, cuerpo* CILÍNDRICO.

cilindro. (Del lat. *cylindrus,* y este del gr. κύλινδρος.) m. *Geom.* Cuerpo limitado por una superficie cilíndrica cerrada y dos planos que la cortan. ‖ **2.** *Geom.* Por antonom., el recto y circular. ‖ **3.** *Impr.* Pieza de la máquina que, girando sobre el molde, o sobre el papel si ella tiene los moldes, hace la impresión. ‖ **4.** *Impr.* Pieza que por su movimiento de rotación bate y toma la tinta con que los rodillos han de bañar el molde. ‖ **5.** *Mec.* Tubo en que se mueve el émbolo de una máquina. ‖ **6.** *Reloj.* Tambor de la máquina del reloj, sobre el cual se enrosca la cuerda. ‖ **7.** Bombona metálica y de cierre hermético que se usa para contener gases y líquidos muy volátiles. ‖ **central.** *Bot.* Parte interior del tallo y de la raíz de las plantas fanerógamas, que está rodeada por la corteza y formada principalmente por la medula y por haces de vasos leñosos y cribosos. ‖ **circular.** *Geom.* El de bases circulares. ‖ **compresor. rodillo, cilindro** para allanar y apretar la tierra. ‖ **eje.** *Zool.* **neurita.** ‖ **oblicuo.** *Geom.* El de bases oblicuas a las generatrices de la superficie cilíndrica. ‖ **recto.** *Geom.* El de bases perpendiculares a las generatrices de la superficie cilíndrica. ‖ **truncado.** *Geom.* El terminado por dos planos no paralelos.

cilio. (Del lat. *cilĭum,* ceja.) m. *Biol.* Filamento protoplasmático delgado y permanente que emerge del cuerpo de los protozoos ciliados y de algunas otras células; distínguese del flagelo por ser más corto que este y por existir en gran número en una misma célula; mediante sus movimientos se efectúa la locomoción de las células en un medio líquido.

cilla. (Del lat. *cella,* despensa.) f. Casa o cámara donde se recogían los granos. ‖ **2.** Renta decimal.

cillazgo. m. Derecho que pagaban los partícipes en los diezmos, para que estuviesen recogidos y guardados en la cilla los granos y demás frutos decimales.

cillerero. (Del lat. *cellararĭus,* de *cella,* despensa.) m. En algunas órdenes monacales, mayordomo del monasterio.

cillería. f. Cargo que desempeñaban el cillerero o la cilleriza.

cilleriza. (De *cillero.*) f. En los conventos de religiosas de la orden de Alcántara, monja que tiene la mayordomía del convento.

cillerizo. m. **cillero,** el que guardaba la cilla.

cillero. (Del lat. *cellarĭus.*) m. El que tenía a su cargo guardar los granos y frutos de los diezmos en la cilla, dar cuenta de ellos, y entregarlos a los partícipes. ‖ **2. cilla,** cámara de granos. ‖ **3.** Bodega, despensa o sitio seguro para guardar algunas cosas.

-cillo, lla. V. **-illo.**

cima. (Del lat. *cyma,* y este del gr. κῦμα, lo que se hincha, ola.) f. Lo más alto de los montes, cerros y collados. ‖ **2.** La parte más alta de los árboles. ‖ **3.** Tallo del cardo y de otras verduras. ‖ **4.** fig. Remate o perfección de alguna obra o cosa. ‖ **5.** fig. Culminación, ápice, punto más alto que alcanzan una cualidad, una sensación o un proceso, y también un ser, considerado en su propio desarrollo o en comparación con el que han alcanzado otros seres. *Cervantes alcanza su* CIMA *con el Quijote.* ‖ **6.** *Bot.* Inflorescencia cuyo eje tiene una flor en su extremo. ‖ **a la por cima.** loc. adv. ant. Al fin, por último. ‖ **dar cima** a una cosa. fr. fig. Concluirla felizmente, llevarla hasta su fin y perfección. ‖ **mirar** una cosa **por cima.** fr. fig. Mirarla ligeramente, sin enterarse de ella a fondo. ‖ **por cima.** loc. adv. En lo más alto. ‖ **2. por encima.**

cimacio. (Del lat. *cymatĭum,* y este del gr. κυμάτιον, d. de κῦμα, onda.) m. *Arq.* **gola,** moldura en forma de *s.* ‖ **2.** Miembro suelto, con ábaco de gran desarrollo, que va sobre el capitel, con aumento del plano superior de apoyo. Es elemento medieval casi constante y típico.

cimar. (De *cima.*) tr. ant. Recortar una cosa por encima; como el pelo de los paños y las puntas de las hierbas o de los árboles.

cimarra (hacer). (der. regres. de *cimarrón.*) fr. fam. *Argent. (Cuyo)* y *Chile.* **hacer novillos.**

cimarrón, na. (De *cima.*) adj. *Amér.* Decíase del esclavo que se refugiaba en los montes buscando la libertad. Ú. t. c. s. ‖ **2.** *Amér.* Dícese del animal doméstico que huye al campo y se hace montaraz. ‖ **3.** *Amér.* Dícese del animal salvaje, no domesticado. ‖ **4.** *Amér.* Aplícase a la planta silvestre de cuyo nombre o especie hay otra cultivada. ‖ **5.** *R. de la Plata* y *Urug.* Dícese del mate amargo, o sea sin azúcar. Ú. t. c. s. ‖ **6.** fig. *Mar.* Dícese del marinero indolente y poco trabajador. Ú. t. c. s.

cimarronada. f. *Amér.* Manada de animales cimarrones. ‖ **2.** desus. *Sto. Dom.* Rebelión de esclavos. ‖ **3.** desus. *Sto. Dom.* Reunión y asentamiento de esclavos cimarrones.

cimate. m. *Méj.* Planta cuyas raíces se usan como condimento en ciertos guisados.

cimba[1]**.** (Del lat. *cymba.*) f. *Arqueol.* Barquilla cuyos extremos formaban curva hacia arriba. La empleaban los romanos en los ríos.

cimba[2]**.** (Del quechua *simpna,* crizneja, trenza, entrelazamiento ordenado de hilos.) f. *Bol.* y *Perú.* **simpa.** Cf. **cimpa, crizneja, trenza.**

cimbado. m. *Bol.* Látigo trenzado, chicote.

cimbalaria. (De *címbalo,* por la forma de la flor.) f. Hierba de la familia de las escrofulariáceas, que se cría en las peñas y murallas, con tallos delgados, ramosos y capaces de arraigar, hojas carnosas parecidas a las de la hiedra, pero más redondas, y flores pedunculadas, de corola entera y purpúrea, con una mancha amarilla. Se usa en jardinería.

cimbalero. m. *Mús.* Tañedor de címbalo.

cimbalillo. (d. de *címbalo.*) m. Campana pequeña. Llámase así comúnmente la que en las catedrales y otras iglesias se toca después de las campanas grandes, para entrar en el coro.

cimbalista. m. **cimbalero.**

címbalo. (Del lat. *cymbălum,* y este del gr. κύμβαλον.) m. **cimbalillo.** ‖ **2.** *Arqueol.* Instrumento músico muy parecido o casi idéntico a los platillos, que usaban los griegos y romanos en algunas de sus ceremonias religiosas.

cimbanillo. m. **cimbalillo.**

címbara. (Del ár. *zabbāra,* hocino, podadera.) f. **rozón.**

cimbel. (Del cat. *cimbell.*) m. Cordel que se ata a la punta del cimillo, donde se pone el ave que sirve de señuelo para cazar otras. ‖ **2.** Ave o figura de ella que se emplea con dicho objeto.

cimblar. (Del lat. *cymŭla,* ramita.) tr. *Ast.* y *Sal.* **cimbrar.**

cimboga. (Del ár. *zanbū'a.*) f. **acimboga.**

cimborio. m. *Arq.* **cimborrio.**

cimborrio. (Del lat. *ciborĭum,* y este del gr. κιβώριον, el fruto del nenúfar, copa de forma semejante a la de este fruto.) m. *Arq.* Cuerpo cilíndrico que sirve de base a la cúpula y descansa inmediatamente sobre los arcos torales. ‖ **2.** *Arq.* **cúpula,** bóveda semiesférica que cubre el edificio o parte de él.

cimbra. (De or. inc.; cf. cat. *cindria.*) f. *Arq.* Armazón que sostiene el peso de un arco o de otra construcción, destinada a salvar un vano, en tanto no está en condiciones de sostenerse por sí misma. ‖ **2.** *Arq.* Vuelta o curvatura de la superficie interior de un arco o bóveda. ‖ **3.** *Mar.* Vuelta o curvatura que se obliga a tomar a una tabla, para colocarla y clavarla en su lugar en el forro de un casco. ‖ **plena cimbra.** La que forma un semicírculo.

cimbrado, da. p. p. de **cimbrar.** ‖ **2.** m. Paso de baile que se hace doblando rápidamente el cuerpo por la cintura.

cimbrador, ra. adj. Que cimbra.

cimbrar. (De *cimblar.*) tr. Mover una vara larga u otra cosa flexible, asiéndola por un extremo y vibrándola. Ú. t. c. prnl. ‖ **2.** fig. y fam. Dar a alguien con una vara o palo, de modo que le haga doblar el cuerpo. ‖ **3.** Doblar o hacer vibrar una cosa. Ú. t. c. prnl. ‖ **4.** Mover con garbo el cuerpo al andar. Ú. m. c. prnl. ‖ **5.** *Arq.* Colocar las cimbras en una obra.

cimbre. (De *cimbrar.*) m. Galería subterránea.

cimbreante. p. a. de **cimbrear.** ‖ **2.** adj. **flexible,** que se cimbra fácilmente.

cimbrear. tr. **cimbrar.** Ú. t. c. prnl.

cimbreño, ña. adj. Aplícase a la vara que se cimbra. ‖ **2.** fig. Dícese también de la persona delgada que mueve el talle con soltura y facilidad.

cimbreo. m. Acción y efecto de cimbrar o cimbrarse.

cimbria. (De *fimbria.*) f. **filete,** lista de una moldura. ‖ **2.** *Arq.* **cimbra,** armazón que sostiene un arco.

címbrico, ca. (Del lat. *Cimbrĭcus.*) adj. Perteneciente a los cimbros.

cimbrio, bria. (Del lat. *Cimber, bri.*) adj. Dícese del individuo de un pueblo que habitó antiguamente en Jutlandia. Ú. m. c. s. y en pl. ‖ **2.** m. Lengua de los **cimbrios.**

cimbro, bra. adj. **cimbrio.** Ú. t. c. s.

cimbrón. (De *cimbrar.*) m. *Ecuad.* Punzada, dolor lancinante. ‖ **2.** *Argent., Col.* y *C. Rica.* Tirón fuerte y súbito del lazo u otra cuerda.

cimbronazo. (De *cimbrón.*) m. **cintarazo.** ‖ **2.** fig. *Argent., Col.* y *C. Rica.* Estremecimiento nervioso muy fuerte. ‖ **3.** *Argent.* **cimbrón,** tirón fuerte.

cimentación. f. Acción y efecto de cimentar.

cimentado, da. p. p. de **cimentar.** ‖ **2.** m. Afinamiento del oro pasándolo por el cimiento real.

cimentador, ra. adj. Que cimienta. Ú. t. c. s.

cimental. (De *cimiento.*) adj. ant. **fundamental,** principal.

cimentar. tr. Echar o poner los cimientos de un edificio u obra. ‖ **2.** Afinar el oro con cimiento real. ‖ **3. fundar,** edificar una ciudad, o un edificio. ‖ **4.** fig. Establecer o asentar los principios de algunas cosas espirituales; como virtudes, ciencias, etc.

cimentera. f. ant. Arte de cimentar.

cimenterio. m. **cementerio.**

cimento. m. **cemento,** masa mineral que une los fragmentos de algunas rocas.

cimera. (Del lat. *chimaera,* monstruo fabuloso.) f. Parte superior del morrión, que se solía adornar con plumas y otras cosas. ‖ **2.** *Blas.* Cualquier adorno que en las armas se pone sobre la cima del yelmo o celada, como una cabeza de perro, un grifo, un castillo, etc.

cimerio, ria. (Del lat. *Cimmerĭus.*) adj. Dícese del individuo de un pueblo que moró largo tiempo en la margen oriental de la laguna Meótides o mar de Azof, y que, según presumen algunos, dio nombre a Crimea. Ú. m. c. s. y en pl. ‖ **2.** Perteneciente o relativo a este pueblo o región.

cimero, ra. (De *cima.*) adj. Dícese de lo que está en la parte superior y finaliza o remata por lo alto alguna cosa elevada.

cimia. f. ant. **marrubio.**

cimicaria. (Del lat. *cimex, -ĭcis,* chinche.) f. **yezgo.**

cimiento. (Del lat. *caementum.*) m. Parte del edificio, que está debajo de tierra y sobre la que estriba toda la fábrica. Ú. m. en pl. ‖ **2.** Terreno sobre el que descansa el mismo edificio. ‖ **3.** fig. Principio y raíz de alguna cosa. Ú. m. en pl. *Los* CIMIENTOS *de la fe.* ‖ **real.** Composición de vinagre, sal común y polvo de ladrillo, que se empleó para afinar el oro al fuego. ‖ **abrir los cimientos.** fr. Hacer la excavación o zanjas en que se han de fabricar los **cimientos.**

cimillo. (Del lat. vulgar *cimbellum,* d. del lat. *cymbălum.*) m. Vara larga y flexible que se ata por un extremo a la rama de un árbol y por el medio a otra, y en el otro extremo se pone sujeta un ave, que sirve de señuelo para cazar.

cimitarra. (Del ár. *šimšara,* espada.) f. Especie de sable usado por turcos y persas.

cimofana. (Del gr. κῦμα, ola, y φαίνω, resplandecer.) f. Aluminato de glucina, de color verde amarillento, que se usa como piedra preciosa.

cimógeno, na. (Del gr. ζύμη, fermento, y γεννάω, producir.) adj. Dícese de las bacterias que originan fermentaciones.

cimorra. f. ant. *Veter.* Especie de catarro nasal de las caballerías.

cimorro. (Del m. or. que *cimborrio.*) m. p. us. Torre de las iglesias.

cimpa. (De *cimba*[2].) f. *Perú.* **simpa.**

cina. f. *Ecuad.* Cierta especie de planta gramínea.

cinabrio. (Del lat. *cinnabăris,* y este del gr. κιννάβαρι.) m. Mineral compuesto de azufre y mercurio, muy pesado y de color rojo oscuro. Del **cinabrio** se extrae por calcinación y sublimación el mercurio o azogue. ‖ **2. bermellón.**

cinacina. f. *Argent.* Árbol espinoso de la familia de las papilionáceas, de hoja estrecha y menuda y flor olorosa amarilla y roja. Tiene poca altura y se emplea en setos vivos. La semilla es medicinal.

cinámico, ca. (Del lat. *cinnămum,* canela.) adj. *Quím.* Perteneciente o relativo a la canela. ‖ **2.** *Quím.* V. **ácido cinámico.**

cinamomo. (Del lat. *cinnamōmum.*) m. Árbol exótico y de adorno, de la familia de las meliáceas, que alcanza unos seis metros de altura, con hojas alternas, compuestas de hojuelas lampiñas y dentadas, flores en racimos axilares de color de violeta y de olor agradable, y cápsulas del tamaño de garbanzos, que sirven para cuentas de rosario. Su madera es dura y aromática. ‖ **2.** Sustancia aromática que, según unos, es la mirra, y según otros, la canela. ‖ **3.** *Filip.* **alheña,** arbusto oleáceo. ‖ **4.** *Filip.* **alheña,** flor de este arbusto.

cinarra. f. *Ar.* Nieve menuda en forma de gragea.

cinc. (Del al. *Zink.*) m. *Quím.* Metal de color blanco azulado y brillo intenso, bastante blando y de estructura laminosa; se funde a poco más de 400 grados, es quebradizo a la temperatura ordinaria, y expuesto al aire húmedo se oxida, cubriéndose de una película que protege la masa interior. No se encuentra puro en la naturaleza y tiene muchas aplicaciones. Núm. atómico 30. Símb.: *Zn.* ‖ **2.** V. **flores de cinc.**

cinca. (De *cinco.*) f. En el juego de los bolos, cualquier falta que se hace por no observar las leyes con que se juega; como cuando la bola no entra por la caja, o no va rodando, o no pasa por la raya, etc., y en estos casos se pierden cinco rayas.

cincado, da. (De *cinc.*) adj. *Metal.* Dícese de todo objeto cubierto con un baño de cinc. ‖ **2.** m. Baño de cinc.

cincel. (Del b. lat. *scisellum,* y este del lat. *scindĕre,* hender.) m. Herramienta de 20 a 30 centímetros de largo, con boca acerada y recta de doble bisel, que sirve para labrar a golpe de martillo piedras y metales.

cincelado, da. p. p. de **cincelar.** ‖ **2.** m. **cinceladura.**

cincelador, ra. m. y f. Persona que, por oficio o por afición, cincela.

cinceladura. f. Acción y efecto de cincelar.

cincelar. tr. Labrar, grabar con cincel en piedras o metales.

cinco. (Del lat. *quinque.*) adj. Cuatro y uno. ‖ **2. quinto,** ordinal. *Número* CINCO; *año* CINCO. Aplicado a los días del mes, ú. t. c. s. *El* CINCO *de mayo.* ‖ **3.** m. Signo o cifra con que se representa el número **cinco.** ‖ **4.** En el juego de bolos, en algunas partes, el que ponen delante de los otros, separado de ellos, al cual en otras dan distintos nombres según su valor. ‖ **5.** Naipe que representa **cinco** señales. *El* CINCO *de oros.* ‖ **6.** Guitarrillo venezolano de **cinco** cuerdas. ‖ **7.** *C. Rica* y *Chile.* Moneda de plata de valor de **cinco** centavos. ‖ **cinco primeras.** expr. con que se entiende en varios juegos haber hecho las **cinco** primeras bazas seguidas, calidad que se paga, como no se pacte lo contrario. ‖ **esos cinco.** fr. fig. y fam. La mano. Ú. principalmente con los verbos *venir, dar, chocar* y otros análogos, en frases como estas: *vengan* ESOS CINCO; *choque usted* ESOS CINCO. ‖ **estar sin cinco.** fr. fig. y fam. No tener nada de dinero. ‖ **no tener ni cinco.** fr. fig. y fam. **estar sin cinco.**

cincoañal. adj. ant. De cinco años.

cincoenrama. (De *cinco, en* y *rama.*) f. Hierba de la familia de las rosáceas, con tallos de cuatro a seis decímetros de largo, rastreros y capaces de arraigar, hojas compuestas de cinco hojuelas aovadas y dentadas, flores solitarias, amarillas y raíz delgada y de color pardo rojizo, que se usa en medicina.

cincograbado. m. Grabado en cinc hecho en una plancha por medio de un mordiente.

cincografía. (De *cinc* y *-grafía.*) f. Arte de dibujar o grabar en una plancha de cinc preparada al efecto.

cincollagas. m. *Cuba.* Planta silvestre parecida al ajonjolí, pero con la flor en ramilletes, que remata en cinco conchitas manchadas de color de sangre.

cincomesino, na. adj. De cinco meses. Ú. t. c. s.

cinconegritos. m. *C. Rica* y *Nicar.* Arbustillo de la familia de las verbenáceas, con hojas aromáticas y flores que forman manojillos en las axilas de las hojas y que al abrirse son amarillas, aunque luego se vuelven rojas.

cincuenta. (Del lat. *quinquaginta.*) adj. Cinco veces diez. ‖ **2. quincuagésimo,** ordinal. *Número* CINCUENTA; *año* CINCUENTA. ‖ **3.** m. Signo o conjunto de signos con que se representa el número **cincuenta.**

cincuentaina. f. ant. Mujer de cincuenta años.

cincuentañal. adj. ant. De cincuenta años.

cincuentavo, va. (De *cincuenta* y *-avo.*) adj. Dícese de cada una de las 50 partes iguales en que se divide un todo. Ú. t. c. s. m.

cincuentén. adj. Aplícase en el Pirineo aragonés y catalán a la pieza de madera de hilo, de 50 palmos de longitud, con una escuadría de tres palmos de tabla por dos de canto. Ú. m. c. s. m.

cincuentena. f. Conjunto de 50 unidades homogéneas. ‖ **2.** p. us. Cada una de las 50 partes iguales en que se divide un todo.

cincuentenario, ria. adj. ant. Perteneciente al número 50. ‖ **2.** Conmemoración del día en que se cumplen cincuenta años de algún suceso.

cincuenteno, na. (De *cincuenta.*) adj. **quincuagésimo.** ‖ **2.** *Col.* **cincuentón.**

cincuentín. m. Moneda de plata de gran módulo y valor de cincuenta reales de plata, que se acuñó en Segovia en los reinados de Felipe III, Felipe IV y Carlos II.

cincuentón, na. adj. Dícese de la persona que tiene entre cincuenta y cincuenta y nueve años. Ú. t. c. s.

cincuesma. (Del lat. *quincuagesĭma.*) f. ant. Día de la pascua del Espíritu Santo. Díjose así por caer a los cincuenta días después de la de Resurrección.

cincha. (Del lat. *cingŭla,* ceñidores.) f. Faja de cáñamo, lana, cerda, cuero o esparto, con que se asegura la silla o albarda sobre la cabalgadura, ciñéndola ya por detrás de los codillos o ya por debajo de la barriga y apretándola con una o más hebillas. ‖ **2.** *C. Rica.* Machete que usa la policía para dar de plano. ‖ **de brida.** La que consta de tres fajas de cáñamo, y se asegura a la silla con contrafuertes y hebillas. ‖ **de jineta.** La que consta de tres fajas de cáñamo largas que, pasando por encima de la silla de jineta, la sujetan al cuerpo del caballo. ‖ **maestra.** La que consta de una sola faja, y, pasando por encima del caparazón, sujeta al caballo toda la montura. ‖ **a raja cincha.** loc. adv. fig. *Argent.* **a revienta cinchas,** a mata caballo. ‖ **2.** *Argent.* Con exceso, sin medida. ‖ **a revienta cinchas.** loc. adv. fig. **a mata caballo.** ‖ **ir,** o **venir, rompiendo cinchas.** fr. fig. y fam. Correr con celeridad en coche o a caballo.

cinchacear. tr. fam. *Guat.* Dar cinchazos.

cinchado, da. (De *cincha.*) adj. *And.* y *Amér.* Dícese del animal cuyo pelaje presenta una o más fajas de distinto color en la barriga.

cinchadura. f. Acción de cinchar.

cinchar[1]**.** m. ant. **cinchera,** parte en que se pone la cincha.

cinchar[2]**.** tr. Asegurar la silla o albarda apretando las cinchas. ‖ **2.** Asegurar con cinchos o aros de hierro. ‖ **3.** intr. fig. y fam. *Argent.* y *Urug.* Procurar empeñosamente que una cosa se realice. ‖ **4.** fig. y fam. *Argent.* y *Urug.* Trabajar esforzadamente.

cinchazo. (De *cincho,* faja de cuero.) m. Golpe que se da con el cincho o cinturón.

cinchera. f. Parte del cuerpo de las caballerías en que se pone la cincha. ‖ **2.** *Veter.* Enfermedad que padecen los animales en la parte donde se les cincha, que es detrás de los codillos, por las costillas verdaderas.

cincho. (Del lat. *cingŭlum,* ceñidor.) m. Faja ancha, de cuero o de otra materia, con que se suele ceñir y abrigar el estómago. ‖ **2. cinturón,** de vestir o de llevar la espada. ‖ **3.** Aro de hierro con que se aseguran o refuerzan barriles, ruedas, maderos ensamblados, edificios, etc. ‖ **4.** Pleita de esparto que forma el contorno de la encella. ‖ **5.** *Méj.* **cincha** de la silla o albarda de las caballerías. ‖ **6.** *Arq.* Porción de arco saliente en el intradós de una bóveda en cañón. ‖ **7.** *Veter.* **ceño**[1]**,** cerco elevado en el casco de las caballerías.

cinchón. m. *R. de la Plata.* Cincha angosta con una argolla en un extremo, que hace oficio de sobrecincha. ‖ **2.** *Ecuad.* Aro o fleje de hierro o madera que sujeta las duelas de las cubas. ‖ **3.** *Col.* **sobrecarga,** soga que se echa encima de la carga para asegurarla.

cinchuela. f. d. de **cincha.** ‖ **2.** Lista o faja angosta.

cinchuelo. m. Cincha o faja estrecha y de adorno, que se pone a los caballos cuando se trata de exhibirlos.

cine. (Abrev. de *cinematógrafo.*) m. **cinematógrafo.** ‖ **2.** Técnica, arte e industria de la cinematografía. ‖ **continuado.** *Argent.* **sesión continua.** ‖ **mudo.** Aquel en que la proyección es silenciosa, sin acompañamiento de sonidos ni voces. ‖ **sonoro.** En el **cine** actual, el que reproduce por medio de una banda sonora, las voces, ruidos, música, etc. La banda es reproducida por una célula fotoeléctrica. ‖ **de cine.** loc. adj. fig. y fam. Muy bueno, extraordinario, fenomenal. ‖ **2.** loc. adv. fig. y fam. Muy bien, excelentemente. *Comimos* DE CINE; *el equipo jugó* DE CINE.

cineasta. com. Persona relevante como director, productor, actor, etc., en el mundo del cine. ‖ **2.** Crítico o estudioso del cine.

cineclub. m. Asociación dedicada a la difusión de la cultura cinematográfica. ‖ **2.** Lugar donde se proyectan y comentan las películas.

cinéfilo, la. adj. Aficionado al cine. Ú. t. c. s.

cinegética. (Del lat. *cynegetĭca,* t. f. de *-cus,* y este del gr. κυνηγετικός, cinegético.) f. Arte de la caza.

cinegético, ca. (Del lat. *cynegetĭcus*, y este del gr. κυνηγετικός.) adj. Perteneciente o relativo a la cinegética.

cinema. (Abrev. de *cinematógrafo*.) m. **cine.** ‖ **2.** f. Parte de la mecánica, que estudia el movimiento prescindiendo de las fuerzas que lo producen.

cinemascope. (Nombre comercial registrado.) m. Procedimiento cinematográfico que consiste en utilizar en el rodaje una lente especial que comprime la imagen lateralmente ampliando el campo visual, mientras que al proyectarla le devuelve sus proporciones normales.

cinemateca. f. **filmoteca.**

cinemática. (Del gr. κίνημα, -ατος, movimiento.) f. Parte de la mecánica que estudia el movimiento prescindiendo de las fuerzas que lo producen.

cinematografía. (De *cinematógrafo*.) f. Arte de representar imágenes en movimiento por medio del cinematógrafo.

cinematografiar. tr. **filmar.**

cinematográfico, ca. adj. Perteneciente o relativo al cinematógrafo o a la cinematografía. ‖ **2.** V. **cinta cinematográfica.**

cinematógrafo. (Del gr. κίνημα, -ατος, movimiento, y de *-grafo*, a través del fr. *cinématographe*.) m. Aparato óptico en el cual, haciendo pasar rápidamente muchas imágenes fotográficas que representan otros tantos momentos consecutivos de una acción determinada, se consigue reproducir escenas en movimiento. ‖ **2.** Edificio público o sala en que como espectáculo se exhiben las películas cinematográficas.

cineración. f. p. us. **incineración.**

cinerama. (Nombre comercial registrado.) m. Sistema de proyección cinematográfico que utiliza sobre una pantalla muy ancha la imagen yuxtapuesta de tres proyectores, o la de uno de película de 70 mm.

cineraria. (Del lat. *cinerarĭus, -a, -um*, de ceniza.) f. *Bot.* Género de plantas compuestas, cuya especie principal es la **cineraria** común, bienal, de tallo como de 50 centímetros; hojas elegantes, alternas y dentadas, y flores olorosas, de color diverso, según las variedades, y de duración prolongada. Es muy estimada como planta de adorno.

cinerario, ria. (Del lat. *cinerarĭus*.) adj. **cinéreo.** ‖ **2.** Destinado a contener cenizas de cadáveres. *Urna* CINERARIA.

cinéreo, a. (Del lat. *cinerĕus*.) adj. **ceniciento.** ‖ **2.** V. **luz cinérea.**

cineríceo, a. adj. ant. **cinericio.**

cinericio, cia. (Del lat. *cinericĭus*.) adj. De ceniza. ‖ **2. cinéreo.**

cinesiterapia. f. **quinesiterapia.**

cinético, ca. (Del gr. κινητικός, que mueve.) adj. *Fís.* Perteneciente o relativo al movimiento. ‖ **2.** V. **energía cinética.**

cingalés, sa. adj. Natural de Ceilán. Ú. t. c. s. ‖ **2.** Perteneciente o relativo a esta isla de Asia, hoy Sri Lanka.

cíngaro, ra. (Del it. *zingaro*.) adj. **gitano** de raza. Ú. t. c. s.

cingiberáceo, a. (De *Zingĭber*, nombre de un género de plantas.) adj. *Bot.* Dícese de plantas angiospermas monocotiledóneas, herbáceas, con rizoma rastrero o tuberoso; hojas alternas, sencillas, con pecíolos envainadores; flores terminales o radicales en espiga, racimo o panoja, y frutos capsulares con semillas de albumen amiláceo; como el jengibre y el amomo. Ú. t. c. s. f. ‖ **2.** f. pl. *Bot.* Familia de estas plantas.

cingir. (Del lat. *cingĕre*.) tr. ant. **ceñir.**

cinglado, da. p. p. de **cinglar.** ‖ **2.** m. *Metal.* Depuración de las masas metálicas por medio del fuego.

cinglar[1]. (De *singlar*.) tr. Hacer andar un bote, canoa, etc., con un solo remo puesto a popa.

cinglar[2]. (Del prov. y cat. *cinglar*.) tr. *Metal.* Forjar el hierro para limpiarlo de escorias.

cingleta. (De *cinglar[1]*.) f. Cuerda con un corcho en una punta, que el jabegote lía al cabo de la jábega para tirar de él.

cíngulo. (Del lat. *cingŭlum*, de *cingĕre*, ceñir.) m. Cordón o cinta de seda o de lino, con una borla a cada extremo, que sirve para ceñirse el sacerdote el alba cuando se reviste. ‖ **2.** Cordón que usaban por insignia los soldados.

cinia. f. **zinnia.**

cínicamente. adv. m. Con cinismo.

cínico, ca. (Del lat. *cynĭcus*, y este del gr. κυνικός.) adj. Aplícase al filósofo de cierta escuela que nació de la división de los discípulos de Sócrates, y de la cual fue fundador Antístenes, y Diógenes su más señalado representante. Ú. t. c. s. ‖ **2.** Perteneciente o relativo a esta escuela. ‖ **3.** Impúdico, procaz. ‖ **4.** Que muestra **cinismo,** desvergüenza en el mentir. *Mirada, alegría* CÍNICA. Apl. a pers., ú. t. c. s. ‖ **5.** desus. **desaseado,** falto de aseo.

cínife. (Del lat. *cinyphes*, y este del gr. κνίψ.) m. **mosquito,** insecto.

cinismo. (Del lat. *cynismus*, y este del gr. κυνισμός.) m. Doctrina de los cínicos. ‖ **2.** Desvergüenza en el mentir o en la defensa y práctica de acciones o doctrinas vituperables. ‖ **3.** desus. Afectación de desaseo y grosería. ‖ **4.** Impudencia, obscenidad descarada.

cinocéfalo. (Del lat. *cynocephălus*, y este del gr. κυνοκέφαλος, cabeza de perro.) m. Mamífero cuadrumano que se cría en África, de unos siete decímetros de largo, con cabeza redonda, hocico semejante al del perro dogo, cara rodeada de vello blanquecino, manos negras, lomo pardo verdoso, y gris el resto del cuerpo, cola larga y callosidades isquiáticas.

cinoglosa. (Del lat. *cynoglossos*, y este del gr. κυνόγλωσσος, lengua de perro.) f. Hierba de la familia de las borragináceas, con raíz fusiforme, negra por fuera y blanca por dentro, tallo velloso de seis a ocho decímetros, hojas largas y lanceoladas cubiertas de un vello suave y blanquecino, y flores violáceas en racimos derechos. La planta es de mal olor y la corteza de su raíz se emplea en medicina como pectoral.

cinquén. (De *cinqueno*.) m. Moneda antigua castellana que valía medio cornado.

cinquena. f. ant. Conjunto de cinco unidades.

cinqueno, na. (De *cinco*.) adj. ant. **quinto,** que sigue en orden al cuarto. ‖ **2.** ant. **quinto,** cada una de las cinco partes en que se divide un todo.

cinqueño. m. Juego del hombre entre cinco.

cinquero. m. Trabajador en cinc.

cinquillo. m. **cinqueño.**

cinquina. (De *cinco*.) f. **quinterna.**

cinquino. m. Moneda portuguesa que corría en España en el siglo XVI y valía cinco maravedís.

cinta. (Del lat. *cincta*, f. de *cinctus*, cinto.) f. Tejido largo y angosto de seda, hilo u otra cosa parecida, y de uno o más colores, que sirve para atar, ceñir o adornar. ‖ **2.** Por ext., tira de papel, talco, celuloide u otra materia flexible. ‖ **3.** La impregnada de tinta que se usa en las máquinas de escribir. ‖ **4. cinta cinematográfica.** ‖ **5. cinta magnética.** ‖ **6.** Red de cáñamo fuerte, para pescar atunes. ‖ **7.** Dispositivo formado por una banda de material metálico o plástico que, movida automáticamente, traslada mercancías, equipajes, etc. ‖ **8.** Hilera de baldosas que se pone en los solados, paralela a las paredes y arrimada a ellas. ‖ **9.** Planta perenne de adorno, de la familia de las gramíneas, con tallos estriados, como de un metro de alto, hojas anchas, listadas de blanco y verde, ásperas por los bordes, y flores en panoja alargada, mezclada de blanco y violeta. ‖ **10.** Faja de lona o tejido fuerte especial, en la que se engarzan los proyectiles para las ametralladoras. ‖ **11.** ant. **cintura,** parte estrecha del cuerpo sobre las caderas. ‖ **12.**

ant. **cinto,** faja para ceñir la cintura. ‖ **13.** ant. **correa,** tira de cuero. ‖ **14.** *Cuba.* Listoncito plano de madera que cubre y disimula las junturas de las tablas en cierta clase de tejados. ‖ **15.** *Arq.* **filete** de la moldura. ‖ **16.** *Arq.* Adorno a manera de tira estrecha que se pliega y repliega en diferentes formas. ‖ **17.** *Blas.* **divisa**[1], faja estrecha. ‖ **18.** *Mar.* Maderos que van por fuera del costado del buque desde proa a popa, y sirven de refuerzo a la tablazón. ‖ **19.** *Topogr.* Tira de acero, o de algodón con trama de acero o sin ella, y dividida en metros y centímetros, o de otra manera, que sirve para medir distancias cortas. ‖ **20.** *Veter.* **corona del casco.** ‖ **aisladora,** o **aislante.** La impregnada en una solución adhesiva de caucho, que se emplea para recubrir los empalmes de los conductores eléctricos. ‖ **cinematográfica. película** de celuloide que se utiliza en el cinematógrafo. ‖ **magnética.** La que, por procedimientos electromagnéticos, recoge sonidos, que luego pueden ser reproducidos. ‖ **manchega. pineda**[2]. ‖ **métrica.** La que tiene marcada la longitud del metro y sus divisores, y que se emplea para medir. ‖ **en cinta.** loc. adv. En sujeción, o con sujeción.

cintadero. m. Parte del tablero, donde se aseguraba la cuerda de la ballesta.

cintagorda. f. Red de cáñamo, de hilos fuertes y gruesos, que ciñe y abraza la primera con que se detienen los atunes, para, con esta seguridad, sacarlos a tierra.

cintajo. m. despect. de **cinta.**

cintar. tr. *Arq.* Poner cintas o fajas imitadas, como adorno, en las construcciones.

cintarazo. (De *cinta.*) m. Golpe que se da de plano con la espada. ‖ **2.** Golpe que se da en la espalda con un cinto, látigo, etc.

cintarear. tr. fam. Dar cintarazos.

cinteado, da. adj. Guarnecido o adornado de cintas o de otra cosa que imita su figura.

cintería. f. Conjunto de cintas. ‖ **2.** Trato y comercio de ellas. ‖ **3.** Tienda en que se venden.

cintero, ra. m. y f. Persona que hace o vende cintas. ‖ **2.** m. Ceñidor que usaban las mujeres, especialmente aldeanas, adornado y tachonado. ‖ **3.** Soga o maroma que se ciñe a alguna cosa; como a los cuernos de un toro, al torno de una máquina, etc. ‖ **4.** *Ar.* **braguero** de hernias.

cinteta. f. Red que se usa en las costas del Mediterráneo para pescar.

cintilar. (Del lat. *scintillāre.*) tr. Brillar, centellear.

cintillo. (d. de *cinto.*) m. Cordoncillo de seda, labrado con flores a trechos y otras labores hechas de la misma materia, que se usaba en los sombreros para ceñir la copa. Hacíanse también de cerdas, plata, oro y pedrería. ‖ **2.** Sortija pequeña de oro o plata, guarnecida de piedras preciosas.

cinto, ta. (Del lat. *cinctus,* de *cingĕre,* ceñir.) p. p. irreg. de **ceñir.** ‖ **2.** m. Faja de cuero, estambre o seda, que se usa para ceñir y ajustar la cintura con una sola vuelta, y se aprieta con agujetas, hebillas o broches. ‖ **3. cintura,** parte estrecha del cuerpo sobre las caderas. ‖ **4.** ant. Recinto murado. ‖ **5.** ant. **cíngulo.** ‖ **6.** *Argent.* y *Urug.* Cinturón con monedero. ‖ **de onzas.** El que solía llevarse interiormente, lleno de onzas de oro.

cintra. (Del fr. *cintre.*) f. *Arq.* Curvatura de una bóveda o de un arco.

cintrado, da. adj. *Arq.* Encorvado en forma de cintra.

cintrel. (Del m. or. que *cintra.*) m. *Albañ.* y *Cant.* Cuerda o regla que, fija por un extremo en el centro de un arco o bóveda, señala en las distintas direcciones que se le da, la oblicuidad de las hiladas de la fábrica.

cintroniguero, ra. adj. Natural de Cintruénigo, villa de Navarra. Ú. t. c. s. ‖ **2.** Perteneciente o relativo a dicha villa.

cintura. (Del lat. *cinctūra.*) f. Parte más estrecha del cuerpo humano, por encima de las caderas. ‖ **2.** Cinta o pretinilla con que las damas solían apretar la **cintura** para hacerla más delgada. ‖ **3.** *Arq.* Parte superior de la campana de una chimenea, donde empieza el cañón. ‖ **4.** *Mar.* Ligadura que se da a las jarcias o cabos contra sus respectivos palos. ‖ **meter** a alguien **en cintura.** fr. fig. y fam. Sujetarle, hacerle entrar en razón.

cinturica, ta. (ds. de *cintura.*) f. **cintura,** cinta o pretinilla que usaban las damas.

cinturilla. f. Cinta o tira de tela fuerte o armada, que se pone a veces en la cintura de los vestidos de mujer, particularmente en las faldas.

cinturón. m. aum. de **cintura.** ‖ **2.** Cinto para llevar, pendientes, la espada o el sable. ‖ **3.** Cinto que sujeta el pantalón a la cintura. ‖ **4.** Cinta, correa o cordón que se usa sobre el vestido para ajustarlo al cuerpo. ‖ **5.** fig. Serie de cosas que circuyen a otra. CINTURÓN *de baluartes; los municipios del* CINTURÓN *de Barcelona.* ‖ **6.** En las artes marciales, categoría o grado conseguidos por el luchador y que se distinguen por el color del **cinturón** que sujeta el blusón blanco. ‖ **de seguridad.** El que sujeta a los viajeros a su asiento del coche, avión, etc. ‖ **apretarse el cinturón.** fr. Tener que reducir por escasez de medios los gastos.

cinzaya. (Del vasc. *seinsain* o *seintzai,* de *sein,* niño, y *sain* o *tzai,* guarda.) f. *Ál.* y *Burg.* **niñera.**

cinzolín. adj. De color de violeta rojizo. U. t. c. s.

ciñuela. f. *Murc.* Variedad de la granada, algo más agria que la albar.

cío. m. p. us. *Méj.* **lavafrutas.**

-ción. (Del lat. *-tĭo, -ōnis.*) suf. de sustantivos verbales que significa acción y efecto. Aparece en la forma **-ción,** no precedido de vocal, en ciertos sustantivos generalmente procedentes del latín: *fun*CIÓN, *lec*CIÓN, *produc*CIÓN. Los creados en español toman la forma **-ación,** si el verbo del que derivan es de la primera conjugación: *grab*ACIÓN; **-ición,** si es de la tercera: *embut*ICIÓN. Si el sustantivo deriva de un verbo de la segunda, toma otro sufijo. Además de su significado abstracto, **-ción** y sus variantes pueden denotar objeto, lugar, etc.: *embarc*ACIÓN, *fund*ICIÓN.

cipariso. (Del lat. *cyparissus,* y este del gr. κυπάρισσος.) m. poét. **ciprés.**

cipayo. (Del persa *sipāhī,* jinete; cf. port. *sipaio.*) m. Soldado indio de los siglos XVIII y XIX al servicio de Francia, Portugal y Gran Bretaña. ‖ **2.** despect. **secuaz** a sueldo.

cipe. (Del azteca *tziptl.*) adj. *C. Rica, El Salv.* y *Hond.* Dícese del niño encanijado durante la lactancia. ‖ **2.** m. *El Salv.* **resina.**

cipera. (Del lat. *cippus.*) f. *Arq.* Asiento que se hace sobre los tirantes para el pie del árbol de una linterna.

ciperáceo, a. (Del lat. *cypēros,* y este del gr. κύπειρος, juncia.) adj. *Bot.* Dícese de plantas angiospermas, monocotiledóneas, herbáceas, anuales o perennes, con rizoma corto dividido en fibras, o rastrero, tallos por lo común triangulares y sin nudos, hojas envainadoras, a veces sin limbo, flores en espigas solitarias o aglomeradas en cabezuelas, cariópsides por frutos, y semilla con albumen amiláceo o carnoso; como la juncia, la castañuela y el papiro. Ú. t. c. s. ‖ **2.** f. pl. *Bot.* Familia de estas plantas.

cipión. (Del lat. *scipĭo, -ōnis,* y este del gr. σκίπων.) m. ant. **báculo,** palo de apoyo, cayado.

cipo. (Del lat. *cippus.*) m. Pilastra o trozo de columna erigido en memoria de alguna persona difunta. ‖ **2.** Poste en los caminos, para indicar la dirección o la distancia. ‖ **3.** Hito, mojón.

cipolino, na. adj. Dícese de una especie de mármol micáceo. Ú. t. c. s.

cipotada. (De *cipote.*) f. Porrazo.

cipotazo. (De *cipote.*) m. Porrazo.

cipote. (De *cipo.*) m. Mojón de piedra. ‖ **2.** Hombre torpe, zonzo, bobo. ‖ **3.** Hombre grueso, rechoncho. ‖ **4. porra,** cachiporra. ‖ **5.** Palillo del tambor. ‖ **6.** vulg. **miembro viril.** ‖ **7.** *And.* Tarugo, zoquete, cuña. ‖ **8.** *El Salv., Hond.* y *Nicar.* Chiquillo, pilluelo.

cipotero. m. *Guad.* Ribazo. ‖ **2.** *Guad.* Mojonera.

cipotón. (De *cipote.*) m. Porrazo.

ciprés. (Del lat. tardío *cypressus,* quizá a través del occit. ant. *cipres.*) m. Árbol de la familia de las cupresáceas, que alcanza de 15 a 20 metros de altura, con tronco derecho, ramas erguidas y cortas, copa espesa y cónica, hojas pequeñas en filas imbricadas, persistentes y verdinegras, flores amarillentas terminales, y por frutos gálbulas de unos tres centímetros de diámetro. Su madera es rojiza y olorosa y pasa por incorruptible. ‖ **2.** Madera de cualquiera de las especies de este árbol. ‖ **3.** V. **agalla, nuez, piña de ciprés.** ‖ **de Levante.** El de ramas abiertas.

cipresal. m. Sitio poblado de cipreses.

cipresillo. m. **abrótano hembra.**

cipresino, na. (Del lat. *cypressĭnus.*) adj. Perteneciente al ciprés. ‖ **2.** Hecho o sacado de él. ‖ **3.** Parecido al ciprés en alguna de sus cualidades.

cíprico, ca. (Del lat. *Cyprĭcus.*) adj. desus. **chipriota.**

ciprino[1], na. adj. ant. **cipresino.**

ciprino[2], na. adj. desus. **chipriota.** Usáb. t. c. s.

ciprio, pria. (Del lat. *Cyprĭus.*) adj. desus. **chipriota.** Apl. a pers., usáb. t. c. s.

cipriota. adj. p. us. **chipriota.** Ú. t. c. s.

ciquibaile. (De las voces germanescas *cigarra,* bolsa, y *baile,* ladrón.) m. *Germ.* **ladrón,** que roba.

ciquiricata. f. fam. Ademán o demostración con que se intenta lisonjear a alguien.

ciquitraque. m. **triquitraque,** pequeño fuego de artificio.

ciquitroque. m. **pisto,** fritada de pimientos, tomates y otros ingredientes.

cirate. m. **acirate.**

circadiano, na. (Del lat. *circa,* cerca, y *dies,* día.) adj. Perteneciente o relativo a un período de aproximadamente 24 horas. Aplícase especialmente a ciertos fenómenos biológicos que ocurren rítmicamente alrededor de la misma hora, como la sucesión de vigilia y sueño.

circasiano, na. adj. Natural de Circasia. Ú. t. c. s. ‖ **2.** Perteneciente o relativo a esta región de la Rusia europea.

circe. (De *Circe,* nombre propio.) f. Mujer astuta y engañosa.

circense. (Del lat. *circensis.*) adj. Aplícase a los juegos o espectáculos que hacían los romanos en el circo. ‖ **2.** Perteneciente o relativo al espectáculo del circo, o que es propio de él.

circo. (Del lat. *circus.*) m. Lugar destinado entre los romanos para algunos espectáculos, especialmente para la carrera de carros o caballos. Era, por lo común, de figura de paralelogramo prolongado, redondeado en uno de sus extremos, con gradas alrededor para los espectadores. ‖ **2.** Edificio o lugar con gradería para los espectadores que tienen en medio una o varias pistas donde actúan malabaristas, payasos, equilibristas, animales amaestrados, etc. ‖ **3.** Este mismo espectáculo. ‖ **4.** Conjunto de asientos puestos en cierto orden para los que van de oficio o convidados a asistir a alguna función. ‖ **5.** fig. Conjunto de las personas que ocupan estos asientos. ‖ **6.** ant. **cerco,** figura que trazan en el suelo los hechiceros.

circón. (Del ár. *zarqūn,* cerusa roja, minio, y este del persa *āzargūn,* color de fuego, o de *zargūn,* color de oro.) m. Silicato de circonio, más o menos transparente, blanco o amarillento rojizo, que difícilmente produce raya en el cuarzo y posee en alto grado la doble refracción. Hállase en cristales rodados entre los terrenos de aluvión de la India y se usa como piedra fina, con el nombre de jacinto.

circona. f. *Quím.* Óxido de circonio, de color blanco, insoluble en el agua y muy refractario; al calentarlo en ciertas condiciones, despide una luz blanca e intensa.

circonio. (De *circón.*) m. *Quím.* Metal muy raro que se presenta en forma de polvo coherente y negro, mal conductor de la electricidad y susceptible de adquirir, por la frotación, brillo y color gris oscuro. Arde sin producir llama, es inodoro y solo lo atacan la potasa en fusión o el ácido fluorhídrico acuoso. Núm. atómico 40. Símb.: *Zr.*

circuición. (Del lat. *circuitĭo, -ōnis.*) f. Acción y efecto de circuir.

circuir. (Del lat. *circuīre.*) tr. Rodear, cercar.

circuito. (Del lat. *circuĭtus.*) m. Terreno comprendido dentro de un perímetro cualquiera. ‖ **2.** Bojeo o contorno. ‖ **3.** Trayecto en curva cerrada, previamente fijado para carreras de automóviles, motocicletas, bicicletas, etc. ‖ **4.** Recorrido previamente fijado que suele terminar en el punto de partida. ‖ **5.** *Electr.* Conjunto de conductores que recorre una corriente eléctrica, y en el cual hay generalmente intercalados aparatos productores o consumidores de esta corriente. ‖ **abierto.** *Electr.* **circuito** interrumpido por el que no pasa corriente. ‖ **cerrado.** *Electr.* **circuito,** conjunto de conductores. ‖ **integrado.** *Electr.* Combinación de elementos de **circuito** inseparablemente unidos en un soporte superficial o másico. ‖ **corto circuito.** *Electr.* **cortocircuito.**

circulación. (Del lat. *circulatĭo, -ōnis.*) f. Acción de circular. ‖ **2.** Tránsito por las vías públicas. Por antonom., el de automóviles. ‖ **3.** *Econ.* Movimiento de los productos, monedas, signos de crédito y, en general, de la riqueza. ‖ **4.** *Econ.* Parte de la economía política que estudia estos fenómenos o hechos. ‖ **5.** *Quím.* Operación que consiste en tratar por medio del fuego una sustancia contenida en uno de los matraces del vaso de reencuentro, de modo que los vapores que de la misma se desprenden se condensen en el otro matraz y vuelvan a la masa de donde salieron. ‖ **de la sangre.** Función fisiológica propia de la mayoría de los animales metazoos, la cual consiste en que la sangre sale del corazón por las arterias, se distribuye por todo el cuerpo para proporcionar a las células las sustancias que necesitan para el ejercicio de sus actividades vitales, y vuelve al corazón por las venas. ‖ **de un vector.** Su integral a lo largo de un contorno cerrado.

circulante. p. a. de **circular.** Que circula. ‖ **2.** adj. V. **biblioteca, capital circulante.**

circular[1]. (Del lat. *circulāris.*) adj. Perteneciente al círculo. ‖ **2.** De figura de círculo. ‖ **3.** V. **billete circular.** ‖ **4.** *Geom.* V. **cilindro, cono circular.** ‖ **5.** f. Orden que una autoridad superior dirige a todos o gran parte de sus subalternos. ‖ **6.** Cada una de las cartas o avisos iguales dirigidos a diversas personas para darles conocimiento de alguna cosa.

circular[2]. (Del lat. *circulāre.*) intr. Andar o moverse en derredor. ‖ **2.** Ir y venir. *Los invitados* CIRCULAN *por el jardín, los carruajes, por la vía pública; el aire, por las habitaciones.* ‖ **3.** Correr o pasar alguna cosa de unas personas a otras. CIRCULÓ *una noticia, un escrito.* ‖ **4.** Partir de un centro órdenes, instrucciones, etc., verbales o escritas, dirigidas en iguales términos a varias personas. Ú. t. c. tr. por dirigir alguien estas órdenes, instrucciones, etc. ‖ **5.** Salir alguna cosa por una vía y volver por otra al punto de partida. *La sangre* CIRCULA *por las arterias y las venas, la electricidad, por los alambres.* ‖ **6.** *Com.* Pasar los valores de una a otra persona mediante trueque o cambio.

circularmente. adv. m. En círculo.

circulatorio, ria. (Del lat. *circulatorĭus.*) adj. Perteneciente o relativo a la circulación.

círculo. (Del lat. *circŭlus,* d. de *circus,* cerco.) m. *Geom.* Área o superficie plana contenida dentro de la circunferencia. ‖ **2. circunferencia.** ‖ **3.** Circuito, distrito, corro. ‖ **4. cerco,** figura que trazan en el suelo los hechiceros. ‖ **5.** Antiguo recinto formado por menhires puestos de trecho en trecho. ‖ **6. casino,** sociedad recreativa o política. ‖ **7. casino,** edificio en que está instalada. ‖ **8.** Sector o ambiente social. Ú. m. en pl. CÍRCULOS *financieros, aristocráticos, sindicales,* etc. ‖ **acimutal.** *Mar.* Instrumento náutico portátil que consiste en un platillo horizontal y graduado, alrededor de cuyo centro gira una alidada provista de dos pínulas, con las cuales se enfilan los objetos exteriores para conocer el rumbo a que demoran, por la combinación de las indicaciones del instrumento con las de la brújula. ‖ **de declinación.** *Astron.* **círculo** graduado de los instrumentos ecuatoriales que sirve para medir la declinación del astro observado. ‖ **de iluminación.** *Astron.* El que separa el hemisferio iluminado del hemisferio oscuro en la Luna o en otro astro. ‖ **de reflexión.** Instrumento matemático, usado principalmente en astronomía náutica, que se compone de un **círculo** graduado y dos alidadas con un espejo cada una, y sirve para medir ángulos en cualquier plano, repitiéndolos. ‖ **horario.** *Astron.* **círculo** graduado de los instrumentos ecuatoriales que sirve para medir la ascensión recta del astro observado. ‖ **magnético.** Parte de una máquina o aparato electromagnético, generalmente de hierro, por donde fluye, en trayecto cerrado, la inducción magnética. ‖ **mamario.** *Anat.* **areola, círculo** rojizo que rodea el pezón. ‖ **máximo.** *Geom.* El que tiene por centro el de la esfera y la divide en dos partes iguales o hemisferios. ‖ **menor.** *Geom.* El formado por cualquier plano que corta la esfera sin pasar por el centro. ‖ **meridiano.** *Astron.* Anteojo montado sobre un eje en el plano meridiano y solidario con uno o varios **círculos** graduados, por el cual se observa y determina la culminación de los astros. ‖ **mural.** *Astron.* **círculo** graduado, de considerable diámetro, con un anteojo en su centro, colocado verticalmente y en el plano meridiano. ‖ **polar.** *Astron.* Cada uno de los dos **círculos** menores que se consideran en la esfera celeste paralelos al Ecuador y que pasan por los polos de la Eclíptica. El del hemisferio boreal se llama ártico, y el del austral, antártico. ‖ **2.** *Geogr.* Cada uno de los dos **círculos** menores que se consideran en el globo terrestre en correspondencia con los correlativos de la esfera celeste, y reciben los mismos nombres. ‖ **repetidor.** Instrumento matemático, empleado principalmente en la geodesia, que se compone de un **círculo** graduado y dos anteojos, montado todo ello sobre un pie giratorio, y sirve para medir ángulos en cualquier plano, repitiéndolos. ‖ **vicioso.** Vicio del discurso que se comete cuando dos cosas se explican una por otra recíprocamente, y ambas quedan sin explicación; como si se dijese: *Abrir es lo contrario de cerrar, y cerrar es lo contrario de abrir.* ‖ **2.** Situación repetitiva que no conduce a buen efecto.

circum-. V. **circun-.**

circumcirca. adv. lat. que en estilo familiar solía emplearse en castellano significando alrededor de, sobre poco más o menos.

circumincesión. (Del lat. eclesiástico *circumincessio.*) f. *Teol.* Presencia recíproca de las tres personas de la Trinidad.

circumpolar. (De *circun-* y *polar.*) adj. Que está alrededor del polo.

circun-. (Del lat. *circum-.*) elem. compos. que significa «alrededor». CIRCUN*dar,* CIRCUN*navegación.* Ante *p* toma la forma **circum-:** CIRCUM*polar.*

circuncidar. (Del lat. *circumcīdĕre,* cortar alrededor.) tr. Cortar circularmente una porción del prepucio. ‖ **2.** fig. desus. Cercenar, quitar o moderar alguna cosa.

circuncisión. (Del lat. *circumcisĭo, -ōnis.*) f. Acción y efecto de circuncidar. ‖ **2.** Por excelencia, la de Jesucristo. ‖ **3.** n. p. Fiesta con que anualmente celebraba la Iglesia este misterio, el día 1° de enero.

circunciso, sa. (Del lat. *circumcīsus.*) p. p. irreg. de **circuncidar,** cortar una porción del prepucio. ‖ **2.** adj. Dícese de aquel a quien han hecho la circuncisión. Ú. t. c. s. ‖ **3.** fig. Judío, moro.

circundar. (Del lat. *circumdăre.*) tr. Cercar, rodear.

circunferencia. (Del lat. *circumferentĭa.*) f. *Geom.* Curva plana, cerrada, cuyos puntos son equidistantes de otro, que se llama centro, situado en el mismo plano. ‖ **2.** Contorno de una superficie, territorio, mar, etc.

circunferencial. adj. Perteneciente a la circunferencia.

circunferencialmente. adv. m. En circunferencia.

circunferente. (Del lat. *circumfĕrens, -entis.*) adj. Que circunscribe.

circunferir. (Del lat. *circumfĕro, -erre.*) tr. Circunscribir, limitar.

circunflejo. (Del lat. *circumflexus.*) adj. V. **acento circunflejo.** Ú. t. c. s.

circunfuso, sa. (Del lat. *circumfusus.*) adj. Difundido o extendido en derredor.

circunlocución. (Del lat. *circumlocutĭo, -ōnis.*) f. *Ret.* Figura que consiste en expresar por medio de un rodeo de palabras algo que hubiera podido decirse con menos o con una sola, pero no tan bella, enérgica o hábilmente.

circunloquio. (Del lat. *circumlŏquium.*) m. Rodeo de palabras para dar a entender algo que hubiera podido expresarse más brevemente.

circunnavegación. f. Acción y efecto de circunnavegar.

circunnavegar. (Del lat. *circumnavigare.*) tr. Navegar alrededor de algún lugar. ‖ **2.** Dar un buque la vuelta al mundo.

circunscribir. (Del lat. *circumscribĕre.*) tr. Reducir a ciertos límites o términos alguna cosa. ‖ **2.** *Geom.* Formar una figura de modo que otra quede dentro de ella, tocando a todas las líneas o superficies que la limitan, o teniendo en ellas todos sus vértices. ‖ **3.** prnl. **ceñirse,** concretarse a una ocupación o asunto.

circunscripción. (Del lat. *circumscriptĭo, -ōnis.*) f. Acción y efecto de circunscribir. ‖ **2.** División administrativa, militar, electoral o eclesiástica de un territorio.

circunscripto, ta. p. p. irreg. **circunscrito.**

circunscrito, ta. (Del lat. *circumscriptus.*) p. p. irreg. de **circunscribir.** ‖ **2.** adj. *Geom.* Aplícase a la figura a la que se circunscribe otra.

circunsolar. (De *circun-* y *solar*[2].) adj. Que rodea al Sol.

circunspección. (Del lat. *circumspectĭo, -ōnis.*) f. Prudencia ante las circunstancias, para comportarse comedidamente. ‖ **2.** Seriedad, decoro y gravedad en acciones y palabras.

circunspecto, ta. (Del lat. *circumspectus.*) adj. Que se conduce con circunspección.

circunstancia. (Del lat. *circumstantĭa.*) f. Accidente de tiempo, lugar, modo, etc., que está unido a la sustancia de algún hecho o dicho. ‖ **2.** Calidad o requisito. ‖ **3.** Conjunto de lo que está en torno a uno; el mundo en cuanto mundo de alguien. ‖ **agravante.** *Der.* Motivo legal para recargar la pena del reo. ‖ **atenuante.** *Der.* Motivo legal para aliviarla. ‖ **eximente.** *Der.* La que libra de responsabilidad criminal. ‖ **de circunstancias.** loc. que se aplica a lo que de algún modo está influido por una situación ocasional. ‖ **en las circunstancias presentes.** loc. adv. En el estado de los negocios, o según van las cosas.

circunstanciadamente. adv. m. Con toda menudencia, sin omitir ninguna circunstancia o particularidad.

circunstanciado, da. p. p. de **circunstanciar.** Que se refiere o explica circunstanciadamente. Ú. t. c. adj.

circunstancial. adj. Que implica o denota alguna circunstancia o depende de ella.
circunstanciar. tr. Determinar las circunstancias de algo.
circunstante. (Del lat. *circumstans, -antis,* p. a. de *circumstāre,* estar alrededor.) adj. Que está alrededor. ‖ **2.** Dícese de los que están presentes, asisten o concurren. Ú. t. c. s.
circunvalación. f. Acción de circunvalar. ‖ **2.** Vía de tránsito rodado que circunda un núcleo urbano al que se puede acceder por diferentes entradas. ‖ **3.** V. **línea de circunvalación.** ‖ **4.** *Mil.* Línea de atrincheramientos u otros medios de resistencia, que sirven de defensa a una plaza o una posición contra el sitiador, o a este contra el ejército de socorro.
circunvalar. (Del lat. *circumvallāre.*) tr. Cercar, ceñir, rodear una ciudad, fortaleza, etc.
circunvecino, na. (De *circun-* y *vecino.*) adj. Aplícase a los lugares u objetos que se hallan próximos y alrededor de otro.
circunvenir. (Del lat. *circumvenīre.*) tr. ant. Estrechar u oprimir con artificio engañoso.
circunvolar. (Del lat. *circumvolāre.*) tr. Volar alrededor.
circunvolución. (De *circun-* y el lat. *volutio, -ōnis,* vuelta.) f. Vuelta o rodeo de alguna cosa. ‖ **cerebral.** Cada uno de los relieves que se observan en la superficie exterior del cerebro, separados unos de otros por unos surcos llamados anfractuosidades.
circunyacente. (De *circun-* y *yacente.*) adj. **circunstante.**
cirenaico, ca. (Del lat. *Cyrenaĭcus.*) adj. Natural de Cirene. Ú. t. c. s. ‖ **2.** Perteneciente o relativo a esta ciudad de la Cirenaica, región de África antigua. ‖ **3.** Aplícase a la escuela filosófica fundada por Arístipo, discípulo de Sócrates. Ú. t. c. s. ‖ **4.** Perteneciente a esta escuela.
cireneo, a. (Del lat. *Cyrenaeus.*) adj. **cirenaico,** natural de Cirene. ‖ **2. cirenaico,** perteneciente o relativo a esta ciudad. Apl. a pers., ú. t. c. s.
cirial. (De *cirio.*) m. Cada uno de los candeleros altos que llevan los acólitos en algunas funciones de iglesia.
cirigallo, lla. m. y f. p. us. Persona que pasa el tiempo yendo y viniendo, sin hacer cosa de provecho.
cirigaña. f. *And.* Adulación, lisonja o zalamería. ‖ **2.** *And.* **chasco.** ‖ **3.** *And.* Friolera, cosa de poca entidad.
cirílico, ca. (De san *Cirilo,* maestro del creador de este alfabeto, san Clemente de Ocrida.) adj. Perteneciente o relativo al alfabeto usado en ruso y otras lenguas. Ú. t.c. s. m.
cirineo, a. adj. **cireneo,** cirenaico. ‖ **2.** m. fig. y fam. Por alusión a Simón **Cirineo,** que ayudó a Jesús a llevar la cruz en el camino del Calvario, persona que ayuda a otra en algún trabajo penoso.
cirio. (Del lat. *cerēus,* de cera.) m. Vela de cera, larga y gruesa. ‖ **2.** fig. y fam. Alboroto, jaleo, trifulca. ‖ **pascual.** El muy grueso, al cual se le clavan cinco piñas de incienso en forma de cruz. Se bendice el sábado santo, y arde en la iglesia en ciertas solemnidades hasta el día de la Ascensión.
cirolero. m. **ciruelo,** árbol.
cirquero, ra. adj. *Argent.* Concerniente al circo, circense. ‖ **2.** fig. y fam. *Argent.* Extravagante, histriónico. Ú. t. c. s. ‖ **3.** m. y f. *Argent.* Persona que en un circo forma parte de la compañía.
cirrípedo. (Del lat. *cirrus,* cirro², y *pes, pedis,* pie.) adj. *Zool.* **cirrópodo.**
cirro¹. (De *escirro.*) m. Tumor duro, sin dolor continuo y de naturaleza particular, el cual se forma en diferentes partes del cuerpo.
cirro². (Del lat. *cirrus,* rizo, sortijilla de pelo.) m. *Bot.* **zarcillo¹,** órgano de algunas plantas para asirse a los tallos de otras. ‖ **2.** *Meteor.* Nube blanca y ligera, en forma de barbas de pluma o filamentos de lana cardada, que se presenta en las regiones superiores de la atmósfera. ‖ **3.** *Zool.* Cada una de las patas de los crustáceos cirrópodos, que son flexibles y articuladas y están bifurcadas en dos largas ramas.
cirrópodo. (Del lat. *cirrus,* cirro², y el gr. πούς, ποδός, pie.) adj. *Zool.* Dícese de crustáceos marinos, hermafroditas, cuyas larvas son libres y nadadoras; en el estado adulto viven fijos sobre los objetos sumergidos, por lo común mediante un pedúnculo; tienen el cuerpo rodeado de un caparazón compuesto de varias placas calcáreas, entre las cuales pueden sacar los cirros; como el percebe y la bellota de mar. Algunas especies son parásitas. Ú. t. c. s. ‖ **2.** m. pl. *Zool.* Orden de estos animales.
cirrosis. (De *cirro¹.*) f. *Pat.* Enfermedad caracterizada por una lesión que se desenvuelve en las vísceras, especialmente en el hígado, y consiste en la induración de los elementos conjuntivos y atrofia de los demás.
cirroso, sa. adj. Que tiene cirros.
cirrótico, ca. adj. Perteneciente o relativo a la cirrosis.
ciruela. (Del lat. *cereŏla,* que tiene color de cera.) f. Fruto del ciruelo. Es una drupa, muy variable en forma, color y tamaño según la variedad del árbol que la produce. El epicarpio suele separarse fácilmente del mesocarpio, que es más o menos dulce y jugoso y a veces está adherido al endocarpio. ‖ **amacena. ciruela damascena.** ‖ **claudia. ciruela** redonda, de color verde claro y muy jugosa y dulce. ‖ **damascena. ciruela** de color morado y figura oval, de gusto un poco agrio. ‖ **de corazoncillo. ciruela** de color verde; su figura es a semejanza de un corazón, y algo chata. ‖ **de dama. cascabelillo.** ‖ **de data. ciruela de pernigón.** ‖ **de fraile.** Especie de **ciruela** de figura oblonga, más o menos puntiaguda, de color comúnmente verde amarillento, con la carne adherida al hueso y menos dulce que las demás. ‖ **de Génova. ciruela** grande y de color negro, que suelta el hueso limpio. ‖ **de pernigón. ciruela** de color negro y muy jugosa. ‖ **de yema. ciruela** aovada, de color amarillento, que suelta el hueso limpio. ‖ **imperial. cascabelillo.** ‖ **porcal.** Especie de **ciruela** gorda y basta. ‖ **regañada.** Especie de **ciruela** que se abre hasta descubrir el hueso. ‖ **verdal.** Especie de **ciruela** de color que tira a verde aunque esté madura. ‖ **zaragocí.** Especie de **ciruela** amarilla, originaria de Zaragoza.
ciruelillo. (d. de *ciruelo.*) m. *Argent.* y *Chile.* Árbol de la familia de las proteáceas, de madera fina, cuyas flores son de un color rojo escarlata.
ciruelo. m. Árbol frutal de la familia de las rosáceas, de seis a siete metros de altura, con las hojas entre aovadas y lanceoladas, dentadas y un poco acanaladas, los ramos mochos y la flor blanca: su fruto es la ciruela. ‖ **2.** fig. y fam. Hombre muy necio e incapaz. Ú. t. c. adj.
cirugía. (Del lat. *chirurgĭa,* y este del gr. χειρουργία.) f. Parte de la medicina, que tiene por objeto curar las enfermedades por medio de operación. ‖ **estética.** *Med.* Rama de la **cirugía** plástica, en la cual es objetivo principal el embellecimiento de una parte del cuerpo. ‖ **menor,** o **ministrante.** La que comprende ciertas operaciones secundarias que no suele practicar el médico. ‖ **plástica.** *Med.* Especialidad quirúrgica cuyo objetivo es restablecer, mejorar o embellecer la forma de una parte del cuerpo.
cirujano, na. m. y f. Persona que profesa la cirugía. ‖ **romancista.** Decíase del **cirujano** que no sabía latín.
cis-. (Del lat. *cis-.*) pref. que significa «de la parte o del lado de acá»: CIS*montano,* CIS*andino.*
cisalpino, na. (Del lat. *cisalpīnus,* de *cis,* del lado de acá, y *Alpīnus,* de los Alpes.) adj. Situado entre los Alpes y Roma.
cisandino, na. adj. Del lado de acá de los Andes.
cisca. (Del celta *sessca.*) f. **carrizo,** planta gramínea.
ciscar. (De *cisco.*) tr. fam. Ensuciar alguna cosa. ‖ **2.** prnl. Soltarse o evacuarse el vientre.
cisco. (De or. inc., cf. lat. *ciccum,* cosa insignificante.) m. Carbón

vegetal menudo. ‖ **2.** fig. y fam. Bullicio, reyerta, alboroto. ‖ **hacer cisco.** fr. fig. y fam. **hacer trizas.**

ciscón. (aum. de *cisco.*) m. Restos que quedan en los hornos de carbón después de apagados.

cisión. (Del lat. *caesĭo, -ōnis.*) f. Cisura o incisión.

cisípedo. (Del lat. *caesus,* cortado, y *pes, pedis,* pie.) adj. Que tiene el pie dividido en dedos.

cisma. (Del lat. *schisma,* y este del gr. σχίσμα, escisión, separación.) m. División o separación en el seno de una iglesia o religión. Usáb. t. c. f. ‖ **2.** Por ext., escisión, discordia, desavenencia.

cismar. (De *cisma.*) tr. *Sal.* Meter discordia, sembrar cizaña.

cismáticamente. adv. m. De manera cismática.

cismático, ca. (Del lat. *schismatĭcus,* y este del gr. σχισματικός.) adj. Que se aparta de la autoridad reconocida, especialmente en materia de religión. Apl. a pers., ú. t. c. s. ‖ **2.** Dícese del que introduce cisma o discordia en un pueblo o comunidad. Ú. t. c. s.

cismontano, na. (Del lat. *cismontānus.*) adj. Situado en la parte de acá de los montes, respecto al punto o lugar desde donde se considera.

cisne. (Del ant. fr. *cisne.*) m. Ave palmípeda, de plumaje blanco, cabeza pequeña, pico de igual ancho en toda su extensión y de color anaranjado, y en los bordes y el tubérculo de la base negro; cuello muy largo y flexible, patas cortas y alas grandes. ‖ **2.** Ave palmípeda congénere con la especie anterior, semejante a ella en la forma, pero de plumaje negro. Es originaria de Australia, y está ya naturalizada en Europa. ‖ **3.** fig. Poeta o músico excelente.

cisneriense. adj. Natural de la villa de Cisneros, provincia de Palencia. ‖ **2.** Perteneciente o relativo a dicha villa.

cisoria. (Del lat. *cisorĭum.*) adj. V. **arte cisoria.**

cispadano, na. (Del lat. *Cispadānus.*) adj. Situado entre Roma y el río Po.

cisquera. f. Lugar donde se almacena el cisco.

cisquero. m. El que hace cisco o lo vende. ‖ **2.** Muñequilla hecha de lienzo, apretada y atada con un hilo, dentro de la cual se ponía carbón molido, y servía para pasarla por encima de los dibujos picados, a fin de traspasarlos a alguna tela o a otro papel.

cistáceo, a. (De *cistus,* nombre de un género de plantas.) adj. *Bot.* Dícese de matas o arbustos angiospermos dicotiledóneos, con hojas sencillas, casi siempre opuestas, flores por lo común en corimbo o en panoja, y fruto en cápsula con semillas de albumen amiláceo; como la jara y la estepa blanca. Ú. t. c. s. f. ‖ **2.** f. pl. *Bot.* Familia de estas plantas.

cistel. m. **cister.**

cister. (De *Cistercĭum,* nombre latino de Citeaux, lugar de Francia.) m. Orden religiosa, de la regla de San Benito, fundada por San Roberto en el siglo XI, y que surgió como reforma de la orden cluniacense.

cisterciense. (Del lat. *Cisterciensis.*) adj. Perteneciente a la orden del Cister.

cisterna. (Del lat. *cisterna.*) f. Depósito subterráneo donde se recoge y conserva el agua llovediza o la que se lleva de algún río o manantial. ‖ **2.** Depósito de agua de un retrete o urinario. ‖ **3.** En aposición tras un nombre común que designa vehículo o nave, significa que estos están construidos para transportar líquidos. *Camión* CISTERNA, *barco* CISTERNA, etc.

cisticerco. (Del gr. κύστις, vejiga, y κέρκος, cola.) m. Larva de tenia, que vive encerrada en un quiste vesicular, en el tejido conjuntivo subcutáneo o en un músculo de algunos mamíferos, especialmente del cerdo o de la vaca, y que, después de haber pasado al intestino de un hombre que ha comido la carne cruda de este animal, se desarrolla, adquiriendo la forma de solitaria adulta.

cisticercosis. f. *Pat.* Enfermedad causada por la presencia de muchos cisticercos en los órganos de un animal o del hombre.

cístico. (Del gr. κύστις, vejiga.) adj. *Anat.* V. **conducto cístico.**

cistíneo. (Del lat. *cistus,* jara.) adj. *Bot.* **cistáceo.**

cistitis. (Del gr. κύστις, vejiga, e *-itis.*) f. *Med.* Inflamación de la vejiga.

cistoscopia. f. Examen del interior de la vejiga de la orina por medio del cistoscopio.

cistoscopio. (Del gr. κύστις, vejiga, y σκοπέω, examinar.) m. Endoscopio para explorar la superficie interior de la vejiga de la orina.

cistotomía. (Del gr. κύστις, vejiga, y τομη, incisión.) f. *Cir.* Incisión de la vejiga para operar en el interior de este órgano.

cisura. (Del lat. *scissūra.*) f. Rotura o abertura sutil que se hace en cualquier cosa. ‖ **2.** Herida que hace el sangrador en la vena.

cita. (De *citar.*) f. Señalamiento, asignación de día, hora y lugar para verse y hablarse dos o más personas. ‖ **2.** Nota de ley, doctrina, autoridad o cualquier otro texto que se alega para prueba de lo que se dice o refiere. ‖ **3. mención.**

citación. (Del lat. *citatĭo, -ōnis.*) f. Acción de citar. ‖ **2.** *Der.* Aviso por el que se cita a alguien para una diligencia. ‖ **de evicción.** *Der.* La que se hace al vendedor por ser llegado el caso de la evicción. ‖ **de remate.** *Der.* La que en juicio ejecutivo se hace al deudor emplazándole para que pueda oponerse a la ejecución.

citador, ra. adj. Que cita. Ú. t. c. s.

citania. (Del port. *citania.*) f. Ciudad fortificada, propia de los pueblos prerromanos que habitaban el noroeste de la Península Ibérica.

citano. (Del lat. **scitānus,* de *scītus,* sabido.) m. y f. fam. **zutano.**

citar. (Del lat. *citāre.*) tr. Avisar a alguien señalándole día, hora y lugar para tratar de algún negocio. Ú. t. c. prnl. ‖ **2.** Referir, anotar o mencionar los autores, textos o lugares que se alegan o discuten en lo que se dice o escribe. ‖ **3.** Hacer mención de una persona o cosa. ‖ **4.** En las corridas de toros, provocar a la fiera para que embista, o para que acuda a determinado lugar. ‖ **5.** *Der.* Notificar, hacer saber a una persona el emplazamiento o llamamiento del juez.

citara. (Del ár. *sitāra,* velo, muro, empalizada.) f. Pared con solo el grueso del ancho del ladrillo común. ‖ **2.** Tropas que formaban en los flancos del cuerpo principal combatiente. ‖ **3.** ant. Cojín o almohada.

cítara. (Del lat. *cithăra,* y este del gr. κιθάρα.) f. Instrumento músico antiguo semejante a la lira, pero con caja de resonancia de madera. Modernamente esta caja tiene forma trapezoidal y el número de sus cuerdas varía de 20 a 30. Se toca con púa.

citaredo. (Del lat. *citharoedus,* y este del gr. κιθαρῳδός.) m. ant. **citarista.**

citarilla. f. d. de **citara.** ‖ **sardinel.** *Arq.* Paredilla divisoria hecha de ladrillos puestos alternativamente de plano y de canto u oblicuamente, dejando espacios que quedan vacíos o se rellenan algunas veces con mezcla.

citarista. (Del lat. *citharista.*) com. Persona que ejerce el arte de tocar la cítara.

citarizar. (Del lat. *citharizāre,* y este del gr. κιθαρίζω.) intr. ant. Tocar o tañer la cítara.

citarón. (aum. de *citara.*) m. Zócalo de albañilería sobre el cual se pone un entramado de madera.

citatorio, ria. (Del lat. *citatorĭus.*) adj. *Der.* Aplícase al mandamiento o despacho con que se cita o emplaza a alguien para que comparezca ante el juez. Ú. t. c. s. f.

citereo, a. (Del lat. *Cythereĭus.*) adj. poét. Relativo a Venus, adorada en la isla de Chipre o Citeres.

citerior. (Del lat. *citerĭor, -ōris.*) adj. Situado de la parte de acá, o aquende, en contraposición de lo que está de la parte de allá, o allende, que se llama ulterior. *Los romanos llamaron Hispania* CITERIOR *a la Tarraconense, y ulterior a la Lusitana y a la Bética.*

cítiso. (Del lat. *cytĭsus,* y este del gr. κύτισος.) m. **codeso.**

¡cito! ant. Voz para llamar a los perros.

-cito, ta. V. **-ito.**

citocinesis. (Del gr. κύτος, célula, y κίνεσις, movimiento.) f. *Biol.* División del citoplasma.

citodiagnosis. (Del gr. κύτος, célula, y *diagnosis.*) f. *Med.* **citodiagnóstico,** resultado.

citodiagnóstico. (Del gr. κύτος, célula, y *diagnóstico.*) m. *Med.* Procedimiento diagnóstico basado en el examen de las células contenidas en un exudado o trasudado. ‖ **2.** *Med.* Resultado de este examen.

citófono. m. *Col.* Sistema de comunicación dentro de un circuito telefónico cerrado.

citogenética. (Del gr. κύτος, célula, y γένεσις, engendramiento, producción.) f. *Biol.* Parte de la biología que trata de los cromosomas.

cítola. (Del lat. *cithăra.*) f. Tablita de madera, pendiente de una cuerda sobre la piedra del molino harinero, para que la tolva vaya despidiendo la cibera, y para conocer que se para el molino, cuando deja de golpear. ‖ **2.** ant. **cítara.**

citolero, ra. (De *cítola.*) m. y f. ant. **citarista.**

citología. (Del gr. κύτος, célula, y *-logía.*) f. Parte de la biología que estudia la célula. ‖ **2.** *Med.* **citodiagnóstico.**

citólogo, ga. m. y f. Persona especializada en citología.

citoplasma. (Del gr. κύτος, cubierta, y de *plasma.*) m. *Bot.* y *Zool.* Parte del protoplasma, que en la célula rodea al núcleo.

citoplasmático, ca. adj. *Biol.* Perteneciente o relativo al citoplasma.

citoplásmico, ca. adj. *Biol.* **citoplasmático.**

cítora. (Del lat. *cithăra,* citara.) f. *Murc.* Especie de arpón con cuatro o seis púas, para pinchar los peces que se ocultan entre la arena al cerrar el bol.

citoria. (De *citar.*) f. ant. **citación.**

cítote. (De *cito* y *te.*) m. fam. Citación o intimación que se hace a alguien para obligarle a que ejecute alguna cosa. ‖ **2.** ant. Persona que hacía la citación.

citra. (Del lat. *citra.*) adv. l. ant. Del lado de acá.

citramontano, na. (Del lat. *citra,* del lado de acá, y *montānus,* del monte.) adj. **cismontano.**

citrato. (Del lat. *citrātus.*) m. *Quím.* Sal formada por la combinación del ácido cítrico con una base.

cítrico, ca. (Del lat. *citrus,* limón.) adj. Perteneciente o relativo al limón. ‖ **2.** *Quím.* V. **ácido cítrico.** ‖ **3.** m. pl. Agrios, frutas agrias o agridulces. ‖ **4.** Plantas que producen agrios, como el limonero, el naranjo, etc.

citrícola. (Del lat. *citrus* y *colĕre,* cultivar.) adj. Perteneciente o relativo al cultivo de cítricos.

citricultura. (Del lat. *citrus* y *cultūra,* cultivo.) f. Cultivo de cítricos.

citrina. (Del lat. *citrus.*) f. *Quím.* Aceite esencial del limón.

citrino, na. (Del lat. *citrīnus.*) adj. De color amarillo verdoso.

citrón. (Del lat. *citrus.*) m. **limón**[1].

ciudad. (Del lat. *civĭtas, -ātis.*) f. Espacio geográfico, cuya población, generalmente numerosa, se dedica en su mayor parte a actividades no agrícolas. ‖ **2.** Conjunto de sus calles y edificios ‖ **3.** Lo urbano, en oposición a lo rural. ‖ **4.** Ayuntamiento o cabildo de cualquier **ciudad.** ‖ **5.** Población, comúnmente grande, que antiguamente gozaba de mayores preeminencias que las villas. ‖ **6.** Diputados o procuradores en Cortes, que representaban una **ciudad** en lo antiguo. ‖ **dormitorio.** Conjunto suburbano de una gran **ciudad** cuya población laboral se suele desplazar a diario al núcleo urbano mayor. ‖ **jardín.** Conjunto urbano formado por casas unifamiliares, provista cada una de jardín. ‖ **lineal.** La que ocupa una faja de terreno de varios kilómetros de longitud y de poca anchura, con una sola avenida central y calles transversales que van a dar al campo. ‖ **satélite.** Núcleo urbano dotado de cierta autonomía funcional, pero dependiente de otro mayor y más completo, del cual se halla en relativa cercanía. ‖ **universitaria.** Conjunto de edificios situados en terreno acotado al efecto, destinados a la enseñanza superior, y más especialmente la que es propia de las universidades.

ciudadanía. f. Calidad y derecho de ciudadano. ‖ **2.** Conjunto de los ciudadanos de un pueblo o nación.

ciudadano, na. adj. Natural o vecino de una ciudad. Ú. t. c. s. ‖ **2.** Perteneciente a la ciudad o a los **ciudadanos.** ‖ **3.** m. El habitante de las ciudades antiguas o de Estados modernos como sujeto de derechos políticos y que interviene, ejercitándolos, en el gobierno del país. ‖ **4.** El que en el pueblo de su domicilio tenía un estado medio entre el de caballero y el de oficial mecánico. ‖ **5. hombre bueno.**

ciudadela. (Del it. *cittadella,* con infl. de *ciudad.*) f. Recinto de fortificación permanente en el interior de una plaza, que sirve para dominarla o de último refugio a su guarnición.

ciudadrealeño, ña. adj. Natural de Ciudad Real. Ú. t. c. s. ‖ **2.** Perteneciente o relativo a esta ciudad o a su provincia.

civeta. (De *civeto.*) f. **gato de algalia.**

civeto. (Del ár. *zabāda,* almizcle, algalia.) m. **algalia**[1], sustancia de la bolsa de la civeta.

cívico, ca. (Del lat. *civĭcus,* de *civis,* ciudadano.) adj. **civil,** perteneciente a la ciudad o a los ciudadanos. ‖ **2. patriótico.** ‖ **3.** Perteneciente o relativo al civismo. ‖ **4. doméstico,** perteneciente a la casa. ‖ **5.** V. **corona cívica.** ‖ **6.** V. **valor cívico.** ‖ **7.** *Argent.* V. **libreta cívica.**

civil. (Del lat. *civĭlis.*) adj. **ciudadano,** perteneciente a la ciudad o a los ciudadanos. ‖ **2.** Sociable, urbano, atento. ‖ **3.** ant. Grosero, ruin, mezquino, vil. ‖ **4.** V. **año, arquitectura, casa, código, corona, derecho, día, fiscal, guardia, guerra, ingeniero, interdicción, matrimonio, obligación, registro, sanidad civil.** ‖ **5.** V. **frutos civiles.** ‖ **6.** Dícese de la persona, organismo, etc., que no es militar o eclesiástico. ‖ **7.** *Der.* Perteneciente a las relaciones e intereses privados en orden al estado de las personas, régimen de la familia, condición de los bienes y los contratos. *Ley, acción, pleito, demanda* CIVIL. ‖ **8.** *Der.* Dícese de las disposiciones que emanan de las potestades laicas, en oposición a las que proceden de la Iglesia, y de las referentes a la generalidad de los ciudadanos, frente a las especiales que rigen la organización militar o que regulan las relaciones mercantiles. ‖ **9.** *Der.* V. **muerte, pleito, posesión civil.** ‖ **10.** m. fam. **guardia civil,** individuo de la guardia **civil.** ‖ **11.** V. **fiscal de lo civil.** ‖ **casarse por lo civil.** Contraer matrimonio **civil.**

civilidad. (Del lat. *civilĭtas, -ātis.*) f. Sociabilidad, urbanidad. ‖ **2.** desus. Miseria, mezquindad, grosería.

civilista. adj. Dícese del abogado que preferentemente defiende asuntos civiles. ‖ **2.** com. Persona que profesa el derecho civil, o tiene en él especiales conocimientos.

civilización. f. Acción y efecto de civilizar o civilizarse. ‖ **2.** Conjunto de ideas, creencias religiosas, ciencias, técnicas, artes y costumbres propias de un determinado grupo humano.

civilizador, ra. adj. Que civiliza. Ú. t. c. s.

civilizar. (De *civil.*) tr. Sacar del estado salvaje a pueblos o personas. Ú. t. c. prnl. ‖ **2.** Educar, ilustrar. Ú. t. c. prnl.

civilmente. adv. m. Con civilidad o sociabilidad. ‖ **2.** desus. **vilmente.** ‖ **3.** *Der.* Conforme o con arreglo al derecho civil.

civismo. (Del fr. *civisme.*) m. Celo por las instituciones e intereses de la patria. ‖ **2.** Celo y generosidad al servicio de los demás ciudadanos.

cizalla. (Del fr. *cisailles.*) f. Instrumento a modo de tijeras grandes, con el cual se cortan en frío las planchas de metal. En algunos modelos, una de las hojas es fija. Ú. m. en pl. ‖ **2.** Especie de guillotina que sirve para cortar cartones y cartulinas en pequeñas cantidades y a tamaño reducido. ‖ **3.** Cortadura o fragmento de cualquier metal. ‖ **4.** En las casas de moneda, residuo de los rieles de los que se ha cortado la moneda.

cizallar. tr. Cortar con la cizalla.

cizallas. f. pl. **cizalla.**

cizaña. (Del lat. *zizanĭa*, y este del gr. ζιζάνια, pl. de ζιζάνιον.) f. Planta anua, de la familia de las gramíneas, cuyas cañas crecen hasta más de un metro, con hojas estrechas de 20 centímetros de largo, y flores en espigas terminales comprimidas, con aristas agudas. Se cría espontáneamente en los sembrados y la harina de su semilla es venenosa. ‖ **2.** fig. Vicio que se mezcla entre las buenas acciones o costumbres. ‖ **3.** fig. Cualquier cosa que hace daño a otra, maleándola o echándola a perder. ‖ **4.** fig. Disensión o enemistad. Úsase más con los verbos *meter y sembrar.*

cizañador, ra. adj. Que cizaña. Ú. t. c. s.

cizañar. tr. Sembrar o meter cizaña, disensión o enemistad.

cizañear. tr. **cizañar.**

cizañero, ra. (De *cizaña.*) adj. Que tiene el hábito de cizañar. Ú. t. c. s.

clac. (Del fr. *claque.*) m. Sombrero de copa alta, que por medio de muelles puede plegarse con el fin de llevarlo sin molestia en la mano o debajo del brazo. ‖ **2.** Sombrero de tres picos, cuyas partes laterales se juntaban y que se podía llevar fácilmente debajo del brazo. ‖ **3.** f. Grupo de personas que asisten de balde a un espectáculo para aplaudir. Ú. especialmente con el art. *la.*

claco. (De *tlaco.*) m. *Méj.* Moneda antigua de cobre.

clacopacle. (Del nahua *tlacotl*, vara, y *patli*, medicina.) m. *Méj.* **aristoloquia.**

clacote. m. *Méj.* **tlacote.**

clachique. (De *tlachique.*) m. *Méj.* Pulque sin fermentar.

cladócero. (Del gr. κλάδος, rama, y κέρας, -ατος, cuerno.) adj. *Zool.* Dícese de los crustáceos de pequeño tamaño, casi todos vivientes en las aguas dulces, partenogenéticos, provistos de un caparazón bivalvo que deja libre la cabeza y el extremo del abdomen, con las antenas del segundo par ramificadas y grandes, que el animal utiliza para nadar, como la pulga de agua. Ú. t. c. s. ‖ **2.** m. pl. Orden de estos animales.

cladodio. (Del lat. moderno *cladodium*, y este del gr. κλάδος, rama.) m. *Bot.* Rama que sustituye a las hojas, desempeñando las funciones de estas y tomando a veces forma foliácea, como el brusco.

clamar. (Del lat. *clamāre.*) tr. ant. **llamar.** ‖ **2.** Exigir, pedir con vehemencia. Se usa principalmente en frases como CLAMAR *venganza*, CLAMAR *justicia.* ‖ **3.** intr. Quejarse, dar voces lastimosas, pidiendo favor o ayuda. ‖ **4.** fig. Se usa algunas veces hablando de las cosas inanimadas que manifiestan tener necesidad de algo. *La tierra* CLAMA *por agua.* ‖ **5.** Emitir la palabra con vehemencia o de manera grave y solemne.

clámide. (Del lat. *chlamys, -ydis*, y este del gr. χλαμύς, -ύδος.) f. Capa corta y ligera que usaron los griegos, principalmente para montar a caballo, y que después adoptaron los romanos.

clamor. (Del lat. *clamor, -ōris.*) m. Grito o voz que se profiere con vigor y esfuerzo. ‖ **2.** Grito vehemente de una multitud. Ú. t. en sent. fig. ‖ **3.** Voz lastimosa que indica aflicción o pasión de ánimo. ‖ **4.** Toque de campanas por los difuntos. ‖ **5.** ant. Voz o fama pública. ‖ **6.** *Ar.* Barranco o arroyo formado por la lluvia violenta.

clamoreada. (De *clamorear.*) f. **clamor,** grito. ‖ **2. clamor,** voz lastimosa.

clamorear. (De *clamor.*) tr. Rogar con instancias y quejas o voces lastimeras para conseguir una cosa. ‖ **2.** intr. **doblar,** tocar a muerto.

clamoreo. (De *clamorear.*) m. Clamor repetido o continuado. ‖ **2.** fam. Ruego importuno y repetido.

clamoroso, sa. (De *clamor.*) adj. Que va acompañado de clamor. *Triunfo, llanto* CLAMOROSO.

clamosidad. f. Calidad de clamoso.

clamoso, sa. (Del lat. *clamōsus.*) adj. ant. Que clama o grita.

clan. (Del gaél. *clann*, hijo.) m. En Escocia, tribu o familia; hoy se emplea con carácter general en sociología para aplicarlo a esos tipos de agrupación humana. ‖ **2.** despect. Grupo restringido de personas unidas por vínculos e intereses comunes.

clandestinamente. adv. m. De manera clandestina.

clandestinidad. f. Calidad de clandestino.

clandestino, na. (Del lat. *clandestīnus.*) adj. Secreto, oculto. Aplícase generalmente a lo que se hace o se dice secretamente por temor a la ley o para eludirla. ‖ **2.** V. **matrimonio clandestino.** ‖ **3.** *Der.* Dícese del impreso sin pie de imprenta, o que lo lleva imaginario o falso, o que se publica sin observancia de los requisitos legales. ‖ **4.** *Der.* V. **posesión clandestina.**

clanga. (Del lat. *clanga.*) f. **planga.**

clangor. (Del lat. *clangor, -ōris.*) m. poét. Sonido de la trompeta o del clarín.

clapa. f. *Ar.* Peladura o calva de un terreno por no haber nacido o haber muerto las semillas.

claque. (Del fr. *claque.*) f. **clac,** grupo de personas pagadas para aplaudir.

claqué. (Del fr. *claquette.*) m. Baile moderno caracterizado principalmente por el zapateo que el bailarín realiza con la punta y el tacón de sus zapatos, reforzados en ambas partes con unas láminas de metal que le permiten marcar el ritmo.

claqueta. f. *Cinem.* Utensilio compuesto de dos planchas de madera, negras y unidas por una bisagra, en las que se escriben indicaciones técnicas acerca de la toma que se va a grabar. Se hacen chocar las dos planchas para sincronizar la banda de sonido y la imagen.

claquetista. com. *Cinem.* Persona que maneja la claqueta.

clara. (De *claro.*) f. Materia blanquecina, líquida y transparente, de naturaleza albuminoidea, que rodea la yema del huevo de las aves y ha sido segregada por pequeñas glándulas existentes en las paredes del oviducto. ‖ **2.** En la industria pañera pedazo de paño que por no estar bien tejido se trasluce. ‖ **3.** Raleza de parte del pelo, que deja ver un pedazo de la piel. ‖ **4.** En un bosque, parte rala o despoblada de árboles. ‖ **5.** Cerveza con gaseosa. ‖ **6.** fam. Espacio corto durante el cual deja de caer el agua del cielo en tiempo lluvioso y hay alguna claridad. *Hubo una* CLARA. ‖ **7.** pl. *And.* Amanecer, crepúsculo matutino.

claraboya. (Del fr. *claire-voie*, y este del lat. *clara via.*) f. Ventana abierta en el techo o en la parte alta de las paredes.

clarar. (Del lat. *clarāre.*) tr. desus. **aclarar.**

clarea. (De *claro.*) f. Bebida que se hace con vino claro, azúcar o miel, canela y otras cosas aromáticas.

clarear. (De *claro.*) tr. Dar claridad. Ú. t. c. intr. ‖ **2.** intr. Empezar a amanecer. ‖ **3.** Irse abriendo y disipando el nublado. ‖ **4.** prnl. **transparentarse.** ‖ **5.** fig. y fam. Descubrirse alguien, hablar o manifestar algo con claridad.

clarecer. (Del lat. *clarescĕre.*) intr. **amanecer**[1], aparecer la luz del día.

clarens. (Del ing. *clarence*, por el nombre del duque de Clarence.) m. Coche cubierto tirado por caballos, con cuatro asientos y un cristal delantero.

clareo. m. Acción de aclarar un monte, suprimiendo parte de su vegetación.

clarete. (Del ant. fr. *claret*, que aún coexiste con el más moderno *clairet*.) adj. V. **vino clarete.** Ú. t. c. s.

claretiano, na. adj. Perteneciente o relativo a San Antonio M.ª Claret, a sus doctrinas e instituciones. ‖ **2.** m. Religioso de la Congregación de Hijos del Corazón de María, fundada en 1849 por San Antonio M.ª Claret. ‖ **3.** f. Religiosa de la Congregación de Misioneras de M.ª Inmaculada, que se dedica a las misiones y a la enseñanza de las niñas.

clareza. (De *claro*.) f. **claridad.**

claridad. (Del lat. *clarĭtas, -ātis*.) f. Calidad de claro. ‖ **2.** Efecto que causa la luz iluminando un espacio, de modo que se distinga lo que hay en él. ‖ **3.** Distinción con que por medio de los sentidos, y más especialmente de la vista y del oído, percibimos las sensaciones, y por medio de la inteligencia, las ideas. ‖ **4.** Una de las cuatro dotes de los cuerpos gloriosos, que consiste en el resplandor y luz que en sí tienen. ‖ **5.** fig. Palabra o frase con que se dice a alguien franca o resueltamente algo desagradable. Ú. m. en pl. ‖ **6.** fig. Buena opinión y fama que resulta del nombre y de los hechos de alguna persona. ‖ **de la vista,** o **de los ojos.** Limpieza o perspicacia que se tiene para ver. ‖ **meridiana.** fig. La de un argumento o un razonamiento de muy fácil comprensión.

clarificación. (Del lat. *clarificatĭo, -ōnis*.) f. Acción de clarificar.

clarificador, ra. adj. Que clarifica. ‖ **2.** f. *Cuba.* Vasija cuadrilonga que se usa para clarificar el guarapo del azúcar.

clarificar. (Del lat. *clarificāre*.) tr. Iluminar, alumbrar. ‖ **2.** Aclarar alguna cosa, quitarle los impedimentos que la ofuscan. ‖ **3.** Poner claro, limpio, y purgar de heces lo que estaba denso, turbio o espeso. Comúnmente se usa hablando de los licores y del azúcar para hacer almíbar.

clarificativo, va. adj. Que tiene virtud de clarificar.

clarífico, ca. (Del lat. *clarifĭcus*.) adj. **resplandeciente.**

clarilla. (d. de *clara*.) f. *And.* Lejía que se saca de la ceniza para lavar la ropa blanca.

clarimente. (De *claro*.) m. Agua compuesta o afeite que usaban las mujeres para lavarse el rostro.

clarimento. (De *claro*.) m. Color claro y vivo de cualquier pintura. Ú. m. en pl.

clarín. (De *claro*.) m. Instrumento músico de viento, de metal, semejante a la trompeta, pero más pequeño y de sonidos más agudos. ‖ **2.** Registro del órgano, compuesto de tubos de estaño con lengüeta, cuyos sonidos son una octava más agudos que los del registro análogo llamado trompeta. ‖ **3.** El que ejerce o profesa el arte de tocar el **clarín.** ‖ **4.** Tela de hilo muy delgada y clara que suele servir para vueltas, pañuelos, etc. ‖ **5.** *Mil.* Pequeña trompeta usada para toques reglamentarios en las unidades montadas del ejército. ‖ **6.** *Chile.* **guisante de olor.** ‖ **de la selva.** Nombre con que en Méjico se designa a cierta ave canora.

clarinada. (De *clarín*.) f. fam. Toque del clarín. ‖ **2.** fig. Dicho intempestivo o desentonado.

clarinado, da. (Calco del fr. *clariné*, de *clarine*, esquila o cencerro de las bestias.) adj. *Blas.* Aplícase a los animales que llevan campanillas o cencerros; como las vacas, carneros y camellos.

clarinazo. m. Toque fuerte de clarín.

clarinero. m. **clarín,** el que lo toca.

clarinete. (d. de *clarín*.) m. Instrumento músico de viento, que se compone de una boquilla de lengüeta de caña, un tubo formado por varias piezas de madera dura, con agujeros que se tapan con los dedos o se cierran con llave, y un pabellón de clarín. Alcanza cerca de cuatro octavas y se usa mucho en orquestas y bandas militares. ‖ **2.** Persona que ejerce o profesa el arte de tocar este instrumento.

clarinetista. com. **clarinete,** persona que lo toca.

clarión. (Del fr. *craion*.) m. Pasta hecha de yeso mate y greda, que se usa como lápiz para dibujar en los lienzos imprimados lo que se ha de pintar, y para escribir en los encerados de las aulas.

clarioncillo. (d. de *clarión*.) m. Pasta blanca en figura de barra, que se aguza como el lápiz y sirve para pintar al pastel.

clariosa. (De *clara*.) f. *Germ.* Agua natural.

clarisa. adj. Dícese de la religiosa que pertenece a la segunda orden de San Francisco, fundada por Santa Clara en el siglo XIII. Ú. t. c. s.

clarividencia. (De *clarividente*.) f. Facultad de comprender y discernir claramente las cosas. ‖ **2.** Penetración, perspicacia. ‖ **3.** Facultad paranormal de percibir cosas lejanas o no perceptibles por el ojo; también la de adivinar hechos futuros u ocurridos en otros lugares.

clarividente. (De *claro* y *vidente*.) adj. Dícese del que posee clarividencia. Ú. t. c. s.

claro, ra. (Del lat. *clarus*.) adj. Bañado de luz. ‖ **2.** Que se distingue bien. ‖ **3.** Limpio, puro, desembarazado. *Vista, pronunciación* CLARA. ‖ **4.** Transparente y terso; como el agua, el cristal, etc. ‖ **5.** Se aplica a las cosas líquidas mezcladas con algunos ingredientes, que no están muy trabadas ni espesas; como el chocolate, la almendrada, etc. ‖ **6.** Más ensanchado o con más espacios e intermedios de lo regular. *Pelo* CLARO. ‖ **7.** Dícese del color no subido o no muy cargado de tinte. *Azul* CLARO, *castaño* CLARO. ‖ **8.** Dícese del sonido neto y puro y también del de timbre agudo. *Voz* CLARA; *vocales* CLARAS. ‖ **9.** Inteligible, fácil de comprender. *Lenguaje* CLARO, *explicación* CLARA, *cuentas* CLARAS. ‖ **10.** Evidente, cierto, manifiesto. *Verdad* CLARA, *hecho* CLARO. ‖ **11.** Expresado con lisura, sin rebozo, con libertad. ‖ **12.** Aplícase a la persona que se expresa de este modo. ‖ **13.** Hablando de toros, dícese del que no tiene resabios y acomete francamente y sin repararse. ‖ **14.** Se dice del tiempo, día, noche, etc., en que está el cielo despejado y sin nubes. ‖ **15.** En los tejidos, **ralo,** no tupido. ‖ **16.** V. **cámara clara.** ‖ **17.** V. **intervalo claro.** ‖ **18.** V. **miel de claros.** ‖ **19.** fig. Perspicaz, agudo. ‖ **20.** fig. Ilustre, insigne, famoso. ‖ **21.** *Pint.* V. **masa de claro.** ‖ **22.** *Veter.* Se dice del caballo que andando aparta los brazos uno de otro, echando las manos hacia afuera, de modo que no puedan cruzarse ni rozarse. ‖ **23.** m. Abertura, a modo de claraboya, por donde entra luz. ‖ **24.** Espacio sin árboles en el interior de un bosque. ‖ **25.** Espacio que media de palabra a palabra en lo escrito. ‖ **26.** Tiempo durante el cual se suspende una peroración o discurso. ‖ **27.** Espacio o intermedio que hay entre algunas cosas; como en las procesiones, líneas de tropas, sembrados, etc. ‖ **28.** *Arq.* **luz**[1], cada uno de los huecos por donde entra la claridad a un edificio. Ú. m. en pl. ‖ **29.** *Pint.* Porción de luz que baña la figura u otra parte del lienzo. ‖ **30.** adv. m. Con claridad. *Hablaba* CLARO. ‖ **de luna.** Momento corto en que la Luna se muestra en noche oscura con toda claridad. ‖ **oscuro,** o **claro y oscuro.** *Pint.* **claroscuro,** distribución de la luz y de las sombras en un cuadro. ‖ **2.** *Pint.* **claroscuro,** diseño o dibujo que no tiene más que un color. ‖ **a la clara,** o **a las claras.** loc. adv. Manifiesta, públicamente. ‖ **¡claro!** o **¡claro está!** expr. que se usa para dar por cierto o asegurar lo que se dice. ‖ **de claro en claro.** loc. adv. Manifiestamente, con toda claridad. ‖ **2.** De un extremo a otro, del principio al fin. ‖ **meter en claros.** fr. *Pint.* Poner o colocar los pintores los **cla-**

ros en sus lugares correspondientes. ‖ **por lo claro.** loc. adv. Claramente, manifiestamente, sin rodeos. ‖ **tener** algo **claro.** fr. fam. Estar seguro de ello, no tener dudas.

claror. (Del lat. *claror, -ōris.*) m. Resplandor o claridad.

claroscuro. (De *claro* y *oscuro.*) m. *Pint.* Conveniente distribución de la luz y de las sombras en un cuadro. ‖ **2.** *Pint.* Diseño o dibujo que no tiene más que un color sobre el campo en que se pinta, sea en lienzo o en papel. ‖ **3.** *Caligr.* Aspecto que ofrece la escritura mediante la combinación de los trazos gruesos, medianos y finos de las letras.

clarucho, cha. (De *claro.*) adj. despect. Aplícase a la sustancia desleída en cantidad excesiva de agua u otro líquido.

clascal. (De *tlascal.*) m. *Méj.* **tlascal.**

clase. (Del lat. *classis.*) f. Orden o número de personas del mismo grado, calidad u oficio. *La* CLASE *de los menestrales.* ‖ **2.** Orden en que, con arreglo a determinadas condiciones o calidades, se consideran comprendidas diferentes personas o cosas. ‖ **3.** En las universidades, cada división de estudiantes que asisten a sus diferentes aulas. ‖ **4.** En las escuelas, conjunto de niños que reciben un mismo grado de enseñanza. ‖ **5.** **aula,** lugar en que se enseña. ‖ **6.** Lección que da el maestro a los discípulos cada día. ‖ **7.** En los establecimientos de enseñanza, cada una de las asignaturas a que se destina separadamente determinado tiempo. ‖ **8.** fig. Distinción, categoría. ‖ **9.** **clase social.** CLASE *media, alta, baja;* CLASES *dirigentes, trabajadoras.* ‖ **10.** *Bot.* y *Zool.* Grupo taxonómico que comprende varios órdenes de plantas o de animales con muchos caracteres comunes. CLASE *de las angiospermas, de los mamíferos.* ‖ **social.** Conjunto de personas que pertenecen al mismo nivel social y que presentan cierta afinidad de costumbres, medios económicos, intereses, etc. ‖ **clases de etiqueta.** Parte de la servidumbre palatina. ‖ **de tropa.** *Mil.* Nombre genérico de los individuos de tropa que forman los escalones inferiores de los Ejércitos de Tierra y Aire y del Cuerpo de Infantería de Marina. Están constituidas por los soldados de 2.ª y 1.ª, cabos y cabos primeros. ‖ **pasivas.** Denominación oficial bajo la que se comprenden los cesantes, jubilados, retirados, inválidos y exclaustrados que disfrutan algún haber pasivo, y, por extensión, las viudas y huérfanos pensionistas.

clasicismo. (De *clásico.*) m. Sistema literario o artístico fundado en la imitación de los modelos de la antigüedad griega o romana. ‖ **2.** Condición de clásico o tradicional.

clasicista. adj. Dícese del partidario del clasicismo. Ú. t. c. s.

clásico, ca. (Del lat. *classĭcus.*) adj. Dícese del autor o de la obra que se tiene por modelo digno de imitación en cualquier literatura o arte. Ú. t. c. s. ‖ **2.** Principal o notable en algún concepto. ‖ **3.** Perteneciente a la literatura o al arte de la antigüedad griega y romana, y a los que en los tiempos modernos los han imitado. Ú. t. c. s. ‖ **4.** Partidario del clasicismo. Ú. t. c. s. ‖ **5.** Aplícase a la música de tradición culta y a otras artes relacionadas con ella. ‖ **6.** Que no se aparta de lo tradicional, de las reglas establecidas por la costumbre y el uso. *Un traje de corte* CLÁSICO.

clasificación. f. Acción y efecto de clasificar. ‖ **periódica. sistema periódico.** ‖ **biológica. taxonomía.**

clasificado, da. p. p. de **clasificar.** ‖ **2.** adj. Dicho de un documento o una información, secreto, reservado. ‖ **3.** m. Anuncio por líneas o palabras en la prensa periódica.

clasificador, ra. adj. Que clasifica. Ú. t. c. s. ‖ **2.** m. Mueble de despacho con varios cajoncitos para guardar separadamente y con orden los papeles.

clasificar. (Del b. lat. *classificāre.*) tr. Ordenar o disponer por clases. ‖ **2.** prnl. Obtener determinado puesto en una competición. ‖ **3.** Conseguir un puesto que permite continuar en una competición o torneo deportivo.

clasista. (De *clase.*) adj. Dícese de lo que es peculiar de una clase social. ‖ **2.** Que es partidario de las diferencias de clase o se comporta con fuerte conciencia de ellas. Ú. t. c. s.

claudia. (De la reina *Claudia,* mujer de Francisco I de Francia.) adj. V. **ciruela claudia.**

claudicación. (Del lat. *claudicatĭo, -ōnis.*) f. Acción y efecto de claudicar. ‖ **intermitente.** *Med.* Síntoma caracterizado por la cojera dolorosa, producida por el acto de andar. Aparece principalmente en la tromboangitis obliterante.

claudicar. (Del lat. *claudicāre,* cojear.) intr. desus. **cojear.** ‖ **2.** desus. fig. Proceder y obrar defectuosa o desarregladamente. ‖ **3.** fig. Fallar por flaqueza moral en la observancia de los propios principios o normas de conducta. ‖ **4.** fig. Ceder, rendirse, generalmente ante una presión externa.

clauquillador. (De *clauquillar.*) m. ant. *Ar.* El que sellaba los cajones de mercaderías en la aduana.

clauquillar. (De *clauca.*) tr. ant. *Ar.* Sellar los cajones de mercaderías en la aduana.

claustra. (Del lat. *claustra,* pl. de *claustrum.*) f. **claustro,** galería del patio de una iglesia o convento.

claustral. (Del lat. *claustrālis.*) adj. Perteneciente o relativo al claustro. *Procesión* CLAUSTRAL ‖ **2.** Dícese de cada miembro del claustro de un centro docente. Ú. t. c. s. ‖ **3.** Dícese de ciertas órdenes religiosas y de sus individuos. *Los franciscanos, los benedictinos* CLAUSTRALES. Apl. a pers., ú. t. c. s. ‖ **4.** V. **bóveda claustral.**

claustrar. (De *claustro.*) tr. ant. **cercar** con vallado.

claustrero. (Del lat. *claustrarĭus,* de *claustrum,* claustro.) adj. ant. Decíase del que profesaba la vida del claustro. Usáb. t. c. s.

claustrillo. (d. de *claustro.*) m. Salón de algunas universidades en que se celebraban ciertos actos académicos de segundo orden.

claustro. (Del lat. *claustrum,* de *claudĕre,* cerrar.) m. Galería que cerca el patio principal de una iglesia o convento. ‖ **2.** Junta formada por el rector, consiliarios, doctores y maestros graduados en las universidades. ‖ **3.** Actualmente, junta que interviene en el gobierno de las universidades y centros dependientes de un rectorado. ‖ **4.** Conjunto de profesores de un centro docente en ciertos grados de la enseñanza. ‖ **5.** Reunión de los miembros del **claustro** de un centro docente. ‖ **6.** ant. Cámara o cuarto. ‖ **7.** fig. Estado monástico. ‖ **de licencias.** Junta de la facultad de teología o de la de medicina, en que, atendidos los méritos, se prescribía el orden con que los bachilleres formados en dichas facultades habían de obtener el grado de licenciado para ascender al de doctor. ‖ **materno. matriz** en que se desarrolla el feto.

claustrofobia. (Del lat. *claustrum,* encierro, y *fobia.*) f. Sensación morbosa de angustia producida por la permanencia en lugares cerrados.

claustrofóbico, ca. adj. Relativo a la claustrofobia o producido por ella.

cláusula. (Del lat. *clausŭla,* de *clausus,* cerrado.) f. *Der.* Cada una de las disposiciones de un contrato, tratado, testamento o cualquier otro documento análogo, público o particular. ‖ **2.** *Gram.* y *Ret.* Conjunto de palabras que, formando sentido cabal, encierran una sola proposición o varias íntimamente relacionadas entre sí. ‖ **ad cautélam.** *Der.* La que, para favorecer la libertad de revocar un testamento, exige que en otro posterior se empleen determinados vocablos, frases o signos. ‖ **compuesta.** *Gram.* y *Ret.* La que consta de dos o más proposiciones. ‖ **penal.** *Der.* Estipulación en las obligaciones de una sanción, generalmente pecuniaria, que sustituye, salvo pacto en contrario, a las indemnizaciones por incumplimiento o retardo. ‖ **resolutoria.** *Der.* La que previene o motiva la ineficacia del título o acto en que va contenida. ‖ **simple.** *Gram.* y *Ret.* La que consta de una sola proposición.

clausulado, da. (De *clausular.*) adj. **cortado,** dicho del estilo, escrito en párrafos cortos. ‖ **2.** m. Conjunto de cláusulas.

clausular. (De *cláusula.*) tr. Cerrar o terminar el período; poner fin a lo que se estaba diciendo.

clausura. (Del lat. *clausūra.*) f. En los conventos de religiosos, recinto interior donde no pueden entrar mujeres; y en los de religiosas, aquel donde no pueden entrar hombres ni mujeres. ‖ **2.** Obligación que tienen las personas religiosas de no salir de cierto recinto, y prohibición a las seglares de entrar en él. ‖ **3.** Vida religiosa o en **clausura.** ‖ **4.** Acto solemne con que se terminan o suspenden las deliberaciones de un congreso, un tribunal, etc. ‖ **5.** ant. Sitio cercado o corral.

clausurar. (De *clausura.*) tr. **cerrar,** poner fin a la actividad de organismos políticos, establecimientos científicos, industriales, etc. ‖ **2.** Cerrar, inhabilitar temporal o permanentemente un edificio, local, etc.

clava. (Del lat. *clava.*) f. Palo toscamente labrado, como de un metro de largo, que va aumentando de diámetro desde la empuñadura hasta el extremo opuesto; se usaba como arma. ‖ **2.** *Mar.* Abertura superior y a lo largo del trancanil de ambas bandas de la cubierta de proa en algunas embarcaciones de poco porte, para dar salida al agua que embarcan.

clavadizo, za. (De *clavar.*) adj. Dícese de las puertas, ventanas y muebles adornados con clavos de bronce, hierro o hierro bañado con estaño, muy usados en los pasados siglos.

clavado, da. p. p. de **clavar.** ‖ **2.** adj. Guarnecido o armado con clavos. ‖ **3.** Fijo, puntual. ‖ **4.** fig. Idéntico, muy semejante a otro. ‖ **5.** m. *Méj.* En natación, **zambullida.**

clavadora. f. Máquina para clavar clavos.

clavadura. f. Herida que se hace a las caballerías cuando se les introduce en los pies o manos un clavo que penetra hasta la carne.

claval. (De *clavo.*) adj. *Anat.* V. **juntura claval.**

clavar. (Del lat. *clavāre,* de *clavus,* clavo.) tr. Introducir un clavo u otra cosa aguda, a fuerza de golpes, en un cuerpo. ‖ **2.** Asegurar con clavos una cosa en otra. ‖ **3.** Introducir una cosa puntiaguda. Ú. t. c. prnl. ME CLAVÉ *una espina.* ‖ **4.** Entre plateros, sentar o engastar las piedras en el oro o la plata. ‖ **5.** Tratándose de caballerías, causarles una clavadura. ‖ **6.** Tratándose de cañones, inutilizarlos introduciendo en el oído un clavo de acero a golpe de mazo. ‖ **7.** ant. **herretear,** poner herretes. ‖ **8.** fig. Fijar, parar, poner. CLAVÓ *los ojos en ella.* ‖ **9.** fig. y fam. Engañar a alguien perjudicándole. Ú. t. c. prnl. ‖ **10.** fig. y fam. Perjudicar a alguien cobrándole más de lo justo.

clavario, ria. m. y f. **clavero**[2].

clavazón. f. Conjunto de clavos puestos en alguna cosa, o preparados para ponerlos.

clave. (Del lat. *clavis,* llave.) m. **clavicémbalo.** ‖ **2.** f. Código de signos convenidos para la transmisión de mensajes secretos o privados. ‖ **3.** Conjunto de reglas y correspondencias que explican este código. ‖ **4.** Nota o explicación que necesitan algunos libros o escritos para la inteligencia de su composición artificiosa; como la *Argenis* de Barclayo. ‖ **5.** Noticia o idea por la cual se hace comprensible algo que era enigmático. ‖ **6.** Signo o combinación de signos para hacer funcionar ciertos aparatos. ‖ **7.** ant. **llave** de abrir y cerrar. ‖ **8.** Úsase en aposición con el significado de básico, fundamental, decisivo. *Jornada* CLAVE. *Fechas* CLAVE. *Tema* CLAVE. ‖ **9.** *Arq.* Piedra con que se cierra el arco o bóveda. ‖ **10.** *Mús.* Signo que se pone al principio del pentagrama para determinar el nombre de las notas. ‖ **de clave.** loc. adj. Dícese de las obras literarias en que los personajes y sucesos fingidos encubren otros reales. *Novela, comedia* DE CLAVE. ‖ **echar la clave.** fr. fig. Concluir o finalizar un negocio o discurso. ‖ **en clave de.** loc. adv. Con el carácter o el tono de. EN CLAVE DE *humor.*

clavecímbano. m. ant. **clavicémbalo.**

clavecín. (Del fr. *clavecin.*) m. **clavicémbalo.**

clavecinista. com. Músico que toca el clavecín.

clavel. (Del cat. *clavell.*) m. Planta de la familia de las cariofiláceas, de tres a cuatro decímetros de altura, con tallos nudosos y delgados, hojas largas, estrechas, puntiagudas y de color gríseo; muchas flores terminales, con cáliz cilíndrico y cinco pétalos de color rojo subido y olor muy agradable. Se la cultiva por lo hermoso de sus flores, que se hacen dobles y adquieren colores muy diversos. ‖ **2.** Flor de esta planta. ‖ **coronado. clavellina de pluma.** ‖ **de China.** *Cuba.* **clavel** de hojas más anchas que el común, pero de flores más pequeñas.

clavelito. (d. de *clavel.*) m. Especie de clavel con tallos rectos de más de tres decímetros de altura, ramosos, con multitud de flores dispuestas en corimbos desparramados, que despiden aroma suave por la tarde y por la noche, y tienen pétalos blancos o de color de rosa divididos en lacinias pinatífidas. ‖ **2.** Flor de esta planta.

clavelón. (aum. de *clavel.*) m. Planta herbácea, de la familia de las compuestas, de tallo y ramas erguidas, hojas recortadas y flores amarillas y fétidas. Críase en Méjico; es muy común en los jardines, y su fruto y raíz son purgantes.

clavellina. (Del cat. *clavellina.*) f. **clavel,** principalmente el de flores sencillas. ‖ **2.** Planta semejante al clavel común, pero de tallos, hojas y flores más pequeños. ‖ **3.** Flor de esta planta. ‖ **4.** *Art.* Tapón de estopa que sirve para impedir que el polvo entre por el oído del cañón. ‖ **de pluma.** Especie de clavel con los tallos tendidos al principio, erguidos después hasta tres decímetros de altura, hojas radicales, lineares, largas y que forman césped, y flores blancas o rojas con cinco pétalos finamente divididos en lacinias largas y estrechas. ‖ **2.** Flor de esta planta.

claveque. (De *Clavecq,* población de Bélgica.) m. Cristal de roca, en cantos rodados, que se talla imitando el diamante.

clavera. f. Agujero o molde en que se forman las cabezas de los clavos. ‖ **2.** Agujero por donde se introduce el clavo. ‖ **3. mojonera.** Ú. en Extremadura y otras partes.

clavería. f. Dignidad de clavero en las órdenes militares. ‖ **2.** *Méj.* Oficina que en las catedrales entiende en la recaudación y distribución de las rentas del cabildo.

clavero[1]**.** (De *clavo,* especia.) m. Árbol tropical, de la familia de las mirtáceas, de unos seis metros de altura, copa piramidal, hojas opuestas, ovales, enteras, lisas y coriáceas; flores róseas en corimbo, con cáliz de color rojo oscuro y de cuatro divisiones, y por fruto drupa como la cereza, con almendra negra, aromática y gomosa. Los capullos de sus flores son los clavos de especia.

clavero[2]**, ra.** (Del lat. *clavarĭus.*) m. y f. **llavero,** persona que guarda las llaves. ‖ **2.** m. En algunas órdenes militares, caballero que tenía cierta dignidad y a cuyo cargo estaba la custodia y defensa del principal castillo o convento.

claveta. (De *clavo.*) f. Estaquilla o clavo de madera.

clavete. m. d. de **clavo.** ‖ **2.** *Mús.* Púa o plumilla con que se tañe la bandurria.

clavetear. (De *clavete.*) tr. Guarnecer o adornar con clavos de oro, plata u otro metal alguna cosa; como caja, puerta, coche, etc. ‖ **2. herretear,** poner herretes. ‖ **3.** fig. Tratándose de negocios, expedientes, etc., disponerlos o terminarlos de la manera más segura y completa.

clavicembalista. com. Persona que se dedica a tocar el clavicémbalo.

clavicémbalo. (Del it. *clavicembalo.*) m. Instrumento músico de cuerdas y teclado que se caracteriza por el modo de herir dichas cuerdas desde abajo por picos de pluma que hacen el oficio de plectros.

clavicímbalo. (De *clave* y *címbalo.*) m. ant. **clavicémbalo.**

clavicímbano. m. **clavicémbalo.**

clavicordio. (Del lat. *clavis,* llave, y *chorda,* cuerda.) m. Instrumento músico de cuerdas y teclado. Su mecanismo se reduce a una palanca, una de cuyas extremidades, que forma la tecla, desciende por la presión del dedo, mientras la otra, bruscamente elevada, hiere la cuerda por debajo con un trozo de latón que lleva en la punta.

clavícula. (Del lat. *clavicŭla.*) f. *Anat.* Cada uno de los dos huesos situados transversalmente y con alguna oblicuidad en uno y otro lado de la parte superior del pecho, y articulados por dentro con el esternón y por fuera con el acromion del omóplato.

claviculado, da. adj. Que tiene clavículas.

clavicular. adj. Perteneciente a la clavícula.

claviforme. adj. Que tiene forma de clava o porra.

clavija. (Del lat. *clavicŭla,* llavecita.) f. Trozo cilíndrico o ligeramente cónico de madera, metal u otra materia apropiada, que se encaja en un taladro hecho al efecto en una pieza sólida. ‖ **2.** Pieza de madera con oreja que se usa en los instrumentos músicos con astil, para asegurar y arrollar las cuerdas. ‖ **3.** Pieza de hierro con espiga cuadrada que se usa en los instrumentos músicos de clavijero con igual objeto. ‖ **4.** Pieza de material aislante con dos varillas metálicas, las cuales se introducen en las hembrillas para establecer una conexión eléctrica. ‖ **5.** Pieza con una varilla metálica que sirve para conectar un teléfono a la red. ‖ **maestra.** Barra de hierro, en forma de clavo grueso y redondo, que se usa en los coches de caballos para fijar el carro sobre el juego delantero y facilitar su movimiento a un lado y a otro. ‖ **apretarle** a alguien **las clavijas.** fr. fig. y fam. Adoptar una actitud rígida y severa con alguien con el fin de apurar sus razonamientos o constreñir su conducta.

clavijera. (De *clavijero.*) f. *Ar.* Abertura hecha en las tapias de los huertos para que entre el agua.

clavijero. (Del lat. *clavicularĭus.*) m. Pieza maciza, larga y angosta, de madera o hierro, en que están hincadas las clavijas de los clavicordios, pianos y otros instrumentos análogos. ‖ **2. percha**[1], pieza o mueble con colgaderos para la ropa. ‖ **3.** *Agr.* Parte del timón del arado en la cual están los agujeros para poner la clavija.

clavillo. (d. de *clavo.*) m. Pasador que sujeta las varillas de un abanico o las dos hojas de unas tijeras. ‖ **2. clavo,** capullo seco de la flor del clavero. ‖ **3.** Cada una de las puntas de hierro colocadas en el puente y en el secreto del piano, para dar dirección a las cuerdas.

claviórgano. m. Instrumento músico muy armonioso, que tiene cuerdas como un clave, y flautas o cañones como un órgano.

clavito. (d. de *clavo.*) m. **clavillo.**

clavo. (Del lat. *clavus.*) m. Pieza metálica, larga y delgada, generalmente de acero, con cabeza y punta, que sirve para fijarla en alguna parte, o para asegurar una cosa a otra. Los hay de varias formas y tamaños. ‖ **2.** Callo duro y de figura piramidal, que se cría regularmente sobre los dedos de los pies. ‖ **3. lechino** de las úlceras y heridas. ‖ **4.** Capullo seco de la flor del clavero. Tiene la figura de un **clavo** pequeño, con una cabecita redonda formada por los pétalos y rodeada de cuatro puntas, que son las divisiones del cáliz, de color pardo oscuro, de olor muy aromático y agradable, y sabor acre y picante. Es medicinal y se usa como especia en diferentes condimentos. ‖ **5. jaqueca.** ‖ **6.** Daño o perjuicio que alguien recibe. ‖ **7.** fig. Dolor agudo, o grave cuidado o pena que acongoja el corazón. ‖ **8.** fig. y fam. Persona o cosa molesta, engorrosa. ‖ **9.** fig. y fam. Artículo de comercio que no se vende. ‖ **10.** *Cir.* Tejido muerto que se desprende del divieso. ‖ **11.** *Veter.* Tumor que sale a las caballerías en la cuartilla entre pelo y casco. ‖ **baladí.** El de herrar y de tamaño menor que el hechizo. ‖ **bellote. bellote.** ‖ **bellotillo.** El que mide unos 15 centímetros. ‖ **calamón. calamón, clavo** que se usa para tapizar. ‖ **chanflón.** El que estaba labrado toscamente. ‖ **chillón. chillón**[1]. ‖ **de a cuarto.** El que tiene de largo unos ocho centímetros. ‖ **de ala de mosca.** El parecido al de chilla, con la cabeza aplanada lateralmente para poder embutirla en la madera. ‖ **de a ochavo.** El que mide unos siete centímetros. ‖ **de cera. clavo de gota de sebo.** ‖ **de chilla. clavo** de hierro, de seis centímetros de largo y espiga delgada y piramidal, que se emplea generalmente para clavar la tablazón de los techos. ‖ **de gota de sebo.** El de cabeza semiesférica. ‖ **de medio chilla.** El de unos tres centímetros de largo. ‖ **de olor. clavo,** especia. ‖ **de pie.** El que no pasa de 20 centímetros de largo. ‖ **de rosca. tornillo** que tiene resalto en hélice. ‖ **de roseta.** El de adorno, cuya cabeza se ensanchaba en figura de rosa. ‖ **de tercia.** El que tiene algo menos de 30 centímetros de largo. ‖ **estaca,** o **estaquilla. estaca, clavo** muy largo para clavar vigas y maderos. ‖ **hechizo.** El que se usa en la herradura hechiza. ‖ **jemal. clavo bellote.** ‖ **pasado.** *Veter.* Tumor que pasa de un lado a otro. ‖ **romano.** El de adorno, con cabeza grande de latón labrado, que se atornilla en la extremidad de aquel después de clavado. ‖ **tabaque. tabaque**[2]. ‖ **tablero.** Especie de **clavo** a propósito para clavar tablas. ‖ **tachuela. tachuela**[1], **clavo** corto y de cabeza grande. ‖ **timonero.** El que sujeta el timón del arado. ‖ **trabal.** El que sirve para unir y clavar las vigas o trabes. ‖ **agarrarse a,** o **de, un clavo ardiendo.** fr. fig. y fam. Valerse de cualquier recurso o medio, por difícil o arriesgado que sea, para salvarse de un peligro, evitar un mal que amenaza o conseguir alguna otra cosa. ‖ **arrimar el clavo.** fr. *Veter.* Introducirlo por el casco de las caballerías al tiempo de herrarlas, hasta tocar en lo vivo, de forma que las hiere y las hace cojear. ‖ **arrimar el clavo** a alguien. fr. ant. fig. **clavar,** engañar a alguien perjudicándole. ‖ **clavará un clavo con la cabeza.** expr. fig. y fam. que se dice del muy testarudo o tenaz en su dictamen. ‖ **dar en el clavo.** fr. fig. y fam. Acertar en lo que se hace o dice; especialmente cuando es dudosa la resolución. ‖ **dar una en el clavo y ciento en la herradura.** fr. fig. y fam. Acertar por casualidad; equivocarse a menudo. ‖ **de clavo pasado.** loc. adv. fig. De toda evidencia. ‖ **2.** fig. Muy hacedero y al alcance de cualquiera. ‖ **echar un clavo a la rueda de la fortuna.** fr. fig. **clavar la rueda de la fortuna.** ‖ **hacer clavo.** fr. *Albañ.* Unirse y trabarse sólidamente los materiales de una edificación o la piedra del firme de un camino. ‖ **no dejar clavo ni estaca en la pared.** fr. fig. y fam. Llevar todo cuanto había en una casa, sin dejar cosa alguna en ella. ‖ **no importar un clavo** una cosa. fr. fig. y fam. Merecer poco aprecio. ‖ **¡por los clavos de Cristo!** expr. fam. con que se ruega a uno encarecidamente. ‖ **por un clavo se pierde una herradura.** expr. proverb. con que se advierte que de descuidos pequeños pueden originarse males grandes. ‖ **remachar el clavo.** fr. fig. y fam. Añadir a un error otro mayor, queriendo enmendar el desacierto. ‖ **2.** fig. y fam. Añadir uno o más argumentos en pro de una aserción ya acreditada por anteriores razones. ‖ **sacar un clavo con otro clavo.** fr. fig. y fam. **un clavo saca otro clavo.** ‖ **sacarse el clavo.** loc. fig. y fam. Librarse de una persona o cosa molesta. ‖ **tener buen,** o **mal, clavo.** fr. Hablando del azafrán, cuando está en flor, tener muchas hebras y largas, o pocas y desmedradas. ‖ **un clavo saca otro clavo.** expr. proverb. con que se da a entender que a veces un mal o un cuidado hace olvidar o no sentir otro que antes molestaba.

claxon. (Del ing. *klaxon*, nombre comercial registrado.) m. Bocina eléctrica de sonido potente que llevan los vehículos automóviles. Se usa también en otros sitios, por ejemplo, en los estudios cinematográficos para dar señales.

claz. (De *calz.*) m. *Sor.* **caz.**

clazol. (Del nahua *tla*, cosa, y *zolli*, viejo.) m. *Méj.* Bagazo de la caña. ‖ **2.** Basura.

cleda. (Del célt. *cleta*, armazón de palos.) f. ant. *Mil.* **mantelete** para resguardarse de los tiros del enemigo.

clemátide. (Del lat. *clemātis, -ĭdis*, y este del gr. κληματίς.) f. Planta medicinal, de la familia de las ranunculáceas, de tallo rojizo, sarmentoso y trepador, hojas opuestas y compuestas de hojuelas acorazonadas y dentadas, y flores blancas, azuladas o violetas y de olor suave.

clemencia. (Del lat. *clementĭa.*) f. Compasión, moderación al aplicar justicia.

clemente. (Del lat. *clemens, -entis.*) adj. Que tiene clemencia.

clementina[1]. (Del nombre del papa *Clemente* V, autor de las constituciones que forman esta colección.) f. Cada una de las constituciones de que se compone la colección del derecho canónico publicada por el papa Juan XXII el año de 1327. ‖ **2.** pl. Esta colección.

clementina[2]. adj. V. **naranja clementina.** Ú. t. c. s.

clepsidra. (Del lat. *clepsȳdra*, y este del gr. κλεψύδρα.) f. **reloj de agua.**

cleptomanía. (Del gr. κλέπτω, quitar, y μανία, manía.) f. Propensión morbosa al hurto.

cleptomaníaco, ca o **cleptomaniaco, ca.** (De *cleptomanía.*) adj. **cleptómano.**

cleptómano, na. adj. Dícese de la persona que padece cleptomanía. Ú. t. c. s.

clerecía. f. Conjunto de personas eclesiásticas que componen el clero. ‖ **2.** Conjunto de clérigos que concurrían con sobrepellices a una función de iglesia. ‖ **3.** Oficio u ocupación de clérigos. ‖ **4.** V. **mester de clerecía.**

clerical. (Del lat. *clericālis.*) adj. Perteneciente al clérigo. *Hábito, estado* CLERICAL. ‖ **2.** Marcadamente afecto y sumiso al clero y a sus directrices.

clericalismo. m. Nombre que suele darse a la influencia excesiva del clero en los asuntos políticos. ‖ **2.** Intervención excesiva del clero en la vida de la Iglesia, que impide el ejercicio de los derechos a los demás miembros del pueblo de Dios. ‖ **3.** Marcada afección y sumisión al clero y a sus directrices.

clericalmente. adv. m. Como corresponde al estado clerical.

clericato. (Del lat. *clericātus.*) m. p. us. Estado y dignidad de clérigo. ‖ **de cámara.** Empleo honorífico en el palacio del Papa.

clericatura. f. Estado clerical.

clerigalla. (De *clérigo*, con probable calco del fr. *prêtraille.*) f. despect. **clero.**

clérigo. (Del lat. *clerĭcus*, y este del gr. κληρικός.) m. El que ha recibido las órdenes sagradas. ‖ **2.** El que tenía la primera tonsura. ‖ **3.** En la Edad Media, hombre letrado y de estudios escolásticos, aunque no tuviese orden alguna, en oposición al indocto y especialmente al que no sabía latín. Por ext., el sabio en general, aunque fuese pagano. ‖ **de cámara.** El que obtiene un clericato de cámara. ‖ **de corona.** El que solo tenía la primera tonsura. ‖ **de menores.** El que solo tenía las órdenes menores o alguna de ellas. ‖ **de misa.** Presbítero o sacerdote. ‖ **pobre de la Madre de Dios. escolapio,** sacerdote de las Escuelas Pías. ‖ **clérigos menores.** Orden de **clérigos** regulares establecida en Nápoles el año de 1588 por Juan Agustín Adorno, caballero genovés, junto con San Francisco Caracciolo.

clériguicia. (De *clérigo.*) f. despect. **clerecía.**

clerizón. (Del fr. *clergeon.*) m. En algunas catedrales, mozo de coro o monacillo. ‖ **2.** ant. **clerizonte.**

clerizonte. m. El que usaba hábitos clericales sin estar ordenado. ‖ **2.** Clérigo mal vestido o de malos modales.

clero. (Del lat. *clerus*, y este del gr. κλῆρος.) m. Conjunto de los clérigos. ‖ **2.** Clase sacerdotal en la iglesia católica. ‖ **regular.** El que se liga con los tres votos religiosos de pobreza, obediencia y castidad. ‖ **secular.** El que no hace dichos votos.

clerofobia. (Del gr. κλῆρος, y de *fobia.*) f. Odio manifiesto al clero.

clerófobo, ba. adj. Dícese de la persona que manifiesta clerofobia. Ú. t. c. s.

cleuasmo. (Del lat. *chleuasmos*, y este del gr. χλευασμός, sarcasmo.) m. *Ret.* Figura que se comete cuando el que habla atribuye a otro sus buenas acciones o cualidades, o cuando se atribuye a sí mismo las malas de otro.

clíbano. (Del lat. *clibănus*, horno de campaña.) m. ant. Horno portátil. ‖ **2.** *Mil.* Especie de coraza que usaban los soldados persas.

clic. m. Onomatopeya para reproducir ciertos sonidos, como el que se produce al apretar el gatillo de un arma, pulsar un interruptor, etc.

clica. (Voz onomatopéyica.) f. Molusco lamelibranquio marino, dimiario, con valvas iguales, de forma acorazonada, y provistas de surcos radiantes. Es comestible.

cliché. (Del fr. *cliché.*) m. Clisé de imprenta. ‖ **2.** Tira de película fotográfica revelada, con imágenes negativas. ‖ **3.** fig. Lugar común, idea o expresión demasiado repetida o formularia.

clienta. f. Mujer que compra en un establecimiento o utiliza los servicios de un profesional o un establecimiento.

cliente. (Del lat. *cliens, -entis.*) com. Persona que está bajo la protección o tutela de otra. ‖ **2.** Persona que utiliza con asiduidad los servicios de un profesional o empresa. ‖ **3.** Por ext., **parroquiano,** persona que acostumbra comprar en una misma tienda. ‖ **4.** Por ext., persona que compra en un establecimiento o utiliza sus servicios.

clientela. (Del lat. *clientēla.*) f. **clientelismo.** ‖ **2.** Conjunto de los clientes de una persona o de un establecimiento.

clientelismo. m. Protección, amparo con que los poderosos patrocinan a los que se acogen a ellos.

clima. (Del lat. *clima*, y este del gr. κλίμα.) m. Conjunto de condiciones atmosféricas que caracterizan una región. ‖ **2.** Temperatura particular y demás condiciones atmosféricas y telúricas de cada país. ‖ **3. ambiente,** conjunto de condiciones de cualquier género que caracterizan una situación o su consecuencia, o de circunstancias que rodean a una persona. CLIMA *intelectual, político*, etc. ‖ **4.** País, región. ‖ **5.** Medida superficial agraria que constaba de 60 pies de lado, o sea unos 290 metros cuadrados. ‖ **6.** *Geogr.* Espacio del globo terráqueo, comprendido entre dos paralelos, en los cuales la duración del día mayor del año se diferencia en determinada cantidad.

climatérico, ca. (Del lat. *climaterĭcus*, y este del gr. κλιμακτηρικός.) adj. V. **año climatérico.** ‖ **2.** Relativo a cualquiera de los períodos de la vida considerados como críticos, especialmente el de la declinación sexual. ‖ **3.** Dícese del tiempo peligroso por alguna circunstancia. ‖ **estar climatérico.** fr. fig. y fam. Estar de mal temple.

climaterio. (Del gr. κλιμακτήρ, escalón.) m. *Fisiol.* Período de la vida que precede y sigue a la extinción de la función genital.

climático, ca. adj. Perteneciente o relativo al clima.

climatización. f. Acción y efecto de climatizar.

climatizado, da. p. p. de **climatizar.** ‖ **2.** adj. Dícese del local con aire acondicionado.

climatizador, ra. adj. Que climatiza. ‖ **2.** m. Aparato para climatizar.

climatizar. (De *clima.*) tr. Dar a un espacio cerrado las condiciones de temperatura, humedad del aire y a veces también de presión, necesarias para la salud o la comodidad de quienes lo ocupan.

climatología. (Del gr. κλίμα, -ατος, y *-logía.*) f. Tratado del clima. ‖ **2.** Conjunto de las condiciones propias de un determinado clima.

climatológico, ca. adj. Perteneciente o relativo a la climatología.

clímax. (Del lat. *climax,* y este del gr. κλῖμαξ, escala.) m. Gradación retórica ascendente. ‖ **2.** Término más alto de esta gradación. ‖ **3.** Punto más alto o culminación de un proceso. ‖ **4.** Momento culminante de un poema o de una acción dramática. ‖ **5.** f. *Ecol.* Estado óptimo de una comunidad biológica, dadas las condiciones del ambiente.

clin. f. **crin.**

clínica. (Del gr. κλινική, t. f. de -κός, clínico.) f. Parte práctica de la enseñanza de la medicina. ‖ **2.** Departamento de los hospitales destinado a dar esta enseñanza. ‖ **3.** Hospital privado, más comúnmente quirúrgico.

clínico, ca. (Del lat. *clinĭcus,* y este del gr. κλινικός, de κλίνη, lecho.) adj. Perteneciente o relativo a la clínica o enseñanza práctica de la medicina. Ú. t. c. s. ‖ **2.** V. **análisis, caso, ojo clínico.** ‖ **3.** m. y f. Persona consagrada al ejercicio práctico de la medicina. ‖ **4.** ant. Persona adulta que pedía el bautismo en la cama, por hallarse en peligro de muerte. ‖ **5.** m. Hospital **clínico.**

clinómetro. (Del gr. κλίνειν, inclinar, y *-metro.*) m. *Fís.* Especie de nivel. ‖ **2.** *Fís.* Aparato que mide la diferencia de calado entre la proa y la popa de un buque.

clinopodio. (Del lat. *clinopodĭon,* y este del gr. κλινοπόδιον.) m. Hierba de la familia de las labiadas, con raíz vivaz y rastrera, tallo de medio metro de altura, cuadrangular, ramoso y velloso, hojas opuestas, aovadas y dentadas, y flores en cabezuela terminal, blancas o purpúreas, ligeramente aromáticas, acompañadas de brácteas cerdosas.

clip. (Del ing. *clip.*) m. Utensilio hecho con una barrita de metal o de plástico doblada sobre sí misma, que sirve por presión para sujetar papeles. ‖ **2.** Sistema de pinza para fijar mediante presión broches, horquillas, etc. *Pendientes de* CLIP.

clipe. m. **clip.**

clípeo. (Del lat. *clypĕus.*) m. *Arqueol.* Escudo de forma circular y abombada que usaron los antiguos.

clíper. (Del ing. *clipper.*) m. Buque de vela, fino, ligero y muy resistente. ‖ **2.** Avión grande para el transporte trasatlántico de pasajeros.

clisado. m. *Impr.* Acción y efecto de clisar. ‖ **2.** *Impr.* Arte de clisar.

clisar. (De *clisé.*) tr. *Impr.* Reproducir con planchas de metal la composición de imprenta, o grabados en relieve, de que previamente se ha sacado un molde.

clisé. (Del fr. *cliché.*) m. Entre impresores, plancha clisada, y especialmente la que representa algún grabado. ‖ **2. cliché,** lugar común.

clisos. (De or. caló.) m. pl. fam. Ojos.

clistel. m. **clister.**

clistelera. f. Mujer que echaba ayudas o clisteles.

clister. (Del lat. *clyster,* y este del gr. κλυστήρ, de κλύζω, lavar.) m. **ayuda,** lavativa.

clisterizar. tr. Administrar el clister. Ú. t. c. prnl.

clitómetro. (Del gr. κλίτος, inclinación, y *-metro.*) m. *Topogr.* Instrumento que se emplea en la medición de las pendientes del terreno.

clítoris. (Del gr. κλειτορίς.) m. Cuerpecillo carnoso eréctil, que sobresale en la parte más elevada de la vulva.

clivoso, sa. (Del lat. *clivōsus.*) adj. poét. Que está en cuesta.

clo. Onomatopeya con que se representa la voz propia de la gallina clueca. Ú. m. repetida.

cloaca. (Del lat. *cloăca.*) f. Conducto por donde van las aguas sucias o las inmundicias de las poblaciones. ‖ **2.** fig. Lugar sucio, inmundo. ‖ **3.** *Zool.* Porción final, ensanchada y dilatable, del intestino de las aves y otros animales en la cual desembocan los conductos genitales y urinarios.

cloasma. (Del gr. χλόασμα, coloración verde.) m. *Med.* Manchas irregulares en forma de placas de color amarillo oscuro, que aparecen principalmente en la cara, durante el embarazo y ciertos estados anormales.

cloc. (Voz onomatopéyica.) **clo.**

clocar. (De la onomat. *cloc.*) intr. **cloquear**[1].

cloche. (Del ing. *clutch.*) m. *Col., El Salv., P. Rico* y *Sto. Dom.* Embrague de un vehículo.

clochel. (Del fr. *clocher,* de *cloche,* campana.) m. ant. **campanario,** lugar donde se colocan las campanas.

clon[1]**.** (Del ing. *clown.*) m. **payaso.**

clon[2]**.** (Del gr. κλών, retoño.) m. Estirpe celular o serie de individuos pluricelulares nacidos de esta, absolutamente homogéneos desde el punto de vista de su estructura genética; equivale a estirpe o raza pura.

clonación. f. Acción y efecto de clonar.

clonar. tr. Producir clones.

clonqui. m. *Chile.* Planta muy común semejante a la arzolla.

cloque. (Voz onomatopéyica.) m. **bichero,** croque. ‖ **2.** Garfio enastado que sirve para enganchar los atunes en las almadrabas.

cloquear[1]**.** intr. Hacer cloc cloc la gallina clueca.

cloquear[2] tr. Enganchar el atún con el cloque en las almadrabas, para sacarlo a tierra.

cloqueo. (De *cloquear*[1].) m. Cacareo sordo de la gallina clueca.

cloquera. (De *clocar.*) f. Estado de las gallinas y otras aves, que las incita a permanecer sobre los huevos para incubarlos o empollarlos.

cloquero. m. **croquero,** el que maneja el cloque.

cloración. f. Tratamiento con cloro de las aguas para hacerlas potables o mejorar sus condiciones higiénicas.

cloral. m. *Quím.* Líquido producido por la acción del cloro sobre el alcohol anhidro, y que con el agua forma un hidrato sólido. Ú. en medicina como anestésico.

cloratado, da. adj. Que contiene clorato.

clorato. (De *cloro.*) m. *Quím.* Sal formada por la combinación del ácido clórico con una base.

clorhidrato. m. *Quím.* Sal formada por la combinación del ácido clorhídrico con una base.

clorhídrico, ca. (De *cloro* y el gr. ὕδωρ, agua.) adj. *Quím.* Perteneciente o relativo a las combinaciones del cloro y del hidrógeno. ‖ **2.** *Quím.* V. **ácido clorhídrico.**

clórico, ca. adj. *Quím.* Perteneciente o relativo al cloro. ‖ **2.** *Quím.* V. **ácido clórico.**

clorita. (De *cloro.*) f. Mineral de color verdoso y brillo anacarado, compuesto de un silicato y un aluminato hidratados de magnesia y óxido de hierro.

clorítico, ca. adj. *Geol.* Dícese del terreno o roca en cuya composición se halla la clorita.

clorito. m. *Quím.* Cada una de las sales del ácido cloroso.

cloro. (Del gr. χλωρός, de color verde amarillento.) m. *Quím.* Metaloide gaseoso de color verde amarillento, olor fuerte y sofocante y sabor cáustico. Tiene mucha afinidad con el hidrógeno, por lo cual descompone la mayor parte de las sustancias orgánicas, propiedad que le hace útil para blanquear materias vegetales y como desinfectante. Núm. atómico 17. Símb.: *Cl.*

cloroacético, ca. adj. *Quím.* V. **ácido cloroacético.**

clorofila. (Del gr. χλωρός, verde y φύλλον, hoja.) f. *Biol.* y *Quím.* Pigmento propio de las plantas verdes y ciertas bacterias. Se trata de una magnesio-porfirina que participa en los mecanismos biológicos de la fotolisis del agua en el proceso de la fotosíntesis. ‖ **2.** Conjunto de sustancias de color verde que en diversa proporción existen en el talo de las algas y en los órganos de los vegetales superiores, en especial en las hojas. Su importancia bioquímica y fisiológica es muy grande.

clorofílico, ca. adj. Perteneciente o relativo a la clorofila.

clorofilo, la. (Del gr. χλωρός, de color verde amarillento, y φύλλον, hoja.) adj. *Bot.* De hojas verdes o amarillentas.

clorofórmico, ca. adj. Perteneciente o relativo al cloroformo y a los efectos de su acción sobre el organismo.

cloroformización. f. *Med.* Acción y efecto de cloroformizar.

cloroformizar. tr. *Med.* Aplicar, según arte, el cloroformo para producir la anestesia.

cloroformo. (De *cloro* y *formo*, abreviación de *fórmico*.) m. *Quím.* Cuerpo constituido en la proporción de un átomo de carbono por uno de hidrógeno y tres de cloro. Es líquido, incoloro, de olor agradable, parecido al de la camuesa, y de sabor azucarado y picante, y se emplea en medicina como poderoso anestésico.

cloromicetina. f. *Farm.* Antibiótico producido por el *Streptomyces venezuelae*. Se obtiene también por síntesis artificial.

clorosis. (Del gr. χλωρός, de color verde pálido.) f. *Pat.* Enfermedad de las jóvenes caracterizada por anemia con palidez verdosa, transtornos menstruales, opilación y otros síntomas nerviosos y digestivos.

clorótico, ca. adj. Perteneciente o relativo a la clorosis. ‖ **2.** Dícese de la mujer que la padece. Ú. t. c. s.

clorurar. tr. Transformar una substancia en cloruro.

cloruro. m. *Quím.* Combinación del cloro con un metal o alguno de ciertos metaloides. ‖ **de cal.** *Quím.* Sal cálcica del ácido clorhídrico. Es un polvo blanco que se usa como decolorante, desinfectante y desodorizante. ‖ **de sodio** o **sódico.** *Quím.* **sal** marina o terrestre.

clóset. (Del ing. *closet*.) m. *Amér.* Armario empotrado.

clota. (Del cat. *clot*, hoyo.) f. *Ar.* Hoya que se hace para plantar un árbol o arbusto.

clown. (Del ing. *clown*.) m. **clon**[1]. Especialmente el que, con aires de afectación y seriedad, forma pareja con el augusto.

club. (Del ing. *club*.) Su pl. es **clubes.** m. Junta de individuos que se constituían en sociedad política, a veces clandestina. ‖ **2.** Sociedad fundada por un grupo de personas con intereses comunes y dedicada a actividades de distinta especie, principalmente recreativas, deportivas o culturales. ‖ **3.** Lugar donde se reúnen los miembros de estas sociedades. *Va al* CLUB *todos los domingos.* ‖ **nocturno.** Lugar de esparcimiento donde se bebe y se baila y en el que suelen ofrecerse espectáculos musicales, habitualmente de noche.

clube. m. **club.**

clubista. com. Socio de un club o círculo.

clueco, ca. (De *clocar*.) adj. Aplícase a la gallina y otras aves cuando se echan sobre los huevos para empollarlos. Ú. t. c. s. ‖ **2.** fig. y fam. Se dice de la persona muy débil y casi impedida por la vejez.

cluniacense. (Del lat. *cluniacensis*, de *Cluniacum*, Cluni.) adj. Perteneciente al monasterio o congregación de Cluni, en Borgoña, que seguía la regla de San Benito. Apl. a pers., ú. t. c. s.

cluniense. adj. Natural de Clunia, hoy Coruña del Conde. Ú. t. c. s. ‖ **2.** Perteneciente o relativo a esta ciudad de los arévacos.

cneoráceo, a. (De *cneorum*, nombre de un género de plantas.) adj. *Bot.* Dícese de plantas angiospermas dicotiledóneas, afines a las cigofiláceas; como el olivillo. Ú. t. c. s. f. ‖ **2.** f. pl. *Bot.* Familia de estas plantas.

cnidario. (Del gr. κνίδη, ortiga.) adj. *Zool.* Dícese de ciertos celentéreos provistos de células urticantes, como los pólipos y las medusas. Ú. t. c. s. ‖ **2.** m. pl. *Zool.* Grupo de estos animales, que salvo rara excepción como la hidra de las aguas dulces, son marinos, de vida planctónica, como las medusas, o viven fijos en el fondo, como las actinias, a veces en colonias como los corales o las madréporas.

co-. V. **con-.**

coa[1]**.** (Del nahua *coatl* o *coatli*, palo, vara, azadón.) f. *Ant.* Palo aguzado que los indios taínos usaban en la labranza para abrir hoyos en los conucos. ‖ **2.** *Méj.*, *Pan.* y *Venez.* Especie de palo usado para la labranza. ‖ **3.** fig. *Venez.* La siembra o labranza.

coa[2]**.** (De *coba*[1].) f. *Chile.* Jerga hablada por la gente del hampa.

coacción[1]**.** (Del lat. *coactĭo, -ōnis.*) f. Fuerza o violencia que se hace a una persona para obligarla a que diga o ejecute alguna cosa. ‖ **2.** *Der.* Poder legítimo del derecho para imponer su cumplimiento o prevalecer sobre su infracción.

coacción[2]**.** (De *co-* y *acción*.) f. *Biol.* Interacción de tipo ecológico entre dos o más especies que conviven en un biótopo.

coaccionar. tr. Ejercer coacción.

coacervación. (Del lat. *coacervatĭo, -ōnis.*) f. Acción y efecto de coacervar.

coacervar. (Del lat. *coacervāre.*) tr. Juntar o amontonar.

coacreedor, ra. m. y f. Acreedor con otro.

coactividad. f. Calidad de coactivo.

coactivo, va. (Del lat. *coactus*, impulso.) adj. Que ejerce coacción o resulta de ella.

coacusado, da. adj. *Der.* Acusado en juicio con otro u otros. Ú. t. c. s.

coadjutor, ra. (Del lat. *coadiūtor, -ōris.*) m. y f. Persona que ayuda y acompaña a otra en ciertas cosas. ‖ **2.** m. El que, en virtud de bulas pontificias, tenía la futura sucesión de alguna prebenda eclesiástica y la servía por el propietario. ‖ **3.** Eclesiástico que tiene título y disfruta dotación para ayudar al cura párroco en la cura de almas. ‖ **4.** Entre los regulares de la Compañía de Jesús, el que no hace la profesión solemne; llámanse **coadjutores** espirituales a los sacerdotes, y temporales a los que no lo han de ser.

coadjutoría. f. Empleo o cargo de coadjutor. ‖ **2.** Facultad que por bulas apostólicas se concedía para servir una dignidad o prebenda eclesiástica en vida del propietario, con derecho de suceder en ella después de su muerte.

coadministrador. (De *co-* y *administrador*.) m. desus. El que en vida de un obispo propietario ejerce ciertas funciones de este con las facultades necesarias.

coadquisición. (De *co-* y *adquisición*.) f. Adquisición en común entre dos o más personas.

coadunación. (Del lat. *coadunatĭo, -ōnis.*) f. Acción y efecto de coadunar.

coadunamiento. (De *coadunar*.) m. **coadunación.**

coadunar. (Del lat. *coadunāre.*) tr. Unir, mezclar e incorporar unas cosas con otras. Ú. t. c. prnl.

coadyudador, ra. m. y f. ant. **coadyuvador.**

coadyutor. m. **coadjutor.**

coadyutorio, ria. (De *co-* y el lat. *adiutorĭum*, ayuda, auxilio.) adj. Que ayuda o auxilia.

coadyuvador, ra. m. y f. Persona que coadyuva.

coadyuvante. p. a. de **coadyuvar.** Que coadyuva. Apl. a pers., ú. t. c. s. ‖ **2.** com. *Der.* En lo contencioso administrativo, parte que, juntamente con el fiscal, sostiene la resolución de la administración demandada.

coadyuvar. (De *co-* y el lat. *adiuvāre*, ayudar.) tr. Contribuir, asistir o ayudar a la consecución de alguna cosa.
coagente. (De *co-* y *agente*.) m. El que coopera a algún fin.
coagulable. adj. Que puede coagularse.
coagulación. (Del lat. *coagulatĭo, -ōnis*.) f. Acción y efecto de coagular o coagularse.
coagulador, ra. adj. Que coagula.
coagulante. p. a. de **coagular.** Que coagula. Ú. t. c. s. m.
coagular. (Del lat. *coagulāre*.) tr. Cuajar, solidificar lo líquido. Ú. especialmente referido a la sangre, etc. Ú. t. c. prnl.
coágulo. (Del lat. *coagŭlum*.) m. Coagulación de la sangre. ‖ **2.** Grumo extraído de un líquido coagulado. ‖ **3.** Masa coagulada.
coaguloso, sa. (De *coágulo*.) adj. Que se coagula o está coagulado.
coahuilense. adj. Natural del Estado mejicano de Coahuila. Ú. t. c. s. ‖ **2.** Perteneciente o relativo a dicho Estado.
coairón. (De *cuairón*.) m. *Huesca.* **cuairón.**
coaita. m. *Zool.* **mono araña.**
coalescencia. (Del lat. *coalescens, -entis*.) f. Propiedad de las cosas de unirse o fundirse.
coalescente. (Del lat. *coalescens, -tis*.) adj. Que une o funde. ‖ **2.** Dícese de las cosas que se unen o funden.
coalición. (Del lat. *coalĭtum*, supino de *coalescĕre*, reunirse, juntarse.) f. Confederación, liga, unión.
coalicionista. com. Miembro de una coalición, o partidario de ella.
coaligado, da. p. p. de **coaligarse.** ‖ **2.** adj. Perteneciente o relativo a una coalición. Ú. t. c. s.
coaligarse. (De *coligarse*, con infl. de *coalición*.) prnl. **coligarse.**
coalla. (Del lat. **coacŭla*, codorniz.) f. **chocha** ‖ **2.** ant. **codorniz.**
coamante. (De *co-* y *amante*.) adj. ant. Compañera o compañero en el amor.
coana. (Del gr. χοάνη, embudo de fundidor.) f. *Anat.* Cada uno de los orificios nasales internos que comunican los tractos respiratorio y deglutorio del aparato digestivo.
coapóstol. (De *co-* y *apóstol*.) m. El que es apóstol juntamente con otro.
coaptación. (Del lat. *coaptatĭo, -ōnis*.) f. Acción y efecto de coaptar. ‖ **2.** *Cir.* Acción de colocar en sus relaciones naturales los fragmentos de un hueso fracturado. ‖ **3.** *Cir.* Acción de restituir en su sitio un hueso dislocado.
coaptar. (Del lat. *coaptāre*.) tr. ant. Proporcionar, ajustar o hacer que convenga una cosa con otra.
coarcho. m. Cabo fijo por un extremo en la almadraba, y por el otro en un ancla que sostiene la red del cobarcho.
coarrendador, ra. (De *co-* y *arrendador*.) m. y f. Persona que juntamente con otra arrienda una cosa.
coartación. (Del lat. *coarctatĭo, -ōnis*.) f. Acción y efecto de coartar. ‖ **2.** Precisión de ordenarse dentro de cierto término, por obligar a ello el beneficio eclesiástico que se ha obtenido. ‖ **3.** *Med.* Estrechez de la aorta.
coartada. (De *coartar*.) f. Argumento de inculpabilidad de un reo por hallarse en el momento del crimen en otro lugar. ‖ **2.** Pretexto, disculpa.
coartado, da. (Del lat. *coarctātus*.) adj. Aplicábase al esclavo o esclava que pactaba su rescate con su dueño. Ú. t. c. s.
coartador, ra. adj. Que coarta. Ú. t. c. s.
coartar. (Del lat. *coarctāre*.) tr. Limitar, restringir, no conceder enteramente alguna cosa. COARTAR *la voluntad, la jurisdicción.*
coate, ta. (Del nahua *cóatl*.) adj. *Méj.* **cuate.**
coatí. m. **cuatí.**
coautor, ra. (De *co-* y *autor*.) m. y f. Autor o autora con otro u otros.
coaxial. (De *co-* y el lat. *axis*, eje.) adj. Dícese de la figura o cuerpo, compuesto de diferentes partes cilíndricas, que tienen común su eje de simetría.
coba[1]**.** f. fam. Embuste gracioso. ‖ **2.** Halago o adulación fingidos. Ú. m. con el verbo *dar.*
coba[2]**.** (Del ant. *cobar*, y este del lat. *cubāre*, incubar.) f. *Germ.* Moneda de a real.
coba[3]**.** (Del ár. *qubba*, bóveda, cúpula.) f. En Marruecos, tienda de campaña que usa el sultán en sus expediciones. ‖ **2.** En Marruecos, cúpula o edificio terminado en cúpula. ‖ **3.** En Marruecos, edificio donde se guarda la tumba de un santón.
cobáltico, ca. adj. Perteneciente o relativo al cobalto.
cobaltina. f. Sal de cobalto usada en pintura y otras artes.
cobalto. (Del al. *kobalt*.) m. *Quím.* Metal de color blanco rojizo, duro y tan difícil de fundir como el hierro. Combinado con el oxígeno, forma la base azul de muchas pinturas y esmaltes. Núm. atómico 27. Símb.: *Co.* ‖ **2.** V. **azul, bomba de cobalto.**
cobarcho. m. Una de las partes de la almadraba, que forma como una pared o barrera de red, sostenida con corchos colocados en la relinga alta y por plomos o pedrales en la baja.
cobarde. (Del fr. *couard*.) adj. Pusilánime, sin valor ni espíritu. Ú. t. c. s. ‖ **2.** Hecho con cobardía.
cobardear. intr. Tener o mostrar cobardía.
cobardía. (De *cobarde*.) f. Falta de ánimo y valor.
cobardón, na. adj. Cobarde o algo cobarde.
cobaya. amb. **conejillo de Indias.**
cobea. f. *Amér. Central.* Planta enredadera, de la familia de las convolvuláceas, que llama la atención por sus lindas flores de color violáceo.
cobertera. (Del lat. *coopertorĭum*, de *coopertus*, cubierto.) f. Pieza llana de metal o de barro, de forma generalmente circular, y con un asa o botón en medio, que sirve para tapar las ollas, etc. ‖ **2.** ant. Cubierta de alguna cosa. ‖ **3.** fig. **alcahueta.** ‖ **4.** *Tol.* **nenúfar.** ‖ **5.** Cada una de las plumas que cubren la base de la cola de las aves.
coberteraza. f. aum. de **cobertera** de ollas, etc.
cobertero. (Del lat. *coopertorĭum*.) m. ant. Cubierta o tapa.
cobertizo. (Del ant. *cobierto*.) m. Tejado que sale fuera de la pared y sirve para guarecerse de la lluvia. ‖ **2.** Sitio cubierto ligera o rústicamente para resguardar de la intemperie personas, animales o efectos.
cobertor. (Del lat. *coopertorĭum*, cubierta.) m. **colcha.** ‖ **2.** Manta o cobertura de abrigo para la cama. ‖ **3.** ant. **cobertero.**
cobertura. (Del lat. *coopertūra*.) f. **cubierta,** lo que sirve para cubrir o tapar algo. ‖ **2.** Ceremonia por la cual los grandes de España tomaban posesión de su dignidad poniéndose el sombrero delante del rey. ‖ **3.** Acción de cubrirse, cautelarse de una responsabilidad. ‖ **4.** Metálico, divisas u otros valores que sirven de garantía para la emisión de billetes de banco o para otras operaciones financieras o mercantiles. ‖ **5.** Cantidad o porcentaje abarcado por una cosa o una actividad. ‖ **6.** Extensión territorial que abarcan diversos servicios, especialmente los de telecomunicaciones. COBERTURA *regional,* COBERTURA *nacional.* ‖ **7.** Conjunto de medios técnicos y humanos que hacen posible una información.‖ **8.** En el fútbol y otros deportes, **defensa,** línea de jugadores delante del portero. ‖ **9.** ant. fig. Encubrimiento, ficción.
cobez. (De or. inc.) m. m. Ave de rapiña de la familia de los halcones.
cobija. (Del lat. *cubilĭa*, pl. n. de *cubīle*, aposento.) f. Teja que se pone con la parte cóncava hacia abajo abrazando sus la-

dos dos canales de tejado. ‖ **2.** Mantilla corta que usan las mujeres en algunas provincias, para abrigar la cabeza. ‖ **3.** Cada una de las plumas pequeñas que cubren el arranque de las penas del ave. ‖ **4. cubierta,** lo que sirve para cubrir o tapar algo. ‖ **5.** *Amér.* **manta** para abrigarse. ‖ **6.** *And.* y *Amér.* Ropa de cama y especialmente la de abrigo.

cobijador, ra. adj. Que cobija. Ú. t. c. s.

cobijadura. (De *cobijar.*) f. ant. **cobijamiento.** ‖ **2.** ant. **cubierta,** lo que sirve para cubrir o tapar algo.

cobijamiento. m. Acción y efecto de cobijar o cobijarse.

cobijar. (De or. inc.; cf. *cobijo.*) tr. Dar refugio, guarecer a alguien, generalmente de la intemperie. Ú. t. c. prnl. ‖ **2.** fig. Amparar a alguien, dándole afecto y protección. ‖ **3.** fig. Encerrar, contener en sí una cosa que no es manifiesta a todos. Ú. t. c. prnl. ‖ **4.** p. us. Cubrir, tapar.

cobijeño, ña. adj. Natural de Cobija. Ú. t. c. s. ‖ **2.** Perteneciente o relativo a esta ciudad de Bolivia.

cobijera. (Del lat. *cubicularĭa.*) f. Encubridora, alcahueta. ‖ **2.** ant. **moza de cámara.**

cobijo. (Del lat. *cubicŭlum,* dormitorio.) m. Refugio, lugar en el que alguien o algo está protegido de la intemperie u otras cosas. ‖ **2.** fig. Amparo, protección. ‖ **3.** p. us. Hospedaje en que el posadero no daba de comer.

cobijón. (De *cobija.*) m. *Col.* Cuero o piel grande con que se cubre la carga de las caballerías.

cobil. (Del lat. *cubile,* aposento.) m. ant. Escondite o rincón.

cobista. (De *coba*[1].) com. fam. **adulador.**

cobla. (Del prov. *cobla.*) f. **copla,** composición poética trovadoresca. ‖ **2.** En Cataluña, conjunto de músicos, generalmente once, que se dedican a tocar sardanas.

cobo. m. *Cuba.* Caracol, el mayor de las Antillas, pues tiene de diámetro 25 centímetros; es de color nacarado. ‖ **2.** *C. Rica.* **frazada.**

cobra[1]**.** (Del lat. *copŭla.*) f. Coyunda para uncir bueyes. ‖ **2.** Cierto número de yeguas enlazadas, y amaestradas para la trilla.

cobra[2]**.** (Del port. *cobra,* culebra.) f. **serpiente de anteojos.**

cobra[3]**.** (De *cobrar.*) f. *Caza.* Acción de buscar el perro la pieza muerta o herida, hasta traerla al cazador.

cobrable. adj. **cobradero.**

cobradero, ra. adj. Que se ha de cobrar o puede cobrarse.

cobrado, da. p. p. de **cobrar.** ‖ **2.** adj. ant. Bueno, cabal, esforzado.

cobrador, ra. (De *cobrar.*) adj. V. **perro cobrador.** ‖ **2.** m. y f. Persona que tiene por oficio cobrar, percibir una cantidad adeudada.

cobramiento. (De *cobrar.*) m. ant. Recobro o recuperación. ‖ **2.** ant. Utilidad, ganancia, aprovechamiento.

cobranza. f. **cobro,** acción y efecto de cobrar. ‖ **2.** Exacción o recolección de caudales o frutos. ‖ **3.** *Mont.* Acción de cobrar las piezas que se matan.

cobrar. (Simplificación de *recobrar,* del lat. *recuperāre.*) tr. Recibir dinero como pago de algo. Ú. t. c. intr. COBRAR *en metálico.* ‖ **2. recobrar,** volver a tomar o adquirir lo que antes se tenía. ‖ **3.** Tratándose de ciertos afectos o movimientos del ánimo, tomar o sentir. COBRAR *cariño a Juan, afición a las letras*; COBRAR *espíritu, valor.* ‖ **4.** Tratándose de cuerdas, sogas, etc., tirar de ellas e irlas recogiendo. ‖ **5. adquirir.** COBRAR *buena fama, crédito, un enemigo.* ‖ **6.** fam. Recibir un castigo corporal. Se usa especialmente tratándose de muchachos. ‖ **7.** *Mont.* Recoger las reses y piezas que se han herido o muerto. ‖ **8.** intr. ant. Reparar, enmendar. ‖ **9.** prnl. **recobrarse,** recuperarse, volver en sí. ‖ **10.** Indemnizarse; compensarse de un favor hecho o de un daño recibido. Ú. t. c. tr. ‖ **11.** fig. Llevarse víctimas. *El terremoto* SE COBRÓ *numerosas vidas humanas.*

cobratorio, ria. (De *cobrar.*) adj. Perteneciente a la cobranza. *Cuaderno* COBRATORIO.

cobre[1]**.** (Del lat. *cyprum.*) m. *Quím.* Metal de color rojo pardo, brillante, maleable y dúctil, el más tenaz después del hierro, más pesado que el níquel y más duro que el oro y la plata, a los cuales comunica consistencia en la moneda y otras aleaciones. Se encuentra nativo y también en combinación con el oxígeno, el ácido carbónico, el azufre, la plata, el hierro, el antimonio, etc. Aleado con el estaño forma el bronce; con el cinc, el latón, el metal blanco, el similor, etc. Núm. atómico 29. Símb.: *Cu.* ‖ **2.** Batería de cocina, cuando es de **cobre.** ‖ **3.** V. **pirita, siglo de cobre.** ‖ **4.** V. **edad de cobre** o **del cobre.** ‖ **5.** pl. *Mús.* Conjunto de los instrumentos metálicos de viento de una orquesta. ‖ **quemado.** Sulfato de **cobre.** ‖ **verde. malaquita.** ‖ **batir el cobre.** fr. fig. y fam. Tratar un negocio con mucha viveza y empeño. ‖ **batirse el cobre.** fr. fig. y fam. Trabajar mucho en negocios que producen utilidad. ‖ **2.** fig. y fam. Disputar con mucho acaloramiento y empeño. ‖ **vérsele** a alguien **el cobre.** fr. fig. **descubrir la hilaza.**

cobre[2]**.** (De *cobra*[1].) m. Atado de dos pescadas de cecial. ‖ **2.** ant. Reata de bestias. ‖ **3.** ant. Horca de cebollas o ajos.

cobreado, da. p. p. de **cobrear.** ‖ **2.** m. Acción y efecto de cobrear.

cobrear. tr. Dar o cubrir de cobre alguna cosa.

cobreño, ña. (Del lat. *cuprīnus.*) adj. De cobre. ‖ **2.** V. **maravedí cobreño.**

cobrizo, za. adj. Aplícase al mineral que contiene cobre. ‖ **2.** Parecido al cobre en el color. ‖ **3.** V. **pirita cobriza.**

cobro. (De *cobrar.*) m. Acción y efecto de cobrar. ‖ **2.** ant. Lugar donde se asegura, guarda o salva una cosa. ‖ **3.** ant. Expediente, arbitrio, providencia, medio para conseguir un fin. ‖ **de lo indebido.** *Der.* Cuasicontrato que obliga a la devolución de pagos hechos por error o sin causa. ‖ **poner cobro en** una cosa. fr. Hacer diligencias para cobrarla. ‖ **2.** Poner cuidado, tener precaución y cautela. ‖ **poner en cobro** una cosa. fr. Colocarla en lugar donde esté segura. ‖ **ponerse** alguien **en cobro.** fr. Acogerse, refugiarse donde pueda estar con seguridad.

coca[1]**.** (Del aimara *kkoka.*) f. Arbusto del Perú, de la familia de las eritroxiláceas, con hojas alternas, aovadas, enteras, de estípulas axilares y flores blanquecinas. Indígena de América del Sur, se cultiva en la India y en Java y de ella se extrae la cocaína. ‖ **2.** Hoja de este arbusto. ‖ **del Perú. coca**[1]**.**

coca[2]**.** (Del lat. *coccus,* del gr. κόκκος, baya.) f. Baya pequeña, y redonda, fruto de una planta dioica, de la familia de las menispermáceas, trepadora y de hojas alternas, propia de la India Oriental. Es venenosa y la emplean para matar los peces. ‖ **de Levante.** *Bot.* Arbusto tropical de la familia de las menispermáceas. ‖ **2.** Fruto de este arbusto.

coca[3]**.** (De *coco*[4].) f. En Galicia y otras partes, tarasca que sacan el día del Corpus.

coca[4]**.** (Del lat. *concha,* concha.) f. Cierta embarcación usada en la Edad Media. ‖ **2.** Cada una de las dos porciones en que suelen dividir el cabello las mujeres, dejando más o menos descubierta la frente y sujetándolo por detrás de las orejas. ‖ **3.** fam. **cabeza** del hombre o del animal. ‖ **4.** fam. Golpe que, cerrado el puño, se da con los nudillos en la cabeza de uno. ‖ **5. cachada,** golpe del trompo. ‖ **6.** *Mar.* Vuelta que toma un cabo, por vicio de torsión.

coca[5]**.** (Probablemente del germ. **koka,* torta, a través del cat. *coca.*) f. *Ar.* **torta,** masa redonda de harina con varios ingredientes, cocida luego.

coca[6]**.** f. abrev. coloq. de **cocaína.**

cocacho. (De *coscacho.*) m. *Argent., Col., Ecuad.* y *Perú.* **coscorrón,** golpe con los nudillos en la cabeza. ‖ **2.** adj. *Perú.* Se dice de una variedad de fríjoles que se endurecen al cocer.

cocada. f. Dulce compuesto principalmente de la medula rallada del coco. ‖ **2.** *Bol., Col.* y *Perú.* Especie de turrón.

cocador, ra. adj. fam. Que coca. Ú. t. c. s.

cocadriz. (Del b. lat. *katrix, -icis,* y este del lat. *crocodīlus.*) f. ant. **cocodrilo.**

cocaína. f. Alcaloide de la coca del Perú, que se usa mucho en medicina como anestésico de las membranas mucosas, y en inyección hipodérmica como anestésico local de la región en que se inyecte. También se usa como droga y estupefaciente.

cocainomanía. (De *cocaína* y *manía.*) f. Adicción a la cocaína.

cocainómano, na. adj. Perteneciente o relativo a la cocainomanía. ‖ **2.** Adicto a la cocaína. Ú. t. c. s.

cocal. m. *Perú.* Sitio donde se cría o cultiva coca[1]. ‖ **2.** *Amér.* **cocotal.**

cocalero, ra. adj. *Perú.* Perteneciente o relativo a los cocales.

cocamas. m. pl. *Etnogr.* Tribu indígena del Perú, que vive en el distrito de Omaguas.

cocar. (De *coco*[4].) tr. fam. **hacer cocos.**

cocarar. tr. desus. Proveer y abastecer de coca americana.

cocaví. m. *Amér. Merid.* Provisión de coca[1] y, en general, de víveres que llevan los que viajan a caballo.

coccidio. (De *cóccido.*) adj. *Zool.* Dícese de los protozoos esporozoos que casi siempre viven parásitos dentro de células, especialmente epiteliales, de muchos animales, donde permanecen hasta el momento de la reproducción, saliendo entonces los individuos hijos para instalarse a su vez en sendas células. Muchos son patógenos. Ú. t. c. s. m. ‖ **2.** m. pl. *Zool.* Orden de estos animales.

cóccido. (Del lat. *coccum,* y el gr. εἶδος, forma.) adj. *Zool.* Dícese de insectos hemípteros, parásitos vegetales, que tienen un gran dimorfismo sexual, siendo alados los machos y ápteras las hembras; estas clavan su pico en la planta y permanecen inmóviles, absorbiendo los jugos de que se alimentan. Algunos producen sustancias útiles, como la grana quermes de la coscoja, la cochinilla del nopal, la goma laca, la cera de la China, etc. Ú. t. c. s. ‖ **2.** m. pl. *Zool.* Familia de estos animales.

coccígeo, a. adj. Relativo al cóccix.

coccinela. (Del lat. *coccĭnum,* grana.) f. Insecto coleóptero, trímero, de pequeño tamaño y cuerpo hemisférico con puntos negros.

coccinélido. (De *coccinela,* y el gr. εἶδος, forma.) adj. *Zool.* Dícese de insectos coleópteros, trímeros, de pequeño tamaño y cuerpo hemisférico, cuyos élitros, lisos y de colores vivos, tienen varios puntos negros; como la mariquita. En su mayor parte se alimentan de pulgones, por lo cual son útiles a la agricultura. Ú. t. c. s. ‖ **2.** m. pl. *Zool.* Familia de estos animales.

coccíneo, a. (Del lat. *coccinĕus,* de *coccĭnum,* grana.) adj. **purpúreo,** de color de púrpura.

cocción. (Del lat. *coctĭo, -ōnis.*) f. Acción y efecto de cocer o cocerse.

cóccix. (Del lat. *coccyx,* y este del gr. κόκκυξ.) m. *Anat.* Hueso propio de los vertebrados que carecen de cola, formado por la unión de las últimas vértebras y articulado por su base con el hueso sacro.

coce. (Del lat. *calx, calcis,* talón.) f. ant. **coz.**

coceador, ra. (De *cocear.*) adj. Dícese del animal que da muchas coces.

coceadura. f. Acción y efecto de cocear.

coceamiento. m. **coceadura.**

cocear. intr. Dar o tirar coces. ‖ **2.** fig. y fam. Resistir, rechazar, no querer convenir en alguna cosa.

cocedera. (De *cocer.*) f. ant. **cocinera.**

cocedero, ra. adj. Fácil de cocer. ‖ **2.** m. Pieza o lugar en que se cuece una cosa, y especialmente el vino. ‖ **de mariscos.** Lugar donde se cuecen y consumen mariscos.

cocedizo, za. adj. Fácil de cocer.

cocedor. (De *cocer.*) m. Maestro u operario que en ciertas industrias se ocupa en la cocción o concentración de un producto. ‖ **2. cocedero,** pieza o lugar en que se cuece una cosa.

cócedra. f. ant. **cólcedra.**

cocedrón. m. aum. de **cócedra.**

cocedura. (De *cocer.*) f. Acción y efecto de cocer o cocerse.

cocer. (Del lat. *coquĕre.*) tr. Hacer que un alimento crudo llegue a estar en disposición de poderse comer, manteniéndolo dentro de un líquido ácueo en ebullición. ‖ **2.** Tratándose del pan, cerámica, piedra caliza, etc., someterlos a la acción del calor en el horno, para que pierdan humedad y adquieran determinadas propiedades. ‖ **3.** Someter alguna cosa a la acción del fuego en un líquido para que comunique a este ciertas propiedades. ‖ **4.** Digerir la comida o los alimentos en el estómago. ‖ **5.** ant. fig. Pensar, estudiar o meditar alguna cosa. ‖ **6.** *Cir.* **madurar,** empezar a supurar. ‖ **7.** intr. Hervir un líquido. *El agua está* COCIENDO; *ya* CUECE *el chocolate.* ‖ **8.** Fermentar o hervir sin fuego un líquido; como el vino. ‖ **9. enriar.** ‖ **10.** prnl. fig. Padecer intensamente y por largo tiempo un dolor o incomodidad. ‖ **11.** fig. Prepararse alguna cosa sin que se manifieste al exterior. *Algo* SE CUECE *en esa reunión.* ‖ **duro de cocer y peor de comer.** expr. proverb. que da a entender que las cosas que por su naturaleza son aviesas y malignas, dificultosamente las reduce a razón el tiempo y la disciplina. ‖ **vieja fue y no se coció.** expr. fig. y fam. con que se nota o reprende la excusa vana que se da por haber dejado de hacer alguna cosa.

cocero, ra. (De *coz.*) adj. ant. **coceador.**

cocido, da. p. p. de **cocer.** ‖ **2.** adj. V. **seda cocida.** ‖ **3.** V. **mate cocido.** ‖ **4.** m. Acción y efecto de cocer. ‖ **5. olla,** guiso de carne, tocino, hortalizas y garbanzos, que se cuecen juntos. ‖ **estar** alguien **cocido en** una cosa. fr. fig. y fam. Estar muy experimentado o versado en ella.

cociente. (De *cuociente.*) m. *Álg.* y *Arit.* Resultado que se obtiene dividiendo una cantidad por otra, el cual expresa cuántas veces está contenido el divisor en el dividendo. ‖ **2.** *Mat.* V. **razón por cociente.** ‖ **intelectual.** *Psicol.* Cifra que expresa la relación entre la edad mental de una persona y sus años.

cocimiento. (De *cocer.*) m. Acción y efecto de cocer o cocerse. ‖ **2.** Líquido cocido con hierbas u otras sustancias medicinales, que se hace para beber y para otros usos. ‖ **3.** Entre tintoreros, baño dispuesto con diversos ingredientes, que sirve solo para preparar y abrir los pozos de la lana, a fin de que reciba mejor el tinte. ‖ **4.** ant. Escozor o picazón en alguna parte del cuerpo.

cocina. (Del lat. *coquīna,* de *coquĕre,* cocer.) f. Pieza o sitio de la casa en el cual se guisa la comida. ‖ **2.** V. **batería, galopín, maestro, pícaro de cocina.** ‖ **3.** Aparato que hace las veces de fogón, con hornillos o fuegos y a veces horno. Puede calentar con carbón, gas, electricidad, etc. ‖ **4.** Potaje o menestra que se hace de legumbres y semillas; como garbanzos, espinacas, etc. ‖ **5. caldo,** agua en que se ha cocido la vianda. ‖ **6.** fig. Arte o manera especial de guisar de cada país y de cada cocinero. *Buena* COCINA; COCINA *española, italiana, francesa.* ‖ **de boca.** En palacio, aquella en que solo se hacía la comida para el rey y personas reales. ‖ **económica.** Aparato de hierro en el cual la circulación de la llama y el humo del fogón comunica el calor a varios compartimientos y economiza así combustible.

cocinar. (Del lat. *coquināre.*) tr. Guisar, aderezar los alimentos. Ú. t. c. intr. ‖ **2.** intr. fam. Meterse alguien en cosas que no le tocan.

cocinería. (De *cocinero.*) f. ant. Manera de guisar. ‖ **2.** *Chile* y *Perú.* **figón,** casa de comidas ordinarias.

cocinero, ra. (Del lat. *coquinarĭus.*) adj. Que cocina. ‖ **2.** m. y f. Persona que tiene por oficio guisar y aderezar los alimentos.

cocinilla[1]**.** (De *cocina.*) m. fam. El que se entromete en cosas, especialmente domésticas, que no son de su incumbencia.

cocinilla[2]**, ta.** (ds. de *cocina.*) f. Aparato, por lo común de hojalata, con lamparilla de alcohol, que sirve para calentar agua y hacer cocimientos y para otros usos análogos. ‖ **2.** En algunas partes, chimenea para calentarse.

cóclea. (Del lat. *cochlĕa,* y este del gr. κοχλίας.) f. **rosca de Arquímedes.**

coclear[1]**.** (Del lat. *cochlĕa,* caracol.) adj. *Bot.* En forma de espiral.

coclear[2]**.** m. Unidad de peso equivalente a media dracma.

coclearia. (Del lat. *cochlearĭa,* cucharas.) f. Hierba medicinal de la familia de las crucíferas, de dos o tres decímetros de altura, hojas acucharadas, tiernas y de sabor parecido al del berro, y flores blancas en racimo.

coco[1]**.** (De *coco*[4], tomado del port. *côco.*) m. Árbol de América, de la familia de las palmas, que suele alcanzar de 20 a 25 metros de altura, con las hojas divididas en lacinias ensiformes plegadas hacia atrás, y flores en racimos. Suele producir anualmente dos o tres veces su fruto, que es de la forma y tamaño de un melón regular, cubierto de dos cortezas, al modo que la nuez, la primera fibrosa y la segunda muy dura; por dentro y adherida a esta tiene una pulpa blanca y gustosa, y en la cavidad central un líquido refrigerante. Con la primera corteza se hacen cuerdas y tejidos bastos; con la segunda, tazas, vasos y otros utensilios; de la carne se hacen dulces y se saca aceite, y del tronco del árbol una bebida alcohólica. ‖ **2.** Fruto de este árbol. ‖ **3.** Cualquiera de las partes o capas que constituyen este fruto. ‖ **4.** Vaso o recipiente elaborado con el endocarpio del **coco.** ‖ **5.** V. **aceite, vino de coco.** ‖ **6. percal.** ‖ **7.** fig. y fam. **cabeza** humana. ‖ **8.** fig. *Méj.* **coscorrón.** ‖ **de Indias. coco,** árbol. ‖ **2. coco,** fruto. ‖ **3. coco,** segunda cáscara de este. ‖ **comer el coco.** fr. fig y fam. Ocupar insistentemente el pensamiento de alguien con ideas ajenas, induciéndole a hacer cosas que de otro modo no haría. Ú. t. c. prnl.

coco[2]**.** (Del lat. *coccum,* y este del gr. κόκκος.) m. *Zool.* **gorgojo,** insecto coleóptero. ‖ **2. micrococo,** bacteria esférica.

coco[3]**.** (De *coca*[2].) m. Cada una de las cuentecillas que vienen de las Indias, de color obscuro, con unos agujeritos, de las cuales se hacen rosarios. ‖ **de Levante. coca de Levante.**

coco[4]**.** (Del port. *côco,* fantasma que lleva una calabaza vacía, a modo de cabeza.) m. Fantasma que se figura para meter miedo a los niños. ‖ **2.** fam. Gesto, mueca. ‖ **hacer cocos.** fr. fam. Halagar a alguien con fiestas o ademanes para persuadirle a hacer alguna cosa. ‖ **2.** fam. Hacer ciertas señas o expresiones los que están enamorados, para manifestarse su cariño. ‖ **parecer,** o **ser, un coco.** fr. fig. y fam. Ser muy feo.

coco[5]**.** m. *Cuba.* Ave zancuda, especie de ibis, de cuerpo como una gallina, cuello muy largo y color blanco. ‖ **prieto.** *Cuba.* El que tiene la pluma negra. ‖ **rojo.** *Cuba.* El que tiene la pluma de color carmín.

cocó. m. *Cuba.* Tierra blanquecina que emplean los albañiles para las obras de mampostería y suelos de hormigón.

cocobálsamo. (De *coco*[2] y *bálsamo.*) m. *Bot.* Fruto del árbol que produce el bálsamo de la Meca.

cocobolo. m. Árbol de América, de la familia de las poligonáceas, que alcanza unos 30 metros de altura, con tronco grueso y derecho, hojas muy grandes, casi redondas, rugosas y de color verde rojizo, flores encarnadas en racimos, y frutos parecidos a la guinda. Su madera es encarnada, muy preciosa, dura y pesada, y se la emplea en carpintería y ebanistería. ‖ **2.** Madera de este árbol.

cococha. (Del vasc. *kokotxa,* barbilla de la merluza.) f. Cada una de las protuberancias carnosas que existen en la parte baja de la cabeza de la merluza y del bacalao. Es un manjar muy apreciado.

cocodrilo. (De *crocodilo.*) m. Reptil del orden de los emidosaurios, que alcanza de cuatro a cinco metros de largo, cubierto de escamas durísimas en forma de escudo, de color verdoso oscuro con manchas amarillento-rojizas; tiene el hocico oblongo; la lengua corta y casi enteramente adherida a la mandíbula inferior; los dos pies de atrás, palmeados, y la cola, comprimida y con dos crestas laterales en la parte superior. Vive en los grandes ríos de las regiones intertropicales, nada y corre con mucha rapidez, y es temible por su voracidad. ‖ **2.** V. **lágrimas de cocodrilo.**

cocol. m. *Méj.* Panecillo que tiene forma de rombo. ‖ **2.** *Méj.* **cocoliste.** ‖ **irle** a alguien, o **estar, del cocol.** fr. fig. y fam. *Méj.* Irle muy mal.

cocolera. f. *Méj.* Especie de tórtola.

cocolero. (De *cocol.*) m. p. us. *Méj.* Panadero que solo hace o vende cocoles.

cocolía. f. *Méj.* Ojeriza, antipatía. ‖ **2.** *P. Rico.* Cangrejo de mar.

cocoliche. m. *Argent.* y *Urug.* Jerga híbrida y grotesca que hablan ciertos inmigrantes italianos mezclando su habla con el español. ‖ **2.** *Argent.* y *Urug.* Italiano que habla de este modo.

cocoliste. (Del nahua *cocoliztli,* enfermedad o pestilencia.) f. *Méj.* Cualquier enfermedad epidémica. ‖ **2.** *Méj.* **tabardillo,** tifus.

cócono. m. *Méj.* **pavo,** guajolote.

cócora. com. fam. Persona molesta e impertinente en demasía. Ú. t. c. adj.

cocorota. f. fam. Cabeza humana. ‖ **2. coronilla,** parte más alta del cráneo. ‖ **3.** Parte más elevada de algo.

cocoso, sa. adj. Dañado del coco[2].

cocota. (De *cocote.*) f. ant. **cogotera,** pelo rizado que cae sobre el cogote. ‖ **2.** vulg. Cabeza humana.

cocotal. m. Sitio poblado de cocoteros.

cocote. m. **cogote.**

cocotero. m. **coco**[1], árbol.

cocotología. f. **papiroflexia.**

cocotriz. (De *cocadriz.*) f. ant. **cocodrilo.**

cóctel o **coctel.** (Del ing. *cock-tail.*) m. Bebida compuesta de una mezcla de licores a la que se añaden por lo común otros ingredientes. ‖ **2.** Reunión o fiesta donde se toman estas bebidas, generalmente por la tarde. ‖ **3.** fig. Mezcla de cosas diversas. ‖ **de mariscos.** Plato a base de mariscos acompañado por algún tipo de salsa. ‖ **molotov.** Explosivo de fabricación casera, generalmente una botella provista de mecha.

coctelera. f. Recipiente destinado a mezclar los licores del cóctel.

cocui. m. *Venez.* **pita**[1], planta.

cocuiza. f. *Venez.* Cuerda muy resistente que se hace con las fibras del cocui.

cocuy. m. **cocuyo.** ‖ **2.** *Amér.* Agave o pita.

cocuyo. (Voz caribe.) m. Insecto coleóptero de América tropical, de unos tres centímetros de largo, oblongo, pardo y con dos manchas amarillentas a los lados del tórax, por las cuales despide de noche una luz azulada bastante viva. ‖ **2.** *Cuba.* Árbol silvestre que alcanza unos 10 metros de altura; hojas lanceoladas, ondeadas y lampiñas; fruto del tamaño de la aceituna, y madera muy dura que se emplea en las construcciones. ‖ **ciego.** *Cuba.* Variedad menor del insecto **cocuyo,** de color negro y sin fosforescencia. ‖ **de sabana.** *Cuba.* Árbol menor que el **cocuyo** común, pero más resistente, propio de las sabanas.

cocha[1]. (Del quechua *kocha,* laguna.) f. En el beneficio de los metales, estanque que se separa de la tina o lavadero principal con una compuerta. ‖ **2.** *Ecuad.* Laguna, charco.

cocha[2]. f. **cochiquera.**

cochabambino, na. adj. Natural de Cochabamba. Ú. t. c. s. ‖ **2.** Perteneciente o relativo a esta ciudad de Bolivia o al departamento así llamado.

cochama. m. *Col.* Pez grueso del río Magdalena.

cochambre. (De *cocho,* puerco.) amb. fam. Suciedad, cosa puerca, grasienta y de mal olor.

cochambrería. f. fam. Conjunto de cosas que tienen cochambre.

cochambrero, ra. adj. fam. **cochambroso.** Ú. t. c. s.

cochambroso, sa. adj. fam. Lleno de cochambre. Ú. t. c. s.

cocharro. (De or. inc.) m. Vaso o taza de madera, y más comúnmente de piedra.

cochastro. (despect. de *cocho,* puerco.) m. Jabalí lechal.

cochayuyo. (Del quechua *kocha,* laguna, y *yuyu,* hortaliza.) m. *Amér. Merid.* Alga marina cuyo talo, en forma de cinta, puede alcanzar más de tres metros de largo y dos decímetros de ancho. Es comestible.

coche[1]. (Del magiar *kocsi,* carruaje.) m. Carruaje de cuatro ruedas de tracción animal, con una caja, dentro de la cual hay asiento para dos o más personas. ‖ **2.** Vehículo automóvil destinado al transporte de personas que se desplaza sin rieles, generalmente con cuatro ruedas, y capacidad no superior a nueve plazas. ‖ **3.** Vagón del tren o del metro. ‖ **4.** V. **maestro, sobrestante de coches.** ‖ **cama.** Vagón de ferrocarril dividido en varios compartimientos cuyos asientos y respaldos pueden convertirse en camas o literas. ‖ **celular.** Vehículo acondicionado para transportar personas arrestadas por la autoridad. ‖ **de camino.** El destinado para hacer viajes. ‖ **de colleras.** El tirado por mulas guarnecidas con colleras. ‖ **de estribos.** El que tenía asientos en las portezuelas. ‖ **de línea.** Autobús que, por concesión administrativa, hace el servicio regular de viajeros entre dos poblaciones. ‖ **de niño.** Vehículo pequeño de forma de cuna, sobre cuatro ruedas, que, empujado por una persona, sirve para transportar a un niño. ‖ **de plaza,** o **de punto.** El matriculado y numerado con destino al servicio público por alquiler y que tiene un punto fijo de parada en plaza o calle. ‖ **de rúa.** El que no era de camino. ‖ **fúnebre.** El construido ad hoc para la conducción de cadáveres al cementerio. ‖ **parado.** fig. Balcón o mirador en parte pública y pasajera, en que se logra la diversión sin salir a buscarla. ‖ **simón. coche de plaza.** ‖ **tumbón. tumbón**[1], **coche** con cubierta de tumba. ‖ **utilitario.** El que es modesto y de escaso consumo. ‖ **caminar,** o **ir, en el coche de San Fernando** o **San Francisco.** fr. fig. y fam. Caminar, o ir, a pie. ‖ **no pararse los coches** de dos o más personas. fr. fig. No correr estas con amistad, no tratarse con intimidad.

coche[2]. (De la voz *cochi,* con que se llama al cerdo.) m. **cochino,** cerdo. ‖ **2. cochi.** ‖ **andar a coche acá, cinchado.** fr. fig. y fam. Empeñarse trabajosamente en hacer cumplir bien a quienes rehúyen hacerlo.

cochear. intr. Gobernar, guiar los caballos o mulas que tiran del coche. ‖ **2.** Andar con frecuencia en coche. Ú. t. c. prnl.

cochera. adj. V. **puerta cochera.** ‖ **2.** f. Sitio donde se encierran los coches y autobuses. ‖ **3.** Mujer del cochero.

cocheril. adj. fam. Propio de los coches y de los cocheros.

cochero[1]. m. El que tiene por oficio gobernar los caballos o mulas que tiran del coche. ‖ **2.** ant. **maestro de coches.**

cochero[2]. (De *cocho*[2].) m. **porquerizo.**

cochero[3], **ra.** (De *cocho*[1].) adj. Que fácilmente se cuece.

cocherón. m. aum. de **cochera** para encerrar los coches.

cochevira. (De *cocho*[2] y el lat. *butȳrum,* manteca.) f. Manteca de puerco.

cochevís. (Del fr. *cochevis,* de origen onomatopéyico.) f. **cogujada.**

cochi. Voz con que, pronunciada repetidamente, se llama a los cerdos.

cochifrito. (De *cocho*[1] y *frito.*) m. Guisado que ordinariamente se hace de tajadas de cabrito o cordero, y después de medio cocido se fríe, sazonándolo con especias, vinagre y pimentón. Es muy usado entre pastores y ganaderos.

cochigato. m. Ave zancuda propia de Méjico, de cabeza y cuello negros, con un collar rojo, vientre verde y pico largo y robusto.

cochillo. m. ant. **cuchillo.**

cochinada. (De *cochino.*) f. fig. y fam. **cochinería.**

cochinamente. adv. m. Suciamente, con desaseo. ‖ **2.** fig. y fam. Con bajeza.

cochinata. (De *cochino.*) f. *Mar.* Cada uno de los maderos de la parte inferior de la popa, que están endentados en el codaste y demás armaduras de aquella parte.

cochinería. (De *cochino.*) f. fig. y fam. Porquería, suciedad. ‖ **2.** fig. y fam. Acción indecorosa, baja, grosera.

cochinero, ra. adj. Dícese de ciertos frutos que, por ser de inferior calidad dentro de su clase, se dan a los cochinos. *Habas* COCHINERAS. ‖ **2.** fam. V. **trote cochinero.**

cochinilla[1]. (d. de *cochina,* por la forma del animal.) f. Crustáceo isópodo terrestre, de uno a dos centímetros de largo, de figura aovada, de color ceniciento oscuro con manchas laterales amarillentas, y patas muy cortas. Cuando se le toca, se hace una bola. Se cría en lugares húmedos. ‖ **de humedad.** Nombre que se da a cualquier especie de isópodo terrestre. ‖ **de San Antón. mariquita,** insecto coleóptero.

cochinilla[2]. (Del lat. *coccĭnus,* escarlata, grana.) f. Insecto hemíptero, originario de Méjico, del tamaño de una chinche, pero con el cuerpo arrugado transversalmente y cubierto de un vello blancuzco, cabeza cónica, antenas cortas y trompa filiforme. Vive sobre el nopal, y, reducido a polvo, se empleaba mucho, y se usa todavía, para dar color de grana a la seda, lana y otras cosas. Hay varias especies. ‖ **2.** Materia colorante obtenida de dicho insecto. ‖ **3.** V. **nopal de la cochinilla.**

cochinillo. (d. de *cochino.*) m. Cochino o cerdo de leche.

cochinito de San Antón. m. *And.* **mariquita,** insecto coleóptero.

cochino, na. (De *cocho*[2].) m. y f. **cerdo,** mamífero doméstico. ‖ **2.** Cerdo cebado que se destina a la matanza. ‖ **3.** fig. y fam. Persona muy sucia y desaseada. Ú. t. c. adj. ‖ **4.** fig. y fam. Persona cicatera, tacaña o miserable. Ú. t. c. adj. ‖ **5.** fig. y fam. Persona grosera, sin modales. Ú. t. c. adj. ‖ **6.** m. *Cuba.* Pez teleósteo del suborden de los plectognatos, de unos 30 centímetros de largo, con dos aletas dorsales; la anal muy corta, así como la ventral y las pectorales; de color oscuro por el lomo y claro en el vientre. ‖ **chino.** El que carece de cerdas. ‖ **de monte.** El de patas largas, cerdas erizadas, arisco y ágil. ‖ **montés. jabalí.**

cochío, a. (Del lat. *coctīvus.*) adj. ant. y hoy vulg. Que fácilmente se cuece.

cochiquera. f. fam. **cochitril,** pocilga.

cochite hervite. (De *cocho,* cocido, y *hervido.*) loc. fam. desus. para significar que se hace o se ha hecho una cosa con celeridad y atropellamiento. ‖ **2.** m. fam. desus. El que muestra en sus acciones sobrada viveza y aturdimiento.

cochitril. (De *cocho*² y *cortil.*) m. fam. **pocilga.** ‖ **2.** fig. y fam. **cuchitril.**
cochizo¹. m. *Min.* Parte más rica de una mina.
cochizo², za. adj. ant. **cochío.**
cocho¹, cha. (Del lat. *coctus.*) p. p. irreg. de **cocer.**
cocho², cha. (De *coch,* voz con que se llama al cerdo.) m. y f. **cochino,** cerdo.
cochorro. (De *cocho*².) m. **abejorro,** insecto coleóptero.
cochura. (Del lat. *coctūra.*) f. **cocción.** ‖ **2.** Masa o porción de pan que se ha amasado para cocer. *En esta tahona hacen cada día cuatro* COCHURAS. ‖ **3.** *Min.* Calcinación en los hornos de Almadén de una carga de mineral de azogue.
cochurero. (De *cochura.*) m. *Min.* Operario encargado de cuidar del fuego en los hornos de destilación del azogue en Almadén.
coda¹. (Del lat. *cauda, coda.*) f. ant. **cola¹.** Ú. hoy en Aragón.
coda². (Del it. *coda,* cola.) f. *Mús.* Adición brillante al período final de una pieza de música. ‖ **2.** *Mús.* Repetición final de una pieza bailable.
coda³. (De *codo.*) f. *Carp.* Prisma pequeño triangular, de madera, que se encola en el ángulo entrante formado por la unión de dos tablas, para que esta sea más segura.
codada. (De *codo.*) f. ant. **codazo.**
codadura. (De *acodadura.*) f. Mugrón de la vid.
codal. (Del lat. *cubitālis,* de *cubĭtus,* codo.) adj. Que consta de un codo. ‖ **2.** Que tiene medida o figura de codo. ‖ **3.** V. **palo codal.** ‖ **4.** m. Pieza de la armadura antigua, que cubría y defendía el codo. ‖ **5.** Vela o hacheta de cera, del tamaño de un codo. ‖ **6.** Mugrón de la vid. ‖ **7.** *Arq.* **aguja** que mantiene los tableros de un tapial. ‖ **8.** *Arq.* Madero atravesado horizontalmente entre las dos jambas de un vano o entre las dos paredes de una excavación, para evitar que se muevan o se desplomen. ‖ **9.** *Carp.* Cada uno de los dos palos o listones en que se asegura la hoja de la sierra. ‖ **10.** *Carp.* Cada una de las dos reglas que se colocan transversalmente en las cabezas de un madero para desalabear sus caras. ‖ **11.** *Carp.* Cada uno de los dos brazos de un nivel de albañil. ‖ **12.** *Min.* Arco de ladrillo que se apoya en el mineral por sus extremos, construido provisionalmente para contrarrestar la presión de los hastiales.
codaste. (Del lat. *catasta,* andamio.) m. *Mar.* Madero grueso puesto verticalmente sobre el extremo de la quilla inmediato a la popa, y que sirve de fundamento a toda la armazón de esta parte del buque. En las embarcaciones de hierro forma una sola pieza con la quilla.
codazo. m. Golpe dado con el codo.
codear. intr. Mover los codos, o dar golpes con ellos frecuentemente. ‖ **2.** *Amér. Merid.* Pedir con insistencia; socaliñar. ‖ **3.** prnl. fig. Tener trato habitual, de igual a igual, una persona con otra o con cierto grupo social.
codecildo. (Del lat. *codicillus.*) m. ant. **codecilo.**
codecillar. intr. ant. **codicilar.**
codecillo. m. ant. **codicilo.**
codeína. (Del gr. κώδεια, cabeza de adormidera.) f. Alcaloide que se extrae del opio y se usa como calmante.
codelincuencia. (De *co-* y *delincuencia.*) f. Relación entre codelincuentes.
codelincuente. (De *co-* y *delincuente.*) adj. Dícese de la persona que delinque en compañía de otra u otras. Ú. t. c. s.
codena. (Del lat. **cutīna,* de *cutis,* piel.) f. p. us. En la fabricación de paños, grado de resistencia del tejido.
codeo. (De *codear.*) m. Acción y efecto de codear o codearse.
codera. f. Sarna que sale en el codo. ‖ **2.** Pieza de adorno que se pone en los codos de los chaquetones o marselleses. ‖ **3.** Pieza o remiendo que se echa a las mangas de las chaquetas, jerséis y prendas semejantes en la parte que cubre el codo. ‖ **4.** Deformación o desgaste en las prendas de vestir por la parte del codo. ‖ **5.** *Ar.* Última porción de un cauce de riego. ‖ **6.** *Mar.* Cabo grueso con que se amarra el buque, por la popa, a otra embarcación, a una boya o a tierra, para mantenerlo presentando el costado en determinada dirección.
codero, ra. (De *coda*¹, cola.) adj. *Ar.* Dícese del terreno que recibe riego al final del ador. ‖ **2.** m. *Ar.* Usuario del agua de riego para dicha tierra.
codesera. f. Terreno poblado de codesos.
codeso. (Del gr. κύτισος.) m. Mata de la familia de las papilionáceas, de uno a dos metros de altura, ramosa, con hojas compuestas de tres hojuelas, flores amarillas y en las vainas del fruto semillas arriñonadas.
codeudor, ra. (De *co-* y *deudor.*) m. y f. Persona que con otra u otras participa en una deuda.
codezmero. (De *co-* y *dezmero.*) m. Recibidor de diezmos y partícipe en ellos.
códice. (Del lat. *codex, -ĭcis.*) m. Libro manuscrito de cierta antigüedad y de importancia histórica o literaria. En sentido estricto, se dice de estos libros cuando son anteriores a la invención de la imprenta. ‖ **2.** *Litur.* Parte del misal y del breviario que contiene los oficios concedidos a una diócesis o corporación particularmente.
codicia. (Del lat. **cupiditĭa,* de *cupidĭtas, -ātis.*) f. Afán excesivo de riquezas. ‖ **2.** fig. Deseo vehemente de algunas cosas buenas. ‖ **3.** ant. Apetito sensual. ‖ **4.** *Taurom.* Cualidad del toro de perseguir con vehemencia y tratar de coger el bulto o engaño que se le presenta.
codiciable. (De *codiciar.*) adj. **apetecible.**
codiciador, ra. adj. Que codicia. Ú. t. c. s.
codiciar. (De *codicia.*) tr. Desear con ansia las riquezas u otras cosas.
codicilar¹. (Del lat. *codicillāris.*) adj. Perteneciente al codicilo.
codicilar². intr. ant. Hacer codicilo.
codicilio. m. ant. **codicilo.**
codicilo. (Del lat. *codicillus,* d. de *codex, -ĭcis,* código.) m. *Der.* Antiguamente, y hoy en Cataluña, toda disposición de última voluntad que no contiene la institución del heredero y que puede otorgarse en ausencia de testamento o como complemento del mismo. ‖ **2.** Documento en que se contienen tales disposiciones.
codicillo. m. ant. **codicilo.**
codicioso, sa. adj. Que tiene codicia. Ú. t. c. s. ‖ **2.** fig. y fam. Laborioso, hacendoso. ‖ **juntáronse el codicioso y el tramposo.** expr. fig. y fam. que se dice de las personas que en sus ajustes y tratos procuran engañarse.
codificable. adj. Que puede codificarse.
codificación. f. Acción y efecto de codificar.
codificador, ra. adj. Que codifica.
codificar. (Del lat. *codex, -ĭcis,* código, y *facĕre,* hacer.) tr. Hacer o formar un cuerpo de leyes metódico y sistemático. ‖ **2.** *Comunic.* Transformar mediante las reglas de un código la formulación de un mensaje.
código. (Del lat. **codĭcus,* der. regres. de *codicŭlus,* codicilo.) m. Cuerpo de leyes dispuestas según un plan metódico y sistemático. ‖ **2.** Recopilación de las leyes o estatutos de un país. ‖ **3.** Por antonom., el de Justiniano. ‖ **4.** Cifra para formular y comprender mensajes secretos. ‖ **5.** Libro en que se insertan las palabras más comunes en el comercio poniendo junto a cada una un grupo arbitrario de letras o de números. Sirve para comunicarse telegráficamente y en secreto con un corresponsal provisto de igual libro. ‖ **6.** *Comunic.* Sistema de signos y de reglas que permite formular y comprender un mensaje. ‖ **7.** *Comunic.* Sistema de signos o señales y reglas para dar otra forma a un mensaje. ‖ **8.** ant. **códice,** manuscrito antiguo de importancia.

‖ **9.** fig. Conjunto de reglas o preceptos sobre cualquier materia. ‖ **civil.** El que contiene lo estatuido sobre régimen jurídico, aplicable a personas, bienes, modos de adquirir la propiedad, obligaciones y contratos. ‖ **de barras.** Conjunto de signos formado por una serie de líneas y números asociados a ellas, que se pone sobre los productos de consumo y que se utiliza para la gestión informática de las existencias. ‖ **de comercio.** El que reúne cuanto jurídicamente concierne a los comerciantes y sus contratos, el comercio marítimo, la suspensión de pagos, la quiebra y la prescripción. ‖ **de señales.** *Mar.* Sistema convencional que consiste en una combinación de banderas, faroles o destellos luminosos, que usan los buques para comunicarse entre sí o con los semáforos. ‖ **fundamental. constitución,** ley fundamental de un Estado. ‖ **morse. morse.** ‖ **penal.** El que reúne lo estatuido sobre faltas y delitos, personas responsables de ellos y penas en que respectivamente incurren. ‖ **postal.** Relación de números formados por cifras que funcionan como clave de zonas, poblaciones y distritos, a efectos de la clasificación y distribución del correo. ‖ **2.** Cada uno de esos números que figura en las señas de los objetos postales. ‖ **arrimar al código.** fr. fig. *Argent.* y *Urug.* Hacer sentir el peso de la ley.

codillera. f. *Veter.* Tumor que padecen las caballerías en el codillo, por la compresión del callo interno de la herradura.

codillo. (d. de *codo.*) m. En los animales cuadrúpedos, coyuntura del brazo próxima al pecho. ‖ **2.** Parte comprendida desde esta coyuntura hasta la rodilla. ‖ **3.** Parte de la rama que queda unida al tronco por el nudo cuando aquella se corta. ‖ **4.** Entre cazadores, parte de la res que está debajo del brazuelo izquierdo. ‖ **5. codo,** trozo de tubo doblado en ángulo. ‖ **6.** En algunos juegos de cartas, lance de perder el que ha entrado, por haber hecho más bazas que él alguno de los otros jugadores. ‖ **7. estribo** del jinete. ‖ **8.** *Mar.* Cada uno de los extremos de la quilla, desde los cuales arranca la roda y el codaste. ‖ **codillo y moquillo.** expr. fam. que en el juego del hombre o tresillo vale sacar o ganar la puesta, después de haber dado **codillo.** ‖ **jugársela** una persona **de codillo** a otra. fr. fig. y fam. Usar alguna astucia o engaño a fin de lograr para sí lo que otro solicitaba. ‖ **tirar a alguien al codillo.** fr. fig. y fam. Procurar destruirle, haciéndole todo el daño posible.

codín. (De *codo.*) m. *Sal.* Manga estrecha del jubón.

codina. f. *Sal.* Especie de ensalada que se hace con castañas cocidas.

codo[1]**.** (Del lat. *cubĭtus*) m. Parte posterior y prominente de la articulación del brazo con el antebrazo. ‖ **2.** Coyuntura del brazo de los cuadrúpedos. ‖ **3.** Trozo de tubo, doblado en ángulo o en arco, que sirve para variar la dirección recta de una tubería. ‖ **4.** Medida lineal, que se tomó de la distancia que media desde el **codo** a la extremidad de la mano. ‖ **5.** fig. V. **tacto de codos.** ‖ **común. codo geométrico.** ‖ **de rey,** o **de ribera. codo real.** ‖ **de ribera cúbico.** Medida de capacidad equivalente a 329 decímetros cúbicos. ‖ **geométrico.** Medida de media vara, equivalente a 418 milímetros. ‖ **geométrico cúbico.** Medida de capacidad, equivalente a 173 decímetros cúbicos. ‖ **mayor.** Medida lineal morisca que tenía 32 pulgadas. ‖ **mediano.** Medida lineal morisca que tenía 24 pulgadas. ‖ **perfecto. codo de rey.** ‖ **real.** El de 33 dedos, equivalente a 574 milímetros aprox. ‖ **alzar de codo,** o **el codo.** fr. fig. y fam. **empinar de codo,** o **el codo.** ‖ **apretar el codo.** fr. fam. Se dice del que asiste a un moribundo próximo a expirar. ‖ **beber de codos.** fr. ant. fig. Beber con mucho reposo y gusto. ‖ **codo a codo.** loc. adv. Referido a personas, unas juntas a otras, en compañía o cooperación. Ú. t. figuradamente referido a cosas. ‖ **codo con codo.** loc. adv. **codo a codo.** ‖ **2.** Modo de conducir a los presos con los **codos** atados por detrás. ‖ **comerse los codos de hambre.** fr. fig. y fam. Padecer gran necesidad o miseria. ‖ **dar de,** o **del, codo.** fr. fam. Avisar al que está cercano y advertirle de alguna cosa tocándole recatadamente con el **codo.** ‖ **2.** fig. y fam. Despreciar o rechazar a personas o cosas. ‖ **del codo a la mano.** expr. fig. con que se pondera la estatura pequeña de alguno. ‖ **duro de codo.** *Amér. Central.* Tacaño, mezquino. ‖ **empinar de codo,** o **el codo.** fr. fig. y fam. Beber mucho vino u otros licores. ‖ **hablar por los codos.** fr. fig. y fam. Hablar demasiado. ‖ **hincar el codo.** fr. fam. **apretar el codo.** ‖ **hincar los codos.** fr. fig. y fam. Estudiar con ahínco una asignatura. ‖ **levantar de codo,** o **el codo.** fr. fig. y fam. **empinar de codo,** o **el codo.** ‖ **meterse,** o **estar metido, hasta los codos en** alguna cosa. fr. fig. y fam. Estar muy empeñado o interesado en ella. ‖ **romperse los codos.** loc. fig. y fam. Aplicarse con ahínco al estudio. ‖ **ser del codo.** *Amér. Central.* Ser tacaño, mezquino.

codo[2]**, da.** (De *codo*[1].) adj. *Guat.* y *Méj.* Tacaño, mezquino.

codón[1]**.** (De *coda*[1].) m. Bolsa de cuero que, atada a la grupa, sirve para cubrir la cola del caballo cuando hay barro. ‖ **2.** ant. **maslo,** tronco de la cola de los cuadrúpedos.

codón[2]**.** (Del lat. *cos, cotis,* piedra.) m. *Burg.* **guijarro.**

codoñate. (Del cat. *codonyat.*) m. Dulce de membrillo.

codorniz. (Del lat. *coturnix, -īcis.*) f. Ave gallinácea, de unos dos decímetros de largo, con alas puntiagudas, la cola muy corta, los pies sin espolón, el pico oscuro, las cejas blancas, la cabeza, el lomo y las alas de color pardo con rayas más oscuras, y la parte inferior gris amarillenta. Es común en España, de donde emigra a África en otoño. ‖ **2.** V. **guión, rey de codornices.**

codorno. m. *Sal.* Rescaño de pan; cantero.

codorro, rra. adj. *Sal.* Dícese de la persona terca. Ú. t. c. s.

codujo. (der. regres. de *codujón.*) m. *Ar.* **muchacho.** ‖ **2.** fam. *Ar.* Persona de poca estatura.

codujón. (De *cogujón,* infl. por *codo.*) m. *Ar.* **cogujón.**

coeducación. (De *co-* y *educación.*) f. Educación que se da juntamente a jóvenes de ambos sexos.

coeficiencia. (De *co-* y *eficiencia.*) f. Acción de dos o más causas para producir un efecto.

coeficiente. (De *co-* y *eficiente.*) adj. Que juntamente con otra cosa produce un efecto. ‖ **2.** m. fig. y fam. Persona que acompaña en sus exámenes al aspirante a ingreso en las Academias Militares. ‖ **3.** *Álg.* Número o, en general, factor que, escrito a la izquierda e inmediatamente antes de un monomio, hace oficio de multiplicador. Cuando el **coeficiente** se refiere a todo un binomio o polinomio, enciérrase este dentro de un paréntesis. ‖ **4.** *Fís.* y *Quím.* Expresión numérica de una propiedad o característica, generalmente en forma de cociente. COEFICIENTE *de dilatación.* ‖ **5.** *Mat.* Factor constante en un producto. ‖ **de escorrentía.** Relación entre el agua de lluvia que cae en una zona determinada y el agua que corre; diferencia entre el agua caída y el agua filtrada. ‖ **intelectual. cociente intelectual.**

coendú. m. *Amér.* Mamífero roedor parecido al puerco espín, pero con cola larga.

coepíscopo. (Del lat. *coepiscŏpus.*) m. Obispo contemporáneo de otros en una misma provincia eclesiástica.

coercer. (Del lat. *coercēre.*) tr. Contener, refrenar, sujetar.

coercible. adj. Que puede ser coercido.

coerción. (Del lat. *coercĭo, -ōnis.*) f. *Der.* Acción de coercer.

coercitivo, va. (Del lat. *coercĭtum,* supino de *coercēre,* contener.) adj. Dícese de lo que coerce.

coesposa. (De *co-* y *esposa.*) f. En las religiones y pueblos polígamos, cada una de las mujeres legítimas de un varón con relación a las demás.

coetáneo, a. (Del lat. *coaetanĕus.*) adj. De la misma edad. ‖ **2.** Por ext., contemporáneo.

coeternidad. f. Calidad de coeterno.
coeterno, na. (Del lat. *coaeternus.*) adj. *Teol.* Dícese de las tres personas divinas para denotar que son igualmente eternas.
coevo, va. (Del lat. *coaevus.*) adj. Dícese de las cosas que existieron en un mismo tiempo. Apl. a pers., ú. t. c. s.
coexistencia. f. Existencia de una cosa a la vez que otra u otras.
coexistente. p. a. de **coexistir.** Que coexiste.
coexistir. (De *co-* y *existir.*) intr. Existir una persona o cosa a la vez que otra.
coextenderse. (De *co-* y *extenderse.*) prnl. Extenderse a la vez que otro.
cofa. (Del ár. *quffa,* canasto.) f. *Mar.* Meseta colocada horizontalmente en el cuello de un palo para afirmar la obencadura de gavia, facilitar la maniobra de las velas altas, y también para hacer fuego desde allí en los combates.
cofia. (De or. inc.; cf. lat. tardío *cofia.*) f. Red de seda o hilo, que se ajusta a la cabeza con una cinta pasada por su jareta, que usaban los hombres y las mujeres para recoger el pelo. ‖ **2.** Gorra que usaban las mujeres para abrigar y adornar la cabeza, hecha de encajes, blondas, cintas, etc., y de varias figuras y tamaños. ‖ **3.** Prenda femenina de cabeza, generalmente blanca y de pequeño tamaño, que llevan enfermeras, camareras, criadas, etc., como complemento de su uniforme. ‖ **4.** Birrete almohadillado y con armadura de hierro, que se llevaba debajo del yelmo. ‖ **5.** Pieza de la armadura antigua que se atornillaba a la calva del casco para reforzarla, y de la que pendían tres ramales articulados para la defensa del cuello. ‖ **6.** *Bot.* Cubierta membranosa que envuelve algunas semillas.
cofiador. (De *co-* y *fiador.*) m. *Der.* Fiador con otro, o compañero en la fianza.
cofiezuela. f. d. de **cofia.**
cofín. (De *cofino.*) m. Cesto o canasto de esparto, mimbres o madera, para llevar frutas u otras cosas.
cofina. f. ant. **cofín.**
cofino. (Del lat. *cophĭnus,* y este del gr. κόφινος.) m. ant. **cofín.**
cofrada. (De *cofrade.*) f. p. us. La que pertenece a una cofradía.
cofrade. (Del lat. *cum,* con, y *frater,* hermano.) com. Persona que pertenece a una cofradía. ‖ **2.** m. ant. El que está admitido en un pueblo, concejo o partido, o es de él.
cofradero. (De *cofrade.*) m. ant. **muñidor.**
cofradía. (De *cofrade.*) f. Congregación o hermandad que forman algunos devotos, con autorización competente, para ejercitarse en obras de piedad. ‖ **2.** Gremio, compañía o unión de gentes para un fin determinado. ‖ **3.** ant. Vecindario, unión de personas o pueblos congregados entre sí para participar de ciertos privilegios. ‖ **4.** *Germ.* Junta de ladrones o rufianes.
cofre. (Del fr. *coffre.*) m. Caja resistente de metal o madera con tapa y cerradura para guardar objetos de valor. ‖ **2. baúl.** ‖ **3.** Pez teleósteo, del suborden de los plectognatos, con el cuerpo cubierto de escudetes óseos, hexagonales y unidos entre sí, sin dejar abertura más que para la boca, ojos, branquias y aletas dorsal y anal, ambas pequeñas. Se conocen varias especies, todas de la zona tórrida. A su forma debe el nombre que lleva. ‖ **4.** fig. y fam. V. **pelo de cofre.** ‖ **5.** *Impr.* Cuadro formado de cuatro listones de madera, que en las antiguas máquinas de imprimir abrazaba y sujetaba la piedra en que se echaba el molde en la prensa. ‖ **menear el cofre** a alguien. fr. fig. y fam. **zurrarle la badana,** darle golpes.
cofrear. (Del lat. *cum,* con, y *fricāre,* frotar.) tr. ant. Estregar, refregar.
cofrero, ra. m. y f. Persona que tiene por oficio hacer cofres o venderlos.
cofundador, ra. adj. Dícese del que, juntamente con otro u otros, funda alguna cosa.
cogecha. (Del lat. *collecta,* t. f. de *-tus,* cogecho.) f. ant. **cosecha.** Ú. en Burgos y Soria.
cogechar. tr. *And.* Barbechar, binar y, en algún caso, terciar.
cogecho[1], cha. (Del lat. *collectus,* p. p. de *colligĕre,* recoger.) adj. ant. **cogido,** junto, unido.
cogecho[2]. m. *And.* **barbecho.** ‖ **2.** *And.* Arada que, con las primeras lluvias, se da a la tierra en el otoño para sembrarla sin que descanse. ‖ **3.** *And.* Acción de barbechar.
cogedera. f. Varilla de madera o de hierro con que se coge el esparto. ‖ **2.** Caja pequeña, ancha de boca, que sirve a los colmeneros para recoger el enjambre cuando está parado en sitio oportuno. ‖ **3.** Palo largo terminado por varios hierros corvos, que sirve para coger del árbol la fruta a que no alcanza la mano. Las hay también en forma de tenaza.
cogedero, ra. adj. Que está en disposición o sazón de cogerse. ‖ **2.** m. Mango o parte por donde se coge una cosa.
cogedizo, za. adj. Que fácilmente se puede coger.
cogedor, ra. adj. Que coge. Ú. t. c. s. ‖ **2.** V. **fiel cogedor.** ‖ **3.** m. Especie de cajón de madera u otro material sin cubierta ni tabla por delante, y con un mango por detrás, que sirve para recoger la basura que se barre y saca de las casas. ‖ **4.** Ruedo pequeño de esparto o palma, que sirve para el mismo fin. ‖ **5.** Utensilio de hierro u otro metal, en forma de cucharón, que sirve en las cocinas y en las chimeneas para coger el carbón y la ceniza. ‖ **6.** ant. Cobrador o recaudador de rentas y tributos reales.
cogedura. f. Acción de coger.
coger. (Del lat. *colligĕre.*) tr. Asir, agarrar o tomar. Ú. t. c. prnl. ‖ **2.** Recibir en sí alguna cosa. *La tierra no* HA COGIDO *bastante agua.* ‖ **3.** Recoger o recolectar algo. COGER *la ropa, la uva, el trigo.* ‖ **4.** Tener capacidad o hueco para contener cierta cantidad de cosas. *Esta tinaja* COGE *treinta arrobas de vino.* ‖ **5.** coloq. Ocupar cierto espacio. *La alfombra* COGE *toda la sala.* ‖ **6.** Hallar, encontrar. *Me* COGIÓ *descuidado*; *procura* COGERLE *de buen humor.* ‖ **7.** Descubrir un engaño, penetrar un secreto, sorprender a alguien en un descuido. ‖ **8.** Captar una emisión de radio o televisión. ‖ **9.** Tomar u ocupar un sitio, etc. *Están las puertas* COGIDAS. ‖ **10.** Sobrevenir, sorprender. *Me* COGIÓ *la hora, la noche, la tempestad.* ‖ **11.** Unido a otro verbo por la conj. *y,* decidir y cumplir inmediatamente la acción significada por este. COGIÓ Y *se fue.* ‖ **12.** Alcanzar al que o a lo que va delante. ‖ **13.** Tomar, prender, apresar. ‖ **14.** Tomar, recibir o adquirir lo que significan ciertos nombres. COGER *velocidad,* COGER *fuerzas,* COGER *una costumbre,* COGER *unas entradas de teatro,* COGER *un apartamento.* ‖ **15.** Entender, comprender. *No* HE COGIDO *el chiste.* ‖ **16.** Tomar por escrito lo que otra persona va hablando. *El taquígrafo* COGE *120 palabras.* ‖ **17. agarrar,** contraer una enfermedad. ‖ **18.** Herir o enganchar el toro a una persona con los cuernos. ‖ **19.** Cubrir el macho a la hembra. ‖ **20.** ant. **acoger,** dar asilo. ‖ **21.** intr. Hallarse o encontrarse en determinada situación local respecto a la persona que hace de complemento indirecto, pillar. *Tu casa me* COGE *de camino.* Ú. t. sin tal complemento. *Eso* COGE *muy lejos.* ‖ **22.** coloq. Caber. *Esto no* COGE *aquí.* ‖ **23.** ant. Acogerse. ‖ **24.** vulg. *Amér.* Realizar el acto sexual. ‖ **aquí te cojo, aquí te mato.** expr. fig. y fam. que se usa para significar que alguien quiere aprovechar la ocasión que se le presenta, favorable a sus intentos. ‖ **coger** a alguien **de nuevo** una cosa. fr. No tener noticia alguna o conocimiento antecedente de lo que oye o ve, por lo cual parece que se sorprende con la novedad. ‖ **¡cogíte!** expr.

fam. con que se significa que a alguien se le ha obligado con maña a que confiese lo que quería negar.

cogermano, na. (De *co-* y *germano*[2].) m. y f. ant. **primo hermano.**

cogestión. f. Gestión en común. ‖ **2.** Participación del personal en la administración o gestión de una empresa.

cogida. (De *coger.*) f. fam. Cosecha de frutos. ‖ **2.** fam. Acto de cogerlos. ‖ **3.** Acto de coger el toro a un torero.

cogido, da. p. p. de **coger.** ‖ **2.** adj. ant. Junto, unido. ‖ **3.** m. Pliegue que de propósito o casualmente se hace en la ropa de las mujeres, en cortinas, etc.

cogienda. (Del lat. *colligenda,* pl. n. de *-dus.*) f. ant. **cosecha,** conjunto de frutos que se recogen de la tierra. Ú. hoy en Colombia.

cogimiento. (De *coger.*) m. ant. **cogedura.**

cogitabundo, da. (Del lat. *cogitabundus.*) adj. Muy pensativo.

cogitación. (Del lat. *cogitatĭo, -ōnis.*) f. Acción y efecto de cogitar.

cogitar. (Del lat. *cogitāre.*) tr. ant. Reflexionar o meditar.

cogitativo, va. (De *cogitar.*) adj. Que tiene facultad de pensar.

cognación. (Del lat. *cognatĭo, -ōnis.*) f. Parentesco de consanguinidad por la línea femenina entre los descendientes de un tronco común. ‖ **2.** Por ext., cualquier parentesco.

cognado, da. (Del lat. *cognātus.*) adj. *Gram.* Semejante, parecido. ‖ **2.** m. y f. Pariente por cognación.

cognaticio, cia. (Del lat. *cognatus,* cognado.) adj. Perteneciente al parentesco de cognación.

cognición. (Del lat. *cognitĭo, -ōnis.*) f. **conocimiento,** acción y efecto de conocer.

cognitivo, va. (De *cognición.*) adj. Perteneciente o relativo al conocimiento.

cognocer. (Del lat. *cognoscĕre.*) tr. ant. **conocer.**

cognombre. (Del lat. *cognōmen, -ĭnis.*) m. desus. Sobrenombre o apellido.

cognomen. (Del lat. *cognōmen, -ĭnis.*) m. Subnombre usado en la antigua Roma para destacar rasgos físicos o acciones de una persona y que luego se extendía a su familia o gentes afines.

cognomento. (Del lat. *cognomentum.*) m. Renombre que adquiere una persona por causa de sus virtudes o defectos, o un pueblo por notables circunstancias o acaecimientos; como *Alejandro* MAGNO, *Dionisio* EL TIRANO, LA IMPERIAL *Toledo.*

cognominar. (Del lat. *cognomināre.*) tr. ant. Llamar a alguien por el sobrenombre o apellido.

cognoscible. (Del lat. *cognoscibĭlis.*) adj. **conocible.**

cognoscitivo, va. (Del lat. *cognoscĕre,* conocer.) adj. Dícese de lo que es capaz de conocer. *Potencia* COGNOSCITIVA.

cogolmar. (Del lat. **concumulāre.*) tr. ant. **colmar,** llenar rebosando.

cogolla. (Del lat. *cuculla,* capucha.) f. ant. **cogulla.**

cogollero. m. *Cuba.* Gusano de unos tres centímetros de largo, que vive en el cogollo del tabaco y destruye la hoja; es de color blanco con vetas oscuras y cabeza dura, con dos garras o dientes.

cogollo. (Del lat. *cucullus,* capucho.) m. Lo interior y más apretado de la lechuga, berza y otras hortalizas. ‖ **2.** Brote que arrojan los árboles y otras plantas. ‖ **3.** Parte alta de la copa del pino. ‖ **4.** fig. Lo escogido, lo mejor.

cogombradura. f. ant. **acogombradura.**

cogombrillo. m. **cohombrillo.**

cogombro. (Del lat. *cucŭmis, -mĕris*) m. **cohombro.**

cogón. m. Planta de la familia de las gramíneas, propia de los países cálidos, que tiene las flores en panoja cilíndrica y cuyas cañas sirven en Filipinas para techar las casas en el campo.

cogonal. m. Sitio abundante en cogones.

cogorza. (De or. inc.; cf. lat. vulg. *confortiare.*) f. vulg. **borrachera,** embriaguez.

cogotazo. m. Golpe dado en el cogote con la mano abierta.

cogote. (De *cocote.*) m. Parte superior y posterior del cuello. ‖ **2.** Penacho que se colocaba en la parte del morrión que corresponde al **cogote.** ‖ **estar hasta el cogote.** fr. fig. y fam. **estar hasta la coronilla.** ‖ **ser tieso de cogote.** fr. fig. y fam. Ser presuntuoso o altanero.

cogotera. (De *cogote.*) f. Trozo de tela que, sujeto con botones en la parte posterior de algunas prendas que cubren la cabeza, sirve para resguardar la nuca del sol o de la lluvia. ‖ **2.** Sombrero que los cocheros ponen a las bestias de tiro cuando han de sufrir un sol muy ardiente. ‖ **3.** ant. Pelo rizado y compuesto que cae sobre el cogote.

cogotillo. m. d. de **cogote.** ‖ **2.** En los coches, arco de hierro detrás de la chapa de herraje del fuste delantero.

cogotudo, da. adj. Dícese de la persona que tiene excesivamente grueso el cogote. ‖ **2.** fig. y fam. Dícese de la persona muy altiva u orgullosa. ‖ **3.** m. y f. *Amer.* Plebeyo enriquecido.

cogucho. m. Azúcar de inferior calidad que se saca de los ingenios.

cogüelmo. m. *Sal.* **colmo**[1], lo que está rebosando de los bordes de un recipiente.

coguerzo. (Del m. or. que *cogorza.*) m. ant. **conduerzo,** banquete fúnebre.

cóguil. (Del arauc. *coghull.*) m. *Chile.* Fruto comestible del boqui.

coguilera. f. *Chile.* **boqui.**

cogujada. (Del lat. **cuculliāta,* de *cucullĭo, -ōnis.*) f. Pájaro de la misma familia que la alondra y muy semejante a esta, de la que se distingue por tener en la cabeza un largo moño puntiagudo. Es muy andadora y anida comúnmente en los sembrados.

cogujón. (Del lat. *cucullĭo, -ōnis.*) m. Cualquiera de las puntas que forman los colchones, almohadas, serones, etc.

cogujonero, ra. adj. De figura de cogujón. *Canasta* COGUJONERA.

cogulla. (Del lat. *cuculla.*) f. Hábito o ropa exterior que visten varios religiosos monacales.

cogullada. (De *cogulla.*) f. Papada del puerco.

cohabitación. (Del lat. *cohabitatĭo, -ōnis.*) f. Acción de cohabitar. ‖ **2.** Simultaneidad en el ejercicio del poder de un presidente de la República y un gobierno de tendencia opuesta.

cohabitar. (Del lat. *cohabitāre.*) tr. Habitar juntamente con otro u otros. ‖ **2.** intr. Hacer vida marital el hombre y la mujer. ‖ **3.** Realizar el acto sexual.

cohecha. f. *Agr.* Acción y efecto de cohechar o alzar el barbecho.

cohechador, ra. adj. Que cohecha o soborna a un funcionario público. Ú. t. c. s. ‖ **2.** ant. Decíase del juez que se dejaba cohechar.

cohechamiento. (De *cohechar.*) m. ant. **cohecho.**

cohechar. (Del lat. **confectāre,* arreglar, preparar, de *confectus.*) tr. Sobornar, corromper con dádivas al juez, a persona que intervenga en el juicio o a cualquier funcionario público, para que, contra justicia o derecho, haga o deje de hacer lo que se le pide. ‖ **2.** *Agr.* Alzar el barbecho, o dar a la tierra la última vuelta antes de sembrarla. ‖ **3.** ant. Obligar, forzar, hacer violencia. ‖ **4.** intr. ant. Dejarse **cohechar.**

cohechazón. f. ant. *Agr.* Acción y efecto de cohechar la tierra.

cohecho. (De *cohechar.*) m. Acción y efecto de cohechar o sobornar a un funcionario público. ‖ **2.** Acción y efecto de cohechar la tierra. ‖ **3.** Tiempo de cohechar la tierra.

coheredar. (De *co-* y *heredar.*) tr. Heredar juntamente con otro u otros.

coheredero, ra. m. y f. Heredero juntamente con otro u otros.

coherencia. (Del lat. *cohaerentĭa.*) f. Conexión, relación o unión de unas cosas con otras. ‖ **2.** *Fís.* **cohesión,** unión íntima de moléculas. ‖ **3.** *Ling.* Estado de un sistema lingüístico cuando sus componentes aparecen en conjuntos solidarios. *La* COHERENCIA *del sistema de adverbios de lugar en español se manifiesta en tres grados.*

coherente. (Del lat. *cohaerens, -entis,* p. a. de *cohaerēre,* estar unido.) adj. Que tiene coherencia. ‖ **2.** V. **unidades coherentes.**

cohermano, na. (De *cogermano.*) m. y f. ant. **primo hermano.** ‖ **2.** ant. **medio hermano.** ‖ **3.** ant. **hermanastro.** ‖ **4.** ant. **cofrade.**

cohesión. (Del lat. *cohaesum,* supino de *cohaerēre,* estar unido.) f. Acción y efecto de reunirse o adherirse las cosas entre sí o la materia de que están formadas. ‖ **2. enlace** de dos cosas. ‖ **3.** *Fís.* Unión íntima entre las moléculas de un cuerpo. ‖ **4.** *Fís.* Fuerza de atracción que las mantiene unidas.

cohesivo, va. adj. Que produce cohesión.

cohesor. (Del lat. *cohaesus,* unido.) m. *Fís.* Detector constituido por un tubo de sustancia dieléctrica, lleno de limaduras metálicas, que se usó en los primeros años de la telegrafía sin hilos.

cohetazo. (aum. de *cohete.*) m. desus. **barreno,** agujero lleno de materia explosiva.

cohete. (Del cat. *coet.*) m. Fuego de artificio que consta de un canuto resistente cargado de pólvora y adherido al extremo de una varilla ligera. Encendida la mecha que va en la parte inferior del canuto, la reacción que producen los gases expulsados le imprime un rápido movimiento hacia la altura donde estalla con fuerte estampido. ‖ **2.** Artificio que se mueve en el espacio por propulsión a chorro y que se puede emplear como arma de guerra o como instrumento de investigación científica. ‖ **3.** fig. y fam. V. **olla de cohetes.** ‖ **4.** *Méj.* **barreno,** agujero lleno de materia explosiva. ‖ **5.** fest. *Méj.* Pistola o revólver. ‖ **6.** *Méj.* Cartucho de dinamita. ‖ **7.** fest. *Méj.* Borrachera. ‖ **8.** *Méj.* Lío, enredo, problema. ‖ **9.** adj. fest. *Méj.* Borracho, ebrio. Ú. t. c. s. ‖ **a la Congreve.** *Art.* Proyectil empleado principalmente contra la caballería y que consistía en un tubo de hierro con carga explosiva y una cola de madera. ‖ **chispero.** El que arroja muchas chispas. ‖ **de guerra. cohete a la Congreve.** ‖ **tronador.** El que da muchos truenos. ‖ **al cohete.** loc. adv. fam. *Argent.* y *Urug.* Inútilmente, en vano.

cohetera. f. Mujer del cohetero.

cohetería. f. Taller o fábrica donde se hacen cohetes. ‖ **2.** Tienda donde se venden. ‖ **3.** Disparo de cohetes. ‖ **4.** Conjunto de cohetes que se disparan juntos. ‖ **5.** Arte de emplear cohetes en la guerra o en la investigación espacial.

cohetero. m. El que tiene por oficio hacer cohetes y otros artificios de fuego.

cohibición. (Del lat. *cohibitĭo, -ōnis.*) f. Acción y efecto de cohibir.

cohibido, da. p. p. de **cohibir.** ‖ **2.** adj. Tímido, amedrentado.

cohibir. (Del lat. *cohibēre.*) tr. Refrenar, reprimir, contener. Ú. t. c. prnl.

cohíta. (Del lat. *conficta,* p. p. de *configĕre.*) f. ant. Porción de cosas contiguas, y principalmente manzana de casas.

cohobación. f. *Quím.* Acción y efecto de cohobar.

cohobar. (Del b. lat. *cohobare.*) tr. *Quím.* Destilar repetidas veces una misma sustancia.

cohobo. m. Piel de ciervo. ‖ **2.** *Ecuad.* **ciervo.**

cohol. (Del ár. *kuhl,* colirio.) m. ant. **alcohol.**

cohollo. m. **cogollo.**

cohombral. m. Sitio sembrado de cohombros.

cohombrillo. m. d. de **cohombro.** ‖ **amargo.** Planta medicinal, de la familia de las cucurbitáceas, con tallos rastreros, hojas acorazonadas, blanquecinas, ásperas y vellosas por el envés, y flores amarillas. El fruto, del tamaño de un huevo de paloma, aunque algo más largo, cuando se le toca, estando maduro se desprende y arroja con fuerza las semillas y el jugo, que es muy amargo. ‖ **2.** Fruto de esta planta.

cohombro. (De *cogombro.*) m. Planta hortense, variedad de pepino, cuyo fruto es largo y torcido. ‖ **2.** Fruto de esta planta. ‖ **3. churro**[1]. ‖ **de mar.** Equinodermo de la clase de los holotúridos, unisexual, con piel coriácea, cuerpo cilíndrico y tentáculos muy ramificados alrededor de la boca. Se contrae tan violentamente cuando se le molesta, que a veces arroja por la boca las vísceras, que fácilmente regenera después.

cohonder. (Del lat. *confundĕre.*) tr. ant. **confundir.** ‖ **2.** ant. Manchar, corromper, vituperar.

cohondimiento. m. ant. Acción y efecto de cohonder.

cohonestador, ra. adj. Que cohonesta.

cohonestar. (Del lat. *cohonestāre.*) tr. Dar apariencia de justa o razonable a una acción que no lo es. *El fuerte busca razones con que* COHONESTAR *sus violencias.* ‖ **2.** Hacer compatible una cualidad, actitud o acción con otra. COHONESTAR *exigencias contrarias.*

cohortar. (Del lat. *cohortāre.*) tr. ant. **conhortar.**

cohorte. (Del lat. *cohors, -ortis.*) f. Unidad táctica del antiguo ejército romano que tuvo diversas composiciones. ‖ **2.** fig. Conjunto, número, serie. COHORTE *de males.*

coición. (Del lat. *coitĭo, -ōnis.*) f. ant. Junta o conjunción.

coicoy. m. *Chile.* Sapo pequeño que recibe este nombre por su grito particular, en que parece repetir la sílaba *coy.* Tiene en la espalda cuatro protuberancias a manera de ojos, por lo cual se le llama también sapo de cuatro ojos.

coidar. (Del lat. *cogitāre,* pensar.) tr. ant. **cuidar.**

coido. (De *coidar.*) m. ant. **cuidado,** negocio que está a cargo de alguien.

coidoso, sa. (De *coido.*) adj. ant. **cuidadoso.**

coihue. m. *Argent.* Variedad de jara pequeña propia de los Andes patagónicos.

coihué. (De or. araucano.) m. *Argent.* y *Chile.* Árbol de la familia de las fagáceas, de mucha elevación y de madera semejante a la del roble, con hojas lanceoladas, coriáceas, glabras y ligeramente pecioladas, y flores de a tres en un pedúnculo.

coima[1]**.** (Del ár. *quwaima,* muchacha.) f. **manceba.**

coima[2]**.** (Del ár. *quwaima,* d. de *qīma,* precio.) f. Gaje del garitero, por el cuidado de prevenir lo necesario para las mesas de juego. ‖ **2.** *Argent., Chile, Ecuad., Perú* y *Urug.* **cohecho,** gratificación, dádiva con que se soborna. ‖ **3.** V. **casa de coima.**

coimbricense. adj. **conimbricense.**

coime. (Del ár. *qā'im,* el que se encarga de algo.) m. El que cuida del garito y presta con usura a los jugadores. ‖ **2.** Mozo de billar. ‖ **3.** *Germ.* Con adjetivos antepuestos como *grande, sagrado,* etc., Dios.

coimear. intr. *Argent., Chile, Perú* y *Urug.* Recibir o dar coima[2].

coimero, ra. (De *coima*[2].) m. y f. *Argent., Chile, Ecuad., Par., Perú* y *Urug.* Persona que da coimas o que las recibe. ‖ **2.** m. **coime,** el que cuida del garito.

coincidencia. f. Acción y efecto de coincidir.

coincidente. p. a. de **coincidir.** Que coincide.

coincidir. (De *co-* y el lat. *incidĕre,* caer en, acaecer.) intr. Convenir una cosa con otra; ser conforme con ella. ‖ **2.** Ocurrir dos o más cosas a un mismo tiempo; convenir en el modo, ocasión u otras circunstancias. ‖ **3.** Ajustarse una cosa con otra; confundirse con ella, ya por superposición, ya por otro medio cualquiera. ‖ **4.** Concurrir simultáneamente dos o más personas en un mismo lugar. ‖ **5.** Estar de acuerdo dos o más personas en una idea, opinión o parecer sobre una cosa.

coiné. (Del gr. κοινή, común.) f. Lengua franca usada por los pueblos de cultura helénica tras la muerte de Alejandro Magno. ‖ **2.** *Ling.* Lengua común que procede de la reducción a unidad, más o menos artificial, de ciertas variedades idiomáticas.

coinquilino, na. (De *co-* e *inquilino.*) m. y f. Inquilino con otro.

coinquinar. (Del lat. *coinquināre*, manchar.) tr. desus. Manchar, ensuciar, inficionar. ‖ **2.** prnl. desus. Mancharse, perder la buena fama.

cointeresado, da. adj. Interesado juntamente con otro u otros en un todo del cual han de participar. Ú. t. c. s.

coipo. (Del arauc. *coipu.*) m. *Argent.* y *Chile.* Mamífero anfibio semejante al castor. Tiene el pelo del color de la nutria, las orejas redondas, el hocico largo y cubierto de barbas, las patas cortas, la cola gruesa, redonda y peluda.

coirón. m. *Bol.* y *Chile.* Planta gramínea de hojas duras y punzantes, que se usa principalmente para techar las barracas de los campos.

coironal. m. Terreno en que abunda el coirón.

coitar[1] (Del lat. *cogitāre.*) tr. ant. **cuitar.** Ú. t. c. prnl.

coitar[2]**.** intr. Realizar el coito, copular.

coitivo, va. adj. ant. Perteneciente al coito.

coito. (Del lat. *coĭtus.*) m. Cópula sexual.

coitoso, sa. (De *coitar*[1]*.*) adj. ant. **cuitoso.**

coja. (Del lat. *coxa*, anca.) f. ant. **corva** de la pierna. ‖ **2.** fig. y fam. Mujer de mala vida.

cojal. (De *coja.*) m. Pellejo que los cardadores se ponen en la rodilla, para cardar.

cojate. m. *Cuba.* Planta silvestre de la familia de las cingiberáceas, de unos dos metros de altura, con grandes y anchas hojas, flores rojas, oscuras, en forma de tirso, y raíces muy diuréticas.

cojatillo. (De *cojate.*) m. *Cuba.* Especie de jengibre silvestre, que nace a orillas de los ríos y en los bosques espesos.

cojear. (De *cojo.*) intr. Andar inclinando el cuerpo más a un lado que a otro, por no poder sentar con regularidad e igualdad ambos pies. ‖ **2.** Moverse una mesa o cualquier otro mueble, por tener algún pie más o menos largo que los demás, o por desigualdad del piso. ‖ **3.** fig. y fam. Faltar a la rectitud en algunas ocasiones. ‖ **4.** fig. y fam. Adolecer de algún vicio o defecto.

cojedad. (De *cojo.*) f. ant. **cojera.**

cojera. (De *cojo.*) f. Accidente que impide andar con regularidad. ‖ **en caliente.** La que manifiesta el caballo después de un largo ejercicio. ‖ **en frío.** La del caballo que rompe a andar con dificultad o cojeando, y que normaliza la marcha después de un ejercicio más o menos largo.

cojez. (De *cojo.*) f. ant. **cojera.**

cojijo. (Del lat. *cossis*, gusano.) m. Sabandija, bicho. ‖ **2.** fig. Inquietud moral apremiante.

cojijoso, sa. (De *cojijo.*) adj. fig. Que se queja o resiente, generalmente por causa ligera.

cojín. (Del lat. vulg. **coxinum*, de *coxa*, cadera.) m. Almohadón que sirve para sentarse, arrodillarse o apoyar sobre él cómodamente alguna parte del cuerpo. ‖ **2.** *Mar.* Defensa de cajeta que se pone en las vergas y en las bordas para que no se rocen determinados cabos.

cojinete. m. d. de **cojín.** ‖ **2. almohadilla** de las cajas de coser. ‖ **3.** Pieza de hierro con que se sujetan los carriles a las traviesas del ferrocarril. ‖ **4.** Pieza movible de acero, con limas o cortes en uno de sus cantos, que sirve en las terrajas para labrar la espiral del tornillo. ‖ **5.** V. **terraja de cojinetes.** ‖ **6.** *Impr.* Cada una de las piezas de metal que sujetan el cilindro. ‖ **7.** *Mec.* Pieza o conjunto de piezas en que se apoya y gira cualquier eje de maquinaria.

cojinillo. m. *Argent.* y *Urug.* Manta pequeña de lana, o vellón, que se coloca sobre el lomillo del recado de montar.

cojinúa. f. *Cuba* y *Sto. Dom.* Pez de unos 30 centímetros de largo, color plateado, cola ahorquillada abierta, aletas largas, ojos negros con cerco blanquecino, y escamas comunes y pequeñas. Su carne es muy apreciada.

cojitranco, ca. (De *cojo* y *tranco.*) adj. despect. **cojo.** Dícese del que cojea de forma llamativa, dando pasos largos o trancos. Ú. t. c. s.

cojo, ja. (Del lat. *coxus*, de *coxa*, anca.) adj. Aplícase a la persona o animal que cojea, bien por falta de una pierna o pie, bien por pérdida del uso normal de cualquiera de estos miembros. Ú. t. c. s. ‖ **2.** fig. Dícese también de algunas cosas inanimadas, como del banco o la mesa cuando balancean a un lado y a otro. ‖ **3.** Dícese de las cosas inmateriales mal fundadas o incompletas. *Razonamiento* cojo. ‖ **no ser cojo ni manco.** fr. fig. y fam. Ser muy inteligente y experimentado en lo que le toca.

cojobo. m. *Cuba.* Jabí, árbol americano.

cojolite. m. *Méj.* Especie de faisán.

cojón. (Del lat. *colĕo.*) m. **testículo.** Es voz malsonante. ‖ **2.** Ú. en pl. como interjección.

cojonudo, da. adj. vulg. Estupendo, magnífico, excelente.

cojudez. f. *Amér.* Cualidad de cojudo.

cojudo, da. (Del lat. *colĕus*, testículo.) adj. Dícese del animal no castrado. ‖ **2.** *Amér.* Tonto, bobo.

cojuelo, la. adj. d. de **cojo.** Ú. t. c. s.

cok. m. **coque.**

col. (Del lat. *caulis.*) f. Planta hortense, de la familia de las crucíferas, con hojas radicales muy anchas por lo común y de pencas gruesas, flores en panoja al extremo de un bohordo, pequeñas, blancas o amarillas, y semilla muy menuda. Se cultivan muchas variedades, todas comestibles, que se distinguen por el color y la figura de sus hojas; la más vulgar tiene las pencas blancas. ‖ **de Bruselas.** Variedad que, en vez de desarrollarse en un solo cogollo, tiene tallos alrededor de los cuales crecen apretados muchos cogollos pequeños. ‖ **lombarda. lombarda.**

cola[1]**.** (Del lat. *caudŭla*, d. de *cauda*, cola.) f. Extremidad posterior del cuerpo y de la columna vertebral de algunos animales. ‖ **2.** Conjunto de cerdas que tienen ciertos animales en esta parte del cuerpo. ‖ **3.** Conjunto de plumas fuertes y más o menos largas que tienen las aves en la rabadilla. ‖ **4. cola de caballo,** clase de peinado. ‖ **5.** Porción que en algunas ropas talares se prolonga por la parte posterior y se lleva comúnmente arrastrando. ‖ **6.** Extremidad del paño, que por lo común remata en tres o cuatro orillos, y es la contrapuesta a la punta en que está la muestra. ‖ **7.** Punta o extremidad posterior de alguna cosa, por oposición a cabeza o principio. ‖ **8.** Apéndice luminoso que suelen tener los cometas. ‖ **9.** Apéndice prolongado que se une a alguna cosa. ‖ **10.** Hilera de personas que esperan vez. ‖ **11.** desus. Entre los antiguos estudiantes, voz de oprobio, en contraposición de la de aclamación o vítor. ‖ **12.** *Arq.* Entrega del sillar. ‖ **13.** *Fort.* Parte posterior de una explanada, trinchera o cualquier obra de fortificación. ‖ **14.** *Fort.* **gola,** entrada al baluarte. ‖ **15.** *Mús.* Detención en la última sílaba de lo que se canta. ‖ **16.** m. El que está en último lugar en una competición o juego. ‖ **de caballo.** Planta de la clase de las equisetíneas, con tallo de cuatro a seis decímetros de altura, huecos anudados de trecho en trecho y envainados unos en otros, que terminan en una especie de ramillete de hojas filiformes, a manera de **cola** de caballo. Crece en los prados y después de seca sirve para limpiar las matrices de las letras de imprenta y para otros usos. ‖ **2.** Clase de peinado, generalmente femenino, que consiste en recoger el pelo en la parte superior de la nuca, sujetándolo con una cinta, pasador, etc. de forma que recuerde la **cola** del caballo. ‖ **de golondrina.** *Fort.* Obra de defensa en forma de ángulo entrante. ‖ **de milano,** o **de pato.** *Carp.* Espiga de ensamblaje, en forma de trapecio, más ancha por la cabeza que por el arranque. ‖ **2.** Adorno arquitectónico hecho en esta forma. ‖ **de zorra.** Planta perenne de la familia de las gramíneas, con raíz articulada, tallo de 30 a 80 centímetros, hojas planas, lineares y lanceoladas, y flores en tirso cilíndrico con aristas largas y paralelas. ‖ **a cola de milano.** loc. adv. *Carp.* Con el sistema o forma de la **cola** de milano. ‖ **a la cola.** loc. adv. fig. y fam. **detrás.** ‖ **apearse por la cola.** fr. fig. y fam. Responder o decir algún disparate o despropósito. ‖ **dar a la cola.** fr. ant. *Mil.* **picar la retaguardia.** ‖ **dar cola y luz.** fr. fig. *Urug.* Superar, aventajar a otro. ‖ **estar,** o **faltar, la cola por desollar.** fr. fig. y fam. **estar,** o **faltar, el rabo por desollar.** ‖ **hacer bajar la cola** a alguien. fr. fig. y fam. Humillar su altivez o soberbia por medio de la reprensión o el castigo. ‖ **hacer cola.** fr. fig. y fam. Esperar vez, formando hilera con muchas personas, para poder entrar en una parte o acercarse a un lugar con algún objeto. ‖ **llevar cola,** o **la cola.** fr. fig. desus. En el juicio de exámenes en oposiciones públicas, llevar el último lugar. ‖ **2.** desus. En los estudios de gramática, perder en la composición que se encarga a todos. ‖ **ser arrimado a la cola,** o **de hacia la cola.** fr. fig. y fam. desus. Ser corto o rudo de entendimiento. ‖ **ser cola.** fr. fig. **llevar cola.** ‖ **tener,** o **traer, cola** una cosa. fr. fig. y fam. Tener, o traer consecuencias graves.

cola[2]**.** (Del lat. *colla,* y este del gr. κόλλα.) f. Pasta fuerte, translúcida y pegajosa, que se hace generalmente cociendo raeduras y retazos de pieles, y que disuelta después en agua caliente, sirve para pegar. ‖ **de boca.** Masa compuesta de **cola** de pescado y **cola** de retal, que, azucarada y aromatizada, se empleaba en forma de pastilla para pegar papel, mojándola con la saliva. ‖ **de pescado.** Gelatina casi pura que se hace con la vejiga de los esturiones. ‖ **de retal.** La que se hace con las recortaduras del baldés, y sirve para preparar los colores al temple y aparejar los lienzos y piezas del dorado bruñido. ‖ **no pegar ni con cola.** fr. fig. y fam. Ser una cosa notoriamente incongruente con otra; no venir a cuento.

cola[3]**.** f. *Bot.* Semilla de un árbol ecuatorial, de la familia de las esterculiáceas, que por contener teína y teobromina se utiliza en medicina como excitante de las funciones digestivas y nerviosas.

-cola. (Del lat. *-cŏla,* de la raíz de *colĕre,* cultivar, habitar.) elem. compos. que significa «que cultiva o cría» o «que habita en»: *aví*COLA, *frutí*COLA, *arborí*COLA, *caverní*COLA.

colaboración. f. Acción y efecto de colaborar.

colaboracionista. com. En sentido despectivo, el que presta su colaboración a un régimen político que la mayoría de los ciudadanos considera antipatriótico.

colaborador, ra. (De *colaborar.*) adj. Que colabora. Ú. t. c. s. ‖ **2.** m. y f. Compañero en la formación de alguna obra, especialmente literaria. ‖ **3.** Persona que escribe habitualmente en un periódico, sin pertenecer a la plantilla de redactores.

colaborar. (Del lat. *collaborāre.*) intr. Trabajar con otra u otras personas, especialmente en obras del espíritu. ‖ **2. contribuir,** concurrir con un donativo. ‖ **3. contribuir,** ayudar con otros al logro de algún fin.

colación. (Del lat. *collatĭo, -ōnis.*) f. Acto de colar o conferir canónicamente un beneficio eclesiástico, o el de conferir un grado de universidad. ‖ **2.** Cotejo que se hace de una cosa con otra. ‖ **3.** Conferencia o conversación que tenían los antiguos monjes sobre cosas espirituales. ‖ **4.** Territorio o parte de vecindario que pertenece a cada parroquia en particular. ‖ **5.** Refacción que se acostumbra a tomar por la noche en los días de ayuno. ‖ **6.** Porción de cascajo, dulces, frutas u otras cosas de comer, que se daba a los criados el día de Nochebuena. ‖ **7.** Refacción de dulces, pastas y a veces fiambres, con que se obsequia a un huésped o se celebra algún suceso. ‖ **8.** *Amér.* Golosina hecha de masa moldeada en diferentes formas y recubierta de azúcar. ‖ **de bienes.** *Der.* Manifestación que al partir una herencia se hace de los bienes que un heredero forzoso recibió gratuitamente del causante en vida de este, para que sean contados en la computación de legítimas y mejoras. ‖ **sacar a colación** a una persona o cosa. fr. fig. y fam. Hacer mención, mover la conversación de ellas. ‖ **traer a colación.** fr. fig. y fam. Aducir pruebas o razones en abono de una causa. ‖ **2.** fig. y fam. Mezclar palabras o frases inoportunas en un discurso o conversación. ‖ **traer a colación y partición** una cosa. fr. *Der.* Incluirla en la **colación** de bienes.

colacionar. (De *colación.*) tr. **cotejar.** ‖ **2. traer a colación y partición.** ‖ **3.** Hacer la colación de un beneficio eclesiástico.

colactáneo, a. (Del lat. *collactanĕus.*) m. y f. **hermano de leche.**

colada[1]**.** f. Acción y efecto de colar[2]. ‖ **2.** Especialmente, acción de colar la ropa. ‖ **3.** Lejía en que se cuela la ropa. ‖ **4.** Ropa colada. ‖ **5.** Lavado de ropa sucia de una casa. ‖ **6.** Ropa lavada. ‖ **7.** Faja de terreno por donde pueden transitar los ganados para ir de unos a otros pastos, bien en campos libres, adehesados o eriales, bien en los de propiedad particular, después de levantadas las cosechas. ‖ **8.** Paso o garganta entre montañas difícil de cruzar por su angostura y mal suelo. ‖ **9.** *Ecuad.* y *Perú.* Especie de mazamorra hecha con harina y agua o leche, a la que, en algunos sitios, se añade sal y, en otros, azúcar. ‖ **10.** *Metal.* Sangría que se hace en los altos hornos para que salga el hierro fundido. ‖ **salir** una cosa **en la colada.** fr. fig. y fam. Averiguarse, descubrirse lo que ya había pasado y estaba olvidado y oculto. ‖ **2.** fig. y fam. Ponerse en claro o averiguarse las malas acciones o actos censurables de una persona. Dícese más generalmente: **todo saldrá en la colada.** ‖ **3.** fig. y fam. Pagar de una vez las malas acciones hechas en tiempos diversos por quien no ha querido enmendarse jamás. Se suele emplear en son de amenaza.

colada[2]**.** (Por alusión a una de las espadas del Cid.) f. fig. Buena espada.

coladera. (De *colar.*) f. Cedacillo para licores. ‖ **2.** En el léxico estudiantil, **coladero.** ‖ **3.** *Méj.* Sumidero con agujeros.

coladero. m. Manga, cedazo, paño, cesto o vasija en que se cuela un líquido. ‖ **2.** Camino o paso estrecho. ‖ **3.** ant. **colada**[1], faja de terreno. ‖ **4.** fig. En el léxico estudiantil, centro docente o acto de exámenes que se caracterizan por su extrema benevolencia al juzgar. ‖ **5.** *Min.* Boquete que se deja en el entrepiso de una mina para echar por él los minerales al piso general inferior, y desde allí sacarlos afuera.

coladizo, za. adj. Que penetra o se cuela fácilmente por dondequiera.

colado, da. p. p. de **colar**[2]. ‖ **2.** adj. V. **aire, hierro colado.**

colador[1]**.** (De *colar*[1].) m. El que confiere o da la colación de los beneficios eclesiásticos.

colador[2]**.** (De *colar*[2].) m. **coladero** en que se cuela un líquido. ‖ **2.** *Impr.* Cubeto con varios agujeros en la tabla de abajo, el cual se llena de ceniza, y echándole agua para que pase por ella, sale hecha lejía.

coladora. (De *colador*[2].) f. La que hace coladas.

coladura. f. Acción y efecto de colar líquidos. ‖ **2.** fig. y fam. Acción y efecto de **colarse,** cometer equivocaciones.
colage. (Del fr. *collage.*) m. Técnica pictórica consistente en pegar sobre lienzo o tabla materiales diversos. ‖ **2.** Obra pictórica ejecutada con este procedimiento.
colágeno[1]. (Del gr. κόλλα, cola, y γεννάω, engendrar.) m. *Quím.* Sustancia albuminoidea que existe en el tejido conjuntivo, en los cartílagos y en los huesos, y que se transforma en gelatina por efecto de la cocción.
colágeno[2], na. adj. *Quím.* Perteneciente o relativo al colágeno.
colagogo, ga. (Del gr. χολή, bilis, y ἄγω, mover.) adj. Dícese de la sustancia o medicamento que provoca la evacuación de la bilis. Ú. t. c. s.
colaina. (Del lat. *coriāgo, -ĭnis,* enfermedad del cuero.) f. **acebolladura.**
colaire. (De *colar* y *aire.*) m. *And.* Lugar por donde pasa el aire colado.
colambre. f. **corambre.**
colana. (De *colar,* beber vino.) f. fam. Trago, trinquis.
colandero, ra. m. y f. *Rioja.* Persona que por oficio se dedica a colar la ropa.
colanilla. f. Pasadorcillo con que se cierran y aseguran puertas y ventanas.
colaña. (Del lat. *columna.*) f. Pie derecho o poste de tabiques, andamios, etc. ‖ **2.** Tabique de poca altura, que sirve de antepecho en las escaleras o de división en los graneros. ‖ **3.** *Murc.* Pieza de madera de hilo, de 20 palmos de longitud, con una escuadría de seis pulgadas de tabla por cuatro de canto.
colapez. (De *cola[2]* y *pez.*) f. **cola de pescado.**
colapiscis. (De *cola* y el lat. *piscis,* pez.) f. **colapez.**
colapsar. tr. Producir colapso. ‖ **2.** intr. Sufrir colapso o caer en él. Ú. t. c. prnl. ‖ **3.** Decrecer o disminuir intensamente una actividad cualquiera.
colapso. (Del lat. *collapsus,* p. p. de *collābi,* caer, arruinarse.) m. *Med.* Estado de postración extrema y gran depresión, con insuficiencia circulatoria. ‖ **2.** *Med.* Disminución anormal del tono de las paredes de una parte orgánica hueca, con decrecimiento o supresión de su luz. ‖ **3.** *Mec.* Deformación brusca o destrucción de un cuerpo por la acción de una fuerza. ‖ **4.** fig. Paralización a que pueden llegar el tráfico y otras actividades. ‖ **5.** fig. Destrucción, ruina de una institución, sistema, estructura, etc.
colar[1]. (Del b. lat. *collāre,* conferir, y este del lat. *collātum,* conferido.) tr. Dicho de beneficios eclesiásticos, conferirlos canónicamente.
colar[2]. (Del lat. *colāre.*) tr. Pasar un líquido por manga, cedazo o paño. ‖ **2.** Blanquear la ropa después de lavada, metiéndola en lejía caliente. ‖ **3.** intr. Pasar por un lugar estrecho. ‖ **4.** fam. Beber vino. ‖ **5.** fam. Pasar una cosa en virtud de engaño o artificio. ‖ **6.** prnl. fam. Introducirse a escondidas o sin permiso en alguna parte. ‖ **7.** fig. y fam. Decir inconveniencias, embustes o cometer equivocaciones. ‖ **8.** fig. y fam. Estar muy enamorado. Ú. m. en p. p. ‖ **no colar** una cosa. fr. fig. y fam. No ser creída.
colateral. (Del lat. *collaterālis.*) adj. Dícese de las cosas que están a uno y otro lado de otra principal. Aplícase a las naves y altares de los templos que están en esta situación. ‖ **2.** Dícese del pariente que no lo es por línea recta. Ú. t. c. s. ‖ **3.** V. **consejo, línea colateral.**
colativo[1], va. (Del lat. *collatīvus.*) adj. Aplícase a los beneficios eclesiásticos y a todo lo que no se puede gozar sin colación canónica. ‖ **2.** V. **capellanía colativa.**
colativo[2], va. (Del lat. *colātum,* supino de *colāre,* colar.) adj. Dícese de lo que tiene virtud de colar y limpiar.
colaudar. (Del lat. *collaudāre.*) tr. ant. **alabar,** elogiar con palabras.
colayo. m. **pimpido.**
cólcedra. (Del lat. *culcĭtra.*) f. ant. Colchón de lana o pluma. ‖ **2.** ant. **colcha.**
colcedrón. m. aum. de **cólcedra.**
colcótar. (Del ár. *qulqutar,* caparrosa, tal vez corrupción del gr. χαλκάνθη.) m. *Quím.* Color rojo que se emplea en pintura, formado por el peróxido de hierro pulverizado.
colcha. (Del lat. *culcĭta.*) f. Cobertura de cama que sirve de adorno y abrigo.
colchado, da. p. p. de **colchar.** ‖ **2.** adj. Se dice de la prenda o presea hecha de tela y rellena a modo de almohadilla.
colchadura. f. Acción y efecto de colchar[1].
colchagüino, na. adj. Natural de Colchagua. Ú. t. c. s. ‖ **2.** Perteneciente o relativo a esta provincia chilena.
colchar[1]. (De *colcha.*) tr. **acolchar[1].**
colchar[2]. tr. *Mar.* **corchar[1].**
colchero, ra. m. y f. Persona que tenía por oficio hacer colchas y vendedlas.
colchón. (De *colcha.*) m. Pieza cuadrilonga, rellena de lana u otro material blando o elástico, que se pone sobre la cama para dormir en él. ‖ **2.** Por ext., cualquier objeto que hace la misma función. ‖ **de aire.** El de tela impermeable henchido de aire. ‖ **2.** Capa de aire a presión interpuesta entre dos superficies para evitar su contacto y amortiguar sus movimientos. ‖ **de muelles.** El relleno de muelles. ‖ **2.** Armadura de madera o hierro, con varios resortes colocados en el mismo plano, enlazados y sobre la cual se ponen los **colchones** ordinarios. ‖ **de tela metálica.** El de tela elástica de alambre que se mantiene tirante por medio de unos rollizos de madera puestos en los pies y en la cabecera del mismo **colchón.** ‖ **de viento. colchón de aire.** ‖ **sin bastas.** fig. y fam. *Ar.* Persona obesa y de mala figura, sobre todo tratándose de una mujer. ‖ **hacer un colchón.** fr. Descoserlo, varear la lana para ahuecarla y volverlo a coser.
colchonera. adj. V. **aguja colchonera.**
colchonería. f. **lanería.** ‖ **2.** Tienda en que se hacen o venden colchones, almohadas, acericos, cojines y otros objetos semejantes.
colchonero, ra. m. y f. Persona que tiene por oficio hacer o vender colchones.
colchoneta. (De *colchón.*) f. Cojín largo y delgado que se pone encima del asiento de un sofá, de un banco o de otro mueble semejante. ‖ **2.** Colchón delgado. ‖ **3.** Colchón de aire impermeable. ‖ **4.** *Dep.* Colchón delgado o grueso sobre el que se realizan ejercicios de gimnasia.
cole. m. fam. *Cantabria.* **chapuzón.**
coleada. f. Sacudida o movimiento de la cola de los peces y otros animales. ‖ **2.** *Venez.* Acto de derribar una res tirándole de la cola.
coleador, ra. adj. Que colea; se aplica a ciertos animales como el león, el lobo, etc. ‖ **2.** m. *Venez.* El que en las corridas de toros y en los hatos tira de la cola de una res para derribarla en la carrera.
coleadura. f. Acción de colear.
colear. intr. Mover con frecuencia la cola. ‖ **2.** tr. En las corridas de toros, sujetar la res por la cola, por lo común cuando embiste al picador caído. ‖ **3.** *Méj.* Coger el jinete la cola al toro que huye, y, sujetándola bajo la pierna derecha contra la silla, derribarlo por efecto del mayor arranque del caballo. ‖ **4.** *Méj.* y *Venez.* Tirar, corriendo a pie o a caballo, de la cola de una res para derribarla. ‖ **todavía colea.** expr. fig. y fam. con que se indica no haberse concluido todavía un negocio, o no ser aún conocidas todas sus consecuencias.
colección. (Del lat. *collectĭo, -ōnis.*) f. Conjunto de cosas, por lo común de una misma clase. COLECCIÓN *de escritos, de medallas, de mapas.*
coleccionador, ra. m. y f. Persona que colecciona.

coleccionar. tr. Formar colección. COLECCIONAR *monedas, manuscritos.*

coleccionismo. m. Afición a coleccionar objetos y técnica para ordenarlos debidamente.

coleccionista. com. Persona que colecciona.

colecistitis. (Del gr. χολή, bilis, κύστις, vejiga, e *-itis.*) f. Inflamación aguda o crónica de la vesícula biliar.

colecta. (Del lat. *collecta.*) f. Recaudación de donativos voluntarios, generalmente para fines benéficos. ‖ **2. derrama,** repartimiento de un gasto eventual. ‖ **3.** Cualquiera de las oraciones de la misa, llamadas así porque se dicen cuando están juntos los fieles para celebrar los divinos oficios. ‖ **4.** Junta o congregación de los fieles en los templos de la primitiva Iglesia, para celebrar los oficios divinos.

colectación. f. Acción y efecto de colectar.

colectánea. (Del lat. *collectanĕa.*) f. ant. **colección.**

colectar. (De *colecta.*) tr. **recaudar,** cobrar o percibir caudales o efectos.

colecticio, cia. (Del lat. *collectitĭus.*) adj. Aplícase al cuerpo de tropa compuesto de gente nueva, sin disciplina y recogida de diferentes lugares. ‖ **2.** Dícese del tomo formado por obras sueltas y antes esparcidas.

colectivero. m. *Argent.* y *Perú.* Conductor de un **colectivo,** autobús de pasajeros.

colectividad. (De *colectivo.*) f. Conjunto de personas reunidas o concertadas para un fin.

colectivismo. (De *colectivo.*) m. Doctrina que tiende a suprimir la propiedad particular, transferirla a la colectividad y confiar al Estado la distribución de la riqueza.

colectivista. adj. Perteneciente o relativo al colectivismo. ‖ **2.** Dícese del partidario de dicho sistema. Ú. t. c. s.

colectivización. f. Acción y efecto de colectivizar.

colectivizar. tr. Transformar lo particular en colectivo.

colectivo, va. (Del lat. *collectīvus.*) adj. Perteneciente o relativo a cualquier agrupación de individuos. ‖ **2.** Que tiene virtud de recoger o reunir. ‖ **3.** *Com.* V. **compañía regular, sociedad regular colectiva.** ‖ **4.** *Gram.* V. **nombre colectivo.** ‖ **5.** V. **conflicto colectivo.** ‖ **6.** m. Cualquier grupo unido por lazos profesionales, laborales, etc. ‖ **7.** *Argent., Bol.* y *Perú.* **autobús.**

colector, ra. (Del lat. *collector, -ōris.*) adj. Que recoge. ‖ **2. recaudador.** ‖ **3.** m. y f. **coleccionista,** persona que hace alguna colección. ‖ **4.** Persona que reúne para su estudio y conocimiento, documentos, textos, objetos, etc. ‖ **5.** m. En las iglesias, eclesiástico a cuyo cargo está recibir las limosnas de las misas para distribuirlas entre los que las han de celebrar. ‖ **6.** Caño o canal que recoge todas las aguas procedentes de un avenamiento o las sobrantes del riego. ‖ **7.** Conducto subterráneo en el cual vierten las alcantarillas sus aguas. ‖ **8.** *Electr.* Anillo de cobre al que se aplican las escobillas para comunicar el inducido con el circuito exterior. ‖ **de espolios.** El encargado de recoger, de entre los bienes que dejaban los obispos, aquellos que les pertenecían por razón de su dignidad, para emplearlos en limosnas y obras pías.

colecturía. (De *colector.*) f. Ministerio de recaudar algunas rentas. ‖ **2.** Oficio de colector de las limosnas de las misas. ‖ **3.** Oficina donde se reciben las rentas y se guardan los papeles relacionados con ellas.

colédoco. (Del gr. χολή, bilis, y δέχεσθαι, recibir.) adj. *Anat.* Dícese del conducto formado por la unión de los conductos cístico y hepático y que desemboca en el duodeno. Ú. t. c. s. m.

colega. (Del lat. *collēga.*) com. Compañero en un colegio, iglesia, corporación o ejercicio. ‖ **2.** coloq. Amigo, compañero.

colegatario. (Del lat. *collegatarĭus.*) m. Aquel a quien se le ha legado una cosa juntamente con otro u otros.

colegiación. f. Acción y efecto de colegiar o colegiarse.

colegiadamente. adv. m. En forma de colegio o comunidad.

colegiado, da. p. p. de **colegiar.** ‖ **2.** adj. Dícese del individuo que pertenece a una corporación que forma colegio. ‖ **3.** También se aplica al cuerpo constituido en colegio. *El profesorado* COLEGIADO *de Madrid.* ‖ **4.** V. **tribunal colegiado.** ‖ **5.** m. y f. *Dep.* Árbitro de un juego o deporte que es miembro de un colegio oficialmente reconocido.

colegial. (Del lat. *collegiālis.*) adj. Perteneciente al colegio. ‖ **2.** V. **iglesia colegial.** Ú. t. c. s. ‖ **3.** m. El que tiene beca o plaza en un colegio. ‖ **4.** El que asiste a cualquier colegio particular. ‖ **5.** fig. y fam. Mozo inexperto y tímido. ‖ **6.** *Chile.* Pájaro que vive a orillas de los ríos y lagunas y tiene unos 13 centímetros de largo. La hembra es de color ceniciento y el macho negro y rojo. ‖ **capellán.** El que en los colegios tenía beca o plaza y a cuyo cargo estaba el cuidado de la iglesia o capilla, según las constituciones y costumbres de los colegios. ‖ **de baño.** El que tomaba la beca en un colegio solo para condecorarse con ella. ‖ **freile.** El de cualquiera de los colegios de las órdenes militares. ‖ **huésped.** El que habiendo cumplido los años de colegio, se quedaba en él con manto y beca, pero sin voto ni ración. ‖ **mayor.** El que tenía beca en un colegio mayor. ‖ **menor.** El que tenía beca en un colegio menor. ‖ **militar. colegial freile.** ‖ **nuevo.** El alumno que no había llegado a antiguar, según las particulares reglas establecidas para ello. ‖ **porcionista. pensionista,** persona que paga cierta pensión por sus alimentos y enseñanza.

colegiala. f. Alumna que tiene plaza en un colegio o asiste a él.

colegialista. adj. *Urug.* Que es partidario del régimen colegiado de gobierno. Ú. t. c. s.

colegialmente. adv. m. **colegiadamente.**

colegiar. tr. Inscribir a alguien en un colegio profesional. Ú. m. c. prnl. ‖ **2.** prnl. Reunirse en colegio los individuos de una misma profesión o clase.

colegiata. (Del lat. *collegiāta,* t. f. de *-tus,* perteneciente a un colegio.) f. **iglesia colegial.**

colegiatura. f. Beca o plaza de colegial o de colegiala.

colegio. (Del lat. *collegĭum,* de *colligĕre,* reunir.) m. Comunidad de personas que viven en una casa destinada a la enseñanza de ciencias, artes u oficios, bajo el gobierno de ciertos superiores y reglas. ‖ **2.** Casa o edificios del **colegio.** ‖ **3.** Casa o convento de regulares, destinado para estudios. ‖ **4.** Establecimiento de enseñanza para niños y jóvenes de uno u otro sexo. ‖ **5.** Sociedad o corporación de hombres de la misma dignidad o profesión. COLEGIO *de abogados, de médicos.* ‖ **apostólico.** El de los apóstoles. ‖ **de cardenales.** Cuerpo que componen los cardenales de la Iglesia Romana. ‖ **electoral.** Reunión de electores comprendidos legalmente en un mismo grupo para ejercer su derecho con arreglo a las leyes. ‖ **2.** Sitio donde se reúnen. ‖ **mayor.** Comunidad de jóvenes seculares, de familias distinguidas dedicados a varias facultades, que vivían en cierta clausura, sujetos a un rector colegial que ellos nombraban por lo común cada año. ‖ **2.** Residencia de estudiantes universitarios sometidos a cierto régimen. ‖ **menor.** Comunidad de jóvenes dedicados a las ciencias, que vivían dentro de una misma casa, sujetos a un rector. ‖ **militar.** Casa y escuela destinadas a la educación e instrucción de los jóvenes que se dedican a la milicia. ‖ **2.** Cualquiera de los **colegios** de las órdenes militares destinados para que en ellos estudiasen las ciencias los freiles. ‖ **entrar en colegio.** fr. Ser admitido en una comunidad, vistiendo el hábito o traje de su uso o instituto.

colegir. (Del lat. *colligĕre.*) tr. Juntar, unir las cosas sueltas y esparcidas. ‖ **2.** Inferir, deducir una cosa de otra.

colegislador, ra. (De *co-* y *legislador.*) adj. Dícese del cuerpo que concurre con otro para la formación de las leyes.

colemia. (Del gr. χολή, bilis, y αἷμα, sangre.) f. *Pat.* Presencia de bilis en la sangre y estado morboso consiguiente.

colendo. (Del lat. *colendus*, venerable.) adj. V. **día colendo.**

coleo. m. **coleadura.**

coleóptero. (Del gr. κολεόπτερος.) adj. *Zool.* Dícese de insectos que tienen boca dispuesta para masticar, caparazón consistente y dos élitros córneos que cubren dos alas membranosas, plegadas al través cuando el animal no vuela; como el escarabajo, el cocuyo, la cantárida y el gorgojo. Ú. t. c. s. ‖ **2.** m. pl. *Zool.* Orden de estos insectos.

colera. f. Adorno de la cola del caballo.

cólera[1]. (Del lat. *cholĕra*, y este del gr. χολέρα, de χολή, bilis.) f. **bilis.** ‖ **2.** fig. Ira, enojo, enfado. ‖ **3.** m. *Pat.* Enfermedad aguda caracterizada por vómitos repetidos y abundantes deposiciones. ‖ **asiático.** *Pat.* Enfermedad infecciosa y epidémica, originaria de la India, caracterizada por vómitos, deposiciones alvinas, acuosas, abundantes calambres, supresión de la orina y postración general. ‖ **de las gallinas.** *Zool.* Epizootia que suelen padecer las gallinas, palomas, ánades, faisanes, etc., caracterizada por su breve curso y gran mortalidad. Es producida por un bacilo específico. ‖ **morbo. cólera asiático.** ‖ **nostras.** Gastroenteritis aguda con diarrea, calambres y vómitos. ‖ **cortar la cólera.** fr. fig. y fam. Tomar un refrigerio entre dos comidas. ‖ **cortar la cólera** a alguien. fr. fig. y fam. Amansarle por medio del castigo, de la amenaza, de la burla o de la razón. ‖ **descargar la cólera en** alguien. fr. fig. **descargar la ira en** alguien. ‖ **emborracharse de cólera.** fr. fig. y fam. **tomarse de la cólera.** ‖ **exaltársele** a alguien **la cólera.** fr. fig. **exaltársele la bilis.** ‖ **montar en cólera.** fr. Airarse, encolerizarse. ‖ **tomar cólera.** fr. Padecer este afecto, o dejarse poseer de él. ‖ **tomarse de la cólera.** fr. Perder el uso racional por la vehemencia de la ira.

cólera[2]. f. Tela blanca de algodón engomada.

colérico, ca. (Del lat. *cholerĭcus*, y este del gr. χολερικός.) adj. Perteneciente a la cólera[1] o que participa de ella. *Humor* COLÉRICO. ‖ **2.** Perteneciente o relativo al **cólera**[1], enfermedad. *Síntoma* COLÉRICO; *fisonomía, frialdad* COLÉRICA. ‖ **3.** Atacado de **cólera**[1], enfermedad. Ú. t. c. s. ‖ **4.** Que fácilmente se deja llevar de la **cólera**[1], ira.

coleriforme. (De *cólera*[1] y *-forme*.) adj. *Pat.* Aplícase a las enfermedades que tienen algunos síntomas parecidos a los del **cólera**[1], enfermedad. *Diarrea, tifo, fiebre intermitente, fiebre perniciosa* COLERIFORME.

colerina. (d. de *cólera*[1].) f. *Pat.* Enfermedad parecida al cólera[1], pero menos grave. ‖ **2.** *Pat.* Enfermedad de índole catarral y alguna vez epidémica, en la cual se observa una diarrea coleriforme. ‖ **3.** *Pat.* Diarrea que anuncia en muchos casos la próxima aparición del cólera epidémico.

colerizar. tr. p. us. Irritar, poner colérico. Ú. m. c. prnl.

colero. (De *cola*[1].) m. *Amér.* En algunas labores de minas, ayudante del capataz o jefe de las labores.

colesterina. (Del fr. *cholestérine*.) f. **colesterol.**

colesterol. (Del fr. *cholestérol*.) m. *Bioquím.* Alcohol esteroídico, blanco e insoluble en agua. Participa en la estructura de algunas lipoproteínas plasmáticas y a su presencia en exceso se atribuye la génesis de la aterosclerosis.

colesterolhemia. f. *Fisiol.* Tasa de colesterol en la sangre.

coleta[1]. (d. de *cola*.) f. Mechón de cabello entretejido o suelto, sujeto con un lazo o goma, que se hace en la cabeza. ‖ **2.** Cabello envuelto desde el cogote en una cinta en forma de cola, que caía sobre la espalda. Se pone en algunos peluquines y, generalmente postiza, la usan los toreros. ‖ **3. crehuela.** ‖ **4.** fig. y fam. Adición breve a lo escrito o hablado, por lo común con el fin de salvar alguna omisión o de esforzar compendiosamente lo que antes se ha dicho. ‖ **media coleta.** La más corta que la ordinaria, cuando era de uso general. ‖ **cortarse la coleta.** fr. fig. Dejar su oficio el torero. ‖ **2.** fig. Apartarse de alguna afición o dejar una costumbre. ‖ **tener** o **traer coleta** una cosa. fr. fig. y fam. **tener** o **traer cola.**

coleta[2]. (De *cola*[2].) f. Mezcla de cola y miel que se inyecta en las bolsas y bajo las escamas del color que comienza a desprenderse en los cuadros sobre tabla o lienzo.

coletazo. m. Golpe dado con la cola. ‖ **2.** Sacudida que dan con la cola los peces moribundos. ‖ **3.** fig. Última manifestación de una actividad próxima a extinguirse.

coletero. m. El que tenía por oficio hacer o vender coletos. ‖ **2.** Goma, lazo o cualquier otro utensilio para recoger el pelo y hacer una coleta.

coletilla. (d. de *coleta*.) f. **coleta,** cabello en forma de cola desde el cogote. ‖ **2. coleta,** crehuela. ‖ **3. coleta,** adición breve al final de un escrito o discurso.

coletillo. (d. de *coleto*.) m. Corpiño sin mangas, usado por las serranas de Castilla.

coleto[1]. (Del it. *colletto*.) m. Vestidura hecha de piel, por lo común de ante, con mangas o sin ellas, que cubre el cuerpo, ciñéndolo hasta la cintura. En lo antiguo tenía unos faldones que no pasaban de las caderas. ‖ **2.** desus. fig. Descaro, desvergüenza. Ú. en Colombia y Venezuela. ‖ **3.** fig. y fam. Adentros. *Dije, pensé, resolví para mi* COLETO. ‖ **coger, pescar,** o **pillar, el coleto.** fr. fam. desus. Sujetar a alguien de manera que no pueda escapar. ‖ **echarse** una cosa **al coleto.** fr. fig. y fam. Comérsela o bebérsela. ‖ **2.** fig. y fam. Leer desde el principio hasta el fin un libro o escrito.

coleto[2], **ta.** m. y f. *Venez.* **coletón,** tela basta. ‖ **2.** *Venez.* Paño que sirve para limpiar o fregar el piso.

coletón. (De *coleta*[1].) m. *Venez.* Tela basta de estopa; harpillera.

coletudo, da. adj. Descarado, desvergonzado.

coletuy. m. Nombre vulgar de varias especies leñosas de plantas leguminosas que abundan en España.

colgadero, ra. adj. Que es apto para colgarse o guardarse. *Uvas* COLGADERAS. ‖ **2.** m. Garfio, escarpia o cualquier otro instrumento que sirve para colgar de él alguna cosa. ‖ **3.** Asa o anillo que entra en el garfio o escarpia.

colgadizo, za. adj. Dícese de algunas cosas que solo tienen uso estando colgadas. ‖ **2.** m. Tejadillo saliente de una pared y sostenido solamente con tornapuntas.

colgado, da. p. p. de **colgar.** ‖ **2.** adj. fig. y fam. Dícese de la persona burlada o frustrada en sus esperanzas o deseos. Ú. con los verbos *dejar, quedar,* etc. ‖ **3.** fig. Contingente, incierto. ‖ **4.** fig. Anhelosamente pendiente o dependiente en grado sumo. Ú. m. con los verbos *estar* y *quedarse.* Ú. t. c. s.

colgador. m. Colgadero, utensilio para colgar ropa. ‖ **2.** *Impr.* Tabla de medio metro de largo, y delgada por la parte superior, la cual, puesta en un palo largo, sirve para subir los pliegos recién impresos y colgarlos en las cuerdas en que se enjugan.

colgadura. (De *colgar*.) f. Tapiz o tela con que se cubre y adorna una pared exterior o interior, un balcón, etc., con motivo de alguna celebración o festividad. Ú. m. en pl. ‖ **de cama.** Cortinas, cenefas y cielo de la cama que sirven de abrigo y adorno de ella.

colgajo. m. Cualquier trapo o cosa despreciable que cuelga; como los pedazos de la ropa rota o descosida. ‖ **2.** Racimo de uvas o porción de frutas que se cuelga para conservarlas. ‖ **3.** *Cir.* Porción de piel sana que en las operaciones quirúrgicas se reserva para cubrir la herida.

colgamiento. m. Acción y efecto de colgar.

colgandero, ra. adj. **colgante,** que cuelga.

colgante. p. a. de **colgar.** Que cuelga. Ú. t. c. s. ‖ **2.** adj.

V. **puente colgante.** ‖ **3.** m. Joya que pende o cuelga. ‖ **4.** *Arq.* **festón,** adorno.

colgar. (Del lat. *collocāre,* colocar.) tr. Suspender, poner una cosa pendiente de otra, sin que llegue al suelo; como las ropas, las frutas, etc. Ú. t. c. prnl. COLGARSE *de una cuerda.* ‖ **2.** Entapizar, adornar con tapices o telas. ‖ **3.** Interrumpir o dar por terminada una comunicación telefónica, colocando el auricular en su sitio. Ú. t. c. intr. ‖ **4.** fig. y fam. **ahorcar.** Ú. t. c. prnl. ‖ **5.** fig. Regalar o presentar a alguien una alhaja en celebridad del día de su santo o de su nacimiento. ‖ **6.** fig. Imputar, achacar. ‖ **7.** fig. Abandonar una profesión o actividad, renunciar a ella. COLGAR *los hábitos, los libros.* ‖ **8.** intr. Estar una cosa en el aire pendiente o asida de otra; como las campanas, las borlas, etc. ‖ **9.** Bajar más que otra una parte de un vestido, tapiz, cortina, etc.; ser desiguales sus bordes. ‖ **10.** fig. Depender de la voluntad o dictamen de otro. ‖ **11.** prnl. fig. y fam. Adquirir dependencia de una cosa o de una persona; especialmente de las drogas. Ú. m. en p. p.

colibacilo. (Del gr. κῶλον, colon, y *bacilo.*) m. *Microbiol.* Bacilo que se halla normalmente en el intestino del hombre y de algunos animales, y que, en determinadas circunstancias, puede adquirir virulencia morbosa y producir septicemias.

colibacilosis. f. *Pat.* Septicemia producida por el colibacilo.

colibrí. (De or. caribe.) m. Pájaro americano, insectívoro, de tamaño muy pequeño y pico largo y débil. Hay varias especies. ‖ **2. pájaro mosca.**

cólica. f. Cólico pasajero determinado por indigestión y caracterizado por vómitos y evacuaciones de vientre, que resuelven espontáneamente la dolencia.

colicano, na. (De *cola* y *cano.*) adj. Dícese del animal que tiene en la cola canas o cerdas blancas.

cólico, ca. (Del lat. *colĭcus,* y este del gr. κολικός.) adj. Perteneciente al intestino colon. *Omento* CÓLICO, *arteria* CÓLICA, *dolor* CÓLICO. ‖ **2.** m. Acceso doloroso, localizado en los intestinos y caracterizado por violentos retortijones, ansiedad, sudores y vómitos. Se llama bilioso cuando se presenta con abundancia la bilis. ‖ **cerrado.** Aquel en que el estreñimiento es pertinaz y aumenta la gravedad de la dolencia. ‖ **hepático.** Acceso de dolor violento determinado por el paso de las concreciones anómalas contenidas en la vejiga de la hiel al través de los conductos de esta para salir al intestino. ‖ **miserere.** Oclusión intestinal aguda, por causas diferentes, que determina un estado gravísimo cuyo síntoma más característico es el vómito de los excrementos. ‖ **nefrítico,** o **renal.** Acceso de dolor violentísimo, determinado por el paso de las concreciones anormales formadas en el riñón por los uréteres, hasta desembocar en la vejiga de la orina.

colicoli. (De or. mapuche.) m. *Chile.* Especie de tábano, de color pardo, muy común y molesto.

colicuación. f. Acción y efecto de colicuar o colicuarse. ‖ **2.** *Med.* Enflaquecimiento rápido a consecuencia de evacuaciones abundantes.

colicuar. (Del lat. *colliquāre.*) tr. Derretir, desleír o hacer líquidas a la vez dos o más sustancias sólidas o crasas. Ú. t. c. prnl.

colicuativo, va. (De *colicuar.*) adj. *Med.* Aplícase a varios flujos que producen con rapidez el enflaquecimiento y parecen dependientes de la licuación de partes sólidas del organismo. *Sudor* COLICUATIVO, *diarrea* COLICUATIVA.

colicuecer. (Del lat. *colliquescĕre.*) tr. **colicuar.**

coliche. (De or. inc.; cf. *colar.*) m. fam. p. us. Baile o fiesta a la que, sin ser formalmente convidados, pueden acudir los amigos de quien la da.

colidir. (Del lat. *collidĕre.*) tr. ant. Chocar, tropezar con una oposición física o moral. ‖ **2. ludir.**

coliflor. (De *col* y *flor.*) f. Variedad de col que al entallecerse echa una pella compuesta de diversas cabezuelas o grumitos blancos.

coligación. (Del lat. *colligatĭo, -ōnis.*) f. Acción y efecto de coligarse. ‖ **2.** Unión, trabazón o enlace de unas cosas con otras.

coligado, da. (Del lat. *colligātus.*) adj. Unido o confederado con otro u otros. Ú. t. c. s.

coligadura. (De *coligarse.*) f. **coligación.**

coligamiento. m. **coligadura.**

coligarse. (Del lat. *colligāre.*) prnl. Unirse, confederarse unos con otros para algún fin. Ú. alguna vez c. tr.

coliguacho. (Del arauc. *collihuacho.*) m. *Chile.* Moscardón negro, especie de tábano, con los bordes del coselete y el abdomen cubiertos de pelos anaranjados o rojizos.

coligual. m. *Chile.* Sitio poblado de coligües.

coligüe. (Del mapuche *coliu.*) m. *Argent.* y *Chile.* Planta gramínea, de hoja perenne, muy ramosa y trepadora y de madera dura en algunas de sus variedades. Las hojas sirven de pasto a los animales y de la semilla se hace una clase de sopa.

colilarga. f. *Chile.* Pájaro insectívoro, de color rojizo por encima, alas grises oscuras, capucha bermeja y que tiene en la cola dos plumas más largas que todo el cuerpo.

colilla. (d. de *cola*[1].) f. Resto del cigarro, que se tira por no poder o no querer fumarlo. ‖ **2.** Tira ancha que llevaban los antiguos mantos de mujer para que cubriese, por detrás, desde la cintura hasta el borde del vestido.

colillero, ra. m. y f. Persona que recoge por calles, cafés, etc., las colillas que tiran los fumadores.

colimación. (Del b. lat. *collimāre,* por *collineāre,* alinear.) f. *Fís.* Acción y efecto de colimar.

colimador. (De *colimar.*) m. *Fís.* Anteojo que va montado sobre los grandes telescopios astronómicos para facilitar su puntería. ‖ **2.** *Fís.* En ciertos aparatos, como espectroscopios y goniómetros, la parte que tiene por misión colimar los rayos luminosos.

colimar. (Del b. lat. *collimāre,* error de copia por *collineāre.*) tr. *Fís.* Obtener un haz de rayos paralelos a partir de un foco luminoso.

colimba. m. fam. *Argent.* **quinto,** soldado mientras recibe la intrucción militar obligatoria. ‖ **2.** f. fam. *Argent.* Servicio militar.

colimbo. (Del gr. κόλυμβος.) m. Ave palmípeda, con membranas interdigitales completas; el pico comprimido; alas cortas pero útiles para el vuelo. Su posición es casi vertical, por tener las patas muy atrás. Vive en las costas de países fríos y se alimenta de peces y otros animales marítimos.

colimense. adj. Natural del Estado mejicano de Colima. Ú. t. c. s. ‖ **2.** Perteneciente o relativo a dicho Estado.

colimeño, ña. adj. **colimense.**

colín, na. adj. Dícese del animal que tiene la cola cortada. ‖ **2.** m. Barra de pan pequeña, larga y muy delgada. ‖ **3.** Piano de cola de dimensiones reducidas. ‖ **4.** Pequeña cola del vestido. ‖ **5.** *Méj.* Ave gallinácea, muy semejante a la codorniz.

colina[1]**.** (Del lat. *collīna,* t. f. de *collīnus,* del collado.) f. Elevación natural de terreno, menor que una montaña.

colina[2]**.** (De *col.*) f. **colino**[1]**.**

colina[3]**.** (Del gr. χολή, bilis.) f. *Quím.* Sustancia básica existente en la bilis de muchos animales.

colinabo. (De *col* y *nabo.*) m. Berza de hojas sueltas sin repollar.

colindancia. f. Dicho de terrenos, condición de colindante.

colindante. (De *co-* y *lindante.*) adj. Dícese de los campos o edificios contiguos entre sí. ‖ **2.** *Der.* Aplícase también a los propietarios de dichas fincas. ‖ **3.** *Der.* También se dice de los términos municipales y de los municipios que son limítrofes unos de otros.

colindar. (De *co-* y *lindar.*) intr. Lindar entre sí dos o más fincas.

colineta. (De *colina*[1].) f. p. us. Plato de dulces que forman un conjunto elevado y vistoso.

colino[1]. (De *col.*) m. Simiente de coles. ‖ **2.** Plantío de coles.

colino[2]**, na.** adj. **colín,** dicho del animal que tiene la cola cortada.

colipavo, va. (De *cola*[1] y *pavo.*) adj. Dícese de cierta clase de palomas que tienen la cola más ancha que las demás.

coliquera. f. Cólico de cierta intensidad.

colirio. (Del lat. *collyrĭum,* y este del gr. κολλύριον.) m. Medicamento compuesto de una o más sustancias disueltas o diluidas en algún líquido, o sutilmente pulverizadas y mezcladas, que se emplea en las enfermedades de los ojos.

colirrojo. (De *cola*[1] y *rojo.*) m. Pájaro de la misma familia que el tordo, con la cola y sus coberteras dorsales de color castaño rojizo.

colisa. (Del fr. *coulisse,* corredera, der. de *couler.*) f. *Mar.* Plataforma giratoria horizontalmente, sobre la cual se coloca la cureña, sin ruedas, de un cañón de artillería. ‖ **2.** *Mar.* El mismo cañón montado de ese modo.

coliseo. (Del it. *Colosseo,* el famoso anfiteatro de Roma.) m. Sala construida para espectáculos públicos. ‖ **2.** *Ecuad.* Recinto cerrado para algunos juegos deportivos.

colisión. (Del lat. *collisĭo, -ōnis,* de *collidĕre,* chocar, rozar.) f. Choque de dos cuerpos. ‖ **2.** Rozadura o herida hecha a consecuencia de ludir y rozarse una cosa con otra. ‖ **3.** fig. Oposición y pugna de ideas, principios o intereses, o de las personas que los representan.

colisionar. intr. Chocar dos o más vehículos con violencia.

colista. adj. En ciertas competiciones, campeonatos, etc., se dice del equipo o del deportista que ocupa los últimos lugares de la clasificación. Ú. t. c. s.

coliteja. adj. Dícese de las palomas cuya cola tiene forma de teja árabe.

colitigante. (De *co-* y *litigante.*) com. Persona que litiga en unión con otra.

colitis. f. *Med.* Inflamación del intestino colon.

coliza. f. *Mar.* **colisa.**

colmadamente. adv. m. Con mucha abundancia.

colmado, da. p. p. de **colmar.** ‖ **2.** adj. Abundante, copioso, completo. ‖ **3.** m. Figón o tienda donde se sirven comidas especiales, principalmente mariscos. ‖ **4.** Tienda de comestibles.

colmadura. (De *colmar.*) f. ant. **colmo**[1].

colmar. (Del lat. *cumulāre,* amontonar.) tr. Llenar una medida, un cajón, un cesto, etc., de modo que lo que se echa en ellos exceda su capacidad y levante más que los bordes. ‖ **2.** Llenar las cámaras o trojes. ‖ **3.** fig. Dar con abundancia. ‖ **4.** fig. Satisfacer plenamente deseos, aspiraciones, etc. Ú. t. c. prnl.

colmatar. (Del fr. *colmater.*) tr. *Geol.* Rellenar una hondonada o depresión del terreno mediante sedimentación de materiales transportados por el agua.

colme. (De *colmar.*) adj. **colmado.**

colmena. (Del lat. *crumēna,* especie de saco.) f. Habitación de las abejas. ‖ **2.** Especie de vaso que suele ser de corcho, madera, mimbres, etc., embarrados, y sirve de habitación a las abejas y para depósito de los panales que fabrican. Modernamente se hacen de otros materiales. ‖ **3.** V. **capirote de colmena.** ‖ **4.** V. **asiento, posada de colmenas.** ‖ **rinconera.** La que tiene la obra sesgada. ‖ **yaciente.** La que está tendida a lo largo.

colmenar. m. Lugar donde están las colmenas.

colmenero, ra. adj. V. **oso colmenero.** ‖ **2.** m. y f. Persona que tiene colmenas o cuida de ellas. ‖ **3.** m. ant. **colmenar.**

colmenilla. (d. de *colmena.*) f. Hongo de sombrerete aovado, consistente y carnoso, tallo liso y cilíndrico, y color amarillento oscuro por encima y más claro por debajo. Es comestible.

colmillada. f. **colmillazo.**

colmillar. (Del lat. *columellāris.*) adj. Perteneciente a los colmillos.

colmillazo. m. Golpe dado o herida hecha con el colmillo.

colmillejo. m. d. de **colmillo.**

colmillo. (Del lat. *columella.*) m. Diente agudo y fuerte, colocado en cada uno de los lados de las hileras que forman los dientes incisivos de los mamíferos, entre el más lateral de aquellos y la primera muela. ‖ **2.** Cada uno de los dos dientes incisivos prolongados en forma de cuerno, que tienen los elefantes en la mandíbula superior. ‖ **enseñar los colmillos.** fr. fig. y fam. Manifestar fortaleza, hacerse temer o respetar. ‖ **escupir por el colmillo.** fr. fig. y fam. Echar fanfarronadas. ‖ **2.** fig. y fam. Sobreponerse a todo respeto y consideración. ‖ **tener el colmillo retorcido. tener colmillos,** o **colmillos retorcidos.** frs. figs. y fams. Ser astuto y sagaz por la edad o experiencia, y difícil de engañar.

colmilludo, da. adj. Que tiene grandes colmillos. ‖ **2.** fig. *Méj.* y *P. Rico.* Sagaz, astuto, difícil de engañar.

colmo[1]. (Del lat. *cumŭlus,* montón.) m. Porción de materia pastosa o árida, o de cosas de poco volumen, que sobresale por encima de los bordes del vaso que las contiene. ‖ **2.** fig. Complemento o término de alguna cosa. ‖ **a colmo.** loc. adv. **colmadamente.** ‖ **llegar** una cosa **a colmo.** fr. fig. y fam. Llegar a lo sumo o a su última perfección. Ú. m. con negación. ‖ **ser** una cosa **el colmo.** fr. fig. y fam. Haber llegado a tal punto que razonablemente no se puede superar.

colmo[2]. (Del lat. *culmus,* paja de centeno.) m. Paja, generalmente de centeno, que se usa para cubrir cabañas. ‖ **2.** Techo de paja.

colmo[3]**, ma.** (De *colmar.*) adj. Que está colmado o tiene colmo[1]. *Fanega* COLMA.

colo. m. ant. **colon,** porción del intestino grueso.

colobo. m. *Amér.* Mono catarrino, de cuerpo delgado y cola muy larga, con espesa crin sobre el lomo y de color negro, excepto la cara, que es blanca.

colocación. (Del lat. *collocatĭo, -ōnis.*) f. Acción y efecto de colocar o colocarse. ‖ **2.** Situación de personas o cosas. ‖ **3.** Empleo o destino.

colocar. (Del lat. *collocāre.*) tr. Poner a una persona o cosa en su debido lugar. Ú. t. c. prnl. ‖ **2.** Hablando de dinero, invertirlo. ‖ **3.** fig. Acomodar a alguien, poniéndole en algún estado o empleo. Ú. t. c. prnl. ‖ **4.** fig. y fam. Causar el alcohol o la droga un estado eufórico. Ú. m. c. prnl.

colocasia. (Del lat. *colocasĭa,* y este del gr. κολοκασία.) f. Hierba de la familia de las aráceas, originaria de la India, con las hojas grandes, de figura aovada y ondeadas por su margen, y la flor de color de rosa. Tiene la raíz carnosa y muy acre cuando está fresca; pero si se cuece, pierde el mal gusto, y se usa como alimento, igualmente que las hojas.

colocolo. (De or. mapuche.) m. *Chile.* Especie de gato montés.

colocutor, ra. (Del lat. *collocūtor, -ōris.*) m. y f. p. us. Persona que habla con otra. ‖ **2.** p. us. Cada una de las que toman parte en un coloquio o conversación.

colocho, cha. (Del azteca *colotl,* alacrán.) m. y f. *El Salv.* Persona de pelo rizado. Ú. t. c. adj. ‖ **2.** m. *Amér. Central.* **viruta.** ‖ **3.** *Amér. Central.* Rizo, tirabuzón, bucle.

colochón, na. m. y f. *Nicar.* **colocho,** persona de pelo rizado. Ú. t. c. adj.

colodión. (Del gr. κολλώδης, pegajoso.) m. Disolución en éter de la celulosa nítrica. Se emplea como aglutinante en cirugía y para la preparación de placas fotográficas.

colodra. (De or. inc.) f. Vasija de madera en forma de barreño que usan los pastores para ordeñar las cabras, ovejas y vacas. ‖ **2.** Recipiente de madera, como una herrada, en que se tiene el vino que se ha de ir midiendo y vendiendo al por menor. ‖ **3. cuerna,** vaso rústico de cuerno. ‖ **4.** *Cantabria* y *Pal.* Estuche de madera con agua, que lleva el segador a la cintura sujeto con una correa, para colocar la pizarra con que a menudo afila el dalle. ‖ **ser una colodra.** fr. fig. y fam. Beber mucho vino, ser gran bebedor.

colodrazgo. m. Derecho que se pagaba de la venta del vino.

colodrillo. (De *colodra.*) m. Parte posterior de la cabeza.

colodro. (De or. inc.) m. ant. Especie de calzado de madera. ‖ **2.** ant. *Ar.* Medida de capacidad para líquidos.

colofón. (Del lat. *colŏphon, -ōnis,* y este del gr. κολοφών, término, fin.) m. *Impr.* Anotación al final de los libros, que indica el nombre del impresor y el lugar y fecha de la impresión, o alguna de estas circunstancias. Ú. t. en sent. fig. ‖ **2.** Frase, actitud, decisión complementaria que pone término a un asunto, obra, situación, etc.

colofonia. (Del lat. *colophonĭa,* y este del gr. κολοφωνία.) f. Resina sólida, producto de la destilación de la trementina. Se emplea en farmacia y sirve para otros usos.

colofonita. (De *colofonia.*) f. Granate de color verde claro o amarillento rojizo.

cologüina. f. *Guat.* Una variedad de gallina.

coloidal. adj. *Quím.* Perteneciente o relativo a los coloides.

coloide. (Del gr. κόλλα, cola[2], y *-oide.*) adj. *Quím.* Dícese del cuerpo que al disgregarse en un líquido aparece como disuelto por la extremada pequeñez de las partículas en que se divide; pero que se diferencia del verdaderamente disuelto en que no se difunde con su disolvente si tiene que atravesar ciertas láminas porosas. Ú. t. c. s.

coloideo, a. (De *coloide.*) adj. *Quím.* **coloidal.**

colombianismo. m. Vocablo, giro o modo de hablar propio de los colombianos.

colombiano, na. adj. Natural de Colombia. Ú. t. c. s. ‖ **2.** Perteneciente o relativo a esta república de América. ‖ **3.** V. **cepo colombiano.**

colombicultura. (Del lat. *colŭmba,* paloma, y *-cultura.*) f. Arte de criar y fomentar la reproducción de palomas. ‖ **2. colombofilia,** deporte dedicado a la cría, adiestramiento, etc., de palomas.

colombino, na. (Del it. *Colombo.*) adj. Perteneciente o relativo a Cristóbal Colón o a su familia. *Biblioteca* COLOMBINA.

colombo. m. *Bot.* Planta de la familia de las menispermáceas, originaria de países tropicales, cuya raíz, amarga y de color amarillento, se emplea en medicina como astringente.

colombofilia. f. Técnica de la cría de palomas, en especial mensajeras. ‖ **2.** Deportivamente, afición a poseer, criar, adiestrar, etc., palomas.

colombófilo, la. (Del lat. *columba,* paloma, y *-filo.*) adj. Perteneciente o relativo a la colombofilia. ‖ **2.** m. y f. Persona aficionada o dedicada a la colombofilia.

colombroño. (De *con* y *nombre.*) m. ant. **tocayo.**

colomín, na. adj. Natural de Santa Coloma de Queralt, en la provincia de Tarragona. Ú. t. c. s. ‖ **2.** Perteneciente o relativo a esta villa.

colon. (Del lat. *colon,* y este del gr. κῶλον, miembro.) m. *Anat.* Porción del intestino grueso de los mamíferos, que empieza donde concluye el ciego, cuando este existe, y acaba donde comienza el recto. ‖ **2.** ant. **cólico,** acceso doloroso del **colon.** ‖ **3.** *Gram.* Parte o miembro principal del período. ‖ **4.** *Gram.* Puntuación con que se distinguen estos miembros; en castellano y otras lenguas es el punto y coma o los dos puntos. ‖ **imperfecto.** Aquel miembro del período cuyo sentido pende de otro miembro del mismo período. ‖ **perfecto.** El que por sí hace sentido.

colón. (Por llevar grabada una efigie de Cristóbal *Colón.*) m. Nombre de las unidades monetarias de Costa Rica y de El Salvador. ‖ **2.** V. **huevo de Colón.**

colonato. m. Sistema de explotación de las tierras por medio de colonos.

colonche. m. *Méj.* Bebida embriagadora que se hace con el zumo de la tuna cardona o colorada y azúcar.

colonda. (Del lat. *columna.*) f. Pie derecho, poste, especialmente de un tabique.

colonia[1]. (Del lat. *colōnĭa,* de *colōnus,* labrador.) f. Conjunto de personas procedentes de un país que van a otro para poblarlo y cultivarlo, o para establecerse en él. ‖ **2.** País o lugar donde se establece esta gente. ‖ **3.** Territorio fuera de la nación que lo hizo suyo, y ordinariamente regido por leyes especiales. ‖ **4.** Gente que se establece en un territorio inculto de su mismo país para poblarlo y cultivarlo. ‖ **5.** Este territorio. ‖ **6.** Territorio dominado y administrado por una potencia extranjera. ‖ **7.** Conjunto de los naturales de un país, región o provincia que habitan en otro territorio. COLONIA *asturiana en Madrid.* ‖ **8.** Grupo de animales de una misma especie que conviven en un territorio limitado. COLONIA *de garzas.* ‖ **9.** Animal que por proliferación vegetativa, en general por gemación, forma un cuerpo único de numerosos zooides unidos entre sí. ‖ **10.** Cinta de seda, lisa, de dos dedos de ancho poco más o menos. ‖ **11.** *Méj.* Barrio urbano; cada una de las zonas en que se dividen las ciudades. ‖ **media colonia.** Cinta de la misma especie, pero más angosta que la **colonia.**

colonia[2]. (De *Colonia.*) f. **agua de Colonia.** ‖ **2.** *Cuba.* Planta ornamental, de la familia de las cingiberáceas, que se cultiva en jardines para formar macizos, por la espesura de sus hojas. Alcanza hasta dos metros de altura; tiene hojas lanceoladas grandes; florece varias veces al año, y sus flores, de bello aspecto, despiden un olor agradable semejante al del agua de **Colonia,** de la que tomó el nombre.

coloniaje. (De *colonia*[1].) m. *Amér.* Nombre que algunas repúblicas dan al período histórico en que formaron parte de la nación española.

colonial. adj. Perteneciente o relativo a la colonia[1]. ‖ **2.** *Com.* **ultramarino,** comestible de oriente o americano. *Frutos* COLONIALES.

colonialismo. m. Tendencia a mantener un territorio en el régimen de colonia[1].

colonialista. adj. Partidario del colonialismo. Ú. t. c. s.

colonización. f. Acción y efecto de colonizar.

colonizador, ra. adj. Que coloniza. Apl. a pers., ú. t. c. s.

colonizar. tr. Formar o establecer colonia[1] en un país. ‖ **2.** Fijar en un terreno la morada de sus cultivadores.

colono. (Del lat. *colōnus,* de *colĕre,* cultivar.) m. El que habita en una colonia[1]. ‖ **2.** Labrador que cultiva y labra una heredad por arrendamiento y suele vivir en ella.

coloño. (De *cuello.*) m. *Burg.* **cesto**[1]. ‖ **2.** *Cantabria.* Haz de leña, de tallos secos o de puntas de maíz, de varas, etc., que puede ser llevado por una persona en la cabeza o a las espaldas.

coloquial. adj. Perteneciente o relativo al coloquio. ‖ **2.** Dícese de lo que califica voces, frases, lenguaje, etc., propios de la conversación, que pueden llegar o no a registrarse en la obra escrita.

coloquíntida. (Del lat. *colocynthis, -idis.* [vulg. *coloquintis*], y este del gr. κολοκυνθίς.) f. Planta de la familia de las cucurbitáceas, con tallos rastreros y pelosos de dos a tres metros de largo, hojas hendidas en cinco lóbulos dentados, ásperas, vellosas y blanquecinas por el envés, flores amarillas, axilares y solitarias, y frutos de corteza lisa, de la forma, color y tamaño de la naranja y muy amargos, que se emplean en medicina como purgantes. ‖ **2.** Fruto de esta planta.

coloquio. (Del lat. *colloquium*, de *collŏqui*, conversar, conferenciar.) m. Conversación entre dos o más personas. ‖ **2.** Género de composición literaria, prosaica o poética, en forma de diálogo. ‖ **3.** Reunión en que se convoca a un número limitado de personas para que debatan un problema, sin que necesariamente haya de recaer acuerdo. ‖ **4.** Discusión que puede seguir a una disertación, sobre las cuestiones tratadas en ella.

color. (Del lat. *color, -ōris*.) m. Impresión que los rayos de luz reflejados por un cuerpo producen en el sensorio común por medio de la retina del ojo. Ú. t. c. f. ‖ **2. color** natural de la tez humana. ‖ **3.** Sustancia preparada para pintar o teñir. ‖ **4.** El artificial con que suelen algunos, y especialmente las mujeres, pintarse las mejillas y los labios. ‖ **5. colorido** de una pintura. ‖ **6.** V. **escalera de color.** ‖ **7.** fig. Pretexto, motivo, razón aparente para hacer una cosa con poco o ningún derecho. ‖ **8.** fig. Carácter peculiar de algunas cosas; y tratándose del estilo, cualidad especial que lo distingue. *Pintó con* COLORES *trágicos o sombríos; tal actor dio a su papel un nuevo* COLOR. ‖ **9.** fig. Matiz de opinión o fracción política. *Fulano pertenece a este o al otro* COLOR; *Gobierno de un solo* COLOR; *este periódico no tiene* COLOR. ‖ **10.** *Blas.* Cualquiera de los cinco **colores** heráldicos. ‖ **11.** *Pint.* V. **degradación de color.** ‖ **12.** pl. **colores** que una entidad, equipo o club de carácter deportivo adopta como símbolos propios en su bandera y en los uniformes de sus atletas o jugadores. ‖ **13.** Por ext., entidad, equipo o club que ha adoptado dichos **colores.** ‖ **de cera. color** amarillento. ‖ **del espectro solar, del iris,** o **elemental.** *Fís.* Cada uno de los siete rayos en que se descompone la luz blanca del Sol, que son: rojo, anaranjado, amarillo, verde, azul, azul turquí o añil y violado. ‖ **local.** Conjunto de los rasgos peculiares de una región o localidad en cuanto pueden excitar la imaginación por su carácter popular y pintoresco. *En ninguna parte encontrará el viajero más* COLOR LOCAL *que en el Albaicín.* ‖ **quebrado.** El que ha perdido la viveza. ‖ **colores complementarios.** *Fís.* Los **colores** puros que, reunidos por ciertos procedimientos, dan el **color** blanco. ‖ **litúrgicos.** Los seis que, según la solemnidad, usa la Iglesia Romana en los oficios. ‖ **nacionales.** Los que adopta por distintivo cada nación y usa en su pabellón, banderas y escarapelas. ‖ **a color.** loc. adv. ant. **so color.** ‖ **dar color,** o **colores.** fr. **pintar,** representar un objeto en una superficie. ‖ **2. pintar,** cubrir con un **color** una superficie. ‖ **de color.** loc. adj. y adv. Referido a vestidos y telas, dícese de los que no son negros, blancos ni grises. ‖ **2.** Aplícase a las personas que no pertenecen a la raza blanca, y más especialmente a los negros y mulatos. *Gente* DE COLOR, *hombres* DE COLOR. ‖ **distinguir de colores.** fr. fig. y fam. Tener discreción para no confundir cosas ni personas y darles su peculiar estimación. Ú. m. con negación. ‖ **haber color.** fr. fig. y fam. Existir animación, interés, satisfacción, etc., en competiciones, festejos, reuniones, etc. ‖ **jugar a los colores.** Cierto juego de sala en el siglo XVII cuyo premio era una cinta que daba la dama al galán. ‖ **meter en color.** fr. *Pint.* Sentar los **colores** y tintas de una pintura. ‖ **mudar de color.** fr. fam. Alterarse una persona mostrándolo en un cambio del rostro. ‖ **no haber color** fr. fig. No admitir comparación una cosa con otra que es mucho mejor. ‖ **perder el color.** fr. fig. y fam. Hacer decaer el **color** natural, o deslucirlo. ‖ **pintar** una cosa **con negros colores.** fr. fig. Considerarla melancólicamente o bajo un aspecto odioso. ‖ **ponerse** alguien **de mil colores.** fr. fig. y fam. Mudársele el **color** del rostro por vergüenza o cólera reprimida. ‖ **robar el color.** fr. fig. **perder el color.** ‖ **sacarle** a alguien **los colores,** o **sacarle los colores a la cara,** o **al rostro.** fr. fig. Sonrojarle, avergonzarle. ‖ **salirle** a alguien **los colores,** o **salirle los colores a la cara,** o **al rostro.** fr. fig. Ponerse colorado de vergüenza, por alguna falta que se le descubre o reprende. ‖ **so color.** loc. adv. Con, o bajo, pretexto. ‖ **tener color.** fr. fig. y fam. En contiendas deportivas, lúdicas, etc., estar equilibradas las fuerzas, despertar interés la competición. ‖ **tomar color.** fr. Empezar a madurar los frutos; por traslación se dice de otras cosas. ‖ **tomar** una cosa **el color.** fr. Teñirse o impregnarse bien de él. ‖ **un color se le iba y otro se le venía.** loc. fam. que se usa para denotar la turbación de ánimo. ‖ **ver de color de rosa** las cosas. fr. fig. y fam. Considerarlas de un modo halagueño.

coloración. (De *colorar*.) f. Acción y efecto de colorar. ‖ **2.** ant. Salida del color al rostro. ‖ **3.** ant. fig. Pretexto, motivo.

coloradamente. adv. m. ant. Con color o pretexto.

coloradilla. f. *C. Rica* y *Hond.* Garrapatilla de color rojizo.

colorado, da. (Del lat. *colorātus*, de *colorāre*, colorar.) adj. Que tiene color. ‖ **2.** Que por naturaleza o arte tiene color más o menos rojo. ‖ **3.** V. **cedro, tabaco colorado.** ‖ **4.** V. **tuna colorada.** ‖ **5.** fig. desus. **verde,** libre, obsceno. ‖ **6.** fig. Aplícase a lo que se funda en alguna apariencia de razón o de justicia. ‖ **7.** *Der.* V. **título colorado.** ‖ **¡adiós con la colorada!** expr. fam. que se usa para despedirse. ‖ **más vale ponerse una vez colorado, que ciento amarillo.** loc. fam. que aconseja arrostrar con resolución las situaciones difíciles para no tenerse que arrepentir después durante mucho tiempo.

coloramiento. m. ant. Acción y efecto de colorarse.

colorante. p. a. de **colorar.** Que colora. Ú. t. c. s. m.

colorar. (Del lat. *colorāre*.) tr. Dar de color o teñir alguna cosa. ‖ **2.** ant. fig. **colorear,** tirar a colorado. ‖ **3.** ant. fig. **colorear,** tomar algunos frutos el color encarnado. ‖ **4.** prnl. ant. Encenderse, ponerse colorado.

colorativo, va. adj. Dícese de lo que tiene virtud de dar color.

colorear. tr. Dar color, teñir de color. ‖ **2.** fig. Dar alguna razón aparente para hacer una cosa poco justa o para cohonestarla después de hecha. ‖ **3.** intr. Mostrar una cosa el color colorado que en sí tiene. ‖ **4.** Tirar a colorado. Ú. t. c. prnl. ‖ **5.** Tomar algunos frutos, como la cereza, la guinda, el tomate, el pimiento, etc., el color encarnado de su madurez.

colorete. (De *color*.) m. Cosmético, por lo general de tonos rojizos, que las mujeres se aplican en las mejillas para darse color.

colorido, da. p. p. de **colorir.** ‖ **2.** adj. Que tiene color. ‖ **3.** m. Disposición y grado de intensidad de los diversos colores de una pintura. ‖ **4.** fig. **color,** pretexto o razón aparente para hacer una cosa.

coloridor, ra. (De *colorir*.) adj. p. us. *Pint.* **colorista,** que usa bien el color.

colorimetría. (De *colorímetro*.) f. *Quím.* Procedimiento de análisis químico fundado en la intensidad del color de las disoluciones.

colorímetro. (De *color* y *-metro*.) m. Instrumento que sirve para la colorimetría.

colorín[1]. (De *color*.) m. **jilguero.** ‖ **2.** Color vivo y sobresaliente, principalmente cuando está contrapuesto a otros. Ú. m. en pl. *Este cuadro tiene muchos* COLORINES; *esta mujer gusta de* COLORINES. ‖ **3.** vulg. **sarampión.** ‖ **colorín colorado, este cuento se ha acabado.** fr. fam. tomada del estribillo final de los cuentos infantiles, y que se aplica también para indicar el término de alguna narración hablada o escrita.

colorín[2]**, na.** adj. *Chile.* Pelirrojo.

colorir. tr. p. us. Dar color. ‖ **2.** fig. **colorear,** dar razón aparente para cohonestar algo mal hecho. ‖ **3.** intr. p. us. Tener o tomar color una cosa naturalmente.

colorismo. m. En pintura, tendencia de algunos artistas a dar exagerada preferencia al color sobre el dibujo. ‖ **2.** En literatura, propensión a recargar el estilo con calificativos vigorosos o redundantes y a veces muy impropios.

colorista. adj. *Pint.* Que usa bien el color. Ú. t. c. s. ‖ **2.** fig. *Lit.* Dícese del escritor que emplea con frecuencia calificativos vigorosos y otros medios de expresión para dar relieve, a veces excesivo, a su lenguaje y estilo.

colosal. adj. Perteneciente o relativo al coloso. ‖ **2.** fig. Enorme, de dimensiones extraordinarias. ‖ **3.** fig. Bonísimo, extraordinario.

colosense. (Del lat. *Colossensis.*) adj. Natural de Colosas. Ú. t. c. s. ‖ **2.** Perteneciente o relativo a esta ciudad de Frigia.

coloso. (Del lat. *colossus,* y este del gr. κολοσσός.) m. Estatua de una magnitud que excede mucho a la natural, como fue la del **coloso** de Rodas. ‖ **2.** fig. Persona o cosa que por sus cualidades sobresale muchísimo.

colote. (Del nahua *colotli.*) m. *Méj.* Canasto cilíndrico.

colpa. f. Colcótar que como magistral se emplea para beneficiar la plata en algunos procedimientos de amalgamación.

colpar. (Del lat. **colaphāre,* de *colăphus,* golpe.) tr. ant. **herir.**

colpe. (De *colpar.*) m. ant. **golpe.**

colquicáceo, a. (De *colchĭcum,* nombre de un género de plantas.) adj. *Bot.* Dícese de hierbas de la familia de las liliáceas, perennes, con raíz bulbosa, hojas radicales, enteras y envainadoras, flores radicales o axilares en bohordo o tallo, frutos casi siempre capsulares, y semillas en gran número con albumen carnoso o duro; como el cólquico y el eléboro blanco. Ú. t. c. s. f.

cólquico. (Del lat. *colchĭcum,* y este del gr. κολχικόν, de Κολχίς, Cólquida.) m. Hierba de la familia de las liliáceas, de 12 a 14 centímetros de altura, con tres o cuatro hojas planas, lanceoladas y derechas, sépalos y pétalos de igual figura y color, soldados por sus uñas en forma de tubo largo y delgado, y frutos capsulares de la forma y tamaño de la nuez. Su raíz, semejante a la del tulipán, está envuelta en una túnica negra, es amarga y se emplea en medicina contra la hidropesía y el reuma.

colúbrido. (Del lat. *colubra,* culebra.) m. *Zool.* Individuo de la familia de reptiles ofidios, de que es tipo la culebra común. Carecen de aparato venenoso y tienen en el borde de la mandíbula superior dientes fijos y casi iguales. Ú. m. en pl.

coludir. (Del lat. *colludĕre.*) intr. ant. **ludir.** ‖ **2.** *Der.* Pactar en daño de tercero.

coludo, da. (De *cola*[1].) adj. *Chile, El Salv., Nicar., Perú* y *Urug.* **rabudo.**

columbario. (Del lat. *columbarĭum.*) m. *Arqueol.* Conjunto de nichos, en los cementerios de los antiguos romanos, donde colocaban las urnas cinerarias.

columbeta. (Del leon. *columbiar.*) f. Voltereta que sobre la cabeza dan los muchachos en sus juegos.

columbino, na. (Del lat. *columbīnus,* de *columba,* paloma.) adj. Perteneciente a la paloma, o semejante a ella. Aplícase más comúnmente al candor y sencillez del ánimo. ‖ **2.** V. **pie columbino.** ‖ **3.** Dícese del color amoratado de algunos granates.

columbón. (Del leon. *columbiar.*) m. *León.* Columpio formado por un madero a cuyos extremos, que están al aire, cabalgan dos o más muchachos.

columbrar. (Del lat. *colluminăre.*) tr. Divisar, ver desde lejos una cosa, sin distinguirla bien. ‖ **2.** fig. Rastrear o conjeturar por indicios una cosa.

columbrete. m. *Mar.* Mogote poco elevado que hay en medio del mar. Algunos ofrecen abrigo o fondeadero.

columbrón. (De *columbrar.*) m. *Germ.* Lo que alcanza una mirada.

columelar. (Del lat. *columellāris,* de *columella,* columnilla.) adj. V. **diente columelar.** Ú. t. c. s.

columna. (Del lat. *columna.*) f. Apoyo normalmente cilíndrico de techumbres o edificios. ‖ **2.** Serie o pila de cosas colocadas ordenadamente unas sobre otras. ‖ **3.** En impresos o manuscritos, cualquiera de las partes en que suelen dividirse las planas por medio de un blanco o línea que las separa de arriba abajo. ‖ **4.** Forma más o menos cilíndrica que toman algunos fluidos, en su movimiento ascensional. COLUMNA *de fuego, de humo.* ‖ **5.** fig. Persona o cosa que sirve de amparo, apoyo o protección. ‖ **6.** *Fís.* Porción de fluido contenido en un cilindro vertical. ‖ **7.** *Quím.* Dispositivo en forma de torre que se emplea para la separación de los gases o líquidos de una mezcla o disolución. ‖ **8.** *Mar.* Cada una de las líneas o filas de buques en que se divide una escuadra numerosa para operar. ‖ **9.** *Mil.* Conjunto de soldados o unidades que se sitúan unos detrás de otros, cubriendo iguales frentes. ‖ **10.** *Mil.* **columna mixta.** ‖ **acanalada. columna estriada.** ‖ **adosada.** La que está pegada a un muro u otro cuerpo de la edificación. ‖ **aislada.** *Arq.* La que está sin arrimar a los muros ni a otra parte del edificio. ‖ **ática.** *Arq.* Pilar aislado de base cuadrada. ‖ **barométrica.** Forma que en alguna clase de barómetros toma el líquido contenido en el tubo de vidrio para señalar la pesantez del aire. ‖ **blindada.** *Mil.* La que está provista de gran número de carros de asalto acompañados por tropas de infantería. ‖ **compósita.** ant. *Arq.* **columna compuesta.** ‖ **compuesta.** *Arq.* La perteneciente al orden compuesto. Sus proporciones son las de la corintia, y su capitel tiene las hojas de acanto del corintio con las volutas del jónico en lugar de caulículos. ‖ **corintia.** *Arq.* La perteneciente al orden corintio. Su altura era antiguamente de nueve y media a diez veces su diámetro inferior; pero después se ha hecho en ocasiones algo más baja, y su capitel está adornado con hojas de acanto y caulículos. ‖ **cuadrada.** *Arq.* **columna ática.** ‖ **de honor.** *Mil.* Cualquier **columna** militar empleada en desfile para rendir honores a un alto personaje. ‖ **de media caña. columna embebida.** ‖ **dórica.** *Arq.* La perteneciente al orden dórico. Su altura no pasaba primitivamente de seis veces el diámetro inferior; pero después se ha hecho llegar a siete veces y aun más. Su capitel se compone de un ábaco con un equino o un cuarto bocel, y las más antiguas no tenían basa. ‖ **embebida.** *Arq.* La que parece que introduce en otro cuerpo parte de su fuste. ‖ **entorchada.** *Arq.* **columna salomónica.** ‖ **entregada.** *Arq.* **columna embebida.** ‖ **estriada.** Aquella cuyo fuste está adornado con canales o estrías unidas una a otra o separadas por un filete, como las **columnas** de estilo dórico griego. ‖ **exenta.** *Arq.* **columna aislada.** ‖ **fajada.** La que tiene el fuste formado por piedras o trozos labrados y rústicos alternativamente, y también la que presenta fajas o anillos salientes. ‖ **fasciculada.** La que tiene el fuste formado por varias columnillas delgadas. ‖ **gótica.** *Arq.* La perteneciente al estilo ojival. Consiste en un haz de columnillas, y tiene el capitel adornado con hojas muy recortadas, como las del cardo. ‖ **jónica.** *Arq.* La perteneciente al orden jónico. Su altura es de ocho a ocho y media veces su diámetro inferior, y su capitel está adornado con volutas. ‖ **mixta.** *Mil.* Unidad de tropas independientes y constituida provisionalmente, sin sujeción a normas reglamentarias. ‖ **ojival.** La perteneciente al estilo ojival. Es cilíndrica, delgada y de mucha altura; lleva capitel pequeño, y a veces ninguno, y descansa en basamento característico. Ofrécese fasciculada en torno de pilares y machones. ‖ **románica.** La perteneciente al estilo románico. Es de poca altura, con capitel de ábaco grueso y tambor ricamente historiado, fuste liso y basa característica o imitada de las clásicas. Va generalmente adosada a los pilares y machones o pareada en arquerías. ‖ **rostrada,** o **rostral.** *Arq.* La que tiene el fuste adornado con rostros o espolones de nave. ‖ **salomónica.** *Arq.* La que tiene el fuste contorneado en espiral. ‖ **suelta.** *Arq.* **columna aislada.** ‖ **termométrica.** Disposición que tiene el líquido encerrado en el tubo de vidrio del termómetro para marcar los grados de calor. ‖ **toscana.** *Arq.* La perteneciente al orden toscano. Su altura es de 14 módulos, fuste liso con mucho éntasis, capitel de molduras y basa ática simplificada. ‖ **vertebral.** Eje del neuroesqueleto de los animales vertebrados, situado a lo largo de la línea media dorsal del cuerpo y formado por una serie de huesos cortos o vértebras, dispuestos en fila y articulados entre sí. ‖ **quinta columna.** Conjunto de los partidarios de una causa nacional o política, organizados o comprometidos para servirla activamente, y que en ocasión de guerrra, se hallan dentro del territorio enemigo.

columnario, ria. (Del lat. *columnarĭus*, de *columna*, columna.) adj. Dícese de la moneda de plata acuñada en América durante el siglo XVIII y cuyo reverso tiene la representación de dos mundos timbrados, de una corona entre dos columnas también coronadas y en el margen la inscripción *Plus Ultra.* ‖ **2.** V. **peseta columnaria.** ‖ **3.** V. **realito columnario.** ‖ **4.** m. ant. **columnata.**

columnata. (Del lat. *columnāta*, pl. de *-tum.*) f. Serie de columnas que sostienen o adornan un edificio.

columnista. com. Redactor o colaborador de un periódico, al que contribuye regularmente con comentarios firmados e insertos en una columna especial.

columpiar. (Del gr. κολυμβᾶν, a través del leon. *columbiar.*) tr. Impeler al que está sobre un columpio. Ú. t. c. prnl. ‖ **2.** Por ext., mecer, balancear, mover acompasadamente alguna cosa. Ú. t. c. prnl. ‖ **3.** prnl. fig. y fam. Mover el cuerpo de un lado a otro cuando se anda. ‖ **4.** fig. No tomar partido entre una cosa u otra.

columpio. (De *columpiar.*) m. Cuerda fuerte atada en alto por sus dos extremos, para que se siente alguna persona en el seno que forma en el medio, asiéndose con las manos en los dos ramales, y pueda mecerse por impulso propio o ajeno. También los hay compuestos de uno o varios asientos pendientes de una armazón de hierro o madera.

coluna. f. p. us. **columna.**

coluro. (Del lat. *colūrus*, y este del gr. κόλουρος, que tiene cortada la cola.) m. *Astron.* Cada uno de los dos círculos máximos de la esfera celeste, los cuales pasan por los polos del mundo y cortan a la Eclíptica, el uno en los puntos equinocciales, y se llama **coluro** de los equinoccios, y el otro en los solsticiales, y se llama **coluro** de los solsticios.

colusión. (Del lat. *collusĭo, -ōnis.*) f. *Der.* Acción y efecto de coludir, pactar en daño de tercero.

colusor. (Del lat. *collūsor, -ōris.*) m. *Der.* El que comete colusión.

colusorio, ria. adj. *Der.* Que tiene carácter de colusión, o la produce.

colutorio. (Del lat. *collūtum*, sup. de *colluĕre*, lavar.) m. *Farm.* Enjuagatorio medicinal.

coluvie. (Del lat. *colluvĭes.*) f. p. us. Gavilla de pícaros o gente perdida. ‖ **2.** p. us. fig. Sentina, lodazal.

colza. (Del neerl. *koolzaad*, a través del fr. *colza.*) f. Especie de col, con las hojas de cuyas semillas se extrae aceite.

colla[1]. (Del lat. *collum*, cuello.) f. **gorjal,** pieza de la armadura.

colla[2]. (Del lat. *copŭla*, enlace.) f. Arte de pesca compuesto por determinado número de nasas colocadas en fila cuando se calan. ‖ **2. traílla** de dos perros. ‖ **3.** Cuadrilla de jornaleros de los puertos.

colla[3]. f. Temporal que en los mares de Filipinas sopla generalmente del SO. con fuerza varia, y alternativas de chubascos violentos, recalmones y fuertes lluvias. ‖ **2.** *Mar.* Última estopa que se embute en las costuras.

colla[4]. adj. *Bol.* Dícese del habitante de las mesetas andinas. Ú. t. c. s.

collación. f. p. us. **colación,** refacción por la noche en los días de ayuno.

collada. f. **collado** de una sierra por donde se pasa fácilmente. ‖ **2.** ant. **cuello.** ‖ **3.** *Mar.* Duración larga de un mismo viento.

colladía. (De *collada.*) f. Conjunto de collados.

collado. (Del lat. *collis, -is*, colina, altura.) m. Tierra que se levanta como cerro, menos elevada que el monte. ‖ **2.** Depresión suave por donde se puede pasar fácilmente de un lado a otro de una sierra.

collalba. f. Mazo de madera con el cual los jardineros desmenuzan los terrones.

collar. (Del lat. *collāre*, de *collum*, cuello.) m. Adorno que ciñe o rodea el cuello. ‖ **2.** Insignia de algunas magistraturas, dignidades y órdenes de caballería. ‖ **3.** Aro de hierro u otro metal, que se ponía al cuello de los malhechores, por castigo; de los esclavos, como signo de su servidumbre, y de algunos animales, para diferentes usos. ‖ **4.** Aro, por lo común de cuero, que se ciñe al pescuezo de los animales domésticos para adorno, sujeción o defensa. ‖ **5.** Faja de plumas que ciertas aves tienen alrededor del cuello, y que se distingue por su color. ‖ **6.** ant. Parte de la vestidura que ciñe el cuello. ‖ **7.** *Blas.* Ornamento del escudo que lo circuye, llevando pendiente de la punta la condecoración correspondiente. ‖ **8.** *Mec.* Anillo que abraza cualquier pieza circular de una máquina para sujetarla sin impedirle girar.

collareja. (De *collar.*) f. *Col.* y *C. Rica.* Especie de paloma silvestre de color azul, muy estimada por su carne. ‖ **2.** *Méj.* **comadreja,** pequeño mamífero carnicero.

collarejo. m. d. de **collar.**

collarín. m. d. de **collar.** ‖ **2.** Alzacuello de los eclesiásticos. ‖ **3.** Sobrecuello angosto que se pone en algunas casacas. ‖ **4.** Aparato ortopédico que se ajusta en torno al cuello y que sirve para inmovilizar las vértebras cervicales. ‖ **5.** Reborde que rodea el orificio de la espoleta de las bombas, y sirve para facilitar su manejo. ‖ **6.** *Arq.* **collarino.**

collarino. (Del it. *collarino.*) m. *Arq.* Parte inferior del capitel, entre el astrágalo y el tambor, en los órdenes dórico y jónico romanos, toscano, árabe y grecorromano del Renacimiento.

collazo[1], za. (Del lat. *collactĕus.*) m. y f. **hermano de leche.** ‖ **2.** Compañero o compañera de servicio en una casa, y criado o criada. ‖ **3.** m. Palo con que se recogen las gavillas y se cargan en el carro. Ú. más en Andalucía.

collazo[2]. (De *cuello.*) m. **pescozón.**

colleja. (Del lat. *caulicŭlus*, de *caulis*, tallo.) f. Hierba de la familia de las cariofiláceas, de cuatro a ocho decímetros de altura, con hojas lanceoladas, blanquecinas y suaves, tallos ahorquillados y flores blancas en panoja colgante. Es muy común en los sembrados y parajes incultos, y se come en algunas partes como verdura.

collejas. (De *cuello.*) f. pl. Nervios delgados que los carneros tienen en el pescuezo.

collejo. m. ant. **colegio.**

collera[1]. (De *cuello.*) f. Collar de cuero o lona, relleno de borra o paja, que se pone al cuello a las caballerías o a los bueyes para que no les haga daño el horcate. ‖ **2.** V. **coche de colleras.** ‖ **3.** Adorno del cuello del caballo, que se usaba en funciones públicas.

collera[2]. (De *colla*[2].) f. fig. Cadena de presidiarios. ‖ **2.** *And.* Pareja de ciertos animales. *Una* COLLERA *de pavos.* ‖ **3.** *Col.* y *Chile.* Gemelos de camisa. ‖ **de yeguas. cobra**[1], cierto número de yeguas enlazadas.
collerón. m. aum. de **collera**[1]. ‖ **2.** Collera de lujo, fuerte y ligera, que se usa para los caballos de los coches.
colleta. (Del lat. *caulis.*) f. *Rioja.* Berza pequeña.
colliguay. (De or. araucano.) m. *Chile.* Arbusto euforbiáceo cuya leña, al quemarse, exhala un olor agradable. Tiene hojas alternas, lanceoladas, aserradas, coriáceas y pecioladas; su altura total es de un metro, y el jugo de su raíz venenoso.
collipullense, sa. adj. Natural de Collipulli. Ú. t. c. s. ‖ **2.** Perteneciente o relativo a esta ciudad de Chile.
collón, na. (Del lat. vulg. *colēone* testículo, a través del it. *coglione.*) adj. fam. **cobarde,** pusilánime, sin valor ni espíritu. Ú. t. c. s.
collonada. f. fam. Acción propia de collón.
collonería. (De *collón.*) f. fam. **cobardía.**
com-. V. **con-.**
coma[1]. (Del lat. *comma,* y este del gr. κόμμα, corte, parte de un período.) f. Signo ortográfico (,) que sirve para indicar la división de las frases o miembros más cortos de la oración o del período, y que también se emplea en aritmética para separar los enteros de las fracciones decimales. ‖ **2. misericordia,** pieza en los asientos de los coros de las iglesias. ‖ **3.** *Mús.* Parte en que se considera dividido el tono, y que corresponde a la diferencia entre uno mayor y otro menor. ‖ **4.** *Ópt.* Aberración o defecto de un instrumento que reproduce con forma semejante a la **coma** ortográfica, lo que en realidad es un punto. ‖ **sin faltar una coma.** loc. adv. fig. y fam. que se usa para ponderar la puntualidad con que alguien ha dicho una relación estudiada, o dado algún recado de palabra.
coma[2]. (Del lat. *coma,* y este del gr. κόμη, cabellera.) f. ant. **crin.**
coma[3]. (Del gr. κῶμα, sopor.) m. Estado patológico que se caracteriza por la pérdida de la conciencia, la sensibilidad y la motricidad.
comadrazgo. (De *comadre.*) m. Parentesco espiritual que contraían la madre de una criatura y la madrina de esta.
comadre. (Del lat. *commāter, tris.*) f. **partera.** ‖ **2.** Madrina de bautizo de una criatura respecto del padre, o la madre, o el padrino de esta. ‖ **3.** Madre de una criatura respecto del padrino o madrina de esta. ‖ **4.** fam. **alcahueta,** mujer que concierta, encubre o facilita relaciones amorosas. ‖ **5.** fam. Vecina y amiga con quien tiene otra mujer más trato y confianza que con las demás.
comadrear. (De *comadre.*) intr. fam. Chismear, murmurar, en especial las mujeres.
comadreja. (De *comadre.*) f. Mamífero carnicero nocturno, de unos 25 centímetros de largo, de cabeza pequeña, patas cortas y pelo de color pardo rojizo por el lomo y blanco por debajo, y parda la punta de la cola. Es muy vivo y ligero; mata los ratones, topos y otros animales pequeños, y es muy perjudicial, pues se come los huevos de las aves y les mata las crías.
comadreo. m. fam. Acción y efecto de comadrear.
comadrería. f. fam. Chismes y cuentos propios de comadrero o comadrera.
comadrero, ra. (De *comadre.*) adj. Dícese de la persona holgazana que anda buscando conversaciones por las casas. Ú. t. c. s.
comadrón. (De *comadre.*) m. Cirujano que asiste a la mujer en el acto del parto.
comadrona. (De *comadre.*) f. **partera.**
comal. (Del nahua *comalli.*) m. *Amér. Central* y *Méj.* Disco de barro o de metal que se utiliza para cocer tortillas de maíz o para tostar granos de café o de cacao.
comalecerse. (De *co-* y *mal.*) prnl. ant. Marchitarse o dañarse.
comalia. (De *co-* y *mal.*) f. *Veter.* Enfermedad que acomete a los animales, particularmente al ganado lanar, y consiste en una hidropesía general.
comalido, da. (De *co-* y *mal.*) adj. **enfermizo.**
comanche. adj. Dícese del indio que vivía en tribus en Tejas y Nuevo Méjico. Ú. t. c. s. ‖ **2.** Perteneciente o relativo a estas tribus. ‖ **3.** m. Lengua hablada por ellas.
comandamiento. (De *comandar.*) m. ant. **mando,** autoridad y mandato. ‖ **2.** ant. Mandamiento o precepto.
comandancia. f. Empleo de comandante. ‖ **2.** Provincia o comarca que está sujeta en lo militar a un comandante. ‖ **3.** Edificio, cuartel o departamento donde se hallan las oficinas de aquel cargo. ‖ **de marina.** Subdivisión de un departamento marítimo.
comandanta. f. fam. Mujer del comandante. ‖ **2.** *Mar.* Nave en que iba el comandante o jefe de una escuadra o de parte de ella.
comandante. (De *comandar.*) m. Jefe militar de categoría comprendida entre las de capitán y teniente coronel. ‖ **2.** Militar que ejerce el mando en ocasiones determinadas, aunque no tenga el empleo jerárquico de **comandante.** ‖ **de armas.** Militar a quien, por su mayor categoría, corresponde el mando superior sobre una colectividad constituida ocasionalmente por tropas de diversos cuerpos, armas e institutos. ‖ **de provincia marítima.** Jefe de marina que tiene autoridad superior provincial. ‖ **de un barco.** Jefe u oficial de la armada que manda un buque de guerra. ‖ **de un fuerte, de un puesto,** etc. **comandante de armas.** ‖ **general.** Oficial general investido del mando sobre grandes colectividades orgánicas del ejército o la marina y cuanto se relaciona con el respectivo servicio. ‖ **general de escuadra.** General de la armada, revestido del mando superior en una escuadra. ‖ **mayor.** Jefe encargado de la oficina de contabilidad en los cuerpos y establecimientos militares, cometido que en algunos pertenece a un teniente coronel. ‖ **militar.** El que ejerce el mando de tropas y de los servicios correspondientes a ellas, en determinada localidad.
comandar. (Del it. *comandare.*) tr. *Mil.* Mandar un ejército, una plaza, un destacamento, una flota, etc.
comandita. (Del it. *accomandita,* a través del fr. *commandite.*) f. *Com.* **sociedad en comandita.** ‖ **en comandita.** loc. adv. *Com.* En sociedad comanditaria. ‖ **2.** En grupo. Ú. por lo común en sent. irón.
comanditar. tr. Aprontar los fondos necesarios para una empresa comercial o industrial, sin contraer obligación mercantil alguna.
comanditario, ria. adj. Perteneciente a la comandita. Ú. t. c. s. ‖ **2.** V. **compañía, sociedad comanditaria.**
comando. (De *comandar.*) m. *Mil.* Mando militar. ‖ **2.** Pequeño grupo de tropas de choque, destinado a hacer incursiones ofensivas en terreno enemigo. ‖ **3.** Grupo armado de terroristas.
comarca. (De *co-* y *marca,* provincia.) f. División de territorio que comprende varias poblaciones. ‖ **en comarca.** loc. adv. ant. **cerca**[2].
comarcal. adj. Perteneciente o relativo a la comarca.
comarcano, na. (De *comarca.*) adj. Cercano, inmediato. Dícese de poblaciones, campos, tierras, etc.
comarcar. (De *comarca.*) intr. Confinar entre sí países, pueblos o heredades. ‖ **2.** tr. Plantar los árboles en líneas rectas a distancias iguales, de modo que formen calles en todas direcciones.
comatoso, sa. (Del gr. κῶμα, -ατος, coma[3].) adj. *Pat.* Perteneciente o relativo al coma[3].
comba. (Del lat. *cumba,* y este del gr. κύμβη, cosa cóncava.) f. Inflexión que toman algunos cuerpos sólidos cuando se encorvan; como maderos, barras, etc. ‖ **2.** Juego de niños

que consiste en saltar por encima de una cuerda que se hace pasar por debajo de los pies y sobre la cabeza del que salta. ‖ **3.** Esta misma cuerda. ‖ **hacer combas.** fr. fam. Columpiar el cuerpo al andar, contonearse. ‖ **no perder comba.** loc. fig. y fam. No desaprovechar ninguna ocasión favorable.

combadura. f. Efecto de combarse. ‖ **2.** ant. **bóveda** de edificio.

combalacharse. prnl. *Ar., Ast., Murc., Nav.* y *Venez.* **conchabarse,** obrar de acuerdo dos o más personas, generalmente con mal propósito.

combar. (De *comba.*) tr. Torcer, encorvar una cosa; como madera, hierro, etc. Ú. t. c. prnl.

combarcano, na. adj. *Filip.* Dícese del compañero de viaje en un barco. Ú. t. c. s.

combate. (De *combatir.*) m. Pelea entre personas o animales. ‖ **2.** Acción bélica o pelea en que intervienen fuerzas militares de alguna importancia. ‖ **3.** fig. Lucha o batalla interior del ánimo. COMBATE *de pensamientos, de pasiones.* ‖ **4.** fig. Contradicción, pugna. ‖ **fuera de combate.** loc. que se aplica al que ha sido vencido de manera que le impide continuar la lucha. Ú. m. con los verbos *estar, quedar, dejar,* etc., y t. en sent. fig.

combatible. adj. Que puede ser combatido o conquistado.

combatidor. m. El que combate.

combatiente. p. a. de **combatir.** Que combate. Ú. m. c. s. ‖ **2.** com. Cada uno de los soldados que componen un ejército. ‖ **3.** m. Ave caradriforme de plumaje estival, apagado en las hembras y muy vistoso en los machos, que exhiben una gorguera de plumas y efectúan complicadas danzas en época de celo. Es ave invernal y de paso en España. ‖ **4.** Pez teleósteo de agua dulce, con las aletas muy desarrolladas y colores vistosos. Es propio de Indochina.

combatimiento. m. ant. **combate.**

combatir. (Del lat. *combattuĕre.*) intr. **pelear.** Ú. t. c. prnl. ‖ **2.** tr. Acometer, embestir. ‖ **3.** fig. Dicho de algunas cosas inanimadas, como las olas del mar, los vientos, etc., batir, sacudir. ‖ **4.** fig. Atacar, reprimir, refrenar lo que se considera un mal o daño, oponerse a su difusión. COMBATIR *una epidemia, el absentismo, el terrorismo.* ‖ **5.** fig. Contradecir, impugnar. ‖ **6.** fig. Dicho de los afectos y pasiones del ánimo, agitarlos.

combatividad. f. Calidad o condición de combativo.

combativo, va. adj. Dispuesto o inclinado al combate, a la contienda o a la polémica.

combazo. m. *Chile* y *Perú.* **combo,** puñetazo.

combeneficiado. m. Beneficiado a la vez que otro u otros en una misma iglesia.

combés. (En cat. *combés,* y en port. *convés.*) m. Espacio descubierto, ámbito. ‖ **2.** *Mar.* Espacio en la cubierta superior desde el palo mayor hasta el castillo de proa.

combinable. adj. Que se puede combinar.

combinación. (Del lat. *combinatĭo, -ōnis.*) f. Acción y efecto de combinar o combinarse. ‖ **2.** Unión de dos cosas en un mismo sujeto. ‖ **3.** En los diccionarios, conjunto o agregado de vocablos que empiezan con unas mismas letras y van colocados por orden alfabético; v. gr.: los que empiezan por *ab,* por *ba,* por *ca,* etc. ‖ **4.** Prenda de vestir que usan las mujeres por encima de la ropa interior y debajo del vestido, que sustituye al justillo y las enaguas. ‖ **5.** Bebida compuesta de varios licores, principalmente vermut y ginebra. ‖ **6.** Conjunto de signos ordenados de forma determinada que solo conocen una o varias personas y se emplea para abrir o hacer funcionar ciertos mecanismos o aparatos, como cajas fuertes, cajeros automáticos, etc. ‖ **7.** *Álg.* Cada uno de los grupos que se pueden formar con letras en todo o en parte diferentes, pero en igual número; v. gr.: *abc, abd, efg.*

combinado[1], da. p. p. de **combinar.** ‖ **2.** adj. V. **plato combinado.** ‖ **3.** V. **garrucha, polea combinada.** ‖ **4.** m. **combinación,** bebida compuesta de varios licores.

combinado[2]. (Del ruso *kombinat.*) m. *Cuba.* Conglomerado industrial en el que participan empresas afines.

combinar. (Del lat. *combināre.*) tr. Unir cosas diversas, de manera que formen un compuesto o agregado. ‖ **2.** Dicho de escuadras o ejércitos, unirlos o juntarlos. ‖ **3.** fig. **concertar,** traer a identidad de fines. ‖ **4.** *Quím.* Unir dos o más cuerpos en proporciones atómicas determinadas, para formar un compuesto cuyas propiedades sean distintas de las de los componentes. Ú. t. c. prnl. ‖ **5.** prnl. Ponerse de acuerdo dos o más personas para una acción conjunta.

combinatorio, ria. adj. Perteneciente o relativo a la combinación.

comblezado. (De *combleza.*) adj. ant. Se decía del casado cuya mujer estaba amancebada con otro.

comblezo, za. (De *combruezo.*) m. y f. p. us. Persona amancebada con hombre o mujer casados.

combluezo, za. m. y f. ant. **comblezo.** ‖ **2.** p. us. Enemigo, contrario, rival en amores.

combo, ba. (De *comba.*) adj. Dícese de lo que está combado. ‖ **2.** m. Tronco o piedra grande sobre el que se asientan las cubas, así para preservarlas de la humedad, como para usar con más comodidad las canillas por donde se saca el vino. ‖ **3.** *Amér.* Mazo, almádana. ‖ **4.** *Chile* y *Perú.* **puñetazo.**

comboso, sa. adj. Combado.

combretáceo, a. (Del lat. *combrētum,* nombre genérico de varios árboles exóticos.) adj. *Bot.* Dícese de árboles o arbustos angiospermos dicotiledóneos, con hojas alternas u opuestas, sin estípulas, flores axilares o terminales en espiga, y por frutos drupas con semillas solitarias; como el mirobálano y el júcaro. Ú. t. c. s. f. ‖ **2.** f. pl. *Bot.* Familia de estas plantas.

combruezo, za. (Del lat. **convortium,* del mismo grupo que *divortium.*) m. ant. **comblezo.**

comburente. (Del lat. *combūrens, -entis,* p. a. de *comburĕre,* quemar, abrasar.) adj. *Fís.* Que hace entrar en combustión o la activa. Ú. t. c. s. m.

combustibilidad. f. Calidad de combustible.

combustible. (De *combusto.*) adj. Que puede arder. ‖ **2.** Que arde con facilidad. ‖ **3.** m. Leña, carbón, petróleo, etc., que se usa en las cocinas, chimeneas, hornos, fraguas y máquinas cuyo agente es el fuego. ‖ **nuclear.** Material que se emplea para producir calor mediante reacciones nucleares.

combustión. (Del lat. *combustĭo, -ōnis.*) f. Acción o efecto de arder o quemar. ‖ **2.** *Quím.* Reacción química entre el oxígeno y un material oxidable, acompañada de desprendimiento de energía y que habitualmente se manifiesta por incandescencia o llama. ‖ **3.** Por ext., se aplica a la oxidación de alimentos en los seres vivos. ‖ **nuclear.** Conjunto de reacciones nucleares con producción continuada de enormes cantidades de calor, que tiene lugar en las estrellas y en los reactores nucleares.

combusto, ta. (Del lat. *combustus,* p. p. de *comburĕre,* quemar enteramente.) adj. Dícese de lo que está abrasado.

comecome. (De *comer.*) m. *Cuba, Col.* y *Urug.* **comezón,** picazón en el cuerpo. ‖ **2.** *Urug.* fig. Por ext., desazón del ánimo, preocupación.

comechingón, na. adj. Dícese del indio americano, perteneciente a los grupos que, en la época de la conquista española, habitaban en las sierras de Córdoba, República Argentina. Ú. t. c. s. ‖ **2.** Perteneciente o relativo a estos indios. ‖ **3.** m. Lengua hablada por estos.

comedero, ra. adj. Que se puede comer. ‖ **2.** ant. Que come mucho. ‖ **3.** m. Vasija o cajón donde se echa la comida a las aves y otros animales. ‖ **4.** **comedor,** habitación destinada para comer. ‖ **5.** Sitio a donde acude a comer el ganado. ‖ **limpiarle** a alguien **el comedero.** fr. fig. y fam. Quitarle el empleo o cargo de que vive.

comedia. (Del lat. *comoedĭa*, y este del gr. κωμῳδία, de κωμῳδός, comediante.) f. Obra dramática en cuya acción predominan los aspectos placenteros, festivos o humorísticos y cuyo desenlace suele determinarse por algunos de estos. ‖ **2.** Obra dramática de cualquier género. ‖ **3.** Género cómico. *Tal escritor, o actor sobresale más en la* COMEDIA *que en el drama.* ‖ **4.** En el teatro clásico español, pieza dramática cuyos rasgos esenciales fijó Lope de Vega. ‖ **5.** desus. **teatro,** edificio o lugar para representaciones escénicas. *Esta noche iré a la* COMEDIA. ‖ **6.** fig. Suceso de la vida real, capaz de interesar y de mover a risa. ‖ **7.** fig. Farsa o fingimiento. ‖ **de capa y espada.** En el teatro del siglo XVII, la de lances amatorios y caballerescos de su tiempo. ‖ **de carácter.** Aquella cuyo fin principal es el de resaltar tipos humanos. ‖ **de costumbres.** La que describe, generalmente con intención correctora, los actos y usos de la vida social. ‖ **de enredo.** La de trama ingeniosa, intrincada y sorprendente. ‖ **de figurón.** Variedad de la de carácter que, en el teatro español del siglo XVII, presentaba un protagonista ridículo o pintoresco. ‖ **del arte.** La originada en Italia, en el siglo XVI, cuyos personajes fijos (Arlequín, Colombina, Pantalón, etc.) improvisaban la acción y el diálogo. ‖ **dramática.** Aquella en que los aspectos infaustos dominan en algunas situaciones o en su desenlace. ‖ **musical.** Obra musical con partes cantadas y bailadas, creada y muy difundida en Norteamérica. ‖ **nueva.** La que en Grecia antigua se originó como reacción frente a la **comedia** tradicional de Aristófanes y cuyos moldes se han mantenido básicamente hasta la actualidad. ‖ **2.** La **comedia** española de la Edad de Oro, introducida por Lope de Vega. ‖ **togada.** La **comedia** latina de asunto romano. ‖ **alta comedia.** La que presenta situaciones urbanas contemporáneas y relativas a la aristocracia o la alta burguesía. ‖ **hacer la comedia.** fr. fig. y fam. Aparentar para algún fin lo que en realidad no se siente.

comediante, ta. (De *comedia*.) m. y f. **actor**[1] y **actriz.** ‖ **2.** fig. y fam. Persona que para algún fin aparenta lo que no siente en realidad. ‖ **del arte.** Actor que, integrado en una compañía, representaba la comedia del arte.

comediar. (De *comedio*.) tr. ant. **promediar,** repartir en dos partes iguales. ‖ **2.** ant. Arreglar, moderar o hacer comedido a alguno.

comedición. (De *comedir*.) f. ant. Acción y efecto de comedir, pensar o premeditar.

comédico, ca. (Del lat. *comoedĭcus*, y este del gr. κωμῳδικός.) adj. ant. **cómico.**

comedido, da. (De *comedir*.) adj. Cortés, prudente, moderado.

comedimiento. (De *comedir*.) m. Cortesía, moderación, urbanidad.

comedio. (De *co-* y *medio*.) m. Centro o medio de un reino o sitio. ‖ **2.** Intermedio o espacio de tiempo que media entre dos épocas o tiempos señalados.

comediógrafo, fa. m. y f. Persona que escribe comedias.

comedión. m. despect. aum. de **comedia.**

comedir. (Del lat. *commetīri*.) tr. ant. Pensar, premeditar o tomar las medidas para algunas cosas. ‖ **2.** prnl. Arreglarse, moderarse, contenerse. ‖ **3.** *Amér.* Ofrecerse o disponerse para alguna cosa.

comedo. (Del lat. *comoedus*, y este del gr. κωμῳδός, de κῶμος, festín, y ἀοιδός, cantor.) m. ant. **comediante.**

comedón. m. Barro del rostro.

comedor, ra. adj. Que come mucho. ‖ **2.** m. Pieza destinada en las casas para comer. ‖ **3.** Mobiliario de esta pieza. ‖ **4.** Establecimiento destinado para servir comidas a personas determinadas y a veces al público.

comején. (Del arahuaco de las Antillas *comixén*.) m. Nombre de diversas especies de termes en América del Sur. Se llama también hormiga blanca y, en Filipinas, anay.

comejenera. f. Lugar donde se cría comején. ‖ **2.** fig. y fam. *Venez.* Paraje donde se reúnen gentes de mal vivir.

comendable. (Del lat. *commendabĭlis*.) adj. ant. **recomendable.**

comendación. (Del lat. *commendatĭo, -ōnis*.) f. ant. Encargo o encomienda. ‖ **2.** ant. Alabanza, encomio o recomendación.

comendadero. (Del lat. *commendatarĭus*.) m. ant. **comendero.**

comendador. (Del lat. *commendātor, -ōris*.) m. Caballero que tiene encomienda en alguna de las órdenes militares o de caballeros. ‖ **2.** El que en las órdenes de distinción tiene dignidad superior a la de caballero e inferior a la de gran cruz. ‖ **3.** Prelado de algunas casas de religiosos; como de la Merced y de San Antonio Abad. ‖ **mayor.** Dignidad en algunas órdenes militares, inmediatamente inferior a la de maestre. La orden de Santiago tenía dos: el **comendador mayor de Castilla** y el **de León.**

comendadora. (De *comendador*.) f. Superiora o prelada de los conventos de las antiguas órdenes militares, o de ciertas órdenes religiosas como la Merced. ‖ **2.** Religiosa de ciertos conventos de esas órdenes. *Las* COMENDADORAS *de Santiago.*

comendadoría. (De *comendador*.) f. ant. **encomienda,** dignidad dotada de renta competente. ‖ **2.** ant. **encomienda,** lugar y rentas de esta dignidad.

comendamiento. (De *comendar*.) m. ant. **encomienda,** acción de encargar. ‖ **2.** Cosa encargada. ‖ **3.** ant. Mandamiento o precepto.

comendar. (Del lat. *commendāre*.) tr. ant. Recomendar, encomendar.

comendatario. (Del lat. *commendatarĭus*.) m. Eclesiástico secular que goza en encomienda un beneficio regular.

comendaticio, cia. (Del lat. *commendaticĭus*.) adj. Aplícase a la carta o despacho de recomendación que dan algunos prelados. ‖ **2.** V. **abad comendaticio.**

comendatorio, ria. (Del lat. *commendatorĭus*.) adj. Dícese de los papeles y cartas de recomendación.

comendero. (De *comienda*.) m. Persona a quien se daba en encomienda alguna villa o lugar, o tenía en ellos algún derecho concedido por los reyes, con obligación de prestar juramento de homenaje.

comensal. (Del lat. *cum*, con, y *mensa*, mesa.) com. Persona que vive a la mesa y expensas de otra, en cuya casa habita como familiar o dependiente. ‖ **2.** Cada una de las personas que comen en una misma mesa.

comensalía. (De *comensal*.) f. Compañía de casa y mesa.

comentación. (Del lat. *commentatĭo, -ōnis*.) f. ant. **comento.**

comentador, ra. (Del lat. *commentātor, -ōris*.) m. y f. Persona que comenta. ‖ **2.** p. us. Persona inventora de falsedades o ficciones.

comentar. (Del lat. *commentāre*.) tr. Explanar, declarar el contenido de un escrito, para que se entienda con más facilidad. ‖ **2.** Hacer comentarios.

comentario. (Del lat. *commentarĭum*.) m. Escrito que sirve de explicación y comento de una obra, para que se entienda más fácilmente. ‖ **2.** Juicio, parecer, mención o consideración que se hace, oralmente o por escrito, acerca de una persona o cosa. ‖ **3.** pl. Título que se da a algunas historias escritas en estilo conciso. *Los* COMENTARIOS *de César.*

comentarista. com. Persona que escribe comentarios. ‖ **2.** Persona que comenta regularmente noticias, por lo general de actualidad, en los medios de comunicación.

comento. (Del lat. *commentum.*) m. Acción y efecto de comentar. ‖ **2. comentario,** escrito que explica los puntos oscuros de una obra. ‖ **3. embuste,** mentira disfrazada con artificio.

comenzadero, ra. adj. ant. Que ha de comenzar o dar principio.

comenzador. m. ant. El que comienza o da principio a una cosa.

comenzamiento. m. ant. **comienzo,** principio o raíz de una cosa.

comenzante. p. a. de **comenzar.** Que comienza. Ú. t. c. s.

comenzar. (Del lat. vulg. **cominitiare.*) tr. Empezar, dar principio a una cosa. ‖ **2.** intr. Empezar, tener una cosa principio. *Ahora* COMIENZA *la misa; aquí* COMIENZA *el tratado.* ‖ **comienza y no acaba.** expr. fig. y fam. con que se denota que alguien se detiene o alarga demasiado en algún discurso, o que por mucho que se dilate, siempre le queda qué decir.

comer[1]**.** (De *comer*[2].) m. desus. **comida,** alimento. ‖ **quitárselo** alguien **de** su **comer.** fr. fig. y fam. **quitárselo de la boca.**

comer[2]**.** (Del lat. *comedĕre.*) intr. Masticar y desmenuzar el alimento en la boca y pasarlo al estómago. COMER *de prisa o despacio.* Ú. t. c. tr. *Por la falta de la dentadura, no puede* COMER *sino cosas blandas.* ‖ **2.** Tomar alimento. *No es posible vivir sin* COMER. Ú. t. c. tr. COMER *pollo, pescado,* etc. ‖ **3.** Tomar la comida principal del día. *Almuerza a las doce y* COME *a las siete; hoy no* COMO *en casa.* ‖ **4.** tr. fam. Disfrutar, gozar alguna renta. ‖ **5.** fig. Gastar, consumir, desbaratar la hacienda, el caudal, etc. *Los administradores se lo* HAN COMIDO *todo.* ‖ **6.** fig. Producir comezón física o moral algo. *Le* COMEN *los piojos, los celos.* ‖ **7.** fig. Gastar, corroer, consumir. *El orín* COME *el hierro; el agua* COME *las piedras.* ‖ **8.** fig. En los juegos de ajedrez, de las damas, etc., ganar una pieza al contrario. ‖ **9.** fig. Dicho del color, ponerlo la luz desvaído. ‖ **10.** prnl. Cuando se habla o escribe, omitir alguna frase, sílaba, letra, párrafo, etc. ‖ **11.** fig. Llevar encogidas prendas como calcetines, medias, etc., de modo que se van metiendo dentro de los zapatos. *Estírate los calcetines porque te los vas* COMIENDO. ‖ **comerse** una cosa a otra. fr. fig. y fam. Anular o hacer desmerecer una cosa a otra. ‖ **comerse unos a otros.** fr. fig. Tener discordia entre sí algunas personas. ‖ **comer vivo.** fr. fig. Con un pronombre personal, tener gran enojo contra alguien o desear venganza. ‖ **2.** Producir algunas cosas molestia, o desazón algunos animales que pican. ‖ **comer y callar.** expr. que se usa para dar a entender que al que está a expensas de otro le conviene obedecer y no replicar. ‖ **perder el comer.** fr. ant. Perder el apetito o las ganas de **comer.** ‖ **ser de buen comer.** fr. **comer** mucho habitualmente. ‖ **2.** Ser gratos al paladar algunos alimentos o frutos cuando están en perfecta sazón. ‖ **sin comerlo ni beberlo.** loc. fig. y fam. Sin haber tenido parte en la causa o motivo del daño o provecho que se sigue. ‖ **tener** alguien **qué comer.** fr. fig. y fam. Tener lo conveniente para su alimento y decencia. Ú. m. en forma negativa.

comerciable. adj. Aplícase a los géneros con que se puede comerciar. ‖ **2.** desus. fig. Dícese de la persona sociable, afable y dulce en su trato.

comercial. adj. Perteneciente al comercio y a los comerciantes. ‖ **2.** Dícese de aquello que tiene fácil aceptación en el mercado que le es propio. ‖ **3.** V. **balanza comercial.**

comercialización. f. Acción y efecto de comercializar.

comercializar. tr. Dar a un producto industrial, agrícola, etc., condiciones y organización comerciales para su venta.

comerciante. p. a. de **comerciar.** Que comercia. Ú. t. c. s. ‖ **2.** com. Propietario de un comercio. ‖ **3.** Persona a quien son aplicables las especiales leyes mercantiles.

comerciar. (De *comercio.*) intr. Negociar comprando y vendiendo o permutando géneros. ‖ **2.** desus. fig. Tener trato y comunicación unas personas con otras.

comercio. (Del lat. *commercĭum.*) m. Negociación que se hace comprando y vendiendo o permutando géneros o mercancías. ‖ **2.** V. **artículo, balanza, banco, corredor, libertad de comercio.** ‖ **3.** desus. Comunicación y trato de unas gentes o pueblos con otros. ‖ **4.** En algunas poblaciones, lugar en que, por abundar las tiendas, suele ser grande la concurrencia de gentes. ‖ **5.** Tienda, almacén, establecimiento comercial. ‖ **6.** Juego de naipes entre cuatro o más personas, que ponen cada una de caudal cuatro o cinco monedas. Gana el que junta tres cartas de un palo superiores a las de los demás. ‖ **7.** Cierto juego de naipes entre varias personas que se juega con dos barajas. ‖ **8.** fig. Conjunto o la clase de comerciantes. ‖ **9.** fig. Comunicación y trato secreto, por lo común ilícito, entre dos personas de distinto sexo. ‖ **de cabotaje. cabotaje,** tráfico marítimo en las costas.

comestible. (Del lat. *comestibĭlis.*) adj. Que se puede comer. ‖ **2.** m. Todo género de mantenimiento. Ú. m. en pl.

cometa. (Del lat. *comēta,* y este del gr. κομήτης, de κόμη, cabellera.) m. *Astron.* Astro generalmente formado por un núcleo poco denso y una atmósfera luminosa que le precede, le envuelve o le sigue, según su posición respecto del Sol, y que describe una órbita muy excéntrica. ‖ **2.** f. Armazón plana y muy ligera, por lo común de cañas, sobre la cual se extiende y pega papel o tela; en la parte inferior se le pone una especie de cola formada con cintas o trozos de papel, y, sujeta hacia el medio a un hilo o bramante muy largo, se arroja al aire, que la va elevando, y sirve de diversión a los muchachos. ‖ **3.** Juego de naipes en que el nueve de oros, que se llama **cometa,** es comodín y gana doble si él termina el juego. ‖ **barbato.** *Astron.* Decíase de aquel cuya atmósfera luminosa precede al núcleo. ‖ **caudato.** *Astron.* Decíase de aquel cuya zona luminosa va detrás del núcleo. ‖ **corniforme.** *Astron.* Decíase de aquel cuya cola está encorvada. ‖ **crinito.** *Astron.* Decíase de aquel cuya cola o cabellera está dividida en varios ramales divergentes. ‖ **periódico.** *Astron.* El que pertenece al sistema solar, y cuyas apariciones o perihelios ocurren regularmente.

cometario, ria. adj. *Astron.* Perteneciente o relativo a los cometas.

cometedor, ra. adj. Que comete, y más comúnmente, que hace alguna traición, delito, pecado, etc. Ú. t. c. s. ‖ **2.** ant. **acometedor.** Usáb. t. c. s.

cometer. (Del lat. *committĕre.*) tr. p. us. Ceder alguien sus funciones a otra persona, poniendo a su cargo y cuidado algún negocio. ‖ **2.** Dicho de culpas, yerros, faltas, etc., caer, incurrir en ellas. ‖ **3.** Dicho de figuras retóricas o gramaticales, usarlas. ‖ **4.** ant. **acometer,** embestir con ímpetu. ‖ **5.** ant. **acometer,** emprender, intentar. ‖ **6.** *Com.* Dar comisión mercantil. ‖ **7.** prnl. ant. Arriesgarse, exponerse. ‖ **8.** ant. Entregarse a alguien o fiarse de él.

cometida. (De *cometer.*) f. ant. **acometida,** acción y efecto de acometer.

cometido. (De *cometer.*) m. Comisión, encargo. ‖ **2.** Por ext., incumbencia, obligación moral.

cometimiento. (De *cometer.*) m. ant. **acometimiento,** acción y efecto de acometer.

comezón. (Del lat. **comestĭo, -ōnis,* de *comestus,* comido.) f. Picazón que se padece en alguna parte del cuerpo o en todo él. ‖ **2.** fig. Desazón moral, especialmente la que ocasiona el deseo o apetito de alguna cosa mientras no se logra.

comible. (De *comer.*) adj. fam. Aplícase a las cosas de comer que no son enteramente desagradables al paladar.

cómic. (Del ing. *comic.*) m. Serie o secuencia de viñetas con desarrollo narrativo. ‖ **2.** Libro o revista que contiene estas viñetas.

comicastro. m. Mal cómico.

comicial. (Del lat. *comitiālis.*) adj. Perteneciente o relativo a los comicios. ‖ **2.** *Pat.* V. **morbo comicial.**

comicidad. f. Calidad de cómico, que puede divertir o excitar la risa.

comicios. (Del lat. *comitĭum.*) m. pl. Junta que tenían los romanos para tratar de los negocios públicos. ‖ **2.** Reuniones y actos electorales.

cómico, ca. (Del lat. *comĭcus,* y este del gr. κωμικός.) adj. Perteneciente o relativo a la comedia. ‖ **2.** Decíase del que escribía comedias. Hoy solo se aplica al que las representa. Ú. t. c. s. ‖ **3.** Aplícase al actor que representa papeles jocosos. Ú. t. c. s. ‖ **4.** Que divierte y hace reír. ‖ **5.** V. **vis cómica.** ‖ **6.** m. y f. **comediante.** ‖ **de la legua.** El que anda representando en poblaciones pequeñas.

comichear. tr. *Ar.* **comiscar,** comer a menudo de varias cosas en cortas cantidades.

comida. (De *comer.*) f. **alimento.** *Ganar uno la* COMIDA *con el sudor de su frente*; *tener horror a la* COMIDA. ‖ **2.** Alimento que se toma al mediodía o primeras horas de la tarde. ‖ **3.** Cena. ‖ **4.** Acción de comer. *La* COMIDA *duró tres horas*; *tardar dos horas en cada* COMIDA. ‖ **5.** V. **casa de comidas.** ‖ **de carne.** La que no se permite tomar más que en día de carne. ‖ **de pescado. vigilia,** abstinencia de carne. ‖ **cambiar la comida.** fr. **vomitar,** echar por la boca lo contenido en el estómago. ‖ **reposar la comida.** fr. Descansar después de haber comido.

comidilla. (d. de *comida.*) f. fig. y fam. Gusto, complacencia especial que alguien tiene en cosas de su genio o inclinación. *La lectura, el juego, la caza es su* COMIDILLA. ‖ **2.** fig. y fam. Tema preferido en alguna murmuración o conversación de carácter satírico. *La conducta de fulana es la* COMIDILLA *de la vecindad.*

comido, da. p. p. de **comer.** ‖ **2.** adj. Dícese del que ha **comido.** ‖ **comido por servido.** expr. que se usa para dar a entender el corto producto de un oficio o empleo. ‖ **comido y bebido.** expr. fam. Mantenido.

comienda. (De *comendar.*) f. ant. **encomienda,** acción y efecto de encargar. ‖ **2.** Cosa encargada.

comienzo. (De *comenzar.*) m. Principio, origen y raíz de una cosa. ‖ **a,** o **de, comienzo.** loc. adv. ant. Desde el principio.

comigo. pron. pers. ant. **conmigo.**

comilitón. m. **conmilitón.**

comilitona. f. fam. **comilona.**

comilón, na. adj. fam. Que come mucho o desordenadamente. Ú. t. c. s. ‖ **hártate, comilón, con pasa y media.** expr. fig. y fam. con que se zahiere al que da con escasez y miseria.

comilona. (De *comilón.*) f. fam. Comida muy abundante y variada.

comilla. f. d. de **coma**[1], signo ortográfico que separa las frases más cortas y los decimales de los enteros. ‖ **2.** pl. Signo ortográfico (« », " " o „ ") que se pone al principio y al fin de las frases incluidas como citas o ejemplos en impresos o manuscritos, y también, a veces, al principio de todos los renglones que estas frases ocupan. Suele emplearse con el mismo oficio que el guión en los diálogos, en los índices y en otros escritos semejantes. También se emplea para poner de relieve una palabra o frase. ‖ **3.** Signo ortográfico (' ' o ' ') que se usa al principio y al fin de una palabra o frase incluidas como cita o puestas de relieve dentro de un texto entrecomillado más extenso. También se emplea para indicar que una palabra está usada en su valor conceptual o como definición de otra.

cominear. (De *comino.*) intr. Entretenerse en cominerías.

cominería. f. Minucia, cosa o asunto insignificante. Ú. m. en pl.

cominero, ra. (De *cominear.*) adj. fam. Dícese del hombre que cominea. Ú. t. c. s. m. ‖ **2.** Dícese de la persona preocupada por pequeñeces y minucias.

cominillo. (d. de *comino.*) m. **joyo.** ‖ **2.** fig. *Chile* y *R. de la Plata.* Escrúpulo, preocupación, recelo.

comino. (Del lat. *cuminum,* y este del gr. κύμινον.) m. Hierba de la familia de las umbelíferas, con tallo ramoso y acanalado, hojas divididas en lacinias filiformes y agudas, flores pequeñas, blancas o rojizas, y semillas de figura aovada, unidas de dos en dos, convexas y estriadas por una parte, planas por la otra, de color pardo, olor aromático y sabor acre, las cuales se usan en medicina y para condimento. ‖ **2.** Semilla de esta planta. ‖ **3.** Por metáfora cariñosa o despectiva, persona de pequeño tamaño; dicho más comúnmente de los niños. ‖ **4.** fig. Cosa insignificante, de poco o ningún valor. Ú. en frases como *dársele,* o *no dársele, a alguien un* COMINO; *no montar,* o *no valer una cosa un* COMINO. ‖ **rústico. laserpicio.**

comiquear. intr. Representar comedias caseras.

comiquería. f. fam. Conjunto o reunión de cómicos.

comis. (Del fr. *commis.*) m. Ayudante de camarero en el servicio de bares y restaurantes.

comisar. tr. p. us. **decomisar.**

comisaria. f. fam. Mujer del comisario.

comisaría. f. Empleo del comisario. ‖ **2.** Oficina del comisario. ‖ **de Cruzada.** Tribunal que sustituyó al Consejo de Cruzada. ‖ **de policía.** *Esp.* Cada una de las que, con función permanente, existen en las capitales de provincia distribuidas por distritos.

comisariato. (Del lat. mod. *comissariatus,* a través del ing. *commissariat.*) m. desus. **comisaría.** ‖ **2.** *Col., Nicar.* y *Pan.* **economato,** almacén.

comisario. (Del b. lat. *commissarius,* y este del lat. *commissus,* p. p. de *committĕre,* cometer.) m. El que tiene poder y facultad de otro para ejecutar alguna orden o entender en algún negocio. ‖ **2.** V. **testamento por comisario.** ‖ **3.** *Mil.* V. **revista de comisario.** ‖ **de entradas.** En algunos hospitales, empleado que toma razón de los enfermos que entran en ellos a curarse y de los que salen ya curados. ‖ **de guerra.** *Mil.* Jefe de administración militar al cual se encomendaron diversas funciones de intendencia e intervención, antes de la separación de estos servicios, y cuya categoría equivale a la de teniente coronel del ejército, cuando es de primera clase, y a la de comandante si es de segunda. ‖ **de la Inquisición,** o **del Santo Oficio.** Cualquiera de los ministros sacerdotes que este tribunal tenía en los pueblos principales del reino, para entender en los encargos que se les hiciesen. ‖ **general.** *Mil.* Funcionario que desde el siglo XVI, y a las inmediatas órdenes del general y su lugarteniente, disponía y vigilaba todos los servicios de abastecimiento, pago y alojamiento de las tropas de infantería o de caballería, asumiendo a veces como tercer jefe la totalidad del mando militar. ‖ **2.** En la Orden de San Francisco, religioso que tiene el mando y gobierno de las provincias cismontanas. ‖ **general de Cruzada.** Persona eclesiástica que, por facultad pontificia, tiene a su cargo los negocios pertenecientes a la bula de la Santa Cruzada. ‖ **general de Indias.** En la Orden de San Francisco, religioso a cuyo cargo estaba el gobierno de sus provincias en Indias. ‖ **general de Jerusalén,** o **Tierra Santa.** Religioso condecorado de la Orden de San Francisco, que residía en la corte, por nombramiento del rey, para lo tocante a caudales de los conventos y hospicios que la misma orden tiene en los Santos Lugares, y lo demás de esta obra pía. ‖

ordenador. *Mil.* Funcionario que, a las inmediatas órdenes del intendente, sustituyó en el siglo XVII al veedor y al contador, encargados de la administración militar. ‖ **político.** En algunos países, representante de los organismos políticos directivos adscrito a los mandos militares, especialmente en tiempo de guerra, para intervenir en sus decisiones. ‖ **alto comisario.** Delegado general del Gobierno cerca del Jalifa de Marruecos que ejercía el protectorado en la zona marroquí sometida al de España.

comiscar. tr. Comer a menudo de varias cosas en cortas cantidades. ‖ **2.** ant. Carcomer, cercenar.

comisión. (Del lat. *commissio, -ōnis.*) f. Acción de cometer. ‖ **2.** Orden y facultad que una persona da por escrito a otra para que ejecute algún encargo o entienda en algún negocio. ‖ **3.** Encargo que una persona da a otra para que haga alguna cosa. ‖ **4.** Conjunto de personas encargadas por una corporación o autoridad para entender en algún asunto. ‖ **5.** V. **pecado de comisión.** ‖ **6.** *Der.* V. **carta de comisión.** ‖ **de servicio.** Situación de una persona que, con autorización del Ministerio o autoridad de que depende, presta sus servicios transitoriamente fuera de su puesto habitual de trabajo. ‖ **mercantil.** *Com.* Mandato conferido al comisionista, sea o no dependiente del que le apodera. ‖ **2.** *Com.* Retribución de esta clase de mandato. ‖ **rogatoria.** *Der.* Comunicación entre tribunales de distintos países para la práctica de diligencias judiciales. ‖ **a comisión.** loc. adv. que se aplica a la actividad remunerada según porcentajes establecidos al emprenderla. *Trabaja* A COMISIÓN, *me pagan* A COMISIÓN. ‖ **en comisión.** loc. adv. que se aplica a una práctica de comercio en la que se entregan los géneros al vendedor sin cobrar su importe hasta que se hayan vendido.

comisionado, da. p. p. de **comisionar.** ‖ **2.** adj. Encargado de una comisión. Ú. t. c. s. ‖ **de apremio.** El encargado por la Hacienda de ejecutar los apremios.

comisionar. tr. Dar comisión a una o más personas para entender en algún negocio o encargo.

comisionario. (De *comisionar.*) m. ant. **comisionado.**

comisionista. com. *Com.* Persona que se emplea en desempeñar comisiones mercantiles.

comiso. (Del lat. *commissum,* confiscación.) m. *Der.* **decomiso.**

comisorio, ria. (Del lat. *commissorĭus.*) adj. *Der.* Obligatorio o válido por determinado tiempo, o aplazado para cierto día. Ú. m. en las expresiones *pacto* COMISORIO y *pacto de ley* COMISORIA.

comisquear. tr. **comiscar.**

comistión. f. **conmistión.**

comistrajo. (De *conmisto.*) m. fam. Mezcla irregular y extravagante de alimentos.

comisura. (Del lat. *commissūra,* de *committĕre,* juntar, unir.) f. *Anat.* Punto de unión de ciertas partes similares del cuerpo; como los labios y los párpados. ‖ **2.** *Anat.* Sutura de los huesos del cráneo por medio de dientecillos a manera de sierra.

comital. (De *cómite.*) adj. **condal.**

comité. (Del ing. *committee,* a través del fr. *comité.*) m. **comisión** de personas encargadas para un asunto.

cómite. (Del lat. *comes, -ĭtis.*) m. ant. **conde.**

comitente. (Del lat. *committens, -entis,* p. a. de *committĕre,* cometer.) p. a. p. us. de **cometer,** ceder alguien sus funciones. Que comete. Ú. t. c. s.

comitiva. (Del lat. *comitīva,* de *comes, -ĭtis,* el que acompaña.) f. **acompañamiento,** gente que va acompañando a alguien.

cómitre. (Del lat. *comes, -ĭtis,* ministro subalterno.) m. *Mar.* Persona que en las galeras vigilaba y dirigía la boga y otras maniobras y a cuyo cargo estaba el castigo de remeros y forzados. ‖ **2.** Capitán de mar bajo las órdenes del almirante y a cuyo mando estaba la gente de su navío. ‖ **3.** fig. Por ext., el que ejerce su autoridad con excesivo rigor o dureza.

comiza. (Del lat. *coma,* y este del gr. κόμη, barba.) f. Especie de barbo, mayor que el común, con el hocico más largo, la frente más angosta y el lomo más corvo.

commelináceo, a. (De *Commelina,* nombre de un género de plantas.) adj. *Bot.* Dícese de plantas angiospermas monocotiledóneas, herbáceas, con tallo nudoso de aspecto foliáceo, flores hermafroditas, trímeras, actinomorfas o cigomorfas, provistas de cáliz y corola, y fruto en cápsula; como el cañutillo. Ú. t. c. s. f. ‖ **2.** f. pl. *Bot.* Familia de estas plantas.

como[1]**.** m. ant. Burla, chasco. *Dar* COMO, o *un* COMO.

como[2]**.** (Del lat. *quomŏdo.*) adv. m. Del modo o la manera que. *Hazlo* COMO *te digo; sal de apuros* COMO *puedas.* ‖ **2.** En sentido comparativo denota idea de equivalencia, semejanza o igualdad, y significa generalmente el modo o la manera que, o a modo o manera de. *Es rubio* COMO *el oro; se quedó* COMO *muerto; se encontró con dos* COMO *clérigos* o COMO *estudiantes.* En este sentido corresponde a menudo con *así, tal, tan* y *tanto.* ‖ **3.** Aproximadamente, más o menos. *Hace* COMO *un año que vivo aquí.* ‖ **4. según,** conforme. *Esto fue lo que sucedió,* COMO *fácilmente puede probarse; la caridad,* COMO *dice fray Luis de Granada,* etc. ‖ **5. así que.** COMO *llegamos a la posada, se dispuso la cena.* ‖ **6.** desus. A fin de que, o de modo que. *Mandamos a nuestros presidente y oidores que provean* COMO *por culpa de los letrados no se dilaten las causas.* ‖ **7.** conj. desus, que sustituye a *que* para introducir una subordinada. *Sabrás* COMO *hemos llegado sin novedad.* ‖ **8.** En frases condicionales y seguida de subjuntivo, tiene como apódosis una amenaza. COMO *no te enmiendes, dejaremos de ser amigos.* ‖ **9.** Toma también carácter de conjunción causal. COMO *recibí tarde el aviso, no pude llegar a tiempo.* En esta acepción puede preceder a la conjunción *que. Lo sé de fijo,* COMO QUE *el lance ocurrió delante de mí.* ‖ **10.** En ciertas construcciones, esta palabra y un verbo en subjuntivo equivalen al gerundio del mismo verbo. COMO SEA *la vida del hombre milicia sobre la tierra, menester es vivir armados;* lo cual equivale a decir: SIENDO *la vida del hombre,* etc. ‖ **11.** prep. **en calidad de.** *Asiste a la boda* COMO *testigo.* ‖ **12.** adv. m. interrog. y excl. **cómo,** con acento prosódico y ortográfico. Equivale a *de qué modo o manera* ¿CÓMO *está el enfermo*?; *no sé* CÓMO *agradecerle tantos favores;* ¡CÓMO *llueve*! ‖ **13.** Por qué motivo, causa o razón; en fuerza o en virtud de qué. ¿CÓMO *no fuiste ayer a paseo*?; *no sé* CÓMO *no lo mato.* ‖ **14.** Úsase a veces con carácter de sustantivo, precedido del artículo *el.* EL CÓMO *y el cuándo.* ‖ **¡cómo!** interj. con que se denota extrañeza o enfado. ‖ **¿cómo así?** expr. de extrañeza o admiración que se emplea para pedir explicación de una cosa que no se esperaba o no parecía natural. ‖ **¿cómo no?** expr. que equivale a **¿cómo** podría ser de otro modo? *Mañana partiré; y* ¿CÓMO NO, *si lo he prometido*? ‖ **2.** Sí, claro. ‖ **como quier que.** loc. conjunt. **como quiera que.** ‖ **en como.** loc. adv. ant. **como**[2]**.**

como[3]**.** (Del lat. *culmus,* paja.) m. *Rioja.* Paja de centeno destinada para vencejos de las mieses.

cómoda. (Del fr. *commode.*) f. Mueble con tablero de mesa y tres o cuatro cajones que ocupan todo el frente y sirven para guardar ropa.

comodable. (Del lat. *commodāre,* prestar.) adj. *Der.* Aplícase a las cosas que se pueden prestar.

cómodamente. adv. m. Con comodidad. ‖ **2.** Oportuna, conveniente, fácil, fructuosamente.

comodante. (Del lat. *commŏdans, -antis.*) com. *Der.* Persona que da una cosa en comodato.

comodatario. (Del lat. *commodatarĭus.*) m. *Der.* El que toma prestada una cosa mueble no fungible con la obligación de restituirla.

comodato. (Del lat. *commodātum*, préstamo.) m. *Der.* Contrato por el cual se da o recibe prestada una cosa de las que pueden usarse sin destruirse, para servirse de ella, con la obligación de restituirla.

comodidad. (Del lat. *commodĭtas, -ātis.*) f. Calidad de cómodo. ‖ **2.** Conveniencia, conjunto de cosas necesarias para vivir a gusto y con descanso. Ú. m. en pl. *La casa tiene muchas* COMODIDADES. ‖ **3.** Ventaja, oportunidad. ‖ **4.** Utilidad, interés.

comodín. (De *cómodo.*) m. En algunos juegos de naipes, carta que se puede aplicar a cualquier suerte favorable. ‖ **2.** fig. Por ext., lo que se hace servir para fines diversos, según conviene al que lo usa. ‖ **3.** fig. Pretexto habitual y poco justificado.

comodista. adj. **comodón.**

cómodo, da. (Del lat. *commŏdus.*) adj. Conveniente, oportuno, acomodado, fácil, proporcionado. ‖ **2. comodón.** Ú. t. c. s. ‖ **3.** m. p. us. Utilidad, provecho, conveniencia. ‖ **4.** *Méj.* **silleta**[2] recipiente para excretar en la cama.

comodón, na. (De *cómodo.*) adj. fam. Dícese del que es amante de la comodidad y regalo. Ú. t. c. s.

comodoro. (Del fr. *commandeur*, a través del ing. *commodore.*) m. *Mar.* Nombre que en Inglaterra y otras naciones se le da al capitán de navío cuando manda más de tres buques. ‖ **2.** Persona que en los clubes náuticos tiene a su cargo la inspección y buen orden de las embarcaciones.

comoquiera. adv. m. De cualquier manera. ‖ **2.** V. **como quiera que.**

compacidad. f. **compactibilidad.**

compaciente. (Del lat. *compatĭens, -entis*, el que padece con otro.) adj. ant. Que se compadece.

compactación. f. Acción y efecto de compactar.

compactar. tr. Hacer compacta una cosa.

compactibilidad. f. Calidad de compacto.

compacto, ta. (Del lat. *compactus*, p. p. de *compingĕre*, unir, juntar.) adj. Dícese de los cuerpos de textura apretada y poco porosa. *La caoba es más* COMPACTA *que el pino.* ‖ **2.** Dícese del equipo estereofónico que reúne en una sola pieza diversos aparatos para la reproducción del sonido. Ú. t. c. s. m. ‖ **3.** fig. Denso, condensado. ‖ **4.** *Impr.* Dícese de la impresión que en poco espacio tiene mucha lectura. ‖ **5.** m. **disco compacto.** ‖ **6.** Aparato reproductor de discos compactos. ‖ **7.** *Impr.* Tipo ordinario muy chupado.

compadecer. (Del lat. *compăti.*) tr. Compartir la desgracia ajena, sentirla, dolerse de ella. ‖ **2.** Sentir lástima o pena por la desgracia o el sufrimiento ajenos. Ú. t. c. prnl. con la prep. *de.* ‖ **3.** prnl. Venir bien una cosa con otra, componerse bien, convenir con ella. ‖ **4.** Conformarse o unirse.

compadrada. f. *Argent.* y *Urug.* Acción de compadrear, jactancia.

compadradgo. (De *compadre.*) m. ant. **compadrazgo.**

compadrado. m. ant. **compadrazgo.**

compadraje. (De *compadre.*) m. Unión o concierto de varias personas para alabarse o ayudarse mutuamente. Ú. en sent. peyorativo.

compadrar. intr. Contraer compadrazgo. ‖ **2.** Hacerse compadre o amigo.

compadrazgo. m. Conexión o afinidad que contrae con los padres de una criatura el padrino que la saca de pila o asiste a la confirmación. ‖ **2. compadraje.**

compadre. (Del lat. *compăter, -tris.*) m. Padrino de bautizo de una criatura respecto del padre o la madre o la madrina de esta. ‖ **2.** Padre de una criatura respecto del padrino o madrina de esta. ‖ **3.** Con respecto a los padres del confirmado, el padrino en la confirmación. ‖ **4.** En Andalucía y en algunas otras partes, se suele llamar así a los amigos y conocidos. ‖ **5.** fig. y fam. V. **juego, jueves de compadres.** ‖ **6.** ant. Protector, bienhechor. ‖ **7.** *Argent.* y *Urug.* **compadrito**[1]. Ú. t. c. adj. ‖ **arrepásate acá, compadre.** fr. **las cuatro esquinas.** ‖ **sacar compadres.** fr. Sacar por sorteo, a fin de año, una pareja de damas y galanes.

compadrear. (De *compadre.*) intr. Hacer o tener amistad, generalmente con fines poco lícitos. ‖ **2.** *Argent., Par.* y *Urug.* Jactarse, envanecerse, provocar. Ú. con valor despectivo.

compadreo. (De *compadrear.*) m. Compadraje, unión de personas para ayudarse mutuamente. Suele tener valor despectivo.

compadrería. f. Lo que pasa o se contrata entre compadres, amigos o camaradas.

compadrito[1]. m. *Argent.* y *Urug.* Tipo popular, jactancioso, provocativo, pendenciero, afectado en sus maneras y en su vestir.

compadrito[2], **ta.** adj. *Argent.* y *Urug.* Perteneciente o relativo al **compadrito**[1], a sus costumbres, ropas, etc. *Tiene un deje* COMPADRITO *al hablar.* ‖ **2.** p. us. *Argent.* y *Urug.* Dícese de las cosas que tienen cierta vistosidad. *Un sombrero* COMPADRITO; *una melena* COMPADRITA.

compadrón, na. (De *compadre.*) adj. *Argent.* y *Urug.* **compadrito**[2]. *Un tango* COMPADRÓN, *una actitud* COMPADRONA. ‖ **2.** m. *Argent.* y *Urug.* **compadrito**[1].

compagamiento. m. ant. **compage.**

compage. (Del lat. *compāges.*) f. ant. Enlace o trabazón de una cosa con otra.

compaginación. (Del lat. *compaginatĭo, -ōnis.*) f. Acción y efecto de compaginar o compaginarse.

compaginado, da. p. p. de **compaginar.** ‖ **2.** adj. *Impr.* Dícese de la página resultante de ajustar galeradas. Ú. t. c. s. f.

compaginador, ra. m. y f. Persona que compagina.

compaginar. (Del lat. *compagināre*, de *compāges*, unión, trabazón.) tr. Poner en buen orden cosas que tienen alguna conexión o relación mutua. Ú. t. c. prnl. ‖ **2.** *Impr.* **ajustar** las galeradas para formar páginas. ‖ **3.** prnl. fig. Corresponder o conformarse bien una cosa con otra.

compaisano, na. adj. *Urug.* Que es del mismo país, provincia o lugar que otro. Ú. t. c. s.

companaje. (De *con* y *pan*, en b. lat. *companagĭum.*) m. Comida fiambre que se toma con pan, y a veces se reduce a queso o cebolla.

compango. (Del lat. **companĭcus*, de *cum* y *panis*, pan.) m. **companaje.** ‖ **estar a compango.** fr. Recibir el criado de labor su manutención en dinero, y en trigo la ración de pan que le corresponde percibir según contrato.

companiero, ra. m. y f. ant. **compañero.**

compaña. (Del lat. **companĭa*, de *cum* y *panis*, pan.) f. **compañía.** *A Dios, Pedro y la* COMPAÑA. *Comieron con paz y* COMPAÑA. ‖ **2.** ant. **familia,** número de criados que viven dentro de una casa. ‖ **3.** ant. *Mil.* **compañía,** unidad orgánica de soldados.

compañería. (De *compañero.*) f. ant. **burdel,** mancebía. ‖ **2.** ant. **burdel,** casa o lugar donde falta el decoro.

compañerismo. m. Vínculo que existe entre compañeros. ‖ **2.** Armonía y buena correspondencia entre ellos.

compañero, ra. (De *compaña.*) m. y f. Persona que se acompaña con otra para algún fin. ‖ **2.** En los cuerpos y comunidades, como cabildos, colegios, etc., cada uno de los individuos de que se componen. ‖ **3.** En varios juegos, cualquiera de los jugadores que se unen y ayudan contra los otros. ‖ **4.** Persona que tiene o corre una misma suerte o fortuna con otra. ‖ **5.** fam. Persona con la que se convive maritalmente. ‖ **6.** fig. Dicho de cosas inanimadas, la que hace juego o tiene correspondencia con otra u otras.

compañía. (De *compaña.*) f. Efecto de acompañar. ‖ **2.** Persona o personas que acompañan a otra u otras. ‖ **3.**

Sociedad o junta de varias personas unidas para un mismo fin. ‖ **4.** Cuerpo de actores o bailarines formado para representar en un teatro. ‖ **5.** ant. Alianza o confederación. ‖ **6.** *Arit.* V. **regla de compañía.** ‖ **7.** *Com.* **sociedad** de hombres de negocios. ‖ **8.** *Mil.* Unidad de infantería, de ingenieros o de un servicio, que casi siempre forma parte de un batallón. Es mandada normalmente por un capitán. ‖ **comanditaria.** *Com.* **sociedad comanditaria.** ‖ **de Jesús.** Orden religiosa fundada por San Ignacio de Loyola. ‖ **del ahorcado.** fig. y fam. Persona que saliendo con otra la deja cuando le parece. ‖ **de la legua.** La de cómicos de la legua. ‖ **de verso.** En los teatros, **compañía** de declamación. ‖ **en comandita.** *Com.* **compañía comanditaria.** ‖ **regular colectiva.** *Com.* **sociedad regular colectiva.**

compaño. (Del lat. **companĭus,* de *cum* y *panis,* pan.) m. ant. **compañero.**

compañón. (Del lat. **companĭo, -ōnis,* de *cum* y *panis,* pan.) m. desus. **testículo.** Usáb. m. en pl. ‖ **2.** ant. Compaño o compañero. ‖ **de perro.** Hierba vivaz de la familia de las orquidáceas, con tallo lampiño, de unos tres decímetros de altura, dos hojas radicales lanceoladas, las del tallo lineares y sentadas, flores en espiga, blancas y olorosas, y dos tubérculos pequeños y redondos.

comparable. (Del lat. *comparabĭlis.*) adj. Que puede o merece compararse con otra persona o cosa.

comparación. (Del lat. *comparatĭo, -ōnis.*) f. Acción y efecto de comparar. ‖ **2.** Símil retórico. ‖ **correr la comparación.** fr. Haber la igualdad y proporción correspondiente entre las cosas que se comparan.

comparado, da. p. p. de **comparar.** ‖ **2.** adj. V. **gramática comparada.**

comparador. (De *comparar.*) m. *Fís.* Instrumento que sirve para señalar las más pequeñas diferencias entre las longitudes de dos reglas.

comparanza. f. **comparación.**

comparar. (Del lat. *comparāre.*) tr. Fijar la atención en dos o más objetos para descubrir sus relaciones o estimar sus diferencias o semejanza. ‖ **2. cotejar.**

comparatista. com. Persona versada en estudios comparados de ciertas disciplinas.

comparativamente. adv. m. Con comparación. ‖ **comparativamente a.** loc. prepos. En comparación con, en relación a.

comparativo, va. (Del lat. *comparativus.*) adj. Dícese de lo que compara o sirve para hacer comparación de una cosa con otra. *Juicio* COMPARATIVO. ‖ **2.** *Gram.* V. **adjetivo comparativo.** ‖ **3.** *Gram.* V. **conjunción comparativa.**

comparecencia. f. *Der.* Acción y efecto de comparecer. ‖ **2.** *Der.* Acto de comparecer personalmente, por medio de representante o por escrito, ante el juez o un superior. ‖ **3.** *Der.* Acto y trámite que, en el juicio de menor cuantía y en algunos procedimientos especiales, equivale a la vista.

comparecer. (Del lat. **comparescĕre,* de *comparēre.*) intr. Presentarse alguien en algún lugar, llamado o convocado por otra persona, o de acuerdo con ella. ‖ **2.** Aparecer inopinadamente. ‖ **3.** *Der.* Parecer, presentarse uno ante otro personalmente o por poder para un acto formal, en virtud del llamamiento o intimación que se le ha hecho, o mostrándose parte en algún negocio.

compareciente. com. *Der.* Persona que comparece ante el juez.

comparendo. (Del lat. *comparendus,* p. p. de fut. de *comparēre,* comparecer.) m. *Der.* Despacho en que se manda a alguien comparecer. ‖ **2.** *Der.* V. **diligencia de comparendo.**

comparición. f. *Der.* **comparecencia.** ‖ **2.** *Der.* Auto del juez o superior, mandando a alguno comparecer.

comparsa. (Del it. *comparsa.*) f. **acompañamiento,** conjunto de personas que en las representaciones teatrales o en los filmes figuran y no hablan. ‖ **2.** Conjunto de personas que en los días de carnaval y en regocijos públicos van vestidas con trajes de una misma clase. COMPARSA *de estudiantes, de valencianos, de moros.* ‖ **3.** com. Persona que forma parte del acompañamiento en las representaciones teatrales o en el cine.

comparsería. f. Conjunto de comparsas que participan en las representaciones teatrales o en los filmes.

comparte. (Del lat. *compars, -artis.*) com. *Der.* Persona que es parte con otra en algún negocio civil o criminal.

compartidor, ra. m. y f. Persona que comparte en unión con otra u otras.

compartimentación. f. Acción y efecto de compartimentar.

compartimentar. tr. Proyectar o efectuar la subdivisión estanca de un buque.

compartimento. m. **compartimiento.**

compartimiento. m. Acción y efecto de compartir. ‖ **2.** Cada parte en que se divide un territorio, edificio, caja, vagón de viajeros, etc. ‖ **3.** *Mil.* Zona más o menos amplia de terreno que presenta en sus flancos accidentes característicos que la encuadran, en la que se mueve una unidad o establece sus fuegos. ‖ **estanco.** *Mar.* Cada una de las secciones, absolutamente independientes, en que se divide el interior de un buque de hierro. Ú. t. en sent. fig.

compartir. (Del lat. *compartiri.*) tr. Repartir, dividir, distribuir las cosas en partes. ‖ **2.** Participar en alguna cosa.

compás. (De *compasar.*) m. Instrumento formado por dos piernas agudas, unidas en su extremidad superior por un eje o clavillo para que puedan abrirse o cerrarse. Sirve para trazar curvas regulares y tomar distancias. ‖ **2.** Territorio o distrito señalado a un monasterio y casa de religión, en contorno o alrededor de la misma casa y monasterio. ‖ **3.** En algunas partes, atrio y lonja de los conventos e iglesias. ‖ **4.** Resortes de metal que abriéndose o plegándose sirven para levantar o bajar la capota de los coches. ‖ **5. tamaño** de una cosa. ‖ **6.** fig. Regla o medida de algunas cosas; como de la vida, de las acciones, etc. *Es la medida y* COMPÁS *de todas las virtudes.* ‖ **7.** *Esgr.* Movimiento que hace el cuerpo cuando deja un lugar para ocupar otro. ‖ **8.** *Mar.* y *Min.* **brújula,** instrumento marino que marca el rumbo. ‖ **9.** *Mús.* Signo que determina el ritmo en cada composición o parte de ella y las relaciones de valor entre los sonidos. ‖ **10.** *Mús.* Movimiento de la mano con que se marca cada uno de estos períodos. ‖ **11.** *Mús.* Ritmo o cadencia de una pieza musical. ‖ **12.** *Mús.* Espacio del pentagrama en que se escriben todas las notas correspondientes a un **compás** y se limita por cada lado con una raya vertical. ‖ **binario.** *Mús.* El de un número par de tiempos, especialmente el de dos por dos. ‖ **curvo.** *Esgr.* Movimiento o paso que se da a derecha o izquierda, siguiendo el círculo que comprenden los pies de los tiradores. ‖ **de calibres. compás** que tiene las piernas encorvadas con las puntas hacia fuera, para medir el diámetro interior de los tubos y otras piezas huecas. ‖ **de cinco por ocho.** *Mús.* El que no contiene más que la duración de cinco corcheas ‖ **de cuadrante.** El que tiene en una de las piernas un arco que pasa por un hueco de la otra, y que con un tornillo de presión puede mantenerse en la abertura que se quiera. ‖ **de doce por ocho.** *Mús.* El que tiene la duración asignada a doce corcheas. ‖ **de dos por cuatro.** *Mús.* El que tiene la duración asignada a dos negras. ‖ **de espera.** *Mús.* Silencio que dura todo el tiempo de un **compás.** ‖ **2.** fig. Detención de un asunto por corto tiempo. ‖ **de espesores, o de gruesos.** El de piernas encorvadas con las puntas hacia adentro, para medir espesores o gruesos. ‖ **de nueve por ocho.** *Mús.* El que tiene la duración asignada a nueve corcheas. ‖ **de pinzas.** El que en una de sus puntas lleva lápiz o tiralíneas. ‖ **de proporción.** El que tiene el eje o clavillo movible en una ranura abierta a lo largo de las piernas, que terminan en punta por sus dos extremidades; y de este modo resulta por un lado comprendida una dimensión proporcionada a la abertura que se ha tomado con el otro. ‖ **de seis por ocho.** *Mús.* El que tiene la duración asignada a seis corcheas. ‖ **de trepidación.** *Esgr.* **compás trepidante.** ‖ **de tres por cuatro.** *Mús.* El que tiene la duración asignada a tres negras. ‖ **de vara.** Regla con una punta fija en uno de sus extremos y otra movible a lo largo de ella, y sirve para trazar curvas de gran diámetro. ‖ **extraño.** *Esgr.* Paso que se da y empieza con el pie izquierdo, retrocediendo, para aumentar el medio de proporción. ‖ **mayor.** *Mús.* El que tiene doble duración que el menor o compasillo. ‖ **menor.** desus. *Mús.* **compasillo.** ‖ **mixto.** *Esgr.* El que se compone del recto y del curvo, o del extraño y del de trepidación. ‖ **oblicuo.** *Esgr.* **compás transversal.** ‖ **recto.** *Esgr.* Paso que se da hacia adelante por la línea del diámetro, para acortar el medio de proporción, empezando con el pie derecho. ‖ **ternario.** *Mús.* El que se compone de tres tiempos o de un múltiplo de tres. ‖ **transversal.** *Esgr.* Paso que se da por cualquiera de los trazos del ángulo rectilíneo. ‖ **trepidante.** *Esgr.* El que se da por las líneas que llaman infinitas. ‖ **ir con el compás en la mano.** fr. fig. Proceder con regla y medida. ‖ **llevar el compás.** fr. Gobernar una orquesta o capilla de música. ‖ **perder el compás.** fr. fig. No proceder con el acierto acostumbrado, desentonar. ‖ **salir de compás.** fr. fig. Proceder sin arreglo a sus obligaciones.

compasadamente. adv. m. Con arreglo o con medida.

compasado, da. p. p. de **compasar.** ‖ **2.** adj. Arreglado, moderado, cuerdo.

compasar. (Del lat. *cum,* con, y *passus,* paso.) tr. Medir con el compás. ‖ **2.** fig. Arreglar, medir, proporcionar las cosas de modo que ni sobren ni falten. COMPASAR *el gasto, el tiempo.* ‖ **3.** *Mús.* Dividir en tiempos iguales las composiciones, formando líneas perpendiculares que cortan el pentagrama.

compasear. tr. **compasar,** marcar los compases en la notación.

compaseo. m. *Mús.* Acción y efecto de marcar o señalar los compases.

compasible. (Del lat. *compassibĭlis.*) adj. Digno de compasión. ‖ **2. compasivo.**

compasillo. m. *Mús.* Compás que tiene la duración de cuatro negras distribuidas en cuatro partes. Se señala con una C al comienzo después de la clave. Su nombre antiguo era compás menor.

compasión. (Del lat. *compassĭo, -ōnis.*) f. Sentimiento de conmiseración y lástima que se tiene hacia quienes sufren penalidades o desgracias.

compasionado, da. (De *con-* y *pasión.*) adj. p. us. **apasionado,** que tiene alguna pasión. ‖ **2.** p. us. **apasionado,** partidario de alguien. ‖ **3.** p. us. **apasionado,** dicho de alguna parte del cuerpo, que padece dolor.

compasivo, va. (Del lat. *compassus,* que padece con otros.) adj. Que tiene compasión. ‖ **2.** Que fácilmente se mueve a compasión. ‖ **3.** Por ext., se dice también de las pasiones y afectos del ánimo.

compaternidad. (De *con* y *paternidad.*) f. **compadrazgo,** afinidad que contrae con los padres de la criatura el padrino de pila o de confirmación.

compatía. (Del lat. *compăti,* sentir, padecer con otro, por analogía con *simpatía.*) f. ant. **simpatía.**

compatibilidad. f. Calidad de compatible.

compatibilizar. (De *compatible.*) tr. Hacer compatible.

compatible. (Del b. lat. *compatibĭlis,* y este del lat. *compăti,* compadecerse.) adj. Que tiene aptitud o proporción para unirse o concurrir en un mismo lugar o sujeto.

compatricio, cia. (De *con* y *patricio.*) m. y f. **compatriota.**

compatriota. (Del lat. *compatriōta.*) com. Persona de la misma patria que otra.

compatrioto. m. ant. **compatriota.**

compatrón. m. **compatrono.**

compatronato. m. Derecho y facultades de compatrono.

compatrono, na. (Del lat. *compatrōnus.*) m. y f. Patrono juntamente con otro u otros.

compeler. (Del lat. *compellĕre.*) tr. Obligar a alguien, con fuerza o por autoridad, a que haga lo que no quiere.

compelir. tr. ant. **compeler.**

compendiador, ra. adj. Que compendia. Ú. t. c. s.

compendiar. (Del lat. *compendiāre.*) tr. Reducir a compendio.

compendiariamente. adv. m. **compendiosamente.**

compendio. (Del lat. *compendĭum.*) m. Breve y sumaria exposición, oral o escrita, de lo más sustancial de una materia ya expuesta latamente. ‖ **en compendio.** loc. adv. Con precisión y brevedad.

compendiosamente. adv. m. **en compendio.**

compendioso, sa. (Del lat. *compendiōsus.*) adj. Que está, o se escribe, o dice en compendio. ‖ **2.** Dícese de lo que reúne o engloba resumidamente muchas cosas.

compendista. com. Autor de algún compendio. ‖ **2. compendiador.**

compendizar. tr. desus. **compendiar.**

compenetración. f. Acción y efecto de compenetrarse.

compenetrarse. prnl. Penetrar las partículas de una sustancia entre las de otra, o recíprocamente. ‖ **2.** fig. Influirse hasta identificarse a veces cosas distintas. *Aquí lo real y lo ideal* SE COMPENETRAN. ‖ **3.** fig. Identificarse las personas en ideas y sentimientos.

compensable. adj. Que se puede compensar.

compensación. (Del lat. *compensatĭo, -ōnis.*) f. Acción y efecto de compensar. ‖ **2.** Indemnización pecuniaria o en especie que el causante de heridas o de muerte entregaba al propio herido o a los herederos del difunto. ‖ **3.** *Com.* Entre banqueros, intercambio de cheques, letras u otros instrumentos de crédito que están en posesión de alguno de ellos y aparecen girados contra otro, con liquidación periódica, ordinariamente cotidiana de los créditos y débitos recíprocos. ‖ **4.** Entre naciones, liquidación análoga a la anterior, aunque menos frecuente, de los créditos y débitos recíprocos, procedentes del comercio internacional, por intermedio de los bancos de emisión respectivos, o de organismos anejos. ‖ **5.** *Com.* V. **cámara de compensación.** ‖ **6.** *Der.* Modo de extinguir obligaciones vencidas, cumplideras en dinero o en cosas fungibles, entre personas que son recíprocamente acreedoras y deudoras; y consiste en dar por pagada la deuda de cada uno en cuantía igual a la de su crédito, que se da por cobrado en otro tanto. ‖ **7.** *Med.* Estado funcional de un órgano enfermo, en el cual este es capaz de subvenir a las exigencias habituales del organismo a que pertenece. Aplícase sobre todo al estado del corazón.

compensador, ra. (De *compensar.*) adj. Que compensa. ‖ **2.** m. Péndulo de reloj cuya varilla está reemplazada por una armazón de barritas de metales diversamente dilatables, combinadas de modo que la longitud total no varíe cualquiera que sea la temperatura.

compensar. (Del lat. *compensāre.*) tr. Igualar en opuesto sentido el efecto de una cosa con el de otra. COMPENSAR *la dilatación de un cuerpo con la contracción de otro*; *las pérdidas con las ganancias*; *los males con los bienes.* Ú. t. c. prnl. y c. intr. ‖ **2.** Dar alguna cosa o hacer un beneficio en resarcimiento del daño, perjuicio o disgusto que se ha causado. Ú. t. c. prnl. ‖ **3.** prnl. *Med.* Llegar un órgano enfermo a un estado de compensación. ‖ **compensarse** alguien **a sí mismo.** fr. Resarcirse por su mano del daño o perjuicio que otro le ha hecho.

compensativo, va. adj. **compensatorio.**

compensatorio, ria. adj. Que compensa o iguala.

competencia. (Del lat. *competentĭa.*) f. Disputa o contienda entre dos o más sujetos sobre alguna cosa. ‖ **2.** Oposición o rivalidad entre dos o más que aspiran a obtener la misma cosa. ‖ **3. incumbencia.** ‖ **4.** Aptitud, idoneidad. ‖ **5.** V. **cuestión de competencia.** ‖ **6.** V. **juez de competencias.** ‖ **7.** Atribución legítima a un juez u otra autoridad para el conocimiento o resolución de un asunto. ‖ **8.** *Argent., Col., Méj., Par., Perú* y *Venez.* Competición deportiva. ‖ **a competencia.** loc. adv. **a porfía.**

competente. (Del lat. *compĕtens, -entis.*) adj. Bastante, debido, proporcionado, oportuno, adecuado. COMPETENTE *premio, satisfacción.* ‖ **2.** Dícese de la persona a quien compete o incumbe alguna cosa. ‖ **3.** Buen conocedor de una técnica, de una disciplina, de un arte. ‖ **4.** m. En la primitiva Iglesia, catecúmeno ya instruido para su admisión al bautismo.

competentemente. adv. m. Proporcionadamente, adecuadamente. ‖ **2.** Con legítima facultad o aptitud.

competer. (Del lat. *competĕre,* concordar, corresponder.) intr. Pertenecer, tocar o incumbir a alguien alguna cosa. ‖ **2.** ant. **competir.**

competición. (Del lat. *competitĭo, -ōnis.*) f. Competencia o rivalidad de quienes se disputan una misma cosa o la pretenden. ‖ **2.** Acción y efecto de competir, y más propiamente en materia de deportes.

competidor, ra. (Del lat. *competītor, -ōris.*) adj. Que compite. Ú. t. c. s.

competir. (Del lat. *competĕre.*) intr. Contender dos o más personas entre sí, aspirando unas y otras con empeño a una misma cosa. Ú. t. c. prnl. ‖ **2.** Igualar una cosa a otra análoga, en la perfección o en las propiedades.

competitividad. f. Capacidad de competir. ‖ **2.** Rivalidad para la consecución de un fin.

competitivo, va. adj. Perteneciente o relativo a la competición. ‖ **2.** Capaz de competir. Ú. especialmente en economía. *Precios* COMPETITIVOS.

compiadarse. (De *com-* y *piedad.*) prnl. ant. Compadecerse, apiadarse.

compilación. (Del lat. *compilatĭo, -ōnis.*) f. Acción y efecto de compilar. ‖ **2.** Obra que reúne informaciones, preceptos o doctrinas aparecidas antes por separado o en otras obras.

compilador, ra. (Del lat. *compilātor, -ōris.*) adj. Que compila. Ú. t. c. s.

compilar. (Del lat. *compilāre.*) tr. Allegar o reunir, en un solo cuerpo de obra, partes, extractos o materias de otros varios libros o documentos.

compilatorio, ria. adj. Perteneciente o relativo a la compilación.

compinche. (De *com-* y *pinche.*) com. fam. Amigo, camarada. ‖ **2.** fam. **amigote,** compañero de diversiones o de tratos irregulares.

compitales. (Del lat. *compitāles* [*ludi*].) f. pl. Fiestas que los romanos hacían a sus lares protectores de las encrucijadas.

complacedero, ra. (De *complacer.*) adj. desus. **complaciente.**

complacedor, ra. adj. Que complace. Ú. t. c. s.

complacencia. (Del lat. *complacentĭa.*) f. Satisfacción, placer y contento que resulta de alguna cosa.

complacer. (Del lat. *complacēre.*) tr. Causar a otro satisfacción o placer, agradarle. ‖ **2.** Acceder una persona a lo que otra desea y puede serle útil o agradable. ‖ **3.** prnl. Alegrarse y tener satisfacción en alguna cosa.

complaciente. p. a. de **complacer.** Que complace o se complace. ‖ **2.** adj. Propenso a complacer.

complacimiento. m. **complacencia.**

complanar. (Del lat. *complanāre,* allanar perfectamente.) tr. ant. Aclarar o explicar con claridad.

complañir. (De *com-* y *plañir.*) intr. ant. Llorar, compadecerse. Usáb. t. c. prnl.

compleción. (Del lat. *completĭo, -ōnis.*) f. p. us. Acción y efecto de completar. ‖ **2.** p. us. Calidad y condición de completo.

complejidad. f. Calidad de complejo.

complejo, ja. (Del lat. *complexus,* p. p. de *complecti,* enlazar.) adj. Dícese de lo que se compone de elementos diversos. ‖ **2. complicado,** enmarañado, difícil. ‖ **3.** V. **número complejo.** ‖ **4.** m. Conjunto o unión de dos o más cosas. ‖ **5.** Conjunto de establecimientos fabriles de industrias básicas, derivadas o complementarias, generalmente próximos unos a otros y bajo una dirección técnica y financiera común. ‖ **6.** *Psicol.* Combinación de ideas, tendencias y emociones que permanecen en la subconsciencia, pero que influyen en la personalidad del sujeto y a veces determinan su conducta. ‖ **de Edipo.** En el psicoanálisis, inclinación sexual del hijo hacia el progenitor del sexo contrario, acompañado de hostilidad hacia el del mismo sexo. Refiriéndose a las niñas suele llamarse **complejo** de Electra. ‖ **industrial. complejo,** conjunto de establecimientos fabriles.

complementación. f. Acción y efecto de complementar.

complementar. tr. Dar complemento a una cosa. Ú. t. c. prnl. ‖ **2.** *Gram.* Añadir palabras como complementos de otras.

complementariedad. f. Calidad o condición de complementario.

complementario, ria. (De *complemento.*) adj. Que sirve para completar o perfeccionar alguna cosa. ‖ **2.** V. **día complementario.** ‖ **3.** V. **colores complementarios.** ‖ **4.** *Geom.* V. **ángulo, arco complementario.**

complemento. (Del lat. *complementum.*) m. Cosa, cualidad o circunstancia que se añade a otra cosa para hacerla íntegra o perfecta. ‖ **2.** Integridad, perfección, plenitud a que llega alguna cosa. ‖ **3.** *Biol.* Sustancia existente en el plasma sanguíneo y en la linfa, que queda destruida por temperaturas superiores a los cincuenta y seis grados centígrados y es indispensable para que dichos líquidos ejerzan su actividad inmunitaria. ‖ **4.** *Biol.* Conjunto de proteínas plasmáticas que actúan mediante reacción en cascada y se fijan finalmente sobre la pared de células ajenas al organismo, v. gr. bacterias. Esta fijación destruye las células mediante la formación de poros y salida del citoplasma. ‖ **5.** *Geom.* Ángulo que sumado con otro completa uno recto. ‖ **6.** *Geom.* Arco que sumado con otro completa un cuadrante. ‖ **7.** *Ling.* Palabra, sintagma o proposición que, en una oración, completa el significado de uno o de varios componentes de la misma e, incluso, de la oración entera. ‖ **8.** pl. Accesorios de la indumentaria tanto femenina como masculina. ‖ **agente.** *Gram.* **agente.** ‖ **circunstancial.** *Gram.* El que expresa circunstancias de la acción verbal (lugar, tiempo, modo, instrumento, etc.). ‖ **directo.** *Gram.* Nombre, sintagma o proposición en función nominal, que completa el significado de un verbo transitivo. ‖ **indirecto.** *Gram.* Nombre, sintagma o proposición en función nominal que completa el significado de un verbo transitivo o intransitivo, expresando el destinatario o beneficiario de la acción.

completamente. adv. m. Cumplidamente, sin que nada falte.

completar. (De *completo.*) tr. Añadir a una magnitud o

cantidad las partes que le faltan, dar término o conclusión a una cosa o a un proceso. ‖ **2.** Hacer perfecta una cosa en su clase.

completas. (De *completo.*) f. pl. Última parte del oficio divino, con que se terminan las horas canónicas del día.

completivamente. adv. m. De un modo que completa.

completivo, va. (Del lat. *completīvus.*) adj. Dícese de lo que completa y llena. ‖ **2.** *Gram.* Dícese de la oración subordinada sustantiva. Ú. t. c. s. f. ‖ **3.** *Gram.* Dícese de la conjunción que introduce esta clase de oraciones.

completo, ta. (Del lat. *complētus,* p. p. de *complēre,* terminar, completar.) adj. Lleno, cabal. ‖ **2.** Acabado, perfecto. ‖ **3.** *Bot.* V. **flor completa.** ‖ **por completo.** loc. adv. **completamente.**

completorio, ria. (Del lat. *completorĭus.*) adj. ant. Perteneciente o relativo a la hora de completas. ‖ **2.** m. ant. **completas.** ‖ **3.** ant. Galas, adornos.

complexidad. f. **complejidad.**

complexión. (Del lat. *complexĭo, -ōnis.*) f. **constitución,** naturaleza y relación de los sistemas orgánicos de cada individuo. ‖ **2.** *Ret.* Figura que consiste en empezar con un mismo vocablo y en acabar igualmente con uno mismo, diverso del otro, dos o más cláusulas o miembros del período.

complexionado, da. adj. Con los adverbios *bien* o *mal,* de buena, o mala, complexión.

complexional. adj. Perteneciente a la complexión.

complexo, xa. adj. **complejo.** ‖ **2.** *Anat.* V. **músculo complexo.**

complicación. (Del lat. *complicatĭo, -ōnis,* plegadura.) f. Acción y efecto de complicar. ‖ **2.** Dificultad o enredo procedentes de la concurrencia y encuentro de cosas diversas. ‖ **3.** Complejidad.

complicado, da. p. p. de **complicar.** ‖ **2.** adj. Enmarañado, de difícil comprensión. ‖ **3.** Compuesto de gran número de piezas. ‖ **4.** Dícese de la persona cuyo carácter y conducta no son fáciles de entender.

complicar. (Del lat. *complicāre.*) tr. Mezclar, unir cosas entre sí diversas. ‖ **2.** fig. Enredar, dificultar, confundir. Ú. t. c. prnl.

cómplice. (Del lat. *complex, -ĭcis.*) com. *Der.* Participante o asociado en crimen o culpa imputable a dos o más personas. ‖ **2.** *Der.* Persona que sin ser autora de un delito coopera a su perpetración por actos anteriores o simultáneos que no sean indispensables.

complicidad. f. Calidad de cómplice.

complido, da. adj. ant. **cumplido.** ‖ **2.** ant. fig. V. **barba complida.**

complidura. (De *complido.*) f. ant. Calidad o medida conveniente o correspondiente.

complimiento. (Del lat. *complementum.*) m. ant. Fin, perfección. ‖ **2.** ant. Surtimiento, provisión.

complixión. f. ant. **complexión.**

complot. (Del fr. *complot.*) m. Conjuración o conspiración de carácter político o social. ‖ **2.** fam. Confabulación entre dos o más personas contra otra u otras. ‖ **3.** fam. Trama, intriga.

complotado, da. p. p. de **complotar.** ‖ **2.** adj. **conjurado,** que forma parte de un complot o conjura. Ú. t. c. s.

complotar. (Del fr. *complot,* conjuración, confabulación.) intr. *Amér.* Confabularse, tramar una conjura, por lo general con fines políticos. Ú. t. c. prnl.

complutense. (Del lat. *Complutensis,* de *Complūtum,* Alcalá de Henares.) adj. Natural de Alcalá de Henares. Ú. t. c. s. ‖ **2.** Perteneciente o relativo a esta ciudad de la provincia de Madrid. ‖ **3.** Perteneciente o relativo a la universidad de Alcalá de Henares, trasladada en el siglo XIX a Madrid y hoy llamada Complutense.

compluvio. (Del lat. *compluvĭum.*) m. *Arqueol.* Abertura cuadrada o rectangular de la techumbre de la casa romana, para dar luz y recoger las aguas pluviales.

compón. (Del fr. *compon,* de *compondre.*) m. *Blas.* Cada uno de los cuadrados de esmalte alternado que cubren el fondo de cualquier figura o mueble del escudo.

componado, da. (De *compón.*) adj. *Blas.* Dícese de toda figura o pieza formada por cuadraditos de esmaltes alternados. *Banda* COMPONADA *de oro y gules.*

componedor, ra. (De *componer.*) m. y f. Persona que compone. ‖ **2.** *Argent., Col., Chile* y *Méj.* **algebrista,** cirujano de dislocaciones de huesos. ‖ **3.** m. *Impr.* Regla de madera o hierro con un borde a lo largo y un tope en uno de los extremos, en la cual se colocan una a una las letras y signos que han de componer un renglón. ‖ **amigable componedor.** *Der.* Persona cuya decisión o sentencia en asunto determinado, pronunciada en tiempo hábil, pero sin sujeción a trámites ni al rigor de las leyes, se han comprometido solemnemente a acatar y cumplir las partes interesadas en una divergencia o litigio. En cada compromiso se puede elegir a uno o a varios, pero siempre en número impar.

componenda. (Del lat. *componenda,* t. f. del p. f. p. de *componĕre,* arreglar.) f. Cantidad que se paga en la dataría por algunas bulas y licencias cuyos derechos no tienen tasa fija. ‖ **2.** Arreglo o transacción censurable o de carácter inmoral. ‖ **3.** fam. Acción de componer o cortar algún daño que se teme.

componente. p. a. de **componer.** Que compone o entra en la composición de un todo. Ú. t. c. s.

componer. (Del lat. *componĕre.*) tr. Formar de varias cosas una, juntándolas y colocándolas con cierto modo y orden. ‖ **2.** Constituir, formar, dar ser a un cuerpo o agregado de varias cosas o personas. Dicho de las partes de que consta un todo, respecto del mismo, ú. t. c. prnl. ‖ **3.** Aderezar o preparar con varios ingredientes el vino u otras bebidas para mejorarlos real o aparentemente. ‖ **4.** Dicho de números, sumar o ascender a una determinada cantidad. ‖ **5.** Ordenar, concertar, reparar lo desordenado, descompuesto o roto. ‖ **6.** Adornar una cosa. COMPONER *la casa, el estrado.* ‖ **7.** Ataviar y engalanar a una persona. Ú. t. c. prnl. ‖ **8.** Ajustar y concordar; poner en paz a los enemistados, y concertar a los discordes. Ú. t. c. prnl. ‖ **9.** Cortar algún daño que se teme, acallando por cualquier medio al que puede perjudicar con sus quejas o de otro modo. ‖ **10.** Moderar, templar, corregir, arreglar. ‖ **11.** Tratándose de obras científicas o literarias y de algunas de las artísticas, hacerlas, producirlas. COMPONER *un tratado de matemáticas, un drama, una poesía, una ópera, un baile.* ‖ **12.** fam. Reforzar, restaurar, restablecer. *El vino me* HA COMPUESTO *el estómago.* ‖ **13.** *Argent., Chile, Guat., Méj., Perú* y *Urug.* Restituir a su lugar los huesos dislocados. ‖ **14.** *Impr.* Formar las palabras, líneas y planas, juntando las letras o caracteres. ‖ **15.** *Mat.* Reemplazar en una proporción cada antecedente por la suma del mismo con su consecuente. ‖ **16.** intr. Hacer versos. ‖ **17.** Producir obras musicales. ‖ **componérselas.** fr. fam. Ingeniarse para salir de un apuro o lograr algún fin. COMPÓNTELAS *como puedas; no sé cómo* COMPONÉRMELAS. ‖ **compongo.** Voz usada en el juego del ajedrez para poder tocar, durante la partida, una pieza mal colocada y ponerla bien sin la obligación de jugarla.

componible. (De *componer.*) adj. Dícese de cualquier cosa que se puede conciliar o concordar con otra.

componimiento. (De *componer.*) m. ant. Modo con que está ordenada o arreglada una cosa. ‖ **2.** ant. Composición, calidad o temple. ‖ **3.** ant. Compostura o adorno. ‖ **4.** ant. fig. Modestia, compostura.

comporta. (De *comportar,* llevar.) f. Especie de canasta, más ancha por arriba que por abajo que usan en algunas partes para transportar las uvas en la vendimia. ‖ **2.** *Perú.* Molde para solidificar el azufre refinado.

comportable. (De *comportar.*) adj. p. us. Soportable, tolerable, llevadero.

comportamiento. (De *comportar.*) m. **conducta,** manera de portarse.

comportar. (Del lat. *comportāre.*) tr. ant. Llevar juntamente con otro alguna cosa. ‖ **2.** desus. fig. Sufrir, tolerar. ‖ **3.** Implicar, conllevar. ‖ **4.** prnl. Portarse, conducirse.

comporte. (De *comportar.*) m. Proceder, modo de portarse. ‖ **2.** p. u. Aire o manejo del cuerpo. ‖ **3.** ant. Conformidad en el sufrimiento. ‖ **4.** *Germ.* **mesonero,** dueño de un mesón.

comportería. f. Arte u oficio del comportero. ‖ **2.** Taller del comportero.

comportero. m. El que hace o vende comportas.

composible. (Del fr. *composer.*) adj. ant. **componible.**

composición. (Del lat. *compositĭo, -ōnis.*) f. Acción y efecto de componer. ‖ **2.** Ajuste, convenio entre dos o más personas. ‖ **3.** **compostura,** circunspección. ‖ **4.** Obra científica, literaria o musical. ‖ **5.** Poema, texto de sentido unitario, normalmente en verso. ‖ **6.** desus. Oración que el maestro de gramática dictaba en romance al discípulo para que la tradujera a la lengua que aprendía. ‖ **7.** Escrito en que el alumno desarrolla un tema, dado por el profesor o elegido libremente, para ejercitar su dominio del idioma, su habilidad expositiva, su sensibilidad literaria, etc. ‖ **8.** *Ferr.* Conjunto de los vagones que forman un tren. ‖ **9.** V. **bula de composición.** ‖ **10.** *Der.* Arreglo, generalmente con indemnización, que permitía el derecho antiguo sobre las consecuencias de un delito, entre el delincuente y la víctima o la familia de esta. ‖ **11.** *Gram.* Procedimiento por el cual se forman vocablos agregando a uno simple una o más preposiciones o partículas u otro vocablo íntegro o modificado por eufonía; v. gr.: *anteponer, reconvenir, hincapié, cejijunto.* ‖ **12.** *Impr.* Conjunto de líneas, galeradas y páginas, antes de la imposición. ‖ **13.** *Mús.* Parte de la música que enseña las reglas para la formación del canto y del acompañamiento. ‖ **14.** *Esc.* y *Pint.* Arte de agrupar las figuras y accesorios para conseguir el mejor efecto, según lo que se haya de representar. ‖ **de aposento, o de casa.** Servicio que hacía al rey cualquier dueño de casa en Madrid para libertarla de huésped de aposento, ya pagando la cantidad que se ajustaba, ya cargando sobre ella alguna pensión anual. ‖ **hacer,** o **hacerse** alguien, **composición de lugar.** fr. fig. Meditar todas las circunstancias de un negocio, y formar con este conocimiento el plan conducente a su más acertada dirección.

compósita. (Del lat. *composĭta,* compuesta.) adj. ant. *Arq.* V. **columna compósita.**

compositivo, va. (Del lat. *compositīvus.*) adj. *Gram.* Aplícase a las preposiciones, partículas y otros elementos con que se forman voces compuestas. ANTE*ayer,* CON*discípulo,* DES*afortunado,* PER*seguir.* AUTÓ*crata,* geo*LOGÍA,* HIDROS*tático.*

compositor, ra. (Del lat. *compositor, -ōris.*) adj. Que compone. Ú. t. c. s. ‖ **2.** Que hace composiciones musicales. Ú. t. c. s. ‖ **3.** m. *Chile.* Componedor, algebrista, curandero que pretende corregir luxaciones y fracturas.

composta. (Del lat. *composta,* síncopa de *composĭta,* compuesta.) f. ant. **composición.**

Compostela. n. p. V. **jacinto de Compostela.**

compostelano, na. adj. Natural de Compostela, hoy Santiago de Compostela. Ú. t. c. s. ‖ **2.** Perteneciente o relativo a esta ciudad de la provincia de la Coruña.

compostura. (Del lat. *compositūra.*) f. Construcción y hechura de un todo que consta de varias partes. ‖ **2.** Arreglo de una cosa descompuesta, maltratada o rota. ‖ **3.** Aseo, adorno, aliño de una persona o cosa. ‖ **4.** Mezcla o preparación con que se adultera o falsifica un género o producto. *Este lienzo no es de hilo, aunque lo parece por la* COMPOSTURA; *este vino tiene* COMPOSTURA. ‖ **5.** Ajuste, convenio. ‖ **6.** Modestia, mesura y circunspección.

compota. (Del fr. *compote.*) f. Dulce de fruta cocida con agua y azúcar.

compotera. f. Vasija, comúnmente de cristal, con tapadera, en que se sirve compota o dulce de almíbar.

compra. f. Acción y efecto de comprar. ‖ **2.** Conjunto de los comestibles que se compran para el gasto diario de las casas. Ú. sólo en sing. ‖ **3.** Cualquier objeto comprado. ‖ **dar compra e véndida.** fr. ant. Permitir el comercio.

comprable. adj. Que puede comprarse.

comprachilla. f. *Guat.* Género de pájaro conirrostro, parecido al mirlo.

comprada. f. ant. Acción y efecto de comprar.

compradero, ra. adj. **comprable.**

compradillo. m. **comprado.**

compradizo, za. adj. **comprable.**

comprado. m. Juego entre cuatro, con ocho naipes cada jugador, y en el cual los ocho naipes que restan, hasta cuarenta, se rematan en el que más da.

comprador, ra. (Del lat. *comprātor, -ōris.*) adj. Que compra. Ú. t. c. s. ‖ **2.** m. desus. Criado o mozo destinado a comprar diariamente los comestibles necesarios para el sustento de una casa o familia.

comprante. p. a. de **comprar.** Que compra. U. t. c. s.

comprar. (Del lat. *comparāre,* cotejar, adquirir.) tr. Adquirir algo por dinero. ‖ **2. sobornar.** ‖ **3.** ant. **pagar.**

compraventa. (De *compra* y *venta.*) f. *Der.* **contrato de compraventa.** ‖ **2.** Comercio de antigüedades o de cosas usadas. ‖ **3.** V. **boleto de compraventa.**

cómpreda. (De *compra,* ajustado a *véndida.*) f. ant. **compra.** Hoy conserva algún uso en la Mancha y Andalucía.

comprehender. (Del lat. *comprehendĕre.*) tr. ant. **comprender.**

comprehensible. (Del lat. *comprehensibĭlis.*) adj. ant. **comprensible.**

comprehensión. (Del lat. *comprehensiōnis.*) f. ant. **comprensión.**

comprehensivo, va. (Del lat. *comprehensīvus.*) adj. **comprensivo.**

comprehensor, ra. adj. ant. **comprensor.**

compremimiento. m. ant. **compresión,** acción y efecto de comprimir.

comprendedor, ra. adj. Que comprende.

comprender. (De *comprehender.*) tr. Abrazar, ceñir, rodear por todas partes una cosa. ‖ **2.** Contener, incluir en sí alguna cosa. Ú. t. c. prnl. ‖ **3.** Entender, alcanzar, penetrar. ‖ **4.** Encontrar justificados o naturales los actos o sentimientos de otro. COMPRENDO *sus temores.* COMPRENDO *tu protesta.*

comprensibilidad. f. Calidad de comprensible.

comprensible. (De *comprehensible.*) adj. Que se puede comprender.

comprensión. (De *comprehensión.*) f. Acción de comprender. ‖ **2.** Facultad, capacidad o perspicacia para entender y penetrar las cosas. ‖ **3.** Actitud comprensiva o tolerante. ‖ **4.** *Lóg.* Conjunto de cualidades que integran una idea.

comprensivo, va. (De *comprehensivo.*) adj. Que tiene facultad o capacidad de comprender o entender una cosa. ‖ **2.** Que comprende, contiene o incluye. ‖ **3.** Dícese de la persona, tendencia o actitud tolerante.

comprenso, sa. (Del lat. *comprehensus.*) p. p. irreg. p. us. de **comprender.**

comprensor, ra. (De *comprenso.*) adj. Que comprende, alcanza o abraza alguna cosa. Ú. t. c. s. ‖ **2.** *Teol.* Dícese del que goza la eterna bienaventuranza. Ú. t. c. s.

comprero, ra. (De *comprar.*) adj. *Ar.* **comprador.** Ú. t. c. s. m.

compresa. (Del lat. *compressa,* comprimida.) f. Lienzo fino o gasa, que doblada varias veces y por lo común esterilizada, se emplea para cohibir hemorragias, cubrir heridas, aplicar calor, frío o ciertos medicamentos. ‖ **2. compresa higiénica.** ‖ **higiénica.** Tira desechable de celulosa u otra materia similar que sirve para absorber el flujo menstrual de la mujer.

compresamente. adv. m. ant. **en compendio.**

compresbítero. (Del lat. *compresbȳter, -ĕri.*) m. Compañero de otro en el acto de recibir el orden del presbiterado.

compresibilidad. f. Calidad de compresible.

compresible. (De *compreso.*) adj. Que se puede comprimir o reducir a menor volumen.

compresión. (Del lat. *compressĭo, -ōnis.*) f. Acción y efecto de comprimir. ‖ **2.** *Gram.* **sinéresis.**

compresivo, va. (De *compreso.*) adj. Dícese de lo que comprime.

compreso, sa. (Del lat. *compressus.*) p. p. irreg. de **comprimir.**

compresor, ra. (Del lat. *compressor, -ōris.*) adj. Que comprime. Ú. t. c. s. ‖ **2.** V. **cilindro compresor.**

comprimario, ria. (De *com-* y *primario.*) m. y f. *Mús.* Cantante de teatro que hace los segundos papeles.

comprimente. p. a. de **comprimir.** Que comprime.

comprimible. (De *comprimir.*) adj. **compresible.**

comprimido, da. p. p. de **comprimir.** ‖ **2.** adj. *Med.* V. **baño de aire comprimido.** ‖ **3.** *Zool.* Estrechado lateralmente, o sea en el sentido del plano medianero, como ocurre en el pez luna, el sargo o el lenguado. ‖ **4.** V. **azúcar comprimido.** ‖ **5.** m. Pastilla pequeña que se obtiene por compresión de sus ingredientes previamente reducidos a polvo.

comprimir. (Del lat. *comprimĕre.*) tr. Oprimir, apretar, estrechar, reducir a menor volumen. Ú. t. c. prnl. ‖ **2.** fig. p. us. Reprimir y contener. Ú. t. c. prnl.

comprobable. adj. Que se puede comprobar.

comprobación. (Del lat. *comprobatĭo, -ōnis.*) f. Acción y efecto de comprobar.

comprobante. p. a. de **comprobar.** Que comprueba. ‖ **2.** m. Recibo o documento que confirma un trato o gestión.

comprobar. (Del lat. *comprobāre.*) tr. Verificar, confirmar la veracidad o exactitud de alguna cosa.

comprobatorio, ria. adj. Que comprueba. *Documento* COMPROBATORIO.

comprofesor, ra. (De *com-* y *profesor.*) m. y f. Persona que ejerce la misma profesión que otra.

comprometedor, ra. adj. Que compromete.

comprometer. (Del lat. *compromittĕre.*) tr. Poner de común acuerdo en manos de un tercero la determinación de la diferencia, pleito, etc., sobre que se contiende. Ú. t. c. prnl. ‖ **2.** Exponer o poner a riesgo a alguna persona o cosa en una acción o caso aventurado. *Las indiscreciones de tu amigo me* HAN COMPROMETIDO. Ú. t. c. prnl. ‖ **3.** Constituir a alguien en una obligación; hacerle responsable de alguna cosa. Ú. m. c. prnl. ‖ **4.** prnl. Contraer un compromiso.

comprometido, da. p. p. de **comprometer.** ‖ **2.** adj. Que está en riesgo, apuro o situación dificultosa.

comprometimiento. m. Acción y efecto de comprometer o comprometerse.

compromisario. (Del lat. *compromissarĭus.*) adj. Aplícase a la persona en quien otras delegan para que concierte, resuelva o efectúe alguna cosa. Ú. t. c. s. ‖ **2.** m. Representante de los electores primarios para votar en elecciones de segundo o ulterior grado.

compromisión. (Del b. lat. *compromissĭo, -ōnis,* y este del lat. *compromissum,* compromiso.) f. ant. **comprometimiento.**

compromiso. (Del lat. *compromissum.*) m. Obligación contraída, palabra dada, fe empeñada. ‖ **2.** Dificultad, embarazo, empeño. ‖ **3.** Delegación que para proveer ciertos cargos eclesiásticos o civiles hacen los electores en uno o más de ellos a fin de que designen el que haya de ser nombrado. ‖ **4.** Convenio entre litigantes, por el cual comprometen su litigio en jueces árbitros o amigables componedores. ‖ **5.** Escritura o instrumento en que las partes otorgan este convenio. ‖ **estar, o poner, en compromiso.** fr. Estar, o poner, en duda una cosa que antes era clara y segura.

compromisorio, ria. adj. Perteneciente o relativo al compromiso.

comprovincial. (Del lat. *comprovinciālis.*) adj. V. **obispo comprovincial.**

comprovinciano, na. (De *com-* y *provinciano.*) m. y f. Persona de la misma provincia que otra.

comprueba. (De *comprobar.*) f. *Impr.* Prueba ya corregida, que sirve para ver si en las nuevas pruebas se han hecho las correcciones indicadas.

compto. (De *cómputo.*) m. ant. **cuenta**[1]. *Ministros de* COMPTOS. ‖ **2.** V. **cámara de comptos.**

compueblano, na. adj. Dícese de las personas nacidas en un mismo pueblo. Ú. t. c. s.

compuerta. f. Media puerta, a manera de antepecho, que tienen algunas casas y habitaciones en la entrada principal, para resguardarla y no impedir la luz del día. ‖ **2.** Plancha fuerte de madera o de hierro, que se desliza por carriles o correderas, y se coloca en los canales, diques, etc., para graduar o cortar el paso del agua. ‖ **3.** Cortina o cortinón que se ponía en las entradas de los coches de viga que no tenían vidrios. ‖ **4.** Pedazo de tela sobrepuesto, igual a la del vestido, en que los comendadores de las órdenes militares traían la cruz al pecho, a modo de escapulario.

compuestamente. adv. m. Con compostura. ‖ **2. ordenadamente.**

compuesto, ta. (Del lat. *compositus,* p. p. de *componĕre,* componer.) p. p. irreg. de **componer.** ‖ **2.** adj. V. **agua compuesta.** ‖ **3.** V. **interés, número, ojo, plato, quebrado compuesto.** ‖ **4.** fig. Mesurado, circunspecto. ‖ **5.** *Arq.* V. **columna compuesta.** ‖ **6.** *Arq.* V. **capitel, orden compuesto.** ‖ **7.** *Bot.* Aplícase a plantas angiospermas, dicotiledóneas, hierbas, arbustos y algunos árboles, que se distinguen por sus hojas simples o sencillas, y por sus flores reunidas en cabezuelas sobre un receptáculo común; como la dalia, la pataca, el ajenjo, el alazor, la alcachofa y el cardo. Ú. t. c. s. f. ‖ **8.** *Bot.* V. **flor, hoja compuesta.** ‖ **9.** *Gram.* Aplícase al vocablo formado por composición de dos o más voces simples. *Cortaplumas, vaivén.* ‖ **10.** *Gram.* V. **cláusula, conjunción compuesta.** ‖ **11.** *Gram.* V. **tiempo compuesto.** ‖ **12.** *Mec.* V. **movimiento compuesto.** ‖ **13.** *Quím.* V. **cuerpo compuesto.** Ú. t. c. s. ‖ **14.** m. Agregado de varias cosas que componen un todo. ‖ **15.** f. pl. *Bot.* Familia de las plantas **compuestas.**

compulsa. (De *compulsar.*) f. Acción y efecto de compulsar. ‖ **2.** *Der.* Copia o traslado de una escritura, instrumento o autos, sacado judicialmente y cotejado con su original.

compulsación. f. Acción de compulsar.

compulsar. (Del lat. *compulsāre.*) tr. Examinar dos o más documentos, cotejándolos o comparándolos entre sí. ‖ **2.** ant. **compeler.** ‖ **3.** *Der.* Sacar compulsas.

compulsión. (Del lat. *compulsĭo, -ōnis.*) f. *Der.* Apremio y fuerza que, por mandato de autoridad, se hace a alguien, compeliéndole a que ejecute alguna cosa. ‖ **2.** Inclinación, pasión vehemente y contumaz por algo o alguien.

compulsivo, va. (De *compulso.*) adj. Que tiene virtud de compeler. ‖ **2.** Que muestra apremio o compulsión.

compulso, sa. (Del lat. *compulsus.*) p. p. irreg. de **compeler.** ‖ **2.** adj. V. **beneficio compulso.**

compulsorio, ria. adj. *Der.* Aplícase al mandato o provisión que da el juez para compulsar un instrumento o proceso. Ú. t. c. s.

compunción. (Del lat. *compunctĭo, -ōnis.*) f. Sentimiento o dolor de haber cometido un pecado. ‖ **2.** Sentimiento que causa el dolor ajeno.

compungido, da. p. p. de **compungir.** ‖ **2.** adj. Atribulado, dolorido.

compungimiento. (De *compungir.*) m. ant. **compunción.**

compungir. (Del lat. *compungĕre.*) tr. Mover a compunción. ‖ **2.** ant. **punzar.** ‖ **3.** ant. Remorderle a alguien la conciencia. ‖ **4.** prnl. Contristarse o dolerse alguien de alguna culpa o pecado propio, o de la aflicción ajena.

compungivo, va. (De *compungir.*) adj. Dícese de algunas cosas que punzan o pican.

compurgación. (De *compurgar.*) f. *Der.* **purgación,** refutación de indicios de culpabilidad. ‖ **canónica** *Der.* **purgación canónica.** ‖ **vulgar.** ant. *Der.* **purgación vulgar.**

compurgador. (De *compurgar.*) m. *Der.* En la purgación canónica, cualquiera de los que en ella hacían juramento, diciendo que, según la buena opinión y fama en que tenían al acusado, creían que habría jurado con verdad no haber cometido el delito que se le imputaba y que no se había probado plenamente.

compurgar. (Del lat. *compurgare.*) tr. *Der.* Pasar por la prueba de la compurgación el acusado, para acreditar por este medio su inocencia.

computable. adj. Que se puede computar.

computación. (Del lat. *computatĭo, -ōnis.*) f. **cómputo.** ‖ **2.** *Amér.* **informática.**

computador, ra. adj. Que computa o calcula. Ú. t. c. s. ‖ **2.** m. y f. Calculador o calculadora, aparato o máquina de calcular. ‖ **3. computador electrónico** o **computadora electrónica.** ‖ **analógico.** Aparato **computador** cuyos componentes se ajustan de modo que sus leyes físicas de funcionamiento sean análogas a las leyes matemáticas de proceso que se trata de estudiar. ‖ **digital.** Aquel en que todas las magnitudes se traducen en números, con los cuales opera para realizar los cálculos. ‖ **electrónico, ca.** Aparato electrónico que realiza operaciones matemáticas y lógicas con gran rapidez. ‖ **híbrido.** El compuesto de una parte analógica y otra digital y que aprovecha óptimamente las características de ambas.

computadorizar. tr. **computarizar.**

computar. (Del lat. *computāre.*) tr. Contar o calcular una cosa por números. Dicho principalmente de los años, tiempos y edades. ‖ **2.** Tomar en cuenta, ya sea en general, ya de manera determinada. *Se* COMPUTAN *los años de servicio en otros cuerpos. Los partidos ganados se* COMPUTAN *con dos puntos.*

computarizar. tr. Someter datos al tratamiento de una computadora.

computista. (Del lat. *computista.*) com. Persona que computa.

cómputo. (Del lat. *compŭtus.*) m. Cuenta o cálculo. ‖ **eclesiástico.** Conjunto de cálculos necesarios para determinar el día de la Pascua de Resurrección y demás fiestas movibles.

comto, ta. (Del lat. *comptus.*) adj. p. us. Se dice del lenguaje, estilo o manera afectados por exceso de lima.

comulación. (Del lat. *cumulatĭo, -ōnis.*) f. **acumulación.**

comulgante. p. a. de **comulgar.** Que comulga. Ú. t. c. s.

comulgar. (Del lat. *communicāre,* comunicar.) tr. Dar la sagrada comunión. ‖ **2.** intr. Recibirla. Usáb. t. c. prnl. ‖ **3.** fig. Coincidir en ideas o sentimientos con otra persona.

comulgatorio. (De *comulgar.*) m. Barandilla de las iglesias ante la que se arrodillan los fieles que comulgan; y en los conventos de religiosas, la ventanilla por donde se les da la comunión.

común. (Del lat. *commūnis.*) adj. Dícese de lo que, no siendo privativamente de ninguno, pertenece o se extiende a varios. *Bienes, pastos* COMUNES. ‖ **2.** Corriente, recibido y admitido de todos o de la mayor parte. *Precio, uso, opinión* COMÚN. ‖ **3.** Ordinario, vulgar, frecuente y muy sabido. ‖ **4.** Bajo, de inferior clase y despreciable. ‖ **5.** V. **año, codo, derecho, doctrina, estado, lugar, manzanilla, medida, pliego, retama, sensorio, sentido, tacamaca, trigo, voz común.** ‖ **6.** ant. V. **muermo común.** ‖ **7.** *Arit.* V. **común divisor.** ‖ **8.** *Cronol.* V. **era común.** ‖ **9.** *Der.* V. **patria común.** ‖ **10.** *Gram.* V. **nombre común.** ‖ **11** m. Todo el pueblo de cualquier provincia, ciudad, villa o lugar. ‖ **12.** Comunidad; generalidad de personas. ‖ **13. retrete,** lugar para las evacuaciones. ‖ **de dos.** *Gram.* **nombre común.** ‖ **de tres.** En la gramática latina, adjetivo de una terminación, que se puede juntar con sustantivos de los tres géneros. ‖ **el común de las gentes.** expr. La mayor parte de las gentes. ‖ **en común.** loc. adv. En comunidad, entre dos o más personas, conjuntamente. ‖ **por lo común.** loc. adv. **comúnmente.** ‖ **tener** algo **en común** dos o más personas o cosas. fr. Participar de una misma cualidad o circunstancia, parecerse en ella. TIENEN EN COMÚN *su amor por el arte moderno.*

comuna[1]. (De *común.*) f. *Murc.* Acequia principal de donde se sacan los brazales.

comuna[2]. (Del fr. *commune.*) f. Conjunto de personas que viven en comunidad económica, a veces sexual, al margen de la sociedad organizada. ‖ **2.** Forma de organización social y económica basada en la propiedad colectiva y en la eliminación de los tradicionales valores familiares. ‖ **3.** *Amér.* Municipio, conjunto de los habitantes de un mismo término.

comunal. (Del lat. *communālis.*) adj. **común.** ‖ **2.** V. **bienes comunales.** ‖ **3.** ant. V. **derecho comunal.** ‖ **4.** ant. Mediano, regular, ni grande ni pequeño. ‖ **5.** *Amér.* Perteneciente o relativo a la comuna[2]. ‖ **6.** m. **común,** conjunto de habitantes de un pueblo o lugar.

comunaleza. (De *comunal.*) f. ant. Medianía y regularidad entre los extremos de lo mucho y lo poco. ‖ **2.** ant. **comunicación,** trato, correspondencia. ‖ **3.** ant. Comunidad de pastos y aprovechamientos.

comunalía. (De *comunal.*) f. ant. **medianía.**

comunalmente. adv. m. **en común.** ‖ **2.** ant. **comúnmente.**

comunamente. adv. m. ant. **comúnmente.**

comunero, ra. (De *común.*) adj. Popular, agradable para con todos. ‖ **2.** Perteneciente o relativo a las comunidades de Castilla. ‖ **3.** m. El que tiene parte indivisa con otro u otros en un inmueble, un derecho u otra cosa. ‖ **4.** El que seguía el partido de las comunidades de Castilla. ‖ **5.** *Der.* V. **retracto de comuneros.** ‖ **6.** pl. Pueblos que tienen comunidad de pastos.

comunicabilidad. f. Calidad de comunicable.

comunicable. (Del lat. *communicabĭlis.*) adj. Que se puede comunicar o es digno de comunicarse. ‖ **2.** Sociable, tratable, humano.

comunicación. (Del lat. *communicatĭo, -ōnis.*) f. Acción y efecto de comunicar o comunicarse. ‖ **2.** Trato, correspondencia entre dos o más personas. ‖ **3.** Transmisión de señales mediante un código común al emisor y al receptor. ‖ **4.** Unión que se establece entre ciertas cosas, tales como mares, pueblos, casas o habitaciones, mediante pasos, crujías, escaleras, vías, canales, cables y otros recursos. ‖ **5.**

Cada uno de estos medios de unión entre dichas cosas. ‖ **6.** Papel escrito en que se comunica alguna cosa oficialmente. ‖ **7.** Escrito sobre un tema determinado que el autor presenta a un congreso o reunión de especialistas para su conocimiento y discusión. ‖ **8.** V. **vía de comunicación.** ‖ **9.** V. **medios de comunicación.** ‖ **10.** *Ret.* Figura que consiste en consultar la persona que habla el parecer de aquella o aquellas a quienes se dirige, amigas o contrarias, manifestándose convencida de que no puede ser distinto del suyo propio. ‖ **11.** pl. Correos, telégrafos, teléfonos, etc.

comunicado, da. p. p. de **comunicar.** ‖ **2.** adj. Dicho de lugares, con acceso a los medios de transporte. *Barrio bien, mal* COMUNICADO. ‖ **3.** m. Nota, declaración o parte que se comunica para conocimiento público.

comunicador, ra. adj. Que comunica o sirve para comunicar. ‖ **2.** Dícese de la persona con una actividad pública a la que se considera capacitada para sintonizar fácilmente con las masas. Ú. t. c. s.

comunicante. p. a. de **comunicar.** Que comunica. Ú. t. c. s.

comunicar. (Del lat. *communicāre.*) tr. Hacer a otro partícipe de lo que uno tiene. ‖ **2.** Descubrir, manifestar o hacer saber a alguien alguna cosa. ‖ **3.** Conversar, tratar con alguien de palabra o por escrito. Ú. t. c. prnl. ‖ **4.** Transmitir señales mediante un código común al emisor y al receptor. ‖ **5.** Establecer medios de acceso entre poblaciones o lugares. *El puente* COMUNICA *los dos lados de la bahía.* Ú. t. c. prnl. ‖ **6.** Consultar, conferir con otros un asunto, tomando su parecer. ‖ **7.** ant. **comulgar.** ‖ **8.** intr. Dar un teléfono, al marcar un número, la señal indicadora de que la línea está ocupada por otra comunicación. ‖ **9.** prnl. Dicho de cosas inanimadas, tener correspondencia o paso con otras. ‖ **10.** Extenderse, propagarse. *El incendio* SE COMUNICÓ *a las casas vecinas.*

comunicatividad. f. Calidad de comunicativo.

comunicativo, va. (Del lat. *communicatīvus.*) adj. Que tiene aptitud o inclinación y propensión natural a comunicar a otro lo que posee. ‖ **2.** Dícese también de ciertas cualidades. *Virtud* COMUNICATIVA. ‖ **3.** Fácil y accesible al trato de los demás.

comunicatorias. (Del lat. *communicatorius.*) adj. pl. V. **letras comunicatorias.**

comunicología. f. Ciencia interdisciplinaria que estudia la comunicación en sus diferentes medios, técnicas y sistemas.

comunicólogo, ga. m. y f. Persona que profesa la comunicología o tiene en ella especiales conocimientos.

comunidad. (Del lat. *communĭtas, -ātis.*) f. Calidad de común, de lo que, no siendo privativamente, pertenece o se extiende a varios. ‖ **2.** Común de algún pueblo, provincia o reino. ‖ **3.** Junta o congregación de personas que viven unidas bajo ciertas constituciones y reglas; como los conventos, colegios, etc. ‖ **4.** Común de los vecinos de una ciudad o villa realengas de cualquiera de los antiguos reinos de España, dirigido y representado por su concejo. ‖ **5.** pl. Levantamientos populares, principalmente los de Castilla en tiempos de Carlos I. ‖ **autónoma.** Entidad territorial que, dentro del ordenamiento constitucional del Estado español, está dotada de autonomía legislativa y competencias ejecutivas, así como de la facultad de administrarse mediante sus propios representantes. ‖ **de comunidad.** loc. adv. **en común,** disfrutado por varios sin pertenecer a ninguno en particular.

comunión. (Del lat. *communĭo, -ōnis.*) f. Participación en lo común. ‖ **2.** Trato familiar, comunicación de unas personas con otras. ‖ **3.** En el cristianismo, acto de recibir los fieles la Eucaristía. ‖ **4.** Sacramento del altar. *Recibió la* COMUNIÓN; *el sacerdote está dando la* COMUNIÓN. ‖ **5.** Congregación de personas que profesan la misma fe religiosa. ‖ **6.** Partido político. ‖ **7.** V. **cédula de comunión.** ‖ **de la Iglesia,** o **de los Santos.** Participación que los fieles tienen y gozan de los bienes espirituales, mutuamente entre sí, como partes y miembros de un mismo cuerpo.

comunismo. (De *común.*) m. Doctrina que propugna una organización social en que los bienes son propiedad común. ‖ **2.** Doctrina formulada por Marx y Engels, desarrollada y realizada por Lenin y sus continuadores, que interpreta la historia como lucha de clases regida por el materialismo histórico o dialéctico, que conducirá, tras la dictadura del proletariado, a una sociedad sin clases ni propiedad privada de los medios de producción, de la que haya desaparecido el Estado. ‖ **3.** Movimiento político inspirado en esta doctrina ‖ **libertario.** El de tendencia anarquista, inspirado en las doctrinas de Bakunin (1814-1876) y Kropotkin (1842-1921). ‖ **primitivo.** Según el marxismo, organización propia de las primeras comunidades humanas.

comunista. adj. Perteneciente o relativo al comunismo. ‖ **2.** Partidario de este sistema. Ú. t. c. s.

comunitario, ria. adj. Perteneciente o relativo a la comunidad.

comúnmente. adv. m. De uso, acuerdo o consentimiento común. ‖ **2. frecuentemente.**

comuña[1]. (Del lat. *communĭa,* pl. n. de *commūnis,* común.) f. Trigo mezclado con centeno. ‖ **2.** *Ast.* Aparcería, principalmente de ganados.

comuña[2]. f. **camuña.**

con. (Del lat. *cum.*) prep. que significa el medio, modo o instrumento que sirve para hacer alguna cosa. ‖ **2.** Antepuesta al infinitivo, equivale a gerundio. CON *declarar, se eximió del tormento.* ‖ **3.** Expresa las circunstancias con que se ejecuta o sucede alguna cosa. *Come* CON *ansia.* ‖ **4.** A pesar de. CON *ser tan antiguo, le han postergado.* ‖ **5.** Contrapone lo que se dice en una exclamación con una realidad expresa o implícita: ¡CON *lo hermosa que era esta calle y ahora la han estropeado!* ‖ **6.** Juntamente y en compañía. ‖ **con que.** conj. cond. **con tal que.**

con-. (Del lat. *cum.*) pref. que significa reunión, cooperación o agregación: CON*fluir,* CON*venir,* CON*socio.* Ante *b* o *p* toma la forma **com-:** COM*poner,* COM*padre,* COM*binar.* Otras veces adquiere la forma **co-:** CO*etáneo,* CO*operar,* CO*acusado.*

conacaste. (Del nahua *cuahuit,* árbol, y *nacasti,* oreja.) m. *El Salv.* Árbol tropical de la familia de las mimosáceas, de fruto no comestible, con forma de oreja, cuyo pericarpio coriáceo es de color café oscuro lustroso y en cuyo mesocarpio, mucilaginoso, de color blanquecino, se distribuyen las semillas, pequeñas y durísimas. La madera se utiliza para la ebanistería y la construcción.

conacho. m. *Min. Perú.* Mortero de piedra que se usaba para triturar los minerales que tenían oro o plata nativos.

conativo, va. adj. Perteneciente o relativo al conato, o que tiene carácter de tal. Ú. especialmente con referencia a los conatos o impulsiones psíquicas.

conato. (Del lat. *conātus.*) m. Inicio de una acción que se frustra antes de llegar a su término. ‖ **2.** Propensión, tendencia, propósito. ‖ **3.** Empeño y esfuerzo en la ejecución de una cosa. ‖ **4.** *Der.* Acto y delito que se empezó y no llegó a consumarse. CONATO *de robo.*

conca. (Del dialect. *conca,* y este del lat. *concha,* concha.) f. Concha, caracol. ‖ **2.** ant. **cuenca[1].**

concadenar. (Del lat. *concatenāre.*) tr. fig. **concatenar.** Ú. t. c. prnl.

concambio. m. **canje.**

concanónigo. m. Canónigo al mismo tiempo que otro en una misma iglesia.

concatedralidad. (De *con* y *catedralidad.*) f. Calidad que constituye a una iglesia en dignidad de catedral, pero unida con otra y con un solo capítulo para las dos. ‖ **2.** Hermandad entre dos catedrales, cuyos canónigos tienen asiento en el coro de la catedral a que, en realidad, no pertenecen.

concatenación. (Del lat. *concatenatĭo, -ōnis.*) f. Acción y efecto de concatenar. ‖ **2.** *Ret.* Figura que se comete empleando al principio de dos o más cláusulas o miembros del período la última voz del miembro o cláusula inmediatamente anterior.

concatenamiento. (De *concatenar.*) m. ant. **concatenación.**

concatenar. (Del lat. *concatenāre.*) tr. fig. Unir o enlazar unas cosas con otras. Ú. t. c. prnl.

concausa. f. Cosa que, juntamente con otra, es causa de algún efecto.

cóncava. (Del lat. *concăva.*) f. **concavidad,** parte cóncava.

concavado, da. (Del lat. *concavātus.*) adj. ant. **cóncavo.**

concavidad. (Del lat. *concavĭtas, -ātis.*) f. Calidad de cóncavo. ‖ **2.** Parte o sitio cóncavo.

cóncavo, va. (Del lat. *concăvus.*) adj. Dícese de la línea o superficie curvas que, respecto del que las mira, tienen su parte más deprimida en el centro. ‖ **2.** m. **concavidad,** parte **cóncava.** ‖ **3.** *Min.* Ensanche alrededor del brocal de los pozos interiores de las minas, para colocar y manejar desembarazadamente los tornos.

concebible. adj. Que puede concebirse o imaginarse.

concebimiento. m. **concepción,** acción y efecto de concebir.

concebir. (Del lat. *concipĕre.*) intr. Quedar preñada la hembra. Ú. t. c. tr. ‖ **2.** fig. Formar idea, hacer concepto de una cosa. Ú. t. c. tr. ‖ **3.** tr. Comprender, encontrar justificación a los actos o sentimientos de alguien. ‖ **4.** fig. Comenzar a sentir alguna pasión o afecto.

conceder. (Del lat. *concedĕre.*) tr. Dar, otorgar, hacer merced y gracia de una cosa. ‖ **2.** Asentir, convenir en algún extremo con los argumentos que se oponen a la tesis sustentada. ‖ **3.** Atribuir una cualidad o condición, discutida o no, a una persona o cosa. *No* CONCEDÍ *importancia a aquel suceso.*

concejal, la. m. y f. Persona que desempeña la concejalía de un concejo o ayuntamiento. ‖ **2.** f. Mujer del **concejal.**

concejalía. f. Oficio o cargo de concejal. ‖ **2.** Cada uno de los departamentos asignados a un concejal.

concejeramente. (De *concejero.*) adv. m. ant. Públicamente, sin recato. ‖ **2.** ant. Judicialmente, ante el juez.

concejero, ra. adj. **público.**

concejil. adj. Perteneciente al concejo. ‖ **2.** Común a los vecinos de un pueblo. ‖ **3.** V. **bienes concejiles.** ‖ **4.** V. **carga, cargo concejil.** ‖ **5.** Aplícase a la gente que era enviada a la guerra por un concejo. Ú. t. c. s. ‖ **6.** En algunas partes, **expósito.** Ú. t. c. s. ‖ **7.** m. ant. **concejal.**

concejo. (Del lat. *concilĭum.*) m. **ayuntamiento,** casa consistorial. ‖ **2. ayuntamiento,** corporación municipal. ‖ **3. municipio.** ‖ **4.** Sesión celebrada por los individuos de un **concejo.** ‖ **5.** En algunas partes, **concejil,** expósito. ‖ **6.** *Ast.* y *León.* Distrito jurisdiccional formado por varias parroquias o feligresías. ‖ **abierto.** El que se tiene en público, convocando a él a todos los vecinos del pueblo. ‖ **de la Mesta.** Junta que los pastores y dueños de ganados tenían anualmente para tratar de los negocios concernientes a sus ganados o gobierno económico de ellos, y para distinguir y separar los mostrencos que se hubiesen mezclado con los suyos. Usaba el título de «Honrado».

concelebrar. tr. Celebrar conjuntamente la misa varios sacerdotes.

conceller. (Del cat. *conseller.*) m. Miembro o vocal del concejo municipal en Cataluña.

concello. m. ant. **concejo.**

concento. (Del lat. *concentus,* armonía.) m. Canto acordado y armonioso de diversas voces.

concentrabilidad. f. Calidad de concentrable.

concentrable. adj. Que puede concentrarse o ser concentrado.

concentración. f. Acción y efecto de concentrar o concentrarse. ‖ **2.** Reclusión de deportistas antes de competir. ‖ **parcelaria.** Agrupación bajo una linde de diversas fincas rústicas de reducida extensión, para unificar y facilitar el cultivo.

concentrado, da. p. p. de **concentrar.** ‖ **2.** adj. Internado en el centro de una cosa. ‖ **3.** fig. Muy atento o pendiente de una actividad o competición. CONCENTRADO *en el estudio, en el partido de fútbol, en la película que ve.*

concentrador, ra. adj. Que concentra. Ú. t. c. s.

concentrar. (De *con-* y *centro.*) tr. fig. Reunir en un centro o punto lo que estaba separado. Ú. t. c. prnl. ‖ **2.** Reunir bajo un solo dominio la propiedad de diversas parcelas. ‖ **3.** *Quím.* Aumentar la proporción entre la materia disuelta y el líquido de una disolución. Ú. t. c. prnl. ‖ **4.** prnl. **reconcentrarse.** ‖ **5.** Atender o reflexionar profundamente.

concéntrico, ca. adj. *Geom.* Dícese de las figuras y de los sólidos que tienen un mismo centro.

concentuoso, sa. (Del lat. *concentus,* armonía.) adj. desus. **armonioso.**

concepción. (Del lat. *conceptĭo, -ōnis.*) f. Acción y efecto de concebir. ‖ **2.** Por excelencia, la de la Virgen. ‖ **3.** n. p. f. Fiesta con que anualmente celebra la iglesia católica el dogma de la Inmaculada **Concepción.**

concepcionista. adj. Dícese de la religiosa que pertenece a la tercera orden franciscana, llamada de la Inmaculada Concepción. Ú. m. c. s.

conceptear. intr. p. us. Usar o decir frecuentemente conceptos agudos o ingeniosos.

conceptible. (De *concepto.*) adj. p. us. Que se puede concebir o imaginar. ‖ **2. conceptuoso.**

conceptismo. m. Doctrina literaria o estilo de los conceptistas.

conceptista. (De *concepto.*) adj. Aplícase a la persona que usa del estilo conceptuoso, o emplea conceptos alambicados. Ú. m. c. s.

conceptivo, va. adj. Que puede concebir.

concepto, ta. (Del lat. *conceptus.*) adj. ant. **conceptuoso.** ‖ **2.** m. Idea que concibe o forma el entendimiento. ‖ **3.** Pensamiento expresado con palabras. ‖ **4.** Sentencia, agudeza, dicho ingenioso. ‖ **5.** Opinión, juicio. ‖ **6.** Crédito en que se tiene a una persona o cosa. ‖ **7.** Aspecto, calidad, título. Ú. m. en las locuciones, *en* CONCEPTO *de, por todos* CONCEPTOS y otras semejantes. ‖ **8.** ant. **feto.** ‖ **formar concepto.** fr. Determinar una cosa en la mente después de examinadas las circunstancias.

conceptuación. f. Acción y efecto de conceptuar. ‖ **2.** Apreciar las cualidades de una persona.

conceptual. (Del lat. *conceptus.*) adj. Perteneciente o relativo al concepto. ‖ **2.** Perteneciente o relativo al **arte conceptual.** Ú. t. c. s. m.

conceptualismo. (De *conceptual.*) m. Sistema filosófico que defiende la realidad y legítimo valor de las nociones universales y abstractas, en cuanto son conceptos de la mente, aunque no les conceda existencia positiva y separada fuera de ella. Es un medio entre el realismo y el nominalismo. ‖ **2. arte conceptual.**

conceptualista. adj. Perteneciente al conceptualismo. ‖ **2.** Partidario de este sistema. Ú. t. c. s.

conceptuar. (Del lat. *conceptus.*) tr. Formar concepto de una cosa.

conceptuosidad. f. Calidad de conceptuoso.

conceptuoso, sa. (Del lat. *conceptus.*) adj. Sentencioso, agudo, lleno de conceptos. Dícese de las personas y de las cosas. *Escritor, estilo* CONCEPTUOSO. Tómase a veces en sentido peyorativo con el significado de abstruso u oscuro.

concercano, na. (De *con-* y *cercano.*) adj. Próximo, limitante alrededor.

concernencia. (De *concernir.*) f. **relación,** conexión o correspondencia de una cosa con otra.

concernir. (Del lat. *concernĕre.*) intr. defect. Atañer, afectar, interesar. Ú. t. c. tr.

concertación. (Del lat. *concertatĭo, -ōnis.*) f. Acción y efecto de **concertar,** pactar, tratar un negocio. ‖ **2. concierto,** ajuste o convenio. ‖ **3.** ant. Contienda, disputa.

concertadamente. adv. m. Con orden y concierto.

concertado, da. p. p. de **concertar.** ‖ **2.** adj. V. **mampostería concertada.** ‖ **3.** ant. Compuesto, arreglado.

concertador, ra. (Del lat. *concertātor, -ōris.*) adj. Que concierta. Ú. t. c. s. ‖ **2.** V. **maestro concertador.** ‖ **de privilegios.** El que tenía a su cargo la expedición de las confirmaciones de los privilegios reales.

concertaje. m. *Ecuad.* y *Perú.* Contrato mediante el cual un indígena se obligaba a realizar trabajos agrícolas de manera vitalicia y hereditaria, sin recibir salario o recibiéndolo mínimo.

concertante. (Del it. *concertante.*) adj. *Mús.* Dícese de la pieza compuesta de varias voces entre las cuales se distribuye el canto. Ú. t. c. s. m.

concertar. (Del lat. *concertāre.*) tr. Componer, ordenar, arreglar las partes de una cosa, o varias cosas. ‖ **2.** Ajustar, tratar del precio de una cosa. ‖ **3.** Pactar, ajustar, tratar, acordar un negocio. Ú. t. c. prnl. ‖ **4.** Traer a identidad de fines o propósitos cosas diversas o intenciones diferentes. Ú. t. c. prnl. ‖ **5.** Acordar entre sí voces o instrumentos músicos. ‖ **6.** Cotejar, concordar una cosa con otra. ‖ **7.** *Mont.* Ir los monteros con los sabuesos al monte divididos por diversas partes; visitar el monte y los lugares fragosos de él, y por la huella y pista, saber la caza que en él hay, el lugar donde está y la parte donde ha de ser corrida. ‖ **8.** intr. Concordar, convenir entre sí una cosa con otra. ‖ **9.** *Gram.* Concordar en los accidentes gramaticales dos o más palabras variables. Ú. t. c. tr. ‖ **10.** prnl. ant. Componerse y asearse.

concertina. f. *Mús.* Acordeón de figura hexagonal u octagonal; de fuelle muy largo y teclados cantantes en ambas caras o cubiertas.

concertino. (Del it. *concertino,* de *concerto,* concierto.) m. *Mús.* Violinista primero de una orquesta, encargado de la ejecución de los solos.

concertista. com. Músico que toma parte en la ejecución de un concierto en calidad de solista.

concesible. adj. Que puede ser concedido.

concesión. (Del lat. *concessĭo, -ōnis.*) f. Acción y efecto de conceder. ‖ **2.** Otorgamiento gubernativo a favor de particulares o de empresas, bien sea para apropiaciones, disfrutes o aprovechamientos privados en el dominio público, según acontece en minas, aguas o montes, bien para construir o explotar obras públicas, o bien para ordenar, sustentar o aprovechar servicios de la administración general o local. ‖ **3.** Por ext., otorgamiento que una empresa hace a otra, o a un particular, de vender y administrar sus productos en una localidad o país distinto. ‖ **4.** Acción y efecto de ceder en una posición ideológica o en una actitud adoptada. ‖ **5.** *Ret.* Figura que se produce cuando la persona que habla conviene o aparenta convenir en algo que se le objeta o pudiera objetársele, dando a entender que aun así podrá sustentar victoriosamente su opinión.

concesionario, ria. adj. Dícese de la persona o entidad a la que se hace o transfiere una concesión. Ú. t. c. s.

concesivo, va. adj. Que se concede o puede concederse. ‖ **2.** *Gram.* Dícese de la proposición subordinada que indica la razón que se opone a la principal, pero que no excluye su cumplimiento. *Iré* AUNQUE NO ME INVITEN. ‖ **3.** *Gram.* V. **conjunción concesiva.**

conceso, sa. (Del lat. *concessus.*) p. p. ant. de **conceder.**

conceto. m. ant. **concepto.**

conceyo. m. ant. **concilio.** ‖ **2.** ant. **concejo.**

concia. (Del lat. *conscĭa,* t. f. de *-ĭus,* sabido.) f. Parte vedada de un monte.

concibimiento. m. ant. **concebimiento.**

conciencia. (Del lat. *conscientĭa.*) f. Propiedad del espíritu humano de reconocerse en sus atributos esenciales y en todas las modificaciones que en sí mismo experimenta. ‖ **2.** Conocimiento interior del bien y del mal. ‖ **3.** Conocimiento exacto y reflexivo de las cosas. ‖ **4.** V. **cargo, caso, examen, libertad, matrimonio, serenidad de conciencia.** ‖ **5.** V. **fuero, tribunal de la conciencia.** ‖ **6.** fig. V. **gusano de la conciencia.** ‖ **errónea.** *Teol.* La que con ignorancia juzga lo verdadero por falso, teniendo lo bueno por malo o lo malo por bueno. ‖ **a conciencia.** loc. adv. Con empeño y rigor, sin regatear esfuerzo. ‖ **acusar la conciencia** a alguien. fr. Remorderle alguna mala acción. ‖ **ajustarse** alguien **con** su **conciencia.** fr. fig. Seguir en el modo de obrar lo que le dicta su propia **conciencia.** Dícese más comúnmente cuando es sobre cosas en que hay duda de si se pueden ejecutar o no lícitamente. ‖ **ancho de conciencia.** loc. fig. Dícese del que a sabiendas obra o aconseja contra el rigor de la ley o la moral. ‖ **argüir la conciencia** a alguien. fr. **acusarle la conciencia.** ‖ **cargar la conciencia.** fr. fig. Gravarla con pecados. ‖ **cobrar conciencia** de algo. fr. Darse cuenta, percatarse de ello. ‖ **descargar la conciencia.** fr. fig. Satisfacer las obligaciones de justicia. ‖ **2.** fig. **confesar** los pecados. ‖ **encargar la conciencia.** fr. Ponerla en cargo, gravarla. ‖ **en conciencia.** loc. adv. Según **conciencia,** de conformidad con ella. ‖ **escarabajear,** o **escarbar, la conciencia.** fr. fig. Remorder la **conciencia** a alguien. ‖ **estrecho de conciencia.** loc. fig. Dícese del que es muy ajustado al rigor de la ley o la moral. ‖ **formar conciencia.** fr. ant. **escrupulizar.** ‖ **manchar la conciencia.** fr. fig. **manchar el alma.** ‖ **tomar conciencia.** fr. **cobrar conciencia.**

concienciación. f. Acción y efecto de concienciar o concienciarse.

concienciar. tr. Hacer que alguien sea consciente de algo. Ú. t. c. prnl. ‖ **2.** prnl. Adquirir conciencia de algo.

concienzudamente. adv. m. A conciencia, de modo concienzudo.

concienzudo, da. adj. Dícese del que es de estrecha y recta conciencia. ‖ **2.** Aplícase a lo que se hace según ella. ‖ **3.** Dícese de la persona que estudia o hace las cosas con mucha atención o detenimiento.

concierto. (De *concertar.*) m. Buen orden y disposición de las cosas. ‖ **2.** Ajuste o convenio entre dos o más personas o entidades sobre alguna cosa. ‖ **3.** Función de música, en que se ejecutan composiciones sueltas. ‖ **4.** Composición musical para diversos instrumentos en que uno o varios llevan la parte principal. CONCIERTO *de violín y orquesta.* ‖ **5.** *Ecuad.* y *Perú.* Hombre sometido a concertaje. ‖ **6.** *Mont.* Acción de concertar las cacerías, determinando los lugares de la caza y los puestos de la montería. ‖ **económico.** Convenio entre la Hacienda y los contribuyentes, gremios o corporaciones, que reemplaza las normas generales de tributación con otros medios de cobranza o con un tanto alzado de ingreso. ‖ **de concierto.** loc. adv. De común acuerdo.

conciliable. adj. Que puede conciliarse, componerse o ser compatible con alguna cosa.

conciliábulo. (Del lat. *conciliabŭlum.*) m. Concilio no convocado por autoridad legítima. ‖ **2.** fig. Junta o reunión para tratar de algo que se quiere mantener oculto.

conciliación. (Del lat. *conciliatĭo, -ōnis.*) f. Acción y efecto de conciliar. ‖ **2.** Conveniencia o semejanza de una cosa con otra. ‖ **3.** Favor o protección que alguien se granjea. ‖ **4.** V. **acto de conciliación.**

conciliador, ra. (Del lat. *conciliātor, -ōris.*) adj. Que concilia o es propenso a conciliar o conciliarse. Ú. t. c. s.

conciliar[1]. adj. Perteneciente o relativo a los concilios. *Decisión, decreto* CONCILIAR. ‖ **2.** V. **seminario conciliar.** ‖ **3.** m. Persona que asiste a un concilio.

conciliar[2]. (Del lat. *conciliāre.*) tr. Componer y ajustar los ánimos de los que estaban opuestos entre sí. ‖ **2.** Conformar dos o más proposiciones o doctrinas al parecer contrarias. ‖ **3.** Granjear o ganar los ánimos y la benevolencia. Alguna vez se dice también del odio y aborrecimiento. Ú. m. c. prnl.

conciliativo, va. adj. p. us. **conciliador.** Ú. t. c. s. m.

conciliatorio, ria. adj. Lo que puede conciliar o se dirige a este fin

concilio. (Del lat. *concilĭum.*) m. Junta o congreso para tratar alguna cosa. ‖ **2.** Colección de los decretos de un **concilio.** ‖ **3.** Junta o congreso de los obispos y otros eclesiásticos de la iglesia católica, o de parte de ella, para deliberar y decidir sobre las materias de dogmas y de disciplina. ‖ **4.** fig. V. **padre de concilio.** ‖ **ecuménico,** o **general.** Junta de los obispos de todos los Estados y reinos de la cristiandad, convocados legítimamente. ‖ **nacional.** La de los arzobispos y obispos de una nación. ‖ **provincial.** La del metropolitano y sus sufragáneos.

concinidad. (Del lat. *concinnĭtas, -ātis.*) f. *Ret.* Buen orden y disposición del discurso, armonía, número, elegancia.

concino, na. (Del lat. *concinnus.*) adj. desus. Que tiene o muestra concinidad.

concíón. (Del lat. *contĭo, -ōnis,* discurso.) f. desus. **sermón,** discurso religioso.

concionador, ra. (Del lat. *contionātor, -ōris,* discursante.) m. y f. Persona que predica o razona en público.

concionar. (Del lat. *contionāri,* discursear.) intr. ant. Hablar en público, predicar.

concisión. (Del lat. *concisĭo, -ōnis.*) f. Brevedad y economía de medios en el modo de expresar un concepto con exactitud.

conciso, sa. (Del lat. *concisus.*) adj. Que tiene concisión.

concitación. (Del lat. *concitatĭo, -ōnis.*) f. Acción y efecto de concitar.

concitador, ra. (Del lat. *concitātor, -ōris.*) adj. Que concita. Ú. t. c. s.

concitar. (Del lat. *concitāre.*) tr. Conmover, instigar a uno contra otro. ‖ **2.** Excitar inquietudes y sediciones en el ánimo de los demás. Ú. m. c. prnl. ‖ **3.** Reunir, congregar.

concitativo, va. adj. Dícese de lo que concita.

conciudadano, na. (De *con-* y *ciudadano.*) m. y f. Cada uno de los ciudadanos de una misma ciudad, respecto de los demás. ‖ **2.** Por ext., cada uno de los naturales de una misma nación, respecto de los demás.

conclave o **cónclave.** (Del lat. *conclāve,* lo que se cierra con llave.) m. Lugar en donde los cardenales se juntan y se encierran para elegir Sumo Pontífice. ‖ **2.** La misma junta de los cardenales. ‖ **3.** fig. Junta o congreso de gentes que se reúnen para tratar algún asunto.

conclavista. m. Familiar o criado que entra en el conclave para asistir o servir a los cardenales.

concluir. (Del lat. *conclūdĕre.*) tr. Acabar o finalizar una cosa. Ú. t. c. intr. ‖ **2.** Determinar y resolver sobre lo que se ha tratado. ‖ **3.** Inferir, deducir una verdad de otras que se admiten, demuestran o presuponen. ‖ **4.** desus. Convencer a alguien con la razón, de modo que no tenga qué responder ni replicar. Ú. t. c. intr. ‖ **5.** Rematar minuciosamente una obra. Ú. especialmente en las Bellas Artes. ‖ **6.** *Esgr.* Ganarle la espada al contrario por el puño o guarnición, de suerte que no pueda usarla. ‖ **7.** *Der.* Poner fin a los alegatos en defensa del derecho de una parte, después de haber respondido a los de la contraria, por no tener más que decir ni alegar.

conclusión. (Del lat. *conclusĭo, -ōnis.*) f. Acción y efecto de concluir o concluirse. ‖ **2.** Fin y terminación de una cosa. ‖ **3.** Resolución que se ha tomado sobre una materia después de haberla ventilado. ‖ **4.** Aserto o proposición que se defendía en las antiguas escuelas universitarias. Ú. m. en pl. ‖ **5.** *Dial.* Proposición que se pretende probar y que se deduce de las premisas. ‖ **6.** *Der.* Cada una de las afirmaciones numeradas contenidas en el escrito de calificación penal. Ú. m. en pl. ‖ **7.** *Der.* V. **escrito de conclusión,** o **de conclusiones.** ‖ **alternativa.** *Der.* En el escrito de calificación, la que se ofrece como subsidiaria de otra principal. ‖ **definitiva.** *Der.* La que, modificada o ratificada, sostienen las partes después de la prueba en el juicio oral. Ú. m. en pl. ‖ **provisional.** *Der.* La que precede a la práctica de la prueba en el juicio oral. ‖ **en conclusión.** loc. adv. En suma, por último, finalmente. ‖ **sentarse en la conclusión.** fr. fig. Mantenerse porfiadamente en su opinión, volviendo a instar en ella, aun contra las razones que le persuaden de la contraria, sin dar otras nuevas.

conclusivo, va. (Del lat. *conclusīvus.*) adj. Dícese de lo que concluye o finaliza una cosa, o sirve para terminarla y concluirla.

concluso, sa. (Del lat. *conclūsus.*) p. p. irreg. de **concluir.** ‖ **2.** adj. ant. Incluido y contenido. ‖ **3.** *Der.* Se dice del juicio que está para sentencia.

concluyente. (Del lat. *conclūdens, -entis.*) p. a. de **concluir.** Que concluye. ‖ **2.** adj. Resolutorio, irrebatible.

concoide. (Del gr. κογχοειδής.) adj. **concoideo.** ‖ **2.** f. *Geom.* Curva que en su prolongación se aproxima constantemente a una recta sin tocarla nunca.

concoideo, a. (De *concoide.*) adj. Semejante a la concha. Aplícase a la fractura de los cuerpos sólidos que resulta en formas curvas.

concolega. (De *con-* y *colega.*) m. p. us. El que es del mismo colegio que otro.

concomerse. (De *con-* y *comer.*) prnl. fam. Mover los hombros y espaldas como quien se estriega por causa de alguna comezón. ‖ **2.** fig. Sentir comezón interior; consumirse de impaciencia, pesar u otro sentimiento.

concomimiento. m. fam. Acción de concomerse.

concomio. (De *concomerse.*) m. fam. **concomimiento.**

concomitancia. (De *concomitante.*) f. Acción y efecto de concomitar.

concomitar. (Del lat. *concomitāri.*) tr. Acompañar una cosa a otra, u obrar juntamente con ella.

concón. (De or. mapuche.) m. *Chile.* **autillo[2].** ‖ **2.** *Chile.* Viento terral en la costa sudamericana del Pacífico.

concordable. (Del lat. *concordabĭlis.*) adj. Que se puede concordar con otra cosa.

concordación. (Del lat. *concordatĭo, -ōnis.*) f. Coordinación, combinación o conciliación de algunas cosas.

concordador, ra. adj. Que concuerda, apacigua y modera. Ú. t. c. s.

concordancia. (Del lat. *concordantĭa.*) f. Correspondencia o conformidad de una cosa con otra. ‖ **2.** *Gram.* Conformidad de accidentes entre dos o más palabras variables. Todas estas, menos el verbo, concuerdan en género y número; y el verbo con su sujeto, en número y persona. ‖ **3.** *Mús.* Justa proporción que guardan entre sí las voces que suenan juntas. ‖ **4.** pl. Índice de todas las palabras de un libro o del conjunto de la obra de un autor, con todas las citas de los lugares en que se hallan. ‖ **a la vizcaína** o **vizcaína.** La que usa mal los géneros de los sustantivos, aplicando el femenino al que debe ser masculino, y viceversa.

concordanza. f. ant. **concordancia.** ‖ **2.** ant. **concordia.**

concordar. (Del lat. *concordāre.*) tr. Poner de acuerdo lo que no lo está. ‖ **2.** intr. Convenir una cosa con otra. *La copia de la escritura* CONCUERDA *con su original.* ‖ **3.** *Gram.* Formar concordancia. Ú. t. c. tr.

concordata. f. desus. **concordato.**

concordatario, ria. adj. Perteneciente o relativo al concordato.

concordativo, va. adj. Que pone de acuerdo.

concordato. (Del lat. *concordātum.*) m. Tratado o convenio sobre asuntos eclesiásticos que el gobierno de un Estado hace con la Santa Sede.

concorde. (Del lat. *concors, -ordis.*) adj. Conforme, uniforme, de un mismo sentir y parecer.

concordemente. adv. m. Conformemente, de común acuerdo.

concordia. (Del lat. *concordĭa.*) f. Conformidad, unión. ‖ **2.** Ajuste o convenio entre personas que contienden o litigan. ‖ **3.** Instrumento jurídico, autorizado en debida forma, en el cual se contiene lo tratado y convenido entre las partes. ‖ **4. unión,** sortija compuesta de dos anillos enlazados. ‖ **de concordia.** loc. adv. De común acuerdo y consentimiento.

concorpóreo, a. (De *con-* y *corpóreo.*) adj. *Teol.* Dícese del que, comulgando dignamente, se hace un mismo cuerpo con Cristo.

concorvado, da. (Del lat. *concurvātus.*) adj. desus. **corcovado,** que tiene corcova.

concovado, da. adj. ant. **encovado.**

concreado, da. (Del lat. *concreātus.*) adj. *Teol.* Dícese de las cualidades que existen en el hombre desde su creación.

concreción. (Del lat. *concretĭo, -ōnis.*) f. Acción y efecto de concretar. ‖ **2.** Acumulación de partículas unidas para formar una masa. ‖ **3.** Esta masa.

concrecionar. tr. Formar concreciones. Ú. t. c. prnl.

concrescencia. (Del lat. *concrescentĭa.*) f. *Bot.* Crecimiento simultáneo de varios órganos de un vegetal, tan cercanos que se confunden en una sola masa.

concretar. (De *concreto.*) tr. Hacer concreto. ‖ **2.** Combinar, concordar algunas especies y cosas. ‖ **3.** Reducir a lo más esencial y seguro la materia sobre la que se habla o escribe. ‖ **4.** prnl. Reducirse a tratar o hablar de una cosa sola, con exclusión de otros asuntos.

concretización. (De *concretizar.*) f. **concreción,** acción y efecto de concretar.

concretizar. (De fr. *concrétiser.*) tr. **concretar,** hacer concreto lo que no lo es.

concreto[1], ta. (Del lat. *concrētus.*) adj. Dícese de cualquier objeto considerado en sí mismo, particularmente en oposición a lo abstracto y general, con exclusión de cuanto pueda serle extraño o accesorio. ‖ **2.** Sólido, compacto, material. ‖ **3.** Dícese de lo que resulta de un proceso de concreción. ‖ **4.** Preciso, determinado, sin vaguedad. ‖ **5.** *Arit.* V. **número concreto.** ‖ **6.** *Gram.* V. **nombre concreto.** ‖ **7.** m. **concreción.** ‖ **en concreto.** loc. adv. De un modo **concreto.**

concreto[2]. (Del ing. *concrete.*) m. *Amér.* **hormigón.**

concuasar. (Del lat. *conquassāre.*) tr. ant. Quebrantar, estrellar, hacer pedazos. ‖ **2.** ant. *Der.* **casar[2],** anular.

concubina. (Del lat. *concubina.*) f. Mujer que vive en concubinato.

concubinario. m. El que tiene concubina.

concubinato. (Del lat. *concubinātus.*) m. Relación marital de un hombre con una mujer sin estar casados.

concubio. (Del lat. *concubĭum.*) m. ant. Hora de la noche en que suelen recogerse las gentes a dormir.

concúbito. (Del lat. *concubĭtus.*) m. **ayuntamiento** carnal.

concuerda (por). (De *concordar.*) loc. adv. con que se significa que la copia de un escrito está conforme al original.

concuerde. adj. ant. **concorde.**

conculcación. (Del lat. *conculcatĭo, -ōnis.*) f. Acción y efecto de conculcar.

conculcador, ra. adj. Que conculca.

conculcar. (Del lat. *conculcāre.*) tr. Hollar con los pies algo. ‖ **2.** Quebrantar una ley, obligación o principio. ‖ **3.** p. us. **oprimir.**

concuna. f. *Col.* Especie de paloma torcaz.

concuñado, da. (De *con-* y *cuñado.*) m. y f. Cónyuge de una persona respecto del cónyuge de otra persona hermana de aquella. ‖ **2.** Hermano o hermana de una de dos personas unidas en matrimonio respecto de las hermanas o hermanos de la otra.

concuño, ña. m. y f. *Can.* y *Amér.* **concuñado.**

concupiscencia. (Del lat. *concupiscentĭa.*) f. En la moral católica, deseo de bienes terrenos y, en especial, apetito desordenado de placeres deshonestos.

concupiscente. (Del lat. *concupiscens, -entis.*) adj. Dominado por la concupiscencia.

concupiscible. (Del lat. *concupiscibĭlis.*) adj. **deseable.** ‖ **2.** En ética, dícese de la tendencia de la voluntad hacia el bien sensible. ‖ **3.** V. **apetito concupiscible.**

concurrencia. (De *concurrente.*) f. Acción y efecto de concurrir. ‖ **2.** Conjunto de personas que asisten a un acto o reunión. ‖ **3.** Coincidencia, concurso simultáneo de varias circunstancias. ‖ **4.** Asistencia, participación.

concurrente. (Del lat. *concurrens, -entis.*) p. a. de **concurrir.** Que concurre. Ú. t. c. s. ‖ **2.** adj. V. **cantidad concurrente.** ‖ **3.** f. **epacta.**

concurrido, da. p. p. de **concurrir.** ‖ **2.** adj. Dícese de lugares, espectáculos, etc., a donde concurre el público. *Paseo muy* CONCURRIDO; *conferencia poco* CONCURRIDA.

concurrir. (Del lat. *concurrĕre.*) intr. Juntarse en un mismo lugar o tiempo diferentes personas, sucesos o cosas. ‖ **2.** Coincidir en alguien o en algo diferentes cualidades o circunstancias. ‖ **3.** Contribuir con una cantidad para determinado fin. *Antonio y Manuel* CONCURRIERON *con veinte mil pesetas.* ‖ **4.** Convenir con otro en el parecer o dictamen. ‖ **5.** Tomar parte en un concurso.

concursado, da. p. p. de **concursar.** ‖ **2.** m. Deudor declarado legalmente en concurso de acreedores.

concursante. p. a. de **concursar.** Que concursa. ‖ **2.** com. Persona que toma parte en un concurso convocado para otorgar premios, seleccionar personas, conceder la ejecución de obras o la prestación de servicios.

concursar. (Del lat. *concursāre.*) tr. Tomar parte en un concurso, convocado para otorgar premios, seleccionar personas, conceder la ejecución de obras o la prestación de servicios. ‖ **2.** *Der.* Declarar el estado de insolvencia, transitoria o definitiva, de una persona que tiene diversos acreedores.

concurso. (Del lat. *concursus.*) m. **concurrencia,** conjunto de personas. ‖ **2.** Reunión simultánea de sucesos, circunstancias o cosas diferentes. ‖ **3.** Asistencia, participación, colaboración. ‖ **4.** Oposición que por medio de ejercicios científicos, artísticos o literarios, o alegando méritos, se hace a prebendas, cátedras, etc. ‖ **5.** Competencia entre los que aspiran a encargarse de ejecutar una obra o prestar un servicio bajo determinadas condiciones, a fin de elegir la propuesta que ofrezca mayores ventajas. ‖ **6.** Competición, prueba entre varios candidatos para conseguir un premio. CONCURSO *de tiro.* ‖ **de acreedores.** *Der.* Juicio universal para aplicar los haberes de un deudor no comerciante al pago de sus acreedores. ‖ **hípico.** Pruebas deportivas de varias clases a que se someten los caballos montados por jinetes.

concusión. (Del lat. *concussĭo, -ōnis.*) f. Exacción arbitraria hecha por un funcionario público en provecho propio. ‖ **2.** desus. *Med.* Conmoción violenta, sacudimiento.

concusionario, ria. adj. Que comete concusión. Ú. t. c. s.

concha. (Del lat. *conchŭla.*) f. Cubierta, formada en su mayor parte por carbonato cálcico, que protege el cuerpo de los moluscos y que puede constar de una sola pieza o valva, como en los caracoles; de dos, como en las almejas, o de ocho, como en los quitones. Por ext., se aplica este nombre al caparazón de las tortugas y al de los cladóceros y otros pequeños crustáceos. ‖ **2. concha** de la madreperla. ‖ **3. carey,** chapa delgada que se saca de esta clase de tortugas. ‖ **4.** Mueble en forma de un cuarto de superficie esférica, u otra parecida, que se coloca en el medio del proscenio de los teatros para ocultar al apuntador y reflejar la voz de este hacia los actores. ‖ **5.** Seno, a veces poco profundo, pero muy cerrado, en la costa del mar. ‖ **6.** Moneda antigua de cobre, que valía dos cuartos, o sea ocho maravedís. ‖ **7. solera,** muela fija del molino. ‖ **8.** Parte redondeada y ancha de una charretera o capona. ‖ **9.** fig. Cualquier cosa que tiene la figura de la **concha** de los animales. ‖ **10.** *Amér.* **coño,** parte externa del aparato genital femenino. Es voz malsonante. ‖ **11.** *Blas.* **venera**[1], insignia. ‖ **de peregrino. venera**[1], concha. ‖ **de perla. madreperla.** ‖ **meterse** alguien **en su concha.** fr. fig. Retraerse, negarse a tratar con la gente o a tomar parte en negocios o esparcimientos. ‖ **tener** alguien **más conchas que un galápago,** o **muchas conchas.** fr. fig. y fam. Ser muy reservado, disimulado y astuto.

conchabamiento. m. **conchabanza.**

conchabanza. f. Acomodación conveniente de una persona en alguna parte. ‖ **2.** fam. Acción y efecto de conchabarse.

conchabar. (Del lat. *conclavāre.*) tr. Unir, juntar, asociar. ‖ **2.** Mezclar la clase inferior de la lana con la superior o mediana, después de esquilada. ‖ **3.** *Amér. Merid.* Asalariar, contratar a alguno para un servicio de orden inferior, generalmente doméstico. Ú. t. c. prnl. ‖ **4.** prnl. fam. Unirse dos o más personas para algún fin considerado ilícito.

conchabo. (De *conchabar.*) m. *And.* y *Amér. Merid.* Contrato de servicio doméstico.

conchado, da. adj. Dícese del animal que tiene conchas.

conchal. adj. V. **seda conchal.** ‖ **2.** V. **seda medio conchal.**

conchero. m. Depósito prehistórico de conchas y otros restos de moluscos y peces que servían de alimento a los hombres de aquellas edades. Generalmente se hallan a orillas del mar o de los ríos y cerca de las cuevas o cavernas.

conchesta. (Del lat. *congesta.*) f. *Ar.* Nieve amontonada en los ventisqueros.

conchífero, ra. (De *concha* y el lat. *fero,* llevar.) adj. *Geol.* Se aplica al terreno secundario que se caracteriza por la abundancia de conchas de moluscos.

conchil. (De *concha.*) adj. ant. **conchado.** ‖ **2.** m. Molusco marino gasterópodo, de gran tamaño, y cuya concha, áspera y rugosa, no tiene púas ni tubérculos. Segrega un líquido que, como el de la púrpura y el múrice, fue muy usado antiguamente en tintorería. La concha, el opérculo y la carne se han empleado también en medicina.

concho[1]**, cha.** (Del quechua *qonchu, cunchu,* heces, posos.) adj. *Ecuad.* Del color de las heces de la chicha o de la cerveza. *Una mula* CONCHA. ‖ **2.** m. *Amér.* Poso, sedimento, restos de la comida.

concho[2]**.** (Del lat. *conchŭla.*) m. Pericarpio o corteza de algunos frutos. ‖ **2.** *Ecuad.* Túnica de la mazorca del maíz.

concho[3]**.** m. *Sto. Dom.* Taxi.

conchoso, sa. adj. ant. **conchudo.**

conchudo, da. adj. Dícese del animal cubierto de conchas. ‖ **2.** fig. y fam. desus. Astuto, cauteloso, sagaz. ‖ **3.** fam. *Amér.* Sinvergüenza, caradura. ‖ **4.** fig. y fam. *Méj.* Desobligado, desentendido, indolente, indiferente.

conchuela. f. d. de **concha.** ‖ **2.** Fondo del mar cubierto de conchas rotas.

condado. (Del lat. *comitātus,* cortejo, acompañamiento.) m. Dignidad honorífica de conde. ‖ **2.** Territorio o lugar a que se refiere el título nobiliario de conde y sobre el cual este ejercía antiguamente señorío. ‖ **3.** Por ext., cierta circunscripción administrativa en los países anglosajones.

condal. adj. Perteneciente al conde o a su dignidad.

conde. (Del lat. *comes, -ĭtis,* acompañante, miembro de un séquito.) m. Uno de los títulos nobiliarios con que los soberanos hacen merced a ciertas personas. ‖ **2.** El que en Andalucía manda y gobierna, después del manijero, las cuadrillas de gente rústica que trabajan a destajo. ‖ **3.** Caudillo, capitán o superior que elegían los gitanos para que los gobernase. ‖ **4.** Entre los godos españoles, dignidad con cargo y funciones muy diversos, pues había **condes** de los Tesoros, de las Escuelas, Palatinos y otros semejantes. En lo militar, su categoría era inferior a la de duque. ‖ **5.** Gobernador de una comarca o territorio en los primeros siglos de la Edad Media. CONDE *de Monzón.* ‖ **de Barcelona.** Título del rey de España, en recuerdo de los antiguos soberanos de Cataluña, de quienes desciende. ‖ **de Castilla.** En la Edad Media, hasta el rey don Fernando I, soberano independiente en gran parte de Castilla la Vieja.

condecabo. (De *con* y *de cabo.*) adv. m. ant. **otra vez.**

condecente. (De *condecir.*) adj. desus. Conveniente o correspondiente.

condecir. (Del lat. *condecēre.*) intr. Convenir, concertar o guardar armonía una cosa con otra.

condecoración. f. Acción y efecto de condecorar. ‖ **2.** Cruz, venera u otra insignia semejante de honor y distinción.

condecorar. (Del lat. *condecorare.*) tr. Ilustrar a alguien; darle honores o condecoraciones.

condena. (De *condenar.*) f. Acción y efecto de condenar. ‖ **condicional.** *Der.* Beneficio concedido a los que delinquen por primera vez, supeditando el cumplimiento de penas menos graves a la nueva delincuencia dentro de cierto plazo.

condenable. (Del lat. *condemnabĭlis.*) adj. Digno de ser condenado.

condenación. (Del lat. *condemnatĭo, -ōnis.*) f. Acción y efecto de condenar o condenarse. ‖ **2.** Por antonom., la eterna.

condenado, da. p. p. de **condenar.** ‖ **2.** adj. **réprobo.** Ú. t. c. s. ‖ **3.** fig. Endemoniado, perverso, nocivo.

condenador, ra. (Del lat. *condemnātor, -ōris.*) adj. Que condena o censura. Ú. t. c. s.

condenar. (Del lat. *condemnāre.*) tr. Pronunciar el juez sentencia, imponiendo al reo la pena correspondiente o dictando en juicio civil fallo que no se limite a absolver de la demanda. ‖ **2.** Imponer pena al culpable una potestad distinta de la judicial. ‖ **3.** Forzar a alguien a hacer algo penoso: CONDENAR *a no salir, a no andar.* ‖ **4.** Reprobar una doctrina, unos hechos, una conducta, etc., que se tienen por malos y perniciosos. ‖ **5.** Tabicar una habitación o incomunicarla con las demás, teniéndola siempre cerrada. ‖ **6.** Dicho de puertas, ventanas, pasadizos, etc., cerrarlos permanentemente o tapiarlos. ‖ **7.** Echar a perder alguna cosa. CONDENAR *un traje.* ‖ **8.** Molestar, irritar, exasperar. Ú. t. c. prnl. ‖ **9.** Conducir inevitablemente algo a una situación no deseada. *La vida sedentaria* CONDENA *a la obesidad.* ‖ **10.** prnl. Culparse a sí mismo, confesarse culpado. ‖ **11.** Incurrir en la pena eterna.

condenatorio, ria. (Del lat. *condemnātus.*) adj. Que contiene condena o puede motivarla. ‖ **2.** *Der.* Dícese del pronunciamiento judicial que castiga al reo o que manda al litigante entregar cosa o cumplir obligaciones.

condensa. (Del lat. *condensa,* t. f. de *-sus,* denso, espeso, apretado.) f. ant. Lugar o cámara donde se guarda alguna cosa.

condensabilidad. f. Propiedad de condensarse que tienen algunos cuerpos.

condensable. adj. Que puede condensarse.

condensación. (Del lat. *condensatĭo, -ōnis.*) f. Acción y efecto de condensar o condensarse.

condensador, ra. adj. Que condensa. ‖ **2.** m. *Fís.* Aparato para reducir los gases a menor volumen. ‖ **3. condensador eléctrico.** ‖ **4.** *Mec.* Recipiente que tienen algunas máquinas de vapor para que este se licue en él por la acción del agua fría. ‖ **de fuerzas.** *Mec.* **acumulador,** aparato que recoge la fuerza sobrante de una máquina. ‖ **eléctrico.** *Fís.* Sistema de dos conductores, llamados armaduras, en general de gran superficicie y que están separadas por una lámina dieléctrica. Sirven para almacenar cargas eléctricas.

condensar. (Del lat. *condensāre.*) tr. Convertir un vapor en líquido o en sólido. Ú. t. c. prnl. ‖ **2.** Reducir una cosa a menor volumen, y darle más consistencia si es líquida. Ú. t. c. prnl. ‖ **3.** Espesar, unir o apretar unas cosas con otras haciéndolas más cerradas o tupidas. Ú. t. c. prnl. ‖ **4.** Concentrar lo disperso; aumentar en intensidad o número. Ú. t. c. prnl. ‖ **5.** Dicho de sombra, tinieblas, etc., aumentar su oscuridad. Ú. t. c. prnl. ‖ **6.** ant. **condesar,** reservar, poner en depósito. ‖ **7.** fig. Sintetizar, resumir, compendiar.

condensativo, va. adj. Dícese de lo que tiene virtud de condensar.

condenso, sa. p. p. irreg. de **condensar.** Condensado.

condesa[1]. (De *conde.*) f. Mujer del conde, o la que por sí misma heredó, u obtuvo un condado. ‖ **2.** Título que se daba a la mujer destinada para asistir y acompañar a una gran señora.

condesa[2]. (De *condesar.*) f. ant. Junta, muchedumbre.

condesado. (De *condesa*[1].) m. ant. **condado.**

condesar. (Del m. or. que *condensar.*) tr. Ahorrar, economizar. ‖ **2.** ant. Reservar, poner en custodia y depósito una cosa.

condescendencia. f. Acción y efecto de condescender. ‖ **2.** Calidad de condescendiente.

condescender. (Del lat. *condescendĕre.*) intr. Acomodarse por bondad al gusto y voluntad de otro.

condescendiente. p. a. de **condescender.** Que condesciende. ‖ **2.** adj. Pronto, dispuesto a condescender.

condesijo. (De *condesar.*) m. ant. **depósito.**

condesil. (De *condesa*[1].) adj. fest. **condal.**

condestable. (Del lat. *comes stabŭli,* conde de la caballeriza.) m. El que antiguamente obtenía y ejercía la primera dignidad de la milicia. ‖ **2.** *Mar.* El que hace veces de sargento en las brigadas de artillería de marina. ‖ **de Castilla.** El que ejercía el cargo de **condestable** hasta que pasó a ser título honorífico vinculado, como en Aragón, Navarra y Nápoles.

condestablesa. f. Mujer del condestable.

condestablía. f. Dignidad de condestable.

condexar. tr. ant. **condesar.**

condición. (Del lat. *conditĭo, -ōnis.*) f. Índole, naturaleza o propiedad de las cosas. ‖ **2.** Natural, carácter o genio de los hombres. ‖ **3.** Estado, situación especial en que se halla una persona. ‖ **4.** Calidad del nacimiento o estado que se reconocía en los hombres; como de noble, plebeyo, libre, siervo, etc. ‖ **5.** En sentido absoluto solía usarse por la calidad de noble. *Es hombre de* CONDICIÓN. ‖ **6.** Constitución primitiva y fundamental de un pueblo. ‖ **7.** Situación o circunstancia indispensable para la existencia de otra. *Para curar enfermos es* CONDICIÓN *ser médico. El enemigo se rindió sin* CONDICIONES. ‖ **8.** V. **pliego de condiciones.** ‖ **9.** *Der.* Acontecimiento incierto o ignorado que influye en la perfección o resolución de ciertos actos jurídicos o de sus consecuencias. ‖ **10.** pl. Aptitud o disposición. ‖ **11.** Circunstancias que afectan a un proceso o al estado de una persona o cosa. *En estas* CONDICIONES *no se puede trabajar. Las* CONDICIONES *de vida no nos eran favorables.* ‖ **callada. condición tácita.** ‖ **casual.** *Der.* La que no pende del arbitrio de los hombres; como si dijese el testador: *Instituyo por mi heredero a Pedro, si mañana lloviere,* o *si hiciere sol.* ‖ **convenible.** *Der.* La que conviene al acto que se celebra y sobre que se pone. ‖ **desconvenible.** *Der.* La que se opone a la naturaleza del contrato, acto o derecho o a sus fines. ‖ **deshonesta.** *Der.* **condición torpe.** ‖ **imposible de derecho.** *Der.* La que se opone a la honestidad o a la ley. ‖ **imposible de hecho.** *Der.* La que consiste en un hecho irrealizable. ‖ **mixta.** *Der.* La que en parte pende del arbitrio de los hombres, y en parte del acaso; como si el testador dijere: *Instituyo a Juan heredero, con la* CONDICIÓN *de que contraiga matrimonio y tenga hijos.* ‖ **necesaria.** *Der.* La que es preciso que intervenga para la validación de un contrato, acto o derecho. ‖ **potestativa.** *Der.* Aquella cuyo cumplimiento depende de la voluntad del interesado, que es lícita en las sucesiones y que anula la obligación contractual que de ella dependa. ‖ **resolutoria.** *Der.* **cláusula resolutoria.** ‖ **sine qua non.** Aquella sin la cual no se hará una cosa o se tendrá por no hecha. ‖ **suspensiva.** *Der.* Aquella cuyo cumplimiento es necesario para la eficacia del acto o derecho a que afecta. ‖ **tácita.** *Der.* La que, aunque expresamente no se ponga, virtualmente se entiende puesta. ‖ **torpe.** *Der.* La que es inmoral. ‖ **de condición.** loc. adv. De suerte, de manera. ‖ **en condiciones.** A punto, bien dispuesto o apto para el fin deseado. Se usa principalmente con los verbos *estar, poner, ponerse* o *sentirse.* ‖ **la condición.** *Argent.* Baile tradicional de salón que ejecutan parejas sueltas e independientes. ‖ **mudar de condición es a par de muerte.** fr. fig. p. us. Que es casi imposible cambiar el carácter y los hábitos. ‖ **poner en condición.** fr. ant. Poner en peligro, arriesgar, exponer. ‖ **quebrarle** a alguien **la condición.** fr. fig. Abatirle el orgullo o corregirle de sus defectos, contrariándole. ‖ **tener condición.** fr. Ser de genio áspero y fuerte. ‖ **tener en condición.** fr. ant. **poner en condición.**

condicionado, da. p. p. de **condicionar.** ‖ **2.** adj. **acondicionado,** dícese de las cosas de buena calidad. ‖ **3.** desus. **acondicionado,** de buena condición o genio. ‖ **4.** desus. **condicional,** que implica una condición.

condicional. (Del lat. *condicionālis.*) adj. Que incluye y lleva consigo una condición o requisito. ‖ **2.** *Gram.* V. **conjunción, modo condicional.** ‖ **3.** *Der.* V. **condena, libertad condicional.** ‖ **4.** m. *Gram.* Tiempo que expresa acción futura en relación con el pasado del que se parte. *Prometió que* ESCRIBIRÍA. En ciertos casos es permutable por el imperfecto o pluscuamperfecto de subjuntivo, más en las formas compuestas que en las simples (excepto en los verbos modales). DEBERÍAS *(debieras) estudiar más. Si hubiera venido antes, le* HABRÍAMOS *(hubiéramos) acompañado.* El condicional, simple o compuesto, puede expresar, igual que el futuro, la probabilidad, pero referida al pasado, y su valor temporal equivale entonces al imperfecto o pluscuamperfecto de indicativo. A *Juan no vino hoy; estará enfermo* correspondería *Juan no vino ayer;* ESTARÍA *enfermo.*

condicionalmente. adv. m. Con condición.

condicionamiento. m. Acción y efecto de condicionar. ‖ **2.** Limitación, restricción. Ú. m. en pl.

condicionante. p. a. de **condicionar.** Que condiciona. ‖ **2.** adj. Que determina o condiciona. Ú. t. c. s.

condicionar. (De *condición.*) intr. Convenir una cosa con otra. ‖ **2.** tr. Hacer depender una cosa de alguna condición. ‖ **3.** En la industria textil, determinar para fines comerciales las condiciones de ciertas fibras.

condido. m. ant. **cundido.**

condidor. (Del lat. *condĭtor, -ōris.*) m. ant. **fundador.**

condigno, na. (Del lat. *condignus.*) adj. Dícese de lo que corresponde a otra cosa o se sigue naturalmente de ella; como el premio a la virtud, y la pena al delito. ‖ **2.** *Teol.* V. **mérito de condigno.**

cóndilo. (Del lat. *condy̆lus,* y este del gr. κόνδυλος.) m. *Zool.* Eminencia redondeada, en la extremidad de un hueso, que forma articulación encajando en el hueco correspondiente de otro hueso.

condimentación. f. Acción y efecto de condimentar.

condimentar. (De *condimento.*) tr. Sazonar la comida.

condimento. (Del lat. *condimentum.*) m. Lo que sirve para sazonar la comida y darle buen sabor.

condir[1]**.** (Del lat. *condĕre.*) tr. ant. Establecer, fundar.

condir[2]**.** (Del lat. *condīre.*) tr. ant. **condimentar.**

condiscípulo, la. (Del lat. *condiscipŭlus.*) m. y f. Persona que, en relación con otra u otras en sus mismas circunstancias, estudia o ha estudiado bajo la dirección de un mismo maestro o maestra.

condistinguir. tr. ant. **distinguir,** conocer la diferencia de las cosas.

condolecerse. (Del lat. *condolescĕre.*) prnl. **condolerse.**

condolencia. (De *condolerse.*) f. Participación en el pesar ajeno. ‖ **2. pésame.**

condoler. (Del lat. *condolēre.*) tr. ant. **compadecer.** ‖ **2.** prnl. Compadecerse, lastimarse de lo que otro siente o padece.

condominio.[1] (Del lat. mediev. *condominium.*) m. *Der.* Dominio de una cosa que pertenece en común a dos o más personas.

condominio[2]**.** (Del ing. *condominium.*) m. *Amér.* Edificio poseído en régimen de propiedad horizontal.

condómino. (Del lat. *cum,* con, y *domĭnus,* señor.) com. *Der.* **condueño.**

condón. (Del apellido de su inventor, el inglés *Condom.*) m. **preservativo,** funda elástica.

condonación. (Del lat. *condonatĭo, -ōnis.*) f. Acción y efecto de condonar.

condonante. p. a. de **condonar.** Que condona. Ú. t. c. s.

condonar. (Del lat. *condonāre.*) tr. Perdonar o remitir una pena de muerte o una deuda.

cóndor. (Del quechua *cuntur.*) m. Ave rapaz diurna, de la misma familia que el buitre, de poco más de un metro de largo y tres de envergadura, con la cabeza y el cuello desnudos, y en aquella carúnculas en forma de cresta y barbas; plumaje fuerte de color negro azulado, collar blanco, y blancas también la espalda y la parte superior de las alas; cola pequeña y pies negros. Habita en los Andes y es la mayor de las aves que vuelan. ‖ **2.** Moneda de oro del Ecuador, equivalente a 25 sucres. ‖ **3.** Moneda chilena y colombiana, acuñada originariamente en oro, equivalente a 10 pesos.

condotiero. (Del it. ant. *condottiere,* y este de *condotta,* tropa mercenaria.) m. Nombre del general o cabeza de soldados mercenarios italianos y luego aplicado a los de otros países. ‖ **2.** Soldado mercenario.

condrila. (Del lat. *chondrilla,* y este del gr. χονδρίλη.) f. Planta herbácea de la familia de las compuestas, con tallo de cuatro a seis decímetros de largo, velloso y mimbreño; hojas inferiores lobuladas, y lineales las superiores, y flores amarillas en cabezuelas pequeñas. Es comestible y de su raíz se saca liga.

condrín. m. Medida de peso para metales preciosos usada en Filipinas, décima parte del mas, y equivalente a 37 centigramos y 6 miligramos aproximadamente.

condritis. (Del gr. χόνδρος, cartílago, e *-itis.*) f. *Pat.* Inflamación del tejido cartilaginoso.

condrografía. (Del gr. χόνδρος, cartílago, y *-grafía.*) f. Parte de la anatomía, que trata de la descripción de los cartílagos.

condrográfico, ca. adj. *Anat.* Perteneciente o relativo a la condrografía.

condrología. (Del gr. χόνδρος, cartílago, y *-logía.*) f. *Anat.* Parte de la organología, que trata de los cartílagos en todos sus aspectos.

condroma. (Del gr. χόνδρος, cartílago, y *-oma.*) m. *Pat.* Tumor producido a expensas del tejido cartilaginoso.

conducción. (Del lat. *conductĭo, -ōnis.*) f. Acción y efecto de conducir, llevar o guiar alguna cosa. ‖ **2.** desus. Ajuste y concierto hecho por precio y salario. ‖ **3.** Conjunto de conductos dispuestos para el paso de algún fluido. ‖ **4.** *Nav.* **iguala,** convenio entre médico y cliente.

conducencia. f. **conducción.**

conducible. adj. Que puede ser conducido.

conducidor, ra. (De *conducir.*) adj. ant. **conductor.** Usáb. t. c. s.

conducir. (Del lat. *conducĕre.*) tr. Llevar, transportar de una parte a otra. ‖ **2.** Guiar o dirigir hacia un sitio. ‖ **3.** Guiar un vehículo automóvil. ‖ **4.** Guiar o dirigir un negocio o la actuación de una colectividad. ‖ **5.** desus. Ajustar, concertar por precio o salario. ‖ **6.** *Nav.* Concertar mediante una cuota la asistencia de un médico. ‖ **7.** intr. desus. Convenir, ser a propósito para algún fin. ‖ **8.** prnl. Manejarse, portarse, comportarse, proceder de una u otra manera, bien o mal.

conducta. (Del lat. *conducta,* conducida, guiada.) f. Porte o manera con que los hombres gobiernan su vida y dirigen sus acciones. ‖ **2. conducción.** ‖ **3.** Recua o carros que llevaban la moneda que se transportaba de una parte a otra, y con especialidad la que se conducía a la corte. ‖ **4.** Moneda cargada sobre recua o carros. ‖ **5.** Gobierno, mando, guía, dirección. ‖ **6.** Comisión para reclutar y conducir gente de guerra. *Obtener una* CONDUCTA. ‖ **7.** ant. Capitulación o contrato. ‖ **8.** *Der.* V. **caución de conducta.** ‖ **9.** *Mil.* Gente nueva reclutada que los oficiales llevaban a los regimientos.

conductancia. f. *Fís.* Propiedad de algunos cuerpos que permiten el paso a su través, de fluidos energéticos como la electricidad, cuando las tensiones son diferentes. Es la propiedad contraria a la resistencia.

conductero. m. El que tenía a su cargo llevar una conducta o recua. ‖ **2.** ant. **conductor,** que conduce.

conductibilidad. (De *conductible.*) f. *Fís.* **conductividad,** propiedad de transmitir el calor o la electricidad.

conductible. (Del lat. *conductus,* conducido.) adj. **conducible.**

conducticio. (Del lat. *conductus,* conducido.) adj. *Der.* Perteneciente o relativo al canon o precio del arrendamiento rústico.

conductismo. (De *conducta,* para traducir el ing. *behaviorism.*) m. *Psicol.* Doctrina y método que buscan el conocimiento y control de las acciones de los organismos y en especial del hombre, mediante la observación del comportamiento o la conducta, sin recurrir a la conciencia o a la introspección.

conductista. adj. Perteneciente o relativo al conductismo. Ú. t. c. s.

conductividad. f. Calidad de conductivo. ‖ **2.** *Fís.* Propiedad natural de los cuerpos, que consiste en transmitir el calor o la electricidad.

conductivo, va. (De *conducto.*) adj. Dícese de lo que tiene virtud de conducir.

conducto. (Del lat. *conductus,* conducido.) m. Canal, comúnmente tapado, que sirve para dar paso y salida a las aguas y otras cosas. ‖ **2.** Cada uno de los tubos o canales que, en gran número, se hallan en los cuerpos organizados para la vida y sirven a las funciones fisiológicas. ‖ **3.** Conducción de aire o gases construida con chapa metálica u otro material. ‖ **4.** fig. Mediación o intervención de una persona para la solución de un negocio, obtención de noticias, etc. ‖ **5.** fig. Medio o vía que se sigue en algún negocio. ‖ **arterioso.** *Anat.* Arteria que en el feto une la arteria pulmonar a la aorta; desaparece normalmente después del nacimiento. ‖ **auditivo externo.** *Anat.* Tubo que forma parte del órgano de audición de los mamíferos y se extiende desde la base de la oreja hasta el oído medio. ‖ **cístico.** *Anat.* El que da salida a los productos de la vesícula biliar y que, al unirse al **conducto** hepático, forma el colédoco. ‖ **deferente.** *Anat.* **conducto** excretor y eyaculador en cada uno de los testículos. ‖ **hepático.** *Anat.* **conducto** excretor de la bilis que, desde el final de los más gruesos canalillos biliares que salen del hígado, va a unirse al **conducto** cístico. ‖ **inguinal.** *Anat.* El formado por músculos y aponeurosis del abdomen para el cordón espermático. ‖ **raquídeo.** *Anat.* El que contiene la médula espinal, formado por los agujeros vertebrales sucesivos. ‖ **por conducto de.** loc. prepos. **por medio de, a través de.**

conductor, ra. (Del lat. *conductor, -ōris.*) adj. Que conduce. Ú. t. c. s. ‖ **2.** *Fís.* Aplícase a los cuerpos según conduzcan bien o mal el calor y la electricidad. Ú. t. c. s. ‖ **de embajadores.** ant. **introductor de embajadores.** ‖ **eléctrico.** *Fís.* Alambre o cordón compuesto de varios alambres, destinado a transmitir la electricidad; como los **conductores** telegráficos, etc.

conducho. (Del lat. *conductus,* p. p. de *conducĕre,* conducir.) m. Comestibles que podían pedir los señores a sus vasallos. ‖ **2.** Comida, bastimento.

condueño. (De *con-* y *dueño.*) com. Compañero de otro en el dominio o señorío de alguna cosa.

conduerma. (De *con-* y *dormir.*) f. *Venez.* Modorra, sueño muy pesado.

condumio. (De or. inc., acaso de *condir*[2]; cf. *conducho.*) m. fam. Manjar que se come con pan; como cualquier cosa guisada. ‖ **haber,** o **hacer, mucho condumio.** fr. fam. que se dice cuando hay preparada mucha comida; algunas veces se dice de la mucha abundancia de frutas y comestibles.

conduplicación. (Del lat. *conduplicatĭo, -ōnis.*) f. *Ret.* Figura que se produce repitiendo al principio de una cláusula o miembro del período la última palabra del miembro o cláusula inmediatamente anterior.

condurango. m. Planta sarmentosa de la familia de las asclepiadáceas, que vive en el Ecuador y en Colombia. Se emplea en medicina.

condurar. (Del lat. *condurāre.*) tr. *Extr.* Hacer durar una cosa o economizarla.

conduta. f. ant. **conducta.** ‖ **2.** ant. Instrucción que se daba por escrito a los que iban provistos en algún gobierno.

condutal. (De *conducto.*) m. *Albañ.* Canal o conducto por donde se vacían de las casas las aguas pluviales.

condutero. m. ant. **conductero.**

conectador. m. Aparato o medio que se emplea para conectar.

conectar. (Del ing. *to connect.*) tr. *Mec.* Establecer contacto entre dos partes de un sistema mecánico o eléctrico. Ú. t. c. intr. y c. prnl. ‖ **2.** Unir, enlazar, establecer relación, poner en comunicación. Ú. t. c. intr. y c. prnl. Ú. t. en sent. fig. ‖ **3.** *Tecnol.* Enlazar entre sí aparatos o sistemas, de forma que entre ellos pueda fluir algo material o inmaterial, como agua, energía, señales, etc. Ú. t. c. prnl.

conectivo, va. (De *conectar.*) adj. Que une, ligando partes de un mismo aparato o sistema.

coneja. f. Hembra del conejo. ‖ **2.** fig. Hembra que pare muy a menudo. ‖**correr la coneja.** fr. fig. y fam. *Argent.* Pasar hambre.

conejal. m. **conejar.**

conejar. (Del lat. *cunicŭlāris.*) m. Vivar o sitio destinado para criar conejos.

conejera. f. Madriguera donde se crían conejos. ‖ **2. conejar.** ‖ **3.** fig. Cueva estrecha y larga, semejante a las que hacen los conejos para sus madrigueras. ‖ **4.** fig. y fam. Casa donde se suele juntar mucha gente de mal vivir. ‖ **5.** fig. y fam. Sótano, cueva o lugar estrecho donde se recogen muchas personas.

conejero, ra. (Del lat. *cunicularĭus.*) adj. Que caza conejos. Aplícase comúnmente al perro que sirve para este fin. ‖ **2.** m. y f. Persona que cría o vende conejos.

conejillo. m. d. de **conejo.** ‖ **de Indias.** Mamífero del orden de los roedores, parecido al conejo, pero más pequeño, con orejas cortas, cola casi nula, tres dedos en las patas posteriores y cuatro en las anteriores. Se usa mucho en experimentos de medicina y bacteriología. ‖ **2.** fig. Cualquier otro animal o persona que sea sometido a observación o experimentación.

conejito. m. Planta herbácea de la familia de las ranunculáceas que se cultiva en los jardines por sus flores.

conejo. (Del lat. *cunicŭlus.*) m. Mamífero del orden de los lagomorfos, de unos cuatro decímetros de largo, comprendida la cola; pelo espeso de color ordinariamente gris, orejas tan largas como la cabeza, patas posteriores más largas que las anteriores, aquellas con cuatro dedos y estas con cinco, y cola muy corta. Vive en madrigueras, se domestica fácilmente, su carne es comestible y su pelo se emplea para fieltros y otras manufacturas. ‖ **2.** V. **alambre conejo.** ‖ **3.** V. **hilo de conejo.** ‖ **4.** fam. V. **la risa del conejo.**

conejuno, na. adj. Perteneciente al conejo. ‖ **2.** Semejante a él. ‖ **3.** f. Pelo de conejo.

conexidad. (De *conexo.*) f. ant. **conexión.** ‖ **2.** pl. desus. *Der.* Derechos y cosas anejas a otra principal. Usáb. con la voz **anexidades,** como fórmula en los instrumentos públicos.

conexión. (Del lat. *connexĭo, -ōnis.*) f. Enlace, atadura, trabazón, concatenación de una cosa con otra. ‖ **2.** Acción y efecto de conectar o conectarse. ‖ **3.** *Tecnol.* Punto donde se realiza el enlace entre aparatos o sistemas. ‖ **4.** pl. Amistades, mancomunidad de ideas o de intereses.

connexionarse. prnl. Contraer conexiones.

conexivo, va. (Del lat. *connexīvus.*) adj. Dícese de lo que puede unir o juntar una cosa con otra.

conexo, xa. (Del lat. *connexus,* p. p. de *connectĕre,* unir.) adj. Aplícase a la cosa que está enlazada o relacionada con otra. ‖ **2.** *Der.* Dícese de los delitos que por su relación deben ser objeto de un mismo proceso.

confabulación. (Del lat. *confabulatĭo, -ōnis.*) f. Acción y efecto de confabular o confabularse. Tómase, por lo común, en sentido negativo.

confabulador, ra. (Del lat. *confabulātor, -ōris.*) m. y f. Persona que confabula o toma parte en una confabulación. ‖ **2.** ant. Decidor de cuentos o fábulas.

confabular. (Del lat. *confabulāri.*) intr. desus. Conferir, tratar una cosa entre dos o más personas. ‖ **2.** ant. Decir, referir fábulas. ‖ **3.** prnl. Ponerse de acuerdo dos o más personas para emprender algún plan, generalmente ilícito.

confacción. f. ant. **confección.**

confaccionar. tr. ant. **confeccionar.**

confalón. (Del it. ant. *confalone.*) m. Bandera, estandarte, pendón.

confalonier. (Del it. ant. *confaloniere.*) m. **confaloniero.**

confaloniero. (De *confalonier.*) m. El que lleva el confalón.

confarración. f. ant. **confarreación.**

confarreación. (Del lat. *confarreatĭo, -ōnis.*) f. Una de las tres maneras, reservada a los patricios, que tenían los antiguos romanos de contraer matrimonio.

confección. (Del lat. *confectĭo, -ōnis.*) f. Acción de preparar o hacer determinadas cosas, como bebidas, medicamentos, venenos, perfumes, etc., generalmente por mezcla o combinación de otras. ‖ **2.** Cosa así confeccionada. ‖ **3.** Medicamento de consistencia blanda, compuesto de varias sustancias pulverizadas, casi siempre de naturaleza vegetal con cierta cantidad de jarabe o miel. ‖ **4.** Hechura de prendas de vestir. ‖ **5.** pl. Prendas de vestir que se venden hechas, a diferencia de las que se encargan a medida. ‖ **de confección.** loc. adj. Dícese de estas prendas de vestir. *Traje* DE CONFECCIÓN. Ú. t. c. loc. adv.: *vestirse* DE CONFECCIÓN.

confeccionador, ra. adj. Que confecciona. Ú. t. c. s.

confeccionar. (De *confección.*) tr. Hacer determinadas cosas materiales, especialmente compuestas, como licores, dulces, venenos, prendas de vestir, etc. ‖ **2.** En farmacia, hacer confecciones, preparar según arte los medicamentos. ‖ **3.** Por ext., preparar o hacer obras de entendimiento, como presupuestos, estadísticas, etc.

confeccionista. adj. Dícese de la persona que se dedica a la fabricación o comercio de ropas hechas. Ú. m. c. s.

confederación. (Del lat. *confoederatĭo, -ōnis.*) f. Alianza, liga, unión o pacto entre personas, grupos o Estados. ‖ **2.** Conjunto resultante de esta alianza, sea un organismo, una entidad o un Estado. CONFEDERACIÓN *helvética.*

confederado, da. p. p. de **confederar.** ‖ **2.** adj. Que entra o está en una confederación. Ú. t. c. s.

confederanza. (De *confederar.*) f. ant. **confederación,** alianza de personas, naciones o Estados.

confederar. (Del lat. *confoederāre.*) tr. Hacer alianza, liga o unión o pacto entre varios. Ú. m. c. prnl.

confederativo, va. adj. Perteneciente o relativo a la confederación.

conferecer. (De *conferir.*) tr. ant. Conferir o dar una cosa.

conferencia. (Del lat. *conferentĭa.*) f. Plática entre dos o más personas para tratar de algún punto o negocio. ‖ **2.** En algunas universidades o estudios, lección que llevaban los estudiantes cada día. ‖ **3.** Disertación en público sobre algún punto doctrinal. ‖ **4.** Reunión de representantes de gobiernos o Estados, de comunidades eclesiásticas y de agrupaciones de otra índole, para tratar asuntos de su competencia. ‖ **5.** Comunicación telefónica interurbana o internacional. ‖ **6.** ant. **cotejo.** ‖ **cumbre.** (calco del ing. *summit conference.*) La celebrada entre jefes de estado o de gobierno para consultar o decidir cuestiones importantes. ‖ **de prensa. rueda de prensa.**

conferenciante. (De *conferenciar.*) com. Persona que diserta en público sobre algún punto doctrinal.

conferenciar. (De *conferencia.*) intr. Platicar una o varias personas con otra u otras para tratar de algún punto o negocio.

conferencista. com. *Amér.* **conferenciante.**

conferir. (Del lat. *conferre.*) tr. Conceder, asignar a alguien dignidad, empleo, facultades o derechos. ‖ **2.** Atribuir o prestar una cualidad no física a una persona o cosa. *Esta circunstancia* CONFIERE *especial valor a los hechos.* ‖ **3.** p. us. Tratar y examinar entre varias personas algún punto o negocio. ‖ **4.** p. us. Cotejar y comparar una cosa con otra. ‖ **5.** p. us. Tratándose de órdenes, instrucciones, etc., comunicarlas para su cumplimiento. ‖ **6.** intr. p. us. **conferenciar.**

confesa. (De *confeso.*) f. Viuda que entraba a ser monja.

confesable. adj. Que puede confesarse.

confesado, da. p. p. de **confesar.** ‖ **2.** m. y f. fam. **hijo, o hija, de confesión.**

confesante. p. a. de **confesar.** Que confiesa. ‖ **2.** adj. *Der.* Que confiesa en juicio. Ú. t. c. s. ‖ **3.** m. ant. Penitente que confiesa sacramentalmente sus pecados.

confesar. (De *confeso.*) tr. Expresar alguien voluntariamente sus actos, ideas o sentimientos verdaderos. Ú. t. c. prnl. ‖ **2.** Reconocer y declarar alguien, obligado por la fuerza de la razón o por otro motivo, lo que sin ello no reconocería ni declararía. ‖ **3.** Declarar el penitente al confesor en el sacramento de la penitencia los pecados que ha cometido. Ú. t. c. prnl. ‖ **4.** Oír el confesor al penitente en el sacramento de la penitencia. ‖ **5.** *Der.* Declarar el reo o el litigante ante el juez. ‖ **confesar de plano.** fr. Declarar lisa y llanamente una cosa, sin ocultar nada. ‖ **el que la confiese, o quien la confesare, que la pague.** expr. fig. y fam. con que defendemos nuestro silencio en las cosas que son de perjuicio.

confesión. (Del lat. *confessĭo, -ōnis.*) f. Declaración que alguien hace de lo que sabe, espontáneamente o preguntado por otro. ‖ **2.** Declaración al confesor de los pecados que se han cometido. ‖ **3.** *Der.* Declaración del litigante o del reo en el juicio. ‖ **4.** Credo religioso y conjunto de personas que lo profesan. ‖ **5.** pl. Relato que alguien hace de su propia vida para explicarla a los demás. CONFESIONES *de San Agustín, de Rousseau.* ‖ **auricular.** La sacramental. ‖ **general.** La que se hace de los pecados de toda la vida pasada, o de una gran parte de ella. ‖ **2.** Fórmula y oración que tiene dispuesta la Iglesia para prepararse los fieles a recibir algunos sacramentos, que se usa también en el oficio divino y otras ocasiones. ‖ **demediar, o dimidiar, la confesión.** fr. En el lenguaje de los moralistas se dice así cuando, por impotencia física o moral, y con las condiciones que señalan los autores, el penitente no manifiesta todos sus pecados al confesor, pudiendo, sin embargo, ser válida aquella, y este lícitamente absuelto. ‖ **oír de confesión.** fr. Ejercer el ministerio de confesor.

confesional. adj. Perteneciente a una confesión religiosa. Ú. t. c. s. ‖ **2.** m. ant. **confesionario,** tratado en que se dan reglas para confesarse.

confesionalidad. f. Calidad de confesional.

confesionario. (De *confesión.*) m. **confesonario.** ‖ **2.** Tratado o discurso en que se dan reglas para saber confesar y confesarse.

confesionista. adj. Que profesaba la confesión de Augsburgo, declaración de fe, propuesta al emperador Carlos V. Apl. a pers., ú. t. c. s.

confeso, sa. (Del lat. *confessus,* p. p. de *confitēri,* confesar.) adj. Dícese del que ha confesado su delito o culpa. ‖ **2.** Aplicábase al judío convertido. Usáb. t. c. s. ‖ **3.** m. Monje lego, donado. ‖ **tener por confeso** a alguien. fr. *Der.* Hacer el juez la declaración de haber tácitamente confesado un litigante en vista de su resistencia invencible a absolver posiciones o a reconocer un documento.

confesonario. (De *confesionario.*) m. Recinto aislado dentro del cual se coloca el sacerdote para oír las confesiones sacramentales en las iglesias.

confesor. (Del lat. *confessor, -ōris.*) m. Sacerdote que, con licencia del ordinario, confiesa a los penitentes. ‖ **2.** Cristiano que profesa públicamente la fe de Jesucristo, y por ella está pronto a dar la vida. En este sentido llama la Iglesia **confesores** a ciertos santos.

confesorio. (De *confesor.*) m. **confesonario.**

confesuría. f. Cargo de confesor.

confeti. (Del it. *confetti,* confites.) m. Pedacitos de papel de varios colores, recortados en varias formas, que se arrojan las personas unas a otras en los días de carnaval y, en general, en cualquier otra celebración festiva.

confiabilidad. f. Calidad de confiable. ‖ **2.** Fiabilidad, probabilidad de buen funcionamiento de una cosa.

confiable. adj. Aplícase a la persona o cosa en quien se puede confiar.

confiado, da. (De *confiar.*) adj. Crédulo, imprevisor. ‖ **2.** Presumido, satisfecho de sí mismo.

confiador, ra. adj. p. us. Crédulo, imprevisor. Ú. t. c. s. m.

confianza. (De *confiar.*) f. Esperanza firme que se tiene de una persona o cosa. ‖ **2.** Seguridad que uno tiene en sí mismo. ‖ **3.** Presunción y vana opinión de sí mismo. ‖ **4.** Ánimo, aliento, vigor para obrar. ‖ **5.** Familiaridad en el trato. ‖ **6.** Familiaridad o libertad excesiva. Ú. m. en pl. ‖ **7.** V. **abuso de confianza.** ‖ **8.** desus. Pacto o convenio hecho oculta y reservadamente entre dos o más personas, particularmente si son tratantes o del comercio. ‖ **de confianza.** loc. adj. Dícese de la persona con quien se tiene trato íntimo o familiar. ‖ **2.** Dícese de la persona en quien se puede confiar. ‖ **3.** Dícese de las cosas que poseen las cualidades recomendables para el fin a que se destinan. ‖ **en confianza.** loc. adv. **confiadamente.** ‖ **2.** Con reserva e intimidad.

confianzudo, da. adj. Crédulo, imprevisor. ‖ **2.** Propenso a comportarse con familiaridad en el trato. ‖ **3.** Que se toma excesivas confianzas.

confiar. (Del lat. **confidāre,* por *confidĕre.*) intr. Esperar con firmeza y seguridad. Ú. t. c. prnl. ‖ **2.** tr. Encargar o poner al cuidado de alguien algún negocio u otra cosa. ‖ **3.** Depositar en alguien, sin más seguridad que la buena fe y la opinión que de él se tiene, la hacienda, el secreto o cualquier otra cosa. Ú. t. c. prnl. ‖ **4.** Dar esperanza a alguien de que conseguirá lo que desea.

conficiente. (Del lat. *conficĭens, -entis,* p. a. de *conficĕre,* hacer.) adj. ant. Que obra o hace.

confición. f. ant. **confección.**

conficionar. tr. ant. **confeccionar.**

confidencia. (Del lat. *confidentĭa.*) f. Revelación secreta, noticia reservada. ‖ **2. confianza** estrecha e íntima.

confidencial. (De *confidencia.*) adj. Que se hace o se dice en confianza o con seguridad recíproca entre dos o más personas. *Carta* CONFIDENCIAL.

confidencialidad. f. Calidad de confidencial.

confidente, ta. (Del lat. *confidens, -entis,* p. a. de *confidĕre,* confiar.) adj. Fiel, seguro, de confianza. ‖ **2.** m. y f. Persona a quien otro fía sus secretos o le encarga la ejecución de cosas reservadas. ‖ **3.** Persona que sirve de espía, y trae noticias de lo que pasa en el campo enemigo o entre gentes sospechosas. ‖ **4.** m. Canapé de dos asientos, especialmente aquel cuya forma permite a una persona sentarse enfrente de otra.

confidentemente. adv. m. **confidencialmente.** ‖ **2.** Con fidelidad.

confiesa. (De *confesar.*) f. ant. **confesión.** ‖ **caer,** o **incurrir, en confiesa.** fr. ant. *Der.* Ser reputado por reo, o condenado en juicio, el que llamado por el juez no comparecía dentro de cierto tiempo.

confieso, sa. adj. ant. *Der.* Decíase del confeso o que había confesado su culpa.

configuración. (Del lat. *configuratĭo, -ōnis.*) f. Disposición de las partes que componen una cosa y le dan su peculiar figura. ‖ **2.** ant. Conformidad, semejanza de una cosa con otra.

configurar. (Del lat. *configurāre.*) tr. Dar determinada figura a una cosa. Ú. t. c. prnl.

confín. (Del lat. *confĭnis.*) adj. **confinante.** ‖ **2.** m. Término o raya que divide las poblaciones, provincias, territorios, etc., y señala los límites de cada uno. ‖ **3.** Último término a que alcanza la vista.

confinación. f. **confinamiento.**

confinado, da. (p. p. de *confinar.*) adj. Dícese de la persona condenada a vivir en una residencia obligatoria. Ú. t. c. s. ‖ **2.** m. *Der.* El que sufre la pena de confinamiento.

confinamiento. m. Acción y efecto de confinar. ‖ **2.** *Der.* Pena aflictiva consistente en relegar al condenado a cierto lugar seguro para que viva en libertad, pero bajo la vigilancia de las autoridades.

confinante. p. a. de **confinar.** Que confina con otro punto o lugar.

confinar. (De *confín.*) intr. Lindar, estar contiguo o inmediato a otro territorio, mar, río, etc. ‖ **2.** tr. Desterrar a alguien, señalándole una residencia obligatoria. ‖ **3.** Recluir dentro de límites. Ú. t. c. prnl.

confingir. (Del lat. *confingĕre.*) tr. desus. *Farm.* Incorporar o mezclar una o más cosas con un líquido, hasta formar una masa.

confinidad. f. Proximidad, inmediación, contigüidad.

confirmación. (Del lat. *confirmatĭo, -ōnis.*) f. Acción y efecto de confirmar. ‖ **2.** Nueva prueba de la verdad y certeza de un suceso, dictamen u otra cosa. ‖ **3.** Uno de los siete sacramentos de la Iglesia; por el cual el que ha recibido la fe del bautismo se confirma y corrobora en ella. ‖ **4.** *Ret.* Parte del discurso, en que se aducen pruebas para demostrar la proposición.

confirmadamente. adv. m. Con firmeza, seguridad y aprobación.

confirmador, ra. (Del lat. *confirmātor, -ōris.*) adj. Que confirma. Ú. t. c. s.

confirmamiento. m. ant. Acción y efecto de confirmar.

confirmando, da. (Del lat. *confirmandus.*) m. y f. Persona que va a recibir el sacramento de la confirmación.

confirmante. p. a. de **confirmar.** Que confirma. Ú. t. c. s.

confirmar. (Del lat. *confirmāre.*) tr. Corroborar la verdad, certeza o probabilidad de una cosa. ‖ **2.** Revalidar lo ya aprobado. ‖ **3.** Asegurar, dar a una persona o cosa mayor firmeza o seguridad. Ú. t. c. prnl. ‖ **4.** Administrar el sacramento de la confirmación. ‖ **5.** *Der.* En los contratos o actos jurídicos con vicio subsanable de nulidad, remediar este defecto expresa o tácitamente.

confirmativo, va. (Del lat. *confirmatīvus.*) adj. **confirmatorio.**

confirmatorio, ria. (De *confirmar.*) adj. Aplícase al auto o sentencia por el que se confirma otro auto o sentencia dados anteriormente.

confiscable. adj. Que se puede confiscar.

confiscación. (Del lat. *confiscatĭo, -ōnis.*) f. Acción y efecto de confiscar.

confiscado, da. p. p. de **confiscar.** ‖ **2.** adj. fam. *And., Can.* y *Venez.* Maldito, condenado, travieso.

confiscar. (Del lat. *confiscāre.*) tr. Privar a alguien de sus bienes y aplicarlos al fisco.

confiscatorio, ria. adj. Perteneciente o relativo a la confiscación.

confitado, da. p. p. de **confitar.** ‖ **2.** adj. Confiado, esperanzado.

confitar. (De *confite.*) tr. Cubrir con baño de azúcar las frutas o semillas para hacerlas más agradables al paladar. ‖ **2.** Cocer las frutas en almíbar. ‖ **3.** fig. Endulzar, suavizar.

confite. (Del cat. *confit.*) m. Pasta hecha de azúcar y algún otro ingrediente, ordinariamente en forma de bolillas de varios tamaños. Ú. m. en pl. ‖ **morder en un confite.** fr. fig. y fam. **comer en un mismo plato.**

confitente. (Del lat. *confĭtens, -entis,* que confiesa.) adj. p. us. Dícese del que ha confesado su culpa.

confíteor. (Del lat. *confitĕor,* confieso.) m. Oración que se dice en la misa y en la confesión. ‖ **2.** fig. Confesión paladina de alguna falta o error.

confitería. f. Establecimiento donde los confiteros hacen y venden los dulces; en algunos lugares estos establecimientos son también salones de té, cafeterías o bares.

confitero, ra. (De *confite.*) adj. V. **calabaza confitera.** ‖

2. m. y f. Persona que tiene por oficio hacer o vender todo género de dulces y confituras. ‖ **3.** m. Vaso donde se servían antiguamente los dulces. ‖ **4.** f. Vasija o caja donde se ponen los confites.

confitico, llo, to. (d. de *confite.*) m. Labor menuda que tienen algunas colchas, parecida a los confites pequeños.

confitura. (Del fr. *confiture.*) f. Fruta u otra cosa confitada.

confiturería. (De *confitura.*) f. ant. **confitería.**

confiturero, ra. (De *confitura.*) m. y f. ant. **confitero.**

conflación. (Del lat. *conflatĭo, -ōnis.*) f. desus. Acción y efecto de fundir.

conflagración. (Del lat. *conflagratĭo, -ōnis.*) f. desus. **incendio,** fuego que abrasa casas, bosques, mieses, etc. ‖ **2.** fig. Perturbación repentina y violenta de pueblos o naciones.

conflagrar. (Del lat. *conflagrāre,* inflamar.) tr. Inflamar, incendiar, quemar alguna cosa.

conflátil. (Del lat. *conflatĭlis.*) adj. desus. Que se puede fundir.

conflictividad. f. Calidad de conflictivo.

conflictivo, va. adj. Que origina conflicto. ‖ **2.** Perteneciente o relativo al conflicto. ‖ **3.** Dícese del tiempo, situación, circunstancias, etc., en que hay conflicto.

conflicto. (Del lat. *conflictus.*) m. Combate, lucha, pelea. Ú. t. en sent. fig. ‖ **2.** Enfrentamiento armado. ‖ **3.** fig. Apuro, situación desgraciada y de difícil salida. ‖ **4.** fig. Problema, cuestión, materia de discusión. ‖ **5.** desus. Momento en que la batalla es más dura y violenta. ‖ **6.** *Psicol.* Coexistencia de tendencias contradictorias en el individuo, capaces de generar angustia y trastornos neuróticos. ‖ **colectivo.** El de orden laboral, que enfrenta a trabajadores y empresarios.

confluencia. (Del lat. *confluentĭa.*) f. Acción de confluir. ‖ **2.** Paraje donde confluyen los caminos, los ríos y otras corrientes de agua.

confluente. (Del lat. *conflŭens, -entis.*) p. a. de **confluir.** Que confluye. ‖ **2.** adj. *Pat.* V. **viruelas confluentes.** ‖ **3.** m. desus. **confluencia,** paraje donde confluyen caminos, ríos, etc.

confluir. (Del lat. *conflŭĕre.*) intr. Juntarse dos o más ríos u otras corrientes de agua en un mismo lugar. ‖ **2.** fig. Juntarse en un punto dos o más caminos. ‖ **3.** fig. Concurrir en un sitio mucha gente o cosas que vienen de diversas partes.

conformación. (Del lat. *conformatĭo, -ōnis.*) f. Colocación, distribución de las partes que forman un conjunto.

conformador. (De *conformar.*) m. Aparato con que los sombrereros toman la medida y configuración de la cabeza.

conformar. (Del lat. *conformāre.*) tr. Ajustar, concordar una cosa con otra. Ú. t. c. intr. y c. prnl. ‖ **2.** Dar forma a algo. ‖ **3.** intr. Convenir una persona con otra; ser de su misma opinión y dictamen. Ú. m. c. prnl. ‖ **4.** prnl. Reducirse, sujetarse voluntariamente a hacer o sufrir una cosa por la cual siente alguna repugnancia.

conforme. (Del lat. *conformis.*) adj. Igual, proporcionado, correspondiente. ‖ **2.** Acorde con otro en un mismo dictamen, o unido con él para alguna acción o empresa. ‖ **3.** Resignado y paciente en las adversidades. ‖ **4.** m. Asentimiento que se pone al pie de un escrito. *El ministro puso el* CONFORME. ‖ **5.** adv. m. que denota relaciones de conformidad, correspondencia o modo. *Todo queda* CONFORME *estaba.* ‖ **6. según y conforme.** ‖ **conforme a.** loc. adv. que equivale a «con arreglo a», «a tenor de», «en proporción o correspondencia a», o «de la misma suerte o manera que». CONFORME A *derecho,* A *lo prescrito* A *lo que anoche determinamos; se te pagará* CONFORME A *lo que trabajes.*

conformemente. adv. m. Con unión y conformidad.

conformidad. (Del lat. *conformĭtas, -ātis.*) f. Semejanza entre dos personas. ‖ **2.** Igualdad, correspondencia de una cosa con otra. ‖ **3.** Unión, concordia y buena correspondencia entre dos o más personas. ‖ **4.** Simetría y debida proporción entre las partes que componen un todo. ‖ **5.** Adhesión íntima y total de una persona a otra. ‖ **6.** Asenso, aprobación. ‖ **7.** Tolerancia y sufrimiento en las adversidades. ‖ **de conformidad.** loc. adv. **conformemente.** ‖ **en conformidad.** loc. adv. **conformemente.** ‖ **en esta,** o **en tal, conformidad.** loc. adv. En este supuesto, bajo esta condición.

conformismo. m. Práctica del que fácilmente se adapta a cualquier circunstancia de carácter público o privado.

conformista. (De *conformar.*) adj. Que practica el conformismo. Ú. t. c. s. ‖ **2.** Dícese del que en Inglaterra está conforme con la religión oficial del Estado. Ú. t. c. s.

confortabilidad. f. Calidad de confortable.

confortable. adj. Que conforta, alienta o consuela. ‖ **2.** Se aplica a lo que produce comodidad.

confortablemente. adv. m. De modo confortable.

confortación. (Del lat. *confortatĭo, -ōnis.*) f. Acción y efecto de confortar o confortarse.

confortador, ra. (Del lat. *confortator, -ōris.*) adj. Que conforta. Ú. t. c. s.

confortamiento. m. **confortación.**

confortante. p. a. de **confortar.** Que conforta. Ú. t. c. s. ‖ **2.** m. p. us. **mitón.**

confortar. (Del lat. *confortāre.*) tr. Dar vigor, espíritu y fuerza. Ú. t. c. prnl. ‖ **2.** Animar, alentar, consolar al afligido. Ú. t. c. prnl.

confortativo, va. adj. Dícese de lo que tiene virtud de confortar. Ú. t. c. s. m.

conforte. (De *confortar.*) m. desus. **confortación.**

conforto. m. ant. **conforte.**

confracción. (Del lat. *confractĭo, -ōnis.*) f. desus. Rompimiento, acción de quebrar.

confrade. m. p. us. **cofrade.**

confradía. f. ant. **cofradía.**

confragoso, sa. (Del lat. *confragōsus.*) adj. ant. **fragoso.**

confraternar. (De *con-* y *fraterno.*) intr. Hermanarse una persona con otra.

confraternidad. (De *con-* y *fraternidad.*) f. **hermandad** de parentesco. ‖ **2.** fig. **hermandad** de amistad.

confraternizar. intr. Tratarse con amistad y camaradería. ‖ **2.** Llegar a establecer trato o amistad, personas separadas por alguna diferencia social, de grupo, intereses, etcétera.

confricación. (Del lat. *confricatĭo, -ōnis.*) f. desus. Acción y efecto de confricar.

confricar. (Del lat. *confricāre.*) tr. desus. **estregar.**

confrontación. (De *confrontar.*) f. Careo entre dos o más personas. ‖ **2.** Cotejo de una cosa con otra. ‖ **3.** desus. Simpatía, conformidad natural entre personas o cosas. ‖ **4.** Acción de **confrontar,** ponerse una persona frente a otra.

confrontar. (Del lat. *cum,* con, y *frons, frontis,* la frente.) tr. Carear una persona con otra. ‖ **2.** Cotejar una cosa con otra, y especialmente escritos. ‖ **3.** intr. p. us. Confinar, alindar. ‖ **4.** Estar o ponerse una persona o cosa frente a otra. Ú. t. c. prnl. ‖ **5.** ant. Parecerse una cosa a otra, convenir con ella. Usáb. t. c. prnl. ‖ **6.** fig. desus. Congeniar una persona con otra. Ú. t. c. prnl.

confucianismo. (De *confuciano.*) m. Doctrina moral y política de los confucianos, profesada por chinos y japoneses.

confuciano, na. adj. Perteneciente o relativo a la doctrina del filósofo chino Confucio. Ú. t. c. s.

confucionismo. m. **confucianismo.**

confucionista. adj. **confuciano.** Ú. t. c. s.

confuerzo. (Del lat. *confortāre.*) m. ant. **confortación.** ‖ **2.** ant. Banquete fúnebre.

confugio. (Del lat. *confugĭum.*) m. ant. **refugio,** asilo, acogida o amparo.

confuir. (Del lat. *confugĕre.*) intr. ant. Huir con otro u otros. ‖ **2.** ant. **recurrir.**

confulgencia. (Del lat. *confulgēre,* brillar varias cosas.) f. Brillo simultáneo. CONFULGENCIA *de muchas estrellas.*

confundible. adj. Dícese de lo que puede confundirse o ser confundido.

confundidor, ra. adj. Que confunde. Ú. t. c. s.

confundimiento. m. Acción y efecto de confundirse o perturbarse una persona.

confundir. (Del lat. *confundĕre.*) tr. Mezclar, fundir cosas diversas, de manera que no puedan reconocerse o distinguirse. *La oscuridad* CONFUNDE *los contornos de las cosas.* Ú. m. c. prnl. *Su voz* SE CONFUNDÍA *en el griterío.* ‖ **2.** Perturbar, desordenar las cosas o los ánimos. *Su estrategia* CONFUNDIÓ *a los jugadores.* Ú. t. c. prnl. ‖ **3.** Equivocar, tomar una cosa por otra. *Los daltónicos* CONFUNDEN *el rojo y el verde.* Ú. t. c. prnl. ME CONFUNDÍ *de calle y me perdí.* ‖ **4.** fig. Convencer o concluir a alguien en la disputa. ‖ **5.** fig. Humillar, abatir, avergonzar. Ú. t. c. prnl. ‖ **6.** fig. Turbar a alguien de manera que no acierte a explicarse. Ú. t. c. prnl.

confusamente. adv. m. Con desorden, con confusión.

confusión. (Del lat. *confusĭo, -ōnis.*) f. Acción y efecto de **confundir,** mezclar. ‖ **2.** Acción y efecto de **confundir,** perturbar, desordenar. ‖ **3.** fig. Perplejidad, desasosiego, turbación de ánimo. ‖ **4.** fig. Equivocación, error. ‖ **5.** fig. Abatimiento, humillación. ‖ **6.** fig. Afrenta, ignominia. ‖ **7.** *Der.* Modo de extinguirse las obligaciones por reunirse en un mismo sujeto el crédito y la deuda. ‖ **echar la confusión** a alguien. fr. ant. *Der.* Imprecarlo o maldecirlo.

confusionismo. m. Confusión y oscuridad en las ideas o en el lenguaje, producida por lo común deliberadamente.

confusionista. adj. Perteneciente o relativo al confusionismo. ‖ **2.** com. Persona que lo practica.

confuso, sa. (Del lat. *confūsus.*) p. p. irreg. de **confundir.** ‖ **2.** adj. Mezclado, revuelto, desconcertado. ‖ **3.** Oscuro, dudoso. ‖ **4.** Poco perceptible, difícil de distinguir. ‖ **5.** fig. Turbado, temeroso, perplejo. ‖ **en confuso.** loc. adv. **confusamente.**

confutación. (Del lat. *confutatĭo, -onis.*) f. Acción y efecto de confutar.

confutador, ra. (Del lat. *confutātor, -ōris.*) adj. **confutatorio.** Ú. t. c. s.

confutar. (Del lat. *confutāre.*) tr. Impugnar de modo convincente la opinión contraria.

confutatorio, ria. adj. Que confuta.

conga[1]**.** f. *Cuba.* Hutía mayor que la rata, de color ceniciento o rojizo.

conga[2]**.** f. Danza popular de Cuba, de origen africano, que se ejecuta por grupos colocados en fila doble y al compás de un tambor. ‖ **2.** Música con que se acompaña este baile. ‖ **3.** *Col.* Hormiga grande y venenosa. ‖ **4.** pl. Tambores con los que se acompaña la **conga** y otros ritmos.

congal. m. *Méj.* Prostíbulo, burdel.

congelable. adj. Que se puede congelar.

congelación. (Del lat. *congelatĭo, -ōnis.*) f. Acción y efecto de congelar o congelarse.

congelador. m. Vasija para congelar. ‖ **2.** En las neveras o refrigeradores, compartimento especial donde se produce hielo y se guardan los alimentos cuya conservación requiere más baja temperatura.

congelamiento. m. **congelación.**

congelar. (Del lat. *congelāre.*) tr. Helar un líquido. Ú. m. c. prnl. ‖ **2.** Someter a muy baja temperatura carnes, pescados y otros alimentos para que se conserven en buenas condiciones hasta su ulterior consumo. ‖ **3.** Por ext., conservar a bajas temperaturas, medicamentos, caldos de cultivo, etc. ‖ **4.** Dañar el frío los tejidos orgánicos y especialmente producir la necrosis de una parte extrema expuesta a bajas temperaturas. Ú. m. c. prnl. ‖ **5.** fig. Detenerse el curso o desarrollo normal de algún proceso (legislativo, educativo, político, etc.). ‖ **6.** fig. *Econ.* Inmovilizar un gobierno fondos o créditos particulares prohibiendo toda clase de operaciones con ellos. ‖ **7.** fig. *Econ.* Declarar inmodificables sueldos, salarios o precios.

congelativo, va. adj. Que tiene virtud de congelar.

congénere. (Del lat. *congĕner, -ĕris.*) adj. Del mismo género, de un mismo origen o de la propia derivación. Ú. t. c. s.

congenial. (De *con-* y *genio.*) adj. De igual genio. ‖ **2.** Dícese de la persona o cosa que, por ir bien con el genio o carácter de alguien, le resulta atractiva o simpática. ‖ **3.** **congénito,** connatural.

congeniar. (De *con-* y *genio.*) intr. Avenirse dos o más personas por tener genio, carácter o inclinaciones coincidentes.

congénito, ta. (Del lat. *congenĭtus.*) adj. Que se engendra juntamente con otra cosa. ‖ **2.** Connatural, como nacido con uno mismo.

congerie. f. *Ret.* **congeries.** ‖ **2.** desus. Acumulación, amontonamiento.

congeries. (Del lat. *congerĭes.*) f. *Ret.* Acumulación de palabras o frases cuyos significados guardan entre sí cierta relación de sinonimia.

congestión. (Del lat. *congestĭo, -ōnis.*) f. Acción y efecto de congestionar o congestionarse.

congestionar. tr. Acumular en exceso sangre en alguna parte del cuerpo. Ú. t. c. prnl. ‖ **2.** fig. Obstruir o entorpecer el paso, la circulación o el movimiento de algo. Ú. t. c. prnl.

congestivo, va. adj. *Med.* Perteneciente a la congestión. ‖ **2.** Propenso a ella.

congiario. (Del lat. *congiarĭum.*) m. Don que en algunas ocasiones solían distribuir al pueblo los emperadores romanos.

congio. (Del lat. *congĭus.*) m. Medida antigua para líquidos, octava parte del ánfora romana, y equivalente a unos tres litros.

conglobación. (Del lat. *conglobatĭo, -ōnis.*) f. Acción y efecto de conglobar o conglobarse. ‖ **2.** fig. Unión y mezcla de cosas no materiales; como de afectos, palabras, etc.

conglobar. (Del lat. *conglobāre.*) tr. Unir, juntar cosas o partes, de modo que formen un conjunto o montón. Ú. t. c. prnl.

conglomeración. (Del lat. *conglomeratĭo, -ōnis.*) f. Acción y efecto de conglomerar o conglomerarse.

conglomerado, da. p. p. de **conglomerar.** ‖ **2.** adj. *Bot.* V. **flores conglomeradas.** ‖ **3.** m. Efecto de conglomerar o conglomerarse. ‖ **4.** *Geol.* Masa formada por fragmentos redondeados de diversas rocas o sustancias minerales unidos por un cemento.

conglomerante. p. a. de **conglomerar.** ‖ **2.** adj. Aplícase al material capaz de unir fragmentos de una o varias sustancias y dar cohesión al conjunto por efecto de transformaciones químicas en su masa, que originan nuevos compuestos. Ú. t. c. s. m.

conglomerar. (Del lat. *conglomerāre.*) tr. **aglomerar.** ‖ **2.** Unir fragmentos de una o varias sustancias con un conglomerante, con tal coherencia que resulte una masa compacta. Ú. t. c. prnl.

congloriar. (Del lat. *congloriāri.*) tr. ant. Llenar de gloria.

conglutinación. (Del lat. *conglutinatĭo, -ōnis.*) f. Acción y efecto de conglutinar o conglutinarse.

conglutinante. p. a. de **conglutinar.** Que conglutina. Ú. t. c. s. m.

conglutinar. (Del lat. *conglutināre.*) tr. **aglutinar.** Ú. t. c. prnl.

conglutinativo, va. adj. Que tiene virtud de conglutinar. Ú. t. c. s. m.

conglutinoso, sa. (Del lat. *conglutinōsus.*) adj. Que tiene virtud de conglutinar.

congo[1], ga. adj. **congoleño.** Apl. a pers., ú. t. c. s.

congo[2]. m. *Cuba.* Cada uno de los huesos mayores de las patas posteriores del cerdo. ‖ **2.** *Cuba.* Antiguo baile popular en parejas. ‖ **3.** *Hond.* Pez acantopterigio. ‖ **4.** *C. Rica* y *El Salv.* Mono aullador.

congoja. (Del cat. *congoixa.*) f. Desmayo, fatiga, angustia y aflicción del ánimo.

congojar. (De *congoja.*) tr. **acongojar.** Ú. t. c. prnl.

congojo. (De *congoja.*) m. ant. Ansia, anhelo.

congojoso, sa. adj. Que causa u ocasiona congoja. ‖ **2.** Angustiado, afligido.

congola. f. *Col.* Pipa de fumar.

congoleño, ña. adj. Natural del Congo. Ú. t. c. s. ‖ **2.** Perteneciente o relativo a esta región de África.

congolés, sa. adj. **congoleño.**

congolona. f. *C. Rica.* Gallina silvestre, algo mayor que la perdiz.

congona. (Del quechua *concona.*) f. *Chile.* Hierba glabra, de la familia de las piperáceas y originaria del Perú; con hojas verticiladas, pecioladas, enteras y algo pestañosas en la punta, y flores en espigas terminales.

congorocho. m. *Venez.* Especie de ciempiés que se halla en terrenos húmedos.

congosto. (Del lat. *coangustus.*) m. Desfiladero entre montañas.

congraciador, ra. adj. Que procura congraciar o congraciarse.

congraciamiento. m. Acción y efecto de congraciar o congraciarse.

congraciar. (De *con-* y *gracia.*) tr. Conseguir la benevolencia o el afecto de alguien. Ú. m. c. prnl.

congratulación. (Del lat. *congratulatĭo, -ōnis.*) f. Acción y efecto de congratular o congratularse.

congratular. (Del lat. *congratulāri.*) tr. Manifestar alegría y satisfacción a la persona a quien ha acaecido un suceso feliz. Ú. t. c. prnl.

congratulatorio, ria. adj. Que denota o supone congratulación.

congregación. (Del lat. *congregatĭo, -ōnis.*) f. Junta para tratar de uno o más negocios. ‖ **2.** Nombre que se daba antiguamente a ciertas parcialidades. ‖ **3.** En algunas órdenes religiosas, reunión de muchos monasterios de una misma orden bajo la dirección de un superior general. ‖ **4.** Hermandad autorizada de devotos. ‖ **5.** Cuerpo o comunidad de sacerdotes seculares, dedicados al ejercicio de los ministerios eclesiásticos, bajo ciertas constituciones. ‖ **6.** En el Vaticano, cualquiera de las juntas compuestas de cardenales, prelados y otras personas, para el despacho de varios asuntos. CONGREGACIÓN *del Concilio, de Propaganda, de Ritos.* ‖ **7.** En algunas órdenes regulares, **capítulo,** junta que celebran los religiosos y clérigos regulares. ‖ **de los fieles.** Iglesia católica universal.

congregante, ta. (Del lat. *congrĕgans, -antis,* p. a. de *congregāre,* congregar.) m. y f. Individuo de una congregación.

congregar. (Del lat. *congregāre.*) tr. Juntar, reunir. Ú. t. c. prnl.

congresal. com. *Amér.* **congresista.**

congresista. com. Miembro de un congreso científico, económico, etc.

congreso. (Del lat. *congressus,* reunión.) m. Junta de varias personas para deliberar sobre algún negocio. ‖ **2.** Conferencia generalmente periódica en que los miembros de una asociación, cuerpo, organismo, profesión, etc., se reúnen para debatir cuestiones previamente fijadas. ‖ **3.** Edificio donde los diputados a Cortes celebran sus sesiones. ‖ **4.** En algunos países, asamblea nacional. ‖ **5.** En algunos países, como Estados Unidos, conjunto de las dos cámaras legislativas. ‖ **6.** desus. Cópula carnal. ‖ **de los diputados.** Con arreglo a algunas Constituciones de España e Hispanoamérica, cuerpo legislativo compuesto de personas nombradas directamente por los electores.

congresual. adj. Referente al congreso o propio de él.

Congreve. n. p. *Art.* V. **cohete a la Congreve.**

congrio. (Del lat. *conger, -gri.*) m. Pez teleósteo, del suborden de los fisóstomos, que alcanza de uno a dos metros de largo, con el cuerpo gris oscuro, casi cilíndrico, bordes negros en las aletas dorsal y anal, y carne blanca y comestible.

congrua. (Del lat. *congrŭa,* t. f. de *congrŭus,* congruo.) f. Renta que debe tener con arreglo a las sinodales de cada diócesis, el que se ha de ordenar *in sacris.*

congruamente. adv. m. De manera congruente.

congruencia. (Del lat. *congruentĭa.*) f. Conveniencia, coherencia, relación lógica. ‖ **2.** *Der.* Conformidad de extensión, concepto y alcance entre el fallo y las pretensiones de las partes formuladas en el juicio. ‖ **3.** *Mat.* Expresión algébrica que manifiesta la igualdad de los restos de las divisiones de dos números congruentes por su módulo y que suele representarse con tres rayas horizontales ≡ puestas entre dichos números. ‖ **4.** *Teol.* Eficacia de la gracia de Dios, que obra sin destruir la libertad del hombre.

congruente. (Del lat. *congrŭens, -entis,* p. a. de *congruĕre,* convenir.) adj. Conveniente, coherente, lógico. ‖ **2.** *Mat.* V. **números congruentes.**

congruidad. (Del lat. *congruĭtas, -ātis.*) f. **congruencia,** conveniencia, oportunidad.

congruismo. m. *Teol.* Doctrina de los congruistas.

congruista. com. *Teol.* El que sostiene la opinión de que la gracia es eficaz por su congruencia.

congruo, grua. (Del lat. *congrŭus.*) adj. **congruente.** ‖ **2.** V. **porción congrua.** ‖ **3.** *Teol.* V. **mérito de congruo.**

conguito. m. *Amér.* **ají.**

conhortamiento. m. ant. Acción y efecto de conhortar.

conhortar. (Del lat. *confortāre,* confortar.) tr. ant. **confortar,** animar, alentar. Usáb. t. c. prnl. ‖ **2.** desus. **consolar.**

conhorte. m. ant. Acción y efecto de conhortar.

conicidad. f. *Geom.* Calidad de cónico. ‖ **2.** Forma o figura cónica.

cónico, ca. (Del gr. κωνικός.) adj. *Geom.* Perteneciente al cono. ‖ **2.** *Geom.* V. **pirámide, proyección, sección, superficie cónica.** ‖ **3.** De forma de cono. *Techo* CÓNICO, *bala* CÓNICA.

coniecha. (Del lat. *coniecta,* echada.) f. ant. Recolección o recaudación.

conífero, ra. (Del lat. *conĭfer, -ĕri.*) adj. *Bot.* Dícese de árboles y arbustos gimnospermos, de hojas persistentes, aciculares o en forma de escamas, fruto en cono, y ramas que presentan un contorno cónico; como el ciprés, el pino y la sabina. Ú. t. c. s. f. ‖ **2.** f. pl. *Bot.* Clase de estas plantas.

coniforme. (Del lat. *conus,* cono, y de *-forme.*) adj. *Geom.* De forma de cono.

conimbricense. (Del lat. *Conimbricensis,* de *Conimbrĭca,* Coimbra.) adj. Natural de Coimbra. Ú. t. c. s. ‖ **2.** Perteneciente o relativo a esta ciudad de Portugal.

conirrostro. (Del lat. *conus,* cono, y *rostrum,* pico.) adj. *Zool.* Dícese del pájaro granívoro que tiene el pico grueso, fuerte y cónico, como el gorrión y la alondra. Ú. t. c. s. ‖ **2.** m. pl. *Zool.* En clasificaciones en desuso, suborden de estos pájaros.

conivalvo, va. (Del lat. *conus,* cono, y *valva,* hoja de puerta.) adj. *Zool.* De concha cónica.

coniza. (Del lat. *conȳza,* y este del gr. κόνυζα.) f. Planta herbácea medicinal de la familia de las compuestas, con tallo de ocho a nueve decímetros de altura, muy ramoso en la parte superior, hojas lanceoladas agudas y flores en umbela, amarillas y con cáliz de escamas desiguales. ‖ **2. zaragatona.**

conjetura. (Del lat. *coniectūra.*) f. Juicio que se forma de las cosas o acaecimientos por indicios y observaciones.

conjeturable. adj. Que se puede conjeturar.

conjeturador, ra. adj. Que conjetura.

conjetural. (Del lat. *coniecturālis.*) adj. Fundado en conjeturas.

conjeturar. (Del lat. *coniecturāre.*) tr. Formar juicio de una cosa por indicios y observaciones.

conjuez. (Del lat. *coniūdex, -ĭcis.*) m. Juez juntamente con otro en un mismo negocio.

conjugable. adj. Que puede conjugarse.

conjugación. (Del lat. *coniugatĭo, -ōnis.*) f. Acción y efecto de conjugar. ‖ **2.** *Biol.* Fusión en uno de los núcleos de las células reproductoras de los seres vivos. ‖ **3.** *Gram.* Serie ordenada de las distintas formas de un mismo verbo o comunes a un grupo de verbos de igual flexión, con las cuales se denotan sus diferentes modos, tiempos, números y personas.

conjugado, da. p. p. de **conjugar.** ‖ **2.** adj. ant. **conyugado.** ‖ **3.** *Mat.* Aplícase a las líneas o a las cantidades que están enlazadas por alguna ley o relación determinada. *Valores* CONJUGADOS *de una función.* ‖ **4.** *Geom.* V. **diámetro conjugado.** ‖ **5.** *Geom.* V. **hipérbolas conjugadas.**

conjugal. adj. ant. **conyugal.**

conjugalmente. adv. m. ant. **conyugalmente.**

conjugar. (Del lat. *coniugāre.*) tr. ant. Cotejar, comparar una cosa con otra. ‖ **2.** Combinar varias cosas entre sí. ‖ **3.** *Gram.* Enunciar en serie ordenada las distintas formas de un mismo verbo que denotan sus diferentes modos, tiempos, números y personas.

conjunción. (Del lat. *coniunctĭo, -ōnis.*) f. Junta, unión. ‖ **2.** *Astrol.* Aspecto de dos astros que ocupan una misma casa celeste. ‖ **3.** *Astron.* Situación relativa de dos o más planetas u otros cuerpos celestes, cuando tienen la misma longitud. ‖ **4.** *Gram.* Parte invariable de la oración, que denota la relación que existe entre dos oraciones o entre miembros o vocablos de una de ellas, juntándolos o enlazándolos siempre gramaticalmente, aunque a veces signifique contrariedad o separación de sentido entre unos y otros. ‖ **adversativa.** *Gram.* La que, como *pero,* denota oposición o diferencia entre la frase que precede y la que sigue. ‖ **causal.** *Gram.* La que, como *porque,* precede a la oración en que se motiva lo manifestado en la oración principal. ‖ **comparativa.** *Gram.* La que denota idea de comparación; p. ej.: *como.* ‖ **compuesta.** *Gram.* **locución conjuntiva.** ‖ **concesiva.** La que, como *aunque, si bien, pese a,* precede a una oración subordinada que expresa una objeción o dificultad para lo que se dice en la oración principal, sin que ese obstáculo impida su realización. ‖ **condicional.** *Gram.* La que, como *si, con tal que,* denota condición o necesidad de que se verifique alguna circunstancia. ‖ **continuativa.** *Gram.* La que implica o denota idea de continuación; v. gr.: *Digo,* PUES, *que te engañas;* ASÍ QUE *esta, y no otra, fue la causa del alboroto.* ‖ **copulativa.** *Gram.* La que, como *y, ni,* etc., coordina aditivamente una oración con otra, o elementos análogos de una misma oración gramatical. ‖ **distributiva.** *Gram.* La disyuntiva cuando se reitera aplicada a términos diversos: *Tomando* ORA *la espada,* ORA *la pluma;* YA *de una manera,* YA *de otra.* ‖ **disyuntiva.** *Gram.* La que, como *o,* denota separación, diferencia o alternativa entre dos o más personas, cosas o ideas. ‖ **dubitativa.** *Gram.* La que, como *si,* implica o denota duda. ‖ **final.** *Gram.* La que, como *a fin de que,* denota el fin u objeto de lo manifestado en la oración principal. ‖ **ilativa.** *Gram.* La que, como *conque,* enuncia una ilación o consecuencia de lo que anteriormente se ha manifestado. ‖ **magna.** *Astrol.* La de Júpiter y Saturno, que sucede regularmente cada diecinueve años, con poca diferencia. ‖ **máxima.** *Astrol.* La de Júpiter y Saturno cuando se juntan en signo del trígono igneo, después de haber salido del trígono ácueo, que regularmente sucede cada ochocientos o cerca de novecientos años; y a esta se atribuyen las grandes mutaciones de las cosas sublunares. ‖ **temporal.** *Gram.* La que denota idea de tiempo, p. ej.: *cuando.*

conjuntamente. adv. m. **juntamente.**

conjuntar. (Del lat. *coniunctāre.*) tr. Combinar un conjunto con armonía. ‖ **2.** ant. **juntar.** Usáb. t. c. prnl.

conjuntiva. (Del lat. *coniunctīva,* t. f. de *-vus,* conjuntivo.) f. *Anat.* Membrana mucosa muy fina que tapiza interiormente los párpados de los vertebrados y se extiende a la parte anterior del globo del ojo, reduciéndose al pasar sobre la córnea a una tenue capa epitelial.

conjuntival. adj. Perteneciente o relativo a la conjuntiva.

conjuntivitis. f. *Pat.* Inflamación de la conjuntiva.

conjuntivo, va. (Del lat. *coniunctīvus.*) adj. Que junta y une una cosa con otra. ‖ **2.** *Gram.* Perteneciente o relativo a la conjunción. ‖ **3.** *Gram.* V. **modo conjuntivo.** ‖ **4.** ant. *Gram.* **subjuntivo.** ‖ **5.** *Anat.* V. **tejido conjuntivo.** ‖ **6.** *Gram.* V. **locución conjuntiva.**

conjunto, ta. (Del lat. *coniunctus.*) adj. Unido o contiguo a otra cosa. ‖ **2.** Mezclado, incorporado con otra cosa diversa. ‖ **3.** fig. Aliado, unido a otro por el vínculo de parentesco o de amistad. ‖ **4.** m. Agregado de varias personas o cosas. ‖ **5.** Juego de vestir femenino hecho generalmente con tejido de punto y compuesto de jersey y chaqueta, o también de otras prendas. ‖ **6.** La totalidad de los elementos o cosas poseedores de una propiedad común, que los distingue de otros. Por ejemplo, los números pares. ‖ **7.** Grupo de personas que actúan bailando y cantando, en algunos espectáculos teatrales, como variedades o revistas. ‖ **8.** Orquesta formada por un pequeño número de ejecutantes que cultivan la música ligera acompañando a un cantante o cantando ellos mismos. ‖ **9.** *Mat.* La totalidad de los entes matemáticos que tienen determinada propiedad. *El* CONJUNTO *de los números primos.* ‖ **conjuntos disjuntos.** Dícese de dos o más **conjuntos** que no tienen ningún elemento común.

conjuntura. (De *con-* y *juntura.*) f. ant. Junta, unión. ‖ **2.** ant. **coyuntura,** sazón, oportunidad.

conjura. (De *conjurar.*) f. **conjuración,** acción y efecto de conjurarse.

conjuración. (Del lat. *coniuratĭo, -ōnis.*) f. Acción y efecto de conjurarse. ‖ **2.** ant. **conjuro.**

conjurado, da. (Del lat. *coniurātus.*) adj. Que entra en una conjuración. Ú. t. c. s.

conjurador. m. El que conjura. ‖ **2.** ant. **conjurado.**

conjuramentar. (De *con-* y *juramentar.*) tr. desus. Tomar juramento a alguien. ‖ **2.** ant. Convenirse con juramento para ejecutar una cosa. ‖ **3.** prnl. **juramentarse.**

conjurar. (Del lat. *coniurāre.*) intr. Ligarse con otro, mediante juramento, para algún fin. Ú. t. c. prnl. ‖ **2.** fig. Conspirar, uniéndose muchas personas o cosas contra alguien, para hacerle daño o perderle. Ú. t. c. prnl. ‖ **3.** tr. Decir exorcismos el que tiene potestad para ello. ‖ **4.** Increpar, invocar la presencia de los espíritus. ‖ **5.** Rogar encarecidamente, pedir con instancia y con alguna fórmula de autoridad una cosa. ‖ **6.** fig. Impedir, evitar, alejar un daño o peligro. ‖ **7.** ant. Tomar juramento a alguien.

conjuro. m. Acción y efecto de **conjurar,** exorcizar. ‖ **2.** Fórmula mágica que se dice, recita o escribe para conseguir algo que se desea. ‖ **3.** Ruego encarecido. ‖ **al conjuro de.** loc. adv. A instigación de alguna cosa que mueve o estimula como un hechizo. AL CONJURO DE *estos versos se levanta un enjambre de visiones.*

conloar. (Del lat. *collaudāre.*) tr. ant. Loar con otro u otros.

conllevador, ra. adj. Que conlleva. Ú. t. c. s.

conllevar. tr. Sufrir, soportar las impertinencias o el genio de alguien, o cualquier otra cosa adversa y penosa. ‖ **2.** Implicar, suponer, acarrear. ‖ **3.** p. us. Contener, comprender, abarcar. ‖ **4.** desus. Ayudar a alguien a llevar los trabajos.

conllorar. (Del lat. *complorāre.*) intr. Acompañar en el llanto o en el dolor. ‖ **2.** Asociarse al sentimiento de una desgracia.

conmemorable. adj. Digno de **conmemoración.**

conmemoración. (Del lat. *commemoratĭo, -ōnis.*) f. Memoria o recuerdo que se hace de una persona o cosa, especialmente si se celebra con un acto o ceremonia. ‖ **2.** En el oficio eclesiástico, memoria que se hace de un santo, feria, vigilia o infraoctava en las vísperas, laudes y misa, cuando el rezo del día es de otro santo o festividad mayor. ‖ **de los difuntos.** Sufragio que anualmente celebra la Iglesia el día 2 de noviembre por las ánimas de los fieles difuntos que están en el purgatorio.

conmemorar. (Del lat. *commemorāre.*) tr. Hacer memoria o conmemoración.

conmemorativo, va. adj. Que recuerda a una persona o cosa, o hace conmemoración de ella. *Monumento, sello* CONMEMORATIVO; *fundación, estatua, inscripción* CONMEMORATIVA.

conmemoratorio, ria. adj. **conmemorativo.**

conmensal. com. p. us. **comensal.**

conmensalía. f. p. us. **comensalía.**

conmensurabilidad. f. Calidad de conmensurable.

conmensurable. (Del lat. *commensurabĭlis.*) adj. Sujeto a medida o valuación. ‖ **2.** *Mat.* Aplícase a cualquier cantidad que tenga con otra una medida común.

conmensuración. (Del lat. *commensuratĭo, -ōnis.*) f. Medida, igualdad o proporción que tiene una cosa con otra.

conmensurar. (Del lat. *commensurāre.*) tr. Medir con igualdad o debida proporción.

conmensurativo, va. adj. Que sirve para medir o conmensurar.

conmigo. (Del lat. *cum,* con, y *mecum,* conmigo.) Forma especial del pronombre personal *mí,* cuando va precedido de la preposición *con.*

conmilitón. (Del lat. *commilĭto, -ōnis.*) m. Soldado compañero de otro en la guerra.

conminación. (Del lat. *comminatĭo, -ōnis.*) f. Acción y efecto de conminar. ‖ **2.** *Ret.* Figura que consiste en amenazar con males terribles a personas o a cosas personificadas.

conminador, ra. (Del lat. *comminātor, -ōris.*) adj. Que conmina o amenaza.

conminar. (Del lat. *comminări.*) tr. **amenazar,** manifestar con actos o palabras que se quiere hacer algún mal a otro. ‖ **2.** Amenazar, el que tiene potestad, a quien está obligado a obedecer, con penas o castigos temporales o espirituales. ‖ **3.** *Der.* Intimar la autoridad un mandato, bajo apercibimiento de corrección o pena determinada.

conminativo, va. adj. Que conmina o tiene la calidad de conminar.

conminatorio, ria. adj. Que conmina. ‖ **2.** Dícese del mandamiento que incluye amenaza de alguna pena. Ú. t. c. s. ‖ **3.** Aplícase al juramento con que se conmina a una persona. Ú. t. c. s.

conminuta. (Del lat. *comminūtus,* roto en pequeños pedazos.) adj. *Cir.* V. **fractura conminuta.**

conmiseración. (Del lat. *commiseratĭo, -ōnis.*) f. Compasión que se tiene del mal de otro.

conmistión. (Del lat. *commixtĭo, -ōnis.*) f. **conmixtión.**

conmisto, ta. (Del lat. *commixtus.*) adj. p. us. **conmixto.**

conmistura. (Del lat. *commixtūra.*) f. p. us. **conmixtión.**

conmixtión. (Del lat. *commixtĭo, -ōnis.*) f. p. us. Mezcla de cosas diversas.

conmixto, ta. (Del lat. *commixtus.*) adj. p. us. Mezclado o unido con otra persona o cosa.

conmoción. (Del lat. *commotio, -onis.*) f. Movimiento o perturbación violenta del ánimo o del cuerpo. ‖ **2.** Tumulto, levantamiento, alteración de un Estado, provincia o pueblo. ‖ **3.** Movimiento sísmico muy perceptible. ‖ **cerebral.** Estado de aturdimiento o de pérdida del conocimiento, producido por un golpe en la cabeza, por una descarga eléctrica o por los efectos de una violenta explosión.

conmocionar. tr. Producir conmoción. Ú. t. c. prnl.

conmonitorio. (Del lat. *commonitorĭum.*) m. desus. Memoria o relación por escrito de algunas cosas o noticias. ‖ **2.** *Der.* Carta acordada en que se avisaba su obligación a un juez subalterno.

conmoración. (Del lat. *commoratĭo, -ōnis.*) f. *Ret.* **expolición.**

conmovedor, ra. adj. Que conmueve.

conmover. (Del lat. *commovēre.*) tr. Perturbar, inquietar, alterar, mover fuertemente o con eficacia. Ú. t. c. prnl. ‖ **2. enternecer,** mover a compasión.

conmovimiento. (De *conmover.*) m. ant. **conmoción.**

conmuta. (De *conmutar.*) f. Conmutación, permuta.

conmutabilidad. f. Calidad de conmutable.

conmutable. (Del lat. *commutabĭlis.*) adj. Que se puede conmutar.

conmutación. (Del lat. *commutatĭo, -ōnis.*) f. Acción y efecto de conmutar. ‖ **2.** *Ret.* **retruécano,** inversión de términos en el discurso. ‖ **de pena.** *Der.* Indulto parcial que altera la naturaleza del castigo en favor del reo.

conmutador, ra. adj. Que conmuta. ‖ **2.** m. *Argent., Col., C. Rica, El Salv., Méj.* y *P. Rico.* Centralita telefónica. ‖ **3.** *Fís.* Pieza de los aparatos eléctricos que sirve para que una corriente cambie de conductor.

conmutar. (Del lat. *commutāre.*) tr. Cambiar en general una cosa por otra. ‖ **2.** Tratándose de penas o castigos impuestos, sustituirlos por otros menos graves. ‖ **3.** Sustituir obligaciones o trabajos compensándolos con otros más leves. ‖ **4.** Dar validez en un centro, carrera o país, a estudios aprobados en otro. ‖ **5.** Comprar, vender o cambiar comercialmente unas cosas por otras.

conmutatividad. f. Calidad de conmutativo.

conmutativo, va. adj. Que conmuta o tiene virtud de conmutar. ‖ **2.** V. **contrato conmutativo.** ‖ **3.** V. **justicia conmutativa.** ‖ **4.** *Mat.* Dícese de la propiedad de ciertas operaciones cuyo resultado no varía cambiando el orden de sus términos o elementos. ‖ **5.** *Mat.* Dícese también de las operaciones que tienen esta propiedad.

conmutatriz. (De *conmutar.*) f. *Electr.* Aparato que sirve para convertir la corriente alterna en continua, o viceversa.

connatural. (Del lat. *connaturālis.*) adj. Propio o conforme a la naturaleza del ser viviente.

connaturalización. f. Acción y efecto de connaturalizarse.

connaturalizar. tr. Hacer connatural. ‖ **2.** prnl. Acostumbrarse alguien a aquellas cosas a que antes no estaba acostumbrado; como al trabajo, al clima, a los alimentos, etcétera.

connaturalmente. adv. m. Naturalmente; de modo apropiado a la naturaleza de la cosa de que se habla.

connivencia. (Del lat. *conniventĭa.*) f. Disimulo o tolerancia en el superior acerca de las transgresiones que cometen sus subordinados contra las reglas o las leyes bajo las cuales viven. ‖ **2.** Confabulación.

connivente. (Del lat. *connivens, -entis,* de *connivēre,* hacer señas.) adj. *Bot.* Dícese de las hojas u otras partes de una planta que tienden a aproximarse. ‖ **2.** Que forma connivencia.

connombrar. (Del lat. *cognomināre.*) tr. ant. **nombrar,** decir el nombre de una persona o cosa.

connombre. (Del lat. *cognōmen.*) m. ant. **cognombre.**

connosco. (Del lat. *cum noscum,* por *nobiscum.*) Forma ant. del pron. pers. de 1.ª pers., pl. m. y f. Con nosotros.

connotación. f. Acción y efecto de connotar. ‖ **2.** p. us. Parentesco en grado remoto.

connotado, da. p. p. de **connotar.** ‖ **2.** adj. *Amér.* Distinguido, notable. ‖ **3.** m. p. us. **connotación,** parentesco remoto.

connotar. (De *con-* y *notar.*) tr. *Ling.* Conllevar la palabra, además de su significado propio o específico, otro por asociación.

connotativo, va. adj. *Gram.* Dícese de lo que connota.

connovicio, cia. m. y f. Novicio o novicia en relación con sus compañeros de noviciado en un instituto religioso.

connubial. (Del lat. *connubiālis.*) adj. p. us. Perteneciente o relativo al connubio.

connubio. (Del lat. *connubĭum.*) m. poét. **matrimonio,** casamiento.

connumerar. (Del lat. *connumerāre.*) tr. desus. Contar una cosa o hacer mención de ella entre otras.

connusco. (De *connosco.*) pron. pers. ant. **connosco.**

cono. (Del lat. *conus,* y este del gr. κῶνος.) m. *Bot.* Fruto de las coníferas. ‖ **2.** *Geom.* Sólido generado por un triángulo rectángulo al girar sobre uno de sus lados. ‖ **3.** *Geom.* Superficie cónica. ‖ **4.** Montaña o agrupación de lavas, cenizas y otras materias, de forma cónica. ‖ **5.** *Anat.* Prolongación conoidea, de figura semejante a la de una botella, de cada una de ciertas células de la retina de los vertebrados, que está situada en la llamada capa de los **conos** y bastoncillos y recibe las impresiones luminosas de color. ‖ **circular.** *Geom.* El de base circular. ‖ **de luz.** *Fís.* Haz de rayos luminosos limitado por una superficie cónica, generalmente circular. ‖ **de sombra.** *Fís.* Espacio ocupado por la sombra que proyecta un cuerpo, generalmente esférico. ‖ **oblicuo.** *Geom.* El de base oblicua a su eje. ‖ **recto.** *Geom.* El de base perpendicular a su eje. ‖ **sur.** Geopolíticamente, la región de América Meridional que comprende Chile, Argentina y Uruguay, y a veces Paraguay. ‖ **truncado.** *Geom.* Parte de **cono** comprendida entre la base y otro plano, generalmente paralelo a la base, que corta todas sus generatrices.

conocedor, ra. (De *conocer.*) adj. Que conoce. ‖ **2.** Experto, entendido en alguna materia. Ú. t. c. s. ‖ **3.** m. *And.* Mayoral de las vacadas o toradas.

conocencia. (Del lat. *cognoscentĭa.*) f. ant. **conocimiento.** Hoy conserva uso en el ámbito rural. ‖ **2.** *Der.* Llamábase así la confesión que en juicio hacía el reo o el demandado.

conocer. (Del lat. *cognoscĕre.*) tr. Averiguar por el ejercicio de las facultades intelectuales la naturaleza, cualidades y relaciones de las cosas. ‖ **2.** Entender, advertir, saber, echar de ver. ‖ **3.** Percibir el objeto como distinto de todo lo que no es él. ‖ **4.** Tener trato y comunicación con alguno. Ú. t. c. prnl. ‖ **5.** Presumir o conjeturar lo que puede suceder. CONOCER *que ha de llover presto por la disposición del aire.* ‖ **6.** Entender en un asunto con facultad legítima para ello. *El juez* CONOCE *del pleito.* ‖ **7.** Experimentar, sentir. *Alejandro Magno no* CONOCIÓ *la derrota.* ‖ **8.** desus. Confesar los delitos o pecados. ‖ **9.** desus. Mostrar agradecimiento. ‖ **10.** fig. p. us. Tener relaciones sexuales el hombre y la mujer. ‖ **11.** prnl. Juzgar justamente de sí propio. ‖ **no conocer** a alguien **sino para servirle.** fr. desus. fam. de cortesía, que se usaba al referirse a una persona desconocida. ‖ **se conoce que.** loc. conjunt. fam. **al parecer.**

conocible. (Del lat. *cognoscibĭlis.*) adj. Que se puede conocer, o es capaz de ser conocido.

conocidamente. adv. m. Claramente, de modo que se conoce y echa de ver.

conocido, da. p. p. de **conocer.** ‖ **2.** adj. Distinguido, acreditado, ilustre. ‖ **3.** fig. V. **pan mal conocido.** ‖ **4.** m. y f. Persona con quien se tiene trato o comunicación, pero no amistad.

conocimiento. m. Acción y efecto de conocer. ‖ **2.** Entendimiento, inteligencia, razón natural. ‖ **3. conocido,** persona con quien se tiene algún trato, pero no amistad. ‖ **4.** Cada una de las facultades sensoriales del hombre en la medida en que están activas. *Perder, recobrar el* CONOCIMIENTO. ‖ **5.** desus. Papel firmado en que se confiesa haber recibido de otro alguna cosa, y se obliga a pagarla o devolverla. ‖ **6.** ant. Reconocimiento, gratitud. ‖ **7.** *Com.* Documento que da el capitán de un buque mercante, en que declara tener embarcadas en él ciertas mercaderías que entregará a la persona y en el puerto designados por el remitente. ‖ **8.** *Com.* Documento o firma que se exige o se da para identificar la persona del que pretende cobrar una letra de cambio, cheque, etc., cuando el pagador no le conoce. ‖ **9.** pl. Noción, ciencia, sabiduría. ‖ **venir en conocimiento de** una cosa. fr. Llegar a enterarse de ella.

conoidal. adj. *Geom.* Perteneciente al conoide.

conoide. (Del gr. κωνοειδής, en forma de cono.) m. *Geom.* Sólido limitado por una superficie curva con punta o vértice a semejanza del cono. ‖ **2.** *Geom.* Superficie engendrada por una recta que se mueve apoyándose en una curva y en otra recta y conservándose paralela a un plano. ‖ **3.** *Geom.* Cualquiera de las superficies curvas que están cerradas por una parte y se prolongan indefinidamente por la opuesta; como el paraboloide de revolución.

conoideo, a. (De *conoide.*) adj. Que tiene figura cónica. Se aplica comúnmente a cierta especie de conchas.

conopeo. (Del lat. *conopēum,* y este del gr. κωνωπεῖον, colgadura de cama.) m. Velo en forma de pabellón para cubrir por fuera el sagrario en que se reserva la Eucaristía.

conopial. (Del lat. *conopēum,* y este del gr. κωνωπεῖον, mosquitero, colgadura de cama.) adj. *Arq.* V. **arco conopial.**

conoscencia. (Del lat. *cognoscentĭa.*) f. ant. Agradecimiento, reconocimiento. ‖ **2.** ant. *Der.* **conocencia,** confesión que en el juicio hacía el reo.

conoto. (De or. caribe.) m. *Venez.* Especie de gorrión, de mayor tamaño que el europeo, y que imita el canto de otras aves.

conque. (De *con* y *que.*) conj. ilat. con la cual se enuncia una consecuencia natural de lo que acaba de decirse. ‖ **2.** Se emplea introduciendo una frase exclamativa que expresa sorpresa o censura al interlocutor. ¡CONQUE *te ha tocado la lotería!,* ¡CONQUE *hoy me pagabas la deuda!* ‖ **3.** m. fam. Condición con que se hace o se promete una cosa.

conquense. adj. Natural de Cuenca. Ú. t. c. s. ‖ **2.** Perteneciente o relativo a esta ciudad o a su provincia.

conqueridor, ra. (De *conquerir.*) adj. ant. **conquistador.** Usáb. t. c. s.

conquerir. (Del lat. *conquirĕre,* buscar con diligencia, reunir.) tr. ant. **conquistar.**

conquesta. f. ant. **conquista.**

cónquibus. m. **cumquibus,** dinero.

conquiforme. (Del lat. *concha*, concha, y *-forme*.) adj. De figura de concha.

conquiliología. (Del gr. κογχύλιον, conchita, y *-logía*.) f. Parte de la zoología, que trata del estudio de las conchas de los moluscos.

conquiliólogo, ga. m. y f. Naturalista perito en conquiliología.

conquiso, sa. (Del lat. **conquīsus*, por *conquisītus*, buscado.) p. p. irreg. ant. de **conquerir.**

conquista. f. Acción y efecto de conquistar. ‖ **2.** V. **caballero de conquista.** ‖ **3.** Cosa conquistada. ‖ **4.** Persona cuyo amor se logra. ‖ **5.** ant. Ganancia o adquisición de bienes. ‖ **6.** *Der.* En el derecho civil de Navarra, gananciales diferentes de los castellanos en la distribución y susceptibles de continuarse entre el cónyuge sobreviviente y los herederos del premuerto. Ú. m. en pl.

conquistable. adj. Que se puede conquistar o ganar. ‖ **2.** fig. Fácil de obtener, asequible.

conquistador, ra. adj. Que conquista. Ú. t. c. s.

conquistar. (Del lat. **conquisitāre*, de *conquisītum*, ganado.) tr. Ganar, mediante operación de guerra, un territorio, población, posición, etc. ‖ **2.** Ganar, conseguir alguna cosa, generalmente con esfuerzo, habilidad o venciendo algunas dificultades. CONQUISTAR *una posición social elevada.* ‖ **3.** fig. Ganar la voluntad de una persona, o traerla alguien a su partido. ‖ **4.** fig. Lograr el amor de una persona, cautivar su ánimo.

conrear. (Del gót. *garēdan*, velar por, cuidar de, a través del lat. **conredare*.) tr. Preparar o adobar una cosa mediante cierta manipulación apropiada para perfeccionarla; como en el obraje de los paños, echarles el aceite; en el cultivo de las tierras, dar una segunda reja, etc.

conregnante. (Del lat. *conregnans, -antis*.) adj. ant. Que conreina.

conreinar. (Del lat. *conregnāre*.) intr. p. us. Reinar con otro en un mismo reino.

conreo. m. Acción y efecto de conrear.

consabido, da. (De *con-* y *sabido*.) adj. Que es sabido por cuantos intervienen en un acto de comunicación. ‖ **2.** Conocido, habitual, característico.

consabidor, ra. (De *con-* y *sabidor*.) adj. p. us. Que juntamente con otro sabe alguna cosa. Ú. t. c. s.

consaburense. adj. Natural de Consuegra. Ú. t. c. s. ‖ **2.** Perteneciente o relativo a esta villa de la provincia de Toledo.

consacrar. tr. ant. **consagrar.**

consagrable. adj. Que puede consagrarse.

consagración. f. Acción y efecto de consagrar o consagrarse.

consagramiento. (De *consagrar*.) m. ant. **consagración.**

consagrar. (De *consegrar*.) tr. Conferir a alguien fama o preeminencia, etc., en determinada actividad. *Aquella novela lo* CONSAGRÓ *como gran escritor.* Ú. t. c. prnl. *Con aquel tratado* SE CONSAGRÓ *como diplomático.* ‖ **2.** Deificar los romanos a sus emperadores o concederles la apoteosis. ‖ **3.** Dedicar, ofrecer a Dios por culto o voto una persona o cosa. Ú. t. c. prnl. ‖ **4.** fig. Erigir un monumento, como estatua, sepulcro, etc., para perpetuar la memoria de una persona o suceso. ‖ **5.** fig. Dedicar con suma eficacia y ardor una cosa a determinado fin. CONSAGRAR *la vida a la defensa de la verdad.* Ú. t. c. prnl. CONSAGRARSE *al estudio.* ‖ **6.** fig. Destinar una expresión o palabra para una particular y determinada significación; como las palabras *consubstancial* y *transubstancial.* ‖ **7.** intr. Pronunciar el sacerdote en la misa las palabras de la transubstanciación. Ú. t. c. tr.

consagratorio, ria. adj. Perteneciente o relativo a la consagración.

consanguíneo, a. (Del lat. *consanguinĕus*.) adj. Dícese de la persona que tiene parentesco de consanguinidad con otra. Ú. t. c. s. ‖ **2.** Referido a hermanos, se dice de los que no lo son de doble vínculo, sino de padre solamente.

consanguinidad. (Del lat. *consanguinĭtas, -ātis*.) f. Unión, por parentesco natural, de varias personas que descienden de una misma raíz o tronco.

consciencia. (Del lat. *conscientĭa*.) f. *Psicol.* **conciencia.**

consciente. (Del lat. *consciens, -entis*, p. a. de *conscīre*, saber perfectamente.) adj. Que siente, piensa, quiere y obra con conocimiento de lo que hace. ‖ **2.** Dícese de lo que se hace en estas condiciones. ‖ **3.** Con pleno uso de los sentidos y facultades.

conscripción. f. *Argent.* **servicio militar.**

conscripto. (Del lat. *conscriptus*.) adj. V. **padre conscripto.** ‖ **2.** m. *Argent.*, *Bol.*, *Col.*, *Chile*, *Ecuad.*, *Par.* y *Perú.* **quinto,** soldado mientras recibe la instrucción militar obligatoria.

consecración. (Del lat. *consecratĭo, -ōnis*.) f. ant. **consagración.**

consecrar. (Del lat. *consecrāre*.) tr. ant. **consagrar.**

consectario, ria. (Del lat. *consectarĭus*, consiguiente.) adj. desus. Consiguiente y anejo a otra cosa. ‖ **2.** m. desus. **corolario.**

consecución. (Del lat. *consecutĭo, -ōnis*.) f. Acción y efecto de conseguir.

consecuencia. (Del lat. *consequentĭa*.) f. Hecho o acontecimiento que se sigue o resulta de otro. ‖ **2.** Correspondencia lógica entre la conducta de un individuo y los principios que profesa. ‖ **3.** *Lóg.* Proposición que se deduce de otra o de otras, con enlace tan riguroso, que, admitidas o negadas las premisas, es ineludible el admitirla o negarla. ‖ **4.** *Lóg.* Ilación o enlace del consiguiente con sus premisas. ‖ **a consecuencia.** loc. conjunt. Por efecto, como resultado de. ‖ **en consecuencia.** loc. conjunt. que se usa para denotar que alguna cosa que se hace o ha de hacer es conforme a lo dicho, mandado o acordado anteriormente. ‖ **guardar consecuencia.** fr. Proceder con orden y conformidad en los dichos o hechos. ‖ **por consecuencia.** loc. conjunt. con que se da a entender que una cosa se sigue o infiere de otra. ‖ **ser de consecuencia** una cosa. fr. Ser de importancia, consideración o monta. ‖ **tener consecuencias** una cosa. fr. Tener o traer resultas un hecho o suceso, o producir necesariamente otros. ‖ **traer a consecuencia** una cosa. fr. Ponerla en consideración para que aumente o disminuya la estimación o valor de lo que se trata. ‖ **traer consecuencias** una cosa. fr. **tener consecuencias.** ‖ **traer en consecuencia** una cosa. fr. Traerla o alegarla por ejemplar de otra.

consecuente. (Del lat. *consĕquens, -entis*, p. a. de *consĕqui*, seguir.) adj. Que sigue en orden respecto de una cosa, o está situado o colocado a su continuación. ‖ **2.** Dícese de la persona cuya conducta guarda correspondencia lógica con los principios que profesa. ‖ **3.** m. Proposición que se deduce de otra que se llama antecedente. ‖ **4.** *Mat.* Segundo término de una razón, ya sea por diferencia, ya por cociente, a distinción del primero, que se llama antecedente. ‖ **5.** *Gram.* Segundo de los términos de la relación gramatical.

consecuentemente. adv. m. **consiguientemente.**

consecutivamente. adv. m. Inmediatamente después, luego, por su orden. ‖ **2.** Uno después de otro.

consecutivo, va. (Del lat. *consecūtus*, p. p. de *consĕqui*, ir detrás de uno.) adj. Dícese de las cosas que se siguen o suceden sin interrupción. ‖ **2.** Que sigue inmediatamente a otra cosa o es consecuencia de ella. ‖ **3.** Dícese de la oración gramatical que expresa consecuencia de lo indicado en otra u otras. *Pienso,* LUEGO EXISTO; *el enemigo había cortado el puente,* ASÍ QUE NO FUE POSIBLE SEGUIR ADELANTE. ‖ **4.** *Gram.* V. **conjunción consecutiva.**

consegrar. (Del lat. *consecrāre.*) tr. ant. **consagrar.**

conseguimiento. (De *conseguir.*) m. **consecución.**

conseguir. (Del lat. *consĕqui.*) tr. Alcanzar, obtener, lograr lo que se pretende o desea.

conseja. (Del lat. *consilĭa*, pl. n. de *consilĭum*, consejo.) f. Cuento, fábula, patraña, ridículos y de sabor antiguo. ‖ **2.** Junta para tratar de cosas ilícitas.

consejable. adj. ant. Capaz de recibir consejo.

consejador. (Del lat. *consiliātor, -ōris.*) m. ant. **aconsejador.**

consejadriz. (Del lat. *consiliātrix, -īcis.*) f. ant. **consejera.**

consejar. (De *consejo.*) tr. ant. **aconsejar.** Usáb. t. c. prnl. ‖ **2.** intr. ant. **conferenciar.**

consejeramente. adv. m. ant. Con destreza y maña.

consejería. (De *consejo.*) f. Lugar, establecimiento, oficina, etc., donde funciona un consejo, corporación consultiva, administrativa o de gobierno. ‖ **2.** Cargo de consejero. ‖ **3.** Departamento del gobierno de una comunidad autónoma.

consejero, ra. (Del lat. *consiliarĭus.*) m. y f. Persona que aconseja o sirve para aconsejar. ‖ **2.** Persona que tiene plaza en algún Consejo. ‖ **3.** Miembro de alguno de los actuales consejos. ‖ **4.** m. Magistrado o ministro que tenía plaza en alguno de los antiguos Consejos. ‖ **5.** Titular de una consejería, departamento de gobierno. ‖ **6.** fig. Lo que sirve de advertencia para la conducta de la vida; como los desengaños, etc. ‖ **7.** f. fam. Mujer del **consejero.** ‖ **de capa y espada. ministro de capa y espada.** ‖ **de embajada.** Categoría de la carrera diplomática, entre ministro de tercera y primer secretario.

consejo. (Del lat. *consilĭum.*) m. Parecer o dictamen que se da o toma para hacer o no hacer una cosa. ‖ **2.** Tribunal supremo que se componía de diferentes ministros, con un presidente o gobernador, para los negocios de gobierno y la administración de la justicia. Tomaba nombre según el territorio o los asuntos de su jurisdicción. CONSEJO *de Castilla, de Aragón, de Hacienda.* ‖ **3.** Corporación consultiva encargada de informar al gobierno sobre determinada materia o ramo de la administración pública. CONSEJO *de Agricultura, de Instrucción pública.* ‖ **4.** Cuerpo administrativo y consultivo en las sociedades o compañías particulares. Suele llamarse **consejo** de administración. CONSEJO *del Banco de España, de los Ferrocarriles del Norte.* ‖ **5.** Casa o sitio donde se juntan los **consejos.** *Vamos al* CONSEJO; *ya salen las gentes del* CONSEJO. ‖ **6.** V. **fiesta de consejo.** ‖ **7.** V. **tabla del consejo.** ‖ **8. acuerdo,** resolución de una persona. ‖ **9.** ant. Modo, camino o medio de conseguir una cosa. ‖ **colateral.** Tribunal supremo de Nápoles, cuyos ministros se sentaban al lado del virrey. En Flandes, desde los tiempos de Carlos V, hubo también otro. ‖ **de Aragón.** El que entendía en todo lo relativo a la antigua corona de Aragón, incluyendo Cataluña, Valencia y Baleares. ‖ **de Castilla.** Tribunal supremo en asuntos contenciosos, a la vez que cuerpo consultivo de los reyes en negocios de administración y política. Estaba dividido en varias secciones o salas, según la índole de los negocios en que intervenía. ‖ **de Ciento.** Corporación municipal antigua de la ciudad de Barcelona. ‖ **de Cruzada.** El que juzgaba de las rentas y asuntos pertenecientes a la bula de la Santa Cruzada. ‖ **de disciplina.** El que se constituye en los centros docentes oficiales y en ciertas carreras, para proponer las sanciones reglamentarias. ‖ **de Estado.** Alto cuerpo consultivo que entiende en los negocios más graves e importantes del Estado. Ha existido en varias épocas y con diversas atribuciones. ‖ **de familia.** *Der.* Reunión de personas que intervienen por la ley en la tutela de un menor o un incapacitado. ‖ **de Flandes.** El que aconsejaba al rey sobre los asuntos relativos a los estados llamados Países Bajos, cuando pertenecían a España. ‖ **de guerra.** Tribunal compuesto de generales, jefes u oficiales, que, con asistencia de un asesor del cuerpo jurídico, entiende en las causas de la jurisdicción militar. ‖ **2.** El que antiguamente ejercía jurisdicción sobre los cuerpos armados españoles, de mar y tierra, y sobre el material de los mismos. ‖ **de Hacienda.** El que, ya como cuerpo consultivo o ya como tribunal, entendía en lo relativo a las rentas públicas. ‖ **de Indias.** El que intervenía en los negocios provenientes de las posesiones españolas de Ultramar. ‖ **de Instrucción pública.** El que entendía en lo relativo a la enseñanza. ‖ **de Italia.** El que consultaba el rey en lo relativo al gobierno y administración de las provincias que España poseía en Italia, principalmente Milán, Nápoles y Sicilia. ‖ **de la Inquisición.** Tribunal supremo en las causas sobre delitos contra la fe y sus conexos. ‖ **de las Órdenes militares.** El que ejercía jurisdicción sobre los caballeros de las órdenes militares españolas y sobre sus bienes. ‖ **de Ministros.** Cuerpo de ministros del Estado. ‖ **2.** Reunión de los ministros para tratar de los negocios de Estado. Lo preside el jefe del poder ejecutivo o el ministro designado por él para ser jefe del gabinete, con el nombre de presidente del **Consejo** de Ministros. ‖ **de Portugal.** El que entendía en los asuntos de este Estado mientras fue provincia española en los siglos XI y XVII. ‖ **Real.** Por antonom., **Consejo de Castilla.** ‖ **Real de España y Ultramar.** El que por espacio de algunos años sustituyó, al de Estado, suprimido entonces y restablecido después. ‖ **entrar en consejo.** fr. Consultar, conferir y determinar lo que se debe hacer. ‖ **tomar consejo de** alguien. fr. Consultar con él lo que se debe ejecutar o seguir en algún caso dudoso.

consenciente. (Del lat. *consentiens, -entis.*) p. a. ant. de **consentir.** Que consiente alguna cosa mala.

consenso. (Del lat. *consensus.*) m. Asenso, consentimiento, y más particularmente el de todas las personas que componen una corporación. *Mutuo* CONSENSO.

consensual. adj. Perteneciente o relativo al consenso. ‖ **2.** *Der.* V. **contrato consensual.**

consensuar. (De *consenso.*) tr. Adoptar una decisión de común acuerdo entre dos o más partes.

consentido, da. p. p. de **consentir.** ‖ **2.** adj. Dícese del marido que sufre la infidelidad de su mujer. ‖ **3.** Aplícase a la persona mimada con exceso.

consentidor, ra. adj. Que consiente que se haga una cosa, debiendo y pudiendo estorbarla. Ú. t. c. s.

consentimiento. m. Acción y efecto de consentir. ‖ **2.** *Der.* Conformidad de voluntades entre los contratantes, o sea entre la oferta y su aceptación, que es el principal requisito de los contratos. ‖ **por consentimiento.** loc. adv. *Med.* Por la correspondencia y conexión que en el cuerpo humano tienen unas partes con otras.

consentir. (Del lat. *consentīre.*) tr. Permitir una cosa o condescender en que se haga. Ú. t. c. intr. ‖ **2.** Creer, tener por cierta una cosa. ‖ **3.** p. us. Soportar, tolerar una cosa algo, resistirlo. ‖ **4.** Mimar a los hijos, ser muy indulgente con los niños o con los inferiores. ‖ **5.** *Der.* Otorgar, obligarse. ‖ **6.** prnl. p. us. Resentirse una cosa, desencajarse, principiar a romperse. *El buque* SE CONSINTIÓ.

conserje. (Del fr. *concierge.*) com. Persona que tiene a su cuidado la custodia, limpieza y llaves de un edificio o establecimiento público.

conserjería. f. Oficio y empleo de conserje. ‖ **2.** Habitación que el conserje ocupa en el edificio que está a su cuidado.

conserva. f. Carne, pescado, fruta, etc., preparados convenientemente y envasados herméticamente para ser conservados comestibles durante mucho tiempo. ‖ **2.** Pimientos, pepinos y otras cosas parecidas comestibles que se preparan con vinagre. ‖ **3.** *Mar.* Compañía que se hacen varias embarcaciones navegando juntas para auxiliarse o defenderse, y más comúnmente cuando alguna o algunas de guerra van escoltando a las mercantes. ‖ **trojezada.** La que se hace en pedazos muy menudos, como la de calabaza. ‖ **en conserva.** loc. adj. que añadida a nombres de alimentos indica que estos han sido preparados para el consumo posterior.

conservación. (Del lat. *conservatĭo, -ōnis.*) f. Acción y efecto de conservar o conservarse.

conservador, ra. (Del lat. *conservātor, -ōris.*) adj. Que conserva. Ú. t. c. s. ‖ **2.** V. **juez conservador.** Ú. t. c. s. ‖ **3.** Dícese de personas, partidos, gobiernos, etc., especialmente favorables a la continuidad en las formas de vida colectiva y adversas a los cambios bruscos o radicales. Ú. t. c. s. ‖ **4.** m. En algunas dependencias, el que cuida de sus efectos e intereses con mayor representación que los conserjes en otras.

conservadorismo. m. **conservadurismo.**

conservaduría. f. Empleo y oficio de juez conservador, que en la orden de San Juan era dignidad. ‖ **2.** Cargo de conservador en algunas dependencias públicas. ‖ **3.** Oficina del mismo.

conservadurismo. m. Doctrina política de los partidos conservadores. ‖ **2.** Actitud conservadora en política, ideología, etc.

conservante. p. a. de **conservar.** Que conserva. ‖ **2.** m. Sustancia que añadida a ciertos alimentos sirve para conservarlos sin alterar sus cualidades.

conservar. (Del lat. *conservāre.*) tr. Mantener una cosa o cuidar de su permanencia. Ú. t. c. prnl. ‖ **2.** Mantener vivo y sin daño a alguien. ‖ **3.** Dicho de costumbres, virtudes y cosas semejantes, continuar la práctica de ellas. ‖ **4.** Guardar con cuidado una cosa. ‖ **5.** Hacer conservas.

conservativo, va. (Del lat. *conservativus.*) adj. Dícese de lo que conserva una cosa.

conservatoria. f. Jurisdicción y conocimiento privativo que tenía un juez conservador sobre los que gozaban determinado fuero. ‖ **2.** Indulto o letras apostólicas que se concedían a algunas comunidades, en cuya virtud nombraban jueces conservadores. ‖ **3.** pl. Letras o despachos que libraban los jueces conservadores a favor de los que gozaban de su fuero.

conservatorio, ria. (Del lat. *conservatorĭus.*) adj. Que contiene y conserva alguna o algunas cosas. ‖ **2.** m. Establecimiento, oficial por lo común, en el que se dan enseñanzas de música, declamación y otras artes conexas.

conservería. (De *conservero.*) f. Arte de hacer conservas.

conservero, ra. adj. Perteneciente o relativo a las conservas. *Industria* CONSERVERA. ‖ **2.** m. y f. Persona que tiene por oficio hacer conservas o que sabe hacerlas. ‖ **3.** Propietario de una industria **conservera.**

conseyo. m. ant. **consejo.**

considerabilísimo, ma. adj. sup. de **considerable.**

considerable. (De *considerar.*) adj. Digno de consideración. ‖ **2.** Suficientemente grande, cuantioso o importante.

considerablemente. adv. m. Con notable abundancia o cuantía.

consideración. (Del lat. *consideratĭo, -ōnis.*) f. Acción y efecto de considerar. ‖ **2.** En los libros espirituales, asunto o materia sobre la que se ha de considerar y meditar. ‖ **3.** Urbanidad, respeto. ‖ **cargar la consideración en** alguna cosa. fr. fig. **fijar la consideración en** ella. ‖ **en consideración.** loc. adv. **en atención.** ‖ **fijar la consideración en** una cosa. fr. fig. Meditar sobre ella con atención y madurez. ‖ **parar la consideración en** alguna cosa. fr. Aplicarla particular y determinadamente a algún asunto. ‖ **ser de consideración** una cosa. fr. Ser de importancia, monta o consecuencia. ‖ **tomar en consideración** una cosa. fr. Considerarla digna de atención. ‖ **2.** Declarar una asamblea que una proposición merece ser discutida.

considerado, da. p. p. de **considerar.** ‖ **2.** adj. Que tiene por costumbre obrar con meditación y reflexión. ‖ **3.** Que recibe de los demás muestras repetidas de atención y respeto.

considerador, ra. (Del lat. *considerātor, -ōris.*) adj. Que considera. Ú. t. c. s.

considerando. (ger. de *considerar.*) m. Cada una de las razones esenciales que preceden y sirven de apoyo a un fallo o dictamen y empiezan con dicha palabra.

considerar. (Del lat. *considerāre.*) tr. Pensar, meditar, reflexionar una cosa con atención y cuidado. ‖ **2.** Tratar a una persona con urbanidad o respeto. ‖ **3.** Juzgar, estimar. Ú. t. c. prnl.

considerativo, va. adj. Dícese de lo que considera.

consiervo. (Del lat. *conservus.*) m. Siervo o esclavo, en relación con aquellos otros que sirven a un mismo señor.

consigna. (De *consignar.*) f. *Mil.* Órdenes que se dan al que manda un puesto, y las que este manda observar al centinela. ‖ **2.** Dicho de agrupaciones políticas, sindicales, etc., orden que una persona u organismo dirigente da a los subordinados o afiliados. ‖ **3.** En las estaciones de ferrocarril, aeropuertos, etc., local en que los viajeros depositan temporalmente equipajes, paquetes, etcétera.

consignación. (Del lat. *consignatio, -onis.*) f. Acción y efecto de consignar. ‖ **2.** Cantidad consignada para atender a determinados gastos o servicios.

consignador. m. *Com.* El que consigna sus mercancías o naves a la disposición de un corresponsal suyo.

consignar. (Del lat. *consignare.*) tr. Destinar los réditos de una finca o de cualquier otro bien para el pago de una deuda o de una renta. ‖ **2.** Designar la tesorería o pagaduría que ha de cubrir obligaciones determinadas. ‖ **3.** Asentar en un presupuesto una partida para atender a determinados gastos o servicios. ‖ **4.** Destinar un lugar o sitio para poner o colocar en él una cosa. ‖ **5.** Entregar por vía de depósito, poner en depósito una cosa. ‖ **6.** Tratándose de opiniones, votos, doctrinas, hechos, circunstancias, datos, etc., asentarlos por escrito, a menudo con formalidad jurídica o de modo solemne. ‖ **7.** ant. Dicho de dinero, ponerlo en poder de otro. ‖ **8.** ant. Signar o señalar a alguien con la señal de la cruz. ‖ **9.** *Com.* Enviar las mercaderías a manos de un corresponsal. ‖ **10.** *Der.* Depositar a disposición de la autoridad judicial la cosa debida.

consignatario. m. El que recibe en depósito, por auto judicial, el dinero que otro consigna. ‖ **2.** Acreedor que administra, por convenio con su deudor, la finca que este le ha consignado, hasta que se extinga la deuda. ‖ **3.** *Com.* Aquel para quien va destinado un buque, un cargamento o una partida de mercaderías. ‖ **4.** *Com.* Persona que en los puertos de mar representa al armador de un buque para ocuparse de los asuntos administrativos que se relacionan con su carga y pasaje.

consignativo. (De *consignar.*) adj. V. **censo consignativo.**

consigo. (Del lat. *cum,* con, y *secum,* consigo.) Forma especial del pronombre personal *sí,* cuando va precedido de la preposición *con.*

consiguiente. (Del lat. *consĕquens, -entis,* p. a. de *consĕqui,* seguir.) adj. Que depende y se deduce de otra cosa. ‖ **2.** desus. **consecuente,** dicho de la persona cuya conducta guarda correspondencia con sus principios. Usáb. m. con los verbos *ser, ir* y *proceder.* ‖ **3.** m. *Dial.* Proposición que, admitidas las premisas, es innegable. ‖ **4.** *Gram.* **consecuente,** segundo de los términos de la relación gramatical. ‖ **de consiguiente.** loc. conjunt. **por consiguiente.** ‖ **por consiguiente,** o **por el consiguiente.** loc. conjunt. ilat. Por consecuencia, en fuerza o virtud de lo antecedente.

consiguientemente. adv. m. **por consecuencia.**

consiliario, ria. (Del lat. *consiliarĭus.*) m. y f. **consejero,** persona que aconseja o sirve para aconsejar. ‖ **2.** En varias corporaciones y sociedades, persona elegida para asistir con su consejo al superior que las gobierna, o tomar parte con él en ciertas decisiones. ‖ **3.** ant. Persona que se aconseja con otra.

consiliativo, va. (Del lat. *consiliātus*, p. p. de *consiliāri*, aconsejar.) adj. ant. Dícese de lo que aconseja o sirve de consejo.

consintiente. (Del lat. *consentĭens, -entis.*) p. a. de **consentir.** Que consiente.

consistencia. (De *consistente.*) f. Duración, estabilidad, solidez. ‖ **2.** Trabazón, coherencia entre las partículas de una masa o los elementos de un conjunto.

consistente. (Del lat. *consistens, -entis.*) p. a. de **consistir.** Que consiste. ‖ **2.** adj. Que tiene consistencia.

consistir. (Del lat. *consistĕre.*) intr. Estribar, estar fundada una cosa en otra. *Su trabajo* CONSISTE *en corregir pruebas.* ‖ **2.** Ser efecto de una causa. ‖ **3.** desus. Estar y criarse una cosa encerrada en otra.

consistorial. adj. Perteneciente al consistorio. Ú. t. c. s. ‖ **2.** Aplícase a la dignidad que se proclama en el consistorio del Papa; como los obispados y abadías en que el abad, a presentación del rey, sacaba bulas por cancelaría apostólica para obtenerla. ‖ **3.** V. **beneficio, capa, casa, prelado consistorial.**

consistorialmente. adv. m. En consistorio, o por el consistorio del Papa y cardenales de la Iglesia Romana.

consistorio. (Del lat. *consistorĭum.*) m. Consejo que tenían los emperadores romanos para tratar los negocios más importantes. ‖ **2.** Junta o consejo que celebra el Papa con asistencia de los cardenales de la Iglesia Romana. ‖ **3.** En algunas ciudades y villas principales de España, ayuntamiento o cabildo secular. ‖ **4.** Casa o sitio en donde se juntan los consistoriales o capitulares para celebrar **consistorio.** ‖ **divino.** fig. Tribunal o trono de Dios. ‖ **público.** El que celebraba el Papa, revestido de los ornamentos pontificales y ocupando el solio, para recibir a los príncipes, o en otros actos de gran solemnidad. ‖ **secreto.** El que celebra el Papa en su palacio para consultar los asuntos del gobierno de la Iglesia y para proclamar los obispos y otros prelados.

consocio, cia. (Del lat. *consocĭus.*) m. y f. Socio con respecto a otro u otros.

consograr. (De *consuegro.*) intr. ant. **consuegrar.**

consola. (Del fr. *console.*) f. Mesa hecha para estar arrimada a la pared, comúnmente sin cajones y con un segundo tablero inmediato al suelo. ‖ **2.** Dispositivo que, integrado o no en una máquina, contiene los instrumentos para su control y operación.

consolable. (Del lat. *consolabĭlis.*) adj. Capaz de consuelo y alivio.

consolación. (Del lat. *consolatĭo, -ōnis.*) f. Acción y efecto de consolar o consolarse. ‖ **2.** ant. **limosna.** ‖ **3.** En algunos juegos carteados, como el cuatrillo, tanto que paga a los demás jugadores el que entra solo y pierde.

consolador, ra. (Del lat. *consolātor, ōris.*) adj. Que consuela. Ú. t. c. s.

consolar. (Del lat. *consolāre.*) tr. Aliviar la pena o aflicción de alguien. Ú. t. c. prnl.

consolativo, va. (Del lat. *consolatīvus.*) adj. **consolador.**

consolatorio, ria. (Del lat. *consolatorĭus.*) adj. **consolador.**

consoldamiento. (De *consoldar.*) m. ant. **consolidación.**

consoldar. (Del lat. *consolidāre*, dar fuerza.) tr. ant. **consolidar.**

consólida. (Del lat. *consolĭda.*) f. **consuelda.** ‖ **real. espuela de caballero.**

consolidación. (Del lat. *consolidatĭo, -ōnis.*) f. Acción y efecto de consolidar o consolidarse.

consolidado, da. p. p. de **consolidar.** ‖ **2.** adj. V. **deuda consolidada.**

consolidar. (Del lat. *consolidāre.*) tr. Dar firmeza y solidez a una cosa. ‖ **2.** Liquidar una deuda flotante para convertirla en fija o perpetua. ‖ **3.** fig. Reunir, volver a juntar lo que antes se había quebrado o roto, de modo que quede firme. ‖ **4.** fig. Asegurar del todo, afianzar más y más una cosa; como la amistad, la alianza, etc. ‖ **5.** prnl. *Der.* Reunirse en un sujeto atributos de un dominio antes disgregado.

consolidativo, va. adj. Dícese de lo que tiene virtud de consolidar.

consomé. (Del fr. *consommé.*) m. Caldo de carne concentrado.

consonamiento. (De *consonar.*) m. ant. Sonido de una voz.

consonancia. (Del lat. *consonantĭa.*) f. *Mús.* Cualidad de aquellos sonidos que, oídos simultáneamente, producen efecto agradable. ‖ **2.** Identidad de sonido en la terminación de dos palabras, desde la vocal que lleva el acento, aunque las demás letras no sean exactamente iguales en su figura. ‖ **3.** Uso inmotivado, o no requerido por la rima, de voces consonantes muy próximas unas de otras. ‖ **4.** fig. Relación de igualdad o conformidad que tienen algunas cosas entre sí.

consonante. (Del lat. *consŏnans, -antis*, p. a. de *consonāre*, estar en armonía.) adj. Dícese de cualquier voz con respecto a otra de la misma consonancia. Ú. t. c. s. m. ‖ **2.** V. **letra consonante.** Ú. t. c. s. ‖ **3.** V. **u consonante.** ‖ **4.** fig. Que tiene relación de igualdad o conformidad con otra cosa, de la cual es correspondiente y correlativa. ‖ **5.** *Mús.* Que forma consonancia. Ú. t. c. s.

consonántico, ca. adj. Perteneciente o relativo a las consonantes. ‖ **2.** Perteneciente o relativo a la consonancia.

consonantismo. m. *Fon.* Sistema consonántico de una lengua.

consonantización. f. *Fon.* Acción y efecto de consonantizar o consonantizarse.

consonantizar. tr. *Fon.* Transformar en consonante una vocal, como la *u* de *Paulo* en la *b* de *Pablo*. Ú. m. c. prnl.

consonar. (Del lat. *consonāre.*) tr. ant. **salomar.** ‖ **2.** intr. *Mús.* Formar consonancia. ‖ **3.** Ser una palabra consonante de otra. ‖ **4.** fig. Tener algunas cosas igualdad, conformidad o relación entre sí.

cónsone. adj. fig. p. us. **cónsono.** ‖ **2.** *Mús.* **cónsono,** consonante. ‖ **3.** *Mús.* **acorde.**

cónsono, na. (Del lat. *consŏnus.*) adj. fig. **consonante,** que tiene relación de conformidad. ‖ **2.** *Mús.* Que forma consonancia de sonido.

consorcio. (Del lat. *consortĭum.*) m. Participación y comunicación de una misma suerte con una o varias personas. ‖ **2.** Unión o compañía de los que viven juntos. Se aplica principalmente a la sociedad conyugal. ‖ **3.** Agrupación de entidades para negocios importantes. ‖ **foral.** *Ar.* Condominio entre hermanos, tal que atribuye a los comuneros cierto derecho de acrecer.

consorte. (Del lat. *consors, -ortis*, participante.) com. Persona que es partícipe y compañera con otra u otras en la misma suerte. ‖ **2.** Marido respecto de la mujer, y mujer respecto del marido. ‖ **3.** pl. *Der.* Los que litigan unidos, formando una sola parte en el pleito. ‖ **4.** *Der.* Los que juntamente son responsables de un delito.

conspicuo, cua. (Del lat. *conspicŭus.*) adj. Ilustre, visible, sobresaliente.

conspiración. (Del lat. *conspiratĭo, -ōnis.*) f. Acción de conspirar; unirse contra un superior o un particular.

conspirado. (Del lat. *conspirātus.*) m. **conspirador.**

conspirador, ra. m. y f. Persona que conspira.

conspirar. (Del lat. *conspirāre.*) tr. ant. Convocar, llamar alguien en su favor. ‖ **2.** intr. Unirse algunos contra su superior o soberano. ‖ **3.** Unirse contra un particular para hacerle daño. ‖ **4.** fig. Concurrir varias cosas a un mismo fin.

constable. (Del lat. *constabilis.*) adj. ant. Que tiene constancia[1].

constancia[1]. (Del lat. *constantĭa.*) f. Firmeza y perseverancia del ánimo en las resoluciones y en los propósitos.

constancia[2]. (De *constar.*) f. Acción y efecto de hacer constar alguna cosa de manera fehaciente. ‖ **2.** Certeza, exactitud de algún hecho o dicho. ‖ **3.** Escrito en que se ha hecho constar algún acto o hecho, a veces de manera fehaciente. Ú. m. con los verbos *haber, dejar,* etc., y en la fr. **para constancia,** para que conste.

constanciense. adj. Natural de Constanza. Ú. t. c. s. ‖ **2.** Perteneciente a esta ciudad alemana.

constante. (Del lat. *constans, -antis.*) p. a. de **constar.** Que consta. ‖ **2.** adj. Que tiene constancia. ‖ **3.** Dicho de las cosas, persistente, durable. ‖ **4.** Continuamente reiterado. Ú. t. c. s. f. *La ironía es una* CONSTANTE *en su obra.* ‖ **5.** f. *Mat.* Variable que tiene un valor fijo en un determinado proceso, cálculo, etc. ‖ **constantes vitales.** *Med.* Conjunto de datos relativos a la composición y las funciones del organismo, como la cifra de glucosa y de urea en la sangre, el grado de acidez del suero sanguíneo, la tensión arterial, etc., cuyo valor debe mantenerse dentro de los límites para que la vida prosiga en condiciones normales.

constantemente. adv. m. Con constancia. ‖ **2.** Con notoria certeza; cierta e indudablemente.

Constantinopla. n. p. V. **ramillete de Constantinopla.**

constantinopolitano, na. (Del lat. *Constantinopolitānus.*) adj. Natural de Constantinopla. Ú. t. c. s. ‖ **2.** Perteneciente o relativo a esta ciudad.

constar. (Del lat. *constāre.*) intr. Ser cierta o manifiesta una cosa. ‖ **2.** Quedar registrada por escrito una cosa, o notificada oralmente a una o varias personas. ‖ **3.** Tener un todo determinadas partes. *Un soneto* CONSTA *de dos cuartetos* y *dos tercetos.* ‖ **4.** Tratándose de versos, tener la medida y acentuación correspondiente a los de su clase. ‖ **5.** ant. **consistir.**

constatación. f. Acción y efecto de constatar.

constatar. (Del fr. *constater.*) tr. Comprobar un hecho, establecer su veracidad, dar constancia de él.

constelación. (Del lat. *constellatio, -ōnis.*) f. Conjunto de estrellas que, mediante trazos imaginarios sobre la aparente superficie celeste, forman un dibujo que evoca determinada figura (un animal, un personaje mitológico, etc.). ‖ **2.** fig. Conjunto, reunión armoniosa. ‖ **3.** desus. Clima o temple. ‖ **4.** *Astrol.* Aspecto de los astros al tiempo de levantar el horóscopo. ‖ **correr una constelación.** fr. desus. Reinar alguna enfermedad epidémica.

constelar. (Del fr. *consteller.*) intr. Esparcir, cubrir, llenar. Se construye con la prep. *de.* Es voz de uso literario.

consternación. (Del lat. *consternatĭo, -ōnis.*) f. Acción y efecto de consternar o consternarse

consternado, da. p. p. de **consternar.** ‖ **2.** adj. Muy apenado, hondamente abatido. *Quedó* CONSTERNADO *con la noticia de su muerte.*

consternar. (Del lat. *consternāre.*) tr. Conturbar mucho y abatir el ánimo. Ú. m. c. prnl.

constipación. (Del lat. *constipatĭo, -ōnis.*) f. **constipado.** ‖ **de vientre.** *Pat.* **estreñimiento.**

constipado, da. p. p. de **constipar.** ‖ **2.** m. **catarro.** ‖ **3. resfriado,** destemple general del cuerpo.

constipar. (Del lat. *constipāre,* constreñir.) tr. Cerrar y apretar los poros, impidiendo la transpiración. ‖ **2.** prnl. Acatarrarse, resfriarse.

constipativo, va. adj. ant. Que produce constipación.

constitución. (Del lat. *constitutĭo, -ōnis.*) f. Acción y efecto de constituir. ‖ **2.** Esencia y calidades de una cosa que la constituyen como es y la diferencian de las demás. ‖ **3.** Forma o sistema de gobierno que tiene cada Estado. ‖ **4.** Ley fundamental de la organización de un Estado. ‖ **5.** Estado actual y circunstancias de una determinada colectividad. ‖ **6.** Cada una de las ordenanzas o estatutos con que se gobierna una corporación. ‖ **7.** *Der.* En el derecho romano, ley que establecía el príncipe, ya fuese por carta, ya por edicto, decreto, rescripto u orden. ‖ **8.** *Fisiol.* Naturaleza y relación de los sistemas y aparatos orgánicos, cuyas funciones determinan el grado de fuerzas y vitalidad de cada individuo. ‖ **apostólica.** Decisión o mandato solemne del Sumo Pontífice, cuya observancia comprende a toda la iglesia católica o a varias órdenes, cuerpos o clases de los fieles. Las hay en forma de bula y en forma de rescripto o breve. ‖ **2.** Conjunto de leyes por que se rige. ‖ **pontificia. bula** de interés general. ‖ **constituciones apostólicas.** Cierta colección de reglas eclesiásticas atribuidas a los apóstoles, pero cuyo verdadero autor se ignora.

constitucional. adj. Perteneciente a la Constitución de un Estado. ‖ **2.** Adicto a ella. Ú. t. c. s. ‖ **3.** Propio de la constitución de un individuo o perteneciente a ella.

constitucionalidad. f. Calidad de constitucional.

constitucionalmente. adv. m. Conforme o con arreglo a lo dispuesto por la Constitución.

constituidor, ra. adj. Que establece o constituye. Ú. t. c. s.

constituir. (Del lat. *constituĕre.*) tr. Formar, componer, ser. *El sol* y *los planetas* CONSTITUYEN *el sistema solar. El robo* CONSTITUYE *delito.* ‖ **2.** Establecer, erigir, fundar, CONSTITUIR *una familia, un estado.* Ú. t. c. prnl. CONSTITUIRSE *en tribunal.* ‖ **3.** Asignar, otorgar, dotar a alguien o algo de una nueva posición o condición. *El testamento le* CONSTITUYÓ *heredero universal.* ‖ **4.** p. us. Con la prep. *en* y los nombres *apuro, obligación* y otros análogos, obligar a alguien a hacer algo. ‖ **5.** prnl. Seguido de una de las preposiciones *en* o *por,* asumir obligación, cargo o cuidado. SE CONSTITUYÓ EN *fiador;* SE CONSTITUYÓ POR *su guardador.*

constitutivo, va. (Del lat. *constitutīvus.*) adj. Dícese de lo que forma parte esencial o fundamental de una cosa y la distingue de las demás. Ú. t. c. s. m.

constituto, ta. (Del lat. *constitūtus.*) p. p. irreg. ant. de **constituir.**

constituyente. p. a. de **constituir.** Que constituye o establece. ‖ **2.** adj. Dícese de las Cortes, asambleas, convenciones, congresos, etc., convocados para elaborar o reformar la Constitución del Estado. Ú. t. c. s. ‖ **3.** m. Persona elegida como miembro de una asamblea **constituyente.**

constreñimiento. (De *constreñir.*) m. Apremio y compulsión que se hace a otro para que ejecute alguna cosa.

constreñir. (Del lat. *constringĕre.*) tr. Obligar, precisar, compeler por fuerza a alguien a que haga y ejecute alguna cosa. ‖ **2.** Oprimir, reducir, limitar. *Las reglas rígidas* CONSTRIÑEN *la imaginación.* ‖ **3.** *Med.* Apretar y cerrar, como oprimiendo.

constricción. (Del lat. *constrictĭo, -ōnis.*) f. Acción y efecto de constreñir.

constrictivo, va. (Del lat. *constrictīvus.*) adj. Que tiene virtud de constreñir.

constrictor, ra. adj. Que produce constricción. ‖ **2.** *Med.* Dícese del medicamento que se emplea para constreñir. Ú. t. c. s. m.

constrictura. (Del lat. *constrictūra.*) f. ant. Cerramiento o estrechura.

constringente. adj. Que constriñe o aprieta.

constringir. (Del lat. *constringĕre.*) tr. ant. **constreñir.**

constriñimiento. m. ant. **constreñimiento.**

constriñir. tr. ant. **constreñir.**

construcción. (Del lat. *constructĭo, -ōnis.*) f. Acción y efecto de construir. ‖ **2.** Arte de construir. ‖ **3.** Tratántose de edificios, obra construida. ‖ **4.** *Gram.* Ordenamiento y disposición a que se han de someter las palabras, ya relacionadas por la concordancia y el régimen, para expresar con ellas todo linaje de conceptos. ‖ **5.** *Gram.* V. **figura de construcción.** ‖ **6.** pl. Juguete infantil que consta de piezas de madera u otro material, de distintas formas, con las cuales se imitan edificios, puentes, etc.

constructivismo. (Del ruso *konstruktivizm.*) m. Movimiento de arte de vanguardia, interesado especialmente por la organización de los planos y la expresión del volumen utilizando materiales de la época industrial.

constructivo, va. adj. Dícese de lo que construye o sirve para construir, por oposición a lo que destruye.

constructor, ra. (Del lat. *constructor, -ōris.*) adj. Que construye. Ú. t. c. s.

construir. (Del lat. *construĕre.*) tr. Fabricar, edificar, hacer de nueva planta una obra de arquitectura o ingeniería, un monumento o en general cualquier obra pública. ‖ **2.** En las antiguas escuelas de gramática, disponer las palabras latinas o griegas según el orden normal en español a fin de facilitar la traducción. ‖ **3.** *Gram.* Ordenar las palabras, o unirlas entre sí con arreglo a las leyes de la construcción gramatical.

constuprador. (Del lat. *constuprātor, -ōris.*) adj. ant. **estuprador.** Ú. t. c. s.

constuprar. (Del lat. *constuprāre.*) tr. ant. **estuprar.**

consubstanciación. f. *Teol.* Presencia de Jesucristo en la Eucaristía, en sentido luterano; es decir, conservando el pan y el vino su propia sustancia y no una mera apariencia.

consubstancial. (Del lat. *consubstantiālis.*) adj. *Teol.* Que es de la misma sustancia, naturaleza indivisible y esencia que otro.

consubstancialidad. (Del lat. *consubstantialĭtas, -ātis.*) f. *Teol.* Calidad de consubstancial.

consubstanciarse. prnl. *Argent.* Identificarse íntimamente un ser con otro o con una particular interpretación de la realidad.

consuegrar. intr. p. us. Contraer parentesco de consuegro.

consuegro, gra. (Del lat. *consŏcer, -ĕri.*) m. y f. Padre o madre de una de dos personas unidas en matrimonio, respecto del padre o madre de la otra.

consuelda. (Del lat. *consolĭda.*) f. Planta herbácea de la familia de las borragináceas, vellosa, con tallo de seis a ocho decímetros de altura, grueso y erguido, hojas ovales y pecioladas las inferiores, lanceoladas y envainadoras las superiores, flores de forma de embudo, en racimos colgantes, blancas, amarillentas o rojizas, y rizoma mucilaginoso que se emplea en medicina. ‖ **menor.** Hierba de la familia de las labiadas, con tallos de dos a tres decímetros de altura, hojas pecioladas y enteras, y flores azules en espiga apretada. Se ha empleado en medicina como vulneraria. ‖ **real. espuela de caballero.** ‖ **roja. tormentila.**

consuelo. (De *consolar.*) m. Descanso y alivio de la pena, molestia o fatiga que aflige y oprime el ánimo. ‖ **2.** Gozo, alegría. ‖ **3. misericordia,** pieza del asiento en el coro de las iglesias. ‖ **sin consuelo.** expr. adv. fig. y fam. Sin medida ni tasa. *Gasta* SIN CONSUELO.

consueta. (Del lat. *consuēta,* t. f. de *-tus,* consueto.) m. En algunas partes, **apuntador** del teatro. ‖ **2.** f. *Ar.* **añalejo.** ‖ **3.** pl. Conmemoraciones comunes que se dicen ciertos días en el oficio divino al fin de las laudes y vísperas. ‖ **4.** Reglas consuetudinarias por que se rige un cabildo o capítulo eclesiástico. Ú. t. en sing., referido a cada una de dichas reglas y del conjunto de ellas.

consueto, ta. (Del lat. *consuētus,* p. p. de *consuescĕre,* acostumbrar.) adj. ant. Decíase de lo acostumbrado.

consuetud. (Del lat. *consuetūdo.*) f. ant. **costumbre.**

consuetudinario, ria. (Del lat. *consuetudinarĭus.*) adj. Dícese de lo que es de costumbre. ‖ **2.** V. **derecho consuetudinario.** ‖ **3.** *Teol.* Aplícase a la persona que tiene costumbre de cometer alguna culpa.

cónsul. (Del lat. *consul, -ŭlis.*) m. Cada uno de los dos magistrados que tenían en la República romana la suprema autoridad, la cual duraba solamente un año. ‖ **2.** Cada uno de los jueces que componían el consulado antiguo. ‖ **3.** Magistrado de algunas repúblicas o municipios. ‖ **4.** com. Persona autorizada en puerto u otra población de un Estado extranjero para proteger las personas e intereses de los individuos de la nación que lo nombra. ‖ **general.** Jefe del servicio consular de su nación en el país en que reside. ‖ **2.** ant. **caudillo.**

cónsula. f. Mujer del cónsul.

consulado. (Del lat. *consulātus.*) m. Dignidad de cónsul. ‖ **2.** Tiempo que duraba esta dignidad. ‖ **3.** Tribunal de comercio que juzgaba y resolvía los pleitos de los comerciantes de mar y tierra. ‖ **4.** Cargo de cónsul de una potencia. ‖ **5.** Territorio o distrito en que un cónsul ejerce su autoridad. ‖ **6.** Casa u oficina en que despacha el cónsul.

consulaje. m. ant. Dignidad de cónsul.

consular. (Del lat. *consulāris.*) adj. Perteneciente a la dignidad de cónsul romano. *Provincia, familia* CONSULAR. ‖ **2.** Perteneciente o relativo al cónsul y a su jurisdicción.

consulazgo. m. ant. **consulado,** dignidad de cónsul. ‖ **2.** ant. **consulado,** tiempo que dura esta dignidad.

consulesa. f. fam. Mujer del cónsul. ‖ **2.** En algunos países, mujer cónsul.

consulta. f. Acción y efecto de consultar. ‖ **2.** Parecer o dictamen que por escrito o de palabra se pide o se da acerca de una cosa. ‖ **3.** Conferencia entre profesionales para resolver alguna cosa. ‖ **4.** Dictamen que los consejos, tribunales u otros cuerpos daban por escrito al rey, sobre un asunto que requería su real resolución, o proponiendo sujetos para un empleo. ‖ **5.** V. **caja de consulta.** ‖ **6.** Acción de atender el médico a sus pacientes en un espacio de tiempo determinado. ‖ **7. consultorio,** local en que el médico recibe a los pacientes. ‖ **bajar la consulta.** fr. Devolverla despachada por el rey. ‖ **subir la consulta.** fr. Llevarla los ministros o secretarios para el despacho.

consultable. adj. Digno de consultarse o preguntarse.

consultación. (Del lat. *consultatĭo, -ōnis.*) f. **consulta,** conferencia entre facultativos.

consultante. p. a. de **consultar.** Que consulta. Ú. t. c. s. ‖ **2.** adj. V. **ministro consultante.**

consultar. (Del lat. *consultāre,* intens. de *consulĕre,* considerar, deliberar.) tr. Examinar, tratar un asunto con una o varias personas. ‖ **2.** Buscar documentación o datos sobre algún asunto o materia ‖ **3.** Pedir parecer, dictamen o consejo. ‖ **4.** Dar los consejos, tribunales u otros cuerpos antiguos, al rey o a otra autoridad, dictamen por escrito sobre un asunto, o proponerle sujetos para un empleo.

consultivo, va. adj. Aplícase a las materias que los consejos o tribunales deben consultar con el jefe del Estado. ‖ **2.** Se dice de las juntas o corporaciones establecidas para ser oídas y consultadas por los que gobiernan. ‖ **3.** V. **voto consultivo.**

consulto, ta. (Del lat. *consultus.*) adj. ant. Sabio, docto.

consultor, ra. (Del lat. *consultor, -ōris.*) adj. Que da su parecer, consultado sobre algún asunto. Ú. t. c. s. ‖ **2. consultante.** Ú. t. c. s. ‖ **3.** m. Cada uno de los individuos no investidos con la dignidad cardenalicia que con voz y voto forman parte de algunas de las congregaciones de la curia romana, ya por razón de sus cargos, ya elegidos por el Sumo Pontífice. ‖ **del Santo Oficio.** Ministro del tribunal de la Inquisición, que antiguamente asistía a las vistas y daba su parecer antes que el ordinario, y últimamente solo servía de suplente, en ausencias y enfermedades, a los abogados de los presos pobres.

consultoría. f. Actividad del consultor. ‖ **2.** Despacho o local donde trabaja el consultor.

consultorio. (Del lat. *consultorĭus.*) m. Establecimiento privado donde se despachan informes o consultas sobre materias técnicas. ‖ **2.** Local en que el médico recibe y atiende a sus pacientes. ‖ **3.** Establecimiento particular fundado por uno o varios profesores de medicina, generalmente especialistas, para que las personas poco pudientes acudan a él a consultar acerca de sus dolencias. ‖ **4.** Sección que en los periódicos o emisoras de radio está destinada a contestar las preguntas que les hace el público.

consumación. (Del lat. *consummatio, -onis.*) f. Acción y efecto de consumar. ‖ **2.** Extinción, acabamiento total. ‖ **la consumación de los siglos.** El fin del mundo.

consumado, da. (Del lat. *consummātus.*) p. p. de **consumar.** ‖ **2.** adj. Dícese de la persona que, en su oficio o especialidad, ha acreditado cierto grado de excelencia o perfección. *Un bailarín* CONSUMADO.

consumador, ra. (Del lat. *consummātor, -ōris.*) adj. Que consuma. Ú. t. c. s.

consumar. (Del lat. *consummāre.*) tr. Llevar a cabo totalmente una cosa. CONSUMAR *la redención del género humano;* CONSUMAR *un sacrificio, un crimen.* ‖ **2.** *Der.* Dar cumplimiento a un contrato o a otro acto jurídico que ya era perfecto.

consumativo, va. adj. Que consuma o perfecciona. Ú. referido al sacramento de la Eucaristía.

consumero. (De *consumos,* impuestos municipales.) m. ant. Empleado de **consumos,** impuestos municipales.

consumible. adj. Que puede consumirse.

consumición. f. Acción y efecto de consumir o consumirse. ‖ **2.** Gasto de cosas que con el uso se extinguen. ‖ **3.** Lo que se consume en un café, bar o establecimiento público.

consumido, da. p. p. de **consumir.** ‖ **2.** adj. fig. y fam. Muy flaco, extenuado y macilento. ‖ **3.** fig. y fam. Que suele afligirse y apurarse con poco motivo.

consumidor, ra. adj. Que consume. Ú. t. c. s.

consumimiento. m. **consunción.**

consumir. (Del lat. *consumĕre.*) tr. Destruir, extinguir. Ú. t. c. prnl. ‖ **2.** Utilizar comestibles perecederos u otros géneros de vida efímera para satisfacer necesidades o gustos pasajeros. ‖ **3.** Gastar energía o un producto energético. ‖ **4.** Recibir o tomar el sacerdote la comunión en la misa. Ú. t. c. intr. ‖ **5.** ant. Sumir o beber el vino de la ablución en la misa. ‖ **6.** fig. y fam. Desazonar, apurar, afligir. Ú. t. c. prnl.

consumismo. m. Actitud de consumo repetido e indiscriminado de bienes en general materiales y no absolutamente necesarios.

consumitivo, va. adj. ant. **consuntivo.**

consumo. (De *consumir.*) m. Acción y efecto de **consumir** comestibles y otros géneros de vida efímera. ‖ **2.** Acción y efecto de **consumir,** gastar energía. ‖ **3.** ant. Dicho de caudales, de juros, libranzas o créditos contra la real hacienda, **extinción.** ‖ **4.** pl. Impuesto municipal sobre los comestibles y otros géneros que se introducen en una población para venderlos o consumirlos en la misma.

consuna (de). loc. adv. ant. **de consuno.**

consunción. (Del lat. *consumptĭo, -ōnis.*) f. Acción y efecto de consumir o consumirse. ‖ **2.** Extenuación, enflaquecimiento.

consuno (de). (De *con-, so*[3] y *uno.*) loc. adv. Juntamente, en unión, de común acuerdo.

consuntivo, va. (De *consunto.*) adj. Que tiene virtud de consumir.

consunto, ta. (Del lat. *consumptus.*) p. p. irreg. de **consumir.**

consustancial. (Del lat. *consubstantiālis.*) adj. *Teol.* **consubstancial.**

consustancialidad. (Del lat. *consubstantialĭtas, -ātis.*) f. *Teol.* **consubstancialidad.**

conta. (Del port. *conta,* cuenta.) f. ant. **cuenta.**

contabilidad. (De *contable.*) f. Aptitud de las cosas para poder reducirlas a cuenta o cálculo. ‖ **2.** Sistema adoptado para llevar la cuenta y razón en las oficinas públicas y particulares.

contabilizar. tr. Apuntar una partida o cantidad en los libros de cuentas.

contable. (Del lat. *computabĭlis.*) adj. Que puede ser contado. ‖ **2.** Perteneciente o relativo a la contabilidad. ‖ **3.** com. **tenedor de libros.**

contactar. tr. Establecer contacto o comunicación.

contacto. (Del lat. *contactus.*) m. Acción y efecto de tocarse dos o más cosas. ‖ **2.** Conexión entre dos partes de un circuito eléctrico. ‖ **3.** Artificio para establecer esta conexión. ‖ **4.** V. **lente de contacto.** ‖ **5. enlace,** persona que tiene relación con otras, especialmente dentro de una organización. ‖ **6.** fig. Relación o trato que se establece entre dos o más personas o entidades. ‖ **7.** *Fotogr.* Impresión positiva, obtenida por **contacto,** de un negativo fotográfico. Ú. m. en pl.

contactología. f. Técnica de fabricación y aplicación de lentes de contacto.

contactólogo, ga. m. y f. Especialista en contactología.

contadero, ra. adj. Que se puede o se ha de contar; como los días, meses y años. ‖ **2.** m. Pasadizo estrecho dispuesto de manera que puedan entrar o salir personas o animales tan solo de uno en uno. ‖ **entrar, o salir, por contadero.** fr. fig. y fam. Entrar, o salir, por paraje tan estrecho, que solamente se puede pasar por él uno a uno.

contado, da. p. p. de **contar.** ‖ **2.** adj. **raro,** escaso. ‖ **3.** Determinado, señalado. ‖ **al contado.** loc. adv. Con dinero contante. ‖ **2.** Con pago inmediato en moneda efectiva o su equivalente. ‖ **de contado.** loc. adv. Al instante, inmediatamente, luego, al punto. ‖ **por de contado.** loc. adv. Por supuesto, de seguro.

contador, ra. (Del lat. *computātor, -ōris.*) adj. Que cuenta. Ú. t. c. s. ‖ **2.** V. **tablero contador.** ‖ **3.** ant. Novelero, hablador. Usáb. t. c. s. ‖ **4.** m. Aparato que sirve para llevar cuenta del número de revoluciones de una rueda o de movimientos de otra pieza de una máquina. ‖ **5.** Aparato destinado a medir el volumen de agua o de gas que pasa por una cañería, o la cantidad de electricidad que recorre un circuito en un tiempo determinado. ‖ **6. contable,** tenedor de libros. ‖ **7.** Persona nombrada por juez competente, o por las mismas partes, para liquidar una cuenta. ‖ **8.** Mesa de madera que suelen tener los cambistas y mercaderes para contar en sus casas el dinero. ‖ **9.** Especie de escritorio o papelera, con varias gavetas, sin puertecillas ni adornos de remates. ‖ **10.** Cada uno de los tantos, del tamaño de las monedas de diez céntimos, que tenían en la oficina del bureo para contar con ellos al uso de la casa de Borgoña. ‖ **11.** ant. **contaduría,** oficina del **contador.** ‖ **dirimente.** *Der.* El partidor letrado que nombra el juez para resolver las diferencias entre los designados por los partícipes en la herencia que se ha de dividir. ‖ **partidor. contador,** persona que nombra el juez para liquidar una cuenta.

contaduría. f. Oficio de contador. ‖ **2.** Oficina del contador. ‖ **3.** Oficina donde se lleva la cuenta y razón de los caudales o gastos de una institución, administración, etc.

‖ **4.** Administración de un espectáculo público, en donde se expenden los billetes con anticipación y sobreprecio. ‖ **de hipotecas.** Antigua oficina que hacía las veces de Registro de la Propiedad. ‖ **de provincia.** Oficina donde se lleva la cuenta y razón de las contribuciones de cada pueblo y de los productos de las rentas públicas, en la provincia en donde se halla establecida. ‖ **general.** Oficina subordinada a un tribunal, además de las que había en el Consejo de Hacienda, para reconocer y calificar todas las cuentas de los caudales de S. M. y del fisco, relativos al ramo particular para que estaba establecido, y del cual tomó su denominación; como la **contaduría** general de las Órdenes, etc. Actualmente están muchas reformadas o suprimidas. ‖ **de contaduría.** loc. fam. Dícese de la noticia o suelto periodístico que, sin aparentarlo, procede de parte interesada.

contagiar. (De *contagio.*) tr. Transmitir una enfermedad a alguien. Ú. t. en sent. fig. ‖ **2.** prnl. Adquirir por contagio una enfermedad. Ú. t. en sent. fig.

contagio. (Del lat. *contagĭum.*) m. Transmisión, por contacto inmediato o mediato, de una enfermedad específica. ‖ **2.** Germen, conocido o supuesto, de la enfermedad contagiosa. ‖ **3.** La misma enfermedad contagiosa. ‖ **4.** fig. Transmisión de hábitos, actitudes, simpatías, etc., a consecuencia de influencias de uno u otro orden.

contagión. (Del lat. *contagĭo, -ōnis.*) f. p. us. **contagio.**

contagiosidad. f. Calidad de contagioso.

contagioso, sa. (Del lat. *contagiōsus.*) adj. Aplícase a las enfermedades que se pegan y comunican por contagio. ‖ **2.** Que se pega o propaga fácilmente. *Risa* CONTAGIOSA. ‖ **3.** fig. Dícese de los vicios y costumbres que se pegan o comunican con el trato.

contal. (De *cuenta.*) m. Sartal de piedras o cuentas para contar.

contaminación. (Del lat. *contaminatĭo, -ōnis.*) f. Acción y efecto de contaminar o contaminarse.

contaminador, ra. (Del lat. *contaminātor, -ōris.*) adj. Que contamina.

contaminante. p. a. de **contaminar.** Que contamina. Ú. t. c. s.

contaminar. (Del lat. *contamināre.*) tr. Alterar, dañar alguna sustancia o sus efectos la pureza o el estado de alguna cosa. CONTAMINAR *los alimentos, las aguas, el aire, los organismos.* Ú. t. c. prnl. SE HA CONTAMINADO *de radiactividad.* ‖ **2.** Contagiar, inficionar. Ú. t. c. prnl. ‖ **3.** Alterar la forma de un vocablo o texto por la influencia de otro. ‖ **4.** fig. Pervertir, corromper la fe o las costumbres. Ú. t. c. prnl. ‖ **5.** fig. Dicho de la ley de Dios, profanarla, quebrantarla.

contante. (Del fr. *comptant.*) adj. Aplícase el dinero efectivo. Dícese también **contante y sonante.** ‖ **2.** m. ant. Tanto o cuenta para contar.

contar. (Del lat. *computāre.*) tr. Numerar o computar las cosas considerándolas como unidades homogéneas. CONTAR *los días, las ovejas.* ‖ **2.** Referir un suceso, sea verdadero o fabuloso. ‖ **3.** Tener en cuenta, considerar. Y CUENTA *que esto no es todo.* ‖ **4.** Poner a alguien en el número, clase u opinión que le corresponde. *Siempre te* HE CONTADO *entre los mejores.* Ú. t. c. prnl. ‖ **5.** Dicho de años, tenerlos. ‖ **6.** intr. Hacer, formar cuentas según reglas de aritmética. ‖ **7. valer,** equivaler. *Come tanto que* CUENTA *por dos.* ‖ **8.** Importar, ser de consideración. *Un pequeño error no* CUENTA. ‖ **contar con** alguien. fr. Tenerle en cuenta. CONTÓ CON *ellos para el convite.* ‖ **2.** Tener, disponer de una cualidad o de cierto número de personas o cosas. *El equipo* CUENTA CON *once jugadores.* CUENTO CON *su simpatía.* ‖ **contar con** una persona o cosa **para** algún fin. fr. Confiar o tener por cierto que servirá para el logro de lo que se desea. ‖ **contar** alguien **por hecha** una cosa. fr. fam. Estimar, dar tanto valor al deseo o promesa de hacerla, como si realmente se hubiera ejecutado. ‖ **contarse a** alguien una cosa. fr. ant. Atribuírsela. ‖ **no ser bien contada,** o **ser mal contada,** a alguien una cosa. fr. Tener malas resultas para él. ‖ **2.** Serle censurada o afeada. ‖ **¿qué cuentas?, ¿qué cuenta usted?, ¿qué cuentan ustedes?** Fórmulas de saludo que expresan el interés del hablante por la vida y asuntos del interlocutor.

contario. (De *cuenta.*) m. **contero.**

contecer. (Del lat. *contingĕre;* en vulg. *contingescĕre.*) intr. ant. **acontecer.**

contejido, da. (De *con-* y *tejido.*) adj. ant. Decíase de lo que estaba tejido.

contemperar. (Del lat. *contemperāre.*) tr. **atemperar.**

contemplación. (Del lat. *contemplatĭo, -ōnis.*) f. Acción de contemplar. ‖ **2.** Consideración, atención o miramiento que se guarda a alguien. ‖ **3.** pl. Miramientos que cohíben de hacer algo.

contemplador, ra. adj. **contemplativo.** Ú. t. c. s.

contemplar. (Del lat. *contemplāre.*) tr. Poner la atención en alguna cosa material o espiritual. ‖ **2.** Considerar, juzgar. ‖ **3.** Complacer a una persona, ser condescendiente con ella, por afecto, por respeto, por interés o por lisonja. ‖ **4.** *Teol.* Ocuparse el alma con intensidad en pensar en Dios y considerar sus atributos divinos o los misterios de la religión.

contemplativo, va. (Del lat. *contemplatīvus.*) adj. Perteneciente a la contemplación. ‖ **2.** Que contempla. ‖ **3.** Que acostumbra meditar intensamente. ‖ **4.** Que acostumbra complacer a otros por bondad o por cálculo. ‖ **5.** Especulativo, teórico, en oposición a pragmático o activo. ‖ **6.** *Teol.* Muy dado o consagrado a la contemplación de las cosas divinas. Ú. t. c. s. ‖ **7.** *Teol.* Perteneciente o relativo a la contemplación de las cosas divinas.

contemplatorio, ria. (Del lat. *contemplatorĭus.*) adj. ant. Decíase del sitio o paraje a propósito para contemplar o mirar con atención.

contemporaneidad. f. Calidad de contemporáneo.

contemporáneo, a. (Del lat. *contemporanĕus.*) adj. Existente en el mismo tiempo que otra persona o cosa. Ú. t. c. s. ‖ **2.** Relativo al tiempo o época actual.

contemporización. f. Acción y efecto de contemporizar.

contemporizador, ra. adj. Que contemporiza. Ú. t. c. s.

contemporizar. (De *con-* y *temporizar.*) intr. Acomodarse al gusto o dictamen ajeno por algún respeto o fin particular.

contemptible. (Del lat. *contemptibĭlis.*) adj. ant. **contentible.**

contención[1]**.** f. Acción y efecto de **contener,** sujetar el movimiento de un cuerpo. *Un muro de* CONTENCIÓN.

contención[2]**.** (Del lat. *contentĭo,* de *contendĕre,* disputar.) f. desus. Contienda, disputa entre varios. ‖ **2.** ant. Intensión, esfuerzo, conato. ‖ **3.** *Der.* Litigio trabado entre partes.

contencioso, sa. (Del lat. *contentiōsus.*) adj. Dícese del que por costumbre disputa o contradice todo lo que otros afirman. ‖ **2.** V. **administración, vía contenciosa.** ‖ **3.** *Der.* Aplícase a las materias sobre las que se contiende en juicio, o a la forma en que se litiga. ‖ **4.** *Der.* Dícese de los asuntos sometidos al fallo de los tribunales en forma de litigio, en contraposición a los actos gubernativos y a los de jurisdicción voluntaria. Ú. t. c. s. m. ‖ **5.** *Der.* V. **juicio contencioso.** ‖ **6.** *Der.* V. **recurso contencioso administrativo.**

contendedor. m. El que contiende.

contender. (Del lat. *contendĕre.*) intr. Lidiar, pelear, batallar. ‖ **2.** fig. Disputar, debatir, altercar. ‖ **3.** Discutir, contraponer opiniones, puntos de vista, etc.

contendiente. p. a. de **contender.** Que contiende. Ú. t. c. s.

contendor. (De *contender.*) m. p. us. **contendedor.** Ú. en América Meridional.

contenedor[1]. (De *contener*, para traducir el ing. *container.*) m. Embalaje metálico grande y recuperable, de tipos y dimensiones normalizados internacionalmente y con dispositivos para facilitar su manejo.

contenedor[2], **ra.** adj. Que contiene.

contenencia[1]. (De *contener.*) f. Parada o suspensión que hacen a veces en el aire algunas aves, especialmente las de rapiña. ‖ **2.** ant. Lo que se contiene dentro de una cosa. ‖ **3.** ant. Aire del semblante y actitud del cuerpo. ‖ **4.** *Danza.* Paso de lado, en el cual parece que se contiene o detiene el que danza. ‖ **a la demanda.** desus. *Der.* Escrito de oposición que hacía el reo a la demanda del actor.

contenencia[2]. (De *contender.*) f. ant. **contienda.**

contenente. m. ant. **continente,** aire del semblante y actitud del cuerpo.

contener. (Del lat. *continēre.*) tr. Llevar o encerrar dentro de sí una cosa a otra. Ú. t. c. prnl. ‖ **2.** Reprimir o sujetar el movimiento o impulso de un cuerpo. Ú. t. c. prnl. ‖ **3.** fig. Reprimir o moderar una pasión. Ú. t. c. prnl. ‖ **como en ello se contiene.** expr. fig. y fam. con que se afirma que una cosa es puntualmente como se dice.

contenible. adj. Que se puede contener.

contenido, da. p. p. de **contener.** ‖ **2.** adj. fig. Que se conduce con moderación o templanza. ‖ **3.** m. Lo que se contiene dentro de una cosa. ‖ **4.** Tabla de materias, a modo de índice. ‖ **5.** *Ling.* Significado de un signo lingüístico o de un enunciado.

contenta. (De *contentar.*) f. Agasajo o regalo con que se satisfacen los deseos de alguien. ‖ **2.** Certificación que daba el alcalde de cada lugar por donde hacía tránsito la tropa, al comandante de ella, expresando que ningún soldado había hecho violencia en aquel lugar ni dejado de pagar lo que le correspondía. ‖ **3.** Certificación que, en iguales casos y a petición del alcalde, daba el comandante, manifestando haber estado bien asistida la tropa en el lugar. ‖ **4.** En algunas universidades de América, calificación laudatoria de fin de estudios que a veces iba acompañada de la exención del pago de derechos para la expedición del título correspondiente. ‖ **5.** *Com.* **endoso.** ‖ **6.** *Mar.* Certificado de solvencia que se da a los oficiales de cargo de los buques, al cesar en su cometido.

contentación. (De *contentar.*) f. ant. **contento,** alegría, satisfacción.

contentadizo, za. adj. Se dice de la persona que fácilmente se aviene a admitir lo que se le da, dice o propone. ‖ **2.** Junto con los adverbios *bien* o *mal*, aplícase a la persona que es fácil, o difícil, de contentar. Más frecuentemente se dice **mal contentadizo.**

contentamiento. (De *contentar.*) m. **contento,** alegría, satisfacción.

contentar. (Del lat. *contentāre.*) tr. Satisfacer el gusto o las aspiraciones de alguien; darle contento. ‖ **2.** *Com.* **endosar**[1]. ‖ **3.** prnl. Darse por contento, quedar contento. ‖ **4.** Reconciliarse los que estaban disgustados. ‖ **ser de buen,** o **mal, contentar.** fr. fam. Tener facilidad o dificultad en **contentarse.**

contenteza. f. ant. **contento,** alegría, satisfacción.

contentible. (De *contemptible.*) adj. p. us. Despreciable, de ninguna estimación.

contentivo, va. (De *contento*, contenido.) adj. Dícese de lo que contiene. ‖ **2.** *Cir.* Dícese de la pieza de apósito que sirve para contener otras.

contento, ta. (Del lat. *contentus*, p. p. de *continēre*, contener, reprimir.) adj. Alegre, satisfecho. ‖ **2.** ant. Contenido o moderado. ‖ **3.** m. Alegría, satisfacción. ‖ **4.** *Der.* Carta de pago que sacaba el deudor ejecutado de su acreedor en el término de las veinticuatro horas desde que se le hizo la traba y ejecución, para libertarse de pagar la décima. ‖ **a contento.** loc. adv. **a satisfacción.** ‖ **no caber de contento.** fr. fig. y fam. Sentirse muy satisfecho. ‖ **ser de buen,** o **mal, contento.** fr. fam. **ser de buen,** o **mal, contentar.**

contentor. (Del lat. *contentus*, p. p. de *contendĕre*, contender.) m. ant. Contendedor o contendor.

contentura. f. **contento,** alegría, satisfacción.

conteo. (De *contar.*) m. Cálculo, valoración. ‖ **2.** *Col.*, *C. Rica.* y *Perú.* Recuento.

contera. (De *cuento*, regatón.) f. Pieza comúnmente de metal que se pone en el extremo opuesto al puño del bastón, paraguas, sombrilla, vaina de la espada y aun de otros objetos. ‖ **2. cascabel,** remate posterior del cañón. ‖ **3.** Estribillo del verso. ‖ **4.** Conjunto de los tres versos con que se da remate a la **sextina.** ‖ **echar la contera.** fr. fig. y fam. **echar la clave.** ‖ **por contera.** loc. adv. fig. y fam. Por remate, por final. Dícese de algunas cosas que se hacen o dicen en último lugar. ‖ **temblarle** a alguien **la contera.** fr. fig. y fam. Sentir gran temor.

contérmino, na. (Del lat. *conterminus.*) adj. desus. Aplicábase al pueblo o territorio confinante con otro.

contero. (De *cuenta.*) m. *Arq.* Moldura en forma de cuentas como de rosario, puestas en una misma dirección.

conterráneo, a. (Del lat. *conterranĕus.*) adj. Natural de la misma tierra que otro. Ú. t. c. s.

contertuliano, na. m. y f. p. us. **contertulio.**

contertulio, lia. m. y f. fam. Persona que concurre con otras a una tertulia.

contesta. f. *Amér.* Contestación.

contestable. (De *contestar.*) adj. Que se puede impugnar, o a que se puede dar respuesta.

contestación. (Del lat. *contestatio, -ōnis.*) f. Acción y efecto de contestar. ‖ **2.** Altercación o disputa. ‖ **3.** Polémica, oposición o protesta, a veces violenta, contra lo establecido. ‖ **a la demanda.** *Der.* Escrito en que el demandado opone excepciones o defensas a la acción del demandante.

contestador, ra. adj. Que contesta. Ú. t. c. s. ‖ **2.** m. Aparato que, conectado al teléfono, emite automáticamente mensajes grabados y registra las llamadas recibidas. ‖ **automático. contestador,** aparato.

contestano, na. adj. Dícese de un pueblo ibérico que habitaba la Contestania, región de la Hispania Tarraconense cuyo territorio comprendía el sur de la actual provincia de Valencia, toda la de Alicante y parte de la de Murcia. Dícese también de los individuos que componían este pueblo. Ú. t. c. s. ‖ **2.** Perteneciente o relativo a los **contestanos** o a la Contestania.

contestar. (Del lat. *contestāri.*) tr. Responder a lo que se pregunta, se habla o se escribe. ‖ **2.** Replicar, impugnar. ‖ **3.** desus. Declarar y atestiguar uno lo mismo que otros han dicho, conformándose en todo con ellos en su deposición o declaración. ‖ **4.** desus. Comprobar o confirmar. ‖ **5.** intr. p. us. Convenir o conformarse una cosa con otra. ‖ **6.** Adoptar actitud polémica y a veces de oposición o protesta violenta contra lo establecido, ya sean las autoridades y sus actos, ya formas de vida, posiciones ideológicas, etc.

contestatario, ria. (De *contestar.*) adj. Que polemiza, se opone o protesta, a veces violentamente, contra algo establecido. Ú. t. c. s.

conteste. (Del lat. *cum*, con, y *testis*, testigo.) adj. Dícese del testigo que declara lo mismo que ha declarado otro, sin discrepar en nada.

contestón, na. adj. Dícese del que replica, por sistema, de malos modos, a superiores o mayores.

contexto. (Del lat. *contextus.*) m. Entorno lingüístico del cual depende el sentido y el valor de una palabra, frase o fragmento considerados. ‖ **2.** Por ext., entorno físico o de situación (político, histórico, cultural o de cualquier otra índole) en el cual se considera un hecho. ‖ **3.** p. us. Orden de composición o tejido de un discurso, narración, etc. ‖ **4.** desus. Por ext., enredo, maraña o unión de cosas que se enlazan y entretejen.

contextual. adj. Perteneciente o relativo al contexto.

contextuar. tr. Acreditar con textos.

contextura. (De *contexto.*) f. Compaginación, disposición y unión respectiva de las partes que juntas componen un todo. ‖ **2. contexto.** ‖ **3.** fig. Configuración corporal del hombre, que indica su complexión y algunas calidades interiores.

contezuelo. m. d. de **cuento.**

contía. f. ant. **cuantía.** ‖ **2.** V. **caballero de contía.**

conticinio. (Del lat. *conticinĭum.*) m. p. us. Hora de la noche, en que todo está en silencio.

contienda. (De *contender.*) f. Lidia, pelea, riña, batalla. ‖ **2.** Disputa, discusión, debate.

contignación. (Del lat. *contignatĭo, -ōnis.*) f. *Arq.* Disposición y trabazón de vigas y cuartones con que se forman los pisos y techos de cada cuarto o alto de la casa.

contigo. (Del lat. *cum,* con, y *tecum,* contigo.) Forma especial del pronombre personal *ti,* cuando va precedido de la preposición *con.*

contiguamente. adv. m. Con contigüidad, con inmediación de tiempo o lugar.

contigüidad. (Del lat. *contiguĭtas, -ātis.*) f. Inmediación de una cosa a otra.

contiguo, gua. (Del lat. *contigŭus.*) adj. Que está tocando a otra cosa.

contil. (Del azteca *comitl,* olla y *tlilli,* negro.) m. *Nicar.* Tizne, hollín, negro de humo.

continencia. (Del lat. *continentĭa.*) f. Virtud que modera y refrena las pasiones y afectos del ánimo, y hace que viva el hombre con sobriedad y templanza. ‖ **2.** Abstinencia de los deleites carnales. ‖ **3.** Acción de contener. ‖ **4.** Especie de graciosa cortesía en el arte del danzado. ‖ **5.** ant. **continente,** aire del semblante y actitud del cuerpo. ‖ **de la causa.** *Der.* Unidad que debe haber en todo juicio; esto es, que sea una la acción principal, uno el juez y unas las personas que lo sigan hasta la sentencia.

continental[1]. adj. Perteneciente a los países de un continente. ‖ **2.** V. **plataforma continental.** ‖ **3.** *Geomorf.* V. **talud continental.**

continental[2]. (Del nombre de una agencia de mensajes.) m. Agencia privada que se dedicaba al servicio de mensajes. ‖ **2.** Mensaje enviado a través de esta agencia y portado por uno de sus empleados.

continente. (Del lat. *contĭnens, -entis.*) p. a. de **contener.** Que contiene. ‖ **2.** adj. Dícese de la persona que posee y practica la virtud de la continencia. ‖ **3.** m. Cosa que contiene en sí a otra. ‖ **4.** Aire del semblante y actitud y compostura del cuerpo. ‖ **5.** *Geogr.* Cada una de las grandes extensiones de tierra separadas por los océanos. ‖ **en continente.** loc. adv. ant. **incontinenti.**

continentemente. adv. m. Con continencia.

contingencia. (Del lat. *contingentĭa.*) f. Posibilidad de que una cosa suceda o no suceda. ‖ **2.** Cosa que puede suceder o no suceder. ‖ **3. riesgo.**

contingentar. tr. Fijar un cupo, especialmente en la distribución de mercancías y servicios.

contingente. (Del lat. *contingens, -entis,* p. a. de *contingĕre,* tocar, suceder.) adj. Que puede suceder o no suceder. ‖ **2.** m. **contingencia,** cosa que puede suceder. ‖ **3.** Parte que cada uno paga o pone cuando son muchos los que contribuyen para un mismo fin. ‖ **4.** Cuota que se señala a un país o a un industrial para la importación de determinadas mercancías. ‖ **5.** Número de soldados que cada pueblo da para las quintas; leva. ‖ **6.** Fuerzas militares de que dispone el mando. ‖ **7.** Por ext., grupo, conjunto de personas o cosas que se distingue entre otros por su mayor aportación o colaboración en alguna circunstancia. ‖ **provincial.** Cantidad que anualmente consignan los ayuntamientos en sus presupuestos a favor de las diputaciones provinciales.

contingentemente. adv. m. Casualmente, por acaso.

contingible. (Del lat. *contingĕre,* acontecer, suceder.) adj. Posible, que puede suceder.

contingiblemente. adv. m. ant. **contingentemente.**

contino, na. adj. ant. **continuo.** ‖ **2.** m. ant. Un todo o compuesto de partes unidas entre sí. ‖ **3.** adv. m. ant. **continuamente.** ‖ **a la contina.** loc. adv. ant. **a la continua.** ‖ **de contino.** loc. adv. ant. **de continuo.**

continuación. (Del lat. *continuatĭo, -ōnis.*) f. Acción y efecto de continuar.

continuadamente. adv. m. **continuamente.**

continuado, da. p. p. de **continuar.** ‖ **2.** adj. *Ret.* V. **metáfora continuada.**

continuador, ra. adj. Dícese de la persona que prosigue y continúa una cosa empezada por otra. Ú. t. c. s.

continuamente. adv. m. Sin intermisión.

continuamiento. (De *continuar.*) m. ant. **continuación.**

continuar. (Del lat. *continuāre.*) tr. Proseguir lo comenzado. ‖ **2.** intr. Durar, permanecer. ‖ **3.** prnl. Seguir, extenderse.

continuativo, va. (Del lat. *continuatīvus.*) adj. Que implica o denota idea de continuación. ‖ **2.** *Gram.* V. **conjunción continuativa.**

continuidad. (Del lat. *continuĭtas, -ātis.*) f. Unión natural que tienen entre sí las partes del continuo. ‖ **2.** V. **solución de continuidad.** ‖ **3.** ant. **continuación.** ‖ **4.** *Cinem.* Plan argumental completo con todas sus escenas y diálogos en una correlación definitiva y adecuada. ‖ **5.** *Mat.* Calidad o condición de las funciones o transformaciones continuas.

continuismo. m. Situación en la que el poder de un político, un régimen, un sistema, etc., se prolonga indefinidamente, sin indicios de cambio o renovación.

continuista. adj. Dícese del político, régimen, partido, etc., que es partidario del continuismo o que tiende a él.

continuo, nua. (Del lat. *continŭus.*) adj. Que dura, obra, se hace o se extiende sin interrupción. ‖ **2.** Aplícase a las cosas que tienen unión entre sí. ‖ **3.** Constante y perseverante en alguna acción. ‖ **4.** V. **movimiento, papel continuo.** ‖ **5.** V. **corriente, fiebre continua.** ‖ **6.** *Mat.* V. **cantidad, fracción, proporción continua.** ‖ **7.** *Mat.* Dícese de una función o de una transformación que conserva la relación matemática de proximidad. ‖ **8.** *Mús.* V. **bajo continuo.** ‖ **9.** m. Todo compuesto de partes unidas entre sí. ‖ **10.** El allegado a un señor que le favorecía y mantenía. A él le debía fidelidad y obediencia. ‖ **11.** Cada uno de los que componían el cuerpo de los cien **continuos,** que antiguamente servía en la casa del rey para la guardia de su persona y custodia del palacio. ‖ **12.** adv. m. **de continuo.** *No es posible que esté* CONTINUO *el arco armado.* ‖ **a la continua.** loc. adv. Continuadamente, con continuación. ‖ **de continuo.** loc. adv. **continuamente.**

contioso, sa. (De *contía.*) adj. ant. **cuantioso.**

contlapache. (Del nahua *con,* acción del verbo, y *tloapachoa,* cubrir la gallina los huevos.) m. *Méj.* Compinche, encubridor.

contlapachear. (De *contlapache.*) tr. fam. *Méj.* Encubrir a alguien, ser su compinche o su cómplice.

contonearse. (De *cantonearse.*) prnl. Hacer al andar movimientos afectados con los hombros y caderas.

contoneo. m. Acción de contonearse.

contorcerse. (Del lat. *contorquēre,* revolver, estremecer.) prnl. Sufrir o afectar contorsiones.

contorción. (Del lat. *contortĭo, -ōnis.*) f. **retorcimiento.** ‖ **2. contorsión.**

contornado, da. p. p. de **contornar.** ‖ **2.** adj. *Blas.* Dícese de los animales o de las cabezas de ellos vueltas a la siniestra del escudo.

contornar. tr. **contornear.** ‖ **2.** ant. fig. Tornar, regresar.

contornear. tr. Dar vueltas alrededor o en contorno de un paraje o sitio. ‖ **2.** *Pint.* Perfilar, hacer los contornos o perfiles de una figura.

contorneo. m. Acción y efecto de contornear.

contorno. (De *con-* y *torno.*) m. Territorio o conjunto de parajes de que está rodeado un lugar o una población. Ú. m. en pl. ‖ **2.** Conjunto de las líneas que limitan una figura o composición. ‖ **3.** *Numism.* Canto de la moneda o medalla. ‖ **en contorno.** loc. adv. **alrededor.**

contorsión. (Del lat. *contorsĭo, -ōnis.*) f. Movimiento irregular y convulsivo del cuerpo, o parte de él, que origina una actitud forzada y a veces grotesca.

contorsionarse. prnl. Hacer contorsiones.

contorsionista. com. Persona que ejecuta contorsiones difíciles en los circos.

contra[1]**.** (Del lat. *contra.*) prep. con que se denota la oposición y contrariedad de una cosa con otra. Tiene uso como prefijo en voces compuestas. CONTRA*bando,* CONTRA*poner,* CONTRA*veneno.* ‖ **2. enfrente.** *En el amojonamiento se puso un mojón* CONTRA *oriente.* ‖ **3. hacia,** en dirección a. ‖ **4.** A cambio de. *Entrega de un objeto* CONTRA *recibo.* ‖ **5.** m. Concepto opuesto o contrario a otro. Ú. precedido del artículo *el* y en contraposición a *pro. Tomás es incapaz de defender el pro y el* CONTRA. ‖ **6.** *Mús.* Pedal del órgano. ‖ **7.** pl. *Mús.* Bajos más profundos en algunos órganos. ‖ **8.** f. fam. Dificultad, inconveniente. ‖ **9.** *Esgr.* Parada que consiste en un movimiento circular rapidísimo de la espada, que así recorre todas las líneas de una parada general. ‖ **en contra.** loc. adv. En oposición de una cosa. ‖ **engañar la contra.** *Esgr.* Engañar dicha parada siguiendo el mismo movimiento de la espada y concluyendo con un pase. ‖ **hacer** a alguien **la contra.** fr. fam. Oponerse a lo que quiere o le importa. ‖ **hacer la contra. ir a la contra.** frs. En ciertos juegos, como el tresillo, ser principal contrario del hombre. ‖ **llevar** a alguien **la contra.** fr. fam. Oponerse a lo que dice o intenta.

contra[2]**.** f. abrev. de **contraventana.**

contra[3]**.** f. abrev. de **contratapa.**

contra[4]**.** (Abrev. de *contrarrevolución.*) f. Movimiento de oposición al Gobierno revolucionario de Nicaragua en la década de los 80.

contraalmirante. m. Oficial general de la armada, inmediatamente inferior al vicealmirante.

contraamura. (De *contra*[1] y *amura.*) f. *Mar.* Aparejo o cabo grueso que, en malos tiempos, se da en ayuda de la amura de las velas mayores.

contraaproches. (De *contra*[1] y *aproches.*) m. pl. *Fort.* Trinchera que los sitiados hacen desde el camino cubierto, para descubrir y deshacer los trabajos de los sitiadores.

contraarmadura. (De *contra*[1] y *armadura.*) f. *Arq.* Segunda vertiente que se da a un tejado cuando los pares están demasiado empinados, poniendo contrapares que vuelen más. Se llama también falsaarmadura.

contraarmiños. m. pl. *Blas.* Figura del escudo en que los armiños tienen cambiados los esmaltes, siendo sable el campo y de plata las motitas.

contraatacar. (De *contra*[1] y *atacar.*) tr. Reaccionar ofensivamente contra el avance del enemigo, del rival, o del equipo contrario.

contraataguía. f. Segunda ataguía que se pone detrás de la principal para reforzarla e impedir mejor las filtraciones.

contraataque. (De *contraatacar.*) m. Reacción ofensiva contra el avance del enemigo, de un rival o del equipo contrario. ‖ **2.** pl. *Fort.* Líneas fortificadas que oponen los sitiados a los ataques de los sitiadores.

contraaviso. m. Aviso contrario a otro anterior.

contrabajete. (De *contrabajo.*) m. Composición musical para voz de bajo profundo.

contrabajista. com. Instrumentista que toca el contrabajo.

contrabajo. (Del it. *contrabasso.*) m. Instrumento de cuerda y de arco de forma parecida a la del violonchelo, pero de tamaño mucho mayor y que suena una octava más bajo. Actualmente tiene cuatro cuerdas y es el más grave de los instrumentos de esta clase. ‖ **2.** *Mús.* Voz más grave y profunda que la del bajo ordinario. ‖ **3.** *Mús.* Persona que tiene esta voz. ‖ **4.** com. Persona que ejerce o profesa el arte de tocar el **contrabajo.**

contrabajón. m. *Mús.* Instrumento de viento que suena una octava más grave que el bajón.

contrabajonista. com. *Mús.* Instrumentista que toca el contrabajón.

contrabalancear. (De *contra*[1] y *balancear.*) tr. Operar con la balanza hasta lograr el equilibrio de los dos platillos. ‖ **2.** fig. Compensar, contrapesar.

contrabalanza. (De *contra*[1] y *balanza.*) f. **contrapeso.** ‖ **2.** fig. **contraposición.**

contrabandado. adj. *Blas.* Se dice del escudo bandeado y partido, cortado, tronchado o tajado, en que las bandas de cada parte llevan opuestos los esmaltes para indicar las referidas divisiones.

contrabandear. intr. Ejercitar el contrabando.

contrabandeo. m. Acción de contrabandear.

contrabandista. adj. Que practica el contrabando. Apl. a pers., ú. t. c. s. ‖ **2.** com. Persona que se dedica a la defraudación de la renta de aduanas.

contrabando. (De *contra*[1] y *bando,* edicto, ley.) m. Comercio o producción de géneros prohibidos por las leyes a los particulares. ‖ **2.** Introducción o exportación de géneros sin pagar los derechos de aduana a que están sometidos legalmente. ‖ **3.** Mercaderías o géneros prohibidos o introducidos fraudulentamente. ‖ **4.** ant. Cosa hecha contra un bando o pregón público. ‖ **5.** fig. Lo que es o tiene apariencia de ilícito, aunque no lo sea. *Venir de* CONTRABANDO; *llevar algún* CONTRABANDO. ‖ **6.** fig. Cosa que se hace contra el uso ordinario. ‖ **de guerra.** Armas, municiones, víveres y otras cosas cuyo tráfico prohíben los beligerantes.

contrabarrera. (De *contra*[1] y *barrera.*) f. Segunda fila de asientos en los tendidos de las plazas de toros.

contrabasa. (De *contra*[1] y *basa.*) f. *Arq.* **pedestal.**

contrabatería. (De *contra*[1] y *batería.*) f. *Mil.* Batería que se pone en contra de otra del enemigo.

contrabatir. (De *contra*[1] y *batir.*) tr. *Mil.* Tirar contra las baterías.

contrabloqueo. (De *contra*[1] y *bloqueo.*) m. *Mar.* En la guerra moderna, conjunto de operaciones destinadas a restar eficacia al bloqueo enemigo o a destruir las armas que para mantenerlo se emplean.

contrabolina. (De *contra*[1] y *bolina.*) f. *Mar.* Segunda bolina que se da en ayuda de la primera.

contrabranque. (De *contra*[1] y *branque.*) m. *Mar.* **contrarroda.**

contrabraza. f. *Mar.* Cabo que se emplea en ayuda de la braza.

contracaja. f. *Impr.* **caja perdida.**

contracambio. (De *contra*[1] y *cambio.*) m. Trueque o compensación. Ú. m. en la loc. adv. **en contracambio.** ‖ **2.** *Com.* Importe del segundo cambio que se origina al recambiar una letra.

contracampo. m. *Cinem.* y *TV.* Paso de un encuadre

al siguiente en una misma escena, desde distinto punto de vista y con un ángulo de toma similar, que rompe la continuidad de una narración con fines expresivos. Se denomina también contraplano.

contracanal. (De *contra*[1] y *canal.*) m. Canal que se deriva de otro principal para desagüe o para otros fines.

contracancha. (De *contra*[1] y *cancha.*) f. Faja de terreno contigua y paralela a la cancha del frontón.

contracandela. (De *contra*[1] y *candela.*) f. *Cuba.* **contrafuego.**

contracarril. (De *contra*[1] y *carril.*) m. Carril auxiliar puesto al lado del ordinario para facilitar el cambio o cruce de vías.

contracarta. (De *contra*[1] y *carta.*) f. **contraescritura.**

contracción. (Del lat. *contractĭo, -ōnis.*) f. Acción y efecto de contraer o contraerse. ‖ **2.** *Gram.* Figura de dicción que consiste en hacer una sola palabra de dos, de las cuales la primera acaba y la segunda empieza en vocal, suprimiendo una de estas vocales; v. gr.: AL por *a el*; DEL por *de el*; ESOTRO por *ese otro.* ‖ **3.** *Gram.* **sinéresis.** ‖ **de la vena fluida.** *Fís.* Disminución de diámetro que experimenta un chorro de líquido o de gas al salir por un orificio del recipiente que lo contenía.

contracebadera. f. *Mar.* **sobrecebadera.**

contracédula. f. Cédula con que se revoca otra anterior.

contracifra. (De *contra*[1] y *cifra.*) f. **clave,** explicación de signos convenidos.

contraclave. f. *Arq.* Cada una de las dovelas inmediatas a la clave de un arco o bóveda.

contracodaste. m. *Mar.* Pieza de igual figura que el codaste y empernada a él por su parte interior para reforzarlo.

contraconcepción. f. **anticoncepción.**

contraconceptivo, va. adj. **anticonceptivo.**

contracorriente. f. *Meteor.* Revesa o corriente derivada y de dirección opuesta a la de la principal de que procede. ‖ **a contracorriente.** loc. adv. En contra de la opinión general.

contracosta. f. Costa de una isla o península, opuesta a la que encuentran primero los que navegan a ellas por los rumbos acostumbrados. Ú. m. referido a las islas y penínsulas del mar de la India.

contractación. f. ant. **contratación.**

contractar. tr. ant. **contratar.**

contractibilidad. f. **contractilidad,** facultad de contraerse.

contráctil. (De *contracto.*) adj. Capaz de contraerse con facilidad.

contractilidad. f. Calidad de contráctil. ‖ **2.** Facultad de contraerse que poseen ciertas partes de cuerpos organizados.

contractivo, va. adj. Que contrae.

contracto, ta. (Del lat. *contractus.*) p. p. irreg. de **contraer.** ‖ **2.** m. ant. **contrato.**

contractual. (Del lat. *contractus,* contrato.) adj. Procedente del contrato o derivado de él.

contractura. f. *Med.* Contracción involuntaria, duradera o permanente, de uno o más grupos musculares. ‖ **2.** *Arq.* Disminución que sufre el diámetro del fuste de una columna en su parte superior.

contracuartelado, da. adj. *Blas.* Que tiene cuarteles contrapuestos en metal o color.

contracultura. (Calco del ing. *counterculture.*) f. Movimiento social surgido en Estados Unidos en la década de 1960, especialmente entre los jóvenes, que rechaza los valores sociales y modos de vida establecidos. ‖ **2.** Conjunto de valores que caracterizan a este movimiento y, por ext., a otras actitudes de oposición al sistema de vida vigente.

contracultural. adj. Perteneciente o relativo a la contracultura.

contrachapado, da. adj. Dícese del tablero formado por varias capas finas de madera encoladas de modo que sus fibras queden entrecruzadas. Ú. t. c. s. m.

contrachapeado, da. adj. **contrachapado.** Ú. t. c. s. m.

contrada. (Del b. lat. *contrata,* región que se extiende delante de uno.) f. ant. Paraje, sitio, lugar.

contradanza. (Del ing. *country dance,* danza campestre, a través del fr. *contredanse.*) f. Baile de figuras, que ejecutan muchas parejas a un tiempo.

contradecidor, ra. (De *contradecir.*) adj. ant. **contradictor.** Usáb. t. c. s.

contradecimiento. (De *contradecir.*) m. ant. **contradicción.**

contradecir. (Del lat. *contradicĕre.*) tr. Decir uno lo contrario de lo que otro afirma, o negar lo que da por cierto. Ú. t. c. prnl.

contradicción. (Del lat. *contradictĭo, -ōnis.*) f. Acción y efecto de contradecir o contradecirse. ‖ **2.** Afirmación y negación que se oponen una a otra y recíprocamente se destruyen. ‖ **3.** Oposición, contrariedad. ‖ **4.** V. **espíritu de contradicción.** ‖ **5.** *Fil.* V. **principio de contradicción.** ‖ **envolver,** o **implicar, contradicción.** fr. Contener una proposición o aserción cosas contradictorias.

contradicente. (Del lat. *contradīcens, -entis.*) p. a. ant. de **contradecir.** Que contradice.

contradictor, ra. (Del lat. *contradictor, -ōris.*) adj. Que contradice. Ú. t. c. s.

contradictorio, ria. (Del lat. *contradictorĭus.*) adj. Que tiene contradicción con otra cosa. ‖ **2.** *Der.* V. **procedimiento contradictorio.** ‖ **3.** f. *Log.* Cualquiera de dos proposiciones, de las cuales una afirma lo que la otra niega, y no pueden ser a un mismo tiempo verdaderas ni a un mismo tiempo falsas.

contradicho, cha. (Del lat. *contradictus.*) p. p. irreg. de **contradecir.** ‖ **2.** m. ant. **contradicción.**

contradique. m. Segundo dique, construido cerca del primero para detener las aguas e impedir las inundaciones.

contradizo, za. adj. ant. **encontradizo.**

contradriza. f. *Mar.* Segunda driza que se da en ayuda de la principal.

contradurmente. m. *Mar.* **contradurmiente.**

contradurmiente. m. *Mar.* Tablón unido al durmiente y que lo refuerza por la parte inferior.

contraelectromotriz. adj. f. Dícese de la fuerza electromotriz que se desarrolla en un circuito cuando varía la corriente que por él circula. En virtud de la ley de Lenz, se opone a dichas variaciones y, por tanto, tiene sentido contrario a la fuerza electromotriz que las origina.

contraemboscada. f. Emboscada que se hace contra otra.

contraembozo. m. Cada una de las dos tiras de color diferente o de distinta tela que el embozo, y que cosidas a este se colocan en la parte interior de la capa.

contraenvite. m. En algunos juegos, envite en falso.

contraer. (Del lat. *contrahĕre.*) tr. Estrechar, juntar una cosa con otra. ‖ **2.** Aplicar a un caso o a una proposición particular proposiciones o máximas generales. ‖ **3.** Tratándose de costumbres, vicios, enfermedades, resabios, deudas, etc., adquirirlos, caer en ellos. ‖ **4.** Tratándose de obligaciones o compromisos, asumirlos. ‖ **5.** fig. Reducir el discurso a una idea, a un solo punto. Ú. t. c. prnl. ‖ **6.** prnl. Reducirse a menor tamaño. Ú. t. c. tr.

contraescarpa. f. *Fort.* Pared en talud del foso enfrente de la escarpa, o sea del lado de la campaña.

contraescota. f. *Mar.* Cabo que se da en ayuda de la escota.

contraescotín. m. *Mar.* Cabo que se da en ayuda del escotín.

contraescritura. f. Documento otorgado para protestar o anular otro anterior.

contraespionaje. m. Servicio de defensa de un país contra el espionaje de potencias extranjeras.

contraestay. m. *Mar.* Cabo grueso que ayuda al estay a sostener el palo, llamándolo hacia proa.

contrafacción. (Del lat. *contrafactio, -ōnis.*) f. ant. Infracción, quebrantamiento.

contrafacer. (Del lat. *contra,* enfrente, contra, y *facĕre,* hacer.) tr. ant. **contrahacer.** ‖ **2.** ant. fig. **contravenir.**

contrafajado, da. (De *contra*[1] y *fajado.*) adj. *Blas.* Que tiene fajas contrapuestas en los metales y colores; esto es, siendo la mitad de la faja de distinto metal o color que la otra mitad.

contrafallar. tr. En algunos juegos de naipes, poner un triunfo superior al que había jugado el que fallo antes.

contrafallo. m. Acción y efecto de contrafallar.

contrafecho, cha. p. p. irreg. ant. de **contrafacer.**

contrafigura. (De *contra*[1] y *figura.*) f. Persona o maniquí con aspecto muy parecido al de uno de los personajes de la obra dramática u otro espectáculo teatral, que a los ojos del público aparenta ser este mismo personaje.

contrafilo. m. Filo que se suele sacar algunas veces a las armas blancas de un solo corte, por la parte opuesta a este y en el extremo inmediato a la punta.

contrafirma. f. *Der. Ar.* Recurso que oponía a la firma la parte contra quien se había dado esta. ‖ **2.** *Der. Ar.* Despacho que expedía el tribunal al que se valía de este recurso.

contrafirmante. p. a. de **contrafirmar.** Que contrafirma. ‖ **2.** com. *Der. Ar.* Parte que tiene contrafirma.

contrafirmar. tr. *Der. Ar.* Ganar contrafirma.

contraflorado, da. adj. *Blas.* Que tiene flores contrapuestas en el color y metal, estando opuestas las bases.

contrafoque. m. *Mar.* Foque, más pequeño y de lona más gruesa que el principal, que se enverga y orienta más adentro que él, o sea por su cara de popa.

contrafoso. m. En los teatros, segundo foso, practicado debajo del primero. ‖ **2.** *Fort.* Foso que se suele hacer alrededor de la explanada de una plaza, paralelo a la contraescarpa.

contrafuego. m. *And., Cuba* y *P. Rico.* Fuego que se da en un cañaveral u otra plantación para que cuando llegue allí el incendio no se propague, por falta de combustible.

contrafuero. m. Quebrantamiento, infracción de fuero.

contrafuerte. m. Correa clavada a los fustes de la silla y donde se afianza la cincha. ‖ **2.** Pieza de cuero con que se refuerza el calzado, por la parte del talón. ‖ **3.** *Arq.* Machón saliente en el paramento de un muro, para fortalecerlo. ‖ **4.** *Fort.* Fuerte que se hace enfrente de otro. ‖ **5.** Cadena secundaria de montañas.

contrafuga. m. *Mus.* Especie de fuga, en la cual la imitación del tema se ejecuta en sentido inverso.

contragolpe. m. *Med.* Efecto producido por un golpe en sitio distinto del que sufre la contusión.

contraguardia. (De *contra*[1] y *guardia.*) f. *Fort.* Obra exterior compuesta de dos caras que forman ángulo, edificada delante de los baluartes para cubrir sus frentes.

contraguerrilla. f. Tropa ligera organizada para operar contra las guerrillas.

contraguía. (De *contra*[1] y *guía.*) f. En el tiro par, caballería que va delante y a la izquierda.

contrahacedor, ra. adj. Que contrahace. Ú. t. c. s.

contrahacer. (De *contra*[1] y *hacer.*) tr. Hacer una copia de una cosa tan parecida a esta que apenas se distingan una de otra. ‖ **2.** Falsificar una cosa con malos propósitos. ‖ **3.** fig. Imitar, remedar. ‖ **4.** prnl. Fingirse.

contrahacimiento. m. ant. Acción y efecto de contrahacer.

contrahaz. f. Revés o parte opuesta a la haz en las ropas o cosas semejantes.

contrahecho, cha. p. p. irreg. de **contrahacer.** ‖ **2.** adj. Que tiene torcido o corcovado el cuerpo. Ú. t. c. s.

contrahechura. f. Imitación fraudulenta de alguna cosa.

contrahierba. (De *contra*[1] y *hierba,* en la acep. de veneno.) f. Planta de América Meridional, de la familia de las moráceas, con tallo nudoso, de cinco a seis decímetros de altura, hojas contrapuestas de dos en dos, ensiformes y dentadas, flores axilares, pequeñas y amarillas, y raíz fusiforme, blanca, amarga y de olor aromático, que se ha usado en medicina como contraveneno. ‖ **2.** Cualquiera de las composiciones medicinales que llevan la raíz de la **contrahierba,** y que antiguamente se consideraban como antídotos. ‖ **3.** fig. **contraveneno,** precaución contra un daño.

contrahilera. f. *Arq.* Hilera que sirve de resguardo y defensa de otra u otras hileras.

contrahílo (a). loc. adv. Dicho de las telas, en dirección opuesta al hilo.

contrahorte. (Del lat. *contra,* contra, y *fortis,* fuerte.) m. ant. **contrafuerte** del calzado.

contrahuella. (De *contra*[1] y *huella.*) f. Plano vertical del escalón o peldaño.

contraindicación. f. *Med.* Acción y efecto de contraindicar.

contraindicado, da. p. p. de **contraindicar.** ‖ **2.** adj. Dícese del agente terapéutico perjudicial en una determinada afección o dolencia.

contraindicante. (De *contraindicar.*) m. *Med.* Síntoma que contradice la indicación del remedio que parecía conveniente.

contraindicar. (De *contra*[1] e *indicar.*) tr. *Med.* Disuadir de la utilidad de un remedio que por otra parte parece conveniente. ‖ **2.** *Med.* Señalar como perjudicial en ciertos casos, determinado remedio, alimento o acción.

contrainteligencia. (Del ing. *counterintelligence.*) f. **contraespionaje.**

contraír. (Del lat. *contraire.*) tr. ant. Oponerse, ir en contra.

contrajudía. f. En el juego del monte, naipe contrario al llamado judía.

contralar. tr. ant. **contrallar.**

contralecho (a). (De *contra*[1] y *lecho.*) loc. adv. *Arq.* Con las capas de estratificación perpendiculares al plano de hilada. Aplícase a los sillares así sentados en obra.

contralidad. f. ant. **contralla.**

contralizo. m. Cada una de las varillas del telar que sirven para mover los lizos.

contralmirantazgo. m. Dignidad de contralmirante.

contralmirante. m. **contraalmirante.**

contralor. (Del fr. *contrôleur.*) m. Oficio honorífico de la casa real según la etiqueta de la de Borgoña, equivalente a lo que, según la de Castilla, llamaban veedor. Intervenía las cuentas de los gastos, las libranzas, los cargos de alhajas y muebles, y ejercía otras funciones importantes. ‖ **2.** En el cuerpo de artillería y en los hospitales del ejército, el que interviene en la cuenta y razón de los caudales y efectos. ‖ **3.** En algunos países de América, funcionario encargado de examinar las cuentas y la legalidad de los gastos oficiales.

contralorear. tr. Poner el contralor su aprobación, o refrendar los despachos de su oficio.

contraloría. (De *contralor.*) f. En algunos países de América, servicio encargado de examinar la legalidad y corrección de los gastos públicos.

contralto. (Del it. *contralto.*) m. *Mús.* Voz media entre la de tiple y la de tenor. ‖ **2.** com. *Mús.* Persona que tiene esta voz.

contraluz. f. Vista o aspecto de las cosas desde el lado opuesto a la luz. Ú. m. en m. ‖ **2.** Fotografía tomada en estas condiciones. Ú. m. en m.

contralla. (Del lat. *contraria*, t. f. de *-rĭus*, contrario.) f. ant. Contradicción, oposición.

contrallación. (De *contrallar.*) f. ant. **contralla.**

contrallador, ra. (De *contrallar.*) adj. ant. **contrariador.** Usáb. t. c. s.

contrallar. (Del lat. *contrariāre.*) tr. ant. Contrariar, contradecir.

contrallo, lla. (Del lat. *contrarĭus.*) adj. ant. Contrario, opuesto. ‖ **2.** m. ant. **contralla.** ‖ **por el contrallo.** loc. adv. ant. **por el contrario.**

contramaestre. (De *contra*[1] y *maestre.*) m. En algunas fábricas, veedor o vigilante de los demás oficiales y obreros. ‖ **2.** Jefe de uno o más talleres o tajos de obra. ‖ **3.** *Mar.* Oficial de mar que dirige la marinería, bajo las órdenes del oficial de guerra. ‖ **de muralla.** *Mar.* Censor injusto e indocto de la gente y faenas marineras, abundante en los muelles y murallas que dan al mar.

contramalla. (De *contra*[1] y *malla.*) f. Claro de media tercia o más que abraza la red estrecha para que pueda formarse la bolsa donde se detiene el pescado. ‖ **2.** Red para pescar hecha de mallas anchas y fuertes, la cual, puesta detrás de otra red de mallas más estrechas y cordel más delgado, sirve para recibir y detener el pescado que entra por sus mallas enredado en la red pequeña.

contramalladura. (De *contramallar.*) f. **contramalla.**

contramallar. tr. Hacer contramallas.

contramandar. tr. Ordenar lo contrario de lo mandado anteriormente.

contramandato. m. Mandato contrario a otro ya dado. ‖ **2. contraorden.**

contramangas. f. pl. Adorno antiguo de tafetán o cambray para cubrir las mangas de la camisa, que usaban hombres y mujeres.

contramano (a). loc. adv. En dirección contraria a la corriente o a la prescrita por la autoridad.

contramarca. f. Segunda marca que se pone en fardos, animales, armas y otras cosas para distinguirlos de los que no llevan más que la primera, o para otros fines. ‖ **2.** Derecho de cobrar un impuesto, poniendo su señal en las mercaderías que ya lo pagaron. ‖ **3.** Este mismo impuesto. ‖ **4.** Marca con que se resella una moneda o medalla. ‖ **5.** V. **carta, patente de contramarca.**

contramarcar. tr. Poner contramarca.

contramarco. m. *Carp.* Segundo marco que se clava en el cerco o marco que está fijo en la pared, para poner en él las puertas vidrieras.

contramarcha. (De *contra*[1] y *marcha.*) f. Retroceso que se hace del camino que se lleva. ‖ **2.** *Mar.* Cambio sucesivo de rumbo, en un mismo punto, de todos los buques de una línea. ‖ **3.** *Mil.* Evolución con que una tropa vuelve el frente a donde tenía la espalda.

contramarchar. (De *contra*[1] y *marchar.*) intr. *Mil.* Hacer contramarcha.

contramarea. f. Marea contraria a otra.

contramesana. f. *Mar.* Árbol pequeño que en algunos buques está entre la popa y el palo mesana.

contramina. f. *Mil.* Mina que se hace debajo de la de los contrarios, para volarla o para salirles al encuentro en sus trabajos subterráneos. ‖ **2.** *Min.* Comunicación de dos o más minas, por donde se logra limpiarlas, extraer los desmontes y sacar los minerales.

contraminar. (De *contra*[1] y *minar.*) tr. *Mil.* Hacer minas para encontrar las de los enemigos e inutilizarlas. ‖ **2.** fig. Penetrar o averiguar lo que alguien quiere hacer, para que no consiga su intento.

contramuelle. m. Muelle, generalmente opuesto a otro principal.

contramuralla. (De *contra*[1] y *muralla.*) f. *Fort.* **falsabraga.**

contramuro. (De *contra*[1] y *muro.*) m. *Fort.* **contramuralla.**

contranatural. (De *contra*[1] y *natural.*) adj. Contrario al orden de la naturaleza.

contranota. (De *contra*[1] y *nota.*) f. *Der.* Resolución o propuesta razonada de autoridad administrativa, separándose del informe del inferior.

contraofensiva. f. *Mil.* Ofensiva que se emprende para contrarrestar la del enemigo, haciéndole pasar a la defensiva.

contraorden. f. Orden con que se revoca otra que antes se ha dado.

contrapalado, da. (De *contra*[1] y *palado.*) adj. *Blas.* Que tiene palos contrapuestos en color y metal con oposición de bases.

contrapalanquín. m. *Mar.* Segundo palanquín que se da en ayuda del principal.

contrapar. (De *contra*[1] y *par.*) m. *Arq.* Cabrio de la armadura del tejado.

contrapariente. adj. Pariente de parientes. Ú. m. c. s.

contrapartida. (De *contra*[1] y *partida.*) f. Asiento que se hace para corregir algún error o equivocación cometidos en la contabilidad por partida doble. ‖ **2.** Asiento que figura en el haber y tiene su compensación en el debe, o viceversa. ‖ **3.** Algo que tiene por objeto compensar lo que se recibe de otro.

contrapás. (Del fr. *contrepas.*) m. *Danza.* Cierta figura o paseo en la contradanza.

contrapasamiento. m. Acción y efecto de contrapasar.

contrapasar. intr. Pasarse al bando contrario. ‖ **2.** *Blas.* Estar dos figuras de animales en actitud de pasar encontradas.

contrapaso. m. Paso que se da a la parte opuesta del que se ha dado antes. ‖ **2.** ant. Permuta o cambio de una cosa por otra. ‖ **3.** *Mús.* En el canto, emisión o interpretación por unos cantantes, de las notas normales, en tanto que otros hacen el paso o inflexión que sirve de cobertura a la voz.

contrapear. tr. *Carp.* Aplicar unas piezas de madera contra otras, de manera que sus fibras estén cruzadas.

contrapechar. tr. En los torneos y justas, hacer un jinete que su caballo dé con los pechos en los del que monta su contrario.

contrapelear. (De *contra*[1] y *pelear.*) intr. ant. Defenderse peleando.

contrapelo (a). loc. adv. Contra la inclinación o dirección natural del pelo. ‖ **2.** fig. y fam. Contra el curso o modo natural de una cosa cualquiera; violentamente.

contrapesar. (De *contra*[1] y *pesar.*) tr. Servir de contrapeso. ‖ **2.** fig. Igualar, compensar, subsanar una cosa con otra.

contrapeso. m. Peso que se pone a la parte contraria de otro para que queden en equilibrio. ‖ **2.** Añadidura que se echa para completar el peso de carne, pescado, etc. ‖ **3. balancín,** palo largo de los volatineros. ‖ **4.** fig. Lo que se considera y estima suficiente para equilibrar o moderar una cosa que prepondera y excede. ‖ **5.** *Metal.* Moneda o cizalla que en las fábricas de moneda se refundía, pesaba y acuñaba de nuevo.

contrapeste. m. Remedio oportuno contra la peste.

contrapicado. m. *Cinem.* y *TV.* Procedimiento inverso al picado.

contrapilastra. f. *Arq.* Resalto que se hace en el paramento de un muro a uno y otro lado de una pilastra o media columna unida a él. ‖ **2.** *Carp.* Mediacaña de madera que se pone al borde de la hoja de una puerta o ventana y sirve para impedir el paso del aire.

contraplano. m. *Cinem.* **contracampo.**

contraponedor, ra. adj. Que contrapone. Ú. t. c. s.

contraponer. (Del lat. *contraponĕre.*) tr. Comparar o cotejar una cosa con otra contraria o diversa. ‖ **2.** Poner una cosa contra otra para estorbarle su efecto. Ú. t. c. prnl.

contraportada. f. *Impr.* Página que se pone frente a la portada con el nombre de la serie a que pertenece el libro y otros detalles sobre este.

contraposición. (Del lat. *contrapositĭo, -ōnis.*) f. Acción y efecto de contraponer o contraponerse.

contrapotenzado, da. adj. *Blas.* Que tiene potenzas encontradas en los metales o en el color.

contrapozo. (De *contra*[1] y *pozo.*) m. *Fort.* Hornillo o fogata que el minador establece contra la galería del enemigo.

contraprestación. f. *Der.* Prestación que debe una parte contratante por razón de la que ha recibido o debe recibir.

contraprincipio. m. Aserción contraria a un principio reconocido por tal.

contraproducente. (Del lat. *contra,* al contrario, y *prodūcens, -entis,* producente.) adj. Dícese del dicho o acto cuyos efectos son opuestos a la intención con que se profiere o ejecuta.

contraproducéntem. loc. lat. desus. **contraproducente.**

contraproposición. f. Proposición con que se contesta o se impugna otra ya formulada sobre determinada materia.

contraprueba. f. *Impr.* Segunda prueba que sacan los impresores o estampadores.

contrapuerta. f. Puerta que divide el zaguán de lo demás de la casa. ‖ **2.** Puerta situada inmediatamente detrás de otra. ‖ **3.** *Fort.* Puerta interior de la fortaleza.

contrapuesto, ta. (Del lat. *contrapositus.*) p. p. irreg. de **contraponer.**

contrapugnar. (De *contra*[1] y *pugnar.*) tr. ant. Lidiar, combatir una cosa con otra.

contrapunta. (De *contra*[1] y *punta.*) f. *Mec.* Pieza del torno opuesta al cabezal, al que puede acercarse más o menos según el largo de la pieza que se tornea.

contrapuntante. com. *Mús.* El que canta de contrapunto.

contrapuntarse. prnl. **contrapuntearse,** picarse o resentirse dos o más personas.

contrapuntear. tr. *Mús.* Cantar de contrapunto. ‖ **2.** fig. Decir una persona a otra palabras picantes. Ú. m. c. prnl. ‖ **3.** ant. Cotejar, comparar una cosa con otra. ‖ **4.** intr. *Argent., Bol., Col., Chile* y *Venez.* Cantar versos improvisados dos o más cantantes populares. Ú. t. c. prnl. ‖ **5.** *Bol., Col., Chile* y *Ecuad.* fig. Estar en contrapunteo o disputa dos o más personas. Ú. t. c. prnl. ‖ **6.** *Argent., Bol., Cuba, Perú* y *P. Rico.* fig. Rivalizar. Ú. t. c. prnl. ‖ **7.** prnl. fig. Picarse o resentirse entre sí dos o más personas.

contrapunteo. m. Acción y efecto de **contrapuntear,** decir palabras picantes. ‖ **2.** Acción y efecto de **contrapuntear,** resentirse dos o más personas. ‖ **3.** *Argent., Bol., Cuba, Perú* y *P. Rico.* Confrontación de pareceres.

contrapuntista. com. *Mús.* Compositor que practica el contrapunto con cierta preferencia o con mucha pericia.

contrapunto. (Del bajo lat. [*cantus*] *contrapunctus.*) m. *Mús.* Concordancia armoniosa de voces contrapuestas. ‖ **2.** Arte de combinar, según ciertas reglas, dos o más melodías diferentes. ‖ **3.** fig. Contraste entre dos cosas simultáneas. ‖ **4.** *Argent., Bol., Col., Chile* y *Venez.* Desafío de dos o más poetas populares.

contrapunzar. tr. Remachar con el contrapunzón.

contrapunzón. m. Botador de que se sirven algunos artesanos para remachar la pieza en el lugar donde no puede entrar el martillo. ‖ **2.** Instrumento como hembra o matriz de punzón, que sirve a los abridores y grabadores para hacer los punzones mismos que se usan en el grabado de sellos y monedas. ‖ **3.** Figura que como señal ponían los arcabuceros entre la marca y la cruz en la recámara de los cañones de las armas de fuego que construían, para que otros no los contrahiciesen.

contraquilla. f. *Mar.* Pieza que cubre toda la quilla por la parte interior de la nave, de popa a proa, para su resguardo y el de todas las demás piezas que van clavadas a la quilla.

contrariado, da. p. p. de **contrariar.** ‖ **2.** adj. Afectado y disgustado, malhumorado por alguna cosa.

contrariador, ra. adj. ant. Que contraría. Ú. t. c. s.

contrariamente. adv. m. **en contrario.**

contrariar. (De *contrario.*) tr. Contradecir, resistir las intenciones y propósitos; procurar que no se cumplan. Ú. t. en sent. fig.

contraridad. f. ant. **contrariedad.**

contrariedad. (Del lat. *contrariĕtas, -ātis.*) f. Oposición que tiene una cosa con otra. ‖ **2.** Accidente que impide o retarda el logro de un deseo.

contrario, ria. (Del lat. *contrarĭus.*) adj. Opuesto o repugnante a una cosa. Ú. t. c. s. ‖ **2.** fig. Que daña o perjudica. ‖ **3.** m. y f. Persona que tiene enemistad con otra. ‖ **4.** Persona que sigue pleito o pretensión contra otra. ‖ **5.** Persona que lucha, contiende o está en oposición con otra. ‖ **6.** m. p. us. Impedimento, contrariedad. ‖ **al contrario.** loc. adv. Al revés, de un modo opuesto. ‖ **de lo contrario.** fr. En caso **contrario.** ‖ **en contrario.** loc. adv. **en contra.** ‖ **llevar** a alguien **la contraria.** fr. fam. **llevar la contra.** ‖ **por el, o lo, contrario.** loc. adv. **al contrario.**

contrarioso, sa. adj. ant. **contrario.**

contrarraya. f. *Grab.* Cada una de las rayas que cruzan a otras.

contrarreforma. f. Movimiento religioso, intelectual y político destinado a combatir los efectos de la reforma protestante.

contrarregistro. (De *contra*[1] y *registro.*) m. Revisión y comprobación de los adeudos hechos en una primera línea fiscal.

contrarreguera. (De *contra*[1] y *reguera.*) f. Reguera o canal oblicuo hecho en las tierras de regadío para que las aguas no arrastren la labor y se distribuyan por igual en los surcos o eras.

contrarreloj. adj. Dícese de la carrera, generalmente ciclista, en que los participantes corren distanciados desde la salida y se clasifican según el tiempo invertido por cada uno para llegar a la meta. Ú. t. c. s. f.

contrarrelojista. com. Ciclista especializado en carreras contrarreloj.

contrarréplica. f. Contestación dada a una réplica. ‖ **2. dúplica.**

contrarrestar. (Del lat. *contra,* contra[1], y *restāre,* resistir.) tr. Resistir, hacer frente y oposición. ‖ **2.** Paliar, neutralizar el efecto de una cosa. CONTRARRESTAR *una enfermedad, una opinión.* ‖ **3.** Volver la pelota desde la parte del saque.

contrarresto. m. Acción y efecto de contrarrestar. ‖ **2.** Persona que se destina, en el juego de la pelota, para volverla al saque.

contrarrevolución. f. Revolución en sentido contrario de otra próximamente anterior.

contrarrevolucionario, ria. adj. Perteneciente o relativo a la contrarrevolución. ‖ **2.** m. y f. Persona que favorece o es partidaria de la contrarrevolución.

contrarroda. f. *Mar.* Pieza de igual figura que la roda y empernada a ella por su parte interior.
contrarronda. f. *Mil.* Ronda que se hacía normalmente en sentido inverso a la ordinaria.
contrarrotura. f. *Veter.* Emplasto o parche confortativo que se pega sobre la piel para curar la rotura, luxación o relajación de alguna parte blanda del organismo.
contrasalva. (De *contra*[1] y *salva*.) f. Descarga de artillería en contestación al saludo hecho de igual modo.
contraseguro. (De *contra*[1] y *seguro*.) m. Contrato en que el asegurador se obliga, si le cumplen determinadas condiciones, a reintegrar al contratante las primas o cuotas satisfechas y por aquel cobradas.
contrasellar. tr. Poner un contrasello.
contrasello. m. Sello más pequeño con que se marcaba el principal para dificultar las falsificaciones. ‖ **2.** Grabado o señal que dejaba el mismo sello.
contrasentido. m. Interpretación contraria al sentido natural de las palabras o expresiones. ‖ **2.** Deducción opuesta a lo que arrojan de sí los antecedentes. ‖ **3.** Despropósito, disparate.
contraseña. f. Seña secreta que permite el acceso a una cosa, persona o grupo de personas antes inaccesible. ‖ **2.** Segunda marca en animales y cosas para distinguirlos mejor. ‖ **3.** *Mil.* Palabra o movimiento de brazo o cuerpo, que juntamente con el santo y seña, aseguraba el mutuo reconocimiento de rondas, rondines y centinelas. Hoy está en desuso en España. ‖ **de salida.** En los teatros, circos, etc., tarjeta o papelito que se daba a los espectadores que querían salir durante la función para que volvieran a entrar.
contraseñar. tr. Poner una contraseña en uno o más objetos.
contraseño. m. ant. **contraseña.**
contrasta. (De *contrastar*.) f. ant. Contraste u oposición.
contrastable. adj. Que se puede contrastar.
contrastante. p. a. de **contrastar.** Que contrasta o muestra notable diferencia con otra cosa. ‖ **2.** ant. Que contrasta o resiste.
contrastar. (Del lat. *contrastāre*.) tr. p. us. Resistir, hacer frente. ‖ **2.** Ensayar o comprobar y fijar la ley, peso y valor de las monedas o de otros objetos de oro o plata, y sellar estos últimos con la marca del contraste cuando ejecuta la operación el perito oficial. ‖ **3.** Tratándose de pesas y medidas, comprobar su exactitud por ministerio público, para que estén ajustadas a la ley, y acreditarlo sellándolas. ‖ **4.** Por ext., comprobar la exactitud o autenticidad de una cosa. ‖ **5.** intr. Mostrar notable diferencia, o condiciones opuestas, dos cosas, cuando se comparan una con otra.
contraste. m. Acción y efecto de contrastar. ‖ **2.** Oposición, contraposición o diferencia notable que existe entre personas o cosas. ‖ **3.** El que ejerce el oficio público de contrastar. ‖ **4.** Marca que se graba en objetos de metal noble como garantía de haber sido contrastado. ‖ **5.** Oficina donde se contrasta. ‖ **6.** Persona y oficina dedicada al examen de medidas. ‖ **7.** Peso público de la seda cruda. ‖ **8.** Relación entre el brillo de las diferentes partes de una imagen. ‖ **9.** Relación entre la iluminación máxima y mínima iluminación de un objeto. ‖ **10.** Sustancia que introducida en el organismo hace observables, por rayos X u otro medio exploratorio, órganos que sin ella no lo serían. ‖ **11.** En la imagen fotográfica o televisiva, inexistencia o escasez de tonos intermedios, de tal manera que resaltan mucho lo claro y lo oscuro. ‖ **12.** fig. Contienda o combate entre personas o cosas. ‖ **13.** *Mar.* Cambio repentino de un viento en otro contrario. ‖ **de Castilla. marcador mayor.**
contrastivo, va. adj. *Ling.* Que compara elementos o sistemas de dos lenguas con vistas a describir sus diferencias.
contrasto. (De *contrastar*.) m. ant. Opositor, contrario.
contrata. (De *contratar*.) f. Instrumento, escritura o simple obligación firmada con que las partes aseguran los contratos que han hecho. ‖ **2.** El mismo contrato, ajuste o convenio. ‖ **3.** Contrato que se hace con el gobierno, con una corporación o con un particular, para ejecutar una obra material o prestar un servicio por precio o precios determinados. ‖ **4.** Entre actores y cantantes, ajuste, ocupación. ‖ **5.** ant. **contrada.**
contratación. f. Acción y efecto de contratar. ‖ **2.** Comercio y trato de géneros vendibles. ‖ **3.** ant. Trato familiar. ‖ **4.** ant. Escritura firmada por los contratantes. ‖ **5.** ant. Remuneración, paga.
contratamiento. m. ant. Acción y efecto de contratar.
contratante. p. a. de **contratar.** Que contrata. Ú. t. c. s.
contratapa. f. Carne de vaca que está entre la babilla y la tapa.
contratar. (Del lat. *contractāre*.) tr. Pactar, convenir, comerciar, hacer contratos o contratas. ‖ **2.** Ajustar a una persona para algún servicio.
contratela. f. *Mont.* Cerca de lienzos u otra manera de valla con que se estrechaba el espacio cerrado por la tela, ya para la caza o para fiestas y lides.
contratiempo. (De *contra*[1] y *tiempo*.) m. Accidente o suceso inoportuno que obstaculiza o impide el curso normal de algo. ‖ **2.** pl. *Equit.* Movimientos desordenados que hace el caballo. ‖ **a contratiempo.** loc. adv. *Mús.* Empléase cuando la duración de una nota se extiende a dos tiempos del compás, no comprendiendo sino una parte del primero.
contratista. com. Persona que por contrata ejecuta una obra material o está encargada de un servicio para el gobierno, para una corporación o para un particular.
contrato. (Del lat. *contractus*.) m. Pacto o convenio, oral o escrito, entre partes que se obligan sobre materia o cosa determinada, y a cuyo cumplimiento pueden ser compelidas. ‖ **a la gruesa.** *Com.* **contrato** por el que una persona presta a otra cierta cantidad sobre objetos expuestos a riesgos marítimos, con la condición de perderla si estos se pierden y de que, llegando a buen puerto, se le devuelva la suma con un premio convenido. ‖ **aleatorio.** *Der.* **contrato** cuya materia es un hecho fortuito o eventual. ‖ **2.** *Der.* El que se hace a riesgo y ventura renunciando los contratantes a las consecuencias legales del caso fortuito. ‖ **a riesgo marítimo.** *Com.* **contrato a la gruesa.** ‖ **bilateral.** *Der.* El que hace nacer obligaciones recíprocas entre las partes. ‖ **conmutativo.** El bilateral en que las prestaciones recíprocas son equivalentes y determinadas. Se contrapone al **contrato aleatorio.** ‖ **consensual.** *Der.* El que se perfecciona por el solo consentimiento. ‖ **de arrendamiento.** *Der.* **contrato de locación y conducción.** ‖ **2.** *Der.* Aquel por el cual una persona se obliga a ejecutar una obra o prestar un servicio a otro mediante cierto precio. ‖ **de cambio.** *Com.* Aquel en cuya virtud se recibe de uno cierta cantidad de dinero para ponerlo a disposición o a la orden del que lo entrega, en pueblo distinto, para lo cual se le da letra o libranza. ‖ **de compraventa,** o **de compra y venta.** *Der.* Convención mutua en virtud de la cual se obliga el vendedor a entregar la cosa que vende, y el comprador el precio convenido por ella. ‖ **de locación y conducción.** *Der.* Convención mutua en virtud de la cual se obliga el dueño de una cosa, mueble o inmueble, a conceder a otro el uso y disfrute de ella por tiempo determinado, mediante cierto precio o servicio que ha de satisfacer el que lo recibe. ‖ **de retrovendendo.** *Der.* Convención accesoria al **contrato** de compra y venta, por la cual se obliga el comprador a de-

volver al vendedor la cosa vendida, mediante recobro, dentro de cierto tiempo o sin plazo señalado, del precio que dio por ella. ‖ **enfitéutico.** *Der.* El conmutativo, por el cual el dueño de un inmueble cede el dominio útil, reservándose el directo, en reconocimiento del cual se estipulan el pago de un canon periódico, el de laudemio por cada enajenación de aquel dominio, y a veces otras prestaciones. ‖ **innominado.** *Der.* El que sin adaptarse a los que tienen nombre en la ley, celebran las partes usando la libertad de pactar. ‖ **oneroso.** *Der.* El que implica alguna contraprestación. ‖ **perfecto.** Aquel que tiene todos los requisitos para su plena eficacia jurídica. ‖ **real.** *Der.* Aquel que para el nacimiento de las obligaciones requiere, además del consentimiento, la entrega de cosas, como el simple préstamo, el comodato, la prenda y el depósito. ‖ **sinalagmático.** *Der.* **contrato bilateral.** ‖ **trino.** *Der.* Combinación antigua y simulada de los **contratos** de compañía, cesión o compraventa y seguro, que envolvía un préstamo y se celebraba para burlar las leyes sobre usura y tasa del interés. ‖ **unilateral.** *Der.* Aquel de que nacen obligaciones para una de las partes, como el préstamo o el depósito. ‖ **casi contrato.** *Der.* **cuasicontrato.**

contratorpedero. m. **cazatorpedero.**

contratreta. f. Ardid que se usa para desbaratar e inutilizar una treta o engaño.

contratrinchera. (De *contra*[1] y *trinchera.*) f. *Fort.* **contraaproches.**

contratuerca. f. Tuerca auxiliar que se superpone a otra para evitar que esta se afloje por efecto de la vibración o por otras causas.

contravalación. f. *Fort.* Acción y efecto de contravalar.

contravalar. (Del lat. *contra*, enfrente, y *vallāre*, fortificar.) tr. *Fort.* Construir por el frente del ejército que sitia una plaza una línea fortificada, que llaman de contravalación, y es semejante a la que se construye por la retaguardia, que se llama línea de circunvalación.

contravalor. m. Precio o valor que se da a cambio de lo que se recibe.

contravapor. m. *Fís.* Corriente de vapor que obra en sentido opuesto a la que de ordinario mueve una máquina, y sirve para que se detenga o retroceda si es locomóvil. Se usa con el verbo *dar.*

contravención. f. Acción y efecto de contravenir.

contraveneno. m. Medicamento para contrarrestar los efectos del veneno. ‖ **2.** fig. Precaución tomada para evitar un perjuicio.

contravenidor, ra. (De *contravenir.*) adj. ant. **contraventor.** Usáb. t. c. s.

contravenimiento. (De *contravenir.*) m. ant. **contravención.**

contravenir. (Del lat. *contravenīre.*) intr. Obrar en contra de lo que está mandado. Ú. generalmente con la prep. *a.* Ú. menos como tr.

contraventa. f. ant. **retroventa.**

contraventana. f. Puerta que interiormente cierra sobre la vidriera. ‖ **2.** Puerta de madera que se pone en la parte de afuera para mayor resguardo de las ventanas y vidrieras.

contraventor, ra. (Del lat. *contraventum*, supino de *contravenīre*, contravenir.) adj. Que contraviene. Ú. t. c. s.

contraventura. (De *contra*[1] y *ventura.*) f. Desdicha, infortunio.

contraverado, da. adj. *Blas.* Que tiene contraveros.

contraveros. m. pl. *Blas.* Veros dispuestos de modo que estén unidos dos a dos por su base y no alternados como en la forma natural.

contravidriera. f. Segunda vidriera, que sirve para mayor abrigo.

contravoluta. f. *Arq.* Voluta que duplica la principal.

contray. (De *Kortrijk*, pronunciado *kortraik*, nombre de Courtrai en Flandes.) m. Especie de paño fino.

contrayente. p. a. de **contraer.** Que contrae. Se aplica casi únicamente a la persona que contrae matrimonio. Ú. t. c. s.

contre. m. *Chile.* **contri.**

contrecto, ta. adj. ant. **contrecho,** baldado, deforme.

contrecho, cha. (Del lat. *contractus*, p. p. de *contrahĕre*, contraer, encoger.) adj. Baldado, tullido, deforme. ‖ **2.** m. ant. Pasmo interior que padecen las caballerías.

contremecer. (Del lat. *contremiscĕre.*) intr. ant. **temblar.** Usáb. t. c. prnl.

contreras. m. Individuo que lleva la contraria en sus actos o en sus palabras.

contrete. m. Puntal que sujeta horizontalmente una pieza. ‖ **2.** *Mec.* En los eslabones elípticos de una cadena, travesaño que coincide con el eje menor.

contri. (Del mapuche *conthi* o *conthùl.*) m. *Chile.* Molleja, estómago de las aves.

contribución. (Del lat. *contributio, -ōnis.*) f. Acción y efecto de contribuir. ‖ **2.** Cuota o cantidad que se paga para algún fin, y principalmente la que se impone para las cargas del Estado. ‖ **de guerra.** Exacción extraordinaria que los ejércitos beligerantes imponen a las poblaciones que toman u ocupan. ‖ **de sangre. servicio militar.** ‖ **directa.** La que pesa sobre personas, bienes o usos determinados. ‖ **indirecta.** La que grava determinados actos de producción, comercio o consumo. ‖ **territorial.** La que ha de tributar la riqueza rústica. ‖ **urbana.** La que se impone a la propiedad inmueble en centros de población. ‖ **poner a contribución.** loc. fig. Recurrir a cualesquiera medios que pueden cooperar en la consecución de un fin.

contribuidor, ra. adj. Que contribuye. Ú. t. c. s.

contribuir. (Del lat. *contribuĕre.*) tr. Dar o pagar cada uno la cuota que le cabe por un impuesto o repartimiento. Ú. m. c. intr. ‖ **2.** Concurrir voluntariamente con una cantidad para determinado fin. ‖ **3.** fig. Ayudar y concurrir con otros al logro de algún fin. ‖ **4.** ant. **atribuir** a una persona o cosa hechos o cualidades.

contribulado, da. p. p. de **contribular.** ‖ **2.** adj. Que padece tribulación.

contribular. (Del lat. *contribulāre.*) tr. desus. **atribular,** causar tribulación. Usáb. t. c. prnl.

contributario, ria. m. y f. Tributario o contribuyente con otras personas en el pago de un tributo.

contributivo, va. adj. Perteneciente o relativo a las contribuciones y otros impuestos.

contribuyente. p. a. de **contribuir.** Que contribuye. Ú. t. c. s. y más para designar al que paga contribución al Estado.

contrición. (Del lat. *contritĭo, -ōnis.*) f. En el sacramento de la penitencia, dolor y pesar de haber pecado ofendiendo a Dios. ‖ **2.** Arrepentimiento de una culpa cometida.

contrín. m. Peso usado en Filipinas, equivalente a 39 centigramos.

contrincante. (De *con-* y *trinca.*) com. Cada uno de los que forman parte de una misma trinca en las oposiciones. ‖ **2.** El que pretende una cosa en competencia con otro u otros.

contristar. (Del lat. *contristāre.*) tr. Afligir, entristecer. Ú. t. c. prnl.

contrito, ta. (Del lat. *contrītus.*) adj. Que siente contrición.

control. (Del fr. *contrôle.*) m. Comprobación, inspección, fiscalización, intervención. ‖ **2.** Dominio, mando, preponderancia. ‖ **3.** Oficina, despacho, dependencia, etc., donde se controla. ‖ **4.** V. **torre de control.** ‖ **5. puesto de control.** ‖ **6.** Regulación, manual o automática, sobre un sistema. ‖ **7.** Mando o dispositivo de regulación. ‖ **8.** Tablero o panel donde se encuentran los mandos. Ú. m. en pl. ‖ **remoto.** Dispositivo que regula a distancia el funcionamiento de un aparato, mecanismo o sistema.

controlable. adj. Que se puede controlar.

controlador, ra. m. y f. Persona que controla. ‖ **aéreo.** Técnico especializado que tiene a su cargo la orientación, regulación, vigilancia, etc., del despegue y aterrizaje de aviones en un aeropuerto.

controlar. (Del fr. *contrôler.*) tr. Ejercer el control.

controversia. (Del lat. *controversĭa.*) f. Discusión larga y reiterada entre dos o más personas. Especialmente se usa refiriéndose a las cuestiones de religión. ‖ **sin controversia.** loc. adv. **sin duda.**

controversial. adj. Perteneciente o relativo a la controversia. ‖ **2.** Que es o puede ser objeto de controversia. ‖ **3.** Polémico, que busca la controversia.

controversista. com. El que escribe o trata sobre puntos de controversia.

controverso, sa. (Del lat. *controversus.*) p. p. irreg. ant. de **controvertir.**

controvertible. adj. Que se puede controvertir.

controvertir. (Del lat. inus. *controvertĕre.*) intr. Discutir extensa y detenidamente sobre una materia. Ú. t. c. tr.

contubernal. (Del lat. *contubernālis.*) m. ant. El que vive con otro en un mismo alojamiento.

contubernio. (Del lat. *contubernĭum.*) m. Habitación con otra persona. ‖ **2.** Cohabitación ilícita. ‖ **3.** fig. Alianza o liga vituperable.

contumace. (Del lat. *contŭmax, -ācis.*) adj. ant. **contumaz.**

contumacia. (Del lat. *contumacĭa.*) f. Tenacidad y dureza en mantener un error. ‖ **2.** *Der.* **rebeldía,** falta de comparecencia en un juicio.

contumaz. (Del lat. *contŭmax, -ācis.*) adj. Rebelde, porfiado y tenaz en mantener un error. ‖ **2.** Aplícase a aquellas materias o sustancias que se estiman propias para retener y propagar los gérmenes de un contagio. ‖ **3.** *Der.* **rebelde,** que no se presenta ni comparece. Ú. t. c. s.

contumazmente. adv. m. Tenazmente, con porfía y contumacia.

contumelia. (Del lat. *contumelĭa.*) f. Oprobio, injuria u ofensa dicha a una persona en su cara. ‖ **sacar** a alguien **la contumelia.** loc. fig. y fam. *Chile* y *Perú.* Golpearlo con rudeza.

contumelioso, sa. (Del lat. *contumeliōsus.*) adj. Afrentoso, injurioso, ofensivo.

contundencia. f. Calidad de **contundente,** que produce impresión y convence.

contundente. (Del lat. *contundens, -entis,* p. a. de *contundĕre,* contundir.) adj. Aplícase al instrumento y al acto que producen contusión. ‖ **2.** fig. Que produce gran impresión en el ánimo, convenciéndolo. *Argumento, razón, prueba* CONTUNDENTE.

contundir. (Del lat. *contundĕre.*) tr. Magullar, golpear. Ú. t. c. prnl.

conturbación. (Del lat. *conturbatĭo, -ōnis.*) f. Inquietud, turbación.

conturbado, da. p. p. de **conturbar.** ‖ **2.** adj. Revuelto, intranquilo.

conturbador, ra. (Del lat. *conturbātor, -ōris.*) adj. Que conturba. Ú. t. c. s.

conturbamiento. (De *conturbar.*) m. ant. **conturbación.**

conturbar. (Del lat. *conturbāre.*) tr. Alterar, turbar, inquietar. Ú. t. c. prnl. ‖ **2.** fig. Intranquilizar, alterar el ánimo. Ú. t. c. prnl.

conturbativo, va. adj. Dícese de lo que conturba.

contusión. (Del lat. *contusĭo, -ōnis.*) f. Daño que recibe alguna parte del cuerpo por golpe que no causa herida exterior.

contusionar. tr. **magullar,** producir contusión. Ú. t. c. prnl.

contuso, sa. (Del lat. *contūsus.*) adj. Que ha recibido contusión. Ú. t. c. s.

contutor. (De *con-* y *tutor.*) m. El que ejercía la tutela juntamente con otro.

conuco. (De or. americano.) m. *Cuba, P. Rico* y *Sto. Dom.* Porción de tierra que los indios taínos dedicaban al cultivo. ‖ **2.** *Cuba.* Pedazo de tierra próxima a los ingenios y cafetales que los amos concedían a los esclavos para que, en provecho propio, lo cultivaran o para que en él criaran animales. ‖ **3.** *Cuba* y *Sto. Dom.* Parcela pequeña de tierra cultivada por un campesino pobre.

conuquero, ra. m. y f. *Sto. Dom.* Propietario o habitante de un conuco.

conurbación. f. Conjunto de varios núcleos urbanos inicialmente independientes y contiguos por sus márgenes, que al crecer acaban uniéndose en unidad funcional.

conusco. (Del lat. *cum* y *noscum,* por *nobiscum.*) pron. pers. ant. **connusco.**

convalecencia. (Del lat. *convalescentĭa.*) f. Acción y efecto de convalecer. ‖ **2.** Estado del convaleciente. ‖ **3.** Casa u hospital destinado para convalecer los enfermos.

convalecer. (Del lat. *convalescĕre.*) intr. Recobrar las fuerzas perdidas por enfermedad. ‖ **2.** fig. Salir una persona o una colectividad del estado de postración o peligro en que se encuentran.

convaleciente. (Del lat. *convalescens, -entis.*) p. a. de **convalecer.** Que convalece. Ú. t. c. s.

convalecimiento. (De *convalecer.*) m. ant. **convalecencia.**

convalidación. f. Acción y efecto de convalidar.

convalidad. (De *con-* y *validad.*) f. ant. **convalidación.**

convalidar. (Del lat. *convalidāre.*) tr. Confirmar o revalidar, especialmente los actos jurídicos. ‖ **2.** Dar validez académica, en un país, institución, facultad, sección, etc., a estudios aprobados en otro país, institución, etcétera.

convección. (Del lat. *convectĭo.*) f. *Fís.* Propagación del calor por masas móviles de materia, tales como las corrientes de gases y líquidos, producidas por las diferencias de densidad.

convecino, na. adj. Cercano, próximo, inmediato. ‖ **2.** Que tiene vecindad con otro en un mismo pueblo. Ú. t. c. s.

convelerse. (Del lat. *convellĕre.*) prnl. desus. *Pat.* Moverse y agitarse preternatural y alternadamente con contracción y estiramiento de uno o varios miembros o músculos del cuerpo.

convencedor, ra. adj. Que convence. Ú. t. c. s.

convencer. (Del lat. *convincĕre.*) tr. Incitar, mover con razones a alguien a hacer algo o a mudar de dictamen o de comportamiento. Ú. t. c. prnl. ‖ **2.** Probar una cosa de manera que racionalmente no se pueda negar. Ú. t. c. prnl.

convencimiento. m. Acción y efecto de convencer o convencerse.

convención. (Del lat. *conventĭo, -ōnis.*) f. Ajuste y concierto entre dos o más personas o entidades. ‖ **2.** Conveniencia, conformidad. ‖ **3.** Norma o práctica admitida tácitamente, que responde a precedentes o a la costumbre. ‖ **4.** Asamblea de los representantes de un país, que asume todos los poderes. ‖ **5.** Reunión general de un partido político o de una agrupación de otro carácter, para fijar programas, elegir candidatos o resolver otros asuntos.

convencional. (Del lat. *conventionālis.*) adj. Perteneciente al convenio o pacto. ‖ **2.** V. **privilegio convencional.** ‖ **3.** Que resulta o se establece en virtud de precedentes o de costumbre. ‖ **4.** Dícese de personas, actitudes, ideas, etc., poco originales y acomodaticias. ‖ **5.** *Der.* V. **retracto convencional.** ‖ **6.** m. Individuo de una convención.

convencionalismo. m. Conjunto de opiniones o procedimientos basados en ideas falsas que, por comodidad o conveniencia social, se tienen como verdaderas. Ú. m. en pl.

convencionalmente. adv. m. Por convención.

convenencia. f. ant. **conveniencia,** correlación entre dos cosas. ‖ **2.** ant. **conveniencia,** ajuste, convenio.

convenenciero, ra. adj. Que solo atiende a sus conveniencias, sin otras miras ni preocupaciones.

convenialmente. adv. m. ant. **convencionalmente.**

convenible. adj. Dócil o que se conviene fácilmente con los demás. ‖ **2.** Tratándose del precio, razonable, moderado. ‖ **3.** V. **condición convenible.** ‖ **4. conveniente.**

convenido, da. p. p. de **convenir.** ‖ **2.** adv. m. Que expresa conformidad o consentimiento.

conveniencia. (Del lat. *convenientia.*) f. Correlación y conformidad entre dos cosas distintas. ‖ **2.** Utilidad, provecho. ‖ **3.** Ajuste, concierto y convenio. ‖ **4.** Acomodo de una persona para servir en una casa. *He hallado* CONVENIENCIA. ‖ **5. comodidad.** ‖ **6.** pl. Utilidades que, además del salario, se daban por ajuste en algunas casas a ciertos criados; como dejarles guisar su comida, darles las verduras y otras menudencias. ‖ **7.** Haberes, rentas, bienes. ‖ **8.** Convencionalismos.

conveniente. (Del lat. *conveniens, -entis.*) adj. Útil, oportuno, provechoso. ‖ **2.** Conforme, concorde. ‖ **3.** Decente, proporcionado.

convenientemente. adv. m. Útil, adecuada y oportunamente.

convenio. (De *convenir.*) m. Ajuste, convención.

convenir. (Del lat. *convenīre.*) intr. Ser de un mismo parecer y dictamen. ‖ **2.** Acudir o juntarse varias personas en un mismo lugar. ‖ **3.** Corresponder, pertenecer. ‖ **4.** Importar, ser a propósito, ser conveniente. ‖ **5.** ant. Cohabitar, tener comercio carnal con una mujer. ‖ **6.** prnl. Ajustarse, componerse, concordarse. ‖ **7.** *Der.* Coincidir dos o más voluntades causando obligación. ‖ **conviene a saber.** expr. **es a saber.**

conventico. m. **conventillo.**

conventícula. f. **conventículo.**

conventículo. (Del lat. *conventicŭlum.*) m. Junta ilícita y clandestina de algunas personas.

conventillo. m. **casa de vecindad.** ‖ **2.** desus. Casa de mujeres públicas.

convento. (Del lat. *conventus,* congregación.) m. Casa o monasterio en que viven los religiosos o religiosas bajo las reglas de su instituto. ‖ **2.** Comunidad de religiosos o religiosas que habitan en una misma casa. ‖ **3.** ant. Concurso, concurrencia, junta de muchas personas. ‖ **4.** *Mar.* La clara o hueco entre dos cuadernas. ‖ **jurídico.** Cualquiera de los tribunales adonde, en tiempo de los romanos, acudían los pueblos de la provincia con sus pleitos, como ahora concurren a las audiencias. ‖ **2.** Distrito judicial establecido en Hispania y otras provincias, a cuyas capitales acudía el gobernador con su consejo para administrar justicia.

conventual. (Del lat. *conventuālis.*) adj. Perteneciente o relativo al convento. ‖ **2.** V. **iglesia, misa conventual.** ‖ **3.** m. Religioso que reside en un convento, o es individuo de una comunidad. ‖ **4.** Religioso franciscano cuya orden posee rentas. Los hubo en España, y hoy se conservan en otros países. ‖ **5.** En algunas órdenes, predicador de la casa.

conventualidad. (De *conventual.*) f. Habitación o morada de las personas religiosas que viven en un mismo convento. ‖ **2.** Asignación de un religioso a un convento determinado.

conventualmente. adv. m. En comunidad.

convergencia. (Del lat. *convergens, -entis,* convergente.) f. Acción y efecto de convergir.

convergente. (Del lat. *convergens, -entis.*) p. a. de **convergir.** Que converge. ‖ **2.** adj. V. **serie, sucesión convergente.**

converger. (Del lat. *convergĕre.*) intr. **convergir.**

convergir. (Del lat. *convergĕre.*) intr. Dirigirse dos o más líneas a unirse en un punto. ‖ **2.** fig. Concurrir al mismo fin los dictámenes, opiniones o ideas de dos o más personas.

conversa. (De *conversar.*) f. fam. Conversación, palique.

conversable. (De *conversar.*) adj. Tratable, sociable, comunicable.

conversación. (Del lat. *conversatĭo, -ōnis.*) f. Acción y efecto de hablar familiarmente una o varias personas con otra u otras. ‖ **2.** desus. Concurrencia o compañía. ‖ **3.** desus. Comunicación y trato carnal; amancebamiento. ‖ **4.** V. **casa de conversación.** ‖ **5.** ant. Habitación o morada. ‖ **dar conversación.** loc. Entretener a una persona hablando con ella. ‖ **dejar caer** una cosa **en la conversación.** fr. fig. y fam. Decirla afectando descuido. ‖ **dirigir la conversación** a alguien. fr. Hablar singular y determinadamente con él. ‖ **sacar la conversación.** fr. Tocar algún punto para que se hable de él. SAQUE *usted* LA CONVERSACIÓN, *que entonces diré yo mi dictamen.* ‖ **trabar conversación.** fr. Empezar o dar principio a la plática.

conversacional. adj. Perteneciente o relativo a la conversación. ‖ **2. coloquial,** dicho del lenguaje.

conversador, ra. (De *conversar.*) adj. Dícese de la persona que sabe hacer amena e interesante la conversación. Ú. t. c. s.

conversamiento. (De *conversar.*) m. ant. **conversación.**

conversar. (Del lat. *conversāre.*) intr. Hablar una o varias personas con otra u otras. ‖ **2.** desus. Vivir, habitar en compañía de otros. ‖ **3.** desus. Tratar, comunicar y tener amistad unas personas con otras. ‖ **4.** *Mil.* Hacer conversión.

conversativo, va. adj. ant. **conversable.**

conversión. (Del lat. *conversĭo, -ōnis.*) f. Acción y efecto de convertir o convertirse. ‖ **2.** *Esgr.* y *Mil.* V. **cuarto de conversión.** ‖ **3.** *Mil.* Mutación del frente, de una fila, girando sobre uno de sus extremos. ‖ **4.** *Ret.* Figura que se comete empleando una misma palabra al fin de dos o más cláusulas o miembros del período.

conversivo, va. (Del lat. *conversīvus.*) adj. Que tiene virtud de convertir una cosa en otra.

converso, sa. (Del lat. *conversus.*) p. p. irreg. de **convertir.** ‖ **2.** adj. Dícese de los musulmanes y judíos convertidos al cristianismo. Ú. t. c. s. ‖ **3.** m. En algunas órdenes y congregaciones religiosas, **lego,** sin opción al sacerdocio.

convertibilidad. f. Calidad de convertible.

convertible. (Del lat. *convertibĭlis.*) adj. Que puede convertirse. ‖ **2.** *Amér.* **descapotable.** Ú. m. c. s. m.

convertidor. m. Aparato ideado en 1859 por el ingeniero inglés Bessemer, para convertir la fundición de hierro en acero.

convertimiento. (De *convertir.*) m. ant. **conversión.**

convertir. (Del lat. *convertĕre.*) tr. Mudar o volver una cosa en otra. Ú. t. c. prnl. ‖ **2.** Ganar a alguien para que profese una religión o la practique. Ú. t. c. prnl. ‖ **3.** prnl. *Dial.* Substituirse una palabra o proposición por otra de igual significación.

convexidad. (Del lat. *convexĭtas, -ātis.*) f. Calidad de convexo. ‖ **2.** Parte o sitio convexo.

convexo, xa. (Del lat. *convexus.*) adj. Dícese de la línea o superficie curvas que, respecto del que las mira, tienen su parte más prominente en el centro.

convicción. (Del lat. *convictĭo, -ōnis.*) f. **convencimiento.** ‖ **2.** Idea religiosa, ética o política a la que se está fuertemente adherido. Ú. m. en pl. *No puedo obrar en contra de mis* CONVICCIONES.

convicio. (Del lat. *convicĭum.*) m. ant. Injuria, afrenta, improperio.

convicto, ta. (Del lat. *convictus,* de *convincĕre,* convencer.) p. p. irreg. de **convencer.** ‖ **2.** adj. *Der.* Dícese del reo a quien legalmente se ha probado su delito, aunque no lo haya confesado.

convictor. (Del lat. *convictor, -ōris.*) m. En algunas partes, el que vive en un seminario o colegio sin ser del número de la comunidad.

convictorio. (De *convictor.*) m. En los colegios de jesuitas, departamento donde viven los educandos.

convidada. (De *convidar.*) f. fam. Convite que se hace generalmente entre la gente del pueblo, y en el que por lo regular solo se invita a beber. *Pagar la* CONVIDADA.

convidado, da. p. p. de **convidar.** ‖ **2.** m. y f. Persona que recibe un convite. ‖ **como el convidado de piedra.** loc. adv. fig. Como una estatua, mudo, quieto y grave, aludiendo a la del comendador de Calatrava don Gonzalo de Ulloa, en *El Burlador de Sevilla y* CONVIDADO *de piedra,* comedia de Tirso de Molina.

convidador, ra. adj. Que convida. Ú. t. c. s.

convidar. (Del b. lat. *convitāre,* por *invitāre.*) tr. Rogar una persona a otra que la acompañe a comer o a una función o a cualquier otra cosa que se haga por vía de obsequio. ‖ **2.** fig. Mover, incitar. ‖ **3.** prnl. Ofrecerse voluntariamente para alguna cosa. ‖ **convidar** a alguien **con** alguna cosa. fr. Ofrecérsela.

convincente. (Del lat. *convincens, -entis.*) adj. Que convence.

convincentemente. adv. m. De manera convincente.

convite. (Del cat. *convit.*) m. Acción y efecto de convidar. ‖ **2.** Función y especialmente comida o banquete a que es uno convidado.

convival. (Del lat. *convivālis.*) adj. Perteneciente o relativo al convite.

convivencia. f. Acción de convivir.

conviviente. (Del lat. *convīvens, -entis.*) p. a. de **convivir.** Que convive. ‖ **2.** com. Cada uno de aquellos con quienes comúnmente se vive.

convivio. (Del lat. *convivĭum.*) m. **convite.**

convivir. (Del lat. *convivĕre.*) intr. Vivir en compañía de otro u otros, cohabitar.

convocación. (Del lat. *convocatĭo, -ōnis.*) f. Acción de convocar.

convocadero, ra. adj. ant. Que se ha de convocar.

convocador, ra. (Del lat. *convocātor, -ōris.*) adj. Que convoca. Ú. t. c. s.

convocar. (Del lat. *convocāre.*) tr. Citar, llamar a varias personas para que concurran a lugar o acto determinado. ‖ **2. aclamar,** dar voces en honor y aplauso de alguien.

convocatoria. f. Anuncio o escrito con que se convoca.

convocatorio, ria. adj. Dícese de lo que convoca.

convolar. (Del lat. *convolāre.*) intr. ant. **volar,** elevarse y moverse una cosa en el aire.

convolvuláceo, a. (Del lat. *convolvŭlus,* nombre genérico de la enredadera.) adj. *Bot.* Dícese de árboles, matas y hierbas angiospermos dicotiledóneos, que tienen hojas alternas, corola en forma de tubo o campana, con cinco pliegues, y semillas con albumen mucilaginoso; como la batata, la maravilla y la cuscuta. Ú. t. c. s. f. ‖ **2.** f. pl. *Bot.* Familia de estas plantas.

convólvulo. (Del lat. *convolvŭlus,* de *convolvĕre,* arrollar.) m. Oruga muy dañina, de unos dos centímetros de largo, color verde amarillento en el cuerpo y cabeza parda brillante; vive a expensas de los frutos y hojas de la vid, que roe, arrolla y seca. ‖ **2. enredadera,** planta de las convolvuláceas.

convoy. (Del fr. *convoi.*) m. Escolta o guardia que se destina para llevar con seguridad y resguardo alguna cosa por mar o por tierra. ‖ **2.** Conjunto de los buques o carruajes, efectos o pertrechos escoltados. ‖ **3. tren,** serie de carruajes enlazados. ‖ **4.** Vinagreras para el servicio de la mesa. ‖ **5.** fig. y fam. Séquito o acompañamiento.

convoyar. (Del fr. *convoyer.*) tr. Escoltar lo que se conduce de una parte a otra, para que vaya resguardado.

convulsión. (Del lat. *convulsĭo, -ōnis.*) f. Contracción intensa e involuntaria de los músculos del cuerpo, de origen patológico. ‖ **2.** fig. Agitación violenta de agrupaciones políticas o sociales, que trastorna la normalidad de la vida colectiva. ‖ **3.** *Geol.* Sacudida de la tierra o del mar por efecto de los terremotos.

convulsionante. p. a. de **convulsionar.** Que convulsiona. ‖ **2.** adj. Dícese de la terapéutica que se propone la curación o alivio de determinadas enfermedades, principalmente mentales, mediante el empleo de drogas o métodos físicos que producen convulsiones en el enfermo.

convulsionar. tr. Producir convulsiones. Ú. t. en sent. fig.

convulsionario, ria. (De *convulsión.*) adj. Que padece convulsiones. Ú. m. aplicado a videntes, posesos, etc.

convulsivo, va. adj. Perteneciente a la convulsión. *Movimientos* CONVULSIVOS. ‖ **2.** V. **tos convulsiva.**

convulso, sa. (Del lat. *convulsus.*) adj. Atacado de convulsiones. ‖ **2.** fig. Dícese del que se halla muy excitado.

convusco. (Del lat. *cum voscum.*) ant. Forma especial del pl. del pron. pers., 2.ª pers. en gén. m. y f. Con vos o con vosotros.

conyector. (Del lat. *coniector, -ōris.*) m. ant. El que conjetura.

conyectura. (Del lat. *coniectūra.*) f. ant. **conjetura.**

conyúdice. (Del lat. *coniŭdex, -dĭcis.*) m. **conjuez.**

conyugado, da. (Del lat. *coniugātus,* unido, ligado.) adj. ant. **casado,** unido en matrimonio.

conyugal. (Del lat. *coniugālis.*) adj. Perteneciente a los cónyuges. ‖ **2.** V. **castidad, débito, sociedad conyugal.**

cónyuge. (Del lat. *coniux, -ŭgis.*) com. **consorte,** marido y mujer respectivamente.

conyugicida. com. Cónyuge que mata al otro cónyuge. Ú. t. c. adj.

conyugicidio. m. Muerte causada por uno de los cónyuges al otro.

conyunto, ta. adj. ant. **conjunto.**

coña. f. vulg. Guasa, burla disimulada. ‖ **2.** vulg. Cosa molesta.

coñá o **coñac.** (De *Cognac,* ciudad francesa.) m. Aguardiente de graduación alcohólica muy elevada, obtenido por la destilación de vinos flojos y añejado en toneles de roble.

coñazo. m. fam. Persona o cosa latosa, insoportable.

coñearse. prnl. vulg. Guasearse, burlarse disimuladamente.

coñete. adj. *Chile* y *Perú.* Tacaño, cicatero, mezquino.

coño. (Del lat. *cŭnnus.*) m. Parte externa del aparato genital de la hembra. Es voz malsonante. ‖ **2.** Ú. frecuentemente como interjección. ‖ **3.** adj. *Chile* y *Ecuad.* **tacaño,** miserable.

coñón. adj. vulg. Dícese de la persona burlona o bromista. Ú. t. c. s.

coona. f. Planta venenosa con cuyo jugo enherbolaban sus flechas los indios. ‖ **2.** Hoja de dicha planta.

cooperación. (Del lat. *cooperatĭo, -ōnis.*) f. Acción y efecto de cooperar.

cooperador, ra. (Del lat. *cooperātor, -ōris.*) adj. Que coopera. Ú. t. c. s.

cooperar. (Del lat. *cooperāri.*) intr. Obrar juntamente con otro u otros para un mismo fin.
cooperario. (Del lat. *cooperarĭus.*) m. El que coopera.
cooperativismo. m. Tendencia o doctrina favorable a la cooperación en el orden económico y social. ‖ **2.** Teoría y régimen de las sociedades cooperativas.
cooperativista. adj. Perteneciente o relativo a la cooperación. ‖ **2.** Partidario del cooperativismo. Ú. t. c. s.
cooperativo, va. (Del lat. *cooperatīvus.*) adj. Dícese de lo que coopera o puede cooperar a alguna cosa. ‖ **2.** f. **sociedad cooperativa.**
coopositor, ra. (De *co-* y *opositor.*) m. y f. Persona que con otra u otras concurre a las oposiciones a una prebenda, cátedra, etc.
cooptación. (Del lat. *cooptatĭo, -ōnis.*) f. Acción y efecto de cooptar.
cooptar. tr. Llenar las vacantes que se producen en el seno de una corporación mediante el voto de los integrantes de la misma.
coordenado, da. (De *co-* y *ordenado.*) adj. *Geom.* Aplícase a las líneas que sirven para determinar la posición de un punto, y a los ejes o planos a que se refieren aquellas líneas. Ú. m. c. s. f. ‖ **2.** *Geom.* V. **eje, plano coordenado.** ‖ **coordenada cartesiana.** *Geom.* Cada una de las rectas que son paralelas a cada uno de los dos ejes de referencia, trazados sobre un plano, o a alguna de las intersecciones de tres planos, con respecto a los cuales se determina la posición de un punto del espacio por las longitudes de dichas rectas, contadas desde los ejes o planos no paralelos a ellas. ‖ **polar.** *Geom.* Cada una de las que determinan la posición de un punto cualquiera sobre un plano, y son: la longitud del radio vector comprendida entre el punto y el polo, y el ángulo formado por dicho radio con la línea recta llamada eje polar.
coordinación. (Del lat. *coordinatĭo, -ōnis.*) f. Acción y efecto de coordinar. ‖ **2.** *Gram.* Relación que existe entre oraciones de sentido independiente.
coordinadamente. adv. m. Con método y coordinación.
coordinado, da. p. p. de **coordinar.** ‖ **2.** adj. *Geom.* **coordenado.** ‖ **3.** *Gram.* Dícese de las oraciones unidas por coordinación.
coordinador, ra. adj. Que coordina. Ú. t. c. s.
coordinamiento. (De *coordinar.*) m. **coordinación.**
coordinar. (Del lat. *co,* por *cum,* con, y *ordināre,* ordenar.) tr. Disponer cosas metódicamente. ‖ **2.** Concertar medios, esfuerzos, etc., para una acción común.
coordinativo, va. adj. Que puede coordinar.
copa. (Del lat. *cuppa.*) f. Vaso con pie para beber. Se hace de varios tamaños, materias y figuras. ‖ **2.** Todo el líquido que cabe en una **copa.** COPA *de vino.* ‖ **3.** Conjunto de ramas y hojas que forma la parte superior de un árbol. ‖ **4.** Parte hueca del sombrero, en que entra la cabeza. ‖ **5.** Cada una de las partes huecas del sujetador de las mujeres. ‖ **6.** Medida de líquidos, que es la cuarta parte de un cuartillo y equivale a 126 mililitros. ‖ **7.** Brasero que tiene la figura de **copa,** y se hace de azófar, cobre, barro o plata, con dos asas para llevarlo de una parte a otra; algunos tienen dentro una bacía para echar la lumbre. ‖ **8.** Cada una de las cartas del palo de **copas** en los naipes. ‖ **9.** Premio que se concede en algunos certámenes deportivos. ‖ **10.** Competición deportiva para lograr este premio. ‖ **11.** pl. Uno de los cuatro palos de la baraja española, en cuyos naipes se representan una o varias figuras de **copas.** ‖ **12.** Cabezas del bocado del freno. ‖ **del horno.** Bóveda que lo cubre. ‖ **graduada.** La que tiene ciertas señales para medir la cantidad del líquido que contiene. ‖ **apurar la copa del dolor, de la desgracia,** etc. frs. figs. Llegar al extremo del dolor y pena, de la calamidad e infortunio. ‖ **haber la copa.** fr. ant. **tener la copa.** ‖ **irse de copas.** fr. fig. y fam. **ventosear.** ‖ **tener la copa.** fr. ant. Ser copero del rey.
copada. (De *copo*[1].) f. **cogujada.**
copado, da. adj. Que tiene copa. Dícese comúnmente de los árboles.
copador. (De *copar.*) m. Mazo de madera o martillo de boca redondeada, que sirve para encorvar las chapas de hierro, cobre, latón, etc.
copaiba. (Del port. *copaiba,* y este del tupí.) f. **copayero.** ‖ **2. bálsamo de copaiba.**
copaína. f. *Quím.* Principio que se obtiene de la copaiba.
copal. (Del nahua *copalli.*) m. Nombre común a varios árboles de la familia de las burseráceas, de los cuales se extrae la resina del mismo nombre. En Méjico se usa para sahumar templos o casas. ‖ **2.** adj. Aplícase a una resina casi incolora, muy dura y sin olor ni sabor, que se emplea en barnices duros de buena calidad. Ú. t. c. s. m.
copalillo. m. *Cuba.* Árbol silvestre de la familia de las sapindáceas, que da muy buena madera, amarillenta con vetas rojizas, dura y compacta. ‖ **2.** *Hond.* **curbaril.**
copaneto. m. ant. d. de **cópano.**
cópano. (Del lat. *caupŭlus,* barquichuelo.) m. desus. Especie de barco pequeño usado antiguamente.
copaquira. f. *Chile* y *Perú.* Caparrosa o vitriolo azul.
copar. (Del fr. *couper.*) tr. Hacer en los juegos de azar una puesta equivalente a todo el dinero con que responde la banca. ‖ **2.** fig. Conseguir en una elección todos los puestos. ‖ **3.** *Mil.* Sorprender o cortar la retirada a una fuerza militar, haciéndola prisionera. Ú. en sent. fig.
coparticipación. (De *co-* y *participación.*) f. Acción de participar a la vez con otro en alguna cosa.
copartícipe. (De *co-* y *partícipe.*) com. Persona que tiene participación con otra en alguna cosa.
copartidario, ria. adj. Que pertenece al mismo partido político. Ú. t. c. s.
copayero. m. Árbol de la familia de las papilionáceas, propio de América Meridional, que alcanza de 15 a 20 metros de altura, copa poco poblada, hojas alternas compuestas de un número par de hojuelas ovaladas, enteras y lustrosas, y flores blancas de cuatro pétalos, en espigas axilares. Su tronco da el bálsamo de copaiba.
copazo. m. aum. de **copa,** copa grande. ‖ **2.** fam. Bebida alcohólica contenida en una copa o vaso.
cope. (De *copo*[2].) m. Parte más espesa de la red de pescar.
copé. m. Especie de nafta o betún natural de algunas regiones americanas, que se mezclaba con alquitrán.
copear. intr. Vender por copas las bebidas. ‖ **2.** Tomar copas.
cópec. m. **copeca.**
copeca. (Del ruso *kopeika.*) f. Moneda rusa, equivalente a la centésima parte de un rublo.
copeicillo. (De *copey.*) m. *Amér.* Árbol de la familia de las gutíferas, del mismo género que el copey, pero más pequeño que él. Se cultiva como planta de adorno.
copela. (Del it. *coppella,* d. de *coppa.*) f. Vaso de figura de cono truncado, hecho con cenizas de huesos calcinados, y donde se ensayan y purifican los minerales de oro o plata. ‖ **2.** Plaza hecha en los hornos de **copela** con arcilla apisonada. ‖ **3.** V. **horno, oro de copela.**
copelación. f. Acción y efecto de copelar.
copelar. tr. Fundir minerales o metales en copela para ensayos, o en hornos de copela para operaciones metalúrgicas.
copellán. m. ant. **copela,** plaza hecha en los hornos con arcilla apisonada.
copeo. m. Acción y efecto de copear.
copépodo. (Del gr. κώπη, remo, y πούς, ποδός, pie.) adj. *Biol.* Dícese de cualquiera de los crustáceos marinos o de agua dulce que viven libres, formando parte del plancton. Ú. t.

c. s. ‖ **2.** m. pl. *Biol.* Taxón al que pertenecen estos crustáceos.

copera. f. Sitio donde se guardan o ponen las copas. ‖ **2.** *Col.* Mujer que atiende a la clientela en bares y cafés.

copernicano, na. adj. Perteneciente o relativo a Copérnico. *Sistema* COPERNICANO. ‖ **2.** Conforme al sistema de Copérnico. ‖ **3.** Partidario de este sistema. Ú. t. c. s. ‖ **4.** fig. Aplícase a cambios muy marcados de comportamiento, de manera de pensar, etc. Ú. especialmente con el sustantivo *giro.*

copero[1]. (Del lat. *cupparĭus.*) m. El que tenía por oficio traer la copa y dar de beber a su señor. ‖ **2.** Mueble que se usa para contener las copas en que se sirven licores. ‖ **mayor de la reina,** o **del rey.** Dignatario que en las cortes de los antiguos reyes servía a estos la copa en las comidas solemnes.

copero[2], ra. adj. Perteneciente o relativo a la copa deportiva o a la competición para ganarla. *Partido* COPERO. ‖ **2.** Dícese del juego, jugador o equipo aptos para ganar una copa deportiva.

copeta. f. d. de **copa.** ‖ **2.** *Ar.* El as de copas.

copete. m. d. de **copo[1].** ‖ **2.** Pelo que se lleva levantado sobre la frente. ‖ **3.** Moño o penacho de plumas que tienen algunas aves en lo alto de la cabeza, como la abubilla, la cogujada y el pavo real. ‖ **4.** Mechón de crin que cae al caballo sobre la frente. ‖ **5.** Adorno que suele ponerse en la parte superior de los espejos, sillones y otros muebles. ‖ **6.** Parte superior de la pala del zapato, que sale por encima de la hebilla; comúnmente está cosido a la misma pala. ‖ **7.** En los sorbetes y bebidas heladas, colmo que tienen los vasos. ‖ **8. cima** de los montes. ‖ **9.** V. **hombre, paují de copete.** ‖ **10.** fig. Atrevimiento, altanería, presuntuosidad. ‖ **11.** *R. de la Plata.* Porción de espuma o de yerba seca que corona la boca del mate bien cebado. ‖ **12.** fig. *Argent.* Breve resumen y anticipación de una noticia periodística, que sigue inmediatamente al título. ‖ **bajar** a alguien **el copete.** fr. fig. y fam. **bajarle los humos.** ‖ **de alto copete.** loc. adj. Dícese de la gente noble o linajuda, principalmente de las damas.

copetín. (De *copa.*) m. *Amér.* Aperitivo, trago de licor. ‖ **2.** *Argent.* **cóctel.**

copetón[1], na. (De *copa.*) adj. *Col.* Calamocano, achispado.

copetón[2], na. (De *copete,* penacho de plumas.) adj. *Amér. Merid.* Dícese de algunas aves que ostentan copete, moño o penacho. ‖ **2.** f. *Argent.* y *Urug.* **martineta,** ave.

copetuda. (De *copete.*) f. **alondra.** ‖ **2.** *Cuba.* **flor de la maravilla.**

copetudo, da. adj. Que tiene copete. ‖ **2.** fig. y fam. Dícese del que hace vanidad de su nacimiento o de otras circunstancias que le distinguen.

copey. (De or. taíno.) m. *Amér. Central.* Árbol de la familia de las gutíferas, de mucha altura y hermoso ramaje, hojas dobles y carnosas, flores inodoras amarillas y rojas de apariencia de cera, y fruto esférico, pequeño y venenoso.

copia. (Del lat. *copĭa.*) f. Muchedumbre o abundancia de una cosa. ‖ **2.** Traslado o reproducción de un escrito. ‖ **3.** En los tratados de sintaxis, lista de nombres y verbos, con los casos que rigen. ‖ **4.** Escrito o papel de música, en que puntualmente se pone el contenido de otro escrito o papel, impreso o manuscrito. ‖ **5.** Texto musical tomado puntualmente de un impreso o manuscrito. ‖ **6.** Obra de pintura, de escultura o de otro género, que se ejecuta procurando reproducir la obra original con entera igualdad. ‖ **7.** Imitación servil del estilo o de las obras de escritores o artistas. ‖ **8.** Imitación o remedo de una persona. *Pedro es una* COPIA *de Juan.* ‖ **9.** Pintura o efigie que representa a una persona. ‖ **10.** Cada una de las que se hacen de una película para su exhibición en las salas de cine, y también cada una de las reproducciones de una fotografía, de una cinta magnética, etc. ‖ **intermedia.** *Cinem.* Prueba positiva de una película en celuloide de grano fino, para obtener de ella pruebas negativas, con las cuales se obtienen las **copias** para la exhibición.

copiador, ra. adj. Que copia. Ú. t. c. s. ‖ **2.** V. **libro copiador.** Ú. t. c. s. ‖ **3.** f. Multicopista. ‖ **4.** *Mec.* Máquina herramienta que reproduce una pieza metálica según un modelo o plantilla.

copiante. p. a. de **copiar.** Que copia. ‖ **2.** com. **copista.**

copiapino, na. adj. Natural de Copiapó, capital de la provincia chilena de Atacama. Ú. t. c. s. ‖ **2.** Perteneciente o relativo a esta ciudad.

copiar. (De *copia.*) tr. Escribir en una parte lo que está escrito en otra. ‖ **2.** Escribir lo que dice otro en un discurso seguido. ‖ **3.** Sacar copia de un dibujo o de una obra de pintura o escultura. ‖ **4.** Imitar la naturaleza en las obras de pintura y escultura. ‖ **5.** Imitar servilmente el estilo o las obras de escritores o artistas. ‖ **6.** Imitar o remedar a una persona. ‖ **7.** fig. poét. Hacer descripción o pintura de una cosa.

copiba. f. ant. **copaiba.**

copihue. (Del mapuche *copiu.*) m. Planta de tallo voluble, de la familia de las liliáceas, que da una flor roja, a veces blanca, y una baya parecida al ají antes de madurar. Es planta de adorno.

copilación. f. ant. **compilación.**

copilador, ra. adj. **compilador.** Ú. t. c. s.

copilar. tr. **compilar.**

copiloto. m. Piloto auxiliar.

copilla. (d. de *copa.*) f. **chofeta.**

copín. (De *copa.*) m. *Ast.* Medida de capacidad para áridos, que varía según las zonas.

copina. (Del nahua *copina,* sacar una cosa de otra, desollar.) f. *Méj.* Piel copinada o sacada entera.

copinar. (De *copina.*) tr. *Méj.* Desollar animales sacando entera la piel.

copino. m. ant. Copa o vaso pequeño. ‖ **2. copín.**

copinol. (Del nahua *cuahuit,* árbol, y *pinoli,* harina.) m. *El Salv.* y *Guat.* Curbaril o anime.

copión[1]. m. aum. despect. de **copia.** ‖ **2.** Copia mala de un cuadro, o de una estatua. ‖ **en blanco y negro.** *Cinem.* Copia de trabajo de una filmación revelada en blanco y negro y empleada durante el montaje.

copión[2], na. adj. Dícese de la persona que copia o imita obras o conductas ajenas. Ú. t. c. s. y generalmente en sent. despect.

copiosidad. (Del lat. *copiosĭtas, -ātis.*) f. Abundancia de una cosa.

copioso, sa. (Del lat. *copiōsus.*) adj. Abundante, numeroso, cuantioso.

copista. com. Persona que se dedica a copiar escritos ajenos.

copistería. (De *copista.*) f. Establecimiento donde se hacen copias.

copla. (Del lat. *copŭla,* unión, enlace.) f. Combinación métrica o estrofa. ‖ **2.** Composición poética que consta solo de una cuarteta de romance, de una seguidilla, de una redondilla o de otras combinaciones breves, y por lo común sirve de letra en las canciones populares. ‖ **3. pareja,** conjunto de dos personas o cosas que tienen alguna semejanza. ‖ **4.** pl. fam. Versos. ‖ **5.** Cuentos, habladurías, impertinencias, evasivas. ‖ **de arte mayor.** La que se compone de ocho versos de 12 sílabas cada uno, de los cuales riman entre sí el primero, cuarto, quinto y octavo; el segundo y tercero, y el sexto y séptimo. ‖ **de pie quebrado.** Combinación métrica en que alterna el verso corto de este nombre con otros más largos. ‖ **coplas de Calaínos.** fig. y fam. Noticias remotas e inoportunas. ‖ **de ciego.** fig. y fam. Malas **coplas,** como las que ordinariamente vendían y cantaban los ciegos. ‖ **de repente.** Dicho expresado o parecer emitido sin reflexión suficiente. ‖ **andar en coplas.** fr. fig. y fam. Ser ya muy pública y notoria una cosa; y comúnmente se entiende de las que son contra la estimación y fama de alguno. ‖ **dársele** a alguien **de** una cosa **lo mismo que de las coplas de Calaínos,** o **de don Gaineros,** o **de la Zarabanda.** frs. fams. Hacer de ella poco caso y aprecio. ‖ **echar coplas** a alguien. fr. fig. y fam. Zaherirlo, hablar mal de él.

coplanario, ria. adj. Dícese de los puntos, líneas o figuras que están en un mismo plano.

copleador. (De *coplear.*) m. ant. **coplero,** mal poeta.

coplear. intr. Hacer, decir o cantar coplas.

coplería. (De *coplero.*) f. Conjunto de coplas.

coplero, ra. m. y f. Persona que compone, canta o vende coplas, jácaras, romances y otras poesías. ‖ **2.** fig. Mal poeta.

coplista. com. **coplero,** mal poeta.

coplón, na. m. aum. de **copla.** ‖ **2.** despect. Mala composición poética. Ú. m. en pl.

copo[1]. (De *copa.*) m. Mechón o porción de cáñamo, lana, lino, algodón u otra materia que está en disposición de hilarse. ‖ **2.** Cada una de las porciones de nieve trabada que caen cuando nieva. ‖ **3.** Grumo o coágulo.

copo[2]. m. Acción de copar. ‖ **2.** Bolsa o saco de red con que terminan varias artes de pesca. ‖ **3.** Pesca hecha con una de estas artes.

copón. m. aum. de **copa.** ‖ **2.** Por antonom., copa grande de metal con baño de oro por dentro, en la que, puesta en el sagrario, se guarda el Santísimo Sacramento.

coposesión. f. Posesión con otro u otros.

coposesor, ra. m. y f. Persona que posee con otra u otras.

coposo, sa. (De *copa.*) adj. **copudo.**

copra. f. Médula del coco de la palma.

coproducción. f. Producción en común.

coproductor, ra. adj. Que produce en común. Ú. t. c. s.

coprofagia. (Del gr. κόπρος, excremento, y φαγεῖν, comer.) f. Ingestión de excrementos.

coprófago, ga. (Del gr. κόπρος, excremento, y *-fago.*) adj. Que ingiere excrementos. Ú. t. c. s.

coprolalia. (Del gr. κόπρος, excremento, y λαλεῖν, hablar.) f. Tendencia patológica a proferir obscenidades.

coprolito. (Del gr. κόπρος, excremento, y λίθος, piedra.) m. Excremento fósil. ‖ **2.** *Pat.* Cálculos intestinales formados de concreción fecal endurecida.

coprología. f. Estudio biológico de las heces fecales y, en general, de todo lo referente a ellas.

coprológico, ca. adj. Perteneciente o relativo a la coprología.

copropietario, ria. adj. Que tiene dominio en una cosa juntamente con otro u otros. Ú. t. c. s.

cóptico, ca. adj. **copto,** perteneciente a los coptos.

copto, ta. (Del gr. Αἴγυπτος, Egipto.) adj. Cristiano de Egipto. En su mayoría son eutiquianos, pero los hay católicos con su rito especial. Ú. t. c. s. ‖ **2.** Perteneciente o relativo a los **coptos.** ‖ **3.** m. Idioma antiguo de los egipcios, que se conserva en la liturgia propia del rito **copto.**

copucha. (De *copa.*) f. *Chile.* Vejiga que sirve para varios usos domésticos. ‖ **2.** fig. *Chile.* Mentira, bola. ‖ **hacer copuchas.** fr. *Chile.* Inflar los carrillos.

copuchento, ta. adj. *Chile.* Mentiroso, que propala noticias exageradas, que abulta las cosas.

copudo, da. adj. Que tiene mucha copa.

cópula[1]. (Del lat. *copŭla.*) f. Atadura, ligamiento de una cosa con otra. ‖ **2.** Acción de copular. ‖ **3.** *Lóg.* Término que une el predicado con el sujeto.

cópula[2]. f. *Arq.* **cúpula** de edificio.

copulación. f. Acción de unirse en cópula[1].

copular. (Del lat. *copulāre.*) tr. ant. Juntar o unir una cosa con otra. ‖ **2.** intr. Unirse o juntarse sexualmente. Ú. t. c. prnl.

copulativamente. adv. m. **juntamente.**

copulativo, va. (Del lat. *copulatīvus.*) adj. Que ata, liga y junta una cosa con otra. ‖ **2.** *Gram.* V. **verbo copulativo.** ‖ **3.** *Gram.* V. **conjunción copulativa.**

coque. (Del ing. *coke.*) m. Combustible sólido, ligero y poroso que resulta de calcinar ciertas clases de carbón mineral. ‖ **2.** *Quím.* Residuo que se obtiene por eliminación de las materias volátiles de un combustible sólido o líquido.

coquear. (De *coca*[1].) intr. *NO. Argent.* y *Bol.* Extraer, en la boca, el jugo del acullico.

coquera[1]. (De *coca*[4].) f. Cabeza del trompo.

coquera[2]. (De *coco*[1].) f. Oquedad de corta extensión en la masa de una piedra.

coquera[3]. (De *coque.*) f. Especie de cajón o mueblecillo de hierro o madera para tener el coque cerca de la chimenea.

coquería. f. Fábrica donde se quema la hulla para la obtención del coque.

coqueta[1]. (De *coco*[1].) f. *Ar.* **palmetazo.**

coqueta[2]. (De *coca*[5].) f. *Ar.* Panecillo de cierta hechura.

coquetear. (De *coqueto.*) intr. Tratar de agradar por mera vanidad con medios estudiados. ‖ **2.** Procurar agradar a muchos a un tiempo. ‖ **3.** En el juego amoroso, dar señales sin comprometerse. ‖ **4.** Por ext., tener alguien una relación o implicación pasajera en un asunto en el que no se compromete del todo o finge no hacerlo. *En su juventud* COQUETEÓ *con la política. Los acróbatas* COQUETEAN *con la muerte.*

coqueteo. m. **coquetería.**

coquetería. f. Acción y efecto de coquetear. ‖ **2.** Estudiada afectación en los modales y adornos.

coquetismo. m. **coquetería.**

coqueto, ta. (Del fr. *coquette,* de *coq,* gallo.) adj. Dícese de la persona que coquetea, especialmente de la mujer. Ú. t. c. s. ‖ **2.** Dícese de la persona presumida, esmerada en su arreglo personal y en todo cuanto pueda hacerla parecer atractiva. Ú. t. c. s. ‖ **3.** Aplicado a cosas, pulcro, cuidado, gracioso. *Casa* COQUETA; *jardín* o *salón* COQUETO. ‖ **4.** f. Mueble de tocador, con espejo, usado especialmente por las mujeres para peinarse y maquillarse.

coquetón, na. (De *coqueto.*) adj. fam. Gracioso, atractivo, agradable. ‖ **2.** Dícese del hombre que procura agradar a muchas mujeres. Ú. t. c. s.

coquí. m. *P. Rico.* Pequeño batracio de voz aguda y suave.

coquillo. m. *Cuba.* Tela de algodón blanco y fino que se usó para vestidos antes de introducirse el uso del dril.

coquimbano, na. adj. Natural de Coquimbo. Ú. t. c. s. ‖ **2.** Perteneciente o relativo a esta provincia y puerto chilenos.

coquina. f. Molusco acéfalo, cuyas valvas, de tres a cuatro centímetros de largo, son finas, ovales, muy aplastadas, y de color gris blanquecino con manchas rojizas. Abunda en las costas gaditanas y su carne es comestible.

coquinario, ria. (Del lat. *coquinarĭus.*) adj. ant. Perteneciente a la cocina. ‖ **2.** m. ant. **cocinero.** ‖ **del rey.** Dignatario que en las cortes de los antiguos reyes cuidaba de lo que estos habían de comer.

coquinero, ra. m. y f. *And.* Persona que coge o vende coquinas.

coquino. m. Árbol de madera laborable y fruto comestible del cual suele hacerse compota.

coquito[1]. (d. de *coco*[4].) m. Ademán o gesto que se hace al niño para que ría.

coquito[2]. (Del nahua *cuculi*, tórtola.) m. Ave mejicana, parecida a la tórtola, con alas y cola largas, plumaje de color pardo con diversos visos, garganta rojiza, una faja negra en el borde del ala, pico negro y pies rojos. Su arrullo asemeja al canto del cuclillo.

coquito[3]. (d. de *coco*[1].) m. *Chile, Ecuad.* y *Perú.* Fruto de una especie de palma, del tamaño de una ciruela. También se le llama coco de Chile.

coquizable. adj. *Col.* Susceptible de coquización.

coquización. f. Acción y efecto de coquizar.

coquizar. tr. Convertir la hulla en coque.

cor[1]. (Del lat. *cor.*) m. ant. **corazón.** ‖ **de cor.** loc. adv. ant. **de coro,** de memoria.

cor[2]. m. ant. **coro**[1].

cora[1]. (Del gr. χώρα, territorio, a través del ár. *kūra.*) f. División territorial poco extensa en la España musulmana.

cora[2]. f. *Perú.* Hierbecilla perjudicial que crece en los plantíos y hay que extirpar con frecuencia.

cora[3]. adj. Dícese del grupo indígena que habitaba el Estado mejicano de Nayarit. Ú. t. c. s. m. ‖ **2.** Perteneciente o relativo a este grupo. ‖ **3.** m. Lengua hablada por estos indios.

coracán. m. Planta anual tropical de la familia de las gramíneas, con el tallo erguido y comprimido, hojas planas, flores en espigas que se encorvan hacia dentro, y semillas con cubierta membranosa.

coráceo, a. adj. **coriáceo.**

coracero. m. Soldado de caballería armado de coraza. ‖ **2.** fig. y fam. Cigarro puro de tabaco muy fuerte y de mala calidad.

coracina. f. Coraza pequeña y ligera formada por launas superpuestas a modo de escamas y sujetas a una tela fuerte.

coracoides. (Del gr. κορακοειδής, en forma de cuervo.) adj. *Anat.* V. **apófisis coracoides.** Ú t. c. s.

coracha. (Del lat. *coriacĕa*, de cuero.) f. Saco de cuero que sirve para conducir tabaco, cacao y otros géneros de América.

corachín. m. d. de **coracha.**

corada. (Del lat. *cor*, corazón.) f. *Ast.* y *Or. Pen.* Asadura de una res.

coradela. f. ant. **corada.**

coraje. (Del ant. fr. *corages.*) m. Impetuosa decisión y esfuerzo del ánimo; valor. ‖ **2.** Irritación, ira.

corajina. (De *coraje.*) f. fam. Arrebato de ira.

corajoso, sa. (De *coraje.*) adj. Enojado, irritado. ‖ **2.** ant. Animoso, esforzado, valeroso.

corajudo, da. (De *coraje.*) adj. **colérico,** que fácilmente se encoleriza. ‖ **2.** Valeroso, esforzado, valiente.

coral[1]. (Del ant. fr. y prov. *coral.*) m. Celentéreo antozoo, del orden de los octocoralarios, que vive en colonias cuyos individuos están unidos entre sí por un polipero calcáreo y ramificado de color rojo o rosado. ‖ **2.** Polipero del **coral,** que, después de pulimentado, se emplea en joyería. ‖ **3.** *Cuba.* Arbusto leguminoso de hojuelas alternas, ovales y obtusas, y flores pequeñas en espiga. Se cultiva por su semilla, de que se hacen sartas para collares. ‖ **4.** f. **coralillo.** ‖ **5.** m. pl. Sartas de cuentas de **coral,** de que usan las mujeres por adorno. ‖ **6.** Carúnculas rojas del cuello y cabeza del pavo. ‖ **fino como un coral,** o **más fino que un coral.** expr. fig. Astuto, sagaz.

coral[2]. adj. Perteneciente al coro. ‖ **2.** V. **curva coral.** ‖ **3.** V. **maese, maestre coral.** ‖ **4.** m. *Mús.* Composición vocal armonizada a cuatro voces, de ritmo lento y solemne, ajustada a un texto de carácter religioso, y que se ejecuta principalmente en las iglesias protestantes. ‖ **5.** Composición instrumental análoga a este canto. ‖ **6.** f. **masa coral.**

coral[3]. (De *cor*[1].) adj. V. **gota coral.**

coralario. m. *Zool.* **antozoo.**

coralero, ra. m. y f. Persona que trabaja en corales o trafica con ellos.

coralífero, ra. adj. Que tiene corales. Se aplica al fondo del mar, a las rocas, islas, etcétera.

coralígeno, na. adj. Que produce coral.

coralillo. (d. de *coral*[1].) m. Serpiente de unos siete decímetros de largo, muy delgada y con anillos rojos, amarillos y negros alternativamente. Es propia de América Meridional y muy venenosa.

coralina. f. **coral**[1], celentéreo antozoo. ‖ **2.** Alga ramosa, articulada, compuesta de tallos parecidos a los de ciertos musgos, de color rojizo, gelatinosa y cubierta por lo común con una costra de caliza blanca. Vive adherida a las rocas submarinas, fue considerada antiguamente como una variedad de coral y se emplea en medicina como vermífugo. ‖ **3.** Toda producción marina parecida al coral.

coralino, na. adj. De coral o parecido a él.

coralito. m. *Col.* Planta de la familia de las liliáceas, de flores tubulosas amarillas o rojas y fruto capsular de color rojo.

corambre. (Del m. or. que *cuero.*) f. Conjunto de cueros o pellejos, curtidos o sin curtir, de algunos animales, y con particularidad de toro, vaca, buey o macho cabrío. ‖ **2. cuero, odre.** ‖ **alzar corambre.** fr. Sacarla de las tinas los curtidores y ponerla a enjugar.

corambrero. m. El que trata y comercia en corambre.

córam pópulo. loc. lat. **en público.**

coramvobis. (Del lat. *coram*, delante, cara a cara, y *vobis*, de vosotros.) m. fam. p. us. Aspecto de la persona, en especial la gruesa y corpulenta, que afecta gravedad.

Corán. n. p. m. Libro en que se contienen las revelaciones de Dios a Mahoma y que es fundamento de la religión musulmana.

corana. f. Hoz que usan algunos indios de América.

coránico, ca. adj. Perteneciente o relativo al Alcorán o Corán.

corar. tr. *Amér.* Labrar chacras de indios.

coras. m. Cuadrumano, especie de cinocéfalo.

corasí. m. *Cuba.* Mosquito de cabeza rojiza, cuya picadura es dañina.

coraza. (Del lat. *coriacĕa*, t. f. de *-ĕus*, coriáceo.) f. Armadura de hierro o acero, compuesta de peto y espaldar. ‖ **2.** fig. Protección, defensa. *Encerrado en su* CORAZA, *era invulnerable a las críticas.* ‖ **3.** ant. Parte de la montura que cubría el fuste o casco de la silla. Era de piel con labores. ‖ **4.** ant. **caballo coraza.** ‖ **5. blindaje,** plancha para blindar. ‖ **6.** *Zool.* Cubierta dura que protege el cuerpo de los reptiles quelonios, con aberturas para la cabeza, las patas y la cola. Está formada por la yuxtaposición de placas dérmicas, algunas de ellas soldadas a ciertos huesos.

coraznada. (De *corazón.*) f. Interior o corazón del pino. ‖ **2.** Guisado o fritada de corazones.

corazón. (Del lat. *cor.*) m. *Anat.* Órgano de naturaleza muscular, común a todos los vertebrados y a muchos invertebrados, que actúa como impulsor de la sangre y que en el hombre está situado en la cavidad torácica. ‖ **2.** V. **hombre, mal de corazón.** ‖ **3.** V. **dedo del corazón.** ‖ **4.** Uno de los cuatro palos de la baraja francesa. Ú. m. en pl. ‖ **5.** fig. Ánimo, valor, espíritu. ‖ **6.** fig. Voluntad, amor, benevolencia. ‖ **7.** fig. Medio o centro de una cosa. ‖ **8.** fig. Figura de **corazón** representada en cualquier superficie o material. ‖ **9.** fig. Interior de una cosa inanimada. *El* CORAZÓN *de un árbol, de una fruta.* ‖ **10.** *Blas.* Punto central del escudo. ‖ **abrir el corazón** a alguien. fr. fig. Ensancharle el ánimo, quitarle el temor. ‖ **abrir** alguien **su corazón.** fr. fig. **abrir su pecho.** ‖ **a corazón abierto.** loc. adv. *Cir.* Intervención quirúrgica en la cual se desvía la circulación por medio de un **corazón** artificial, antes de abrir las cavidades cardíacas. ‖ **anunciarle** a alguien **el corazón** una cosa. fr. **darle,** o **decirle,** a alguien **el corazón** una cosa. ‖ **arrancársele** a alguien **el corazón.** fr. fig. **arrancársele el alma.** ‖ **atravesar el corazón.** fr. fig. Mover a lástima o compasión; penetrar de dolor a alguien. ‖ **blando de corazón.** expr. fig. Que de todo se lastima y compadece. ‖ **clavarle,** o **clavársele,** a alguien **en el corazón** alguna cosa. fr. Causarle, o sufrir, gran aflicción o sentimiento. ‖ **con el corazón en la mano.** loc. adv. fig. Con toda franqueza y sinceridad. ‖ **crecer corazón.** fr. ant. fig. Cobrar ánimo. ‖ **cubrírsele** a alguien **el corazón.** fr. fig. Entristecerse mucho. ‖ **darle,** o **decirle,** a alguien **el corazón** una cosa. fr. fig. Hacérsela presentir. ‖ **declarar** alguien **su corazón.** fr. Manifestar reservadamente la intención que tiene, o el dolor o afán que padece. ‖ **de corazón.** loc. adv. Con verdad, seguridad y afecto. ‖ **2.** ant. **de coro.** ‖ **del corazón.** loc. adj. Dícese de las revistas y noticias de prensa que recogen sucesos relativos a las personas famosas, especialmente vicisitudes de su vida privada. ‖ **dilatar el corazón.** fr. fig. **dilatar el ánimo.** ‖ **el corazón en un puño.** loc. fig. que con los verbos *meter, poner, tener, estar con,* etc., indica un estado de angustia, aflicción o depresión. ‖ **el corazón no es traidor.** expr. que denota el presentimiento que se suele tener de los sucesos futuros. ‖ **encogérsele** a alguien **el corazón.** fr. fig. **estrecharse de ánimo.** ‖ **ensanchar el corazón.** fr. fig. **dilatar el corazón.** ‖ **haber a corazón.** fr. fig. ant. Tener propósito o firme resolución de hacer algo. ‖ **helársele** a alguien **el corazón.** fr. fig. Quedarse atónito, suspenso o pasmado, a causa de un susto o mala noticia. ‖ **herir el corazón sin romper el jubón.** fr. fig. ant. Ofender con astucia y disimulo. ‖ **llevar** alguien **el corazón en la mano,** o **en las manos.** fr. fig. y fam. Ser franco y sincero. ‖ **meter** a alguien **el corazón en un puño.** fr. fig. Afligir a alguien en extremo, intimidarlo. ‖ **meterse** alguien **en el corazón** a otro. fr. fig. y fam. Manifestarle con alguna ponderación el cariño y amor que le tiene. ‖ **no caberle** a alguien **el corazón en el pecho.** fr. fig. Estar muy sobresaltado e inquieto por algún motivo de pesar o de ira. ‖ **2.** fig. Ser magnánimo, alentado, denodado. ‖ **no tener corazón.** fr. fig. Ser insensible. ‖ **2.** fig. **no tener alma.** ‖ **no tener corazón para** decir, hacer, presenciar, etc., una cosa. fr. No tener ánimo o valor bastante para ello. ‖ **partir** una cosa **el corazón.** fr. fig. **partir el alma.** ‖ **partírsele** a alguien **el corazón.** fr. fig. **partírsele el alma.** ‖ **poner** una cosa **en el corazón** de alguien. fr. fig. Inspirarle, moverle a ella. ‖ **quebrar** una cosa **el corazón.** fr. fig. **partir el corazón.** ‖ **sacar** alguien **el corazón** a otro. fr. fig. y fam. **sacarle el alma.** ‖ **salirle** a alguien **del corazón** una cosa. fr. fig. Hacerla o decirla con toda verdad, sin ficción ni disimulo. ‖ **ser todo corazón.** fr. fig. Ser muy generoso, bien dispuesto o benevolente. ‖ **tener a corazón.** fr. ant. **haber a corazón.** ‖ **tener el corazón bien puesto.** fr. fig. y fam. **tener el alma bien puesta.** ‖ **tener el corazón en la mano,** o **en las manos.** fr. fig. y fam. **llevar el corazón en la mano,** o **en las manos.** ‖ **tener mucho corazón.** fr. fig. Tener nobleza y ardor en los sentimientos. ‖ **2.** fig. Tener mucho valor. ‖ **tener un corazón de bronce.** fr. fig. **ser de bronce.** ‖ **tener un corazón de oro.** fr. fig. **ser todo corazón.** ‖ **tocarle** a alguien **en el corazón.** fr. fig. Mover su ánimo para el bien. ‖ **venir en corazón.** fr. ant. fig. **desear.**

corazonada. (De *corazón.*) f. Impulso espontáneo con que alguien se mueve a ejecutar alguna cosa arriesgada y difícil. ‖ **2. presentimiento.** ‖ **3.** fam. Asadura de una res.

corazoncillo. (d. de *corazón.*) m. Planta herbácea medicinal de la familia de las gutíferas, con tallo de seis a ocho decímetros de altura, ramoso en la parte superior, hojas pequeñas, elípticas, llenas de glandulitas translúcidas y puntos negros, flores amarillas en manojos y frutos capsulares acorazonados y resinosos. ‖ **2.** V. **ciruela de corazoncillo.**

corazonista. adj. Relativo a los Sagrados Corazones de Jesús y María. *Apostolado* CORAZONISTA. ‖ **2.** Aplícase a la orden religiosa de los Sagrados Corazones y a sus miembros. Ú. t. c. s.

corbachada. f. Golpe o azote dado con el corbacho.

corbacho. (Del turco *gyrbâč,* a través del ár. *kurbāŷ,* rebenque.) m. Vergajo con que el cómitre castigaba a los forzados.

corbata. (Del it. *corvatta* o *crovatta,* croata, corbata; así llamada por llevarla los jinetes croatas.) f. Tira de seda o de otra materia adecuada que se anuda o enlaza alrededor del cuello, dejando caer los extremos. ‖ **2.** Banda o cinta guarnecida con bordadura o fleco de oro o plata, que con breve lazo o nudo, y caídas a lo largo las puntas, se ata en las banderas y estandartes en el cuello de la moharra como insignia de honor. ‖ **3.** Insignia propia de las encomiendas de ciertas órdenes civiles. ‖ **4.** En el juego de carambolas, lance que consiste en que la bola del que juega pase como ciñendo la contraria, sin tocarla, entre ella y dos bandas que forman ángulo. ‖ **5.** En el teatro, parte del proscenio comprendida entre la batería y la línea en que está la concha del apuntador. ‖ **6.** Pastel de hojaldre almendrado en forma de **corbata.** ‖ **7.** *Col.* Parte anterior del cuello de los gallos. ‖ **8.** *Col.* **sinecura,** empleo de poco esfuerzo y buena remuneración. ‖ **9.** m. **ministro de capa y espada.** ‖ **10.** ant. El que no sigue la carrera eclesiástica ni la de la toga.

corbatear. tr. *Col.* Sacudir a uno asiéndolo de la corbata.

corbatería. f. Tienda donde se venden corbatas.

corbatero, ra. m. y f. Persona que hace o vende corbatas.

corbatín. m. Corbata corta que solo da una vuelta al cuello y se ajusta por detrás con un broche, o por delante con un lazo sin caídas. ‖ **2.** Corbata de suela, con una sola vuelta al cuello y ajustada por detrás con hebillas. La han usado los soldados. ‖ **irse, o salirse, por el corbatín.** fr. fig. y fam. Se dice de la persona muy flaca y de cuello largo.

corbato. (De *corvo.*) m. Baño frío en que está sumergido el serpentín del alambique.

corbe. (Del lat. *corbis,* canasto.) m. Medida antigua por cestas o canastos.

corbeta. (Del fr. *corvette.*) f. Embarcación de guerra, con tres palos y vela cuadrada, semejante a la fragata, aunque más pequeña.

corbillo. (Del lat. *corbella,* cestillo.) m. *Ar.* Espuerta de mimbres.

corbona. (Del hebr. *qorbān,* ofrenda en el templo, de donde pasó a las traducciones de la Biblia; en lat. *corbŏna,* tesoro del templo.) f. p. us. Recipiente donde se guardan alhajas, dinero, etc.

corca. f. *Ar.* y *Murc.* **carcoma.**

corcarse. prnl. *Ar.* y *Murc.* **carcomerse.**

corcel. (Del ant. fr. *corsier.*) m. Caballo ligero, de mucha alzada, que servía para los torneos y batallas.

corcés, sa. adj. ant. **corso**[2]. Apl. a pers., usáb. t. c. s.

corcesca. (De *corso*[2].) f. Partesana de hierro largo, con dos orejetas puntiagudas a semejanza de los arpones.

corcino. m. Corzo pequeño.

corco. (Voz onomatopéyica) m. *Burg.* Pato.

corcolén. m. *Chile.* Arbusto siempre verde, de la familia de las bixáceas, parecido al aromo por sus flores, aunque menos oloroso.

corconera. (De *corco.*) f. Ánade de color negruzco que abunda en las costas del mar Cantábrico.

corcova. (Del b. lat. hisp. *cucurvus,* probable reduplicación de *curvus.*) f. Corvadura anómala de la columna vertebral, o del pecho, o de ambos a la vez. ‖ **2.** ant. Corvadura de cualquier cosa, o bulto que altera su forma normal exterior.

corcovado, da. p. p. de **corcovar.** ‖ **2.** adj. Que tiene una o más corcovas. Ú. t. c. s.

corcovar. tr. Encorvar o hacer que una cosa tenga corcova.

corcovear. intr. Dar corcovos.

corcoveta. f. d. de **corcova.** ‖ **2.** com. fig. y fam. Persona corcovada.

corcovo. (De *corcovar.*) m. Salto que dan algunos animales encorvando el lomo. ‖ **2.** fig. y fam. Desigualdad, torcimiento o falta de rectitud.

corcusido, da. p. p. de **corcusir.** ‖ **2.** m. fam. Costura de puntadas mal hechas. ‖ **3.** fam. Zurcido mal formado en los agujeros de la ropa.

corcusir. (De *con* y *cusir.*) tr. fam. Tapar a fuerza de puntadas mal hechas los agujeros de la ropa.

corcha[1]. (De *corcho.*) f. Corcho arrancado del alcornoque y en disposición de labrarse. ‖ **2. corcho,** corchera. ‖ **3. corcho,** colmena. ‖ **4.** ant. **corcho,** tejido vegetal.

corcha[2]. f. *Mar.* Acción y efecto de corchar[1].

corchapín. m. **escorchapín.**

corchar[1]. (Del fr. *crocher,* de or. germ.) tr. *Mar.* Unir las filásticas de un cordón o los cordones de un cabo, torciéndolos uno sobre otro.

corchar[2]. (De *corcho.*) tr. **encorchar,** tapar botellas o vasijas con corcho.

corche. (Del lat. *cortex, -ĭcis.*) m. **alcorque[1],** chanclo con suela de corcho.

corchea. (Del fr. *crochée,* torcido, porque así está el rabillo de la nota.) f. *Mús.* Figura o nota musical cuyo valor es la octava parte del compasillo.

corchera. f. Cubeta hecha de corcho empegado o de madera, en que se pone la garrafa con nieve para enfriar la bebida. ‖ **2.** Pieza de corcho o madera que utilizan los pescadores para devanar y desarrollar los cordeles y aparejos de mano. ‖ **3.** *Dep.* Cada una de las cuerdas provistas de flotadores de corcho u otro material, que se tienden tensas y paralelas para delimitar zonas o calles en la superficie del agua.

corchero, ra. adj. Perteneciente o relativo al corcho y sus aplicaciones. *Industria* CORCHERA. ‖ **2.** V. **garrafa corchera.** ‖ **3.** m. Obrero que se emplea en descorchar los alcornoques.

corcheta. f. Hembra en que entra el macho de un corchete.

corchetada. f. *Germ.* Cuadrilla de **corchetes,** ministros inferiores de justicia.

corchete. (Del fr. *crochet,* ganchillo.) m. Especie de broche, compuesto de macho y hembra, que se hace de alambre, de plata u otro metal y sirve para abrochar alguna cosa. ‖ **2.** Macho del **corchete.** ‖ **3.** Pieza de madera, con unos dientes de hierro, con la que los carpinteros sujetan el madero que han de labrar. ‖ **4.** Signo de estas figuras ([{) que puesto, ya vertical, ya horizontalmente, abraza dos o más guarismos, palabras o renglones en lo manuscrito o impreso, o dos o más pentagramas en la música. ‖ **5.** Parte final de una dicción o período que, por no caber en el renglón, se pone encima o debajo de él, y suele ir precedida de un **corchete.** ‖ **6.** desus. fig. Ministro inferior de justicia encargado de prender a los delincuentes.

corcho. (Forma mozár. del lat. *cortex, -ĭcis,* corteza, y también corcho.) m. Tejido vegetal constituido por células en las que la celulosa de su membrana ha sufrido una transformación química y ha quedado convertida en suberina. Se encuentra en la zona periférica del tronco, de las ramas y de las raíces, generalmente en forma de láminas delgadas, pero puede alcanzar un desarrollo extraordinario, hasta formar capas de varios centímetros de espesor, como en la corteza del alcornoque. ‖ **2. corchera,** cubeta de corcho. ‖ **3. colmena.** ‖ **4.** Tapón que se hace de **corcho** para las botellas, cántaros, etc. ‖ **5.** Caja de **corcho,** que en algunas partes sirve para conducir ciertos géneros comestibles, como castañas, chorizos, etc. ‖ **6.** Tabla de **corcho,** cuadrada o cuadrilonga, que se pone delante de las camas o mesas para abrigo, o de las chimeneas para impedir que prendan las chispas. ‖ **7. corche.** ‖ **8.** Pieza flotante de **corcho** o de otra materia, de tamaño y forma variable, que, sola o con otras, sirve para sujetar las artes de pesca, y mantenerlas a una determinada profundidad. ‖ **bornizo.** El que se obtiene de la primera pela de los alcornoques. ‖ **segundero.** El que se obtiene de la segunda pela. ‖ **virgen. corcho bornizo.** ‖ **andar como el corcho sobre el agua.** fr. fig. y fam. Estar siempre dispuesto a dejarse llevar de la voluntad ajena. ‖ **flotar,** o **sobrenadar, como el corcho en el agua.** fr. fig. y fam. Prevalecer y salir bien parado en los cambios o reveses de fortuna.

¡córcholis! interj. eufemística. **¡caramba!**

corchoso, sa. adj. Semejante al corcho en la apariencia o condición.

corchotaponero, ra. adj. Relativo a la industria de los tapones de corcho.

corda (estar a la). (Del cat. *corda,* cuerda.) fr. *Mar.* **estar a la capa.**

cordada. f. Grupo de alpinistas sujetos por una misma cuerda.

cordado. adj. *Blas.* Dícese del instrumento músico o del arco cuyas cuerdas son de distinto esmalte. ‖ **2.** *Zool.* Dícese de los metazoos que tienen notocordio, bien constituido o rudimentario, durante toda su vida o, por lo menos, en determinadas fases de su desarrollo. ‖ **3.** m. pl. *Zool.* Tipo de estos animales que comprende los vertebrados y otros seres afines.

cordaje. (De *cuerda.*) m. *Mar.* Jarcia de una embarcación. ‖ **2.** Conjunto de cuerdas de un instrumento musical de cuerda, de una raqueta de tenis, etc.

cordal[1]. m. Pieza colocada en la parte inferior de la tapa de los instrumentos de cuerda, y que sirve para atar estas por el cabo opuesto al que se sujeta en las clavijas. ‖ **2.** *Ast.* Cordillera pequeña.

cordal[2]. (De *cuerdo.*) adj. V. **muela cordal.** Ú. t. c. s.

cordato, ta. (Del lat. *cordātus.*) adj. p. us. Juicioso, prudente.

cordel. (Del cat. *cordell.*) m. Cuerda delgada. ‖ **2.** V. **literatura, mozo, pliegos de cordel.** ‖ **3.** Distancia de cinco pasos. ‖ **4.** Vía pastoril para los ganados trashumantes, que, según la legislación de la Mesta, es de 45 varas de ancho. ‖ **5.** Medida agraria usada en la isla de Cuba, equivalente a 414 centiáreas. Es también medida lineal equivalente a 20 metros y 352 milímetros. ‖ **6.** *And.* y *Col.* Zumbel, cuerda delgada de fibra de fique, algodón, etc., que los muchachos enrollan al trompo para hacerlo bailar. ‖ **de látigo.** Especie de **cordel** más grueso que el bramante. ‖ **de merinas.** Servidumbre establecida en algunas fincas para el paso del ganado trashumante, de menos anchura que la cañada. ‖ **a cordel.** loc. adv. Tratándose de edificios, arboledas, caminos, etc., en línea recta. ‖ **a hurta cordel.** loc. adv. desus. En el juego del peón, retirando con violencia la mano hacia atrás para que el **cordel** se desenvuelva estando el peón en el aire y pueda el jugador cogerlo en la palma de la mano. ‖ **2.** fig. y fam. desus. Repentinamente y sin ser visto ni esperado. ‖ **3.** fig. y fam. desus. **a traición.** ‖ **apretar los cordeles** a alguien. fr. fig. y fam. Estrecharle con violencia para que haga o diga lo que no quiere. ‖ **dar cordel.** fr. fig. Agravar la contrariedad de alguien insistiendo en aquello mismo que la causa.

cordelado, da. adj. Dícese de cierta cinta o liga de seda que imita al cordel.

cordelar. tr. **acordelar.**

cordelazo. m. Golpe dado con cordel.

cordelejo. m. d. de **cordel.** ‖ **dar cordelejo.** fr. fig. y fam. Dar chasco, zumba o cantaleta. ‖ **2.** fig. y fam. *And.* y

Méj. Dar largas, entretener a alguien con falsas esperanzas.

cordelería. f. Oficio de cordelero. ‖ **2.** Sitio donde se hacen cordeles y otras obras de cáñamo. ‖ **3.** Tienda donde se venden. ‖ **4. cordería.** ‖ **5.** *Mar.* **cordaje.**

cordelero, ra. adj. Perteneciente o relativo al cordel. *Industria* CORDELERA. ‖ **2.** m. y f. Persona que tiene por oficio hacer o vender cordeles y otras obras de cáñamo. ‖ **3.** m. Religioso franciscano.

cordelillo. m. d. de **cordel.** ‖ **dar cordelillo.** loc. fam. Llevarle la corriente a una persona con halagos, mimos, promesas, etc., sin ánimo de acceder a sus pretensiones. ‖ **2.** *And.* **dar largas.**

cordellate. (De *cordel.*) m. Tejido basto de lana, cuya trama forma cordoncillo.

cordera. (De *cordero.*) f. Hija de la oveja, que no pasa de un año. ‖ **2.** fig. Mujer mansa, dócil y humilde.

corderaje. m. *Chile.* **borregada.**

cordería. f. Conjunto de cuerdas.

corderil. adj. Perteneciente o relativo al cordero.

corderillo. (d. de *cordero.*) m. Piel de cordero adobada con su lana.

corderina. f. Piel de cordero.

corderino, na. adj. Perteneciente al cordero.

cordero. (Del lat. vulg. **cordarius,* der. de *cordus,* tardío.) m. Hijo de la oveja, que no pasa de un año. ‖ **2.** Piel de este animal adobada. ‖ **3.** fig. Hombre manso, dócil y humilde. ‖ **4.** fig. Jesucristo. ‖ **de Dios.** fig. **Cordero,** Jesucristo. ‖ **de so cesto.** ant. El lechal así llamado porque lo meten debajo de un cesto para que no salga a pacer. ‖ **endoblado.** El que se cría mamando de dos ovejas. ‖ **mueso.** El que nace con las orejas muy pequeñas. ‖ **pascual.** El que con determinado ritual comen los hebreos para celebrar su pascua, o sea la salida de Egipto. ‖ **2.** El **cordero** joven mayor que el lechal. ‖ **recental.** El que no ha pastado todavía. ‖ **macaco.** *Vallad.* El lechal que empieza a pastar. ‖ **Divino Cordero.** fig. **Cordero de Dios.**

corderuna. f. **corderina.**

cordeta. (Del lat. *chorda,* cuerda.) f. *Murc.* Trenza de esparto para atar los zarzos que se usan en la cría de la seda y para otros fines.

cordezuela. f. d. de **cuerda.**

cordiaco, ca o **cordíaco, ca.** (Del lat. *cordiăcus.*) adj. desus. **cardíaco.**

cordial. (Del lat. *cor, cordis,* corazón, esfuerzo, ánimo.) adj. Que tiene virtud para fortalecer el corazón. ‖ **2.** Afectuoso, de corazón. ‖ **3.** V. **dedo cordial.** ‖ **4.** V. **flores cordiales.** ‖ **5.** m. Bebida que se da a los enfermos, compuesta de varios ingredientes propios para confortarlos.

cordialidad. (De *cordial.*) f. Calidad de **cordial,** afectuoso. ‖ **2.** Franqueza, sinceridad.

cordialmente. adv. m. Afectuosamente, de corazón.

cordiforme. (Del lat. *cor, cordis,* corazón, y *-forme.*) adj. **acorazonado.**

cordila. (Del lat. *cordyla,* y este del gr. κορδύλη.) f. Atún recién nacido.

cordilo. (Del gr. κορδύλος.) m. Reptil africano del orden de los saurios, de unos dos decímetros de largo, de color lívido negruzco, con la cola corta y el cuerpo cubierto de escamas aquilladas, excepto en la cabeza, que son dentadas. ‖ **2.** Animal conocido por los antiguos y que parece ser la larva o renacuajo de una salamandra.

cordilla. (Del lat. *chorda,* intestino.) f. Trenza de tripas de carnero, que se suele dar a comer a los gatos. ‖ **2.** Por ext., cualquier desperdicio de tripas u otras partes de las reses que se aplica al mismo uso.

cordillera. (De *cordel.*) f. Serie de montañas enlazadas entre sí. ‖ **2.** ant. Lomo que hace una tierra seguida e igual, que parece ir a cordel.

cordillerano, na. adj. Perteneciente o relativo a la cordillera y especialmente a la de los Andes. Ú. m. en América. ‖ **2.** V. **perdiz cordillerana.**

cordimariano, na. (Del lat. *cor, cordis,* corazón, y *mariano.*) adj. Perteneciente o relativo al corazón de María. ‖ **2.** m. y f. Religioso perteneciente a alguna de las congregaciones o instituciones que incluyen en su título oficial el nombre del corazón de María.

cordita. (De *cuerda.*) f. Pólvora sin humo compuesta de nitroglicerina y algodón pólvora que se mezclan con acetona, y forma una pasta que se prensa en forma de cuerda.

corditis. (Del lat. *chorda* e *-itis.*) f. *Med.* Inflamación de las cuerdas vocales.

córdoba. (Del nombre del conquistador Francisco Hernández de *Córdoba.*) m. Unidad monetaria de Nicaragua.

cordobán. (De *Córdoba,* ciudad de fama en la preparación de estas pieles.) m. Piel curtida de macho cabrío o de cabra. ‖ **2.** *Cuba.* Árbol silvestre de la familia de las melastomatáceas, de unos cuatro metros de altura, que produce una semilla que sirve de alimento a las aves y a ciertos animales domésticos.

cordobana (andar a la). (De *cordobán.*) fr. fam. Andar en cueros.

cordobanero. m. Fabricante de cordobanes.

cordobense. adj. Natural de Córdoba. Ú. t. c. s. ‖ **2.** Perteneciente a este departamento de Colombia.

cordobés, sa. adj. Natural de Córdoba, provincia y ciudad española. Ú. t. c. s. ‖ **2.** Perteneciente a esta ciudad o a su provincia. ‖ **3.** Perteneciente o relativo a la provincia o ciudad argentina de Córdoba. ‖ **4.** Natural de esta provincia o de su capital. Ú. t. c. s. ‖ **5.** Natural de Córdoba, departamento colombiano. Ú. t. c. s. ‖ **6.** Perteneciente a este departamento de Colombia.

cordojo. (Del lat. *cordolĭum,* dolor de corazón.) m. ant. Congoja, aflicción grande.

cordojoso, sa. (De *cordojo.*) adj. ant. Muy afligido, acongojado.

cordométrica. (Del gr. χορδή, cuerda, y μέτρον, medida.) adj. *Geom.* V. **línea cordométrica.**

cordón. (Del fr. *cordon.*) m. Cuerda, por lo común redonda, de seda, lino, lana u otra materia filiforme. ‖ **2.** Cuerda con que se ciñen el hábito los religiosos de algunas órdenes. ‖ **3.** Conjunto de puestos de tropa o gente colocados de distancia en distancia para cortar la comunicación de un territorio con otros e impedir el paso. ‖ **4.** *Argent., C. Rica, Cuba, Chile, Par.* y *Urug.* **bordillo.** ‖ **5.** *Arq.* **bocel.** ‖ **6.** *Veter.* Raya o faja blanca que algunos caballos tienen en la cara, desde la frente hasta la nariz. ‖ **7.** pl. Divisa que los militares de cierto empleo y destino llevan colgando del hombro derecho, y es un **cordón** de plata u oro, cuyas puntas cuelgan iguales y rematan en dos herretes o borlas. ‖ **8.** *Mar.* Los que se forman de filástica, según el grueso que ha de tener la beta o cabo que se ha de fabricar. ‖ **espermático.** *Anat.* Conjunto de órganos reunidos por tejido celular laxo, que van desde el conducto inguinal hasta el testículo. ‖ **sanitario.** Conjunto de elementos, medios, disposiciones, etc., que se organizan en algún lugar o país para detener la propagación de epidemias, plagas, etc. ‖ **umbilical.** *Anat.* Conjunto de vasos que unen la placenta de la madre con el vientre del feto, para que este se nutra hasta el momento del nacimiento.

cordonazo. m. Golpe dado con un cordón. ‖ **de San Francisco.** Entre marineros, temporal o borrasca que suelen experimentarse hacia el equinoccio de otoño.

cordoncillo. (d. de *cordón.*) m. Cada una de las listas o rayas angostas y algo abultadas que forma el tejido en algunas telas; como el rizo, la tercianela, etc. ‖ **2.** Cierta labor que se hace en el canto de las monedas para que no las falsifiquen fácilmente ni las cercenen. ‖ **3.** Cierto bordado lineal. ‖ **4.** Resalto pequeño y continuado, a manera de cordón, que señala la juntura de las partes de algunos frutos, como la nuez, y de otras cosas. ‖ **5.** *Amér.* Especie de mático.

cordonería. f. Conjunto de objetos que fabrica el cordonero. ‖ **2.** Oficio de cordonero. ‖ **3.** Obrador donde se hacen cordones. ‖ **4.** Tienda donde se venden.

cordonero, ra. m. y f. Persona que tiene por oficio hacer o vender cordones, flecos, etc. ‖ **2.** m. *Mar.* El que hace jarcia.

cordubense. (Del lat. *Cordŭba.*) adj. **cordobés.**

cordula. f. **cordilo.**

cordura. (De *cuerdo.*) f. Prudencia, buen seso, juicio. ‖ **hacer cordura.** fr. ant. Hacer reflexión.

corea. (Del lat. *chorēa,* y este del gr. χορεία.) f. p. us. Danza que por lo común se acompaña con canto. ‖ **2.** m. *Pat.* Enfermedad crónica o aguda del sistema nervioso central, que ataca principalmente a los niños y se manifiesta por movimientos desordenados, involuntarios, bruscos, de amplitud desmesurada, que afectan a los miembros y a la cabeza y en los casos graves a todo el cuerpo.

coreano, na. adj. Perteneciente o relativo a Corea. ‖ **2.** Natural de este país de Asia. Ú. t. c. s. ‖ **3.** m. Lengua propia de los naturales de la península de Corea.

corear. (De *coro*[1].) tr. Componer música para ser cantada con acompañamiento de coros. ‖ **2.** Acompañar o embellecer con coros una composición musical. ‖ **3.** fig. Asentir varias personas sumisamente al parecer ajeno. ‖ **4.** fig. Aclamar, aplaudir. ‖ **5.** fig. Cantar, recitar o hablar varias personas a la vez. COREAR *la lección.*

corecico, llo. m. **corezuelo.**

corega. (Del gr. χορηγός, jefe del coro.) m. Ciudadano que costeaba la enseñanza y vestido de los coros de música y baile en los concursos dramáticos de Grecia.

corego. m. **corega.**

coreo[1]**.** (Del lat. *chorēus,* y este del gr. χορεῖος, de χορός, coro.) m. Pie de la poesía griega y latina, compuesto de dos sílabas, la primera larga y la otra breve.

coreo[2]**.** (De *corear.*) m. Juego o enlace de los coros en la música.

coreografía. (De *coreógrafo.*) f. Arte de componer bailes. ‖ **2.** Arte de representar en el papel un baile por medio de signos, como se representa un canto por medio de notas. ‖ **3.** En general, arte de la danza. ‖ **4.** Conjunto de pasos y figuras de un espectáculo de danza o baile.

coreografiar. tr. Hacer la coreografía de un espectáculo de danza o baile.

coreográfico, ca. adj. Perteneciente o relativo a la coreografía.

coreógrafo, fa. (Del gr. χορεία, baile, y *-grafo.*) m. y f. Creador de la coreografía de un espectáculo de danza o baile.

corepíscopo. (Del lat. *chorepiscŏpus,* y este del gr. χωρεπίσκοπος.) m. Prelado a quien se investía alguna vez del carácter episcopal, pero que no ejercía más jurisdicción que la delegada del prelado propio.

corete. m. Círculo de cuero que los guarnicioneros ponen debajo de las cabezas de los clavos, o para tapar los remaches de los mismos. ‖ **2.** *Pint.* Muñequilla de cabritilla con que se frota la encarnación de las esculturas para darle pulimento.

coreuta. (Del gr. χορευτής.) com. Persona que formaba parte del coro en la tragedia griega.

corezuelo. m. d. de **cuero.** ‖ **2. cochinillo.** ‖ **3.** Pellejo del cochinillo asado.

cori. (Del lat. *coris,* y este del gr. κόρις.) m. **corazoncillo,** hierba medicinal.

corí. (De or. americano.) m. **curiel.**

Coria. n. p. V. **bobo de Coria.**

coriáceo, a. (Del lat. *coriacĕus,* de *corĭum,* cuero.) adj. Perteneciente al cuero. ‖ **2.** Parecido a él.

coriámbico, ca. (Del lat. *choriambĭcus.*) adj. V. **verso coriámbico.** Ú. t. c. s. ‖ **2.** Aplícase a la composición poética escrita en estos versos.

coriambo. (Del lat. *choriambus,* y este del gr. χορίαμβος.) m. Pie de la poesía griega y latina, compuesto de un coreo y un yambo, o sea de dos sílabas breves entre dos largas.

coriandro. (Del lat. *coriandrum,* y este del gr. κορίανδρον.) m. ant. **culantro.**

coriano[1]**, na.** adj. Natural de Coria. Ú. t. c. s. ‖ **2.** Perteneciente a la ciudad o a la villa de este nombre.

coriano[2]**, na.** adj. Natural de Coro, capital del Estado venezolano de Falcón. Ú. t. c. s. ‖ **2.** Perteneciente o relativo a dicha capital.

coriariáceo, a. (De *Coriaria,* nombre de un género de plantas.) adj. *Bot.* Dícese de plantas angiospermas dicotiledóneas, leñosas o herbáceas, con hojas opuestas o verticiladas, enteras y sin estípulas, flores pentámeras, regulares, hermafroditas, solitarias o en racimos, fruto indehiscente, y semillas con albumen córneo, como la emborrachacabras. Ú. t. c. s. f. ‖ **2.** f. pl. *Bot.* Familia de estas plantas.

coribante. (Del lat. *corўbas, -antis,* y este del gr. κορύβας.) m. Sacerdote de Cibeles, que en las fiestas de esta diosa danzaba, con movimientos descompuestos y extraordinarios, al son de ciertos instrumentos.

corifeo. (Del lat. *coryphaeus,* y este del gr. κορυφαῖος, jefe.) m. El que guiaba el coro en las tragedias antiguas griegas y romanas. ‖ **2.** fig. El que es seguido de otros en una opinión, secta o partido.

coriláceo, a. (Del lat. *corўlus,* avellano.) adj. *Bot.* Dícese de árboles y arbustos de la familia de las betuláceas, de hojas sencillas, alternas y con estípulas, flores en amentos, cúpula foliácea, y fruto indehiscente con semilla sin albumen; como el avellano y el carpe. Ú. t. c. s. f. ‖ **2.** f. pl. *Bot.* Familia de estas plantas.

corimbo. (Del lat. *corymbus,* y este del gr. κόρυμβος, cima, extremidad.) m. *Bot.* Inflorescencia en la que los pedúnculos florales nacen en distintos puntos del eje de aquella y terminan aproximadamente a la misma altura; como el peral.

corindón. (Del fr. *corindon,* y este del sánscr. *kuruvinda.*) m. Piedra preciosa, la más dura después del diamante. Es alúmina cristalizada, y hay variedades de diversos colores y formas.

coríntico, ca. adj. **corintio,** perteneciente a Corinto.

corintio, tia. (Del lat. *Corinthĭus.*) adj. Natural de Corinto. Ú. t. c. s. ‖ **2.** Perteneciente a esta ciudad de Grecia. ‖ **3.** *Arq.* V. **columna corintia.** ‖ **4.** *Arq.* V. **orden corintio.**

Corinto[1]**.** n. p. V. **parra, pasa de Corinto.**

corinto[2]**.** m. Color de pasas de Corinto, rojo oscuro, cercano a violáceo. Ú. t. c. adj. invariable.

corion. (Del lat. *corĭum,* y este del gr. χόριον.) m. *Biol.* Envoltura del embrión de los reptiles, aves y mamíferos, situada por fuera del amnios y separada de este por una cavidad.

corisanto. m. *Chile.* Planta orquídea.

corista. m. Religioso que asiste con frecuencia al coro, y más propiamente, el destinado al coro desde que profesa hasta que se ordena sacerdote. ‖ **2.** com. Persona que en óperas, zarzuelas u otras funciones musicales canta formando parte del coro. ‖ **3.** f. Mujer que forma parte del coro de revistas musicales o espectáculos frívolos.

corito, ta. (Del lat. *corĭum,* piel.) adj. Desnudo o en cueros. ‖ **2.** fig. Encogido y pusilánime. ‖ **3.** m. Nombre que se ha dado a los montañeses y asturianos. ‖ **4.** Obrero que lleva a hombros los pellejos de mosto o vino desde el lagar a las cubas.

coriza[1]**.** (De *cuero.*) f. En Asturias y otras partes, **abarca.**

coriza[2]**.** (Del gr. κόρυζα.) f. **romadizo.** Ú. t. c. m.

corla. (De *corlar.*) f. *Pint.* **transflor.**

corlador, ra. m. y f. Persona que tiene por oficio corlar.
corladura. (De *corlar.*) f. Cierto barniz que, dado sobre una pieza plateada y bruñida, la hace parecer dorada.
corlar. (Del lat. *colorāre.*) tr. Dar corladura.
corleador, ra. m. y f. **corlador.**
corlear. tr. **corlar.**
corma. (Del gr. κορμός, tronco, a través del ár. *qúrma.*) f. Especie de prisión compuesta de dos pedazos de madera, que se adaptan al pie del hombre o del animal para impedir que ande libremente. ‖ **2.** desus. fig. Molestia o gravamen que estorba para obrar con libertad.
cormano, na. m. y f. ant. **cohermano.** ‖ **2.** ant. V. **primo cormano.**
cormiera. (Del fr. *cormier.*) m. Arbolillo pomáceo silvestre, muy abundante en España.
cormorán. (Del fr. *cormoran.*) m. **cuervo marino.**
cornac. m. **cornaca.**
cornaca. (Del singalés *kūruṇḍku*, amansador de elefantes, a través del port. *cornaca.*) m. Hombre que en la India y otras regiones de Asia doma, guía y cuida un elefante.
cornáceo, a. (De *Cornus*, nombre de un género de plantas.) adj. *Bot.* Dícese de árboles y arbustos, rara vez hierbas perennes, angiospermos dicotiledóneos, con hojas sencillas y opuestas, flores generalmente tetrámeras actinomorfas, hermafroditas o unisexuales, reunidas en cabezuela, umbela o corimbo, y fruto en forma de drupa abayada con una a cuatro semillas; como el cornejo. Ú. t. c. s. f. ‖ **2.** f. pl. *Bot.* Familia de estas plantas.
cornada. f. Golpe dado por un animal con la punta del cuerno. ‖ **2.** *Esgr.* Treta de la esgrima vulgar; cierta estocada que se tira poniéndose en el plano inferior para herir hacia arriba elevando algo la punta de la espada. ‖ **3.** *Taurom.* Herida penetrante de cierta importancia causada por el asta de una res vacuna al cornear. ‖ **no morir de cornada de burro.** fr. fig. y fam. Rehuir cualquier peligro, por leve o imaginario que sea. Ú. por lo común el verbo en tiempo futuro.
cornadillo. m. d. de **cornado.** ‖ **emplear,** o **poner,** alguien su **cornadillo.** fr. desus. fig. y fam. Contribuir con medios o diligencias para el logro de un fin.
cornado. (De *coronado.*) m. Moneda antigua de cobre con una cuarta parte de plata, que tenía grabada una corona, y corrió en tiempo del rey don Sancho IV de Castilla y de sus sucesores hasta los Reyes Católicos. ‖ **no valer un cornado.** fr. desus. fig. y fam. Ser inútil, o de poco precio y valor.
cornadura. f. **cornamenta.**
cornal. (De *cuerno.*) m. **coyunda** del yugo.
cornalina. (Del fr. *cornaline.*) f. Ágata de color de sangre o rojiza.
cornalón. adj. Dícese del toro que tiene muy grandes los cuernos.
cornamenta. f. Conjunto de los cuernos de algunos cuadrúpedos como el toro, vaca, venado y otros, especialmente cuando son de gran tamaño. Ú. t. en sent. fig.
cornamusa. (Del fr. *cornemuse.*) f. Trompeta larga de metal, que en el medio de su longitud hace una rosca muy grande, y tiene muy ancho el pabellón. ‖ **2.** Instrumento rústico, compuesto de un odre y varios cañutos donde se produce el sonido. ‖ **3.** *Mar.* Pieza de metal o madera que, encorvada en sus extremos y fija por su punto medio, sirve para amarrar los cabos. ‖ **4.** *Metal.* Retorta de barro o vidrio que se usó para sublimar ciertos metales.
cornatillo. m. Variedad de aceituna de más de dos centímetros de largo y encorvada a manera de cuerno.
córnea. (Del lat. *cornĕa*, dura como el cuerno.) f. *Anat.* Membrana dura y transparente, situada en la parte anterior del globo del ojo de los vertebrados y cefalópodos decápodos, engastada en la abertura anterior de la esclerótica y un poco más abombada que esta. A través de ella se ve el iris. ‖ **opaca.** *Anat.* **esclerótica.** ‖ **transparente.** *Anat.* **córnea.**
corneado, da. p. p. de **cornear.** ‖ **2.** adj. ant. Que tiene puntas.
corneador, ra. (De *cornear.*) adj. **acorneador.**
cornear. (De *cuerno.*) tr. **acornear.**
corneja. (Del lat. *cornicŭla*, de *cornix, -īcis.*) f. Especie de cuervo que alcanza de 45 a 50 centímetros de longitud y un metro o algo más de envergadura, con plumaje completamente negro y de brillo metálico en el cuello y dorso; el pico está un poco encorvado en la mandíbula superior, y las alas plegadas no alcanzan el extremo de la cola. Vive en el oeste y sur de Europa y en algunas regiones de Asia. ‖ **2.** Ave rapaz nocturna semejante al búho, pero mucho más pequeña que este, con plumaje en que domina el color castaño ceniciento y en la cabeza dos plumas en forma de cuernecillos.
cornejal. (De *cornejo.*) m. Terreno o sitio poblado de cornejos. ‖ **2. cornijal.**
cornejo. (Del lat. **cornicŭlus*, d. de *cornus*, el árbol cornejo.) m. Arbusto muy ramoso, de la familia de las cornáceas, de tres a cuatro metros de altura, con ramas de corteza roja en invierno, hojas opuestas, enteras y aovadas, flores blancas en cima, y por fruto drupas redondas, carnosas y de color negro con pintas encarnadas.
cornelina. (Del ant. fr. *corneline.*) f. **cornalina.**
córneo[1], a. (Del lat. *cornĕus*, de *cornu.*) adj. De cuerno, o de consistencia parecida a él. ‖ **2.** V. **plata córnea.**
córneo[2], a. (Del lat. *cornĕus*, de *cornus.*) adj. *Bot.* **cornáceo.**
córner. (Del ing. *corner*, esquina.) m. *Dep.* **saque de esquina.** ‖ **2.** *Dep.* Lance del juego del fútbol en el que sale el balón del campo de juego cruzando una de las líneas de meta, tras haber sido tocado en último lugar por un jugador del bando defensor.
cornerina. (De *cornelina.*) f. **cornalina.**
cornero. (De *cuerno.*) m. ant. Cada una de las dos entradas que tienen las personas en la cabeza sobre las sienes. ‖ **2.** Ángulo, rincón, esquina. ‖ **de pan.** En algunas partes, cantero de pan.
corneta. (d. de *cuerno.*) f. Instrumento músico de viento, semejante al clarín, aunque mayor y de sonidos más graves. ‖ **2.** Cuerno que usan los porqueros para llamar al ganado de cerda. ‖ **3.** Bandera pequeña terminada en dos farpas y con una escotadura angular en medio de ellas, que usaban en el ejército los regimientos de dragones, y en la marina sirve de insignia, cuya significación ha variado según los tiempos. ‖ **4.** Antigua compañía de soldados de a caballo. ‖ **5.** m. El que ejerce o profesa el arte de tocar la **corneta.** ‖ **6.** Oficial que llevaba la **corneta** o estandarte de los dragones. ‖ **acústica. trompetilla** para los sordos. ‖ **de llaves.** Instrumento músico de viento, para banda y orquesta, parecido a la **corneta,** y con diversos orificios en el tubo, que se abren y cierran por medio de llaves. ‖ **de monte.** Trompa de caza. ‖ **de órdenes.** Soldado que sigue al jefe para dar los toques de mando. ‖ **de posta.** Trompa pequeña que tocaban los postillones en algunas partes para avisar.
cornete. m. d. de **cuerno.** ‖ **2.** *Anat.* Cada una de las pequeñas láminas óseas y de figura abarquillada situadas en el interior de las fosas nasales.
cornetilla. (d. de *corneta.*) f. **pimiento de cornetilla.**
cornetín. m. d. de **corneta.** ‖ **2.** Instrumento músico de metal, que tiene casi la misma extensión que el clarín. Los hay simples, de cilindro y de pistones, y estos últimos son los que se usan más generalmente, tanto en las bandas y charangas como en las orquestas. ‖ **3.** El que ejerce o profesa el arte de tocar este instrumento. ‖ **4.** *Mil.* Especie de clarín usado para dar los toques reglamentarios a las tro-

pas de infantería del ejército. ‖ **de órdenes. corneta de órdenes.**

cornezuelo. m. d. de **cuerno.** ‖ **2. cornatillo.** ‖ **3.** Hongo pequeño que vive parásito en los ovarios de las flores del centeno y los destruye, cuyo micelio se transforma después en un cuerpo alargado y algo encorvado, a manera de cuerno, que cae al suelo en otoño y germina en la primavera siguiente, diseminándose entonces las esporas que en él se han formado. Se usa como medicamento. ‖ **4.** Instrumento hecho con una punta de cuerno de ciervo, y usado por los albéitares para separar los vasos y tejidos en las operaciones quirúrgicas. ‖ **5. cornicabra,** variedad de aceituna.

corniabierto, ta. adj. Aplícase al toro o la vaca que tiene los cuernos muy abiertos o separados entre sí.

cornial. (Del lat. *cornu,* cuerno.) adj. Dispuesto o fabricado en figura de cuerno.

corniapretado, da. (De *cuerno* y *apretado.*) adj. Aplícase al toro o la vaca que tiene los cuernos muy juntos o recogidos.

cornibrocho, cha. (Del lat. *cornu,* cuerno, y *broccus,* dentón.) adj. Dícese de la res vacuna que tiene los cuernos con la punta inclinada hacia dentro.

cornicabra. (De *cuerno* y *cabra.*) f. **terebinto.** ‖ **2.** Variedad de aceituna larga y puntiaguda. ‖ **3.** Higuera silvestre. ‖ **4.** Mata de la familia de las asclepiadáceas, derecha, ramosa, de hojas oblongas y opuestas, flores blanquecinas, y fruto de 8 a 10 centímetros de largo, puntiagudo y algo encorvado. Florece en verano y se encuentra en Canarias, en África y en las costas del Levante español.

corniforme. (Del lat. *cornu,* cuerno, y *-forme.*) adj. De figura de cuerno. ‖ **2.** *Astron.* V. **cometa corniforme.**

cornigacho, cha. (De *cuerno* y *gacho.*) adj. Aplícase al toro o la vaca que tiene los cuernos ligeramente inclinados hacia abajo.

cornígero, ra. (Del lat. *cornĭger, -ĕri.*) adj. poét. Que tiene cuernos.

cornigordo. adj. Dícese del toro que tiene las astas gruesas.

cornija. f. *Arq.* **cornisa.** ‖ **2.** *Arq.* Parte superior del cornijón[1].

cornijal. (Del lat. *cornicŭlum,* cuerno.) m. Punta, ángulo o esquina de colchón, heredad, edificio, etc. ‖ **2.** Lienzo con que se enjuga los dedos el sacerdote en el lavatorio de la misa.

cornijamento. m. *Arq.* **cornisamento.**

cornijamiento. m. *Arq.* **cornijamento.**

cornijón. (De *cornija.*) m. **cornisamento.** ‖ **2.** Esquinazo que forma la casa en la calle.

cornil. m. **cornal.**

corniola. (Del lat. **corneŏla,* de *cornus,* el árbol cornejo.) f. **cornalina.**

cornisa. (Probablemente del gr. κορωνίς.) f. *Arq.* Coronamiento compuesto de molduras, o cuerpo voladizo con molduras, que sirve de remate a otro. ‖ **2.** *Arq.* Parte superior del cornisamento de un pedestal, edificio o habitación. ‖ **3.** Faja horizontal estrecha que corre al borde de un precipicio o acantilado. *Carretera de* CORNISA.

cornisamento. (De *cornisa.*) m. *Arq.* Conjunto de molduras que coronan un edificio o un orden de arquitectura. Ordinariamente se compone de arquitrabe, friso y cornisa.

cornisamiento. m. *Arq.* **cornisamento.**

cornisón. m. **cornijón.**

corniveleto, ta. (De *cuerno* y *veleta.*) adj. Dícese del toro o la vaca cuyos cuernos, por ser poco curvos, quedan altos y derechos.

cornizo. (Del lat. **cornicĕus,* de *cornus,* el árbol cornejo.) m. **cornejo.**

corno[1]. (Del lat. *cornus.*) m. **cornejo.**

corno[2]. (Del it. *corno,* cuerno.) m. Nombre común a varios instrumentos músicos de la familia del oboe. ‖ **inglés.** Oboe de mayor tamaño que el ordinario y de sonido más grave.

cornucopia. (Del lat. *cornucopĭa.*) f. Vaso en forma de cuerno que representa la abundancia. Usáb. antiguamente c. m. ‖ **2.** Espejo de marco tallado y dorado, que suele tener en la parte inferior uno o más brazos para poner bujías cuya luz reverbere en el mismo espejo.

cornudilla. (Del lat. *cornūta,* pez; de *cornu,* cuerno.) f. **pez martillo.**

cornudo, da. (Del lat. *cornūtus.*) adj. Que tiene cuernos. ‖ **2.** fig. Dícese del marido cuya mujer le ha faltado a la fidelidad conyugal. Ú. t. c. s. ‖ **tras de cornudo, apaleado.** expr. fig. y fam. **sobre cuernos, penitencia.**

cornúpeta. (Del lat. *cornupĕta.*) adj. poét. *Numism.* Dícese del animal que está en actitud de acometer con los cuernos. Ú. t. c. s. ‖ **2.** com. Animal dotado de cuernos y por antonom., el toro de lidia.

cornúpeto. (De *cornúpeta.*) m. *Taurom.* Forma popular de **cornúpeta,** toro de lidia.

cornuto. (Del lat. *cornūtus,* cornudo.) adj. *Lóg.* V. **argumento, silogismo cornuto.**

coro[1]. (Del lat. *chorus,* y este del gr. χορός.) m. Conjunto de personas reunidas para cantar, regocijarse, alabar o celebrar alguna cosa. ‖ **2.** En la dramaturgia grecolatina, conjunto de actores que recitan la parte lírica destinada a comentar la acción. Su composición y cometido variaron según las épocas. ‖ **3.** Parte que recita este **coro.** ‖ **4.** Unión o conjunto de tres o cuatro voces, que son ordinariamente un primero y un segundo tiple, un contralto y un tenor, o bien un tiple, un contralto, un tenor y un bajo. *Esta composición es a dos* COROS; *tiple de primer* CORO; *tenor de segundo* CORO. ‖ **5.** Conjunto de personas que en una ópera u otra función musical cantan simultáneamente una pieza concertada. ‖ **6.** Esta misma pieza musical. ‖ **7.** Composición poética que le sirve o puede servirle de letra. ‖ **8.** Conjunto de eclesiásticos, religiosos o religiosas congregados en el templo para cantar o rezar los divinos oficios. El CORO *de Toledo es muy numeroso.* ‖ **9.** Rezo y canto de las horas canónicas, asistencia a ellas y tiempo que duran. *El* CORO *de los monjes jerónimos es muy pesado.* ‖ **10.** Cada una de las dos bandas, derecha e izquierda, en que se divide el **coro** para cantar alternadamente. *Tal dignidad es del* CORO *derecho.* ‖ **11.** Recinto del templo, donde se junta el clero para cantar los oficios divinos. ‖ **12.** Sitio o lugar de los conventos de monjas en que se reúnen para asistir a los oficios y demás prácticas devotas. ‖ **13.** V. **capa, capellán, infante, libro, niño, vicario de coro.** ‖ **14.** *Teol.* Cierto número de espíritus angélicos que componen un orden: los **coros** son nueve. ‖ **15.** ant. **danza,** grupo de personas que se juntan para bailar. ‖ **a coro.** loc. adv. Cantando o diciendo varias personas simultáneamente una misma cosa. ‖ **hablar a coros.** fr. fig. y fam. Hablar alternativamente, sin interrumpirse unos a otros. ‖ **hacer coro.** fr. fig. Unirse, acompañar a otro en sus opiniones. ‖ **rezar a coros.** fr. fig. y fam. Rezar alternativamente, empezando unos y respondiendo otros.

coro[2]. (Del lat. *caurus.*) m. poét. **cauro,** viento noroeste.

coro[3]. (Del hebr. *kōr,* a través del lat. *corus.*) m. Medida de áridos entre los hebreos, que aproximadamente equivale a seis fanegas o 33 decalitros.

coro[4] (de). (Del lat. *cor, cordis.*) loc. adv. p. us. De memoria. Ú. regularmente con los verbos *decir, saber* o *tomar.*

corocha[1]. f. Vestidura antigua a manera de casaca, pero larga y hueca.

corocha[2]. f. Larva del escarabajuelo, de menos de un centímetro de largo, de color negro verdoso, que vive sobre la vid y devora los pámpanos.

corografía. (Del lat. *chorographĭa*, y este del gr. χωρογραφία.) f. p. us. Descripción de un país, de una región o de una provincia.

corográficamente. adv. m. Según las reglas de la corografía.

corográfico, ca. (Del gr. χωρογραφικός.) adj. Perteneciente a la corografía.

corógrafo. (Del gr. χωρογράφος.) m. p. us. El que entiende o escribe de corografía.

coroideo, a. (De *coroides*.) adj. *Anat.* Aplícase a ciertas membranas ricas en vasos y a lo perteneciente a ellas. *Membrana* COROIDEA *del ojo; humor* COROIDEO; *venas* COROIDEAS.

coroides. (Del gr. χοριοειδής, con forma de cuero.) f. *Anat.* Membrana delgada, de color pardo más o menos oscuro, situada entre la esclerótica y la retina de los ojos de los vertebrados. Tiene una abertura posterior que da paso al nervio óptico, y otra más grande, en su parte anterior, cuyos bordes se continúan con unos repliegues que rodean la cara interna del iris.

corojo. m. Árbol americano de la familia de las palmas, cuyos frutos son del tamaño de un huevo de paloma, y de ellos se saca, cociéndolos, una sustancia grasa empleada como manteca.

corola. (Del lat. *corolla*, coronilla.) f. *Bot.* Segundo verticilo de las flores completas, situado entre el cáliz y los órganos sexuales, y que tiene por lo común bellos colores. ‖ **actinomorfa. corola regular.** ‖ **cigomorfa. corola irregular.** ‖ **irregular.** La que no queda dividida en dos partes simétricas por todos los planos que pasan por el eje de la flor y por la línea media de un pétalo. ‖ **regular.** La que queda dividida en dos partes simétricas por cualquier plano que pase por el eje de la flor y por la línea media de un pétalo.

corolario. (Del lat. *corollarĭum*, de *corolla*, coronilla.) m. Proposición que no necesita prueba particular, sino que se deduce fácilmente de lo demostrado antes.

corolifloro. (De *corola* y *flor*.) adj. *Bot.* Dícese de la planta que tiene los estambres soldados con la corola, de modo que parecen insertos en esta. Ú. t. c. s.

corolino, na. adj. *Bot.* Perteneciente o relativo a la corola de las flores.

corolla. (Del lat. *corolla*.) f. ant. Corona pequeña.

corona. (Del lat. *corōna*.) f. Cerco de ramas o flores naturales o imitadas, o de metal precioso, con que se ciñe la cabeza; y es, ya simple adorno, ya insignia honorífica, ya símbolo de dignidad. ‖ **2.** Conjunto de flores o de hojas o de las dos cosas a la vez dispuestas en círculo. CORONA *funeraria.* ‖ **3. aureola** de las imágenes santas. ‖ **4. coronilla,** parte más eminente de la cabeza. ‖ **5.** Tonsura de figura redonda que se hacía a los eclesiásticos en la parte superior de la cabeza, rapándoles el pelo, en señal de estar dedicados a la Iglesia. Era de distintos tamaños, según la diferencia de las órdenes. ‖ **6.** Unidad monetaria de Checoslovaquia, Dinamarca, Islandia, Noruega y Suecia. ‖ **7.** Moneda antigua de oro, que tenía grabada una **corona** y corrió desde el reinado de don Juan II de Castilla hasta fines del siglo XVII. Tuvo diversos valores, y en tiempo de los Reyes Católicos equivalía a unos 11 reales de plata. ‖ **8.** Moneda de plata de muy baja ley, que mandó labrar don Enrique II de Castilla. ‖ **9.** Antigua moneda inglesa de plata, cuarta parte de la libra esterlina. ‖ **10.** Moneda portuguesa de oro, que equivalía a 10.000 reis. ‖ **11.** Moneda alemana de oro, que valía 10 marcos. ‖ **12.** Antigua moneda de plata, de Suecia, Noruega, Dinamarca, Austria y Hungría. ‖ **13.** Rosario de siete dieces que se reza a la Virgen. ‖ **14.** Sarta de cuentas por las cuales se reza. ‖ **15. halo,** meteoro luminoso. ‖ **16.** V. **mensaje de la corona.** ‖ **17.** fig. Dignidad real. ‖ **18.** fig. Reino o monarquía. *La* CORONA *de España, la de Inglaterra.* ‖ **19.** fig. Patrimonio y facultad del rey. ‖ **20.** fig. Honor, esplendor. ‖ **21.** fig. Señal de premio, galardón o recompensa. ‖ **22.** fig. **coronamiento,** fin de una obra. ‖ **23.** fig. La cima de una colina o de otra altura aislada. ‖ **24. arandela**[1], pieza para evitar el roce entre dos partes de una máquina. ‖ **25.** Ruedecilla dentada que, en algunos relojes de bolsillo o de pulsera, sirve para darles cuerda o ponerlos en hora. ‖ **26.** Pieza o elemento artificial con que se protege o substituye la **corona** de los dientes. ‖ **27.** *Anat.* Parte de los dientes de los vertebrados que sobresale de la encía. ‖ **28.** *Arq.* Una de las partes de que se compone la cornisa, la cual está debajo del cimacio. ‖ **29.** *Automov.* Engranaje tallado en una pieza metálica con forma de **corona** geométrica, que es parte del diferencial de los automóviles. ‖ **30.** *Fort.* Obra avanzada o destacada, generalmente abierta por la gola, cuya traza consta de un baluarte en el centro y de dos cortinas y dos medios baluartes a los lados. ‖ **31.** *Geom.* Porción de plano comprendida entre dos circunferencias concéntricas. ‖ **32.** *Mar.* Cabo grueso, fijo por el seno, esto es, por el medio de su largo, en la garganta o extremidad superior del palo, y que en sus chicotes o extremidades tiene unos grandes motones, por los que se guarnen aparejos reales para reforzar la obencadura. ‖ **castrense.** La de oro, que se concedía al que primero entraba en el campo enemigo, venciendo los obstáculos de fosos, trincheras y estacadas. ‖ **cívica,** o **civil.** La de ramas de encina, con que se recompensaba al ciudadano romano que había salvado la vida a otro en una acción de guerra. ‖ **de barón.** *Blas.* La de oro esmaltada y ceñida por un brazalete doble o por un hilo de perlas. ‖ **de conde.** *Blas.* La de oro, que remata en 18 perlas. ‖ **de duque.** *Blas.* **corona ducal.** ‖ **de hierro.** La que usaban los emperadores de Alemania cuando se coronaban como reyes de los longobardos. ‖ **de infante.** *Blas.* La que es como la real, salvo que no tiene diademas y por lo cual queda abierta. ‖ **del casco.** *Veter.* En las cabalgaduras, extremo de la piel del pie o mano que circunda el nacimiento del casco, o la parte de él más inmediata a la piel. ‖ **del príncipe de Asturias.** *Blas.* La que es como la real, a excepción de tener cuatro diademas en vez de ocho. ‖ **de marqués.** *Blas.* La de oro, con cuatro florones y cuatro ramos, compuesto cada uno de tres perlas, de suerte que entre cada dos florones haya tres perlas, dos apareadas y otra encima de ellas. ‖ **de ovación. corona oval.** ‖ **de rayos. corona radial.** ‖ **de rey.** Hierba medicinal de la familia de las globulariáceas, con hojas lanceoladas, algunas de ellas con tres dientes y otras enteras, el tallo casi leñoso, y flores amarillas, irregulares, dispuestas en cabezuelas en forma de **corona.** ‖ **2.** *Blas.* **corona real,** la de oro y pedrería con ocho florones, y cerrada con diademas y cruz encima. ‖ **de vizconde.** *Blas.* La de oro, guarnecida solo de cuatro perlas gruesas sostenidas por puntas del mismo metal. ‖ **ducal.** *Blas.* La de oro, sin diademas y con el círculo engastado de pedrería y perlas, y realzado con ocho florones semejantes a las hojas de apio. ‖ **fúnebre.** Ofrenda floral con figura de círculo, que se dedica a un fallecido como prueba de afecto y estimación. ‖ **2.** Colección de escritos y discursos producidos con ocasión de la muerte de una persona y que vienen a constituir su panegírico. ‖ **gramínea. corona obsidional.** ‖ **imperial.** Planta de adorno, de la familia de las liliáceas, con hojas enteras y estrechas, y flores azafranadas dispuestas en círculo en la extremidad del tallo, que termina en una **corona** de hojas. ‖ **2.** *Blas.* La de oro, con muchas perlas, ocho florones, y cerrada con diademas y cruz encima. ‖ **mural.** La que se daba al soldado que escalaba primero el muro y entraba donde estaban los enemigos. ‖ **2.** La que remata el escudo de muchas poblaciones. ‖ **3.** La que figura la parte superior de una torre almenada. ‖ **naval.** La que se daba al soldado que saltaba primero armado en la **nave**

enemiga. Tenía por adorno el rostro o proa de una nave, o bien popas y velas alternadas. ‖ **obsidional.** La que se daba al que hacía levantar el sitio de una ciudad o plaza cercada por los enemigos. Era de grama cogida en el mismo campo donde habían estado los reales. ‖ **olímpica.** La de ramas de olivo, que se daba a los vencedores en los juegos olímpicos. ‖ **oval.** La de arrayán, que llevaba puesta el general en el acto de la ovación. ‖ **radiada, radial,** o **radiata.** La que se ponía en la cabeza de los dioses, y en la de las efigies de los príncipes cuando los divinizaban. ‖ **real. corona de rey.** ‖ **2.** *Blas.* La de oro y pedrería, con ocho florones de distinta altura, cerrada con diademas a imitación de la imperial. ‖ **rostrada, rostral,** o **rostrata. corona naval.** ‖ **solar.** *Astron.* Aureola que se observa alrededor del Sol durante los eclipses totales. ‖ **triunfal.** La que se daba al general cuando entraba triunfalmente en Roma. Al principio fue de laurel y después de oro. ‖ **valar,** o **vallar. corona castrense.** ‖ **abrir la corona.** fr. Cortar a raíz el pelo del medio de la cabeza, formando **corona** o tonsura. ‖ **ceñir,** o **ceñirse, la corona.** fr. Empezar a reinar. ‖ **llamarse a la corona.** fr. *Der.* Declinar la jurisdicción del juez secular, por haber reasumido el que la declina la **corona** y hábito clerical. ‖ **reasumir la corona.** fr. *Der.* Volver a presentarse con la **corona** y hábitos clericales que había dejado.

coronación. (Del lat. *coronatĭo, -ōnis.*) f. Acto de coronar o coronarse un soberano. ‖ **2. coronamiento,** fin de una obra. ‖ **3.** Adorno de un edificio en su parte superior.

coronado, da. p. p. de **coronar.** ‖ **2.** adj. V. **clavel, halcón coronado.** ‖ **3.** V. **obra, testa coronada.** ‖ **4.** m. Clérigo que era tonsurado u ordenado de menores, y gozaba el fuero de la Iglesia. ‖ **5.** ant. **cornado.**

coronador, ra. adj. Que corona. Ú. t. c. s.

coronal. (Del lat. *coronālis.*) adj. *Anat.* V. **hueso coronal.** Ú. t. c. s. ‖ **2.** *Anat.* Perteneciente a este hueso.

coronamento. m. **coronamiento.**

coronamiento. (De *coronar.*) m. ant. **coronación.** ‖ **2.** fig. Fin de una obra. ‖ **3.** *Arq.* Adorno que se pone en la parte superior del edificio y le sirve como de corona. ‖ **4.** *Mar.* La parte de borda que corresponde a la popa del buque.

coronar. (Del lat. *coronāre.*) tr. Poner la corona en la cabeza, ceremonia que regularmente se hace con los emperadores y reyes cuando entran a reinar. Ú. t. c. prnl. ‖ **2.** En el juego de damas, poner un peón sobre otro cuando este llega a ser dama, para que se distinga de aquellos. ‖ **3.** fig. Perfeccionar, completar una obra. ‖ **4.** fig. Poner o ponerse personas o cosas en la parte superior de una fortaleza, eminencia, etc. ‖ **5.** prnl. Dejar ver el feto la cabeza en el momento del parto.

coronario, ria. (Del lat. *coronarĭus,* en forma de corona.) adj. Perteneciente a la corona. ‖ **2.** V. **arteria, betónica, vena coronaria.** ‖ **3.** V. **oro coronario.** ‖ **4.** *Bot.* De figura de corona. ‖ **5.** f. Rueda de los relojes que rige la aguja de los segundos.

coronda[1]. adj. Se dijo del indio perteneciente a ciertas tribus que habitaban las orillas e islas del Paraná. Usáb. t. c. s.

coronda[2]. m. *R. de la Plata.* Árbol de hoja menuda y fruto en forma de espigas, con semillas semejantes a las habas. La cáscara que las contiene, si se raspa y aspira, hace estornudar con más fuerza que el rapé.

corondel. (Del cat. *corondell.*) m. *Impr.* Regleta o listón, de madera o metal, que ponen los impresores en el molde, de alto a bajo, para dividir la plana en columnas. ‖ **2.** *Impr.* Por ext., blanco producido por el uso de esta regleta. ‖ **3.** pl. Rayas verticales transparentes en el papel de tina.

coroneja. f. *Murc.* **rayuela,** juego que consiste en andar a la pata coja y sacar un tejo con el pie de ciertas divisiones trazadas en el suelo.

coronel[1]. (Del it. *colonnello,* a través del fr. *colonel,* coronel.) m. Jefe militar que manda un regimiento. ‖ **2.** V. **teniente coronel.** ‖ **3.** *Cuba.* Cometa grande.

coronel[2]. (Del ant. fr. *coroner,* de corona.) m. *Arq.* Cimacio o moldura que termina un miembro arquitectónico. ‖ **2.** *Blas.* Corona heráldica.

coronela. adj. Aplicábase a la compañía, bandera y otras cosas que pertenecían al coronel. ‖ **2.** f. fam. Mujer del coronel.

coronelía. f. Empleo de coronel. ‖ **2.** desus. *Mil.* **regimiento,** cuerpo de tropa.

corónica. f. ant. **crónica.**

corónide. (Del lat. *corōnis, -ĭdis.*) f. p. us. Fin, coronamiento de una cosa.

coronilla. (d. de *corona.*) f. Parte más eminente de la cabeza. ‖ **2. tonsura** de figura redonda que se hacía a los clérigos en la cabeza. ‖ **3.** V. **injerto de coronilla.** ‖ **4.** *Urug.* Árbol de la familia de las ramnáceas, que por lo común se cría a orillas de los arroyos. Su madera, que es muy dura, se aprecia como combustible por la duración de sus brasas. ‖ **5.** *Argent.* **coronillo.** ‖ **real. corona real.** ‖ **andar,** o **bailar, de coronilla.** fr. fig. y fam. Hacer una cosa con sumo afán y diligencia. ‖ **dar de coronilla.** fr. fam. Dar con la cabeza en el suelo. ‖ **estar hasta la coronilla.** fr. fig. y fam. Estar cansado y harto de sufrir alguna pretensión o exigencia.

coronillo. m. *Argent.* Árbol de la familia de las ramnáceas, de unos cinco metros de altura, de copa redondeada y follaje denso, inflorescencia axilar; fruto trilocular, casi negro, provisto de numerosas espinas de tres a cinco centímetros. Su madera se utiliza para carbón, y de la corteza y del fruto se obtiene un tinte rojo vivo.

coronio. (De *corona.*) m. Hierro fuertemente ionizado que se detectó por primera vez en la corona solar.

coronista. m. ant. **cronista.**

coronizar. tr. ant. **coronar.**

coronta. (Del quechua *k'oronta.*) f. *NO. Argent., Bol., Chile* y *Perú.* Zuro o carozo.

corosol. m. Nombre de una variedad de anona.

corota. f. *Bol.* **cresta de gallo.**

corotos. m. pl. *Amér.* Trastos, trebejos.

coroza. (Del lat. *crocĕa,* de color de azafrán.) f. Capirote de papel engrudado y de figura cónica alargada, que como señal afrentosa se ponía en la cabeza de ciertos condenados, y llevaba pintadas figuras alusivas al delito o a su castigo. ‖ **2.** Capa de junco o de paja que usan los labradores en Galicia como defensa contra la lluvia, y que suele tener caperuza o capirote.

corozo. (De *carozo.*) m. **corojo.** ‖ **2. carozo,** raspa de la panoja del maíz.

corpa. f. *Min.* Trozo de mineral en bruto.

corpachón. m. fam. **corpanchón.**

corpanchón. m. fam. aum. de **cuerpo.** ‖ **2.** Cuerpo de ave despojado de las pechugas y piernas.

corpazo. m. fam. aum. de **cuerpo.**

corpecico, llo, to. m. d. de **cuerpo.** ‖ **2.** Almilla o jubón sin mangas ni faldillas.

corpezuelo. m. d. de **cuerpo.**

corpiñejo. m. d. de **corpiño.**

corpiño. m. d. de **cuerpo.** ‖ **2.** Almilla o jubón sin mangas.

corporación. (Del lat. *corporatĭo, -ōnis.*) f. Cuerpo, comunidad, generalmente de interés público, y a veces reconocida por la autoridad.

corporal. (Del lat. *corporālis.*) adj. Perteneciente al cuerpo, especialmente al humano. *Presencia* CORPORAL. *Pena* CORPORAL. ‖ **2.** V. **expresión, institución corporal.** ‖ **3.** m. Lienzo que se extiende en el altar, encima del ara, para poner sobre él la hostia y el cáliz; suelen ser dos. Ú. m. en pl. ‖ **4.** V. **bolsa de corporales.**

corporalidad. (Del lat. *corporalĭtas, -ātis.*) f. Calidad de corporal. ‖ **2.** Cosa corporal.

corporalmente. adv. m. Con el cuerpo.

corporativamente. adv. m. En corporación o formando cuerpo.

corporativismo. m. Doctrina política y social que propugna la intervención del Estado en la solución de los conflictos de orden laboral, mediante la creación de corporaciones profesionales que agrupen a trabajadores y empresarios. ‖ **2.** En un grupo o sector profesional, tendencia abusiva a la solidaridad interna y a la defensa de los intereses del cuerpo.

corporativista. adj. Perteneciente o relativo al corporativismo ‖ **2.** Partidario del corporativismo.

corporativo, va. (Del lat. *corporatīvus.*) adj. Perteneciente o relativo a una corporación. *Informe* CORPORATIVO.

corporeidad. f. Calidad de corpóreo.

corporeizar. tr. Dar cuerpo a una idea u otra cosa no material. Ú. t. c. **prnl.**

corpóreo, a. (Del lat. *corporĕus.*) adj. Que tiene cuerpo o consistencia. ‖ **2.** Perteneciente o relativo al cuerpo o a su condición de tal.

corporiento, ta. (Del lat. *corpulentus.*) adj. ant. **corpulento.**

corporificar. tr. **corporeizar.**

corporizar. tr. **corporeizar.**

corps. (Del fr. *corps,* cuerpo.) m. Voz que se introdujo en España solo para nombrar algunos empleos, destinados principalmente al servicio de la persona del rey. ‖ **2.** V. **capitán de guardias, sumiller de corps.**

corpudo, da. adj. **corpulento.**

corpulencia. (Del lat. *corpulentia.*) f. Grandeza y magnitud de un cuerpo natural o artificial.

corpulento, ta. (Del lat. *corpulentus.*) adj. De gran corpulencia.

Corpus[1]**.** (Del lat. *corpus,* cuerpo.) n. p. m. Jueves, sexagésimo día después del domingo de Pascua de Resurrección, en el cual celebra la iglesia católica la festividad de la institución de la Eucaristía.

corpus[2]**.** (De or. latino.) m. Conjunto lo más extenso y ordenado posible de datos o textos científicos, litearios, etc., que pueden servir de base a una investigación.

corpuscular. adj. Que tiene corpúsculos. ‖ **2.** Aplícase al sistema filosófico que admite por materia elemental los corpúsculos.

corpusculista. m. Filósofo que sigue el sistema corpuscular.

corpúsculo. (Del lat. *corpuscŭlum,* d. de *corpus,* cuerpo.) m. Cuerpo muy pequeño, célula, molécula, partícula, elemento. ‖ **elemental.** *Fís.* El que no ha podido ser fraccionado.

corra. f. *León.* Aro o anillo de metal.

corral. (Probablemente del lat. *currale, der. de *currus.*) m. Sitio cerrado y descubierto, en las casas o en el campo, que sirve habitualmente para guardar animales. ‖ **2.** Atajadizo o cercado que se hace en los ríos o en la costa del mar, para encerrar la pesca y cogerla. ‖ **3.** Casa, patio o teatro donde se representaban las comedias. ‖ **4.** En la cordillera penibética, circo o anfiteatro de montañas que contiene nieves perpetuas. ‖ **5.** ant. Patio principal. ‖ **6.** *And.* **corral de vecindad.** ‖ **7.** ant. *Mil.* **cerca,** formación de infantería. ‖ **8.** *Taurom.* Recinto que existe en las plazas de toros y encerraderos con departamentos comunicados entre sí por puertas, para facilitar el apartado de las reses. ‖ **de madera.** Almacén donde se guarda y vende la madera. ‖ **de vacas.** fig. y fam. Paraje destartalado, desordenado y sucio. ‖ **de vecindad.** *And.* **casa de vecindad.** ‖ **hacer corrales.** fr. fig. y fam. Faltar el estudiante ciertos días a las aulas o a los actos a que debía concurrir. ‖ **oír cantar, sin saber en qué corral.** fr. fig. **oír campanadas y no saber dónde.**

corralada. f. **corral,** sitio cerrado y descubierto, y especialmente el que en Asturias y en la Montaña suele hallarse delante de la casa.

corralera. f. Canción andaluza que ordinariamente se baila en los corrales de vecindad. ‖ **2.** *And.* Mujer desvergonzada o desenvuelta.

corralero, ra. adj. Perteneciente o relativo al corral. ‖ **2.** m. Persona encargada del embarco y desembarco de reses en ferrocarriles, barcos o camiones y del suministro de piensos. ‖ **3.** m. y f. Persona que tiene corral donde seca y amontona el estiércol que acarrea de las caballerizas, para venderlo después. Por lo común cría también gallinas, pavos y aun cerdos.

corraleta. f. *And.* Corral pequeño adicionado al caserío o aislado en el campo, que se destina a guardar enseres, útiles, etc.

corralito. m. **parque,** pequeño recinto donde pueden jugar los niños que todavía no andan.

corraliza. f. **corral.** ‖ **2.** *And.* Zahúrda, pocilga.

corralón. m. aum. de **corral,** sitio cerrado y descubierto. ‖ **2.** *Mál.* Casa de vecindad.

correa. (Del lat. *corrigĭa.*) f. Tira de cuero. ‖ **2.** Cinta de cuero para sujetar los pantalones. ‖ **3.** Cinturón de cuero con una tira pendiente, que se usa en algunos hábitos religiosos. ‖ **4.** Flexibilidad y extensión de que es capaz una cosa correosa; como la miel o una rama verde. ‖ **5.** fig. Aguante, paciencia para soportar ciertos trabajos, bromas, burlas, etc. ‖ **6.** *Arq.* Cada uno de los maderos que se colocan horizontalmente sobre los pares de los cuchillos de una armadura para asegurar en ellos los contrapares. ‖ **7.** pl. Tiras delgadas de cuero sujetas a un mango, que sirven para sacudir el polvo. ‖ **de transmisión.** La que, unida en sus extremos, sirve, en las máquinas, para transmitir el movimiento rotativo de una rueda o polea a otra. ‖ **besar correa.** fr. fig. y fam. Humillarse a aquel a quien por voluntad no quería sujetarse.

correaje. m. Conjunto de correas que hay en una cosa. ‖ **2.** Conjunto de correas que forman parte del equipo individual en los cuerpos armados.

correal. (De *correa.*) m. Piel de venado, macho, etc., curtida y de color encendido, como el del tabaco, que se usa para vestidos. ‖ **coser de correal,** o **labrar de correal.** fr. Coser el guarnicionero con correas delgadas en lugar de hilo.

correar. tr. Conrear las telas, lanas, etc.

correazo. m. Golpe dado con una correa.

corrección. (Del lat. *correctĭo, -ōnis.*) f. Acción y efecto de corregir o de enmendar lo errado o defectuoso. ‖ **2.** Calidad de **correcto,** libre de errores o defectos. ‖ **3.** Calidad de la persona de conducta irreprochable. ‖ **4.** Reprensión o censura de un delito, falta o defecto. ‖ **5.** Alteración o cambio que se hace en las obras escritas o de otro género, para quitarles defectos o errores, o para darles mayor perfección. ‖ **6.** *Ret.* Figura que se comete cuando, después de dicha una palabra o cláusula, se dice otra para corregir lo precedente y explicar mejor el concepto. ‖ **disciplinaria.** Castigo leve que el superior impone por faltas de algún subordinado. ‖ **fraterna,** o **fraternal.** Reconvención con que privadamente se advierte y corrige al prójimo un defecto. ‖ **gregoriana.** La decretada en el calendario en 1582 por el papa Gregorio XIII.

correccional. adj. Dícese de lo que conduce a la corrección. ‖ **2.** V. **pena correccional.** ‖ **3.** m. Establecimiento penitenciario destinado al cumplimiento de las penas de prisión y de presidio **correccional.** ‖ **4. correccional de menores.** ‖ **de menores.** Establecimiento donde se recluye a los menores de edad que han cometido algún delito.

correccionalismo. m. Sistema penal que tiende a modificar por la educación, en establecimientos adecuados, la propensión a la delincuencia.
correccionalista. adj. Dícese del partidario o seguidor del correccionalismo.
correccionalmente. adv. m. Con pena o procedimiento correccional.
correctamente. adv. m. De un modo correcto.
correctibilidad. f. p. us. Calidad de corregible.
correctivo, va. (De *correcto.*) adj. Que corrige. ‖ **2.** Por ext., se aplica a todo lo que atenúa o subsana. Ú. t. c. s. m. ‖ **3.** *Med.* Dícese de la sustancia que en un medicamento acompaña al ingrediente principal para suprimir o atenuar alguna propiedad inconveniente de este. Ú. t. c. s. m. ‖ **4.** m. Castigo o sanción generalmente leve.
correcto, ta. (Del lat. *correctus.*) p. p. irreg. de **corregir.** ‖ **2.** adj. Libre de errores o defectos, conforme a las reglas. Dícese del lenguaje, del estilo, del dibujo, etc. ‖ **3.** Dícese de la persona cuya conducta es irreprochable.
corrector, ra. (Del lat. *corrector, -ōris.*) adj. Que corrige. Ú. t. c. s. ‖ **2.** m. y f. *Impr.* Persona encargada de corregir las pruebas. ‖ **3.** m. El encargado por el gobierno de cotejar los libros que se imprimían, para ver si estaban conformes con su original y sacar las erratas. ‖ **4.** Superior o prelado, en los conventos religiosos de San Francisco de Paula.
correchamente. adv. m. ant. **correctamente.**
correcho, cha. (Del lat. *correctus.*) adj. *León.* Recto, firme, correcto, derecho.
corredentor, ra. adj. Redentor juntamente con otro u otros. Ú. t. c. s.
corredera. (De *correr.*) f. Ranura o carril por donde resbala otra pieza que se le adapta en ciertas máquinas o artefactos. ‖ **2.** Sitio o lugar destinado para correr caballos. ‖ **3.** Tabla o postiguillo de celosía que corre de una parte a otra para abrir o cerrar. ‖ **4.** Muela superior del molino o aceña, que es la que se mueve para moler el grano. ‖ **5.** **cucaracha,** insecto. ‖ **6.** Nombre que suele darse a algunas calles que fueron antes **correderas** de caballos. ‖ **7.** ant. **carrera.** ‖ **8.** fig. y fam. **alcahueta,** mujer que persuade a otra para que tenga trato lascivo con un hombre. ‖ **9.** *Art.* Explanada constituida por dos o tres largueros paralelos y enlazados por las cabezas, sobre la que se montan y juegan las cureñas de algunas piezas de artillería. ‖ **10.** *Mar.* Cordel dividido en partes iguales, sujeto y arrollado por uno de sus extremos a un carretel, y atado por el otro a la barquilla, con la cual forma un aparato destinado a medir lo que anda la nave. ‖ **11.** *Mar.* Este mismo aparato o cualquier otro de los destinados al propio objeto. ‖ **12.** *Mec.* Pieza que en las máquinas abre y cierra alternativamente los agujeros por donde entra y sale el vapor en los cilindros. ‖ **de corredera.** loc. adj. Dícese de las puertas y ventanas que en lugar de abrirse girando sobre goznes lo hacen deslizándose vertical o lateralmente por carriles o ranuras.
corredero, ra. adj. ant. **corredor,** que corre mucho. ‖ **2.** Que corre sobre carriles. Dícese especialmente de puertas y ventanas. ‖ **3.** m. Paraje apropiado para el acoso y derribo de las reses vacunas.
corredizo, za. adj. Que se desata o se corre con facilidad; como lazada o nudo.
corredor, ra. adj. Que corre mucho. Ú. t. c. s. ‖ **2.** V. **cardo corredor** y **cardo estelado corredor.** ‖ **3.** Aplícase a las aves de gran tamaño, de mandíbulas cortas y robustas, esternón de figura de escudo y sin quilla, y alas muy cortas que no les sirven para volar; como el avestruz y el casuario. Ú. t. c. s. ‖ **4.** m. y f. Persona que practica la carrera en competiciones deportivas. ‖ **5.** m. El que por oficio interviene en almonedas, ajustes, apuestas, compras y ventas de cualquier género de cosas. ‖ **6.** Soldado que se enviaba para descubrir y observar al enemigo, y para descubrir el campo. ‖ **7.** Soldado que salía con otros a hacer correrías en tierra de enemigos. ‖ **8.** **pasillo,** pieza de paso de un edificio. ‖ **9.** Cada una de las galerías que corren alrededor del patio de algunas casas, al cual tienen balcones o ventanas, si son **corredores** cerrados; o una balaustrada continua de piedra, hierro o madera, o meramente un pretil de cal y canto, si son **corredores** altos y descubiertos. ‖ **10.** **pasillo,** camino aéreo. ‖ **11.** desus. Edificio donde se jugaba a la pelota. ‖ **12.** *Germ.* **corchete,** ministro inferior de justicia. ‖ **13.** *Fort.* **camino cubierto.** ‖ **14.** f. pl. *Zool.* En clasificaciones zoológicas ya en desuso, algunas especies de aves representantes de varios órdenes, en especial a los estrucioniformes, reiformes y casuariformes. ‖ **de baratos.** Persona que antiguamente tenía por granjería ajustar por libranzas, réditos de juros y otros efectos. ‖ **de cambios.** El que solicita letras para otras partes o dinero prestado, y ajusta los cambios de interés que se han de dar y las seguridades o resguardos. ‖ **de comercio.** Funcionario cuyo oficio es intervenir, con carácter de notario, si está colegiado, en la negociación de letras u otros valores endosables, en los contratos de compraventa de efectos comerciales y en los de seguros. ‖ **de lonja. corredor de mercaderías.** ‖ **de pelota. corredor,** edificio donde se jugaba a la pelota. ‖ **del peso.** El que asiste al peso público para solicitar la venta de los géneros comestibles. ‖ **de mercaderías.** El que asiste a los mercaderes para despacharles sus géneros, solicitando personas que los compren. ‖ **de oreja. corredor de cambios.** ‖ **2.** fig. y fam. El chismoso que lleva y trae cuentos de una parte a otra. ‖ **3.** fig. y fam. **alcahuete,** persona que concierta, encubre o facilita una relación amorosa. ‖ **intérprete de buques.** *Der.* Agente colegiado y con fe pública, que interviene en los actos del comercio marítimo, especialmente tratándose de buques extranjeros.
corredoría. f. ant. **correduría.**
corredura. (De *correr.*) f. Lo que rebosa en la medida de los líquidos. ‖ **2.** ant. Correría de la gente de guerra.
correduría. f. Oficio o ejercicio de **corredor.** ‖ **2.** **corretaje,** intervención del corredor en los ajustes y ventas. ‖ **3.** ant. **correría,** hostilidad de guerra contra un país. ‖ **4.** *Der.* **achaque**[2], denuncia de un soplón.
correería. (De *correero.*) f. Oficio de hacer correas. ‖ **2.** Sitio donde se hacen o se venden.
correero, ra. m. y f. Persona que tiene por oficio hacer o vender correas.
corregencia. f. Empleo de corregente.
corregente. adj. Que tiene o ejerce la regencia juntamente con otro. Ú. t. c. s.
corregibilidad. (De *corregible.*) f. Docilidad con que una persona se presta a la corrección.
corregible. adj. Capaz de ser corregido.
corregidor, ra. adj. Que corrige. ‖ **2.** m. Magistrado que en su territorio ejercía la jurisdicción real con mero y mixto imperio, y conocía de las causas contenciosas y gubernativas, y del castigo de los delitos. ‖ **3.** Alcalde que, con arreglo a cierta legislación municipal, nombraba libremente el rey en algunas poblaciones importantes para presidir el ayuntamiento y ejercer varias funciones gubernativas. ‖ **4.** f. Mujer del **corregidor.**
corregimiento. (De *corregir.*) m. Empleo u oficio de corregidor. ‖ **2.** Territorio de su jurisdicción. ‖ **3.** Oficina del corregidor.
corregir. (Del lat. *corrigĕre.*) tr. Enmendar lo errado. ‖ **2.** Advertir, amonestar, reprender. ‖ **3.** fig. Disminuir, templar, moderar la actividad de una cosa. ‖ **4.** ant. fig. **afeitar.**
corregüela. f. **correhuela.**

correhuela. (d. de *correa.*) f. **centinodia.** ‖ **2.** Mata de la familia de las convolvuláceas, de tallos largos y rastreros que se enroscan en los objetos que encuentran; hojas alternas, acorazonadas y con pecíolos cortos; flores acampanadas, blancas o rosadas, y raíz con jugo lechoso. Se emplea como vulneraria. ‖ **3.** Juego que se hace con una correa con las dos puntas cosidas. El que tiene la correa la presenta doblada con varios pliegues, y otro mete en uno de ellos un palito; si al soltar la correa resulta el palito dentro de ella, gana el que lo puso, y si cae fuera, gana el otro.

correinado. (De *co-* y *reinado.*) m. Gobierno simultáneo de dos reyes en una nación.

correinante. adj. Que reina juntamente con otro.

correjel. (Del cat. *correger.*) adj. V. **suela correjel.** ‖ **2.** m. Cuero grueso, consistente y flexible, a propósito para hacer correones y suelas.

correlación. f. Correspondencia o relación recíproca entre dos o más cosas o series de cosas. ‖ **2.** *Mat.* Existencia de mayor o menor dependencia mutua entre dos variables aleatorias. ‖ **3.** *Ling.* Conjunto de dos series de fonemas opuestas por un mismo rasgo distintivo. ‖ **4.** *Ling.* Relación que se establece entre estas series.

correlativamente. adv. m. Con relación a otra cosa.

correlativo, va. adj. Aplícase a personas o cosas que tienen entre sí correlación o sucesión inmediata.

correlato, ta. (De *co-* y el lat. *relātus,* p. p. de *referre,* referir.) adj. ant. **correlativo.** Usáb. t. c. s. ‖ **2.** m. Término que corresponde a otro en una correlación.

correligionario, ria. adj. Que profesa la misma religión que otro. Ú. t. c. s. ‖ **2.** Por ext., dícese del que tiene la misma opinión política que otro, especialmente si está inscrito en el mismo partido. Ú. t. c. s.

correncia. (De *correr.*) f. fam. **diarrea.** ‖ **2.** fig. y fam. **vergüenza,** turbación del ánimo.

corrondilla. f. fam. Acción de ir o pasar corriendo un corto trecho.

correntada. f. *Amér.* Corriente impetuosa de agua desbordada.

correntía. (De *corriente.*) f. fam. **correncia.** ‖ **2.** *Ar.* Inundación artificial que se hace después de haber segado, para que, pudriéndose el rastrojo y las raíces que han quedado, sirvan de abono a la tierra.

correntiar. tr. *Ar.* Hacer correntías o inundaciones artificiales.

correntino, na. adj. Natural de la provincia de Corrientes en la Argentina. Ú. t. c. s. ‖ **2.** Perteneciente o relativo a esta provincia.

correntío. (De *corriente.*) adj. **corriente.** Se dice de las cosas líquidas. ‖ **2.** fig. y fam. Ligero, suelto, desembarazado.

correntón, na. adj. Amigo de corretear, o de andar de calle en calle, o de casa en casa. ‖ **2.** Muy desenvuelto, festivo y chancero.

correntoso, sa. (De *corriente.*) adj. *Amér.* **torrentoso.**

correo[1]. (Del cat. *correu.*) m. El que tiene por oficio llevar y traer la correspondencia de un lugar a otro. ‖ **2.** Servicio público que tiene por objeto el transporte de la correspondencia oficial y privada. Ú. t. en pl. ‖ **3.** Vapor, coche, etc., que lleva correspondencia. ‖ **4.** Casa, sitio o lugar donde se recibe y se da la correspondencia. ‖ **5.** Buzón donde se deposita la correspondencia. *Echar la carta al* CORREO. ‖ **6.** Conjunto de cartas o pliegos de cualquier clase que se despachan o reciben. *Martín está leyendo el* CORREO. ‖ **7. tren correo.** ‖ **8.** V. **lista de correos.** ‖ **9.** *Germ.* Ladrón que va a dar aviso de alguna cosa. ‖ **aéreo.** Correspondencia que se expide por avión. ‖ **a las diez,** o **a las quince,** o **a las veinte.** El de a pie que había de caminar diez, quince o veinte leguas en veinticuatro horas. ‖ **de gabinete.** El que lleva rápidamente correspondencia oficial al extranjero. ‖ **de malas nuevas.** fig. y fam. Persona que se complace en anticipar malas noticias. ‖ **mayor.** Empleo que antes ejercía o tenía persona calificada, y a cuyo cargo estaba todo el servicio postal de España. ‖ **urgente.** Aquel que recibe una preferencia tanto en el envío como en su entrega respecto del ordinario.

correo[2]. (De *co-* y *reo.*) m. *Der.* Responsable con otro u otros en un delito.

correón. m. aum. de **correa.** ‖ **2. sopanda,** correa que soportaba la caja en algunos coches de caballos.

correoso, sa. (De *correa.*) adj. Que fácilmente se doblega y extiende sin romperse. ‖ **2.** Dúctil, maleable. Ú. t. en sent. fig. y con sent. despect. ‖ **3.** fig. Dícese del pan y otros alimentos que, por la humedad u otros motivos, pierden cualidades o se revienen. ‖ **4.** fig. Se aplica a la persona que en trabajos, deportes, quehaceres, etc., dispone de mucha resistencia física.

correr. (Del lat. *currĕre.*) intr. Ir de prisa. ‖ **2.** Hacer alguna cosa con rapidez. ‖ **3.** Moverse progresivamente de una parte a otra los fluidos y líquidos; como el aire, el agua, el aceite, etc. ‖ **4.** Tratándose de los vientos, soplar o dominar. ‖ **5.** Dicho de los ríos, caminar o ir por tales partes, dilatarse y extenderse tantas leguas. ‖ **6.** Ir, pasar, extenderse de una parte a otra. *El camino, la cordillera* CORRE *de Norte a Sur.* ‖ **7.** Tratándose del tiempo, transcurrir, tener curso. CORRE *el mes, el año, las horas, los días, el tiempo, el plazo.* ‖ **8.** Tratándose de personas, andar rápidamente y con tanto impulso que, entre un paso y el siguiente, quedan por un momento ambos pies en el aire. ‖ **9.** Dicho de noticias, rumores, etc., circular, propalarse, difundirse. Ú. t.c. tr. ‖ **10.** Estar a cargo de uno el curso, cuidado o despacho de alguna cosa. *Eso* CORRE *de mi cuenta.* ‖ **11.** Dicho de pagas, sueldos o salarios, ir devengándose. ‖ **12.** No haber detención ni dificultad en un pago. ‖ **13.** Partir irreflexivamente a poner en ejecución alguna cosa. ‖ **14. recurrir** al favor de alguno. ‖ **15.** Pasar un negocio por la oficina correspondiente. ‖ **16.** Estar admitida o recibida una cosa. ‖ **17.** Pasar, valer una cosa durante el año o tiempo de que se trata. ‖ **18.** Seguido de una expresión que indique precio, valer, costar. ‖ **19.** *Mar.* Navegar en popa o a un largo, con poca o ninguna vela, a causa de la mucha fuerza del viento. ‖ **20.** tr. Tratándose de la balanza, hacer que se incline y caiga uno de los platillos por haberle puesto más peso que al otro. ‖ **21.** Sacar a carrera abierta, por diversión, apuesta o experimento, el bruto en que se cabalga. CORRER *un caballo.* ‖ **22.** Perseguir, acosar. ‖ **23. lidiar** los toros. ‖ **24.** Hacer que una cosa pase o se deslice de un lado a otro; cambiarla de sitio. CORRE *esa silla;* CORRER *un poco los botones.* Ú. t. c. prnl. ‖ **25.** Tratándose de cerrojos, llaves, etc., **echar,** pasarlos, cerrar con ellos. ‖ **26.** Dicho de velos, cortinas, etc., echarlos o tenderlos, cuando están levantados o recogidos; y levantarlos o recogerlos, cuando están tendidos o echados. ‖ **27.** Desatar el nudo o lazada de una cinta, cordón u otra cosa que hace lazo y con que está cerrado o asegurado un talego, bolsa, etc. ‖ **28.** Estar expuesto a ciertas contingencias determinadas o indeterminadas; arrostrarlas, pasar por ellas. CORRER *peligro, aventuras, la suerte de soldado.* ‖ **29.** Recorrer. *Adolfo* HA CORRIDO *medio mundo.* ‖ **30.** Recorrer en son de guerra territorio enemigo. ‖ **31.** Arrendar, sacar a pública subasta. ‖ **32.** fam. Arrebatar, saltear y llevarse alguna cosa. ‖ **33.** fig. Avergonzar y confundir. Ú. t. c. prnl. ‖ **34.** prnl. Hacerse a derecha o izquierda los que están en línea. ‖ **35.** Pasarse, deslizarse una cosa con suma o demasiada facilidad. ‖ **36.** Tratándose de velas, bujías, hachas, etc., derretirse con exceso, haciendo canal la cera o el sebo. ‖ **37.** Dicho de colores, tintas, manchas, etc., extenderse fuera de su lugar. ‖ **38.**

fam. Excederse, espontanearse demasiado. ‖ **39.** fig. Eyacular o experimentar el orgasmo. ‖ **40.** fam. Ofrecer por una cosa más de lo debido. *No* TE CORRAS. ‖ **a más correr,** o **a todo correr.** loc. adv. Con la máxima velocidad, violencia o ligereza posible. ‖ **a todo turbio,** o **a turbio, correr.** loc. adv. fig. Por mal que vayan las cosas, o por desgraciadamente que sucedan. ‖ **correr** a alguien alguna cosa. fr. Corresponder, incumbir, tocar. *A Manuel le* CORRE *la obligación de leer.* ‖ **correr con** alguna cosa. fr. Entender en alguna cosa, encargarse de ella. ‖ **correr con** alguien. fr. fig. Tener trato y buena correspondencia con él. ‖ **correrla.** expr. fam. Andar en diversiones o en lances peligrosos o ilícitos, especialmente si es a deshora de la noche. ‖ **correr por** alguien alguna cosa. fr. **correr con** alguna cosa.

correría. (De *correr.*) f. Hostilidad que hace la gente de guerra, talando y saqueando el país. ‖ **2.** Viaje, por lo común corto, a varios puntos, volviendo a aquel en que se tiene la residencia. Ú. m. en pl.

correspondencia. f. Acción y efecto de corresponder o corresponderse. ‖ **2.** Trato que tienen entre sí los comerciantes sobre sus negocios. ‖ **3. correo**[1], conjunto de cartas que se reciben o expiden. ‖ **4.** Relación que realmente existe o convencionalmente se establece entre los elementos de distintos conjuntos o colecciones. ‖ **5.** Relación entre términos de distintas series o sistemas que tienen en cada uno igual significado, caracteres o función. ‖ **6.** Sinonimia. ‖ **7.** Comunicación entre habitaciones, estancia, ámbitos o líneas de metro. ‖ **biunívoca.** *Mat.* La que existe o se establece entre los elementos de dos conjuntos cuando, además de ser unívoca, es recíproca; es decir, cuando a cada elemento del segundo conjunto corresponde, sin ambigüedad, uno del primero. ‖ **de sensaciones.** *Fisiol.* Relación de sinestesia. ‖ **unívoca.** *Mat.* Aquella en que a cada elemento del primer conjunto corresponde inequívocamente un elemento del segundo.

corresponder. (De *co-* y *responder.*) intr. Pagar con igualdad, relativa o proporcionalmente, afectos, beneficios o agasajos. Ú. t. c. tr. ‖ **2.** Tocar o pertenecer. ‖ **3.** Tener proporción una cosa con otra. Ú. t. c. prnl. ‖ **4.** Tener relación, realmente existente o convencionalmente establecida, un elemento de un conjunto, colección, serie o sistema con un elemento de otro. ‖ **5.** prnl. Comunicarse por escrito una persona con otra. ‖ **6.** Atenderse y amarse recíprocamente. ‖ **7.** Comunicarse una habitación, estancia o ámbito con otra u otro.

correspondiente. (De *corresponder.*) adj. Proporcionado, conveniente, oportuno. ‖ **2.** Que tiene correspondencia con una persona o corporación. Ú. t. c. s. ‖ **3.** Que satisface las condiciones de una relación. ‖ **4.** Dícese de cada uno de los miembros no numerarios de una corporación, que por lo general residen fuera de la sede de esta y colaboran con ella por correspondencia, con deberes y derechos variables según los reglamentos de cada corporación. *Académico* CORRESPONDIENTE. ‖ **5.** *Geom.* V. **ángulos correspondientes.**

correspondientemente. adv. m. Con correspondencia.

corresponsal. adj. **correspondiente,** que tiene correspondencia. ‖ **2.** com. Persona que habitualmente y por encargo de un periódico, cadena de televisión, etc., envía noticias de actualidad desde otra población o país extranjero.

corresponsalía. f. Cargo de corresponsal de un periódico, cadena de televisión, agencia de noticias, etc. ‖ **2.** Lugar donde se ejerce el cargo de corresponsal.

corresponsión. f. desus. Correspondencia o proporción de una cosa con otra.

corretaje. m. Comisión que perciben los corredores de comercio sobre las operaciones que realizan. ‖ **2.** Diligencia y trabajo que pone el corredor en los ajustes y ventas.

correteada. (De *corretear.*) f. *Chile* y *Perú.* Acción y efecto de **correr,** perseguir, acosar.

corretear. (frec. de *correr.*) intr. fam. Correr en varias direcciones dentro de limitado espacio por juego o diversión. ‖ **2.** fam. Andar de calle en calle o de casa en casa.

correteo. m. Acción y efecto de corretear.

corretero. adj. fam. Que corretea. Ú. t. c. s.

corretora. (De *correctora.*) f. En algunas comunidades, religiosa que dirige el coro.

correturnos. com. Obrero suplente del fijo cuando este libra.

correvedile. (De *correveidile.*) m. **correveidile.**

correveidile. (De la frase *corre, ve y dile.*) com. fig. y fam. Persona que lleva y trae cuentos y chismes. ‖ **2.** m. fig. y fam. **alcahuete,** persona que concierta, encubre o facilita una relación amorosa.

correverás. (De la frase *corre y verás.*) m. Juguete para niños, que se mueve por un resorte oculto.

correyuela. (De *correa.*) f. ant. **correhuela.**

corrida. (De *correr.*) f. **carrera,** acción de correr el hombre o el animal cierto espacio. ‖ **2.** Canto popular andaluz llamado también playeras. Ú. m. en pl. ‖ **3. corrida de toros.** ‖ **4.** ant. Fluxión o movimiento de un líquido. ‖ **5.** ant. **correría.** ‖ **del tiempo.** fam. Celeridad con que pasa el tiempo. ‖ **de toros.** Fiesta que consiste en lidiar cierto número de toros en una plaza cerrada. ‖ **de corrida.** loc. adv. **de corrido.** ‖ **en una corrida.** loc. adv. En muy poco tiempo. ‖ **dar** a alguien **una corrida en pelo.** fr. fig. y fam. Obligar a alguien a correr o a hacer un esfuerzo hasta el límite de sus fuerzas. ‖ **2.** Abrumar a alguien recriminándole o mostrando unas facultades muy superiores a las suyas.

corridamente. adv. m. **corrientemente.**

corrido, da. p. p. de **correr.** ‖ **2.** adj. Que excede un poco del peso o de la medida que se trata. ‖ **3.** V. **letra, secansa, semana corrida.** ‖ **4.** V. **peso corrido.** ‖ **5.** fig. Avergonzado, confundido. ‖ **6.** fam. Aplícase a la persona de mundo, experimentada y astuta. ‖ **7.** fig. y fam. V. **toro corrido.** ‖ **8.** Dicho de algunas partes de un edificio, continuo, seguido. ‖ **9.** *Arq.* V. **alero, balcón corrido.** ‖ **10.** *Arq.* V. **mesilla corrida.** ‖ **11.** m. Tinado o cobertizo hecho a lo largo de las paredes de los corrales. ‖ **12.** Romance cantado, propio de Andalucía. ‖ **13.** En América, romance o composición octosilábica con variedad de asonancias. ‖ **14.** En Méjico, cierto baile y la música que lo acompaña. ‖ **15. corrido de la costa.** ‖ **16.** pl. **caídos,** créditos vencidos. ‖ **corrido de la costa.** Romance o jácara que se suele acompañar con la guitarra al son del fandango. ‖ **de corrido.** loc. adv. Con presteza y sin entorpecimientos.

corriente. (Del lat. *currens, -entis.*) p. a. de **correr.** Que corre. ‖ **2.** adj. Dícese de la semana, del mes, del año o del siglo actual o que va transcurriendo. ‖ **3.** Que está en uso en el momento presente o lo estaba en el momento de que se habla. *La moda* CORRIENTE. ‖ **4.** V. **cuenta, moneda corriente.** ‖ **5.** Dicho de recibos, números de publicaciones periódicas, etc., el último aparecido, a diferencia de los atrasados. ‖ **6.** Cierto, sabido, admitido comúnmente. ‖ **7.** Que no tiene impedimento ni estorbo para su uso y efecto. ‖ **8.** Admitido o autorizado por el uso común o por la costumbre, o que sucede con frecuencia. ‖ **9.** Medio, común, regular, no extraordinario. ‖ **10.** Dícese en sent. ponderativo de la persona de trato llano y familiar. ‖ **11.** V. **chazas corrientes.** ‖ **12.** Aplicado al estilo, **fluido,** suelto, fácil. ‖ **13.** f. Movimiento de traslación continuado, ya sea permanente, ya accidental, de una masa de materia fluida, como el agua o el aire, en una dirección determinada. ‖ **14.** Masa de materia fluida que se mueve de este modo. ‖ **15. corriente eléctrica.** ‖ **16.** Tiro que se establece en una casa o habitación entre las puertas y ventanas. ‖ **17.** fig. Curso, movimiento o tendencia de los sentimientos o de las ideas. ‖ **18.** adv. m. con que se muestra aquiescencia o conformidad. ‖ **alterna.** *Fís.* Aquella cuya intensidad es variable y cambia de sentido al pasar la intensidad por cero. ‖ **continua.** *Fís.* La que fluye siempre en la misma dirección con intensidad generalmente variable. ‖ **eléctrica.** *Fís.* Movimiento de la electricidad a lo largo de un conductor. ‖ **en chorro.** *Meteor.* Haz de vientos de forma tubular y una anchura de 500 Km que, en la tropopausa, a una altura de 10 a 12 Km se mueve de Oeste a Este a gran velocidad. ‖ **al corriente.** loc. adv. Sin atraso, con exactitud. *Cobro mi paga* AL CORRIENTE; *lleva* AL CORRIENTE *su negociado.* ‖ **andar corriente.** fr. **estar corriente.** ‖ **corriente y moliente.** expr. fig. y fam. Que se aplica a las cosas llanas y usuales y cumplidas. ‖ **dejarse llevar de la,** o **del, corriente.** fr. fig. Conformarse con la opinión de la mayoría, aunque se conozca que no es la más acertada. ‖ **estar al corriente de** una cosa. fr. Estar enterado de ella. ‖ **estar corriente.** fr. fam. Tener flujo de vientre. ‖ **ir contra corriente** o **contra la corriente.** fr. fig. **navegar contra la corriente.** ‖ **irse con,** o **tras, la corriente.** fr. fig. Seguir la opinión de la mayoría sin examinarla. ‖ **llevarle** a alguien **la corriente.** fr. fig. y fam. Seguirle el humor, mostrarse conforme con lo que dice o hace. ‖ **navegar contra corriente,** o **contra la corriente.** fr. fig. Pugnar contra el común sentir o la costumbre, o esforzarse por lograr una cosa, luchando con graves dificultades o inconvenientes. ‖ **poner** a alguien **al corriente de** una cosa. fr. Enterarle de ella. ‖ **seguir la corriente.** fr. fig. **irse con la corriente.** ‖ **seguirle** a alguien **la corriente.** fr. fig. y fam. **llevarle** a alguien **la corriente.**

corrientemente. adv. m. De manera corriente, ordinaria o común. ‖ **2.** Llanamente, sin dificultad ni contradicción.

corrigendo, da. (Del lat. *corrigendus,* que ha de corregirse.) adj. Que sufre pena o corrección en algún establecimiento o punto destinado al efecto. Ú. t. c. s.

corrillero, ra. adj. Dícese del aficionado a andar de corrillo en corrillo.

corrillo. m. Corro donde se juntan algunas personas a discutir y hablar, separados del resto de la gente. En pl., se usa generalmente en sentido peyorativo.

corrimiento. m. Acción y efecto de correr o correrse. ‖ **2.** Fluxión de humores que carga a alguna parte del cuerpo; como a los ojos, la boca, los pechos de las mujeres, etc. ‖ **3.** ant. **correría** de guerra talando y saqueando. ‖ **4.** fig. Vergüenza, empacho, rubor. ‖ **5.** *Agr.* Accidente que padece la vid en la época de la florescencia cuando, por efecto del frío, del viento o de la lluvia, se imposibilita o entorpece la fecundación y resultan los racimos desmedrados o sin fruto.

corrincho. (De *corro.*) m. Junta de gente ruin.

corrivación. (Del lat. *corrivatĭo, -ōnis.*) f. Obra de conducir los arroyuelos y juntar sus corrientes para hacer caudal de agua.

corriverás. m. *Ast.* **correverás.**

corro. (Probablemente de *corral* o de *correr.*) m. Cerco que forma la gente para hablar, para solazarse, etc. ‖ **2.** Espacio que incluye. ‖ **3.** Espacio circular o casi circular. ‖ **4.** Juego de niñas que forman un círculo, cogidas de las manos, y cantan dando vueltas en derredor. ‖ **echar en corro,** o **en el corro.** fr. fig. y fam. Decir en público una cosa para ver el efecto que hace. ‖ **escupir en corro.** fr. fig. Introducirse en la conversación. ‖ **hacer corro.** fr. Hacer lugar, apartando o apartándose la gente que está apiñada o reunida sin orden. ‖ **hacer corro aparte.** fr. fig. y fam. Formar o seguir otro partido. ‖ **2.** Reunirse varias personas en un pequeño grupo dentro de una reunión mayor, para hablar entre sí.

corroboración. (Del lat. *corroboratĭo, -ōnis.*) f. Acción y efecto de corroborar o corroborarse.

corroborante. p. a. de **corroborar.** Que corrobora. ‖ **2.** adj. Dícese del medicamento que tiene virtud de corroborar. Ú. t. c. s. m.

corroborar. (Del lat. *corroborāre.*) tr. desus. Vivificar y dar mayores fuerzas al débil, desmayado o enflaquecido. Usáb. t. c. prnl. ‖ **2.** fig. Dar mayor fuerza a la razón, al argumento o a la opinión aducidos, con nuevos raciocinios o datos. Ú. t. c. prnl.

corroborativo, va. adj. Que corrobora o confirma.

corrobra. (De *corroborar.*) f. **robra,** agasajo del comprador o del vendedor.

corroedor, ra. adj. Que corroe.

corroer. (Del lat. *corrodĕre.*) tr. Desgastar lentamente una cosa como royéndola. Ú. t. c. prnl. ‖ **2.** fig. Sentir los efectos de una gran pena o del remordimiento en términos de hacerse visibles en el semblante o de arruinar la salud. ‖ **3.** Producir corrosión química. Ú. t. c. prnl.

corrompedor, ra. adj. **corruptor.** Ú. t. c. s.

corromper. (Del lat. *corrumpĕre.*) tr. Alterar y trastrocar la forma de alguna cosa. Ú. t. c. prnl. ‖ **2.** Echar a perder, depravar, dañar, podrir. Ú. t. c. prnl. ‖ **3.** Sobornar a alguien con dádivas o de otra manera. ‖ **4.** fig. Pervertir o seducir a una persona. ‖ **5.** fig. Estragar, viciar. CORROMPER *las costumbres, el habla, la literatura.* Ú. t. c. prnl. ‖ **6.** fig. y fam. *Ar.* y *Nav.* Incomodar, fastidiar, irritar. ‖ **7.** intr. Oler mal.

corrompible. (De *corromper.*) adj. ant. **corruptible.**

corrompidamente. adv. m. Errada y viciadamente.

corrompimiento. (De *corromper.*) m. ant. **corrupción.**

corroncho. m. *Col.* Cierto pez pequeño de río.

corrongo, ga. adj. *C. Rica.* **mono,** bonito, atractivo.

corrosal. (Voz de los criollos de las Antillas, quizá corrupción de *Curasao,* nombre de una de dichas islas; en fr. *corossol.*) m. **anona**[2].

corrosca. f. *Col.* Sombrero de paja gruesa y de alas anchas que usan los campesinos para protegerse del sol.

corrosible. (Del lat. *corrōsum,* corroído.) adj. Que puede ser corroído.

corrosión. (Del lat. *corrōsum,* sup. de *corrodĕre,* corroer.) f. Acción y efecto de corroer o corroerse. ‖ **2.** *Biol.* Método de preparación anatómica de un órgano, consistente en infiltrar en las partes que se desea conservar de él, una sustancia resistente a la acción de un líquido corrosivo, destruyendo con este las partes restantes. ‖ **3.** *Quím.* Proceso paulatino que cambia la composición química de un cuerpo metálico por acción de un agente externo, destruyéndolo aunque manteniendo lo esencial de su forma.

corrosivo, va. (Del lat. *corrosīvus.*) adj. Dícese de lo que corroe o tiene virtud de corroer. ‖ **2.** Mordaz, incisivo, hiriente. Se aplica por lo general a las personas y a su lenguaje, humor, etc. ‖ **3.** *Quím.* V. **sublimado corrosivo.**

corroyente. p. a. de **corroer.** Que corroe.

corrozar. (Del fr. *courroucer.*) intr. ant. Enojar, disgustar.

corrozo. (Del m. or. que *corrozar.*) m. ant. Enojo, disgusto.

corruco. m. *Mál.* Pasta de harina y almendras tostada al horno.

corrugación. (Del lat. *corrugātum,* sup. de *corrugāre,* arrugarse.) f. Contracción o encogimiento.

corrugar. (Del lat. *corrugāre.*) tr. p. us. **arrugar.** ‖ **2.** Dotar a una superficie lisa de estrías o resaltos de forma regular y conveniente para asegurar su inmovilidad respecto de otra inmediata, facilitar la adherencia de esta, protegerla, etc. *Redondo* CORRUGADO. *Cartón* CORRUGADO.

córrugo. (Del lat. *corrŭgus.*) m. ant. Acequia hecha para tomar agua de un río.

corrulla. f. *Mar.* **corulla,** pañol.

corrumpente. (Del lat. *corrumpens, -entis.*) adj. p. us. Que corrompe. ‖ **2.** fig. y fam. p. us. Fastidioso, molesto, díscolo.

corrupción. (Del lat. *corruptĭo, -ōnis.*) f. Acción y efecto de corromper o corromperse. ‖ **2.** Alteración o vicio en un libro o escrito. ‖ **3.** ant. **diarrea.** ‖ **4.** fig. Vicio o abuso introducido en las cosas no materiales. CORRUPCIÓN *de costumbres, de voces.*

corrupia. adj. V. **fiera corrupia.**

corruptamente. adv. m. **corrompidamente.**

corruptela. (Del lat. *corruptēla.*) f. **corrupción.** ‖ **2.** Mala costumbre o abuso, especialmente los introducidos contra la ley.

corruptibilidad. (Del lat. *corruptibilĭtas, -ātis.*) f. Calidad de corruptible.

corruptible. (Del lat. *corruptibĭlis.*) adj. Que puede corromperse.

corruptivo, va. (Del lat. *corruptivus.*) adj. Dícese de lo que corrompe o tiene virtud para corromper.

corrupto, ta. (Del lat. *corruptus.*) p. p. irreg. p. us. de **corromper.** ‖ **2.** adj. Que se deja o ha dejado sobornar, pervertir o viciar. Ú. t. c. s. ‖ **3.** ant. Dañado, perverso, torcido.

corruptor, ra. (Del lat. *corruptor, -ōris.*) adj. Que corrompe. Ú. t. c. s.

corruscante. adj. **curruscante.**

corrusco. (Voz de or. onomatopéyico.) m. fam. **cuscurro.**

corsa. (De *corso*[1].) f. ant. *Mar.* Viaje de cierto número de leguas de mar, que se puede hacer en un día. ‖ **2.** *Can.* Narria, rastra.

corsariamente. adv. m. A lo corsario, a modo de corsario.

corsario, ria. (De *corso*[1].) adj. Dícese del buque que andaba al corso, con patente del gobierno de su nación. ‖ **2.** Dícese del capitán de un buque **corsario.** Por ext., se aplica también a la tripulación. Ú. t. c. s. ‖ **3.** m. **pirata.**

corsé. (Del fr. *corset,* d. de *corps.*) m. Prenda interior armada con ballenas usada por las mujeres para ceñirse el cuerpo desde debajo del pecho hasta las caderas. ‖ **ortopédico.** El que tiene por objeto corregir o prevenir las desviaciones del raquis.

corsear. intr. *Mar.* Ir a corso.

corselete. (Del fr. *corselet.*) m. Prenda de uso femenino que ciñe el talle y se ata con cordones sobre el cuerpo. ‖ **2. coselete,** coraza ligera.

corsetería. (De *corsetero.*) f. Fábrica de corsés. ‖ **2.** Tienda donde se venden.

corsetero, ra. m. y f. Persona que tiene por oficio hacer corsés, o venderlos.

corso[1]**.** (Del lat. *cursus,* carrera.) m. *Mar.* Campaña que hacían por el mar los buques mercantes con patente de su gobierno para perseguir a los piratas o a las embarcaciones enemigas. Ú. m. en las frases **ir,** o **salir, a corso; venir de corso,** etc. ‖ **2.** Campaña marítima que se hace al comercio enemigo, siguiendo las leyes de la guerra. ‖ **3.** V. **patente de corso.** ‖ **a corso.** loc. adv. que, junto con los verbos *llevar, traer* y otros, significa transportar cargas a lomo con toda la rapidez posible, remudando las bestias oportunamente a fin de no perder tiempo en darles pienso y descanso.

corso[2]**, sa.** (Del lat. *Corsus.*) adj. Natural de Córcega. Ú. t. c. s. ‖ **2.** Perteneciente a esta isla del Mediterráneo.

corta. f. Acción de cortar árboles, arbustos y otras plantas en los bosques y cañaverales.

cortabolsas. (De *cortar* y *bolsa.*) com. desus. fam. Ladrón ratero.

cortacallos. m. Cuchillo especial que usan los callistas para su oficio.

cortacésped. f. Máquina para recortar el césped en los jardines.

cortacigarros. m. **cortapuros.**

cortacircuitos. m. *Electr.* Aparato que automáticamente interrumpe la corriente eléctrica cuando es excesiva o peligrosa.

cortacorriente. m. **interruptor** de una corriente eléctrica.

cortada. f. **cortamiento.** ‖ **2. rebanada** de pan, frutas, etc. ‖ **3.** Abertura o corte entre dos montañas. ‖ **4.** *Argent.* Calle corta y generalmente angosta que suele tener un único acceso. ‖ **5.** *Argent.* y *Urug.* **atajo,** senda o ruta para abreviar un camino. ‖ **6.** *Amér.* Herida hecha con un instrumento cortante.

cortadera. (De *cortar.*) f. Cuña de acero sujeta a un mango, que sirve para cortar a golpe de macho o martillo las barras de hierro candente. ‖ **2.** Instrumento de colmeneros, que sirve para cortar los panales. ‖ **3.** *Amér.* Planta ciperácea de hojas alternas, largas, angostas y aplanadas, cuyos bordes cortan como una navaja; flores rojizas y baya amarilla. Se cría en lugares pantanosos y se usa el tallo para tejer cuerdas y sombreros. ‖ **4.** *Argent.* Mata gramínea, propia de terrenos llanos y húmedos, de hojas angostas de color verde azulado, y flores en panícula fusiforme, grisácea con reflejos plateados. Se usa como planta de adorno.

cortadillo, lla. adj. Decíase de la moneda cortada y no circular. ‖ **2.** m. Vaso pequeño para beber, tan ancho de arriba como de abajo. ‖ **3.** Medida casera para líquidos, que equivale a una copa poco más o menos. ‖ **4.** V. **azúcar de cortadillo.** ‖ **echar cortadillo.** fr. fig. y fam. Hablar con afectación. ‖ **2.** fig. y fam. Beber vasos de vino.

cortado, da. p. p. de **cortar.** ‖ **2.** adj. desus. Ajustado, acomodado, proporcionado. ‖ **3.** Aplícase al estilo del escritor que por regla general no expresa los conceptos encadenándolos unos con otros en períodos largos, sino separadamente, en cláusulas breves y sueltas. ‖ **4.** fig. Turbado, falto de palabras. Ú. t. c. s. ‖ **5.** V. **moneda cortada.** ‖ **6.** ant. Decíase de lo que estaba esculpido. ‖ **7.** *Blas.* V. **escudo cortado.** ‖ **8.** *Blas.* Aplícase a las piezas o muebles, a los animales y a los miembros de ellos cuya mitad superior es de un esmalte y la inferior de otro. ‖ **9.** m. Taza o vaso de café con algo de leche. ‖ **10.** *Mál.* Copa pequeña de aguardiente. ‖ **11.** *Danza.* Cabriola que se hace en la danza o baile con salto violento.

cortador, ra. adj. Que corta. ‖ **2.** m. **carnicero,** el que vende carne. ‖ **3.** El que tenía por oficio trinchar las viandas en la mesa del rey. ‖ **4. diente incisivo.** ‖ **5.** El que en las sastrerías, zapaterías, talleres de costura y otros semejantes corta los trajes o las piezas de cada objeto que en ellos se fabrica.

cortadura. (De *cortar.*) f. Separación o división hecha en un cuerpo continuo por instrumento o cosa cortante. ‖ **2.** Herida producida con un instrumento cortante. ‖ **3.** Abertura o paso entre dos montañas. ‖ **4. recortado,** figura de papel. ‖ **5.** *Fort.* Parapeto de tierra o ladrillo con cañoneras y merlones que impide al enemigo alojarse en la brecha. ‖ **6.** *Fort.* Obra que comúnmente consta de un foso, y su parapeto de tierra y fajinas. Se hace en los pasos estrechos para defenderlos. ‖ **7.** *Min.* Ensanche en el encuentro de las galerías con el pozo principal. ‖ **8.** pl. Recortes o sobrante de una cosa.

cortafierro. (De *cortar* y *fierro.*) m. *Argent.* y *Urug.* **cortafrío.**

cortafrío. m. Cincel fuerte para cortar hierro frío a golpes de martillo.

cortafuego. (De *cortar* y *fuego.*) m. *Agr.* Vereda ancha que se deja en los sembrados y montes para que no se propaguen los incendios. ‖ **2.** *Arq.* Pared toda de fábrica, sin madera alguna, y de un grueso competente, que se eleva desde la parte inferior del edificio hasta más arriba del caballete, con el fin de que, si hay fuego en un lado, no se pueda este comunicar al otro.

cortalápices. m. Instrumento que sirve para afilar los lápices.

cortamente. adv. m. Escasa, limitadamente; con cortedad.

cortamiento. (De *cortar.*) m. ant. Acción y efecto de cortar.

cortante. p. a. de **cortar.** Que corta. ‖ **2.** m. **cortador,** carnicero, que vende carne.

cortao. (Del ant. fr. *courtaud.*) m. Cierta máquina antigua de guerra.

cortapapeles. m. **plegadera.** En América ú. m. en sing.

cortapicos. (De *cortar* y *pico.*) m. Insecto ortóptero de dos centímetros de largo aproximadamente, cuerpo estrecho, de color negro, cabeza rojiza, antenas filiformes, élitros cortos, y a veces sin alas ni élitros, y abdomen terminado por dos piezas córneas, móviles, que forman una especie de alicates. Es muy dañoso para las plantas. Todas sus especies son fitófagas.

cortapicos y callares. (De *cortar, pico y callar.*) loc. fam. que se usa para avisar a los niños que no sean parleros, ni pregunten lo que no les conviene saber.

cortapiés. m. p. us. fam. Tajo o cuchillada que se tira a las piernas.

cortapisa. (Del cat. ant. *cortapisa.*) f. Guarnición de diferente tela que se ponía en ciertas prendas de vestir. ‖ **2.** fig. Condición o restricción con que se concede o se posee una cosa. ‖ **3.** fig. Obstáculo, dificultad. Ú. m. en pl. ‖ **4.** fig. Adorno y gracia con que se dice una cosa.

cortaplumas. m. Navaja pequeña con que se cortaban las plumas de ave, y que modernamente tiene otros usos.

cortapuros. m. Utensilio que sirve para cortar la punta de los cigarros puros.

cortar. (Del lat. *curtāre.*) tr. Dividir una cosa o separar sus partes con algún instrumento cortante. ‖ **2.** Dar con las tijeras u otro instrumento la forma conveniente y apropiada a las diferentes piezas de que se compone una prenda de vestir o calzar. ‖ **3.** Tratándose de la pluma de ave para escribir, darle en la extremidad del cañón los tajos convenientes y abrirle puntos. ‖ **4.** Hender un fluido o líquido. *Una flecha* CORTA *el aire; un buque, el agua.* ‖ **5.** Separar o dividir una cosa en dos porciones. *Las sierras* CORTAN *una provincia de otra; los ríos, un territorio.* ‖ **6.** En el juego de naipes, alzar parte de ellos dividiendo la baraja. ‖ **7.** Tratándose de un idioma o lengua, y con los adverbios *bien* o *mal,* pronunciarla con exactitud, limpieza y claridad, o al contrario. ‖ **8.** Tratándose del verso, y con los adverbios *bien* o *mal,* recitarlo como lo pide su puntación y sentido, o al contrario. ‖ **9.** Refiriéndose al aire o al frío, ser estos tan penetrantes y sutiles, que parece que **cortan** y traspasan la piel. Ú. t. c. prnl. ‖ **10.** Acortar distancia. ‖ **11.** Atajar, detener, entorpecer, impedir el curso o paso a las cosas. ‖ **12.** Dejar de decir algo, o señalar lo que no ha de decirse, en un discurso, un sermón, una comedia, etc. ‖ **13. castrar** las colmenas. ‖ **14.** Dicho de jabones, no producirse espuma por la calidad del agua. Ú. m. c. prnl. ‖ **15. recortar.** ‖ **16.** Mezclar un líquido con otro para modificar su fuerza o su sabor. ‖ **17.** fig. Suspender, interrumpir. Dicho principalmente de una conversación o plática. ‖ **18.** fig. Decidir o ser árbitro en un negocio. ‖ **19. grabar.** ‖ **20.** *Geom.* Tratándose de dos líneas, superficies o cuerpos que tienen algún elemento común, pasar cada uno de ellos al otro lado del otro. Ú. t. c. prnl. ‖ **21.** *Mil.* Dividir una parte del ejército enemigo para quitarle la comunicación con una plaza. ‖ **22.** intr. Tener buen o mal filo un instrumento con el que se **corta.** ‖ **23.** Tomar el camino más corto. ‖ **24.** *Chile.* Tomar una dirección, echarse a andar. CORTÓ *para el jardín.* ‖ **25.** prnl. Herirse o hacerse un corte. ‖ **26.** Turbarse, faltar a uno palabras por causa de la turbación. Ú. t. en p. p. y con los verbos *estar* y *quedar.* ‖ **27.** Tratándose de la leche, separarse la parte mantecosa de la serosa, perdiendo su continuidad e incorporación natural. Ú. t. c. tr. ‖ **28.** Tratándose de salsas, natillas u otras preparaciones culinarias, separarse los ingredientes que debían quedar trabados. ‖ **29.** Abrirse una tela o un vestido por los dobleces o las arrugas. ‖ **30.** fig. Ensuciarse, mancharse de excremento. ‖ **31.** ant. **redimirse.** ‖ **cortar de vestir.** fr. Hacer vestidos. ‖ **2.** fig. y fam. **murmurar,** censurar del ausente. ‖ **cortarse solo.** loc. verbal. *Urug.* Apartarse de un grupo.

cortaúñas. m. Especie de tenacillas, alicates o pinzas con la boca afilada y curvada hacia dentro.

cortaviento. m. Aparato delantero de un vehículo, que sirve para cortar el viento.

corte[1]**.** (De *cortar.*) m. Filo del instrumento con que se corta y taja. ‖ **2.** V. **alicate de corte.** ‖ **3.** Acción y efecto de cortar. ‖ **4.** Herida producida por un instrumento cortante. ‖ **5.** Sección por donde ha sido cortada una pieza de carne, embutido, etc. *Este jamón tiene buen* CORTE. ‖ **6.** Tratándose de la pluma de ave para escribir, acción y efecto de cortarla. ‖ **7.** Arte y acción de cortar las diferentes piezas que requiere la hechura de un vestido, de un calzado u otras cosas. ‖ **8.** Cantidad de tela o cuero necesaria y bastante para hacer una prenda de vestir o calzar. ‖ **9.** Oficina en que se cortan prendas de vestuario para la tropa. ‖ **10. corta.** ‖ **11.** Parte del billetaje de un teatro que se reserva, especialmente en los días de estreno, para su distribución gratuita. ‖ **12.** fig. Medio que se toma para cortar diferencias y poner de acuerdo a los que están discordes. ‖ **13.** *Chile.* Servicio o pequeña diligencia que se encomienda a otro y por la cual se da algún pago. ‖ **14.** *Arq.* **sección** de un edificio. ‖ **15.** *Encuad.* Superficie que forma cada uno de los bordes o cantos de un libro. ‖ **de cuentas.** Terminación que, sin anuencia del acreedor, da a las cuentas el que resulta alcanzado. ‖ **dar corte** alguna cosa a alguien. fr. fig. y fam. Dar vergüenza, apuro, etc. esa cosa. ‖ **dar un corte** a alguien. fr. fig. y fam. Responder de forma rápida, ingeniosa y ofensiva. ‖ **dar** o **hacer un corte de mangas.** fr. fig. y vulg. Ademán de significado obsceno y despectivo que se hace con la mano, extendiendo el dedo corazón entre el índice y el anular doblados. A la vez se levanta el brazo y se golpea en él con la otra mano.

corte[2]**.** (Del lat. *cors, cortis* o *cohors, cohortis,* cohorte.) f. Población donde habitualmente reside el soberano en las monarquías. ‖ **2.** Conjunto de todas las personas que componen la familia y comitiva del rey. ‖ **3.** Por ext., séquito, comitiva o acompañamiento. ‖ **4.** Conjunto de personas que concurrían a los besamanos de palacio los días de gala. ‖ **5.** Con el calificativo *celestial* u otras palabras de análoga significación, **cielo,** mansión divina. ‖ **6.** Chancillería o sus estrados. ‖ **7. corral.** ‖ **8.** Establo donde se recoge de noche el ganado. ‖ **9.** Aprisco donde se encierran las ovejas. ‖ **10.** V. **alcalde, aposento, ballestero, caso, paños, vestido de corte.** ‖ **11.** V. **adelantado, guardia, rastro de la corte.** ‖ **12.** V. **alcalde, aposentador de casa y corte.** ‖ **13.** V. **paseante en corte.** ‖ **14.** ant. Distrito de cinco leguas en derredor de la **corte.** ‖ **15.** ant. **cortes.** ‖ **16.** *Ast.* Piso bajo de las casas de ganado, donde este se alberga. ‖ **17.** *Amér.* Tribunal de justicia. ‖ **18.** pl. Junta general que en los antiguos reinos de Castilla, Aragón, Valencia, Navarra y Cataluña celebraban las personas autorizadas para intervenir en los negocios graves del Estado, ya por derecho propio, ya en representación de clases o cuerpos, ya en la de las ciudades y villas que tenían voto en **cortes,** con arreglo, en cada uno de los reinos, a sus leyes, fueros, costumbres y privilegios. ‖ **19.** En época moderna se ha aplicado este nombre a las Cámaras legislativas, ya se trate de una sola, como en las Constituciones de 1812 y 1931, ya de dos, con arreglo a las otras que han regido en España. ‖ **20.** V. **asistente, diputado, procurador a cortes.** ‖ **21.** V. **cuaderno, procurador de cortes.** ‖ **22.** V. **procurador en cortes.** ‖ **constituyentes.** Las que tienen poder y mandato para dictar o reformar la Constitución. ‖ **ordinarias.** Las que no tienen poder constituyente o ya lo agotaron. ‖ **corte, o cortijo.** fr. fam. que significa la conveniencia de vivir en población muy grande o en casa aislada en el campo. ‖ **hacer la corte.** fr. Concurrir a palacio, o a la casa de un superior o magnate, en muestra de obsequioso respeto. ‖ **2. cortejar,** galantear.

cortedad. (De *corto.*) f. Pequeñez y poca extensión de una cosa. ‖ **2.** fig. Falta o escasez de talento, de valor, de instrucción, etc. ‖ **3.** fig. Encogimiento, poquedad de ánimo.

cortega. f. **ortega,** ave.

cortejador, ra. adj. Que corteja. Ú. t. c. s.

cortejar. (Del it. *corteggiare.*) tr. **galantear,** requebrar a una mujer. ‖ **2.** Asistir, acompañar a alguien, contribuyendo a lo que sea de su agrado.

cortejo. (Del it. *corteggio.*) m. Acción de cortejar. ‖ **2.** Conjunto de personas que forma el acompañamiento en una ceremonia. ‖ **3.** Fineza, agasajo, regalo. ‖ **4.** p. us. fam. Persona que tiene relaciones amorosas con otra.

cortés. (De *corte*[2].) adj. Atento, comedido, afable, urbano.

cortesanamente. adv. m. Con cortesanía.

cortesanazo, za. (aum. de *cortesano,* cortés.) adj. Afectadamente cortés.

cortesanía. (De *cortesano.*) f. Atención, agrado, urbanidad, comedimiento.

cortesano, na. (Del it. *cortigiano.*) adj. Perteneciente a la corte. ‖ **2.** V. **dama cortesana.** Ú. t. c. s. ‖ **3.** V. **letra cortesana.** ‖ **4.** p. us. **cortés.** ‖ **5.** m. Palaciego que servía al rey en la corte.

cortesía. (De *cortés.*) f. Demostración o acto con que se manifiesta la atención, respeto o afecto que tiene una persona a otra. ‖ **2.** En las cartas, expresiones de obsequio y urbanidad que se ponen antes de la firma. ‖ **3. cortesanía.** ‖ **4. regalo,** dádiva. ‖ **5.** En el giro, días que se concedían al que había de pagar una letra, después del vencimiento. ‖ **6.** Gracia o merced. ‖ **7. tratamiento,** título que se da a una persona. ‖ **8.** *Impr.* Hoja, página o parte de ella que se deja en blanco en algunos impresos, entre dos capítulos o al principio de ellos. ‖ **estragar la cortesía.** fr. Hacer alguien repetidas instancias para nuevas mejoras y gracias, y molestar a todas horas, no contento con los beneficios que ha recibido de una persona.

corteza[1]**.** (Del lat. *corticĕa,* t. f. de *-ĕus.*) f. *Biol.* y *Anat.* Porción externa de órganos animales o vegetales. CORTEZA *renal.* CORTEZA *del tallo en las fanerógamas.* ‖ **2.** Parte exterior y dura de algunas frutas y otras cosas; como la de la cidra, el limón, el pan, el queso, etc. ‖ **3.** fig. Exterioridad de una cosa no material. ‖ **4.** fig. Rusticidad, falta de política y crianza en una persona. ‖ **atómica.** *Fís.* Parte exterior del átomo, constituida por electrones distribuidos en órbitas alrededor del núcleo. ‖ **cerebral.** *Anat.* Capa más superficial del cerebro, constituida por sustancia gris. ‖ **peruviana. quina**[2]**, corteza** del quino. ‖ **injertar de corteza.** fr. Unir al pie una cortecilla de la planta que se quiere injertar, con tal que lleve una o más yemas verdes.

corteza[2]**.** (De or. inc.) f. **ortega.**

cortezo. (Del lat. *corticĕus.*) m. Cantero o corteza de pan.

cortezoso, sa. adj. De mucha corteza.

cortezudo, da. adj. Que tiene mucha corteza. ‖ **2.** fig. Dícese de la persona rústica, inculta.

cortical. (Del lat. *cortex, -ĭcis.*) adj. *Anat.* y *Biol.* **Relativo** o perteneciente a la corteza.

cortijada. f. Conjunto de habitaciones fijas, levantadas por los labradores o dueños de un cortijo. ‖ **2.** Conjunto de varios cortijos.

cortijero, ra. m. y f. Persona que cuida de un cortijo y vive en él. ‖ **2.** m. Capataz de un cortijo.

cortijo. (De *corte*[2].) m. En Andalucía y Extremadura, extensión grande de campo y el conjunto de edificaciones para labor y vivienda. ‖ **2.** Estas edificaciones. ‖ **alborotar el cortijo.** fr. fig. y fam. Alterar con palabras o acciones a un grupo de personas. ‖ **2.** fig. y fam. Animar a la gente para que concurra a una función o festejo.

cortil. (De *corte*[2].) m. **corral,** sitio cerrado y descubierto, en las casas o en el campo.

cortina. (Del lat. *cortīna.*) f. Tela que por lo común cuelga de puertas y ventanas como adorno o para aislar de la luz y de miradas ajenas. ‖ **2.** En la etiqueta y ceremonial de la real capilla, dosel en que estaba la silla o sitial del rey. ‖ **3.** fig. Lo que encubre y oculta algo. ‖ **4.** fig. y fam. En las tabernas, residuo de vino que dejan en las copas o vasos los bebedores. ‖ **5.** *Fort.* Lienzo de muralla que está entre dos baluartes. ‖ **americana. telón griego.** ‖ **de humo.** fig. *Mar.* y *Mil.* Masa densa de humo, que se produce artificialmente para ocultarse del enemigo. ‖ **de muelle.** Muro de sostenimiento a orillas de un río o del mar, sobre todo en los puertos, para facilitar las operaciones de embarque y desembarque. ‖ **correr la cortina.** fr. fig. Descubrir lo oculto y difícil de entenderse. ‖ **2.** fig. Pasar en silencio u ocultar alguna cosa. ‖ **dormir a cortinas verdes.** fr. fig. y fam. Dormir en el campo.

cortinado, da. adj. ant. Que tiene cortinas. ‖ **2.** *Blas.* V. **escudo cortinado.** ‖ **3.** m. *R. de la Plata* y *Urug.* **cortinaje.**

cortinaje. m. Conjunto o juego de cortinas.

cortinal. (De *cortina.*) m. Pedazo de tierra cercado, inmediato a un pueblo o a casas de campo, que ordinariamente se siembra todos los años.

cortinilla. (d. de *cortina.*) f. Cortina pequeña que se coloca en la parte interior de los cristales de balcones, ventanas, puertas vidrieras, portezuelas de coches, etc., para resguardarse del sol o impedir la vista desde fuera.

cortinón. m. aum. de **cortina.**

cortisona. (Del lat. *corticĕus,* de la corteza.) f. Sustancia extraída de la corteza de las glándulas suprarrenales, o preparada sintéticamente, que representa a las hormonas activas de estas glándulas. Tiene aplicación terapéutica en la insuficiencia suprarrenal, lesiones reumáticas crónicas y estados alérgicos.

cortisquear. tr. Hacer cortes en un papel, tela, etc.

corto, ta. (Del lat. *curtus.*) adj. Dícese de las cosas que no tienen la extensión que les corresponde, y de las que son pequeñas en comparación con otras de su misma especie. ‖ **2.** De poca duración, estimación o entidad. ‖ **3.** Escaso o defectuoso. ‖ **4.** V. **manga, vista corta.** ‖ **5.** V. **calzón, plomo, romance corto.** ‖ **6.** Que no alcanza al punto de su destino. *Bola, o bala,* CORTA. ‖ **7.** fig. De escaso talento o poca instrucción. ‖ **8.** Tímido, encogido. ‖ **9.** fig. Falto de palabras y expresiones para explicarse. ‖ **10.** fig. y fam. V. **corto sastre.** ‖ **11.** *Mil.* V. **paso corto.** ‖ **12.** m. **cortometraje.** ‖ **13. cortocircuito.** ‖ **de vista. miope.** ‖ **a la corta o a la larga.** loc. adv. Más tarde o más temprano. ‖ **ni corto ni perezoso.** loc. Con decisión, sin timidez.

cortocircuito. m. *Electr.* Circuito que ofrece una resistencia sumamente pequeña, y en especial el que se produce accidentalmente por contacto entre los conductores y suele determinar una descarga.

cortometraje. (Del fr. *court-métrage.*) m. Película de corta e imprecisa duración.

cortón. (De *cortar.*) m. **alacrán cebollero.**

corúa. (De or. cubano.) f. *Cuba.* Ave palmípeda, especie de cuervo marino, que se alimenta de peces y mariscos. Tiene el pico recto y comprimido en la punta; color negro verdoso con algunas rayas blancas sobre el cuello; el contorno de los ojos amarillo y estos verdes, y patas negras. Su tamaño es de unos 60 centímetros del pico a la cola. Hay otra especie menor.

coruja. f. **lechuza,** ave.

corulla. f. *Mar.* Pañol de las jarcias en las galeras. ‖ **2.** ant. *Mar.* **crujía,** espacio de proa a popa.

corundo. (Del sánscr. *kuru-vinda,* a través del ing. *corundum.*) m. **corindón.**

coruña. f. Lienzo que tomó su nombre de la ciudad en que se fabrica.

coruñés, sa. adj. Natural de La Coruña. Ú. t. c. s. ‖ **2.** Perteneciente o relativo a esta ciudad o a su provincia.

corupán. m. Una especie de árbol leguminoso.

coruscar. (Del lat. *coruscāre.*) intr. poét. **brillar.**

corusco, ca. (Del lat. *coruscus,* resplandeciente.) adj. poét. Que corusca.

corva. (Del lat. *curva,* t. f. de *-vus.*) f. Parte de la pierna, opuesta a la rodilla, por donde se dobla y encorva. ‖ **2.** *Cetr.* **aguadera.** ‖ **3.** *Veter.* Tumor que se forma en la parte superior y algo anterior de la cara interna del corvejón en las caballerías.

corvadura. (Del lat. *curvatūra.*) f. Parte por donde se tuerce, dobla o encorva una cosa. ‖ **2. curvatura.** ‖ **3.** *Arq.* Parte curva o arqueada del arco o de la bóveda.

corval. (De *corvo.*) m. *León.* Correa con que se sujetan las abarcas a las piernas.

corvar. (Del lat. *curvāre.*) tr. ant. **encorvar.**

corvato¹. m. Pollo del cuervo.

corvato². (De *corvo¹.*) m. Depósito de agua fría para refrigerar el serpentín del alambique.

corvaza. (De *corva.*) f. *Veter.* Tumor que se forma en la parte lateral externa e inferior del corvejón en las caballerías.

corvecito. m. d. de **cuervo.**

corvedad. (Del lat. *curvitas, -ātis.*) f. ant. **curvidad.**

corvejón¹. (De *corva.*) m. *Veter.* Articulación situada entre la parte inferior de la pierna y superior de la caña, y a la cual se deben los principales movimientos de flexión y extensión de las extremidades posteriores en los cuadrúpedos.

corvejón². (Del lat. *corvus,* cuervo.) m. **cuervo marino.**

corvejos. (De *corvo.*) m. pl. *Veter.* **corvejón¹.**

corveño, ña. adj. Natural de Cuerva, villa de la provincia de Toledo. Ú. t. c. s. ‖ **2.** Perteneciente o relativo a dicha villa.

corveta. (De *corva.*) f. Movimiento que se enseña al caballo, haciéndolo andar con los brazos en el aire.

corvetear. (Del fr. *courbette.*) intr. Hacer corvetas el caballo.

córvido, da. (Del lat. *corvus,* cuervo, e *-ido.*) adj. *Zool.* Dícese de aves paseriformes de tamaño grande, pico largo y fuerte y plumaje generalmente oscuro o negro; como el cuervo, la urraca y el arrendajo. Ú. t. c. s. ‖ **2.** m. pl. *Zool.* Familia de estos animales.

corvillo. adj. fam. V. **miércoles corvillo.**

corvina. (De *corvino,* por el color.) f. Pez teleósteo marino, del suborden de los acantopterigios, de unos cinco decímetros de largo, color pardo con manchas negras en el lomo y plateado por el vientre, cabeza obtusa, boca con muchos dientes, dos aletas dorsales, aleta caudal con sus radios centrales más largos que los laterales, y aleta anal con espinas muy fuertes.

corvinera. f. Red para pescar corvinas.

corvino, na. (Del lat. *corvīnus.*) adj. Perteneciente al cuervo o parecido a él.

corvo¹, va. (Del lat. *curvus.*) adj. Arqueado o combado. ‖ **2.** m. **garfio.** ‖ **3.** En algunos países de América, machete curvo utilizado en la labranza y, por ext., cuchillo que se usa como arma.

corvo². (Del gall. port. *corvo,* cuervo.) m. **corvina.**

corza. f. Hembra del corzo.

corzo. (Del lat. vulg. *curtius,* y este del lat. *curtus,* corto.) m. Mamífero rumiante de la familia de los cérvidos, algo mayor que la cabra, rabón y de color gris rojizo; tiene las cuernas pequeñas, verrugosas y ahorquilladas hacia la punta.

corzuelo. (De or. inc.; cf. lat. *corticĕum,* de corteza.) m. Porción de granos de trigo que conservan la cascarilla y se separa de los demás cuando se ahecha.

cosa. (Del lat. *causa.*) f. Todo lo que tiene entidad, ya sea corporal o espiritual, natural o artificial, real o abstracta. ‖ **2.** Objeto inanimado por oposición a ser viviente. ‖ **3.** En oraciones negativas, **nada.** *No valer* COSA. ‖ **4.** Asunto, tema o negocio. ‖ **5.** *Der.* En contraposición a persona o sujeto, el objeto de las relaciones jurídicas. En el régimen de esclavitud el esclavo era una **cosa.** ‖ **6.** *Der.* El objeto material, en oposición a los derechos creados sobre él y a las prestaciones personales. ‖ **7.** *Der.* **bien** ‖ **de entidad. cosa** de sustancia, de consideración, de valor. ‖ **del otro jueves.** fig. y fam. Hecho extraordinario. Ú. m. en fr. negat. ‖ **2.** fig. y fam. Lo que ha mucho tiempo que pasó. ‖ **de oír** o **de ver.** exprs. Que es digno de ser oído o visto; que es capaz de llamar la atención. ‖ **dura.** fig. **cosa** rigurosa o intolerable. ‖ **fina.** expr. ponderativa con que se expresa que algo o alguien es excelente. ‖ **fuerte. fuerte cosa.** ‖ **juzgada.** Se dice de cualquier **cosa** que se da por resuelta e indiscutible y de que es ocioso tratar. ‖ **2.** *Der.* Excepción que se alega cuando en un nuevo pleito se reproduce la cuestión ya resuelta anteriormente. ‖ **mala.** fig. y fam. Mucho, en cantidad. ‖ **no vista,** o **nunca vista.** fig. y fam. **cosa** muy extraña y sorprendente. ‖ **perdida.** loc. con que se da a entender que una persona es muy descuidada en sus obligaciones o incorregible en sus vicios y costumbres. ‖ **rara.** expr. con que suele manifestarse la admiración, extrañeza o novedad que causa alguna **cosa.** ‖ **y cosa. quisicosa.** ‖ **brava cosa.** irón. **cosa** necia o fuera de razón. ‖ **fuerte cosa.** fam. **cosa** molesta, difícil y trabajosa. ‖ **poquita cosa.** loc. adj. fam. Dícese de la persona débil en las fuerzas del cuerpo o del ánimo. ‖ **cosas de** alguien. expr. fam. para explicar o disimular las rarezas o extravagancias de alguna persona, que ya no causan extrañeza por ser frecuentes en ella. ‖ **cosas del mundo.** loc. en que se alude a las alternativas y vicisitudes que ofrece la vida. ‖ **cosas de viento.** fig. y fam. Las inútiles, vanas, de poca entidad y sustancia. ‖ **a cosa hecha.** loc. adv. Con éxito seguro. ‖ **2.** Con intención, adrede. ‖ **ante todas cosas.** loc. adv. **ante todo.** ‖ **cada cosa para su cosa.** expr. fam. con que se da a entender que las **cosas** se deben aplicar solamente a sus destinos naturales. ‖ **como quien hace otra cosa,** o **tal cosa no hace,** o **no quiere la cosa.** loc. adv. fam. Con disimulo. ‖ **como si tal cosa.** fr. fig. y fam. Como si no hubiera pasado nada. ‖ **corran las cosas como corrieren.** expr. fam. con que se da a entender que no causa inquietud ni importa lo que sucede. ‖ **cosa con cosa.** loc. que, precedida de ciertos verbos con negación, denota desarreglo, falta de orden o incoherencia. *En aquella casa no hay* COSA CON COSA; *no dejó* COSA CON COSA; *no dirá* COSA CON COSA. ‖ **cosa de.** loc. adv. fam. Cerca de, o poco más o menos. COSA DE *media legua falta para llegar al lugar;* COSA DE *ocho días tardará en concluirse la obra.* ‖ **cosas que van y vienen.** expr. fam. que se usa para consolar a alguien en lo que padece o le sucede, aludiendo a la alternada sucesión o inestabilidad de las **cosas.** ‖ **dejando una cosa por otra.** loc. adv. Mudando de conversación, variando sin propósito de sujeto o materia. ‖ **dejarlo como cosa perdida.** fr. fam. No hacer caso de la persona o **cosa** a que no se puede poner enmienda o remedio. ‖ **disponer** alguien sus **cosas.**

fr. **disponerse.** ‖ **las cosas de palacio van despacio.** fr. fig. y fam. con que se alude a la lentitud con que se lleva un asunto. ‖ **ni cosa que lo valga.** loc. que se emplea para incluir en una negación no solamente lo expresado, sino también todo lo análogo o equivalente. ‖ **no haber tal cosa.** fr. No ser así; ser falso lo que se dice. ‖ **no hacer cosa a derechas.** fr. No hacer nada con acierto. ‖ **no ponérsele** a alguien **cosa por delante.** fr. fig. Atropellar por todos los inconvenientes y miramientos que se ofrecen. ‖ **no quedarle** a alguien **otra cosa.** fr. fam. Decir alguien con franqueza cuanto sabe. ‖ **no sea cosa que.** fr. fig. que indica prevención o cautela. ‖ **no ser cosa de.** fr. No ser conveniente u oportuno aquello a que se hace referencia. ‖ **no ser** una **cosa del otro jueves.** fr. fig. y fam. Hecho o dicho insignificante y vulgar. ‖ **no ser cosa del otro mundo.** fr. fig. con que se afirma que la **cosa** de que se trata no es nada extraña ni sale de la esfera de lo usual y sabido. ‖ **no tener** alguien **cosa suya.** fr. fig. Ser muy desprendido y liberal. ‖ **otra cosa es con guitarra.** expr. fam. con que se reprende al que se gloría de hacer una **cosa** que se cree prudentemente no la haría si llegase lance u ocasión de ejecutarla. ‖ **pasado en cosa juzgada.** loc. *Der.* **pasado en autoridad de cosa juzgada.** ‖ **2.** V. **sentencia pasada en cosa juzgada.** ‖ **¿qué cosa?** loc. fam. ¿Qué dice? o ¿qué hay? ‖ **quedarle** a alguien **otra cosa en el cuerpo, o en el estómago.** fr. fig. y fam. Decir con disimulación lo contrario de lo que se siente. ‖ **¿qué es cosa y cosa?** loc. que suele usarse cuando se proponen enigmas; como si se dijera: ¿Qué significa la **cosa** propuesta? ‖ **rodearse las cosas.** fr. Venir a parar a buen o mal término por caminos no esperados. ‖ **ser** algo **cosa** de alguien. fr. Ser de su aprecio, estimación, interés, etc. ‖ **ser cosa de.** fr. Seguida de un infinitivo, haber de hacer lo que este significa. ES COSA DE *pensarlo;* ES COSA DE *marcharse.*

cosaco, ca. (Del quirguiz *kasak,* caballero.) adj. Dícese del habitante de varios distritos del sur de Rusia. Ú. t. c. s. ‖ **2.** m. Soldado ruso de tropa ligera.

cosario, ria. (De *corsario.*) adj. Perteneciente al **cosario.** ‖ **2.** Cursado, frecuentado. ‖ **3.** m. desus. Ordinario, el que conduce personas o cosas de un pueblo a otro, trajinero. ‖ **4.** Cazador de oficio. ‖ **5.** ant. **pirata.**

coscachear. tr. *Chile* y *Perú.* Dar coscachos, sacudir coscorrones.

coscacho. (Voz onomatopéyica.) m. *Argent., Chile, Ecuad.* y *Perú.* **coscorrón,** golpe con los nudillos en la cabeza.

coscarana. (Voz onomatopéyica.) f. *Ar.* Torta muy delgada y seca que cruje al mascarla.

coscarrón. m. *P. Rico.* Árbol de madera muy compacta y dura.

coscarse. (Del lat. **coxicare,* de *coxa,* cadera.) prnl. fam. **concomerse.**

coscas. f. pl. *Ast., León* y *Sal.* **cosquillas.**

coscoja. (De *coscojo.*) f. Árbol achaparrado semejante a la encina, en el que con preferencia vive el quermes que produce el coscojo. ‖ **2.** Hoja seca de la carrasca o encina. ‖ **3.** Chapa de hierro arrollada en forma de cañuto, que se coloca en los travesaños de bocados y de hebillas, para que pueda correr con facilidad el correaje. ‖ **4.** *Argent.* **coscojo,** rueda de metal colocada en el puente del freno.

coscojal. m. Sitio poblado de coscojas.

coscojar. m. **coscojal.**

coscojero, ra. adj. rur. *R. de la Plata.* Dícese de la caballería que agita mucho las coscojas del freno.

coscojita. f. **rayuela,** juego que consiste en andar a la pata coja y sacar el tejo con el pie de ciertas divisiones trazadas en el suelo.

coscojo. (Del lat. *cusculium.*) m. Agalla producida por el quermes en la coscoja. ‖ **2.** pl. Piezas de hierro, a modo de cuentas, que, ensartadas en unos alambres eslabonados y asidos por los extremos al bocado de los frenos de la brida, forman con la salivera los sabores.

coscolina. f. *Méj.* Mujer descocada.

coscomate. (Del azteca *cuezcomtl.*) m. *Méj.* Troje cerrado hecho con barro y zacate, para conservar el maíz.

coscón, na. adj. fam. Socarrón, hábil para lograr lo que le acomoda o evitar lo que le disgusta. Ú. t. c. s.

coscoroba. (Voz onomatopéyica.) f. *Argent.* y *Chile.* Ave, especie de cisne, de cuello corto, toda blanca y más pequeña que el común.

coscorrón. (De *cosque.*) m. Golpe en la cabeza, que no saca sangre y duele. ‖ **2.** Golpe dado en la cabeza con los nudillos de la mano cerrada. ‖ **3.** *Chile.* Nombre con que se conoce una variedad de poroto, cuyo grano es de tono grisáceo y de coloración jaspeada.

coscorronera. f. **chichonera.**

coscurro. m. **mendrugo,** pedazo de pan duro.

cosecante. f. *Trig.* Secante del complemento de un ángulo o de un arco.

cosecha. (Del ant. *cogecha.*) f. Conjunto de frutos, generalmente de un cultivo, que se recogen de la tierra al llegar a la sazón; como trigo, cebada, uva, aceituna, etc. ‖ **2.** Producto que se obtiene de dichos frutos mediante el tratamiento adecuado. COSECHA *de aceite, de vino.* ‖ **3.** Temporada en que se recogen los frutos. *Pagaré a la* COSECHA. ‖ **4.** Ocupación de recoger los frutos de la tierra. ‖ **5.** ant. **colecta.** ‖ **6.** fig. Conjunto de lo que uno obtiene como resultado de sus cualidades o de actos, o por coincidencia de acaecimientos. COSECHA *de aplausos,* COSECHA *de disgustos.* ‖ **en pie.** Aquella cuyos frutos aún no se han recogido. ‖ **ser** una cosa **de la cosecha** de alguien. fr. fig. y fam. Ser de su propio ingenio o invención. ‖ **tras poca cosecha, ruin trigo.** fr. fig. y fam. Que un daño suele producir otros.

cosechador, ra. adj. Que cosecha. ‖ **2.** f. Máquina movida sobre ruedas, autopropulsada o por arrastre, que siega la mies, limpia y envasa el grano en su recorrido por los sembrados.

cosechar. intr. Hacer la cosecha. Ú. t. c. tr. ‖ **2.** tr. fig. Ganarse, atraerse o concitarse simpatías, odios, fracasos, éxitos, etc.

cosechero, ra. adj. Perteneciente o relativo a la cosecha. ‖ **2.** m. y f. Persona que tiene cosecha.

cosechón. m. Cosecha muy abundante.

cosedizo, za. adj. ant. **cosible.**

cosedura. (De *coser.*) f. **costura.**

coselete. (Del fr. *corselet.*) m. Coraza ligera, generalmente de cuero, que usaban ciertos soldados de infantería. ‖ **2.** Soldado que llevaba **coselete,** y, como arma ofensiva, pica o alabarda, y formaba parte de las compañías de arcabuceros. ‖ **3.** *Zool.* Nombre que se da al tórax de los insectos cuando las tres piezas o segmentos que lo componen están fuertemente unidas entre sí; como en las mariposas.

coseno. m. *Trig.* Seno del complemento de un ángulo o de un arco. ‖ **verso.** *Trig.* Seno verso del complemento de un ángulo o de un arco.

coser. (Del lat. *consuĕre.*) tr. Unir con hilo, generalmente enhebrado en la aguja, dos o más pedazos de tela, cuero u otra materia. ‖ **2.** Hacer labores de aguja. ‖ **3.** Unir papeles mediante grapas. ‖ **4.** fig. Unir una cosa con otra, de suerte que queden muy juntas o pegadas. ‖ **5.** fig. Producir a alguien varias heridas en el cuerpo con arma punzante, o de otro tipo. *Lo* COSIERON *a puñaladas. Lo* COSIERON *a balazos.* ‖ **coserse** alguien **con,** o **contra,** alguna cosa. fr. fig. y fam. Unirse estrechamente con ella. ‖ **coser y cantar.** fr. fig. y fam. con que se denota que aquello que se ha de hacer no ofrece dificultad ninguna.

cosera. (De *coso*[1].) f. *Rioja.* Suerte o porción de tierra que se riega con el agua de una tanda. ‖ **2.** *Sor.* Surco que se hace con el arado al comienzo de cada año para marcar la separación de dos fincas rústicas.

cosetada. (De *coso*[1].) f. Paso acelerado o carrera.

cosetano, na. (Del lat. *Cosetānus.*) adj. Natural de la Cosetania. Ú. t. c. s. ‖ **2.** Perteneciente a esta región de la Hispania Tarraconense, que comprendía aproximadamente el territorio de la actual provincia de Tarragona.

cosetear. (De *coso*[1].) intr. ant. Justar, lidiar.

cosible. adj. Que puede coserse.

cósico. (De *cosa,* raíz o número que se ha de elevar a una potencia.) adj. *Arit.* V. **número cósico.**

cosicosa. (De la loc. *cosa y cosa.*) f. **quisicosa.**

cosido, da. p. p. de **coser.** ‖ **2.** m. Acción y efecto de coser. *Juana es primorosa en el* COSIDO. ‖ **3.** Calidad de la costura. *El corte no tiene gracia, pero el* COSIDO *es excelente.* ‖ **de la cama.** Sábana de encima, mantas y colchas, que algunas veces se hilvanan juntas para que no se separen.

cosidura. (De *coser.*) f. *Mar.* Tratándose de cabos, especie de ligada.

cosificación. f. Acción y efecto de cosificar.

cosificar. tr. Convertir algo en cosa. ‖ **2.** Considerar como cosa algo que no lo es, por ejemplo, una persona.

cosijo, ja. m. y f. *Méj.* El que ha sido criado como hijo sin serlo. Por ext., hijo postizo o putativo. ‖ **2.** m. **cojijo,** inquietud moral apremiante.

cosmético, ca. (Del gr. κοσμητικός.) adj. Dícese de los productos que se utilizan para la higiene o belleza del cuerpo, especialmente del rostro. Ú. en sent. fig. y t. c. s. m. ‖ **2.** f. Arte de aplicar estos productos.

cosmetología. f. **cosmética.**

cosmetólogo, ga. m. y f. Especialista en cosmética.

cósmico, ca. (Del lat. *cosmĭcus,* y este del gr. κοσμικός, de κόσμος, mundo.) adj. Perteneciente o relativo al cosmos. ‖ **2.** *Astron.* Aplícase al orto u ocaso de un astro, que coincide con la salida del Sol.

cosmogonía. (Del gr. κοσμογονία.) f. Ciencia que trata del origen y la evolución del universo.

cosmogónico, ca. adj. Perteneciente o relativo a la cosmogonía.

cosmogonista. com. Persona que profesa la cosmogonía.

cosmografía. (Del lat. *cosmographĭa,* y este del gr. κοσμογραφία.) f. Descripción astronómica del mundo, o astronomía descriptiva.

cosmográfico, ca. adj. Perteneciente o relativo a la cosmografía.

cosmógrafo, fa. (Del lat. *cosmogrăphus,* y este del gr. κοσμογράφος.) m. y f. Persona que profesa la cosmografía o tiene en ella especiales conocimientos.

cosmología. (De *cosmos* y *-logía.*) f. desus. Conocimiento filosófico de las leyes generales que rigen el mundo físico. ‖ **2.** Parte de la astronomía que trata de las leyes generales, del origen y de la evolución del universo.

cosmológico, ca. (Del gr. κοσμολογικός.) adj. Perteneciente o relativo a la cosmología.

cosmólogo, ga. m. y f. Persona que profesa la cosmología o tiene en ella especiales conocimientos.

cosmonauta. (Del ruso *kosmonavt.*) com. **astronauta.**

cosmonáutica. (Del ruso *kosmonavtica.*) f. **astronáutica.**

cosmonáutico, ca. adj. **astronáutico.**

cosmonave. f. **astronave.**

cosmopolita. (Del gr. κοσμοπολίτης, ciudadano del mundo.) adj. Dícese de la persona que considera a todos los lugares del mundo como patria suya. Ú. t. c. s. ‖ **2.** Dícese de lo que es común a todos los países o a los más de ellos. ‖ **3.** Aplícase a los seres o especies animales y vegetales aclimatados a todos los países o que pueden vivir en todos los climas. *El hombre es* COSMOPOLITA.

cosmopolitismo. m. Doctrina y género de vida de los cosmopolitas.

cosmorama. (Del gr. κόσμος, mundo, y ὅραμα, vista.) m. Artificio óptico que sirve para ver aumentados los objetos mediante una cámara oscura. ‖ **2.** Sitio donde por recreo se ven representados de este modo pueblos, edificios, etc.

cosmos. (Del lat. *cosmos,* y este del gr. κόσμος.) m. **mundo,** universo. ‖ **2.** Espacio exterior a la Tierra.

cosmovisión. (Calco del al. *Weltanschauung.*) f. Manera de ver e interpretar el mundo.

coso[1]**.** (Del lat. *cursus,* carrera.) m. Plaza, sitio o lugar cercado, donde se corren y lidian toros y se celebran otras fiestas públicas. ‖ **2.** Calle principal en algunas poblaciones. *El* COSO *de Zaragoza.* ‖ **3.** ant. Curso, carrera corriente.

coso[2]**.** (Del lat. *cossus.*) m. **carcoma.**

cospe. m. Cada uno de los cortes de hacha o azuela que se hacen a trechos en una pieza gruesa de madera, para facilitar su desbaste.

cospel. (Del ant. fr. *cospel.*) m. Disco de metal dispuesto para recibir la acuñación en la fabricación de las monedas.

cospillo. m. *Ar.* Orujo de la aceituna después de molida y prensada.

cosque. (Voz onomatopéyica.) m. fam. **coscorrón.**

cosqui. m. **cosque.**

cosquillar. tr. **cosquillear.**

cosquillas. (Voz de creación expresiva.) f. pl. Sensación que se experimenta en algunas partes del cuerpo cuando son ligeramente tocadas, y consiste en cierta conmoción desagradable que suele provocar involuntariamente la risa. ‖ **2.** ant. fig. Desavenencia, rencilla, inquietud. ‖ **buscarle** a alguien **las cosquillas.** fr. fig. y fam. Emplear, para impacientarle, los medios que al efecto se consideren más a propósito. ‖ **hacerle** a alguien **cosquillas** una cosa. fr. fig. y fam. Excitarle el deseo o la curiosidad. ‖ **2.** fig. y fam. Hacerle temer o recelar un mal o daño. ‖ **no sufrir,** o **tener malas, cosquillas.** fr. fig. y fam. Ser poco sufrido o delicado de genio.

cosquillear. intr. Hacer cosquillas. Ú. t. c. tr.

cosquilleo. m. Sensación que producen las cosquillas, u otra semejante a ella.

cosquilloso, sa. adj. Que siente mucho las cosquillas. ‖ **2.** fig. Muy delicado de genio y que se ofende con poco motivo.

cosquilludo, da. adj. fam. *Méj.* **cosquilloso.**

costa[1]**.** (De *costar.*) f. **costo**[1]. ‖ **2.** V. **ayuda de costa.** ‖ **3.** pl. Gastos judiciales. ‖ **a costa de.** loc. prepos. Con el trabajo, fatiga o dispendio causado por alguna cosa. *Lo consiguió* A COSTA DE *un gran esfuerzo.* ‖ **2.** A expensas de, por cuenta de. *Se mantiene* A COSTA DE *sus antiguos méritos.* ‖ **a toda costa.** loc. adv. Sin limitación en el gasto o en el trabajo. ‖ **condenar** a alguien **en costas.** fr. *Der.* En lo civil, hacerle pagar los gastos que ha ocasionado a sus contrarios en el juicio; y en lo criminal, agravar accesoriamente el castigo con el pago total o parcial de los gastos. ‖ **meter a costa.** fr. ant. Poner o emplear mucho trabajo o coste en una cosa. ‖ **salir,** o **ser,** alguien **condenado en costas.** fr. fig. Cargar con todo lo perjudicial de un negocio.

costa[2]**.** (Del gall. o cat. *costa.*) f. Orilla del mar, de los ríos, lagos, etc., y tierra que está cerca de ella. ‖ **2.** V. **corrido de la costa.** ‖ **3.** Instrumento de madera dura, de dos centímetros de largo y tres o cuatro centímetros de grueso, con muescas en los extremos, que usan los zapateros para alisar y bruñir los cantos de la suela. ‖ **4.** ant. **costilla** del cuerpo. ‖ **5.** *Argent.* Faja de terreno que se extiende a lo largo del pie de una sierra. ‖ **andar costa a costa.** fr. *Mar.* **ir,** o **navegar, costa a costa.** ‖ **barajar la costa.** fr. *Mar.* Navegar cerca de la **costa** y paralelamente a ella, siguiendo sus sinuosidades y huyendo de sus peligros. ‖ **dar a la costa.** fr. *Mar.* Ser impelida del viento una embarcación y arrojada contra la **costa.** ‖ **de costa.** loc. adv. ant. De costado o de lado. ‖ **ir,** o **navegar, costa a costa.** fr. *Mar.* **costear**[2].

costado. (Del lat. *costātus,* que tiene costillas.) m. Cada una de las dos partes laterales del cuerpo humano que están entre pecho, espalda, sobacos y vacíos. ‖ **2.** Lado derecho o izquierdo de un ejército. ‖ **3. lado.** ‖ **4.** V. **dolor, punto de costado.** ‖ **5.** ant. Espalda o revés. ‖ **6.** *Mar.* Cada uno de los dos lados del casco de un buque, y muy especialmente la parte que corresponde a la obra muerta, y se denominan el derecho, mirando a proa, estribor, y el izquierdo, babor. ‖ **7.** pl. En la genealogía, líneas de los abuelos paternos y maternos de una persona. *Noble de todos cuatro* COSTADOS. ‖ **8.** V. **árbol de costados.** ‖ **9.** V. **hidalgo de cuatro costados.** ‖ **dar el costado.** fr. *Mar.* Presentar el buque en el combate todo el lado para la descarga de la artillería. ‖ **2.** *Mar.* Descubrir el buque uno de los lados hasta la quilla, para carenarlo y limpiarlo.

costal. (Del lat. *costa,* costilla.) adj. Perteneciente a las costillas. ‖ **2.** V. **pleura costal.** ‖ **3.** m. Saco grande de tela ordinaria, en que comúnmente se transportan granos, semillas u otras cosas. ‖ **4.** Cada uno de los listones de madera, gruesos y aguzados por la parte inferior, que atravesados por las agujas sirven para mantener las fronteras de los tapiales en posición vertical. ‖ **el costal de los pecados.** fig. y fam. El cuerpo humano. ‖ **estar hecho un costal de huesos.** fr. fig. y fam. Estar muy flaco. ‖ **no parecer costal de paja.** fr. fig. y fam. Parecer bien a una persona otra de diferente sexo. ‖ **no ser costal.** fr. fig. y fam. No poder decirlo todo de una vez. ‖ **vaciar el costal.** fr. fig. y fam. Explicar algún sentimiento, diciendo todo lo que tenía callado. ‖ **2.** fig. y fam. Manifestar abiertamente lo que se tenía secreto.

costalada. (De *costal.*) f. Golpe que uno da al caer de espaldas o de costado.

costalazo. m. **costalada.**

costalearse. prnl. *Chile.* Sufrir una costalada. ‖ **2.** fig. *Chile.* Sufrir un desengaño o decepción.

costalero. (De *costal.*) m. *And.* Esportillero o mozo de cordel. Hoy se denominan así los que llevan a hombros los pasos de las procesiones.

costana. f. Calle en cuesta o pendiente. ‖ **2. cuaderna** de un buque. ‖ **3.** *León.* **adral.**

costanera. (De *costa*[2].) f. **cuesta**[1]. ‖ **2.** ant. Costado o lado. ‖ **3.** *Argent.* Avenida o paseo que se extiende a lo largo de una costa. ‖ **4.** pl. Maderos largos como vigas menores o cuartones, que cargan sobre la viga principal que forma el caballete de un cubierto o de un edificio.

costanero, ra. adj. Que está en cuesta. ‖ **2.** Perteneciente o relativo a la costa. *Pueblo* COSTANERO; *embarcación, navegación* COSTANERA.

costanilla. f. d. de **costana.** ‖ **2.** En algunas poblaciones, calle corta de mayor declive que las cercanas.

costar. (Del lat. *constāre.*) intr. Ser comprada o adquirida una cosa por determinado precio. ‖ **2.** Estar en venta una cosa a determinado precio. ‖ **3.** fig. Causar u ocasionar una cosa cuidado, desvelo, perjuicio, dificultad, etc. ‖ **costarle** a alguien **caro,** o **cara,** una cosa. fr. fig. y fam. Resultarle de su ejecución mucho perjuicio o daño.

costarricense. adj. Natural de Costa Rica. Ú. t. c. s. ‖ **2.** Perteneciente o relativo a esta república de América.

costarriqueñismo. m. Vocablo, giro o locución propios de los costarriqueños.

costarriqueño, ña. adj. **costarricense.** Ú. t. c. s.

coste. m. **costa**[1]. ‖ **2.** Gasto realizado para la obtención o adquisición de una cosa o servicio. ‖ **de producción.** *Econ.* Conjunto de gastos realizados en el proceso productivo de una cosa o servicio. ‖ **marginal.** *Econ.* Aumento de los **costes** de producción al incrementar en una unidad la cantidad producida. ‖ **a coste y costas.** loc. adv. Por el precio y gastos que tiene una cosa; sin ganancia ninguna.

costeador, ra. adj. Que costea.

costear[1]. tr. Pagar o satisfacer los gastos de alguna cosa. COSTEAR *los estudios de alguien.* COSTEAR *una expedición.* ‖ **2.** prnl. Producir una cosa lo suficiente para cubrir los gastos que ocasiona.

costear[2]. tr. Ir navegando sin perder de vista la costa. ‖ **2.** Ir por el costado o lado de una cosa, bordearla. ‖ **3.** Rematar el costado o lado de una cosa. ‖ **4.** fig. Esquivar o soslayar una dificultad o peligro. ‖ **5.** prnl. *And.* Echarse a un lado. COSTÉATE *un poco, que viene un coche.* ‖ **6.** *Argent.* y *Urug.* Trasladarse a un lugar distante o trabajoso de alcanzar.

costecilla. f. ant. d. de **cuesta.**

costelación. f. ant. **constelación.**

costeño, ña. adj. Perteneciente o relativo a la costa. ‖ **2.** Natural de la costa de un país. Ú. t. c. s. ‖ **3.** m. *Col.* **guineo,** variedad del plátano.

costera. (De *costa*[2].) f. Lado o costado de un fardo u otra cosa semejante. ‖ **2.** Cada una de las dos manos de papel quebrado que completan por encima y debajo las resmas de papel de tina. ‖ **3. cuesta**[1]. ‖ **4. costa**[2]. ‖ **5.** ant. Costado o cuerno del ejército. ‖ **6.** *Mar.* Temporada de pesca de una especie. COSTERA *del bonito.* COSTERA *de la anchoa.*

costero[1], **ra.** (De *costa*[2].) adj. **costanero,** perteneciente o relativo a la costa, próximo a ella. ‖ **2.** Lateral, situado a un costado. ‖ **3.** V. **papel costero.** ‖ **4.** m. Cada una de las dos piezas más inmediatas a la corteza, que salen al aserrar un tronco, en el sentido de su longitud. ‖ **5.** *Min.* Cada uno de los muros que forman los costados de un alto horno. ‖ **6.** *Min.* Hastial de un criadero.

costero[2], **ra.** (De *cuesta.*) adj. Pendiente, situado en cuesta o desnivel. ‖ **2.** m. *And.* Terreno pendiente.

costero[3]. (De *costo.*) m. *And.* Obrero encargado de ir a buscar al pueblo los comestibles cuando los trabajadores se ajustan a seco, o sea comiendo por su cuenta.

costezuela. f. d. de **cuesta.**

costil. (Del lat. *costa,* costilla.) adj. Se dice de lo que pertenece a las costillas. *Lomo* COSTIL.

costilla. (Del lat. *costa.*) f. Cada uno de los huesos largos y encorvados que nacen del espinazo y vienen hacia el pecho. ‖ **2.** fig. Cosa de figura de **costilla.** *Las* COSTILLAS *de las ruecas; las de las sillas.* ‖ **3.** fig. y fam. **caudal**[1], bienes, hacienda. ‖ **4.** fig. y fam. Mujer propia. ‖ **5.** *Arq.* Cada uno de los listones que se colocan horizontalmente sobre los cuchillos de una cimbra para enlazarlos y recibir las dovelas. ‖ **6.** *Bot.* Línea o pliegue saliente en la superficie de frutos y hojas. ‖ **7.** *Mar.* **cuaderna** de un buque. ‖ **8.** pl. fam. **espalda** del cuerpo humano. ‖ **falsa.** La que no está apoyada en el esternón. ‖ **flotante.** La que, situada entre los músculos del abdomen, tiene su extremo libre sin alcanzar al cartílago que une las falsas al esternón. ‖ **fornacina.** ant. **costilla falsa.** ‖ **verdadera.** La que está apoyada en el esternón. ‖ **a costillas.** loc. adv. **a cuestas,** sobre los hombros. ‖ **medirle** a alguien **las costillas.** fr. fig. y fam. Darle de palos. ‖ **pasearle** a alguien **las costillas.** fr. Pisotearle.

costillaje. m. fam. **costillar.**

costillar. m. Conjunto de costillas. ‖ **2.** Parte del cuerpo en la cual están.

costiller. (Del fr. med. *coustillier.*) m. Oficial palatino que acompañaba al rey cuando iba a su capilla, visitaba alguna iglesia o salía de viaje.

costilludo, da. (De *costilla.*) adj. p. us. fam. Fornido y ancho de espaldas.

costino[1], **na.** adj. Perteneciente al costo[2].

costino[2], na. (De *costa*[2].) adj. *Chile*. **costanero,** perteneciente a la costa. Dícese especialmente de animales y personas.

costo[1]. m. Cantidad que se da o se paga por una cosa. ‖ **2.** Gasto de manutención del trabajador cuando se añade al salario. ‖ **3.** *And.* Ración de trigo, aceite, sal y vinagre que mensualmente se da en los cortijos a guardas, vaqueros, yegüerizos y porqueros. ‖ **4.** *Cád.* Comida que el peón, albañil, pescador, etc., se lleva hecha para tomarla en el lugar donde trabaja. ‖ **a costo y costas.** loc. adv. **a coste y costas.**

costo[2]. (Del lat. *costus*, y este del gr. κόστος.) m. Hierba vivaz, propia de la zona tropical, y correspondiente a la familia de las compuestas. El tallo es ramoso, las hojas alternas y divididas en gajos festoneados, las flores amarillas, y la raíz casi cilíndrica, de dos centímetros de diámetro aproximadamente, porosa, cenicienta, con corteza parda y sabor amargo; pasa por tónica, diurética y carminativa. ‖ **2.** Esta misma raíz. ‖ **hortense. hierba de Santa María.**

costomate. m. *Méj.* **capulí.**

costón. (De *cuesta*[1].) m. *Murc.* Malecón a orillas de un río.

costosamente. adv. m. Muy caro, a mucho precio y costa.

costoso, sa. adj. Que cuesta mucho o es de gran precio. ‖ **2.** Que supone gran esfuerzo o trabajo. ‖ **3.** fig. Que acarrea daño o sentimiento.

costra. (Del lat. *crusta*.) f. Cubierta o corteza exterior que se endurece o seca sobre una cosa húmeda o blanda. ‖ **2.** Superficie endurecida que se forma en las llagas o granos cuando se van secando. ‖ **3.** Rebanada o pedazo de bizcocho que se daba en las galeras para el mantenimiento de la gente. ‖ **4. moco** de una vela. ‖ **de azúcar.** En los ingenios de azúcar, cierta porción que sale más dura o queda pegada en la caldera cuando se cuece. ‖ **láctea.** *Med.* **usagre.**

costrada. f. Especie de empanada cubierta con una costra de azúcar, huevos y pan. ‖ **2.** *Murc.* Tapia jaharrada con lechadas de cal.

costreñimiento. m. ant. **constreñimiento.**

costreñir. (Del lat. *constringĕre*, apretar.) tr. ant. **constreñir.**

costribación. f. ant. Acción y efecto de costribar.

costribar. (Del ant. *costibar*, del lat. *constipāre*.) tr. ant. Constipar, estreñir. ‖ **2.** intr. ant. Hacer fuerza, trabajar con vigor.

costribo. (De *costribar*.) m. ant. Apoyo, arrimo.

costringimiento. m. ant. Acción y efecto de costringir.

costringir. tr. ant. **constringir.**

costriñir. tr. ant. **constriñir.**

costro. m. *Burg.* **escuerzo,** sapo.

costrón. m. aum. de **costra,** postilla. ‖ **2.** Trozo de pan frito, cortado en forma regular, con que se adornan ciertos guisos.

costroso, sa. adj. Que tiene costras. ‖ **2.** fig. Cochambroso, sucio, desaseado.

costruimiento. (De *costruir*.) m. ant. **construcción.**

costruir. tr. ant. **construir.**

costumado, da. (De *costumnado*, p. p. de *costumnar*.) adj. ant. Acostumbrado a alguna cosa.

costumbrar. (De *costumnar*.) tr. ant. **acostumbrar.** Usáb. t. c. prnl.

costumbre. (Del ant. *costumne*.) f. Hábito, modo habitual de obrar o proceder establecido por tradicion o por la repetición de los mismos actos y que puede llegar a adquirir fuerza de precepto. ‖ **2.** V. **signo por costumbre.** ‖ **3.** Lo que por carácter o propensión se hace más comúnmente. ‖ **4.** p. us. Menstruo o regla de las mujeres. ‖ **5.** pl. Conjunto de cualidades o inclinaciones y usos que forman el carácter distintivo de una nación o persona. ‖ **6.** V. **comedia de costumbres.** ‖ **contra ley.** *Der.* La que se opone a ella, y, sin embargo, en algunas épocas y legislaciones se ha considerado eficaz. ‖ **fuera de ley.** *Der.* La que se establece en materia no regulada o sobre aspectos no previstos por las leyes. ‖ **holgazana.** *Der.* Práctica que duró en Córdoba hasta principios del siglo IX, según la cual la mujer casada no participaba de los bienes gananciales; **costumbre** derogada por la Novísima Recopilación. ‖ **según ley.** *Der.* La que corrobora y desenvuelve los preceptos de ella. ‖ **de costumbre.** loc. Dícese de lo usual y ordinario.

costumbrismo. m. En las obras literarias y pictóricas, atención que se presta al retrato de las costumbres típicas de un país o región.

costumbrista. adj. Perteneciente o relativo al costumbrismo. ‖ **2.** com. Escritor o pintor que cultiva el costumbrismo.

costumnar. (De *costumne*.) tr. ant. **costumbrar.**

costumne. (Del lat. **consuetumen*, por *consuetūdo, -inis*.) f. ant. **costumbre.**

costura. (Del lat. *consutūra*, el arte de coser.) f. Acción y efecto de coser. ‖ **2.** En general, labor que está cosiéndose y se halla sin acabar. ‖ **3.** Oficio de coser. ‖ **4.** V. **cuarto de costura.** ‖ **5.** Serie de puntadas que une dos piezas cosidas. ‖ **6.** Por ext., unión hecha con clavos o roblones, especialmente la de los maderos o planchas del casco de un buque. ‖ **7.** *Mar.* Línea de separación entre dos tablones puestos en contacto y que se calafatea para impedir que entre el agua. ‖ **meter** a alguien **en costura.** fr. fig. y fam. **meterle en cintura.** ‖ **saber de toda costura.** fr. fig. y fam. Tener conocimiento del mundo y obrar con toda sagacidad, y aun con bellaquería. ‖ **sentar las costuras.** fr. Entre sastres, planchar con fuerza las **costuras** de un vestido para dejarlas muy planas, lisas y estiradas. ‖ **sentar** a alguien **las costuras.** fr. fig. y fam. **sentarle la mano.**

costurera. (De *costura*.) f. Mujer que tiene por oficio coser, o cortar y coser, ropa blanca y algunas prendas de vestir. ‖ **2.** La que cose de sastrería.

costurero. m. Mesita, con cajón y almohadilla, de que se sirven las mujeres para la costura. ‖ **2. cuarto de costura.** ‖ **3. modista,** que diseña o hace vestidos de mujer. ‖ **4.** Caja, canastilla para guardar los útiles de costura. ‖ **5.** ant. **sastre.**

costurón. m. aum. de **costura.** ‖ **2.** despect. Costura grosera. ‖ **3.** fig. Cicatriz o señal muy visible de una herida o llaga.

cota[1]. (Del ant. fr. *cote*.) f. Arma defensiva del cuerpo, que se usaba antiguamente. Primero se hacían de cuero y guarnecidas de cabezas de clavos o anillos de hierro, y después de mallas de hierro entrelazadas. ‖ **2.** Vestidura que llevaban los reyes de armas en las funciones públicas, sobre la cual están bordados los escudos reales. ‖ **3.** ant. **jubón.** ‖ **4.** *Mil.* Fortaleza de los indígenas filipinos, formada por troncos de árboles revestidos de tierra y piedras menudas. ‖ **5.** *Mont.* Piel callosa que cubre la espaldilla y costillares del jabalí. ‖ **jacerina. jacerina.**

cota[2]. (Del lat. *quota*, t. f. de *quotus*, cuantos; véase *coto*[2].) f. **cuota.** ‖ **2.** ant. Acotación, anotación o cita. ‖ **3.** *Topogr.* Número que en los planos topográficos indica la altura de un punto, ya sobre el nivel del mar, ya sobre otro plano de nivel. ‖ **4.** *Topogr.* Esta misma altura.

cotana. f. Agujero cuadrado que se hace con el escoplo en la madera para encajar allí otro madero o la punta de él. ‖ **2.** Escoplo o formón con que se abre dicho agujero.

cotangente. f. *Trig.* Tangente del complemento de un ángulo o de un arco.

cotanza. (De *Coutances*, ciudad de Francia, de donde procede esta tela.) f. Cierta clase de lienzo entrefino.

cotar. (De *cota*[2].) tr. p. us. **acotar**[2].

cotardía. (Del fr. *cotte hardie.*) f. Especie de jubón forrado, común a los dos sexos, usado en España durante la Edad Media.
cotarra. f. **cotarro,** ladera de un barranco.
cotarrera. f. fig. y fam. Mujer que andaba de cotarro en cotarro.
cotarro. (despect. de *coto*[1].) m. Recinto en que se daba albergue por la noche a pobres y vagabundos que no tenían posada. ‖ **2.** fig. y fam. Colectividad en estado de inquietud o agitación. ‖ **3.** Ladera de un barranco. ‖ **alborotar el cotarro.** fr. fig. y fam. **alborotar el cortijo.** ‖ **andar de cotarro en cotarro.** fr. fig. y fam. Gastar el tiempo en visitas inútiles.
cote. m. *Mar.* Vuelta que se da al chicote de un cabo, alrededor de un firme, pasándolo por dentro del seno.
cotear. (De *coto*[1].) tr. ant. **acotar**[1].
cotejable. adj. Que se puede cotejar.
cotejamiento. m. ant. **cotejo.**
cotejar. (De *cota*[2].) tr. Confrontar una cosa con otra u otras; compararlas teniéndolas a la vista.
cotejo. m. Acción y efecto de cotejar. ‖ **de letras.** *Der.* Prueba pericial que se practica cuando no se reconoce o niega la autenticidad de un documento privado presentado en juicio.
cotera. f. **cotero.**
cotero. (De *cota*[2].) m. *Cantabria.* Cerro bajo, pero de pendiente rápida.
coterráneo, a. adj. **conterráneo.**
cotí. (Del fr. *coutil.*) m. **cutí.**
cotidianamente. adv. t. **diariamente.**
cotidianidad. f. Calidad de cotidiano.
cotidiano, na. (Del lat. *quotidiānus,* de *quotidĭe,* diariamente.) adj. **diario.**
cotila. (Del gr. κοτύλη, cavidad.) f. **cotilo.**
cotiledón. (Del lat. *cotylēdon,* y este del gr. κοτυληδών.) m. *Bot.* Forma con que aparece la primera hoja en el embrión de las plantas fanerógamas; en muchos de estos vegetales el embrión posee dos o más **cotiledones.**
cotiledóneo, a. adj. *Bot.* Perteneciente o relativo al cotiledón. *Cuerpo* COTILEDÓNEO. ‖ **2.** *Bot.* Dícese de las plantas cuyo embrión contiene uno o más cotiledones. Ú. t. c. s. f. ‖ **3.** f. pl. *Bot.* Grupo de la antigua clasificación botánica, que comprendía las plantas fanerógamas.
cotilo. m. *Anat.* Cavidad de un hueso en que entra la cabeza de otro.
cotilla. (d. de *cota*[1].) f. Ajustador que usaban las mujeres, formado de lienzo o seda y de ballenas. ‖ **2.** com. fig. Persona amiga de chismes y cuentos. Ú. t. c. adj.
cotillear. intr. fam. **chismorrear.**
cotilleo. m. fam. Acción y efecto de cotillear.
cotillero, ra. m. y f. Persona que hacía o vendía cotillas. ‖ **2.** fig. **cotilla,** persona amiga de chismes y cuentos.
cotillo. (De *cutir,* golpear.) m. En algunos instrumentos de corte, como el hacha, la azada, etc., parte opuesta al filo.
cotillón. (Del fr. *cotillon,* aum. de *cotte.*) m. Danza con figuras, y generalmente en compás de vals, que solía ejecutarse al fin de los bailes de sociedad. ‖ **2.** El baile de sociedad en que al final se ejecutaba tal danza. ‖ **3.** Fiesta y baile que se celebra en un día señalado como el de fin de año o Reyes.
cotín[1]**.** (De *cutir.*) m. Golpe de revés alto que el jugador que resta da a la pelota al volverla al que saca.
cotín[2]**.** m. **cutí,** tejido de algodón.
cotinga. m. *Amér.* Género de pájaros dentirrostros, de buen tamaño y de plumaje muy variado y vistoso.
cotiza[1]**.** (Del fr. *cotice.*) f. *Blas.* Banda disminuida a la tercera parte de su anchura ordinaria.
cotiza[2]**.** (De un cruce de *coriza*[1] y una palabra indígena de la que procede *cutarra.*) f. Especie de sandalia que usa la gente rústica en Venezuela. ‖ **ponerse las cotizas.** fr. fig. y fam. *Venez.* **ponerse en cobro.**
cotizable. adj. Que puede cotizarse.
cotización. f. Acción y efecto de cotizar.
cotizado[1]**, da.** (De *cotiza*[1].) adj. *Blas.* Dícese del campo o del escudo lleno de cotizas estrechas de colores alternados, las cuales se entiende que son diez si no se expresa su número.
cotizado[2]**, da.** p. p. de **cotizar.** ‖ **2.** adj. Estimado favorablemente. *Es es una soprano muy* COTIZADA.
cotizar. (Del fr. *cotiser.*) tr. Pagar una cuota. ‖ **2.** *Com.* Publicar en la bolsa el precio de los efectos públicos allí negociados. Ú. t. c. intr. ‖ **3.** Poner o fijar precio a alguna cosa. ‖ **4.** fig. Estimar, particularmente de forma pública a una persona o cosa en relación con un fin determinado. ‖ **5.** Pagar una persona la parte correspondiente de gastos colectivos, contribuciones, afiliaciones, etc. Ú. t. c. intr. ‖ **6.** *Amér.* Imponer una cuota.
coto[1]**.** (Del lat. *cautus,* defendido.) m. Terreno acotado. ‖ **2.** Mojón que se pone para señalar la división de los términos o de las heredades, y más propiamente el de piedra sin labrar. ‖ **3.** En algunas partes, población de una o más parroquias sitas en territorio de señorío. ‖ **4.** Término, límite. ‖ **5.** ant. Mandato, precepto. ‖ **6.** ant. Pena pecuniaria señalada por la ley. Ú. en la Rioja. ‖ **redondo.** Conjunto de las fincas rústicas unidas o muy próximas, comprendidas dentro de un perímetro y pertenecientes a un mismo dueño. ‖ **poner coto.** loc. Dicho de desafueros, desmanes, vicios, abusos, etc., impedir que continúen.
coto[2]**.** (Del lat. *quotus.*) m. Postura, tasa. ‖ **2.** Convención que suelen hacer entre sí los mercaderes, de no vender sino a determinado precio algunas cosas. ‖ **3.** Partida de billar en que uno de dos jugadores, o uno de dos partidos, ha de ganar tres mesas antes que el otro.
coto[3]**.** (Del lat. *cubĭtus.*) m. Medida lineal de medio palmo. Es aproximadamente la formada por los cuatro dedos de la mano cerrada, sin contar el pulgar. ‖ **2.** V. **tabla de coto.** ‖ **toledano.** Unidad de medida lineal equivalente a cuatro pulgadas y media.
coto[4]**.** (Del lat. mod. *cottus,* y este del gr. κόττος.) m. Pez teleósteo, del suborden de los acantopterigios, que apenas alcanza seis centímetros de largo, de cabeza aplastada, boca y ojos grandes, aletas espinosas, de las cuales la dorsal llega hasta la cola, y cuerpo prolongado, de color fusco. Vive en los ríos, anida entre las piedras y es comestible.
coto[5]**.** (Del quechua *koto,* papera.) m. *Amér. Merid.* Bocio o papera.
coto[6]**.** adj. *Nicar.* **cuto.**
cotó. m. *Ar.* **cotón**[1]**.**
cotobelo. (Del port. *cotovêlo,* codo.) m. Abertura en la vuelta de la cama del freno.
cotofle. m. ant. **cotofre.**
cotofre. (De *cotrofe.*) m. ant. Medida de capacidad para líquidos que hacía aproximadamente medio litro.
cotomono. m. *Perú.* Mono aullador, de cola prensil, que vive en América del Sur.
cotón. (Del fr. *coton.*) m. Tela de algodón estampada de varios colores.
cotona. f. *Amér.* Camiseta fuerte de algodón, u otra materia, según los países. ‖ **2.** *Méj.* Chaqueta de gamuza.
cotonada. (De *cotón.*) f. Tela de algodón o lino, con fondo liso y flores como de realce, aunque tejidas, o con fondo listado y flores de varios colores.
cotoncillo. (d. de *cotón.*) m. Pelota o botón pequeño de badana y borra, con que remata por arriba el tiento que usan los pintores.
cotonía. (Del ár. *quṭuniyya,* tela de algodón.) f. Tela blanca de algodón labrada comúnmente de cordoncillo.
cotorra. (Regresión de *cotorrera,* por *cotarrera.*) f. Papagayo

pequeño. ‖ **2. urraca.** ‖ **3.** Ave prensora americana, parecida al papagayo, con las mejillas cubiertas de pluma, alas y cola largas y puntiagudas, y colores varios, en que domina el verde. ‖ **4.** fig. y fam. Persona habladora.

cotorrear. intr. fam. Hablar con exceso y con bullicio.

cotorreo. (De *cotorra.*) m. fig. y fam. Acción y efecto de cotorrear.

cotorrera. (De *cotarrera.*) f. Hembra del papagayo. ‖ **2.** fig. y fam. **cotorra,** persona habladora. ‖ **3.** fig. **ramera,** prostituta.

cotorrón, na. (De *cotorra.*) adj. Dícese del hombre o de la mujer viejos que presumen de jóvenes.

cotovía. f. Cogujada, alondra moñuda, copetuda.

cotral. adj. **cutral.** Ú. t. c. s.

cotrofe. (Del gr. bizantino κουτρούφι, vasija, recipiente.) m. ant. Vaso para beber.

cotúa. f. *Venez.* **mergo.**

cotudo[1], da. (De *cotón.*) adj. Peludo, algodonado.

cotudo[2], da. (De *coto*[5].) adj. *Amér. Merid.* Que tiene coto o bocio.

cotufa. (De or. inc.) f. Tubérculo de la raíz de la aguaturma, de unos tres centímetros de largo y que se come cocido. ‖ **2.** Golosina, gollería. ‖ **3. chufa[1],** tubérculo de una especie de juncia. ‖ **pedir cotufas en el golfo.** fr. fig. y fam. Pedir cosas imposibles.

coturnicultura. (Del lat. *coturnix* y *cultura,* cultivo.) f. Explotación industrial de la cría de codornices.

coturno. (Del latín *cothurnus,* y este el gr. κόθορνος.) m. Calzado de suela de corcho sumamente gruesa usado por los actores trágicos de la antigüedad grecorromana para parecer más altos. ‖ **2.** Calzado inventado por los griegos y adoptado por los romanos que cubría hasta la pantorrilla. ‖ **calzar el coturno.** fr. fig. Usar un estilo alto y sublime, especialmente en la poesía. ‖ **de alto coturno.** loc. adj. fig. De categoría elevada.

cotuza. f. *El Salv.* y *Guat.* **agutí.**

coulomb. (De *Coulomb,* físico francés.) m. *Fís.* **culombio,** en la nomenclatura internacional.

covacha. f. Cueva pequeña. ‖ **2.** Vivienda o aposento pobre, incómodo, oscuro, pequeño. ‖ **3. trastero,** lugar donde se guardan trastos viejos. ‖ **4. perrera,** caseta del perro. ‖ **5.** *Ecuad.* Tienda donde se venden comestibles, legumbres, etc.

covachuela. f. d. de **covacha.** ‖ **2.** fam. Cualquiera de las secretarías del despacho universal, que hoy se llaman ministerios. Dióseles este nombre porque estaban situadas en los sótanos del antiguo palacio real. ‖ **3.** fam. También se denominaban así otras oficinas públicas. ‖ **4.** Cada una de las tiendecillas que había en los sótanos de algunas iglesias y otros edificios antiguos.

covachuelista. m. fam. Oficial de una de las covachuelas, oficinas del Estado.

covachuelo. m. fam. **covachuelista.**

covadera. f. *Chile.* Espacio de tierra de donde se extrae guano.

covalente. adj. *Quím.* V. **enlace covalente.**

covalonga. f. Planta de la familia de las lauráceas, que crece silvestre en los montes de Venezuela. Sus semillas, muy amargas, se emplean como sucedáneo de la quinina.

covanilla. f. **covanillo.**

covanillo. m. d. de **cuévano.**

covezuela. f. d. de **cueva.**

coxa. (Del lat. *coxa.*) f. *Zool.* **cadera,** primera pieza de la pata de un insecto.

coxal. (Del lat. *coxa,* cadera.) adj. *Anat.* Perteneciente o relativo a la cadera.

coxalgia. (Del lat. *coxa,* cadera, y del gr. ἄλγος, dolor, sufrimiento.) f. *Pat.* Artritis muy dolorosa causada por infección en la cadera, generalmente de origen tuberculoso.

coxálgico. adj. Perteneciente a la coxalgia. ‖ **2.** Que padece coxalgia.

coxcojilla, ta. (De *coxcox.*) f. **rayuela,** juego que consiste en andar a la pata coja y sacar un tejo con el pie de ciertas divisiones trazadas en el suelo. ‖ **a coxcojilla.** loc. adv. **a coxcox.**

coxcox (a). (Del lat. *coxus coxus,* cojo, cojo.) loc. adv. ant. **a la pata coja.**

coxis. m. *Anat.* **cóccix.**

coxquear. (De *coxcox.*) intr. ant. **cojear.**

coy. (Del neerl. *kooi,* cama a bordo.) m. *Mar.* Trozo de lona o tejido de malla en forma de rectángulo que, colgado de sus cabezas, sirve de cama a bordo.

coya. f. Mujer del emperador, señora soberana o princesa, entre los antiguos incas.

coyán. m. *Chile.* Especie de haya.

coyocho. m. *Chile.* **nabo,** planta crucífera. ‖ **2.** Raíz de esta planta.

coyol. (Del azteca *coyolli.*) m. *Amér. Central* y *Méj.* Palmera de mediana altura, de cuyo tronco, provisto de espinas largas y fuertes, se extrae una bebida agradable que fermenta rápidamente. Produce en grandes racimos una fruta de pulpa amarillenta y cuesco durísimo y negro del que se hacen dijes y cuentas de rosario, botones, sortijas y otros adornos. ‖ **2.** Fruto de este árbol.

coyolar. m. *Guat.* y *Méj.* Sitio poblado de coyoles.

coyoleo. m. *Amér.* Especie de codorniz.

coyotaje. m. fam. *Méj.* Acción de coyotear.

coyote. (Del nahua *coyotl,* adive.) m. Especie de lobo que se cría en Méjico y otros países de América, de color gris amarillento y del tamaño de un perro mastín. ‖ **2.** fig. *Méj.* Persona que se encarga oficiosamente de hacer trámites de otros mediante una remuneración.

coyotear. tr. fam. *Méj.* Actuar como coyote, tramitador oficioso.

coyotero, ra. adj. *Amér.* Dícese del perro amaestrado para perseguir a los coyotes. Ú. t. c. s. ‖ **2.** m. *Amér.* Trampa de coyotes.

coyunda. (Del lat. *coiungŭla.*) f. Correa fuerte y ancha, o soga de cáñamo, con que se uncen los bueyes. ‖ **2.** Correa para atar las abarcas. ‖ **3.** *Nicar.* Látigo. ‖ **4.** fig. Unión conyugal. ‖ **5.** fig. Sujeción o dominio.

coyundado, da. adj. ant. Atado con coyunda.

coyundazo. m. *Nicar.* Latigazo, golpe dado con una coyunda.

coyundear. tr. *Nicar.* Pegar o castigar con una coyunda o látigo.

coyuntero. m. **acoyuntero.**

coyuntura. (Del lat. *cum,* con, y *iunctūra,* unión.) f. Articulación o trabazón movible de un hueso con otro. ‖ **2.** fig. Sazón, oportunidad para alguna cosa. ‖ **3.** fig. Combinación de factores y circunstancias que, para la decisión de un asunto importante, se presenta en una nación. COYUNTURA *económica.* ‖ **4.** V. **hierba de las coyunturas.** ‖ **hablar por las coyunturas.** fr. fig. y fam. **hablar por los codos.**

coyuntural. adj. Que depende de la coyuntura o circunstancia.

coyuyo. m. *Argent.* Cigarra grande.

coz. (Del lat. *calx, calcis,* talón.) f. Sacudimiento violento que hacen las bestias con alguna de las patas. ‖ **2.** Golpe que dan con este movimiento. ‖ **3.** Golpe que da una persona moviendo el pie con violencia hacia atrás. ‖ **4.** Retroceso que hace, o golpe que da, cualquier arma de fuego al dispararla. ‖ **5.** Retroceso del agua cuando, por encontrar impedimento en su curso, vuelve atrás. ‖ **6. culata** de la escopeta y otras armas de fuego. ‖ **7.** Parte inferior o más gruesa de un árbol o de un madero. ‖ **8.** *Mar.* Extremo inferior de los masteleros. ‖ **9.** fig. y fam. Acción o palabra injuriosa o grosera. ‖ **andar a coz y bocado.** fr. fig. y fam.

Retozar dándose golpes o puñadas. ‖ **coz que le dio Periquillo al jarro.** Juego de muchachos que cantaban en rueda el estribillo COZ QUE LE DIO PERIQUILLO AL JARRO; COZ *que le dio que lo derribó,* quedando alternativamente uno de ellos fuera del corro. ‖ **dar coces contra el aguijón.** fr. fig. y fam. Obstinarse en resistir a fuerza superior. ‖ **disparar coces.** fr. fig. y fam. **tirar coces.** ‖ **mandar a coces.** fr. fig. y fam. Mandar con aspereza y mal modo. ‖ **soltar una coz.** fr. fig. y fam. Contestar inoportuna o desabridamente a lo que se pregunta o advierte. ‖ **tirar coces.** fr. fig. y fam. Rebelarse, no quererse sujetar. ‖ **tirar coces contra el aguijón.** fr. fig. y fam. **dar coces contra el aguijón.** ‖ **tirar una coz.** fr. fig. y fam. **soltar una coz.**

cozcucho. (Del ár. *kuskus,* sémola.) m. ant. **alcuzcuz.**

cozolmeca. f. *Méj.* Planta de la familia de las liliáceas, del mismo género que la zarzaparrilla.

crabrón. (Del lat. *crabro, -ōnis,* tábano.) m. **avispón,** especie de avispa grande.

-cracia. (Del gr. -κρατία, de la raíz de κράτος, fuerza.) elem. compos. que significa dominio o poder: *banco*CRACIA, *fisio*CRACIA.

cracoviano, na. adj. Natural de Cracovia. Ú. t. c. s. ‖ **2.** Perteneciente a esta ciudad de Polonia. ‖ **3.** f. Baile originario de la ciudad de Cracovia, muy popular en España a mediados del siglo XIX.

cramponado, da. (Del fr. *cramponné.*) adj. *Blas.* Aplícase a aquellas piezas que en sus extremidades tienen una media potenza, y a veces un gancho.

cran. (Del fr. *cran.*) m. *Impr.* Muesca que tiene cada letra de imprenta para que, al colocarla en el componedor, pueda el cajista conocer si ha quedado en la posición conveniente.

craneal. adj. Perteneciente o relativo al cráneo. ‖ **2.** *Anat.* V. **bóveda craneal.**

craneano, na. (De *cráneo.*) adj. **craneal.**

cráneo. (Del b. lat. *cranĭum,* y este del gr. κρανίον.) m. *Anat.* Caja ósea en que está contenido el encéfalo. ‖ **2.** V. **base del cráneo.** ‖ **ir** alguien **de cráneo.** fr. fig. y fam. Hallarse en una situación muy comprometida, de difícil solución. ‖ **secársele** a alguien, o **tener** alguien **seco, el cráneo.** fr. fig. y fam. Volverse, o estar, loco.

craneología. (Del gr. κρανίον, cráneo, y *-logía.*) f. Estudio del cráneo.

craneopatía. f. *Med.* Enfermedad del cráneo.

craneoscopia. (Del gr. κρανίον, cráneo, y *-scopia.*) f. Arte que, por la inspección de la superficie exterior del cráneo, presume conocer las facultades intelectuales y afectivas.

craniano, na. adj. **craneal.**

crápula. (Del lat. *crapŭla,* y este del gr. κραιπάλη.) f. Embriaguez o borrachera. ‖ **2.** fig. Disipación, libertinaje. ‖ **3.** m. Hombre de vida licenciosa.

crapuloso, sa. (Del lat. *crapulōsus.*) adj. Dado a la crápula. Ú. t. c. s.

craquear. (Del ing. *to crack.*) tr. *Tecnol.* Romper, por elevación de temperatura, las moléculas de ciertos hidrocarburos con el fin de aumentar la proporción de los más útiles. A veces, además de elevar la temperatura, se emplean catalizadores.

craquelenque. (Del neerl. *krakelinc,* galleta.) m. ant. Especie de panecillo.

craqueo. m. *Tecnol.* Acción y efecto de craquear.

cras. (Del lat. *cras.*) adv. t. ant. **mañana.**

crasamente. adv. m. fig. Con suma ignorancia.

crascitar. (De *croscitar.*) intr. Graznar el cuervo.

crasedad. (Del lat. *crassĭtas, -ātis.*) f. ant. **crasitud.**

craseza. f. ant. **crasicia.**

crasicia. f. ant. **crasicie.**

crasicie. (Del lat. *crassitĭes.*) f. ant. **grosura,** sustancia crasa o jugo untuoso.

crasiento, ta. (De *craso.*) adj. **grasiento.**

crasitud. (Del lat. *crassitūdo.*) f. **gordura,** tejido adiposo que se deposita alrededor de vísceras importantes.

craso, sa. (Del lat. *crassus.*) adj. p. us. Grueso, gordo o espeso. ‖ **2.** V. **brea crasa.** ‖ **3.** fig. Unido con los substantivos *error, ignorancia, engaño, disparate* y otros semejantes, **indisculpable.** ‖ **4.** m. **crasitud.**

crasuláceo, a. (Del lat. *crassus,* craso.) adj. *Bot.* Dícese de hierbas y arbustos angiospermos dicotiledóneos, con hojas carnosas sin estípulas, flores en cima y por frutos folículos dehiscentes con semillas de albumen carnoso; como el ombligo de Venus y la uva de gato. Ú. t. c. s. f. ‖ **2.** f. pl. *Bot.* Familia de estas plantas.

cráter. (Del lat. *crater,* copa, y este del gr. κρατήρ.) m. Depresión topográfica más o menos circular formada por explosión volcánica y por la cual sale humo, ceniza, lava, fango u otras materias, cuando el volcán está en actividad. ‖ **2.** Depresión semejante formada por caída de meteoritos en la superficie de la Tierra y de la Luna. ‖ **3.** Por analogía, depresión por lo común de forma circular y márgenes elevados.

cratera o **crátera.** (Del lat. *cratēra,* y este del gr. κρατήρ.) f. *Arqueol.* Vasija grande y ancha donde se mezclaba el vino con agua antes de servirlo en copas durante las comidas en Grecia y Roma.

crateriforme. adj. Que tiene forma de cráter.

cratícula. (Del lat. *craticŭla,* reja pequeña.) f. Ventana pequeña por donde se da la comunión a las monjas. ‖ **2.** *Fís.* Aparato o medio dispersor de la luz, consistente en una superficie pulida con numerosas y finísimas rayas equidistantes.

craza. f. Crisol en que se funden el oro y la plata para amonedarlos.

crazada. f. Plata cendrada y dispuesta para ligarla.

crea. (Del fr. *crée.*) f. Cierto lienzo entrefino que se usaba mucho para sábanas, camisas, forros, etc.

creable. (Del lat. *creabĭlis.*) adj. Que puede ser creado.

creación. (Del lat. *creatĭo, -ōnis.*) f. Acto de criar o sacar Dios una cosa de la nada. ‖ **2. mundo,** conjunto de todas las cosas creadas. ‖ **3.** Acción y efecto de crear, establecer o instituir. ‖ **4.** Acción de **crear,** tratándose de dignidades muy elevadas. ‖ **5.** Obra de ingenio, de arte o artesanía muy laboriosa, o que revela una gran inventiva. *Su discurso nos sorprendió porque fue toda una* CREACIÓN. ‖ **6.** ant. **crianza,** acción y efecto de criar.

creacionismo. m. Doctrina poética que proclama la total autonomía del poema, el cual no ha de imitar o reflejar a la naturaleza en sus apariencias, sino en sus leyes biológicas y constitución orgánica. ‖ **2.** *Biol.* Doctrina que la biología actual no admite, según la cual las especies biológicas se han originado por actos particulares de creación para cada una de ellas. ‖ **3.** *Fil.* y *Teol.* Teoría según la cual Dios creó el mundo a partir de la nada e interviene directamente en la creación del alma humana en el momento de la concepción.

creador, ra. (Del lat. *creātor, -ōris.*) adj. Dícese propiamente de Dios, que sacó todas las cosas de la nada. Ú. m. c. s. ‖ **2.** fig. Que crea, establece o funda una cosa. *Poeta, artista, ingeniero* CREADOR; *facultades* CREADORAS; *mente* CREADORA. Ú. t. c. s.

creamiento. (De *crear.*) m. ant. Reparación o renovación.

crear. (Del lat. *creāre.*) tr. Producir algo de la nada. *Dios* CREÓ *cielos y tierra.* ‖ **2.** fig. Establecer, fundar, introducir por vez primera una cosa; hacerla nacer o darle vida, en sentido figurado. CREAR *una industria, un género literario, un sistema filosófico, un orden político, necesidades, derechos, abusos.* ‖ **3.** fig. Instituir un nuevo empleo o dignidad. CREAR *el oficio de condestable.* ‖ **4.** fig. Tratándose de dignidades muy elevadas, por lo común eclesiásticas y vitalicias, hacer, por elección o nombramiento, a una persona lo que antes no era. FUE CREADO *papa;* SERÁ CREADO *cardenal.* ‖ **5.** ant. **criar,** nutrir.

creatividad. f. Facultad de crear. ‖ **2.** Capacidad de creación.

creativo, va. adj. Que posee o estimula la capacidad de creación, invención, etc. ‖ **2.** ant. Capaz de crear alguna cosa. ‖ **3.** m. y f. Profesional encargado de la concepción de una campaña publicitaria.

creatura. (Del lat. *creatūra.*) f. ant. **criatura.**

crébol. (Del cat. *crebol.*) m. *Ar.* **acebo.**

crecal. (Del fr. *créquier,* ciruelo.) m. *Blas.* Pieza heráldica en forma de candelabro de siete y a veces de más brazos.

crecedero, ra. adj. Que está en aptitud de crecer. ‖ **2.** Aplícase al vestido que se hace a un niño de modo que le pueda servir aunque crezca.

crecencia. (Del lat. *crescentĭa.*) f. ant. **aumento.**

crecentar. (Del lat. *crescens, -entis,* p. a. de *crescĕre,* aumentar.) tr. ant. **acrecentar.**

crecer. (Del lat. *crescĕre.*) intr. Tomar aumento natural los seres orgánicos. Aplicado a personas, se dice principalmente de la estatura. ‖ **2.** Recibir aumento una cosa por añadírsele nueva materia. CRECER *el río, el montón.* ‖ **3.** Adquirir aumento algunas cosas. CRECER *el tumulto.* ‖ **4.** En las labores de punto, ir añadiendo puntos regularmente a los que están prendidos en la aguja, para que resulte aumentado su número en la vuelta siguiente. Ú. m. c. tr. ‖ **5.** Tratándose de la Luna, aumentar la parte iluminada del astro visible desde la Tierra. ‖ **6.** Aumentar el valor de una moneda. ‖ **7.** tr. ant. **aventajar.** ‖ **8.** prnl. Tomar alguien mayor autoridad, importancia o atrevimiento.

creces. (De *crecer.*) f. pl. Aumento aparente de volumen que adquiere el trigo en la troje traspalándolo de una parte a otra. También se dice de la sal y de otras cosas. ‖ **2.** Tanto más por fanega que obligan al labrador a volver al pósito por el trigo que se le prestó de él. ‖ **3.** Señales que indican disposición de crecer. *Muchacho de* CRECES. ‖ **4.** fig. Aumento, ventaja, exceso en algunas cosas. ‖ **con creces.** loc. adv. Crecida, colmadamente.

crecida. (De *crecer.*) f. Aumento del cauce de los ríos y arroyos.

crecidamente. adv. m. Con aumento o ventaja.

crecido, da. p. p. de **crecer.** ‖ **2.** adj. ant. Grave, importante. ‖ **3.** fig. Grande o numeroso. ‖ **4.** m. pl. Puntos que se aumentan en algunas partes de la media, calceta y otras labores análogas.

creciente. p. a. de **crecer.** Que crece. ‖ **2.** adj. *Astron.* V. **cuarto, luna creciente.** ‖ **3.** m. *Blas.* Figura heráldica que representa una luna en su primer cuarto, y con las puntas hacia arriba. ‖ **4.** *Mar.* V. **aguas de creciente.** ‖ **5.** f. **crecida.** ‖ **6.** En algunas partes, **levadura,** microorganismos de la fermentación. ‖ **de la Luna.** Intervalo que media entre el novilunio y el plenilunio, durante el cual va siempre aumentando la parte iluminada visible desde la Tierra. ‖ **del mar.** Subida del agua del mar por efecto de la marea.

crecimiento. m. Acción y efecto de crecer. CRECIMIENTO *de la población.* ‖ **2.** Aumento del valor intrínseco de la moneda.

credencia. (Del lat. *credens, -entis,* creyente.) f. Mesa o repisa que se pone inmediata al altar, a fin de tener a mano lo necesario para la celebración de los divinos oficios. ‖ **2.** Aparador en que se ponían los frascos de vino y de agua de que, previa la salva, había de beber el rey o alguna persona principal. ‖ **3.** ant. **cartas credenciales.**

credencial. (De *credencia.*) adj. Que acredita. ‖ **2.** f. Real orden u otro documento que sirve para que a un empleado se dé posesión de su plaza, sin perjuicio de obtener luego el título correspondiente. ‖ **3.** pl. **cartas credenciales.**

credenciero. m. El que tenía a su cuidado la credencia, y solía hacer la salva antes de que bebiera su señor.

credibilidad. (Del lat. *credibĭlis,* creíble.) f. Calidad de creíble.

crediticio, cia. adj. Perteneciente o relativo al crédito público o privado.

crédito. (Del lat. *credĭtum.*) m. **asenso.** ‖ **2.** Cantidad de dinero, o cosa equivalente, que alguien debe a una persona o entidad, y que el acreedor tiene derecho de exigir y cobrar. ‖ **3.** Apoyo, abono, comprobación. ‖ **4.** Reputación, fama, autoridad. Tómase por lo común en sentido favorable. ‖ **5. carta de crédito.** ‖ **6.** Situación económica o condiciones morales que facultan a una persona o entidad para obtener de otra fondos o mercancías. ‖ **7.** Opinión que goza una persona de que cumplirá puntualmente los compromisos que contraiga. ‖ **abierto. letra abierta.** ‖ **público.** Concepto que merece cualquier Estado en orden a su legalidad en el cumplimiento de sus contratos y obligaciones. ‖ **abrir un crédito** a alguien. fr. *Com.* Autorizarlo por medio de documento para que pueda recibir de otro la cantidad que necesite o hasta cierta suma. ‖ **dar a crédito.** fr. Prestar dinero sin otra seguridad que la del **crédito** de aquel que lo recibe. ‖ **dar crédito.** fr. **creer.** ‖ **sentar,** o **tener sentado, el crédito.** fr. Afirmarse y establecerse en la buena fama y reputación del público por medio de sus virtudes, de sus letras o de sus loables acciones.

credo. (Del lat. *credo,* creo, primera palabra de la oración.) m. Oración en la que se contienen los principales artículos de la fe enseñada por los apóstoles. ‖ **2.** fig. Conjunto de doctrinas comunes a una colectividad. ‖ **cada credo.** expr. fig. y fam. Cada instante o con mucha frecuencia. ‖ **con el credo en la boca.** expr. fig. y fam. que se usa para dar a entender el peligro que se teme o el riesgo en que se está. ‖ **en un credo.** loc. adv. fig. y fam. En breve espacio de tiempo. ‖ **que canta el credo.** expr. fam. con que se pondera lo extraordinario de una cosa en frases como las siguientes: *Dice cada mentira,* QUE CANTA EL CREDO; *da cada sablazo,* QUE CANTA EL CREDO.

crédulamente. adv. m. Con credulidad.

credulidad. (Del lat. *credulĭtas, -ātis.*) f. Calidad de crédulo. ‖ **2.** ant. **creencia,** firme asentimiento y conformidad con alguna cosa.

crédulo, la. (Del lat. *credŭlus.*) adj. Que cree ligera o fácilmente.

creederas. (De *creedero.*) f. pl. fam. Demasiada facilidad en creer. Ú. m. con calificativo. *Buenas, grandes, bravas* CREEDERAS.

creedero, ra. (Del lat. *creditarĭus.*) adj. Creíble, verosímil. ‖ **2.** ant. Digno de crédito.

creedor, ra. (Del lat. *credĭtor, -ōris.*) adj. **crédulo.** ‖ **2.** ant. **acreedor,** que tiene derecho a pedir el cumplimiento de alguna obligación.

creencia. (De *creer.*) f. Firme asentimiento y conformidad con alguna cosa. ‖ **2.** Completo crédito que se presta a un hecho o noticia como seguros o ciertos. ‖ **3.** V. **carta de creencia.** ‖ **4.** Religión, secta. ‖ **5.** ant. Mensaje o embajada. ‖ **6.** ant. **salva,** prueba que hacen de la comida y bebida los encargados de servirla a los reyes y grandes señores, para asegurar que no hay en ellas ponzoña.

creendero. (Del lat. *credendus,* p. f. p. de *credĕre,* acreditar, dar crédito.) adj. ant. Recomendado, favorecido.

creer. (Del lat. *credĕre.*) tr. Tener por cierta una cosa que el entendimiento no alcanza o que no está comprobada o demostrada. ‖ **2.** Dar firme asenso a las verdades reveladas por Dios y propuestas por la Iglesia. ‖ **3.** Pensar, juzgar, sospechar una cosa o estar persuadido de ella. ‖ **4.** Tener una cosa por verosímil, o probable. Ú. t. c. prnl. ‖ **5.** Dar asenso, apoyo o confianza a alguien. *¿Nunca me habéis de* CREER? Ú. t. c. intr. con la prep. *en.* CREEMOS

EN *él.* ‖ **creer,** o **creerse, de ligero.** fr. Dar crédito o asenso a las cosas, sin suficiente fundamento. ‖ **creerse de** alguien. fr. Darle crédito. ‖ **no creas.** loc. elíptica con que se da a entender que no es descaminado algo que se va a enunciar. Se usa también en otras personas del verbo. ‖ **no creo más de lo que veo.** fr. **ver y creer.** ‖ **¡ya,** o **yo, lo creo!** expr. fam. Es evidente, no cabe duda.

crehuela. f. Crea ordinaria y floja que se usaba para forros.

creíble. (Del lat. *credibĭlis.*) adj. Que puede o merece ser creído.

creíblemente. adv. m. Probablemente, verosímilmente.

creído, da. p. p. de **creer.** ‖ **2.** adj. fam. Dícese de la persona vanidosa, orgullosa o muy pagada de sí misma. ‖ **3.** Confiado.

crema[1]. (Del fr. *crème.*) f. Sustancia grasa contenida en la leche. ‖ **2.** Nata de la leche. ‖ **3.** Natillas espesas tostadas por encima con plancha de hierro candente. ‖ **4.** Sopa espesa. ‖ **5.** Confección cosmética para suavizar el cutis. ‖ **6.** Pasta untuosa para limpiar y dar brillo a las pieles curtidas, en especial las del calzado. ‖ **7.** fig. Con el art. *la,* lo más distinguido de un grupo social cualquiera.

crema[2]. (Del gr. τρῆμα, con probable confusión con *crema*[1].) f. *Gram.* **diéresis,** signo de puntación.

cremación. (Del lat. *crematĭo, -ōnis.*) f. Acción de quemar.

cremallera. (Del fr. *crémaillère.*) f. Barra metálica con dientes en uno de sus cantos, para engranar con un piñón y convertir un movimiento circular en rectilíneo o viceversa. ‖ **2.** Cierre que se aplica a una abertura longitudinal en prendas de vestir, bolsos y cosas semejantes. Consiste en dos tiras de tela guarnecidas en sus orillas de pequeños dientes generalmente de metal o plástico que se traban o destraban entre sí al efectuar un movimiento de apertura o cierre por medio de un cursor metálico.

cremar. tr. *Méj.* **incinerar.**

crematística. (Del gr. χρηματιστική, t. f. de -κός.) f. **economía política.** ‖ **2.** Interés pecuniario de un negocio.

crematístico, ca. adj. Perteneciente o relativo a la crematística.

crematorio, ria. (Del lat. *cremātus,* quemado.) adj. Relativo a la cremación de los cadáveres y materias deletéreas. *Horno* CREMATORIO. ‖ **2.** m. Lugar donde se queman los cadáveres.

cremento. (Del lat. *crementum.*) m. desus. **incremento,** aumento, acrecentamiento o extensión de una cosa.

cremesín. adj. ant. **cremesino.**

cremesino, na. adj. ant. **carmesí,** color grana del quermes animal.

cremómetro. (De *crema*[1] y *-metro.*) m. Instrumento que sirve para medir la cantidad de manteca contenida en la leche.

cremonés, sa. adj. Natural de Cremona. Ú. t. c. s. ‖ **2.** Perteneciente o relativo a esta ciudad de Italia.

crémor. (Del lat. *cremor, -ōris.*) m. *Quím.* Tartrato ácido de potasa, que se usa como purgante en medicina y como mordiente en tintorería. Se halla en la uva, el tamarindo y otros frutos. ‖ **tártaro.** *Quím.* **crémor.**

cremoso, sa. adj. De la naturaleza o aspecto de la crema. ‖ **2.** Que tiene mucha crema.

crencha. (De *crenchar.*) f. Raya que divide el cabello en dos partes. ‖ **2.** Cada una de estas partes.

crenchar. (De or. inc.) tr. Hacer raya en el pelo.

crenche. (De *crenchar.*) f. ant. **crencha.**

creolina. f. *Farm.* Preparación líquida negruzca, espesa, de creosota de hulla y jabones resinosos; es desodorizante y desinfectante.

creosota. (Del gr. κρέας, carne, y σῴζω, conservar, preservar.) f. *Quím.* Sustancia líquida, oleaginosa, incolora, de sabor urente y cáustico que se extrae del alquitrán. Sirve para preservar de la putrefacción las carnes, las maderas, y para otros usos.

creosotado, da. p. p. de **creosotar.** ‖ **2.** adj. Que contiene creosota.

creosotar. tr. Impregnar de creosota las maderas para que no se pudran.

crepe. (Del fr. *crêpe.*) f. **filloa.** Ú. m. en pl.

crepería. f. Establecimiento donde se hacen y venden crepes.

crepitación. (Del lat. *crepitatĭo, -ōnis.*) f. Acción y efecto de crepitar. ‖ **2.** *Med.* Ruido que en el cuerpo produce el roce mutuo de los extremos de un hueso fracturado, el aire al penetrar en los pulmones, etc.

crepitar. (Del lat. *crepitāre,* a través del fr. *crépiter.*) intr. Dar chasquidos, especialmente la leña al arder.

crepón. m. *Ar.* Rabadilla de las aves.

crepuscular. adj. Perteneciente al crepúsculo. Ú. t. en sent. fig. ‖ **2.** Dícese del estado de ánimo, intermedio entre la conciencia y la inconsciencia, que se produce inmediatamente antes o después del sueño natural, o bien a consecuencia de accidentes patológicos, o de la anestesia general. ‖ **3.** *Zool.* Dícese de los animales que, como muchos murciélagos, buscan su alimento principalmente durante el crepúsculo.

crepusculino, na. adj. desus. **crepuscular.**

crepúsculo. (Del lat. *crepuscŭlum.*) m. Claridad que hay desde que raya el día hasta que sale el Sol, y desde que este se pone hasta que es de noche. ‖ **2.** Tiempo que dura esta claridad. ‖ **3.** fig. Decadencia.

crequeté. m. *Cuba.* **caracatey.**

cresa. (De *queresa,* y este probablemente der. del lat. *caries.*) f. En algunas partes, los huevos que pone la reina de las abejas. ‖ **2.** Larva de ciertos dípteros, que se alimenta principalmente de materias orgánicas en descomposición. ‖ **3.** Conjunto de huevecillos amontonados que ponen las moscas sobre las carnes.

creso. (Por alusión a *Creso,* rey de Lidia, célebre por sus riquezas.) m. fig. El que posee grandes riquezas.

crespa. (De *crespo.*) f. ant. Melena o cabellera. ‖ **de luz.** Conjunto de rayos de luz.

crespar. (Del lat. *crispāre.*) tr. ant. Encrespar o rizar. Ú. t. c. prnl. ‖ **2.** prnl. ant. Irritarse o alterarse.

crespilla. (De *crespo.*) f. **cagarria,** carraspina.

crespillo. (De *crespo.*) m. *Hond.* **clemátide.**

crespín. (De *crespo.*) m. Cierto adorno femenino usado antiguamente.

crespina. (De *crespa,* melena.) f. Cofia o redecilla que usaban las mujeres para recoger el pelo y adornar la cabeza.

crespo, pa. (Del lat. *crispus.*) adj. Dícese del cabello ensortijado o rizado de forma natural. ‖ **2.** Dícese de las hojas de algunas plantas, cuando están retorcidas o encarrujadas. ‖ **3.** V. **uva crespa.** ‖ **4.** fig. Aplícase al estilo artificioso, oscuro y difícil de entender. ‖ **5.** fig. Irritado o alterado. ‖ **6.** m. **rizo,** mechón de pelo ensortijado.

crespón. (De *crespo.*) m. Gasa en que la urdimbre está más retorcida que la trama. ‖ **2.** Tela negra que se usa en señal de luto.

cresta. (Del lat. *crista.*) f. Carnosidad roja que tienen sobre la cabeza el gallo y algunas otras aves. ‖ **2. copete,** moño de plumas de ciertas aves. ‖ **3.** Protuberancia de poca extensión y altura que ofrecen algunos animales, aunque no sea carnosa, ni de pluma. ‖ **4.** fig. Cumbre de agudos peñascos de una montaña. ‖ **5.** fig. Cima de una ola, generalmente coronada de espuma. ‖ **6.** ant. **crestón,** parte de la celada. ‖ **de gallo. gallocresta,** planta herbácea. ‖ **de la explanada.** *Fort.* Extremidad más alta de la explanada, que viene a ser el parapeto del camino cubierto. ‖ **alzar,** o **levantar, la cresta.** fr. fig. Mostrar soberbia. ‖ **dar en la**

cresta a alguien. fr. fig. y fam. Mortificarlo, humillarlo. ‖ **estar en la cresta de la ola.** fr. fig. Estar en el mejor momento, en el apogeo.

crestado, da. (Del lat. *cristātus.*) adj. Que tiene cresta.

crestería. (De *cresta.*) f. *Arq.* Adorno de labores caladas que se usó mucho en el estilo ojival, y se colocaba en los caballetes y otras partes altas de los edificios. ‖ **2.** *Fort.* Conjunto de las obras de defensa superiores. ‖ **3.** *Fort.* Almenaje o coronamiento de las antiguas fortificaciones.

crestomatía. (Del gr. χρηστομάθεια.) f. Colección de escritos selectos para la enseñanza.

crestón. m. aum. de **cresta.** ‖ **2.** Parte de la celada, que en figura de cresta se levantaba sobre la cabeza y en la cual se ponían las plumas. ‖ **3.** *Min.* Parte superior de un filón o de una masa de rocas, cuando sobresale en la superficie del terreno.

crestudo, da. adj. Que tiene mucha cresta. ‖ **2.** fig. despect. Orgulloso, arrogante.

creta. (Del lat. *creta,* greda.) f. Carbonato de cal terroso.

cretáceo, a. (Del lat. *cretacĕus,* gredoso.) adj. **cretácico.**

cretácico, ca. adj. *Geol.* Dícese del terreno posterior al jurásico. ‖ **2.** Perteneciente a este terreno.

cretense. (Del lat. *Cretensis.*) adj. Natural de Creta. Ú. t. c. s. ‖ **2.** Perteneciente o relativo a esta isla del Mediterráneo.

crético, ca. (Del lat. *Cretĭcus.*) adj. **cretense.** ‖ **2.** V. **díctamo crético.** ‖ **3.** m. **anfímacro.**

cretinismo. (De *cretino.*) m. Enfermedad caracterizada por un peculiar retraso de la inteligencia acompañado, por lo común, de defectos del desarrollo orgánico. ‖ **2.** fig. Estupidez, idiotez, falta de talento.

cretino, na. (Del fr. *crétin.*) adj. Que padece cretinismo. Ú. t. c. s. ‖ **2.** fig. Estúpido, necio. Ú. t. c. s.

cretona. (Del fr. *cretonne,* de *Creton,* donde se fabrica esta tela.) f. Tela fuerte comúnmente de algodón, blanca o estampada. Se usa en tapicería

creyente. p. a. de **creer.** Que cree, especialmente el que profesa determinada fe religiosa. Ú. t. c. s.

creyer. tr. ant. **creer.**

crezneja. f. **crizneja.**

cría. (De *criar.*) f. Acción y efecto de criar a los hombres, o a las aves, peces y otros animales. ‖ **2.** V. **ama de cría.** ‖ **3.** Niño o animal mientras se está criando. ‖ **4.** Conjunto de hijos que tienen de un parto, o en un nido, los animales.

criación. (Del lat. *creatĭo, -ōnis.*) f. ant. Cría de los animales. ‖ **2.** ant. **crianza.** ‖ **3.** ant. **creación.**

criada. (De *criado,* sirviente.) f. fig. **moza,** pala de las lavanderas.

criadero, ra. adj. Fecundo en criar. ‖ **2.** m. Lugar adonde se trasplantan, para que se críen, los árboles silvestres o los sembrados en almáciga. ‖ **3.** Lugar destinado para la cría de los animales. ‖ **4.** *Min.* Agregado de sustancias inorgánicas de útil explotación, que naturalmente se halla entre la masa de un terreno.

criadilla. f. En los animales de matadero, **testículo.** ‖ **2.** Panecillo que pesaba un cuarterón y tenía la hechura de las **criadillas** del carnero. ‖ **3. patata,** tubérculo. ‖ **de mar.** Pólipo de figura globosa, hueco y pegado por un solo punto a las rocas, de las que se desprende fácilmente. ‖ **de tierra.** Hongo carnoso, de buen olor, figura redondeada, de tres a cuatro centímetros de diámetro, negruzco por fuera y blanquecino o pardo rojizo por dentro. Se cría bajo tierra, y guisado es muy sabroso. Ú. m. en pl.

criado, da. p. p. de **criar.** ‖ **2.** adj. Con los adverbios *bien* o *mal,* se aplica a la persona de buena o mala educación. ‖ **3.** m. y f. Persona que sirve por un salario, y especialmente la que se emplea en el servicio doméstico. ‖ **4.** ant. Persona que ha recibido de otra la primera crianza, alimento y educación. ‖ **5.** ant. **cliente,** persona que está bajo la protección de otra. ‖ **salirle** a alguien **la criada respondona.** fr. fig. y fam. Verse increpado y confundido por la misma persona a quien creía tener vencida y supeditada.

criador, ra. (Del lat. *creātor, -ōris.*) adj. Que nutre y alimenta. ‖ **2.** *Rel.* Atributo que se da solo a Dios, como hacedor de todas las cosas. Ú. t. c. s. ‖ **3.** fig. Se dice de una tierra o provincia respecto de las cosas de que abunda. ‖ **4.** m. y f. Persona que tiene a su cargo, o por oficio, criar animales; como caballos, perros, gallinas, etc. ‖ **5. vinicultor.** ‖ **6.** f. **nodriza.**

criaduelo, la. m. y f. d. de **criado.**

críalo. m. Ave cuculiforme, con un moño característico. Pone sus huevos en los nidos de las urracas (o de otros córvidos), que los incuban y alimentan a los pollos.

criamiento. (De *criar.*) m. ant. **creación.** ‖ **2.** Renovación y conservación de alguna cosa.

criancero, ra. m. y f. *Argent.* En las provincias del sudoeste, pastor transhumante.

criandera. (De *criar.*) f. *Amér.* **nodriza.**

crianza. f. Acción y efecto de criar. Con particularidad se llama así la que se recibe de las madres o nodrizas mientras dura la lactancia. ‖ **2.** Época de la lactancia. ‖ **3.** Proceso de elaboración de los vinos. ‖ **4.** Urbanidad, atención, cortesía; suele usarse con los adjetivos *buena* o *mala.* ‖ **5.** V. **palabra de buena crianza.** ‖ **6.** *Chile.* Conjunto de animales nacidos en una hacienda y destinados a ella. ‖ **7.** ant. **criamiento.** ‖ **dar crianza** a alguien. fr. Criarlo, cuidar de su **crianza.**

criar. (Del lat. *creāre.*) tr. *Teol.* Producir algo de nada; dar ser a lo que antes no lo tenía, lo cual solo es propio de Dios. ‖ **2.** p. us. **producir,** engendrar, crear algo con medios humanos. Ú. t. c. prnl. ‖ **3.** Nutrir y alimentar la madre o la nodriza al niño con la leche de sus pechos, o con biberón. ‖ **4.** Alimentar, cuidar y cebar aves u otros animales. ‖ **5.** Instruir, educar y dirigir. ‖ **6.** Elegir a alguien para una elevada dignidad. ‖ **7.** Establecer por vez primera o fundar una cosa. ‖ **8.** Producir, cuidar y alimentar un animal a sus hijos. ‖ **9.** Someter un vino, después de la fermentación tumultuosa, a ciertas operaciones y cuidados. ‖ **10.** Dicho de un expediente o negocio, formarlo, entender en él desde sus principios. ‖ **11.** fig. Dar ocasión y motivo para alguna cosa. ‖ **estar criado.** fr. fig. y fam. Poder bandearse o cuidarse, sin otro que lo dirija o le ayude.

criatura. (Del lat. *creatūra.*) f. *Teol.* Toda cosa criada. ‖ **2.** Niño recién nacido o de poco tiempo. ‖ **3.** Feto antes de nacer. ‖ **4.** fig. **hechura** de otro a quien debe su posición social. ‖ **abortiva.** *Der.* La que no tiene la condición legal de nacida. ‖ **ser una criatura.** fr. fig. y fam. Ser de muy poca edad. ‖ **2.** fig. y fam. Tener propiedades de niño.

criazón. (Del lat. *creatĭo, -ōnis.*) f. ant. Gente que vive en una casa bajo la autoridad del señor de ella. ‖ **2.** Servidumbre de una casa. ‖ **3.** Crianza de animales.

criba. (De *cribo.*) f. Cuero ordenadamente agujereado y fijo en un aro de madera, que sirve para cribar. También se hacen de plancha metálica con agujeros, o con red de malla de alambre. ‖ **2.** Cualquiera de los aparatos mecánicos que se emplean en agricultura para cribar semillas, o en minería para lavar y limpiar los minerales. ‖ **3.** *Bot.* Cualquiera de los tabiques membranosos, transversales u oblicuos, situados en el interior de los vasos cribosos de las plantas y que tienen pequeños orificios por los que pasa la savia descendente. ‖ **estar** una cosa **como una criba,** o **hecha una criba.** fr. fig. y fam. Estar muy rota y llena de agujeros.

cribado, da. p. p. de **cribar.** ‖ **2.** adj. Dícese del carbón mineral escogido cuyos trozos han de tener un tamaño reglamentario superior a 45 milímetros. ‖ **3.** m. Acción y efecto de cribar.

cribador, ra. adj. Que criba. Ú. t. c. s.

cribar. (Del lat. *cribrāre.*) tr. Limpiar el trigo u otra semilla, por medio de la criba, del polvo, tierra, neguilla y demás impurezas. ‖ **2.** Pasar una semilla, un mineral u otra materia por la criba para separar las partes menudas de las gruesas.

Cribas! (¡voto a). expr. ant. **¡voto a Cristo!**

cribelo. (Del lat. *cribellum,* d. de *cribrum,* cribo.) m. *Zool.* Órgano que tienen muchas arañas en el abdomen, y que produce seda por estar provisto de glándulas adecuadas para ello.

cribete. m. p. us. Especie de camastro.

cribo. (Del lat. *cribrum.*) m. **criba.**

criboso. (De *criba.*) adj. *Bot.* Aplícase a los vasos que tienen cribas y sirven para conducir la savia descendente de los vegetales.

cric. (Voz onomatopéyica.) m. **gato[1],** instrumento para elevar grandes pesos. ‖ **2. gato[1],** instrumento que sirve para reconocer el alma de los cañones.

crica. (Voz onomatopéyica.) f. Partes pudendas de la mujer.

cricoides. (Del gr. κρίκος, anillo, y *-oide.*) adj. *Med.* Dícese del cartílago anular inferior de la laringe de los mamíferos. Ú. m. c. s. m.

cri-cri. Onomatopeya que imita el canto del grillo.

crida. (De *cridar.*) f. ant. **pregón** en sitio público, de una cosa que interesa a muchos.

cridar. (Del lat. *quiritāre,* gritar.) intr. ant. Gritar o dar voces.

crimen. (Del lat. *crimen.*) m. Delito grave. ‖ **2.** Acción indebida o reprensible. ‖ **3.** Acción voluntaria de matar o herir gravemente a una persona. ‖ **4.** V. **alcalde, sala del crimen.** ‖ **de lesa majestad. delito de lesa majestad.**

criminación. (Del lat. *criminatĭo, -ōnis.*) f. Acción y efecto de criminar.

criminador, ra. adj. desus. **murmurador.**

criminal. (Del lat. *criminālis.*) adj. Perteneciente al crimen o que de él toma origen. ‖ **2.** Dícese de las leyes, institutos o acciones destinados a perseguir y castigar los crímenes o delitos. ‖ **3.** V. **derecho, fiscal, pleito criminal.** ‖ **4.** Que ha cometido o procurado cometer un crimen. Ú. t. c. s.

criminalidad. (De *criminal.*) f. Calidad o circunstancia que hace que una acción sea criminosa. ‖ **2.** Número proporcional de crímenes.

criminalista. adj. Dícese del abogado que preferentemente ejerce su profesión en asuntos relacionados con el derecho penal. Ú. t. c. s. ‖ **2.** Dícese de la persona especializada en el estudio del crimen y también de este mismo estudio. Ú. t. c. s. ‖ **3.** Decíase del escribano que actuaba en el enjuiciamiento criminal.

criminalmente. adv. m. Por la vía criminal. ‖ **2.** Con criminalidad.

criminar. (Del lat. *crimināre.*) tr. **acriminar.** ‖ **2.** fig. **censurar.**

criminología. (Del lat. *crimen, -ĭnis,* crimen, y *-logía.*) f. Ciencia del delito, sus causas y su represión.

criminológico, ca. adj. Perteneciente o relativo a la criminología. *Instituto español* CRIMINOLÓGICO.

criminólogo, ga. adj. Dícese del experto en criminología. Ú. t. c. s.

criminosamente. adv. m. ant. **criminalmente.**

criminoso, sa. (Del lat. *criminōsus.*) adj. **criminal.** ‖ **2.** m. y f. Delincuente o reo.

crimno. (Del gr. κρῖμνον.) m. Harina gruesa de espelta y de trigo, de que se hacen comúnmente las gachas o puches.

crin. (Del lat. *crīnis.*) f. Conjunto de cerdas que tienen algunos animales en la parte superior del cuello. Ú. m. en pl. ‖ **vegetal.** Filamentos flexibles y elásticos que se obtienen de las hojas del esparto cocido o enriado, y de las frondas de ciertas algas y musgos, y se emplean en tapicería sustituyendo al pelote. ‖ **hacer las crines.** fr. Recortar a los caballos las **crines** cortas que están junto a la cabeza y no se pueden sujetar con el trenzado, y las últimas que están sobre la cruz. ‖ **tenerse** alguien **a las crines.** fr. fig. y fam. Ayudarse lo posible para no decaer de su estado.

crinado, da. (Del lat. *crinātus.*) adj. poét. Que tiene largo el cabello.

crinar. (De *crin.*) tr. **peinar[1],** desenredar el cabello. ‖ **2. peinar[1],** desenredar el pelo de algunos animales.

crinera. f. Parte superior del cuello de las caballerías donde nace la crin.

crinito, ta. (Del lat. *crinītus.*) adj. p. us. **crinado.** ‖ **2.** *Astron.* V. **cometa crinito.**

crío, a. (De *criar.*) m. y f. Niño o niña que se está criando. ‖ **ser un crío.** fr. fig. y fam. Ser una persona de conducta irreflexiva o ingenua.

criollaje. m. *Argent.* Conjunto de criollos.

criollismo. m. Carácter, rasgo o peculiaridad criollos. ‖ **2.** Tendencia a exaltar las cualidades de lo criollo.

criollo, lla. (Del port. *crioulo,* y este de *criar.*) adj. Dícese del hijo y, en general, del descendiente de padres europeos nacido en los antiguos territorios españoles de América y en algunas colonias europeas de dicho continente. Ú. t. c. s. ‖ **2.** Aplicábase al negro nacido en tales territorios, por oposición al que había sido llevado de África como esclavo. Ú. t. c. s. ‖ **3.** Dícese de la persona nacida en un país hispanoamericano, para resaltar que posee las cualidades estimadas como características de aquel país. Ú. t. c. s. ‖ **4.** Autóctono, propio, distintivo de un país hispanoamericano. ‖ **5.** Peculiar, propio de Hispanoamérica. ‖ **6.** V. **cambur criollo.** ‖ **7.** Dícese de los idiomas que han surgido en comunidades precisadas a convivir con otras comunidades de lengua diversa y que están constituidos por elementos procedentes de ambas lenguas. Se aplica especialmente a los idiomas que han formado, sobre base española, francesa, inglesa, holandesa o portuguesa, las comunidades africanas o indígenas de ciertos territorios originariamente coloniales. ‖ **8.** f. Cierta canción y danza popular cubana, en compás de seis por ocho. ‖ **a la criolla.** loc. adv. A la manera **criolla.** ‖ **2.** *Amér.* Llanamente, sin etiqueta.

crioscopia. (Del gr. κρύος, frío, y *-scopia.*) f. Determinación del punto de congelación de un líquido en el que se halla disuelta una sustancia, para conocer el grado de concentración de la solución.

crioterapia. (Del gr. κρύος, frío, y *terapia.*) f. Tratamiento terapéutico basado en el empleo de bajas temperaturas.

cripta. (Del lat. *crypta,* y este del gr. κρύπτη.) f. Lugar subterráneo en que se acostumbraba enterrar a los muertos. ‖ **2.** Piso subterráneo destinado al culto en una iglesia. ‖ **3.** *Bot.* Oquedad más o menos profunda en un parénquima.

críptico, ca. (Del gr. κρυπτικός, oculto.) adj. Perteneciente o relativo a la criptografía. ‖ **2.** fig. Oscuro, enigmático.

criptoanálisis. (Del gr. κρυπτός, oculto, y *análisis.*) m. Arte de descifrar criptogramas.

criptógamo, ma. (Del gr. κρυπτός, oculto, y γάμος, casamiento.) adj. *Bot.* Dícese del vegetal o planta que carece de flores. Ú. t. c. s. f. ‖ **2.** *Bot.* **acotiledóneo.** ‖ **3.** f. pl. *Bot.* Grupo taxonómico constituido por las plantas desprovistas de flores.

criptografía. (Del gr. κρυπτός, oculto, y *-grafía.*) f. Arte de escribir con clave secreta o de un modo enigmático.

criptográfico, ca. adj. Perteneciente o relativo a la criptografía.

criptograma. m. Documento cifrado. ‖ **2.** Especie de crucigrama en el que, propuesta una serie de conceptos, se han de substituir por palabras que los signifiquen, cuyas letras, trasladadas a un casillero, componen una frase.

criptón. (Del gr. κρυπτός, oculto.) m. *Quím.* Gas noble existente en muy pequeña cantidad en la atmósfera terrestre. Núm. atómico 36. Símb.: *Kr.*

criptorquidia. (Del gr. κρυπτός, oculto, y ὄρχις, -ιδος, testículo.) f. *Med.* Ausencia de uno o ambos testículos en el escroto.

cris. m. Arma blanca, de uso en Filipinas, de menor tamaño que el campilán y que suele tener la hoja de forma serpenteada.

crisálida. (Del lat. *chrysallis, idis,* y este del gr. χρυσαλλίς.) f. *Zool.* Ninfa de los insectos lepidópteros. Muchas se quedan al descubierto sin hacer capullo y presentan las manchas doradas y plateadas que han originado su nombre.

crisantema. f. **crisantemo.**

crisantemo. (Del lat. *chrysanthĕmum,* y este del gr. χρυσάνθεμον, flor de oro.) m. Planta perenne de la familia de las compuestas, con tallos anuales, casi leñosos, de seis a ocho decímetros de alto, hojas alternas, aovadas, con senos y hendeduras muy profundas, verdes por encima y blanquecinas por el envés, y flores abundantes, pedunculadas, solitarias, axilares y terminales, de colores variados, pero frecuentemente moradas. Procede de la China y se cultiva en los jardines, donde florece durante el otoño. ‖ **2.** Flor de esta planta.

crisis. (Del lat. *crisis,* y este del gr. κρισίς.) f. Mutación considerable que acaece en una enfermedad, ya sea para mejorarse, ya para agravarse el enfermo. ‖ **2.** Mutación importante en el desarrollo de otros procesos, ya de orden físico, ya históricos o espirituales. ‖ **3.** Situación de un asunto o proceso cuando está en duda la continuación, modificación o cese. ‖ **4.** Por ext., momento decisivo de un negocio grave y de consecuencias importantes. ‖ **5.** Juicio que se hace de una cosa después de haberla examinado cuidadosamente. ‖ **6.** Escasez, carestía. ‖ **7.** Por ext., situación dificultosa o complicada. ‖ **ministerial.** Situación en que se encuentra un ministerio desde el momento en que uno o varios de sus individuos han presentado la dimisión de sus cargos, hasta aquel en que se nombran las personas que han de substituirlos.

crisma. (Del lat. *chrisma,* y este del gr. χρῖσμα.) amb. Aceite y bálsamo mezclados que consagran los obispos el Jueves Santo para ungir a los que se bautizan y se confirman, y también a los obispos y sacerdotes cuando se consagran o se ordenan. En lenguaje fam. ú. m. c. f. ‖ **2.** f. fig. y fam. Cabeza. ‖ **no valer fuera de la crisma.** fr. fam. No tener partida buena. ‖ **romper la crisma** a alguien. fr. fig. y fam. **descalabrar,** herir a alguien en la cabeza.

crismar. (De *crisma.*) tr. ant. Administrar el sacramento del bautismo o el de la confirmación.

crismazo. (De *crisma,* véase *romper la crisma.*) m. Golpe violento en la cabeza.

crismera. f. Vaso o ampolla, generalmente de plata, en que se guarda el crisma.

crismón. (Del gr. χρίω, ungir.) m. **lábaro,** monograma de Cristo.

crisneja. f. **crizneja.**

crisobalanáceo, a. (De *Chrysobalănus,* nombre de un género de plantas, del gr. χρυσός, oro, y βάλανος, bellota.) adj. *Bot.* Dícese de plantas leñosas angiospermas, dicotiledóneas, siempre verdes, que viven en los países tropicales, especialmente en América Meridional. Dan frutos en drupa, comestibles, y son muy parecidas a las rosáceas, de las que difieren por tener flores cigomorfas, con los filamentos de los estambres más o menos soldados, y por otros caracteres anatómicos; como el hicaco. Ú. t. c. s. f. ‖ **2.** f. pl. *Bot.* Familia de estas plantas.

crisoberilo. (Del lat. *chrysoberyllus,* y este del gr. χρυσοβήρυλλος, berilo de oro.) m. Piedra preciosa de color verde amarillento, con visos opalinos, compuesta de alúmina, glucina y algo de óxido de hierro.

crisocola. (Del gr. χρυσός, oro, y κόλλα, cola.) f. *Arqueol.* Sustancia que los antiguos empleaban para soldar el oro. Era un hidrosilicato de cobre, con algo de sílice y agua.

crisol. (Del cat. ant. y dial. *cresol.*) m. Recipiente hecho de material refractario, que se emplea para fundir alguna materia a temperatura muy elevada. ‖ **2.** *Metal.* Cavidad que en la parte inferior de los hornos sirve para recibir el metal fundido.

crisolada. f. Porción de metal derretido que cabe dentro del crisol.

crisolar. (De *crisol.*) tr. **acrisolar.**

crisólito. (Del lat. *chrysolīthus,* y este del gr. χρυσόλιθος, piedra de oro.) m. Nombre mineralógico del olivino o silicato natural de hierro y magnesio, de color verdoso, particularmente cuando tiene calidad de piedra preciosa. ‖ **de los volcanes.** Silicato de magnesia, de color aceitunado, que pasa al pardo rojo y hasta al negro. ‖ **oriental.** El *topacius* de los antiguos: se cuenta entre las piedras preciosas, y es un silicato de alúmina, de color amarillo verdoso.

crisomélido. (Del gr. χρυσός, oro.) adj. *Zool.* Dícese de insectos coleópteros, tetrámeros, con el cuerpo ovalado, la cabeza recibida en el tórax hasta los ojos; antenas cortas, alas y élitros. A veces tienen colores brillantes y de aspecto metálico. Se nutren de vegetales, por lo cual muchos son perjudiciales a las plantas. ‖ **2.** m. pl. *Zool.* Familia de estos insectos.

crisopacio. m. **crisoprasa.**

crisopeya. (Del gr. χρυσός, oro, y ποιέω, hacer.) f. Arte con que se pretendía transmutar los metales en oro.

crisoprasa. (Del fr. *chrysoprase.*) f. Ágata de color verde manzana.

crispación. f. Acción y efecto de crispar o crisparse.

crispadura. f. **crispación.**

crispamiento. m. **crispación.**

crispar. (Del lat. *crispāre.*) tr. Causar contracción repentina y pasajera en el tejido muscular o en cualquier otro de naturaleza contráctil. Ú. t. c. prnl. ‖ **2.** fig. y fam. Irritar, exasperar. Ú. t. c. prnl.

crispatura. (Del lat. *crispātus,* encrespado, erizado.) f. **crispación.**

crispir. tr. Salpicar de pintura la obra con una brocha dura para imitar el pórfido u otra piedra de grano.

crista. (Del lat. *crista,* cresta.) f. *Blas.* **crestón** de la celada.

cristal. (Del lat. *cristallus,* y este del gr. κρύσταλλος.) m. Vidrio incoloro y muy transparente que resulta de la mezcla y fusión de arena silícea con potasa y minio, y que recibe colores permanentes lo mismo que el vidrio común. ‖ **2.** Pieza de vidrio u otra sustancia semejante que cubre un hueco en una ventana, vitrina, etc. ‖ **3.** fig. **espejo,** utensilio para mirarse. ‖ **4.** fig. Poéticamente, el agua en que se refleja la luz o las cosas. CRISTAL *de la fuente*; *los* CRISTALES *del Tajo.* ‖ **5.** Tela de lana muy delgada y con algo de lustre. ‖ **6.** *Fís.* Cualquier cuerpo sólido cuyos átomos y moléculas están regular y repetidamente distribuidos en el espacio. ‖ **7.** *Mineral.* Cualquier cuerpo sólido que naturalmente tiene forma poliédrica más o menos regular; como sales, piedras, metales y otros. ‖ **de roca.** Cuarzo cristalizado, incoloro y transparente. ‖ **hilado. cristal,** o vidrio fundido y estirado en forma de hilos. ‖ **tártaro.** Tártaro purificado y cristalizado.

cristalera. f. Armario con cristales. ‖ **2. aparador,** mueble de comedor. ‖ **3.** Cierre o puerta de cristales.

cristalería. f. Establecimiento donde se fabrican o venden objetos de cristal. ‖ **2.** Conjunto de estos mismos objetos. ‖ **3.** Parte de la vajilla que consiste en vasos, copas y jarras de cristal.

cristalino, na. (Del lat. *crystallīnus.*) adj. De cristal. ‖ **2.**

Parecido al cristal. ‖ **3.** m. *Anat.* Cuerpo de forma esférica lenticular, situado detrás de la pupila del ojo de los vertebrados y de los cefalópodos.

cristalizable. adj. Que se puede cristalizar.

cristalización. f. Acción y efecto de cristalizar o cristalizarse. ‖ **2.** Cosa cristalizada.

cristalizar. (De *cristal.*) intr. Tomar ciertas sustancias la forma cristalina. Ú. t. c. prnl. ‖ **2.** fig. Tomar forma clara y precisa, perdiendo su indeterminación, las ideas, sentimientos o deseos de una persona o colectividad. ‖ **3.** tr. Hacer tomar la forma cristalina, mediante operaciones adecuadas, a ciertas sustancias.

cristalografía. (Del gr. κρύσταλλος, cristal, y *-grafía.*) f. *Mineral.* Descripción de las formas que toman los cuerpos al cristalizar.

cristalográfico, ca. adj. Perteneciente o relativo a la cristalografía. ‖ **2.** V. **sistema cristalográfico.**

cristaloide. (Del gr. κρύσταλλος, cristal, y *-oide.*) m. Sustancia que, en disolución, atraviesa las láminas porosas que no dan paso a los coloides.

cristaloideo, a. adj. Perteneciente o relativo a los cristaloides.

cristel. m. **clister.**

cristero, ra. adj. Dícese de quienes, al grito de ¡Viva Cristo Rey!, en Méjico, se rebelaban, por los años 1926 a 1929, durante el conflicto entre la Iglesia y el Estado. Ú. t. c. s.

cristianar. (De *cristiano.*) tr. fam. **bautizar,** administrar el sacramento del bautismo.

cristiandad. (Del lat. *christianĭtas, -ātis.*) f. Conjunto de los fieles que profesan la religión cristiana. ‖ **2.** Conjunto de países de religión cristiana. ‖ **3.** Observancia de la ley de Cristo. ‖ **4.** Grupo de fieles que cuida cada misionero como párroco en una misión.

cristianego, ga. adj. ant. Perteneciente al cristiano.

cristianería. f. p. us. Condición de cristiano. Ú. a veces con sent. irón. ‖ **2.** p. us. Conjunto o barrio de cristianos.

cristianesco, ca. adj. Dícese de las cosas moriscas cuando imitan a las de los cristianos. ‖ **2.** desus. **cristiano.**

cristianiego, ga. adj. ant. **cristianego.**

cristianísimo, ma. (sup. de *cristiano.*) adj. que se aplicaba como renombre a los reyes de Francia.

cristianismo. (Del lat. *christianismus,* y este del gr. χριστιανισμός.) m. Religión cristiana. ‖ **2.** Conjunto de los fieles cristianos. ‖ **3. bautizo.**

cristianización. f. Acción y efecto de cristianizar.

cristianizar. (Del lat. *christianizāre,* y este del gr. χριστιανίζω.) tr. Conformar una cosa con el dogma o con el rito cristiano. Ú. t. c. prnl. ‖ **2.** Convertir al cristianismo. Ú. t. c. prnl.

cristiano, na. (Del lat. *christiānus,* y este del gr. χριστιανός.) adj. Perteneciente a la religión de Cristo y arreglado a ella. ‖ **2.** Que profesa la fe de Cristo, que recibió en el bautismo. Ú. t. c. s. ‖ **3.** V. **doctrina cristiana.** ‖ **4.** fig. y fam. Aplícase al vino aguado. ‖ **5.** *Cronol.* V. **era cristiana.** ‖ **6.** m. Hermano o prójimo. ‖ **7.** fam. Persona o alma viviente. *Por la calle no pasa un* CRISTIANO, *o ni un* CRISTIANO. ‖ **nuevo.** El que se convierte a la religión **cristiana** y se bautiza siendo adulto. ‖ **viejo.** El que desciende de **cristianos,** sin mezcla conocida de moro, judío o gentil. ‖ **hablar en cristiano.** fr. fig. y fam. Expresarse en términos llanos y fácilmente comprensibles, o en la lengua que todos entienden. Ú. t. con el verbo *decir.* ‖ **2.** Hablar en castellano.

cristianodemócrata. adj. **democristiano.** Ú. t. c. s.

cristino, na. adj. Partidario de doña Isabel II, bajo la regencia de su madre doña María Cristina de Borbón, contra el pretendiente don Carlos. Ú. t. c. s.

cristo. (Del lat. *Christus,* y este del gr. χριστός, ungido.) n. p. En la teología cristiana, el Hijo de Dios, hecho hombre. ‖ **2.** m. **crucifijo.** ‖ **3.** V. **túnica de Cristo.** ‖ **4.** *Cronol.* V. **era de Cristo.** ‖ **como a un santo cristo un par de pistolas.** loc. adv. fam. con que se pondera lo inadecuado o impropio de una cosa respecto de otra. ‖ **Cristo con todos.** fr. Salutación equivalente a la latina *Pax Christi,* y que solía usarse al fin de las cédulas de cambio. ‖ **2.** fam. Expresión con que se da fin a un asunto o altercado. ‖ **donde Cristo dio las tres voces.** loc. adv. fig. y fam. En lugar muy distante o extraviado. ‖ **ni cristo que lo fundó.** loc. fam. que se usa para negar rotundamente. ‖ **ni por un cristo.** loc. fam. con que se denota la gran repugnancia que se tiene en condescender con alguna cosa, o la gran dificultad de conseguirla. ‖ **poner** a alguien **como un cristo.** fr. fig. y fam. Maltratarlo, herirlo o azotarlo con mucho rigor y crueldad. ‖ **sacar el cristo.** fr. fig. y fam. Acudir a algún medio de persuasión extremo y decisivo. ‖ **todo cristo.** expr. fam. Todo cristiano, todas las personas, todo el mundo. ‖ **¡voto a Cristo!** expr. ant. de ira, juramento o amenaza.

cristofué. (Porque al cantar parece que dice las palabras *Cristo fue.*) m. Pájaro algo mayor que la alondra, de color entre amarillo y verde, que abunda mucho en los valles de Venezuela.

cristología. (Del gr. χριστός, ungido, y *-logía.*) f. Tratado de lo referente a Cristo.

cristus. (Del lat. *Christus,* Cristo.) m. Cruz que precedía al abecedario o alfabeto en la cartilla. ‖ **2. abecedario,** alfabeto. ‖ **3. abecedario,** librito para empezar a leer. ‖ **estar** uno **en el cristus.** fr. fig. Estar muy a los principios de un arte o ciencia. ‖ **no saber** uno **el cristus.** fr. fig. Ser muy ignorante.

crisuela. (Del m. or. que *crisuelo.*) f. Cazoleta del candil, que está debajo de la candileja para recibir el aceite que cae.

crisuelo. (De *crisol.*) m. ant. **candil.**

criterio. (Del gr. κριτήριον, de κρίνω, juzgar.) m. Norma para conocer la verdad. ‖ **2.** Juicio o discernimiento.

criteriología. f. Parte de la lógica que estudia los criterios de verdad.

criteriológico, ca. adj. Perteneciente o relativo a la criteriología.

crítica. (Del gr. κριτική, t. f. de -κός, crítico.) f. Arte de juzgar de la bondad, verdad y belleza de las cosas. ‖ **2.** Cualquier juicio o conjunto de juicios sobre una obra literaria, artística, etc. ‖ **3.** Censura de las acciones o la conducta de alguno. ‖ **4.** Conjunto de opiniones expuestas sobre cualquier asunto. ‖ **5.** Con el artículo *la,* conjunto de críticos de literatura, arte, cine, etc. ‖ **6. murmuración.**

criticable. adj. Que se puede criticar.

criticador, ra. adj. Que critica, censura o es propenso a ello. Ú. t. c. s.

críticamente. adv. m. Con sentido crítico. *Depurar* CRÍTICAMENTE.

criticar. (De *crítica.*) tr. Juzgar de las cosas, fundándose en los principios de la ciencia o en las reglas del arte. ‖ **2.** Censurar, notar, vituperar las acciones o conducta de alguno.

criticastro. (De *crítico.*) m. despect. El que sin apoyo ni fundamento ni doctrina censura y satiriza las obras de ingenio.

criticidad. f. Calidad o condición de crítico.

criticismo. (De *crítica.*) m. Método de investigación según el cual a todo trabajo científico debe preceder el examen de la posibilidad del conocimiento de que se trata y de las fuentes y límites de este. ‖ **2.** Sistema filosófico de Kant.

crítico, ca. (Del lat. *critĭcus,* y este del gr. κριτικός.) adj. Perteneciente a la crítica. ‖ **2.** Perteneciente o relativo a la crisis. Dícese del estado, momento, punto, etc., en que esta se produce. ‖ **3.** V. **presión, temperatura crítica.** ‖ **4.** V. **día crítico.** ‖ **5.** Dicho del tiempo, punto, ocasión, etc., el más oportuno, o que debe aprovecharse o atenderse. ‖ **6.** *Fís.* Dícese de las condiciones con que en un reactor se inicia la reacción en cadena. ‖ **7.** *Med.* Perteneciente a la crisis de la enfermedad. *Evacuación* CRÍTICA. ‖ **8.** m. y f. Persona que ejerce la crítica. ‖ **9.** fam. El que habla culto, con afectación.

criticón, na. (De *crítico.*) adj. fam. Que todo lo censura y moteja, sin perdonar ni aun las más ligeras faltas. Ú. t. c. s.

critiqueo. m. fam. Murmuración.

critiquizar. (De *criticar.*) tr. fam. Abusar de la crítica, traspasando sus justos límites.

crizneja. (De un der. del lat. *crinis*, crin.) f. Trenza de cabellos. ‖ **2.** Soga o pleita.

croajar. (De *croar.*) intr. ant. **crascitar.**

croar. (Voz onomatopéyica.) intr. Cantar la rana.

croata. adj. Natural de Croacia. Ú. t. c. s. ‖ **2.** Perteneciente o relativo a esta región europea. ‖ **3.** m. Idioma **croata,** variedad del serbocroata.

crocante. (Del fr. *croquant.*) adj. Dícese de ciertas pastas cocidas, o fritas, que crujen al mascarlas. ‖ **2.** m. **guirlache.**

crocino, na. (Del lat. *crocĭnus.*) adj. De croco o azafrán.

crocitar. (Del lat. *crocitāre*, frec. de *crocīre*, croajar.) intr. **crascitar.**

croco. (Del lat. *crocus*, y este del gr. κρόκος.) m. **azafrán,** planta y estigma de la flor.

crocodilo. (Del lat. *crocodīlus*, y este del gr. κροκόδειλος.) m. **cocodrilo.**

croché. (Del fr. *crochet.*) m. Ganchillo. ‖ **2.** Cierto golpe, en boxeo.

crochel. (Del fr. *clocher.*) m. ant. Torre de un edificio.

crol. (Del ing. *crawl.*) m. *Dep.* Estilo de natación que consiste en batir constantemente las piernas y en mover alternativamente los brazos hacia delante sacándolos del agua.

crolista. com. *Dep.* Nadador especializado en el estilo crol.

cromado, da. p. p. de **cromar.** ‖ **2.** m. Acción y efecto de cromar.

cromar. tr. Dar un baño de cromo a los objetos metálicos para hacerlos inoxidables.

cromático, ca. (Del lat. *chromatĭcus*, y este del gr. χρωματικός.) adj. *Mús.* Aplícase a uno de los tres géneros del sistema músico, y es el que procede por semitonos. ‖ **2.** V. **aberración cromática.** ‖ **3.** *Mús.* V. **diatónico cromático.** ‖ **4.** *Mús.* V. **diatónico cromático enarmónico.** ‖ **5.** *Mús.* V. **semitono cromático.** ‖ **6.** *Ópt.* Dícese del cristal o del instrumento óptico que presenta al ojo del observador los objetos contorneados con los visos y colores del arco iris.

cromatina. (Del gr. χρῶμα, color.) f. *Biol.* Sustancia albuminoidea fosforada que, en forma de gránulos, filamentos, etc., se encuentra en el núcleo de las células y se tiñe intensamente por el carmín y los colorantes básicos de anilina.

cromatismo. (Del gr. χρωματισμός, de χρωματίζω, colorar.) m. *Mús.* y *Ópt.* Calidad de cromático.

cromatografía. (Del gr. χρῶμα, -ατος, color, y *-grafía.*) f. *Quím.* Método que, en su origen, se utilizó para separar sustancias coloreadas. En la actualidad, por extensión, método para separar mezclas de gases, líquidos o sólidos en disolución mediante diferentes procesos físicos.

cromatógrafo. m. Aparato que sirve para realizar cromatografías.

crómico. adj. Que contiene cromo entre sus componentes fundamentales. ‖ **2.** V. **ácido crómico.**

cromo[1]**.** (Del fr. *chrome.*) m. *Quím.* Metal blanco gris, quebradizo, bastante duro para rayar el vidrio, capaz de hermoso pulimento. Núm. atómico 24. Símb.: *Cr.*

cromo[2]**.** m. abrev. de **cromolitografía,** estampa, papel o tarjeta con figura o figuras en colores. Especialmente, la estampa de menor tamaño destinada a juegos y colecciones propios de niños. ‖ **2.** En sent. despect., dibujo o pintura de colores chillones y escasa calidad. ‖ **estar hecho un cromo.** fr. fig. Ir muy arreglado y compuesto. Ú. m. irónicamente.

cromo-. (Del gr. χρῶμα.) Elemento compositivo que entra en la formación de algunas voces españolas con el significado de «color».

cromóforo, ra. (Del gr. χρῶμα, color, y φορός, portador.) adj. *Quím.* Dícese del agrupamiento químico causante de la coloración de una sustancia. Ú. t. c. s.

cromógeno, na. (De *cromo-* y *-geno.*) adj. *Microbiol.* Dícese de las bacterias que producen materias colorantes u originan coloraciones. *Bacterias* CROMÓGENAS.

cromolitografía. (De *cromo-* y *litografía.*) f. Arte de litografiar con varios colores, los cuales se obtienen por impresiones sucesivas. ‖ **2.** Estampa obtenida por medio de este arte.

cromolitografiar. tr. Ejercer el arte de la cromolitografía.

cromolitográfico, ca. adj. Perteneciente a la cromolitografía.

cromolitógrafo, fa. m. y f. Persona que ejerce el arte de la cromolitografía.

cromosfera. (De *cromo-* y *esfera.*) f. *Astron.* Zona superior de la envoltura gaseosa del Sol, de color rojo y constituida principalmente por hidrógeno inflamado.

cromosoma. (De *cromo-* y el gr. σῶμα, cuerpo.) m. *Biol.* Cada uno de ciertos corpúsculos, casi siempre en forma de filamentos, que existen en el núcleo de las células y solamente son visibles durante la mitosis. Débese su formación a una especie de condensación de la cromatina, y su número es constante para cada especie animal o vegetal.

cromotipia. f. Impresión en colores. ‖ **2.** Lámina así obtenida.

cromotipografía. (De *cromo-* y *tipografía.*) f. Arte de imprimir en colores. ‖ **2.** Obra hecha por este procedimiento.

cromotipográfico, ca. adj. Relativo a la cromotipografía.

crónica. (Del lat. *chronĭca*, y este del gr. χρονικά [βιβλία], libros en que se refieren los sucesos por orden del tiempo.) f. Historia en que se observa el orden de los tiempos. ‖ **2.** Artículo periodístico o información radiofónica o televisiva sobre temas de actualidad.

crónicamente. adv. m. De un modo crónico.

cronicidad. (De *crónico.*) f. Calidad de crónico.

cronicismo. m. *Med.* Larga duración de una dolencia. ‖ **2.** *Med.* Estado crónico de un enfermo.

crónico, ca. (Del lat. *chronĭcus*, y este del gr. χρονικός.) adj. Aplícase a las enfermedades largas o dolencias habituales. ‖ **2.** Dícese también de ciertos vicios cuando son inveterados. ‖ **3.** Que viene de tiempo atrás. ‖ **4.** m. **crónica.**

cronicón. (De *crónica.*) m. Breve narración histórica por el orden de los tiempos.

cronista. com. Autor de una crónica, o el que tiene por oficio escribirlas. ‖ **2.** Empleo de **cronista.**

cronístico, ca. adj. Perteneciente o relativo a la crónica o al cronista.

crónlech. (Del fr. *cromlech*, voz fr. de or. bretón.) m. Monumento megalítico consistente en una serie de piedras o menhires que cercan un corto espacio de terreno llano, y de figura elíptica o circular.

crono. m. *Dep.* Tiempo medido con cronómetro, en pruebas de velocidad.

cronoescalada. f. En competiciones ciclistas, prueba contrarreloj que se disputa en un trayecto ascendente.

cronografía. (Del lat. *chronographĭa,* y este del gr. χρονογραφία.) f. **cronología.**

cronógrafo, fa. (Del lat. *chronogrăphus,* y este del gr. χρονογράφος.) m. y f. Persona que profesa la cronografía o tiene en ella especiales conocimientos. ‖ **2.** m. Aparato que sirve para registrar gráficamente el tiempo que transcurre entre sucesos consecutivos. ‖ **3.** Reloj o aparato que sirve para medir con exactitud tiempos sumamente pequeños.

cronología. (Del gr. χρονολογία.) f. Ciencia que tiene por objeto determinar el orden y fechas de los sucesos históricos. ‖ **2.** Serie de personas o sucesos históricos por orden de fechas. ‖ **3.** Manera de computar los tiempos.

cronológicamente. adv. m. Por el orden de los tiempos.

cronológico, ca. (Del gr. χρονολογικός.) adj. Perteneciente a la cronología.

cronologista. com. **cronólogo.**

cronólogo, ga. (Del gr. χρονολόγος.) m. y f. Persona que profesa la cronología o tiene en ella especiales conocimientos.

cronometrador, ra. m. y f. Persona que cronometra.

cronometraje. m. Acción y efecto de cronometrar.

cronometrar. tr. Medir con el cronómetro.

cronometría. f. Medida exacta del tiempo.

cronométrico, ca. adj. Perteneciente o relativo a la cronometría o al cronómetro.

cronómetro. (Del gr. χρόνος, tiempo, y *-metro.*) m. Reloj de gran precisión para medir fracciones de tiempo muy pequeñas. Se utiliza en industria y en competiciones deportivas.

croque. (Voz onomatopéyica.) m. **cloque,** gancho o garfio de hierro acerado, sujeto a un astil, usado principalmente por pescadores y marineros. ‖ **2.** Golpe que se da en la cabeza o con ella, coscorrón, torniscón.

croquero. m. **cloquero,** pescador que emplea el cloque o croque.

croqueta. (Del fr. *croquette.*) f. Porción de masa hecha con un picadillo de jamón, carne, pescado, huevo, etc., que, ligado con besamel, se reboza en huevo y pan rallado y se fríe en aceite abundante. Suele tener forma redonda u ovalada.

croquis. (Del fr. *croquis.*) m. Diseño ligero de un terreno, paisaje o posición militar, que se hace a ojo y sin valerse de instrumentos geométricos. ‖ **2.** Diseño hecho sin precisión ni detalles.

croscitar. (De *crocitar.*) intr. **crascitar.**

cross. (Del ing. *cross,* cruz, cruzar, en *cross-country.*) m. *Dep.* Carrera de larga distancia a campo traviesa.

crótalo. (Del lat. *crotălum,* y este del gr. κρόταλον.) m. Instrumento músico de percusión usado antiguamente y semejante a la castañuela. ‖ **2.** Serpiente venenosa de América, que tiene en el extremo de la cola unos anillos óseos, con los cuales hace al moverse cierto ruido particular. ‖ **3.** poét. **castañuela.**

crotón. (Del gr. κρότων, ricino.) m. **ricino.**

crotoniata. (Del lat. *Crotoniāta.*) adj. Natural de Crotona. Ú. t. c. s. ‖ **2.** Perteneciente a esta antigua ciudad de Italia.

crotorar. (De *crótalo.*) intr. Producir la cigüeña el ruido peculiar de su pico.

croza. (Del fr. *crosse.*) f. ant. Báculo pastoral o episcopal.

crúamente. adv. m. ant. **cruelmente.**

cruasán. (Del fr. *croissant,* medialuna.) m. Bollo de hojaldre en forma de media luna.

cruce. m. Acción de cruzar o poner dos cosas en forma de cruz. ‖ **2.** Punto donde se cortan mutuamente dos líneas. *El* CRUCE *de dos caminos.* ‖ **3.** Paso destinado a los peatones. ‖ **4.** Acción y efecto de cruzar los animales para mejorar la raza. ‖ **5.** Interferencia telefónica o de emisiones radiadas. ‖ **6.** *Gram.* Acción y efecto de cruzarse dos palabras o formas gramaticales generalmente sinónimas.

cruceiro. m. Unidad monetaria del Brasil. ‖ **nuevo cruceiro.** Unidad monetaria del Brasil entre 1965 y 1970.

cruceño, ña. adj. Natural de alguno de los pueblos que, así en España como en América, llevan el nombre de Cruz o Cruces. Ú. t. c. s. ‖ **2.** Perteneciente o relativo a dichos lugares. ‖ **3.** Natural de Santa Cruz. Ú. t. c. s. ‖ **4.** Perteneciente o relativo a esta ciudad de Bolivia o al departamento así llamado.

crucera. (De *cruz.*) f. Nacimiento de las agujas de las caballerías.

crucería. (De *crucero.*) f. Sistema constructivo propio del estilo gótico, en el cual la forma de bóveda se logra mediante el cruce de arcos diagonales, llamados también ojivas o nervios.

crucero. (De *cruz.*) adj. *Arq.* V. **arco crucero.** ‖ **2.** m. El que tiene el oficio de llevar la cruz delante de los arzobispos en las procesiones y otras funciones sagradas. ‖ **3.** Sacristán encargado de llevar la cruz en entierros y procesiones. ‖ **4. encrucijada,** cruce de calles o caminos. ‖ **5.** Cruz de piedra, de dimensiones variables, que se coloca en el cruce de caminos y en los atrios. Suele alzarse sobre una plataforma con peldaños y tiene esculpido el crucifijo y, frecuentemente además, la Piedad o Quinta Angustia. Abundan en Galicia, Irlanda y Bretaña. ‖ **6.** Espacio en que se cruzan la nave mayor de una iglesia y la que la atraviesa. ‖ **7.** Viaje de recreo en barco, con distintas escalas. ‖ **8.** *Carp.* Vigueta, madero de sierra. ‖ **9.** *Impr.* Línea por donde se ha doblado el pliego de papel al ponerlo en resmas. ‖ **10.** *Impr.* Listón de hierro que en la imposición sirve para dividir la forma en dos partes. ‖ **11.** *Mar.* Determinada extensión de mar en que cruzan uno o más buques. ‖ **12.** *Mar.* Buque o conjunto de buques destinados a cruzar. ‖ **13.** *Mar.* Maniobra o acto de cruzar. ‖ **14.** *Mar.* Buque de guerra de gran velocidad y radio de acción, compatibles con fuerte armamento. Según el grado de protección o coraza, denomínanse: *ligero, protegido, acorazado* o *de combate.* ‖ **15.** *Mineral.* Dirección de los planos paralelos, por donde los minerales y las rocas suelen tener división más fácil.

cruceta. f. Cada una de las cruces o de las aspas que resultan de la intersección de dos series de líneas paralelas. Ú. comúnmente referido a enrejados o a labores y adornos femeninos. ‖ **2.** *Mar.* Meseta que en la cabeza de los masteleros sirve para los mismos fines que la cofa en los palos mayores, de la cual se diferencia en ser más pequeña y no estar entablada. ‖ **3.** *Mec.* En los motores de automóviles y otras máquinas, pieza que sirve de articulación entre el vástago del émbolo y la biela.

crucial. (Del lat. *crux, crucis.*) adj. En forma de cruz. *Incisión* CRUCIAL. ‖ **2.** fig. Dícese del momento o trance crítico en que se decide una cosa que podía tener resultados opuestos.

cruciata. (De *cruz.*) f. Especie de genciana con flores azules y hojas dispuestas en cruz.

cruciferario. (De *crucífero.*) m. **crucero,** persona que lleva la cruz en ciertos actos religiosos.

crucífero, ra. (Del lat. *crucĭfer.*) adj. poét. Que lleva o tiene la insignia de la cruz. ‖ **2.** *Bot.* Aplícase a las plantas angiospermas dicotiledóneas que tienen hojas alternas, cuatro sépalos en dos filas, corola cruciforme, estambres de glándulas verdosas en su base y semillas sin albumen; como el alhelí, el berro, la col, el nabo y la mostaza. Ú. t. c. s. ‖ **3.** m. **cruciferario.** ‖ **4.** Religioso de la extinguida orden de Santa Cruz. ‖ **5.** f. pl. *Bot.* Familia de las plantas **crucíferas.**

crucificado, da. p. p. de **crucificar.** Ú. t. c. s.

crucificar. (Del lat. *crucifigĕre.*) tr. Fijar o clavar en una cruz a una persona. ‖ **2.** fig. y fam. **sacrificar,** perjudicar. *Esto me* CRUCIFICA.

crucifijo. (Del lat. *crucifixus,* crucificado.) m. Efigie o imagen de Cristo crucificado.

crucifixión. (Del lat. *crucifixĭo, -ōnis.*) f. Acción y efecto de crucificar. ‖ **2.** *Esc.* y *Pint.* Composición que representa la **crucifixión** de Jesucristo.

crucifixor. (Del lat. *crucifixor, -ōris.*) m. El que crucifica.

cruciforme. (Del lat. *crux, crucis,* cruz, y *-forme.*) adj. De forma de cruz.

crucígero, ra. (Del lat. *crux, crucis,* cruz, y *gerĕre,* llevar.) adj. poét. **crucífero,** que lleva o tiene la insignia de la cruz.

crucigrama. (De *cruz* y *-grama.*) m. Pasatiempo que consiste en llenar los huecos de un dibujo con letras, de manera que, leidas estas en sentido horizontal y vertical, formen determinadas palabras cuyo significado se sugiere. ‖ **2.** Este mismo dibujo.

crucijada. f. ant. **encrucijada.**

crucillo. (De *cruz.*) m. Juego de los alfileres que se montan en cruz.

cruda. f. *Méj.* **resaca,** malestar.

crudamente. adv. m. Con aspereza, dureza y rigor.

crudelísimo, ma. (Del lat. *crudelissimus.*) adj. Muy cruel.

crudeza. (De *crudo.*) f. Calidad o estado de algunas cosas que no tienen la suavidad o sazón necesaria. ‖ **2.** fig. Rigor o aspereza. ‖ **3.** fig. y fam. p. us. Valentía y guapeza afectadas. ‖ **4.** pl. Alimentos que se detienen en el estómago, por no estar bien digeridos.

crudillo. m. Tela áspera y dura, semejante al lienzo crudo, usada para entretelas y bolsillos.

crudío, a. (De *crudo.*) adj. ant. fig. Bronco o áspero, no curado o no preparado.

crudo, da. (Del lat. *crudus.*) adj. Dícese de los comestibles que no están preparados por medio de la acción del fuego; y también de los que no lo están hasta el punto conveniente. ‖ **2.** Se aplica a la fruta que no está en sazón. ‖ **3.** Dícese de algunos alimentos que son de difícil digestión. ‖ **4.** V. **agua cruda.** ‖ **5.** Aplícase a algunas cosas cuando no están preparadas o curadas; como la seda, el lienzo, el cuero, etc. ‖ **6.** Dícese del color parecido al de la seda **cruda** y al de la lana sin blanquear. ‖ **7.** Dícese del mineral viscoso que una vez refinado proporciona el petróleo, el asfalto y otros productos. Ú. t. c. s. m. ‖ **8.** fig. Cruel, áspero, despiadado. ‖ **9.** fig. Se aplica al tiempo muy frío y destemplado. ‖ **10.** fig. y fam. V. **punto crudo.** ‖ **11.** fig. y fam. Dícese del que afecta guapeza y valentía. ‖ **12.** *Cir.* Dícese vulgarmente de los tumores o apostemas que no dan señales de supurar. ‖ **en crudo.** loc. adv. fig. Crudamente, sin miramientos.

cruel. (Del lat. *crudēlis.*) adj. Que se deleita en hacer sufrir o se complace en los padecimientos ajenos. ‖ **2.** fig. Insufrible, excesivo. *Hace un frío* CRUEL; *tuvo unos dolores* CRUELES. ‖ **3.** fig. Sangriento, duro, violento. *Batalla, golpe* CRUEL.

crueldad. (Del lat. *crudelĭtas, -ātis.*) f. Inhumanidad, fiereza de ánimo, impiedad. ‖ **2.** Acción cruel e inhumana.

crueleza. (De *cruel.*) f. ant. **crueldad.**

cruentación. (Del lat. *cruentatĭo, -ōnis.*) f. ant. Acción y efecto de cruentar.

cruentamente. adv. m. Con derramamiento de sangre.

cruentar. (Del lat. *cruentāre.*) tr. ant. **ensangrentar.** Usáb. t. c. prnl. ‖ **2.** prnl. ant. fig. **encruelecerse.**

cruentidad. (De *cruento.*) f. ant. **crueldad.**

cruento, ta. (Del lat. *cruentus.*) adj. **sangriento.**

crueza. (De *crúo.*) f. ant. **crueldad.**

crujía. (Del it. *corsia.*) f. Tránsito largo de algunos edificios que da acceso a las piezas que hay a los lados. ‖ **2.** En los hospitales, sala larga en que hay camas a uno y otro costado y a veces en el medio de ella. ‖ **3.** En algunas catedrales, paso cerrado con verjas o barandillas, desde el coro al presbiterio. ‖ **4.** *Arq.* Espacio comprendido entre dos muros de carga. ‖ **5.** *Mar.* Espacio de popa a proa en medio de la cubierta del buque. ‖ **6.** *Mar.* **pasamano,** paso de popa a proa junto a la borda. ‖ **de piezas.** Fila de piezas seguidas o puestas a continuación. ‖ **pasar crujía.** fr. En las galeras, hacer pasar al delincuente por la **crujía** entre dos filas, recibiendo golpes con cordeles o varas. ‖ **2.** fig. y fam. Padecer trabajos, miserias o males de alguna duración. ‖ **sufrir una crujía.** fr. fig. y fam. **pasar crujía,** padecer trabajos.

crujidero, ra. adj. Que cruje. ‖ **2.** m. Trencilla de cáñamo o de seda que se empalma al látigo, o a la rabiza de este y de la tralla, para que restalle.

crujido. m. Acción y efecto de crujir. ‖ **2.** Pelo que tienen las hojas de espada en el sentido de su longitud. ‖ **dar crujido** una cosa. fr. fig. y fam. **dar un estallido.**

crujir. (De or. inc.) intr. Hacer cierto ruido algunos cuerpos cuando rozan unos con otros o se rompen; como las telas de seda, las maderas, los dientes, etc.

crúo, a. (Del lat. *crudus.*) adj. ant. **crudo,** dicho de la seda, lienzo, cuero, etc.

crúor. (Del lat. *cruor, -ōris.*) m. En la medicina antigua se daba este nombre al principio colorante de la sangre, que hoy se llama hemoglobina, y a los glóbulos sanguíneos, que hoy tienen distintos nombres. ‖ **2.** Coágulo sanguíneo. ‖ **3.** poét. **sangre.**

cruórico, ca. adj. Perteneciente o relativo al crúor.

crup. (Del ing. *to croup.*) m. **garrotillo,** difteria.

crupal. adj. Perteneciente o relativo al crup. *Voz, respiración, tos* CRUPAL.

crupier. (Del fr. *croupier.*) m. Persona contratada en los casinos para dirigir el juego, repartir las cartas, controlar las apuestas, etcétera.

crural. (Del lat. *crurālis.*) adj. Perteneciente o relativo al muslo.

crustáceo, a. (Del lat. *crusta,* costra, corteza.) adj. Que tiene costra. ‖ **2.** *Zool.* Aplícase a los animales artrópodos de respiración branquial, con dos pares de antenas, cubiertos generalmente de un caparazón duro o flexible, y que tienen cierto número de patas dispuestas simétricamente. Ú. t. c. s. ‖ **3.** m. pl. *Zool.* Clase de estos animales.

crustoso, sa. (Del lat. *crustōsus.*) adj. ant. **costroso.**

crústula. (Del lat. *crustŭla,* d. de *crusta,* corteza.) f. fig. desus. Corteza, costra.

cruz. (Del lat. *crux, crucis.*) f. Figura formada de dos líneas que se atraviesan o cortan perpendicularmente. ‖ **2.** Patíbulo formado por un madero hincado verticalmente y atravesado en su parte superior por otro más corto, en los cuales se clavaban o sujetaban las manos y pies de los condenados a este suplicio. ‖ **3.** Imagen o figura de este antiguo suplicio. ‖ **4.** Insignia y señal de cristiano, en memoria de haber padecido en ella Jesucristo. ‖ **5.** Distintivo de muchas órdenes religiosas, militares y civiles, más o menos parecido a una **cruz.** ‖ **6.** Reverso de las monedas, las cuales, desde la Edad Media, suelen tener en este lado los escudos de armas, generalmente divididos en **cruz.** ‖ **7.** Tratándose de algunos animales, la parte más alta del lomo, donde se cruzan los huesos de las extremidades anteriores con el espinazo. ‖ **8.** Parte del árbol en que termina el tronco y empiezan las ramas. ‖ **9.** **trenca,** palos atravesados en la colmena. ‖ **10.** Signo gráfico en forma de **cruz,** que puesto en libros u otros escritos antes de un nombre de persona, indica que ha muerto. ‖ **11.** fig. Peso, carga o trabajo. ‖ **12.** *Blas.* Pieza de honor que se forma con el palo y la faja. ‖ **13.** *Mar.* Punto medio de la verga de figura simétrica. ‖ **14.** *Mar.* Unión de la caña del ancla con los brazos. ‖ **15.** *Min.* Pared que divide la plaza de los hornos de reverbero españoles. ‖ **16.** pl. En las tahonas, los cuatro palos que en dos direcciones perpendiculares entre sí abrazan el eje y afirman la corona de la rueda principal. ‖ **ancorada.** *Blas.* Aquella cuyos extremos terminan a modo de áncora. ‖ **de Alcántara.** La de Calatrava, sin otra diferencia que tener en el escudete del crucero un peral de color verde y carecer de trabas. ‖ **de Borgoña. aspa de San Andrés,** insignia de la casa de Borgoña. ‖ **de Calatrava.** La de color rojo, brazos iguales, terminados en flores de lis muy abiertas y dos trabas al pie del trozo vertical. ‖ **de Caravaca. cruz patriarcal.** ‖ **decusata.** La que tiene figura de aspa. ‖ **de Jerusalén.** La griega, ensanchada por sus cuatro extremidades a manera de puntas de flecha. ‖ **2.** Planta perenne de la familia de las cariofiláceas, con tallos herbáceos, cilíndricos, nudosos, de seis a ocho decímetros de altura, hojas lanceoladas, vellosas y dentadas, y flores de color escarlata en ramilletes terminales. ‖ **de Malta.** Trozo cuadrado de lienzo con un corte diagonal en cada uno de sus ángulos, que se usa como pieza de apósito. ‖ **de Montesa. cruz** sencilla, de color rojo y brazos iguales. ‖ **de San Andrés. aspa,** conjunto de los palos que forman una X. ‖ **2.** *Carp.* Figura formada por dos palos o maderos que se cruzan en ángulos agudos y obtusos, resultando un aspa. ‖ **de San Antonio.** La que solo consta de tres brazos, con un asa o anilla en lugar del brazo superior. ‖ **de Santiago.** La de color rojo, en forma de espada, que es lo que simboliza. ‖ **flordelisada.** *Blas.* Aquella cuyos brazos terminan en flores de lis. ‖ **gamada.** La que tiene cuatro brazos acodados como la letra gamma mayúscula del alfabeto griego. Se ha adoptado como símbolo religioso, político o racista. ‖ **geométrica. ballestilla,** instrumento astronómico. ‖ **griega.** La que se compone de un palo y un travesaño iguales, que se cortan en los puntos medios. ‖ **latina.** La de figura ordinaria, cuyo travesaño divide al palo en partes desiguales. ‖ **patada.** *Blas.* Aquella cuyos extremos se ensanchan un poco. ‖ **paté.** *Blas.* **cruz patada.** ‖ **patriarcal.** La compuesta de un pie y dos travesaños paralelos y desiguales que forman cuatro brazos. ‖ **potenzada.** La que tiene pequeños travesaños en sus cuatro extremidades. ‖ **recrucetada.** *Blas.* Aquella cuyos brazos forman otras tantas **cruces.** ‖ **sencilla.** La de categoría inferior a la encomienda y gran **cruz** en las condecoraciones que, como la de Carlos III, suelen tener los tres grados. ‖ **gran cruz.** La de mayor categoría en ciertas órdenes de distinción; como la de Carlos III, San Fernando, etc. ‖ **2.** Dignidad superior que en las referidas órdenes representa la gran **cruz.** *Caballero* GRAN CRUZ *de Isabel la Católica.* ‖ **media cruz.** Persona adscrita, sin ser profesa, a la orden de San Juan de Jerusalén y que podía usar ese distintivo. ‖ **a cruz y escuadra.** loc. adv. *Carp.* Sistema de ensamblaje de maderas formando casetones y lacerías. ‖ **adelante con la cruz.** loc. fig. y fam. **adelante con los faroles.** ‖ **andar con la cruz,** o **las cruces, a cuestas.** fr. fig. Hacer rogativas para que Dios nos conceda alguna gracia o nos saque de alguna aflicción o peligro. ‖ **¡cata la cruz!** exclam. de asombro y miedo supersticiosos. ‖ **¡cruz diablo!** *Argent.* y *Urug.* Expresión con que se conjura un peligro, especialmente el que se atribuye a poderes malignos. ‖ **cruz y raya.** expr. fig. y fam. con que se suele expresar el firme propósito de no volver a entender en un asunto o de no tratar más con alguna persona. ‖ **de la cruz a la fecha.** loc. adv. fig. Desde el principio hasta el fin. Dícese así porque las cartas se encabezaban con una **cruz** y se fechaban al final. ‖ **en cruz.** loc. adv. Con los brazos extendidos horizontalmente. ‖ **2.** *Blas.* Dícese de la división del escudo con dos líneas, la una vertical y la otra horizontal. ‖ **entre la cruz y el agua bendita.** loc. adv. fig. y fam. En peligro inminente. ‖ **estar por esta cruz de Dios.** fr. fam. No haber comido. ‖ **2.** fig. No haber conseguido lo que quiere. ‖ **3.** fig. No haber podido entender alguna cosa. ‖ **hacerle** a alguien **la cruz.** fr. fig. y fam. con que damos a entender que nos queremos librar o guardar de él. ‖ **hacerse cruces.** fr. fig. y fam. Demostrar la admiración o extrañeza que causa alguna cosa. ‖ **2.** fig. y fam. **estar por esta cruz de Dios.** ‖ **hacerse la cruz.** fr. fig. y fam. **hacerse cruces.** ‖ **llevar la cruz en los pechos.** fr. Ser caballero de alguna orden militar o civil. ‖ **por esta,** o **por estas, que son cruces.** Especie de juramento que se profiere en son de amenaza al mismo tiempo que se hace una o dos **cruces** con los dedos pulgar e índice. ‖ **quedarse en cruz y en cuadro.** fr. fig. y fam. Venir a ser muy pobre por haber perdido cuanto tenía. ‖ **quitar cruces de un pajar.** fr. fig. y fam. con que se significa la dificultad de un negocio, cuando son muchos los inconvenientes. ‖ **tener la cruz en los pechos.** fr. **llevar la cruz en los pechos.** ‖ **tomar cruz.** fr. *Mar.* Cruzarse dos cables cuando el buque que está amarrado a ellos toma diferente posición que la que tenía al fondear. ‖ **traer la cruz en los pechos.** fr. **llevar la cruz en los pechos.** ‖ **trasquilar a cruces** a alguien. fr. Cortarle el pelo desigual y sin esmero.

cruza. f. *Cuba* y *Chile.* **bina.** ‖ **2.** *And.* y *Amér.* **cruce** de los animales.

cruzada. (De *cruz,* por la insignia de ella que llevaban los soldados en el pecho.) f. Expedición militar contra los infieles, que publicaba el Sumo Pontífice, concediendo indulgencias a los que a ella concurriesen. ‖ **2.** Tropa que iba a esta expedición. ‖ **3.** Concesión de indulgencias otorgadas por el Papa a los reyes que mantenían tropas para hacer guerra contra los musulmanes, y a los que contribuían para mantenerla. ‖ **4. consejo de Cruzada.** ‖ **5.** V. **comisaría, comisario general de Cruzada.** ‖ **6. encrucijada.** ‖ **7.** fig. **campaña** en pro de algún fin.

cruzado, da. p. p. de **cruzar.** ‖ **2.** adj. Dícese de la prenda de vestir que tiene el ancho necesario para poder sobreponer un delantero sobre otro. *Chaqueta, abrigo* CRUZADO. ‖ **3.** Dícese del que tomaba la insignia de la cruz, alistándose para alguna cruzada. Ú. t. c. s. ‖ **4.** Dícese del caballero que trae la cruz de una orden militar. Ú. t. c. s. ‖ **5.** Dícese del animal nacido de padres de distintas castas. ‖ **6.** *Blas.* Se dice de las piezas que llevan cruz sobrepuesta. ‖ **7.** m. Moneda antigua de Castilla, de plata o de vellón, mandada acuñar por Enrique II. La de plata tenía una cruz en el anverso. ‖ **8. excelente de la granada,** moneda que llevaba una cruz en el anverso. ‖ **9.** Moneda antigua de plata, de Portugal. ‖ **10.** Unidad monetaria del Brasil entre 1986 y 1990. ‖ **11.** Postura en la guitarra, que se hace pisando las cuerdas primera y tercera en el segundo traste, y la segunda en el tercero. ‖ **12.** *Danza.* Mudanza que hacen los que bailan, formando una cruz y volviendo a ocupar el lugar que antes tenían.

cruzador, ra. adj. ant. Que cruza o atraviesa de una parte a otra.

cruzamiento. m. Acción y efecto de **cruzar,** poner a uno la cruz de alguna orden. ‖ **2.** Acción de cruzar los animales para mejorar la raza. ‖ **3. cruce.**

cruzar. (De *cruz.*) tr. Atravesar una cosa sobre otra en forma de cruz. ‖ **2.** Atravesar un camino, campo, calle, etc., pasando de una parte a otra. ‖ **3.** Investir a una persona con la cruz y el hábito de una de las cuatro órdenes militares o de otro instituto semejante, con las solemnidades establecidas. Usado c. prnl., recibir esta investidura. ‖ **4.** Arar por segunda vez la tierra, trazando surcos perpendiculares a los primeros. ‖ **5.** Dar machos de distinta procedencia a las hembras de los animales de la misma especie para mejorar las castas. ‖ **6.** Trazar dos rayas paralelas en un cheque para que este solo pueda cobrarse por medio de una cuenta corriente. ‖ **7.** *Mar.* Navegar en todas direcciones dentro de un espacio determinado con fines diversos. ‖ **8.** prnl. Tomar la cruz, o sea alistarse en una cruzada. ‖ **9.** Pasar por un punto o camino dos personas o cosas en dirección opuesta. ‖ **10.** Dicho de negocios, expedientes, etc., aglomerarse, estorbándose unos a otros. ‖ **11. atravesarse,** interponerse una cosa entre otra. ‖ **12.** *Geom.* Pasar una línea a cierta distancia de otra sin cortarla ni serle paralela. ‖ **13.** *Gram.* Dicho de dos palabras o formas gramaticales generalmente sinónimas, originar otra que ofrece caracteres de cada una de aquellas; p. ej., *bieldo* y el lat. *merga* se han **cruzado** en *bierga.* ‖ **14.** *Veter.* Caminar el animal **cruzando** los brazos o las piernas.

ctenóforo. (Del gr. κτῆνος, peine.) adj. *Zool.* Dícese de ciertos celentéreos, exclusivamente marinos, con cuerpo gelatinoso y transparente, que suelen ser flotantes y están provistos de unas bandas ciliadas que se llaman peines. Ú. t. c. s. ‖ **2.** m. pl. *Zool.* Grupo de estos animales que por su vida planctónica recuerdan a ciertas medusas, pero constituyen un taxón independiente.

cu[1]**.** f. Nombre de la letra *q*.

cu[2]**.** (De or. maya.) m. Voz usada por los cronistas para designar el templo o adoratorio de los indígenas prehispánicos en Mesoamérica.

cuaba. (De or. cubano.) f. *Cuba.* Árbol silvestre de la familia de las rutáceas, que alcanza unos cinco metros de altura, ramoso, con hojuelas de tres en tres, brillantes por encima y flores de cuatro pétalos oblongos. Su madera se utiliza para antorchas.

cuaco. m. Harina de la raíz de la yuca. ‖ **2.** *And.* Persona ruda, ignorante, grosera. ‖ **3.** fam. *Méj.* **caballo.**

cuache, cha. (Del m. or. que *cuate.*) adj. *Guat.* **gemelo** de un parto. Ú. t. c. s. ‖ **2.** *Guat.* Dícese de algunas cosas que constan de dos partes iguales y ofrecen duplicidad, como la escopeta de doble cañón, que se llama *escopeta* CUACHE.

cuaderna. (Del lat. *quaterna.*) adj. V. **cuaderna vía.** Ú. t. c. s. ‖ **2.** f. Doble pareja en el juego de tablas. ‖ **3.** Moneda de ocho maravedís. ‖ **4.** *Ar.* Cuarta parte de alguna cosa, especialmente de pan o de dinero. ‖ **5.** *Mar.* Cada una de las piezas curvas cuya base o parte inferior encaja en la quilla del buque y desde allí arrancan a derecha e izquierda, en dos ramas simétricas, formando como las costillas del casco. ‖ **6.** *Mar.* Conjunto de estas piezas. ‖ **7.** *Mar.* V. **agua cuaderna,** o **sobre cuaderna.** ‖ **de armar.** *Mar.* Cada una de las principales que se arbolan convenientemente espaciadas para definir las formas generales del costado del buque. ‖ **maestra.** *Mar.* La que se coloca en el punto de mayor anchura del casco.

cuadernal. (De *cuaderno.*) m. *Mar.* Conjunto de dos o tres poleas paralelamente colocadas dentro de una misma armadura.

cuadernario, ria. adj. ant. **cuaternario.**

cuadernillo. (d. de *cuaderno.*) m. Conjunto de cinco pliegos de papel, que es la quinta parte de una mano. ‖ **2. añalejo.**

cuaderno. (Del lat. *quaterni.*) m. Conjunto o agregado de algunos pliegos de papel, doblados y cosidos en forma de libro. ‖ **2.** Libro pequeño o conjunto de papel en que se lleva la cuenta y razón, o en que se escriben algunas noticias, ordenanzas o instrucciones. *El* CUADERNO *de millones, de la Mesta.* ‖ **3.** ant. Pieza de madera de hilo del marco de Valencia, de 30 palmos de largo, y con una escuadría de 17 dedos de tabla por 16 de canto. ‖ **4.** Castigo que se imponía a los colegiales por faltas leves. ‖ **5.** fam. Baraja de naipes. ‖ **6.** *Impr.* Compuesto de cuatro pliegos metidos uno dentro de otro. ‖ **de bitácora.** *Mar.* Libro en que se apunta el rumbo, velocidad, maniobras y demás accidentes de la navegación. ‖ **de Cortes.** Extracto y relato oficial de los acuerdos tomados en cada reunión de ellas, y que se imprimía y publicaba desde el siglo XVI.

cuado, da. adj. Dícese de un pueblo, suevo de origen, que habitó el sudeste de la antigua Germania. Ú. t. c. s. ‖ **2.** Perteneciente o relativo a este pueblo.

cuadra. (Del lat. *quadra,* cuadro, figura cuadrada.) f. V. **cuadro, dra.**

cuadrada. f. *Mús.* Figura o nota musical que vale dos compases mayores, breve.

cuadradamente. adv. m. Ajustada o cabalmente.

cuadradillo. m. **cuadrado,** pieza de la camisa. ‖ **2. cuadrado,** regla prismática de sección cuadrada. ‖ **3.** Azúcar de pilón, partido en piececitas cuadradas.

cuadrado, da. (Del lat. *quadrātus.*) adj. Aplícase a la figura plana cerrada por cuatro líneas rectas iguales que forman otros tantos ángulos rectos. Ú. t. c. s. m. ‖ **2.** Por ext., dícese del cuerpo prismático de sección **cuadrada.** ‖ **3.** V. **acto, centímetro, decímetro, estadal, hierro, hueso, kilómetro, metro, pie cuadrado.** ‖ **4.** V. **legua, vara cuadrada.** ‖ **5.** fig. Perfecto, cabal. ‖ **6.** *Álg.* y *Arit.* V. **raíz cuadrada.** ‖ **7.** *Arq.* V. **columna cuadrada.** ‖ **8.** *Astrol.* V. **aspecto cuadrado.** ‖ **9.** m. Regla prismática de sección **cuadrada** que sirve para rayar con igualdad el papel. ‖ **10. troquel.** ‖ **11.** Adorno o labor que se pone en las medias y sube desde el tobillo hasta la pantorrilla y que suele ser bordado. ‖ **12.** Pieza **cuadrada** con que en las camisas se unían las mangas al cuerpo. ‖ **13.** *Álg.* y *Arit.* Producto que resulta de multiplicar una cantidad por sí misma. ‖ **14.** *Astrol.* Posición o aspecto de un astro distante de otro la cuarta parte del círculo, o sea 90 grados. ‖ **15.** *Impr.* Pieza de metal del cuerpo de las letras, que se pone entre ellas para formar espacios, intervalos o blancos, o para afirmar y sostener las letras. ‖ **cuadrado de las refracciones.** *Gnom.* Instrumento que sirve para delinear los relojes solares, y contiene el valor o grados de los ángulos de la refracción, correspondientes a los ángulos de la incidencia. ‖ **geométrico.** *Geom.* Instrumento para medir alturas y distancias. Hácese regularmente de un **cuadrado** de latón o de madera; en uno de sus ángulos se pone una alidada o regla movible con dos pínulas; la regla y dos de los lados del **cuadrado** que forman el ángulo opuesto se dividen en cierto número de partes iguales, según el arbitrio de cada uno; y en uno de los otros dos lados se ponen otras dos pínulas. ‖ **mágico.** Figura formada por números dispuestos en cuadro de tal modo, que sea constante la suma de cada línea horizontal y vertical y de cada diagonal. ‖ **de cuadrado.** loc. adv. fig. Perfectamente, muy bien. ‖ **2.** *Esgr.* Expresa cierta postura o planta que se reduce a estar de frente al contrario, con los pies iguales a los dos lados. ‖ **3.** *Pint.* Se usa para denotar que una cabeza o figura pintada se mira frente a frente. ‖ **dejar** a alguien **de cuadrado.** fr. fig. Descubrir puntualmente su intención; herirle claramente y por donde más lo siente. ‖ **mover de cuadrado.** fr. *Arq.* Sentar sobre una superficie horizontal la primera dovela de un arco o la primera hilada de dovelas de una bóveda. ‖ **poner** a alguien **de cuadrado.** fr. fig. **dejarle de cuadrado.**

cuadradura. f. ant. **cuadratura.**

cuadragenario, ria. (Del lat. *quadragenarĭus.*) adj. De cuarenta años. Ú. t. c. s.

cuadragésima. (Del lat. *quadragesĭma dies.*) f. **cuaresma.**

cuadragesimal. (Del lat. *quadragesimālis.*) adj. Perteneciente a la cuaresma. ‖ **2.** V. **voto cuadragesimal.**

cuadragésimo, ma. (Del lat. *quadragesĭmus.*) adj. Que sigue inmediatamente en orden al o a lo trigésimo nono. ‖ **2.** Dícese de cada una de las 40 partes iguales en que se divide un todo. Ú. t. c. s.

cuadral. (De *cuadro.*) m. *Arq.* Madero que atraviesa oblicuamente de una carrera a otra en los ángulos entrantes.

cuadrangulado, da. (Del lat. *quadrangulātus.*) adj. ant. **cuadrangular.**

cuadrangular. (De *cuadrángulo.*) adj. Que tiene o forma cuatro ángulos.

cuadrángulo, la. (Del lat. *quadrangŭlus.*) adj. Que tiene cuatro ángulos. Ú. m. c. s. m.

cuadrantal. (Del lat. *quadrantālis.*) adj. *Trigon.* V. **triángulo cuadrantal.** ‖ **2.** m. Medida de líquidos que usaban los romanos, de figura cúbica y de cabida de 48 sextarios. Es el ánfora de los griegos.

cuadrante. (Del lat. *quadrans, -antis.*) p. a. de **cuadrar.** Que cuadra. ‖ **2.** m. Moneda romana de cobre, equivalente a la cuarta parte de un as. ‖ **3.** Tabla que se pone en las parroquias para señalar el orden de las misas que se han de decir aquel día. ‖ **4.** Almohada cuadrada de cama. ‖ **5.** *C. Rica.* Conjunto de manzanas y calles que forman una ciudad o cualquier población cuya planta está trazada a base de cuadras. ‖ **6. cuadral.** ‖ **7.** V. **compás de cuadrante.** ‖ **8.** *Astrol.* Cada una de las cuatro porciones en que la media esfera del cielo superior al horizonte queda dividida por el meridiano y el primer vertical, y se numeraban de Oriente a Mediodía, Poniente y Norte, para formar la figura celeste. ‖ **9.** *Astron.* Instrumento compuesto de un cuarto de círculo graduado, con pínulas o anteojos, para medir ángulos. ‖ **10.** *Der.* Cuarta parte del as hereditario. ‖ **11.** *Geom.* Cuarta parte de la circunferencia o del círculo comprendida entre dos radios perpendiculares. ‖ **12.** *Gnom.* Reloj solar trazado en un plano. Según la posición de este plano y la región del cielo hacia donde mira, así se llama el **cuadrante** horizontal, vertical o inclinado; meridional, ecuatorial, declinante, etc. ‖ **13.** *Mar.* Cada una de las cuatro partes en que se consideran divididos el horizonte y la rosa náutica, denominadas primero, segundo, tercero y cuarto, contando desde el Norte hacia el Este. ‖ **de reducción.** *Mar.* Figura geométrica trazada en un cartón, que sirve para resolver gráficamente los problemas relativos a la línea del rumbo. ‖ **de reflexión.** Instrumento muy parecido al sextante, del cual se diferencia en que su sector abraza la cuarta parte de la circunferencia. ‖ **hiemal.** *Astrol.* El cuarto del tema celeste. ‖ **melancólico.** *Astrol.* **cuadrante occidental.** ‖ **meridiano.** *Astrol.* El segundo del tema celeste. ‖ **occidental.** *Astrol.* El tercero del tema celeste. ‖ **oriental.** *Astrol.* El primero del tema celeste desde el Oriente hasta el Mediodía. ‖ **pueril.** *Astrol.* **cuadrante vernal.** ‖ **senil.** *Astrol.* **cuadrante hiemal.** ‖ **vernal.** *Astrol.* **cuadrante oriental.** ‖ **viril.** *Astrol.* **cuadrante occidental.** ‖ **hasta el último cuadrante.** loc. adv. que explica la exactitud y rigor con que se obliga a alguien a pagar lo que debe sin perdonarle nada.

cuadranura. (Del fr. *cadranure.*) f. **pata de gallina.**

cuadrar. (Del lat. *quadrāre.*) tr. Dar a una cosa figura de cuadro, y más propiamente de cuadrado. ‖ **2.** Tratándose de cuentas, balances, etc., hacer que coincidan los totales del debe y del haber. ‖ **3.** *Álg.* y *Arit.* Elevar un monomio, un polinomio o un número a la segunda potencia, o sea multiplicarlo una vez por sí mismo. ‖ **4.** *Carp.* Trabajar o formar los maderos en cuadro. ‖ **5.** *Geom.* Determinar o encontrar un cuadrado equivalente en superficie a una figura dada. ‖ **6.** *Pint.* **cuadricular**[2]. ‖ **7.** intr. Conformarse o ajustarse una cosa con otra. ‖ **8.** Agradar o convenir una cosa con el intento o deseo. ‖ **9.** Coincidir en las cuentas los totales del debe y del haber. ‖ **10.** prnl. Quedarse parada una persona con los pies en escuadra; posición que para ciertos actos exigen las instrucciones militares, el arte del manejo de las armas y las reglas del toreo. ‖ **11.** *Equit.* Pararse el caballo, quedando con los cuatro remos en firme. ‖ **12.** fig. y fam. Mostrar de pronto una persona, al tratar con otra, inusitadagravedad o firme resistencia. ‖ **13.** *Chile.* Suscribirse con una importante cantidad de dinero, o dar de hecho esa cantidad o valor.

cuadrático, ca. adj. *Mat.* Perteneciente o relativo al cuadrado. ‖ **2.** *Mat.* Que tiene cuadrados como potencia más alta. ‖ **3.** *Mat.* V. **media cuadrática.**

cuadratín. m. *Impr.* **cuadrado,** pieza de metal que se pone entre las letras para dejar espacios o blancos en lo impreso.

cuadratura. (Del lat. *quadratūra.*) f. Acción y efecto de cuadrar una figura. ‖ **2.** *Astron.* Situación relativa de dos cuerpos celestes, que en longitud o en ascensión recta distan entre sí respectivamente uno o tres cuartos de círculo. ‖ **la cuadratura del círculo.** expr. fam. con que se indica la imposibilidad de una cosa.

cuadri-. (Del lat. *quadri-.*) elem. compos. que significa «cuatro»: CUADRI*enio,* CUADRI*látero.* Toma también las formas **cuatri-:** CUATRI*motor,* y **cuadru-:** CUADRÚ*pedo,* CUADRU*plicar.*

cuadricenal. (Del lat. *quăter,* cuatro veces, y *decennālis,* decenal.) adj. Que se hace cada cuarenta años.

cuadrícula. (De *cuadro.*) f. Conjunto de los cuadrados que resultan de cortarse perpendicularmente dos series de rectas paralelas.

cuadriculación. f. Acción y efecto de cuadricular.

cuadricular[1]**.** adj. Perteneciente a la cuadrícula.

cuadricular[2]**.** tr. Trazar líneas que formen una cuadrícula.

cuadrienal. (Del lat. *quadriennālis.*) adj. **cuatrienal.**

cuadrienio. (Del lat. *quadrienn̆ium.*) m. **cuatrienio.**

cuadrifoliado, da. adj. **cuadrifolio.**

cuadrifolio, lia. adj. Que tiene cuatro hojas.

cuadriforme. (Del lat. *quadriformis.*) adj. Que tiene cuatro formas o cuatro caras. ‖ **2.** De figura de cuadro.

cuadriga. (Del lat. *quadrīga.*) f. Tiro de cuatro caballos enganchados de frente. ‖ **2.** Carro tirado por cuatro caballos de frente, y especialmente el usado en la antigüedad para las carreras del circo y en los triunfos.

cuadrigato. (Del lat. *cuadrigātus.*) m. Moneda antigua romana de plata, que representa en el reverso una cuadriga.

cuadriguero. m. El que conduce una cuadriga.

cuadril. (Por **cadril,* de *cadera.*) m. Hueso que sale de la cía, de entre las dos últimas costillas, y sirve para formar el anca. ‖ **2. anca** de las caballerías y otros animales. ‖ **3. cadera,** cada una de las partes salientes formadas por los huesos superiores de la pelvis.

cuadrilátero, ra. (Del lat. *quadrilatĕrus.*) adj. *Geom.* Que tiene cuatro lados. ‖ **2.** m. *Geom.* Polígono de cuatro lados. ‖ **3.** Espacio limitado por cuerdas con suelo de lona donde tienen lugar combates de boxeo.

cuadriliteral. (Del lat. *quatŭor,* cuatro, y *littĕra,* letra.) adj. **cuadrilítero.**

cuadrilítero, ra. adj. De cuatro letras.

cuadrilón, na. adj. **anquiseco.**

cuadrilongo, ga. (Del lat. *quadrum,* cuadro, y *longus,* largo.) adj. **rectangular,** que pertenece al rectángulo. ‖ **2.** m. **rectángulo,** paralelogramo de cuatro ángulos rectos y los lados contiguos desiguales. ‖ **3.** *Mil.* Formación de un cuerpo de infantería en figura de **cuadrilongo.**

cuadrilla. (De *cuadro.*) f. Grupo de personas reunidas para el desempeño de algunos oficios o para ciertos fines. CUADRILLA *de albañiles, de toreros, de malhechores.* ‖ **2. pandilla,** grupo de amigos que se suelen reunir para divertirse. ‖ **3.** Cada una de las compañías de participantes en ciertas fiestas públicas, como cañas, torneos, etc., que se distinguían de las demás por sus colores y divisas. ‖ **4.** Cada una de las cuatro partes de que se componía el Consejo de la Mesta. ‖ **5.** Grupo armado de la antigua Santa Hermandad. ‖ **6.** V. **alcalde de cuadrilla.** ‖ **7.** Conjunto de perros que se dedican a la caza. ‖ **en cuadrilla.** loc. adv. *Der.* Concurriendo más de tres malhechores armados a la comisión de un delito. Es generalmente circunstancia agravante.

cuadrillazo. (De *cuadrilla.*) m. *Chile.* Asalto, ataque de varias personas contra una.

cuadrillero. m. Cabo de una cuadrilla. ‖ **2.** Individuo de una cuadrilla de la Santa Hermandad. ‖ **3.** Guardia de policía rural en Filipinas.

cuadrillo. (De *cuadradillo.*) m. Arma arrojadiza de madera, que llevaba en el extremo una punta de hierro, de forma piramidal.

cuadrimestre. adj. **cuatrimestre.** Ú. t. c. s. m.

cuadringentésimo, ma. adj. Que ocupa el último lugar en una serie ordenada de cuatrocientos. ‖ **2.** Dícese de cada una de las cuatrocientas partes iguales en que se divide un todo. Ú. t. c. s.

cuadrinieto, ta. m. y f. Cuarto nieto o cuarta nieta.

cuadrinomio. m. Expresión algebraica que consta de cuatro términos.

cuádriple. (De *cuádruple,* infl. por *triple*.) adj. ant. **cuádruple.**

cuadriplicado, da. Forma con que suele usarse el p. p. de **cuadruplicar.**

cuadriplicar. (De *cuadruplicar,* infl. por *triplicar.*) tr. **cuadruplicar.**

cuadrisílabo, ba. adj. **cuatrisílabo.** Ú. t. c. s.

cuadrivio. (Del lat. *quadrivĭum.*) m. Lugar, sitio o paraje donde concurren cuatro sendas o caminos. ‖ **2.** En los estudios de la Edad Media, conjunto de las cuatro artes matemáticas: aritmética, música, geometría y astrología o astronomía.

cuadrivista. m. En lo antiguo, el versado en las cuatro artes del cuadrivio.

cuadriyugo. (Del lat. *quadriiŭgus.*) m. Carro de cuatro caballos.

cuadro, dra. (Del lat. *quadrus.*) adj. **cuadrado** de superficie plana cerrada de cuatro rectas iguales que forman cuatro ángulos rectos. Ú. t. c. s. m. ‖ **2.** *Mar.* V. **vela cuadra.** ‖ **3.** m. **rectángulo,** paralelogramo de cuatro ángulos rectos con los lados contiguos desiguales. ‖ **4.** Lienzo, lámina, etc., de pintura. ‖ **5. marco,** cerco que guarnece algunas cosas. ‖ **6.** En los jardines, parte de tierra labrada regularmente en **cuadro** y adornada con varias labores de flores y hierbas. ‖ **7.** En los frontones del juego de pelota vasca, cada una de las divisiones hechas en el muro lateral, para marcar el saque y el pase. ‖ **8.** Cada una de las partes, a manera de actos breves, en que se dividen los actos de algunas obras dramáticas modernas. ‖ **9.** En la obra dramática y otros espectáculos teatrales, agrupación de personajes que durante algunos momentos permanecen en determinada actitud a vista del público. ‖ **10.** Descripción, por escrito o de palabra, de un espectáculo o suceso, tan viva y animada, que el lector o el oyente pueda representarse en la imaginación la cosa descrita. ‖ **11.** Conjunto de nombres, cifras u otros datos presentados gráficamente, de manera que se advierta la relación existente entre ellos. ‖ **12.** fig. Espectáculo de la naturaleza, o agrupación de personas o cosas, que se ofrece a la vista y es capaz de conmover o aterrorizar el ánimo. ‖ **13.** En el ejército, y, por ext., en empresas, en la administración pública, etc., conjunto de mandos. ‖ **14.** *Germ.* **puñal[1],** arma. ‖ **15.** *Astrol.* **cuadrado,** posición de un astro distante de otro la cuarta parte del círculo. ‖ **16.** *Impr.* Tabla de madera, o plancha de bronce o de hierro, del tamaño y figura de medio o de un pliego de papel, la cual, pendiente del husillo de la prensa, bajaba al tiempo que este se movía, y servía para apretar el pliego, a fin de que recibiera la tinta que estaba en la superficie del molde. ‖ **17.** *Mil.* Formación de la infantería en figura de cuadrilátero, dando frente por sus cuatro caras al enemigo. Sirve para resistirse en las llanuras a la caballería. ‖ **18.** *Mil.* En el ejército, y por ext. en otras instituciones empresas o partidos, mando intermedio. ‖ **19.** f. Sala o pieza espaciosa. ‖ **20. caballeriza,** lugar para estancia de caballos y bestias de carga. ‖ **21.** fig. Lugar muy sucio. ‖ **22.** Conjunto de caballos, generalmente de carreras, que suele llevar el nombre del dueño. ‖ **23.** Sala de un cuartel, hospital o prisión, en que duermen muchos. ‖ **24.** Cuarta parte de una milla. ‖ **25. grupa.** ‖ **26.** V. **alcalde de la cuadra.** ‖ **27.** V. **cabezón de cuadra.** ‖ **28.** Espacio de una calle comprendido entre dos esquinas, lado de una manzana. ‖ **29.** *Amér.* Medida de longitud, variable según los países, y comprendida más o menos entre los cien y ciento cincuenta metros. ‖ **30.** ant. *Astron.* **cuadratura,** situación relativa de dos cuerpos celestes. ‖ **31.** *Mar.* Anchura del buque en la cuarta parte de su longitud, contada desde popa o desde proa. ‖ **32.** *Mar.* V. **viento a la cuadra.** ‖ **clínico.** *Med.* Conjunto de síntomas que presenta un enfermo o que caracterizan una enfermedad. ‖ **de distribución.** Conjunto de aparatos de una central eléctrica para establecer comunicaciones entre los generadores y los receptores. Lleva generalmente aparatos para medir y regular las corrientes eléctricas que se ponen en juego. ‖ **2.** En telefonía, conjunto de aparatos de una central para establecer o interrumpir, cuando sea necesario, las comunicaciones de unos abonados con otros. ‖ **flamenco.** Conjunto de personas que cantan, bailan y tocan instrumentos interpretando música de carácter flamenco. ‖ **plástico. cuadro vivo.** ‖ **sinóptico.** Exposición de una materia en una plana, en forma de epígrafes comprendidos dentro de llaves u otros signos gráficos, de modo que el conjunto se puede abarcar de una vez con la vista. ‖ **vivo.** Representación de una obra de arte o una escena por personas que permanecen inmóviles y en silencio en determinadas actitudes. Ú. m. en pl. ‖ **en cuadro.** loc. adv. En forma o a modo de cuadrado. ‖ **estar,** o **quedarse, en cuadro.** fr. fig. Dicho de una corporación o familia, quedar reducida a un corto número de miembros. ‖ **2.** Haber perdido uno su familia o sus bienes de fortuna, quedándose aislado, pobre o con nada más que lo puesto. ‖ **3.** fig. *Mil.* Estar, o quedarse, un cuerpo sin tropa, conservando sus jefes, oficiales, sargentos y cabos. ‖ **navegar a la cuadra.** fr. *Mar.* Navegar con viento a la **cuadra.** ‖ **tocar** a alguien **el cuadro.** fr. fig. y fam. **tentarle,** o **tocarle, el bulto.**

cuadropea. f. **cuatropea.**

cuadru-. (Del lat. *quadru-.*) V. **cuadri-.**

cuadrumano, na o **cuadrúmano, na.** (Del lat. *quadrumănus.*) adj. *Zool.* Dícese de los animales mamíferos en cuyas extremidades, tanto torácicas como abdominales, el dedo pulgar es oponible a los otros dedos. Ú. t. c. s.

cuadrupedal. (De *cuadrúpedo.*) adj. De cuatro pies, o perteneciente a ellos.

cuadrupedante. (Del lat. *quadrupĕdans, -antis.*) adj. poét. **cuadrúpedo.**

cuadrúpede. (Del lat. *quadrŭpes, -ĕdis.*) adj. **cuadrúpedo.**

cuadrúpedo. (Del lat. *quadrupĕdus.*) adj. Aplícase al animal de cuatro pies. Ú. t. c. s. ‖ **2.** *Astron.* Se dice de los signos Aries, Tauro, Leo, Sagitario y Capricornio.

cuádruple. (Del lat. *quadrŭple.*) adj. Que contiene un número cuatro veces exactamente. Ú. t. c. s. m. ‖ **2.** Dícese de la serie de cuatro cosas iguales o semejantes.

cuadruplicación. (Del lat. *quadruplicatĭo, -ōnis.*) f. Multiplicación por cuatro.

cuadruplicar. (Del lat. *quadruplicāre.*) tr. Hacer cuádruple una cosa; multiplicar por cuatro una cantidad.

cuádruplo, pla. (Del lat. *quadrŭplus.*) adj. **cuádruple.** Ú. t. c. s. m.

cuaima. (De or. chaima.) f. Serpiente muy ágil y venenosa, negra por el lomo y blanquecina por el vientre, que abunda en la región oriental de Venezuela. ‖ **2.** fig. y fam. *Venez.* Persona muy lista, peligrosa y cruel.

cuairón. (Del lat. *quadro, -ōnis.*) m. *Huesca* y *Zar.* Pieza de madera de sierra, de 10 a 15 palmos de longitud y cuya escuadría es variable. ‖ **2.** *Zar.* Pieza de madera de sierra, de seis, siete u ocho pies de longitud, con una escuadría de seis, siete u ocho dedos de tabla por cuatro, cinco o seis dedos de canto.

cuajada. (De *cuajar.*[2]) f. Parte caseosa y grasa de la leche, que se separa del suero por la acción del calor, del cuajo, o de los ácidos. ‖ **2.** Requesón, que se hace de los residuos de la leche en el suero después de hecho el queso, generalmente agregando algo de leche. ‖ **en len.** *And.* Cierta trabazón que se hace con la leche, que por su delicadeza y suavidad se llama así.

cuajadera. f. Mujer que antiguamente vendía cuajada por las calles. ‖ **2.** *And.* Escudilla de barro vidriado y de fondo ancho para hacer cuajado.

cuajadillo. (De *cuajado,* p. p. de *cuajar.*) m. Labor espesa y menuda que se hace en los tejidos de seda.

cuajado, da. p. p. de **cuajar.** ‖ **2.** adj. fig. y fam. Inmóvil y como paralizado por el asombro que produce alguna cosa. ‖ **3.** fig. y fam. Dícese del que está o se ha quedado dormido. ‖ **4.** m. Comida que se hace de carne picada, hierbas o frutas, etc., con huevos y azúcar. ‖ **5.** *And.* Dulce casero cocido al horno, en el que entran huevo y azúcar, almendras, etc.

cuajadura. f. Acción y efecto de cuajar o cuajarse.

cuajaenredos. com. Persona chismosa, mendaz e intrigante.

cuajaleche. (De *cuajar*[2] y *leche.*) m. **amor de hortelano,** planta rubiácea.

cuajamiento. (De *cuajar*[2].) m. **coagulación.**

cuajaní. (De or. cubano.) m. *Cuba.* Árbol de la familia de las rosáceas, de unos 12 metros de altura, que tiene una madera muy resistente. Produce semillas venenosas y, por incisión, se extrae de él una especie de goma parecida a la arábiga.

cuajanicillo. m. *Cuba.* Especie menor del cuajaní.

cuajar[1]**.** (De *cuajo.*) m. Última de las cuatro cavidades en que se divide el estómago de los rumiantes.

cuajar[2]**.** (Del lat. *coagulāre.*) tr. Transformar una sustancia líquida en una masa sólida y pastosa. Ú. especialmente referido a sustancias albuminosas, como la leche, el huevo, etc. Ú. t. c. prnl. ‖ **2.** fig. Recargar de adornos una cosa. ‖ **3.** intr. Formar la nieve y el agua superficies sólidas. ‖ **4.** Granar, nacer y formarse la flor en árboles y plantas. ‖ **5.** fig. y fam. Lograrse, tener efecto una cosa. CUAJÓ *la pretensión.* Ú. t. c. prnl. ‖ **6.** fig. y fam. Gustar, agradar, cuadrar. *Fulano no me* CUAJA. ‖ **7.** prnl. fig. y fam. Llenarse, poblarse. SE CUAJÓ *de gente la plaza.*

cuajará. m. *Cuba.* Árbol silvestre que da madera de construcción.

cuajarón. m. Porción de sangre o de otro líquido que se ha cuajado.

cuajicote. m. *Méj.* Especie de abejón que forma su vivienda en el tronco de los árboles.

cuajilote. (Del nahua *cuahuitl,* árbol, y *xilotl,* jilote.) m. *Méj.* Especie de bignonácea. ‖ **2.** *Méj.* Fruto comestible de esta planta, en forma de zuro.

cuajiote. m. *Amér. Central.* Planta que produce una goma que se usa en medicina.

cuajo. (Del lat. *coagŭlum.*) m. *Quím.* Fermento que existe principalmente en la mucosa del estómago de los mamíferos en el período de la lactancia y sirve para coagular la caseína de la leche. ‖ **2.** Efecto de cuajar[2]. ‖ **3.** Sustancia con que se cuaja un líquido. ‖ **4. cuajar**[1]. ‖ **5.** V. **hierba de cuajo.** ‖ **6.** fig. y fam. Calma, pachorra. ‖ **de cuajo.** loc. adv. De raíz, sacando enteramente una cosa del lugar en que estaba arraigada. Ú. comúnmente con el verbo *arrancar.* ‖ **ensanchar el cuajo.** fr. fig. y fam. con que exhorta a llevar con paciencia las adversidades. ‖ **tener buen cuajo,** o **cuajo,** o **mucho cuajo.** fr. fig. y fam. Ser muy pacienzudo o pesado. ‖ **volverse el cuajo.** fr. Vomitar el niño la leche que ha mamado.

cuakerismo. m. **cuaquerismo.**

cuákero, ra. m. y f. **cuáquero.**

cual. (Del lat. *qualis.*) pron. relat. Es palabra átona y no tiene otra variación que la de número: CUAL, CUALES. ‖ **2.** ant. Se empleaba como sustantivo, concertando en número con su antecedente. *Válasme, nuestra Señora,* CUAL *dicen de la Ribera.* ‖ **3.** Forma con el artículo el pron. relat. compuesto *el* CUAL, *la* CUAL, *los* CUALES, *las* CUALES, *lo* CUAL, con variación de género y número, señalada por el artículo. El segundo elemento del compuesto es palabra acentuada prosódicamente en la sílaba *cua-*, pero no se señala ortográficamente. *Esa era su opinión, de lo* CUAL *no disiento; tuvo cuatro hijos, al más joven de los* CUALES *he conocido yo.* Hoy se emplea menos como adjetivo. *A grandes voces llamó a Sancho; el* CUAL *Sancho, oyéndose llamar, dejó a los pastores.* ‖ **4.** pron. correlat. Se usa en función de sustantivo o de adjetivo, en correlación con *tal, tales.* Hoy se emplea más como sustantivo y con elipsis de demostrativo. CUALES *palabras te dicen, tal corazón te ponen; cada cosa sin engaño se muestra* CUAL *es; acarreando piedras enormes* CUALES *son las que se ven en la construcción.* ‖ **5.** pron. interrog. Se emplea como sustantivo y menos veces, con el valor de *qué,* como adjetivo. Tiene acento prosódico y ortográfico. *¿A* CUÁL *de ellos prefieres?;* ‖ **6.** pron. exclam. Se emplea en la ponderación, con acento prosódico y ortográfico. *¡*CUÁL *no sería mi asombro al comprobarlo!* ‖ **7.** Se usa en disyunciones con el valor de *uno ... otro; este, aquel, el de más allá,* etc., y lleva acento prosódico y ortográfico. *A* CUÁL *cubre, a* CUÁL *ciega, a* CUÁL *embiste.* ‖ **8.** adv. relat. El sing. CUAL inacentuado, se emplea con el mismo valor de *como.* Hoy es uso literario. *Pronto nos hemos de ver los dos* CUAL *deseamos; traía el aire grave,* CUAL *si fuese a tratar de negocios.* ‖ **9.** adv. exclam. Se emplea con el valor de *cómo,* con acento prosódico y ortográfico. *Veréis* CUÁL *andan de una parte a otra inquietos.* ‖ **10.** adv. m. **así como,** denotando comparación o equivalencia. ‖ **a cual más.** loc. con que se pondera que una cualidad es tan viva en unos individuos que no se sabe quién aventaja a los otros. ‖ **tal o cual.** expr. **tal cual,** denotando que son en corto número las personas o cosas de que se habla.

cualesquier. pron. indet. pl. de **cualquier.**

cualesquiera. pron. indet. pl. de **cualquiera.**

cualidad. (Del lat. *qualĭtas, -ātis.*) f. Cada uno de los caracteres, naturales o adquiridos, que distinguen a las personas, a los seres vivos en general o a las cosas. ‖ **2.** Manera de ser de una persona o cosa.

cualificado, da. adj. **calificado,** que posee autoridad y merece respeto. ‖ **2.** De buena calidad o de buenas cualidades. ‖ **3.** Dícese del trabajador que está especialmente preparado para una tarea determinada.

cualificar. tr. Atribuir o apreciar cualidades.

cualitativo, va. (Del lat. *qualitatīvus.*) adj. Que denota cualidad. ‖ **2.** *Quím.* V. **análisis cualitativo.**

cualque. (Del lat. *qualis quid.*) pron. indet. p. us. Alguno, cualquier, cualquiera.

cualquier. pron. indet. **cualquiera.** No se emplea sino antepuesto al nombre.

cualquiera. (De *cual* y *quiera,* de *querer.*) pron. indet. Una persona indeterminada, alguno, sea el que fuere. Antepónese y pospónese al nombre y al verbo. Antepuesto al nombre, úsase principalmente la forma *cualquier.* ‖ **ser** una persona **un,** o **una cualquiera.** fr. Ser persona de poca importancia o indigna de consideración.

cuamaño, ña. (Del lat. *quam magnus,* cuan grande.) adj. ant. que, como correlativo de *tamaño,* demuestra comparativamente las dimensiones de las cosas.

cuamil. (Del nahua *cuahuite*, árbol y *milli*, heredad.) m. *Méj.* Sementera.

cuan. (Del lat. *quam.*) adv. c. excl. p. us. que se emplea para encarecer el grado o la intensidad. Tiene acento prosódico y ortográfico. ¡CUÁN *rápidamente caminan las malas nuevas*!; *no puedes imaginarte* CUÁN *desgraciado soy.* ‖ **2.** adv. correlat. de **tan,** empleado en comparaciones de equivalencia o igualdad. Carece de acento prosódico y ortográfico. *El castigo será* TAN *grande,* CUAN *grande fue la culpa.*

cuando. (Del lat. *quando.*) conj. t. En el tiempo, en el punto, en la ocasión en que. Me compadecerás CUANDO *sepas mis desventuras; ven a buscarme* CUANDO *sean las diez.* ‖ **2.** adv. t. En sent. interrog. y exclam., y con acento prosódico y ortográfico, equivale a **en qué tiempo.** ¿CUÁNDO *piensas venir*? *No sé* CUÁNDO; ¡CUÁNDO *aprenderás*! ‖ **3.** conj. En caso de que, o si. CUANDO *es irrealizable un intento, ¿por qué insistir en ello?* ‖ **4.** desus. Se usaba como conj. advers. con la significación de **aunque.** *No faltaría a la verdad,* CUANDO *le fuera en ello la vida.* ‖ **5.** Toma asimismo carácter de conj. continuativa, equivaliendo a **puesto que.** CUANDO *tú lo dices, verdad será.* ‖ **6.** Empléase también como adv. distrib., equivaliendo a unas veces y otras veces. *Siempre está riñendo,* CUANDO *con motivo,* CUÁNDO *sin él.* ‖ **7.** Ú. a veces con carácter de sustantivo, precedido del artículo *el. El cómo y* EL CUÁNDO. ‖ **8.** En frases sin verbo, adquiere función prepositiva. *Yo,* CUANDO *niño, vivía en Cáceres.* ‖ **cuando más.** loc. adv. **a lo más.** ‖ **cuando menos.** loc. adv. **a lo menos.** ‖ **cuando mucho.** loc. adv. **cuando más.** ‖ **cuando no.** expr. De otra suerte, en caso contrario. ‖ **cuando quier.** loc. adv. **cuando quiera.** ‖ **¿de cuándo acá?** expr. de extrañeza con que se significa que alguna cosa está o sucede fuera de lo regular y acostumbrado. ‖ **de cuando en cuando.** loc. adv. Algunas veces, de tiempo en tiempo. ‖ **el cuándo.** *Argent.* Baile tradicional argentino, probablemente emparentado con la gavota. ‖ **2.** *Argent.* Música y letra de este baile.

cuanlote. m. *Méj.* **caulote.**

cuantía. (De *cuanto.*) f. **cantidad,** medida o número determinado de las cosas susceptibles de aumento o disminución. ‖ **2.** Medida o cantidad indeterminada o vagamente determinada de las cosas. ‖ **3.** Suma de cualidades o circunstancias que enaltecen a una persona o la distinguen de las demás. ‖ **4.** V. **caballero de cuantía.** ‖ **5.** *Der.* Valor de la materia litigiosa. ‖ **de mayor cuantía.** loc. adj. fig. Dícese de persona o cosa de importancia. ‖ **2.** *Der.* V. **juicio de mayor cuantía.** ‖ **de menor cuantía.** loc. adj. fig. Dícese de persona o cosa de poca importancia. ‖ **2.** *Der.* V. **juicio de menor cuantía.**

cuantiar. (De *cuantía.*) tr. Apreciar la cuantía, medida o número de las cosas; tasar.

cuántico, ca. adj. *Fís.* Perteneciente o relativo a los cuantos de energía. ‖ **2.** Dícese de la teoría formulada por el físico alemán Max Planck y de todo lo que a ella concierne.

cuantidad. (Del lat. *quantĭtas, -ātis,* cantidad.) f. **cantidad.** Ú. mucho esta voz hablando facultativamente, en especial entre los matemáticos.

cuantificación. f. Acción y efecto de cuantificar. ‖ **2.** *Lóg.* Explicitación de la cantidad (extensión y comprensión) en los enunciados o juicios, o especialmente en el predicado.

cuantificador. m. *Lóg.* Elemento que cuantifica.

cuantificar. (De *cuanto.*) tr. Expresar numéricamente una magnitud. ‖ **2.** Introducir los principios de la mecánica cuántica en el estudio de un fenómeno físico. ‖ **3.** *Lóg.* Explicitar la cantidad en los enunciados o juicios.

cuantimás. adv. m. vulg. Contracc. de **cuanto y más** o **cuanto más.**

cuantioso, sa. (De *cuantía.*) adj. Grande en cantidad o número. ‖ **2.** V. **caballero cuantioso.** ‖ **3.** ant. **hacendado,** que tiene hacienda.

cuantitativo, va. (Del lat. *quantĭtas, -ātis.*) adj. Perteneciente o relativo a la cantidad. ‖ **2.** *Quím.* V. **análisis cuantitativo.**

cuanto[1]**.** (Del lat. *quantum,* neutro de *quantus.*) m. *Fís.* Salto que experimenta la energía de un corpúsculo cuando absorbe o emite radiación. Es proporcional a la frecuencia de esta última. ‖ **de energía. cuanto**[1]**.**

cuanto[2]**, ta.** (Del lat. *quantus.*) pron. relat. c. m. pl. Todas las personas que. CUANTOS *le oían le admiraban.* ‖ **2.** pron. relat. c. m. y f. pl. Todos los que, todas las que. Se emplea con referencia a un nombre expreso o sobrentendido. *La prenda más hermosa de* CUANTAS *poseo.* ‖ **3.** pron. relat. c. m. y f. pl. Todos los ... que, todas las... que. Se agrupa con un nombre. *Fueron inútiles* CUANTAS *observaciones se le hicieron.* Ú. menos en sing. ‖ **4.** pron. relat. c. n. Todo lo que. *Superior a* CUANTO *se conoce.* ‖ **5.** pron. correlat. cant. Se emplea en todas sus formas en correlación con *tanto(s), tanta(s)* y agrupado con *más y menos.* Puede faltar el término de la correlación. Algunas veces equivale a *como. Un libro con que gana* TANTA *fama como dineros, y* TANTOS *dineros* CUANTA *fama.* CUANTO MÁS *se tiene tanto más se desea.* CUANTA MÁS *energía de convicción, menos virtud de tolerancia.* ‖ **6.** adv. relat. cant. Se emplea **cuanto** en correlación con *tanto* y *tan* y agrupado con *más, menos, mayor* y *menor.* Falta a veces el término de la correlación. CUANTO *mayores son sus ofensas,* TANTO *más luce su misericordia. Sobrados de fantasía* CUANTO *escasos de miramiento.* ‖ **7.** pron. interrog. y pron. exclam. Se emplea en todos sus géneros y números, solo o agrupado con un nombre sustantivo, para inquirir o ponderar el número, la cantidad, el precio, el tiempo, el grado, etc., de algo. Tiene acento prosódico y ortográfico. ¡CUÁNTAS *veces el alma me decía...*!; ¿CUÁNTOS *han llegado*?; ¡CUÁNTO *duró la plática*! ‖ **cuanto a.** loc. adv. **en cuanto a.** ‖ **cuanto antes.** loc. adv. Con diligencia, con premura, lo más pronto posible. ‖ **cuanto más.** loc. adv. y conjunt. con que se contrapone a lo que ya se ha dicho lo que se va a decir, denotando en este segundo miembro de la frase idea de encarecimiento o ponderación. *Se rompen las amistades antiguas,* CUANTO MÁS *las recientes; yo te sacaré de las manos de los caldeos,* CUANTO MÁS *de las de la Hermandad.* ‖ **cuanto más antes.** loc. adv. **cuanto antes.** ‖ **cuanto más que.** loc. adv. y conjunt. con que se denota haber para una cosa otra mayor causa o razón que la que ya se ha indicado. *Y pues no hay quien nos vea, menos habrá quien nos note de cobardes;* CUANTO MÁS QUE *yo he oído muchas veces predicar al cura de nuestro lugar, que vuestra merced muy bien conoce, que quien busca el peligro perece en él.* ‖ **cuanto quier.** loc. adv. p. us. **aun cuando.** ‖ **cuanto y más.** loc. adv. **cuanto más.** ‖ **cuanto y más que.** loc. adv. y conjunt. **cuanto más que.** ‖ **en cuanto.** loc. adv. **mientras.** EN CUANTO *los pastores cantaban, estaba la pastora Diana con el hermoso rostro sobre la mano.* ‖ **2.** Al punto que, tan pronto como. EN CUANTO *anochezca iré a buscarte.* ‖ **3.** loc. prepos. Como, en calidad de. EN CUANTO *miembro de su generación, desempeñó un papel importante.* ‖ **en cuanto a.** loc. adv. Por lo que toca o corresponde a. ‖ **por cuanto.** loc. adv. que se usa como causal para notar la razón que se va a dar de alguna cosa.

cuaquerismo. m. Secta de los cuáqueros.

cuáquero, ra. (Del ing. *quaker,* tembloroso.) m. y f. Individuo de una secta religiosa unitaria, nacida en Inglaterra a mediados del siglo XVII, sin culto externo ni jerarquía eclesiástica. Distínguese por lo llano de sus costumbres, y en un principio manifestaba su entusiasmo religioso con temblores y contorsiones.

cuarango. (De or. quechua.) m. Árbol del Perú, de la familia de las rubiáceas, que alcanza de cinco a seis metros de altura, con tronco liso y corteza de color pardo amarillento, hojas casi redondas y dentadas, flores grandes y rojizas, y fruto seco y capsular. Es una de las especies de quino más apreciadas por su corteza.

cuarcífero, ra. adj. *Geol.* Que contiene cuarzo.

cuarcita. (De *cuarzo.*) f. Roca formada por cuarzo; de color blanco lechoso, gris o rojiza si está teñida por el óxido de hierro, de estructura granulosa o compacta. Forma depósitos considerables y contiene accidentalmente muchos minerales, entre ellos el oro.

cuarenta. (Del lat. *quadraginta.*) adj. Cuatro veces diez. ‖ **2.** V. **cuarenta horas.** ‖ **3. cuadragésimo,** que sigue en orden al trigésimo nono. *Número* CUARENTA; *año* CUARENTA. ‖ **4.** m. Conjunto de signos con que se representa el número **cuarenta.** ‖ **las cuarenta.** Número de puntos que gana en el tute el que reúne el caballo y el rey del palo que es triunfo y lo declara o canta al ganar una baza. ‖ **acusar** o **cantar a** alguien **las cuarenta.** fr. fig. y fam. Decirle con resolución y desenfado lo que se piensa aun cuando le moleste. ‖ **cantar las cuarenta.** fr. fig. y fam. Lograr un triunfo resonante en cualquier actividad.

cuarentavo, va. (De *cuarenta* y *-avo.*) adj. **cuadragésimo,** cada una de las cuarenta partes en que se puede dividir un todo. Ú. t. c. s. m.

cuarentén. adj. Aplícase a la pieza de madera de hilo de 40 palmos de longitud, con una escuadría de tres palmos de tabla por dos de canto. Es marco usado en Cataluña y Huesca. Ú. m. c. s.

cuarentena. f. Conjunto de 40 unidades. ‖ **2.** Tiempo de cuarenta días, meses o años. ‖ **3. cuaresma,** los cuarenta y seis días que preceden a la fiesta de la Resurrección de Cristo. ‖ **4.** Aislamiento preventivo a que se somete durante un período de tiempo, por razones sanitarias, a personas o animales. ‖ **5.** fig. y fam. Suspensión del asenso a una noticia o hecho, por algún espacio de tiempo, para asegurarse de su certidumbre. Ú. con los verbos *poner, pasar,* etc. ‖ **6.** p. us. Cada una de las 40 partes iguales en que se divide un todo.

cuarentenal. (De *cuarentena.*) adj. Perteneciente al número 40.

cuarenteno, na. (De *cuarenta.*) adj. ant. **cuadragésimo,** que sigue en orden al trigésimo nono. ‖ **2.** m. Peine del telar que tiene cuatro mil hilos.

cuarentón, na. adj. Dícese de la persona que tiene entre cuarenta y cuarenta y nueve años. Ú. t. c. s.

cuaresma. (Del lat. *quadragesĭma.*) f. Tiempo de cuarenta y seis días que, desde el miércoles de ceniza, precede al domingo de Resurrección, y en el cual la Iglesia católica y otras de la Cristiandad preceptúan ayuno y abstinencia en memoria de los cuarenta días que ayunó Jesucristo en el desierto. ‖ **2.** Conjunto de sermones para las domínicas y ferias de **cuaresma.** ‖ **3.** Libro que contiene los de un autor sobre este mismo asunto.

cuaresmal. (Del lat. *quadragesimālis.*) adj. Perteneciente o relativo a la cuaresma.

cuaresmar. intr. ant. Hacer u observar cuaresma.

cuaresmario. m. **cuaresma,** conjunto de sermones para cuaresma.

cuark. m. *Fís.* **quark.**

cuarta. (Del lat. *quarta.*) f. Cada una de las cuatro partes iguales en que se divide un todo. ‖ **2. palmo,** medida de la mano abierta y extendida desde el extremo del pulgar al del meñique. ‖ **3. cuarta funeral.** ‖ **4.** En el juego de los cientos, las cuatro cartas que se siguen en orden de un mismo palo: cuando empieza desde el as se llama mayor, la del rey se llama **cuarta** real, y las demás se denominan por la carta primera en orden, como **cuarta** al caballo, a la sota, etc. ‖ **5.** Pieza de madera de hilo, de 11 a 25 pies de longitud, con una escuadría igual de nueve pulgadas en cada una de sus dimensiones. Es marco usado en Burgos y Valladolid. ‖ **6. cuartera,** madero de varias dimensiones. ‖ **7.** En la guitarra y otros instrumentos de cuerda, la que está en cuarto lugar empezando por la prima. ‖ **8. encuarte.** ‖ **9.** *Ast.* y *Gal.* Medida de capacidad para áridos, cuarta parte de un ferrado. ‖ **10.** *And.* Mula de guía en los coches de caballos. ‖ **11.** *Méj.* Látigo corto para las caballerías. ‖ **12.** *Cuba* y *P. Rico.* **disciplina,** instrumento para azotar. ‖ **13.** *Argent.* Soga, cadena o barra que se utiliza para tirar de un vehículo atascado o detenido por fallas mecánicas. ‖ **14.** *Astron.* **cuadrante,** instrumento compuesto de un cuarto de círculo graduado. ‖ **15.** *Mar.* Cada una de las 32 partes en que está dividida la rosa náutica. ‖ **16.** *Mil.* Sección formada por la cuarta parte de una compañía de infantería a las órdenes de un oficial o de un sargento. ‖ **17.** *Mús.* Intervalo entre una nota y la cuarta anterior o posterior de la escala, compuesto de dos tonos y un semitono mayor. ‖ **falcidia.** *Der.* Derecho que tenía el heredero instituido de deducir para sí la cuarta parte de los bienes de la herencia gravada desmedidamente con mandas o legados. ‖ **funeral.** Derecho que tiene la parroquia a una parte de todas las obvenciones y emolumentos del funeral y misas de un feligrés suyo, celebrados en iglesia extraña. ‖ **marital.** Porción de bienes que el derecho foral catalán reconoce a la viuda honesta y pobre a la muerte de su marido. ‖ **trebelánica, o trebeliánica.** *Der.* Derecho que tenía el heredero fiduciario, o rogado por el testador para que restituyese la herencia a otro, de deducir para sí la cuarta parte de los bienes de esta. ‖ **de cuartas.** loc. adj. Dícese de las caballerías enganchadas inmediatamente delante de las del tronco, cuando llevan en el tiro otra u otro par delante. ‖ **de sobre cuartas.** loc. adj. Dícese de las caballerías que preceden inmediatamente a las de **cuartas,** cuando el tiro se compone de siete u ocho. ‖ **en cuartas.** loc. adj. **de cuartas.**

cuartago. (De etim. disc.; cf. fr. *courtaud.*) m. Caballo de mediano cuerpo. ‖ **2. jaca,** caballo cuya alzada no llega a siete cuartas.

cuartal. (De *cuarto.*) m. Pan que regularmente tiene la cuarta parte de una hogaza o de otro pan. ‖ **2.** Medida agraria, usada en la provincia de Zaragoza, equivalente a 2 áreas y 384 miliáreas. ‖ **3.** Medida de capacidad para áridos, cuarta parte de la fanega de Aragón, que equivale a cinco litros y seis decilitros. ‖ **4.** Duodécima parte de la cuartera, que se divide en cuatro picotines.

cuartamente. adv. m. ant. En cuarto lugar.

cuartán. (De *cuarto.*) m. Medida de capacidad para áridos, usada en la provincia de Gerona, equivalente a 18 litros y 8 centilitros. ‖ **2.** Medida para aceite, usada en la provincia de Barcelona, equivalente a 4 litros y 15 centilitros.

cuartana. (Del lat. *quartāna.*) f. Calentura, casi siempre de origen palúdico, que entra con frío, de cuatro en cuatro días. ‖ **doble.** La que repite dos días con uno de intervalo.

cuartanal. adj. Perteneciente a la cuartana.

cuartanario, ria. (Del lat. *quartanarĭus.*) adj. Que padece cuartanas. Ú. t. c. s. ‖ **2. cuartanal.**

cuartar. tr. *Agr.* Dar la cuarta vuelta de arado a las tierras que se han de sembrar de cereales.

cuartazo. m. *Cuba, Méj.* y *P. Rico.* Golpe dado con la **cuarta,** látigo o disciplina.

cuartazos. m. fig. y fam. Hombre demasiado corpulento, flojo o desaliñado.

cuarteador, ra. adj. Que cuartea. Ú. t. c. s. ‖ **2.** m. *Argent.* **encuartero.**

cuarteamiento. m. Acción y efecto de cuartear o cuartearse.

cuartear. tr. Partir o dividir una cosa en cuartas partes. ‖ **2.** Por ext., dividir en más o menos partes. ‖ **3. descuar-**

tizar. ‖ **4.** Echar la puja del cuarto en las rentas ya rematadas; lo cual se podía hacer dentro de los noventa días primeros de cada año de los del arrendamiento, y no después. ‖ **5.** Entrar a cumplir el número de cuatro para jugar algún juego. ‖ **6.** En las cuestas y malos pasos de los caminos, dirigir los carruajes de derecha a izquierda, y viceversa, en vez de seguir la línea recta. ‖ **7.** *Méj.* Azotar con la cuarta. ‖ **8.** *Argent.* **encuartar,** enganchar un vehículo en dificultades para ayudar a remolcarlo. ‖ **9.** *Mar.* V. **cuartear la aguja.** ‖ **10.** intr. *Taurom.* Hacer el torero un movimiento en curva, al ir a poner banderillas, a fin de evitar el derrote. Ú. t. c. prnl. ‖ **11.** prnl. Henderse, rajarse, agrietarse una pared, un techo, etc. ‖ **12.** *Méj.* Echarse para atrás, acobardarse.

cuartel. (Del fr. *quartier.*) m. **cuarta,** cada una de las cuatro partes iguales en que se divide un todo. ‖ **2.** Distrito o término en que se suelen dividir las ciudades o villas grandes para el mejor gobierno económico y civil del pueblo. ‖ **3. cuadro** de los jardines. ‖ **4. cuarteto,** combinación métrica de cuatro versos endecasílabos. ‖ **5.** Porción de un terreno acotado para objeto determinado. ‖ **6.** fig. y fam. Casa o habitación de cualquiera. ‖ **7.** *P. Rico.* Comisaría de policía. ‖ **8.** *Blas.* Cada una de las cuatro partes de un escudo dividido en cruz. ‖ **9.** *Blas.* Cualquiera de las divisiones o subdivisiones de un escudo. ‖ **10.** *Mar.* Compuesto o armazón de tablas con que se cierran las bocas de las escotillas, escotillones, cañoneras, etc. ‖ **11.** *Mil.* Cada uno de los puestos o sitios en que se reparte y acuartela el ejército cuando está en campaña o en el sitio de una plaza, y se distribuye por regimientos. ‖ **12.** *Mil.* Alojamiento que se señala en los lugares a las tropas al retirarse de campaña. ‖ **13.** *Mil.* Edificio destinado para alojamiento de la tropa. ‖ **14.** *Mil.* Buen trato que los vencedores ofrecen a los vencidos, cuando estos se entregan rindiendo las armas. Ú. m. con el verbo *dar* y en sentido fig. *Discusión sin* CUARTEL. ‖ **15.** *Mil.* Tributo que pagaban los pueblos por el alojamiento de los soldados. ‖ **de invierno.** Lugar donde se establece un ejército durante el invierno. U. m. en pl. ‖ **de la salud.** fam. Lugar defendido del riesgo, donde se refugian y acogen los soldados que no quieren pelear ni arriesgarse. ‖ **2.** fig. y fam. Lugar donde se pone a salvo el que quiere evitar un lance que le puede ser molesto o perjudicial. ‖ **general.** Población o campamento donde se establece con su estado mayor el jefe de un ejército o de una división. ‖ **maestre, o maestre general.** *Mil.* Oficial general encargado de prevenir y arreglar los mapas, planos y noticias instructivas de las circunstancias, calidad y situaciones del país en que se ha de hacer la guerra, y de formar el plan de batalla y el de la marcha y campamentos del ejército. Actualmente está suprimido este empleo y desempeña sus funciones el estado mayor. ‖ **real.** *Mil.* El **cuartel** general cuando se hallaba en él el rey. ‖ **franco cuartel.** *Blas.* Primer **cuartel** del escudo, o cantón diestro del jefe, un poco menor que el verdadero **cuartel,** para diferenciarlo de este, que es siempre la cuarta parte del escudo. ‖ **estar de cuartel.** fr. *Mil.* Estar los oficiales de graduación, no empleados y disfrutando menos sueldo, que también se llama de **cuartel.**

cuartelada. f. Comisión de jefes y oficiales de un ejército en el cuartel para impedir un pronunciamiento, vigilándose unos a otros. ‖ **2.** Pronunciamiento militar.

cuartelado, da. p. p. de **cuartelar.** ‖ **2.** m. **escudo acuartelado.**

cuartelar. tr. *Blas.* Dividir o partir el escudo en los cuarteles que ha de tener.

cuartelazo. m. **cuartelada,** pronunciamiento militar.

cuartelero, ra. adj. Perteneciente o relativo al cuartel. Ú. t. c. s. ‖ **2.** Aplicado al lenguaje, zafio, grosero. ‖ **3.** m. *Mar.* Marinero especialmente destinado a cuidar de los equipajes. ‖ **4.** *Mil.* Soldado especialmente destinado a cuidar del aseo y seguridad del dormitorio de su compañía.

cuartelillo. m. Lugar o edificio en que se aloja una sección de tropa, y más comúnmente el de la guardia civil.

cuarteo. m. Acción de cuartear o de cuartearse. ‖ **2.** Esguince o rápido movimiento del cuerpo hacia uno u otro lado, para evitar un golpe o un atropello. ‖ **al cuarteo.** loc. adv. *Taurom.* Cuarteando.

cuartera. (Del cat. *quartera.*) f. Medida para áridos, usada en Cataluña, que se divide en 12 cuarteles y equivale a unos 70 litros, más o menos, según las localidades. ‖ **2.** Medida agraria de Cataluña, equivalente a algo más de 36 áreas en la mayor parte del país. ‖ **3.** Madero de dimensiones varias, que por lo común mide 15 pies de longitud y ocho pulgadas en cuadro, de sección.

cuarterada. (Del cat. *quarterada.*) f. Medida agraria, usada en las islas Baleares, equivalente a 7.103 metros cuadrados.

cuartero, ra. (Del lat. *quartarĭus.*) m. y f. *And.* Persona a quien se encarga la custodia y cobranza de las rentas de granos de los cortijos.

cuarterola. f. Barril que hace la cuarta parte de un tonel. ‖ **2.** Medida para líquidos, que hace la cuarta parte de la bota. ‖ **3.** *Chile.* Arma de fuego menor que la tercerola, usada por los soldados de caballería.

cuarterón[1], na. (Del lat. *quartarĭus.*) adj. Nacido en América de mestizo y española, o de español y mestiza. Díjose así por tener un cuarto de indio y tres de español. Ú. t. c. s.

cuarterón[2]. (Del fr. *quarteron.*) m. **cuarta,** cada una de las cuatro partes iguales en que se divide un todo. ‖ **2.** Cuarta parte de una libra. ‖ **3. postigo,** puertecilla de algunas ventanas. ‖ **4.** Cada uno de los cuadros que hay entre los peinazos de las puertas y ventanas. ‖ **5.** *Ar.* y *Val.* Cuarta parte de una arroba. ‖ **6.** ant. *Blas.* **cuartel,** cada una de las divisiones o subdivisiones de un escudo.

cuarteta. (Del it. *quartetta.*) f. **redondilla,** combinación de cuatro versos de arte menor. ‖ **2.** Combinación métrica que consta de cuatro versos octosílabos, de los cuales asonantan el segundo y el último. ‖ **3.** Cualquier otra estrofa de cuatro versos.

cuartete. (Del fr. *quartette,* y este del it. *quartetto.*) m. **cuarteto.**

cuarteto. (Del it. *quartetto.*) m. Combinación métrica de cuatro versos endecasílabos o de arte mayor, que conciertan en consonantes o asonantes. Cuando son aconsonantados pueden rimar el primero con el último y el segundo con el tercero. ‖ **2.** *Mús.* Composición para cantarse a cuatro voces diferentes, o para tocarse por cuatro instrumentos distintos entre sí. ‖ **3.** *Mús.* El conjunto de estas cuatro voces o instrumentos.

cuartilla. (d. de *cuarta.*) f. Medida de capacidad para áridos, cuarta parte de una fanega, equivalente a 1.387 centilitros aproximadamente. ‖ **2.** Medida de capacidad para líquidos, cuarta parte de la cántara. ‖ **3.** Cuarta parte de una arroba. ‖ **4.** Hoja de papel para escribir cuyo tamaño es el de la cuarta parte de un pliego. ‖ **5.** Antigua moneda mejicana de plata, que valía la cuarta parte de un real fuerte, o sea tres centavos de peso y un octavo. ‖ **6.** En las caballerías, parte que media entre los menudillos y la corona del casco. ‖ **7.** ant. **cuarteta.**

cuartillero. m. En un periódico, empleado subalterno encargado de recoger originales fuera de la redacción y hacer toda clase de repartos.

cuartillo. (d. de *cuarto.*) m. Medida de capacidad para áridos, cuarta parte de un celemín, equivalente a 1.156 mililitros aproximadamente. ‖ **2.** Medida de líquidos, cuarta parte de una azumbre, equivalente a 504 mililitros. ‖ **3.** Cuarta parte de un real. ‖ **4.** Moneda de vellón ligada con plata, que mandó labrar el rey Enrique IV de Castilla, y valía la cuarta parte de un real. ‖ **andar a tres menos cuartillo.** fr. fig. y fam. Estar alcanzado de medios. ‖ **2.** fig. y fam. Reñir o contender. ‖ **ir de cuartillo** fr. Ir en un negocio a pérdidas y ganancias con otros.

cuartilludo, da. adj. Aplícase a la caballería larga de cuartillas.

cuartizo. m. **cuartón,** la cuarta parte de un madero enterizo que se sierra longitudinalmente en cruz.

cuarto, ta. (Del lat. *quartus.*) adj. Que ocupa el último lugar en una serie ordenada de cuatro. ‖ **2.** Dícese de cada una de las cuatro partes iguales en que se divide un todo. Ú. t. c. s. m. ‖ **3.** *Arq.* V. **cuarto bocel.** ‖ **4.** *Anat.* V. **cuarto ventrículo.** ‖ **5.** *Col.* Amigo, compañero. ‖ **6.** m. Parte de una casa, destinada para una familia. ‖ **7. habitación,** aposento. ‖ **8.** Moneda de cobre española, del antiguo sistema, cuyo valor era el de cuatro maravedís de vellón. ‖ **9.** Cada una de las cuatro líneas de los abuelos paternos y maternos. ‖ **10.** Por ext., cada una de las líneas de los antepasados más distantes, cuando se conservan las armas o memoria particular de ellas. ‖ **11.** Cada una de las cuatro hojas o partes de que se compone un vestido: llámanse **cuartos** delanteros los del pecho, y traseros los de la espalda. ‖ **12.** Cada una de las cuatro partes en que, después de cortada la cabeza, se dividía el cuerpo de los facinerosos y malhechores, para ponerlo en los caminos u otros sitios públicos. ‖ **13.** Cada una de las cuatro partes en que se divide la hora. ‖ **14.** Cada una de las cuatro partes en que antiguamente dividían la noche las centinelas. ‖ **15.** Cada una de las cuatro partes en que se considera dividido el cuerpo de los cuadrúpedos y aves. ‖ **16.** V. **carnero de cinco cuartos.** ‖ **17.** Abertura longitudinal larga y profunda, que anormalmente se produce en las partes laterales de los cascos de las caballerías. ‖ **18.** Cada una de las suertes, aunque no sean cuatro, en que se divide una gran extensión de terreno para vender los pastos. ‖ **19.** Servidumbre de un rey o de una reina. CUARTO *militar de S. M.* ‖ **20.** V. **clavo de a cuarto.** ‖ **21.** *Mil.* Cada uno de los cuatro grupos o secciones en que suele dividirse la fuerza de las guardias o piquetes para repartir el servicio con igualdad, de modo que un **cuarto** esté de centinela; el segundo, que ha de relevarlo, vigilante con las armas en la mano, y los otros dos, descansando hasta que les llegue el turno. ‖ **22.** *Mil.* Tiempo que está de centinela o vigilante cada uno de los de tropa. ‖ **23.** pl. Miembros del cuerpo del animal robusto y fornido; y entre los pintores y escultores y los conocedores de caballos, miembros bien proporcionados. ‖ **24.** fig. y fam. **dinero,** moneda, caudal. ‖ **creciente.** Segundo **cuarto de Luna.** ‖ **de aseo.** Pequeña habitación con lavabo, retrete y otros servicios. ‖ **de banderas.** *Mar.* Local del barco, con encasillados, donde se guardan las banderas nacionales y extranjeras y las de los códigos de señales. ‖ **2.** *Mil.* Sala o pieza de los cuarteles, en que se custodian las banderas. ‖ **de baño.** Habitación con pila de baño, retrete y otros servicios sanitarios. ‖ **de conversión.** *Esgr.* y *Mil.* Movimiento que se hace girando hasta una **cuarta** parte del círculo. ‖ **de costura.** Pieza de la casa, destinada a hacer labores de aguja. ‖ **de culebrina. sacre,** pieza de artillería. ‖ **de derrota.** *Mar.* Local del buque donde se guardan y consultan las cartas marinas, derroteros, cuadernos de faros, etc., así como el instrumental náutico para hallar la situación en la mar. ‖ **de estandartes.** Sala en los cuarteles de las armas a caballo, o motorizadas, donde se guardan los estandartes, como en los de infantería las banderas. ‖ **de estar.** Pieza de la casa en que habitualmente se reúnen las personas de la familia y donde estas reciben a las de su confianza. ‖ **de final.** Cada una de las cuatro antepenúltimas competiciones del campeonato o concurso que se gana por eliminación del contrario y no por puntos. Ú. m. en pl. ‖ **delantero.** Parte anterior del cuerpo de algunos animales. ‖ **de Luna.** *Astron.* **cuarta** parte del tiempo que tarda la Luna desde una conjunción a otra con el Sol; y con más precisión se llaman así la segunda y **cuarta** de las dichas cuatro partes, añadiendo **creciente** y **menguante** para distinguirlas. ‖ **menguante.** Cuarto **cuarto de Luna.** ‖ **oscuro.** Habitación carente de luz exterior que suele destinarse a trastero y donde se encerraba a los niños como castigo. ‖ **2.** *Argent.* Cabina electoral. ‖ **sanitario.** *Col.* **sanitario,** escusado, letrina. ‖ **trasero.** Parte posterior de algunos animales. ‖ **vigilante.** *Mil.* Fuerza que en cada guardia está sobre las armas, o pronta a tomarlas, además de la distribuida en centinelas. ‖ **caérsele** a alguien **cada cuarto por su lado.** fr. fig. y fam. **írsele** a alguien **cada cuarto por su lado.** ‖ **cuarto a cuarto.** loc. adv. con que se denota la repugnancia en dar o pagar. ‖ **cuatro cuartos.** fig. y fam. Poco dinero. ‖ **dar un cuarto al pregonero.** fr. fig. y fam. Divulgar, hacer pública una cosa que debía callarse. *Lo mismo es decírselo a Petra, que* DAR UN CUARTO AL PREGONERO. ‖ **de tres al cuarto.** loc. adj. con que se denota y pondera la poca estimación, aprecio y valor de una cosa. ‖ **echar** alguien **su cuarto a espadas.** fr. fig. y fam. Tomar parte oficiosamente en la conversación de otros. ‖ **en cuarto.** loc. adj. Dícese del libro, folleto, etc., de papel de tina, cuyas hojas corresponden a cuatro por pliego. Dícese también de otros libros cuya altura mide de veintitrés a treinta y dos centímetros. Cuando mide más de veintitrés, se dice **en cuarto marquilla.** ‖ **en cuarto mayor.** loc. adj. Dícese del libro, folleto, etc., cuyo tamaño es igual a la **cuarta** parte de un pliego de papel de marca superior a la ordinaria en España. ‖ **en cuarto menor.** loc. adj. En **cuarto** inferior a la marca ordinaria. ‖ **en cuarto prolongado.** loc. adj. **en cuarto mayor.** ‖ **estar sin un cuarto.** fr. fig. y fam. **no tener un cuarto.** ‖ **hacer** a alguien **cuartos.** fr. Descuartizarle. ‖ **hacer cuarto.** fr. fam. *Col.* Prestar ayuda a un amigo en asunto de poca importancia. ‖ **írsele** a alguien **cada cuarto por su lado.** fr. fig. y fam. Ser muy desairado, desmadejado, sin garbo, compostura ni aliño. ‖ **no dársele** a alguien **un cuarto** una cosa. fr. fig. y fam. No importarle. ‖ **no tener un cuarto.** fr. fig. y fam. Estar muy falto de dinero. ‖ **poner cuarto.** fr. p. us. Separar habitación a uno y señalarle la familia que le ha de servir. ‖ **2.** Amueblar y disponer vivienda para su uso. ‖ **tener buenos cuartos.** fr. fam. Ser membrudo y fornido. ‖ **tener cuartos,** o **cuatro cuartos.** fr. fig. y fam. Tener dinero. ‖ **tres cuartos de lo mismo,** o **de lo propio.** loc. fam. con que se afirma que lo dicho de una persona o cosa es igualmente aplicable a otra.

cuartodecimano, na. (Del lat. *quartodecimānus.*) adj. Aplícase al hereje que fijaba la pascua en la luna de marzo, aunque no cayese en domingo. Ú. t. c. s.

cuartogénito, ta. (Del lat. *quartus,* cuarto, y *genĭtus,* engendrado.) adj. Nacido en cuarto lugar. Ú. t. c. s.

cuartón. (De *cuarto.*) m. Madero que resulta de aserrar longitudinalmente en cruz una pieza enteriza; en Madrid suele tener 16 pies de largo, 9 dedos de tabla y 7 de canto. ‖ **2.** Madero cortado al hilo. ‖ **3.** Pieza de tierra de labor, por lo común de figura cuadrangular. ‖ **4.** Cierta medida de líquidos. ‖ **de pertigueño.** *Huelva.* Madero serradizo, con escuadría de la cuarta parte de un pertigueño.

cuartucho. m. despect. Vivienda o cuarto malo y pequeño.

cuarzo. (Del al. *quarz.*) m. Mineral formado por la sílice, de fractura concoidea, brillo vítreo, incoloro, cuando puro, y de color que varía según las sustancias con que está mezclado, y tan duro que raya el acero. ‖ **ahumado.** El de color negruzco, como si estuviese manchado de humo. ‖ **hialino. cristal de roca.**

cuarzoso, sa. adj. Que tiene alguna propiedad del cuarzo o contiene cuarzo.
cuásar. m. *Astron.* **quásar.**
cuasi. adv. c. **casi.**
cuasia. f. Planta de la familia de las simarubáceas, notable por el amargo sabor de su corteza y raíz, que se emplean en medicina.
cuasicontrato. (De *cuasi* y *contrato.*) m. *Der.* Hecho lícito del cual, por equidad, derivan nexos jurídicos.
cuasidelito. m. *Der.* Acción dañosa para otro, que uno ejecuta sin ánimo de hacer mal, o de la que, siendo ajena, debe uno responder por algún motivo.
cuasimodo. (De las palabras latinas *Quasi modo*, con que empieza el introito de la misa de este domingo.) m. **domingo de Cuasimodo.**
cuasiusufructo. m. *Der.* El derecho usufructuario que recae sobre cosa fungible.
cuatachismo. m. *Méj.* **nepotismo.**
cuatacho, cha. adj. *Méj.* **amigote.**
cuate, ta. (Del nahua *cóatl*, serpiente o mellizo.) adj. *Méj.* **gemelo** de un parto. Ú. t. c. s. ‖ **2.** *Méj.* Igual o semejante. ‖ **3.** *Guat.* y *Méj.* Camarada, amigo íntimo. Ú. t. c. s.
cuatequil. m. *Méj.* **maíz.**
cuaterna. (Del lat. *quaterna*, t. f. de *-nus*, cuaterno.) f. Suerte en el juego de la lotería cuando se han sacado cuatro números de una de las combinaciones que lleva el jugador.
cuaternario, ria. (Del lat. *quaternarĭus.*) adj. Que consta de cuatro unidades, números o elementos. Ú. t. c. s. m. ‖ **2.** *Geol.* Se aplica a las épocas más recientes de la era cenozoica. Suele dividirse en pleistoceno o época de las glaciaciones y holoceno o época actual. Ú. t. c. s. ‖ **3.** *Geol.* Perteneciente o relativo a estas épocas.
cuaternidad. (Del lat. *quaternĭtas, -ātis.*) f. Conjunto de cuatro personas o cosas.
cuaterno, na. (Del lat. *quaternus.*) adj. Que consta de cuatro números.
cuatezón, na. (Del nahua *cuatezón*, motilón.) adj. *Méj.* Dícese del animal que debiendo tener cuernos por su especie, carece de ellos.
cuatí. (De or. guaraní.) m. *Argent.*, *Col.* y *R. de la Plata.* Mamífero carnicero plantígrado, de cabeza alargada y hocico estrecho con nariz muy saliente y puntiaguda, orejas cortas y redondeadas y pelaje largo y tupido. Tiene uñas fuertes y encorvadas que le sirven para trepar a los árboles.
cuatorceno, na. adj. ant. **catorceno.**
cuatorvirato. (Del lat. *quattuorvirātus.*) m. Dignidad de cuatorviro.
cuatorviro. (Del lat. *quattuorvir, -iri.*) m. Cada uno de los cuatro magistrados romanos que en municipios o en colonias presidían el gobierno de la ciudad, elegidos de entre los decuriones.
cuatralbo, ba. adj. Dícese del animal que tiene blancos los cuatro pies. ‖ **2.** m. Jefe o cabo de cuatro galeras.
cuatrañal. adj. ant. **cuadrienal.**
cuatratuo, tua. adj. **cuarterón,** nacido en América de mestizo y española o de español y mestiza.
cuatrega. f. ant. **cuadriga.**
cuatreño, ña. adj. Dícese del novillo o novilla que tiene cuatro hierbas o años y no ha cumplido cinco.
cuatrerismo. m. *R. de la Plata.* Actividad de los cuatreros.
cuatrero. (De *cuatro*, aludiendo a los pies de las bestias.) adj. V. **ladrón cuatrero.** Ú. m. c. s.
cuatri-. (Del lat. *quatri-.*) V. **cuadri-.**
cuatricromía. (De *cuatri-*, y el gr. χρῶμα, color.) f. *Impr.* Impresión de un grabado a cuatro colores; los de la tricromía, más un gris o negro.
cuatridial. (De *cuatro* y *día.*) adj. ant. **cuatriduano.**
cuatriduano, na. (Del lat. *quatriduānus*, de *quatridŭum*, espacio de cuatro días.) adj. De cuatro días.
cuatrienal. adj. Que sucede o se repite cada cuatrienio. ‖ **2.** Que dura un cuatrienio.
cuatrienio. m. Tiempo y espacio de cuatro años. ‖ **2.** Incremento económico de un sueldo o salario correspondiente a cada cuatro años de servicio activo. ‖ **legal.** *Der.* El que sigue inmediatamente a la mayor edad del menor o a la cesación de la incapacidad del que la ha sufrido o a la ausencia; período en que pueden ejercitarse varios derechos.
cuatrillizo, za. (De *cuatri-* y *mellizo.*) adj. Dícese de los hermanos nacidos de un parto cuádruple. Ú. t. c. s.
cuatrillo. m. Juego de naipes semejante al tresillo, que se juega entre cuatro personas.
cuatrillón. m. Un millón de trillones, que se expresa por la unidad seguida de 24 ceros.
cuatrimestral. adj. Que sucede o se repite cada cuatrimestre. ‖ **2.** Que dura un cuatrimestre.
cuatrimestre. (Del lat. *quadrimestris*, con influencia de *cuatro.*) adj. Que dura cuatro meses. ‖ **2.** m. Espacio de cuatro meses.
cuatrimotor. m. Avión provisto de cuatro motores.
cuatrín. (De *cuatro.*) m. Moneda de pequeño valor, que corría antiguamente en España.
cuatrinca. (De *cuatro*, sobre el modelo de *trinca.*) f. Junta de cuatro personas o cosas. Ú. m. referido a oposiciones a prebendas, cátedras, etc. ‖ **2.** En el juego de la báciga, junta de cuatro cartas semejantes; como cuatro doses, cuatro treses, etc.
cuatripartito, ta. (Del lat. *quatripartītus.*) adj. Dícese de lo que consta de cuatro partes, órdenes o clases.
cuatrisílabo, ba. (De *cuatro* y *sílaba.*) adj. De cuatro sílabas. Ú. t. c. s.
cuatro. (Del lat. *quattŭor.*) adj. Tres y uno. ‖ **2.** Con ciertas voces se usa con valor indeterminado para indicar escasa cantidad: CUATRO *letras*, CUATRO *palabras.* ‖ **3. cuarto,** que sigue inmediatamente en orden al tercero. *Número* CUATRO, *año* CUATRO. Apl. a los días del mes, ú. t. c. s. *El* CUATRO *de agosto.* ‖ **4.** V. **las cuatro esquinas.** ‖ **5.** fig. y fam. V. **cuatro letras, cuatro ojos, cuatro orejas.** ‖ **6.** V. **doblón, real de a cuatro.** ‖ **7.** m. Signo o cifra con que se representa el número **cuatro.** ‖ **8.** Naipe que tiene **cuatro** señales. *El* CUATRO *de oros.* ‖ **9.** En el juego de la chirinola, bolillo que se pone separado de los otros nueve. ‖ **10.** En el de la rayuela, cuadro que se forma en medio. ‖ **11.** desus. Persona que tenía la voz y el voto de otras **cuatro** que delegaban en él. ‖ **12.** Composición que se canta a **cuatro** voces. ‖ **13.** Guitarrilla venezolana de **cuatro** cuerdas. ‖ **más de cuatro.** expr. fig. y fam. Muchos, o número considerable de personas.
cuatrocentista. adj. Dícese de lo que se refiere o pertenece al siglo XV. *Pintura* CUATROCENTISTA.
cuatrocientos (el). (Del it. *quattrocento.*) m. El siglo XV.
cuatrocientos, tas. adj. Cuatro veces ciento. ‖ **2. cuadringentésimo.** *Número* CUATROCIENTOS; *año* CUATROCIENTOS. ‖ **3.** m. Conjunto de signos con que se representa el número **cuatrocientos.**
cuatrodial. adj. ant. **cuatridial.**
cuatrodoblar. (De *cuatro* y *doblar.*) tr. Aumentar una cosa hasta el cuádruplo.
cuatropea. (Del lat. *quadrupĕdia.*) f. Derecho de alcabala por la venta de caballerías en los mercados. ‖ **2.** Bestia de cuatro pies. ‖ **3.** Lugar de una feria, donde se vende el ganado.
cuatropeado. (De *cuatro* y *pie.*) m. *Danza.* Movimiento en la danza, que se hace levantando la pierna izquierda y dejándola caer, y cruzando la otra encima con aceleración,

sacando la que primero se sentó y dando con ella un paso adelante.

cuatropeo. (De *cuatropea.*) m. *Germ.* **cuartago.**

cuatrotanto. (De *cuatro* y *tanto.*) m. Cuádruplo, o una cantidad cuadruplicada.

cuba. (Del lat. *cupa.*) f. Recipiente de madera, que sirve para contener agua, vino, aceite u otros líquidos. Se compone de duelas unidas y aseguradas con aros de hierro, madera, etc., y los extremos se cierran con tablas. También se hace modernamente de chapa metálica. ‖ **2.** V. **horno de cuba.** ‖ **3.** fig. Todo el líquido que cabe en una **cuba.** CUBA *de agua.* ‖ **4.** fig. y fam. Persona que tiene gran vientre. ‖ **5.** fig. y fam. V. **tapón de cuba.** ‖ **6.** fig. y fam. Persona que bebe mucho vino. ‖ **7.** *Metal.* Parte del hueco interior de un horno alto comprendida entre el vientre y el tragante. ‖ **de atiestos.** *Sal.* **cuba** que contiene el mosto para rellenar las otras **cubas,** luego que ha cesado la fermentación. ‖ **calar las cubas.** fr. Medirlas con una vara o regla, para saber la cantidad que contienen y pagar los derechos. ‖ **estar como una cuba.** fr. fig. y fam. Estar muy borracho.

cubalibre. m. Bebida alcohólica, de diversos ingredientes, especialmente ron.

cubanicú. m. *Cuba.* Planta eritroxilácea silvestre, cuyas hojas secas y pulverizadas se emplean para curar llagas y heridas.

cubanismo. m. Locución, giro o modo de hablar propio y peculiar de los cubanos.

cubano, na. adj. Natural de Cuba. Ú. t. c. s. ‖ **2.** Perteneciente o relativo a esta república.

cubeba. (Del ár. *kubāba,* especie de pimienta de la India.) f. Arbusto trepador originario de Java, de la familia de las piperáceas, de hojas lisas, ovaladas y brillantes, y fruto a modo de pimienta, liso, de color pardo oscuro y con un cabillo en cada baya más largo que esta. ‖ **2.** Fruto de este arbusto.

cubera. f. *Cuba.* Pez de la misma familia que la perca, que alcanza un metro escaso de largo, de color blanquecino por el vientre y aceitunado por el lomo; cola ahorquillada; aletas dorsal y anal tirando a moradas con líneas negras, y ojos con cerco amarillo.

cubería. f. Arte u oficio del cubero. ‖ **2.** Taller o tienda del cubero.

cubero. (Del lat. *cuparĭus.*) m. El que hace o vende cubas. ‖ **2.** V. **a ojo de buen cubero.**

cubertería. f. Conjunto de cucharas, tenedores, cuchillos y utensilios semejantes para el servicio de mesa.

cubertura. f. **cubierta,** lo que se pone encima de una cosa. ‖ **2. cobertura,** ceremonia con que tomaban su dignidad los grandes de España.

cubeta. f. d. de **cuba.** ‖ **2.** Herrada con asa hecha de tablas endebles. ‖ **3.** Cuba manual que usaban los aguadores. ‖ **4.** *Fís.* Depósito de mercurio, en la parte inferior del barómetro, que recibe directamente la presión atmosférica, la cual se marca en un tubo por medio de grados. ‖ **5.** Parte inferior del arpa, donde están colocados los resortes de los pedales. ‖ **6.** Recipiente, por lo común rectangular, de porcelana, plástico u otras materias, muy usado en operaciones químicas, y especialmente en las fotográficas. ‖ **7.** Recipiente de diversas formas para obtener el hielo en frigoríficos, neveras, etc. ‖ **8.** Depresión del terreno ocupada por aguas permanentes o temporales y que constituye una cuenca cerrada. ‖ **9.** *Méj.* Cubo[1], balde[1].

cubeto[1], ta. adj. Dícese de la res bovina que tiene las astas caídas y muy juntas por las puntas. Ú. t. c. s.

cubeto[2]. m. d. de **cubo[1].** ‖ **2.** Vasija de madera, más pequeña que la cubeta. ‖ **todo saldrá del cubeto.** fr. fig. y fam. con que se suele consolar el que ha tenido pérdida en un negocio, esperando, con la continuación de él, lograr el resarcimiento.

cúbica. f. Tela de lana, más fina que la estameña y más gruesa que el alepín.

cubicación. f. Acción y efecto de cubicar.

cubicar. (De *cúbico.*) tr. *Álg.* y *Arit.* Elevar un monomio, un polinomio o un número a la tercera potencia, o sea multiplicarlo dos veces por sí mismo. ‖ **2.** *Geom.* Medir el volumen de un cuerpo o la capacidad de un hueco, para apreciarlos en unidades cúbicas.

cúbico, ca. (Del lat. *cubĭcus,* y este del gr. κυβικός.) adj. *Álg.* y *Arit.* V. **raíz cúbica.** ‖ **2.** *Geom.* Perteneciente al cubo. ‖ **3.** De figura de cubo geométrico, o parecido a él. ‖ **4.** V. **centímetro, codo de ribera, codo geométrico, decímetro, metro, nitro, pie cúbico.** ‖ **5.** Dícese del sistema cristalográfico cuyos ejes de simetría son los de un cubo y según el cual cristalizan el diamante, la sal común, la galena y otras sustancias. ‖ **6.** f. Piedra **cúbica** que usan en el País Vasco los levantadores de pesos.

cubiculario. (Del lat. *cubicularĭus.*) m. El que servía en la cámara o a las inmediatas órdenes de príncipes o grandes señores.

cubículo. (Del lat. *cubicŭlum.*) m. Aposento, alcoba.

cubichete. m. *Art.* Pieza de metal y de forma adecuada, con que se cubrían el oído y la llave de las piezas de artillería. ‖ **2.** *Mar.* Tablado en forma de caballete con que se impide la entrada del agua en el combés, cuando el buque da de quilla.

cubierta. (De *cubierto.*) f. Lo que se pone encima de una cosa para taparla o resguardarla. CUBIERTA *de cama, de mesa.* ‖ **2.** Sobre en que se incluye un escrito. ‖ **3.** Parte exterior delantera que cubre los pliegos de un libro y que suele reproducir los datos de la portada. ‖ **4.** Cada una de las partes, anterior y posterior, que cubre los pliegos de un libro. Ú. m. en pl. ‖ **5.** Banda que protege exteriormente la cámara de los neumáticos y es la que sufre el roce con el suelo. Es de caucho vulcanizado reforzado con cuerdas o montado sobre un tejido muy resistente. ‖ **6.** fig. Pretexto, simulación. ‖ **7.** *Arq.* Parte exterior de la techumbre de un edificio. ‖ **8.** *Mar.* Cada uno de los pisos de un navío situados a diferente altura y especialmente el superior.

cubiertamente. adv. m. **a escondidas.**

cubierto, ta. (Del lat. *coopertus.*) p. p. irreg. de **cubrir.** ‖ **2.** adj. V. **caballero, camino, vino cubierto.** ‖ **3.** V. **carreta, torre cubierta.** ‖ **4.** m. Servicio de mesa que se pone a cada uno de los que han de comer, compuesto de plato, cuchillo, tenedor y cuchara, pan y servilleta. ‖ **5.** Juego compuesto de cuchara, tenedor y cuchillo. ‖ **6.** Plato o bandeja con una servilleta encima, en que se sirve el pan, los bizcochos, etc., en una reunión o cóctel. ‖ **7.** Conjunto de alimentos que se ponen a un mismo tiempo en la mesa. ‖ **8.** Comida que en los restaurantes y establecimientos análogos se da por un precio fijo y que consiste en determinados platos. ‖ **9.** Techumbre de una casa u otro sitio, que cubre y defiende de las inclemencias del tiempo. ‖ **10.** ant. **cobertor,** colcha. ‖ **a cubierto.** loc. adv. Resguardado, defendido, protegido.

cubijadera. (De *cubijar.*) f. ant. **cobejera.**

cubijar. tr. **cobijar.** Ú. t. c. prnl.

cubil. (Del lat. *cubīle.*) m. Sitio donde los animales, principalmente las fieras, se recogen para dormir. ‖ **2.** Cauce de las aguas corrientes.

cubilar[1]. m. **cubil** de los animales en el campo. ‖ **2. majada.**

cubilar[2]. (De *cubil.*) intr. **majadear,** hacer noche el ganado en una majada.

cubilete. (De *gubilete,* infl. por *cuba.*) m. Recipiente de cobre u hojalata, redondo o abarquillado y más ancho por la boca que por el suelo, que usan como molde los cocineros y pasteleros para varios usos de sus oficios. ‖ **2.** Recipiente de igual figura y materia, del cual se valen los que hacen juegos de manos. ‖ **3.** Vaso de vidrio, plata u otra materia, más ancho por la boca que por el suelo, que antiguamente servía para beber. ‖ **4.** Comida de carne picada, que se guisa dentro del **cubilete** de cocina. ‖ **5.** Pastel de figura de **cubilete,** lleno de carne picada, manjar blanco y otras cosas. ‖ **6.** Vaso angosto y hondo, algo más ancho por la boca que por el suelo, y que ordinariamente se hace de cuerno o de cuero, y sirve para menear los dados. ‖ **7.** fig. y fam. V. **juego de cubiletes.**

cubiletear. intr. Manejar los cubiletes. ‖ **2.** fig. Valerse de artificios para lograr un propósito.

cubileteo. m. Acción de cubiletear.

cubiletero. m. Jugador de cubiletes, vasos para hacer juegos de manos. ‖ **2. cubilete** de cocineros y reposteros.

cubilote. (En fr. *cubilot.*) m. Horno cilíndrico vertical, de chapa de hierro, revestido interiormente con ladrillos refractarios, en el que se funde el arrabio para obtener el hierro colado.

cubilla. f. **carraleja**[1], insecto.

cubillo. (d. de *cubo*[1].) m. **carraleja**[1], insecto. ‖ **2.** Pieza de vajilla para mantener fría el agua. ‖ **3.** Aposento pequeño que había a cada lado de la embocadura de algunos teatros, debajo de los palcos principales.

cubismo. (Del fr. *cubisme.*) m. Escuela y teoría estética aplicable a las artes plásticas y del diseño, que se caracteriza por la imitación, empleo o predominio de formas geométricas; como triángulos, rectángulos, cubos y otros sólidos.

cubista. adj. Se dice del que practica el cubismo. Ú. t. c. s. ‖ **2.** Perteneciente o relativo al cubismo.

cubital. (Del lat. *cubitālis.*) adj. Perteneciente o relativo al codo. ‖ **2.** Que tiene un codo de longitud.

cubitera. f. Recipiente para cubitos de hielo.

cubito. (d. de *cubo*[2].) m. Trozo pequeño de hielo, generalmente en forma de cubo, que se añade a una bebida para enfriarla.

cúbito. (Del lat. *cubĭtus.*) m. *Anat.* Hueso el más grueso y largo de los dos que forman el antebrazo.

cubo[1]**.** (De *cuba.*) m. Recipiente de madera, metal u otra materia, por lo común de figura de cono truncado, con asa en la circunferencia mayor, que es la de encima, y fondo en la menor. ‖ **2.** Pieza central en que se encajan los rayos de las ruedas de los carruajes. ‖ **3.** Cilindro hueco en que remata por abajo la bayoneta, y que sirve para adaptarla al fusil. ‖ **4.** Cilindro hueco en que remata por abajo la moharra de la lanza y en el cual se introduce y asegura el asta. ‖ **5. mechero,** cañón del candelero. ‖ **6.** Estanque que se hace en los molinos para recoger el agua cuando es poca, a fin de que, reunida mayor cantidad, pueda mover la muela. ‖ **7.** Pieza que tienen algunos relojes de bolsillo, en la cual se arrolla la cuerda. ‖ **8.** *Fort.* Torreón circular de las fortalezas antiguas.

cubo[2]**.** (Del lat. *cubus,* y este del gr. κύβος.) m. *Álg.* y *Arit.* Tercera potencia de un monomio, polinomio o número, que se obtiene multiplicando estas cantidades dos veces por sí mismas, o tomándolas tres veces por factores. ‖ **2.** *Arq.* Adorno saliente de figura cúbica en los techos artesonados. ‖ **3.** *Geom.* Sólido regular limitado por seis cuadrados iguales y que, por tanto, tienen también iguales sus tres dimensiones.

cuboides. (Del gr. κύβος, cubo, y εἶδος, forma.) adj. *Anat.* V. **hueso cuboides.** Ú. t. c. s.

cubrecabeza o **cubrecabezas.** m. Prenda de cualquier forma o materia que se emplea para proteger la cabeza.

cubrecadena. m. Envoltura que resguarda la cadena de las bicicletas.

cubrecama. m. **sobrecama.**

cubrecorsé. m. Prenda de vestir que usaban las mujeres inmediatamente encima del corsé.

cubrenuca. f. *Mil.* **cogotera,** tela que resguarda la nuca. ‖ **2.** *Mil.* Parte inferior del casco, que cubría y resguardaba la nuca.

cubreobjeto. m. Lámina delgada de cristal, cuadrada, rectangular o circular, con que se cubren las preparaciones microscópicas para su conservación y examen.

cubrepán. (De *cubrir* y *pan.*) m. Hierro en forma de escuadra y con un palo largo por mango, que usan los pastores para cubrir con fuego la torta y para descubrirla.

cubrición. f. Acción y efecto de cubrir el animal macho a la hembra.

cubrimiento. m. Acción y efecto de cubrir. ‖ **2.** Lo que sirve para cubrir.

cubrir. (Del lat. *cooperire.*) tr. Ocultar y tapar una cosa con otra. Ú. t. c. prnl. ‖ **2.** Rellenar una cavidad, nivelándola ‖ **3.** Depositar o extender una cosa sobre la superficie de otra. Ú. t. c. prnl. ‖ **4.** Ocultar o disimular una cosa con arte, de modo que aparente ser otra. ‖ **5.** Fecundar el macho a la hembra. ‖ **6.** Poner el techo a un edificio, techarlo. ‖ **7.** Techar un espacio que está a la intemperie. ‖ **8.** Hacer obra convirtiendo en suelo utilizable el espacio existente entre los bordes de una hondonada por cuyo fondo corren aguas o una vía de comunicación. ‖ **9.** Defender un puesto militar; impedir que sea atacado impunemente por el enemigo. ‖ **10.** Proteger la acción ofensiva o defensiva de otra u otras personas. ‖ **11.** Marchar la tropa o marinería a colocarse en sus puestos de combate, ejercicio o saludo. ‖ **12.** Ocupar, llenar, completar. ‖ **13.** Tratándose de un servicio, disponer de personal para desempeñarlo. ‖ **14.** Hacer que, por adjudicación a una persona, deje de estar vacante una plaza o puesto de trabajo. ‖ **15.** fig. Pagar o satisfacer una deuda o una necesidad, gastos o servicios. ‖ **16.** Suscribir enteramente una emisión de títulos de deuda pública o valor comercial. ‖ **17.** Tratándose de una distancia, recorrerla. ‖ **18.** fig. Seguir de cerca un informador las incidencias de un acontecimiento para dar noticia pública de ellas. CUBRIR *la información del viaje real.* CUBRIR *el viaje real.* ‖ **19.** *Dep.* Marcar a un jugador del equipo contrario o vigilar una zona del campo. *El defensa se ocupó de* CUBRIR *al delantero.* ‖ **20.** fig. Seguido de un complemento formado por la preposición *de* y por un sustantivo en plural que significa algo dado o dicho como muestra de afecto o desafecto, prodigar tales muestras. CUBRIR DE *besos,* DE *alabanzas,* DE *improperios,* DE *insultos.* ‖ **21.** intr. ant. **vestir,** poner o dar vestido. ‖ **22.** prnl. Ponerse el sombrero, la gorra, etc. ‖ **23.** Celebrar el grande de España la ceremonia de la cobertura. ‖ **24.** fig. Prevenirse, protegerse de cualquier responsabilidad, riesgo o perjuicio. ‖ **25.** Hacerse digno de una estimación moral positiva o negativa. ‖ **26.** *Meteor.* Anublarse. ‖ **27.** *Mil.* Defenderse con reparos los sitiados de los ataques del sitiador. ‖ **28.** *Mil.* Desplazarse lateralmente el soldado hasta quedar situado detrás y en la misma hilera que el anterior. ‖ **29.** *Veter.* Cruzar las caballerías las manos o los pies al andar.

cuca. f. **chufa,** tubérculo. ‖ **2. cuco**[2], oruga de cierta mariposa. ‖ **3.** fam. Mujer enviciada en el juego. ‖ **4.** coloq. Peseta. ‖ **5.** *Chile.* Ave zancuda semejante a la garza europea, en color y figura, pero más grande, y caracterizada por su grito desapacible y su vuelo torpe y desgarbado. ‖ **6.** pl. Nueces, avellanas y otros frutos y golosinas análogos. ‖ **cuca y matacán.** Juego de naipes en que la **cuca** es el dos de espadas, y el matacán el dos de bastos. ‖ **mala cuca.** fig. y fam. Persona maliciosa y de mal natural.

cucamonas. (De *cucar* y *mona.*) f. pl. fam. **carantoñas.**

cucaña. (Del it. *cuccagna.*) f. Palo largo, untado de jabón o de grasa, por el cual se ha de trepar, si se hinca verticalmente en el suelo, o andar, si se coloca horizontalmente a cierta distancia de la superficie del agua, para coger como premio un objeto atado a su extremidad. ‖ **2.** Diversión de ver trepar o avanzar por dicho palo. ‖ **3.** fig. y fam. Medio de alcanzar algo rápida y cómodamente. ‖ **4.** fig. y fam. Lo que se consigue con poco trabajo o a costa ajena. ‖ **5.** fig. y fam. Jauja, lugar de prosperidad y regalo.

cucañero, ra. (De *cucaña.*) adj. fig. y fam. Que tiene maña para lograr las cosas con poco trabajo o a costa ajena. Ú. t. c. s.

cucar. (De *cuco*[1].) tr. **guiñar** el ojo. ‖ **2.** desus. Hacer burla, mofar. Ú. en *Sal.* y *León.* ‖ **3.** Entre cazadores, avisarse unos a otros de la proximidad de una pieza. ‖ **4.** intr. Salir corriendo el ganado cuando le pica el tábano.

cucaracha. (De *cuco*[2], insecto.) f. **cochinilla de humedad.** ‖ **2.** Insecto ortóptero, nocturno y corredor, de unos tres centímetros de largo, cuerpo deprimido, aplanado, de color negro por encima y rojizo por debajo, alas y élitros rudimentarios en la hembra, antenas filiformes, las seis patas casi iguales y el abdomen terminado por dos puntas articuladas. ‖ **3.** Insecto del mismo género que el anterior, con el cuerpo rojizo, élitros un poco más largos que el cuerpo y alas plegadas en abanico. Es propio de América. ‖ **4. tabaco de cucaracha.** ‖ **martín.** ant. fig. Mujer morena.

cucarachera. f. Aparato para coger cucarachas.

cucarachero. (De *cucaracha.*) adj. V. **tabaco cucarachero.**

cucarda. (Del fr. *cocarde*, der. de *coq*, gallo.) f. **escarapela,** divisa de cintas. ‖ **2.** Cada una de las dos piezas de adorno que van a los dos lados de las frontaleras de la brida. ‖ **3.** Martillo de boca ancha y cubierta de puntas de diamante, con que los canteros rematan ciertas obras de sillería.

cucarro. (De *cuco.*) adj. Apodo que daban los muchachos a otros que iban vestidos de fraile. ‖ **2.** Decíase del fraile aseglarado.

cucayo. (De *coca.*) m. *Bol.* y *Ecuad.* Provisiones de boca que se llevan en el viaje.

cucioso, sa. adj. ant. **acucioso.**

cuclillas (en). (De *clueco.*) loc. adv. con que se explica la postura o acción de doblar el cuerpo de suerte que las asentaderas se acerquen al suelo o descansen en los calcañares.

cuclillo. (De *cuquillo*, d. de *cuco*[2].) m. Ave trepadora, poco menor que una tórtola, con plumaje de color de ceniza, azulado por encima, más claro y con rayas pardas por el pecho y abdomen, cola negra con pintas blancas, y alas pardas. La hembra pone sus huevos en los nidos de otras aves. ‖ **2.** fig. Marido de la adúltera.

cuco[1]**.** m. **coco**[4]**,** fantasma que se imagina para meter miedo.

cuco[2]**, ca.** (Del lat. *cucus.*) adj. fig. y fam. Pulido, mono. ‖ **2.** fig. y fam. Taimado y astuto, que ante todo mira por su medro o comodidad. Ú. t. c. s. ‖ **3.** m. Oruga o larva de cierta mariposa nocturna: tiene de tres a cuatro centímetros de largo, los costados vellosos y con pintas blancas, tres articulaciones amarillentas junto a la cabeza, y las demás pardas, con una faja más clara y rojiza en el lomo. ‖ **4. cuclillo,** ave. ‖ **5.** V. **reloj de cuco.** ‖ **6. malcontento,** juego de naipes. ‖ **7.** fam. **tahúr.** ‖ **¡cuco!** expr. que usa en el juego del **cuco** o malcontento el que tiene el rey, para no trocar. ‖ **moñón. cuco real.** ‖ **real.** Ave trepadora semejante al cuclillo, que suele poner sus huevos en los nidos de las urracas. Es frecuente en el centro de España.

cucú. (Voz onomatopéyica.) m. Canto del cuclillo.

cucubá. m. *Cuba.* Ave nocturna parecida a la lechuza, que vive en el hueco de los árboles y cuyo grito semeja al ladrido del perro.

cucubano. m. *P. Rico.* Cocuyo, luciérnaga.

cucubo. m. *Col.* Arbusto de la familia de las solanáceas espinosas, cuyo fruto de pepas verdes, redondas, de diámetro aproximado de un centímetro.

cucuiza. f. *Amér.* Hilo obtenido de la pita.

cuculí. (Voz onomatopéyica.) m. *Chile* y *Perú.* Especie de paloma silvestre del tamaño de la doméstica, pero de forma más esbelta; de color ceniza y con una faja de azul muy vivo alrededor de cada ojo.

cuculiforme. (Del lat. *cocŭlus*, cuco, y *-forme.*) adj. *Zool.* Dícese de aves de tamaño medio, cola larga y alas cortas y finas, con el pico largo y curvado y los pies con dos dedos dirigidos hacia delante y dos hacia atrás; como el cuco y el críalo. Suelen poner los huevos en nidos ajenos. Ú. t. c. s. ‖ **2.** f. pl. *Zool.* Orden de estas aves.

cuculla. (Del lat. *cuculla.*) f. Prenda de vestir antigua que se ponía sobre la cabeza. ‖ **2. cogulla.**

cucúrbita. (Del lat. *cucurbĭta*, calabaza.) f. **retorta,** vasija de cuello largo encorvado.

cucurbitáceo, a. (Del lat. *cucurbĭta*, calabaza.) adj. *Bot.* Aplícase a plantas angiospermas dicotiledóneas de tallo sarmentoso, por lo común con pelo áspero, hojas sencillas y alternas, flores regularmente unisexuales de cinco sépalos y cinco estambres, fruto carnoso y semilla sin albumen; como la calabaza, el melón, el pepino y la balsamina. Ú. t. c. s. ‖ **2.** f. pl. *Bot.* Familia de estas plantas.

cucurucho. (Del it. dialect. *cucuruccio.*) m. Papel, cartón, barquillo, etc., arrollado en forma cónica. Sirve para contener dulces, confites, helados, cosas menudas, etc. Ú. t. en sent. fig. ‖ **2.** Capirote cónico de penitentes y disciplinantes. ‖ **3.** *Col., C. Rica, Nicar., P. Rico, Sto. Dom.* y *Venez.* Parte más alta de algo, como árbol, casa, etc. ‖ **4.** *Col., C. Rica, Nicar., P. Rico, Sto. Dom.* y *Venez.* **colina**[1]**,** elevación natural del terreno.

cucuteño, ña. adj. Natural de Cúcuta. Ú. t. c. s. ‖ **2.** Perteneciente o relativo a esta ciudad de Colombia.

cucuy. m. **cucuyo.**

cucuyo. m. **cocuyo.**

cucha. f. Yacija del perro. ‖ **2.** Humorísticamente se aplica a la cama. *Me voy a la* CUCHA. ‖ **¡cucha!** o **¡cucha ahí!** Palabras con que se ordena a un perro que se acueste.

cuchar[1]**.** (Del lat. *cochleāre.*) f. desus. **cuchara.** ‖ **2.** V. **ave de cuchar.** ‖ **3.** Medida antigua de granos, equivalente a la tercera parte de un cuartillo. ‖ **4.** Cantidad de grano que cabía en esta medida. ‖ **5.** Cierto tributo o derecho que se pagaba sobre los granos. ‖ **6.** ant. Broca o tenedor. ‖ **herrera.** Cuchara de hierro.

cuchar[2]**.** (De *cucho*[1].) tr. *Ast.* Abonar las tierras con cucho.

cuchara. (De *cuchar*[1].) f. Instrumento que se compone de una palita cóncava y un mango, y que sirve especialmente para llevar a la boca los alimentos líquidos o blandos. ‖ **2.** V. **ave de cuchara.** ‖ **3.** Vasija redonda de hierro o cobre, que por un lado tiene un pico y por otro un mango largo que sube perpendicularmente desde el suelo del vaso, y remata en un garabato. Sirve para sacar de las tinajas el agua o aceite. ‖ **4.** Cualquiera de los utensilios que se emplean para diversos fines y tienen forma semejante a la de la **cuchara** común. ‖ **5.** *Can., Amér. Central* y *Merid., Cuba* y *Méj.* Llana de los albañiles. ‖ **6.** *Art.* Plancha de hierro abarquillada, con un asta o mango largo de madera, que servía para introducir la pólvora en los cañones cuando se cargaban a granel. ‖ **7.** *Mar.* **achicador,** cucharón para achicar el agua. ‖ **de pan.** Trozo o corteza de pan con que, a modo de **cuchara,** se toma del plato la comida en algunos ambientes rústicos. ‖ **media cuchara.** fig. y fam. Persona de mediano entendimiento o habilidad en cualquier arte, oficio, etc. ‖ **de cuchara.** loc. despect. que se aplicaba a los jefes y oficiales del ejército procedentes de la clase de tropa. ‖ **meter** a alguien **con cuchara,** o **con cuchara de palo,** una cosa. fr. fig. y fam. Explicársela minuciosa y prolijamente cuando no la comprende. ‖ **me-**

ter alguien su **cuchara.** fr. fig. Introducirse inoportunamente en la conversación de otros o en asuntos ajenos.

cucharada. f. Porción que cabe en una cuchara. ‖ **meter** alguien su **cucharada.** fr. fig. y fam. **meter** alguien su **cuchara.** ‖ **2.** fig. y fam. **cucharetear,** meterse en negocios ajenos.

cucharadita. f. Porción que cabe en una cucharilla.

cucharal. m. Bolsa hecha de una piel de cabrito, en que los pastores guardan las cucharas.

cucharear. tr. Sacar con cuchara. ‖ **2.** intr. **cucharetear.**

cucharero, ra. m. y f. Persona que hace o vende cucharas. ‖ **2.** m. **cucharetero,** listón para colocar las cucharas.

cuchareta. f. d. de **cuchara.** ‖ **2.** Especie de trigo, propia de Andalucía, con las espigas algo vellosas, casi tan anchas como largas, y aristas laterales. Ú. t. c. adj. ‖ **3.** Inflamación del hígado, en el ganado lanar. ‖ **4.** *Ar.* **renacuajo,** larva de la rana. ‖ **5.** Ave zancuda de hermoso plumaje, blanco en el animal joven y rosado en el adulto, con pico en forma de espátula y pies amarillentos. Conócense varias especies. ‖ **6.** com. fig. *And., Cuba* y *Méj.* Persona entrometida.

cucharetazo. m. Golpe dado con cuchareta o cuchara.

cucharetear. (De *cuchareta.*) intr. fam. Meter y sacar la cuchara en la olla para revolver lo que hay en ella. ‖ **2.** fig. y fam. Meterse o mezclarse sin necesidad en los negocios ajenos.

cucharetero, ra. m. y f. Persona que hace o vende cucharas de palo. ‖ **2.** m. Listón de tela fuerte o de madera, con agujeros, para colocar las cucharas en la cocina. ‖ **3.** fam. Fleco que se ponía en la parte inferior de las enaguas.

cucharilla. f. d. de **cuchara.** ‖ **2.** Cuchara pequeña. ‖ **3.** Enfermedad del hígado en los cerdos. ‖ **4.** Varilla de hierro con una de las puntas aplanada y doblada en ángulo recto, con la que se saca el polvo del fondo de los barrenos. ‖ **5.** Artificio para pescar con caña que tiene varios anzuelos y provisto de una pieza metálica que con su brillo y movimiento atrae a los peces.

cucharón. m. aum. de **cuchara.** ‖ **2.** Cazo con mango, o cuchara grande, que sirve para repartir ciertos alimentos en la mesa y para ciertos usos culinarios. ‖ **3.** com. fig. *And.* y *Col.* **cuchareta,** persona entrometida. ‖ **despacharse con el cucharón.** fr. fig. y fam. Adjudicarse a sí mismo la mayor o mejor parte en cualquier distribución. ‖ **tener el cucharón por el mango.** fr. fig. y fam. **tener la sartén por el mango.**

cucharrena. f. *Seg.* y *Sor.* **rasera,** paleta con agujeros.

cucharro. m. *Mar.* Pedazo de tablón cortado irregularmente, que sirve para entablar algunos sitios, como en la popa y proa u otros parajes de la embarcación.

cuché. (Del fr. *[papier] couché.*) adj. V. **papel cuché.**

cucheta. (Del fr. *couchette.*) f. Litera de los barcos, ferrocarriles, etc.

cuchí. (De la voz *cuch,* para llamar al cerdo.) Voz para llamar al cerdo. ‖ **2.** m. Cerdo. ‖ **3.** adj. fig. *NO. Argent.* **cochino,** persona desaseada.

cuchichear. (De *cuchichiar.*) intr. Hablar en voz baja o al oído a alguien, de modo que otros no se enteren.

cuchicheo. m. Acción y efecto de cuchichear.

cuchichí. (Voz onomatopéyica.) m. Canto de la perdiz.

cuchichiar. (De *cuchichí.*) intr. Cantar la perdiz.

cuchilla. (De *cuchillo.*) f. Instrumento compuesto de una hoja muy ancha de hierro acerado, de un solo corte, con su mango para manejarlo. ‖ **2. archa.** ‖ **3.** Instrumento de hierro acerado, de varias formas, que se usa en diversas partes para cortar. ‖ **4.** Hoja de cualquier arma blanca de corte. ‖ **5. hoja de afeitar.** ‖ **6.** Pieza del arado que sirve para cortar verticalmente la tierra, de manera que, completando el corte horizontal de la reja, quede desprendido el prisma de tierra que la vertedera separa e invierte. ‖ **7.** fig. Montaña escarpada en forma de **cuchilla.** ‖ **8.** fig. poét. **espada,** arma recta con guarnición y empuñadura. ‖ **9.** *Argent., Cuba* y *Urug.* Eminencia muy prolongada, cuyas pendientes se extienden suavemente hasta la tierra llana.

cuchillada. f. Golpe de cuchillo, espada u otra arma de corte. ‖ **2.** Herida que de este golpe resulta. ‖ **3.** pl. Aberturas que se hacían en los vestidos para que por ellas se viese otra tela de distinto color u otra prenda lujosa. ‖ **4.** fig. Pendencia o riña. ‖ **cuchillada de cien reales.** fig. **cuchillada** grande. ‖ **dar cuchillada.** fr. fig. y fam. En competencias de teatros o de sus artistas, obtener alguno de ellos la preferencia del público.

cuchillar[1]**.** adj. Perteneciente al cuchillo o parecido a él. ‖ **2.** m. Montaña con varias elevaciones escarpadas o cuchillas.

cuchillar[2]**.** (Del lat. *cultellāre,* de *cultellus,* cuchillo.) tr. ant. **acuchillar.**

cuchillazo. m. **cuchillada,** golpe dado con el cuchillo. ‖ **2. cuchillada,** herida que resulta.

cuchilleja. f. d. de **cuchilla.**

cuchillejo. m. d. de **cuchillo.**

cuchillería. f. Oficio de cuchillero. ‖ **2.** Taller en donde se hacen cuchillos. ‖ **3.** Tienda en donde se venden. ‖ **4.** Sitio, barrio o calle donde estaban las tiendas de los cuchilleros.

cuchillero. (Del lat. *cultellarĭus.*) adj. V. **hierro cuchillero.** ‖ **2.** m. El que hace o vende cuchillos. ‖ **3.** Abrazadera que ciñe y sujeta alguna cosa. ‖ **4.** *Arq.* Abrazadera de hierro que en el extremo inferior del pendolón sujeta la viga tirante o traversa de las armaduras.

cuchillo. (Del lat. *cultellus.*) m. Instrumento para cortar formado por una hoja de metal de un corte solo y con mango. ‖ **2.** Cada uno de los colmillos inferiores del jabalí. ‖ **3.** fig. Añadidura o remiendo, ordinariamente triangular, que se suele echar en los vestidos para darles más vuelo que el que permite lo ancho de la tela, o para otros fines. Ú. m. en pl. ‖ **4.** fig. Cada una de las dos piezas triangulares que a uno y otro lado de la media empalman la caña con el pie. ‖ **5.** fig. Derecho o jurisdicción que uno tiene para gobernar, castigar y poner en ejecución las leyes. ‖ **6.** fig. Cualquier cosa cortada o terminada en ángulo agudo; como una tabla cortada al sesgo, una habitación con paredes oblicuas, una pieza de tierra de figura triangular, etc. ‖ **7.** *Arq.* Conjunto de piezas de madera o hierro que, colocado verticalmente sobre apoyos, sostiene la cubierta de un edificio o el piso de un puente o una cimbra. ‖ **8.** *Cetr.* Cada una de las seis plumas del ala del halcón inmediatas a la principal, llamada **cuchillo maestro.** ‖ **9.** *Mar.* V. **vela de cuchillo.** ‖ **bayoneta.** El que reemplaza, en algunas armas portátiles de fuego, a la antigua bayoneta. ‖ **cabritero. navaja cabritera.** ‖ **de armadura.** *Arq.* El triángulo que forman dos pares y un tirante con sus demás piezas. ‖ **de monte.** El grande que usan los cazadores, ajustándolo a veces por el mango en el cañón de la escopeta, para rematar las reses ya heridas. ‖ **mangorrero.** El tosco y mal forjado. ‖ **haber el cuchillo.** fr. ant. **servir el cuchillo.** ‖ **llevar a cuchillo.** fr. ant. **pasar a cuchillo.** ‖ **matar** a alguien **con cuchillo de palo.** fr. fig. Mortificarle lenta y porfiadamente. ‖ **meter a cuchillo.** fr. ant. **pasar a cuchillo.** ‖ **pasar a cuchillo.** fr. Dar la muerte. Se usa ordinariamente esta frase cuando se habla de una plaza tomada por asalto. ‖ **ser** uno **cuchillo** de otro. fr. fig. y fam. Serle muy perjudicial o molesto. ‖ **servir el cuchillo.** fr. ant. Trinchar a la mesa del rey o de otra persona real. ‖ **tú eres el cuchillo y yo la carne.** expr. fig. **yo soy la carne y usted el cuchillo.**

cuchillón. m. aum. de **cuchillo.** Usado en la fr. **ser el dueño del cuchillón.** ‖ **2.** *Chile.* **doladera.**
cuchipanda. f. fam. Comida que toman juntas y regocijadamente varias personas.
cuchitril. m. Habitación estrecha y desaseada.
cucho[1]**.** (Del lat. *cultus,* abono.) m. *Ast.* Abono hecho con estiércol y materias vegetales en estado de descomposición.
cucho[2]**.** (De la voz *cuch* para llamar a algunos animales.) *Chile.* Voz para llamar al gato. ‖ **2.** m. *Chile.* Gato.
cucho[3] **(a).** (Del lat. *coxa,* cadera, como *cuja.*) loc. adv. *Cantabria.* **a hombros.**
cucho[4]**, cha.** m. y f. *Méj.* Nacido con malformaciones naso-bucales o en las extremidades. ‖ **2.** m. *El Salv.* Jorobado, corcovado.
cuchuco. m. *Col.* Sopa de cebada con carne de cerdo.
cuchuchear. intr. **cuchichear.** ‖ **2.** fig. y fam. Decir o llevar chismes.
cuchufleta. (De *chufleta.*) f. fam. Dicho o palabras de zumba o chanza.
cuchufletero, ra. adj. Dícese de la persona aficionada a decir cuchufletas.
cuchugo. m. *Amér.* Cada una de las dos cajas de cuero que suelen llevarse en el arzón de la silla de montar. Ú. m. en pl.
cudicia. f. ant. **codicia.**
cudrío, a. (De *crudio,* crudo.) adj. Dícese de cosas crudas, o no curadas o preparadas, como el cuero, las tierras, etc. ‖ **2.** f. Soguilla de esparto crudo en forma de trenza, de un dedo de grueso, con que se ensogan los serones y espuertas.
cueca. f. Baile de pareja suelta, en el que se representa el asedio amoroso de una mujer por un hombre. Los bailarines, que llevan un pañuelo en sus manos derechas, trazan figuras circulares, con vueltas y medias vueltas, interrumpidas por diversos floreos. Bailado en el oeste de América del Sur, desde Colombia hasta la Argentina y Bolivia, tiene distintas variedades según las regiones y las épocas. ‖ **2.** *Chile.* Baile popular.
cueita. (De *coitar.*) f. ant. **cuita.**
cuélebre. (Del lat. *colŭber, *-bris,* por *-bri.*) m. *Ast.* **dragón,** animal fabuloso.
cuelga. f. Acción y efecto de colgar frutos u otros comestibles para su conservación. ‖ **2.** fam. Regalo que se da a alguien en el día de su cumpleaños. ‖ **de cuelga.** Dícese de los frutos que se cuelgan para conservarlos.
cuelgacapas. m. Mueble para colgar la capa y otras prendas de vestir.
cuelgaplatos. m. Utensilio con el que se cuelgan o fijan en la pared los platos artísticos.
cuelmo[1]**.** (Del lat. *culmus,* caña.) m. **tea,** raja de madera resinosa para alumbrar.
cuelmo[2]**.** m. *León.* **colmo**[2]**.**
cuellicorto, ta. adj. Que tiene corto el cuello.
cuellidegollado, da. adj. ant. Que llevaba el vestido muy escotado. ‖ **2.** ant. Decíase de este mismo vestido.
cuellierguido, da. adj. Tieso y levantado de cuello. Ú. t. en sent. fig.
cuellilargo, ga. adj. Largo de cuello.
cuello. (Del lat. *collum.*) m. Parte del cuerpo más estrecha que la cabeza, que une a esta con el tronco. ‖ **2.** Pezón o tallo que arroja cada cabeza de ajos, cebolla, etc. ‖ **3.** Parte superior y más angosta de una vasija. ‖ **4.** Tira de una tela unida a la parte superior de los vestidos, para cubrir más o menos el pescuezo. ‖ **5. alzacuello** del traje eclesiástico. ‖ **6.** Adorno suelto o abrigo de tela, encaje, piel, etc., que se pone alrededor del pescuezo. ‖ **7.** La parte más estrecha y delgada de un cuerpo, especialmente si es redondo; como el palo de un buque, la raíz de una planta, etc. ‖ **8.** En los molinos de aceite, parte de la viga más inmediata a la tenaza. ‖ **9.** ant. Garganta del pie. ‖ **acanalado, alechugado, apanalado.** Adorno antiguo de lienzo, sobrepuesto al cabezón de la camisa y encañonado con molde. ‖ **blando.** El de camisa no almidonado. ‖ **de foque. foque, cuello** almidonado. ‖ **de pajarita.** El de camisa, postizo y almidonado, con las puntas dobladas hacia afuera. ‖ **duro.** El de camisa almidonado. ‖ **escarolado. cuello acanalado.** ‖ **levantar el cuello.** fr. fig. y fam. **levantar cabeza.** ‖ **salirse,** o **escaparse, por el cuello de la camisa.** fr. fig. y fam. Estar muy flaco o haber adelgazado mucho.
cuemo. (De *cuomo.*) adv. m. ant. **como**[2]**.**
cuenca[1]**.** (Del lat. *concha.*) f. Cavidad en que está cada uno de los ojos. ‖ **2.** Territorio rodeado de alturas. ‖ **3.** Territorio cuyas aguas afluyen todas a un mismo río, lago o mar. ‖ **4.** Escudilla de madera. ‖ **5.** ant. **pila**[1]**,** rimero, montón.
Cuenca[2]**.** n. p. V. **pino de Cuenca.**
cuencano, na. adj. Natural de Cuenca (Ecuador). Ú. t. c. s. ‖ **2.** Perteneciente o relativo a esta ciudad de la república del Ecuador.
cuenco. (De *cuenca*[1]*.*) m. Recipiente no muy grande de barro u otra materia, hondo y ancho, y sin borde o labio. ‖ **2. concavidad,** sitio cóncavo. ‖ **3.** *Ar.* Cuezo para colar. ‖ **4.** *Ar.* Canasta de colar.
cuenda. (der. del lat. *computāre,* contar.) f. Cierto cordoncillo de hilos que recoge y divide la madeja para que no se enmarañe.
cuende. (Del lat. *comes, -ĭtis,* en posición tónica.) m. ant. **conde.**
cuenta[1]**.** f. Acción y efecto de contar. ‖ **2.** Cálculo u operación aritmética. CUENTA *de multiplicar.* ‖ **3.** Pliego o papel en que está escrita alguna razón compuesta de varias partidas, que al fin se suman o restan. ‖ **4. cuenta corriente.** ‖ **5. cuenta de crédito.** ‖ **6.** Cierto número de hilos que deben tener los tejidos según sus calidades; como en el paño el ser dieciocheno, treintaidoseno, etc. ‖ **7.** Razón, satisfacción de alguna cosa. *No tengo que dar* CUENTA *de mis acciones.* ‖ **8.** Cada una de las bolitas ensartadas que componen el rosario y sirven para llevar la **cuenta** de las oraciones que se rezan; y por semejanza, cualquier pieza ensartada o taladrada para collar. ‖ **9.** V. **caña de cuentas.** ‖ **10.** Cuidado, incumbencia, cargo, obligación, deber. *Correr por* CUENTA *de uno*; *ser de su* CUENTA; *quedar por su* CUENTA. ‖ **11.** Consideración o atención. ‖ **12.** Beneficio, provecho, ventaja. ‖ **13.** V. **libro de cuentas ajustadas.** ‖ **14.** ant. Número, porción, cantidad. ‖ **acreedora.** *Com.* La que presenta saldo favorable al titular de la misma. ‖ **atrás.** En astronáutica, lectura en sentido inverso de las unidades de tiempo (minutos y segundos) que preceden al lanzamiento de un cohete. ‖ **2.** Por ext., la del tiempo cada vez menor que falta para un acontecimiento previsto. ‖ **corriente.** *Com.* Cada una de las que, para ir asentando las partidas de debe y haber, se llevan a las personas o entidades a cuyo nombre están abiertas y permite al titular de la **cuenta** retirar a la vista o a plazo, los saldos a su favor. ‖ **de crédito.** *Com.* **cuenta** corriente en la que el banco o banquero autoriza al titular para disponer, sobre su saldo favorable, de mayor cantidad que suele fijarse, con exigencia de garantía o sin ella. ‖ **de leche.** Bolita de calcedonia que solían ponerse al cuello las mujeres que criaban, creyendo que servía para atraer leche a los pechos. ‖ **de perdón. cuenta** más gruesa que las del rosario, a la que se decía estar concedidas algunas indulgencias en sufragio de las almas del purgatorio. ‖ **deudora.** *Com.* La que presenta saldo en contra de su titular. ‖ **jurada.** *Der.* La que por privilegio procesal pueden presentar a los clientes los procuradores y a estos los abogados y auxiliares de la Justicia. ‖ **cuentas alegres.** fam. **cuentas galanas.** ‖ **en participación.** *Com.* **sociedad accidental.** ‖ **galanas.** fam. Cálculos

lisonjeros y poco fundados. ‖ **abrir cuenta.** fr. *Com.* Iniciarla, formarla para asentar en ella las partidas concernientes a persona o cosa determinada. ‖ **a buena cuenta.** loc. adv. **a cuenta,** como anticipo o señal. ‖ **2.** Seguramente, con toda razón, indudablemente. ‖ **a cuenta.** loc. adv. Sobre la fe y autoridad de otro. ‖ **2.** Como anticipo o señal de una suma que ha de ser liquidada. *Todos los meses pide una cantidad* A CUENTA. *Dejé en la tienda dinero* A CUENTA *para que me reservaran el vestido.* ‖ **a cuenta de.** loc. prepos. En compensación, anticipo o a cambio de. *Quédate con el coche* A CUENTA DE *lo que te debo.* ‖ **2. por cuenta de.** ‖ **ajustar cuentas.** fr. fam. que se usa por amenaza. *Yo* AJUSTARÉ CUENTAS *contigo; ya* AJUSTAREMOS CUENTAS. ‖ **ajustar** alguien **sus cuentas.** fr. fig. Examinar en cualquier negocio o dependencia lo que hay en pro o en contra, para ver las medidas que le conviene tomar. ‖ **a la cuenta.** loc. adv. **por la cuenta.** ‖ **alcanzar de cuenta** a alguien. fr. Acallarle; vencerle en una contienda o en una disputa. ‖ **armar la cuenta.** fr. **abrir cuenta.** ‖ **caer** alguien **en la cuenta.** fr. fig. y fam. Venir en conocimiento de una cosa que no lograba comprender o en que no había parado la atención. ‖ **cerrar la cuenta.** fr. Saldarla, concluirla. ‖ **con cuenta y razón.** loc. adv. Con puntualidad. ‖ **2.** fig. Con precaución y advertencia. ‖ **con su cuenta y razón.** fr. fam. con que se da a entender que alguien hace algo porque así le conviene. ‖ **correr por la misma cuenta.** fr. Estar una cosa dedicada a lo mismo que otra, o hallarse en iguales circunstancias. ‖ **cubrir la cuenta.** fr. En las contadurías, ir añadiendo partidas a la data, hasta que salga igual con el cargo. ‖ **¡cuenta!** interj. **¡cuidado!** ‖ **cuenta con la cuenta.** expr. con que se advierte que se tenga cuidado en algún asunto, amenazando con un castigo o mal suceso. ‖ **cuenta con pago.** expr. que denota que alguno, al tiempo de dar las **cuentas** de lo que ha tenido a su cargo, paga o pone de manifiesto lo que importa el alcance que se le hace en ellas. ‖ **cuenta errada, que no valga.** expr. fam. Dícese para salvar la equivocación que puede ocurrir en cualquier hecho. ‖ **danzar de cuenta.** fr. Danzar ciertos bailes de figuras, como las folías, el villano y otros, que en muchas partes se llaman aún bailes de **cuenta.** ‖ **dar** alguien **buena,** o **mala, cuenta de** su **persona.** fr. Corresponder bien, o mal, a la confianza que de él han hecho o al encargo que le han dado. ‖ **dar cuenta de** una cosa. fr. fig. y fam. Dar fin de ella, destruyéndola o malgastándola. ‖ **dar en la cuenta.** fr. fig. y fam. **caer en la cuenta.** ‖ **darse cuenta de** una cosa. fr. fig. y fam. Comprenderla, entenderla. ‖ **2.** Advertirla, percatarse de ella. ‖ **de cuenta.** loc. adj. De importancia. Empléase como calificativo de personas. *Hombre* DE CUENTA. ‖ **de cuenta,** o **de cuenta y riesgo, de** alguien. loc. adv. Bajo su responsabilidad. ‖ **echar cuentas.** fr. **echar la cuenta,** hacer cómputo aproximado. ‖ **2.** Reflexionar sobre el pro y el contra de algún asunto. ‖ **echar la cuenta.** fr. Ajustarla. ‖ **2.** Hacer cómputo del importe, gasto o utilidad de una cosa. ‖ **echar la cuenta sin la huéspeda.** fr. fig. y fam. Lisonjearse del buen éxito de un negocio, encareciendo sus ventajas, antes de meditar los inconvenientes o gravámenes que trae consigo. ‖ **echar** uno **una cuenta** a otro. fr. Proponerle alguna de las operaciones aritméticas, que comúnmente se llaman **cuentas,** para que calcule y averigüe la cantidad que de ellas resulta. ‖ **en cuenta.** loc. adv. **a cuenta.** ‖ **2.** ant. **en lugar de.** ‖ **en resumidas cuentas.** loc. adv. fig. y fam. En conclusión o con brevedad. ‖ **entrar** una cosa **en cuenta.** fr. Ser tenida presente y en consideración en lo que se intenta o trata. ‖ **entrar** alguien **en cuentas consigo.** fr. fig. Recapacitar lo que le ha pasado, y reflexionar para en adelante lo que importa; examinar seria e interiormente lo que conviene practicar en algún asunto. ‖ **estar fuera de cuenta.** fr. Haber cumplido ya los nueve meses la mujer preñada. ‖ **estemos a cuentas.** expr. fig. y fam. **vamos a cuentas.** ‖ **girar la cuenta.** fr. Hacerla y enviarla al deudor. ‖ **hacer,** o **hacerse, cuenta,** o **la cuenta.** fr. Figurarse o dar por supuesto. ‖ **hacer la cuenta sin la huéspeda.** fr. fig. y fam. **echar la cuenta sin la huéspeda.** ‖ **hacerse cuenta de** una cosa. fr. fig. y fam. **darse cuenta.** ‖ **hacerse cuenta que.** fr. fig. y fam. Suponer, imaginar. ‖ **la cuenta de la vieja.** fig. y fam. La que se hace por los dedos, por las **cuentas** del rosario u otro procedimiento semejante. ‖ **la cuenta es cuenta.** expr. con que se denota que en negocios de intereses se debe usar la más puntual formalidad. ‖ **las cuentas del Gran Capitán.** fig. y fam. Las exorbitantes, formadas arbitrariamente y sin debida justificación. ‖ **llevar la cuenta.** fr. Tener el cuidado de asentar y anotar las partidas que la han de componer. ‖ **meter en cuenta.** fr. **poner en cuenta.** ‖ **no hacer cuentas de** una cosa. fr. No estimarla, no apreciarla. ‖ **no querer** uno **cuentas con** otro. fr. No querer tratar con él de negocios o intereses. ‖ **no salirle** a alguien **la cuenta.** fr. fig. Fallar sus cálculos y esperanzas, volviéndose en su daño lo que reputaba provechoso. ‖ **no tener cuenta con** una cosa. fr. No querer mezclarse en ella. ‖ **pasar la cuenta.** fr. Enviar a un cliente o deudor la nota de lo que ha de pagar. ‖ **2.** fig. y fam. Reclamar recompensa o reciprocidad el que aparentó servir con desinterés. ‖ **pedir cuenta.** fr. Pedir la razón o el motivo de lo que se ejecuta o dice. ‖ **perder la cuenta.** fr. Ser muy difícil acordarse de las cosas o reducirlas a fácil número, a causa de su antigüedad o abundancia. ‖ **poner en cuenta.** fr. Añadir o juntar algunas razones a las ya conocidas. ‖ **por cuenta de.** loc. prepos. En nombre de alguien o algo, o a su costo. *Los gastos corren* POR CUENTA DE *la empresa.* ‖ **por la cuenta.** loc. adv. Al parecer, o según lo que se puede juzgar. ‖ **por mi cuenta.** loc. adv. A mi juicio, en mi concepto. ‖ **salir de cuenta,** o **de cuentas.** fr. Haber cumplido una mujer el período de gestación. ‖ **tener cuenta** una cosa. fr. Ser útil, conveniente o provechosa. ‖ **tener en cuenta.** fr. Tener presente, considerar. ‖ **tomar cuentas.** fr. Examinar y comprobar las que uno presenta o le piden a este efecto. ‖ **2.** fig. Examinar minuciosamente los actos de una persona. ‖ **tomar en cuenta.** fr. Admitir alguna partida o cosa en parte de pago de lo que se debe. ‖ **2.** fig. Apreciar, recordar un favor, una circunstancia notable o recomendable. ‖ **3.** Grabar en la memoria un dicho o hecho ajenos que han molestado especialmente. ‖ **4. tomar en consideración.** ‖ **5. tener en cuenta.** ‖ **tomar** alguien **por su cuenta** una cosa. fr. fig. Asumir un cuidado o una responsabilidad. ‖ **traer cuenta** una cosa. fr. fig. y fam. **tener cuenta.** ‖ **vamos a cuentas.** expr. fig. y fam. con que se llama la atención en un asunto para esclarecerlo.

cuenta[2]**.** f. ant. **cuento**[2], pie derecho o puntal.

cuentacacao. f. *Hond.* Araña común algo venenosa.

cuentacorrentista. com. Persona que tiene cuenta corriente en un establecimiento bancario.

cuentachiles. com. fam. *Méj.* El que ejerce o vigila mezquinamente la administración del dinero.

cuentadante. adj. Dícese de la persona que da o ha dado cuenta de fondos que ha manejado, a quien puede exigírsela y censurarla. Ú. t. c. s.

cuentagotas. m. Utensilio, generalmente de cristal y goma, dispuesto para verter un líquido gota a gota. ‖ **con cuentagotas.** loc adv. fig. y fam. Poco a poco, lentamente o con escasez. *Su padre le suministraba el dinero* CON CUENTAGOTAS.

cuentahílos. m. Especie de microscopio que sirve para contar el número de hilos que entran en parte determinada de un tejido.

cuentakilómetros. m. Aparato que registra los kilómetros recorridos por un vehículo automóvil mediante un mecanismo conectado con las ruedas. Suele llevar un indicador que va marcando la velocidad a que marcha el vehículo.

cuentapasos. m. **podómetro.**

cuentero, ra. adj. **cuentista,** que lleva cuentos, chismes o embustes. Ú. t. c. s.

cuentista. adj. fam. Dícese de la persona que acostumbra a contar enredos, chismes o embustes. Ú. t. c. s. ‖ **2.** com. Persona que suele narrar o escribir cuentos. ‖ **3.** fam. Persona que por vanidad u otro motivo semejante exagera o falsea la realidad.

cuentístico, ca. adj. Perteneciente o relativo al cuento o breve narración. ‖ **2.** f. Género narrativo representado por el cuento.

cuento[1]. (Del lat. *compŭtus*, cuenta.) m. Relación de un suceso. ‖ **2.** Relación, de palabra o por escrito, de un suceso falso o de pura invención. ‖ **3.** Breve narración de sucesos ficticios y de carácter sencillo, hecha con fines morales o recreativos. ‖ **4.** **cómputo.** *El* CUENTO *de los años.* ‖ **5.** Embuste, trápala, engaño: *ser mucho* CUENTO, *tener mucho* CUENTO, *vivir del* CUENTO. ‖ **6.** fam. Chisme o enredo que se cuenta a una persona para ponerla mal con otra. ‖ **7.** fam. Quimera, desazón. *Ana tiene* CUENTOS *con María.* ‖ **8.** *Arit.* **millón.** ‖ **chino. cuento,** embuste. ‖ **de cuentos.** *Arit.* Un millón de millones, billón. ‖ **2.** fig. Relación o noticia difícil de explicar, por hallarse enredada con otras. ‖ **de horno. cuento** o hablilla vulgar con que se hace conversación entre la gente común. ‖ **de viejas.** fig. Noticia o relación que se cree falsa o fabulosa. Se usa aludiendo a las consejas que las mujeres ancianas cuentan a los muchachos. ‖ **largo.** fig. Asunto de que hay mucho que decir. ‖ **el cuento de nunca acabar.** fig. y fam. Asunto o negocio que se dilata y embrolla de modo que nunca se le ve el fin. ‖ **acabados son cuentos.** expr. fam. que suele usarse para cortar una disputa y finalizar la conversación. ‖ **a cuento.** loc. adv. Al caso, al propósito. ‖ **2.** ant. **a trueque.** ‖ **como digo,** o **iba diciendo, de mi cuento.** expr. fam. que suele emplearse al ir a contar un suceso festivo o a proseguir su narración. ‖ **degollar el cuento.** fr. fig. y fam. Cortar el hilo del discurso, interrumpiéndolo con otra narración o pregunta impertinente. ‖ **dejarse de cuentos.** fr. fig. y fam. Omitir los rodeos e ir a lo sustancial de una cosa. ‖ **despachurrar,** o **destripar,** a alguien **el cuento.** fr. fig. y fam. Interrumpirlo adelantando el desenlace. ‖ **2.** fig. y fam. Frustrarle un intento. ‖ **en cuento de.** loc. adv. En número de, en lugar de. ‖ **en todo cuento.** loc. adv. **en todo caso.** ‖ **ese es el cuento.** fr. fam. En eso consiste la dificultad o la sustancia de lo que se trata. ‖ **estar en el cuento.** fr. Estar bien informado. ‖ **hablar en el cuento.** fr. Hablar de lo que se trata. ‖ **no querer cuentos con serranos.** fr. fig. y fam. No querer ponerse en ocasión de reñir con gentes de malas cualidades. ‖ **poner en cuentos.** fr. Exponer a un riesgo o peligro. ‖ **quitarse de cuentos.** fr. Atender solo a lo esencial y más importante de una cosa. ‖ **saber** alguien su **cuento.** fr. fig. y fam. Obrar con reflexión, o por moti os que no quiere o no puede manifestar. ‖ **ser mucho cuento.** fr. fam. que se usa para ponderar mucho una cosa. ‖ **sin cuento.** loc. fig. Sin cuenta, o sin número. ‖ **tener más cuento que Calleja.** fr. fam. *Esp.* Ser alguien quejicoso o fantasioso o falsear la realidad, exagerando las cosas que le afectan particularmente. ‖ **traer a cuento.** fr. Introducir en un discurso o conversación cosas, con oportunidad o sin ella, o con particular interés. ‖ **va de cuento.** expr. fam. que sirve para dar principio a la narración de una conseja, historia o anécdota. ‖ **venir a cuento** una cosa. fr. fam. **venir al caso.** ‖ **2.** fam. Ser útil o conveniente por algún concepto. ‖ **venirle** a alguien **con cuentos.** fr. fam. Contarle cosas que no le importan o que no quiere saber.

cuento[2]. (Del lat. *contus*, y este del gr. κοντός.) m. Regatón o contera de la pica, la lanza, el bastón, etc. ‖ **2.** Pie derecho o puntal que se pone para sostener alguna cosa. ‖ **3.** *Cetr.* Parte exterior por donde se dobla el ala de las aves.

cuentón, na. adj. fam. **cuentista,** que lleva cuentos o chismes. Ú. t. c. s.

cuer. (Del lat. *cor.*) m. ant. **cor[1].**

cuera. (De *cuero.*) f. Especie de jaquetilla de piel, que se usaba antiguamente sobre el jubón. ‖ **de ámbar.** La que, perfumada con ámbar, solía usarse antiguamente. ‖ **de armar.** La que se ponía debajo del arnés.

cuerazo. m. *Amér.* **latigazo.** ‖ **2.** *Amér.* Caída, costalada.

cuerda. (Del lat. *chorda*, y este del gr. χορδή.) f. Conjunto de hilos de lino, cáñamo, cerda u otra materia semejante, que torcidos forman un solo cuerpo más o menos grueso, largo y flexible. Sirve para atar, suspender pesos, etc. ‖ **2.** Hilo hecho con una tira retorcida de tripa de carnero, con seda envuelta por alambre en hélice o con un alambre sencillo, que se emplea en muchos instrumentos músicos para producir los sonidos por su vibración. ‖ **3.** **mecha** de las antiguas armas de fuego. ‖ **4.** Medida de ocho varas y media. ‖ **5.** Medida agraria de algunas provincias equivalente a una fanega, o algo más, de sembradura. ‖ **6.** Talla normal del ganado caballar, y que equivale a siete cuartas, o sea 1,47 metros. ‖ **7.** En la isla de Puerto Rico, medida superficial equivalente a 3.929 centiáreas. ‖ **8.** Cadenita que en los relojes de bolsillo o de sobremesa, de antiguo sistema, se fija y arrolla por un extremo en el cubo, y por el otro en el tambor que contiene el muelle, para comunicar el movimiento de este a toda la máquina. ‖ **9.** Cada una de las **cuerdas** o cadenas que sostienen las pesas en los relojes de este nombre, y arrolladas en poleas o cilindros imprimen el movimiento a toda la máquina. ‖ **10.** Resorte o muelle para poner en funcionamiento diversos mecanismos. ‖ **11.** Borde de un estrato de roca que queda descubierto en la falda de una montaña. ‖ **12.** Conjunto de penados que van atados a cumplir en los presidios su condena. ‖ **13.** Cima aparente de las montañas. ‖ **14.** ant. **cordón.** ‖ **15.** **cordel.** ‖ **16.** En la cantería, línea de arranque de una bóveda o arco. ‖ **17.** *Geom.* Línea recta tirada de un punto a otro de un arco o porción de curva. ‖ **18.** *Mús.* Cada una de las cuatro voces fundamentales de bajo, tenor, contralto y tiple. ‖ **19.** *Mús.* Extensión de la voz, o sea número de notas que alcanza. ‖ **20.** *Topogr.* **cuerda** que como medida se usa en las operaciones. ‖ **21.** V. **trato de cuerda.** ‖ **22.** Tendón, nervio o ligamento del cuerpo del hombre o de los animales. ‖ **23.** pl. *Mar.* Maderos derechos que van endentados con los baos y latas de popa a proa por su medio, y en ellos estriban los puntales de las cubiertas. ‖ **calada. traca.** ‖ **dorsal.** *Anat.* **notocordio.** ‖ **falsa.** *Mús.* La que es disonante y no se puede ajustar ni templar con las demás del instrumento. ‖ **floja.** Alambre con poca tensión sobre el cual hacen sus ejercicios los volatineros. ‖ **sin fin.** Maroma cuyos extremos están empalmados. ‖ **cuerdas vocales.** *Anat.* Ligamentos que van de delante atrás en la laringe, capaces de adquirir más o menos tensión y de producir vibraciones. ‖ **aflojar la cuerda,** o **aflojar la cuerda al arco.** fr. fig. Descansar de un trabajo o tarea, tomando algún alivio o recreación. ‖ **2.** fig. Disminuir el rigor de la ley, de la disciplina, etc. ‖ **apretar hasta que salte la cuerda.** fr. fig. Acosar tanto a uno, que llegue a perder la paciencia. ‖ **apretar la cuerda.** fr. fig. Aumentar el rigor de la ley, de la disciplina, etc. ‖ **calar la cuerda.** fr. fig. Aplicar la mecha al mosquete para dispararlo. ‖ **dar a la cuerda,** o **dar cuerda.** fr. fig. Ir dando largas a un negocio. ‖ **dar cuerda** a alguien. fr. fig. Halagar la pasión que le domina, o hacer que la conversación recaiga sobre el asunto de que es más propenso a hablar. ‖ **2.** *Equit.* Obligar al potro en doma a recorrer la pista circular del picadero, mandándolo desde el centro de ella con un cordel o madrina. ‖ **dar cuerda.** fr. Acción y efecto de tensar el muelle que pone en marcha a los mecanismos que funcionan con **cuerda.** ‖ **dar cuerda al reloj.** fr. Dar tensión al muelle con una llave u otro medio, o subir las pesas, para que marche la máquina. ‖ **echar una cuerda.** fr. *Topogr.* Medir un terreno a la ligera y con la **cuerda** sola. ‖ **en cuerda floja.** loc. adv. *Der.* Uniendo, sin coserla a otra, una pieza de actuaciones, por medio de una **cuerda** floja que permita el cómodo examen de cada una, y conservando ambas su numeración e independencia. ‖ **en la cuerda floja.** loc. adv. En situación inestable, conflictiva o peligrosa. ‖ **estar la cuerda tirante.** fr. fig. **tener la cuerda tirante.** ‖ **estirar las cuerdas.** fr. fig. y fam. Pasearse, o ponerse en pie. ‖ **llevar la cuerda.** fr. En las carreras de caballos, correr por la curva más inmediata al centro de la pista. ‖ **no ser** una cosa **de la cuerda** de alguien. fr. fig. No convenir a sus facultades o especial aptitud; como el papel de dama joven a una actriz entrada en años, o uno heroico al gracioso de la compañía. ‖ **no ser** uno **de la cuerda** de otro. fr. fig. No ser de su opinión o carácter. ‖ **por debajo de cuerda.** loc. adv. fig. Reservadamente, por medios ocultos. ‖ **ser de la otra cuerda.** fr. fig. y fam. Pertenecer a bando, facción, opinión, etc., opuestos. ‖ **ser de una sola cuerda.** fr. fig. y fam. Ser reiterativo, insistente, que siempre dice o hace las mismas cosas. ‖ **tener cuerda para rato.** loc. fam. Ser propenso a hablar con demasiada extensión. ‖ **tener la cuerda tirante.** fr. fig. Llevar las cosas con rigor. ‖ **tener mucha cuerda.** fr. fig. y fam. Tener por delante mucha vida, ofrecer signo de buena salud. ‖ **tirar de la cuerda,** o **la cuerda,** a alguien. fr. fig. y fam. Irle a la mano, contenerle. ‖ **tirar de la cuerda para todos o para ninguno.** fr. fam. con que se reclama la igualdad de trato. ‖ **traer la cuerda tirante.** fr. fig. **tener la cuerda tirante.**

cuerdamente. adv. m. Con cordura; prudente, sabiamente.

cuerdo, da. (Del lat. *cor, cordis,* corazón, ánimo.) adj. Que está en su juicio. Ú. t. c. s. ‖ **2.** Prudente, que reflexiona antes de determinar. Ú. t. c. s.

cuereada. (De *cuero.*) f. desus. *Amér. Merid.* Temporada en que se obtienen los cueros secos, principalmente vacunos, desde matar y desollar las reses y secar las pieles al sol y al aire, hasta entregarlas al comercio. ‖ **2.** *Urug.* Acción y efecto de **cuerear,** azotar.

cuerear. tr. *Amér. Merid.* Ocuparse en las faenas de la cuereada. ‖ **2.** *Ecuad.* y *Nicar.* **azotar.**

cuerezuelo. m. **corezuelo.**

cueriza. f. *Amér.* Azotaina, zurra de golpes.

cuerna. f. Vaso rústico hecho con un cuerno de res vacuna, quitada la parte maciza y tapado en el fondo con un taco de madera. ‖ **2.** Cuerno macizo, que algunos animales, como el ciervo, mudan todos los años. ‖ **3. cornamenta.** ‖ **4.** Trompa de hechura semejante al cuerno bovino, usada por guardas y otras gentes campesinas para comunicarse.

cuérnago. (De *cuérrago,* infl. por *cuerno.*) m. **cauce.**

cuernavaquense. adj. Natural de Cuernavaca, capital del Estado mejicano de Morelos. Ú. t. c. s. ‖ **2.** Perteneciente o relativo a dicha ciudad.

cuernezuelo. m. d. de **cuerno.** ‖ **2.** En albeitería, **cornezuelo,** instrumento de cuerno para separar los tejidos.

cuerno. (Del lat. *cornu.*) m. Prolongación ósea cubierta por una capa epidérmica o por una vaina dura y consistente, que tienen algunos animales en la región frontal. ‖ **2.** Protuberancia dura y puntiaguda que el rinoceronte tiene sobre la mandíbula superior. ‖ **3. antena** de los animales articulados. ‖ **4.** Instrumento músico de viento, de forma corva, generalmente de **cuerno,** que tiene el sonido como de trompa. ‖ **5.** Materia que forma la capa exterior de las astas de las reses vacunas y que se emplea en la industria para hacer diversos objetos. ‖ **6.** En algunas cosas, lado derecho o izquierdo. ‖ **7.** Ala de un ejército o de una escuadra. ‖ **8.** ant. Cada uno de los botoncillos que ponían al remate de la varilla en que se arrollaba el libro o volumen de los antiguos. ‖ **9.** fig. Cada una de las dos puntas que se ven en la Luna en cuarto creciente y cuarto menguante. ‖ **10.** Término con que irónicamente se alude a la infidelidad matrimonial de la mujer. Se usa más en plural, y en casos como *sufrir el* CUERNO, *llevar los* CUERNOS, *poner los* CUERNOS. ‖ **11.** ant. *Mar.* Varal largo y delgado que se solía añadir al palo de la entena. ‖ **12.** pl. fig. Extremidades de algunas cosas que rematan en punta y tienen alguna semejanza con los **cuernos.** ‖ **de Amón. amonita**[1]. ‖ **de caza. cuerna,** trompa que se usa en las monterías. ‖ **de la abundancia. cornucopia,** vaso de forma de **cuerno** que representa la abundancia. ‖ **de orinar. orinal.** ‖ **¡cuerno!** interj. generalmente festiva, de sorpresa o de asombro. ‖ **en los cuernos del toro.** loc. adv. fig. y fam. En un inminente peligro. Ú. con los verbos *andar, dejar, verse,* etc. ‖ **estar de cuerno con** alguien. fr. fig. y fam. **estar de punta con él.** ‖ **levantar** a alguien **hasta,** o **sobre, el cuerno,** o **los cuernos, de la Luna.** fr. fig. y fam. Alabarle, encarecerle desmedidamente. ‖ **mandar** a alguien **al cuerno.** fr. fig. **echar** a alguien **a paseo.** ‖ **no valer un cuerno.** fr. fig. y fam. Valer poco o nada. ‖ **poner** a alguien **en,** o **sobre, el cuerno,** o **los cuernos, de la Luna.** fr. fig. y fam. **levantar** a alguien **hasta,** o **sobre, el cuerno,** o **los cuernos, de la Luna.** ‖ **ponerse de cuerno con** alguien. fr. fig. **estar de cuerno con** alguien. ‖ **saber a cuerno quemado.** fr. fig. y fam. Hacer desagradable impresión en el ánimo una nueva, una reprensión, una injuria, etc. ‖ **sobre cuernos, penitencia.** expr. fig. y fam. que se usa cuando a alguien, después de habérsele hecho algún agravio o perjuicio, se le trata mal o se le culpa. ‖ **subir** a alguien **en, hasta,** o **sobre, el cuerno,** o **los cuernos, de la Luna.** fr. fig. y fam. **levantar** a alguien, **hasta** o **sobre, el cuerno,** o **los cuernos de la Luna.**

cuero. (Del lat. *corium.*) m. Pellejo que cubre la carne de los animales. ‖ **2.** Este mismo pellejo después de curtido y preparado para los diferentes usos a que se aplica en la industria. ‖ **3. odre** que sirve para contener líquidos. ‖ **4.** pl. ant. Colgaduras de guadameciles. ‖ **cabelludo.** Piel en donde nace el cabello. ‖ **en verde.** El que no ha recibido preparación alguna. ‖ **exterior.** *Anat.* **cutícula,** epidermis. ‖ **interior.** *Anat.* **cutis.** ‖ **con cuero y carne.** loc. adv. ant. En flagrante, o con el hurto en las manos. ‖ **dejar** a alguien **en cueros.** fr. **dejar** a alguien **sin camisa.** ‖ **del cuero salen las correas.** fr. fig. y fam. que denota que de lo principal sale lo accesorio. ‖ **en cueros,** o **en cueros vivos.** loc. adv. En carnes, sin vestido alguno. ‖ **entre cuero y carne.** loc. adv. Debajo de la piel. ‖ **2.** fig. Íntima, connaturalmente. ‖ **estar hecho un cuero.** fr. fig. y fam. Estar borracho. ‖ **poner cuero y correas en** una cosa. fr. fig. y fam. Hacer algún oficio por otra persona, y pagar además el costo que tiene.

cuerpear. intr. *R. de la Plata.* **hurtar el cuerpo.** ‖ **2.** tr. fig. *Argent.* Evitar una dificultad o compromiso con astucia.

cuerpo. (Del lat. *corpus.*) m. Lo que tiene extensión limitada y produce impresión en nuestros sentidos por calidades que le son propias. ‖ **2.** En el hombre y en los animales, materia orgánica que constituye sus diferentes partes. ‖ **3.** Tronco del **cuerpo,** a diferencia de la cabeza y las extremidades. ‖ **4.** Talle y disposición personal. *José tiene buen* CUERPO. ‖ **5.** Parte del vestido, que cubre desde el cuello o los hombros hasta la cintura. ‖ **6.** Referido a libros, **volumen,** tomo. *La librería tiene dos mil* CUERPOS. ‖ **7.** Conjunto de lo que se dice en la obra escrita o el libro, con excepción de los índices y preliminares. ‖ **8.** Referido a leyes civiles o canónicas, colección auténtica de ellas. ‖ **9.** Grueso de los tejidos, papel, chapas y otras cosas semejantes. ‖ **10.** Grandor o tamaño. ‖ **11.** En los líquidos, crasitud o espesura de ellos. ‖ **12. cadáver.** ‖ **13.** Agregado de personas que forman un pueblo, república, comunidad o asociación. ‖ **14.** Conjunto de personas que desempeñan una misma profesión. CUERPO *diplomático;* CUERPO *de funcionarios.* ‖ **15.** En la empresa o emblema, figura que sirve para significar alguna cosa. ‖ **16.** Cada una de las partes, que pueden ser independientes, cuando se las considera unidas a otra principal. *Un armario de dos* CUERPOS. ‖ **17.** *Arq.* Agregado de partes que compone una fábrica u obra de arquitectura hasta una cornisa o imposta; y así, cuando sobre la primera cornisa se levanta otra parte de la obra, se llama esta segundo **cuerpo,** y si aún sobre este hay otra, se llama tercero. ‖ **18.** *Geom.* Objeto material en que pueden apreciarse las tres dimensiones principales, longitud, latitud y profundidad. ‖ **19.** *Impr.* Tamaño de los caracteres de cada fundición. *El libro está impreso en letra del* CUERPO *diez.* ‖ **20.** *Mil.* Cierto número de soldados con sus respectivos oficiales. ‖ **amarillo.** *Anat.* Masa de células amarillas, que se produce mensualmente en el ovario, y en la cual se forma una de las hormonas de esa glándula femenina. ‖ **calloso.** *Anat.* Lámina de sustancia blanca que sirve de comisura a los dos hemisferios cerebrales. ‖ **compuesto.** *Quím.* El que puede descomponerse en otros de naturaleza diferente. ‖ **de baile.** El coreográfico, o sea el conjunto de bailarines y bailarinas de un teatro. ‖ **de bomba.** Tubo dentro del cual juega el émbolo de la bomba hidráulica. ‖ **de caballo.** *Mil.* Terreno que ocupa lo largo de un caballo. *En algunas formaciones de la caballería, la primera fila ha de estar apartada de la segunda un* CUERPO DE CABALLO. ‖ **de casa.** Conjunto de faenas domésticas que están a cargo de una sirvienta, con exclusión de las que corresponden a la cocinera. ‖ **de delito.** *Der.* **cuerpo del delito.** ‖ **de ejército.** *Mil.* Gran unidad integrada por dos o más divisiones, así como por unidades homogéneas y servicios auxiliares. ‖ **de escritura.** *Der.* Escrito que, como base de cotejo pericial, en presencia del juez y a su dictado debe formar la parte que no reconociere su letra o firma en el documento que se le aduce como suyo. ‖ **de guardia.** *Mil.* Cierto número de soldados destinado a hacer la guardia en algún paraje. ‖ **2.** *Mil.* El mismo paraje. ‖ **de hombre.** Medida tomada del grueso regular del **cuerpo** de un hombre. ‖ **de iglesia.** Espacio de ella, sin incluir el crucero, la capilla mayor, ni las colaterales. ‖ **de la batalla.** *Mil.* **centro de la batalla.** ‖ **del delito.** *Der.* Cosa en que, o con que, se ha cometido un delito, o en la cual existen las señales de él. ‖ **del ejército.** *Mil.* **cuerpo de la batalla.** ‖ **estriado.** *Anat.* Masa de sustancia gris situada en la base del cerebro y en la parte externa de cada uno de sus ventrículos laterales. ‖ **facultativo.** Conjunto de los individuos que poseen determinados conocimientos técnicos y sirven al Estado en diferentes ramos, así militares como civiles. CUERPO *de artillería;* CUERPO *de ingenieros de caminos;* CUERPO *de archiveros bibliotecarios.* ‖ **glorioso.** *Teol.* El de los bienaventurados, después de la resurrección. ‖ **2.** fig. y fam. El que pasa largo tiempo sin experimentar necesidades materiales. ‖ **legal.** *Der.* Cualquier compilación de leyes que ofrezca cierta extensión. ‖ **lúteo.** *Anat.* **cuerpo amarillo.** ‖ **muerto.** *Mar.* Boya fondeada con gran seguridad con un argollón para que a él se amarren los buques en vez de fondear. ‖ **negro.** *Fís.* El que absorbe completamente las radiaciones que inciden sobre él, cualquiera que sea la índole y dirección de las mismas. ‖ **simple.** *Quím.* Sustancia que está constituida por átomos que tienen el mismo número de protones nucleares, cualquiera que sea el número de neutrones. ‖ **sin alma.** fig. Persona que no tiene viveza ni actividad. ‖ **tiroides.** *Anat.* Glándula situada en la parte superior de la tráquea, y delante de ella, que segrega un líquido albuminoso. ‖ **volante.** *Mil.* **cuerpo** de tropas de infantería y caballería, que se separa del ejército para los fines que tiene por conveniente el que manda. ‖ **a cuerpo.** loc. adv. **cuerpo a cuerpo.** ‖ **2.** Sin gabán, ni otro abrigo exterior. ‖ **a cuerpo de rey.** loc. adv. Con todo regalo y comodidad. Ú. con los verbos *estar, vivir,* etc. ‖ **a cuerpo descubierto.** loc. adv. Sin resguardo. ‖ **2.** fig. Descubierta y patentemente. ‖ **a cuerpo gentil.** loc. fam. **a cuerpo,** sin capa, gabán u otro abrigo exterior. ‖ **a cuerpo limpio.** fr. fig. y fam. *Taurom.* Sin el auxilio de ningún engaño. ‖ **2.** Sin valerse de ayuda ni artificio alguno. ‖ **a qué quieres, cuerpo.** loc. adv. **a cuerpo de rey.** ‖ **cerner el cuerpo.** fr. **contonearse.** ‖ **como cuerpo de rey.** loc. adv. **a cuerpo de rey.** ‖ **cuerpo a cuerpo.** loc. adj. y adv. que se aplica al enfrentamiento entre dos personas, sin armas o con armas blancas, en el que se produce un contacto físico directo entre los adversarios. *Combatir, luchar* CUERPO A CUERPO. Aplícase también figuradamente a enfrentamientos no físicos. ‖ **¡cuerpo de Cristo,** o **de Dios,** o **de mí,** o **de tal!** locs. interjs. que denotan ira o enfado. ‖ **dar con el cuerpo en tierra.** fr. fam. Caer al suelo. ‖ **dar cuerpo.** fr. Espesar lo que está claro o demasiado líquido. ‖ **de cuerpo entero.** loc. adj. Dicho de personas, cabal, completo. ‖ **de cuerpo presente.** loc. adv. Tratándose de un cadáver, dispuesto para ser conducido al enterramiento. ‖ **de medio cuerpo.** loc. adj. Dícese del retrato en que solo se reproduce la mitad superior del **cuerpo.** ‖ **descubrir el cuerpo.** fr. Dejar descubierta o indefensa una parte del **cuerpo,** por donde el contrario pueda herirle. ‖ **2.** fig. Favorecer un negocio peligroso, quedando expuesto a sus malas resultas. ‖ **echar el cuerpo fuera.** fr. fig. Evitar el entrar en una dificultad o empeño. ‖ **en cuerpo.** loc. adv. **a cuerpo,** sin gabán. ‖ **2.** En comunidad, presidida por el que hace cabeza. Ú. para denotar que los individuos de un **cuerpo** concurren a una función unidos y representándolo. ‖ **en cuerpo de camisa.** loc. adv. **en mangas de camisa.** ‖ **en cuerpo y en alma.** loc. adv. fig. y fam. Totalmente, sin dejar nada. ‖ **falsear el cuerpo.** fr. Hacer movimiento, torciendo o encorvando el **cuerpo,** para guardarse de un tiro o golpe. ‖ **ganar** una mujer **con** su **cuerpo.** fr. Ser prostituta. ‖ **hacer del cuerpo.** fr. fam. **exonerar el vientre.** ‖ **huir el cuerpo.** fr. Moverse con prontitud y ligereza, para evitar el golpe que va dirigido contra él. ‖ **2.** fig. **echar el cuerpo fuera.** ‖ **3.** fig. Evitar el trato y concurrencia de una persona. ‖ **hurtar** alguien **el cuerpo.** fr. **huir el cuerpo,** moverse con ligereza para evitar un golpe. ‖ **2. huir el cuerpo,** evitar el entrar en una dificultad o empeño. ‖ **mezquinar el cuerpo.** fr. *Argent.* y *Urug.* **cuerpear,** hurtar el **cuerpo.** MEZQUINÓ EL CUERPO *ante la arremetida.* MEZQUINAR EL CUERPO *al trabajo.* ‖ **no quedarse** alguien **con nada en el cuerpo.** fr. fig. y fam. No omitir nada de lo que quería decir, sin atender a ninguna consideración. ‖ **pedirle** a alguien **el cuerpo** alguna cosa. fr. fig. y fam. Apetecerla, desearla. ‖ **por cuerpo de hombre.** loc. adv. ant. Por mano de hombre. ‖ **quedarse** alguien **con** una cosa **en el cuerpo.** fr. fig. y fam. Omitir lo que quería decir, conteniéndose por algún motivo. ‖ **tomar cuerpo** una cosa. fr. Aumentarse de poco a mucho. ‖ **traer bien gobernado el cuerpo.** fr. Traer bien regido el vientre. ‖ **volverla al cuerpo.** fr. fig. Responder a una injuria con otra.

cuérrago. (Del lat. *corrŭgus,* cauce.) m. *Burg.* y *Cantabria.* **cauce.**

cuerria. (De *corro.*) f. *Ast.* Cercado pequeño y circular, de piedra seca, de un metro de alto, donde se echan las castañas recién cogidas para que acaben de madurar y puedan separarse más fácilmente del erizo.

cuerva[1]**.** (De *cuervo.*) f. **graja.**

cuerva[2]**.** f. *Albac., Alm., Cuenca* y *Murc.* **sangría,** bebida refrescante.

cuervera. f. *Albac., Alm., Cuenca* y *Murc.* Vasija especial para hacer y beber la cuerva[2].

cuervo. (Del lat. *corvus.*) m. Pájaro carnívoro, mayor que la paloma, de plumaje negro con visos pavonados, pico cónico, grueso y más largo que la cabeza, tarsos fuertes, alas de un metro de envergadura, con las mayores remeras en medio, y cola de contorno redondeado. ‖ **2.** *Urug.* Especie de buitre. ‖ **marino.** Ave palmípeda del tamaño de un ganso, con plumaje de color gris oscuro, collar blanco, cabeza, moño, cuello y alas negros, piernas muy cortas y pico largo, aplastado y con punta doblada. Nada y vuela muy bien, habita en las costas y alguna vez se le halla tierra adentro. ‖ **merendero. grajo,** ave semejante al **cuervo.** ‖ **no poder ser el cuervo más negro que las alas.** fr. fig. y fam. No haber que temer mayor mal, por haber sucedido lo peor que podía acontecer. ‖ **venir el cuervo.** fr. fig. y fam. Recibir algún socorro, particularmente si es repetido. Alude al que alimentaba a San Pablo el Ermitaño.

cuesa. f. ant. **cueza.**

cuesco[1]**.** (Voz onomatopéyica.) m. Hueso de la fruta; como el de la guinda, el durazno, etc. ‖ **2.** En los molinos de aceite, piedra redonda en que la viga aprieta los capachos. ‖ **3.** fam. Pedo ruidoso. ‖ **4.** p. us. *Méj.* Masa redondeada de mineral de gran tamaño. ‖ **5.** *Min.* En Riotinto, escoria procedente de los hornos de manga.

cuesco[2]**.** m. *Col.* y *Venez.* Nombre vulgar de una palmera indígena. ‖ **2.** *Col.* y *Venez.* Fruto de cierta palma. ‖ **3.** *Col.* y *Venez.* Aceite sacado de dicho fruto.

cueslo. (Del lat. *consolāri,* consolar, a través del ant. *coslar.*) m. ant. **consuelo.**

cuesta[1]**.** (Del lat. *costa,* costilla, costado.) f. Terreno en pendiente. ‖ **2.** ant. **costilla** del cuerpo. Ú. aún en la loc. adv. **a cuestas.** ‖ **de enero.** Período de dificultades económicas que coincide con este mes a consecuencia de los gastos extraordinarios hechos durante las fiestas de Navidad. ‖ **a cuestas.** loc. adv. Sobre los hombros o las espaldas. ‖ **2.** fig. A su cargo, sobre sí. ‖ **echarse de cuesta.** fr. ant. **acostarse.** ‖ **hacérsele** a alguien **cuesta arriba** una cosa. fr. fig. Sentirla mucho, hacerla con repugnancia y trabajo grande. ‖ **ir cuesta abajo.** fr. fig. Decaer, declinar una cosa o persona hacia su fin o a la miseria. ‖ **llevar** a alguien **a cuestas.** fr. fig. y fam. Cargarse con las obligaciones o necesidades de otro. ‖ **llover a cuestas.** fr. fig. con que se da a entender que una cosa resultará en daño propio. ‖ **tener** a alguien **a cuestas.** fr. fig. y fam. Tener enteramente a su cuidado y costa la manutención o adelantamiento de otro. ‖ **tener la cuesta y las piedras.** fr. fig. y fam. Tener todas las ventajas de su parte. ‖ **tomar** alguien **a cuestas** una cosa. fr. fig. y fam. Encargarse de ella para su gobierno y dirección. ‖ **tú, que no puedes, llévame a cuestas.** fr. fig. y fam. que suele usarse cuando se pide auxilio a una persona que tiene tanta o más necesidad de él.

cuesta[2]**.** (Del lat. *quaestus,* negociación, cuestación.) f. **cuestación.**

cuestación. (Del lat. *quaestus,* p. p. de *quaerĕre,* buscar, pedir.) f. Petición o demanda de limosnas para un objeto piadoso o benéfico.

cuestas. (De *costar.*) pl. ant. **costas,** cantidad que se da o se paga por una cosa.

cuestión. (Del lat. *quaestĭo, -ōnis.*) f. Pregunta que se hace o propone para averiguar la verdad de una cosa controvertiéndola. ‖ **2. gresca,** riña. ‖ **3.** Punto o materia dudosos o discutibles. ‖ **4.** Asunto o materia en general. ‖ **5.** Oposición de términos lógicos o de razones respecto a un mismo tema, que exigen detenido estudio para resolver con acierto. ‖ **6.** *Der.* **cuestión de tormento.** ‖ **7.** *Mat.* **problema,** proposición para averiguar un resultado. ‖ **batallona.** fam. La muy reñida y a la que se da mucha importancia. ‖ **candente.** fig. Aquella que acalora los ánimos. ‖ **de competencia.** *Der.* Desacuerdo y contienda entre jueces y otras autoridades acerca de la facultad para entender en un asunto. ‖ **de confianza.** La **cuestión** que para comprobarla plantean los gobiernos al jefe del Estado y con más frecuencia al Parlamento, haciendo depender su continuación en el poder de un acuerdo determinado del primero o de la votación de la cámara. ‖ **de gabinete.** La que afecta o puede afectar a la existencia o continuación de un ministerio. ‖ **2.** fig. La de mucha importancia para cualquiera. ‖ **de nombre.** La que se suscita o mantiene sobre lo accidental o accesorio, o sobre la designación de las cosas, a pesar de convenir en la sustancia y en lo principal. ‖ **determinada.** *Mat.* Aquella que tiene una solución solamente, o un cierto y determinado número de soluciones. ‖ **de tormento.** *Der.* Averiguación, inquisición o pesquisa de la verdad, que se practicaba dando tormento al presunto culpable inconfeso. ‖ **diminuta,** o **indeterminada.** *Mat.* La que puede tener infinitas soluciones. ‖ **prejudicial.** *Der.* Dícese de la que, siendo supuesto de un fallo, corresponde a jurisdicción distinta de la que ha de dictarlo. Se aplica más en lo penal. ‖ **previa.** La que corresponde a competencia administrativa y debe influir necesariamente en un fallo penal. ‖ **agitarse una cuestión.** fr. Tratarse con valor o viveza. ‖ **cuestión de.** loc. fam. **cosa de.** ‖ **desatar la cuestión.** fr. *Lóg.* **desatar el argumento.** ‖ **en cuestión.** loc. adj. que precisa la referencia del sustantivo a una persona o cosa de la cual se está tratando. *No pudieron resolver el asunto* EN CUESTIÓN. *El autor* EN CUESTIÓN *era poco conocido.*

cuestionable. (De *cuestionar.*) adj. Dudoso, problemático y que se puede disputar o controvertir.

cuestionamiento. m. Acción y efecto de cuestionar.

cuestionar. (Del lat. *quaestionāre.*) tr. Controvertir un punto dudoso, proponiendo las razones, pruebas y fundamentos de una y otra parte. ‖ **2.** Poner en duda lo afirmado por alguien. CUESTIONAR *la veracidad de una noticia.*

cuestionario. (Del lat. *quaestionarĭus.*) m. Libro que trata de cuestiones o que solo tiene cuestiones. ‖ **2.** Lista de preguntas que se proponen con cualquier fin.

cuesto. m. *Ast.* y *León.* Cuesta pendiente. ‖ **2. cerro,** monte de poca altura.

cuestor. (Del lat. *quaestor, -ōris.*) m. Magistrado romano que en la ciudad y en los ejércitos tenía funciones de carácter fiscal principalmente. ‖ **2.** El que demanda o pide limosna para el prójimo o para llevar a cabo una obra benéfica.

cuestuario, ria. (Del lat. *quaestuarĭus.*) adj. p. us. **cuestuoso.**

cuestuoso, sa. (Del lat. *quaestuōsus.*) adj. p. us. Dícese de lo que trae o adquiere ganancia, interés o logro.

cuestura. (Del lat. *quaestūra.*) f. Dignidad o empleo de cuestor romano.

cuétano. m. *El Salv.* Oruga de cierta clase de mariposas.

cuete. m. *Méj.* Lonja de carne que se saca del muslo de la res.

cueto. (De *coto*[1].) m. Sitio alto y defendido. ‖ **2.** Colina de forma cónica, aislada, y por lo común peñascosa.

cueva. (Del lat. **cova.*) f. Cavidad subterránea más o menos extensa, ya natural, ya construida artificialmente. ‖ **2. sótano.** ‖ **de ladrones.** fig. Casa donde se acoge gente de mal vivir.

cuévano. (Del lat. *cophĭnus,* y este del gr. κόφινος.) m. Cesto grande y hondo, poco más ancho de arriba que de abajo, tejido de mimbres, que sirve para llevar la uva en el tiempo de la vendimia, y para algunos otros usos. ‖ **2.** Cesto más pequeño que llevan las pasiegas a la espalda, a manera de mochila, para lo cual tiene dos asas con que se afianza en los hombros. Úsanlo tanto para transportar géneros como para llevar a sus hijos pequeños.

cuevero. m. El que tiene por oficio hacer cuevas.

cuexca. f. *Germ.* **casa,** edificio para habitarlo.

cueza. f. **cuezo.** ‖ **2.** ant. Cierta medida de granos.

cuezo. (De or. inc.) m. Artesilla de madera, en que amasan el yeso los albañiles. ‖ **2.** ant. Cuévano pequeño. ‖ **meter el cuezo.** fr. fig. y fam. Introducirse indiscreta e imprudentemente en alguna conversación o negocio.

cúfico, ca. (Del ár. *Kūfa,* n. p. de una ciudad sobre el brazo occidental del Éufrates.) adj. Aplícase a ciertos caracteres empleados antiguamente en la escritura arábiga.

cugujada. f. **cogujada.**

cugujón. m. ant. **cogujón.**

cugulla. f. **cogulla.**

cui. m. *Argent., Chile* y *Ecuad.* **cuy,** cobayo, conejillo de Indias. Existen los plurales **cuis** y **cuises.**

cuicacoche. f. Ave canora de Méjico, algo menor que el tordo, con las plumas del pecho y del vientre amarillas, y las demás grises o negras.

cuico, ca. adj. Voz con que en diversos puntos de América se designa a los naturales de otras regiones. ‖ **2.** m. despect. *Méj.* Guarda o agente de policía.

cuicuy. (Del mapuche *cuycuy,* puente.) m. *Chile.* Árbol derribado que sirve de puente.

cuida. f. En los colegios, colegiala encargada de cuidar de otra de tierna edad. ‖ **2.** ant. **cuidado,** solicitud, atención.

cuidado. (Del lat. *cogitātus,* pensamiento.) m. Solicitud y atención para hacer bien alguna cosa. ‖ **2.** Acción de **cuidar,** asistir, guardar, conservar. *El* CUIDADO *de los enfermos, la ropa, la casa.* ‖ **3.** Recelo, preocupación, temor. ‖ **correr** una cosa **al cuidado de** alguien. fr. Estar obligado a responder de ella. ‖ **¡cuidado!** interj. que se emplea en son de amenaza o para advertir la proximidad de un peligro o la contingencia de caer en error. ‖ **2.** Se usa a veces con sentido ponderativo o simplemente para llamar la atención. ¡CUIDADO *con el niño, que no se le puede aguantar*! ¡CUIDADO *que es listo el muchacho*! Suele ir esta expresión acompañada de otra que aclare o complete el concepto. ‖ **¡cuidado conmigo!** expr. fam. con que se amenaza a alguien. ‖ **cuidado me llamo.** expr. fam. que se usa para amenazar, particularmente a los muchachos, con el castigo, si no hacen bien alguna cosa. ‖ **de cuidado.** loc. adj. Que ha de ser tratado con cautela, que es peligroso. ‖ **estar de cuidado.** fr. fam. Estar gravemente enfermo o en peligro de muerte. ‖ **salir de cuidado,** o **de su cuidado,** una mujer. fr. fig. **parir.** ‖ **sin cuidado.** loc adv. Con ciertos verbos como *traer, tener,* o *dejar,* no producir algo inquietud o preocupación alguna, dejar indiferente.

cuidador, ra. adj. Que cuida. Ú. t. c. s. ‖ **2.** Muy solícito y cuidadoso. ‖ **3.** ant. Muy pensativo, metido en sí.

cuidadosamente. adv. m. Con cuidado, solicitud o diligencia.

cuidadoso, sa. (De *cuidado.*) adj. Solícito y diligente en ejecutar con exactitud alguna cosa. ‖ **2.** Atento, vigilante.

cuidar. (Del ant. *coidar,* y este del lat. *cogitāre,* pensar.) tr. Poner diligencia, atención y solicitud en la ejecución de una cosa. ‖ **2.** Asistir, guardar, conservar. CUIDAR *a un enfermo, la casa, la ropa.* Seguido de la prep. *de,* ú. t. c. intr. CUIDAR DE *la hacienda,* DE *los niños.* ‖ **3.** Discurrir, pensar. ‖ **4.** prnl. Mirar alguien por su salud, darse buena vida. ‖ **5.** Seguido de la prep. *de,* vivir con advertencia respecto de una cosa. *No* SE CUIDA DEL *qué dirán.*

cuido. m. Acción de cuidar. Úsase principalmente tratándose de cosas materiales. *El* CUIDO *de la huerta, del ganado.*

cuidosamente. adv. m. ant. **cuidadosamente.**

cuidoso, sa. adj. p. us. **cuidadoso.** ‖ **2.** ant. Angustioso, fatigoso, congojoso.

cuija. f. *Méj.* Lagartija pequeña y muy delgada. ‖ **2.** fig. *Méj.* Mujer flaca y fea.

cuin, na. m. y f. *And.* **conejillo de Indias.**

cuino. (Voz onomatopéyica.) m. *Méj.* Cerdo más gordo que el ordinario y de patas cortas. ‖ **2.** *Ast.* Cerdo. ‖ **3.** *Ast.* Voz para llamar al cerdo.

cuis. m. *Argent.* y *Chile.* **cuy.** Su plural es **cuises.**

cuita[1]. (De *cuitar.*) f. Trabajo, aflicción, desventura. ‖ **2.** ant. Ansia, anhelo, deseo vehemente.

cuita[2]. f. *Amér. Central.* Estiércol de las aves.

cuitadamente. adv. m. Con cuita.

cuitadez. (De *cuitado.*) f. ant. Propensión a tener muchas cuitas.

cuitado, da. (De *cuitar.*) adj. Afligido, desventurado. ‖ **2.** fig. Apocado, de poca resolución y ánimo.

cuitamiento. (De *cuitar.*) m. Apocamiento, cortedad de ánimo.

cuitar. (Del occitano ant. *coitar.*) tr. ant. **acuitar.** Usáb. t. c. intr. y prnl. ‖ **2.** prnl. ant. Darse mucha prisa, anhelar por alcanzar algo.

cuitear. (De *cuita*[2].) intr. *Amér. Central.* Defecar las aves. Ú. m. c. prnl.

cuitoso, sa. (De *cuita*[1].) adj. ant. Urgente, apresurado.

cuja[1]. (Del lat. *coxa,* cadera.) f. Bolsa de cuero asida a la silla del caballo, para meter el cuento de la lanza o bandera. ‖ **2.** Anillo de hierro sujeto al estribo derecho, en el que los soldados lanceros colocan el cuento de su arma. ‖ **3.** ant. **muslo.**

cuja[2]. (Del fr. *couche.*) f. desus. Armadura de la cama. ‖ **2.** *Amér.* Cama de distintos tipos y materiales.

cujara. f. ant. **cuchara.**

cuje. (De etim. disc.) m. Vara horizontal que se coloca sobre otras dos verticales, en la que se cuelgan las mancuernas en la recolección del tabaco.

cují. m. *Col.* y *Venez.* **aromo.**

cujisal. m. *Venez.* Terreno o sitio poblado de cujíes.

cujón. m. **cogujón.**

culada. f. Golpe dado con las asentaderas o cayendo sobre ellas.

culantrillo. (d. de *culantro.*) m. Hierba de la clase de las filicíneas, con hojas de uno a dos decímetros, divididas en lóbulos a manera de hojuelas redondeadas, con pedúnculos delgados, negruzcos y lustrosos. Se cría en las paredes de los pozos y otros sitios húmedos, y suele usarse su infusión como medicamento pectoral y emenagogo.

culantro. (Del m. or. que *coriandro.*) m. **cilantro.**

cular. adj. Perteneciente al culo. ‖ **2.** Dícese de la morcilla o chorizo hechos con la tripa más gruesa.

culas. f. pl. fam. En el juego de la argolla, **bocas.**

culata. f. **anca,** parte posterior de una caballería. ‖ **2.** Parte posterior de la caja de la escopeta, pistola o fusil, que sirve para asir y afianzar estas armas cuando se hace la puntería y se disparan. ‖ **3.** Parte posterior del tubo de cualquier arma grande o pieza de artillería. ‖ **4.** fig. Parte posterior o más retirada de una cosa; como la trasera del coche de caballos. ‖ **5.** En algunas partes de América, **hastial.** ‖ **6.** *Mec.* Pieza metálica que se ajusta al bloque de los motores de explosión y cierra el cuerpo de los cilindros. ‖ **dar de culata.** fr. Apartar un poco el coche, levantando a mano el juego trasero sin mover el delantero.

culatazo. m. Golpe dado con la culata de un arma. ‖ **2.** Coz que da el fusil, la escopeta, etc., al tiempo de disparar.

culcumeque. (Del nahua *cuculi,* enfermo, y *miqui,* muerto.) adj. *El Salv.* Enfermizo. ‖ **2.** *El Salv.* Miedoso, cobarde.

culcusido. m. fam. **corcusido.**

culebra. (Del lat. *colŭbra.*) f. Reptil ofidio sin pies, de cuerpo aproximadamente cilíndrico y muy largo respecto de su grueso; cabeza aplanada, boca grande y piel pintada simétricamente con colores diversos, escamosa, y cuya parte externa o epidermis muda por completo el animal de tiempo en tiempo. Hay muchas especies, diversas en tamaño, coloración y costumbres. ‖ **2. serpentín,** tubo espiral o quebrado de los alambiques. ‖ **3.** Canal muy tortuosa que hace en el corcho la larva de un insecto coleóptero de poco más de un centímetro de largo y color verde bronceado, que vive en los alcornocales. ‖ **4.** fig. y fam. Chasco que se se da a alguien; como los golpes que los presos de la cárcel daban por la noche al que entraba de nuevo y no pagaba la patente. ‖ **5.** fig. y fam. Desorden, alboroto promovido de repente por unos pocos en medio de una reunión pacífica. ‖ **6.** *Mar.* Cabo delgado con que se aferran las velas menudas y se amadrinan cabos o palos, dándole vueltas en espiral. ‖ **ciega. anfisbena,** reptil saurio. ‖ **de cascabel. crótalo,** serpiente venenosa. ‖ **de cristal. lución.** ‖ **hacer culebra.** fr. **culebrear.** ‖ **liársele** a alguien **la culebra.** fr. fig. y fam. Verse en grave conflicto por causas imprevistas e inesperadas. ‖ **saber más que las culebras.** fr. fig. y fam. Ser muy sagaz para su provecho.

culebrazo. m. **culebra,** chasco que se da a alguien.

culebrear. (De *culebra.*) intr. Andar formando eses y pasándose de un lado a otro.

culebreo. m. Acción y efecto de culebrear.

culebrera. (De *culebra.*) f. **águila culebrera.**

culebrilla. (d. de *culebra.*) f. Enfermedad viral que se manifiesta por un exantema en el que las vesículas se disponen a lo largo de los nervios, por lo cual son muy dolorosas. ‖ **2. dragontea.** ‖ **3.** Cierta hendidura que queda en los cañones de los fusiles y otras armas de fuego cuando el hierro no está bien trabajado. ‖ **4. anfisbena,** reptil saurio. ‖ **5.** V. **papel de culebrilla.** ‖ **de agua.** Especie de culebra de pequeño tamaño. Vive en sitios húmedos y puede nadar gracias a las rápidas ondulaciones de su cuerpo.

culebrina. (De *culebra.*) f. Antigua pieza de artillería, larga y de poco calibre. ‖ **2.** V. **cuarto de culebrina.** ‖ **3.** Meteoro eléctrico y luminoso con apariencia de línea ondulada.

culebro. m. ant. **culebra,** reptil ofidio sin pies.

culebrón. m. aum. de **culebra.** ‖ **2.** fig. y fam. Hombre muy astuto y solapado. ‖ **3.** fig. y fam. Mujer intrigante y de mala reputación. ‖ **4.** fig. Telenovela sumamente larga y de acentuado carácter melodramático.

culeca. adj. *Ar.* y *Amér.* **clueca.**

culén. (De or. mapuche.) m. **albahaquilla de Chile.**

culera. (De *culo.*) f. Señal que en las mantillas de los niños dejan las manchas excrementicias. ‖ **2.** Remiendo en los calzones o pantalones sobre la parte que cubre las asentaderas. ‖ **3.** Mancha, desgaste, parche o remiendo en la parte de la prenda que cubre las nalgas.

culero, ra. (De *culo.*) adj. Perezoso, que hace las cosas después que todos. ‖ **2.** m. Especie de bolsa de lienzo que se pone a los niños en la parte posterior, para su limpieza. ‖ **3. granillo,** tumorcillo encima de la rabadilla que padecen algunas aves.

culi. (Del ing. *coolie,* y este del hindi *kulī.*) m. En la India, China y otros países de Oriente, trabajador o criado indígena.

culiacanense. adj. Natural de Culiacán, capital del Estado mejicano de Sinaloa. Ú. t. c. s. ‖ **2.** Perteneciente o relativo a dicha capital.

culiacano, na. adj. **culiacanense.**

culícido. (Del lat. *culex, -ĭcis,* mosquito.) adj. *Zool.* Dícese de insectos dípteros del suborden de los nematóceros, provistos de una probóscide que contiene cuatro o más cerdas fuertes, las cuales utilizan las hembras para perforar la piel del hombre y los animales y chupar la sangre de que se alimentan. Los machos viven de jugos vegetales. Se desarrollan en el agua, en cuya superficie depositan sus huevos las hembras. ‖ **2.** m. pl. *Zool.* Familia de estos animales.

culillo. m. d. de **culo.** ‖ **2.** *Col., Ecuad., El Salv., Nicar., Pan., P. Rico* y *Sto. Dom.* Miedo. Ú. especialmente con los verbos *dar, entrar* y *tener.* ‖ **3.** *Nicar.* Inquietud, preocupación. ‖ **4.** *Cuba.* Prisa, impaciencia.

culinario, ria. (Del lat. *culinarĭus.*) adj. Perteneciente o relativo a la cocina. ‖ **2.** f. Arte de guisar.

culinegro, gra. adj. fam. De culo negro.

culminación. f. Acción y efecto de culminar. ‖ **2.** *Astron.* Momento en que un astro ocupa el punto más alto a que puede llegar sobre el horizonte.

culminante. (Del lat. *culmĭnans, -antis.*) p. a. de **culminar.** ‖ **2.** adj. Aplícase a lo más elevado de un monte, edificio, etc. ‖ **3.** fig. Superior, sobresaliente, principal. ‖ **4.** *Astron.* Dícese del punto más alto en que puede hallarse un astro sobre el horizonte.

culminar. (Del lat. *culmināre,* levantar, elevar.) intr. Llegar una cosa al grado más elevado, significativo o extremado que pueda tener. ‖ **2.** *Astron.* Pasar un astro sobre el meridiano superior del observador. ‖ **3.** tr. Dar fin o cima a una tarea.

culo. (Del lat. *cūlus.*) m. Nalgas. ‖ **2.** Zona carnosa que, en los animales, rodea el ano. ‖ **3. ano.** ‖ **4.** fig. Extremidad inferior o posterior de una cosa. CULO *del pepino, del vaso.* ‖ **5.** En el juego de la taba, parte más plana, opuesta a la carne. ‖ **6.** fig. y fam. Escasa porción de líquido que queda en el fondo de un vaso. ‖ **de mal asiento.** fig. y fam. Persona inquieta que no está a gusto en ninguna parte. ‖ **de pollo.** fig. Punto mal cosido en la media o tela, de modo que sobresale y abulta. ‖ **de vaso.** fig. y fam. Piedra falsa que imita alguna de las preciosas. ‖ **a culo pajarero.** loc. adv. Con las nalgas desnudas. Ú. principalmente con los verbos *azotar* y *pegar.* ‖ **caerse de culo.** fig. y fam. Quedarse atónito y desconcertado ante algo inesperado. ‖ **dar con el culo,** o **de culo, en las goteras.** fr. fig. y fam. Quedarse pobre por haber disipado en poco tiempo todo el caudal. ‖ **que lo pague el culo del fraile.** fr. fig. y fam. con que se da a entender que a uno le echan cargas que debían repartirse entre otros, o que de ordinario le achacan culpas ajenas. ‖ **ser el culo del fraile.** fr. fig. y fam. **que lo pague el culo del fraile.**

culombio. (De *coulomb.*) m. *Fís.* Unidad de carga eléctrica en el sistema basado en el metro, el kilogramo, el segundo y el amperio. Es la carga que un amperio transporta cada segundo.

culón, na. (De *culo.*) adj. Que tiene muy abultadas las posaderas. ‖ **2.** m. fig. y fam. Soldado inválido.

culote[1]. (Del fr. *culot.*) m. *Art.* Macizo de hierro que algunos proyectiles tienen en el sitio opuesto a la boca de la espoleta, con diversos fines. ‖ **2.** Restos de fundición que quedan en el fondo del crisol.

culote[2]. (Del fr. *culotte.*) m. *Urug.* Braga femenina.

culpa. (Del lat. *culpa.*) f. Falta más o menos grave, cometida a sabiendas y voluntariamente. ‖ **2.** fig. Responsabilidad, causa involuntaria de un suceso o acción imputable a una persona. ‖ **3.** V. **capítulo de culpas.** ‖ **jurídica.** La que da motivo para exigir legalmente alguna responsabilidad. ‖ **lata.** La del que no previno ni aun lo que hubiera prevenido un hombre descuidado y negligente. ‖ **leve.** La del que no empleó aquellos medios y diligencias que emplearía un hombre cuidadoso y exacto. ‖ **levísima.** Aquella en que suele incurrir cualquiera, aunque cuidadoso, en sus mismos negocios. ‖ **teológica.** Pecado o transgresión voluntaria de la ley de Dios. ‖ **absolver a culpa y pena.** fr. Absolver plenariamente, como en los jubileos. ‖ **echar la culpa** a alguien. fr. Atribuirle la falta o delito que se presume ha cometido.

culpabilidad. (De *culpable.*) f. Calidad de culpable.

culpabilísimo, ma. adj. sup. de **culpable.**

culpable. (Del lat. *culpabĭlis.*) adj. Que tiene culpa o se le imputa. Ú. t. c. s. ‖ **2.** Dícese también de las acciones y de las cosas inanimadas. ‖ **3.** Delincuente responsable de un delito. Ú. t. c. s.

culpablemente. adv. m. Con culpa; de modo que deba imputarse a culpa.

culpación. (Del lat. *culpatio, -ōnis.*) f. Acción de culpar o culparse.

culpado, da. p. p. de **culpar.** ‖ **2.** adj. Que ha cometido culpa. Ú. t. c. s.

culpante. adj. ant. **culpable.**

culpar. (Del lat. *culpāre.*) tr. Atribuir la culpa. Ú. t. c. prnl.

culpeo. (Del mapuche *culpeu.*) m. *Chile.* Especie de zorra más grande que la común europea, de color más oscuro y cola menos pelosa.

culposo, sa. (De *culpa.*) adj. Dícese del acto u omisión imprudente o negligente que origina responsabilidades. ‖ **2.** ant. **culpado,** que ha cometido culpa.

cultalatiniparla. (De las palabras *culto, latín* y *parlar,* burlescamente latinizadas.) f. fest. Lenguaje afectado y laborioso de los cultiparlistas.

cultamente. adv. m. Con cultura. ‖ **2.** fig. Con afectación.

cultedad. f. fest. Calidad de culterano o culto.

culteranismo. m. Estilo literario desarrollado en España desde finales del siglo XVI y a lo largo del siglo XVII, caracterizado, entre otros rasgos, por la riqueza de metáforas, el uso de cultismos y la complejidad sintáctica, y considerado despectivamente estilo oscuro y afectado, en su época y posteriormente.

culterano, na. (De *cultero.*) adj. Perteneciente o relativo al culteranismo. ‖ **2.** Dícese del escritor que practicaba este estilo literario. Ú. t. c. s.

cultería. (De *cultero.*) f. fest. **cultedad.**

cultero, ra. (De *culto.*) adj. fest. **culterano.** Ú. m. c. s.

cultiello. (Del lat. *cultellus,* cuchillo.) m. ant. **cuchillo.**

cultiparlar. (De *culto* y *parlar.*) intr. Hablar como los culteranos o cultos.

cultiparlista. (De *cultiparlar.*) adj. Que habla incurriendo en los vicios del culteranismo. Ú. m. c. s.

cultipicaño, ña. adj. fest. Culto, en el mal sentido de esta palabra, y picaresco conjuntamente.

cultismo. m. p. us. **culteranismo.** ‖ **2.** Palabra culta o erudita. ‖ **3.** *Ling.* Vocablo procedente de una lengua clásica que penetra por vía culta en una lengua moderna sin pasar por las transformaciones fonéticas normales en las voces populares. ‖ **4.** *Ling.* Construcción o acepción propias y privativas de una lengua clásica y recreadas en una lengua moderna, casi siempre con fines expresivos. CULTISMO *semántico,* CULTISMO *sintáctico.*

cultivable. adj. Que se puede cultivar.

cultivación. (De *cultivar.*) f. Cultivo o cultura.

cultivado, da. p. p. de **cultivar.** ‖ **2.** adj. Dícese del que ha adquirido cultura y refinamiento.

cultivador, ra. adj. Que cultiva. Ú. t. c. s. ‖ **2.** m. Instrumento agrícola destinado a cultivar la tierra durante el desarrollo de las plantas.

cultivar. (De *cultivo.*) tr. Dar a la tierra y las plantas las labores necesarias para que fructifiquen. ‖ **2.** fig. Dicho del conocimiento, del trato o de la amistad, poner todos los medios necesarios para mantenerlos y estrecharlos. ‖ **3.** fig. Con las palabras *talento, ingenio, memoria,* etc., desenvolver, ejercitar estas facultades y potencias. ‖ **4.** fig. Con las voces *artes, ciencias, lenguas,* etc., ejercitarse en ellas. ‖ **5.** *Microbiol.* Sembrar y hacer que se desarrollen microorganismos sobre sustancias apropiadas. ‖ **6.** Por ext., criar y explotar seres vivos con fines industriales, económicos o científicos.

cultivo. (De *culto.*) m. Acción y efecto de cultivar. ‖ **2.** V. **capataz de cultivo.** ‖ **3.** *Biol.* Cría y explotación de ciertos animales. CULTIVO *del gusano de seda.* ‖ **intensivo.** El que prescinde de los barbechos y, mediante abonos y riegos, hace que la tierra, sin descansar, produzca las cosechas.

culto, ta. (Del lat. *cultus.*) adj. Dícese de las tierras y plantas cultivadas. ‖ **2.** fig. Dotado de las calidades que provienen de la cultura o instrucción. *Persona* CULTA; *pueblo, lenguaje* CULTO. ‖ **3.** p. us. fig. **culterano.** ‖ **4.** m. Homenaje externo de respeto y amor que el cristiano tributa a Dios, a la Virgen, a los ángeles, a los santos y a los beatos. ‖ **5.** Conjunto de ritos y ceremonias litúrgicas con que se tributa homenaje. ‖ **6.** Honor que se tributa religiosamente a lo que se considera divino o sagrado. ‖ **7.** Por ext., admiración afectuosa de que son objeto algunas cosas. *Rendir* CULTO *a la belleza.* ‖ **8. cultivo.** ‖ **9.** adv. m. Con cultura de estilo. ‖ **de dulía.** *Teol.* El que se tributa a los ángeles y a los santos. ‖ **de hiperdulía.** *Teol.* El que se tributa a la Virgen. ‖ **de latría.** *Teol.* El que se tributa a Dios. ‖ **externo.** *Rel.* El que consiste en demostraciones exteriores, como sacrificios, procesiones, cantos sagrados, adoraciones, súplicas, ofrendas y dones. ‖ **indebido.** *Rel.* El que es supersticioso o contrario a los preceptos de la Iglesia. ‖ **interno.** *Rel.* El que se tributa a Dios interiormente con actos de fe, esperanza y caridad. ‖ **superfluo.** *Rel.* El que se da por medio de cosas vanas e inútiles o dirigiéndolo a otros fines que los que tiene aprobados la Iglesia. ‖ **supersticioso.** El que se da a quien no se debe dar o se le tributa indebidamente aunque lo merezca.

cultor, ra. (Del lat. *cultor, -ōris.*) adj. **cultivador.** Ú. t. c. s. ‖ **2.** Que adora o venera alguna cosa. Ú. t. c. s.

cultoso, sa. adj. ant. **culto.**

cultual. adj. p. us. **cultural.** ‖ **2.** Perteneciente o relativo al culto religioso.

cultura. (Del lat. *cultūra.*) f. **cultivo.** ‖ **2.** ant. **culto,** homenaje reverente que se tributa a Dios. ‖ **3.** Resultado o efecto de cultivar los conocimientos humanos y de afinarse por medio del ejercicio las facultades intelectuales del hombre. ‖ **4.** Conjunto de modos de vida y costumbres, conocimientos y grado de desarrollo artístico, científico, industrial, en una época o grupo social, etc. ‖ **física.** Conjunto de conocimientos sobre gimnasia y deportes, y práctica de ellos, encaminados al pleno desarrollo de las facultades corporales. ‖ **popular.** Conjunto de las manifestaciones en que se expresa la vida tradicional de un pueblo.

-cultura. (Del lat. *cultūra.*) Elemento compositivo pospuesto con el significado de «cultivo, crianza».

cultural. adj. Perteneciente o relativo a la cultura.

culturalista. adj. Se aplica a ciertas tendencias intelectuales, manifiestas especialmente en creaciones literarias, que se caracterizan por el frecuente empleo de referencias artísticas y literarias. Apl. a pers., ú. t. c. s.

culturar. (De *cultura.*) tr. **cultivar** la tierra.

culturismo. (Cf. al. *Körperkultur,* fr. *culturisme.*) m. *Dep.* Práctica sistemática de ejercicios gimnásticos encaminada al desarrollo de los músculos.

culturista. com. Persona que practica el culturismo.

culturización. f. Acción y efecto de culturizar.

culturizar. tr. Civilizar, incluir en una cultura.

culle. m. *Chile.* Hierba oxalídea, cuyo zumo se usa como bebida refrescante.

cullerense. adj. Natural de Cullera. Ú. t. c. s. ‖ **2.** Perteneciente o relativo a esta población de la provincia de Valencia.

cuma. f. *Amér. Central.* Cuchillo corvo para rozar y podar.

cumanagoto, ta. adj. Natural de Cumaná. Ú. t. c. s. ‖ **2.** Perteneciente o relativo a esta antigua provincia de Venezuela. ‖ **3.** m. Dialecto caribe de los **cumanagotos.**

cumanés, sa. adj. *Venez.* Natural de Cumaná, capital

del Estado venezolano de Sucre. Ú. t. c. s. ‖ **2.** Perteneciente o relativo a dicha capital.

cumano, na. (Del lat. *Cumānus.*) adj. Natural de Cumas. Ú. t. c. s. ‖ **2.** Perteneciente o relativo a esta ciudad de la Italia antigua.

cumarú. (De or. guaraní.) m. *Amér. Central.* Árbol gigantesco de la familia de las papilionáceas, de madera laborable, pero más conocido por su fruto, que es una almendra grande que se utiliza en perfumería y de la que se hace también una bebida alcohólica.

cumba. f. *Hond.* y *Nicar.* Jícara grande o calabaza de boca ancha.

cumbarí. adj. *Argent.* Dícese de un ají o pimiento muy rojo y picante.

cumbé. m. Danza de Guinea Ecuatorial. ‖ **2.** Son de esta danza.

cumbearse. prnl. *Hond.* Dirigirse elogios recíprocamente dos o más personas.

cumbia. f. Danza popular, una de cuyas figuras se caracteriza por llevar los danzantes una vela encendida en la mano.

cumbiamba. f. *Col.* **cumbia.**

cumbo. m. *Hond.* Calabaza de boca angosta o calabaza vinatera. ‖ **2.** *Hond.* Recipiente formado con la corteza de esta calabaza. ‖ **3.** *El Salv.* Calabaza de boca cuadrada. ‖ **4.** *Hond.* Elogio excesivo o interesado dirigido a una persona.

cumbral. m. Caballete del tejado.

cumbre. (Del lat. *culmen, -ĭnis.*) f. Cima o parte superior de un monte. ‖ **2.** fig. La mayor elevación de una cosa o último grado a que puede llegar. ‖ **3.** fig. Reunión de máximos dignatarios nacionales o internacionales, para tratar asuntos de especial importancia.

cumbrera. (De *cumbre.*) f. **parhilera.** ‖ **2.** Pieza de madera de veinticuatro o más pies de longitud y con una escuadría de diez pulgadas de tabla por nueve de canto. Es marco usado en Cádiz y en Canarias. ‖ **3. dintel.** ‖ **4.** Caballete del tejado. ‖ **5. cumbre** de un monte.

cúmel. (Del al. *Kümmel,* comino.) m. Aguardiente aromatizado con comino, de sabor muy dulce.

cumiche. m. *Amér. Central.* El más joven de los hijos de una familia.

cumínico. (Del lat. *cumīnum,* y este del gr. κύμινον.) adj. *Quím.* Dícese del ácido que se obtiene del comino.

cuminol. m. *Quím.* Aceite esencial que se extrae del comino.

cúmplase. (imper. de *cumplir.*) m. Decreto que se ponía en el título de los funcionarios públicos para que pudiesen tomar posesión del cargo o destino que se les había conferido. ‖ **2.** Fórmula que ponen los presidentes de algunas repúblicas americanas al pie de las leyes cuando se publican.

cumpleaños. m. Aniversario del nacimiento de una persona.

cumplidamente. adv. m. Entera, cabalmente.

cumplidero, ra. (De *cumplido.*) adj. Dícese de los plazos que se han de cumplir a cierto tiempo. ‖ **2.** Que conviene o importa para alguna cosa.

cumplido, da. p. p. de **cumplir.** ‖ **2.** adj. Lleno, cabal. ‖ **3.** Acabado, perfecto. CUMPLIDO *caballero; victoria* CUMPLIDA. ‖ **4.** Dicho de ciertas cosas, largo o abundante. *Vestido* CUMPLIDO. ‖ **5.** Exacto en todos los cumplimientos, atenciones o muestras de urbanidad para con todos. ‖ **6.** V. **soldado cumplido.** ‖ **7.** m. Acción obsequiosa o muestra de urbanidad. *Es hacer un* CUMPLIDO *dar un parabién o un pésame*; *esta alhaja es para un* CUMPLIDO. ‖ **8.** *Mar.* Largura o longitud de una cosa.

cumplidor, ra. adj. Que cumple o da cumplimiento. Ú. t. c. s.

cumplimentar. (De *cumplimiento.*) tr. Dar parabién o hacer visita de cumplimiento a alguien con motivo de algún acaecimiento próspero o adverso. ‖ **2.** *Der.* Poner en ejecución los despachos u órdenes superiores.

cumplimentero, ra. adj. fam. Que hace demasiados cumplimientos. Ú. t. c. s.

cumplimiento. (Del lat. *complementum.*) m. Acción y efecto de cumplir o cumplirse. ‖ **2. cumplido,** obsequio. ‖ **3.** Oferta que se hace por pura urbanidad o ceremonia. ‖ **4.** Perfección en el modo de obrar o de hacer alguna cosa. ‖ **5. complemento,** colmo o perfección. ‖ **6.** ant. Abasto o provisión de alguna cosa. ‖ **7.** ant. **sufragio,** obra buena. ‖ **de,** o **por, cumplimiento.** loc. adv. De, o por, pura ceremonia o urbanidad.

cumplir. (Del lat. *complēre.*) tr. Ejecutar, llevar a efecto. CUMPLIR *un deber, una orden, un encargo, un deseo, una promesa.* ‖ **2.** Remediar a alguien y proveerle de lo que le falta. ‖ **3.** Dicho de la edad, llegar a tener aquella que se indica o un número cabal de años o meses. *Hoy* CUMPLE *Juan catorce años.* ‖ **4.** intr. Hacer alguien aquello que debe o a que está obligado. CUMPLIR *con Dios, con un amigo*; CUMPLIÓ *como debía.* ‖ **5.** Terminar alguien en la milicia el tiempo de servicio a que está obligado. ‖ **6.** Ser el tiempo o día en que termina una obligación, empeño o plazo. Ú. t. c. prnl. ‖ **7.** Convenir, importar. ‖ **8.** ant. Bastar, ser suficiente. ‖ **9.** prnl. Verificarse, realizarse. ‖ **cumplir con** alguien. fr. Satisfacer la obligación de cortesía que se tiene para con él. ‖ **cumplir con todos.** fr. Hacer a cada uno el obsequio que le corresponde. ‖ **cumplir** uno **por** otro. fr. Hacer una expresión o cumplido en nombre de otro. CUMPLA *usted* POR *mí.* ‖ **por cumplir.** loc. adv. Por mera cortesía o solamente por no caer en falta. *Le hizo una visita* POR CUMPLIR.

cumquibus. (Del lat. *cum quibus,* con los cuales.) m. ant. **dinero,** moneda. ‖ **2.** fam. **dinero,** caudal.

cumulación. (Del lat. *cumulatio, -onis.*) f. ant. Acción y efecto de cumular.

cumulador, ra. (Del lat. *cumulātor, -ōris.*) adj. p. us. **acumulador,** que acumula.

cumular. (Del lat. *cumulāre.*) tr. p. us. **acumular.**

cumulativamente. adv. m. *Der.* **acumulativamente.**

cumulativo, va. adj. **acumulativo.**

cúmulo. (Del lat. *cumŭlus.*) m. Montón, junta de muchas cosas puestas unas sobre otras. ‖ **2.** fig. Junta, unión o suma de muchas cosas, aunque no sean materiales, como de negocios, de trabajos, de razones, etc. ‖ **3.** *Meteor.* Conjunto de nubes propias del verano, que tiene apariencia de montañas nevadas con bordes brillantes. ‖ **estelar.** *Astron.* Agrupación, muy espesa a la vista, de estrellas de magnitud aparentemente pequeñísima; como la Vía Láctea.

cuna[1]**.** (Del lat. *cūna.*) f. Cama pequeña para niños con bordes altos o barandillas laterales. También las hay dispuestas para poderlas mecer. ‖ **2.** En algunas partes, **inclusa**[1]**.** ‖ **3.** Puente rústico formado por dos maromas paralelas y listones de madera atravesados sobre ellas. ‖ **4.** fig. Patria o lugar del nacimiento de alguien. ‖ **5.** fig. Estirpe, familia o linaje. *De humilde, de ilustre* CUNA. ‖ **6.** fig. Origen o principio de una cosa. ‖ **7.** fig. Espacio comprendido entre los cuernos de una res bovina. ‖ **8.** *Mar.* **basada.** ‖ **conocer** a alguien **desde** su **cuna.** fr. fig. Conocerle desde muy niño.

cuna[2]**.** adj. Dícese de un grupo de indios, que habita en algunas regiones de Panamá y Colombia. Ú. t. c. s. ‖ **2.** m. Lengua de estos indios.

cunacho. (Del lat. *canistrum,* a través del ár. *canach.*) m. *Burg.* y *Sor.* **cesto.**

cunaguaro. m. *Venez.* Animal carnicero muy feroz, de cerca de un metro de largo y piel roja con manchas sobre el lomo y los costados.

cunar. (De *cuna.*) tr. **cunear.**

cuncuna. f. *Col.* Paloma silvestre. ‖ **2.** *Chile.* **oruga.**

cuncurumbillos (en). loc. adv. *Gran.* **en bomborombillos.**

cuncho. m. **concho**[1].

cunchu. m. Afrecho, resto de la chicha.

cundango. m. *Cuba.* Afeminado.

cundeamor. m. **cundiamor.**

cundiamor. m. *Ant.* y *Venez.* Planta trepadora, de la familia de las cucurbitáceas, de flores en forma de jazmines y frutos amarillos, que contienen semillas muy rojas.

cundido, da. p. p. de **cundir.** ‖ **2.** m. Aceite, vinagre y sal que se da a los pastores, y en algunas partes lo que se da a los muchachos para que coman el pan; como miel, queso, aceite, etc.

cundidor, ra. adj. Que cunde. Dícese de las cosas.

cundinamarqués, sa. adj. Natural de Cundinamarca. Ú. t. c. s. ‖ **2.** Perteneciente o relativo a este departamento de Colombia.

cundir[1]**.** (De or. inc.; cf. gót. *kunds,* generación; esp. ant. *percundir.*) tr. ant. Ocupar, llenar. ‖ **2.** intr. Extenderse hacia todas partes una cosa. Se usa comúnmente referido a los líquidos, y en especial a aceite. ‖ **3.** Propagarse o multiplicarse una cosa. ‖ **4.** Dar mucho de sí una cosa; aumentarse su volumen. *El buen lino* CUNDE *porque da mucha hilaza; el arroz y el garbanzo* CUNDEN *al cocerse.* ‖ **5.** fig. Dicho de cosas inmateriales, extenderse, propagarse. ‖ **6.** fig. Dicho de trabajos materiales o intelectuales, adelantar, progresar.

cundir[2]**.** (Del lat. *condīre.*) tr. *Sal.* **condir**[2]**.**

cunear. tr. **acunar.** ‖ **2.** prnl. fig. y fam. Moverse a derecha e izquierda, como la cuna cuando la mecen.

cuneiforme. (Del lat. *cunĕus,* cuña, y *-forme.*) adj. De figura de cuña. Aplícase con más frecuencia a ciertos caracteres de forma de cuña o de clavo, que algunos pueblos de Asia usaron antiguamente en la escritura. ‖ **2.** *Bot.* Dícese de ciertas partes de la planta que tienen esta figura. *Hojas, pétalos* CUNEIFORMES. ‖ **3.** *Zool.* V. **hueso cuneiforme.** Ú. t. c. s.

cuneo. m. Acción y efecto de cunear o cunearse.

cúneo. (Del lat. *cunĕus.*) m. Cada uno de los espacios comprendidos entre los vomitorios de los teatros o anfiteatros antiguos. ‖ **2.** *Mil.* Formación triangular de un cuerpo de tropa que iba a chocar con otro por el vértice para romperlo o dividirlo.

cunera. f. Mujer que en palacio tenía por oficio mecer la cuna de los infantes.

cunero, ra. (De *cuna,* inclusa.) adj. En algunas partes, **expósito.** Ú. t. c. s. ‖ **2.** fig. Dícese del toro que se corre o lidia en la plaza, sin saberse o designarse la ganadería a que pertenece. ‖ **3.** fig. Aplícase al candidato o diputado a Cortes extraño al distrito y patrocinado por el gobierno.

cuneta. (Del it. *cunetta,* der. de *lacuna.*) f. Zanja de desagüe que se hace en medio de los fosos secos de las fortificaciones. ‖ **2.** Zanja en cada uno de los lados de un camino o carretera para recibir las aguas llovedizas.

cunicultor, ra. adj. Persona que practica la cunicultura. Ú. t. c. s.

cunicultura. (Del lat. *cunicŭlus,* conejo, y *-cultura.*) f. Arte de criar conejos para aprovechar su carne y sus productos.

cuntir. (Del lat. **contigĕre,* por *contingĕre,* suceder.) intr. ant. Acontecer, suceder, ocurrir.

cuña. (De *cuño.*) f. Pieza de madera o metal terminada en ángulo diedro muy agudo. Sirve para hender o dividir cuerpos sólidos, para ajustar, o apretar uno con otro, para calzarlos o para llenar alguna raja o hueco. ‖ **2.** Cualquier objeto que se emplea para estos mismos fines. ‖ **3.** Piedra de empedrar labrada en forma de pirámide truncada. ‖ **4.** Recipiente de poca altura y forma adecuada para recoger la orina y el excremento del enfermo que no puede abandonar el lecho. ‖ **5.** fig. **palanca,** influencia a favor de alguien. ‖ **6.** Noticia breve que se imprime para mejor ajuste de la plana en un periódico. ‖ **7.** En radio y televisión, espacio breve para publicidad. ‖ **8.** *Meteor.* Formación de determinadas presiones que penetran en zonas de presión distinta causando cambios atmosféricos. ‖ **9.** *Zool.* Cada uno de los huesos cuneiformes que forman parte del tarso de los mamíferos. ‖ **ser buena cuña.** fr. fig. y fam. irón. Dícese de la persona gruesa que se mete en lugar estrecho, incomodando a las demás.

cuñadadgo. m. ant. **cuñadío.**

cuñadería. (De *cuñado.*) f. ant. **compadrazgo.**

cuñaderío. m. ant. **cuñadío.**

cuñadez. f. ant. **cuñadía.**

cuñadía. (De *cuñado.*) f. **afinidad,** parentesco de un cónyuge con los deudos del otro.

cuñadío. m. ant. **cuñadía.**

cuñado, da. (Del lat. *cognātus.*) m. y f. Hermano o hermana del marido respecto de la mujer, y hermano o hermana de la mujer respecto del marido. ‖ **2.** ant. Pariente o parienta por afinidad, en cualquier grado.

cuñal. adj. ant. Sellado con cuño.

cuñar. (Del lat. *cuneāre,* de *cunĕus,* cuño.) tr. **acuñar**[1] moneda u otra pieza de metal.

cuñete. m. Cubeto o barril pequeño para líquido. ‖ **2.** Barril pequeño y basto que se emplea para envasar aceitunas y otras cosas preparadas, a fin de que se conserven largo tiempo.

cuño. (Del lat. *cunĕus,* cuña.) m. Troquel, ordinariamente de acero, con que se sellan la moneda, las medallas y otras cosas análogas. ‖ **2.** Impresión o señal que deja este sello. ‖ **3.** ant. **cuña.** ‖ **4.** ant. Montón o pelotón. ‖ **5.** *Mil.* **cúneo,** formación triangular de un cuerpo de tropa. ‖ **de nuevo cuño.** loc. que se aplica al que ha ingresado recientemente en una profesión, gremio o clase social.

cuociente. (Del lat. *quotiens, -entis,* de *quot,* cuantos.) m. desus. *Álg.* y *Arit.* **cociente.**

cuodlibetal. adj. **cuodlibético.**

cuodlibético, ca. adj. Perteneciente al cuodlibeto, o que participa de su índole.

cuodlibeto. (Del b. lat. *quodlibetum,* y este del lat. *quodlibet,* lo que agrada, lo que se quiere.) m. Discusión sobre un punto científico elegido al arbitrio del autor. ‖ **2.** Uno de los ejercicios en las antiguas universidades, en que disertaba el graduando sobre materia elegida a su gusto. ‖ **3.** Dicho mordaz, agudo a veces, trivial e insulso las más, no dirigido a ningún fin útil, sino a entretener.

cuomo. (Del lat. *quomŏdo.*) adv. m. ant. **como**[2]**.**

cuota. (Del lat. *quota,* t. f. de *-tus,* cuanto.) f. Parte o porción fija y proporcional. ‖ **2.** Cantidad de dinero asignada a cada contribuyente en el repartimiento o lista cobratoria. ‖ **3.** Pago en metálico mediante el cual se permitía a los reclutas gozar de ciertas ventajas y reducción de plazo en el servicio militar. ‖ **vidual,** o **viudal.** *Der.* Nombre de la legítima usufructuaria del cónyuge superviviente.

cuotalitis. f. *Der.* **pacto de cuotalitis.**

cuotear. tr. *Chile.* **prorratear,** repartir algo equitativamente entre varios.

cuotidiano, na. (Del lat. *quotidiānus,* diario.) adj. **cotidiano.**

cupana. f. *Venez.* Árbol pequeño, frondoso, de la familia de las sapindáceas, con cuyo fruto hacen los indios tortas alimenticias y una bebida estomacal.

cupé. (Del fr. *coupé,* cortado.) m. **berlina**[1]**,** coche de caballos cerrado, de dos asientos comúnmente. ‖ **2.** En las antiguas diligencias, compartimiento situado delante de la baca.

cupido. (De *Cupido,* dios del amor en la mitología romana.) m. fig. Hombre enamoradizo y galanteador. ‖ **2.** Representación pictórica o escultórica del amor, en la forma de un niño desnudo y alado que suele llevar los ojos vendados y porta flechas, arco y carcaj.

cupilca. f. *Chile.* Mazamorra suelta, preparada con harina tostada de trigo, mezclada con chacolí o chicha de uvas o de manzanas.

cupitel (tirar de). fr. En el juego de bochas, arrojar por alto la bola para que, al caer, dé a otra contraria y la aparte.

cuplé. (Del fr. *couplet,* copla.) m. Canción corta y ligera, que se canta en teatros y otros locales de espectáculo.

cupo. (Del verbo *caber.*) m. Parte proporcional que corresponde a un pueblo o a un particular en un impuesto, empréstito o servicio. ‖ **2.** Parte, porcentaje en general. ‖ **3.** V. **excedente de cupo.** ‖ **4.** *Col., Méj.* y *Pan.* Cabida. ‖ **5.** *Col.* y *Pan.* Plaza en un vehículo.

cupón. (Del fr. *coupon,* de *couper,* cortar.) m. *Com.* Cada una de las partes de un documento de la deuda pública o de una sociedad de crédito, que periódicamente se van cortando para presentarlas al cobro de los intereses vencidos. ‖ **2.** Parte que se corta de un anuncio, invitación, bono, etc., y que da derecho a tomar parte en concursos, sorteos, o a obtener una rebaja en las compras. ‖ **cupones en rama.** *Com.* Los que están ya cortados de los títulos respectivos, y se negocian o agencian por separado de estos.

cupresáceo, a. (Del lat. *cupressus,* ciprés.) adj. *Bot.* Dícese de plantas fanerógamas del subtipo de las gimnospermas, arbustivas o arbóreas y muy ramificadas, con hojas persistentes durante varios años, lineales o escamosas y siempre sentadas; flores unisexuales, monoicas o dioicas; fruto en gálbula, y semillas con dos o más cotiledones que en muchos casos tienen dos aletas laterales; como el ciprés. Ú. t. c. s. f. ‖ **2.** f. pl. *Bot.* Familia de estas plantas.

cupresino, na. (Del lat. *cupressĭnus.*) adj. poét. Perteneciente al ciprés. ‖ **2.** De madera de ciprés.

cúprico, ca. (Del lat. *cuprum,* cobre.) adj. *Quím.* Aplícase al óxido de cobre que tiene doble proporción de oxígeno respecto del cuproso, y a las sales que con él se forman. *Óxido* CÚPRICO; *sulfato* CÚPRICO.

cuprífero, ra. (Del lat. *cuprum,* cobre, y *ferre,* llevar.) adj. Que tiene venas de cobre, o que lleva o contiene cobre. *Mineral* CUPRÍFERO.

cuproníquel. (Del sueco *nickel,* metal de este nombre, a través del al. o fr.) m. Aleación de cobre o níquel empleada para fabricar monedas. ‖ **2.** Moneda española que valía 25 céntimos de peseta.

cuproso, sa. (Del lat. *cuprum,* cobre.) adj. *Quím.* Aplícase al óxido de cobre que tiene menos oxígeno, y a las sales que con él se forman. *Óxido* CUPROSO; *carbonato* CUPROSO.

cúpula. (Del it. *cùpola.*) f. *Arq.* Bóveda en forma de una media esfera u otra aproximada, con que suele cubrirse todo un edificio o parte de él. ‖ **2.** fig. Conjunto de los máximos dirigentes de un partido, administración, organismo o empresa. ‖ **3.** *Bot.* Involucro a manera de copa, foliáceo, escamoso o leñoso, que cubre más o menos el fruto en la encina, el avellano, el castaño y otras plantas. ‖ **4.** *Mar.* Torre de hierro, redonda, cubierta y giratoria, que tienen algunos buques blindados, dentro de la cual llevan uno o más cañones de grueso calibre. ‖ **falsa cúpula.** *Arq.* Forma primitiva de **cúpula,** obtenida por aproximación sucesiva de hiladas.

cupulífero, ra. (Del lat. *cupŭla,* d. de *cupa,* copa, y *ferre,* llevar.) adj. *Bot.* **fagáceo.**

cupulino. m. *Arq.* Cuerpo superior, a veces a modo de linterna, que se añade a la cúpula o media naranja.

cuquear. tr. *Cuba.* **azuzar.**

cuquera. (De *cuco*[1], oruga.) f. *Ar.* **gusanera.**

cuquería. (De *cuco*[2].) f. Cualidad de cuco. ‖ **2. taimería.**

cuquero. (De *cuco*[2].) m. Pícaro, astuto.

cuquillo. (d. de *cuco*[2].) m. **cuclillo,** ave.

cura. (Del lat. *cūra,* cuidado, solicitud.) m. Sacerdote encargado, en virtud del oficio que tiene, del cuidado, instrucción y doctrina espiritual de una feligresía. ‖ **2.** fam. Sacerdote católico. ‖ **3.** f. **curación.** ‖ **4. curativa.** ‖ **5.** ant. **cuidado.** ‖ **6.** ant. **curaduría.** ‖ **7.** fam. *Chile.* Borrachera, embriaguez. ‖ **de almas.** Cargo que tiene el párroco de cuidar, instruir y administrar los sacramentos a sus feligreses. ‖ **2. cura,** sacerdote. ‖ **ecónomo.** Sacerdote destinado en una parroquia por el prelado para que haga las funciones de párroco, por vacante, enfermedad o ausencia del propietario. ‖ **párroco. cura** de una feligresía. ‖ **propio.** Párroco en propiedad de una feligresía. ‖ **alargar la cura.** fr. fig. Prolongar sin necesidad un negocio, cuando al que lo alarga se le sigue de esto alguna utilidad. ‖ **encarecer** alguien **la cura.** fr. Exagerar lo que hace por otro para que este se lo agradezca o recompense más. ‖ **entrar,** o **meterse, en cura.** fr. **ponerse en cura.** ‖ **este cura.** fig. y fam. Yo, la persona que habla. ‖ **no tener cura.** fr. fig. y fam. Ser incorregible. ‖ **ponerse en cura.** fr. Emprender o empezar la **cura** de un achaque o enfermedad crónica. ‖ **tener cura.** fr. Poder curarse. Referido a los enfermos y a las enfermedades. *Este paralítico aún* TIENE CURA.

curable. (Del lat. *curabĭlis.*) adj. Que se puede curar.

curaca. (De or. quechua.) m. *Amér. Merid.* Cacique, potentado o gobernador.

curación. (Del lat. *curatĭo, -ōnis.*) f. Acción y efecto de curar o curarse.

curadera. (De *curar.*) f. *Chile.* Borrachera.

curadgo. m. ant. **curato.**

curadillo. (De *curado.*) m. **bacalao.**

curado, da. p. p. de **curar.** ‖ **2.** adj. V. **beneficio curado.** ‖ **3.** fig. Endurecido, seco, fortalecido o curtido. ‖ **4.** m. *Méj.* **pulque curado.**

curador, ra. (Del lat. *curātor, -ōris.*) adj. Que tiene cuidado de alguna cosa. Ú. t. c. s. ‖ **2.** Que cura. Ú. t. c. s. ‖ **3.** m. y f. Persona elegida o nombrada para cuidar de los bienes o negocios del menor, o del que no estaba en estado de administrarlos por sí. ‖ **4.** Persona que cura alguna cosa; como lienzos, pescados, carnes, etc. ‖ **ad bona.** *Der.* Persona que se nombraba para cuidar y administrar los bienes de un incapacitado. ‖ **ad lítem.** *Der.* Persona nombrada por el juez para seguir los pleitos y defender los derechos de un menor, representándole.

curadoría. (De *curador.*) f. ant. **curaduría.**

curaduría. f. Cargo de curador de un menor. ‖ **ejemplar.** La que se daba para los incapacitados por causa de demencia.

curagua. f. *Amér. Merid.* Maíz de grano muy duro y hojas dentadas.

cural. adj. V. **casa cural.**

curalle. (Del fr. ant. *curaille,* der. de *curer.*) m. *Cetr.* Pelotilla hecha de plumas blandas, de lienzo usado o de algodón, impregnada de alguna sustancia medicinal y purgativa, que se les da a los halcones para limpiarles el buche.

curamagüey. m. *Cuba.* Planta de tallo voluble, de la familia de las asclepiadáceas, de tallo y pedúnculos peludos y de flores grandes. Sus partes leñosas reducidas a polvo son muy venenosas; pero las hojas las come sin peligro el ganado vacuno.

curamiento. (De *curar.*) m. ant. **curación.**

curandería. f. Arte y práctica de los curanderos.

curanderil. adj. fam. Perteneciente o relativo al curandero y a sus procedimientos.

curanderismo. m. **curandería.** ‖ **2.** Intrusión de los curanderos en el ejercicio de la medicina.

curandero, ra. m. y f. Persona que, sin ser médico, ejerce prácticas curativas empíricas o rituales. ‖ **2.** Por ext., persona que ejerce la medicina sin título oficial.

curángano. m. despect. **cura,** sacerdote.

curanto. m. *Chile.* Guiso hecho con mariscos, carnes y legumbres, y cocido todo ello sobre piedras muy calientes en un hoyo.

curar. (Del lat. *curāre,* cuidar.) intr. **sanar,** recobrar la salud. Ú. t. c. prnl. ‖ **2.** Con la prep. *de,* cuidar de, poner cuidado. Ú. t. c. prnl. ‖ **3.** tr. Aplicar al enfermo los remedios correspondientes a su enfermedad. Ú. t. c. prnl. ‖ **4.** Disponer o costear lo necesario para la curación de un enfermo. ‖ **5.** Dicho de las carnes y pescados, prepararlos por medio de la sal, el humo, etc., para que, perdiendo la humedad, se conserven por mucho tiempo. ‖ **6.** Curtir y preparar las pieles para usos industriales. ‖ **7.** Dicho de las maderas, tenerlas cortadas mucho tiempo antes de usarlas, conservándolas o entre cieno y agua o al aire libre, según el uso para que estén destinadas. ‖ **8.** Dicho de hilos y lienzos, beneficiarlos para que se blanqueen. ‖ **9.** Secar o preparar convenientemente una cosa para su conservación. ‖ **10.** fig. Sanar las dolencias o pasiones del alma. ‖ **11.** fig. Remediar un mal. ‖ **12.** prnl. fam. *Chile.* Embriagarse, emborracharse.

curare. (De or. caribe.) m. Sustancia negra, resinosa y amarga, extraordinariamente tóxica, que se extrae de varias especies de plantas y que tiene la propiedad de paralizar las placas motoras de los nervios de los músculos.

curasao. (De *curazao.*) m. Licor fabricado con corteza de naranja y otros ingredientes.

curatela. (Del lat. *curatorĭa,* con cambio de sufijo por analogía con *tutela.*) f. **curaduría.**

curativa. f. Método curativo.

curativo, va. adj. Dícese de lo que sirve para curar.

curato. (Del lat. *curātus,* de *curāre,* cuidar.) m. Cargo espiritual del cura de almas. ‖ **2. parroquia,** territorio que comprende. *Este* CURATO *tiene mucha extensión.*

curazao. (De la isla antillana *Curaçao.*) m. **curasao.**

curazgo. (Del lat. **curatĭcum,* de *curāre,* cuidar.) m. ant. **curato.**

curazoleño, ña. adj. Natural de Curasao. ‖ **2.** Perteneciente o relativo a esta isla antillana.

cúrbana. (De or. cubano.) f. *Cuba.* Arbusto silvestre de la familia de las caneláceas, que se cría en terrenos pedregosos y del cual se obtiene una especie de canela de inferior calidad. Tiene muchas ramas, con hojas oblongas, lucientes por encima, flores rosadas, y por fruto una baya oval que come el ganado.

curbaril. (De or. americano.) m. Árbol de la familia de las papilionáceas, propio de América tropical, de unos siete metros de alto, con copa espesa, tronco rugoso, hojas divididas en hojuelas ovales, lisas y coriáceas, flores en ramillete, de color amarillo claro, fruto en vaina pardusca con varias semillas, y madera dura y rojiza, apreciada para la ebanistería.

curco, ca. adj. *Ecuad.* **jorobado.**

curcucho. m. *El Salv.* y *Nicar.* Jorobado, corcovado.

cúrcuma. (Del ár. *kurkum,* azafrán de la India.) f. Planta vivaz monocotiledónea, procedente de la India, cuya raíz se parece al jengibre, huele como él y es algo amarga. ‖ **2.** Sustancia resinosa y amarilla que se extrae de esta raíz. Toma color rojo sanguíneo por la acción de los álcalis, y sirve de reactivo en química, y en tintorería para teñir de amarillo. ‖ **3.** V. **papel de cúrcuma.**

curcuncho. m. *Argent.* y *Chile.* **curcucho.**

curcusí. m. *Bol.* Especie de cocuyo menos luminoso.

curcusilla. (Del ant. *culcasilla,* del lat. *culi casella.*) f. **rabadilla.**

curda. (Del fr. dialect. *curda,* calabaza.) f. fam. **borrachera,** embriaguez. ‖ **2.** m. fam. **borracho,** ebrio.

curdela. (De *curda.*) f. fam. **borrachera.** ‖ **2.** m. fam. **borracho.**

curdo, da. (Del ár. *kurd,* nombre gentilicio de un pueblo de Asia.) adj. Natural del Curdistán. Ú. t. c. s. ‖ **2.** Perteneciente o relativo a este pueblo o nación repartido entre los estados de Turquía, Irán, Irak y Siria.

cureña. (De *curueña.*) f. Armazón compuesta de dos gualderas fuertemente unidas por medio de teleras y pasadores, colocadas sobre ruedas o sobre correderas, y en la cual se monta el cañón de artillería. ‖ **2.** En las fábricas de fusiles, pieza de nogal en basto, trazada para hacer la caja de un fusil. ‖ **3.** Palo de la ballesta. ‖ **a cureña rasa.** loc. adv. *Fort.* Sin parapeto o defensa que cubra la batería. ‖ **2.** fig. y fam. Sin defensa, cubierta o abrigo. *Aguantar la lluvia, dormir,* A CUREÑA RASA.

cureñaje. m. Conjunto de cureñas de un parque o de un ejército.

curesca. f. Borra inútil que se queda en los palmares después de cardado el paño.

curetuí. m. *R. de la Plata.* Pajarillo común, de color blanco y negro.

curí. (Del guaraní *curii.*) m. *Amér. Merid.* Árbol gimnospermo de la clase de las coníferas, resinoso, de tronco recto y elevado, con ramas que salen horizontalmente y luego se encorvan hacia arriba; de hojas cortas, recias y punzantes. Su fruto es una piña grande, con piñones también grandes y comestibles.

curia. (Del lat. *curĭa.*) f. Tribunal donde se tratan los negocios contenciosos. ‖ **2.** Conjunto de abogados, escribanos, procuradores y empleados en la administración de justicia. ‖ **3.** Cuidado, esmero. ‖ **4.** Una de las divisiones del antiguo pueblo romano. ‖ **5.** ant. **corte**[2]**,** familia y comitiva del rey. ‖ **pontificia. curia romana.** ‖ **romana.** Conjunto de las congregaciones y tribunales que existen en la corte del pontífice romano para el gobierno de la Iglesia católica.

curial. (Del lat. *curiālis.*) adj. Perteneciente a la curia, y especialmente a la romana. ‖ **2.** ant. **cortesano,** perteneciente a la corte del rey. ‖ **3.** ant. Práctico o experto. ‖ **4.** m. El que tiene correspondencia en Roma para hacer traer las bulas y rescriptos pontificios. ‖ **5.** El que tiene empleo u oficio en la curia romana. ‖ **6.** Empleado subalterno de los tribunales de justicia, o que se ocupa en activar en ellos el despacho de los negocios ajenos.

curialesco, ca. (De *curial.*) adj. Propio o peculiar de la curia. Suele tomarse en mal sentido. *Estilo* CURIALESCO; *sutileza* CURIALESCA.

curialidad. (De *curial,* cortesano.) f. ant. Cortesía o buena crianza.

curiana. f. **cucaracha,** insecto ortóptero.

curiar. (Del lat. *curāre.*) tr. ant. Cuidar, guardar, pastorear.

curiara. (Del caribe *culiala.*) f. Embarcación de vela y remo, que usan los indios de América Meridional, menor que la canoa, y más ligera aunque más larga.

curibay. m. *R. de la Plata.* Cierta especie de pino, de fruto muy purgante, pero cuyos efectos se neutralizan bebiendo vino o agua caliente.

curicano, na. adj. Natural de Curicó. Ú. t. c. s. ‖ **2.** Perteneciente o relativo a esta ciudad y provincia chilenas.

curiche. m. *Bol.* Pantano o laguna. ‖ **2.** *Chile.* Persona de color oscuro o negro.

curiel. m. *Cuba.* **conejillo de Indias.**

curio. (Del nombre de los esposos *Curie,* químicos franceses.) m. *Quím.* Elemento radiactivo artificial que se obtiene bombardeando el plutonio con partículas alfa. Es un metal con propiedades similares a las de los demás transuránicos. Núm. atómico 96. Símb.: *Cm.* ‖ **2.** Unidad para la medida de la radiactividad, equivalente a $3{,}7 \times 10^{10}$ desintegraciones por segundo.

curiosamente. adv. m. Con curiosidad. ‖ **2.** Con aseo o limpieza. ‖ **3. cuidadosamente.**

curiosear. (De *curioso*[1].) intr. Ocuparse en averiguar lo que otros hacen o dicen. ‖ **2.** Procurar, sin necesidad y a veces con impertinencia, enterarse de alguna cosa. ‖ **3. fisgonear.** Ú. t. c. tr.

curioseo. m. Acción y efecto de curiosear.

curiosidad. (Del lat. *curiosĭtas, -ātis.*) f. Deseo de saber o averiguar lo que no nos concierne. ‖ **2.** Vicio que nos lleva a inquirir lo que no debiera importarnos. ‖ **3.** Aseo, limpieza. ‖ **4.** Cuidado de hacer una cosa con primor. ‖ **5.** Cosa curiosa o primorosa.

curioso[1], sa. (Del lat. *curiōsus.*) adj. Que tiene curiosidad. Ú. t. c. s. ‖ **2.** Que excita curiosidad. ‖ **3.** Limpio y aseado. ‖ **4.** Que trata una cosa con particular cuidado o diligencia.

curioso[2]. (De *curar.*) m. *Amér.* **curandero.**

curiquingue. m. *Ecuad.* Ave que se asemeja al buitre por su rostro desnudo. Era el ave sagrada de los incas.

curiyú. m. *Argent.* y *Par.* Canacuate que tiene hasta siete metros de largo, del grueso de una persona y de color negro con pintas rojas.

curlandés, sa. adj. Natural de Curlandia. Ú. t. c. s. ‖ **2.** Perteneciente o relativo a este territorio que forma hoy parte de la república de Letonia.

currar. intr. coloq. Trabajar.

curricán. (Del port. *corricão.*) m. Aparejo de pesca de un solo anzuelo, que suele largarse por la popa de los buques cuando navegan.

curricular. adj. Perteneciente o relativo al currículo o a un currículo.

currículo. (Del lat. *curricŭlum.*) m. Plan de estudios. ‖ **2.** Conjunto de estudios y prácticas destinadas a que el alumno desarrolle plenamente sus posibilidades. ‖ **3. currículum vitae.**

currículum vitae. (expr. lat.) m. Relación de los títulos, honores, cargos, trabajos realizados, datos biográficos, etc., que califican a una persona.

currinche. m. Entre periodistas, principiante, gacetillero.

curro[1]. m. En Galicia, recinto cercado a donde se conducen los caballos criados en libertad para enlazarlos y marcarlos con hierro. ‖ **2.** Fiesta popular que se celebra con esta ocasión.

curro[2], rra. adj. fam. **majo,** que afecta libertad y guapeza. ‖ **2.** m. *Ast.* y *León.* **pato.**

curro[3]. m. coloq. Trabajo, acción y efecto de trabajar.

curruca[1]. (Del lat. *currūca.*) f. Pájaro canoro de 10 a 12 centímetros de largo, con plumaje pardo por encima y blanco por debajo, cabeza negruzca y pico recto y delgado. Es insectívoro y el que con preferencia escoge el cuco para que empolle sus huevos.

curruca[2]. f. *Ar.* **jauría.**

curruscante. adj. Que cruje. Aplícase a los alimentos que están tostados, como el pan.

currusco. (De *corrusco.*) m. **cuscurro.**

currutaco, ca. (De *curro.*) adj. fam. Muy afectado en el uso riguroso de las modas. Ú. t. c. s.

cursado, da. p. p. de **cursar.** ‖ **2.** adj. Acostumbrado, versado en alguna cosa.

cursar. (Del lat. *cursāre,* correr, andar con frecuencia.) tr. Frecuentar un paraje o hacer con frecuencia alguna cosa. ‖ **2.** Estudiar una materia, asistiendo a las explicaciones del profesor, en una universidad o en cualquier otro establecimiento de enseñanza. ‖ **3.** Dar curso a una solicitud, instancia, expediente, etc., o enviarlos al tribunal o autoridad a que deben ir.

cursario, ria. (Del lat. *cursus,* carrera.) adj. ant. **corsario.** Apl. a pers., usáb. t. c. s.

cursera. (De *curso,* diarrea.) f. *And.* y *Amér.* Diarrea, cagalera.

cursería. f. **cursilería.**

cursi. (De etim. disc.) adj. fam. Dícese de la persona que presume de fina y elegante sin serlo. Ú. t. c. s. ‖ **2.** fam. Aplícase a lo que, con apariencia de elegancia o riqueza, es ridículo y de mal gusto. ‖ **3.** Dícese de los artistas y escritores, o de sus obras, cuando en vano pretenden mostrar refinamiento expresivo o sentimientos elevados.

cursilada. f. Acción propia del cursi.

cursilería. f. Calidad de cursi. ‖ **2.** Acto o cosa cursi. ‖ **3.** fam. Conjunto o reunión de cursis.

cursilón, na. adj. fam. aum. de **cursi.** Ú. t. c. s.

cursillista. com. Persona que interviene en un cursillo.

cursillo. (d. de *curso.*) m. En las universidades, curso de poca duración a que se solía asistir después de acabado el regular. ‖ **2.** Curso breve sobre cualquier materia.

cursivo, va. (De *curso.*) adj. V. **letra cursiva.** Ú. t. c. s.

curso. (Del lat. *cursus,* carrera.) m. Dirección o carrera. ‖ **2.** En los centros de enseñanza, tiempo señalado en cada año para asistir a oír las lecciones. ‖ **3.** Estudio sobre una materia, desarrollada con unidad. *Se matriculó en un* CURSO *de dibujo.* ‖ **4.** Tiempo que se emplea en leer y en estudiar una facultad en las universidades y escuelas públicas. ‖ **5.** Tratado sobre una materia explicada o destinada a ser explicada durante cierto tiempo. CURSO *de lingüística general.* ‖ **6.** Conjunto de alumnos que asisten al mismo grado de estudios. ‖ **7.** Serie de informes, consultas, etc., que precede a la resolución de un expediente. *Dar* CURSO *a una solicitud; seguir su* CURSO *el negocio, el proceso.* ‖ **8. despeño,** flujo de vientre. Ú. m. en pl. ‖ **9.** ant. **corso[1].** ‖ **10.** Paso, evolución de algo. *El* CURSO *del tiempo;* el CURSO *de la enfermedad;* el CURSO *de los sucesos.* ‖ **11.** Movimiento del agua o de cualquier líquido que se traslada en masa continua por un cauce. *El* CURSO *del río.* ‖ **12.** Circulación, difusión entre las gentes. ‖ **forzoso.** Obligación impuesta por el gobierno de aceptar con fuerza liberatoria de pago monedas sin valor intrínseco apreciable, títulos del Estado o billetes de banco. ‖ **postoperatorio.** *Med.* Proceso que sigue al estado del enfermo sometido a operación quirúrgica, desde esta hasta la curación o la muerte del paciente.

cursómetro. (De *curso,* carrera, y *-metro.*) m. Aparato que se aplica a medir la velocidad de los trenes de ferrocarril.

cursor. (Del lat. *cursor, -ōris,* corredor.) m. ant. **correo[1],** el que por oficio lleva la correspondencia de un lugar a otro. ‖ **2.** ant. Escribano de diligencias. ‖ **3.** *Mec.* Pieza pequeña que se desliza a lo largo de otra mayor en algunos aparatos. ‖ **4.** *Electrón.* Marca movible, por lo común luminosa, en forma de circulito, flecha o signo semejante, que sirve como indicador en la pantalla de diversos aparatos, p. ej. de un computador. ‖ **de procesiones.** Uno de los oficiales eclesiásticos destinado a cuidar del orden que ha de observarse en las procesiones.

curtación. (Del lat. *curtātum,* supino de *curtāre,* acortar.) f. *Astron.* **acortamiento.**

curtido, da. p. p. de **curtir.** ‖ **2.** m. Acción y efecto de curtir. ‖ **3.** Cuero **curtido.** Ú. m. en pl. ‖ **4. casca,** corteza de ciertos árboles. ‖ **5.** Fruto encurtido.

curtidor, ra. m. y f. Persona que tiene por oficio curtir pieles.

curtidura. f. ant. **curtimiento.**

curtiduría. (De *curtidor.*) f. Sitio o taller donde se curten y trabajan las pieles.

curtiembre. f. *Amér.* Tenería, curtiduría.

curtiente. p. a. de **curtir.** ‖ **2.** adj. Aplícase a la sustancia que sirve para curtir. Ú. t. c. s. m.

curtimbre. f. Acción y efecto de curtir.

curtimiento. m. Acción y efecto de curtir o curtirse.

curtir. (Del lat. *conterĕre,* machacar.) tr. Adobar, aderezar las pieles. ‖ **2.** fig. Endurecer o tostar el sol o el aire el cutis de las personas que andan a la intemperie. Ú. m. c. prnl. ‖ **3.** fig. Acostumbrar a alguien a la vida dura y a sufrir adversidades que puedan sobrellevarse con el paso del tiempo. Ú. t. c. prnl. ‖ **4.** fig. *Argent.* y *Urug.* Castigar azotando. ‖ **estar curtido en** una cosa. fr. fig. y fam. Estar acostumbrado a ella o diestro en hacerla.

curto, ta. (Del lat. *curtus.*) adj. *Ar.* **corto,** que no tiene la extensión o tamaño que debe. ‖ **2.** *Ar.* **rabón.**

curubo. m. *Col.* Especie de enredadera cuyo fruto es comestible.

curuca. f. **curuja.**

curucú. m. *Amér. Central.* Ave trepadora que se distingue por el hermoso color de su plumaje sedoso y por lo largo de su cola.

curueña. (Del lat. *columna.*) f. ant. **cureña.**

curuguá. (De or. guaraní.) m. *Amér. Merid.* Enredadera que da un fruto amarillo y negro semejante a la calabaza, de unos 30 centímetros de largo, y de agradable olor, que comunica a los objetos que en ella se ponen, pues su cáscara sirve de vasija.

curuja. f. **lechuza,** ave nocturna.

curujey. m. *Cuba.* Planta de la familia de las bromeliáceas, epifita, que vive principalmente sobre las ceibas; tiene hojas cortantes o punzantes, a manera de espada.

curul. (Del lat. *curŭlis.*) adj. V. **edil, silla curul.**

curupay. m. *R. de la Plata.* Árbol de la familia de las mimosáceas, de buena madera, cuya corteza se utiliza como curtiente porque contiene mucho tanino.

cururo. m. *Chile.* Especie de rata campestre, de color negro y muy dañina.

cururú. m. Batracio del orden de los anuros, propio de América tropical, que tiene los dedos libres en las extremidades torácicas y palmeadas las abdominales. La hembra de este animal lleva los huevos sobre el dorso, donde permanecen, en alveolos formados por hipertrofia de la piel, hasta alcanzar su completo desarrollo.

curuvica. (Del guaraní *curuví,* fragmento, trozo, y el suf. d. español *-ica.*) f. *NE. Argent.* y *Par.* Fragmento diminuto que resulta de la trituración de una piedra, y por extensión de cualquier otro material sólido.

curva. (Del lat. *curva,* t. f. de *-vus,* curvo.) f. *Geom.* **línea curva.** ‖ **2.** Representación gráfica de la cuantificación de un fenómeno en dependencia de los valores de una de sus variables. CURVA *de temperatura, de mortalidad.* ‖ **3.** Tramo curvo de una carretera, camino, línea férrea, etc. ‖ **4.** *Mar.* Pieza fuerte de madera, que se aparta de la figura recta y sirve para asegurar dos maderos ligados en ángulo. ‖ **5.** *Mat.* V. **grado de una curva.** ‖ **abierta.** En las carreteras, caminos, etc., la que, por tener escasa curvatura, pueden tomar los vehículos sin moderar considerablemente su marcha. ‖ **cerrada.** La que vuelve al punto de partida. ‖ **2.** En las carreteras, caminos, etc., la que, por tener gran curvatura, deben tomar muy lentamente los vehículos. ‖ **coral.** *Mar.* La que se emperna interiormente a la quilla y al codaste para consolidar su unión. ‖ **de nivel.** *Topogr.* Línea que resulta de la intersección del terreno con un plano horizontal. Empléase en los dibujos para figurar el relieve del terreno. ‖ **coger una curva.** fr. **tomar una curva.** ‖ **tomar una curva.** fr. Pasar un vehículo o su conductor, de un tramo recto de camino o carretera a un tramo curvo.

curvado, da. p. p. de **curvar.** ‖ **2.** adj. Que tiene forma curva.

curvar. (Del lat. *curvāre.*) tr. **encorvar,** doblar y torcer una cosa poniéndola corva. Ú. t. c. prnl.

curvatón. m. *Mar.* Curva pequeña.

curvatura. (Del lat. *curvatūra.*) f. Calidad de curvo; desviación continua respecto de la dirección recta. En una circunferencia es la inversa del radio; en otra curva cualquiera es la inversa del radio de la circunferencia osculatriz.

curvería. f. *Mar.* Conjunto de **curvas,** piezas fuertes de madera.

curvidad. (Del lat. *curvĭtas, -ātis.*) f. **curvatura.**

curvilíneo, a. (Del lat. *curvilinĕus.*) adj. *Geom.* Que se compone de líneas curvas. ‖ **2.** *Geom.* Que se dirige en línea curva. ‖ **3.** V. **ángulo curvilíneo.**

curvímetro. (Del lat. *curvus,* corvo, y *-metro.*) m. Instrumento para medir con facilidad las líneas de un plano.

curvo, va. (Del lat. *curvus.*) adj. Que constantemente se va apartando de la dirección recta sin formar ángulos. Ú. t. c. s. ‖ **2.** *Esgr.* V. **compás curvo.** ‖ **3.** *Geom.* V. **línea, superficie curva.**

cusca (hacer la). fr. fig. vulg. Molestar, fastidiar, perjudicar.

cusco. (De la voz *cuz,* con seseo y repetida, con que se llama al perro.) m. *Amér.* **cuzco.**

cuscungo. m. *Ecuad.* Especie de búho.

cuscurro. (De *corrusco.*) m. Parte del pan más tostada que corresponde a los extremos o al borde.

cuscús. m. Alcuzcuz.

cuscuta. (Del ár. *kušūṯà,* especie de planta parásita.) f. Planta parásita de la familia de las convolvuláceas, de tallos filiformes, rojizos o amarillentos, sin hojas, con flores sonrosadas y simiente redonda. Vive con preferencia sobre el cáñamo, la alfalfa y otras plantas que necesitan mucha agua, y se usó en medicina contra la hidropesía.

cusir. (Del lat. *consuĕre.*) tr. fam. **corcusir.**

cusita. adj. Descendiente de Cus, hijo de Cam y nieto de Noé. ‖ **2.** Aplícase a las naciones que, procedentes de la Bactriana, ocuparon varias regiones de Asia y África y dominaron en Susiana y Caldea. ‖ **3.** m. Grupo de lenguas camíticas habladas en Africa oriental.

cusma. f. *Perú.* Camisa que usan los indios que viven en las selvas.

cuspa. f. *Venez.* Arbusto semejante a la palmera y cuya corteza se emplea como la quina.

cúspide. (Del lat. *cuspis, -ĭdis,* punta, extremo.) f. Cumbre puntiaguda de los montes. ‖ **2.** Remate superior de alguna cosa, que tiende a formar punta. ‖ **3.** fig. **cumbre,** mayor elevación o último grado de una cosa. ‖ **4.** *Geom.* Punto donde concurren los vértices de todos los triángulos que forman las caras de la pirámide, o las generatrices del cono.

custodia. (Del lat. *custodĭa.*) f. Acción y efecto de custodiar. ‖ **2.** Persona o escolta encargada de custodiar a un preso. ‖ **3.** Pieza de oro, plata u otro metal, en que se expone el Santísimo Sacramento a la pública veneración. ‖ **4.** Templete o trono, generalmente de plata y de grandes dimensiones, en que se coloca la **custodia** u ostensorio para ser conducido procesionalmente en andas o sobre ruedas. ‖ **5.** En la orden de San Francisco, agregado de algunos conventos que no bastan para formar provincia. ‖ **6.** *Chile.* Consigna de una estación o aeropuerto, lugar donde los viajeros depositan temporalmente equipajes y paquetes.

custodiar. (De *custodia.*) tr. Guardar con cuidado y vigilancia.

custodio. (Del lat. *custos, -ōdis.*) adj. V. **ángel custodio.** ‖ **2.** m. El que custodia. ‖ **3.** En la orden de San Francisco, superior de una custodia.

custrirse. (De *costra.*) prnl. *And., Lev.* y *Murc.* Cubrirse de costra, endurecerse.

cusubé. (De or. taíno.) m. *Cuba.* Dulce seco, hecho de almidón de yuca, con agua, azúcar y a veces huevos, con los que se forman bollitos.

cusuco. (De or. nahua.) m. *Amér. Central.* **armadillo.** ‖ **2.** fig. *El Salv.* Compromiso grave, lío, dificultad. ‖ **meterse en un cusuco.** fr. *El Salv.* Meterse en dificultades, líos, etc.

cusumbe. m. *Col.* **coatí.**

cusumbo. m. *Col.* **coatí.** ‖ **2.** *Ecuad.* Persona de raza negra.

cususa. f. *Amér. Central.* **aguardiente de caña.**

cutacha. f. *Hond.* y *Nicar.* Cuchillo largo y recto.

cutama. f. *Chile.* Saco o costal lleno de cosas menudas. ‖ **2.** *Chile.* Persona torpe y pesada.

cutáneo, a. adj. Perteneciente al cutis. *Erupción* CUTÁNEA.

cutarra. f. *Hond.* Zapato alto hasta la caña de la pierna y con orejuelas.

cúter. (Del ing. *cutter.*) m. Embarcación con velas al tercio, una cangreja o mesana en un palo chico colocado hacia popa, y varios foques.

cutete. m. *Guat.* Nombre común a cierto género de reptiles iguánidos.

cutí. (Del fr. *coutil.*) m. Tela de lienzo rayado o con otros dibujos que se usan comúnmente para cubiertas de colchones.

cutiano, na. (Del lat. *quotidiānus.*) adj. ant. Diario, continuo. Ú. en Aragón. ‖ **2.** adv. t. ant. Diariamente, continuadamente. ‖ **de cutiano.** loc. adv. ant. De diario, de continuo. ‖ **en cutiano.** loc. adv. ant. **de cutiano.**

cutícula. (Del lat. *cuticŭla.*) f. **película,** piel delgada y delicada. ‖ **2.** *Anat.* **epidermis.** ‖ **3.** *Zool.* Membrana formada por ciertas sustancias que segrega el protoplasma, las cuales, acumulándose en la periferia de la célula, constituyen una cubierta protectora de esta; como en muchos protozoos. ‖ **4.** *Zool.* Capa externa de las tres que forman la concha de los moluscos y que da a aquella su coloración característica en las diversas especies.

cuticular. (Del lat. *cuticulāris.*) adj. Perteneciente o relativo a la cutícula.

cutidero. (De *cutir.*) m. **batidero,** continuo golpear de una cosa con otra. ‖ **2.** ant. Choque o golpe.

cutio. (De *cutiano.*) adv. t. desus. Continuamente, seguidamente. Tiene actualmente uso dialectal. ‖ **de cutio.** loc. adv. desus. De continuo, de asiento. Tiene actualmente uso dialectal. ‖ **2.** V. **día de cutio.**

cutir. (Del lat. **cuttĕre.*) tr. desus. Golpear una cosa con otra. ‖ **2.** ant. Poner en competencia. ‖ **3.** intr. ant. fig. Combatir, competir.

cutis. (Del lat. *cutis.*) m. Piel que cubre el cuerpo humano, principalmente la del rostro. Ú. menos c. f. ‖ **2.** *Anat.* **dermis.**

cuto, ta. (Del nahua *cutuche,* cortado.) adj. *El Salv.* Dicho de animales, rabón. ‖ **2.** *El Salv.* Aplicado a un ser humano, privado de un brazo. Ú. t. c. s. ‖ **3.** *El Salv.* Dícese del vestido muy corto. *Una falda* CUTA.

cutral. (Del lat. *culter, -tri,* cuchillo.) adj. Dícese del buey cansado y viejo, y de la vaca que ha dejado de parir, que se destinan ordinariamente a la carnicería. Ú. t. c. s.

cutre. adj. Tacaño, miserable. Ú. t. c. s. ‖ **2.** Por ext., pobre, descuidado, sucio o de mala calidad. *Un bar, una calle, una ropa* CUTRE.

cutrez. f. Calidad de cutre.

cutusa. f. *Col.* Especie de tórtola.

cuy. (De or. quechua.) m. *Amér. Merid.* **conejillo de Indias.** El pl. es **cuyes.**

cuyá. (De or. cubano.) m. *Cuba.* Árbol de la familia de las sapotáceas, de unos nueve metros de altura, de madera dura, elástica y casi incorruptible. Produce unas flores menudas y olorosas que chupan las abejas y elaboran con ellas excelente miel.

cuyamel. m. *Hond.* Pez acantopterigio que vive en los ríos, y de carne muy estimada.

cuyano, na. adj. Natural de la región de Cuyo, que comprende las provincias de Mendoza, San Juan y San Luis, en la República Argentina. Ú. t. c. s. ‖ **2.** Perteneciente o relativo a esta región. ‖ **3.** fam. *Chile.* Dícese de los naturales de la República Argentina. Ú. t. c. s.

cuye. m. *Chile* **cui.**

cuyo[1], ya. (Del lat. *cuius, -a, -um.*) pron. relat. adj. que hace en pl. **cuyos, cuyas.** Además del carácter de relativo, tiene este pronombre el de posesivo y concierta no con su antecedente, que es el nombre del poseedor, sino con el nombre de la persona o cosa poseída. *En un lugar de la Mancha, de* CUYO *nombre no quiero acordarme;* una obra CUYAS *fuentes son harto conocidas.* ‖ **2.** pron. interrog. desus. con variación también de género y número, pero con acento prosódico y ortográfico. *¿*CÚYO *es este libro?* ‖ **3.** m. fam. desus. Galán o amante de una mujer.

cuyo[2], ya. m. y f. *El Salv.* **cobayo,** conejillo de Indias.

cuyují. m. *Cuba.* Especie de pedernal.

cuz. Voz con que se llama a los perros. Ú. generalmente repetida.

cuza. (De *cuz.*) f. *Ast.* y *León.* Perra pequeña.

cuzcatleco, ca. (De *Cuzcatlán,* nombre indígena de lo que es actualmente El Salvador.) adj. **salvadoreño.** Habitante del antiguo señorío de Cuzcatlán o Cuzcatán. Ú. t. c. s.

cuzco. (De *cuz.*) m. Perro pequeño, gozque.

cuzcuz. (Del ár. *kuskus.*) m. **alcuzcuz.**

cuzma. (De or. quechua.) f. Sayo de lana, sin cuello ni mangas, que cubre hasta los muslos, usado en algunas partes de América por los indios de las serranías.

cuzo. (De *cuz.*) m. *Ast.* y *León.* Perro pequeño.

cuzqueño, ña. adj. Natural del Cuzco. Ú. t. c. s. ‖ **2.** Perteneciente o relativo a esta ciudad del Perú.

CH

ch. f. Dígrafo considerado cuarta letra del abecedario español, y tercera de las consonantes. Su nombre es **che.** En la escritura es indivisible, y representa un solo sonido de articulación predorsal, prepalatal, africada sorda: *mucho, noche.*

cha. (Del chino mandarín, a través del port. *cha,* té.) m. p. us. En Filipinas y algunos países hispanoamericanos, **té.**

chabacanada. f. **chabacanería.**

chabacanería. (De *chabacano.*) f. Falta de arte, gusto y mérito estimable. ‖ **2.** Dicho bajo o insustancial.

chabacano, na. adj. Sin arte o grosero y de mal gusto. ‖ **2.** m. Lengua mixta de español y dialectos indígenas, hablada en Mindanao y otras islas filipinas. ‖ **3.** *Méj.* **albaricoque.** ‖ **4.** *Méj.* **albaricoquero.**

chabela. f. *Bol.* Bebida hecha con mezcla de vino y chicha.

chabisque. (Voz onomatopéyica.) m. *Ar.* Lodo, fango.

chabola. (Del fr. *geôle,* a través del vasc. *txabola.*) f. Choza o caseta, generalmente la construida en el campo. ‖ **2.** Vivienda de escasas proporciones y pobre construcción, que suele edificarse en zonas suburbanas.

chabolismo. m. Abundancia de chabolas en los suburbios, como síntoma de miseria social.

chabolista. com. Persona que vive en una chabola.

chabuco. (Voz onomatopéyica.) m. *Extr.* Charco.

chaca. f. *Chile.* Una variedad de marisco comestible.

chacal. (Del fr. *chacal;* cf. turco *čakâl,* persa *šagâl.*) m. Mamífero carnívoro de la familia de los cánidos, de un tamaño medio entre el lobo y la zorra, parecido al primero en la forma y el color, y a la segunda en la disposición de la cola. Vive en las regiones templadas de Asia y África; es carroñero y de costumbres gregarias.

chacalín. m. *Amér. Central.* **camarón,** crustáceo.

chacana. f. *Ecuad.* Camilla, parihuela.

chacanear. tr. *Chile.* Espolear con fuerza a la cabalgadura.

chácara[1]. f. *Amér.* **chacra,** granja.

chácara[2]. (De or. quechua.) m. *Col.* Monedero.

chacarera. f. Baile popular argentino, de parejas sueltas, y cuyo ritmo, variable según la región de procedencia, es de tres por cuatro, alternando con seis por ocho. ‖ **2.** Música y letra de este baile.

chacarero, ra. (De *chácara*[1].) adj. *Amér.* Perteneciente o relativo a la chácara. ‖ **2.** m. y f. *Amér.* Dueño de una chácara o granja. ‖ **3.** *Amér.* Persona que trabaja en ella.

chacarona. f. Pez teleósteo, acantopterigio, de la misma familia que el dentón, pero de tamaño algo menor que este y con los ojos relativamente mayores, vive en los mares del sur de España y se extiende hasta las costas del Sahara. ‖ **2.** *Can.* Pescado curado.

chacarrachaca. (Voz onomatopéyica.) f. fam. Ruido molesto de disputa o algazara.

chacate. m. *Méj.* Especie de planta poligalácea.

chácena. (Del cat. *jàssena,* jácena.) f. En algunos teatros, amplio espacio rectangular, en el centro del muro del fondo del escenario bajo la jácena que lo sostiene. Se usa como acceso posterior al escenario, depósito de bultos o como prolongación de la escena.

chacina. (Del lat. **siccīna,* carne seca.) f. **cecina,** carne desecada. ‖ **2.** Carne de puerco adobada de la que se suelen hacer chorizos y otros embutidos. ‖ **3.** Embutidos y conservas hechos con esta carne.

chacinería. f. Tienda en que se vende chacina.

chacinero, ra. m. y f. Persona que hace o vende chacina.

chaco. (Del quechua *chacu.*) m. Montería con ojeo, que hacían antiguamente los indios de América del Sur estrechando en círculo la caza para cobrarla.

chacó. (Del húngaro *csákó.*) m. Morrión propio de la caballería ligera, y aplicado después a tropas de otras armas.

chacolí. (Del vasc. *txacolín.*) m. Vino ligero algo agrio que se hace en el País Vasco, en Cantabria y en Chile.

chacolotear. (Voz onomatopéyica.) intr. Hacer ruido la herradura por estar floja o faltarle clavos.

chacoloteo. m. Acción y efecto de chacolotear.

chacón. (Voz imitativa del grito del animal.) m. Reptil de más de 30 centímetros de largo, parecido a la salamanquesa, que se cría en Filipinas y se guarece por lo común en las grietas de los muros.

chacona. (De or. inc.) f. Baile español de los siglos XVI y XVII, muy extendido por Europa. ‖ **2.** Música de este baile. ‖ **3.** Composición poética escrita para dicho baile. ‖ **4.** Pieza instrumental inspirada en él.

chaconada. (Del fr. *jaconas.*) f. Tela de algodón muy fina y de vivos colores con que solían vestirse las mujeres desde mediados del siglo XIX.

chaconero, ra. adj. Que escribía chaconas. Ú. t. c. s. ‖ **2.** Que las bailaba. Ú. t. c. s.

chacota. (Voz onomatopéyica.) f. Bulla y alegría mezclada de chanzas y carcajadas, con que se celebra alguna cosa. ‖ **2.** Broma, burla. *Echar,* o *tomar, a* CHACOTA una persona o cosa; *hacer* CHACOTA *de* una persona o cosa.

chacotear. (De *chacota.*) intr. Burlarse, chancearse, divertirse con bulla, voces y risa.

chacoteo. m. Acción y efecto de chacotear.

chacotero, ra. adj. fam. Propenso a chacotearse. Ú. t. c. s.

chacra. (Del ant. quechua *chacra,* mod. *chajra.*) f. *Amér.* Alquería o granja.

chacuaco. (De or. americano.) m. *Min.* Horno de manga para fundir minerales de plata. ‖ **2.** *Méj.* **chimenea,** conducto.

chacualear. intr. *Méj.* Chapotear, chapalear en el agua.

chacueco, ca. adj. *And.* Chapucero, sin primor.

chacha[1]. (Aféresis de *muchacha.*) f. fam. **niñera.** ‖ **2.** Por ext., **sirvienta.**

chacha[2]. (De or. nahua.) f. *Guat.* **chachalaca.**

chachacoma. f. *Chile.* Planta de la cordillera andina, de flores amarillas y de uso en la medicina casera.

cha-cha-chá o **chachachá.** m. Baile moderno de origen cubano, derivado de la rumba y el mambo. ‖ **2.** Música y ritmo de este baile.

chachafruto. m. *Col.* Árbol de la familia de las leguminosas, de fruto comestible.
chachajo. m. *Col.* Árbol de la familia de las lauráceas, de madera fina muy apreciada para las construcciones.
chachal. m. *Perú.* Lápiz plomo. ‖ **2.** *Guat.* Collar de origen indígena con diversos adornos, especialmente monedas.
chachalaca. (De or. nahua.) f. *Amér. Central* y *Méj.* Especie de gallina de color pardo por el lomo y alas, blanco el vientre y las patas, cola larga y de plumas amarillentas, sin cresta ni barbas, ojos rojos y sin pluma cerca de ellos. Es muy vocinglera y de carne delicada y sabrosa. ‖ **2.** fig. *Amér. Central* y *Méj.* Persona locuaz. Ú. t. c. adj.
cháchara. (Del it. *chiàcchiera,* en pronunciación infl. por *ciacciare.*) f. fam. Abundancia de palabras inútiles. ‖ **2.** Conversación frívola. ‖ **3.** pl. Baratijas, cachivaches.
chacharear. (De *cháchara.*) intr. fam. **parlar,** hablar mucho. ‖ **2.** *Méj.* Negociar con cosas de poco valor.
chacharero, ra. (De *cháchara.*) adj. fam. **charlatán.** Ú. t. c. s. ‖ **2.** *Méj.* Quincallero, buhonero. Ú. t. c. s.
chacharón, na. adj. fam. Muy chacharero. Ú. t. c. s.
chachi. adj. inv. *Esp.* **chanchi.**
chacho[1]**, cha.** (Aféresis de *muchacho.*) m. y f. fam. **muchacho.** Es voz de cariño. ‖ **2.** m. Puesta que se hace en el juego del hombre.
chacho[2]**, cha.** (De or. nahua.) adj. *El Salv.* **guate**[2]**,** que se presenta a pares.
chafaldete. (De or. inc.; cf. cat. *xafaldet.*) m. *Mar.* Cabo que sirve para cargar los puños de gavias y juanetes llevándolos al centro de sus respectivas vergas.
chafaldita. (De *chafar.*) f. fam. Pulla ligera e inofensiva.
chafalditero, ra. adj. fam. Propenso a decir chafalditas. Ú. t. c. s.
chafalmejas. (De *chafar* y *almeja.*) com. fam. **pintamonas.**
chafalonía. f. Objetos inservibles de plata u oro, para fundir.
chafallada. (De *chafallo.*) f. fam. *And.* Escuela de párvulos.
chafallar. (De *chafallo.*) tr. fam. Hacer o remendar una cosa sin arte ni aseo.
chafallo. (De *chafar.*) m. fam. Remiendo mal echado. ‖ **2.** Borrón en un escrito.
chafallón, na. adj. fam. Que chafalla. Ú. t. c. s. ‖ **2.** **chapucero,** que trabaja toscamente. Ú. t. c. s.
chafandín. m. *Ar., Ast.* y *Cantabria.* Persona vanidosa y de poco seso.
chafar. (Voz onomatopéyica) tr. Aplastar lo que está erguido o lo que es blando o frágil, como hierbas, pelo de ciertos tejidos, uvas, huevos, etc. Ú. t. c. prnl. ‖ **2.** Estropear, echar a perder. Ú. t. en sent. fig. ‖ **3.** Arrugar y deslucir la ropa, maltratándola. ‖ **4.** fig. y fam. Deslucir a alguien en una conversación o concurrencia, cortándole y dejándole sin tener qué responder.
chafariz. (Del m. or. que *zafariche.*) m. Pila de fuente. ‖ **2.** Fuente con caños.
chafarotazo. m. Golpe dado con chafarote.
chafarote. (aum. del ár. *šafra* o *šifra,* cuchillo, navaja.) m. Alfanje corto y ancho, que suele ser corvo hacia la punta. ‖ **2.** fig. y fam. Sable o espada ancha o muy larga.
chafarraño. m. *Can.* Galleta de maíz.
chafarrinada. (De *chafarrinar.*) f. Borrón o mancha que desluce una cosa.
chafarrinar. (De *chafar.*) tr. Deslucir una cosa con manchas o borrones.
chafarrinón. m. **chafarrinada.** ‖ **echar un chafarrinón.** fr. fig. y fam. Hacer una cosa indigna o chabacana. ‖ **2.** fig. y fam. Poner mala fama en el linaje ajeno.
chafarrocas. m. Pez marino teleósteo de pequeño tamaño, rostro alargado y puntiagudo, cuerpo oblongo y aplanado, que se adhiere a las rocas por sus aletas pectorales y abdominales convertidas en ventosas.
chafirete, ta. m. y f. despect. *Méj.* **chofer.**
chaflán. (Del fr. *chanfrein.*) m. Cara, por lo común larga y estrecha, que resulta en un sólido, de cortar por un plano una esquina o ángulo diedro. ‖ **2.** Plano largo y estrecho que, en lugar de esquina, une dos paramentos o superficies planas, que forman ángulo.
chaflanar. tr. **achaflanar.**
chagolla. f. p. us. *Méj.* Moneda falsa o muy gastada.
chagra. com. Campesino de la república del Ecuador. ‖ **2.** f. *Col.* **chacra,** alquería.
chagual. (Del quechua *chahuar,* estopa.) m. *Argent., Chile* y *Perú.* Planta bromeliácea, de tronco escamoso y flores verdosas. La médula del tallo nuevo es comestible; las fibras sirven para cordeles, y la madera seca para suavizadores de navajas de afeitar. ‖ **2.** *Chile.* Fruto del **cardón,** planta bromeliácea.
chaguala. f. Nombre que se daba al pendiente que los indios llevaban en la nariz. ‖ **2.** *Col.* Zapato viejo. ‖ **3.** *Col.* **chirlo.** ‖ **4.** *Méj.* **chancleta.**
chagualo. m. *Col.* Árbol de la familia de las araliáceas.
chagualón[1]**.** m. *Col.* Árbol del incienso.
chagualón[2]**.** m. *Col.* Zapato viejo.
cháguar. m. *Amér.* **caraguatá.**
chaguarama. m. *Amér. Central.* Árbol, especie de palma gigantesca, de 20 a 25 metros de altura, hojas como plumas, delgadas y ondeadas en la punta, a veces en forma de abanico, y fruto farináceo, dulce y nutritivo. Se usa principalmente este árbol como adorno en jardines y alamedas.
chaguaramo. m. **chaguarama.**
chagüí. m. *Ecuad.* Ave del orden de los pájaros, de pequeño tamaño y colores rojo y negro, que se encuentra en abundancia en la zona litoral.
cháhuar. adj. *Ecuad.* Se dice de la caballería de color bayo. Ú. t. c. s. ‖ **2.** m. *Amér.* **cháguar.**
chahuiscle. m. *Méj.* **chahuistle.**
chahuistle. (Del nahua *chiahuiztli,* humor, humedad.) f. **roya,** hongo. ‖ **2.** m. *Méj.* Cualquier plaga dañina. ‖ **caerle el chahuistle** a alguien. fr. fig. y fam. *Méj.* Sobrevenirle a alguien un mal o una molestia.
chai. f. **niña.** ‖ **2. ramera.**
chaima. adj. Se aplica al indio perteneciente a una tribu que habita al nordeste de Venezuela. Ú. t. c. s. ‖ **2.** m. Dialecto caribe de los **chaimas.**
chaira. (Del gall. *chaira.*) f. Cuchilla que usan los zapateros para cortar la suela. ‖ **2.** Cilindro de acero que usan los carniceros y otros oficiales para afilar sus cuchillas. ‖ **3.** Cilindro de acero, ordinariamente con mango, que usan los carpinteros para sacar rebaba a las cuchillas de raspar.
chajá. (Voz onomatopéyica.) m. *Argent., Par.* y *Urug.* Ave zancuda de más de medio metro de longitud, de color gris claro, cuello largo, plumas altas en la cabeza y dos púas en la parte anterior de sus grandes alas. Anda erguida y con lentitud, y lanza un fuerte grito, que sirvió para darle nombre. Se domestica con facilidad.
chajal. m. *Ecuad.* Indio que estaba al servicio del cura en las parroquias. ‖ **2.** *Ecuad.* **criado,** sirviente.
chajuán. m. *Col.* Bochorno, calor.
chajuanado, da. adj. *Col.* Fatigado, cansado.
chal. (Del fr. *châle,* y este del persa *šāl.*) m. Paño de seda o lana, mucho más largo que ancho, y que, puesto en los hombros, sirve a las mujeres como abrigo o adorno.
chala. (De or. quechua.) f. *Amér. Merid.* Espata del maíz. Una vez seca se usa en algunas partes, en lugar de papel, para liar cigarrillos. ‖ **2.** *Chile.* Chalala, sandalia de cuero crudo.

chalaco, ca. adj. Natural del Callao, puerto de Perú. Ú. t. c. s.
chalado, da. p. p. de **chalar.** ‖ **2.** adj. fam. Alelado, falto de seso o juicio. Ú. generalmente con el verbo *estar*. Ú. t. c. s. ‖ **3.** fam. Muy enamorado.
chaladura. (De *chalar.*) f. fam. Extravagancia, locura, manía. ‖ **2.** Enamoramiento.
chalala. f. *Chile.* Sandalia de cuero crudo.
chalán, na. (Del fr. *chaland,* cliente.) adj. Que trata en compras y ventas, especialmente de caballos u otras bestias, y tiene para ello maña y persuasiva. Ú. t. c. s. ‖ **2.** m. *Amér.* **picador,** domador de caballos.
chalana. (Del m. or. que *chalán.*) f. Embarcación menor, de fondo plano, proa aguda y popa cuadrada, que sirve para transportes en aguas de poco fondo.
chalanear. tr. Tratar los negocios con maña y destreza propias de chalanes. ‖ **2.** *Amér.* Adiestrar caballos.
chalaneo. m. Acción y efecto de chalanear.
chalanería. f. Artificio y astucia de que se valen los chalanes para vender y comprar.
chalanesco, ca. adj. despect. Propio de chalanes, tratantes de bestias.
chalar. (Del gitano.) tr. Enloquecer, alelar. Ú. t. c. prnl. ‖ **2. enamorar.** Ú. t. c. prnl.
chalate. m. *Méj.* Caballejo matalón.
chalaza. (Del gr. χάλαζα, galladura del huevo.) f. Cada uno de los dos filamentos que sostienen la yema del huevo en medio de la clara.
chalazión. (Del fr. *chalaze, chalazion.*) m. Pequeño tumor producido por la inflamación crónica de las glándulas sebáceas de los párpados.
chalcha. (De or. mapuche.) f. *Chile.* Papada. Ú. m. en pl.
chalchal. m. *R. de la Plata.* Árbol de la familia de las abietáceas, cuyas piñas contienen unos piñones menudos.
chalchihuite. (Del nahua *chalchiuitl.*) m. *Méj.* Especie de jade verde. ‖ **2.** *El Salv.* y *Guat.* Cachivache, baratija.
chale. m. *Méj.* Persona, residente en Méjico, originaria de China, descendiente de chinos o con rasgos orientales.
chalé. (De *chalet.*) m. Casa de madera y tabique a estilo suizo. ‖ **2.** Casa de recreo o vivienda, generalmente rodeada de un pequeño jardín.
chaleco. (Del ár. *ŷalīka,* alteración del turco *yalak,* nombre de un vestido.) m. Prenda de vestir, por lo común sin mangas, que se abotona al cuerpo, llega hasta la cintura cubriendo el pecho y la espalda y se pone encima de la camisa. ‖ **2. jaleco.** ‖ **3.** *And.* y *Mancha.* Mujer despreciable y sin atractivos. Ú. t. c. adj. ‖ **salvavidas.** El destinado a mantener a flote en el agua a quien lo lleva, en caso de necesidad.
chalequero, ra. m. y f. Persona que tiene por oficio hacer chalecos.
chalet. (Del fr. de Suiza, *chalet,* y este d. de la voz *cala,* cabaña.) m. **chalé.**
chalina. (De *chal.*) f. Corbata de caídas largas y de varias formas, que usan los hombres y las mujeres. ‖ **2.** *Argent., Col.* y *C. Rica.* Chal angosto.
chalón. (De *chal.*) m. *Urug.* Manto o mantón negro.
chalona. f. *Bol.* Carne de oveja, salada y seca al sol. ‖ **2.** *Perú.* Carne de carnero acecinada.
chalota. f. **chalote.**
chalote. (Del fr. *échalotte.*) adj. **ajo chalote.** Ú. t. c. s. amb.
chalupa. (Del neerl. *sloep,* a través del fr. *chaloupe.*) f. Embarcación pequeña, que suele tener cubierta y dos palos para velas. ‖ **2. lancha,** bote. ‖ **3.** Canoa o embarcación de diferentes formas y para distintos usos que se emplea en las chinampas de Méjico. ‖ **4.** *Méj.* Bocadillo a base de masa, pequeño y ovalado, con algún condimento por encima.
challar. (De or. quechua.) tr. *Bol.* Rociar el suelo con licor en homenaje a la madre tierra o Pachamama. ‖ **2.** *Bol.* Festejar con comidas y bebidas la adquisición de un bien.
challulla. f. *Perú.* Cierto pez fluvial sin escamas.
chama. (De *chamar.*) f. Entre chamarileros, **cambio,** acción de cambiar.
chamaco, ca. m. y f. *Méj.* Niño, muchacho.
chamada. f. **chamarasca.** ‖ **2.** *And.* Sucesión de acontecimientos adversos. *Pasar una* CHAMADA.
chamagoso, sa. (Del nahua *chiamahuia,* embadurnar algo con aceite de chía.) adj. *Méj.* Mugriento, astroso. ‖ **2.** *Méj.* Mal pergeñado. ‖ **3.** *Méj.* Aplicado a cosas, bajo, vulgar y deslucido.
chamagua. adj. *Méj.* **camagua,** dícese del maíz que empieza a madurar.
chamal. m. *Argent.* y *Chile.* Paño que usaban los indios araucanos para cubrirse de la cintura abajo, envolviéndolo en forma de pantalones. ‖ **2.** *Chile.* Manta de las indias en la misma región.
chamán. (De or. siberiano, a través del ruso.) m. Hechicero al que se supone dotado de poderes sobrenaturales para sanar a los enfermos, adivinar, invocar a los espíritus, etcétera.
chamanismo. m. Conjunto de creencias y prácticas referentes a los chamanes.
chamanístico, ca. adj. Perteneciente o relativo al chamanismo.
chamanto. m. *Chile.* Manto de lana fina con muchas listas de colores, que usan los campesinos.
chamar. (De etim. disc.; cf. port. *cambar,* cambiar, y fr. *changer.*) tr. Entre chamarileros y gente inculta, **cambiar,** dar o tomar una cosa por otra.
chámara. f. **chamarasca.**
chamarasca. f. Leña menuda, hojas y palillos delgados que, dándoles fuego, levantan mucha llama sin consistencia ni duración. ‖ **2.** Esta misma llama.
chamarilear. tr. **chamar.** ‖ **2.** Vender trastos viejos.
chamarileo. m. Acción y efecto de chamarilear.
chamarilería. f. Establecimiento donde se compran y venden trastos viejos.
chamarilero, ra. (De etim. disc.; probablemente del esp. ant. *chambariles,* instrumentos de zapatero.) m. y f. Persona que se dedica a comprar y vender objetos de lance y trastos viejos.
chamarillero, ra. m. y f. **chamarilero.** ‖ **2.** m. p. us. **tahúr.**
chamarillón, na. adj. p. us. Que juega mal a los naipes. Ú. t. c. s.
chamariz. (Del port. *chamariz,* ave de reclamo.) m. **lugano.**
chamarón. (aum. de *chamariz.*) m. **mito**[2].
chamarra. (De *zamarra.*) f. Vestidura de jerga o paño burdo, parecida a la zamarra.
chamarreta. (De *chamarra.*) f. Casaquilla que no ajusta al cuerpo, larga hasta poco más abajo de la cintura, abierta por delante, redonda y con mangas.
chamarro. m. *Hond.* **zamarro,** prenda rústica de vestir.
chamba[1]**.** (Del ant. port. *chamba.*) f. fam. **chiripa.** ‖ **2.** fam. *Méj.* Empleo, trabajo.
chamba[2]**.** f. *Col.* y *Venez.* Zanja o vallado que sirve para limitar los predios.
chambado. m. *Argent.* **cuerna,** vaso rústico.
chambaril. (De or. inc.; cf. port. ant. *chamba,* pierna, ant. fr. *jambe.*) m. *Sal.* **zancajo,** hueso del pie que forma el talón.
chambel. m. *And.* Especie de palangre.
chambelán. (Del germ. *kamerlinc,* camarero, a través del fr. *chambellan.*) m. Camarlengo, gentilhombre de cámara.
chamberga. f. *And.* Género de cinta de seda muy angosta.
chambergo, ga. (De *Schomberg,* el mariscal que introdujo la moda en el uniforme.) adj. Aplícase a ciertas prendas del uniforme del regimiento creado en Madrid durante la menor edad de Carlos II para su guardia. *Casaca* CHAMBERGA.

Ú. t. c. s. ‖ **2.** Se aplica también a este regimiento. ‖ **3.** Dícese del individuo de dicho cuerpo. Ú. t. c. s. ‖ **4.** V. **sombrero chambergo.** Ú. t. c. s. ‖ **5.** V. **seguidilla chamberga.** Ú. t. c. s. ‖ **6.** m. Moneda de plata que corrió en Cataluña en el siglo XVIII, y valía algo menos que un real de Castilla. ‖ **a la chamberga.** loc. adv. Según la forma de las prendas del citado uniforme. ‖ **2.** V. **pintura a la chamberga.**

chamberguilla. f. *And.* **chamberga.**

chambilla. f. *Arq.* Cerco de piedra en que se afirma una reja de hierro.

chambismo. m. *Méj.* **pluriempleo.**

chambón, na. (De *chamba*[1].) adj. fam. De escasa habilidad en el juego, caza o deportes. Ú. t. c. s. ‖ **2.** Por ext., poco hábil en cualquier arte o facultad. Ú. t. c. s. ‖ **3.** fam. Que consigue por chiripa alguna cosa.

chambonada. f. fam. Desacierto propio del chambón. ‖ **2.** fam. Ventaja obtenida por chiripa.

chambonear. intr. fam. *Amér.* Hacer chambonadas.

chamborote. adj. *Ecuad.* Aplícase al pimiento blanco. ‖ **2.** fig. *Ecuad.* Se dice de la persona de nariz larga

chambra. (Del fr. [robe de] *chambre.*) f. Vestidura corta, a modo de blusa con poco o ningún adorno, que usan las mujeres sobre la camisa.

chambrana. (Del ant. fr. *chambrande.*) f. *Arq.* Labor o adorno de piedra o madera, que se pone alrededor de las puertas, ventanas, chimeneas, etc. ‖ **2.** Cada uno de los travesaños que unen entre sí las partes de una silla, de una mesa o de otro mueble, para darles mayor seguridad.

chambre. m. *Mál.* **pillastre.**

chamburo. m. Árbol de América Meridional, de la familia de las caricáceas, con grandes hojas, agrupadas en la parte superior, y que produce una baya comestible en dulce y en sorbete.

chamelador. m. El que chamela. También en el juego del chamelo, el jugador que está a la izquierda del que sale o los dos últimos que se oponen a que juegue aquel.

chamelar. (De *chamelo.*) intr. En el juego de dominó llamado chamelo, sustituir un jugador las fichas que le han correspondido por otras tantas de las que quedan en la mesa. Dicho jugador gana o pierde el doble de cada tanto.

chamelo. (Del cat. *xamelo.*) m. Variedad del juego de dominó, en que intervienen cuatro jugadores de los que solo actúan tres en cada mano, independientemente y con las fichas que les han correspondido, salvo en el caso en que se chamele.

chamelote. (Del ant. fr. *chamelot,* de *chamel,* camello; cf. *camelote.*) m. **camelote**[1].

chamelotón. m. Chamelote ordinario y grosero.

chamerluco. (Del turco *iogmurlyk,* prenda para la lluvia.) m. Vestido que usaban las mujeres, ajustado al cuerpo, bastante cerrado por el pecho y con una especie de collarín.

chamicado, da. adj. *Chile* y *Perú.* Dícese de la persona taciturna, y de la que está perturbada por la embriaguez.

chamicera. (De *chamizo.*) f. Pedazo de monte que, habiéndose quemado, tiene la leña sin hojas ni corteza y muy negra del fuego.

chamicero, ra. adj. Perteneciente al chamizo o parecido a él. ‖ **2.** m. *Col.* Lugar donde abunda la **chamiza,** leña menuda.

chamico. (De or. quechua.) m. *Amér. Merid., Cuba* y *Sto. Dom.* Arbusto silvestre de la familia de las solanáceas, variedad de estramonio, de follaje sombrío, hojas grandes dentadas, blancas y moradas, y fruto como un huevo verdoso, erizado de púas, de olor nauseabundo y sabor amargo. Es narcótico y venenoso; pero lo emplean como medicina en las afecciones del pecho.

chamillo. (De or. quechua.) m. *Bol.* Pan integral.

chamiza. (Del gall.-port. *chamiça.*) f. Hierba silvestre y medicinal, de la familia de las gramíneas, que nace en tierras frescas y aguanosas. Su vástago, de uno a dos metros de alto y cinco o seis milímetros de grueso, es fofo y de mucha hebra; y sus hojas, anchas, cortas y de color ceniciento. Sirve para techumbre de chozas y casas rústicas. ‖ **2.** Leña menuda que sirve para los hornos.

chamizo. (De *chamiza.*) m. Árbol medio quemado o chamuscado. ‖ **2.** Leño medio quemado. ‖ **3.** Choza cubierta de chamiza, hierba. ‖ **4.** fig. y fam. Tugurio sórdido de gente de mal vivir.

chamorra. f. fam. Cabeza esquilada.

chamorrar. (De *chamorro.*) tr. ant. Esquilar o trasquilar.

chamorro, rra. adj. Dicho de animales, que tiene la cabeza esquilada. Ú. t. c. s. ‖ **2.** V. **trigo chamorro.** ‖ **3.** Dícese del habitante de las Islas Marianas. ‖ **4.** Perteneciente o relativo a este pueblo.

champa[1]**.** (Voz onomatopéyica.) f. *N. Argent.* y *Chile.* Raigambre, tepe, cepellón. ‖ **2.** *N. Argent.* Leña y pasto que se emplean para encender el fuego. ‖ **3.** *NO. Argent.* Limo y hojarasca que, llevadas por la creciente, se acumulan en las acequias.

champa[2]**.** (De or. quechua.) f. *Bol.* Enredo.

champán[1]**.** (Del chino *san pan,* tres tablas, a través del malayo.) m. Embarcación grande, de fondo plano, que se emplea en China, Japón y algunas partes de América del Sur para navegar por los ríos.

champán[2]**.** m. fam. **champaña.**

champaña. (Del fr. *Champagne,* comarca francesa.) m. Vino espumoso blanco o rosado, originario de Francia. Cf. **cava**[2].

champañazo. m. fam. *Chile.* Fiesta familiar en la que se bebe champaña.

champar. (Voz onomatopéyica.) tr. fam. Decir a alguien en su cara una cosa desagradable o recordarle un beneficio que se le hizo.

champear. (De *champa.*) tr. *Chile, Ecuad.* y *Perú.* Tapar o cerrar con césped o tepes una presa o un portillo.

champiñón. (Del fr. *champignon.*) m. Nombre común a varias especies de hongos agaricáceos, algunos de los cuales son comestibles.

champola. f. *Amér. Central, Cuba* y *Sto. Dom.* Refresco hecho con guanábana y leche. ‖ **2.** *Chile.* Refresco hecho de chirimoya.

champú. (Del ing. *shampoo,* friccionar, y este del hindi *chāmpnā,* sobar.) m. Loción para el cabello.

champudo, da. (De *champa.*) adj. *Chile* y *Perú.* **chascón.**

champurrado. m. *Méj.* Atole de chocolate.

champurrar. tr. fam. **chapurrar,** mezclar un licor con otro.

champús. m. *Col.* **champuz.**

champuz. m. *Ecuad.* y *Perú.* Gachas de harina de maíz o de maíz cocido, azúcar y zumo de naranjilla.

chamuchina. f. Cosa de poco valor. ‖ **2.** *Amér.* **populacho.**

chamullar. intr. fam. *Caló.* **hablar.**

chamurrar. (Del lat. **semiurāre,* de *semiurĕre,* medio quemar.) tr. **somarrar,** socarrar.

chamurrir. (cf. *chamuscar.*) tr. *Nav.* **chamuscar.**

chamuscado, da. p. p. de **chamuscar.** ‖ **2.** adj. fig. y fam. Algo indiciado o tocado de un vicio o pasión.

chamuscar. (Del port. *chamuscar.*) tr. Quemar una cosa por la parte exterior. Ú. t. c. prnl.

chamusco. (De *chamuscar.*) m. **chamusquina,** acción y efecto de chamuscar.

chamusquina. f. Acción y efecto de chamuscar o chamuscarse. ‖ **2.** fig. y fam. **camorra,** riña o pendencia. ‖ **oler a chamusquina.** fr. fig. y fam. Parecer que una disputa va a parar en riña o pendencia. ‖ **2.** desus. fig. y fam. Ser peligrosos en materia de fe palabras o discursos.

chan. m. *C. Rica, El Salv.* y *Guat.* **chía**[2].

chaná. adj. Dícese del indio americano, que, en la época de la conquista española, habitaba en las cuencas del Paraná, hasta el río Corrientes, y del Uruguay inferior, y en las islas de Entre Ríos y Buenos Aires. ‖ **2.** Perteneciente o relativo a los indios **chanaes** o a su lengua. ‖ **3.** m. Lengua de estos indios.

chanada. f. fam. Chasco, supercheria.

chanca[1]. (Voz onomatopéyica.) f. **chancla.** ‖ **2.** *Sal.* **zueco**[1].

chanca[2]. f. *And.* Depósito a manera de troje destinado a curar boquerones, caballas y otros peces para ponerlos en conserva. ‖ **2.** Pequeña industria de salazón de pescado.

chanca[3]. (De *chancar.*) f. *Argent., Chile, Ecuad.* y *Perú.* Trituración. ‖ **2.** *Chile* y *Perú.* Tunda, paliza.

chancaca. (Del nahua *chiancaca,* azúcar moreno, o del quechua *chánkkay,* triturar.) f. *Amér.* Masa preparada con azúcar o miel, y de diversas maneras.

chancadora. f. *Chile* y *Perú.* **trituradora.**

chancaquita. f. *Amér.* Pastilla de chancaca mezclada con nueces, coco, etc.

chancar. (Del quechua *chánkkay,* machacar, moler.) tr. *Amér. Central, Argent., Chile* y *Perú.* Triturar, machacar, moler, especialmente minerales. ‖ **2.** *Chile* y *Perú.* Apalear, golpear, maltratar. ‖ **3.** fig. *Chile* y *Perú.* Apabullar, vencer, sobrepujar. ‖ **4.** fig. *Chile* y *Ecuad.* Ejecutar mal o a medias una cosa. ‖ **5.** fig. *Perú.* Estudiar con ahínco, empollar.

chancear. (De *chanza.*) intr. Bromear. Ú. m. c. prnl.

chanceler. m. ant. **canciller.**

chancellar. tr. ant. **cancelar.**

chanceller. m. ant. **canciller.**

chancero, ra. (De *chanza.*) adj. Que acostumbra a bromear.

chanciller. (Del fr. *chanceller.*) m. **canciller.**

chancillería. (De *chanciller.*) f. desus. **cancillería.** ‖ **2.** Importe de los derechos que se pagaban al canciller por su oficio.

chancla. (De *chanca*[1].) f. Zapato viejo cuyo talón está ya caído y aplastado por el mucho uso. ‖ **2. chancleta.** ‖ **en chancla.** loc. adv. **en chancletas.**

chancleta. (d. de *chancla.*) f. Chinela sin talón, o chinela o zapato con el talón doblado, que suele usarse dentro de casa. ‖ **2.** fam. y despect. *Amér.* Mujer, en especial la recién nacida. ‖ **3.** com. fig. y fam. Persona inepta. ‖ **en chancletas.** loc. adv. Sin llevar calzado el talón del zapato. ‖ **tirar la chancleta.** fr. fig. y fam. *Argent.* Abandonar una mujer las pautas de comportamiento tradicional. ‖ **2.** *Argent.* Darse una persona súbita e inesperadamente a una conducta más liberada.

chancletear. intr. Andar en chancletas.

chancleteo. m. Ruido o golpeteo de las chancletas cuando se anda con ellas.

chanclo. (De *chanca*[1].) m. Especie de sandalia de madera o suela gruesa, que se pone debajo del calzado y se sujeta por encima del pie con una o dos tiras de cuero, y sirve para preservarse de la humedad y del lodo. ‖ **2.** Zapato grande de goma u otra materia elástica, en que entra el pie calzado. ‖ **3.** Parte inferior de algunos calzados, en forma de **chanclo.** *Botas de* CHANCLO.

chanco. (De *chanca*[1].) m. ant. **chapín,** chanclo de corcho.

chancón, na. (De *chancar.*) adj. *Perú.* Empollón.

chancro. (Del fr. *chancre.*) m. Úlcera contagiosa de origen venéreo o sifilítico.

chancuco. m. *Col.* Contrabando.

chancha. (De *chanza.*) f. ant. Embuste, mentira, engaño.

chanchada. (De *chancho.*) f. fig. y fam. *Amér.* **cochinada,** acción grosera o desleal. Ú. m. con el verbo *hacer.* ‖ **ser algo una chanchada.** fr. fig. y fam. *Argent.* Estar algo falto de limpieza o cuidado.

cháncharras máncharras. f. pl. fam. Rodeos o pretextos para dejar de hacer una cosa. *No andemos en* CHÁNCHARRAS MÁNCHARRAS.

chanchería. f. *Amér.* Tienda donde se vende carne de chancho y embuchados.

chanchero, ra. m. y f. rur. *Argent., Chile* y *Perú.* Persona que cuida chanchos o cerdos, los cría para venderlos o negocia comprándolos y vendiéndolos.

chanchi. adj. inv. *Esp.* Estupendo, muy bueno. Ú. t. c. adv.

chancho, cha. (De *sancho*[1].) m. y f. *Amér.* **cerdo,** animal. ‖ **2.** adj. *Amér.* Puerco, sucio, desaseado.

chanchullero, ra. adj. Que gusta de andar en chanchullos. Ú. t. c. s.

chanchullo. (De *chancha.*) m. fam. Manejo ilícito para conseguir un fin, y especialmente para lucrarse.

chanda. (De or. quechua.) f. *Col.* Sarna.

chándal. (Del fr. *chandail,* jersey de los vendedores de verdura.) m. Traje deportivo que consta de un pantalón y de una chaqueta que cubre el torso.

chandoso, sa. adj. *Col.* Sarnoso. Aplícase especialmente a los perros.

chanela. (De etim. disc.; cf. it. *pianella.*) f. ant. **chinela.**

chanelar. tr. **entender.**

chanfaina. f. Guisado hecho de bofes o livianos picados. ‖ **2.** *And.* Guiso de carne, morcilla o asadura de cerdo, en una salsa espesa hecha con aceite, vinagre, miga de pan, almendras, ajo, pimentón, orégano y tomillo. ‖ **3.** *And.* Esta salsa. ‖ **4.** *Col.* Guiso que se hace con carne de oveja o cordero. ‖ **5.** fig. y fam. *Col.* **enchufe,** cargo o empleo. ‖ **6.** *Germ.* **rufianesca.**

chanfla. f. **chanflón,** moneda falsa. ‖ **2.** *Ar.* **chapucería,** obra mal hecha.

chanfle. m. *Argent.* **chaflán.** ‖ **2.** *Argent.* Golpe o corte oblicuo producido en alguna cosa. ‖ **de chanfle.** loc. adv. *Argent.* Oblicuamente.

chanflear. tr. *Argent.* **achaflanar.**

chanflón, na. (Del m. or. que *chaflán.*) adj. Dícese de la moneda falsa. Ú. t. c. s. ‖ **2.** Persona o cosa despreciable. Apl. a pers., ú. t. c. s. ‖ **3.** V. **clavo chanflón.** ‖ **4.** m. Disco de metal o moneda estropeada que se usa para jugar al chito.

changa[1]. f. fam. Trato, trueque o negocio de poca importancia. Ú. m. con el verbo *hacer.* ‖ **2.** *Argent.* Ocupación transitoria, por lo común en tareas menores. ‖ **3.** *And., Amér. Merid.* y *Cuba.* Chanza, burla, broma, chuscada.

changa[2]. f. *P. Rico.* Insecto dañino para las plantas. ‖ **2.** fig. *P. Rico.* Persona perversa. ‖ **3.** *P. Rico.* En el lenguaje de la droga, colilla del cigarro de marihuana.

changador. m. *Argent., Bol.* y *Urug.* Persona que en los sitios públicos se encarga de transportar equipajes.

changallo, lla. adj. *Can.* **perezoso.**

changar. (Voz onomatopéyica.) tr. Romper, descomponer, destrozar.

changarín. m. *Argent.* **changador.** ‖ **2.** *Argent.* Peón urbano o rural que se contrata temporalmente para realizar tareas menores.

changarra. f. *Sal.* **cencerro.**

changarro. (Voz onomatopéyica.) m. **cencerro.** ‖ **2.** *Méj.* Tendejón.

changle. m. *Chile.* Planta parásita, especie de hongo que crece en algunos árboles; es comestible.

chango, ga. adj. *Chile.* Dícese de la persona torpe y fastidiosa. Ú. t. c. s. ‖ **2.** *P. Rico, Sto. Dom.* y *Venez.* Bromista, guasón. Ú. t. c. s. ‖ **3.** m. y f. *P. Rico.* Persona de modales afectados. ‖ **4.** *Méj., NO. Argent.* y *S. Bol.* Niño, muchacho. En Colombia ú. solo el f. ‖ **5.** m. *Méj.* **mono;** en general, cualquier simio.

changuería. f. *Hond., Méj.* y *P. Rico.* Acción propia del chango; broma, payasada.
changüí. m. fam. Chasco, engaño, vaya. Ú. m. con el verbo *dar.* ‖ **2.** *Cuba.* Antiguamente, cierto baile popular. ‖ **3.** fam. *Argent.* Ventaja, oportunidad, en especial la que se da en el juego.
changurro. (Del vasc. *txangurro.*) m. Plato vasco popular hecho con centollo cocido y desmenuzado en su caparazón.
chano, chano. loc. adv. p. us. fam. Lentamente, paso a paso.
chanquear. intr. ant. Andar en chancos.
chanquete. m. Pez pequeño comestible, de la misma familia que el gobio, de cuerpo comprimido y traslúcido, que por su tamaño y aspecto recuerda a la cría del boquerón.
chantado. (De *chantar.*) m. *Gal.* Cerco o vallado de chantos colocados en fila y verticalmente.
chantaje. (Del fr. *chantage.*) m. Amenaza de pública difamación o daño semejante que se hace contra alguien, a fin de obtener de él dinero u otro provecho. ‖ **2.** Presión que, mediante amenazas, se ejerce sobre alguien para obligarle a obrar en determinado sentido.
chantajear. tr. Ejercer chantaje.
chantajista. com. Persona que ejercita habitualmente el chantaje.
chantar. (Del gall. *chantar.*) tr. **plantar,** fijar y poner derecha una cosa. ‖ **2.** *Ast., Gal.* y *Amér.* Vestir o poner. ‖ **3.** *Ast., Argent., Ecuad.* y *Perú.* **plantar,** decir a uno claridades. ‖ **4.** *Chile.* **plantar,** dar golpes. ‖ **5.** *Chile.* **plantar,** poner a alguien en un sitio contra su voluntad.
chantillí. (De *Chantilly,* ciudad francesa.) m. Crema usada en pastelería hecha de nata batida.
chantillón. (Del fr. *échantillon,* patrón de medidas.) m. **escantillón.**
chanto. (De *chantar.*) m. En el noroeste de España, tronco, rama o piedra larga que se hinca de punta en el suelo. ‖ **2.** *Gal.* Piedra plana que se extrae de las canteras en grandes hojas y sirve para formar vallados y para pavimento de eras, casas y calles.
chantre. (Del fr. *chantre.*) m. Dignidad de las iglesias catedrales, a cuyo cargo estaba antiguamente el gobierno del canto en el coro.
chantría. f. Dignidad de chantre.
chanza. (En it. *ciancia.*) f. Dicho festivo y gracioso. ‖ **2.** Hecho burlesco para recrear el ánimo o ejercitar el ingenio. ‖ **hablar de chanza.** fr. **hablar de burlas.**
chanzoneta[1]. (Del fr. *chansonnette.*) f. Nombre que antes se daba a coplas o composiciones en verso ligeras y festivas, hechas por lo común para que se cantasen en Navidad o en otras festividades religiosas.
chanzoneta[2]. f. fam. **chanza.**
chanzonetero. m. El que componía chanzonetas[1].
chañar. (De or. quechua.) m. *Amér. Merid.* Árbol de la familia de las papilionáceas, espinoso, de corteza amarilla. Sus legumbres son dulces y comestibles. ‖ **2.** Fruto de este árbol.
chaño. m. *Chile.* Frazada de lana burda, con fleco y listas de color rojo: sirve de manta, colchón y sudadero.
¡chao! (Del it. *ciao.*) interj. fam. Adiós, hasta luego.
chaola. (Del fr. *geôle.*) f. **chabola.**
chapa. (Voz onomatopéyica.) f. Hoja o lámina de metal, madera u otra materia. ‖ **2.** Entre zapateros, pedazo de piel, comúnmente baldés, con que se aseguran las últimas puntadas en los extremos de las cortaduras o uniones de unas piezas con otras. ‖ **3.** Moneda estropeada que se usa como tejo. ‖ **4.** Conjunto de las arandelas de la cocina. ‖ **5.** Tapón metálico que cierra herméticamente las botellas. ‖ **6.** **placa,** distintivo de los agentes de policía. ‖ **7.** Caracol terrestre de gran tamaño, común en Valencia, con la concha deprimida a manera de **chapa** en su parte superior, aquillada, muy áspera y de color de tierra. ‖ **8.** **chapeta,** mancha roja en las mejillas. ‖ **9.** Mancha de color rojo que se ponían artificialmente las mujeres en el rostro. ‖ **10.** fig. y fam. Seso, formalidad. *Hombre de* CHAPA. ‖ **11.** **cerradura,** mecanismo para cerrar. Ú. m. en América. ‖ **12.** com. fam. *Ecuad.* **agente de policía.** ‖ **13.** Enfermedad semejante a la sífilis, propia del África occidental. ‖ **14.** f. pl. Juego entre dos o más personas, que consiste en tirar por alto dos monedas iguales: si al caer al suelo quedan ambas con la cara hacia arriba, el que las ha tirado gana a todos y sigue tirando; en caso contrario paga todas las puestas y deja de tirar; y si resulta cara y cruz, ni pierde ni gana, y tira de nuevo. ‖ **15.** Juego infantil en que se utilizan las **chapas** de las botellas.
chapadamente. adv. m. ant. **perfectamente.**
chapado, da. p. p. de **chapar.** ‖ **2.** adj. **chapeado.** ‖ **3.** ant. Decíase de la persona de **chapa,** de seso, formalidad. ‖ **4.** fig. Hermoso, gentil, gallardo. ‖ **5.** V. **trigo chapado.** ‖ **a la antigua.** expr. fig. Se dice de la persona muy apegada a los hábitos y costumbres de sus mayores.
chapalear. (Voz onomatopéyica.) intr. **chapotear,** sonar el agua batida por las manos y los pies. ‖ **2.** **chacolotear.**
chapaleo. m. Acción y efecto de chapalear.
chapaleta. (De *chapalear.*) f. Válvula de la bomba de sacar agua.
chapaletear. intr. Chapotear, sonar el agua.
chapaleteo. (Voz onomatopéyica.) m. Acción y efecto de chapaletear. ‖ **2.** Ruido que al caer produce la lluvia.
chapapote. (De or. nahua o caribe.) m. Asfalto más o menos espeso que se halla en Méjico y las Antillas. ‖ **2.** *Cantabria* y *Gal.* Alquitrán.
chapar. (De *chapa.*) tr. **chapear,** cubrir o guarnecer con chapas. ‖ **2.** ant. Poner o sentar la herradura a modo de chapa en el casco de la caballería. ‖ **3.** fig. Decir una verdad desagradable. *Le* CHAPÓ *un no como una casa.*
chaparra. f. **coscoja,** árbol. ‖ **2.** **chaparro,** mata. ‖ **3.** **chaparro,** arbusto. ‖ **4.** Coche de caja ancha y poco elevada, usado antiguamente.
chaparrada. f. **chaparrón.**
chaparral. m. Sitio poblado de chaparros.
chaparrazo. m. **chaparrón.**
chaparrear. intr. impers. Llover reciamente.
chaparreras. f. pl. Especie de zahones de piel adobada que se usan en Méjico.
chaparrete. m. *And.* **chaparro,** persona rechoncha.
chaparro. (Del vasc. *txaparro.*) m. Mata de encina o roble, de muchas ramas y poca altura. ‖ **2.** Arbusto de América Central, de la familia de las malpigiáceas, con hojas opuestas, muy enteras y pecioladas, flores en racimos terminales, y fruto redondo. Crece en lugares llanos y secos, y de las ramas, que son nudosas, flexibles y resistentes, se hacen bastones. ‖ **3.** fig. Persona rechoncha. Ú. t. c. adj.
chaparrón. (Voz onomatopéyica.) f. Lluvia recia de corta duración. ‖ **2.** fig. Abundancia o muchedumbre de cosas. ‖ **3.** *And.* y *P. Rico.* Riña, regaño, reprimenda.
chaparrudo, da. (De *chaparro.*) adj. **achaparrado,** rechoncho.
chapatal. (Voz onomatopéyica.) m. Lodazal o ciénaga.
chape. m. *Chile.* Trenza de pelo. ‖ **2.** *Chile.* Ciertas clases de moluscos, alguno comestible.
chapeado, da. p. p. de **chapear.** ‖ **2.** adj. Dícese de lo que está cubierto o guarnecido con chapas. ‖ **3.** *Col.* y *Méj.* Dícese de la persona que tiene las mejillas sonrosadas o con buenos colores.
chapear. tr. Cubrir, adornar o guarnecer con chapas. ‖ **2.** *C. Rica, Cuba, Guin. Ecuat.* y *Sto. Dom.* Limpiar la tierra de malezas y hierbas con el machete. ‖ **3.** intr. **cha-**

colotear. ‖ **4.** prnl. *Chile.* Medrar, mejorar de situación económica.

chapeca. f. rur. *O. Argent.* Trenza de pelo. ‖ **2.** rur. *O. Argent.* Ristra de ajos.

chapecar. tr. *Chile.* **trenzar.**

chapel. (Del ant. fr. *chapel.*) m. ant. **chapelete.**

chapela. (Del ant. fr. *chapel,* a través del vasc. *txapela.*) f. Boina de gran vuelo.

chapelete. (De *chapelo.*) m. ant. *Ar.* Cobertura de la cabeza, a modo de sombrero o bonete.

chapelo. (Del ant. fr. *chapel.*) m. ant. **sombrero.**

chapeo. (Del fr. *chapeau.*) m. ant. **sombrero,** prenda para cubrir la cabeza.

chapera. (De *chapa.*) f. *Albañ.* Plano inclinado hecho con maderos unidos por medio de travesaños sobrepuestos y clavados, que se usa en las obras en sustitución de escaleras.

chapería. f. Adorno hecho de muchas chapas.

chaperón. (Del fr. *chaperon.*) m. **chapirón.** ‖ **2.** *Arq.* Alero de madera que se suele poner en los patios para apoyar en él los canalones. ‖ **3.** *Arq.* V. **alero de chaperón.**

chaperonado, da. (De *chaperón.*) adj. *Blas.* **capirotado.**

chapeta. f. d. de **chapa.** ‖ **2.** Mancha de color encendido que suele salir en las mejillas.

chapeteado, da. adj. *Méj.* **chapeado,** de mejillas sonrosadas.

chapetón[1]. (aum. de *chapeta.*) m. *Méj.* Rodaja de plata con que se adornan los arneses de montar.

chapetón[2]. (Voz onomatopéyica.) m. Chaparrón, aguacero. ‖ **pasar el chapetón.** fr. fig. y fam. Pasar el peligro o el contratiempo.

chapetón[3], na. (De *chapeta.*) adj. Dícese del español recién llegado a América, y por extensión, del europeo en iguales condiciones. Ú. t. c. s.‖ **2.** Inexperto, bisoño, novicio. ‖ **3.** m. **chapetonada.**

chapetonada. (De *chapetón*[3].) f. Primera enfermedad que padecían los españoles al llegar a América. ‖ **2.** fig. *Ecuad.* Novatada, noviciado.

chapico. m. *Chile.* Arbusto solanáceo, siempre verde, con hojas espinosas que se usan para teñir de amarillo.

chapín[1]. (Voz onomatopéyica.) m. Chanclo de corcho, forrado de cordobán, muy usado en algún tiempo por las mujeres. ‖ **2.** Pez parecido al cofre, que vive en los mares tropicales. ‖ **de la reina.** Servicio pecuniario que hacía el reino de Castilla en ocasión de casamiento de los reyes.

chapín[2], na. adj. *Amér. Central.* Natural de Guatemala. Ú. t. c. s. ‖ **2.** *Amér. Central.* Perteneciente o relativo a esta república de América. ‖ **3.** *Col.* y *Hond.* **patojo.**

chapinada. f. Dicho o hecho propio de un chapín o guatemalteco.

chapinazo. m. Golpe dado con un chapín[1].

chapinería. f. Oficio de chapinero. ‖ **2.** Sitio donde se hacían chapines, chanclos. ‖ **3.** Sitio o tienda donde se vendían.

chapinero. m. El que por oficio hacía o vendía chapines.

chapinete. m. Madero que formaba parte de los entramados en ciertas obras de albañilería.

chapinismo. m. *Amér. Central.* Provincialismo propio de Guatemala. ‖ **2.** *Amér. Central.* Vocablo, giro o modo especial de hablar de los chapines o guatemaltecos.

chapinizarse. prnl. *Amér. Central.* Adquirir las costumbres y los modales de los chapines o guatemaltecos.

chápiro. (der. regres. de *chapirón.*) m. fam. que se emplea únicamente en las expresiones de enojo **¡por vida del chápiro!, ¡por vida del chápiro verde!** y **¡voto al chápiro!**

chapirón, na. (Del ant. fr. *chaperon.*) adj. ant. **capirote,** dícese de la res vacuna con la cabeza de color distinto del cuerpo.

chapirote. (Del ant. fr. *chaperot.*) m. ant. **capirote.**

chapisca. f. En algunos países de América, **tapisca.**

chapista. com. Persona que trabaja la chapa.

chapistería. f. Taller donde se trabaja la chapa. ‖ **2.** Arte de trabajar la chapa.

chapitel. (Del ant. fr. *chapitel.*) m. Remate de las torres que se levanta en figura piramidal. ‖ **2. capitel** de la columna. ‖ **3.** Cono hueco de ágata u otra sustancia dura, que, encajado en el centro de la aguja imanada, sirve para que esta se apoye y gire sobre el extremo del estilete.

chaple. (Del fr. *chaple,* de *chapler,* tallar, cortar.) adj. V. **buril chaple.**

chapó. (Del fr. *chapeau.*) m. Juego de billar que se juega en mesa grande, con troneras y con cinco palillos que se colocan en el centro de la mesa y que tienen diverso valor para el tanteo. Consigue la victoria el equipo o jugador que hace primero treinta tantos o el que derriba todos los palillos en una sola jugada. A esto se llama **hacer chapó.** ‖ **2.** interj. que se emplea para expresar admiración por algo o por alguien.

chapodar. (Del lat. *subputāre,* podar ligeramente.) tr. Cortar ramas de los árboles, aclarándolos, a fin de que no se envicien. ‖ **2.** fig. **cercenar.**

chapodo. m. Trozo de la rama que se chapoda. ‖ **2.** Acción y efecto de chapodar.

chapola. f. *Col.* **mariposa,** insecto.

chapón. (De *chapa,* mancha.) m. Borrón grande de tinta.

chapona. (De or. inc.; cf. *jubón.*) f. p. us. **chambra.** ‖ **2.** *And.* y *R. de la Plata.* **chaqueta,** prenda exterior. Cf. **chupa.**

chapopote. (Del nahua *chapopotli.*) m. *Méj.* **chapapote,** asfalto.

chapoteadero. (De *chapotear.*) m. *Méj.* Estanque de muy poca profundidad para niños.

chapotear. (Voz onomatopéyica.) tr. Humedecer repetidas veces una cosa con esponja o paño empapado en agua o en otro líquido, sin estregarla. ‖ **2.** intr. Sonar el agua batida por los pies o las manos. ‖ **3.** Producir ruido al mover las manos o los pies en el agua o el lodo, o al pisar estos. Ú. t. c. tr.

chapoteo. m. Acción y efecto de chapotear.

chapucear. (De *chapuz*[2].) tr. **frangollar,** hacer pronto y mal una cosa. ‖ **2.** fam. Hacer **chapuzas,** obras sin arte ni esmero.

chapucería. (De *chapucero.*) f. Tosquedad, imperfección en cualquier artefacto. ‖ **2. chapuza,** obra sin arte ni esmero. ‖ **3.** En algunas partes, **embuste.**

chapucero, ra. (De *chapuz*[2].) adj. Hecho tosca y groseramente. ‖ **2.** Dícese de la persona que trabaja de este modo. Ú. t. c. s. ‖ **3.** En algunas partes, **embustero.** Ú. t. c. s. ‖ **4.** m. Herrero que fabrica clavos, trébedes, badiles y otras cosas bastas de hierro. ‖ **5.** Vendedor de hierro viejo.

chapul. m. *Col.* **libélula.** ‖ **2.** En algunos países de América, especie de langosta o saltamontes.

chapulín. m. *Amér.* Langosta, cigarrón.

chapullar. (Voz onomatopéyica.) tr. **chapotear.**

chapurrado. (De *chapurrar.*) m. *Cuba.* Bebida compuesta de ciruelas cocidas con agua, azúcar y clavo. Hoy se da este nombre a otras mezclas de licores con agua.

chapurrar. (Voz imitativa.) tr. Hablar con dificultad un idioma, pronunciándolo mal y usando en él vocablos y giros exóticos. ‖ **2.** fam. Mezclar un licor con otro.

chapurrear. tr. **chapurrar** un idioma. Ú. t. c. intr.

chapuz[1]. (De *chapuzar.*) m. Acción de chapuzar. ‖ **dar chapuz.** fr. **chapuzar.**

chapuz[2]. (Del ant. fr. *chapuis,* tajo para trabajar sobre él.) m. **chapuza.** ‖ **2.** *Mar.* Cualquiera de las piezas que se agregan exteriormente a las principales que forman un palo, para completar su redondez.

chapuza. (De *chapuz*[2].) f. Obra o labor de poca importancia. ‖ **2.** Obra hecha sin arte ni esmero.
chapuzar. (Del lat. **subputeāre*, sumergir, de *putĕus*, pozo.) tr. Meter a alguien de cabeza en el agua. Ú. t. c. intr. y c. prnl.
chapuzas. com. Persona que lleva a cabo **chapuzas,** obras sin arte ni esmero.
chapuzón. m. Acción y efecto de chapuzar o chapuzarse.
chaqué. (Del fr. *jaquette.*) m. Prenda exterior de hombre a modo de chaqueta, que a partir de la cintura se abre hacia atrás formando dos faldones. Se usa como traje de etiqueta con pantalón rayado.
chaqueño, ña. adj. Perteneciente o relativo a la región sudamericana del Chaco. ‖ **2.** Natural de esta región. Ú. t. c. s. ‖ **3.** Perteneciente o relativo a la provincia argentina del Chaco. ‖ **4.** Natural de dicha provincia. Ú. t. c. s.
chaqueta. (De *jaquette.*) f. Prenda exterior de vestir, con mangas y sin faldones, que se ajusta al cuerpo y pasa poco de la cintura. ‖ **cambiar de chaqueta, cambiar la chaqueta, volver la chaqueta.** frs. figs. y fams. Dejar el bando o partido que se seguía, y adoptar otro distinto.
chaquete. (Del fr. *jacquet.*) m. Nombre que adoptó el juego de las tablas reales, al introducirse nuevamente desde Francia.
chaquetear. (De *chaqueta.*) intr. Huir ante el enemigo o acobardarse ante una dificultad. ‖ **2. cambiar de chaqueta.**
chaquetero, ra. adj. fam. Que chaquetea, que cambia de opinión o de partido por conveniencia personal. ‖ **2.** fam. Adulador, tiralevitas.
chaquetilla. f. Chaqueta, en general más corta que la ordinaria, de forma diferente y casi siempre con adornos. ‖ **torera.** La que usan los toreros en el traje de lidia y, por ext., prenda de corte semejante en otros trajes de hombre o de mujer.
chaquetón. m. aum. de **chaqueta.** ‖ **2.** Prenda exterior de más abrigo y algo más larga que la chaqueta.
chaqui. (Voz quechua que significa «seco».) m. *Bol.* **resaca,** malestar que padece al despertar quien ha bebido en exceso.
chaquira. (De or. americano.) f. Cuentas, abalorios, etc., de distintas materias que llevaban los españoles para vender a los indígenas americanos. ‖ **2.** Sarta, collar, brazalete hecho con cuentas, abalorios, conchas, etc., usado como adorno. ‖ **3.** *Pan.* Cuello postizo, como adorno femenino, hecho con abalorios de diversos colores.
charabán. (Del fr. *char-à-bancs*, carro con bancos.) m. Coche de caballos descubierto, con dos o más filas de asientos.
charabasca. (Voz onomatopéyica.) f. **ramujo.**
charada[1]**.** (Del fr. *charade.*) f. Acertijo en que se trata de adivinar una palabra, haciendo una indicación sobre su significado y el de las palabras que resultan tomando una o varias sílabas de aquella.
charada[2]**.** (Voz onomatopéyica.) f. *Ar.* **llamarada.**
charal. (Del tarasco *charare.*) m. Pez teleósteo, fisóstomo, muy comprimido, de unos cinco centímetros de largo, lleno de espinas, y de color plateado, que se cría con abundancia en las lagunas del estado de Michoacán, en Méjico, y, curado al sol, es artículo de comercio bastante importante. ‖ **estar** alguien **hecho un charal.** fr. fig. y fam. *Méj.* Estar muy flaco.
charamada. (Voz onomatopéyica.) f. Llamarada del fuego.
charamasca. (Voz onomatopéyica.) f. **charamusca**[1]**.**
charambita. (De *charamita.*) f. *Burg., Pal.* y *Vallad.* **dulzaina**[1]**.**
charamita. (Del ant. fr. *chalemie.*) f. **charambita.**
charamusca[1]**.** (Voz onomatopéyica.) f. *Gal.* Chispa que salta del fuego de leña. ‖ **2.** Leña menuda con que se hace el fuego en el campo.
charamusca[2]**.** f. *Méj.* Confitura en forma de tirabuzón, hecha de azúcar ordinario, mezclada con otras sustancias y acaramelada.
charanga. (Voz onomatopéyica.) f. Música militar de las unidades ligeras que consta solo de instrumentos de viento y, por ext., cualquier otra música de igual composición aunque no sea militar.
charango. (Voz onomatopéyica.) m. Especie de bandurria, de cinco cuerdas, cuya caja se construye, generalmente, con un caparazón de armadillo o quirquincho; la usan para sus danzas los indios de América del Sur.
charanguero, ra. (De *charanga.*) adj. **chapucero,** tosco y sin arte. Ú. t. c. s. ‖ **2.** m. En los puertos de Andalucía, **buhonero.** ‖ **3.** Barco que se usa en Andalucía para el tráfico de unos puertos con otros.
charapa. f. *Perú.* Especie de tortuga pequeña y comestible.
charape. (Variante de *jarabe* y *jarope.*) m. *Méj.* Bebida fermentada hecha con pulque, panocha, miel, clavo y canela.
charata. f. *Argent.* Ave gallinácea, especie de pavo salvaje.
charca. (Voz onomatopéyica.) f. Depósito algo considerable de agua, detenida en el terreno, natural o artificialmente.
charcal. m. Sitio en que abundan los charcos.
charcas. m. pl. Indios de la América Meridional sujetos al imperio de los Incas.
charco. (Voz onomatopéyica.) m. Agua u otro líquido detenida en un hoyo o cavidad de la tierra o del piso. ‖ **2.** *Col.* Remanso de un río. ‖ **cruzar** o **pasar el charco.** fr. fig. y fam. Cruzar el mar, por lo general el Atlántico.
charcón, na. adj. *Argent.* y *Bol.* Dícese de la persona de complexión enjuta. Aplícase también a ciertos animales.
charcutería. (Del fr. *charcuterie.*) f. **chacinería.**
charcutero, ra. m. y f. Persona que vende productos de charcutería.
charla. (De *charlar.*) f. fam. Acción de charlar. ‖ **2. zorzal charlo.** ‖ **3.** Género literario cultivado especialmente por el escritor Federico García Sanchiz, y que consiste en una pieza oratoria de carácter puramente artístico en la que se evocan con vivo colorido personajes notables, sucedidos, paisajes y ambientes en tono moderadamente lírico. ‖ **4.** Disertación oral ante un público, sin solemnidad ni excesivas preocupaciones formales.
charlador, ra. (De *charlar.*) adj. fam. **charlatán,** que habla mucho y sin provecho. Ú. t. c. s.
charladuría. f. Charla indiscreta.
charlar. (Del it. *ciarlare.*) intr. fam. Hablar mucho, sin sustancia o fuera de propósito. ‖ **2.** fam. Conversar, platicar sin objeto determinado y solo por mero pasatiempo. ‖ **3.** tr. **parlar,** revelar, decir lo que se debe callar.
charlatán, na. (Del it. *ciarlatano.*) adj. Que habla mucho y sin sustancia. Ú. t. c. s. ‖ **2.** Hablador indiscreto. Ú. t. c. s. ‖ **3.** Embaucador. Ú. t. c. s. ‖ **4.** m. Vendedor callejero que anuncia a voces su mercancía.
charlatanear. (De *charlatán.*) intr. **charlar.**
charlatanería. f. **locuacidad.** ‖ **2.** Calidad de charlatán.
charlatanismo. (De *charlatán.*) m. Charlatanería, especialmente cuando es habitual en una persona o común a varias.
charlear. (De *charlar.*) intr. **croar.**
charlestón. (De *Charlestón*, ciudad de Carolina del Sur.) m. Baile creado por los negros de Estados Unidos, de moda en Europa hacia 1920 y siguientes.
charlista. com. Persona que pronuncia charlas, conferencias.
charlo. (De *charla.*) m. V. **zorzal charlo.**
charlón, na. (De *charlar.*) adj. *Ecuad.* **charlatán,** hablador. Ú. t. c. s.

charlotada. (De *Charlot*, apodo de un torero bufo, que en su vestido y actitudes remedaba al actor de cine Charles Chaplin o *Charlot*.) f. Festejo taurino bufo. ‖ **2.** Actuación pública, colectiva, grotesca o ridícula.

charlotear. intr. **charlar.**

charloteo. m. **charla.**

charneca. f. **lentisco.**

charnecal. m. Sitio poblado de charnecas.

charnego, ga. (De *lucharniego*, a través del cat. *xarnego*.) m. y f. despect. En Cataluña, inmigrante de otra región española de habla no catalana.

charnela. (Del fr. *charnière*.) f. **bisagra,** para facilitar el movimiento giratorio de las puertas. ‖ **2. gozne,** herraje articulado. ‖ **3.** *Zool.* Articulación de las dos piezas componentes de una concha bivalva.

charneta. (De *charnela*, con cambio de sufijo.) f. fam. **charnela.**

charol. (Del chino *chat liao*, a través del port. *charão*.) m. Barniz muy lustroso y permanente, que conserva su brillo sin agrietarse y se adhiere perfectamente a la superficie del cuerpo a que se aplica. ‖ **2.** Cuero con este barniz. *Botas de* CHAROL. ‖ **3.** *Amér. Central., Bol., Col., Cuba, Ecuad.* y *Perú.* **bandeja,** pieza para servir, presentar o depositar cosas. ‖ **darse charol.** fr. fam. Alabarse, darse importancia.

charola. f. *Bol., Méj.* y *Perú.* **bandeja,** pieza para servir, presentar o depositar cosas.

charolado, da. p. p. de **charolar.** ‖ **2.** adj. **lustroso.**

charolar. tr. Barnizar con charol o con otro líquido que lo imite.

charolista. m. El que tiene por oficio dorar o charolar.

charpa. (Del germ. *skerpa, banda, a través del fr. *écharpe*.) f. Tahalí que hacia la cintura lleva unido un pedazo de cuero con ganchos para colgar armas de fuego. ‖ **2.** *Med.* **cabestrillo** para la mano o el brazo lastimados.

charque. m. *Argent.* y *Urug.* **charqui.**

charquear. tr. *Amér.* Hacer charqui.

charquecillo. m. *Perú.* Congrio salado y seco.

charquetal. m. **charcal.**

charqui. m. *Amér. Merid.* Tasajo, carne salada.

charquicán. m. *Amér.* Guiso hecho con charqui, ají, patatas, judías y otros ingredientes.

charra. f. *Hond.* Sombrero común, ancho de falda y bajo de copa.

charrada. f. Dicho o hecho propio de un charro. ‖ **2.** Baile propio de los charros. ‖ **3.** fig. y fam. Obra o adorno impropio, sobrecargado o de mal gusto.

charrán[1]. (Del ár. *šarrānī*, malvado.) adj. Pillo, tunante. Díjose en un principio de los esportilleros malagueños vendedores de pescado. Ú. t. c. s.

charrán[2]. m. Ave marina de cuerpo grácil, parte superior de la cabeza de color negro, pico largo y afilado y cola profundamente ahorquillada; hay varias especies que, junto a fumareles y pagazas, se denominan golondrinas de mar.

charranada. f. Acción propia del charrán[1].

charrancito. (d. de *charrán*.) m. Ave marina del mismo género que el charrán pero de menor tamaño, pico amarillo y cola menos ahorquillada.

charranear. intr. Hacer vida de charrán[1] o conducirse como tal.

charranería. f. Condición de charrán[1].

charrar. (De *charlar*.) intr. vulg. Charlar. ‖ **2.** tr. Contar o referir algún suceso indiscretamente.

charrasca. (Voz onomatopéyica.) f. fam. y fest. Arma arrastradiza, por lo común sable. ‖ **2.** fam. Navaja de muelles.

charrasco. m. fam. y fest. **charrasca.**

charreada. f. *Méj.* Fiesta de charros mejicanos.

charrería. f. **charrada,** obra o adorno de mal gusto.

charrete. (Del fr. *charrette*, d. de *char*.) f. Coche de caballos de dos ruedas y dos o cuatro asientos.

charretera. (Del célt. *garra*, pierna, a través del fr. *jarretière*.) f. Divisa militar de oro, plata, seda u otra materia, en forma de pala, que se sujeta al hombro por una presilla y de la cual pende un fleco como de un decímetro de largo. ‖ **2. jarretera.** ‖ **3.** Hebilla de jarretera. ‖ **4.** fig. y fam. **albardilla** de los aguadores.

charriote. (Del fr. *chariot, charriot*, de *char*.) m. ant. **carro[1],** carruaje.

charro, rra. adj. Aldeano de Salamanca y especialmente el de la región que comprende Alba, Vitigudino, Ciudad Rodrigo y Ledesma. Ú. t. c. s. ‖ **2.** Perteneciente o relativo a estos aldeanos. *Traje* CHARRO, *habla* CHARRA. ‖ **3.** Dícese de la cosa recargada de adornos, abigarrada o de mal gusto. ‖ **4.** m. *Méj.* Jinete o caballista que viste traje especial compuesto de chaqueta corta y pantalón ajustado, camisa blanca y sombrero de ala ancha y alta copa cónica. Ú. t. c. adj.

charrúa[1]. adj. Dícese de cualquiera de los individuos pertenecientes a las tribus que habitaban la costa septentrional del Río de la Plata. Ú. t. c. s.

charrúa[2]. (Del célt. *carruca*, a través del fr. *charrue*, arado.) f. *And.* Arado compuesto. ‖ **2.** *Mar.* ant. **urca[1].** ‖ **3.** *Mar.* Embarcación pequeña que servía para remolcar otras mayores.

chárter. (Del ing. *charter*.) adj. *Aviac.* Dícese del vuelo fletado ex profeso, al margen de los vuelos regulares.

chartreuse. (Del fr. *chartreuse*, cartuja.) m. Licor verde o amarillo de hierbas aromáticas fabricado por los monjes cartujos.

chasca. (Voz onomatopéyica.) f. Leña menuda que procede de la limpia de los árboles o arbustos. ‖ **2.** Ramaje que se coloca sobre la leña dispuesta para hacer carbón. ‖ **3.** *And.* Acción y efecto de chascar, labor que se da a mano, con zoleta, en los cultivos entre líneas, especialmente en los algodonales en secano, para matar la hierba cercana a los tallos; completa la acción de la regabina. ‖ **4.** *N. Argent., Bol., Chile, Perú* y *Urug.* Cabello enmarañado.

chascar. (Voz onomatopéyica.) intr. Dar chasquidos. ‖ **2.** Hacer ruido al masticar. ‖ **3. engullir.** Ú. t. c. tr. ‖ **4.** tr. Triturar, ronzar algún alimento quebradizo. ‖ **5.** *And.* Cavar la tierra con azada o azadón sin profundizar.

chascarrillo. (De *chascarro*.) m. fam. Anécdota ligera y picante, cuentecillo agudo o frase de sentido equívoco y gracioso.

chascarro. (De *chasco*.) m. **chascarrillo.**

chascás. (Del polaco *czapcka*.) m. Morrión con cimera plana y cuadrada, usado primero por los polacos y después en los regimientos de lanceros en toda Europa.

chasco[1] (Voz onomatopéyica.) m. Burla o engaño que se hace a alguien. ‖ **2.** fig. Decepción que causa a veces un suceso contrario a lo que se esperaba. *Bravo* CHASCO *se ha llevado Mariano.*

chasco[2], ca. adj. *Amér. Central.* Enmarañado. Dícese del pelo y del plumaje.

chascón, na. adj. *Chile.* Enmarañado, enredado, greñudo.

chasconear. tr. *Chile.* Enredar, enmarañar. ‖ **2.** *Chile.* **repelar.**

chas chas (al). loc. adv. *Méj.* **al contado.**

chasis. (Del fr. *châssis*.) m. Armazón, bastidor del coche. CHASIS *del automóvil.* ‖ **2.** *Fotogr.* Bastidor donde se colocan las placas fotográficas. ‖ **quedarse en el chasis.** fr. **ponerse, o quedarse, en los huesos.**

chaspar. tr. *And.* Limpiar de hierba un terreno con el corte de la azada, sin cavar ni descubrir las raíces. CHASPARON *todo el olivar.*

chaspe. m. Señal que se hace sobre los troncos de los árboles, mediante un superficial golpe de hacha.

chaspear. tr. Hacer chaspes.

chasponazo. (De *chaspar.*) m. Señal que deja alguna cosa dura, como una bala, un arma u otra cosa al pasar rozando.

chasque. (De *chasqui.*) m. *Amér. Merid.* Indio que sirve de correo. ‖ **2.** *Amér. Merid.* Mensajero, emisario.

chasqueador, ra. adj. Que chasquea. Ú. t. c. s.

chasquear. tr. Dar chasco o zumba. ‖ **2.** Faltar a lo prometido. ‖ **3.** intr. Frustrar un hecho adverso las esperanzas de alguien. ‖ **4.** Dar chasquidos.

chasquero, ra. adj. *Argent.* y *Urug.* Perteneciente o relativo al chasque o chasqui.

chasqui. (De or. quechua.) m. *Amér. Merid.* **chasque.**

chasquido. (De *chascar.*) m. Sonido o estallido que se hace con el látigo o la honda cuando se sacuden en el aire con violencia. ‖ **2.** Ruido seco y súbito que produce el romperse, rajarse o desgajarse alguna cosa, como la madera cuando se abre por sequedad o mutación de tiempo. ‖ **3.** Ruido que se produce con la lengua al separarla súbitamente del paladar. ‖ **4.** Cualquier ruido semejante a los mencionados.

chasquilla. f. *Chile.* Flequillo.

chasquir. (Voz onomatopéyica.) intr. *Extr.* **chascar.**

chata. (De *chato.*) f. Bacín plano, con borde entrante y mango hueco, por donde se vacía. Se usa como orinal de cama para los enfermos que no pueden incorporarse. ‖ **2. chalana.**

chatarra. (Del vasc. *txatarra,* lo viejo.) f. Escoria que deja el mineral de hierro. ‖ **2.** Conjunto de trozos de metal viejo o de desecho, especialmente el hierro.

chatarrear. tr. Reducir a chatarra o trozos de metal de desecho.

chatarrero, ra. (De *chatarra.*) m. y f. Persona que se dedica a recoger, almacenar o vender chatarra.

chatasca. f. p. us. *R. de la Plata.* **charquicán.**

chatear. tr. *And.* Hacer con la azada en los terrenos llanos una pileta mayor que la serpia, a fin de extirpar las hierbas y recoger las aguas. ‖ **2.** Beber chatos de vino.

chatedad. f. Calidad de chato.

chateo. m. fam. Acción y efecto de chatear.

chato, ta. (Del b. lat. *plattus,* aplanado, y este del gr. πλατύς, con infl. gall.-port.) adj. Que tiene la nariz poco prominente y como aplastada. Ú. t. c. s. ‖ **2.** Dícese también de la nariz que tiene esta figura. ‖ **3.** Aplícase a algunas cosas que de propósito se hacen sin relieve o con menos elevación que la que suelen tener las de la misma especie. *Clavo* CHATO; *embarcación* CHATA. ‖ **4.** m. fig. y fam. En las tabernas y entre sus habituales parroquianos, vaso bajo y ancho de vino o de otra bebida. ‖ **la chata.** *And.* La muerte.

chatón[1]. (Del germ. **kasto,* caja, a través del fr. *chaton.*) m. Piedra preciosa gruesa, engastada en una sortija u otra alhaja.

chatón[2]. m. ant. **tachón[2].**

chatria. m. En la India, individuo perteneciente a la segunda casta, o sea noble, guerrero.

chatungo, ga. adj. fam. d. cariñoso de **chato.** Ú. t. c. s.

¡chau! interj. fam. *Perú* y *R. de la Plata.* **¡chao!**

chaucha. f. *Chile* y *Ecuad.* Moneda chica de plata o níquel. ‖ **2.** *Argent.* y *Urug.* Judía verde. ‖ **3.** *Argent.* **vaina,** túnica o cáscara de algunas simientes. ‖ **4.** *Chile* y *Ecuad.* Moneda de plata de baja ley. ‖ **5.** *Chile.* Patata temprana o menuda que se deja para simiente. ‖ **6.** pl. *Argent.* Escasa cantidad de dinero.

chauche. (Del ant. fr. dialect. *enchauser.*) m. Pintura encarnada hecha con minio que en Castilla se emplea para teñir el pavimento de las habitaciones. Suele añadirse litargirio a la mezcla para darle un matiz amarillo.

chauchera. f. *Chile.* **portamonedas.**

chaúl. (Del ing. *shawl,* pañuelo grande; cf. *chal.*) m. Tela de seda de la China, comúnmente azul, semejante al gro en el tejido.

chauvinismo. m. **chovinismo.**

chauvinista. com. **chovinista.**

chauz. (Del turco *ŷawiš,* macero.) m. Portero de estrados, alguacil o ministro del juez, entre los árabes.

chaval, la. (Del caló *chavale,* vocat. pl. de *chavó,* muchacho.) m. y f. Popularmente, niño o joven. Ú. menos c. adj.

chavarí. m. ant. Especie de lienzo.

chavasca. f. **chasca,** leña menuda de la poda.

chavea. (Del caló *chavaia,* vocat. m. sing. de *chavó,* muchacho.) m. fam. Rapazuelo, muchacho.

chaveta. (Del it. dialect. *ciavetta,* it. *chiavetta.*) f. Clavo hendido en casi toda su longitud que, introducido por el agujero de un hierro o madero, se remacha separando las dos mitades de su punta. ‖ **2.** Clavija o pasador que se pone en el agujero de una barra e impide que se salgan las piezas que la barra sujeta. ‖ **estar,** o **ser,** alguien **chaveta.** fr. fig. y fam. Haber perdido el juicio. ‖ **perder la chaveta.** fr. fig. y fam. Perder el juicio, volverse loco.

chavo. m. fam. *And.* y *P. Rico.* **ochavo.**

chavó. (De or. caló.) m. Muchacho.

chavola. f. p. us. **chabola.**

chaya. f. *Argent. (Cuyo)* y *Chile.* Burlas y juegos de los días de carnaval. ‖ **2.** *NO. Argent.* Por ext., el carnaval mismo.

chayar. intr. *Argent. (Cuyo).* Mojarse unos a otros durante el carnaval. ‖ **2.** *NO. Argent.* Festejar el carnaval.

chayero, ra. adj. *NO. Argent.* Perteneciente o relativo a la chaya o carnaval. Ú. t. c. s.

chayo. (De or. cubano.) m. *Cuba.* Arbusto de la familia de las euforbiáceas, de un metro de altura, tallo recto, ramoso; hojas alternas, dentadas, verdes por la parte superior y más claras por el envés; florecillas de cinco pétalos blanquecinos, y fruto como el cardo espinoso. Segrega una especie de resina.

chayote. (Del nahua *chayutli.*) m. Fruto de la chayotera: es de forma de pera, de 10 a 12 centímetros de largo, de corteza rugosa o asurcada, blanquecina o verdosa, según las variedades; carne comestible parecida a la del pepino y con una sola pepita muy grande por semilla. ‖ **2. chayotera.**

chayotera. f. Planta trepadora americana, espinosa, de la familia de las cucurbitáceas. Las hojas son verdes por encima y pálidas por debajo, y las flores tienen cinco pétalos amarillos y el cáliz acampanado. Su fruto es el chayote.

chaza. (De *chazar.*) f. En el juego de la pelota, suerte en que esta vuelve contrarrestada y se para o la detienen antes de llegar al saque. ‖ **2.** Señal que se pone donde paró la pelota. ‖ **3.** Especie de corveta en que el caballo adelanta terreno a saltitos. ‖ **4.** *Mar.* Espacio que media entre dos portas de una batería. ‖ **chazas corrientes.** Condición que se suele poner por ventaja en el juego de la pelota, por la cual el que da la condición debe dejar correr la pelota que el contrario le vuelve, y si pasare de la **chaza,** gana 15 el que lleva esta ventaja, y si no pasa lo pierde. ‖ **rehacer la chaza.** fr. Volver a hacer la **chaza,** por duda que hubo en ella.

chazador. (De *chazar.*) m. El jugador que detiene las pelotas o está dedicado a este fin, y que regularmente se pone en medio del juego. ‖ **2.** El que no juega, pero cuida de señalar el sitio de la chaza.

chazar. (Del fr. *chasser.*) tr. Detener la pelota antes que llegue a la raya señalada para ganar. ‖ **2.** Señalar el sitio donde está la chaza.

chazo[1]**.** m. *Can.* Pedazo, remiendo.

chazo[2]**.** m. **nudillo,** zoquete de madera.

che[1]**.** f. Nombre de la letra *ch.*

¡che![2] (De la voz *che* con que se llama a personas y animales.) *Val., Argent., Bol.* y *Urug.* interj. con que se llama, se hace detener o se pide atención a una persona. También expresa a veces asombro o sorpresa.

checa. (Acrónimo ruso para designar la policía secreta hasta 1922.) f. Comité de policía secreta en la Rusia soviética. ‖ **2.** Organismo semejante que ha funcionado en otros países y que no respetaba los derechos humanos. ‖ **3.** Local en que actuaban estos organismos.

checo, ca. adj. Natural de Bohemia y Moravia. Ú. t. c. s. ‖ **2.** Perteneciente a estos países de la Europa Central. ‖ **3. checoslovaco.** Ú. t. c. s. ‖ **4.** m. Lengua de los **checos,** una de las lenguas eslavas.

checoeslovaco, ca. adj. **checoslovaco.**

checoslovaco, ca. adj. Natural de Checoslovaquia. Ú. t. c. s. ‖ **2.** Perteneciente o relativo a esta nación europea.

cheche. m. *P. Rico.* Jefe, director. ‖ **2.** *P. Rico.* Persona inteligente.

chécheres. m. pl. *Col.* y *C. Rica.* Baratijas, cachivaches.

cheira. f. **chaira.**

cheje. m. *El Salv.* y *Hond.* Eslabón de una cadena.

chele. (Del nahua *celic,* cosa verde o tierna.) adj. *C. Rica* y *El Salv.* Dícese de la persona muy blanca o rubia. Ú. t. c. s. ‖ **2.** m. *El Salv.* Legaña. ‖ **estar chele.** fr. fig. *Nicar.* Estar muerto.

cheli. m. *Esp.* Jerga con elementos castizos, marginales y contraculturales.

chelín[1]**.** (Del ing. *shilling.*) m. Moneda inglesa equivalente a la vigésima parte de una libra y dividida hasta 1970 en doce peniques; hoy en cinco. ‖ **2.** Unidad monetaria de varios países africanos.

chelín[2]**.** (Del al. *Schilling,* acomodado según el precedente de *chelín*[1].) m. Unidad monetaria establecida como básica en Austria desde 1925.

cheloso, sa. (De *chele.*) adj. *El Salv.* Legañoso. ‖ **2.** *C. Rica.* **chele,** dícese de la persona blanca y rubia.

chencha. adj. *Méj.* Holgazán.

chepa. (Del arag. *chepa,* jorobado.) f. fam. Corcova, joroba. ‖ **2.** m. Jorobado. Ú. t. c. adj.

chepica. f. *Chile.* **grama.**

chepo. m. *Germ.* **pecho**[1]**.**

chepudo, da. adj. fam. Que tiene chepa.

cheque. (Del ing. *cheque.*) m. Mandato escrito de pago, para cobrar cantidad determinada de los fondos que quien lo expide tiene disponibles en un banco. ‖ **al portador.** El que se paga sin más requisito. ‖ **cruzado.** Aquel en cuyo anverso se indica, entre dos líneas diagonales paralelas, el nombre del banquero o sociedad por medio de los cuales ha de hacerse efectivo. En algunos países bastan en ciertos casos, las dos líneas diagonales paralelas sin otra indicación. ‖ **de viaje** o **de viajero.** El que extiende un banco u otra entidad a nombre de una persona y va provisto de la firma de esta. Puede hacerse efectivo en un banco o pagarse con él en un establecimiento comercial, hotelero, etc., firmándolo el titular nuevamente delante del pagador o cajero. ‖ **en blanco.** El que extiende el expedidor sin señalar la cantidad que cobrará el destinatario. ‖ **nominativo.** El que lleva el nombre de la persona autorizada para cobrarlo

chequear. (Del ing. *to check,* comprobar.) tr. *Amér. Central.* Rellenar un cheque. ‖ **2.** *Amér.* Examinar, verificar, controlar. ‖ **3.** prnl. Hacerse un chequeo.

chequén. (Del arauc. *chequeñ.*) m. *Chile.* Especie de arrayán, de hojas elípticas, de igual color por ambas caras y con puntitos en la interna.

chequeo. (Del ing. *checkup,* reconocimiento médico.) m. Reconocimiento médico general a que se somete una persona.

chequera. f. Cartera para guardar el talonario. ‖ **2.** *Amér.* Talonario de cheques.

cheral. m. *El Salv.* Grupo o reunión de cheros.

chercán. (Del mapuche *chedcañ.*) m. *Chile.* Pajarillo semejante al ruiseñor en la figura y el color, pero de canto mucho menos dulce. Es insectívoro y muy doméstico.

chercha. f. *Hond.* **chacota.** ‖ **2.** *Venez.* Burla, zumba.

cherchar. intr. Burlar, bromear.

cherkesa. m. Gabán de fieltro usado por los antiguos cosacos, con cartucheras cosidas a ambos lados de la pechera.

cherlicrés. m. *Ecuad.* Ave trepadora, especie de loro de la América tropical.

cherna. (Del b. lat. *acerna, acernĭa,* con infl. fonético mozár.) f. **mero**[1]**.**

cherne. m. *Can.* **cherna.**

chero, ra. (Del fr. *cher.*) adj. *El Salv.* Amigo, compañero, camarada.

cherriado. m. ant. **chirriado.**

cherriador, ra. adj. ant. **chirriador.**

cherriar. (Voz onomatopéyica.) intr. ant. **chirriar.**

cherrido. (De *cherriar.*) m. ant. **chirrido.**

cherrión. (De *cherriar.*) m. ant. **chirrión,** carro que chirría.

cherva. (Del ár. *jirwa',* ricino.) f. **ricino.**

cheso, sa. adj. Natural de Hecho. Ú. t. c. s. ‖ **2.** Perteneciente a este valle de la provincia de Huesca. ‖ **3.** m. Habla aragonesa de este valle.

chéster. (De *Chester,* ciudad de Inglaterra.) m. Queso inglés muy estimado.

cheurón. (Del fr. *chevron,* de *chèvre,* cabra.) m. *Blas.* **cabrio,** pieza honorable.

cheuto, ta. adj. *Chile.* Se aplica a la persona que tiene el labio partido o deformado.

chévere. adj. *Ecuad., Perú, P. Rico* y *Venez.* Primoroso, gracioso, bonito, elegante, agradable. ‖ **2.** *Col.* y *Venez.* Excelente. ‖ **3.** *Cuba, Perú* y *Venez.* Benévolo, indulgente. *Un profesor* CHÉVERE, *un examen* CHÉVERE. ‖ **4.** m. fest. *Cuba, P. Rico* y *Venez.* Elegantón, petimetre, lechuguino. ‖ **5.** *Venez.* Valentón, guapo.

cheviot o **chevió.** (Del nombre de los montes *Cheviot,* en la frontera de Escocia con Inglaterra.) m. Lana del cordero de Escocia. ‖ **2.** Paño que se hace con esta lana.

chía[1]**.** (Del lat. *saga,* saya, a traves del mozár. *šiya,* [con imela] de *saya.*) f. Manto negro y corto, regularmente de bayeta, que se ponía sobre el capuz y cubría hasta la mano, usado en los lutos antiguos. ‖ **2.** Parte de una vestidura llamada beca, hecha de paño fino, con una rosca que se ponía en la cabeza, de la cual bajaban dos faldones, que caían uno hasta el cuello, y el otro, que propiamente era la **chía,** hasta la mitad de las espaldas. Era este adorno insignia de nobleza y autoridad. ‖ **3.** En algunas comarcas, heraldo enlutado con largo manto que precede a la procesión del Santo Entierro.

chía[2]**.** f. Semilla de una especie de salvia. Remojada en agua, suelta gran cantidad de mucílago, que, con azúcar y zumo de limón, es un refresco muy usado en Méjico. Molida, produce un aceite secante.

Chiapa. (De *Chiapa,* ciudad de Méjico.) n. p. V. **pimienta de Chiapa.**

chiapaneco, ca. adj. Natural del Estado mejicano de Chiapas. Ú. t. c. s. ‖ **2.** Perteneciente o relativo a dicho Estado.

chiar. (Voz onomatopéyica.) intr. ant. **piar.**

chibalete. (Del fr. *chevalet.*) m. *Impr.* Armazón de madera donde se colocan las cajas para componer.
chibcha. adj. Dícese del individuo de un pueblo que habitó en las tierras altas de Bogotá y Tunja. Ú. t. c. s. ‖ **2.** Perteneciente a este pueblo. ‖ **3.** m. Idioma de los **chibchas.**
chibolo, la. m. y f. *Amér. Central, Col., Ecuad.* y *Perú.* Cualquier cuerpo pequeño y esférico. ‖ **2.** *Amér. Central, Col., Ecuad.* y *Perú.* Chichón.
chiborra. f. Botarga que con una vejiga hinchada colgada de un palo pega con ella a los muchachos y en ciertas fiestas acompaña y va delante de los danzantes.
chibuquí. (Del turco *ĉibiq.*) m. Pipa que usan los turcos para fumar, cuyo tubo suele ser largo y recto.
chic. (Del fr. *chic.*) adj. Elegante, distinguido, a la moda. *Es una mujer muy* CHIC. Ú. t. c. s. m. *Tiene* CHIC.
chica. f. *Cuba.* Danza de origen africano.
chicada. (De *chico.*) f. Rebaño de corderos enfermizos y tardíos que apartan del resto los pastores para que se restablezcan andando más despacio y pastando la mejor hierba. ‖ **2. niñada.**
chicalé. m. *Amér. Central.* Ave paseriforme de la misma familia que el quetzal, con el plumaje de vivos colores.
chicalote. (Del nahua *chicalotl.*) m. **argemone.**
chicana. (Del fr. *chicane.*) f. Artimaña, procedimiento de mala fe, especialmente el utilizado en un pleito por alguna de las partes. ‖ **2.** Broma, chanza.
chicanear. intr. Emplear chicanas.
chicanero, ra. adj. Dícese de la persona que emplea chicanas.
chicano, na. (Aféresis de *mexicano.*) adj. Dícese del ciudadano de los Estados Unidos de América, perteneciente a la minoría de origen mejicano allí existente. Ú. t. c. s. ‖ **2.** Dícese del movimiento reivindicador del libre desarrollo de la cultura peculiar de esta minoría y del goce total de sus derechos civiles y políticos.
chicarrero, ra. m. y f. *Vallad.* El que hace chicarro o lo vende.
chicarro. (De *chico.*) m. *Vallad.* Calzado de niño.
chicarrón, na. (De *chico.*) adj. fam. Dícese del niño o del adolescente muy crecido y desarrollado. Ú. t. c. s.
chiclán. adj. **ciclán,** de un solo testículo.
chiclanero, ra. adj. Natural de Chiclana. Ú. t. c. s. ‖ **2.** Perteneciente a estas villas de Jaén o de Cádiz.
chiclayano, na. adj. Natural de Chiclayo. Ú. t. c. s. ‖ **2.** Perteneciente a esta ciudad del Perú.
chicle. (Del nahua *tzictli,* der. del verbo *tzic-,* estar pegado, detenido.) m. *Méj.* y *Urug.* Gomorresina que fluye del tronco del chicozapote haciéndole incisiones al empezar la estación lluviosa. Es masticatorio, usado por el pueblo y se vende en panes. ‖ **2.** Masticatorio que se expende en forma de pastillas o bolitas aromatizadas.
chiclear. intr. *Méj.* Hacer la explotación del chicle.
chiclero, ra. adj. *Méj.* Relativo al chicle. ‖ **2.** m. *Méj.* Persona que se dedica a la industria del chicle.
chicloso, sa. adj. **pegajoso.** ‖ **2.** m. *Méj.* Dulce de leche, de esa consistencia.
chico, ca. (Del lat. *ciccum,* cosa de poquísimo valor.) adj. Pequeño o de poco tamaño. ‖ **2. niño.** Ú. t. c. s. ‖ **3. muchacho.** Ú. t. c. s. ‖ **4.** V. **Dios chico.** ‖ **5.** ant. V. **merino, zampullín chico.** ‖ **6.** fig. y fam. V. **evangelios chicos.** ‖ **7.** m. y f. Hombre o mujer, sin especificar la edad, cuando esta no es muy avanzada. ‖ **8.** En el lenguaje coloquial, tratamiento de confianza dirigido a personas de la misma edad o más jóvenes. ‖ **9.** Familiarmente se usa con calificativos encomiásticos para referirse a personas adultas. ‖ **10.** m. En lenguaje vulgar, medida de capacidad para el vino, igual a un tercio de cuartillo, o sea 168 mililitros. ‖ **11.** Muchacho que hace recados y ayuda en trabajos de poca importancia en las oficinas, comercios y otros establecimientos análogos. ‖ **12.** f. Criada, empleada que trabaja en los menesteres caseros. ‖ **13.** En el juego del mus, conjunto de cartas de baja numeración. ‖ **como chico con zapatos nuevos.** expr. fig. y fam. **como niño con zapatos nuevos.** ‖ **chica de,** o **del conjunto.** Muchacha que, en las revistas musicales y espectáculos semejantes, forma parte del conjunto que canta y baila. ‖ **chico con grande.** expr. que se usa cuando se trata de ajustar, vender o despachar cosas desiguales en tamaño o calidad. ‖ **2.** fig. Sin excluir ni exceptuar cosa alguna.
chicolear. (Voz onomatopéyica.) intr. fam. Decir chicoleos.
chicoleo. (De *chicolear.*) m. fam. Dicho o donaire dirigido por un hombre a una mujer por galantería. ‖ **2.** Acción de chicolear.
chicoria. (Del gr. κιχόρεια, a través del lat. *cichorium.*) f. **achicoria.**
chicoriáceo, a. adj. *Bot.* Perteneciente a la achicoria.
chicorro. (De *chico.*) m. fam. **chicote,** persona de poca edad, robusta y bien formada.
chicorrotico, ca, llo, lla, to, ta. adjs. fams. ds. de **chico.**
chicorrotín, na. adj. fam. d. de **chico.** ‖ **2.** fam. **chiquirritín.** Ú. t. c. s.
chicotazo. m. *Amér.* Golpe dado con el **chicote,** látigo.
chicote[1], ta. (De *chico.*) m. y f. fam. Persona de poca edad, pero robusta y bien formada. Ú. para denotar cariño.
chicote[2]. (Del fr. *chicot.*) m. fig. y fam. **cigarro puro.** ‖ **2.** Cabo o punta de un cigarro puro ya fumado. ‖ **3.** *Amér.* **látigo.** ‖ **4.** *Mar.* Extremo, remate o punta de cuerda, o pedazo pequeño separado de ella.
chicotear. tr. *Amér.* Dar chicotazos.
chicozapote. (De etim. disc.; cf. nahua *xicotzapotl,* peruétano.) m. **zapote.**
chicuelo, la. adj. d. de **chico.** Ú. t. c. s.
chicura. f. *Méj.* **guaco,** planta.
chicha[1]. (Voz infantil; cf. it. *ciccia.*) f. fam. Carne comestible. ‖ **de chicha y nabo.** loc. adj. fig. y fam. De poca importancia, despreciable. ‖ **no ser alguien, o algo, ni chicha ni limonada.** fr. fig. y fam. No valer para nada, ser baladí. ‖ **tener pocas chichas.** fr. fig. y fam. Tener pocas carnes o pocas fuerzas.
chicha[2]. (De la voz aborigen del Panamá *chichab,* maíz.) f. Bebida alcohólica que resulta de la fermentación del maíz en agua azucarada, y que se usa en algunos países de América. ‖ **2.** *Chile.* La que se obtiene de la fermentación del zumo de la uva o de la manzana.
chicha[3]. (Del fr. *chiche,* escaso.) adj. V. **calma chicha.**
chícharo. (Del lat. *cĭcer,* tito.) m. Guisante, garbanzo, judía.
chicharra[1]. (De *cigarra,* infl. por la onomat. *chich.*) f. **cigarra.** ‖ **2.** Juguete que usan los niños por Navidad, y consiste generalmente en un cañuto corto, tapado por uno de sus extremos con un pergamino estirado, en cuyo centro se coloca una cerda o una hebra de seda encerada. Pasando por ellas los dedos, hace un ruido tan desapacible como el canto de la cigarra. ‖ **3.** Timbre eléctrico de sonido sordo. ‖ **4.** fig. y fam. Persona muy habladora. ‖ **5.** *And.* Juguete infantil que consiste en una vejiga inflada sujeta a un palo, sobre la cual se atiranta una cuerda que se hace sonar con un arco a modo de violín. ‖ **cantar la chicharra.** fr. fig. y fam. Hacer gran calor. ‖ **hablar como una chicharra.** fr. fig. y fam. Ser muy hablador.
chicharra[2]. (Voz onomatopéyica.) f. Calor excesivo.
chicharrar. (Voz onomatopéyica.) tr. **achicharrar.**
chicharrear. (De *chicharra*[1].) intr. Sonar o imitar el ruido que hace la chicharra.

chicharrero[1], ra. m. y f. Persona que hace o vende chicharras, juguetes.
chicharrero[2]. m. fig. y fam. Sitio muy caluroso.
chicharrero[3], ra. (De *chicharro.*) adj. Dícese del natural de Santa Cruz de Tenerife. Ú. t. c. s.
chicharrina. (De *chicharra*[2].) f. Calor excesivo.
chicharro. (Voz onomatopéyica.) m. **chicharrón[1],** residuo de pella o manteca derretida. ‖ **2. jurel.** ‖ **3.** ant. **chicharra,** juguete sonoro de niños.
chicharrón[1]. m. Residuo de las pellas del cerdo, después de derretida la manteca. Se llama también así el residuo del sebo de la manteca de otros animales. ‖ **2.** fig. Carne u otra vianda requemada. ‖ **3.** fig. y fam. Persona muy tostada por el sol. ‖ **4.** *Méj.* Piel del cerdo joven, oreada y frita. ‖ **5.** pl. Fiambre formado por trozos de carne de distintas partes del cerdo, prensado en moldes.
chicharrón[2]. m. *Cuba.* Árbol silvestre de la familia de las combretáceas, de madera dura, que se utiliza para carros, trapiches, ruedas de molino de café y otros usos. Su altura es de unos 11 metros y el grueso del tronco de unos 60 centímetros. Tiene hojas alternas, ovaladas, de color gríseo; flores pequeñas en espigas de diez estambres, sin corola, y fruto comprimido.
chiche[1]. m. *Ecuad.* **chicha,** carne comestible.
chiche[2]. adj. *El Salv.* Dícese de la persona muy blanca o rubia. ‖ **2.** *Argent., Bol., Chile, Par., Perú* y *Urug.* Pequeño, delicado, bonito. ‖ **3.** m. fam. *Argent.* Cosa delicada, bonita y, por lo común, pequeña. *La casa es un* CHICHE. ‖ **4.** *Amér.* Pecho de la mujer. En El Salvador, ú. en f. ‖ **5.** *Amér.* **juguete,** entretenimiento de niños.
chichear. (Voz onomatopéyica.) intr. **sisear.** Ú. t. c. tr.
chicheo. m. Acción y efecto de chichear. Ú. m. en pl.
chichería. f. *Amér.* Casa o tienda donde se vende chicha[2].
chichero, ra. adj. *Amér.* Perteneciente o relativo a la chicha[2]. Aplícase especialmente a los lugares donde se fabrica o vende esta bebida alcohólica, y también a los objetos que sirven para fabricarla o guardarla. ‖ **2.** m. y f. *Amér.* Persona que fabrica o vende chicha[2]. ‖ **3.** m. *Perú.* Chichería.
chichi. adj. *Amér. Central.* Fácil.
chichicaste o **chichicastle.** (Del azteca *tzitzicastli.*) m. *Amér. Central.* Arbusto silvestre, especie de ortiga, espinoso, de tallo fibroso que se utiliza para cordelería. Tiene hojas grandes, alternas, dentadas, verdes, peludas por encima y más pálidas en la parte inferior, flores amarillas agrupadas y por fruto una baya blanca.
chichicuilote. m. *Méj.* Ave limícola, semejante al zarapito, pero más pequeña; de color gris, pico largo y delgado. Es comestible y se domestica con facilidad.
chichigua. (Del nahua *chichihua.*) adj. *Argent.* y *Méj.* Dícese de la hembra de animal que está criando. ‖ **2.** f. *Amér. Central* y *Méj.* **nodriza.** ‖ **3.** *Col.* Cosa o cantidad pequeña, insignificante.
chichilasa. f. *Méj.* Hormiga de color rojo, pequeña y muy maligna. ‖ **2.** fig. *Méj.* Mujer hermosa y arisca.
chichilo. m. *Bol.* Especie de tití, mono de color amarillento.
chichiltote. m. *Nicar.* **chiltota,** ave.
chichimeca. (Del nahua *chichimecatl.*) adj. Dícese del individuo de una tribu que se estableció en Tezcuco y, mezclada con otras que habitaban el territorio mejicano, fundó el reino de Acolhuacán. Ú. m. c. s. y en pl. ‖ **2.** Dícese de los indios que habitaban al poniente y norte de Méjico. Ú. m. c. s. y en pl. ‖ **3.** Perteneciente a los **chichimecas.**
chichimeco, ca. adj. **chichimeca.** Apl. a pers., ú. t. c. s.
chichinabo (de). loc. fig. y fam. **de chicha y nabo.**
chichirimoche. m. Voz de capricho usada como equivalente a *mucho* en el ref. *a la noche,* CHICHIRIMOCHE, *y a la mañana, chichirinada.*
chichirinada. f. Voz de capricho, equivalente a *nada.* V. **chichirimoche.**
chichisbeo. (Del it. *cicisbeo.*) m. Galanteo, obsequio y servicio cortesano asiduo de un hombre a una dama. ‖ **2.** Este mismo hombre. ‖ **3.** Coqueteo.
chichito[1]. m. d. de **chicho.** Ú. m. en pl.
chichito[2]. m. fam. Niño pequeño. ‖ **2.** fam. Criollo, hispanoamericano.
chichitote. m. *Nicar.* **chiltota,** ave.
chicho. m. fam. Rizo pequeño de cabello que cae sobre la frente. Es propio del peinado de mujeres y niños.
chicholo. m. *R. de la Plata.* Dulce envuelto en chala.
chichón. (Del lat. *abscessĭo, -ōnis,* de *abscessus,* tumor.) m. Bulto que de resultas de un golpe se hace en el cuero de la cabeza.
chichonera. (De *chichón.*) f. Gorro con armadura adecuada para preservar a los niños y a algunos deportistas de golpes en la cabeza.
chichota. f. **pizca,** parte mínima de una cosa. Ú. en algunas partes solo en la fr. **sin faltar chichota,** sin faltar la más mínima circunstancia.
chichurro. m. Caldo que resulta de cocer las morcillas al hacerlas.
chifla[1]. f. Acción y efecto de chiflar. ‖ **2.** Especie de silbato.
chifla[2]. (Del ár. *šifra,* cuchilla.) f. Cuchilla ancha y casi cuadrada, de acero, de corte curvo y mango de madera colocado en el dorso, con que los encuadernadores y guanteros raspan y adelgazan las pieles. ‖ **2.** ant. **espadilla,** as de espadas.
chifladera. f. **chifla[1],** silbato.
chiflado, da. p. p. de **chiflar.** ‖ **2.** adj. fam. Dícese de la persona que tiene algo perturbada la razón. Ú. t. c. s.
chifladura. f. Acción y efecto de chiflar o chiflarse.
chiflar[1]. (Del lat. *sifilāre.*) intr. Silbar con la chifla[1], silbato, o imitar su sonido con la boca. ‖ **2.** tr. Mofar, hacer burla o escarnio en público. Ú. t. c. prnl. ‖ **3.** fam. Beber mucho y con presteza vino o licores. ‖ **4.** prnl. fam. Perder alguien la energía de las facultades mentales. ‖ **5.** fam. Tener sorbido el seso por una persona o cosa. Ú. con la prep. por.
chiflar[2]. tr. Adelgazar y raspar con la chifla[2], cuchilla, las badanas y pieles finas.
chiflato. (Del lat. *sifilātus,* por *sibilātus,* silbo.) m. **silbato.**
chifle. (De *chiflar*[1].) m. **chiflo.** ‖ **2.** Silbato o reclamo para cazar aves. ‖ **3.** Frasco de cuerno, cerrado con una boquilla, en el cual solía guardarse la pólvora fina para cebar las piezas de artillería. ‖ **4.** *Argent.* y *Urug.* Asta de vacuno cerrada por un extremo y con tapa en la punta, que se empleaba como recipiente y vaso. ‖ **5.** *Argent.* Por ext., **cantimplora,** frasco aplanado.
chiflete. m. **chiflo.**
chiflido. m. Sonido del chiflo. ‖ **2.** Silbo que lo imita.
chiflo. (Del lat. *sifilum,* silbo.) m. **chifla[1],** silbato.
chiflón. (De *chiflar*[1].) m. *Amér.* Viento colado o corriente muy sutil de aire. ‖ **2.** *Méj.* Canal o tubo por donde sale el agua con fuerza del surtidor de una fuente o de la manguera de una bomba de riego. ‖ **3.** *Méj.* Derrumbe de piedra suelta en el interior de las minas.
chigre. m. *Ast.* Tienda donde se vende sidra u otras bebidas al por menor.
chigrero. m. *Ast.* Dueño de un chigre. ‖ **2.** *Ecuad.* Comerciante que lleva géneros de la sierra al litoral de la República.
chigua. f. *Chile.* Especie de serón o cesto hecho con cuerdas o corteza de árboles, de forma oval y boca de madera. Sirve para muchos usos domésticos y hasta de cuna.
chigüí. m. *El Salv., Hond.* y *Nicar.* **chigüín.**

chigüil. m. *Ecuad.* Masa de maíz, manteca y huevos con queso, envuelta en chala y cocida al vapor.
chigüín. m. *El Salv., Hond.* y *Nicar.* Muchacho pequeño y desmedrado.
chigüiro. m. *Venez.* **carpincho.**
chihuahua[1]. adj. V. **perro chihuahua.** Ú. t. c. s.
chihuahua[2]. m. *Ecuad.* Artificio de fuego que consiste en un armazón de cañas y papelón en figura humana y lleno de pólvora, que se quema en algunas fiestas.
chihuahuense. adj. Natural del Estado mejicano de Chihuahua. Ú. t. c. s. ‖ **2.** Perteneciente o relativo a dicho Estado.
chihuahueño, ña. adj. **chihuahuense.**
chiísmo. Del ár. *šī'ah,* secta.) m. Rama de la religión islámica que considera a Alí, sucesor de Mahoma, y a sus descendientes, únicos imanes legítimos.
chiíta. adj. Perteneciente o relativo al chiísmo. ‖ **2.** Partidario del chiísmo. Ú. t. c. s
chijete. m. fam. *Argent.* **chisguete,** chorro. ‖ **2.** fam. *Argent.* **chiflón,** corriente de aire.
chilaba. (Del ár. marroquí *jallāba* o *yellāba.*) f. Pieza de vestir con capucha que usan los moros.
chilacayote. (Del nahua *tzilacayotli,* calabaza blanca.) m. **cidra cayote.**
chilacoa. f. *Col.* Especie de chochaperdiz muy común y abundante.
chilanco. m. **cilanco.**
chilango, ga. adj. *Méj.* Natural de la ciudad de Méjico o del Distrito Federal. Ú. t. c. s. ‖ **2.** *Méj.* Perteneciente o relativo a esta zona metropolitana.
chilaquil. m. *Méj.* Guiso compuesto de tortillas de maíz, despedazadas y cocidas en caldo y salsa de chile.
chilaquila. f. *Guat.* Tortillas de maíz con relleno de queso, hierbas y chile.
chilar. m. Sitio poblado de chiles.
chilate. m. *Amér. Central.* Bebida común hecha con chile, maíz tostado y cacao.
chilatole. m. *Méj.* Guiso de maíz entero, chile y carne de cerdo.
chilca. (Del quechua *chillca,* arbusto de hojas pegajosas.) f. *Col.* y *Guat.* Arbusto resinoso de la familia de las compuestas que crece en las faldas de las montañas de todo el continente americano.
chilco. (Del mapuche *chillco.*) m. *Chile.* Fucsia silvestre.
chilchote. (De *chile.*) m. *Méj.* Una especie de ají o chile muy picante.
chile[1]. (Del nahua *chilli.*) m. **ají.** ‖ **2.** fig. *Guat.* Mentira, cuento. Ú. m. en pl.
Chile[2]. n. p. V. **albahaquilla, nitrato de Chile.**
chilenismo. m. Vocablo, giro o modo de hablar propio de los chilenos.
chileno, na. adj. Natural de Chile. Ú. t. c. s. ‖ **2.** Perteneciente a este país de América.
chilero, ra. (De *chile.*) m. y f. *Guat.* y *Méj.* Persona que tiene por oficio cultivar, comprar y vender chile. Ú. t. c. adj. ‖ **2.** *Guat.* Persona mentirosa. Ú. t. c. adj.
chilindrina. f. fam. Cosa de poca importancia. ‖ **2.** fam. Anécdota ligera, equívoco picante, chiste para amenizar la conversación. ‖ **3.** fam. **chafaldita.**
chilindrinero, ra. adj. fam. Que cuenta o gasta chilindrinas. Ú. t. c. s.
chilindrón. m. Juego de naipes entre dos o cuatro personas, especie de pechigonga, sin envites, y también parecido al juego de la cometa. La sota, el caballo y el rey forman **chilindrón.** ‖ **2.** Guiso hecho con trozos de carne de ave, cerdo o cordero, rehogados con tomate, pimiento y otros ingredientes. ‖ **3.** *Hond.* **chirca.** ‖ **al, a la o en chilindrón.** loc. Se dice de ciertas carnes en guiso de **chilindrón.**
chilmole. (Del nahua *chilli,* chile, y *molli* o *mulli,* guiso.) m. *Méj.* Salsa o guisado de chile con tomate u otra legumbre.
chilmolero, ra. m. y f. *Méj.* Que hace o vende chilmoles. ‖ **2.** adj. *Méj.* **latoso,** fastidioso. Ú. t. c. s.
chilostra. f. coloq. *And.* Cabeza, cerebro.
chilote[1]. m. *Méj.* Bebida que se hace con pulque y chile.
chilote[2]. m. *Amér. Central* y *Cuba.* **jilote.**
chilote[3]**, ta.** adj. Natural del archipiélago de Chiloé (Chile). Ú. t. c. s. ‖ **2.** Perteneciente o relativo a la isla o al archipiélago de Chiloé.
chilpancingueño, ña. adj. Natural de Chilpancingo, capital del Estado mejicano de Guerrero. Ú. t. c. s. ‖ **2.** Perteneciente o relativo a dicha capital.
chilpayate. m. *Méj.* Niño pequeño; hijo.
chilpe. m. *Ecuad.* Tira de hoja del agave o cabuya. ‖ **2.** *Ecuad.* Hoja seca de maíz. ‖ **3.** *Chile.* **andrajo.**
chilposo, sa. (De *chilpe.*) adj. *Chile.* Andrajoso, harapiento.
chiltepe. (Del nahua *chilli,* pimiento, y *tecpintli,* pulga.) m. *Guat.* Chile silvestre, pequeño, rojo, redondo o de forma ovalada que tiene uso medicinal para las enfermedades del hígado.
chiltipiquín. (Del nahua *chilli,* pimiento, y *tecpin,* pulga.) m. **ají,** pimiento.
chiltota. (Del nahua *chiltic,* rojo, y *tutut,* pájaro.) f. *El Salv,* Ave canora y pequeña, de color amarillo fuego, con algunas plumas negras, que hace su nido en forma de bolsa y lo cuelga de ramas, alambres, etc.
chiltote. m. *Guat.* Cierto pájaro dentirrostro, emigrante y originario de la América del Sur.
chiltuca. f. *El Salv.* **casampulga.**
chilla[1]. (De *chillar.*) f. Instrumento que sirve a los cazadores para imitar el chillido de la zorra, la liebre, el conejo, etc.
chilla[2]. (Del lat. *scindŭla.*) f. Tabla delgada de ínfima calidad, cuyo ancho varía entre 12 y 14 centímetros y dos metros y medio de largo. ‖ **2.** V. **clavo de chilla,** y **de media chilla.** ‖ **3.** *Encuad.* Cada una de las dos planchas lisas o bruñidas, del tamaño del libro, hechas de madera, hoja de lata o cartón, entre las cuales se pone el libro ya dorado en la prensa. Ú. m. en pl.
chilla[3]. (De or. mapuche.) f. *Chile.* Especie de zorra de menor tamaño que la europea común.
chillado. m. Techo compuesto de alfarjías o listones de madera y de tablas de chilla[2]. ‖ **2.** *Extr.* Cielo raso hecho con tablas, cañizo u otra materia semejante y guarnecido con yeso o cal.
chillador, ra. adj. Que chilla. Ú. t. c. s.
chillanejo, ja. adj. despect. **chillanense.** Ú. t. c. s.
chillanense. adj. Natural de Chillán, capital de la provincia chilena de Nuble. Ú. t. c. s. ‖ **2.** Perteneciente o relativo a esta ciudad.
chillar. (Del lat. **cisclare* por *fistulare.*) intr. Dar chillidos. ‖ **2.** Imitar con la chilla[1] el chillido de los animales de caza. ‖ **3. chirriar.** ‖ **4.** fig. *Pint.* Hablando de colores, destacarse con demasiada viveza o estar mal combinados.
chillera. (Del lat. **cellaria,* almacén.) f. *Mar.* Barra de hierro doblada en ángulo recto por ambos extremos, los cuales encajan en la amurada o en las brazolas, dejando el hueco necesario para poder estibar de modo que no se muevan con los balances del buque ciertas municiones de la artillería, como balas, saquetes de metralla, etc.
chillería. (De *chillar.*) f. Conjunto de chillidos o voces descompasadas. ‖ **2.** Reprensión áspera y prolija. *Echar una* CHILLERÍA.
chillido. (De *chillar.*) m. Sonido inarticulado de la voz, agudo y desapacible.
chillo. m. **chilla**[2].
chillón[1]. (De *chilla*[2].) m. Clavo que sirve para tablas de chi-

lla. ‖ **real.** Clavo mayor que el **chillón** ordinario y que sirve para tablas más gruesas que las de chilla.

chillón[2]**, na.** adj. fam. Que chilla mucho. Ú. t. c. s. ‖ **2.** Dícese de todo sonido agudo y desagradable. *Voz* CHILLONA. ‖ **3.** V. **picaza chillona.** ‖ **4.** fig. Aplícase a los colores demasiado vivos o mal combinados.

chimachima. m. *Argent.* **chimango.**

chimango. (Voz onomatopéyica.) m. *Argent.* y *R. de la Plata.* Ave de rapiña, de unos 30 centímetros de largo, de color oscuro en unas partes y en otras acanelado y blancuzco.

chimbador, ra. adj. fam. *Ecuad.* Dícese del candidato que no pretende el triunfo en una campaña electoral sino impedir el de otro. ‖ **2.** m. *Perú.* Indígena perito en atravesar ríos.

chimbo[1]**, ba.** adj. *Amér.* Dícese de una especie de dulce hecho con huevos, almendras y almíbar. Ú. t. c. s.

chimbo[2]**.** (De or. vasc.) m. *P. Vasco.* Nombre de varias especies de pájaros: alcaudón, colirrojo, curruca, etc. ‖ **2.** Nombre festivo con que se suele motejar a los bilbaínos.

chimenea. (Del fr. *cheminée.*) f. Cañón o conducto para que salga el humo que resulta de la combustión. ‖ **2.** Hogar o fogón para guisar o calentarse, con su cañón o conducto para que salga el humo. ‖ **3.** V. **lengüeta de chimenea.** ‖ **4. chimenea francesa.** ‖ **5.** En las armas de fuego llamadas de pistón, cañoncito colocado en la recámara, donde se encaja la cápsula para que al choque del gatillo se comunique el fuego a la carga. ‖ **6.** Conducto vertical de madera por donde en los teatros suben y bajan los contrapesos necesarios para las maniobras de la maquinaria. ‖ **7.** *Geol.* Conducto a través del cual un volcán expulsa material de erupción. ‖ **8.** *Min.* Excavación estrecha que se abre en el cielo de una labor de mina, o hueco que resulta a causa de un hundimiento. ‖ **francesa.** La que se hace solo para calentarse y se guarnece con un marco y una repisa en su parte superior. ‖ **caerle** a alguien una cosa **por la chimenea.** fr. fig. y fam. Lograrla inesperadamente y sin trabajo alguno.

chiminango. m. *Col.* Árbol leguminoso corpulento de la familia de las mimosáceas, cuya corteza se usa para curtir.

chimó. m. Pasta de extracto de tabaco cocido y sal de urao, que saborean los habitantes de la cordillera occidental de Venezuela llevándola en la boca.

chimojo. (De or. taíno.) m. *Cuba.* Medicamento antiespasmódico hecho de tabaco, cáscara de plátano, salvia y otros ingredientes.

chimpancé. (Del bantú *hampenzi.*) m. Mono antropomorfo, poco más bajo que el hombre, de brazos largos, pues las manos le llegan a las rodillas cuando el animal está en posición vertical; cabeza grande, barba y cejas prominentes, nariz aplastada y todo el cuerpo cubierto de pelo de color pardo negruzco. Habita en el centro de África; forma agrupaciones poco numerosas y construye en las cimas de los árboles nidos en que habita. Se domestica fácilmente.

chimuelo, la. adj. *Méj.* Dícese de quien carece de uno o más dientes. Ú. t. c. s.

chin. Voz que se usa repetida para llamar al cerdo.

china[1]**.** (De la voz infantil *chin.*) f. Piedra pequeña y a veces redondeada. ‖ **2.** Suerte que echan los muchachos metiendo en el puño una piedrecita u otra cosa semejante, y, presentando las dos manos cerradas, pierde aquel que señala la mano en que está la piedra. ‖ **3.** fig. y fam. **dinero.** ‖ **echar china.** fig. y fam. Contar las veces que uno bebe en la taberna, aludiendo a la costumbre de que cada vez que uno bebía echaba una **china** en la capilla de la capa, y después, en el momento de pagar, las contaba el tabernero y las cobraba. ‖ **poner chinas** a alguien. fr. fig. y fam. Suscitarle dificultades. ‖ **tocarle** a alguien **la china.** fr. fig. Corresponderle por azar algo desafortunado. ‖ **tropezar en una china.** fr. fig. y fam. Detenerse en cosas de poca importancia.

china[2]**.** (De *China,* nación de Asia.) f. Raíz medicinal de una hierba del mismo nombre, especie de zarzaparrilla que se cría en América y en la China. Es del tamaño de las batatas, con algunas protuberancias, muy dura, sin olor, y de color pardo rojizo. ‖ **2.** V. **clavel, papel de China.** ‖ **3.** V. **melón de la China.** ‖ **4. porcelana,** loza fina. ‖ **5.** Tejido de seda o lienzo que viene de la China, o labrado a su imitación. ‖ **media china.** Tejido de seda o lienzo más ordinario que la **china.**

china[3]**.** com. desus. **chino,** natural de China.

china[4]**.** f. *Seg.* y *Sor.* Hoguera, brasa, centelleo.

chinaca. f. *Méj.* Pobretería, gente desharrapada y miserable.

chinacate. m. *Méj.* **murciélago.** ‖ **2.** *Méj.* Gallo sin plumas. ‖ **3.** *Méj.* **chinaco.**

chinaco. m. *Méj.* Guerrillero liberal.

chinaje. m. *Argent.* y *Urug.* **chinerío.**

chinama. f. *Guat.* Choza, cobertizo de cañas y ramas.

chinampa. (Del nahua *chinamitl,* seto o cerca de cañas.) f. Terreno de corta extensión en las lagunas vecinas a la ciudad de Méjico, donde se cultivan flores y verduras. Antiguamente estos huertos eran flotantes.

chinampero, ra. adj. *Méj.* Cultivador de chinampas. Ú. t. c. s. ‖ **2.** *Méj.* Que se cultiva en ellas. *Clavel* CHINAMPERO.

chinanta. f. Medida de peso común que se usa en Filipinas, décima parte del pico, igual a 6 kilogramos y 326 gramos.

chinapo. (Del tarasco *trinupu.*) m. *Méj.* **obsidiana.**

chinar[1]**.** (Voz onomatopéyica.) intr. **rechinar.**

chinar[2]**.** (De *china*[1].) tr. Embutir con chinas los revoques de mampostería.

chinarral. m. Lugar donde abundan los chinarros.

chinarro. m. Piedra algo mayor que una china[1].

chinata. (De *china*[1].) f. *Cuba.* **cantillo** con que juegan los muchachos.

chinateado. (De *china*[1].) m. *Metal.* Capa de piedras menudas que se echa sobre el mineral grueso para hacer la carga de los hornos de destilación del azogue en Almadén.

chinazo. m. aum. de **china**[1]. ‖ **2.** Golpe dado con una china[1], **piedrecilla.**

chincalé. m. *Col.* Árbol de la familia de las leguminosas, de frondoso follaje.

chincol. m. *Amér. Merid.* **chingolo.**

chincual. m. *Méj.* **sarampión.**

chinchar. (De *chinche.*) tr. fam. Molestar, fastidiar. ‖ **2.** desus. Matar. ‖ **3.** prnl. fam. **fastidiarse,** aguantarse.

chincharrazo. m. fam. **cintarazo.**

chincharrero. m. Sitio o lugar donde hay muchas chinches. ‖ **2.** Barco pequeño que usan en América para pescar.

chinchayote. (Del nahua *tzintli,* lo de abajo, y *chayutli,* chayote.) m. *Méj.* Raíz comestible del chayote.

chinche. (Del lat. *cimex, -ĭcis.*) f. Insecto hemíptero, de color rojo oscuro, cuerpo muy aplastado, casi elíptico, de cuatro o cinco milímetros de largo, antenas cortas y cabeza inclinada hacia abajo. Es nocturno, fétido y sumamente incómodo, pues chupa la sangre humana taladrando la piel con picaduras irritantes. ‖ **2. chincheta.** ‖ **3.** com. fig. y fam. Persona chinchosa. Ú. t. c. adj. ‖ **caer, o morir, como chinches.** fr. fig. y fam. Haber gran mortandad. ‖ **no haber más chinches que la manta llena.** fr. fig. y fam. Haber gran abundancia de cosas molestas y perjudiciales. ‖ **tener de chinches la sangre.** fr. fig. y fam. Ser sumamente pesado y molesto.

chinchel. m. *Chile.* **cantina,** puesto donde se venden bebidas.

chinchemolle. m. *Chile.* Insecto sin alas, que habita bajo las piedras y se distingue por su olor nauseabundo.

chinchero. m. Tejido de mimbres o listones de madera con varios agujerillos, que se ponía alrededor de las camas para recoger las chinches, y sacudirlas después.

chincheta. (De *chinche.*) f. Clavito metálico de cabeza circular y chata y punta acerada, que sirve para asegurar el papel al tablero en que se dibuja o calca, o para otros fines parecidos.

chinchilla. (De or. aimara.) f. Mamífero roedor, propio de la América Meridional, poco mayor que la ardilla y parecido a esta, pero con pelaje gris, más claro por el vientre que por el lomo, y de una finura y suavidad extraordinarias. Vive en madrigueras subterráneas, y su piel es muy estimada para forros y guarniciones de vestidos de abrigo. ‖ **2.** Piel de este animal.

chinchimén. m. *Chile.* Especie de nutria de mar, de unos 30 centímetros de largo sin la cola.

chinchín[1]. m. *Chile.* Arbusto siempre verde, de la familia de las poligaláceas, de hojas mellizas y de dos bayas, flores en espigas de color amarillo, a veces olorosas. Hay varias especies.

chinchín[2]. m. Onomatopeya del sonido de una banda de música, especialmente de los platillos.

chinchín[3]. (Del chino pequinés *ching-ching* a través del ing. *chin-chin.*) Expresión que acompaña el choque de copas o vasos en un brindis.

chinchintor. m. *Hond.* Víbora muy venenosa.

chinchón[1]. m. **chichón.**

chinchón[2]. m. Bebida anisada fabricada en Chinchón, pueblo de la provincia de Madrid.

chinchona. (De la condesa de *Chinchón,* virreina del Perú que se curó con ella.) f. *Amér. Merid.* **quina[2].**

chinchorrear. intr. Traer y llevar chismes[1] y cuentos. ‖ **2.** tr. Molestar, fastidiar.

chinchorrería. (De *chinchorrero.*) f. fig. y fam. Impertinencia, pesadez. ‖ **2.** fig. y fam. Chisme, cuento. ‖ **3.** ant. Patraña, mentira, burla.

chinchorrero, ra. (De *chinche.*) adj. fig. y fam. Que se emplea en chismes y cuentos con impertinencia y pesadez.

chinchorro. m. Red a modo de barredera y semejante a la jábega, aunque menor. ‖ **2.** Embarcación de remos, muy chica y la menor de a bordo. ‖ **3.** Hamaca ligera tejida de cordeles, como el esparavel. Es el lecho usual de los indios de Venezuela. ‖ **4.** fig. y fam. *Pan.* Látigo.

chinchoso, sa. (De *chinche.*) adj. fig. y fam. Dícese de la persona molesta y pesada.

chinchulín. (Del quechua *chunchulli,* tripas menudas.) m. *Bol., Ecuad.* y *R. de la Plata.* Yeyuno de ovino o vacuno, trenzado y asado. Ú. m. en pl.

chinda. com. Persona que vende despojos de reses.

chiné. (Del fr. *chiné.*) adj. Se dice de cierta clase de telas rameadas o de varios colores combinados.

chinear. (De *chino[3].*) tr. *Amér. Central.* Llevar en brazos o a cuestas. ‖ **2.** *C. Rica.* Mimar, cuidar con cariño y esmero. ‖ **3.** *C. Rica* y *Guat.* Cuidar niños como china o niñera. ‖ **4.** fig. *Guat.* Preocuparse mucho por una persona, asunto o cosa.

chinela. (De *chanela.*) f. Calzado a modo de zapato, sin talón, de suela ligera, y que por lo común solo se usa dentro de casa. ‖ **2.** Especie de chapín que usaban las mujeres sobre el calzado en tiempo de lodos.

chinelazo. m. Golpe dado con una chinela.

chinelón. m. aum. de **chinela.** ‖ **2.** Especie de zapato que se usa en Venezuela, con orejas, sin botones, hebillas ni lazos, y más alto que la chinela.

chineo. m. *C. Rica.* Acción y efecto de **chinear,** mimar, halagar.

chinerío. m. rur. *Argent., Chile* y *Urug.* Conjunto de chinas o mujeres aindiadas.

chinero. m. Armario o alacena en que se guardan piezas de china o de porcelana, cristal, etc.

chinesco, ca. adj. **chino[2],** propio de China. ‖ **2.** Parecido a las cosas de la China. ‖ **3.** V. **sombras chinescas.** ‖ **4.** m. Instrumento músico, propio de bandas militares, compuesto de una armadura metálica, de la que penden campanillas y cascabeles, y todo enastado en un mango de madera para hacerlo sonar sacudiéndolo a compás. Ú. m. en pl. ‖ **a la chinesca.** loc. adv. Al uso de la China o según el gusto de aquel país.

chinga. (Voz onomatopéyica.) f. *Amér.* **mofeta,** mamífero. ‖ **2.** *C. Rica.* **colilla** del cigarro. ‖ **3.** *C. Rica.* **barato,** porción de dinero que se paga al baratero. ‖ **4.** *Hond.* **chunga.** ‖ **5.** *Venez.* **chispa,** borrachera.

chingana. (De *chingar.*) f. *Amér. Merid.* Taberna en que suele haber canto y baile.

chingar. (Voz onomatopéyica.) tr. fam. Beber con frecuencia vino o licores. ‖ **2.** *Amér. Central.* Cortar el rabo a un animal. ‖ **3.** Importunar, molestar. ‖ **4.** Practicar el coito, fornicar. Es voz malsonante. ‖ **5.** intr. *Can.* Salpicar. ‖ **6.** *Pal.* Tintinear. ‖ **7.** *Argent.* y *Urug.* Colgar un vestido más de un lado que de otro. ‖ **8.** prnl. Embriagarse. ‖ **9.** *Can Argent., Col., Chile* y *Perú.* No acertar, fracasar, frustrarse, fallar.

chinglar. (Voz onomatopéyica.) intr. Pasar un trago de vino. Ú. t. c. tr.

chingo, ga. (De *chingar.*) adj. *Amér. Central.* Dícese del animal rabón. ‖ **2.** *Amér. Central* y *Venez.* Chato, romo, desnarigado. ‖ **3.** *Amér. Central.* Corto, hablando de vestidos. ‖ **4.** *C. Rica.* Desnudo, en paños menores. ‖ **5.** *Venez.* Deseoso, ávido. ‖ **6.** *Col.* y *Cuba.* Pequeño, diminuto. ‖ **7.** *Nicar.* Bajo de estatura.

chingolo. m. *Argent.* Pájaro conirrostro de la familia de los fringílidos, de canto muy melodioso; pardo rojizo, con copete. ‖ **afrechero.** *Argent.* **afrechero,** ave.

chingua. (Del quechua *chihua,* trenza de pelo.) f. *Col.* Trenza de pelo. ‖ **2.** *Col.* Rollo de fique destinado a la venta.

chingue. m. *Chile.* **mofeta,** mamífero.

chinguear. (De *chingar.*) intr. *Hond.* **bromear.** ‖ **2.** *C. Rica.* **cobrar el barato.**

chínguere. m. vulg. *Méj.* Aguardiente común.

chinguero. (De *chinga.*) m. *C. Rica.* **garitero,** el que tiene por su cuenta un garito.

chinguirito. m. *Cuba* y *Méj.* Aguardiente de caña, de calidad inferior.

chino[1]. m. *And.* **china[1],** piedrecita.

chino[2], na. adj. Natural de la China. Ú. t. c. s. ‖ **2.** V. **cochino, melón, perro chino.** ‖ **3.** V. **naranja china.** ‖ **4.** m. Idioma de los **chinos.** ‖ **engañar** a alguien **como a un chino.** expr. fam. que se usa hablando de persona muy crédula, aludiendo a la opinión, infundada, de que los **chinos** son simples.

chino[3], na. (Del quechua *china,* hembra, mujer.) adj. *Argent., Chile, Par., Urug.* y *Venez.* Dícese de la persona aindiada. Ú. t. c. s. ‖ **2.** *Col.* Dícese del indio o india no civilizados. Ú. t. c. s. ‖ **3.** *Perú.* **chino cholo.** ‖ **4.** *Cuba.* Dícese del descendiente de negro y mulata, o de mulato y negra. Ú. t. c. s. ‖ **5.** m. y f. *Col., Chile, Ecuad.* y *Venez.* Persona del pueblo bajo. ‖ **6.** *Col., Chile, Ecuad.* y *Venez.* Criado, sirviente. En la Argentina, criado o sirviente de rasgos aindiados. Ú. m. el d. *chinito, ta.* ‖ **7.** *Amér. Merid.* Designación emotiva, ora cariñosa, ora despectiva, de la persona. ‖ **8.** f. *C. Rica, Guat.* y *Nicar.* Aya, niñera. ‖ **cholo.** *Perú.* Dícese del descendiente de indio y negra, o de negro e india. Ú. t. c. s.

chip. (Del ing. *chip.*) m. *Inform.* Pequeño circuito integrado que realiza numerosas funciones en ordenadores y dispositivos electrónicos.

chipa. f. *Col.* Cesto de paja que se emplea para recoger frutas y legumbres. ‖ **2.** *Col.* Rodete o rosca para cargar a la cabeza, mantener en pie una vasija redonda, etc. ‖ **3.** *Col.* Rollo, materia enrollada.

chipá. m. *NE. Argent.* Torta de harina de maíz o mandioca y queso.

chipaco. m. *Argent.* Torta de acemite.

chipe. m. fam. y vulg. *Chile.* Dinero. Ú. m. en pl. ‖ **tener,** o **dar, chipe libre.** fig. y fam. *Chile.* Tener o dar libertad para hacer algo.

chipé. (Del caló *chipé,* verdad.) f. Verdad, bondad. ‖ **de chipé.** loc. adj. fam. **de órdago.**

chipén. (Del caló *chipén,* vida.) f. **chipé.**

chipichape. (Voz onomatopéyica.) m. fam. **zipizape.** ‖ **2. golpe,** encuentro violento de dos cuerpos.

chipichipi. (Voz imitativa.) m. *Méj.* **llovizna.**

chipile. m. *Méj.* **chipilín**[2].

chipilín[1]**, na.** adj. **chiquilín.** ‖ **2.** m. y f. Niño o niña pequeños.

chipilín[2]**.** m. *El Salv., Guat.* y *Méj.* Planta leguminosa, herbácea que se mezcla con masa para hacer los llamados tamalitos de **chipilín,** típicos de Tabasco y Guatemala.

chipilo. m. *Bol.* Rodajas de plátano fritas que se llevan como provisión de viaje.

chipirón. (d. del lat. *sepĭa,* jibia.) m. Calamar de pequeño tamaño.

chipojo. m. *Cuba.* **camaleón,** reptil saurio.

chipolo. m. *Col., Ecuad.* y *Perú.* Juego de naipes semejante al tresillo.

chipote. m. *Amér. Central.* **manotada.**

chipotle. (Del nahua *chilli* y *poctli,* humo.) m. *Méj.* Especie de chile muy picante, de color marrón, secado al humo.

chipriota. adj. Natural de Chipre. Ú. t. c. s. ‖ **2.** Perteneciente o relativo a esta isla del Mediterráneo.

chipriote. adj. **chipriota.** Apl. a pers., ú. t. c. s.

chiqueadores. m. pl. Rodajas de carey que se usaron antiguamente en Méjico como adorno femenino. ‖ **2.** *Méj.* Rodajas de papel, como de una pulgada de diámetro, que, untadas de sebo u otra sustancia, se pegan en las sienes como remedio casero para los dolores de cabeza.

chiquear. tr. *Cuba* y *Méj.* Mimar, acariciar con exceso, consentir.

chiqueo. m. *Cuba* y *Méj.* Mimo, halago.

chiquero. (Del lat. **circarium.*) m. **pocilga,** establo. ‖ **2.** Cada uno de los compartimientos del toril en que están los toros encerrados antes de empezar la corrida. ‖ **3.** *Extr.* Choza pequeña en que se recogen de noche los cabritos.

chiquichanca. m. *And.* Zagal o hatero.

chiquichaque. (Voz imitativa.) m. El que tenía por oficio aserrar piezas gruesas de madera. ‖ **2.** El ruido que se hace con las quijadas cuando se masca fuertemente.

chiquigüite o **chiquihuite.** (Del nahua *chiquihuitl.*) m. *Guat.* y *Méj.* Cesto o canasta de mimbre, bejuco o carrizo sin asas. ‖ **2.** desus. *Méj.* Abobado, inútil.

chiquilicuatro. m. fam. **chisgarabís.**

chiquilín, na. adj. d. de **chico.** ‖ **2.** m. y f. Niño o niña pequeños.

chiquillada. f. Acción propia de chiquillos.

chiquillería. f. fam. Multitud, concurrencia de chiquillos. ‖ **2. chiquillada.**

chiquillo, lla. (d. de *chico.*) adj. **chico,** niño, muchacho. Ú. t. c. s.

chiquirín. m. *Guat.* Insecto semejante a la cigarra, pero de canto más agudo y fuerte.

chiquirritico, ca, llo, lla, to, ta. adj. fam. d. de **chico.**

chiquirritín, na. adj. fam. d. de **chiquitín.** ‖ **2.** fam. Dícese del niño o niña de muy corta edad. Ú. t. c. s.

chiquitín, na. adj. fam. d. de **chiquito.** ‖ **2.** fam. **chiquirritín.** Ú. t. c. s.

chiquito, ta. adj. d. de **chico.** Apl. a pers., ú. t. c. s. ‖ **2.** fig. y fam. V. **muerte chiquita.** ‖ **3.** m. Vaso pequeño de vino. ‖ **andarse en** o **con chiquitas.** fr. fam. Usar contemplaciones, pretextos, subterfugios o rodeos para esquivar o diferir, ya una medida, ya una obligación. Ú. por lo común con negación. ‖ **hacerse el chiquito.** fr. fig. y fam. Disimular lo que se sabe o puede.

chira. f. *C. Rica.* Espata del plátano. ‖ **2.** *Col.* **jirón,** pedazo de tela desgarrado. ‖ **3.** *El Salv.* **llaga,** úlcera.

chirapa. f. *Bol.* **andrajo,** trapo o jirón de ropa. ‖ **2.** *Perú.* Lluvia con sol.

chirca. (De *chilca.*) f. *Amér.* Árbol de la familia de las euforbiáceas, de regular tamaño, de madera dura, hoja áspera, flores amarillas, acampanadas y fruto como almendra, que destruye las muelas, aun sin hacer presión con ellas.

chircal. m. *Amér.* Terreno poblado de chircas. ‖ **2.** *Col.* **tejar**[1]**,** sitio donde se fabrican tejas.

chircate. m. *Col.* Saya de tela tosca.

chiribico. m. *Cuba.* Pez pequeño, de figura elíptica, color morado, boca y ojos muy chicos. ‖ **2.** *Col.* Arácnido de las tierras calientes, de olor desagradable y cuya picadura produce fiebre.

chiribita. f. **chispa.** Ú. m. en pl. ‖ **2.** *Cuba.* Pez acantopterigio, propio de los mares de las Antillas, con dientes en el borde de las mandíbulas, y cuyas aletas dorsal y anal están cubiertas de escamas. Hay varias especies. ‖ **3.** pl. fam. Partículas que, vagando en el interior de los ojos, ofuscan la vista. ‖ **4. margarita,** planta herbácea. ‖ **echar chiribitas.** fr. fig. y fam. **echar chispas.** ‖ **hacer o hacerle** a alguien **chiribitas los ojos.** fr. Ver, por efecto de un golpe y por breve tiempo, multitud de chispas movibles delante de los ojos. ‖ **2.** Expresar en la mirada la ilusión de que algo deseado va a suceder pronto.

chiribital. m. *Col.* **erial.**

chiribitil. (De *chivitil.*) m. Desván, rincón o escondrijo bajo y estrecho. ‖ **2.** fam. Pieza o cuarto muy pequeño.

chiricatana. f. *Ecuad.* Poncho de tela basta.

chiricaya. f. *C. Rica* y *Hond.* Dulce de leche y huevos.

chiricote. (De or. guaraní.) m. *NE.* y litoral de *Argent.* y *Par.* Ave de cabeza y cuello gris azulados, pecho de color ocre canela y abdomen negro. Vive a orillas de lagunas y esteros.

chirigaita. (De *chilacayote.*) f. *Murc.* **cidra cayote.**

chirigota. (De or. inc., cf. port. *gíria,* jerga.) f. fam. **cuchufleta.**

chirigotear. intr. Decir chirigotas.

chirigotero, ra. adj. Que dice chirigotas.

chiriguare. m. *Venez.* Ave de rapiña muy voraz.

chirigüe. (De or. araucano.) m. *Chile.* Avecilla común, de color de aceituna por encima, alas negras, garganta, pecho y abdomen amarillos y el pico y las patas brunos.

chirimbolo. (Del vasc. *chirimbol,* rodaja, bola.) m. fam. Utensilio, vasija o cosa análoga. Ú. m. en pl. ‖ **2.** Objeto de forma extraña que no se sabe cómo nombrar. ‖ **3.** Objeto de forma redonda.

chirimía. (Del ant. fr. *chalemie.*) f. Instrumento músico de viento, hecho de madera, a modo de clarinete, de unos siete decímetros de largo, con diez agujeros y boquilla con lengüeta de caña. ‖ **2.** fig. y fam. *Guat.* Persona que habla mucho y con voz desagradable y tiple. ‖ **3.** m. El que ejerce o profesa el arte de tocar la **chirimía.**

chirimiri. m. *Burg.* **sirimiri.**

chirimoya. f. Fruto del chirimoyo. Es una baya verdosa con pepitas negras y pulpa blanca de sabor muy agradable. Su tamaño varía desde el de una manzana al de un melón.

chirimoyo. (De or. americano.) m. Árbol de la familia de las anonáceas, originario de la América Central, de unos ocho metros de altura, con tronco ramoso, copa poblada, hojas elípticas y puntiagudas, y flores fragantes, solitarias, de pétalos verdosos y casi triangulares. Su fruto es la chirimoya.

chirinada. (De Víctor *Chirino*, nombre del cabecilla de una revuelta frustrada que ocurrió en la Argentina en el s. XIX.) f. *Argent.*, *Par.* y *Urug.* Asonada inútil, motín frustrado. Ú. t. en sent. despect.

chiringa. f. *Cuba* y *P. Rico*. Volantín, cometa pequeña.

chiringo[1]. m. *Sev.* Vaso de aguardiente.

chiringo[2]. m. *P. Rico*. Caballo pequeño, de inferior calidad. ‖ **2.** *Hond.* Harapo.

chiringuito. m. Quiosco o puesto de bebidas al aire libre. ‖ **2.** *Can.* Chorrito menudo.

chirinola. (Por alusión a la batalla de Ceriñola, it. *Cerignola*, 1503.) f. Reyerta, pendencia. ‖ **2.** Disputa, discusión. ‖ **3.** Conversación larga. ‖ **4.** Juego de muchachos parecido al de los bolos. ‖ **5.** fig. Cosa de poca importancia. ‖ **6.** fam. *And.* **cabeza** del hombre. ‖ **estar de chirinola.** fr. fig. y fam. Estar de fiesta o de buen humor.

chiripa. f. En el juego de billar, suerte favorable que se gana por casualidad. ‖ **2.** fig. y fam. Casualidad favorable. ‖ **3.** *Venez.* Especie de cucaracha.

chiripá. m. Prenda exterior de vestir usada por los gauchos de la Argentina, Río Grande del Sur (Brasil), el Paraguay y el Uruguay y que consistía en un paño rectangular que se pasaba por entre los muslos y se sujetaba, por sus extremos posterior y anterior, a la cintura mediante una faja, ceñidor o cinto. ‖ **2.** *Argent.* Pañal que se pone a los niños en sus primeros años y que, por su forma, se parece al **chiripá** de los gauchos.

chiripear. tr. Ganar tantos por chiripa en el juego de billar.

chiripero. (De *chiripa*.) m. El que en el juego de billar gana más por acaso que por buenas jugadas o destreza. ‖ **2.** fig. El que una o muchas veces obtiene algo por casualidad favorable.

chirivía. (Del ár. *ŷiriwiyyā*, biznaga.) f. Planta de la familia de las umbelíferas, con tallo acanalado de 9 a 12 centímetros de alto, hojas parecidas a las del apio, flores pequeñas y amarillas, semillas de dos en dos, y raíz fusiforme blanca o rojiza, carnosa y comestible. ‖ **2. lavandera,** ave.

chirivín. (Voz onomatopéyica.) m. *Extr.* Pájaro pequeño.

chirivisco. m. *Guat.* Zarzal seco.

chirla. f. Molusco lamelibranquio bivalvo parecido a la almeja, pero de menor tamaño.

chirlador, ra. adj. fam. Que chirla o vocea recia y desentonadamente.

chirlar. (De *chillar*.) intr. fam. Hablar atropelladamente y metiendo ruido. ‖ **2.** *Germ.* **hablar.**

chirlata. f. *Mar.* Trozo de madera que completa otro pedazo que está corto o defectuoso. ‖ **2.** Timba de ínfima especie, donde solo se juegan pequeñas cantidades de dinero.

chirlatar. tr. *Mar.* Poner chirlatas.

chirlazo. m. **chirlo.**

chirle. (Voz onomatopéyica.) adj. fam. Insípido, insustancial. ‖ **2.** *Argent.* Falto de consistencia, blanduzco. ‖ **3.** fig. *Argent.* De poco interés, sin gracia. ‖ **4.** m. **sirle.**

chirlear. (Voz onomatopéyica.) intr. Chirriar los pájaros.

chirlería. f. Charla, habladuría.

chirlido. m. *Sal.* **chillido.** ‖ **2.** Chirrido de los pájaros.

chirlo. m. Herida prolongada en la cara, como la que hace la cuchillada. ‖ **2.** Señal o cicatriz que deja después de curada. ‖ **3.** *Germ.* **golpe** que se da a otro.

chirlomirlo. adj. Medio embriagado. ‖ **2.** m. Cosa de poco alimento o sustancia. ‖ **3.** Estribillo de cierto juego infantil. ‖ **4.** *Sal.* **tordo.**

chirmol. m. *Ecuad.* y *Guat.* Plato de chile o pimiento, tomate, cebolla y otros condimentos. ‖ **2.** fig. *Guat.* Intriga, enredo.

chirmoloso, sa. (De *chirmol*.) adj. *Guat.* Dícese de la persona amiga de intrigas, que gusta de hacer enredos.

chirola. f. *Argent.* Antigua moneda de níquel, de cinco, diez o veinte centavos. ‖ **2.** *Chile.* Moneda chaucha o de veinte centavos. ‖ **3.** fig. *Argent.* Poco dinero. Ú. m. en pl.

chirona. f. fam. **cárcel** de presos. Ú. con la prep. *en* y sin artículo en las frs. **meter,** o **estar, en chirona.**

chirotada. f. *Ecuad.* Tontería, necedad.

chirote. m. *Ecuad.* y *Perú.* Especie de pardillo, de canto dulce, pero menos arisco que el europeo, pues se domestica pronto. ‖ **2.** adj. fig. *Perú.* Dícese de la persona ruda o de cortos alcances. Ú. t. c. s. ‖ **3.** fig. *C. Rica.* Grande, hermoso. Ú. t. c. s.

chirpia. (Del lat. *scirpĕa*, de juncos.) f. *Ál.* Plantío de árboles, antes del trasplante. ‖ **2.** fig. *Ál.* Conjunto de muchachos de la calle.

chirpial. m. Pie joven, procedente de brote de la cepa o raíz de un árbol. ‖ **2.** *Ál.* **chirpia,** plantío de árboles.

chirraca. f. *C. Rica.* Árbol que produce una resina que se usa como incienso. ‖ **2.** *C. Rica.* Esta resina.

chirreador, ra. adj. **chirriador.**

chirrear. (Voz onomatopéyica.) intr. **chirriar.**

chirreo. m. Acción y efecto de chirrear.

chirriadero, ra. adj. **chirriador.**

chirriado, da. p. p. de **chirriar.** ‖ **2.** m. ant. **chirrido.**

chirriador, ra. adj. Que chirría.

chirriar. (Voz onomatopéyica.) intr. Dar sonido agudo una sustancia al penetrarla un calor intenso; como cuando se fríe tocino en el aceite hirviendo. ‖ **2. rechinar,** hacer o causar una cosa un sonido desagradable por frotar con otra. *La puerta, los ejes del carro* CHIRRÍAN. ‖ **3.** Chillar los pájaros que no cantan con armonía. ‖ **4.** fig. y fam. Cantar desentonadamente.

chirrichote. adj. Necio, presumido. Ú. t. c. s.

chirrido. (De *chirriar*.) m. Voz o sonido agudo y desagradable de algunas aves u otros animales; como el grillo, la chicharra, etc. ‖ **2.** Cualquier otro sonido agudo, continuado y desagradable.

chirrión. (Del m. or. que *chirriar*.) m. Carro fuerte de dos ruedas cuyo eje gira con ellas. ‖ **2.** *Amér.* Látigo o rebenque fuerte hecho de cuero.

chirrionero. m. El que conduce el chirrión.

chirrisquear. (Voz onomatopéyica.) intr. *Pal.* **carrasquear.**

chirula. (Del vasc. *txirula*, flauta.) f. Flautilla que se usa en el País Vasco.

chirulí. (Del canto de este pájaro.) m. *Venez.* Avecilla de canto dulce que parece repetir las sílabas de su nombre.

chirulio. m. *Hond.* Guiso hecho con huevos batidos y cocidos con maíz, chile, achiote y sal.

chirumba. f. *Sal.* y *Vallad.* **tala[2].**

chirumbela. f. **churumbela.**

chirumen. (Del port. *chorume*.) m. fam. **caletre.**

chirusa o **chiruza.** f. *E. Argent.* y *Urug.* Mujer del bajo pueblo, por lo común mestiza o descendiente de mestizos.

chis[1]. m. En lenguaje infantil, **orina.** Ú. m. en la frase *hacer* CHIS.

chis[2]. (Voz onomatopéyica.) expr. fam. **chitón.** Suele ir acompañada con algún ademán, como el de poner el dedo índice en los labios. ‖ **2.** Voz para llamar a alguien. ‖ **3.**

Guat. Voz que indica que hay algo sucio, torpe, que provoca náuseas. Dícese también **¡achís!**

chisa. f. *Col.* Larva de un género de escarabajos.

chiscar. (Voz onomatopéyica.) tr. Sacar chispas del eslabón chocándolo con el pedernal.

chiscarra. f. *Min.* Roca caliza de tan poca coherencia que se divide fácilmente en fragmentos pequeños.

chiscón. m. **tabuco.**

chischás. m. Ruido de las espadas al chocar unas con otras en la lucha.

chischil. (Del azteca *tzitzilinia,* resonar.) m. *Nicar.* Cascabel, sonajero.

chisgarabís. (Voz imitativa.) m. fam. Zascandil, mequetrefe.

chisgua. (Del muisca *chisua.*) f. *Col.* Achira o cañacoro. ‖ **2.** *Col.* Mochila o talega tejida con fibras de fique.

chisguete. (Voz imitativa.) m. fam. Trago o corta cantidad de vino que se bebe. Ú. comúnmente en la fr. **echar un chisguete.** ‖ **2.** fam. Chorrillo de un líquido cualquiera que sale violentamente.

chislama. f. En caló, **muchacha.**

chisma. (Del lat. *schisma,* división, cisma.) f. **chisme**[1].

chismar. (De *chisma.*) tr. p. us. **chismear.** Ú. t. c. intr.

chisme[1]**.** (De *chismar.*) m. Noticia verdadera o falsa, o comentario con que generalmente se pretende indisponer a unas personas con otras o se murmura de alguna. ‖ **de vecindad.** fig. y fam. El que versa sobre cosas de poca importancia.

chisme[2]**.** (Del ár. *ŷizm,* parte de un todo que se ha roto o rajado.) m. fam. Baratija o trasto pequeño.

chismear. intr. Traer y llevar chismes[1].

chismería. (De *chismero.*) f. p. us. **chisme**[1].

chismero, ra. adj. p. us. **chismoso.** Ú. t. c. s.

chismografía. (De *chisme*[1], y *-grafía.*) f. fam. Ocupación de chismear. ‖ **2.** fam. Relación de los chismes y cuentos que corren.

chismorrear. intr. Contarse chismes mutuamente varias personas.

chismorreo. m. fam. Acción y efecto de chismorrear.

chismorrería. f. **chismorreo.** ‖ **2. chisme**[1].

chismoso, sa. adj. Que chismea o es dado a chismear. Ú. t. c. s.

chismotear. intr. Traer y llevar chismes.

chismoteo. m. Acción y hábito de chismotear.

chispa. (Voz onomatopéyica.) f. Partícula encendida que salta de la lumbre, del hierro herido por el pedernal, etc. ‖ **2.** V. **arma, fusil, llave, piedra de chispa.** ‖ **3.** Diamante muy pequeño. ‖ **4.** Gota de lluvia menuda y escasa. ‖ **5.** Partícula de cualquier cosa. *No le dieron ni una* CHISPA *de pan; saltó de la sartén una* CHISPA *de aceite.* ‖ **6.** En expresiones hiperbólicas, porción mínima de una cosa. Ú. m. en frases negativas. *No corre una* CHISPA *de aire.* ‖ **7.** fig. Penetración, viveza de ingenio. *Miguel tiene* CHISPA, *mucha* CHISPA. ‖ **8.** fam. **borrachera,** embriaguez. ‖ **eléctrica.** Descarga luminosa entre dos cuerpos cargados con muy diferente potencial eléctrico. ‖ **¡chispas!** interj. **¡fuego!,** interjección ponderativa. ‖ **echar chispas.** fr. fig. y fam. Dar muestras de enojo y furor; prorrumpir en amenazas. ‖ **dar chispa** o **chispas.** fr. fig. y fam. Mostrar inteligencia o eficacia. ‖ **ser una chispa.** fr. fig. y fam. Ser muy vivo y despierto.

chispazo. m. Acción de saltar la chispa del fuego. ‖ **2.** Daño que hace. ‖ **3.** Salto violento de una chispa entre dos conductores con distinta carga eléctrica. ‖ **4.** fig. Suceso aislado y de poca entidad que, como señal o muestra, precede o sigue al conjunto de otros de mayor importancia. Ú. m. en pl. ‖ **5.** fig. y fam. Cuento o chisme que uno lleva a otro. *Ir con el* CHISPAZO; *dar el* CHISPAZO.

chispeante. p. a. de **chispear.** Que chispea. ‖ **2.** adj. fig. Dícese del escrito o discurso en que abundan los destellos de ingenio y agudeza.

chispear. intr. Echar chispas. ‖ **2.** Relucir o brillar mucho. ‖ **3.** intr. impers. Llover muy poco, cayendo solo algunas gotas pequeñas.

chispero. (De *chispa.*) adj. V. **cohete chispero.** ‖ **2.** m. Herrero de obras menudas y gruesas. ‖ **3.** fig. y fam. Hombre del barrio de Maravillas de Madrid, cuyos vecinos se llamaron así antiguamente por los muchos herreros que en él había. *El* CHISPERO *Malasaña.*

chispo, pa. (De *chispa.*) adj. fam. Achispado, bebido. ‖ **2.** m. fam. **chisguete,** pequeño trago de vino.

chispoleto, ta. adj. Que es listo, vivaracho.

chisporrotear. intr. fam. Despedir el fuego o un cuerpo encendido chispas reiteradamente.

chisporroteo. m. fam. Acción de chisporrotear.

chisposo, sa. adj. Aplícase a la materia combustible que arroja muchas chispas cuando se quema.

chisque. (De *chiscar.*) m. Eslabón para encender la yesca con el pedernal.

chisquero. m. **esquero.** ‖ **2.** Encendedor de bolsillo.

chist. (Voz onomatopéyica.) m. **chis**[2].

chistar. (De *chist.*) intr. Prorrumpir en alguna voz o hacer ademán de hablar. Ú. m. con neg. ‖ **2.** Llamar a alguien emitiendo la onomatopeya *chist.* ‖ **sin chistar ni mistar.** loc. adv. fam. **sin paular ni maular.**

chiste. ((De *chistar.*) m. Dicho u ocurrencia aguda y graciosa. ‖ **2.** Dicho o historieta muy breve que contiene un juego verbal o conceptual capaz de mover a risa. Muchas veces se presenta ilustrado por un dibujo, y puede consistir solo en este. ‖ **3.** Suceso gracioso y festivo. ‖ **4.** Burla o chanza. *Hacer* CHISTE *de una cosa.* ‖ **5.** Dificultad, obstáculo. *La preparación de esta comida no tiene ningún* CHISTE. ‖ **caer en el chiste.** fr. fig. y fam. Advertir el fin disimulado con que se dice o hace una cosa. ‖ **dar en el chiste.** fr. fig. y fam. Dar en el punto de la dificultad; acertar una cosa. ‖ **tener chiste** una cosa. fr. irón. **tener gracia,** resultar algo agradable. ‖ **2.** *Amér.* **dar en el chiste.**

chistera. (Del vasc. *chistera.*) f. Cestilla angosta por la boca y ancha por abajo, que llevan los pescadores para echar los peces. ‖ **2. cesta.** ‖ **3.** fig. y fam. **sombrero de copa alta.**

chistoso, sa. adj. Que acostumbra a hacer chistes. ‖ **2.** Dícese también de cualquier lance o suceso que tiene chiste.

chistu. m. Flauta recta de madera con embocadura de pico usada en el País Vasco.

chistulari. m. Músico del País Vasco que acompaña las danzas populares con el chistu y el tamboril.

chita. (De *chito*[1].) f. **astrágalo,** hueso del pie. ‖ **2.** Juego que consiste en poner derecha una **chita** o taba en sitio determinado, y tirar a ella con tejos o piedras; el que la derriba gana dos tantos, y el que da más cerca, uno. ‖ **3. chito,** pieza de madera. ‖ **dar en la chita.** fr. fig. y fam. **dar en el hito.** ‖ **no dársele** a alguien **dos chitas de** una cosa. fr. fig. y fam. **no dársele un bledo de** ella. ‖ **no importar,** o **no valer,** una cosa **una chita.** fr. fig. y fam. **no importar,** o **no valer, un bledo.** ‖ **¡por la chita!** loc. interj. fam. *Chile.* **¡caramba!** ‖ **tirar a dos chitas.** fr. fig. y fam. Hacer a dos partes, poner la mira o pretensión a dos cosas.

chita callando (a la). (De *chito*[2].) loc. adv. Calladamente, con disimulo.

chitar. (Voz onomatopéyica.) intr. **chistar.**

chite[1]**.** m. *Col.* Arbusto de cuya madera se obtiene carboncillo para dibujar.

chite[2]**.** (Voz onomatopéyica.) expr. ant. **chito**[2].

chiticalla. (De *chito*[2] y *callar.*) com. fam. Persona que calla y no descubre ni revela lo que ve. ‖ **2.** Cosa o suceso que se procura tener callado. ‖ **a la chiticalla.** loc. adv. fam. **a la chita callando.**

chiticallando. (De *chito*[2] y *callando.*) adv. m. fam. Con mucho silencio, sin meter ruido o de modo que no se oigan las pisadas. ‖ **2.** fig. y fam. Sin escándalo ni ruido para dar en el hito o conseguir lo que se desea. ‖ **a la chiticallando.** loc. adv. fam. **a la chita callando.**

chito[1]. (De or. inc., acaso tomada del lenguaje infantil.) m. Pieza de madera o de otra cosa, sobre la que se pone el dinero en el juego del **chito.** ‖ **2. chita,** juego. ‖ **3.** Juego que consiste en arrojar tejos o discos de hierro contra un pequeño cilindro de madera, llamado tango, tanga o tángana, sobre el que se han colocado las monedas apostadas por los jugadores. El jugador que logra derribar la tángana, se lleva todas las monedas que han quedado más cerca del tejo que de la tángana. Los siguientes arrojan su tejo y ganan las monedas que se hallen más cerca de él que de la tángana. ‖ **4.** Tejo usado en el juego del **chito.** ‖ **irse a chitos.** fr. fig. y fam. Andarse vagando, divertido en juegos y pasatiempos.

chito[2]. (Voz onomatopéyica.) interj. fam. **chitón,** para imponer silencio.

chiton. m. **quitón.**

chitón. interj. fam. para imponer silencio. Empléase a veces denotando ser necesario o conveniente guardar silencio para precaverse de un peligro.

chiva. f. *Amér. Central.* Manta, colcha. ‖ **2.** *Venez.* Red para llevar legumbres y verduras. ‖ **3.** fam. *Chile.* Mentira, embuste.

chival. m. ant. Hato de chivos.

chivar. (De *gibar.*) tr. *Can., León* y *Amér.* Fastidiar, molestar, engañar. Ú. t. c. prnl. ‖ **2.** prnl. vulg. Irse de la lengua; decir algo que perjudica a otro. ‖ **3. delatar.** ‖ **4.** *Argent., Cuba, Guat., Urug.* y *Venez.* Enojarse, irritarse.

chivarras. f. pl. p. us. *Méj.* Calzones de cuero peludo de chivo.

chivarro, rra. m. y f. El chivo o chiva desde uno a los dos años de su edad.

chivata. f. *And.* Porra que llevan los pastores.

chivatada. f. vulg. Acción propia del **chivato,** soplón.

chivatazo. m. vulg. **chivatada.**

chivatear[1]. tr. *Col., Cuba* y *P. Rico.* Acusar, delatar, soplonear.

chivatear[2]. intr. *Argent.* y *Chile.* Gritar imitando la algarabía de los araucanos cuando acometían. ‖ **2.** *NO. Argent.* Retozar los niños bulliciosamente, con algarabía.

chivateo. m. *Argent.* y *Chile.* Acción y efecto de chivatear[2].

chivato, ta. adj. **soplón,** delator, acusador. Ú. m. c. s. ‖ **2.** m. Chivo que pasa de seis meses y no llega al año. ‖ **3.** fig. Cualquier dispositivo que advierte de una anormalidad o que llama la atención sobre algo. ‖ **4.** *Pan.* Fantasma que representa al demonio, y se manifiesta bajo la forma de un chivo que despide llamas por los ojos. ‖ **5.** *Col.* Ají muy picante y de tamaño tan pequeño como el de un grano de maíz. ‖ **6.** *Bol.* Ayudante en las labores de minería.

chivaza. f. *Col.* Junco de cortas dimensiones que produce un bulbo que se usa como perfume por el pueblo.

chivetero. m. Corral o aprisco donde se encierran los chivos.

chivillo. m. *Perú.* Especie de estornino, de color negro con visos de azul, aterciopelado, de cuerpo muy airoso, canto agradable, y que vive bien en cautividad.

chivital. m. **chivetero.**

chivitero. m. **chivetero.**

chivitil. m. ant. **chivetero.**

chivo[1]. (Del ár. *ŷibb,* pozo, como aljibe, de *al-ŷibb.*) m. Poza o estanque donde se recogen las heces del aceite.

chivo[2], **va.** (De la voz *chib* con que se llama a este animal.) m. y f. Cría de la cabra, desde que no mama hasta que llega a la edad de procrear. ‖ **2.** V. **barbas de chivo.** ‖ **3.** f. *Amér.* Perilla, barba. ‖ **expiatorio.** Macho cabrío que el sumo sacerdote sacrificaba por los pecados de los israelitas, ‖ **2.** fig. **cabeza de turco.** ‖ **estar como una chiva.** fr. fig. y fam. **estar como una cabra.**

chivudo. (De *chiva,* barba.) adj. *Argent., Cuba, Perú* y *Venez.* Que lleva barba larga. Ú. t. c. s. ‖ **2.** fig. y fam. *Argent.* Malhumorado.

chiza. f. *Col.* **chisa,** larva.

cho. interj. **so**[4].

choapino. (De *Choapa,* región de Chile.) m. *Chile.* Alfombra tejida a mano.

choba. f. *Sant.* Bola, embuste.

choca. (Del cat. *joca,* lugar en que duermen las aves.) f. *Cetr.* Cebadura que se daba al azor, dejándole pasar la noche con la perdiz cobrada.

chocador, ra. adj. Que choca. Ú. t. c. s.

chocallero, ra. adj. *Can.* Hablador, chismoso. ‖ **2.** m. Que hace o vende cencerros.

chocallo. (Del port. y leon. *chocallo,* cencerro.) m. ant. **zarcillo**[1], pendiente. ‖ **2.** *Sal.* Cencerro.

chocante. p. a. de **chocar,** que se encuentra violentamente con alguna cosa. ‖ **2.** adj. Que causa extrañeza. ‖ **3.** Gracioso, chocarrero. ‖ **4.** *Col., C. Rica, Ecuad., Méj.* y *Perú.* Antipático, fastidioso, presuntuoso.

chocantería. f. *And., Col., Chile, Méj., Pan., Urug.* y *Venez.* Impertinencia, cosa desagradable y molesta.

chocar. (Voz onomatopéyica.) intr. Encontrarse violentamente una cosa con otra, como una bala contra la muralla, un buque con otro, etcétera. ‖ **2.** fig. Pelear, combatir. ‖ **3.** fig. Indisponerse o malquistarse con alguno. ‖ **4.** Causar extrañeza o enfado. *Esto me* CHOCA. ‖ **5.** tr. Hacer que algo **choque:** *el niño* CHOCÓ *el triciclo con la pared.* ‖ **6.** Darse las manos en señal de saludo, conformidad, enhorabuena, etc. Ú. t. c. intr. ‖ **7.** Juntar las copas los que brindan.

chocarrear. intr. Decir chocarrerías. Ú. t. c. prnl.

chocarrería. (De *chocarrero.*) f. Chiste grosero. ‖ **2.** ant. **fullería,** trampa en el juego.

chocarrero, ra. adj. Que tiene chocarrería. *Palabras* CHOCARRERAS. ‖ **2.** Que tiene por costumbre decir chocarrerías. Ú. t. c. s. ‖ **3.** ant. **fullero.** Usáb. t. c. s.

chocarresco, ca. adj. ant. **chocarrero.**

choclar. (De *choclo*[1].) intr. En el juego de la argolla, introducir de golpe la bola por las barras. ‖ **2.** ant. fig. Entrarse en una parte de golpe o con prisa.

choclo[1]. (Del lat. *soccŭlus.*) m. **chanclo** de madera o suela gruesa.

choclo[2]. (Del quechua *chocclo.*) m. *Amér. Merid.* Mazorca tierna de maíz. ‖ **2.** *Amér. Merid.* **humita.**

choclón, na. (De *choclar.*) adj. Desaliñado, mal vestido. ‖ **2.** m. Acción de choclar en el juego de la argolla. ‖ **3.** *Chile.* Lugar en que celebran sus reuniones políticas los partidarios de un candidato, durante el período electoral.

choclotanda. f. *Ecuad.* **choclo**[2], humita, guisado de maíz tierno.

choco, ca. adj. *Bol.* De color rojo oscuro. ‖ **2.** *Col.* Se aplica a la persona de tez muy morena. ‖ **3.** *Chile.* **rabón.** ‖ **4.** Se dice de aquel a quien le falta una pierna o una oreja. ‖ **5.** *Guat.* y *Hond.* **tuerto,** torcido. ‖ **6.** m. **jibia.** ‖ **7.** *Bol.* **sombrero de copa.** ‖ **8.** *Chile.* **tueco.** ‖ **9.** *Perú.* **caparro.** ‖ **10.** *Amér. Merid.* **perro de aguas.**

chocó. adj. **chocoano.**

chocoano, na. adj. Natural del Chocó. Ú. t. c. s. ‖ **2.** Perteneciente a este departamento de Colombia.

chocoe. adj. Dícese del indio caribe perteneciente a una tribu que habita en Panamá. Ú. t. c. m. pl.

chocolate. (De etim. disc.; cf. nahua *xocoatl,* de *xoco,* amargo, y *atl,* agua.) m. Pasta hecha con cacao y azúcar molidos, a la que generalmente se añade canela o vainilla. ‖ **2.** Bebida que se hace de esta pasta desleída y cocida en agua o en leche. ‖ **3.** coloq. **hachís.** ‖ **4.** V. **ladrillo, pasta, tarea de chocolate.** ‖ **el chocolate del loro.** loc. fam. Ahorro insignificante en relación con la economía que se busca.

chocolatera. f. Vasija en que se sirve el chocolate.

chocolatería. f. Casa donde se fabrica y se vende chocolate. ‖ **2.** Casa donde se sirve al público chocolate, para tomarlo en el acto.

chocolatero, ra. adj. Muy aficionado a tomar chocolate. Ú. t. c. s. ‖ **2.** m. y f. Persona que tiene por oficio labrar o vender chocolate. ‖ **3.** m. *And.* **chocolatera.**

chocolatín. m. **chocolatina.**

chocolatina. f. Cierta clase de tableta delgada de chocolate para tomar en crudo.

chócolo[1]**.** (Del quechua *chocllo.*) m. Mazorca de maíz.

chócolo[2]**.** m. **hoyuelo,** juego de muchachos.

chocoyo. m. *Guat.* **herreruelo,** pájaro. ‖ **2.** *Hond.* **chócolo**[1]**.**

chocuije. (Del azteca *xococ,* agrio y *ihiotl,* soplo.) m. *Nicar.* **tufo,** emanación gaseosa. ‖ **2.** *Nicar.* **tufo,** olor molesto que despide de sí una cosa.

chocha. (Voz onomatopéyica.) f. **becada,** ave. ‖ **2. chirla,** molusco bivalvo. ‖ **de mar. centrisco.**

chochaperdiz. f. **becada,** ave.

chochear. (De *chocho*[2].) intr. Tener debilitadas las facultades mentales por efecto de la edad. ‖ **2.** fig. y fam. Extremar el cariño y afición a personas o cosas, a punto de conducirse como quien **chochea.**

chochera. f. **chochez.**

chochero, ra. m. y f. *And.* Vendedor de chochos o altramuces.

chochez. f. despect. Cualidad de chocho; condición de la persona caracterizada por el declive de sus facultades mentales, generalmente a causa de la edad. ‖ **2.** Dicho o hecho de persona que chochea.

chochín. (de *chocha.*) m. Ave paseriforme de pequeño tamaño, rechoncha, de color pardo profusamente listado y cola corta que levanta cuando se posa; se alimenta de insectos y es común en Europa.

chocho[1]**.** m. **altramuz,** fruto. ‖ **2.** En algunas partes, confite, peladilla o cualquier dulce pequeño. Ú. t. en pl. ‖ **3.** En el uso vulgar de algunas regiones, **vulva.** ‖ **4.** *Col.* Árbol leguminoso de hojas pubescentes y de semillas de color rojo encendido.

chocho[2]**, cha.** (Voz onomatopéyica.) adj. Que chochea. ‖ **2.** fig. y fam. Lelo de puro cariño.

chochocol. m. *Méj.* **tinaja,** vasija grande para líquidos.

chofe. m. **bofe.** Ú. m. en pl.

chófer o **chofer.** (Del fr. *chauffeur.*) m. Persona que, por oficio, conduce un automóvil.

chofeta. (Del fr. *chaufferette.*) f. Braserillo manual de metal o de barro, que servía generalmente para encender el cigarrillo o quemar hierbas aromáticas.

chofista. m. Nombre que se daba a los estudiantes pobres que se mantenían con chofes, por ser alimento barato.

chola. f. fam. **cholla.**

cholga. f. *Chile.* **mejillón.**

cholgua. f. *Chile.* **mejillón.**

cholo, la. adj. *Amér.* Mestizo de sangre europea e indígena. Ú. t. c. s. ‖ **2.** *Amér.* Dícese del indio que adopta los usos occidentales.

choloque. m. *Amér.* Árbol de la familia de las sapindáceas, que vive en los países cálidos de América y cuyos frutos se emplean a manera de jabón. ‖ **2.** *Amér.* Fruto de este árbol.

cholulteco, ca. adj. Natural de Cholula, población del Estado mejicano de Puebla. Ú. t. c. s. ‖ **2.** Perteneciente o relativo a dicha población.

cholla. f. fam. **cabeza,** parte del cuerpo. ‖ **2.** fig. Entendimiento, juicio.

chollo. m. fam. **ganga,** cosa apreciable que se adquiere a poca costa o con poco trabajo.

chomba. (Del m. or. que *chompa.*) f. *Argent.* y *Chile.* Prenda de vestir hecha de lana a modo de chaleco cerrado.

chompa. (Del ing. *jumper.*) f. *Bol., Col., Ecuad., Par., Perú* y *Urug.* **jersey** de punto, ligero, poco ceñido, con mangas y abotonadura al cuello.

chompipe. m. *C. Rica* y *Nicar.* **chumpipe.**

chongo. m. *Méj.* Moño de pelo. ‖ **2.** *Guat.* Rizo de pelo. ‖ **3.** *P. Rico* y *Sto. Dom.* Caballo malo, ordinario. ‖ **chongos zamoranos.** *Méj.* Dulce que se hace de pan frito, o leche cuajada y un almíbar. ‖ **agarrarse del chongo.** fr. fig. y fam. *Méj.* Reñir, pelear.

chonguearse. prnl. *Méj.* Vulgarismo por **chunguearse.**

chonta. (Del quechua *chunta.*) f. *Amér.* Árbol, variedad de la palma espinosa, cuya madera, fuerte y dura, se emplea en bastones y otros objetos de adorno por su hermoso color oscuro y jaspeado.

chontaduro. m. *Col.* y *Ecuad.* Especie de palma, cuyo fruto es comestible.

chontal. adj. *Amér.* Dícese de una tribu indígena de la América Central, de costumbres primitivas. Ú. t. c. s. ‖ **2.** *Amér.* Aplícase a la persona rústica e inculta. Ú. t. c. s.

chopa[1]**.** (Del gall. *choupa.*) f. Pez teleósteo marino, del suborden de los acantopterigios, de unos 20 centímetros de largo, semejante a la dorada, de color gris metálico con numerosas manchas oscuras longitudinales.

chopa[2]**.** (Del lat. *clupĕus,* escudo.) f. *Mar.* Cobertizo que se colocaba en la popa, junto al asta de bandera.

chopa[3]**.** f. *Sto. Dom.* Sirvienta, criada. Ú. m. en sent. despect.

chopal. m. **chopera.**

chopalera. f. **chopera.**

chopazo. m. *Chile.* Golpe dado con el chope. ‖ **2.** *Chile.* Puñetazo.

chope. m. *Chile.* Palo con un extremo plano para sacar de la tierra los bulbos, raíces y para otros usos del campo. ‖ **2.** *Chile.* **raño,** garfio de hierro. ‖ **3.** *Chile.* Guantada, puñetazo.

chopear. intr. *Chile.* Trabajar con el chope.

chopera. f. Sitio poblado de chopos.

chopo[1]**.** (Del lat. *popŭlus,* álamo.) m. Nombre con el que se designan varias especies de álamos. ‖ **balsámico. álamo balsámico.** ‖ **bastardo. álamo blanco.** ‖ **blanco. álamo blanco.** ‖ **canadiense.** Árbol híbrido del **chopo** negro y el **chopo** de la Carolina. ‖ **de la Carolina. álamo de la Carolina.** ‖ **lombardo. álamo de Lombardía.** ‖ **negro. álamo negro.** ‖ **temblón. álamo temblón.**

chopo[2]**.** (Del it. *schioppo.*) m. fam. **fusil.** *Cargar con el* CHOPO.

chopo[3]**.** m. *And.* Variedad de jibia.

choque[1]**.** (De *chocar.*) m. Encuentro violento de una cosa con otra. ‖ **2.** fig. Contienda, disputa, riña o desazón con una o más personas. ‖ **3.** *Mil.* Reencuentro, combate o pelea que, por el corto número de tropas o por su corta duración, no se puede llamar batalla.

choque[2]**.** (Del ing. *shock.*) m. *Med.* Estado de profunda depresión nerviosa y circulatoria, sin pérdida de la conciencia, que se produce después de intensas conmociones, principalmente traumatismos graves y operaciones quirúrgicas. ‖ **eléctrico. electrochoque.**

choquezuela. (d. de *chueca.*) f. **rótula** de la rodilla.

chorar. (De *chori.*) tr. vulg. Hurtar, robar.

chorato. m. *Sal.* Cría de la vaca.

chorcha. (Voz onomatopéyica.) f. **chocha.** ‖ **2.** fam. *Méj.* Reunión de amigos que se juntan para charlar.

chordón. m. *Ar.* **churdón.**

chori. (Del caló *chori,* ladrón.) m. vulg. Ratero, ladronzuelo.

choricear. tr. vulg. Robar.

choriceo. m. vulg. Acción y efecto de choricear.

choricera. f. Máquina para hacer chorizos.

choricería. (De *choricero.*) f. Tienda de chorizos.

choricero[1], ra. m. y f. Persona que hace o vende chorizos. ‖ **2.** fig. y fest. **extremeño,** natural de Extremadura.

choricero[2], ra. (De *chori.*) m. y f. vulg. **chorizo,** ratero.

chorizar. tr. vulg. Robar.

chorizo[1]. (Del lat. *salsicĭum.*) m. Pedazo corto de tripa lleno de carne, regularmente de puerco, picada y adobada, el cual se cura al humo. ‖ **2. contrapeso,** balancín del volatinero. ‖ **3.** *Argent., Par.* y *Urug.* Parte de la carne del vacuno, situada en el lomo, a cada lado del espinazo y carente de gordura. ‖ **4.** *Argent., Par.* y *Urug.* Haz hecho con barro, mezclado con paja, que se utiliza para hacer las paredes de los ranchos. ‖ **de sábado. sabadeño.**

chorizo[2], za. (De *chori.*) m. y f. vulg. Ratero, descuidero, ladronzuelo. ‖ **2.** Componente de uno de los bandos en que se dividían los aficionados al teatro en el Madrid del siglo XVIII y comienzos del XIX.

chorla. (Voz onomatopéyica.) f. Ave parecida a la ganga[1], pero de mayor tamaño.

chorlitejo. (d. de *chorlito.*) m. Ave limícola de menor tamaño que el chorlito, dorso oliváceo y vientre y garganta blancos, con manchas negras en la cara y el pecho; hay varias especies.

chorlito. (De *chorla.*) m. Ave limícola de aspecto compacto, unos 25 centímetros de largo, patas largas, cuello grueso y pico corto y robusto; el diseño del plumaje varía con las especies, aunque predominan los dorsos pardos o grises moteados de oscuro. Vive en las costas y fabrica su nido en el suelo. ‖ **2.** fig. y fam. **cabeza de chorlito.**

chorlo. (Del al. *schörl.*) m. *Mineral.* **turmalina.** ‖ **2.** Silicato natural de alúmina, de color azul celeste, que se encuentra en algunas rocas gnéisicas y micáceas.

choro[1]. (Del caló *choró.*) m. vulg. **chorizo,** ratero.

choro[2]. m. *Chile.* **mejillón.**

chorote. m. *Col.* Chocolatera de loza sin vidriar. ‖ **2.** *Cuba.* Toda bebida espesa. ‖ **3.** *Venez.* Especie de chocolate con el cacao cocido en agua y endulzado con papelón.

chorotega. adj. Dícese de un pueblo indígena hoy extinguido que habitó desde el sur de Méjico hasta Nicaragua. Ú. t. c. s. ‖ **2.** m. Lengua de este pueblo.

choroy. m. *Chile.* Especie de papagayo, término medio entre el loro y la catita. Anda en bandadas y perjudica mucho los sembrados.

chorra. f. *Sal.* Trozo de tierra que queda sin arar por haber un peñasco u otro obstáculo. ‖ **2.** *Sal.* Este mismo obstáculo. ‖ **3.** fig. coloq. Casualidad, suerte. ‖ **4.** fig. vulg. Pene. ‖ **5.** m. fig. Hombre tonto, estúpido. Ú. t. en pl. con valor sing. m.

chorrada. (De *chorrar.*) f. Porción de líquido que se suele echar de propina después de dar la medida. ‖ **2.** fig. coloq. Necedad, tontería.

chorrar. (Voz onomatopéyica.) intr. ant. **chorrear.**

chorreado, da. p. p. de **chorrear.** ‖ **2.** adj. Dícese de la res vacuna que tiene el pelo con rayas verticales, de color más oscuro que el general de la capa. ‖ **3.** V. **raso chorreado.** ‖ **4.** *Amér.* Sucio, manchado. ‖ **5.** f. Pequeña cantidad de líquido que se vierte a chorro.

chorreadura. f. **chorreo.** ‖ **2.** Mancha que deja en alguna cosa un líquido que ha caído sobre ella chorreando.

chorrear. (De *chorro.*) intr. Caer un líquido formando chorro. ‖ **2.** Salir el líquido lentamente y goteando. ‖ **3.** tr. Dejar caer o soltar un objeto el líquido que ha empapado o que contiene, o un ser vivo sus secreciones, humores, sangre, etc. *La herida* CHORREA *sangre.* ‖ **4.** fig. y fam. Venir o concurrir algunas cosas poco a poco o con breve intermisión.

chorreo. m. Acción y efecto de chorrear.

chorreón. m. **chorretada,** golpe o chorro de un líquido. ‖ **2.** Huella o mancha que deja ese chorro.

chorrera. (De *chorro.*) f. Lugar por donde cae una corta porción de agua o de otro líquido. ‖ **2.** Señal que el agua deja por donde ha corrido. ‖ **3.** Trecho corto de río en que el agua, por causa de un gran declive, corre con mucha velocidad. ‖ **4.** En algunas partes, **cascada,** caída de agua. ‖ **5.** Guarnición de encaje que se pone en la abertura de la camisola por la parte del pecho. ‖ **6.** Adorno del traje de golilla, con un lazo grande arriba y otros más pequeños dispuestos sucesivamente, del cual pendía la venera que se ponían los caballeros del hábito en días de gala.

chorretada. (De *chorro.*) f. fam. Golpe o chorro de un líquido que sale improvisadamente. ‖ **2. chorrada,** porción de líquido. ‖ **hablar a chorretadas.** fr. fig. y fam. Hablar mucho y atropelladamente.

chorretón. m. **chorretada,** chorro o golpe de un líquido. ‖ **2.** Mancha o huella que produce ese chorro.

chorrillo. (d. de *chorro.*) m. fig. y fam. Acción continua de recibir o gastar una cosa. ‖ **2.** Costumbre o modo de obrar corriente. ‖ **irse por el chorrillo.** fr. fig. y fam. Seguir la corriente o costumbre. ‖ **sembrar a chorrillo.** fr. *Agr.* Echar seguido el grano en el surco abierto por el arado. Generalmente se hace por medio de una vasija que tiene un canuto en la boca. ‖ **tomar el chorrillo de** hacer una cosa. fr. fig. y fam. Acostumbrarse a ella.

chorro. (Voz onomatopéyica.) m. Porción de líquido o de gas que, con más o menos violencia, sale por una parte estrecha, como orificio, tubo, grifo, etc. ‖ **2.** Por ext., caída sucesiva de cosas iguales y menudas. *Un* CHORRO *de trigo; un* CHORRO *de pesetas.* ‖ **3.** V. **propulsión a chorro.** ‖ **de voz.** fig. Plenitud de la voz. ‖ **a chorros.** loc. adv. fig. En algunas cosas, copiosamente, con abundancia. ‖ **beber a chorro.** loc. adv. Beber un líquido, sin arrimar los labios a la vasija o recipiente que lo contiene, cuando el líquido forma **chorro.** ‖ **estar,** o **ser,** una cosa **limpia como los chorros del oro.** fr. fig. y fam. Estar muy limpia, brillante y reluciente. ‖ **hablar a chorros.** fr. fig. y fam. **hablar a chorretadas.** ‖ **soltar el chorro.** fr. fig. y fam. Reír a carcajadas.

chorroborro. (Voz onomatopéyica.) m. fig. y despect. **aluvión** de cosas inútiles.

chorrón. m. Cáñamo que se saca limpio al repasar las estopas de la primera rastrillada.

chortal. m. Lagunilla formada por un manantial poco abundante que brota en el fondo de ella.

chospar. intr. **chozpar.**

chota. (De *choto.*) com. coloq. Soplón, delator. ‖ **2.** *P. Rico.* Flojo, pusilánime. ‖ **3.** *P. Rico.* Chambón, inhábil.

chotacabras. (De *chotar* y *cabra.*) amb. Ave insectívora, de unos 25 centímetros de largo, pico pequeño, fino y algo corvo en la punta, plumaje gris con manchas y rayas negras en la cabeza, cuello y espalda, y algo rojizo por el vientre; collar incompleto blanquecino, varias cerdillas alrededor de la boca, ojos grandes, alas largas y cola cuadrada. Es crepuscular y gusta mucho de los insectos que se crían en los rediles, adonde acude en su busca, por lo cual se ha supuesto que mamaba de las cabras y ovejas. Hay varias especies.

chotar. (Del lat. *suctāre,* mamar.) tr. ant. Mamar el choto.

chote. m. *Cuba.* **chayote.**

chotear. (De *choto.*) intr. *Ar.* Retozar, dar muestras de alegría. ‖ **2.** prnl. vulg. **pitorrearse.**

choteo. (De *chotear.*) m. vulg. Burla, pitorreo.

chotería. (De *chota.*) f. *Cuba.* Soplonería, delación.

chotis. (Del al. *schottisch*, escocés.) m. Baile agarrado y lento que suele ejecutarse dando tres pasos a la izquierda, tres a la derecha y vueltas. ‖ **2.** Música de este baile. ‖ **ser más agarrado que un chotis.** fr. fig. y fam. Ser muy tacaño.

choto, ta. (De *chotar*.) m. y f. Cría de la cabra mientras mama. ‖ **2.** En algunas partes, **ternero.** ‖ **estar como una chota.** fr. fig. y fam. **estar como una cabra.**

chotuno, na. (De *choto*.) adj. Aplícase al ganado cabrío mientras está mamando. ‖ **2.** Dícese de los corderos flacos y enfermizos. ‖ **oler a chotuno.** fr. Despedir cierto mal olor, semejante al del ganado cabrío.

chova. (Del ant. fr. *choue*.) f. Ave de la familia de los córvidos, de plumaje negro lustroso y patas rojas; en España habitan dos especies, que se distinguen por sus picos: rojo y largo en una y amarillo y corto en la otra. ‖ **2. corneja,** ave.

chovinismo. (Del fr. *chauvinisme*, patriotismo fanático.) m. Exaltación desmesurada de lo nacional frente a lo extranjero.

chovinista. com. Que manifiesta chovinismo.

choya. f. *Guat.* Pereza, pachorra, pesadez. ‖ **2.** fam. *Méj.* **cabeza.**

choyudo, da. adj. *Guat.* Despacioso, perezoso, que todo lo hace con choya.

choz. (Voz onomatopéyica.) f. Golpe, novedad, extrañeza. Ú. con los verbos *dar* o *hacer*. ‖ **de choz.** loc. adv. desus. De golpe, de repente.

choza. (Del gall. o port. *choza*.) f. Cabaña formada de estacas y cubierta de ramas o paja, en la cual se recogen los pastores y gente del campo. ‖ **2. cabaña,** casilla tosca hecha en el campo. ‖ **3.** Guarida de fieras.

chozno, na. (De or. inc.) m. y f. Cuarto nieto, o sea hijo del tataranieto o tercer nieto.

chozo. m. Choza pequeña.

chozpar. (De *choz*.) intr. Saltar o brincar con alegría los corderos, cabritos y otros animales.

chozpo. m. Salto o brinco que da un animal.

chozpón, na. adj. Que chozpa mucho.

chozuela. f. d. de **choza.**

chubascada. f. **chubasco,** chaparrón de cierta violencia y de corta duración.

chubasco. (Del port. *chuva*, lluvia.) m. Chaparrón o aguacero con mucho viento. ‖ **2.** fig. Adversidad o contratiempo transitorios, pero que entorpecen o malogran algún designio. ‖ **3.** *Mar.* Nubarrón oscuro y cargado de humedad que se presenta en el horizonte repentinamente; empujado por un viento fuerte puede resolverse en agua o viento.

chubasquería. f. *Mar.* Aglomeración de chubascos en el horizonte.

chubasquero. m. **impermeable,** sobretodo.

chubazo. (Del gall. port. *chuvia*.) m. ant. **chubasco.**

chubesqui. (Del nombre comercial de los fabricantes de estufas *Choubertsky*.) m. Estufa para calefacción, de dobles paredes y forma cilíndrica. Por lo general funciona con carbón.

chubutense. adj. Natural de la provincia argentina del Chubut. Ú. t. c. s. ‖ **2.** Perteneciente o relativo a esta provincia.

chuca. (De *chueca*, taba.) f. Uno de los cuatro lados de la taba, que tiene un hoyo o concavidad.

chucallo. m. ant. **chocallo.**

chucán, na. adj. *Guat.* y *Hond.* Bufón, chocarrero.

chucanear. intr. *Guat.* Bufonear, bromear.

chucao. (De or. mapuche.) m. *Chile.* Pájaro del tamaño del zorzal, de plumaje pardo, y que habita en lo más espeso de los bosques.

chúcaro, ra. (Del quechua *chucru*, duro.) adj. *Amér.* Arisco, bravío. Dícese principalmente del ganado vacuno y del caballar y mular aún no desbravado.

chucero. m. Soldado armado de chuzo.

chucua. f. *Col.* Lodazal, pantano.

chucuije. m. *Nicar.* **chocuije.**

chucuru. m. *Ecuad.* Animal parecido a la comadreja.

chucuto, ta. adj. *Venez.* **rabón.**

chucha. (De *chucho*[1].) f. fam. **perra,** hembra del perro. ‖ **¡chucha!** Voz que se usa para contener o espantar a este animal.

chuchanga. f. *Can.* **chuchango.**

chuchango. m. *Can.* Caracol de tierra.

chuchazo. m. *Cuba* y *Venez.* Latigazo dado con el chucho[4], látigo.

chuchear. (Voz imitativa.) intr. **cuchichiar** la perdiz. ‖ **2.** Cazar perdices y pájaros con reclamo animal, artificial o imitando con la boca el sonido del reclamo.

chuchería[1]**.** (De *chocho*[1].) f. Cosa de poca importancia, pero pulida y delicada. ‖ **2.** Alimento corto y ligero, generalmente apetitoso.

chuchería[2]**.** (De *chuchero*.) f. Acción de chuchear para cazar perdices y pájaros.

chuchero[1]**, ra.** (De *chuchear*.) adj. Que chuchea para cazar perdices y pájaros.

chuchero[2]**.** (De *chucho*[2].) m. *Cuba.* Guardagujas.

chucho[1]**.** (Voz onomatopéyica.) m. fam. **perro,** mamífero. ‖ **¡chucho!** Voz que se usa para contener o espantar al perro.

chucho[2]**.** (Del ing. *switch*.) m. *Cuba.* En los ferrocarriles, aguja que sirve para el cambio de vía. ‖ **2.** *Cuba.* Aparato que sirve para dejar pasar o interrumpir a voluntad una corriente eléctrica en un circuito determinado.

chucho[3]**.** (Del quechua *chujchu*, frío de calentura.) m. *Amér.* Escalofrío. ‖ **2.** *Amér.* Fiebre producida por el paludismo, fiebre intermitente. ‖ **3.** fam. *Argent.* y *Urug.* Miedo.

chucho[4]**.** m. *Cuba* y *Venez.* **látigo,** azote. ‖ **2.** *Cuba* y *Méj.* **obispo,** pez. ‖ **3.** *Amér. Merid.* Pez pequeño como el arenque y de carne muy estimada. ‖ **4.** *Chile.* Ave de rapiña, diurna y nocturna, de poco tamaño y cuyo graznido se toma vulgarmente como de mal agüero para la casa en que lo lanza.

chuchoca. f. *Amér. Merid.* Especie de frangollo o maíz cocido y seco, que se usa como condimento.

chuchumeco. m. despect. Apodo con que se zahiere al hombre ruin. ‖ **2.** *Méj.* **chichimeco.**

chuchurrido, da. adj. fam. *And.* Marchito, ajado, agostado.

chueca. (Del lat. *soccus*, zueco.) f. **tocón.** ‖ **2.** Hueso redondeado o parte de él que encaja en el hueco de otro en una coyuntura, como la rótula en la rodilla, la cabeza del húmero en el hombro y la del fémur en la cadera. ‖ **3.** Bolita pequeña con que los labradores suelen jugar al juego de la **chueca.** ‖ **4.** Juego que se hace poniéndose los jugadores unos enfrente de otros en dos bandas iguales, procurando cada uno que la **chueca,** impelida con palos por los contrarios, no pase la raya que señala su término. ‖ **5.** fig. y fam. Burla o chasco. *Le han jugado una buena* CHUECA.

chueco, ca. adj. *Amér.* Estevado, patituerto.

chuela. (Por *achuela*, del lat. **asciŏla*, azuela.) f. *Chile.* **destral.**

chueta. (Del mallorquín *xueta*.) com. Nombre que se da en las islas Baleares a los que se supone descendientes de judíos conversos.

chufa. (Del lat. *cyphi*, perfume de juncia.) f. Cada uno de los tubérculos que a modo de nudos, de un centímetro de largo, tienen las raíces de una especie de juncia, de cañas triangulares y hojas aquilladas. Son amarillentos por fuera, blancos por dentro, de sabor dulce y agradable, y con ellos se hace una horchata refrescante. ‖ **2.** fig. y fam. Bofetada, tortazo. ‖ **3.** ant. Burla, mofa, mentira. ‖ **echar chufas.** fr. fam. Echar bravatas.

chufar. (De *chuflar*.) intr. Hacer escarnio o burla, decir mentiras.

chufear. intr. ant. **chufar.**

chufería. (De *chufero.*) f. Casa donde hacen o venden horchata de chufas.
chufero, ra. m. y f. Persona que vende chufas.
chufeta[1]. f. **chofeta.**
chufeta[2]. (De *chufa.*) f. fam. **chufleta.**
chufla. (De *chuflar.*) f. **cuchufleta.**
chuflar. (Del lat. *sifilāre.*) intr. *Ar.* **silbar.**
chuflay. m. *Bol.* Bebida compuesta de una parte de licor y otra de gaseosa, a la que se añaden rodajas de limón.
chufleta. (De *chuflar.*) f. fam. **cuchufleta.**
chufletear. intr. fam. Decir chufletas.
chufletero, ra. adj. fam. Que chufletea. Ú. t. c. s.
chuflido. (De *chuflar.*) m. *Ar.* **silbido.**
chuico. (Del mapuche *chuyco,* tinajita.) m. *Chile.* Damajuana de cierta capacidad.
chula. f. Fruto del candelabro, planta cactácea.
chulada. (De *chulo.*) f. Acción indecorosa, propia de gente de mala educación o ruin condición. ‖ **2.** Dicho o hecho gracioso con cierta soltura y desenfado. ‖ **3. chulería,** conjunto de chulos. ‖ **4.** coloq. Cosa **chula,** linda.
chulapo, pa. m. y f. **chulo,** individuo del pueblo bajo de Madrid.
chulé. (De or. caló.) m. **duro,** moneda de cinco pesetas.
chulear. (De *chulo.*) tr. Zumbar o burlar a uno con gracia y chiste. Ú. t. c. prnl. ‖ **2.** Abusar de alguien, explotarlo. ‖ **3.** prnl. Jactarse.
chulería. (De *chulo.*) f. Cierto aire o gracia en las palabras o ademanes. ‖ **2.** Dicho o hecho jactancioso. ‖ **3.** Conjunto o reunión de chulos.
chulesco, ca. adj. Perteneciente o relativo a los chulos. *Gesto* CHULESCO.
chuleta. (Del valenciano *xulleta,* d. del cat. *xulla,* costilla.) f. Costilla con carne de animal vacuno, lanar, porcino, etc. ‖ **2.** fig. Pieza irregular que se añade a alguna obra de manos para rellenar un hueco. ‖ **3.** fig. y fam. **bofetada.** ‖ **4.** fig. Entre estudiantes, papelito con fórmulas u otros apuntes que se lleva oculto para usarlo disimuladamente en los exámenes. ‖ **5.** fig. Pieza delgada de madera que usan los carpinteros para tapar grietas o hendeduras en los muebles. ‖ **6.** pl. fig. **patillas.**
chulo, la. (Del it. *ciullo,* muchacho.) adj. Que hace y dice las cosas con chulada. Ú. t. c. s. ‖ **2. chulesco.** ‖ **3.** Lindo, bonito, gracioso. ‖ **4.** m. y f. Individuo del pueblo bajo de Madrid, que se distinguía por cierta afectación y guapeza en el traje y en el modo de conducirse. ‖ **5.** m. El que ayuda en el matadero al encierro de las reses mayores. ‖ **6.** El que en las fiestas de toros asiste a los lidiadores y les da garrochones, banderillas, etc. ‖ **7. rufián,** el que trafica con mujeres públicas.
chulla[1]. (Del cat. *xulla.*) f. *Ar.* Lonja de carne.
chulla[2]. adj. *Bol., Col., Ecuad.* y *Perú.* Dícese del objeto que usándose en número par, se queda solo. *Un guante* CHULLA, *una media* CHULLA.
chullo, lla. m. y f. *Bol., Ecuad.* y *Perú.* Persona de la clase media.
chumacera. (Del port. *chumaceira.*) f. Pieza de metal o madera, con una muesca en que descansa y gira cualquier eje de maquinaria. ‖ **2.** *Mar.* Tablita que se pone sobre el borde de la lancha u otra embarcación de remo, y en cuyo medio está el tolete. Sirve para que no se gaste el borde con el continuo roce del remo. ‖ **3.** *Mar.* Rebajo semicircular practicado en la falca de los botes, generalmente forrado de hierro o bronce, que sirve para que en él juegue el remo. Sustituye al tolete.
chumbe. (Del quechua *chumpi,* faja.) m. *Amér. Merid.* Ceñidor o faja.
chumbera. (De *chumbo.*) f. **higuera chumba.**
chumbimba. f. *Col.* Fruto del chumbimbo, muy empleado para lavar la ropa.
chumbimbo. m. *Col.* **jaboncillo,** árbol.
chumbo[1], ba. adj. V. **higo chumbo.** ‖ **2.** V. **higuera chumba.**
chumbo[2]. (Del port. brasileño *chumbo,* plomo.) m. rur. p. us. *Argent.* Bala, proyectil de arma de fuego. ‖ **2.** vulg. *Argent.* Revólver o pistola. ‖ **3.** vulg. *Argent.* Balazo.
chumpa. f. *Guat.* **chompa.**
chumpipe. m. *Guat.* **pavo,** ave gallinácea.
chuna. f. **chuña.**
chuncho, cha. (Del quechua *ch'unchu,* salvaje.) adj. *Perú.* Dícese generalmente de los naturales de la región selvática escasamente incorporados a la civilización occidental. Ú. t. c. s. ‖ **2.** fig. y fam. *Perú.* Incivil, rústico, huraño. ‖ **3.** m. *Perú.* **caléndula.**
chungo, ga. (Del caló *chungo,* feo.) adj. fam. De mal aspecto o en mal estado. *El tiempo está* CHUNGO: *va a llover otra vez.* ‖ **2.** f. fam. Burla festiva. Ú. m. en la fr. **estar de chunga.** ‖ **tomar a,** o **en, chunga** una cosa. fr. fam. **echar,** o **tomar, a chacota.**
chungón, na. adj. Dícese de la persona aficionada a la chunga o guasa. Ú. t. c. s.
chunguearse. (De *chunga.*) prnl. fam. Burlarse festivamente.
chungueo. m. fam. Acción de chunguearse.
chuña. f. Ave sudamericana, del mismo orden que las grullas, con cola larga y plumaje grisáceo; en el arranque de su pico lleva una serie de plumas finas, dispuestas en abanico. Anida en las ramas bajas de los árboles. ‖ **2.** *Chile.* **arrebatiña.**
chuño. (Del quechua *ch'uñu,* patata helada y secada al sol.) m. *Amér. Merid.* Fécula de la patata.
chupa[1]. (Del ár. *ŷubba,* túnica.) f. Parte del vestido que cubría el tronco del cuerpo, a veces con faldillas de la cintura abajo y con mangas ajustadas; se ponía generalmente, incluso en traje militar, debajo de la casaca. ‖ **2.** Usábase también sin casaca, y así se generalizó después como traje menos solemne, más sencillo o más modesto. ‖ **3.** Chaqueta, chaquetilla. ‖ **4. cazadora,** chaqueta corta y ajustada a la cadera. ‖ **poner** a alguien **como chupa de dómine.** fr. fig. y fam. **ponerle como un trapo.**
chupa[2]. f. Medida de capacidad para líquidos y áridos que se usa en Filipinas, que equivale a 37 centilitros aprox.
chupacirios. m. despect. **beato,** hombre que frecuenta mucho los templos.
chupada. f. Acción de chupar.
chupaderito. m. d. de **chupadero.** ‖ **andarse con,** o **en, chupaderitos.** fr. fig. y fam. Emplear en las cosas arduas medios suaves y no eficaces. Ú. m. con negación.
chupadero, ra. adj. Dícese de lo que chupa. ‖ **2.** m. **chupador** que usan los niños.
chupado, da. p. p. de **chupar.** ‖ **2.** adj. fig. y fam. Muy flaco y extenuado. ‖ **3.** V. **letra chupada.**
chupador, ra. adj. Que chupa. Ú. t. c. s. ‖ **2.** m. Pieza redondeada de marfil, pasta, caucho, etc., que se da a los niños en la época de la primera dentición para que chupen y refresquen la boca.
chupadorcito. m. d. de **chupador.** ‖ **andarse con,** o **en, chupadorcitos.** fr. fig. y fam. **andarse con,** o **en, chupaderitos.**
chupadura. f. Acción y efecto de chupar.
chupaflor. m. *Col., Méj., P. Rico* y *Venez.* **colibrí.**
chupalámparas. (De *chupar* y *lámpara.*) com. despect. Persona beata o santurrona, chupacirios.
chupalandero. (De *chupar.*) adj. *Murc.* V. **caracol chupalandero.**
chupalla. (De *achupalla.*) f. *Chile.* Planta bromeliácea que tiene las hojas en forma de roseta y cuyo jugo se emplea en la medicina casera. ‖ **2.** *Chile.* Sombrero de paja hecho con tirillas de las hojas de esta planta.

chupamirto. m. *Méj.* **colibrí.**

chupapiedras. m. *And.* Juguete infantil compuesto por un círculo de cuero por cuyo centro se pasa una cuerda. Aplicándolo mojado sobre una piedra plana hace de ventosa y la atrae.

chupar. (Voz onomatopéyica.) tr. Sacar o traer con los labios y la lengua el jugo o la sustancia de una cosa. Ú. t. c. intr. ‖ **2.** Embeber en sí los vegetales el agua o la humedad. ‖ **3.** Humedecer con la boca y con la lengua, lamer. Ú. t. c. prnl. *Este niño* SE CHUPA *el dedo.* ‖ **4.** fig. y fam. **absorber,** ejercer atracción. ‖ **5.** fig. y fam. **absorber,** recibir los tejidos orgánicos materias externas. ‖ **6.** fig. y fam. Ir quitando o consumiendo la hacienda o bienes de uno con pretextos y engaños. ‖ **7. chupar del bote.** ‖ **8.** prnl. Irse enflaqueciendo o desmedrando. ‖ **¡chúpate esa!** exclam. de aplauso o agrado cuando uno mismo u otro contesta aguda y oportunamente a otra persona. ‖ **2.** Comentario irónico a algo que produce incomodidad o fastidio a alguien. ‖ **estar chupado** algo. fr. Ser de fácil realización.

chuparrosa. amb. *Méj.* **colibrí.**

chupatintas. m. despect. Oficinista de poca categoría.

chupativo, va. adj. Dícese de lo que tiene virtud de chupar.

chupe. (De *chupar.*) m. *And.* **chupador** de los niños. ‖ **2.** *Argent., Col., Chile, Ecuad., Pan.* y *Perú.* Guisado hecho de papas en caldo, al que se añade carne o pescado, mariscos, huevos, ají, tomates y otros ingredientes.

chuperretear. tr. Chupetear mucho.

chuperreteo. m. Acción y efecto de chuperretear.

chupeta[1]. f. d. de **chupa[1].**

chupeta[2]. (d. de *chopa[2].*) f. *Mar.* Pequeña cámara que hay a popa en la cubierta principal de algunos buques.

chupete. (De *chupar.*) m. Objeto con una parte de goma o materia similar en forma de pezón que se da a los niños para que chupen. ‖ **2. tetilla** del biberón. ‖ **de chupete.** loc. fam. **de rechupete.**

chupetear. tr. Chupar poco y con frecuencia. Ú. t. c. intr.

chupeteo. m. Acción de chupetear.

chupetilla. (d. de *chupeta[2].*) f. *Mar.* Pequeña cubierta de cristal que se pone en las escotillas para que no penetre la lluvia en la bodega.

chupetín. (d. de *chupeta[1].*) m. Especie de justillo o ajustador con faldillas pequeñas.

chupetón. m. Acción y efecto de chupar con fuerza.

chupín. m. Chupa corta.

chupinazo. m. Disparo hecho con una especie de mortero en los fuegos artificiales, cuya carga son candelillas.

chupito. m. Sorbito de vino u otro licor.

chupo. (Del quechua *ch'upu,* tumor.) m. *Amér. Merid.* Grano, divieso.

chupón, na. adj. Que chupa. ‖ **2.** fig. y fam. Que saca dinero u otro beneficio con astucia y engaño. Ú. t. c. s. ‖ **3.** m. Vástago que brota en las ramas principales, en el tronco y aun en las raíces de los árboles y les chupa la savia y amengua el fruto. ‖ **4.** Cada una de las plumas con cañón no consolidado que suelen tener sangre si se arrancan al ave. ‖ **5.** Émbolo de las bombas de desagüe. ‖ **6.** Cañón de chimenea. ‖ **7.** ant. **chupetón.** Ú. en América. ‖ **8.** *Amér.* Biberón. ‖ **9.** *Amér.* **chupada.** ‖ **10.** *Chile.* Divieso. ‖ **11.** *Chile.* Cierta planta de la familia de las bromeliáceas. ‖ **12.** *Chile.* Fruto de esta planta.

chupóptero. m. fam. Persona que, sin prestar servicios efectivos, percibe uno o más sueldos.

chuquiragua. f. *Amér.* Planta compuesta que se cría en los Andes y se usa como febrífugo.

chuquisa. f. *Chile* y *Perú.* Mujer de vida alegre.

chuquisaqueño, ña. adj. Natural de Chuquisaca. Ú. t. c. s. ‖ **2.** Perteneciente o relativo a la ciudad de Sucre, en Bolivia, o al departamento de Chuquisaca.

churana. f. *Amér. Merid.* Aljaba que usan los indios.

churco[1]. (De *sulco.*) m. *Cantabria.* **surco.**

churco[2]. m. *Chile.* Planta oxalídea gigantesca, propia de este país.

churcha. f. Nombre que los indígenas de Tierra Firme daban a la zarigüeya.

churdón. (Probablemente de or. prerromano.) m. *Ar.* **frambueso.** ‖ **2.** *Ar.* **frambuesa.** ‖ **3.** *Ar.* Jarabe o pasta de frambuesa y azúcar que, desleídos en agua, se usan como refrescante.

churla. f. **churlo.**

churlo. m. Saco de lienzo de pita cubierto con uno de cuero para transportar canela u otras cosas sin que pierdan su virtud.

churo. m. *Col.* y *Ecuad.* **rizo de pelo.** ‖ **2.** *Ecuad.* **caracol,** molusco gasterópodo.

churra. f. **ortega.** ‖ **2.** *Col.* **diarrea.**

churrar. (Voz onomatopéyica.) tr. *Sal.* **tostar.**

churrascar. (de *churrar.*) tr. **churruscar.**

churrasco. (Voz onomatopéyica.) m. Carne asada a la plancha o a la parrilla.

churrasquear. intr. *Argent., Par.* y *Urug.* Hacer y comer churrascos.

churre. m. fam. Pringue gruesa y sucia que corre de una cosa grasa. ‖ **2.** fig. y fam. Lo que se parece a ella.

churrería. f. Lugar en donde se hacen y venden churros[1].

churrero, ra. m. y f. Persona que hace o vende churros[1].

churretada. f. Churrete grande. ‖ **2.** Cantidad de churretes.

churrete. (De *churre.*) m. Mancha que ensucia la cara, las manos u otra parte visible del cuerpo.

churretoso, sa. adj. Lleno de churretes.

churri. adj. *And.* Gárrulo, enfadoso y sin sustancia.

churriana. f. vulg. **ramera.**

churriburri. (Voz imitativa.) m. fam. **zurriburri.**

churriento, ta. adj. Que tiene churre.

churrigueresco, ca. adj. Perteneciente o relativo al churriguerismo.

churriguerismo. m. Estilo de ornamentación recargada empleado por Churriguera y sus imitadores en la arquitectura española del siglo XVIII. ‖ **2.** Por ext., denota a veces en sent. despect., la ornamentación exagerada en general.

churriguerista. m. Arquitecto que practica el churriguerismo.

churrillero, ra. (Del it. *Cerriglio,* hostería de Nápoles.) adj. ant. **churrullero.** Usáb. t. c. s.

churrinche. m. *Argent.* y *Urug.* Avecita insectívora de color rojo, con las alas, lomo y cola de color pardo oscuro.

churritar. (Voz onomatopéyica.) intr. Gruñir el verraco.

churro[1]. m. Fruta de sartén, de la misma masa que se emplea para los buñuelos y de forma cilíndrica estriada. ‖ **2.** fam. **chapuza,** cosa mal hecha.

churro[2], rra. adj. *Val.* Dícese de los aragoneses y de los habitantes de la parte montañosa del Reino de Valencia que hablan castellano con rasgos aragoneses.

churro[3], rra. adj. Dícese del carnero o de la oveja que tiene las patas y la cabeza cubiertas de pelo grueso, corto y rígido, y cuya lana es más basta y larga que la de la raza merina. Ú. t. c. s. ‖ **2.** Dícese de esta lana. ‖ **3.** m. y f. *Sal.* **añojo.** ‖ **4.** f. *Sal.* **cárcel,** local para presos.

churrullero, ra. (De *churrillero.*) adj. **charlatán.** Ú. t. c. s.

churrupear. intr. ant. Beber vino en poca cantidad y a menudo, saboreándose.

churruscar. (Voz onomatopéyica, con infl. de *chamuscar.*) tr. Asar o tostar demasiado una cosa; como el pan, el guisado, etc. Ú. m. c. prnl.

churrusco[1]. (De *churruscar.*) m. Pedazo de pan demasiado tostado o que se empieza a quemar.

churrusco[2], ca. adj. *Col.* y *Pan.* Crespo, ensortijado. ‖ **2.** m. *Col.* Cierta oruga cuyo contacto tiene un efecto urente.

churumbel. (De or. caló.) m. Niño, muchacho.

churumbela. (Del m. or. que *charambita.*) f. Instrumento de viento, semejante a la chirimía. ‖ **2.** Bombilla que se usa en América para tomar el mate.

churumen. m. fam. **chirumen.**

churumo. (De *churumen.*) m. fam. Jugo o sustancia ‖ **poco churumo.** expr. fam. que se usa para dar a entender que hay poca sustancia, poco entendimiento, poco dinero, etc.

chus[1]. **tus,** voz que se usa repetida para llamar al perro.

chus[2] (no decir, o **sin decir) ni mus.** fr. fam. **no decir tus ni mus.**

chusbarba. f. **jusbarba.**

chuscada. f. Dicho o hecho del chusco.

chuscamente. adv. m. Con gracia, donaire y picardía.

chusco, ca. adj. Que tiene gracia, donaire y picardía. Ú. t. c. s. ‖ **2.** *Perú.* Dícese de los animales, especialmente de los perros, que no son de casta, sino cruzados. ‖ **3.** m. Pedazo de pan, mendrugo o panecillo. ‖ **4.** Pan de munición.

chusma. (Del it. *ciusma,* canalla.) f. Conjunto de galeotes que servían en las galeras reales. ‖ **2.** Conjunto de gente soez. ‖ **3.** *Amér.* Referido a indios que viven en comunidad, todos los que no eran guerreros, o sea mujeres, niños y viejos considerados en conjunto. ‖ **4.** Muchedumbre de gente.

chusmaje. m. *Amér.* **chusma,** gente soez.

chuspa. (Del quechua *chchuspa.*) f. *Amér. Merid.* Bolsa, morral. ‖ **2.** *Urug.* Bolsa pequeña para llevar el tabaco.

chusque. m. *Col.* Planta gramínea de mucha altura; es una especie de bambú.

chusquel. (Voz onomatopéyica.) m. *Germ.* **perro[2],** can.

chusquero. adj. fig. y fam. Dícese del suboficial o del oficial del ejército que ha ascendido desde soldado raso. Ú. t. c. s.

chutar. (Del ing. *to shoot,* tirar, disparar.) intr. En el fútbol, lanzar fuertemente el balón con el pie, normalmente hacia la meta contraria.

chuva. f. *Perú.* Cierta especie de mono propio de la América Meridional.

chuyo, ya. (Del quechua *chullu,* remojar.) adj. *Bol.* y *Ecuad.* Aguado, poco espeso. Dícese especialmente de algunos alimentos.

chuz (no decir, o **sin decir) ni muz.** fr. fam. **no decir tus ni mus.**

chuza. f. *Méj.* Lance en el juego del boliche o bolos que consiste en derribar todos los palos de una vez y con solo una bola. ‖ **2.** *Argent.* y *Urug.* Especie de lanza rudimentaria, de forma parecida al chuzo. ‖ **3.** p. us. **chuzo,** palo con pincho de hierro. ‖ **4.** fig. y fam. *Argent.* Cabello largo, lacio y duro. Ú. m. en pl. ‖ **5.** *NO. Argent.* Espolón del gallo. ‖ **hacer chuza.** expr. fig. *Méj.* Acabar con algo, destruirlo por completo.

chuzar. tr. *Col.* Punzar, pinchar, herir.

chuzazo. m. Golpe dado con el chuzo.

chuznieto, ta. m. y f. *Ecuad.* **chozno.**

chuzo. (De *suizo.*) m. Palo armado con un pincho de hierro, que se usa para defenderse y ofender. ‖ **2. carámbano,** pedazo de hielo. ‖ **3.** *Chile.* Barra de hierro cilíndrica y puntiaguda, que se usa para abrir los suelos. ‖ **4.** *Cuba.* Látigo hecho de vergajo o cuero retorcido que va adelgazándose hacia la punta. ‖ **caer, llover,** o **nevar, chuzos.** fr. fig. y fam. Caer granizo, llover o nevar con mucha fuerza o ímpetu. ‖ **echar chuzos.** fr. fig. y fam. Echar bravatas o enfadarse demasiado.

chuzón[1]. m. **chuzo,** palo armado con un pincho de hierro.

chuzón[2], na. (De *chusco.*) adj. Astuto, recatado, difícil de engañar. Ú. t. c. s. ‖ **2.** Que tiene gracia para burlarse de otros en la conversación. Ú. t. c. s. ‖ **3.** m. desus. Botarga o moharracho en las antiguas comedias.

chuzonada. f. **bufonada.**

chuzonería. (De *chuzón[2].*) f. **burleta.**

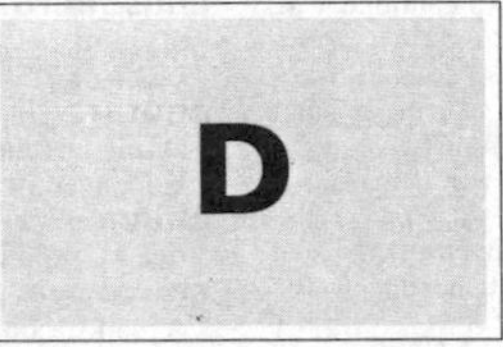

d. f. Quinta letra del abecedario español, y cuarta de sus consonantes. Su nombre es **de.** Representa un sonido de articulación dental, sonora y oclusiva en posición inicial absoluta o precedida de *n* o *l (dame, andar, toldo);* en los demás casos es, por lo general, fricativa *(modo, piedra, desde, orden, adviento);* cuando es final de palabra su articulación se debilita o ensordece más o menos. ‖ **2.** Letra numeral romana, que, generalmente mayúscula, tiene el valor de quinientos.

-da. suf. de sustantivos derivados de otros sustantivos o de verbos. Si el verbo es de la primera conjugación, toma la forma **-ada; -ida** si es de la segunda o de la tercera. La variante **-ada** forma derivados que significan conjunto: *frit*ADA, *vac*ADA; contenido: *carret*ADA, *cuchar*ADA; período: *tempor*ADA, *otoñ*ADA; golpe: *palm*ADA, *pedr*ADA; acción, a veces con matiz peyorativo: *alcald*ADA, *zanc*ADA, *trast*ADA; abundancia o exceso: *ri*ADA, *panz*ADA. Los derivados de verbos suelen denotar acción y efecto: *llam*ADA, *lleg*ADA. A veces, **-ada** se combina con otros sufijos, como **-ar:** *lumbr*ARADA, *llam*ARADA; y **-arro:** *nub*ARRADA. La variante **-ida** forma sustantivos que generalmente significan acción y efecto: *acog*IDA, *acomet*IDA, *part*IDA, *sacud*IDA.

dabitis. m. *Lóg.* Voz mnemotécnica que expresa el modo silogístico en el cual la premisa mayor es universal afirmativa, y la menor y las conclusiones particulares también afirmativas.

dable. (De *dar.*) adj. Hacedero, posible.

daca. (Contracc. de *da,* imper. de *dar,* y el adv. *acá.*) Da, o dame, acá. ‖ **2.** V. **toma y daca.** ‖ **andar al daca y toma.** fr. Andar en dares y tomares.

dacá. (Contracc. de *de acá.*) adv. l. ant. De acá, o del lado de acá.

da capo. (Del it. *daccapo,* desde la cabeza, desde el principio.) loc. adv. *Mús.* Indica que debe volverse al principio cuando se llega a cierta parte del trozo que se ejecuta.

dacio[1]. (Del lat. *datĭo,* acto de dar.) m. desus. Tributo o imposición sobre alguna cosa.

dacio[2], cia. (Del lat. *Dacĭus.*) adj. Natural de Dacia. Ú. t. c. s. ‖ **2.** Perteneciente o relativo a este país de la Europa antigua.

dación. (Del lat. *datĭo, -ōnis.*) f. *Der.* Acción y efecto de dar. ‖ **en pago.** *Der.* Transmisión, al acreedor o a los acreedores, del dominio de los bienes, por precio que se compensa con la deuda o con parte de ella.

dacriocistitis. (Del gr. δάκρυον, lágrima, y κύστις, vejiga, saco, e *-itis.*) f. *Pat.* Inflamación del saco lagrimal, que puede dar lugar a la rija.

dacriorrea. (Del gr. δάκρυον, lágrima, y ῥέω, fluir.) f. *Pat.* Exceso de flujo lagrimal.

dactilado, da. (Del lat. *dactȳlus.*) adj. Que tiene figura semejante a la de un dedo.

dactilar. adj. **digital,** perteneciente o relativo a los dedos.

dactílico, ca. (De lat. *dactylĭcus,* y este del gr. δακτυλικός.) adj. V. **verso dactílico.** ‖ **2.** Aplícase a la composición escrita en versos de esta clase.

dactiliforme. adj. Que tiene forma de palmera, como ciertos capiteles en la arquitectura egipcia.

dactiliología. (Del gr. δακτύλιος, anillo, y *-logía.*) f. Parte de la arqueología, que estudia los anillos y piedras preciosas grabados.

dactilión. (Del lat. *dactȳlus,* dedo.) m. *Mús.* Aparato que se colocaba en el teclado de los pianos para dar agilidad y seguridad a los dedos del principiante.

dactilo-. (Del gr. δάκτυλος.) Elemento compositivo con el significado de «dedo».

dáctilo. (Del lat. *dactȳlus,* y este del gr. δάκτυλος, dedo.) m. Pie de la poesía griega y latina, compuesto de tres sílabas: la primera, larga, y las otras dos, breves. ‖ **2.** Por ext., en la métrica española, se llama así al pie formado por una sílaba tónica y dos átonas. Ú. t. c. adj.

dactilografía. (De *dactilo-* y *-grafía.*) f. **mecanografía.**

dactilográfico, ca. adj. **mecanográfico.**

dactilógrafo, fa. m. y f. **mecanógrafo.**

dactilograma. m. Huella digital impresa en una superficie con fines legales de identificación.

dactilología. (De *dactilo-* y *-logía.*) f. Arte de hablar con los dedos o con el abecedario manual.

dactilológico, ca. adj. Perteneciente o relativo a la dactilología.

dactiloscopia. (De *dactilo-* y *-scopia.*) f. Estudio de las impresiones digitales, utilizadas para la identificación de las personas.

dactiloscópico, ca. adj. Perteneciente o relativo a la dactiloscopia.

dactiloscopista. com. Persona especializada en el estudio, reconocimiento y clasificación de huellas e impresiones dactilares.

-dad. (Del lat. *-tas, -ātis.*) suf. de sustantivos abstractos derivados de adjetivos, que significan cualidad. Si el adjetivo base es bisílabo, suele tomar la forma **-edad:** *moc*EDAD, *cort*EDAD, *terqu*EDAD; también la toman los adjetivos terminados en *-io: suci*EDAD, *obligatori*EDAD, *precari*EDAD; si el adjetivo es de dos o más sílabas, toma, en general, la forma **-idad:** *barbar*IDAD, *afectuos*IDAD, *efectiv*IDAD. La forma **-dad** aparece solo detrás de *l* o *n: livian*DAD, *mal*DAD, *ruin*DAD. Cuando **-dad** se aplica a adjetivos verbales en **-ble,** se forman derivados terminados en **-bilidad:** *culpa*BILIDAD.

dadá. adj. invar. **dadaísta.** ‖ **2.** m. **dadaísmo.**

dadaísmo. (Del fr. *dadaïsme.*) m. Movimiento literario y artístico surgido hacia 1915 en Europa y Nueva York, que se caracterizó por ser deliberadamente antiestético e iconoclasta, provocando en reuniones públicas el escándalo y, con frecuencia, la burla infantil o el sarcasmo.

dadaísta. adj. Perteneciente o relativo al dadaísmo. ‖ **2.** Dícese del artista o escritor adepto al dadaísmo. Ú. t. c. s.

dadero, ra. (Del lat. *datarĭus.*) adj. ant. Que es de dar, o se ha de dar. ‖ **2.** ant. **dadivoso.**

dádiva. (Del lat. *datīva,* pl. n. de *datīvum,* con influjo de *debĭta.*) f.

Cosa que se da graciosamente. ‖ **acometer con dádiva.** fr. fig. **acometer con dinero.**

dadivado, da. (De *dadivar.*) adj. desus. Sobornado, cohechado.

dadivar. tr. desus. Regalar, hacer dádivas.

dadivosidad. f. Calidad de dadivoso.

dadivoso, sa. adj. Liberal, generoso, propenso a hacer dádivas. Ú. t. c. s.

dado[1]. (De or. oriental, en relación con el ár. *dad,* juego.) m. Pieza cúbica de hueso, marfil u otra materia, en cuyas caras hay señalados puntos desde uno hasta seis, y que sirve para varios juegos de fortuna o de azar. ‖ **2.** Pieza cúbica de metal u otra materia dura, que se usa en las máquinas para servir de apoyo a los tornillos, ejes, etc., y mantenerlos en equilibrio. ‖ **3.** En las banderas, paralelogramo de distinto color que su fondo. ‖ **4.** *Arq.* **neto,** pedestal. ‖ **5.** *Art.* Pedacito prismático de hierro que se introducía en la antigua carga de metralla. ‖ **6.** *Mar.* Travesaño de hierro que refuerza cada uno de los eslabones de las cadenas. ‖ **falso.** El que está dispuesto con tal arte, que queda con más peso por un lado que por el otro, y así cae repetidas veces del mismo modo. ‖ **cargar los dados.** fr. Hacerlos falsos introduciendo un poco de plomo en un lado de ellos. ‖ **conforme dicre el dado.** expr. fig. y fam. con que se explica que en algunas cosas deben esperarse los sucesos para arreglar por ellos nuestra conducta. ‖ **correr el dado.** fr. fig. y fam. Tener suerte favorable. ‖ **dar,** o **echar, dado falso.** fr. fig. y fam. **engañar.** ‖ **estar** una cosa **como un dado.** fr. fig. Estar bien ajustada y arreglada.

dado[2], da. (Del lat. *datus.*) p. p. de **dar.** ‖ **2.** m. ant. **donación.** ‖ **dado que.** loc. conjunt. Siempre que, en la inteligencia de que. DADO QUE *sea verdad lo que dices, cuenta con mi aprobación y mi ayuda.* ‖ **2.** loc. conjunt. causal. DADO QUE *no viene nadie, se suspende la sesión.* ‖ **dado y no concedido.** loc. usada para denotar que se permite o deja pasar una proposición, sea verdadera o falsa, porque no obsta a la cuestión de que se trata. ‖ **ser muy dado** a algo. fr. Ser muy aficionado; tener tendencia. ES MUY DADO *a llevar la contraria.*

dador, ra. (Del lat. *dator, -ōris.*) adj. Que da. Ú. t. c. s. ‖ **2.** m. Portador de una carta de un sujeto a otro. ‖ **3.** *Com.* El que libra la letra de cambio.

daga[1]. (De etim. disc.; cf. prov. *daga,* ing. *dagger,* it. *daga.*) f. Arma blanca, de hoja corta y con guarnición para cubrir el puño, y gavilanes para los quites. Solía tener dos cortes y a veces uno, tres o cuatro filos. ‖ **llegar a las dagas.** fr. fig. y fam. Llegar un negocio al lance de mayor aprieto.

daga[2]. (Del ár. *ṭāqa,* hilada, capa.) f. Cada una de las tongas o hileras horizontales de ladrillos que se forman en el horno para cocerlos.

dagame. m. *Cuba.* Árbol silvestre de la familia de las rubiáceas, con tronco elevado y liso, copa pequeña de hojas menudas y flores blancas y de madera dura y elástica.

dagón. m. aum. de **daga[1].**

daguerrotipar. tr. Fijar las imágenes por medio del daguerrotipo.

daguerrotipia. f. Arte de fijar en chapas metálicas, convenientemente preparadas, las imágenes recogidas con la cámara oscura.

daguerrotipo. (De *Daguerre,* nombre de su inventor, y de *tipo.*) m. **daguerrotipia.** ‖ **2.** Aparato que se empleaba en este arte. ‖ **3.** Retrato o vista que se obtenía por los procedimientos de dicho arte.

daguilla[1]. (d. de *daga[1].*) f. *And.* **palillo,** varilla hueca donde se encaja la aguja de hacer media.

daguilla[2]. f. *Cuba.* Árbol silvestre de la familia de las timeleáceas, de unos nueve metros de altura, que crece entre peñascos.

dahír. (Del ár. *ẓahīr,* proclama.) m. En Marruecos, carta abierta con órdenes del sultán. ‖ **2.** En la zona que fue de protectorado español, durante este, decreto del Jalifa promulgado por el alto comisario.

daifa. (Del ár. *ḍaifa,* huéspeda, señora, manceba.) f. **manceba.** ‖ **2.** ant. Huéspeda a quien se trata con regalo y cariño.

Daimiel. n. p. V. **panizo de Daimiel.**

daimio. (De or. japonés.) m. Señor feudal en el antiguo régimen japonés.

daiquiri. (Del nombre de un barrio de El Caney, en Cuba.) m. Cóctel preparado con zumo de limón, ron y azúcar.

dajao. (Del taíno *dahao.*) m. *Ant.* Pez de río, muy común y grato al paladar. Tiene unos 30 centímetros de largo, el lomo oscuro y el vientre plateado, escamas comunes y cola ahorquillada.

dala. (Del neerl. *daal,* tubo, a través del fr. *dalle.*) f. *Mar.* Canal de tablas por donde salía a la mar el agua que achicaba la bomba.

dalaga. f. *Filip.* Mujer soltera, doncella y joven.

dalai-lama. (Del mongol *dalai,* océano, y el tibetano *lama,* sacerdote.) m. Nombre que recibe el sumo sacerdote budista, dirigente espiritual y jefe del estado en el Tíbet.

dalgo (hacer mucho). (Contracc. de *de algo.*) fr. ant. Hacer bien, tratar con agasajo y regalo.

dalia. (De *Dahl,* nombre del botánico sueco que la introdujo en Europa.) f. Planta anual de la familia de las compuestas, con tallo herbáceo, ramoso, de 12 a 15 decímetros de altura; hojas opuestas divididas en cinco o siete hojuelas ovaladas y con dientes en el margen; flores terminales o axilares de botón central amarillo y corola grande, circular, de muchos pétalos, dispuestos con suma regularidad y muy variada coloración; semillas cuadrangulares negras y raíz tuberculosa. ‖ **2.** Flor de esta planta.

dalind. (Del lat. *de ad ille inde.*) adv. l. ant. De allá.

dálmata. (Del lat. *Dalmăta.*) adj. Natural de Dalmacia. Ú. t. c. s. ‖ **2.** Perteneciente o relativo a esta región adriática. ‖ **3.** Dícese de los perros de cierta raza que se caracterizan por un pelaje corto, de color blanco con pequeñas manchas oscuras. Ú. t. c. s. ‖ **4.** m. **dalmático,** lengua románica.

dalmática. (Del lat. *dalmatĭca.*) f. Túnica blanca con mangas anchas y cortas y adornada de púrpura, que tomaron de los dálmatas los antiguos romanos. ‖ **2.** Vestidura sagrada que se pone encima del alba, cubre el cuerpo por delante y detrás, y lleva para tapar los brazos una especie de mangas anchas y abiertas. ‖ **3.** Túnica abierta por los lados, usada antiguamente por la gente de guerra, por los reyes de armas y ahora por los maceros.

dalmático, ca. (Del lat. *Dalmatĭcus.*) adj. **dálmata,** perteneciente a la Dalmacia. ‖ **2.** m. Lengua románica que se habló en las costas de Dalmacia.

daltoniano, na. adj. Dícese del que padece de daltonismo. Ú. t. c. s. ‖ **2.** Perteneciente o relativo a esta enfermedad.

daltónico, ca. adj. **daltoniano.**

daltonismo. (De John *Dalton,* nombre de un físico inglés del siglo XVIII, que padecía esta enfermedad.) m. Defecto de la vista, que consiste en no percibir determinados colores o en confundir algunos de los que se perciben.

dalla. f. En algunas comarcas, **dalle.**

dallá. (Contracc. de *de allá.*) adv. l. ant. De allá, o del otro lado de allá, o al otro lado.

dallador, ra. m. y f. Persona que dalla.

dallar. tr. Segar la hierba con el dalle.

dalle. (Del lat. *dacŭlus,* a través del prov. y cat. *dall.*) m. **guadaña.**

dallén. (Contracc. de *de allén.*) adv. l. ant. Del otro lado de allá, o del lado de allá, o del otro lado.

dama[1]. (Del lat. *domĭna,* a través del fr. *dame.*) f. Mujer noble o de calidad distinguida. ‖ **2.** Mujer galanteada o pretendida de un hombre. ‖ **3.** En palacio, cada una de las señoras que acompañaban y servían a la reina, a la princesa o a las infantas. ‖ **4.** Criada primera que en las casas de las grandes señoras servía inmediatamente a su ama. ‖ **5.** Por antonom., actriz que hace los papeles principales; y las demás, excepto la graciosa y la característica, se distinguen por sus números de segunda, tercera, cuarta **dama.** ‖ **6.** **manceba.** ‖ **7.** En el juego de **damas,** pieza que, por haber llegado a la primera línea del contrario, se corona con otra pieza y puede correr toda la línea. ‖ **8.** **reina,** en el juego de ajedrez. ‖ **9.** Baile antiguo español. ‖ **10.** **testigo,** hito de tierra. ‖ **11.** V. **ciruela de dama.** ‖ **12.** V. **portería, portero de damas.** ‖ **13.** pl. Juego que se ejecuta en un tablero de 64 escaques, con 24 piezas, si es a la española, y en uno de cien escaques y con 40 piezas, si es a la polonesa, de las cuales tienen 12 ó 20 cada jugador, que gana el juego cuando logra comer todas al contrario, que es jugar al gana gana, y al revés, si se juega al gana pierde. ‖ **cortesana. ramera.** ‖ **de carácter.** *Teatro.* **característica,** actriz. ‖ **de honor. señora de honor.** ‖ **de noche.** Planta de la familia de las solanáceas, de flores blancas, muy olorosas durante la noche. ‖ **joven.** Actriz que hace los papeles de soltera o de casada muy joven. ‖ **secreta.** En el juego de **damas,** la que se da por partido al que juega menos, quedando a su arbitrio elegir la que quisiere cuando guste, y usarla cuando le conviniere. ‖ **echar damas y galanes.** fr. desus. Divertirse en las casas en día señalado, como la víspera de Reyes o la última noche del año, sorteando, para formar parejas, las **damas** y galanes con quienes se tiene amistad y correspondencia. ‖ **soplar la dama** a otro. fr. En el juego de **damas,** levantar y suprimir la del contrario en pena de su omisión, cuando, teniendo pieza que comer con ella, no lo hizo. ‖ **2.** fig. y fam. Casarse u obtener la correspondencia amorosa de la mujer pretendida de otro u ofrecida a él.

dama[2]**.** (Del b. al. *damm,* dique.) f. *Metal.* Losa o murete que cierra el crisol de un horno por la parte delantera.

dama[3]**.** (Del lat. *dama.*) f. **gamo.**

damaceno, na. adj. **damasceno.**

damajagua. m. *Ecuad.* Árbol corpulento de cuya corteza interior los indios cayapós hacen mucho uso, porque bien preparada se parece a un paño tupido y sirve para vestido o para esteras de cama.

damajuana. (Del fr. *dame-jeanne.*) f. Recipiente de vidrio o barro cocido, de cuello corto, a veces protegido por un revestimiento, que sirve para contener líquidos.

damasana. f. *Amér.* **damajuana.**

damascado, da. (De *damasco,* tela.) adj. **adamascado.**

damasceno, na. (Del lat. *Damascēnus.*) adj. Natural de Damasco. Ú. t. c. s. ‖ **2.** Perteneciente o relativo a esta ciudad de Asia. ‖ **3.** V. **ciruela damascena.** Ú. t. c. s.

damasco. (De *Damasco,* ciudad de Siria, de donde procede.) m. Tela fuerte de seda o lana y con dibujos formados con el tejido. ‖ **2.** Árbol, variedad del albaricoquero. ‖ **3.** Fruto de este árbol.

damasina. (Del fr. *damassin,* de *Damas,* Damasco.) f. **damasquillo,** tela parecida al damasco.

damasonio. (Del gr. δαμασώνιον, a través del lat. *damasonĭum.*) m. **azúmbar.**

damasquillo. (d. de *damasco.*) m. Cierto tejido de lana o seda parecido al damasco en la labor, pero no tan doble. ‖ **2.** *And.* **albaricoque,** fruto del albaricoquero.

damasquina. f. Planta anual, originaria de Méjico, de la familia de las compuestas, con tallos ramosos de seis a siete decímetros de altura, hojas divididas en hojuelas lanceoladas y dentadas, flores solitarias, axilares o terminales, de mal olor, con pétalos de color purpúreo mezclado de amarillo y semillas largas, angulosas y con vilano pajizo.

damasquinado. (De *damasquino.*) m. Ataujía o embutido de metales finos sobre hierro o acero.

damasquinador, ra. m. y f. Persona que por oficio ejecuta el damasquinado.

damasquinar. tr. Hacer labores de ataujía en armas y otros objetos de hierro y acero.

damasquino, na. (De *Damasco,* ciudad de Siria.) adj. **damasceno,** perteneciente a Damasco. Aplícase comúnmente a las armas blancas de muy fino temple y hermosas aguas. ‖ **2.** Dícese de la ropa u otro objeto hecho con la tela llamada damasco. *Un palio* DAMASQUINO. ‖ **a la damasquina.** loc. adv. A estilo o moda de Damasco.

damería. (De *dama.*) f. p. us. Melindre, delicadeza, aire desdeñoso. ‖ **2.** fig. p. us. Reparo, escrupulosidad.

damero. m. Tablero del juego de damas. ‖ **2.** Por ext., se aplica a la planta de urbanizaciones, ciudades, etc., que están constituidas por cuadros o rectángulos.

damiento. (De *dar.*) m. ant. **dádiva.**

damil. adj. ant. Perteneciente a las damas o propio de ellas.

damisela. (Del ant. fr. *dameisele,* señorita.) f. Moza bonita, alegre y que presume de dama. ‖ **2.** p. us. **dama cortesana.**

damnable. (Del lat. *damnabĭlis.*) adj. p. us. Digno de condenarse.

damnación. (Del lat. *damnatĭo, -ōnis.*) f. desus. **condenación.**

damnado, da. (Del lat. *damnātus.*) adj. ant. **réprobo.** Usáb. t. c. s.

damnar. (Del lat. *damnāre.*) tr. ant. Condenar, perjudicar. Usáb. t. c. prnl.

damnificado, da. p. p. de **damnificar.** ‖ **2.** adj. Dícese de la persona o cosa que ha sufrido grave daño de carácter colectivo.

damnificador, ra. adj. Que damnifica. Ú. t. c. s.

damnificar. (Del lat. *damnificāre.*) tr. Causar daño.

dan. (Del japonés *dan.*) m. Cada uno de los diez grados superiores en las artes marciales tradicionales concedidos a partir del cinturón negro.

dance. (De *danzar.*) m. *Ar.* **danza de espadas.** ‖ **2.** *Ar.* Composición poética que se recita en este baile.

danchado, da. (Del fr. *denché, danché.*) adj. *Blas.* Dicho del escudo, **dentado.**

dandi. (Del ing. *dandy.*) m. Hombre que se distingue por su extremada elegancia y buen tono.

dandismo. m. Calidad de dandi.

danés, sa. (Del lat. *Dania,* Dinamarca.) adj. Natural u oriundo de Dinamarca. Ú. t. c. s. ‖ **2.** Perteneciente o relativo a este país de Europa. ‖ **3.** V. **perro danés.** ‖ **4.** m. Lengua que se habla en Dinamarca.

dango. m. **planco.**

dánico, ca. adj. **danés,** perteneciente a Dinamarca.

danta. f. **anta**[1]**.** ‖ **2.** **tapir.** ‖ **3.** adj. V. **caña danta.**

dante. (Del ár. *lamt.*) m. **ante**[1]**,** mamífero parecido al ciervo. ‖ **2.** **búbalo.**

dantellado, da. (Del fr. *dentelé,* de *dentelle.*) adj. *Blas.* **dentellado,** que tiene dientes menudos.

dantesco, ca. adj. Propio y característico de Dante. ‖ **2.** Parecido a cualquiera de las dotes o calidades por que se distingue este insigne poeta. ‖ **3.** Dícese de las escenas o situaciones desmesuradas que causan espanto.

dantismo. m. Admiración o preferencia por Dante y sus obras. ‖ **2.** Influjo que este autor ejerce sobre algún otro.

dantista. adj. Dícese del que con especialidad se dedica al estudio de Dante y de sus obras. Ú. t. c. s.

danto. m. *Amér. Central.* Pájaro de unos tres decímetros de largo, de plumaje negro azulado y pecho rojizo y sin plumas, pero con un cordoncillo carnoso. Tiene un copete o penacho que se prolonga hasta la extremidad del pico y cuyo contorno semeja la trompa del tapir o danta. Vive en las selvas oscuras y su voz parece un mugido débil.

danubiano, na. adj. Perteneciente o relativo al Danubio, río de la Europa Central, o a los territorios que baña.

danza. (De *danzar.*) f. **baile**[1], acción y manera de bailar. ‖ **2.** Cierto número de danzantes que se juntan para bailar en una función al son de uno o varios instrumentos. ‖ **3. habanera.** ‖ **4.** fig. y fam. Negocio o manejo desacertado o de mala ley, en frases como las siguientes: *Andar,* o *estar, en la* DANZA; *guiar la* DANZA; *meterle a uno en la* DANZA; *¿por dónde va la* DANZA?; *¡siga la* DANZA! ‖ **5.** fig. y fam. Movimiento o trajín de quien va continuamente de un lado a otro. ‖ **de arcos.** fig. **arcada,** conjunto de arcos. ‖ **de cintas.** Aquella en que los danzantes hacen diversas figuras, cruzando y descruzando las cintas que penden de un palo. ‖ **de espadas.** La que se hace con espadas en la mano, golpeando con ellas a compás de la música. También se hace con palos y llevando escudos. ‖ **2.** fig. y fam. Pendencia o riña. ‖ **hablada. danza** con palabras. ‖ **prima.** Baile muy antiguo, que conservan todavía asturianos y gallegos, y se hace formando una rueda entre muchos, enlazadas las manos unos con otros y dando vueltas alrededor. Uno entona cierta canción y todos los demás le corresponden con el estribillo. ‖ **baja danza. alemanda.** ‖ **meterse en danza de espadas.** fr. fig. y fam. Mezclarse en pendencias.

danzado, da. p. p. de **danzar.** ‖ **2.** m. **danza,** baile. ‖ **3.** Cierto número de danzantes de una función.

danzador, ra. adj. Que danza. Ú. t. c. s.

danzante, ta. m. y f. Persona que danza en procesiones y bailes públicos. ‖ **2.** fig. y fam. Persona que no se descuida en su negocio y obra con agilidad, actividad y maña. ‖ **3.** fig. y fam. Persona ligera de juicio, petulante y entremetida.

danzar. (Del ant. fr. *dancier,* hoy *danser.*) intr. **bailar** las personas. Ú. t. c. tr. DANZAR *un vals.* ‖ **2.** Moverse una cosa con aceleración bullendo y saltando. ‖ **3.** fig. y fam. Mezclarse o introducirse en un negocio. Ú. m. para zaherir al que interviene en lo que no le toca.

danzarín, na. m. y f. Persona que danza con destreza. ‖ **2.** fig. y fam. **danzante,** persona ligera de juicio. Ú. t. c. adj.

danzón. (aum. de *danza.*) m. Baile cubano, semejante a la habanera. ‖ **2.** Música de este baile.

dañable. (Del lat. *damnabĭlis.*) adj. Perjudicial, gravoso. ‖ **2.** ant. Digno de ser condenado.

dañación. (Del lat. *damnatĭo, -ōnis.*) f. ant. Acción y efecto de dañar.

dañado, da. (Del lat. *damnātus.*) p. p. de **dañar.** ‖ **2.** adj. Malo, perverso. ‖ **3.** desus. **condenado,** réprobo. Ú. t. c. s. ‖ **4.** Dícese de la fruta y algún otro comestible cuando están corroídos por un insecto. ‖ **5.** *Can.* **leproso.**

dañador, ra. (Del lat. *damnātor, -ōris.*) adj. Que daña. Ú. t. c. s.

dañamiento. (De *dañar.*) m. ant. **daño.**

dañar. (Del lat. *damnāre,* condenar.) tr. Causar detrimento, perjuicio, menoscabo, dolor o molestia. Ú. t. c. prnl. ‖ **2.** Maltratar o echar a perder una cosa. Ú. t. c. prnl. ‖ **3.** ant. Condenar a alguien, dar sentencia contra él.

dañino, na. adj. Que daña o hace perjuicio. Dícese comúnmente de algunos animales.

daño. (Del lat. *damnum.*) m. Efecto de dañar o dañarse. ‖ **2.** V. **pena de daño.** ‖ **3.** *Amér.* Maleficio, mal de ojo. ‖ **emergente.** *Der.* Detrimento o destrucción de los bienes, a diferencia del lucro cesante. ‖ **a daño** de alguien. loc. adv. A su cuenta y riesgo. ‖ **en daño** de una persona o cosa. loc. adv. En perjuicio suyo. ‖ **sin daño de barras.** loc. adv. fig. Sin **daño** o peligro propio o ajeno.

dañoso, sa. (Del lat. *damnōsus.*) adj. Que daña.

daquén. (Contracc. de *de aquén.*) adv. l. ant. De aquende, de la parte de acá.

daquí. (Contracc. de *de aquí.*) adv. l. ant. De aquí.

dar. (Del lat. *dare.*) tr. **donar.** ‖ **2. entregar.** ‖ **3.** Proponer, indicar. DAR *asunto para una composición;* DAR *pie para hacer una copla.* ‖ **4.** Conferir, proveer en alguien un empleo u oficio. *Se le* DIO *el oficio de canciller.* ‖ **5.** Ordenar, aplicar. DAR *remedio, consuelo, un consejo.* ‖ **6.** Conceder, otorgar. DAR *licencia.* ‖ **7.** Convenir en una proposición. ‖ **8.** Seguido de la prep. *por,* suponer, declarar, considerar. *Lo* DOY POR *visto,* POR *libre,* POR *inocente.* Ú. t. c. prnl. SE DIO POR *perdido,* POR *muerto.* ‖ **9. producir, dar** fruto la tierra. *La higuera* DA *brevas e higos.* Ú. t. c. prnl. *Aquí* SE DAN *bien las patatas.* ‖ **10. producir,** rentar un interés. *Un olivar* DA *buena renta.* ‖ **11.** fig. **producir,** procurar, ocasionar. ‖ **12.** Referido a un espectáculo o una película, exhibirlos. ‖ **13.** Sujetar, someter alguien alguna cosa a la obediencia de otro. ‖ **14.** Impartir una lección, pronunciar una conferencia o charla. ‖ **15.** Recibir una clase. *Ayer* DIMOS *clase de matemáticas.* ‖ **16.** Recitar la lección los alumnos. ‖ **17.** En el juego de naipes, repartir las cartas a los jugadores. ‖ **18.** Untar o bañar alguna cosa. DAR *de barniz, de manteca, de azúcar derretido.* ‖ **19.** Soltar una cosa, desprenderse de ella. DAR *el hueso;* DAR *el ombligo.* ‖ **20.** Tratándose de enhorabuenas, pésames, etc., comunicarlos o hacerlos saber. ‖ **21.** Junto con algunos sustantivos, hacer, practicar, ejecutar la acción que estos significan. DAR *un abrazo,* por *abrazar;* DAR *saltos,* por *saltar;* DAR *barreno* por *barrenar.* ‖ **22.** Con voces expresivas de golpes o de daño causado en alguna parte del cuerpo o con instrumentos o armas de cualquier clase, ejecutar la acción significada por estas voces. DAR *un bofetón, un tiro.* En esta acep. constrúyese frecuentemente con la prep. *de.* DAR *de bofetones, de palos.* ‖ **23.** Sin objeto directo expreso, golpear, zurrar. Ú. t. c. prnl. *¿Dónde* TE HAS *dado? Aquellos dos* SE DABAN *con furia.* ‖ **24.** Con algunos sustantivos, causar, ocasionar, mover. DAR *gusto, gana.* ‖ **25.** Accionar el mecanismo que hace fluir el gas, la electricidad, etc. DAR *el agua, la luz.* ‖ **26.** Sonar en el reloj sucesivamente las campanadas correspondientes a la hora que sea. *El reloj* DIO *las cinco.* Ú. t. c. intr. *Acaba de* DAR *el reloj;* HAN DADO *las cinco.* ‖ **27.** Se junta con varias partículas que explican el modo como se transfiere el dominio. DAR *de balde, de presente, a censo.* ‖ **28.** Echar alguien a perder la tranquilidad, la diversión o el descanso de otra persona. *Me has* DADO *el día, la comida.* ‖ **29.** Declarar, descubrir. DAR *conocimiento;* DAR *el texto.* ‖ **30.** Tratándose de bailes, banquetes, etc., obsequiar con ellos una o varias personas a otras. ‖ **31.** fig. Presagiar, anunciar. *Me* DA *el corazón que fulano sanará.* ‖ **32.** intr. Unido a voces como *tanto* o *igual,* ser indiferente una cosa. *Lo mismo* DA. ‖ **33.** Junto con algunos nombres y verbos, regidos de la prep. *en,* empeñarse en ejecutar una cosa. DIO EN *este tema, locura, manía.* ‖ **34.** Sobrevenir una cosa y empezar a sentirla física o moralmente; como enfermedad, pasión súbita del ánimo, etc. DAR *un síncope; un dolor, frío; a mí me va a* DAR *algo; ¿qué te* HA DADO? ‖ **35.** Junto con algunos sustantivos regidos por la prep. *en,* acertar, atinar. DAR EN *el punto,* EN *el hito,* EN *el chiste.* ‖ **36.** Junto con la partícula *de* y algunos sustantivos, caer del modo que estos indican. DAR DE *cogote,* DE *espaldas,* DE *costillas.* ‖ **37.** Con la misma partícula *de* y los verbos *almorzar, comer,* etc., servir o costear a alguien el almuerzo, la comida, etc. ‖ **38.** Estar situada una cosa, mirar, hacia esta o la otra parte. *La puerta* DA *a la calle; la ventana* DA *al Norte.* ‖ **39.** fig. Caer, incurrir. DAR *en un error.* ‖ **40.** Incidir sobre alguna superficie el sol, el aire, etc. ‖ **41.** Ser suficiente, **dar de sí** para algo una persona o cosa. *Su paciencia no* DIO *para más.* ‖ **42.** coloq. Seguido de la prep. *a,* accionar cualquier mecanismo u objeto. DAR*le* AL *martillo.* ‖ **43.** prnl. Entregarse, ceder en la resistencia que se hacía. *No hay miedo de que* SE DÉ *ese a quien van a prender; ya* SE HA DADO *el que disputaba.* ‖ **44.** Suceder, existir, determinar alguna cosa. SE DA *el caso. En circunstancias* DADAS. ‖ **45.** Seguido de la prep. *a* y de un nombre o un verbo en infinitivo, entregarse con ahínco o por vicio a lo que este nombre o verbo signifique, o ejecutar viva o reiteradamente la acción del verbo. DARSE A*l estudio,* O A *estudiar;* DARSE A*l vino,* O A *beber.* ‖ **46.** Con los infinitivos de los verbos *creer, imaginar* y otros análogos, ejecutar simplemente la acción significada por ellos. DARSE *a creer,* por *creer;* DARSE *a imaginar,* por *imaginar.* ‖ **47.** Entre cazadores, pararse de cansadas las aves que van volando, o caer la caza en algún sitio o lugar. ‖ **a dar, que van dando.** fr. fam. **dar, que van dando.** ‖ **ahí me las den todas.** expr. fam. con que denotamos no importarnos nada las desgracias que caen sobre cosas o personas que no nos tocan. ‖ **a mal dar.** loc. Por malo que sea el éxito o resultado de una cosa; por contraria que se muestre la fortuna. ‖ **¡dale!** interj. fam. que se emplea para reprobar con enfado la obstinación o terquedad. Ú. t. repetida. ‖ **¡dale que dale,** o **que le das,** o **que le darás!** exprs. fams. que tienen la misma significación, aunque más reforzada, que la sola interj. **¡dale!** ‖ **dale que te pego.** loc. fam. **¡dale!** ‖ **dar abajo.** fr. Precipitarse, dejarse caer. ‖ **dar a conocer** una cosa. fr. Manifestarla con hechos o dichos. ‖ **dar a entender** una cosa. fr. Explicarla de modo que la comprenda bien el que no la percibía. ‖ **2.** Insinuarla o apuntarla sin decirla con claridad. ‖ **dar algo.** fr. Maleficiar, **dar** hechizos en comida o bebida. ‖ **dar algo bueno por** alguna cosa. fr. fam. **dar una mano** por ella. ‖ **dar bien.** fr. En el juego, tener buena suerte, tener mucho juego. ‖ **dar cinco de todo.** fr. En el juego de los bolos y en el de la argolla, **dar** cierto partido al que juega menos. ‖ **dar cinco de corto.** fr. En el juego de bolos, pasar de la raya hasta donde puede llegar la bola. ‖ **dar con** una persona o cosa. fr. Encontrarla. ‖ **dar** uno **consigo,** o **con** otro, **en** una parte. fr. Ir, o hacer ir, a parar, o caer, o hacer caer, en ella. DI CONMIGO EN *París;* DI CONMIGO EN *el suelo;* DI CON *él* EN *tierra;* DIERON CON *don Quijote* EN *la cama.* ‖ **dar** una cosa **de comer** a alguien. fr. Proporcionarle el necesario sustento, un empleo, oficio o industria. ‖ **dar de sí.** fr. Extenderse, ensancharse. Se usa con más propiedad referido a ropa. Ú. t. en sent. fig. *Su sueldo, su inteligencia* DA *poco* DE SÍ. ‖ **dar en blando.** fr. fig. No hallar resistencia para conseguir lo que se solicita o pretende. ‖ **dar en duro.** fr. fig. Hallar dificultad o repugnancia para la consecución o el logro de lo que se intenta o pretende. ‖ **dar en ello.** fr. **caer en la cuenta.** ‖ **dar** a alguien **en qué entender.** fr. **darle** molestia o preocupación, o ponerle en cuidado o apuro. ‖ **dar** a alguien **en qué merecer.** fr. **darle** pesadumbre y desazones. ‖ **dar** a alguien **en qué pensar.** fr. **darle** ocasión o motivo para sospechar que hay en una cosa algo más de lo que se manifiesta. ‖ **dar en vacío,** o **en vago.** fr. fig. No lograr el fin que se pretendía con una acción o un dicho. ‖ **darla de,** o **dárselas de.** fr. fam. **echarla de.** ‖ **darle a** una cosa. fr. coloq. Practicarla habitual o insistentemente. DARLE A*l vino,* A *la lectura.* ‖ **darle** a alguien **por** alguna cosa. fr. Entrarle muy vivo interés por ella. ‖ **dar mal.** fr. En el juego, tener mala suerte o poco juego. ‖ **dar** a alguien **mascada** una cosa. fr. fig. y fam. **dársela** explicada o casi concluida, de suerte que le cueste poco trabajo hacerla o entenderla. ‖ **dar** algo **por bien empleado.** fr. Conformarse gustosamente con una cosa desagradable, por la ventaja que de ella se le sigue. ‖ **dar por concluso.** fr. *Der.* **dar la causa por conclusa.** ‖ **dar** a alguien **por donde peca.** fr. fig. Mortificarlo reprochándole un defecto en el que frecuentemente incurre. ‖ **dar** a alguien **por quito.** fr. **darle** por libre de una obligación. ‖ **dar que decir.** fr. Ofrecer ocasión a murmuración y a censura. ‖ **dar que hablar.** fr. Ocupar la atención pública por algún tiempo. ‖ **2. dar que decir.** ‖ **dar que hacer.** fr. Causar molestia o perjuicios. ‖ **dar que pensar** una cosa. fr. **dar en qué pensar.** ‖ **dar que sentir.** fr. Causar pesadumbre o perjuicio. ‖ **dar, que van dando.** fr. fam. con que se **da** a entender que se vuelve golpe por golpe, ofensa por ofensa, palabra mala por mala palabra, etc. ‖ **darse a buenas.** fr. Cesar en la oposición o resistencia que se hacía a una cosa. ‖ **darse** alguien **a conocer.** fr. Hacer saber quién es. ‖ **2.** Descubrir su carácter y calidades. ‖ **darse a entender.** fr. Explicarse por señas o en lengua extraña, en términos de ser comprendido. ‖ **dársela** a alguien. fr. fam. **pegársela.** ‖ **dársele** a alguien **bien o mal** una cosa. fr. fig. y fam. Tener habilidad o inteligencia para algo o carecer de ellas. ‖ **dársele** a alguien, algo, mucho, poco, etc., **de** una cosa. fr. fam. Importarle algo, mucho, poco, etc. ‖ **dársele** a alguien **tanto por lo que va como por lo que viene.** fr. fam. **no dársele** a alguien **nada.** ‖ **darse por buenos.** fr. Hacer las paces los que habían disputado o reñido sobre una cosa. ‖ **darse** alguien **por entendido.** fr. Manifestar con señales o palabras que está en el hecho de alguna cosa. ‖ **2.** Corresponder a una atención o fineza con las gracias o recompensas que se acostumbran. ‖ **3.** Responder al caso, satisfaciendo a lo que se pregunta o habla. ‖ **darse** uno **por sentido.** fr. Sentirse o formar queja contra otro por un desaire o agravio. ‖ **darse por vencido.** fr. Ceder del propio dictamen, conocer que se erraba en alguna cosa. ‖ **2.** fam. Dícese cuando alguien no atina ni responde a la pregunta oscura que se le ha hecho, y particularmente cuando no acierta una adivinanza. ‖ **dar sobre** alguien. fr. Acometerle con furia. ‖ **dar tras** alguien. fr. fam. Perseguirle, acosarle con furia o gritería. ‖ **dar y tomar.** fr. fig. Discurrir, altercar. *En esto hay mucho que* DAR Y TOMAR; *estuvieron un buen rato* DANDO Y TOMANDO *sobre lo que convenía hacer.* ‖ **2.** *Equit.* Aflojar y tirar alternativamente de las riendas para refrescar la boca del caballo. ‖ **dé donde diere.** expr. fig. y fam. usada para denotar que se obra o habla a bulto, sin reflexión ni reparo. ‖ **no dársele** a alguien **nada.** fr. fig. y fam. No importarle una cosa. ‖ **para dar y tomar.** fr. fig. En abundancia.

daraptí. *Lóg.* Voz mnemotécnica que designa el silogismo en que las premisas son universales afirmativas, y la conclusión particular afirmativa.

dardabasí. m. Ave de rapiña diurna, que no se domestica y se sustenta de carne y de las sabandijas del campo.

dardada. f. ant. Golpe dado con el dardo.

dardanio, nia. (Del lat. *Dardanĭus.*) adj. Perteneciente o relativo a Dardania o Troya.

dárdano, na. (Del lat. *Dardănus.*) adj. **troyano.** Apl. a pers., ú. t. c. s.

dardo. (Del germ. **daroth,* a través del fr. *dard.*) m. Arma arrojadiza, semejante a una lanza pequeña y delgada, que se tira con la mano. ‖ **2. mújol.** ‖ **3.** fig. Dicho satírico o agresivo y molesto.

dares y tomares. (De *dar y tomar.*) loc. fam. Cantidades dadas y recibidas. ‖ **2.** fig. y fam. Contestaciones, debates, altercados y réplicas entre dos o más personas. Ú. generalmente con los verbos *haber* y *tener,* o con *andar* cuando va seguido de la prep. *en.*

darga. (Del ár. *daraqa.*) f. ant. **adarga.**

darico. m. Moneda persa de oro, que hizo acuñar Darío.

dársena. (Del it. *darsena,* del m. or. ár. que *arsenal* y *atarazana.*) f. Parte resguardada artificialmente, en aguas navegables, para surgidero o para la cómoda carga y descarga de embarcaciones.

darviniano, na. adj. Perteneciente o relativo al darvinismo.

darvinismo. m. *Biol.* **darwinismo.**

darvinista. adj. **darviniano.** ‖ **2.** com. Partidario del darvinismo.

darwinismo. m. *Biol.* Teoría expuesta por el naturalista inglés Charles Darwin, según la cual la evolución de las especies se produce en virtud de una selección natural de individuos, debida a la lucha por la existencia y perpetuada por la herencia.

dasocracia. (Del gr. δάσος, bosque, y *-cracia.*) f. Parte de la dasonomía, que trata de la ordenación de los montes, a fin de obtener la mayor renta anual y constante, dentro de la especie, método y turno de beneficio que se hayan adoptado.

dasocrático, ca. adj. Perteneciente o relativo a la dasocracia.

dasonomía. (Del gr. δάσος, bosque, y νόμος, ley.) f. Ciencia que trata de la cría, conservación, cultivo y aprovechamiento de los montes.

dasonómico, ca. adj. Perteneciente o relativo a la dasonomía.

data^{1}**.** (Del lat. *data,* dada.) f. Nota o indicación del lugar y tiempo en que se hace o sucede una cosa y especialmente la que se pone al principio o al fin de una carta o de cualquier otro documento. ‖ **2.** Tiempo en que ocurre o se hace una cosa. ‖ **3.** *Com.* Partida o partidas que en una cuenta componen el descargo de lo recibido. ‖ **4.** Abertura u orificio que se hace en los depósitos de agua, para dar salida a una cantidad determinada de ella. ‖ **5.** ant. Permiso por escrito para hacer alguna cosa. ‖ **larga data.** Tiempo antiguo o remoto. *Eso es de* LARGA DATA. ‖ **de buena, o mala, data.** loc. adv. p. us. Con los verbos *estar, ir, quedar* y otros, irse mejorando, o arruinando, una cosa. ‖ **estar de mala data.** fr. fig. y fam. p. us. Estar de mal humor.

data^{2}**.** (Del lat. *dactȳlus,* a través del fr. *datte,* dátil.) f. V. **ciruela de data.**

datación. f. Acción y efecto de datar.

datar. tr. Poner la data. ‖ **2.** *Com.* Poner en las cuentas lo correspondiente a la data. ‖ **3.** Determinar la data de un documento, obra de arte, suceso, etc. ‖ **4.** intr. Haber tenido principio una cosa en el tiempo que se determina. *Nuestra amistad* DATA *del año pasado.*

dataría. (De *datario.*) f. Tribunal de la curia romana por donde se despachaban diversos asuntos como provisiones de beneficios, pensiones, dispensas matrimoniales, etc.

datario. (De *data*^{1}, permiso.) m. Prelado que preside y gobierna la dataría.

dátil. (Del prov. y cat. *dátil.*) m. Fruto de la palmera de figura elipsoidal prolongada, de unos cuatro centímetros de largo por dos de grueso, cubierto con una película amarilla, carne blanquecina comestible y hueso casi cilíndrico, muy duro y con un surco a lo largo. ‖ **2.** fam. Dedo. Ú. m. en pl. ‖ **de mar.** Molusco lamelibranquio cuya concha, algo más larga que el fruto de la palmera, se asemeja a este por el color y por la forma. Es comestible y se aloja en cavidades que él mismo hace perforando las rocas.

datilado, da. adj. De color de dátil maduro, o parecido a él.

datilera. (De *dátil.*) adj. Aplícase a la palmera que da fruto. Ú. t. c. s.

datismo. (Del gr. δατισμός.) m. *Ret.* Empleo inmotivado de vocablos sinónimos, o con los cuales no se viene a decir sino una misma cosa.

dativo, va. (Del lat. *datīvus.*) adj. *Der.* V. **tutela dativa.** ‖ **2.** *Der.* V. **albacea, tutor dativo.** ‖ **3.** m. *Gram.* Caso de la declinación latina y otras lenguas que en español equivale al objeto indirecto del verbo.

dato^{1}**.** (Del lat. *datum,* lo que se da.) m. Antecedente necesario para llegar al conocimiento exacto de una cosa o para deducir las consecuencias legítimas de un hecho. ‖ **2.** Documento, testimonio, fundamento. ‖ **3.** *Inform.* Representación de una información de manera adecuada para su tratamiento por un ordenador.

dato^{2}**.** m. Título de alta dignidad en algunos países de Oriente.

datura. (Del lat. mod. *datura.*) f. *Bot.* Género de plantas al que pertenece el estramonio.

daturina. f. Alcaloide extraído del estramonio, y que constituye el principio activo de esta planta.

dauco. (Del gr. δαῦκος, a través del lat. *daucus.*) m. **biznaga,** planta umbelífera. ‖ **2.** Zanahoria silvestre.

daudá. (Del arauc. *daldal.*) f. *Chile.* **contrahierba,** planta de las moráceas.

davalar. intr. *Mar.* **devalar.**

David. n. p. V. **lágrimas de David.**

davídico, ca. (Del lat. *Davidĭcus.*) adj. Perteneciente a David o a su poesía y estilo.

daza. (Del ár. *daqsa,* especie de mijo.) f. **zahína,** planta de las gramíneas.

de^{1}**.** f. Nombre de la letra *d.*

de^{2}**.** (Del lat. *de.*) prep. Denota posesión o pertenencia. *La casa* DE *mi padre; la paciencia* DE *Job.* ‖ **2.** Sirve para crear diversas locuciones adverbiales de modo. *Almorzó* DE *pie; le dieron* DE *puñaladas; se viste* DE *prestado; lo conozco* DE *vista.* ‖ **3.** Manifiesta de dónde son, vienen o salen las cosas o las personas. *La piedra es* DE *Colmenar; vengo* DE *Aranjuez; no sale* DE *casa.* ‖ **4.** Sirve para denotar la materia de que está hecha una cosa. *El vaso* DE *plata; el vestido* DE *seda.* ‖ **5.** Señala lo contenido en una cosa. *Un vaso* DE *agua, un plato* DE *asado.* ‖ **6.** Indica también el asunto o materia. *Este libro trata* DE *la última guerra; una clase* DE *matemáticas; hablaban* DE *la boda.* ‖ **7.** En ocasiones indica la causa u origen de algo. *Murió* DE *viruelas; fiebre* DEL *heno.* ‖ **8.** Expresa la naturaleza, condición o cualidad de personas o cosas. *Hombre* DE *valor; entrañas* DE *fiera.* ‖ **9.** Sirve para determinar o fijar con mayor viveza la aplicación de un nombre apelativo. *El mes* DE *noviembre; la ciudad* DE *Sevilla.* ‖ **10. desde,** punto en el espacio y en el tiempo. DE *Madrid a Toledo; abierto* DE *nueve a una.* ‖ **11.** Algunas veces se usa precedida de sustantivo, adjetivo o adverbio, y seguida de infinitivo. *Es hora* DE *caminar; harto* DE *trabajar; lejos* DE *pensar.* ‖ **12.** Seguida de infinitivo, adquiere un valor condicional. DE *saberlo antes, habría venido.* ‖ **13.** Precedida de un verbo, sirve para formar perífrasis verbales. *Dejó* DE *estudiar; acaba* DE *llegar.* ‖ **14.** Con ciertos nombres sirve para determinar el tiempo en que sucede una cosa. DE *madrugada;* DE *mañana;* DE *noche;* DE *viejo;* DE *niño.* ‖ **15.** Se emplea también para reforzar un calificativo. *El bueno* DE *Pedro; el pícaro* DEL *mozo; la taimada* DE *la patrona.* ‖ **16.** Algunas veces es nota de ilación. DE *esto se sigue;* DE *aquello se infiere.* ‖ **17.** En ocasiones tiene valor partitivo. *Dame un poco* DE *agua.* ‖ **18.** Precediendo al numeral *uno, una,* denota la rápida ejecución de algunas cosas. DE *un trago se bebió la tisana;* DE *un salto se puso en la calle; acabemos* DE *una vez.* ‖ **19.** Colócase entre distintas partes de la oración con expresiones de lástima, queja o amenaza. *¡Pobre* DE *mi hermano!; ¡ay* DE *los vencidos!* ‖ **20.** Sirve para la creación de locuciones prepositivas a partir de adverbios, nombres, etc. *Antes* DE; *respecto* DE; *alrededor* DE; *a diferencia* DE. ‖ **21.** Puede también combinarse con otras preposiciones. DE *a tres,* DE *a bordo,* DE *por sí, por* DE *pronto, tras* DE *sí.* ‖ **22.** Se usa en ciertas construcciones con el agente de la pasiva. *Acompañado* DE *sus amigos; dejado* DE *la mano de Dios; está abrumado* DE *deudas.* ‖ **23.** Introduce algunas veces el término de la comparación. *He comido más* DE *lo debido; es peor* DE *lo que pensaba; ahora escribe más* DE *veinte artículos al año.* ‖ **24. con.** *Lo hizo* DE *intento.* ‖ **25. para.** *Gorro* DE *dormir; ropa* DE *deporte.* ‖ **26. por.** *Lo hice*

DE *miedo.* ‖ **27.** ant. **a²**. ‖ **de** ti **a** mí, **de** usted **a** mí, etc. locs. advs. fams. Entre los dos, o para entre los dos.

de-. (Del lat. *de-.*) pref. que significa «dirección de arriba abajo»: DE*pender,* DE*caer;* «disociación o separación»: DE*limitar,* DE*finir;* «origen o procedencia»: DE*rivar,* DE*ducir;* «privación o inversión del significado simple»: DE*colorar,* DE*mente,* DE*foliación,* DE*formar.* A veces refuerza el significado de la palabra primitiva: DE*clarar,* DE*nominar,* DE*mostrar.*

dea. (Del lat. *dea.*) f. poét. **diosa.**

deal. (De *dea.*) adj. ant. Perteneciente a los dioses.

deambular. (Del lat. *deambulāre.*) intr. Andar, caminar sin dirección determinada; pasear.

deambulatorio. (Del lat. *deambulatorĭum,* galería.) adj. Perteneciente o relativo a la acción de deambular. ‖ **2.** m. *Arq.* Espacio transitable que hay en las catedrales y otras iglesias detrás de la capilla o del altar mayor y da ingreso a otras capillas situadas en el ábside.

deán. (Del ant. fr. *deien,* hoy *doyen.*) m. El que hace de cabeza del cabildo después del prelado, y lo preside en las iglesias catedrales. ‖ **2.** En la antigua universidad de Alcalá, graduado más antiguo de cada facultad. ‖ **3.** ant. Jefe de un grupo de diez.

deanato. m. Dignidad de deán. ‖ **2.** Territorio eclesiástico perteneciente al deán.

deanazgo. m. **deanato.**

debacle. (Del fr. *débacle.*) f. **desastre.** Ú. t. en sent. fig.

debajero. m. *Ecuad.* **refajo.**

debajo. (De *de-* y *bajo.*) adv. l. En lugar o puesto inferior, respecto de otro superior. ‖ **debajo de.** loc. prepos. En lugar inferior a. ‖ **2.** fig. **bajo,** indica sometimiento a personas o cosas. DEBAJO *de tutela.*

debandar. (De *de-* y *bando²*.) tr. ant. Desunir, esparcir, separar.

debate. (De *debatir.*) m. Controversia sobre una cosa entre dos o más personas. ‖ **2.** Contienda, lucha, combate.

debatir. (Del lat. *debattuĕre.*) tr. Altercar, contender, discutir, disputar sobre una cosa. ‖ **2.** Combatir, guerrear.

debatirse. (Del fr. *se débattre.*) prnl. Luchar resistiéndose, esforzarse, agitarse.

debda. (Del lat. *debĭta,* pl. de *debĭtum,* débito.) f. ant. **deuda.**

debdo. (Del lat. *debĭtum,* débito.) m. ant. **debda.**

debe. (De *deber²*.) m. *Com.* Una de las dos partes en que se dividen las cuentas corrientes. En las columnas que están bajo este epígrafe se comprenden todas las cantidades que se cargan al individuo o a la entidad a quien se abre la cuenta.

debelación. (Del lat. *debellatĭo, -ōnis.*) f. Acción y efecto de debelar.

debelador, ra. (Del lat. *debellātor, -ōris.*) adj. Que debela. Ú. t. c. s.

debelar. (Del lat. *debellāre.*) tr. Rendir a fuerza de armas al enemigo.

deber¹. (infinit. del verbo *deber.*) m. Aquello a que está obligado el hombre por los preceptos religiosos o por las leyes naturales o positivas. *El* DEBER *del cristiano, del hombre, del ciudadano.* ‖ **2. deuda,** obligación de pagar. ‖ **3.** Ejercicio que, como complemento de lo aprendido en clase, se encarga, para hacerlo fuera de ella, al alumno de los primeros grados de enseñanza. Ú. m. en pl. ‖ **hacer** alguien su **deber.** fr. Cumplir con su obligación en lo moral o en lo laboral.

deber². (Del lat. *dēbēre.*) tr. Estar obligado a algo por la ley divina, natural o positiva. Ú. t. c. prnl. DEBERSE *a la patria.* ‖ **2.** Tener obligación de corresponder a alguien en lo moral. ‖ **3.** Por ext., cumplir obligaciones nacidas de respeto, gratitud u otros motivos. ‖ **4.** Adeudar, tener deuda material con alguien. *Pedro* DEBE *mil pesetas a Juan.* ‖ **5.** Tener por causa, ser consecuencia de. Ú. t. c. prnl. *La escasez de los pastos* SE DEBE *a la sequía.* ‖ **6.** intr. Se usa con la partícula *de* para denotar que quizá ha sucedido, sucede o sucederá una cosa. DEBE DE *hacer frío;* DEBIERON DE *salir a pelear.* ‖ **no deber nada** una cosa a otra. fr. fig. y fam. No ser la una inferior a la otra.

debidamente. adv. m. Justamente, cumplidamente.

debido, da. p. p. de **deber.** ‖ **como es debido.** fr. Como corresponde o es lícito. ‖ **debido a.** loc. prepos. A causa de, en virtud de.

debidor. (Del lat. *debĭtor, -ōris.*) m. ant. **deudor,** que está obligado a satisfacer una deuda.

débil. (Del lat. *debĭlis.*) adj. De poco vigor o de poca fuerza o resistencia. Ú. t. c. s. ‖ **2.** fig. Que por flojedad de ánimo cede fácilmente ante la insistencia o el afecto. Ú. t. c. s. ‖ **3.** fig. Escaso o deficiente, en lo físico o en lo moral.

debilidad. (Del lat. *debilĭtas, -ātis.*) f. Falta de vigor o fuerza física. ‖ **2.** fig. Carencia de energía o vigor en las cualidades o resoluciones del ánimo. ‖ **3. afecto²**, cariño. *Sentía por él una gran* DEBILIDAD.

debilitación. (Del lat. *debilitatĭo, -ōnis.*) f. Acción y efecto de debilitar o debilitarse. ‖ **2. debilidad.**

debilitamiento. m. Acción y efecto de debilitar o debilitarse.

debilitante. p. a. de **debilitar.** Que debilita. Ú. t. c. s.

debilitar. (Del lat. *debilitāre.*) tr. Disminuir la fuerza, el vigor o el poder de una persona o cosa. Ú. t. c. prnl.

débito. (Del lat. *debĭtum,* p. p. de *debēre,* deber.) m. **deuda.** ‖ **2. débito conyugal.** ‖ **conyugal.** En el matrimonio canónico, obligación que tienen los cónyuges de unirse sexualmente en virtud del amor mutuo para engendrar los hijos que han de educar.

debla. f. Cante popular andaluz, en desuso, de carácter melancólico y con copla de cuatro versos.

deble. (Del lat. *debĭlis,* débil.) adj. ant. **endeble.**

debó. m. Instrumento que usan los pellejeros para adobar las pieles.

debocar. intr. vulg. *Arg.* Vomitar. Ú. t. c. tr.

debrocar. (Del lat. **devolvicāre,* de *devolvĕre,* volver.) intr. ant. **enfermar.** ‖ **2.** tr. *León* y *Sal.* Inclinar o ladear una vasija u otra cosa.

debruzar. intr. Inclinar, caer de bruces. Ú. t. c. prnl.

debut. (Del fr. *début.*) m. Presentación o primera actuación en público de una compañía teatral o de un artista. ‖ **2.** Por ext., primera actuación de alguien en una actividad cualquiera.

debutante¹. adj. Que debuta. Ú. t. c. s.

debutante². (Del ing. *debutante.*) f. Muchacha que hace su presentación en sociedad, generalmente en la misma ocasión que otras.

debutar. (Del fr. *débuter.*) intr. Presentarse por primera vez ante el público, una compañía teatral o un artista. ‖ **2.** Presentarse por primera vez ante el público una persona en cualquier otra actividad.

deca-. (Del gr. δέκα, diez.) elem. compos. que significa «diez»: DECA*edro,* DECA*gramo,* DECA*litro,* DECÁ*logo.*

década. (Del gr. δεκάς, a través del lat. *decăda.*) f. Serie de diez. ‖ **2.** Conjunto de diez hombres en el ejército griego. ‖ **3.** Período de diez días. *La primera* DÉCADA *de febrero.* ‖ **4.** Período de diez años referido a las decenas del siglo. *La segunda* DÉCADA *de este siglo.* ‖ **5.** División compuesta de diez libros o diez capítulos en una obra histórica. *Las* DÉCADAS *de Tito Livio; las de Juan de Barros.* ‖ **6.** Historia de diez personajes. *La* DÉCADA *de Césares,* de don Antonio de Guevara.

decadencia. (De *decadente.*) f. Declinación, menoscabo, principio de debilidad o de ruina. ‖ **2.** Dicho de la Historia o a las Artes, período en el que esto sucede.

decadente. (Del lat. *decādens, -entis.*) p. a. de **decaer.** Que decae. ‖ **2.** adj. **decaído.** ‖ **3.** Se dice del seguidor del decadentismo. Ú. t. c. s.

decadentismo. m. Estilo literario de un grupo de escritores ingleses y franceses de finales del XIX cuyo inconformismo con la sociedad les llevaba hacia temas artificiales y a un refinamiento exagerado en el empleo de las palabras.

decadentista. adj. **decadente,** seguidor del decadentismo. Ú. t. c. s.

decaedro. (De *deca-* y el gr. ἕδρα, cara.) m. *Geom.* Sólido que tiene diez caras.

decaer. (Del lat. **decadĕre,* por *decidĕre,* caer.) intr. Ir a menos; perder alguna persona o cosa alguna parte de las condiciones o propiedades que constituían su fuerza, bondad, importancia o valor. ‖ **2.** *Mar.* Separarse la embarcación del rumbo que pretende seguir, arrastrada por la marejada, el viento o la corriente.

decagonal. adj. De figura de decágono o semejante a él.

decágono, na. (Del gr. δεκάγωνος, a través del lat. *decagōnus.*) adj. *Geom.* Aplícase al polígono de diez lados. Ú. m. c. s. m.

decagramo. (De *deca-* y *gramo.*) m. Peso de diez gramos.

decaíble. (De *decaer.*) adj. ant. Perecedero, caduco.

decaído, da. p. p. de **decaer.** ‖ **2.** adj. Que se halla en decadencia. ‖ **3.** Abatido, débil.

decaimiento. (De *decaer.*) m. **decadencia,** menoscabo. ‖ **2.** Abatimiento, desaliento.

decalcificación. (De *de-* y *calcificar.*) f. *Med.* **descalcificación.**

decalcificar. (De *de-* y *calcificar.*) tr. *Med.* **descalcificar.** Ú. t. c. prnl.

decalitro. (De *deca-* y *litro.*) m. Medida de capacidad que tiene diez litros.

decálogo. (Del lat. *decalŏgus,* y este del gr. δεκάλογος.) m. Los diez mandamientos de la ley de Dios. ‖ **2.** Conjunto de normas o consejos que, aunque no sean diez, son básicos para el desarrollo de cualquier actividad.

decalvación. (Del lat. *decalvatĭo, -ōnis.*) f. Acción y efecto de decalvar.

decalvar. (Del lat. *decalvāre.*) tr. Rasurar a una persona todo el cabello, a modo de castigo.

decámetro. (De *deca-* y *metro.*) m. Medida de longitud que tiene diez metros.

decampar. (De *de-* y *campo.*) intr. Levantar el campo un ejército.

decanato. m. Dignidad de decano. ‖ **2. deanato.** ‖ **3.** Despacho o habitación destinada oficialmente al decano para el desempeño de su cargo. ‖ **4.** Período de tiempo en el que ejerce la dignidad el decano.

decania. (Del lat. *decanĭa.*) f. Finca o iglesia rural propiedad de un monasterio.

decano, na. (Del lat. *decānus.*) m. y f. Miembro más antiguo de una comunidad, cuerpo, junta, etc. Ú. t. c. adj. ‖ **2.** Persona que con título de tal es nombrada para presidir una corporación o una facultad universitaria, aunque no sea el miembro más antiguo.

decantación. (Del lat. *decantatĭo, -ōnis.*) f. Acción y efecto de decantar².

decantar¹. (Del lat. *decantāre.*) tr. Propalar, ponderar, engrandecer.

decantar². (De *de-* y *canto,* ángulo, esquina.) tr. Inclinar suavemente una vasija sobre otra para que caiga el líquido contenido en la primera, sin que salga el poso. ‖ **2.** intr. ant. Desviarse, apartarse de la línea por donde se va. ‖ **3.** prnl. fig. Inclinarse, tomar partido, decidirse.

decapado, da. p. p. de **decapar.** ‖ **2.** m. *Metal.* Acción y efecto de decapar.

decapar. (De *de-* y *capa.*) tr. *Metal.* Quitar por métodos físico-químicos la capa de óxido, pintura, etc., que cubre cualquier objeto metálico.

decapitación. (Del lat. *decapitatĭo, -ōnis.*) f. Acción y efecto de decapitar.

decapitar. (Del lat. *decapitāre.*) tr. Cortar la cabeza.

decápodo. (De *deca-* y πούς, ποδός, pie.) adj. *Zool.* Dícese de los crustáceos que, como el cangrejo de río y la langosta, tienen diez patas. Ú. t. c. s. ‖ **2.** m. pl. *Zool.* Orden de estos animales. ‖ **3.** adj. *Zool.* Dícese de los cefalópodos dibranquiales que, como el calamar, tienen diez tentáculos provistos de ventosas, dos de los cuales son más largos que los demás. Ú. t. c. s. ‖ **4.** m. pl. *Zool.* Orden de estos animales.

decárea. (De *deca-* y *área.*) f. Medida de superficie que tiene diez áreas.

decasílabo, ba. (Del lat. *decasyllăbus,* y este del gr. δεκασύλλαβος.) adj. De diez sílabas. *Verso* DECASÍLABO. Ú. t. c. s.

decatlón. m. *Dep.* Conjunto de diez pruebas en atletismo, practicadas por el mismo atleta.

decebimiento. m. ant. Acción y efecto de decebir.

decebir. (Del lat. *decipĕre.*) tr. ant. **engañar.**

deceleración. (Del fr. *décélération.*) f. **desaceleración.**

decembrio. m. ant. **diciembre.**

decemnovenal. (Del lat. *decemnovennālis.*) adj. *Cronol.* V. **ciclo decemnovenal.**

decemnovenario. adj. **decemnovenal.**

decena. (Del lat. *decēna,* neutro de *decēni,* de diez en diez.) f. Conjunto de diez unidades. ‖ **2.** *Mús.* Octava de la tercera.

decenal. (Del lat. *decennālis.*) adj. Que sucede o se repite cada decenio. ‖ **2.** Que dura un decenio.

decenar. (De *decena.*) m. Cuadrilla de diez.

decenario, ria. (De *decena.*) adj. Perteneciente o relativo al número diez. ‖ **2.** m. **decenio.** ‖ **3.** Sarta de diez cuentas pequeñas y una más gruesa, con una cruz por remate o sortija que sirve para cogerla en el dedo y llevar la cuenta de lo que se reza. ‖ **4.** ant. *Mil.* **decenar.**

decencia. (Del lat. *decentĭa.*) f. Aseo, compostura y adorno correspondiente a cada persona o cosa. ‖ **2.** Recato, honestidad, modestia. ‖ **3.** fig. Dignidad en los actos y en las palabras, conforme al estado o calidad de las personas.

decendencia. f. ant. **descendencia.**

decender. (Del lat. *descendĕre.*) intr. ant. **descender.**

decendida. (De *decender.*) f. ant. Descenso o caída. ‖ **2.** ant. **bajada.**

decendimiento. m. ant. **descendimiento.**

decenio. (Del lat. *decennĭum.*) m. Período de diez años.

deceno, na. (Del lat. *decēnus.*) adj. p. us. **décimo,** que sigue en orden al noveno.

decenso. (Del lat. *descensus.*) m. ant. Catarro o reúma.

decentar. (De or. inc., probablemente variante de *encentar.*) tr. **encentar,** dañar, llagar, menoscabar, herir, disminuir. Ú. t. c. prnl. ‖ **2. encetar,** empezar. ‖ **3.** Empezar a corromper o a gastar algo. Ú. t. c. prnl. ‖ **4.** Violar, desflorar.

decente. (Del lat. *decens, -entis.*) adj. Honesto, justo, debido. ‖ **2.** Correspondiente, conforme al estado o calidad de la persona. ‖ **3.** Adornado, aunque sin lujo, con limpieza y aseo. *Tiene una casa* DECENTE. ‖ **4.** Digno, que obra dignamente. ‖ **5.** Bien portado. ‖ **6.** De buena calidad o en cantidad suficiente.

decentemente. adv. m. Con honestidad, modestia y moderación. ‖ **2.** Con la compostura y dignidad correspondientes a la calidad o estado de la persona o cosa. ‖ **3.** irón. Con algún exceso. *Cristóbal come,* o *gasta,* DECENTEMENTE.

decenvir. m. **decenviro.**

decenviral. (Del lat. *decemvirālis.*) adj. Perteneciente o relativo a los decenviros.

decenvirato. (Del lat. *decemvirātus.*) m. Empleo y dignidad de decenviro. ‖ **2.** Tiempo que duraba este empleo.
decenviro. (Del lat. *decemvir, -ĭri.*) m. Cualquiera de los diez magistrados superiores a quienes los antiguos romanos dieron el encargo de componer las leyes de las Doce Tablas, y que también gobernaron durante algún tiempo la república en lugar de los cónsules. ‖ **2.** Cualquiera de los magistrados menores que entre los antiguos romanos servían de consejeros a los pretores.
decepar. tr. ant. **descepar**[1].
decepción. (Del lat. *deceptĭo, -ōnis.*) f. Pesar causado por un desengaño. ‖ **2. engaño,** falta de verdad en lo que se hace, dice o piensa.
decepcionar. tr. Desengañar, desilusionar.
deceptorio, ria. (Del lat. *deceptorĭus.*) adj. ant. **engañoso.**
decercar. tr. ant. **descercar.**
decernir. (Del lat. *decernĕre.*) tr. ant. **discernir.**
decerrumbar. tr. ant. **derrumbar.**
decesión. (Del lat. *decessĭo, -ōnis.*) f. ant. Precedencia en tiempo.
deceso. (Del lat. *decessus.*) m. Muerte natural o civil.
decesor, ra. (Del lat. *decessor, -ōris.*) m. y f. ant. **predecesor.**
deci-. (abrev. de *décimo.*) elem. compos. que significa «décima parte»: DECI*metro,* DECI*gramo,* DECI*litro.*
deciárea. f. Medida de superficie que tiene la décima parte de una área.
decibel. m. *Fís.* **decibelio** en la nomenclatura internacional.
decibelímetro. m. Aparato de medida graduado en decibelios.
decibelio. (De *deci-* y *belio.*) m. *Fís.* Unidad empleada para expresar la relación entre dos potencias eléctricas o acústicas; es diez veces el logaritmo decimal de su relación numérica.
decible. (Del lat. *dicibĭlis.*) adj. Que se puede decir o explicar.
decidero, ra. adj. Que se puede decir sin reparo ni inconveniente.
decididamente. adv. m. Con decisión, resueltamente. ‖ **2.** Definitivamente, en efecto.
decidido, da. p. p. de **decidir.** ‖ **2.** adj. Resuelto, audaz, que actúa con decisión. Ú. t. c. s.
decidir. (Del lat. *decidĕre,* cortar, resolver.) tr. Cortar la dificultad, formar juicio definitivo sobre algo dudoso o contestable. DECIDIR *una cuestión.* ‖ **2. resolver,** tomar determinación de algo. Ú. t. c. prnl. ‖ **3.** Mover a uno la voluntad, a fin de que tome cierta determinación.
decidor, ra. (De *decir*[2].) adj. Que dice. ‖ **2.** Que habla con facilidad y gracia. Ú. t. c. s. ‖ **3.** m. ant. Trovador, poeta.
deciembre. (Del lat. *december, -bris.*) m. ant. **diciembre.**
deciente. (Del lat. *decĭdens, -entis,* p. a. de *decidĕre,* caer.) adj. ant. Que cae o muere. Usáb. t. c. s.
decigramo. (De *deci-* y *gramo.*) m. Peso que es la décima parte de un gramo.
decilitro. (De *deci-* y *litro.*) m. Medida de capacidad que tiene la décima parte de un litro.
décima. (Del lat. *decĭma.*) f. Cada una de las diez partes iguales en que se divide un todo. ‖ **2. diezmo.** ‖ **3.** Combinación métrica de diez versos octosílabos, de los cuales, por regla general, rima el primero con el cuarto y el quinto; el segundo, con el tercero; el sexto, con el séptimo y el último, y el octavo, con el noveno. Admite punto final o dos puntos después del cuarto verso, y no los admite después del quinto. ‖ **4.** Moneda de cobre que equivalía a la décima parte de un real de vellón. ‖ **5.** Aludiendo a fiebres, décima parte de un grado del termómetro clínico.
decimacuarta. adj. **decimocuarta.**
decimal. (De *décimo.*) adj. Aplícase a cada una de las diez partes iguales en que se divide una cantidad. ‖ **2.** Perteneciente al diezmo. ‖ **3.** Dícese del sistema métrico de pesas y medidas, cuyas unidades son múltiplos o divisores de diez respecto a la principal de cada clase. ‖ **4.** *Arit.* Aplícase al sistema de numeración cuya base es diez. ‖ **5.** *Arit.* V. **fracción, numeración, quebrado decimal.**
decimanona. adj. p. us. **decimonona.**
decimanovena. (De *décimo* y *noveno.*) f. Uno de los registros de trompetería del órgano.
decimaoctava. adj. p. us. **decimoctava.**
decimaquinta. adj. p. us. **decimoquinta.**
decimar. (Del lat. *decimāre.*) tr. ant. **diezmar.**
decimaséptima. adj. p. us. **decimoséptima.**
decimasexta. adj. p. us. **decimosexta.**
decimatercera. adj. p. us. **decimotercera.**
decimatercia. adj. p. us. **decimotercia.**
decímetro. (De *deci-* y *metro.*) m. Medida de longitud que tiene la décima parte de un metro. ‖ **cuadrado.** Medida de superficie de un **decímetro** de lado. ‖ **cúbico.** Medida de volumen representada por un cubo cuya arista es de un **decímetro.**
décimo, ma. (Del lat. *decĭmus.*) adj. Que sigue inmediatamente en orden al o a lo noveno. ‖ **2.** Dícese de cada una de las diez partes iguales en que se divide un todo. Ú. t. c. s. m. ‖ **3.** m. **décima** parte del billete de lotería. ‖ **4.** Moneda de plata de Colombia y el Ecuador. ‖ **5.** ant. **diezmo.**
decimoctavo, va. (De *décimo* y *octavo.*) adj. Que sigue inmediatamente en orden al o a lo decimoséptimo.
decimocuarto, ta. (De *décimo* y *cuarto.*) adj. Que sigue inmediatamente en orden al o a lo decimotercio.
decimonónico, ca. (De *decimonono.*) adj. Perteneciente o relativo al siglo XIX. ‖ **2.** despect. Anticuado, pasado de moda.
decimonono, na. (De *décimo* y *nono.*) adj. **decimonoveno.**
decimonoveno, na. (De *décimo* y *noveno.*) adj. Que sigue inmediatamente en orden al o a lo decimoctavo.
decimoquinto, ta. (De *décimo* y *quinto.*) adj. Que sigue inmediatamente en orden al o a lo decimocuarto.
decimoséptimo, ma. (De *décimo* y *séptimo.*) adj. Que sigue inmediatamente en orden al o a lo decimosexto.
decimosexto, ta. (De *décimo* y *sexto.*) adj. Que sigue inmediatamente en orden al o a lo decimoquinto.
decimotercero, ra. (De *décimo* y *tercero.*) adj. **decimotercio.**
decimotercio, cia. (De *décimo* y *tercio.*) adj. Que sigue inmediatamente en orden al o a lo duodécimo.
deciocheno, na. adj. **dieciocheno.** Ú. t. c. s.
decir[1]**.** (De *decir*[2].) m. **dicho,** palabra. ‖ **2.** Dicho notable por la sentencia, por la oportunidad o por otro motivo. Ú. m. en pl. ‖ **3.** ant. Composición poética no destinada al canto. ‖ **de las gentes. dicho de las gentes.** ‖ **es un decir,** o **vamos al decir,** o **voy al decir.** exprs. fams. **como si dijéramos.**
decir[2]**.** (Del lat. *dicĕre.*) tr. Manifestar con palabras el pensamiento. Ú. t. c. prnl. ‖ **2.** Asegurar, sostener, opinar. ‖ **3.** Nombrar o llamar. ‖ **4.** fig. Denotar una cosa o dar muestras de ello. *El semblante de Juan* DICE *su mal genio; su vestido* DICE *su pobreza.* ‖ **5.** fig. Tratándose de libros, escritos, etc., contener ciertos temas, ideas, etc. *La Escritura* DICE...; *la Historia de Mariana* DICE... ‖ **6.** fig. Con los advs. *bien, mal* u otros semejantes, ser o no favorable la suerte. Ú. tratándose del juego, del año, de la cosecha y de otras cosas. ‖ **7.** fig. Con los advs. *bien* o *mal,* convenir, armonizar una cosa con otra, o al contrario. *El verde* DICE MAL *a una morena; este traje me* DICE BIEN. ‖ **8.** ant. Pedir, rogar. ‖ **9.** ant. Trovar, versificar. ‖ **10.** *Mont.* Latir el perro. ‖ **como dijo el otro.** fr. fig. y fam. con que se apoya, con autoridad del vulgo, una cosa que se da como evidente. ‖ **como quien,** o **como aquel que, dice.** expr.

fam. **como si dijéramos.** ‖ **como quien no dice nada.** expr. con que se denota que es cosa de consideración lo que se **ha dicho** o va a **decirse.** ‖ **2.** También indica no ser cosa fácil o baladí aquello de que se trata, sino muy difícil o importante. ‖ **como si dijéramos.** expr. fam. que se usa para explicar, y también para suavizar, lo que se ha afirmado. ‖ **¡cualquiera lo diría!** fr. con que alguien expresa extrañeza o protesta ante algo que aparenta ser lo contrario. ‖ **decir bien.** fr. Hablar con verdad, o explicarse con gracia y facilidad. ‖ **decir** a alguien **cuántas son cinco.** fr. fig. y fam. Amenazarle con alguna reprensión o castigo. ‖ **2.** fig. y fam. Tratarle mal. ‖ **3.** fig. y fam. **decirle** su sentir o algunas claridades. ‖ **decir de repente.** fr. Improvisar una cosa. ‖ **decir de sí.** fr. Afirmar una cosa. ‖ **decir de una hasta ciento.** fr. fig. y fam. **decir** muchas claridades o desvergüenzas. ‖ **decir** las cosas **dos por tres.** fr. fam. **decir**las encareciendo su verdad y exactitud ‖ **decir entre sí.** fr. **decir para sí.** ‖ **decir** alguien **para sí.** fr. Razonar consigo mismo. ‖ **decir por decir.** fr. Hablar sin fundamento. ‖ **decirse.** loc. fam. que se usa en varios juegos de naipes, y significa que los jugadores descubren el punto que tienen. ‖ **decírselo** a alguien **deletreado.** fr. fig. y fam. con que se explica la necesidad de **decir** con la mayor claridad una cosa al que se desentiende de ella. ‖ **decir y hacer.** fr. fig. Ejecutar una cosa con mucha ligereza y prontitud. ‖ **diga** o **dígame.** Fórmula que se emplea cuando se responde al teléfono. ‖ **digamos.** fam. **por decirlo así.** ‖ **¡digo!** exclam. de sorpresa, asombro, etc. ‖ **2.** interj. **¡ya lo creo!** ‖ **¿digo algo?** expr. fam. con que se llama la atención de los oyentes y se pondera la importancia de lo que se habla. ‖ **¡digo, digo!** Voces que se usan para llamar la atención de una persona o parar al que va a hacer una cosa. ‖ **di que.** expr. coloq. que se emplea a principio de frase para apoyar o encarecer lo que se va a decir. DI QUE *yo estaba cansado, por eso no discutí.* ‖ **el qué dirán.** expr. La opinión pública reflejada en murmuraciones que cohíben los actos. ‖ **ello dirá.** expr. fam. que se emplea para dar a entender que más adelante se conocerá el resultado de una cosa o lo que haya de cierto en ella. ‖ **es decir.** expr. **esto es.** ‖ **he dicho.** Fórmula con que a veces indica quien habla que ha concluido su intervención. ‖ **¿lo he de decir cantado o rezado?** expr. fam. con que se suele reprender al que no se da por enterado de lo que se le **dice.** ‖ **ni que decir tiene.** loc. con que se da a entender que algo es evidente o sabido de todos. ‖ **no decir** alguien **malo ni bueno.** fr. No contestar. ‖ **2.** No **decir** su sentir; no **decir** nada sobre un asunto. ‖ **3.** Guardar culpable silencio y actitud tolerante. ‖ **no decir nada** una cosa a una persona. fr. fig. y fam. No despertar su interés, no importarle. ‖ **no digamos.** expr. fam. con que se da a entender que no es completamente exacto o seguro lo que se afirma, pero le falta poco para serlo. ‖ **2. ni que decir tiene.** ‖ **no digo nada.** fr. enfática con que voluntariamente se omite lo que se pudiera **decir** y no se **dice** al darse por sabido. ‖ **¡no me digas** o **no me diga usted!** expr. que denota sorpresa o contrariedad. ‖ **por decirlo así.** fr. con que el hablante presenta la palabra o palabras que da como expresión aproximada de lo que pretende significar. ‖ **por mejor decir.** expr. que sirve para corregir lo que se **ha dicho,** ampliando, restringiendo o aclarando la enunciación. ‖ **que digamos.** expr. con que se afirma y pondera aquello mismo que se **dice** con negación en el primer elemento de las frases de que forma parte. *No es ambicioso,* QUE DIGAMOS; *no llueve,* QUE DIGAMOS. ‖ **¡qué me dices!** fr. **¡no me digas** o **no me diga usted!** ‖ **¡quién lo diría!** fr. que indica incredulidad. ‖ **¡tú, que tal dijiste!** expr. fam. con que se significa la pronta conmoción que ocasiona una cosa **dicha** por otro. ‖ **y que lo digas.** fr. de asentimiento.

deciseceno, na. adj. ant. **dieciseiseno.**

decisión. (Del lat. *decisĭo, -ōnis.*) f. Determinación, resolución que se toma o se da en una cosa dudosa. ‖ **2.** Firmeza de carácter. ‖ **de Rota.** Sentencia que da en Roma el tribunal de la Sacra Rota.

decisivo, va. (Del lat. *decīsus,* decidido.) adj. Dícese de lo que decide o resuelve. *Razón* DECISIVA; *decreto* DECISIVO. ‖ **2.** V. **voto decisivo.**

decisorio, ria. (Del lat. *decīsus.*) adj. Dícese de lo que tiene virtud para decidir. ‖ **2.** *Der.* V. **juramento decisorio.**

decitex. m. Submúltiplo del tex, equivalente a una masa diez veces menor que la de este. Es el más aplicable a la numeración de fibras e hilos de filamento continuo, como la seda, el rayón y sintéticos. Ú. en pl. sin variación de forma.

declamación. (Del lat. *declamatĭo, -ōnis.*) f. Acción de declamar. ‖ **2.** Oración escrita o dicha con el fin de ejercitarse en las reglas de la retórica, y casi siempre sobre asunto fingido o supuesto. ‖ **3.** Por ext., oración o discurso. ‖ **4.** Discurso pronunciado con demasiado calor y vehemencia, y particularmente invectiva áspera contra personas o cosas. ‖ **5.** Arte de representar en el teatro.

declamador, ra. (Del lat. *declamātor, -ōris.*) adj. Que declama. Ú. t. c. s.

declamar. (Del lat. *declamāre.*) intr. Hablar en público. ‖ **2.** Hablar con el fin de ejercitarse en las reglas de la retórica, casi siempre sobre asunto fingido o supuesto. ‖ **3.** Hablar con demasiado calor y vehemencia, y particularmente hacer alguna invectiva con aspereza. ‖ **4.** Recitar la prosa o el verso con la entonación, los ademanes y el gesto convenientes. Ú. t. c. tr.

declamatorio, ria. (Del lat. *declamatorĭus.*) adj. Aplícase al estilo o tono empleado para suplir con lo enfático y exagerado de la expresión la falta de afectos o ideas capaces de acalorar verdaderamente el ánimo.

declarable. adj. Que puede ser declarado.

declaración. (Del lat. *declaratĭo, -ōnis.*) f. Acción y efecto de declarar o declararse. ‖ **2.** Manifestación o explicación de lo que otro u otros dudan o ignoran. ‖ **3.** Manifestación del ánimo o de la intención. ‖ **4.** *Der.* Deposición que bajo juramento hace el testigo o perito en causas criminales o en pleitos civiles, y la que hace el reo sin llenar aquel requisito.

declaradamente. adv. m. Manifiestamente, con claridad.

declarado, da. p. p. de **declarar.** ‖ **2.** adj. ant. Aplicábase a la persona que hablaba con demasiada claridad. ‖ **3.** Manifiesto, ostensible. *Son enemigos* DECLARADOS.

declarador, ra. (Del lat. *declarātor, -ōris.*) adj. Que declara o expone. Ú. t. c. s.

declaramiento. (De *declarar.*) m. ant. Acción y efecto de declarar o declararse.

declarante. p. a. de **declarar.** Que declara. ‖ **2.** com. *Der.* Persona que declara ante el juez.

declarar. (Del lat. *declarāre.*) tr. Manifestar o explicar lo que está oculto o no se entiende bien. ‖ **2.** *Der.* Determinar, decidir los juzgadores. ‖ **3.** Manifestar en las aduanas la cantidad y la naturaleza de las mercancías y objetos sujetos a impuestos. ‖ **4.** Hacer conocer a la administración pública la naturaleza y circunstancias del hecho imponible. ‖ **5.** intr. *Der.* Manifestar los testigos ante el juez, con juramento o promesa de decir verdad, o el reo sin tal requisito, lo que saben acerca de los hechos sobre los que versa la contienda en causas criminales o pleitos civiles. ‖ **6.** prnl. Manifestar el ánimo, la intención o el afecto. ‖ **7.** Manifestarse una cosa o empezar a advertirse su acción. *Se* DECLARÓ *una epidemia; un incendio,* etc. ‖ **8.** Manifestar el enamorado su amor a la persona amada pidiéndole relaciones. ‖ **9.** Reconocer alguien su estado o calidad. ‖ **10.** *Mar.* Dicho del viento, fijarse en dirección, carácter e intensidad. SE DECLARÓ *un levante; por la noche* SE DECLA-

RAN *ventolinas.* ‖ **declararse** uno **a otro.** fr. Confiar en él; descubrirle una cosa oculta y reservada.

declarativo, va. (Del lat. *declaratīvus.*) adj. Dícese de lo que declara o explica de una manera perceptible una cosa que de suyo no es o no está clara. ‖ **2.** V. **juicio declarativo.**

declaratorio, ria. adj. Dícese de lo que declara o explica lo que no se sabía o estaba dudoso. ‖ **2.** *Der.* Se dice del pronunciamiento que define una calidad o un derecho sin contener mandamiento ejecutivo.

declaro. (De *declarar.*) m. ant. Acción y efecto de declarar o declararse.

declinable. (Del lat. *declinabĭlis.*) adj. *Gram.* En las lenguas con flexión casual, dícese de la palabra o parte de la oración que puede experimentar variaciones para expresar el caso.

declinación. (Del lat. *declinatĭo, -ōnis.*) f. Caída, descenso o declive. ‖ **2.** fig. Decadencia o menoscabo. ‖ **3.** *Astron.* Distancia de un astro al Ecuador; equivale en la esfera celeste a lo que en nuestro globo se llama latitud. ‖ **4.** *Gram.* Acción y efecto de declinar. ‖ **5.** *Gram.* En las lenguas con flexión casual, serie ordenada de todas las formas que presenta una palabra para desempeñar las funciones correspondientes a cada caso. ‖ **6.** *Gram.* Paradigma de flexión casual que presenta una palabra, y que sirve como modelo para declinar otras palabras. ‖ **7.** *Gnom.* y *Topogr.* Ángulo que forma un plano vertical, o una alineación, con el meridiano del lugar que se considere. ‖ **de la aguja,** o **magnética.** Ángulo variable que forma la dirección de la brújula con la línea meridiana de cada lugar. ‖ **no saber las declinaciones.** fr. fig. y fam. Ser sumamente ignorante.

declinante. p. a. de **declinar.** Que declina. ‖ **2.** adj. *Gnom.* Aplícase al plano o pared que tiene declinación.

declinar. (Del lat. *declināre.*) intr. Inclinarse hacia abajo o hacia un lado u otro. ‖ **2.** ant. **reclinar.** ‖ **3.** fig. Decaer, menguar, ir perdiendo en salud, inteligencia, riqueza, lozanía, etc. ‖ **4.** fig. Caminar o aproximarse una cosa a su fin y término. DECLINAR *el Sol, el día.* ‖ **5.** fig. Ir cambiando de naturaleza o de costumbres hasta tocar en extremo contrario. DECLINAR *de la virtud en el vicio; del rigor en la debilidad.* ‖ **6.** tr. Rechazar cortésmente una invitación. ‖ **7.** *Gram.* En las lenguas con flexión casual, enunciar las formas que presenta una palabra para desempeñar las funciones correspondientes a cada caso.

declinatoria. (De *declinar.*) f. *Der.* Petición a un juez para que decline su fuero y se inhiba en favor del juez competente.

declinatorio. (De *declinar.*) m. Instrumento para medir la declinación de un plano por medio de la brújula.

declinómetro. (Del lat. *declināre,* descender, y *-metro.*) m. *Mar.* Instrumento para medir la declinación magnética.

declive. (Del lat. *declīvis.*) m. Pendiente, cuesta o inclinación del terreno o de la superficie de otra cosa. ‖ **2.** fig. **decadencia.**

declividad. (Del lat. *declivĭtas, -ātis.*) f. **declive,** pendiente.

declivio. (Del lat. *declivĭus,* más pendiente.) m. p. us. **declive,** pendiente.

decocción. (Del lat. *decoctĭo, -ōnis.*) f. Acción y efecto de cocer en agua sustancias vegetales o animales. ‖ **2.** Producto líquido que se obtiene por medio de esta **decocción.** ‖ **3.** *Med.* p. us. Amputación de un miembro o de cierta parte del cuerpo.

decodificación. f. **descodificación.**

decodificador, ra. adj. *Inform.* **descodificador.**

decodificar. tr. **descodificar.**

decolación. (Del lat. *decollatĭo, -ōnis.*) f. ant. **degollación.**

decolgar. intr. ant. **colgar.**

decoloración. (Del lat. *decoloratĭo, -ōnis.*) f. Acción y efecto de decolorar o decolorarse.

decolorante. p. a. de **decolorar.** Que decolora. Ú. t. c. s.

decolorar. (Del lat. *decolorāre.*) tr. **descolorar.** Ú. t. c. prnl.

decomisar. tr. Declarar que una cosa ha caído en decomiso. ‖ **2.** Incautarse de esta cosa como pena.

decomiso. m. *Der.* Pena de perdimiento de la cosa, en que incurre el que comercia en géneros prohibidos. ‖ **2.** *Der.* Pérdida del que contraviene a algún contrato en que se estipuló esta pena. ‖ **3.** *Der.* Cosa decomisada o caída en **decomiso** convencional. ‖ **4.** *Der.* Pena accesoria de privación o pérdida de los instrumentos o efectos del delito. ‖ **5.** *Der.* En la enfiteusis, derecho del dueño directo para recobrar la finca por falta reiterada de pago de la pensión u otros abusos graves del enfiteuta.

decor. (Del lat. *decor, -ōris.*) m. ant. Adorno, decencia.

decoración[1]**.** (Del lat. *decoratĭo, -ōnis.*) f. Acción y efecto de decorar[1]. ‖ **2.** Cosa que decora. ‖ **3.** Conjunto de elementos que adornan una habitación, un ambiente, etc. ‖ **4.** Arte que estudia la combinación de los elementos ornamentales. ‖ **5.** Conjunto de telones, bambalinas y trastos con que se figura un lugar o sitio cualquiera en la representación de un espectáculo teatral.

decoración[2]**.** f. Acción y efecto de decorar[2].

decorado[1]**, da.** p. p. de **decorar**[1]. ‖ **2.** m. **decoración**[1].

decorado[2]**, da.** p. p. de **decorar**[2]. ‖ **2.** m. **decoración**[2].

decorador, ra. (Del lat. *decorātor, -ōris.*) m. y f. Persona que decora[1], adorna o hermosea. ‖ **2.** Persona que ejecuta trabajos de decoración en los edificios. ‖ **3.** **escenógrafo.** ‖ **4.** Persona que trabaja profesionalmente en las diversas variantes de la decoración.

decorar[1]**.** (Del lat. *decorāre.*) tr. Adornar, hermosear una cosa o un sitio. ‖ **2.** **condecorar.** Ú. m. en poesía.

decorar[2]**.** (De *coro*[4].) tr. Aprender de coro o de memoria una lección, una oración u otra cosa. ‖ **2.** Recitar de memoria. ‖ **3.** **silabear.**

decorativo, va. (Del lat. *decorātus,* decorado.) adj. Perteneciente o relativo a la decoración[1]. *Figuras* DECORATIVAS.

decoro[1]**.** (Del lat. *decōrum.*) m. Honor, respeto, reverencia que se debe a una persona por su nacimiento o dignidad. ‖ **2.** Circunspección, gravedad. ‖ **3.** Pureza, honestidad, recato. ‖ **4.** Honra, pundonor, estimación. ‖ **5.** *Arq.* Parte de la arquitectura, que enseña a dar a los edificios el aspecto y propiedad que les corresponde según sus destinos respectivos. ‖ **6.** *Ret.* En literatura, conformidad entre el comportamiento de los personajes y sus respectivas condiciones sociales. ‖ **7.** *Ret.* Adecuación del estilo de una obra literaria al género, al tema y a la condición social de los personajes. ‖ **guardar el decoro.** fr. Comportarse con arreglo a la propia condición social. ‖ **guardar el decoro** a alguien o a algo. fr. Corresponder con actos o palabras a su estimación o a su merecimiento.

decoro[2]**, ra.** (Del lat. *decōrus.*) adj. ant. **decoroso.**

decoroso, sa. (Del lat. *decorōsus.*) adj. Dícese de la persona que tiene decoro y pundonor. ‖ **2.** Aplícase también a las cosas en que hay o se manifiesta decoro. *Conducta* DECOROSA.

decorrerse. (Del lat. *decurrĕre,* descender, bajar corriendo.) prnl. ant. Escurrirse, deslizarse.

decorrimiento. (De *decorrerse.*) m. ant. Corriente o curso de las aguas.

decorticación. f. *Med.* Acción y efecto de decorticar.

decorticar. tr. *Med.* Extirpar la corteza de una formación orgánica normal o patológica.

decrecer. (Del lat. *decrescĕre.*) intr. Menguar, disminuir.

decrecimiento. m. **disminución.**

decremento. (Del lat. *decrementum.*) m. **disminución.**

decrepitación. f. Acción y efecto de decrepitar.

decrepitar. (De *de-* y *crepitar.*) intr. Crepitar por la acción del fuego.

decrépito, ta. (Del lat. *decrepĭtus.*) adj. Sumamente viejo. ‖ **2.** Aplícase a la persona que por su vejez suele tener muy disminuidas las facultades. Ú. t. c. s. ‖ **3.** fig. Dícese de las cosas que han llegado a su última decadencia.

decrepitud. (De *decrépito.*) f. Suma vejez. ‖ **2.** Extrema declinación de las facultades físicas, y a veces mentales, por los estragos que causa la vejez. ‖ **3.** fig. Decadencia extrema de las cosas.

decrescendo. (Del lat. *decrescĕre.*) adv m. *Mús.* Disminuyendo gradualmente la intensidad del sonido. ‖ **2.** m. *Mús.* Pasaje de una composición musical que se ejecuta de esta manera.

decretación. (De *decretar.*) f. ant. Determinación o establecimiento.

decretal. (Del lat. *decretālis.*) adj. Perteneciente a las **decretales** o decisiones pontificias. ‖ **2.** f. Epístola en la cual el Sumo Pontífice declara alguna duda por sí solo o con parecer de los cardenales. ‖ **3.** pl. Libro en que están recopiladas las epístolas o decisiones pontificias.

decretalista. m. Expositor o intérprete de las decretales.

decretar. (De *decreto.*) tr. Resolver, deliberar, decidir la persona que tiene autoridad o facultades para ello. ‖ **2.** Anotar marginalmente de manera sucinta el curso o respuesta que se ha de dar a un escrito. ‖ **3.** *Der.* Determinar el juez acerca de las peticiones de las partes, concediendo, negando o dando curso.

decretero. m. Nómina o lista de reos que se solía dar en los tribunales a los jueces para que se fuera apuntando lo que se decretaba acerca de cada reo. ‖ **2.** Lista o colección de decretos.

decretista. m. Expositor del Decreto de Graciano.

decreto. (Del lat. *decretum.*) m. Resolución, decisión o determinación del jefe del Estado, de su gobierno o de un tribunal o juez sobre cualquier materia o negocio. Aplícase hoy más especialmente a los de carácter político o gubernativo. ‖ **2.** Constitución o establecimiento que ordena o forma el Papa consultando a los cardenales. ‖ **3. decreto de Graciano.** ‖ **4.** Acción y efecto de decretar, anotar al margen. ‖ **5.** ant. Dictamen, parecer. ‖ **de abono.** El que se expedía a los tesoreros generales para que se admitiesen en data en sus cuentas las partidas satisfechas en virtud de orden del rey. ‖ **de Graciano.** Libro del derecho canónico que recopiló Graciano. ‖ **de urgencia. decreto** ley promulgado por razones de urgencia. ‖ **ley.** Disposición de carácter legislativo que, sin ser sometida al órgano adecuado, se promulga por el poder ejecutivo, en virtud de alguna excepción circunstancial o permanente, previamente determinada. ‖ **marginal.** Resolución que se pone al margen de un memorial u oficio por el jefe competente. ‖ **real decreto.** En el régimen constitucional monárquico, el aprobado por el Consejo de Ministros. ‖ **por real decreto.** loc. adv. y fam. fig. Porque sí, de forma inapelable.

decretorio. (Del lat. *decretorĭus.*) adj. *Med.* V. **día decretorio.**

decúbito. (Del lat. *decubĭtus,* acostado.) m. Posición que toman las personas o los animales cuando se echan en el suelo o en la cama, etc. ‖ **2.** ant. *Fisiol.* Asiento que hace un humor, pasando de una parte a otra del cuerpo. ‖ **lateral.** Aquel en que el cuerpo está echado de costado: puede ser **izquierdo** o **derecho,** según los casos. ‖ **prono.** Aquel en que el cuerpo yace sobre el pecho y vientre. ‖ **supino.** Aquel en que el cuerpo descansa sobre la espalda.

decumbente. (Del lat. *decumbens, -entis,* recostado.) adj. Se dice del que yace en la cama o la guarda por enfermedad.

decuplar. (Del lat. *decuplāre.*) tr. **decuplicar.**

decuplicar. tr. Hacer décupla una cosa. ‖ **2.** Multiplicar por diez una cantidad.

décuplo, pla. (Del lat. *decŭplus.*) adj. Que contiene un número diez veces exactamente. Ú. t. c. s. m.

decuria. (Del lat. *decurĭa.*) f. Cada una de las diez porciones en que se dividía la antigua curia romana. ‖ **2.** En la antigua milicia romana, escuadra de diez soldados gobernada por un cabo. ‖ **3.** En los estudios de gramática, junta de diez estudiantes, y a veces menos, que estaba señalada para dar sus lecciones al decurión. ‖ **4.** ant. **colmena** de abejas.

decuriato. (Del lat. *decuriātus.*) m. Estudiante que en las clases de gramática estaba asignado a una decuria o a un decurión para que le tomase la lección.

decurión. (Del lat. *decurĭo, -ōnis.*) m. Jefe de una decuria. ‖ **2.** En las colonias o municipios romanos, individuo de la corporación que los gobernaba, a modo de los senadores de Roma. ‖ **3.** En los estudios de gramática, estudiante a quien, por más hábil, se daba el encargo de tomar las lecciones a otros, hasta el número de diez. ‖ **de decuriones.** Estudiante destinado a tomar la lección a los **decuriones.**

decurionato. m. Dignidad de **decurión.** ‖ **2.** Cuerpo de los decuriones.

decurrente. (Del lat. *decurrens, -entis.*) adj. *Bot.* Se dice de las hojas cuyo limbo se extiende a lo largo del tallo como si estuvieran adheridas a él.

decursas. (Del lat. *decursas,* de *decurrĕre,* correr.) f. pl. *Der.* Réditos caídos de los censos.

decurso. (Del lat. *decursus,* corrida, corriente.) m Sucesión o continuación del tiempo.

decusado, da. adj. *Bot.* **decuso.**

decusata. adj. V. **cruz decusata.**

decuso, sa. (Del lat. *decussis,* aspa en forma de X.) adj. *Bot.* Se dice de las hojas dispuestas en forma de cruz.

dechado. (Del lat. *dictātum,* precepto, enseñanza.) m. Ejemplar, muestra que se tiene presente para imitar. ‖ **2.** Labor que las niñas ejecutan en lienzo para aprender, imitando las diferentes muestras. ‖ **3.** fig. Ejemplo y modelo de virtudes y perfecciones, o de vicios y maldades.

dedada. f. Porción que con el dedo se puede tomar de una cosa que no es del todo líquida, como miel, almíbar, etc. ‖ **de miel.** fig. y fam. Lo que se hace en beneficio de alguien para entretenerle en su esperanza o para consolarle de lo que le es adverso.

dedal. (Del lat. *digitāle,* de *digĭtus,* dedo.) m. Utensilio pequeño, ligeramente cónico y hueco, con la superficie llena de hoyuelos y cerrado a veces por un casquete esférico para proteger el dedo al coser. ‖ **2. dedil** o funda de un dedo.

dedalera. (De *dedal,* por la forma de la corola, que lo imita.) f. **digital,** planta.

dédalo. (Por alusión a *Dédalo,* personaje mitológico.) m. fig. **laberinto,** cosa confusa y enredada.

dedeo. m. *Mús.* Agilidad y destreza de los dedos al tocar un instrumento. ‖ **2.** *Mús.* Indicación de los dedos que han de usarse para ejecutar un pasaje.

dedicación. (Del lat. *dedicatĭo, -ōnis.*) f. Acción y efecto de dedicar o dedicarse. ‖ **2.** Celebración del día en que se hace memoria de haberse consagrado o dedicado un templo, un altar, etc. ‖ **3.** Inscripción de la **dedicación** de un templo o edificio, grabada en una piedra que se coloca en la pared o fachada del mismo para conservar la memoria del que lo erigió y de su destino. ‖ **4.** Acción y efecto de dedicarse intensamente a una profesión o trabajo. ‖ **exclusiva** o **plena.** La que por compromiso o contrato ocupa todo el tiempo disponible, con exclusión de cualquier otro trabajo.

dedicar. (Del lat. *dedicāre.*) tr. Consagrar, destinar una cosa al culto religioso o también a un fin o uso profano. ‖ **2.** Dirigir a una persona, como obsequio, un objeto cualquiera, y principalmente una obra literaria o artística. ‖ **3.** Emplear, destinar, aplicar. Ú. t. c. prnl.

dedicativo, va. adj. **dedicatorio.**

dedicatoria. (De *dedicatorio.*) f. Carta o nota dirigida a la persona a quien se dedica una obra. Los escritos la llevan al principio, impresa o manuscrita.

dedicatorio, ria. (De *dedicar.*) adj. Que tiene o supone dedicación.

dedición. (Del lat. *deditĭo, -ōnis.*) f. Acción y efecto de rendirse un pueblo o ciudad a la fe y poder de la antigua Roma, a discreción y sin condiciones.

dedignar. (Del lat. *dedignāri.*) tr. desus. Desdeñar, despreciar, desestimar. Usáb. t. c. prnl.

dedil. (De *dedo.*) m. Cada una de las fundas de cuero o de otra materia, que se ponen en los dedos para que no se lastimen o manchen. ‖ **2.** ant. **dedal.**

dedillo. m. d. de **dedo.** ‖ **al dedillo.** loc. adv. fig. y fam. con que se indica que algo se ha aprendido o se sabe con detalle y perfecta seguridad.

dedo. (Del lat. *digĭtus.*) m. Cada una de las cinco partes prolongadas en que terminan la mano y el pie del hombre y, en el mismo o menor número, en muchos animales. ‖ **2.** Medida de longitud, duodécima parte del palmo, que escasamente equivale a 18 milímetros. ‖ **3.** Medida de diez nudillos, que se usa para llevar con cuenta la labor de la media o calceta. ‖ **4.** Porción de una cosa, del ancho de un **dedo.** ‖ **anular.** El cuarto de la mano, menor que el de en medio y mayor que los otros tres. ‖ **auricular.** El quinto y más pequeño de la mano. ‖ **cordial, de en medio,** o **del corazón.** El tercero de la mano y más largo de los cinco. ‖ **gordo. dedo pulgar.** ‖ **índice.** El segundo de la mano, que regularmente sirve para señalar; de ahí su nombre. ‖ **médico. dedo anular.** ‖ **meñique. dedo auricular.** ‖ **mostrador. dedo índice.** ‖ **pulgar.** El primero y más gordo de la mano y, por ext., también el primero del pie. ‖ **saludador. dedo índice.** ‖ **el dedo de Dios.** fig. La omnipotencia divina, manifestada en algún suceso extraordinario. ‖ **a dedo.** loc. adv. Arbitrariamente, con abuso de autoridad al efectuar una elección o nombramiento. ‖ **2.** En autostop. ‖ **a dos dedos de.** loc. fig. y fam. Muy cerca de, o a punto de. ‖ **alzar el dedo.** fr. fig. y fam. Levantarlo en señal de dar palabra o asegurar el cumplimiento de alguna cosa. En los juramentos de los servidores de la casa real, era una de las ceremonias levantar el **dedo** índice y el de en medio, cruzando el pulgar y el cuarto. ‖ **2.** fig. Levantar el **dedo** o la mano para pedir intervención en un asunto o mostrar conformidad con lo que se propone. ‖ **antojársele** a alguien **los dedos huéspedes.** fr. fig. y fam. Ser excesivamente receloso o suspicaz. ‖ **atar** alguien **bien** su **dedo.** fr. fig. y fam. Saber tomar las precauciones convenientes para sus intereses o beneficio; asegurarse en cualquier negocio. ‖ **átatela,** o **que se la ate, al dedo.** expr. fig. y fam. que se usa para burlarse del que tiene alguna esperanza sin fundamento. ‖ **2.** También se usa para expresar que no se cree la afirmación de otro. ‖ **cogerse** o **pillarse los dedos.** fr. fig. y fam. Sufrir perjuicio o menoscabo en alguna empresa, presupuesto, proyecto, etc., por equivocación, improvisación, descuido, etc. ‖ **comerse los dedos por** alguna cosa. fr. **comerse las manos tras** ella. ‖ **contar por los dedos.** fr. Hacer una cuenta señalando la numeración por los **dedos.** ‖ **chuparse el dedo.** fr. fig. y fam. **mamarse el dedo.** ‖ **chuparse los dedos.** fr. fig. y fam. Comer, decir, hacer u oír una cosa con mucho gusto. ‖ **dar un dedo de la mano por** alguna cosa. fr. fig. y fam. **dar una mano por** ella. ‖ **derribar con un dedo.** fr. fig. y fam. con que se denota la endeblez de alguna persona o cosa, o la fortaleza del sujeto agente. ‖ **dos dedos de.** loc. fig. y fam. **a dos dedos de.** ‖ **dos dedos del oído.** expr. fig. p. us. con que se explica la claridad y eficacia con que uno dice a otro su sentir y queja. ‖ **ganar a dedos** una cosa. fr. fig. con que se da a entender el trabajo y la dificultad que cuesta el conseguirla y también lo mucho que se tarda en adquirirla, aun trabajando siempre. ‖ **hacer dedos.** fr. fam. Practicar o ejercer movimientos con los **dedos** para adquirir soltura en el uso del piano u otro instrumento. Ú. t. en sent. fig. ‖ **ir al dedo malo.** fr. fig. y fam. con que se da a entender que todo viene a tropezar en la parte enferma o llagada. ‖ **2.** fr. fig. y fam. que expresa que no hay desdicha de que se libre el hombre perseguido de la fortuna. ‖ **levantar el dedo.** fr. fig. y fam. **alzar el dedo.** ‖ **mamarse el dedo.** fr. fig. y fam. Hacerse el simple; fingirse falto de capacidad para comprender una cosa. ‖ **medir a dedos.** fr. fig. Reconocer, examinar una cosa o un terreno o pueblo con mucha menudencia y detenimiento. ‖ **meter** a alguien **el dedo en la boca.** fr. fig. y fam. con que se asegura que una persona no es tan tonta como se suponía. ‖ **meter** a alguien **los dedos.** fr. fig. Inquirir con sagacidad y destreza lo que sabe o intenta y hacer que lo cuente sin advertir la astucia con que se le pregunta. ‖ **meter** a alguien **los dedos por los ojos.** fr. fig. y fam. Pretender que crea lo contrario de lo que sabe con certeza. ‖ **morderse los dedos.** fr. fig. y fam. Encolerizarse, irritarse por no poder tomar venganza o satisfacción de algún agravio. ‖ **no chuparse el dedo.** fr. fig. y fam. **no mamarse el dedo.** ‖ **no mamarse el dedo.** fr. fig. y fam. Ser despierto y no dejarse engañar. ‖ **no tener dos dedos de frente.** fr. Ser de poco entendimiento. ‖ **no mover un dedo.** fr. fig. No tomarse ningún trabajo, molestia o preocupación por algo o por alguien. ‖ **poner bien los dedos.** fr. Tocar un instrumento con destreza y habilidad. ‖ **poner el dedo en la llaga.** fr. fig. Conocer y señalar el verdadero origen de un mal, el punto difícil de una cuestión, aquello que más afecta a la persona de quien se habla. ‖ **poner los cinco dedos en la cara.** fr. fig. y fam. Darle una bofetada. ‖ **ponerse el dedo en la boca.** fr. fig. Callar, guardar silencio, porque así convenga o deba ser. ‖ **señalar** a alguien **con el dedo.** fr. fig. Notarle por alguna circunstancia o motivo reprochable. ‖ **ser alguien el dedo malo.** fr. fig. y fam. Achacarle todo lo malo que acontece. ‖ **tener** uno sus **cinco dedos en la mano.** fr. fig. y fam. No ceder a otro en valor o fuerzas. ‖ **tener** alguien **malos dedos para organista.** fr. fig. y fam. No ser a propósito para el destino a que quiere dedicarse o en que está empleado.

dedocracia. f. fam. Práctica de nombrar personas a dedo, abusando de autoridad.

dedocrático, ca. adj. fam. Perteneciente o relativo a la dedocracia.

dedolar. (Del lat. *dedolāre.*) tr. *Cir.* Cortar oblicuamente alguna parte del cuerpo.

deducción. (Del lat. *deductĭo, -ōnis.*) f. Acción y efecto de deducir. ‖ **2. derivación,** acción de sacar una cosa de otra. ‖ **3.** *Fil.* Método por el cual se procede lógicamente de lo universal a lo particular. ‖ **4.** *Mús.* Serie de notas que ascienden o descienden diatónicamente o de tono en tono sucesivos.

deducible. adj. Que puede ser deducido. *Gastos, conclusiones* DEDUCIBLES.

deducir. (Del lat. *deducĕre.*) tr. Sacar consecuencias de un principio, proposición o supuesto. ‖ **2. inferir,** sacar consecuencia de una cosa. ‖ **3.** Rebajar, restar, descontar alguna partida de una cantidad. ‖ **4.** *Der.* Alegar, presentar las partes sus defensas o derechos.

deductivo, va. (Del lat. *deductīvus.*) adj. Que obra o procede por deducción.

deesa. (De *dea.*) f. ant. **diosa.**

defácile. (De *de-* y el lat. *facĭle,* fácilmente.) adv. m. ant. **fácilmente.**

de facto. loc. adv. lat. **de hecho,** en oposición a **de iure.**

defalcar. tr. p. us. **desfalcar.**

defalicido, da. adj. ant. **defallicido.**

defallecido, da. (De *de-* y *fallecido.*) adj. ant. Falto, necesitado, arruinado.
defallecimiento. m. ant. **desfallecimiento.** ‖ **2.** ant. **falta**[1], defecto o privación de una cosa útil o necesaria.
defallicido, da. adj. ant. **desfallecido.**
defamar. (Del lat. *defamāre.*) tr. ant. **infamar.**
defatigante. adj. Que quita la fatiga. Ú. t. c. s. m.
defecación. (Del lat. *defaecatĭo, -ōnis.*) f. Acción y efecto de defecar.
defecador, ra. adj. Que sirve para quitar las heces o impurezas de algo.
defecar. (Del lat. *defaecāre.*) tr. Quitar las heces o impurezas. ‖ **2.** Expeler los excrementos. Ú. m. c. intr.
defección. (Del lat. *defectĭo, -ōnis.*) f. Acción de separarse con deslealtad de la causa o parcialidad a que pertenecían.
defectibilidad. f. Calidad de defectible.
defectible. (Del lat. *defectibĭlis.*) adj. Dícese de lo que puede faltar.
defectivo, va. (Del lat. *defectīvus.*) adj. **defectuoso.** ‖ **2.** *Gram.* V. **verbo defectivo.** Ú. t. c. s.
defecto. (Del lat. *defectus.*) m. Carencia o falta de las cualidades propias y naturales de una cosa. ‖ **2.** Imperfección natural o moral. ‖ **3.** pl. *Impr.* Pliegos que sobran o faltan en el número completo de la tirada. ‖ **en defecto de.** loc. prepos. **a falta de** algo o de alguien, especialmente un requisito. ‖ **en su defecto.** loc. adv. a falta de la persona o cosa, especialmente requisito, de que se habla. ‖ **por defecto.** loc. que, referida a una inexactitud, indica que no llega al límite que debiera.
defectuoso, sa. (Del lat. *defectus,* defecto.) adj. Imperfecto, falto.
defedación. (Del lat. *de,* de, y *foedatĭo, -ōnis,* la acción de afear.) f. ant. **fealdad.**
defeminado, da. (Del lat. *de* y *feminātus,* de *femĭna,* hembra.) adj. ant. **afeminado.**
defendedero, ra. adj. Dícese de lo que se puede defender.
defendedor, ra. (De *defender.*) adj. **defensor.** Ú. t. c. s. ‖ **2.** m. ant. **abogado.**
defender. (Del lat. *defendĕre.*) tr. Amparar, librar, proteger. Ú. t. c. prnl. ‖ **2.** Mantener, conservar, sostener una cosa contra el dictamen ajeno. ‖ **3.** Vedar, prohibir. ‖ **4.** Impedir, estorbar. ‖ **5.** Abogar, alegar en favor de alguien. ‖ **6.** prnl. Gozar de una cierta holgura económica.
defendible. adj. Dícese de lo que se puede defender.
defendido, da. p. p. de **defender.** ‖ **2.** adj. Dícese de la persona a quien defiende un abogado. Ú. t. c. s.
defendimiento. (De *defender.*) m. ant. Acción y efecto de defender, amparar o proteger. ‖ **2.** ant. Acción y efecto de defender, vedar, prohibir.
defenecer. (De *de-* y *fenecer.*) tr. *Ar.* Dar el finiquito a una cuenta.
defenecimiento. (De *defenecer.*) m. *Ar.* Ajuste o finiquito de cuentas.
defenestración. f. Acción y efecto de defenestrar.
defenestrar. tr. Arrojar a alguien por una ventana. ‖ **2.** fig. Destituir o expulsar a alguien de un puesto, cargo, situación, etc.
defensa. (Del lat. *defēnsa.*) f. Acción y efecto de defender o defenderse. ‖ **2.** Arma, instrumento u otra cosa con que alguien se defiende en un peligro. ‖ **3.** Amparo, protección, socorro. ‖ **4.** Obra de fortificación que sirve para defender una plaza, un campamento, etc. Ú. m. en pl. ‖ **5.** Jugada del tresillo en la que un jugador sustituye en sus derechos y deberes al hombre que rinde la jugada. ‖ **6.** Mecanismo natural por el que un organismo se protege de agresiones externas. Ú. t. en pl. ‖ **7.** *Der.* Razón o motivo que se alega en juicio para contradecir o desvirtuar la acción del demandante. ‖ **8.** *Der.* Abogado defensor del litigante o del reo. ‖ **9.** En el fútbol y otros deportes, línea de jugadores que se sitúa delante del portero y cuya misión principal es proteger la propia meta. ‖ **10.** m. Cada uno de los jugadores que forman la línea de **defensa.** ‖ **11.** f. pl. fig. Colmillos del elefante, cuernos del toro, etc. ‖ **12.** *Mar.* Pedazos de cable viejo, rollo de esparto, zoquete de madera o cosa semejante, que se cuelga del costado de la embarcación para que este no se lastime durante las faenas de meter efectos a bordo o sacarlos, o en las atracadas a muelles, escolleras, embarcaciones, etc. ‖ **legítima defensa.** *Der.* Circunstancia eximente de culpabilidad en ciertos delitos.
defensable. (Del lat. *defensabĭlis.*) adj. ant. **defendible.**
defensar. (Del lat. *defensāre,* intens. de *defendĕre.*) tr. ant. **defender.**
defensatriz. (Del lat. *defensātrix, -īcis.*) adj. f. ant. **defensora.** Usáb. t. c. s.
defensible. (Del lat. *defensibĭlis.*) adj. ant. **defendible.**
defensión. (Del lat. *defensĭo, -ōnis.*) f. Resguardo, defensa. ‖ **2.** ant. Amparo, protección. ‖ **3.** ant. Prohibición, estorbo o impedimento. ‖ **4.** ant. *Der.* Disculpa, satisfacción, respuesta, excusa.
defensiva. (De *defensivo.*) f. Situación o estado del que sólo trata de defenderse. ‖ **estar,** o **ponerse, a la defensiva.** fr. Ponerse en estado de defenderse, sin querer acometer ni ofender al enemigo. ‖ **2.** fig. Estar en actitud recelosa y con temor de ser agredido física o moralmente.
defensivo, va. (De *defensa.*) adj. Que sirve para defender, reparar o resguardar. ‖ **2.** V. **arma, polémica defensiva.** ‖ **3.** m. Defensa, reparo, resguardo. ‖ **4.** Paño que, empapado en un líquido, se aplica a alguna parte enferma del cuerpo.
defensor, ra. (Del lat. *defensor, -ōris.*) adj. Que defiende o protege. Ú. t. c. s. ‖ **2.** m. y f. *Der.* Persona que en juicio está encargada de una defensa, y más especialmente la que nombra el juez para defender los bienes de un concurso, a fin de que sostenga el derecho de los ausentes. ‖ **del pueblo.** Persona cuya función institucional, en varios países, consiste en la defensa de los derechos de los ciudadanos frente a los poderes públicos. ‖ **de menores.** *Der.* Persona designada por el juez para representar y amparar a los sometidos a patria potestad cuando estos tienen intereses incompatibles con los de sus padres.
defensoría. f. *Der.* Ministerio o ejercicio de defensor.
defensorio. (Del lat. *defensorĭus.*) m. Manifiesto, escrito apologético en defensa o satisfacción de una persona o cosa.
deferencia. (Del lat. *defĕrens, -entis,* deferente.) f. Adhesión al dictamen o proceder ajeno, por respeto o por excesiva moderación. ‖ **2.** fig. Muestra de respeto o de cortesía. ‖ **3.** fig. Conducta condescendiente.
deferente. (Del lat. *defĕrens, -entis,* p. a. de *deferre,* conceder.) adj. Que defiere al dictamen ajeno, sin querer sostener el suyo. ‖ **2.** fig. Respetuoso, cortés. ‖ **3.** ant. *Astron.* Aplicábase al círculo que se suponía descrito alrededor de la Tierra por el centro del epiciclo de un planeta. ‖ **4.** *Anat.* V. **conducto deferente.**
deferido, da. p. p. de **deferir.** ‖ **2.** adj. *Der.* V. **juramento deferido.**
deferir. (Del lat. *deferre,* conceder, dar noticia.) intr. p. us. Adherirse al dictamen de alguien, por respeto, modestia o cortesía. ‖ **2.** tr. p. us. Comunicar, dar parte de la jurisdicción o poder.
defesa. (Del lat. *defēnsa,* defendida, protegida.) f. ant. **dehesa.**
defesar. (Del lat. *defensāre.*) tr. ant. **dehesar.**
defeso, sa. (Del lat. *defēnsus,* defendido.) adj. ant. Vedado o prohibido.
defianza. (De *de-* y *fianza.*) f. ant. **desconfianza.**
defiar. (De *de-* y *fiar.*) intr. ant. No fiar, desconfiar.

deficiencia. (Del lat. *deficientĭa.*) f. Defecto o imperfección.
deficiente. (Del lat. *deficĭens, -entis,* p. a. de *deficĕre,* faltar.) adj. Falto o incompleto. ‖ **2.** Que tiene algún defecto o que no alcanza el nivel considerado normal. ‖ **3. subnormal,** afectado de una deficiencia mental. Ú. t. c. s. ‖ **4.** *Arit.* V. **número deficiente.**
déficit. (Del lat. *deficĕre,* faltar.) m. En el comercio, descubierto que resulta comparando el haber o caudal existente con el fondo o capital puesto en la empresa; y en la administración pública, parte que falta para levantar las cargas del Estado, reunidas todas las cantidades destinadas a cubrirlas. No varía en el plural. ‖ **2.** Por ext., falta o escasez de algo que se juzga necesario. *El enfermo tiene* DÉFICIT *de glóbulos rojos; la ciudad tiene* DÉFICIT *de viviendas.*
deficitario, ria. adj. Que implica déficit.
definible. adj. Que se puede definir.
definición. (Del lat. *definitĭo, -ōnis.*) f. Acción y efecto de definir. ‖ **2.** Proposición que expone con claridad y exactitud los caracteres genéricos y diferenciales de una cosa material o inmaterial. ‖ **3.** Decisión o determinación de una duda, pleito o contienda, por autoridad legítima. *Las* DEFINICIONES *del Concilio, del Papa.* ‖ **4.** Declaración de cada uno de los vocablos, locuciones y frases que contiene un diccionario. ‖ **5.** *Fotogr., Ópt.* y *TV.* Nitidez con que se perciben los detalles de una imagen observada mediante instrumentos ópticos, o bien, de la formada sobre una película fotográfica o pantalla de televisión. ‖ **6.** pl. En las órdenes militares, excepto la de Santiago, conjunto de estatutos y ordenanzas que sirven para su gobierno.
definido, da. p. p. de **definir.** ‖ **2.** m. La cosa sobre la que versa toda definición.
definidor, ra. (Del lat. *definītor, -ōris.*) adj. Que define o determina. Ú. t. c. s. ‖ **2.** m. En algunas órdenes religiosas, cada uno de los religiosos que, con el prelado principal, forman el definitorio, para gobernar la religión y resolver los casos más graves. ‖ **general.** El que concurre con el general de la orden para el gobierno de toda ella. ‖ **provincial.** El que solo asiste en una provincia.
definir. (Del lat. *definīre.*) tr. Fijar con claridad, exactitud y precisión la significación de una palabra o la naturaleza de una persona o cosa. Ú. t. c. prnl. ‖ **2.** Decidir, determinar, resolver una cosa dudosa. Ú. t. c. prnl. ‖ **3.** *Pint.* Concluir una obra, trabajando con perfección todas sus partes, aunque sean de las menos principales.
definitivamente. adv. m. Decisivamente, resolutivamente. ‖ **2.** En efecto, sin duda alguna.
definitivo, va. (Del lat. *definitīvus.*) adj. Dícese de lo que decide, resuelve o concluye. ‖ **2.** *Der.* V. **auto definitivo.** ‖ **3.** *Der.* V. **sentencia definitiva.** Ú. t. c. s. ‖ **en definitiva.** loc. adv. En conclusión, en fin de cuentas.
definitorio[1]. (De *definir.*) m. Cuerpo que, con el general o provincial de una orden, componen para regirla los religiosos definidores generales o provinciales. ‖ **2.** Junta o congregación que celebran los definidores. ‖ **3.** Pieza destinada para estas juntas.
definitorio[2], ria. adj. Que sirve para definir o diferenciar.
deflación. (Del ing. *deflation,* a través del fr. *déflation.*) f. *Econ.* Reducción de la circulación fiduciaria que conlleva un descenso generalizado de los precios y una revalorización de la moneda.
deflacionario, ria. adj. *Econ.* Relativo a la deflación o que tiende a producirla. *Política* DEFLACIONARIA.
deflacionista. adj. **deflacionario.** ‖ **2.** Aplicado a personas, partidario de la deflación. Ú. t. c. s.
deflagración. (Del lat. *deflagratĭo, -ōnis.*) f. Acción y efecto de deflagrar.
deflagrador, ra. adj. Que deflagra. ‖ **2.** m. *Fís.* Aparato eléctrico que sirve para dar fuego a los barrenos.
deflagrar. (Del lat. *deflagrāre.*) intr. Arder una sustancia súbitamente con llama y sin explosión.
deflaquecimiento. m. ant. **enflaquecimiento.**
deflegmar. (De *de-* y *flegma.*) tr. *Quím.* Separar de un cuerpo su parte acuosa.
deflujo. (Del lat. *defluxus.*) m. ant. Fluxión abundante.
defoír. (Del lat. *defugĕre.*) tr. ant. **defuir.**
defoliación. (De *de-* y *foliación.*) f. Caída prematura de las hojas de los árboles y plantas, producida por enfermedad o influjo atmosférico.
defondonar. (De *de-* y *fondón.*) tr. ant. **desfondar.**
deforestación. (Del ing. *deforestation,* acaso a través del fr.) f. Acción y efecto de deforestar.
deforestar. (De *de-* y el ant. fr. *forest,* hoy *forêt,* bosque.) tr. Despojar un terreno de plantas forestales.
deformación. (Del lat. *deformatĭo, -ōnis.*) f. Acción y efecto de deformar o deformarse. ‖ **profesional.** Hábito de hacer o pensar ciertas cosas debido a la profesión que se ejerce.
deformador, ra. adj. Que deforma. Ú. t. c. s.
deformar. (Del lat. *deformāre.*) tr. Hacer que algo pierda su forma regular o natural. Ú. t. c. prnl. ‖ **2.** fig. **tergiversar.**
deformatorio, ria. adj. Dícese de lo que deforma o sirve para deformar.
deforme. (Del lat. *deformis.*) adj. Desproporcionado o irregular en la forma. ‖ **2.** Que ha sufrido deformación.
deformidad. (Del lat. *deformĭtas, -ātis.*) f. Calidad de deforme. ‖ **2.** Cosa deforme. ‖ **3.** fig. Error grosero.
defraudación. (Del lat. *defraudatĭo, -ōnis.*) f. Acción y efecto de defraudar.
defraudador, ra. (Del lat. *defraudātor, -ōris.*) adj. Que defrauda. Ú. t. c. s.
defraudar. (Del lat. *defraudāre.*) tr. Privar a alguien, con abuso de su confianza o con infidelidad a las obligaciones propias, de lo que le toca de derecho. ‖ **2.** Eludir o burlar el pago de los impuestos o contribuciones. ‖ **3.** fig. Frustrar, desvanecer la confianza o la esperanza que se ponía en alguien o en algo. ‖ **4.** fig. Turbar, quitar, entorpecer. DEFRAUDAR *la claridad del día, el sueño.*
defuera. (Del lat. *de,* intens., y *foras,* fuera.) adv. l. Exteriormente o por la parte exterior. ‖ **por defuera.** loc. adv. **defuera.**
defuir. (Del lat. *defugĕre.*) tr. ant. Huir, evitar.
defunción. (Del lat. *defunctĭo, -ōnis.*) f. **muerte** de una persona, fallecimiento. ‖ **2.** ant. Funeral, exequias.
defunto, ta. (Del lat. *defunctus.*) adj. ant. **difunto.** Usáb. t. c. s.
degano. (Del lat. *decānus,* jefe.) m. ant. Quintero o administrador de una hacienda de campo.
degaña. (Del lat. *decanĭa.*) f. ant. **decania.**
degañero. (De *degaña.*) m. ant. **granjero,** persona que cuida de una granja.
degastar. (Del lat. *devastāre.*) tr. ant. **devastar.**
degeneración. (Del lat. *degeneratĭo, -ōnis.*) f. Acción y efecto de degenerar. ‖ **2.** *Pat.* Alteración de los tejidos o elementos anatómicos, con cambios de la sustancia constituyente y pérdida de sus caracteres funcionales. DEGENERACIÓN *adiposa, amiloidea, caseosa.* ‖ **3.** *Pat.* Pérdida progresiva de normalidad psíquica y moral y de las reacciones nerviosas de un individuo a consecuencia de las enfermedades adquiridas o hereditarias.
degenerado, da. p. p. de **degenerar.** ‖ **2.** adj. Dícese del individuo de condición mental y moral anormal o depravada, acompañada por lo común de peculiares estigmas físicos. Ú. t. c. s.
degenerante. p. a. de **degenerar.** Que degenera. ‖ **2.** adj. *Arq.* V. **arco degenerante.**

degenerar. (Del lat. *degenerāre.*) intr. Decaer, desdecir, declinar, no corresponder una persona o cosa a su primera calidad o a su primitivo valor o estado. ‖ **2.** fig. Decaer alguien de la antigua nobleza de sus antepasados; no corresponder a las virtudes de sus mayores o a las que él tuvo en otro tiempo. ‖ **3.** *Pint.* Tomar una figura geométrica apariencia de otra por efecto de la perspectiva.

degenerativo, va. adj. Que causa o produce degeneración. ‖ **2.** V. **atrofia degenerativa.**

degestir. (Del lat. *digestum,* supino de *digerĕre,* digerir.) tr. ant. **digerir.**

deglución. (Del lat. *deglutĭo, -ōnis.*) f. Acción y efecto de deglutir.

deglutir. (Del lat. *deglutīre.*) tr. Tragar los alimentos y, en general, hacer pasar de la boca al estómago cualquier sustancia sólida o líquida. Ú. t. c. intr.

deglutorio, ria. adj. Perteneciente o relativo a la deglución.

degollación. (Del lat. *decollatĭo, -ōnis.*) f. Acción y efecto de degollar.

degolladero. m. Parte del cuello, unida al gaznate, por donde se degüella al animal. ‖ **2.** Sitio destinado para degollar las reses. ‖ **3.** Tablado o cadalso que se hacía para degollar a un delincuente. ‖ **4.** Tablón o viga robusta que separaba en los teatros la luneta del patio, dejando un espacio vacío para los que estaban en pie. ‖ **5. degolladura** de los vestidos. ‖ **llevar** a alguien **al degolladero.** fr. fig. y fam. Ponerle en gravísimo riesgo.

degollado, da. p. p. de **degollar.** Ú. t. c. adj. ‖ **2.** m. **degolladura** de los vestidos.

degollador, ra. (Del lat. *decollātor, -oris.*) adj. Que degüella. Ú. t. c. s. ‖ **2.** m. **alcaudón.**

degolladura. (De *degollar.*) f. Herida o cortadura que se hace en la garganta o el cuello. ‖ **2.** p. us. Escote o sesgo que se hacía en las cotillas, jubones y otros vestidos de las mujeres. ‖ **3. garganta,** parte más estrecha de los balaustres y otras piezas. ‖ **4.** *Albañ.* **llaga** entre los ladrillos.

degollamiento. (De *degollar.*) m. ant. **degollación.**

degollante. p. a. de **degollar.** Que degüella. ‖ **2.** adj. fig. y fam. p. us. Presumido o necio; que aburre y enoja a quien le trata. Ú. t. c. s.

degollar. (Del lat. *decollāre.*) tr. Cortar la garganta o el cuello a una persona o a un animal. ‖ **2.** p. us. Escotar o sesgar el cuello de las vestiduras. ‖ **3.** fig. Destruir, arruinar. ‖ **4.** fig. Representar los actores mal o con impropiedad una obra dramática, o acabar mal un discurso u otra producción del ingenio. ‖ **5.** fig. Matar el espada al toro con una o más estocadas mal dirigidas, de suerte que a veces el animal echa sangre por la boca. ‖ **6.** fig. y fam. Ser o hacerse en extremo antipática y desagradable una persona a otra. *Juan me* DEGÜELLA. ‖ **7.** *Mar.* Dicho de una vela, rasgarla con un cuchillo cuando las circunstancias no dan lugar a cargarla para salvar el buque.

degollina. (De *degollar.*) f. fam. **matanza,** mortandad. ‖ **2.** fig. Abundancia de suspensos en un examen.

degradación. (Del lat. *degradatĭo, -ōnis.*) f. Acción y efecto de degradar o degradarse. ‖ **2.** Humillación, bajeza. ‖ **3.** *Pint.* Disminución de tamaño que, con arreglo a la distancia y según las leyes de la perspectiva, se da a los objetos que figuran en un cuadro. ‖ **actual.** *Der.* **degradación real.** ‖ **canónica.** Pena que consistía en privar al clérigo de todos los títulos, privilegios y bienes eclesiásticos, despojándole además de las señales exteriores de su carácter. ‖ **de color.** *Pint.* Declinación o moderación de tinta que se observa en los términos que se consideran más o menos remotos. ‖ **de luz.** *Pint.* Templanza de los claros en aquellas cosas que están más distantes. ‖ **real.** *Der.* La que se ejecuta con las solemnidades prevenidas por derecho o por ceremonia introducida. ‖ **verbal.** *Der.* La que se declara por juez competente, sin llegar a ejecutarse.

degradado, da. p. p. de **degradar.** ‖ **2.** adj. *Geom.* V. **ortografía degradada.**

degradante. p. a. de **degradar.** Que degrada. ‖ **2.** adj. Dícese de lo que degrada o rebaja.

degradar. (Del lat. *degradāre.*) tr. Privar a una persona de las dignidades, honores, empleos y privilegios que tiene. ‖ **2.** Por ext., reducir o desgastar las cualidades inherentes a personas o cosas. ‖ **3.** Humillar, rebajar, envilecer. Ú. t. c. prnl. ‖ **4.** *Quím.* Transformar una sustancia compleja en otra de constitución más sencilla. ‖ **5.** *Pint.* Disminuir el tamaño y viveza del color de las figuras de un cuadro, según la distancia a que se suponen colocadas.

degredo[1]. (Del lat. *decrētum.*) m. ant. **decreto.**

degredo[2]. (Del port. *degredo,* lugar de destierro.) m. *Venez.* Hospital de enfermos contagiosos.

degüella. (De *degollar.*) f. ant. **degollación.** ‖ **2.** Pena de degüello que se imponía al ganado por entrar en cotos vedados.

degüello. m. Acción de degollar. ‖ **2.** Parte más delgada del dardo o de otra arma o instrumento semejante. ‖ **entrar a degüello.** fr. *Mil.* Asaltar una población sin dar cuartel. ‖ **llevar** a alguien **al degüello.** fr. fig. y fam. **llevarle al degolladero.** ‖ **pasar a degüello.** fr. **degollar,** cortar el cuello a personas. ‖ **tirar a degüello.** fr. fig. y fam. Procurar con el mayor ahínco perder o perjudicar a alguien. ‖ **tocar a degüello.** fr. *Mil.* Dar la señal de ataque en el arma de caballería.

deguno, na. adj. ant. **ninguno.**

degustación. (Del lat. *degustatĭo, -ōnis.*) f. Acción de degustar.

degustar. (Del lat. *degustāre.*) tr. Probar o catar alimentos o bebidas. ‖ **2.** fig. Saborear y percibir con deleite otras sensaciones agradables.

dehender. (Del lat. *defindĕre.*) tr. ant. **hender.**

dehendimiento. m. ant. Acción y efecto de dehender.

dehesa. (Del lat. *defensa,* acotada.) f. Tierra generalmente acotada y por lo común destinada a pastos. ‖ **carneril.** Aquella en que pastan carneros. ‖ **potril.** Aquella en que se crían los potros después de separados de las madres, que es a los dos años de nacidos.

dehesar. (De *dehesa.*) tr. **adehesar.**

dehesero. m. Guarda de una dehesa.

dehiscencia. (Del lat. *dehiscens, -entis,* dehiscente.) f. *Bot.* Acción de abrirse naturalmente las anteras de una flor o el pericarpio de un fruto, para dar salida al polen o a la semilla.

dehiscente. (Del lat. *dehiscens, -entis,* p. a. de *dehiscĕre,* abrirse.) adj. *Bot.* Dícese del fruto cuyo pericarpio se abre naturalmente para que salga la semilla.

dehortar. (Del lat. *dehortāri.*) tr. ant. Disuadir o desaconsejar.

deicida. (Del lat. *deicīda.*) adj. Dícese de los que dieron muerte a Jesucristo. Ú. t. c. s.

deicidio. (De *deicida.*) m. Crimen del deicida.

deíctico, ca. (Del gr. δεικτικός.) adj. Perteneciente o relativo a la deixis. ‖ **2.** m. Elemento gramatical que realiza una deixis.

deidad. (Del lat. *deĭtas, -ātis.*) f. Ser divino o esencia divina. ‖ **2.** Cada uno de los dioses de las diversas religiones.

deificación. (Del lat. *deificatio, -ōnis.*) f. Acción y efecto de deificar o deificarse.

deificar. (Del lat. *deificāre.*) tr. **divinizar,** hacer o suponer divina una persona o cosa. ‖ **2.** Divinizar una cosa por medio de la participación de la gracia. ‖ **3.** fig. Ensalzar excesivamente a una persona. ‖ **4.** prnl. En la teología mística, unirse el alma íntimamente con Dios en el éxtasis, y transformarse en él por participación, no de esencia, sino de gracia.

deífico, ca. (Del lat. *deificus.*) adj. Perteneciente a Dios.

deiforme. (Del lat. *Deus,* Dios, y *-forme.*) adj. poét. Que se parece en la forma a las deidades.

deípara. (Del lat. *Deipăra.*) adj. Título que se da exclusivamente a la Virgen María, por ser madre de Dios.

deísmo. (Del lat. *Deus, Dei,* Dios.) m. Doctrina que reconoce un Dios como autor de la naturaleza, pero sin admitir revelación ni culto externo.

deísta. (Del lat. *Deus, Dei,* Dios.) adj. Que profesa el deísmo. Apl. a pers., ú. t. c. s.

deitano, na. adj. Natural de Deitania. Ú. t. c. s. ‖ **2.** Perteneciente o relativo a esta región de la Hispania Tarraconense, comprendida en su mayor parte en la actual provincia de Murcia.

de iure. loc. lat. **de derecho,** se contrapone a **de facto,** de hecho. Por virtud o por ministerio del derecho o de la ley.

deixis. f. *Ling.* Señalamiento que se realiza mediante ciertos elementos lingüísticos que muestran, como *este, esa;* que indican una persona, como *yo, vosotros;* o un lugar, como *allí, arriba;* o un tiempo, como *ayer, ahora.* El señalamiento puede referirse a otros elementos del discurso *(Invité a tus hermanos y a tus primos, pero* ESTOS *no aceptaron)* o presentes solo en la memoria (AQUELLOS *días fueron magníficos).* ‖ **2.** Mostración que se realiza mediante un gesto, acompañando o no a un deíctico gramatical. ‖ **anafórica.** *Ling.* La que se produce mediante anáfora. ‖ **catafórica.** *Ling.* La que se produce mediante catáfora.

deja. (De *dejar.*) f. Parte que queda y sobresale entre dos muescas o cortaduras.

dejación. f. Acción y efecto de dejar. ‖ **2.** *Der.* Cesión, desistimiento, abandono de bienes, acciones, etc.

dejada. f. Acción y efecto de dejar.

dejadero, ra. adj. Que se ha de dejar. *Los bienes terrenales son* DEJADEROS.

dejadez. (De *dejado.*) f. Pereza, negligencia, abandono de sí mismo o de sus cosas propias.

dejado, da. p. p. de **dejar.** ‖ **2.** adj. Flojo y negligente, que no cuida de su conveniencia o aseo. ‖ **3.** Caído de ánimo, por melancolía o enfermedad. ‖ **4.** Dícese de ciertos heterodoxos, como los iluminados, alumbrados y quietistas. ‖ **5.** m. ant. Dejo, final.

dejador, ra. m. y f. p. us. Persona que deja.

dejamiento. (De *dejar.*) m. Acción y efecto de dejar. ‖ **2.** Flojedad, descuido. ‖ **3.** Decaimiento de fuerzas o flojedad de ánimo. ‖ **4.** Desasimiento, desapego de una cosa.

dejante. prep. *Col., Chile* y *Guat.* Aparte de, además de. ‖ **dejante que.** loc. conjunt. No obstante, además de que.

dejar. (De *lejar,* infl. por *dar.*) tr. Soltar una cosa. ‖ **2.** Retirarse o apartarse de algo o de alguien. ‖ **3. omitir.** DEJÓ *de hacer lo prometido.* ‖ **4.** Consentir, permitir, no impedir. ‖ **5.** Valer, producir ganancia. *Aquel negocio le* DEJÓ *mil pesetas.* ‖ **6.** Desamparar, abandonar. ‖ **7.** Encargar, encomendar. DEJÓ *la casa al cuidado de su hijo.* ‖ **8.** Faltar, ausentarse. *La calentura* DEJÓ *al enfermo;* DEJÉ *la corte.* ‖ **9.** Disponer u ordenar alguien alguna cosa al ausentarse o partir, para que sea utilizada después o para que otro la atienda en su ausencia. ‖ **10.** Como verbo auxiliar, unido a algunos participios pasivos, explica una precaución o provisión acerca de lo que el participio significa. DEJAR *dicho, escrito.* ‖ **11.** Como verbo auxiliar, unido a algunos infinitivos, indica el modo especial de suceder o ejecutarse lo que significa el verbo que se le une, y entonces se usa regularmente c. prnl. DEJARSE *querer, sentir, beber.* ‖ **12.** Como verbo auxiliar, construido con algunos participios pasivos y adjetivos indica un resultado. DEJAR *asombrado, convencido, inútil.* ‖ **13.** No inquietar, perturbar ni molestar. DÉJAME *en paz.* ‖ **14.** Nombrar, designar. ‖ **15.** Dar una cosa a otro el que se ausenta o hace testamento. ‖ **16. prestar,** entregar a alguien temporalmente, para que lo use, dinero o alguna otra cosa. ‖ **17.** Faltar al cariño y estimación de una persona. ‖ **18.** Abandonar, no proseguir una actividad. Ú. t. c. prnl. ‖ **19. olvidar, dejar de** tener en la memoria. ‖ **20.** ant. **perdonar.** ‖ **21.** intr. Seguido de la prep. *de,* y un infinitivo, interrumpir la acción expresada por este. ‖ **22.** prnl. Entregarse. DEJARSE *al abrigo de la fortuna, de los vientos.* ‖ **23.** Abandonarse, descuidarse por desánimo o pereza. ‖ **dejadle, o déjale, correr, que él parará.** expr. fig. y fam. con que se da a entender que conviene abandonar a alguien y **dejarle** que siga su empeño hasta que le desengañe la experiencia. ‖ **dejar a escuras** a alguien. fr. ant. fig. Burlarle. ‖ **dejar aparte.** fr. Omitir parte de un discurso por pasar a otro más urgente. ‖ **dejar a todos iguales.** fr. Hacer que todos pierdan por igual lo que disputaban o pretendían. ‖ **dejar atrás** a una persona o una cosa. fr. fig. Adelantarla, aventajarla. ‖ **dejar** a alguien **bizco.** fr. fig. y fam. Causarle asombro. ‖ **dejar caer.** fr. ant. **abandonar.** ‖ **2.** fig. Decir alguna cosa con intención oculta. ‖ **dejar correr** una cosa. fr. fig. Permitirla, tolerarla o disimularla. ‖ **dejar feo** a alguien. fr. fig. y fam. Desairarle, abochornarle. ‖ **dejar fresco** a alguien. fr. fig. y fam. **dejarlo** burlado. ‖ **dejarlo caer.** fr. fig. y fam. Tratándose de mujeres, parir con facilidad un hijo. ‖ **dejar mucho** o **bastante que desear.** fr. Ser una cosa o una persona inferior a lo que se espera de ella. ‖ **dejar** a alguien **para quien es.** fr. p. us. con que se explica que debe mirarse con desprecio el mal proceder de quien no tiene educación y es egoísta. ‖ **dejar** a alguien **plantado.** fr. fig. y fam. **darle un plantón.** ‖ **2.** Abandonarlo. ‖ **dejarse caer.** fr. fig. Decir alguna cosa con intención, pero con disimulo. ‖ **2.** fig. y fam. Insinuar una cosa como al descuido. ‖ **3.** fig. y fam. Presentarse inesperadamente. ‖ **4.** fig. y fam. Ceder a la fuerza de la calamidad o contratiempo; aflojar en un empeño o pretensión por las dificultades que se encuentran. ‖ **5.** fig. y fam. Dicho del sol, del calor, etc., hacer sentir estos sus efectos con intensidad. ‖ **dejar** a alguien **seco.** fr. fig. y fam. **dejarle** muerto en el acto. ‖ **dejarse correr.** fr. Bajar, escurriéndose por una cuerda, madero o árbol. ‖ **dejarse decir.** fr. Soltar en la conversación alguna cosa que no convenía manifestar. ‖ **2. dejarse caer.** ‖ **3.** Decir algo que ofrezca duda o que no pueda decirse sin algún inconveniente. SE DEJÓ DECIR *que mataría a su enemigo.* ‖ **dejarse llevar.** fr. Tener voluntad débil para seguir la propia opinión. ‖ **dejarse pedir.** fr. Pedir, como cosa corriente, un precio excesivo. ‖ **dejarse** alguien **rogar.** fr. Dilatar la concesión de lo que se le pide para que parezca mayor la gracia y se haga más estimable. ‖ **dejarse ver.** fr. Descubrirse, aparecer lo que estaba oculto o retirado. ‖ **2.** Concurrir a una casa o a una reunión; y así, al que no la frecuenta se le suele decir amistosamente: DÉJESE *usted* VER. ‖ **dejar temblando** alguna cosa. fr. fig. y fam. Comerse o beberse la mayor parte de lo que contenía un plato o una vasija. ‖ **dejar vivir.** fr. fig. No importunar a los demás ni entremeterse en sus asuntos. ‖ **no dejar de.** Seguido de infinitivo, afirma por lítotes, a veces irónica, lo que el infinitivo y sus posibles complementos expresan. *Eso* NO DEJA DE *tener gracia* = Eso tiene gracia. ‖ **no dejarse ensillar.** fr. fig. y fam. No **dejarse** dominar; no querer estar sujeto a nadie. ‖ **no dejar verde ni seco.** fr. fig. Destruirlo todo, sin excepción alguna. ‖ **no me dejará mentir.** expr. fam. con que se afirma una cosa, atestiguando con persona que la sabe ciertamente o con otra cosa que la prueba.

dejarretadera. (De *dejarretar.*) f. ant. **desjarretadera.**

dejarretar. (De *de-* y *jarrete.*) tr. ant. **desjarretar.**

dejativo, va. (De *dejar.*) adj. p. us. Perezoso, flojo y desmayado.

deje. (De *dejar.*) m. Acción y efecto de dejar. DEJE *de cuen-*

ta. ‖ **2. dejo,** modo particular de hablar. ‖ **3. dejo,** acento peculiar. ‖ **4. dejo,** gusto o sabor.

dejemplar. (De *de-* y *ejemplo.*) tr. ant. Difamar, deshonrar.

dejillo. (d. de *dejo.*) m. **dejo,** tonillo o acento particular.

dejo. (De *dejar.*) m. p. us. Acción y efecto de dejar. ‖ **2.** p. us. Fin de una cosa, término o paradero de ella. ‖ **3.** Modo particular de pronunciación y de inflexión de la voz que acusa un estado de ánimo transitorio o peculiar del hablante. ‖ **4.** Acento peculiar del habla de determinada región. ‖ **5.** Inflexión descendente con que termina cada período de emisión de voz en el habla o en el canto. ‖ **6.** Gusto o sabor que queda de la comida o bebida. ‖ **7.** p. us. Descuido, flojedad. ‖ **8.** fig. Placer o disgusto que queda después de una acción.

dejugar. (De *de-* y *jugo.*) tr. ant. Quitar el jugo.

dejuramente. adv. m. vulg. *Arg., P. Rico* y *Urug.* Ciertamente, en verdad.

de jure. loc. adv. lat. **de iure.**

del. Contracc. de la prep. **de** y el art. **el.** *La naturaleza* DEL *hombre,* por *la naturaleza* DE EL *hombre;* DEL *águila,* por DE EL *águila.*

dél. Contracc. ant. de la prep. **de** y el pron. **él.** De él.

delación. (Del lat. *delatĭo, -ōnis.*) f. Acusación, denuncia.

delado. (Del lat. *delātus,* acusado.) m. ant. Bandido, forajido.

delant. adv. l. ant. **delante.**

delantal. (De *delante.*) m. Prenda de vestir de varias formas que, atada a la cintura, usan las mujeres para cubrir la delantera de la falda, y por analogía, el que usan algunos artesanos, los criados, camareros y niños. ‖ **2. mandil,** especie de **delantal** de cuero o tela fuerte de ciertos oficios. ‖ **3.** Prenda exterior de tela ligera que cubre el cuerpo desde el cuello hasta el muslo o la rodilla y que llevan los niños, empleados, dependientes, etc., para proteger la ropa en la escuela o en el trabajo.

delante. (De *denante.*) adv. l. Con prioridad de lugar, en la parte anterior o en sitio detrás del cual está una persona o cosa. ‖ **2. enfrente.** ‖ **3.** ant. De **delante,** o **delante** de. *Aquel sol de la milicia que ayer nos quitó el cielo* DELANTE *de los ojos; como quien tenía* DELANTE *los ojos los caminos y fatigas de Cristo.* ‖ **delante de.** loc. prepos. A la vista, en presencia de. *Cubrirse* DELANTE DEL *rey; decir algo* DELANTE DE *testigos.* ‖ **2. ante.** DELANTE DE *la puerta.*

delantealtar. (De *delante* y *altar.*) m. ant. **frontal,** paramento que se coloca en la parte anterior del altar.

delantera. (De *delantero.*) f. Parte anterior de una cosa. *La* DELANTERA *de la casa, del coche, de la cama.* ‖ **2.** En las plazas de toros, en los teatros y otros locales de espectáculos públicos, primera fila de cierta clase de asientos. ‖ **3.** Cuarto delantero de una prenda de vestir, así de hombre como de mujer. ‖ **4.** Frontera de una población, casa, huerta, etc. ‖ **5.** Espacio o distancia con que uno se adelanta o anticipa a otro en el camino. ‖ **6.** p. us. **canal** del libro encuadernado. ‖ **7.** coloq. Pecho de la mujer. ‖ **8. línea delantera.** ‖ **9.** ant. Vanguardia de una fuerza armada. ‖ **10.** pl. Zahones. ‖ **coger, ganar** o **tomar la delantera** a alguien. fr. Adelantarle cuando se compite en velocidad. ‖ **2.** Aventajar a alguien, ponérsele delante. ‖ **3.** Anticipársele en una acción. ‖ **llevar la delantera.** fr. Ir delante de otro en una carrera u otra cosa, en sentido material o no material.

delantero, ra. (De *delante.*) adj. Que está o va delante. ‖ **2.** V. **cuarto delantero.** ‖ **3.** m. Postillón que gobierna las caballerías **delanteras** o de guías, generalmente cabalgando en una de ellas. ‖ **4.** Pieza que forma la parte anterior de una prenda de vestir. ‖ **5.** En el fútbol y otros deportes, jugador que, en la alineación del equipo, forma parte de la línea **delantera.** El que ocupa el centro de dicha línea se llama **delantero** centro. ‖ **6.** En los partidos de pelota por parejas, el que hace los saques y realiza su juego en los primeros cuadros del frontón.

delasolré. (De la letra *d* y de las notas musicales *la, sol, re.*) m. En la música antigua, indicación del tono que principia en el segundo grado de la escala diatónica de *do* y se desarrolla según los preceptos del canto llano y del canto figurado.

delatable. adj. Digno de ser delatado.

delatador, ra. adj. Que delata o descubre o pone de manifiesto algo.

delatar. (Del lat. *delatus,* acusado, denunciado.) tr. Revelar a la autoridad un delito, designando al autor para que sea castigado, y sin ser parte obligada del juicio el denunciador, sino por su voluntad. ‖ **2.** Descubrir, poner de manifiesto alguna cosa oculta y por lo común reprochable. ‖ **3.** prnl. Hacer alguien patente su intención involuntariamente.

delate. (De *delatar.*) m. ant. **delado.**

delator, ra. (Del lat. *delātor, -ōris.*) adj. Denunciador, acusador. Ú. t. c. s.

delaxar. (Del lat. *delassāre.*) tr. ant. Cansar o fatigar.

delco. (Acrónimo de *Dayton Engineering Laboratories Company,* marca registrada.) m. *Mec.* En los motores de explosión, aparato distribuidor de la corriente de alto voltaje, a la que hace llegar por turno a cada una de las bujías.

dele. (Del lat. *delēre,* borrar, destruir.) m. *Impr.* Signo con que el corrector indica al margen de las pruebas que ha de quitarse una palabra, letra o nota.

deleble. (Del lat. *delebĭlis.*) adj. Que puede borrarse o se borra fácilmente.

delectable. (Del lat. *delectabĭlis.*) adj. ant. **deleitable.**

delectación. (Del lat. *delectatĭo, -ōnis.*) f. **deleitación.** ‖ **morosa.** Complacencia deliberada en un objeto o pensamiento prohibido, sin ánimo de ponerlo por obra.

delectamiento. (De *delectar.*) m. ant. **deleitamiento.**

delectar. (Del lat. *delectāre.*) tr. ant. **deleitar.** Usáb. t. c. prnl.

delecto. (Del lat. *delectus.*) m. ant. Orden, elección, discernimiento.

delegable. adj. Que se puede delegar.

delegación. (Del lat. *delegatĭo, -ōnis.*) f. Acción y efecto de delegar. ‖ **2.** Cargo de delegado. ‖ **3.** Oficina del delegado. ‖ **4.** Conjunto o reunión de delegados.

delegado, da. (Del lat. *delegātus.*) p. p. de **delegar.** ‖ **2.** adj. Dícese de la persona en quien se delega una facultad o jurisdicción. Ú. t. c. s. ‖ **3.** V. **juez delegado.** ‖ **4.** V. **jurisdicción delegada.**

delegar. (Del lat. *delegare.*) tr. Dar una persona a otra la jurisdicción que tiene por su dignidad u oficio, para que haga sus veces o conferirle su representación.

delegatario, ria. adj. *Col.* Dícese del individuo que recibe del pueblo o de sus representantes el encargo de desempeñar determinadas funciones. Ú. t. c. s.

delegatorio, ria. (Del lat. *delegatorĭus.*) adj. Que delega, o encierra alguna delegación.

deleitabilísimo, ma. adj. sup. de **deleitable.**

deleitable. (De *delectable.*) adj. **deleitoso.**

deleitación. (De *delectación.*) f. **deleite.**

deleitamiento. (De *deleitar.*) m. **delectación.**

deleitar. (Del prov. *deleitar.*) tr. Producir deleite. Ú. t. c. prnl.

deleite. (De *deleitar.*) m. Placer del ánimo. ‖ **2.** Placer sensual.

deleitoso, sa. adj. Que causa deleite.

delejar. (Del lat. *delassāre.*) tr. ant. Renunciar o donar.

deletéreo, a. (Del gr. δηλητήριος, de δηλητήρ, destructor.) adj. Mortífero, venenoso. Ú. t. en sent. fig.

deleto, ta. (Del lat. *delētus.*) adj. ant. Quitado o borrado

deletreado, da. p. p. de **deletrear.** ‖ **2.** adj. ant. Publicado o divulgado.
deletreador, ra. adj. Que deletrea. Ú. t. c. s.
deletrear. (De *de-* y *letra.*) intr. Pronunciar separadamente las letras de cada sílaba, las sílabas de cada palabra y luego la palabra entera; v. gr.: *b, o, bo, c, a, ca; boca.* ‖ **2.** Pronunciar aislada y separadamente las letras de una o más palabras. ‖ **3.** fig. Adivinar, interpretar lo oscuro y dificultoso de entender.
deletreo. m. Acción de deletrear. ‖ **2.** Procedimiento para enseñar a leer deletreando.
deleznable. (De *deleznarse.*) adj. Que se rompe, disgrega o deshace fácilmente. ‖ **2.** Que se desliza y resbala con mucha facilidad. ‖ **3.** fig. Poco durable, inconsistente, de poca resistencia.
deleznadero, ra. adj. ant. **deleznable.**
deleznadizo, za. (De *deleznarse.*) adj. ant. Resbaladizo, escurridizo.
deleznamiento. m. ant. Acción y efecto de deleznarse.
deleznarse. (De *des-* y el lat. *lēnis.*) prnl. p. us. Deslizarse, resbalarse.
délfico, ca. (Del lat. *Delphĭcus.*) adj. Perteneciente o relativo a Delfos o al oráculo de Apolo en Delfos.
delfín[1]. (Del lat. *delphin, -īnis,* y este del gr. δελφίς.) m. Cetáceo piscívoro, de dos y medio a tres metros de largo, negro por encima, blanquecino por debajo, de cabeza voluminosa, ojos pequeños y pestañosos, boca muy grande, dientes cónicos en ambas mandíbulas, hocico delgado y agudo, y una sola abertura nasal. Vive en los mares templados y tropicales. ‖ **pasmado.** *Blas.* El que tiene la boca abierta y sin lengua.
delfín[2]. (Del fr. *dauphin.*) m. Título que se daba al primogénito del rey de Francia.
delfina. f. Mujer del delfín de Francia.
delfinario. (Del ing. *dolphinarium.*) m. Establecimiento destinado a la exhibición de delfines vivos.
delga. f. *Electr.* Cada una de las laminillas de cobre que forman el colector de una máquina de corriente continua.
delgacero, ra. (De *delgazar.*) adj. ant. **delgado.**
delgadamente. adv. m. **delicadamente.** ‖ **2.** fig. p. us. Aguda, ingeniosa, discretamente.
delgadez. f. Calidad de delgado.
delgadeza. f. ant. **delgadez.**
delgado, da. (Del lat. *delicātus.*) adj. Flaco, cenceño, de pocas carnes. ‖ **2.** Tenue, de poco espesor. ‖ **3.** V. **intestino delgado.** ‖ **4.** Delicado, suave. ‖ **5.** V. **agua delgada.** ‖ **6.** ant. Poco, corto, escaso. ‖ **7.** fig. Aplicado a terreno o tierra, endeble, de poca sustancia o jugo. ‖ **8.** fig. Agudo, sutil, ingenioso. ‖ **9.** m. *Mar.* Cada una de las partes de los extremos de popa y de proa, en las cuales se estrecha el pantoque. ‖ **10.** pl. En los cuadrúpedos, partes inferiores del vientre, hacia las ijadas. ‖ **11.** Falda de las canales o reses muertas.
delgaducho, cha. adj. despect. Delgado.
delgazamiento. (De *delgazar.*) m. ant. **adelgazamiento.**
delgazar. (Del lat. **delicatiāre,* de *delicātus,* delgado.) tr. ant. **adelgazar.** Ú. en Asturias, Navarra, Rioja y Salamanca.
deliberación[1]. (Del lat. *deliberatĭo, -ōnis.*) f. Acción y efecto de deliberar[1].
deliberación[2]. f. ant. **liberación,** acción de liberar. ‖ **2. liberación,** quitanza, finiquito.
deliberado, da. p. p. de **deliberar.** ‖ **2.** adj. Voluntario, intencionado, hecho de propósito.
deliberador, ra. (Del lat. *deliberātor, -ōris.*) adj. ant. **liberador.** Usáb. t. c. s.
deliberamiento. (De *deliberar*[2].) m. ant. **deliberación**[2].
deliberante. p. a. de **deliberar**[1]. Que delibera. ‖ **2.** adj. Se dice de las juntas o corporaciones, cuyos acuerdos, tomados por mayoría de votos, trascienden a la vida de la colectividad con eficacia ejecutiva.
deliberar[1]. (Del lat. *deliberāre.*) intr. Considerar atenta y detenidamente el pro y el contra de los motivos de una decisión, antes de adoptarla, y la razón o sinrazón de los votos antes de emitirlos. ‖ **2.** tr. Resolver una cosa con premeditación.
deliberar[2]. (De *de-* y *liberar.*) tr. ant. **liberar.**
deliberativo, va. (Del lat. *deliberatīvus.*) adj. Perteneciente a la deliberación[1].
delibración. f. ant. **deliberación**[2].
delibramiento. m. ant. **deliberamiento.**
delibranza. f. ant. **delibración.**
delibrar[1]. tr. ant. **deliberar**[2].
delibrar[2]. (Del lat. *deliberāre,* resolver, decidir.) tr. ant. Acabar, concluir. ‖ **2.** ant. Romper a hablar. ‖ **3.** ant. Matar. ‖ **4.** ant. *Der.* Resolver los asuntos del foro.
delicadez. (De *delicado.*) f. p. us. Debilidad, flaqueza, falta de vigor o robustez. ‖ **2.** Minuciosidad, escrupulosidad de genio, que se ofende o altera por poco. ‖ **3.** Flojedad, condescendencia, indolencia. ‖ **4. delicadeza.**
delicadeza. (De *delicadez.*) f. **finura.** ‖ **2.** Atención y exquisito miramiento con las personas o las cosas, en las obras o en las palabras. ‖ **3.** Ternura, suavidad. ‖ **4. escrupulosidad.**
delicado, da. (Del lat. *delicātus.*) adj. Fino, atento, suave, tierno. ‖ **2.** Débil, flaco, delgado, enfermizo. ‖ **3.** Quebradizo, fácil de deteriorarse. *Vaso, color* DELICADO. ‖ **4.** Sabroso, regalado, gustoso. ‖ **5.** Difícil, expuesto a contingencias. *Punto* DELICADO, *materia* DELICADA. ‖ **6.** Primoroso, fino, exquisito. ‖ **7.** Bien parecido, agraciado. *Rostro* DELICADO, *facciones* DELICADAS. ‖ **8.** Sutil, agudo, ingenioso. ‖ **9.** Suspicaz, fácil de resentirse o enojarse. ‖ **10.** Difícil de contentar. ‖ **11.** Que procede con escrupulosidad o miramiento.
delicaducho, cha. (De *delicado.*) adj. Dícese de la persona que se halla débil y enfermiza.
delicadura. (De *delicado.*) f. ant. **delicadeza.**
delicamiento. m. ant. Delicadeza, regalo, delicia.
delicia. (Del lat. *delicĭa.*) f. Placer muy intenso del ánimo. ‖ **2.** Placer sensual muy vivo. ‖ **3.** Aquello que causa **delicia.** *Ciudad llena de* DELICIAS; *este niño es la* DELICIA *de sus padres.*
deliciarse. (Del lat. *deliciāri.*) prnl. ant. Deleitarse.
delicio. (Del lat. *delicĭum.*) m. ant. Delicia, diversión.
delicioso, sa. (Del lat. *deliciōsus.*) adj. Capaz de causar delicia; muy agradable o ameno.
delictivo, va. (Del lat. *delictum,* delito.) adj. Perteneciente o relativo al delito. ‖ **2.** Que implica delito.
delicto. (Del lat. *delictum.*) m. ant. **delito.**
delictuoso, sa. adj. p. us. **delictivo.**
delicuescencia. (De *delicuescente.*) f. Calidad de delicuescente.
delicuescente. (Del lat. *deliquescens, -entis,* p. a. de *deliquescĕre,* liquidarse.) adj. *Quím.* Que tiene la propiedad de atraer la humedad del aire y liquidarse lentamente. ‖ **2.** fig. Inconsistente, sin vigor, decadente; dícese principalmente de costumbres o de estilos literarios y artísticos.
delimitación. f. Acción y efecto de delimitar.
delimitador, ra. adj. Que delimita.
delimitar. tr. Determinar o fijar con precisión los límites de una cosa.
delincuencia. (Del lat. *delinquentĭa.*) f. Calidad de delincuente. ‖ **2. comisión,** acción de cometer un delito. ‖ **3.** Conjunto de delitos, ya en general o ya referidos a un país, época o especialidad en ellos.
delincuente. (Del lat. *delinquens, -entis.*) p. a. de **delinquir.** Que delinque. Ú. m. c. s.

delineación. (Del lat. *delineatĭo, -ōnis.*) f. Acción y efecto de delinear.
delineador, ra. adj. Que se ejercita en delinear. Ú. t. c. s.
delineamento. m. **delineamiento.**
delineamiento. (De *delinear.*) m. **delineación.**
delineante. p. a. de **delinear.** Que delinea. ‖ **2.** com. Persona que tiene por oficio trazar planos.
delinear. (Del lat. *delineāre.*) tr. Trazar las líneas de una figura.
delinquimiento. m. Acción y efecto de delinquir.
delinquir. (Del lat. *delinquĕre.*) intr. Cometer delito.
deliñar. (Del lat. *delineāre.*) tr. ant. Aliñar, componer, aderezar.
delio, lia. (Del lat. *Delĭus.*) adj. Natural de Delos. Ú. t. c. s. ‖ **2.** Perteneciente o relativo a esta isla del Archipiélago.
deliquio. (Del lat. *deliquĭum.*) m. Desmayo, desfallecimiento.
deliramento. (Del lat. *delirumentum.*) m. ant. **delirio.**
delirar. (Del lat. *delirāre.*) intr. Desvariar, tener perturbada la razón por una enfermedad o una pasión violenta. ‖ **2.** fig. Decir o hacer despropósitos o disparates.
delirio. (Del lat. *delirĭum.*) m. Acción y efecto de delirar. ‖ **2.** Desorden o perturbación de la razón o de la fantasía, originado por una enfermedad o una pasión violenta. ‖ **3.** fig. Despropósito, disparate. ‖ **de grandezas.** fig. Actitud de la persona que sueña con una situación o con lujos que no están a su alcance.
delírium trémens. (Del lat. *delirĭum,* delirio, y *tremens,* temblón.) m. Delirio caracterizado por una gran agitación y alucinaciones, que sufren los alcohólicos crónicos.
delitescencia. (Del lat. *delitescĕre,* ocultarse.) f. *Med.* Desaparición de alguna afección local. ‖ **2.** *Quím.* Pérdida o eliminación del agua en partículas menudas que experimenta un cuerpo al cristalizarse.
delito. (De *delicto.*) m. Culpa, crimen, quebrantamiento de la ley. ‖ **2.** *Der.* V. **cuerpo, figura de,** o **del, delito.** ‖ **3.** *Der.* Acción u omisión voluntaria, castigada por la ley con pena grave. DELITO *común, especial, político, notorio.* ‖ **de lesa majestad.** El que se comete contra la vida del soberano, del sucesor inmediato o del regente de una monarquía. Antiguamente se llamaba así cualquier acto contrario al respeto debido a la persona del Estado.
delongar. (De *de-* y el lat. *longus,* largo.) tr. ant. Alargar, prolongar.
delta. (Del gr. δέλτα, Δ.) f. Cuarta letra del alfabeto griego, que corresponde a nuestra *d.* ‖ **2.** m. Terreno comprendido entre los brazos de un río en su desembocadura; llámase así por la semejanza con la figura de aquella letra.
deltoides. (Del gr. δέλτα, Δ, y *-oide.*) adj. De figura de delta mayúscula. ‖ **2.** *Anat.* Dícese del músculo propio de los mamíferos, de forma triangular, que en el hombre va desde la clavícula al omóplato y cubre la articulación de este con el húmero. Ú. t. c. s. m.
deludir. (Del lat. *deludĕre,* engañar.) tr. Engañar, burlar.
delusión. f. **ilusión,** engaño de los sentidos.
delusivo, va. (Del lat. *delūsum,* de *deludĕre,* engañar.) adj. p. us. **delusorio.**
delusor, ra. (Del lat. *delūsor, -ōris,* burlador.) adj. p. us. **engañador.** Ú. t. c. s.
delusorio, ria. (Del lat. *delusorĭus.*) adj. p. us. **engañoso.**
dello, lla. Contracc. desus. de **de ello** y de **de ella.** ‖ **dello con dello.** expr. fam. con que se significa la mezcla de cosas opuestas entre sí. ‖ **2.** ant. Usáb. para explicar que es preciso mezclar la dulzura con la severidad, sufrir los males con los bienes y tener templanza en todo lo que se hace.
demacración. (De *demacrarse.*) f. Acción y efecto de demacrar o demacrarse.
demacrado, da. p. p. de **demacrar** o **demacrarse.** ‖ **2.** adj. Que muestra demacración.
demacrarse. (De *de-* y el lat. *macrāre,* enflaquecer.) prnl. Perder carnes, enflaquecer por causa física o moral. Ú. t. c. tr.
demagogia. (Del gr. δημαγωγία.) f. Dominación tiránica de la plebe con la aquiescencia de esta. ‖ **2.** Halago de la plebe para hacerla instrumento de la propia ambición política. Ú. t. en sent. fig.
demagógico, ca. (Del gr. δημαγωγικός.) adj. Perteneciente a la demagogia o al demagogo.
demagogo, ga. (Del gr. δημαγωγός.) m. y f. Cabeza o caudillo de una facción popular. ‖ **2.** Sectario de la demagogia. ‖ **3.** Orador revolucionario que intenta ganar influencia mediante discursos que agiten a la plebe. Ú. t. c. adj. y en sent. fig.
demanda. (De *demandar.*) f. Súplica, petición, solicitud. ‖ **2.** Limosna que se pide para una iglesia, imagen u obra pía. ‖ **3.** p. us. Tablilla o imagen con que se pide esta limosna. ‖ **4.** Persona que la pide. ‖ **5. pregunta.** ‖ **6. busca,** acción de buscar. ‖ **7.** Empresa o intento. ‖ **8.** Empeño o defensa. ‖ **9.** *Com.* Pedido o encargo de mercancías. ‖ **10.** *Der.* Petición que un litigante sustenta en el juicio. ‖ **11.** *Der.* Escrito en que se ejercitan en juicio una o varias acciones civiles o se desenvuelve un recurso contencioso-administrativo. ‖ **12.** *Der.* V. **absolución de la demanda.** ‖ **13.** *Der.* V. **contenencia, contestación a la demanda.** ‖ **demandas y respuestas.** Altercados y disputas que ocurren en un asunto. ‖ **contestar la demanda.** fr. *Der.* Trabar el juicio impugnando las peticiones del actor. ‖ **ir en demanda de** una persona o cosa. fr. Ir en busca de ella. ‖ **salir a la demanda.** fr. *Der.* Mostrarse parte en un pleito, oponiéndose al que es contrario en él. ‖ **2.** fig. Hacer oposición a otro o defender alguna cosa.
demandable. (De *demandar.*) adj. ant. Apetecible, digno de ser buscado.
demandadero, ra. (De *demandar.*) m. y f. Persona destinada para hacer los mandados de las monjas fuera del convento, o de los presos fuera de la cárcel. ‖ **2.** fig. Persona que hace los mandados de una casa y no vive en ella.
demandado, da. p. p. de **demandar.** ‖ **2.** m. y f. *Der.* Persona a quien se pide una cosa en juicio.
demandador, ra. adj. Que demanda o pide. Ú. t. c. s. ‖ **2.** m. y f. p. us. Persona que pide limosna con una demanda o tablilla. ‖ **3.** *Der.* **demandante,** persona que demanda en juicio.
demandante. p. a. de **demandar.** Que demanda. Ú. t. c. s. ‖ **2.** com. *Der.* Persona que demanda o pide una cosa en juicio.
demandanza. (De *demandar.*) f. ant. Demanda, acción o derecho.
demandar. (Del lat. *demandāre,* confiar, encomendar.) tr. Pedir, rogar. ‖ **2.** p. us. Apetecer, desear. ‖ **3. preguntar.** ‖ **4.** Hacer cargo de una cosa. ‖ **5.** ant. Intentar, pretender. ‖ **6.** *Der.* Entablar demanda.
demarcación. f. Acción y efecto de demarcar. ‖ **2.** Terreno demarcado. ‖ **3.** En las divisiones territoriales, parte comprendida en cada jurisdicción.
demarcador, ra. adj. Que demarca. Ú. t. c. s.
demarcar. (De *de*[2] y *marcar.*) tr. Delinear, señalar los límites o confines de un país o terreno. Se usa especialmente tratándose de las concesiones mineras. ‖ **2.** *Mar.* **marcar,** determinar una marcación.
demarrarse. (De *de-* y *marrar.*) prnl. ant. Extraviarse, descarriarse.
demás. (Del lat. *de magis.*) adj. Precedido de los artículos *lo, la, los, las,* equivale a lo otro, la otra, los otros o los restantes, las otras. En plural se usa muchas veces sin artículo. *Juan y* DEMÁS *compañeros.* También se dice sola-

mente y **demás,** significando: *y otras personas o cosas;* y en este caso equivale al *et cétera* latino, de frecuente uso en castellano. ‖ **2.** adv. c. **además.** ‖ **por demás.** loc. adv. En vano, inútilmente. ‖ **2. en demasía.** ‖ **por lo demás.** loc. adv. Por lo que hace relación a otras consideraciones. *He querido probarle que no se conduce como debe;* POR LO DEMÁS, *yo no estoy enojado con él.*

demasía. (De *demás.*) f. **exceso.** ‖ **2. atrevimiento,** acción de arriesgarse. ‖ **3.** Insolencia, descortesía, desafuero. ‖ **4.** Maldad, delito. ‖ **5.** *Min.* Terreno franco, pero no adecuado para libre concesión por su insignificancia o irregularidad, comprendido entre dos o más minas, a las cuales se debe adjudicar como complemento, por derecho preferente. ‖ **en demasía.** loc. conjunt. **excesivamente.**

demasiadamente. adv. c. **demasiado.**

demasiado, da. (De *demasía.*) adj. Que es en demasía, o tiene demasía. ‖ **2.** ant. Que habla o dice con libertad lo que siente. ‖ **3.** adv. c. **en demasía.**

demasiarse. (De *demasía.*) prnl. p. us. Excederse, desmandarse.

demediar. (De *de-* y *mediar.*) tr. p. us. Partir, dividir en mitades. Ú. t. c. intr. ‖ **2.** p. us. Cumplir la mitad del tiempo, edad o carrera que se ha de vivir o andar. ‖ **3.** p. us. Usar o gastar una cosa, haciéndole perder la mitad de su valor.

demencia. (Del lat. *dementĭa.*) f. Locura, trastorno de la razón. ‖ **2.** *Med.* Estado de debilidad, generalmente progresivo y fatal, de las facultades mentales.

demencial. adj. Perteneciente o relativo a la demencia. ‖ **2.** Caótico, absurdo, incomprensible.

dementar[1]**.** (Del lat. *dementāre.*) tr. p. us. Hacer perder el juicio. Ú. m. c. prnl.

dementar[2]**.** (De *de-* y *mente.*) tr. ant. Mencionar, recordar.

demente. (Del lat. *demens, -entis.*) adj. Loco, falto de juicio. Ú. t. c. s. ‖ **2.** *Med.* Que padece **demencia,** debilidad de las facultades mentales.

demergido, da. (Del lat. *demergĕre,* sumergir, sepultar.) adj. desus. Abatido, hundido.

demeritar. tr. *Amér.* Empañar, quitar mérito.

demérito. (Del lat. *demerĭtus.*) m. Falta de mérito. ‖ **2.** Acción, circunstancia o cualidad por la cual se desmerece.

demeritorio, ria. (De *demérito.*) adj. Que desmerece.

demientra, demientre o **demientres.** (Del lat. *dum,* mientras, e *intĕrim,* entretanto, por medio del ant. *domientre.*) adv. t. ant. **mientras.**

demigar. (De *de-* y *miga.*) tr. ant. Disipar, esparcir.

demisión. (Del lat. *demissĭo, -ōnis.*) f. desus. Sumisión, abatimiento.

demitir. (Del lat. *demittĕre.*) tr. ant. **dimitir.**

demiurgo. (Del gr. δημιουργός, creador.) m. *Fil.* Dios creador, en la filosofía de los platónicos y alejandrinos. ‖ **2.** *Fil.* Alma universal, principio activo del mundo, según los gnósticos.

democracia. (Del gr. δημοκρατία.) f. Doctrina política favorable a la intervención del pueblo en el gobierno. ‖ **2.** Predominio del pueblo en el gobierno político de un Estado.

demócrata. adj. Partidario de la democracia. Ú. t. c. s.

democratacristiano, na. adj. **democristiano.** Ú. t. c. s.

democrático, ca. (Del gr. δημοκρατικός.) adj. Perteneciente o relativo a la democracia.

democratización. f. Acción y efecto de democratizar.

democratizar. (Del gr. δημοκρατίζω.) tr. Hacer demócratas a las personas o democráticas las cosas. Ú. t. c. prnl.

democristiano, na. adj. Perteneciente o relativo al movimiento político conocido como Democracia Cristiana en Italia y otros afines en distintos países. ‖ **2.** m. y f. Persona que profesa esta ideología.

demografía. (Del gr. δῆμος, pueblo, y *-grafía.*) f. Estudio estadístico de una colectividad humana según su composición y estado de un determinado momento, o según su evolución histórica.

demográfico, ca. adj. Perteneciente o relativo a la demografía.

demógrafo, fa. m. y f. Persona que ejerce la demografía o tiene en ella especiales conocimientos.

demoledor, ra. adj. Que demuele. Ú. t. c. s.

demoler. (Del lat. *demolīre.*) tr. Deshacer, derribar, arruinar.

demolición. (Del lat. *demolitĭo, -ōnis.*) f. Acción y efecto de demoler.

demonche. m. fam. **demonio,** diablo.

demoníaco, ca o **demoniaco, ca.** (Del lat. *daemoniăcus,* y este del gr. δαιμονιακός.) adj. Perteneciente o relativo al demonio. ‖ **2. endemoniado,** poseído. Ú. t. c. s.

demoniado, da. (De *demonio.*) adj. ant. **endemoniado,** poseído. Usáb. t. c. s.

demonial. (De *demonio.*) adj. ant. **demoniaco.**

demonio. (Del lat. *daemonĭum,* y este del gr. δαιμόνιον.) m. **diablo.** ‖ **2.** Genio o ser sobrenatural, entre los gentiles. *El* DEMONIO *de Sócrates.* ‖ **3.** Uno de los tres enemigos del alma, según el catecismo de la doctrina cristiana. ‖ **¡cómo demonios!** loc. **¡qué diablos!** ‖ **del demonio.** loc. adj. fam. Extraordinario, tremendo. *Hace un frío* DEL DEMONIO. ‖ **¡demonio!,** o **¡demonios!** interj. fam. **¡diablo!** ‖ **estudiar con el demonio.** fr. fig. y fam. Dar muestras de gran ingenio y agudeza para lo malo, o de gran travesura. ‖ **llevarse** a alguien **el demonio,** o **los demonios,** o **todos los demonios. ponerse como un demonio,** o **hecho un demonio. revestírsele** a alguien **el demonio,** o **los demonios,** o **todos los demonios.** frs. figs. Encolerizarse o irritarse demasiado. ‖ **¡qué demonios!** loc. **¡qué diablos!** ‖ **ser el demonio,** o **el mismísimo,** o **el mismo, demonio,** o **un demonio.** fr. fig. y fam. Ser demasiado perverso, travieso o hábil. ‖ **tener el demonio,** o **los demonios, en el cuerpo.** fr. fig. y fam. Ser excesivamente inquieto o travieso.

demoniomanía. (De *demonio* y *manía.*) f. **demonomanía.**

demonismo. m. Creencia en el demonio u otros seres maléficos.

demonólatra. com. Persona que practica la demonolatría.

demonolatría. (Del gr. δαίμων, demonio, y λατρεία, adoración.) f. Culto supersticioso que se rinde al diablo.

demonología. (Del gr. δαίμων y *-logía.*) f. Estudio sobre la naturaleza y cualidades de los demonios.

demonológico, ca. adj. Perteneciente o relativo a la demonología.

demonomancia o **demonomancía.** (Del gr. δαίμων, y μαντεία, adivinación.) f. Arte supersticiosa de adivinar lo por venir mediante la inspiración de los demonios.

demonomanía. (Del gr. δαιμονομανία.) f. Manía que padece el que se cree poseído del demonio.

demonstrable. (Del lat. *demonstrabĭlis.*) adj. ant. **demostrable.**

demonstración. (Del lat. *demonstratĭo, -ōnis.*) f. ant. **demostración.**

demonstrador, ra. (Del lat. *demonstrātor, -ōris.*) adj. ant. Que demuestra. Usáb. t. c. s.

demonstramiento. m. ant. **demostramiento.**

demonstrar. (Del lat. *demonstrāre.*) tr. ant. **demostrar.**

demontre. m. fam. **demonio,** diablo. Ú. m. c. interj.

demoñejo. m. d. de **demonio.**

demoñuelo. m. d. de **demonio.**

demora. (De *demorar.*) f. Tardanza, dilación. ‖ **2.** Temporada de ocho meses que en América debían trabajar los indios en las minas. ‖ **3.** *Der.* Tardanza en el cumplimiento de una obligación desde que es exigible. ‖ **4.** *Mar.* Dirección o rumbo en que se halla u observa un objeto, con relación a la de otro dado o conocido.

demoranza. f. ant. **demora,** tardanza, dilación.

demorar. (Del lat. *demorāri.*) tr. **retardar.** U. t. c. prnl. ‖ **2.** intr. Detenerse o hacer mansión en una parte. ‖ **3.** *Mar.* Corresponder un objeto a un rumbo o dirección determinada, respecto a otro lugar o al sitio desde donde se observa.

demoroso, sa. adj. *Chile.* Moroso, lento, tardío. Apl. a pers., ú. t. c. s.

demoscopia. (Del al. *Demoskopie.*) f. Estudio de las opiniones, aficiones y comportamiento humanos mediante sondeos de opinión.

demoscópico, ca. adj. Perteneciente o relativo a la demoscopia.

demosofía. (Del gr. δῆμος, pueblo, y σοφία, sabiduría.) f. **folclore.**

demóstenes. (Por alusión a *Demóstenes,* famoso orador griego.) m. fig. Hombre muy elocuente.

demostino, na. adj. Propio y característico de Demóstenes como orador, o que tiene semejanza con cualquiera de las cualidades por que se distinguen sus discursos.

demostrable. (Del lat. *demonstrabĭlis.*) adj. Que se puede demostrar.

demostración. (Del lat. *demonstratio, -ōnis.*) f. Acción y efecto de demostrar. ‖ **2.** Señalamiento, manifestación. ‖ **3.** *Lóg.* Prueba de una cosa, partiendo de verdades universales y evidentes. ‖ **4.** *Lóg.* Comprobación, por hechos ciertos o experimentos repetidos, de un principio o de una teoría. ‖ **5.** *Lóg.* Fin y término del procedimiento deductivo. ‖ **6.** Ostentación o manifestación pública de fuerza, poder, riqueza, habilidad, etc.

demostrador, ra. (Del lat. *demonstrātor, -ōris.*) adj. Que demuestra. Ú. t. c. s.

demostramiento. (De *demostrar.*) m. ant. **demostración,** señalamiento.

demostranza. (De *demostrar.*) f. ant. Muestra, alarde o revista.

demostrar. (Del lat. *demonstrāre.*) tr. Manifestar, declarar. ‖ **2.** Probar, sirviéndose de cualquier género de demostración. ‖ **3. enseñar.** ‖ **4.** *Lóg.* Mostrar, hacer ver que una verdad particular está comprendida en otra universal, de la que se tiene entera certeza.

demostrativo, va. (Del lat. *demonstratīvus.*) adj. Dícese de lo que demuestra. ‖ **2.** *Gram.* V. **pronombre demostrativo.** Ú. t. c. s.

demótico, ca. (Del gr. δημοτικός, popular.) adj. Aplícase a un género de escritura cursiva empleado por los antiguos egipcios para diversos actos privados. ‖ **2.** m. Variedad hablada de la lengua griega moderna.

demudación. (Del lat. *demutatio, -ōnis.*) f. Acción y efecto de demudar o demudarse.

demudamiento. (De *demudar.*) m. **demudación.**

demudar. (Del lat. *demutāre.*) tr. Mudar, variar. ‖ **2.** Alterar, disfrazar, desfigurar. Ú. t. c. prnl. ‖ **3.** prnl. Cambiarse repentinamente el color, el gesto o la expresión del semblante.

demuesa. f. ant. **demuestra.**

demuestra. (De *demostrar.*) f. ant. Señal, demostración o ademán.

demulcente. (Del lat. *demulcens, -entis,* p. a. de *demulcēre,* halagar, acariciar.) adj. *Med.* **emoliente.** Ú. t. c. s. m.

demulcir. (Del lat. *demulcēre.*) tr. ant. Halagar, recrear.

denante. (Del lat. *de in ante.*) adv. t. ant. **denantes.**

denantes. (De *denante,* con la *s* de *detrás.*) adv. t. desus. y hoy pop. **antes.**

denario, ria. (Del lat. *denarĭus.*) adj. Que se refiere al número diez o lo contiene. Ú. m. c. s. m. ‖ **2.** m. Moneda romana de plata, equivalente a diez ases o cuatro sestercios. ‖ **3.** Moneda romana de oro, que valía cien sestercios.

dende. (Del lat. *deinde,* después.) adv. t. y l. ant. y hoy vulg. De allí; de él o de ella; desde allí. ‖ **2.** prep. ant. y hoy vulg. **desde.**

dendriforme. adj. De figura de árbol.

dendrita. (Del gr. δενδρίτης.) f. Concreción mineral que en forma de ramas de árbol suele presentarse en las fisuras y juntas de las rocas. ‖ **2.** Árbol fósil. ‖ **3.** *Med.* Prolongación protoplásmica ramificada de la célula nerviosa. ‖ **4.** *Metal.* Cristal metálico, producido generalmente por solidificación y caracterizado por una estructura parecida a la de un árbol de muchas ramas.

dendrítico, ca. adj. De figura de dendrita.

dendrografía. (Del gr. δένδρον, árbol, y *-grafía.*) f. Descripción de los árboles.

dendrográfico, ca. adj. Perteneciente o relativo a la dendrografía.

dendroide. (Del gr. δένδρον, árbol, y *-oide.*) adj. **dendroideo.**

dendroideo, a. adj. **arborescente.**

dendrómetro. (Del gr. δένδρον, árbol, y *-metro.*) m. Instrumento que sirve para medir las dimensiones de los árboles en pie.

dendrotráquea. (Del gr. δένδρον, árbol, y *tráquea.*) f. *Zool.* Cada uno de los conductos ramificados por los que penetra en el cuerpo de los insectos, miriópodos y algunos arácnidos el aire que el animal utiliza para su respiración.

denegación. (Del lat. *denegatio, -ōnis.*) f. Acción y efecto de denegar. ‖ **de auxilio.** Delito que se comete desobedeciendo de manera injustificada un requerimiento de la autoridad o eludiendo sin excusa legal una función o un cargo públicos.

denegamiento. (De *denegar.*) m. ant. **denegación.**

denegar. (Del lat. *denegāre.*) tr. No conceder lo que se pide o solicita.

denegatorio, ria. adj. Que incluye denegación.

denegrecer. (De *de-* y *negrecer.*) tr. p. us. **ennegrecer.** Ú. t. c. prnl. ‖ **2.** ant. fig. **denigrar.**

denegrido, da. p. p. de **denegrir.** ‖ **2.** adj. De color que tira a negro.

denegrir. (Del lat. *de,* de, y *nigrēre,* ponerse negro.) tr. **denegrecer,** ennegrecer. Ú. t. c. prnl.

dengoso, sa. (De *dengue*[1].) adj. **melindroso.**

dengue[1]. (Voz onomatopéyica.) m. Melindre que consiste en afectar delicadezas, males, y, a veces, disgusto de lo que más se quiere o desea. ‖ **2.** Esclavina de paño, que llega hasta la mitad de la espalda, se cruza por el pecho, y las puntas se sujetan detrás del talle. Es prenda de mujer. ‖ **3.** *Amér.* Contoneo. ‖ **4.** *Pat.* Enfermedad febril, epidémica y contagiosa, que se manifiesta por dolores de los miembros y un exantema semejante al de la escarlatina.

dengue[2]. m. *Chile.* Planta herbácea, ramosa, de hojas opuestas, ovaladas y carnosas, y flores inodoras, rojas, amarillas o blancas, pedunculadas en hacecillos terminales que se marchitan al menor contacto. ‖ **2.** *Chile.* Flor de esta planta.

denguear. intr. p. us. Hacer dengues[1] o melindres. ‖ **2.** *Amér.* Contonearse.

denguero, ra. (De *dengue*[1].) adj. **dengoso.**

denigración. (Del lat. *denigratĭo, -ōnis,* acción de ennegrecer.) f. Acción y efecto de denigrar.

denigrante. p. a. de **denigrar.** Que denigra. Ú. t. c. s.

denigrar. (Del lat. *denigrāre,* poner negro, manchar.) tr. Deslustrar, ofender la opinión o fama de una persona. ‖ **2.** **injuriar,** agraviar, ultrajar.

denigrativo, va. adj. Dícese de lo que denigra. *Escrito* DENIGRATIVO; *palabra* DENIGRATIVA.

denigratorio, ria. adj. Perteneciente o relativo a la denigración.
denodado, da. (Del lat. *denotātus*, famoso.) adj. Intrépido, esforzado, atrevido.
denodarse. (Del lat. *denotāre*, señalar.) prnl. ant. Atreverse, esforzarse, mostrarse osado y feroz.
denominación. (Del lat. *denominatĭo, -ōnis.*) f. Nombre, título o sobrenombre con que se distinguen las personas y las cosas.
denominadamente. adv. m. Distintamente, señaladamente.
denominado, da. (De *denominar.*) p. p. de **denominar.** ‖ **2.** adj. *Arit.* V. **número denominado.**
denominador, ra. (Del lat. *denominātor, -ōris.*) adj. Que denomina. Ú. t. c. s. ‖ **2.** m. *Arit.* Número que en los quebrados o fracciones expresa las partes iguales en que la unidad se considera dividida, y que, en consecuencia, les da nombre. Escríbese debajo del numerador y separado de este por una raya horizontal; o al mismo nivel y separado por una raya inclinada o por dos puntos.
denominar. (Del lat. *denomināre.*) tr. Nombrar, señalar o distinguir con un título particular a algunas personas o cosas. Ú. t. c. prnl.
denominativo, va. (Del lat. *denominatīvus.*) adj. Que implica o denota denominación. ‖ **2.** *Gram.* Dícese de la palabra y en especial del verbo, derivados de un nombre, como *torear* de *toro,* y *martillar* de *martillo.*
denostable. (De *denostar.*) adj. ant. **vituperable.**
denostada. (De *denostar.*) f. ant. Injuria o afrenta.
denostadamente. adv. m. Con denuesto.
denostador, ra. (De *denostar.*) adj. Que injuria o agravia de palabra. Ú. t. c. s.
denostamiento. (De *denostar.*) m. ant. **denuesto.**
denostar. (Del lat. *dehonestāre*, deshonrar.) tr. Injuriar gravemente, infamar de palabra.
denostosamente. adv. m. **denostadamente.**
denostoso, sa. (De *denuesto.*) adj. Que implica injuria o afrenta.
denotación. (Del lat. *denotatĭo, -ōnis.*) f. Acción y efecto de denotar.
denotar. (Del lat. *denotāre.*) tr. Indicar, anunciar, significar. ‖ **2.** *Ling.* Significar una palabra o expresión una realidad en la que coincide toda la comunidad lingüística. Se opone a **connotar.**
denotativo, va. adj. Dícese de lo que denota.
densar. (Del lat. *densāre.*) tr. ant. Coagular, espesar, encrasar, engrosar lo líquido. ‖ **2.** ant. Espesar, unir.
densidad. (Del lat. *densĭtas, -ātis.*) f. Calidad de denso. ‖ **2.** *Fís.* Relación entre la masa y el volumen de un cuerpo. ‖ **de población.** Número de habitantes por unidad de superficie, como hectárea, kilómetro cuadrado, etc.
densificar. tr. Hacer densa una cosa. Ú. t. c. prnl.
densímetro. (De *denso* y *-metro.*) m. *Fís.* **areómetro.**
denso, sa. (Del lat. *densus.*) adj. Compacto, apretado, en contraposición a ralo o flojo. ‖ **2.** Craso, espeso, engrosado. ‖ **3.** fig. Apiñado, apretado, unido, cerrado. ‖ **4.** fig. Oscuro, confuso.
densuno. adv. m. ant. **de consuno.**
dentado, da. (Del lat. *dentātus.*) adj. Que tiene dientes, o puntas parecidas a ellos. ‖ **2.** *Blas.* Se dice del escudo cuyas particiones o piezas están guarnecidas de puntas como dientes de sierra, y también del animal que muestra sus dientes de esmalte distinto que el cuerpo. ‖ **3.** *Bot.* V. **hoja dentada.** ‖ **4.** Dícese del sello de correos con dientes; el número de estos, que puede ser distinto en el borde horizontal y en el vertical, es una característica del tipo de emisión o serie, v. gr. $10^1/_2$, $11^1/_2$, etc., y se mide por los contenidos en 2 cm de longitud. Ú. t. c. s.
dentadura. f. Conjunto de dientes, muelas y colmillos que tiene en la boca una persona o un animal.
dental[1]. (Del lat. *dentāle.*) m. Palo donde se encaja la reja del arado. ‖ **2.** Cada una de las piedras o hierros del trillo, que sirven para cortar la paja.
dental[2]. (Del lat. *dentālis.*) adj. Perteneciente o relativo a los dientes. ‖ **2.** *Fon.* Dícese de la consonante cuya articulación requiere que la lengua toque en los dientes, y más propiamente de la que se pronuncia aplicando o acercando la lengua a la cara interior de los incisivos superiores, como la *t.* ‖ **3.** *Fon.* Dícese de la letra que representa este sonido. Ú. t. c. s. f.
dentar. tr. Formar dientes a una cosa; como a la hoz, la sierra, etc. ‖ **2.** intr. **endentecer.**
dentario, ria. (Del lat. *dentarĭus.*) adj. Perteneciente o relativo a los dientes.
dentecer. (Del lat. *dens, dentis,* diente.) intr. ant. **endentecer.**
dentecillo. m. d. de **diente.**
dentejón. (Del lat. *denticŭlus.*) m. Yugo con que se uncen los bueyes a la carreta.
dentellada. (De *dentellar.*) f. Acción de mover la quijada con alguna fuerza sin mascar cosa alguna. ‖ **2.** Herida que dejan los dientes en la parte donde muerden. ‖ **a dentelladas.** loc. adv. Con los dientes. Ú. con los verbos *morder, herir, romper,* etc. ‖ **dar,** o **sacudir,** uno **dentelladas** a otro. fr. fig. y fam. Darle malas razones o respuestas agrias.
dentellado, da. p. p. de **dentellar.** ‖ **2.** adj. Que tiene dientes. ‖ **3.** Parecido a ellos. ‖ **4.** Herido a dentelladas. ‖ **5.** *Blas.* Se dice de la pieza que lleva en su contorno muchos dientes menudos que la diferencian de la dentada, así como el que los espacios entre cada diente son de figura circular y no angulosa.
dentellar. (De etim. disc., cf. lat. vulg. **dentellus,* prov. *dentelhar.*) intr. Dar diente con diente; batir los dientes unos contra otros con celeridad.
dentellear. (De *dentellar.*) tr. Mordiscar, clavar los dientes.
dentellón. (De *dentellar.*) m. Pieza, a modo de un diente grande, que se suele echar en las cerraduras maestras. ‖ **2.** *Arq.* **dentículo.** ‖ **3.** *Arq.* Parte de la adaraja que está entre dos vacíos.
dentera. f. Sensación desagradable que se experimenta en los dientes y encías al comer sustancias agrias o acerbas, oír ciertos ruidos desapacibles, tocar determinados cuerpos y aun con solo el recuerdo de estas cosas. ‖ **2.** fig. y fam. **envidia,** pesar del bien ajeno. ‖ **3.** fig. y fam. Ansia o deseo vehemente.
dentezuelo. m. d. de **diente.**
denti-. (Del lat. *denti-*, de la raíz *dens, dentis.*) elem. compos. que significa «diente»: DENTI*cina,* DENTÍ*frico,* DENTI*rrostro.*
denticina. f. Medicamento destinado a facilitar la dentición en los niños.
dentición. (Del lat. *dentitĭo, -ōnis.*) f. Acción y efecto de endentecer. ‖ **2.** Tiempo en que se echa la dentadura. ‖ **3.** *Zool.* Clase y número de dientes que caracterizan a un animal mamífero, según la especie a que pertenece. ‖ **completa.** *Zool.* La del animal que tiene las tres clases de dientes, incisivos, caninos y molares.
denticonejuno, na. adj. Dícese de la caballería con dientes pequeños, blancos e iguales que, por desgastarse poco, no permiten apreciar la edad del animal.
denticulación. (De *dentículo.*) f. *Zool.* Conjunto de los dientecillos que ofrecen algunos órganos de ciertos animales, y cuya disposición puede ser característica de la especie.
denticulado, da. (Del lat. *denticulātus.*) adj. Que tiene dentículos.
denticular. (De *dentículo.*) adj. De figura de dientes.

dentículo. (Del lat. *denticŭlus*, dientecillo.) m. *Arq.* Cada uno de los adornos de figura de paralelepípedo rectángulo que, formando fila, se colocan en la parte superior del friso del orden jónico y en algunos otros miembros arquitectónicos. ‖ **dérmico.** *Zool.* Órgano tegumentario a modo de plaquita, con una punta saliente muy dura, recubierta por una sustancia análoga al esmalte dentario que, en lugar de escamas, desarrollan algunos peces como los tiburones y las rayas.

dentífrico, ca. (Del lat. *dens, dentis*, diente, y *fricāre*, frotar.) adj. Dícese de los polvos, pastas, aguas, etc., que se usan para limpiar y mantener sana la dentadura. Ú. t. c. s. m.

dentina. f. Marfil de los dientes.

dentirrostro, tra. (Del lat. *dens, dentis*, diente, y *rostrum*, pico.) adj. *Zool.* Dícese de los pájaros cuyo pico tiene un diente más o menos visible en el extremo de la mandíbula superior, como el cuervo y el tordo. ‖ **2.** m. pl. *Zool.* En clasificaciones desusadas, suborden de estos animales.

dentista. (De *diente*.) com. Persona profesionalmente dedicada a cuidar la dentadura, reponer artificialmente sus faltas y curar sus enfermedades.

dentistería. f. *Col., C. Rica, Ecuad.* y *Venez.* Consultorio del dentista, clínica dental. ‖ **2.** *Amér. Merid.* y *C. Rica.* Odontología.

dentivano, na. (De *diente* y *vano*.) adj. Dícese de la caballería que tiene los dientes muy largos, anchos y ralos.

dento-. (Del lat. *dens, dentis*.) *Fon.* y *Med.* elem. compos. que indica localización o carácter dentales: DENTO*alveolar*, DENTO*alveolitis*.

dentón, na. (De *diente*.) adj. fam. **dentudo.** Ú. t. c. s. ‖ **2.** m. Pez teleósteo marino, del suborden de los acantopterigios, de unos ocho decímetros de largo; cabeza, ojos y boca grandes; dientes cónicos en ambas mandíbulas y dos o tres de los centrales muy salientes; cuerpo comprimido, de color azulado por el lomo, argentado por los costados y vientre; aletas rojizas y cola ahorquillada. Es de carne blanca y comestible y abunda en el Mediterráneo.

dentorno. (Contracc. de *de en torno*.) adv. m. ant. Del rededor.

dentrambos, bas. Contracc. de **de entrambos** y de **de entrambas.**

dentro. (Del lat. *deintro*.) adv. l. En la parte interior de un espacio o término real o imaginario. Puede construirse con las preps. *de, por, hacia,* formando locs. advs. Solía anteponerse a *en* significando **dentro de.** DENTRO EN *su pecho.* ‖ **a dentro.** loc. adv. **adentro.** ‖ **de dentro.** loc. adv. ant. **a dentro.** ‖ **dentro de.** loc. prepos. que indica el término de un período de tiempo visto desde la perspectiva del presente. DENTRO DE *dos meses* = Pasados dos meses desde ahora. ‖ **2.** En el interior de un espacio real o imaginario. DENTRO DE *un cajón,* DE *una ciudad,* DEL *corazón,* DEL *alma.* ‖ **dentro o fuera.** expr. fig. y fam. con que se excita a alguien a tomar una resolución. ‖ **por de dentro.** loc. adv. Por **dentro.**

dentrodera. f. *Col.* Empleada del servicio doméstico cuyo trabajo excluye el de cocinera y lavandera.

dentrotraer. (De *dentro* y *traer*.) tr. ant. Meter, introducir.

dentudo, da. adj. Que tiene dientes desproporcionados. Ú. t. c. s.

denudación. (Del lat. *denudatĭo, -ōnis*.) f. *Biol.* Acción y efecto de denudar o denudarse.

denudar. (Del lat. *denudāre*.) tr. *Biol.* Desnudar, despojar. Ú. t. c. prnl.

denuedo. (De *denodarse*.) m. Brío, esfuerzo, valor, intrepidez.

denuesto. (De *denostar*.) m. Injuria grave de palabra o por escrito. ‖ **2.** ant. Tacha, reparo, objeción.

denuncia. f. Acción y efecto de denunciar. ‖ **2.** *Der.* Noticia que de palabra o por escrito se da a la autoridad competente de haberse cometido algún delito o falta. ‖ **3.** *Der.* Documento en que consta dicha noticia. ‖ **falsa.** *Der.* Imputación falsa de un delito punible de oficio, hecha ante funcionario que tenga obligación de perseguirlo.

denunciable. adj. Que se puede denunciar.

denunciación. (Del lat. *denuntiatĭo, -ōnis*.) f. p. us. Acción y efecto de denunciar.

denunciador, ra. (Del lat. *denuntiātor, -ōris*.) adj. Que denuncia. Ú. t. c. s. ‖ **2.** m. y f. **denunciante,** que denuncia ante los tribunales.

denunciante. p. a. de **denunciar.** Que denuncia. ‖ **2.** com. *Der.* El que hace una denuncia ante los tribunales.

denunciar. (Del lat. *denuntiāre*.) tr. Noticiar, avisar. ‖ **2.** **pronosticar.** ‖ **3.** Promulgar, publicar solemnemente. ‖ **4.** Participar o declarar oficialmente el estado ilegal, irregular o inconveniente de una cosa. ‖ **5.** Notificar una de las partes la rescisión de un contrato, la terminación de un tratado, etc. ‖ **6.** fig. **delatar.** ‖ **7.** *Der.* Dar a la autoridad parte o noticia de un daño hecho, con designación del culpable o sin ella.

denunciatorio, ria. (Del lat. *denuntiātus*.) adj. Perteneciente o relativo a la denuncia. *Alegación* DENUNCIATORIA.

denuncio. (De *denunciar*.) m. *Amér.* **denuncia.** ‖ **2.** *Min.* Acción de denunciar una mina. ‖ **3.** *Min.* Concesión minera solicitada y aún no obtenida.

deñar. (Del lat. *dignāre*.) tr. ant. Tener por digno. ‖ **2.** prnl. ant. **dignarse.**

deodara. (Del hindi *deodār*.) adj. V. **cedro deodara.**

deo gracias. (Del lat. *Deo gratias*, gracias a Dios.) expr. que solía usarse para saludar al entrar en una casa. ‖ **2.** m. fig. y fam. Semblante y ademán devoto y sumiso con que alguien se presenta para ganar la estimación y confianza del que le puede favorecer.

deontología. (Del gr. δέον, -οντος, el deber, y *-logía*.) f. Ciencia o tratado de los deberes.

Deo volente. (En lat., *queriendo Dios*.) expr. lat. fam. **Dios mediante.**

deparador, ra. adj. Que depara. Ú. t. c. s.

deparar. (Del lat. *de*, de, y *parāre*, aprestar, preparar.) tr. Suministrar, proporcionar, conceder. ‖ **2.** Poner delante, presentar.

departamental. adj. Perteneciente o relativo a un departamento ministerial, universitario o a una división de territorio.

departamento. (Del fr. *departement*.) m. Cada una de las partes en que se divide un territorio cualquiera, un edificio, un vehículo, una caja, etc. ‖ **2.** Ministerio o ramo de la administración pública. ‖ **3.** Distrito a que se extiende la jurisdicción o mando de un capitán general de marina. ‖ **4.** En las universidades, unidad de docencia e investigación, formada por una o varias cátedras de materias afines. ‖ **5.** *Argent., Bol., Chile, Ecuad., Méj., Perú* y *Urug.* **apartamento.** ‖ **6.** En algunos países de América, **provincia,** división de un territorio sujeta a una autoridad administrativa.

departidamente. adv. m. ant. Distintamente, separadamente y a cada uno en particular.

departidor, ra. adj. Que departe. Ú. t. c. s.

departimiento. (De *departir*.) m. ant. División, separación. ‖ **2.** ant. **diferencia** que distingue una cosa de otra. ‖ **3.** ant. Ajuste, convenio. ‖ **4.** ant. Porfía, disputa, pleito. ‖ **5.** ant. **demarcación,** acción y efecto de demarcar. ‖ **6.** ant. *Der.* **divorcio.**

departir. (Del lat. *departīre, de *de* y *partīre*.) intr. Hablar, conversar. ‖ **2.** ant. **altercar.** ‖ **3.** tr. ant. Separar, repartir, dividir en partes. ‖ **4.** ant. Enseñar, explicar. ‖ **5.** ant. Diferenciar, distinguir. ‖ **6.** ant. Discurrir, juzgar. ‖ **7.** ant. **demarcar,** señalar los límites de un país o terreno. ‖ **8.** ant. Impedir, estorbar. ‖ **9.** ant. *Der.* Disolver un matrimonio.

depauperación. (De *depauperar.*) f. Acción y efecto de depauperar o depauperarse. ‖ **2.** *Med.* Debilitación del organismo, enflaquecimiento, extenuación.

depauperar. (Del lat. *pauper, -ĕris,* pobre.) tr. **empobrecer.** ‖ **2.** *Med.* Debilitar, extenuar. Ú. m. c. prnl.

dependencia. (De *dependiente.*) f. Subordinación a un poder mayor. ‖ **2. drogodependencia.** ‖ **3.** Relación de origen o conexión. ‖ **4.** Sección o colectividad subordinada a un poder. ‖ **5.** Oficina pública o privada, dependiente de otra superior. ‖ **6.** En un comercio, conjunto de dependientes. ‖ **7.** Cada habitación o espacio dedicados a los servicios de una casa.

dependente. (Del lat. *dependens, -entis.*) p. a. ant. **dependiente.**

depender[1]. (Del lat. *dependēre,* colgar, pender.) intr. Estar subordinado a una autoridad o jurisdicción. DEPENDER *del juez,* DEPENDER *del poder real.* ‖ **2.** Producirse o ser causado o condicionado por alguien o algo. *Mi fortuna* DEPENDÍA *de las apuestas.* ‖ **3.** Estar o quedar al arbitrio de una voluntad. DEPENDER *de un capricho.* ‖ **4.** Vivir de la protección de alguien, o estar atenido a un recurso solo. DEPENDER *de un pariente rico.* DEPENDER *de mi sueldo.* ‖ **5.** desus. Colgar o pender de alguna cosa.

depender[2]. (Del lat. *dependĕre,* pagar.) tr. p. us. Expender, gastar.

dependienta. f. Empleada que tiene a su cargo atender a los clientes en las tiendas.

dependiente. p. a. de **depender[1].** Que depende. ‖ **2.** m. El que sirve a otro o es subalterno de una autoridad. ‖ **3.** Empleado de comercio encargado de atender a los clientes en las tiendas.

depilación. f. Acción y efecto de depilar o depilarse.

depilar. (Del lat. *depilāre.*) tr. Arrancar el pelo o el vello para dejar libre de él la piel que cubre. Ú. t. c. prnl. ‖ **2.** Producir su desaparición mediante sustancias depilatorias, electricidad o rayos X. Ú. t. c. prnl.

depilatorio, ria. (Del lat. *depilātus,* p. p. de *depilāre,* pelar.) adj. Dícese de la untura u otro medio que se emplea para hacer caer el pelo o el vello. Ú. t. c. s. m.

deplorable. (Del lat. *deplorabĭlis.*) adj. Lamentable, infeliz; casi sin remedio.

deplorar. (Del lat. *deplorāre.*) tr. Sentir viva y profundamente un suceso.

deponente. (Del lat. *depōnens, -entis.*) p. a. de **deponer.** Que depone. ‖ **2.** adj. *Gram.* V. **verbo deponente.** Ú. t. c. s.

deponer. (Del lat. *deponĕre.*) tr. Dejar, separar, apartar de sí. ‖ **2.** Privar a una persona de su empleo, o degradarla de los honores o dignidad que tenía. ‖ **3.** Afirmar, atestiguar, aseverar. *Pedro* DEPONE *que ha visto lo ocurrido.* ‖ **4.** Bajar o quitar una cosa del lugar en que está. ‖ **5.** ant. Poner o depositar. ‖ **6.** *Guat., Hond., Méj.* y *Nicar.* Vomitar. ‖ **7.** *Der.* Declarar ante una autoridad judicial. ‖ **8.** intr. **evacuar el vientre.**

depopulación. (Del lat. *depopulatĭo, -ōnis.*) f. ant. **despoblación.** ‖ **2.** ant. fig. Desolación, tala y destrucción de campos y poblados.

depopulador, ra. (Del lat. *depopulātor, -ōris.*) adj. Que hace estragos en campos y poblados. Ú. t. c. s.

deportación. (Del lat. *deportatĭo, -ōnis.*) f. Acción y efecto de deportar.

deportar. (Del lat. *deportāre.*) tr. Desterrar a alguien a un lugar, por lo regular, extranjero y confinarlo allí por razones políticas o como castigo. ‖ **2.** prnl. ant. Descansar, reposar, hacer mansión. ‖ **3.** ant. Divertirse, recrearse.

deporte. (De *deportar.*) m. Recreación, pasatiempo, placer, diversión, o ejercicio físico, por lo común al aire libre. ‖ **2.** Actividad física, ejercida como juego o competición, cuya práctica supone entrenamiento y sujeción a normas. ‖ **por deporte.** Por gusto, desinteresadamente. Ú. t. en sent. irón.

deportismo. m. Afición a los deportes o ejercicio de ellos.

deportista. com. Persona aficionada a los deportes o entendida en ellos. Ú. t. c. adj. ‖ **2.** Persona que por afición o profesionalmente practica algún deporte.

deportividad. f. Proceder deportivo, que se ajusta a las normas de corrección. Ú. t. en sent. fig.

deportivo, va. adj. Perteneciente o relativo al deporte. ‖ **2.** Que se ajusta a las normas de corrección que el asenso general estima deben observarse en la práctica de los deportes. ‖ **3.** m. **automóvil deportivo.**

deportoso, sa. (De *deporte.*) adj. desus. **divertido,** alegre, festivo.

depós. (De la prep. lat. *de* y el adv. *post,* después.) adv. t. ant. **después.**

deposar. (De *de-* y *posar.*) tr. ant. **deponer,** declarar o atestiguar ante la autoridad judicial.

deposición[1]. (Del lat. *depositĭo, -ōnis.*) f. Exposición o declaración que se hace de una cosa. ‖ **2.** Privación o degradación de empleo o dignidad. ‖ **3.** *Der.* Declaración hecha verbalmente ante un juez o tribunal. ‖ **eclesiástica.** En el antiguo Código de Derecho Canónico, privación de oficio y beneficio para siempre, con retención del canon y fuero; castigo medio entre la suspensión y la degradación.

deposición[2]. f. Acción y efecto de deponer. ‖ **2.** Evacuación de vientre.

depositador, ra. adj. Que deposita. Ú. t. c. s.

depositar. (De *depósito.*) tr. Poner bienes o cosas de valor bajo la custodia o guarda de persona física o jurídica que quede en la obligación de responder de ellos cuando se le pidan. ‖ **2.** Entregar, confiar a alguien una cosa amigablemente y sobre su palabra. ‖ **3.** Poner a una persona en lugar donde libremente pueda manifestar su voluntad, habiéndola sacado el juez competente de la parte donde se teme que le hagan violencia. ‖ **4.** Encerrar, contener. ‖ **5.** Dicho de un cadáver, colocarlo interinamente en lugar apropiado hasta que se le dé sepultura. ‖ **6.** Colocar algo en sitio determinado y por tiempo indefinido. ‖ **7. sedimentar,** dejar sedimento un líquido. ‖ **8.** Poner, dejar, colocar. DEPOSITÓ *el paquete en el suelo.* Ú. t. c. prnl. *El polvo en suspensión* SE DEPOSITA *en los muebles.* ‖ **9.** fig. Encomendar, confiar a alguien alguna cosa, como la fama, la opinión, etc. ‖ **10.** prnl. Separarse de un líquido una materia que esté en suspensión, cayendo al fondo.

depositaría. (De *depositar.*) f. Sitio o paraje donde se hacen los depósitos. ‖ **2.** Tesorería u oficina del depositario que tiene a su cargo los caudales de una **depositaría.** ‖ **3.** Destino o cargo de depositario. ‖ **general.** Oficio o empleo público que había en algunas ciudades y villas para custodiar caudales de menores, redenciones de censos, etc., que se depositaban en arcas.

depositario, ria. (Del lat. *depositarĭus.*) adj. Perteneciente al depósito. ‖ **2.** fig. Que contiene o encierra una cosa. ‖ **3.** m. y f. Persona en quien se deposita una cosa. ‖ **4.** m. El que tiene a su cargo los caudales de una depositaría. ‖ **5.** El que anualmente se nombra en todos los lugares donde hay pósito para que reciba y custodie los granos y caudales de él, llevando cuenta y razón de su entrada y salida. ‖ **general.** El que tenía a su cargo la depositaría general.

depósito. (Del lat. *deposĭtum.*) m. Acción y efecto de depositar. ‖ **2.** Cosa depositada. ‖ **3.** Lugar o recipiente donde se deposita. ‖ **4.** Sedimento de un líquido. ‖ **5.** *Mil.* Organismo adscrito a una zona de reclutamiento, en el cual quedan concentrados los reclutas que por diversas causas no pueden ir inmediatamente al servicio activo. ‖ **de cadáveres.** Lugar, generalmente provisto de refrigeración, donde se depositan los cadáveres que, por motivo de investigación científica o judicial, no pueden ser enterrados en el tiempo habitual. ‖ **de reserva territorial.** *Mil.* Aquel del cual dependen las clases e individuos de tropa que han prestado servicio activo o se hallan todavía sujetos a nuevo llamamiento. ‖ **franco.** Conjunto de mercancías importadas, que pueden permanecer libres de derechos de aduana en puerto habilitado al efecto, hasta su reexportación, o ser introducidas en el país, previo abono de esos derechos. ‖ **indistinto.** *Com.* El que se constituye a nombre de dos o más personas o entidades. ‖ **irregular.** *Der.* Aquel en que se autoriza al depositario para utilizar la cosa depositada. ‖ **judicial. depósito** de cadáveres sometidos a investigación judicial. ‖ **legal.** En la legislación española, provisión de tres ejemplares de una obra literaria, musical, etc., al organismo correspondiente por parte del autor o sus editores. ‖ **miserable, o necesario.** *Der.* El hecho por obligación legal o a causa de apuro o desgracia. ‖ **en depósito.** Dícese de la mercancía entregada para su exposición y eventual venta.

depravación. (Del lat. *depravatĭo, -ōnis.*) f. Acción y efecto de depravar o depravarse.

depravadamente. adv. m. Malvadamente, con malicia suma

depravado, da. (Del lat. *depravātus,* malo.) p. p. de **depravar.** ‖ **2.** adj. Demasiado viciado en las costumbres. Ú. t. c. s.

depravador, ra. (Del lat. *depravātor, -ōris.*) adj. Que deprava. Ú. t. c. s.

depravar. (Del lat. *depravāre.*) tr. Viciar, adulterar, pervertir, especialmente a personas. Ú. m. c. prnl.

deprecación. (Del lat. *deprecatĭo, -ōnis.*) f. Ruego, súplica, petición. ‖ **2.** *Ret.* Figura que consiste en dirigir un ruego o súplica ferviente.

deprecante. p. a. de **deprecar.** Que depreca. Ú. t. c. s.

deprecar. (Del lat. *deprecāri,* rogar.) tr. Rogar, pedir, suplicar con eficacia o instancia. Ú. t. c. prnl.

deprecativo, va. (Del lat. *deprecatīvus.*) adj. Perteneciente a la deprecación. ‖ **2.** *Gram.* V. **modo deprecativo.** Ú. t. c. s.

deprecatorio, ria. (Del lat. *deprecatorĭus.*) adj. **deprecativo.**

depreces. (De *de-* y *preces,* pl. de *prez.*) m. pl. ant. Derechos pagados por una cosa.

depreciación. (De *depreciar.*) f. Disminución del valor o precio de una cosa, ya con relación al que antes tenía, ya comparándola con otras de su clase.

depreciar. (Del lat. *depretiāre,* menospreciar.) tr. Disminuir o rebajar el valor o precio de una cosa. Ú. t. c. prnl.

depredación. (Del lat. *depraedatĭo, -ōnis.*) f. Pillaje, robo con violencia, devastación. ‖ **2.** Acción y efecto de depredar. ‖ **3.** Malversación o exacción injusta por abuso de autoridad o de confianza.

depredador, ra. (Del lat. *depredātor, -ōris.*) adj. Que depreda. Ú. t. c. s.

depredar. (Del lat. *depraedāri.*) tr. Robar, saquear con violencia y destrozo. ‖ **2.** Cazar para su subsistencia algunos animales a otros de distinta especie.

deprehender. (Del lat. *deprehendĕre.*) tr. ant. **aprender.**

deprehenso, sa. (Del lat. *deprehensus.*) p. p. irreg. ant. de **deprehender.**

deprendador, ra. (Del lat. *deprendĕre,* apoderarse de.) adj. ant. **ladrón,** que hurta o roba. Usáb. t. c. s.

deprender. tr. p. us. **deprehender.**

depresión. (Del lat. *depressĭo, -ōnis.*) f. Acción y efecto de deprimir o deprimirse. ‖ **2.** Concavidad de alguna extensión en un terreno u otra superficie. ‖ **3.** Período de baja actividad económica general, caracterizado por desempleo masivo, deflación, decreciente uso de recursos y bajo nivel de inversiones. ‖ **4.** *Pat.* Síndrome caracterizado por una tristeza profunda e inmotivada y por la inhibición de todas las funciones psíquicas. ‖ **barométrica.** Descenso de la columna indicadora de la pesantez del aire en el barómetro. ‖ **de horizonte.** *Mar.* Ángulo formado en el ojo del observador por las líneas horizontal y tangente a la superficie del mar.

depresivo, va. (Del lat. *depressum,* supino de *deprimĕre,* deprimir.) adj. Dícese de lo que deprime el ánimo.

depresor, ra. (Del lat. *depressor, -ōris.*) adj. Que deprime o humilla. Ú. t. c. s. ‖ **2.** m. *Med.* Instrumento para deprimir o apartar, como el que se aplica a la base de la lengua para dejar libre la cavidad faríngea.

depreterición. f. ant. *Der.* **preterición,** omisión de un heredero.

deprimente. p. a. de **deprimir.** Que deprime. ‖ **2.** adj. **depresivo** para el ánimo.

deprimido, da. p. p. de **deprimir.** ‖ **2.** adj. Que sufre decaimiento del ánimo. ‖ **3.** *Med.* Dícese del que padece un síndrome de depresión. ‖ **4.** *Zool.* Aplastado en sentido dorsoventral, o sea del plano frontal, como ocurre con la cabeza del pejesapo o el cuerpo de la raya y el torpedo.

deprimir. (Del lat. *deprimĕre.*) tr. Disminuir el volumen de un cuerpo por medio de la presión. ‖ **2.** Hundir alguna parte de un cuerpo. ‖ **3.** fig. Humillar, rebajar, negar las buenas cualidades de una persona o cosa. Ú. t. c. prnl. ‖ **4.** Producir decaimiento del ánimo. Ú. t. c. prnl. ‖ **5.** prnl. Disminuir el volumen de un cuerpo o cambiar de forma por virtud de algún hundimiento parcial. ‖ **6.** Aparecer baja una superficie o una línea con referencia a las inmediatas. ‖ **7.** *Pat.* Padecer un síndrome de depresión.

deprisa. (De *de* y *prisa.*) adv. m. Con celeridad, presteza o prontitud.

de profundis. (En lat., *desde las profundidades.*) m. Salmo penitencial que empieza con dichas palabras latinas. ‖ **2.** Acto de cantarlo o rezarlo.

depuesto, ta. (Del lat. *deposĭtus.*) p. p. irreg. de **deponer.**

depuración. f. Acción y efecto de depurar o depurarse.

depurado, da. p. p. de **depurar.** ‖ **2.** adj. Pulido, trabajado, elaborado cuidadosamente.

depurador, ra. adj. Que depura. Ú. t. c. s. ‖ **2.** f. Aparato o instalación para depurar o limpiar algo, especialmente las aguas.

depurar. (Del lat. *depurāre.*) tr. Limpiar, purificar. Ú. t. c. prnl. ‖ **2.** Rehabilitar en el ejercicio de su cargo al que por causas políticas estaba separado o en suspenso. ‖ **3.** Someter a un funcionario a expediente para sancionar su conducta política. ‖ **4.** Eliminar de un cuerpo, organización, partido político, etc., a los miembros considerados disidentes.

depurativo, va. (De *depurar.*) adj. *Farm.* Dícese del medicamento que purifica los humores y principalmente la sangre. Ú. t. c. s. m.

depuratorio, ria. adj. Que sirve para depurar o purificar.

deputador, ra. adj. ant. **diputador.** Usáb. t. c. s.

deputar. (Del lat. *deputāre.*) tr. p. us. **diputar.**

deque. (De *de*[2] y *que.*) adv. t. fam. p. us. Después que, luego que.

dequeísmo. m. Empleo indebido de la locución *de que* cuando el régimen verbal no lo admite. **Le dije* DE QUE *viniera.*

-dera. V. **-dero.**

derbi. (Del ing. *Derby,* nombre de una famosa carrera de caballos, fundada por el conde de ese título.) m. Encuentro generalmente futbolístico entre dos equipos de la misma ciudad o ciudades próximas.

derecera. (De *derezar.*) f. desus. **derechera.** Ú. en Cantabria y América.

derecha. (Calco del fr. *droite,* por la posición que ocupaban sus componentes en las asambleas de la Revolución Francesa.) f. En las asambleas parlamentarias, los representantes de los partidos conservadores. ‖ **2.** Por ext., conjunto de personas que profesan ideas conservadoras. ‖ **de derecha** o **de derechas.** loc. adj. Derechista.

derechamente. adv. m. **en derechura.** ‖ **2.** fig. Con prudencia, discreción, destreza y justicia. ‖ **3.** fig. Directamente, a las claras.

derechazo. m. Golpe dado con la mano o el puño derechos. ‖ **2.** *Taurom.* Pase de muleta dado con la mano derecha.

derechera. f. Vía o senda derecha, a distinción de la que toma rodeo.

derechero, ra. (De *derecho.*) adj. Justo, recto, arreglado. ‖ **2.** m. Oficial destinado en los tribunales y otras oficinas públicas a cobrar los derechos.

derechez. f. ant. **derecheza.**

derecheza. (De *derecho.*) f. ant. **derechura,** calidad de derecho. ‖ **2.** ant. **derechura,** rectitud, integridad.

derechista. (De *derecha.*) adj. Dícese de las personas, partidos, actos, instituciones, etc., que comparten las ideas de la derecha política. Ú. t. c. s.

derechito. adv. m. fam. **derecho,** derechamente.

derecho, cha. (Del lat. *directus,* directo.) p. p. irreg. ant. de **dirigir.** ‖ **2.** adj. Recto, igual, seguido, sin torcerse a un lado ni a otro. ‖ **3.** V. **fil derecho.** ‖ **4.** V. **mano derecha.** ‖ **5.** Que cae o mira hacia la mano **derecha,** o está al lado de ella. ‖ **6.** Aplícase a lo que desde el eje de la vaguada de un río cae a mano **derecha** de quien se coloca mirando hacia donde corren las aguas. ‖ **7.** Justo, fundado, razonable, legítimo. ‖ **8.** ant. **cierto,** conocido como verdadero, seguro, indubitable. ‖ **9.** ant. **legítimo.** ‖ **10.** fig. V. **camino derecho.** ‖ **11.** *Arq.* V. **pie derecho.** ‖ **12.** adv. m. **derechamente.** ‖ **13.** m. Facultad natural del hombre para hacer legítimamente lo que conduce a los fines de su vida. ‖ **14.** Facultad de hacer o exigir todo aquello que la ley o la autoridad establece en nuestro favor, o que el dueño de una cosa nos permite en ella. ‖ **15.** Consecuencias naturales del estado de una persona, o sus relaciones con respecto a otras. *El* DERECHO *del padre; los* DERECHOS *de la amistad.* ‖ **16.** Acción que se tiene sobre una persona o cosa. ‖ **17.** Justicia, razón. ‖ **18.** Conjunto de principios, preceptos y reglas a que están sometidas las relaciones humanas en toda sociedad civil, y a cuya observancia pueden ser compelidos los individuos por la fuerza. ‖ **19.** Ciencia que estudia estos principios y preceptos. ‖ **20.** Exención, franquicia, privilegio. ‖ **21.** Facultad que abraza el estudio del **derecho** en sus diferentes órdenes. ‖ **22.** p. us. Sendero, camino. ‖ **23.** Lado de una tela, papel, tabla, etc., en el cual, por ser el que ha de verse, aparecen la labor y el color con la perfección conveniente. ‖ **24.** *Der.* V. **condición imposible, ficción, información de derecho.** ‖ **25.** *Der.* V. **información, papel en derecho.** ‖ **26.** *Der.* V. **presunción de solo derecho.** ‖ **27.** f. **mano derecha.** ‖ **28.** ant. Conjunto de perros de caza que se sueltan, según determinadas reglas, para seguir la res. ‖ **29.** Camino que llevan los mismos perros cuando siguen la caza. ‖ **30.** m. pl. Tanto que se paga, con arreglo a arancel, por la introducción de una mercancía o por otro hecho consignado por la ley. DERECHOS *aduaneros, notariales,* etc. ‖ **31.** Cantidades que se cobran en ciertas profesiones; como los del notario, del arquitecto, etc. ‖ **administrativo.** Conjunto de normas doctrinales y de disposiciones positivas concernientes a los órganos e institutos de la administración pública, a la ordenación de los servicios que legalmente le están encomendados, y a sus relaciones con las colectividades o los individuos a quienes tales servicios atañen. ‖ **adquirido.** El creado al amparo de una legislación y que merece respeto de las posteriores. Ú. m. en pl. ‖ **al pataleo.** fig. y fam. Última y vana actitud de protesta que adopta o puede adoptar el que se siente defraudado en sus **derechos.** ‖ **canónico.** Conjunto de normas doctrinales y de disposiciones estatuidas por las autoridades de la Iglesia, que atañen al orden jerárquico de estas autoridades y a sus relaciones con los fieles católicos en cuanto corresponde al fuero externo. ‖ **cesáreo. derecho civil.** ‖ **civil.** El que regula las relaciones privadas de los ciudadanos entre sí. ‖ **2.** Por antonom., **derecho** romano. ‖ **común. derecho civil.** ‖ **comunal.** ant. **derecho de gentes.** ‖ **constitucional.** El derivado de la Constitución. ‖ **consuetudinario.** El introducido por la costumbre. ‖ **criminal. derecho penal.** ‖ **de acrecer. derecho** de uno o varios coherederos o colegatarios a la porción o parte de la herencia que otro u otros renuncian o no pueden adquirir. ‖ **2.** En los cabildos de las iglesias donde se gana y distribuye la renta según las asistencias personales de sus prebendados o ministros, acción que los que asisten a las horas canónicas u oficios divinos tienen a la parte de renta que pierden los que no asisten. ‖ **de asilo.** Privilegio de asilo[1], refugio para los delincuentes. ‖ **de autor.** El que la ley reconoce al autor de una obra para participar en los beneficios que produzca la publicación, ejecución o reproducción de la misma. Por ext., gozan de este **derecho,** en algunos casos, los ejecutantes e intérpretes. ‖ **2.** pl. Cantidad que se cobra por este concepto. ‖ **de avería.** En el comercio de varios países ultramarinos, cierto repartimiento o gabela impuesto sobre los mercaderes o las mercaderías, y el ramo de renta compuesto de este repartimiento y **derecho.** ‖ **de balanza.** Impuesto creado en 1824, que consistía en el uno por ciento del importe total de los **derechos** a que estaban sujetos los géneros que entraban y salían por las aduanas. ‖ **de bandera.** Impuesto que pagan las mercaderías por ser transportadas en los buques. ‖ **de braceaje.** Exceso del valor nominal de la moneda sobre el intrínseco, en que se beneficiaba el Estado para indemnizarse de los gastos de acuñación. ‖ **de deliberar. beneficio de deliberar.** ‖ **de ejecución. derecho** de autor que corresponde a los ejecutantes o intérpretes de obras musicales o literarias. ‖ **de entrada.** El que se paga por ciertos géneros cuando se introducen en un puerto o aduana. Ú. m. en pl. ‖ **de espada.** Cantidad que pagaban los oficiales nuevos de la Guardia Real al tiempo de su ingreso. ‖ **de estola. pie de altar.** ‖ **de fábrica.** Cantidad que se satisface al erario o fábrica de una parroquia, colegiata, catedral, etc. ‖ **de gentes. derecho** natural que los romanos admitían entre todos los hombres, a diferencia del que era peculiar de sus ciudadanos. ‖ **2. derecho internacional.** ‖ **de internación.** El que se pagaba por introducir tierra adentro las mercancías. Ú. m. en pl. ‖ **de pataleo.** fig. y fam. **derecho al pataleo.** ‖ **de patronato.** Privilegios y facultades del patrono, según el estatuto de fundación, y principalmente el poder o facultad de presentar personas hábiles para los beneficios y capellanías vacantes. ‖ **de pernada.** Ceremonia de algunos feudos, que consistía en poner el señor o su delegado una pierna sobre el lecho de los vasallos el día en que se casaban. ‖ **de regalía.** El que paga el tabaco elaborado al ser introducido en España. ‖ **de réplica.** *Der.* **derecho de respuesta.** ‖ **de respuesta.** *Der.* El que concede o reconoce la ley de Imprenta a la persona aludida expresamente en un periódico para contestar desde el mismo a las alusiones que se le hayan dirigido. ‖ **diferencial de bandera.** Diferencia de **derechos** que se pagan porteando las mercancías en buques de unas u otras naciones. ‖ **divino.** El que procede directamente de Dios, o por ley natural, o por medio de la revelación. ‖ **eclesiástico. derecho canónico.** ‖ **escrito.** Ley escrita y promulgada, a diferencia de la establecida por tradición y costumbre. ‖ **internacional.** El que siguen los pueblos civilizados en sus relaciones recíprocas de nación a nación o de hombre a hombre. ‖ **mer-**

cantil. El que especialmente regula las relaciones que conciernen a las personas, los lugares, los contratos y los actos del comercio terrestre y marítimo. ‖ **municipal.** El que regula el régimen de los concejos o municipios, como corporaciones y en relación con los vecindarios respectivos. ‖ **natural.** Primeros principios de lo justo y de lo injusto, inspirados por la naturaleza y que como ideal trata de realizar el **derecho** positivo. ‖ **no escrito. derecho consuetudinario.** ‖ **parroquial.** Jurisdicción que corresponde al párroco en las cosas espirituales de sus feligreses. ‖ **penal.** El que establece y regula la represión o castigo de los crímenes o delitos, por medio de la imposición de las penas. ‖ **personal.** El que relaciona entre sí los sujetos y no está atribuido a las personas sobre las cosas. ‖ **político.** El que regula el orden y funcionamiento de los poderes del Estado y sus relaciones con los ciudadanos. ‖ **pontificio. derecho canónico.** ‖ **positivo.** El establecido por leyes, bien sean divinas, bien humanas. Se usa en contraposición al **derecho natural.** ‖ **pretorio.** El establecido por los pretores, que, atendiendo más a la equidad natural que al rigor de la letra, explicaba o modificaba las leyes civiles. ‖ **procesal.** El relativo a los procedimientos civiles y criminales. ‖ **público.** El que tiene por objeto regular el orden general del Estado y sus relaciones, ya con los súbditos, ya con los demás Estados. ‖ **real.** *Der.* El que tienen las personas sobre las cosas. ‖ **pequeño derecho.** El que corresponde percibir a compositores o poetas, en concepto de autores, por cada una de las piezas o canciones, ofrecida al público en espectáculo de pago. ‖ **derechos de fábrica.** Rentas o **derechos** que se cobraban en las iglesias por ciertos actos, como bautizos, entierros y otros, y servían para repararlas o para costear los gastos del culto. ‖ **parroquiales.** Retribuciones sujetas a arancel que corresponden a cada iglesia parroquial o a los que en ella sirven. ‖ **reales.** Se da este nombre a un impuesto que grava las transmisiones de bienes y otros actos civiles. ‖ **a derechas.** loc. adv. Con acierto, con destreza, con justicia. ‖ **2.** Se aplica a las formas y movimientos helicoidales que avanzan cuando giran en el mismo sentido que las manecillas de un reloj. ‖ **a la derecha.** loc. adv. *Mil.* Usáb. para mandar al soldado volverse hacia la mano derecha. Hoy se dice sólo: *¡Derecha!* ‖ **a las derechas.** loc. adv. con que se explica que una persona procede bien y rectamente. ‖ **al derecho.** loc. adv. **a derechas.** ‖ **conforme a derecho.** loc. adv. *Der.* Con rectitud y justicia. ‖ **dar derecho.** fr. ant. Hacer justicia, desagraviar. ‖ **dar derecho de** uno. fr. ant. Obligarle por justicia a que haga lo que debe. ‖ **de derecho.** loc. adv. Con arreglo a **derecho.** ‖ **2.** También se contrapone a **de hecho,** para indicar lo que es legítimo en comparación con lo que existe meramente, pero con abstracción de esta cualidad. *Poder de hecho, juez* DE DERECHO. ‖ **de derecho en derecho.** loc. adv. ant. Derechamente, en derechura. ‖ **en derecho de** su **dedo,** o **de** sus **narices.** loc. adv. **en derechura de** sus **narices.** ‖ **estar** uno **a derecho.** fr. *Der.* Comparecer por sí o por su procurador en juicio, con obligación de pasar por lo que sentencie el juez. ‖ **estar** alguien **en su derecho.** fr. Tener **derecho.** ‖ **facer derecho** a uno. fr. ant. **hacerle justicia.** ‖ **hacer derecho.** fr. ant. Estar a **derecho** u obrar con justicia. ‖ **ir por derecho.** fr. fig. Proceder rectamente, en derechura. ‖ **¡no hay derecho!** exclam. de protesta ante algo que se considera injusto. ‖ **perder** uno **de su derecho.** fr. Ceder, transigir, por bien de paz. ‖ **por derecho.** *Taurom.* En la suerte de matar los toros con estoque, atacar con rectitud sin desviarse de la línea que arrancando del lugar que ocupa el diestro se continuaría con la del espinazo del toro. ‖ **según derecho.** loc. adv. *Der.* **conforme a derecho.** ‖ **tirar por derecho.** fr. fig. **ir por derecho.** ‖ **usar** uno **de su derecho.** fr. *Der.* Valerse de la acción que le compete para el efecto que le convenga. ‖ **2.** Por ext., ejercer su libertad lícitamente en cualquier línea.

derechohabiente. adj. Dícese de la persona que deriva su derecho de otra. Ú. t. c. s. m.

derechuelo. (De *derecho,* recto.) m. Una de las primeras costuras que las maestras de coser enseñaban a las niñas.

derechura. (De *derecho.*) f. Calidad de derecho. ‖ **2.** ant. Rectitud, integridad, justificación. ‖ **3.** ant. Sueldo o salario que se da a los criados. ‖ **4.** ant. **derecho,** facultad para hacer legítimamente lo que conviene. ‖ **5.** ant. **destreza,** habilidad o arte con que se hace una cosa. ‖ **en derechura.** loc. adv. Por el camino recto. ‖ **2.** Sin detenerse ni pararse. ‖ **en derechura de** sus **narices.** loc. adv. fig. Examinando o juzgando alguien las cosas solo por su utilidad o conveniencia, u obrando según su antojo o capricho.

derechureramente. adv. m. ant. Recta o derechamente.

derechurero, ra. (De *derechura.*) adj. ant. Exacto, justificado, recto. ‖ **2.** ant. Legítimo o según derecho.

derechuría. (De *derechura.*) f. ant. Derecho, justicia.

derelicto, ta. (Del lat. *derelictus.*) p. p. irreg. de **derelinquir.**

derelinquir. (Del lat. *derelinquĕre.*) tr. desus. Abandonar, desamparar.

derezar. (Del lat. **directiāre,* de *directus,* derecho.) tr. ant. **encaminar.**

deriva. (De *derivar.*) f. *Mar.* Abatimiento o desvío de la nave de su verdadero rumbo por efecto del viento, del mar o de la corriente. ‖ **continental.** *Geol.* Desplazamiento lento y continuo de las masas continentales, sobre un magma fluido, en el curso de los tiempos geológicos. ‖ **a la deriva.** loc. adv. *Mar.* Referido a embarcaciones u objetos flotantes, a merced de la corriente o del viento. ‖ **2.** fig. Sin dirección o propósito fijo, a merced de las circunstancias.

derivación. (Del lat. *derivatĭo, -ōnis.*) f. Descendencia, deducción. ‖ **2.** Acción y efecto de sacar o separar una parte del todo, o de su origen y principio; como el agua que se saca de un río para una acequia. ‖ **3.** *Electr.* Pérdida de fluido que se produce en una línea eléctrica por varias causas y principalmente por la acción de la humedad ambiente. ‖ **4.** *Gram.* Procedimiento por el cual se forman vocablos ampliando o alterando la estructura o significación de otros que se llaman primitivos; v. gr.: *cuchillada,* de *cuchillo; marina,* de *mar.* ‖ **5.** *Ret.* Figura que se comete empleando en una cláusula dos o más voces de un mismo radical. ‖ **regresiva.** *Gram.* La inversa, con acortamiento de la palabra, para formar un supuesto primitivo; como *legislar* de *legislador.*

derivada. f. *Mat.* En las funciones matemáticas respecto a una variable, límite hacia el que tiende el cociente entre el incremento que resulta para la función y el atribuido a la variable, cuando este último tiende a cero. Si esta **derivada** se deriva con relación a la misma variable, se obtiene la **derivada** segunda y sucesivamente la tercera, etc.

derivado, da. (Del lat. *derivātus.*) p. p. de **derivar.** ‖ **2.** adj. *Gram.* Aplícase al vocablo formado por derivación. Ú. t. c. s. m. ‖ **3.** *Quím.* Dícese del producto que se obtiene de otro. Ú. t. c. s. m.

derivar. (Del lat. *derivāre.*) intr. Traer su origen una cosa de otra. Ú. t. c. prnl. ‖ **2.** *Mar.* **abatir,** desviarse el buque de su rumbo. ‖ **3.** tr. Encaminar, conducir una cosa de una parte a otra. ‖ **4.** *Gram.* Traer una palabra de cierta raíz.

derivativo, va. (Del lat. *derivatīvus.*) adj. *Gram.* Que implica o denota derivación. Aplícase a la palabra que se origina de otra. ‖ **2.** desus. *Farm.* Decíase del medicamento que aparta de la zona afectada por una enfermedad los humores o las sustancias determinantes de ella. Usáb. t. c. s. m.

derivo. (De *derivar.*) m. p. us. Origen, procedencia.

dermalgia. (Del gr. δέρμα, -ατος, piel, y *-algia.*) f. *Pat.* Dolor nervioso de la piel.
dermatitis. (Del gr. δέρμα, -ατος, piel, e *-itis.*) f. *Pat.* Inflamación de la piel.
dermatoesqueleto. (Del gr. δέρμα, -ατος, piel, y *esqueleto.*) m. *Zool.* Piel o parte de ella engrosada y muy endurecida, ya por la acumulación de materias quitinosas o calcáreas sobre la epidermis, frecuentemente en forma de conchas o caparazones, como en los celentéreos, moluscos y artrópodos, ya por haberse producido en la dermis piezas calcificadas u osificadas, como son las escamas de los peces y las placas óseas cutáneas de muchos equinodermos, reptiles y mamíferos.
dermatología. (Del gr. δέρμα, -ατος, piel, y *-logía.*) f. Rama de la medicina que trata de las enfermedades de la piel.
dermatológico, ca. adj. Perteneciente o relativo a la dermatología.
dermatólogo, ga. (De *dermatología.*) m. y f. Especialista en las enfermedades de la piel.
dermatosis. (Del gr. δέρμα, -ατος, piel, y *-osis.*) f. *Pat.* Enfermedad de la piel, que se manifiesta por costras, manchas, granos u otra forma de erupción.
dermesto. m. Insecto coleóptero que se cría en las despensas y en donde hay restos de animales. Es particularmente dañino para las pieles.
dérmico, ca. adj. Perteneciente o relativo a la dermis y, en general, a la piel o cubierta exterior del animal. ‖ **2.** *Zool.* V. **dentículo dérmico.**
dermis. (De *epidermis.*) f. Capa conjuntiva que forma parte de la piel de los vertebrados, más gruesa que la epidermis y situada debajo de esta.
dermitis. (De *dermis.*) f. *Pat.* **dermatitis.**
dermofarmacia. f. Rama de la farmacia que estudia, fabrica y expende productos de cosmética no relacionados con patologías.
dermofarmacéutico, ca. adj. Perteneciente o relativo a la dermofarmacia.
-dero, ra. (Del lat. *-torĭus.*) suf. de sustantivos y adjetivos verbales. Aparece en las formas **-adero, -edero, -idero,** según que el verbo base sea de la primera, segunda o tercera conjugación: *par*ADERO, *tend*EDERO, *ven*IDERO. En los adjetivos significa posibilidad y, a veces, necesidad: *cas*ADERO, *dur*ADERO, *perec*EDERO, *ven*IDERO, *hac*EDERO. En los sustantivos significa, por lo común, y preferentemente en forma masculina, lugar donde se realiza la acción significada por el verbo base: *abrev*ADERO, *burl*ADERO, *mat*ADERO, *vert*EDERO; o bien, instrumento, generalmente en la forma femenina: *pod*ADERA, *reg*ADERA, *lanz*ADERA, *prend*EDERO. En la forma femenina plural, denota, a veces, capacidad: *entend*EDERAS, *despach*ADERAS.
derogación. (Del lat. *derogatĭo, -ōnis.*) f. Abolición, anulación de una ley. ‖ **2. disminución,** deterioración.
derogador, ra. (Del lat. *derogātor, -ōris.*) adj. Que deroga. Ú. t. c. s.
derogar. (Del lat. *derogāre.*) tr. Abolir, anular una norma establecida como ley o costumbre.
derogatorio, ria. (Del lat. *derogatorĭus.*) adj. *Der.* Que deroga. *Cláusula* DEROGATORIA.
derrabadura. (De *derrabar.*) f. Herida que se hace al animal al cortarle o arrancarle el rabo.
derrabar. (De *de-* y *rabo.*) tr. Cortar, arrancar, quitar el rabo a un animal.
derrabe. (De *derrabar.*) m. *Min.* Derrumbamiento en lo hondo de una mina.
derraigamiento. m. ant. Acción y efecto de derraigar.
derraigar. (De *de-* y *raigar.*) tr. ant. **desarraigar.**
derrama. (De *derramar.*) f. Repartimiento de un gasto eventual, y más señaladamente de una contribución. ‖ **2.** Contribución temporal o extraordinaria.
derramadamente. adv. m. fig. p. us. Profusamente, con liberalidad y magnificencia. ‖ **2.** fig. p. us. Con desarreglo, estragadamente.
derramadero. (De *derramar.*) m. p. us. **vertedero.**
derramado, da. (De *derramar.*) p. p. de **derramar.** ‖ **2.** adj. fig. p. us. Pródigo, derrochador.
derramador, ra. adj. Que derrama. Ú. t. c. s.
derramadura. (De *derramar.*) f. ant. **derramamiento.**
derramamiento. m. Acción y efecto de derramar o derramarse. ‖ **2.** p. us. Dispersión, esparcimiento de un pueblo o de una familia. ‖ **3.** ant. Acción de desmandarse o apartarse con desorden los que estaban juntos en un sitio.
derramaplaceres. m. desus. **derramasolaces.**
derramar. (De *ramo.*) tr. Verter, esparcir cosas líquidas o menudas. Ú. t. c. prnl. ‖ **2.** Repartir, distribuir entre los vecinos de un pueblo, de una finca urbana, etc., los tributos con que deben contribuir al Estado o a quien tenga facultades para exigirlos. ‖ **3.** ant. Separar, apartar. ‖ **4.** fig. Publicar, extender, divulgar una noticia. ‖ **5.** intr. ant. **desmandarse.** ‖ **6.** prnl. Esparcirse, desmandarse por varias partes con desorden y confusión. ‖ **7.** Desaguar, desembocar un arroyo o corriente de agua.
derramasolaces. (De *derramar* y *solaz.*) com. desus. **aguafiestas.**
derrame. (De *derramar.*) m. **derramamiento.** ‖ **2.** Porción de líquido o semilla que se desperdicia al tiempo de medirlos. ‖ **3.** Lo que se sale y pierde de los líquidos por defecto o rotura de los vasos que los contienen. ‖ **4.** Sesgo o corte oblicuo que se forma en los muros para que las puertas y ventanas abran más sus hojas o para que entre más luz. ‖ **5.** Declive de la tierra por el cual corre o puede correr el agua. ‖ **6.** Subdivisión de una cañada o valle en salidas más angostas. ‖ **7.** *Fort.* Plano inferior de las cañoneras, aspilleras y troneras. ‖ **8.** *Mar.* Corriente de aire que se escapa por las relingas de una vela hinchada por el viento. ‖ **9.** *Pat.* Acumulación anormal de un líquido en una cavidad del organismo o salida de este fuera del cuerpo. ‖ **10.** pl. *Chile.* Aguas sobrantes de un predio, que por inclinación natural del terreno vierten en otro inferior.
derramo. m. **derrame,** corte oblicuo en un muro.
derrancadamente. adv. m. ant. Arrebatadamente, con precipitación.
derrancar. (De *de-* y *rancar.*) intr. ant. Acometer, pelear repentinamente con ímpetu y arranque.
derranchadamente. adv. m. ant. **desordenadamente.**
derranchado, da. (De *derranchar.*) adj. ant. Descompuesto, desordenado, desmandado.
derranchar. (Del germ. **hringa,* anillo, a través del fr. *déranger.*) intr. ant. Descomponerse, desordenarse, desmandarse.
derrapar. (Del fr. *déraper.*) intr. Patinar un vehículo desviándose lateralmente de la dirección que llevaba.
derraspado, da. (De *de-* y *raspa.*) adj. **desraspado.**
derredor. (De *de*[2] y *redor.*) m. Circuito o contorno de una cosa. ‖ **al,** o **en, derredor.** loc. adv. En circuito, en contorno.
derrelicto, ta. (Del lat. *derelictus.*) p. p. irreg. de **derrelinquir. derelicto.** ‖ **2.** m. *Mar.* Buque u objeto abandonado en el mar.
derrelinquir. (Del lat. *derelinquĕre.*) tr. desus. **derelinquir.**
derrenegar. (De *de-* y *renegar.*) intr. fam. Aborrecer, detestar, abominar de una persona o cosa.
derrengada. (De *derrengar.*) f. *Mancha.* Cierto paso que se hace en el baile.
derrengado, da. p. p. de **derrengar.** ‖ **2.** adj. Torcido. ‖ **3.** fig. Muy cansado.
derrengadura. f. Lesión que queda en el cuerpo derrengado.
derrengar. (Del lat. **derenicāre,* lastimar los riñones.) tr. Des-

caderar, lastimar gravemente el espinazo o los lomos de una persona o de un animal. Ú. t. c. prnl. ‖ **2.** Torcer, inclinar a un lado más que a otro. Ú. t. c. prnl. ‖ **3.** *Ast.* Derribar la fruta del árbol tirando un palo.

derrengo. (De *derrengar.*) m. *Ast.* Palo con que se derriba la fruta, tirándolo a los árboles que la tienen.

derreniego. m. fam. **reniego.**

derrería (a la). (Del lat. *de* y *retro,* atrás, a través del cat. *darreria.*) loc. adv. ant. A la postre, al fin o al cabo.

derretido, da. p. p. de **derretir.** ‖ **2.** adj. fig. Amartelado, enamorado. ‖ **3.** m. **hormigón**[1].

derretimiento. m. Acción y efecto de derretir o derretirse. ‖ **2.** fig. Afecto vehemente, amor intenso que consume y parece que derrite al que lo tiene.

derretir. (Cruce del lat. *deterĕre* y *reterĕre,* deshacer.) tr. Liquidar, disolver por medio del calor una cosa sólida, congelada o pastosa. Ú. t. c. prnl. ‖ **2.** fig. Consumir, gastar, disipar la hacienda, el dinero, los muebles. ‖ **3.** fam. Trocar la moneda. Ú. m. en el juego cuando se obliga a un jugador a que cambie para pagar. ‖ **4.** prnl. fig. Enardecerse en el amor divino o profano. ‖ **5.** fig. y fam. Enamorarse con prontitud y facilidad. ‖ **6.** fig. y fam. Deshacerse, estar lleno de impaciencia o de inquietud.

derriba. f. *Col., Méj., Nicar.* y *Pan.* **desmonte,** acción y efecto de desmontar[1].

derribado, da. p. p. de **derribar.** ‖ **2.** adj. Dícese de las ancas de una caballería cuando por el extremo son algo más bajas de lo regular. ‖ **3.** ant. Abatido, humilde.

derribador. m. El que derriba reses vacunas.

derribamiento. m. ant. **derribo.**

derribar. (Del lat. **deripāre,* de *ripa,* orilla.) tr. Arruinar, demoler, echar a tierra casas, muros o cualesquiera edificios. ‖ **2.** Tirar contra la tierra; hacer dar en el suelo a una persona, animal o cosa. ‖ **3.** Trastornar, echar a rodar lo que está levantado o puesto en alto. ‖ **4.** Tratándose de toros o vacas, hacerlos caer en tierra, corriendo tras ellos a caballo y empujándolos con la garrocha. ‖ **5.** p. us. **postrar,** enflaquecer, quitar el vigor. ‖ **6.** fig. Malquistar a una persona; hacerle perder la privanza, poder, cargo, estimación o dignidad adquirida. ‖ **7.** fig. Sujetar, humillar, abatir los afectos desordenados del ánimo. ‖ **8.** ant. fig. Inducir, incitar, compeler. ‖ **9.** ant. *Cetr.* Perder el halcón la fuerza y virtud, o soltar las plumas por estar mudando o por otra causa. Ú. t. c. intr. ‖ **10.** *Equit.* Hacer que el caballo meta o ponga los pies lo más cerca posible de las manos, para que baje o encoja las ancas o caderas. ‖ **11.** prnl. Tirarse a tierra, echarse al suelo por impulso propio o por accidente involuntario.

derribo. m. Demolición de construcciones. ‖ **2.** Conjunto de materiales que se sacan de la demolición. ‖ **3.** Lugar donde se derriba. ‖ **4.** Acción de hacer caer en tierra a los toros y vacas.

derriscar. (De *de-* y *risco.*) tr. ant. Limpiar, desmontar, desembarazar. ‖ **2.** *Can., Cuba* y *P. Rico.* Despeñar. Ú. t. c. prnl.

derrisión. (Del lat. *derisĭo, -ōnis.*) f. ant. Irrisión, escarnio.

derrocadero. (De *derrocar.*) m. Sitio peñascoso y de muchas rocas, de donde hay peligro de caer y precipitarse.

derrocamiento. m. Acción y efecto de derrocar.

derrocar. tr. Despeñar, precipitar desde una peña o roca. ‖ **2.** ant. Derribar uno a otro luchando. ‖ **3.** Echar por tierra, deshacer, arruinar un edificio. ‖ **4.** fig. Derribar, arrojar a alguien del estado o fortuna que tiene. Ú. especialmente en política. ‖ **5.** fig. Enervar, distraer, precipitar una cosa espiritual o intelectual. ‖ **6.** intr. ant. Caer, venir al suelo una cosa. Usáb. t. c. prnl.

derrochador, ra. adj. Que derrocha o malbarata el caudal. Ú. t. c. s.

derrochar. (Del fr. *dérocher,* der. de *roche.*) tr. Malgastar alguien su dinero o hacienda. ‖ **2.** Emplear alguien excesivamente otras cosas que posee, como el valor, las energías, el humor, etc. ‖ **3.** ant. **derrocar,** derribar a uno.

derroche. m. Acción y efecto de derrochar.

derromper. (Del lat. *dirumpĕre.*) tr. ant. Romper, quebrantar, violentar.

derronchar. tr. ant. Combatir, pelear.

derrostrarse. (De *de-* y *rostro.*) prnl. fig. desus. Deshacerse el rostro, maltratarse la cara.

derrota[1]**.** (De *derromper.*) f. Camino, vereda o senda de tierra. ‖ **2.** Alzamiento del coto; permiso que se da para que entren los ganados a pastar en las heredades después de cogidos los frutos. ‖ **3.** *Mar.* Rumbo o dirección que llevan en su navegación las embarcaciones. ‖ **seguir la derrota.** fr. *Mil.* **seguir el alcance.**

derrota[2]**.** (De *rota,* fuga de un ejército, con infl. del fr. *déroute.*) f. Acción y efecto de derrotar o ser derrotado. ‖ **2.** *Mil.* Vencimiento por completo de tropas enemigas, seguido por lo común de fuga desordenada.

derrotado, da. p. p. de **derrotar.** ‖ **2.** adj. Que anda con vestidos deteriorados o raídos. ‖ **3.** Vencido en el ánimo, deprimido.

derrotar. (De *derrota*[2].) tr. Disipar, romper, destrozar hacienda, muebles o vestidos. ‖ **2.** Destruir, arruinar a alguien en la salud o en los bienes. ‖ **3.** *Mil.* Vencer y hacer huir con desorden al ejército contrario. ‖ **4.** Por ext., vencer o ganar en enfrentamientos cotidianos. ‖ **5.** intr. *Taurom.* Dar derrotes. ‖ **6.** prnl. Apartarse una embarcación de su rumbo originario.

derrote. (De *derrotar.*) m. *Taurom.* Cornada que da el toro levantando la cabeza con un cambio brusco de dirección.

derrotero. (De *derrota*[1], camino, rumbo.) m. *Arg.* y *Chile.* Conjunto de datos que indican el camino para llegar a una mina. ‖ **2.** *Mar.* Línea señalada en la carta de marear para el gobierno de los pilotos en los viajes. ‖ **3.** *Mar.* Dirección que se da por escrito para un viaje de mar. ‖ **4.** *Mar.* Libro que contiene estos caminos o derrotas. ‖ **5.** *Mar.* **derrota,** rumbo. ‖ **6.** fig. Camino, rumbo, medio tomado para llegar al fin propuesto.

derrotismo. (De *derrota*[2].) m. Tendencia a propagar el desaliento en el propio país con noticias o ideas pesimistas acerca del resultado de una guerra o, por ext., acerca de cualquier otra empresa.

derrotista. adj. Dícese de la persona que practica el derrotismo. Ú. t. c. s.

derrubar. (Del lat. **derupāre,* de *rupes,* roca.) tr. ant. **derrumbar.**

derrubiar. (Del lat. **derupāre,* de *rupes,* roca.) tr. Robar lentamente el río, arroyo o cualquier humedad la tierra de las riberas o tapias. Ú. t. c. prnl.

derrubio. (De *derrubiar.*) m. Acción y efecto de derrubiar. ‖ **2.** Tierra que se cae o desmorona por esta causa.

derruir. (Del lat. *deruĕre.*) tr. Derribar, destruir, arruinar un edificio.

derrumbadero. (De *derrumbar.*) m. Despeñadero, precipicio, lugar en que es fácil caerse. ‖ **2.** fig. **despeñadero,** riesgo, peligro.

derrumbamiento. m. Acción y efecto de derrumbar o derrumbarse.

derrumbar. (Del lat. **derupāre,* de *rupes,* roca.) tr. Precipitar, despeñar. Ú. t. c. prnl. y en sent. fig.

derrumbe. (De *derrumbar.*) m. Acción y efecto de derrumbar o derrumbarse. ‖ **2.** Despeñadero, lugar en que es fácil caerse.

derrumbiadero. (De *derrumbiar.*) m. ant. **derrumbadero.**

derrumbiar. tr. ant. **derrumbar.** Usáb. t. c. prnl.

derrumbo. m. p. us. Despeñadero, lugar en que es fácil caerse.

derviche. (Del ár. *darwīš*, religioso mendicante.) m. Especie de monje entre los mahometanos.

des-. (Confluencia de los prefijos latinos *de-*, *ex-*, *dis-*, y a veces *e-*.) pref. que denota negación o inversión del significado del simple, como en DES*confiar;* DES*hacer;* privación, como en DES*abejar;* exceso o demasía, como en DES*lenguado;* fuera de, como en DES*camino,* DES*hora.* A veces no implica negación, sino afirmación, como en DES*pavorir,* DES*lánguido.*

des[1]**.** (De las preposiciones latinas *de* y *ex*.) prep. ant. **desde.**

des[2]**.** Contracc. ant. de **de ese.**

desabarrancar. (De *des-* y *abarrancar*.) tr. Sacar de un barranco, barrizal o pantano lo que está atascado. ‖ **2.** fig. Sacar a alguien de la dificultad o negocio en que está detenido por no poder salir de él.

desabastecer. tr. Desproveer, dejar de surtir a una persona o a un pueblo de los productos necesarios o impedir que lleguen donde los esperan o necesitan. Ú. t. c. prnl.

desabastecimiento. m. Falta de determinados productos en un establecimiento comercial o en una población.

desabatir. tr. ant. Descontar, rebajar, rebatir.

desabejar. tr. Quitar o sacar las abejas del vaso o colmena en que se hallan.

desabido, da. (De *des-* y *sabido*.) adj. ant. **ignorante.** ‖ **2.** ant. Excesivo, extraordinario.

desabollador. m. Instrumento que emplean los hojalateros para quitar las abolladuras de las placas metálicas.

desabollar. tr. Quitar a las piezas y vasijas de metal las abolladuras o bollos hechos por golpes que han recibido.

desabonarse. prnl. Retirar alguien su abono de un teatro, una fonda, una casa de baños, etc.

desabono. m. Acción y efecto de desabonarse. ‖ **2.** Perjuicio que se hace a alguien hablando contra su crédito y reputación.

desabor. (De *des-* y *sabor*.) m. Insipidez, desabrimiento en el paladar o en la cosa que se come o bebe. ‖ **2.** ant. fig. Sinsabor, pena, disgusto.

desaborado, da. p. p. de **desaborar.** ‖ **2.** adj. ant. Desabrido, áspero al gusto.

desaborar. (De *desabor*.) tr. ant. Quitar el sabor a una cosa; ponerla desabrida o de mal gusto. ‖ **2.** ant. fig. Desazonar, desabrir, quitar a alguien el gusto que tiene de alguna cosa.

desabordarse. prnl. *Mar.* Separarse una embarcación de otra después de haberla abordado.

desaborición. f. fam. *And.* Sinsabor, disgusto.

desaborido, da. (De *desabor*.) adj. Sin sabor. ‖ **2.** Sin sustancia. ‖ **3.** fig. y fam. Aplícase a la persona sosa, de carácter indiferente. Ú. t. c. s.

desabotonar. tr. Sacar los botones de los ojales. Ú. t. c. prnl. ‖ **2.** intr. fig. Abrirse las flores, saliendo sus hojas de los botones o capullos.

desabridamente. adv. m. Con desabrimiento.

desabrido, da. (De *desaborido*.) p. p. de **desabrir.** ‖ **2.** adj. Dícese de la fruta u otro alimento que carece de gusto, o apenas lo tiene, o lo tiene malo. ‖ **3.** Dícese de la ballesta y armas de fuego, como la escopeta, etc., que son fuertes y duras al disparar, de manera que dan coz o golpe al tirador. ‖ **4.** Tratándose del tiempo, destemplado, desigual. ‖ **5.** fig. Áspero y desapacible en el trato.

desabrigado, da. p. p. de **desabrigar.** ‖ **2.** adj. fig. Desamparado, sin favor ni apoyo.

desabrigar. tr. Descubrir, desarropar, quitar el abrigo. Ú. t. c. prnl.

desabrigo. m. Acción y efecto de desabrigar o desabrigarse. ‖ **2.** fig. Desamparo, abandono.

desabrimiento. (De *desabrir*.) m. Falta de sabor, sazón o buen gusto en la fruta u otro alimento. ‖ **2.** En la ballesta y armas de fuego, como la escopeta, etc., dureza de su empuje al dispararse dando coz y golpeando al tirador. ‖ **3.** fig. Dureza de genio, aspereza en el trato. ‖ **4.** fig. Disgusto, desazón interior.

desabrir. (Por *desaborir*, de *sabor*.) tr. defect. Dar mal gusto a la comida. ‖ **2.** fig. Disgustar, desazonar el ánimo de alguien. Ú. t. c. prnl.

desabrochar. tr. Desasir los broches, corchetes, botones u otra cosa con que se ajusta la ropa. Ú. t. c. prnl. ‖ **2.** fig. p. us. Abrir, descoger[1]. ‖ **3.** prnl. fig. y fam. p. us. Manifestar en confianza un secreto, suceso o sentimiento.

desacalorarse. prnl. Aliviarse alguien del calor que padece.

desacantonamiento. m. Acción y efecto de desacantonar.

desacantonar. tr. Sacar las tropas de los cantones.

desacatadamente. adv. m. Con desacato.

desacatador, ra. adj. Que desacata o se desacata. Ú. t. c. s.

desacatamiento. (De *desacatar*.) m. **desacato.**

desacatar. (De *des-* y *acatar*.) tr. Faltar a la reverencia o respeto que se debe a alguien. Ú. t. c. prnl. ‖ **2.** No acatar una norma, ley, orden, etc.

desacato. (De *desacatar*.) m. Irreverencia para con las cosas sagradas. ‖ **2.** Falta del debido respeto a los superiores. ‖ **3.** *Der.* Delito que se comete calumniando, injuriando, insultando o amenazando a una autoridad en el ejercicio de sus funciones o con ocasión de ellas, ya de hecho o de palabra, o ya en escrito que se le dirija.

desacedar. tr. Quitar la acedía.

desaceitado, da. p. p. de **desaceitar.** ‖ **2.** adj. Dícese de lo que está sin aceite debiendo tenerlo, o no tiene el que necesita.

desaceitar. tr. Quitar el aceite a los tejidos y otras obras de lana.

desaceleración. f. Acción y efecto de desacelerar.

desacelerar. (De *des-* y *acelerar*.) tr. Retardar, retrasar, quitar celeridad. Ú. t.c. intr.

desacerar. tr. Quitar o gastar la parte de acero que tiene una herramienta. Ú. t. c. prnl.

desacerbar. (De *des-* y *acerbo*.) tr. Templar, endulzar, quitar lo áspero y agrio a una cosa.

desacertadamente. adv. m. Con desacierto.

desacertado, da. p. p. de **desacertar.** ‖ **2.** adj. Que yerra u obra sin acierto.

desacertar. (De *des-* y *acertar*.) intr. No tener acierto, errar.

desacierto. m. Acción de desacertar. ‖ **2.** Dicho o hecho desacertado.

desacobardar. tr. Alentar, quitar la cobardía o el miedo.

desacollar. (De *des-* y *acollar*.) tr. *Rioja.* Cavar las cepas alrededor, dejándoles un hoyo en que se detenga el agua.

desacomedido, da. adj. *Amér.* Poco servicial.

desacomodadamente. adv. m. Sin comodidad.

desacomodado, da. p. p. de **desacomodar.** ‖ **2.** adj. Aplícase a la persona que no tiene los medios y conveniencias competentes para mantener su estado. ‖ **3.** Dícese del criado que está sin acomodo. ‖ **4.** Que causa incomodidad o desconveniencia.

desacomodamiento. (De *desacomodar*.) m. Incomodidad, desconveniencia.

desacomodar. (De *des-* y *acomodar*.) tr. Privar de la comodidad. ‖ **2.** Quitar la conveniencia, empleo u ocupación. Ú. t. c. prnl.

desacomodo. m. Acción y efecto de desacomodar o desacomodarse.

desacompañamiento. m. Acción y efecto de desacompañar.

desacompañar. (De *des-* y *acompañar.*) tr. Excusar, dejar la compañía de alguien.

desaconsejadamente. adv. m. Sin consejo o cordura.

desaconsejado, da. p. p. de **desaconsejar.** ‖ **2.** adj. Que obra sin consejo ni prudencia y solo por capricho. Ú. t. c. s.

desaconsejar. (De *des-* y *aconsejar.*) tr. Disuadir, persuadir a alguien de lo contrario a lo que tiene meditado o resuelto.

desacoplamiento. m. Acción y efecto de desacoplar.

desacoplar. tr. Separar lo que estaba acoplado.

desacordadamente. adv. m. Sin acuerdo.

desacordado, da. p. p. de **desacordar.** ‖ **2.** adj. *Pint.* Aplícase a la obra cuyas partes desentonan por razón de la composición o del colorido.

desacordamiento. (De *desacordar.*) m. ant. **desacuerdo.**

desacordanza. f. ant. Desacuerdo o discordancia.

desacordar. (De *des-* y *acordar.*) tr. Destemplar un instrumento músico o templarlo de modo que esté más alto o más bajo que el que da el tono. Se puede usar también tratándose de las voces que desentonan. Ú. t. c. prnl. ‖ **2.** intr. ant. No estar de acuerdo. Usáb. t. c. prnl. ‖ **3.** prnl. Olvidarse, perder la memoria y acuerdo de las cosas. ‖ **4.** ant. Perder el acuerdo, quedar fuera de sentido.

desacorde. (De *desacordar.*) adj. Dícese de lo que no iguala, conforma o concuerda con otra cosa. Aplícase con propiedad a los instrumentos músicos destemplados o templados en distinto tono.

desacorralar. tr. Sacar el ganado de los corrales o cercados. ‖ **2.** *Taurom.* Sacar las reses bravas fuera de la manada o del lugar de su querencia.

desacostumbradamente. adv. m. Sin costumbre, fuera de lo regular.

desacostumbrado, da. p. p. de **desacostumbrar.** ‖ **2.** adj. Fuera del uso y orden común.

desacostumbrar. (De *des-* y *acostumbrar.*) tr. Hacer perder o dejar el uso y costumbre que se tiene. Ú. t. c. prnl.

desacotado, da. p. p. de **desacotar**[1]. ‖ **2.** m. ant. **desacoto.**

desacotar[1]. (De *des-* y *acotar*[1].) tr. Levantar, quitar el coto[1].

desacotar[2]. (De *des-* y *acotar*[2].) tr. Apartarse del concierto o cosa que se está tratando. ‖ **2.** Entre muchachos, levantar o suspender las leyes y condiciones que ponen en sus juegos. ‖ **3.** Rechazar, no admitir, no querer una cosa.

desacoto. m. Acción y efecto de desacotar[1].

desacralizar. tr. Quitar el carácter sacro a algo que lo tenía. Ú. t. c. prnl.

desacreditado, da. p. p. de **desacreditar.** ‖ **2.** adj. Que ha perdido la buena opinión de que gozaba.

desacreditador, ra. adj. Que desacredita. Ú. t. c. s.

desacreditar. (De *des-* y *acreditar.*) tr. Disminuir o quitar la reputación de una persona, o el valor y la estimación de una cosa.

desactivación. f. Acción y efecto de desactivar.

desactivar. tr. Anular cualquier potencia activa, como la de procesos fisicoquímicos, planes económicos, etc. ‖ **2.** Referido a un ingenio explosivo, inutilizar los dispositivos que lo harían estallar.

desacuartelamiento. m. Acción y efecto de desacuartelar.

desacuartelar. tr. Sacar las tropas de los cuarteles.

desacuerdo. m. Discordia o disconformidad en los dictámenes o acciones. ‖ **2.** p. us. Error, desacierto. ‖ **3.** p. us. Olvido de una cosa. ‖ **4.** ant. Enajenamiento, privación del sentido por un accidente o aturdimiento.

desaderezar. tr. **desaliñar.** Ú. t. c. prnl.

desadeudar. tr. Desempeñar a alguien, libertarle de sus deudas. Ú. t. c. prnl.

desadorar. tr. Dejar de adorar, negar la adoración.

desadormecer. tr. Despertar a alguien. Ú. t. c. prnl. ‖ **2.** fig. Desentorpecer el sentido. Ú. t. c. prnl. ‖ **3.** fig. Desentumecer un miembro dormido o entorpecido. Ú. t. c. prnl.

desadornar. tr. Quitar el adorno o compostura.

desadorno. m. Falta de adorno o compostura.

desadvertido, da. p. p. p. us. de **desadvertir.** ‖ **2.** adj. p. us. **inadvertido.**

desadvertir. tr. p. us. No reparar, no advertir una cosa.

desafamación. (De *desafamar.*) f. ant. **disfamación.**

desafamar. tr. ant. **disfamar.**

desafear. tr. Quitar o disminuir la fealdad. ‖ **2.** ant. **afear.**

desafección. f. Mala voluntad.

desafecto, ta. adj. Que no siente estima por una cosa o muestra hacia ella desvío o indiferencia. ‖ **2.** Opuesto, contrario. ‖ **3.** m. **malquerencia.**

desafeitar. tr. ant. Desadornar, afear, desasear. ‖ **2.** ant. fig. Manchar, afear, vituperar.

desaferrar. tr. Desasir, soltar lo que está aferrado. Ú. t. c. prnl. ‖ **2.** fig. Sacar, apartar a alguien del dictamen o capricho que tenazmente defiende. Ú. t. c. prnl. ‖ **3.** *Mar.* Levantar las áncoras para que pueda navegar la embarcación.

desafiación. (De *desafiar.*) f. ant. **desafío.**

desafiadero. m. Sitio retirado donde, en algunos lugares, se tenían los desafíos.

desafiador, ra. adj. Que desafía. Ú. t. c. s.

desafiamiento. (De *desafiar.*) m. ant. **desafío.**

desafianza. (De *desafiar.*) f. ant. **desafío.**

desafiar. (De *des-* y *afiar.*) tr. Retar, provocar a singular combate, batalla o pelea. ‖ **2.** Contender, competir con uno en cosas que requieren fuerza, agilidad o destreza. ‖ **3.** Afrontar el enojo o la enemistad de una persona contrariándola en sus deseos o acciones. ‖ **4.** Enfrentarse a las dificultades con decisión. ‖ **5.** fig. Competir, oponerse una cosa a otra. ‖ **6.** ant. Romper la fe y amistad que se tiene con alguien. ‖ **7.** ant. Deshacer, descomponer. ‖ **8.** ant. *Ar.* **desnaturalizar,** privar a alguien del derecho de naturaleza y patria.

desafición. f. Falta de afición, desafecto.

desaficionar. tr. p. us. Quitar, hacer perder el amor o afición a una cosa. Ú. t. c. prnl.

desafijación. f. ant. Acción y efecto de desafijar[2].

desafijar[1]. (De *des-* y *afijar*[1].) tr. ant. Negar el padre la filiación a un hijo.

desafijar[2]. (De *des-* y *afijar*[2].) tr. ant. **desfijar.**

desafilar. tr. Embotar el filo de un arma o herramienta. Ú. t. c. prnl.

desafinación. f. Acción y efecto de desafinar o desafinarse.

desafinadamente. adv. m. Desviándose de la perfecta entonación.

desafinar. (De *des-* y *afinar.*) intr. *Mús.* Desviarse algo la voz o el instrumento del punto de la perfecta entonación, desacordándose y causando desagrado al oído. Ú. t. c. prnl. ‖ **2.** fig. y fam. Decir en una conversación cosa indiscreta o inoportuna.

desafío. m. Acción y efecto de desafiar. ‖ **2.** Rivalidad, competencia. ‖ **3.** ant. Carta o recado verbal en que los reyes de Aragón manifestaban la razón o motivo que tenían para desafiar a un ricohombre o caballero. ‖ **reñir un desafío.** fr. ant. Reñir en un **desafío.**

desafiuciar. (De *des-* y *afiuciar.*) tr. ant. **desahuciar.**

desafiuzar. (De *des-* y *afiuzar.*) tr. ant. **desafiuciar.**

desaforadamente. adv. m. Desordenadamente, con

exceso, con atropellamiento. ‖ **2.** Con desafuero, con atrevimiento y osadía.

desaforado, da. p. p. de **desaforar** o **desaforarse.** ‖ **2.** adj. Que obra sin ley ni fuero, atropellando por todo. ‖ **3.** Que es o se expide contra fuero o privilegio. ‖ **4.** V. **carta desaforada.** ‖ **5.** fig. Grande con exceso, desmedido, fuera de lo común.

desaforar. (De *des-* y *aforar.*) tr. Quebrantar los fueros y privilegios que corresponden a uno. ‖ **2.** Privar a alguien del fuero o exención que goza, por haber cometido algún delito de los señalados para este caso. ‖ **3.** prnl. Descomponerse, atreverse, descomedirse.

desaforrar. (De *des-* y *aforrar*[1].) tr. Quitar el forro.

desafortunado, da. adj. Sin fortuna. ‖ **2.** Desacertado, inoportuno.

desafuciamiento. m. ant. Acción y efecto de desafuciar.

desafuciar. (De *des-* y *afuciar.*) tr. ant. **desahuciar.**

desafuero. (De *desaforar.*) m. Acto violento contra la ley. ‖ **2.** Por ext., acción contraria a las buenas costumbres o a los consejos de la sana razón. ‖ **3.** *Der.* Hecho que priva de fuero al que lo tenía.

desagarrar. tr. fam. Soltar, dejar libre lo que está preso o agarrado.

desagotar. (De *des-* y *agotar.*) tr. ant. Desaguar o agotar.

desagraciado, da. p. p. desus. de **desagraciar.** ‖ **2.** adj. desus. Sin gracia.

desagraciar. tr. p. us. Quitar la gracia, afear.

desagradable. adj. Que desagrada o disgusta.

desagradablemente. adv. m. Con desagrado.

desagradar. (De *des-* y *agradar.*) intr. Disgustar, fastidiar, causar desagrado. Usáb. t. c. prnl.

desagradecer. (De *des-* y *agradecer.*) tr. No corresponder debidamente al beneficio recibido. ‖ **2.** Desconocer el beneficio que se recibe.

desagradecido, da. p. p. de **desagradecer.** ‖ **2.** adj. Que desagradece. Ú. t. c. s. ‖ **3.** Referido a cosas, que no compensan el esfuerzo o atenciones que se les dedica.

desagradecimiento. m. Acción y efecto de desagradecer.

desagrado. (De *desagradar.*) m. Disgusto, descontento. ‖ **2.** Expresión, en el trato o en el semblante, del disgusto que nos causa una persona o cosa.

desagraviamiento. m. ant. **desagravio.**

desagraviar. tr. Borrar o reparar el agravio hecho, dando al ofendido satisfacción cumplida. Ú. t. c. prnl. ‖ **2.** Resarcir o compensar el perjuicio causado. Ú. t. c. prnl.

desagravio. m. Acción y efecto de desagraviar o desagraviarse.

desagregación. f. Acción y efecto de desagregar o desagregarse.

desagregar. (De *des-* y *agregar.*) tr. Separar, apartar una cosa de otra. Ú. m. c. prnl.

desaguadero. (De *desaguar.*) m. Conducto o canal por donde se da salida a las aguas. ‖ **2.** fig. Motivo continuo de gastar, que consume el caudal o endeuda y empobrece al que lo sufre.

desaguador. (De *desaguar.*) m. **desaguadero,** conducto de salida de las aguas.

desaguar. tr. Extraer, echar el agua de un sitio o lugar. ‖ **2.** fig. Disipar, consumir. ‖ **3.** intr. Entrar los ríos en el mar, un lago o en otro río, desembocar en ellos. ‖ **4.** fig. y fam. Orinar. ‖ **5.** Dar salida un recipiente o concavidad a las aguas que contiene. Ú. t. c. prnl. ‖ **6.** prnl. fig. Exonerarse por vómito o deposición.

desaguazar. (De *des-* y *aguazar.*) tr. Quitar el agua de alguna parte.

desagüe. m. Acción y efecto de desaguar o desaguarse. ‖ **2. desaguadero,** conducto de salida de las aguas.

desaguisadamente. adv. m. ant. De manera inconveniente, sin razón ni justicia.

desaguisado, da. (De *des-* y *aguisado.*) adj. Hecho contra la ley o la razón. ‖ **2.** ant. Inconveniente, injusto, contrario a razón. ‖ **3.** ant. Intrépido, osado, insolente. ‖ **4.** m. Agravio, denuesto, acción descomedida. ‖ **5.** fig. y fam. Destrozo, desafuero.

desaherrojar. tr. p. us. Quitar los hierros al que está aherrojado. Ú. t. c. prnl.

desahijar. (De *des-* y *ahijar.*) tr. Apartar en el ganado las crías de las madres. ‖ **2.** prnl. Enjambrar, jabardear mucho las abejas, empobreciendo a la madre, o dejando la colmena sin maestra.

desahitarse. prnl. Quitarse el ahíto o indigestión.

desahogadamente. adv. m. Con desahogo. ‖ **2.** Con descoco, con demasiada libertad o desenvoltura.

desahogado, da. p. p. de **desahogar.** ‖ **2.** adj. Descarado, descocado. ‖ **3.** Aplícase al sitio desembarazado en que no hay demasiada reunión de cosas o mucha apretura y confusión de personas. ‖ **4.** Dícese del que vive con desahogo. Ú. por lo común con el verbo *estar.* ‖ **5.** *Mar.* Aplícase al barco que navega sin impedimento a un rumbo tal que el viento y la mar no le estorban ni le producen escora.

desahogamiento. m. ant. **desahogo.**

desahogar. (De *des-* y *ahogar.*) tr. Dilatar el ánimo a alguien; aliviarle en sus trabajos, aflicciones o necesidades. ‖ **2.** Aliviar el ánimo de la pasión, fatiga o cuidado que le oprime. Ú. t. c. prnl. ‖ **3.** prnl. Repararse, recobrarse del calor y fatiga, valiéndose de los medios proporcionados para ello. ‖ **4.** Desempeñarse, salir del ahogo de las deudas contraídas. ‖ **5.** Decir una persona a otra el sentimiento o queja que tiene de ella. ‖ **6.** Hacer alguien confidencias a otro, refiriéndole lo que le da pena o fatiga.

desahogo. (De *desahogar.*) m. Alivio de la pena, trabajo o aflicción. ‖ **2.** Ensanche, dilatación, esparcimiento. ‖ **3.** Desembarazo, libertad, desenvoltura. ‖ **4.** Descaro, frescura. ‖ **vivir con desahogo.** fr. fig. y fam. Tener bastantes recursos para vivir con comodidad y sin empeños.

desahuciadamente. adv. m. Sin esperanza.

desahuciar. (De *des-* y *ahuciar.*) tr. Quitar a alguien toda esperanza de conseguir lo que desea. Ú. t. c. prnl. ‖ **2.** Admitir los médicos que un enfermo no tiene posibilidad de curación. ‖ **3.** Despedir el dueño o el arrendador al inquilino o arrendatario mediante una acción legal.

desahucio. m. Acción y efecto de desahuciar, despedir a un inquilino.

desahumado, da. p. p. de **desahumar.** ‖ **2.** adj. fig. Aplícase al licor que ha perdido fuerza por haberse evaporado parte de su sustancia.

desahumar. (De *des-* y *ahumar.*) tr. Apartar, quitar el humo de una cosa o lugar.

desainadura. (De *desainar.*) f. *Veter.* Enfermedad que padecen las mulas y caballos, especialmente cuando están muy gordos, y consiste en derretírseles el saín dentro del cuerpo por el exceso de trabajo, especialmente en tiempo de calor.

desainar[1]**.** (De *saín.*) tr. Quitar el saín a un animal, o la crasitud y sustancia a una cosa. Ú. t. c. prnl. ‖ **2.** *Cetr.* Debilitar al azor cuando está en muda, reduciéndole la comida y purgándole hasta que pase la enfermedad.

desainar[2]**.** (Del lat. *desanguinare.*) tr. **desangrar.**

desairadamente. adv. m. Sin aire ni garbo.

desairado, da. p. p. de **desairar.** ‖ **2.** adj. Que carece de gala, garbo y donaire. ‖ **3.** fig. Dícese del que no queda airoso en lo que pretende o en lo que tiene a su cargo. ‖ **4.** fig. Menospreciado, desatendido.

desairar. (De *des-* y *aire.*) tr. Humillar, desatender a una persona. ‖ **2.** Desestimar una cosa.

desaire. m. Falta de garbo o de gentileza. ‖ **2.** Acción y efecto de desairar.

desaislarse. prnl. Dejar de estar aislado; salir del aislamiento.

desajacarse. (De *des-* y el ant. *asacar,* imputar.) prnl. ant. Excusarse, eximirse, libertarse.

desajuntar. (De *des-* y *ajuntar.*) tr. ant. Apartar, desunir, desdoblar.

desajustar. (De *des-* y *ajustar.*) tr. Desigualar, desconcertar una cosa de otra. ‖ **2.** prnl. Desconvenirse, apartarse del ajuste o concierto hecho o próximo a hacerse.

desajuste. m. Acción y efecto de desajustar o desajustarse.

desalabanza. f. p. us. Acción y efecto de desalabar. ‖ **2.** Vituperio, menosprecio.

desalabar. (De *des-* y *alabar.*) tr. p. us. Vituperar, poner faltas o tachas.

desalabear. (De *des-* y *alabear.*) tr. *Carp.* Quitar el alabeo a una pieza de madera. ‖ **2.** *Carp.* Labrar una cara de una pieza de madera de modo que quede perfectamente plana.

desalabeo. m. Acción y efecto de **desalabear.**

desalación. f. Acción y efecto de desalar[1].

desaladamente. adv. m. fig. Con suma aceleración. ‖ **2.** fig. Con vehemente anhelo.

desalado, da. p. p. de **desalarse.** ‖ **2.** adj. Ansioso, acelerado.

desalagar. (De *des-* y *alagar,* y esta de *lago.*) tr. Desecar, desencharcar.

desalar[1]. tr. Quitar la sal a una cosa; como a la cecina, al pescado salado, etc. ‖ **2.** Dicho del agua del mar, quitarle la sal para hacerla potable o para otros fines.

desalar[2]. (De *ala.*) tr. Quitar las alas. ‖ **2.** prnl. ant. Estar o andar con las alas abiertas.

desalarse. (Del lat. *exhalāre,* anhelar.) prnl. fig. Andar o correr con suma aceleración. ‖ **2.** fig. Sentir vehemente anhelo por conseguir alguna cosa.

desalbardar. tr. **desenalbardar.**

desalentadamente. adv. m. Con desaliento.

desalentador, ra. adj. Que causa desaliento.

desalentar. tr. Entorpecer la respiración, hacerla dificultosa por la fatiga o cansancio. ‖ **2.** fig. Quitar el ánimo, acobardar. Ú. t. c. prnl.

desalfombrar. tr. Quitar o levantar las alfombras.

desalforjar. tr. Sacar de las alforjas alguna cosa. ‖ **2.** ant. Quitar las alforjas a una caballería. ‖ **3.** prnl. fig. y fam. Desabrocharse, aflojar la ropa, para desahogarse del calor o cansancio.

desalhajar. tr. Quitar de una habitación las alhajas o muebles.

desaliento. (De *desalentar.*) m. Decaimiento del ánimo, desfallecimiento de las fuerzas.

desalineación. f. Acción y efecto de desalinear o desalinearse.

desalinear. (De *des-* y *alinear.*) tr. Hacer perder la línea recta. Ú. t. c. prnl.

desalinización. (De *salino.*) f. **desalación** del agua de mar.

desalinizador, ra. adj. Dícese del método usado para eliminar la sal del agua de mar. ‖ **2.** f. Instalación industrial donde se lleva a cabo dicho proceso.

desaliñado, da. p. p. de **desaliñar.** ‖ **2.** adj. Que adolece de desaliño.

desaliñar. tr. Descomponer, ajar el adorno, atavío o compostura. Ú. t. c. prnl.

desaliño. m. Desaseo, descompostura, desatavío, falta de aliño. ‖ **2.** fig. Negligencia, omisión, descuido. ‖ **3.** pl. Adorno que usaban las mujeres, a modo de arracadas o pendientes, guarnecido de piedras preciosas, que desde las orejas llegaba hasta el pecho.

desalivar. intr. p. us. Arrojar saliva con abundancia. Ú. t. c. prnl.

desalmadamente. adv. m. Sin conciencia. ‖ **2.** Sin humanidad.

desalmado, da. p. p. de **desalmar.** ‖ **2.** adj. Falto de conciencia. ‖ **3.** Cruel, inhumano. ‖ **4.** ant. Privado o falto de espíritu.

desalmamiento. (De *desalmar.*) m. desus. Abandono de la conciencia. ‖ **2.** Inhumanidad, perversidad.

desalmar. (De *des-* y *alma.*) tr. fig. Quitar la fuerza y virtud a una cosa. Ú. t. c. prnl. ‖ **2.** p. us. **desasosegar.** Ú. t. c. prnl. ‖ **3.** prnl. fig. **desalarse.**

desalmenado, da. p. p. de **desalmenar.** ‖ **2.** adj. Falto de almenas. ‖ **3.** ant. fig. Falto de adorno, remate o coronación.

desalmenar. tr. Quitar o destruir las almenas.

desalmidonar. tr. Quitar a la ropa el almidón que se le había dado.

desalojamiento. m. Acción y efecto de desalojar.

desalojar. (De *des-* y *alojar.*) tr. Sacar o hacer salir de un lugar a una persona o cosa. ‖ **2.** Abandonar un puesto o un lugar. ‖ **3. desplazar.** ‖ **4.** intr. Dejar el hospedaje, sitio o morada voluntariamente.

desalojo. m. **desalojamiento.**

desalquilar. tr. Dejar una habitación o cosa que se tenía alquilada. ‖ **2.** Poner fin a un alquiler. Ú. m. c. prnl. ‖ **3.** prnl. Quedar sin inquilinos una vivienda u otro local.

desalterar. (De *des-* y *alterar.*) tr. Quitar la alteración, sosegar, apaciguar.

desalumbradamente. adv. m. p. us. Erradamente, con ofuscamiento.

desalumbrado, da. adj. Deslumbrado, ofuscado, por el exceso de luz. ‖ **2.** fig. Que ha perdido el tino y procede sin acierto.

desalumbramiento. m. Ceguedad, falta de tino o acierto en las cosas.

desamable. (De *des-* y *amable.*) adj. p. us. Indigno de ser amado.

desamador, ra. adj. p. us. Que desama. Ú. t. c. s.

desamar. tr. p. us. Dejar de amar, abandonar el cariño o afición que se tenía. ‖ **2.** p. us. Aborrecer, querer mal.

desamarrar. tr. Quitar las amarras. Ú. t. c. prnl. ‖ **2.** fig. Desasir, desviar, apartar. ‖ **3.** *Mar.* Dejar a un buque sobre una sola ancla o amarra.

desamartelar. (De *des-* y *amartelar.*) tr. **desenamorar.** Ú. t. c. prnl.

desamasado, da. (De *des-* y *amasado.*) adj. Deshecho, desunido.

desambientado, da. adj. Dícese de las personas o cosas que no están en su ambiente habitual.

desamigar. (De *des-* y *amigar.*) tr. p. us. Enemistar. Ú. t. c. prnl.

desamigo. m. ant. Enemigo. Ú. t. c. adj.

desamistad. f. ant. **enemistad.**

desamistarse. (De *des-* y *amistar.*) prnl. Enemistarse, perder o dejar la amistad de uno.

desamoblar. tr. **desamueblar.**

desamoldar. (De *des-* y *amoldar.*) tr. p. us. Hacer perder a una cosa la figura que tomó del molde. ‖ **2.** fig. p. us. Descomponer la proporción de una cosa, desfigurarla.

desamor. m. Falta de amor o amistad. ‖ **2.** Falta del sentimiento y afecto que inspiran por lo general ciertas cosas. ‖ **3.** Enemistad, aborrecimiento.

desamoradamente. adv. m. Sin amor ni cariño; con esquivez.

desamorado, da. p. p. de **desamorar.** ‖ **2.** adj. Que no tiene amor o no lo manifiesta.

desamorar. tr. Hacer perder el amor. Ú. t. c. prnl.

desamoroso, sa. adj. Que no tiene amor o agrado.

desamorrar. (De *des-* y *amorrar.*) tr. fam. Hacer que alguien levante la cabeza o que, dejando el silencio en que estaba, responda y converse con los que están presentes.
desamortizable. adj. Que puede o debe desamortizarse.
desamortización. f. Acción y efecto de desamortizar.
desamortizador, ra. adj. Que desamortiza. Ú. t. c. s.
desamortizar. (De *des-* y *amortizar.*) tr. Dejar libres los bienes amortizados. ‖ **2.** Poner en estado de venta los bienes de manos muertas, mediante disposiciones legales.
desamotinarse. (De *des-* y *amotinar.*) prnl. Apartarse del motín principiado, reduciéndose a quietud y obediencia.
desamparadamente. adv. m. Sin amparo.
desamparado, da. p. p. de **desamparar.** ‖ **2.** adj. ant. Separado o dislocado.
desamparador, ra. adj. Que desampara. Ú. t. c. s.
desamparamiento. m. ant. **desamparo.**
desamparar. (De *des-* y *amparar.*) tr. Abandonar, dejar sin amparo ni favor a la persona o cosa que lo pide o necesita. ‖ **2.** Ausentarse, abandonar un lugar o sitio. ‖ **3.** *Der.* Dejar o abandonar una cosa, con renuncia de todo derecho a ella.
desamparo. m. Acción y efecto de desamparar.
desamueblar. tr. Dejar sin muebles un edificio o parte de él.
desamurar. tr. *Mar.* Levantar o soltar las amuras de las velas.
desanclar. (De *des-* y *anclar.*) tr. *Mar.* **desancorar.**
desancorar. (De *des-* y *ancorar.*) tr. *Mar.* Levantar las áncoras con que está aferrada una embarcación.
desandar. tr. Retroceder, volver atrás en el camino ya andado. Ú. t. en sent. fig.
desandrajado, da. (De *des-* y *andrajo.*) adj. Andrajoso, desastrado.
desangelado, da. adj. Falto de **ángel,** gracia, simpatía.
desangramiento. m. Acción y efecto de desangrar o desangrarse.
desangrar. (Del lat. *desanguināre.*) tr. Sacar la sangre a una persona o a un animal en gran cantidad o con mucho exceso. ‖ **2.** fig. Agotar o desaguar un lago, estanque, etc. ‖ **3.** fig. Empobrecer a alguien, gastándole y disipándole la hacienda insensiblemente. ‖ **4.** prnl. Perder mucha sangre o perderla toda.
desanidar. (De *des-* y *anidar.*) intr. Dejar las aves el nido, por lo común cuando acaban de criar. ‖ **2.** tr. fig. Sacar o echar de un sitio o lugar a los que tienen costumbre de ocultarse o guarecerse en él.
desanimación. f. Acción y efecto de desanimar o desanimarse. ‖ **2.** Falta de **animación,** concurso de gente.
desanimadamente. adv. m. Sin ánimo, sin aliento.
desanimado, da. p. p. de **desanimar.** ‖ **2.** adj. Dícese del lugar, espectáculo, reunión, etc., donde concurre poca gente. ‖ **3.** Acobardado, deprimido.
desanimar. (De *des-* y *animar.*) tr. Desalentar, quitar ánimos. Ú. t. c. prnl.
desánimo. (De *desanimar.*) m. Desaliento, falta de ánimo.
desanublar. (De *des-* y *anublar.*) tr. fig. p. us. Despejar, aclarar. Ú. t. c. prnl.
desanudadura. f. ant. Acción y efecto de desanudar.
desanudar. (De *des-* y *anudar.*) tr. Deshacer o desatar el nudo. ‖ **2.** fig. Aclarar, disolver lo que está enredado y enmarañado.
desañudar. (De *des-* y *añudar.*) tr. ant. **desanudar.**
desaojadera. (De *desaojar.*) f. Mujer a quien supersticiosamente se atribuía gracia para curar el aojo.
desaojar. (De *des-* y *aojar*[1].) tr. Curar el aojo.
desapacibilidad. f. Calidad de desapacible.
desapacible. (De *des-* y *apacible.*) adj. Que causa disgusto o enfado o es desagradable a los sentidos.
desapaciblemente. adv. m. **desagradablemente.**
desapadrinar. tr. fig. p. us. **desaprobar.**
desapañar. (De *des-* y *apañar.*) tr. ant. Descomponer, desataviar.
desaparear. tr. Separar una de dos cosas que hacían par.
desaparecer. (De *des-* y *aparecer.*) tr. Ocultar, quitar de la vista con presteza una persona o cosa. Ú. t. c. prnl. y c. intr. ‖ **2.** intr. Dejar de existir personas o cosas.
desaparecimiento. (De *desaparecer.*) m. **desaparición.**
desaparejar. tr. Quitar el aparejo a una caballería. Ú. t. c. prnl. ‖ **2.** *Mar.* Quitar, descomponer, maltratar el aparejo de una embarcación.
desaparición. f. Acción y efecto de desaparecer o desaparecerse.
desaparroquiar. (De *des-* y *aparroquiar.*) tr. Separar a uno de su parroquia. Ú. m. c. prnl. ‖ **2.** Apartar, quitar los parroquianos a las tiendas. Ú. m. c. prnl.
desapartar. tr. **apartar.** Ú. t. c. prnl.
desapasionadamente. adv. m. Sin pasión, sin interés ni otra razón.
desapasionado, da. p. p. de **desapasionar.** ‖ **2.** adj. Falto de pasión, imparcial.
desapasionar. tr. Quitar, desarraigar la pasión o preferencia que se tiene hacia una persona o cosa. Ú. m. c. prnl.
desapegar. (De *des-* y *apegar.*) tr. **despegar,** apartar, desasir una cosa de otra a la que estaba pegada o unida. Ú. t. c. prnl. ‖ **2.** prnl. fig. Apartarse, desprenderse del afecto o afición a una persona o cosa.
desapego. (De *desapegar.*) m. fig. Falta de afición o interés, alejamiento, desvío.
desapercebido, da. adj. ant. **desapercibido.**
desapercibidamente. adv. m. Sin prevención ni apercibimiento.
desapercibido, da. adj. No apercibido.
desapercibimiento. m. Desprevención, falta de apresto de lo necesario.
desapercibo. (De *des-* y *apercibo.*) m. ant. **desapercibimiento.**
desapestar. tr. p. us. Desinfectar a una persona o cosa contaminada de la peste.
desapiadado, da. adj. **despiadado.**
desapiolar. (De *des-* y *apiolar.*) tr. Quitar el lazo o atadura con que los cazadores ligan las patas de la caza menor y los picos de las aves para colgarlas después de muertas.
desaplacible. (De *des-* y *aplacible.*) adj. p. us. **desagradable.**
desaplicación. f. Falta de aplicación, ociosidad.
desaplicadamente. adv. m. Sin aplicación.
desaplicado, da. adj. Que no se aplica en el estudio. Ú. t. c. s.
desaplicar. (De *des-* y *aplicar.*) tr. Quitar o hacer perder la aplicación, afición o asiduidad en el estudio. Ú. t. c. prnl.
desaplomar. tr. *Albañ.* **desplomar,** desviar una cosa de su posición vertical. Ú. m. c. prnl.
desapoderadamente. adv. m. p. us. Precipitadamente, con vehemencia y sin poderse contener.
desapoderado, da. p. p. de **desapoderar.** ‖ **2.** adj. p. us. Precipitado, que no puede contenerse. *Todos corrían* DESAPODERADOS. ‖ **3.** fig. Furioso, violento, desenfrenado. *Tempestad, ambición,* DESAPODERADA.
desapoderamiento. m. p. us. Acción y efecto de desapoderar o desapoderarse. ‖ **2.** Desenfreno, libertad excesiva.
desapoderar. tr. Desposeer, despojar a alguien de lo que tenía o de aquello de que se había apoderado. Ú. t. c.

prnl. ‖ **2.** Quitar a alguien el poder que para el desempeño de un encargo o una administración se le había dado.

desapolillar. tr. Quitar la polilla a la ropa o a otra cosa. ‖ **2.** prnl. fig. y fam. Salir de casa cuando, por enfermedad u otra causa, ha transcurrido mucho tiempo sin salir de ella.

desaporcar. tr. Quitar la tierra con que están aporcadas las plantas.

desaposentar. (De *des-* y *aposentar.*) tr. Echar de la habitación, privar del aposentamiento al que lo tenía. ‖ **2.** fig. Apartar, echar de sí.

desaposesionar. (De *des-* y *aposesionar.*) tr. desus. Desposeer, privar de la posesión.

desapostura. f. ant. Falta de garbo, de disposición o gentileza en una persona o cosa. ‖ **2.** ant. Desaliño, o desaseo. ‖ **3.** ant. **indecencia.**

desapoyar. tr. Quitar el apoyo con que se sostiene una cosa.

desapreciar. tr. Desestimar, no hacer de una cosa el aprecio que merece.

desaprender. tr. p. us. Olvidar lo que se había aprendido.

desaprensar. tr. p. us. Quitar el lustre, aguas o asiento que las telas y otras cosas adquieren en la prensa. ‖ **2.** fig. p. us. Sacar, librar el cuerpo, un miembro u otra cosa de la apretura en que se hallaba.

desaprensión. f. Falta de aprensión o miramiento.

desaprensivo, va. adj. Que tiene desaprensión. ‖ **2.** Que obra sin atenerse a las reglas o sin miramiento hacia los demás.

desapretar. tr. Aflojar lo que está apretado. Ú. t. c. prnl. ‖ **2.** ant. fig. Sacar a alguien del aprieto en que se halla.

desaprir. intr. ant. Apartarse, separarse.

desaprisionar. tr. Quitar las prisiones o sacarle de la prisión.

desaprobación. f. Acción y efecto de desaprobar.

desaprobar. (De *des-* y *aprobar.*) tr. Reprobar, no asentir a una cosa.

desapropiación. f. **desapropiamiento.**

desapropiamiento. m. Acción y efecto de desapropiarse.

desapropiarse. (De *des-* y *apropiar.*) prnl. Desposeerse uno del dominio sobre lo propio.

desapropio. m. p. us. **desapropiamiento.**

desaprovechado, da. p. p. de **desaprovechar.** ‖ **2.** adj. Dícese de quien ha tenido la oportunidad de mejorar moral o intelectualmente y no lo ha hecho. Ú. t. c. s. ‖ **3.** Aplícase a lo que no produce el fruto, provecho o utilidad que puede.

desaprovechamiento. (De *desaprovechar.*) m. Atraso en lo bueno; desperdicio o desmedro de las conveniencias.

desaprovechar. (De *des-* y *aprovechar.*) tr. No obtener el máximo rendimiento de una cosa. ‖ **2.** Omitir una acción, dejar pasar una oportunidad que redundaría en ventaja o provecho propios. ‖ **3.** intr. Perder lo que se había adelantado.

desaprovechoso, sa. (De *desaprovechar.*) adj. ant. Perjudicial, dañoso.

desapteza. (De *des-* y *apteza.*) f. ant. Insuficiencia, falta de aptitud.

desapto, ta. adj. ant. Que no es apto o a propósito para una cosa.

desapuesto, ta. (De *des-* y *apuesto.*) adj. ant. Desataviado, de mala disposición y presencia. ‖ **2.** adv. m. ant. Descompuesta, feamente.

desapuntalar. (De *des-* y *apuntalar.*) tr. Quitar a un edificio los puntales que lo sostenían.

desapuntar. tr. Cortar las puntadas a lo que está afianzado o cosido con ellas. ‖ **2.** Quitar o hacer perder la puntería que se tenía hecha. ‖ **3.** En las iglesias catedrales, colegiales y otras, borrar los apuntes hechos por las faltas de asistencia de sus individuos al coro. ‖ **4.** Excluir a alguien de una lista o de una corporación. Ú. m. c. prnl.

desaquellarse. (De *des-* y *aquellar.*) prnl. fam. p. us. Descorazonarse, desalentarse, abatirse, ponerse fuera de sí.

desarbolado, da. p. p. de **desarbolar.** ‖ **2.** adj. Despojado o libre de árboles. ‖ **3.** fig. Desangelado, desierto, por falta de objetos que adornen. ‖ **4.** fig. Roto, destartalado. ‖ **5.** fig. Dícese del que está nervioso y desencajado.

desarbolar. tr. *Mar.* Destruir, tronchar o derribar los árboles o palos de la embarcación.

desarbolo. m. *Mar.* Acción y efecto de desarbolar.

desardilado, da. adj. *Gran.* Negligente, descuidado, desastrado.

desarenar. tr. Quitar la arena de una parte.

desareno. m. Acción y efecto de desarenar.

desarmable. adj. Dícese de cualquier objeto que puede desarmarse.

desarmado, da. p. p. de **desarmar.** ‖ **2.** adj. Desprovisto de armas. ‖ **3.** Por ext., se dice del que no tiene argumentos para replicar. Ú. m. con los verbos *quedar, estar, dejar,* etc.

desarmador. (De *desarmar.*) m. p. us. **disparador** de un arma de fuego. ‖ **2.** *Méj.* **destornillador.**

desarmadura. (De *desarmar.*) f. p. us. **desarme.**

desarmamiento. (De *desarmar.*) m. p. us. **desarme.**

desarmar. (De *des-* y *armar.*) tr. Quitar o hacer entregar a una persona, a un cuerpo o a una plaza las armas que tiene. ‖ **2.** Desnudar o desceñir a una persona las armas que lleva. Ú. t. c. prnl. ‖ **3.** Desunir, separar las piezas de que se compone una cosa; como reloj, escopeta, máquina, artificio, etc. ‖ **4.** Reducir las fuerzas militares de un Estado o su armamento. ‖ **5.** Hacer dar un golpe en vago a un animal de asta, de modo que no pueda repetirlo sin repararse y mudar de situación. ‖ **6.** Quitar la ballesta del punto o gancho en que se ponía para dispararla. ‖ **7.** fig. Dejar a alguien incapaz de replicar o reaccionar. DESARMÉ *su cólera. Quedó* DESARMADO *ante nuestros argumentos.* ‖ **8.** *Esgr.* Quitar o arrancar el arma del adversario por un movimiento rápido y fuerte de la suya propia. ‖ **9.** *Mar.* Quitar al buque la artillería y el aparejo y amarrar de firme el casco en la dársena. ‖ **10.** intr. Reducir las naciones su armamento y fuerzas militares en virtud de un pacto internacional.

desarme. m. Acción y efecto de desarmar o desarmarse. ‖ **2.** Arbitrio diplomático para mantener la paz, mediante la voluntaria reducción, equitativamente proporcional de sus respectivas fuerzas militares, pactada por número suficiente de naciones.

desarraigamiento. (De *desarraigar.*) m. ant. **desarraigo.**

desarraigar. (De *des-* y *arraigar.*) tr. Arrancar de raíz un árbol o una planta. Ú. t. c. prnl. ‖ **2.** fig. Extinguir, extirpar enteramente una pasión, una costumbre o un vicio. Ú. t. c. prnl. ‖ **3.** fig. Apartar del todo a alguien de su opinión. ‖ **4.** fig. Echar, desterrar a alguien de donde vive o tiene su domicilio. Ú. t. c. prnl.

desarraigo. m. Acción y efecto de desarraigar o desarraigarse.

desarrancarse. (De *des-* y *arrancar.*) prnl. Desertar, separarse de un cuerpo o asociación los individuos que lo componen.

desarrapado, da. adj. **desharrapado.**

desarrebozadamente. adv. m. p. us. Sin rebozo; clara y abiertamente.

desarrebozar. tr. Quitar el rebozo. Ú. t. c. prnl. ‖ **2.** fig. Descubrir, poner patente. Ú. t. c. prnl.

desarrebujar. (De *des-* y *arrebujar.*) tr. Desenvolver, desenmarañar lo que está revuelto. ‖ **2.** Desarropar, desenvolver la ropa en que está alguien arrebujado. Ú. t. c. prnl. ‖ **3.** fig. Explicar, dar a entender, poner en claro lo que está confuso.

desarreglado, da. p. p. de **desarreglar.** ‖ **2.** adj. Que se excede en el uso de la comida, bebida u otras cosas. ‖ **3.** Se dice del que es desordenado con sus cosas.

desarreglar. (De *des-* y *arreglar.*) tr. Trastornar, desordenar, sacar de regla. Ú. t. c. prnl.

desarreglo. (De *desarreglar.*) m. Falta de regla, desorden.

desarrendado, da. p. p. de **desarrendar.** ‖ **2.** adj. Que lleva vida desordenada.

desarrendar[1]. (De *des-* y *arrendar[2].*) tr. Quitar la rienda al caballo. Ú. t. c. prnl.

desarrendar[2]. (De *des-* y *arrendar[1].*) tr. Dejar una finca que se tenía tomada en arrendamiento. ‖ **2.** Hacer dejar una finca que se tenía dada en arrendamiento.

desarrevolver. (De *des-* y *arrevolver.*) tr. desus. Desenvolver, desembarazar. Ú. t. c. prnl.

desarrimar. tr. Separar, quitar lo que está arrimado. ‖ **2.** fig. Disuadir, apartar a alguien de su opinión.

desarrimo. (De *desarrimar.*) m. Falta de apoyo o de arrimo.

desarrollable. adj. Que puede desarrollarse. ‖ **2.** *Geom.* V. **superficie desarrollable.**

desarrollar. (De *des-* y *arrollar.*) tr. Extender lo que está arrollado, deshacer un rollo. Ú. t. c. prnl. ‖ **2.** fig. Acrecentar, dar incremento a una cosa del orden físico, intelectual o moral. Ú. t. c. prnl. ‖ **3.** fig. Explicar una teoría y llevarla hasta sus últimas consecuencias. ‖ **4.** Dicho de cuestiones, temas, lecciones, etc., exponerlos o discutirlos con orden y amplitud. ‖ **5.** *Mat.* Efectuar las necesarias operaciones de cálculo para cambiar la forma de una expresión analítica. ‖ **6.** prnl. fig. Suceder, ocurrir, acontecer. ‖ **7.** fig. Progresar, crecer económica, social, cultural o políticamente las comunidades humanas.

desarrollo. m. Acción y efecto de desarrollar o desarrollarse.

desarropar. tr. Quitar o apartar la ropa. Ú. t. c. prnl.

desarrugadura. f. Acción y efecto de desarrugar o desarrugarse.

desarrugar. tr. Estirar, quitar las arrugas. Ú. t. c. prnl.

desarrumar. (De *des-* y *arrumar.*) tr. *Mar.* Deshacer la estiba o remover y desocupar la carga ya estibada o colocada como convenía.

desarticulación. f. Acción y efecto de desarticular o desarticularse.

desarticulado, da. p. p. de **desarticular.** ‖ **2.** adj. Desorganizado, inconexo, elíptico, referido especialmente a una forma literaria o a la lengua coloquial.

desarticular. tr. Separar dos o más huesos articulados entre sí. Ú. t. c. prnl. ‖ **2.** fig. Separar las piezas de una máquina o artefacto. Ú. t. c. prnl. ‖ **3.** fig. Desorganizar, descomponer, desconcertar. ‖ **4.** fig. Desorganizar la autoridad una conspiración, una pandilla de malhechores u otra confabulación, deteniendo a los individuos que la forman o a los principales de ellos.

desartillar. (De *des-* y *artillar.*) tr. Quitar la artillería a un buque o a una fortaleza.

desarzonar. tr. Hacer violentamente que el jinete salga de la silla o, lo que es lo mismo, de entre sus dos arzones.

desasado, da. adj. Que tiene rotas o quitadas las asas.

desaseadamente. adv. m. Sin aseo.

desaseado, da. p. p. de **desasear.** ‖ **2.** adj. Falto de aseo.

desasear. tr. Quitar el aseo, limpieza o compostura.

desasegurar. (De *des-* y *asegurar.*) tr. Quitar o hacer perder la seguridad. ‖ **2.** Extinguir el contrato del seguro.

desasentar. tr. p. us. Remover, quitar una cosa de su lugar. ‖ **2.** intr. p. us. fig. Desagradar, desazonar, no sentar bien una cosa. ‖ **3.** prnl. p. us. Levantarse del asiento.

desaseo. m. Falta de aseo.

desasimiento. m. Acción y efecto de desasir o desasirse. ‖ **2.** fig. Desprendimiento, desinterés.

desasimilación. (De *des-* y *asimilación.*) f. *Fisiol.* **catabolismo.**

desasir. tr. Soltar, desprender lo asido. Ú. t. c. prnl. ‖ **2.** prnl. fig. Desprenderse, desapropiarse de una cosa.

desasistencia. f. Falta de asistencia.

desasistir. (De *des-* y *asistir.*) tr. Desacompañar, desamparar.

desasnar. (De *des-* y *asno.*) tr. fig. y fam. Hacer perder a alguien la rudeza, o quitarle la rusticidad por medio de la enseñanza. Ú. t. c. prnl.

desasociable. adj. p. us. **insociable.**

desasociar. tr. p. us. Disolver una asociación.

desasosegar. tr. Privar de sosiego. Ú. t. c. prnl.

desasosiego. (De *desasosegar.*) m. Falta de sosiego.

desastillar. tr. *And.* y *Amér.* Sacar astillas de la madera.

desastradamente. adv. m. Desgraciadamente, con desastre, con desaliño.

desastrado, da. (De *desastre.*) adj. Infausto, infeliz. ‖ **2.** Dícese de la persona andrajosa y desaseada. Ú. t. c. s.

desastre. (Del prov. ant. *desastre.*) m. Desgracia grande, suceso infeliz y lamentable. ‖ **2.** fig. Hiperbólicamente se dice de cosas de mala calidad, mal resultado, mala organización, mal aspecto, etc.: *un* DESASTRE *de oficina.* Aplícase también a pers.

desastroso, sa. adj. **desastrado,** infausto, infeliz. ‖ **2.** fig. Muy malo: *Me produjo una impresión* DESASTROSA; *dejó allí un recuerdo* DESASTROSO; *hizo un examen* DESASTROSO.

desatacar. (De *des-* y *atacar[1].*) tr. p. us. Desatar o soltar las agujetas, botones o corchetes con que está ajustada o atacada una prenda de vestir. Ú. t. c. prnl. ‖ **2.** Tratándose de armas de fuego o de barrenos, sacar de ellos los tacos.

desatadamente. adv. m. Libremente, sin orden ni sujeción.

desatado, da. p. p. de **desatar.** ‖ **2.** adj. fig. Que procede sin freno y desordenadamente.

desatador, ra. adj. Que desata. Ú. t. c. s.

desatadura. f. Acción y efecto de desatar o desatarse.

desatalentado, da. (De *des-*, *a-[1]* y *talento.*) adj. p. us. Desconcertado, fuera de tino.

desatamiento. m. ant. **desatadura.**

desatancar. (De *des-* y *atancar.*) tr. Limpiar, dejar libre un conducto obstruido. Ú. t. c. prnl.

desatapadura. (De *desatapar.*) f. ant. **destapadura.**

desatapar. (De *des-* y *atapar.*) tr. ant. **destapar.**

desatar. tr. Desenlazar una cosa de otra; soltar lo que está atado. Ú. t. c. prnl. ‖ **2.** fig. Desleír, liquidar, derretir. ‖ **3.** fig. Aclarar un asunto, deshacer un malentendido. ‖ **4.** ant. fig. Disolver, anular. ‖ **5.** prnl. fig. Excederse en hablar. ‖ **6.** fig. Proceder desordenadamente. ‖ **7.** fig. Perder el encogimiento, temor o extrañeza. ‖ **8.** fig. **desencadenarse,** soltarse con furia alguna fuerza física o moral.

desatascar. (De *des-* y *atascar.*) tr. Sacar del atascadero. Ú. t. c. prnl. ‖ **2.** **desatancar,** dejar libre un conducto obstruido. ‖ **3.** fig. Sacar a uno de la dificultad en que se halla y de la que no puede salir por sí mismo.

desatasco. m. Acción y efecto de desatascar.

desataviar. tr. Quitar los atavíos.

desatavío. (De *desataviar.*) m. p. us. Desaliño, descompostura de la persona.

desate. m. p. us. Acción y efecto de desatarse en palabras o en conducta. ‖ **de vientre.** Flujo, soltura de vientre.

desatemplarse. prnl. ant. Destemplarse, desarreglarse.
desatención. f. Falta de atención, distracción. ‖ **2.** Descortesía, falta de urbanidad o respeto.
desatender. tr. No prestar atención a lo que se dice o hace. ‖ **2.** No hacer caso o aprecio de una persona o cosa. ‖ **3.** No corresponder, no asistir con lo que es debido.
desatendible. adj. Que se puede desatender.
desatentadamente. adv. m. Con desatiento, sin tino.
desatentado, da. p. p. de **desatentar.** ‖ **2.** adj. Que habla u obra fuera de razón y sin tino ni concierto. Ú. t. c. s. ‖ **3.** Excesivo, desordenado.
desatentamente. adv. m. Con desatención, descortésmente.
desatentamiento. (De *desatentar.*) m. ant. **desatiento.**
desatentar. tr. p. us. Turbar el sentido o hacer perder el tiento. Ú. t. c. prnl.
desatento, ta. (De *des-* y *atento.*) adj. Dícese de la persona que aparta o distrae la atención que debía poner en una cosa. ‖ **2.** Descortés, falto de atención y urbanidad. Ú. t. c. s.
desaterrar. (De *des-* y *aterrar*[1].) tr. *Amér.* **escombrar,** desembarazar de escombros o tierras un lugar para allanarlo.
desatesado, da. (De *des-* y *atesar.*) adj. ant. **flojo,** mal atado o poco apretado.
desatesorar. tr. Sacar o gastar lo atesorado.
desatibar. (De *des-* y *atibar.*) tr. *Min.* **desatorar,** descombrar.
desatiento. (De *desatentar.*) m. desus. Falta de tiento o tino. ‖ **2.** Desasosiego, inquietud, perturbación del ánimo. ‖ **3.** p. us. Error, locura, despropósito.
desatierre. m. *Amér.* **escombrera.**
desatinadamente. adv. m. Inconsideradamente, con desatino. ‖ **2.** Desmedidamente, excesivamente.
desatinado, da. p. p. de **desatinar.** ‖ **2.** adj. Desarreglado, sin tino. ‖ **3.** Dícese del que habla o procede sin juicio ni razón. Ú. t. c. s.
desatinar. (De *des-* y *atinar.*) tr. Hacer perder el tino, desatentar. ‖ **2.** intr. Decir o hacer desatinos. ‖ **3.** Perder el tino, no acertar.
desatino. (De *desatinar.*) m. Falta de tino, tiento o acierto. ‖ **2.** Locura, despropósito o error.
desatolondrar. tr. Hacer volver en sí al que está atolondrado o privado de sentido. Ú. t. c. prnl.
desatollar. tr. Sacar o librar del atolladero. Ú. t. c. prnl.
desatontarse. (De *des-* y *atontar.*) prnl. Salir del atontamiento en que se estaba.
desatorar. tr. *Mar.* **desarrumar.** ‖ **2.** *Min.* Quitar los escombros que atoran u obstruyen una excavación.
desatornillador. m. **destornillador.** Ú. m. en América.
desatornillar. tr. Sacar un tornillo dándole vueltas.
desatracar. tr. *Mar.* Desasir, separar una embarcación de otra o de la parte en que se atracó. Ú. t. c. prnl. ‖ **2.** intr. *Mar.* Separarse la nave de la costa cuando su proximidad ofrece algún peligro.
desatraer. (De *des-* y *atraer.*) tr. p. us. Apartar, separar una cosa de otra.
desatraillar. (De *des-* y *atraillar.*) tr. Quitar la traílla. Se usa comúnmente referido a perros.
desatrampar. (De *des-* y *atrampar.*) tr. Limpiar o dejar libre de cualquier impedimento un caño o conducto.
desatrancar. (De *des-* y *atrancar.*) tr. Quitar a la puerta la tranca u otra cosa que impide abrirla. ‖ **2. desatrampar.**
desatranco. m. Acción y efecto de desatrancar un conducto o tubería.
desatravesar. tr. ant. Quitar lo que estaba atravesado.
desatufarse. (De *des-* y *atufar*[1].) prnl. Libertarse del tufo subido a la cabeza o encerrado en una habitación. ‖ **2.** fig. Perder o deponer el enojo o enfado.
desaturdir. (De *des-* y *aturdir.*) tr. Quitar el aturdimiento. Ú. t. c. prnl.
desautoridad. f. p. us. Falta de autoridad, de respeto o de representación.
desautorización. f. Acción y efecto de desautorizar.
desautorizadamente. adv. m. Sin autoridad o crédito.
desautorizado, da. p. p. de **desautorizar.** ‖ **2.** adj. Falto de autoridad, de crédito o de importancia. ‖ **3.** Prohibido, explícitamente denegado.
desautorizar. (De *des-* y *autorizar.*) tr. Quitar a personas o cosas autoridad, poder, crédito o estimación. Ú. t. c. prnl.
desavahado, da. p. p. de **desavahar.** ‖ **2.** adj. p. us. Aplícase al lugar descubierto, libre de nieblas, vahos y vapores.
desavahamiento. m. Acción y efecto de desahavar o desavaharse.
desavahar. (De *des-* y *avahar.*) tr. p. us. Desarropar, para que exhale el vaho y se temple, lo que está muy caliente por el excesivo abrigo. ‖ **2.** Dejar enfriar una cosa hasta que no eche vaho. ‖ **3. orear.** ‖ **4.** prnl. fig. Desahogarse, esparcirse.
desavecindado, da. p. p. de **desavecindarse.** ‖ **2.** adj. Aplícase a la casa o lugar desierto o desamparado de los vecinos.
desavecindarse. prnl. p. us. Ausentarse de un lugar, mudando a otro el domicilio.
desavenencia. (De *des-* y *avenencia.*) f. Oposición, discordia, contrariedad.
desavenido, da. p. p. de **desavenir.** ‖ **2.** adj. Dícese del que está discorde o enemistado con otro.
desavenimiento. (De *desavenir.*) m. ant. **desavenencia.**
desavenir. (De *des-* y *avenir.*) tr. Desconcertar, desconvenir. Ú. t. c. prnl.
desaventajadamente. adv. m. Sin ventaja.
desaventajado, da. adj. Inferior y poco ventajoso.
desaventura. (De *des-* y *aventura.*) f. desus. **desventura.**
desaventurado, da. (De *desaventura.*) adj. ant. **desventurado.**
desavezar. (De *des-* y *avezar.*) tr. ant. **desacostumbrar.** Usáb. t. c. prnl.
desaviar. (De *des-* y *aviar.*) tr. Apartar a alguien, hacerle dejar, o errar, el camino o senda que debe seguir. Ú. t. c. prnl. ‖ **2.** Quitar o no dar el avío o prevención que se necesita para una cosa. Ú. t. c. prnl.
desavío. m. Acción y efecto de desaviar o desaviarse. ‖ **2.** *And.* Trastorno producido a alguien.
desavisado, da. p. p. de **desavisar.** ‖ **2.** adj. Inadvertido, ignorante. Ú. t. c. s.
desavisar. (De *des-* y *avisar.*) tr. Dar aviso o noticia contraria a la que se había dado.
desayudar. tr. Impedir o dificultar lo que puede servir de ayuda o auxilio. Ú. m. c. prnl.
desayunar. (De *des-* y *ayunar.*) intr. Tomar el desayuno. Ú. t. c. tr. y c. prnl. ‖ **2.** prnl. fig. Dicho de un suceso o acontecimiento, tener la primera noticia de aquello que se ignoraba. Usáb. t. c. tr.
desayuno. (De *desayunar.*) m. Alimento ligero que se toma por la mañana antes que ningún otro. ‖ **2.** Acción de desayunar.
desayuntamiento. m. ant. Acción y efecto de desayuntar.
desayuntar. (De *des-* y *ayuntar.*) tr. ant. Desunir, separar, apartar.
desazogar. tr. Quitar el azogue a una cosa.
desazón. f. Desabrimiento, insipidez, falta de sabor y

gusto. ‖ **2.** Falta de sazón y tempero en las tierras que se cultivan. ‖ **3. picazón,** molestia que causa un picor. ‖ **4.** fig. Disgusto, pesadumbre. ‖ **5.** fig. Molestia o inquietud interior, mala disposición en la salud.

desazonado, da. p. p. de **desazonar.** ‖ **2.** adj. Dícese de la tierra que está en mala disposición para algún fin. ‖ **3.** fig. Inquieto, disgustado. ‖ **4.** fig. Indispuesto, enfermo.

desazonador, ra. adj. Que desazona. Ú. t. c. s.

desazonar. tr. Quitar la sazón, el sabor o el gusto a un manjar. ‖ **2.** fig. Disgustar, enfadar, desabrir el ánimo. Ú. t. c. prnl. ‖ **3.** prnl. fig. Sentirse indispuesto en la salud.

desbabar. intr. Purgar, expeler las babas. Ú. t. c. prnl. ‖ **2.** tr. Hacer que el caracol suelte su baba. ‖ **3.** *Méj., Perú, P. Rico* y *Venez.* Quitar la baba al café y al cacao. ‖ **4.** desus. fig. Experimentar gran complacencia por algo o alguien. Usáb. t. c. prnl.

desbagar. tr. Sacar de la baga la linaza. Ú. t. c. prnl.

desbalagar. (De *des-* y *bálago.*) tr. *And.* y *Méj.* Dispersar, esparcir.

desballestar. tr. ant. Desarmar la ballesta.

desbancar. tr. Despejar, desembarazar un sitio de los bancos que lo ocupan. Se usaba con más propiedad referido a galeras. ‖ **2.** En el juego de la banca y otros de apunte, ganar al banquero, los que paran o apuntan, todo el fondo de dinero que puso de contado para jugar con ellos. ‖ **3.** fig. Hacer perder a alguien la amistad, estimación o cariño de otra persona, ganándola para sí. ‖ **4.** fig. Usurpar, sustituir a alguien en una posición y ocuparla.

desbandada. f. Acción y efecto de desbandarse. ‖ **a la desbandada.** loc. adv. Confusamente y sin orden; en dispersión.

desbandarse. (De *des-* y *bando*[2].) prnl. Desparramarse, huir en desorden. ‖ **2.** Apartarse de la compañía de otros. ‖ **3. desertar.**

desbañado. (De *des-* y *bañado.*) adj. *Cetr.* V. **azor desbañado.**

desbarahustar. tr. **desbarajustar.**

desbarahúste. m. **desbarajuste.**

desbarajustar. (De *des-* y *barajustar.*) tr. **desordenar,** alterar el orden o buen concierto de una cosa.

desbarajuste. (De *desbarajustar.*) m. Desorden, confusión.

desbaratadamente. adv. m. Con desbarate.

desbaratado, da. p. p. de **desbaratar.** ‖ **2.** adj. fig. y fam. De mala vida, conducta o gobierno. Ú. t. c. s.

desbaratador, ra. adj. Que desbarata. Ú. t. c. s.

desbaratamiento. (De *desbaratar.*) m. Descomposición, desconcierto. ‖ **2.** ant. **desbarato.**

desbaratar. (De *des-* y *baratar.*) tr. Deshacer o arruinar una cosa. ‖ **2.** Disipar, malgastar los bienes. ‖ **3.** fig. Referido a cosas inmateriales, cortar, impedir, estorbar. ‖ **4.** *Mil.* Desordenar, desconcertar, poner en confusión a los contrarios. ‖ **5.** intr. **disparatar.** ‖ **6.** prnl. fig. Descomponerse, hablar u obrar fuera de razón.

desbarate. m. Acción y efecto de desbaratar. ‖ **2.** p. us. Repetición muy frecuente de evacuaciones o cursos. ‖ **de vientre. desbarate,** repetición frecuente de evacuaciones. ‖ **al desbarate.** loc. adv. Casi de balde.

desbarato. m. Acción y efecto de desbaratar.

desbaraustar. (De *des-* y *baraustar.*) tr. ant. **desbarajustar.**

desbarbado, da. p. p. de **desbarbar.** ‖ **2.** adj. Que carece de barba. Ú. a veces en sent. despect. ‖ **3.** m. Acción de quitar las barbas al papel o a la ropa.

desbarbar. tr. Cortar o quitar de una cosa las hilachas o pelos, que por semejanza se llaman barbas, y especialmente las raíces muy delgadas de las plantas, los filamentos del borde del papel, etc. ‖ **2.** fam. Afeitar la barba. Ú. t. c. prnl.

desbarbillar. (De *des-* y *barbilla.*) tr. *Agr.* Desbarbar, cortar las raíces que arrojan los troncos de las vides nuevas, para darles más vigor.

desbardar. tr. Quitar la barda a una tapia.

desbarrada. (De *desbarrar.*) f. ant. Desorden con alboroto.

desbarrar[1]. (Del ant. *desbarar,* disparatar.) intr. Deslizarse, escurrirse. ‖ **2.** fig. Discurrir fuera de razón; errar en lo que se dice o hace.

desbarrar[2]. intr. Tirar con la barra con la mayor fuerza posible, sin preocuparse de hacer tiro.

desbarretar. tr. Quitar las barretas a lo que está fortificado con ellas.

desbarrigado, da. p. p. de **desbarrigar.** ‖ **2.** adj. Que tiene poca barriga.

desbarrigar. tr. fam. Romper o herir el vientre o barriga.

desbarro. m. Acción y efecto de desbarrar.

desbastador. m. Herramienta que sirve para desbastar.

desbastadura. f. Efecto de desbastar.

desbastar. tr. Quitar las partes más bastas a una cosa que se haya de labrar. ‖ **2.** Gastar, disminuir, debilitar. ‖ **3.** fig. Quitar lo basto, encogido y grosero que por falta de educación tienen algunas personas. Ú. t. c. prnl.

desbaste. m. Acción y efecto de desbastar. ‖ **2.** Estado de cualquier materia que se destina a labrarse, después de que se la ha despojado de las partes más bastas. *Estar en* DESBASTE *una piedra.*

desbastecido, da. (De *des-* y *bastecido.*) adj. Sin bastimentos.

desbautizarse. (De *des-* y *bautizar.*) prnl. fig. y fam. Deshacerse, irritarse, impacientarse mucho.

desbazadero. m. Lugar húmedo y resbaladizo.

desbeber. (De *des-* y *beber.*) intr. fam. **orinar.**

desbecerrar. tr. Destetar los becerros o separarlos de sus madres.

desbinzar. tr. *Murc.* Quitarle al pimiento seco la binza o simiente para molerlo.

desblanquecido, da. (De *des-* y *blanquecer.*) adj. **blanquecino.**

desblanquiñado, da. adj. **desblanquecido.**

desbloquear. tr. Levantar el bloqueo.

desbloqueo. m. Acción y efecto de desbloquear.

desbocadamente. adv. m. Desenfrenadamente, desvergonzadamente.

desbocado, da. p. p. de **desbocar** o **desbocarse.** ‖ **2.** adj. Dícese del cañón o pieza de artillería que tiene la boca más ancha que lo restante del ánima. ‖ **3.** Aplícase a cualquier instrumento, como martillo, gubia, etc., que tiene gastada o mellada la boca. ‖ **4.** fig. y fam. Acostumbrado a decir palabras indecentes, ofensivas y desvergonzadas. Ú. t. c. s.

desbocamiento. m. Acción y efecto de desbocarse.

desbocar. tr. Quitar o romper la boca a una cosa. DESBOCAR *el jarro, el cántaro.* ‖ **2.** intr. **desembocar.** ‖ **3.** Dar de sí el cuello o las mangas de una prenda de vestir. Ú. t. c. prnl. ‖ **4.** prnl. Hacerse una caballería insensible a la acción del freno y dispararse. ‖ **5.** fig. Desvergonzarse, prorrumpir en denuestos.

desbonetarse. prnl. fam. Quitarse el bonete de la cabeza.

desboquillar. tr. Quitar o romper la boquilla.

desbordamiento. m. Acción y efecto de desbordar o desbordarse.

desbordante. p. a. de **desbordar.** Que desborda o se desborda. ‖ **2.** adj. Que sale de sus límites o de la medida. *Caridad* DESBORDANTE.

desbordar. intr. Salir de los bordes, derramarse. Ú. m. c. prnl. ‖ **2.** tr. fig. Sobrepasar un asunto la capacidad intelectual o emocional de una persona. ‖ **3.** prnl. Exaltarse, desmandarse las pasiones o los vicios.

desbornizar. tr. Arrancar el corcho virgen o bornizo de los alcornoques.

desboronar. tr. desus. **desmoronar.** Ú. t. c. prnl.

desborradora. f. Obrera que en algunas fábricas de paños quita con tijeras la borra o los nudos que quedan después de tejida la lana.

desborrar. tr. Quitar la borra o los nudos a los paños. ‖ **2.** *Murc.* **deschuponar.**

desbotonar. tr. *Amér.* Quitar los botones y la guía a las plantas, especialmente a la del tabaco, para impedir su crecimiento y para que ganen en tamaño las hojas. ‖ **2.** *Esgr.* Hacer saltar el botón de un florete.

desbragado, da. adj. fam. Sin bragas. ‖ **2.** fig. y despect. **descamisado,** muy pobre. Ú. t. c. s.

desbragar. (De *des-* y *braga.*) tr. *And.* Cavar alrededor de la cepa una pileta de unos veinte centímetros de profundidad, para quitar las raíces superficiales y recoger los brotes para injertos.

desbraguetado. adj. fam. Que trae desabotonada o mal ajustada la bragueta.

desbravador. m. El que tiene por oficio desbravar potros cerriles.

desbravar[1]**.** (De *des-* y *bravo.*) tr. Amansar el ganado cerril, caballar o mular. ‖ **2.** intr. Perder o deponer parte de la braveza. Ú. t. c. prnl. ‖ **3.** fig. Romperse, desahogarse el ímpetu de la cólera o de la corriente. Ú. t. c. prnl.

desbravar[2]**.** (Del lat. *evaporāre.*) intr. Perder su fuerza un licor. Ú. t. c. prnl.

desbravecer. (De *des-* y *bravo.*) intr. **desbravar**[1], perder braveza. ‖ **2. desbravar**[1], desahogarse el ímpetu de la cólera. ‖ **3. desbravar**[2]. Ú. t. c. prnl.

desbrazarse. prnl. Extender mucho y violentamente los brazos; hacer con ellos fuerza o movimientos violentos.

desbridamiento. m. *Cir.* Acción y efecto de desbridar.

desbridar. (De *des-* y *brida.*) tr. *Cir.* Dividir con instrumento cortante tejidos fibrosos que, produciendo estrangulación, pueden originar la gangrena. ‖ **2.** *Cir.* Separar las bridas o filamentos que atraviesan una llaga y estorban la libre salida del pus.

desbriznar. tr. Reducir a briznas, desmenuzar una cosa; como carne, palo, etc. ‖ **2.** Sacar los estigmas a la flor del azafrán. ‖ **3.** Quitar la brizna a las legumbres.

desbroce. m. **desbrozo.**

desbrozar. tr. Quitar la broza, desembarazar, limpiar.

desbrozo. m. Acción y efecto de desbrozar. ‖ **2.** Cantidad de broza o ramaje que produce la monda de los árboles y la limpieza de las tierras o de las acequias.

desbruar. (Del fr. *ébrouer.*) tr. En el obraje de paños, quitar al tejido la grasa para meterlo en el batán.

desbrujar. tr. **desmoronar.**

desbuchar. (De *des-* y *buche*[1].) tr. **desembuchar.** ‖ **2. desainar**[1]. ‖ **3.** *Cetr.* Bajar y aliviar el buche de las aves de rapiña.

desbulla. f. Despojo que queda de la ostra desbullada.

desbullador. m. Tenedor para ostras.

desbullar. (Del gall. port., o leon. *esbulhar.*) tr. Quitar la cáscara o envoltura de algunas cosas. ‖ **2.** Abrir las ostras para sacar su contenido.

desca. (Del lat. *discus.*) f. *Ast.* y *Cantabria.* Recipiente plano de madera a modo de bandeja.

descabal. adj. No cabal.

descabalamiento. m. Acción y efecto de descabalar o descabalarse.

descabalar. tr. Quitar o perder algunas de las partes o piezas precisas para construir una cosa completa o cabal. Ú. t. c. prnl.

descabalgadura. f. Acción de descabalgar de una caballería.

descabalgar. intr. Desmontar, bajar de una caballería el que va montado en ella. ‖ **2.** tr. *Art.* Desmontar de la cureña el cañón, sacarlo de ella, o imposibilitar el uso del cañón con la violencia de los tiros del enemigo, destruyendo la cureña. Se usa también referido a otras máquinas de guerra. Ú. t. c. prnl.

descabelladamente. adv. m. fig. Sin orden ni concierto.

descabellado, da. p. p. de **descabellar.** ‖ **2.** adj. fig. Dícese de lo que va fuera de orden, concierto o razón.

descabelladura. f. ant. Acción y efecto de descabellar, despeinar o desgreñar.

descabellamiento. (De *descabellar.*) m. fig. **despropósito.**

descabellar. (De *des-* y *cabello.*) tr. desus. Despeinar, desgreñar. Ú. m. c. prnl. ‖ **2.** *Taurom.* Matar instantáneamente al toro, hiriéndolo en la cerviz con la punta de la espada o con la puntilla.

descabello. m. Acción y efecto de descabellar al toro de lidia.

descabeñarse. prnl. ant. **descabellarse.**

descabestrar. (De *des-* y *cabestrar.*) tr. **desencabestrar.**

descabezadamente. adv. m. fig. **descabelladamente.**

descabezado, da. p. p. de **descabezar.** ‖ **2.** adj. fig. Que va fuera de razón. Ú. t. c. s. ‖ **3.** Distraído, desmemoriado.

descabezamiento. m. Acción y efecto de descabezar o descabezarse.

descabezar. tr. Quitar o cortar la cabeza. ‖ **2.** Deshacer el encabezamiento o padrón que han hecho los pueblos. ‖ **3.** fig. Cortar la parte superior o las puntas a algunas cosas; como a los árboles, maderos, vástagos de las plantas, etc. ‖ **4.** fig. y fam. Empezar a vencer la dificultad o tropiezo que se encuentra en una cosa. ‖ **5.** *Col.* **defenestrar,** destituir. ‖ **6.** *Bol.* y *P. Rico.* Disminuir la graduación de un licor añadiéndole agua. ‖ **7.** *Mil.* Poner las primeras hileras, al preparar una marcha de flanco, en la nueva dirección a vanguardia o retaguardia. ‖ **8.** *Mil.* Vencer o salvar un obstáculo, al rebasarlo la cabeza de la columna. ‖ **9.** intr. Terminar una tierra o haza en otra; ir a parar o unirse a ella. ‖ **10.** prnl. fig. y fam. **descalabazarse.** ‖ **11.** *Agr.* Desgranarse las espigas de las mieses.

descabildadamente. adv. m. ant. **descabezadamente.** ‖ **2.** ant. Sin guía ni dirección.

descabritar. tr. Destetar los cabritos.

descabullirse. prnl. **escabullirse.**

descacilar. tr. *And.* **descafilar.**

descachalandrado, da. adj. *Amér.* Desaliñado, andrajoso.

descacharrado, da. p. p. de **descacharrar.** ‖ **2.** adj. *Guat.* y *Hond.* Descuidado, desaseado.

descacharrante. p. a. de **descacharrar.** Que descacharra. ‖ **2.** adj. Regocijante, hilarante.

descacharrar. tr. **escacharrar.** Ú. t. c. prnl. y en sent. fig.

descachazar. tr. *Amér.* Quitar la cachaza al guarapo.

descaderar. tr. Hacer a uno daño grave en las caderas. Ú. t. c. prnl.

descadillador, ra. m. y f. Persona que descadilla.

descadillar. tr. Quitar a la lana los cadillos, pajillas y motas.

descaecer. (De *des-* y *caecer.*) intr. desus. Ir a menos, perder poco a poco la salud, la autoridad, el crédito, el caudal, etc.

descaecimiento. (De *descaecer.*) m. Flaqueza, debilidad, falta de fuerzas y vigor en el cuerpo o en el ánimo.

descaer. intr. **decaer.**

descafeinado, da. p. p. de **descafeinar.** ‖ **2.** adj. Por ext., dícese de aquello que ha sido desprovisto de elementos nocivos o molestos. ‖ **3.** Desvirtuado, privado de aspectos fundamentales u originarios. ‖ **4.** V. **café descafeinado.** Ú. t. c. s.

descafeinar. tr. Extraer o reducir el contenido de cafeína en el café. ‖ **2.** fig. Mermar, atenuar lo que se considera peligroso o violento.

descafilar. (Del ár. *cafr*, betún.) tr. Quitar las desigualdades de los cantos de los ladrillos o baldosas para que ajusten bien, o limpiarlos del mortero viejo cuando proceden de una obra deshecha.

descaimiento. m. **decaimiento.**

descalabazarse. (De *des-* y *calabaza.*) prnl. fig. y fam. Calentarse la cabeza en averiguar una cosa sin lograrlo.

descalabrado, da. p. p. de **descalabrar.** Ú. t. c. s. ‖ **2.** adj. ant. Imprudente, arrojado. ‖ **3.** fig. Que ha salido mal de una pendencia, o perdiendo en una partida de juego o en un negocio de intereses. Ú. t. c. s. ‖ **ser uno el descalabrado y ponerse** otro **la venda.** fr. fig. y fam. que se emplea para zaherir a quien se lamenta, no siendo él, sino otro, el ofendido o lastimado.

descalabradura. (De *descalabrar.*) f. Herida recibida en la cabeza. ‖ **2.** Cicatriz que queda de esta herida.

descalabrar. (De *des-* y *calavera.*) tr. Herir en la cabeza. Ú. t. c. prnl. ‖ **2.** Por ext., herir o maltratar aunque no sea en la cabeza. ‖ **3.** fig. Causar daño o perjuicio. ‖ **descalábrame con eso.** expr. con que irónicamente se da a entender a alguien que no hará lo que ofrece o no dará lo que promete.

descalabro. (De *descalabrar.*) m. Contratiempo, infortunio, daño o pérdida.

descalandrajar. (De *des-* y *calandrajo.*) tr. p. us. Romper o desgarrar un vestido u otra cosa de tela, haciéndola andrajos.

descalcador. m. *Mar.* Instrumento de calafate para descalcar.

descalcar. (De *des-* y *calcar.*) tr. *Mar.* Sacar las estopas viejas de las costuras de un buque.

descalce. (De *descalzar.*) m. **socava.**

descalcez. f. Calidad de descalzo. ‖ **2.** Regla que deben observar los religiosos que llevan los pies descalzos.

descalcificación. (De *des-* y *calcificación.*) f. Acción y efecto de descalcificar o descalcificarse.

descalcificar. (De *des-* y *calcificar.*) tr. Eliminar o disminuir la sustancia calcárea contenida en los huesos u otros tejidos orgánicos. Ú. t. c. prnl.

descalicharse. (De *des-* y *caliche.*) prnl. *And.* Desconcharse y deteriorarse las paredes por desprendimiento de las capas de cal del enlucido.

descalificación. f. Acción y efecto de descalificar.

descalificar. (De *des-* y *calificar.*) tr. Desacreditar, desautorizar o incapacitar. ‖ **2.** Eliminar a un deportista o a un equipo de una competición como sanción por faltar a las normas establecidas.

descalimar. intr. ant. *Mar.* Levantarse o disiparse la calima.

descalostrado, da. adj. Dícese del niño que ha pasado ya los días del calostro.

descalzadero. m. *And.* Puertecilla del palomar, por donde se cogen las palomas en la red puesta para cazarlas.

descalzaperros. m. Contienda, revuelta, barullo.

descalzar. (Del lat. *discalceāre.*) tr. Quitar el calzado. Ú. t. c. prnl. ‖ **2.** Quitar uno o más calzos. ‖ **3. socavar.** ‖ **4.** prnl. Perder las caballerías una o más herraduras. ‖ **5.** fig. Pasar un fraile calzado a descalzo.

descalzo, za. p. p. irreg. de **descalzar.** ‖ **2.** adj. Que lleva desnudas las piernas o los pies, o aquellas y estos. ‖ **3.** Dícese del fraile o de la monja que profesa descalcez. Ú. t. c. s. ‖ **4.** fig. **desnudo,** falto de recursos.

descallador. (De *des-* y *callo.*) m. ant. **herrador.**

descamación. (De *des-* y *escama.*) f. *Pat.* Renovación y desprendimiento de la epidermis seca en forma de escamillas, más activa a consecuencia de los exantemas o erupciones cutáneas.

descamar. (Del lat. *desquamāre.*) tr. **escamar,** quitar las escamas a los peces. ‖ **2.** prnl. Caerse la piel en forma de escamillas.

descambiar. tr. **destrocar.** ‖ **2.** fam. Devolver lo comprado a cambio de dinero u otro artículo. ‖ **3.** *Amér.* Convertir billetes o monedas grandes en dinero menudo equivalente o a la inversa.

descaminadamente. adv. m. Fuera de camino, sin acierto.

descaminado, da. p. p. de **descaminar.** ‖ **2.** adj. Equivocado, mal orientado. ‖ **3.** m. ant. **descamino,** derecho.

descaminar. tr. Sacar o apartar a alguien del camino que debe seguir, o hacer de modo que yerre. Ú. t. c. prnl. ‖ **2.** fig. Apartar a alguien de un buen propósito; aconsejarle o inducirle a que haga lo que no es justo ni le conviene. Ú. t. c. prnl. ‖ **3.** fig. p. us. **decomisar.**

descamino. m. Acción y efecto de descaminar o descaminarse. ‖ **2.** Cosa que se quiere introducir de contrabando. *Coger un* DESCAMINO. ‖ **3.** ant. Derecho impuesto sobre las cosas decomisadas. ‖ **4.** fig. **desatino,** despropósito.

descamisado, da. adj. fam. Sin camisa. ‖ **2.** fig. y despect. Muy pobre, desharrapado. Ú. t. c. s.

descamisar. tr. *And.* y *Can.* Esfoyar.

descampado, da. p. p. de **descampar.** ‖ **2.** adj. Dícese del terreno descubierto, libre y limpio de tropiezos, malezas y espesuras. Ú. t. c. s. m. ‖ **en descampado.** loc. adv. A campo raso, a cielo descubierto, en sitio libre de tropiezos.

descampar. tr. **escampar.**

descangallar o **descangayar.** (Del gall. y port. *escangalhar.*) tr. Descoyuntar, descomponer, desmadejar. Ú. t. c. prnl.

descansadamente. adv. m. Sin trabajo, sin fatiga, quieta y reposadamente.

descansadero. m. Sitio o lugar donde se descansa o se puede descansar.

descansado, da. p. p. de **descansar.** ‖ **2.** adj. Dícese de lo que trae en sí una satisfacción que equivale al descanso. ‖ **3.** Dícese de la ocupación que requiere poco esfuerzo.

descansar. (De *des-* y *cansar.*) intr. Cesar en el trabajo, reposar, reparar las fuerzas con la quietud. ‖ **2.** fig. Tener algún alivio en las preocupaciones; dar los males alguna tregua. ‖ **3.** Desahogarse, tener alivio o consuelo comunicando a un amigo o a una persona de confianza los males o penalidades. ‖ **4.** Reposar, dormir. *El enfermo* HA DESCANSADO *dos horas.* ‖ **5.** Estar uno tranquilo y sin cuidado en la confianza de los oficios o el favor de otro. ‖ **6.** Estar una cosa asentada o apoyada sobre otra. *El brazo* DESCANSABA sobre la almohada. Ú. t. c. tr. ‖ **7.** Estar sin cultivo uno o más años la tierra de labor. ‖ **8.** Estar enterrado, reposar en el sepulcro. ‖ **9.** tr. Aliviar a uno en el trabajo, ayudarle en él.

descansillo. (d. de *descanso.*) m. Meseta en que terminan los tramos de una escalera.

descanso. (De *descansar.*) m. Quietud, reposo o pausa en el trabajo o fatiga. ‖ **2.** Causa de alivio en la fatiga y en las dificultades físicas o morales. ‖ **3.** V. **día de descanso.** ‖ **4. descansillo.** ‖ **5.** Asiento sobre el que se apoya, asegura o afirma una cosa. ‖ **6.** Intermedio en el desarrollo de un espectáculo, audición o sesión.

descantar. tr. Limpiar de cantos o piedras.

descantear. tr. Quitar los cantos, ángulos o esquinas.

descanterar. tr. Quitar el cantero o canteros. Se usa más comúnmente referido a pan.

descantillar. (De *des-* y *cantillo.*) tr. Romper o quebrar las aristas o cantos de alguna cosa. Ú. t. c. prnl. ‖ **2.** fig. Desfalcar o rebajar algo de una cantidad.

descantillón. m. p. us. **escantillón.**

descantonar. (De *des-* y *cantón*[1].) tr. **descantillar.**

descañar. tr. Romper la caña a las mieses u otras plantas. ‖ **2.** ant. Romper la caña del brazo o de la pierna.

descañonar. tr. Quitar los cañones a las aves. ‖ **2.** Pasar la navaja pelo arriba, para cortar más de raíz las barbas, después del primer rape. Ú. t. c. prnl. ‖ **3.** fig. y fam. **pelar,** dejar a alguien sin dinero mediante engaño.

descaperuzar. tr. Quitar de la cabeza la caperuza. Ú. t. c. prnl.

descaperuzo. m. Acción de descaperuzar o descaperuzarse.

descapillar. tr. desus. Quitar la capilla. Ú. t. c. prnl.

descapirotar. tr. Quitar el capirote. Ú. t. c. prnl.

descapitalización. f. Acción y efecto de descapitalizar o descapitalizarse. ‖ **2.** Empobrecimiento social o cultural de una comunidad. Ú. m. en sent. fig.

descapitalizar. tr. Dejar a una entidad, empresa, banco, etc., total o parcialmente sin los fondos o recursos que poseía. Ú. t. c. prnl. ‖ **2.** fig. Hacer perder las riquezas históricas o culturales acumuladas por un país o grupo social. Ú. t. c. prnl.

descapotable. adj. Dícese del coche que tiene capota plegable. Ú. t. c. s.

descapotar. tr. En los coches que tienen capota, plegarla o bajarla.

descapullar. tr. Quitar el capullo a alguna cosa.

descaradamente. adv. m. Con descaro, con osadía.

descarado, da. (De *descararse.*) adj. Que habla u obra con desvergüenza, sin pudor ni respeto humano. Ú. t. c. s.

descaramiento. (De *descararse.*) m. **descaro.**

descararse. (De *des-* y *cara.*) prnl. Hablar u obrar con desvergüenza, descortés y atrevidamente o sin pudor.

descarbonatar. (De *des-* y *carbonato.*) tr. Quitar el ácido carbónico.

descarburación. m. Acción de separar parcial o totalmente de los carburos de hierro el carbono que entra en su composición.

descarburar. (De *des-* y *carburo.*) tr. Sacar el carbono que se contiene en algún cuerpo.

descarcañalar. tr. Arrollar la parte del zapato que cubre el carcañal. Ú. t. c. prnl.

descarga. f. Acción y efecto de descargar. ‖ **2. descarga cerrada.** ‖ **3.** *Arq.* Aligeramiento de un cuerpo de construcción cuando se teme que su excesivo peso la arruine. ‖ **4.** *Fís.* Fenómeno que consiste en la centralización total o parcial de las cargas opuestas contenidas en las armaduras de un condensador eléctrico. ‖ **cerrada.** *Mil.* Fuego que se hace de una vez por uno o más batallones, compañías, secciones, etc. ‖ **disruptiva.** *Fís.* **descarga** brusca que se produce cuando la diferencia de potencial entre dos conductores excede de cierto límite. Se manifiesta por un chispazo acompañado de un ruido seco. ‖ **en efluvio.** *Fís.* La debida al transporte de cargas eléctricas mediante iones gaseosos. Va acompañada de fenómenos luminosos en la superficie de los conductores que se descargan, sin que llegue a producirse la **descarga** disruptiva.

descargada. f. En el juego del monte, la carta que no está cargada.

descargadas. adj. pl. *Blas.* Se dice de las armas infamadas.

descargadero. m. Sitio destinado para descargar mercancías u otras cosas.

descargador. m. El que tiene por oficio descargar mercancías en los puertos, ferrocarriles, etc. ‖ **2. sacatrapos** de las armas de fuego.

descargadura. (De *descargar.*) f. Parte de hueso que, cuando se corta para vender, se separa de la carne mollar en beneficio del que la lleva, y con especialidad, porción de hueso que se saca del lomo.

descargamiento. m. Acción y efecto de descargar, quitar o aliviar la carga.

descargar. (Del lat. *discarricāre.*) tr. Quitar o aliviar la carga. ‖ **2.** Quitar a la carne, y especialmente a la del lomo, la falda y parte del hueso. ‖ **3.** Disparar las armas de fuego. ‖ **4.** Extraer la carga a un arma de fuego o a un barreno. ‖ **5.** Anular la tensión eléctrica de un cuerpo. Ú. t. c. prnl. ‖ **6.** Dicho de golpes, darlos con violencia. Ú. t. c. intr. ‖ **7.** Librarse alguien del mal humor o la irritación maltratando de palabra u obra a otra persona. ‖ **8.** fig. Exonerar a uno de un cargo u obligación. ‖ **9.** intr. Desembocar los ríos, desaguar, entrar en el mar o en un lago, donde pierden su nombre o acaban su curso. ‖ **10.** Deshacerse una nube y caer en lluvia o granizo. ‖ **11.** prnl. Dejar el cargo, empleo o puesto. ‖ **12.** Eximirse uno de las obligaciones de su cargo, empleo o ministerio, encargando a otro lo que debía ejecutar por sí. ‖ **13.** *Der.* Dar satisfacción a los cargos que se hacen a los reos y purgarse de ellos.

descargo. m. Acción de descargar. ‖ **2.** Data o salida que en las cuentas se contrapone al cargo o entrada. ‖ **3.** Satisfacción, respuesta o excusa del cargo que se hace a alguien. ‖ **4.** Satisfacción de las obligaciones de justicia y de las que gravan la conciencia. ‖ **5.** V. **junta de descargos.** ‖ **en descargo de.** loc. prepos. En satisfacción de las obligaciones de conciencia.

descargue. (De *descargar.*) m. Descarga de un peso o transporte.

descariñarse. prnl. p. us. Perder el cariño y afición a una persona o cosa.

descariño. m. Tibieza en la voluntad o despego en el cariño.

descarnada. f. Por antonom., la muerte como símbolo.

descarnadamente. adv. m. fig. Con franqueza, sin ambages ni atenuaciones.

descarnado, da. p. p. de **descarnar.** ‖ **2.** adj. fig. Dícese de los asuntos crudos o desagradables expuestos sin paliativos, y también de las expresiones de condición semejante.

descarnador. (De *descarnar.*) m. Instrumento de acero, largo, con una punta en uno de sus extremos, vuelta y aguda, y una lancilla en el otro, que sirve para despegar la encía de la muela o diente que se quiere sacar.

descarnadura. f. Acción y efecto de descarnar o descarnarse.

descarnar. (De *des-* y *carne.*) tr. Quitar al hueso la carne. Ú. t. c. prnl. ‖ **2.** Separar la parte blanda de una cosa. Ú. t. c. prnl. ‖ **3. demacrar.** *La enfermedad le* HA DESCARNADO *las mejillas.* Ú. t. c. prnl. ‖ **4.** fig. Quitar parte de una cosa o desmoronarla. Ú. t. c. prnl. ‖ **5.** fig. Apartar o desviar a alguien de las cosas terrenas. Ú. t. c. prnl. ‖ **descarnarse** uno **por** otro. fr. fig. y fam. Gastar o consumir el dinero o la hacienda en beneficio ajeno.

descaro. (De *descararse.*) m. Desvergüenza, atrevimiento, insolencia, falta de respeto.

descarozar. tr. *Amér.* Quitar el hueso o carozo a las frutas.

descarriamiento. (De *descarriar.*) m. **descarrío.**

descarriar. (De *des-* y *carro*[1].) tr. Apartar a alguien del carril, echarlo fuera de él. ‖ **2.** Apartar del rebaño cierto número de reses. Ú. t. c. prnl. ‖ **3.** prnl. Separarse, apartarse o perderse una persona de las demás con quienes iba en compañía o de las que la cuidaban y amparaban. ‖ **4.** fig. Apartarse de lo justo y razonable.

descarriladura. f. **descarrilamiento.**

descarrilamiento. m. Acción y efecto de descarrilar. ‖ **2.** fig. Desviación, descarrío. ‖ **3.** fig. y fam. **aborto,** parto antes de tiempo.

descarrilar. intr. Salir fuera del carril. Se usa referido a los trenes, tranvías, etc.

descarrilladura. f. Acción de descarrillar.

descarrillar. tr. Quitar o desbaratar los carrillos.

descarrío. m. Acción y efecto de descarriar o descarriarse.

descartar. (De *des-* y *carta.*) tr. fig. Excluir a una persona o cosa o apartarla de sí. ‖ **2.** Prescindir en una elección de determinadas cosas o personas. *Para este homenaje quedan* DESCARTADOS *banquetes y discursos, así como parientes.* ‖ **3.** Rechazar, no admitir. DESCARTAMOS *la posibilidad de lluvia.* ‖ **4.** prnl. Dejar las cartas que se tienen en la mano y se consideran inútiles, sustituyéndolas en ciertos juegos con otras tantas de las que no se han repartido. ‖ **5.** fig. p. us. Excusarse una persona de hacer alguna cosa.

descarte. (De *descartar.*) m. Cartas que se desechan en varios juegos de naipes o que quedan sin repartir. ‖ **2.** Acción de descartarse. ‖ **3.** fig. Excusa, escape o salida.

Descartes. n. p. m. *Geom.* V. **folio de Descartes.**

descasamiento. (De *descasar.*) m. Declaración de nulidad de un matrimonio. ‖ **2.** Divorcio o repudio.

descasar. (De *des-* y *casar.*) tr. Separar, apartar a los que, no estando legítimamente casados, viven como tales. Ú. t. c. prnl. ‖ **2.** Declarar por nulo el matrimonio. ‖ **3.** fig. Turbar o descomponer la disposición de cosas que casaban bien. Ú. t. c. prnl. ‖ **4.** *Impr.* Alterar la colocación de las planas que componen una forma o pliego para ordenarlas debidamente.

descascar. (De *des-* y *cascar.*) tr. **descascarar.** ‖ **2.** prnl. Romperse o hacerse cascos una cosa. ‖ **3.** fig. Hablar mucho y sin comedimiento, murmurando, echando fanfarronadas.

descascarar. tr. Quitar la cáscara. ‖ **2.** prnl. fig. Levantarse o caerse la superficie o cáscara de algunas cosas.

descascarillado, da. p. p. de **descascarillar.** ‖ **2.** m. Acción y efecto de descascarillar.

descascarillar. tr. Quitar la cascarilla. Ú. t. c. prnl.

descaspar. tr. Quitar o limpiar la caspa.

descasque. m. Acción de descascar o descortezar los árboles, particularmente los alcornoques.

descastado, da. p. p. de **descastar.** ‖ **2.** adj. Que manifiesta poco cariño a los parientes. Ú. t. c. s. ‖ **3.** Por ext., dícese del que no corresponde al cariño que le han demostrado.

descastar. tr. Acabar con una casta de animales, por lo común dañinos.

descatolización. f. Acción y efecto de descatolizar.

descatolizar. tr. Apartar de la religión católica a una persona o pueblo. Ú. t. c. prnl.

descaudalado, da. adj. Dícese de la persona que ha perdido su caudal.

descaudilladamente. adv. m. ant. Sin concierto ni orden por falta de caudillo.

descaudillar. intr. ant. No guardar orden ni concierto por falta de caudillo. ‖ **2.** ant. Desordenarse, desconcertarse por esta causa. Ú. t. c. prnl.

descebar. tr. Quitar el cebo a las armas de fuego. ‖ **2.** *Mec.* Vaciar el interior de una bomba centrífuga por medio de una válvula.

descendencia. (Del lat. *descendens, -entis,* descendiente.) f. Conjunto de hijos, nietos y demás generaciones sucesivas por línea recta descendente. ‖ **2.** Casta, linaje, estirpe.

descendente. p. a. de **descender.** Que desciende. ‖ **2.** adj. V. **nodo, progresión, tren descendente.**

descender. (Del lat. *descendĕre.*) intr. Bajar, pasando de un lugar alto a otro bajo. ‖ **2.** Caer, fluir, correr una cosa líquida. ‖ **3.** Proceder, por natural propagación, de un mismo principio o persona común, que es la cabeza de la familia. ‖ **4.** Disminuir algo o alguien en calidad o en cantidad. ‖ **5.** Derivarse, proceder una cosa de otra. ‖ **6.** tr. **bajar,** poner bajo.

descendida. (De *descender.*) f. p. us. **bajada.** ‖ **2.** ant. Expedición marítima con desembarco.

descendiente. p. a. de **descender.** Que desciende. ‖ **2.** com. Hijo, nieto o cualquier persona que desciende de otra. ‖ **3.** f. ant. Bajada, falda o vertiente.

descendimiento. m. Acción de descender alguien, o de bajarlo. ‖ **2.** Por antonom., el que se hizo del cuerpo de Cristo, bajándolo de la cruz, y el que, en representación de este paso, se hace en algunas iglesias el Viernes Santo con un crucifijo. ‖ **3.** ant. Fluxión o destilación que cae de la cabeza al pecho o a otras partes. ‖ **4.** *Esc.* y *Pint.* Composición en que se representa el **descendimiento** de Cristo.

descendir. intr. desus. **descender,** pasar de un lugar alto a otro bajo.

descensión. (Del lat. *descensio, -ōnis.*) f. p. us. **descenso,** acción de descender o pasar de un lugar alto a otro bajo. ‖ **2.** ant. **descendencia.**

descenso. (Del lat. *descensus.*) m. Acción y efecto de descender. ‖ **2. bajada,** camino. ‖ **3.** fig. Caída de una dignidad o estado a otro inferior.

descentrado, da. p. p. de **descentrar.** ‖ **2.** adj. Dícese del instrumento matemático o de la pieza de una máquina cuyo centro se halla fuera de la posición que debe ocupar. ‖ **3.** fig. Que se encuentra fuera del estado o lugar de su natural asiento y acomodo.

descentralización. f. Acción y efecto de descentralizar. ‖ **2.** Sistema político que propende a descentralizar.

descentralizador, ra. adj. Que descentraliza.

descentralizar. tr. Transferir a diversas corporaciones u oficios parte de la autoridad que antes ejercía el gobierno supremo del Estado.

descentrar. tr. Sacar a una persona o cosa de su **centro,** donde tienen su natural asiento y acomodo. Ú. t. c. prnl.

desceñidura. f. Acción y efecto de desceñir o desceñirse.

desceñir. (Del lat. *discingĕre.*) tr. Desatar, quitar el ceñidor, faja u otra cosa que se lleva alrededor del cuerpo. Ú. t. c. prnl.

descepar[1]. tr. Arrancar de raíz los árboles o plantas que tienen cepa. ‖ **2.** fig. p. us. Extirpar, exterminar.

descepar[2]. tr. *Mar.* Quitar los cepos a las anclas y anclotes.

descerar. tr. Despuntar las colmenas, sacar de ellas las ceras vanas.

descercado, da. p. p. de **descercar.** ‖ **2.** adj. Dícese del lugar abierto, que no tiene cerca.

descercador. (De *descercar.*) m. El que obliga y fuerza al enemigo a levantar el sitio o cerco de una plaza o fortaleza.

descercar. tr. Derribar o arruinar la muralla de un pueblo o la cerca de una viña, huerta, heredad, etc. ‖ **2.** Levantar o hacer levantar, de grado o por fuerza, el sitio puesto a una plaza o fortaleza.

descerco. m. Acción y efecto de descercar o levantar el sitio.

descerebración. f. *Med.* Acción y efecto de descerebrar. ‖ **2.** *Pat.* Estado morboso producido por la pérdida

de la actividad funcional del cerebro. ‖ **3.** *Fisiol.* Extirpación experimental del cerebro de un animal.
descerebrar. tr. ant. **descalabrar,** herir a alguien en el cerebro o en la cabeza. ‖ **2.** *Med.* Producir la inactividad funcional del cerebro. ‖ **3.** *Fisiol.* Extirpar experimentalmente el cerebro de un animal.
descerezar. tr. Quitar a la semilla del café la carne de la baya o cereza en que está contenida.
descerrajado, da. p. p. de **descerrajar.** ‖ **2.** adj. fig. y fam. De perversa vida y mala índole.
descerrajadura. f. Acción de descerrajar.
descerrajar. (De *des-* y *cerraja.*) tr. Arrancar o violentar la cerradura de una puerta, cofre, escritorio, etc. ‖ **2.** fig. y fam. Disparar con arma de fuego.
descerrar. tr. **abrir,** descubrir o hacer patente lo que está cerrado.
descerrumarse. prnl. *Veter.* Desconcertarse una caballería la articulación del menudillo con la cerruma.
descervigamiento. m. Acción y efecto de descervigar.
descervigar. (Del lat. *decervicāre,* degollar.) tr. Torcer la cerviz.
descifrable. adj. Que se puede descifrar.
descifrador, ra. adj. Que descifra. Ú. t. c. s.
descifjramiento. m. **descifre.**
descifrar. tr. Declarar lo que está escrito en cifra o en caracteres desconocidos, sirviéndose de clave dispuesta para ello, o sin clave, por conjeturas y reglas críticas. ‖ **2.** fig. Penetrar y declarar lo oscuro, intrincado y de difícil inteligencia.
descifre. m. Acción y efecto de descifrar.
descimbramiento. m. *Arq.* Acción y efecto de descimbrar.
descimbrar. tr. *Arq.* Quitar la cimbra después de fabricado un arco o bóveda.
descimentar. tr. Deshacer los cimientos.
descinchar. tr. Quitar o soltar las cinchas a una caballería.
descingir. (Del lat. *discingĕre.*) tr. ant. **desceñir.**
descinto, ta. (Del lat. *discinctus.*) p. p. irreg. de **desceñir.**
desclasificado, da. p. p. de **desclasificar.** ‖ **2.** adj. Dícese de lo que deja de ser secreto o reservado.
desclasificar. tr. Hacer público lo que está clasificado como secreto o reservado.
desclavador. m. Cincel de boca ancha, recta y poco afilada, que se usa para desclavar.
desclavar. tr. Arrancar o quitar los clavos. ‖ **2.** Quitar o desprender una cosa del clavo o clavos con que está asegurada. Ú. t. c. prnl. ‖ **3.** fig. Desengastar las piedras preciosas de la guarnición de metal en que están como clavadas.
descoagulante. p. a. de **descoagular.** Que descoagula. Ú. t. c. s. m.
descoagular. (De *des-* y *coagular.*) tr. Licuar lo coagulado. Ú. t. c. prnl.
descobajar. tr. Quitar el escobajo de la uva.
descobertura. f. ant. **descubrimiento,** hallazgo, encuentro o manifestación de lo que estaba oculto o secreto o era desconocido.
descobijar. (De *des-* y *cobijar.*) tr. Descubrir, destapar. ‖ **2.** p. us. **desabrigar.** Ú. t. c. prnl.
descocado, da. p. p. de **descocar.** ‖ **2.** adj. fam. Que muestra demasiada libertad y desenvoltura. Ú. t. c. s.
descocar. (De *des-* y *coco*[2].) tr. Quitar a los árboles los cocos o insectos que los dañan.
descocarse. (De *des-* y *coco*[4].) prnl. fam. Manifestar desparpajo y descaro.
descocedura. f. Efecto de descocer.
descocer. (Del lat. *discoquĕre.*) tr. p. us. Digerir la comida.
descoco. (De *descocarse.*) m. fam. Demasiada libertad y osadía en palabras y acciones.
descocho, cha. (Del lat. *discoctus,* p. p. de *discoquĕre,* descocer.) adj. ant. Muy cocido.
descodar. tr. *Ar.* Desapuntar o deshilvanar las piezas de paño.
descodificación. f. *Inform.* Acción y efecto de descodificar.
descodificador, ra. adj. Que descodifica. ‖ **2.** m. *Inform.* Dispositivo para descodificar.
descodificar. tr. *Comunic.* Aplicar inversamente las reglas de su código a un mensaje codificado para obtener la forma primitiva de este.
descoger[1]. (Del lat. *dis,* des-, y *colligĕre,* coger.) tr. p. us. Desplegar, extender o soltar lo que está plegado, arrollado o recogido.
descoger[2]. tr. ant. **escoger.**
descogollar. tr. Quitar los cogollos.
descogotado, da. p. p. de **descogotar.** ‖ **2.** adj. fam. Que lleva pelado y descubierto el cogote.
descogotar. (De *des-* y *cogote.*) tr. ant. **acogotar.** ‖ **2.** *Mont.* Quitar o cortar de raíz las astas al venado.
descolar. tr. Quitar o cortar la cola. ‖ **2.** Quitar a la pieza de paño la punta o el extremo opuesto a aquel en que está el sello o la marca del fabricante o de la fábrica.
descolchar. (De *des-* y *colchar*[2].) tr. *Mar.* Desunir los cordones de los cabos. Ú. t. c. prnl.
descolgar. (De *des-* y *colgar.*) tr. Bajar lo que está colgado. ‖ **2.** Bajar o dejar caer poco a poco una cosa pendiente de cuerda, cadena o cinta. ‖ **3.** Dicho de un aposento, una casa, una iglesia, etc., quitar los adornos que tiene, especialmente las colgaduras. ‖ **4.** Levantar el auricular del teléfono. ‖ **5.** prnl. Echarse de alto abajo, escurriéndose por una cuerda u otra cosa. ‖ **6.** fig. Ir bajando de un sitio alto o por una pendiente una persona o cosa. *Las tropas, los ganados,* SE DESCUELGAN *de las montañas.* ‖ **7.** En ciclismo y otros deportes, quedarse atrás un competidor con respecto a los demás. Ú. t. c. tr. ‖ **8.** fig. Desfasarse, marginarse, apartarse de una ideología o de un ambiente al que se pertenecía. ‖ **9.** fig. y fam. **salir,** decir o hacer una cosa inesperada. ‖ **10.** fig. y fam. Aparecer inesperadamente una persona.
descoligado, da. adj. Apartado de la liga o confederación.
descolmar. tr. Quitar el colmo a la medida, pasando el rasero. ‖ **2.** fig. **disminuir.**
descolmillar. tr. Quitar o quebrantar los colmillos.
descolocado, da. p. p. de **descolocar.** ‖ **2.** adj. Sin colocación o desacomodado.
descolocar. tr. Quitar o separar a alguna persona o cosa del lugar que ocupa. Ú. t. c. prnl.
descolonización. f. Supresión de la condición colonial de un territorio.
descolonizar. tr. Poner fin a una situación colonial.
descoloramiento. m. Acción y efecto de descolorar o descolorarse.
descolorar. (Del lat. *discolorāre.*) tr. Quitar o amortiguar el color. Ú. t. c. prnl.
descolorido, da. p. p. de **descolorir.** ‖ **2.** adj. De color pálido o bajo en su línea.
descolorimiento. m. Acción y efecto de descolorir o descolorirse.
descolorir. tr. p. us. **descolorar.** Ú. t. c. prnl.
descolladamente. adv. m. Con desembarazo, con superioridad, con altanería.
descollado, da. p. p. de **descollar.** ‖ **2.** adj. Elevado, eminente.
descollamiento. (De *descollar.*) m. **descuello.**
descollar. (De *des-* y *cuello.*) intr. **sobresalir.** Ú. t. c. prnl.

descombrar. (De *des-* y *escombro.*) tr. Desembarazar un lugar de cosas o materiales que estorban. Ú. t. en sent. fig.
descombro. m. Acción y efecto de descombrar.
descomedidamente. adv. m. Con descomedimiento. ‖ **2.** Con exceso, sin medida.
descomedido, da. p. p. de **descomedirse.** ‖ **2.** adj. Excesivo, desproporcionado, fuera de lo regular. ‖ **3. descortés.** Ú. t. c. s.
descomedimiento. (De *descomedirse.*) m. Falta de respeto, desatención, descortesía.
descomedirse. (De *des-* y *comedir.*) prnl. Faltar al respeto de obra o de palabra.
descomer. (De *des-* y *comer.*) intr. fam. **descargar el vientre.**
descomimiento. (De *des-* y *comer.*) m. ant. **desgana,** inapetencia.
descomodidad. f. p. us. **incomodidad,** molestia. ‖ **2.** p. us. Falta de comodidad.
descómodo, da. adj. ant. **incómodo,** que carece de comodidad.
descompadrar. (De *des-* y *compadre.*) tr. fam. Descomponer la amistad de dos o más personas. ‖ **2.** intr. fam. Cesar en la amistad y buena correspondencia los que eran amigos.
descompaginar. (De *des-* y *compaginar.*) tr. Descomponer, desordenar.
descompañar. (De *des-* y *compaña.*) tr. ant. **desacompañar.**
descompás. (De *descompasarse.*) m. p. us. Exceso, falta de medida o proporción.
descompasadamente. adv. m. **descomedidamente.**
descompasado, da. p. p. de **descompasarse.** ‖ **2.** adj. **descomedido,** desproporcionado.
descompasarse. prnl. **descomedirse.** ‖ **2. perder el compás.**
descompensación. f. Acción y efecto de descompensar. ‖ **2.** *Med.* Estado funcional de un órgano enfermo, en el cual este no es capaz de subvenir a las exigencias habituales del organismo a que pertenece. Se usa sobre todo referido al estado del corazón.
descompensar. tr. Hacer perder la compensación. Ú. t. c. prnl. ‖ **2.** prnl. *Med.* Llegar un órgano enfermo a un estado de descompensación.
descompletar. tr. Dejar incompleto lo que estaba completo.
descomponer. (De *des-* y *componer.*) tr. Desordenar y desbaratar. Ú. t. c. prnl. ‖ **2.** Separar las diversas partes que forman un compuesto. ‖ **3.** fig. Indisponer los ánimos; hacer que se pierda la amistad, confianza o buena correspondencia. ‖ **4.** *Méj.* Averiar, estropear, deteriorar. Ú. t. en prnl. ‖ **5.** prnl. Corromperse, entrar o hallarse un cuerpo en estado de putrefacción. Ú. t. c. tr. ‖ **6.** Desazonarse el cuerpo, perder la buena disposición de un estado saludable. ‖ **7.** fig. Perder, en las palabras o en las obras, la serenidad o la circunspección habitual. ‖ **8.** Demudarse el rostro.
descomposición. f. Acción y efecto de descomponer o descomponerse. ‖ **2.** fam. **diarrea.**
descompostura. f. **descomposición.** ‖ **2.** Desaseo, desaliño en el adorno de las personas o cosas. ‖ **3.** fig. Descaro, falta de respeto, de moderación, de modestia, de cortesía.
descompresión. f. Reducción de la presión a que ha estado sometido un gas o un líquido.
descompresor. f. Aparato o mecanismo para disminuir la presión.
descomprimir. tr. Aminorar o anular la compresión en un cuerpo o espacio cerrado.
descompuestamente. adv. m. Con descompostura.
descompuesto, ta. p. p. irreg. de **descomponer.** ‖ **2.** adj. fig. Inmodesto, atrevido, descortés. ‖ **3.** *Amér. Central, Chile, Perú* y *P. Rico.* Borracho.
descomulgación. (De *descomulgar.*) f. ant. **excomulgación.**
descomulgadero, ra. (De *descomulgar.*) adj. ant. **descomulgado.**
descomulgado, da. p. p. de **descomulgar.** ‖ **2.** adj. Malvado, perverso. Ú. t. c. s.
descomulgador. m. El que descomulga.
descomulgamiento. (De *descomulgar.*) m. ant. **excomulgamiento.**
descomulgar. (De *excomulgar.*) tr. **excomulgar.**
descomunal. (De *des-* y *comunal.*) adj. Extraordinario, monstruoso, enorme, muy distante de lo común en su línea.
descomunaleza. f. ant. **excomunión.**
descomunalmente. adv. m. De modo muy distante de lo común.
descomunión. f. **excomunión.**
desconceptuación. f. Acción y efecto de desconceptuar.
desconceptuar. (De *des-* y *conceptuar.*) tr. **desacreditar.** Ú. t. c. prnl.
desconcertadamente. adv. m. Sin concierto.
desconcertado, da. p. p. de **desconcertar.** ‖ **2.** adj. fig. Desbaratado, de mala conducta, sin gobierno. ‖ **3.** fig. V. **reloj desconcertado.**
desconcertador, ra. adj. Que desconcierta. Ú. t. c. s.
desconcertadura. f. Acción y efecto de desconcertar o desconcertarse.
desconcertar. tr. Pervertir, turbar, deshacer el orden, concierto y composición de una cosa. Ú. t. c. prnl. ‖ **2.** Tratándose de huesos del cuerpo, **dislocar.** Ú. t. c. prnl. ‖ **3.** fig. Sorprender, suspender el ánimo. ‖ **4.** prnl. Desavenirse las personas o cosas que estaban acordes. ‖ **5.** fig. Hacer o decir las cosas sin la serenidad, el miramiento y orden que corresponde.
desconcierto. (De *desconcertar.*) m. Descomposición de las partes de un cuerpo o de una máquina. *El* DESCONCIERTO *del brazo, del reloj.* ‖ **2.** fig. Desorden, desavenencia, descomposición. ‖ **3.** fig. Falta de modo y medida en las acciones o palabras. ‖ **4.** fig. Falta de gobierno y economía. ‖ **5.** fig. Flujo de vientre, cámaras.
desconcorde. adj. ant. **desacorde.**
desconcordia. f. Desunión, oposición entre las cosas que debían estar concordes.
desconchabar. tr. *Amér. Central, Chile* y *Méj.* Descomponer, descoyuntar. Ú. t. c. prnl.
desconchado, da. p. p. de **desconchar.** ‖ **2.** m. **desconchadura.**
desconchadura. f. Parte de una pared que ha perdido su enlucido o de una pieza de loza que ha perdido el vidriado.
desconchar. (De *des-* y *concha,* costra.) tr. Quitar a una pared o a otra superficie parte de su enlucido o revestimiento. Ú. t. c. prnl.
desconchón. m. Caída de un trozo pequeño del enlucido o de la pintura de una superficie.
desconectado, da. p. p. de **desconectar.** ‖ **2.** adj. Aplícase a la comunicación eléctrica interrumpida. ‖ **3.** Falto de relación, enlace, comunicación, etc. Ú. t. en sent. fig.
desconectar. (De *des-* y *conectar.*) tr. Suprimir la comunicación eléctrica entre un aparato y la línea general. ‖ **2.** Interrumpir la conexión entre dos o más cosas. ‖ **3.** *Mar.* Dejar independiente el propulsor de los demás órganos de una máquina marina de vapor. ‖ **4.** *Tecnol.* Interrumpir el

enlace entre aparatos o sistemas para que cese el flujo existente entre ellos. ‖ **5.** intr. fig. Dejar de tener relación, comunicación, enlace, etc.

desconexión. f. Acción y efecto de desconectar.

desconfiadamente. adv. m. Con desconfianza.

desconfiado, da. p. p. de **desconfiar.** ‖ **2.** adj. Dícese de la persona que desconfía. Ú. t. c. s.

desconfianza. f. Falta de confianza.

desconfiar. intr. No confiar, tener poca seguridad o esperanza.

desconformar. (De *des-* y *conformar.*) intr. Disentir, ser de parecer opuesto o diferente, no convenir en una cosa. ‖ **2.** Discordar, no convenir una cosa con otra.

desconforme. adj. p. us. **disconforme.** ‖ **2.** adv. m. ant. Sin conformidad con una cosa.

desconformidad. (De *desconforme.*) f. p. us. **disconformidad.**

descongelación. f. Acción y efecto de descongelar.

descongelar. (De *des-* y *congelar.*) tr. Hacer que cese la congelación de una cosa. ‖ **2.** Quitar el hielo a las partes cubiertas por él en un refrigerador.

descongestión. f. Acción y efecto de descongestionar.

descongestionante. p. a. de **descongestionar.** Que descongestiona. Ú. t. c. s. m.

descongestionar. tr. Disminuir o quitar la congestión. Ú. t. c. prnl.

descongojar. tr. Quitar las congojas, desahogar, consolar.

desconhortamiento. (De *desconhortar.*) m. ant. **desconhorte.**

desconhortar. (De *des-* y *conhortar.*) tr. ant. Desanimar, desalentar. Usáb. t. c. prnl.

desconhorte. (De *desconhortar.*) m. ant. Desaliento, caimiento de ánimo.

desconocedor, ra. adj. Que desconoce.

desconocencia. f. ant. *Der.* **ingratitud.**

desconocer. (De *des-* y *conocer.*) tr. No recordar la idea que se tuvo de una cosa; haberla olvidado. ‖ **2.** No conocer. ‖ **3.** Negar uno ser suya alguna cosa. DESCONOCER *una obra.* ‖ **4.** Darse por desentendido de una cosa, o afectar que se ignora. ‖ **5.** fig. No advertir la debida correspondencia entre un acto y la idea que se tiene formada de una persona o cosa. DESCONOZCO *a Juan en esta ocasión; a Velázquez, en este cuadro.* ‖ **6.** fig. Reconocer la notable mudanza que se halla en una persona o cosa. Ú. t. c. prnl.

desconocidamente. adv. m. Con desconocimiento.

desconocido, da. p. p. de **desconocer.** ‖ **2.** adj. Ingrato, falto de reconocimiento o gratitud. Ú. t. c. s. ‖ **3.** Ignorado, no conocido de antes. Ú. t. c. s. ‖ **4.** Muy cambiado, irreconocible.

desconocimiento. m. Acción y efecto de desconocer. ‖ **2.** Falta de correspondencia, ingratitud.

desconsejar. (De *des-* y *consejar.*) tr. ant. **desaconsejar.**

desconsentir. tr. No consentir, dejar de consentir.

desconsideración. f. Acción y efecto de desconsiderar.

desconsideradamente. adv. m. Sin consideración.

desconsiderado, da. p. p. de **desconsiderar.** ‖ **2.** adj. Falto de consideración, de advertencia o de consejo. Ú. t. c. s.

desconsiderar. (De *des-* y *considerar.*) tr. No guardar la consideración debida.

desconsolación. (De *des-* y *consolación.*) f. p. us. Desconsuelo, aflicción.

desconsoladamente. adv. m. Con desconsuelo.

desconsolado, da. p. p. de **desconsolar.** ‖ **2.** adj. Que carece de consuelo. ‖ **3.** fig. Que en su aspecto y en sus reflexiones muestra un carácter melancólico, triste y afligido. ‖ **4.** fig. Dícese del estómago que padece desfallecimientos o debilidad.

desconsolador, ra. adj. Que desconsuela.

desconsolar. (De *des-* y *consolar.*) tr. Privar de consuelo, afligir. Ú. t. c. prnl.

desconsuelo. m. Angustia y aflicción profunda por falta de consuelo. ‖ **2.** Tratándose del estómago, desfallecimiento, debilidad.

descontado, da. p. p. de **descontar.** ‖ **dar por descontado.** fr. fam. Contar alguien con algo como seguro e indiscutible. ‖ **por descontado.** loc. fam. Por supuesto, sin duda alguna.

descontagiar. (De *des-* y *contagiar.*) tr. Quitar el contagio, purificando una cosa que está contaminada.

descontamiento. (De *descontar.*) m. ant. **descuento.**

descontaminación. f. Acción y efecto de descontaminar.

descontaminar. tr. Someter a tratamiento lo que está contaminado, a fin de que pierda sus propiedades nocivas.

descontar. tr. Rebajar una cantidad al tiempo de pagar una cuenta, una factura, un pagaré, etc. ‖ **2.** fig. Rebajar algo del mérito o virtudes que se atribuyen a una persona. ‖ **3.** En ciertos juegos, tener el árbitro en cuenta el tiempo que el partido ha estado interrumpido, para añadirlo al final, de modo que aquel alcance la duración reglamentaria. ‖ **4.** fig. Dar por cierto o por acaecido. ‖ **5.** *Com.* Abonar al contado una letra u otro documento no vencido rebajando de su valor la cantidad que se estipule, como intereses del dinero que se anticipa.

descontentadizo, za. adj. Que con facilidad se descontenta. Ú. t. c. s. ‖ **2.** Difícil de contentar. Ú. t. c. s.

descontentamiento. (De *descontentar.*) m. p. us. Falta de contento, disgusto. ‖ **2.** Desavenencia, falta de amistad.

descontentar. (De *des-* y *contentar.*) tr. Disgustar, desagradar. Ú. t. c. prnl.

descontento, ta. p. p. irreg. desus. de **descontentar.** ‖ **2.** adj. Dícese de la persona que no está satisfecha con una situación o con otra persona. ‖ **3.** m. Disgusto o desagrado.

descontinuación. f. p. us. Acción y efecto de descontinuar.

descontinuar. tr. **discontinuar.**

descontinuo, nua. adj. **discontinuo,** no continuo.

descontón. m. *Méj.* Golpe que se da por sorpresa.

descontrol. m. Falta de control, de orden, de disciplina.

descontrolarse. prnl. Perder el dominio de sí mismo. ‖ **2.** Perder su ritmo normal un aparato.

desconvenible. (De *des-* y *convenible.*) adj. Dícese de lo que no se ajusta, no se acomoda o no tiene proporción con otra cosa. ‖ **2.** ant. No conveniente. ‖ **3.** *Der.* V. **condición desconvenible.**

desconveniblemente. adv. m. ant. Fuera de propósito o de razón.

desconveniencia. (De *des-* y *conveniencia.*) f. Incomodidad, perjuicio, desacomodo.

desconveniente. p. a. de **desconvenir.** Que desconviene. ‖ **2.** adj. No conveniente o conforme.

desconvenir. (Del lat. *disconvenīre.*) intr. No convenir en las opiniones; no concordar entre sí dos personas o dos cosas. Ú. t. c. prnl. ‖ **2.** No convenir entre sí dos objetos visibles; no ser a propósito uno de ellos, o ser desemejantes y desproporcionados.

desconversable. (De *des-* y *conversable.*) adj. De genio áspero y desabrido; que huye de la conversación y trato de las gentes, o que ama el retiro y la soledad.

desconversar. tr. ant. Huir del trato y conversación.

desconvidar. (De *des-* y *convidar.*) tr. Anular un convite. ‖ **2.** Revocar, anular lo ofrecido o prometido.

desconvocar. (De *des-* y *convocar.*) tr. Anular una convocatoria. Dicho especialmente de huelgas, manifestaciones, etc.
desconvocatoria. f. Acción y efecto de desconvocar.
descoraznamiento. m. ant. **descorazonamiento.**
descorazonadamente. adv. m. fig. Con descorazonamiento.
descorazonamiento. (De *descorazonar.*) m. fig. Caimiento de ánimo.
descorazonar. tr. Arrancar, quitar, sacar el corazón. ‖ **2.** fig. Desanimar, acobardar, amilanar. Ú. t. c. prnl. ‖ **3.** intr. ant. fig. Desmayar, perder el ánimo.
descorchado, da. p. p. de **descorchar.** ‖ **2.** adj. Que se le ha quitado el tapón. Ú. t. c. s.
descorchador. m. El que descorcha. ‖ **2. sacacorchos.**
descorchar. tr. Quitar o arrancar el corcho al alcornoque. ‖ **2.** Romper el corcho de la colmena para sacar la miel. ‖ **3.** Sacar el corcho que cierra una botella u otra vasija. ‖ **4.** fig. Romper, forzar un cepo, caja u otra cosa semejante, para robar lo que hay dentro.
descorche. m. Acción y efecto de descorchar el alcornoque. ‖ **2.** Comisión que en locales de alterne obtienen las señoritas que acompañan a los clientes con el fin de que tomen el mayor número de consumiciones posible.
descordar[1]**.** tr. **desencordar.**
descordar[2]**.** (Del lat. *discordāre.*) intr. ant. **discordar.**
descordar[3]**.** (De *des-* y *cuerda*, tendón.) tr. *Taurom.* Herir al toro en la médula espinal sin matarlo, pero causándole parálisis que lo deja inútil para la lidia.
descorderar. tr. Entre ganaderos, separar los corderos de las madres con el fin de formar nuevos rebaños.
descordojo. (De *des-* y *cordojo.*) m. ant. Gusto, placer.
descoritar. tr. Desnudar, dejar en cueros. Ú. t. c. prnl.
descornar. tr. Quitar, arrancar los cuernos a un animal. Ú. t. c. prnl. ‖ **2.** *Germ.* **descubrir,** manifestar, hacer patente. ‖ **3.** prnl. fig. y fam. Entregarse denodadamente a la consecución de algo.
descoronar. tr. Quitar la corona. ‖ **2.** En las grandes bodegas, bajar las botas ya vacías de la andana.
descorrear. (De *des-* y *correa.*) intr. Soltar el ciervo y otros cuadrúpedos la piel que cubre los pitones de sus astas, cuando estas van creciendo. Ú. t. c. prnl.
descorregido, da. (De *des-* y *corregir.*) adj. desus. Desarreglado, incorrecto.
descorrer. tr. Volver alguien a correr el espacio que antes había corrido. ‖ **2.** Plegar o reunir lo que estaba antes estirado; como las cortinas, el lienzo, etc. ‖ **3.** intr. Correr o escurrir una cosa líquida. Ú. t. c. prnl.
descorrimiento. (De *descorrer.*) m. Efecto de desprenderse y correr un líquido.
descortés. (De *des-* y *cortés.*) adj. Falto de cortesía. Ú. t. c. s.
descortesía. f. Falta de cortesía.
descortezador, ra. adj. Que descorteza. Ú. t. c. s.
descortezadura. f. Parte de corteza que se quita a una cosa. ‖ **2.** Parte descortezada.
descortezamiento. m. Acción de descortezar o descortezarse.
descortezar. tr. Quitar la corteza al árbol, al pan o a otra cosa. Ú. t. c. prnl. ‖ **2.** fig. y fam. **desbastar,** pulir a una persona. Ú. t. c. prnl.
descortezo. m. Acción y efecto de descortezar los árboles.
descortinar. tr. Destruir la cortina o muralla batiéndola a cañonazos, o de otro modo.
descosedura. f. **descosido,** parte descosida.
descoser. (De *des-* y *coser.*) tr. Soltar, cortar, desprender las puntadas de las cosas que estaban cosidas. Ú. t. c. prnl. ‖ **2.** prnl. fig. p. us. Descubrir indiscretamente lo que convenía callar. ‖ **3.** fig. y fam. p. us. **ventosear.**
descosidamente. adv. m. fig. Con mucho exceso. ‖ **2.** Con incoherencia o desorden.
descosido, da. p. p. de **descoser.** ‖ **2.** adj. fig. Dícese del que fácil e indiscretamente habla lo que convenía tener oculto. ‖ **3.** fig. Desordenado, falto del orden y trabazón convenientes. ‖ **4.** m. Parte **descosida** en una prenda de vestir o de cualquier otro uso. ‖ **como un descosido.** expr. fig. y fam. que significa el ahínco o exceso con que se hace una cosa.
descostarse. (De *des-* y *costa*[2]*.*) prnl. p. us. Apartarse, separarse.
descostillar. tr. Dar muchos golpes a alguien en las costillas. ‖ **2.** prnl. Caerse violentamente de espaldas, con riesgo de romperse o desconcertarse las costillas.
descostrar. tr. Quitar la costra.
descostreñimiento. (De *des-* y *costreñimiento.*) m. ant. **desenfreno.**
descostumbre. f. ant. Olvido de una costumbre.
descotar[1]**.** tr. **escotar**[1]**.** Ú. t. c. prnl.
descotar[2]**.** tr. ant. Levantar o quitar el coto o prohibición del uso de un camino, término, heredad, etc.
descote. m. p. us. **escote**[1]**.**
descoyuntamiento. m. Acción y efecto de descoyuntar o descoyuntarse. ‖ **2.** fig. Desazón grande que se siente en el cuerpo, como si estuvieran descoyuntados los huesos.
descoyuntar. (Del lat. *dis*, des-, y *coniunctāre*, unir.) tr. Desencajar los huesos de su lugar y, en general, descomponer cualquier cosa articulada. Ú. t. c. prnl. y en sent. fig. ‖ **2.** fig. p. us. Molestar a alguien con pesadeces.
descoyunto. (De *descoyuntar.*) m. p. us. **descoyuntamiento.**
descrecencia. f. p. us. Acción y efecto de descrecer.
descrecer. intr. p. us. **decrecer.**
descrecimiento. (De *descrecer.*) m. p. us. **decremento.**
descrédito. (De *des-* y *crédito.*) m. Disminución o pérdida de la reputación de las personas, o del valor y estima de las cosas.
descreencia. f. **descreimiento.**
descreer. (Del lat. *discredĕre.*) tr. Faltar a la fe, dejar de creer. ‖ **2.** Negar el crédito debido a una persona.
descreído, da. p. p. de **descreer.** ‖ **2.** adj. Incrédulo, falto de fe; sin creencia, porque ha dejado de tenerla.
descreimiento. (De *descreer.*) m. Falta, abandono de fe, de creencia, especialmente en lo que se refiere a religión.
descremado, da. p. p. de **descremar.** ‖ **2.** adj. Dícese de la sustancia a la que se ha quitado la crema. *Leche* DESCREMADA. ‖ **3.** m. Acción y efecto de descremar.
descremadora. f. Aparato o máquina para quitar la crema a la leche.
descremar. tr. Quitar la crema a la leche.
descrestar. tr. Quitar o cortar la cresta. ‖ **2.** *Col.* Engañar a una persona.
descriarse. (De *des-* y *criarse.*) prnl. p. us. Desmejorarse. ‖ **2.** Estropearse.
describir. (Del lat. *describĕre.*) tr. Delinear, dibujar, figurar una cosa, representándola de modo que dé cabal idea de ella. ‖ **2.** Representar a personas o cosas por medio del lenguaje, refiriendo o explicando sus distintas partes, cualidades o circunstancias. ‖ **3.** Definir imperfectamente una cosa, no por sus predicados esenciales, sino dando una idea general de sus partes o propiedades. ‖ **4.** Usado con el nombre de una línea, moverse a lo largo de ella. *Los planetas* DESCRIBEN *elipses. La punta del compás* DESCRIBE *una circunferencia.*
descrinar. (De *des-* y *crinar.*) tr. ant. **desgreñar.**

descripción. (Del lat. *descriptĭo, -ōnis.*) f. Acción y efecto de describir. ‖ **2.** *Der.* **inventario.**

descriptible. adj. Que se puede describir.

descriptivo, va. (Del lat. *descriptīvus.*) adj. Dícese de lo que describe. *Narración* DESCRIPTIVA. ‖ **2.** V. **gramática descriptiva.** ‖ **3.** *Mat.* V. **geometría descriptiva.**

descripto, ta. (Del lat. *descriptus.*) p. p. irreg. **descrito.**

descriptor, ra. (Del lat. *descriptor, -ōris.*) adj. desus. Que describe. Ú. t. c. s.

descriptorio, ria. (De *descriptor.*) adj. ant. **descriptivo.**

descrismar. tr. Quitar el crisma. ‖ **2.** fig. y fam. Dar a alguien un gran golpe en la cabeza. Se usa por alusión a la parte en que se pone el crisma. Ú. t. c. prnl. ‖ **3.** prnl. fig. y fam. Enfadarse mucho; perder la paciencia y la mesura. ‖ **4.** fig. y fam. **descalabazarse.**

descristianar. tr. **descrismar,** quitar el crisma. ‖ **2. descrismar,** golpear a alguien en la cabeza. Ú. t. c. prnl.

descristianizar. tr. Apartar de la fe cristiana a un pueblo o a un individuo.

descrito, ta. (Del lat. *descriptus.*) p. p. irreg. de **describir.**

descrucificar. (De *des-* y *crucificar.*) tr. ant. Desenclavar, quitar de la cruz al que estaba en ella.

descruzar. tr. Deshacer la forma de cruz que presentan algunas cosas.

descuadernar. (De *des-* y *cuaderno.*) tr. **desencuadernar.** Ú. t. c. prnl. ‖ **2.** fig. Desbaratar, descomponer. DESCUADERNAR *el juicio.*

descuadrar. intr. No cuadrar las cuentas, no ajustarse a la realidad.

descuadre. m. Efecto de no cuadrar las cuentas.

descuadrilarse. prnl. *And.* y *Amér.* **descuadrillarse.**

descuadrillado, da. p. p. de **descuadrillarse.** ‖ **2.** adj. Que sale de la cuadrilla o va fuera de ella. ‖ **3.** m. *Veter.* Enfermedad que suelen padecer las bestias en el hueso de la cadera o del cuadril.

descuadrillarse. prnl. Derrengarse la bestia por el cuadril.

descuajar. (De *des-* y *cuajar.*) tr. Licuar, transformar una sustancia sólida, cuajada o pastosa en líquida. Ú. t. c. prnl. ‖ **2.** fig. y fam. Hacer a alguien desesperanzar o caer de ánimo. ‖ **3.** *Agr.* Arrancar de raíz o de cuajo plantas o malezas.

descuajaringar. (De *descuajar.*) tr. Desvencijar, desunir, desconcertar alguna cosa. Ú. t. c. prnl. ‖ **2.** prnl. fam. Relajarse las partes del cuerpo por efecto de cansancio. Ú. solo hiperbólicamente.

descuaje. m. *Agr.* **descuajo.**

descuajeringado, da. p. p. de **descuajeringar.** ‖ **2.** adj. *Amér.* Desvencijado. ‖ **3.** *Amér.* Descuidado en el aseo y el vestir.

descuajeringar. tr. *Amér.* **descuajaringar.**

descuajo. m. *Agr.* Acción de descuajar, o arrancar de raíz.

descuartizamiento. m. Acción y efecto de descuartizar.

descuartizar. (De *des-* y *cuarto.*) tr. Dividir un cuerpo haciéndolo cuartos o más partes. ‖ **2.** fam. Hacer pedazos alguna cosa para repartirla.

descubierta. f. Especie de pastel, sin el hojaldre o la cubierta que regularmente se les pone encima. ‖ **2.** ant. Descubrimiento o revelación de una cosa que se ignoraba. ‖ **3.** *Mar.* Reconocimiento del horizonte, que, al salir y al ponerse el Sol, se practica en una escuadra por medio de los buques ligeros, y en un buque de guerra solo se hace desde lo alto de los palos. ‖ **4.** *Mar.* Inspección del estado del aparejo del buque, que por la mañana y por la tarde ejecutan los gavieros y juaneteros en sus palos respectivos. ‖ **5.** *Mil.* Reconocimiento que a ciertas horas hace la tropa para observar si en las inmediaciones hay enemigos y para inquirir su situación.

descubiertamente. adv. m. Claramente, patentemente, sin rebozo ni disfraz.

descubierto, ta. (Del lat. *discoopertus,* p. p. de *discooperīre,* descubrir.) p. p. irreg. de **descubrir.** ‖ **2.** adj. Aplícase al que lleva la cabeza destocada. Ú. principalmente con los verbos *andar, estar* y otros semejantes. ‖ **3.** Con los verbos *estar, quedar* y otros semejantes, expuesto a grandes y motivados cargos o reconvenciones. ‖ **4.** Dícese de lugares o paisajes despejados o espaciosos. ‖ **5.** m. Acto de exponer el Santísimo a la adoración de los fieles. ‖ **6. déficit.** ‖ **a la descubierta,** o **al descubierto.** loc. adv. **descubiertamente.** ‖ **2.** Al raso o a la inclemencia del tiempo, sin albergue ni resguardo. ‖ **al descubierto.** loc. adv. *Com.* Dícese de la operación mercantil en la cual los contratantes no tienen disponible lo que es objeto de la misma. ‖ **en descubierto.** loc. adv. En los ajustes de cuentas, sin dar salida a algunas partidas del cargo, o faltando alguna cantidad para satisfacerlo. ‖ **2.** fig. Sin poder dar salida a un cargo o reconvención. ‖ **en todo lo descubierto.** loc. adv. En todo el mundo conocido.

descubrición. (De *descubrir.*) f. ant. Registro que una casa tiene sobre otra.

descubridero. m. Lugar eminente desde donde se descubre mucho terreno o campaña.

descubridor, ra. adj. Que descubre o halla una cosa oculta o no conocida. Ú. t. c. s. ‖ **2.** Que indaga y averigua. Ú. t. c. s. ‖ **3.** Por antonom., dícese del que ha descubierto tierras y provincias ignoradas o desconocidas. Ú. m. c. s. ‖ **4.** Dícese de cualquiera de las embarcaciones que se emplean para hacer la descubierta. ‖ **5.** m. *Mil.* Explorador, batidor del campo.

descubrimiento. (De *descubrir.*) m. Hallazgo, encuentro, manifestación de lo que estaba oculto o secreto o era desconocido. ‖ **2.** Por antonom., encuentro, invención o hallazgo de una tierra o un mar no descubierto o ignorado. ‖ **3.** Territorio, provincia o cosa que se ha reconocido o descubierto.

descubrir. (Del lat. *discooperīre.*) tr. Manifestar, hacer patente. ‖ **2.** Destapar lo que está tapado o cubierto. ‖ **3.** Hallar lo que estaba ignorado o escondido. Se usa principalmente tratándose de las tierras o mares desconocidos. ‖ **4.** Registrar o alcanzar a ver. ‖ **5.** Venir en conocimiento de una cosa que se ignoraba. ‖ **6.** prnl. Quitarse de la cabeza el sombrero, gorra, etc. ‖ **7.** Darse a conocer una persona, que por alguna razón, vestido, distancia, etc., no había sido reconocida.

descuello. (De *descollar.*) m. Exceso en la estatura, elevación o altura con que sobresalen mucho entre todos sus semejantes un hombre, una montaña, un edificio, etc. ‖ **2.** fig. Elevación, superioridad, eminencia en virtud, en talento o en ciencia. ‖ **3.** fig. Altanería, altivez, avilantez.

descuento. m. Acción y efecto de descontar. ‖ **2.** Rebaja, compensación de una parte de la deuda. ‖ **3.** *Com.* Operación de adquirir antes del vencimiento valores generalmente endosables. ‖ **4.** *Com.* Cantidad que se rebaja del importe de los valores para retribuir esta operación. ‖ **5.** Período de tiempo que, por interrupción de un partido u otra competición deportiva, añade el árbitro al final reglamentario para compensar el tiempo perdido.

descuerar. (De *des-* y *cuero.*) tr. Desollar, despellejar. Ú. m. en América. ‖ **2.** fig. Desacreditar a alguien murmurando gravemente de él.

descuernacabras. (De *descornar* y *cabra.*) m. Viento frío y recio que sopla de la parte del Norte.

descuerno. (De *descornar.*) m. fam. Desaire o afrenta. ‖ **2.** *Germ.* Lo que se descubre.

descuidado, da. p. p. de **descuidar.** ‖ **2.** adj. Omiso, negligente o que falta al cuidado que debe poner en las cosas. Ú. t. c. s. ‖ **3.** Desaliñado, que cuida poco de la compostura en el traje. Ú. t. c. s. ‖ **4. desprevenido.**

descuidamiento. m. ant. **descuido.**

descuidar. (De *des-* y *cuidar.*) tr. Descargar a alguien del cuidado u obligación que debía tener. Ú. t. c. intr. ‖ **2.** Distraer la atención de alguien para pillarle desprevenido. ‖ **3.** En imperativo, se dice para tranquilizar a alguien que tiene una preocupación o para librarle de una tarea. DESCUIDA, *que yo lo haré.* ‖ **4.** No cuidar de las personas o de las cosas, o no atenderlas con la diligencia debida. ‖ **5.** intr. *Jaén.* **salir de su cuidado,** dar a luz una mujer. ‖ **6.** prnl. Dejar de tener la atención puesta en algo.

descuidero, ra. adj. Se aplica al ratero que suele hurtar aprovechándose del descuido ajeno. Ú. t. c. s.

descuido. (De *descuidar.*) m. Omisión, negligencia, falta de cuidado. ‖ **2.** Olvido, inadvertencia. ‖ **3.** Acción reparable o desatención que desdice de aquel que la ejecuta, o de aquel a quien ofende o perjudica. ‖ **4.** Desliz, tropiezo vergonzoso. ‖ **al descuido,** o **al descuido y con cuidado.** loc. adv. Con **descuido** afectado.

descuitado, da. (De *des-* y *cuita.*) adj. Que vive sin pesadumbre ni cuidados.

descular. tr. **desfondar** una vasija o caja.

descumbrado, da. adj. Llano y sin cumbre.

descunchar. (De *cuncho.*) intr. fam. *Col.* Perder en el juego hasta la última moneda.

descura. (De *des-* y *cura.*) f. ant. **descuido.**

deschapar. tr. *Arg., Bol., Chile, Ecuad.* y *Perú.* **descerrajar** una cerradura.

descharchar. (Del ing. *discharge.*) tr. *Amér. Central.* Destituir, despedir de un cargo o puesto de trabajo.

deschavetado, da. adj. *Amér.* Chiflado, que ha perdido la chaveta.

deschavetarse. prnl. fam. *Col., Perú* y *Urug.* **perder la chaveta.**

deschuponar. tr. Quitar al árbol los chupones.

desdar. (De *des-* y *dar.*) tr. Dar vueltas, en sentido inverso, a un manubrio, carrete o cuerda para deshacer otras vueltas anteriores. ‖ **2. desabrochar** los corchetes o botones.

desde. (Contracc. de las preps. lats. *de, ex, de.*) prep. que denota el punto, en tiempo o lugar, de que procede, se origina o ha de empezar a contarse una cosa, un hecho o una distancia. DESDE *la Creación;* DESDE *Madrid;* DESDE *que nací;* DESDE *mi casa.* Por esta razón es parte de muchas locuciones adverbiales que expresan punto de partida en el espacio o en el tiempo. DESDE *entonces;* DESDE *ahora;* DESDE *aquí;* DESDE *allí.* ‖ **2.** Después de. ‖ **desde luego.** loc. adv. afirmativa. Sin duda, por supuesto. ‖ **desde ya.** loc. adv. temporal. Ahora mismo, inmediatamente.

desdecir. (De *des-* y *decir.*) tr. ant. **desmentir.** ‖ **2.** ant. Negar la autenticidad de una cosa. ‖ **3.** intr. fig. Degenerar una cosa o persona de su origen, educación o clase. ‖ **4.** fig. No convenir, no conformarse una cosa con otra. ‖ **5.** p. us. Decaer, venir a menos. ‖ **6. desmentir,** perder una cosa la línea. ‖ **7.** prnl. Retractarse de lo dicho.

desdel. Contracc. ant. de **desde el.**

desdén. (De *desdeño.*) m. Indiferencia y despego que denotan menosprecio. ‖ **al desdén.** loc. adv. **al descuido.** ‖ **2.** Con desaliño afectado.

desdende. (De *desde* y *ende.*) adv. l. y t. ant. Desde allí o desde entonces.

desdentado, da. adj. Que ha perdido los dientes. ‖ **2.** *Zool.* Dícese de los animales mamíferos que carecen de dientes incisivos, y a veces también de caninos y molares; como el perico ligero, el armadillo y el oso hormiguero. Ú. t. c. s. ‖ **3.** m. pl. *Zool.* Orden de estos animales.

desdentar. tr. p. us. Quitar o sacar los dientes.

desdeñable. adj. Que merece ser desdeñado.

desdeñado, da. p. p. de **desdeñar.** ‖ **2.** adj. ant. **desdeñoso.**

desdeñador, ra. adj. Que desdeña, desestima o desprecia. Ú. t. c. s.

desdeñanza. (De *desdeñar.*) f. ant. **desprecio.**

desdeñar. (Del lat. *dedignāre.*) tr. Tratar con desdén a una persona o cosa. ‖ **2.** prnl. p. us. Tener a menos el hacer o decir una cosa, juzgándola por indecorosa.

desdeño. (De *desdeñar.*) m. ant. **desdén.**

desdeñoso, sa. (De *desdeño.*) adj. Que manifiesta desdén. Ú. t. c. s.

desdevanar. tr. Deshacer el ovillo en que se había devanado o recogido el hilo de la madeja. Ú. t. c. prnl.

desdibujado, da. p. p. de **desdibujarse.** ‖ **2.** adj. Dícese del dibujo defectuoso o de la cosa mal conformada.

desdibujarse. (De *des-* y *dibujar.*) prnl. fig. Perder una cosa la claridad y precisión de sus perfiles o contornos, tanto en el plano real como en el del pensamiento.

desdicha. (De *des-* y *dicha.*) f. Desgracia, suerte adversa. ‖ **2.** Pobreza suma, miseria, necesidad. ‖ **poner,** o **ponerse, hecho una desdicha.** fr. fam. Ensuciarle o ensuciarse mucho la ropa.

desdichado, da. (De *desdicha.*) adj. **desgraciado,** que padece desgracias o tiene mala suerte. Ú. t. c. s. ‖ **2.** fig. y fam. Sin malicia, pusilánime.

desdicho, cha. p. p. irreg. de **desdecir.**

desdoblamiento. m. Acción y efecto de desdoblar o desdoblarse. ‖ **2.** Fraccionamiento por evolución natural o artifical de un compuesto en sus componentes o elementos. ‖ **3.** fig. **explanación,** interpretación.

desdoblar. tr. Extender una cosa que estaba doblada. Ú. t. c. prnl. ‖ **2.** fig. Formar dos o más cosas por separación de los elementos que suelen estar juntos en otra. Ú. t. c. prnl.

desdón. (De *des-* y *don,* gracia.) m. ant. Insulsez, falta de gracia.

desdonado, da. (De *desdón.*) adj. ant. Que carece de gracia o de tino en hacer o decir una cosa.

desdonar. tr. ant. Quitar lo que se había dado o donado.

desdorar. (De *des-* y *dorar.*) tr. Quitar el oro con que estaba dorada una cosa. Ú. t. c. prnl. ‖ **2.** fig. Deslustrar, deslucir, mancillar la virtud, reputación o fama. Ú. t. c. prnl.

desdormido, da. (De *des-* y *dormido,* p. p. de *dormir.*) adj. ant. Desvelado o mal despierto.

desdoro. (De *desdorar.*) m. Deslustre, mancilla en la virtud, reputación o fama.

desdoroso, sa. adj. Que desdora o deslustra.

dese, sa, so. Contracc. ant. de **de ese, de esa** y **de eso.**

deseable. adj. Digno de ser deseado.

deseadero, ra. (De *desear.*) adj. ant. **deseable.**

deseador, ra. adj. Que desea o apetece. Ú. t. c. s.

desear. (De *deseo.*) tr. Aspirar con vehemencia al conocimiento, posesión o disfrute de una cosa. ‖ **2.** Anhelar que acontezca o deje de acontecer algún suceso. ‖ **3.** Sentir apetencia sexual hacia una persona.

desecación. (Del lat. *desiccatĭo, -ōnis.*) f. Acción y efecto de desecar o desecarse.

desecador, ra. adj. **desecante.**

desecamiento. m. **desecación.**

desecante. p. a. de **desecar.** Que deseca. Ú. t. c. s.

desecar. (Del lat. *desiccāre.*) tr. Secar, extraer la humedad. Ú. t. c. prnl.

desecativo, va. (Del lat. *desiccatīvus.*) adj. Dícese de lo que tiene la virtud o propiedad de desecar.

desechable. adj. Que puede o debe ser desechado. ‖ **2.** Que ya no es aprovechable y puede tirarse. ‖ **3.** Dícese de los objetos destinados a ser usados solo una vez, como jeringuillas, pañales, etc.

desechadamente. adv. m. Vilmente, despreciablemente.

desechar. (Del lat. *disiectāre.*) tr. Excluir, reprobar. ‖ **2.** Menospreciar, desestimar, hacer poco caso y aprecio. ‖ **3.** Renunciar, no admitir una cosa. ‖ **4.** Expeler, arrojar. ‖ **5.** Deponer, apartar de sí un pesar, temor, sospecha o mal pensamiento. ‖ **6.** Referido al vestido u otra cosa de uso, dejarla para no volver a servirse de ella. ‖ **7.** Tratándose de llaves, cerrojos, etc., darles el movimiento necesario para abrir.

desecho. (De *desechar.*) m. Lo que queda después de haber escogido lo mejor y más útil de una cosa. ‖ **2.** Cosa que, por usada o por cualquier otra razón, no sirve a la persona para quien se hizo. ‖ **3.** Residuo, basura. ‖ **4.** fig. Desprecio, vilipendio. ‖ **5.** fig. Lo más vil y despreciable. ‖ **6.** *Amer.* **atajo,** senda.

desedificación. (De *desedificar.*) f. fig. Mal ejemplo.

desedificar. (De *des-* y *edificar.*) tr. fig. Dar mal ejemplo.

deseducador, ra. adj. Que deseduca.

deseducar. tr. Hacer perder la educación.

deseguir. (De *de*[2] y *seguir.*) tr. ant. Seguir la parcialidad de una persona.

deselectrización. f. Acción y efecto de deselectrizar.

deselectrizar. (De *des-* y *electrizar.*) tr. Descargar de electricidad un cuerpo.

desselladura. f. Acción y efecto de desellar.

desellar. tr. Quitar el sello a las cartas, fardos u otras cosas.

desembalaje. m. Acción de desembalar.

desembalar. (De *des-* y *embalar.*) tr. Deshacer los fardos, quitar el forro o cubierta a las mercaderías o a otros efectos.

desembaldosar. tr. Quitar o arrancar las baldosas al suelo.

desembalsar. tr. Dar salida al agua contenida en un embalse, o a parte de ella.

desembalse. m. Acción y efecto de desembalsar.

desemballestar. intr. *Vol.* Disponerse a bajar el halcón cuando está remontado.

desembanastar. tr. Sacar de la banasta lo que estaba en ella. ‖ **2.** fig. Hablar mucho, sin reparo ni concierto. ‖ **3.** fig. y fam. Desnudar o desenvainar la espada u otra arma. ‖ **4.** prnl. fig. y fam. Salirse o soltarse el animal que estaba sujeto o encerrado. ‖ **5.** fig. y fam. **desembarcar,** salir de un carruaje.

desembarazadamente. adv. m. Sin embarazo o impedimento.

desembarazado, da. p. p. de **desembarazar.** ‖ **2.** adj. Despejado, libre; que no se embaraza fácilmente.

desembarazar. (De *des-* y *embarazar.*) tr. Quitar el impedimento que se opone a una cosa; dejarla libre y expedita. Ú. t. c. prnl. ‖ **2.** Evacuar, desocupar. ‖ **3.** prnl. fig. Apartar o separar alguien de sí lo que le estorba o incomoda para conseguir un fin.

desembarazo. (De *desembarazar.*) m. Acción y efecto de desembarazarse. ‖ **2.** Despejo, desenfado.

desembarcación. f. ant. **desembarco** o salida de una nave.

desembarcadero. m. Lugar destinado o que se elige para desembarcar.

desembarcar. (De *des-* y *embarcar.*) tr. Sacar de la nave y poner en tierra lo embarcado. ‖ **2.** intr. Salir de una embarcación. Ú. t. c. prnl. ‖ **3.** Terminar la escalera en la meseta en donde está la entrada de una habitación. ‖ **4.** fig. y fam. Salir de un carruaje. ‖ **5.** fig. Llegar a un lugar, ambiente cultural, organización política o empresa con la intención de iniciar o desarrollar una actividad. ‖ **6.** *Mar.* Dejar de pertenecer una persona a la dotación de un buque.

desembarco. m. Acción de desembarcar o salir de una embarcación. ‖ **2.** fig. Acción y efecto de desembarcar o llegar a un lugar. ‖ **3.** Meseta o descanso en donde termina la escalera y está la entrada de una habitación. ‖ **4.** *Mar.* Operación militar que realiza en tierra la dotación de un buque o de una escuadra, o las tropas que llevan.

desembargadamente. adv. m. p. us. Libremente, sin impedimento.

desembargador. (De *desembargar.*) m. Magistrado supremo y del Consejo del Rey, que había en Portugal.

desembargar. (De *des-* y *embargar.*) tr. Quitar el impedimento u obstáculo. ‖ **2.** ant. **evacuar el vientre.** ‖ **3.** *Der.* Alzar el embargo o secuestro.

desembargo. m. En el Consejo de Hacienda, carta de libramiento que se solía dar por cierto número de años para que se pagasen los réditos de un juro, entretanto que se despachaba privilegio en forma. ‖ **2.** *Der.* Acción y efecto de desembargar o alzar el embargo.

desembarque. m. Acción y efecto de desembarcar.

desembarrancar. (De *des-* y *embarrancar.*) tr. Sacar a flote la nave que está varada. Ú. t. c. intr.

desembarrar. tr. Limpiar, quitar el barro.

desembaular. tr. Sacar lo que está en un baúl. ‖ **2.** fig. Sacar lo que está guardado en caja, talego u otra cosa. ‖ **3.** intr. fig. y fam. Desahogarse uno comunicando a otro lo que le causa pena.

desembebecerse. (De *des-* y *embebecer.*) prnl. Recobrarse de la enajenación y arrobamiento de los sentidos.

desembelesarse. (De *des-* y *embelesar.*) prnl. Salir del embelesamiento.

desemblantado, da. (De *desemblante.*) adj. p. us. Que tiene demudado el semblante.

desemblantarse. prnl. p. us. **demudarse.**

desemblante. (De *des-* y *semblante.*) adj. ant. **desemejante.**

desemblanza. (De *des-* y *semblanza.*) f. ant. **desemejanza.**

desembocadero. (De *desembocar.*) m. **desembocadura** de un río o canal. ‖ **2.** Abertura o estrecho por donde se sale de un punto a otro, como calle, camino, etc.

desembocadura. f. Paraje por donde un río, un canal, etc., desemboca en otro, en el mar o en un lago. Ú. t. en sent. fig. ‖ **2. desembocadero** de una calle, camino, etc.

desembocar. (De *des-* y *embocar.*) intr. Salir como por una boca o estrecho. ‖ **2.** Entrar, desaguar un río o canal, etc., en otro, en el mar o en un lago. ‖ **3.** Tener una calle salida a otra, a una plaza o a otro lugar. ‖ **4.** Concluir, alcanzar un desenlace.

desembojadera. f. Mujer dedicada a desembojar.

desembojar. (De *des-* y *embojar.*) tr. Quitar de las bojas los capullos de seda.

desembolsar. tr. Sacar lo que está en la bolsa. ‖ **2.** fig. Pagar o entregar una cantidad de dinero.

desembolso. (De *desembolsar.*) m. fig. Entrega de una porción de dinero efectivo y al contado. ‖ **2.** Dispendio, gasto, coste.

desemboque. (De *desembocar.*) m. **desembocadero.**

desemborrachar. (De *des-* y *emborrachar.*) tr. **desembriagar.** Ú. t. c. prnl.

desemboscarse. prnl. Salir del bosque, espesura o emboscada.

desembotar. (De *des-* y *embotar.*) tr. fig. Hacer que lo que estaba embotado deje de estarlo. DESEMBOTAR *el entendimiento.* Ú. t. c. prnl.

desembozado, da. p. p. de **desembozar.** ‖ **2.** adj. Dícese de lo que se hace sin **embozo,** recato.

desembozar. tr. Quitar a alguien el embozo. Ú. t. c. prnl.

desembozo. m. Acción de desembozar o desembozarse.

desembragar. tr. *Mec.* Desconectar del eje motor un mecanismo.
desembrague. m. Acción y efecto de desembragar.
desembrar. (Del lat. *disseminãre.*) tr. ant. **diseminar.** Usáb. t. c. prnl.
desembravecer. tr. Amansar, domesticar, quitar la braveza. Ú. t. c. prnl.
desembravecimiento. m. Acción y efecto de desembravecer o desembravecerse.
desembrazar. tr. Quitar o sacar del brazo una cosa. ‖ **2.** Arrojar o despedir un arma u otra cosa con la mayor violencia y fuerza del brazo.
desembriagar. tr. Quitar la embriaguez. Ú. t. c. prnl.
desembridar. tr. Quitar a una cabalgadura las bridas.
desembrollar. tr. fam. Desenredar, aclarar.
desembrozar. (De *des-*, *en-* y *broza.*) tr. **desbrozar.**
desembrujar. tr. Deshacer el embrujamiento o hechizo de que alguien se supone víctima.
desembuchar. tr. Echar o expeler las aves lo que tienen en el buche. ‖ **2.** fig. y fam. Decir alguien todo cuanto sabe y tenía callado.
desemejable. adj. desus. Terrible, desfigurado, muy feo. ‖ **2.** ant. **desemejante.**
desemejado, da. adj. ant. **desemejable.**
desemejante. adj. Diferente, no semejante.
desemejanza. f. Diferencia, diversidad.
desemejar. (De *des-* y *semejar.*) intr. No parecerse una cosa a otra de su especie; diferenciarse de ella. ‖ **2.** tr. Desfigurar, mudar de figura. ‖ **3.** ant. **disfrazar.**
desempacar. (De *des-* y *empacar.*) tr. Sacar las mercaderías de las pacas en que van.
desempacarse. (De *des-* y *empacarse.*) prnl. Aplacarse, mitigarse, desenojarse.
desempachar. tr. Quitar el empacho del estómago. Ú. m. c. prnl. ‖ **2.** ant. **despachar,** abreviar y concluir un negocio. ‖ **3.** Resolver y determinar las causas. ‖ **4.** prnl. fig. Desembarazarse, perder el empacho o encogimiento.
desempacho. (De *desempachar.*) m. fig. Desahogo, desenfado.
desempalagar. (De *des-* y *empalagar.*) tr. Quitar el empalago o hastío causados por la comida o bebida. Ú. t. c. prnl. ‖ **2.** Dejar libre el molino del agua estancada. Ú. t. c. prnl.
desempañar. tr. Limpiar el cristal o cualquier otra cosa lustrosa que estaba empañada. ‖ **2.** Quitar las envolturas o pañales con que están vestidos los niños. Ú. t. c. prnl.
desempapelar. tr. Quitar a una cosa el papel en que estaba envuelta o a una habitación el que revestía y adornaba sus paredes.
desempaque. m. Acción y efecto de desempacar.
desempaquetar. tr. Desenvolver lo que estaba en uno o más paquetes.
desemparejado, da. p. p. de **desemparejar.** ‖ **2.** adj. Desigualado, no parejo.
desemparejar. tr. Desigualar lo que estaba o iba igual y parejo. Ú. t. c. prnl.
desemparentado, da. adj. Sin parientes.
desemparvar. (De *des-* y *emparvar.*) tr. Recoger la parva, formando montón.
desempastelar. tr. *Impr.* Deshacer un pastel, colocando cada letra o línea en su lugar correspondiente.
desempatar. tr. Deshacer el empate en una votación o en una competición. Ú. t. c. intr.
desempate. m. Acción y efecto de desempatar.
desempavonar. tr. **despavonar.**
desempedrador. m. El que desempiedra.
desempedrar. tr. Desencajar y arrancar las piedras de un empedrado. ‖ **2.** fig. Correr desenfrenadamente. ‖ **3.** fig. Pasear con mucha frecuencia una calle u otro lugar empedrado.
desempegar. tr. Quitar el baño de pez a una tinaja, pellejo u otra cosa.
desempeñamiento. m. ant. **desempeño.**
desempeñar. tr. Sacar lo que estaba en poder de otro en garantía de un préstamo, pagando la cantidad acordada. ‖ **2.** Libertar a alguien de los empeños o deudas que tenía contraídos. Ú. t. c. prnl. ‖ **3.** Cumplir las obligaciones inherentes a una profesión, cargo u oficio; ejercerlos. ‖ **4.** Sacar a alguien airoso del empeño o lance en que se hallaba. Ú. t. c. prnl. ‖ **5.** Ejecutar lo ideado para una obra literaria o artística. ‖ **6.** prnl. En las corridas de rejones, apearse el lidiador para herir al animal con la espada. ‖ **7.** *Amér.* Actuar, trabajar, dedicarse a una actividad satisfactoriamente. Ú. t. c. prnl.
desempeño. m. Acción y efecto de desempeñar o desempeñarse.
desempeorarse. prnl. p. us. Fortalecerse, recuperarse.
desempercudir. tr. *Cuba.* Despercudir la ropa, lavarla, limpiarla de la suciedad.
desemperezar. intr. Desechar o sacudir la pereza. Ú. t. c. prnl.
desempernar. tr. *Mar.* Sacar o echar fuera los pernos con que están sujetas las piezas de construcción.
desempleado, da. adj. Que se halla en situación de paro forzoso. Ú. t. c. s.
desempleo. (De *des-* y *empleo.*) m. Paro forzoso.
desempolvadura. f. Acción y efecto de desempolvar o desempolvarse.
desempolvar. tr. Quitar el polvo. Ú. t. c. prnl. ‖ **2.** fig. Traer a la memoria algo ya olvidado o utilizar lo que se desechó mucho tiempo antes.
desempolvoradura. f. Acción y efecto de desempolvorar o desempolvorarse.
desempolvorar. tr. **desempolvar.** Ú. t. c. prnl.
desemponzoñar. tr. Libertar a alguien del daño causado por la ponzoña, o quitar a una cosa sus cualidades ponzoñosas.
desempotrar. tr. Sacar una cosa de donde estaba empotrada.
desempozar. tr. Sacar lo que está empozado.
desempulgadura. f. Acción de desempulgar.
desempulgar. tr. ant. Quitar de las empulgueras la cuerda de la ballesta. ‖ **2.** *Cetr.* Soltar de las pihuelas al ave de presa, para lanzarla sobre la pieza que ha de cobrar.
desempuñar. tr. Dejar de empuñar.
desenalbardar. tr. Quitar la albarda; desaparejar las bestias.
desenamorar. tr. Hacer perder el amor que se tiene a una persona o cosa, o deponer el afecto que se le tenía. Ú. m. c. prnl.
desenastar. (De *des-* y *enastar.*) tr. Quitar el asta o mango a un arma o a una herramienta.
desencabalgado, da. p. p. de **desencabalgar.** ‖ **2.** adj. ant. Decíase del que estaba desmontado.
desencabalgar. tr. Desmontar una pieza de artillería.
desencabestrar. (De *des-* y *encabestrar.*) tr. Sacar la mano o el pie de la bestia que se ha enredado en el cabestro.
desencadenamiento. m. Acción y efecto de desencadenar o desencadenarse.
desencadenar. tr. Quitar la cadena al que está con ella amarrado. ‖ **2.** fig. Romper o desunir el vínculo de las cosas inmateriales. ‖ **3.** Originar o producir movimientos impetuosos de fuerzas naturales. *El viento* DESENCADENÓ *fuerte oleaje.* Ú. t. c. prnl. ‖ **4.** Originar, provocar o dar salida a movimientos del ánimo, hechos o series de he-

chos, generalmente apasionados o violentos. *Aquella frase* DESENCADENÓ *entusiastas aplausos y airadas protestas. La muerte de César* DESENCADENÓ *una nueva guerra civil.* Ú. t. c. prnl.

desencajadura. (De *desencajar.*) f. Parte o sitio que queda sin unión cuando se quita la trabazón o encaje.

desencajamiento. m. Acción y efecto de desencajar o desencajarse.

desencajar. tr. Sacar de su lugar una cosa, desunirla del encaje o trabazón que tenía con otra. Ú. t. c. prnl. ‖ **2.** prnl. Desfigurarse, descomponerse el semblante por enfermedad o por pasión del ánimo.

desencaje. m. **desencajamiento.**

desencajonamiento. m. Acción y efecto de desencajonar.

desencajonar. tr. Sacar lo que está dentro de un cajón. ‖ **2.** *Taurom.* Hacer salir a los toros de los cajones en que han sido transportados a la plaza.

desencalabrinar. tr. Quitar a alguien el aturdimiento y encalabrinamiento de cabeza. Ú. t. c. prnl.

desencalcar. (De *des-*, *en-* y *calco.*) tr. Aflojar lo que estaba recalcado o apretado.

desencallar. tr. Poner a flote una embarcación encallada. Ú. t. c. intr.

desencaminar. tr. **descaminar,** apartar a alguien del camino o disuadirle de sus buenos propósitos.

desencantado, da. p. p. de **desencantar** o **desencantarse.** ‖ **2.** adj. Decepcionado, desengañado.

desencantamiento. m. **desencanto.**

desencantar. tr. Deshacer el encanto. Ú. t. c. prnl. ‖ **2.** Decepcionar, desilusionar. Ú. t. c. prnl.

desencantaración. f. Acción y efecto de desencantarar.

desencantarar. tr. ant. Sacar del cántaro el nombre o nombres metidos en él para una elección por insaculación o por suerte. ‖ **2.** Excluir de esta elección o sorteo, por algún motivo legítimo, determinados nombres.

desencanto. m. Decepción, desilusión.

desencapar. tr. *Ar.* Romper la costra de la tierra, formada después de las lluvias y que impide el nacimiento de algunas plantas.

desencapillar. tr. *Mar.* Zafar o desprender lo que está encapillado. Ú. t. c. prnl.

desencapotadura. f. Acción y efecto de desencapotar o desencapotarse.

desencapotar. tr. Quitar el capote. Ú. t. c. prnl. ‖ **2.** fig. y fam. Descubrir, manifestar. ‖ **3.** *Equit.* Hacer que levante la cabeza el caballo que tiene por costumbre llevarla baja. ‖ **4.** prnl. fig. Dicho del cielo, del horizonte, etc., despejarse, aclararse. ‖ **5.** fig. Desenojarse, deponer el ceño.

desencaprichar. (De *des-* y *encapricharse.*) tr. Desimpresionar, disuadir a alguien de un error, tema o capricho. Ú. m. c. prnl.

desencarcelar. tr. **excarcelar.**

desencarecer. tr. p. us. **abaratar.** Ú. t. c. intr. y c. prnl.

desencargar. tr. Revocar un encargo. ‖ **2.** ant. **descargar,** quitar o aliviar la carga.

desencarnar. tr. *Mont.* Quitar a los perros el cebo de las reses muertas, para que no se encarnicen. ‖ **2.** fig. Perder la afición a una cosa, desprenderse de ella.

desencasadura. (De *desencasar.*) f. ant. **desencajadura.**

desencasar. tr. ant. **desencajar.**

desencastillar. (De *des-* y *encastillarse.*) tr. Echar de un castillo o fortaleza a la gente que lo defendía. ‖ **2.** fig. Franquear, manifestar, aclarar lo oculto. Ú. t. c. prnl.

desencentrar. (De *des-*, *en-* y *centro.*) tr. ant. **descentrar.**

desencerrar. tr. Sacar del encierro; franquear la salida a lo que estaba encerrado. ‖ **2.** Abrir lo que estaba cerrado. ‖ **3.** fig. Descubrir, manifestar lo que estaba escondido, oculto o ignorado.

desencintar. tr. Quitar las cintas con que estaba atada o adornada una cosa. ‖ **2.** Quitar el encintado a un pavimento.

desenclavar. tr. **desclavar.** ‖ **2.** fig. Sacar a alguien con violencia del sitio en que está.

desenclavijar. (De *des-* y *enclavijar.*) tr. Quitar las clavijas. DESENCLAVIJAR *el arpa.* ‖ **2.** fig. Desasir, desencajar, apartar.

desencofrado, da. p. p. de **desencofrar.** ‖ **2.** m. Acción y efecto de desencofrar.

desencofrar. tr. Quitar el encofrado.

desencoger. tr. Extender, estirar y dilatar lo que estaba doblado, arrollado o encogido. ‖ **2.** prnl. fig. Esparcirse, perder el encogimiento.

desencogimiento. m. Acción de desencoger. ‖ **2.** fig. Desembarazo, desenfado, despejo.

desencoladura. f. Acción y efecto de desencolar o desencolarse.

desencolar. tr. Despegar lo que estaba pegado con cola. Ú. t. c. prnl.

desencolerizar. tr. Apaciguar al que está encolerizado. Ú. t. c. prnl.

desenconamiento. m. **desencono.**

desenconar. tr. Mitigar, templar, quitar la inflamación o encendimiento. Ú. t. c. prnl. ‖ **2.** fig. Desahogar el ánimo enconado. Ú. t. c. prnl. ‖ **3.** fig. Moderar, corregir el encono o enojo. Ú. t. c. prnl. ‖ **4.** prnl. Hacerse suave una cosa, perdiendo la aspereza.

desencono. m. Acción y efecto de desenconar o desenconarse, desahogar el ánimo o moderar el enojo.

desencordar. tr. Quitar las cuerdas a un instrumento. Se usa comúnmente referido a los de música.

desencordelar. tr. Quitar los cordeles a una cosa atada o sujeta con ellos.

desencorvar. tr. Enderezar lo que está encorvado o torcido.

desencovar. tr. Sacar una cosa o hacer salir a un animal de una cueva.

desencrespar. tr. Abatir o deshacer lo enrizado o encrespado. Ú. t. c. prnl.

desencuadernado, da. p. p. de **desencuadernar.** ‖ **2.** m. fig. p. us. **baraja,** conjunto de naipes.

desencuadernar. tr. Deshacer lo encuadernado; como un cuaderno o un libro. Ú. t. c. prnl.

desencuentro. m. Encuentro fallido o decepcionante. ‖ **2.** Desacuerdo.

desenchufar. tr. Separar o desacoplar lo que está enchufado.

desend. adv. l. y t. ant. **desende.** ‖ **2.** ant. **luego.**

desende. (De las preps. lats. *de* y *ex* y el adv. *inde.*) adv. l. y t. ant. **desdende.**

desendemoniar. tr. Expulsar los demonios del cuerpo de una persona.

desendiablar. tr. **desendemoniar.**

desendiosar. tr. fig. Abatir y ajar la vanidad y altanería del que, por ser o creerse superior a los demás, se hace intratable o inaccesible. Ú. t. c. prnl.

desenfadaderas. (De *desenfadar.*) f. pl. fam. Recursos para salir de dificultades o libertarse de alguna opresión. Ú. comúnmente con el verbo *tener.*

desenfadado, da. p. p. de **desenfadar.** ‖ **2.** adj. Desembarazado, libre. ‖ **3.** Dicho de un sitio o lugar, ancho, espacioso, capaz.

desenfadar. tr. Desenojar, quitar el enfado. Ú. t. c. prnl.

desenfado. (De *desenfadar.*) m. Desenvoltura, despejo y desembarazo. ‖ **2.** Diversión o desahogo del ánimo.

desenfaldar. tr. Bajar el enfaldo. Ú. t. c. prnl.
desenfardar. tr. Abrir y desatar los fardos.
desenfardelar. tr. **desenfardar.**
desenfilar. tr. *Mar.* y *Mil.* Poner las tropas, fuertes y buques a cubierto de los tiros directos del enemigo. Ú. t. c. prnl.
desenfocar. tr. Perder o hacer perder el enfoque. Ú. t. c. intr. y c. prnl.
desenfoque. m. Falta de enfoque o enfoque defectuoso.
desenfrailar. intr. Dejar de ser fraile; secularizarse. ‖ **2.** fig. y fam. Salir una persona de la opresión y sujeción en que estaba. ‖ **3.** fig. y fam. Cesar en ocupaciones y negocios por algún tiempo.
desenfrenación. f. ant. **desenfreno.**
desenfrenado, da. p. p. de **desenfrenar.** ‖ **2.** adj. Dícese del que se comporta sin moderación y con violencia. Ú. t. c. s.
desenfrenamiento. m. **desenfreno.**
desenfrenar. tr. Quitar el freno a las caballerías. ‖ **2.** prnl. fig. Desmandarse, entregarse desordenadamente a los vicios y maldades. ‖ **3.** fig. Desencadenarse alguna fuerza bruta.
desenfreno. m. fig. Acción y efecto de desenfrenarse. ‖ **de vientre.** Flujo precipitado del vientre.
desenfundar. tr. Quitar la funda a una cosa. ‖ **2.** Sacar una cosa de su funda.
desenfurecer. tr. Hacer deponer el furor. Ú. t. c. prnl.
desenfurruñar. tr. Desenfadar, desenojar, quitar el enfurruñamiento. Ú. t. c. prnl.
desenganchar. tr. Soltar; desprender una cosa que está enganchada. Ú. t. c. prnl. ‖ **2.** Quitar de un carruaje las caballerías de tiro.
desenganche. m. Acción y efecto de desenganchar.
desengañadamente. adv. m. Claramente, sin recelo ni engaño. ‖ **2.** fig. y fam. Malamente, con desaliño y poco acierto. *Bien* DESENGAÑADAMENTE *lo ha hecho.*
desengañado, da. p. p. de **desengañar.** ‖ **2.** adj. Desilusionado, falto de esperanza. ‖ **3.** Experimentado o curtido por los desengaños. ‖ **4.** ant. fig. y fam. Despreciable y malo.
desengañador, ra. adj. Que desengaña. Ú. t. c. s.
desengañamiento. m. ant. **desengaño.**
desengañar. tr. Hacer reconocer el engaño o el error. Ú. t. c. prnl. ‖ **2.** Quitar esperanzas o ilusiones.
desengañilar. (De *des-*, *en-* y *gañil.*) tr. Desasir, apartar al que tiene agarrado a otro de los gañiles.
desengaño. m. Conocimiento de la verdad, con que se sale del engaño o error en que se estaba. ‖ **2.** Efecto de ese conocimiento en el ánimo. ‖ **3.** Palabra, juicio o expresión que se dice a alguien echándole en cara alguna falta. ‖ **4.** pl. Lecciones recibidas por experiencias amargas.
desengarrafar. (De *des-* y *engarrafar.*) tr. desus. Desprender y soltar lo que se tiene asido con los dedos encorvados en figura de garra.
desengarzar. tr. Deshacer el engarce; desprender lo que está engarzado y unido. Ú. t. c. prnl.
desengastar. tr. Sacar una cosa de su engaste.
desengavetar. tr. *Guat.* Sacar algo que estaba guardado desde hacía tiempo en una gaveta.
desengomar. tr. **desgomar.**
desengoznar. tr. **desgoznar.** Ú. t. c. prnl.
desengranar. tr. Quitar o soltar el engranaje de alguna cosa con otra.
desengrasar. tr. Quitar la grasa. ‖ **2.** intr. fam. **enflaquecer,** perder carnes. ‖ **3.** fig. Neutralizar los efectos de una comida grasa con frutas, sorbetes, etc.
desengrase. m. Acción y efecto de desengrasar.
desengrilletar. tr. *Mar.* Zafar un grillete a una cadena.
desengrosar. tr. Adelgazar, enflaquecer. Ú. t. c. intr.
desengrudamiento. m. Acción y efecto de desengrudar.
desengrudar. tr. Quitar el engrudo. Ú. t. c. prnl.
desenguantarse. prnl. Quitarse los guantes.
desenhadamiento. (De *desenhadar.*) m. ant. **desenfado.**
desenhadar. (De *des-* y *enhadar.*) tr. ant. **desenfadar.** Usáb. t. c. prnl.
desenhastiar. (De *des-* y *enhastiar.*) tr. ant. Quitar el hastío.
desenhebrar. tr. Sacar la hebra de la aguja. Ú. t. c. prnl.
desenhechizar. (De *des-* y *enhechizar.*) tr. ant. **deshechizar.**
desenhetrable. (De *desenhetrar.*) adj. ant. Aplicábase al cabello que se podía desenredar o desenmarañar.
desenhetramiento. m. ant. Acción de desenhetrar.
desenhetrar. (De *des-* y *enhetrar.*) tr. desus. Desenredar o desenmarañar el cabello.
desenhornar. (De *des-* y *enhornar.*) tr. Sacar del horno una cosa que se había introducido en él para cocerla.
desenjaezar. tr. Quitar los jaeces al caballo.
desenjalmar. tr. Quitar la enjalma a una bestia.
desenjaular. tr. Sacar de la jaula.
desenlabonar. tr. **deseslabonar.**
desenlace. m. Acción y efecto de desenlazar o desenlazarse.
desenladrillado. m. Acción y efecto de desenladrillar.
desenladrillar. tr. Quitar o arrancar los ladrillos del suelo.
desenlazar. tr. Desatar los lazos; desasir y soltar lo que está atado con ellos. Ú. t. c. prnl. ‖ **2.** fig. Dar solución a un asunto o a una dificultad. ‖ **3.** fig. Resolver la trama de una obra dramática, narrativa o cinematográfica, hasta llegar a su final. Ú. t. c. prnl.
desenlodar. tr. Quitar el lodo a una cosa.
desenlosar. tr. Deshacer el enlosado, levantando las losas.
desenlustrar. tr. ant. **deslustrar.**
desenlutar. tr. Quitar el luto. Ú. t. c. prnl.
desenmallar. (De *des-* y *enmallarse.*) tr. Sacar de la malla el pescado.
desenmarañar. tr. Desenredar, deshacer el enredo o maraña. ‖ **2.** fig. Poner en claro una cosa que estaba oscura y enredada.
desenmascaradamente. adv. m. Públicamente y con descaro.
desenmascarar. tr. Quitar la máscara. Ú. t. c. prnl. ‖ **2.** fig. Dar a conocer tal como es moralmente una persona, descubriendo los propósitos, sentimientos, etc., que procura ocultar.
desenmohecer. (De *des-* y *enmohecer.*) tr. Limpiar, quitar el moho. Dicho de personas, ú. t. c. prnl. y en sent. fig.
desenmudecer. (De *des-* y *enmudecer.*) intr. Libertarse del impedimento natural que se tenía para hablar. Ú. t. c. tr. ‖ **2.** fig. Romper el silencio que se había guardado mucho tiempo.
desenojar. tr. Aplacar, sosegar, hacer perder el enojo. Ú. t. c. prnl. ‖ **2.** prnl. fig. p. us. Esparcir el ánimo.
desenojo. m. Abandono o cese del enojo.
desenojoso, sa. (De *desenojar.*) adj. Que basta para quitar cualquier enojo o fastidio.
desenquietar. (De *des-*, *en-* y *quieto.*) tr. ant. **inquietar,** quitar el sosiego o la quietud.
desenrazonado, da. (De *des-*, *en* y *razonado.*) adj. ant. Que carece de razón.
desenredar. tr. Deshacer el enredo. ‖ **2.** fig. Poner en

orden y sin confusión cosas que estaban desordenadas. ‖ **3.** prnl. Desenvolverse, salir de una dificultad.

desenredo. m. Acción y efecto de desenredar o desenredarse. ‖ **2.** **desenlace.**

desenrizar. tr. **desrizar.**

desenrollar. tr. **desarrollar,** o extender lo que está arrollado. Ú. t. c. prnl.

desenronar. tr. *Ar.* y *Nav.* Quitar la enrona.

desenroscar. tr. Extender lo que está enroscado. Ú. t. c. prnl. ‖ **2.** Sacar de su asiento lo que está introducido a vuelta de rosca.

desenrudecer. tr. Quitar la rudeza; mejorar, pulir, afinar. Ú. t. c. prnl.

desensamblar. tr. Separar o desunir las piezas de madera ensambladas. Ú. t. c. prnl.

desensañar. (De *des-* y *ensanar.*) tr. Hacer deponer la saña. Ú. t. c. prnl.

desensartar. tr. Deshacer la sarta; desprender o soltar lo ensartado. Usáb. t. c. prnl.

desensebar. tr. Quitar el sebo a un animal en vivo. ‖ **2.** intr. fig. Variar de ocupación o ejercicio para hacer más llevadero el trabajo. ‖ **3.** fig. **desengrasar,** neutralizar las comidas grasas.

desenseñamiento. (De *desenseñar.*) m. ant. Falta de enseñanza, ignorancia.

desenseñar. (De *des-* y *enseñar.*) tr. Corregir una enseñanza equivocada por medio de otra propia y acertada.

desensillar. tr. Quitar la silla a una caballería.

desensoberbecer. tr. Hacer deponer la soberbia. Ú. t. c. prnl.

desensortijado, da. adj. Dícese de los rizos del pelo cuando se deshacen. ‖ **2.** Aplícase al hueso que está fuera de su lugar.

desentablar. tr. Arrancar las tablas del lugar donde están clavadas, o deshacer el tablado. ‖ **2.** fig. Descomponer, alterar el orden o composición de una cosa. ‖ **3.** Deshacer, desconcertar un negocio, trato o amistad.

desentalingar. (De *des-* y *entalingar.*) tr. *Mar.* Zafar el cable o cadena del arganeo del ancla.

desentarimar. tr. Quitar el entarimado.

desentechar. tr. *Amér. Central, Col.* y *Ecuad.* Destechar.

desentejar. tr. *Amér. Central, Col., Ecuad.* y *Venez.* Destejar.

desentenderse. prnl. Fingir que no se entiende una cosa; afectar ignorancia. ‖ **2.** Prescindir de un asunto o negocio; no tomar parte en él.

desentendido, da. p. p. de **desentenderse.** ‖ **2.** adj. ant. **ignorante.**

desentendimiento. m. ant. Desacierto, despropósito, ignorancia.

desenterrador. m. El que desentierra.

desenterramiento. m. Acción y efecto de desenterrar.

desenterrar. tr. Exhumar, descubrir, sacar lo que está debajo de tierra. ‖ **2.** fig. Traer a la memoria lo olvidado y como sepultado en el silencio.

desentido, da. (De *des-* y *sentido.*) adj. ant. Loco o necio.

desentierramuertos. (De *desenterrar* y *muerto.*) com. fig. y fam. Persona que tiene el vicio de infamar la memoria de los muertos.

desentierro. m. **desenterramiento.**

desentoldar. tr. Quitar los toldos. ‖ **2.** fig. Despojar de su adorno y compostura una cosa.

desentollecer. (De *des-* y *entullecer.*) tr. ant. Restituir a los nervios el uso perdido por algún accidente. Usáb. t. c. prnl. ‖ **2.** ant. fig. Librar de estorbos, impedimentos o daños.

desentonación. f. **desentono.**

desentonamiento. m. **desentono.**

desentonar. tr. Abatir el entono de alguien o humillar su orgullo. ‖ **2.** intr. Contrastar una persona o cosa con su entorno, por no estar acorde o en armonía con él. Ú. t. c. prnl. ‖ **3.** *Mús.* Subir o bajar la entonación de la voz o de un instrumento fuera de oportunidad. ‖ **4.** prnl. fig. Levantar la voz, descomponerse, faltando al respeto.

desentono. (De *desentonar.*) m. Desproporción en el tono de la voz. ‖ **2.** fig. Descompostura y descomedimiento en el tono de la voz.

desentornillar. tr. **desatornillar.**

desentorpecer. tr. Sacudir la torpeza o el pasmo. DESENTORPECER *el pie, el brazo.* Ú. t. c. prnl. ‖ **2.** Hacer capaz al que antes era torpe o rudo. Ú. t. c. prnl.

desentrampar. tr. fam. **desempeñar,** libertar al que está empeñado. Ú. m. c. prnl.

desentrañamiento. m. Acción de desentrañar o desentrañarse.

desentrañar. tr. Sacar, arrancar las entrañas. ‖ **2.** fig. Averiguar, penetrar lo más dificultoso y recóndito de una materia. ‖ **3.** prnl. fig. Desapropiarse alguien de cuanto tiene, dándoselo a otro en prueba de amor y cariño.

desentrenamiento. m. Acción y efecto de desentrenarse.

desentrenar. (De *des-* y *entrenar.*) tr. Hacer perder el entrenamiento adquirido. Ú. t. c. prnl. y m. en p. p. *Estoy* DESENTRENADO.

desentronizar. tr. **destronar.** ‖ **2.** fig. Deponer a alguien de la autoridad que tenía o la estima de que gozaba.

desentropezar. (De *des-* y *entropezar.*) tr. ant. Desembarazar, quitar tropiezos.

desentumecer. tr. Hacer que un miembro entorpecido recobre su agilidad y soltura. Ú. t. c. prnl.

desentumecimiento. m. Acción y efecto de desentumecer o desentumecerse.

desentumir. (De *des-* y *entumirse.*) tr. **desentumecer.** Ú. t. c. prnl.

desenvainar. tr. Sacar de la vaina la espada u otra arma blanca. ‖ **2.** fig. Sacar las uñas el animal que tiene garras. ‖ **3.** fig. y fam. p. us. Sacar lo que está oculto o encubierto con alguna cosa.

desenvelejar. (De *des-, en-* y *velaje.*) tr. *Mar.* Quitar el velaje o velamen al navío.

desenvendar. (De *des-, en-* y *venda.*) tr. p. us. **desvendar.**

desenvergar. tr. *Mar.* Desatar las velas que están envergadas.

desenvergonzadamente. adv. m. ant. **desvergonzadamente.**

desenviolar. (De *des-, en-* y *violar.*) tr. Purificar la iglesia o lugar sagrado que se violó o profanó.

desenvoltura. f. fig. Desembarazo, despejo, desenfado. ‖ **2.** fig. Impudicia, liviandad. ‖ **3.** fig. Despejo, facilidad y expedición en el decir.

desenvolvedor, ra. adj. Que desenvuelve, averigua o escudriña. Ú. t. c. s.

desenvolver. tr. Quitar la envoltura. Ú. t. c. prnl. ‖ **2.** Extender lo enrollado. ‖ **3.** fig. Descifrar, descubrir o aclarar una cosa que estaba oscura o enredada. DESENVOLVER *una cuenta, un negocio.* ‖ **4.** fig. **desarrollar,** acrecentar una cosa. ‖ **5.** fig. **desarrollar,** aplicar una teoría. Ú. t. c. prnl. ‖ **6.** ant. **agilizar.** ‖ **7.** prnl. fig. **desempachar,** desembarazarse. ‖ **8.** fig. Salir de una dificultad, empeño o lance. ‖ **9.** fig. Obrar con despejo y habilidad.

desenvolvimiento. m. Acción y efecto de desenvolver o desenvolverse.

desenvueltamente. adv. m. fig. Con desenvoltura. ‖ **2.** fig. Con claridad y diligencia.

desenvuelto, ta. p. p. irreg. de **desenvolver.** ‖ **2.** adj. fig. Que tiene desenvoltura.

desenzarzar. tr. Sacar de las zarzas una cosa que está enredada en ellas. Ú. t. c. prnl. ‖ **2.** fig. y fam. Separar o aplacar a los que riñen o disputan. Ú. t. c. prnl.

deseñar. (Del lat. *designāre,* señalar.) tr. ant. Hacer señas para dar noticia de algo.

deseño. m. ant. Designio.

deseo. (Del lat. *desidĭum.*) m. Movimiento enérgico de la voluntad hacia el conocimiento, posesión o disfrute de una cosa. ‖ **2.** Acción y efecto de desear. ‖ **3.** Cosa deseada. ‖ **arder en deseos de** algo. fr. fig. Anhelarlo con vehemencia. ‖ **coger a deseo** una cosa. fr. Lograr lo que se apetecía con vehemencia. ‖ **venir en deseo de** una cosa. fr. Desearla.

deseoso, sa. adj. Que desea o apetece.

desequido, da. (De *des-* y *seco.*) adj. p. us. **reseco,** demasiado seco.

desequilibrado, da. p. p. de **desequilibrar.** ‖ **2.** adj. Falto de sensatez y cordura, llegando a veces a parecer loco. Ú. t. c. s.

desequilibrar. tr. Hacer perder el equilibrio. Ú. t. c. prnl.

desequilibrio. m. Falta de equilibrio. ‖ **2.** Trastorno de la personalidad.

deserción. (Del lat. *desertĭo, -ōnis.*) f. Acción de desertar. ‖ **2.** *Der.* Desamparo o abandono que alguien hace de la apelación que tenía interpuesta.

deserrado, da. (De *des-* y *errado.*) adj. Libre de error.

desertar. (Del lat. *desertāre.*) intr. Desamparar, abandonar el soldado sus banderas. Ú. menos c. prnl. ‖ **2.** Por ext., abandonar las obligaciones o los ideales. ‖ **3.** fig. y fam. Abandonar las concurrencias que se solían frecuentar. ‖ **4.** *Der.* Separarse o abandonar la causa o apelación.

desértico, ca. (Del lat. *desertus,* desierto.) adj. **desierto,** despoblado, solo, inhabitado. ‖ **2.** Dícese de lo que es propio, perteneciente o relativo al desierto.

desertícola. adj. Que vive en parajes desiertos.

desertización. f. Acción y efecto de desertizar.

desertizar. tr. Convertir en desierto, por distintas causas, tierras, vegas, etc. Ú. t. c. prnl.

desertor, ra. (Del lat. *desertor, -ōris.*) adj. Que deserta. Ú. t. c. s. ‖ **2.** m. Soldado que desampara su bandera.

deservicio. m. Culpa que se comete contra alguien a quien hay obligación de servir.

deservidor, ra. (De *deservir.*) m. y f. Persona que falta a la obligación que tiene de servir a otro.

deservir. tr. desus. Faltar a la obligación que se tiene de obedecer a alguien y servirle.

desescombrar. tr. **escombrar.**

deseslabonar. tr. **deslabonar.**

desespaldar. tr. Herir la espalda, rompiéndola o descoyuntándola. Ú. t. c. prnl.

desespañolizar. tr. Quitar a las personas o a las cosas la condición o el carácter de lo que es español. Ú. t. c. prnl.

desesperación. (De *desesperar.*) f. Pérdida total de la esperanza. ‖ **2.** fig. Alteración extrema del ánimo causada por cólera, despecho o enojo. ‖ **3.** La persona o cosa que provoca esas emociones.

desesperado, da. p. p. de **desesperar.** ‖ **2.** adj. Poseído por la desesperación. Ú. t. c. s. ‖ **a la desesperada.** loc. adv. Acudiendo a remedios extremos para lograr lo que no parece posible de otro modo.

desesperamiento. (De *desesperar.*) m. ant. **desesperación.**

desesperante. p. a. de **desesperar.** Que desespera. ‖ **2.** adj. Que produce impaciencia, exasperación o irritación.

desesperanza. f. Falta de esperanza. ‖ **2.** Estado del ánimo en que se ha desvanecido la esperanza. ‖ **3.** ant. **desesperación,** alteración extrema del ánimo.

desesperanzador, ra. (De *desesperanzar.*) adj. Que quita la esperanza.

desesperanzar. tr. Quitar la esperanza. ‖ **2.** prnl. Quedarse sin esperanza.

desesperar. (De *des-* y *esperar.*) tr. **desesperanzar.** Ú. t. c. intr. y c. prnl. ‖ **2.** fam. Impacientar, exasperar. Ú. t. c. prnl. ‖ **3.** prnl. p. us. Despecharse, intentando quitarse la vida, o quitándosela en efecto.

desespero. m. **desesperanza.**

desestabilizador, ra. adj. Que desestabiliza. Dícese especialmente de lo que compromete o perturba una situación económica, política, etc.

desestabilizar. tr. Comprometer o perturbar la estabilidad. Ú. t. c. prnl.

desestancar. tr. Dejar libre lo que está estancado.

desestanco. m. Acción y efecto de desestancar.

desestañar. tr. Quitar a una cosa el estaño con que está soldada o bañada. Ú. t. c. prnl.

desesterar. tr. Levantar o quitar las esteras.

desestero. m. Acción y efecto de desesterar. ‖ **2.** Días en que se desestera.

desestiba. f. Acción y efecto de desestibar.

desestibar. tr. Sacar el cargamento de la bodega de un barco y disponerlo para la descarga.

desestima. (De *desestimar.*) f. **desestimación.**

desestimación. f. Acción y efecto de desestimar.

desestimador, ra. adj. Que desestima o hace poco aprecio. Ú. t. c. s.

desestimar. tr. No hacer bastante aprecio de alguien o de algo. ‖ **2.** Denegar, desechar.

desfacción. (Del lat. *dis-*, des-, y *factĭo, -ōnis.*) f. ant. Acción y efecto de deshacer o deshacerse.

desfacedor, ra. (De *desfacer.*) adj. ant. **deshacedor.** Usáb. t. c. s. ‖ **de entuertos.** fam. e irón. **deshacedor de agravios.**

desfacer. (De *des-* y *facer.*) tr. p. us. **deshacer.** Ú. t. c. prnl.

desfacimiento. (De *desfacer.*) m. ant. Daño, detrimento, menoscabo, ruina o destrucción.

desfachatado, da. (Del it. *sfacciato.*) adj. fam. Descarado, desvergonzado.

desfachatez. (Del it. *sfacciatezza.*) f. fam. Descaro, desvergüenza.

desfajar. tr. Quitar a una persona o cosa la faja con que estaba ceñida o atada. Ú. t. c. prnl.

desfalcación. f. ant. **desfalco.**

desfalcador, ra. adj. Que desfalca. Ú. t. c. s.

desfalcar. (Del it. *defalcare.*) tr. Quitar parte de una cosa, descabalarla. ‖ **2.** Tomar para sí un caudal que se tenía bajo obligación de custodia. ‖ **3.** Derribar a alguien del favor, privanza o amistad que gozaba. ‖ **4.** ant. fig. Apartar, desviar a alguien del ánimo e intención en que estaba.

desfalco. m. Acción y efecto de desfalcar.

desfallecer. tr. p. us. Causar desfallecimiento o disminuir las fuerzas. ‖ **2.** intr. Desmayarse, decaer perdiendo el aliento y las fuerzas. ‖ **3.** ant. **faltar,** no existir o darse una calidad o circunstancia que debiera existir o darse.

desfallecimiento. (De *desfallecer.*) m. Disminución de ánimo, decaimiento del vigor y la fuerza; desmayo. ‖ **2.** ant. Extinción, fenecimiento.

desfamamiento. (De *desfamar.*) m. ant. Infamia, infamación.

desfamar. tr. ant. Declarar a alguien por infame. ‖ **2.** **difamar,** desacreditar a alguien dando a conocer cosas contra su fama.

desfasado, da. p. p. de **desfasar o desfasarse.** Ú. m. c. adj.

desfasar. tr. Producir una diferencia de fase. ‖ **2.** prnl. No ajustarse ni adaptarse una persona o cosa a las circunstancias, corrientes o condiciones del momento. Ú. m. en p. p.

desfase. m. **diferencia de fase.** ‖ **2.** fig. Acción y efecto de desfasarse.

desfavor. m. ant. **disfavor.**

desfavorable. adj. Poco favorable, perjudicial, contrario, adverso.

desfavorablemente. adv. m. Con disfavor, denegación o perjuicio.

desfavorecer. tr. Dejar de favorecer a alguien, desairarle. ‖ **2.** Contradecir, hacer oposición a una cosa, favoreciendo la contraria.

desfazado, da. (De *des-* y *faz,* cara.) adj. ant. **desfachatado.**

desfear. (Del lat. *defoedāre.*) tr. ant. **desfigurar** las facciones afeándolas. Usáb. t. c. prnl.

desfecho, cha. p. p. irreg. ant. de **desfacer.**

desferra. (De *des-* y *ferro.*) f. ant. Discordia, disensión, oposición de dictámenes o de voluntades.

desferrar. (De *des-* y *ferrar.*) tr. ant. Quitar los fierros.

desfianza. (De *des-* y *fianza.*) f. ant. **desconfianza.**

desfibrado. m. Acción de desfibrar.

desfibrador, ra. adj. Que desfibra. Apl. a pers., ú. t. c. s. ‖ **2.** f. Máquina para desfibrar materiales fibrosos.

desfibrar. tr. Quitar las fibras a las materias que las contienen; como las plantas textiles, maderas, etc.

desfibrinación. f. *Pat.* Destrucción o separación de la fibrina de la sangre.

desfiguración. f. Acción y efecto de desfigurar o desfigurarse.

desfiguramiento. m. **desfiguración.**

desfigurar. (Del lat. *defigurāre.*) tr. Desemejar, afear, ajar la composición, orden y hermosura del semblante y de las facciones. Ú. t. c. prnl. ‖ **2.** Disfrazar y encubrir con apariencia diferente el propio semblante, la intención u otra cosa. ‖ **3.** Oscurecer e impedir que se perciban las formas y figuras de las cosas. ‖ **4.** fig. Referir una cosa alterando sus verdaderas circunstancias. ‖ **5.** prnl. Inmutarse por un accidente o por alguna emoción fuerte.

desfijar. tr. p. us. Arrancar, quitar una cosa del sitio donde está fijada.

desfilachar. tr. **deshilachar.**

desfiladero. m. *Mil.* Paso estrecho por donde la tropa tiene que marchar desfilando. ‖ **2.** Paso estrecho entre montañas.

desfiladiz. m. ant. **filadiz.**

desfilar[1]**.** (De *des-* y *filo,* hilo.) tr. ant. **deshilar.**

desfilar[2]**.** (De *des-* y *fila.*) intr. Marchar gente en fila. ‖ **2.** fam. Salir varios, uno tras otro, de alguna parte. ‖ **3.** *Mil.* Marchar en orden y formación más reducida que la que hasta allí se traía. ‖ **4.** *Mil.* En ciertas funciones militares, como revistas, simulacros, etc., pasar las tropas por compañías, secciones o en otra forma, ante el jefe del Estado, ante el general que las manda, ante otro elevado personaje, ante un monumento memorable, etc.

desfile. m. Acción de desfilar[2].

desfiuciado, da. (De *des-* y *fiuciado,* p. p. de *fiuciar.*) adj. ant. Desconfiado. ‖ **2.** ant. Desahuciado.

desfiuza. (De *des-* y *fiucia.*) f. ant. **desconfianza.**

desfiuzar. (De *des-* y *fiuciar.*) tr. ant. **desahuciar,** quitar la esperanza. ‖ **2.** intr. ant. **desconfiar.**

desflaquecer. tr. desus. **enflaquecer.** Usáb. t. c. prnl.

desflaquecimiento. m. desus. **enflaquecimiento.**

desflecar. tr. Sacar flecos, destejiendo las orillas o extremos de una tela, cinta o cosa semejante.

desflemar. intr. Echar, expeler las flemas. ‖ **2.** tr. *Quím.* Quitar o separar la flema de un líquido espiritoso.

desflocar. (Del lat. *defloccāre.*) tr. **desflecar.**

desfloración. (Del lat. *defloratĭo, -ōnis.*) f. Acción y efecto de desflorar.

desfloramiento. m. Acción y efecto de desflorar o desvirgar.

desflorar. (Del lat. *deflorāre.*) tr. Ajar, quitar la flor o el lustre. ‖ **2. desvirgar.** ‖ **3.** fig. Referido a un asunto o materia, tratarlo superficialmente.

desflorecer. (Del lat. *deflorescere.*) intr. p. us. Perder la flor. Ú. t. c. prnl.

desflorecimiento. m. Acción y efecto de desflorecer.

desfogar. tr. Dar salida al fuego. ‖ **2.** Referido a la cal, apagarla. ‖ **3.** fig. Manifestar con vehemencia una pasión. Ú. t. c. prnl. ‖ **4.** intr. *Mar.* Resolverse una tempestad, un chubasco, etc., en viento, en agua o en ambas cosas a la vez.

desfogonar. tr. Quitar o romper el fogón a las piezas de artillería o a otras armas de fuego. Ú. m. c. prnl.

desfogue. m. Acción y efecto de desfogar o desfogarse, dar salida al fuego. ‖ **2.** Acción y efecto de **apagar la cal.**

desfollar. (Del lat. **exfŏllare.*) tr. ant. **desollar.**

desfollonar. (De *des-* y *follón.*) tr. Quitar a las plantas las hojas o vástagos inútiles.

desfondamiento. m. Acción y efecto de desfondar o desfondarse.

desfondar. tr. Quitar o romper el fondo a un vaso o caja. Ú. t. c. prnl. ‖ **2.** *Agr.* Dar a la tierra labores profundas, que a veces exceden de 30 ó 40 centímetros, a fin de hacerla más permeable, destruir las raíces perjudiciales y airear las capas inferiores. ‖ **3.** *Mar.* Romper, penetrar, agujerear el fondo de una nave. Ú. t. c. prnl. ‖ **4.** En competiciones deportivas, quitar fuerza o empuje. Ú. t. c. prnl.

desfonde. m. Acción y efecto de desfondar.

desforestar. tr. **deforestar.**

desformar. tr. **deformar.**

desfortalecer. tr. Demoler una fortaleza, o quitarle la guarnición.

desforzarse. (De *des-* y *forzar.*) prnl. p. us. Vengarse, desagraviarse, tomar satisfacción de un daño o injuria.

desfrenamiento. m. fig. p. us. **desenfreno.**

desfrenar. (Del lat. *defrenāre.*) tr. p. us. **desenfrenar.** Ú. t. c. prnl.

desfrez. m. ant. **desprez.**

desfrezar. tr. ant. **disfrazar.** Usáb. t. c. prnl.

desfruncir. tr. **desplegar** lo que está plegado o fruncido.

desfrutar. tr. desus. Privar de fruto a una planta antes de que llegue a sazón. Ú. t. c. intr. ‖ **2.** p. us. **disfrutar.**

desfrute. m. desus. **disfrute.**

desfuir. tr. ant. **defuir.**

desfundar. (De *des-* y *funda.*) tr. ant. **desenfundar.**

desga. (Del lat. *discus.*) f. En las encartaciones, artesa grande labrada en una sola pieza de madera.

desgabilado, da. (De *gálibo,* elegancia.) adj. Dícese de la persona desvaída, desgarbada y pusilánime.

desgaire. (Del cat. *a escaire,* oblicuamente.) m. Desaliño, desaire en el manejo del cuerpo y en las acciones, que regularmente suele ser afectado. ‖ **2.** Ademán con que se desprecia y desestima a una persona o cosa. ‖ **al desgaire.** loc. adv. Con descuido afectado o simplemente con descuido.

desgajadura. (De *desgajar.*) f. Rotura de la rama cuando lleva consigo parte de la corteza y aun del tronco a que está asida.

desgajamiento. m. **desgaje.**

desgajar. (De *des-* y *gajo.*) tr. Desgarrar, arrancar, separar con violencia la rama del tronco de donde nace. Ú. t. c. prnl. ‖ **2.** Despedazar, romper, deshacer una cosa unida y trabada. ‖ **3.** prnl. fig. Apartarse, desprenderse una cosa inamovible de otra a que está unida por alguna parte. ‖ **4.** ant. fig. Dicho de la amistad, dejarla, abandonarla.

desgaje. m. Acción y efecto de desgajar o desgajarse.
desgalgadero. (De *desgalgar.*) m. Pedregal en pendiente. ‖ **2. despeñadero,** precipicio.
desgalgar. (De *des-* y *galga,* piedra.) tr. **despeñar,** precipitar o hacer rodar en una cuesta. Ú. t. c. prnl.
desgalichado, da. adj. fam. Desaliñado, desgarbado.
desgalichadura. f. Desaliño; desgarbo.
desgana. f. Inapetencia, falta de gana de comer. ‖ **2.** fig. Falta de aplicación; tedio, disgusto o repugnancia a una cosa. ‖ **3.** *Ar.* Congoja, desmayo.
desganar. tr. Quitar el deseo, gusto o gana de hacer una cosa. ‖ **2.** prnl. Perder el apetito a la comida. ‖ **3.** fig. Disgustarse, cansarse, desviarse de lo que antes se hacía con gusto y por propia elección.
desganchar. tr. Quitar o arrancar las ramas o ganchos de los árboles. Ú. t. c. prnl.
desgano. m. **desgana.**
desgañifarse. prnl. **desgañitarse.**
desgañirse. (De *des-* y *gañir.*) prnl. ant. **desgañitarse.**
desgañitarse. (De *des-* y *gañir.*) prnl. fam. Esforzarse violentamente gritando o voceando. ‖ **2. enronquecerse.**
desgarbado, da. adj. Falto de garbo.
desgarbilado, da. adj. *And.* **desgarbado.**
desgarbo. m. Falta de garbo.
desgargantarse. (De *des-* y *garganta.*) prnl. fam. **desgañitarse.**
desgargolar[1]. (De *des-* y *gárgola[2].*) tr. Sacudir el lino o el cáñamo después de arrancados y secos, para que despidan la linaza o el cañamón.
desgargolar[2]. (De *gárgol[2].*) tr. Sacar de los gárgoles una pieza de madera.
desgaritar. (De *des-* y *garete.*) intr. Perder el rumbo. Ú. m. c. prnl. ‖ **2.** prnl. Separarse la res de la madrina o del sitio donde está recogida. Ú. t. c. tr. ‖ **3.** fig. No seguir la idea e intento que se había empezado.
desgarradamente. adv. m. Con desgarro o insolencia.
desgarrado, da. p. p. de **desgarrar.** ‖ **2.** adj. Que procede licenciosamente y con escándalo. Ú. t. c. s. ‖ **3.** Descarnado, terrible.
desgarrador, ra. adj. Que desgarra o tiene fuerza para desgarrar. ‖ **2.** Que produce horror y sufrimiento.
desgarradura. f. **desgarrón.**
desgarramiento. m. Acción y efecto de desgarrar o desgarrarse.
desgarrar. (De *des-* y *garra.*) tr. **rasgar,** romper cosas de poca consistencia. Ú. t. c. prnl. ‖ **2.** fig. **esgarrar.** ‖ **3.** Causar algo gran pena o despertar mucha compasión. *Aquel suceso le* DESGARRÓ *el corazón.* ‖ **4.** *Amér.* Arrancar la flema. ‖ **5.** prnl. fig. Apartarse, separarse, huir uno de la compañía de otro u otros.
desgarro. (De *desgarrar.*) m. Rotura o rompimiento. ‖ **2.** fig. Arrojo, desvergüenza, descaro. ‖ **3.** fig. Afectación de valentía, fanfarronada. ‖ **4.** *Amér.* Acción y efecto de arrancar la flema. ‖ **5.** *Amér.* Flema.
desgarrón. (aum. de *desgarro.*) m. Rasgón o rotura grande del vestido o de otra cosa semejante. ‖ **2.** Jirón o tira del vestido al desgarrarse la tela.
desgastador, ra. adj. ant. Que desgasta, desperdicia o malgasta. Usáb. t. c. s.
desgastamiento. (De *desgastar.*) m. Prodigalidad, profusión o gran desperdicio.
desgastar. (De *des-* y *gastar.*) tr. Quitar o consumir poco a poco por el uso o el roce, parte de una cosa. Ú. t. c. prnl. ‖ **2.** ant. Desperdiciar o malgastar. ‖ **3.** fig. Pervertir, viciar. ‖ **4.** prnl. fig. Perder fuerza, vigor o poder.
desgaste. m. Acción y efecto de desgastar o desgastarse.
desgatar. tr. Quitar o arrancar el labrador las hierbas llamadas gatas.
desgavillado, da. (De *des-* y *gavilla.*) adj. *And.* Decaído del vigor físico, desmadejado.
desgay. (Del cat. occidental *escai.*) m. *Ar.* **retal.**
desgaznatarse. (De *des-* y *gaznate.*) prnl. fam. **desgargantarse.**
desglosar. tr. Quitar la glosa o nota a un escrito. ‖ **2.** Quitar algunas hojas de una pieza de autos o algún documento, dejando copia o, al menos, nota de su contenido. ‖ **3.** Separar un impreso de otros con los cuales está encuadernado. ‖ **4.** Separar algo de un todo, para estudiarlo o considerarlo por separado.
desglose. m. Acción y efecto de desglosar.
desgobernado, da. adj. Indisciplinado, que se gobierna mal.
desgobernadura. f. *Veter.* Operación de desgobernar.
desgobernar. (De *des-* y *gobernar.*) tr. Deshacer, perturbar y confundir el buen orden del gobierno. ‖ **2.** Desencajar, dislocar, descoyuntar los huesos. ‖ **3.** *Mar.* Descuidarse el timonero en el gobierno del timón. ‖ **4.** *Veter.* Hacer a las caballerías una operación, hoy en desuso, que consistía en ligar las venas cubital y radial en dos puntos, cortando la porción comprendida entre ellos. ‖ **5.** prnl. fig. Afectar movimientos de miembros dislocados, como en los bailes.
desgobierno. (De *desgobernar.*) m. Desorden, desconcierto, falta de gobierno. ‖ **2.** *Veter.* **desgobernadura.**
desgolletar. tr. desus. Quitar el gollete o cuello a una vasija. ‖ **2.** desus. Aflojar o quitar la ropa que cubre el cuello.
desgomar. tr. Quitar la goma a los tejidos, especialmente a los de seda, para que tomen mejor el tinte.
desgonzar. (De *des-* y *gonce.*) tr. **desgoznar.** ‖ **2.** fig. Desencajar, desquiciar. Ú. t. c. prnl.
desgorrarse. prnl. Quitarse la gorra, el sombrero o la montera.
desgotar. (De *des-* y *gota.*) tr. ant. Agotar el agua en que está empapada una cosa, exprimiéndola.
desgoznar. tr. Quitar o arrancar los goznes. ‖ **2.** prnl. fig. **desgobernarse.**
desgracia. (De *des-* y *gracia.*) f. Suerte adversa. *Mi amigo tiene* DESGRACIA *en cuanto emprende.* ‖ **2.** Suceso adverso o funesto. ‖ **3.** Motivo de aflicción debido a un acontecimiento contrario a lo que convenía o se deseaba. ‖ **4.** Pérdida de gracia, favor, consideración o cariño. Ú. m. c. con el verbo *caer* y la prep. *en.* ‖ **5.** Desagrado, desabrimiento y aspereza en la condición o en el trato. ‖ **6.** Falta de gracia o de maña. ‖ **7.** ant. Menoscabo en la salud. ‖ **correr** alguien **con desgracia.** fr. No tener fortuna en lo que intenta. ‖ **hacerse sin desgracia** una cosa. fr. Concluirse como se deseaba, sin obstáculo, contradicción ni perjuicio.
desgraciado, da. p. p. de **desgraciar** o **desgraciarse.** ‖ **2.** adj. Que padece desgracias o una desgracia. Ú. t. c. s. ‖ **3. desafortunado.** Ú. t. c. s. ‖ **4.** Falto de gracia y atractivo. ‖ **5. desagradable.** ‖ **6.** Persona que inspira compasión o menosprecio. ‖ **7.** En algunos países de América se usa como insulto grave. ‖ **estar desgraciado.** fr. Estar desacertado. ‖ **2.** ant. Padecer menoscabo en la salud.
desgraciar. (De *desgracia.*) tr. Desazonar, disgustar, desagradar. ‖ **2.** prnl. Malograrse. Ú. t. c. tr. ‖ **3.** Desavenirse, desviarse, descomponerse del amigo o persona con quien tenía amistad y unión; perder la gracia o favor de alguien. ‖ **4.** ant. No estar bueno. ‖ **5.** *And.* **ventosear.**
desgradar[1]. (De *des-* y *grado[1].*) tr. ant. **degradar.**
desgradar[2]. (De *des-* y *grado[2].*) intr. ant. **desagradar.**
desgradecido, da. (De *des-* y *agradecido.*) adj. ant. **desagradecido.**
desgrado. (De *desgradar[2].*) m. ant. **desagrado.** ‖ **a desgrado.** loc. adv. ant. **a disgusto.**
desgraduar. (De *des-* y *graduar.*) tr. ant. **degradar.**
desgramar. tr. Arrancar o quitar la grama.

desgranado, da. p. p. de **desgranar.** ‖ **2.** adj. Se dice de la rueda o piñón dentados que han perdido alguno de sus dientes.

desgranador, ra. adj. Que desgrana. Ú. t. c. s. ‖ **2.** f. Máquina para desgranar productos agrícolas.

desgranamiento. (De *desgranar.*) m. *Art.* Estrías que la fuerza expansiva de la pólvora forma en el ánima y en el oído del cañón cuando la recámara es esférica.

desgranar. tr. Sacar el grano de una cosa. Ú. t. c. prnl. ‖ **2.** *Art.* Pasar la pólvora por uno o más tamices, para clasificar sus granos, según el uso a que haya de aplicarse. ‖ **3.** prnl. *Art.* Echarse a perder o desgastarse el oído o el grano en las armas de fuego. ‖ **4.** Soltarse las piezas ensartadas, como las cuentas de un collar, rosario, etc. Ú. t. c. tr. y en sent. fig. *El reloj* DESGRANA *las horas lentamente.*

desgrane. m. Acción y efecto de desgranar o desgranarse.

desgranzar. tr. Quitar o separar las granzas. ‖ **2.** *Pint.* Hacer la primera trituración de los colores.

desgrasante. adj. Dícese de cualquier aditivo de los que se emplean para hacer más maleable la arcilla. Ú. t. c. s.

desgrasar. tr. Quitar la grasa a las lanas o a los tejidos que se hacen con ellas.

desgrase. m. Acción y efecto de desgrasar.

desgravación. f. Acción y efecto de desgravar.

desgravar. (De *des-* y *gravar.*) tr. Rebajar los derechos arancelarios o los impuestos sobre determinados objetos. ‖ **2.** Descontar gastos que sean deducibles del importe de un impuesto. Ú. t. c. intr.

desgreñado, da. p. p. de **desgreñar.** ‖ **2.** adj. Despeinado, con el cabello en desorden.

desgreñar. (De *des-* y *greña.*) tr. Descomponer, desordenar los cabellos. Ú. t. c. prnl. ‖ **2.** prnl. **andar a la greña.**

desgreño. m. Acción y efecto de desgreñar o desgreñarse. ‖ **2.** Desorden, desidia, incuria.

desguace. m. Acción y efecto de desguazar. ‖ **2.** Materiales que resultan de desguazar algo.

desgualdrajar. tr. *And.* **desvencijar.**

desguañangado, da. p. p. de **desguañangar.** ‖ **2.** adj. *Chile* y *P. Rico.* Descuidado en el vestir, desgalichado, desarreglado.

desguañangar. tr. *Amér.* Desvencijar, descuajaringar.

desguarnecer. (De *des-* y *guarnecer.*) tr. Quitar la guarnición que servía de adorno. ‖ **2.** Quitar la fuerza o la fortaleza a una cosa; como a una plaza, a un castillo, etc. ‖ **3.** Quitar todo aquello que es necesario para el uso de un instrumento mecánico; como el mango al martillo, etc. ‖ **4.** Quitar a golpe de hacha, espada u otra arma semejante, una o varias piezas de la armadura del contrario. ‖ **5.** Quitar las guarniciones a los animales de tiro.

desguarnir. (De *des-* y *guarnir.*) tr. ant. Despojar de los adornos y preseas. ‖ **2.** *Mar.* Zafar del cabrestante las vueltas del virador, la cadena de un ancla, etc., o despasar la beta de un aparejo que laborea por motón, cuadernal o guindaste.

desguazar. (Del it. *sguazzare.*) tr. *Carp.* Desbastar con el hacha un madero, o parte de él. ‖ **2.** *Mar.* Desbaratar o deshacer un buque total o parcialmente. ‖ **3.** Por ext., deshacer o desbaratar cualquier cosa.

desguince. (De *desguinzar.*) m. Cuchillo con que se corta el trapo en el molino de papel. ‖ **2.** **esguince.**

desguindar. tr. *Mar.* Bajar lo que está guindado. ‖ **2.** prnl. Descolgarse de lo alto.

desguinzar. (Del lat. **exquintiāre*, partir en cinco partes.) tr. Cortar el trapo con el desguince.

desguisado, da. adj. ant. **desaguisado.**

deshabido, da. (De *des-* y *habido.*) adj. ant. Desventurado, infeliz e infame.

deshabitado, da. p. p. de **deshabitar.** ‖ **2.** adj. Dícese del lugar que estuvo habitado y ya no lo está. ‖ **3.** No habitado.

deshabitar. tr. Dejar de vivir en un lugar o casa. ‖ **2.** Dejar sin habitantes una población o un territorio.

deshabituación. f. Acción y efecto de deshabituar o deshabituarse.

deshabituar. tr. Hacer perder a una persona o animal el hábito o la costumbre que tenía. Ú. t. c. prnl.

deshacedor, ra. adj. Que deshace. Ú. t. c. s. ‖ **de agravios.** El que los venga.

deshacer. (De *des-* y *hacer.*) tr. Quitar la forma o figura a una cosa, descomponiéndola. Ú. t. c. prnl. ‖ **2.** Desgastar, atenuar. Ú. t. c. prnl. ‖ **3.** Derrotar, romper, poner en fuga un ejército o tropa. ‖ **4.** Derretir, liquidar. Ú. t. c. prnl. ‖ **5.** Dividir, partir, despedazar. DESHACER *una res.* ‖ **6.** Desleír en cosa líquida la que no lo es. ‖ **7.** fig. Alterar, descomponer un tratado o negocio. ‖ **8.** prnl. fig. Afligirse mucho, consumirse, estar sumamente impaciente o inquieto. ‖ **9.** fig. Desaparecerse o desvanecerse de la vista. ‖ **10.** fig. Trabajar con mucho ahínco y vehemencia. ‖ **11.** fig. Con la prep. *en* y sustantivos que indiquen manifestaciones de aprecio, afecto, cortesía, o las contrarias, extremarlas o prodigarlas: DESHACERSE *en atenciones, elogios, excusas, reverencias, insultos, maldiciones.* ‖ **12.** fig. Estropearse, maltratarse gravemente. DESHACERSE *las narices.* ‖ **13.** fig. Enflaquecerse, extenuarse. ‖ **deshacerse de** una cosa. fr. Desapropiarse de ella. ‖ **deshacerse de** una persona. fr. Evitar su compañía o su trato o prescindir de sus servicios. ‖ **2.** Por ext., matarla.

deshacimiento. m. ant. Acción y efecto de deshacer o deshacerse. ‖ **2.** ant. fig. Desasosiego, inquietud.

deshaldo. (De *des-* y *halda.*) m. **marceo.**

deshambrido, da. (De *des-* y *hambre.*) adj. Muy hambriento.

desharrapado, da (De *des-* y el ant. y dialect. *harrapo*, harapo.) adj. Andrajoso, roto y lleno de harapos. Ú. t. c. s. ‖ **2.** Desheredado, muy pobre. Ú. t. c. s.

desharrapamiento. m. Miseria, mezquindad.

deshebillar. tr. Soltar o desprender la hebilla o lo que estaba sujeto con ella.

deshebrar. tr. Sacar las hebras o hilos, destejiendo una tela. ‖ **2.** fig. Deshacer una cosa en partes muy delgadas, semejantes a hebras.

deshecha. (De *deshecho.*) f. Disimulo con que se pretende ocultar una cosa o desvanecer una sospecha. ‖ **2.** Despedida cortés. ‖ **3.** Cierto género de canción breve final de una composición poética. ‖ **4.** En la danza española, movimiento que se hace con el pie contrario, deshaciendo el mismo que se había hecho. ‖ **5.** *Amér.* **desecho,** atajo. ‖ **hacer la deshecha.** fr. fig. **disimular,** encubrir con astucia la intención.

deshechizar. tr. Deshacer el hechizo o maleficio.

deshecho, cha. p. p. irreg. de **deshacer.** ‖ **2.** adj. Dicho de lluvias, temporales, borrascas, etc., impetuoso, fuerte, violento. ‖ **3.** *Amér. Merid.* Desaliñado. ‖ **4.** m. *Amér.* **desecho,** atajo.

deshechura. (De *deshecho.*) f. ant. Acción y efecto de deshacer.

desheladura. (De *deshelar.*) f. ant. **deshielo.**

deshelar. tr. Licuar lo que está helado. Ú. t. c. prnl.

desherbar. tr. Quitar o arrancar las hierbas perjudiciales.

desheredación. f. Acción y efecto de desheredar.

desheredado, da. p. p. de **desheredar.** ‖ **2.** adj. Pobre, que carece de medios de vida. Ú. t. c. s.

desheredamiento. m. **desheredación.**

desheredar. tr. Excluir a alguien de la herencia forzosa, expresamente y por causa legal. ‖ **2.** ant. Privar a alguien de un heredamiento. ‖ **3.** prnl. fig. Apartarse y diferenciarse de la propia familia, obrando indigna y bajamente.

desherencia. f. ant. **desheredamiento.**

deshermanar. tr. fig. Quitar la conformidad, igualdad o semejanza de dos cosas conformes e iguales. ‖ **2.** prnl. Deshacerse la unión fraternal entre hermanos.

desherradura. f. *Veter.* Daño que padece en la palma una caballería, por haberla llevado desherrada.

desherrar. tr. Quitar los hierros o prisiones al que está aprisionado. Ú. t. c. prnl. ‖ **2.** Quitar las herraduras a una caballería. Ú. t. c. prnl.

desherrumbramiento. m. Acción y efecto de desherrumbrar.

desherrumbrar. tr. Quitar la herrumbre.

deshidratación. f. Acción y efecto de deshidratar o deshidratarse.

deshidratado, da. p. p. de **deshidratar** o **deshidratarse.** ‖ **2.** m. **deshidratación.**

deshidratador, ra. adj. Que deshidrata.

deshidratante. p. a. de **deshidratar.** Que deshidrata. Ú. t.c. s. m.

deshidratar. tr. Privar a un cuerpo o a un organismo del agua que contiene. Ú. t. c. prnl.

deshielo. m. Acción y efecto de deshelar o deshelarse. Ú. t. en sent. fig.

deshierba. f. **desyerba.**

deshijado, da. adj. ant. Aplicábase a la persona que había sido privada de los hijos.

deshijar. (De *des-* e *hijo.*) tr. *Can.* y *Amér.* Quitar los chupones a las plantas. ‖ **2.** *Arg.* y *Chile.* **desahijar,** apartar las crías.

deshilachar. tr. Sacar hilachas de una tela. Ú. t. c. prnl. ‖ **2.** prnl. Perder hilachas por el uso, quedar raído.

deshiladiz. m. *Ar.* **filadiz.**

deshilado, da. p. p. de **deshilar.** ‖ **2.** adj. Aplícase a los que van desfilando unos después de otros. ‖ **3.** m. Labor que se hace en una tela sacando de ella varios hilos y formando huecos o calados, que se labran después con la aguja. Ú. m. en pl. ‖ **a la deshilada.** loc. adv. con que se denota la marcha de alguna tropa, cuando van los soldados uno tras otro. ‖ **2.** fig. Con disimulo.

deshiladura. f. Acción y efecto de deshilar o sacar hilos.

deshilar. tr. Sacar hilos de un tejido; destejer una tela por la orilla, dejando pendientes los hilos en forma de flecos. ‖ **2.** Interrumpir la hilera o fila de abejas mientras se cambia de sitio la colmena para que el resto del enjambre entre en la nueva cavidad. ‖ **3.** fig. Reducir a hilos una cosa; como la pechuga de gallina para hacer manjar blanco. ‖ **4.** intr. **ahilar,** enflaquecer.

deshilo. m. Acción y efecto de deshilar o desfilar las abejas.

deshilvanado, da. p. p. de **deshilvanar.** ‖ **2.** adj. fig. Sin enlace ni trabazón. Dícese de discursos, pensamientos, etc.

deshilvanar. tr. Quitar los hilvanes. Ú. t. c. prnl.

deshincadura. f. Acción y efecto de deshincar o deshincarse.

deshincar. tr. Sacar lo que está hincado. Ú. t. c. prnl.

deshinchadura. f. Acción y efecto de deshinchar o deshincharse.

deshinchar. tr. Deshacer o reducir lo hinchado. Ú. t. c. prnl. ‖ **2.** Desinflar, sacar el aire. ‖ **3.** fig. Desahogar la cólera o el enojo. ‖ **4.** prnl. Desaparecer la inflamación de la zona del cuerpo afectada por ella. ‖ **5.** fig. y fam. Deponer la presunción.

deshipotecar. tr. Cancelar o suspender la hipoteca. ‖ **2.** Levantar, en general, un gravamen.

deshoja. (De *deshojar.*) f. **deshojadura.**

deshojador, ra. (De *deshojar.*) adj. Que quita las hojas de los árboles. Ú. t. c. s.

deshojadura. f. Acción de deshojar.

deshojamiento. m. **deshojadura.**

deshojar. (De *des-* y *hoja.*) tr. Quitar las hojas a una planta o los pétalos a una flor. Ú. t. c. prnl. ‖ **2.** Desvainar el maíz o pelar la fruta. ‖ **3.** Arrancar las hojas de un libro. ‖ **4.** fig. Consumir, agotar. DESHOJAR *el tiempo, el patrimonio.*

deshoje. (De *deshojar.*) m. Caída de las hojas de las plantas.

deshollejar. tr. Quitar el hollejo.

deshollinadera. f. **deshollinador,** escoba.

deshollinador, ra. adj. Que deshollina. Ú. t. c. s. ‖ **2.** fig. y fam. Que repara y mira con curiosidad. Ú. t. c. s. ‖ **3.** m. Utensilio para deshollinar chimeneas. ‖ **4.** Escoba de palo muy largo, que suele cubrirse con un paño, para deshollinar techos y paredes.

deshollinar. tr. Limpiar las chimeneas, quitándoles el hollín. ‖ **2.** Por ext., limpiar con el deshollinador techos y paredes. ‖ **3.** fig. y fam. Mirar con atención y curiosidad, registrando todo lo que se alcanza a ver.

deshonestad. f. ant. **deshonestidad.**

deshonestar. (Del lat. *dehonestāre.*) tr. ant. **deformar.** ‖ **2.** ant. Deshonrar, infamar, desacreditar. ‖ **3.** prnl. Perder en las acciones la gravedad y el decoro que corresponde.

deshonestidad. f. Calidad de deshonesto. ‖ **2.** Dicho o hecho deshonesto.

deshonesto, ta. adj. Impúdico, falto de honestidad. ‖ **2.** No conforme a razón ni a las ideas recibidas por buenas. ‖ **3.** ant. Grosero, descortés, indecoroso. ‖ **4.** *Der.* V. **condición deshonesta.**

deshonor. m. Pérdida del honor. ‖ **2.** Afrenta, deshonra.

deshonorar. (De *des-* y *honorar.*) tr. Quitar el honor. Ú. t. c. prnl. ‖ **2.** Quitar a alguien su empleo, oficio, categoría o dignidad.

deshonra. (De *deshonrar.*) f. Pérdida de la honra. ‖ **2.** Cosa deshonrosa. ‖ **3.** ant. Desacato, falta de respeto. ‖ **tener** alguien **a deshonra** una cosa. fr. Juzgarla por indecente y ajena a su forma de ser o de vivir.

deshonrabuenos. com. fam. desus. Persona que murmura de otros, desacreditándolos y poniéndolos en mala opinión sin razón ni verdad. ‖ **2.** fam. desus. Persona que degenera con respecto a sus mayores.

deshonrador, ra. adj. Que deshonra. Ú. t. c. s.

deshonrar. (De *des-* y *honrar.*) tr. Quitar la honra. Ú. t. c. prnl. ‖ **2. injuriar.** ‖ **3.** Escarnecer y despreciar a alguien con ademanes y actos ofensivos e indecentes. ‖ **4.** Violar a una mujer.

deshonrible. (De *des-* y *honra.*) adj. fam. p. us. Sin vergüenza y despreciable. Ú. t. c. s. ‖ **2.** fam. p. us. *And.* Ansioso, ambicioso.

deshonroso, sa. adj. Vergonzoso, indecoroso, indigno.

deshora. (De *des-* y *hora.*) f. Tiempo inoportuno, no conveniente. ‖ **a deshora,** o **deshoras.** loc. adv. Fuera de sazón o de tiempo. ‖ **2.** De repente, intempestivamente.

deshornar. (De *des-* y *horno.*) tr. **desenhornar.**

deshospedado, da. adj. ant. Que carece de hospedaje o alojamiento.

deshospedamiento. m. Acción y efecto de quitar o negar el hospedaje.

deshuesado, da. p. p. de **deshuesar.** ‖ **2.** adj. Dícese de carnes, frutas, etc., a las que se les ha quitado el hueso. ‖ **3.** m. Acción y efecto de deshuesar.

deshuesador, ra. adj. Que deshuesa. Ú. t. c. s. ‖ **2.** f. Máquina o instrumento para quitar el hueso a la aceituna u otros frutos.

deshuesar. tr. Quitar los huesos a un animal o a la fruta.
deshumanización. f. Acción y efecto de deshumanizar.
deshumanizar. tr. Privar de caracteres humanos a alguna cosa.
deshumano, na. adj. **inhumano.**
deshumedecer. tr. Desecar, quitar la humedad. Ú. t. c. prnl.
déside. (Del lat. *deses, -ĭdis.*) adj. ant. **desidioso.**
desiderable. (Del lat. *desiderabĭlis.*) adj. Digno de ser apetecido y deseado.
desiderata. (Del lat. *desiderata,* pl. de *desiderātum.*) f. Conjunto de lo que se echa de menos, ya sea material o inmaterial. ‖ **2.** Relación de objetos que se echan de menos.
desiderativo, va. (Del lat. *desiderativus.*) adj. Que expresa o indica deseo.
desiderátum. (Del lat. *desiderātum,* lo deseado.) m. Aspiración, deseo que aún no se ha cumplido. ‖ **2. el no va más.**
desidia. (Del lat. *desidĭa.*) f. Negligencia, inercia.
desidioso, sa. (Del lat. *desidiōsus.*) adj. Que tiene desidia. Ú. t. c. s.
desierto, ta. (Del lat. *desertus.*) adj. Despoblado, solo, inhabitado. ‖ **2.** Aplícase a la subasta, concurso o certamen en que nadie toma parte o en que ningún participante obtiene la adjudicación. ‖ **3.** m. Lugar despoblado de edificios y gentes. ‖ **4.** Territorio arenoso o pedregoso, que por la falta casi total de lluvias carece de vegetación o la tiene muy escasa. ‖ **predicar en desierto.** fr. fig. y fam. Intentar infructuosamente, con palabras o actos, persuadir a personas no dispuestas a admitir la doctrina o los ejemplos que se les dan.
designación. (Del lat. *designatĭo, -ōnis.*) f. Acción y efecto de designar una persona o cosa para cierto fin. ‖ **2.** *Ling.* Función puramente denominativa que tiene la lengua.
designar. (Del lat. *designāre.*) tr. Formar designio o propósito. ‖ **2.** Señalar o destinar una persona o cosa para determinado fin. ‖ **3.** Denominar, indicar.
designativo, va. (Del lat. *designativus.*) adj. **denominativo.** Ú. t. c. s.
designio. (De *designar.*) m. Pensamiento, o propósito del entendimiento, aceptado por la voluntad.
desigual. adj. Que no es igual. ‖ **2.** Barrancoso, que tiene quiebras y cuestas. ‖ **3.** Cubierto de asperezas. ‖ **4.** ant. Excesivo, extremado. ‖ **5.** fig. Arduo, grande, dificultoso. ‖ **6.** fig. Diverso, variable. *Trabajan con* DESIGUAL *fortuna; España tiene un clima* DESIGUAL. ‖ **salir desigual** una cosa. fr. fig. y fam. Torcerse, desgraciarse.
desigualado, da. p. p. de **desigualar.** ‖ **2.** adj. ant. **desigual.**
desigualar. tr. Hacer a una persona o cosa desigual a otra. ‖ **2.** prnl. Adelantarse, aventajarse.
desigualdad. f. Calidad de desigual. ‖ **2.** Cada una de las prominencias o depresiones de un terreno o de la superficie de un cuerpo. ‖ **3.** *Mat.* Expresión de la falta de igualdad que existe o se supone que existe entre dos cantidades.
desigualeza. f. ant. **desigualdad,** calidad de desigual.
desilusión. f. Acción y efecto de desilusionar o desilusionarse.
desilusionar. tr. Hacer perder las ilusiones. ‖ **2.** prnl. Perder las ilusiones. ‖ **3. desengañarse.**
desimaginar. tr. Borrar una cosa de la imaginación o de la memoria.
desimanación. f. **desimantación.**
desimanar. tr. **desimantar.** Ú. t. c. prnl.
desimantación. f. Acción y efecto de desimantar o desimantarse.
desimantar. tr. Hacer perder la imantación a un imán. Ú. t. c. prnl.
desimponer. tr. *Impr.* Quitar la imposición de una forma.
desimpresionar. tr. Deshacer la falsa impresión sufrida por alguien. Ú. t. c. prnl.
desincentivación. f. Acción y efecto de desincentivar.
desincentivador, ra. adj. Disuasorio, desanimador.
desincentivar. tr. Disuadir, privar de incentivos.
desinclinar. tr. Apartar a alguien de la inclinación que tenía. Ú. t. c. prnl.
desincorporar. tr. Separar lo que estaba incorporado. Ú. t. c. prnl.
desincrustante. p. a. de **desincrustar.** ‖ **2.** adj. Dícese de las sustancias que se emplean para evitar o eliminar el depósito de sales que se forma en las paredes interiores de las calderas de vapor, radiadores, tuberías, etc. Ú. t. c. s. m.
desincrustar. (De *des-* e *incrustar.*) tr. Quitar o suprimir incrustaciones. ‖ **2.** Quitar las incrustaciones que se forman en las calderas de las máquinas de vapor, tuberías, etc.
desinencia. (Del lat. *desĭnens, -entis,* p. a. de *desinĕre,* acabar, finalizar.) f. *Gram.* Morfema flexivo añadido a la raíz de adjetivos, nombres, pronombres y verbos. ‖ **2.** *Gram.* Manera de terminar las cláusulas.
desinencial. adj *Gram.* Perteneciente o relativo a la desinencia.
desinfartar. tr. *Med.* Resolver un infarto. Ú. t. c. prnl.
desinfección. f. Acción y efecto de desinfectar.
desinfectante. p. a. de **desinfectar.** Que desinfecta o sirve para desinfectar. Ú. t. c. s. m.
desinfectar. (De *des-* e *infectar.*) tr. Quitar a una cosa la infección o la propiedad de causarla, destruyendo los gérmenes nocivos o evitando su desarrollo. Ú. t. c. prnl.
desinfectorio. m. *Chile.* Establecimiento público en que se desinfecta la ropa y objetos personales de los enfermos.
desinficionar. tr. **desinfectar.** Ú. t. c. prnl.
desinflamar. tr. Quitar la inflamación de lo que está hinchado o inflamado. Ú. t. c. prnl.
desinflar. tr. Sacar el aire u otra sustancia aeriforme al cuerpo flexible que lo contenía. Ú. t. c. prnl. ‖ **2.** fig. Desanimar, desilusionar rápidamente. Ú. m. c. prnl.
desinformación. f. Acción y efecto de desinformar. ‖ **2.** Falta de información, ignorancia.
desinformar. tr. Dar información intencionadamente manipulada al servicio de ciertos fines. ‖ **2.** Dar información insuficiente u omitirla.
desinhibición. f. Pérdida de la inhibición psicológica o fisiológica.
desinhibido, da. p. p. de **desinhibir** o **desinhibirse.** ‖ **2.** adj. Espontáneo, desenvuelto, sin reservas.
desinhibir. tr. Prescindir de inhibiciones, comportarse con espontaneidad. Ú. t. c. prnl.
desinsaculación. f. Acción y efecto de desinsacular.
desinsacular. tr. Extraer del saco o bolsa las bolillas o cédulas en que se hallan los nombres de las personas insaculadas para ejercer un oficio debidamente. ‖ **2.** *Ar.* **desencantarar,** excluir de esta insaculación determinados nombres.
desinsectación. f. Acción y efecto de desinsectar.
desinsectador, ra. adj. Que desinsecta.
desinsectar. tr. Limpiar de insectos. Ú. especialmente referido a los parásitos del hombre y de los que son nocivos a la salud o a la economía.
desintegración. f. Acción y efecto de desintegrar. ‖ **nuclear.** Partición espontánea o provocada de un núcleo atómico con absorción o producción de energía.

desintegrar. tr. Separar los diversos elementos que forman un todo. Ú. t. c. prnl.
desinterés. m. Desapego y desprendimiento de todo provecho personal, próximo o remoto.
desinteresado, da. (De *desinterés.*) p. p. de **desinteresarse.** ‖ **2.** adj. Desprendido, apartado del interés.
desinteresal. adj. ant. **desinteresado.**
desinteresamiento. m. ant. **desinterés.**
desinteresarse. prnl. Perder el interés que se tenía en alguna cosa.
desintestinar. tr. desus. Sacar o quitar los intestinos.
desintoxicación. f. Acción y efecto de desintoxicar.
desintoxicar. tr. Combatir la intoxicación o sus efectos. Ú. t. c. prnl. y en sent. fig.
desinvernar. intr. Salir las tropas de los cuarteles de invierno. Ú. t. c. tr.
desiñar. (Del lat. *designāre,* señalar.) tr. ant. **designar,** formar designio o propósito.
desiño. (De *desiñar.*) m. ant. **designio.**
desipiencia. (Del lat. *desipientĭa.*) f. ant. **insipiencia.**
desipiente. (Del lat. *desipĭens, -entis,* p. a. de *desipĕre,* quitar el gusto.) adj. ant. **insipiente.**
desistencia. f. **desistimiento.**
desistimiento. m. Acción y efecto de desistir.
desistir. (Del lat. *desistĕre.*) intr. Apartarse de una empresa o intento empezado a ejecutar o proyectado. ‖ **2.** *Der.* Dicho de un derecho, abdicarlo o abandonarlo.
desjarretadera. f. Instrumento que sirve para desjarretar toros o vacas compuesto de una cuchilla de acero en forma de media luna, muy cortante, puesta en el extremo de una vara del grueso y longitud de una pica.
desjarretar. tr. Cortar las piernas por el jarrete. ‖ **2.** fig. y fam. Debilitar y dejar sin fuerzas a alguien.
desjarrete. m. Acción y efecto de desjarretar. ‖ **tocar a desjarrete.** fr. ant. Tocar a matar el toro.
desjugar. tr. Sacar el jugo. Ú. t. c. prnl.
desjuiciado, da. adj. Falto de juicio.
desjuntamiento. m. Acción y efecto de desjuntar o desjuntarse.
desjuntar. tr. Dividir, separar, apartar. Ú. t. c. prnl.
deslabonar. tr. Soltar y desunir un eslabón de otro. Ú. t. c. prnl. ‖ **2.** fig. Desunir y deshacer una cosa. Ú. t. c. prnl. ‖ **3.** prnl. fig. Apartarse de la compañía o trato de una persona.
desladrillar. (De *des-* y *ladrillo.*) tr. **desenladrillar.**
deslaidar. (De *des-* y *laido.*) tr. ant. Afear, desfigurar.
deslamar. tr. *Min.* Limpiar un material de sus fracciones más finas.
deslánguido, da. (Del lat. *elanguĭdus.*) adj. ant. Flaco, débil y extenuado.
deslardarse. (De *des-* y *lardo.*) prnl. ant. Enflaquecer, perder carnes.
deslastrar. tr. Quitar el lastre.
deslatar[1]**.** tr. Quitar las latas o tablas a una casa, a una embarcación, etc.
deslatar[2]**.** (Del lat. *dis,* des-, y *latum,* supino de *ferre,* llevar.) tr. ant. Disparar, arrojar. ‖ **2.** intr. ant. **disparatar.**
deslate. (De *deslatar*[2].) m. ant. Disparo, estallido. ‖ **2.** ant. **dislate.**
deslateralización. f. *Fon.* Acción y efecto de deslateralizar o deslateralizarse una consonante lateral.
deslateralizar. tr. *Fon.* Transformar una consonante lateral en otra que no lo es, como la segunda *l* del lat. *rebellis* en la *d* de *rebelde,* o la *ll* de *caballo* en la pronunciación yeísta *cabayo.* Ú. t. c. prnl.
deslavado, da. p. p. de **deslavar.** ‖ **2.** adj. fig. **descarado.** Ú. t. c. s.
deslavadura. f. Acción y efecto de deslavar.
deslavamiento. (De *deslavar.*) m. ant. **descaro.**
deslavar. (Del lat. *delavāre.*) tr. Limpiar y lavar una cosa muy por encima sin aclararla bien. ‖ **2.** Desustanciar, quitar fuerza, color y vigor.
deslavazado, da. p. p. de **deslavazar.** ‖ **2.** adj. Insustancial, insulso. ‖ **3.** Desordenado, mal compuesto o inconexo.
deslavazar. tr. **deslavar.**
deslave. (Del lat. *delābi,* deslizarse.) m. *Amér.* **derrubio.**
deslayo (en). (Del ant. fr. *d'eslais.*) loc. adv. ant. **a la deshilada.**
deslazamiento. m. Acción y efecto de deslazar.
deslazar. tr. **desenlazar.**
desleal. adj. Que obra sin lealtad. Ú. t. c. s.
deslealtad. f. Falta de lealtad.
deslechar. (De *des-* y *lecho.*) tr. *Murc.* Quitar a los gusanos de seda la hoja que desperdician en las frezas, y asimismo otras inmundicias, a fin de que no les dañen.
deslecho. m. *Murc.* Acción de deslechar.
deslechugador, ra. adj. Que deslechuga. Ú. t. c. s.
deslechugar. (De *des-* y *lechuga.*) tr. *Agr.* Limpiar las viñas de lechuguillas y otras hierbas. ‖ **2.** *Agr.* **desfollonar.** ‖ **3.** *Agr.* Cortar las puntas de los sarmientos que llevan fruto, cuando se acerca su madurez.
deslechuguillar. (De *des-* y *lechuguilla.*) tr. *Agr.* **deslechugar.**
deslegalizar. tr. Privar de legalidad a lo que antes la tenía.
desleidura. f. **desleimiento.**
desleimiento. m. Acción y efecto de desleír o desleírse.
desleír. (Del lat. *delēre.*) tr. Disolver y desunir las partes de algunos cuerpos por medio de un líquido. Ú. t. c. prnl. ‖ **2.** fig. Tratándose de ideas, pensamientos, conceptos, etc., expresarlos con sobreabundancia de palabras, de modo que resulten desmayados y fríos.
deslendrar. tr. Quitar las liendres.
deslenguado, da. p. p. de **deslenguar** o **deslenguarse.** ‖ **2.** adj. fig. Desvergonzado, desbocado, mal hablado.
deslenguamiento. m. fig. y fam. Acción y efecto de deslenguarse.
deslenguar. tr. Quitar o cortar la lengua. ‖ **2.** prnl. fig. y fam. Desbocarse, desvergonzarse.
desliar[1]**.** (Del lat. *deligāre.*) tr. Deshacer el lío, desatar lo liado. Ú. t. c. prnl.
desliar[2]**.** (De *des-* y *lía*[2].) tr. Durante la fermentación del mosto, separar las lías que se han depositado en el fondo de la vasija.
desligadura. f. Acción y efecto de desligar o desligarse.
desligar. (Del lat. *deligāre.*) tr. Desatar, soltar las ligaduras. Ú. t. c. prnl. ‖ **2.** Separar, independizar. DESLIGAR *un acontecimiento de otro.* Ú. t. c. prnl. ‖ **3.** fig. Desenmarañar y desenredar una cosa no material. Ú. t. c. prnl. ‖ **4.** fig. Absolver de las censuras eclesiásticas. ‖ **5.** fig. Dispensar de la obligación contraída. ‖ **6.** *Mús.* **picar,** hacer sonar las notas con una breve pausa entre ellas.
deslinajar. (De *des-* y *linaje.*) tr. ant. Envilecer, menospreciar. Usáb. t. c. prnl.
deslinar. tr. ant. Despojar o desarmar.
deslindador, ra. m. y f. Persona que deslinda.
deslindadura. f. ant. **deslinde.**
deslindamiento. m. p. us. **deslinde.**
deslindar. (Del lat. *delimitāre.*) tr. Señalar y distinguir los términos de un lugar, provincia o heredad. ‖ **2.** fig. Aclarar una cosa, de modo que no haya confusión en ella.
deslinde. m. Acción y efecto de deslindar.
desliñar. (De *des-* y *lino.*) tr. Quitar al paño, después de tundido, cualquier hilacha o cosa extraña, antes de llevarlo a la prensa.
deslío. (De *desliar*[2].) m. Acción de **desliar**[2].

desliz. m. Acción y efecto de deslizar o deslizarse. ‖ **2.** Entre los beneficiadores de metales, porción de azogue que se desliza y escapa al tiempo de la operación y limpia de la plata. ‖ **3.** fig. Desacierto, indiscreción involuntaria, flaqueza en sentido moral, con especial referencia a las relaciones sexuales.
deslizable. adj. Que se puede deslizar.
deslizadero, ra. adj. **deslizadizo.** ‖ **2.** m. Lugar o sitio resbaladizo.
deslizadizo, za. adj. p. us. Que hace deslizar o se desliza fácilmente.
deslizamiento. m. Acción y efecto de deslizar o deslizarse.
deslizar. (De una raíz onomat. *liz.*) intr. Irse los pies u otro cuerpo por encima de una superficie lisa o mojada. Ú. m. c. prnl. ‖ **2.** fig. Decir o hacer una cosa con descuido y sin intención. Ú. t. c. prnl. ‖ **3.** tr. Incluir en un escrito o discurso como al descuido, frases o palabras intencionadas. ‖ **4.** prnl. fig. Escaparse, evadirse. ‖ **5.** fig. Caer en una flaqueza, inadvertencia o error. ‖ **6.** Moverse o esconderse cautelosamente.
desloar. (De *des-* y *loar.*) tr. Vituperar, reprender, denostar.
deslomadura. f. Acción y efecto de deslomar o deslomarse.
deslomar. tr. Quebrantar, romper o maltratar los lomos. Ú. m. c. prnl. ‖ **2.** prnl. Trabajar o esforzarse mucho. Ú. t. c. tr.
desloor. (De *des-* y *loor.*) m. ant. **vituperio.**
deslucidamente. adv. m. Sin lucimiento.
deslucido, da. p. p. de **deslucir.** ‖ **2.** adj. Que carece de lucimiento. ‖ **3.** fig. p. us. Dícese del que no tiene acierto para gastar su hacienda de manera que le luzca. ‖ **4.** Aplícase al que perora o hace otra cosa en público sin lucimiento ni gracia.
deslucimiento. m. Falta de despejo y lucimiento.
deslucir. tr. Quitar la gracia, atractivo o lustre a una cosa. Ú. t. c. prnl. ‖ **2.** fig. **desacreditar.** Ú. t. c. prnl.
deslumbrador, ra. adj. Que deslumbra.
deslumbramiento. (De *deslumbrar.*) m. Acción y efecto de deslumbrar. ‖ **2.** Turbación de la vista por luz excesiva o repentina. ‖ **3.** fig. Ofuscación del entendimiento por efecto de una pasión.
deslumbrante. p. a. de **deslumbrar.** Que deslumbra. Ú. t. en sent. fig.
deslumbrar. (De *des-* y *lumbre.*) tr. Ofuscar la vista o confundirla con el exceso de luz. Ú. t. c. prnl. ‖ **2.** fig. Dejar a alguien confuso o admirado. Ú. t. c. prnl. ‖ **3.** fig. Producir gran impresión con estudiado exceso de lujo.
deslumbre. (De *deslumbrar.*) m. ant. **deslumbramiento.** ‖ **2.** ant. **vislumbre,** tenue reflejo o resplandor de luz.
deslustrador, ra. adj. Que deslustra. Ú. t. c. s.
deslustrar. tr. Quitar el lustre. ‖ **2.** fig. **deslucir,** difamar. ‖ **3.** Dicho del cristal o del vidrio, quitarle la transparencia.
deslustre. (De *deslustrar.*) m. Deslucimiento, falta de lustre y brillantez. ‖ **2.** Acción de quitar el lustre al paño o a otra cosa. ‖ **3.** fig. Descrédito y mala fama que causa una acción indecorosa.
deslustroso, sa. adj. Deslucido, feo, indecoroso.
desmadejado, da. p. p. de **desmadejar.** ‖ **2.** adj. fig. Dícese de la persona que se siente con flojedad o quebrantamiento en el cuerpo.
desmadejamiento. (De *desmadejar.*) m. fig. Debilidad, decaimiento del cuerpo.
desmadejar. (De *des-* y *madeja.*) tr. fig. Causar flojedad en el cuerpo. Ú. t. c. prnl.
desmadrado, da. (De *des-* y *madre.*) p. p. de **desmadrar** o **desmadrarse.** ‖ **2.** adj. Dícese del animal abandonado por la madre. ‖ **3.** Aplícase a la persona que ha perdido la cordura y la dignidad o se conduce sin respeto ni medida.
desmadrar. tr. Separar de la madre las crías del ganado para que no mamen. ‖ **2.** prnl. fig. y fam. Conducirse sin respeto ni medida, hasta el punto de perder la mesura y la dignidad. ‖ **3.** *Col.* Sufrir la hembra el descendimiento patológico de la matriz.
desmadre. (De *madre,* terreno por donde corre un río o arroyo.) m. fig. y fam. Acción y efecto de desmadrarse, perder las normas, excederse. ‖ **2.** fig. y fam. Exceso desmesurado en palabras o acciones. ‖ **3.** fig. y fam. Juerga desenfrenada.
desmajolar[1]. tr. Arrancar o descepar los majuelos de una viña.
desmajolar[2]. tr. Aflojar y soltar las majuelas con que está ajustado el zapato.
desmalazado, da. adj. **desmazalado.**
desmalezar. tr. *Amér.* Escardar, desbrozar, quitar la maleza.
desmalingrar. intr. ant. Murmurar, hablar o decir mal.
desmallador, ra. (De *desmallar.*) adj. Que rompe o desguarnece las mallas. ‖ **2.** m. *Germ.* **puñal[1],** arma.
desmalladura. f. Acción y efecto de desmallar.
desmallar. tr. Deshacer, cortar los puntos de una malla, de una red, de una media, etc. ‖ **2. desenmallar.**
desmamar. (De *des-* y *mama.*) tr. **destetar.**
desmamonar. tr. Quitar los mamones a las vides y a otras plantas y árboles.
desmamparar. tr. desus. **desamparar.**
desmán[1]. (De *desmanar,* confundido con *desmandar.*) m. Exceso, desorden, tropelía. ‖ **2.** Desgracia o suceso infausto.
desmán[2]. (Del sueco *desman,* almizcle.) m. Mamífero afín al topo, de unos 25 cm de largo, contando la cola. Vive a orillas de ríos y arroyos. La especie que vive en los Pirineos se llama también ratón almizclero o, simplemente, almizclera. La que vive en la región del Volga es el **desmán** almizclado, cuyo olor a almizcle es muy acusado.
desmanar. tr. ant. Deshacer la manada del ganado. ‖ **2.** ant. Apartar o excusar. ‖ **3.** prnl. Apartarse o salirse el ganado de la manada o rebaño.
desmanchar[1]. (De *des-* y **mancha,* malla, y este del lat. vulg. **mancŭla.*) tr. ant. Desmallar, romper la malla de la loriga; herir al que la lleva, traspasándola con un arma.
desmanchar[2]. (De *des-* y *mancha,* manada de mies o de ganado.) prnl. Vaciarse un haz de mies sin romperse el vencejo. ‖ **2.** *And.* y *Amér.* Salirse de la manada un animal. ‖ **3.** *Amér.* Descarriarse, desorientarse. ‖ **4.** intr. *Amér.* Desbandarse, huir, salir corriendo. ‖ **5.** tr. *Amér.* Abandonar el grupo o compañía de que se forma parte, alejarse de amistades. ‖ **6.** desus. Ahuyentar, poner en fuga. ‖ **7.** desus. Aflojar o soltar dinero.
desmanchar[3]. (De *des-* y *manchar.*) tr. Quitar manchas.
desmanche. (De *desmanchar[3].*) m. *Perú.* Producto químico a base de cloro que se utiliza para blanquear tejidos.
desmancho. (De *desmanchar[2].*) m. desus. Descarrío, desmán.
desmandado, da. p. p. de **desmandar** o **desmandarse.** ‖ **2.** adj. **desobediente,** díscolo.
desmandamiento. m. Acción y efecto de desmandar o desmandarse.
desmandar. tr. p. us. Revocar la orden o mandato. ‖ **2.** Revocar la manda o legado. ‖ **3.** prnl. Descomedirse, propasarse. ‖ **4.** Desordenarse, apartarse de la compañía con que se va. ‖ **5. desmanarse.**
desmanear. tr. Quitar a las bestias las maneas, maniotas o trabas. Ú. t. c. prnl.
desmangar. tr. Quitar el mango a una herramienta. Ú. t. c. prnl.
desmangorrear. tr. ant. **desmangar.**

desmano (a). loc. adv. **a trasmano,** fuera del camino habitual.
desmanotado, da. (De *des-* y *manota.*) adj. fig. y fam. Apocado, pusilánime. Ú. t. c. s.
desmantecar. tr. Quitar la manteca.
desmantelado, da. p. p. de **desmantelar.** ‖ **2.** adj. Dícese de la casa o del palacio mal cuidado o despojado de muebles.
desmantelamiento. m. Acción y efecto de desmantelar.
desmantelar. (Del lat. *dis,* des-, y *mantellum,* velo, mantel.) tr. Echar por tierra y arruinar los muros y fortificaciones de una plaza. ‖ **2.** Por ext., clausurar o demoler un edificio y otro tipo de construcción con el fin de interrumpir o impedir una actividad. ‖ **3. desarticular,** desorganizar la autoridad. ‖ **4.** fig. Desamparar, abandonar o desabrigar una casa. ‖ **5.** *Mar.* **desarbolar.** ‖ **6.** *Mar.* Desarmar y desaparejar una embarcación.
desmaña. f. Falta de maña y habilidad.
desmañado, da. p. p. de **desmañar.** ‖ **2.** adj. Falto de maña, destreza y habilidad. Ú. t. c. s.
desmañar. (De *des-* y *maña.*) tr. ant. Estorbar, impedir.
desmaño. m. Desaliño, descuido.
desmaquillador, ra. adj. Aplícase al producto cosmético que sirve para desmaquillar. Ú. m. c. s. m.
desmaquillar. tr. Quitar de la cara el maquillaje u otras sustancias cosméticas. Ú. t. c. prnl.
desmarañar. (De *des-* y *maraña.*) tr. p. us. **desenmarañar.**
desmarcarse. (De *des-* y *marcar.*) prnl. En algunos deportes, desplazarse un jugador para burlar al contrario que le marca. ‖ **2.** fig. y fam. Alejarse, apartarse, escabullirse.
desmaridar. tr. ant. Separar de su marido a la mujer.
desmarojador, ra. m. y f. Persona que desmaroja.
desmarojar. tr. Quitar el marojo u hoja inútil.
desmarrido, da. (De *des* y *marrido.*) adj. desus. Desfallecido, mustio, triste y sin fuerzas.
desmatar. tr. Arrancar de cuajo las matas.
desmayado, da. p. p. de **desmayar** o **desmayarse.** ‖ **2.** adj. Aplícase al color bajo y apagado.
desmayamiento. (De *desmayar.*) m. ant. **desmayo,** desfallecimiento de las fuerzas, privación de sentido.
desmayar. (Del ant. fr. *esmaiier,* perturbar, desfallecer.) tr. Causar desmayo. ‖ **2.** intr. fig. Perder el valor, desfallecer de ánimo, acobardarse. ‖ **3.** prnl. Perder el sentido y el conocimiento.
desmayo. m. Desaliento, desánimo. ‖ **2.** Desfallecimiento de las fuerzas, privación de sentido. ‖ **3. sauce de Babilonia.**
desmazalado, da. (De *des-* y el hebr. *mazzāl,* destino, suerte.) adj. Flojo, caído, dejado. ‖ **2.** fig. p. us. Desdichado, abatido.
desmechar. tr. fam. *Méj.* **mesar.**
desmedidamente. adv. m. Sin proporción ni medida.
desmedido, da. p. p. de **desmedirse.** ‖ **2.** adj. Desproporcionado, falto de medida, que no tiene término.
desmedirse. prnl. Desmandarse, excederse.
desmedra. f. **desmedro.**
desmedrado, da. p. p. de **desmedrar.** ‖ **2.** adj. Dícese de personas o cosas que no alcanzan el desarrollo normal.
desmedrar. tr. **deteriorar.** Ú. t. c. prnl. ‖ **2.** intr. Decaer, ir a menos.
desmedro. m. Acción y efecto de desmedrar o desmedrarse.
desmejora. f. Deterioro, menoscabo.
desmejoramiento. m. Acción y efecto de desmejorar o desmejorarse.
desmejorar. tr. Hacer perder el lustre y perfección. Ú. t. c. prnl. ‖ **2.** intr. Ir perdiendo la salud. Ú. t. c. prnl.
desmelancolizar. tr. Quitar la melancolía. Ú. t. c. prnl.
desmelar. tr. Quitar la miel a la colmena.
desmelenado, da. p. p. de **desmelenar.** ‖ **2.** adj. Por ext., dícese de la persona o cosa que se presenta sin la compostura debida o que procede con arrebato. Ú. t. c. s.
desmelenamiento. m. Acción y efecto de desmelenar o desmelenarse. ‖ **2.** Acción de proceder con arrebato o de presentarse sin la debida compostura.
desmelenar. (De *des-* y *melena.*) tr. Descomponer y desordenar el cabello. Ú. t. c. prnl. ‖ **2.** prnl. fig. Enardecerse, enfurecerse. ‖ **3.** fig. Soltarse, desinhibirse.
desmembración. f. Acción y efecto de desmembrar o desmembrarse.
desmembrado, da. p. p. de **desmembrar.** ‖ **2.** adj. *Blas.* Dícese de los animales representados sin algún miembro como señal de infamia.
desmembrador, ra. adj. Que desmiembra. Ú. t. c. s.
desmembradura. (De *desmembrar.*) f. ant. **desmembración.**
desmembramiento. (De *desmembrar.*) m. ant. **desmembración.**
desmembrar. tr. Dividir y apartar los miembros del cuerpo. ‖ **2.** fig. Dividir, separar una cosa de otra. Ú. t. c. prnl.
desmemorado, da. (De *des-* y *memorado,* p. p. de *memorar.*) adj. ant. **desmemoriado.** Usáb. t. c. s.
desmemoria. f. Falta de memoria.
desmemoriado, da. p. p. de **desmemoriarse.** ‖ **2.** adj. Torpe de memoria. Ú. t. c. s. ‖ **3.** Falto de ella por completo o a intervalos. Ú. t. c. s. ‖ **4.** *Der.* Dícese de la persona que cae en imbecilidad y pierde totalmente, o en gran parte, la conciencia y la memoria de sus propios actos. Ú. t. c. s.
desmemoriarse. prnl. Olvidarse, no acordarse. ‖ **2.** Faltarle a alguien la memoria, perderla.
desmenguar. tr. p. us. **amenguar,** disminuir. ‖ **2.** fig. Disminuir una cosa no material.
desmentido, da. p. p. de **desmentir.** ‖ **2.** m. y f. Acción y efecto de desmentir o negar la veracidad de algo que ha sido afirmado antes. Ú. m. en América. ‖ **3. mentís,** comunicado en que se desmiente algo públicamente. Ú. m. en América.
desmentidor, ra. adj. Que desmiente. Ú. t. c. s.
desmentir. tr. Decir a alguien que miente. ‖ **2.** Sostener o demostrar la falsedad de un dicho o hecho. ‖ **3.** fig. Desvanecer o disimular una cosa para que no se conozca. DESMENTIR *las sospechas, los indicios.* ‖ **4.** fig. Proceder alguien distintamente de lo que se podía esperar de su nacimiento, educación y estado. ‖ **5.** intr. fig. Perder una cosa la línea, nivel o dirección que le corresponde respecto de otra.
desmenuzable. adj. Que se puede desmenuzar.
desmenuzador, ra. adj. Que desmenuza y apura. Ú. t. c. s.
desmenuzamiento. m. Acción y efecto de desmenuzar o desmenuzarse.
desmenuzar. (De *des-* y *menuza.*) tr. Deshacer una cosa dividiéndola en partes menudas. Ú. t. c. prnl. ‖ **2.** fig. Examinar en detalle una cosa.
desmeollamiento. m. Acción y efecto de desmeollar.
desmeollar. tr. Sacar el meollo o tuétano.
desmerecedor, ra. adj. Que desmerece una cosa o es indigno de ella.
desmerecer. tr. Hacer indigno de premio, favor o alabanza. ‖ **2.** intr. Perder una cosa parte de su mérito o valor. ‖ **3.** Ser una cosa inferior a otra con la cual se compara.

desmerecimiento. (De *desmerecer.*) m. **demérito.**

desmesura. f. Descomedimiento, falta de mesura.

desmesuradamente. adv. m. Descomedidamente, con exceso.

desmesurado, da. p. p. de **desmesurar** o **desmesurarse.** ‖ **2.** adj. Excesivo, mayor de lo común. ‖ **3.** Descortés, insolente y atrevido. Ú. t. c. s.

desmesurar. tr. Desarreglar, desordenar o descomponer. ‖ **2.** prnl. Descomedirse, perder la modestia, excederse.

desmigajar. tr. Hacer migajas una cosa, dividirla y desmenuzarla en partes pequeñas. Ú. t. c. prnl.

desmigar. tr. Desmigajar o deshacer el pan para hacer migas.

desmilitarización. f. Acción y efecto de desmilitarizar.

desmilitarizar. tr. Suprimir la organización o el carácter militar de una colectividad. ‖ **2.** Reducir o suprimir el sometimiento a la disciplina militar. ‖ **3.** Desguarnecer de tropas e instalaciones militares un territorio obedeciendo a un acuerdo internacional.

desmineralización. (De *des-* y *mineral.*) f. *Med.* Disminución o pérdida de una cantidad anormal de principios minerales, como fósforo, potasa, cal, etc.

desmiramiento. m. ant. Falta de miramiento o advertencia.

desmirlado, da. (De *des-* y *mirla.*) adj. *Germ.* **desorejado,** infame.

desmirriado, da. (Quizá leonesismo der. de *mirra.*) adj. fam. **esmirriado.**

desmitificación. f. Acción y efecto de desmitificar.

desmitificar. tr. Disminuir o privar de atributos míticos a aquello que los tenía o pretendía tenerlos.

desmocadero. (De *desmocar.*) m. ant. **despabiladeras.**

desmocar. intr. ant. Sonarse o quitarse los mocos.

desmocha. f. **desmoche.**

desmochadura. f. **desmoche.**

desmochar. (De *mocho.*) tr. Quitar, cortar, arrancar o desgajar la parte superior de una cosa, dejándola mocha. DESMOCHÓ *la res, cortándole las astas;* DESMOCHÓ *el árbol, desnudándolo de las ramas.* ‖ **2.** fig. Eliminar, cortar parte de una obra artística o literaria.

desmoche. m. Acción y efecto de desmochar. ‖ **2.** fig. y fam. Serie simultánea y numerosa de cesantías, suspensos o determinaciones análogas.

desmocho. m. Conjunto de las partes que se quitan o cortan de lo que se desmocha.

desmoderadamente. adv. m. ant. **inmoderadamente.**

desmogar. intr. Mudar los cuernos el venado y otros animales.

desmogue. m. Acción y efecto de desmogar.

desmolado, da. adj. Que ha perdido las muelas.

desmoledura. f. ant. Acción y efecto de desmoler.

desmoler. tr. ant. Molestar, enojar o afligir. ‖ **2.** desus. Digerir los alimentos.

desmonetización. f. Acción y efecto de desmonetizar.

desmonetizar. (De *des-* y *monetizar*[2].) tr. Abolir el empleo de un metal para la acuñación de moneda. ‖ **2.** *Arg., Chile, Par.* y *P. Rico.* Depreciar, desacreditar. Ú. t. c. prnl.

desmontable. adj. Que se puede desmontar[2] o desarmar. ‖ **2.** m. *Mec.* Instrumento de hierro, a modo de palanca, para desmontar de las ruedas las cubiertas.

desmontado, da. p. p. de **desmontar.** ‖ **2.** adj. V. **soldado desmontado.**

desmontadura. f. Acción y efecto de desmontar.

desmontaje. m. Acción y efecto de desmontar[2], poniendo el disparador en posición de que no funcione.

desmontar[1]. (De *des-* y *monte.*) tr. Cortar en un monte o en parte de él los árboles o matas. ‖ **2.** Deshacer un montón de tierra, broza u otra cosa. ‖ **3.** Rebajar un terreno.

desmontar[2]. (De *des-* y *montar.*) tr. **desarmar,** desunir, separar las piezas de una cosa. ‖ **2.** Deshacer un edificio o parte de él. ‖ **3.** Quitar, o no dar, la cabalgadura al que le corresponde tenerla. ‖ **4.** En algunas armas de fuego, poner el mecanismo de disparar en posición de que no funcione. ‖ **5.** Bajar a alguien de una caballería o de otra cosa. Ú. t. c. intr. y c. prnl. ‖ **6.** Inutilizar al enemigo los montajes de las piezas de artillería.

desmonte. m. Acción y efecto de desmontar[1]. ‖ **2.** Fragmentos o despojos de lo desmontado. ‖ **3.** Porción de terreno desmontado. Ú. m. en pl. ‖ **4.** *Amér.* Mineral pobre amontonado en la boca de una mina.

desmoñar. tr. fam. Quitar o descomponer el moño. Ú. t. c. prnl.

desmoralización. f. Acción y efecto de desmoralizar o desmoralizarse.

desmoralizador, ra. adj. Que desmoraliza. Ú. t. c. s.

desmoralizar. tr. Corromper las costumbres con malos ejemplos o doctrinas perniciosas. Ú. t. c. prnl. ‖ **2.** Desanimar. Ú. t. c. prnl.

desmorecerse. (Del lat. *emŏri,* morir.) prnl. p. us. Perecerse, sentir con violencia una pasión o afecto. ‖ **2.** p. us. Perturbarse la respiración por el llanto o la risa excesivos.

desmoronadizo, za. adj. Que tiene facilidad de desmoronarse.

desmoronamiento. m. Acción y efecto de desmoronar o desmoronarse.

desmoronar. (Del ant. *desboronar,* de *des-* y *borona.*) tr. Deshacer y arruinar poco a poco los edificios. Ú. m. c. prnl. ‖ **2.** Deshacer y arruinar las aglomeraciones de sustancias más o menos en cohesión. Ú. t. c. prnl. ‖ **3.** prnl. fig. Sufrir una persona, física o moralmente, una grave depresión, los efectos de un disgusto, etc. ‖ **4.** fig. Venir a menos, irse destruyendo los imperios, los caudales, el crédito, etc.

desmostarse. prnl. Perder mosto la uva.

desmotadera. f. **desmotadora.** ‖ **2.** Instrumento con que se desmota.

desmotador, ra. adj. Que desmota. ‖ **2.** m. y f. Persona que tiene por oficio quitar las motas a la lana o al paño, o las semillas al algodón. ‖ **3.** f. Máquina que sirve para estos fines. ‖ **4.** m. *Germ.* Ladrón que desnuda por fuerza a una persona.

desmotar. tr. Quitar las motas a la lana o al paño, o las semillas al algodón.

desmote. m. Acción y efecto de desmotar, ya sea a mano o a máquina.

desmotivar. tr. Desalentar, disuadir.

desmovilización. f. Acción y efecto de desmovilizar.

desmovilizar. tr. Licenciar a las personas o a las tropas movilizadas.

desmugrar. (De *des-* y *mugre.*) tr. En los batanes, quitar la grasa a los paños.

desmultiplicación. f. Acción y efecto de desmultiplicar.

desmultiplicar. tr. *Mec.* Disminuir el número de vueltas de una pieza giratoria mediante un engranaje en el que esta tiene una rueda con un número de dientes mayor que otra que actúa sobre ella.

desmullir. tr. Descomponer lo mullido.

desmurador. (De *desmurar*[2].) m. *Ast.* Gato cazador.

desmurar[1]. tr. ant. Demoler los muros o murallas de una ciudad, fortaleza o castillo.

desmurar[2]. (Del lat. *dis,* des-, y *mus, muris,* ratón.) tr. *Ast.* Exterminar o ahuyentar los ratones.

desnacionalización. f. Acción y efecto de desnacionalizar.

desnacionalizar. tr. Privar del carácter nacional a una

cuestión, una corporación, una industria, etc., por la inclusión de elementos extranjeros. ‖ **2.** Privatizar.

desnarigado, da. p. p. de **desnarigar.** ‖ **2.** adj. Que no tiene narices o las tiene muy pequeñas. Ú. t. c. s.

desnarigar. (De *des-* y el lat. vulg. *narix, -īcis,* nariz; cf. *narigudo.*) tr. Quitar a alguien las narices.

desnatadora. f. Máquina que sirve para quitar la nata a la leche o a otros líquidos.

desnatar. tr. Quitar la nata a la leche o a otros líquidos. ‖ **2.** fig. Escoger lo mejor de una cosa. ‖ **3.** *Metal.* Quitar la escoria que sobrenada en el metal fundido cuando sale del horno.

desnaturación. (De *desnaturar.*) f. ant. **desnaturalización.**

desnatural. adj. ant. Extraño, violento, no natural.

desnaturalización. f. Acción y efecto de desnaturalizar o desnaturalizarse.

desnaturalizado, da. p. p. de **desnaturalizar.** ‖ **2.** adj. Que falta a los deberes que la naturaleza impone a padres, hijos, hermanos, etc. Ú. t. c. s.

desnaturalizar. tr. p. us. Privar a alguien del derecho de naturaleza y patria; desterrarlo. Ú. t. c. prnl. ‖ **2.** Alterar las propiedades o condiciones de una cosa; desvirtuarla. ‖ **3.** Degradar una sustancia, como el alcohol o el aceite, de manera que deje de ser apta para el consumo humano.

desnaturamiento. (De *desnaturar.*) m. ant. **desnaturalización.**

desnaturar. tr. ant. **desnaturalizar,** o privar del derecho de naturaleza y patria. Usáb. t. c. prnl. ‖ **2.** prnl. ant. Romper el vasallo los vínculos que le ligaban a su señor natural.

desnecesario, ria. adj. desus. **innecesario.**

desnegar. tr. p. us. Contradecir a alguien en lo que dice o propone. ‖ **2.** prnl. p. us. Desdecirse, retractarse de lo dicho.

desnervar. (Del lat. *dis,* des-, y *nervus,* nervio.) tr. p. us. **enervar.**

desnerviar. (De *des-* y *nervio.*) tr. ant. **desnervar.**

desnevado, da. p. p. de **desnevar.** ‖ **2.** adj. Dícese del lugar donde suele haber nieve y no la hay.

desnevar. (De *des-* y *nevar.*) tr. p. us. Deshacer o derretir la nieve. Ú. t. c. intr. y c. prnl.

desnieve. m. *Cantabria.* Acción y efecto de desnevar.

desnivel. m. Falta de nivel. ‖ **2.** Diferencia de alturas entre dos o más puntos.

desnivelación. f. Acción y efecto de desnivelar o desnivelarse.

desnivelar. tr. Alterar el nivel existente entre dos o más cosas. Ú. t. c. prnl. ‖ **2.** Desequilibrar.

desnoblecer. tr. ant. Envilecer, hacer perder la nobleza.

desnortarse. prnl. Perder el norte o dirección; desorientarse.

desnucamiento. m. Acción y efecto de desnucar o desnucarse.

desnucar. tr. Sacar de su lugar los huesos de la nuca. Ú. t. c. prnl. ‖ **2.** Causar la muerte a una persona o animal por un golpe en la nuca. Ú. t. c. prnl.

desnuclearización. f. Reducción o eliminación de armas o instalaciones nucleares de un territorio.

desnudador, ra. (Del lat. *denudātor, -ōris.*) adj. Que desnuda. Ú. t. c. s.

desnudamente. adv. m. fig. Claramente, sin velo ni rebozo.

desnudamiento. m. Acción y efecto de desnudar o desnudarse.

desnudar. (Del lat. *denudāre.*) tr. Quitar todo el vestido o parte de él. Ú. t. c. prnl. ‖ **2.** fig. Despojar una cosa de lo que la cubre o adorna. DESNUDAR *los altares, los árboles.* ‖ **3.** fig. Desvalijar, desplumar a alguien. ‖ **4.** prnl. fig. Desprenderse y apartarse de una cosa. DESNUDARSE *de las pasiones.*

desnudez. f. Calidad de desnudo.

desnudismo. m. **nudismo.**

desnudista. adj. **nudista.** Ú. t. c. s.

desnudo, da. (Del lat. *nudus,* desnudo, infl. por *desnudar.*) adj. Sin vestido. ‖ **2.** fig. Muy mal vestido o indecente. ‖ **3.** fig. Falto o despojado de lo que cubre o adorna. ‖ **4.** fig. Falto de recursos, sin bienes de fortuna. ‖ **5.** fig. Falto de una cosa no material. DESNUDO *de méritos, de favor.* ‖ **6.** fig. Patente, claro, sin rebozo ni doblez. ‖ **7.** *Bot.* Dícese, en general, de órganos vegetales que carecen de envolturas protectoras. Aplícase en especial a las flores aclamídeas, como las de los sauces y álamos. ‖ **8.** m. *Esc.* y *Pint.* Figura humana **desnuda** o cuyas formas se perciben aunque esté vestida. ‖ **al desnudo.** loc. adv. fig. Descubiertamente, a la vista de todos.

desnutrición. f. Acción y efecto de desnutrirse.

desnutrido, da. p. p. de **desnutrirse.** ‖ **2.** adj. Mal alimentado, enflaquecido.

desnutrirse. (De *des-* y *nutrirse.*) prnl. Depauperarse el organismo por trastorno de la nutrición.

desobedecer. (De *des-* y *obedecer.*) tr. No hacer alguien lo que ordenan las leyes o los que tienen autoridad.

desobedecimiento. m. ant. **desobediencia.**

desobediencia. f. Acción y efecto de desobedecer. ‖ **civil.** Resistencia pacífica a las exigencias o mandatos del poder establecido.

desobediente. p. a. de **desobedecer.** Que desobedece. ‖ **2.** adj. Propenso a desobedecer.

desobligar. (De *des-* y *obligar.*) tr. desus. Sacar de la obligación a alguien; libertarle de ella. Usáb. t. c. prnl. ‖ **2.** desus. fig. Disgustar, causar enojo.

desobstrucción. f. Acción y efecto de desobstruir.

desobstruir. (De *des-* y *obstruir.*) tr. Quitar las obstrucciones. ‖ **2.** Desocupar, quitar los obstáculos.

desocasionado, da. adj. Que está fuera o apartado de la ocasión.

desocupación. f. Falta de ocupación; ociosidad. ‖ **2.** *Amér.* Paro forzoso, desempleo.

desocupadamente. adv. m. Libremente, sin estorbo.

desocupado, da. p. p. de **desocupar.** ‖ **2.** adj. Sin ocupación, ocioso. ‖ **3.** Vacío de personas o cosas. ‖ **4.** *Amér.* Desempleado, sin trabajo. Ú. t. c. s.

desocupar. tr. Dejar un lugar libre de obstáculos. ‖ **2.** Sacar lo que hay dentro de alguna cosa. ‖ **3.** prnl. Desembarazarse de un negocio u ocupación. ‖ **4.** *NO. Argent., Hond., Urug.* y *Venez.* Parir, dar a luz.

desodorante. (Del ing. *deodorant.*) adj. Que destruye los olores molestos o nocivos. ‖ **2.** m. Producto que se utiliza para suprimir el olor corporal o de algún recinto.

desodorizante. adj. Dícese de la sustancia que se usa en las industrias químicas, cosméticas y alimentarias para desodorizar.

desodorizar. tr. Eliminar ciertos olores.

desoír. tr. Desatender, dejar de oír.

desojar. (Del lat. *exoculāre.*) tr. Quebrar o romper el ojo de un instrumento; como de la aguja, la azada, etc. Ú. t. c. prnl. ‖ **2.** prnl. fig. Esforzar la vista mirando o buscando una cosa.

desolación. (Del lat. *desolatĭo, -ōnis.*) f. Acción y efecto de desolar o desolarse.

desolador, ra. (De *desolar.*) adj. **asolador.** ‖ **2.** Que causa extrema aflicción.

desolar. (Del lat. *desolāre.*) tr. **asolar**[1], destruir, arrasar. ‖ **2.** prnl. fig. Afligirse, angustiarse con extremo.

desolazar. tr. desus. Provocar o causar inquietud o aflicción.

desoldar. (De *des-* y *soldar.*) tr. Quitar la soldadura. Ú. t. c. prnl.
desolladamente. adv. m. desus. Desvergonzadamente, con insolencia y descaro.
desolladero. m. Sitio destinado para desollar las reses.
desollado, da. p. p. de **desollar.** ‖ **2.** adj. fam. desus. Descarado, sin vergüenza. Usáb. t. c. s.
desollador, ra. adj. Que desuella. Ú. t. c. s. ‖ **2.** fig. Que lleva inmoderados derechos o precio exorbitante por una cosa. Ú. t. c. s. ‖ **3.** m. **alcaudón.**
desolladura. f. Acción y efecto de desollar o desollarse.
desollamiento. m. ant. **desolladura.**
desollar. (De *desfollar.*) tr. Quitar la piel del cuerpo o de alguno de sus miembros. Ú. t. c. prnl. ‖ **2.** fig. Causar a alguien grave daño en su persona, honra o hacienda. ‖ **desollarla.** expr. fig. y fam. **desollar el lobo.** ‖ **desollar vivo** a alguien. fr. fig. y fam. Obtener de él más dinero del justo y razonable. ‖ **2.** fig. y fam. Murmurar de él acerbamente.
desollón. m. fam. **desolladura.**
desondra. f. ant. **deshonra.**
desondrar. (Del lat. *dehonorāre.*) tr. ant. **deshonrar**
desonzar. tr. ant. fig. Injuriar, infamar.
desopilación. f. Acción y efecto de desopilar o desopilarse.
desopilante. p. a. de **desopilar.** Que desopila. ‖ **2.** adj. fig. Festivo, divertido, que produce mucha risa.
desopilar. (De *des-* y *opilar.*) tr. Curar la opilación. Ú. t. c. prnl.
desopilativo, va. adj. *Med.* Dícese del medicamento que tiene la virtud de desopilar. Ú. t. c. s. m.
desopinado, da. p. p. de **desopinar.** ‖ **2.** adj. ant. Que ha perdido la buena opinión por culpa propia o malevolencia ajena.
desopinar. tr. Quitar la buena opinión, desacreditar.
desopresión. f. Acción y efecto de desoprimir.
desoprimir. tr. Librar de la opresión y sujeción.
desorbitado, da. p. p. de **desorbitar** o **desorbitarse.** ‖ **2.** adj. fig. Dícese de los ojos que expresan tanto dolor o asombro que parecen salirse de las órbitas.
desorbitar. tr. Sacar un cuerpo de órbita. Ú. t. c. prnl. y en sent. fig. ‖ **2.** fig. Exagerar, abultar, conceder demasiada importancia a una cosa.
desorden. m. Confusión y alteración del orden. Usáb. t. c. f. ‖ **2.** Alboroto, motín. ‖ **3.** Exceso o abuso. Ú. m. en pl.
desordenación. f. **desorden.**
desordenadamente. adv. m. Con desorden o confusión; sin regla.
desordenado, da. p. p. de **desordenar** o **desordenarse.** ‖ **2.** adj. Que no tiene orden. ‖ **3.** Dícese también de lo que sale del orden o ley moral. *Pasión, vida* DESORDENADA. ‖ **4.** Referido a pers., que obra sin método y no cuida del orden en sus cosas.
desordenamiento. m. **desorden.**
desordenanza. f. ant. **desorden.**
desordenar. (De *des-* y *ordenar.*) tr. Turbar, confundir y alterar el buen orden. Ú. t. c. prnl. ‖ **2.** ant. Degradar a una persona eclesiástica. ‖ **3.** prnl. Salir de regla, excederse.
desorejado, da. p. p. de **desorejar.** ‖ **2.** adj. fig. y fam. Prostituido, infame, abyecto. Ú. t. c. s. ‖ **3.** *Argent.* y *Urug.* Irresponsable, desfachatado. ‖ **4.** *Argent., Cuba* y *Urug.* Derrochador. ‖ **5.** *Amér. Central* y *Col.* Tonto. ‖ **6.** *And., Arg., Col.* y *Chile.* **desasado.** ‖ **7.** fam. *Arg., Bol., Col., Pan.* y *Perú.* Que tiene mal oído para la música.
desorejamiento. m. Acción y efecto de desorejar.
desorejar. tr. Cortar las orejas.
desorganización. f. Acción y efecto de desorganizar o desorganizarse.
desorganizadamente. adv. m. Sin organización.
desorganizador, ra. adj. Que desorganiza. Ú. t. c. s.
desorganizar. (De *des-* y *organizar.*) tr. Desordenar en sumo grado, cortando o rompiendo las relaciones existentes entre las diferentes partes de un todo. Ú. t. c. prnl.
desorientación. f. Acción y efecto de desorientar o desorientarse.
desorientador, ra. adj. Que desorienta. Ú. t. c. s.
desorientar. (De *des-* y *orientar.*) tr. Hacer que una persona pierda la orientación o el conocimiento de la posición que ocupa geográfica o topográficamente. Ú. t. c. prnl. ‖ **2.** fig. Confundir, ofuscar, extraviar. Ú. t. c. prnl.
desorillar. tr. Quitar las orillas al paño o a otro tejido, a un papel, etc.
desornamentado, da. adj. Privado o carente de adornos u ornamentos.
desortijado, da. p. p. de **desortijar.** ‖ **2.** adj. *Veter.* Relajado, dislocado.
desortijar. tr. *Agr.* Dar con el escardillo la primera labor a las plantas, después de nacidas o trasplantadas.
desosar. (De *des-* y el lat. *os,* hueso.) tr. **deshuesar.**
desosegar. tr. **desasosegar.**
desosiego. (De *desosegar.*) m. **desasosiego.**
desoterrar. tr. ant. **desenterrar,** sacar lo que está debajo de tierra.
desovadero. m. Época del desove. ‖ **2.** Lugar a propósito para el desove.
desovar. (De *des-* y el lat. *ovum,* huevo.) intr. Soltar las hembras de los peces y las de los anfibios sus huevos o huevas.
desove. m. Acción y efecto de desovar. ‖ **2.** Época en que desovan las hembras de los peces y anfibios.
desovillar. tr. Deshacer los ovillos. ‖ **2.** fig. Desenredar y aclarar una cosa que estaba muy oscura y enmarañada. Ú. t. c. prnl. ‖ **3.** desus. fig. Dar ánimo, quitando el encogimiento y turbación.
desoxidable. adj. Que puede ser desoxidado.
desoxidación. f. Acción y efecto de desoxidar o desoxidarse.
desoxidante. p. a. de **desoxidar.** Que desoxida o sirve para desoxidar. Ú. t. c. s. m.
desoxidar. (De *des-* y *oxidar.*) tr. Limpiar un metal del óxido que lo mancha. ‖ **2. desoxigenar.**
desoxigenación. f. Acción y efecto de desoxigenar.
desoxigenante. p. a. de **desoxigenar.** Que desoxigena. Ú. t. c. s. m.
desoxigenar. (De *des-* y *oxigenar.*) tr. Quitar el oxígeno a una sustancia con la cual estaba combinado. Ú. t. c. prnl. ‖ **2. desoxidar.** Ú. t. c. prnl.
desoxirribonucleico. adj. *Bioquím.* V. **ácido desoxirribonucleico.**
desoxirribonucleótido. m. *Bioquím.* Nucleótido cuyo azúcar constituyente es la desoxirribosa.
despabiladeras. f. pl. Tijeras con que se despabilan velas y candiles. ‖ **tener buenas despabiladeras.** fr. fig. y fam. Tener desenvoltura y habilidad para rechazar intromisiones y viveza para ejercitar el ingenio.
despabilado, da. p. p. de **despabilar** o **despabilarse.** ‖ **2.** adj. Dícese del que está libre de sueño, en especial del que está desvelado en la hora que debía dormir. ‖ **3.** fig. Vivo y despejado.
despabilador, ra. adj. Que despabila. ‖ **2.** m. El que en los antiguos teatros tenía el oficio de quitar el pabilo a las velas o candiles. ‖ **3. despabiladeras.**
despabiladura. f. Extremidad del pabilo que se quita de velas y candiles cuando se despabila.
despabilar. tr. Quitar la pavesa o la parte ya quemada del pabilo o mecha a velas y candiles. ‖ **2.** fig. desus. Cercenar, quitar de una cosa algo que en ella estorba o cons-

tituye una imperfección. ‖ **3.** p. us. fig. Despachar brevemente, o acabar con presteza. DESPABILAR *la hacienda, la comida.* ‖ **4.** desus. fig. Robar, quitar ocultamente. ‖ **5.** fig. Avivar y ejercitar el entendimiento o el ingenio de alguien, hacerle perder la timidez o la torpeza. Ú. t. c. prnl. y c. intr. ‖ **6.** p. us. fig. y fam. **matar,** quitar la vida. ‖ **7.** prnl. fig. Sacudirse el sueño o la pereza. Ú. t. c. intr. ‖ **8.** fig. Apresurarse, darse prisa en la realización de una cosa. Ú. m. en imperat. DESPABÍLATE *de una vez y termina.* Ú. t. c. intr. ‖ **9.** *Amér.* fest. Escabullirse, marcharse.

despabilo. (De *despabilar.*) m. ant. **despabiladura.**

despacio. (De *de-* y *espacio.*) adv. m. Poco a poco, lentamente. ‖ **2.** adv. t. Por tiempo dilatado. ‖ **con despacio.** loc. adv. Con lentitud y detenimiento. Úsase más en Andalucía y algunas partes de América. ‖ **¡despacio!** interj. que sirve para prevenir a alguien que se modere en lo que va hablando, o en lo que va a hacer con audacia, con demasiada viveza o fuera de razón.

despaciosamente. adv. m. Lentamente, con detenimiento.

despacioso, sa. adj. **espacioso,** lento.

despacito. d. de **despacio.** ‖ **2.** adv. m. fam. Muy poco a poco. ‖ **¡despacito!** interj. fam. **¡despacio!**

despachada. f. desus. En las contadurías de relaciones, el empleo ejercido por una segunda clase de oficiales que no podían rubricar los despachos que ejecutaban y solo ponían al pie de ellos **despachada.** ‖ **2.** m. desus. El oficial que servía este empleo.

despachadamente. adv. m. ant. Con mucha brevedad y ligereza.

despachaderas. (De *despachar.*) f. pl. fam. Modo áspero de responder. ‖ **2.** Facilidad, expedición en el despacho de los negocios, o en salir de dificultades.

despachado, da. p. p. de **despachar.** ‖ **2.** adj. fam. **desfachatado.** ‖ **3.** Dícese del que es hábil en el desempeño de un cometido.

despachador, ra. adj. Que despacha o tiene a su cargo un despacho. Ú. t. c. s. y m. en América. ‖ **2.** desus. Diligente. Usáb. t. c. s. ‖ **3.** m. desus. Operario encargado, en algunas minas de América, de llenar las vasijas de extracción en las cortaduras.

despachamiento. (De *despachar.*) m. ant. **destierro.**

despachante. p. a. de **despachar.** Ú. t. c. s. ‖ **de aduana.** *Argent., Par.* y *Urug.* Agente de aduanas.

despachar. (Del ant. fr. *despeechier.*) tr. Abreviar y concluir un negocio u otra cosa. ‖ **2.** Resolver o tratar un asunto o negocio. Ú. t. c. intr. ‖ **3. enviar,** hacer que una persona o cosa vaya a determinado lugar. DESPACHAR *un correo, un propio.* ‖ **4.** Vender los géneros o mercaderías. ‖ **5.** Despedir, alejar o apartar de sí a una persona. ‖ **6.** fam. Atender el tendero o dependiente a los clientes. Ú. t. c. intr. ‖ **7.** fig. y fam. **matar,** quitar la vida. Ú. t. c. prnl. ‖ **8.** intr. Darse prisa. ‖ **9.** fam. Parir la mujer. Ú. t. c. prnl. ‖ **10.** prnl. Desembarazarse de una cosa. ‖ **11.** fam. Decir alguien cuanto le viene en gana. Ú. m. en la fr. DESPACHARSE *a gusto.*

despachero, ra. m. y f. *Chile.* Persona que tiene un despacho, tienda.

despacho. m. Acción y efecto de despachar. ‖ **2.** Aposento o conjunto de aposentos de una casa destinados para despachar los negocios o para el estudio. ‖ **3.** Mobiliario de este aposento. ‖ **4.** Tienda o parte del establecimiento donde se venden determinados efectos. ‖ **5.** Cualquiera de las comunicaciones escritas entre el gobierno de una nación y sus representantes en las potencias extranjeras. ‖ **6.** Expediente, resolución, determinación. ‖ **7.** Cédula, título o comisión que se da a uno para algún empleo o negocio. ‖ **8.** Comunicación transmitida por telégrafo o por teléfono o por cualquier otro medio de comunicación. ‖ **9.** En algunas minas de América, el ensanche contiguo a las cortaduras. ‖ **10.** V. **secretario del despacho.** ‖ **universal.** El de los negocios correspondientes al Ministerio de Asuntos Exteriores. ‖ **correr los despachos.** fr. Darles curso sin retardarlos. ‖ **tener** alguien **buen despacho.** fr. Ser hábil y expedito para desempeñar los asuntos de que se encarga.

despachurrado, da. p. p. de **despachurrar.** ‖ **2.** adj. fig. y fam. Desconcertado, cortado, impresionado. ‖ **3.** desus. Decíase de la persona ridícula y despreciable.

despachurramiento. m. Acción y efecto de despachurrar.

despachurrar. (De *despanchurrar.*) tr. fam. Aplastar una cosa despedazándola, estrujándola o apretándola con fuerza. Ú. t. c. prnl. ‖ **2.** fig. y fam. Estropear una historia o relato por torpeza de quien lo cuenta. ‖ **3.** fig. y fam. Dejar a alguien cortado sin que pueda replicar.

despachurro. m. Acción y efecto de despachurrar.

despagado, da. p. p. de **despagar.** ‖ **2.** adj. desus. Enemigo, adversario. Usáb. t. c. s.

despagamiento. (De *despagar.*) m. desus. Descontento, disgusto.

despagar. (De *des-* y *pagar.*) tr. desus. Descontentar, disgustar. Usáb. m. c. prnl.

despajador, ra. adj. Aplícase a la persona que despaja. Ú. m. c. s. ‖ **2.** m. Especie de cedazo para despajar.

despajadura. f. Acción y efecto de despajar.

despajar. tr. Apartar la paja del grano. ‖ **2.** fig. *Min.* Cribar a mano tierras y desechos para obtener las partes de mineral que hay en ellas.

despajo. m. **despajadura.**

despaladinar. (De *des-*, intens., y *paladino.*) tr. ant. Declarar o explicar.

despaldar. tr. **desespaldar.** Ú. t. c. prnl.

despaldilladura. f. Acción y efecto de despaldillar o despaldillarse.

despaldillar. tr. Desconcertar o romper la espaldilla a un animal. Ú. t. c. prnl.

despaletillar. tr. **despaldillar.** Ú. t. c. prnl. ‖ **2.** fig. y fam. Magullar a golpes las espaldas. Ú. t. c. prnl.

despalillado, da. p. p. de **despalillar.** ‖ **2.** m. Acción y efecto de despalillar.

despalillador, ra. m. y f. Persona que despalilla.

despalillar. tr. Quitar los palillos o venas gruesas de la hoja del tabaco antes de torcerlo o picarlo. ‖ **2.** Quitar los palillos a las pasas o el escobajo a la uva.

despalmador. m. Sitio donde se despalman las embarcaciones. ‖ **2.** *Veter.* Cuchillo corvo, de forma parecida al pujavante, que usan los herradores para despalmar.

despalmadura. f. Acción y efecto de despalmar los cascos de algunos animales. ‖ **2.** Desperdicio de los cascos de las caballerías. Ú. m. en pl.

despalmar. (De *des-* y *palma.*) tr. Limpiar y dar sebo a los fondos de las embarcaciones que no están forradas de cobre. ‖ **2.** p. us. En carpintería, **achaflanar.** ‖ **3.** Separar los herradores la palma córnea de la carnosa de los animales. ‖ **4.** Arrancar el césped o grama.

despalme. m. Acción de despalmar los cascos de algunos animales. ‖ **2.** Corte dado en el tronco de un árbol para derribarlo.

despampanador, ra. m. y f. *Agr.* Persona que despampana.

despampanadura. f. *Agr.* Acción y efecto de despampanar.

despampanante. p. a. de **despampanar.** ‖ **2.** adj. fig. Pasmoso, llamativo, que deja atónito por su buena presencia u otras cualidades.

despampanar. tr. *Agr.* Quitar los pámpanos a las vides para atajar el vicio. ‖ **2.** *Agr.* **despimpollar.** ‖ **3.** fig. y fam.

Desconcertar, dejar atónita a una persona. ‖ **4.** intr. fig. y fam. Desahogarse alguien diciendo con libertad lo que siente. ‖ **5.** prnl. fam. Lastimarse gravemente de resultas de un golpe o caída.

despampanillar. tr. *Agr.* Despampanar las vides.

despampano. m. *Agr.* **despampanadura.**

despamplonar. (De *des-* y *pámpano.*) tr. *Agr.* Esparcir o apartar los vástagos de la vid o de otra planta cuando están muy juntos.

despanar. (De *des-* y *pan,* trigo.) tr. *Extr.* Levantar y sacar las mieses de las hazas después de segadas.

despancar. tr. *Amér.* Separar la panca de la mazorca del maíz.

despancijar. (De *des-* y *panza.*) tr. fam. **despanzurrar.** Ú. t. c. prnl.

despanchurrar. (De *des-* y *pancho*[2].) tr. **despachurrar.**

despanzurramiento. m. Acción y efecto de despanzurrar.

despanzurrar. tr. fam. Romper a alguien la panza. Ú. t. c. prnl. ‖ **2.** Por ext., reventar una cosa que está rellena, esparciendo el relleno por fuera. Ú. t. c. prnl.

despanzurro. m. *Chile.* Disparate.

despapar. (De *des-* y *papo.*) intr. *Equit.* Llevar el caballo la cabeza demasiado levantada. Ú. t. c. tr.

despapucho. m. *Perú.* Disparate, sandez.

desparado, da. (Del lat. *disparātus.*) adj. ant. Diferente, diverso.

desparar. (Del lat. *disparāre,* separar.) tr. ant. Descomponer o desconcertar lo que estaba dispuesto. ‖ **2.** ant. **prorrumpir.**

desparcimiento. m. ant. **esparcimiento.**

desparcir. tr. ant. **esparcir.** Usáb. t. c. prnl.

desparear. (De *des-* y *parear.*) tr. desus. **desparejar.**

desparecer. intr. **desaparecer.** Ú. t. c. prnl. ‖ **2.** tr. p. us. Hacer desaparecer, ocultar, esconder. ‖ **3.** prnl. ant. No parecerse, ser desemejante una cosa de otra.

desparedar. tr. Quitar las paredes o tapias.

desparejado, da. p. p. de **desparejar.** ‖ **2.** adj. Que no tiene pareja o está mal emparejado.

desparejar. tr. Deshacer una pareja. Ú. t. c. prnl.

desparejo, ja. adj. **desparejado,** que no tiene pareja. ‖ **2. dispar.**

desparpajado, da. p. p. de **desparpajar.** ‖ **2.** adj. Desenvuelto, ufano, que tiene desparpajo.

desparpajar. (De or. inc.; probablemente cruce del lat. *spargere,* esparcir, y **expaleare,* de *palea,* paja.) Dispersar, esparcir, desparramar. ‖ **2.** intr. fam. Hablar mucho y sin concierto. Ú. t. c. prnl. ‖ **3.** prnl. *Méj., Hond.* y *P. Rico.* Sacudir el sueño, despabilarse.

desparpajo. (De *desparpajar.*) m. fam. Suma facilidad y desembarazo en el hablar o en las acciones. ‖ **2.** fam. *Amér. Central.* Desorden, desbarajuste.

desparramado, da. p. p. de **desparramar.** ‖ **2.** adj. Ancho, abierto.

desparramador, ra. adj. Que desparrama. Ú. t. c. s.

desparramamiento. m. Acción y efecto de desparramar o desparramarse.

desparramar. (Cruce de *esparcir* y *derramar.*) tr. Esparcir, extender por muchas partes lo que estaba junto. Ú. t. c. prnl. ‖ **2.** Verter, derramar un fluido por muchas partes. Ú. t. c. prnl. ‖ **3.** fig. Disipar la hacienda, malbaratarla, malgastarla. ‖ **4.** *Argent., Méj., Par.* y *P. Rico.* Divulgar una noticia. ‖ **5.** prnl. Distraerse, divertirse desordenadamente.

desparramo. m. *Argent., Cuba* y *Chile.* Acción y efecto de desparramar. ‖ **2.** fig. *Chile* y *Urug.* Desbarajuste, desconcierto.

desparrancado, da. adj. desus. **esparrancado.**

desparrancarse. prnl. **esparrancarse.**

despartidero. (De *despartir.*) m. *Ar.* Sitio donde se bifurca un camino.

despartidor, ra. adj. desus. Que desparte. Ú. t. c. s.

despartimiento. m. ant. Acción y efecto de despartir.

despartir. (Del lat. *dispartīre.*) tr. desus. Separar, apartar, dividir. ‖ **2.** desus. Poner paz entre los que riñen. Ú. en Navarra y algunas partes de América.

desparvar. tr. Levantar la parva, amontonando la mies trillada, para aventarla.

despasar. tr. Retirar una cinta, cordón, etc., que se había pasado o corrido por un ojal, jareta, etc. ‖ **2.** *Mar.* **desguarnir** el cabrestante.

despasmarse. prnl. ant. Recobrarse, volver sobre sí de la suspensión o del susto o pasmo.

despatarrada. f. fam. Cierta mudanza en algunos bailes, como el villano, la gallegada, etc., que se ejecutaba abriendo las piernas desmesuradamente y como despatarrándose. ‖ **hacer la despatarrada.** fr. fig. y fam. Afectar una enfermedad, dolor o accidente, tendiéndose en el suelo.

despatarrar. (De *des-* y *pata.*) tr. fam. Abrir excesivamente las piernas a alguien. Ú. t. c. prnl. ‖ **2.** fam. Llenar de miedo, asombro o espanto. Ú. principalmente en las frases *Dejar* a alguien, o *quedarse,* DESPATARRADO. Ú. t. c. prnl. ‖ **3.** prnl. Caerse al suelo, abierto de piernas.

despatillado, da. p. p. de **despatillar.** ‖ **2.** m. Corte o rebajo que se hace en el extremo de una pieza de madera.

despatillar. tr. Cortar en los maderos los rebajos necesarios para que puedan entrar en las muescas. ‖ **2.** Cortar o afeitar las patillas. ‖ **3.** Quitar las patas o patillas a las rejas, balcones y otras construcciones de hierro. ‖ **4.** *Mar.* p. us. Refiriéndose al ancla de los barcos, arrancarle un brazo a fuerza de cabrestante, o al virar o tirar del cable por estar enganchada una uña.

despavesaderas. f. pl. **despabiladeras.**

despavesadura. f. Acción y efecto de despavesar.

despavesar. tr. Quitar la pavesa del pabilo. ‖ **2.** Quitar, soplando, la ceniza de la superficie de las brasas.

despavonar. tr. Quitar el pavón con que se ha cubierto una superficie de hierro o acero.

despavorido, da. p. p. de **despavorir.** ‖ **2.** adj. Lleno de pavor.

despavorir. (Del ant. *espavorir.*) intr. defect. Sentir pavor. Ú. t. c. prnl.

despeadura. f. Acción y efecto de despearse.

despeamiento. m. **despeadura.**

despearse. (Del lat. *despedāre.*) prnl. Maltratarse los pies el hombre o el animal, por haber caminado mucho.

despectivamente. adv. m. Con desprecio.

despectivo, va. (Del lat. *despectus,* desprecio.) adj. **despreciativo.** ‖ **2.** *Gram.* Aplícase a la palabra que incluye idea de menosprecio en la significación del positivo de que procede; v. gr.: *libraco, villorrio, poetastro, calducho.* Ú. t. c. s. m. ‖ **3.** *Gram.* Dícese también del sufijo que se añade a dicho positivo.

despechadamente. adv. m. Con despecho[1].

despechado, da. p. p. de **despechar**[1]. ‖ **2.** adj. Lleno de despecho[1].

despechador. (De *despechar*[3].) m. desus. El que exige demasiados impuestos o tributos.

despechamiento. (De *despechar*[1].) m. desus. **despecho**[1].

despechar[1]. tr. p. us. Causar despecho[1]. Ú. t. c. prnl.

despechar[2]. (Del lat. *despectāre.*) tr. fam. Destetar a los niños.

despechar[3]. (De *des-* y *pecho*[2].) tr. desus. Imponer tributos excesivos.

despecheretado, da. adj. *And.* Despechugado, con el pecho al aire.

despecho[1]. (Del lat. *despĕctus,* menosprecio.) m. Malquerencia nacida en el ánimo por desengaños sufridos en la consecución de los deseos o en los empeños de la vanidad. ‖ **2.** **desesperación.** ‖ **3.** desus. Disgusto o sentimiento vehemente. ‖ **4.** desus. Rigor, aspereza. *Las inclemencias y* DESPECHO *de la noche.* ‖ **a despecho de.** loc. prepos. A pesar de.

despecho[2]**.** (De *des-* y *pecho.*) m. fam. **destete.**

despechoso, sa. (De *despecho*[1].) adj. ant. Despechado, indignado, furioso.

despechugadura. f. Acción y efecto de despechugar o despechugarse.

despechugar. tr. Quitar la pechuga a un ave. ‖ **2.** prnl. fig. y fam. Mostrar o enseñar el pecho, llevarlo descubierto.

despedazador, ra. adj. Que despedaza. Ú. t. c. s.

despedazadura. f. ant. **despedazamiento.**

despedazamiento. m. Acción y efecto de despedazar o despedazarse.

despedazar. tr. Hacer pedazos un cuerpo, dividiéndolo en partes sin orden ni concierto. Ú. t. c. prnl. ‖ **2.** fig. Maltratar y destruir algunas cosas no materiales. DESPEDAZAR *el alma, la honra.*

despedida. f. Acción y efecto de despedir a alguien o despedirse. ‖ **2.** En ciertos cantos populares, la copla final en que el cantor se despide.

despediente. m. ant. **expediente,** medio, recurso.

despedimiento. m. **despedida.**

despedir. (Del lat. *expetĕre.*) tr. Soltar, desprender, arrojar una cosa. DESPEDIR *el dardo, la lanza, la piedra.* ‖ **2.** Dicho de costas, cabos y puntas, extender estos hacia el mar algún arrecife, placer[1], etc. ‖ **3.** Alejar, deponer a alguien de su cargo, prescindir de sus servicios. DESPEDIR *al criado, las tropas.* Ú. t. c. prnl. ‖ **4.** Acompañar durante algún rato por obsequio al que sale de una casa o un pueblo, o emprende un viaje. ‖ **5.** fig. Apartar o arrojar de sí una cosa no material. ‖ **6.** fig. Difundir o esparcir. DESPEDIR *olor, rayos de luz.* ‖ **7.** Apartar alguien de sí a la persona que le es gravosa o molesta. ‖ **8.** prnl. Hacer o decir alguna expresión de afecto o cortesía para separarse una persona de otra u otras. ‖ **9.** Renunciar a la esperanza de poseer o alcanzar algo. DESPÍDETE *de ese dinero.*

despedrar. tr. **despedregar.** ‖ **2.** vulg. **desempedrar.**

despedregar. tr. Limpiar de piedras la tierra.

despegable. adj. Que se puede despegar.

despegadamente. adv. m. Con despego.

despegado, da. p. p. de **despegar.** ‖ **2.** adj. fig. y fam. Áspero o desabrido en el trato. ‖ **3.** fig. y fam. Poco cariñoso, que muestra desapego.

despegador, ra. adj. Que despega. Ú. t. c. s.

despegadura. f. Acción y efecto de despegar o despegarse.

despegamiento. (De *despegar.*) m. **desapego.**

despegar. tr. Apartar, desasir y desprender una cosa de otra a la que estaba pegada o junta. ‖ **2.** intr. Separarse del suelo, agua o cubierta de un barco un avión, helicóptero, cohete, etc., al iniciar el vuelo. ‖ **3.** fig. Comenzar un proceso de desarrollo, arrancar. *La economía del país era incapaz de* DESPEGAR. ‖ **4.** prnl. fig. **desapegar,** apartarse del afecto que se profesa. ‖ **5.** fig. Caer mal, desdecir, no corresponder una cosa con otra.

despego. (De *despegar.*) m. **desapego.**

despegue. m. Acción y efecto de despegar un avión, helicóptero, cohete, etc. ‖ **2.** fig. Acción y efecto de despegar, comenzar un proceso de desarrollo.

despeinar. tr. Deshacer el peinado. Ú. t. c. prnl. ‖ **2.** Descomponer, enmarañar el pelo.

despejado, da. p. p. de **despejar.** ‖ **2.** adj. Que tiene desembarazo y soltura en su trato. ‖ **3.** Aplícase al entendimiento o ingenio claro y desembarazado, y a la persona que lo tiene. ‖ **4.** Espacioso, dilatado, ancho. *Frente* DESPEJADA, *plaza* DESPEJADA.

despejar. (Del port. *despejar.*) tr. Desembarazar o desocupar un sitio o espacio. ‖ **2.** fig. **aclarar,** poner en claro. DESPEJAR *la situación.* ‖ **3.** *Álg.* Separar por medio del cálculo una incógnita, de las otras cantidades que la acompañan en una ecuación. ‖ **4.** prnl. Adquirir o mostrar soltura y esparcimiento en el trato. ‖ **5.** desus. Divertirse, esparcirse. ‖ **6.** Hablando del día, del cielo, del tiempo, etc., aclararse, serenarse. ‖ **7.** Recuperarse de la fiebre un enfermo. ‖ **8.** Desprenderse de una preocupación o malestar, o de una atmósfera viciada. ‖ **9.** En algunos deportes, resolver una situación comprometida alejando la pelota de la meta propia.

despeje. m. En algunos deportes, acción y efecto de despejar.

despejo. m. Acción y efecto de despejar o despejarse. ‖ **2.** Acto de despejar de gente la arena antes de comenzar la corrida de toros. ‖ **3.** Desembarazo, soltura en el trato o en las acciones. ‖ **4.** Claro entendimiento, talento.

despelotar[1]**.** (De *des-* y *pelote.*) tr. desus. Desgreñar, enmarañar y descomponer el pelo. ‖ **2.** ant. Desplumar un ave a otra.

despelotar[2]**.** tr. *And.* Criar sano y robusto, generalmente a un niño. Ú. m. c. prnl.

despelotarse. (De *des-* y *pelota*[2].) prnl. fam. Desnudarse, quitarse la ropa. ‖ **2.** fam. Alborotarse, disparatar, perder el tino o la formalidad.

despelote. m. fam. Acción y efecto de despelotarse.

despelucar. tr. *And., Col., Chile, Méj.* y *Pan.* **despeluzar,** descomponer. Ú. t. c. prnl.

despeluchar. tr. **despeluzar.** Ú. t. c. prnl.

despeluzamiento. m. Acción y efecto de despeluzar o despeluzarse.

despeluzar. tr. Descomponer, desordenar el pelo de la cabeza, de la felpa, etc. Ú. t. c. prnl. ‖ **2.** Erizar el cabello, generalmente por horror o miedo. Ú. m. c. prnl. ‖ **3.** *Cuba* y *Nicar.* Desplumar, pelar a alguien, dejarlo sin dinero.

despeluznante. p. a. de **despeluznar.** Que despeluzna. ‖ **2.** adj. p. us. **espeluznante,** pavoroso.

despeluznar. tr. **despeluzar.**

despeluzo. m. ant. **despeluzamiento.**

despellejadura. f. **desolladura.**

despellejar. tr. Quitar el pellejo, desollar. Ú. t. c. prnl. ‖ **2.** fig. Murmurar muy malamente de alguien.

despenador, ra. adj. desus. Que quita las penas. Usáb. t. c. s. ‖ **2.** m. y f. En algunas zonas de América, persona que daba la muerte a los enfermos desahuciados, a petición de los parientes.

despenalización. f. Acción y efecto de despenalizar.

despenalizar. tr. Levantar la pena que pesa sobre algo que constituye delito, legalizarlo.

despenar. tr. desus. Sacar a alguien de pena. ‖ **2.** p. us. fig. y fam. **matar,** quitar la vida. ‖ **3.** *Amér.* Rematar, ayudar a morir al moribundo.

despendedor, ra. (De *despender.*) adj. desus. Que gasta con exceso, malbaratando y disipando la hacienda. Ú. t. c. s.

despender. (Del lat. *dispendĕre.*) tr. desus. Gastar la hacienda o el dinero. Usáb. t. en sent. fig.

despendolarse. prnl. fam. Desmadrarse, conducirse alocadamente.

despenolar. tr. *Mar.* Romper a la verga alguno de sus penoles.

despensa. (Del lat. *dispensus,* administrado, aprovisionado.) f. Lugar o sitio de la casa, de la nave, etc., en el cual se guardan las cosas comestibles. ‖ **2.** Provisión de comestibles. ‖ **3.** Oficio de despensero o administrador de la **despensa.** ‖ **4.** Ajuste de cebada y paja, que se hace para todo el año, por no poderlas o no quererlas tener en casa. ‖ **5.** desus. Conjunto de cosas que el despensero o comprador trae para el gasto diario de la comida. ‖ **6.** ant. Distribución o reparto. ‖ **7.** p. us. *Méj.* Lugar bien asegurado que se destina en las minas para guardar los minerales ricos. ‖ **8.** pl. ant. **expensas.**

despensería. f. Oficio u ocupación de despensero.

despensero, ra. m. y f. Persona que tiene a cargo la despensa. ‖ **2.** Persona dispensadora o distribuidora de los bienes que se han entregado para este fin. ‖ **3.** m. ant. **despensero mayor.** ‖ **mayor. veedor de vianda.**

despeñadamente. adv. m. Precipitada y arrojadamente.

despeñadero, ra. adj. Dícese de lo que es a propósito para despeñar o despeñarse. ‖ **2.** m. Precipicio o sitio alto, peñascoso y escarpado, desde donde es fácil despeñarse. ‖ **3.** fig. Riesgo o peligro a que alguien se expone.

despeñadizo, za. adj. Dícese del lugar que es a propósito para despeñarse.

despeñadura. f. ant. **despeño.**

despeñamiento. m. **despeño.**

despeñar. tr. Precipitar y arrojar a una persona o cosa desde un lugar alto y peñascoso, o desde una prominencia aunque no tenga peñascos. Ú. t. c. prnl. ‖ **2.** prnl. fig. Precipitarse, desenfrenarse y entregarse ciegamente a pasiones, vicios o maldades.

despeño. m. Acción y efecto de despeñar o despeñarse. ‖ **2.** Desconcierto, flujo de vientre o diarrea. ‖ **3.** fig. Caída precipitada. ‖ **4.** fig. Ruina y perdición.

despeo. m. **despeadura.**

despepitado, da. p. p. de **despepitar** o **despepitarse.** ‖ **2.** m. desus. Arcabucero de a caballo, empleado en el servicio de corredor o explorador.

despepitador. m. desus. **despepitado,** arcabucero de a caballo.

despepitar[1]. (De *des-* y *pepita*[2].) tr. Quitar las pepitas o semillas de algún fruto; como del algodón, del melón, etc.

despepitar[2]. (De *des-* y *pepita*[1].) tr. **desembuchar.** ‖ **2.** prnl. Hablar o gritar con vehemencia o con enojo. ‖ **3.** fig. Arrojarse sin consideración, hablando u obrando descomedidamente. ‖ **despepitarse por** una cosa. fr. fig. y fam. Mostrar vehemente afición a ella.

desperación. (Del lat. *desperatĭo, -ōnis.*) f. ant. **desesperación.**

desperado, da. adj. desus. **desesperado.** ‖ **2.** Por infl. del inglés, dícese del delincuente dispuesto a todo. Ú. t. c. s.

desperanza. (De *desperar.*) f. ant. Falta de esperanza.

desperar. (Del lat. *desperāre.*) intr. ant. **desesperar.** Usáb. t. c. prnl.

despercudido, da. adj. *Chile.* Despabilado, vivo y despejado. ‖ **2.** *Amér.* De piel clara.

despercudir. tr. Limpiar o lavar lo que está percudido. Ú. m. en América. ‖ **2.** *Amér.* fig. Despabilar, despertar a una persona. Ú. t. c. prnl. ‖ **3.** prnl. *Amér.* Blanquearse, clarearse la piel.

desperdiciado, da. p. p. de **desperdiciar.** ‖ **2.** adj. **desperdiciador.** Ú. t. c. s.

desperdiciador, ra. adj. Que desperdicia. Ú. t. c. s.

desperdiciadura. f. ant. **desperdicio.**

desperdiciamiento. (De *desperdiciar.*) m. desus. **desperdicio.**

desperdiciar. (Del lat. *disperditĭo,* de *disperdĕre,* consumir, derrochar.) tr. Malbaratar, gastar o emplear mal una cosa; como el dinero, la comida, etc. ‖ **2. desaprovechar,** omitir. DESPERDICIAR *la ocasión, el tiempo.*

desperdicio. (De *desperdiciar.*) m. Derroche de la hacienda o de otra cosa. ‖ **2.** Residuo de lo que no se puede o no es fácil aprovechar o se deja de utilizar por descuido. ‖ **no tener desperdicio** una cosa, o persona. fr. Ser muy útil, de mucho provecho.

desperdigado, da. p. p. de **desperdigar.** ‖ **2.** adj. Esparcido, separado, disperso.

desperdigamiento. m. Acción y efecto de desperdigar o desperdigarse.

desperdigar. (De *des-* y *perdigar.*) tr. Separar, desunir, esparcir. Ú. t. c. prnl. ‖ **2.** fig. Dispersar la atención o el interés desordenadamente hacia muchos campos. Ú. t. c. prnl.

desperecer. (Del lat. *deperīre.*) intr. ant. **perecer,** fenecer, dejar de ser. ‖ **2.** prnl. Consumirse, deshacerse por el logro de una cosa.

desperezarse. (De *de-* y *esperezarse.*) prnl. Extender y estirar los miembros, para sacudir la pereza o librarse del entumecimiento.

desperezo. m. Acción de desperezarse.

desperfecto. m. Leve deterioro. ‖ **2.** Falta o defecto que desvirtúa algún tanto el valor y utilidad de las cosas o deslustra su buena apariencia.

desperfilar. tr. p. us. *Pint.* Suavizar los contornos de los objetos de un cuadro, uniéndolos con el ambiente del mismo, para que no aparezcan a la vista con sequedad y dureza. ‖ **2.** *Mil.* Alterar y disimular los perfiles de las obras de fortificación, para que a distancia no pueda el enemigo formar juicio exacto de su estructura. ‖ **3.** prnl. Perder una cosa la postura de perfil.

desperfollar. (De *des-* y *perfolla.*) tr. *Murc.* Deshojar las panochas de maíz.

despernada. f. Cierta mudanza en el baile del villano y otros, que se hacía con salto elevado y cayendo con las piernas abiertas.

despernado, da. p. p. de **despernar.** ‖ **2.** adj. fig. Cansado, fatigado y harto de andar.

despernancado, da. adj. desus. **esparrancado.**

despernancarse. prnl. *Gal., Sal.* y *Amér.* Esparrancarse, despatarrarse.

despernar. tr. Cortar o estropear las piernas.

despersonalización. f. Acción y efecto de despersonalizar o despersonalizarse.

despersonalizar. tr. Quitar el carácter o atributos de persona; hacer perder la identidad. Ú. t. c. prnl. ‖ **2.** Quitar carácter personal a un hecho, asunto o relación. *Trato* DESPERSONALIZADO.

despertador, ra. adj. Que despierta. ‖ **2.** m. y f. Persona que tiene el cuidado de despertar a otras. ‖ **3.** m. Reloj que, a la hora en que previamente se le dispuso, hace sonar una campanilla, timbre o zumbido, para despertar al que duerme o dar otro aviso. ‖ **4.** Aparato que en las lámparas de los faros prevenía a los torreros de que no subía el aceite a los mecheros. ‖ **5.** fig. Aviso, estímulo; aquello que reanima o despierta.

despertamiento. m. Acción y efecto de despertar o despertarse.

despertar[1]. m. Despertamiento. Ú. m. en sent. fig. *El* DESPERTAR *de una nación.*

despertar[2]. (De *despierto.*) tr. Cortar, interrumpir el sueño al que está durmiendo. Ú. t. c. prnl. ‖ **2.** fig. Renovar o traer a la memoria una cosa ya olvidada. ‖ **3.** fig. Hacer que alguien vuelva sobre sí o recapacite. ‖ **4.** fig. Mover, excitar. DESPERTAR *el apetito.* ‖ **5.** intr. Dejar de dormir. ‖ **6.** fig. Hacerse más advertido, avisado y entendido el que antes era rudo, abobado o simple. ‖ **despertar a quien duerme.** fr. fig. Suscitar asuntos o temas para que alguien se mueva a hacer o decir lo que no pensaba.

desperteza. (De *de-* y *esperteza.*) f. ant. Previsión, conocimiento.

despesa. (De *despesar*[2].) f. ant. Dispendio, gasto.

despesar[1]. m. desus. Disgusto, pesar.

despesar[2]. (Del lat. *dispensum,* p. p. de *dispendĕre.*) tr. ant. **expender.**
despesca. f. Acción y efecto de despescar.
despescar. tr. Recoger los peces en las almadrabas y en los cuarteles y esteros de las salinas.
despesco. m. **despesca.**
despestañar. tr. Quitar o arrancar las pestañas. ‖ **2.** prnl. fig. Desojarse por hallar algo. ‖ **3.** fig. desus. **quemarse las cejas,** estudiar con ahínco. ‖ **4.** fig. desus. Desvelarse, poner gran cuidado y aplicación en alguna cosa.
despezar[1]. tr. ant. Desgarrar, despedazar.
despezar[2]. (De *des-* y *pieza.*) tr. Cortar un material de conformidad con la estructura de la obra. ‖ **2.** Adelgazar por un extremo un tubo de fontanería o de otra clase, haciendo un rebajo para que cómodamente se pueda enchufar en otro. ‖ **3.** *Arq.* e *Ingen.* Dividir las distintas partes que componen una obra, o una máquina en las diferentes piezas que entran en su ejecución.
despezo. (De *despezar*[2].) m. *Arq.* **despiezo.** ‖ **2.** En fontanería y otras artes mecánicas, rebajo que se hace al extremo de un tubo para enchufarlo en otro. ‖ **3.** *Cant.* Corte por donde las piedras se unen unas con otras. ‖ **4.** *Carp.* **zoquete,** pedazo de madera sobrante al labrar un madero.
despezonar. tr. Quitar el pezón a algunas cosas; como a los limones, limas, etc. ‖ **2.** fig. Separar, arrancar una cosa de otra violentamente. ‖ **3.** prnl. Quebrarse el pezón o pezonera a algunas cosas; como a la fruta, al coche de caballos, etc.
despezuñarse. prnl. Inutilizarse un animal la pezuña. ‖ **2.** fig. *Col., Chile, Hond.* y *P. Rico.* Caminar muy deprisa. ‖ **3.** fig. *And., Col., Chile, Hond.* y *P. Rico.* Desvivirse, poner mucho empeño en algo.
despiadado, da. adj. Inhumano, cruel, sin piedad.
despicar[1]. (De *des-* y *picar.*) tr. Desahogar, satisfacer. ‖ **2.** prnl. Satisfacerse, vengarse de la ofensa o pique.
despicar[2]. (De *des-* y *pico.*) tr. Quitar a las gallinas la extremidad del pico para evitar que hieran a las demás. Ú. t. c. prnl. ‖ **2.** *Argent., Col.* y *Venez.* Hacer perder al gallo de pelea la parte más aguda del pico. Ú. t. c. prnl.
despicarazar. tr. *Extr.* Empezar los pájaros a picar los higos.
despichar. (De *de-* y *espichar.*) tr. desus. Despedir de sí el humor o humedad. ‖ **2.** *And.* **descobajar.** ‖ **3.** *Col., Chile* y *Venez.* Aplastar, despachurrar. ‖ **4.** intr. fam. Espichar, morir.
despidida. (De *despedir.*) f. *Ar.* Salida, desaguadero.
despidiente. p. a. desus. de **despedir.** ‖ **2.** m. *Albañ.* Palo que ponen los revocadores en sus andamios colgados para mantenerlos separados de la pared. ‖ **de agua.** Todo aquello que separa o despide el agua llovediza lejos de algún cuerpo, o impide que se introduzca en alguna parte. ‖ **2. vierteaguas.**
despido. m. Acción y efecto de despedir o despedirse. ‖ **2.** Acción de privar a un empleado de su puesto de trabajo. ‖ **3.** Indemnización o finiquito que recibe el trabajador despedido.
despiece. m. **despiezo.**
despiertamente. adv. m. Con ingenio y viveza.
despierto, ta. (Del lat. vulg. *expertus,* por *experrectus.*) p. p. irreg. de **despertar.** ‖ **2.** adj. fig. Avisado, advertido, vivo.
despiezar. tr. *Arq.* e *Ingen.* **despezar**[2] las distintas partes que componen una obra, o desarmar las piezas de una máquina.
despiezo. m. Acción y efecto de despiezar.
despilaramiento. m. *Min. Amér.* Acción y efecto de despilarar.
despilarar. tr. *Min. Amér.* Derribar los pilares de una mina.
despilfarradamente. adv. m. Con despilfarro.
despilfarrado, da. p. p. de **despilfarrar.** ‖ **2.** adj. Desharrapado, roto, andrajoso. Ú. t. c. s. ‖ **3.** Pródigo, derrochador. Ú. t. c. s.
despilfarrador, ra. adj. Que despilfarra. Ú. t. c. s.
despilfarrar. (De etim. disc.; cf. *pelfa,* variante dialect. de *felpa,* andrajo, ant. fr. *pelfir,* ing. *pilfer.*) tr. Consumir el caudal en gastos desarreglados; malgastar, malbaratar. ‖ **2.** prnl. fam. Gastar profusamente en alguna ocasión.
despilfarro. (De *despilfarrar.*) m. desus. Destrozo de la ropa u otras cosas, por desidia o desaseo. ‖ **2.** Gasto excesivo y superfluo; derroche.
despimpollar. (De *des-* y *pimpollo.*) tr. *Agr.* Quitar a la vid los brotes viciosos o excesivos, dejando a la planta la carga que buenamente pueda llevar.
despinces. m. pl. **despinzas.**
despinochar. tr. Quitar las hojas a las panochas o mazorcas de maíz.
despintar. tr. Borrar o raer lo pintado o teñido. Ú. t. c. prnl. ‖ **2.** fig. p. us. Malograr, frustrar una cosa. ‖ **3.** *Col., Chile* y *P. Rico.* fig. y fam. Apartar la mirada, perder de vista. Ú. m. en fr. neg. ‖ **4.** intr. fig. desus. Desdecir, degenerar. *Froilán no* DESPINTA *de su casta.* ‖ **no despintársele** a alguien una persona o cosa. fr. fig. y fam. Conservar con viveza el recuerdo de su figura o aspecto.
despinte. m. *Min. Chile.* Porción de mineral de ley inferior a la que se espera o le corresponde.
despinzadera. f. Mujer que quita las motas al paño. ‖ **2.** Instrumento de hierro que se usa para despinzar los paños.
despinzado, da. p. p. de **despinzar.** ‖ **2.** m. Acción y efecto de despinzar.
despinzador, ra. adj. Dícese de la persona que despinza.
despinzar. tr. Quitar con pinzas las motas y pelos a los paños, pieles y otras cosas semejantes.
despinzas. f. pl. Pinzas para despinzar los paños.
despiojador. m. Aparato o procedimiento empleado para limpiar de parásitos a las aves y otros animales domésticos.
despiojar. tr. Quitar los piojos. Ú. t. c. prnl.
despioje. m. Acción y efecto de despiojar o despiojarse.
despiporre o **despiporren (el).** m. fam. El colmo; desbarajuste, desorden, generalmente festivo.
despique. (De *despicar.*) m. Satisfacción que se toma de una ofensa o desprecio que se ha recibido y cuya memoria se conservaba con rencor.
despiritado, da. adj. desus. Que carece de espíritu.
despistado, da. p. p. de **despistar.** ‖ **2.** adj. Desorientado, distraído, que no se da cuenta de lo que ocurre a su alrededor. Ú. t. c. s.
despistar. tr. Hacer perder la pista. Ú. t. c. intr. ‖ **2.** intr. fig. Fingir, disimular. ‖ **3.** prnl. Extraviarse, perder el rumbo. ‖ **4.** fig. Andar desorientado en algún asunto o materia.
despiste. m. Calidad de despistado. ‖ **2.** Distracción, fallo, olvido, error.
despitorrado. (De *des-* y *pitorro.*) adj. Dícese del toro de lidia que tiene rota una o las dos astas, siempre que quede en ellas punta.
despizcar. tr. desus. Hacer pizcas una cosa. Usáb. t. c. prnl. ‖ **2.** prnl. p. us. fig. Deshacerse, poniendo mucho cuidado y empeño en una cosa.
desplacer[1]. (De *des-* y *placer*[1].) m. Pena, desazón, disgusto.
desplacer[2]. (De *des-* y *placer*[2].) tr. Disgustar, desazonar, desagradar.
desplacible. adj. ant. **desapacible.**
desplanar. (Del lat. *displanāre.*) tr. ant. **explicar,** manifestar. ‖ **2.** ant. **explicar,** declarar, exponer.
desplanchar. tr. Arrugar lo planchado. Ú. t. c. prnl.

desplantación. (De *desplantar.*) f. **desarraigo.**
desplantador, ra. adj. Que desplanta. Ú. t. c. s. ‖ **2.** m. *Agr.* Instrumento que sirve para arrancar plantas con su cepellón para trasplantarlas.
desplantar. tr. ant. **desarraigar,** arrancar de raíz un árbol o planta. ‖ **2.** Desviar una cosa de la línea de la plomada. Ú. t. c. prnl. ‖ **3.** prnl. *Danza* y *Esgr.* Perder la planta o postura recta.
desplante. (De *desplantar.*) m. *Danza* y *Esgr.* Postura irregular. ‖ **2.** fig. Dicho o acto lleno de arrogancia, descaro o desabrimiento.
desplatación. f. **desplate.**
desplatar. tr. Separar la plata que se halla mezclada con otro metal.
desplate. m. Acción y efecto de desplatar.
desplayar. (De *des-* y *playa.*) tr. ant. **explayar.** ‖ **2.** intr. Retirarse el mar de la playa, como acontece en las mareas.
desplazado, da. p. p. de **desplazar.** ‖ **2.** adj. Dicho de una persona, inadaptado, que no se ajusta al ambiente o a las circunstancias. Ú. t. c. s.
desplazamiento. m. Acción y efecto de desplazar. ‖ **2.** *Mar.* Volumen y peso del agua que desaloja un buque, igual al espacio que ocupa en el agua su casco hasta la línea de flotación.
desplazar. (De *des-* y *plaza.*) tr. Mover o sacar a una persona o cosa del lugar en que está. Ú. t. c. prnl. ‖ **2.** *Mar.* Desalojar el buque un volumen de agua igual al de la parte de su casco sumergida, y cuyo peso es igual al peso total del buque. Se usa también hablando de cualquier otro cuerpo sumergido en un líquido. ‖ **3.** prnl. Trasladarse, ir de un lugar a otro.
desplegadamente. adv. m. ant. Abierta y expresamente.
desplegadura. f. Acción y efecto de desplegar o desplegarse.
desplegar. (Del lat. *explicāre,* desplegar.) tr. Desdoblar, extender lo que está plegado. Ú. t. c. prnl. ‖ **2.** fig. Aclarar y hacer patente lo que estaba oscuro o poco inteligible. ‖ **3.** fig. Ejercitar, poner en práctica una actividad o manifestar una cualidad. DESPLEGÓ *tino e imparcialidad.* ‖ **4.** *Mil.* Hacer pasar las tropas del orden cerrado al abierto y extendido; como del de columna al de batalla, del de batalla al de guerrilla, etc. Ú. t. c. prnl.
desplego. (De *desplegar.*) m. desus. Claridad, ingenuidad sin rebozo, en la expresión o declaración de algo.
despleguetear. tr. *Agr.* Quitar los pleguetes a los sarmientos, para que el fruto abunde.
despliegue. m. Acción y efecto de desplegar. ‖ **2.** Exhibición, demostración. DESPLIEGUE *de fuerzas, de riquezas, de conocimientos.*
desplomar. (De *des-* y *plomo.*) tr. Hacer que una pared, un edificio u otra cosa, pierda la posición vertical. ‖ **2.** prnl. Caerse, perder la posición vertical una cosa, especialmente una pared o un edificio. ‖ **3.** fig. Caerse sin vida o sin conocimiento una persona. ‖ **4.** fig. Arruinarse, perderse. *Su trono se* DESPLOMA.
desplome. m. Acción y efecto de desplomar o desplomarse. ‖ **2.** *Arq.* Lo que sobresale de la línea de aplomo. ‖ **3.** *Perú.* Sistema antiguo de explotar minas, que consiste en socavar parte del filón hasta que se cae por su propio peso.
desplomo. (De *desplomar.*) m. Desviación de la posición vertical en un edificio, una pared, etc.
desplumadura. f. Acción de desplumar o desplumarse.
desplumar. tr. Quitar las plumas al ave. Ú. t. c. prnl. ‖ **2.** fig. **pelar,** quitar los bienes; dejar a alguien sin dinero. ‖ **3.** prnl. *And.* **ventosear.**
desplume. m. **desplumadura.**
despoblación. (De *despoblar.*) f. Acción y efecto de despoblar o despoblarse.
despoblada. (De *despoblar.*) f. ant. **despoblación.**
despoblado. m. Desierto, yermo o sitio no poblado, y especialmente el que en otro tiempo ha tenido población. ‖ **2.** *Der.* Circunstancia agravante, de apreciación potestativa, más indicada cuando la soledad se busca o aprovecha de propósito.
despoblador, ra. (Del lat. *depopulātor, -ōris.*) adj. Que despuebla. Ú. t. c. s.
despoblamiento. m. ant. **despoblación.**
despoblar. (Del lat. *depopulāre.*) tr. Reducir a yermo y desierto lo que estaba habitado, o hacer que disminuya considerablemente la población de un lugar. Ú. t. c. prnl. ‖ **2.** fig. Despojar un sitio de lo que hay en él. DESPOBLAR *un campo de árboles, de hierbas.* ‖ **3.** *Min.* Dejar una mina sin el número de trabajadores que exigían las leyes.
despoderado, da. (De *des-* y *poder*[1].) adj. ant. Desposeído, despojado.
despoetizar. tr. Quitar a una cosa su carácter poético.
despojador, ra. adj. Que despoja. Ú. t. c. s.
despojamiento. (De *despojar.*) m. **despojo.**
despojar. (Del lat. *despoliāre.*) tr. Privar a alguien de lo que goza y tiene, desposeerle de ello con violencia. ‖ **2.** Quitar a una cosa lo que la acompaña, cubre o completa. ‖ **3.** Extraer de un libro o de un objeto de estudio aquellos datos o informaciones que se consideran de interés. ‖ **4.** prnl. Desnudarse o quitarse las vestiduras. ‖ **5.** Desposeerse de una cosa voluntariamente.
despojo. (De *despojar.*) m. Acción y efecto de despojar o despojarse. ‖ **2.** Presa, botín del vencedor. ‖ **3.** Vientre, asadura, cabeza y manos de las reses muertas. Ú. m. en pl. ‖ **4.** Alones, molleja, patas, pescuezo y cabeza de las aves muertas. Ú. m. en pl. ‖ **5.** fig. Lo que se ha perdido por el tiempo, por la muerte u otros accidentes. *La vida es* DESPOJO *de la muerte; la hermosura es* DESPOJO *del tiempo.* ‖ **6.** ant. **expolio,** conjunto de bienes. ‖ **7.** *Col.* Extracción de los minerales de una vena o filón. ‖ **8.** pl. Sobras o residuos. DESPOJOS *de la mesa, de la comida.* ‖ **9.** Minerales demasiado pobres para ser molidos, que se venden a los lavaderos o propietarios de polveros, los cuales aprovechan el poco metal que contienen. ‖ **10.** Materiales que se pueden aprovechar de un edificio que se derriba. ‖ **11.** Restos mortales, cadáver.
despolarización. f. *Fís.* Acción y efecto de despolarizar.
despolarizador, ra. adj. *Fís.* Que tiene la propiedad de despolarizar. Ú. t. c. s. m.
despolarizar. tr. *Fís.* Destruir o interrumpir el estado de polarización.
despolitización. f. Acción y efecto de despolitizar o despolitizarse.
despolitizar. tr. Quitar carácter o voluntad política a una persona o a un hecho. Ú. t. c. prnl.
despolvar. tr. **desempolvar,** quitar el polvo. Ú. t. c. prnl.
despolvorear. tr. Quitar o sacudir el polvo. ‖ **2.** fig. Arrojar de sí o desvanecer una cosa.
despolvoreo. m. Acción de despolvorear.
despolvorizar. tr. ant. **despolvorear.**
desponer. tr. ant. **deponer.**
despopularización. f. Pérdida de la popularidad que tenía una persona, una doctrina o un partido.
despopularizar. tr. Privar a una persona o cosa de la popularidad. Ú. t. c. prnl.
desportilladura. f. Fragmento o astilla que por accidente se separa del borde o canto de una cosa. ‖ **2.** Mella o defecto que queda en el borde de una cosa después de saltar de él un fragmento.
desportillar. tr. Deteriorar o maltratar una cosa, qui-

tándole parte del canto o boca y haciendo portillo o abertura. Ú. t. c. prnl.

desposación. (Del lat. *desponsatĭo, -ōnis.*) f. ant. **desposorio.**

desposado, da. p. p. de **desposar.** ‖ **2.** adj. Recién casado. Ú. t. c. s. ‖ **3.** Esposado, aprisionado con esposas.

desposajas. (Del lat. *sponsalia.*) f. pl. ant. **esponsales.**

desposamiento. (De *desposar.*) m. ant. **desposorio.**

desposando, da. (De *desposar.*) m. y f. Persona que se desposa o que está a punto de desposarse.

desposar. (Del lat. *desponsāre,* prometer.) tr. Autorizar el párroco el matrimonio. ‖ **2.** prnl. Contraer esponsales. ‖ **3.** **contraer matrimonio.**

desposeer. tr. Privar a alguien de lo que posee. ‖ **2.** prnl. Renunciar alguien a lo que posee. ‖ **3.** **desapropiarse.**

desposeído, da. p. p. de **desposeer.** ‖ **2.** adj. Pobre, desheredado. Ú. m. en pl.

desposeimiento. m. Acción y efecto de desposeer o desposeerse.

desposorio. (De *desposar.*) m. Promesa mutua que el hombre y la mujer se hacen de contraer matrimonio, y, en especial, casamiento por palabras de presente. Ú. m. en pl.

despostador. m. *Argent.* Persona encargada de despostar.

despostar. (De *des-* y *posta,* tajada.) tr. *Argent., Bol., Chile, Ecuad.* y *Urug.* Destazar, descuartizar una res o un ave.

desposte. m. *Argent., Bol., Chile, Ecuad.* y *Urug.* Acción y efecto de despostar.

déspota. (Del it. *despota.*) m. El que ejercía mando supremo en algunos pueblos antiguos. ‖ **2.** Soberano que gobierna sin sujeción a ley alguna. ‖ **3.** com. fig. Persona que trata con dureza a sus subordinados y abusa de su poder o autoridad.

despótico, ca. (Del gr. δεσποτικός.) adj. Relativo al déspota o propio de él.

despotiquez. f. p. us. **despotismo.**

despotismo. (De *déspota.*) m. Autoridad absoluta no limitada por las leyes. ‖ **2.** Abuso de superioridad, poder o fuerza en el trato con las demás personas. ‖ **ilustrado.** Política de algunas monarquías absolutas del siglo XVIII, inspirada en las ideas de la Ilustración y el deseo de fomentar la cultura y prosperidad de los súbditos.

despotizar. (De *déspota.*) tr. *Argent., Chile, Ecuad.* y *Perú.* Gobernar o tratar despóticamente, tiranizar.

déspoto. m. ant. **déspota.**

despotricar. (De *des-* y *potro.*) intr. fam. Hablar sin consideración ni reparo, generalmente criticando a los demás. Ú. t. c. prnl.

despotrique. m. Acción de despotricar.

despreciable. adj. Digno de desprecio.

despreciador, ra. adj. Que desprecia.

despreciamiento. (De *despreciar.*) m. ant. **desprecio.**

despreciar. (Del lat. *depretiāre.*) tr. Desestimar y tener en poco. ‖ **2.** Desairar o desdeñar. ‖ **3.** prnl. desus. **desdeñarse,** tener a menos.

despreciativo, va. adj. Que indica desprecio. *Tono* DESPRECIATIVO.

desprecio. m. Desestimación, falta de aprecio. ‖ **2.** Desaire, desdén. ‖ **del ofendido.** *Der.* Circunstancia que puede ser agravante, motivada por la dignidad, edad o sexo de la víctima.

desprender. (De *des-* y *prender.*) tr. Desunir, desatar lo que estaba fijo o unido. Ú. t. c. prnl. ‖ **2.** Echar de sí alguna cosa. Ú. t. c. prnl. DESPRENDERSE *chispas de una brasa, rayos de una nube.* ‖ **3.** *Argent., Par., P. Rico* y *Urug.* Desabrochar, desabotonar. Ú. t. c. prnl. ‖ **4.** prnl. fig. Apartarse o desapropiarse de una cosa. Ú. con la prep. *de.* ‖ **5.** fig. Deducirse, inferirse.

desprendido, da. p. p. de **desprender.** ‖ **2.** adj. Desinteresado, generoso.

desprendimiento. m. Acción de desprenderse trozos de una cosa: tierras, rocas, de un monte; gases de un cuerpo, etc. ‖ **2.** Desapego, desasimiento de las cosas. ‖ **3.** fig. Largueza, desinterés. ‖ **4.** *Metal.* Bajada rápida de la carga de un horno que por cualquier motivo se había obstruido en lo alto de la cuba. ‖ **5.** *Pint.* y *Esc.* Representación del descendimiento del cuerpo de Cristo. ‖ **6.** *Cir.* y *Pat.* Separación de un órgano o de parte de él del lugar en que estaba. DESPRENDIMIENTO *de retina.*

despreocupación. f. Estado de ánimo del que carece de preocupaciones.

despreocupado, da. p. p. de **despreocuparse.** ‖ **2.** adj. Que no sigue o hace alarde de no seguir las creencias, opiniones o usos generales. ‖ **3.** De carácter ligero, desenfadado. *Un joven alegre y* DESPREOCUPADO.

despreocuparse. prnl. Salir o librarse de una preocupación. ‖ **2.** Desentenderse, apartar de una persona o cosa la atención o el cuidado.

despresar. tr. *Amér. Merid.* Descuartizar, hacer presas un animal.

desprestigiar. tr. Quitar el prestigio. Ú. t. c. prnl.

desprestigio. m. Acción y efecto de desprestigiar o desprestigiarse.

despresurización. f. Acción y efecto de despresurizar.

despresurizar. tr. En aeronaves, anular los efectos de la presurización. Ú. t. c. prnl.

desprevención. f. Falta de prevención o de lo necesario.

desprevenidamente. adv. m. Sin prevención.

desprevenido, da. adj. Desapercibido, desproveído, falto de lo necesario. ‖ **2.** No preparado, no advertido para algo. *Tu llegada nos pilló* DESPREVENIDOS.

desprez. m. ant. **desprecio.** ‖ **2.** ant. *Der.* Rebeldía del delincuente que no se presentaba. ‖ **3.** ant. *Der.* Multa en que incurría.

desprivanza. f. desus. Caída y pérdida de la privanza.

desprivar. (De *des-* y *privar.*) tr. desus. Hacer caer de la privanza. ‖ **2.** intr. desus. Caer de la privanza.

desprivatización. f. Acción y efecto de desprivatizar.

desprivatizar. tr. Convertir en pública una empresa privada o de propiedad anónima o limitada.

despropiar. tr. ant. Expropiar o despojar a alguien de una cosa.

desproporción. f. Falta de la proporción debida.

desproporcionado, da. p. p. de **desproporcionar.** ‖ **2.** adj. Que no tiene la proporción conveniente o necesaria.

desproporcionar. tr. Quitar la proporción a una cosa; sacarla de regla y medida.

despropositado, da. adj. Dícese de lo que es fuera de propósito.

despropósito. m. Dicho o hecho fuera de razón, de sentido o de conveniencia.

desproveer. tr. Privar, despojar a alguien de sus provisiones o de las cosas que le son necesarias. Ú. con la prep. *de.*

desproveídamente. adv. m. **desprevenidamente.** ‖ **2.** ant. **inopinadamente.**

desproveimiento. (De *desproveer.*) m. ant. **desprevención.**

desprovisto, ta. p. p. irreg. de **desproveer.** ‖ **2.** adj. Falto de lo necesario.

despueble. m. **despoblación.**

después. (De las preps. lats. *de* y *ex* y el adv. *post.*) adv. t. y l. que denota posterioridad de tiempo, lugar o situación. Antepónese con frecuencia a las partículas *de* y *que* para formar locs. prepos. o conjunt. DESPUÉS *de amanecer;* DESPUÉS (DE) QUE *llegue.* ‖ **2.** Con la partícula *de,* denota asimismo posterioridad en el orden, jerarquía o preferencia. *Esquines fue el mejor orador de Grecia* DESPUÉS DE *Demóstenes.* ‖ **3.** Seguido de *que* solía equivaler a **desde.** ‖ **4.** conj. Se usa con valor adversativo en frases como: DESPUÉS *de lo que he hecho por ti, me pagas de este modo.* ‖ **5.** adj. Precedido de un sustantivo que designa unidad de tiempo, equivale a **siguiente** o **posterior.** *El día* DESPUÉS. ‖ **6.** Ú. c. s. m. en la loc. **después de los despueses,** es decir, **después** de todo lo que se ha dicho o ha sucedido.

despuesito. adv. t. fam. *Guat., Méj.* y *P. Rico.* Después, dentro de un momento, enseguida.

despuesto, ta. p. p. irreg. del ant. **desponer.**

despulpado, da. p. p. de **despulpar.** ‖ **2.** m. Operación de despulpar.

despulpador. m. Aparato que sirve para despulpar.

despulpar. tr. Extraer la pulpa de algunos frutos.

despulsamiento. m. Acción y efecto de despulsarse.

despulsar. (De *des-* y *pulso.*) tr. Dejar sin pulso ni fuerzas por algún accidente repentino. Ú. m. c. prnl. ‖ **2.** prnl. desus. Agitarse demasiado por una pasión de ánimo. ‖ **3.** fig. **desvivirse.**

despullar. (Variante dialect. de *despojar.*) tr. ant. **desnudar.**

despumación. f. desus. Acción y efecto de despumar.

despumar. tr. **espumar.**

despuntador. m. *Méj.* Aparato para separar minerales. ‖ **2.** *Méj.* Martillo que se usa para romper minerales al separarlos.

despuntadura. f. Acción y efecto de despuntar o despuntarse.

despuntar. tr. Quitar o gastar la punta. Ú. t. c. prnl. ‖ **2.** Cortar las ceras vanas de la colmena hasta llegar a las celdillas donde está el pollo. ‖ **3.** ant. **desapuntar,** cortar las puntadas a lo cosido. ‖ **4.** ant. *Mar.* Montar o doblar una punta o un cabo. ‖ **5.** intr. Empezar a brotar y entallecer las plantas y los árboles. ‖ **6.** fig. Manifestar agudeza e ingenio. ‖ **7.** fig. Adelantarse, descollar. ‖ **8.** Referido a la aurora, del alba o del día, empezar a amanecer.

despunto. m. **despuntadura.** ‖ **2.** *Argent.* y *Chile.* Leña de rama delgada, desmocho, escamondo.

desque. (De *des*[1] y *que.*) conj. ant. Desde que, luego que, así que. Ú. aún en poesía y también vulgarmente.

desquebrajar. tr. **resquebrajar.** Ú. m. c. prnl.

desquejar. (De *de-* y *esqueje.*) tr. *Agr.* Formar esquejes de los retoños o hijuelos que se desgajan del tronco de las plantas, para que prendan por trasplante.

desqueje. m. *Agr.* Acción y efecto de desquejar.

desquerer. tr. Dejar de querer.

desquiciador, ra. adj. Que desquicia. Ú. t. c. s.

desquiciamiento. m. Acción y efecto de desquiciar o desquiciarse.

desquiciar. tr. Desencajar o sacar de quicio una cosa; como puerta, ventana, etc. Ú. t. c. prnl. ‖ **2.** fig. Descomponer una cosa quitándole la firmeza con que se mantenía. Ú. t. c. prnl. ‖ **3.** fig. Trastornar, descomponer, exasperar a alguien. Ú. t. c. prnl. ‖ **4.** fig. **sacar de quicio** una cosa. Ú. t. c. prnl. ‖ **5.** fig. p. us. Hacer perder a alguien la privanza, o la amistad o valimiento con otra persona.

desquicio. (De *desquiciar.*) m. *Guat.* y *R. de la Plata.* Desorden, barullo. *Todo en aquella sociedad era* DESQUICIO *y corrupción.*

desquijaramiento. m. desus. Acción y efecto de desquijarar o desquijararse.

desquijarar. (De *des-* y *quijar.*) tr. Rasgar la boca dislocando las quijadas. Ú. t. c. prnl.

desquijerar. (De *des-* y *quijera.*) tr. *Carp.* Serrar por los dos lados un palo o madero hasta el lugar señalado, donde se ha de sacar la espiga.

desquilar. tr. ant. **esquilar**[2].

desquilatar. tr. desus. Hacer perder quilates al oro. Usáb. t. c. intr. ‖ **2.** p. us. fig. Hacer perder y disminuir su intrínseco valor a una cosa.

desquilo. m. ant. Acción y efecto de desquilar.

desquitamiento. m. ant. **desquite.**

desquitar. tr. Restaurar la pérdida, reintegrarse de lo perdido, particularmente en el juego. Ú. t. c. prnl. ‖ **2.** Descontar. ‖ **3.** fig. Tomar satisfacción, vengar una ofensa, daño o derrota. Ú. t. c. prnl.

desquite. m. Acción y efecto de desquitar o desquitarse.

desquito, ta. p. p. irreg. ant. de **desquitar.**

desrabar. tr. **desrabotar.**

desrabotar. tr. Cortar el rabo o cola, especialmente a las crías de las ovejas.

desraigar. (Del lat. *de-, ex* y *eradicāre.*) tr. ant. **desarraigar.** ‖ **2.** ant. fig. Extinguir, extirpar.

desraizar. tr. Arrancar las raíces de un terreno.

desramar. tr. Quitar las ramas del tronco de un árbol.

desranchar. intr. p. us. Desalojar, dejar el rancho. Ú. t. c. prnl. ‖ **2.** *Mil.* p. us. Separarse los que están ranchados. Ú. t. c. prnl.

desraspado, da. (De *des-* y *raspa.*) p. p. de **desraspar.** ‖ **2.** adj. V. **trigo desraspado.**

desraspar. tr. ant. Raspar o raer. ‖ **2.** *Agr.* Quitar las raspas o escobajo de la uva pisada antes de ponerla a fermentar.

desratización. f. Acción y efecto de desratizar.

desratizar. tr. Exterminar las ratas y ratones en barcos, almacenes, viviendas, etc.

desrazonable. adj. p. us. Fuera de razón.

desreglar. (De *des-* y *reglar*[2].) tr. **desarreglar.** Ú. t. c. prnl.

desrelingar. tr. *Mar.* Quitar las relingas a las velas.

desreputación. f. desus. Deshonor, descrédito.

desreverencia. f. ant. **irreverencia.**

desrielar. intr. *Amér.* Descarrilar. Ú. t. c. prnl.

desriñonar. (De *des-* y *riñón.*) tr. **derrengar,** lastimar gravemente el espinazo o los lomos. Ú. t. c. prnl.

desriscar. tr. *Can., Chile* y *P. Rico.* Precipitar algo desde un risco o peña. Ú. t. c. prnl.

desrizar[1]**.** tr. Deshacer los rizos; descomponer lo rizado. Ú. t. c. prnl.

desrizar[2]**.** tr. *Mar.* Soltar los rizos de las velas. Ú. t. c. prnl.

desroblar. tr. Quitar la robladura de la punta de un clavo, perno o cosa semejante.

desroñar. (De *des-* y *roña.*) tr. *Murc.* Quitar a los árboles las ramitas ruines, para que tomen más vigor las otras. ‖ **2.** *Seg.* Entre madereros, quitar con el hacha, a un lado y a otro del tronco del árbol derribado, una faja de corteza para trazar la línea que han de seguir las aristas de las piezas de madera que ha de producir la labra.

desrostrar. tr. ant. Herir en el rostro, afeándolo o descomponiéndolo. Usáb. t. c. prnl.

destablar. (De *des-* y *tabla.*) tr. ant. **desentablar.**

destacado, da. p. p. de **destacar.** ‖ **2.** adj. Notorio, relevante, notable.

destacamento. (De *destacar.*) m. *Mil.* Porción de tropa destacada.

destacar. (Del it. *staccare,* der. del gót. **stakka,* estaca.) tr. *Mil.* Separar del cuerpo principal una porción de tropa, para una acción, expedición, escolta, guardia u otro fin. Ú. t. c. prnl. ‖ **2.** fig. Poner de relieve los méritos o cualidades de una persona o cosa. Ú. t. c. prnl. ‖ **3.** *Pint.* Hacer resaltar los objetos de un cuadro por la fuerza y vigor del claroscuro, o de otra manera. Ú. t. c. prnl. ‖ **4.** intr. Sobresalir, descollar. Ú. t. c. prnl.

destaconar. tr. Gastar los tacones del calzado.

destachonar. tr. Desclavar los tachones.

destajador. m. Especie de martillo que usan los herreros para forjar, ya en redondo, ya en cuadrado, el hierro caldeado.

destajamiento. (De *destajar.*) m. ant. Rebaja, disminución. ‖ **2.** ant. Extravío de un raudal que toma nuevo curso.

destajar. (De *des-* y *tajar.*) tr. Ajustar y expresar las condiciones con que se ha de hacer una cosa. ‖ **2.** Cortar la baraja en el juego de naipes. ‖ **3.** ant. Atajar, precaver. ‖ **4.** ant. **interrumpir,** estorbar o impedir la continuación de una cosa. ‖ **5.** ant. Extraviar, descarriar.

destajero, ra. m. y f. **destajista.**

destajista. com. Persona que por cuenta de otra hace una cosa a destajo.

destajo. (De *destajar.*) m. Obra u ocupación que se ajusta por un tanto alzado, a diferencia de la que se hace a jornal. ‖ **2.** ant. División o atajadizo. ‖ **3.** fig. Obra o empresa que uno toma por su cuenta. ‖ **a destajo.** loc. adv. Por un tanto. Dícese cuando se toma o se da una obra ajustada en cierta cantidad. ‖ **2.** fig. Con empeño, sin descanso y aprisa para concluir pronto. ‖ **3.** *Argent.* y *Chile.* A ojo, a bulto. ‖ **hablar a destajo.** fr. fig. y fam. Hablar con exceso.

destalonar. tr. Quitar, destruir o descomponer el talón al calzado. Ú. t. c. prnl. ‖ **2.** Cortar las libranzas, recibos, cédulas, billetes y demás documentos contenidos en los cuadernos y libros talonarios. ‖ **3.** Quitar el talón a los documentos que lo tienen unido. ‖ **4.** *Veter.* Rebajar el casco de una caballería, desde el medio de la palma hacia atrás.

destallar. tr. Quitar los tallos inútiles a las plantas.

destapada. (De *destapar.*) f. **descubierta,** especie de pastel.

destapador. m. *Amér.* Abridor de botellas.

destapadura. f. Acción y efecto de destapar o destaparse.

destapar. tr. Quitar la tapa o tapón. Ú. t. c. prnl. ‖ **2.** fig. Descubrir lo que está oculto o cubierto. Ú. t. c. prnl. ‖ **3.** *Amér.* Dar a conocer el nombre del tapado. ‖ **4.** prnl. fig. Dar a conocer habilidades, intenciones o sentimientos propios no manifestados antes.

destape. m. Acción y efecto de destapar o destaparse. ‖ **2.** En una película, espectáculo, etc., acción de desnudarse los actores.

destapiado, da. p. p. de **destapiar.** ‖ **2.** m. El sitio que queda después de quitar las tapias.

destapiar. tr. Derribar, deshacer, arruinar las tapias.

destapinar. (De *tapín*[2].) tr. *Cantabria.* **barbechar.**

destaponar. tr. Quitar el tapón.

destara. f. Acción y efecto de destarar.

destarar. tr. Rebajar la tara de lo que se ha pesado con ella.

destartalado, da. (Probablemente del ár. *'istaṭal,* alargarse, extenderse.) adj. Descompuesto, desproporcionado y sin orden. Ú. t. c. s.

destartalo. m. Falta de orden, desarreglo.

destazador. (De *destazar.*) m. El que tiene por oficio trocear las reses muertas.

destazar. (De *des-* y *tazar;* cf. *retazar.*) tr. Hacer piezas o pedazos.

deste, ta, to. Contracc. ant. de **de este, de esta** y **de esto.**

destechadura. f. Acción y efecto de destechar.

destechar. tr. Quitar el techo a un edificio.

destejar. tr. Quitar las tejas a los tejados de los edificios o a las albardillas de las tapias. ‖ **2.** fig. Dejar sin reparo o defensa una cosa.

destejer. tr. Deshacer lo tejido. Ú. t. c. prnl. ‖ **2.** fig. Desbaratar lo que estaba dispuesto o tramado. Ú. t. c. prnl.

destelladura. (De *destellar.*) f. ant. **destilación.**

destellar. (Del lat. *destillāre.*) tr. Despedir destellos o emitir rayos, chispazos o ráfagas de luz, generalmente intensos y de breve duración. ‖ **2.** ant. Destilar, gotear.

destello. m. Acción de destellar. ‖ **2.** Resplandor vivo y efímero; ráfaga de luz, que se enciende y amengua o apaga casi instantáneamente. ‖ **3.** fig. Atisbo, vislumbre. ‖ **4.** ant. **destilación.**

destemar. (Del lat. *stigmāre.*) tr. ant. **estemar.**

destemperado, da. adj. ant. Desleído o disuelto.

destemperamiento. (Del lat. *dis,* des-, y *temperamentum.*) m. ant. **destemplanza.**

destempladamente. adv. m. Con destemplanza.

destemplado, da. p. p. de **destemplar.** ‖ **2.** adj. Falto de temple o de mesura. ‖ **3.** Dicho del tiempo, desapacible. ‖ **4.** *Pint.* Dícese del cuadro o de la pintura en que hay disconformidad de tonos.

destemplador, ra. adj. Que destempla. ‖ **2.** m. Oficial que destempla el acero.

destemplamiento. m. ant. **destemplanza.**

destemplanza. (De *des-* y *templanza.*) f. Intemperie, desigualdad del tiempo; exceso de calor, frío o humedad. ‖ **2.** Exceso en los afectos o en el uso de algunas cosas. ‖ **3.** Sensación general de malestar, acompañada a veces de escalofríos, con alguna alteración en el pulso, sin que llegue a notarse fiebre. ‖ **4.** fig. Desorden, alteración en las palabras o acciones; falta de moderación.

destemplar. (De *des-* y *templar.*) tr. Alterar, desconcertar la armonía o el buen orden de una cosa. ‖ **2.** desus. Diluir, disolver, poner en infusión. ‖ **3.** Destruir la concordancia o armonía con que están templados los instrumentos músicos. Ú. t. c. prnl. ‖ **4.** Producir malestar físico. ‖ **5.** prnl. Sentir malestar físico. ‖ **6.** Perder el temple el acero u otros metales. Ú. t. c. tr. DESTEMPLAR *el acero.* ‖ **7.** fig. Descomponerse, alterarse, perder la moderación en acciones o palabras. ‖ **8.** *Chile, Ecuad., Guat., Méj.* y *Perú.* Sentir dentera.

destemple. (De *destemplar.*) m. Disonancia de las cuerdas de un instrumento. ‖ **2. destemplanza,** sensación de malestar. ‖ **3.** fig. **destemplanza.** desorden, alteración. ‖ **4.** Acción y efecto de destemplar o destemplarse el acero u otros metales.

destensar. tr. **distender.**

destentadamente. adv. m. ant. **desatentadamente.**

destentar. tr. desus. Quitar la tentación a alguien, proponiéndole razones que le persuadan a vencerla.

desteñir. (De *des-* y *teñir.*) tr. Quitar el tinte; borrar o apagar los colores. Ú. t. c. intr. y prnl. ‖ **2.** Manchar con su color una cosa a otra. Ú. t. c. prnl.

desteridad. (Del lat. *dexterĭtas, -ātis.*) f. ant. **destreza,** habilidad o arte con que se hace una cosa.

desterminar. (Del lat. *disterminăre.*) tr. ant. Deslindar las tierras.

desternerar. tr. *Argent., Chile, P. Rico* y *Urug.* **desbecerrar.**

desternillante. p. a. de **desternillarse.** ‖ **2.** adj. Regocijante, hilarante.

desternillarse. prnl. Romperse las ternillas. ‖ **2.** fig. Reírse mucho, sin poder contenerse.

desterradero. (De *desterrar.*) m. desus. fig. **destierro,** lugar muy distante del centro.

desterrado, da. p. p. de **desterrar.** ‖ **2.** adj. Que sufre pena de destierro.

desterramiento. (De *desterrar.*) m. ant. **destierro.**

desterrar. (De *des-* y *tierra.*) tr. Echar a alguien de un territorio o lugar por mandato judicial o decisión gubernamental. ‖ **2.** Quitar la tierra a las raíces de las plantas o a otras cosas. ‖ **3.** fig. Deponer o apartar de sí. DESTERRAR *la tristeza, la enfermedad.* ‖ **4.** fig. Desechar o hacer desechar un uso o costumbre. ‖ **5.** ant. **desenterrar,** sacar lo que está debajo de tierra. ‖ **6.** prnl. **expatriarse.**

desterronamiento. m. Acción y efecto de desterronar.

desterronar. tr. Quebrantar o deshacer los terrones. Ú. t. c. prnl.

destetadera. f. Instrumento con púas, que se pone en las ubres de algunos animales, especialmente de las vacas, para destetar las crías.

destetar. (De *des-* y *teta.*) tr. Hacer que deje de mamar el niño o las crías de los animales, procurando su nutrición por otros medios. Ú. t. c. prnl. ‖ **2.** fig. Apartar a los hijos de las atenciones y comodidades de su casa para que aprendan a desenvolverse por sí mismos. Ú. t. c. prnl. ‖ **3.** prnl. fam. Despechugarse una mujer. ‖ **destetarse con** una cosa. fr. fig. Haber tenido desde la niñez noticia o uso de ella.

destete. m. Acción y efecto de destetar o destetarse.

desteto. m. Conjunto de cabezas de ganado destetadas. ‖ **2.** Lugar o caballeriza en que se recogen los machos y mulas lechuzas recién destetadas.

destez. (De *destrez*[2].) m. ant. Contratiempo, penalidad, infortunio.

destiempo (a). loc. adv. Fuera de tiempo, sin oportunidad.

destiento. (De *des-* y *tiento.*) m. desus. Sobresalto, alteración.

destierro. (De *desterrar.*) m. Acción y efecto de desterrar o desterrarse. ‖ **2.** Pena que consiste en expulsar a una persona de lugar o territorio determinado, para que temporal o perpetuamente resida fuera de él. ‖ **3.** Pueblo o lugar en que vive el desterrado. ‖ **4.** fig. Lugar alejado, remoto o de difícil acceso.

destilable. adj. Que puede destilarse.

destilación. (Del lat. *destillatĭo, -ōnis.*) f. Acción y efecto de destilar. ‖ **2.** Flujo de humores serosos o mucosos.

destiladera. f. Instrumento para destilar. ‖ **2.** desus. fig. Medio sutil e ingenioso de que se vale una persona para dirigir y enderezar alguna pretensión o negocio que le conviene. ‖ **3.** *Can.* y *Amér.* **filtro**[1] para clarificar un líquido.

destilador, ra. (Del lat. *destillātor, -ōris.*) adj. Que tiene por oficio destilar agua o licores. Ú. t. c. s. ‖ **2.** Dícese de lo que destila. ‖ **3.** m. **filtro**[1] para clarificar un líquido. ‖ **4.** **alambique.**

destilar. (Del lat. *destillāre.*) tr. Separar por medio del calor, en alambiques u otros vasos, una sustancia volátil de otras más fijas, enfriando luego su vapor para reducirla nuevamente a líquido. Ú. t. c. intr., tomando como sujeto el nombre del líquido sometido a tal proceso. *El queroseno* DESTILA *a una temperatura comprendida entre 190 y 260 grados centígrados.* ‖ **2.** **filtrar,** hacer pasar un líquido por un filtro. Ú. t. c. prnl. ‖ **3.** fig. Revelar, hacer surgir lo contenido u oculto. *Sus palabras* DESTILABAN *ternura.* ‖ **4.** intr. Correr lo líquido gota a gota. Ú. t. c. tr. *La llaga* DESTILABA *sangre.*

destilatorio, ria. adj. Que sirve para la destilación. ‖ **2.** m. Local en que se hacen las destilaciones. ‖ **3.** **alambique.**

destilería. f. Local o fábrica en que se hacen las destilaciones.

destín. (De *destinar.*) m. ant. Testamento o última voluntad. ‖ **2.** ant. **destino.**

destinación. (Del lat. *destinatĭo, -ōnis.*) f. Acción y efecto de destinar. ‖ **2.** **destino.**

destinado, da. p. p. de **destinar.** ‖ **2.** adj. Predestinado. *Esa aventura está* DESTINADA *a fracasar.* ‖ **3.** ant. **desatinado.**

destinar[1]. (Del lat. *destināre.*) tr. Ordenar, señalar o determinar una cosa para algún fin o efecto. ‖ **2.** Designar el punto o establecimiento en que un individuo ha de ejercer el empleo, cargo o comisión que se le ha conferido. ‖ **3.** Designar la ocupación o empleo en que ha de servir una persona. ‖ **4.** Dirigir un envío a determinada persona o a cierto lugar. *Las armas iban* DESTINADAS *a un país asiático.*

destinar[2]. (De *des-* y *tino.*) intr. ant. **desatinar,** perder el tino. Ú. en Salamanca.

destinatario, ria. m. y f. Persona a quien va dirigida o destinada alguna cosa.

destino. (De *destinar*[1].) m. **hado,** fuerza desconocida que se cree obra sobre los hombres y los sucesos. ‖ **2.** Encadenamiento de los sucesos considerado como necesario y fatal. ‖ **3.** Circunstancia de serles favorable o adversa esta supuesta manera de ocurrir los sucesos a personas o cosas. ‖ **4.** Consignación, señalamiento o aplicación de una cosa o de un lugar para determinado fin. ‖ **5.** Empleo, ocupación. ‖ **6.** Lugar o establecimiento en que un individuo ejerce su empleo. ‖ **7.** Meta, punto de llegada.

destiñar. (De *des-* y *tiña,* gusanillo de las colmenas.) tr. ant. Limpiar las colmenas de los destiños o escarzos.

destiño. (De *destiñar.*) m. Pedazo o parte del panal de las abejas, algo negro o verdoso, que carece de miel.

destiranizado, da. adj. Libre de tiranía.

destirpar. tr. ant. **extirpar.**

destitución. (Del lat. *destitutĭo, -ōnis.*) f. Acción y efecto de destituir.

destituible. adj. Que puede ser destituido.

destituidor, ra. adj. Que destituye. Ú. t. c. s.

destituir. (Del lat. *destituĕre.*) tr. p. us. Privar a alguien de alguna cosa. ‖ **2.** Separar a alguien del cargo que ejerce.

destitulado, da. adj. Sin título o privado de él.

destocar. (De *des-* y *toca.*) tr. Quitar o deshacer el tocado. Ú. t. c. prnl. ‖ **2.** prnl. Descubrirse la cabeza, quitarse el sombrero, montera, gorra, etc.

destorcedura. f. Acción y efecto de destorcer o destorcerse.

destorcer. (Del lat. *distorquēre,* torcer.) tr. Deshacer lo retorcido aflojando las vueltas o dándolas hacia la parte contraria. Ú. t. c. prnl. ‖ **2.** desus. fig. Enderezar y arreglar lo que estaba sin la debida rectitud. ‖ **3.** prnl. *Mar.* Perder la embarcación el rumbo que llevaba; descaminarse.

destorgar. tr. Romper o arrancar el torgo.

destormar. tr. *Murc.* Desterronar, deshacer los tormos con el mazo después que la tierra se ha soleado bien.

destornillado, da. p. p. de **destornillar.** ‖ **2.** adj. fig. Inconsiderado, precipitado, sin seso. Ú. t. c. s.

destornillador. m. Instrumento de hierro u otra materia, que sirve para destornillar y atornillar.

destornillamiento. m. Acción y efecto de destornillar.

destornillar. tr. **desatornillar** un tornillo. ‖ **2.** prnl. fig. Desconcertarse obrando o hablando sin juicio ni seso. ‖ **3.** vulg. **desternillarse** de risa.

destorpadura. (De *destorpar.*) f. desus. Acción y efecto de destorpar.

destorpar. (Del lat. *deturpāre,* estropear.) tr. desus. **deturpar.**

destoserse. prnl. Toser sin necesidad, o fingir la tos, ya previniéndose para hablar, ya para que sirva de seña.

destotro, tra. Contracc. ant. de **de este otro, de esto otro** y **de esta otra.**

destrabar. tr. Quitar las trabas. Ú. t. c. prnl. ‖ **2.** Desasir, desprender o apartar una cosa de otra. Ú. t. c. prnl. ‖ **3.** ant. Romper y deshacer las vallas o trincheras.

destrabazón. f. Acción y efecto de destrabar.

destral. (Del lat. *dextrālis.*) m. Hacha pequeña que se maneja por lo general con solo una mano.

destraleja. f. Destral pequeño.

destralero. m. Dícese del que hace o vende destrales.

destramar. tr. Sacar la trama de la tela. ‖ **2.** fig. ant.

Romper, deshacer la trama, conjuración o engaño que se había hecho.

destre. (Del mallorquín *destre,* estadal.) m. Medida de longitud, usada en Mallorca, equivalente a cuatro metros y 21 centímetros. ‖ **superficial.** Medida cuadrada de un **destre** de lado.

destrejar. intr. p. us. Obrar o proceder diestramente.

destrenzar. tr. Deshacer la trenza. Ú. t. c. prnl.

destrero, ra. (Del lat. *dextra,* la mano derecha.) adj. ant. Diestro, experto, ejercitado en las armas.

destrez[1]. f. ant. **destreza**[1].

destrez[2]. (Del ant. fr. *destresse,* apuro, y este del b. lat. **districtĭa,* aprieto.) f. ant. **destreza**[2].

destreza[1]. (De *diestro.*) f. Habilidad, arte, primor o propiedad con que se hace una cosa. ‖ **2.** desus. **esgrima.**

destreza[2]. f. ant. Apuro, aprieto.

destributar. tr. ant. Eximir del pago del tributo.

destricia. (Del b. lat. **districtĭa,* aprieto.) f. ant. Escasez, necesidad, aprieto.

destrincar. tr. *Mar.* Desamarrar cualquier cosa o deshacer la trinca que se le tenía dada. Ú. t. c. prnl.

destripacuentos. com. fam. Persona que interrumpe inoportunamente la relación del que habla.

destripador, ra. adj. Que destripa. Ú. t. c. s.

destripamiento. m. Acción y efecto de destripar.

destripar. tr. Quitar, sacar o desgarrar las tripas. ‖ **2.** fig. Sacar lo interior de una cosa. ‖ **3.** fig. **despachurrar,** aplastar una cosa despedazándola, estrujándola o apretándola. ‖ **4.** fig. y fam. Interrumpir el relato que está haciendo alguien de algún suceso, chascarrillo, enigma, etc., anticipando el desenlace o la solución.

destripaterrones. (De *destripar* y *terrón.*) m. fig., fam. y despect. Gañán o jornalero que cava o ara la tierra. ‖ **2.** fig. y fam. Hombre tosco, cazurro.

destrísimo, ma. adj. sup. de **diestro.**

destriunfar. tr. En algunos juegos de naipes, sacar los triunfos un jugador a los otros, obligándoles a echarlos.

destrizar. (Del lat. **districtiāre,* apretar.) tr. Hacer trizas o pedazos. ‖ **2.** prnl. fig. Consumirse, deshacerse por un enfado.

destrocar. tr. Deshacer el trueque o cambio.

destrón. (De *diestro.*) m. Lazarillo o mozo de ciego.

destronamiento. m. Acción y efecto de destronar.

destronar. tr. Deponer y privar del reino a alguien; echarle del trono. ‖ **2.** fig. Quitar a alguien su preponderancia.

destroncamiento. m. Acción y efecto de destroncar.

destroncar. (Del lat. *detruncāre.*) tr. Cortar, tronchar un árbol por el tronco. ‖ **2.** fig. Cortar o descoyuntar el cuerpo o parte de él. ‖ **3.** desus. fig. Arruinar a alguien, destruirle, entorpecerle sus negocios o pretensiones, privándole de los medios de conseguir su intención. ‖ **4.** fig. Truncar, cortar, interrumpir cosas no materiales. DESTRONCAR *un discurso.* ‖ **5.** fig. Rendir de fatiga, agotar por el trabajo o el insomnio. Ú. m. c. prnl. ‖ **6.** desus. *Chile, Méj.* y *Nicar.* Descuajar, arrancar plantas o quebrarlas por el pie. ‖ **7.** *Taurom.* Provocar, con faenas apropiadas, reacciones bruscas o violentas del toro, para privarlo de fuerzas.

destronchar. (De *des-* y *troncho.*) tr. ant. Tratar de una materia sin profundizarla.

destronque. m. Acción y efecto de destroncar. ‖ **2.** *Chile* y *Méj.* **descuaje.**

destropar. (De *des-* y *tropa.*) tr. ant. Separar o dividir el ganado o la gente, de suerte que cada uno vaya solo o por un lado. Ú. t. c. prnl.

destrozador, ra. adj. Que destroza. Ú. t. c. s.

destrozar. tr. Despedazar, destruir, hacer trozos una cosa. Ú. t. c. prnl. ‖ **2.** fig. Estropear, maltratar, deteriorar. ‖ **3.** fig. Aniquilar, causar gran quebranto moral. ‖ **4.** fig. Derrotar, aplastar al enemigo o contrincante.

destrozo. m. Acción y efecto de destrozar o destrozarse.

destrozón, na. adj. fig. Que destroza demasiado la ropa, los zapatos, etc. Ú. t. c. s. ‖ **2.** f. En el carnaval callejero, máscara vestida de mujer, con ropas astrosas, sucias, grotescas, etc.

destrucción. (Del lat. *destructĭo, -ōnis.*) f. Acción y efecto de destruir. ‖ **2.** Ruina, asolamiento, pérdida grande y casi irreparable.

destructibilidad. f. Calidad de destructible.

destructible. adj. **destruible.**

destructivamente. adv. m. Con destrucción.

destructivo, va. (Del lat. *destructīvus.*) adj. Dícese de lo que destruye o tiene poder o facultad para destruir.

destructo, ta. (Del lat. *destructus.*) p. p. irreg. ant. de **destruir.**

destructor, ra. (Del lat. *destructor, -ōris.*) adj. Que destruye. Ú. t. c. s. ‖ **2.** m. Buque de guerra rápido, de tonelaje medio, preparado para misiones de escolta así como ofensivas, y equipado con armamento de toda clase.

destrueco. m. **destrueque.**

destrueque. m. Acción y efecto de destrocar.

destruible. adj. Que puede destruirse.

destruición. (De *destruir.*) f. desus. **destrucción.**

destruidor, ra. (De *destruir.*) adj. desus. **destructor,** que destruye. Ú. t. c. s.

destruimiento. (De *destruir.*) m. ant. **destrucción.**

destruir. (Del lat. *destruĕre.*) tr. Deshacer, arruinar o asolar una cosa material. Ú. t. c. prnl. ‖ **2.** fig. Deshacer, inutilizar una cosa no material, como un argumento, un proyecto. ‖ **3.** p. us. fig. Quitar a alguien los medios con que se mantenía, o estorbarle que los adquiera. ‖ **4.** fig. Malgastar, malbaratar la hacienda. ‖ **5.** prnl. *Álg.* Anularse mutuamente dos cantidades iguales y de signo contrario.

destullecer. tr. desus. **desentollecer,** restituir a los nervios el uso perdido por algún accidente.

destupición. f. *Cuba.* Acción y efecto de destupir.

destupir. tr. *Can.* y *Cuba.* Desobstruir.

desturbar. (Del lat. *deturbāre.*) tr. ant. Echar, expeler, arrojar.

destusar. tr. *Amér. Central.* Despinochar, quitar al maíz la hoja o tusa.

desubicar. tr. Situar a una persona o una cosa fuera de lugar. Ú. m. c. prnl. y especialmente en América.

desubstanciar. tr. **desustanciar.**

desucación. (De *desucar.*) f. Acción y efecto de desucar.

desucar. (Del lat. *desucāre,* quitar el jugo.) tr. *Quím.* **desjugar.**

desudación. f. Acción y efecto de desudar.

desudar. tr. Quitar el sudor. Ú. t. c. prnl.

desuellacaras. (De *desollar* y *cara.*) m. p. us. fig. y fam. Barbero que afeita mal. ‖ **2.** com. desus. fig. y fam. Persona desvergonzada, descarada, de mala vida y costumbres.

desuello. m. Acción y efecto de desollar o desollarse. ‖ **2.** fig. Desvergüenza, descaro, osadía. ‖ **ser un desuello.** fr. fig. y fam. Ser excesivo el precio que se pide por una cosa.

desuncir. (Del lat. *disiungĕre.*) tr. Quitar del yugo las bestias sujetas a él.

desunidamente. adv. m. Sin unión.

desunión. f. Separación de las partes que componen un todo, o de las cosas que estaban juntas y unidas. ‖ **2.** fig. Discordia, desavenencia.

desunir. (De *des-* y *unir.*) tr. Apartar, separar una cosa de otra. Ú. t. c. prnl. ‖ **2.** fig. Introducir discordia entre los que estaban en buena correspondencia. Ú. t. c. prnl.

desuno. (Contracc. de las preps. *de* y *so* con el pron. *uno.*) adv. m. ant. De consuno, de conformidad, con unión, juntamente.

desuñar. tr. Quitar o arrancar las uñas. ‖ **2.** *Agr.* Arrancar las raíces viejas de las plantas. ‖ **3.** prnl. p. us. fig. Ocuparse con afán en un trabajo o actividad.

desuñir. (Del lat. *disiungĕre*, desunir.) tr. ant. **desuncir.** Ú. en el Occidente peninsular, Argentina y Uruguay.

desurcar. tr. Deshacer los surcos.

desurdir. (De *des-* y *urdir.*) tr. Deshacer una tela; quitar la urdimbre. ‖ **2.** fig. Desbaratar una trama, una intriga.

desurtido, da. adj. *Amér.* Dícese de la tienda o establecimiento que no está surtido.

desús (al). (Del lat. *de* y *sursum.*) loc. adv. ant. **encima.**

desusadamente. adv. m. Fuera de uso.

desusado, da. p. p. de **desusar.** ‖ **2.** adj. Desacostumbrado, insólito. ‖ **3.** Que ha dejado de usarse.

desusar. (De *des-* y *usar.*) tr. Desacostumbrar, perder o dejar el uso. Ú. m. c. prnl.

desuso. m. Falta de uso o de ejercicio de una cosa. ‖ **2.** *Der.* Falta de aplicación o inobservancia de una ley, que, sin embargo, no implica su derogación.

desustanciar. tr. Quitar la fuerza y vigor a una cosa sacándole la sustancia o desvirtuándola por cualquier otro medio. Ú. t. c. prnl.

desvahar. tr. *Agr.* Quitar lo marchito o seco de una planta.

desvaído, da. (De etim. disc.; cf. port. *esvaido.*) p. p. de **desvaír.** ‖ **2.** adj. Descolorido o de color apagado. ‖ **3.** Que ha perdido la fuerza o el vigor; adelgazado, disminuido. ‖ **4.** Vago, desdibujado, impreciso. ‖ **5.** p. us. Dícese de la persona alta y desgarbada.

desvaidura. (De *desvaído.*) f. ant. Adelgazamiento, disminución.

desvainadura. f. Acción y efecto de desvainar.

desvainar. tr. Sacar los granos de habas, guisantes y otras semillas, de las vainas en que se crían. ‖ **2.** ant. **desenvainar.**

desvaír. tr. Hacer perder el color, la fuerza o la intensidad. Ú. m. c. prnl.

desvalía. f. ant. **desvalimiento.**

desvalido, da. adj. Desamparado, privado de ayuda y socorro. Ú. t. c. s. ‖ **2.** ant. Acelerado, presuroso, desalado.

desvalijador, ra. adj. Que desvalija o despoja. Ú. t. c. s.

desvalijamiento. m. Acción y efecto de desvalijar.

desvalijar. tr. Quitar o robar el contenido de una maleta o valija. ‖ **2.** Por ext., despojar a una persona de su dinero o de sus bienes mediante robo, engaño, juego, etc. ‖ **3.** Robar el contenido de una caja fuerte, o cosas de valor en una casa o establecimiento.

desvalijo. m. **desvalijamiento.**

desvalimiento. m. Desamparo, abandono, falta de ayuda o favor.

desvalor. (De *des-* y *valor.*) m. ant. Cobardía, miedo. ‖ **2.** ant. Falta de mérito o de estimación.

desvalorar. (De *des-* y *valorar.*) tr. **desvalorizar,** quitar valor. ‖ **2.** desus. Acobardar, amedrentar.

desvalorización. f. Acción y efecto de desvalorizar.

desvalorizar. tr. Quitar valor, consideración o prestigio a una persona o cosa. Ú. t. c. prnl. ‖ **2.** Tratándose de moneda, devaluar. Ú. t. c. prnl.

desván. (Del ant. *desvanar*, der. de *vano.*) m. Parte más alta de la casa, inmediatamente debajo del tejado, que suele destinarse a guardar objetos inútiles o en desuso. ‖ **gatero.** El que no es habitable. ‖ **perdido. desván gatero.**

desvanecedor, ra. adj. Que desvanece. ‖ **2.** m. Aparato usado para desvanecer parte de una fotografía al sacar la positiva.

desvanecer. (Del lat. *evanescĕre.*) tr. Disgregar o difundir las partículas de un cuerpo en otro. Dicho por lo común de los colores que se atenúan gradualmente. Ú. t. c. prnl. *El humo se* DESVANECE *en el aire.* ‖ **2.** fig. desus. Inducir a presunción y vanidad. Ú. m. c. prnl. ‖ **3.** fig. Deshacer, anular. DESVANECER *la duda, la sospecha, el intento.* Usáb. t. c. prnl. ‖ **4.** Quitar de la mente una idea, un recuerdo, etc. ‖ **5.** prnl. Evaporarse, exhalarse, perderse la parte espiritosa de una cosa. DESVANECERSE *el vino.* ‖ **6.** Turbarse la cabeza por un vahido; perder el sentido. Ú. t. c. tr.

desvanecidamente. adv. m. Con desvanecimiento.

desvanecido, da. p. p. de **desvanecer.** ‖ **2.** adj. desus. Soberbio, vanidoso, presumido.

desvanecimiento. (De *desvanecer.*) m. Acción y efecto de desvanecerse. ‖ **2.** desus. Presunción, vanidad, altanería o soberbia. ‖ **3.** Debilidad, flaqueza, perturbación de la cabeza o del sentido.

desvaporizadero. m. Lugar por donde se evapora o respira una cosa.

desvarar. (Como *resbalar*, del lat. *divarāre*, de *varus*, patizambo.) tr. desus. Resbalar, deslizarse. Ú. t. c. prnl. ‖ **2.** *Mar.* Poner a flote la nave que estaba varada.

desvaretar. (De *vareta.*) tr. *And.* Quitar los chupones a los árboles, y especialmente a los olivos.

desvariable. (De *desvariar.*) adj. ant. Que puede variar o mudarse.

desvariadamente. adv. m. Con desvarío, fuera de propósito. ‖ **2.** ant. Diferentemente, con diversidad o desemejanza.

desvariado, da. p. p. de **desvariar.** ‖ **2.** adj. Que delira o dice o hace despropósitos. ‖ **3.** Fuera de regla, orden o concierto; sin tino. ‖ **4.** Aplícase a las ramas largas y locas de los árboles. ‖ **5.** ant. Diverso, diferente, desemejante.

desvariamiento. (De *desvariar.*) m. ant. Diversidad, diferencia.

desvariar. (De *vario.*) tr. ant. Diferenciar, variar, desunir o desviar. ‖ **2.** intr. Delirar, decir locuras o despropósitos. ‖ **3.** prnl. ant. Apartarse del orden regular.

desvarío. (De *desvariar.*) m. Dicho o hecho fuera de concierto. ‖ **2.** Accidente que sobreviene a algunos enfermos, de perder la razón y delirar. ‖ **3.** ant. Desunión, división, disensión. ‖ **4.** fig. Monstruosidad, cosa que sale del orden regular y común de la naturaleza. ‖ **5.** fig. Desigualdad, inconstancia y capricho.

desvastigar. (De *des-* y *vástiga.*) tr. **chapodar,** cortar ramas de los árboles, aclarándolos.

desvedar. (De *des-* y *vedar.*) tr. Alzar o revocar la prohibición que una cosa tenía.

desveladamente. adv. m. Con desvelo.

desvelamiento. m. **desvelo.**

desvelar[1]**.** (Del lat. *dis-* y *evigilāre*, despertar.) tr. Quitar, impedir el sueño, no dejar dormir. Ú. t. c. prnl. ‖ **2.** prnl. fig. Poner gran cuidado y atención en lo que uno tiene a su cargo o desea hacer o conseguir.

desvelar[2]**.** (De *des-* y *velar*[2].) tr. fig. Descubrir, poner de manifiesto.

desvelizar. tr. *Guat.* y *Nicar.* **develizar.**

desvelo. m. Acción y efecto de desvelar[1] o desvelarse.

desvenar. tr. Quitar las venas a la carne. ‖ **2.** Sacar de la vena o filón el mineral. ‖ **3.** Quitar las fibras a las hojas de las plantas; como se hace con la del tabaco antes de labrarla. ‖ **4.** *Equit.* Levantar los cañones del freno por el nudo, arqueándolos para que hagan montada.

desvencijar. (De *des-* y *vencejo.*) tr. Aflojar, desunir, desconcertar las partes de una cosa que estaban y debían estar unidas. Ú. t. c. prnl. ‖ **2.** prnl. desus. Quebrarse, herniarse.

desvendar. tr. Quitar o desatar la venda con que estaba cubierta una cosa. DESVENDAR *los ojos.* Ú. t. c. prnl.

desveno. (De *desvenar.*) m. *Equit.* Arco que en el centro de la embocadura del freno forma el hueco necesario para que se aloje en la lengua del caballo.

desventaja. f. Mengua o perjuicio que se nota por comparación de dos cosas, personas o situaciones. ‖ **2.** Inconveniente, impedimento.

desventajoso, sa. adj. Que acarrea desventaja.

desventar. (De *des-* y *viento.*) tr. Sacar el aire de una parte donde está encerrado.

desventura. (De *des-* y *ventura.*) f. **desgracia,** caso adverso. ‖ **2. desgracia,** suerte adversa. ‖ **3. desgracia,** motivo de aflicción.

desventurado, da. (De *desventura.*) adj. **desgraciado,** que padece desgracias. ‖ **2. desgraciado,** desafortunado. ‖ **3.** Cuitado, apocado, sin espíritu. Ú. t. c. s. ‖ **4.** Avariento, miserable. Ú. t. c. s.

desvergonzadamente. adv. m. Con desvergüenza.

desvergonzado, da. p. p. de **desvergonzarse.** ‖ **2.** adj. Que habla u obra con desvergüenza.

desvergonzamiento. (De *desvergonzarse.*) m. ant. **desvergüenza.**

desvergonzarse. (De *des-* y *vergüenza.*) prnl. p. us. Descomedirse, insolentarse faltando al respeto y hablando con descaro y descortesía.

desvergoñadamente. adv. m. ant. **desvergonzadamente.**

desvergüenza. f. Falta de vergüenza, insolencia; descarada ostentación de faltas y vicios. ‖ **2.** Dicho o hecho impúdico o insolente.

desvestir. (Del lat. *disvestīre.*) tr. **desnudar.** Ú. t. c. prnl.

desvezar. (De *des-* y *vezo.*) tr. ant. **desavezar.** Ú. t. c. prnl. ‖ **2.** *Ar.* Cortar los mugrones de las viñas, aislándolos de la cepa madre, cuando ya tienen bastantes raíces propias. ‖ **3.** *Ar.* Destetar.

desviación. (Del lat. *deviatĭo, -ōnis.*) f. Acción y efecto de desviar o desviarse. ‖ **2.** Separación lateral de un cuerpo de su posición media. DESVIACIÓN *del péndulo, del distribuidor de una máquina de vapor.* ‖ **3.** Separación de la aguja imantada del plano del meridiano magnético, ocasionada por la atracción de una masa de hierro o de otro imán. ‖ **4.** Tramo de una carretera que se aparta de la general. ‖ **5.** Camino provisional por el que han de circular los vehículos mientras está inutilizado un tramo de carretera. ‖ **6.** Tendencia o hábito anormal en el comportamiento de una persona. ‖ **7.** *Med.* Paso de los humores por fuera de sus conductos naturales. ‖ **8.** *Med.* Cambio de la posición natural de los órganos, y en especial de los huesos. ‖ **9.** *Min.* Vena que al cruzar otra sigue la dirección de esta en cierta longitud.

desviacionismo. (De *desviación.*) m. Doctrina o práctica que se aparta de una ortodoxia determinada.

desviacionista. adj. Perteneciente o relativo al desviacionismo. Ú. t. c. s.

desviador, ra. (Del lat. *deviātor, -ōris.*) adj. Que desvía o aparta.

desviamiento. (De *desviar.*) m. ant. **desvío,** acción y efecto de desviar. ‖ **2.** Despego, desagrado. ‖ **3.** *Min.* **desvío.**

desviar. (Del lat. *deviāre.*) tr. Apartar, alejar, separar de su lugar o camino una cosa. Ú. t. c. prnl. ‖ **2.** fig. Disuadir o apartar a alguien de la intención, determinación, propósito o dictamen en que estaba. Ú. t. c. prnl. ‖ **3.** *Esgr.* Separar la espada del contrario, formando otro ángulo, para que no hiera en el punto en que estaba. ‖ **4.** intr. ant. Apartarse, separarse.

desviejar. tr. Entre ganaderos, separar o apartar del rebaño las ovejas o carneros viejos.

desvinculación. f. Acción y efecto de desvincular.

desvincular. tr. Anular un vínculo, liberando lo que estaba sujeto a él. Se usa más referido a los bienes.

desvío. (De *desviar.*) m. **desviación,** acción y efecto de desviar. ‖ **2.** fig. Despego, desagrado. ‖ **3.** Esquivez, frialdad, indiferencia. ‖ **4.** Desviación, camino provisional, generalmente más largo que el camino normal. ‖ **5.** Desviación, tramo de la carretera que se aparta de la general. ‖ **6.** *Argent., Chile, P. Rico* y *Urug.* Apartadero de una línea férrea. ‖ **7.** *Albañ.* Cada uno de los listones de madera que se sujetan horizontalmente en los tablones de los andamios suspendidos, y se apoyan en la fábrica para evitar el movimiento de vaivén. ‖ **8.** *Min.* Cruce de una vena de material con otra.

desvirar[1]. (De *des-* y *vira,* trozo de tela o cuero.) tr. Recortar con el tranchete lo superfluo de la suela del zapato después de cosido. ‖ **2.** Recortar el libro el encuadernador.

desvirar[2]. tr. Dar vueltas al cilindro de los tornos y cabrestantes en sentido contrario a las que se dieron para virar el cable o el cabo de que se tira.

desvirgar. (De *des-* y *virgo.*) tr. Quitar la virginidad a una doncella.

desvirtuar. tr. Quitar la virtud, sustancia o vigor. Ú. t. c. prnl.

desvitrificar. tr. Hacer que el vidrio pierda su transparencia por la acción prolongada del calor.

desvivirse. prnl. Mostrar incesante y vivo interés, solicitud o amor por una persona o cosa.

desvolvedor. (De *des-* y *volver.*) m. Instrumento que usan los herreros y cerrajeros para apretar o aflojar las tuercas.

desvolver. (Del lat. *devolvĕre.*) tr. desus. **desenvolver.** Ú. t. c. prnl. ‖ **2.** Arar la tierra, mullirla y trabajarla.

desvuelto, ta. p. p. irreg. de **desvolver.**

desyemar. tr. Quitar las yemas a las plantas.

desyerba. (De *desyerbar.*) f. **escarda.**

desyerbador, ra. adj. Que desyerba. Ú. t. c. s.

desyerbar. (De *des-* y *yerba.*) tr. **desherbar.**

desyugar. tr. **desuncir.**

desyuncir. (Del lat. *disiungĕre,* desunir.) tr. ant. **desuncir.**

desyunto, ta. (Del lat. *disiunctus.*) p. p. irreg. ant. de **desyuncir.** ‖ **2.** desus. **disyunto.**

deszafrar. tr. Separar de un sitio el mineral y la roca arrancados de las excavaciones de las minas.

deszafre. m. Acción y efecto de deszafrar.

deszocar. (De *des-* y *zoco.*) tr. Herir, maltratar el pie, de modo que quede impedido su uso. Ú. t. c. prnl. ‖ **2.** *Arq.* Quitar el zócalo de alguna columna, o el zoquete en que se afirma algún pie derecho.

deszulacar. tr. Quitar el zulaque.

deszumar. tr. Sacar o quitar el zumo. Ú. t. c. prnl.

detalladamente. adv. m. En detalle, por menor.

detallado, da. p. p. de **detallar.** ‖ **2.** adj. *Sor.* Dícese de la madera de pino escogida por su calidad.

detallar. (De *detalle.*) tr. Tratar, referir una cosa por menor, por partes, circunstanciadamente. ‖ **2.** Vender al por menor.

detalle. (Del fr. *détail.*) m. Relación, cuenta o lista circunstanciada. ‖ **2.** Pormenor, parte o fragmento de una cosa o asunto. ‖ **3.** Rasgo de cortesía, amabilidad, afecto, etc. ‖ **al detalle.** loc. adv. Al por menor.

detallismo. m. Calidad de detallista.

detallista. adj. Amante del detalle, minucioso, meticuloso. Ú. t. c. s. ‖ **2.** com. Comerciante que vende al por menor.

detardamiento. (De *detardar.*) m. ant. **tardanza.**

detardar. (Del lat. *detardāre.*) tr. ant. Tardar o retardar. ‖ **2.** intr. ant. Detenerse, hacer mansión.

detasa. (Del fr. *détaxe.*) f. Rectificación de portes pagados en los ferrocarriles, cuando ha lugar a hacer rebaja en ellos, para devolver el exceso de lo cobrado.

detección. (Del lat. *detectĭo, -ōnis.*) f. Acción y efecto de detectar.

detectar. (Del ing. *to detect.*) tr. Poner de manifiesto, por métodos físicos o químicos, lo que no puede ser observado directamente. Ú. t. en sent. fig. ‖ **2.** Descubrir. ‖ **3.** *Electrón.* Extraer de la onda modulada la señal transmitida.

detective. (Del ing. *detective.*) com. Policía particular que practica investigaciones reservadas y que, en ocasiones, interviene en los procedimientos judiciales.

detectivesco, ca. adj. Referente o relativo al detective o a su profesión.

detector. (Del ing. *detector.*) m. *Fís.* Aparato que sirve para detectar. ‖ **2.** *Electrón.* Circuito que realiza la detección de la señal transmitida.

detención. (Del lat. *detentĭo, -ōnis.*) f. Acción y efecto de detener o detenerse. ‖ **2.** Dilación, tardanza, prolijidad. ‖ **3.** Privación provisional de la libertad, ordenada por una autoridad competente.

detenedor, ra. adj. Que detiene. Ú. t. c. s.

detenencia. (De *detener.*) f. ant. **detención.**

detener. (Del lat. *detinēre.*) tr. Suspender una cosa o impedirla. Ú. t. c. prnl. ‖ **2.** Privar de libertad por un tiempo breve. ‖ **3.** prnl. Pararse, cesar en el movimiento o en la acción. ‖ **4.** fig. Pararse a considerar una cosa.

detenidamente. adv. m. Con detenimiento.

detenido, da. p. p. de **detener.** ‖ **2.** adj. **minucioso,** ‖ **3.** Falto de soltura, de poca resolución. Ú. t. c. s. ‖ **4.** Escaso, miserable. Ú. t. c. s. ‖ **5.** Privado provisionalmente de libertad por una autoridad competente. Ú. t. c. s.

detenimiento. (De *detener.*) m. **detención,** acción y efecto de detener. ‖ **2. detención,** dilación, tardanza. ‖ **con detenimiento.** loc. adv. Minuciosamente, con mucho cuidado.

detentación. (Del lat. *detentatĭo, -ōnis.*) f. *Der.* Acción y efecto de detentar.

detentador. (Del lat. *detentātor, -ōris.*) m. *Der.* El que retiene la posesión de lo que no es suyo, sin título ni buena fe que pueda cohonestarlo.

detentar. (Del lat. *detentāre,* retener.) tr. *Der.* Retener alguien lo que manifiestamente no le pertenece. ‖ **2.** Retener y ejercer ilegítimamente algún poder o cargo público.

detente. (Imperat. de *detener.*) m. Recorte de tela con la imagen del Corazón de Jesús y la leyenda: «Detente, bala». Se usó en las guerras españolas de los siglos XIX y XX, prendido en la ropa sobre el pecho.

detentor. (Del lat. *detentor, -ōris.*) m. desus. *Der.* **detentador.**

detergente. p. a. de **deterger.** Que deterge. ‖ **2.** adj. *Med.* **detersorio.** Ú. t. c. s. m. ‖ **3.** m. Sustancia o producto que limpia químicamente.

deterger. (Del lat. *detergēre,* limpiar.) tr. *Med.* Limpiar una úlcera o herida. ‖ **2.** Limpiar un objeto sin corroerlo.

deterior. (Del lat. *deterĭor, -ōris.*) adj. p. us. Dícese de lo que es de calidad inferior a la de otra cosa de su especie.

deterioración. (Del lat. *deterioratĭo, -ōnis.*) f. **deterioro.**

deteriorar. (Del lat. *deteriorāre.*) tr. Estropear, menoscabar, poner en inferior condición una cosa. ‖ **2.** prnl. Empeorar, degenerar.

deterioro. (De *deteriorar.*) m. Acción y efecto de deteriorar o deteriorarse.

determinable. (Del lat. *determinabĭlis.*) adj. Que se puede determinar.

determinación. (Del lat. *determinatĭo, -ōnis.*) f. Acción y efecto de determinar o determinarse. ‖ **2.** Osadía, valor.

determinado, da. p. p. de **determinar.** ‖ **2.** adj. Osado, valeroso. Ú. t. c. s. ‖ **3.** *Álg.* V. **ecuación determinada.** ‖ **4.** *Gram.* V. **artículo, verbo determinado.** ‖ **5.** *Mat.* V. **cuestión determinada.** ‖ **6.** *Mat.* V. **problema determinado.**

determinamiento. (De *determinar.*) m. ant. **determinación.**

determinante. p. a. de **determinar.** Que determina. ‖ **2.** adj. *Gram.* V. **verbo determinante.** ‖ **3.** f. *Mat.* Polinomio que se forma a partir de los elementos de una matriz cuadrada aplicando determinadas reglas.

determinar. (Del lat. *determināre.*) tr. Fijar los términos de una cosa. ‖ **2.** Distinguir, discernir. ‖ **3.** Señalar, fijar una cosa para algún efecto. DETERMINAR *día, hora.* ‖ **4.** Tomar resolución. Ú. t. c. prnl. ‖ **5.** Hacer tomar una resolución. *Esto me* DETERMINÓ *a ayudarle.* ‖ **6.** *Der.* Sentenciar, definir. DETERMINAR *el pleito, la causa.*

determinativo, va. adj. Dícese de lo que determina o resuelve. ‖ **2.** *Gram.* V. **adjetivo determinativo.**

determinismo. (De *determinar.*) m. *Fil.* Sistema filosófico que subordina las determinaciones de la voluntad humana a la voluntad divina. ‖ **2.** *Fil.* Sistema que admite la influencia irresistible de los motivos.

determinista. adj. Perteneciente o relativo al determinismo. *Escuela, doctrina* DETERMINISTA. ‖ **2.** com. Persona partidaria del determinismo.

detersión. (Del lat. *detersĭo, -onis.*) f. Acción y efecto de limpiar o purificar.

detersivo, va. adj. **detersorio.** Ú. t. c. s. m.

detersorio, ria. (Del lat. *detersus,* p. p. de *detergēre,* limpiar.) adj. Dícese de lo que tiene virtud de limpiar o purificar. Ú. t. c. s. m.

detestable. (Del lat. *detestabĭlis.*) adj. Abominable, execrable, aborrecible, pésimo.

detestación. (Del lat. *detestatĭo, -ōnis.*) f. Acción y efecto de detestar.

detestar. (Del lat. *detestāri.*) tr. Condenar y maldecir a personas o cosas, tomando el cielo por testigo. ‖ **2. aborrecer,** tener aversión a alguien o a algo.

detienebuey. m. **gatuña.**

detinencia. (Del lat. *detĭnens, -entis,* que detiene.) f. p. us. **detención.**

detonación. f. Acción y efecto de detonar. ‖ **2.** Explosión brusca capaz de iniciar la de un explosivo relativamente estable.

detonador, ra. adj. Que provoca o causa detonación. Ú. t. c. s. ‖ **2.** m. Artificio con fulminante que sirve para hacer estallar una carga explosiva.

detonante. p. a. de **detonar.** Que detona. ‖ **2.** adj. V. **pólvora detonante.** ‖ **3.** fig. Que llama la atención por no armonizar con su entorno. ‖ **4.** m. Agente capaz de producir detonación.

detonar. (Del lat. *detonāre.*) intr. Dar estampido o trueno. ‖ **2.** tr. Iniciar una explosión o un estallido. ‖ **3.** fig. Llamar la atención, causar asombro, admiración, etc.

detornar. (Del lat. *detornāre.*) tr. ant. Volver por segunda vez.

detorsión. (Del lat. *detorsus,* torcido.) f. Extensión violenta; torcedura de un músculo, nervio o ligamento.

detracción. (Del lat. *detractĭo, -ōnis.*) f. Acción y efecto de detraer.

detractar. (Del lat. *detractāre.*) tr. desus. **detraer,** infamar.

detractor, ra. (Del lat. *detractor, -ōris.*) adj. Disconforme, adversario. Ú. t. c. s. ‖ **2.** Maldiciente o infamador. Ú. t. c. s.

detraedor. (De *detraer.*) m. desus. **detractor.**

detraer. (Del lat. *detrahĕre.*) tr. Restar, sustraer, apartar o desviar. Ú. t. c. prnl. ‖ **2.** fig. Infamar, denigrar la honra ajena en la conversación o por escrito.

detraimiento. (De *detraer,* infamar.) m. ant. Infamia, deshonor.

detrás. (De las prep. lat. *de* y *trans.*) adv. l. En la parte posterior, o con posterioridad de lugar, o en sitio delante del cual está una persona o cosa. Se combina con otras preposiciones: *salieron* DE DETRÁS *de la tapia; no lo vi, pasó* POR DETRÁS. ‖ **2.** fig. En ausencia. ‖ **por detrás.** loc. adv. fig. **detrás,** en ausencia.

detrimento. (Del lat. *detrimentum.*) m. Destrucción leve o parcial. ‖ **2.** Pérdida, quebranto de la salud o de los intereses. ‖ **3.** fig. Daño moral.

detrítico, ca. adj. *Geol.* Compuesto de detritos. *Capa* DETRÍTICA.

detrito. (Del lat. *detrītus,* desgastado.) m. Resultado de la descomposición de una masa sólida en partículas. Ú. m. en geología y en medicina.

detritus. m. Detrito. Ú. t. en pl.

deturpación. (De *deturpar.*) f. Deformación, afeamiento.

deturpar. (Del lat. *deturpāre.*) tr. Afear, manchar, estropear, deformar.

deuda. (Del lat. *debĭta,* pl. n. de *debĭtum,* débito.) f. Obligación que alguien tiene de pagar, satisfacer o reintegrar a otro una cosa, por lo común dinero. ‖ **2.** Obligación moral contraída con otro. ‖ **3.** Pecado, culpa u ofensa; y así, en la oración del Padrenuestro se decía: *y perdónanos nuestras* DEUDAS. ‖ **amortizable.** La del Estado que se ha de amortizar en los plazos previstos por la ley que autoriza su emisión. ‖ **consolidada.** La pública de carácter perpetuo, cuyas inscripciones o títulos producían una renta fija. ‖ **exterior.** La pública que se paga en el extranjero y con moneda extranjera. ‖ **flotante.** La pública que no está consolidada, y que, como se compone de vencimientos a término fijo y de otros documentos aún no definitivamente arreglados, puede aumentar o disminuir todos los días. ‖ **interior.** La pública que se paga en el propio país con moneda nacional. ‖ **pública.** La que el Estado tiene reconocida por medio de títulos que devengan interés y a veces se amortizan. ‖ **acostarse sin deuda y amanecer con ella.** fr. que se dice por las obligaciones diarias que, como la del rezado de los sacerdotes, hay que cumplir de nuevo cada día. ‖ **contraer deudas.** fr. fam. Hacerse deudor.

deudo, da. (Del lat. *debĭtus,* debido.) m. y f. **pariente,** ascendiente, descendiente o colateral de su familia. ‖ **2.** m. **parentesco.** ‖ **3.** ant. **deuda.** ‖ **tomar** alguien **en** su **deudo** a otro. fr. ant. Emparentar con él.

deudor, ra. (Del lat. *debĭtor, -ōris.*) adj. Que debe, o está obligado a satisfacer una deuda. Ú. t. c. s. ‖ **2.** Dícese de la cuenta en que se ha de anotar una cantidad en el debe. ‖ **3.** *Com.* V. **cuenta deudora.**

deudoso, sa. adj. ant. Que tiene deudo o parentesco con alguien.

deut-. (Reducción de la voz griega δεύτερος.) elem. compos. que se emplea en la nomenclatura científica con el significado de «segundo»: DEUT*óxido.*

deuteragonista. (Del gr. δεύτερος, segundo, y del lat. *agōnista,* competidor.) com. Personaje que sigue en importancia al protagonista, en las obras literarias o análogas.

deuterio. (Del gr. δεύτερος, segundo.) m. *Quím.* Isótopo del hidrógeno dos veces más pesado que este. Entra en la constitución del agua pesada.

deuterón. m. *Fís.* Núcleo de deuterio, constituido por un protón y un neutrón.

deuto-. (Del gr. δεύτερος, segundo.) Prefijo que se emplea en la nomenclatura científica con el significado de «segundo».

deutón. f. *Fís.* **deuterón.**

deutóxido. (De *deuto-* y *óxido.*) m. *Quím.* Combinación del oxígeno con un cuerpo en su segundo grado de oxidación.

devalar. (De or. inc.; cf. gall. port. *devalar,* fr. *dévaler,* descender.) intr. *Mar.* Derivar, separarse del rumbo.

devaluación. f. Acción y efecto de devaluar.

devaluar. (Del ing. *to devalue, to devaluate,* a través del fr. *dévaluer.*) tr. Rebajar el valor de una moneda o de otra cosa, depreciarla.

deván. adv. t. ant. **devant.**

devanadera. f. Armazón de cañas o de listones de madera cruzados, que gira alrededor de un eje vertical y fijo en un pie, para que, colocadas en aquel las madejas del hilado, puedan devanarse con facilidad. ‖ **2.** Instrumento sobre el que se mueve un bastidor pintado por los dos lados para hacer mutaciones rápidas en los teatros.

devanado, da. p. p. de **devanar.** ‖ **2.** m. Acción y efecto de devanar. ‖ **3.** *Electr.* **bobina,** componente de un circuito eléctrico.

devanador, ra. adj. Que devana. Ú. t. c. s. ‖ **2.** m. Alma de cartón, madera, etc., sobre la que se devana el hilo.

devanagari. m. Escritura moderna del sánscrito. Ú. t. c. adj.

devanar. (Del lat. **depanāre,* de *panus,* ovillo.) tr. Ir dando vueltas sucesivas a un hilo, alambre, cuerda, etc., alrededor de un eje, carrete, etc.

devandicho, cha. (De *deván* y *dicho.*) adj. ant. **susodicho.**

devaneador, ra. adj. Que devanea.

devanear. (De *de-* y *vanear.*) intr. Decir o hacer desconciertos o devaneos; disparatar, delirar. ‖ **2.** ant. **vaguear.**

devaneo. (De *devanear.*) m. Delirio, desatino, desconcierto. ‖ **2.** Distracción o pasatiempo vano o reprensible. ‖ **3.** Amorío pasajero.

devant. (De *de-* y *avante.*) adv. t. ant. Antes, anteriormente.

devantal. (De *devant.*) m. p. us. **delantal.**

devastación. (Del lat. *devastatĭo, -ōnis.*) f. Acción y efecto de devastar.

devastador, ra. (Del lat. *devastātor, -ōris.*) adj. Que devasta. Ú. t. c. s.

devastar. (Del lat. *devastāre.*) tr. Destruir un territorio, arrasando sus edificios y asolando sus campos. ‖ **2.** fig. **destruir,** deshacer, arruinar o asolar una cosa material.

devedar. (Del lat. *devetāre.*) tr. ant. **vedar.**

develar. (Del lat. *develāre,* levantar el velo.) tr. Quitar o descorrer el velo que cubre alguna cosa. ‖ **2. desvelar**[2].

develizar. (De *develar.*) tr. *Nicar.* Descorrer o quitar el velo, descubrir.

devengar. (De *de-* y el lat. *vindicāre,* atribuirse, apropiarse.) tr. Adquirir derecho a alguna percepción o retribución por razón de trabajo, servicio u otro título. DEVENGAR *salarios, costas, intereses.*

devengo. m. Cantidad devengada.

devenir[1]**.** (Del fr. *devenir.*) intr. Sobrevenir, suceder, acaecer. ‖ **2.** Llegar a ser. Ú. t. con la prep. *en.*

devenir[2]**.** (Del fr. *devenir.*) m. *Fil.* La realidad entendida como proceso o cambio; a veces se opone a ser[1]. ‖ **2.** *Fil.* Proceso mediante el cual algo se hace o llega a ser.

deverbal. (De *verbo.*) adj. *Gram.* Dícese de la palabra, y en especial del nombre, derivados de un verbo, como *empuje,* de *empujar; salvamento,* de *salvar.* Ú. t. c. s.

deverbativo, va. (De *verbo.*) adj. *Gram.* **deverbal.** Ú. t. c. s.

de verbo ad vérbum. loc. adv. lat. Palabra por palabra, a la letra, sin faltar una coma.

devesa. (De *defensa.*) f. ant. **dehesa.**

deviación. (Del lat. *deviatĭo, -ōnis.*) f. desus. **desviación.**

deviedo. (De *devedar.*) m. ant. Acción y efecto de devedar. ‖ **2.** ant. **vedado.** ‖ **3.** ant. **entredicho,** censura eclesiástica. ‖ **4.** ant. *Der.* Deuda contraída por delito o rebeldía.

devieso. m. ant. **divieso.**

devino, na. (Del lat. *divīnus.*) m. y f. ant. **adivino, na.**

devinto, ta. (Del lat. *devinctus,* atado.) adj. ant. **vencido.**

devisa. (Del lat. *divīsa,* repartida.) f. Señorío solariego que se dividía entre hermanos coherederos. ‖ **2.** Tierra sujeta a este señorío.

devisar. (Del lat. *divīsus,* repartido.) tr. ant. Pactar, concertar, convenir. ‖ **2.** ant. Señalar, declarar la suerte o género de armas para el combate en los duelos o desafíos. ‖ **3.** ant. Dividir o hacer particiones. ‖ **4.** ant. Contar, referir. ‖ **5.** ant. **disfrazar,** desfigurar la forma natural.

devisero. m. Hidalgo poseedor de devisa.

de visu. loc. lat. que denota que uno ve por sí mismo, con sus propios ojos.

de vita et móribus. loc. lat. V. **información de vita et móribus.**

devoción. (Del lat. *devotĭo, -ōnis.*) f. Amor, veneración y fervor religiosos. ‖ **2.** Práctica piadosa no obligatoria. ‖ **3.** fig. Inclinación, afición especial. ‖ **4.** fig. Costumbre devota, y, en general, costumbre buena. ‖ **5.** *Teol.* Prontitud con que se está dispuesto a hacer la santa voluntad de Dios. ‖ **6.** V. **casa de devoción.** ‖ **de monjas.** Asistencia a sus locutorios y frecuente conversación con ellas. ‖ **estar a la devoción de** alguien. fr. Estar una persona, o una reunión de ellas, como nación, ciudad, ejército, etc., voluntariamente sujeta a la obediencia de otra.

devocionario. m. Libro que contiene varias oraciones para uso de los fieles.

devodar. (Del lat. *devotāre.*) intr. ant. Votar o jurar.

devolución. (Del lat. *devolutĭo, -ōnis.*) f. Acción y efecto de devolver.

devolutivo, va. (Del lat. *devolūtus.*) adj. *Der.* Dícese de lo que devuelve. ‖ **2.** *Der.* V. **efecto devolutivo.**

devolver. (Del lat. *devolvĕre.*) tr. Volver una cosa al estado que tenía. ‖ **2.** Restituirla a la persona que la poseía. ‖ **3.** Corresponder a un favor o a un agravio. ‖ **4.** fam. **vomitar** lo contenido en el estómago. ‖ **5.** Dar la vuelta a quien ha hecho un pago. ‖ **6.** prnl. *Amér.* Volverse, dar la vuelta.

devoniano, na. adj. *Geol.* Dícese del terreno inmediatamente posterior al siluriano. Ú. t. c. s. ‖ **2.** *Geol.* Perteneciente a este terreno.

devónico, ca. adj. *Geol.* **devoniano.**

devorador, ra. (Del lat. *devorātor, -oris.*) adj. Que devora. Ú. t. c. s.

devorar. (Del lat. *devorāre.*) tr. Comer un animal su presa. ‖ **2.** Tragar con ansia y apresuradamente. ‖ **3.** fig. Consumir, destruir. ‖ **4.** fig. Consagrar atención ávida a una cosa. DEVORAR *un libro, una carta.* DEVORARLE *a uno con los ojos.*

devoraz. adj. ant. **voraz.**

devotería. f. Beatería, acto de falsa devoción.

devoto, ta. (Del lat. *devōtus,* consagrado, dedicado.) adj. Dedicado con fervor a obras de piedad y religión. Ú. t. c. s. ‖ **2.** Aplícase a la imagen, templo o lugar que mueve a devoción. ‖ **3.** Afecto, aficionado a una persona. Ú. t. c. s. ‖ **4.** m. Objeto de la devoción de alguien. *Ese santo quiero tomar por* DEVOTO.

devover. (Del lat. *devovēre.*) tr. ant. Dedicar, ofrecer, entregar. Usáb. t. c. prnl.

devuelto, ta. (Del lat. *devolūtus.*) p. p. irreg. de **devolver.**

dexiocardia. (Del gr. δεξιά, derecha, y καρδία, corazón.) f. *Med.* Desviación del corazón hacia la derecha.

dexmero. m. ant. **dezmero.**

dextrina. (Del fr. *dextrine.*) f. *Quím.* Cualquiera de las sustancias sólidas, amorfas, de color blanco amarillento, que se forman calentando el almidón con ácidos diluidos a la temperatura de la ebullición, y que se convierten en glucosa si la operación se prolonga mucho. Sus disoluciones son dextrógiras.

dextrismo. m. *Med.* Empleo preferente de la mano derecha.

dextro. (Del lat. *dextrum.*) m. Espacio de terreno alrededor de una iglesia, dentro del cual se gozaba del derecho de asilo y de algunos otros privilegios.

dextrógiro, ra. (Del lat. *dexter,* que está a la derecha, y de *girar.*) adj. *Quím.* Dícese del cuerpo o sustancia que desvía a la derecha la luz polarizada. Ú. t. c. s. m.

dextrorso, sa. (Del lat. *dextrorsum,* hacia la derecha.) adj. *Fís.* Que se mueve a derechas, como las manecillas de un reloj.

dextrórsum. (Voz latina.) adv. l. A derechas, como las manecillas de un reloj.

dextrosa. f. Variedad de glucosa.

dey. (Del turco *dāy,* tío materno, a través del ár. *ḍāy.*) m. Título del jefe o príncipe musulmán que gobernaba la regencia de Argel.

deyección. (Del lat. *deiectĭo, -ōnis.*) f. *Geol.* Conjunto de materias arrojadas por un volcán o desprendidas de una montaña. ‖ **2.** Defecación de los excrementos. ‖ **3.** Los excrementos mismos. Ú. m. en pl.

deyecto, ta. (Del lat. *deiectus.*) adj. ant. Vil, despreciable.

dezmable. (De *dezmar.*) adj. Que estaba o podía estar sujeto al diezmo.

dezmar. (Del lat. *decimāre.*) tr. **diezmar.**

dezmatorio. (De *dezmar.*) m. Sitio o lugar donde se recogía el diezmo. ‖ **2.** Lugar o distrito que correspondía a cada iglesia o parroquia para pagar el diezmo. ‖ **3.** ant. Persona que pagaba el diezmo.

dezmeño, ña. adj. **dezmero.**

dezmera. (Del lat. *decimaria,* t. f. de *-ĭus,* dezmero.) f. ant. **dezmería.**

dezmería. (De *dezmero.*) f. Territorio del que se cobraba el diezmo para una iglesia o persona determinada.

dezmero, ra. (Del lat. *decimarĭus.*) adj. Perteneciente al diezmo. ‖ **2.** V. **casa dezmera.** ‖ **3.** m. y f. **diezmero.**

dezmía. f. ant. **dezmería.**

di-[1]. (Del lat. *dis-* o *di-.*) pref. que significa oposición o contrariedad: DI*sentir;* origen o procedencia: DI*manar;* extensión o propagación: DI*latar,* DI*fundir;* separación: DI*vergir.*

di-[2]. (Del gr. δίς.) elem. compos. que significa «dos»: DI*morfo,* DI*sílabo,* DI*tono,* DI*teísmo.*

dí. (Contracc. de *de-* e *y*[3].) adv. l. ant. De allí.

dia-. (Del gr. δια-.) pref. que significa «a través de»: DIA*cronía,* DIA*metro,* DIA*tónico;* «separación»: DIA*crítico;* «[hecho] de»: DIA*palma,* DIA*scordio* (*día + escordio*), DIA*sén.*

día. (Del lat. *dies.*) m. Tiempo que la Tierra emplea en dar una vuelta alrededor de su eje, o que aparentemente emplea el Sol en dar una vuelta alrededor de la Tierra. ‖ **2.** Tiempo que dura la claridad del Sol sobre el horizonte. ‖ **3.** Tiempo que hace durante el **día** o gran parte de él. DÍA *lluvioso, cubierto, despejado.* ‖ **4.** Aquel en que la Iglesia celebra al santo, el sagrado misterio, etc., de que una persona toma nombre, con respecto a esta misma persona. Ú. m. en pl. *Hoy son los* DÍAS *de Eugenio.* ‖ **5. cumpleaños.** Ú. m. en pl. ‖ **6.** Momento, ocasión. *El* DÍA *que le pierdan el respeto, se acabó todo.* ‖ **7.** pl. fig. **vida,** en frases como las siguientes: *Al fin de sus* DÍAS; *después de sus* DÍAS. ‖ **adiado. día diado.** ‖ **artificial.** Tiempo que media desde que sale el Sol hasta que se pone. ‖ **astronómico.** *Astron.* Tiempo comprendido entre dos pasos consecutivos del Sol por el meridiano superior. ‖ **civil.** Tiempo comprendido entre dos medias noches consecutivas. ‖ **colendo. día festivo.** ‖ **complementario.** Cada uno de los cinco o seis **días** que se contaban al fin del año en el calendario republicano francés, para completar el número de 365 o de 366. Ú. m. en pl. ‖ **crítico.** Aquel de que pende la decisión de una enfermedad o negocio. ‖ **de año nuevo.** El primero del año. ‖ **de años. cumpleaños.** ‖ **de ayuno.** Aquel en que la Iglesia católica manda ayunar. ‖ **de bueyes.** Medida agraria, usada en Asturias, equivalente a 1.257 centiáreas. ‖ **de campo.** El destinado para divertirse en el campo. ‖ **de carne.** Aquel en que la Iglesia permite comer carne. ‖ **de ceniza. miércoles de ceniza.** ‖ **decretorio.** *Med.* **día crítico.** ‖ **de cutio. día de trabajo.** ‖ **de descanso. día** de asueto. ‖ **2.** El que se pagaba al alquilador de carruajes o bestias, además de los que se empleaban en el camino. ‖ **de Dios. Corpus.** ‖ **2. día del juicio final.** ‖ **de fiesta.** Fiesta de la Iglesia u oficial. ‖ **de fiesta entera.** Fiesta de la Iglesia. ‖ **de fortuna.** Entre cazadores, aquel en que abunda la caza, por nevada, por quema en el campo o por otro accidente semejante, y en el cual se prohíbe cazar. Ú. m. en pl. ‖ **de gala.** Aquel en que por celebrarse algún aniversario, o suceso notable, la milicia, la corte o una familia particular se viste de gala. ‖ **de grosura.** Se llamaba así el sábado en los reinos de Castilla, porque en él se permitía comer los intestinos y extremidades de las reses y toda la grosura de ellas. ‖ **de guardar. día de precepto.** ‖ **de hacienda. día de trabajo.** ‖ **de huelga.** Aquel en que los artesanos no trabajan, aunque no sea festivo. ‖ **2.** desus. Aquel o aquellos que median entre una y otra calentura del que padece tercianas o cuartanas. ‖ **de iglesia.** El destinado para confesar y comulgar, para ganar un jubileo o asistir a una función de iglesia. ‖ **de indulto.** Aquel en que los reyes y soberanos acostumbran indultar de la pena capital y conceder otros indultos. ‖ **de joya.** En palacio, aquel en que había besamanos. ‖ **de juicio.** fig. y fam. **día del juicio.** ‖ **de la joya.** Aquel en que el caballero que estaba para casarse presentaba a la que había de ser su mujer una joya de valor. ‖ **del dicho.** Aquel en que el juez eclesiástico explora la voluntad de los que han de contraer matrimonio. ‖ **del juicio.** Para los cristianos, último **día** de los tiempos, en que Jesucristo juzgará a los vivos y a los muertos. ‖ **2.** fig. y fam. Aquel en que hay gran confusión, algazara o gritería, o multitud de gente reunida. ‖ **3.** fig. Muy tarde o nunca. A veces se dice más familiarmente **el día del juicio por la tarde.** ‖ **de los difuntos,** o **finados.** El de la conmemoración de los fieles difuntos, el 2 de noviembre. ‖ **de los inocentes.** El 28 de diciembre. ‖ **del primer móvil.** *Astron.* **día astronómico.** ‖ **del Señor. Corpus.** ‖ **de mano,** o **de media fiesta. día de misa.** Se solía señalar en los almanaques con una manecita indicadora. ‖ **de media gala.** El que se celebra con cierta solemnidad, inferior a la de los de gala. ‖ **de misa.** Aquel en que mandaba la Iglesia que se oyese misa, y permitía trabajar. ‖ **de moda.** En teatros, circos, exposiciones, etc., el **día** de la semana en que el precio de entrada es mayor, para reservarlo a la gente más acomodada. ‖ **de pescado.** Aquel en que la Iglesia prohíbe comer carne. ‖ **de precepto.** Aquel en que manda la Iglesia que se oiga misa y que no se trabaje. ‖ **de Ramos. domingo de Ramos.** ‖ **de Reyes.** El 6 de enero, la Epifanía. ‖ **de trabajo.** El ordinario, por contraposición al de fiesta. ‖ **de tribunales.** Aquel en que se daba audiencia judicial, para lo cual se franqueaban los tribunales y se presentaban en ellos los jueces y ministros a cuyo cargo estaba la administración de justicia. ‖ **de viernes,** o **de vigilia. día de pescado.** ‖ **diado. día** preciso y señalado para ejecutar una cosa. ‖ **eclesiástico.** El que, para el culto eclesiástico en el rezo y oficio divino, empieza la Iglesia desde la hora de vísperas hasta el siguiente **día** a la misma hora. ‖ **feriado.** Aquel en que están cerrados los tribunales, y se suspende el curso de los negocios de justicia. ‖ **2. día festivo.** ‖ **3.** Fiesta oficial que no cae en domingo. ‖ **4. día** de trabajo. ‖ **festivo.** Fiesta de la Iglesia u oficial. ‖ **hábil.** *Der.* El utilizable para las actuaciones judiciales, que es normalmente el no feriado, salvo en los sumarios de lo criminal y en casos extraordinarios de lo civil. ‖ **intercalar.** El que se añade al mes de febrero en cada año bisiesto. ‖ **interciso.** Aquel en que por la mañana era fiesta y por la tarde se podía trabajar. ‖ **jurídico.** ant. **día de tribunales.** ‖ **laborable. día de trabajo.** ‖ **lectivo.** Aquel en que se da clase en los establecimientos de enseñanza. ‖ **marítimo.** Tiempo transcurrido desde que un barco que va navegando tiene el Sol en su cenit, hasta que sucede lo mismo al siguiente **día.** ‖ **medio.** Espacio de tiempo que resulta de dividir la graduación del año solar en 365 partes iguales. ‖ **natural.** *Astron.* **día,** tiempo que dura la luz del Sol. ‖ **nefasto.** Aquel en que no era lícito en la antigua Roma tratar los negocios públicos ni administrar justicia. ‖ **2.** El de luto y tristeza, considerado como funesto en memoria de una desgracia insigne del pueblo romano. ‖ **3.** Por ext., aquel en que cualquier pueblo, familia o persona conmemora o padece una gran desgracia. ‖ **pardo.** Aquel en que el cielo está cubierto de nubes ligeras o poco densas. ‖ **pesado.** Aquel en que está muy cargada la atmósfera. ‖ **puente.** El laborable comprendido entre dos festivos y al que, por esta circunstancia, se amplía la vacación. ‖ **quebrado.** Aquel en que no se comercia o trabaja, por ser festivo o por otra causa cualquiera. ‖ **sidéreo.** *Astron.* Tiempo siempre igual que tarda la Tierra en dar una vuelta entera alrededor de su eje polar y durante la cual se efectúa una revolución aparente completa de las estrellas fijas. Cuéntase desde la culminación del punto equinoccial de primavera, y es 3′ 56″ más corto que el **día** solar medio. ‖ **solar.** *Astron.* **día,** tiempo que el Sol emplea en dar aparentemente una vuelta alrededor de la Tierra. ‖ **días geniales.** Los que se celebran con gran fiesta y regocijo; como los de natalicio, desposorio o boda. ‖ **abrir el día.** fr. fig. **romper el día.** ‖ **2.** fig. Despejarse el **día.** ‖ **a días.** loc. adv. Unos **días** sí, y otros no; de vez en cuando; no siempre. ‖ **alcanzar** a alguien **en días.** fr. fam. Sobrevivir una persona a otra. ‖ **al día.** loc. adv. **al corriente.** ‖ **algún día en mi peral tendrás peras. algún día será fiesta,** o **será la fiesta de nuestra aldea. algún día será la nuestra. algún día será pascua.** exprs. fams. que se emplean para indicar que tiempo vendrá en que mejoraremos de suerte o seremos vengados. ‖ **al otro día.** loc. adv. Al **día** siguiente. ‖ **antes del día.** loc. adv. **al amanecer.** ‖ **a** tantos **días fecha,** o **vista.** loc. adv. *Com.* Ú. en letras y pagarés para dar a entender que serán abonados al cumplirse los **días** que se expresan, a contar desde la fecha o desde la aceptación. ‖ **buenos días.** expr. que se emplea como salutación familiar durante la mañana. En Argentina y Chile, ú. en sing. ‖ **cada tercer día.** loc. adv. **un día sí y otro no.** ‖ **ceder el día.** fr. *Der.* En el tecnicismo antiguo, nacer o empezar a deberse un derecho u obligación. ‖ **cerrarse el día.** fr. fig. Oscurecerse el **día.** ‖ **coger** a alguien **el día en** una parte. fr. Amanecerle en ella. ‖ **como del día a la noche.** fr. con que se expresa la mucha diferencia que existe entre dos términos comparados. ‖ **cualquier día.** expr. irón. para indicar que no se está dispuesto a aquello de que se habla. ‖ **¿cuándo nos has de dar un buen día?** fr. fam. que se dice al que se desea ver casado. ‖ **dar los buenos días.** fr. Saludar por la mañana deseando feliz **día.** ‖ **dar** uno **los días** a otro. fr. Manifestarle con expresiones de palabra o por escrito, que toma parte en la celebridad del **día** de su nombre o de su cumpleaños. ‖ **de cada día.** loc. adv. Sucesivamente, con continuación. ‖ **de día a día.** loc. adv. **de un día a otro.** ‖ **de día en día.** loc. adv. con que se manifiesta que una cosa se va dilatando un **día** y otro, más de lo que se pensaba. ‖ **2.** También significa la continuación del tiempo en que se espera o va ejecutando una cosa. ‖ **de días.** loc. adv. Tiempo ha, o de algún tiempo. ‖ **del día.** loc. adv. De moda o conforme al gusto o al uso predominante o corriente. ‖ **2.** Fresco, reciente, hecho en el mismo **día.** *Pan* DEL DÍA. ‖ **descrecer el día.** fr. ant. Irse acabando; acercarse la noche. ‖ **de un día a otro.** loc. adv. que explica la prontitud con que se espera un suceso. ‖ **día en día.** loc. adv. ant. **de día en día.** ‖ **día por día.** loc. adv. **diariamente.** ‖ **día por medio.** loc. adv. *Amér.* **un día sí y otro no.** ‖ **días y ollas.** expr. fam. con que se da a entender que con tiempo y paciencia se consigue todo. ‖ **día y noche.** loc. adv. Constantemente, a todas horas. ‖ **día y victo.** expr. con que se denota que uno gasta lo que gana en cada **día,** sin poder guardar nada para otro. ‖ **el día de hoy.** loc. adv. **hoy día.** ‖ **el día de mañana.** loc. adv. Mañana, en el **día** siguiente a hoy. ‖ **2.** En tiempo venidero. ‖ **el día de mañana no lo vimos.** expr. que indica que el porvenir siempre es incierto. ‖ **el día menos pensado.** loc. adv. fam. Cuando menos se piense. ‖ **el día y la noche.** expr. con que se pondera la extremada pobreza y desamparo de una persona. *Llegó a Madrid con* EL DÍA Y LA NOCHE *por todo caudal.* ‖ **el mejor día.** loc. adv. irón. con la cual uno indica que teme para sí, o anuncia a otro, algún contratiempo. ‖ **el otro día.** loc. adv. Uno de los **días** próximos pasados. ‖ **el santo día.** loc. adv. fam. **todo el santo día.** ‖ **en cuatro días.** loc. adv. fig. y fam. En poco tiempo. ‖ **en días.** expr. **entrado en días.** ‖ **en días de Dios,** o **del mundo,** o **en los días de la vida.** locs. advs. **nunca jamás.** EN DÍAS DE DIOS *ha sucedido semejante cosa.* ‖ **en el día.** expr. En el momento actual. ‖ **en su día.** loc. adv. A su tiempo; en tiempo oportuno. ‖ **entrado en días.** loc. adj. Dícese del que se acerca a la vejez. ‖ **entre día.** loc. adv. Durante el **día;** por algún espacio de él. ‖ **estar** una mujer **en días de parir.** fr. Estar cercana al parto, o fuera de cuenta. ‖ **habilitar días,** o **el día.** fr. *Der.* Decretar el juez que en ellos puedan hacerse o recibirse actuaciones. ‖ **hoy día,** u **hoy en día.** loc. adv. Hoy, en el tiempo presente. ‖ **llevarse** alguien **el día en** una cosa. fr. Emplearlo todo en ella. ‖ **mañana será otro día.** expr. con que se consuela o amenaza, recordando la inestabilidad de las cosas humanas. ‖ **2.** Empléase también para diferir a otro **día** la ejecución de una cosa. ‖ **más días hay que longanizas.** expr. fig. y fam. con que se denota que no urge decir o hacer una cosa. ‖ **2.** fig. y fam. Reprende a los que se apresuran demasiado en los negocios poco urgentes. ‖ **no en mis días.** expr. con que uno se excusa de hacer o conceder lo que otro pide. ‖ **no pasar día por** alguien. fr. fam. No envejecer, mantenerse de aspecto joven a pesar de los años. ‖ **no se van los días en balde.** expr. con que se explica el efecto que causa en los hombres la edad, haciendo decaer la robustez, el brío y la salud. ‖ **otro día.** loc. adv. **al otro día.** ‖ **parecer al tercer día, como ahogado.** expr. fam. Aplícase al que llega pasada la oportunidad. ‖ **romper el día.** fr. fig. **amanecer**[1], empezar a aparecer la luz del **día.** ‖ **salir** uno **del día.** fr. fig. y fam. Libertarse por de pronto de un apuro, ahogo o dificultad en algún asunto o negocio, quedando este pendiente. ‖ **santificar los días.** fr. **santificar las fiestas.** ‖ **tal día hará,** o **hizo, un año.** expr. fam. que se usa para explicar el poco o ningún cuidado que causa un suceso. ‖ **tener días.** fr. Tener mucha edad. ‖ **2.** fam. Ser desigual y mudable en el trato, en el semblante, en el humor, etc. ‖ **tener los días contados.** fr. fig. Hallarse al fin de la vida. ‖ **todo el santo día.** loc. adv. fam. que se emplea para expresar con exageración todo el tiempo de un **día.** ‖ **tomar** a alguien **el día en** una parte. fr. **coger** a alguien **el día,** etc. ‖ **un buen día.** loc. **el día menos pensado.** ‖ **un día de vida es vida.** expr. usada cuando se retrasa en un asunto el desenlace que se teme sea malo. ‖ **un día es un día.** loc. fam. con que se indica que alguien se aparta de sus costumbres por algún motivo especial. ‖ **un día sí y otro no.** loc. adv. En **días** alternos. ‖ **venir el día.** fr. *Der.* En el tecnicismo antiguo, llegar a ser exigibles los derechos u obligaciones. ‖ **vivir al día.** loc. Gastar en el diario todo aquello de que se dispone, sin ahorrar nada. ‖ **yendo días y viniendo días.** expr. fam. con que se da a entender que ha transcurrido tiempo largo indeterminado entre un suceso y otro.

diabasa. (Del gr. διάβασις, pasaje.) f. **diorita.**

diabático, ca. (Del gr. διαβατικός, que puede atravesar o traspasar.) adj. *Fís.* Que lleva consigo intercambio de calor.

diabetes. (Del lat. *diabētes,* y este del gr. διαβήτης, de διαβαίνω, atravesar.) f. *Pat.* Enfermedad causada por un desorden de nutrición, y que se caracteriza por eliminación excesiva de orina, que frecuentemente contiene azúcar. También suele producir enflaquecimiento, sed intensa y otros trastornos generales. ‖ **2. diabetes sacarina.** ‖ **3.** *Mec.* **diabeto.** ‖ **insípida.** *Pat.* La que no produce eliminación de azúcar en la orina; se debe a la lesión de la hipófisis o de ciertos centros nerviosos, y se caracteriza por poliuria y sed muy intensa. ‖ **renal.** *Pat.* La que no se manifiesta por síntomas generales ni por aumento de azúcar en la sangre, y se debe a una alteración del riñón. ‖ **sacarina.** *Pat.* La que se caracteriza por un exceso de azúcar en la sangre con eliminación de este exceso por la orina. Es la variedad más frecuente de **diabetes.**

diabético, ca. adj. *Pat.* Perteneciente o relativo a la diabetes. ‖ **2.** Que padece diabetes. Ú. t. c. s.

diabeto. m. Aparato hidráulico, dispuesto de modo que, cuando se llena enteramente, vuelve a vaciarse del todo. Es un sifón intermitente.

diabetología. f. Tratado científico de la diabetes.

diabla. f. fam. y fest. Diablo hembra. ‖ **2.** Máquina para cardar la lana o el algodón. ‖ **3.** Vehículo de tracción animal, de dos ruedas y con toldo. ‖ **4.** En los teatros, batería de luces que cuelga del peine, entre bambalinas, en los escenarios. ‖ **a la diabla.** loc. adv. fam. con que se expresa lo mal que se ha hecho o se hace una cosa por falta de esmero.

diablado, da. (De *diablo.*) adj. ant. **endiablado.**

diablear. (De *diablo.*) intr. fam. Hacer diabluras.

diablejo. m. d. de **diablo.**

diablero. m. Operario encargado de la máquina de cardar llamada diabla.

diablesa. f. fam. **diabla,** diablo hembra.

diablesco, ca. adj. **diabólico.**

diablillo. m. d. de **diablo.** ‖ **2.** El que se viste de diablo en las procesiones o en carnaval. ‖ **3.** fig. y fam. Persona aguda y enredadora.

diablito. m. d. de **diablo.** ‖ **2.** *Cuba.* El negro vestido de moharracho, que el día de Reyes andaba por las calles haciendo piruetas.

diablo. (Del lat. *diabŏlus,* y este del gr. διάβολος.) m. Nombre general de los ángeles arrojados al abismo, y de cada uno de ellos. ‖ **2.** V. **ahogado, árbol, caballito, caballo, hijo, pepino del diablo.** ‖ **3.** V. **pájaro, peje diablo.** ‖ **4.** fig. Persona que tiene mal genio, o es muy traviesa, temeraria y atrevida. ‖ **5.** fig. Persona muy fea. ‖ **6.** fig. Persona astuta, sagaz, que tiene sutileza y maña aun en las cosas buenas. ‖ **7.** Instrumento de madera con varias muescas, en que el jugador de billar apoya el taco cuando no puede hacerlo en la mano por estar la bola muy distante. ‖ **8.** Diabla, máquina de cardar la lana. ‖ **cojuelo.** fam. **diablo** enredador y travieso. ‖ **2.** fig. y fam. Persona enredadora y traviesa. ‖ **encarnado.** fig. Persona perversa y maligna. ‖ **marino. escorpina.** ‖ **predicador.** fig. Persona que, siendo de costumbres escandalosas, se mete a dar buenos consejos. ‖ **pobre diablo.** fig. y fam. Hombre bonachón y de poca valía. ‖ **diablos azules.** *Amér.* Delírium trémens. ‖ **ahí será el diablo.** expr. fam. con que se explica el mayor riesgo o peligro que se teme o se sospecha en lo que puede suceder. ‖ **andar,** o **estar, el diablo en Cantillana.** fr. fig. y fam. Haber turbaciones o inquietudes en alguna parte. ‖ **andar el diablo suelto.** fr. fig. y fam. Haber grandes disturbios o inquietudes en un pueblo o comunidad, o entre varias personas. ‖ **aquí hay mucho diablo.** expr. fig. y fam. con que se explica que un negocio tiene mucha dificultad, malicia o enredo oculto. ‖ **armarse** o **haber una de todos los diablos.** fr. fig. y fam. Haber un gran alboroto, quimera o pendencia, difícil de apaciguar. ‖ **¡cómo diablos!** loc. **¡qué diablos!** ‖ **como el diablo,** o **como un diablo.** loc. adv. fig. y fam. Excesivamente, demasiado. *Esto amarga* COMO EL DIABLO; *aquello pesa* COMO UN DIABLO. ‖ **¡con mil diablos!** expr. fam. de impaciencia y enojo. ‖ **dar al diablo** una persona o cosa. fr. fig. y fam. Manifestar desprecio o indignación hacia ella. ‖ **dar al diablo el hato y el garabato.** fr. fig. y fam. Manifestar gran enojo o desesperación. ‖ **dar de co-**

mer al diablo. fr. fig. y fam. Murmurar, hablar mal. ‖ **2.** fig. y fam. Armar rencillas o provocar con malas palabras. ‖ **darle** a alguien **el diablo ruido.** fr. Hacer un disparate. ‖ **dar que hacer al diablo.** fr. Ejecutar una mala acción. ‖ **darse al diablo.** fr. fig. y fam. Irritarse, enfurecerse, desesperarse. ‖ **del diablo,** o **de los diablos,** o **de mil diablos,** o **de todos los diablos.** exprs. con que se exagera una cosa por mala o incómoda. ‖ **¡diablo!** interj. fam. con que se denota extrañeza, sorpresa, admiración o disgusto. ‖ **donde el diablo perdió el poncho.** loc. adv. *Argent., Chile* y *Perú.* En lugar distante o extraviado. ‖ **el diablo que...** fr. fam. equivalente a no hay quien... EL DIABLO QUE *lo entienda;* EL DIABLO QUE *te alcance.* ‖ **el diablo sea sordo.** expr. fam. con que explicamos la extrañeza de una palabra indigna de decirse, o el deseo de que no suceda una cosa que se teme. ‖ **ese es el diablo.** expr. que se usa para explicar la dificultad que se halla en dar salida a una cosa. ‖ **guárdate del diablo.** expr. fam. con que se amenaza a alguien, o se le previene de un riesgo o castigo. ‖ **hablar** alguien **con el diablo.** fr. fig. y fam. Ser muy astuto y averiguar cosas difíciles de saber. ‖ **llevarse el diablo** una cosa. fr. fig. y fam. Suceder mal, o al contrario de lo que se esperaba. ‖ **más que el diablo.** expr. con que se manifiesta gran repugnancia a hacer una cosa. ‖ **no sea el diablo que...** expr. con que se explica el temor, peligro o contingencia de una cosa. ‖ **no ser** alguien **gran,** o **muy, diablo.** fr. fig. y fam. No ser muy advertido o sobresaliente en una línea. ‖ **no tener el diablo por donde desechar** a alguien. fr. fam. Ser muy vicioso y sin ninguna cualidad buena. ‖ **no valer un diablo** una persona o cosa. fr. fig. y fam. Ser muy despreciable y de ningún valor. ‖ **¡qué diablos!** loc. que se junta frecuentemente a las expresiones de impaciencia o de admiración. ‖ **revestírsele** a alguien **el diablo,** o **los diablos,** o **todos los diablos.** fr. fig. y fam. **revestírsele** a alguien **el demonio,** etc. ‖ **tener diablo.** fr. fig. y fam. Ejecutar cosas extraordinarias; prevenir o anunciar lo que nadie sospecha ni teme. ‖ **tener** alguien **el diablo,** o **los diablos, en el cuerpo.** fr. fig. y fam. Ser muy astuto. ‖ **2.** fr. fig. y fam. Ser muy revoltoso. ‖ **¡un diablo!** expr. fam. con que se manifiesta la repugnancia que tenemos a ejecutar una cosa que se nos propone. ‖ **vaya el diablo para malo.** expr. fig. y fam. con que se exhorta a ejecutar una cosa prontamente, para evitar inconvenientes o malas consecuencias. ‖ **vaya el diablo por ruin.** expr. fam. que suele usarse para sosegar una pendencia o discordia y volver a conciliar la amistad.

diablura. (De *diablo.*) f. Travesura de poca importancia, especialmente de niños. ‖ **2.** desus. Travesura extraordinaria; acción temeraria, expuesta a peligro y fuera de razón o tiempo.

diabólico, ca. (Del lat. *diabolĭcus,* y este del gr. διαβολικός.) adj. Perteneciente o relativo al diablo. ‖ **2.** fig. y fam. Excesivamente malo. *Ruido, tiempo* DIABÓLICO. ‖ **3.** fig. Enrevesado, muy difícil.

diabolín. m. Pastilla de chocolate cubierta de azúcar y envuelta en un papel con un mote o sentencia.

diábolo. (Del it. *diavolo.*) m. Juguete que consiste en una especie de carrete formado por dos conos unidos por el vértice, al cual se imprime un movimiento de rotación por medio de una cuerda atada al extremo de dos varillas, que se manejan haciéndolas subir y bajar alternativamente.

diacatolicón. (Del gr. διά, intens., y καθολικόν, universal.) m. *Farm.* Electuario purgante que se hacía principalmente con hojas de sen, raíz de ruibarbo y pulpa de tamarindo.

diacitrón. m. **acitrón,** cidra confitada.

diacodión. (Del gr. διακώδιον.) m. *Farm.* Jarabe de adormidera.

diaconado. m. **diaconato.**

diaconal. (Del lat. *diaconālis.*) adj. Perteneciente o relativo al diácono.

diaconar. intr. Hacer las funciones del diácono.

diaconato. (Del lat. *diaconātus.*) m. Orden sacra inmediata al sacerdocio.

diaconía. (Del b. lat. *diaconĭa,* y este del gr. διακονία.) f. Distrito y término en que antiguamente estaban divididas las iglesias para el socorro de los pobres, al cuidado de un diácono. ‖ **2.** Casa en que vivía el diácono.

diaconisa. (Del lat. *diaconissa.*) f. Mujer dedicada al servicio de la Iglesia.

diácono. (Del lat. *diacŏnus,* y este del gr. διάκονος, servidor, ministro.) m. Ministro eclesiástico y de grado segundo en dignidad, inmediato al sacerdocio.

diacrítico, ca. (Del gr. διακριτικός, que distingue.) adj. *Gram.* Aplícase a los signos ortográficos que sirven para dar a una letra algún valor especial. Son, por ejemplo, puntos **diacríticos** los que lleva la *u* de la palabra *vergüenza* y que también se llaman crema o diéresis. ‖ **2.** *Med.* Dícese de los síntomas o señales con que una enfermedad se distingue exactamente de otra.

diacronía. (Del fr. *diachronie.*) f. Desarrollo o sucesión de hechos a través del tiempo.

diacrónico, ca. adj. Dícese de los fenómenos que ocurren a lo largo del tiempo, así como de los estudios referentes a ellos. Se opone a **sincrónico.** Díjose primeramente de los hechos y relaciones lingüísticas.

diacústica. (De *dia-,* a través, y *acústica.*) f. Parte de la acústica que tiene por objeto el estudio de la refracción de los sonidos.

díada. (Del lat. *dȳas, -ădis,* y este del gr. δυάς, -άδος, dualidad, pareja.) f. Pareja de dos seres o cosas estrecha y especialmente vinculados entre sí.

diadelfos. (De *di-*[2], y el gr. ἀδελφός, hermano.) adj. pl. *Bot.* Dícese de los estambres de una flor cuando están soldados entre sí por sus filamentos, formando dos haces distintos.

diadema. (Del lat. *diadēma,* y este del gr. διάδημα.) f. Faja o cinta blanca que antiguamente ceñía la cabeza de los reyes como insignia de su dignidad y remataba por detrás en un nudo del cual pendían los cabos por encima de los hombros. Usáb. t. c. m. ‖ **2.** Cada uno de los arcos que cierran por la parte superior algunas coronas. ‖ **3. corona** sencilla o circular. ‖ **4.** Adorno femenino de cabeza, en forma de media corona abierta por detrás.

diademado, da. adj. *Blas.* Que tiene diadema.

diádico, ca. (Del gr. δυαδικός.) adj. Perteneciente o relativo a la díada.

diado. (De *día.*) adj. V. **día diado.**

diadoco. (Del gr. διάδοχος, sucesor.) m. Título del príncipe heredero en la Grecia moderna.

diafanidad. f. Calidad de diáfano.

diafanizar. tr. Hacer diáfana una cosa.

diáfano, na. (Del gr. διαφανής, transparente.) adj. Dícese del cuerpo a través del cual pasa la luz casi en su totalidad. ‖ **2.** fig. Claro, limpio.

diáfisis. (Del gr. διάφυσις, intersticio.) f. *Anat.* Cuerpo o parte media de los huesos largos, que en los individuos que no han terminado su crecimiento está separado de las epífisis por sendos cartílagos.

diafonía. (Del gr. διαφωνία, disonancia.) f. *Comunic.* Perturbación electromagnética producida en un canal de comunicación por el acoplamiento de este con otro u otros vecinos. ‖ **2.** *Comunic.* Sonido indeseado producido en el receptor telefónico de un canal como consecuencia del acoplamiento de este canal con otros que den paso a señales del mismo origen acústico. ‖ **3.** Transferencia indebida de energía de un circuito de transmisión perturbador a otro denominado perturbado.

diaforesis. (Del lat. *diaphorēsis,* y este del gr. διαφόρησις, secreción de humores.) f. *Med.* **sudor,** líquido que segregan las glándulas sudoríparas de la piel.

diaforético, ca. (Del lat. *diaphoretĭcus,* y este del gr. διαφορητικός.) adj. *Med.* **sudorífico.** Ú. t. c. s. m. ‖ **2.** *Med.* V. **sudor diaforético.**

diafragma. (Del lat. *diaphragma,* y este del gr. διάφραγμα.) m. *Anat.* Membrana formada en su mayor parte por fibras musculares, que en el cuerpo de los mamíferos separa la cavidad torácica de la abdominal. ‖ **2.** Separación, generalmente movible, que intercepta la comunicación entre dos partes de un aparato o de una máquina. ‖ **3.** En los aparatos fonográficos, lámina flexible que recibe las vibraciones de la aguja al recorrer esta los surcos impresos en el disco. ‖ **4.** *Bot.* Membrana que establece separaciones interiores en algunos frutos, como las silicuas y silículas. ‖ **5.** *Fotogr.* Disco pequeño horadado, situado en el objetivo de la cámara, que sirve para regular la cantidad de luz que se ha de dejar pasar. ‖ **iris.** *Fotogr.* El que consta de una serie de placas articuladas cuyo conjunto forma una circunferencia que se estrecha o ensancha para graduar la abertura del objetivo.

diafragmar. tr. *Fotogr.* Cerrar más o menos el diafragma.

diafragmático, ca. adj. Perteneciente o relativo al diafragma.

diagnosis. (Del gr. διάγνωσις, conocimiento.) f. *Med.* Conocimiento diferencial de los signos de las enfermedades. ‖ **2.** *Med.* **diagnóstico,** arte o acto de reconocer una enfermedad. ‖ **3.** *Biol.* Descripción característica y diferencial abreviada de una especie, género, etc.

diagnosticable. adj. Que se puede diagnosticar.

diagnosticar. (De *diagnóstico.*) tr. *Med.* Determinar el carácter de una enfermedad mediante el examen de sus signos.

diagnóstico, ca. (Del gr. διαγνωστικός.) adj. *Med.* Perteneciente o relativo a la diagnosis. ‖ **2.** m. *Med.* Arte o acto de conocer la naturaleza de una enfermedad mediante la observación de sus síntomas y signos. ‖ **3.** *Med.* Calificación que da el médico a la enfermedad según los signos que advierte.

diagonal. (Del lat. *diagonālis.*) adj. *Esgr.* V. **tajo diagonal.** ‖ **2.** *Geom.* Dícese de la línea recta que en un polígono va de un vértice a otro no inmediato, y en un poliedro une dos vértices cualesquiera no situados en la misma cara. Ú. t. c. s. f. ‖ **3.** Aplícase a los tejidos en que los hilos no se cruzan en ángulo recto, sino oblicuamente. Ú. t. c. s. ‖ **4.** Aplícase a las calles o avenidas que cortan oblicuamente a otras paralelas entre sí. Ú. t. c. s. f.

diagonalmente. adv. m. De modo diagonal.

diágrafo. (De *dia-,* a través, y *-grafo.*) m. Instrumento para seguir los contornos de un objeto o de un dibujo y transmitirlos al mismo tiempo sobre el papel separado.

diagrama. (Del lat. *diagramma,* y este del gr. διάγραμμα, diseño.) m. Dibujo geométrico que sirve para demostrar una proposición, resolver un problema o figurar de una manera gráfica la ley de variación de un fenómeno. ‖ **2.** Dibujo en el que se muestran las relaciones entre las diferentes partes de un conjunto o sistema. ‖ **de flujo.** Representación gráfica de una sucesión de hechos u operaciones.

diaguita. com. Individuo perteneciente a un pueblo que, en la época de la conquista española, habitaba en la región noroeste de la Argentina. ‖ **2.** adj. Perteneciente o relativo a este pueblo.

dial[1]. (Del ing. *dial.*) m. Superficie graduada, de forma variable, sobre la cual se mueve un indicador (aguja, punto luminoso, etc.) que mide o señala una determinada magnitud, como peso, voltaje, longitud de onda, velocidad, etc.

dial[2]. (Del lat. *diālis,* de un día.) adj. Referente o relativo a un día. ‖ **2.** pl. **efemérides,** libro o comentario en que se refieren los hechos de cada día.

dial[3]. (Del lat. *diālis,* perteneciente a Júpiter.) adj. V. **flamen dial.**

diálaga. (Del gr. διαλλαγή, cambio.) f. Mineral pétreo constituido por un silicato de magnesia, con cal, óxido de hierro y algo de alúmina, duro como el vidrio, de textura algo hojosa, y color que cambia del verde claro al bronceado, según la posición en que recibe la luz. Suele acompañar a las serpentinas.

dialectal. adj. Perteneciente o relativo a un dialecto.

dialectalismo. m. Voz o giro dialectal. ‖ **2.** Carácter dialectal.

dialéctica. (Del lat. *dialectĭca,* y este del gr. διαλεκτική, t. f. de -κός, dialéctico.) f. Ciencia filosófica que trata del raciocinio y de sus leyes, formas y modos de expresión. ‖ **2.** Impulso natural del ánimo, que lo sostiene y guía en la investigación de la verdad. ‖ **3.** Ordenada serie de verdades o teoremas que se desarrolla en la ciencia o en la sucesión y encadenamiento de los hechos.

dialéctico, ca. (Del lat. *dialectĭcus,* y este del gr. διαλεκτικός.) adj. Perteneciente a la dialéctica. ‖ **2.** V. **materialismo dialéctico.** ‖ **3.** m. y f. Persona que profesa la dialéctica.

dialecto. (Del lat. *dialectus,* y este del gr. διάλεκτος.) m. *Ling.* Cualquier lengua en cuanto se la considera con relación al grupo de las varias derivadas de un tronco común. *El español es uno de los* DIALECTOS *nacidos del latín.* ‖ **2.** *Ling.* Sistema lingüístico derivado de otro; normalmente con una concreta limitación geográfica, pero sin diferenciación suficiente frente a otros de origen común. ‖ **3.** *Ling.* Estructura lingüística, simultánea a otra, que no alcanza la categoría de lengua.

dialectología. f. Tratado o estudio de los dialectos.

dialectólogo, ga. adj. Aplícase a la persona versada en dialectología, y a quien la profesa o cultiva. Ú. t. c. s.

dialefa. (De *dia-* y *sinalefa.*) f. *Fon.* Hiato o azeuxis, encuentro de dos vocales que se pronuncian en sílabas distintas.

dialipétalo, la. (Del gr. διαλύω, separar, y πέταλον, hoja.) adj. *Bot.* Dícese de la corola cuyos pétalos están libres, no soldados entre sí, y de la flor que tiene corola de esta clase, como el alhelí, el rosal, la amapola y otras muchas.

dialisépalo, la. (Del gr. διαλύω, separar, y *sépalo.*) adj. *Bot.* Dícese de los cálices cuyos sépalos están libres, no soldados entre sí, y de las flores que tienen cálices de esta clase, como la amapola, cuyos sépalos son muy caedizos, o el clavel, entre otras.

diálisis. (Del gr. διάλυσις, disolución.) f. *Fís.* y *Quím.* Proceso de difusión selectiva a través de una membrana. Se utiliza para separar macromoléculas de sustancias de bajo peso molecular.

dialítico, ca. adj. Relativo a la diálisis.

dializador. m. Aparato para dializar.

dializar. tr. *Fís.* y *Quím.* Analizar por medio de la diálisis.

dialogador, ra. m. y f. Persona que interviene en un diálogo. ‖ **2.** adj. Dícese de la persona abierta al diálogo, al entendimiento.

dialogal. (De *diálogo.*) adj. **dialogístico.**

dialogar. intr. Hablar en diálogo. ‖ **2.** tr. Escribir una cosa en forma de diálogo.

dialogismo. (Del lat. *dialogismus,* y este del gr. διαλογισμός.) m. *Ret.* Figura que se comete cuando la persona que habla lo hace como si platicara consigo misma, o cuando refiere textualmente sus propios dichos o discursos o los de otras personas, o los de cosas personificadas.

dialogístico, ca. (Del gr. διαλογιστικός.) adj. Perteneciente o relativo al diálogo. ‖ **2.** Escrito en diálogo.

dialogizar. intr. **dialogar.**

diálogo. (Del lat. *dialŏgus,* y este del gr. διάλογος.) m. Plática entre dos o más personas, que alternativamente manifiestan sus ideas o afectos. ‖ **2.** Género de obra literaria, prosaica o poética, en que se finge una plática o controversia entre dos o más personajes. ‖ **3.** Discusión o trato en busca de avenencia.

dialoguista. com. Persona que escribe o compone diálogos.

dialtea. (Del gr. διά, con, y *altea.*) f. *Farm.* Ungüento compuesto principalmente de la raíz de altea.

diamagnético, ca. (De *dia-* y *magnético.*) adj. *Fís.* Dícese de materiales que tienen menor permeabilidad magnética que el vacío, y son repelidos por la acción de un fuerte imán.

diamantado, da. p. p. de **diamantar.** ‖ **2.** adj. **adiamantado.**

diamantar. tr. Dar a una cosa el brillo del diamante.

diamante. (Del lat. vulg. *diamas, -antis,* alteración del lat. *adămas, -antis,* del gr. ἀδάμας.) m. Piedra preciosa, formada de carbono cristalizado, diáfana, de gran brillo y suma dureza. ‖ **2.** V. **bodas, punta de diamante.** ‖ **3.** Género de pieza de artillería. ‖ **4.** Lámpara minera de petróleo, dotada de un reflector. ‖ **5.** Uno de los palos de la baraja francesa. Ú. m. en pl. ‖ **brillante.** El que tiene labor completa por la cara superior y por el envés. ‖ **bruto,** o **en bruto.** El que está aún sin labrar. ‖ **2.** fig. Cualquier cosa animada y sensible, como el entendimiento, la voluntad, etc., cuando no tiene el lucimiento que dan la educación y la experiencia. ‖ **rebolludo. diamante** en bruto de figura redondeada. ‖ **rosa.** El que está labrado por la cara superior y queda plano por el envés. ‖ **tabla.** El que está labrado por la cara superior con una superficie plana, y alrededor con cuatro biseles.

diamantífero, ra. adj. Dícese del lugar o terreno en que existen diamantes.

diamantino, na. adj. Perteneciente o relativo al diamante. ‖ **2.** fig. y poét. Duro, persistente, inquebrantable.

diamantista. com. Persona que labra o engasta diamantes y otras piedras preciosas. ‖ **2.** Persona que los vende.

diamela. (De *Du Hamel,* sabio agricultor francés.) f. **gemela,** jazmín de Arabia.

diametral. adj. Perteneciente o relativo al diámetro.

diametralmente. adv. m. De un extremo hasta el opuesto. ‖ **2.** fig. **enteramente.**

diamétrico, ca. adj. ant. **diametral.**

diámetro. (Del lat. *diamĕtrus,* y este del gr. διάμετρος.) m. *Geom.* Línea recta que pasa por el centro del círculo y termina por ambos extremos en la circunferencia. ‖ **2.** *Geom.* En otras curvas, línea recta o curva que pasa por el centro, cuando aquellas lo tienen, y divide en dos partes iguales un sistema de cuerdas paralelas. ‖ **3.** *Geom.* Eje de la esfera. ‖ **4.** *Esgr.* V. **línea del diámetro.** ‖ **aparente.** *Astron.* Ángulo formado por las dos visuales dirigidas a los extremos del **diámetro** de un astro. ‖ **conjugado.** *Geom.* Cada uno de los dos **diámetros** de los cuales el uno divide en dos partes iguales todas las cuerdas paralelas al otro.

diana[1]**.** (De *día.*) f. *Mil.* Toque militar al romper el día, para que la tropa se levante. ‖ **2.** *Mil.* Punto central de un blanco de tiro. ‖ **no me vengas con dianas.** fr. fig. y fam. con que se rechazan las excusas o zalamerías de una persona.

Diana[2]**.** n. p. f. *Quím.* V. **árbol de Diana.**

dianche. m. fam. **diantre.** Ú. t. c. interj. fam.

diandro, dra. (De *di-*[2] y el gr. ἀνήρ, ἀνδρός, varón.) adj. *Bot.* Dícese de la flor que tiene dos estambres.

dianense. adj. Natural de Denia. Ú. t. c. s. ‖ **2.** Perteneciente o relativo a esta ciudad de la provincia de Alicante.

diantre. m. fam. Eufemismo por **diablo.**

diaño. m. fam. En algunas partes, eufemismo por **diablo.**

diapalma. (Del gr. διά, con, y el lat. *palma,* palma o palmera.) f. Emplasto desecativo compuesto de litargirio, aceite de palma y otros ingredientes.

diapasón. (Del lat. *diapāson,* y este del gr. διαπασῶν.) m. *Mús.* Intervalo que consta de cinco tonos, tres mayores y dos menores, y de dos semitonos mayores: diapente y diatesarón. ‖ **2.** *Mús.* Regla en que están determinadas las medidas convenientes, en la cual se ordena con debida proporción el **diapasón** de los instrumentos, y es la dirección para cortar los cañones de los órganos, las cuerdas de los clavicordios, etc. ‖ **3.** *Mús.* Trozo de madera que cubre el mástil y sobre el cual se pisan con los dedos las cuerdas del violín y de otros intrumentos análogos. ‖ **normal.** *Mús.* Regulador de voces e instrumentos, que consiste en una lámina de acero doblada en forma de horquilla con pie, y que cuando se hace sonar da un *la* fijado en 435 vibraciones por segundo. ‖ **bajar,** o **subir, el diapasón.** fr. fig. y fam. Bajar o alzar la voz o el tono del razonamiento.

diapédesis. (De *dia-* y el gr. πήδεσις, salto.) f. *Anat.* Paso de los leucocitos a través de las paredes de los vasos.

diapente. (Del lat. *diapente,* y este del gr. διά, a través, y πέντε, de cinco [cuerdas o notas].) m. *Mús.* Intervalo de quinta.

diaporama. m. Técnica audiovisual que consiste en la proyección simultánea de diapositivas sobre una o varias pantallas, mediante proyectores combinados para mezclas, fundidos y sincronización con el sonido. Denomínase a veces **multivisión.**

diapositiva. f. Fotografía positiva sacada en cristal u otra materia transparente.

diaprea. (Del fr. *diaprée,* jaspeada.) f. Ciruela redonda, pequeña y gustosa.

diapreado, da. (De *diaprea.*) adj. *Blas.* Aplícase a los palos, a las fajas y a otras piezas, abigarrados o matizados de diferentes colores, cuando con los matices se forma follaje.

diaquenio. m. *Bot.* Fruto compuesto de dos aquenios unidos.

diaquilón. (Del lat. *diachy̆lon,* y este del gr. διά, con, y del pl. χυλῶν, jugos.) m. *Farm.* Ungüento con que se hacen emplastos para ablandar los tumores.

diarero, ra. m. y f. *Argent.* y *Urug.* **diariero,** vendedor de diarios.

diariero, ra. m. y f. *Argent., Chile, Guat.* y *Urug.* Vendedor de diarios.

diario, ria. (Del lat. *diarĭum.*) adj. Correspondiente a todos los días. *Salario* DIARIO; *comida* DIARIA. ‖ **2.** *Com.* V. **libro diario.** Ú. t. c. s. ‖ **3.** m. Relación histórica de lo que ha ido sucediendo por días, o día por día. ‖ **4.** Periódico que se publica todos los días. ‖ **5.** Valor o gasto correspondiente a lo que es menester para mantener la casa en un día, y lo que se gasta y come cada día. ‖ **de máquinas.** Aquel donde los maquinistas, a bordo de los buques, registran cuanto dato conviene al funcionamiento de las máquinas y al consumo de combustibles y lubrificantes. ‖ **de navegación.** El personal y obligatorio que llevan a bordo en la mar los oficiales de marina, donde registran los datos náuticos, meteorológicos, acaecimientos, etc., que constan en el cuaderno de bitácora. ‖ **de operaciones.** El colectivo de las unidades armadas y de los buques de guerra, en el que se registran las operaciones en que toman parte y sus vicisitudes más importantes. ‖ **a diario.** loc. adv. Todos los días, cada día. ‖ **de diario.** loc. adv. **a diario.** ‖ **2.** loc. adj. que se aplica al vestido que se usa ordinariamente, por oposición al de gala.

diarismo. m. *Amér.* **periodismo.**

diarista. com. desus. Persona que compone o publica un diario.

diarquía. (Del gr. δί por δίς, dos, y ἀρχία, gobierno.) f. Gobierno simultáneo de dos reyes. ‖ **2.** Autoridad dividida y ejercida simultáneamente entre dos personas, dos instituciones o dos poderes.

diarrea. (Del lat. *diarrhoea*, y este del gr. διάρροια.) f. Síntoma o fenómeno morboso que consiste en evacuaciones de vientre líquidas y frecuentes.

diarreico, ca. (Del gr. διαρροϊκός.) adj. Perteneciente o relativo a la diarrea.

diarría. f. ant. **diarrea.**

diárrico, ca. adj. ant. **diarreico.**

diartrosis. (Del gr. διάρθρωσις.) f. *Anat.* Articulación movible.

diascordio. (Del gr. διά, con, y σκόρδιον, escordio.) m. p. us. *Farm.* Confección medicinal tónica y astringente cuyo principal ingrediente es el escordio.

diasén. (Del gr. διά, con, y de *sen.*) m. Electuario purgante cuyo principal ingrediente son las hojas de sen.

diáspero. m. **diaspro.**

diáspora. (Del gr. διασπορά, dispersión.) f. Diseminación de los judíos por toda la extensión del mundo antiguo, especialmente intensa desde el siglo III antes de Jesucristo. ‖ **2.** Por ext., dispersión de individuos humanos que anteriormente vivían juntos o formaban una etnia.

diásporo. (De *diáspero.*) m. Piedra fina, alúmina hidratada, de color gris de perla o pardo amarillento y textura laminar, que se convierte en polvo a la llama fuerte del soplete.

diaspro. (Del b. lat. *diasprum*, der. de *jaspis, -idis.*) m. Nombre de algunas variedades de jaspe. ‖ **sanguino. heliotropo,** variedad de ágata.

diastasa. (Del gr. διάστασις, separación.) f. *Biol.* Fermento contenido en la saliva y en muchas semillas, tubérculos, etc., que actúa sobre el almidón de los alimentos de los animales y, durante la germinación de la nueva planta, sobre el de las células vegetales, transformándolo en azúcar. Por ext., suelen denominarse **diastasas** todos los fermentos.

diastema. (Del gr. διάστημα, intervalo, distancia.) m. *Zool.* Espacio más o menos ancho en la encía de muchos mamíferos (roedores, equinos y rumiantes, entre ellos), que separa grupos de piezas dentarias.

diástilo. (Del lat. *diastȳlos*, y este del gr. διάστυλος.) adj. *Arq.* Dícese del monumento o edificio cuyos intercolumnios tienen de claro seis módulos.

diástole. (Del lat. *diastŏle*, y este del gr. διαστολή, dilatación.) f. Licencia poética que consiste en usar como larga una sílaba breve. ‖ **2.** *Fisiol.* Movimiento de dilatación del corazón y de las arterias, cuando la sangre penetra en su cavidad. ‖ **3.** *Fisiol.* Movimiento de dilatación de la duramáter y de los senos del cerebro.

diastólico, ca. adj. *Fisiol.* Perteneciente o relativo a la diástole.

diastrofia. (Del gr. διαστροφή, torsión.) f. *Med.* Dislocación de un hueso, músculo, tendón o nervio.

diatérmano, na. (De *dia-*, a través, y el gr. θέρμη, calor.) adj. *Fís.* Dícese del cuerpo que da paso fácilmente al calor.

diatermia. f. *Med.* Empleo de corrientes eléctricas especiales para elevar la temperatura en partes profundas del cuerpo humano, con fines terapéuticos.

diatesarón. (Del lat. *diatessăron*, y este del gr. διά, a través, y τεσσάρων, de cuatro [cuerdas o notas].) m. *Mús.* Intervalo de cuarta.

diatésico, ca. adj. *Med.* Perteneciente o relativo a la diátesis.

diátesis. (Del lat. *diathĕsis*, y este del gr. διάθεσις, disposición.) f. *Med.* Predisposición orgánica a contraer una determinada enfermedad. ‖ **2.** *Ling.* Voz del verbo. DIÁTESIS *pasiva, activa.*

diatomáceo, a. adj. Perteneciente o relativo a las diatomeas.

diatomea. (Del gr. διατομή, corte.) f. *Bot.* Cualquiera de las algas unicelulares, vivientes en el mar, en el agua dulce o en la tierra húmeda, que tienen un caparazón silíceo formado por dos valvas de tamaño desigual.

diatónicamente. adv. m. En orden diatónico.

diatónico, ca. (Del lat. *diatonĭcus*, y este del gr. διατονικός.) adj. *Mús.* Aplícase a uno de los tres géneros del sistema músico, que procede por dos tonos y un semitono. ‖ **2.** *Mús.* V. **semitono diatónico.** ‖ **cromático.** *Mús.* Dícese del género mixto de **diatónico** y cromático. ‖ **cromático enarmónico.** *Mús.* Aplícase al género mixto de los tres del sistema músico.

diatriba. (Del lat. *diatrība*, y este del gr. διατριβή.) f. Discurso o escrito violento e injurioso contra personas o cosas.

diazoar. tr. *Quím.* Transformar una amina en un derivado azoico.

dibranquial. (De *di-*[2] y el gr. βράγχια, branquia.) adj. *Zool.* Dícese del molusco cefalópodo que tiene dos branquias y ocho o diez tentáculos, como el pulpo y el calamar. Ú. t. c. s. ‖ **2.** m. pl. *Zool.* Subclase de estos cefalópodos.

dibujador, ra. adj. p. us. **dibujante.** Ú. t. c. s.

dibujante. p. a. de **dibujar.** Que dibuja. Ú. t. c. s. ‖ **2.** com. Persona que tiene como profesión el dibujo.

dibujar. (Del ant. fr. *deboissier.*) tr. Delinear en una superficie, y sombrear imitando la figura de un cuerpo. Ú. t. c. prnl. ‖ **2.** fig. Describir con propiedad una pasión del ánimo o una cosa inanimada. ‖ **3.** prnl. Indicarse o revelarse lo que estaba callado u oculto.

dibujo. (De *dibujar.*) m. Arte que enseña a dibujar. ‖ **2.** Proporción que debe tener en sus partes y medidas la figura del objeto que se dibuja o pinta. ‖ **3.** Delineación, figura o imagen ejecutada en claro y oscuro, que toma nombre del material con que se hace. DIBUJO *de carbón, de lápiz.* ‖ **4.** En los encajes, bordados, tejidos, etc., la figura y disposición de las labores que los adornan. ‖ **a mano alzada.** El realizado sin apoyar la mano. ‖ **del natural.** *Pint.* El que se hace copiando directamente del modelo. ‖ **lineal.** Delineación con segmentos de líneas geométricas realizada generalmente con ayuda de utensilios como la regla, la escuadra, el compás, el tiralíneas, etc. ‖ **dibujos animados.** Los que se fotografían en una película sucesivamente, y que al ir recogiendo los sucesivos cambios de posición imitan el movimiento de seres vivos. ‖ **es un dibujo.** fr. que se usa para encarecer la perfección de un rostro. ‖ **no meterse en dibujos.** fr. fig. y fam. Abstenerse de hacer o decir impertinentemente más que aquello que corresponde. ‖ **picar el dibujo.** fr. Agujerear los contornos y perfiles de un **dibujo** hecho en papel, para reproducirlo por medio del estarcido.

dicacidad. (Del lat. *dicacĭtas, -ātis.*) f. Agudeza y gracia en zaherir con palabras; mordacidad ingeniosa.

dicasterio. (Del gr. δικαστήριον, tribunal.) m. Cada una de las diez secciones del tribunal de los heliastas de Atenas. ‖ **2.** En la curia romana, antiguamente, todo tribunal del que no formaba parte ningún cardenal. ‖ **3.** Denominación genérica actual de todos los grandes organismos de la curia romana: congregaciones, tribunales y oficios.

dicaz. (Del lat. *dicax, -ācis.*) adj. p. us. Decidor, aguda y chistosamente mordaz.

dicción. (Del lat. *dictĭo, -ōnis.*) f. **palabra,** sonido o conjunto de sonidos articulados que expresan una idea. ‖ **2.** Manera de hablar o escribir, considerada como buena o mala únicamente por el acertado o desacertado empleo de las palabras y construcciones. ‖ **3.** Manera de pronunciar. DICCIÓN *clara y limpia.* ‖ **4.** *Gram.* V. **figura de dicción.**

diccionario. (Del b. lat. *dictionarium.*) m. Libro en el que se recogen y explican de forma ordenada voces de una o más lenguas, de una ciencia o materia determinada. ‖ **2.** Catálogo numeroso de noticias importantes de un mismo género, ordenado alfabéticamente. DICCIONARIO *bibliográfico, biográfico, geográfico.*

diccionarista. com. **lexicógrafo.**

dicente. p. a. de **decir. diciente.** Ú. t. c. s.

díceres. m. pl. *And.* y *Amér.* Dichos de la gente, habladurías, murmuraciones.

diciembre. (Del lat. *december, -bris,* de *decem,* diez.) m. Décimo mes del año, según la cuenta de los antiguos romanos, y duodécimo del calendario que actualmente usan la Iglesia y casi todas las naciones de Europa y América. Tiene treinta y un días.

diciente. (Del lat. *dicens, -entis.*) p. a. de **decir.** Que dice.

diciplina. f. ant. **disciplina.**

diciplinante. m. ant. **disciplinante.**

diciplinar. tr. ant. **disciplinar**[2].

diclino, na. (De *di-*[2] y el gr. κλινή, lecho.) adj. *Bot.* Dícese de las flores unisexuales producidas por individuos diferentes.

dicoreo. (Del lat. *dichorēus,* y este del gr. διχόρειος.) m. Pie de la poesía griega y latina, compuesto de dos coreos, o sea de cuatro sílabas: la primera y la tercera, largas, y las otras dos, breves.

dicotiledón. (De *di-*[2] y el gr. κοτυληδών, cavidad.) adj. *Bot.* **dicotiledóneo.**

dicotiledóneo, a. (De *dicotiledón.*) adj. *Bot.* Dícese del vegetal cuyo embrión tiene dos cotiledones. Ú. t. c. s. ‖ **2.** f. pl. *Bot.* Clase del subtipo de las angiospermas, constituida por plantas que tienen dos cotiledones en su embrión; como la judía y la malva. ‖ **3.** *Bot.* Una de las dos clases en que, en la antigua clasificación, se dividían las plantas cotiledóneas.

dicotomía. (Del gr. διχοτομία.) f. *Bot.* Bifurcación de un tallo o de una rama. ‖ **2.** *Lóg.* Método de clasificación en que las divisiones y subdivisiones solo tienen dos partes. ‖ **3.** Aplicación de este método, división en dos. ‖ **4.** Práctica condenada por la recta deontología, que consiste en el pago de una comisión por el médico consultante, operador o especialista, al médico de cabecera que le ha recomendado un cliente.

dicotómico, ca. adj. *Lóg.* Perteneciente o relativo a la dicotomía, método de clasificación.

dicótomo, ma. (Del gr. διχότομος.) adj. Que se divide en dos.

dicroico, ca. adj. *Fís.* Que tiene dicroísmo.

dicroísmo. (Del gr. δίχροος, de dos colores.) m. *Fís.* Propiedad que tienen algunos cuerpos de presentar dos coloraciones diferentes según la dirección en que se los mire.

dicromático, ca. (Del gr. διχρωματικός.) adj. Que tiene dos colores.

dictado. (Del lat. *dictātus,* p. p. de *dictāre,* dictar.) m. Título de dignidad, honor o señorío; como duque, conde, marqués, consejero, etc.; y también cualquier calificativo aplicado a persona. ‖ **2.** Acción de dictar para que otro escriba. ‖ **3.** Texto escrito **al dictado.** ‖ **4.** ant. Composición en verso. ‖ **5.** ant. Materia de que se trata en cualquier escrito. ‖ **6.** pl. fig. Inspiraciones o preceptos de la razón o la conciencia. ‖ **escribir al dictado.** fr. Escribir lo que otro dicta.

dictador, ra. (Del lat. *dictator, -ōris.*) m. y f. En la época moderna, el que se arroga o recibe todos los poderes políticos extraordinarios y los ejerce sin limitación jurídica. ‖ **2.** fig. Persona que abusa de su autoridad o trata con dureza a los demás. ‖ **3.** m. Entre los antiguos romanos, magistrado supremo y temporal que uno de los cónsules nombraba por acuerdo del senado en tiempos de peligro para la República, confiriéndole poderes extraordinarios.

dictadura. (Del lat. *dictatūra.*) f. Dignidad y cargo de dictador. ‖ **2.** Tiempo que dura. ‖ **3.** Gobierno que, bajo condiciones excepcionales, prescinde de una parte, mayor o menor, del ordenamiento jurídico para ejercer la autoridad en un país. ‖ **4.** Gobierno que en un país impone su autoridad violando la legislación anteriormente vigente.

dictaduría. f. ant. **dictadura.**

dictáfono. (Del ing. *dictaphone;* marca registrada.) m. Aparato que registra dictados, conversaciones, etc., y los reproduce cuando conviene, bien por un procedimiento fonográfico, bien magnetofónico.

dictamen. (Del lat. *dictāmen.*) m. Opinión y juicio que se forma o emite sobre una cosa. ‖ **casarse** alguien **con** su **dictamen.** fr. fig. **casarse con su opinión.** ‖ **tomar dictamen de** alguien. fr. **tomar consejo de** alguien.

dictaminador, ra. adj. Que dictamina.

dictaminar. intr. Dar dictamen.

díctamo. (Del lat. *dictamnus,* y este del gr. δίκταμνον.) m. Arbusto de la familia de las labiadas. Es planta de adorno y se usó en medicina como vulneraria. ‖ **2.** *Cuba.* Especie de euforbio que destila un jugo lechoso y purgante. ‖ **blanco.** Planta de la familia de las rutáceas, que da un aceite volátil de olor fragante, que se usa en perfumería y medicina. ‖ **crético. díctamo,** arbusto de las labiadas. ‖ **real.** *Cuba.* **díctamo,** especie de euforbio.

dictante. p. a. ant. de **dictar.** Que dicta. Usáb. t. c. s.

dictar. (Del lat. *dictāre.*) tr. Decir alguien algo con las pausas necesarias o convenientes para que otro lo vaya escribiendo. ‖ **2.** Tratándose de leyes, fallos, preceptos, etc., darlos, expedirlos, pronunciarlos. ‖ **3.** fig. Inspirar, sugerir. ‖ **4.** *Amér.* Dicho de clases, conferencias, etc., darlas, pronunciarlas, impartirlas.

dictatorial. adj. **dictatorio.** ‖ **2.** fig. Dicho de poder, facultad, etc., absoluto, arbitrario, no sujeto a las leyes.

dictatorio, ria. (Del lat. *dictatorĭus.*) adj. Perteneciente a la dignidad o al cargo de dictador.

dictatura. f. ant. **dictadura.**

dicterio. (Del lat. *dicterĭum.*) m. Dicho denigrativo que insulta y provoca.

díctico, ca. adj. **deíctico.**

dicha[1]. (Del lat. *dicta.*) f. **felicidad.** ‖ **2.** Suerte feliz. *Felipe es hombre de* DICHA. ‖ **3.** *Mont.* Ladrido de un perro en persecución de una res. ‖ **a, o por, dicha.** loc. adv. Por suerte, por ventura, por casualidad.

dicha[2]. (Del arauc. *dichon,* dar estocada.) f. Nombre vulgar de varias hierbas con hojas o frutos punzantes, que se crían en Chile.

dicharachero, ra. adj. fam. Propenso a prodigar dicharachos. Ú. t. c. s. ‖ **2.** Que prodiga dichos agudos y oportunos.

dicharacho. m. fam. Dicho bajo, demasiado vulgar, o poco decente.

dichero, ra. adj. fam. *And.* Que ameniza la conversación con dichos oportunos. Ú. t. c. s.

dicheya. f. *Chile.* Nombre vulgar de cierta planta herbácea medicinal.

dicho, cha. (Del lat. *dictus, dicta.*) p. p. irreg. de **decir.** ‖ **2.** adj. anafórico que puede sustituir a los demostrativos. DICHO *individuo,* DICHAS *tierras.* ‖ **3.** m. Palabra o conjunto de palabras con que se expresa oralmente un concepto cabal. Aplícansele varios calificativos, según la cualidad por que se distingue. DICHO *agudo, oportuno, intempestivo, malicioso.* ‖ **4.** Ocurrencia chistosa y oportuna. ‖ **5.** Declaración de la voluntad de los contrayentes, cuando el juez eclesiástico los examina para contraer matrimonio. Ú. m. en pl. ‖ **6.** fam. Expresión insultante o desvergonzada. ‖ **7.** *Der.* Deposición del testigo. ‖ **de las gentes.** Murmuración o censura pública. ‖ **de dicho en dicho.** loc. adv. ant. **de boca en boca.** ‖ **dicho y hecho.** expr. con que se explica la prontitud con que se hace o se hizo una cosa. ‖ **lo dicho, dicho.** expr. con que alguien da a entender que se ratifica en lo que una vez dijo, manteniéndose en ello. ‖ **tener** una cosa **por dicha.** fr. Considerarla **dicha,** no con ligereza o de broma, sino formalmente y con deliberada intención. ‖ **tomarse los dichos.** fr. Manifestar los novios ante la autoridad competente su voluntad de contraer matrimonio.

dichosamente. adv. m. Con dicha, felizmente.

dichoso, sa. (De *dicha*[1].) adj. **feliz.** ‖ **2.** Dícese de lo que incluye o trae consigo dicha. DICHOSA *virtud; soledad* DICHOSA. ‖ **3.** fam. Enfadoso, molesto. ‖ **4.** irón. Desventurado, malhadado.

didáctica. (Del gr. διδακτική.) f. Arte de enseñar.

didacticismo. m. Calidad de didáctico. ‖ **2.** Tendencia o propósito docente o didáctico.

didáctico, ca. (Del gr. διδακτικός.) adj. Perteneciente o relativo a la enseñanza; propio, adecuado para enseñar o instruir. *Método, género* DIDÁCTICO; *obra* DIDÁCTICA. ‖ **2.** Perteneciente o relativo a la didáctica. Apl. a pers., ú. t. c. s.

didáctilo, la. adj. Que tiene dos dedos.

didactismo. m. **didacticismo.**

didascalia. (Del gr. διδασκαλία, enseñanza.) f. Enseñanza, instrucción; especialmente, en la antigua Grecia, la que daba el poeta a un coro o a los actores. ‖ **2.** En la antigua Grecia, los catálogos de piezas teatrales representadas, con indicaciones de fecha, premio, etc., y en la literatura latina, las notas que a veces, al comienzo de una comedia, dan noticias sobre su representación.

didascálico, ca. (Del lat. *didascalicus*, y este del gr. διδασκαλικός.) adj. **didáctico.** Dícese especialmente de la poesía.

didelfo. (De *di-*[2] y el gr. δελφύς, matriz.) adj. *Zool.* Dícese de los mamíferos caracterizados principalmente por tener las hembras en el abdomen una bolsa donde están contenidas las mamas y donde permanecen encerradas las crías durante el primer tiempo de su desarrollo; como la zarigüeya y el canguro. Ú. t. c. s. ‖ **2.** m. pl. *Zool.* **marsupiales.**

didímeo, a. adj. poét. Perteneciente a Apolo.

didimio. (Del gr. δίδυμος, gemelo.) m. *Quím.* Metal muy raro, terroso y de color de acero, que se halla algunas veces unido al cerio.

dídimo, ma. (Del gr. δίδυμος, gemelo.) adj. *Anat.* y *Bot.* Aplícase en los seres vivos a órganos o estructuras lobuladas que se presentan emparejados. ‖ **2.** *Anat.* Por ext., **testículo.**

didracma. (Del lat. *didrachma*, y este del gr. δίδραχμον.) m. Moneda hebrea que valía medio siclo.

diecinueve. adj. Diez y nueve.

diecinueveavo, va. adj. Dícese de cada una de las diecinueve partes iguales en que se divide un todo. Ú. t. c. s. m.

dieciochavo, va. adj. **dieciochoavo.**

dieciocheno, na. adj. **decimoctavo.** ‖ **2.** Dícese del paño cuya urdimbre consta de 18 centenares de hilos. Ú. t. c. s. m. ‖ **3.** m. Moneda que se acuñó en Valencia en tiempo de la dinastía austriaca, y que lleva en el anverso la cara del rey y en el reverso las armas de aquel reino; valía dieciocho dinerillos.

dieciochesco, ca. adj. Perteneciente o relativo al siglo XVIII.

dieciochismo. m. Carácter, modos, estilo, etc., propios del siglo XVIII.

dieciochista. adj. **dieciochesco.**

dieciocho. adj. Diez y ocho.

dieciochoavo, va. adj. Dícese de cada una de las dieciocho partes iguales en que se divide un todo. Ú. m. c. s. m.

dieciséis. adj. Diez y seis.

dieciseisavo, va. adj. Dícese de cada una de las dieciséis partes iguales en que se divide un todo. Ú. t. c. s. m. ‖ **en dieciseisavo.** loc. adj. Dícese del libro, folleto, etc., de papel de tina, cuyas hojas corresponden a dieciséis por pliego. Dícese también de otros libros cuya altura mide de 12 a 15 centímetros.

dieciseiseno, na. adj. **decimosexto.** ‖ **2.** Dícese del paño cuya urdimbre consta de 16 centenares de hilos.

diecisiete. adj. Diez y siete.

diecisieteavo, va. adj. Dícese de cada una de las diecisiete partes iguales en que se divide un todo. Ú. t. c. s. m.

diedro. (Del gr. δίεδρος.) adj. *Geom.* V. **ángulo diedro.**

diego. m. **dondiego.** ‖ **donde digo, «digo», no digo «digo», sino digo, «Diego».** loc. fam. que se aplica al que incurre en confusión o contradicción y al que se ve obligado a rectificarse.

dieléctrico, ca. (De *dia-* y *eléctrico*.) adj. *Fís.* Aplícase al cuerpo mal conductor a través del cual se ejerce la inducción eléctrica.

diente. (Del lat. *dens, dentis.*) m. Cada uno de los cuerpos duros que, engastados en las mandíbulas del hombre y de muchos animales, quedan descubiertos en parte, para servir como órganos de masticación o de defensa. ‖ **2.** Cada una de las puntas que a los lados de una escotadura tienen en el pico ciertos pájaros. ‖ **3. adaraja.** ‖ **4.** Cada una de las puntas o resaltos que presentan algunas cosas y en especial los que tienen ciertos instrumentos o herramientas. DIENTE *de sierra, de rueda, de peine.* ‖ **5.** Cada uno de los picos que quedan en los bordes de los sellos de correos y en el de ciertos documentos que están unidos a la matriz, cuando se los separa por el trepado. ‖ **6.** V. **grada de dientes.** ‖ **7.** V. **carnero de dos dientes.** ‖ **8.** *Impr.* Huella que se advierte cuando, por no estar bien apuntado el pliego, no se corresponden las planas del blanco con las de la retiración. ‖ **acolmillado.** En las sierras, el excesivamente grande y muy triscado que al serrar deja mucha huella y corte estoposo. ‖ **canino,** o **columelar. colmillo, diente** fuerte entre los incisivos y las muelas. ‖ **de ajo.** Cada una de las partes en que se divide la cabeza del ajo, separadas por su tela y cáscara particular. ‖ **de caballo.** *Sal.* **feldespato.** ‖ **de leche.** Cada uno de los de primera dentición, en el hombre y en los animales que, como el mono, el caballo, etc., mudan con la edad toda la dentadura o parte de ella. ‖ **de león.** Hierba de la familia de las compuestas, con hojas radicales, lampiñas, de lóbulos lanceolados y triangulares, y jugo lechoso; flores amarillas de largo pedúnculo hueco, y semilla menuda con vilano abundante y blanquecino. ‖ **de lobo.** Bruñidor de ágata que usan los doradores. ‖ **2.** Especie de clavo grande. ‖ **de muerto. almorta.** ‖ **de perro.** Formón o escoplo hendido o dividido en dos puntas, que usan los escultores. ‖ **2.** Labor que enseñaban las maestras a las niñas en los dechados, y forma una lista, que deja algunos huecos alternados a un lado y a otro. ‖ **3.** fig. y fam. Costura de puntadas desiguales y mal hechas. ‖ **4.** *Murc.* Granada muy agria, cuyos granos son largos como **dientes.** ‖ **5.** *Cuba.* Piedra porosa, coronada de puntas muy salientes. ‖ **6.** *Arq.* Adorno formado por una serie de prismas triangulares o cuñas con una de sus aristas al exterior, y que se usó antiguamente en los muros de los edificios. ‖ **extremo.** En los solípedos, cada uno de los más apartados del medio de la quijada. ‖ **incisivo. diente,** el que se halla en la parte más saliente de las mandíbulas. ‖ **mamón. diente de leche.** ‖ **molar. muela** de los mamíferos. ‖ **premolar. premolar.** ‖ **remolón. remolón**[1], punta de la corona de las muelas de las caballerías. ‖ **dientes de ajo.** fig. y fam. Los muy grandes y mal configurados. ‖ **2.** com. fig. y fam. Persona que los tiene así. ‖ **de embustero.** Los muy separados unos de otros. ‖ **de sierra.** *Fort.* Defensa con ángulos entrantes y salientes repetidos alternativamente. ‖ **aguzar los dientes.** fr. fig. y fam. Prevenirse o disponerse para comer, cuando está pronta e inmediata la comida. ‖ **alargarle** a alguien una cosa **los dientes.** fr. Causarle tal alteración lo agrio, acedo o áspero de un alimento, que parece que se le alargan los **dientes.** ‖ **alargársele** a alguien **los dientes.** fr. fig. y fam. Sentir dentera por lo agrio. ‖ **2.** fig. y fam. Desear con vehemencia alguna cosa. ‖ **a regaña dientes.** loc. adv. fig. **a regañadientes.** ‖ **armado hasta los dientes.** fr. fig. y fam. con que se encarece lo bien provisto de armas que va alguien. ‖ **arrendar a diente.** fr. Arrendar a alguien los pastos de una dehesa comunal o señorial, con la condición de que ha de permitir entrar a pacer en ella los ganados del pueblo o del señor. ‖ **coser a diente de perro.** fr. fig. Coser los encuadernadores dos o más hojas o pliegos juntos, atravesándolos con el hilo por el borde del margen. ‖ **crujirle** a alguien **los dientes.** fr. fig. y fam. Padecer con mucha rabia, impaciencia y desesperación una pena o un tormento. ‖ **dar diente con diente.** fr. fig. y fam. Padecer demasiado frío. ‖ **2.** fig. y fam. Tener excesivo miedo. ‖ **decir** alguna cosa **entre dientes.** fr. fig. **hablar entre dientes.** ‖ **de dientes afuera.** loc. adv. fig. y fam. Con falta de sinceridad en ofertas o cumplimientos. ‖ **enseñar,** o **mostrar,** alguien **dientes,** o **los dientes,** a alguien. fr. fig. y fam. Resistirle, amenazarle. ‖ **estar a diente.** fr. fam. No haber comido, teniendo gana. ‖ **estar diente, como haca de atabalero, de bulero,** o **de cominero.** fr. fig. y fam. Tener mucha hambre. ‖ **haberle nacido, o salido,** a alguien **los dientes en** una parte, o haciendo una cosa. fr. fig. y fam. Haber nacido, o residido en una población, o frecuentado un sitio, o haberse dedicado a una cosa, desde edad muy temprana. ‖ **hablar** alguien **entre dientes.** fr. fig. Hablar de modo que no se entienda lo que dice. ‖ **2.** fig. y fam. Refunfuñar, gruñir, murmurar. ‖ **hincar el diente.** fr. fig. y fam. Comer alguna cosa difícil de mascar. ‖ **2.** fig. y fam. Apropiarse uno algo de la hacienda ajena que maneja. ‖ **3.** Dicho de un asunto, acometer sus dificultades. ‖ **4.** fig. y fam. Murmurar de otro, desacreditarlo. ‖ **meter el diente.** fr. fig. y fam. **hincar el diente.** ‖ **no entrarle** a alguien **de los dientes adentro** una persona o cosa. fr. fig. y fam. Tenerle repugnancia. ‖ **no haber para untar un diente.** fr. fig. y fam. Haber muy poca comida, o ser gran comedor el que la ha de comer. ‖ **no llegar a un diente,** o **no tener para un diente.** fr. fig. y fam. **no haber para untar un diente.** ‖ **pasar los dientes.** fr. fam. Producir en ellos una sensación dolorosa los alimentos fríos. ‖ **pelar el diente.** fr. fig. y fam. *Col.* y *Amér. Central.* Sonreír mucho por coquetería. ‖ **2.** *P. Rico* y *Venez.* Halagar y adular a alguien. ‖ **pelar los dientes.** fr. fig. y fam. *Nicar.* Encoger el labio superior enseñando los **dientes** ostensiblemente. ‖ **ponerle** a alguien una cosa **los dientes largos.** fr. **alargarle los dientes.** ‖ **quitar** a alguien **los dientes.** fr. fig. y fam. **quitarle la cara.** ‖ **rechinarle** a alguien **los dientes.** fr. fig. y fam. **crujirle los dientes.** ‖ **sudarle los dientes** a alguien. loc. fig. Costarle mucho trabajo alguna cosa. ‖ **tener buen diente.** fr. fig. y fam. Ser muy comedor. ‖ **tener diente.** fr. Dar mucha coz al dispararla una ballesta cuando, por estar lo ancho de la verga mal sentado en el tablero, carga más hacia atrás o adelante. ‖ **tomar, o traer,** a alguien **entre dientes.** fr. fig. y fam. Tenerle ojeriza. ‖ **2.** fig. y fam. Hablar mal de él. ‖ **valiente, por el diente.** expr. fig. y fam. con que se zahiere al que se jacta de valentías, dándole a entender que solo para comer es animoso.

dientimellado, da. adj. Que tiene mella en los dientes.

dientudo, da. adj. **dentudo.**

diéresis. (Del lat. *diaerĕsis*, y este del gr. διαίρεσις, división.) f. *Gram.* Pronunciación en sílabas distintas de dos vocales que normalmente forman diptongo, como *ru-i-na* por *ruina*, *vi-o-le-ta* por *vio-le-ta.* La **diéresis** en el verso es considerada como licencia poética por la preceptiva tradicional. ‖ **2.** *Cir.* Procedimiento quirúrgico, o conjunto de operaciones, cuyo carácter principal consiste en la división de los tejidos orgánicos. ‖ **3.** *Gram.* Signo ortográfico (¨) que se pone sobre la *u* de las sílabas *gue, gui,* para indicar que esta letra debe pronunciarse; como en *vergüenza, argüir;* y también sobre la primera vocal del diptongo cuyas vocales han de pronunciarse separadamente en virtud de la figura del mismo nombre; v. g.: *vïuda, rüido.* Empléase a veces sobre vocal débil, para deshacer un diptongo en voces de igual estructura y de distinta prosodia; v. g.: *pïé.* ‖ **4.** *Métr.* En griego y latín, la cesura de un verso, si coincidía con final de pie.

Diesel. n. p. V. **motor Diesel.** ‖ **2.** m. Automóvil provisto de motor Diesel. ‖ **3.** *C. Rica, Cuba, Esp., Méj.* y *Puerto Rico.* Aceite pesado, gasoil.

diesi o **diesis.** (Del lat. *diĕsis*, y este del gr. δίεσις, medio tono.) f. *Mús.* Cada uno de los tres tonos que los griegos intercalaban en el intervalo de un tono mayor. ‖ **2.** desus. *Mús.* **sostenido,** nota que excede en medio tono de su sonido natural.

dies irae. m. Prosa o secuencia latina que se recita en las misas de difuntos y que comienza con esas palabras.

diestra. (Del lat. *dextĕra.*) f. **mano derecha.** ‖ **juntar diestra con diestra.** fr. fig. Hacer amistad y confederación.

diestramente. adv. m. Con destreza.

diestro, tra. (Del lat. *dexter, dextra.*) adj. **derecho,** lo que cae a mano derecha. ‖ **2.** Dícese de la persona que usa preferentemente la mano derecha. Se emplea en oposición a zurdo. ‖ **3.** Hábil, experto en un arte u oficio. ‖ **4.** Sagaz, prevenido y avisado para manejar los negocios, sin detenerse por las dificultades. ‖ **5.** Favorable, benigno, venturoso. ‖ **6.** V. **mano diestra.** ‖ **7.** m. El que sabe jugar la espada o las armas. ‖ **8.** Torero de a pie. ‖ **9.** Matador de toros. ‖ **a diestro y siniestro.** loc. adv. fig. Sin tino, sin orden; sin discreción ni miramiento. ‖ **del diestro** o **de diestro.** loc. adv. Dícese de la manera de llevar las bestias, yendo a pie, delante o al lado de ellas tirando del ronzal. ‖ **esto va de diestro a diestro.** expr. fig. con que se explica la igualdad de dos sujetos en habilidad, destreza o astucia.

dieta[1]. (Del lat. *diaeta*, y este del gr. δίαιτα, régimen de vida.) f. Régimen que se manda observar a los enfermos o convalecientes en el comer y beber; y por ext., esta comida y bebida. ‖ **2.** fam. Privación completa de comer.

dieta[2]. (Acaso del b. lat. *dieta*, traducción del al. *Tag.*) f. Asamblea política y legislativa de algunos Estados europeos y del Japón. ‖ **2.** Honorario que un juez u otro funcionario devenga cada día mientras dura la comisión que se le confía fuera de su residencia oficial. Ú. m. en pl. ‖ **3.** desus. Estipendio que gana el médico diariamente por visitar a un enfermo. ‖ **4.** *Der.* Jornada, regularmente de diez leguas. ‖ **5.** pl. Estipendio que se da a los que ejecutan algunas comisiones o encargos por cada día que se ocupan en ellos, o por el tiempo que emplean en realizarlos. ‖ **6.** Retribución o indemnización fijada para los representantes en Cortes o Cámaras legislativas.

dietar. (De *dieta*[1].) tr. **adietar.**

dietario. (De *dieta*[2].) m. Libro en que los cronistas de Aragón escribían los sucesos más notables. ‖ **2.** Libro en que se anotan los ingresos y gastos diarios de una casa.

dietética. (Del lat. *diaetetĭca.*) f. Ciencia que trata de la alimentación conveniente en estado de salud y en las enfermedades.

dietético, ca. (Del lat. *diaetetĭcus*, y este del gr. διαιτητικός.) adj. Perteneciente a la dieta[1].

dietista. com. Médico especialista en dietética.

diez. (Del lat. *decem.*) adj. Nueve y uno. ‖ **2. décimo,** que sigue en orden al noveno. *León* DIEZ; *número* DIEZ; *año* DIEZ. Apl. a los días del mes, ú. t. c. s. *El* DIEZ *de septiembre.* ‖ **3.** m. Signo o conjunto de signos con que se representa el número **diez.** En números romanos se cifra con una X. ‖ **4.** Cada una de las partes en que se divide el rosario, compuesta de **diez** avemarías y un paternóster. ‖ **5.** Cuenta más gruesa o señalada que se pone en el rosario para dividir las decenas. ‖ **6.** Carta o naipe de la baraja francesa e inglesa que tiene **diez** señales. ‖ **de bolos.** El bolo que en este juego se pone enfrente y fuera del orden de los otros nueve. ‖ **las diez de últimas.** En ciertos juegos de naipes, **diez** tantos que gana el que hace la última baza. ‖ **a las diez.** loc. V. **correo a las diez.** ‖ **hacer las diez de últimas.** fr. fig. y fam. Actuar de manera que a la postre se quede sin nada de lo que ambicionaba.

diezma. (Del lat. *decĭma*, t. f. de *-mus*, diezmo.) f. ant. **décima.** ‖ **2.** *Ar.* **diezmo.**

diezmador. (De *diezmar.*) m. *Ar.* **diezmero,** persona que percibe diezmos.

diezmal. (De *diezma.*) adj. Perteneciente al diezmo.

diezmar. (De *dezmar*, por influencia de *diezmo.*) tr. Sacar de diez uno. ‖ **2.** Pagar el diezmo a la Iglesia. ‖ **3.** Castigar de cada diez uno cuando son muchos los delincuentes, o cuando son desconocidos entre muchos. ‖ **4.** fig. Causar gran mortandad en un país las enfermedades, la guerra, el hambre o cualquier otra calamidad; también por ext., se dice de los animales.

diezmero, ra. m. y f. Persona que pagaba el diezmo. ‖ **2.** Persona que lo percibía.

diezmesino, na. adj. Que es de diez meses. ‖ **2.** Perteneciente a este tiempo.

diezmilésimo, ma. adj. Dícese de cada una de las diez mil partes iguales en que se divide un todo. Ú. t. c. s.

diezmilímetro. m. Décima parte de un milímetro.

diezmilmillonésimo, ma. adj. Dícese de cada una de las partes iguales de un todo dividido en diez mil millones de ellas. Ú. t. c. s.

diezmillo. m. *Méj.* Solomillo.

diezmillonésimo, ma. adj. Dícese de cada una de las partes iguales de un todo dividido en diez millones de ellas. Ú. t. c. s.

diezmo, ma. (Del lat. *decĭmus.*) adj. ant. **décimo.** ‖ **2.** m. Derecho de diez por ciento que se pagaba al rey, del valor de las mercaderías que se traficaban y llegaban a los puertos, o entraban y pasaban de un reino a otro donde no estaba establecido el almojarifazgo. ‖ **3.** Parte de los frutos, regularmente la décima, que pagaban los fieles a la Iglesia.

difamación. (Del lat. *diffamatĭo, -ōnis.*) f. Acción y efecto de difamar.

difamado, da. p. p. de **difamar.** ‖ **2.** adj. *Blas.* **desmembrado.**

difamador, ra. (De *difamar.*) adj. Que difama. Ú. t. c. s.

difamar. (Del lat. *diffamāre.*) tr. Desacreditar a alguien, de palabra o por escrito, publicando cosas contra su buena opinión y fama. ‖ **2.** Poner una cosa en bajo concepto y estima. ‖ **3.** ant. **divulgar.**

difamatoria. (De *difamatorio.*) f. ant. **difamación.**

difamatorio, ria. adj. Dícese de lo que difama.

difamia. (Del lat. *diffamĭa.*) f. ant. Difamación o deshonra.

difarreación. (Del lat. *diffarreatĭo, -ōnis.*) f. Ceremonia entre los antiguos romanos, por la cual se disolvía un matrimonio contraído por confarreación.

diferecer. intr. ant. **diferir,** ser diferente.

diferencia. (Del lat. *differentĭa.*) f. Cualidad o accidente por el cual una cosa se distingue de otra. ‖ **2.** Variedad entre cosas de una misma especie. ‖ **3.** Controversia, disensión u oposición de dos o más personas entre sí. ‖ **4.** *Álg.* y *Arit.* **residuo,** resto. ‖ **5.** *Mat.* V. **razón por diferencia.** ‖ **6.** *Mús.* y *Danza.* Diversa modulación, o movimiento, que se hace en el instrumento, o con el cuerpo, bajo un mismo compás. ‖ **de fase.** En dos procesos periódicos la **diferencia** entre los valores que, en un momento dado, tiene la respectiva fracción de período. ‖ **a diferencia de.** loc. prepos. que sirve para denotar la discrepancia que hay entre dos cosas semejantes, o comparadas entre sí. ‖ **partir la diferencia.** fr. Ceder cada uno de su parte en una controversia o ajuste para conformarse, acercándose al medio proporcionado.

diferenciación. f. Acción y efecto de diferenciar. ‖ **2.** *Mat.* Operación por la cual se determina la diferencial de una función.

diferencial. adj. Perteneciente a la diferencia de las cosas. ‖ **2.** V. **derecho diferencial de bandera.** ‖ **3.** V. **termómetro diferencial.** ‖ **4.** *Mat.* Aplícase a la cantidad infinitamente pequeña. ‖ **5.** *Mat.* V. **cálculo diferencial.** ‖ **6.** f. *Mat.* Diferencia infinitamente pequeña de una variable. ‖ **7.** m. *Mec.* Mecanismo que enlaza tres móviles, imponiendo entre sus velocidades simultáneas la condición de que cada una de ellas sea proporcional a la suma o a la diferencia de las otras dos. ‖ **8.** *Mec.* Engranaje basado en este mecanismo, que se emplea en los vehículos automóviles.

diferenciar. (De *diferencia.*) tr. Hacer distinción, conocer la diversidad de las cosas; dar a cada una su correspondiente y legítimo valor. ‖ **2.** Variar, mudar el uso que se hace de las cosas. ‖ **3.** *Mat.* Hallar la diferencial de una cantidad variable. ‖ **4.** intr. Discordar, no convenir en un mismo parecer u opinión. ‖ **5.** prnl. Diferir, distinguirse una cosa de otra. ‖ **6.** Hacerse notable un sujeto por sus acciones o cualidades.

diferendo. m. *Argent., Col., Perú* y *Urug.* Diferencia, desacuerdo, discrepancia entre instituciones o estados.

diferente. (Del lat. *diffĕrens, -entis.*) adj. Diverso, distinto. ‖ **2.** adv. m. **diferentemente.**

diferido, da. p. p. de **diferir.** ‖ **2.** adj. Aplazado, retardado. ‖ **en diferido.** loc. adj. y adv. En radio y televisión, dícese del programa que se emite con posterioridad a su grabación.

diferir. (Del lat. *differre.*) tr. Dilatar, retardar o suspender la ejecución de una cosa. ‖ **2.** intr. Distinguirse una cosa de otra o ser diferente y de distintas o contrarias cualidades.

difícil. (Del lat. *difficĭlis.*) adj. Que no se logra, ejecuta o entiende sin mucho trabajo. ‖ **2.** Dícese de la persona descontentadiza o poco tratable. ‖ **3.** Extraño. *Tiene una cara muy* DIFÍCIL.

dificilidad. (De *difícil.*) f. ant. **dificultad.**

dificilísimo, ma. (Del lat. *difficillĭmus.*) adj. sup. ant. de **difícil.**

difícilmente. adv. m. Con dificultad.

dificultad. (Del lat. *difficultas, -ātis.*) f. Embarazo, inconveniente, oposición o contrariedad que impide conseguir, ejecutar o entender bien pronto una cosa. ‖ **2.** Duda, argumento y réplica propuesta contra una opinión. ‖ **apretar la dificultad.** fr. fam. **apretar el argumento.** ‖ **estar** alguien **en,** o **sobre, la dificultad.** fr. **ponerse de pies en la dificultad.** ‖ **herir en la,** o **la, dificultad.** fr. fig. Dar con ella, descubrirla.

dificultador, ra. (De *dificultar.*) adj. Que pone o imagina dificultades. Ú. t. c. s.

dificultar. (Del lat. *difficultāre.*) tr. Poner dificultades a las pretensiones de alguno, exponiendo los estorbos que a su logro se oponen. ‖ **2.** Hacer difícil una cosa, introduciendo obstáculos o inconvenientes que antes no tenía. ‖ **3.** Tener o estimar una cosa por difícil. Ú. m. c. intr.

dificultosamente. adv. m. Con dificultad.

dificultoso, sa. (De *dificultar.*) adj. Difícil, lleno de impedimentos. ‖ **2.** fig. y fam. Dicho del semblante, la cara, la figura, etc., extraño y defectuoso. ‖ **3.** **dificultador.**

difidencia. (Del lat. *diffidentĭa.*) f. **desconfianza.** ‖ **2.** Falta de fe.

difidente. (Del lat. *diffīdens, -entis,* p. a. de *diffīdĕre,* desconfiar.) adj. p. us. Que desconfía.

dífilo, la. (De *di*[2], y el gr. φύλλον, hoja.) adj. p. us. *Bot.* Que tiene dos hojas.

difinecer. tr. ant. **definir.**

difinición. f. desus. **definición.**

difinidura. (De *difinir.*) f. ant. Solución de un argumento.

difinir. (De *diffinire.*) tr. desus. **definir.**

difinitorio. m. desus. **definitorio.**

difiuciar. (De *di-*[1] y *fiucia.*) tr. ant. **desahuciar.**

difluencia. (De *difluir.*) f. Estado o calidad de lo que es difluente. ‖ **2.** *Geogr.* División de las aguas de un río en varias ramas que desembocan directamente en el mar, como sucede en los estuarios.

difluente. adj. Que se esparce o derrama por todas partes.

difluir. (Del lat. *difflŭĕre,* extenderse.) intr. Difundirse, derramarse por todas partes. ‖ **2.** *Geogr.* Dividirse el río en varias ramas para desembocar en el mar.

difracción. (der. de *diffractus,* roto, quebrado.) f. *Ópt.* Desviación del rayo luminoso al rozar el borde de un cuerpo opaco.

difractar. tr. *Ópt.* Hacer sufrir difracción. Ú. t. c. prnl.

difrangente. adj. Que produce la difracción.

difteria. (Del gr. διφθέρα, membrana.) f. *Pat.* Enfermedad específica, infecciosa y contagiosa, caracterizada por la formación de falsas membranas en las mucosas, comúnmente de la garganta, en la piel desnuda de epidermis y en toda suerte de heridas al descubierto, con síntomas generales de fiebre y postración.

diftérico, ca. adj. Perteneciente o relativo a la difteria.

difteritis. (Del gr. διφθέρα, membrana, e *-itis.*) f. *Pat.* Inflamación diftérica.

difugio. (Del lat. *diffugĭum.*) m. ant. **efugio.**

difumar. tr. p. us. **esfumar.**

difuminar. tr. Desvanecer o esfumar las líneas o colores con el difumino. ‖ **2.** fig. Hacer perder claridad o intensidad. Ú. m. c. prnl.

difumino. m. Rollito de papel estoposo o de piel suave, terminado en punta, que sirve para esfumar.

difundidor, ra. adj. Que difunde.

difundir. (Del lat. *diffundĕre.*) tr. Extender, esparcir, propagar físicamente. Ú. t. c. prnl. ‖ **2.** Introducir en un cuerpo corpúsculos extraños con tendencia a formar una mezcla homogénea. Ú. t. c. prnl. ‖ **3.** Transformar los rayos procedentes de un foco luminoso en luz que se propaga en todas direcciones. Ú. t. c. prnl. ‖ **4.** fig. Propagar o divulgar conocimientos, noticias, actitudes, costumbres, modas, etc.

difuntear. tr. fam. *Amér.* Matar.

difunto, ta. (Del lat. *deffunctus.*) adj. Dícese de la persona muerta. Ú. t. c. s. ‖ **2.** V. **bienes, bula, misa, oficio de difuntos.** ‖ **3.** V. **conmemoración, día de los difuntos.** ‖ **4.** m. **cadáver.** ‖ **de taberna.** fig. y fam. Borracho privado de sentido. ‖ **el difunto era mayor,** o **era más pequeño.** fr. fig. y fam. que se aplica al que lleva una prenda de vestir mayor o menor de lo que requiere su cuerpo.

difusamente. adv. m. De manera difusa.

difusión. (Del lat. *diffusĭo, -ōnis.*) f. Acción y efecto de difundir o difundirse. ‖ **2.** Extensión, dilatación viciosa en lo hablado o escrito.

difusivo, va. (De *difuso.*) adj. Que tiene la propiedad de difundir o difundirse.

difuso, sa. (Del lat. *diffūsus.*) p. p. irreg. de **difundir.** ‖ **2.** adj. Ancho, dilatado. ‖ **3.** Excesivamente dilatado, superabundante en palabras. *Lenguaje, estilo, escritor, orador* DIFUSO. ‖ **4.** Vago, impreciso.

difusor, ra. (Del lat. *diffūsor, -ōris.*) adj. Que difunde. ‖ **2.** m. Aparato para extraer el jugo sacarino de la remolacha.

digamma. (Del lat. *digamma,* y este del gr. δίγαμμα.) f. Letra del primitivo alfabeto griego en forma de F, que tenía el sonido de *f* o *v.*

digerecer. tr. ant. **digerir.**

digerible. adj. **digestible.**

digerir. (Del lat. *digerĕre.*) tr. Convertir en el aparato digestivo los alimentos en sustancia propia para la nutrición. ‖ **2.** fig. Sufrir o llevar con paciencia una desgracia o una ofensa. Ú. m. con neg. ‖ **3.** fig. Meditar cuidadosamente una cosa, para entenderla o ejecutarla. ‖ **4.** *Quím.* Cocer algunos zumos u otras materias por medio de un calor lento.

digestibilidad. f. Calidad de digestible.

digestible. (Del lat. *digestibĭlis.*) adj. Que puede ser digerido.

digestión. (Del lat. *digestĭo, -ōnis.*) f. Acción y efecto de digerir. ‖ **2.** *Quím.* Infusión prolongada, en un líquido apropiado, de aquel cuerpo de que se quiere extraer alguna sustancia.

digestir. (De *digesto*[2].) tr. ant. **digerir.**

digestivo, va. (Del lat. *digestīvus.*) adj. Dícese de las operaciones y de las partes del organismo que atañen a la digestión. *Tubo* DIGESTIVO, *funciones* DIGESTIVAS. ‖ **2.** Dícese de lo que es a propósito para ayudar a la digestión. Ú. t. c. s. m. ‖ **3.** m. *Cir.* Medicamento que se aplica para promover y sostener la supuración de las úlceras y heridas.

digesto[1]**.** (Del lat. *digestum,* de *digerĕre,* distribuir, ordenar.) m. Colección de textos escogidos de juristas romanos. ‖ **2.** Por antonom., la reunida por orden de Justiniano, llamada también Pandectas; en este caso se escribe con mayúscula.

digesto[2]**, ta.** (Del lat. *digestus.*) p. p. irreg. ant. de **digerir.**

digestor. (Del lat. *digestorĭus,* que sirve para resolver.) m. Vasija fuerte de loza o metal, cerrada a tornillo, para separar en el baño de María la gelatina de los huesos y el jugo de la carne o de otra sustancia.

digitación. f. Adiestramiento de las manos en la ejecución musical con ciertos instrumentos, especialmente los que tienen teclado.

digitado, da. (Del lat. *digitātus,* de *digĭtus,* dedo.) adj. *Bot.* V. **hoja digitada.** ‖ **2.** *Zool.* Aplícase a los animales mamíferos que tienen sueltos los dedos de los cuatro pies.

digital. (Del lat. *digitālis.*) adj. Perteneciente o relativo a los dedos. ‖ **2.** Dícese del aparato o instrumento de medida que la representa con números dígitos. *Reloj* DIGITAL. ‖ **3.** V. **impresión digital.** ‖ **4.** V. **computador digital.** ‖ **5.** f. Planta herbácea de la familia de las escrofulariáceas cuyas hojas se usan en medicina. ‖ **6.** Flor de esta planta.

digitalina. (De *digital.*) f. *Quím.* Glucósido contenido en las hojas de la digital, de las cuales se extrae en forma pulverulenta, empleado como medicamento cardiaco.

digitiforme. (Del lat. *digĭtus,* dedo, y *-forme.*) adj. Que tiene la forma de un dedo.

digitígrado, da. (Del lat. *digĭtus,* dedo, y *gradior,* caminar.) adj. *Zool.* Dícese del animal que al andar apoya solo los dedos; como el gato.

dígito. (Del lat. *digĭtus,* dedo.) adj. *Arit.* V. **número dígito.** Ú. t. c. s. ‖ **2.** m. *Astron.* Cada una de las doce partes iguales en que se divide el diámetro aparente del Sol y el de la Luna en los cómputos de los eclipses.

digladiar. (Del lat. *digladiāri.*) intr. ant. Batallar o pelear con espada cuerpo a cuerpo.

diglosia. (Del gr. δίγλωσσος, de dos lenguas.) f. **bilingüismo,** en especial cuando una de las lenguas goza de prestigio o privilegios sociales o políticos superiores. ‖ **2.** *Anat.* Disposición de la lengua en forma doble o bífida.

dignación. (Del lat. *dignatĭo, -ōnis.*) f. p. us. Condescendencia con lo que desea o pretende el inferior.

dignamente. adv. m. De una manera digna. ‖ **2.** Merecidamente, con justicia, con razón.

dignarse. (Del lat. *dignāre.*) prnl. Servirse, condescender o tener a bien hacer alguna cosa. SE DIGNÓ *bajar del palco.*

dignatario. m. Persona investida de una dignidad.

dignidad. (Del lat. *dignĭtas, -ātis.*) f. Calidad de digno. ‖ **2.** Excelencia, realce. ‖ **3.** Gravedad y decoro de las personas en la manera de comportarse. ‖ **4.** Cargo o empleo honorífico y de autoridad. ‖ **5.** En las catedrales y colegiatas, cualquiera de las prebendas que corresponden a un oficio honorífico y preeminente; como el deanato, el arcedianato, etc. ‖ **6.** Persona que posee una de estas prebendas. Ú. t. c. m. ‖ **7.** Por antonom., la del arzobispo u obispo. *Las rentas de la* DIGNIDAD. ‖ **8.** En las órdenes militares de caballería, los cargos de maestre, trece, comendador mayor, clavero, etc.

dignificable. adj. Que puede dignificarse.

dignificación. f. Acción y efecto de dignificar o dignificarse.

dignificante. p. a. de **dignificar.** ‖ **2.** adj. *Teol.* Que dignifica. Aplícase más comúnmente a la gracia.

dignificar. (Del lat. *dignificāre.*) tr. Hacer digna o presentar como tal a una persona o cosa. Ú. t. c. prnl.

digno, na. (Del lat. *dignus.*) adj. Que merece algo, en sentido favorable o adverso. Cuando se usa de una manera absoluta, indica siempre buen concepto y se usa en contraposición a indigno. ‖ **2.** Correspondiente, proporcionado al mérito y condición de una persona o cosa. ‖ **3.** Que tiene dignidad o se comporta con ella.

dígrafo. (De *di-*[2] y *-grafo.*) m. Signo ortográfico compuesto de dos letras (como en español *ll*, en francés *ou*, en catalán *ny*) para representar un fonema.

digresión. (Del lat. *digressĭo, -ōnis.*) f. Efecto de romper el hilo del discurso y de hablar en él de cosas que no tengan conexión o íntimo enlace con aquello de que se está tratando.

dihueñe o **dihueñi.** (Del arauc. *dihueñ.*) m. *Chile.* Nombre vulgar de varios hongos comestibles que crecen en algunos robles, y de los cuales, haciéndolos fermentar, obtienen los indios una especie de chicha.

dij. m. desus. **dije.**

dije. m. Cualquier adorno de los que se ponían a los niños al cuello o pendientes de la cintura. ‖ **2.** Cada una de las joyas, relicarios y otras alhajas pequeñas que suelen llevar por adorno las mujeres e incluso los hombres. ‖ **3.** fig. y fam. Persona de relevantes cualidades físicas o morales. ‖ **4.** fig. y fam. Persona muy compuesta. ‖ **5.** fig. y fam. Persona apta para hacer muchas cosas.

dijes. (Del verbo *decir.*) m. pl. Bravatas.

dilaceración. (Del lat. *dilaceratĭo, -ōnis.*) f. Acción y efecto de dilacerar o dilacerarse.

dilacerar. (Del lat. *dilacerāre.*) tr. Desgarrar, despedazar las carnes de personas o animales. Ú. t. c. prnl. ‖ **2.** fig. Lastimar, destrozar la honra, el orgullo, etc.

dilación. (Del lat. *dilatĭo, -ōnis.*) f. Demora, tardanza o detención de una cosa por algún tiempo. ‖ **2.** ant. Dilatación, extensión, propagación.

dilapidación. (Del lat. *dilapidatĭo, -ōnis.*) f. Acción y efecto de dilapidar.

dilapidador, ra. adj. Que dilapida. Ú. t. c. s.

dilapidar. (Del lat. *dilapidāre.*) tr. Malgastar los bienes propios, o los que alguien tiene a su cargo.

dilatabilidad. f. Calidad de dilatable.

dilatable. adj. Que puede dilatarse.

dilatación. (Del lat. *dilatatĭo, -ōnis.*) f. Acción y efecto de dilatar o dilatarse. ‖ **2.** fig. Desahogo y serenidad en una pena o sentimiento grave. ‖ **3.** *Cir.* Procedimiento empleado para aumentar o restablecer el calibre de un conducto, de una cavidad o de un orificio, o mantener libre un trayecto fistuloso. ‖ **4.** *Fís.* Aumento de volumen de un cuerpo por apartamiento de sus moléculas y disminución de su densidad.

dilatadamente. adv. m. Con dilatación.

dilatado, da. p. p. de **dilatar.** ‖ **2.** adj. Extenso, vasto, numeroso.

dilatador, ra. (Del lat. *dilatātor, -ōris.*) adj. Que dilata o extiende. Ú. t. c. s.

dilatar. (Del lat. *dilatāre.*) tr. Extender, alargar y hacer mayor una cosa, o que ocupe más lugar o tiempo. Ú. t. c. prnl. ‖ **2.** Diferir, retardar. Ú. t. c. prnl. ‖ **3.** fig. Propagar, extender. DILATAR *la fama, el nombre.* Ú. t. c. prnl. ‖ **4.** prnl. Extenderse mucho en un discurso o escrito.

dilatativo, va. adj. Dícese de lo que tiene virtud de dilatar.

dilatometría. f. *Fís.* Técnica para medir la contracción y expansión de un cuerpo.

dilatómetro. m. *Fís.* Instrumento que mide la contracción y expansión de un cuerpo.

dilatoria. (Del lat. *dilatorĭus*, en su t. f. sustantivada.) f. **dilación.** Ú. m. en pl. *Traer a uno en* DILATORIAS; *andar con* DILATORIAS.

dilatorio, ria. (Del lat. *dilatorĭus.*) adj. Que causa dilación o aplazamiento. *Tácticas* DILATORIAS. ‖ **2.** *Der.* Que sirve para prorrogar y extender un término judicial o la tramitación de un asunto. ‖ **3.** *Der.* V. **excepción dilatoria.**

dilección. (Del lat. *dilectĭo, -ōnis.*) f. Voluntad honesta, amor reflexivo.

dilecto, ta. (Del lat. *dilectus*, p. p. de *diligĕre*, amar.) adj. Amado con dilección.

dilema. (Del lat. *dilemma*, y este del gr. δίλημμα; de δίς, dos, y λῆμμα, premisa.) m. Argumento formado de dos proposiciones contrarias disyuntivamente, con tal artificio, que negada o concedida cualquiera de las dos, queda demostrado lo que se intenta probar. ‖ **2.** fig. Duda, disyuntiva.

dilemático, ca. adj. Perteneciente o relativo al dilema.

dileniáceo, a. (De *Dillenia*, nombre de un género de plantas.) adj. *Bot.* Dícese de plantas angiospermas dicotiledóneas, leñosas, rara vez herbáceas, con hojas generalmente esparcidas; flores actinomorfas o cigomorfas, con cáliz de tres o más sépalos, corola pentámera y diez o más estambres; fruto en cápsula o baya, y semillas con arilo; como el vacabuey. Ú. t. c. s. f. ‖ **2.** f. pl. *Bot.* Familia de estas plantas.

diletante. (Del it. *dilettante*, que se deleita.) adj. Aficionado a las artes, especialmente a la música. Conocedor de ellas. Ú. t. c. s. ‖ **2.** Que cultiva algún campo del saber, o se interesa por él, como aficionado y no como profesional. Ú. t. c. s. Ú. a veces en sentido peyorativo.

diletantismo. m. Condición o comportamiento de diletante.

diligencia. (Del lat. *diligentĭa.*) f. Cuidado y actividad en ejecutar una cosa. ‖ **2.** Prontitud, agilidad, prisa. Ú. más con verbos de movimiento. ‖ **3.** Trámite de un asunto administrativo, y constancia escrita de haberlo efectuado. ‖ **4.** Coche grande, dividido en dos o tres departamentos, arrastrado por caballerías, y destinado al transporte de viajeros. ‖ **5.** V. **cédula, notario de diligencias.** ‖ **6.** ant. Amor, dilección. ‖ **7.** fam. Negocio, dependencia, solicitud. ‖ **8.** *Der.* Actuación del secretario judicial en un procedimiento criminal o civil. ‖ **de comparendo.** *Der.* Acta que el escribano extiende para acreditar la comparecencia de una persona. ‖ **en diligencia.** loc. adv. con que se denotaba la circunstancia de haber de caminar un correo de a caballo 30 leguas en veinticuatro horas. ‖ **evacuar una diligencia.** fr. Tramitarla, concluirla. ‖ **hacer** alguien sus **diligencias.** fr. Poner todos los medios para conseguir un fin. ‖ **hacer las diligencias de cristiano.** fr. Cumplir con la Iglesia, confesando y comulgando en Pascua, o cuando se dispone para morir. ‖ **hacer las diligencias del jubileo.** fr. Ejecutar lo que se previene para ganarlo. ‖ **hacer** alguien **una diligencia.** fr. **exonerar el vientre.**

diligenciamiento. m. Acción y efecto de diligenciar.

diligenciar. (De *diligencia.*) tr. Poner los medios necesarios para el logro de una solicitud. ‖ **2.** Tramitar un asunto administrativo con constancia escrita de que se hace. ‖ **3.** *Der.* Despachar o tramitar un asunto mediante las oportunas diligencias.

diligenciero. (De *diligencia.*) m. El que toma a su cargo la solicitud de los negocios de otro. ‖ **2.** ant. *Der.* Encargado por los fiscales para evacuar algunas diligencias de oficio; como pruebas de hidalguía, etc.

diligente. (Del lat. *dilĭgens, -entis.*) adj. Cuidadoso, exacto y activo. ‖ **2.** Pronto, presto, ligero en el obrar.

diligentemente. adv. m. Con cuidado y prontitud.

dilogía. (Del lat. *dilogĭa,* y este del gr. διλογία.) f. Uso de una palabra con dos significados distintos dentro del mismo enunciado.

dilucidación. (Del lat. *dilucidatĭo, -ōnis.*) f. Acción y efecto de dilucidar.

dilucidador, ra. adj. Que dilucida. Ú. t. c. s.

dilucidar. (Del lat. *dilucidāre.*) tr. Declarar y explicar un asunto, una proposición o una obra de ingenio.

dilucidario. m. Escrito con que se dilucida o ilustra una obra.

dilución. (Del lat. *dilutĭo, -ōnis.*) f. Acción y efecto de diluir[1] o diluirse.

dilúculo. (Del lat. *dilucŭlum,* crepúsculo matutino.) m. Última de las seis partes en que se dividía la noche.

diluente. (Del lat. *dilŭens, -entis.*) p. a. de **diluir**[1]. Diluyente.

diluir[1]. (Del lat. *dilŭere.*) tr. **desleír.** Ú. t. c. prnl. ‖ **2.** *Quím.* Añadir líquido en las disoluciones.

diluir[2]. (Del lat. *deludĕre.*) tr. ant. **engañar.**

dilusivo, va. (Del lat. *delūsus,* burlado.) adj. ant. Que tiene facultad de diluir[2].

diluvial. (Del lat. *diluviālis.*) adj. Perteneciente al diluvio. ‖ **2.** *Geol.* Dícese del terreno constituido por enormes depósitos de materias sabulosas que fueron arrastradas por grandes corrientes de agua. Ú. t. c. s. ‖ **3.** *Geol.* Perteneciente a este terreno.

diluviano, na. adj. Que tiene relación con el diluvio universal, o que hiperbólicamente se compara con él.

diluviar. (Del lat. *diluviāre.*) intr. impers. Llover a manera de diluvio.

diluvio. (Del lat. *diluvĭum.*) m. Inundación de la tierra o de una parte de ella, precedida de copiosas lluvias. ‖ **2.** Por antonom., el universal con que, según la Biblia, Dios castigó a los hombres en tiempo de Noé. ‖ **3.** V. **arca del diluvio.** ‖ **4.** fig. y fam. Lluvia muy copiosa. ‖ **5.** fig. y fam. Excesiva abundancia de una cosa. *Un* DILUVIO *de palabras, de injurias.*

diluyente. p. a. de **diluir**[1]. Que diluye. Ú. t. c. s.

dimanación. (De *dimanar.*) f. Acción de dimanar.

dimanar. (Del lat. *dimanāre.*) intr. Proceder o venir el agua de sus manantiales. ‖ **2.** fig. Provenir, proceder y tener origen una cosa de otra.

dimensión. (Del lat. *dimensĭo, -ōnis.*) f. *Fís.* Cada una de las magnitudes de un conjunto que sirven para definir un fenómeno. *El espacio de cuatro* DIMENSIONES *de la teoría de la relatividad.* ‖ **2.** *Fís.* Producto de las potencias de las unidades físicas fundamentales que sirve para definir otra unidad física derivada. Las unidades fundamentales son la masa, la longitud y el tiempo. ‖ **3.** *Geom.* Longitud, extensión o volumen, de una línea, una superficie o un cuerpo respectivamente. Ú. t. en sent. fig. *Un escándalo de grandes* DIMENSIONES. ‖ **4.** *Geom.* Extensión de un objeto en dirección determinada. ‖ **5.** *Mús.* Medida de los compases.

dimensional. adj. Perteneciente o relativo a la dimensión. ‖ **2.** V. **análisis dimensional.**

dímero. (De *di-*[2] y el gr. μέρος, parte.) adj. *Zool.* Dícese del insecto que solo tiene dos artejos en todos los tarsos.

dimes y diretes. (De *dime* y *diréte.*) loc. fam. Contestaciones, debates, altercaciones, réplicas entre dos o más personas. *Andar en* DIMES Y DIRETES.

dímetro. (Del lat. *dimĕter, -tra,* del gr. δίμετρος.) m. En la poesía clásica, verso que consta de dos metros o pies.

dimiario. adj. *Zool.* Dícese de los moluscos bivalvos que tienen dos músculos aductores para cerrar las valvas de la concha, como las almejas de mar.

dimidiar. (Del lat. *dimidiāre,* de *dimidĭus,* medio.) tr. p. us. **demediar.**

dimidor. m. *Ast.* El que se emplea en dimir.

diminución. (Del lat. *diminutĭo, -ōnis.*) f. desus. **disminución.**

diminuecer. (Del lat. *di,* di-[1], y *minuiscĕre.*) intr. ant. Menguar, mermar.

diminuir. (Del lat. *diminuĕre.*) tr. desus. **disminuir.** Ú. t. c. prnl.

diminutamente. adv. m. **escasamente,** con escasez. ‖ **2.** Menudamente, por menor.

diminutivamente. adv. m. En forma diminutiva.

diminutivo, va. (Del lat. *diminutīvus.*) adj. Que tiene cualidad de disminuir o reducir a menos una cosa. ‖ **2.** *Gram.* Dícese del sufijo que disminuye la magnitud del significado del vocablo al que se une (*-illa,* en TENACILLA, de *tenaza);* o que, sin aminorarlo, presenta al objeto con intenciones emotivas muy diversas por parte del hablante (*Tiene ya dos* AÑITOS. *¡Qué* NOCHECITA *más atroz!),* o para influir a su favor en el oyente (*Una* LIMOSNITA). Puede cambiar el género del positivo del que se deriva (CUADRILLA, de *cuadro;* BOTELLÍN, de *botella).* Ú. t. c. s. m. ‖ **3.** m. *Gram.* Palabra formada con sufijos **diminutivos.**

diminuto, ta. (Del lat. *diminūtus.*) adj. Defectuoso, falto de lo que sirve para complemento o perfección. ‖ **2.** Excesivamente pequeño. ‖ **3.** V. **cuestión diminuta.** ‖ **4.** *Mús.* V. **séptima, sexta diminuta.**

dimir. (Del lat. *demĕre,* quitar.) tr. *Ast.* Echar al suelo con largas varas o pértigas el fruto ya maduro de los nogales, castaños, manzanos y otros árboles.

dimisión. (Del lat. *dimissĭo, -ōnis.*) f. Renuncia, abandono de una cosa que se posee. Dicho de empleos y comisiones.

dimisionario, ria. adj. Que hace o ha hecho dimisión. Ú. t. c. s.

dimisorias. (Del lat. *dimissorĭas littĕras.*) f. pl. Letras o cartas que dan los prelados a sus súbditos para que puedan ir a recibir de un obispo extraño las sagradas órdenes. ‖ **dar dimisorias** a alguien. fig. y fam. Despedirle, ahuyentándole con desagrado. ‖ **llevar dimisorias.** fr. fig. y fam. Ser despedido con desagrado.

dimitente. p. a. de **dimitir.** Que dimite. Ú. t. c. s.

dimitir. (Del lat. *dimittĕre.*) tr. Renunciar, hacer dejación de una cosa; como empleo, comisión, etc.

dimorfismo. m. *Mineral.* Calidad de dimorfo. ‖ **2.** *Biol.* Condición de los seres que presentan dos formas o dos aspectos anatómicos diferentes.

dimorfo, fa. (De *di-*[2] y el gr. μορφή, forma.) adj. *Mineral.* Aplícase a la sustancia que puede cristalizar según dos sistemas diferentes; como el carbonato de cal, que da las especies aragonito y espato calizo. ‖ **2.** *Biol.* Dícese de la especie animal o vegetal cuyos individuos presentan de modo normal dos formas o aspectos marcadamente diferentes.

din. (apóc. de *dinero,* por semejanza con *don.*) m. fam. **dinero,** moneda; caudal, en frases como las siguientes: *El* DIN *y el don; el don sin el* DIN; esto es, dinero y calidad; nobleza sin bienes de fortuna.

dina. (Del gr. δύναμις, fuerza.) f. *Fís.* Unidad de fuerza en el sistema cegesimal. Equivale a la fuerza necesaria para mover la masa de un gramo a razón de un centímetro por segundo cada segundo.

dinacho. (De or. araucano.) m. *Chile.* Hierba de la familia de las araliáceas, cuyos tallos enterrados en la arena se ablandan y son de gusto delicado.

dinamarqués, sa. adj. **danés.** Ú. t. c. s.

dinamia. (Del gr. δύναμις, fuerza.) f. *Mec.* Unidad de medida, expresiva de la fuerza capaz de elevar un kilogramo de peso a la altura de un metro en tiempo determinado.

dinámica. (Del gr. δυναμική.) f. Parte de la mecánica que trata de las leyes del movimiento en relación con las fuerzas que lo producen. ‖ **2.** fig. Sistema de fuerzas dirigidas a un fin.

dinámico, ca. (Del gr. δυναμικός, de δύναμις, fuerza.) adj. Perteneciente o relativo a la fuerza cuando produce movimiento. ‖ **2.** Perteneciente o relativo a la dinámica. ‖ **3.** fig. y fam. Dícese de la persona notable por su energía y actividad.

dinamismo. (Del gr. δύναμις, fuerza.) m. Energía activa y propulsora. ‖ **2.** Actividad, presteza, diligencia grandes. ‖ **3.** *Fil.* Sistema que considera el mundo corpóreo como formado por agrupaciones de elementos simples, realmente inextensos, y cuyo fondo esencial es la fuerza; de suerte que los fenómenos corpóreos resultan del choque de fuerzas elementales, y se reducen en definitiva a modos del movimiento.

dinamista. adj. Dícese del que es partidario del dinamismo. Ú. t. c. s.

dinamita. (Cultismo acuñado por su inventor, del gr. δύναμις, fuerza.) f. Mezcla explosiva de nitroglicerina con un cuerpo muy poroso. ‖ **de base activa.** Aquella en que se usa como absorbente un cuerpo combustible o explosivo, como carbón, serrín, nitrato de sodio, etc. ‖ **de base inerte.** Aquella en que se emplea como absorbente una sustancia inerte, como sílice, yeso, ceniza, etc.

dinamitar. tr. Volar con dinamita alguna cosa. ‖ **2.** fig. Destruir, aniquilar.

dinamitazo. m. Explosión o tiro de dinamita.

dinamitero, ra. adj. Dícese de quien sistemáticamente destruye o trata de destruir personas o cosas por medio de la dinamita. Ú. t. c. s.

dinamo o **dínamo.** (Del gr. δύναμις, fuerza.) f. *Fís.* Máquina destinada a transformar la energía mecánica (movimiento) en energía eléctrica (corriente), o viceversa, por inducción electromagnética, debida generalmente a la rotación de cuerpos conductores en un campo magnético.

dinamoeléctrico, ca. adj. *Fís.* Aplícase a la máquina llamada dinamo.

dinamógeno, na. adj. Que estimula el vigor físico.

dinamometría. f. *Fís.* Arte de medir las fuerzas motrices.

dinamométrico, ca. adj. *Mec.* Perteneciente o relativo al dinamómetro.

dinamómetro. (Del gr. δύναμις, fuerza, y *-metro.*) m. *Mec.* Instrumento que sirve para apreciar la resistencia de las máquinas y evaluar las fuerzas motrices.

dinar. (Del ár. *dīnār*, y este del gr. mod. δηνάριον.) m. Moneda árabe de oro, que se acuñó desde fines del siglo VII, y cuyo peso era de poco más de cuatro gramos. ‖ **2.** Moneda y unidad monetaria de Argelia, Bahreim, Irak, Jordania, Kuwait, Libia, Túnez, Yemen y Yugoslavia. ‖ **3.** Moneda imaginaria persa.

dinarada. f. ant. **dinerada.** ‖ **2.** ant. Cantidad de comestible que se compra con un dinero.

dinasta. (Del lat. *dynasta*, y este del gr. δυνάστης, príncipe, señor.) m. Príncipe o señor que reinaba con el consentimiento o bajo la dependencia de otro soberano.

dinastía. (Del gr. δυναστεία, de δυνάστης, dinasta.) f. Serie de príncipes soberanos en un determinado país, pertenecientes a una familia. ‖ **2.** Familia en cuyos individuos se perpetúa el poder o la influencia política, económica, cultural, etc.

dinástico, ca. adj. Perteneciente o relativo a la dinastía. ‖ **2.** Partidario de una dinastía.

dinastismo. m. Fidelidad y adhesión a una dinastía.

dinerada. f. Cantidad grande de dinero. ‖ **2.** Moneda antigua que equivalía a un maravedí de plata.

dineral. adj. V. **pesa dineral.** ‖ **2.** m. Cantidad grande de dinero. ‖ **3.** Juego de pesas que se usaba para comprobar en la balanza el peso de las monedas. Lo había para el oro y para la plata. ‖ **4.** *Ar.* Cierta medida pequeña con que en las tabernas se medía el vino correspondiente a un dinero. Usáb. t. para el aceite. ‖ **de oro.** Pesa de un castellano, o sea ocho tomines, dividida en 24 quilates, y cada quilate en cuatro granos. ‖ **de plata.** Pesa de un marco, dividida en 12 dineros, y cada dinero en 24 granos. ‖ **de quilates.** Juego de pesas que usaban los joyeros para valorar las perlas y piedras preciosas.

dineralada. f. Dinerada, dineral.

dinerario, ria. adj. Perteneciente o relativo al dinero como instrumento para facilitar los cambios.

dinerillo. (d. de *dinero.*) m. Moneda antigua de vellón que independientemente se acuñó en Aragón y Valencia. El de Aragón era algo menor que un ochavo, y algo mayor el de Valencia. ‖ **2.** fam. Pequeña cantidad de dinero.

dinero. (Del lat. *denarĭus.*) m. Moneda corriente. ‖ **2.** Moneda de plata y cobre usada en Castilla en el siglo XIV y que equivalía a dos cornados. ‖ **3.** fig. Hacienda, fortuna. *José es hombre de* DINERO, *pero no tiene tanto como se cree.* ‖ **4.** Antigua moneda de plata del Perú. ‖ **5.** Peso de 24 granos, equivalente a 11 gramos y 52 centigramos, que se usaba para las monedas y objetos de plata. ‖ **6.** **penique.** ‖ **7.** *Econ.* Medio de cambio de general aceptación, que puede ser declarado forma legal de pago, constituido por piezas metálicas acuñadas, billetes u otros instrumentos fiduciarios. ‖ **8.** *Ar.* **ochavo,** moneda. ‖ **a daño,** o **a interés.** El que se da o recibe a préstamo con interés. ‖ **al contado. dinero contante.** ‖ **burgalés.** Moneda de oro de muy baja ley, mandada labrar en Burgos por el rey Alfonso X; valía dos pepiones. ‖ **contante,** o **contante y sonante,** o **en tabla. dinero** pronto, efectivo, corriente. ‖ **negro.** El obtenido ilegalmente. ‖ **trocado. dinero** cambiado en monedas menudas. ‖ **¡adiós mi dinero!** expr. fig. y fam. que se emplea cuando se pierde o malogra algo. ‖ **buen dinero.** Cantidad de efectiva cobranza. ‖ **acometer con dinero.** fr. fig. y fam. Intentar o pretender cohecho o soborno. ‖ **a dinero. a dinero contante. a dinero seco. al dinero.** locs. advs. En **dinero** y moneda efectiva. ‖ **a dineros dados, brazos quebrados. a dineros pagados, brazos cansados.** exprs. que advierten que no se debe hacer el pago adelantado, porque quien lo recibe pierde el estímulo para continuar la obra. ‖ **alzarse con el dinero.** fr. Entre jugadores, ganarlo. ‖ **a pagar de mi dinero.** loc. adv. fig. y fam. que se usa para afirmar, asegurar y ponderar que una cosa es cierta, como afianzándola con el propio caudal. ‖ **echar dinero en** una cosa. fr. **echar caudal en** ella. ‖ **estar** alguien **mal con** su **dinero.** fr. fig. y fam. Malgastarlo o aventurarlo en empresas descabelladas. ‖ **estar** alguien **podrido de** o **en dinero.** fr. fig. y fam. Ser muy rico. ‖ **estrujar el dinero.** fr. fig. y fam. Ser miserable o poco dadivoso. ‖ **hacer dinero.** fr. fig. y fam. Juntar caudal, hacerse rico. ‖ **levantarse con el dinero.** fr. **alzarse con el dinero.** ‖ **pasar el dinero.** fr. Volverlo a contar, para satisfacerse enteramente de que está cabal la cantidad que se entrega o recibe.

dineroso, sa. (De *dinero.*) adj. p. us. Rico, adinerado.

dineruelo. m. d. de **dinero.**

dingolondango. m. fam. Expresión cariñosa, mimo, halago, arrumaco. Ú. m. en pl.

dino, na. adj. ant. **digno.** Hoy es vulg.

dinornis. (Del gr. δεινός, terrible, y ὄρνις, pájaro.) m. *Paleont.* Especie de avestruz antediluviano de tamaño gigantesco.

dinosaurio. (Del gr. δεινός, terrible, y σαῦρος, lagarto.) adj. *Paleont.* Dícese de ciertos reptiles fósiles que son los animales terrestres más grandes que han existido, con cabeza pequeña, cuello largo, cola robusta y larga, y extremidades posteriores más largas que las anteriores, y otros con las cuatro extremidades casi iguales, como el diplodoco. Ú. t. c. s.

dinoterio. (Del gr. δεινός, terrible, y θηρίον, bestia.) m. *Paleont.* Proboscidio fósil semejante a un elefante, que vivió en el período mioceno y tenía unos cinco metros de largo.

dintel. (De *lintel.*) m. *Arq.* Parte superior de las puertas, ventanas y otros huecos que carga sobre las jambas. ‖ **de hierro.** *Arq.* Barra de hierro que se embebe en la mocheta de un arco para apear las dovelas.

dintelar. tr. Hacer dinteles o construir una cosa en forma de dintel.

dintorno. (Del it. *dintorno,* de *d'intorno,* de entorno.) m. *Arq.* y *Pint.* Delineación de las partes de una figura, contenidas dentro de su contorno, o de las contenidas en el interior de la planta o de la sección de un edificio.

diñar. (De or. caló.) tr. Dar, entregar. ‖ **diñarla. morir.** ‖ **diñársela** a alguien. fr. Engañarle, burlarle.

diocesal. adj. ant. **diocesano.**

diocesano, na. (Del lat. *dioecesanus.*) adj. Perteneciente a la diócesis. ‖ **2.** Dícese del obispo o arzobispo que tiene diócesis. Ú. t. c. s. ‖ **3.** V. **administración diocesana.** ‖ **4.** V. **sínodo diocesano.**

diócesi. f. **diócesis.**

diócesis. (Del lat. *dioecēsis,* y este del gr. διοίκησις.) f. Distrito o territorio en que tiene y ejerce jurisdicción espiritual un prelado; como arzobispo, obispo, etc.

diodo. (De *di-*[2] y el gr. ὁδός, camino.) m. *Electr.* Válvula electrónica que consta de un ánodo frío y de un cátodo caldeado. Se emplea como rectificador.

dioico, ca. (De *di-*[2] y el gr. οἶκος, casa, morada.) adj. *Bot.* Aplícase a las plantas que tienen las flores de cada sexo en pie separado, y también a estas mismas flores.

dionea. f. **atrapamoscas.**

dionisia. (Del lat. *dionysĭas,* de *Dionȳsus,* el dios Baco.) f. Piedra que, según los antiguos, era negra, salpicada de manchas rojas, podía dar sabor de vino al agua y ser un remedio contra la embriaguez.

dionisíaco, ca o **dionisiaco, ca.** (Del lat. *dionysiăcus.*) adj. Perteneciente o relativo a Dioniso, llamado también Baco. ‖ **2.** Que posee algunos de los rasgos atribuidos a Dioniso. Ú. t. c. s. ‖ **3.** En contraposición a apolíneo, aplícase a lo impulsivo, instintivo, extático, etc.

dioptra. (Del lat. *dioptra,* y este del gr. διόπτρα, instrumento para hacer mediciones a distancia.) f. **pínula.** ‖ **2. alidada.**

dioptría. (De *dia-,* a través de, y la raíz gr. ὀπ-, ver.) f. *Ópt.* Unidad de medida usada por los oculistas y que equivale al poder de una lente cuya distancia focal es de un metro.

dióptrica. (Del gr. διοπτρική.) f. Parte de la óptica, que trata de los fenómenos de la refracción de la luz.

dióptrico, ca. (Del gr. διοπτρικός.) adj. Perteneciente o relativo a la dióptrica.

diorama. (De *dia-,* a través, y el gr. ὅραμα, vista.) m. Panorama en que los lienzos que mira el espectador son transparentes y pintados por las dos caras: haciendo que la luz ilumine unas veces solo por delante y otras por detrás, se consigue ver en un mismo sitio dos cosas distintas. ‖ **2.** Sitio destinado a este recreo.

diorita. (Del gr. διορίζω, distinguir.) f. Roca eruptiva, granosa, formada por feldespato y un elemento oscuro, que puede ser piroxeno, anfíbol o mica negra.

dios. (Del lat. *deus.*) n. p. m. Nombre sagrado del Supremo Ser, Criador del universo, que lo conserva y rige por su providencia. ‖ **2.** m. Cualquiera de las deidades a que dan o han dado culto las diversas religiones; como *el* DIOS *Apolo* o *el* DIOS *Marte,* de los latinos; *el* DIOS *Brahma,* de los indios; *el* DIOS *Niord,* de los escandinavos; *el* DIOS *Tlaloc,* de los mejicanos, etc. ‖ **Dios chico.** Ceremonia subsiguiente a la procesión del **Dios** grande para llevar sin solemnidad la comunión a los enfermos que no pudieron recibirla entonces. ‖ **grande.** fam. En Madrid, procesión solemne que en las domínicas después de Pascua de Resurrección salía de cada parroquia para administrar la comunión a los enfermos. ‖ **Hombre.** *Teol.* **Jesucristo,** Nuestro Señor. ‖ **Padre.** *Teol.* **Padre,** primera persona de la Santísima Trinidad. ‖ **¡a Dios!** exclam. **¡adiós!** ‖ **2.** También sirve para denotar no ser ya posible evitar un daño. ‖ **3.** Ú. t. para expresar decepción. ‖ **a Dios y a dicha,** o **a ventura.** loc. adv. Inciertamente, sin esperanza ni seguridad de feliz éxito en lo que se emprende. ‖ **alabado sea Dios.** expr. de salutación que se usa al entrar en alguna parte. ‖ **2. ¡bendito sea Dios!** ‖ **a la buena de Dios.** expr. fam. Sin artificio ni malicia. ‖ **2.** Sin preparación, al azar. ‖ **a la,** o **a lo de Dios,** o **a la de Dios es Cristo.** loc. adv. fam. con que se da a entender la inconsideración con que alguien obra o emprende un asunto. ‖ **amanecerá Dios, y medraremos.** expr. fig. y fam. que se emplea para diferir a otro día la resolución o ejecución de una cosa. ‖ **2.** fig. y fam. También indica que el tiempo puede cambiar favorablemente las cosas. ‖ **amanecer Dios.** fr. fam. **amanecer**[1], empezar a aparecer la luz del día. ‖ **anda con Dios.** expr. que se usa para despedir a alguien. ‖ **2. ¡vaya por Dios!** ‖ **¡aquí de Dios!** exclam. en que se prorrumpe como para pedir a **Dios** ayuda, o como poniéndole por testigo. ‖ **así Dios me salve.** expr. que se emplea como juramento. ‖ **así Dios te dé la gloria, o te guarde.** expr. que como deprecación suele juntarse a la petición o súplica de una cosa. ASÍ DIOS TE DÉ LA GLORIA, *que me socorras con una limosna;* ASÍ DIOS TE GUARDE, *que me favorezcas en esto.* ‖ **¡ay Dios!** interj. de dolor, de susto, de lástima, etc. ‖ **bendecir Dios** a alguien. fr. fig. Prosperarle, hacerle feliz. DIOS *te* BENDIGA. ‖ **¡bendito sea Dios!** expr. con que se denota enfado, y también conformidad en un contratiempo. ‖ **cada uno es como Dios le ha hecho.** expr. fig. y fam. que se usa para explicar y disculpar las genialidades de carácter de cada uno. ‖ **clamar a Dios.** fr. Afligirse, desesperarse. ‖ **2.** fig. Resultar una cosa mal hecha o contra ley y justicia. *Eso* CLAMA A DIOS. ‖ **como Dios es mi Padre.** Fórmula de juramento. **como hay Dios.** ‖ **como Dios es servido.** loc. adv. con que se explica que una cosa sucede con poca satisfacción nuestra. ‖ **como Dios está en los cielos.** Fórmula de juramento. **como hay Dios.** ‖ **como Dios me, te, le,** etc., **da a entender.** loc. adv. fig. y fam. Como buenamente se puede, venciendo de cualquier modo las dificultades que para hacer algo se presentan. ‖ **como Dios sea servido.** loc. adv. Si **Dios** quiere y lo permite. ‖ **como hay Dios.** Fórmula de juramento para afirmar o negar una cosa. ‖ **con Dios.** expr. de despedida; elipsis de **quedad,** o **queden ustedes, con Dios.** ‖ **creer en Dios a macha martillo,** o **a puño cerrado.** fr. fig. y fam. que usan los que, preciándose de buenos católicos, no quieren entrar en disputas de religión. ‖ **dar a Dios** a alguien. fr. Administrarle el Viático. ‖ **darse a Dios y a los santos.** fr. fam. Incomodarse, afligirse con exceso. ‖ **de Dios.** loc. adv. fam. Copiosamente, con gran abundancia. *Llueve* DE DIOS; *se ha cogido trigo* DE DIOS. ‖ **de Dios, el medio.** expr. con que se exagera la propensión que alguien tiene a hurtar. *Hurtar* DE DIOS, EL MEDIO. ‖ **de Dios en ayuso.** loc. adv. ant. De **Dios** abajo. ‖ **de Dios venga el reme-**

dio. fr. con que se significa la imposibilidad humana de remediar un daño. ‖ **dejar Dios de su mano** a alguien. fr. Proceder tan desarregladamente que parezca que **Dios** le ha abandonado. ‖ **dejarlo a Dios.** fr. Fiar a la divina Providencia el éxito de un negocio o el desagravio de una injuria. ‖ **delante de Dios y de todo el mundo.** expr. fam. Con la mayor publicidad. ‖ **de menos nos hizo Dios.** expr. que explica la esperanza que se tiene de conseguir lo que se intenta, aunque parezca desproporcionado. ‖ **descreer de Dios.** fr. Renegar del Señor. ‖ **después de Dios, la olla.** expr. fam. que explica que en lo temporal no hay cosa mejor que tener qué comer. ‖ **digan, que de Dios dijeron.** expr. fam. con que se desprecia la murmuración o los dichos ajenos. ‖ **¡Dios!** interj. de admiración, asombro u horror. ‖ **Dios amanezca** a usted **con bien.** expr. fam. que se usa para manifestar a alguien el deseo que se tiene de que llegue con felicidad al día siguiente. ‖ **Dios aprieta, pero no ahoga.** expr. fig. con que se aconseja la conformidad en las tribulaciones, esperando en **Dios.** ‖ **Dios da ciento por uno.** fr. fig. que indica que los actos de caridad siempre alcanzan gran recompensa para el que los practica. ‖ **Dios dará.** expr. con que animamos nuestra confianza para socorrer liberalmente las necesidades del prójimo. ‖ **Dios dé el remedio.** fr. **de Dios venga el remedio.** ‖ **Dios delante.** expr. fam. Con la ayuda de **Dios.** ‖ **2.** Sea lo que **Dios** quisiere. ‖ **Dios dijo lo que será.** expr. con que se explica la duda del cumplimiento o certeza de lo que se promete o asevera. ‖ **Dios dirá.** expr. con que se remite a la voluntad de **Dios** el éxito de lo que nos prometemos. ‖ **Dios es Dios.** expr. que, unida a otras, explica que alguien se mantiene con terquedad en su opinión sin ceder a la razón. DIOS ES DIOS, *que ha de ser esto.* ‖ **Dios es grande.** expr. que se usa para consolarse en una desdicha recurriendo al gran poder de **Dios,** de quien se espera que la remedie. ‖ **Dios lo oiga, y el pecado sea sordo.** expr. fam. con que se expresa el deseo de que suceda bien lo que se intenta. ‖ **Dios los cría y ellos se juntan.** expr. fig. y fam. con que se da a entender que los que son semejantes en las inclinaciones y en el genio se buscan unos a otros. Ú. generalmente en sentido peyorativo. ‖ **Dios mantenga.** expr. Saludo rústico y considerado como descortés cuando era dirigido a superiores. ‖ **Dios mediante.** expr. Queriendo **Dios.** ‖ **Dios me entiende.** expr. con que se denota que lo que se dice no va fuera de razón, aunque no se pueda explicar por algún motivo o respeto, y por eso parezca despropósito. ‖ **Dios me haga bien con** esto o aquello. expr. con que alguien da a entender que está contento con lo que tiene, y que no quiere o apetece otra cosa. ‖ **Dios mejorará sus horas.** fr. para dar esperanza en la adversidad. ‖ **Dios me perdone, pero...** expr. fam. que suele usarse al ir a emitir un juicio desfavorable o temerario. ‖ **¡Dios mío!** expr. que, usada como interjección, sirve para significar admiración, extrañeza, dolor o sobresalto. ‖ **Dios nos asista,** o **nos la depare buena,** o **nos coja confesados,** o **nos tenga de su mano.** exprs. con que se indica el deseo de la intervención divina para evitar un mal inminente y, al parecer, inevitable. ‖ **Dios sabe.** fr. que se usa para indicar que una cosa cae fuera de nuestro saber, sea para encarecerla, sea para darla como dudosa. DIOS SABE *lo que me cuesta;* DIOS SABE *dónde estará.* ‖ **Dios sobre todo.** expr. que se usa cuando se duda del resultado de una cosa. ‖ **Dios te ayude.** expr. con que se saluda a alguien cuando estornuda. ‖ **Dios te la depare buena.** expr. fam. con que se da a entender la duda o recelo que se tiene de que no salga bien lo que se intenta. ‖ **2.** fam. Denota la contingencia que tiene una cosa cuando se emprende sin probabilidad de lograrla, o a salga lo que saliere. ‖ **Dios ve las trampas.** expr. fam. con que se explica la esperanza de que **Dios** castigará al que se presume ha obrado con engaño, haciendo que este se vuelva contra él. ‖ **Dios y ayuda.** expr. fam. Sumo esfuerzo que es necesario para lograr algún propósito. Ú. m. con los verbos *costar* y *necesitar.* ‖ **donde Dios es servido.** expr. con que se significa lugar o sitio indefinido o indeterminado. ‖ **dormir en Dios.** fr. fig. **dormir en el Señor.** ‖ **en Dios y en conciencia,** o **en Dios y mi alma,** o **mi ánima.** Fórmula o especie de juramento o aseveración de una cosa. ‖ **estar alguien con Dios.** fr. **gozar de Dios.** ‖ **estar de Dios** una cosa. fr. con que se significa creerla dispuesta por la Providencia, y por consiguiente ser inevitable. ‖ **estar** alguien **fuera de Dios.** fr. fig. Obrar disparatadamente. ‖ **fuera sea de Dios.** expr. que se usa cuando uno maldice una cosa con inmediato respeto a **Dios.** *Maldita sea tu alma,* FUERA SEA DE DIOS. ‖ **gloriarse en Dios.** fr. **gloriarse en el Señor.** ‖ **gozar** alguien **de Dios.** fr. Haber muerto y conseguido la bienaventuranza. ‖ **hablar con Dios.** fr. **orar,** hacer oración. ‖ **2.** fig. y fam. Volar a gran altura. ‖ **hablar Dios** a alguien. fr. Inspirarle. ‖ **hacer algo como Dios manda.** loc. fam. Hacer las cosas bien; con exactitud y acierto. ‖ **herir Dios** a alguien. fr. fig. Castigarle, afligirle con trabajos y penalidades. ‖ **irse** alguien **bendito de Dios.** fr. fig. **irse mucho con Dios.** ‖ **irse** alguien **con Dios.** fr. Marcharse o despedirse. ‖ **2. irse mucho con Dios.** ‖ **irse mucho con Dios.** fr. Marcharse con enfado, voluntariamente o despedido. ‖ **¡juro a Dios!** expr. **¡voto a Dios!** ‖ **la de Dios es Cristo.** fr. fig. y fam. Gran disputa, riña o pendencia. Ú. m. con los verbos *armarse, haber, ser,* etc. ‖ **2.** fig. y fam. Bulla, algazara. ‖ **líbrenos Dios de «hecho es».** expr. que da a entender que lo hecho no tiene remedio. ‖ **llamar a Dios de tú.** fr. fig. y fam. Ser demasiado franco; tener excesiva confianza en el trato con los demás. ‖ **2.** fig. y fam. Ser de gran mérito una persona o cosa. ‖ **llamar Dios** a alguien. fr. **morir,** acabar o fenecer la vida. ‖ **2.** fig. Inspirarle deseo o propósito de mejorar de vida. ‖ **llamar Dios** a alguien **a juicio,** o **para sí.** fr. **llamar Dios** a alguien, acabar o fenecer la vida. ‖ **llamar Dios** a alguien **por un camino.** expr. fig. y fam. Tener aptitud para determinada cosa. Ú. m. en forma negativa. ‖ **maldita de Dios la cosa.** loc. fam. Nada absolutamente. ‖ **mejor te ayude Dios.** expr. con que se replica y da a entender a alguien que lo que ha dicho y sentado es incierto, o que lleva dañada intención. ‖ **miente más que da por Dios.** expr. fam. que se usa para ponderar el exceso con que alguien miente. ‖ **no es Dios viejo.** expr. fig. y fam. con que se explica la esperanza de lograr en adelante lo que una vez no se ha logrado. ‖ **no haber para** alguien **más Dios ni Santa María que** una cosa. fr. fig. y fam. Tenerle excesivo amor, pasión o cariño. PARA *él* NO HAY MÁS DIOS NI SANTA MARÍA QUE *el juego.* ‖ **no se ha muerto Dios de viejo.** expr. fig. y fam. **no es Dios viejo.** ‖ **no servir a Dios ni al diablo** una persona o cosa. fr. fig. y fam. Ser inútil o inepta. ‖ **no tener** alguien **sobre qué Dios le llueva.** fr. fig. y fam. Ser sumamente pobre. ‖ **ofender a Dios.** fr. **pecar,** quebrantar la ley de **Dios.** ‖ **¡oh Dios!** interj. de asombro y de horror. ‖ **para aquí y para delante de Dios.** expr. fam. con que se encarece la firmeza de una resolución o la sinceridad de una promesa. ‖ **¡par Dios!** Fórmula de juramento. ‖ **permita Dios.** fr. con que se manifiesta el deseo de que suceda una cosa. La mayoría de las veces forma parte de una imprecación. ‖ **plega,** o **plegue, a Dios.** expr. con que se manifiesta el deseo de que suceda una cosa o el recelo de que no suceda como se desea. ‖ **poner a Dios delante de los ojos.** fr. fig. Proceder y obrar con rectitud de conciencia, sin tener respeto a los intereses mundanos. ‖ **poner a Dios por testigo.** fr. fig. Invocar su santo nombre para aseverar lo que se dice. ‖ **ponerse bien con Dios.** fr. Limpiar la conciencia de culpas para volver a su gracia. ‖ **por Dios.** expr. usada para pedir limosna, o esforzar una súplica cualquiera. ‖ **¡por Dios!** Fórmula común de juramento. ‖ **que Dios goce,** o **que Dios**

haya. frs. que piadosamente se añaden al nombrar a un difunto. ‖ **que Dios le ampare, que Dios le bendiga,** o **que Dios le socorra.** exprs. usadas para despedir al mendigo cuando no se le socorre. ‖ **quiera Dios.** expr. con que se explica la desconfianza de que una cosa salga tan bien como uno se la promete. ‖ **recibir a Dios.** fr. Comulgar. ‖ **¡sabe Dios!** expr. con que se manifiesta la inseguridad o ignorancia de lo que se trata. ‖ **ser** una cosa **para alabar a Dios.** fr. fam. Ser admirable por su perfección, abundancia, etc. ‖ **ser** una cosa **un contra Dios.** fr. fam. Resultar una cosa sumamente injusta. ‖ **si Dios es servido,** o **siendo Dios servido.** locs. advs. **como Dios sea servido.** ‖ **sin encomendarse a Dios ni al diablo.** loc. adv. fig. y fam. con que se manifiesta la intrepidez y falta de reflexión con que se arroja a ejecutar una cosa. ‖ **¡si no mirara a Dios!** expr. que se usa como interj. para expresar que se contiene el enojo o la venganza por el respeto debido a **Dios,** que lo prohíbe. ‖ **si no quisiera Dios.** expr. con que se denota vivo deseo de que no suceda una cosa. ‖ **si quisiera Dios.** expr. con que se denota vivo deseo de que suceda una cosa. ‖ **sírvase Dios con todo.** expr. que se usa para conformarse con la voluntad divina en los trabajos y adversidades. ‖ **tener Dios** a alguien **de su mano.** fr. fig. Ampararle, asistirle, detenerle cuando va a precipitarse en un vicio o exceso. ‖ **2.** fig. Contenerle, infundirle moderación y templanza. ‖ **tentar a Dios.** fr. Ejecutar o decir cosas muy arduas o peligrosas, como queriendo hacer experiencia de su poder. ‖ **tomar a Dios los puertos.** fr. fig. y fam. Hacer buenas obras para obligarle. ‖ **tomarse con Dios.** fr. fig. Obstinarse en proseguir obrando mal, sin hacer caso de los avisos y castigos de **Dios.** ‖ **tratar** alguien **con Dios.** fr. Meditar y orar a solas y en el retiro de su corazón. ‖ **un Dios os salve.** fr. fam. desus. Cuchillada en la cara. ‖ **¡vale Dios!** expr. fam. Por fortuna, por dicha; así que así, así como así. ‖ **¡válgame, o válgate, Dios!** expr. usada como interj. para manifestar con cierta moderación el disgusto o sorpresa que nos causa una cosa. ‖ **vaya bendito de Dios.** expr. fam. con que se manifiesta haber perdonado a alguien algún agravio, o que no se quiere más trato con él. ‖ **2.** expr. que se usa para despedir al mendigo. ‖ **vaya con Dios.** expr. con que se despide a alguien, cortándole la conversación o el discurso. ‖ **¡vaya con Dios!** expr. con que se manifiesta la conformidad en la divina voluntad. ‖ **¡vaya por Dios!** expr. con que se manifiesta conformidad y paciencia al sufrir un contratiempo. ‖ **2.** loc. interj. con que se expresan normalmente decepción y desagrado. *-No podemos ir al teatro: se ha suspendido la función.* -¡VAYA POR DIOS! ‖ **vaya usted con Dios,** o **mucho con Dios.** expr. fam. con que se rechaza lo que alguien propone. ‖ **venga Dios y véalo.** expr. con que se invoca a **Dios** como testigo de una injusticia. ‖ **venir Dios a ver** a alguien. fr. fig. Sucederle impensadamente un caso favorable, especialmente hallándose en gran apuro o necesidad. ‖ **vete con Dios.** expr. **vaya con Dios.** ‖ **¡vive Dios!** Juramento de ira o enojo. ‖ **¡voto a Dios!** expr. de juramento. ‖ **¡voto a los ajenos de Dios!** expr. vulg., a modo de juramento, que se suele usar para evitar los que realmente lo son.

diosa. (De *dios.*) f. Deidad de sexo femenino.

dioscoreáceo, a. (De *Dioscórides,* célebre médico griego.) adj. *Bot.* Dícese de plantas herbáceas angiospermas, monocotiledóneas, con tallos volubles, frecuentemente con raíces tuberosas o rizomas; hojas opuestas o alternas, acorazonadas, flores actinomorfas, comúnmente unisexuales, en racimo o espiga, y frutos en cápsulas o baya; como el ñame. Ú. t. c. s. f. ‖ **2.** f. pl. *Bot.* Familia de estas plantas.

dioscóreo, a. adj. *Bot.* **dioscoreáceo.**

diosesa. (De *dios.*) f. ant. **diosa.**

diosma. f. Planta de la familia de las rutáceas, de hojas diminutas lanceoladas, alternas, y flores blancas. Es muy fragante y se cultiva en la Argentina.

dioso, sa. (De *día.*) adj. ant. De muchos años.

diostedé. (Porque, al cantar, parece que dice las palabras *Dios te dé.*) m. *Col., Ecuad.* y *Venez.* **tucán,** ave.

dióxido. m. *Quím.* Óxido cuya molécula contiene dos átomos de oxígeno. ‖ **de carbono. anhídrido carbónico.**

dipétalo, la. adj. *Bot.* Dícese de la corola que tiene dos pétalos, y de la flor que tiene esta clase de corola.

diplococo. (Del gr. διπλόος, doble, y κόκκος, grano.) m. *Microbiol.* Bacterias de forma redondeada que se agrupan de dos en dos.

diplodoco. (Del gr. διπλόος, doble, y δοκός, estilete.) m. *Paleont.* Reptil fósil, dinosaurio, de gran tamaño, con la cabeza pequeña, el cuello y la cola muy largos, y las vértebras de esta con dos estiletes longitudinales.

diploma. (Del lat. *diplōma,* y este del gr. δίπλωμα, de διπλόω, doblar.) m. Despacho, bula, privilegio u otro instrumento autorizado con sello y armas de un soberano, cuyo original queda archivado. Por ext., se da este nombre a otros documentos importantes. ‖ **2.** Título o credencial que expide una corporación, una facultad, una sociedad literaria, etc., para acreditar un grado académico, una prerrogativa, un premio, etc. ‖ **rodado.** El que se expedía con el signo rodado.

diplomacia. (De *diploma.*) f. Ciencia o conocimiento de los intereses y relaciones de unas naciones con otras. ‖ **2.** Servicio de los Estados en sus relaciones internacionales. ‖ **3.** fig. y fam. Cortesía aparente e interesada. ‖ **4.** fig. y fam. Habilidad, sagacidad y disimulo.

diplomado, da. p. p. de **diplomar.** ‖ **2.** m. y f. Persona que ha obtenido un diploma.

diplomar. tr. Conceder a alguien un diploma facultativo o de aptitud. ‖ **2.** prnl. Obtenerlo, graduarse.

diplomática. f. Estudio científico de los diplomas y otros documentos, tanto en sus caracteres internos como externos, principalmente para establecer su autenticidad o falsedad. ‖ **2. diplomacia,** ciencia o conocimiento de los intereses y relaciones de unas naciones con otras.

diplomático, ca. adj. Perteneciente al diploma. ‖ **2.** Perteneciente a la diplomacia. ‖ **3.** Aplícase a los negocios de Estado que se tratan entre dos o más naciones y a las personas que intervienen en ellos. Apl. a pers., ú. t. c. s. *Un* DIPLOMÁTICO. ‖ **4.** fig. y fam. Circunspecto, sagaz, disimulado. ‖ **5.** Afectadamente cortés. ‖ **6.** V. **agregado diplomático.** ‖ **7.** V. **valija diplomática.**

diplomatista. com. Persona especializada en **diplomática,** estudio científico de diplomas y documentos.

diplopía. (Del gr. διπλόος, doble, y ὄψ, ὀπός, vista.) f. *Med.* Fenómeno morboso que consiste en ver dobles los objetos.

dipneo, a. (Del gr. δίς, dos, y πνοή, respiración.) adj. *Zool.* Que está dotado de respiración branquial y pulmonar. Ú. t. c. s.

dipodia. (Del gr. διποδία, dos pies.) f. En la métrica clásica, conjunto de dos pies.

dipolo. (De *di-*[2] y *polo*[1].) m. *Fís.* Conjunto formado por dos entes físicos de caracteres contrarios u opuestos y muy próximos.

dipsacáceo, a. (Del lat. *dipsăcos,* y este del gr. δίψακος, cardencha.) adj. *Bot.* Dícese de plantas angiospermas dicotiledóneas, herbáceas, con hojas opuestas y sin estípulas; flores cigomorfas en espiga o cabezuela con involucros bien desarrollados; fruto en aquenio con semillas de albumen carnoso; como la escabiosa y la cardencha. Ú. t. c. s. f. ‖ **2.** f. pl. *Bot.* Familia de estas plantas.

dipsáceo, a. adj. *Bot.* **dipsacáceo.**

dipsomanía. (Del gr. δίψα, sed, y μανία.) f. Tendencia irresistible al abuso de la bebida.

dipsomaníaco, ca o **dipsomaniaco, ca.** adj. Dícese del que padece dipsomanía. Ú. t. c. s.

dipsómano, na. adj. **dipsomaníaco.**

díptero, ra. (Del lat. *diptĕros*, y este del gr. δίπτερος.) adj. *Arq.* y *Esc.* Dícese del edificio que tiene dos costados salientes, y también de la estatua que tiene dos alas. ‖ **2.** *Zool.* Dícese del insecto que solo tiene dos alas membranosas, que son las anteriores, con las posteriores transformadas en balancines, o que carecen de alas por adaptación a la vida parasitaria, y con aparato bucal dispuesto para chupar, como la mosca. Ú. t. c. s. ‖ **3.** m. pl. *Zool.* Orden de estos insectos.

dipterocarpáceo, a. (Del gr. δίπτερος, de dos alas, y καρπός, fruto.) adj. *Bot.* Dícese de plantas leñosas angiospermas, dicotiledóneas, exóticas, corpulentas, resinosas, de hojas esparcidas y con estípulas; flores pentámeras, en racimo y rara vez en panoja; fruto capsular con una semilla; como el mangachapuy. Ú. t. c. s. f. ‖ **2.** f. pl. *Bot.* Familia de estas plantas.

dipterocárpeo, a. adj. *Bot.* **dipterocarpáceo.**

díptica. (Del lat. *diptўcha*, y este del pl. gr. δίπτυχα.) f. Tablas plegables, con forma de libro, en las que la primitiva Iglesia acostumbraba anotar en dos listas pareadas los nombres de los vivos y los muertos por quienes se había de orar. ‖ **2.** Catálogo o serie de nombres de personas, generalmente de los obispos de una diócesis. Ú. m. en pl.

díptico. (Del lat. *diptўchus*, y este del gr. δίπτυχος, plegado en dos.) m. **díptica,** tablas plegables. ‖ **2.** Cuadro o bajo relieve formado con dos tableros que se cierran por un costado, como las tapas de un libro.

diptongación. f. *Gram.* Acción y efecto de diptongar.

diptongar. (De *diptongo*.) tr. *Gram.* Unir dos vocales, formando en la pronunciación una sola sílaba. ‖ **2.** intr. *Fon.* Convertirse en diptongo una vocal, como la *o* del lat. *bŏnus* en *bueno*.

diptongo. (Del lat. *diphthongus*, y este del gr. δίφθογγος.) m. *Gram.* Conjunto de dos vocales diferentes que se pronuncian en una sola sílaba, y en especial la combinación monosilábica formada dentro de una misma palabra por alguna de las vocales abiertas *a, e, o,* con una de las cerradas *i, u,* articulándose estas como semivocales o semiconsonantes; v. gr.: *aire, puerta.*

diputación. (Del lat. *deputatĭo, -ōnis*.) f. Acción y efecto de diputar. ‖ **2.** Conjunto de los diputados. ‖ **3.** Ejercicio del cargo de diputado. ‖ **4.** Duración de este cargo. ‖ **5.** Quehacer que se encomienda al diputado. ‖ **general de los Reinos.** Cuerpo de diputados de las ciudades de voto en Cortes. ‖ **permanente.** Comisión representativa para ciertos fines, de la autoridad de las Cortes, mientras no se hallan reunidas o están disueltas. ‖ **provincial.** Corporación elegida para dirigir y administrar los intereses de una provincia. ‖ **2.** Edificio o local donde los diputados provinciales celebran sus sesiones.

diputado, da. p. p. de **diputar.** ‖ **2.** m. y f. Persona nombrada por un cuerpo para representarlo. ‖ **3.** Persona nombrada por elección popular como representante en una cámara legislativa, nacional, regional o provincial. ‖ **a Cortes.** Con arreglo a algunas constituciones, cada una de las personas nombradas directamente por los electores para componer la Cámara única, o la de origen más popular cuando hay Senado. ‖ **del Reino.** Regidor o persona de una ciudad de voto en Cortes, que servía en la Diputación general de los Reinos. ‖ **provincial.** En España, el elegido por un distrito para que lo represente en la Diputación provincial.

diputador, ra. adj. Que diputa. Ú. t. c. s.

diputar. (Del lat. *deputāre*.) tr. Destinar, señalar o elegir una persona o cosa para algún uso o ministerio. ‖ **2.** Destinar y elegir un cuerpo a uno o más de sus individuos para que lo representen en algún acto o solicitud. ‖ **3.** Conceptuar, reputar, tener por.

dique. (Del neerl. *dijk*.) m. Muro o reparo artificial hecho para contener las aguas. ‖ **2.** Cavidad revestida de fábrica, situada en la orilla de una dársena u otro sitio abrigado y en la cual entran los buques para limpiar o carenar en seco, y que se cierra a este efecto con una especie de barco de hierro de dos proas, del que se achica después el agua por medio de bombas. ‖ **3.** fig. Cosa con que otra es contenida o reprimida. ‖ **4.** *Min.* Filón estéril que asoma a la superficie del terreno, formando a manera de muro. ‖ **de marea.** El que no precisa de bombas de achique porque queda seco en marea baja. ‖ **flotante.** El construido con cajones que se inundan y bajan para que el buque pueda entrar en él, y que se desaguan en seguida por medio de bombas, a fin de que al flotar quede en seco la embarcación. ‖ **seco, dique,** cavidad revestida de fábrica.

diquelar. tr. *Caló.* Comprender, entender.

dirceo, a. (Del lat. *Dircaeus*.) adj. **tebano.** *El cisne* DIRCEO *(Píndaro); el héroe* DIRCEO *(Polinices).*

dirección. (Del lat. *directĭo, -ōnis*.) f. Acción y efecto de dirigir o dirigirse. ‖ **2.** Camino o rumbo que un cuerpo sigue en su movimiento. ‖ **3.** Consejo, enseñanza y preceptos con que se encamina a alguien. ‖ **4.** Conjunto de personas encargadas de dirigir una sociedad, establecimiento, explotación, etc. ‖ **5.** Cargo de director. ‖ **6.** Oficina o casa en que despacha el director o los directivos. ‖ **7. domicilio** de una persona. ‖ **8.** Señas escritas sobre una carta, fardo, caja o cualquier otro bulto, para indicar dónde y a quién se envía. ‖ **9.** *Geol.* Arrumbamiento de la intersección de las caras de una capa o filón con un plano horizontal. ‖ **10.** *Mec.* Mecanismo que sirve para guiar los vehículos automóviles. ‖ **general.** Cualquiera de las oficinas superiores que dirigen los diferentes ramos en que se divide la Administración Pública. DIRECCIÓN GENERAL *de Contribuciones, de Enseñanzas Medias.* ‖ **en dirección a.** loc. prepos. Hacia.

directe. adv. m. lat. desus. Directamente. Con frecuencia aparece combinado con su opuesto **indirecte,** intercalando partículas como **ni** o **vel.**

directivo, va. (De *directo*.) adj. Que tiene facultad o virtud de dirigir. Apl. a pers., ú. t. c. s. ‖ **2.** f. Mesa o junta de gobierno de una corporación, sociedad, etc. ‖ **3. directriz,** conjunto de instrucciones. ‖ **4.** En algunos organismos internacionales, disposición de rango superior que han de cumplir todos sus miembros.

directo, ta. (Del lat. *directus*, p. p. de *dirigĕre*, dirigir.) adj. Derecho o en línea recta. ‖ **2.** Dícese de lo que va de una parte a otra sin detenerse en los puntos intermedios. ‖ **3.** Aplícase a lo que se encamina derechamente a una mira u objeto. ‖ **4.** V. **dominio, tren directo.** ‖ **5.** *Astron.* V. **anteojo, movimiento directo.** ‖ **6.** *Gram.* V. **complemento directo.** ‖ **7.** *Ópt.* V. **rayo directo.** ‖ **8.** *Dep.* V. **tiro directo.** ‖ **en directo.** loc. adj. y adv. En radio y televisión, dícese del programa que se emite a la vez que se realiza.

director, ra. (Del lat. *director, -ōris*.) adj. Que dirige. Ú. t. c. s. ‖ **2.** *Geom.* Dícese de la línea, figura o superficie que determina las condiciones de generación de otra línea, figura o superficie. En esta acepción, la forma femenina es **directriz.** ‖ **3.** m. y f. Persona a cuyo cargo está el régimen o dirección de un negocio, cuerpo o establecimiento especial. ‖ **artístico.** El que acepta o rechaza las obras teatrales cuya representación se pretende, y señala la orientación artística de la temporada. ‖ **de escena.** El que dispone todo lo relativo a la representación de las obras teatrales, propiedad de la escena, caracterización y movimiento de los actores, etc. ‖ **espiritual.** Sacerdote que aconseja en asuntos de conciencia a una persona. ‖ **general.** El que tiene la dirección superior de un cuerpo, de un ramo o de una empresa.

directoral. adj. Perteneciente o relativo al director o a la directora. *Silla* DIRECTORAL; *atribuciones* DIRECTORALES.

directorio, ria. (Del lat. *directorĭus.*) adj. Dícese de lo que es a propósito para dirigir. ‖ **2.** m. Lo que sirve para dirigir en alguna ciencia o negocio. DIRECTORIO *espiritual, de navegación.* ‖ **3.** Instrucción para gobernarse en un negocio. ‖ **4.** Junta directiva de ciertas asociaciones, partidos, etc. ‖ **5.** Guía en la que figuran las personas de un conjunto, con indicación de diversos datos de ellas, por ej.: cargo, señas, teléfono, etc. ‖ **telefónico.** *Méj.* Guía de teléfonos.

directriz. adj. Forma femenina de **director,** en la acepción de geometría y en algunos otros casos. *Ideas* DIRECTRICES. Ú. t. c. s. ‖ **2.** f. Conjunto de instrucciones o normas generales para la ejecución de alguna cosa. Ú. m. en pl.

dirham. m. Moneda de plata usada por los árabes en la Edad Media. ‖ **2.** Unidad monetaria de Marruecos y de la Unión de Emiratos Árabes. ‖ **3.** Fracción de la unidad monetaria en varios países islámicos, como Irak, Libia, Kuwait, etc.

dirhem. (Del gr. δραχμή, dracma, a través del ár. *dirham.*) m. **dirham.**

dirigencia. f. *Amér.* Conjunto de dirigentes políticos, gremiales, etc.

dirigente. p. a. de **dirigir.** Que dirige. Ú. t. c. s.

dirigible. adj. Que puede ser dirigido. ‖ **2.** m. **globo dirigible.**

dirigir. (Del lat. *dirigĕre.*) tr. Enderezar, llevar rectamente una cosa hacia un término o lugar señalado. Ú. t. c. prnl. ‖ **2.** Guiar, mostrando o dando las señas de un camino. ‖ **3.** Poner a una carta, fardo, caja o cualquier otro bulto las señas que indiquen a dónde y a quién se ha de enviar. ‖ **4.** fig. Encaminar la intención y las operaciones a determinado fin. ‖ **5.** Gobernar, regir, dar reglas para el manejo de una dependencia, empresa o pretensión. ‖ **6.** Aconsejar y gobernar la conciencia de una persona. ‖ **7.** Orientar, guiar, aconsejar a quien realiza un trabajo. ‖ **8.** Dedicar una obra de ingenio. ‖ **9.** Aplicar a determinada persona un dicho o un hecho. ‖ **10.** Conjuntar y marcar una determinada orientación artística a los componentes de una orquesta o coro, o a quienes intervienen en un espectáculo, asumiendo la responsabilidad de su actuación pública.

dirigismo. m. Tendencia del gobierno o de cualquier autoridad a controlar una o más actividades. DIRIGISMO *cultural, político, económico.*

dirimente. p. a. de **dirimir.** Que dirime. ‖ **2.** adj. V. **contador, impedimento dirimente.**

dirimible. adj. Que se puede dirimir.

dirimir. (Del lat. *dirimĕre.*) tr. Deshacer, disolver, desunir. Se usa ordinariamente referido a las cosas inmateriales. DIRIMIR *el matrimonio.* ‖ **2.** Ajustar, concluir, componer una controversia.

dirruir. (Del lat. *diruĕre.*) tr. ant. **derruir.**

dis-[1]. (Del lat. *dis-.*) pref. que significa negación o contrariedad: DIS*cordancia,* DIS*culpa,* DIS*conformidad;* separación: DIS*traer;* o distinción: DIS*cernir,* DIS*tinguir.*

dis-[2]. (Del gr. δυσ-.) pref. que significa dificultad o anomalía: DIS*pepsia,* DIS*nea,* DIS*lexia.*

disantero, ra. (De *disanto.*) adj. ant. **dominguero.**

disanto. (De *día santo.*) m. Día de fiesta religiosa.

disartria. (De *dis-*[2] y el gr. ἄρθρον, articulación.) f. *Psiquiat.* Dificultad para la articulación de las palabras que se observa en algunas enfermedades nerviosas.

discal. adj. *Anat.* Perteneciente o relativo al disco intervertebral.

discantado, da. p. p. de **discantar.** ‖ **2.** adj. *Perú.* Dícese de la misa rezada con acompañamiento de música.

discantar. (Del b. lat. *discantare.*) tr. p. us. **cantar**[2]**,** componer y recitar versos. ‖ **2.** p. us. fig. Glosar cualquier materia; hablar mucho sobre ella, comentándola acaso con impertinencia. ‖ **3.** *Mús.* Echar el contrapunto sobre un paso.

discante. (De *discantar.*) m. **tiple,** guitarrillo. ‖ **2.** desus. Concierto de música, especialmente de instrumentos de cuerda.

discapacidad. f. Calidad de discapacitado.

discapacitado, da. (Calco del ing. *disabled.*) adj. **minusválido.**

discar. tr. *Argent.* y *Urug.* **marcar,** formar un número en el disco del teléfono.

discente. adj. Dícese de la persona que recibe enseñanza. ‖ **2.** m. **estudiante,** persona que cursa estudios.

disceptación. (Del lat. *disceptatĭo, -ōnis.*) f. p. us. Acción y efecto de disceptar.

disceptar. (Del lat. *disceptāre.*) intr. p. us. Argüir sobre un punto o materia, discurriendo o disertando sobre ella.

discernedor, ra. adj. ant. **discernidor.** Usáb. t. c. s.

discerner. tr. ant. **discernir.**

discernible. adj. Que se puede discernir o distinguir.

discernidor, ra. adj. Que discierne. Ú. t. c. s.

discernimiento. (De *discernir.*) m. Acción y efecto de discernir. ‖ **2.** *Der.* Apoderamiento judicial que habilita a una persona para ejercer un cargo.

discernir. (Del lat. *discernĕre.*) tr. Distinguir una cosa de otra, señalando la diferencia que hay entre ellas. Comúnmente se refiere a operaciones del ánimo. ‖ **2.** Conceder u otorgar un cargo, distinción u honor. ‖ **3.** *Der.* Encargar de oficio el juez a alguien la tutela de un menor, u otro cargo.

disciplina. (Del lat. *disciplīna.*) f. Doctrina, instrucción de una persona, especialmente en lo moral. ‖ **2.** Arte, facultad o ciencia. ‖ **3.** Observancia de las leyes y ordenamientos de una profesión o instituto. Tiene mayor uso referido a la milicia y a los estados eclesiásticos secular y regular. ‖ **4.** Instrumento, hecho ordinariamente de cáñamo, con varios ramales, cuyos extremos o canelones son más gruesos, y sirve para azotar. Ú. m. en pl. ‖ **5.** Acción y efecto de disciplinar o disciplinarse. ‖ **eclesiástica.** Conjunto de las disposiciones morales y canónicas de la Iglesia.

disciplinable. (Del lat. *disciplinabĭlis.*) adj. p. us. Capaz de disciplina en lo moral y observancia de las leyes.

disciplinado, da. p. p. de **disciplinar.** ‖ **2.** adj. Que guarda la disciplina, observancia de las leyes. ‖ **3.** fig. **jaspeado.** Dícese de las flores, especialmente del clavel, cuando son matizadas de varios colores.

disciplinal. adj. Concerniente a la disciplina y buen régimen.

disciplinante. p. a. de **disciplinar** o **disciplinarse.** Que se disciplina. Ú. t. c. s. ‖ **2.** m. Por antonom., el que iba en los días de Semana Santa disciplinándose por varios lugares del pueblo y rezando las estaciones. ‖ **de luz.** Los que en las procesiones iban alumbrando con hachas y cirios a los que se disciplinaban. ‖ **2.** *Germ.* El que sacaban a la vergüenza. ‖ **de penca.** *Germ.* El que sacaban a azotar públicamente por haber cometido algún delito. ‖ **de sangre. disciplinante,** el que se disciplina en las procesiones de Semana Santa. Díjose a distinción de los **disciplinantes** de luz.

disciplinar[1]. (Del lat. *disciplinãris.*) adj. Perteneciente o relativo a la disciplina eclesiástica.

disciplinar[2]. (De *disciplina.*) tr. Instruir, enseñar a alguien su profesión, dándole lecciones. ‖ **2.** Azotar, dar disciplinazos por mortificación o por castigo. Ú. t. c. prnl. ‖ **3.** Imponer, hacer guardar la disciplina, observancia de las leyes.

disciplinario, ria. (De *disciplina.*) adj. Relativo o perteneciente a la disciplina. ‖ **2.** Aplícase al régimen que establece subordinación y arreglo, así como a cualquiera de las penas que se imponen por vía de corrección. ‖ **3.** Dícese de los cuerpos militares formados con soldados condenados a alguna pena. *Batallón* DISCIPLINARIO.

disciplinazo. m. Golpe dado con las disciplinas.

discipulado. (Del lat. *discipulātus.*) m. Ejercicio y calidad del discípulo de una escuela. ‖ **2.** Doctrina, enseñanza, educación. ‖ **3.** Conjunto de discípulos de una escuela o de un maestro.

discipular. adj. Perteneciente o relativo a los discípulos.

discípulo, la. (Del lat. *discipŭlus.*) m. y f. Persona que aprende una doctrina, ciencia o arte bajo la dirección de un maestro. ‖ **2.** Persona que sigue la opinión de una escuela, aun cuando viva en tiempos muy posteriores a los maestros que la establecieron. DISCÍPULO *de Aristóteles, de Platón, de Epicuro.* ‖ **3.** adj. *Mús.* V. **modo discípulo.**

disco. (Del lat. *discus,* y este del gr. δίσκος.) m. Tejo de metal o piedra, de un pie de diámetro, que en los juegos gimnásticos servía para ejercitar los jóvenes sus fuerzas y destreza arrojándolo. ‖ **2.** Tejo lenticular de madera con cerco metálico, que se lanza en ciertos juegos atléticos; pesa un kilo o dos, según sea lanzado por mujeres u hombres. ‖ **3.** Cuerpo cilíndrico cuya base es muy grande respecto de su altura. ‖ **4.** Lámina circular de diversos materiales, especialmente plástico, que, con ayuda de un tocadiscos, reproduce sonidos previamente registrados. ‖ **5.** Pieza giratoria del aparato telefónico para marcar el número con que se quiere establecer comunicación. ‖ **6.** Pieza metálica en la que hay pintada una señal de las previstas en el código de la circulación, y que se coloca en lugares bien visibles de las calles y de las carreteras para ordenar el tráfico. ‖ **7.** Cada uno de los tres **discos** luminosos verde, rojo y amarillo, de que consta el semáforo eléctrico que regula la circulación. ‖ **8.** V. **grada de discos.** ‖ **9.** fig. y fam. Discurso o explicación pesada que se suele repetir con impertinencia. ‖ **10.** Figura circular y plana con que se presentan a nuestra vista el Sol, la Luna y los planetas. Por ext., se usa hablando de cualquier figura circular. ‖ **11.** *Bot.* Parte de la hoja comprendida dentro de sus bordes. ‖ **compacto. disco** metálico que contiene información acústica o visual grabada y que se reproduce mediante rayos láser. ‖ **de señales.** El de palastro, que se usa en los ferrocarriles colocado en lo alto de un poste, de manera que pueda girar y ponerse, ya paralelo, ya perpendicular a la vía, para indicar si esta se halla o no libre. ‖ **duro. disco** magnético de gran capacidad fijo en un ordenador. ‖ **intervertebral.** *Anat.* Formación fibrosa con figura de **disco,** entre dos vértebras, en cuyo interior hay una masa pulposa. ‖ **magnético.** *Inform.* **disco** rotatorio con una superficie magnetizable en la que puede almacenarse información. ‖ **rígido. disco duro.**

discóbolo. (Del lat. *discobŏlos,* y este del gr. δισκοβόλος.) m. En la Grecia antigua, lanzador de disco. ‖ **2.** poét. Atleta lanzador de disco.

discografía. f. Arte de impresionar y reproducir discos fonográficos. ‖ **2.** Conjunto de discos de un tema, un autor, etc.

discográfico, ca. adj. Perteneciente o relativo al disco o a la discografía.

discoidal. adj. A manera de disco.

díscolo, la. (Del lat. *dyscŏlus,* y este del gr. δύσκολος.) adj. Desobediente, indócil, perturbador. Dícese de niños y jóvenes. Ú. t. c. s.

discolor. (Del lat. *discŏlor, -ōris.*) adj. ant. De varios colores.

discoloro, ra. (Del lat. *discolōrus.*) adj. *Bot.* V. **hoja discolora.**

disconforme. adj. No conforme. ‖ **2.** Que manifiesta disconformidad. Ú. t. c. s.

disconformidad. f. Diferencia de unas cosas con otras en cuanto a su esencia, forma o fin. ‖ **2.** Oposición, desunión, desacuerdo en los dictámenes o en las voluntades.

discontinuación. f. Acción y efecto de discontinuar.

discontinuar. tr. Romper o interrumpir la continuación de una cosa.

discontinuidad. f. Calidad de discontinuo.

discontinuo, nua. adj. Interrumpido, intermitente o no continuo. ‖ **2.** *Mat.* No continuo.

disconveniencia. f. **desconveniencia.**

disconvenir. (Del lat. *disconvenīre.*) intr. **desconvenir.**

discordancia. (Del lat. *discordans, -antis,* p. a. de *discordāre,* discordar.) f. Contrariedad, diversidad, disconformidad. ‖ **2.** En música, falta de armonía.

discordanza. f. ant. **discordancia.**

discordar. (Del lat. *discordāre.*) intr. Ser opuestas, desavenidas o diferentes entre sí dos o más cosas. ‖ **2.** No convenir uno en opiniones con otro. ‖ **3.** *Mús.* No estar acordes las voces o los instrumentos.

discorde. (Del lat. *discors, -ordis.*) adj. Disconforme, desavenido, opuesto. ‖ **2.** *Mús.* Disonante, falto de consonancia.

discordia. (Del lat. *discordia.*) f. Oposición, desavenencia de voluntades u opiniones. ‖ **2.** V. **tercero en discordia.** ‖ **3.** fig. V. **manzana de la discordia.** ‖ **4.** *Der.* Falta de mayoría para votar sentencia por división de pareceres en un tribunal colegiado, que obliga a repetir la vista o el fallo con mayor número de jueces.

discoteca. (Del gr. δίσκος, disco, y θήκη, caja.) f. Colección de discos musicales o sonoros. ‖ **2.** Local o mueble en que se alojan esos discos debidamente ordenados. ‖ **3.** Local público donde sirven bebidas y se baila al son de música de discos.

discotequero, ra. adj. Perteneciente o relativo a la discoteca, o que es propio de este tipo de locales. ‖ **2.** Dícese de la persona que frecuenta las discotecas. Ú. t. c. s.

discrasia. (Del lat. *dyscrasĭa,* y este del gr. δυσκρασία.) f. *Med.* **cacoquimia,** caquexia.

discreción. (Del lat. *discretĭo, -ōnis.*) f. Sensatez para formar juicio y tacto para hablar u obrar. ‖ **2.** Don de expresarse con agudeza, ingenio y oportunidad. ‖ **3.** Reserva, prudencia, circunspección. ‖ **a discreción.** loc. adv. Al arbitrio o buen juicio de uno. ‖ **2.** Al antojo o voluntad de uno, sin tasa ni limitación. ‖ **darse,** o **entregarse, a discreción.** fr. *Mil.* Entregarse sin capitulación al arbitrio del vencedor. ‖ **jugar discreciones.** fr. fam. **jugar los años.** ‖ **rendirse a discreción.** fr. *Mil.* **darse a discreción.**

discrecional. (De *discreción.*) adj. Que se hace libre y prudencialmente. ‖ **2.** Se dice de la potestad gubernativa en las funciones de su competencia que no están regladas. ‖ **3.** V. **tren discrecional.**

discrecionalidad. f. Calidad de discrecional.

discrepancia. (Del lat. *discrepantĭa.*) f. Diferencia, desigualdad que resulta de la comparación de las cosas entre sí. ‖ **2.** Disentimiento personal en opiniones o en conducta.

discrepar. (Del lat. *discrepāre.*) intr. Desdecir una cosa de otra, diferenciarse, ser desigual. ‖ **2.** Disentir una persona del parecer o de la conducta de otra.

discretear. intr. Ostentar discreción, hacerse el discreto. Ú. c. despect. ‖ **2.** Cuchichear, hacer comentarios con aire confidencial.

discreteo. m. Acción y efecto de discretear.

discreto, ta. (Del lat. *discrētus,* p. p. de *discernĕre* discernir.)

adj. Dotado de discreción. Ú. t. c. s. ‖ **2.** Que incluye o denota discreción. *Conducta* DISCRETA; *dicho* DISCRETO. ‖ **3.** Separado, distinto. ‖ **4.** Moderado, sin exceso. *Precio, color* DISCRETO. Ú. a veces peyorativamente. *Es obra ambiciosa, pero de resultados* DISCRETOS. ‖ **5.** *Der.* Tratamiento curial de algunos magistrados y oficiales. *El* DISCRETO *provisor.* ‖ **6.** *Mat.* V. **cantidad discreta.** ‖ **7.** *Pat.* Aplícase a ciertas erupciones, principalmente a las viruelas, cuando los granos o pústulas están muy separados entre sí. ‖ **8.** m. y f. En algunas comunidades, persona elegida para asistir al superior como consiliario en el gobierno de la comunidad. ‖ **a lo discreto.** loc. adv. **a discreción.** ‖ **2. discretamente.**

discretorio. m. En algunas comunidades religiosas, el cuerpo que forman los discretos o las discretas. ‖ **2.** Lugar donde se reúnen.

discrimen. (Del lat. *discrīmen.*) m. desus. Riesgo o peligro inmediato o contingente. ‖ **2.** desus. Diferencia, diversidad. ‖ **3.** *Amér. Central, Col.* y *Perú.* Por infl. del inglés, **discriminación.**

discriminación. (Del lat. *discriminatĭo, -ōnis.*) f. Acción y efecto de discriminar.

discriminador, ra. adj. Que discrimina.

discriminar. (Del lat. *discrimināre.*) tr. Separar, distinguir, diferenciar una cosa de otra. ‖ **2.** Dar trato de inferioridad a una persona o colectividad por motivos raciales, religiosos, políticos, etc.

discriminatorio, ria. adj. Que discrimina.

discromatopsia. (De δις-[2] y el gr. χρῶμα, color, y ὄψις, vista.) f. *Med.* Incapacidad para percibir o discernir los colores.

discuento. m. desus. Noticia, cuenta, razón. Ú. en Salamanca.

disculpa. (De *dis-*[1] y *culpa.*) f. Razón que se da o causa que se alega para excusar o purgar una culpa. ‖ **pedir disculpas.** fr. **disculparse,** pedir indulgencia.

disculpable. adj. Que merece disculpa. ‖ **2.** Que tiene razones en su favor.

disculpación. (De *disculpar.*) f. ant. **disculpa.**

disculpadamente. adv. m. Con razón que disculpe.

disculpar. (De *disculpa.*) tr. Dar razones o pruebas que descarguen de una culpa o delito. Ú. t. c. prnl. ‖ **2.** fam. No tomar en cuenta o perdonar las faltas y omisiones que otro comete. ‖ **3.** prnl. Pedir indulgencia por lo que ha causado o puede causar daño.

discurrimiento. (De *discurrir.*) m. ant. Discurso, razonamiento.

discurrir. (Del lat. *discurrĕre.*) intr. Andar, caminar, correr por diversas partes y lugares. ‖ **2. correr,** transcurrir el tiempo. ‖ **3. correr,** fluir un líquido. ‖ **4.** fig. Reflexionar, pensar, hablar acerca de una cosa, aplicar la inteligencia. ‖ **5.** tr. Inventar una cosa. DISCURRIR *un arbitrio, un medio.* ‖ **6.** Inferir, conjeturar.

discursar. (Del lat. *discursāre.*) tr. p. us. Discurrir sobre una materia.

discursear. intr. fam. Pronunciar discursos.

discursible. adj. Capaz de discurso o de discurrir.

discursista. com. Persona que forma discursos por cavilosidad y ocio, o pretendiendo lucirse con ellos.

discursivo, va. adj. Que discurre o reflexiona. ‖ **2.** Propio del discurso o del razonamiento. *Estilo* DISCURSIVO.

discurso. (Del lat. *discursus.*) m. Facultad racional con que se infieren unas cosas de otras, sacándolas por consecuencia de sus principios o conociéndolas por indicios y señales. ‖ **2.** Acto de la facultad discursiva. ‖ **3. uso de razón.** ‖ **4.** Reflexión, raciocinio sobre algunos antecedentes o principios. ‖ **5.** Serie de las palabras y frases empleadas para manifestar lo que se piensa o siente. *Perder, recobrar el hilo del* DISCURSO. ‖ **6.** Razonamiento o exposición sobre algún tema que se lee o pronuncia en público. ‖ **7.** Doctrina, ideología, tesis. ‖ **8. oración,** palabra o conjunto de palabras con que se expresa un concepto cabal. ‖ **9.** Escrito de no mucha extensión, o tratado, en que se discurre sobre una materia para enseñar o persuadir. ‖ **10.** Espacio, duración de tiempo. ‖ **11.** ant. Carrera, curso, camino que se hace por varias partes. ‖ **12.** *Ling.* Enunciado de la cadena hablada o escrita.

discusión. (Del lat. *discussĭo, -ōnis.*) f. Acción y efecto de discutir. ‖ **sin discusión.** loc. adv. Sin duda, con toda seguridad.

discusivo, va. (Del lat. *discussus,* resuelto.) adj. *Med.* Que disuelve, que resuelve.

discutible. adj. Que se puede o se debe discutir.

discutidor, ra. (De *discutir.*) adj. Propenso a disputas y discusiones, o aficionado a ellas. Ú. t. c. s.

discutir. (Del lat. *discutĕre,* disipar, resolver.) tr. Examinar atenta y particularmente una materia entre varias personas. ‖ **2.** Contender y alegar razones contra el parecer de otro. *Todos* DISCUTÍAN *sus decisiones.* Ú. m. c. intr. DISCUTIR *con el contratista sobre el precio de la obra.*

disecable. adj. Que se puede disecar.

disecación. (De *disecar.*) f. **disección.**

disecado, da. p. p. de **disecar.** ‖ **2.** m. Acción y efecto de disecar.

disecador, ra. adj. Que diseca. Ú. t. c. s.

disecar. (Del lat. *dissecāre.*) tr. Dividir en partes un vegetal o el cadáver de un animal para el examen de su estructura normal o de las alteraciones orgánicas. ‖ **2.** Preparar los animales muertos para que conserven la apariencia de cuando estaban vivos. ‖ **3.** Por etimología popular, secar o secarse algo por motivos o fines diversos. *Una flor* DISECADA *entre las hojas de un libro.*

disección. (Del lat. *dissectĭo, -ōnis.*) f. Acción y efecto de disecar. ‖ **2.** fig. Examen, análisis pormenorizado de alguna cosa.

diseccionar. tr. **disecar,** dividir en partes un vegetal o un cadáver para su examen. ‖ **2.** fig. Hacer la disección o análisis de una cosa.

disectivo, va. adj. Perteneciente o relativo a la disección, o que es propio de ella. Ú. t. en sent. fig.

disector, ra. (Del lat. *dissectum,* de *dissecāre.*) m. y f. Persona que diseca y realiza las operaciones anatómicas.

diseminación. (Del lat. *disseminatĭo, -ōnis.*) f. Acción y efecto de diseminar o diseminarse.

diseminador, ra. (Del lat. *disseminātor, -ōris.*) adj. Que disemina.

diseminar. (Del lat. *dissemināre.*) tr. **sembrar,** esparcir. Ú. t. c. prnl.

disensión. (Del lat. *dissensĭo, -ōnis.*) f. Oposición o contrariedad de varios sujetos en los pareceres o en los propósitos. ‖ **2.** fig. Contienda, riña, altercación.

disenso. (Del lat. *dissensus.*) m. **disentimiento.** ‖ **mutuo disenso.** *Der.* Conformidad de las partes en disolver o dejar sin efecto el contrato u obligación entre ellas existente.

disentería. (Del lat. *dysenterĭa,* y este del gr. δυσεντερία.) f. *Pat.* Enfermedad infecciosa y específica que tiene por síntomas característicos la diarrea con pujos y alguna mezcla de sangre.

disentérico, ca. (Del lat. *dysenterĭcus,* y este del gr. δυσεντερικός.) adj. Perteneciente o relativo a la disentería.

disentimiento. m. Acción y efecto de disentir.

disentir. (Del lat. *dissentīre.*) intr. No ajustarse al sentir o parecer de otro. DISIENTO *de tu opinión.*

diseñador, ra. m. y f. Persona que diseña.

diseñar. (Del it. *disegnare.*) tr. Hacer un diseño.

diseño. (Del it. *disegno.*) m. Traza, delineación de un edificio o de una figura. ‖ **2.** Descripción o bosquejo de alguna cosa, hecho por palabras. ‖ **3.** Disposición de manchas, colores o dibujos que caracterizan exteriormente a diversos animales y plantas. ‖ **4.** Proyecto, plan. DISEÑO *urbanístico.* ‖ **5.** Concepción original de un objeto u obra destinados a la producción en serie. DISEÑO *gráfico, de modas, industrial.* ‖ **6.** Forma de cada uno de estos objetos. *El* DISEÑO *de esta silla es de inspiración modernista.*

disépalo, la. adj. *Bot.* Dícese del cáliz o de la flor que tiene dos sépalos.

disertación. (Del lat. *dissertatio, -ōnis.*) f. Acción y efecto de disertar. ‖ **2.** Escrito, lección o conferencia en que se diserta.

disertador, ra. adj. Aficionado a disertar.

disertante. p. a. de **disertar.** Que diserta. Ú. t. c. s.

disertar. (Del lat. *dissertāre.*) intr. Razonar, discurrir detenida y metódicamente sobre alguna materia, bien para exponerla, bien para refutar opiniones ajenas.

diserto, ta. (Del lat. *dissertus.*) adj. Que habla con facilidad y con abundancia de argumentos.

disestesia. (De *dis-*[2] y el gr. αἴσθησις, sentido.) f. *Fisiol.* Perversión de la sensibilidad que se observa especialmente en el histerismo.

disfagia. (De *dis-*[2] y el gr. φαγεῖν.) f. *Fisiol.* Dificultad o imposibilidad de tragar.

disfamación. (De *disfamar.*) f. desus. **difamación.**

disfamador, ra. (De *disfamar.*) adj. desus. **difamador.** Ú. t. c. s.

disfamar. tr. desus. **difamar.**

disfamatorio, ria. adj. desus. **difamatorio.**

disfasia. (De *dis-*[2] y φάσις, palabra.) f. *Pat.* Anomalía en el lenguaje causada por una lesión cerebral.

disfavor. (De *dis-*[1] y *favor.*) m. Desaire o desatención usada con alguno. ‖ **2.** Suspensión del favor. ‖ **3.** Acción o dicho no favorable que ocasiona alguna contrariedad o daño.

disfemismo. m. Modo de decir que consiste en nombrar una realidad con una expresión peyorativa o con intención de rebajarla de categoría. Se opone a **eufemismo.**

disfonía. f. Trastorno de la fonación.

disformar. tr. **deformar.** Ú. t. c. prnl.

disforme. adj. **deforme.** ‖ **2.** Feo, horroroso, monstruoso.

disformidad. f. **deformidad.**

disformoso, sa. adj. ant. **disforme,** feo, horroroso.

disfraz. (De *disfrazar.*) m. Artificio que se usa para desfigurar una cosa con el fin de que no sea conocida. ‖ **2.** Por antonom., vestido de máscara que sirve para las fiestas y saraos, especialmente en carnaval. ‖ **3.** fig. Simulación para dar a entender algo distinto de lo que se siente.

disfrazar. (De etim. disc.; cf. ant. *desfrezar,* disimular.) tr. Desfigurar la forma natural de las personas o de las cosas para que no sean conocidas. Ú. t. c. prnl. ‖ **2.** fig. Disimular, desfigurar con palabras y expresiones lo que se siente. ‖ **3.** prnl. Vestirse de máscara.

disfrez. m. ant. **desfrez.**

disfrezarse. prnl. ant. **disfrazarse.**

disfrutar. (De *dis-*[1] y *fruto.*) tr. Percibir o gozar los productos y utilidades de una cosa. Ú. m. con la prep. *de.* DISFRUTAR DEL *clima.* ‖ **2.** intr. Con la prep. *de,* tener alguna condición buena, física o moral, o gozar de comodidad, regalo o conveniencia. DISFRUTAR DE *excelente salud, destreza, estimación, fama,* etc. Ú. t. c. tr. ‖ **3.** Con la misma prep., tener el favor o amistad de alguno; aprovecharse de ellos. Ú. t. c. tr. ‖ **4. gozar,** sentir placer.

disfrute. m. Acción y efecto de disfrutar.

disfumar. tr. **esfumar.**

disfumino. m. **esfumino.**

disfunción. f. *Fisiol.* Alteración cuantitativa o cualitativa de una función orgánica. ‖ **2.** fig. Desarreglo en el funcionamiento de algo, o en la función que le corresponde.

disfuncional. adj. Perteneciente o relativo a la disfunción.

disgerible. (De *digerir.*) adj. ant. **digestible.**

disgregación. (Del lat. *disgregatio, -ōnis.*) f. Acción y efecto de disgregar o disgregarse.

disgregador, ra. adj. Que disgrega.

disgregante. p. a. de **disgregar.** Que disgrega. Ú. t. c. s.

disgregar. (Del lat. *disgregāre.*) tr. Separar, desunir, apartar lo que estaba unido. Ú. t. c. prnl.

disgregativo, va. (Del lat. *disgregatīvus.*) adj. Dícese de lo que tiene virtud o facultad de disgregar.

disgustadamente. adv. m. Con disgusto.

disgustado, da. p. p. de **disgustar.** ‖ **2.** adj. Desazonado, desabrido, incomodado. ‖ **3.** Apesadumbrado, pesaroso.

disgustar. (De *dis-*[1] y *gustar.*) tr. Causar disgusto y desabrimiento al paladar. ‖ **2.** fig. Causar enfado, pesadumbre o desazón. Ú. t. c. prnl. ‖ **3.** prnl. Enojarse uno con otro, o perder la amistad por enfados o disputas.

disgusto. (De *disgustar.*) m. Desazón, desabrimiento causado en el paladar por una comida o bebida. ‖ **2.** fig. Encuentro enfadoso con alguien; disputa o diferencia. ‖ **3.** fig. Sentimiento, pesadumbre e inquietud causados por un accidente o una contrariedad. ‖ **4.** fig. Fastidio, tedio o enfado que causa una persona o cosa. ‖ **a disgusto.** loc. adv. De mala gana, incómodamente.

disgustoso, sa. adj. p. us. Desabrido, desagradable al paladar o falto de sazón. ‖ **2.** p. us. fig. Desagradable, enfadoso, que causa disgusto.

disidencia. (Del lat. *dissĭdentia.*) f. Acción y efecto de disidir. ‖ **2.** Grave desacuerdo de opiniones.

disidente. (Del lat. *dissĭdens, -entis.*) p. a. de **disidir.** Que diside. Ú. t. c. s.

disidir. (Del lat. *dissidēre.*) intr. Separarse de la común doctrina, creencia o conducta.

disílabo, ba. (Del lat. *disyllăbus,* y este del gr. δισύλλαβος.) adj. **bisílabo.** Ú. t. c. s. m.

disímbolo, la. (De *dis-*[1] y el gr. σύμβολος, que se junta con otra cosa.) adj. desus. Disímil, diferente, disconforme. Ú. en Méjico.

disimetría. (De *dis-*[2] y el gr. συμμετρία, simetría.) f. Defecto de simetría.

disimétrico, ca. adj. Que tiene disimetría.

disímil. (Del lat. *dissimĭlis.*) adj. Desemejante, diferente.

disimilación. f. *Fon.* Acción y efecto de disimilar o disimilarse.

disimilar. (De *disímil.*) tr. *Fon.* Alterar la articulación de un sonido del habla diferenciándolo de otro igual o semejante, ya estén ambos contiguos, ya meramente cercanos. A veces, omitir por completo la articulación de un sonido en tales condiciones. Ú. m. c. intr. y c. prnl.

disimilitud. (Del lat. *dissimilitūdo.*) f. **desemejanza.**

disimulable. adj. Que se puede disimular o disculpar.

disimulación. (Del lat. *dissimulatio, -ōnis.*) f. Acción y efecto de disimular. ‖ **2. disimulo,** arte con que se oculta lo que se siente o se sabe. ‖ **3.** Tolerancia afectada de una incomodidad o de un disgusto.

disimuladamente. adv. m. Con disimulo.

disimulado, da. (Del lat. *dissimulātus.*) p. p. de **disimular.** ‖ **2.** adj. Que por hábito o carácter disimula o no da a entender lo que siente. Ú. t. c. s. ‖ **a lo disimulado, o a la disimulada.** loc. adv. Con disimulo. ‖ **hacer la disimulada.** fr. fam. Afectar y manifestar ignorancia de una cosa, o no darse por enterado de una expresión o de un acto.

disimulador, ra. (Del lat. *dissimulātor, -ōris.*) adj. Que disimula, fingiendo o tolerando. Ú. t. c. s.

disimular. (Del lat. *dissimulāre.*) tr. Encubrir con astucia la intención. Ú. t. c. intr. ‖ **2.** Desentenderse del conocimiento de una cosa. Ú. t. c. intr. ‖ **3.** Ocultar, encubrir algo que se siente y padece; como el miedo, la pena, la pobreza, el frío, etc. Ú. t. c. intr. ‖ **4.** Tolerar, disculpar un desorden, afectando ignorarlo o no dándole importancia. Ú. t. c. intr. ‖ **5.** Disfrazar u ocultar una cosa, para que parezca distinta de lo que es.

disimulo. (De *disimular.*) m. Arte con que se oculta lo que se siente, se sospecha, se sabe o se hace. ‖ **2.** Indulgencia, tolerancia.

disipable. (Del lat. *dissipabĭlis.*) adj. Capaz o fácil de disiparse.

disipación. (Del lat. *dissipatĭo, -ōnis.*) f. Acción y efecto de disipar o disiparse. ‖ **2.** Disolución, relajamiento moral.

disipado, da. p. p. de **disipar.** ‖ **2.** adj. **disipador.** Ú. t. c. s. ‖ **3.** Disoluto, libertino. Ú. t. c. s.

disipador, ra. (Del lat. *dissipātor, -ōris.*) adj. Que destruye y malgasta la hacienda o caudal. Ú. t. c. s.

disipar. (Del lat. *dissipāre.*) tr. Esparcir y desvanecer las partes que forman por aglomeración un cuerpo. *El sol* DISIPA *las nieblas; el viento, las nubes.* Ú. t. c. prnl. ‖ **2.** Desperdiciar, malgastar la hacienda u otra cosa. ‖ **3.** prnl. Evaporarse, resolverse en vapores. ‖ **4.** fig. Desvanecerse, quedar en nada una cosa; como un sueño, una sospecha, etc.

disípula. f. ant. **erisipela.**

disipular. tr. ant. **erisipelar.** Usáb. m. c. prnl.

disjunto. (Del lat. *disiunctus,* desunido.) adj. *Mat.* V. **conjuntos disjuntos.**

dislalia. (De *dis-*[2] y el gr. λαλεῖν, hablar.) f. *Med.* Dificultad de articular las palabras.

dislate. (De *deslate.*) m. **disparate.**

dislexia. (De *dis-*[2] y el gr. λέξις, habla o dicción.) f. *Med.* Incapacidad parcial de leer comprendiendo lo que se lee, causada por una lesión en el cerebro. ‖ **2.** Estado patológico en el cual, aunque es posible leer, la lectura resulta difícil o penosa.

disléxico, ca. adj. Perteneciente o relativo a la dislexia. ‖ **2.** Que padece dislexia. Ú. t. c. s.

dislocación. f. Acción y efecto de dislocar o dislocarse. ‖ **2.** *Fís.* Discontinuidad en la estructura de un cristal. ‖ **3.** *Geol.* Cambio de dirección, en sentido horizontal, de una capa o filón.

dislocadura. (De *dislocar.*) f. **dislocación.**

dislocar. (De *dis-*[1] y el lat. *locāre,* colocar.) tr. Sacar una cosa de su lugar. Ú. m. c. prnl., referido a huesos y articulaciones. ‖ **2.** Torcer un argumento o razonamiento, manipularlo sacándolo de su contexto. ‖ **3.** fig. Hacer perder el tino o la compostura. Ú. t. c. prnl. y m. en p. p.

disloque. m. fam. El colmo, desbarajuste.

dismembración. f. p. us. **desmembración.**

dismenorrea. (De *dis-*[2] y el gr. μήν, menstruo, y ῥέω, fluir.) f. *Pat.* Menstruación dolorosa o difícil.

disminución. (De *disminuir.*) f. Merma o menoscabo de una cosa, tanto en lo físico como en lo moral. ‖ **2.** *Arq.* Cantidad en que el grueso de un muro es menor que su zarpa. ‖ **3.** *Veter.* Cierta enfermedad que padecen las bestias en los cascos. ‖ **ir** una cosa **en disminución.** fr. Irse perdiendo; como la salud, el crédito, etc. ‖ **2.** Irse estrechando o adelgazando en alguna de sus partes.

disminuido, da. p. p. de **disminuir.** ‖ **2.** adj. *Blas.* V. **pieza honorable disminuida.** ‖ **3.** Dícese de la persona minusválida, mermada en sus facultades físicas o mentales. Ú. t. c. s.

disminuir. (Del lat. *diminuĕre.*) tr. Hacer menor la extensión, la intensidad o número de alguna cosa. Ú. t. c. intr. y c. prnl.

dismnesia. (De *dis-*[2] y el gr. μνῆσις, memoria.) f. *Med.* Debilidad de la memoria.

disnea. (Del lat. *dyspnoea,* y este del gr. δύσπνοια.) f. *Pat.* Dificultad de respirar.

disneico, ca. adj. *Pat.* Que padece disnea. Ú. t. c. s. ‖ **2.** *Pat.* Perteneciente o relativo a la disnea.

disociable. adj. Que puede disociarse.

disociación. (Del lat. *dissociatĭo, -ōnis.*) f. Acción y efecto de disociar o disociarse. ‖ **2.** *Quím.* Descomposición química limitada por la tendencia a combinarse de los cuerpos separados.

disociador, ra. adj. Que disocia.

disociar. (Del lat. *dissociāre.*) tr. Separar una cosa de otra a la que estaba unida. Ú. t. c. prnl. ‖ **2.** Separar los diversos componentes de una sustancia. Ú. t. c. prnl.

disolubilidad. f. Calidad de disoluble.

disoluble. (Del lat. *dissolubĭlis.*) adj. **soluble,** que se puede disolver.

disolución. (Del lat. *dissolutĭo, -ōnis.*) f. Acción y efecto de disolver o disolverse. ‖ **2.** Mezcla que resulta de disolver cualquier sustancia en un líquido. ‖ **3.** fig. Relajación de vida y costumbres. ‖ **4.** fig. Relajación y rompimiento de los lazos o vínculos existentes entre varias personas. DISOLUCIÓN *de la sociedad, de la familia.* ‖ **acuosa.** Aquella cuyo disolvente es el agua. ‖ **coloidal. suspensión coloidal.**

disolutivo, va. (Del lat. *dissolutīvus.*) adj. Dícese de lo que tiene virtud de disolver.

disoluto, ta. (Del lat. *dissolūtus,* p. p. de *dissolvĕre,* disolver, disipar.) adj. Licencioso, entregado a los vicios. Ú. t. c. s.

disolvente. (Del lat. *dissolvens, -entis.*) p. a. de **disolver.** Que disuelve. Ú. t. c. s. m.

disolver. (Del lat. *dissolvĕre.*) tr. Desunir en un líquido las partículas de un sólido, gas u otro líquido, de manera que queden incorporadas a él. Ú. t. c. prnl. ‖ **2.** Separar, desunir las cosas que estaban unidas de cualquier modo. DISOLVER *el matrimonio, las Cortes.* Ú. t. c. prnl. DISOLVERSE *una sociedad.* ‖ **3.** Deshacer, destruir, aniquilar. Ú. t. c. prnl. ‖ **4.** desus. **resolver,** dar solución. DISOLVER *una duda, un argumento.*

disón. (De *di-*[1] y *son*[1].) m. *Mús.* **disonancia,** sonido desagradable.

disonancia. (Del lat. *dissonantĭa.*) f. Sonido desagradable. ‖ **2.** fig. Falta de la conformidad o proporción que naturalmente deben tener algunas cosas. ‖ **3.** *Mús.* Acorde no consonante. ‖ **hacer disonancia** una cosa. fr. fig. Parecer extraña y fuera de razón.

disonante. p. a. de **disonar.** Que disuena. ‖ **2.** adj. fig. Que no es regular o discrepa de aquello con que debiera ser conforme. ‖ **3.** *Mús.* V. **tono disonante.**

disonar. (Del lat. *dissonāre.*) intr. Sonar desapaciblemente; faltar a la consonancia y armonía. ‖ **2.** fig. Discrepar, carecer de conformidad y correspondencia algunas cosas o las partes de ellas entre sí cuando debieran tenerla. ‖ **3.** fig. Parecer mal y extraña una cosa.

dísono, na. (Del lat. *dissŏnus.*) adj. **disonante.**

disosmia. (De *dis-*[2] y el gr. ὀσμή, olfato.) f. *Med.* Dificultad en la percepción de los olores.

dispar. (Del lat. *dispar, -ăris.*) adj. Desigual, diferente.

disparada. f. *Argent., Méj., Nicar.* y *Urug.* Acción de echar a correr de repente o de partir con precipitación; fuga. ‖ **a la disparada.** loc. adv. *Argent., Chile, Par., Perú* y *Urug.* A todo correr. ‖ **2.** fig. *Argent., Chile, Par., Perú,* y *Urug.* Precipitada y atolondradamente. ‖ **de una disparada.** fr. *Argent.* Con gran prontitud, al momento. ‖ **pegar una disparada.** fr. fam. *Argent.* Echar a correr huyendo. ‖ **2.** *Argent.* Dirigirse rápidamente hacia un lugar. ‖ **tomar la disparada.** fr. *Argent.* Echar a correr huyendo.

disparadamente. adv. m. Con gran precipitación y violencia. ‖ **2. disparatadamente.**

disparadero. (De *disparar.*) m. **disparador** de un arma. ‖ **poner** a alguien **en el disparadero.** fr. fig. Ponerle en el trance, apurando su paciencia o su reserva, de decir o hacer lo que de otra forma no haría.

disparado, da. p. p. de **disparar.** ‖ **2.** adj. Dícese del que sale precipitadamente. ‖ **3.** adv. m. *Méj.* Precipitadamente, rápidamente.

disparador, ra. m. y f. Persona que dispara. ‖ **2.** m. Pieza donde se sujeta la llave de las armas portátiles de fuego, al montarlas, y que, movida a su tiempo, sirve para dispararlas. ‖ **3.** Pieza que sirve para hacer funcionar el obturador automático de una cámara fotográfica. ‖ **4.** Escape de un reloj. ‖ **5.** Nuez de la ballesta. ‖ **6.** *Fís.* En los aparatos electrónicos, artificio que pone en acción determinada parte de los mismos. ‖ **7.** *Mar.* Aparato que sirve para desprender el ancla de la serviola en el momento de dar fondo. ‖ **poner** a alguien **en el disparador.** fr. fig. y fam. **ponerle en el disparadero.**

disparar. (Del lat. *disparāre.*) tr. Hacer alguien que un arma despida su carga. DISPARAR *una flecha con el arco, una bala con el fusil.* ‖ **2.** Despedir el arma su carga. Ú. t. c. intr. *Esta pistola no* DISPARA *bien.* ‖ **3.** Arrojar o despedir con violencia una cosa. Ú. t. c. prnl. ‖ **4.** Hacer funcionar un disparador. ‖ **5.** En el fútbol y otros juegos, lanzar el balón con fuerza hacia la meta. ‖ **6.** intr. fig. p. us. Disparatar. ‖ **7.** prnl. Partir o correr sin dirección y precipitadamente lo que tiene movimiento natural o artificial. DISPARARSE *un caballo, un reloj.* Usáb. t. c. intr. y sigue usándose en América. ‖ **8.** fig. Dirigirse precipitadamente hacia un objeto. ‖ **9.** Hablar u obrar con extraordinaria violencia y, por lo común, sin razón. ‖ **10.** Crecer, incrementarse inmoderadamente alguna cosa. DISPARARSE *los precios, la violencia.*

disparatadamente. adv. m. Fuera de razón y de regla.

disparatado, da. p. p. de **disparatar.** ‖ **2.** adj. Dícese del que disparata. ‖ **3.** Contrario a la razón. ‖ **4.** fam. **atroz,** desmesurado.

disparatador, ra. adj. Que disparata. Ú. t. c. s.

disparatar. (Del lat. *disparatus,* p. p. de *disparāre,* separar.) intr. Decir o hacer una cosa fuera de razón y regla.

disparate. (De *disparatar.*) m. Hecho o dicho disparatado. ‖ **2.** fam. **atrocidad,** demasía.

disparatero, ra. adj. Que disparata con frecuencia. Ú. t. c. s. y m. en América.

disparato, ta. adj. desus. **disparatado.**

disparatorio. m. Conversación, discurso o escrito lleno de disparates.

disparcialidad. f. ant. Desunión en los ánimos, desavenencia entre aquellos que forman parcialidad o grupo.

disparejo, ja. adj. **dispar.**

disparidad. (De *dispar.*) f. Desemejanza, desigualdad y diferencia de unas cosas respecto de otras. ‖ **de cultos.** *Der.* Impedimento para el matrimonio canónico derivado de la diferencia de religión entre los contrayentes.

disparo. m. Acción y efecto de disparar o dispararse. ‖ **2.** fig. **disparate.**

dispendio. (Del lat. *dispendĭum.*) m. Gasto, por lo general excesivo e innecesario. ‖ **2.** fig. Uso o empleo excesivo de hacienda, tiempo o cualquier caudal.

dispendioso, sa. (Del lat. *dispendiōsus.*) adj. Costoso, de gasto considerable.

dispensa. (De *dispensar.*) f. Privilegio, excepción graciosa de lo ordenado por las leyes generales; y más comúnmente el concedido por el Papa o por un obispo. ‖ **2.** Documento o escrito que contiene la **dispensa.** ‖ **3.** pl. ant. **expensas.**

dispensabilidad. f. Cualidad de dispensable.

dispensable. adj. Que se puede dispensar.

dispensación. (Del lat. *dispensatĭo, -ōnis.*) f. Acción y efecto de dispensar o dispensarse. ‖ **2. dispensa.**

dispensador, ra. (Del lat. *dispensātor, -ōris.*) adj. Que dispensa. Ú. t. c. s. ‖ **2.** Que franquea o distribuye. Ú. t. c. s.

dispensar. (Del lat. *dispensāre.*) tr. Dar, conceder, otorgar, distribuir. DISPENSAR *mercedes, elogios.* ‖ **2.** Expender, despachar un medicamento. ‖ **3.** Eximir de una obligación, o de lo que se quiere considerar como tal. Ú. t. c. prnl. ‖ **4.** Absolver de falta leve ya cometida, o de lo que se quiere considerar como tal.

dispensario. m. Establecimiento destinado a prestar asistencia médica y farmacéutica a enfermos que no se alojan en él.

dispensativo, va. (Del lat. *dispensatīvus.*) adj. ant. Dícese de lo que dispensa o tiene facultad de dispensar.

dispepsia. (Del lat. *dyspepsĭa,* y este del gr. δυσπεψία.) f. *Pat.* Enfermedad crónica caracterizada por la digestión laboriosa e imperfecta.

dispéptico, ca. (Del gr. δύσπεπτος, que digiere mal.) adj. Perteneciente o relativo a la dispepsia. ‖ **2.** Enfermo de dispepsia. Ú. t. c. s.

dispersar. (De *disperso.*) tr. Separar y diseminar lo que estaba o solía estar reunido. DISPERSAR *una manifestación,* DISPERSAR *un rebaño.* Ú. t. c. prnl. ‖ **2.** fig. Dividir el esfuerzo, la atención o la actividad, aplicándolos desordenadamente en múltiples direcciones. ‖ **3.** *Mil.* Romper, desbaratar al enemigo haciéndole huir y diseminarse en completo desorden. Ú. t. c. prnl. ‖ **4.** *Mil.* Desplegar en orden abierto de guerrilla una fuerza. Ú. m. c. prnl.

dispersión. (Del lat. *dispersĭo, -ōnis.*) f. Acción y efecto de dispersar o dispersarse. ‖ **2.** *Ópt.* Separación de los diversos colores espectrales de un rayo de luz, por medio de un prisma u otro medio adecuado. ‖ **3.** *Quím.* Fluido en cuya masa está contenido uniformemente un cuerpo en suspensión o en estado coloidal.

dispersivo, va. adj. Que tiene facultad de dispersar.

disperso, sa. (Del lat. *dispersus,* p. p. de *dispergĕre,* esparcir, desparramar.) adj. Que está dispersado. Apl. a pers., ú. t. c. s. ‖ **2.** *Mil.* Dícese del militar que por fuerza mayor o voluntariamente se encuentra incomunicado o disgregado del cuerpo a que pertenece. ‖ **3.** *Mil.* Decíase del militar que no está agregado a ningún cuerpo y reside en el pueblo que elige. Ú. t. c. s.

dispersor, ra. (Del lat. *dispersor, -ōris.*) adj. Que dispersa.

dispertador, ra. (De *dispertar.*) adj. ant. **despertador.** Usáb. t. c. s.

dispertar. tr. ant. **despertar.** Usáb. t. c. prnl.

dispierto, ta. p. p. irreg. ant. de **dispertar.** ‖ **2.** adj. fig. **despierto,** avisado.

displacer. tr. **desplacer.**

displasia. (De *dis-*[2] y el gr. πλάσσω, formar.) f. *Pat.* Anomalía en el desarrollo de un órgano.

displásico, ca. adj. *Pat.* **displástico.**

displástico, ca. adj. *Pat.* Perteneciente o relativo a la displasia.

displicencia. (Del lat. *displicentĭa.*) f. Desagrado o indiferencia en el trato. ‖ **2.** Desaliento en la ejecución de una acción, por dudar de su bondad o desconfiar de su éxito.

displicente. (Del lat. *displĭcens, -entis,* p. a. de *displicēre,* desagradar.) adj. Dícese de lo que desplace, desagrada y disgusta. ‖ **2.** Desdeñoso, descontentadizo, desabrido o de mal humor. Ú. t. c. s.

dispondeo. (Del lat. *dispondēus,* y este del gr. δισπόνδειος.) m. Pie de la poesía griega y latina, que consta de dos espondeos, o sea de cuatro sílabas largas.

disponedor, ra. adj. Que dispone, coloca y ordena las cosas. Ú. t. c. s. ‖ **2.** m. ant. **testamentario.**

disponer. (Del lat. *disponĕre.*) tr. Colocar, poner las cosas en orden y situación conveniente. Ú. t. c. prnl. ‖ **2.** Deliberar, determinar, mandar lo que ha de hacerse. ‖ **3.** Preparar, prevenir. Ú. t. c. prnl. ‖ **4.** intr. Ejercitar en las cosas facultades de dominio, enajenarlas o gravarlas, en vez de atenerse a la posesión y disfrute. Testar acerca de ellas.

‖ **5.** Valerse de una persona o cosa, tenerla o utilizarla por suya. DISPONGA *usted de mí a su gusto.* DISPONEMOS *de poco tiempo.*

disponibilidad. f. Cualidad o condición de disponible. ‖ **2.** Situación de disponible, referida a funcionarios y militares. ‖ **3.** Conjunto de fondos o bienes disponibles en un momento dado. Ú. m. en pl.

disponible. (De *disponer.*) adj. Dícese de todo aquello de que se puede disponer libremente o de lo que está pronto para usarse o utilizarse. ‖ **2.** V. **recluta disponible.** ‖ **3.** Aplícase a la situación del militar o funcionario en servicio activo sin destino, pero que puede ser destinado inmediatamente. ‖ **4.** Dícese de la persona libre de impedimento para prestar servicios a otra u otras. *Quisieron contratarlo pero no estaba* DISPONIBLE.

disposición. (Del lat. *dispositĭo, -ōnis.*) f. Acción y efecto de disponer o disponerse. ‖ **2.** Aptitud, proporción para algún fin. ‖ **3.** Estado de la salud. ‖ **4.** Gallardía y gentileza en la persona. ‖ **5.** Desembarazo, soltura en preparar y despachar las cosas que alguien tiene a su cargo. *Es hombre de* DISPOSICIÓN. ‖ **6.** Precepto legal o reglamentario, deliberación, orden y mandato de la autoridad. ‖ **7.** Cualquiera de los medios que se emplean para ejecutar un propósito, o para evitar o atenuar un mal. ‖ **8.** *Arq.* Distribución de todas las partes del edificio. ‖ **9.** *Ret.* Ordenada colocación o distribución de las diferentes partes de una composición literaria. ‖ **última disposición. testamento,** declaración que de su última voluntad hace una persona. ‖ **a la disposición de.** expr. de cortesía con que una persona se ofrece a otra. *Estoy* A LA DISPOSICIÓN DE *usted.* ‖ **estar,** o **hallarse, en disposición** una persona o cosa. fr. Hallarse apta y pronta para algún fin.

dispositiva. (De *dispositivo.*) f. ant. Disposición, expedición y aptitud.

dispositivamente. adv. m. Con carácter dispositivo o preceptivo.

dispositivo, va. (Del lat. *dispositus,* dispuesto.) adj. Dícese de lo que dispone. ‖ **2.** m. Mecanismo o artificio dispuesto para producir una acción prevista.

dispositorio, ria. adj. ant. **dispositivo.**

disprosio. (Del lat. cient. *dysprosium,* gr. δυσπρόσιτός, difícil de alcanzar.) m. *Quím.* Metal del grupo de los de tierras raras. Núm. atómico 66. Símb.: *Dy.*

dispuesto, ta. (Del lat. *disposĭtus.*) p. p. irreg. de **disponer.** ‖ **2.** adj. Apuesto, gallardo, bien proporcionado. ‖ **3.** Hábil, despejado. ‖ **bien,** o **mal, dispuesto.** Con entera salud o sin ella. ‖ **2.** Con ánimo favorable o adverso.

disputa. f. Acción y efecto de disputar. ‖ **sin disputa.** loc. adv. **indudablemente.**

disputable. (Del lat. *disputabĭlis.*) adj. Que se puede disputar, o es problemático.

disputación. (Del lat. *disputatĭo, -ōnis.*) f. ant. **disputa.**

disputador, ra. (Del lat. *disputātor, -ōris.*) adj. Que disputa. Ú. t. c. s. ‖ **2.** Que tiene el vicio de disputar. Ú. t. c. s.

disputar. (Del lat. *disputāre.*) tr. **debatir.** ‖ **2.** Porfiar y altercar con calor y vehemencia. Ú. c. intr. con las preposiciones *de, sobre, acerca de,* etc. ‖ **3.** Ejercitarse los estudiantes discutiendo. Ú. m. c. intr. ‖ **4.** Contender, competir, rivalizar. Ú. t. c. prnl.

disputativamente. adv. m. Por vía de disputa.

disquete. m. *Inform.* Disco magnético portátil, de capacidad reducida, que se introduce en un ordenador para su grabación o lectura.

disquetera. f. *Inform.* Dispositivo donde se inserta el disquete para su grabación o lectura.

disquisición. (Del lat. *disquisitĭo, -ōnis.*) f. Examen riguroso que se hace de alguna cosa, considerando cada una de sus partes. ‖ **2.** Divagación, digresión. Ú. m. en pl.

disruptivo, va. (Del ing. *disruptive.*) adj. *Fís.* Que produce ruptura brusca. *Descarga* DISRUPTIVA; *tensión* DISRUPTIVA.

distal. (Del ing. *distal.*) adj. *Anat.* Dícese de la parte de un miembro o de un órgano más separada de la línea media del organismo en cuestión.

distancia. (Del lat. *distantĭa.*) f. Espacio o intervalo de lugar o de tiempo que media entre dos cosas o sucesos. ‖ **2.** fig. Diferencia, desemejanza notable entre unas cosas y otras. ‖ **3.** fig. Alejamiento, desvío, desafecto entre personas. ‖ **4.** *Geom.* Longitud del segmento de recta comprendido entre dos puntos del espacio. ‖ **5.** *Geom.* Longitud del segmento de recta comprendido entre un punto y el pie de la perpendicular trazada desde él a una recta o a un plano. ‖ **a distancia.** loc. adv. Lejos, apartadamente. ‖ **a respetable,** o **a respetuosa, distancia.** loc. adv. A considerable **distancia,** lejos, apartado. ‖ **2.** fig. Dicho de personas, alejada una de otra por el respeto o por la antipatía y el desvío. ‖ **guardar las distancias.** fr. fig. Observar en el trato con otras personas una actitud que excluya familiaridad o excesiva cordialidad.

distanciamiento. m. Acción y efecto de distanciar y distanciarse. ‖ **2.** Enfriamiento de la relación amistosa y disminución de la frecuencia en el trato entre dos personas. ‖ **3.** Alejamiento afectivo o intelectual de una persona en su relación con un grupo humano, una institución, una ideología, una creencia o una opinión. ‖ **4.** Recurso artístico, principalmente teatral, mediante el cual se consigue que el espectador o el actor queden psíquicamente distantes de la acción representada, y puedan adoptar ante ella una actitud claramente cognoscitiva y crítica.

distanciar. tr. Separar, apartar, poner a distancia. Ú. t. c. prnl. ‖ **2.** Desunir o separar moralmente a las personas por desafecto, diferencias de opinión, etc. Ú. t. c. prnl.

distante. (Del lat. *distans, -antis.*) p. a. de **distar.** Que dista. ‖ **2.** adj. Apartado, remoto, lejano. ‖ **3.** Dícese de la persona que rehúye el trato amistoso o la intimidad.

distantemente. adv. m. Con distancia o intervalo de lugar o de tiempo.

distar. (Del lat. *distāre.*) intr. Estar apartada una cosa de otra cierto espacio de lugar o de tiempo. ‖ **2.** fig. Diferenciarse notablemente una cosa de otra.

distender. (Del lat. *distendĕre.*) tr. Aflojar, relajar, disminuir la tensión. Ú. t. en sent. fig. ‖ **2.** *Med.* Causar una tensión violenta en los tejidos, membranas, etc. Ú. t. c. prnl.

distensible. adj. *Med.* Que se puede distender.

distensión. (Del lat. *distensĭo, -ōnis.*) f. Acción y efecto de distender o distenderse.

distermia. (De *dis-*[2] y *termo-.*) f. Temperatura anormal del organismo.

disterminar. (Del lat. *distermināre,* separar, aislar.) tr. ant. **deslindar,** señalar y distinguir los términos de un lugar, provincia o heredad.

dístico[1]**.** (Del gr. δίστιχον, de dos versos.) m. Composición usual en la poesía griega y latina que consta de dos versos, por lo común un hexámetro seguido de un pentámetro.

dístico[2]**, ca.** (Del lat. *distĭchus,* y este del gr. δίστιχος, de dos órdenes.) adj. *Bot.* Dícese de las hojas, flores, espigas y demás partes de las plantas cuando están situadas en un mismo plano y miran alternativamente a uno y otro lado de un eje.

distilación. (Del lat. *distillatĭo, -ōnis.*) f. ant. **destilación.**

distilar. (Del lat. *distillāre.*) tr. ant. **destilar.**

distilatorio. m. ant. **destilatorio.**

distinción. (Del lat. *distinctĭo, -ōnis.*) f. Acción y efecto de distinguir o distinguirse. ‖ **2.** Diferencia en virtud de la cual una cosa no es otra, o no es semejante a otra. ‖ **3.** Prerrogativa, excepción y honor concedido a alguien, en virtud de los cuales se diferencia de otros sujetos. ‖ **4.**

Buen orden, claridad y precisión en las cosas. ‖ **5.** Elevación sobre lo vulgar, especialmente en elegancia y buenas maneras. ‖ **6.** Miramiento y consideración hacia una persona. *Tratar a alguien con* DISTINCIÓN. *Ser persona de* DISTINCIÓN. ‖ **7.** En las antiguas escuelas universitarias, declaración de una proposición que tiene dos sentidos. ‖ **a distinción de.** loc. conjunt. con que se explica la diferencia entre dos cosas que pueden confundirse. *Aranda de Duero llámase así* A DISTINCIÓN DE *otra Aranda que hay en Aragón.* ‖ **hacer distinción.** fr. Hacer juicio recto de las cosas; estimarlas en lo que merecen.

distingo. (De *distinguir.*) m. *Lóg.* Distinción en una proposición de dos sentidos, uno de los cuales se concede y otro se niega. ‖ **2.** Reparo, restricción, limitación que se pone con cierta sutileza, meticulosidad o malicia.

distinguible. adj. Dícese de lo que puede distinguirse.

distinguido, da. (De *distinguir.*) p. p. de **distinguir.** ‖ **2.** adj. Ilustre, noble, esclarecido. ‖ **3.** V. **soldado distinguido.** Ú. t. c. s.

distinguidor, ra. adj. Que distingue. U. t. c. s.

distinguir. (Del lat. *distinguĕre.*) tr. Conocer la diferencia que hay de unas cosas a otras. ‖ **2.** Hacer que una cosa se diferencie de otra por medio de alguna particularidad, señal, divisa, etc. Ú. t. c. prnl. ‖ **3.** Tratándose de cualidades o procederes, caracterizar a una persona o cosa: *Juan, con la generosidad que lo* DISTINGUE, *renunció a lo que le ofrecían.* ‖ **4.** Manifestar, declarar la diferencia que hay entre una cosa y otra con la cual se puede confundir. ‖ **5.** Ver un objeto, diferenciándolo de los demás, a pesar de alguna dificultad que haya para ello, como lejanía, falta de diafanidad en el aire, debilidad de la vista, etc. ‖ **6.** En las antiguas escuelas universitarias, declarar una proposición por medio de una distinción. ‖ **7.** fig. Hacer particular estimación de unas personas prefiriéndolas a otras. ‖ **8.** Otorgar a alguien alguna dignidad, prerrogativa, etc. ‖ **9.** prnl. Descollar, sobresalir entre otros.

distintivo, va. (De *distinto.*) adj. Que tiene facultad de distinguir. ‖ **2.** Dícese de la cualidad que distingue o caracteriza esencialmente una cosa. Ú. t. c. s. ‖ **3.** m. Insignia, señal, marca.

distinto[1], ta. (Del lat. *distinctus,* p. p. de *distinguĕre,* distinguir.) adj. Que no es lo mismo; que tiene realidad o existencia diferente de aquello otro de que se trata. ‖ **2.** Que no es parecido; que tiene diferentes cualidades. ‖ **3.** Inteligible, claro, sin confusión.

distinto[2]. m. desus. vulg. **instinto.**

distocia. (Del gr. δυστοκία, de δύστοκος, mal parto.) f. *Cir.* Parto laborioso o difícil.

distócico, ca. adj. *Cir.* Perteneciente o relativo a la distocia.

dístomo. (De *di-*[2] y el gr. στόμα, boca.) m. **duela,** gusano platelminto.

distorsión. (Del lat. tardío *distorsĭo, -ōnis.*) m. Torsión, torcedura. ‖ **2.** Deformación de imágenes, sonidos, señales, etc., producida en su transmisión o reproducción. ‖ **3.** *Med.* **esguince,** torcedura, distensión. ‖ **4.** fig. Acción de torcer o desequilibrar la disposición de figuras en general o de elementos artísticos, o de presentar o interpretar hechos, intenciones, etc., deformándolos de modo intencionado.

distorsionar. (De *distorsión.*) tr. Causar distorsión. Ú. t. c. prnl.

distracción. (Del lat. *distractĭo, -ōnis,* separación.) f. Acción y efecto de distraer o distraerse. ‖ **2.** Cosa que atrae la atención apartándola de aquello a que está aplicada; especialmente, espectáculo o juego que sirve para el descanso. ‖ **3.** Desenfado o disipación en la vida y costumbres. ‖ **4.** ant. Distancia, separación.

distracto. (Del lat. *distractus.*) m. ant. *Der.* Disolución del contrato.

distraer. (Del lat. *distrahĕre.*) tr. **divertir,** apartar, desviar, alejar. Ú. t. c. prnl. ‖ **2. divertir,** entretener, recrear. Ú. t. c. prnl. ‖ **3.** Apartar la atención de una persona del objeto a que la aplicaba o a que debía aplicarla. Ú. t. c. prnl. ‖ **4.** Apartar a alguien de la vida virtuosa y honesta. Ú. t. c. prnl. ‖ **5.** Tratándose de fondos, malversarlos, defraudarlos.

distraído, da. p. p. de **distraer** o **distraerse.** ‖ **2.** adj. Dícese de la persona que, por distraerse con facilidad, habla u obra sin darse cuenta cabal de sus palabras o de lo que pasa a su alrededor. Ú. t. c. s. ‖ **3.** p. us. Entregado a la vida licenciosa y desordenada. Ú. t. c. s. ‖ **4.** desus. *Chile* y *Méj.* Roto, mal vestido, desaseado.

distraimiento. (De *distraer.*) m. **distracción.**

distribución. (Del lat. *distribūtĭo, -ōnis.*) f. Acción y efecto de distribuir o distribuirse. ‖ **2.** Aquello que se reparte entre los asistentes a algún acto que tiene pensión señalada, especialmente en las iglesias. Ú. m. en pl. ‖ **3.** *Cinem.* Reparto comercial de las películas cinematográficas a los locales de exhibición. ‖ **4.** *Econ.* Repartición del valor del producto entre los factores de la producción. ‖ **5.** *Com.* Reparto de un producto a los locales en que debe comercializarse. ‖ **6.** *Ret.* Figura, especie de enumeración, en que ordenadamente se afirma o niega algo acerca de cada una de las cosas enumeradas. ‖ **tomar** alguien alguna cosa **por distribución.** fr. Tener el defecto de repetir y continuar una acción impertinente.

distribuidor, ra. adj. Que distribuye. Ú. t. c. s. ‖ **2.** f. Máquina agrícola para esparcir abonos. ‖ **3.** Empresa dedicada a la distribución de productos comerciales.

distribuir. (Del lat. *distribuĕre.*) tr. Dividir una cosa entre varios, designando lo que a cada uno corresponde, según voluntad, conveniencia, regla o derecho. ‖ **2.** Dar a cada cosa su oportuna colocación o el destino conveniente. Ú. t. c. prnl. ‖ **3.** *Com.* Entregar una mercancía a los vendedores y consumidores. ‖ **4.** *Impr.* Deshacer los moldes, repartiendo las letras en los cajetines respectivos.

distributivo, va. (Del lat. *distributīvus.*) adj. Que toca o atañe a distribución. ‖ **2.** V. **justicia distributiva.** ‖ **3.** *Gram.* V. **conjunción distributiva.**

distributor, ra. (Del lat. *distribūtor, -ōris.*) adj. p. us. **distribuidor.** Ú. t. c. s.

distrito. (Del lat. *districtus,* de *distringĕre,* separar.) m. Cada una de las demarcaciones en que se subdivide un territorio o una población para distribuir y ordenar el ejercicio de los derechos civiles y políticos, o de las funciones públicas, o de los servicios administrativos.

distrofia. (De *dis-*[2] y el gr. τροφή, alimentación.) f. Estado patológico que afecta a la nutrición y al crecimiento. DISTROFIA *muscular, adiposa,* etc.

distrófico, ca. adj. *Pat.* Perteneciente o relativo a la distrofia.

disturbar. (Del lat. *disturbāre.*) tr. Perturbar, causar disturbio.

disturbio. (De *disturbar.*) m. Alteración, turbación de la paz y concordia.

disuadir. (Del lat. *dissuadēre.*) tr. Inducir, mover a alguien con razones a mudar de dictamen o a desistir de un propósito. Ú. con la prep. *de. Le* DISUADIMOS *de que aceptara aquel empleo.*

disuasión. (Del lat. *dissuasĭo, -ōnis.*) f. Acción y efecto de disuadir.

disuasivo, va. (Del lat. *dissuāsum,* supino de *dissuadēre,* disuadir.) adj. Que disuade o puede disuadir.

disuasorio, ria. (Del lat. *dissuāsor,* que disuade.) adj. **disuasivo.**

disuelto, ta. (Del lat. *dissolūtus.*) p. p. irreg. de **disolver.**

disuria. (Del lat. *dysurĭa,* y este del gr. δυσουρία.) f. *Pat.* Expulsión difícil, dolorosa e incompleta de la orina.

disúrico, ca. adj. *Pat.* Perteneciente o relativo a la disuria.

disyunción. (Del lat. *disiunctĭo, -ōnis,* desunión.) f. Acción y efecto de separar y desunir. ‖ **2.** *Ret.* Figura que consiste en que cada oración lleve todas sus partes necesarias, sin que necesite valerse para su perfecto sentido de ninguna de las otras oraciones que preceden o siguen. ‖ **3.** *Fil.* Separación de dos realidades, cada una de las cuales está referida intrínsecamente a la otra, por ej.: *masculino y femenino; izquierdo y derecho.*

disyunta. (Del lat. *disiuncta,* t. f. de *-tus,* disyunto.) f. desus. *Mús.* Mutación de voz con que se pasa de una propiedad o deducción a otra.

disyuntiva. (Del lat. *disiunctīva,* t. f. de *-vus,* disyuntivo.) f. Alternativa entre dos cosas por una de las cuales hay que optar.

disyuntivamente. adv. m. Con disyuntiva. ‖ **2.** Separadamente; cada cosa de por sí.

disyuntivo, va. (Del lat. *disiunctīvus.*) adj. Dícese de lo que tiene la cualidad de desunir o separar. ‖ **2.** *Dial.* V. **proposición disyuntiva.** ‖ **3.** *Gram.* V. **conjunción disyuntiva.** ‖ **4.** *Lóg.* V. **argumento disyuntivo.**

disyunto, ta. (Del lat. *disiunctus.*) adj. ant. Apartado, separado, distante. ‖ **2.** m. Cada uno de los dos términos de una disyunción o disyuntiva, por referencia al otro.

disyuntor. (Del lat. *disiunctus,* desunido.) m. *Electr.* Aparato que tiene por objeto abrir automáticamente el paso de la corriente eléctrica desde la dinamo a la batería, e interrumpir la conexión si la corriente va en sentido contrario.

dita[1]. (De etim. disc.; cf. it. ant. *ditta, detta,* cosas dichas, debidas; cat. *dita.*) f. desus. Persona o efecto que se señala como garantía de un pago. ‖ **2.** *Albac., Amér. Central, Chile* y *Méj.* **deuda,** obligación de pagar, satisfacer o reintegrar a otro una cosa, por lo común dinero. ‖ **3.** *And.* Préstamo a elevado interés, pagadero por días con el capital.

dita[2]. f. *P. Rico.* Vasija hecha de la segunda corteza del coco o de la corteza del higüero.

ditá. m. Árbol de Filipinas, de la familia de las apocináceas, de flores blancas en panojas terminales. De su corteza se extrae la ditaína.

ditado. m. ant. **dictado.**

ditaína. f. Alcaloide que se extrae de la corteza del ditá y se emplea en medicina como febrífugo.

diteísmo. (De *dis-*[1] y *teísmo.*) m. Sistema de religión que admite dos dioses.

diteísta. adj. Dícese del partidario del diteísmo. Ú. t. c. s.

ditero, ra. m. y f. *And.* Persona que presta a dita[1].

ditirámbica. (Del lat. *dithyrambĭca,* t. f. de *-cus,* ditirámbico.) f. ant. **ditirambo.**

ditirámbico, ca. (Del lat. *dithyrambĭcus,* y este del gr. διθυραμβικός.) adj. Perteneciente o relativo al ditirambo.

ditirambo. (Del lat. *dithyrambus,* y este del gr. διθύραμβος, sobrenombre de Dionisos) m. En la antigua Grecia, composición poética en loor de Dionisos. ‖ **2.** Composición poética, comúnmente de carácter laudatorio, a semejanza del **ditirambo** griego. ‖ **3.** fig. Alabanza exagerada, encomio excesivo.

dito, ta. (Del lat. *dictus.*) p. p. irreg. ant. **dicho.**

dítono. (Del lat. *ditŏnus,* y este del gr. δίτονος.) m. *Mús.* Intervalo que consta de dos tonos.

diuca. (De or. araucano.) f. Ave de Chile y la República Argentina, de color gris apizarrado, con una lista blanca en el vientre. ‖ **2.** m. fig. y fam. *Argent.* Alumno preferido y mimado por el profesor.

diucón. (aum. de *diuca.*) m. *Chile.* Pájaro mayor que la diuca y muy parecido a ella.

diuresis. (Del gr. διουρέω, orinar.) f. *Fisiol.* Secreción de la orina.

diurético, ca. (Del lat. *diuretĭcus,* y este del gr. διουρητικός.) adj. *Farm.* Dícese de lo que tiene virtud para aumentar la secreción y excreción de la orina. Ú. t. c. s. m.

diurnal. (Del lat. *diurnālis.*) m. ant. **diurno.**

diurnario. (Del lat. *diurnarĭus*) m. ant. **diurno.**

diurno, na. (Del lat. *diurnus.*) adj. Perteneciente al día. ‖ **2.** *Astron.* V. **movimiento diurno.** ‖ **3.** *Bot.* y *Zool.* Aplícase a los animales que buscan el alimento durante el día, y a las plantas que solo de día tienen abiertas sus flores. ‖ **4.** m. Libro de rezo eclesiástico, que contiene las horas menores desde laudes hasta completas.

diuturnidad. (Del lat. *diuturnĭtas, -ātis.*) f. desus. Espacio dilatado de tiempo. Ú. en Ecuador.

diuturno, na. (Del lat. *diuturnus.*) adj. desus. Que dura o subsiste mucho tiempo. Ú. en Argentina y Ecuador.

diva. (Del lat. *diva.*) f. poét. **diosa.** ‖ **2.** adj. V. **divo, va.**

divagación. f. Acción y efecto de divagar.

divagador, ra. adj. Que divaga. Ú. t. c. s.

divagar. (Del lat. *divagāri.*) intr. **vagar[3].** ‖ **2.** Separarse del asunto de que se trata. ‖ **3.** Hablar o escribir sin concierto ni propósito fijo y determinado.

diván. (Del ár. *dīwān,* libro, o registro público, y por ext., sala de consejos o cancillería.) m. Supremo consejo que entre los turcos determinaba los negocios de Estado y de justicia. ‖ **2.** Sala en que se reunía este consejo. ‖ **3.** Asiento alargado y mullido, por lo común sin respaldo y con almohadones sueltos, en el que una persona puede tenderse. ‖ **4.** Colección de poesías de uno o de varios autores, en alguna de las lenguas orientales, especialmente en árabe, persa o turco.

divergencia. (Del lat. *divergens, -entis,* divergente.) f. Acción y efecto de divergir. ‖ **2.** fig. Diversidad de opiniones o pareceres.

divergente. (Del lat. *divergens, -entis,* p. a. de *divergĕre,* divergir.) p. a. de **divergir.** Que diverge.

divergir. (Del lat. *divergĕre.*) intr. Irse apartando sucesivamente unas de otras, dos o más líneas o superficies. ‖ **2.** fig. Discordar, discrepar.

diversamente. adv. m. Con diversidad.

diversidad. (Del lat. *diversĭtas, -ātis.*) f. Variedad, desemejanza, diferencia. ‖ **2.** Abundancia, copia, concurso de varias cosas distintas.

diversificación. f. Acción y efecto de diversificar.

diversificar. (Del lat. *diversificāre.*) tr. Convertir en múltiple y diverso lo que era uniforme y único. DIVERSIFICAR *los intereses.* Ú. t. c. prnl.

diversiforme. (Del lat. *diversus,* diverso, y *-forme.*) adj. Que presenta diversidad de formas.

diversión. (Del lat. *diversĭo, -ōnis.*) f. Acción y efecto de divertir o divertirse. ‖ **2.** Recreo, pasatiempo, solaz. ‖ **3.** *Mil.* Acción de distraer o desviar la atención y fuerzas del enemigo.

diversivo, va. (De *diversión.*) adj. Perteneciente o relativo a la diversión. ‖ **2.** *Farm.* En la medicina tradicional, aplicábase al medicamento que se daba para divertir o apartar los humores del lugar en que hacen daño. Ú. t. c. s. m. ‖ **3.** *Mil.* Dícese de la guerra u operación militar destinada a distraer o desviar la atención o fuerzas del enemigo.

diverso, sa. (Del lat. *diversus,* p. p. de *divertĕre.*) adj. De distinta naturaleza, especie, número, figura, etc. ‖ **2. desemejante.** ‖ **3.** pl. Varios, muchos.

diversorio. (Del lat. *diversorĭum.*) m. desus. Posada, mesón común o particular.

divertículo. (Del lat. *diverticŭlum,* desviación de un camino.) m. *Anat.* Apéndice hueco y terminado en fondo de saco, que aparece en el trayecto del esófago o del intestino, por malformación congénita o por otros motivos patológicos.

divertido, da. p. p. de **divertir** o **divertirse.** ‖ **2.** adj. Alegre, festivo y de buen humor. ‖ **3.** Que divierte. ‖ **4.** *Argent., Chile, Guat.* y *Perú.* Achispado, ligeramente bebido.

divertimento. (Del it. *divertimento.*) m. **divertimiento,** diversión. ‖ **2.** *Mús.* Composición para un reducido número de instrumentos, de forma más o menos libre, generalmente entre la suite y la sonata. ‖ **3.** fig. Obra artística o literaria de carácter ligero, cuyo fin es solo divertir.

divertimiento. (De *divertir.*) m. **diversión,** acción de divertirse y recreo, pasatiempo. ‖ **2.** Distracción momentánea de la atención.

divertir. (Del lat. *divertĕre,* llevar por varios lados.) tr. Apartar, desviar, alejar. Ú. t. c. prnl. ‖ **2.** Entretener, recrear. Ú. t. c. prnl. ‖ **3.** *Med.* Dirigir hacia otra parte el humor. ‖ **4.** *Mil.* Dirigir la atención del enemigo a varias partes, para dividir y debilitar sus fuerzas. ‖ **andar** alguien **divertido.** fr. Seguir alguna afición que le distrae de sus ocupaciones ordinarias. ‖ **andar,** o **estar, mal divertido.** fr. Vivir entregado a los vicios.

dividendo. (Del lat. *dividendus,* p. f. p. de *dividĕre,* dividir.) m. *Álg.* y *Arit.* Cantidad que ha de dividirse por otra. ‖ **activo.** Cuota que, al distribuir ganancias una compañía mercantil, corresponde a cada acción. ‖ **pasivo.** Cada una de las cantidades parciales que se compromete a satisfacer el subscriptor de una acción u obligación a requerimiento de la entidad emisora.

divididero, ra. adj. Dícese de lo que ha de dividirse.

dividir. (Del lat. *dividĕre.*) tr. Partir, separar en partes. Ú. t. c. prnl. *El libro* SE DIVIDE *en doce capítulos.* ‖ **2.** Distribuir, repartir entre varios. ‖ **3.** fig. Desunir los ánimos y voluntades introduciendo discordia. ‖ **4.** *Álg.* y *Arit.* Averiguar cuántas veces una cantidad, que se llama divisor, está contenida en otra, que se llama dividendo. ‖ **5.** *Álg.* y *Arit.* Reemplazar en una proporción cada antecedente por la diferencia entre el mismo y su consecuente. ‖ **6.** prnl. Separarse de la compañía, amistad o confianza de alguien.

dividivi. m. Árbol de América Central y de Venezuela, de la familia de las papilionáceas, cuyo fruto, que contiene mucho tanino, se usa para curtir pieles. Su madera es muy pesada.

dividuo, dua. (Del lat. *dividŭus.*) adj. *Der.* **divisible,** que puede dividirse.

divieso. (Del lat. *diversus,* separado.) m. Tumor inflamatorio, pequeño, puntiagudo y doloroso, que se forma en el espesor de la dermis y termina por supuración seguida del desprendimiento del llamado clavo.

divinación. (Del lat. *divinatĭo, -ōnis.*) f. ant. **adivinación.**

divinadero. (De *divinar.*) m. ant. **adivinador.**

divinador, ra. (Del lat. *divinātor, -ōris.*) m. y f. ant. **adivinador.**

divinal. (Del lat. *divinālis.*) adj. **divino.** Ú. más en poesía.

divinamente. adv. m. Con divinidad, por medios divinos. ‖ **2.** fig. Admirablemente, con gran perfección y propiedad. ‖ **3.** Estupendamente, muy bien.

divinanza. (De *divinar.*) f. ant. **adivinanza.**

divinar. (Del lat. *divināre.*) tr. ant. **adivinar.**

divinatorio, ria. (De *divinar.*) adj. p. us. Perteneciente al arte de adivinar.

divinidad. (Del lat. *divinĭtas, -ātis.*) f. Naturaleza divina y esencia del ser de Dios en cuanto Dios. ‖ **2.** Ser divino que las diversas religiones atribuyen a sus dioses. ‖ **3.** fig. Persona o cosa dotada de gran beldad, hermosura, preciosidad. ‖ **decir,** o **hacer, divinidades.** fr. fig. y fam. Decir, o hacer, cosas con oportunidad y primor extraordinario.

divinización. f. Acción y efecto de divinizar.

divinizar. tr. Hacer o suponer divina a una persona o cosa, o tributarle culto y honores divinos. ‖ **2.** fig. Santificar, hacer sagrada una cosa. ‖ **3.** fig. Ensalzar desmedidamente.

divino, na. (Del lat. *divīnus.*) adj. Perteneciente a Dios. ‖ **2.** Perteneciente a los dioses a que dan culto las diversas religiones. ‖ **3.** fig. Muy excelente, extraordinariamente primoroso. ‖ **4.** V. **derecho divino.** ‖ **5.** V. **letras divinas.** ‖ **6.** V. **Su Divina Majestad.** ‖ **7.** V. **el Divino Nazareno.** ‖ **8.** V. **palabra divina.** ‖ **9.** fig. **consistorio divino.** ‖ **10.** fig. V. **Divino Cordero.** ‖ **11.** *Farm.* V. **piedra divina.** ‖ **12.** m. y f. ant. **adivino.**

divisa[1]**.** (De *divisar.*) f. Señal exterior para distinguir personas, grados u otras cosas. ‖ **2.** Lazo de cintas de colores con que se distinguen en la lidia los toros de cada ganadero. ‖ **3.** Moneda extranjera referida a la unidad del país de que se trata. Ú. m. en pl. ‖ **4.** *Seg.* y *Urug.* **mojonera,** serie de mojones. ‖ **5.** *Blas.* Faja que tiene la tercera parte de su anchura normal. ‖ **6.** *Blas.* Lema o mote que se expresa unas veces en términos sucintos, otras por algunas figuras, y otras por ambos modos.

divisa[2]**.** (Del lat. *divīsa,* dividida.) f. *Der.* Se llamaba así a la parte de herencia paterna transmitida a descendientes de grado ulterior.

divisable. adj. Que puede divisarse.

divisar. (Del lat. *divisus,* p. p. de *dividĕre,* dividir, distinguir.) tr. Ver, percibir, aunque confusamente, un objeto. ‖ **2.** *Blas.* Diferenciar, distinguir las armas de familia, añadiéndoles blasones o timbres.

divisibilidad. f. Calidad de divisible. ‖ **2.** *Fís.* Una de las propiedades generales de los cuerpos, en virtud de la cual pueden fraccionarse.

divisible. (Del lat. *divisibĭlis.*) adj. Que puede dividirse. ‖ **2.** *Álg.* y *Arit.* Aplícase a la cantidad entera que, dividida por otra entera, da por cociente una cantidad también entera.

división. (Del lat. *divisĭo, -ōnis.*) f. Acción y efecto de **dividir,** separar o repartir. ‖ **2.** fig. Discordia, desunión de los ánimos y opiniones. ‖ **3.** *Álg.* y *Arit.* Operación de dividir. ‖ **4.** *Lóg.* Uno de los modos de conocer las cosas, y que sirve para dar clara idea de ellas. ‖ **5.** *Mil.* Gran unidad formada por dos o más brigadas o regimientos homogéneos y provista de servicios auxiliares. ‖ **6.** *Ortogr.* **guión,** signo de puntuación para dividir palabras. ‖ **7.** *Ret.* Ordenada distribución de los varios puntos que puede abrazar la proposición del discurso oratorio. ‖ **8.** *Dep.* Cada uno de los grupos en que compiten, según su categoría, los equipos o deportistas. ‖ **acorazada** o **blindada.** *Mil.* La que está constituida fundamentalmente por carros de combate o fuerzas transportadas en vehículos blindados. ‖ **celular.** *Biol.* La que se verifica en la célula, en cuya virtud esta queda dividida en dos corpúsculos o células hijas, casi siempre iguales entre sí. Es el modo de reproducción de las células. ‖ **motorizada.** *Mil.* Aquella en que las tropas son transportadas sobre camiones o vehículos especiales.

divisional. adj. Perteneciente a la división.

divisionario, ria. adj. **divisional.** ‖ **2.** V. **moneda divisionaria.**

divisionismo. (Del fr. *divisionnisme.*) m. **puntillismo.**

divisionista. com. **puntillista.** Ú. t. c. adj.

divisivo, va. (Del lat. *divisivus.*) adj. Dícese de lo que sirve para dividir.

divismo. m. Calidad de divo, artista famoso. ‖ **2.** Exceso propio del divo.

diviso, sa. (Del lat. *divīsus.*) p. p. irreg. p. us. de **dividir.**

divisor, ra. (Del lat. *divīsor, -ōris.*) adj. *Álg.* y *Arit.* **submúltiplo.** Ú. t. c. s. ‖ **2.** m. *Álg.* y *Arit.* Cantidad por la cual ha de dividirse otra. ‖ **común divisor.** *Arit.* Aquel por el cual dos o más cantidades son exactamente divisibles; v. gr.: *El número* 3 *es* COMÚN DIVISOR *de* 9, *de* 15 *y de* 18. ‖ **máximo común divisor.** *Arit.* El mayor de los comunes **divisores** de dos o más cantidades.

divisorio, ria. (De *divisor.*) adj. Dícese de lo que sirve para dividir o separar. ‖ **2.** *Geod.* y *Geogr.* Aplícase a la línea que puede considerarse en un terreno, desde la cual las aguas corrientes fluyen en direcciones opuestas. Ú. m. c. s. f. ‖ **3.** *Geod.* y *Geogr.* Dícese de la línea que señala los límites entre partes, grandes o pequeñas, de la superficie del globo terrestre. Ú. t. c. s. f. ‖ **4.** m. *Impr.* Tabla en que se colocaba el original, asegurado con el mordante, y que se afirmaba y fijaba en la caja para ir componiendo.

divo, va. (Del lat. *divus.*) adj. poét. **divino.** Aplícase a deidades gentílicas y a los emperadores romanos a quienes se concedían honores divinos después de su muerte. Luego se ha aplicado a otros personajes ilustres, siempre en lenguaje poético. DIVO *Luperco;* DIVO *Augusto; el joven de Austria* DIVO. ‖ **2.** Dícese del artista del mundo del espectáculo que goza de fama superlativa, y en especial del cantante de ópera. Ú. t. c. s. y a veces en sentido peyorativo. ‖ **3.** m. poét. **dios,** cualquiera de las deidades de las diversas religiones.

divorciado, da. p. p. de **divorciar.** ‖ **2.** adj. Dícese de la persona cuyo vínculo matrimonial ha sido disuelto jurídicamente. Ú. t. c. s.

divorciar. (De *divorcio.*) tr. Disolver o separar el juez competente, por sentencia, el matrimonio, con cese efectivo de la convivencia conyugal. ‖ **2.** fig. Separar, apartar personas que vivían en estrecha relación, o cosas que estaban o debían estar juntas. Ú. t. c. prnl. ‖ **3.** prnl. Obtener una persona el divorcio legal de su cónyuge.

divorcio. (Del lat. *divortĭum.*) m. Acción y efecto de divorciar o divorciarse. ‖ **2.** *Col.* Cárcel de mujeres.

divulgable. adj. Que se puede divulgar.

divulgación. (Del lat. *divulgatĭo, -ōnis.*) f. Acción y efecto de divulgar o divulgarse.

divulgador, ra. (Del lat. *divulgātor, -ōris.*) adj. Que divulga. Ú. t. c. s.

divulgar. (Del lat. *divulgāre.*) tr. Publicar, extender, poner al alcance del público una cosa. Ú. t. c. prnl.

divulgativo, va. adj. **divulgador.**

dix. m. ant. **dije,** adorno. ‖ **2.** ant. **dije,** alhaja.

diyámbico, ca. adj. Perteneciente o relativo al diyambo.

diyambo. (Del lat. *diiambus,* y este del gr. διΐαμβος.) m. Pie de la poesía griega y latina, compuesto de dos yambos, o sea de cuatro sílabas: la primera y la tercera, breves, y las otras dos, largas.

diz. apóc. de **dice,** o de **dícese.**

dizque. (De *dice que.*) m. Dicho, murmuración, reparo. Ú. m. en pl. ‖ **2.** adv. *Amér.* Al parecer, presuntamente.

do[1]**.** (Del it. *do.*) m. *Mús.* Primera voz de la escala música, que en el sistema moderno ha reemplazado al **ut.** ‖ **de pecho.** Una de las notas más agudas a que alcanza la voz de tenor. ‖ **2.** fig. y fam. El mayor esfuerzo, tesón o arrogancia que se puede poner para realizar un fin.

do[2]**.** (Contracc. de la prep. *de* y el adv. *o.*) adv. l. **donde.** Hoy generalmente no se usa más que en poesía. Antes usábase también interrogativamente con pronombres enclíticos de tercera persona, en frases elípticas como *¿dolos?,* por ¿dónde están ellos? ‖ **2.** ant. De donde. *La clara y generosa estirpe* DO *desciende.*

-do, da. suf. de adjetivos y sustantivos derivados de sustantivos y verbos. Si el verbo es de la primera conjugación, suele tomar la forma **-ado; -ido,** si es de la segunda o tercera. La variante **-ado** forma adjetivos que expresan la presencia de lo significado por el primitivo: *barb*ADO, *sexu*ADO, *vertebr*ADO; semejanza: *aterciopel*ADO, *nacar*ADO, *azafran*ADO. Forma también sustantivos que indican acción y efecto: *afeit*ADO, *revel*ADO; conjunto: *alumn*ADO, *alcantarill*ADO; dignidad o cargo: *obisp*ADO, *rector*ADO, *pap*ADO. La variante **-ido** forma adjetivos de cualidad: *dolor*IDO, *sufr*IDO, *flor*IDO; y también sustantivos que significan sonidos: *bal*IDO, *buf*IDO, *estall*IDO, *cruj*IDO. Muchos sustantivos formados con **-ado** e **-ido** son originariamente participios.

dobla. (Del lat. *dupla,* term. f. de *-us,* doble.) f. Moneda castellana de oro, acuñada en la Edad Media, de ley, peso y valor variables. ‖ **2.** fam. Acción de doblar. Ú. solamente en la frase **jugar a la dobla,** que significa jugar doblando sucesivamente la puesta. ‖ **3.** *Min. Chile.* Beneficio que el dueño de una mina concede a alguno para que saque durante un día todo el mineral que pueda. ‖ **de la Banda.** Moneda de oro acuñada en el siglo XV con el escudo de la Orden de la Banda.

doblada. f. *Murc.* Pez semejante a la dorada, herbívoro, que abunda en las escolleras de los puertos y al pie de los acantilados.

dobladamente. adv. m. **al doble.** ‖ **2.** fig. p. us. Con doblez, malicia y engaño.

dobladilla. (d. de *doblada.*) f. Juego antiguo de naipes que principalmente consistía en ir doblando la parada a cada suerte. ‖ **a la dobladilla.** loc. adv. Al doble o repetidamente, haciendo alusión al juego de este nombre.

dobladillar. tr. Hacer dobladillos en la ropa.

dobladillo. (d. de *doblado.*) m. Pliegue que como remate se hace a la ropa en los bordes, doblándola un poco hacia adentro dos veces para coserla. ‖ **2.** Hilo fuerte usado ordinariamente para hacer calcetas.

doblado, da. p. p. de **doblar.** ‖ **2.** adj. De pequeña o mediana estatura y recio y fuerte de miembros. ‖ **3.** Aplicado a terreno, tierra, etc., desigual o quebrado. ‖ **4.** V. **cámara doblada.** ‖ **5.** fig. Que demuestra cosa distinta o contraria de lo que siente y piensa. ‖ **6.** ant. **gemelo** de un parto. ‖ **7.** m. Medida de la marca del paño; y así se cuenta por **doblados.** ‖ **8.** Accidente que acometía a los limpiadores de letrinas, cuando el tufo que se levantaba de estas los dejaba sin sentido. ‖ **9.** *And.* **desván.** ‖ **10.** f. pl. *Cuba.* Toque de ánimas.

doblador, ra. m. y f. Persona que dobla. ‖ **2.** m. *Guat.* Chala, espata del maíz.

dobladura. (De *doblar.*) f. Parte por donde se ha doblado o plegado una cosa. ‖ **2.** Señal que queda por donde se dobló. ‖ **3.** Caballo menos principal de los dos que debía llevar todo hombre de armas a la guerra, el cual servía a falta o por cansancio del otro. ‖ **4.** Cierto guisado de carnero, ya en desuso. ‖ **5.** ant. Duplicación de una cosa. ‖ **6.** desus. fig. **doblez,** astucia, falsedad.

doblaje. m. Acción y efecto de dotar a una película de cine o televisión de una nueva banda sonora que sustituye a la original, especialmente cuando se traducen las partes habladas al idioma del público destinatario.

doblamiento. m. Acción y efecto de doblar o doblarse.

doblar. (Del lat. *duplāre,* de *duplus,* doble.) tr. Aumentar una cosa, haciéndola otro tanto más de lo que era. *Este año* HE DOBLADO *mis ingresos.* ‖ **2.** Refiriéndose a la edad, y en comparación con otro, tener el doble. *Le* DOBLO *en edad.* ‖ **3.** **endoblar.** ‖ **4.** Aplicar una sobre otra dos partes de una cosa flexible. ‖ **5.** Volver una cosa sobre otra. Ú. t. c. intr. y c. prnl. ‖ **6.** Torcer una cosa encorvándola. Ú. t. c. prnl. ‖ **7.** En el juego de trucos y billar, hacer que la bola golpeada por otra se traslade al extremo contrario de donde se hallaba. ‖ **8.** fig. Inclinar, inducir a alguien a que piense o haga lo contrario a su primer intento u opinión. ‖ **9.** En términos de bolsa, prorrogar una operación a plazo. ‖ **10.** Tratándose de un cabo, promontorio, punta, etc., pasar la embarcación por delante y ponerse al otro lado. ‖ **11.** Pasar a otro lado de una esquina, cerro, etc., cambiando de dirección en el camino. DOBLAR *la esquina, la calle.* Ú. t. c. intr. DOBLARON *a la otra calle;* DOBLÉ *a la derecha.* ‖ **12.** En cine y televisión, hacer un doblaje. ‖ **13.**

En el juego de ajedrez, colocar un peón por tomar una pieza o peón contrario, en columna donde existe ya otro peón del mismo jugador. ‖ **14.** fig. y fam. Causarle a alguien gran quebranto. ‖ **15.** *Méj.* Abalear. ‖ **16.** intr. Tocar a muerto. ‖ **17. binar,** celebrar el sacerdote dos misas. ‖ **18.** Hacer un actor dos papeles en una misma obra. ‖ **19.** *Taurom.* Caer el toro agonizante al final de la lidia. ‖ **20.** prnl. fig. Ceder a la persuasión, a la fuerza o al interés. Ú. t. c. intr. ‖ **21.** Hacerse el terreno más desigual y quebrado. ‖ **antes doblar que quebrar.** expr. que advierte que es más ventajoso ser blando y ceder algo de su derecho, que ser inflexible y duro, dando ocasión a perder la amistad. ‖ **doblar por él,** especialmente en la fr. **bien pueden doblar por él.** loc. con que se amenaza de muerte o se desconfía de la vida de alguien.

doble. (Del lat. *duple,* adv. de *duplus.*) adj. Que contiene un número dos veces exactamente. Se dice también de cosas no contables. DOBLE *de listo, de fuerte.* Ú. t. c. s. m. ‖ **2.** Dícese de la cosa que va acompañada de otra semejante y que juntas sirven para el mismo fin. DOBLE *vidriera,* DOBLE *fila de dientes.* ‖ **3.** En los tejidos y otras cosas, de más cuerpo que lo sencillo. ‖ **4.** En las flores, de más hojas que las sencillas. *Clavel* DOBLE. ‖ **5.** En el juego del dominó, dícese de la ficha que en los cuadrados de su anverso lleva igual número de puntos o no lleva ninguno, quedando en blanco. *El seis* DOBLE; *el blanco* DOBLE. ‖ **6.** V. **águila, cerveza, cuartana, escalera, espía, fiesta, letra, llave, partida, real de plata, rito, trato doble.** ‖ **7.** V. **doble vista.** ‖ **8.** p. us. Fornido y robusto de miembros. ‖ **9.** fig. Simulado, artificioso, nada sincero. Ú. t. c. s. ‖ **10.** *Bot.* V. **doble albura.** ‖ **11.** *Dióptr.* V. **doble refracción.** ‖ **12.** *Geom.* V. **línea de doble curvatura.** ‖ **13.** *Mús.* V. **doble bemol, doble sostenido.** ‖ **14.** m. **doblez,** parte que se dobla y señal que queda. ‖ **15.** Toque de campanas por los difuntos. ‖ **16.** Mudanza en la danza española, que constaba de tres pasos graves y un quiebro. Llamábase así porque se hacía dos, cuatro y seis veces continuadas. ‖ **17.** Operación de Bolsa que consiste en comprar o vender al contado un valor, y revenderlo o volverlo a comprar a corto plazo mediante una diferencia por interés. ‖ **18.** Diferencia que se cobra o paga, según su caso, en la operación bursátil de este nombre. ‖ **19.** Sosia, persona tan parecida a otra que puede sustituirla o pasar por ella. ‖ **20.** *Albañ.* La segunda carrera de tejas que se echa al hacer un alero corrido con tejas cuadradas. ‖ **21.** *Com.* En términos de Bolsa, la suma que se paga por la prórroga de una operación a plazo, y también la operación misma. ‖ **22.** *Germ.* El que ayuda a engañar a alguien. ‖ **23.** pl. En el tenis y otros deportes, encuentro entre cuatro jugadores, dos por cada bando. ‖ **24.** *Rioja.* Callos que se comen guisados. ‖ **25.** com. Persona que sustituye a un actor cinematográfico en determinados momentos del rodaje. ‖ **26.** adv. m. **doblemente.** ‖ **pequeña.** *Ferr.* **doble pequeña velocidad.** ‖ **al doble.** loc. adv. En cantidad **doble.** ‖ **echar la doble.** fr. fig. Asegurar un negocio o tratado para que se observe y no se pueda quebrantar fácilmente. ‖ **estar a tres dobles y un repique.** fr. fig. y fam. *Chile, Perú* y *P. Rico.* No tener un cuarto, estar muy pobre.

doblegable. (De *doblegar.*) adj. Fácil de torcer, doblar o manejar.

doblegadizo, za. adj. Que fácilmente se doblega.

doblegadura. (De *doblegar.*) f. ant. **dobladura,** parte por donde se ha doblado una cosa.

doblegamiento. m. ant. Acción y efecto de doblegar, doblar o torcer encorvando.

doblegar. (Del lat. *duplicāre,* doblar.) tr. Doblar o torcer encorvando. Ú. t. c. prnl. ‖ **2. blandear**[2]. Ú. t. c. prnl. ‖ **3.** fig. Hacer a alguien que desista de un propósito y se preste a otro. Ú. t. c. prnl.

doblemente. adv. m. Con duplicación. ‖ **2.** Con doblez y malicia. ‖ **3.** Dos veces; por dos conceptos. DOBLEMENTE *satisfecho.*

doblería. f. ant. Calidad de doble en algunas cosas; como las horas canónicas, o las distribuciones que se dan por ellas. ‖ **2.** ant. Derecho que en algunas regiones había para que el de más autoridad llevase doble emolumento que los demás.

doblero. (De *doble.*) m. *Ar.* Panecillo pequeño en figura de rosca. ‖ **2.** *Ar., Cuen., Gran., Guad.* y *Val.* Pieza de madera de hilo, que según sus calificativos tiene varias dimensiones. ‖ **3.** *Numism.* Moneda mallorquina del siglo XVIII, cuyo valor era poco menos de cuatro maravedís castellanos. ‖ **de a catorce. madero de a diez.** ‖ **de a dieciocho. madero de a seis.** ‖ **de a dieciséis. madero de a ocho.** ‖ **medio doblero. medio madero.**

doblescudo. (De *doble* y *escudo,* por la forma del fruto.) m. Hierba áspera y vellosa, de la familia de las crucíferas, con flores amarillas en racimo, y por frutos vainillas redondas unidas de dos en dos.

doblete. adj. Entre doble y sencillo. *Tafetán* DOBLETE. ‖ **2.** m. Piedra falsa que ordinariamente se hace con dos pedazos de cristal pegados, y remeda al diamante, o con ciertas tintas, a la esmeralda, al rubí y a otras. ‖ **3.** Suerte del juego de billar que consiste en hacer que la bola sobre la cual se juega realice varias veces una trayectoria perpendicular a las bandas que toca. ‖ **4.** Lance de caza que consiste en matar dos piezas, disparando sucesivamente los dos cañones de una escopeta. ‖ **5.** *Filol.* Pareja de palabras con un mismo origen etimológico y distinta evolución; como *colocar* y *colgar,* del lat. *collocāre.* ‖ **6.** *Fís.* Pareja de líneas espectrales separadas pero muy próximas. ‖ **7.** *Fís.* **dipolo.** ‖ **hacer doblete.** fr. Desempeñar un actor o actriz dos papeles en una misma obra.

doblez. m. Parte que se dobla o pliega en una cosa. ‖ **2.** Señal que queda en la parte por donde se dobló. ‖ **3.** amb. fig. Astucia o malicia en la manera de obrar, dando a entender lo contrario de lo que se siente.

doblilla. (d. de *dobla.*) f. Moneda de oro que valía 20 reales, ó 21 y cuartillo, según la fecha de su acuñación.

doblo. (Del lat. *duplus,* doble.) m. ant. **duplo.** Tiene uso aún en lenguaje jurídico.

doblón. (aum. de *dobla.*) m. Moneda antigua de oro, con diferente valor, según las épocas. El vulgo llamó así, desde el tiempo de los Reyes Católicos, al excelente mayor, que tenía el peso de dos castellanos o doblas. ‖ **2.** Moneda de oro de Chile. ‖ **calesero.** fam. **doblón sencillo.** ‖ **de a ciento.** Moneda antigua de oro, del peso de 50 **doblones,** que valía 100 doblas de oro. ‖ **de a cuatro.** Moneda antigua de oro, que valía cuatro doblas de oro. ‖ **de a ocho.** Moneda antigua de oro, que valía ocho escudos o una onza de oro. ‖ **de oro. doblón,** moneda antigua de oro. ‖ **de vaca.** Callos de vaca. ‖ **sencillo.** Moneda imaginaria, de valor de 60 reales. ‖ **escupir doblones.** fr. fig. y fam. Hacer ostentación y jactarse de rico, poderoso y hacendado.

doblonada. (De *doblón.*) f. **dinerada.** ‖ **echar doblonadas.** fr. fig. y fam. Ponderar y exagerar alguien sus rentas.

doblura. f. ant. **doblez,** astucia.

doca. (De or. araucano.) f. Planta rastrera de Chile, de la familia de las aizoáceas, de flores grandes y rosadas, y fruto comestible, un tanto purgante.

doce. (Del lat. *duodĕcim.*) adj. Diez y dos. ‖ **2. duodécimo,** que sigue en orden al undécimo. *Carlos* DOCE; *número* DOCE; *año* DOCE. Apl. a los días del mes, ú. t. c. s. *El* DOCE *de septiembre.* ‖ **3.** m. Conjunto de signos con que se representa el número **doce.**

doceañista. (De *doce* y *año.*) adj. Partidario de la Constitución española de 1812. Ú. t. c. s. ‖ **2.** Dícese especialmente de los que contribuyeron a formarla. Ú. t. c. s.

doceavo, va. (De *doce* y *-avo.*) adj. **duodécimo,** cada una de las doce partes de un todo. Ú. t. c. s.
docemesino. adj. Aplícase al año de doce meses a diferencia del de otros cómputos.
docén. (De *doceno.*) adj. *Zar.* Dícese del madero de 12 medias varas (unos 5 cm.). Ú. m. c. s. ‖ **escuadrado.** *Zar.* Madero labrado con hacha, que tiene el mismo largo que el **docén,** con 20 dedos (36 cm.) de tabla y canto. ‖ **recio.** *Zar.* Cada una de las piezas de madero en rollo y enterizo, que tienen seis varas (5 cm.) de largo y nueve dedos (16 cm.) de diámetro.
docena. f. Conjunto de 12 cosas. ‖ **2.** Peso de 12 libras, que se usó en Navarra. ‖ **alfarjía.** En los pinares del Guadarrama, la unidad de medida equivalente al número de piezas cuya longitud en conjunto llega a 108 pies (unos 30 m). ‖ **tablera.** En los pinares, la unidad que forman varias tablas, cuya longitud en conjunto alcanza 84 pies (unos 23 m). ‖ **la docena del fraile.** loc. proverb. Conjunto de 13 cosas. ‖ **meterse en docena.** fr. fig. y fam. Entremeterse en la conversación, siendo desigual a las personas que hablan. ‖ **no entrar en docena** con otros. fr. fig. y fam. No ser igual o parecido a ellos.
docenal. adj. Que se vende por docenas.
docenario, ria. (De *docena.*) adj. Que consta de 12 unidades o elementos constitutivos.
docencia. f. Práctica y ejercicio del docente.
doceno, na. (De *doce.*) adj. **duodécimo,** que sigue en orden al undécimo. ‖ **2.** Aplícase al paño o a otro tejido de lana, cuya urdimbre consta de 12 centenares de hilos. Ú. t. c. s. m. para designar este género de paño.
docente. (Del lat. *docens, -entis,* p. a. de *docēre,* enseñar.) adj. Que enseña. Ú. t. c. s. ‖ **2.** Perteneciente o relativo a la enseñanza.
doceñal. adj. ant. De doce años.
doceta. adj. Que profesa el docetismo. Ú. t. c. s.
docético. adj. Perteneciente al docetismo.
docetismo. (Del gr. δόκησις, apariencia.) m. Herejía de los primeros siglos cristianos, común a ciertos gnósticos y maniqueos, según la cual el cuerpo humano de Cristo no era real, sino aparente e ilusivo.
docible. (Del lat. *docibĭlis.*) adj. desus. **dócil.**
docientos, tas. (Del lat. *ducenti,* doscientos.) adj. pl. desus. **doscientos.**
dócil. (Del lat. *docĭlis.*) adj. Suave, apacible, que recibe fácilmente la enseñanza. ‖ **2. obediente.** ‖ **3.** Dícese del metal, piedra u otra cosa que se deja labrar con facilidad.
docilidad. (Del lat. *docilĭtas, -ātis.*) f. Calidad de dócil.
docilitar. tr. Hacer a alguien dócil, o hacer tratable o flexible alguna cosa.
dócilmente. adv. m. Con docilidad.
docimasia. (Del gr. δοκιμασία, de δοκιμάζω, probar, ensayar.) f. Arte de ensayar los minerales para determinar los metales que contienen y en qué proporción. ‖ **2.** *Med.* Serie de pruebas a que se somete el pulmón del feto muerto para saber si ha respirado antes de morir.
docimástico, ca. (Del gr. δοκιμαστικός, de δοκιμάζω, ensayar.) adj. Perteneciente o relativo a la docimasia. ‖ **2.** f. **docimasia.**
doctamente. adv. m. Con erudición y doctrina.
doctitud. f. desus. Calidad de docto.
docto, ta. (Del lat. *doctus,* p. p. de *docēre,* enseñar.) adj. Que a fuerza de estudios ha adquirido más conocimientos que los comunes u ordinarios. Ú. t. c. s.
doctor, ra. (Del lat. *doctor, -ōris.*) m. y f. Persona que ha recibido el último y preeminente grado académico que confiere una universidad u otro establecimiento autorizado para ello. ‖ **2.** Persona que enseña una ciencia o arte. ‖ **3.** Título que da la Iglesia con particularidad a algunos santos que con mayor profundidad de doctrina defendieron la religión o enseñaron lo perteneciente a ella. ‖ **4.** En lenguaje usual, **médico,** aunque no tenga el grado académico de **doctor.** ‖ **5.** f. p. us. fam. Mujer del **doctor.** ‖ **6.** p. us. fam. Mujer del médico. ‖ **7.** p. us. fig. y fam. La que blasona de sabia y entendida. ‖ **arquitecto. doctor** en arquitectura. ‖ **graduado.** El que ha recibido el grado académico de **doctor,** pero que no ha pagado y sacado el título correspondiente. ‖ **honoris causa.** Título honorífico que conceden las universidades a una persona eminente. ‖ **ingeniero. doctor** en ingeniería. ‖ **titulado.** El que ha pagado y obtenido el título de **doctor.**
doctorado, da. p. p. de **doctorar.** ‖ **2.** m. Grado de doctor. ‖ **3.** Estudios necesarios para obtener este grado. ‖ **4.** fig. Conocimiento acabado y pleno en alguna materia.
doctoral. adj. Perteneciente o relativo al doctor o al doctorado. ‖ **2.** V. **canónigo doctoral.** Ú. t. c. s. ‖ **3.** V. **canonjía doctoral.** Ú. t. c. s.
doctoramiento. m. Acción y efecto de doctorar o doctorarse.
doctorando, da. m. y f. Persona que está próxima a recibir la borla y grado de doctor.
doctorar. tr. Graduar de doctor a alguien en una universidad. Ú. t. c. prnl. ‖ **2.** prnl. fig. *Taurom.* Tomar la alternativa un matador.
doctrina. (Del lat. *doctrīna.*) f. Enseñanza que se da para instrucción de alguno. ‖ **2.** Ciencia o sabiduría. ‖ **3.** Conjunto de ideas u opiniones religiosas, filosóficas, políticas, etc., sustentadas por una persona o grupo. DOCTRINA *cristiana, tomista, socialista.* ‖ **4.** Plática que se hace al pueblo, explicándole la **doctrina** cristiana. ‖ **5.** Concurso de gente que con los predicadores salía en procesión por las calles hasta el lugar en que se había de hacer la plática. *Por esta calle pasa la* DOCTRINA. ‖ **6.** En América, curato colativo servido por regulares. ‖ **7.** En América, pueblo de indios recién convertidos, cuando todavía no se había establecido en él parroquialidad o curato. ‖ **común.** Opinión que comúnmente profesan los más de los autores que han escrito sobre una misma materia. ‖ **cristiana.** La que debe saber el cristiano por razón de sus creencias. ‖ **2.** Congregación religiosa fundada por San Juan Bautista de la Salle. ‖ **legal. jurisprudencia,** doctrina que se deduce de los fallos de las autoridades judiciales y administrativas. ‖ **gaya doctrina. gaya ciencia.** ‖ **beber** uno **la doctrina** a otro. fr. fig. Aprender su **doctrina** con tal perfección y seguir con tal propiedad sus costumbres y estilo, que los dos parezcan uno mismo. ‖ **derramar doctrina.** fr. fig. Enseñarla, extenderla, predicarla a muchas gentes y en diversas partes.
doctrinable. adj. Capaz de ser doctrinado.
doctrinador, ra. adj. Que doctrina y enseña. Ú. t. c. s.
doctrinal. (Del lat. *doctrinālis.*) adj. Perteneciente a la doctrina. ‖ **2.** *Der.* V. **interpretación doctrinal.** ‖ **3.** m. Libro que contiene reglas y preceptos.
doctrinanza. (De *doctrinar.*) f. ant. Literatura o ciencia.
doctrinar. (De *doctrina.*) tr. **adoctrinar.**
doctrinario, ria. adj. Dícese del que, siguiendo la doctrina de los filósofos eclécticos y de los publicistas franceses de principios del siglo XIX, hace radicar en la inteligencia humana el principio de la soberanía, y aplica fórmulas abstractas y a priori a la gobernación de los pueblos. Ú. t. c. s. ‖ **2.** Consagrado o relativo a una doctrina determinada, especialmente la de un partido político o una institución. *Luchas* DOCTRINARIAS. ‖ **3.** Dícese del sistema político, y también de sus adeptos, ecléctico o transaccional en cuanto a la soberanía mediante pacto entre la del pueblo y la del rey.
doctrinarismo. m. Cualidad de doctrinario. ‖ **2.** Sistema de los doctrinarios.

doctrinero. m. El que explica la doctrina cristiana. Llámase así comúnmente el que iba con los misioneros para hacer las doctrinas. ‖ **2.** Párroco regular que en América tenía a su cargo un curato o doctrina de indios.

doctrino. (De *doctrina.*) m. Niño huérfano que se recoge en un colegio con el fin de criarlo y educarlo hasta que esté en edad de aprender un oficio. Ú. t. c. adj. ‖ **2.** fig. y fam. p. us. Persona de aspecto y modales tímidos y apocados.

docudrama. m. Género difundido en cine, radio y televisión que trata, con técnicas dramáticas, hechos reales propios del género documental.

documentación. (Del lat. *documentatĭo, -ōnis.*) f. Acción y efecto de documentar. ‖ **2.** Documento o conjunto de documentos, preferentemente de carácter oficial, que sirven para la identificación personal o para documentar o acreditar algo.

documentado, da. p. p. de **documentar.** ‖ **2.** adj. Dícese del memorial, pedimento, etc., acompañado de los documentos necesarios. ‖ **3.** Dícese de la persona que posee noticias o pruebas acerca de un asunto.

documental. adj. Que se funda en documentos, o se refiere a ellos. ‖ **2.** Dícese de las películas cinematográficas o programas televisivos que representan, con propósito meramente informativo, hechos, escenas, experimentos, etc., tomados de la realidad. Ú. t. c. s. m.

documentalista. com. Persona que se dedica a hacer cine o televisión documental, en cualquiera de sus aspectos. ‖ **2.** Persona que tiene como oficio la preparación y elaboración de toda clase de datos bibliográficos, informes, noticias, etc., sobre determinada materia.

documentar. (Del lat. *documentāre.*) tr. Probar, justificar la verdad de una cosa con documentos. ‖ **2.** Instruir o informar a alguien acerca de las noticias y pruebas que atañen a un asunto. Ú. t. c. prnl.

documentario, ria. adj. Documental, perteneciente o relativo a documentos. Ú. m. en América.

documento. (Del lat. *documentum.*) m. desus. Instrucción que se da a alguien en cualquier materia, y particularmente aviso y consejo para apartarle de obrar mal. ‖ **2.** Diploma, carta, relación u otro escrito que ilustra acerca de algún hecho, principalmente de los históricos. ‖ **3.** fig. Escrito en que constan datos fidedignos o susceptibles de ser empleados como tales para probar algo. ‖ **privado.** *Der.* El que, autorizado por las partes interesadas, pero no por funcionario competente, prueba contra quien lo escribe o sus herederos. ‖ **público.** *Der.* El que, autorizado por funcionario para ello competente, acredita los hechos que refiere y su fecha.

dodecaedro. (Del gr. δωδεκάεδρος.) m. *Geom.* Sólido de 12 caras. ‖ **regular.** *Geom.* Aquel cuyas caras son pentágonos regulares.

dodecafonía. (Del gr. δώδεκα, doce, y φωνή, sonido.) f. *Mús.* Sistema atonal en el que se emplean indistintamente los doce intervalos cromáticos en que se divide la escala.

dodecafónico, ca. adj. Perteneciente o relativo a la dodecafonía.

dodecágono, na. (Del gr. δωδεκάγωνος.) adj. *Geom.* Aplícase al polígono de 12 ángulos y 12 lados. Ú. t. c. s. m.

dodecasílabo, ba. (Del gr. δώδεκα, doce, y συλλαβή, sílaba.) adj. De 12 sílabas. *Verso* DODECASÍLABO. Ú. t. c. s.

dodrante. (Del lat. *dodrans, -antis.*) m. Conjunto de nueve partes u onzas de las 12 de que constaba el as romano. ‖ **2.** Conjunto de tres cuartas partes de las 12 de que constaba toda herencia entre los romanos.

doga. (Del lat. *doga,* y este del gr. δοχή, recipiente.) f. *Mancha.* **duela** de las pipas, cubas, barriles, etc.

dogal. (Del lat. *ducāle,* ronzal.) m. Cuerda o soga de la cual con un nudo se forma un lazo para atar las caballerías por el cuello. ‖ **2.** Cuerda para ahorcar a un reo o para algún otro suplicio. ‖ **3.** Lazada escurridiza con que se comienza la atadura de dos maderos. ‖ **con el dogal a la garganta,** o **al cuello.** fr. fig. En gran apuro y dificultad.

dogaresa. (Del it. *dogaresa.*) f. Mujer del dux.

dogma. (Del lat. *dogma,* y este del gr. δόγμα.) m. Proposición que se asienta por firme y cierta y como principio innegable de una ciencia. ‖ **2.** Doctrina de Dios revelada por Jesucristo a los hombres y testificada por la Iglesia. ‖ **3.** Fundamento o puntos capitales de todo sistema, ciencia, doctrina o religión.

dogmáticamente. adv. m. Conforme al dogma o a los dogmas. ‖ **2.** Afectando magisterio, atribuyendo a lo que se dice la calidad de principio innegable.

dogmático, ca. (Del lat. *dogmatĭcus,* y este del gr. δογματικός.) adj. Perteneciente a los dogmas de la religión. ‖ **2.** Dícese del autor que trata de los dogmas. ‖ **3.** Aplícase a quien profesa el dogmatismo. Ú. t. c. s. ‖ **4.** Inflexible, que mantiene sus opiniones como verdades inconcusas. ‖ **5.** V. **teología dogmática.** ‖ **6.** *Der.* Dícese, en contraposición al exegético, del método expositivo que en las obras jurídicas se atiene a principios doctrinales y no al orden y estructura de los códigos. ‖ **7.** f. Conjunto de dogmas o principios de una doctrina.

dogmatismo. (Del lat. *dogmatismus.*) m. Conjunto de todo lo que es dogmático en religión. ‖ **2.** Conjunto de las proposiciones que se tienen por principios innegables en una ciencia. ‖ **3.** Presunción de los que quieren que su doctrina o sus aseveraciones sean tenidas por verdades inconcusas. ‖ **4.** Escuela filosófica opuesta al escepticismo, la cual, considerando la razón humana capaz del conocimiento de la verdad, siempre que se sujete a método y orden en la investigación, afirma principios que estima como evidentes y ciertos.

dogmatista. (Del lat. *dogmatistes,* y este del gr. δογματιστής.) com. El que sustenta o introduce nuevas opiniones, enseñándolas como dogmas, contra la verdad de la religión católica.

dogmatizador, ra. (De *dogmatizar.*) adj. **dogmatizante.** Ú. m. c. s.

dogmatizante. p. a. de **dogmatizar.** Que dogmatiza. Ú. t. c. s.

dogmatizar. (Del lat. *dogmatizāre,* y este del gr. δογματίζω.) tr. Enseñar los dogmas. Dícese en especial tratando de los opuestos a la religión católica. Ú. m. c. intr. ‖ **2.** Afirmar con presunción, como innegables, principios sujetos a examen y contradicción.

dogo, ga. (Del ing. *dog,* perro.) adj. **perro dogo.** Ú. t. c. s.

dogre. (Del neerl. *dogger,* especie de navío.) m. Embarcación parecida al queche y destinada a la pesca en el mar del Norte.

dola. f. En el lenguaje infantil, **pídola.**

doladera. (De *dolar.*) adj. Aplícase a la segur que usan los toneleros. Ú. t. c. s.

dolado, da. p. p. de **dolar.** ‖ **2.** adj. fig. desus. Acabado, perfecto.

dolador. (Del lat. *dolātor, -ōris.*) m. El que aplana o cepilla alguna tabla o piedra.

doladura. (De *dolar.*) f. Astilla o ripio que se saca con la doladera o el dolobre.

dolaje. (De *duela.*) m. Vino absorbido por la madera de las cubas en que se guarda.

dolama. f. **dolame.** ‖ **2.** Alifafe, achaque que aqueja a una persona.

dolame. (De or. inc.; cf. lat. *dolāmen,* dolencia, y ár. *ẓulāma,* perjuicio.) m. Aje o enfermedad oculta que suelen tener las caballerías.

dolar. (Del lat. *dolāre.*) tr. Desbastar, labrar madera o piedra con la doladera o el dolobre.

dólar. (Del b. al. *daler,* a través del ing. *dollar.*) m. Moneda de plata de los Estados Unidos, Canadá y Liberia. ‖ **2.** Unidad monetaria de los Estados Unidos, Canadá, Australia, Liberia, Nueva Zelanda y otros países del mundo.

dolencia[1]. (Del lat. *dolentĭa.*) f. Indisposición, achaque, enfermedad. ‖ **2.** ant. Infamia, deshonra.

dolencia[2]. f. ant. **dolo.** ‖ **poner dolencia en** una cosa. fr. ant. **poner dolo en** ella.

doler. (Del lat. *dolēre.*) intr. Padecer dolor una parte del cuerpo, mediante causa interior o exterior. DOLER *la cabeza, los ojos, las manos.* ‖ **2.** Causar pesar o aversión una cosa. *Le* DOLIÓ *la incomprensión de la gente.* ‖ **3.** prnl. Arrepentirse de haber hecho una cosa y tomar pesar de ello. ‖ **4.** Sentir alguien pesar de no poder hacer lo que quisiera, o de un defecto natural, aunque no sea por culpa suya ni esté en su mano remediarlo. ‖ **5.** Compadecerse del mal que otro padece. ‖ **6.** Quejarse y explicar el dolor. ‖ **ahí duele,** o **le duele.** fr. fig. y fam. usada para indicar que se ha acertado con el motivo de disgusto o preocupación de una persona, o con el quid del asunto. ‖ **a quien le duele, le duele.** expr. fig. y fam. para denotar que por mucha parte que se tome en los males o cuidados de otro, nunca es tanta como la de aquel que los tiene o padece.

dolicocefalia. f. Cualidad de dolicocéfalo.

dolicocéfalo, la. (Del gr. δολιχός, largo, y κεφαλή, cabeza.) adj. Dícese de la persona cuyo cráneo es de figura muy oval, porque su diámetro mayor excede en más de un cuarto al menor.

dolido, da. p. p. de **doler.** ‖ **2.** adj. Dolorido por un desaire o una ofensa. ‖ **3.** m. ant. Dolor, lástima, compasión.

doliente. (Del lat. *dolens, -entis.*) p. a. de **doler.** Que duele o se duele. ‖ **2.** adj. **enfermo,** que padece enfermedad. Ú. t. c. s. ‖ **3. dolorido,** afligido. ‖ **4.** ant. fig. Aplicábase al tiempo, estación o lugar en que se padecen enfermedades. ‖ **5.** com. En un duelo, pariente del difunto.

doliosamente. adv. m. ant. **dolorosamente.**

dolioso, sa. (De *doler.*) adj. ant. **dolorido,** que padece o siente dolor.

dolmán. (Del fr. *dolman.*) m. Chaqueta de uniforme con adornos de alamares y vueltas de piel, usada por ciertos cuerpos de tropa, principalmente los húsares.

dolmen. (Del fr. *dolmen,* de or. inc.) m. Monumento megalítico en forma de mesa, compuesto de una o más lajas colocadas de plano sobre dos o más piedras verticales.

dolménico, ca. adj. Perteneciente o relativo a los dólmenes.

dolo. (Del lat. *dolus.*) m. Engaño, fraude, simulación. ‖ **2.** *Der.* En los delitos, voluntad deliberada de cometerlos a sabiendas de su carácter delictivo. ‖ **3.** *Der.* En los actos jurídicos, voluntad maliciosa de engañar a otro o de incumplir la obligación contraída. ‖ **bueno.** *Der.* Aquella sagaz precaución con que cada cual debe defender su derecho. ‖ **malo.** *Der.* El que se dirige contra el justo derecho de un tercero. ‖ **poner dolo en** una cosa. fr. Interpretar maliciosamente una acción.

dolobre. (Del lat. *dolabra.*) m. Pico para labrar piedras.

dolomía. (Del fr. *dolomie,* de *Dolomieu,* naturalista francés.) f. Roca semejante a la caliza y formada por el carbonato doble de cal y magnesia; es más común que la verdadera caliza.

dolomita. f. **dolomía.**

dolomítico, ca. (De *dolomía.*) adj. *Geol.* Semejante a la dolomía, o que tiene esta sustancia. *Roca, formación* DOLOMÍTICA.

dólope. (Del lat. *Dolops, -ŏpis.*) adj. Dícese del individuo de un pueblo antiguo de Tesalia. Ú. m. c. s. y en pl.

dolor. (Del lat. *dolor, -ōris.*) m. Sensación molesta y aflictiva de una parte del cuerpo por causa interior o exterior. ‖ **2.** Sentimiento de pena y congoja. ‖ **de corazón.** fig. Sentimiento, pena, aflicción de haber ofendido a Dios. ‖ **de costado.** Enfermedad aguda, que causa **dolor** intenso en alguno de los costados, acompañado de calentura. ‖ **de viuda,** o **de viudo.** fig. y fam. El muy fuerte y pasajero, como el que producen los golpes recibidos en ciertas partes del cuerpo poco defendidas por los músculos. ‖ **latente. dolor sordo.** ‖ **nefrítico.** El causado por la piedra o arenas en los riñones. ‖ **sordo.** El que no es agudo, pero molesta sin interrupción. ‖ **estar** una mujer **con dolores.** fr. fig. Estar con los del parto.

dolora. (De *dolor.*) f. Breve composición poética de espíritu dramático, que envuelve un pensamiento filosófico.

dolorido, da. (De *dolor.*) adj. Que padece o siente dolor físico o moral. ‖ **2.** ant. **doloroso.** ‖ **3.** m. desus. Pariente del difunto, que preside el duelo en el entierro o recibe los pésames en la casa mortuoria.

dolorimiento. m. Sensación de dolor físico o moral, vago y poco intenso.

dolorío. m. ant. **dolor.**

dolorioso, sa. adj. ant. **doloroso.**

dolorosa. (De *doloroso.*) f. Imagen de la Virgen María en la acción de dolerse por la muerte de Cristo.

dolorosamente. adv. m. Con dolor. ‖ **2.** Lamentablemente, lastimosamente.

doloroso, sa. (Del lat. *dolorōsus.*) adj. Dícese de lo que causa o implica dolor físico o moral. ‖ **2.** f. irón. fam. Con el artículo *la,* factura, cuenta que hay que pagar.

doloso, sa. (Del lat. *dolōsus.*) adj. Engañoso, fraudulento.

dolzor. m. ant. **dulzor.**

dóllimo. (De or. araucano.) m. Molusco pequeño de agua dulce, de concha bivalva, que se cría en Chile.

dom. (Del lat. *domĭnus.*) m. Título honorífico que se da a algunos religiosos cartujos y benedictinos. Se usa antepuesto al apellido.

doma. (De *domar.*) f. Acción y efecto de domar.

domable. (Del lat. *domabĭlis.*) adj. Que puede domarse. Dícese, por lo común, de los animales.

domador, ra. (Del lat. *domātor, -ōris.*) m. y f. Que doma. ‖ **2.** Que exhibe y maneja fieras domadas.

domadura. f. Acción y efecto de domar.

domanio. (Del b. lat. *domanĭum,* y este del lat. *dominĭum.*) m. ant. Patrimonio privado y particular de un príncipe.

domar. (Del lat. *domāre.*) tr. Sujetar, amansar y hacer dócil al animal a fuerza de ejercicio y enseñanza. ‖ **2.** fig. Sujetar, reprimir, especialmente las pasiones y las conductas desordenadas. ‖ **3.** fig. **domesticar,** hacer tratable a una persona que no lo es. ‖ **4.** fig. Dar flexibilidad y holgura a una cosa. DOMAR *unos zapatos, unos pantalones.*

dombenitense. adj. Natural de Don Benito. Ú. t. c. s. ‖ **2.** Perteneciente o relativo a esta población extremeña.

dombo. m. *Arq.* **domo.**

domeñable. adj. Que puede domeñarse.

domeñar. (Del lat. *dominiare, de *dominĭum.*) tr. Someter, sujetar y rendir.

domesticable. adj. Que puede domesticarse.

domesticación. (Del lat. *domesticatĭo, -ōnis.*) f. Acción y efecto de domesticar.

domesticado, da. p. p. de **domesticar.** ‖ **2.** adj. *Der.* V. **animal domesticado.**

domésticamente. adv. m. Caseramente, familiarmente.

domesticar. (De *doméstico.*) tr. Reducir, acostumbrar a la vista y compañía del hombre al animal fiero y salvaje. ‖ **2.** fig. Hacer tratable a una persona que no lo es; moderar la aspereza de carácter. Ú. t. c. prnl.

domesticidad. (Del lat. *domesticĭtas, -ātis.*) f. Calidad o condición de doméstico.

doméstico, ca. (Del lat. *domestĭcus,* de *domus,* casa.) adj. Perteneciente o relativo a la casa u hogar. ‖ **2.** Aplícase al animal que se cría en la compañía del hombre, a diferencia del que se cría salvaje. ‖ **3.** Dícese del criado que sirve en una casa. Ú. m. c. s. ‖ **4.** m. Ciclista que, en un equipo, tiene la misión de ayudar al corredor principal. ‖ **5.** V. **ácaro, prelado, servicio doméstico.** ‖ **6.** *Der.* V. **animal doméstico.**

domestiquez. (De *doméstico.*) f. p. us. Mansedumbre de un animal, natural o adquirida.

domestiqueza. f. p. us. **domestiquez.**

domiciliación. f. Acción y efecto de **domiciliar,** autorizar pagos o cobros en una cuenta bancaria.

domiciliar. tr. Dar domicilio. ‖ **2.** Autorizar pagos o cobros con cargo o abono a una cuenta existente en una entidad bancaria. ‖ **3.** prnl. Establecer, fijar su domicilio en un lugar.

domiciliario, ria. adj. Perteneciente al domicilio. ‖ **2.** Que se ejecuta o se cumple en el domicilio del interesado. *Asistencia* DOMICILIARIA. ‖ **3.** V. **visita domiciliaria.** ‖ **4.** m. y f. El que tiene domicilio o está avecindado en un lugar.

domicilio. (Del lat. *domicilĭum,* de *domus,* casa.) m. Morada fija y permanente. ‖ **2.** Lugar en que legalmente se considera establecida una persona para el cumplimiento de sus obligaciones y el ejercicio de sus derechos. ‖ **3.** Casa en que uno habita o se hospeda. ‖ **4.** Sede de una entidad. ‖ **a domicilio.** loc. adv. **domiciliario,** en el **domicilio** del interesado. Ú. m. comúnmente tratando de suministros o de servicios personales, etc. ‖ **2.** *Dep.* En el campo o cancha de que es propietario el equipo visitado. ‖ **adquirir,** o **contraer, domicilio.** fr. Domiciliarse o avecindarse.

dómida. f. p. us. *And.* Tanda, tonga, capa.

dominación. (Del lat. *dominatĭo, -ōnis.*) f. Acción y efecto de dominar. ‖ **2.** Señorío o imperio que tiene sobre un territorio el que ejerce la soberanía. ‖ **3.** *Mil.* Monte, colina o lugar alto que domina una plaza y desde el cual puede batirla o hacerle daño el enemigo. ‖ **4.** pl. *Teol.* Espíritus bienaventurados que componen el cuarto coro.

dominador, ra. (Del lat. *dominātor, -ōris.*) adj. Que domina o propende a dominar. Ú. t. c. s.

dominante. (Del lat. *domĭnans, -antis.*) p. a. de **dominar.** Que domina. ‖ **2.** adj. Aplícase a la persona que quiere avasallar a otras, y a la que no sufre que se le opongan o la contradigan. Dícese también del genio o carácter de estas personas. ‖ **3.** Que sobresale, prevalece o es superior entre otras cosas de su orden y clase. ‖ **4.** *Astrol.* Dícese del astro a que vulgarmente se atribuía dominio más o menos duradero sobre la esfera terrestre. ‖ **5.** *Biol.* Dícese de aquellos caracteres hereditarios que, cuando se poseen, siempre se manifiestan en el fenotipo. ‖ **6.** *Der.* V. **predio dominante.** ‖ **7.** f. *Mús.* Quinta nota de la escala de cualquier tono, porque es la que domina en el acorde perfecto del mismo.

dominar. (Del lat. *domināre.*) tr. Tener dominio sobre cosas o personas. ‖ **2.** Sujetar, contener, reprimir. ‖ **3.** fig. Conocer bien una ciencia, arte, idioma, etc. ‖ **4.** Divisar una extensión considerable de terreno desde una altura. ‖ **5.** intr. Sobresalir un monte, edificio, etc., entre otros; ser más alto que ellos. Ú. t. c. tr. ‖ **6.** Predominar una cosa entre otras. DOMINAN *los tonos claros sobre los oscuros.* Ú. t. c. tr. ‖ **7.** prnl. Reprimirse, ejercer dominio sobre sí mismo.

dominativo, va. adj. **dominante.**

dominatriz. (Del lat. *dominātrix, -īcis.*) adj. p. us. **dominadora.** Ú. t. c. s.

dómine. (vocat. del lat. *domĭnus,* señor.) m. fam. Maestro o preceptor de gramática latina. ‖ **2.** despect. Persona que, sin mérito para ello, adopta el tono de maestro.

domingada. f. Fiesta o diversión que se celebra el domingo.

domingo. (Del lat. *dominĭcus* [*dies,* día] del Señor.) m. Séptimo día de la semana civil, primero de la litúrgica. ‖ **de Adviento.** Cada uno de los cuatro que preceden a la fiesta de Navidad. ‖ **de Cuasimodo.** Nombre con que se designaba al segundo domingo de Pascua. ‖ **de la Santísima Trinidad.** Fiesta movible que celebra la Iglesia el quincuagésimo séptimo día que sigue al de Pascua de Resurrección y oscila entre el 17 de mayo y el 30 de junio. ‖ **de Lázaro,** o **de Pasión.** Nombre con que se designaba al quinto domingo de cuaresma. ‖ **de Pentecostés. Pentecostés.** ‖ **de Piñata.** El primero de cuaresma. ‖ **de Ramos.** El último de la cuaresma, que da principio a la Semana Santa. ‖ **de Resurrección.** Aquel en que la Iglesia celebra la Pascua de Resurrección del Señor, que es el **domingo** inmediato al primer plenilunio después del 20 de marzo. ‖ **gordo.** Primer **domingo** de carnaval anterior al miércoles de ceniza. ‖ **domingo siete.** loc. que se aplica a la persona que actúa de aguafiestas en algún negocio, diversión, etc. ‖ **hacer domingo.** fr. **hacer fiesta.** ‖ **salir con un domingo siete.** fr. alusiva a cierto cuentecillo de brujas. **salir con una pata de gallo.**

dominguejo. m. **dominguillo.** ‖ **2.** *Amér.* Persona insignificante, pobre diablo.

dominguero, ra. adj. fam. Que se suele usar en domingo. *Sayo* DOMINGUERO. ‖ **2.** Aplícase a la persona que acostumbra a componerse y divertirse solamente los domingos o días de fiesta. Ú. t. c. s. ‖ **3.** despect. Dícese del conductor inexperto que solo utiliza el automóvil los domingos y días festivos. Ú. t. c. s.

dominguillo. m. d. de **domingo.** ‖ **2.** Muñeco de materia ligera, o hueco, que lleva un contrapeso en la base, y que, movido en cualquier dirección, vuelve siempre a quedar derecho. ‖ **3.** desus. Pelele en figura de soldado que se ponía en la plaza para que el toro se cebase en él. ‖ **traer** a alguien **como un dominguillo,** o **hecho un dominguillo.** fr. fig. y fam. Mandarle hacer muchas cosas en diferentes partes y con urgencia.

dominial. adj. Referente o relativo al dominio.

domínica o **dominica.** (Del lat. *dominĭca.*) f. En lenguaje y estilo eclesiástico, **domingo.** ‖ **2.** Textos y lecciones de la Escritura que en el oficio divino corresponden a cada domingo.

dominical. (Del lat. *dominicālis.*) adj. Perteneciente a la domínica o al domingo. ‖ **2.** Aplícase al derecho pagado al señor de un feudo por los feudatarios. ‖ **3.** Dícese del suplemento de prensa que se vende los domingos conjuntamente con algunos diarios. Ú. t. c. s. m. ‖ **4.** *Der.* Perteneciente al derecho de dominio sobre las cosas. ‖ **5.** V. **letra, oración dominical.** ‖ **6.** f. Cada uno de los actos académicos y ejercicios literarios que se hacían los domingos en las universidades.

dominicanismo. m. Locución, giro o modo de hablar propio y peculiar de los dominicanos.

dominicano, na. (Del lat. *Dominĭcus,* Santo Domingo.) adj. **dominico,** dicho del religioso de la orden de Santo Domingo. Ú. t. c. s. ‖ **2. dominico,** perteneciente o relativo a la orden de Santo Domingo. ‖ **3.** Natural de Santo Domingo. Ú. t. c. s. ‖ **4.** Perteneciente o relativo a la República Dominicana.

dominicatura. (Del lat. *dominicātus,* administración, intendencia.) f. *Ar.* Cierto derecho de vasallaje que se pagaba al señor temporal de una tierra o población.

dominico, ca. adj. Dícese del religioso de la Orden de Santo Domingo. Ú. t. c. s. ‖ **2.** Perteneciente a esta orden. ‖ **3.** *Ant., Ecuad., Pan., Perú* y *Venez.* Dícese de una especie de plátano de tamaño pequeño. Ú. t. c. s. ‖ **4.** m.

Cuba. Pajarillo de plumaje negruzco con manchas blancas; produce unos chillidos desagradables.

domínico, ca. (Del lat. *dominĭcus,* de *domĭnus,* señor.) adj. ant. Perteneciente al dueño o señor.

dominio. (Del lat. *dominĭum.*) m. Poder que uno tiene de usar y disponer de lo suyo. ‖ **2.** V. **aguas de dominio privado, aguas de dominio público.** ‖ **3.** Poder o ascendiente que se ejerce sobre otra u otras personas. ‖ **4.** Territorio sujeto a un Estado. Ú. m. en pl. Se usaba especialmente para designar los territorios del antiguo Imperio Británico que gozaban de autonomía plena, como Canadá o Nueva Zelanda. ‖ **5.** Territorio donde se habla una lengua o dialecto. DOMINIO *lingüístico leonés.* ‖ **6.** Ámbito real o imaginario de una actividad. DOMINIO *de las bellas artes.* ‖ **7.** Orden determinado de ideas, materias o conocimientos. *El* DOMINIO *de la teología o de las matemáticas.* ‖ **8.** Buen conocimiento de una ciencia, arte, idioma, etc. *Tiene un gran* DOMINIO *del inglés.* ‖ **9.** *Der.* Derecho de propiedad. ‖ **absoluto. pleno dominio.** ‖ **directo.** El que consiste en el derecho a una parte de los frutos o a un canon, con la facultad de convertirlo en **dominio pleno** en ciertos casos. Se contrapone a **dominio útil.** ‖ **eminente.** El que se considera propio del Estado, por razón del bien común, con respecto a la propiedad privada. ‖ **pleno.** El que reúne la totalidad de facultades que las leyes reconocen al propietario de una cosa. ‖ **público.** El de los bienes destinados al uso público (como el mar litoral y sus playas, las obras cuya propiedad intelectual ha caducado, etc.) y los del Estado destinados a algún servicio público (como los edificios públicos, vías de comunicación públicas, etc.). ‖ **útil.** El que comprende todas las facultades sobre la cosa, salvo las reservadas al **dominio** directo. ‖ **ser del dominio público** una cosa. fr. fig. Ser sabida de todos.

dómino. (Del lat. *domĭno,* yo gano.) m. desus. **dominó,** juego. ‖ **2.** desus. **dominó,** conjunto de fichas de este juego.

dominó. (Del fr. *domino,* y este del m. or. que *dómino.*) m. Juego que se hace con 28 fichas rectangulares, generalmente blancas por la cara y negras por el envés, con aquella dividida en dos cuadrados, cada uno de los cuales lleva marcados de uno a seis puntos, o no lleva ninguno. Cada jugador pone por turno una ficha que tenga número igual en uno de sus cuadrados al de cualquiera de los dos que están en los extremos de la línea de las ya jugadas, o pasa si no la tiene, y gana el que primero coloca todas las suyas o el que se queda con menos puntos, si se cierra el juego. ‖ **2.** Conjunto de las fichas que se emplean en este juego. ‖ **3.** Traje talar con capucha, que ya solo tiene uso en las funciones de máscara. ‖ **hacer** alguien **dominó.** fr. Ser el primero que se queda sin fichas en el juego de este nombre, y ganar así la partida.

domo. (Del gr. δῶμα, a través del fr. *dôme.*) m. *Arq.* **cúpula,** bóveda en forma de una media esfera.

dompedro. (De *don*[2] y el n. p. *Pedro.*) m. **dondiego.** ‖ **2.** fam. En algunas partes, **bacín** para recibir los excrementos mayores.

don[1]**.** (Del lat. *donum.*) m. Dádiva, presente o regalo. ‖ **2.** Cualquiera de los bienes naturales o sobrenaturales que tiene el cristiano, respecto a Dios, de quien los recibe. ‖ **3.** Gracia especial o habilidad para hacer una cosa. Ú. a veces en sent. irón. ‖ **de acierto.** Tino particular que se tiene en el pensar o ejecutar. ‖ **de errar.** Falta habitual de acierto, tacto o maña. ‖ **de gentes.** Disposición peculiar de quien es muy sociable en el trato y tiene facilidad para atraer y persuadir a los demás. ‖ **de mando.** Aptitud personal que para ejercer el mando tiene una persona por su firmeza, su prestigio o alguna otra cualidad.

don[2]**.** (Del lat. *domĭnus,* señor.) m. Tratamiento de respeto, hoy muy generalizado, que se antepone a los nombres masculinos de pila. Antiguamente estaba reservado a determinadas personas de elevado rango social. ‖ **2.** Unido a sustantivos y adjetivos empleados en vocativo como denuesto, realzaba por contraste su intensidad: DON *bellaco,* DON *ladrón,* DON *necio.* ‖ **3.** ant. Sin estar acompañado de otro nombre, y por sí solo, **señor.** ‖ **cómodo.** fam. Hombre regalón, amigo de sus comodidades. ‖ **diego. dondiego.** ‖ **juan. donjuán.** ‖ **2. tenorio.** ‖ **nadie.** Hombre sin valía, poco conocido, de escaso poder e influencia. ‖ **pedro. dompedro.** ‖ **pereciendo.** fam. Sujeto que aparenta muchos caudales y ostenta grandezas, siendo un pobre miserable. ‖ **mal se aviene el don con el Turuleque.** expr. fam. con que se indica que no armonizan bien en gente baja las dignidades y títulos honoríficos. ‖ **mal suena el don sin el din.** expr. fam. con que se denota que la hidalguía de la sangre o los títulos personales no suelen obtener consideración social si no están acompañados por la riqueza. ‖ **2.** fam. Aplícase también a la persona pobre y engreída por su nobleza. ‖ **ni don Pedro, ni Periquillo.** expr. fig. y fam. que censura la desigualdad con que se trata a una persona, mostrándole alternativamente, o excesivo respeto y estimación, o menosprecio.

dona[1]**.** (Del lat. *dona,* pl. de *dōnum,* don.) f. desus. **don**[1]**,** dádiva, regalo. ‖ **2.** desus. **don**[1]**,** bien natural o sobrenatural. ‖ **3.** pl. En algunas partes, regalos de boda que el novio hace a la novia.

dona[2]**.** (Del lat. *domĭna.*) f. ant. Mujer, dama. ‖ **2.** ant. **dueña.** ‖ **3.** ant. *Mar.* V. **mar de donas.**

donación. (Del lat. *donatĭo, -ōnis.*) f. Acción y efecto de donar. ‖ **2.** *Der.* Liberalidad de una persona que transmite gratuitamente una cosa que le pertenece a favor de otra que la acepta. ‖ **entre vivos,** o **inter vivos.** *Der.* La que se hace en la cuantía y con las condiciones que exigen las leyes para que tenga efectos en vida del donante. ‖ **esponsalicia.** *Der.* La que se hace por razón de matrimonio, antes de celebrarlo, en favor de uno o de ambos esposos. ‖ **mortis causa,** o **por causa de muerte.** *Der.* La que se hace para después del fallecimiento del donante y se rige por las reglas de las disposiciones testamentarias. ‖ **própter nuptias.** *Der.* La que hacen los padres a sus hijos, por consideración al matrimonio que van a contraer.

donadío. (Del lat. *donatīvum.*) m. ant. **don**[1]**,** dádiva, presente o regalo. ‖ **2.** ant. **donación.** ‖ **3.** En algunas partes, heredamiento o hacienda procedente de donaciones reales.

donado, da. (Del lat. *donātus.*) p. p. de **donar.** ‖ **2.** m. Persona que, previas fórmulas rituales, ha entrado por sirviente en orden o congregación religiosa, y asiste en ella con cierta especie de hábito religioso, pero sin hacer profesión. ‖ **3.** Persona seglar que se retira a un monasterio, ya por devoción y para lucrar gracias espirituales y ciertos privilegios, ya, en tiempos antiguos, para amparo de su persona y seguro de sus bienes. ‖ **4.** En algunas comarcas aragonesas, persona que, mediante cierto contrato tradicional, queda incorporada a una familia.

donador, ra. (Del lat. *donātor, -ōris.*) adj. Que hace donación. Ú. t. c. s. ‖ **2.** Que hace un don o presente. Ú. t. c. s.

donaire. (Del b. lat. *donarĭum,* de *donāre,* dar.) m. Discreción y gracia en lo que se dice. ‖ **2.** Chiste o dicho gracioso y agudo. ‖ **3.** Gallardía, gentileza, soltura y agilidad airosa de cuerpo para andar, danzar, etc. ‖ **4.** V. **figura del donaire.** ‖ **andaos a decir donaires.** expr. fam. que se usa cuando a alguien le ha salido mal un chiste y ha tenido que sentir por él. ‖ **hacer donaire de** una cosa. fr. Burlarse de ella con gracia.

donairoso, sa. adj. Que tiene en sí donaire.

donante. p. a. de **donar.** Que ha donado o pagado algo. Ú. t. c. s. ‖ **2.** com. Persona que costeaba una obra de arte o arquitectónica, generalmente de tipo religioso, y cuya imagen solía aparecer en estas representada en actitud orante. ‖ **3.** Persona que voluntariamente cede un órgano, sangre, etc., destinados a personas que lo necesitan.

donar. (Del lat. *donāre.*) tr. Traspasar uno graciosamente a otro alguna cosa o el derecho que sobre ella tiene.

donatario. (Del lat. *donatarĭus.*) m. Persona a quien se hace la donación.

donatismo. m. Doctrina de los donatistas.

donatista. adj. Dícese del que profesaba las doctrinas de Donato, cismático de la Iglesia del siglo IV. Ú. t. c. s.

donativo. (Del lat. *donatīvum.*) m. Dádiva, regalo, cesión, especialmente con fines benéficos o humanitarios.

doncas. (Del lat. *dunc.*) adv. m. ant. **pues.**

doncel. (Del lat. vulg. **domnicĕllus,* a través del cat. *donzell.*) m. Joven noble que aún no está armado caballero. ‖ **2.** Hombre que no ha conocido mujer. ‖ **3.** El que habiendo en su niñez servido de paje a los reyes, pasaba a servir en la milicia, en la que formaban los **donceles** un cuerpo con ciertas prerrogativas. ‖ **4.** V. **alcaide de los donceles.** ‖ **5.** ant. Hijo adolescente de padres nobles. ‖ **6.** ant. **paje,** y especialmente el del rey. ‖ **7.** *Ar.* y *Murc.* **ajenjo,** planta de las compuestas. ‖ **8.** Usado como adjetivo y dicho de ciertos frutos y productos, suave, dulce. *Vino* DONCEL; *pimienta* DONCEL. ‖ **9.** V. **pino doncel.**

doncella. (Del lat. vulg. **domnicĕlla.*) f. Mujer que no ha conocido varón. ‖ **2.** Criada que sirve cerca de la señora, o que se ocupa en los menesteres domésticos ajenos a la cocina. ‖ **3. budión.** ‖ **4.** V. **hierba doncella.** ‖ **5.** *And., Col.* y *Venez.* **panadizo,** inflamación aguda de los dedos.

doncellería. f. fam. **doncellez.**

doncellez. f. Estado de **doncel,** hombre que no ha conocido mujer, o de **doncella,** mujer que no ha conocido varón.

doncellil. adj. fam. desus. Propio de las doncellas o relativo a ellas.

doncellueca. f. p. us. fam. Doncella entrada ya en edad.

dond. (Del lat. *de,* de, y *unde,* de donde.) adv. l. ant. De donde.

donde. (Del lat. *de unde.*) adv. relat. l. Como los pronombres relativos, se construye con antecedente (nombre propio, adverbio de lugar u oración) y equivale a *en que, en el que,* etc., cuando va sin preposición, o al simple pronombre *que, el que, lo que,* etc., cuando va precedido de preposición. *La calle* DONDE *nací; la tierra por* DONDE *pisa; las figuras pueden superponerse, de* DONDE *se deduce su igualdad.* Cuando en estos casos *a* antecede a **donde,** se escribe **adonde.** *El lugar* ADONDE *vamos.* ‖ **2.** Como algunos pronombres relativos, se emplea también sin antecedente y equivale entonces a *en el sitio, lugar,* etc., **donde,** cuando va sin preposición, o simplemente a *el sitio, lugar,* etc., **donde,** cuando le precede preposición. DONDE *no hay harina todo es mohína; va a* DONDE *le llevan; desde* DONDE *estaban no se veía nada.* Cuando en estos casos le antecede *a* se escribe algunas veces **adonde.** ADONDE *va lo más vaya lo menos.* ‖ **3.** Se emplea **en donde** con la significación de **donde.** *Emigró a ultramar,* EN DONDE *se instaló.* ‖ **4. adonde.** *En el lugar* DONDE *voy os seré más provechoso.* ‖ **5.** ant. **de donde.** *Se acogió a las tinajas* DONDE *había sacado su agradable lágrima.* ‖ **6.** adv. interrog. l. Equivale a *en qué lugar, el lugar en que,* cuando va sin preposición, o simplemente a *qué lugar,* cuando va con ella. Se emplea siempre, como interrogativo, con acento fonético y ortográfico. ¿DÓNDE *estamos?; preguntó desde* DÓNDE *podía disparar; no sabía hacia* DÓNDE *le llevaban.* Cuando le antecede *a* se escribe **adónde.** ¿ADÓNDE *vamos?* ‖ **7.** Se emplea **en dónde** con la significación de **dónde.** ¿EN DÓNDE *ocurrió eso?* ‖ **8. adónde.** ¿DÓNDE *vas con mantón de Manila?* ‖ **9.** prep. En casa de, en el sitio de. *Estuve* DONDE *Antonio; el banco está* DONDE *la fuente.* ‖ **de dónde.** loc. adv. excl. que denota idea de impasibilidad o sorpresa. ¡DE DÓNDE *voy a creer lo que me dice!* ‖ **donde no.** loc. adv. De lo contrario. ‖ **¿por dónde?** loc. adv. que denota razón, causa o motivo. *¿Por* DÓNDE *tengo de creerlo?* ‖ **por donde.** loc. conjunt. que introduce en la oración un hecho inesperado. Se emplea también precedida por los imperativos *mira, mire usted, cátate,* etc., o por la fórmula *he aquí.*

dondequiera. (De *donde* y *querer.*) adv. l. En cualquier parte.

dondiego. (De *don*[2] y el n. p. *Diego.*) m. Planta de la familia de las nictagináceas, con flores blancas, encarnadas, amarillas o jaspeadas de estos colores. Es originaria del Perú y sus flores se abren al anochecer y se cierran al salir el Sol. ‖ **de día.** Planta anual de la familia de las convolvuláceas, de tallos rastreros, flores axilares de corolas azules, que se abren con el día y se cierran al ponerse el Sol. ‖ **de noche. dondiego.**

doneador. (De *donear.*) adj. ant. **galanteador.** Usáb. t. c. s.

donear. (De *dona,* dueña.) tr. ant. **galantear,** requebrar a una mujer.

doneo. (De *donear.*) m. ant. **galanteo.**

donfrón. (De *Domfront,* ciudad de Francia.) m. Tela de lienzo crudo usada antiguamente.

dong. m. Unidad monetaria de la República Democrática de Vietnam.

dongón. (De or. malayo.) m. Árbol de Filipinas, de la familia de las esterculiáceas, que alcanza de 25 a 30 metros de altura. Su madera es fuerte, correosa, rojiza y durable bajo el agua.

donguindo. m. Variedad de peral, cuyas peras son más crecidas que las ordinarias, de forma bastante irregular, de color verde amarillento, carne azucarada y relativamente porosa.

donillero. (De *donillo,* d. de *don*[1], dádiva.) m. Fullero que agasaja y convida a aquellos a quienes quiere inducir a jugar.

donjuán. (De *don Juan,* personaje literario.) m. Seductor de mujeres. ‖ **2. dondiego.**

donjuanear. intr. Hacer de donjuán.

donjuanesco, ca. adj. Propio de un donjuán o tenorio.

donjuanismo. m. Conjunto de caracteres y cualidades propias de don Juan Tenorio.

donosía. (De *donoso.*) f. ant. **donosura.**

donosidad. (De *donoso.*) f. Gracia, chiste, gracejo.

donosilla. f. *Sal.* **comadreja,** mamífero carnicero.

donoso, sa. (Del lat. **donōsus,* de *donum,* don.) adj. Que tiene donaire y gracia. Ú. en sent. irón., antepuesto al sustantivo. DONOSA *ocurrencia, pregunta, humorada.*

donostiarra. (Del vasc. *Donostia,* San Sebastián.) adj. Natural de San Sebastián. Ú. t. c. s. ‖ **2.** Perteneciente o relativo a esta ciudad.

donosura. (De *donoso.*) f. Donaire, gracia.

donquijotesco, ca. adj. **quijotesco.**

doña[1]**.** (De *dona,* don.) f. ant. Joya o alhaja. ‖ **2.** ant. Don, dádiva o regalo, y particularmente las dádivas que se hacían recíprocamente con ocasión de matrimonio. ‖ **3.** pl. ant. Ayudas de costa que, además del salario diario, se daban a principio de año a los oficiales de las herrerías que había en las minas de hierro.

doña[2]**.** (Del lat. *domĭna.*) f. Tratamiento de respeto que se aplica a las mujeres y precede a su nombre de pila. Actualmente su aplicación va limitándose a la mujer casada o viuda. ‖ **2.** ant. **dueña.** ‖ **3.** ant. **monja.**

doñaguil. (De *doñegal.*) adj. *Sal.* Aplícase a una clase de aceituna más pequeña y esférica que las comunes.

doñeador, ra. (De *doñear.*) adj. ant. Decíase del que se familiarizaba fácilmente con las mujeres o las cortejaba.

doñear. (De *doña*[2], dueña.) tr. Cortejar a una mujer. ‖ **2.**

intr. fam. Andar entre mujeres y tener trato y conversación con ellas.

doñegal. (Del lat. *dominicālis*, de señor.) adj. V. **higo doñegal.**

doñeguil. (De *doñigal.*) adj. ant. **señoril.**

doñigal. (De *doñegal.*) adj. V. **higo doñigal.**

dopado, da. p. p. de **dopar.** ‖ **2.** m. Acción y efecto de dopar o doparse.

dopaje. m. *Dep.* Acción y efecto de dopar o doparse.

dopar. (Del ing. *to dope*, drogar.) tr. *Dep.* Administrar fármacos o sustancias estimulantes para potenciar artificialmente el rendimiento. Ú. t. c. prnl. ‖ **2.** *Electrón.* Introducir en un semiconductor impurezas con el fin de modificar su comportamiento.

doquier. adv. l. **dondequiera.**

doquiera. (De *do* y *querer.*) adv. l. **dondequiera.**

doquiere. adv. l. **doquier, doquiera.**

-dor, ra. (Del lat. *-tor, -ōris.*) suf. de adjetivos y sustantivos verbales. Aparece en las formas **-ador, -edor, -idor,** según que el verbo base sea de la primera, segunda o tercera conjugación. Significa agente: *organiz*ADOR, *ensordec*EDOR, *encubr*IDOR; instrumento: *tritur*ADORA, *climatiz*ADOR, *prend*EDOR, *calcul*ADORA, *aceler*ADOR; algunas veces, lugar: *com*EDOR, *cen*ADOR. Forma también algunos derivados de sustantivos: *agu*ADOR, *leñ*ADOR, *viñ*ADOR.

dorada. (Del lat. *deaurāta*, t. f. de *-tus*, dorado.) f. Pez teleósteo marino, del suborden de los acantopterigios, que puede alcanzar unos ocho decímetros de largo, y tiene una mancha dorada entre los ojos. Es comestible muy estimado y se pesca en las costas de España. ‖ **2.** *Cuba.* Especie de mosca venenosa.

doradilla. (d. de *dorada.*) f. **dorada,** pez teleósteo marino. ‖ **2.** Helecho de abundantes hojas de seis a ocho decímetros de largo, cubiertas de escamillas doradas por el envés. Se ha usado en medicina como vulnerario y diurético.

doradillo, lla. (d. de *dorado.*) adj. *Argent., C. Rica* y *Urug.* Aplícase a la caballería de color melado brillante. ‖ **2.** m. Hilo delgado de latón, que sirve para engarces y otros usos. ‖ **3.** f. **aguzanieves.**

dorado, da. p. p. de **dorar.** ‖ **2.** adj. De color de oro o semejante a él. ‖ **3.** fig. Esplendoroso, feliz. *Edad* DORADA. ‖ **4.** V. **edad, llave, sopa dorada.** ‖ **5.** V. **siglo dorado.** ‖ **6.** V. **sueño dorado.** ‖ **7.** *Cuba* y *Chile.* Aplícase a la caballería de color melado. ‖ **8.** m. Pez teleósteo, del suborden de los acantopterigios, que alcanza unos seis decímetros de largo, con colores vivos con reflejos **dorados.** Es comestible. ‖ **9.** Acción y efecto de dorar. ‖ **10.** pl. Conjunto de adornos metálicos o de objetos de latón. *Los* DORADOS *de un mueble. Pasta para limpiar* DORADOS.

dorador. (Del lat. *deaurātor, -ōris.*) m. El que tiene por oficio dorar.

doradura. f. Acción y efecto de dorar.

doral. (De *dorado.*) m. Pájaro, variedad de papamoscas, de color amarillo rojizo, con manchas negras en la cabeza, alas y cola.

dorar. (Del lat. *deaurāre.*) tr. Cubrir con oro la superficie de una cosa. ‖ **2.** Dar el color del oro a una cosa. Ú. t. c. prnl. ‖ **3.** p. us. fig. Paliar, encubrir con apariencia agradable las acciones malas o las palabras y noticias desagradables. ‖ **4.** fig. Tostar ligeramente una cosa de comer. Ú. t. c. prnl.

dórico, ca. (Del lat. *dorĭcus*, y este del gr. δωρικός.) adj. **dorio,** perteneciente a la Dóride. ‖ **2.** *Arq.* V. **columna dórica.** ‖ **3.** *Arq.* V. **orden dórico.** ‖ **4.** m. Dialecto de los dorios, uno de los cuatro principales de la lengua griega.

dorio, ria. (Del lat. *Dorĭus.*) adj. Dícese del individuo de un pueblo de la antigua Grecia que habitó en la Dóride, en la mayor parte del Peloponeso y en algunas regiones del Mediterráneo occidental. Ú. t. c. s. ‖ **2.** Perteneciente o relativo a este pueblo.

dormán. m. **dolmán.**

dormición. (Del lat. *dormitĭo, -ōnis.*) f. ant. Acción de dormir. ‖ **2.** Tránsito de la Virgen.

dormida. (De *dormir.*) f. Estado por que pasa cuatro veces el gusano de seda desde que nace hasta que se encierra en el capullo, y durante el cual cesa de comer y muda la piel. ‖ **2.** Paraje donde las reses y las aves silvestres acostumbran a pasar la noche. ‖ **3.** Acción de dormir, especialmente pasando la noche. *Tenemos tres* DORMIDAS *antes de acabar nuestro viaje.* ‖ **4.** *And.* y *Amér. Merid.* Lugar donde se pernocta.

dormidera. (De *dormidero.*) f. **adormidera.** ‖ **2.** *Col., Cuba, Pan., P. Rico* y *Venez.* **sensitiva,** planta. ‖ **3.** pl. fam. Facilidad de dormirse. *Bartolo tiene buenas* DORMIDERAS.

dormidero, ra. (Del lat. *dormitorĭus.*) adj. Dícese de lo que hace dormir. ‖ **2.** m. Sitio donde duerme el ganado.

dormido, da. p. p. de **dormir.** ‖ **2.** adj. V. **mineral dormido.**

dormidor, ra. (Del lat. *dormītor, -ōris.*) adj. Que duerme mucho. Ú. t. c. s.

dormiente. (Del lat. *dormiens, -entis.*) p. a. p. us. de **dormir.** **durmiente.**

dormijoso, sa. (De *dormir.*) adj. ant. **soñoliento.**

dormilón, na. adj. fam. Muy inclinado a dormir. Ú. t. c. s. ‖ **2.** m. Pajarillo de unos 17 centímetros de largo, de color ceniciento oscuro y cola larga que mantiene en continuo movimiento; habita en la costa americana del Pacífico, desde Magallanes hasta el Perú.

dormilona. f. Arete, pendiente con un brillante o una perla. Ú. m. en pl. ‖ **2.** Butaca para dormir la siesta. ‖ **3.** *Amér. Central, Cuba* y *Sto. Dom.* **sensitiva,** planta. ‖ **4.** *Venez.* Camisa de dormir de mujer.

dormiloso, sa. adj. ant. **dormilón,** muy inclinado a dormir.

dormimiento. (De *dormir.*) m. ant. **dormición.**

dormir. (Del lat. *dormīre.*) intr. Estar en aquel reposo que consiste en la inacción o suspensión de los sentidos y de todo movimiento voluntario. Ú. t. c. prnl. y alguna vez c. tr. DORMIR *la siesta, la borrachera.* ‖ **2.** **pernoctar.** ‖ **3.** fig. Descuidarse, obrar en un negocio con menos solicitud de la que se requiere. Ú. m. c. prnl. ‖ **4.** fig. Ser algo objeto de descuido, olvido o postergación. *La propuesta* DUERME *esperando que alguien se decida a presentarla.* ‖ **5.** fig. Sosegarse o apaciguarse lo que estaba inquieto o alterado. Ú. t. c. prnl. ‖ **6.** fig. Bailar la peonza o el trompo con mucha rapidez, sin cabecear ni moverse de un sitio. ‖ **7.** fig. En ciertos juegos de naipes, como el tresillo, quedar en la baceta alguna carta sin utilizar. ‖ **8.** fig. Con la prep. *sobre* y tratándose de cosas que den en qué pensar, tomarse tiempo para meditar o discurrir sobre ellas. ‖ **9.** tr. Hacer que alguien se duerma. DORMIR *a un niño, a un paciente.* ‖ **10.** prnl. fig. Adormecerse un miembro. ‖ **11.** *Mar.* Dicho de la aguja de marcar, pararse y estar torpe en sus movimientos por debilidad de la imantación. ‖ **12.** *Mar.* Dicho de un buque, quedarse muy escorado por efecto del mucho viento y muy expuesto a zozobrar al menor impulso. ‖ **a duerme y vela.** loc. adv. **entre duerme y vela.** ‖ **durmiendo velando,** o **entre duerme y vela.** loc. adv. Medio **durmiendo,** medio velando.

dormirlas. (De *dormir.*) m. Juego del escondite.

dormitación. f. Acción y efecto de dormitar.

dormitar. (Del lat. *dormitāre.*) intr. Estar o quedarse medio dormido.

dormitivo, va. (Del lat. *dormĭtum*, supino de *dormīre*, dormir.) adj. *Farm.* Dícese del medicamento que sirve para conciliar el sueño. Ú. t. c. s. m.

dormitor. m. ant. **dormitorio.**

dormitorio. (Del lat. *dormitorĭum.*) m. Pieza destinada para dormir en ella. ‖ **2.** V. **ciudad dormitorio.**

dormivela. m. fam. **duermevela.**

dorna. f. *Gal.* Barco pequeño de pesca propio de las Rías Bajas, con vela de trincado y casco de tingladillo.

dornajo. (d. de *duerna.*) m. Especie de artesa, pequeña y redonda, que sirve para dar de comer a los cerdos, para fregar o para otros usos. ‖ **2.** *Can.* Pesebre para toda clase de caballerías.

dorniel. m. *Seg.* **alcaraván.**

dornillero. m. El que hace o vende dornillos. ‖ **2.** *And.* El que en las cuadrillas de trabajadores del campo está encargado de hacer el gazpacho.

dornillo. m. **dornajo.** ‖ **2. hortera,** escudilla o cazuela de madera. ‖ **3.** Artesilla de madera usada como escupidera en las habitaciones.

dorondón. m. *Ar.* Niebla espesa y fría.

dorsal. (Del lat. *dorsuālis.*) adj. Perteneciente al dorso, espalda o lomo. ‖ **2.** *Anat.* V. **cuerda, espina dorsal.** ‖ **3.** *Fon.* Dícese del fonema en cuya articulación interviene principalmente el dorso de la lengua, en su parte anterior, media o posterior. ‖ **4.** *Fon.* Dícese de la letra que representa este sonido; como la *ch,* la *ñ* o la *k.* Ú. t. c. s. f. ‖ **5.** m. Trozo de tela con un número, que llevan a la espalda los participantes en muchos deportes. ‖ **6.** com. Por ext., participante que lleva un **dorsal.** ‖ **7.** f. *Meteor.* Cuña anticiclónica. ‖ **8.** *Geol.* Parte más elevada de una cordillera. ‖ **barométrica.** *Meteor.* Cuña de altas presiones que se introduce entre dos zonas de baja presión. ‖ **centro-oceánica.** *Geol.* **dorsal oceánica.** ‖ **oceánica.** *Geol.* Cadena montañosa continua en el fondo oceánico.

dorso. (Del lat. *dorsum.*) m. Revés o espalda de una cosa.

dorsoventral. adj. Perteneciente o relativo conjuntamente a la espalda y al vientre.

dos. (Del lat. *duos,* acus. de *duo.*) adj. Uno y uno. ‖ **2. segundo,** que sigue en orden al primero. *Número* DOS; *año* DOS. Aplicado a los días del mes, ú. t. c. s. *El* DOS *de mayo.* ‖ **3.** m. Signo o conjunto de signos con que se representa el número **dos.** ‖ **4.** Carta o naipe que tiene **dos** señales. *El* DOS *de espadas; tengo tres* DOSES. ‖ **5.** ant. **ochavo,** moneda. ‖ **a cada dos por tres.** loc. adv. **cada dos por tres.** ‖ **a dos.** loc. adv. En el juego de la pelota significa que ambos partidos están igualmente a treinta. ‖ **a dos por tres.** loc. adv. fig. y fam. Pronta y demostrativamente. ‖ **cada dos por tres.** loc. adv. Con frecuencia. ‖ **como dos y dos son cuatro.** fr. fam. Evidentemente, sin necesidad de demostración. ‖ **de dos en dos.** loc. adv. para expresar que algunas personas o cosas van apareadas. ‖ **dos a dos.** loc. adv. Dícese especialmente en aquellos juegos que se juegan entre cuatro cuando van **dos** de compañeros contra los otros **dos,** como antes en la flor, el truque y otros, y ahora en la brisca, etc. Antiguamente, también decíase de los que reñían con padrinos cuando iban **dos** contra **dos.** ‖ **en un dos por tres.** loc. adv. fig. y fam. En un momento, rápidamente.

dosalbo, ba. (De *dos* y *albo.*) adj. Aplícase a la caballería que tiene blancos dos pies.

dosañal. adj. ant. De dos años. ‖ **2.** ant. Perteneciente a este tiempo.

doscientos, tas. (De *docientos,* infl. por *dos.*) adj. pl. Dos veces ciento. ‖ **2. ducentésimo,** que sigue en orden al centésimo nonagésimo nono. *Número* DOSCIENTOS; *año* DOSCIENTOS. ‖ **3.** m. Conjunto de signos con que se representa el número **doscientos.**

dosel. (Del fr. *dossier,* o del cat. *dosser.*) m. Mueble que a cierta altura cubre o resguarda un altar, sitial, lecho, etc., adelantándose en pabellón horizontal y cayendo por detrás a modo de colgadura. ‖ **2.** Antepuerta o tapiz.

doselera. f. Cenefa del dosel.

doselete. (d. de *dosel.*) m. Miembro arquitectónico voladizo, que a manera de dosel se coloca sobre las estatuas, sepulcros, etc.

dosificable. adj. Que se puede dosificar.

dosificación. (De *dosificar.*) f. *Farm.* y *Med.* Determinación de la dosis de un medicamento.

dosificador, ra. adj. Que dosifica o sirve para dosificar. Ú. t. c. s. m.

dosificar. (De *dosis* y el lat. *facĕre,* hacer.) tr. *Farm.* y *Med.* Dividir o graduar las dosis de un medicamento. ‖ **2.** Graduar la cantidad o porción de otras cosas.

dosillo. m. Juego de naipes semejante al tresillo, que se juega entre dos personas.

dosimetría. (De *dosis* y *-metría.*) f. Sistema terapéutico que emplea exclusivamente los principios activos de las sustancias medicamentosas en gránulos que contienen siempre la misma dosis para cada una de ellas.

dosimétrico, ca. adj. Perteneciente o relativo a la dosimetría.

dosis. (Del gr. δόσις, acción de dar.) f. Toma de medicina que se da al enfermo cada vez. ‖ **2.** fig. Cantidad o porción de una cosa cualquiera, material o inmaterial. *Una buena* DOSIS *de paciencia, de ignorancia.*

dossier. (Del fr. *dossier.*) m. Informe o expediente.

dotación. f. Acción y efecto de dotar. ‖ **2.** Aquello con que se dota. ‖ **3.** Conjunto de personas asignadas al servicio de un buque de guerra o de una unidad policial o militar. ‖ **4.** Conjunto de individuos asignados al servicio de un establecimiento público, de una oficina, de una fábrica, de un taller, etc.

dotado, da. p. p. de **dotar.** ‖ **2.** adj. Provisto, equipado. ‖ **3.** fig. Con particulares condiciones o cualidades para algo. DOTADO *para la música.*

dotador, ra. adj. Que dota. Ú. t. c. s.

dotal. (Del lat. *dotālis.*) adj. Perteneciente al o a la dote que lleva la mujer cuando se casa. ‖ **2.** *Der.* V. **bienes dotales.**

dotamiento. (De *dotar.*) m. ant. **dotación.**

dotante. p. a. de **dotar.** Que dota. Ú. t. c. s.

dotar. (Del lat. *dotāre.*) tr. Constituir dote a la mujer que va a contraer matrimonio o a profesar en alguna orden religiosa. ‖ **2.** Señalar bienes para una fundación o instituto benéfico. ‖ **3.** fig. Dar, conceder la naturaleza ciertos dones o cualidades a determinada persona. Ú. m. con la preposición *de. Dios le* DOTÓ DE *una gran voz.* ‖ **4.** Asignar a una oficina, a un buque, a un establecimiento público, etc., el número de empleados y los enseres que le son necesarios. ‖ **5.** Asignar sueldo o haber a un empleo o cargo cualquiera. ‖ **6.** Equipar, proveer a una cosa de algo que la mejora. Ú. m. con la preposición *de.* DOTAR *una máquina* DE *los últimos adelantos.*

dote. (Del lat. *dos, dotis.*) amb. Caudal que con este título lleva la mujer cuando se casa, o que adquiere después del matrimonio. Ú. m. c. f. ‖ **2.** Congrua o patrimonio que se entrega al convento o a la orden en que va a tomar estado religioso una profesa. Ú. m. c. f. ‖ **3.** m. En el juego de naipes, número de tantos que toma cada uno para saber después lo que pierde o gana. ‖ **4.** f. Excelencia, prenda, calidad o capacidad apreciable de una persona. Ú. comúnmente en plural. DOTES *de mando.* ‖ **5.** *Teol.* Cada una de las cuatro cualidades que poseen los cuerpos gloriosos de los bienaventurados: claridad, agilidad, sutileza e impasibilidad. ‖ **estimada.** *Der.* Aquella que se tasa y cuya propiedad se transmite al marido con la obligación, en su día, de restituir el importe o precio. ‖ **germana.** *Der.* La constituida por el marido a favor de la mujer. ‖ **inestimada.** *Der.* Aquella cuya propiedad conserva la mujer, debiéndosele restituir a ella o a sus herederos los mismos bienes en que consiste. ‖ **romana.** *Der.* La que aporta la mujer para sostenimiento de las cargas conyugales. ‖ **constituir la dote.** fr. Hacer otorgamiento formal de ella.

dotor. m. ant. **doctor.**
dotrina. f. ant. **doctrina.**
dotrinar. tr. ant. **doctrinar.**
dotrinero. m. ant. **doctrinero.**
do ut des. (En lat., *doy para que des.*) expr. fig. y fam. que indica que la esperanza de la reciprocidad es el móvil interesado de una acción. ‖ **2.** *Der.* Fórmula latina con que se designa la primera variedad de los contratos innominados.
dovela. (Del fr. dial. *douvelle*, fr. *douelle.*) f. *Arq.* Piedra labrada en figura de cuña, para formar arcos o bóvedas, el borde del suelo del alfarje, etc. ‖ **2.** *Cant.* Cada una de las superficies de intradós o de trasdós de las piedras de un arco o bóveda. ‖ **de gatillo.** La que forma ligazón con las hiladas de sillares horizontales del muro donde está colocada. ‖ **de horquilla.** La que está situada en un ángulo de bóveda por arista, formando ligazón en las dos caras contiguas.
dovelaje. m. *Arq.* Conjunto, serie u orden de dovelas.
dovelar. tr. *Cant.* Labrar la piedra dándole forma de dovela.
doxología. (Del gr. δόξα, gloria, y *-logía.*) f. Fórmula de alabanza a la Divinidad, especialmente a la Trinidad en la liturgia católica.
doy. (Contracc. de *de hoy.*) adv. t. ant. De hoy, o desde hoy.
dozavado, da. (De *dozavo.*) adj. Que tiene doce lados o partes.
dozavo, va. adj. **doceavo.** ‖ **en dozavo.** loc. adj. Dícese del libro, folleto, etc., de papel de tina, cuyas hojas corresponden a doce por pliego.
draba. (Del lat. *drabe*, y este del gr. δράβη.) f. Planta herbácea, de la familia de las crucíferas, de cuatro a cinco decímetros de altura, con flores pequeñas blancas en corimbos que abunda en los sitios húmedos y se ha empleado contra el escorbuto.
dracma. (Del lat. *drachma*, y este del gr. δραχμή.) f. Moneda griega de plata, que tuvo uso también entre los romanos, casi equivalente al denario, pues valía cuatro sestercios. ‖ **2.** Unidad monetaria de la Grecia actual. ‖ **3.** *Farm.* Octava parte de una onza, equivalente a tres escrúpulos, o sea a 3.594 miligramos.
draconiano, na. (De *Dracón*, legislador de Atenas.) adj. Perteneciente o relativo al legislador Dracón. ‖ **2.** fig. Aplícase a las leyes, providencias o medidas sanguinarias o excesivamente severas.
draga. (Del ing. *drag*, rastra, a través del fr. *drague.*) f. Máquina que se emplea para ahondar y limpiar los puertos, ríos, canales, etc., extrayendo de ellos fango, piedras, arena, etc. ‖ **2.** Barco que lleva esta máquina. ‖ **3.** Aparato que se emplea para recoger productos marinos, arrastrándolo por el fondo del mar.
dragado. m. Acción y efecto de dragar.
dragaminas. m. Buque destinado a limpiar de minas los mares.
dragante. m. *Blas.* Figura que representa una cabeza de dragón con la boca abierta, mordiendo o tragando alguna cosa.
dragar. tr. Ahondar y limpiar con draga los puertos, los ríos, etc.
dragea. (Del fr. *dragée.*) f. ant. **gragea.**
drago. (Del lat. *draco*, dragón.) m. Árbol de la familia de las liliáceas, que alcanza de 12 a 14 metros de altura, con flores pequeñas, de color blanco verdoso, con estrías encarnadas, y fruto en baya amarillenta. Del tronco se obtiene la resina llamada sangre de **drago** que se usa en medicina. ‖ **2.** ant. **dragón.**
dragomán. (Del m. or. que *truchimán.*) m. p. us. Intérprete de lenguas.
dragón. (Del lat. *draco, -ōnis*, y este del gr. δράκων.) m. Animal fabuloso a que se atribuye figura de serpiente muy corpulenta, con pies y alas, y de extraña fiereza y voracidad. ‖ **2.** Reptil del orden de los saurios, caracterizado por las expansiones de su piel, que forma a los lados del abdomen una especie de alas, o mejor paracaídas, que ayudan a los saltos del animal. Vive ordinariamente subido a los árboles de Filipinas y de la zona tropical del continente asiático, y no pasa de 20 centímetros de longitud total, de los que 12 corresponden a la cola, relativamente larga y delgada. ‖ **3.** Planta perenne de la familia de las escrofulariáceas, con tallos erguidos de seis a ocho decímetros de altura, lampiños en la parte inferior y vellosos en la superior; hojas carnosas, lanceoladas, algo obtusas las inferiores; flores de hermosos colores, encarnados o amarillos, en espigas terminales, de corola formada por un tubo dividido en cinco lacinias irregulares y cerrado con una especie de tapadera de distinto color que el tubo; fruto capsular y semillas negruzcas, elipsoidales y algo arrugadas. Se cultiva en los jardines. ‖ **4.** Mancha o tela blanca, opaca, que se forma a veces en las niñas de los ojos de los caballos y otros cuadrúpedos. ‖ **5.** Soldado que hacía el servicio alternativamente a pie o a caballo. ‖ **6.** En los hornos de reverbero, abertura y canal inclinado por donde se cargan y ceban aquellos con más metal, mientras están encendidos. ‖ **7.** Embarcación de vela de nueve metros de eslora como máximo, usada en competiciones deportivas. ‖ **8.** *Murc.* Cometa o milocha grande. ‖ **marino.** Pez teleósteo, del suborden de los acantopterigios, de unos cuatro decímetros de largo, rojizo por el lomo y blanco amarillento con manchas azuladas en los costados, cabeza comprimida, ojos poco distantes entre sí, y aletas muy espinosas. Se cría en las costas de España y es comestible.
dragona. f. Hembra del dragón. ‖ **2.** *Mil.* Especie de charretera. ‖ **3.** *Chile.* Fiador de la espada. ‖ **4.** *Méj.* Capa de hombre, con esclavina y capucha.
dragoncillo. m. d. de **dragón.** ‖ **2.** Arma de fuego usada antiguamente. ‖ **3. estragón.** ‖ **4.** pl. **dragón,** planta.
dragonear. (De *dragón.*) intr. *Amér.* Ejercer un cargo sin tener título para ello. DRAGONEA *de médico, de comisario.* ‖ **2.** *Amér.* Hacer alarde, presumir de algo. ‖ **3.** tr. desus. *Argent.* y *Urug.* Enamorar, cortejar, requebrar.
dragonete. m. *Blas.* **dragante.**
dragonites. (Del lat. *draconītes.*) f. Piedra fabulosa que, según una leyenda, se halla en la cabeza de los dragones.
dragontea. (Del lat. *dracontēa.*) f. Planta herbácea vivaz, de la familia de las aráceas, de rizoma feculento y grueso, del cual arrancan hojas grandes divididas en cinco lóbulos lanceolados, con pecíolos anchos que abrazan el escapo, simulando un tallo de seis a ocho decímetros de altura, manchado de negro y verde como la piel de una culebra, espata grande, verdosa por fuera y purpúrea negruzca por dentro, y espádice largo y desnudo en su extremo. Se cultiva como adorno en los jardines, a pesar de su mal olor durante la floración, y es espontánea en varios puntos de España.
dragontía. f. ant. **dragontea.**
dragontino, na. adj. Perteneciente o relativo al dragón.
drama. (Del lat. *drama*, y este del gr. δρᾶμα.) m. Nombre genérico de cualquier obra perteneciente a la poesía dramática en sus múltiples variedades. ‖ **2.** Obra de teatro o de cine en que se presentan acciones y situaciones infaustas o dolorosas, atemperadas por otras más propias de la comedia, que no alcanza plenitud trágica. ‖ **3. dramática,** género literario. ‖ **4.** fig. Suceso de la vida real, capaz de interesar y conmover vivamente. ‖ **de sátiros.** En el teatro helénico, el que se representaba a continuación de una trilogía trágica, como obra de diversión y desahogo más bien lasciva, caracterizada por ser siempre sátiros los persona-

jes componentes de su coro. ‖ **litúrgico.** Texto literario dialogado, de alguna extensión, desarrollado durante la Edad Media a partir del tropo, que dramatizaba pasajes de los Evangelios, y que se representaba durante los oficios religiosos en algunos días solemnes. ‖ **trágico.** El que se acerca a la plenitud trágica. ‖ **hacer un drama.** fr. fig. y fam. Dar tintes dramáticos a un suceso que no los tiene.

dramática. f. Arte que enseña a componer obras dramáticas. ‖ **2.** Género literario al que pertenecen las obras destinadas a la representación escénica, cuyo argumento se desarrolla de modo exclusivo mediante la acción y el lenguaje directo de los personajes, por lo común dialogado. *Se conoce escasamente la* DRAMÁTICA *medieval española.*

dramáticamente. adv. m. De manera dramática o teatral; con las condiciones propias del drama.

dramático, ca. (Del lat. *dramatĭcus,* y este del gr. δραματικός.) adj. Perteneciente o relativo al drama. ‖ **2.** Que posee caracteres propios del drama, o que es apto o conveniente para él. *Lenguaje, talento* DRAMÁTICO. ‖ **3.** Dícese del autor de obras **dramáticas.** Ú. t. c. s. ‖ **4.** Aplícase igualmente al actor que representa papeles **dramáticos.** ‖ **5.** fig. Capaz de interesar y conmover vivamente. ‖ **6.** fig. Teatral, afectado.

dramatismo. m. Cualidad de dramático, y especialmente el interés dramático.

dramatizable. adj. Que puede dramatizarse.

dramatización. f. Acción y efecto de dramatizar.

dramatizar. (Del gr. δραματίζω.) tr. Dar forma y condiciones dramáticas. ‖ **2.** Exagerar con apariencias dramáticas o afectadas. Ú. t. c. intr.

dramaturgia. (Del gr. δραματουργία.) f. **dramática.**

dramaturgo. (Del gr. δραματουργός.) m. Autor de obras dramáticas.

dramón. m. Drama de tintes muy cargados. Ú. m. en sent. despect.

drapeado, da. p. p. de **drapear.** ‖ **2.** m. Acción y efecto de drapear.

drapear. (Del fr. *draper.*) tr. Colocar o plegar los paños de la vestidura, y más especialmente, darles la caída conveniente. Ú. t. c. prnl.

drapero. (Del lat. *drappus,* paño.) m. ant. **pañero.**

draque. m. *Amér.* Bebida confeccionada con agua, aguardiente y nuez moscada.

drástico, ca. (Del gr. δραστικός, de δράω, obrar.) adj. *Farm.* Dícese del medicamento que purga con gran eficacia o energía. Ú. t. c. s. m. ‖ **2.** fig. Riguroso, enérgico, radical, draconiano.

dravidiano, na. (Del ing. *dravidian,* perteneciente o relativo a Dravida.) adj. **dravídico.**

dravídico, ca. adj. Natural de Dravida. Ú. t. c. s. ‖ **2.** Perteneciente o relativo a esta provincia de la India. ‖ **3.** Aplícase a la familia de lenguas habladas al sudeste de la India, norte de Sri Lanka (antiguo Ceilán) y en Brahui (Pakistán Occidental), que no tienen relación genética con ninguna otra familia y cuyo representante más importante es el tamil.

drea. f. En el lenguaje infantil, **pedrea,** combate a pedradas.

drenaje. (Del ing. *drainage,* a través del fr. *drainage.*) m. Acción y efecto de drenar.

drenar. (Del ing. *to drain,* a través del fr. *drainer.*) tr. Avenar, desaguar. ‖ **2.** *Cir.* Asegurar la salida de líquidos, generalmente anormales, de una herida, absceso o cavidad.

drepanocitosis. (Del gr. δρέπανον, hoz, κύτος, célula, y *-osis.*) f. *Pat.* Enfermedad hereditaria, que se presenta principalmente en individuos de raza negra; esta dolencia se caracteriza por disminución de los glóbulos rojos, los cuales, en su mayoría, toman forma de hoz. Se origina por la presencia de una hemoglobina anormal.

drezar. (De *derezar.*) tr. ant. Aderezar o aparejar.

dría. (Del lat. *Dryas.*) f. *Mit.* **dríade.**

dríada. f. *Mit.* **dríade.**

dríade. (Del lat. *dryas, -ădis,* y este del gr. δρυάς.) f. *Mit.* Ninfa de los bosques, cuya vida duraba lo que la del árbol a que se suponía unida.

driblar. (Del ing. *to dribble.*) tr. En el fútbol y otros deportes, **regatear.** Ú. t. c. intr.

dril. (Del ing. *drill.*) m. Tela fuerte de hilo o de algodón crudos.

drino. (Del gr. δρυῖνας, culebra de los árboles.) m. Culebra de color verde brillante, muy delgada, de un metro aproximadamente de longitud, que vive en los árboles de los grandes bosques y rara vez en el suelo.

driza. (Del it. *drizza,* de *drizzare,* drizar.) f. *Mar.* Cuerda o cabo con que se izan y arrían las vergas, y también el que sirve para izar los picos cangrejos, las velas de cuchillo y las banderas o gallardetes.

drizar. (Del it. *drizzare.*) tr. desus. *Mar.* Arriar o izar las vergas.

droga. (De or. inc.) f. Nombre genérico de ciertas sustancias minerales, vegetales o animales, que se emplean en la medicina, en la industria o en las bellas artes. ‖ **2.** Sustancia o preparado medicamentoso de efecto estimulante, deprimente, narcótico o alucinógeno. ‖ **3. medicamento.** ‖ **4.** desus. fig. Embuste, ardid, engaño. Ú. en Argentina. ‖ **5.** fig. *Col.* y *Ecuad.* Persona o cosa que desagrada o molesta. Ú. generalmente con el verbo *ser.* ES DROGA, *una* DROGA, o *mucha* DROGA. ‖ **6.** *Can., Nav., Méj.* y *Amér. Merid.* Deuda, a veces la que no se piensa pagar. ‖ **blanda.** La que no es adictiva o lo es en bajo grado, como las variedades del cáñamo índico. ‖ **dura.** La que es fuertemente adictiva, como la heroína y la cocaína. ‖ **echar,** o **mandar,** a alguien **a la droga.** fr. fig. y fam. *Amér. Central* y *Cuba.* Mandarlo a paseo, despedirlo de malos modos.

drogadicción. (Del ing. *drug addiction.*) f. **adicción,** hábito de quienes se dejan dominar por alguna droga.

drogadicto, ta. (Del ing. *drug addict.*) adj. Dícese de la persona habituada a las drogas. Ú. t. c. s.

drogado, da. p. p. de **drogar.** ‖ **2.** m. Acción y efecto de drogar o drogarse.

drogar. tr. Administrar una droga, estimulante, deprimente, narcótico o alucinógeno, por lo común con fines ilícitos. ‖ **2.** *Fís.* Introducir en un elemento semiconductor impurezas dosificadas en proporciones muy pequeñas, con el fin de influir en el comportamiento electrónico del mismo. ‖ **3.** prnl. Hacer alguien uso deliberado de drogas en su persona.

drogata. com. fam. **drogadicto.**

drogmán. (Del m. or. que *truchimán.*) m. **intérprete,** trujamán.

drogodependencia. f. Uso habitual de estupefacientes al que el drogadicto no se puede sustraer.

drogodependiente. adj. **drogadicto.** Ú. t. c. s.

drogota. com. fam. **drogadicto.**

droguería. f. Trato y comercio en drogas. ‖ **2.** Tienda en que se venden drogas; en España, especialmente aquella en la que se venden productos de limpieza y pinturas.

droguero, ra. m. y f. Persona que hace o vende artículos de droguería. ‖ **2.** *Méj.* y *Amér. Merid.* Moroso, mal pagador.

droguete. (Del fr. *droguet.*) m. Cierto género de tela, comúnmente de lana, listada de varios colores y generalmente con flores entre las listas.

droguista. com. **droguero.**

dromedal. m. ant. **dromedario.**

dromedario. (Del lat. *dromedarĭus,* y este del gr. δρομάς, corredor.) m. Artiodáctilo rumiante, propio de Arabia y del norte de África, muy semejante al camello, del cual se distingue principalmente por no tener más que una giba adiposa en el dorso.

dropacismo. (Del lat. *dropacismus,* y este del gr. δρωπακισμός.) m. Cierta untura depilatoria.

drope. m. p. us. fam. Hombre despreciable.

drosera. (Del gr. δροσερός, cubierto de rocío.) f. Planta de la familia de las droseráceas, con hojas circulares, en cuyo limbo hay numerosos pelos terminados en cabezuelas glandulosas, los cuales se encorvan sobre el cuerpo del insecto o de cualquiera otro animalillo que se haya posado sobre la hoja, sujetándolo; a continuación sus partes blandas son digeridas por el líquido viscoso que contiene un fermento parecido a la pepsina, segregado por las glándulas de dichas cabezuelas.

droseráceo, a. (De *drosera.*) adj. *Bot.* Dícese de plantas angiospermas dicotiledóneas, herbáceas, de flores pentámeras con numerosos estambres, con hojas provistas de glándulas secretoras de un líquido viscoso, que contiene un fermento semejante a la pepsina y que les sirve para capturar y digerir insectos y otros animalillos. Son propias de las turberas. Ú. t. c. s. f. ‖ **2.** f. pl. *Bot.* Familia de estas plantas.

drosómetro. (Del gr. δρόσος, rocío, y *-metro.*) m. *Fís.* Aparato para medir el rocío.

druida. (Del lat. *druĭda,* y este del celta *derv,* encina.) m. Miembro de la clase elevada sacerdotal entre los antiguos galos y britanos, considerada depositaria del saber sagrado y profano, y estrechamente asociada al poder político.

druídico, ca. adj. Perteneciente o relativo a los druidas y a su religión.

druidismo. m. Religión de los druidas.

drupa. (Del lat. *druppa,* y este del gr. δρύππα.) f. *Bot.* Fruto de mesocarpio carnoso y endocarpio leñoso y una sola semilla, como el melocotón y la ciruela.

drupáceo, a. adj. *Bot.* De la naturaleza de la drupa, o parecido a ella.

drusa. (Del al. *druse,* a través del fr. *druse.*) f. *Mineral.* Conjunto de cristales que cubren la superficie de una piedra.

druso, sa. (De *Darazī,* sastre, sobrenombre de uno de los fundadores de la secta.) adj. Habitante del Líbano y Siria, que profesa una religión derivada de la mahometana. Ú. t. c. s. ‖ **2.** Perteneciente o relativo a los **drusos.**

dúa. (Del port. *adua,* del m. or. que *dula.*) f. desus. Prestación personal en las obras de fortificación. ‖ **2.** desus. Cuadrilla de operarios que se emplea en ciertos trabajos de minas. ‖ **3.** *Sal.* **dula,** cada una de las porciones de tierra que por turno reciben riego de una acequia.

dual. (Del lat. *duālis.*) adj. *Gram.* V. **número dual.** Ú. t. c. s. ‖ **2.** Que reúne dos caracteres o fenómenos distintos.

dualidad. (Del lat. *dualĭtas, -ātis.*) f. Existencia de dos caracteres o fenómenos distintos en una misma persona o en un mismo estado de cosas. ‖ **2.** *Quím.* Facultad que tienen algunos cuerpos de cristalizar, según las circunstancias, en dos figuras geométricas diferentes.

dualismo. (De *dual.*) m. Creencia religiosa de pueblos antiguos, que consistía en considerar el universo como formado y mantenido por el concurso de dos principios igualmente necesarios y eternos, y por consiguiente independientes uno de otro. ‖ **2.** Doctrina filosófica que explica el origen y naturaleza del universo por la acción de dos esencias o principios diversos y contrarios. ‖ **3. dualidad,** existencia de dos caracteres o fenómenos distintos.

dualista. adj. Perteneciente o relativo al dualismo. ‖ **2.** Partidario del dualismo, doctrina religiosa o filosófica. Ú. t. c. s.

dualístico, ca. adj. **dualista,** perteneciente o relativo al dualismo.

duán. m. ant. **diván,** supremo consejo turco. ‖ **2.** ant. **diván,** sala en que se reunía este consejo.

duarte. (Del apellido de Juan Pablo *Duarte,* patriota dominicano, 1813-1876.) m. *Sto. Dom.* fam. Peso dominicano.

duba. (Del fr. *douve,* zanja, escarpa.) f. Muro o cerca de tierra.

dubda. f. ant. **duda.** ‖ **2.** ant. **temor.**

dubiedad. (Del lat. *dubiĕtas, -ātis.*) f. ant. **duda.**

dubio. (Del lat. *dubĭum,* duda.) m. *Der.* Lo cuestionable. Ú. m. en los tribunales eclesiásticos.

dubitable. (Del lat. *dubitabĭlis.*) adj. **dudable.**

dubitación. (Del lat. *dubitatĭo, -ōnis.*) f. **duda.** ‖ **2.** *Ret.* Figura que consiste en manifestar, la persona que habla, duda o perplejidad acerca de lo que debe decir o hacer.

dubitativo, va. (Del lat. *dubitatīvus.*) adj. Que implica o denota duda. ‖ **2.** *Gram.* V. **conjunción dubitativa.**

duc. m. ant. **duque.**

ducado. (De *duque.*) m. Título o dignidad de duque. ‖ **2.** Territorio o lugar sobre el que recaía este título o en el que ejercía jurisdicción un duque. ‖ **3.** Estado gobernado por un duque. ‖ **4.** Moneda de oro que se usó en España hasta fines del siglo XVI, de valor variable. ‖ **5.** Moneda imaginaria equivalente a 11 reales de vellón, aumentada en una mitad más por la pragmática de febrero de 1680, y vuelta después a su valor primero. ‖ **6.** Moneda de oro de la antigua Austria-Hungría. ‖ **7.** ant. Gobierno, mando o dirección de gente de guerra. ‖ **de la estampa.** El de oro, que se pagaba por la expedición de bulas en la dataría. Ú. m. en pl. ‖ **de oro. excelente de granada.** ‖ **de plata. ducado,** moneda imaginaria que equivalía a 11 reales de vellón.

ducal. (Del lat. *ducālis.*) adj. Perteneciente al duque. ‖ **2.** *Blas.* V. **corona, manto ducal.**

ducas. f. pl. *Caló.* Tribulaciones, penas, trabajos.

ducentésimo, ma. (Del lat. *ducentesĭmus.*) adj. Que sigue inmediatamente en orden al o a lo centésimo nonagésimo nono. ‖ **2.** Dícese de cada una de las 200 partes iguales en que se divide un todo. Ú. t. c. s.

ducientos, tas. (Del lat. *ducentos.*) adj. pl. ant. **doscientos.**

dúcil. (Del prov. *dozilh.*) m. ant. *Ast.* **espita** de las cubas.

dúctil. (Del lat. *ductĭlis.*) adj. Dícese de los metales que admiten grandes deformaciones mecánicas en frío sin llegar a romperse. ‖ **2.** Aplícase a los metales que mecánicamente se pueden extender en alambres o hilos. ‖ **3.** Por ext., **maleable.** ‖ **4.** Dícese de algunos cuerpos no metálicos fácilmente deformables. ‖ **5.** fig. Acomodadizo, de blanda condición, condescendiente.

ductilidad. f. Calidad de dúctil.

ductivo, va. (Del lat. *ductus,* conducido.) adj. **conducente.**

ductor. (Del lat. *ductor, -ōris.*) m. p. us. Guía o caudillo. ‖ **2.** *Cir.* Cierto instrumento mayor que el exploratorio, utilizado como ayuda de este.

ductriz. (Del lat. *ductrix, -icis.*) f. ant. La que guía.

ducha¹. (Del it. *doccia,* caño de agua, a través del fr. *douche.*) f. Acción y efecto de duchar o ducharse. ‖ **2.** Agua que, en forma de lluvia o de chorro, se hace caer en el cuerpo para limpiarlo o refrescarlo, o con propósito medicinal. ‖ **3.** Aparato o instalación que sirve para ducharse. ‖ **4.** Recipiente de loza u otra materia donde se recogen las aguas de la **ducha.** ‖ **5.** Habitación o lugar donde hay una **ducha.** ‖ **6.** *Argent.* Cuarto de aseo con **ducha,** sin bañera.

ducha². (Del lat. *ducta,* conducida.) f. Lista que se forma en los tejidos. ‖ **2.** Banda de tierra que siega cada uno de los segadores caminando en línea recta hasta llegar al fin de la heredad.

duchar. tr. Dar una ducha¹. Ú. t. c. prnl. ‖ **2. mojar,** humedecer. Ú. t. en sent. fig.

ducho, cha. (De etim. disc.; cf. lat. *dūctus* y *dŏctus.*) adj. Experimentado, diestro.

duda. (De *dudar.*) f. Suspensión o indeterminación del ánimo entre dos juicios o dos decisiones, o bien acerca de un hecho o una noticia. ‖ **2.** Vacilación del ánimo respecto a las creencias religiosas. ‖ **3.** Cuestión que se propone para ventilarla o resolverla. ‖ **filosófica.** Suspensión voluntaria y transitoria del juicio para dar espacio y tiempo al espíritu a fin de que coordine todas sus ideas y todos sus conocimientos. ‖ **desatar la duda.** fr. *Lóg.* **desatar el argumento.** ‖ **sin duda.** loc. adv. Indudablemente, con toda seguridad. ‖ **2.** Tal vez, acaso. *¿Usted está* SIN DUDA *refiriéndose a mi profesor?*

dudable. (Del lat. *dubitabĭlis.*) adj. Que se debe o se puede dudar.

dudamiento. (De *dudar.*) m. ant. **duda.**

dudanza. (De *dudar.*) f. ant. **duda.** ‖ **2.** ant. **temor.**

dudar. (Del lat. *dubitāre.*) intr. Estar el ánimo perplejo y suspenso entre resoluciones y juicios contradictorios, sin decidirse por unos o por otros. Ú. t. c. tr. *Después de* DUDAR*lo mucho, aceptó la oferta.* ‖ **2.** Desconfiar, sospechar de una cosa o de una persona. *Todos* DUDÁBAMOS *de él.* ‖ **3.** tr. Dar poco crédito a una información que se oye. *Lo* DUDÓ. ‖ **4.** ant. **temer.**

dudosamente. adv. m. Con duda. ‖ **2.** Con poca probabilidad de que suceda. ‖ **3.** Difícil o escasamente.

dudoso, sa. adj. Que ofrece duda. ‖ **2.** Que tiene duda. ‖ **3.** Que es poco probable, que es inseguro o eventual.

duecho, cha. (Del lat. *dŏctus,* docto.) adj. ant. **ducho.**

duela. (Del fr. ant. *douelle,* d. de *doue.*) f. Cada una de las tablas que forman las paredes curvas de las pipas, cubas, barriles, etc. ‖ **2.** *Méj.* Cada una de las tablas angostas de un piso o entarimado. ‖ **3.** Gusano platelminto del orden de los trematodos, aplanado y de forma casi ovalada, con una ventosa en el extremo anterior del cuerpo, en cuyo centro está la boca, y otra en la cara interior del animal, detrás de la primera. Vive parásito en los conductos biliares del carnero y del toro.

duelaje. (De *duela.*) m. **dolaje.**

duelero. m. **tonelero.**

duelista. m. El que se precia de saber y observar las leyes del duelo. ‖ **2.** El que fácilmente desafía a otros.

duelo[1]. (Del b. lat. *duellum,* guerra, combate.) m. Combate o pelea entre dos, a consecuencia de un reto o desafío. ‖ **2.** desus. Pundonor o empeño de honor. ‖ **3.** V. **ley de duelo.**

duelo[2]. (Del lat. *dŏlus,* por *dolor.*) m. Dolor, lástima, aflicción o sentimiento. ‖ **2.** Demostraciones que se hacen para manifestar el sentimiento que se tiene por la muerte de alguien. ‖ **3.** Reunión de parientes, amigos o invitados que asisten a la casa mortuoria, a la conducción del cadáver al cementerio, o a los funerales. ‖ **4.** Fatiga, trabajo. Ú. m. en pl. ‖ **5.** fig. V. **retablo de duelos.** ‖ **duelos y quebrantos.** Fritada hecha con huevos y grosura de animales, especialmente torreznos o sesos, alimentos compatibles con la semiabstinencia que por precepto eclesiástico se guardaba los sábados en los reinos de Castilla. ‖ **no lloraré yo sus duelos.** expr. con que se pronostica que uno ha de pasar muchos trabajos. ‖ **pápensele duelos.** fr. fam. con que se da a entender indiferencia para los males de alguno. ‖ **sin duelo.** loc. adv. Sin tasa, sin escasez, abundantemente.

duena. f. ant. **dona[1].**

duenario. m. Ejercicio devoto que se practica durante dos días.

duende. (De *duen de casa,* dueño de la casa.) m. Espíritu fantástico del que se dice que habita en algunas casas y que travesea, causando en ellas trastorno y estruendo. Aparece con figura de viejo o de niño en las narraciones tradicionales. ‖ **2. restaño[1].** ‖ **3.** pl. *And.* Cardos secos y espinosos que se ponen en las albardillas de las tapias para dificultar el escalo. ‖ **4.** *And.* Encanto misterioso e inefable. *Los* DUENDES *del cante flamenco.* ‖ **andar** alguien **como un duende,** o **parecer un duende.** frs. figs. y fams. Aparecer en los lugares donde no se le esperaba. ‖ **tener** alguien **duende.** fr. fig. y fam. Traer en la imaginación algo que le inquieta. ‖ **2.** Tener encanto, atractivo, etc.

duendo, da. (Del lat. *domĭtus,* p. p. de *domāre,* domar.) adj. desus. Manso, doméstico. Ú. en Cantabria, dicho de vaca o novillo. ‖ **2.** V. **paloma duenda.**

dueña. (Del lat. *domĭna.*) f. Mujer que tiene el dominio de una finca o de otra cosa. ‖ **2.** Monja o beata que vivía antiguamente en comunidad y solía ser mujer principal. ‖ **3.** Mujer viuda que para autoridad y respeto, y para guarda de las demás criadas, había en las casas principales. ‖ **4.** ant. Mujer que no era doncella. ‖ **5.** Nombre dado antiguamente a la señora o mujer principal casada. ‖ **de honor. señora de honor.** ‖ **de medias tocas.** En las casas de los grandes y señores, la que por ser de inferior clase traía tocas más cortas que las principales. ‖ **de retrete.** En palacio, **dueña** de inferior clase. ‖ **cual digan,** o **no digan, dueñas.** expr. fig. y fam. con que se explica que uno quedó mal, o fue maltratado, principalmente de palabra. Ú. m. con el verbo *poner.*

dueñesco, ca. adj. fam. Referente a las dueñas.

dueño. (Del lat. *domĭnus.*) m. El que tiene dominio o señorío sobre persona o cosa. En la lírica amorosa solía llamarse así también a la mujer. ‖ **2.** El amo de la casa, respecto de sus criados. ‖ **3.** desus. Ayo, preceptor. ‖ **del argamandijo.** fig. y fam. El que tiene el mando de una cosa. ‖ **de sí mismo.** Dícese del que sabe dominarse y no se deja arrastrar por los primeros impulsos. ‖ **hacerse** alguien **dueño de** una cosa. fr. Adquirir cabal conocimiento de un asunto, dominar alguna dificultad. ‖ **2.** Apropiarse facultades y derechos que no le competen. ‖ **ser el dueño de la baila.** fr. fig. **ser el amo de la baila.** ‖ **ser el dueño del cuchillón,** o **del hato,** o **de los cubos.** fr. fig. y fam. Tener mucho manejo en una casa o con algunas personas. ‖ **ser dueño,** o **muy dueño, de** hacer una cosa. fr. fam. Tener libertad para hacerla.

duermevela. (De *dormir* y *velar.*) amb. fam. Sueño ligero en que se halla el que está dormitando. ‖ **2.** fam. Sueño fatigoso y frecuentemente interrumpido.

duerna. (De etim. disc.; cf. b. lat. *dorna,* ánfora, recipiente.) f. **artesa.** ‖ **2.** Tronco hueco en forma de canal, cerrado por sus dos extremos, que sirve para dar de comer a los animales y para otros usos.

duerno[1]. m. **duerna.**

duerno[2]. (Del b. lat. *duernus,* y este del lat. *duo,* dos.) m. *Impr.* Conjunto de dos pliegos impresos, metidos uno dentro de otro.

dueto. (Del it. *duetto.*) m. d. de **dúo.**

dugo. m. *Guat.* y *Hond.* Ayuda, auxilio. Ú. en las frases *correr* o *echar buenos* o *malos* DUGOS. ‖ **de dugo.** loc. adv. *Guat.* y *Hond.* De balde.

dúho. (De or. caribe.) m. desus. Asiento bajo, de madera o de piedra, usado por los indios.

dujo. (De or. inc.; cf. lat. *dolĭum,* vasija.) m. *Cantabria.* **colmena,** vaso que sirve de habitación a las abejas.

dula. (Del ár. *dawla* o *dūla,* turno, vez, y también ganado.) f. Turno de riego. ‖ **2.** Cada una de las porciones del terreno comunal o en rastrojera, donde por turno pacen los ganados de los vecinos de un pueblo. ‖ **3.** Sitio donde se echan a pastar los ganados de los vecinos de un pueblo. ‖ **4.** Conjunto de las cabezas de ganado de los vecinos de un pueblo, que se envían a pastar juntos a un terreno comunal. Se usa especialmente hablando del ganado caballar. ‖ **vete,** o **idos, a la dula.** expr. fam. **vete,** o **idos, a paseo.**

dular. adj. Perteneciente o relativo a la dula.

dulcamara. (Del lat. *dulcamāra,* contracción de *dulcis,* dulce, y *amāra,* amarga.) f. Planta sarmentosa, de la familia de las solanáceas, con tallos ramosos que crecen hasta dos o tres metros, hojas pecioladas, enteras, acorazonadas, agudas y generalmente con dos orejetas en la base, flores pequeñas, violadas, en ramilletes, sobre pecíolos axilares, y por frutos bayas rojas del tamaño del guisante. Es común en los sitios frondosos, y el cocimiento de sus tallos, que es aromático, se usó en medicina como depurativo.

dulce. (Del lat. *dulcis.*) adj. Que causa cierta sensación suave y agradable al paladar, como la miel, el azúcar, etc. ‖ **2.** Que no es agrio o salobre, comparado con otras cosas de la misma especie. ‖ **3.** Dícese del alimento que está insulso, falto de sal. ‖ **4.** V. **agua, almendra, asa, caña, hierro, mate, mercurio, naranja, palo, plomo, talla, vino dulce.** ‖ **5.** V. **jamón, pera en dulce.** ‖ **6.** fig. Grato, gustoso y apacible. ‖ **7.** fig. Naturalmente afable, complaciente, dócil. ‖ **8.** *Pint.* Que tiene cierta suavidad y blandura en el dibujo. ‖ **9.** *Pint.* Que tiene grato y hermoso colorido. ‖ **10.** m. Alimento compuesto con azúcar; como el arroz con leche, las natillas, etc. ‖ **11.** Fruta o cualquier otra cosa cocida o compuesta con almíbar o azúcar. DULCE *de membrillo.* ‖ **12.** pl. fam. En el juego del tresillo, tantos que cobra o paga el que entra a vuelta, según gana o pierde. ‖ **13.** adv. m. **dulcemente.** ‖ **dulce de almíbar.** Fruta conservada en almíbar. ‖ **de leche.** El que se hace con leche azucarada, aromatizada generalmente con vainilla, y sometida a cocción lenta y prolongada. ‖ **de platillo,** o **seco. dulce,** manjar compuesto con azúcar. ‖ **en dulce.** loc. adj. Dícese de la fruta conservada en almíbar. ‖ **a nadie le amarga un dulce.** fr. fig. y fam. Denota que cualquier ventaja que se ofrece, por pequeña que sea, no es de desperdiciar.

dulceacuícola. adj. **dulciacuícola.**

dulcedumbre. (Del lat. *dulcitūdo, -ĭnis.*) f. Dulzura, suavidad.

dulcémele. (Del lat. *dulcis,* dulce, y el gr. μέλος, melodía.) m. **salterio,** instrumento músico.

dulcemente. adv. m. Con dulzura, con suavidad.

dulcera. (t. f. de *dulcero.*) f. Recipiente, ordinariamente de cristal, en que se guarda y sirve el dulce de almíbar.

dulcería. (De *dulcero.*) f. **confitería.**

dulcero, ra. (Del lat. *dulciarĭus.*) adj. fam. Aficionado al dulce. ‖ **2.** m. y f. **confitero.**

dulceza. f. ant. **dulzura.**

dulciacuícola. (Voz formada con *dulce, acui-,* del lat. *aqua* y *colĕre,* cultivar.) adj. Perteneciente o relativo a las aguas dulces y, en particular, a los organismos que viven en ellas.

dulcificación. f. Acción y efecto de dulcificar.

dulcificar. (Del lat. *dulcificāre.*) tr. Volver dulce una cosa. Ú. t. c. prnl. ‖ **2.** fig. Mitigar la acerbidad, acrimonia, etc., de una cosa material o inmaterial.

dulcinea. (Por alusión a la dama ideal de don Quijote.) f. fig. y fam. Mujer querida. ‖ **2.** p. us. fig. Aspiración ideal, fantástica comúnmente.

dulcísono, na. (Del lat. *dulcisŏnus.*) adj. poét. Que suena dulcemente.

dulero. m. *Ar.* y *Nav.* **adulero.**

dulía. (Del gr. δουλεία, servidumbre.) f. *Teol.* **culto de dulía.**

dulimán. (Como *dolmán.*) m. Vestidura talar que usan los turcos.

dulzaina[1]**.** (Del fr. ant. *doulçaine.*) f. Instrumento músico de viento, parecido a la chirimía, pero más corto y de tonos más altos.

dulzaina[2]**.** (De *dulce.*) f. despect. Cantidad abundante de dulce malo.

dulzainero. m. El que toca la dulzaina[1].

dulzaino, na. (De *dulce.*) adj. fam. Demasiado dulce, o que está dulce no debiendo estarlo.

dulzal. (De *dulce.*) adj. V. **aceituna dulzal.**

dulzamara. (De *dulce* y *amaro*[1].) f. **dulcamara.**

dulzarrón, na. adj. fam. De sabor dulce, pero desagradable y empalagoso.

dulzón, na. adj. **dulzarrón.**

dulzor. (De *dulce.*) m. **dulzura.**

dulzorar. (De *dulzor.*) tr. p. us. Dulcificar, endulzar.

dulzura. f. Calidad de dulce. ‖ **2.** fig. Suavidad, deleite. ‖ **3.** fig. Afabilidad, bondad, docilidad. ‖ **4.** Palabra cariñosa, placentera. Ú. m. en pl.

dulzurar. (De *dulzura.*) tr. ant. fig. Mitigar, apaciguar. ‖ **2.** *Quím.* Hacer dulce un cuerpo quitándole la sal.

dulleta. (Del fr. *douillette.*) f. Especie de bata casera, ancha y entretelada, que se usaba en tiempo frío. ‖ **2.** Prenda que usaban los eclesiásticos a modo de gabán talar, por encima de la sotana.

duma. (Del ruso *duma,* de or. germ.) f. Asamblea legislativa de la Rusia zarista.

duna. (Del neerl. *duin.*) f. Colina de arena movediza que en los desiertos y en las playas forma y empuja el viento. Ú. m. en pl.

dundo, da. adj. *Amér. Central* y *Col.* **tonto,** mentecato, falto de entendimiento.

dúo. (Del it. *duo.*) m. *Mús.* Composición para dos ejecutantes, intrumentales o vocales. ‖ **2.** Las dos personas que ejecutan o cantan en **dúo.** ‖ **a dúo.** loc. adv. que se aplica a la manera de cantar o ejecutar una composición musical, cooperando dos personas al mismo tiempo. ‖ **2.** fig. Con intervención acorde de dos personas.

duodecimal. adj. Dícese de cada una de las 12 partes iguales en que se divide un todo. ‖ **2.** *Arit.* Dícese de todo sistema aritmético cuya base es el número 12.

duodécimo, ma. (Del lat. *duodecĭmus.*) adj. Que sigue inmediatamente en orden al o a lo undécimo. ‖ **2.** Dícese de cada una de las 12 partes iguales en que se divide un todo. Ú. t. c. s.

duodécuplo, pla. (Del lat. *duo,* dos, y *decŭplus,* décuplo.) adj. Que contiene un número 12 veces exactamente. Ú. t. c. s. m.

duodenal. adj. *Anat.* Perteneciente o relativo al duodeno.

duodenario, ria. (Del lat. *duodenarĭus.*) adj. Que dura el espacio de doce días. Ú. hablando de ciertas devociones.

duodenitis. f. *Pat.* Inflamación del duodeno.

duodeno, na. (Del lat. *duodēni,* doce.) adj. **duodécimo.** ‖ **2.** m. *Anat.* Primera porción del intestino delgado de los mamíferos. Debe su nombre a la circunstancia de que en el hombre tiene unos 12 dedos de largo. Comunica directamente con el estómago y remata en el yeyuno.

duomesino, na. (Del lat. *duo,* dos, y de *mes.*) adj. De dos meses. ‖ **2.** Perteneciente a este tiempo.

dúos, as. (Del lat. *duos.*) adj. pl. ant. **dos.**

dupla. (Del lat. *dupla,* t. f. de *duplus,* doble.) f. Extraordinario que solía darse en los refectorios de colegios en algunos días señalados.

duplado, da. (Del lat. *duplātus,* p. p. de *duplāre,* doblar.) adj. ant. Duplicado, doble.

dúplex. (Del lat. *duplex, -ĭcis.*) adj. **doble,** que tiene dos veces sus componentes. ‖ **2.** Dícese de un sistema de información capaz de transmitir y recibir simultáneamente dos mensajes, uno en cada sentido. ‖ **3.** Dícese también de la operación de transmitir y recibir dichos mensajes. Ú. t. c. s. ‖ **4.** m. Vivienda constituida por la unión, mediante escalera interior, de dos pisos o apartamentos, de los cuales uno está superpuesto al otro.

dúplica. (De *duplicar.*) f. *Der.* Escrito en que el demandado responde a la réplica del actor.

duplicación. (Del lat. *duplicatĭo, -ōnis.*) f. Acción y efecto de duplicar o duplicarse.

duplicadamente. adv. m. Con duplicación, por duplicado.

duplicado, da. p. p. de **duplicar.** ‖ **2.** m. Segundo documento o escrito que se expide del mismo tenor que el primero, por si este se pierde o se necesitan dos. ‖ **3.** Ejemplar doble o repetido de una obra. ‖ **por duplicado.** loc. adv. En dos ejemplares.

duplicar. (Del lat. *duplicāre*, doblar.) tr. Hacer doble una cosa. Ú. t. c. prnl. ‖ **2.** Multiplicar por dos una cantidad. ‖ **3.** Repetir exactamente una cosa, hacer una copia de ella. ‖ **4.** *Der.* Contestar el demandado a la réplica del actor.

duplicativo, va. adj. Que duplica o dobla.

duplicatura. (De *duplicar.*) f. p. us. **dobladura.**

dúplice. (Del lat. *dŭplex, -ĭcis.*) adj. **doble.** ‖ **2.** Dícese de los conventos y monasterios en que había una comunidad de religiosos y otra de religiosas.

duplicidad. (Del lat. *duplicĭtas, -ātis.*) f. Doblez, falsedad. ‖ **2.** Calidad de dúplice o doble.

duplo, pla. (Del lat. *duplus.*) adj. **doble,** que contiene un número dos veces exactamente. Ú. t. c. s. m.

duque. (Del fr. *duc.*) m. Título de honor destinado en Europa para significar la nobleza más alta. ‖ **2.** ant. General de un ejército. ‖ **3.** ant. Comandante general militar y político de una provincia. ‖ **4.** fam. Pliegue que las mujeres hacían en el manto, prendiéndolo en el pelo y echando después hacia atrás la parte que caía por delante. ‖ **de alba.** *Mar.* Conjunto de pilotes sujetos por un zuncho de hierro o de otra manera, que se clavan en el fondo del mar en puertos y ensenadas y sirven como norayes.

duquesa. f. Mujer del duque. ‖ **2.** La que por sí posee un estado que lleva anejo título ducal.

-dura. (Del lat. *-tūra.*) suf. de sustantivos verbales. Toma las formas **-adura, -edura** o **-idura** según que el verbo base sea de la primera, segunda o tercera conjugación. Significa acción y efecto: *salpic*ADURA, *sold*ADURA, *torc*EDURA, *mord*EDURA, *añad*IDURA, *hend*IDURA; a veces denota el medio o instrumento de la acción: *cerr*ADURA; o conjunto: *arbol*ADURA.

dura. (De *durar.*) f. p. us. **duración.**

durabilidad. f. Calidad de durable.

durable. (Del lat. *durabĭlis.*) adj. **duradero.**

duración. f. Acción y efecto de durar. ‖ **2.** Tiempo que dura una cosa o que transcurre entre el comienzo y el fin de un proceso.

durada. (De *durar.*) f. ant. **duración.**

duraderamente. adv. m. Con estabilidad y firmeza o larga duración.

duradero, ra. adj. Dícese de lo que dura o puede durar mucho.

durador, ra. adj. ant. Que dura o permanece.

duradura. (De *durar.*) f. ant. **duración.**

duraluminio. (De etim. disc.; cf. lat. *durus* y al. *Düren*, nombre de la ciudad donde se fabricó por primera vez, y *aluminio;* es nombre comercial.) m. Aleación de aluminio con magnesio, cobre y manganeso, que tiene la dureza del acero.

duramadre. f. *Anat.* Meninge externa de las tres que tienen los batracios, reptiles, aves y mamíferos.

duramáter. (Del lat. *dura*, dura, y *mater*, madre.) f. *Anat.* **duramadre.**

duramen. (Del lat. *durāmen.*) m. *Bot.* Parte más seca, compacta, y de color más oscuro por lo general, del tronco y ramas gruesas de un árbol.

duramente. adv. m. Con dureza.

durando. m. Especie de paño que se usaba en Castilla en tiempo de Felipe II.

duranguense. adj. Natural del Estado mejicano de Durango. Ú. t. c. s. ‖ **2.** Perteneciente o relativo a dicho Estado.

durangueño, ña. adj. **duranguense.**

durangués, sa. adj. Natural de Durango. Ú. t. c. s. ‖ **2.** Perteneciente o relativo a esta villa de Vizcaya.

durante. p. a. p. us. de **durar.** Que dura. Usábase precediendo a nombres con los cuales concertaba y formaba ablativos absolutos. DURANTES *aquellos meses.* ‖ **2.** prep. que denota simultaneidad de un acontecimiento con otro. DURANTE *los días de invierno.*

duranza. (De *durar.*) f. ant. **duración.**

durar. (Del lat. *durāre*, de *durus*, duro.) intr. Continuar siendo, obrando, sirviendo, etc. ‖ **2.** Subsistir, permanecer. ‖ **3.** ant. Estarse, mantenerse en un lugar.

durativo, va. adj. *Gram.* Que denota duración.

duraznero. (De *durazno.*) m. Árbol, variedad de melocotonero, cuyo fruto es algo más pequeño. ‖ **2.** *Can.* **durazno,** variedad de melocotonero.

duraznilla. f. **durazno,** fruto.

duraznillo. (De *durazno*, por el parecido de sus hojas.) m. Planta de la familia de las poligonáceas, con tallos ramosos de 6 a 12 decímetros de altura; hojas poco pecioladas, lanceoladas, por lo común con una mancha negra; flores róseas o blancas en espigas laterales, y fruto lenticular en vainillas envueltas por el perigonio. Es muy común en las orillas de los ríos y arroyos.

durazno. (Del lat. *duracĭnus.*) m. **duraznero.** ‖ **2.** Fruto de este árbol. ‖ **3.** *Argent.* y *Chile.* Nombre genérico de las varias especies de árboles: melocotonero, pérsico y **durazno** propiamente dicho. ‖ **4.** *Argent.* y *Chile.* Fruto de estos árboles.

durez. (Del lat. *duritĭes.*) f. ant. **dureza.**

dureza. (Del lat. *duritĭa.*) f. Calidad de duro. ‖ **2.** Tumor o callosidad que se hace en algunas partes del cuerpo. ‖ **3.** *Mineral.* Resistencia que opone un mineral a ser rayado por otro. ‖ **del agua.** Cualidad del agua dura. ‖ **de vientre.** *Fisiol.* Dificultad o pereza para la evacuación fecal.

duricia. f. ant. **dureza,** calidad de duro. ‖ **2. dureza,** tumor o callosidad.

durillo. adj. d. de **duro.** ‖ **2.** V. **trigo durillo.** ‖ **3.** m. Arbusto de la familia de las caprifoliáceas, de dos a tres metros de altura, flores blancas en ramilletes terminales, y por frutos drupas de un centímetro de diámetro, azucaradas. Su madera, blanca rojiza, dura y muy compacta, tiene aplicación en obras de taracea. ‖ **4. doblilla.** ‖ **5. cornejo.**

durina. (De *duro.*) f. *Veter.* Enfermedad contagiosa de las caballerías, que se caracteriza por tumefacción de los ganglios linfáticos, inflamación de los órganos genitales y parálisis.

durlines. m. pl. *Germ.* Criados de la justicia.

durmiente. p. a. de **dormir.** Que duerme. Ú. t. c. s. ‖ **2.** m. Madero colocado horizontalmente y sobre el cual se apoyan otros, horizontales o verticales. ‖ **3.** *Amér.* Por infl. del ing. británico *sleeper*, traviesa de la vía férrea. ‖ **los siete durmientes.** fr. fam. que, por alusión a los siete **durmientes** de Éfeso, se aplica a la persona dormilona.

duro, ra. (Del lat. *durus.*) adj. Dícese del cuerpo que se resiste a ser labrado, rayado, comprimido o desfigurado, que no se presta a recibir nueva forma o lo dificulta mucho. ‖ **2.** Se dice también de la cosa que no está todo lo blanda, mullida o tierna que debe estar. ‖ **3.** V. **huevo, jabón, trigo duro.** ‖ **4.** V. **agua, cara, droga, piedra dura.** ‖ **5.** fig. Fuerte, que resiste y soporta bien la fatiga. ‖ **6.** fig. Áspero, falto de suavidad, excesivamente severo. *Voz* DURA. *Reprensión* DURA. ‖ **7.** fig. Riguroso, sin concesiones, difícil de tolerar. *Sector* DURO; *política, pornografía* DURA. ‖ **8.** fig. Violento, cruel, insensible. ‖ **9.** fig. Terco y obstinado. ‖ **10.** fig. Que no es liberal, o que no da sin gran dificultad y repugnancia. ‖ **11.** fig. Mal acondicionado y bronco de natural. ‖ **12.** fig. Tratándose del estilo, áspero, premioso, rígido, falto de suavidad, fluidez y armonía. ‖ **13.** fig. V. **cosa dura.** ‖ **14.** V. **peso duro.** ‖ **15.** *B. Art.* Dícese del dibujo cuyas líneas pecan de rígidas, de la pintura que representa bruscas transiciones de claroscuro y de la escultura cuando su modelado carece de morbidez y hermosura. ‖ **16.** ant. *Anat.* V. **duramadre.** ‖ **17.** m. En España, moneda de cinco pesetas. ‖ **a duras.** loc. adv. desus. **a duras penas.** ‖ **a, o de, duro.** loc. adv. desus. **difícilmente.** ‖ **duro.** adv. m. Con fuerza, con violencia. *Dale* DURO. DURO *con él.* ‖ **duro y parejo.** loc. adv. fam. *Argent., Col., Chile, Méj., Par., Perú* y *Urug.* Con fuerza y constancia. ‖ **estar a las duras y a las maduras,** o **ir,** o **tomar, las duras con,** o **por, las maduras.** frs. figs. y fams. que se usan para significar que el que goza de los privilegios de una situación debe cargar asimismo con sus desventajas.

duunvir. (Del lat. *duumvir, -ĭri.*) m. **duunviro.**

duunviral. (Del lat. *duumvirālis.*) adj. Perteneciente o relativo a los duunviros, o al duunvirato.

duunvirato. (Del lat. *duumvirātus.*) m. Dignidad y cargo de duunviro. ‖ **2.** Tiempo que duraba. ‖ **3.** Régimen político en que el gobierno estaba encomendado a duunviros.

duunviro. (Del lat. *duumvir, -ĭri.*) m. Nombre de diferentes magistrados en la antigua Roma. ‖ **2.** Cada uno de los dos presidentes de los decuriones en las colonias y municipios romanos.

dux. (Del it. *dux*) m. Príncipe o magistrado supremo en las repúblicas de Venecia y Génova.

duz. (De *dulce.*) adj. *And.* **dulce.** *Caña* DUZ.

e[1]. Sexta letra del abecedario español, y segunda de sus vocales. Representa un sonido que se pronuncia elevando un poco el predorso de la lengua hacia la parte anterior del paladar y estirando levemente los labios hacia los lados. ‖ **2.** *Dial.* Signo de la proposición universal negativa.

e[2]. (Del lat. *et.*) conj. copul. Antiguamente se usó en vez de la *y*, a la cual sustituye hoy, para evitar el hiato, antes de palabras que empiezan por *i* o *hi*. *Juan* E *Ignacio; padre* E *hijo.* Pero ni aun en este caso reemplaza a la *y* en principio de interrogación o admiración, ni cuando la palabra siguiente empieza por *y* o por la sílaba *hie*. *¿*Y *Ignacio?; ¡*Y *Isidoro también comprometido!; Ocaña* Y *Yepes; tigre* Y *hiena.*

e-. (Del lat. *e-*.) pref. que significa «fuera de»: E*liminar;* «origen o procedencia»: E*manar,* E*migrar;* «extensión o dilatación»: E*fusión,* E*moción.*

-e. suf. de sustantivos verbales que significa acción y efecto: *cort*E, *avanc*E, *goc*E, *combat*E.

¡ea! (Del lat. *eia.*) interj. que se emplea para denotar alguna resolución de la voluntad, o para animar, estimular o excitar. Ú. t. repetida. ‖ **con otro ¡ea!, llegaremos a la aldea.** fr. con que se anima a continuar cualquier trabajo.

-ear. suf. de verbos derivados de sustantivos o adjetivos, rara vez de pronombres: *hum*EAR, *fals*EAR, *tut*EAR.

easonense. (De *Oeason,* nombre latino de San Sebastián.) adj. **donostiarra.** Ú. t. c. s.

ebanista. com. Persona que tiene por oficio trabajar en ébano y otras maderas finas.

ebanistería. f. Taller de ebanista. ‖ **2.** Arte del ebanista. ‖ **3.** Muebles y otras obras de ebanista que forman un conjunto; por ejemplo, en una casa.

ébano. (Del lat. *ebĕnus,* y este del gr. ἔβενος.) m. Árbol exótico, de la familia de las ebenáceas, de diez a doce metros de altura, de copa ancha, tronco grueso, madera maciza, pesada, lisa, muy negra por el centro y blanquecina hacia la corteza, que es gris; hojas alternas, enteras, lanceoladas, de color verde oscuro, flores verdosas y bayas redondas y amarillentas. ‖ **2.** Madera de este árbol. ‖ **vivo.** fr. Se llamó así a los negros en tiempo de la trata.

ebenáceo, a. (Del lat. *ebĕnus,* ébano, y *-áceo.*) adj. *Bot.* Dícese de árboles o arbustos intertropicales, angiospermos dicotiledóneos, con hojas comúnmente alternas y enteras; flores casi siempre unisexuales, axilares, de cáliz persistente y corola regular, caediza, la mayoría de las veces sedosa por fuera; fruto carnoso, globoso u ovoide en forma de baya, que puede ser comestible; semillas de albumen córneo, y madera generalmente negra en el centro, dura y pesada, como el ébano. Ú. t. c. s. ‖ **2.** f. pl. *Bot.* Familia de estas plantas.

ebionita. (De *Ebión,* hereje del siglo I.) adj. Nombre que se daba a ciertos herejes de los primeros siglos de la cristiandad, que negaban la divinidad de Jesucristo. Ú. t. c. s.

ebonita. (Del ing. *ebonite.*) f. Preparación de goma elástica, azufre y aceite de linaza, negra, muy dura, y que sirve para hacer cajas, peines, aisladores de aparatos eléctricos, etcétera.

eborario, ria. (Del lat. *eborarĭus.*) adj. De marfil, o relativo al marfil.

ebrancado, da. (Del fr. *ébranché.*) adj. *Blas.* Dícese del árbol que tiene cortadas las ramas.

ebriedad. (Del lat. *ebriĕtas, -ātis.*) f. **embriaguez.**

ebrio, bria. (Del lat. *ebrĭus.*) adj. Embriagado por la bebida. Ú. t. c. s. ‖ **2.** fig. **ciego,** poseído con vehemencia de una pasión. EBRIO *de coraje, de ira.*

ebrioso, sa. (Del lat. *ebriōsus.*) adj. Muy dado al vino y que se embriaga fácilmente. Ú. t. c. s.

ebulición. f. p. us. **ebullición.**

ebullición. (Del lat. *ebullitĭo, -ōnis.*) f. **hervor,** acción y efecto de hervir. ‖ **2.** fig. Estado de agitación.

ebullómetro. (Del lat. *ebullīre,* hervir, y *-metro.*) m. *Fís.* Aparato para medir la temperatura a que hierve un cuerpo.

eburnación. (De *eburno.*) f. *Med.* Aumento morboso de la densidad de un cartílago o un hueso que toma aspecto semejante al marfil.

ebúrneo, a. (Del lat. *eburnĕus.*) adj. De marfil, o parecido a él. Ú. m. en estilo poético.

eburno. (Del lat. *eburnus.*) m. ant. **marfil,** materia dura de los dientes de los vertebrados y en especial de los colmillos de los elefantes.

ecarté. (Del fr. *écarté,* descartado.) m. Juego de naipes entre dos, cada uno de los cuales toma cinco cartas, que pueden cambiarse por otras. El jugador que en cada mano hace más bazas, se apunta un tanto; otro, el que saca un rey de muestra, y gana el que primero tiene cinco tantos.

eccehomo. (Del lat. *ecce,* he aquí, y *homo,* el hombre.) m. Imagen de Jesucristo como lo presentó Pilatos al pueblo. ‖ **2.** fig. Persona lacerada, rota, de lastimoso aspecto.

eccema. (Del gr. ἔκζεμα, erupción cutánea.) m. *Pat.* Afección cutánea caracterizada por vesículas rojizas, exudativas y pruriginosas que forman placas irregulares y dan lugar a costras y escamas, por reacción de la piel a diversos agentes irritantes o alergenos.

eccematoso, sa. adj. Perteneciente o relativo al eccema.

ecdisis. (Del gr. ἔκδυσις, salida, evasión.) f. *Zool.* Muda de los artrópodos.

-ececico, ca. V. **-ico.**

-ececillo, lla. V. **-illo.**

-ececito, ta. V. **-ito.**

ecepto. adv. m. ant. **excepto.**

eceptuar. tr. ant. **exceptuar.**

-ecer. (Del lat. *-escĕre.*) suf. de verbos derivados de adjetivos o de sustantivos, que denota acción incoativa, transformación o cambio de estado: *entrist*ECER, *aman*ECER.

-ecezuelo, la. V. **-uelo.**

-ecico, ca. V. **-ico.**

ecijano, na. adj. Natural de Écija. Ú. t. c. s. ‖ **2.** Perteneciente o relativo a esta ciudad.

-ecillo, lla. V. **-illo.**

-ecito, ta. V. **-ito.**

eclampsia. (Del gr. ἔκλαμψις, brillo o resplandor súbito.) f. *Pat.* Enfermedad de carácter convulsivo, que suelen padecer los niños y las mujeres embarazadas o recién paridas. Acomete con accesos, y va acompañada o seguida ordinariamente de pérdida o abolición más o menos completa de las facultades sensitivas e intelectuales.

eclecticismo. (De *ecléctico.*) m. Escuela filosófica que procura conciliar las doctrinas que parecen mejores o más verosímiles, aunque procedan de diversos sistemas. ‖ **2.** fig. Modo de juzgar u obrar que adopta una postura intermedia, en vez de seguir soluciones extremas o bien definidas.

ecléctico, ca. (Del gr. ἐκλεκτικός, que elige.) adj. Perteneciente o relativo al eclecticismo. ‖ **2.** Dícese de la persona que profesa las doctrinas de esta escuela, o que adopta una postura **ecléctica.** Ú. t. c. s.

eclesial. (Del lat. mediev. *ecclesiālis.*) adj. Perteneciente o relativo a la comunidad cristiana o Iglesia de todos los fieles, a diferencia de **eclesiástico** en su referencia particular a los clérigos.

eclesiásticamente. adv. m. De modo propio de un eclesiástico. ‖ **2.** Por ministerio o con autoridad de la Iglesia.

eclesiástico, ca. (Del lat. *ecclesiastĭcus,* y este del gr. ἐκκλησιαστικός.) adj. Perteneciente o relativo a la Iglesia, y en particular a los clérigos. ‖ **2.** V. **año, brazo, derecho, día eclesiástico.** ‖ **3.** V. **audiencia, deposición, disciplina, mesada eclesiástica.** ‖ **4.** ant. Docto, instruido. ‖ **5.** m. **clérigo,** el que ha recibido las órdenes sagradas.

eclímetro. (Del gr. ἐκκλινής, inclinado, y *-metro.*) m. *Topogr.* Instrumento con que se mide la inclinación de las pendientes.

eclipsable. adj. Que se puede eclipsar y oscurecer.

eclipsar. tr. *Astron.* Causar un astro el eclipse de otro. ‖ **2.** fig. Oscurecer, deslucir. Ú. t. c. prnl. ‖ **3.** prnl. *Astron.* Ocurrir el eclipse de un astro. ‖ **4.** fig. Evadirse, ausentarse, desaparecer una persona o cosa.

eclipse. (Del lat. *eclipsis,* y este del gr. ἔκλειψις, desaparición.) m. *Astron.* Ocultación transitoria, total o parcial, de un astro, o pérdida de su luz prestada, por interposición de otro cuerpo celeste. ‖ **2.** fig. Ausencia, evasión, desaparición de una persona o cosa. ‖ **lunar.** *Astron.* El que ocurre por interposición de la Tierra entre la Luna y el Sol. ‖ **solar.** *Astron.* El que ocurre por interposición de la Luna entre el Sol y la Tierra.

eclipsi. m. desus. **eclipse.**

eclipsis. f. desus. *Gram.* **elipsis.**

Eclíptica. (Del lat. *ecliptĭca* [*linĕa*], y este del gr. ἐκλειπτική, relativo a los eclipses.) n. p. f. *Astron.* Círculo máximo de la esfera celeste, que en la actualidad corta al Ecuador en ángulo de 23 grados y 27 minutos, y señala el curso aparente del Sol durante el año. ‖ **2.** *Astron.* V. **nonagésimo, oblicuidad de la Eclíptica.**

eclíptico. (Del lat. *eclipticus,* y este del gr. ἐκλειπτικός.) adj. *Astron.* V. **término eclíptico.**

écloga. f. ant. **égloga.**

eclógico, ca. adj. Perteneciente o relativo a la égloga.

eclosión. (Del fr. *éclosion.*) f. Acción de abrirse un capullo de flor, una crisálida o un huevo. ‖ **2.** *Med.* Acción de abrirse el ovario para dar salida al óvulo. ‖ **3.** fig. Hablando de movimientos culturales o de otros fenómenos históricos, psicológicos, etc., brote, manifestación, aparición súbita.

eclosionar. intr. Abrirse un capullo de flor, una crisálida o un huevo.

eco. (Del lat. *echo,* y este del gr. ἠχώ.) m. Repetición de un sonido reflejado por un cuerpo duro. ‖ **2.** Sonido que se percibe débil y confusamente. *Los* ECOS *del tambor, de la campana.* ‖ **3.** Composición poética en que se repite dentro o fuera del verso parte de un vocablo, o un vocablo entero, especialmente si es monosílabo, para formar nueva palabra significativa y que sea como **eco** de la anterior. ‖ **4.** Repetición de las últimas sílabas o palabras que se cantan a media voz por distinto coro de músicos, y en los órganos se hace por registro distinto hecho a propósito para este fin. ‖ **5.** Onda electromagnética reflejada o devuelta de modo tal que se percibe como distinta de la originalmente emitida. ‖ **6.** fig. El que, o lo que, imita o repite servilmente aquello que otro dice o que se dice en otra parte. ‖ **7.** fig. Lo que está notablemente influido por un antecedente o procede de él. ‖ **8.** fig. Rumor o noticia vaga de un suceso. ‖ **9.** fig. Resonancia o repercusión de una noticia o suceso. ‖ **10.** pl. Noticias de ciertos ambientes que se publican en un periódico o revista. ‖ **múltiple.** El que se repite varias veces, reflejado recíproca y alternativamente por dos cuerpos. ‖ **hacer eco** una cosa. fr. fig. Tener proporción o correspondencia con otra. ‖ **2.** fig. Hacerse notable y digna de atención y reflexión. ‖ **hacerse** uno **eco de** algo. fr. fig. Contribuir a la difusión de una noticia, rumor, etc.‖ **tener eco** una cosa. fr. fig. Propagarse con aceptación.

eco-¹. (Del gr. οἶκο-.) elem. compos. que significa «casa», «morada» o «ámbito vital»: ECO*logía,* ECO*sistema.*

eco-². (Del gr. ἠχώ, a través del lat. *echo.*) elem. compos. que significa «onda electromagnética» o «sonido reflejado»: ECO*locación,* ECO*lalia.*

ecografía. (De *eco-²* y *-grafía.*) f. Técnica de exploración del interior de un cuerpo mediante ondas electromagnéticas o acústicas, que registra las reflexiones o ecos que producen en su propagación las discontinuidades internas. Se emplea en medicina. ‖ **2.** Imagen que se obtiene por este método.

ecoico, ca. (Del lat. *echoĭcus.*) adj. Perteneciente o relativo al eco. ‖ **2.** Onomatopéyico. ‖ **3.** Dícese de la composición poética española llamada eco. ‖ **4.** V. **verso ecoico.** ‖ **5.** V. **cámara ecoica.**

ecolalia. (De *eco-²* y el gr. λαλιά, habla, charla.) f. *Psiquiat.* Perturbación del lenguaje, que consiste en repetir el enfermo involuntariamente una palabra o frase que acaba de pronunciar él mismo u otra persona en su presencia.

ecolocación. (De *eco-²* y el lat. *locatĭo,* posición.) f. *Zool.* Medida de la distancia de un objeto por el tiempo que pasa entre la emisión de una onda acústica y la recepción de la onda reflejada en dicho objeto. Este proceso ocurre en algunas especies zoológicas, como el murciélago, y también se emplea en diversos aparatos.

ecología. (De *eco-¹* y *-logía.*) f. Ciencia que estudia las relaciones de los seres vivos entre sí y con su entorno. ‖ **2.** Parte de la sociología que estudia la relación entre los grupos humanos y su ambiente, tanto físico como social.

ecológico, ca. adj. Perteneciente o relativo a la ecología.

ecologismo. m. Movimiento sociopolítico que, con matices muy diversos, propugna la defensa de la naturaleza y, en muchos casos, la del hombre en ella.

ecologista. adj. Que propugna la necesidad de preservar la naturaleza y ponerla a salvo de las perturbaciones ocasionadas con la moderna industralización. Apl. a pers., ú. t. c. s. ‖ **2.** com. Persona que profesa la ecología como ciencia.

ecólogo, ga. m. y f. Persona que cultiva la ecología.

economato. m. Cargo de ecónomo. ‖ **2.** Territorio de la jurisdicción de un ecónomo. ‖ **3.** Almacén establecido para que se surtan de él determinadas personas, o abierto al público en general, donde los consumidores pueden adquirir los géneros con más economía que en las tiendas. *El* ECONOMATO *de los empleados de ferrocarriles.*

económetra. com. Persona que profesa la econometría o tiene en ella especiales conocimientos.

econometría. (De *economía* y *-metría.*) f. Parte de la ciencia económica que aplica las técnicas matemáticas y estadísticas a las teorías económicas para su verificación y para la solución de los problemas económicos mediante modelos.

econométrico, ca. adj. Perteneciente o relativo a la econometría.

economía. (Del lat. *oeconomĭa*, y este del gr. οἰκονομία.) f. Administración recta y prudente de los bienes. ‖ **2.** Riqueza pública, conjunto de ejercicios y de intereses económicos. ‖ **3.** Estructura o régimen de alguna organización, institución o sistema. ‖ **4.** Escasez o miseria. ‖ **5.** Buena distribución del tiempo y de otras cosas inmateriales. ‖ **6.** Ahorro de trabajo, tiempo, dinero, etc. ‖ **7.** p. us. *Pint.* Buena disposición y colocación de las figuras y demás objetos que entran en una composición. ‖ **8.** pl. Ahorros, cantidad economizada. ‖ **9.** Reducción de gastos en un presupuesto. ‖ **animal.** *Zool.* Conjunto armónico de los aparatos orgánicos y funciones fisiológicas de los cuerpos vivos. ‖ **de mercado.** Sistema económico en el que los precios se determinan por la oferta y la demanda. ‖ **política.** Ciencia que trata de la producción y distribución de la riqueza. ‖ **sumergida.** Actividad económica que se desenvuelve al margen de la legislación.

económicamente. adv. m. Con economía. ‖ **2.** Con respecto o con relación a la economía. ‖ **3.** Con baratura.

económico, ca. (Del lat. *oeconomicus*, y este del gr. οἰκονομικός.) adj. Perteneciente o relativo a la economía. ‖ **2.** V. **administración, cocina económica.** ‖ **3.** V. **año, régimen económico.** ‖ **4.** Moderado en gastar. ‖ **5.** p. us. **avaricioso,** mezquino. ‖ **6.** Poco costoso, que exige poco gasto.

economismo. m. Doctrina que concede a los factores económicos primacía sobre los hechos históricos de otra índole.

economista. com. Profesional de la economía.

economizador, ra. adj. Que economiza. ‖ **2.** m. Aparato que economiza en algún proceso.

economizar. (De *ecónomo*.) tr. **ahorrar,** disminuir los gastos y guardar para el porvenir. ‖ **2.** Evitar, excusar algún trabajo, riesgo, etc.

ecónomo. (Del lat. *oeconŏmus*, y este del gr. οἰκονόμος.) adj. V. **cura ecónomo.** ‖ **2.** m. El que administra los bienes de la diócesis bajo la autoridad del obispo. ‖ **3.** El que administraba los bienes del demente o del pródigo. ‖ **4.** El que sirve un oficio eclesiástico cuando está vacante, o cuando, por razones legales, no puede el propietario desempeñarlo.

ecosistema. (De *eco-*[1] y *sistema*.) m. Comunidad de los seres vivos cuyos procesos vitales se relacionan entre sí y se desarrollan en función de los factores físicos de un mismo ambiente.

ecosonda. (De *eco-*[2] y *sonda*.) m. Aparato para medir la profundidad a que está sumergido un objeto utilizando la reflexión de un haz de ultrasonidos.

ecotado, da. (Del fr. *écoté*, con las ramas cortadas.) adj. *Blas.* Aplícase a los troncos y ramas de árboles que se figuran con los nudos correspondientes a los ramos menores.

ecotoxicología. (De *eco-*[1] y *toxicología*.) f. Ciencia que estudia los efectos tóxicos provocados por los contaminantes sobre los ecosistemas.

ectasia. (Del lat. *ectăsis*, dilatación.) f. *Pat.* Estado de dilatación de un órgano hueco.

éctasis. (Del lat. *ectăsis*, y este del gr. ἔκτασις, extensión.) f. Licencia poética que consiste en alargar la sílaba breve para la cabal medida del verso.

ecto-. (Del gr. ἐκτός, fuera.) elem. compos. que significa «por fuera», «en el exterior»: ECTO*plasma*, ECTÓ*pago*.

ectodérmico, ca. adj. *Biol.* Perteneciente o relativo al ectodermo.

ectodermo. (De *ecto-* y el gr. δέρμα, piel.) m. *Embriol.* La capa u hoja externa de las tres en que se disponen las células del blastodermo después de haberse producido la segmentación.

-ectomía. (Del gr. ἐκ-, ex-, y -τομία.) elem. compos. que significa ablación quirúrgica o experimental: *lob*ECTOMÍA, *gastr*ECTOMÍA.

ectópago. (De *ecto-* y la raíz gr. παγ, estar fijo.) adj. *Biol.* Dícese del monstruo compuesto de dos individuos que tienen un ombligo común y están unidos lateralmente en toda la extensión del pecho. Ú. t. c. s.

ectoparásito, ta. (De *ecto-* y *parásito*.) adj. *Biol.* Dícese del parásito que vive en la superficie de otro organismo, y del que solo se pone en contacto con un animal o un vegetal en el momento de absorber del cuerpo del huésped los jugos de que se alimenta; como el piojo y la sanguijuela. Ú. t. c. s.

ectopia. (Del gr. ἐκ, fuera, y τόπος, lugar.) f. *Med.* Anomalía de situación de un órgano, y especialmente de las vísceras.

ectoplasma. (De *ecto-* y el gr. πλάσμα, formación.) m. Supuesta emanación material de un médium, con la que se dice que se forman apariencias de fragmentos orgánicos, seres vivos o cosas.

ectoplasmia. f. Emisión de ectoplasmas.

ectropión. (Del gr. ἐκτρόπιον.) m. *Med.* Inversión hacia fuera del párpado inferior, originada generalmente por un proceso inflamatorio o paralítico.

ecu. (De las siglas del ing. *European Currency Unit*.) m. Unidad monetaria de la Comunidad Económica Europea.

ecuable. (Del lat. *aequabilis*.) adj. ant. Justo, igual y puesto en razón. ‖ **2.** *Mec.* Dícese del movimiento uniforme.

ecuación. (Del lat. *aequatio, -onis*.) f. *Álg.* Igualdad que contiene una o más incógnitas. ‖ **2.** *Astron.* Diferencia que hay entre el lugar o movimiento medio y el verdadero o aparente de un astro. ‖ **3.** *Fís.* Relación de igualdad entre los resultados de efectuar determinadas operaciones matemáticas con las medidas de las magnitudes que intervienen en un fenómeno. ‖ **del tiempo.** *Astron.* Tiempo que pasa entre el mediodía medio y el verdadero. ‖ **determinada.** *Álg.* Aquella en que la incógnita tiene un número limitado de valores. ‖ **indeterminada.** *Álg.* Aquella en que la incógnita puede tener un número ilimitado de valores. ‖ **lineal.** *Mat.* Aquella cuyas variables son de primer grado. ‖ **personal.** *Astron.* Promedio de error en las observaciones o mediciones de precisión, que difiere de unos observadores a otros y se considera peculiar de cada uno.

ecuador. (Del lat. *aequātor, -ōris*.) n. p. m. *Astron.* Círculo máximo que se considera en la esfera celeste, perpendicular al eje de la Tierra. ‖ **2.** *Astron.* V. **altura del Ecuador.** ‖ **3.** *Geogr.* **ecuador terrestre.** ‖ **4.** m. V. **paso del ecuador.** ‖ **5.** *Geom.* Paralelo de mayor radio en una superficie de revolución. ‖ **galáctico.** Círculo máximo tomado en el medio de la Vía Láctea. ‖ **terrestre.** *Geogr.* Círculo máximo que equidista de los polos de la Tierra.

ecualización. f. Acción y efecto de ecualizar.

ecualizador. m. Dispositivo que en los equipos de alta fidelidad sirve para ecualizar el sonido.

ecualizar. (Del ing. *to equalize*, igualar.) tr. En alta fidelidad, ajustar dentro de determinados valores las frecuencias de reproducción de un sonido con el fin de igualarlo a su emisión originaria.

ecuamente. adv. m. ant. Con igualdad o equidad.

ecuánime. (Del lat. *aequanĭmis*.) adj. Que tiene ecuanimidad.

ecuanimidad. (Del lat. *aequanimĭtas, -ātis*.) f. Igualdad y constancia de ánimo. ‖ **2.** Imparcialidad de juicio.

ecuante. (Del lat. *aequans, -antis*, p. a. de *aequāre*, igualar.) adj. ant. **igual.** ‖ **2.** *Astron.* Aplicábase al círculo excéntrico que se añadía al deferente para explicar ciertas particularidades del movimiento del Sol y de algunos planetas.

ecuator. (Del lat. *aequātor, -ōris.*) m. ant. *Astron.* **ecuador.**

ecuatorial. (De *ecuator.*) adj. Perteneciente o relativo al ecuador. ‖ **2.** *Astron.* Dícese del dispositivo paraláctico con que pueden medirse coordenadas celestes. ‖ **3.** m. *Astron.* Telescopio, refractor o reflector, dotado de montura **ecuatorial.**

ecuatorianismo. m. Vocablo o giro propio y privativo del lenguaje de los ecuatorianos.

ecuatoriano, na. (De *ecuator.*) adj. Natural del Ecuador. Ú. t. c. s. ‖ **2.** Perteneciente o relativo a esta república de América.

ecuestre. (Del lat. *equestris.*) adj. Perteneciente o relativo al caballero, o a la orden y ejercicio de la caballería. ‖ **2.** Perteneciente o relativo al caballo. ‖ **3.** *Esc.* y *Pint.* Dícese de la figura puesta a caballo.

ecúleo. (Del lat. *eculĕus.*) m. **potro,** instrumento de tortura.

ecúmene. (Del gr. οἰκουμένη [γῆ], [tierra] habitada.) f. Comunidad humana que habita una porción extensa de la Tierra.

ecuménico, ca. (Del lat. *oecumenĭcus,* y este del gr. οἰκουμενικός.) adj. Universal, que se extiende a todo el orbe. ‖ **2.** V. **concilio ecuménico.**

ecumenismo. m. *Rel.* Tendencia o movimiento que intenta la restauración de la unidad entre todas las iglesias cristianas.

ecúmeno. (Del gr. οἰκουμένη, [γῆ], [tierra] habitada.) m. Porción de la Tierra apta para la vida humana. ‖ **2. ecúmene.**

ecuo[1], cua. (Del lat. *aequŭus.*) adj. ant. Recto, justo.

ecuo[2], cua. (Del lat. *Aequi, -ōrum.*) adj. Dícese del individuo de un antiguo pueblo del Lacio. Ú. m. c. s. y en pl. ‖ **2.** Perteneciente o relativo a este pueblo.

ecuóreo, a. (Del lat. *aequorĕus.*) adj. poét. Perteneciente o relativo al mar.

eczema. m. **eccema.**

echacantos. (De *echar* y *canto[2].*) m. fam. Hombre despreciable y que nada supone en el mundo.

echacorvear. intr. fam. Hacer o tener el ejercicio de echacuervos.

echacorvería. f. fam. Acción propia de echacuervos. ‖ **2.** fam. Ejercicio y profesión de alcahuete.

echacuervos. (De *echar* y *cuervo.*) m. fam. **alcahuete,** persona que solicita a una mujer para usos lascivos con otra persona o que los encubre. ‖ **2.** fam. Hombre embustero y despreciable. ‖ **3.** fam. Predicador o cuestor que iba por los lugares publicando la cruzada. ‖ **4.** fam. **bulero.**

echada. f. Acción y efecto de echar o echarse. *La* ECHADA *de una piedra.* ‖ **2.** Espacio que ocupa el cuerpo de un hombre tendido en el suelo. Usáb. en las apuestas a correr, en las cuales el más ligero solía dar al otro una o más **echadas** de ventaja. ‖ **3.** *Argent.* y *Méj.* Fanfarronada, bola, mentira.

echadera. f. *Sor.* Pala de madera para enhornar el pan.

echadero. m. Sitio a propósito para echarse a dormir o descansar.

echadillo, lla. (De *echado.*) adj. fam. **expósito.** Ú. t. c. s.

echadizo, za. (De *echado.*) adj. Enviado con arte y disimulo para rastrear y averiguar alguna cosa, o para difundir algún rumor. Ú. t. c. s. ‖ **2.** Esparcido con disimulo y arte. ‖ **3.** Que se desecha por inútil. ‖ **4.** Dícese de los escombros, tierras o desperdicios que se echan y amontonan en lugar determinado. ‖ **5.** ant. **levadizo.** ‖ **6.** fam. **expósito.** Ú. t. c. s.

echado, da. p. p. de **echar.** ‖ **2.** adj. ant. **echadizo,** expósito. Usáb. t. c. s. ‖ **3.** *C. Rica* y *Nicar.* Indolente, perezoso. ‖ **4.** m. *Min.* Buzamiento de un filón.

echador, ra. adj. Que echa o arroja. Ú. t. c. s. ‖ **2.** *Cuba, Méj.* y *Venez.* **fanfarrón.** Ú. t. c. s. ‖ **3.** m. Mozo de café encargado de llevar las cafeteras y echar el café y la leche en las tazas o vasos servidos por el camarero al consumidor.

echadura. f. Acción de echarse las gallinas cluecas para empollar los huevos. ‖ **2.** Conjunto de los huevos que empolla de una vez una gallina. ‖ **3. ahechadura.** Ú. m. en pl. ‖ **4.** ant. Tiro, o alcance del tiro de una cosa; como piedra, etc. ‖ **de pollos.** Nidada de ellos.

echamiento. m. Acción y efecto de echar o arrojar. ‖ **2.** ant. Acción de exponer un niño a la puerta de una iglesia o en la casa de expósitos.

echapellas. (De *echar* y *pella.*) m. El que en los lavaderos de lanas las toma del tablero para echarlas en el pozo.

echaperros. m. Perrero de las catedrales.

echar. (Del lat. *iactāre.*) tr. Hacer que una cosa vaya a parar a alguna parte, dándole impulso. ECHAR *mercancías al mar;* ECHAR *basura a la calle.* ‖ **2.** Despedir de sí una cosa. ECHAR *olor, sangre, chispas.* ‖ **3.** Hacer que una cosa caiga en sitio determinado. ECHAR *dinero en un saco.* ECHAR *una carta al buzón.* ‖ **4.** Hacer salir a uno de algún lugar; apartarle con violencia, por desprecio, castigo, etc. ‖ **5.** Deponer a uno de su empleo o dignidad, impidiéndole el ejercicio de ella. ‖ **6.** Brotar y arrojar las plantas sus raíces, hojas, flores y frutos. Ú. t. c. intr. ‖ **7.** Salirle a una persona o a un irracional cualquier complemento natural de su cuerpo. ECHAR *los dientes; estar* ECHANDO *pelo, el bigote.* ‖ **8.** Juntar los animales machos con las hembras para la generación. ‖ **9.** fam. Con las palabras *un bocado, un trago* y alguna otra, comer o beber alguna cosa, tomar una refacción. Ú. t. c. prnl. ‖ **10.** Poner, aplicar. ECHAR *a la puerta una llave, un cerrojo;* ECHAR *ventosas.* ‖ **11.** Tratándose de llaves, cerrojos, pestillos, etc., darles el movimiento necesario para cerrar. ‖ **12.** Imponer o cargar. ECHAR *tributos;* ECHAR *un censo.* ‖ **13.** Atribuir una acción a cierto fin. ECHAR *a juego;* ECHAR *a mala parte.* ‖ **14.** Inclinar, reclinar o recostar. Ú. t. c. prnl. ECHAR *el cuerpo atrás, a un lado.* ‖ **15.** Apostar, competir con uno. ECHAR *a escribir, a saltar.* Ú. m. c. prnl. ‖ **16.** Empezar a tener granjería o comercio. ECHAR *colmenas, muletada.* ‖ **17.** Remitir una cosa a la suerte. ECHAR *el asunto a pares o nones.* ‖ **18. jugar,** llevar a cabo una partida de cartas. ECHAR *un solo;* ECHAR *una mano de tute.* ‖ **19. jugar,** hacer uso de una carta, ficha, etc. ‖ **20.** Jugar o aventurar dinero a alguna cosa. ECHAR *a la lotería, a una rifa.* ‖ **21.** Dar, repartir. ECHAR *cartas;* ECHAR *de comer.* ‖ **22.** Con las voces *cálculos, cuentas* y otras análogas, hacer o formar. ‖ **23.** Suponer o conjeturar el precio, distancia, edad, etc., que nos son desconocidos. *¿Qué edad le* ECHAS? ‖ **24.** Invertir o gastar en cierta cosa el tiempo que se expresa. ECHO *dos horas en ir a Toledo.* ‖ **25.** Publicar, prevenir, dar aviso de lo que se ha de ejecutar. ECHAR *un bando, la comedia, las fiestas, la vendimia.* ‖ **26.** Tratándose de comedias u otros espectáculos, representar o ejecutar. ‖ **27.** Pronunciar, decir, proferir. ECHAR *un discurso, un sermón;* ECHAR *coplas, refranes, un taco, palabrotas, bravatas.* ‖ **28.** Junto con la prep. *por* y algunos nombres que significan carrera o profesión, seguirla. ECHAR POR *la Iglesia.* ‖ **29.** Con la misma prep., iniciar la marcha por una u otra parte. ECHAR POR *la izquierda,* POR *el atajo,* POR *el camino.* ‖ **30.** Junto con algunos nombres, tiene la significación de los verbos que se forman de ellos o la de otros equivalentes. ECHAR *maldiciones,* maldecir; ECHAR *suertes,* sortear; ECHAR *un cigarro,* fumarlo; ECHAR *un sueño,* dormir; ECHAR *la siesta,* sestear. ‖ **31.** Junto con ciertas voces, como *mal genio, carnes, barriga, pantorrillas,* etc., adquirir aumento notable en las cualidades o partes del cuerpo expresadas. ‖ **32.** Junto con las voces *rayos, centellas, fuego* y otras semejantes, mostrar mucho enojo. ‖ **33.** Junto con las voces *por mayor, por arrobas, por quintales,* etc., ponderar y exagerar una cosa. ‖ **34.** Junto con las voces *abajo, en tierra,* o *por tierra, por el suelo,* etc., derribar, arruinar, asolar. ‖ **35.** Junto con un nombre de pena, condenar a ella. ECHAR *a galeras, a presidio.* ‖ **36.** Seguido de la prep. *a,* y un infinitivo de otro verbo, unas veces significa dar principio a la acción de este verbo, como ECHAR A *reír,* ECHAR A *correr,* y otras ser causa o motivo de ella, como ECHAR A *rodar,* ECHAR A *perder.* Ú. t. c. prnl. ‖ **37.** Hablando de caballos, coche, librea, vestido, etc., empezar a gastarlos o usarlos. ‖ **38.** *Argent.* y *P. Rico.* Proponer o presentar una persona o animal como de superiores cualidades, en comparación de otro con quien se supone se **echa** a pelear. ‖ **39.** prnl. **arrojarse,** tirarse. ECHARSE *a un pozo.* ‖ **40.** Arrojarse o precipitarse hacia una persona o cosa. SE ECHÓ *a mí.* ‖ **41.** Tenderse a lo largo del cuerpo en un lecho o en otra parte. ‖ **42.** Tenderse uno por un rato para descansar. ‖ **43.** Ponerse las aves sobre los huevos. ‖ **44.** Tratándose del viento, calmarse, sosegarse. ‖ **45.** Dedicarse, aplicarse uno a una cosa. ‖ **46.** Con ciertos sustantivos que indican persona, entablar determinada relación con ella: ECHARSE *novia,* ECHARSE *un amigo.* ‖ **a echa levanta.** loc. adv. **cayendo y levantando.** ‖ **echar al contrario.** fr. **echar** un asno a una yegua, o un caballo a una burra, para la cría del ganado mular. ‖ **echar** a uno **a paseo.** fr. fam. **mandar a paseo,** despedir con desprecio o disgusto. ‖ **echar a perder.** fr. Deteriorar una cosa material; inutilizarla. ‖ **2.** Malograr un negocio por no manejarlo bien. Ú. t. c. prnl. ‖ **3.** Pervertir a uno. ‖ **echar a volar** a una persona o cosa. fr. fig. Darla o sacarla al público. ‖ **echar de ver.** fr. Notar, reparar, advertir. ‖ **echar falso.** fr. Envidar sin juego. ‖ **echarla** o **echárselas de.** fr. fam. Presumir alguien de alguna cualidad. ECHARLA DE *valiente,* DE *gracioso,* DE *poeta,* DE *maestro.* ‖ **echarlo,** o **echarlo todo, a doce.** fr. fig. y fam. Meter a bulla una cosa para que se confunda y no se hable más de ella. ‖ **echarlo todo a rodar.** fr. fig. y fam. Desbaratar un negocio o una situación. ‖ **2.** fig. y fam. Dejarse llevar de la cólera faltando a todo miramiento o consideración. ‖ **echar** uno **por alto** una cosa. fr. fig. Menospreciarla. ‖ **2.** Malgastarla, desperdiciarla. ‖ **echar** uno **por largo.** fr. fam. Calcular una cosa, suponiendo todo lo más a que puede llegar. ‖ **echarse atrás.** fr. No cumplir un trato o una promesa. ‖ **echarse** uno **a dormir.** fr. fig. Descuidar una cosa; no pensar en ella. ‖ **echarse a morir.** fr. fig. y fam. Abandonar un asunto desesperando de poder conseguir lo que se desea. ‖ **echarse a perder.** fr. Perder su buen sabor y hacerse nociva una comida, una bebida, etc.; como el vino cuando se tuerce, o la carne cuando se corrompe. ‖ **2.** Decaer una persona de las prendas y virtudes que tenía. ‖ **echarse** uno **de recio.** fr. fig. y fam. Apretar, instar o precisar con empeño a otro para que haga o deje de hacer una cosa. ‖ **echarse encima** una cosa. fr. fig. Ser inminente o muy próxima. SE ECHAN ENCIMA *las vacaciones.* ‖ **echarse encima de** alguien. fr. fig. Reprenderle o recriminarle con dureza. ‖ **echar tan alto** a uno. fr. fig. y fam. Despedirle con términos ásperos y desabridos. ‖ **echar tras** uno. fr. Comenzar a ir en su alcance. ‖ **échese y no se derrame.** expr. fig. y fam. con que se reprende la falta de economía de una persona o el gasto superfluo de una cosa.

echar de menos o **echar menos** a una persona o cosa. (Del port. *achar menos,* hallar menos.) fr. Advertir, notar la falta de ella. ‖ **2.** Tener sentimiento y pena por la falta de ella.

echarpe. (Del fr. *écharpe.*) m. Chal, prenda femenina de vestir que cubre hombros y espalda.

echazón. (De *echar.*) f. **echada,** acción y efecto de echar o echarse. ‖ **2.** *Mar.* Acción y efecto de arrojar al agua la carga, parte de ella o ciertos objetos pesados de un buque, cuando es necesario aligerarlo.

echo. (Del lat. *iactus.*) m. desus. Tiro, lanzamiento.

echona. (Del arauc. *ichuna.*) f. *Argent.* y *Chile.* Hoz para segar.

echonería. f. *Venez.* Jactancia, fanfarronada.

echura. (Del lat. *iactūra.*) f. ant. Echada o tiro.

-eda. V. **-edo.**

edad. (Del lat. *aetas, -ātis.*) f. Tiempo que ha vivido una persona o ciertos animales o vegetales. ‖ **2.** Por ext., duración de algunas cosas y entidades abstractas. ‖ **3.** Cada uno de los períodos en que se considera dividida la vida humana. *No a todas las* EDADES *convienen los mismos ejercicios.* ‖ **4.** Gran período de tiempo en que, desde distintos puntos de vista, se considera dividida la historia. ‖ **5.** Espacio de años que han corrido de un tiempo a otro. *En la* EDAD *de nuestros abuelos, de nuestros mayores; en nuestra* EDAD. ‖ **6. edad madura.** *Mateo es hombre de* EDAD. ‖ **7.** V. **hombre, mujer de edad.** ‖ **adulta.** Aquella en que el organismo humano alcanza su completo desarrollo. ‖ **antigua.** Época de la historia que comprende hasta el fin del imperio romano. ‖ **avanzada. ancianidad,** último período de la vida del hombre. ‖ **contemporánea.** La **edad** histórica más reciente; suele entenderse como el tiempo transcurrido desde fines del siglo XVIII o principios del XIX. ‖ **crítica.** Se llama en la mujer al período de la menopausia. ‖ **de cobre.** Entre los poetas, tiempo en que la malicia de los hombres dio lugar a los engaños y guerras. ‖ **de discreción.** Aquella en que la razón alumbra a los adultos. ‖ **de hierro.** Tiempo en que, según ficción de los poetas, huyeron de la Tierra las virtudes y empezaron a reinar todos los vicios. ‖ **2.** Tiempo desgraciado. ‖ **del bronce.** Período de la **edad** de los metales posterior a la del cobre y anterior a la del hierro. ‖ **del cobre.** Primer período de la **edad** de los metales. ‖ **del hierro.** Último período de la **edad** de los metales. ‖ **de los metales. edad** prehistórica que siguió a la **edad** de piedra y durante la cual el hombre empezó a usar útiles y armas de metal. ‖ **del pavo.** fig. Aquella en que se pasa de la niñez a la adolescencia, lo cual influye en el carácter y en el modo de comportarse. ‖ **de merecer.** Época en que los jóvenes buscan mujer o marido. ‖ **de oro.** Tiempo en que, según la ficción de los poetas, vivió el dios Saturno, y los hombres gozaron de vida justa y feliz. ‖ **2.** Tiempo de paz y de ventura. ‖ **3.** Tiempo en que las letras, las artes, la política, etcétera, han tenido mayor incremento y esplendor en un pueblo o país. *La* EDAD *de oro de la literatura española.* ‖ **de piedra.** Período prehistórico de la humanidad, anterior al uso de los metales, y que se considera generalmente dividido en *paleolítico* y *neolítico.* ‖ **de plata.** Tiempo en que, según la ficción de los poetas, empezó a reinar Júpiter, y los hombres, menos sencillos que antes, habitaron cuevas y chozas y labraron la tierra. ‖ **2.** Época en que las letras, las artes, la política, etc., de un país o nación tienen florecimiento notable, pero inferior al que alcanzaron antes en la correspondiente **edad** de oro. ‖ **dorada. edad de oro.** ‖ **escolar.** La comprendida entre la señalada para comenzar los primeros estudios y aquella en que el Estado permite trabajar. ‖ **madura.** La comprendida entre los finales de la juventud y los principios de la vejez. ‖ **media.** Tiempo transcurrido desde el siglo V de la era vulgar hasta fines del siglo XV. ‖ **mental.** Grado de desarrollo intelectual de una persona determinado por pruebas de inteligencia en relación con su edad biológica. ‖ **moderna.** Tiempo comprendido entre la **edad** media y la contemporánea. ‖ **provecta. edad madura.** ‖ **temprana. juventud.** ‖ **tierna.** Niñez, período que se extiende hasta la juventud. ‖ **viril.** Aquella en que el hombre ha adquirido ya todo el vigor de que es susceptible y no ha comenzado a declinar de él. ‖ **alta edad media.** Período que comprende los primeros siglos de la **edad** media. ‖ **baja edad media.** Período que abarca los últimos siglos de esta **edad.** ‖ **mayor edad.**

Aquella que, según la ley, ha de tener una persona para poder disponer de sí, gobernar su hacienda, etc. ‖ **menor edad.** La de la persona que no ha llegado a la mayor **edad.** ‖ **tercera edad. ancianidad,** último período de la vida del hombre. ‖ **avanzado de edad.** loc. De **edad** avanzada. ‖ **conocer la edad por el diente.** fr. *Veter.* Determinar los años de un solípedo por la disposición distinta que con el tiempo van presentando sus dientes, hasta que cierra. ‖ **de cierta edad.** loc. adj. De **edad** madura. ‖ **entrar** uno **en edad.** fr. Ir pasando de una **edad** a otra; como de mozo a varón; de varón a viejo. ‖ **estar en edad** una bestia. fr. *Ar.* No haber cerrado. ‖ **mayor de edad.** loc. adj. Dícese de la persona que ha llegado a la mayor **edad** legal. ‖ **menor de edad.** loc. adj. Dícese de la persona que todavía se halla en la menor **edad.**

-edad. V. **-dad.**

edáfico, ca. (Del gr. ἔδαφος, suelo.) adj. Perteneciente o relativo al suelo, especialmente en lo que respecta a las plantas.

edafología. (Del gr. ἔδαφος, suelo, y *-logía.*) f. Ciencia que trata de la naturaleza y condiciones del suelo, en su relación con las plantas.

edafológico, ca. adj. Perteneciente o relativo a la edafología.

edafólogo, ga. (Del gr. ἔδαφος, suelo, y *-logo.*) m. y f. Especialista en edafología.

-edal. V. **-edo.**

edecán. (Del fr. *aide de camp.*) m. *Mil.* Ayudante de campo. ‖ **2.** fig. fam. e irón. Auxiliar, acompañante, correveidile.

edema. (Del gr. οἴδημα, hinchazón.) m. *Pat.* Hinchazón blanda de una parte del cuerpo, que cede a la presión y es ocasionada por la serosidad infiltrada en el tejido celular.

edematoso, sa. adj. Perteneciente al edema.

edén. (Del hebr. *éden,* huerto delicioso.) m. Según la Biblia, paraíso terrenal, morada del primer hombre antes de su desobediencia. ‖ **2.** fig. Lugar muy ameno y delicioso.

edénico, ca. adj. Perteneciente o relativo al edén.

-edero, ra. V. **-dero.**

edetano, na. (Del lat. *Edetānus.*) adj. Dícese de un pueblo prerromano que habitaba la Edetania, región de la Hispania Tarraconense. ‖ **2.** Dícese también de los individuos que componían este pueblo. Ú. t. c. s. ‖ **3.** Perteneciente o relativo a los **edetanos** o a la Edetania.

edición. (Del lat. *editĭo, -ōnis.*) f. Impresión o reproducción de una obra. ‖ **2.** Conjunto de ejemplares de una obra impresos de una sola vez. EDICIÓN *del año 1732; primera, segunda* EDICIÓN. ‖ **3.** Texto de una obra preparado con criterios filológicos. ‖ **4.** Celebración de determinado certamen, exposición, festival, etc., repetida con periodicidad o sin ella. *Tercera* EDICIÓN *de la Feria de Muestras. Cuarta* EDICIÓN *de los Juegos Universitarios.* ‖ **crítica.** La establecida a base de diversas fuentes (manuscritas o impresas) y que consigna las variantes existentes entre ellas. ‖ **diamante.** *Bibliogr.* Dícese de la hecha en tamaño pequeño y con caracteres muy menudos. ‖ **paleográfica.** La que trata de reproducir un texto sin introducir modificaciones en él. ‖ **pirata.** La llevada a cabo por quien no tiene derecho a hacerla. ‖ **príncipe.** *Bibliogr.* La primera, cuando se han hecho varias de una misma obra. ‖ **segunda edición** de una persona o cosa. loc. fig. Se dice de aquello que es muy semejante a estas, o su imitación o remedo.

edicto. (Del lat. *edictum.*) m. Mandato, decreto publicado con autoridad del príncipe o del magistrado. ‖ **2.** Escritos que se fijan en los lugares públicos de las ciudades y poblados, y en los cuales se da noticia de alguna cosa para que sea notoria a todos. ‖ **3.** *Der.* Escrito que se hace ostensible en los estrados del juzgado o tribunal, y en ocasiones se publica además en los periódicos oficiales para conocimiento de las personas interesadas en los autos, que no están representadas en los mismos o cuyo domicilio se desconoce. ‖ **pretorio.** El que publicaba cada pretor al principio del año que le duraba el oficio, y contenía los temas de los negocios sobre los que interponía su autoridad.

edículo. (Del lat. *aedicŭlum.*) m. Edificio pequeño. ‖ **2.** Templete que sirve de tabernáculo, relicario, etc.

edificable. adj. Dícese del terreno en que se puede edificar.

edificación. (Del lat. *aedificatĭo, -ōnis.*) f. Acción y efecto de edificar, de hacer un edificio. ‖ **2.** fig. Efecto de edificar, de infundir en una persona sentimientos de virtud, piedad, etc.

edificador, ra. (Del lat. *aedificātor, -ōris.*) adj. Que edifica, fabrica o manda construir. Ú. t. c. s. ‖ **2. edificativo.**

edificar. (Del lat. *aedificāre.*) tr. Fabricar, hacer un edificio o mandarlo construir. ‖ **2.** fig. Infundir en otros sentimientos de piedad y virtud.

edificativo, va. adj. fig. Dícese de lo que edifica o incita a la virtud.

edificatorio, ria. (Del lat. *aedificatorĭus.*) adj. Perteneciente o relativo a la edificación.

edificio. (Del lat. *aedificĭum.*) m. Obra o fábrica construida para habitación o para usos análogos; como casa, templo, teatro, etcétera.

edil. (Del lat. *aedīlis.*) m. Entre los antiguos romanos, magistrado a cuyo cargo estaban las obras públicas, y que cuidaba del reparo, ornato y limpieza de los templos, casas y calles de la ciudad de Roma. ‖ **2.** Concejal, miembro de un ayuntamiento. ‖ **curul.** En Roma, el de clase patricia. ‖ **plebeyo.** En Roma, el elegido de entre la plebe.

edila. f. **concejala,** mujer miembro de un ayuntamiento.

edilicio, cia. (Del lat. *aedilitĭus.*) adj. Perteneciente o relativo al empleo de edil. ‖ **2.** *Argent.* y *Urug.* Perteneciente o relativo a las obras o actividades de carácter municipal.

edilidad. (Del lat. *aedilĭtas, -ātis.*) f. Dignidad y empleo de edil. ‖ **2.** Tiempo de su duración.

Edipo. n. p. V. **complejo de Edipo.**

editar. (Del fr. *éditer.*) tr. Publicar por medio de la imprenta o por otros procedimientos una obra, periódico, folleto, mapa, etcétera.

editor, ra. (Del lat. *edĭtor, -ōris.*) adj. Que edita. ‖ **2.** m. y f. Persona que publica por medio de la imprenta u otro procedimiento una obra, ajena por lo regular, un periódico, un disco, etc., multiplicando los ejemplares. ‖ **3.** Persona que cuida de la preparación de un texto ajeno siguiendo criterios filológicos. ‖ **responsable.** El que, con arreglo a las leyes, firmaba todos los números de los periódicos políticos y respondía de su contenido, aunque estuvieran redactados por otras personas. ‖ **2.** fig. y fam. El que se da o pasa por autor de lo que otro u otros hacen.

editorial. adj. Perteneciente o relativo a editores o ediciones. ‖ **2.** m. Artículo de fondo no firmado. ‖ **3.** f. Casa editora.

editorialista. com. Escritor encargado de redactar en un periódico los artículos de fondo.

editorializar. intr. *Pan.* Escribir editoriales en un periódico o revista.

-edo, da. (*-edo,* del lat. *-ētum,* y *-eda,* del lat. *-ēta,* pl. de *-ētum.*) suf. de sustantivos colectivos, en general derivados de nombres de árboles o plantas, que significa lugar en que abunda el primitivo: *rosal*EDA, *avellan*EDA. Puede combinarse con **-al:** *robl*EDAL, *noc*EDAL; y, denotando abundancia, con **-ar:** *polv*AREDA, *hum*AREDA.

-edor, ra. V. **-dor.**

edrar. (Del lat. *iterāre,* repetir.) tr. *Agr.* **binar,** hacer la segunda cava o arada a las tierras.

edredón. (Del fr. *édredon.*) m. Plumón de ciertas aves del

Norte. ‖ **2.** Cobertor relleno de esta clase de plumón, o de algodón, miraguano, etc.

edrisí. (Del ár. *idrisí.*) adj. Dícese de los descendientes de Edris o Idris ben Abdala, fundador de un gran imperio en África del Norte durante el siglo VIII. Ú. t. c. s.

educable. adj. Que puede recibir educación.

educación. (Del lat. *educatĭo, -ōnis.*) f. Acción y efecto de educar. ‖ **2.** Crianza, enseñanza y doctrina que se da a los niños y a los jóvenes. ‖ **3.** Instrucción por medio de la acción docente. ‖ **4.** Cortesía, urbanidad. ‖ **física.** Conjunto de disciplinas y ejercicios encaminados a lograr el desarrollo y perfección corporales.

educacional. adj. Perteneciente o relativo a la educación.

educacionista. adj. Relativo o perteneciente a la educación, pedagógico. ‖ **2.** com. Persona que se dedica a la educación de niños o jóvenes.

educado, da. p. p. de **educar.** ‖ **2.** adj. Que tiene buena educación o urbanidad.

educador, ra. (Del lat. *educātor, -ōris.*) adj. Que educa. Ú. t. c. s.

educando, da. (Del lat. *educandus.*) adj. Que está recibiendo educación, y especialmente que se educa en un colegio. Ú. m. c. s.

educar. (Del lat. *educāre.*) tr. Dirigir, encaminar, doctrinar. ‖ **2.** Desarrollar o perfeccionar las facultades intelectuales y morales del niño o del joven por medio de preceptos, ejercicios, ejemplos, etc. ‖ **3.** Desarrollar las fuerzas físicas por medio del ejercicio, haciéndolas más aptas para su fin. ‖ **4.** Perfeccionar, afinar los sentidos. EDUCAR *el gusto.* ‖ **5.** Enseñar los buenos usos de urbanidad y cortesía.

educativo, va. adj. Perteneciente o relativo a la educación. ‖ **2.** Dícese de lo que educa o sirve para educar.

educción. (Del lat. *eductĭo, -ōnis.*) f. Acción y efecto de educir.

educir. (Del lat. *educĕre.*) tr. Sacar una cosa de otra, deducir.

edulcoración. f. Acción y efecto de edulcorar.

edulcorante. p. a. de **edulcorar.** Que edulcora. ‖ **2.** m. Sustancia que edulcora los alimentos o medicamentos.

edulcorar. (Del b. lat. *edulcorāre.*) tr. Endulzar con sustancias naturales: azúcar, miel, etc., o sintéticas, como la sacarina, etc., cualquier producto de sabor desagradable o insípido.

-edura. V. **-dura.**

efabilidad. f. Cualidad de efable. ‖ **2.** Arte o facultad de expresar debidamente lo que se quiere.

efable. (Del lat. *effabĭlis.*) adj. Dícese de lo que puede decirse o manifestarse con palabras.

efe. f. Nombre de la letra *f.*

efebo. (Del lat. *ephēbus,* y éste del gr. ἔφηβος.) m. Mancebo, adolescente.

efectismo. m. Cualidad de efectista. ‖ **2.** Efecto causado por un procedimiento o recurso empleado para impresionar fuertemente el ánimo.

efectista. adj. Dícese del que busca ante todo producir fuerte efecto o impresión en el ánimo. ‖ **2.** Por ext., aplícase a la obra, procedimiento o recurso en que se manifiesta esta tendencia.

efectivamente. adv. m. Con efecto; real y verdaderamente.

efectividad. f. Cualidad de efectivo. ‖ **2.** *Mil.* Posesión de un empleo cuyo grado se tenía.

efectivo, va. (Del lat. *effectīvus.*) adj. Real y verdadero, en oposición a lo quimérico, dudoso o nominal. ‖ **2.** Dícese del empleo o cargo de plantilla, en contraposición al interino o supernumerario o al honorífico. ‖ **3.** V. **bloqueo efectivo.** ‖ **4.** m. **numerario,** moneda acuñada o dinero **efectivo.** ‖ **5.** Número de hombres que tiene una unidad militar, en contraposición con la plantilla que le corresponde. ‖ **6.** pl. En relación a fuerzas militares o similares, la totalidad de las que se hallan bajo un solo mando o reciben una misión conjunta. ‖ **hacer efectivo.** fr. **llevar a efecto.** ‖ **2.** Tratándose de cantidades, créditos, o documentos que los representan, pagarlos o cobrarlos.

efecto. (Del lat. *effectus.*) m. Lo que sigue por virtud de una causa. ‖ **2.** Impresión hecha en el ánimo. *Hizo en mi corazón* EFECTO *vuestra palabra.* ‖ **3.** Fin para que se hace una cosa. *El* EFECTO *que se desea; lo destinado al* EFECTO. ‖ **4.** Artículo de comercio. ‖ **5.** Documento o valor mercantil, sea nominativo, endosable o al portador. ‖ **6.** Movimiento giratorio que además del de traslación, se da a una bola, pelota, etc., al impulsarla, y que la hace desviarse de su trayectoria normal. ‖ **7.** En la técnica de algunos espectáculos, truco o artificio para provocar determinadas impresiones. Ú. m. en pl. ‖ **8.** V. **golpe de efecto.** ‖ **9.** pl. Bienes, muebles, enseres. ‖ **devolutivo.** *Der.* El que tiene un recurso cuando atribuye al tribunal superior el conocimiento del asunto de la resolución impugnada. ‖ **invernadero.** Elevación de la temperatura de la atmósfera próxima a la corteza terrestre, por la dificultad de disipación de la radiación calorífica, debido a la presencia de una capa de óxidos de carbono procedentes de las combustiones industriales. ‖ **suspensivo.** *Der.* El que tiene un recurso cuando paraliza la ejecución de la resolución que con él se impugna. ‖ **efectos públicos.** Documentos de crédito emitidos por el Estado, las provincias, los municipios y otras entidades oficiales, que han sido reconocidos por el gobierno como negociables en Bolsa. ‖ **a efectos de.** loc. Con la finalidad de conseguir o aclarar alguna cosa. ‖ **con,** o **en, efecto.** loc. adv. Efectivamente, en realidad, de verdad. ‖ **2.** En conclusión, así que. ‖ **hacer efecto.** fr. **surtir efecto.** ‖ **2.** Parecer muy bien, deslumbrar con su aspecto o presentación. ‖ **llevar a efecto,** o **poner en efecto.** fr. Ejecutar, poner por obra un proyecto, un pensamiento, etc. ‖ **surtir efecto.** fr. Dar una medida, un remedio, un consejo, etc., el resultado que se deseaba.

efector, ra. (Del lat. *effector, ōris,* que produce efecto.) adj. *Anat.* y *Fisiol.* Dícese del impulso que determina la producción de alguna acción fisiológica en la parte del organismo a que llega. ‖ **2.** Dícese del órgano o la parte orgánica en que esa acción se manifiesta.

efectuación. f. Acción de efectuar o efectuarse.

efectual. (Del lat. *effectuālis.*) adj. ant. **efectivo,** real y verdadero.

efectualmente. adv. m. ant. **efectivamente.**

efectuar. (Del lat. *effectus,* efecto.) tr. Poner por obra, ejecutar una cosa. Ú. m. con nombres de acción. *Se* EFECTUÓ *la entrevista.* EFECTUARON *un reconocimiento del terreno.* ‖ **2.** prnl. Cumplirse, hacerse efectiva una cosa.

efectuosamente. adv. m. ant. **efectivamente.**

efedráceo, a. (De *Ephedra,* nombre de un género de plantas.) adj. *Bot.* Dícese de plantas gimnospermas leñosas, con tallo muy ramificado y nudoso, hojas pequeñas, flores unisexuales en amento, fruto del tipo de baya; como el belcho. Ú. t. c. s. ‖ **2.** f. pl. *Bot.* Familia de estas plantas.

efélide. (Del gr. ἐφηλίς, -ίδος.) f. *Med.* **peca.**

efémera. (Del gr. ἐφήμερος, efímero.) adj. V. **fiebre efémera.** Ú. t. c. s.

efeméride. (De *efemérides.*) f. Acontecimiento notable que se recuerda en cualquier aniversario del mismo. ‖ **2.** Conmemoración de dicho aniversario.

efemérides. (Del lat. *ephemerĭdes,* pl. de *-is, -ĭdis,* y este del gr. ἐφημερίς, -ίδος, de un día.) f. pl. Libro o comentario en que se refieren los hechos de cada día. ‖ **2.** Sucesos notables ocurridos en la fecha en que se está o de la que se trata, pero en años anteriores. ‖ **astronómicas.** Libro en que se anotan anualmente las coordenadas de los planetas y de las estrellas fijas, respecto a la Eclíptica y al Ecuador, así como los eclipses, distancias lunares, ecuaciones de tiempo y otros elementos necesarios para los cálculos puramente astronómicos y para los marinos de situación.

efémero. (Del lat. *ephemĕron*, y este del gr. ἐφήμερον, efímero.) m. **lirio hediondo.**

efeminación. (Del lat. *effeminatĭo, -ōnis.*) f. ant. **afeminación.**

efeminadamente. adv. m. ant. **afeminadamente.**

efeminado, da. (Del lat. *effeminātus.*) adj. ant. **afeminado.**

efeminamiento. (De *efeminar.*) m. ant. **afeminamiento.**

efeminar. (Del lat. *effemināre.*) tr. ant. **afeminar.** Usáb. m. c. prnl.

efendi. (Del turco otomano *efendi*, señor, dueño.) m. Título honorífico usado entre los turcos.

eferencia. f. *Fisiol.* Transmisión de sangre, linfa, otras sustancias o un impulso energético, desde una parte del organismo a otra que con respecto a ella es considerada periférica. Se llama también transmisión centrífuga.

eferente. (Del lat. *effĕrens, -entis*, que lleva hacia fuera.) adj. Que lleva. ‖ **2.** *Anat.* y *Fisiol.* Dícese de la formación anatómica que transmite sangre, secreciones o impulsos desde una parte del organismo a otras que respecto de ella son consideradas periféricas. ‖ **3.** *Anat.* y *Fisiol.* Dícese de los estímulos y las sustancias así transmitidos.

éfero, ra. (Del lat. *effĕrus.*) adj. ant. **fiero.**

efervescencia. (Del lat. *effervescens, -entis*, efervescente.) f. Desprendimiento de burbujas gaseosas a través de un líquido. ‖ **2. hervor de la sangre.** ‖ **3.** fig. Agitación, ardor, acaloramiento de los ánimos.

efervescente. (Del lat. *effervescens, -entis*, que empieza a hervir.) adj. Que está o puede estar en efervescencia.

efesino, na. (Del lat. *Ephesīnus.*) adj. **efesio.** Apl. a pers., ú. t. c. s.

efesio, sia. (Del lat. *Ephesius.*) adj. Natural de Éfeso. Ú. t. c. s. ‖ **2.** Perteneciente o relativo a esta antigua ciudad del Asia Menor.

éfeta. (Del gr. ἐφέτης.) m. Cada uno de varios jueces que hubo antiguamente en Atenas.

efetá. (Del hebr. *heffetah*, ábrete.) Voz con que se indica la obstinación o renuencia de alguno.

efeto. m. ant. **efecto.**

eficacia. (Del lat. *efficacĭa.*) f. Virtud, actividad, fuerza y poder para obrar.

eficacidad. (Del lat. *efficacĭtas, -ātis.*) f. ant. **eficacia.**

eficaz. (Del lat. *effĭcax, -ācis.*) adj. Activo, poderoso para obrar. ‖ **2.** Que logra hacer efectivo un intento o propósito.

eficazmente. adv. m. Con eficacia.

eficiencia. (Del lat. *efficientĭa.*) f. Virtud y facultad para lograr un efecto determinado.

eficiente. (Del lat. *efficĭens, -entis.*) adj. Que tiene eficiencia. ‖ **2.** V. **causa eficiente.**

eficientemente. adv. m. Con eficiencia.

efigiado, da. (Del lat. *effigiātus.*) adj. p. us. Hecho de bulto, representado en efigie.

efigiar. tr. Representar en efigie.

efigie. (Del lat. *effigĭes.*) f. Imagen, representación de una persona. ‖ **2.** fig. Personificación, representación viva de cosa ideal. *La* EFIGIE *del dolor.*

efímera. (De *efímero*, por la brevedad de vida de este insecto.) f. **cachipolla.**

efimeral. adj. ant. **efímero.**

efímero, ra. (Del gr. ἐφήμερος, de un día.) adj. Que tiene la duración de un solo día. ‖ **2.** Pasajero, de corta duración. ‖ **3.** V. **fiebre efímera.** Ú. t. c. s.

eflorecerse. (Del lat. *efflorescĕre.*) prnl. *Quím.* Ponerse en eflorescencia un cuerpo.

eflorescencia. (Del lat. *efflorescens, -entis*, eflorescente.) f. *Pat.* Erupción aguda o crónica, de color rojo subido, con granitos o sin ellos, que se presenta en varias regiones del cuerpo y con particularidad en el rostro. ‖ **2.** *Quím.* Conversión espontánea en polvo de diversas sales al perder el agua de cristalización.

eflorescente. (Del lat. *efflorescens, -entis.*) adj. *Quím.* Aplícase a los cuerpos capaces de eflorecerse.

efluente. p. a. de **efluir.** ‖ **2.** m. Líquido que procede de una planta industrial.

efluir. (Del lat. *efflŭĕre.*) intr. Fluir o escaparse un líquido o un gas hacia el exterior.

eflujo. (Del lat. *effluxum*, p. p. de *effluĕre*, fluir.) m. ant. **efluxión.**

efluvio. (Del lat. *effluvĭum.*) m. Emisión de partículas sutilísimas. ‖ **2.** Emanación, irradiación en lo inmaterial.

efluxión. (Del lat. *effluxĭo, -ōnis.*) f. ant. Exhalación, evaporación de espíritus vitales o de vapores de algunos cuerpos. ‖ **2.** ant. *Obst.* Expulsión del producto de la concepción en los primeros días del embarazo.

efod. (Del hebr. *'efōd*, vestidura.) m. Vestidura de lino fino, corta y sin mangas, que se ponían los sacerdotes israelitas sobre todas las otras y les cubría principalmente las espaldas. ‖ **2.** Esta misma vestidura hecha de lino muy fino y muy bien torcido, y de oro, jacinto, púrpura y carmesí, usada únicamente por el pontífice o sumo sacerdote.

éforo. (Del lat. *ephŏrus*, y este del gr. ἔφορος, inspector.) m. Cada uno de los cinco magistrados que elegía el pueblo todos los años en Esparta, con autoridad bastante para contrapesar el poder del Senado y de los reyes.

efraimita. (De *Ephraim.*) com. Israelita de la tribu de Efraín.

efrateo, a. adj. Natural de Efrata. Ú. t. c. s. ‖ **2.** Perteneciente o relativo a esta ciudad antigua de Judea, llamada después Belén.

efugio. (Del lat. *effugĭum.*) m. Evasión, salida, recurso para sortear una dificultad.

efulgencia. (Del lat. *effulgentĭa.*) f. ant. **refulgencia.**

efundir. (Del lat. *effundĕre.*) tr. p. us. Derramar, verter un líquido. ‖ **2.** ant. fig. Expresar, decir una cosa.

efusión. (Del lat. *effusĭo, -ōnis.*) f. Derramamiento de un líquido, y más comúnmente de la sangre. ‖ **2.** fig. Expansión e intensidad en los afectos generosos o alegres del ánimo.

efusivo, va. (Del lat. *effūsus.*) adj. fig. Que siente o manifiesta efusión, expansión de los afectos generosos.

efuso, sa. (Del lat. *effūsus.*) p. p. irreg. de **efundir.**

egabrense. adj. Natural de Cabra. Ú. t. c. s. ‖ **2.** Perteneciente o relativo a esta ciudad.

egarense. adj. Natural de la antigua Egara, hoy Tarrasa. Ú. t. c. s. ‖ **2.** Perteneciente o relativo a esta ciudad. ‖ **3. tarrasense.**

egeno, na. (Del lat. *egēnus.*) adj. ant. Pobre, escaso, miserable.

egestad. (Del lat. *egestas, -ātis.*) f. ant. Necesidad, miseria, pobreza.

egestión. (Del lat. *egestĭo, -ōnis.*) f. ant. **excremento.**

egetano, na. adj. Natural de Vélez Blanco o de Vélez Rubio. Ú. t. c. s. ‖ **2.** Perteneciente o relativo a cualquiera de estas dos villas de la provincia de Almería.

egiciano, na. adj. ant. **egipciano.** Apl. a pers., usáb. t. c. s.

égida o **egida.** (Del lat. *aegis, -ĭdis*, y este del gr. αἰγίς, -ίδος, escudo o coraza de piel de cabra.) f. Piel de la cabra Amaltea, adornada con la cabeza de Medusa, que es atributo con que se representa a Zeus y a Atenea. ‖ **2.** Por ext., **escudo,** arma defensiva para cubrirse que se llevaba en el brazo izquierdo. ‖ **3.** fig. Protección, defensa.

egilope o **egílope.** (Del lat. *aegĭlops, -ōpis*, y este del gr. αἰγίλωψ.) f. Especie de avena, muy parecida a la ballueca, más alta que ella y con mayor número de flores en cada espiguilla. ‖ **2. rompesacos.**

egineta. adj. Natural de Egina. Ú. t. c. s. ‖ **2.** Perteneciente o relativo a esa isla del mar Egeo.

egipán. (Del gr. αἰγίπαν, voz compuesta de αἴξ, αἰγός, cabra, y Πάν.) m. Ser fabuloso, mitad cabra, mitad hombre.

egipciaco, ca o **egipcíaco, ca.** (Del lat. *Aegyptiăcus.*) adj. **egipcio.** Apl. a pers., ú. t. c. s. ‖ **2.** Dícese de un medicamento compuesto de miel, cardenillo y vinagre mezclados y cocidos hasta tener la consistencia de ungüento, que se usaba para la curación de ciertas llagas.

egipciano, na. adj. **egipcio.** Apl. a pers., ú. t. c. s.

egipcio, cia. (Del lat. *Aegyptĭus.*) adj. Natural u oriundo de Egipto. Ú. t. c. s. ‖ **2.** Perteneciente o relativo a este país de África. ‖ **3.** V. **letra egipcia.** ‖ **4.** m. Idioma **egipcio.**

egiptano, na. (De *Egipto.*) adj. **egipcio.** Apl. a pers., ú. t. c. s. ‖ **2.** ant. **gitano,** dicho de esta raza y de sus individuos. ‖ **3.** ant. Propio de los gitanos o parecido a ellos. Apl. a pers., usáb. t. c. s.

Egipto. n. p. V. **haba, higuera de Egipto.** ‖ **2.** V. **las ollas de Egipto.**

egiptología. f. Estudio de la civilización del antiguo Egipto.

egiptológico, ca. adj. Perteneciente o relativo a la egiptología.

egiptólogo, ga. m. y f. Persona versada en egiptología.

eglesia. f. ant. **iglesia.**

égloga. (Del lat. *eclŏga,* y este del gr. ἐκλογή, extracto, pieza escogida.) f. Composición poética del género bucólico, caracterizada generalmente por una visión idealizada del campo, y en la que suelen aparecer pastores que dialogan acerca de sus afectos y de la vida campestre.

eglógico, ca. adj. **eclógico.**

ego. m. *Psicol.* En el psicoanálisis de Freud, instancia psíquica que se reconoce como «yo», parcialmente consciente, que controla la motilidad y media entre los instintos del «ello», los ideales del superyó y la realidad del mundo exterior.

-ego, ga. V. **-iego.**

egocéntrico, ca. adj. Dícese del que practica el egocentrismo y de lo relativo a esta actitud.

egocentrismo. (Del lat. *ego,* yo, y *centro.*) m. Exagerada exaltación de la propia personalidad, hasta considerarla como centro de la atención y actividad generales.

egofonía. (Del gr. αἴξ, αἰγός, cabra, y φωνή, voz.) f. *Med.* Resonancia de la voz que se percibe al auscultar el tórax de los enfermos con derrame de la pleura y que recuerda el balido de la cabra.

egoísmo. (Del lat. *ego,* yo, e *-ismo.*) m. Inmoderado y excesivo amor a sí mismo, que hace atender desmedidamente al propio interés, sin cuidarse del de los demás. ‖ **2.** Acto sugerido por esta condición personal.

egoísta. (De *egoísmo.*) adj. Que tiene egoísmo, o relativo a esta actitud. Ú. t. c. s.

ególatra. adj. Que profesa la egolatría. Ú. t. c. s.

egolatría. (Del gr. ἐγώ, o lat. *ego,* y λατρεία, adoración.) f. Culto, adoración, amor excesivo de sí mismo.

egolátrico, ca. adj. Perteneciente o relativo a la egolatría.

egotismo. (Del ing. *egotism.*) m. Prurito de hablar de sí mismo. ‖ **2.** *Psicol.* Sentimiento exagerado de la propia personalidad.

egotista. adj. Relativo al egotismo o que tiene egotismo. Apl. a pers., ú. t. c. s.

egregiamente. adv. m. Ilustre o insignemente.

egregio, gia. (Del lat. *egregĭus.*) adj. Insigne, ilustre.

egresado, da. p. p. de **egresar.** ‖ **2.** m. y f. *Amér.* Persona que sale de un establecimiento docente después de haber terminado sus estudios.

egresar. intr. Salir de alguna parte.

egresión. (Del lat. *egressĭo, -ōnis.*) f. ant. Salida de alguna parte. ‖ **2.** *Der.* Acto o título por el cual se traspasaba a una comunidad o a un particular alguna finca o derecho pertenecientes a la Corona.

egreso. (Del lat. *egressus.*) m. Salida, partida de descargo.

eguar. (Del lat. *aequāre.*) tr. ant. **igualar.**

¡eh! interj. que se emplea para preguntar, llamar, despreciar, reprender o advertir.

eibarrés, sa. adj. Natural de Éibar. Ú. t. c. s. ‖ **2.** Perteneciente o relativo a esta villa de Guipúzcoa.

eidético, ca. (Del gr. εἶδος.) adj. *Psicol.* Perteneciente o relativo al eidetismo. ‖ **2.** *Fil.* Que se refiere a la esencia.

eidetismo. m. *Psicol.* Tendencia normal en muchos niños, y exagerada en algunos estados nerviosos, a proyectar visualmente las imágenes de impresiones recientes.

einstenio. (De *Einstein,* físico alemán.) m. *Quím.* Elemento radiactivo artificial. Fue hallado en los residuos de la primera bomba termonuclear y luego se obtuvo bombardeando el uranio con iones de nitrógeno. Es químicamente similar al holmio. Núm. atómico 99. Símb.: *Es.*

eirá. m. *Argent.* y *Par.* Especie de aguará.

-eja. V. **-ejo.**

ejabrir. (Del lat. *exaperīre,* abrir.) tr. *Ar.* Roturar la tierra.

ejarbe. (Del ár. *šarb,* regarse.) m. *Nav.* Aumento de agua que reciben los ríos a causa de las grandes lluvias. ‖ **2.** *Nav.* **teja**[1], cuarta parte de la fila de agua.

eje. (Del lat. *axis.*) m. Varilla que atraviesa un cuerpo giratorio y le sirve de sostén en el movimiento. ‖ **2.** Barra horizontal dispuesta perpendicularmente a la línea de tracción de un carruaje y que entra por sus extremos en los bujes de las ruedas. ‖ **3.** Línea que divide por la mitad el ancho de una calle o camino, u otra cosa semejante. ‖ **4.** ant. **torno,** máquina que consiste en un cilindro dispuesto para girar alrededor de su **eje.** ‖ **5.** fig. Idea fundamental en un raciocinio; tema predominante en un escrito o discurso; sostén principal de una empresa; designio final de una conducta. ‖ **6.** fig. Persona o cosa considerada como el centro de algo, y en torno a la cual gira lo demás. ‖ **7.** *Geom.* Recta fija alrededor de la cual se considera que gira una línea para engendrar una superficie, o una superficie para engendrar un sólido. ‖ **8.** *Geom.* Diámetro principal de una curva. ‖ **9.** *Mec.* Pieza mecánica que transmite el movimiento de rotación en una máquina. ‖ **coordenado.** *Geom.* **eje de coordenadas.** ‖ **de abscisas.** *Geom.* El coordenado, paralelamente al cual se trazan las abscisas. ‖ **de coordenadas.** *Geom.* Cada una de las dos líneas indefinidas que se cortan en un punto de un plano, y se trazan en él para determinar la posición de los demás puntos del mismo plano por medio de las líneas coordenadas paralelas a ellos. ‖ **2.** *Geom.* Cada una de las tres líneas de intersección de los planos coordenados. ‖ **de la esfera terrestre,** o **del mundo.** *Astron.* y *Geogr.* El imaginario alrededor del cual gira la Tierra, y que prolongado hasta la esfera celeste, determina en ella dos puntos que se llaman polos. ‖ **de ordenadas.** *Geom.* El coordenado, paralelamente al cual se trazan las ordenadas. ‖ **de simetría.** *Geom.* Recta, que al ser tomada como **eje** de giro de una figura o cuerpo, hace que se superpongan todos los puntos análogos. ‖ **dividir,** o **partir,** a uno **por el eje.** fr. fig. y fam. Dejar a uno inutilizado para continuar lo que había empezado; causarle un perjuicio o contrariedad, especialmente si es irremediable.

ejecución. (Del lat. *exsecutĭo, -ōnis.*) f. Acción y efecto de ejecutar. ‖ **2.** Manera de ejecutar o de hacer alguna cosa: dícese especialmente de las obras musicales y pictóricas. ‖ **3.** *Der.* Procedimiento judicial con embargo y venta de bienes para pago de deudas. ‖ **poner en ejecución.** fr. Ejecutar, llevar a la práctica, realizar. ‖ **trabar ejecución.** fr. *Der.* Hacer, en virtud de mandamiento judicial, las diligencias de embargo para asegurar el pago de una deuda, sus intereses y costas. ‖ **traer aparejada ejecución.** fr. *Der.* Tener un título de crédito los requisitos legales para sustentar el mandamiento de embargo de bienes, sin audiencia previa del poseedor de estos.

ejecutable. adj. Que se puede hacer o ejecutar. ‖ **2.** *Der.* Dícese de un deudor que puede ser demandado por la vía ejecutiva o de un crédito que se puede reclamar en esta forma procesal.

ejecutadero, ra. (De *ejecutar.*) adj. ant. **exigible.**

ejecutador. (De *ejecutar.*) m. ant. **ejecutor.**

ejecutante. p. a. de **ejecutar.** Que ejecuta. Ú. t. c. s. ‖ **2.** *Der.* Que ejecuta judicialmente a otro por la paga de un débito. Ú. t. c. s. ‖ **3.** com. Persona que ejecuta una obra musical.

ejecutar. (Del lat. *exsecūtus,* p. p. de *exsĕqui,* consumar, cumplir.) tr. Poner por obra una cosa. ‖ **2. ajusticiar,** dar muerte al reo condenado a ella. ‖ **3.** p. us. Ir a los alcances de alguien a quien se persigue. ‖ **4.** Desempeñar con arte y facilidad alguna cosa. ‖ **5.** Tocar una pieza musical. ‖ **6.** *Der.* Reclamar una deuda por vía o procedimiento ejecutivo.

ejecutivamente. adv. m. Con mucha prontitud y eficacia.

ejecutivo, va. (Del lat. *exsecūtus,* p. p. de *exsĕqui,* consumar, cumplir.) adj. Que no da espera ni permite que se difiera la ejecución. ‖ **2.** Que ejecuta o hace una cosa. Apl. a pers., ú. t. c. s. ‖ **3.** V. **poder ejecutivo.** ‖ **4.** *Der.* **juicio ejecutivo.** ‖ **5.** *Der.* V. **vía ejecutiva.** ‖ **6.** m. y f. Persona que forma parte de una comisión **ejecutiva** o que desempeña un cargo directivo en una empresa. ‖ **7.** f. Junta directiva de una corporación o sociedad.

ejecutor, ra. (Del lat. *exsecūtor, -ōris.*) adj. Que ejecuta o hace una cosa. ‖ **2.** V. **fiel ejecutor.** ‖ **3.** m. *Der.* Persona o ministro que pasaba a hacer una ejecución y cobranza de orden de juez competente. ‖ **de la justicia. verdugo,** el que ejecuta la pena de muerte.

ejecutoria. (De *ejecutar.*) f. Título o diploma en que consta legalmente la nobleza de una persona o familia. ‖ **2.** fig. **timbre,** acción que ennoblece. ‖ **3.** V. **hidalgo de ejecutoria.** ‖ **4.** *Der.* Sentencia que alcanzó la firmeza de cosa juzgada, y también el despacho que es trasunto o comprobante de ella.

ejecutoría. f. Oficio de ejecutor. ‖ **fiel ejecutoría.** Oficio y cargo de fiel ejecutor.

ejecutorial. adj. *Der.* Aplícase a los despachos o letras que comprenden la ejecutoria de una sentencia de tribunal eclesiástico.

ejecutoriar. tr. Dar firmeza de cosa juzgada a un fallo o pronunciamiento judicial. Ú. t. c. prnl. ‖ **2.** fig. Comprobar, hasta hacerla indudable, la certeza de una cosa.

ejecutorio, ria. (Del lat. *exsecutorĭus.*) adj. V. **carta ejecutoria.** ‖ **2.** *Der.* Firme, invariable.

¡ejem! interj. con que se llama la atención o se deja en suspenso el discurso.

ejemplar[1]. (Del lat. *exemplar, -āris.*) adj. Que da buen ejemplo y, como tal, digno de ser propuesto como modelo. *Vida* EJEMPLAR. ‖ **2.** *Der.* V. **curaduría, sustitución, tutela ejemplar.** ‖ **3.** m. Original, prototipo, norma representativa. ‖ **4.** Cada uno de los escritos, impresos, dibujos, grabados, reproducciones, etc., sacados de un mismo original o modelo. *De este libro se han tirado mil* EJEMPLARES; *ayer compré dos* EJEMPLARES *de aquella estampa.* ‖ **5.** Cada uno de los individuos de una especie o de un género. ‖ **6.** Cada uno de los objetos de diverso género que forman una colección científica. ‖ **7.** Lo que se ha hecho en igual caso otras veces. ‖ **8.** Caso que sirve o debe servir de escarmiento. ‖ **sin ejemplar.** loc. adv. con que se denota que no se ha visto otra vez una cosa, o que no tiene ejemplo. ‖ **2.** Ú. t. para denotar que un acto, comúnmente de gracia, forma excepción y no será reiterado, aunque se importune con nuevas peticiones.

ejemplar[2]. (De *ejemplo.*) tr. p. us. **ejemplificar,** demostrar o autorizar con ejemplo. ‖ **2.** ant. Copiar un documento.

ejemplaridad. f. Cualidad de ejemplar.

ejemplario. (Del lat. *exemplarĭum.*) m. Conjunto de ejemplos. ‖ **2.** ant. Libro compuesto de casos prácticos o de ejemplos doctrinales. ‖ **3.** ant. **ejemplar[1],** cada uno de los escritos o impresos sacados de un original.

ejemplarizar. intr. **ejemplificar,** dar ejemplo.

ejemplarmente. adv. m. Virtuosamente, de modo que edifique a todos. ‖ **2.** De manera que sirva una cosa de ejemplo y escarmiento.

ejemplificación. f. Acción y efecto de ejemplificar.

ejemplificar. (Del lat. *exemplum,* ejemplo, y *-ficar.*) tr. Demostrar, ilustrar o autorizar con ejemplos lo que se dice. ‖ **2.** ant. En lo moral, dar ejemplo.

ejemplo. (Del lat. *exemplum.*) m. Caso o hecho sucedido en otro tiempo, que se propone, o bien para que se imite y siga, si es bueno y honesto, o para que se evite si es malo. ‖ **2.** Acción o conducta que puede inclinar a otros a que la imiten. ‖ **3.** Hecho, texto o cláusula que se cita para comprobar, ilustrar o autorizar un aserto, doctrina u opinión. ‖ **4.** ant. **ejemplar,** cada uno de los escritos o impresos sacados de un original. ‖ **casero.** El que se toma de aquellas cosas que por ser muy comunes y frecuentes las entienden todos. ‖ **dar ejemplo.** fr. Excitar con las propias obras la imitación de los demás. ‖ **por ejemplo.** expr. que se usa cuando se va a poner un **ejemplo** para comprobar, ilustrar o autorizar lo que antes se ha dicho. ‖ **sin ejemplo.** loc. adv. Sin precedente, como caso raro.

ejercer. (Del lat. *exercēre.*) tr. Practicar los actos propios de un oficio, facultad, etc. Ú. t. c. intr. *Es abogado, pero no* EJERCE. ‖ **2.** Realizar sobre alguien o algo una acción, influjo, etc. EJERCIÓ *presión sobre las autoridades.*

ejercicio. (Del lat. *exercitĭum.*) m. Acción de ejercitarse u ocuparse en una cosa. ‖ **2.** Acción y efecto de ejercer. ‖ **3.** Cualquier movimiento corporal repetido y destinado a conservar la salud o recobrarla. *Conviene hacer* EJERCICIO. *El* EJERCICIO *a caballo es muy saludable.* ‖ **4.** Tiempo durante el cual rige una ley de presupuestos. ‖ **5.** Cada una de las pruebas que realiza el opositor a cátedras, beneficios, etcétera. ‖ **6.** Cada una de las pruebas que realizan los estudiantes en centros docentes para obtener un grado académico. ‖ **7.** Cada una de las pruebas que reiteradamente realiza el que interviene en competiciones deportivas o el que se adiestra para tomar parte en estas últimas. ‖ **8.** Trabajo práctico que en el aprendizaje de ciertas disciplinas sirve de complemento a la enseñanza teórica. EJERCICIO *de redacción, de traducción, de análisis.* ‖ **9.** pl. *Mil.* Movimientos y evoluciones militares con que los soldados se ejercitan y adiestran. ‖ **10. ejercicios espirituales.** ‖ **ejercicios espirituales.** Los que se practican por algunos días, retirándose de las ocupaciones del mundo, y dedicándose a la oración y penitencia, y también los que en días señalados practican los individuos de algunas congregaciones. ‖ **dar ejercicios.** fr. Dirigir al que hace los **ejercicios** espirituales. ‖ **en ejercicio,** loc. adj. o adv. Que ejerce su profesión o cargo.

ejercido, da. p. p. de **ejercer.** ‖ **2.** adj. ant. Hollado, frecuentado.

ejercitación. (Del lat. *exercitatĭo, -ōnis.*) f. Acción de ejercitarse o de emplearse en hacer una cosa.

ejercitador, ra. (Del lat. *exercitātor, -ōris.*) adj. ant. Que ejerce o ejercita un ministerio u oficio. Ú. t. c. s.

ejercitante. p. a. de **ejercitar.** Que ejercita. ‖ **2.** com. Persona que hace alguno de los ejercicios de oposición, o los ejercicios espirituales.

ejercitar. (Del lat. *exercitāre.*) tr. Practicar un arte, oficio o profesión. Ú. t. c. prnl. ‖ **2.** Hacer que uno aprenda una cosa mediante la enseñanza y práctica de ella. ‖ **3.** prnl. Repetir muchos actos para adiestrarse en la ejecución de una cosa.

ejercitativo, va. (Del lat. *exercitatīvus.*) adj. ant. Que se puede ejercitar.

ejército. (Del lat. *exercĭtus.*) m. Abundancia de gente de guerra con los pertrechos correspondientes, unida en un cuerpo a las órdenes de un general. ‖ **2.** Conjunto de fuerzas aéreas o terrestres de una nación. ‖ **3.** Gran unidad integrada por varios cuerpos de **ejército,** así como por unidades homogéneas y servicios auxiliares. ‖ **4.** fig. Colectividad numerosa organizada para la realización de un fin ‖ **5.** V. **cuerpo de,** o **del ejército.**

ejido. (Del lat. *exītus, por exĭtus, salida.) m. Campo común de un pueblo, lindante con él, que no se labra, y donde suelen reunirse los ganados o establecerse las eras.

ejión. (Del gr. ἐξιόν, saliente.) m. *Arq.* Zoquete de madera, por lo común en figura de cuña, que sirve de apoyo a las piezas horizontales de la armazón.

-ejo, ja. (Del lat. *-icŭlus.*) suf., entre diminutivo y despectivo, de sustantivos y adjetivos: *animal*EJO, *diabl*EJO, *median*EJO. En algunas palabras no se conserva el valor diminutivo o despectivo: *fest*EJO.

-ejón. V. **-on**[1].

ejote. (Del nahua *exotl,* frijol o haba verde.) m. *Amér. Central,* excepto *C. Rica,* y *Méj.* Vaina del frijol cuando está tierna y es comestible. ‖ **2.** *Amér. Central.* fig. Puntada grande y mal hecha en la costura.

él, ella, ellos, ellas. (Del lat. *ille, illa, illos, illas.*) pron. pers. de 3.ª pers. m. y f. sing. y pl. Sin preposición, es sujeto. Con ella, se usa en los casos oblicuos. ‖ **2.** f. Precedida esta voz de los adverbios *aquí, allí, ahí,* usados con valor temporal, o de otra expresión de tiempo, y de algunas formas del verbo *ser,* alude indeterminadamente, pero con sentido ponderativo, a un lance grave o apurado que ocurrió, ocurre o habrá de ocurrir en el tiempo indicado. *Aquí, allí fue* o *será* ELLA... ‖ **a ellas.** loc. empleada en el juego para indicar que los contrincantes tienen igual número de tantos. *Estamos* A ELLAS. ‖ **¡a ellos!** fr. con que se incita a acometer.

el. (Del lat. *ille.*) art. deter. m. sing.

-ela. V. **-elo.**

elaborable. adj. Que se puede elaborar.

elaboración. (Del lat. *elaboratĭo, -ōnis.*) f. Acción y efecto de elaborar.

elaborado, da. p. p. de **elaborar.** ‖ **2.** adj. Que ha sido preparado o dispuesto para una finalidad.

elaborador, ra. adj. Que elabora. ‖ **2.** En ciertos trabajos, dícese del operario especializado. Ú. t. c. s.

elaborar. (Del lat. *elaborāre.*) tr. Transformar una cosa por medio de un trabajo adecuado. ‖ **2.** Trazar o inventar algo complejo.

elación. (Del lat. *elatĭo, -ōnis.*) f. p. us. Altivez, presunción, soberbia. ‖ **2.** Elevación, grandeza. Se usa ordinariamente hablando del espíritu y del ánimo. ‖ **3.** Hinchazón de estilo y lenguaje.

elaiómetro. (Del gr. ἔλαιον, aceite, y *-metro.*) m. Instrumento para apreciar la cantidad de aceite que contiene una sustancia oleaginosa.

elaiotecnia. (Del gr. ἔλαιον, aceite, y *-tecnia.*) f. **eleotecnia.**

elamí. (De la letra *e* y de las notas musicales, *la, mi.*) m. En la música antigua, indicación de tono que principia en el tercer grado de la escala diatónica de *do* y se desarrolla según los preceptos del canto llano y del canto figurado.

elamita. (Del lat. *Aelamīta.*) adj. Natural de Elam. Ú. t. c. s. ‖ **2.** Perteneciente o relativo a este país del Asia antigua.

elanio. m. Ave falconiforme de unos treinta centímetros de largo, cabeza, cola y partes inferiores blancuzcas, dorso gris azulado y hombros negros, que habita en Portugal y el sudoeste de España. ‖ **azul. elanio.**

elástica. (De *elástico.*) f. Prenda interior de punto, que se usa para abrigar el cuerpo.

elasticidad. f. Cualidad de elástico. ‖ **2.** *Fís.* Una de las propiedades generales de los cuerpos sólidos, en virtud de la cual recobran más o menos completamente su extensión y figura, tan pronto como cesa la acción de la fuerza que las alteraba.

elástico, ca. (Del lat. mod. *elastĭcus,* dúctil.) adj. Dícese del cuerpo que puede recobrar más o menos completamente su figura y extensión tan pronto como cesa la acción que las alteraba. ‖ **2.** fig. Acomodaticio, que puede ajustarse a muy distintas circunstancias. ‖ **3.** fig. Que admite muchas interpretaciones. ‖ **4.** V. **goma, pez elástica.** ‖ **5.** *Fís.* V. **fluidos elásticos.** ‖ **6.** m. Tejido que tiene elasticidad por su estructura o por las materias que entran en su formación, y se pone en algunas prendas de vestir para que ajusten o den de sí. ‖ **7.** Conjunto de roscas de alambre muy fino, cubierto de tela o cabritilla, que se ha empleado para el mismo fin. ‖ **8.** Parte superior del calcetín hecha de punto mas **elástico** que el resto, para que ajuste a la pierna. ‖ **9.** Cinta o cordón **elástico.** ‖ **10. elástica,** prenda interior de punto.

elastómero. (Del gr. ἐλαστός, dúctil, y μέρος, parte, porción.) m. Materia natural o artificial que, como el caucho, tiene gran elasticidad.

elaterio. (Del lat. *elaterium.*) m. **cohombrillo amargo.**

elativo. m. *Gram.* **adjetivo superlativo absoluto.**

elato, ta. (Del lat. *elātus,* levantado.) adj. Altivo, presuntuoso, soberbio.

elche. (Del ár. *'ilŷ,* renegado o tornadizo.) m. Morisco o renegado de la religión cristiana.

ele[1]**.** f. Nombre de la letra *l.*

¡ele![2]**.** interj. con la que se manifiesta asentimiento, a veces irónico, a algo o alguien.

eleagnáceo, a. (Del gr. ἐλαίαγνος, sauzgatillo.) adj. *Bot.* Dícese de árboles o arbustos angiospermos dicotiledóneos, con ramos a veces espinosos, hojas alternas u opuestas, enteras o dentadas, cubiertas de escamas a manera de escuditos; flores solitarias y a veces en espiga o en racimo, y frutos drupáceos con semilla de albumen carnoso; como el árbol del Paraíso. Ú. t. c. s. f. ‖ **2.** f. pl. *Bot.* Familia de estas plantas.

eleático, ca. (Del lat. *Eleatĭcus.*) adj. Natural de Elea. Ú. t. c. s. ‖ **2.** Perteneciente o relativo a esta ciudad de la Italia antigua. ‖ **3.** Perteneciente o relativo a la escuela filosófica que floreció en Elea.

elébor. m. ant. **eléboro.**

eléboro. (Del lat. *hellebŏrus,* y este del gr. ἐλλέβορος.) m. Género de plantas de la familia de las ranunculáceas. ‖ **blanco. vedegambre.** ‖ **negro.** Planta de la familia de las ranunculáceas, de hojas radicales, gruesas, con pecíolo de dos a tres decímetros de largo, y divididas en siete segmentos lanceolados; flores pareadas, sobre un bohordo central, con sépalos de color blanco rojizo, pétalos casi nulos y semillas en dos series. La raíz es fétida, acre, algo amarga y muy purgante.

elección. (Del lat. *electĭo, -ōnis.*) f. Acción y efecto de elegir. ‖ **2.** V. **vaso de elección.** ‖ **3.** Nombramiento que regularmente se hace por votos, para algún cargo, comisión, etc. ‖ **4.** Deliberación, libertad para obrar. ‖ **5.** pl. Emisión de votos para elegir cargos políticos. ‖ **canónica.** Designación de una persona para un oficio eclesiástico vacante, mediante los votos de un colegio al que corresponde este derecho.

eleccionario, ria. adj. *Amér.* Perteneciente o relativo a la elección o elecciones.

electivo, va. (Del lat. *electīvus.*) adj. Que se hace o se da por elección. ‖ **2.** V. **mayorazgo electivo.**

electo, ta. (Del lat. *electus.*) p. p. irreg. de **elegir.** ‖ **2.** V. **obispo electo.** ‖ **3.** m. El elegido o nombrado para una dignidad, empleo, etc., mientras no toma posesión. ‖ **4.** En algunos motines de los tercios españoles, se llamó así el nombrado por cabeza de ellos.

elector, ra. (Del lat. *elector, -ōris.*) adj. Que elige o tiene potestad o derecho de elegir. Ú. t. c. s. ‖ **2.** m. Cada uno de los príncipes de Alemania a quienes correspondía la elección y nombramiento de emperador.

electorado. m. Conjunto de electores de un país o circunscripción. ‖ **2.** Estado soberano de Alemania, cuyo príncipe era elector.

electoral. adj. Perteneciente o relativo a la dignidad o a la calidad de elector. ‖ **2.** Perteneciente o relativo a electores o elecciones. *Derechos* ELECTORALES; *distrito* ELECTORAL. ‖ **3.** V. **colegio electoral.** ‖ **4.** V. **cabina electoral.**

electoralismo. m. Consideración de razones puramente electorales en la política de un partido.

electoralista. adj. Dícese de lo que tiene claros fines de propaganda electoral.

electorero, ra. adj. Perteneciente o relativo a las intrigas o maniobras en elecciones. ‖ **2.** m. y f. Muñidor de elecciones.

electricidad. (De *eléctrico.*) f. *Fís.* Agente fundamental constitutivo de la materia en forma de electrones (negativos) y protones (positivos) que normalmente se neutralizan. En el movimiento de estas partículas cargadas consiste la corriente eléctrica. ‖ **2.** Parte de la física que estudia los fenómenos eléctricos. ‖ **estática.** *Fís.* La que aparece en un cuerpo cuando existen en él cargas eléctricas en reposo. ‖ **negativa.** *Fís.* La que adquiere la resina frotada con lana o piel. ‖ **positiva.** *Fís.* La que adquiere el vidrio frotado con lana o piel. ‖ **resinosa.** *Fís.* **electricidad negativa.** ‖ **vítrea.** *Fís.* **electricidad positiva.**

electricista. adj. Dícese de la persona experta en aplicaciones técnicas y mecánicas de la electricidad. *Ingeniero* ELECTRICISTA , *perito* ELECTRICISTA. ‖ **2.** com. Persona especializada en instalaciones eléctricas.

eléctrico, ca. (Del lat. *electrum,* y este del gr. ἤλεκτρον, ámbar.) adj. Que tiene o comunica electricidad, o que funciona mediante ella. ‖ **2.** Perteneciente a ella. ‖ **3.** V. **cable eléctrico.** ‖ **4.** V. **chispa, luz, máquina, silla eléctrica.** ‖ **5.** *Fís.* V. **batería, corriente eléctrica.** ‖ **6.** *Fís.* V. **condensador, conductor, péndulo eléctrico.**

electrificación. f. Acción y efecto de electrificar.

electrificar. tr. Hacer que el sistema de tracción de un ferrocarril o de una máquina funcione por medio de la electricidad. ‖ **2.** Proveer de electricidad a un país, una zona, etc.

electriz. (Del lat. *electrix, -īcis.*) f. Mujer de un príncipe elector.

electrizable. adj. Susceptible de adquirir las propiedades eléctricas.

electrización. f. Acción y efecto de electrizar o electrizarse.

electrizador, ra. adj. Que electriza. Apl. a pers., ú. t. c. s.

electrizar. tr. Producir la electricidad en un cuerpo, o comunicársela. Ú. t. c. prnl. ‖ **2.** fig. Exaltar, avivar, entusiasmar. Ú. t. c. prnl.

electro. (Del lat. *electrum,* y este del gr. ἤλεκτρον, ámbar.) m. **ámbar.** ‖ **2.** Aleación de cuatro partes de oro y una de plata, cuyo color es parecido al del ámbar.

electro-. (Del gr. ἤλεκτρον, ámbar, a través del lat. *electrum.*) elem. compos. que significa «electricidad» o «eléctrico»: ELECTRO*dinámica,* ELECTRO*doméstico,* ELECTRO*foresis,* ELECTRO*mecánico.*

electroacústica. f. *Fís.* Parte de la Acústica, que se ocupa de la captación y reproducción de los sonidos mediante corrientes eléctricas.

electroacústico, ca. adj. Perteneciente o relativo a la electroacústica.

electrobiología. f. Estudio de los fenómenos eléctricos en el cuerpo vivo.

electrobiológico, ca. adj. Perteneciente o relativo a la electrobiología.

electrocardiografía. f. Parte de la medicina, que estudia la obtención e interpretación de los electrocardiogramas.

electrocardiógrafo. m. Aparato que registra las corrientes eléctricas emanadas del músculo cardíaco.

electrocardiograma. m. Gráfico obtenido por el electrocardiógrafo.

electrocinética. f. Parte de la física que estudia los fenómenos que produce la electricidad en movimiento en los mismos conductores.

electrocución. f. Acción y efecto de electrocutar.

electrocutar. tr. Matar por medio de una corriente o descarga eléctrica. Ú. t. c. prnl.

electrochoque. m. Tratamiento de una perturbación mental provocando el coma mediante la aplicación de una descarga eléctrica.

electrodinámica. (De *electro-* y *dinámica.*) f. Parte de la física, que estudia los fenómenos y leyes de la electricidad en movimiento.

electrodinámico, ca. adj. *Fís.* Perteneciente o relativo a la electrodinámica.

eléctrodo o **electrodo.** (De *electro-* y el gr. ὁδός, camino.) m. *Fís.* Extremo de un conductor en contacto con un medio, al que lleva o del que recibe una corriente eléctrica.

electrodoméstico. m. Cualquiera de los aparatos eléctricos que se utilizan en el hogar, como refrigeradores, calentadores de agua, planchas, cocinas eléctricas, etc. Ú. m. en pl. y t. c. adj. *Aparatos* ELECTRODOMÉSTICOS.

electroencefalografía. f. Parte de la medicina, que trata de la obtención e interpretación de los electroencefalogramas.

electroencefalográfico, ca. adj. Perteneciente o relativo a la electroencefalografía.

electroencefalografista. com. Persona especializada en electroencefalografía.

electroencefalógrafo. m. Registrador gráfico de las descargas eléctricas de la corteza cerebral.

electroencefalograma. m. Gráfico obtenido por el electroencefalógrafo.

electroestricción. f. **electrostricción.**

electrofisiología. f. Ciencia que estudia los fenómenos eléctricos en los animales y en el hombre.

electrofisiológico, ca. adj. Perteneciente o relativo a la electrofisiología.

electroforesis. f. *Quím.* Migración de sustancias por la acción de un campo eléctrico. ‖ **2.** Técnica que aplica este fenómeno con fines analíticos.

electróforo. (De *electro-* y *-foro.*) m. *Electr.* Aparato donde se produce y conserva electricidad en los gabinetes de física. Se compone de un disco resinoso que se electriza frotándolo con una gamuza o piel.

electrógeno, na. adj. Que genera electricidad. ‖ **2.** V. **grupo electrógeno.** ‖ **3.** m. **generador eléctrico.**

electroimán. m. *Electr.* Barra de hierro dulce imantada artificialmente por la acción de una corriente eléctrica.

electrólisis. (De *electro-* y *-lisis.*) f. *Quím.* Descomposición de un cuerpo producida por la electricidad.

electrolítico, ca. adj. Perteneciente o relativo a la electrólisis.

electrólito. (De *electro-* y el gr. λυτός, soluble.) m. *Quím.* Cuerpo que se somete a la descomposición por la electricidad.

electrolización. f. Acción y efecto de electrolizar.

electrolizador, ra. adj. Que electroliza. ‖ **2.** m. *Electr.* Aparato en que se lleva a cabo la electrolización.

electrolizar. (De *electrólisis.*) tr. *Fís.* Descomponer un cuerpo haciendo pasar por su masa una corriente eléctrica.

electromagnético, ca. (De *electro-* y *magnético.*) adj. Dícese de todo fenómeno en que los campos eléctricos y magnéticos están relacionados entre sí. ‖ **2.** V. **onda electromagnética.**

electromagnetismo. (De *electro-* y *magnetismo.*) m. Parte de la física que estudia la interacción de los campos eléctricos y magnéticos.

electromecánica. f. *Electr.* Técnica de las máquinas y dispositivos mecánicos que funcionan eléctricamente.

electromecánico, ca. adj. *Electr.* Dícese de los dispositivos o aparatos mecánicos accionados o controlados por medio de corrientes eléctricas. ‖ **2.** m. y f. Profesional de la electromecánica.

electrometalurgia. f. Parte de la metalurgia, que estudia el beneficio de los metales por métodos eléctricos.

electrometalúrgico, ca. adj. Perteneciente o relativo a la electrometalurgia.

electrometría. (De *electrómetro.*) f. Parte de la física, que estudia el modo de medir la intensidad eléctrica.

electrométrico, ca. adj. Perteneciente o relativo a la electrometría.

electrómetro. (De *electro-* y *-metro.*) m. *Electr.* Aparato que sirve para medir la cantidad de electricidad que tiene cualquier cuerpo, por la desviación de unos discos tenues de metal, o por la alteración que experimenta una columna capilar de mercurio.

electromotor, ra. (De *electro-* y *motor.*) adj. *Electr.* Dícese de todo aparato o máquina que transforma la energía eléctrica en trabajo mecánico. Ú. t. c. s. m.

electromotriz. (De *electromotor.*) adj. f. V. **fuerza electromotriz.**

electrón. (Del gr. ἤλεκτρον, ámbar, con acentuación francesa.) m. *Fís.* Partícula elemental más ligera que forma parte de los átomos y que contiene la mínima carga posible de electricidad negativa.

electronegativo, va. adj. *Quím.* Se dice de los cuerpos que, en la electrólisis, se dirigen al polo positivo.

electrónica. f. Ciencia que estudia dispositivos basados en el movimiento de los electrones libres en el vacío, gases o semiconductores, cuando dichos electrones están sometidos a la acción de los campos electromagnéticos. ‖ **2.** Técnica que aplica a la industria los resultados de esta ciencia.

electrónico, ca. (De *electrón.*) adj. *Fís.* Perteneciente o relativo al electrón. ‖ **2.** Perteneciente o relativo a la electrónica. ‖ **3.** V. **microscopio electrónico.**

electropositivo, va. adj. *Quím.* Se dice de los cuerpos que, en la electrólisis, se dirigen al polo negativo.

electroquímica. f. Parte de la fisicoquímica, que trata de las leyes referentes a la producción de la electricidad por combinaciones químicas, y de su influencia en la composición de los cuerpos.

electroquímico, ca. adj. Perteneciente a la electroquímica.

electroscopio. (De *electro-* y *-scopio.*) m. *Fís.* Aparato para conocer si un cuerpo está electrizado.

electrostática. (Del gr. ἤλεκτρον, y στατικός, fijo.) f. Parte de la física, que estudia los sistemas de cuerpos electrizados en equilibrio.

electrostático, ca. adj. Perteneciente o relativo a la electrostática.

electrostricción. (De *electro-* y el lat. *strictĭo, -ōnis,* constricción, presión.) f. *Fís.* Deformación de un cuerpo cuando está sometido a un campo eléctrico.

electrotecnia. f. Estudio de las aplicaciones técnicas de la electricidad.

electrotécnico, ca. adj. Perteneciente o relativo a la electrotecnia.

electroterapia. (De *electro-* y *terapia.*) f. *Med.* Tratamiento de determinadas enfermedades mediante la electricidad.

electroterápico, ca. adj. Perteneciente o relativo a la electroterapia.

electrotermia. (De *electro-* y *-termia.*) f. *Fís.* Producción de calor mediante la electricidad.

electrotérmico, ca. adj. Perteneciente o relativo a la electrotermia.

electrotipia. (De *electro-* y el gr. τύπος, molde, modelo.) f. Arte de reproducir los caracteres de imprenta por procedimientos electroquímicos.

electrotípico, ca. adj. Perteneciente o relativo a la electrotipia.

electuario. (Del b. lat. *electuarĭum.*) m. Medicamento de consistencia líquida, pastosa o sólida, compuesto de varios ingredientes, casi siempre vegetales, y cierta cantidad de miel, jarabe o azúcar. En sus composiciones más sencillas tiene la consideración de golosina.

elefancia o **elefancía.** (Del lat. *elephantĭa.*) f. **elefantiasis.**

elefancíaco, ca o **elefanciaco, ca.** adj. Perteneciente o relativo a la elefancía. ‖ **2.** Que la padece. Ú. t. c. s.

elefanta. f. Hembra del elefante.

elefante. (Del lat. *elĕphas, -antis,* y este del gr. ἐλέφας.) m. Mamífero del orden de los proboscidios, el mayor de los animales terrestres que viven ahora, pues llega a tres metros de alto y cinco de largo: tiene el cuerpo de color ceniciento oscuro, la cabeza pequeña, los ojos chicos, las orejas grandes y colgantes, la nariz y el labio superior unidos y muy prolongados en forma de trompa, que extiende y recoge a su arbitrio y le sirve de mano; carece de caninos y tiene dos dientes incisivos, vulgarmente llamados colmillos, macizos y muy grandes. Se cría en Asia y África, donde lo emplean como animal de carga. ‖ **marino. morsa.** ‖ **2.** desus. **bogavante,** crustáceo marino parecido a la langosta. ‖ **ser** algo o alguien **un elefante blanco.** fr. fig. Ser algo que cuesta mucho mantener y que no produce utilidad alguna.

elefantiásico, ca. adj. Perteneciente o relativo a la elefantiasis. ‖ **2.** Que la padece. Ú. t. c. s.

elefantiasis. (Del lat. *elephantiăsis,* y este del gr. ἐλεφαντίασις.) f. *Pat.* Síndrome caracterizado por el aumento enorme de algunas partes del cuerpo, especialmente de las extremidades inferiores y de los órganos genitales externos. Puede producirse por diversas enfermedades inflamatorias, persistentes, y muy especialmente por los parásitos de los países cálidos del grupo de la filaria.

elefantino, na. (Del lat. *elephantīnus.*) adj. Perteneciente o relativo al elefante.

elegancia. (Del lat. *elegantĭa.*) f. Cualidad de elegante. ‖ **2.** Forma bella de expresar los pensamientos.

elegante. (Del lat. *elĕgans, -antis.*) adj. Dotado de gracia, nobleza y sencillez. ‖ **2.** Airoso, bien proporcionado, de buen gusto. *Animal, árbol, estatua, cuadro, estilo, melodía, movimiento* ELEGANTE. ‖ **3.** Que tiene gusto y discreción para elegir y llevar el atuendo. Apl. a pers., ú. t. c. s.

elegantemente. adv. m. Con elegancia. ‖ **2.** fig. Con esmero y cuidado.

elegantizar. tr. Dotar de elegancia. Ú. t. c. prnl.

elegía. (Del lat. *elegīa,* y este del gr. ἐλεγεία.) f. Composición poética del género lírico, en que se lamenta la muerte de una persona o cualquier otro caso o acontecimiento digno de ser llorado, y la cual en español se escribe generalmente en tercetos o en verso libre. Entre los griegos y latinos, se componía de hexámetros y pentámetros, y admitía también asuntos placenteros.

elegíaco, ca o **elegiaco, ca.** (Del lat. *elegiăcus,* y este del gr. ἐλεγιακός.) adj. Perteneciente o relativo a la elegía. ‖ **2.** Por ext., lastimero, triste.

elegiano, na. adj. ant. **elegíaco.**

elegibilidad. f. Cualidad de elegible. Ú. principalmente para designar la capacidad legal para obtener un cargo por elección.

elegible. (Del lat. *elegibĭlis.*) adj. Que se puede elegir, o tiene capacidad legal para ser elegido.

elegido, da. p. p. de **elegir.** ‖ **2.** m. **predestinado,** escogido por Dios para lograr la gloria.

elegidor. (De *elegir.*) m. ant. **elector.**

elegio, gia. (Del lat. *elegīus.*) adj. ant. **elegíaco.** ‖ **2.** ant. Afligido, acongojado.

elegir. (Del lat. *eligĕre.*) tr. Escoger, preferir a una persona o cosa para un fin. ‖ **2.** Nombrar por elección para un cargo o dignidad.

élego, ga. (Del lat. *elĕgus,* y este del gr. ἔλεγος.) adj. **elegíaco.**

elementado, da. adj. ant. *Fil.* Que se compone o consta de elementos. ‖ **2.** *Col.* y *Chile.* Alelado, distraído.

elemental. adj. Perteneciente o relativo a un elemento. ‖ **2.** Fundamental, primordial. ‖ **3.** Referente a los elementos o principios de una ciencia o arte. *Física* ELEMENTAL. ‖ **4.** Obvio, de fácil comprensión, evidente. *No hablemos más de esto, que es* ELEMENTAL. ‖ **5.** *Fís.* V. **color, corpúsculo elemental.** ‖ **6.** V. **espíritus elementales.**

elementalidad. f. Cualidad de elemental.

elementalmente. adv. m. De manera elemental.

elementar. (De *elemento.*) adj. ant. **elemental.**

elemento. (Del lat. *elementum.*) m. Principio físico o químico que entra en la composición de los cuerpos. ‖ **2. cuerpo simple.** ‖ **3.** En la filosofía natural antigua, cada uno de los cuatro principios inmediatos fundamentales considerados como constitución de los cuerpos: tierra, agua, aire y fuego. ‖ **4.** Fundamento, móvil o parte integrante de una cosa. *La agricultura es el primer* ELEMENTO *de la riqueza de las naciones.* ‖ **5.** Medio en que se desarrolla y habita un ser vivo. ‖ **6.** En una estructura formada por piezas, cada una de estas. ‖ **7.** *Fís.* Conjunto de dos cuerpos heterogéneos que pueden producir una corriente eléctrica. ‖ **8.** Componente de una agrupación humana. *El* ELEMENTO *conservador,* ELEMENTOS *subversivos.* ‖ **9.** Individuo valorado positiva o negativamente para una acción conjunta. *Pedro es uno de los mejores* ELEMENTOS *con que contamos. ¡Menudo* ELEMENTO *es Fulano!* ‖ **10.** fig. y fam. *Chile* y *P. Rico.* Persona de cortos alcances, babieca. ‖ **11.** pl. Fundamentos y primeros principios de las ciencias y artes. ELEMENTOS *de retórica.* ‖ **12.** Fuerzas naturales capaces de alterar las condiciones atmosféricas o climáticas. ‖ **13.** fig. Medios, recursos. ‖ **compositivo.** *Gram.* Morfema no flexivo que interviene en la formación de palabras compuestas, anteponiéndose o posponiéndose a otro. En los encabezamientos de los artículos correspondientes, el presente Diccionario los registra seguidos de guión si inician el compuesto, y precedidos de guión si se posponen a otro u otros morfemas: *auto-, fono-, -fono, grafo-, -grafo.* ‖ **estar** uno **en su elemento.** fr. Hallarse uno en la situación que más se adapta a sus gustos e inclinaciones.

elemí. (Del ár. *al-lāmī,* especie de goma.) m. Resina sólida, amarillenta, de olor a hinojo, que se saca de ciertos árboles tropicales de la familia de las burseráceas y se usa en la composición de varios ungüentos y barnices.

elemósina. (Del lat. *eleemosy̆na,* y este del gr. ἐλεημοσύνη, compasión.) f. ant. **limosna.**

elenco. (Del lat. *elenchus,* y este del gr. ἔλεγχος.) m. Catálogo, índice. ‖ **2.** Nómina de una compañía teatral.

eleotecnia. (Del gr. ἔλαιον, aceite, y *-tecnia.*) f. Arte de fabricar aceites vegetales.

elequeme. m. *Amér. Central.* **bucare,** árbol.

eleto, ta. adj. ant. Pasmado, espantado.

eleusino, na. (Del lat. *Eleusīnus.*) adj. Perteneciente a Eleusis. Dícese sobre todo de los misterios de Ceres que se celebraban en aquella ciudad.

elevación. (Del lat. *elevatĭo, -ōnis.*) f. Acción y efecto de elevar o elevarse. ‖ **2.** Altura, encumbramiento en lo material o en lo moral. ‖ **3.** Acción de alzar el sacerdote en la misa. ‖ **4.** fig. Suspensión, enajenamiento de los sentidos. ‖ **5.** fig. Exaltación a un puesto, empleo o dignidad de consideración. ‖ **6.** p. us. fig. Altivez, presunción, desvanecimiento. ‖ **tirar por elevación.** fr. *Art.* Tirar de modo que, describiendo el proyectil una curva muy elevada, vaya a caer en el punto a que se dirige.

elevadamente. adv. m. Con elevación.

elevado, da. p. p. de **elevar.** ‖ **2.** adj. fig. **sublime.** ‖ **3. alto**[1], levantado a gran altitud. *Cumbres* ELEVADAS.

elevador, ra. (Del lat. *elevātor, -ōris.*) adj. Que eleva. ‖ **2.** *Electr.* Dícese de la máquina eléctrica cuya fuerza electromotriz se suma a la tensión de otra fuerza de energía eléctrica. Ú. t. c. s. ‖ **3.** m. y f. Vehículo destinado a subir, bajar o desplazar, mediante un dispositivo especial, mercancías en almacenes, construcciones, etc. ‖ **4.** m. En varios países americanos, **ascensor.**

elevamiento. (De *elevar.*) m. **elevación.**

elevar. (Del lat. *elevāre.*) tr. Alzar o levantar una cosa. Ú. t. c. prnl. ‖ **2.** fig. **levantar,** impulsar hacia cosas altas. ‖ **3.** fig. **levantar,** esforzar, vigorizar. ‖ **4.** fig. Colocar a uno en un puesto o empleo honorífico, mejorar su condición social o política. ‖ **5.** fig. Tratándose de un escrito o petición, dirigirlos a una autoridad. ‖ **6.** prnl. fig. Transportarse, enajenarse, quedar fuera de sí. ‖ **7.** fig. Envanecerse, engreírse.

elfo. m. En la mitología escandinava, genio, espíritu del aire.

elidir. (Del lat. *elidĕre,* arrancar.) tr. Frustrar, debilitar, desvanecer una cosa. ‖ **2.** *Gram.* Suprimir la vocal con que acaba una palabra cuando la que sigue empieza con otra vocal; como *del* por *de el, al* por *a el.*

eligible. adj. ant. **elegible.**

eligir. tr. ant. **elegir.**

elijable. adj. *Farm.* Que se puede elijar.

elijación. f. *Farm.* Acción y efecto de elijar.

elijan. (3.ª pers. del pl. del imperat. del verbo *elegir.*) m. Uno de los lances de los juegos del monte y de la banca.

elijar. (Del lat. *elixāre,* cocer en agua.) tr. *Farm.* Cocer una sustancia para extraer su jugo.

eliminación. (De *eliminar.*) f. Acción y efecto de eliminar.

eliminador, ra. adj. Que elimina. Ú. t. c. s.

eliminar. (Del lat. *elimināre,* echar del umbral, de casa.) tr. Quitar, separar una cosa; prescindir de ella. ‖ **2.** Alejar, excluir a una o a muchas personas de una agrupación o de un asunto. Ú. t. c. prnl. ‖ **3.** Matar, asesinar. ‖ **4.** *Álg.* Hacer que, por medio del cálculo, desaparezca de un conjunto de ecuaciones con varias incógnitas una de estas. ‖ **5.** *Med.* Expeler el organismo una sustancia.

eliminatorio, ria. adj. Que elimina, que sirve para eliminar. ‖ **2.** f. En campeonatos o concursos, competición selectiva anterior a los cuartos de final.

elipse. (Del lat. *ellipsis,* y este del gr. ἔλλειψις.) f. *Geom.* Curva cerrada, simétrica respecto de dos ejes perpendiculares entre sí, con dos focos, y que resulta de cortar un cono circular por un plano que encuentra a todas las generatrices del mismo lado del vértice.

elipsis. (Del lat. *ellipsis*, y este del gr. ἔλλειψις, falta.) f. *Gram.* Figura de construcción, que consiste en omitir en la oración una o más palabras, necesarias para la recta construcción gramatical, pero no para que resulte claro el sentido. *¿Qué tal?*, por *¿Qué tal te parece?*

elipsógrafo. m. Instrumento para trazar elipses.

elipsoidal. adj. *Geom.* De figura de elipsoide o parecido a él.

elipsoide. (De *elipse* y *-oide*.) m. *Geom.* Sólido limitado en todos sentidos, cuyas secciones planas son todas elipses o círculos. ‖ **de revolución.** *Geom.* Aquel en que todas las secciones perpendiculares a uno de sus ejes son círculos, y puede considerarse como engendrado por la rotación de una elipse alrededor de un diámetro principal.

elípticamente. adv. m. Con elipsis o de manera elíptica.

elíptico, ca. (Del gr. ἐλλειπτικός.) adj. Perteneciente a la elipse. ‖ **2.** De figura de elipse o parecido a ella. ‖ **3.** *Gram.* Perteneciente a la elipsis. *Proposición* ELÍPTICA; *modo* ELÍPTICO. ‖ **4.** *Geom.* V. **paraboloide elíptico.**

elisano, na. (De *Elisana*, nombre ant. de la actual Lucena.) adj. Natural de Lucena. Ú. t. c. s. ‖ **2.** Perteneciente o relativo a esta ciudad de la provincia de Córdoba.

elíseo, a. (Del lat. *elysĭus*, y este del gr. ἠλύσιος.) adj. Perteneciente al Elíseo. ‖ **2.** *Mit.* V. **campos elíseos.** Ú. t. c. s. m.

elisio, sia. adj. **elíseo.**

elisión. (Del lat. *elisĭo, -ōnis.*) f. *Gram.* Acción y efecto de elidir.

elite. (Del fr. *élite.*) f. Minoría selecta o rectora.

elitismo. m. Sistema favorecedor de las elites.

elitista. (De *elite.*) adj. Perteneciente o relativo a la elite o al elitismo. Ú. t. c. s. ‖ **2.** Que se comporta como miembro de una elite, que manifiesta gustos y preferencias opuestos a los del común. ‖ **3.** Partidario de una elite o del predominio de las elites.

élitro. (Del gr. ἔλυτρον, estuche.) m. *Zool.* Cada una de las dos alas anteriores de los ortópteros y coleópteros, las cuales se han endurecido y en muchos casos han quedado convertidas en gruesas láminas córneas, que se yuxtaponen por su borde interno y protegen el par de alas posteriores, que son las únicas aptas para el vuelo.

elixir o **elíxir.** (Del ár. *al-iksir*, medicamento seco, polvo que transmuta los metales, piedra filosofal.) m. **piedra filosofal.** ‖ **2.** Licor compuesto de diferentes sustancias medicinales, disueltas por lo regular en alcohol. ‖ **3.** fig. Medicamento o remedio maravilloso. ‖ **4.** *Alq.* Sustancia esencial de un cuerpo.

elmete. (Del germ. *helm*, a través del fr. ant. *healmet, elmet*, o del cat. *elmet.*) m. ant. **almete.**

-elo, la. (Del lat. *-ellus.*) suf. de sustantivos, que originariamente tenía valor diminutivo: *bastard*ELO.

elocución. (Del lat. *elocutĭo, -ōnis.*) f. Manera de hablar para expresar los conceptos. ‖ **2.** Modo de elegir y distribuir los pensamientos y las palabras en el discurso.

elocuencia. (Del lat. *eloquentĭa.*) f. Facultad de hablar o escribir de modo eficaz para deleitar, conmover o persuadir. ‖ **2.** Eficacia para persuadir o conmover que tienen las palabras, los gestos o ademanes y cualquier otra acción o cosa capaz de dar a entender algo con viveza. *La* ELOCUENCIA *de los hechos, de las cifras.*

elocuente. (Del lat. *elŏquens, -entis.*) adj. Dícese del que habla o escribe con elocuencia, o de aquello que la tiene.

elocuentemente. adv. m. Con elocuencia.

elocutivo, va. adj. Referente o relativo a la elocución.

elogiable. adj. Digno de elogio.

elogiador, ra. adj. Que elogia. Ú. t. c. s.

elogiar. (Del lat. *elogiāre.*) tr. Hacer elogios de una persona o cosa.

elogio. (Del lat. *elogĭum.*) m. Alabanza de las cualidades y méritos de una persona o cosa.

elogioso, sa. adj. Laudatorio, encomiástico.

elogista. m. ant. El que alaba y elogia.

elongación. (Del lat. *elongatĭo, -ōnis.*) f. **alargamiento.** ‖ **2.** *Astron.* Diferencia de longitud entre un planeta y el Sol. ‖ **3.** *Fís.* Alargamiento de una pieza sometida a tracción antes de romperse. ‖ **4.** *Med.* Alargamiento accidental de un miembro o de un nervio. ‖ **5.** *Med.* Lesión producida por ese alargamiento.

eloquio. (Del lat. *eloquĭum.*) m. ant. **habla.**

elote. (Del nahua *elotl.*) m. Mazorca tierna de maíz, que se consume, cocida o asada, como alimento en Méjico y otros países de América Central. ‖ **pagar** uno **los elotes.** fr. fig. y fam. *C. Rica, Guat.* y *Hond.* **pagar** uno **el pato.**

elucidación. (Del lat. *elucidatĭo, -ōnis.*) f. Aclaración, explicación.

elucidar. (Del lat. *elucidāre.*) tr. Poner en claro, dilucidar.

elucidario. (Del b. lat. *elucidarĭum.*) m. Libro que esclarece o explica cosas oscuras o difíciles de entender.

eluctable. (Del lat. *eluctabĭlis.*) adj. Que se puede vencer luchando.

elucubración. (Del lat. *elucubratĭo, -ōnis.*) f. **lucubración.**

elucubrar. (Del lat. *elucubrāre.*) tr. **lucubrar.** Ú. t. c. intr.

eludible. adj. Que se puede eludir.

eludir. (Del lat. *eludĕre.*) tr. Esquivar una dificultad, un problema. ‖ **2.** Evitar algo con astucia o maña.

elusión. f. Acción y efecto de eludir.

elusivo, va. adj. Que elude.

ezelvir. m. **ezelvirio.**

elzeviriano, na. adj. Perteneciente a los Elzevirios. Dícese de las ediciones hechas por estos célebres impresores. También se llaman así las impresiones modernas en que se emplean tipos semejantes a los usados en aquellas obras.

elzevirio. m. Nombre dado a los libros elzevirianos de los siglos XVI y XVII.

elle. f. Nombre de la letra *ll.*

ello. (Del lat. *illud.*) pron. personal de 3.ª pers. Con preposición, empléase también en los casos oblicuos. ‖ **2.** Precedido de algunas formas del verbo *ser* y de ciertos adverbios de tiempo o nombres que lo denoten, tiene la misma significación que «*ella*», en frases como *allí fue* ELLO. ‖ **3.** m. *Psicol.* En el psicoanálisis de Freud, la fuente inconsciente de toda energía psíquica, que contiene la totalidad de los instintos reprimidos y se rige sólo por el principio del placer. ‖ **ello es que.** fr. utilizada para iniciar la explicación de algo mencionado previamente. ‖ **¡a ello!** fr. con que se anima a emprender algo. ‖ **de ello con de ello.** fr. fam. De unas cosas y de otras, de todo. Ú. especialmente con el terciopersonal *haber.*

em-. V. **en-.**

-ema. V. **-ma.**

emaciación. (Del lat. *emaciāre*, debilitar.) f. *Pat.* Adelgazamiento morboso.

emanación. (Del lat. *emanatĭo, -ōnis.*) f. Acción y efecto de emanar. ‖ **2.** **efluvio.**

emanadero. m. ant. Manantial o lugar donde mana alguna cosa.

emanantismo. m. Doctrina panteísta según la cual todas las cosas proceden de Dios por emanación.

emanantista. adj. Perteneciente o relativo al emanantismo. ‖ **2.** Partidario de esa doctrina panteísta. Ú. t. c. s.

emanar. (Del lat. *emanāre.*) intr. Proceder, derivar, traer origen y principio de una cosa de cuya sustancia se participa. ‖ **2.** Desprenderse de los cuerpos las sustancias volátiles. ‖ **3.** tr. Emitir, desprender de sí. *Su persona* EMANA *simpatía.*

emanatismo. m. **emanantismo.**

emanatista. adj. **emanantista.**

emancipación. (Del lat. *emancipatĭo, -ōnis.*) f. Acción y efecto de emancipar o emanciparse.

emancipador, ra. adj. Que emancipa. Ú. t. c. s.

emancipar. (Del lat. *emancipāre.*) tr. Libertar de la patria potestad, de la tutela o de la servidumbre. Ú. t. c. prnl. ‖ **2.** prnl. fig. Liberarse de cualquier clase de subordinación o dependencia.

emasculación. f. Acción y efecto de emascular.

emascular. (Del lat. *emasculāre.*) tr. Castrar, capar.

embabiamiento. (De la fr. *estar en Babia.*) m. fam. Embobamiento, distracción.

embabucar. tr. ant. y dialectal. **embaucar.**

embachar. tr. Meter el ganado lanar en el bache[2].

embadurnador, ra. adj. Que embadurna. Ú. t. c. s.

embadurnar. tr. Untar, embarrar, manchar, pintarrajear. Ú. t. c. prnl.

embaición. f. **embaimiento.**

embaidor, ra. (De *embaír.*) adj. Embaucador, engañador. Ú. t. c. s.

embaimiento. m. Acción y efecto de embaír.

embaír. (Del lat. *invadĕre.*) tr. defect. Ofuscar, embaucar, hacer creer lo que no es. ‖ **2.** ant. Atropellar, maltratar. ‖ **3.** ant. Avergonzar, confundir. ‖ **4.** prnl. *Sal.* Entretenerse en alguna ocupación o diversión.

embajada. (Del occit. *ambaissada.*) f. Mensaje para tratar algún asunto de importancia. Se usa con preferencia refiriéndose a los que se envían recíprocamente los jefes de Estado por medio de sus embajadores. ‖ **2.** Cargo de embajador. ‖ **3.** Residencia del embajador. ‖ **4.** Oficinas del embajador. ‖ **5.** Conjunto de los empleados que el embajador tiene a sus órdenes, y otras personas de su comitiva oficial. ‖ **6.** V. **consejero de embajada.** ‖ **7.** fam. Proposición o exigencia impertinente. Ú. con los verbos *salir* o *venir* seguidos de la prep. *con,* y en frases exclamativas: *¡Brava o linda* EMBAJADA! *¡Vaya una* EMBAJADA!

embajador, ra. (De *embajada.*) m. y f. Agente diplomático de primera clase que representa al Estado, al jefe del Estado y al Gobierno que lo nombra cerca de otro Estado. ‖ **2.** fig. **emisario,** mensajero enviado para indagar o tratar algo. ‖ **3.** m. V. **introductor de embajadores.** ‖ **4.** ant. V. **conductor de embajadores.** ‖ **5.** f. Fuera de usos oficiales, mujer del embajador.

embajatorio, ria. adj. ant. Perteneciente al embajador.

embajatriz. f. ant. **embajadora.**

embajo. adv. l. ant. **debajo.**

embalador, ra. m. y f. Persona que tiene por oficio embalar.

embaladura. f. *Chile* y *Perú.* **embalaje.**

embalaje. m. Acción y efecto de embalar los objetos que han de transportarse. ‖ **2.** Caja o cubierta con que se resguardan los objetos que han de transportarse.

embalar[1]. (De *en-* y *bala,* fardo.) tr. Disponer en balas o colocar convenientemente dentro de cubiertas los objetos que han de transportarse. ‖ **2.** Espantar los peces para que se enmallen o entren en el copo, golpeando el fondo de la barca o la superficie del mar. ‖ **3.** intr. Golpear con tal propósito el fondo de la barca o la superficie del mar.

embalar[2]. (Del fr. *emballer.*) tr. Hacer que adquiera gran velocidad un motor desprovisto de regulación automática, cuando se suprime la carga. Ú. t. c. prnl. ‖ **2.** intr. Hablando de un corredor o un móvil, lanzarse a gran velocidad. Ú. m. c. prnl. ‖ **3.** prnl. fig. Dejarse llevar por un afán, deseo, sentimiento, etc.

embaldosado, da. p. p. de **embaldosar.** ‖ **2.** m. Pavimento solado con baldosas. ‖ **3.** Operación de embaldosar.

embaldosadura. f. **embaldosado,** acción de embaldosar.

embaldosar. tr. Solar con baldosas.

embalo. m. En la pesca, acción y efecto de embalar[1]. ‖ **2.** Cada uno de los distintos objetos empleados en este modo de pesca.

embalsadero. m. Lugar hondo y pantanoso en donde se suelen recoger las aguas llovedizas, o las de los ríos cuando se salen de madre y se rebalsan.

embalsamador, ra. adj. Que embalsama. Ú. t. c. s.

embalsamamiento. m. Acción y efecto de embalsamar.

embalsamar. (De *en-* y *bálsamo.*) tr. Llenar de sustancias balsámicas las cavidades de los cadáveres, como se hacía antiguamente, o inyectar en los vasos ciertos líquidos, o bien emplear otros diversos medios para preservar de la putrefacción los cuerpos muertos. ‖ **2.** Perfumar, aromatizar. Ú. t. c. prnl.

embalsar[1]. tr. Recoger en balsa o embalse. Ú. t. c. prnl. ‖ **2. rebalsar.** Ú. m. c. prnl.

embalsar[2]. tr. *Mar.* Colocar en un balso a una persona o cosa para izarla a un sitio alto donde debe prestar servicio.

embalse. m. Acción y efecto de embalsar[1] o embalsarse. ‖ **2.** Gran depósito que se forma artificialmente, por lo común cerrando la boca de un valle mediante un dique o presa, y en el que se almacenan las aguas de un río o arroyo, a fin de utilizarlas en el riego de terrenos, en el abastecimiento de poblaciones, en la producción de energía eléctrica, etc.

embalumar. (De *en-* y *baluma.*) tr. Cargar u ocupar algo con cosas de mucho bulto, incómodas y embarazosas. ‖ **2.** prnl. fig. Cargarse excesivamente de trabajos embarazosos.

emballenado, da. p. p. de **emballenar.** ‖ **2.** m. Armazón compuesta de ballenas. ‖ **3.** desus. Corpiño de mujer armado con ballenas.

emballenador, ra. m. y f. Persona que tiene por oficio emballenar.

emballenar. (De *en-* y *ballena,* lámina elástica.) tr. Armar o fortalecer una prenda de vestir o de otra clase con ballenas.

emballestado, da. p. p. de **emballestarse.** ‖ **2.** adj. *Veter.* Dícese de la caballería que tiene encorvado hacia delante el menudillo de las manos. ‖ **3.** m. *Veter.* Esta enfermedad.

emballestadura. f. *Méj. Veter.* **emballestado.**

emballestarse. prnl. Ponerse uno a punto de disparar la ballesta. ‖ **2.** *Méj. Veter.* Contraer el emballestado.

embanastar. tr. Meter una cosa en la banasta. ‖ **2.** fig. Meter demasiada gente en un espacio. Ú. t. c. prnl.

embancarse. prnl. *Méj. Metal.* Pegarse a las paredes del horno de una fundición los materiales escoriados, con pérdida de toda la operación. ‖ **2.** *Chile* y *Ecuad.* Cegarse un río, lago, etc., por las tierras de aluvión. ‖ **3.** *Mar.* Varar la embarcación en un banco.

embanderar. tr. Adornar con banderas. Ú. t. c. prnl.

embanquetar. tr. *Méj.* Poner aceras o banquetas en las calles.

embarazadamente. adv. m. Con embarazo.

embarazado, da. p. p. de **embarazar.** ‖ **2.** adj. Dícese de la mujer preñada. Ú. t. c. s. f.

embarazador, ra. adj. Que embaraza.

embarazar. (Del ár. *bāraza,* oponerse, cortar el paso, con el pref. *en-.*) tr. Impedir, estorbar, retardar una cosa. ‖ **2.** Dejar encinta a una mujer. ‖ **3.** prnl. Quedarse embarazada una mujer. ‖ **4.** Quedar impedido con cualquier embarazo.

embarazo. m. Impedimento, dificultad, obstáculo. ‖ **2.** Estado en que se halla la hembra gestante. ‖ **3.** Encogimiento, falta de soltura en los modales o en la acción.
embarazosamente. adv. m. Con embarazo, con dificultad.
embarazoso, sa. adj. Que embaraza e incomoda.
embarbascarse. prnl. **envarbascar.**
embarbecer. (Del lat. *imbarbescĕre.*) intr. Barbar el hombre, salirle la barba.
embarbillado, da. p. p. de **embarbillar.** ‖ **2.** m. *Carp.* Acción y efecto de embarbillar.
embarbillar. (De *en-* y *barbilla.*) tr. *Carp.* Ensamblar en un madero la extremidad de otro inclinado, haciendo respectivamente en ellos los cortes de muesca y barbilla. Ú. t. c. intr.
embarcación. f. **barco.** ‖ **2.** Acción de embarcar personas o de embarcarse. ‖ **menor.** Cualquiera de las de pequeño porte en los puertos, o bote de los del servicio de a bordo.
embarcadero. m. Lugar acondicionado para embarcar mercancías o gente.
embarcador, ra. m. y f. Persona que embarca alguna cosa.
embarcadura. f. ant. **embarco.**
embarcar. (De *en-* y *barco.*) tr. Introducir personas, mercancías, etc., en una embarcación, tren o avión. Ú. t. c. intr. y c. prnl. ‖ **2.** *Mar.* Destinar a alguien a un buque. ‖ **3.** fig. Hacer que uno intervenga en una empresa difícil o arriesgada. *Lo* EMBARCARON *en una aventura.* Ú. t. c. prnl.
embarcinar. tr. *Cuba.* Hacer labor de deshilados.
embarco. m. Acción y efecto de embarcar o embarcarse. ‖ **2.** *Mil.* Ingreso de tropas en un barco o tren, para ser transportadas. ‖ **3.** Embarque de provisiones o mercancías.
embardar. tr. **bardar.**
embarduñar. tr. ant. **embadurnar.**
embargable. adj. *Der.* Que puede ser embargado.
embargado, da. p. p. de **embargar.** ‖ **2.** adj. ant. **ahíto,** con indigestión o pesadez de estómago. ‖ **3.** m. ant. **embargo,** embarazo, impedimento.
embargador, ra. adj. ant. Que estorba o entorpece. ‖ **2.** m. El que embarga o secuestra.
embargamiento. m. ant. **embargo,** embarazo, impedimento.
embargante. p. a. de **embargar.** Que dificulta o impide. ‖ **no embargante.** loc. adv. **sin embargo.**
embargar. (Del lat. vulg. **imbarricāre.*) tr. Dificultar, impedir, detener. ‖ **2.** fig. Suspender, paralizar. Se usa especialmente hablando de los sentidos y potencias del alma. ‖ **3.** *Der.* Retener, en virtud de mandamiento judicial, un bien que queda sujeto a las resultas de un procedimiento o juicio.
embargo. m. ant. Indigestión, empacho del estómago. ‖ **2.** ant. Dificultad, impedimento, obstáculo. ‖ **3.** ant. Daño, incomodidad. ‖ **4.** *Der.* Retención, traba o secuestro de bienes por mandamiento de juez o autoridad competente. ‖ **5.** Prohibición del comercio y transporte de armas u otros efectos útiles para la guerra, decretada por un Gobierno. ‖ **sin embargo.** loc. conjunt. advers. No obstante, sin que sirva de impedimento.
embargoso, sa. adj. ant. **embarazoso.**
embarnecer. intr. ant. **engrosar,** engordar.
embarnecimiento. m. Acción y efecto de embarnecer.
embarnizadura. f. Acción y efecto de embarnizar.
embarnizar. tr. **barnizar.**
embarque. m. Acción de depositar provisiones o mercancías en un barco o tren para ser transportadas. ‖ **2.** Embarco, acción y efecto de embarcar o embarcarse. ‖ **3.** fig. Acción y efecto de obligar a alguien a intervenir en una empresa difícil o arriesgada.
embarrada. f. fam. *Argent.* y *Col.* Patochada. ‖ **2.** *Col.* Desbarro, error manifiesto.
embarradilla. f. *Méj.* Especie de empanadilla de dulce.
embarrado, da. p. p. de **embarrar.** ‖ **2.** m. Revoco de barro o tierra en paredes, muros y tapiales.
embarrador, ra. adj. Que embarra. Ú. t. c. s. ‖ **2.** fig. Enredador, embrollón, embustero. Ú. t. c. s.
embarradura. f. Acción y efecto de embarrar o embarrarse.
embarrancar. (De *en-* y *barranco.*) intr. *Mar.* Varar con violencia encallando el buque en el fondo. Ú. t. c. tr. ‖ **2.** prnl. Atascarse en un barranco o atolladero. ‖ **3.** fig. Atascarse en una dificultad.
embarrar[1]. tr. Untar y cubrir con barro. Ú. t. c. prnl. ‖ **2.** Manchar con barro. Ú. t. c. prnl. ‖ **3.** Embadurnar, manchar con cualquier sustancia viscosa. ‖ **4.** *Áv., Extr., Sal.* y *Zam.* Enjalbegar las paredes. ‖ **5.** *Amér. Central* y *Méj.* Complicar a uno en un asunto sucio. Ú. t. c. prnl. ‖ **6.** fig. *Amér.* Calumniar, desacreditar a alguien. Ú. t. c. prnl. ‖ **7.** *Amér.* Causar daño, fastidiar. Ú. t. c. prnl. ‖ **8.** *Amér.* Cometer un delito. Ú. t. c. prnl.
embarrar[2]. tr. Introducir el extremo de una barra o espeque entre un objeto firme y otro que se quiere mover. ‖ **2.** ant. Acorralar o arrinconar al enemigo. ‖ **3.** prnl. Acogerse las perdices a los árboles, subiéndose a ellos cuando se ven muy perseguidas y hostigadas. Ú. t. c. tr.
embarriado. (De *barrio.*) m. Acción y efecto de embarriar.
embarrialarse. prnl. *Amér. Central* y *Venez.* Embarrarse. ‖ **2.** *Amér. Central.* Atascarse.
embarriar. (De *en-* y *barrio.*) tr. Separar y clasificar envíos de correos por calles, etc.
embarrilador. m. El que está encargado de embarrilar.
embarrilar. tr. Meter y guardar algo en un barril o barriles.
embarrotar. tr. **abarrotar[1].**
embarullador, ra. adj. Que embarulla. Ú. t. c. s.
embarullar. tr. fam. Confundir, mezclar desordenadamente unas cosas con otras. ‖ **2.** fam. Confundir a uno. Ú. t. c. prnl. ‖ **3.** fam. Hacer las cosas atropelladamente, sin orden ni cuidado. Ú. t. c. prnl.
embasamiento. (Del it. *imbasamento.*) m. *Arq.* Basa larga y continuada sobre la que estriba todo el edificio o parte de él.
embastar[1]. (De *en-* y *basta.*) tr. Asegurar con puntadas de hilo fuerte la tela que se ha de bordar, pegándola por las orillas a las tiras de lienzo crudo clavadas en el bastidor, para que la tela esté tirante. ‖ **2.** Poner bastas a los colchones. ‖ **3.** Hilvanar. ‖ **4.** *Extr.* Tapar los huecos de una pared con una mano de cal.
embastar[2]. (De *en-* y *basto.*) tr. Poner bastos a las caballerías.
embastardar. (De *en-* y *bastardo.*) intr. ant. **bastardear.**
embaste. (De *embastar[1].*) m. Acción y efecto de embastar. ‖ **2.** Costura a puntadas largas, hilván.
embastecer. intr. **engrosar,** engordar. ‖ **2.** prnl. Ponerse basto o tosco.
embatada. f. **embate,** golpe de mar o de viento que hace cambiar el rumbo de la nave.
embate. (De *embatirse.*) m. Golpe impetuoso de mar. ‖ **2.** Acometida impetuosa. Ú. t. en sent. fig. ‖ **3.** *Mar.* Viento fresco y suave que reina en el verano a la orilla del mar. ‖ **4.** pl. *Mar.* Vientos periódicos del Mediterráneo después de la canícula.
embatirse. prnl. ant. Embestirse, acometerse.
embaucador, ra. adj. Que embauca. Ú. t. c. s.
embaucamiento. m. Acción y efecto de embaucar.

embaucar. (De *embabucar.*) tr. Engañar, alucinar, prevaliéndose de la inexperiencia o candor del engañado.

embauco. m. ant. **embaucamiento.**

embaulado, da. p. p. de **embaular.** ‖ **2.** adj. fig. Apretado, metido en un espacio reducido y cerrado. EMBAULADO *en un departamento de tercera.*

embaular. tr. Meter dentro de un baúl. ‖ **2.** fig. y fam. Comer con ansia, engullir.

embausamiento. (De *en-* y *bausán.*) m. Abstracción, suspensión.

embazador. (De *embazar*[1].) m. El que embaza o tiñe de color bazo, especialmente las telas.

embazadura[1]**.** (De *embazar*[1].) f. Tintura y colorido de pardo o bazo.

embazadura[2]**.** f. Acción y efecto de embazar[2] o embazarse. ‖ **2.** Asombro, pasmo, admiración.

embazar[1]**.** tr. Teñir de color bazo, de un color algo oscuro.

embazar[2]**.** (De la onomat. *baz, bach,* del chocar con el fango.) tr. Detener o paralizar el fango u otra cosa blanda a una dura. *El barro* EMBAZA *las ruedas; las redes se* EMBAZAN *en el suelo.* ‖ **2.** Atascar o detener una cosa en su acción. Ú. t. c. prnl. *Hay cosas que* EMBAZAN *el estómago. El hastío* EMBAZA *los deseos. Mi lengua se* EMBAZA *ante él.* ‖ **3.** Dejar a uno sin acción, sin sentido y sin espíritu; pasmar, confundir. Ú. t. c. prnl.

embazarse. prnl. En los juegos de naipes, meterse en bazas.

embebecer. (De *embeber.*) tr. Entretener, divertir, embelesar. ‖ **2.** prnl. Quedarse embelesado o pasmado.

embebecidamente. adv. m. Con embebecimiento o embelesamiento, sin advertencia.

embebecimiento. m. Enajenamiento, embelesamiento.

embebedor, ra. adj. Que embebe. Ú. t. c. s.

embeber. (Del lat. *imbibĕre.*) tr. Absorber un cuerpo sólido a otro líquido. *La esponja* EMBEBE *el agua.* ‖ **2.** Empapar, llenar de un líquido una cosa porosa o esponjosa. EMBEBIERON *una esponja en vinagre.* ‖ **3.** Contener, encerrar una cosa dentro de sí a otra. ‖ **4.** fig. Incorporar, incluir una cosa inmaterial dentro de sí a otra. ‖ **5.** Encajar, embutir, meter una cosa dentro de otra. ‖ **6.** Recoger parte de una cosa en ella misma, reduciéndola o acortándola; como cuando se estrecha un vestido o se mete una costura. ‖ **7.** intr. Encogerse, apretarse, tupirse; como el tejido de lino o de lana cuando se moja. ‖ **8.** prnl. fig. Embebecerse, quedarse absorto. ‖ **9.** fig. Instruirse con rigor y profundidad en una doctrina, teoría, etc. ‖ **10.** fig. Entregarse con vivo interés a una tarea, sumergirse en ella. ‖ **11.** *Taurom.* Quedarse el toro parado y con la cabeza alta cuando recibe la estocada.

embebido, da. p. p. de **embeber.** ‖ **2.** adj. *Arq.* V. **columna embebida.**

embecadura. (Del it. *imbeccare,* meter en el pico.) f. *Arq.* **enjuta,** cada uno de los triángulos que deja en un cuadrado el círculo inscrito en él.

embejucar. tr. *Ant., Col., P. Rico* y *Venez.* Cubrir o envolver con bejucos. ‖ **2.** *Col.* Desorientar. ‖ **3.** prnl. *Col.* y *Venez.* Enredarse. ‖ **4.** *Col.* Enfadarse, airarse.

embelecador, ra. adj. Que embeleca. Ú. t. c. s.

embelecamiento. m. Acción y efecto de embelecar.

embelecar. (Del ár. *baliq,* aturdir.) tr. Engañar con artificios y falsas apariencias.

embeleco. m. Embuste, engaño. ‖ **2.** fig. y fam. Persona o cosa fútil, molesta o enfadosa.

embeleñar. (De *en-* y *beleño.*) tr. Adormecer con beleño. ‖ **2.** **embelesar.**

embelequería. f. *Amér.* Embeleco, engañifa.

embelequero, ra. adj. Que usa de embelecos.

embelesamiento. m. **embeleso.**

embelesar. (De *en-* y *belesa.*) tr. Suspender, arrebatar, cautivar los sentidos. Ú. t. c. prnl.

embeleso. m. Efecto de embelesar o embelesarse. ‖ **2.** Cosa que embelesa. *Esta escena es un* EMBELESO. ‖ **3.** *Cuba.* **belesa.**

embelga. f. *Ast.* y *León.* Bancal o era de siembra que se riega de una vez.

embellaquecerse. prnl. Hacerse bellaco.

embellecedor, ra. adj. Que embellece. ‖ **2.** m. Cada una de las molduras cromadas de los automóviles, en especial el tapacubos.

embellecer. tr. Hacer o poner bella a una persona o cosa. Ú. t. c. prnl.

embellecimiento. m. Acción y efecto de embellecer o embellecerse.

embeodar. (De *en-* y *beodo.*) tr. **emborrachar.** Ú. t. c. prnl.

embermejar. (De *en-* y *bermejo.*) tr. **embermejecer.**

embermejecer. tr. Teñir de color bermejo. ‖ **2.** Poner colorado, avergonzar a uno. Ú. m. c. prnl. ‖ **3.** intr. Ponerse una cosa de color bermejo o tirar a él.

embero. (Del pamue *nvero.*) m. Árbol de la familia de las meliáceas, propio del África ecuatorial y apreciado por su madera. ‖ **2.** Madera de este árbol, clasificada entre las nobles y semiduras.

emberrenchinarse. (De *en-* y *berrenchín.*) prnl. fam. **emberrincharse.**

emberrincharse. (De *en-* y *berrinche.*) prnl. fam. Enfadarse demasiado; encolerizarse. Se usa comúnmente hablando de los niños.

embestida. f. Acción y efecto de embestir. ‖ **2.** fig. y fam. Detención inoportuna que se hace a uno para hablar de algún negocio.

embestidor, ra. adj. Que embiste. ‖ **2.** m. fig. y fam. El que pide prestado o limosna fingiendo grandes ahogos y empeños.

embestidura. f. Acción y efecto de embestir.

embestir. (Probablemente del it. *investire,* acometer.) tr. Venir con ímpetu sobre una persona o cosa para apoderarse de ella o causarle daño. Frecuentemente se usa hablando de animales que topan. *El toro* EMBISTIÓ *al torero.* Ú. t. c. intr. *Ese toro no* EMBISTE, y en sent. fig., *El camión* EMBISTIÓ *contra la pared.* ‖ **2.** fig. y fam. Acometer a uno pidiéndole limosna o prestado, o bien para inducirle a alguna cosa. ‖ **3.** *Mar.* Venir un barco contra otro o dar sobre la costa o un bajo, bien de manera intencionada, bien arrastrado por el viento o las aguas. ‖ **4.** *Mil.* Atacar una plaza, una posición, etc. A veces, como tecnicismo antiguo, equivalente a sitiar una plaza o fortaleza.

embetunar. tr. Cubrir una cosa con betún.

embicadura. f. *Mar.* Acción y efecto de embicar.

embicar. (Del gall. o port. *bico,* pico.) tr. *Cuba.* Embocar, acertar a introducir una cosa en un hoyo o cavidad. ‖ **2.** *Cuba* y *Méj.* Empinar el codo, beber. ‖ **3.** *Mar.* Poner una verga en dirección oblicua respecto a la horizontal. Ú. a bordo como señal de luto. ‖ **4.** *Mar.* **orzar.**

embicharse. prnl. *Arg.* Llenarse de larvas de moscas las heridas de los animales.

embijado, da. p. p. de **embijar.** ‖ **2.** adj. *Méj.* Dispar, formado de piezas desiguales. *Baraja* EMBIJADA.

embijar. tr. Pintar o teñir con bija o con bermellón. Ú. t. c. prnl. ‖ **2.** *Hond., Méj.* y *Nicar.* Ensuciar, manchar, embarrar[1].

embije. m. Acción y efecto de embijar.

embizcar. intr. Quedar uno bizco. Ú. t. c. prnl.

emblandecer. tr. **ablandar.** Ú. t. c. prnl. ‖ **2.** prnl. fig. Moverse a condescendencia, enternecerse.

emblanqueado, da. adj. ant. Aplicábase a la moneda de cobre plateada.

emblanquear. tr. ant. **blanquear.**

emblanquecer. tr. **blanquear,** poner blanca una cosa. ‖ **2.** prnl. Ponerse o volverse blanco lo que antes era de otro color.

emblanquecimiento. m. Acción y efecto de emblanquecer o emblanquecerse.

emblanquición. f. ant. **emblanquecimiento.**

emblanquimiento. m. ant. **blanquimiento.**

emblema. (Del lat. *emblēma,* y este del gr. ἔμβλημα, adorno superpuesto.) m. Jeroglífico, símbolo o empresa en que se representa alguna figura, y al pie de la cual se escribe algún verso o lema que declara el concepto o moralidad que encierra. Ú. t. c. f. ‖ **2.** Cualquier cosa que es representación simbólica de otra.

emblemáticamente. adv. m. De manera emblemática; por medio de emblemas.

emblemático, ca. adj. Perteneciente o relativo al emblema, o que lo incluye.

embobamiento. m. Suspensión, embeleso.

embobar. tr. Entretener a uno; tenerlo suspenso y admirado. ‖ **2.** prnl. Quedarse uno suspenso, absorto y admirado

embobecer. tr. Volver bobo, entontecer a uno. Ú. t. c. prnl.

embobecimiento. m. Acción y efecto de embobecer o embobecerse.

embobinar. tr. **bobinar.**

embocadero. m. Portillo o hueco hecho a manera de una boca o canal angosta. ‖ **estar uno al embocadero.** fr. fig. y fam. Estar próximo a conseguir lo que procura o pretende.

embocado, da. adj. Dicho del vino, **abocado.**

embocador. m. ant. **embocadero.**

embocadura. f. Acción y efecto de meter una cosa por una parte estrecha. ‖ **2. boquilla** de un instrumento musical. ‖ **3. bocado** del freno, ‖ **4.** Hablando de vinos, **gusto, sabor.** *Este vino tiene buena* EMBOCADURA. ‖ **5.** Paraje por donde los buques pueden penetrar en los ríos que desaguan en el mar. ‖ **6.** En los teatros, el marco por cuyo hueco se ve la escena cuando el telón se alza y que puede ser doble, teniendo el segundo casi siempre amplitud regulable. ‖ **7.** fig. *Col.* y *Nicar.* **madera,** buena disposición. ‖ **tener buena embocadura.** fr. fig. Tocar uno con suavidad, sin que se perciba el soplido, cualquier instrumento de viento. ‖ **2.** Tratándose del caballo, ser blando de boca. ‖ **tomar la embocadura.** fr. Comenzar a tocar con suavidad y afinación un instrumento de viento. ‖ **2.** fig. y fam. Vencer las primeras dificultades en el aprendizaje o en la ejecución de una cosa.

embocar. tr. Meter por la boca una cosa. *El perro* EMBOCA *el pan que se le arroja al aire.* ‖ **2.** En los antiguos juegos de trucos, argolla, sortija, etc., meter la bola por las troneras o por el aro, o pasar la lanza por el aro de la sortija. ‖ **3.** fig. Hacer creer a uno lo que no es cierto. *Le* EMBOCARON *la noticia.* ‖ **4.** fam. Tragar y comer mucho y deprisa. ‖ **5.** fam. Echar, dirigir a uno algo que no ha de recibir con gusto. *Le* EMBOCÓ *un jarro de agua. Verás la soflama que nos* EMBOCA. ‖ **6.** Comenzar un empeño o negocio. ‖ **7.** *Mús.* Aplicar los labios a la boquilla de un instrumento de viento. ‖ **8.** intr. Entrar por una parte estrecha. Ú. t. c. prnl.

embocinada. f. *Col.* En el juego del tejo, lograr que este quede dentro del bocín tras haber hecho explotar el petardo colocado en sus bordes. ‖ **2.** fig. *Col.* Objetivo plenamente alcanzado.

embocinado, da. adj. **abocinado,** de figura de bocina.

embochinchar. tr. *Amér.* Promover un bochinche, alborotar. Ú. t. c. prnl.

embodegar. tr. Meter y guardar en la bodega una cosa; como vino, aceite, etc.

embojar. tr. Colocar ramas, por lo general de boja, alrededor de los zarzos donde se crían los gusanos de seda.

embojo. m. Acción de embojar. ‖ **2.** Conjunto de ramas, por lo general de boja, que se pone a los gusanos de seda para que hilen.

embolada. f. Cada uno de los movimientos de vaivén que hace el émbolo cuando está funcionando dentro del cilindro.

embolado, da. p. p. de **embolar.** ‖ **2.** m. fig. En el teatro, papel corto y desairado, y por extensión cualquier caso de deslucimiento. ‖ **3.** Toro **embolado,** que lleva bolas en las puntas de los cuernos. ‖ **4.** fam. Problema, situación difícil. ‖ **5.** fig. y fam. Artificio engañoso.

embolador. m. *Col.* **limpiabotas.**

embolar[1]**.** tr. Poner bolas de madera en las puntas de los cuernos del toro para que no pueda herir con ellos.

embolar[2]**.** tr. Dar la postrera mano de bol a la pieza que se ha de dorar. ‖ **2.** Dar bola o betún al calzado.

embolatar. tr. *Col.* y *Pan.* Engañar con mentiras o falsas promesas. ‖ **2.** *Col.* Dilatar, demorar. ‖ **3.** *Col.* y *Pan.* Enredar, enmarañar, embrollar. ‖ **4.** prnl. *Col.* Estar absorbido por un asunto, entretenerse, engolfarse en él. ‖ **5.** *Col.* Perderse, extraviarse. ‖ **6.** *Col.* Alborotarse. ‖ **7.** *Pan.* Entregarse al jolgorio.

embolate. m. Acción y efecto de embolatar o embolatarse.

embolia. (De *émbolo.*) f. *Pat.* Obstrucción ocasionada por un émbolo formado en un vaso sanguíneo, que impide la circulación en otro vaso menor.

embolicar. tr. *Ar.* y *Murc.* Embrollar, enredar.

embolismador, ra. adj. Que embolisma. Ú. t. c. s.

embolismal. (Del lat. *embolismālis.*) adj. V. **año embolismal.**

embolismar. (De *embolismo,* embuste.) tr. fig. y fam. Meter chismes y enredos para indisponer los ánimos. ‖ **2.** *Chile.* Alborotar.

embolismático, ca. adj. Confuso, enredado, ininteligible. Se aplica principalmente al lenguaje.

embolismo. (Del lat. *embolismus,* y este del gr. ἐμβολισμός.) m. Añadidura de ciertos días para igualar el año de una especie con el de otra; como el lunar y el civil con los solares. ‖ **2.** fig. Confusión, enredo, dificultad en un negocio. ‖ **3.** fig. Mezcla y confusión de muchas cosas. ‖ **4.** fig. y fam. Embuste, chisme.

émbolo. (Del lat. *embŏlus,* y este del gr. ἔμβολος.) m. *Mec.* Pieza que se mueve alternativamente en el interior de un cuerpo de bomba o del cilindro de una máquina para enrarecer o comprimir un fluido o recibir de él movimiento. ‖ **2.** *Med.* Coágulo, burbuja de aire u otro cuerpo extraño que, introducido en la circulación, produce la embolia.

embolsamiento. m. Acción y efecto de embolsar o embolsarse.

embolsar. tr. Guardar una cosa en la bolsa. Se usa, por lo común, hablando del dinero. ‖ **2. cobrar,** percibir uno la cantidad que otro le debe. ‖ **3.** p. us. **reembolsar.** Ú. t. c. prnl. ‖ **4.** prnl. Ganar dinero en un negocio, en el juego, etcétera.

embolso. m. Acción y efecto de embolsar.

embonada. f. *Mar.* Acción y efecto de embonar un navío.

embonar. tr. Mejorar o hacer buena una cosa. ‖ **2.** Rebozar, envolver en pan rallado o en harina un alimento para freírlo. ‖ **3.** *And., Cuba, Ecuad.* y *Méj.* Empalmar, unir una cosa con otra. ‖ **4.** *Mar.* Forrar exteriormente con tablones el casco de un buque, para ensanchar su manga y darle más estabilidad.

embono. m. desus. Refuerzo que se echa en la ropa. ‖ **2.** *Mar.* Forro de tablones con que se embona un buque.
emboñigar. tr. Untar o bañar con boñiga.
emboque. m. Paso de la bola por el aro, o de otra cosa por una parte estrecha. ‖ **2.** *Cantabria.* En el juego de bolos, bolo menor que los otros nueve y que tiene un valor convencional. ‖ **3.** fig. y fam. **engaño.** ‖ **4.** *Chile.* **boliche**[1], juguete.
emboquera. f. *Sal.* Cubierta de paja, heno o ramón con que se tapan los sacos de cisco.
emboquillado. adj. Dícese del cigarrillo provisto de **boquilla,** rollito de papel. Ú. t. c. s.
emboquillar. tr. Poner boquillas a los cigarrillos. ‖ **2.** Labrar la boca de un barreno, o preparar la entrada de una galería o de un túnel.
emboriado, da. adj. **neblinoso.**
embornal. (Del cat. *embornal.*) m. *Mar.* **imbornal,** agujero para salida de las aguas.
emborrachacabras. f. Mata de la familia de las coriariáceas, de hojas opuestas o verticiladas, lanceoladas, enteras, con tres nervios y pecíolo corto, flores verdosas en racimos sencillos, frutos pentagonales negros y lustrosos. Sus hojas, ricas en tanino, se utilizan para curtir.
emborrachador, ra. adj. Que emborracha.
emborrachamiento. (De *emborrachar.*) m. **embriaguez.**
emborrachar. tr. Causar embriaguez. ‖ **2.** Atontar, perturbar, adormecer. Ú. t. c. prnl. Se usa hablando de personas y de animales. ‖ **3.** Inundar de combustible líquido una mecha o mechero. ‖ **4.** Empapar en vino, licor o almíbar bizcochos o pasteles, etc. ‖ **5.** prnl. Beber vino u otra bebida alcohólica hasta trastornarse los sentidos y las potencias. ‖ **6.** Mezclarse y confundirse los diversos colores de una tela por efecto del agua o de la humedad.
emborrar. tr. Henchir o llenar de borra una cosa; como las sillas, albardas, etc. ‖ **2.** Dar la segunda carda a la lana, extendiéndola para echarle aceite, y, después de echado, darle otra vuelta para emprimarla. ‖ **3.** fig. y fam. **embocar,** engullir.
emborrascar. tr. Irritar, alterar. Ú. t. c. prnl. ‖ **2.** prnl. Hacerse borrascoso, dicho del tiempo. ‖ **3.** fig. Echarse a perder un negocio. ‖ **4.** *Argent., Hond.* y *Méj.* Tratándose de minas, empobrecerse o perderse la veta.
emborrazamiento. m. Acción y efecto de emborrazar.
emborrazar. tr. Poner albardilla al ave para asarla.
emborricarse. prnl. fam. Quedarse como aturdido, sin saber ir atrás ni adelante. ‖ **2.** fig. y fam. Enamorarse perdidamente.
emborrizar. tr. Dar la primera carda a la lana para hilarla. ‖ **2.** *And.* Dar a los dulces un baño de almíbar o azúcar.
emborronador, ra. adj. Que emborrona.
emborronar. tr. Llenar de borrones o garrapatos un papel. Ú. t. c. prnl. ‖ **2.** fig. Escribir deprisa, desaliñadamente o con poca meditación.
emborrullarse. prnl. fam. Disputar, reñir con vocería y alboroto.
emborucarse. prnl. *Méj.* Confundirse.
emboscada. f. Ocultación de una o varias personas en parte retirada para atacar por sorpresa a otra u otras. Se usa más comúnmente hablando de la guerra. ‖ **2.** fig. Asechanza, maquinación en daño de alguno.
emboscado, da. p. p. de **emboscar.** ‖ **2.** m. El que elude el servicio militar en tiempo de guerra.
emboscadura. f. Acción de emboscar o emboscarse. ‖ **2.** Lugar que sirve para esto.
emboscar. (De *en-* y *bosque.*) tr. *Mil.* Poner encubierta una partida de gente para una operación militar. Ú. t. c. prnl. ‖ **2.** prnl. Entrarse u ocultarse entre el ramaje. ‖ **3.** fig. Escudarse con una ocupación cómoda para mantenerse alejado del cumplimiento de otra. Se usa principalmente hablando del que esquiva sus obligaciones militares en tiempo de guerra.
embosquecer. intr. Hacerse bosque; convertirse en bosque un terreno.
embostar. tr. Abonar una tierra con bosta. ‖ **2.** *R. de la Plata* y *Venez.* Revocar las paredes con una mezcla de estiércol de caballo y tierra. ‖ **3.** *Venez.* Dejar la ropa enjabonada algún tiempo.
embotado, da. p. p. de **embotar.** ‖ **2.** adj. *Chile.* **botinero**[2], dicho de la res vacuna.
embotador, ra. adj. Que embota. ‖ **2.** m. p. us. El que embota los filos de las armas de corte.
embotadura. f. Efecto de embotar las armas cortantes.
embotamiento. m. Acción y efecto de embotar o embotarse.
embotar[1]**.** (De *en-* y *boto.*) tr. Hacer romos filos y puntas de las armas y otros instrumentos cortantes. Ú. m. c. prnl. ‖ **2.** fig. Enervar, debilitar, hacer menos activa y eficaz una cosa.
embotar[2]**.** tr. Poner una cosa dentro de un bote. Se usa más comúnmente hablando del tabaco.
embotarse. prnl. fam. Ponerse botas.
embotellado, da. p. p. de **embotellar.** ‖ **2.** adj. fig. Dícese del discurso, poesía, proposición, etc., que en vez de improvisarse, se ha preparado en previsión del caso. ‖ **3.** fig. Dícese de la lección o materia aprendida a conciencia. ‖ **4.** m. Acción de embotellar los vinos u otros productos.
embotellador, ra. adj. Que embotella. ‖ **2.** m. y f. Persona que tiene por oficio embotellar. ‖ **3.** f. Máquina que sirve para embotellar.
embotellamiento. m. Acción y efecto de embotellar. ‖ **2.** Congestión de vehículos.
embotellar. tr. Meter el vino u otro líquido o producto en botellas. ‖ **2.** fig. Detener en el surgidero naves enemigas, obstruyendo o impidiendo su salida al mar. ‖ **3.** fig. Acorralar a una persona. ‖ **4.** fig. Inmovilizar un negocio, una mercancía, etc. ‖ **5.** prnl. fig. Aprender de memoria un discurso, una lección, etc. ‖ **6.** fig. Entorpecerse el tráfico por un exceso de vehículos.
emboticar. (De *en-* y *botica.*) tr. ant. **almacenar,** poner o guardar en almacén. ‖ **2.** *Cuen.* y *Chile.* Medicinar, jaropar. Ú. t. c. prnl.
embotijar. tr. Echar y guardar algo en botijos o botijas. ‖ **2.** Colocar en el suelo una tongada de botijas antes de embaldosar una habitación donde es de temer la humedad. ‖ **3.** prnl. fig. y fam. Hincharse, inflarse. ‖ **4.** fig. y fam. Enojarse, encolerizarse, indignarse.
embotir. (De *en-* y *boto*[2]*.*) tr. ant. Embutir.
embovedado. p. p. de **embovedar.** ‖ **2.** adj. En forma de bóveda. Ú. t. c. s.
embovedar. tr. **abovedar,** cubrir con bóveda. ‖ **2.** Poner o encerrar alguna cosa en una bóveda.
emboza. f. Entre toneleros y boteros de Andalucía, desigualdad con que se suelen viciar los fondos de los toneles y botas.
embozadamente. adv. m. fig. Encubiertamente.
embozalar. tr. Poner el bozal a los perros, a las caballerías, a las vacas, etc.
embozar. tr. Cubrir el rostro por la parte inferior hasta las narices o los ojos. Ú. m. c. prnl. ‖ **2.** fig. Disfrazar, ocultar con palabras o con acciones una cosa para que no se entienda fácilmente. ‖ **3.** ant. fig. Contener, refrenar. ‖ **4.** *Ar.* Obstruir un conducto.
embozo. m. Parte de la capa, banda u otra cosa con que uno se cubre el rostro. ‖ **2.** Cada una de las tiras de lana, seda u otra tela con que se guarnecen interiormente desde el cuello abajo los lados de la capa. Ú. m. en pl. ‖ **3.** Do-

blez de la sábana de la cama por la parte que toca al rostro. ‖ **4.** En algunas provincias, modo de taparse de medio ojo las mujeres. ‖ **5.** fig. Recato artificioso con que se dice o hace alguna cosa. ‖ **quitarse** uno **el embozo.** fr. fig. y fam. Descubrir y manifestar la intención que antes ocultaba.

embracilado, da. p. p. de **embracilar.** ‖ **2.** adj. fam. Aplícase a los niños cuyas madres u otras personas los traen continuamente en brazos.

embracilar. (De *en-* y *bracil.*) tr. *And.* y *Sal.* Llevar en brazos. Ú. t. c. intr.

embragar. tr. Abrazar un fardo, piedra, etc., con bragas o briagas. ‖ **2.** Hacer que un eje participe del movimiento de otro por medio de un mecanismo adecuado.

embrague. m. Acción de embragar. ‖ **2.** Mecanismo dispuesto para que un eje participe o no, a voluntad o automáticamente, del movimiento de otro. ‖ **3.** Pedal con que se acciona dicho mecanismo, cuando no es automático.

embrasar. tr. ant. **abrasar.**

embravar. tr. ant. **embravecer.** Usáb. t. c. prnl.

embravecer. tr. Irritar, enfurecer, especialmente hablando del mar o del viento. Ú. t. c. prnl. ‖ **2.** fig. Rehacerse y robustecerse las plantas.

embravecimiento. m. Acción y efecto de embravecer o embravecerse. ‖ **2.** Irritación, furor.

embrazadura. f. Acción y efecto de embrazar. ‖ **2.** Asa por donde se toma y embraza el escudo, pavés, etc.

embrazar. tr. Meter el brazo por la embrazadura del escudo, rodela, adarga, etc., para cubrir y defender el cuerpo. ‖ **2.** ant. **abrazar.**

embreado, da. p. p. de **embrear.** ‖ **2.** adj. V. **camisa embreada.** ‖ **3.** m. Acción y efecto de embrear.

embreadura. f. Acción y efecto de embrear.

embrear. tr. Untar con brea.

embregarse. prnl. Meterse en bregas y cuestiones.

embreñarse. prnl. Meterse entre breñas.

embriagador, ra. adj. Que embriaga.

embriagar. (De *embriago.*) tr. Causar embriaguez. ‖ **2.** Atontar, perturbar, adormecer. Ú. t. c. prnl. ‖ **3.** fig. Enajenar, transportar. Ú. t. c. prnl. ‖ **4.** prnl. Perder el dominio de sí por beber en exceso vino o licor.

embriago, ga. (Del lat. *ebriăcus,* ebrio.) adj. p. us. **ebrio.**

embriaguez. f. Turbación pasajera de las potencias, exceso con que se ha bebido vino o licor. ‖ **2.** Por ext., estado producido por una intoxicación de gas, benzol, etc. ‖ **3.** fig. Enajenamiento del ánimo.

embribar. (De *en-* y *briba.*) tr. *Sal.* Convidar a comer.

embridar. tr. Poner la brida a las caballerías. ‖ **2.** Hacer que los caballos lleven y muevan bien la cabeza. ‖ **3.** Poner brida o bridas a los tubos. ‖ **4.** fig. Someter, sujetar, refrenar.

embriogenia. (Del gr. ἔμβρυον, embrión, y *-genia.*) f. *Biol.* Formación y desarrollo del embrión.

embriogénico, ca. adj. Relativo a la embriogenia.

embriología. (Del gr. ἔμβρυον, embrión, y *-logia.*) f. *Biol.* Ciencia que estudia la formación y el desarrollo de los embriones.

embriológico, ca. adj. Perteneciente o relativo a la embriología.

embriólogo, ga. m. y f. Especialista en embriología.

embrión. (Del gr. ἔμβρυον.) m. *Biol.* Germen o rudimento de un ser vivo, desde que comienza el desarrollo del huevo o de la espora hasta que el organismo adquiere la forma característica de la larva o del individuo adulto y la capacidad para llevar vida libre. ‖ **2.** En la especie humana, producto de la concepción hasta fines del tercer mes del embarazo. ‖ **3.** En las plantas fanerógamas el esbozo de la futura planta, contenido en la semilla. ‖ **4.** fig. Principio, informe todavía, de una cosa.

embrionario, ria. adj. Perteneciente o relativo al embrión. *Estado* EMBRIONARIO.

embrisar. tr. *Mancha.* Echar al vino brisa u orujo de calidad distinta para darle sabor.

embroca. (Del lat. *embrŏcha,* y este del gr. ἐμβροχή, loción.) f. *Farm.* Cataplasma o puchada.

embrocación. f. *Farm.* **embroca.** ‖ **2.** *Med.* Acción de derramar lentamente, y como si se regara, un líquido sobre una parte enferma.

embrocado, da. p. p. de **embrocar**[1]. ‖ **2.** adj. fam. **borracho.**

embrocar[1]. tr. Vaciar una vasija en otra, volviéndola boca abajo. ‖ **2.** *Sal., Hond.* y *Méj.* Poner boca abajo una vasija o un plato, y por extensión, cualquier otra cosa. Ú. t. c. prnl. ‖ **3.** *Sal.* Dejar caer alguna cosa.

embrocar[2]. tr. Devanar los bordadores en la broca los hilos y torzales con que han de bordar. ‖ **2.** Asegurar los zapateros con brocas las suelas para hacer zapatos. ‖ **3.** *Taurom.* Coger el toro al lidiador entre las astas.

embrochado, da. adj. p. us. **brochado.**

embrochalar. tr. *Arq.* Sostener las vigas que no pueden cargar en la pared con un madero o brochal atravesado o con una barra de hierro.

embrolla. f. fam. **embrollo.**

embrolladamente. adv. m. Con embrollo.

embrollador, ra. adj. Que embrolla. Ú. t. c. s.

embrollar. (Del fr. *embrouiller.*) tr. Enredar, confundir las cosas. Ú. t. c. prnl. ‖ **2.** *Chile* y *Urug.* Apropiarse de algo mediante engaño.

embrollo. m. Enredo, confusión, maraña. ‖ **2. embuste,** mentira disfrazada con artificio. ‖ **3.** fig. Situación embarazosa; conflicto del cual no se sabe cómo salir.

embrollón, na. adj. fam. **embrollador.** Ú. t. c. s.

embrolloso, sa. adj. fam. Que causa embrollo.

embromador, ra. adj. Que embroma. Ú. t. c. s.

embromar. tr. Meter broma y gresca. ‖ **2.** Engañar a uno con faramalla y trapacerías. ‖ **3.** Usar chanzas y bromas con uno por diversión. ‖ **4.** *Chile, Méj.* y *Perú.* Detener, hacer perder el tiempo. Ú. t. c. prnl. ‖ **5.** *Argent., Col., Cuba, Chile, Méj., Perú, P. Rico, Sto. Dom.* y *Urug.* Fastidiar, molestar. ‖ **6.** *Argent., Chile, P. Rico, Sto. Dom.* y *Urug.* Perjudicar, ocasionar un daño moral o material. Ú. t. c. prnl.

embroncarse. prnl. fam. *Argent.* Enojarse, enfadarse, airarse.

embroquelarse. prnl. **abroquelarse.**

embroquetar. tr. Sujetar con broquetas las piernas de las aves para asarlas.

embrosquilar. (De *en-* y *brosquil.*) tr. *Ar.* Meter el ganado en el redil.

embrujador, ra. adj. Que embruja.

embrujamiento. m. Acción y efecto de embrujar.

embrujar. tr. Hechizar, trastornar a uno el juicio o la salud con prácticas supersticiosas.

embrujo. m. Acción y efecto de embrujar, hechizo. ‖ **2.** Fascinación, atracción misteriosa y oculta.

embrutecedor, ra. adj. Que embrutece.

embrutecer. (De *en-, bruto* y *-ecer.*) tr. Entorpecer y casi privar a uno del uso de la razón. Ú. t. c. prnl.

embrutecimiento. m. Acción y efecto de embrutecer o embrutecerse.

embuchado, da. p. p. de **embuchar.** ‖ **2.** m. Tripa rellena con carne de puerco picada, y que, según su tamaño y el aderezo que lleva, recibe varios nombres que la particularizan; como longaniza, salchicha, etc. ‖ **3.** Tripa con otra clase de relleno, y especialmente de lomo de cerdo. ‖ **4.** fig. y fam. Moneda o monedas que se ocultan entre otras de menos valor cuando se hacen posturas al juego. ‖ **5.** fig. Asunto o negocio revestido de una apariencia engañosa para ocultar algo de más gravedad e importancia que se quiere hacer pasar inadvertido. ‖ **6.** fig. y fam. Entripado o enojo disimulado. ‖ **7.** fig. Introducción fraudulenta de votos en una urna electoral. ‖ **8.** fig. **morcilla** que introduce un cómico en su papel. ‖ **9.** *Cuba.* Enfermedad de las aves producida por engullir demasiado en malas condiciones.

embuchador, ra. m. y f. Persona que, en las imprentas, tiene como oficio embuchar hojas y cuadernillos.

embuchar. tr. Embutir carne picada en un buche o tripa de animal. ‖ **2.** Introducir comida en el buche de una ave, para que se alimente. ‖ **3.** fam. Comer mucho, deprisa y casi sin mascar. ‖ **4.** *Impr.* Colocar hojas o cuadernillos impresos dentro de otros.

embudador, ra. m. y f. Persona que sostiene el embudo para llenar las vasijas.

embudar. tr. Poner el embudo en la boca del pellejo u otro recipiente para introducir con facilidad un líquido. ‖ **2.** fig. Hacer embudos, trampas y enredos. ‖ **3.** *Mont.* Hacer entrar la caza en lugar cercado, que se estrecha gradualmente, para que vaya al sitio de espera.

embudista. adj. fig. Que hace embudos o enredos. Ú. t. c. s.

embudo. (Del lat. [*traiectorĭum*] *imbūtum,* [conducto] lleno de líquido.) m. Instrumento hueco, ancho por arriba y estrecho por abajo, en figura de cono y rematado en un canuto, que sirve para transvasar líquidos. ‖ **2.** Oquedad grande producida en la tierra por una fuerte explosión. ‖ **3.** Depresión, excavación o agujero cuya forma se asemeja al utensilio del mismo nombre o a su corte longitudinal. ‖ **4.** fig. Trampa, engaño, enredo. ‖ **5.** fig. V. **flor, ley del embudo.**

embullador, ra. adj. Que embulla. Ú. t. c. s.

embullar. (De *en-* y *bulla.*) tr. Animar a uno para que tome parte en una diversión bulliciosa. Ú. t. c. prnl. ‖ **2.** intr. *Col.* y *C. Rica.* Meter bulla, alborotar.

embullo. (De *embullar.*) m. *Cuba* y *P. Rico.* Bulla, broma, jarana.

embuñegar. (Del cat. *embunyegar.*) tr. *Ar.* Enmarañar, enredar. Ú. t. c. prnl.

emburriar. tr. *Ast., Burg., Cantabria, León, Pal.* y *Zam.* **empujar.**

emburujar. (De *en-* y *burujo.*) tr. fam. Aborujar, hacer que en una cosa se formen burujos. ‖ **2.** fig. Amontonar y mezclar confusamente unas cosas con otras. ‖ **3.** prnl. *Col., Méj., P. Rico* y *Venez.* Arrebujarse, cubrirse bien el cuerpo.

embuste. m. Mentira disfrazada con artificio. ‖ **2.** pl. Baratijas, dijes y otras alhajitas curiosas, pero de poco valor.

embustear. intr. Utilizar frecuentemente embustes y engaños.

embustería. f. fam. Artificio para engañar. ‖ **2.** fam. **engaño,** falta de verdad.

embustero, ra. adj. Que dice embustes. Ú. t. c. s.

embustidor, ra. adj. p. us. **mentiroso.**

embustir. intr. p. us. Decir embustes.

embutar. tr. *Ast., Burg., Cantabria* y *Nav.* Empujar.

embutición. f. Fabricación mecánica de piezas de diferentes formas embutiendo chapas metálicas.

embutidera. f. Tejo de hierro con un hueco en una de sus caras, donde entran las cabezas de los clavos cuando los remachan los caldereros.

embutido, da. p. p. de **embutir.** ‖ **2.** adj. V. **pintura embutida.** ‖ **3.** m. Acción y efecto de embutir. ‖ **4.** Obra de madera, marfil, piedra o metal, que se hace encajando y ajustando unas piezas en otras de la misma o diversa materia, pero de distinto color, de lo que resultan varias labores y figuras. ‖ **5.** Tripa rellena con carne picada, principalmente de cerdo. ‖ **6.** Tripa con otra clase de relleno. ‖ **7.** ant. Cierta clase de tafetán. ‖ **8.** *Amér.* Entredós de bordado o de encaje. ‖ **9.** *Mec.* **embutición.**

embutidor, ra. m. y f. Persona, industria o máquina dedicada a embutir.

embutir. (De *embotir.*) tr. Hacer embutidos. ‖ **2.** Llenar, meter una cosa dentro de otra y apretarla. ‖ **3.** Dar a una chapa metálica la forma de un molde o matriz prensándola o golpeándola sobre ellos. ‖ **4.** fig. Incluir, colocar una cosa dentro de otra. Ú. t. c. prnl. ‖ **5.** ant. fig. Injerir, mezclar unas cosas con otras. ‖ **6.** fig. Imbuir, instruir. ‖ **7.** fig. y fam. **embocar,** engullir. Ú. t. c. prnl.

eme. f. Nombre de la letra *m.* ‖ **mandar,** o **enviar,** a una persona o cosa **a la eme.** fr. fig. y fam. de desprecio, en que **eme** es un eufemismo de mierda.

emelga. f. **amelga.**

emenagogo. (Del gr. ἔμμενα, menstruos, y ἀγωγός, que conduce.) adj. *Farm.* Dícese de todo remedio que provoca la regla o evacuación menstrual de las mujeres. Ú. t. c. s.

emenda. (De *emendar.*) f. ant. **enmienda.**

emendable. (Del lat. *emendabĭlis.*) adj. ant. **enmendable.**

emendación. (Del lat. *emendatĭo, -ōnis.*) f. ant. Acción y efecto de emendar o emendarse.

emendador. (Del lat. *emendātor, -ōris.*) m. ant. El que enmienda.

emendadura. (De *emendar.*) f. ant. **enmienda.**

emendamiento. m. ant. **emendadura.**

emendar. (Del lat. *emendāre.*) tr. ant. **enmendar.** Ú. t. c. prnl.

ementar. tr. ant. **mentar.**

emergencia. (Del lat. *emergens, -entis,* emergente.) f. Acción y efecto de emerger. ‖ **2.** Suceso, accidente que sobreviene.

emergente. p. a. de **emerger.** Que emerge. ‖ **2.** adj. Que nace, sale y tiene principio de otra cosa. ‖ **3.** V. **año emergente.** ‖ **4.** *Der.* V. **daño emergente.**

emerger. (Del lat. *emergĕre.*) intr. Brotar, salir del agua u otro líquido.

emeritense. (Del lat. *Emeritensis.*) adj. Natural de Mérida. Ú. t. c. s. ‖ **2.** Perteneciente o relativo a esta ciudad.

emérito, ta. (Del lat. *emerĭtus.*) adj. Aplícase a la persona que se ha retirado de un empleo o cargo y disfruta algún premio por sus buenos servicios. ‖ **2.** Dícese especialmente del soldado cumplido de la Roma antigua, que disfrutaba la recompensa debida a sus méritos.

emersión. (Del lat. *emersĭo, -ōnis.*) f. *Astron.* Salida de un astro por detrás del cuerpo de otro que lo ocultaba, o de su sombra.

emético, ca. (Del lat. *emetĭcus,* y este del gr. ἐμετικός, vomitivo.) adj. *Med.* **vomitivo.** Ú. t. c. s. ‖ **2.** m. *Quím.* Tartrato de potasa y de antimonio.

emetina. (Del gr. ἐμετικός, vomitivo.) f. *Farm.* Alcaloide de la ipecacuana.

emídido. (Del lat. *emys, emȳdis,* y este del gr. ἐμύς, -ύδος, tortuga de agua dulce, e *-ido.*) adj. *Zool.* Dícese de reptiles quelonios que viven en las aguas dulces, buenos nadadores, con el espaldar deprimido, cabeza y extremidades retráctiles, dedos terminados en uña y unidos entre sí por una membrana; como el galápago. Ú. t. c. s. m. ‖ **2.** m. pl. *Zool.* Familia de estos animales.

emidosaurio. (Del gr. ἐμύς, -ύδος, tortuga de agua dulce, y σαῦρος, lagarto.) adj. *Zool.* Dícese de los reptiles que, como el caimán y el cocodrilo, se asemejan mucho por su aspecto a los saurios, de los cuales se distinguen por su mayor tamaño, por estar cubierto su dorso por grandes escamas óseas y por tener los dedos unidos entre sí mediante una membrana. Viven en los ríos de países cálidos o en las inmediaciones de aquellos; son zoófagos, buenos nadadores y temibles por su fuerza y voracidad. Ú. t. c. s. ‖ **2.** m. pl. *Zool.* Orden de estos animales.

emienda. (De *emendar.*) f. ant. **enmienda.** ‖ **2.** m. ant. En la orden de Santiago, caballero que hacía las veces de un trece por ausencia de este.

emiente. f. ant. **enmiente.**

emigración. (Del lat. *emigratĭo, -ōnis.*) f. Acción y efecto de emigrar. ‖ **2.** Conjunto de habitantes de un país que trasladan su domicilio a otro por tiempo ilimitado, o, en ocasiones, temporalmente. ‖ **golondrina.** Aquella en que el emigrante no va a establecerse en otro país, sino a realizar en él ciertos trabajos, y después vuelve a su patria.

emigrado, da. p. p. de **emigrar.** ‖ **2.** adj. Dícese de la persona que reside fuera de su patria, sobre todo de la obligada a ello generalmente por circunstancias políticas. Ú. t. c. s.

emigrante. p. a. de **emigrar.** Que emigra. Ú. t. c. s. ‖ **2.** adj. El que se traslada de su propio país a otro, generalmente con el fin de trabajar en él de manera estable o temporal. Ú. t. c. s.

emigrar. (Del lat. *emigrāre.*) intr. Dejar o abandonar una persona, familia o pueblo su propio país con ánimo de establecerse en otro extranjero. ‖ **2.** Ausentarse temporalmente del propio país para hacer en otro determinadas faenas. ‖ **3.** Por ext., abandonar la residencia habitual dentro del propio país, en busca de mejores medios de vida. ‖ **4.** Cambiar periódicamente de clima o localidad algunas especies animales, por exigencias de la alimentación o de la reproducción.

emigratorio, ria. adj. Perteneciente o relativo a la emigración.

eminencia. (Del lat. *eminentĭa.*) f. Altura o elevación del terreno. ‖ **2.** fig. Excelencia o sublimidad de ingenio, virtud u otra dote del alma. ‖ **3.** Título de honor que se da a los cardenales de la Santa Iglesia Romana y al gran maestre de la orden de Malta. ‖ **4.** Persona eminente en su línea. ‖ **5.** Elevación o prominencia que presenta la superficie de un órgano o de una región anatómica cualquiera. ‖ **gris.** Denominación aplicada al padre Joseph, consejero privado del cardenal Richelieu. ‖ **2.** Por ext., consejero que, de manera poco ostensible, inspira las decisiones de un personaje, de una corporación o de un partido. ‖ **3.** Personaje carente de cualidades sobresalientes. ‖ **con eminencia.** loc. adv. *Fil.* Virtual o potencialmente.

eminencial. (De *eminencia.*) adj. *Fil.* Aplícase a la virtud o poder que puede producir un efecto, no por conexión formal con él, sino por una virtud superior que lo abraza con excelencia.

eminencialmente. adv. m. Con superioridad, con eminencia.

eminente. (Del lat. *emĭnens, -entis.*) adj. Alto, elevado, que descuella entre los demás. ‖ **2.** V. **dominio eminente.** ‖ **3.** fig. Que sobresale y aventaja en mérito, precio, extensión u otra cualidad.

eminentemente. adv. m. Excelentemente, con mucha perfección. ‖ **2.** *Fil.* **con eminencia.**

eminentísimo, ma. adj. Aplícase como dictado o título a los cardenales de la Santa Iglesia Romana y al gran maestre de la orden de Malta.

emir. (De *amir.*) m. Príncipe o caudillo árabe.

emirato. m. Dignidad o cargo de emir. ‖ **2.** Tiempo que dura el gobierno de un emir. ‖ **3.** Territorio gobernado por un emir.

emisario, ria. (Del lat. *emissarĭus.*) m. y f. Mensajero que se envía para indagar lo que se desea saber, para comunicar a alguien una cosa, o para concertarse en secreto con tercera o terceras personas. ‖ **2.** m. desus. Desaguadero o conducto para dar salida a las aguas de un estanque o de un lago.

emisión. (Del lat. *emissĭo, -ōnis.*) f. Acción y efecto de emitir. ‖ **2.** Conjunto de títulos o valores, efectos públicos, de comercio o bancarios, que de una vez se ponen en circulación. ‖ **sanguínea. sangría,** acción y efecto de sangrar.

emisividad. f. Capacidad de un material para emitir energía radiante.

emisor, ra. (Del lat. *emissor, -ōris.*) adj. Que emite. Ú. t. c. s. ‖ **2.** m. y f. Persona que enuncia el mensaje en un acto de comunicación. ‖ **3.** m. *Electr.* Aparato productor de las ondas hertzianas en la estación de origen. ‖ **4.** f. Esta misma estación.

emitir. (Del lat. *emittĕre.*) tr. Arrojar, exhalar o echar hacia fuera una cosa. ‖ **2.** Producir y poner en circulación papel moneda, títulos o valores, efectos públicos, etc. ‖ **3.** Tratándose de juicios, dictámenes, opiniones, etc., darlos, manifestarlos por escrito o de viva voz. ‖ **4.** Lanzar ondas hertzianas para hacer oír señales, noticias, música, etc.

emoción. (Del lat. *emotĭo, -ōnis.*) f. Estado de ánimo producido por impresiones de los sentidos, ideas o recuerdos que con frecuencia se traduce en gestos, actitudes u otras formas de expresión.

emocionable. adj. Emotivo, muy sensible a las emociones.

emocional. adj. Perteneciente o relativo a la emoción.

emocionar. tr. Conmover el ánimo, causar emoción. Ú. t. c. prnl.

emoliente. (Del lat. *emollĭens, -entis,* que ablanda.) adj. *Med.* Dícese del medicamento que sirve para ablandar una dureza o tumor. Ú. t. c. s. m.

emolir. (Del lat. *emollīre,* ablandar.) tr. defect. desus. *Med.* **ablandar.**

emolumento. (Del lat. *emolumentum,* utilidad, retribución.) m. Remuneración adicional que corresponde a un cargo o empleo. Ú. m. en pl.

emotividad. f. Cualidad de emotivo.

emotivo, va. adj. Relativo a la emoción. ‖ **2.** Que produce emoción. ‖ **3.** Sensible a las emociones.

empacador, ra. adj. Que empaca. ‖ **2.** f. Máquina para empacar.

empacamiento. m. *Amér.* Acción y efecto de empacar o empacarse.

empacar. (De *en-* y *paca,* fardo.) tr. Empaquetar, encajonar. ‖ **2.** intr. *Amér.* Hacer el equipaje. Ú. t. c. tr.

empacarse. (De *en-* y *paco*[1], por la obstinación con que se planta este animal.) prnl. **emperrarse.** ‖ **2. obstinarse.** ‖ **3.** fig. Turbarse, cortarse, amostazarse, retrayéndose de seguir haciendo aquello que se estaba ejecutando. ‖ **4.** *Amér.* Plantarse una bestia.

empacón, na. adj. rur. *Argent.* y *Perú.* Dícese de la bestia que se planta con frecuencia. ‖ **2.** *N. Argent.* Por ext., dícese de la persona terca.

empachadamente. adv. m. Con estorbo, embarazo o impedimento.

empachado, da. p. p. de **empachar.** ‖ **2.** adj. Desmañado y corto de genio.

empachador, ra. adj. ant. Que molesta o estorba. Usáb. t. c. s.

empachamiento. m. ant. **empacho.**

empachar. (Del fr. *empêcher,* impedir.) tr. Estorbar, molestar. Ú. t. c. prnl. ‖ **2.** Ahitar, causar indigestión. Ú. m. c. prnl. ‖ **3.** Disfrazar, encubrir. ‖ **4.** prnl. Avergonzarse, cortarse, turbarse.

empacho. m. Cortedad, vergüenza, turbación. ‖ **2.** Dificultad, estorbo. ‖ **3.** Indigestión de la comida. ‖ **de estómago. empacho** de la comida.

empachoso, sa. adj. Que causa empacho. ‖ **2. vergonzoso,** que se avergüenza con facilidad.

empadrarse. prnl. Encariñarse con exceso el niño con su padre o sus padres.

empadronador, ra. m. y f. Persona que forma los padrones o libros de asiento para los tributos y otros fines.

empadronamiento. m. Acción y efecto de empadronar o empadronarse. ‖ **2. padrón,** lista que se hace de vecinos o moradores de una población.

empadronar. tr. Asentar o escribir a uno en el padrón o libro de los moradores de un pueblo, ya para la policía y gobierno del mismo, ya para el pago de tributos u otro fin análogo. Ú. t. c. prnl. ‖ **2.** prnl. ant. Apoderarse, enseñorearse de una cosa.

empajada. f. Pajada para las caballerías.

empajar. tr. Cubrir o rellenar con paja. ‖ **2.** *Col., Chile, Ecuad.* y *Nicar.* Techar de paja. ‖ **3.** *Chile.* Mezclar con paja. Se usa generalmente hablando del barro que se prepara para hacer adobes. ‖ **4.** prnl. *Chile.* Echar los cereales mucha paja y poco fruto. ‖ **5.** *Can., P. Rico.* y *Venez.* Hartarse, llenarse de comida sin sustancia.

empaje. m. *Col.* Techo de una casa hecho de paja.

empajolar. tr. Sahumar con una pajuela las botas y tinajas de vino después de lavadas.

empalagamiento. m. **empalago.**

empalagar. (De *piélago,* gran remanso de agua.) tr. Encharcar un terreno o formar en él un remanso grande de agua. Ú. m. c. prnl. ‖ **2.** Dejar sin movimiento a un molino un remanso grande de agua. Ú. m. c. prnl. ‖ **3.** *And.* Inundar el agua una galería de mina. ‖ **4.** *And.* Azolvar la suciedad un caño. ‖ **5.** Molestar en el conducto digestivo un alimento indigesto. ‖ **6.** Fastidiar, causar hastío una comida principalmente si es dulce. Ú. t. c. prnl. ‖ **7.** fig. Causar hastío una cosa física distinta de una comida, o una cosa moral.

empalago. m. Acción y efecto de empalagar o empalagarse.

empalagoso, sa. adj. Dícese del alimento que empalaga. ‖ **2.** fig. Dícese de la persona que causa fastidio por su zalamería y afectación. Ú. t. c. s.

empalamiento. m. Acción y efecto de **empalar**[1] o espetar en un palo.

empalar[1]**.** (De *palo.*) tr. Espetar a uno en un palo como se espeta una ave en el asador. ‖ **2.** prnl. *Chile.* Obstinarse, encapricharse. ‖ **3.** *Chile.* Envararse, arrecirse.

empalar[2]**.** (De *pala.*) tr. En el juego de pelota, dar a esta acertadamente con la pala, y por ext., golpear de igual modo una bola o pelota en otros deportes.

empaliada. (De *empaliar.*) f. *Val.* Colgadura de telas que se pone en una fiesta.

empaliar. (De *en-* y *palio.*) tr. ant. **paliar.** ‖ **2.** *Val.* Colgar paños o tapices en la iglesia, claustro u otro lugar por donde ha de pasar una procesión.

empalicar. (De *en-* y *palique.*) tr. *Nav.* y *Chile.* Engatusar, enlabiar.

empalidecer. intr. **palidecer.**

empalizada. f. **estacada,** obra hecha de estacas.

empalizar. (De *en-, palo* e *-izar.*) tr. Rodear de empalizadas.

empalmadura. f. **empalme.**

empalmar. (De *empalomar.*) tr. Juntar dos maderos, sogas, tubos u otras cosas, acoplándolos o entrelazándolos. ‖ **2.** fig. Ligar o combinar planes, ideas, acciones, etc. ‖ **3.** ant. **herrar** las caballerías. ‖ **4.** intr. Unirse o combinarse un tren o ferrocarril con otro. También suele usarse hablando de caminos, diligencias, autobuses, etc. ‖ **5.** Seguir o suceder una cosa a otra sin interrupción, como una conversación o una diversión tras otra. ‖ **6.** prnl. Llevar la navaja oculta en la manga y la palma de la mano, para acometer de improviso.

empalme. m. Acción y efecto de empalmar. ‖ **2.** Punto en que se empalma. ‖ **3.** Cosa que empalma con otra. ‖ **4.** Modo o forma de hacer el **empalme.**

empalomado. m. Murallón de piedra sin labrar y sin mezcla, que se construye dentro de un río, para regresar el agua a fin de que pueda penetrar por los ladrones y bocas de acequia.

empalomadura. f. *Mar.* Ligada fuerte con que, a trechos proporcionados y en lugar de costura, se une la relinga a su vela en ciertos casos.

empalomar. (De *en-* y *palomar*[2]*.*) tr. *Mar.* Coser la relinga a la vela por medio de empalomaduras.

empalletado. (De *en-* y *pallete.*) m. *Mar.* Especie de colchón que se formaba en el costado de las embarcaciones cuando iban a entrar en combate, poniendo juntos en una red los líos de la ropa de los marineros, y servía para defensa contra la fusilería enemiga.

empamparse. prnl. *Amér. Merid.* Extraviarse en la pampa.

empampirolado, da. (De *en-* y *pampirolada.*) adj. fam. Presuntuoso, jactancioso.

empanada. f. Masa de pan rellena de carne, pescado, verdura, etc., cocida en el horno. ‖ **2.** fig. Acción y efecto de ocultar o enredar fraudulentamente un negocio.

empanadilla. f. d. de **empanada.** ‖ **2.** Pastel pequeño, aplastado, que se hace doblando la masa sobre sí misma para cubrir con ella el relleno de dulce, de carne picada o de otro alimento. ‖ **3.** *And.* Banquillo de quita y pon que había en los estribos de los coches antiguos.

empanado, da. p. p. de **empanar.** ‖ **2.** adj. Dícese del aposento de una casa rodeado de otras piezas y que no tiene luz ni ventilación directas. Ú. t. c. s. m.

empanar. tr. Encerrar una cosa en masa o pan para cocerla en el horno. ‖ **2.** Rebozar con pan rallado un alimento para freírlo. ‖ **3.** *Agr.* Sembrar de trigo las tierras. ‖ **4.** prnl. *Agr.* Sofocarse los sembrados por haber echado en ellos demasiada simiente. ‖ **5.** *Rioja.* Granar las legumbres. ‖ **6.** *Sal.* Granar las mieses.

empandar. tr. Torcer o doblar una cosa, especialmente hacia el medio, dejándola panda. Ú. t. c. prnl.

empandillar. (De *en-* y *pandilla.*) tr. fam. Juntar uno o varios naipes con otro u otros para hacer alguna trampa. ‖ **2.** Oscurecer, ofuscar la vista o el entendimiento para hacer pasar algún engaño.

empantanar. tr. Llenar de agua un terreno, dejándolo hecho un pantano. Ú. t. c. prnl. ‖ **2.** Meter a uno en un pantano. Ú. t. c. prnl. ‖ **3.** fig. Detener, embarazar o impedir el curso de un trabajo o negocio. Ú. t. c. prnl.

empanzarse. prnl. Ahitarse, darse un hartazgo de comida o bebida.

empañado, da. p. p. de **empañar.** ‖ **2.** adj. Dícese de la voz cuando no es sonora y clara. ‖ **3.** Dícese de cualquier superficie pulimentada, cuando sobre ella se condensa vapor de agua. Ú. t. c. s.

empañadura. f. Acción y efecto de empañar. ‖ **2. envoltura** de los niños en su primera infancia.

empañamiento. m. Acción y efecto de empañar.

empañar. tr. Envolver a las criaturas en pañales. ‖ **2.** Quitar la tersura, brillo o diafanidad. Ú. t. c. prnl. ‖ **3.** fig. Oscurecer o manchar el honor o la fama, amenguar el mérito o gloria de una persona o de una acción. Ú. t. c. prnl.

empañetar. (De *en-* y *pañete,* enlucido.) tr. *Amér. Central, Ecuad.* y *P. Rico.* Embarrar, cubrir una pared con una mezcla de barro, paja y boñiga. ‖ **2.** *Col.* y *P. Rico.* **enlucir.**

empañicar. (De *en-* y *pañico,* d. de *paño.*) tr. *Mar.* Recoger en pliegues pequeños el paño de las velas, para aferrarlas.

empapamiento. m. Acción y efecto de empapar o empaparse.

empapar. tr. Humedecer una cosa de modo que quede enteramente penetrada de un líquido. Ú. t. c. prnl. EMPAPAR *una sopa en vino. El pan* SE EMPAPA *en el vino.* ‖ **2.** Absorber una cosa dentro de sus poros o huecos algún líquido. Ú. t. c. prnl. *La tierra* EMPAPA *el agua. La tierra* SE EMPAPA *de agua.* ‖ **3.** Absorber un líquido con un cuerpo esponjoso o poroso. EMPAPAR *con un trapo el agua vertida.* ‖ **4.** Penetrar un líquido los poros o huecos de un cuerpo. Ú. t. c. prnl. *La lluvia* EMPAPA *los vestidos. La lluvia* SE EMPAPA *en la tierra.* ‖ **5.** prnl. fig. Imbuirse de un afecto, idea o doctrina hasta penetrarse bien de ellos. ‖ **6.** fam. Ahitarse, empacharse de comida.

empapelado, da. p. p. de **empapelar.** ‖ **2.** m. Acción y efecto de empapelar. ‖ **3.** Papel que cubre la superficie de una pared, baúl, etc.

empapelador, ra. m. y f. Persona que empapela.

empapelar. tr. Envolver en papel. ‖ **2.** Cubrir de papel las paredes de una habitación, de un baúl, etc. ‖ **3.** fig. y fam. Formar causa criminal a uno; abrir expediente a alguien.

empapirotar. (De *en-* y *papirote.*) tr. fam. **emperejilar.** Ú. t. c. prnl.

empapizar. tr. *Ast., León* y *Sal.* **empapuzar.**

empapuciar. tr. **empapujar.**

empapujar. tr. fam. **empapuzar.**

empapuzar. (De *en-* y *papo,* buche.) tr. fam. Hacer comer demasiado a uno. Ú. t. c. prnl.

empaque[1]. m. Acción y efecto de empacar. ‖ **2.** Conjunto de materiales que forman la envoltura y armazón de los paquetes; como papeles, telas, cuerdas, cintas, etc. ‖ **3.** *Col.* y *C. Rica.* **zapatilla,** trozo de cuero, goma, etc., para mantener herméticamente cerradas dos piezas distintas.

empaque[2]. (De *empacarse.*) m. fam. Catadura, aire de una persona. ‖ **2.** Seriedad, gravedad, con algo de afectación o de tiesura. ‖ **3.** *And., Chile, Perú* y *P. Rico.* Descaro, desfachatez. ‖ **4.** *Amér.* Acción y efecto de empacarse un animal.

empaquetado, da. p. p. de **empaquetar.** ‖ **2.** m. Acción y efecto de empaquetar.

empaquetador, ra. m. y f. Persona que tiene por oficio empaquetar.

empaquetadura. f. Acción y efecto de empaquetar. ‖ **2.** Guarnición de cáñamo, amianto, goma u otros materiales que se coloca en determinados órganos de algunas máquinas para impedir el escape de un fluido.

empaquetar. tr. Hacer paquetes. ‖ **2.** Colocar convenientemente los paquetes dentro de bultos mayores. ‖ **3.** fig. Acomodar o acomodarse en un recinto un número excesivo de personas. *Nos* EMPAQUETARON *a los seis en una berlina.* ‖ **4.** Emperejilar, acicalar a una persona o cosa. Ú. t. c. prnl.

empara. (De *emparar.*) f. *Der. Ar.* **emparamento.**

emparamar. (De *en-* y *páramo.*) tr. *Col.* y *Venez.* Aterir, helar. Ú. t. c. prnl. ‖ **2.** *Col.* y *Venez.* Mojar la lluvia, la humedad o el relente. Ú. t. c. prnl.

emparamentar. tr. Adornar con paramentos; como con jaeces los caballos, o con colgaduras las paredes.

emparamento. m. *Der. Ar.* Acción y efecto de emparar.

emparamiento. m. *Der. Ar.* **emparamento.**

emparar. (Del lat. vulg. *anteparāre,* preparar.) tr. *Der. Ar.* Embargar o secuestrar.

emparchar. tr. Poner parches. Ú. t. c. prnl. ‖ **2.** ant. fig. Encubrir una cosa.

empardar. (De *en par de,* por igual.) tr. *Ar., Argent.* y *Urug.* Empatar, igualar, particularmente en el juego de cartas.

emparedado, da. p. p. de **emparedar.** ‖ **2.** adj. Recluso por castigo, penitencia o propia voluntad. Ú. t. c. s. ‖ **3.** m. fig. Porción pequeña de jamón u otra vianda, entre dos rebanadas de pan de molde.

emparedamiento. m. Acción y efecto de emparedar. ‖ **2.** Casa donde vivían recogidos los emparedados.

emparedar. tr. Encerrar a una persona entre paredes, sin comunicación alguna. Ú. t. c. prnl. ‖ **2.** Ocultar alguna cosa entre paredes.

emparejado, da. p. p. de **emparejar.** ‖ **2.** adj. *Sal.* Aplícase a las ovejas acompañadas de sus crías.

emparejador, ra. m. y f. Persona que empareja.

emparejadura. f. Igualación o acomodación de dos cosas entre sí.

emparejamiento. m. Acción y efecto de emparejar.

emparejar. tr. Juntar dos personas, animales o cosas formando pareja. Ú. t. c. prnl. ‖ **2.** Unir las personas o animales de distinto sexo formando pareja. Ú. m. c. prnl. ‖ **3.** Poner una cosa a nivel con otra. ‖ **4.** Tratándose de puertas, ventanas, etc., juntarlas de modo que ajusten, pero sin cerrarlas. ‖ **5.** En correos, colocar las cartas por tamaños para facilitar la inutilización de los sellos. ‖ **6.** *Sal.* Echar a la oveja artuña un cordero para que lo críe en vez del suyo. ‖ **7.** *Agr.* Igualar la tierra, nivelarla. ‖ **8.** intr. Llegar uno a ponerse al lado de otro que iba adelantado en la calle o en un camino. ‖ **9.** fig. Ponerse al nivel de otro más avanzado en un estudio o tarea. ‖ **10.** Ser igual o pareja una cosa con otra.

emparejo. m. ant. Par o yunta de bueyes.

emparentar. intr. Contraer parentesco por vía de casamiento. ‖ **2.** Adquirir una cosa relación de afinidad o semejanza con otra. ‖ **3.** tr. Señalar o descubrir relaciones de parentesco, origen común o afinidad. ‖ **estar** uno **bien,** o **muy, emparentado.** fr. Tener parentesco y enlaces con casas ilustres.

emparrada. f. desus. **emparrado.**

emparrado. m. Parra o conjunto de parras que sobre una armazón de madera, hierro u otra materia, forman cubierta. ‖ **2.** Armazón que sostiene la parra u otra planta trepadora. ‖ **3.** fig. y fam. Peinado de los hombres hecho para encubrir, con el pelo de los lados de la cabeza, la calvicie de la parte superior.

emparrar. tr. Hacer o formar emparrado.

emparrillado. m. Conjunto de barras cruzadas y trabadas horizontalmente para dar base firme a los cimientos de un edificio. ‖ **2.** *Arq.* **zampeado.**

emparrillar. tr. Asar en parrillas. ‖ **2.** *Arq.* **zampear.**

emparvar. tr. Poner en parva las mieses.

empastador, ra. adj. Que empasta. ‖ **2.** Dícese del pintor que da buena pasta de color a sus obras. Ú. m. c. s. ‖ **3.** m. Pincel para empastar o meter tintas. ‖ **4.** *Amér.* Encuadernador de libros.

empastadura. f. *Chile.* Acción y efecto de empastar[1] o encuadernar.

empastar[1]. tr. Cubrir de pasta una cosa. ‖ **2.** Encuadernar en pasta los libros. ‖ **3.** Hablando de un diente o muela, rellenar con pasta el hueco producido por la caries. ‖ **4.** *Pint.* Poner el color en bastante cantidad para que no deje ver la imprimación ni el primer dibujo.

empastar[2]. (De *en-* y *pasto.*) tr. *Chile, Méj.* y *Nicar.* Empradizar un terreno. Ú. t. c. prnl. ‖ **2.** *Argent.* y *Chile.* Padecer meteorismo el animal por haber comido el pasto en malas condiciones. Ú. m. c. prnl. ‖ **3.** prnl. *Chile.* Llenarse de maleza un sembrado.

empaste[1]. (De *empastar[1].*) m. Acción y efecto de empastar. ‖ **2.** Pasta con que se llena el hueco hecho por la caries en un diente. ‖ **3.** *Pint.* Unión perfecta y jugosa de los colores y tintas en las figuras pintadas.

empaste[2]. (De *empastar[2].*) m. *Argent.* Meteorismo del ganado.

empastelamiento. m. *Impr.* Acción y efecto de empastelar o empastelarse.

empastelar. (De *en-* y *pastel.*) tr. fig. y fam. Transigir en un negocio o zanjar un agravio sin arreglo a justicia, para salir del paso. ‖ **2.** *Impr.* Mezclar o barajar las letras de un molde de modo que no formen sentido; mezclar suertes o fundiciones distintas. Ú. t. c. prnl.

empatadera. f. fam. Acción y efecto de empatar y suspender una resolución, o por obstáculo sobrevenido, o por contrarresto hecho, como sucede en el juego de los naipes. *Salió Julián con la* EMPATADERA, *y cesó todo.*

empatar. (Del it. *impattare*, terminar iguales, sin ganar ni perder.) tr. Tratándose de una votación, obtener dos o más contrincantes o partidos políticos un mismo número de puntos o votos. Ú. m. c. intr. o c. prnl. ‖ **2.** Suspender y obstaculizar el curso de una resolución. Ordinariamente se decía tratándose de las pruebas de nobleza o limpieza de sangre a que no se daba curso por no resultar suficientes. ‖ **3.** *Can., Col., C. Rica, Méj., P. Rico,* y *Venez.* Empalmar, juntar una cosa a otra. EMPATAR *mentiras.* Suele usarse especialmente por añadir un cabo a otro o por atar el anzuelo a la cuerda. ‖ **4.** *Col.* Gastar el tiempo en cosas molestas. ‖ **empatársela** a uno. fr. fam. Igualarlo en una acción sobresaliente o extraordinaria. Se usa también en sentido peyorativo.

empate. m. Acción y efecto de empatar o empatarse.

empatía. f. Participación afectiva, y por lo común emotiva, de un sujeto en una realidad ajena.

empato. m. *Col.* Acción y efecto de empatar el tiempo.

empavesada. f. Reparo y defensa que se hacía con los paveses o escudos para cubrirse la tropa. ‖ **2.** *Mar.* Faja de paño azul o encarnado con franjas blancas, que sirve para adornar las bordas y las cofas de los buques en días de gran solemnidad, y para cubrir los asientos de popa de las falúas o botes. Las hay de lona para el uso común y diario. ‖ **3.** *Mar.* Encerado clavado por la parte exterior de la borda y que sirve para defender de la intemperie los coyes de la marinería, que van colocados en la batayola.

empavesado, da. p. p. de **empavesar.** ‖ **2.** adj. Armado o provisto de pavés. ‖ **3.** m. Soldado que llevaba arma defensiva. ‖ **4.** *Mar.* Conjunto de banderas y gallardetes con que se empavesan los buques.

empavesar. tr. Formar empavesadas. ‖ **2.** Rodear las obras de algún monumento público en construcción con esteras, telas o grandes lienzos, para ocultarlo a la vista hasta que llegue el momento de su inauguración. ‖ **3.** *Mar.* Engalanar una embarcación cubriendo las bordas con empavesadas, y adornando los palos y vergas con banderas y gallardetes, en señal de regocijo.

empavonar. tr. **pavonar.** ‖ **2.** *Col.* y *P. Rico.* Untar, pringar.

empavorecer. tr. Causar pavor, asustar mucho a alguien ‖ **2.** intr. ant. Llenarse de pavor, miedo, espanto o sobresalto.

empecatado, da. (Del lat. *in*, en, y *peccātum*, pecado.) adj. De extremada travesura, de mala intención, incorregible. ‖ **2.** Dícese de la persona a quien salen mal las cosas, como si estuviera dejada de la mano de Dios.

empecedero, ra. adj. Que puede empecer.

empecedor, ra. adj. ant. Que empece.

empecer. (Del lat. **impediscĕre*, de *impedīre*, impedir.) tr. desus. Dañar, ofender, causar perjuicio. ‖ **2.** intr. Impedir, obstar.

empecible. adj. **empecedero.**

empeciente. p. a. de **empecer.** Que empece. ‖ **no empeciente.** loc. adv. ant. **no obstante.**

empecimiento. m. Acción y efecto de empecer.

empecinado[1], da. p. p. de **empecinarse.** ‖ **2.** adj. Obstinado, terco, pertinaz.

empecinado[2], da. p. p. de **empecinar.** ‖ **2.** m. **peguero.** ‖ **3.** Apodo que los comarcanos dan a los vecinos de Castrillo de Duero.

empecinamiento. m. Acción y efecto de empecinarse.

empecinar. (De *en-* y *pecina.*) tr. Untar de pecina o de pez alguna cosa.

empecinarse. (Por alusión al guerrillero Juan Martín Díaz, *el Empecinado.*) prnl. Obstinarse, aferrarse, encapricharse.

empechar. (Del fr. *empêcher*, impedir.) tr. ant. Impedir, estorbar.

empedecer. (Del lat. **impediscĕre*, de *impedīre*, impedir.) tr. ant. **empecer.**

empedernecer. tr. ant. **empedernir.** Ú. t. c. prnl.

empedernido, da. (p. p. de *empedernir*, hacerse duro de corazón.) adj. fig. Insensible, duro de corazón. ‖ **2.** fig. Extremadamente duro, hablando de cosas. ‖ **3.** fig. Obstinado, tenaz, que tiene un vicio o costumbre muy arraigados. *Fumador* EMPEDERNIDO. *Habladora* EMPEDERNIDA.

empedernir. (De *en-* y la misma raíz de *pedernal.*) tr. defect. Endurecer mucho. Ú. t. c. prnl. ‖ **2.** prnl. fig. Hacerse insensible, duro de corazón.

empedrado, da. p. p. de **empedrar.** ‖ **2.** adj. **rodado[1]**, dicho del caballo con manchas. ‖ **3.** fig. y fam. V. **cara empedrada.** ‖ **4.** fig. Aplícase al cielo cubierto de nubes pequeñas que se tocan unas con otras. *Cielo* EMPEDRADO, *suelo mojado.* ‖ **5.** m. Acción de empedrar. ‖ **6.** Pavimento formado artificialmente de piedras.

empedrador. m. El que tiene por oficio empedrar.

empedramiento. m. Acción y efecto de empedrar.

empedrar. tr. Cubrir el suelo con piedras ajustadas unas con otras de modo que no puedan moverse. ‖ **2.** fig. Llenar de desigualdades una superficie con objetos extraños a ella. ‖ **3.** Por ext., se dice de otras cosas que se ponen en abundancia. EMPEDRAR *de citas, de errores, de galicismos un libro.*

empega. f. Pega o materia dispuesta para empegar. ‖ **2.** Señal o marca que se hace con pez al ganado lanar.

empegado, da. p. p. de **empegar.** ‖ **2.** m. Tela o piel untada de pez o de otra materia semejante.

empegadura. f. Baño de pez o de otra materia semejante que se da interior o exteriormente a pellejos, barriles y otras vasijas.

empegar. (Del lat. *impicāre.*) tr. Bañar o cubrir con pez derretida u otra sustancia semejante el interior o el exterior de los pellejos, barriles y otras vasijas. ‖ **2.** Marcar o señalar con pez el ganado lanar.

empego. m. Acción y efecto de **empegar,** marcar con pez el ganado.

empeguntar. (De *en-* y *pegunta.*) tr. **empegar** el ganado.

empeine[1]. (Del lat. *pecten, -ĭnis*, pelo del pubis.) m. Parte inferior del vientre entre las ingles.

empeine[2]. (De *en-* y *peine*, conjunto del tarso y metatarso, por su semejanza con un peine.) m. Parte superior del pie, que está entre la caña de la pierna y el principio de los dedos. ‖ **2.** Parte de la bota desde la caña a la pala. ‖ **3.** desus. Uña del caballo.

empeine[3]. (Del lat. vulg. *impedīgo, -ĭnis.*) m. Enfermedad del cutis, que lo pone áspero y encarnado, causando picazón. ‖ **2. hepática de las fuentes.** ‖ **3.** *And.* Flor que cría la planta del algodón.

empeinoso, sa. (De *empeine[3]*.) adj. Que tiene empeines[3] en el cutis.

empelar. intr. Echar o criar pelo. ‖ **2.** Igualar o asemejarse mucho en el pelo dos o más caballerías. ‖ **3.** *Sal.* Talar y quemar un monte bajo para dejar la tierra en disposición de ser labrada.

empelazgarse. prnl. fam. Meterse en pelazga o pendencia.

empelechar. (Del it. *impiallacciare*, chapear.) tr. Unir, juntar o aplicar chapas de mármol. ‖ **2.** Chapear de mármol la superficie de una pared o de una columna.

empelotarse[1]. (Tal vez de *pelote*, de *pelo.*) prnl. fam. Enredarse, confundirse. Se usa más comúnmente cuando este enredo o confusión nace de riña o quimera.

empelotarse[2]. (De *en pelota.*) prnl. *And., Extr., Col., Cuba, Chile* y *Méj.* Desnudarse, quedarse en pelota.

empeltre. (Del cat. *empelt*, injerto.) m. **injerto de escudete.** ‖

2. *Ar.* Olivo injerto, pequeño, muy fructífero, de aceituna negra, buena para adobar y para el molino.

empella[1]. (De *empeña.*) f. Pala o parte superior del zapato, que cubre el pie desde la punta hasta la mitad.

empella[2]. (De *pella.*) f. **pella,** de manteca. Ú. en Andalucía y América.

empellada. (De *empellar.*) f. ant. **empellón.**

empellar. (De *empeller.*) tr. Empujar, dar empellones.

empellejar. tr. Cubrir o forrar con pellejos.

empeller. (Del lat. *impellĕre.*) tr. **empellar.**

empellicar. (De *en-* y *pellica.*) tr. ant. Forrar una cosa con pieles.

empellón. (De *empellar.*) m. Empujón recio que se da con el cuerpo para sacar de su lugar o asiento a una persona o cosa. ‖ **a empellones.** loc. adv. fig. y fam. Con violencia, bruscamente.

empenachado, da. p. p. de **empenachar.** ‖ **2.** adj. Que tiene penacho.

empenachar. tr. Adornar con penachos.

empendolar. (De *en-* y *péndola.*) tr. ant. Poner plumas a las saetas o dardos.

empenta. (Del lat. **impincta,* por *impacta,* de *impingĕre,* empujar.) f. Puntal o apoyo para sostener una cosa. ‖ **2.** ant. Empuje, empellón. Ú. en Aragón.

empentar. (De *empenta.*) tr. *And., Ar.* y *Cuen.* Empujar, empellar. ‖ **2.** *Min.* Unir las excavaciones o las obras de fortificación de modo que queden bien seguidas.

empentón. (De *empentar.*) m. *Ar.* y *Nav.* **empellón.**

empeña. (Del m. or. que el fr. *empeine,* cat. *empenya,* port. *empenha,* parte superior del zapato.) f. ant. **empella[1],** pala del zapato. ‖ **2.** ant. Cada una de las alas del hígado.

empeñadamente. adv. m. Con empeño.

empeñado, da. p. p. de **empeñar.** ‖ **2.** adj. Dicho de disputas o reyertas, acalorado, reñido. *Entablaron una* EMPEÑADA *discusión.*

empeñamiento. m. ant. Acción y efecto de empeñar o empeñarse.

empeñar. (De *empeño.*) tr. Dar o dejar una cosa en prenda para seguridad de la satisfacción o pago. ‖ **2.** Precisar, obligar. Ú. t. c. prnl. ‖ **3.** Poner a uno por empeño o medianero para conseguir una cosa. ‖ **4.** prnl. **endeudarse,** contraer deudas. ‖ **5.** Insistir con tesón en una cosa. ‖ **6.** Interceder, hacer uno el oficio de mediador para que otro consiga lo que pretende. ‖ **7.** Tratándose de acciones de guerra, contiendas, disputas, altercados, etc., empezarse, trabarse. Ú. t. c. tr. *La infantería* EMPEÑÓ *la batalla.* ‖ **8.** *Mar.* Aventurarse o exponerse un buque a riesgos y averías sobre la costa en las proximidades de bajos, puntas, buques, etc. Ú. t. c. tr.

empeño. (Del lat. *in pignus,* en prenda de.) m. Acción y efecto de empeñar o empeñarse. ‖ **2.** Obligación de pagar en que se constituye el que empeña una cosa, o se empeña y endeuda. ‖ **3.** Obligación en que uno se halla constituido por su honra, por su conciencia o por otro motivo. ‖ **4.** Deseo vehemente de hacer o conseguir una cosa. ‖ **5.** Objeto a que se dirige. ‖ **6.** Tesón y constancia en seguir una cosa o un intento. ‖ **7.** Protector, padrino o persona que se ha empeñado por alguno. ‖ **8. recomendación,** súplica en favor de una persona o cosa. ‖ **9.** Obligación que, según el antiguo arte de torear, tenía el caballero rejoneador de echar pie a tierra y estoquear al toro frente a frente, siempre que perdía alguna prenda o que la fiera maltrataba al chulo. ‖ **10.** *And.* y *Méj.* **casa de empeño.** ‖ **con empeño.** loc. adv. Con gran deseo, ahínco y constancia; sin omitir diligencia alguna. ‖ **en empeño.** loc. adv. En fianza.

empeñoso, sa. adj. *And.* y *Amér.* Dícese del que muestra tesón y constancia en conseguir un fin.

empeoramiento. m. Acción y efecto de empeorar o empeorarse.

empeorar. tr. Hacer que aquel o aquello que ya era o estaba malo, sea o se ponga peor. Ú. t. c. intr y c. prnl.

empequeñecer. tr. Minorar una cosa, hacerla más pequeña, o amenguar su importancia o estimación. Ú. t. c. intr. y c. prnl.

empequeñecimiento. m. Acción y efecto de empequeñecer.

emperador. (Del lat. *imperātor, -ōris.*) m. Título de dignidad dado al jefe supremo del antiguo imperio romano, y que originariamente se confería por aclamación del ejército o decreto del Senado. ‖ **2.** Título de mayor dignidad dado a ciertos soberanos; antiguamente se daba a los que tenían por vasallos a otros reyes o grandes príncipes. *El* EMPERADOR *Alfonso VII; el* EMPERADOR *de Alemania, de Austria, de Rusia.* ‖ **3.** En algunas regiones, **pez espada.**

emperadora. f. ant. **emperatriz.**

emperatriz. (Del lat. *imperātrix, -īcis.*) f. Soberana de un imperio. ‖ **2.** Mujer del emperador.

empercudir. (De *en-* y *percudir.*) tr. Percudir, penetrar la suciedad en alguna cosa, especialmente en la ropa manchada o mal lavada. Ú. t. c. prnl.

emperchado. m. Cerca formada por enrejados de maderas verdes, que sirve para impedir la entrada en alguna parte.

emperchar. tr. Colgar en la percha. ‖ **2.** prnl. Prenderse la caza en la percha.

emperdigar. tr. **perdigar.**

emperejilar. (De *en-* y *perejiles,* adorno excesivo.) tr. fam. Adornar a una persona con profusión y esmero. Ú. m. c. prnl.

emperezar. intr. Dejarse dominar por la pereza. Ú. m. c. prnl. ‖ **2.** tr. fig. Retardar, dilatar, entorpecer la expedición o movimiento de una cosa.

empergaminar. tr. Cubrir o forrar con pergamino. Se usa especialmente hablando de los libros.

emperifollar. tr. **emperejilar.** Ú. t. c. prnl.

empernar. tr. Clavar o asegurar una cosa con pernos.

empero. conj. advers. **pero[3],** conjunción adversativa. ‖ **2. sin embargo.**

emperrada. f. **tresillo,** juego de naipes.

emperramiento. m. fam. Acción y efecto de emperrarse.

emperrarse. prnl. fam. Obstinarse, empeñarse en algo.

emperro. m. Perra, rabieta.

empersonar. tr. ant. **empadronar,** asentar en el padrón de vecinos o moradores de una población.

empertigar. tr. *Chile.* Atar al yugo el pértigo de un carro.

empesador. (Del cat. *empesador.*) m. Manojo de raíces de juncos que usan los tejedores de lienzo para atusar la urdimbre.

empesgar. (De *pesgar.*) tr. Prensar, oprimir con un peso.

empesgue. m. Acción o efecto de empesgar. ‖ **2.** Barra o palanca que hace presión en la molienda de la aceituna. ‖ **3.** Prensa de la aceituna.

empestar. (De *en-* y *peste.*) tr. ant. **apestar.**

empestiferar. (De *en-* y *pestífero.*) tr. ant. **apestar.**

empestillarse. prnl. Mantenerse uno en su resolución y tema, empeñarse, no ceder.

empetatar. tr. *Méj.* Esterar, cubrir un piso con petate o envolver con él un bulto.

empetro. (Del lat. *empĕtros,* y este del gr. ἔμπετρον.) m. **hinojo marino.**

empezamiento. m. ant. **comienzo.**

empezar. (De *en-* y *pieza.*) tr. Comenzar, dar principio a una cosa. ‖ **2.** Iniciar el uso o consumo de ella. ‖ **3.** intr. Tener principio una cosa. ‖ **por algo se empieza.** fr. fig. con que se da a entender que de principios sin importancia pueden originarse cosas o hechos que la tengan. ‖ **si yo te**

empiezo... expr. fam. ant. con que se amenazaba a uno dándole a entender que se le había de castigar, y era como decir: Si te castigo por la primera vez...

empiadar. tr. ant. **apiadar.** Usáb. t. c. prnl.

empicar. (De *en-* y *pica.*) tr. ant. **ahorcar.**

empicarse. (De *en-* y *picarse,* aficionarse.) prnl. Aficionarse demasiado.

empicotadura. f. Acción de empicotar.

empicotar. tr. Poner a uno en la picota.

empiece. (De *empezar.*) m. fam. **comienzo.**

empiema. (Del gr. ἐμπύημα.) m. *Pat.* Acumulación de pus en la pleura. Antiguamente se designaban también así los derrames serosos o sanguíneos.

empiezo[1]. (De *empezar.*) m. ant. *Arg., Col., Ecuad.* y *Guat.* **comienzo.**

empiezo[2]. (De *empecer.*) m. ant. Dificultad, impedimento, estorbo.

empigüelar. tr. ant. Poner pihuela o apea. ‖ **2.** Atar un pie con otro al animal muerto para colgarlo. ‖ **3.** Prender o apresar a uno.

empilar. tr. **apilar.**

empilchar. (De *pilcha,* prenda de vestir.) tr. fam. *Argent.* y *Urug.* Vestir, particularmente si es con esmero. Ú. t. c. prnl.

empilonar. (De *en-* y *pilón.*) tr. *Cuba.* Hacer montones de tabaco seco poniendo las hojas extendidas unas sobre otras.

empina. (De *empinar.*) f. *Sal.* Corro de hierba que, por estar más crecida, sobresale en un prado. ‖ **2.** *Sal.* Mata de gatuñas o de cualquier hierba, que impide la acción del arado.

empinado, da. p. p. de **empinar.** Ú. t. c. s. ‖ **2.** adj. Muy alto. ‖ **3.** De gran pendiente. ‖ **4.** fig. Estirado, orgulloso. ‖ **irse a la empinada.** fr. *Equit.* Encabritarse una bestia.

empinadura. f. **empinamiento.**

empinamiento. m. Acción y efecto de empinar o empinarse.

empinar. (De *en-* y *pino,* derecho.) tr. Enderezar y levantar en alto. ‖ **2.** Inclinar mucho el vaso, el jarro, la bota, etc., para beber, levantando en alto la vasija. ‖ **3.** fig. y fam. Beber mucho, especialmente vino. ‖ **4.** prnl. Ponerse uno sobre las puntas de los pies y erguirse. ‖ **5.** Ponerse un cuadrúpedo sobre las patas traseras levantando las manos. ‖ **6.** fig. Dicho de las plantas, torres, montañas, etc., alcanzar gran altura.

empingorotado, da. p. p. de **empingorotar.** ‖ **2.** adj. Dícese de la persona elevada a posición social ventajosa, y especialmente de la que se engríe por ello.

empingorotar. (De *en-* y *pingorote.*) tr. fam. Levantar una cosa poniéndola sobre otra. Ú. t. c. prnl. ‖ **2.** Adquirir una posición social elevada y engreírse de ella. Ú. t. c. prnl.

empino. (De *empinar.*) m. desus. Elevación, prominencia. ‖ **2.** *Arq.* Parte de la bóveda por arista, que está más alta que el plano horizontal que pasa por las claves de los arcos en que se apoya.

empiñonado. m. **piñonate,** pasta de piñones y azúcar.

empiolar. tr. ant. Poner pihuela o apea. ‖ **2.** Prender, apresar a uno.

empipada. (De *empiparse.*) f. *Chile, Ecuad.* y *P. Rico.* Atracón, hartazgo.

empiparse. (De *en-* y *pipa[1].*) prnl. *Chile, Ecuad., Perú* y *P. Rico.* Apiparse, ahitarse.

empíreo, a. (Del lat. *empyrĕus,* y este del gr. ἐμπύριος, inflamado.) adj. Dícese del cielo o de las esferas concéntricas en que los antiguos suponían que se movían los astros. Ú. m. c. s. ‖ **2.** fig. Celestial, divino. ‖ **3.** m. Cielo, paraíso.

empireuma. (Del lat. *empyreuma,* y este del gr. ἐμπύρευμα, brasa conservada bajo la ceniza.) m. Olor y sabor particulares, que toman las sustancias animales y algunas vegetales sometidas a fuego violento.

empireumático, ca. adj. Que tiene empireuma.

empíricamente. adv. m. De manera empírica.

empírico, ca. (Del lat. *empirĭcus,* y este del gr. ἐμπειρικός, que se rige por la experiencia.) adj. Relativo a la experiencia o fundado en ella. ‖ **2.** Que procede empíricamente. Ú. t. c. s. ‖ **3.** Partidario del empirismo filosófico. Ú. t. c. s.

empirismo. m. Sistema o procedimiento fundado sólo en la experiencia. ‖ **2.** Sistema filosófico que toma la experiencia como única base de los conocimientos humanos.

empirista. adj. Que profesa el empirismo. Ú. t. c. s.

empitonar. tr. *Taurom.* Alcanzar la res el bulto con los pitones. Ú. t. en sent. fig.

empizarrado, da. p. p. de **empizarrar.** ‖ **2.** m. Cubierta de un edificio formada con pizarras. *El* EMPIZARRADO *dura más que el tejado.*

empizarrar. tr. Cubrir con pizarras la superficie exterior de techo o de alguna otra parte de un edificio.

empizcar. (De *en-* y *pizcar.*) tr. ant. **azuzar.**

emplantillar. *And.* Atrancar, atascar. ‖ **2.** *Chile.* Macizar, rellenar con cascotes las zanjas de cimentación.

emplastadura. f. Acción y efecto de emplastar.

emplastamiento. m. **emplastadura.**

emplastar. tr. Poner emplastos. ‖ **2.** fig. Componer con afeites y adornos postizos. Ú. t. c. prnl. ‖ **3.** fam. Empantanar, entorpecer el curso de un negocio. ‖ **4.** prnl. Embadurnarse o ensuciarse con algo pegajoso.

emplastecer. (De *en-* y *plastecer.*) tr. *Pint.* Igualar y llenar con el aparejo las desigualdades de una superficie para poder pintar sobre ella.

emplástico, ca. adj. Pegajoso, glutinoso, como el emplasto. ‖ **2.** *Med.* Supurativo, disolutivo.

emplasto. (De *emplastro.*) m. Preparado farmacéutico sólido, plástico y adhesivo, cuya base es una mezcla de materias grasas y resinas o jabón de plomo. ‖ **2.** fig. y fam. Componenda, arreglo desmañado y poco satisfactorio. ‖ **3.** fig. y fam. **parche,** pegote. ‖ **estar** uno **hecho un emplasto.** fr. fig. y fam. Estar cubierto de **emplastos** y medicinas. ‖ **2.** fig. y fam. Estar muy delicado y falto de fuerzas.

emplástrico, ca. (De *emplastro.*) adj. **emplástico.**

emplastro. (Del lat. *emplastrum,* y este del gr. ἔμπλαστρον.) m. ant. **emplasto.**

emplazador. m. El que emplaza.

emplazamiento[1]. m. Situación, colocación, ubicación.

emplazamiento[2]. m. Acción y efecto de emplazar[1].

emplazar[1]. (De *en-* y *plazo.*) tr. Dar a alguien un tiempo determinado para la ejecución de una cosa. ‖ **2.** Citar a una persona en determinado tiempo y lugar, especialmente para que dé razón de algo. ‖ **3.** *Der.* Citar al demandado con señalamiento del plazo dentro del cual necesitará comparecer en el juicio para ejercitar en él sus defensas, excepciones o reconvenciones. ‖ **4.** *Mont.* **concertar,** dicho de la caza.

emplazar[2]. (De *en-* y *plaza.*) tr. Poner una cosa en determinado lugar. Se usó primeramente hablando de las piezas de artillería.

emplazo. (De *emplazar[1].*) m. desus. *Der.* **emplazamiento[2].**

emplea. f. ant. Mercancías en que se emplea el dinero para comerciar.

empleado, da. p. p. de **emplear.** ‖ **2.** m. y f. Persona que desempeña un destino o empleo. ‖ **de hogar.** Persona que por un salario o sueldo desempeña los trabajos domésticos o ayuda en ellos.

empleador, ra. adj. Que emplea. ‖ **2.** m. **patrono** que emplea obreros. Ú. m. en América.

emplear. (Del fr. *employer.*) tr. Ocupar a uno, encargándole un negocio, comisión o puesto. Ú. t. c. prnl. ‖ **2.** Destinar a uno al servicio público. ‖ **3.** Gastar el dinero en una compra. ‖ **4.** Gastar, consumir. EMPLEA *bien sus rentas;* EMPLEÁIS *mal el tiempo.* ‖ **5. usar,** hacer servir las cosas para algo. ‖ **6.** prnl. desus. Tener trato amoroso, casarse. ‖ **empleársele bien a** uno alguna cosa. fr. fam. **estarle bien empleada.**

emplebeyecer. tr. **aplebeyar.**

empleita. (De *en-* y *pleita.*) f. **pleita.**

empleitero, ra. m. y f. Persona que hace o vende empleitas.

emplenta[1]. f. Pedazo de tapia que se hace de una vez, según el tamaño del tapial con que se fabrica.

emplenta[2]. (De *empleita.*) f. ant. **pleita.**

empleo. m. Acción y efecto de emplear. ‖ **2.** Destino, ocupación, oficio. ‖ **3.** *Mil.* Jerarquía o categoría personal. EMPLEO *de coronel.* ‖ **4.** desus. Amor, amorío. ‖ **apear** a uno **de un empleo.** fr. fig. y fam. Deponerle de él, quitárselo. ‖ **jurar** un **empleo.** fr. Tomar posesión de él, haciendo el juramento previo, cuando se acostumbra. ‖ **suspender** a uno **del empleo.** fr. Interrumpirle temporalmente su ejercicio.

empleomanía. (De *empleo* y *manía.*) f. Afán con que se codicia un empleo público retribuido.

emplomado, da. p. p. de **emplomar.** ‖ **2.** m. Conjunto de planchas de plomo que recubre una techumbre, o de plomos que sujetan los cristales de una vidriera.

emplomador. m. El que tiene por oficio emplomar.

emplomadura. f. Acción y efecto de emplomar. ‖ **2.** Porción de plomo con que está emplomado algo. ‖ **3.** *Argent.* y *Urug.* Empaste de un diente o una muela.

emplomar. tr. Cubrir, asegurar o soldar una cosa con plomo. EMPLOMAR *los techos, las vidrieras, los botes de tabaco.* ‖ **2.** Precintar con sellos de plomo. ‖ **3.** *Argent.* y *Urug.* Empastar un diente o una muela.

emplumajar. tr. ant. Adornar con plumajes. Usáb. t. c. prnl.

emplumar. tr. Poner plumas, ya para adorno, como en los morriones y sombreros, ya para facilitar el vuelo, como en la saeta y dardo, o ya para frentar, como se hacía con las alcahuetas. ‖ **2.** *Ecuad.* y *Venez.* Enviar a uno a algún sitio de castigo. ‖ **3.** intr. **emplumecer.** ‖ **4.** *Col., Chile, Ecuad.* y *P. Rico.* Fugarse, huir, alzar el vuelo. ‖ **emplumarlas.** loc. *Col.* **tomar las de Villadiego.** ‖ **que me emplumen.** fr. fam. que suele ir seguida de la conjunción *si* para enunciar algo que se tiene por imposible.

emplumecer. intr. Echar plumas las aves.

empobrecedor, ra. adj. Que empobrece.

empobrecer. (De *en-, pobre* y *-ecer.*) tr. Hacer que uno venga al estado de pobreza. ‖ **2.** intr. Venir a estado de pobreza una persona. Ú. m. c. prnl. ‖ **3.** Decaer, venir a menos una cosa material o inmaterial. Ú. m. c. prnl.

empobrecimiento. m. Acción y efecto de empobrecer o empobrecerse.

empobrido, da. p. p. irreg. ant. de **empobrecer.**

empoderar. tr. desus. **apoderar.** Usáb. t. c. prnl.

empodrecer. (Del lat. *imputrescĕre.*) intr. **pudrir,** corromper una materia orgánica. Ú. m. c. prnl.

empoltronecerse. (De *en-, poltrón* y *-ecer.*) prnl. p. us. **apoltronarse.**

empolvar. tr. Echar polvo. ‖ **2.** Echar polvos de tocador en los cabellos o en el rostro. Ú. t. c. prnl. ‖ **3.** prnl. Cubrirse de polvo.

empolvoramiento. m. Acción y efecto de empolvorar.

empolvorar. (De *en-* y *pólvora,* polvo.) tr. **empolvar.**

empolvorizar. (De *en-* y *polvorizar.*) tr. **empolvar.**

empolla. f. ant. y vulg. **ampolla.**

empolladura. (De *empollar[1]*.) f. Acción y efecto de empollar. ‖ **2.** Cría o pollo que producen las abejas.

empollar[1]. (De *en-* y *pollo.*) tr. Calentar huevos un ave o un aparato para sacar pollos. Ú. t. c. prnl. ‖ **2.** fig. y fam. Meditar o estudiar un asunto con mucha más detención de la necesaria. ‖ **3.** Entre estudiantes, preparar mucho las lecciones. Ú. a veces despectivamente. ‖ **4.** intr. Producir las abejas pollo o cría.

empollar[2]. (De *empolla.*) tr. **ampollar[2],** hacer ampollas. ‖ **2.** intr. ant. y hoy vulg. Criar ampolla.

empollón, na. adj. Dícese, despectivamente, del estudiante que prepara mucho sus lecciones, y se distingue más por la aplicación que por el talento. Ú. m. c. s.

emponchado, da. adj. *Argent., Ecuad., Perú* y *Urug.* Dícese del que está cubierto con el poncho. ‖ **2.** fig. y fam. *Argent.* Por ext., muy abrigado. ‖ **3.** fig. desus. *Perú.* Sospechoso. Ú. t. c. s.

emponcharse. prnl. *Argent., Ecuad., Perú* y *Urug.* Ponerse el poncho.

emponzoñadera. f. ant. **emponzoñadora.**

emponzoñador, ra. adj. Que da o compone ponzoña. Ú. t. c. s. ‖ **2.** fig. Que daña, inficiona o produce grave perjuicio.

emponzoñamiento. m. Acción y efecto de emponzoñar o emponzoñarse.

emponzoñar. tr. Dar ponzoña a uno, o inficionar una cosa con ponzoña. Ú. t. c. prnl. ‖ **2.** fig. Inficionar, echar a perder, dañar. Ú. t. c. prnl.

emponzoñoso, sa. adj. ant. **ponzoñoso.**

empopada. (De *en-* y *popa.*) f. *Mar.* Navegación hecha con viento duro por la popa.

empopar. intr. *Mar.* Calar mucho de popa un buque. ‖ **2.** *Mar.* Volver la popa al viento, a la marea o a cualquier objeto. Ú. t. c. prnl.

emporcar. (De *en* y *puerco.*) tr. Ensuciar, llenar de porquería. Ú. t. c. prnl.

emporio. (Del lat. *emporĭum,* y este del gr. ἐμπόριον.) m. Lugar donde concurren para el comercio gentes de diversas naciones. ‖ **2.** fig. Ciudad o lugar notable por el florecimiento del comercio y, por ext., de las ciencias, las artes, etc. ‖ **3.** *Amér. Central.* Gran establecimiento comercial donde se puede comprar todo lo necesario en una casa.

emporitano, na. (Del lat. *Emporĭae,* hoy Ampurias.) adj. Natural de Ampurias. ‖ **2.** Perteneciente o relativo a esta ciudad.

empós. adv. t. y l. ant. **en pos.**

empotramiento. m. Acción y efecto de empotrar.

empotrar. (De *potro.*) tr. Meter una cosa en la pared o en el suelo, asegurándola con fábrica. ‖ **2.** Entre colmeneros, poner en el potro las colmenas.

empotrerar. tr. *Amér.* Herbajar, meter el ganado en el potrero para que paste.

empotría. f. ant. **alectoria.**

empozar. tr. Meter o echar en un pozo. Ú. t. c. prnl. ‖ **2.** Poner el cáñamo o el lino en pozas o charcas para su maceración. ‖ **3.** intr. *Amér.* Quedar el agua detenida en el terreno formando pozas o charcos. ‖ **4.** prnl. fig. y fam. Quedar sin curso un expediente.

empradizar. tr. Convertir en prado un terreno. Ú. t. c. prnl.

emprar. (Del lat. *imperāre,* ordenar.) tr. *Ar.* Usufructuar.

emprendedor, ra. adj. Que emprende con resolución acciones dificultosas o azarosas.

emprender. (Del lat. *in,* en, y *prendĕre,* coger.) tr. Acometer y comenzar una obra, un negocio, un empeño. Se usa más comúnmente hablando de los que encierran dificultad o peligro. ‖ **2.** ant. Prender fuego., Usáb. t. c. prnl. ‖ **3.** fam. Con nombres de personas regidos de las preps. *a* o *con,* acometer a uno para importunarle, reprenderle, suplicarle o reñir con él. ‖ **emprenderla para** un sitio. fr. fam. Tomar el camino con resolución de llegar a un punto. *Al amanecer* LA EMPRENDIMOS PARA *el monte.*

emprensar. tr. ant. **prensar.**
emprenta. (Del fr. *empreinte*, impresión, huella.) f. ant. **imprenta,** arte de imprimir. ‖ **2.** ant. **imprenta,** local donde se imprime.
emprentar. (De *emprenta.*) tr. ant. **imprimir.**
empreñación. f. ant. Acción y efecto de empreñar.
empreñador. adj. Que empreña. Ú. t. c. s. m.
empreñar. (Del lat. *impraegnāre.*) tr. Concebir a la hembra. ‖ **2.** fig. y fam. Causar molestias a una persona. ‖ **3.** ant. **impregnar.** Usáb. t. c. prnl. ‖ **4.** prnl. Quedar preñada la hembra. ‖ **5.** intr. desus. Concebir la hembra.
empresa. (Del it. *impresa.*) f. Acción ardua y dificultosa que valerosamente se comienza. ‖ **2.** Cierto símbolo o figura enigmática que alude a lo que se intenta conseguir o denota alguna prenda de la que se hace alarde, para cuya mayor inteligencia se añade comúnmente alguna palabra o mote. ‖ **3.** Intento o designio de hacer alguna cosa. ‖ **4.** Casa o sociedad mercantil o industrial fundada para emprender o llevar a cabo construcciones, negocios o proyectos de importancia. ‖ **5.** Obra o designio llevado a efecto, en especial cuando en él intervienen varias personas. ‖ **6.** *Com.* Entidad integrada por el capital y el trabajo, como factores de la producción, y dedicada a actividades industriales, mercantiles o de prestación de servicios generalmente con fines lucrativos y con la consiguiente responsabilidad. ‖ **pública.** La creada y sostenida por un poder público.
empresariado. m. Conjunto de empresas o de empresarios.
empresarial. adj. Perteneciente o relativo a las empresas o a los empresarios.
empresario, ria. m. y f. Persona que por concesión o por contrata ejecuta una obra o explota un servicio público. ‖ **2.** Persona que abre al público y explota un espectáculo o diversión. ‖ **3. patrono,** persona que contrata y dirige obreros. ‖ **4.** Titular propietario o directivo de una industria, negocio o empresa.
empresentar. tr. ant. **presentar.**
emprestado. m. ant. **empréstito.**
emprestador. m. ant. El que empresta.
empréstamo. (De *emprestar.*) m. ant. **empréstito.**
emprestar. tr. ant. **prestar.** Hoy es vulgar. ‖ **2.** p. us. Pedir prestado.
empréstido. (De *en-* y *préstido.*) m. ant. **préstamo.** ‖ **2.** ant. Tributo, pecho, derrama.
emprestillador, ra. adj. ant. Que anda pidiendo prestado. Usáb. t. c. s. ‖ **2.** desus. **petardista.**
emprestillar. (De *emprestar.*) tr. ant. Andar pidiendo prestado.
emprestillón, na. adj. desus. **emprestillador.** Usáb. t. c. s.
empréstito. (Del lat. *in*, en, y *praestĭtus.*) m. Préstamo que toma el Estado o una corporación o empresa, especialmente cuando está representado por títulos negociables o al portador. ‖ **2.** Cantidad así prestada.
empresto, ta. p. p. irreg. ant. de **emprestar.**
empretecer. (De *en-*, *prieto* y *-ecer.*) intr. *Ecuad.* **ennegrecer.** Ú. t. c. prnl.
emprima. (De *emprimar.*) f. **primicia.**
emprimación. (De *emprimar.*) f. ant. **imprimación.**
emprimado, da. p. p. de **emprimar.** ‖ **2.** m. Acción y efecto de emprimar.
emprimar. (De *en-* y *primo.*) tr. Pasar la lana a una segunda carda para hacer paño más fino. ‖ **2.** ant. Preferir, dar el primer lugar. ‖ **3.** ant. Ensayar, estrenar. ‖ **4.** fig. y fam. Abusar del candor o inexperiencia de uno para que pague algo indebidamente, o para divertirse a sus expensas. ‖ **5.** *Pint.* **imprimar.**
emprimir. tr. ant. **imprimir.**
empringar. tr. vulg. **pringar.** Ú. t. c. prnl.
emprio o **emprío.** (De *emprar.*) m. *Ar.* Usufructo.
emprisionar. tr. ant. **aprisionar.**
empuchar. (De *en-* y *puches.*) tr. Poner en lejía de agua y ceniza las madejas de hilo antes de sacarlas al sol para curarlas.
empuesta (de). (Del lat. *in*, en, y *post*, después.) loc. adv. *Cetr.* Por detrás o después de haber pasado el ave.
empujada. (De *empujar.*) f. ant. **empujón.** Ú. en Argentina, Guatemala, Uruguay y Venezuela.
empujador, ra. adj. Que empuja. Ú. t. c. s.
empujamiento. (De *empujar.*) m. ant. **empuje.**
empujar. (Probablemente del b. lat. *impulsāre.*) tr. Hacer fuerza contra una cosa para moverla, sostenerla o rechazarla. ‖ **2.** fig. Hacer que uno salga del puesto, empleo u oficio en que se halla. ‖ **3.** fig. Hacer presión, influir, intrigar para conseguir o para dificultar o impedir alguna cosa.
empuje. m. Acción y efecto de empujar. ‖ **2.** Esfuerzo producido por el peso de una bóveda, o por el de las tierras de un muelle o malecón, sobre las paredes que las sostienen. ‖ **3.** fig. Brío, arranque, resolución con que se acomete una empresa. ‖ **4.** fig. Fuerza o valimiento eficaces para empujar.
empujo. (De *empujar.*) m. desus. **empuje.**
empujón. m. Impulso que se da con fuerza para apartar o mover a una persona o cosa. ‖ **2.** fig. Avance rápido que se da a una obra trabajando con ahínco en ella. ‖ **a empujones.** loc. adv. fig. y fam. **a empellones.** ‖ **2.** Con intermitencias o con desigual intensidad en los impulsos o avances. *Por escasez de dinero, la casa se construye* A EMPUJONES.
empulgadera. f. **empulguera,** extremidad de la verga de la ballesta.
empulgadura. f. Acción y efecto de empulgar.
empulgar. (De *en-* y *pulgar.*) tr. Armar la ballesta.
empulguera. (De *empulgar.*) f. Cada una de las extremidades de la verga de la ballesta. ‖ **2.** *Cetr.* Cada uno de los broches o cierres que mantienen al ave de presa sujeta a las pihuelas. ‖ **3.** pl. Instrumento que servía para dar tormento apretando los dedos pulgares. Era de diversas figuras y materias. ‖ **apretar las empulgueras** a uno. fr. fig. Ponerle en aprieto, estrecharle.
empuntar. tr. *Sal.*, *Col.* y *Ecuad.* Encarrilar, encaminar, dirigir. ‖ **2.** *Sal.* Despedir, echar a uno por molesto. ‖ **3.** *Taurom.* Empitonar. ‖ **4.** intr. *Col.* y *Ecuad.* Irse, marcharse. ‖ **5.** prnl. *Venez.* **obstinarse** uno en su tema. ‖ **empuntarlas.** fr. fam. *Col.* Afufar, tomar las de Villadiego.
empuñador, ra. adj. Que empuña.
empuñadura. f. Guarnición o puño de las armas, o de ciertos objetos, como el paraguas. ‖ **2.** fig. y fam. Principio de un discurso o cuento, con una fórmula tradicional, como *Érase que se era.* ‖ **hasta la empuñadura.** fr. fig. y fam. con que se denota que en una disputa o rivalidad una de las partes da un golpe muy acertado o decisivo.
empuñar. tr. Asir por o con el puño una cosa; como la espada, el bastón, etc. ‖ **2.** Asir una cosa abarcándola estrechamente con la mano. ‖ **3.** fig. Lograr, alcanzar un empleo o puesto. ‖ **4.** *Chile.* Cerrar la mano para formar o presentar el puño.
empuñidura. f. *Mar.* Cada uno de los cabos firmes en los puños altos o de grátil de las velas y en los extremos de las fajas de rizos, que sirven para sujetar unos u otros a la verga, pasándolos por detrás de los tojinos que, según los casos, corresponden.
empurpurado, da. adj. Vestido de púrpura.
empurrar. tr. *Can.* y *León.* Empujar a una persona de modo que dé insistentemente con la cara en algún sitio. ‖ **2.** prnl. *Can.* y *León.* Hundir u ocultar la cara por dis-

gusto o mohína. ‖ **3.** prnl. *C. Rica, Guat., Hond.* y *Nicar.* Enfurruñarse o emberrenchinarse.

emputecer. tr. **prostituir,** corromper a una mujer. Ú. t. c. prnl. y en sent. fig.

emputecimiento. m. Acción y efecto de emputecer o emputecerse. Ú. t. en sent. fig.

empuyarse. (De *en-* y *puya.*) prnl. ant. Herirse con púa.

emú. (Alteración, quizá por infl. de *ñandú,* del port. *ema,* especie de avestruz.) m. Ave del orden de las casuariformes, casi tan grande como el avestruz y parecida a este, pero, por excepción entre las corredoras, monógama. Su plumaje es bastante ralo, de colorido grisáceo a pardo-amarillento. Vive en zonas de llanura.

emulación. (Del lat. *aemulatĭo, -ōnis.*) f. Acción y efecto de emular. ‖ **2.** Deseo intenso de imitar e incluso superar las acciones ajenas. Generalmente se le da sentido favorable.

emulador, ra. (Del lat. *aemulātor, -ōris.*) adj. Que emula o compite con otro. Ú. t. c. s.

emular. (Del lat. *aemulāre.*) tr. Imitar las acciones de otro procurando igualarlas e incluso excederlas. Generalmente se le da sentido favorable. Ú. t. c. prnl.

emulgente. (Del lat. *emulgens, -entis,* p. a. de *emulgēre,* ordeñar.) adj. *Anat.* V. **arteria, vena emulgente.**

émulo, la. (Del lat. *aemŭlus.*) adj. Competidor de una persona o cosa, que procura excederla o aventajarla. Generalmente se le da sentido favorable. Ú. frecuentemente c. s.

emulsión. (Del lat. *emulsus,* ordeñado.) f. *Farm.* Líquido de aspecto lácteo que tiene en suspensión pequeñísimas partículas de sustancias insolubles en el agua, como grasas, resinas, bálsamos, etc. ‖ **2.** *Fotogr.* Suspensión coloidal de bromuro de plata en gelatina que forma la capa sensible a la luz del material fotográfico.

emulsionar. tr. Hacer que una sustancia, por lo general grasa, adquiera el estado de emulsión.

emulsivo, va. (Del lat. *emulsus,* ordeñado.) adj. *Farm.* Aplícase a cualquier sustancia que sirve para hacer emulsiones.

emulsor. (Del lat. *emulsus,* ordeñado.) m. Aparato destinado a facilitar la mezcla de las grasas con otras sustancias.

emunción. (Del lat. *emunctus,* limpio.) f. *Fisiol.* **excreción.**

emundación. (Del lat. *emundatĭo, -ōnis.*) f. ant. Acción y efecto de limpiar.

emuntorio. (Del lat. *emunctorĭum,* de *emungĕre,* limpiar.) m. *Anat.* Cualquier conducto, canal u órgano excretor del cuerpo de los animales. ‖ **2.** pl. *Anat.* Glándulas de los sobacos, de las ingles y de detrás de las orejas.

en. (Del lat. *in.*) prep. que indica en qué lugar, tiempo o modo se realiza lo que significan los verbos a que se refiere. *Pedro está* EN *Madrid; esto sucedió* EN *Pascua; tener* EN *depósito.* ‖ **2.** Algunas veces, **sobre.** *El rey le ha dado una pensión* EN *la renta del tabaco.* ‖ **3.** Indica a veces aquello en que se ocupa o sobresale una persona. *Doctor* EN *Medicina, trabajar* EN *Bioquímica.* ‖ **4.** A veces, indica situación de tránsito. EN *prensa;* EN *proyecto.* ‖ **5.** Con verbos de percepción como conocer, descubrir, etc., y seguida de un sustantivo, **por.** *Lo conocí* EN *la voz.* ‖ **6.** Seguida de gerundio, **luego que, después que.** EN *poniendo el general los pies en la playa, dispara la artillería.* ‖ **7.** Denota el término de algunos verbos de movimiento. *Caer* EN *un pozo; entrar* EN *casa.* ‖ **8.** ant. **con.** *Alegrarse* EN *una nueva.*

en-. (Del lat. *in-.*) pref. que toma la forma **em-** ante *b* o *p.* Frecuentemente forma verbos y adjetivos parasintéticos: EM*palizar,* EM*brutecer,* EN*capado.* Suele significar «dentro de» o «sobre»: EN*cajonar,* EN*latar,* EM*botellar,* EM*papelar,* EM*pastar.*

-ena. V. **-eno.**

enaceitar. (De *en-* y *aceitar.*) tr. Untar con aceite. ‖ **2.** prnl. Ponerse aceitosa o rancia una cosa.

enacerar. tr. Hacer alguna cosa como de acero. ‖ **2.** fig. Endurecer, vigorizar.

enaciado, da. (De etim. disc.) adj. ant. Tornadizo, elche, renegado. ‖ **2.** m. Súbdito de los reyes cristianos españoles unido estrechamente a los sarracenos por vínculos de amistad o interés.

enaciyar. (De *en-* y *acije,* vitriolo.) tr. ant. Tratar las lanas con caparrosa o aceite de vitriolo.

enagua. (De *nagua,* voz taína.) f. Prenda interior femenina que se usa debajo de la falda. Ú. m. en pl. ‖ **2.** Por ext., prenda del mismo uso que cubre también el torso. ‖ **3.** Vestidura de bayeta negra, a modo de saya, que usaban los hombres en los lutos mayores y los trompeteros de las procesiones de Semana Santa.

enaguachar. (De *en-* y *aguachar.*) tr. Poner demasiada agua en una cosa. ‖ **2.** Causar en el estómago estorbo y pesadez el beber mucho o el comer mucha fruta. Ú. t. c. prnl.

enaguar. (Del lat. *inaquāre,* meter en agua.) tr. **enaguachar,** impregnar de agua.

enaguazar. (De *en-* y *aguazar.*) tr. Encharcar, llenar de agua las tierras. Ú. t. c. prnl.

enagüetas. (d. de *enaguas.*) f. pl. *Gran.* Especie de zaragüelles que usan los hombres del campo en las Alpujarras.

enagüillas. f. pl. d. de **enagua,** prenda de vestir. ‖ **2.** Enagua de bayeta negra que usaban los hombres en algunos lutos mayores. ‖ **3.** Especie de falda corta que se pone a algunas imágenes de Cristo crucificado, o que se usa en algunos trajes de hombre, como el escocés o el griego.

enajenable. adj. Que se puede enajenar.

enajenación. f. Acción y efecto de enajenar o enajenarse. ‖ **2.** fig. Distracción, falta de atención, embeleso. ‖ **mental. locura,** privación del juicio.

enajenado, da. p. p. de **enajenar.** ‖ **2.** adj. V. **oficio enajenado.**

enajenador, ra. adj. Que enajena. Ú. t. c. s.

enajenamiento. m. **enajenación.**

enajenar. (Del lat. *in,* en, y *alienāre.*) tr. Pasar o transmitir a otro el dominio de una cosa o algún otro derecho sobre ella. ‖ **2.** fig. Sacar a uno fuera de sí; entorpecerle o turbarle el uso de la razón o de los sentidos. *El miedo lo* ENAJENÓ. Ú. t. c. prnl. ENAJENARSE *por la cólera;* SE ENAJENÓ *de sí.* ‖ **3.** prnl. Desposeerse, privarse de algo. ‖ **4.** Apartarse del trato que se tenía con alguna persona, por haberse entibiado la relación de amistad. Ú. t. c. tr.

enálage. (Del lat. *enallăge,* y este del gr. ἐναλλαγή, cambio.) f. *Ret.* Figura que consiste en mudar las partes de la oración o sus accidentes; como cuando se pone un tiempo del verbo por otro, etc.

enalbar. (Del lat. *inalbāre,* blanquear.) tr. Caldear y encender el hierro en la fragua hasta que parece blanco.

enalbardar. tr. Echar o poner la albarda. ‖ **2.** fig. Rebozar lo que se va a freír. ‖ **3.** fig. **emborrazar.**

enalmagrado, da. p. p. de **enalmagrar.** ‖ **2.** adj. fig. Señalado o tenido por ruin.

enalmagrar. tr. **almagrar,** teñir de almagre.

enaltecedor, ra. adj. Que enaltece.

enaltecer. (De *en-, alto* y *-ecer.*) tr. **ensalzar.** Ú. t. c. prnl.

enaltecimiento. m. Acción y efecto de enaltecer.

enamarillecer. intr. **amarillecer.** Ú. t. c. prnl.

enamorada. f. desus. Ramera, mujer de mala vida.

enamoradamente. adv. m. Con amor, con cariño, con pasión.

enamoradizo, za. adj. Propenso a enamorarse.

enamorado, da. p. p. de **enamorar.** ‖ **2.** adj. Que tiene amor. Ú. t. c. s. ‖ **3. enamoradizo.** ‖ **4.** Muy aficionado a una cosa. Ú. t. c. s.

enamorador, ra. adj. Que enamora o dice amores. Ú. t. c. s.

enamoramiento. m. Acción y efecto de enamorar o enamorarse.

enamorar. tr. Excitar en uno la pasión del amor. ‖ **2.** Decir amores o requiebros. ‖ **3.** prnl. Prendarse de amor de una persona. ‖ **4.** Aficionarse a una cosa.

enamoricarse. prnl. fam. Prendarse de una persona levemente y sin gran empeño.

enamoriscarse. prnl. **enamoricarse.**

enamorosamente. adv. m. ant. **amorosamente.**

enanarse. prnl. desus. Hacerse enano.

enancarse. prnl. *Amér.* Montar a las ancas. ‖ **2.** fig. *Amér.* Meterse uno donde no lo llaman.

enanchar. (De *en-* y *ancho.*) tr. fam. **ensanchar.**

enangostar. tr. **angostar,** estrechar. Ú. t. c. prnl.

enanismo. m. *Pat.* Trastorno del crecimiento, caracterizado por una talla muy inferior a la media de los individuos de la misma edad, especie y raza.

enano, na. (Del lat. *nanus,* y este del gr. νᾶνος.) adj. fig. Diminuto en su especie. ‖ **2.** m. y f. Persona de extraordinaria pequeñez. ‖ **el enano de la venta.** Personaje ficticio al cual se alude cuando alguien profiere bravatas o amenazas que luego no puede cumplir.

enante[1]. (Del lat. *oenanthe,* y este del gr. οἰνάνθη.) f. Hierba de la familia de las umbelíferas, de dos a tres decímetros, con tallos angulosos, hojas divididas en lóbulos alargados y cuneiformes, flores blancas, frutos aovados, con estrías y coronados por cinco dientecitos, y raíces cilíndricas terminadas por tubérculos globosos. Es planta venenosa, común en los terrenos húmedos.

enante[2]. (De la prep. lat. *in* y el adv. *ante.*) adv. t. ant. **enantes.**

enantes. (De *enante[2].*) adv. t. ant. y hoy vulg., **antes,** en un tiempo o lugar anterior.

enanzar. (Del lat. *in antea,* antes.) intr. *Nav.* Adelantar, avanzar.

enaparejar. (De *en-* y *aparejar.*) intr. ant. **emparejar.**

enarbolado, da. p. p. de **enarbolar.** ‖ **2.** m. Conjunto de piezas de madera ensambladas que constituyen la armadura de una linterna de torre o bóveda.

enarbolar. (De *en-* y *árbol.*) tr. Levantar en alto estandarte, bandera o cosa semejante, o algo con lo que se amenaza a otro. ‖ **2.** prnl. **encabritarse,** empinarse el caballo. ‖ **3.** Enfadarse, enfurecerse.

enarcar. tr. **arquear[1],** dar figura de arco. Ú. t. c. prnl. ‖ **2.** Echar cercos o arcos a las cubas, toneles, etc. ‖ **3.** prnl. Encogerse, achicarse. ‖ **4.** fig. *Ar.* Cortarse, perder la serenidad al ir a hacer algo difícil. ‖ **5.** *Méj.* Encabritarse el caballo.

enardecedor, ra. adj. Que enardece.

enardecer. (Del lat. *inardescĕre.*) tr. fig. Excitar o avivar una pasión del ánimo, una pugna o disputa, etc. Ú. t. c. prnl. ‖ **2.** prnl. Encenderse, requemarse una parte del cuerpo del animal por congestión o inflamación.

enardecimiento. m. Acción y efecto de enardecer o enardecerse.

enarenación. (De *enarenar.*) f. Mezcla de cal y arena con que se preparan las paredes que se han de pintar.

enarenar. tr. Cubrir de arena una superficie. Ú. t. c. prnl. ‖ **2.** *Min.* Mezclar cierta cantidad de arena fina con las lamas argentíferas para que estas se esponjen y pueda el azogue trabajar más fácilmente sobre las partículas de plata. ‖ **3.** prnl. Encallar o varar las embarcaciones.

enarmonar. tr. Levantar o poner en pie una cosa. ‖ **2.** prnl. **empinarse** un caballo.

enarmónico, ca. (Del gr. ἐναρμονικός.) adj. *Mús.* Aplícase a uno de los tres géneros del sistema musical que procede por dos diesis o semitonos menores y una tercera mayor o dítono. ‖ **2.** *Mús.* V. **diatónico cromático enarmónico.** ‖ **3.** *Mús.* V. **semitono enarmónico.**

enarración. (Del lat. *enarratĭo, -ōnis.*) f. desus. Acción y efecto de enarrar.

enarrar. (Del lat. *enarrāre.*) tr. desus. **narrar.**

enartamiento. (De *enartar.*) m. ant. Fraude, artificio engañoso.

enartar. (De *en-* y *arte,* engaño.) tr. ant. Engañar, encubrir con disimulo o engaño. ‖ **2.** ant. Encantar, hechizar por arte mágico.

enartrosis. (Del gr. ἐνάρθρωσις, articulación.) f. *Med.* Articulación movible de la parte esférica de un hueso que encaja en una cavidad.

enaspar. tr. ant. **aspar.** Ú. en Asturias.

enastado, da. p. p. de **enastar.** ‖ **2.** adj. Que tiene astas o cuernos.

enastar. tr. Poner el mango o asta a un arma o instrumento.

enastilar. tr. Poner astil a una herramienta.

enatíamente. adv. m. ant. Con desaliño, con abandono, con descompostura.

enatieza. (De *enatío.*) f. ant. Desaliño, descompostura, desaseo.

enatío, a. (De etim. disc.) adj. ant. Ocioso, superfluo.

encabalgamento. m. ant. **encabalgamiento.**

encabalgamiento. m. Cureña en que se montaba o aseguraba la artillería. ‖ **2.** Armazón de maderos cruzados donde se apoya alguna cosa. ‖ **3.** *Métr.* Acción y efecto de encabalgar o encabalgarse una palabra o frase en versos o hemistiquios contiguos.

encabalgar. intr. ant. Cabalgar, montar. ‖ **2.** Descansar, apoyarse una cosa sobre otra. ‖ **3.** tr. Proveer de caballos. ‖ **4.** *Métr.* Distribuir en versos o hemistiquios contiguos partes de una palabra o frase que de ordinario constituyen una unidad fonética y léxica o sintáctica. Ú. t. c. prnl.

encaballado, da. p. p. de **encaballar.** ‖ **2.** m. *Impr.* Descomposición de un molde por mezclarse las líneas, letras y espacios.

encaballar. (De *en-* y *caballo.*) tr. Colocar una pieza de modo que se sostenga sobre la extremidad de otra. ENCABALLAR *las tejas.* ‖ **2.** intr. **encabalgar,** apoyarse parcialmente una cosa sobre otra. ‖ **3.** *Impr.* Desarreglar un molde de modo que las letras de unas líneas pasen a otras. Ú. t. c. prnl.

encabar. tr. Poner cabo o mango a una herramienta.

encabelladura. f. ant. **cabellera.**

encabellar. intr. ant. Criar cabello o ponérselo postizo.

encabellecerse. prnl. Criar cabello.

encabestradura. f. *Veter.* Herida producida a una caballería en la parte posterior de la cuartilla por el frote del cabestro o ronzal.

encabestrar. tr. Poner el cabestro a los animales. ‖ **2.** Hacer que las reses bravas sigan a los cabestros para conducirlas donde se quiere. ‖ **3.** fig. Atraer, seducir a alguno para que haga lo que otro desea. ‖ **4.** prnl. Enredar la bestia una mano en el cabestro o ronzal con que está atada, y no poder sacarla.

encabezado, da. p. p. de **encabezar.** ‖ **2.** m. *Guat.* y *Méj.* Titular de un periódico.

encabezamiento. m. Acción de encabezar o empadronar. ‖ **2.** Registro o padrón de vecinos para la imposición de los tributos. ‖ **3.** Ajuste de la cuota que deben pagar los vecinos por toda la contribución. ‖ **4.** Tanto alzado con que un grupo de contribuyentes satisface al tesoro público determinado impuesto. ‖ **5.** Conjunto de las palabras con que, según fórmula, se empieza un documento, y también lo que, como advertencia o en otro concepto, se dice al principio de un libro o escrito de cualquier clase.

encabezar. tr. Registrar, poner en matrícula a uno, y también formar la expresada matrícula para el cobro de los tributos. ‖ **2.** Iniciar una suscripción o lista. ‖ **3.** Poner el encabezamiento de un libro o escrito. ‖ **4.** Acaudillar, presidir. ‖ **5.** Aumentar la parte espiritosa de un vino con otro más fuerte, con aguardiente o con alcohol. ‖ **6.** *Carp.* Unir dos tablones o vigas por sus extremos, o remendar éstos, si se han podrido, con trozos de madera sana. ‖ **7.** prnl. Convenirse y ajustarse en cierta cantidad para un pago. ‖ **8.** Darse por contento de sufrir un daño por evitar otro mayor.

encabezonamiento. m. desus. **encabezamiento.**

encabezonar. tr. desus. **encabezar.**

encabrahigar. tr. **cabrahigar**[2].

encabriar. (De *en-* y *cabrio.*) tr. *Arq.* Colocar los cabrios para formar la cubierta de un edificio.

encabrillar. tr. Hacer cabrillas el viento en el agua del mar.

encabritarse. prnl. Empinarse el caballo, afirmándose sobre los pies y levantando las manos. Ú. t. c. tr. ‖ **2.** fig. Tratándose de embarcaciones, aeroplanos, automóviles, etc., levantarse la parte delantera súbitamente hacia arriba.

encabronar. tr. fig. Enojar, enfadar. Ú. t. c. prnl.

encabruñar. tr. *Sal.* **cabruñar.**

encabullar. tr. **encabuyar.**

encabuyar. tr. *Cuba, P. Rico* y *Venez.* Liar, forrar una cosa con cabuya.

encachado, da. (De *en-* y *cacho*[1].) p. p. de **encachar.** ‖ **2.** adj. *Chile.* Bien presentado. ‖ **3.** m. Revestimiento de piedra u hormigón con que se fortalece el cauce de una corriente de agua entre los estribos o las pilas de un puente o alcantarilla. ‖ **4.** Empedrado de la entrevía por donde circulaban tranvías de sangre para que las caballerías marchasen más fácilmente. ‖ **5.** Enlosado irregular de piedra con juntas de tierra donde nace musgo o hierba. ‖ **6.** *Cantabria.* Empedrado de morrillos.

encachar. tr. Hacer un encachado. ‖ **2.** ant. Encajar o empotrar. ‖ **3.** Poner las cachas a un cuchillo, navaja, etc. ‖ **4.** *Chile.* Agachar la cabeza el animal vacuno para embestir. ‖ **5.** prnl. *Chile* y *Venez.* Obstinarse, emperrarse.

encacharse. prnl. *Chile.* Agachar la cabeza.

encadarse. prnl. *Ar.* y *Nav.* Meterse en el cado, agazaparse. ‖ **2.** fig. Acoquinarse, acobardarse.

encadenación. f. **encadenamiento.**

encadenado, da. p. p. de **encadenar.** ‖ **2.** adj. Dícese de la estrofa cuyo primer verso repite en todo o en parte las palabras del último verso de la estrofa precedente, y también se dice del verso que comienza con la última palabra del anterior. ‖ **3.** V. **tercetos encadenados.** ‖ **4.** m. *Arq.* Bastidor de maderos sobre el que se levanta una fábrica. ‖ **5.** Machón de sillería con que se fortifica un muro de ladrillo o mampostería. ‖ **6.** *Min.* Serie de estemples y tornapuntas ligados entre sí en una entibación.

encadenadura. f. p. us. **encadenamiento.**

encadenamiento. m. Acción y efecto de encadenar. ‖ **2.** Conexión y trabazón de unas cosas con otras, tanto en lo físico como en lo moral.

encadenar. tr. Ligar y atar con cadena. ‖ **2.** fig. Trabar y unir unas cosas con otras; como los razonamientos, etc. ‖ **3.** fig. Dejar a uno sin movimiento y sin acción.

encaecer. intr. ant. Parir la mujer. Usab. t. c. prnl.

encaecida. adj. ant. **parida.**

encajadas. (De *encajar.*) adj. pl. *Blas.* Aplícase a las piezas que forman encajes.

encajador. m. El que encaja. ‖ **2.** Instrumento que sirve para encajar una cosa en otra.

encajadura. f. Acción de encajar una cosa en otra. ‖ **2.** Hueco donde encaja una cosa.

encajar. (De *en-* y *caja.*) tr. Meter una cosa, o parte de ella, dentro de otra ajustadamente. ENCAJAR *la llave en la cerradura.* Ú. t. c. intr. *Esta puerta no* ENCAJA. ‖ **2.** fig. y fam. Decir una cosa, ya sea con oportunidad, ya extemporánea o inoportunamente. ENCAJAR *un cuento, un chiste.* ‖ **3.** fig. y fam. Dar un golpe o herir con algo. *Le* ENCAJÓ *un trabucazo, un palo.* ‖ **4.** fig. y fam. Aplicar con violencia algo contundente a una parte del cuerpo. *Le* ENCAJÓ *el puño en las narices, un tintero en la cabeza.* ‖ **5.** fig. y fam. Hacer oír prolongadamente a uno alguna cosa, causándole molestia o enfado. *Me* ENCAJÓ *una arenga, un comedión, cincuenta páginas de filosofía ininteligible.* ‖ **6.** fig. y fam. Hacer tomar o recibir una cosa, engañando o causando molestia al que la toma o recibe. ENCAJAR *a uno una moneda falsa, o un mamotreto para que lo lleve a tal o cual parte.* ‖ **7.** intr. fig. y fam. **venir al caso.** Ú. frecuentemente con el adv. *bien.* ‖ **8.** Coincidir, estar de acuerdo. *Esta noticia* ENCAJA *con la que ya sabíamos.* ‖ **9.** fig. y fam. Recibir, soportar sin gran quebranto golpes, un resultado o tanteo adverso, etc. ‖ **10.** prnl. Meterse uno en parte estrecha; como en un concurso grande de gente, en un hueco de pared, etc. ‖ **11.** fig. y fam. Vestirse una prenda. *Se* ENCAJÓ *el gabán.* ‖ **12.** fig. y fam. Introducirse uno en alguna parte extemporánea o inopinadamente; meterse donde no es llamado.

encaje. m. Acción de encajar una cosa en otra. ‖ **2.** Sitio o hueco en que se mete o encaja una cosa. ‖ **3.** Ajuste de dos piezas que cierran o se adaptan entre sí. ‖ **4.** Medida y corte que tiene una cosa para que venga justa con otra, y, así unidas, se asienten y enlacen. ‖ **5.** Cierto tejido de mallas, lazadas o calados, con flores, figuras u otras labores, que se hace con bolillos, aguja de coser o de gancho, etc., o bien a máquina. ‖ **6.** Labor de taracea o embutidos. ‖ **7.** En el juego de las pintas, concurrencia del número que se va contando con el de la carta. ‖ **8.** Dinero que los bancos tienen en caja. ‖ **9.** fam. V. **ley del encaje.** ‖ **10.** pl. *Blas.* Particiones del escudo en formas triangulares alternantes, de color y metal, y encajadas unas en otras. ‖ **de mar.** Colonia de briozoos cuya forma recuerda a un tejido de **encaje.** ‖ **encajes de la cara.** Aspecto en conjunto de las diferentes facciones de ella.

encajerarse. prnl. *Mar.* Detenerse un cabo de labor entre la cajera y la roldana de un motón.

encajero, ra. m. y f. Persona que se dedica a hacer encajes de bolillos o gancho, o que los compone o vende.

encajetillar. tr. Meter cigarrillos o tabaco picado en cajetillas.

encajonado, da. p. p. de **encajonar.** ‖ **2.** m. **ataguía.** ‖ **3.** *Arq.* Obra de tapia que se hace encajonando tierra y apisonándola dentro de tapiales o tablas puestas en cuchillo, de modo que quede entre ellas un hueco igual al grueso de la pared.

encajonamiento. m. Acción y efecto de encajonar.

encajonar. tr. Meter y guardar una cosa dentro de uno o más cajones. ‖ **2.** Meter en un sitio angosto. Ú. m. c. prnl. ‖ **3.** *Albañ.* Construir cimientos en cajones o zanjas abiertas. ‖ **4.** *Arq.* Reforzar un muro a trechos con machones, formando encajonados. ‖ **5.** *Taurom.* Encerrar a los toros en cajones para su traslado, en especial a las plazas donde han de ser lidiados. ‖ **6.** prnl. Ahocinarse, correr el río, o el arroyo, por una angostura.

encajoso, sa. adj. *Méj.* Pedigüeño, confianzudo.

encalabozar. tr. fam. Poner o meter a alguien en el calabozo.

encalabriar. tr. desus. **encalabrinar.** Usáb. t. c. prnl.

encalabrinamiento. m. Acción y efecto de encalabrinar o encalabrinarse.

encalabrinar. (De *en-* y el dialect. *calabrina,* hedor de cadáver.) tr. Llenar la cabeza de un vapor o hálito que la turbe. Ú. t. c. prnl. ‖ **2.** Hacer concebir a alguien falsas esperanzas. ‖ **3.** Excitar, irritar. ENCALABRINAR *los nervios.* ‖ **4.** prnl. fam. Enamorarse perdidamente. ‖ **5.** fam. Obstinarse, empeñarse en una cosa sin darse a razones.

encalada. f. Pieza de metal en el jaez del caballo.

encalado. m. **encaladura.**

encalador, ra. adj. Que encala o blanquea. Ú. t. c. s. ‖ **2.** m. En las tenerías, cuba donde se meten las pieles con cal, para pelarlas.

encaladura. f. Acción y efecto de encalar[1].

encalambrarse. (De *en-* y *calambre.*) prnl. *Col., Chile* y *P. Rico.* Entumirse, aterirse.

encalamocar. tr. *Col.* y *Venez.* Alelar, poner a uno calamocano o chocho. Ú. t. c. prnl.

encalar[1]. tr. Blanquear con cal una cosa. Se usa principalmente hablando de las paredes. ‖ **2.** Meter en cal o espolvorear con ella alguna cosa.

encalar[2]. tr. Poner o meter algo en una cala o cañón; como se hace con el carbón en los hornillos de atanor.

encalcar. (De *en-* y *calcar.*) tr. *León, Sal.* y *Zam.* Recalcar, apretar.

encalillarse. prnl. *Chile.* Endeudarse.

encalmadura. (De *encalmarse.*) f. Enfermedad de las caballerías ocasionada por el exceso de trabajo en épocas de mucho calor.

encalmar. (De *en-* y *calma.*) tr. Tranquilizar, serenar. Ú. m. c. prnl. ‖ **2.** prnl. Tratándose del tiempo o del viento, quedar en calma. ‖ **3.** Hablando de negocios o transacciones, tener poca actividad. ‖ **4.** Sofocarse o enfermar las caballerías por exceso de calor o trabajo.

encalo. m. *And.* Blanqueo hecho con cal.

encalostrarse. prnl. Enfermar el niño que ha mamado los calostros.

encalvar. (De *en-* y *calvo.*) intr. desus. **encalvecer.**

encalvecer. (De *en-* y *calvecer.*) intr. Perder el pelo, quedar calvo.

encalzar. (Del lat. **incalceāre,* de *calx, calcis,* talón.) tr. ant. Perseguir, alcanzar.

encalladero. m. Paraje donde pueden encallar las naves.

encalladura. f. Acción y efecto de encallar una embarcación.

encallar. (der. de *calle.*) intr. Dar la embarcación en arena o piedra, quedando en ellas sin movimiento. Ú. t. c. prnl. ‖ **2.** fig. No poder salir adelante en un negocio o empresa. Ú. t. c. prnl.

encallarse. (Del lat. *incallāre,* endurecer.) prnl. Endurecerse algunos alimentos por quedar interrumpida su cocción. ‖ **2.** ant. **encallecer.** Ú. en Andalucía.

encallecer. tr. Endurecer una parte del cuerpo formando en ella callos. Ú. t. c. prnl. ‖ **2.** fig. Hacer insensible. ENCALLECER *el corazón, la conciencia.* ‖ **3.** intr. Criar callos o endurecerse la carne a manera de callo. Ú. t. c. prnl. ‖ **4.** prnl. fig. Endurecerse con la costumbre en los trabajos o en los vicios. ‖ **5.** fig. **encallarse,** endurecerse los alimentos.

encallejonar. tr. Hacer entrar o meter una cosa por un callejón, o por cualquier parte estrecha y larga a modo de callejón. ENCALLEJONAR *los toros.* Ú. t. c. prnl.

encalletrar. (De *en-* y *calletre.*) tr. ant. Fijar una cosa en la cabeza; persuadirse muy firmemente de ella. Usáb. t. c. prnl.

encamación. (De *encamar.*) f. *Min.* Entibación hecha con ademes delgados, unos junto a otros, dispuestos a lo largo de las excavaciones.

encamado, da. p. p. de **encamar.** ‖ **2.** m. Resultado de encamarse las mieses.

encamar. (De *en-* y *cama.*) tr. Tender o echar una cosa en el suelo. ‖ **2.** *Min.* Cubrir camadas o rellenar huecos con ramaje. ‖ **3.** prnl. Echarse o meterse en la cama por enfermedad. ‖ **4.** Echarse las reses y piezas de caza en los sitios que buscan para su descanso. ‖ **5.** Permanecer agazapadas las liebres y otras piezas de caza. ‖ **6.** Echarse o abatirse las mieses.

encamarar. tr. Poner y guardar en la cámara los granos y frutos.

encambijar. tr. Acopiar agua y distribuirla por medio de arcas y cambijas.

encambrar. tr. **encamarar.**

encambronar. tr. Cercar con cambrones una tierra o heredad. ‖ **2.** Fortificar y guarnecer con hierros una cosa. ‖ **3.** prnl. ant. Ponerse tieso y cuellierguido, sin volver ni bajar la cabeza a nadie.

encaminadura. (De *encaminar.*) f. **encaminamiento.**

encaminamiento. m. Acción y efecto de encaminar o encaminarse.

encaminar. tr. Enseñar a uno por dónde ha de ir, ponerle en camino. Ú. t. c. prnl. ‖ **2.** Dirigir una cosa hacia un punto determinado. ‖ **3.** fig. Enderezar la intención a un fin determinado; poner los medios que conducen a él.

encamisada. f. En la milicia antigua, sorpresa que se ejecutaba de noche, cubriéndose los soldados con una camisa blanca para no confundirse con los enemigos. ‖ **2.** Especie de mojiganga, que se ejecutaba de noche con hachas[1], para diversión o muestra de regocijo.

encamisar. tr. Poner la camisa. Ú. t. c. prnl. ‖ **2. enfundar,** poner una cosa dentro de una funda. ‖ **3.** fig. Encubrir, disfrazar. ‖ **4.** prnl. En la milicia antigua, hacer una encamisada.

encamonado, da. adj. *Arq.* Hecho con camones[2], armazones de cañas o listones. ‖ **2.** V. **bóveda encamonada.**

encamotarse. fam. *Argent., C. Rica, Chile, Ecuad., Perú* y *Urug.* Enamorarse, amartelarse.

encampanado, da. p. p. de **encampanar.** ‖ **2.** adj. **acampanado,** en forma de campana. ‖ **3.** Dícese de las piezas de artillería cuya ánima se va estrechando hacia el fondo de la recámara. ‖ **dejar** a uno **encampanado.** fr. fam. *Méj.* y *P. Rico.* Dejarle en la estacada.

encampanar. tr. *Col., P. Rico, Sto. Dom.* y *Venez.* Elevar, encumbrar. Ú. t. c. prnl. ‖ **2.** *Méj.* Dejar a alguien en la estacada. ‖ **3.** prnl. *Col.* Enamorarse. ‖ **4.** *Venez.* Internarse, avanzar hacia dentro. ‖ **5.** *Taurom.* Levantar el toro parado la cabeza como desafiando. ‖ **6.** Ensancharse o ponerse hueco, haciendo alarde de guapo o valentón.

encanalar. tr. Conducir el agua u otro líquido por canales, o hacer que un río o arroyo entre por un canal. Ú. t. c. prnl.

encanalizar. tr. **encanalar.**

encanallamiento. m. Acción y efecto de encanallar o encanallarse.

encanallar. tr. Corromper, envilecer a uno haciéndole adquirir costumbres canallescas. Ú. t. c. prnl.

encanamento. m. ant. **canal.** ‖ **2.** ant. *Arq.* Adorno horizontal formado por canecillos o modillones.

encanarse. (De *en-* y *can*[1].) prnl. Pasmarse o quedarse envarado por la fuerza del llanto o de la risa. ‖ **2.** *And.* y *Ar.* Entretenerse demasiado hablando. ‖ **3.** *Cuen.* Quedarse detenida alguna cosa en un sitio donde no puede alcanzarse fácilmente, encolarse. ‖ **4.** *Col.* En el lenguaje del hampa, ingresar en la cárcel.

encanastar. tr. Poner algo en una o más canastas.

encancerarse. prnl. **cancerarse.**

encandecer. (Del lat. *incandescĕre.*) tr. Hacer ascua una cosa hasta que quede como blanca de puro encendida. Ú. t. c. prnl.

encandelar. (De *en-* y *candela.*) intr. *Agr.* Echar algunos árboles flores en amento o candelillas.
encandelillar. tr. *Argent., Col., Chile, Ecuad.* y *Perú.* Sobrehilar una tela. ‖ **2.** *Col., Chile, Ecuad., Hond., Perú* y *Venez.* Encandilar, deslumbrar.
encandiladera. f. fam. **encandiladora.**
encandilado, da. p. p. de **encandilar.** ‖ **2.** adj. fam. Erguido, levantado. ‖ **3.** V. **sombrero encandilado.**
encandilador, ra. adj. **deslumbrador.** ‖ **2.** f. fam. **alcahueta,** mujer que solicita a otra para que tenga trato lascivo con un hombre.
encandilar. tr. Deslumbrar acercando mucho a los ojos el candil o vela, o presentando de golpe a la vista una cantidad excesiva de luz. Ú. t. c. prnl. ‖ **2.** fig. Deslumbrar, alucinar, embelesar. Ú. t. c. prnl. ‖ **3.** fam. Avivar la lumbre. Ú. t. c. prnl. ‖ **4.** Encender o avivar los ojos la bebida o la pasión. Ú. t. c. prnl. ‖ **5.** Despertar o excitar el sentimiento o deseo amoroso. Ú. t. c. prnl. ‖ **6.** prnl. *P. Rico.* Enfadarse.
encanecer. (Del lat. *incanescĕre.*) intr. Ponerse cano. ‖ **2.** fig. Ponerse mohoso. Ú. t. c. prnl. ‖ **3.** fig. Envejecer una persona. ‖ **4.** tr. Hacer **encanecer.**
encanecimientos. m. Efecto de encanecer.
encanijamiento. m. Acción y efecto de encanijar o encanijarse.
encanijar. (De *en-* y *canijo.*) tr. Poner flaco y enfermizo. Se usa más comúnmente hablando de los niños. Ú. t. c. prnl.
encanillar. tr. Devanar el hilo en las canillas.
encantación. (Del lat. *incantatĭo, -ōnis.*) f. desus. **encantamiento.**
encantadera. f. ant. **encantadora,** que hace encantamientos.
encantado, da. p. p. de **encantar**[1]. ‖ **2.** adj. fig. y fam. Distraído o embobado constantemente. ‖ **3.** fig. y fam. Que se considera sometido a poderes mágicos.
encantador, ra. (Del lat. *incantātor, -ōris.*) adj. Que encanta o hace encantamientos. Ú. t. c. s. ‖ **2.** fig. Que hace muy viva y grata impresión en el alma o en los sentidos.
encantamento. m. **encantamiento.**
encantamiento. (Del lat. *incantamentum.*) m. Acción y efecto de encantar[1].
encantar[1]**.** (Del lat. *incantāre.*) tr. Someter a poderes mágicos. ‖ **2.** Atraer o ganar la voluntad de alguien por dones naturales, como la hermosura, la gracia, la simpatía o el talento. ‖ **3.** *Germ.* Entretener con razones aparentes y engañosas.
encantar[2]**.** (De *encanto*[2].) tr. *Ar.* Vender en pública subasta.
encantarar. tr. Poner una cosa dentro de un cántaro. Se usa ordinariamente cuando se meten las cédulas o bolas para un sorteo, aunque no sea en cántaro, sino en caja, bolsa u otra cosa.
encante. (De *encantar*[2].) m. p. us. Venta en pública subasta. ‖ **2.** Lugar en que se hacen estas ventas.
encanto[1]**.** (De *encantar*[1].) m. **encantamiento.** ‖ **2.** fig. Persona o cosa que suspende o embelesa. ‖ **3.** pl. fig. Atractivo físico.
encanto[2]**.** (Del cat. *en cant,* en cuanto.) m. ant. **encante.**
encantorio. (De *encantar*[1].) m. fam. **encantamiento.**
encantusar. (Cruce de *encantar*[1] y *engatusar.*) tr. fam. **engatusar.**
encanutar. tr. Poner una cosa en figura de canuto. Ú. t. c. prnl. ‖ **2.** Meter algo en un canuto. ‖ **3.** Emboquillar los cigarrillos.
encañada. f. Cañada, garganta, o paso entre dos montes.
encañado[1]**, da.** p. p. de **encañar**[1]. ‖ **2.** m. Conducto hecho de caños, o de otro modo, para conducir el agua.
encañado[2]**, da.** p. p. de **encañar**[2]. ‖ **2.** m. Enrejado o celosía de cañas que se pone en los jardines para enredar y defender las plantas o para hacer divisiones.
encañador, ra. m. y f. Persona que encaña la seda.
encañadura[1]**.** f. ant. **encañado**[1].
encañadura[2]**.** f. Caña del centeno entera, sin quebrantar, que sirve para henchir jergones y albardas.
encañamar. (De *en-* y *cáñamo.*) tr. *Pint.* Pegar fibras de cáñamo sobre las juntas de una tabla, para que no se abran antes de aparejarla y pintar encima.
encañar[1]**.** (De *en-* y *caño.*) tr. Hacer pasar el agua por caños o conductos. ‖ **2.** Sanear de la humedad las tierras por medio de encañados.
encañar[2]**.** tr. Poner cañas para sostener las plantas. ‖ **2.** **encanillar.** ‖ **3.** Colocar las rajas de leña o los palos que han de formar la pila para el carboneo. ‖ **4.** intr. *Agr.* Empezar a formar caña los tallos tiernos de los cereales. Se usa también hablando de otras plantas, como la del tabuco. Ú. t. c. prnl.
encañizada. f. Atajadizo que se hace con cañas en las lagunas, en los ríos o en el mar, para mantener algunos peces sin que puedan escaparse y poder cogerlos fácilmente. ‖ **2.** **encañado**[2], enrejado de cañas.
encañizar. (De *en-* y *cañizo.*) tr. Poner cañizos a los gusanos de seda. ‖ **2.** Cubrir con cañizos una bovedilla u otra cosa cualquiera.
encañonado, da. p. p. de **encañonar.** ‖ **2.** adj. Se dice del humo y del viento cuando corren con alguna fuerza por sitios estrechos y largos.
encañonar. tr. Dirigir o encaminar una cosa para que entre por un cañón. ‖ **2.** Hacer correr las aguas de un río por un cauce cerrado con bóveda o por una tubería. ENCAÑONAR *las aguas del río para dar movimiento a un molino.* ‖ **3.** Entre tejedores, encañar o encanillar. ‖ **4.** Asestar o dirigir un arma de fuego contra una persona o cosa. ‖ **5.** Componer o planchar una cosa formando cañones, como las vueltas almidonadas, etc. ‖ **6.** *Encuad.* Encajar un pliego dentro de otro. ‖ **7.** intr. Echar cañones las aves, la primera vez que crían pluma, o cuando la mudan.
encañutar. tr. ant. **encanutar.** ‖ **2.** intr. desus. Encañar las mieses.
encapacetado, da. adj. Que llevaba o usaba capacete o yelmo.
encapachadura. f. Conjunto de capachos que, llenos de aceituna, se apilan para prensarlos.
encapachar. tr. Meter alguna cosa en un capacho. Se usa comúnmente hablando de la aceituna, que, después de molida, se pone en capachos para exprimirla. ‖ **2.** *And.* Recoger todos los sarmientos de una cepa, atándolos y formando con ellos una especie de capa o cubierta, para resguardar de él los racimos.
encapado, da. p. p. de **encapar** o encaparse. ‖ **2.** adj. *Min.* Aplícase a la mina cuando el criadero no asoma a la superficie.
encapar. tr. Poner la capa. Ú. t. c. prnl. ‖ **2.** prnl. *Ar.* No poder nacer alguna planta por haberse formado una costra dura en la tierra a causa de la lluvia.
encapazar. tr. **encapachar.**
encaperuzar. tr. Poner la caperuza. Ú. t. c. prnl.
encapillado, da. p. p. de **encapillar.** ‖ **2.** adj. V. **vela encapillada.** ‖ **lo encapillado.** expr. fam. La ropa que se lleva puesta.
encapilladura. f. Acción y efecto de encapillar o encapillarse.
encapillar. (De *en-* y *capillo.*) tr. *Cetr.* **encapirotar.** ‖ **2.** *Mar.* Enganchar un cabo a un penol de verga, cuello de palo o mastelero, etc., por medio de una gaza hecha de intento en uno de sus extremos. ‖ **3.** *Min.* Formar en una labor un ensanche para iniciar en él otra labor nueva. ‖ **4.** prnl. fig. y fam. p. us. Ponerse alguna ropa, particular-

mente cuando se mete por la cabeza, como la camisa. ‖ **5.** *Mar.* Montar, engancharse o ponerse una cosa por encima de otra. ‖ **6.** *Mar.* Alcanzar un golpe de mar a una embarcación e inundar su cubierta.

encapirotar. tr. Poner el capirote. Ú. t. c. prnl.

encaponado, da. adj. ant. **acaponado.**

encapotadura. f. **ceño**[2] del rostro airado.

encapotamiento. m. **encapotadura.**

encapotar. tr. Cubrir con el capote. Ú. t. c. prnl. ‖ **2.** prnl. fig. Poner el rostro ceñudo y con sobrecejo. ‖ **3.** Cubrirse el cielo de nubes tormentosas. ‖ **4.** Bajar el caballo la cabeza demasiado, arrimando la boca al pecho. ‖ **5.** *Can., Cuba* y *P. Rico.* Enmantarse el ave.

encapricharse. prnl. Empeñarse uno en sostener o conseguir su capricho. ‖ **2.** Cobrar o tener capricho por una persona o cosa.

encapsular. tr. Meter en cápsula o cápsulas.

encapuchado, da. p. p. de **encapuchar.** ‖ **2.** adj. Dícese de la persona cubierta con capucha, especialmente en las procesiones de Semana Santa. Ú. t. c. s.

encapuchar. tr. Cubrir o tapar una cosa con capucha. Ú. t. c. prnl.

encapullado, da. adj. Encerrado como la flor en el capullo.

encapuzar. tr. Cubrir con capuz. Ú. t. c. prnl.

encarado, da. p. p. de **encarar.** ‖ **2.** adj. Con los advs. *bien* o *mal,* de buen o mal aspecto, de bellas o feas facciones.

encaramadura. f. ant. Acción y efecto de encaramar o encaramarse. ‖ **2.** ant. Altura, elevación.

encaramar. (De etim. disc.) tr. Levantar o subir a una persona o cosa a lugar dificultoso de alcanzar. Ú. t. c. prnl. ‖ **2.** Alabar, encarecer con extremo. Ú. t. c. prnl. ‖ **3.** fig. y fam. Elevar, colocar en puestos altos y honoríficos. Ú. t. c. prnl.

encaramiento. m. Acción y efecto de encarar o encararse.

encaramillotar. tr. ant. **encaramar,** alabar, encarecer con extremo.

encarar. intr. Ponerse uno cara a cara, enfrente y cerca de otro. Ú. t. c. prnl. ‖ **2.** tr. Poner con diversos fines dos cosas, animales, etc., frente a frente. ‖ **3.** Con los nombres *saeta, arcabuz,* etc., apuntar, dirigir a alguna parte la puntería. ‖ **4.** fig. Hacer frente a un problema, dificultad, etc. Ú. t. c. prnl. ‖ **5.** prnl. fig. Colocarse una persona o animal frente a otra en actitud violenta o agresiva.

encaratularse. prnl. Cubrirse la cara con mascarilla o carátula.

encarcajado, da. adj. ant. Que lleva carcaj.

encarcavinar. tr. Meter o poner a uno en la carcavina. ‖ **2.** Atafagar con algún mal olor, como el que sale de las cárcavas. ‖ **3.** Sofocar, asfixiar.

encarcelación. f. Acción y efecto de encarcelar.

encarcelador, ra. adj. Que encarcela.

encarcelamiento. m. Acción y efecto de encarcelar.

encarcelar. tr. Meter a una persona en la cárcel. ‖ **2.** *Albañ.* Asegurar con yeso o cal una pieza de madera o hierro. ENCARCELAR *un marco, una reja.* ‖ **3.** Sujetar en la cárcel de carpintero, para que se peguen bien, dos piezas de madera recién encoladas.

encarcerar. (Del lat. *in,* en, y *carcerāre.*) tr. ant. **encarcelar.**

encarecedor, ra. adj. Que encarece o que exagera. Ú. t. c. s.

encarecer. (Del lat. *incarescĕre.*) tr. Aumentar o subir el precio de una cosa; hacerla cara. Ú. t. c. intr. y c. prnl. ‖ **2.** fig. Ponderar, alabar mucho una cosa. ‖ **3.** Recomendar con empeño.

encarecidamente. adv. m. Con encarecimiento.

encarecimiento. m. Acción y efecto de encarecer. ‖ **con encarecimiento.** loc. adv. Con instancia y empeño.

encargadamente. adv. m. ant. Encarecidamente, con encargo y empeño.

encargado, da. p. p. de **encargar.** ‖ **2.** adj. Que ha recibido un encargo. ‖ **3.** m. y f. Persona que tiene a su cargo una casa, un establecimiento, un negocio, etc., en representación del dueño. ‖ **de negocios.** Agente diplomático, inferior en categoría al ministro residente cuando lo reemplaza en el desempeño de sus funciones.

encargamiento. m. ant. Acción y efecto de encargar.

encargar. (De *en-* y *cargar.*) tr. Encomendar, poner una cosa al cuidado de uno. Ú. t. c. prnl. ‖ **2.** Recomendar, aconsejar, prevenir. ‖ **3.** Pedir que se traiga o envíe de otro lugar alguna cosa. ‖ **4.** ant. Echar peso sobre algo. ‖ **5.** Imponer una obligación.

encargo. m. Acción y efecto de encargar o encargarse. ‖ **2.** Cosa encargada. ‖ **3.** Cargo o empleo. ‖ **como de encargo,** o **como hecho de encargo.** loc. adv. para indicar que algo reúne todas las condiciones apetecibles.

encariñar. tr. Aficionar a alguien, despertar o excitar cariño hacia algo. Ú. m. c. prnl.

encarna. (De *encarnar.*) f. *Mont.* Acción y efecto de cebar los perros en las tripas del venado muerto.

encarnación. (Del lat. *incarnatio, -ōnis.*) f. Acción y efecto de encarnar. ‖ **2.** n. p. Por excelencia, acto misterioso de haber tomado carne humana el Verbo Divino en el seno de la Virgen María. ‖ **3.** f. fig. Personificación, representación o símbolo de una idea, doctrina, etc. ‖ **4.** *Esc.* y *Pint.* Color de carne con que se pinta el desnudo de las figuras humanas. ‖ **de paletilla.** *Esc.* y *Pint.* La no bruñida. ‖ **de pulimento.** *Esc.* y *Pint.* La bruñida y lustrosa. ‖ **mate.** *Esc.* y *Pint.* **encarnación de paletilla.**

encarnadino, na. adj. De color encarnado bajo.

encarnado, da. p. p. de **encarnar.** ‖ **2.** adj. De color de carne. Ú. t. c. s. m. ‖ **3. colorado,** rojo. ‖ **4.** V. **lápiz encarnado.** ‖ **5.** V. **perpetua encarnada.** ‖ **6.** V. **diablo encarnado.** ‖ **7.** m. Color de carne que se da a las estatuas.

encarnadura. (De *encarnar.*) f. Disposición atribuida a los tejidos del cuerpo vivo para cicatrizar o reparar sus lesiones. *Tener buena,* o *mala,* ENCARNADURA. ‖ **2.** Efecto de encarnar una arma. ‖ **3.** *Mont.* Acción de encarnarse el perro en la caza.

encarnamiento. m. Efecto de encarnar una herida.

encarnar. (Del lat. *incarnāre.*) intr. Tomar un espíritu, una idea, etc., forma corporal. Ú. t. c. prnl. ‖ **2.** Según la doctrina cristiana, hacerse hombre el Verbo Divino. Ú. t. c. prnl. ‖ **3.** Criar carne cuando se va mejorando y sanando una herida. ‖ **4.** Introducirse por la carne la saeta, espada u otra arma. ‖ **5.** fig. Hacer fuerte impresión en el ánimo una cosa o noticia. ‖ **6.** *Impr.* Estampar bien una tinta sobre un papel, o una tinta sobre otra. *La tinta azul no* HA ENCARNADO *bien. El azul* HA ENCARNADO *sobre el amarillo.* ‖ **7.** *Mont.* Cebarse el perro en la caza que coge, hasta que la mata. Ú. t. c. prnl. ‖ **8.** tr. fig. Personificar, representar alguna idea, doctrina, etc. ‖ **9.** fig. Representar un personaje de una obra dramática. ‖ **10.** Entre pescadores, colocar la carnada en el anzuelo. ‖ **11.** *Esc.* Dar color de carne a las esculturas. ‖ **12.** *Mont.* Cebar al perro en una res muerta, para acostumbrarlo a que se encarnice. ‖ **13.** prnl. Introducirse una uña, al crecer, en las partes blandas que la rodean. ‖ **14.** fig. Mezclarse, unirse, incorporarse una cosa con otra.

encarnativo, va. adj. *Cir.* Aplicábase al medicamento que facilitaba el encarnamiento de las heridas. Ú. t. c. s.

encarne. m. *Mont.* Primer cebo que se da a los perros, que regularmente suele ser de las entrañas y la sangre de la res muerta en montería.

encarnecer. intr. Tomar carnes; hacerse más grueso.

encarnizadamente. adv. m. Cruelmente, con encarnizamiento.

encarnizado, da. p. p. de **encarnizar.** ‖ **2.** adj. Encendido, ensangrentado, de color de sangre o carne. Dícese más comúnmente de los ojos. ‖ **3.** Dícese de la batalla, riña, etc., muy porfiada y sangrienta.

encarnizamiento. m. Acción de encarnizarse. ‖ **2.** fig. Crueldad con que uno se ceba en el daño de otro.

encarnizar. tr. *Mont.* Cebar un perro en la carne de otro animal para que se haga fiero. ‖ **2.** fig. Encruelecer, irritar, enfurecer. Ú. t. c. prnl. ‖ **3.** prnl. Cebarse con ansia en la carne los lobos y animales hambrientos cuando matan una res. ‖ **4.** fig. Mostrarse cruel contra una persona, persiguiéndola o perjudicándola en su opinión o sus intereses. ‖ **5.** *Mil.* Batirse con furor dos cuerpos de tropas enemigas.

encaro. (De *encarar.*) m. Acción de mirar a uno con algún género de cuidado y atención. ‖ **2.** Acción de encarar o apuntar una arma. ‖ **3.** **puntería.** ‖ **4.** Escopeta corta, especie de trabuco. ‖ **5.** Parte de la culata de la escopeta, fusil, etc., donde se apoya la mejilla al apuntar.

encarpar. (De *carpa*[2].) tr. *Alm.* Fecundar las flores femeninas de la vid con una carpa de flores masculinas.

encarpetar. tr. Guardar papeles en carpetas. ‖ **2.** *Argent., Chile, Ecuad., Nicar.* y *Perú.* Dar carpetazo, dejar detenido un expediente.

encarre. (De *acarrear.*) m. *And. Min.* Número de espuertas cargadas de mineral y trecheadas.

encarriladera. f. Aparato que se emplea en los ferrocarriles para encarrilar la locomotora y los vagones.

encarrilar. tr. Encaminar, dirigir y enderezar una cosa, como carro, coche, etc., para que siga el camino o carril debido. ‖ **2.** Colocar sobre los carriles o rieles un vehículo descarrilado. ‖ **3.** fig. Dirigir a una persona por el camino que le es conveniente. ‖ **4.** fig. Dirigir por el rumbo o por los trámites que conducen al acierto una pretensión o expediente que iba por mal camino. ‖ **5.** prnl. **encarrillarse.**

encarrillar. tr. **encarrilar.** ‖ **2.** prnl. Salirse la cuerda o soga del carrillo o garrucha, de modo que se imposibilita el movimiento.

encarroñar. (De *en-* y *carroña.*) tr. Inficionar y ser causa de que se pudra una cosa. Ú. t. c. prnl.

encarrujado, da. p. p. de **encarrujarse.** ‖ **2.** adj. Rizado, ensortijado o plegado con arrugas menudas. ‖ **3.** *Méj.* Aplícase al terreno quebrado. ‖ **4.** m. Especie de labor de arrugas menudas que se usaba en algunos tejidos de seda como terciopelos, etcétera.

encarrujarse. (Quizá de *en-* y un lat. vulg. **corrotulāre.*) prnl. Retorcerse, ensortijarse, plegarse con arrugas menudas. ENCARRUJARSE *el hilo o el cabello.*

encartación. f. Empadronamiento en virtud de carta de privilegio. ‖ **2.** Reconocimiento de sujeción que hacían al señor los pueblos y lugares, pagándole como vasallaje la cantidad convenida. ‖ **3.** Pueblo o lugar que tomaba a un señor por dueño, y le pagaba cierto tributo por vía de vasallaje. ‖ **4.** Territorio al cual, por virtud de cartas o privilegios reales, se hacen extensivos los fueros y exenciones de una comarca limítrofe.

encartado, da. p. p. de **encartar.** ‖ **2.** adj. Natural de las Encartaciones, de Vizcaya. Ú. t. c. s. ‖ **3.** Perteneciente o relativo a ellas. ‖ **4.** *Der.* Sujeto a un proceso. Aplicábase al que, habiendo incurrido en rebeldía, el juez mandaba que no entrase en el lugar o tierra de donde era natural o vecino. Ú. t. c. s.

encartamiento. m. Acción y efecto de encartar. ‖ **2.** Despacho judicial en que se contenía la sentencia condenatoria del reo ausente. ‖ **3.** **encartación.**

encartar. (De *en-* y *carta.*) tr. ant. Proscribir a un reo constituido en rebeldía, después de llamarlo por bandos públicos. ‖ **2.** ant. Llamar a juicio o emplazar a uno por edictos y pregones. ‖ **3.** Incluir a uno en una dependencia, compañía o negociado. ‖ **4.** Incluir a alguien en los padrones para los repartimientos de gabelas, tributos y servicios. ‖ **5.** En los juegos de naipes, jugar al contrario o al compañero carta a la cual pueda servir del palo, especialmente cuando puede matar y está obligado a ello. ‖ **6.** prnl. En los juegos de naipes tomar uno cartas, o quedarse con ellas, del mismo palo que otro, de modo que tenga que servir a él, sin poder descartarse de las que le perjudican.

encarte. m. Acción y efecto de encartar o encartarse en los juegos de naipes. ‖ **2.** En varios juegos de naipes, orden casual en que estos quedan al fin de cada mano, el cual suele servir de guía a los jugadores para la siguiente.

encartonado, da. p. p. de **encartonar.** ‖ **2.** m. Acción y efecto de encartonar.

encartonador, ra. m. y f. Persona que encartona los libros para encuadernarlos.

encartonar. tr. Poner cartones. ‖ **2.** Resguardar con cartones una cosa. ‖ **3.** Encuadernar solo con cartones cubiertos de papel.

encartuchar. tr. *Col., Chile, Ecuad.* y *P. Rico.* Enrollar en forma de cartucho. Ú. t. c. prnl.

encartujado. m. **encarrujado,** labor de arrugas menudas.

encasamento. (De *encasar.*) m. ant. **nicho,** cavidad de un muro para colocar una estatua, jarrón o cosa semejante. ‖ **2.** *Arq.* Adorno de fajas y molduras en una pared o bóveda.

encasamiento. m. **encasamento.** ‖ **2.** ant. Reparo de las casas.

encasar. (Del lat. *in,* en, y *capsa,* caja.) tr. *Cir.* Volver un hueso a su sitio.

encascabelar. tr. Poner cascabeles, o adornar con ellos. Ú. t. c. prnl. ‖ **2.** prnl. desus. *Cetr.* Meter el azor el pico en el cascabel.

encascar. tr. Teñir o dar casca a las artes y aparejos de pesca.

encascotar. tr. Rellenar con cascote una cavidad. ‖ **2.** *Albañ.* Introducir cascotes en la mezcla después de tendida, para reforzarla.

encasillable. adj. Que se puede encasillar.

encasillado, da. p. p. de **encasillar.** ‖ **2.** m. Conjunto de casillas. ‖ **3.** Lista de candidatos adeptos al Gobierno, a quienes este señalaba distrito para las elecciones de diputados.

encasillar. tr. Poner en casillas. ‖ **2.** Clasificar personas o cosas distribuyéndolas en sus sitios correspondientes. ‖ **3.** Señalar el Gobierno a un candidato adepto el distrito en que lo presentaba para las elecciones de diputados. ‖ **4.** Considerar o declarar a alguien, muchas veces arbitrariamente, como adicto a un partido, doctrina, etc. Ú. m. en sent. peyorativo. ‖ **5.** Clasificar personas o hechos con criterios poco flexibles o simplistas.

encasquetar. (De *en-* y *casquete.*) tr. Encajar bien en la cabeza el sombrero, gorra, boina, etc. Ú. t. c. prnl. ‖ **2.** fig. Meter a uno algo en la cabeza, por lo común sin el debido fundamento. ENCASQUETARLE *a uno una opinión.* ‖ **3.** fig. Hacer oír palabras insustanciales o impertinentes. *Nos* ENCASQUETÓ *la perorata que traía preparada.* ‖ **4.** prnl. Metérsele a alguien una cosa en la cabeza, arraigada y obstinadamente. *Se le* ENCASQUETÓ *la idea de viajar.* ‖ **5.** *And.* Encajarse, meterse de rondón.

encasquillador. m. *Amér.* **herrador.**

encasquillar. tr. Poner casquillos. ‖ **2.** *Amér.* **herrar** caballerías o bueyes. ‖ **3.** prnl. Atascarse una arma de fuego con el casquillo de la bala al disparar. ‖ **4.** *Cuba.* fig. y fam. Acobardarse, acoquinarse.

encastar. tr. Mejorar una raza o casta de animales, cruzándolos con otros de mejor calidad. ‖ **2.** intr. Procrear, hacer casta.

encastillado, da. p. p. de **encastillar.** ‖ **2.** adj. fig. Altivo y soberbio.

encastillador, ra. adj. Que encastilla.

encastillamiento. m. Acción y efecto de encastillar o encastillarse.

encastillar. tr. Fortificar con castillos un pueblo o paraje. ‖ **2. apilar.** ‖ **3.** Armar un castillejo para la construcción de una obra. ‖ **4.** En las colmenas, hacer las abejas los castillos o maestriles para sus reinas. ‖ **5.** prnl. Encerrarse en un castillo y hacerse allí fuerte. ‖ **6.** fig. Acogerse a parajes altos, ásperos y fuertes para guarecerse. ‖ **7.** fig. Perseverar uno con tesón, y a veces con obstinación, en su parecer y dictamen, sin atender a razones en contrario.

encastrar. (Del lat. **incastrāre*, encajar.) tr. Encajar, empotrar. ‖ **2.** *Mec.* Endentar dos piezas.

encatalejar. tr. *Sal.* Ver de lejos, columbrar.

encatarrado, da. adj. desus. Que está acatarrado.

encativar. (De *en-* y *cativo.*) tr. ant. **cautivar.**

encatusar. tr. **engatusar.**

encauchado, da. p. p. de **encauchar.** ‖ **2.** adj. *Amér.* Dícese de la tela o prenda impermeabilizada con caucho. Ú. t. c. s. ‖ **3.** m. *Col., Ecuad.* y *Venez.* Ruana o poncho impermeabilizados con caucho.

encauchar. tr. Cubrir con caucho.

encausar. tr. Formar causa a uno; proceder contra él judicialmente.

encauste. m. **encausto.**

encáustico, ca. (Del lat. *encaustĭcus*, y este del gr. ἐγκαυστικός.) adj. *Pint.* Aplícase a la pintura hecha al encausto. ‖ **2.** m. Preparado de cera y aguarrás para preservar de la humedad la piedra, la madera o las paredes, y darles brillo.

encausto. (Del lat. *encaustum*, y este del gr. ἔγκαυστον.) m. Tinta roja con que firmaban los emperadores romanos. ‖ **2.** *Pint.* Adustión o combustión. ‖ **pintar al encausto.** fr. Pintar con adustión o por medio del fuego, ya con ceras coloreadas y desleídas aplicadas por medio de un hierrecillo caliente, o bien calentando los colores previamente, aplicándolos al cuadro con pincel, ya pintando en marfil con punzón o buril encendido, o ya con esmalte sobre vidrio, barro o porcelana.

encauzamiento. m. Acción y efecto de encauzar.

encauzar. tr. Abrir cauce; encerrar en un cauce una corriente o darle dirección por él. ‖ **2.** fig. Encaminar, dirigir por buen camino un asunto, una discusión, etc.

encavar. (Del lat. *incavāre.*) tr. ant. Cavar, ahuecar la tierra.

encavarse. (De *en-* y *cavo*[1].) prnl. Meterse en su madriguera un animal, especialmente el conejo. ‖ **2.** fig. p. us. Meterse uno en casa.

encebadamiento. m. *Veter.* Enfermedad que contraen las caballerías por beber mucha agua después de haber comido buenos piensos.

encebadar. tr. Dar a las caballerías tanta cebada, que les haga daño. ‖ **2.** prnl. *Veter.* Enfermar una caballería de encebadamiento.

encebollado, da. p. p. de **encebollar.** ‖ **2.** m. Comida aderezada con mucha cebolla y sazonada con especias, rehogado todo ello con aceite.

encebollar. tr. Echar cebolla en abundancia a un guiso.

encebra. (De *encebro.*) f. ant. **cebra.**

encebro. (De etim. relacionada con *cebra.*) m. ant. **encebra.**

encefálico, ca. adj. Perteneciente o relativo al encéfalo. *Masa* ENCEFÁLICA.

encefalitis. f. *Pat.* Inflamación del encéfalo. ‖ **letárgica.** *Pat.* Variedad infecciosa y generalmente epidémica de la **encefalitis,** caracterizada, entre otros síntomas, por la tendencia prolongada a la somnolencia.

encéfalo. (Del gr. ἐγκέφαλον.) *Anat.* Conjunto de órganos que forman parte del sistema nervioso de los vertebrados y están contenidos en la cavidad interna del cráneo. ‖ **2.** *Anat.* V. **istmo, ventrículo del encéfalo.**

encefalografía. (De *encéfalo* y *-grafía.*) f. *Med.* Radiografía del cráneo obtenida después de extraer el líquido cefalorraquídeo e inyectar aire en su lugar.

enceguecer. tr. Cegar, privar de la visión. ‖ **2.** fig. Cegar, ofuscar el entendimiento. Ú. t. c. prnl. ‖ **3.** intr. Perder la vista. Ú. t. c. prnl.

encelado, da. p. p. de **encelar.** ‖ **2.** adj. fam. *Ar.* Dícese de la persona que está muy enamorada.

encelajarse. prnl. impers. Cubrirse el cielo de celajes.

encelamiento. m. Acción y efecto de encelar o encelarse.

encelar[1]. (Del lat. *in*, en, y *celāre*, ocultar.) tr. ant. Encubrir, esconder, ocultar.

encelar[2]. tr. **dar celos.** ‖ **2.** prnl. Concebir celos. ‖ **3.** Entrar en celo un animal.

enceldamiento. m. Acción y efecto de enceldar.

enceldar. tr. Encerrar en una celda. Ú. t. c. prnl.

encella. (Quizá del lat. *fiscella*, cestilla.) f. Molde para hacer quesos y requesones.

encellar. tr. Dar forma al queso o al requesón en la encella.

encenagado, da. p. p. de **encenagarse.** ‖ **2.** adj. Revuelto o mezclado con cieno.

encenagamiento. m. Acción y efecto de encenagarse.

encenagarse. (De *en-* y *cenagar.*) prnl. Meterse en el cieno. ‖ **2.** Ensuciarse, mancharse con cieno. ‖ **3.** fig. Entregarse a los vicios.

encencerrado, da. adj. Que lleva cencerro.

encendaja. (Del n. pl. lat. **incendacŭla*, materia para encender.) f. Ramas, hierba seca o cualquier cosa propia para encender el fuego. Se usa especialmente tratándose de ramas secas usadas para dar fuego a los hornos. Ú. t. en pl.

encendedor, ra. adj. Que enciende. Ú. t. c. s. ‖ **2.** m. Aparato que sirve para encender por medio de una llama o de una chispa producida por la electricidad o por el roce de una piedra con una ruedecita de acero. ‖ **de bolsillo.** Aparato que lleva una mecha impregnada de bencina o un gas que se prende al producirse en él una chispa.

encender. (Del lat. *incendĕre.*) tr. Iniciar la combustión de algo. Ú. t. c. prnl. ‖ **2.** Pegar fuego, incendiar. ‖ **3.** Conectar un circuito eléctrico. ENCENDER *la luz, la radio,* etc. ‖ **4.** fig. Causar ardor y encendimiento. *La pimienta* ENCIENDE *la lengua.* Ú. t. c. prnl. ‖ **5.** fig. Tratándose de guerras, suscitar, ocasionar. Ú. t. c. prnl. ‖ **6.** fig. Incitar, inflamar, enardecer. Ú. t. c. prnl. *Sintió* ENCENDÉRSELE *la cólera.* ‖ **7.** prnl. fig. Ponerse colorado, ruborizarse.

encendidamente. adv. m. fig. Con ardor y viveza.

encendido, da. p. p. de **encender.** ‖ **2.** adj. De color rojo muy subido. ‖ **3.** m. En los motores de explosión, inflamación del carburante por medio de una chispa eléctrica. ‖ **4.** Conjunto de la instalación eléctrica y aparatos destinados a producir la chispa.

encendimiento. m. Acto de arder y abrasarse una cosa. ‖ **2.** fig. Ardor, inflamación y alteración vehemente de una cosa, como de la cólera, de la sangre, etc. ‖ **3.** fig. Enardecimiento de las pasiones humanas.

encendrar. (Del lat. *incinerāre*, hacer cenizas.) tr. p. us. **acendrar.**

encenizar. tr. Echar ceniza sobre una cosa. Ú. t. c. prnl.

encensar. (De *en-* y *censo.*) tr. ant. **encensuar.**

encensario. m. ant. **incensario.**

encensuar. (Del b. lat. *censuāre.*) tr. ant. **acensuar.**

encentador, ra. adj. Que encienta o empieza una cosa.

encentadura. f. Acción y efecto de encentar.

encentamiento. m. Acción y efecto de encentar o encentarse.

encentar. (De *encetar,* con epéntesis de la segunda *n* por influjo de *comenzar.*) tr. Comenzar, empezar. ‖ **2.** Ulcerar, llagar, herir. Ú. t. c. prnl. ‖ **3.** Disminuir, mordisquear, cortar.

encentrar. tr. **centrar.**

encepador. m. El que tiene por oficio encepar los cañones de las armas de fuego.

encepadura. f. *Carp.* Acción y efecto de encepar, asegurar piezas con cepos.

encepar. tr. Meter a uno en el cepo. ‖ **2.** Poner la caja al cañón de una arma de fuego. ‖ **3.** *Carp.* Reunir o asegurar piezas de construcción por medio de cepos. ‖ **4.** *Mar.* Poner los cepos a las anclas y anclotes. ‖ **5.** intr. Echar las plantas raíces que penetran bien en la tierra. Ú. t. c. prnl. ‖ **6.** prnl. *Mar.* Enredarse el cable o cadena en el cepo del ancla fondeada.

encepe. m. Acción y efecto de encepar las plantas.

encerado, da. p. p. de **encerar.** ‖ **2.** adj. De color de cera. ‖ **3.** V. **huevo encerado.** ‖ **4.** m. Lienzo preparado con cera, aceite de linaza o cualquier materia bituminosa para hacerlo impermeable. ‖ **5.** Lienzo o papel que se ponía en las ventanas para resguardarse del aire, aunque no estuviese preparado con cera. ‖ **6.** Emplasto compuesto de cera y otros ingredientes. ‖ **7.** Cuadro de hule, lienzo barnizado, madera u otra sustancia apropiada, que se usa en las escuelas para escribir o dibujar en él con clarión o tiza y poder borrar con facilidad. ‖ **8.** Capa tenue de cera con que se cubrían los entarimados y muebles.

encerador, ra. m. y f. Persona que se dedica a encerar pavimentos. ‖ **2.** f. Máquina eléctrica que hace girar uno o varios cepillos para dar cera y lustre a los pavimentos.

enceramiento. m. Acción y efecto de encerar.

encerar. (Del lat. *incerāre.*) tr. Preparar o dar con cera alguna cosa. ‖ **2.** Manchar con cera, como cuando las hachas o velas gotean. ‖ **3.** *Albañ.* Espesar la cal. ‖ **4.** intr. Tomar color de cera o amarillear las mieses; madurar. Ú. t. c. prnl.

encercar. tr. ant. **cercar.**

encerco. m. ant. **cerco.**

encernadar. tr. Cubrir una cosa con cernada.

encerotar. tr. Dar con cerote al hilo que usan los zapateros, boteros, etc.

encerradero. m. Sitio donde se recogen o encierran los rebaños cuando llueve o se los va a esquilar o están recién esquilados. ‖ **2. encierro,** toril.

encerrado, da. p. p. de **encerrar.** ‖ **2.** adj. ant. Breve, sucinto.

encerrador, ra. adj. Que encierra. Ú. t. c. s. ‖ **2.** m. El que por oficio encierra el ganado mayor en los mataderos.

encerradura. f. **encerramiento.**

encerramiento. m. Acción y efecto de encerrar. ‖ **2.** Lugar en que se encierra. ‖ **3.** ant. Coto o término cerrado, para pastos, etc.

encerrar. (De *en-* y *cerrar.*) tr. Meter a una persona o a un animal en lugar del que no pueda salir. ‖ **2.** Meter una cosa en sitio del que no pueda sacarse sin tener el instrumento o los medios necesarios. ‖ **3.** fig. Incluir, contener. ‖ **4.** En el juego del revesino, dejar a uno con las cartas mayores, de modo que precisamente ha de hacer todas las bazas que faltan. ‖ **5.** En el juego de damas y en otros de tablero, poner al contrario en estado de que no pueda mover las piezas que le quedan o alguna de ellas. ‖ **6.** p. us. *Méj.* Reservar al Santísimo Sacramento. ‖ **7.** prnl. fig. Retirarse del mundo; recogerse en una clausura o religión. ‖ **8. encastillarse,** perseverar uno con tesón en su parecer.

encerrizar. (Quizá cruce de *encender* y *erizar.*) tr. *Ast.* Azuzar, irritar, estimular, encorajar. ‖ **2.** prnl. Empeñarse tenaz y ciegamente en algo.

encerrona. (De *encerrar.*) f. fam. Retiro o encierro voluntario de una o más personas para algún fin. ‖ **2.** Situación, preparada de antemano, en que se coloca a una persona para obligarla a que haga algo contra su voluntad. ‖ **3.** En el juego del dominó, el cierre cuando los tantos que quedan en la mano son muchos. ‖ **4.** *Taurom.* Lidia de toros en privado. ‖ **hacer la encerrona.** fr. fam. Retirarse del trato ordinario por poco tiempo con algún designio.

encertar. (De *en-* y *cierto.*) tr. ant. **acertar.**

encespedar. tr. Cubrir con césped.

encestador, ra. adj. Que encesta, dicho de un jugador o jugadora de baloncesto. Ú. t. c. s.

encestar. tr. Poner, recoger, guardar algo en una cesta. ‖ **2.** Meter a uno en un cesto; especie de castigo afrentoso que se usó antiguamente. ‖ **3.** En el juego del baloncesto, introducir el balón en el cesto de la meta contraria. Ú. t. c. intr. ‖ **4.** ant. Embaucar, engañar. ‖ **5.** fam. desus. Dejar pegado a la pared al contrincante en una disputa.

enceste. m. Acción y efecto de encestar en el juego del baloncesto.

encetadura. f. Acción y efecto de encetar.

encetar. (Del lat. *inceptāre,* empezar.) tr. Comenzar. ‖ **2. encentar.**

encia. (De *hacia,* infl. por *en-*) prep. ant. **hacia.**

-encia. V. **-ncia.**

encía. (Del lat. *gingīva.*) f. Carne que cubre interiormente las mandíbulas y protege la dentadura.

encíclica. (Del lat. *encyclĭca,* t. f. de *-cus,* y este del gr. ἐγκύκλιος, circular.) f. Carta solemne que dirige el Sumo Pontífice a todos los obispos y fieles del orbe católico.

enciclopedia. (Del gr. ἐν, en, κύκλος, círculo, y παιδεία, instrucción.) f. Conjunto de todas las ciencias. ‖ **2.** Obra en que se trata de muchas ciencias. ‖ **3.** Conjunto de tratados pertenecientes a diversas ciencias o artes. ‖ **4. enciclopedismo.** ‖ **5.** Diccionario enciclopédico.

enciclopédico, ca. adj. Perteneciente a la enciclopedia. ‖ **2.** Dícese de la persona con conocimientos universales.

enciclopedismo. m. Conjunto de doctrinas profesadas por los autores de la Enciclopedia publicada en Francia a mediados del siglo XVIII, y por los escritores que siguieron sus enseñanzas en la misma centuria.

enciclopedista. adj. Dícese del que profesa el enciclopedismo. Ú. t. c. s.

encielar. tr. *Chile.* Poner a una cosa **cielo,** techo o cubierta.

encienso[1]**.** (Del lat. *incensum,* encendido.) m. ant. **incienso.**

encienso[2]**.** (De or. inc.) m. ant. **ajenjo.**

encierra. f. *Chile.* Acto de encerrar las reses en el matadero. ‖ **2.** *Chile.* Invernadero, lugar reservado en un potrero para que pasten las reses en el invierno.

encierro. m. Acción y efecto de encerrar o encerrarse. ‖ **2.** Lugar donde se encierra. ‖ **3.** Clausura, recogimiento. ‖ **4.** Prisión muy estrecha, y en sitio retirado, para que el reo no tenga comunicación. ‖ **5.** Acto de llevar los toros a encerrar en el toril. ‖ **6.** Fiesta popular con motivo del **encierro.** ‖ **7. toril.**

encima. (De *en-* y *cima.*) adv. l. En lugar o puesto superior, respecto de otro inferior. Generalmente va seguido de la prep. *de.* Ú. t. en sent. fig. ‖ **2.** Sobre sí, sobre la propia persona. Ú. t. en sent. fig. *Echarse* ENCIMA *una responsabilidad.* ‖ **3.** adv. c. Además, sobre otra cosa. *Dio seis pesetas, y otras dos* ENCIMA. *Lo insultaron y* ENCIMA *lo apalearon.* ‖ **echarse encima** una cosa. fr. fig. Sobrevenir u ocurrir antes de lo que se esperaba. ‖ **echarse encima de** alguien. fr. fig. Acosarlo, asediarlo, acometerlo. ‖ **encima de.** loc. prepos. En la parte superior de algo. ENCIMA DE *la cama.* ‖ **estar encima de** una persona o cosa. fr. fig. y fam. Vigilarla con atención; atenderla con sumo cuidado. ‖ **por encima.** loc. adv. Superficialmente, de pasada, a bulto. ‖ **por encima de** una persona o cosa. fr. prepos. A pesar de ella. Contra su voluntad. ‖ **2.** fr. prepos. Hablando de cantidades o cifras, superior a otra determinada. ‖ **por encima de todo.** fr. adv. A pesar de cualquier obstáculo. ‖ **2.** fr. adv. **sobre todo,** principalmente.

encimar. (De *encima.*) tr. Poner en alto una persona o cosa; ponerla sobre otra. Ú. t. c. intr. ‖ **2.** En el juego del tresillo, aumentar la apuesta. ‖ **3.** ant. Acabar, terminar, dar cima. ‖ **4.** *Col.* Dar encima de lo estipulado, añadir. ‖ **5.** *Chile.* Alcanzar la cima de un monte o cerro. ‖ **6.** prnl. Elevarse o levantarse una persona o cosa a mayor altura que otra o sobre ella. ‖ **7.** Echarse contra algo alguien, acosarlo.

encimero, ra. adj. Que está o se pone encima. ‖ **2.** m. *Nav.* **mirón,** el que mira a los que juegan a las cartas. ‖ **3.** f. *Argent.* Pieza superior del pegual, con una argolla en sus extremos.

encina. (Del lat. vulg. *ilicīna.*) f. Árbol de la familia de las fagáceas, de diez a doce metros de altura, con tronco grueso, ramificado en varios brazos, de donde parten las ramas, formando una copa grande y redonda; hojas elípticas, algo apuntadas, a veces espinosas, duras, correosas, persistentes, verdinegras por la parte superior y más o menos blanquecinas por el envés; florecillas de color verde amarillento; por fruto, bellotas dulces o amargas, según las variedades, y madera muy dura y compacta. ‖ **2.** Madera de este árbol.

encinal. m. **encinar.**

encinar. m. Sitio poblado de encinas.

encino. m. **encina.**

encinta. (Del lat. *incincta,* desceñida.) adj. f. **embarazada.**

encintado, da. p. p. de **encintar.** ‖ **2.** m. Acción y efecto de encintar. ‖ **3.** Faja o cinta de piedra que forma el borde de una acera, de un andén, etc.

encintar[1]**.** tr. Adornar, engalanar con cintas. ‖ **2.** Poner el cintero a los novillos. ‖ **3.** Poner en una habitación las cintas de un solado, o en una vía la hilera de piedras que marca la línea y el resalto de las aceras. ‖ **4.** *Mar.* Poner las cintas a un buque.

encintar[2]**.** (De *encinta.*) tr. desus. **empreñar.** Ú. en varios países de América. Ú. t. c. prnl.

encismar. tr. Poner cisma o discordia entre los individuos de una familia, corporación o comunidad.

enciso. (Del lat. *incīsus,* cortado.) m. Terreno adonde salen a pacer las ovejas después de parir.

encitar. tr. ant. **incitar.**

enciva. (Del lat. *gingīva.*) f. ant. **encía.**

encizañador, ra. adj. **cizañador.** Ú. t. c. s.

encizañar. tr. **cizañar.**

enclarar. tr. ant. **aclarar.**

enclarescer. (Del lat. *inclarescĕre.*) tr. ant. **esclarecer.**

enclaustramiento. m. Acción y efecto de enclaustrar o enclaustrarse.

enclaustrar. tr. Encerrar en un claustro. Ú. t. c. prnl. ‖ **2.** fig. Meter, esconder en un lugar oculto. Ú. t. c. prnl. ‖ **3.** prnl. Apartarse de la vida social para llevar una vida retirada.

enclavación. f. Acción de enclavar o fijar con clavos.

enclavado, da. p. p. de **enclavar.** ‖ **2.** adj. Dícese del sitio encerrado dentro del área de otro. Ú. t. c. s. ‖ **3.** Dícese del objeto encajado en otro. *Hueso* ENCLAVADO *en la base del cráneo.* ‖ **4.** *Blas.* V. **escudo enclavado.**

enclavadura. f. **clavadura.** ‖ **2.** Muesca o hueco por donde se unen dos maderos o tablas.

enclavar. tr. Asegurar con clavos una cosa. ‖ **2.** Causar una herida a la caballería por introducir mucho el clavo al herrarla. ‖ **3.** fig. Traspasar, atravesar de parte a parte. ‖ **4.** fig. y fam. **engañar** a uno.

enclavazón. f. ant. **clavazón.**

enclave. m. Territorio incluido en otro con diferentes características políticas, administrativas, geográficas, etc. ‖ **2.** Grupo étnico, político o ideológico inserto en otro y de características diferentes.

enclavijar. tr. Trabar una cosa con otra uniéndolas entre sí. ‖ **2.** Poner las clavijas a un instrumento.

enclenque. (De or. inc.) adj. Débil, enfermizo. Ú. t. c. s.

énclisis o **enclisis.** (Del gr. ἔγκλισις, inclinación.) f. *Gram.* Unión de una palabra enclítica a la que la precede.

enclítico, ca. (Del lat. *enclitĭcus,* y este del gr. ἐγκλιτικός, inclinado.) adj. *Gram.* Dícese de la partícula o parte de la oración que se liga con el vocablo precedente, formando con él una sola palabra. En la lengua española son partículas **enclíticas** los pronombres pospuestos al verbo. *Aconséja*ME, *sosiéga*TE, *dice*SE. Ú. t. c. s.

enclocar. intr. Ponerse clueca una ave, como gallina, ánade, etc. Ú. m. c. prnl.

encloquecer. intr. **enclocar.**

encluecar. intr. **enclocar.** Ú. t. c. prnl.

-enco, ca. (Relacionado con el germ. *-ing.*) suf. de gentilicios y de otros adjetivos que significan pertenencia, relación o semejanza: *ibic*ENCO, *past*ENCO, *azul*ENCO; a veces, con matiz despectivo: *zop*ENCO, *zull*ENCO.

encobador, ra. (De *encobar.*) adj. ant. **encubridor.** Usáb. t. c. s.

encobar. (Del lat. *incubāre,* echarse.) intr. Echarse las aves y animales ovíparos sobre los huevos para empollarlos. Ú. t. c. prnl.

encobertado, da. adj. fam. Tapado con un cobertor.

encobijar. tr. **cobijar.**

encobilarse. prnl. *Murc.* Encamarse la caza.

encobrado, da. p. p. de **encobrar.** ‖ **2.** adj. Aplícase a los metales que tienen mezcla de cobre. ‖ **3.** De color de cobre.

encobrar[1]**.** tr. desus. Poner en cobro, salvar. ‖ **2.** *Chile.* Sujetar un extremo del lazo en un tronco, piedra, etc., para afianzar mejor al animal enlazado con el otro extremo.

encobrar[2]**.** tr. Cubrir con una capa de cobre.

encoclar. intr. **enclocar.** Ú. m. c. prnl.

encocorar. (De *en-* y *cócora.*) tr. fam. Fastidiar, molestar con exceso. Ú. t. c. prnl.

encochado, da. adj. Dícese del que está o anda mucho en coche.

encodillarse. (De *en-* y *codillo.*) prnl. Encerrarse o detenerse el hurón o el conejo en un recodo de la madriguera.

encofinar. tr. *Murc.* Meter los higos secos en cofines.

encofrado, da. p. p. de **encofrar.** ‖ **2.** m. Molde formado con tableros o chapas de metal, en el que se vacía el hormigón hasta que fragua, y que se desmonta después. ‖ **3. tapial.** ‖ **4.** *Fort.* Revestimiento de madera para contener las tierras en las galerías de las minas, que se sostiene por bastidores colocados de trecho en trecho en dichas galerías. ‖ **5.** *Min.* Galería **encofrada.**

encofrador. m. Carpintero que se dedica al encofrado en edificios, minas, etcétera.

encofrar. (De *en-* y *cofre.*) tr. *Fort.* Colocar un revestimiento de madera para contener las tierras en las galerías de las minas. ‖ **2.** Formar un encofrado.

encoger. (De *en-* y *coger.*) tr. Retirar contrayendo. Se usa ordinariamente hablando del cuerpo y de sus miembros. Ú. t. c. prnl. ‖ **2.** fig. Apocar el ánimo. Ú. t. c. prnl. ‖ **3.** intr. Disminuir lo largo y ancho de algunas telas o ropas, por apretarse su tejido cuando se mojan o lavan. ‖ **4.** Disminuir de tamaño algunas cosas al secarse; como la madera, el cuero, etc. ‖ **5.** prnl. fig. Actuar o reaccionar con cortedad, mostrarse corto de genio.

encogidamente. adv. m. fig. Apocadamente, tímidamente.

encogido, da. p. p. de **encoger.** ‖ **2.** adj. fig. Corto de ánimo, apocado. Ú. t. c. s.

encogimiento. m. Acción y efecto de encoger o encogerse. ‖ **2.** fig. Cortedad de ánimo.

encogollarse. prnl. Subirse la caza a las cimas o cogollos más altos de los árboles.

encohetar. tr. Hostigar con cohetes a un animal, como se hace con los toros. ‖ **2.** prnl. *C. Rica.* Enfurecerse, encolerizarse.

encojar. tr. Poner cojo a uno. Ú. t. c. prnl. ‖ **2.** prnl. fig. y fam. Caer enfermo. ‖ **3.** fig. y fam. Fingirse enfermo.

encolado, da. p. p. de **encolar.** ‖ **2.** adj. fig. *Chile* y *Méj.* Muy acicalado, gomoso, pisaverde, paquete. ‖ **3.** m. Acción y efecto de encolar. ‖ **4.** Clarificación de los vinos turbios mediante una solución de gelatina.

encolador, ra. m. y f. Persona que tiene por oficio encolar. ‖ **2.** f. En la industria textil, máquina que realiza el encolado.

encoladura. f. **encolamiento.** ‖ **2.** Aplicación de una o más capas de cola caliente a una superficie que ha de pintarse al temple.

encolamiento. m. Acción y efecto de encolar.

encolar. tr. Pegar con cola una cosa. ‖ **2.** Tirar una cosa a un sitio donde se queda detenida, sin que se pueda alcanzar fácilmente. *No tires mi gorra; a ver si la* ENCOLAS. Ú. t. c. prnl. ‖ **3.** Clarificar vinos. ‖ **4.** Dar la encoladura a las superficies que han de pintarse al temple. ‖ **5.** Dar una sustancia adhesiva a los hilos de la urdimbre para facilitar el tejido. ‖ **6.** Preparar la pasta de papel con una sustancia adhesiva para que no embeba y pueda recibir color.

encolerizar. tr. Hacer que uno se ponga colérico. Ú. t. c. prnl.

encomendable. adj. Que se puede encomendar.

encomendado, da. p. p. de **encomendar.** ‖ **2.** m. En las órdenes militares, dependiente del comendador.

encomendamento. m. ant. **mandamiento,** precepto u orden de un superior a un inferior.

encomendamiento. m. Acción y efecto de encomendar algo.

encomendar. (De *en-* y *comendar.*) tr. Encargar a uno que haga alguna cosa o que cuide de ella o de una persona. ‖ **2.** Dar encomienda, hacer comendador a uno. ‖ **3.** Dar indios en encomienda. ‖ **4.** ant. Recomendar, alabar. ‖ **5.** intr. Llegar a tener encomienda de orden. ‖ **6.** prnl. Ponerse en manos de alguien. ‖ **7.** Enviar recados o saludos.

encomendería. f. *Perú.* Abacería.

encomendero. m. El que lleva encargos de otro, y se obliga a dar cuenta y razón de lo que se le encarga y encomienda. ‖ **2.** El que por concesión de autoridad competente tenía indios encomendados. ‖ **3.** *Cuba.* Individuo que suministra carne a la ciudad ‖ **4.** *Perú.* Tendero de comestibles.

encomenzamiento. m. ant. Acción y efecto de encomenzar.

encomenzar. tr. ant. **comenzar.**

encomiador, ra. adj. Que hace encomios. Ú. t. c. s.

encomiar. (De *encomio.*) tr. Alabar con encarecimiento a una persona o cosa.

encomiasta. (Del gr. ἐγκωμιαστής.) com. **panegirista.**

encomiástico, ca. (Del gr. ἐγκωμιαστικός.) adj. Que alaba o contiene alabanza.

encomienda. f. Acción y efecto de encomendar. ‖ **2.** Cosa encomendada. ‖ **3.** Dignidad dotada de renta competente, que en las órdenes militares se daba a algunos caballeros. ‖ **4.** Lugar, territorio y rentas de esta dignidad. ‖ **5.** Dignidad de comendador en las órdenes civiles. ‖ **6.** Cruz bordada o sobrepuesta que llevan los caballeros de las órdenes militares en la capa o vestido. ‖ **7.** Merced o renta vitalicia que se daba sobre un lugar, heredamiento o territorio. ‖ **8.** En América, institución de contenidos distintos según tiempos y lugares, por la cual se señalaba a una persona un grupo de indios para que se aprovechara, ya del trabajo de ellos (**encomienda** originaria o de servicios), ya, posteriormente, de una tributación tasada por la autoridad (**encomienda** de tributo), y siempre con la obligación, por parte del encomendero, de procurar y costear la instrucción cristiana de aquellos indios. ‖ **9.** Recomendación, elogio. ‖ **10.** Amparo, patrocinio, custodia. ‖ **11.** V. **carta de encomienda.** ‖ **12.** *Argent., Col., C. Rica, Chile, Ecuad., Guat., Pan., Perú, Urug.* y *Venez.* Paquete postal. ‖ **13.** pl. Recados, saludos.

encomio. (Del gr. ἐγκώμιον.) m. Alabanza encarecida.

encomioso, sa. adj. *Chile* y *Col.* **encomiástico.**

encompadrar. intr. fam. Contraer compadrazgo, y por ext., familiarizarse, hacerse muy amigas dos personas.

encompasar. tr. ant. **compasar.**

encomunalmente. adv. m. ant. **comúnmente.**

enconado, da. p. p. de **enconar.** ‖ **2.** adj. ant. Teñido o manchado. ‖ **3.** fig. Encarnizado, violento y muy porfiado.

enconadura. f. Inflamación o empeoramiento de una herida, pinchazo, etc.

enconamiento. m. Inflamación de una parte del cuerpo lastimada por herida, arañazo, espina, etc. ‖ **2.** fig. **encono.** ‖ **3.** ant. **veneno.**

enconar. (Del lat. *inquināre,* manchar, contaminar.) tr. Inflamar, empeorar una llaga o parte lastimada del cuerpo. Ú. m. c. prnl. ‖ **2.** fig. Irritar, exasperar el ánimo contra uno. Ú. t. c. prnl. ‖ **3.** Cargar la conciencia con alguna mala acción. Ú. m. c. prnl. ‖ **4.** prnl. Obtener interés o lucro indebido en el caudal, hacienda o negocio que se maneja.

enconcharse. prnl. Meterse uno en su concha, retraerse.

enconfitar. tr. **confitar.**

enconía. f. ant. **encono.**

encono. (De *enconar.*) m. Animadversión, rencor arraigado en el ánimo.

enconoso, sa. adj. fig. Que ocasiona enconamiento o encono. ‖ **2.** Propenso a tener mala voluntad a los demás.

enconrear. tr. **conrear.**

encontinente. adv. t. ant. **incontinenti.**

encontradamente. adv. m. **opuestamente.**

encontradizo, za. adj. Que se encuentra con otra cosa o persona. ‖ **hacerse** uno **encontradizo** o **el encontradizo.** fr. Salir al encuentro de otro sin que parezca que se hace de intento.

encontrado, da. p. p. de **encontrar.** ‖ **2.** adj. Puesto enfrente. ‖ **3.** Opuesto, contrario, antitético. *Climas* ENCONTRADOS.

encontrar. (Del lat. *in contra.*) tr. Dar con una persona o cosa que se busca. ‖ **2.** Dar con una persona o cosa sin buscarla. Ú. t. c. prnl. ‖ **3.** intr. Tropezar uno con otro. Ú. t. c. prnl. ‖ **4.** prnl. Oponerse, enemistarse uno con otro. ‖ **5.** Hallarse y concurrir juntas a un mismo lugar dos o más personas o cosas. ‖ **6.** Hallarse en cierto estado. ENCONTRARSE *enfermo.* ‖ **7.** Hablando de las opiniones, dictámenes, etc., opinar diferentemente, discordar unos de otros. ‖ **8.** Hablando de los afectos, las voluntades, los genios, etc., conformar, convenir, coincidir. ‖ **encontrarse** uno **con** una cosa. fr. Hallar algo que causa sorpresa. ‖ **encontrárselo** uno **todo hecho.** fr. fig. y fam. **hallárselo todo hecho** ‖ **no encontrarse.** fr. fig. y fam. Estar descentrado. NO NOS ENCONTRAMOS *en ese ambiente tan selecto.*

encontrón. m. Golpe que da una cosa con otra cuando una de ellas, o las dos, van impelidas y se encuentran. Ú. t. en sent. fig. ‖ **2.** Encuentro sorprendente o inesperado entre personas o de personas y cosas.
encontronazo. m. **encontrón.**
encopetado, da. p. p. de **encopetar.** ‖ **2.** adj. fig. Que presume demasiado de sí. ‖ **3.** fig. De alto copete, linajudo. ‖ **4.** m. *Arq.* El cateto vertical de cualquiera de los cartabones de las armaduras de un tejado.
encopetar. tr. Elevar en alto o formar copete. Ú. t. c. prnl. ‖ **2.** prnl. Engreírse, presumir demasiado.
encorachar. tr. Meter en la coracha el género que se ha de conducir en ella.
encorajar. tr. Dar valor, ánimo y coraje. ‖ **2.** prnl. Encenderse en coraje.
encorajinar. tr. Encolerizar a alguien, hacer que tome una corajina. Ú. m. c. prnl.
encorar. tr. Cubrir con cuero una cosa. ‖ **2.** Meter y encerrar una cosa dentro de un cuero. ‖ **3.** Hacer que las llagas críen cuero o piel nueva. ‖ **4.** intr. Criar cuero las llagas. Ú. t. c. prnl.
encorazado, da. adj. Cubierto y vestido de coraza. ‖ **2.** Cubierto de cuero.
encorchador, ra. adj. Que encorcha. Ú. t. c. s. ‖ **2.** f. Máquina para poner tapones de corcho a las botellas.
encorchadura. f. Conjunto de corchos que sirven para sostener flotantes las redes de pesca.
encorchar. (De *en-* y *corcho.*) tr. Coger los enjambres de las abejas y cebarlos para que entren en las colmenas. ‖ **2.** Poner tapones de corcho a las botellas. ‖ **3.** Colocar la encorchadura en las artes de pesca.
encorchetar. tr. Poner corchetes. ‖ **2.** Sujetar con ellos la ropa u otra cosa. ‖ **3.** *Arq.* Engrapar piedras.
encordadura. f. Conjunto de las cuerdas de los instrumentos de música.
encordar. tr. Poner cuerdas a los instrumentos de música. ‖ **2.** Ceñir un cuerpo con una cuerda, haciendo que esta dé muchas vueltas alrededor de aquel. ‖ **3.** *León* y *Sal.* Doblar, tocar las campanas a muerto. Ú. t. c. intr. ‖ **4.** prnl. *Dep.* Atarse un escalador a la cuerda de seguridad.
encordelar. tr. Poner cordeles a una cosa. ENCORDELAR *las camas antiguas.* ‖ **2.** Atar algo con cordeles. ‖ **3.** Forrar con cordel en espiral alguna pieza de madera, metal, etc.
encordonado, da. p. p. de **encordonar.** ‖ **2.** adj. Adornado con cordones.
encordonar. tr. Sujetar o adornar una cosa con cordones.
encorecer. tr. Hacer que las llagas críen cuero. ‖ **2.** intr. Criar cuero las llagas.
encoriación. f. Acción y efecto de encorar o encorarse una llaga.
encornado, da. adj. Con los advs. *bien* o *mal,* que tiene buena o mala encornadura. Dícese de los toros y vacas.
encornadura. f. Forma o disposición de los cuernos en el toro, ciervo, etc. ‖ **2. cornamenta.**
encornudar. tr. fig. Hacer cornudo a uno. ‖ **2.** intr. Echar o criar cuernos.
encorozar. tr. Poner la coroza a uno por afrenta. ‖ **2.** *Chile.* Emparejar una pared.
encorralar. tr. Meter y guardar en el corral. Se usa especialmente hablando de los ganados.
encorrear. tr. Ceñir y sujetar una cosa con correas.
encorselar. tr. *And., Can.* y *Amér.* **encorsetar.** Ú. t. c. prnl.
encorsetar. tr. Poner corsé. Ú. m. c. prnl.
encortamiento. m. ant. **acortamiento.**
encortar. tr. ant. **acortar.**
encortinar. tr. Colgar y adornar con cortinas un cuarto, un edificio, etc.
encorujarse. (De *en-* y *coruja.*) prnl. Encogerse, hacerse un ovillo.
encorvada. f. Acción de encorvar el cuerpo. ‖ **2.** Danza descompuesta que se hace torciendo el cuerpo y los miembros. ‖ **3.** Planta anual de la familia de las papilionáceas, de tallos rectos, con hojas acorazonadas y en grupos pareados; flores amarillas, sobre pedúnculos más largos que la hoja; fruto en vaina de pico curvo, y semillas rojizas y prismáticas. ‖ **hacer** uno **la encorvada.** fr. fig. y fam. Fingir enfermedades para evadirse de una ocasión o lance a que no quiere concurrir.
encorvadura. f. Acción y efecto de encorvar o encorvarse.
encorvamiento. m. **encorvadura.**
encorvar. (Del lat. *incurvāre.*) tr. Doblar y torcer una cosa poniéndola corva. Ú. t. c. prnl. ‖ **2.** p. us. *Arq.* **abovedar.** ‖ **3.** prnl. Doblarse una persona por la edad o por enfermedad. ‖ **4.** fig. Inclinarse, ladearse, aficionarse sin razón a una parte más que a otra. ‖ **5.** *Equit.* Bajar el caballo la cabeza, arqueando el cuello, y el espinazo, con objeto de lanzar al jinete.
encosadura. (De *en-* y *coser.*) f. Costura con que, en la camisa de mujer llamada a la gallega, se pegaba al resto la parte superior, hecha de lienzo más fino.
encostalar. tr. Meter en costales.
encostarse. prnl. *Mar.* Acercarse un buque en su derrota a la costa.
encostillado. m. *Min.* Conjunto de las costillas que se colocan en los pozos y galerías para dar más solidez a la entibación.
encostradura. f. p. us. **costra,** cubierta o corteza exterior endurecida de un cuerpo. ‖ **2.** *Arq.* Revestimiento o guarnecido de tablas delgadas de piedra, mármol, etc. ‖ **3.** *Arq.* **encaladura.**
encostrar. (De *en-* y *costra.*) tr. Cubrir con costra una cosa; como un pastelón, etc. ‖ **2.** Echar una costra o capa a una cosa para su resguardo o conservación. Ú. t. c. prnl. ‖ **3.** intr. Formar costra una cosa. Ú. t. c. prnl.
encovado, da. p. p. de **encovar.** ‖ **2.** adj. Hundido, oculto.
encovadura. f. Acción y efecto de encovar o encovarse.
encovar. tr. Meter o encerrar en una cueva o hueco. Ú. t. c. prnl. ‖ **2.** fig. Guardar, encerrar, contener. ‖ **3.** fig. Encerrar, obligar a uno a ocultarse. Ú. t. c. prnl.
encrasar. (Del lat. *incrassāre.*) tr. Poner craso o espeso un líquido. Ú. t. c. prnl. ‖ **2.** Mejorar, fertilizar las tierras con abonos. Ú. t. c. prnl.
encrespado, da. p. p. de **encrespar.** ‖ **2.** m. **encrespadura.**
encrespador, ra. adj. Que encrespa. ‖ **2.** m. Instrumento que sirve para encrespar y rizar el cabello.
encrespadura. f. Acción y efecto de encrespar o rizar el cabello.
encrespamiento. m. Acción y efecto de encrespar o encresparse.
encrespar. (De *en-* y *crespo.*) tr. Ensortijar, rizar; se usa especialmente hablando del cabello. Ú. t. c. prnl. ‖ **2.** Erizar el pelo, plumaje, etc., por alguna impresión fuerte, como el miedo. Ú. m. c. prnl. ‖ **3.** Enfurecer, irritar y agitar, dicho de personas y animales. Ú. t. c. prnl. ‖ **4.** Levantar y alborotar las ondas del agua. Ú. m. c. prnl. ‖ **5.** prnl. fig. Enredarse y dificultarse el asunto o negocio que se trata.
encrespo. m. ant. Acción y efecto de encrespar.
encrestado, da. p. p. de **encrestarse.** ‖ **2.** adj. fig. Ensoberbecido, levantado, altivo.
encrestarse. prnl. Poner las aves tiesa la cresta. ‖ **2.** Ensoberbecerse.

encreyente. adj. ant. **creyente.** ‖ **hacer encreyente** a uno. fr. Persuadirle de lo que no se puede creer.

encrinado, da. (De *en-* y *crinado.*) adj. ant. **encrisnejado.**

encrisnejado, da. (De *en-* y *crisneja.*) adj. ant. Dícese del cabello u otra cosa que está hecha trenzas.

encristalar. tr. Colocar cristales o vidrios en una ventana, puerta, galería, cubierta de patio, etc.

encrucijada. (De *en-* y *crucijada.*) f. Lugar en donde se cruzan dos o más calles o caminos. ‖ **2.** fig. Ocasión que se aprovecha para hacer daño a uno; emboscada, asechanza. ‖ **3.** fig. Situación difícil en que no se sabe qué conducta seguir.

encrudecer. (Del lat. *incrudescĕre.*) tr. Hacer que una cosa tenga apariencia u otra condición de cruda. Ú. t. c. prnl. ‖ **2.** fig. Exasperar, irritar. Ú. t. c. prnl.

encrudelecer. (Del lat. *in,* en, y *crudēlis,* cruel.) tr. ant. **encruelecer.** Usáb. t. c. prnl.

encruelecer. (De *encrudelecer.*) tr. Instigar a uno a que piense y obre con crueldad. ‖ **2.** prnl. Hacerse cruel, fiero, inhumano; airarse con exceso.

encruzado. m. ant. Caballero cruzado.

encuadernable. adj. Que puede encuadernarse.

encuadernación. f. Acción y efecto de encuadernar. ‖ **2.** Forro o cubierta de cartón, pergamino u otra cosa, que se pone a los libros para resguardo de sus hojas. ‖ **3.** Taller donde se encuaderna. ‖ **4.** V. **a la holandesa, a la inglesa, a la,** o **en, rústica.** ‖ **en media pasta, en pasta, en pasta italiana.** Modo de forrar los libros con estos varios sistemas de pasta.

encuadernador, ra. m. y f. Persona que tiene por oficio encuadernar. ‖ **2.** m. Clavillo o pasador, pinza, o chapita de metal, que sirve para sujetar varios pliegos u hojas en forma de cuaderno. ‖ **3.** ant. fig. El que une y concierta voluntades, afectos, etcétera.

encuadernar. tr. Juntar, unir, coser varios pliegos o cuadernos y ponerles cubiertas. ‖ **2.** ant. fig. Unir y ajustar algunas cosas como voluntades, afectos, etc.

encuadramiento. m. Acción y efecto de encuadrar.

encuadrar[1]**.** tr. Encerrar en un marco o cuadro. ‖ **2.** fig. Encajar, ajustar una cosa dentro de otra. ‖ **3.** fig. Determinar los límites de algo, incluyéndolo en un esquema u organización. ‖ **4.** fig. Distribuir las personas conforme a un esquema de organización determinado, para que participen en una actividad política, militar, sindical, etc. Ú. t. c. prnl.

encuadrar[2]**.** tr. *Sal.* Meter o tener el ganado en la cuadra.

encuadre. m. Acción y efecto de encuadrar[1]. ‖ **2.** *Cinem.* y *Fotogr.* Espacio que capta en cada toma el objetivo de una cámara fotográfica o cinematográfica.

encuartar. (De *en-* y *cuarto.*) tr. Calcular el encuarte o aumento de valor de las piezas de madera o piedra, cuando exceden de las dimensiones convenidas. ‖ **2.** Enganchar a un vehículo, para ayuda, otra yunta o caballería. ‖ **3.** *Cantabria.* Trabar las patas de las cabras para que no salten. ‖ **4.** *Méj.* Encabestrarse una bestia. ‖ **5.** prnl. fig. *Méj.* Enredarse en un negocio; no saber encontrar salida.

encuarte. m. Yunta o caballería de refuerzo que se añade a las que tiran de un vehículo para subir las cuestas o salir de los malos pasos. ‖ **2.** Sobreprecio que la madera o la piedra alcanzan cuando las piezas superan ciertas dimensiones.

encuartero. m. Mozo que va al cuidado de las bestias de encuarte.

encubar. tr. Echar el vino u otro licor en las cubas para guardarlo en ellas. ‖ **2.** Meter a los reos de ciertos delitos, como el parricidio, en una cuba con un gallo, una mona, un perro y una víbora, y arrojarlos al agua; castigo que se usó en otro tiempo. ‖ **3.** *Min.* Entibar en redondo con maderos el interior de un pozo minero.

encubertar. (De *en-* y *cubierta.*) tr. Cubrir con paños o con sedas una cosa. Se usa particularmente hablando de los caballos que se cubren de paño o tela de lana negra en demostración de luto, y de los que se cubrían de cuero y hierro para la guerra. ‖ **2.** ant. **encubrir.** ‖ **3.** prnl. Vestirse y armarse con alguna defensa que resguarde el cuerpo de los golpes del enemigo.

encubierta. (De *encubierto.*) f. Fraude, ocultación dolosa.

encubiertamente. adv. m. A escondidas, con secreto. ‖ **2.** Con dolo, fraudulentamente. ‖ **3. recatadamente.**

encubierto, ta. (De *en-* y *cubierto.*) p. p. irreg. de **encubrir.** Apl. a pers., ú. t. c. s. ‖ **2.** adj. *Fort.* V. **estrada encubierta.**

encubridizo, za. adj. Que se puede encubrir fácilmente.

encubridor, ra. adj. Que encubre. Ú. t. c. s. ‖ **2.** m. y f. Tapadera, alcahuete o alcahueta.

encubrimiento. m. Acción y efecto de encubrir. ‖ **2.** ant. Cubierta con que se tapaba una cosa para que no se viera. ‖ **3.** *Der.* Participación en las responsabilidades de un delito, con intervención posterior al mismo, por aprovechar los efectos de él, impedir que se descubra, favorecer la ocultación o la fuga de los delincuentes, etc.

encubrir. tr. Ocultar una cosa o no manifestarla. Ú. t. c. prnl. ‖ **2.** Impedir que llegue a saberse una cosa. ‖ **3.** *Der.* Hacerse responsable de encubrimiento de un delito.

encucar. tr. *Ast.* Recoger y guardar los frutos llamados cucas, como nueces, avellanas, etc.

encuentro. m. Acto de coincidir en un punto dos o más cosas, por lo común chocando una contra otra. ‖ **2.** Acto de encontrarse o hallarse dos o más personas. ‖ **3.** Oposición, contradicción. ‖ **4.** Discusión, pelea o riña. ‖ **5.** Entrevista entre dos o más personas, con el fin de resolver o preparar algún asunto. ‖ **6.** Acción y efecto de topetar los carneros y otros animales. ‖ **7.** En el juego de dados y en algunos de naipes, concurrencia de dos cartas o puntos iguales; como cuando vienen dos reyes, dos doses, etc. ‖ **8.** Ajuste de estampaciones de colores distintos. ‖ **9.** Lance del juego del billar en que la carambola se produce por retruque. ‖ **10.** Competición deportiva. ‖ **11.** Ceremonia que se celebra por Semana Santa en algunos pueblos, consistente en que una imagen de Jesús y otra de la Virgen, después de recorrer calles distintas, se encuentran en una plaza. ‖ **12.** *Anat.* Sobaco, concavidad que forma el arranque del brazo con el cuerpo. ‖ **13.** *Arq.* Macizo comprendido entre un ángulo de un edificio y el vano más inmediato. ‖ **14.** *Arq.* Ángulo que forman dos carreras o soleras. ‖ **15.** *Mil.* Choque, por lo general inesperado, de las tropas combatientes con sus enemigos. ‖ **16.** pl. En las aves, parte del ala, pegada al pecho, desde donde empieza esta. ‖ **17.** En los cuadrúpedos mayores, puntas de las espaldillas que por delante se unen al cuello. ‖ **18.** Ciertos maderos con que los tejedores de lienzos aseguran el telar para que no decline a una ni a otra parte. ‖ **19.** *Impr.* Claros que se dejan al imprimir para estampar allí letras con tinta de otro color. ‖ **al primer encuentro, azar.** expr. En cualquier negocio, tropiezo con un obstáculo inesperado a los primeros pasos. ‖ **ir al encuentro** de uno. fr. Ir en su busca para concurrir en un mismo sitio con él. ‖ **salirle** a uno **al encuentro.** fr. Salir a recibirle. ‖ **2.** fig. Hacerle frente o cara; oponérsele. ‖ **3.** fig. Prevenir, adelantarse a uno en lo que quiere decir o ejecutar.

encuerar. tr. *And., Extr., Col., Cuba, Méj., Perú* y *Sto. Dom.* Desnudar, dejar en cueros a una persona. Ú. t. c. prnl.

encuesta. (Del fr. *enquête.*) f. Averiguación o pesquisa. ‖ **2.** Acopio de datos obtenidos mediante consulta o interrogatorio, referentes a estados de opinión, costumbres, nivel económico o cualquier otro aspecto de la actividad humana. ‖ **3.** V. **juez de encuesta.**

encuestador, ra. m. y f. Persona que realiza una o más encuestas.

encuestar. tr. Someter a encuesta un asunto. ‖ **2.** Interrogar a alguien para una encuesta. ‖ **3.** intr. Hacer encuestas.

encuevar. tr. **encovar.** Ú. t. c. prnl.

encuitarse. (De *en-* y *cuita.*) prnl. Afligirse, apesadumbrarse.

enculatar. (De *en-* y *culata.*) tr. Cubrir con sobrepuesto la colmena.

enculpar. tr. ant. **inculpar.**

enculturación. (De *en-* y *cultura.*) f. Proceso por el cual la persona adquiere los usos, creencias, tradiciones, etc., de la sociedad en que vive.

encumbradamente. adv. m. Con superioridad, altaneramente.

encumbrado, da. p. p. de **encumbrar.** ‖ **2.** adj. Elevado, alto.

encumbramiento. m. Acción y efecto de encumbrar o encumbrarse. ‖ **2.** Altura, elevación. ‖ **3.** fig. Ensalzamiento, exaltación.

encumbrar. (De *en-* y *cumbre.*) tr. Levantar en alto. Ú. t. c. prnl. ‖ **2.** Subir la cumbre, pasarla. ENCUMBRAR *el monte.* ‖ **3.** fig. Ensalzar, engrandecer a uno honrándolo y colocándolo en puestos o empleos honoríficos. Ú. t. c. prnl. ‖ **4.** prnl. Hablando de cosas inanimadas, ser muy elevadas, subir a mucha altura. *Las peñas se* ENCUMBRAN *hasta mostrarse inaccesibles.* ‖ **5.** fig. Envanecerse, ensoberbecerse.

encunar. tr. Poner al niño en la cuna. ‖ **2.** *Taurom.* Alcanzar el toro al lidiador cogiéndolo entre las astas.

encuñar. (De *en-* y *cuño.*) tr. ant. **acuñar.**

encuño. (De *encuñar.*) m. ant. **acuñación.**

encurdarse. (De *en-* y *curda.*) prnl. vulg. **emborracharse.**

encureñar. tr. Poner en la cureña.

encurtido, da. p. p. de **encurtir.** ‖ **2.** m. Fruto o legumbre que se ha **encurtido.** Ú. frecuentemente en pl.

encurtir. (De *en-* y *curtir.*) tr. Hacer que ciertos frutos o legumbres tomen el sabor del vinagre y se conserven mucho tiempo teniéndolos en este líquido.

enchamicar. tr. *Ecuad.* y *Col.* Dar chamico a alguien como bebedizo.

enchancletar. tr. Poner las chancletas, o llevar zapatos sin acabar de calzarlos, a modo de chancletas. Ú. t. c. prnl.

enchapado, da. p. p. de **enchapar.** ‖ **2.** m. Trabajo hecho con chapas, chapería.

enchapar. tr. Chapar, cubrir con chapas.

enchapinado, da. adj. *Albañ.* Levantado y fundado sobre bóveda.

encharcada. f. Charco o charca.

encharcamiento. m. Acción y efecto de encharcar o encharcarse.

encharcar. tr. Cubrir de agua una parte de terreno que queda como si fuera un charco. Ú. t. c. prnl. ‖ **2.** Enaguachar el estómago. Ú. t. c. prnl. ‖ **3.** prnl. Recogerse o paralizarse agua, u otros líquidos, en algún órgano humano, como los pulmones.

enchavetar. tr. *Mar.* Asegurar un perno u otra cosa con chaveta.

enchicar. tr. Achicar el tamaño de una cosa. ‖ **2.** Humillar, acobardar a uno.

enchicharse. *Col.* Emborracharse.

enchilada. f. *Guat., Méj.* y *Nicar.* Tortilla de maíz enrollada o doblada, frita, y aderezada con salsa de chile y otros ingredientes. ‖ **2.** Puesta que hace en el tresillo cada uno de los jugadores, para que la perciba quien gane el solo u otro lance previamente determinado.

enchilado, da. p. p. de **enchilar.** ‖ **2.** m. *Cuba.* Guiso de mariscos con salsa de chile.

enchilar. tr. *C. Rica, Hond., Méj.* y *Nicar.* Untar, aderezar con chile. ‖ **2.** fig. *Méj.* y *Nicar.* Picar, molestar, irritar. Ú. t. c. prnl.

enchinar. tr. Empedrar con chinas o guijarros. ‖ **2.** *Méj.* Formar rizos con el cabello.

enchinarrar. tr. Empedrar con chinarros.

enchinchar. tr. *Guat.* Chinchar, fastidiar. ‖ **2.** *Méj.* Hacer perder el tiempo.

enchipar. (De *en* y *chipa.*) tr. *Col.* Arrollar, enrollar.

enchiqueramiento. m. Acción y efecto de enchiquerar.

enchiquerar. tr. Meter o encerrar el toro en el chiquero. ‖ **2.** fig. y fam. Meter a uno en la cárcel.

enchironar. tr. fam. Meter a uno en chirona.

enchispar. tr. Achispar. Ú. t. c.prnl.

enchisterado. adj. Dícese de la persona que lleva puesta una chistera o sombrero de copa.

enchivarse. (De *en-* y *chivo.*) prnl. *Col., Ecuad.* y *P. Rico.* Emberrincharse, encolerizarse.

enchuecar. (De *en-* y *chueco.*) tr. fam. *Chile* y *Méj.* Torcer, encorvar. Ú. t. c. prnl.

enchufado, da. p. p. de **enchufar.** ‖ **2.** m. y f. Persona que ha obtenido un cargo o destino por enchufe.

enchufar. (De *enchufe.*) tr. Ajustar la boca de un caño en la de otro. Ú. t. c. intr. ‖ **2.** fig. Combinar, enlazar un negocio con otro. ‖ **3.** *Albañ.* Acoplar las partes salientes de una pieza en otra. ‖ **4.** *Electr.* Establecer una conexión eléctrica encajando una en otra las dos piezas del enchufe. ‖ **5.** fam. despect. Colocar en un cargo o destino a quien no tiene méritos para ello, por amistad o por influencia política. Ú. t. c. prnl.

enchufe. (De la onomat. *chuf.*) m. Acción y efecto de enchufar. ‖ **2.** Parte de un caño o tubo que penetra en otro. ‖ **3.** Sitio donde enchufan dos caños. ‖ **4.** fig. y fam. despect. Cargo o destino que se obtiene sin méritos, por amistad o por influencia política. Se usa por lo común hablando del que se acumula sobre el empleo profesional. ‖ **5.** *Electr.* Aparato que consta de dos piezas esenciales que se encajan una en otra cuando se quiere establecer una conexión eléctrica. ‖ **tener enchufe.** fr. fam. y a veces despect. Tener influencia ante una autoridad para conseguir de ella algún favor.

enchufismo. m. despect. Corruptela política y social que favorece a los enchufistas.

enchufista. com. fam. despect. Persona que disfruta de varios enchufes o sinecuras.

enchularse. prnl. Hacer vida de chulo o rufián. ‖ **2.** Encapricharse una mujer pública de un chulo.

enchuletar. tr. *Carp.* Rellenar un hueco con chuletas.

enchumbar. tr. *Can.* y *Amér.* Ensopar, empapar de agua.

enchute. m. *Hond.* Juego del boliche.

ende. (Del lat. *inde.*) adv. l. ant. Allí, en aquel lugar. ‖ **2.** ant. De allí, o de aquí. ‖ **3.** ant. De esto. ‖ **4.** ant. Más de, pasados de. ‖ **por ende.** loc. adv. **por tanto.**

endeble. (Del lat. vulg. **indebilis,* flojo.) adj. Débil, flojo, de resistencia insuficiente.

endeblez. f. Cualidad de endeble.

endeblucho, cha. adj. fam. con que se moteja lo endeble. Dícese más del que tiene quebrantada la salud.

endeca-. (Del gr. ἕνδεκα, once, a través del lat. *hendeca,* infl. por el it. *endeca-.*) elem. compos. que significa «once»: ENDECA*sílabo.*

endécada. (Del gr. ἑνδεκάς, -άδος, grupo de once.) Período de once años.

endecágono, na. (De *endeca-* y el gr. -γωνος, angular.) adj. *Geom.* Aplícase al polígono de once ángulos y once lados. Ú. m. c. s. m.

endecasilábico, ca. (De *endecasílabo.*) adj. De once sílabas.

endecasílabo, ba. (De *endeca-* y el gr. συλλαβή, sílaba.) adj. De once sílabas. *Verso* ENDECASÍLABO. Ú. t. c. s. ‖ **2.** Compuesto de **endecasílabos,** o que los tiene en la combinación métrica. ‖ **3.** V. **endecha endecasílaba.** ‖ **anapéstico, dactílico** o **de gaita gallega.** Aquel que lleva acento en las sílabas cuarta y séptima. *Muerto le dejo a la orilla del vado.* Las denominaciones de **anapéstico** y **dactílico** corresponden a teorías métricas diversas. ‖ **común.** El acentuado en la sílaba sexta. ‖ **sáfico.** El que lleva acentos en las sílabas cuarta y octava.

endecha. (Del lat. *indicta,* anunciada.) f. Canción triste o de lamento. Ú. m. en pl. ‖ **2.** Combinación métrica que se emplea repetida en composiciones de asunto luctuoso por lo común, y consta de cuatro versos de seis o siete sílabas, generalmente asonantados. ‖ **endecasílaba,** o **real.** La que consta de tres versos, heptasílabos por lo común, y de un endecasílabo que forma asonancia con el segundo.

endechadera. f. **plañidera.**

endechar. tr. Cantar endechas, especialmente en loor de los difuntos; honrar su memoria en los funerales. ‖ **2.** prnl. Afligirse, entristecerse, lamentarse.

endechera. f. ant. **plañidera.**

endechoso, sa. adj. ant. Triste y lamentable.

endehesar. tr. Meter el ganado en la dehesa para que engorde.

endeja. (Del pl. lat. *indicŭla,* señales.) f. *Albañ.* Adaraja. Ú. m. c. pl.

endelgadecer. (De *en-* y *delgadez.*) intr. ant. Adelgazar, ponerse delgado.

endeliñar. tr. ant. **adeliñar.** Usáb. t. c. prnl.

endemás. (De *en-* y *demás.*) adv. m. desus. y hoy vulg. Particularmente, con especialidad.

endemia. (Del gr. ἐνδημία, que afecta a un país.) f. *Pat.* Cualquier enfermedad que reina habitualmente, o en épocas fijas, en un país o comarca.

endémico, ca. adj. Perteneciente o relativo a la endemia. ‖ **2.** fig. Dícese, por comparación con las enfermedades habituales, de actos o sucesos que se repiten frecuentemente en un país, que están muy vulgarizados y extendidos. ‖ **3.** *Biol.* Dícese de especies animales o vegetales que son propias y exclusivas de determinadas localidades o regiones.

endemismo. m. *Biol.* Cualidad de endémico.

endemoniado, da. p. p. de **endemoniar.** ‖ **2.** adj. Poseído del demonio. Ú. t. c. s. ‖ **3.** fig. y fam. Sumamente perverso, malo, nocivo.

endemoniar. tr. Introducir los demonios en el cuerpo de una persona. ‖ **2.** fig. y fam. Irritar, encolerizar a uno. Ú. t. c. prnl.

endenantes. (De *en-* y *denantes.*) adv. t. ant. **antes,** en un tiempo o lugar anterior. De uso vulgar en varias regiones de España. ‖ **2.** *Amér.* Hace poco. Ú. en el habla vulgar.

endentado, da. p. p. de **endentar.** ‖ **2.** adj. *Blas.* Aplícase a las borduras, cruces, bandas y sotueres que tienen sus dientes muy menudos y triangulares.

endentar. tr. Encajar una cosa en otra, como los dientes y los piñones de las ruedas. ‖ **2.** Poner dientes a una rueda.

endentecer. intr. Empezar los niños a echar los dientes.

endeñarse. (Del lat. *indignāri,* irritarse.) prnl. Infectarse, enconarse una herida.

enderecera. (De *enderezar.*) f. ant. **derecera.**

enderechar. (De *en-* y *derecho.*) tr. **enderezar.**

endereza. (De *enderezar.*) f. ant. **dedicatoria.** ‖ **2.** ant. Buen despacho.

enderezadamente. adv. m. Con rectitud.

enderezado, da. p. p. de **enderezar.** ‖ **2.** adj. Favorable, a propósito.

enderezador, ra. adj. ant. Que endereza. Usáb. t. c. s.

enderezamiento. m. Acción de enderezar o poner recto lo que está torcido. ‖ **2.** ant. Dirección o gobierno.

enderezar. (De *en-* y *derezar.*) tr. Poner derecho lo que está torcido. Ú. t. c. prnl. ‖ **2.** Poner derecho o vertical lo que está inclinado o tendido. Ú. t. c. prnl. ‖ **3.** Remitir, dedicar. ‖ **4.** fig. Gobernar bien; poner en buen estado una cosa. Ú. t. c. prnl. ‖ **5.** fig. Enmendar, corregir, castigar. ‖ **6.** fig. Dirigir, orientar. ‖ **7.** ant. Ayudar, favorecer. ‖ **8.** ant. Aderezar, preparar, adornar. ‖ **9.** intr. Encaminarse en derechura a un lugar o a una persona. ‖ **10.** prnl. Disponerse, encaminarse a lograr un intento.

enderezo. m. ant. Acción y efecto de enderezar.

endespués. adv. t. vulg. **después.**

endeudamiento. m. Acción y efecto de endeudarse. ‖ **2.** Conjunto de obligaciones de pago contraídas por una nación, empresa o persona.

endeudarse. prnl. Contraer deudas. ‖ **2.** Reconocerse obligado.

endevotado, da. adj. Muy dado a la devoción. ‖ **2.** Muy prendado de una persona.

endiablada. f. Festejo y función jocosa en que muchos se disfrazaban con máscaras y figuras ridículas de diablos, llevando diferentes instrumentos y sonajas, con que metían mucho ruido.

endiabladamente. adv. m. Fea, horrible o abominablemente.

endiablado, da. p. p. de **endiablar.** ‖ **2.** adj. fig. Muy feo, desproporcionado. ‖ **3.** fig. y fam. Sumamente perverso, malo, nocivo.

endiablar. tr. Introducir los diablos en el cuerpo de uno. ‖ **2.** fig. y fam. Dañar, pervertir. Ú. t. c. prnl. ‖ **3.** prnl. Encolerizarse o irritarse demasiado.

endíadis. (Del lat. *hendiădys,* y este del gr. ἓν διὰ δυοῖν, infl. por el it. *endiadi.*) f. *Ret.* Figura por la cual se expresa un solo concepto con dos nombres coordinados.

endibia. (De etim. disc.) f. Variedad lisa de escarola, de la que se consume el cogollo de hojas tiernas y pálidas.

endilgador, ra. adj. fam. Que endilga. Ú. t. c. s.

endilgar. (De or inc.) tr. fam. Encaminar, dirigir, acomodar, facilitar. ‖ **2.** Encajar, endosar a otro algo desagradable o impertinente.

endino, na. (Del lat. *indignus,* indigno.) adj. fam. Indigno, perverso.

endiñar. (Voz caló.) tr. Dar o asestar un golpe.

endiosamiento. (De *endiosar.*) m. fig. Altivez extremada. ‖ **2.** fig. Suspensión o abstracción de los sentidos.

endiosar. tr. Elevar a uno a la divinidad. ‖ **2.** prnl. fig. Erguirse, entonarse, ensoberbecerse. ‖ **3.** fig. Suspenderse, embebecerse.

enditarse. (De *dita*[1].) prnl. *Chile.* Entramparse, endeudarse.

endivia. f. **endibia.**

endo-. (Del gr. ἐνδο-.) elem. compos. que significa «dentro», «en el interior»: ENDO*cardio,* ENDÓ*geno.*

endoblado, da. p. p. de **endoblar.** ‖ **2.** adj. Dícese del cordero que se cría mamando de dos ovejas.

endoblar. tr. Entre ganaderos, hacer que dos ovejas críen a la vez un cordero.

endoble. m. *Min.* Jornada de doble tiempo que hacen los mineros y fundidores al cambiar el turno.

endocardio. (De *endo-* y el gr. καρδία, corazón.) m. *Anat.* Membrana serosa que tapiza las cavidades del corazón y está formada por dos capas: una exterior, de tejido conjuntivo, y otra interior, de endotelio.

endocarditis. (De *endocardio* e *-itis.*) f. *Pat.* Inflamación aguda o crónica del endocardio.
endocarpio. (De *endo-* y el gr. καρπός, fruto.) m. *Bot.* Capa interna de las tres que forman el pericarpio de los frutos, que puede ser de consistencia leñosa, como el hueso del melocotón.
endocitosis. f. *Biol.* Proceso por el cual la célula introduce en su interior moléculas grandes o partículas a través de su membrana.
endocrino, na. (De *endo-* y el gr. κρίνω, separar.) adj. *Fisiol.* Perteneciente o relativo a las hormonas o a las secreciones internas. ‖ **2.** *Fisiol.* Dícese de la glándula que carece de conducto excretor y vierte directamente en la sangre los productos que segrega.
endocrinología. f. *Fisiol.* Estudio de las secreciones internas.
endocrinológico, ca. adj. Perteneciente o relativo a la endocrinología.
endocrinólogo, ga. m. y f. Especialista en endocrinología.
endodérmico, ca. adj. *Biol.* Perteneciente o relativo al endodermo.
endodermo. (De *endo-* y el gr. δέρμα, piel.) m. *Biol.* Capa u hoja interna de las tres en que se disponen las células del blastodermo después de haberse efectuado la segmentación.
endodoncia. f. *Med.* Tratamiento de los conductos radicales de una pieza dentaria.
endoesqueleto. (De *endo-* y *esqueleto.*) m. *Anat.* **neuroesqueleto.**
endogamia. (De *endo-* y el gr. γαμέω, casarse.) f. *Biol.* Cruzamiento entre individuos de la misma raza, comunidad o población. ‖ **2.** Por ext., práctica de contraer mátrimonio personas de ascendencia común o naturales de una pequeña localidad o comarca.
endogámico, ca. adj. *Biol.* Perteneciente o relativo a la endogamia.
endogénesis. (De *endo-* y el gr. γένεσις, generación.) f. *Biol.* División de una célula rodeada de una cubierta o envoltura resistente que impide la separación de las células hijas.
endógeno, na. (De *endo-* y *-geno.*) adj. Que se origina o nace en el interior, como la célula que se forma dentro de otra. ‖ **2.** Que se origina en virtud de causas internas.
endolencia. f. ant. **indulgencia.** ‖ **de endolencias.** Decíase de los días de Semana Santa.
endolinfa. (De *endo-* y *linfa.*) f. *Anat.* Líquido acuoso que llena el laberinto del oído de los vertebrados.
endometrio. (De *endo-* y el gr. μήτρα, matriz.) m. Membrana mucosa que tapiza la cavidad uterina.
endomingado, da. p. p. de **endomingarse.** ‖ **2.** adj. **dominguero.**
endomingarse. prnl. Vestirse con la ropa de fiesta.
endonar. tr. **donar.**
endoparásito. (De *endo-* y el gr. παράσιτος.) adj. *Biol.* Dícese del parásito que vive dentro del cuerpo de un animal o planta, como la lombriz intestinal. Ú. t. c. s.
endorreico, ca. adj. *Geol.* Perteneciente o relativo al endorreísmo.
endorreísmo. (De *endo-* y el gr. ῥέω, fluir.) m. *Geol.* Afluencia de las aguas de un territorio hacia el interior de este, sin desagüe al mar.
endorsar. (De *en-* y *dorso.*) tr. **endosar**[1].
endorso. m. **endoso.**
endosable. adj. Que se puede endosar[1].
endosar[1]. (Del fr. *endosser.*) tr. Ceder a favor de otro una letra de cambio u otro documento de crédito expedido a la orden, haciéndolo así constar al respaldo o dorso. ‖ **2.** fig. Trasladar a uno una carga, trabajo o cosa no apetecible.
endosar[2]. (De *en-* y *dos.*) tr. En el juego del tresillo, lograr el hombre que siente segunda baza el que no hace la contra. Ú. t. c. prnl.
endosatario, ria. m. y f. Persona a cuyo favor se endosa o puede endosarse un documento de crédito.
endoscopia. (De *endo-* y *-scopia.*) f. *Med.* Exploración visual de cavidades o conductos internos del organismo. ‖ **2.** Técnica de esta exploración.
endoscopio. (De *endo-* y *-scopio.*) m. Nombre genérico de los aparatos destinados a practicar la endoscopia.
endose. m. Acción y efecto de endosar[2] o endosarse.
endoselar. tr. Cubrir con dosel.
endosmómetro. (De *endo-*, el gr. ὠσμός, impulso, y *-metro.*) m. *Fís.* Aparato para medir la endósmosis.
endósmosis o **endosmosis.** (De *endo-* y el gr. ὠσμός, impulso.) f. *Fís.* Corriente de fuera adentro, que se establece cuando los líquidos de distinta densidad están separados por una membrana.
endoso. m. Acción y efecto de endosar[1]. ‖ **2.** Lo que para endosar una letra u otro documento a la orden se escribe en su respaldo o dorso.
endospermo. (De *endo-* y el gr. σπέρμα, semilla.) Tejido del embrión de las plantas fanerógamas, que les sirve de alimento.
endotelial. adj. *Anat.* Perteneciente o relativo al endotelio.
endotelio. (De *endo-* y el gr. θηλή, pezón del pecho.) m. *Anat.* Tejido formado por células aplanadas y dispuestas en una sola capa, que reviste interiormente las paredes de algunas cavidades orgánicas que no comunican con el exterior; como en la pleura y en los vasos sanguíneos.
endotelioma. (De *endotelio* y *-oma.*) m. *Med.* Tumor, generalmente maligno, originado en el revestimiento celular de los vasos o de las cavidades serosas.
endotermia. (De *endo-* y un der. del gr. θερμός, caliente.) f. *Anat.* **homeotermia.**
endovenoso, sa. (De *endo-* y *venoso.*) adj. Intravenoso.
endrecera. f. ant. **derechera.**
endrezar. (De *en-* y *drezar.*) tr. ant. Aderezar, preparar. ‖ **2.** ant. Remediar, recompensar.
endriago. (Quizá del cruce de *hidria*, hidra, y *drago*, dragón.) m. Monstruo fabuloso, con facciones humanas y miembros de varias fieras.
endrina. (De *andrina.*) f. Fruto del endrino.
endrinal. m. Sitio poblado de endrinos.
endrino, na. adj. De color negro azulado, parecido al de la endrina. ‖ **2.** m. Ciruelo silvestre con espinas en las ramas, hojas lanceadas y lampiñas, y fruto pequeño, negro azulado y áspero al gusto.
endrogarse. prnl. *P. Rico* y *Sto. Dom.* Drogarse, usar estupefacientes. ‖ **2.** *Can., Méj.* y *Perú.* Entramparse, contraer deudas.
endulce. m. Acción y efecto de endulzar aceitunas.
endulcecer. (Del lat. *in*, en, y *dulcescĕre.*) tr. ant. **endulzar.** Ú. t. c. prnl.
endulcir. (De *dulce.*) tr. ant. **endulzar.**
endulzadura. f. Acción y efecto de endulzar o endulzarse.
endulzar. tr. Poner dulce una cosa. Ú. t. c. prnl. ‖ **2.** Quitar a las aceitunas el amargo, haciéndolas comestibles. ‖ **3.** fig. Suavizar, hacer llevadero un trabajo, disgusto o incomodidad. Ú. t. c. prnl. ‖ **4.** p. us. *Pint.* Suavizar las tintas y contornos.
endulzorar. (De *en-* y *dulzorar.*) tr. ant. **endulzar.**
endulzurar. (De *en-* y *dulzurar.*) tr. ant. **endulzar.**
endurador, ra. (De *endurar.*) adj. Que por carácter y

condiciones es poco inclinado a gastar, y menos a dar. Ú. t. c. s.

enduramiento. m. ant. **endurecimiento.**

endurar. (Del lat. *indurāre.*) tr. **endurecer.** Ú. t. c. prnl. ‖ **2.** Sufrir, tolerar. ‖ **3.** Diferir o dilatar una cosa. ‖ **4.** Economizar, escasear el gasto.

endurecer. (Del lat. *indurescĕre.*) tr. Poner dura una cosa. Ú. t. c. prnl. ‖ **2.** fig. Robustecer los cuerpos; hacerlos más aptos para el trabajo y la fatiga. Ú. t. c. prnl. ‖ **3.** fig. Hacer a uno áspero, severo, exigente. ‖ **4.** intr. p. us. Ponerse duro. ‖ **5.** prnl. Encruelecerse, negarse a la piedad, obstinarse en el rigor.

endurecidamente. adv. m. Con dureza o pertinacia.

endurecimiento. m. Acción y efecto de endurecer o endurecerse. ‖ **2.** fig. Obstinación, tenacidad.

ene. f. Nombre de la letra *n.* ‖ **2.** Nombre del signo potencial indeterminado en álgebra. ‖ **3.** adj. Denota cantidad indeterminada. *Eso costará* ENE *pesetas.* ‖ **de palo.** fig. y fam. **horca** en que el verdugo da muerte al condenado. ‖ **ser de ene** una cosa. fr. fam. Ser consiguiente, forzosa o infalible.

enea. f. **anea.**

enea-. (Del gr. ἐννέα.) elem. compos. que significa «nueve»: ENEA*sílabo.*

eneágono, na. (De *enea-* y el gr. -γωνος, angular.) adj. *Geom.* Aplícase al polígono de nueve ángulos y nueve lados. Ú. m. c. s. m.

eneal. m. Sitio donde abunda la enea.

eneasílabo, ba. (De *enea-* y el gr. συλλαβή, sílaba.) adj. De nueve sílabas. *Verso* ENEASÍLABO. Ú. t. c. s.

enebral. m. Sitio poblado de enebros.

enebrina. f. Fruto del enebro.

enebro. (Del lat. vulg. *iinipĕrus,* lat. *iunipĕrus.*) m. Arbusto de la familia de las cupresáceas, de tres a cuatro metros de altura, con tronco ramoso, copa espesa, hojas lineales de tres en tres, rígidas, punzantes, blanquecinas por la cara superior y verdes por el margen y el envés; flores en amentos axilares, escamosas, de color pardo rojizo, y por frutos bayas elipsoidales o esféricas de cinco a siete milímetros de diámetro, de color negro azulado, con tres semillas casi ovaladas, pero angulosas en sus extremos. La madera es rojiza, fuerte y olorosa. ‖ **2.** Madera de esta planta. ‖ **de la miera.** El de tronco recto, hojas con dos líneas blanquecinas en el haz superior y frutos rojizos.

enechado, da. p. p. de **enechar.** ‖ **2.** adj. **expósito.** Ú. t. c. s.

enechar. (De *en-* y *echar.*) tr. ant. Abandonar a un niño en la casa de expósitos.

enejar. (De *en-* y *eje.*) tr. Poner eje o ejes a un carro, coche, etc. ‖ **2.** Poner una cosa en el eje.

eneldo. (De *aneldo*[1].) m. Hierba de la familia de las umbelíferas, con tallo ramoso, de seis a ocho decímetros de altura; hojas divididas en lacinias filiformes, flores amarillas en círculo, con unos veinte radios, y semillas pareadas planas en su cara de contacto, elípticas y con nervios bien señalados. Se ha usado el cocimiento de los frutos como carminativo.

enema[1]**.** (Del latín *enhaemon,* y este del gr. ἔναιμον, remedio para cortar la sangre.) m. *Farm.* Medicamento secante y ligeramente astringente que los antiguos aplicaban sobre las heridas sangrientas.

enema[2]**.** (Del lat. *enĕma,* y este del gr. ἔνεμα, lavativa.) m. *Med.* Medicamento líquido que se introduce en el cuerpo por el ano con instrumento adecuado para impelerlo, y sirve por lo común para limpiar y descargar el vientre. ‖ **2.** *Med.* Operación de introducir tal líquido. ‖ **3.** *Med.* Utensilio con que se realiza.

enemicísimo. (Del lat. *inimicissĭmus.*) adj. sup. de **enemigo.**

enemiga. (De *enemigar.*) f. Enemistad, odio, oposición, mala voluntad. ‖ **2.** ant. Maldad, vileza.

enemigable. (De *enemigar.*) adj. ant. **enemigo.**

enemigablemente. adv. m. ant. Con enemiga.

enemigadero, ra. (De *enemigar.*) adj. ant. Propenso a discordias y enemistades.

enemigamente. adv. m. Con enemistad.

enemigar. (Del lat. *inimicāre.*) tr. ant. **enemistar.** Usáb. t. c. prnl. ‖ **2.** ant. **aborrecer,** tener aversión a una persona o cosa.

enemigo, ga. (Del lat. *inimīcus.*) adj. **contrario,** opuesto a una cosa. ‖ **2.** m. y f. El que tiene mala voluntad a otro y le desea o hace mal. ‖ **3.** m. En el Derecho antiguo, el que había dado muerte al padre, a la madre o a alguno de los parientes de otro dentro del cuarto grado, o le había acusado de un delito grave, etc. ‖ **4.** El contrario en la guerra. Ú. t. c. colect. ‖ **5. diablo,** ángel que fue arrojado al abismo. ‖ **jurado.** El que tiene hecho firme propósito de serlo de personas o cosas. ‖ **malo.** El diablo. ‖ **enemigos pagados.** fr. fam. Aplícase a los sirvientes, que con frecuencia procuran el daño de sus amos. ‖ **ganar** uno **enemigos.** fr. Adquirirlos, granjeárselos, procurárselos. ‖ **ser** uno **enemigo** de una cosa. fr. No gustar de ella.

enemistad. (Del lat. **inimicĭtas,* por *inimicitĭa.*) f. Aversión u odio entre dos o más personas.

enemistanza. (De *enemistad.*) f. ant. **enemistad.**

enemistar. (De *enemistad.*) tr. Hacer a uno enemigo de otro, o hacer perder la amistad. Ú. t. c. prnl.

éneo, a. (Del lat. *aenĕus.*) adj. poét. De cobre o bronce.

eneolítico, ca. (Del lat. *aenĕus,* de bronce, y el gr. λιθικός, de piedra.) adj. Perteneciente o relativo al período prehistórico de transición entre la edad de la piedra pulimentada y la del bronce. Ú. t. c. s.

energético, ca. adj. Perteneciente o relativo a la energía. ‖ **2.** Que produce energía. ‖ **3.** f. *Fís.* Ciencia que trata de la energía.

energía. (Del lat. *energīa,* y este del gr. ἐνέργεια.) f. Eficacia, poder, virtud para obrar. ‖ **2.** Fuerza de voluntad, vigor y tesón en la actividad. ‖ **3.** *Fís.* Causa capaz de transformarse en trabajo mecánico. ‖ **4.** *Fís.* V. **cuanto**[1] **de energía.** ‖ **atómica. energía nuclear.** ‖ **cinética.** *Fís.* La que posee un cuerpo por razón de su movimiento. ‖ **de ionización.** *Fís.* **energía** mínima necesaria para ionizar una molécula o átomo en estado normal. ‖ **nuclear.** La obtenida por la fusión o fisión de núcleos atómicos. ‖ **2.** La que con fines industriales se obtiene en las centrales nucleares. ‖ **potencial.** *Fís.* La que posee un cuerpo por el hecho de hallarse en un campo de fuerzas, por ejemplo, el de la gravedad. ‖ **radiante.** *Fís.* **energía** existente en un medio físico, causada por ondas electromagnéticas o fotones, mediante las cuales se propaga directamente sin desplazamiento de la materia.

enérgicamente. adv. m. Con energía.

enérgico, ca. adj. Que tiene energía, o relativo a ella.

energizar. intr. *Col.* Obrar con energía, actuar con vigor o vehemencia. Ú. t. c. prnl. ‖ **2.** tr. *Col.* Estimular, dar energía. ‖ **3.** *Fís.* Poner en actividad un electroimán, mandarle la corriente excitatriz. ‖ **4.** *Fís.* Mandar a las bobinas la corriente para que imanen el núcleo. ‖ **5.** *Fís.* Suministrar corriente eléctrica.

energúmeno, na. (Del lat. *energumĕnus,* y este del gr. ἐνεργούμενος, poseído.) m. y f. Persona poseída del demonio. ‖ **2.** fig. Persona furiosa, alborotada.

enerizamiento. m. ant. **erizamiento.**

enerizar. tr. p. us. **erizar.** Ú. t. c. prnl.

enero. (Del lat. vulg. *ienuarĭus,* lat. *ianuarĭus.*) m. Primer mes del año, tiene treinta y un días. ‖ **2.** V. **cuesta de enero.**

enertarse. (De *en-* y *yerto.*) prnl. ant. Quedarse yerto.

enervación. (Del lat. *enervatĭo, -ōnis.*) f. Acción y efecto de enervar o enervarse. ‖ **2. afeminación.** ‖ **3.** *Med.* Agotamiento de la energía nerviosa.

enervador, ra. adj. Que enerva.

enervamiento. m. Acción o efecto de enervar o enervarse.

enervar. (Del lat. *enervāre.*) tr. Debilitar, quitar las fuerzas. Ú. t. c. prnl. ‖ **2.** fig. Debilitar la fuerza de las razones o argumentos. Ú. t. c. prnl. ‖ **3.** Poner nervioso. Ú. t. c. prnl. (Galicismo frecuente.)

enerve. (Del lat. *enervis.*) adj. desus. Débil, afeminado, sin fuerza.

enescar. (Del lat. *inescāre,* cazar con cebo.) tr. ant. Poner cebo.

enésimo, ma. (De *ene,* cantidad indeterminada, y la term. numeral *-ésimo.*) adj. Dícese del número indeterminado de veces que se repite una cosa. ‖ **2.** *Mat.* Dícese del lugar indeterminado en una serie.

enfadadizo, za. adj. Fácil de enfadar.

enfadamiento. (De *enfadar.*) m. **enfado.**

enfadar. tr. Causar enfado. Ú. t. c. prnl.

enfado. (De etim. disc.) m. Impresión desagradable y molesta que hacen en el ánimo algunas cosas. ‖ **2.** Afán, trabajo. ‖ **3. enojo** contra otra persona. ‖ **4.** pl. Composición satírica en que cada terceto o estrofa empezaba con *Enfádome* o forma semejante del verbo *enfadar.*

enfadosamente. adv. m. Con enfado.

enfadoso, sa. adj. Que de suyo causa enfado.

enfaenado, da. adj. Metido en faena, entregado al trabajo con afán.

enfajar. tr. Fajar, ceñir o envolver con faja; envolver al niño y ponerle el fajero. ‖ **2.** fig. Envolver como una faja. *El río* ENFAJA *a la ciudad.*

enfalcado. (De *en-* y *falcar*[2].) m. *Col.* Aparato de madera colocado sobre los fondos de las hornillas de los trapiches.

enfaldado. (De *en-* y *falda.*) adj. Dícese del varón, sobre todo del niño, que vive demasiado apegado a las mujeres de la casa.

enfaldador. m. Alfiler grueso que usan las mujeres en algunos países para tener sujeto el enfaldo.

enfaldar. tr. Recoger las faldas o las sayas. Ú. t. c. prnl. ‖ **2.** Hablando de los árboles, cortarles las ramas bajas para que crezcan y formen copa las superiores.

enfaldo. m. Falda o cualquier ropa talar recogida o enfaldada. ‖ **2.** Seno o cavidad que hacen las ropas enfaldadas para llevar algunas cosas.

enfangar. tr. Cubrir de fango una cosa o meterla en él. Ú. m. c. prnl. ‖ **2.** prnl. fig. y fam. Mezclarse en negocios innobles y vergonzosos. ‖ **3.** fig. Entregarse con excesivo afán a placeres sensuales.

enfardador, ra. adj. Que enfarda. Ú. t. c. s.

enfardar. tr. Hacer o arreglar fardos. ‖ **2.** Empaquetar mercancías.

enfardelador, ra. m. y f. Persona que enfardela o enfarda, y en particular la que lía o acomoda los fardos para cargarlos en los buques.

enfardeladura. f. Acción de enfardelar ropas o mercancías para la carga.

enfardelar. tr. Hacer fardeles. ‖ **2. enfardar.**

énfasis. (Del lat. *emphăsis,* y este del gr. ἔμφασις.) m. Fuerza de expresión o de entonación con que se quiere realzar la importancia de lo que se dice o se lee. Usáb. c. amb. ‖ **2.** Afectación en la expresión, en el tono de la voz o en el gesto. ‖ **3.** *Ret.* Figura que consiste en dar a entender más de lo que realmente se expresa.

enfastiar. (De *en-* y *fastío.*) tr. ant. Causar hastío. Ú. en Salamanca.

enfastidiar. tr. ant. **fastidiar.**

enfáticamente. adv. m. Con énfasis.

enfático, ca. (Del gr. ἐμφατικός.) adj. Aplícase a lo dicho con énfasis o que lo denota o implica, y a las personas que hablan o escriben enfáticamente.

enfatizar. intr. Expresarse con énfasis. ‖ **2.** tr. Poner énfasis en la expresión de alguna cosa.

enfear. tr. ant. **afear.**

enfeminado, da. adj. ant. **afeminado.**

enfermamente. adv. m. ant. Flaca o débilmente.

enfermar. (Del lat. *infirmāre.*) intr. Contraer enfermedad. Ú. t. c. prnl. ‖ **2.** tr. Causar enfermedad. ‖ **3.** fig. Debilitar, quitar firmeza, menoscabar, invalidar.

enfermedad. (Del lat. *infirmĭtas, -ātis.*) f. Alteración más o menos grave de la salud. ‖ **2.** fig. Pasión dañosa o alteración en lo moral o espiritual. *La ambición es* ENFERMEDAD *que difícilmente se cura; las* ENFERMEDADES *del alma o del espíritu.* ‖ **3.** fig. Anormalidad dañosa en el funcionamiento de una institución, colectividad, etc. ‖ **azul.** *Pat.* Estado de cianosis permanente, que se produce en los niños que padecen algunas **enfermedades** congénitas del corazón o de los grandes vasos. ‖ **carencial.** La producida por carencia, o falta de determinadas vitaminas en la comida. ‖ **de Bright.** *Pat.* Nefritis crónica, especialmente la parenquimatosa. ‖ **de la piedra.** Alteración por agentes ambientales químicos o biológicos de las piedras que constituyen obras arquitectónicas o escultóricas. ‖ **del bronce.** La producida por la lesión, generalmente tuberculosa, de las glándulas suprarrenales, en la que uno de los trastornos dominantes es el color bronceado de la piel. ‖ **del sueño.** Proceso patológico causado por un protozoo parásito, propio de las regiones tropicales de África y caracterizado por debilidad extrema, temblores y estado letárgico, del que toma el nombre. ‖ **del suero.** *Pat.* Conjunto de síntomas cutáneos, nerviosos y térmicos que siguen a veces a la inyección primitiva, y sobre todo reiterada, de un suero animal. ‖ **específica.** La causada por un agente único y constante. ‖ **2.** *Med.* La sifilítica. ‖ **ocupacional. enfermedad profesional.** ‖ **profesional.** La que es consecuencia específica de un determinado trabajo.

enfermería. f. Local o dependencia para enfermos o heridos. ‖ **2.** Conjunto de los enfermos de determinado lugar o tiempo, o de una misma enfermedad. ‖ **3.** fam. desus. En Madrid se llamaba así a los coches tirados por dos mulas pesadas y viejas. ‖ **estar en la enfermería.** fr. fig. y fam. Dícese de todo mueble o alhaja que está en casa del artífice a componerse. ‖ **tomar** uno **enfermería.** fr. Ser considerado en la clase de enfermo.

enfermero, ra. m. y f. Persona dedicada a la asistencia de los enfermos.

enfermizar. tr. ant. Hacer enfermiza a una persona.

enfermizo, za. adj. Que tiene poca salud, que enferma con frecuencia. ‖ **2.** Capaz de ocasionar enfermedades; como algunos alimentos por su mala calidad, algunos lugares por su mala situación, etc. ‖ **3.** Propio de un enfermo. *Pasión* ENFERMIZA.

enfermo, ma. (Del lat. *infirmus.*) adj. Que padece enfermedad. Ú. t. c. s. ‖ **2. enfermizo.** ‖ **3.** V. **puchero de enfermo.** ‖ **apelar el enfermo.** fr. fig. y fam. Escaparse de la muerte que le tenían pronosticada.

enfermosear. (De *en-* y *fermoso.*) tr. ant. **hermosear.**

enfermoso, sa. adj. *Col., C. Rica, Ecuad., Guat., Hond., Méj., Nicar., Pan.* y *Venez.* **enfermizo.**

enfermucho, cha. adj. Que tiene poca salud, propenso a enfermar.

enferozar. (De *en-* y *feroz.*) tr. ant. **enfurecer** a uno. Usáb. t. c. prnl.

enfervorecer. tr. ant. **enfervorizar.**

enfervorizador, ra. adj. Que enfervoriza. Ú. t. c. s.

enfervorizar. tr. Infundir buen ánimo, fervor, celo ardiente. Ú. t. c. prnl.

enfestar. (Del lat. *infestāre,* hostilizar, levantar en contra.) tr.

ant. Enhestar, enderezar, levantar. ‖ **2.** prnl. ant. Levantarse, rebelarse, atreverse.

enfeudación. f. Acción y efecto de enfeudar. ‖ **2.** Título o diploma en que se contiene este acto.

enfeudar. tr. Dar en feudo un reino, territorio, ciudad, etc.

enfiar. tr. ant. Salir fiador de otro. ‖ **2.** intr. ant. Confiar firmemente en alguien o en algo.

enficionar. tr. ant. **inficionar.**

enfielar. tr. Poner en fiel.

enfierecerse. prnl. p. us. Ponerse hecho una fiera.

enfiestarse. prnl. *Col., Chile, Hond., Méj., Nicar.* y *Venez.* Estar de fiesta, divertirse.

enfiesto, ta. (Quizá del lat. *infestus,* hostil, levantado.) adj. ant. Erguido, levantado.

enfilación. f. Acción y efecto de enfilar.

enfilado, da. p. p. de **enfilar.** ‖ **2.** adj *Blas.* Dícese de las cosas huecas, como anillos, sortijas, coronas, etc., pasadas en la banda, palo, faja o lanza, que parecen ensartadas.

enfilar. tr. Poner en fila varias cosas. ‖ **2.** Dirigir una visual, bien a lo largo del canto de una regla, bien por medio de miras y otros instrumentos. ‖ **3.** Con nombre que signifique una vía larga y estrecha, comenzar a recorrerla. *El coche* ENFILÓ *la carretera; El viento* ENFILABA la calle. ‖ **4.** Hacer pasar un hilo, cuerda, alambre, etc., por varias cosas. ‖ **5.** ant. Hilar, tejer. ‖ **6.** *Mil.* Colocar la artillería al flanco de un frente fortificado, de un puesto o de una tropa, para batirlos con fuego directo. ‖ **7.** intr. Dirigirse a un lugar determinado. ENFILAMOS *hacia Pedreña.*

enfingimiento. m. ant. **fingimiento.**

enfingir. (Del lat. *infingĕre.*) tr. ant. **fingir.** ‖ **2.** ant. Presumir, hincharse y manifestar soberbia.

enfinta. (De *en-* y *finta*[2].) f. ant. Fraude, engaño.

enfintoso, sa. (De *enfinta.*) adj. ant. Engañoso, fingido.

enfisema. (Del lat. *emphysēma,* y este del gr. ἐμφύσημα, hinchazón.) m. *Pat.* Tumefacción producida por aire o gas en el tejido pulmonar, en el celular o en la piel.

enfisematoso, sa. adj. *Pat.* Perteneciente o relativo al enfisema.

enfistolar. tr. desus. Hacer que una herida pase al estado de fístula.

enfistolarse. prnl. Pasar una llaga al estado de fístula.

enfitéosis. f. ant. **enfiteusis.**

enfitéota. m. ant. **enfiteuta.**

enfitéoto, ta. adj. ant. **enfitéutico.**

enfiteusis. (Del lat. *emphyteusis,* y este del gr. ἐμφύτευσις, implantación.) f. Cesión perpetua o por largo tiempo del dominio útil de un inmueble, mediante el pago anual de un canon y de laudemio por cada enajenación de dicho dominio. Ú. t. c. m. ‖ **2. contrato enfitéutico.**

enfiteuta. (Del lat. *emphyteuta.*) com. Persona que tiene el dominio útil a censo enfitéutico.

enfiteutecario, ria. (De *enfiteuticario.*) adj. ant. **enfitéutico.**

enfiteuticario, ria. (Del lat. *emphyteuticarius.*) adj. ant. **enfitéutico.**

enfitéutico, ca. (Del lat. *emphyteutĭcus.*) adj. Dado en enfiteusis o perteneciente a ella. ‖ **2.** V. **censo enfitéutico.** ‖ **3.** *Der.* V. **contrato enfitéutico.**

enfiuzar. (Del lat. *infiduciāre.*) intr. ant. **confiar.** Ú. t. c. prnl.

enflacar. intr. **enflaquecer,** ponerse flaco.

enflaquecer. tr. Poner flaco a uno, disminuyendo su corpulencia o fuerzas. ‖ **2.** fig. Debilitar, enervar. ‖ **3.** intr. Ponerse flaco. Ú. t. c. prnl. ‖ **4.** ant. Sentir daño o menoscabo en la salud. ‖ **5.** fig. Desmayar, perder ánimo.

enflaquecimiento. m. Acción y efecto de enflaquecer o enflaquecerse.

enflautado, da. p. p. de **enflautar.** ‖ **2.** adj. fam. Hinchado, retumbante. ‖ **3.** f. *Hond.* Patochada, disparate.

enflautador, ra. adj. fam. Que enflauta. Ú. t. c. s. ‖ **2.** m. y f. fam. **alcahuete,** encubridor.

enflautar. (De *en-* y *flauta.*) tr. Hinchar, soplar. ‖ **2.** fam. **alcahuetear.** ‖ **3.** fam. Alucinar, engañar. ‖ **4.** fam. *Col.* **encajar,** decir a uno algo inoportuno o molesto.

enflechado, da. adj. Dícese del arco o ballesta en que se ha puesto la flecha para dispararla.

enflorar. tr. Florear, adornar con flores.

enflorecer. tr. ant. **enflorar.** Usáb. t. c. prnl. ‖ **2.** intr. **florecer.**

enfocar. tr. Hacer que la imagen de un objeto producida en el foco de una lente se recoja con claridad sobre un plano u objeto determinado. ‖ **2.** Centrar en el visor de una cámara fotográfica la imagen que se quiere obtener. ‖ **3.** Proyectar un haz de luz o de partículas sobre un determinado punto. ‖ **4.** fig. Dirigir la atención o el interés hacia un asunto o problema desde unos supuestos previos, para tratar de resolverlo acertadamente.

enfogar[1]**.** (De *en-* y *fuego.*) tr. ant. Encender una cosa; como el hierro, haciéndolo ascua.

enfogar[2]**.** (De *en-* y la raíz lat. de *afogar.*) tr. ant. **ahogar**[1], quitar la vida a alguien impidiéndole la respiración.

enfoque. m. Acción y efecto de enfocar.

enforcar. (De *en-* y *forca.*) tr. ant. **ahorcar.**

enforcia. (Del b. lat. *inforcia,* fuerza.) f. ant. Fuerza o violencia que se hace a una persona.

enformar. tr. ant. **informar.**

enfornar. (Del lat. *in,* en, y *fornus,* horno.) tr. ant. **enhornar.**

enforradura. f. ant. **forro**[1], cubierta con que se reviste una cosa por la parte interior o exterior.

enforrar. tr. ant. **aforrar**[1], poner forro.

enforro. m. ant. **forro**[1], cubierta con que se reviste una cosa por la parte interior o exterior.

enfortalecer. tr. ant. **fortalecer.**

enfortalecimiento. m. ant. **fortalecimiento.** ‖ **2.** ant. **fortaleza.**

enfortecer. (Del lat. *in,* en, y *fortescĕre.*) tr. ant. **fortalecer.**

enfortir. (Del lat. *in,* en, y *fortis,* fuerte.) tr. ant. **enfurtir.**

enfosado. m. *Veter.* **encebadamiento.**

enfoscadero. m. *Sal.* Pasaje angosto y oculto.

enfoscado, da. p. p. de **enfoscar.** ‖ **2.** m. *Albañ.* Operación de enfoscar un muro. ‖ **3.** Capa de mortero con que está guarnecido un muro.

enfoscar. (Del lat. *infuscāre,* oscurecer.) tr. ant. **oscurecer,** privar de luz y claridad. ‖ **2.** *Albañ.* Tapar los mechinales y otros agujeros que quedan en una pared después de labrada. ‖ **3.** *Albañ.* Guarnecer con mortero un muro. ‖ **4.** prnl. Ponerse hosco y ceñudo. ‖ **5.** Enfrascarse, engolfarse en un negocio. ‖ **6.** Encapotarse, cubrirse el cielo de nubes. ‖ **7.** *Sal.* Cubrirse, arroparse. ‖ **8.** *Sal.* Esconderse, ocultarse.

enfotarse. (De *en-* y *foto*[1].) prnl. ant. *Ast.* Tener fe y confianza excesiva en sí mismo.

enfrailar. tr. Hacer fraile a uno. ‖ **2.** intr. Meterse fraile. Ú. t. c. prnl.

enfranque. m. Parte más estrecha de la suela del calzado, entre la planta y el tacón.

enfranquecer. tr. Hacer franco o libre.

enfrascado, da. p. p. de **enfrascarse.** ‖ **2.** adj. Embebido en cualquier trabajo o quehacer, entregado totalmente a él.

enfrascamiento. m. Acción y efecto de enfrascarse.

enfrascar. tr. Echar o meter en frascos alguna cosa.

enfrascarse. (Probablem. del it. *infrascarsi.*) prnl. Enzarzarse, meterse en una espesura. ‖ **2.** fig. Aplicarse con tanta intensidad a un negocio, disputa o cosa semejante, que no quede atención para otra cosa. ‖ **3.** fig. Mancharse, ensuciarse con barro, excremento, tinta, pintura, etc.

enfrenador, ra. adj. Que enfrena. Ú. t. c. s.

enfrenamiento. m. Acción y efecto de enfrenar.

enfrenar. (Del lat. *infrenāre.*) tr. Poner el freno al caballo. ‖ **2.** Enseñarle a que obedezca. ‖ **3.** Contenerlo y sujetarlo. ‖ **4.** Con el adv. *bien,* hacerle llevar la cabeza derecha y bien puesta. ‖ **5.** fig. **refrenar,** reprimir. Ú. t. c. prnl.

enfrentamiento. m. Acción y efecto de enfrentar o enfrentarse.

enfrentar. tr. **afrontar,** poner frente a frente. Ú. t. c. prnl. ‖ **2. afrontar,** hacer frente a alguien o a algo. Ú. t. c. prnl.

enfrente. (De *en-* y *frente.*) adv. l. A la parte opuesta, en punto que mira a otro, o que está delante de otro. ‖ **2.** adv. m. En contra, en pugna.

enfriadera. f. Vasija en que se enfría una bebida.

enfriadero. m. Lugar o sitio para enfriar.

enfriador, ra. adj. Que enfría. Ú. t. c. s. ‖ **2.** m. **enfriadero.**

enfriamiento. m. Acción y efecto de enfriar o enfriarse. ‖ **2.** Indisposición que se caracteriza por síntomas catarrales, ocasionados por la acción del frío.

enfriar. (Del lat. *infrigidāre.*) tr. Poner o hacer que se ponga fría una cosa. Ú. t. c. intr. y c. prnl. ‖ **2.** fig. Entibiar los afectos, templar la fuerza y el ardor de las pasiones. Ú. t. c. prnl. ‖ **3.** fig. Amortiguar la eficacia en las obras. Ú. t. c. prnl. ‖ **4.** prnl. Quedarse fría una persona. ‖ **5.** prnl. Acatarrarse.

enfrontar. tr. Llegar al frente de alguna cosa. Ú. t. c. intr. ‖ **2. afrontar,** hacer frente. Ú. t. c. intr. ENFRONTAR *con los enemigos.*

enfrontilar. tr. *And.* Poner el frontil a los bueyes. ‖ **2.** prnl. *And.* Ponerse el toro de frente a uno para acometerle.

enfroscarse. prnl. **enfrascarse.**

enfuciar. intr. ant. **enfiuzar.**

enfullar. tr. fam. Hacer trampas o fullerías en el juego.

enfunchar. tr. *Cuba* y *P. Rico.* Enojar, enfadar. Ú. t. c. prnl.

enfundadura. f. Acción y efecto de enfundar.

enfundar. tr. Poner una cosa dentro de su funda. ‖ **2.** Llenar, henchir.

enfuñarse. prnl. *And.* y *Ant.* **enfurruñarse,** enfadarse.

enfurcio. m. ant. **enfurción.**

enfurción. (De *en-* y *furción.*) f. **infurción.**

enfurecer. tr. Irritar a uno, o ponerle furioso. Ú. t. c. prnl. ‖ **2. ensoberbecer,** causar soberbia. ‖ **3.** prnl. fig. Alborotarse, alterarse. Se usa hablando del viento, del mar, etcétera.

enfurecimiento. m. Acción y efecto de enfurecer o enfurecerse.

enfuriarse. prnl. ant. Enfurecerse, alborotarse, alterarse. Ú. en Salamanca.

enfurruñamiento. m. Acción y efecto de enfurruñarse.

enfurruñarse. prnl. fam. Enfadarse. ‖ **2.** fam. Enfoscarse, encapotarse el cielo.

enfurruscarse. prnl. fam. *Ál., Ar.* y *Chile.* **enfurruñarse.**

enfurtido, da. p. p. de **enfurtir.** ‖ **2.** m. Acción y efecto de enfurtir.

enfurtir. (De *enfortir.*) tr. Dar en el batán a los paños y otros tejidos de lana el cuerpo correspondiente. Ú. t. c. prnl. ‖ **2.** Apelmazar el pelo. Ú. t. c. prnl.

enfusar. (Del lat. *infūsus.*) tr. *Sal.* **enfusir.** ‖ **2.** *Sal.* Atollar, hundir. Ú. t. c. prnl.

enfusir. tr. *Sal.* **embutir,** hacer embutidos de tripas rellenas con carne.

engabanado, da. adj. Cubierto con gabán.

engace. m. **engarce.** ‖ **2.** fig. Dependencia y conexión que tienen unas cosas con otras.

engafar. tr. Armar la ballesta con la gafa, colocando la cuerda en la nuez para que pueda disparar el lance. ‖ **2.** Poner la escopeta en el seguro. ‖ **3.** Enganchar con gafas.

engafecer. (De *en-*, *gafo* y *-ecer.*) intr. ant. Contraer la lepra.

engafetar. (De *gafete.*) tr. *Ar.* **encorchetar.**

engaitador, ra. adj. fam. Que engaita.

engaitar. (De *gaita.*) tr. fam. Engañar con promesas y con palabras artificiosas y deslumbradoras.

engalabernar. tr. ant. Embarbillar, acoplar. Ú. en Colombia.

engalanar. tr. Poner galana a una persona o cosa, adornar. Ú. t. c. prnl.

engalgar[1]**.** tr. Hacer que la liebre o el conejo sean perseguidos por el galgo, poniendo a este sobre el rastro de la caza, o haciéndosela ver para que la siga.

engalgar[2]**.** tr. Apretar la galga contra el cubo de la rueda de un carruaje para impedir que gire. ‖ **2.** Calzar las ruedas de los carruajes con la plancha para impedir que giren. ‖ **3.** *Mar.* Afirmar a la cruz de un ancla el cable de un anclote para que, tendidos o fondeados ambos en la misma dirección, ofrezcan seguridad a la nave en casos de mal tiempo o en fondeaderos de mucha corriente.

engaliar. tr. *And.* Engañar, embaucar.

engallado, da. p. p. de **engallarse.** ‖ **2.** adj. fig. Erguido, derecho. ‖ **3.** fig. Altanero, soberbio.

engallador. m. **engalle.**

engalladura. f. **galladura.**

engallamiento. m. Acción y efecto de engallar o engallarse.

engallar. (De *en-* y *gallo.*) tr. Levantar la cabeza o erguir el busto, en actitud arrogante. ‖ **2.** prnl. Erguirse, estirarse con arrogancia. ‖ **3.** fig. Comportarse con arrogancia, adoptar una actitud retadora. ‖ **4.** *Equit.* Levantar la cabeza y recoger el cuello el caballo, obligado por el freno o engalle.

engalle. (De *engallar.*) m. Parte del arnés de lujo, que consiste en dos correas que, partiendo del bocado y pasando por unas argollas de la frontalera, se reúnen en una hebilla o gancho fijo en la parte alta del collerón.

enganchador, ra. adj. Que engancha.

enganchamiento. m. **enganche.**

enganchar. tr. Agarrar una cosa con gancho o colgarla de él. Ú. t. c. prnl. y c. intr. ‖ **2.** Poner las caballerías en los carruajes de manera que puedan tirar de ellos. Ú. t. c. intr. ‖ **3.** fig. y fam. Atraer a uno con arte, captar su afecto o su voluntad. ‖ **4.** *Mil.* Atraer a uno a que siente plaza de soldado, ofreciéndole dinero. ‖ **5.** *Taurom.* Coger el toro al bulto y levantarlo con los pitones. ‖ **6.** prnl. *Mil.* Sentar plaza de soldado.

enganche. m. Acción y efecto de enganchar o engancharse. ‖ **2.** Pieza o aparato dispuesto para enganchar.

enganchón. m. Acción y efecto de engancharse o prenderse la ropa o cabellera en un objeto punzante.

engandujar. tr. **gandujar.**

engandujo. m. **gandujado,** adorno retorcido o con pliegues.

engañabobos. com. fam. Persona que pretende embaucar o deslumbrar. ‖ **2.** Cosa que engaña o defrauda con su apariencia. ‖ **3.** m. *And.* **chotacabras.**

engañadizo, za. adj. Fácil de engañar.

engañador, ra. adj. Que engaña. ‖ **2.** fig. Que atrae dulcemente el cariño. Ú. t. c. s.

engañamiento. m. ant. **engaño.**

engañamundo o **engañamundos.** m. **engañador,** que engaña.

engañanecios. m. **engañabobos,** persona que pretende embaucar o deslumbrar.
engañanza. (De *engañar.*) f. ant. **engaño.**
engañapastores. m. **chotacabras.**
engañapichanga. com. *Argent.* **engañabobos,** cosa que engaña o defrauda con su apariencia.
engañar. (Del lat. vulg. **ingannāre,* burlar.) tr. Dar a la mentira apariencia de verdad. ‖ **2.** Inducir a otro a tener por cierto lo que no lo es, valiéndose de palabras o de obras aparentes y fingidas. ‖ **3.** Producir ilusión, sobre todo óptica. *La altura de aquellos montes* ENGAÑA *a quienes los ven desde aquí.* ‖ **4.** Entretener, distraer. ENGAÑAR *el tiempo, el sueño, el hambre.* ‖ **5.** Hacer más apetitoso un alimento. *Con el tomate voy* ENGAÑANDO *la carne.* ‖ **6. engatusar.** ‖ **7.** prnl. Cerrar los ojos a la verdad, por ser más grato el error. ‖ **8.** Incurrir en infidelidad conyugal. ‖ **9. equivocarse.**
engañifa. f. fam. Engaño artificioso con apariencia de utilidad.
engañifla. f. ant. **engañifa.** Ú. en Andalucía y Chile.
engaño. m. Acción y efecto de engañar. ‖ **2.** Falta de verdad en lo que se dice, hace, cree, piensa o discurre. ‖ **3.** Cualquier arte o armadijo para pescar. ‖ **4.** *Taurom.* Muleta o capa que usa el torero para engañar al toro. ‖ **deshacer un engaño.** fr. Satisfacer, desengañar, sacar del **engaño** y error aprehendido. ‖ **llamarse** uno **a engaño.** fr. fam. Retraerse de lo pactado, por haber reconocido **engaño** en el contrato, o pretender que se deshaga una cosa, alegando haber sido engañado.
engañosamente. adv. m. Con engaño.
engañoso, sa. adj. Falaz, que engaña o da ocasión a engañarse. ‖ **2.** *Ar., Áv.* y *León.* Que dice mentiras.
engarabatar. tr. fam. Agarrar con garabato. ‖ **2.** Poner una cosa en forma de garabato. Ú. t. c. prnl.
engarabitar. intr. Trepar, subir a lo alto. Ú. t. c. prnl. ‖ **2.** tr. Engarabatar, hablando especialmente de los dedos entumecidos por el frío. Ú. t. c. prnl.
engaratusar. (De *en-* y *garatusa.*) tr. *Col., Guat., Hond., Méj.* y *Nicar.* Hacer a uno garatusas, engatusar.
engarbado, da. p. p. de **engarbarse.** ‖ **2.** adj. Dícese del árbol que al ser derribado queda sostenido por la copa de otro.
engarbarse. prnl. Encaramarse las aves a lo más alto de un árbol o de otra cosa.
engarberar. (De *en-* y *garbera.*) tr. *And.* y *Murc.* Formar garberas.
engarbullar. (De *en-* y *garbullo.*) tr. fam. Confundir, enredar una cosa con otras.
engarce. m. Acción y efecto de engarzar. ‖ **2.** Metal en que se engarza alguna cosa.
engarfiar. intr. Garfear. Ú. t. c. prnl.
engargantadura. f. **engargante.**
engargantar. tr. Meter una cosa por la garganta o tragadero, como se hace con las aves cuando se ceban a mano. ‖ **2.** intr. **engranar.** ‖ **3.** Meter el pie en el estribo hasta la garganta. Ú. t. c. prnl.
engargante. (De *engargantar.*) m. Encaje de los dientes de una rueda o barra dentada en los intersticios de otra.
engargolado, da. p. p. de **engargolar.** ‖ **2.** m. Ranura por la cual se desliza una puerta de corredera. ‖ **3.** *Carp.* Ensambladura, trabazón de lengüeta y ranura que une dos piezas de madera.
engargolar. tr. Ajustar las piezas que tienen gárgoles.
engaritar. tr. Fortificar o adornar con garitas una edificación o fortaleza. ‖ **2.** fam. Engañar con astucia.
engarmarse. prnl. *Ast.* y *Cantabria.* Meterse el ganado en una garma.
engarnio. m. fam. Plepa, persona o cosa que no vale para nada.
engarrafador, ra. adj. Que engarrafa.
engarrafar. (De *en-* y *garfa.*) tr. fam. Agarrar fuertemente una cosa.
engarrar. (De *en-* y *garra.*) tr. **agarrar.**
engarriar. intr. Trepar, encaramar. Ú. t. c. prnl.
engarro. m. Acción y efecto de engarrar. ‖ **2.** V. **perro de engarro.**
engarronar. (De *en-* y *garrón.*) tr. **apiolar** un animal muerto.
engarrotar. (De *en-* y *garrote.*) tr. Causar entumecimiento de los miembros el frío. Ú. t. c. prnl.
engarzador, ra. adj. Que engarza. Ú. t. c. s.
engarzadura. f. **engarce.**
engarzar. (Del ár. *jaraza,* cuenta o abalorio engarzado, con el pref. *en-.*) tr. Trabar una cosa con otra u otras, formando cadena. Ú. t. en sent. fig. ‖ **2. rizar** el pelo. ‖ **3. engastar.** ‖ **4.** prnl. *And.* y *Amér.* Enzarzarse, enredarse unos con otros.
engasajar. tr. ant. **agasajar.**
engasgarse. (De la onomat. *gasg.*) prnl. Atragantarse.
engastador, ra. adj. Que engasta. Ú. t. c. s. ‖ **2.** m. y f. Persona que tiene por oficio engastar.
engastadura. f. **engaste.**
engastar. (Del lat. **incastrāre.*) tr. Encajar y embutir una cosa en otra, como una piedra preciosa en un metal. Ú. t. en sent. fig.
engaste. m. Acción y efecto de engastar. ‖ **2.** Cerco o guarnición de metal que abraza y asegura lo que se engasta. ‖ **3.** Perla desigual que por un lado es llana o chata y por el otro redonda.
engastonar. tr. ant. **engastar.**
engatado, da. p. p. de **engatar.** ‖ **2.** adj. Habituado a hurtar, como el gato; ratero.
engatar. (De *gato.*) tr. fam. Engañar halagando.
engatillado, da. p. p. de **engatillar.** ‖ **2.** adj. Aplícase al caballo y al toro que tienen el pescuezo grueso y levantado por la parte superior. ‖ **3.** m. Procedimiento empleado para unir dos chapas de metal, que consiste en doblar el borde de cada una, enlazarlos y machacarlos para que se unan. ‖ **4.** *Arq.* Obra de madera, generalmente para techar los edificios, en la cual unas piezas están trabadas con otras por medio de gatillos de hierro.
engatillar. (De *en-* y *gatillo.*) tr. Unir dos chapas metálicas por el procedimiento del engatillado. ‖ **2.** *Arq.* Sujetar con gatillo. ‖ **3.** *Arq.* Encajar los extremos de los maderos de piso en las muescas de una viga. ‖ **4.** *Pint.* Reforzar la tabla de una pintura con gatillo. ‖ **5.** prnl. Hablando de escopetas y otras armas de fuego, fallar el mecanismo de disparar.
engatuñarse. prnl. *Cuen.* Dicho de las tierras de labor, cubrirse de gatuñas.
engatusador, ra. adj. fam. Que engatusa. Ú. t. c. s.
engatusamiento. m. fam. Acción y efecto de engatusar.
engatusar. (De *engatar.*) tr. fam. Ganar la voluntad de uno con halagos para conseguir de él alguna cosa.
engavetar. tr. *Guat.* Guardar algo en una gaveta por tiempo indefinido.
engaviar. (De *en-* y *gavia.*) tr. Subir a lo alto. Ú. t. c. prnl. ‖ **2.** *Val.* **enjaular,** encerrar en una jaula.
engavillar. tr. **agavillar.**
engazador, ra. adj. **engarzador.**
engazamiento. m. **engarce.**
engazar[1]**.** tr. **engarzar.**
engazar[2]**.** tr. En el obraje de paños, teñirlos después de tejidos. ‖ **2.** *Mar.* Ajustar y poner gazas de firme a los motones, cuadernales y vigotas.
engazo. m. desus. **engarce.**
engendrable. adj. p. us. Que se puede engendrar.

engendración. f. ant. Acción y efecto de engendrar.

engendrador, ra. adj. Que engendra, cría o produce. ‖ **2.** m. ant. **progenitor.**

engendramiento. m. Acción y efecto de engendrar.

engendrar. (Del lat. *ingenerāre.*) tr. Procrear, propagar la propia especie. ‖ **2.** fig. Causar, ocasionar, formar. Ú. t. c. prnl.

engendro. m. **feto.** ‖ **2.** Criatura informe que nace sin la proporción debida. ‖ **3.** Persona muy fea. ‖ **4.** fig. Plan, designio u obra intelectual mal concebidos. ‖ **mal engendro.** fig. y fam. Muchacho avieso, mal inclinado y de índole perversa.

engenerativo, va. adj. ant. **generativo.**

engenio. m. ant. **ingenio.**

engeñar. (De *engeño.*) tr. ant. Combatir con ingenios o máquinas, o disponerlos para combatir.

engeñero. m. ant. **ingeniero.**

engeño. (Del lat. *ingenĭum.*) m. ant. **ingenio.**

engeñoso, sa. adj. ant. **ingenioso.**

engeridor. m. El que ingiere. ‖ **2. abridor** para hacer injertos.

engeridura. f. ant. **engerimiento.**

engerimiento. m. ant. Acción y efecto de engerir.

engerir. (Del lat. *ingerĕre.*) tr. ant. Tomar por la boca alimentos, bebidas o medicinas.

engestado, da. adj. Agestado, encarado.

engibar. (De *en-* y *giba.*) tr. Hacer corcovado a uno. Ú. t. c. prnl.

engina. f. desus. **angina.**

englandado, da. (De *en-* y *glande,* bellota.) adj. *Blas.* Aplícase al roble o encina cargados de bellotas.

englantado, da. adj. *Blas.* **englandado.**

englobar. (De la loc. adv. *en globo.*) tr. Incluir o considerar reunidas varias partidas o cosas en una sola.

englutativo, va. adj. ant. Glutinoso o aglutinante.

englutir. (Del fr. *engloutir.*) tr. ant. **engullir.**

-engo, ga. (Relacionado con el germ. *-ing.*) suf. de adjetivos que indican pertenencia o relación: *abad*ENGO, *frail*ENGO, *real*ENGO; cualidad: *friol*ENGO. Forma también algún sustantivo: *abol*ENGO.

engocetar. tr. Poner el gocete de la lanza en el ristre.

engolado[1], da. adj. Que tiene **gola,** pieza de la armadura antigua.

engolado[2], da. (Del fr. *engoulé,* tragado.) adj. *Blas.* Aplícase a las bandas, cruces, sotueres y demás piezas cuyos extremos entran en bocas de leones, serpientes, etc.

engolado[3], da. p. p. de **engolar.** ‖ **2.** adj. Dícese de la voz, articulación o acento que tienen resonancia en el fondo de la boca o en la garganta. ‖ **3.** fig. Dícese del hablar afectadamente grave o enfático. ‖ **4.** fig. Fatuo, engreído, altanero.

engolamiento. m. Acción y efecto de engolar. ‖ **2.** Afectación, énfasis en el habla o en la actitud.

engolar. tr. Dar resonancia gutural a la voz.

engolfa. f. *Ar.* **algorfa.**

engolfar. tr. Meter una embarcación en el golfo. ‖ **2.** intr. Entrar una embarcación muy adentro del mar, de manera que ya no se divise desde tierra. Ú. m. c. prnl. ‖ **3.** prnl. fig. Meterse mucho en un negocio, dejarse llevar o arrebatar de un pensamiento o afecto.

engolillado, da. adj. fam. Que andaba siempre con la golilla puesta. ‖ **2.** fig. y fam. Dícese de la persona que se precia de observar con rigor los estilos antiguos.

engolondrinar. (De *en-* y *golondro.*) tr. fam. Engreír, envanecer. Ú. t. c. prnl. ‖ **2.** prnl. fam. **enamoricarse.**

engolosinador, ra. adj. Que engolosina.

engolosinar. (De *en-* y *golosina.*) tr. Excitar el deseo de uno con algún atractivo. ‖ **2.** prnl. Aficionarse, tomar gusto a una cosa.

engollamiento. m. fig. Presunción, envanecimiento.

engolletado, da. p. p. de **engolletarse.** ‖ **2.** adj. fam. Erguido, presumido, vano.

engolletarse. (De *en-* y *gollete.*) prnl. fam. Engreírse, envanecerse.

engolliparse. (De *engullir* e *hipar.*) prnl. **atragantarse.** ‖ **2.** Atiborrarse, llenarse hasta el gaznate.

engomado, da. p. p. de **engomar.** ‖ **2.** adj. *Chile.* Peripuesto, acicalado. ‖ **3.** Acción y efecto de engomar.

engomadura. f. Acción y efecto de engomar. ‖ **2.** Primer baño que las abejas dan a las colmenas antes de fabricar la cera.

engomar. tr. Dar goma desleída a las telas y otros géneros para que queden lustrosos. ‖ **2.** Untar de goma los papeles y otros objetos para lograr su adherencia.

engominarse. prnl. Darse gomina.

engonzar. tr. Unir con gonces.

engorar. tr. **enhuerar.** Ú. t. c. intr. y c. prnl.

engorda. f. *Chile* y *Méj.* Engorde, ceba. ‖ **2.** *Chile* y *Méj.* Conjunto de animales vacunos o de cerda que se ceban para la matanza.

engordadero. m. Sitio en que se tienen los cerdos para engordarlos. ‖ **2.** Tiempo en que se engordan. ‖ **3.** Alimento con que se engordan.

engordador, ra. adj. Que hace engordar. Ú. t. c. s.

engordar. tr. Cebar, dar mucho de comer para poner gordo. ‖ **2.** intr. Ponerse gordo. Ú. t. c. prnl. y en sent. fig. ‖ **3.** fig. y fam. Hacerse rico.

engorde. m. Acción y efecto de engordar o cebar al ganado, especialmente al de cerda.

engordecer. tr. ant. **engordar.** Usáb. t. c. intr.

engorgoritar. tr. *Sal.* Engaritar, engañar con zalamerías. ‖ **2.** *Sal.* Galantear, enamorar. Ú. t. c. prnl.

engorra. (De *engorrar.*) f. desus. Asimiento, detención. ‖ **2.** ant. Vuelta o gancho de hierro de algunas saetas, que sirve para que no se caigan ni puedan sacarse de la herida sin gran violencia y daño.

engorrar. (Quizá del ant. y dial. *engorar,* incubar.) tr. ant. Usáb. en *Ar.* y *Sal.* Tardar, detener. Ú. t. c. prnl. ‖ **2.** *Venez.* Fastidiar, molestar. ‖ **3.** prnl. Quedarse prendido o sujeto en un gancho. ‖ **4.** Entrar una espina o púa en la carne de modo que no se pueda sacar fácilmente.

engorro. (De *engorrar.*) m. Obstáculo, impedimento, molestia.

engorronarse. prnl. *Ar.* Vivir completamente retirado y casi como escondido.

engorroso, sa. (De *engorro.*) adj. Dificultoso, molesto.

engoznar. tr. Clavar o fijar goznes. ‖ **2. encajar** en un gozne.

engraciar. intr. ant. Agradar, caer en gracia.

engramear. tr. ant. Sacudir, menear.

engranaje. m. *Mec.* Efecto de engranar. ‖ **2.** *Mec.* Conjunto de las piezas que engranan. ‖ **3.** *Mec.* Conjunto de los dientes de una máquina. ‖ **4.** fig. Enlace, trabazón de ideas, circunstancias o hechos.

engranar. (Del fr. *engrener.*) intr. *Mec.* Encajar los dientes de una rueda. ‖ **2.** fig. Enlazar, trabar.

engrandar. tr. **agrandar.**

engrandecer. tr. Aumentar, hacer grande una cosa. ‖ **2.** Alabar, exagerar. ‖ **3.** fig. Exaltar, elevar a uno a grado o dignidad superior. Ú. t. c. prnl.

engrandecimiento. m. Dilatación, aumento. ‖ **2.** Ponderación, exageración. ‖ **3.** Acción de elevar o elevarse uno a grado o dignidad superior.

engranerar. tr. Meter el grano en el granero o panera.

engranujarse[1]. (De *en-* y *granujo.*) prnl. Llenarse de granos.

engranujarse[2]. (De *en-* y *granuja.*) prnl. Hacerse granuja, apicararse.

engrapado. p. p. de **engrapar.** ‖ **2.** m. Acción y efecto de engrapar.
engrapadora. f. Máquina que sirve para engrapar papeles.
engrapar. tr. Asegurar, enlazar o unir con grapas.
engrasación. f. Acción y efecto de engrasar.
engrasador, ra. adj. Que engrasa. Ú. t. c. s.
engrasar. (De *en-* y *grasa.*) tr. Dar sustancia y crasitud a una cosa. ‖ **2.** Encrasar las tierras. ‖ **3.** Untar, manchar con pringue o grasa. Ú. t. c. prnl. ‖ **4.** Adobar con algún aderezo las manufacturas o tejidos. ‖ **5.** Untar ciertas partes de una máquina con aceites u otras sustancias lubricantes para disminuir el rozamiento. ‖ **6.** prnl. p. us. *Méj.* Contraer la enfermedad del saturnismo.
engrase. m. Acción y efecto de engrasar o engrasarse. ‖ **2.** Materia lubricante.
engravecer. tr. Hacer grave o pesada alguna cosa. Ú. t. c. prnl.
engredar. tr. Untar con greda.
engreído, da. p. p. de **engreír.** ‖ **2.** adj. Dícese de la persona demasiado convencida de su valer.
engreimiento. m. Acción y efecto de engreír o engreírse. ‖ **2.** desus. Compostura y adornos con que las mujeres se visten y aderezan.
engreír. (De etim. disc.) tr. **envanecer.** Ú. t. c. prnl. ‖ **2.** *And.* y *Amér.* Encariñar, aficionar. Ú. m. c. prnl.
engreñado, da. adj. **desgreñado.**
engrescar. (De *en-* y *gresca.*) tr. Incitar a riña. Ú. t. c. prnl. ‖ **2.** Meter a otros en broma, juego u otra diversión. Ú. t. c. prnl.
engrifar. (De *en-* y *grifo.*) tr. Encrespar, erizar. Ú. t. c. prnl. ‖ **2.** prnl. Enarmonarse, empinarse una caballería.
engrillar. tr. Meter en grillos. ‖ **2.** fig. Sujetar, aprisionar. ‖ **3.** prnl. *P. Rico* y *Venez.* Encapotarse el caballo.
engrillarse. prnl. Echar grillos o tallos las patatas.
engrilletar. tr. *Mar.* Unir o asegurar con un grillete dos trozos de cadena, una cadena y una argolla, etc.
engringarse. prnl. Seguir uno las costumbres o manera de ser de los gringos o extranjeros. Ú. m. en América.
engrosamiento. m. Acción y efecto de engrosar.
engrosar. tr. Hacer gruesa y más corpulenta una cosa, o darle espesor o crasitud. Ú. t. c. prnl. y en sent. fig.‖ **2.** fig. Aumentar, hacer más numeroso un ejército, una multitud, etc. ‖ **3.** intr. Tomar carnes y hacerse más grueso y corpulento.
engrosecer. tr. ant. **engrosar.**
engrudador, ra. m. y f. Persona que engruda. ‖ **2.** m. Utensilio que sirve para engrudar.
engrudamiento. m. Acción y efecto de engrudar.
engrudar. (Del lat. **inglutāre;* de *in,* en, y *glus, glutis,* engrudo.) tr. Untar de engrudo una cosa. ‖ **2.** *Can.* Encolar, pegar con cola. ‖ **3.** prnl. Tomar consistencia de engrudo.
engrudo. (De *engrudar.*) m. Masa comúnmente hecha con harina o almidón que se cuece en agua, y sirve para pegar papeles y otras cosas ligeras. ‖ **2.** *Can.* Cola de pegar.
engruesar. (De *en-* y *grueso.*) intr. Hacer más grueso algo.
engrumecerse. prnl. Hacerse grumos un líquido o una masa fluida.
engruñar. (De *engurruñar.*) tr. Arrugar, encoger.
engruño. (De *engruñar.*) m. Acción de encoger. ‖ **2.** Juego infantil en que se encoge y cierra la mano para que adivinen lo que hay dentro.
enguachinar. tr. Enaguachar, enaguazar. Ú. t. c. prnl.
engualdrapar. tr. Poner la gualdrapa a una caballería.
engualichar. (De *en-* y *gualicho,* hechizo.) tr. *Argent.* y *Urug.* Hechizar, embrujar.
enguantar. tr. Cubrir la mano con el guante. Ú. m. c. prnl.
enguaraparse. prnl. *Amér.* **aguaraparse.**
enguatar. (De *en-* y *guata.*) tr. Entretelar con guata.
enguedejado, da. adj. Aplícase al pelo que está hecho guedejas. ‖ **2.** Dícese también de la persona que lleva así la cabellera. ‖ **3.** fam. Que cuida demasiado de componer y aliñar las guedejas.
enguera. f. ant. Alquiler que devengaba una bestia de carga o tiro. ‖ **2.** ant. Importe de lo que una bestia dejaba de producir mientras estaba prendada.
enguerar. tr. *Sal.* Detener o demorar en un trabajo pesado o engorroso. Ú. t. c. prnl. ‖ **2.** *Sal.* Ahorrar, escatimar. ‖ **3.** *Ar.* y *Nav.* Estrenar un traje o una prenda. ‖ **4.** *Rioja.* Dar que hacer, molestar.
engüerar. tr. **enhuerar.**
enguichado, da. (Del fr. *enguiché.*) adj. *Blas.* Dícese de las trompetas, cornetas, etc., cuando van pendientes de cordones o liadas con ellos.
enguijarrado, da. p. p. de **enguijarrar.** ‖ **2.** m. Empedrado de guijarros.
enguijarrar. tr. Empedrar con guijarros.
enguillotarse. (De *enquillotrarse.*) prnl. fam. Enfrascarse, tener absorbida la atención por algo.
enguirlandar. tr. ant. **enguirnaldar.**
enguirnaldar. tr. Adornar con guirnalda.
enguitarrarse. prnl. *Venez.* Vestirse de levita u otro traje de ceremonia.
enguizgar. (De *en-* y *guizgar.*) tr. Incitar, estimular.
engullidor, ra. adj. Que engulle. Ú. t. c. s.
engullir. (Del lat. *in,* en, y *gula,* garganta.) tr. Tragar la comida atropelladamente y sin mascarla. Ú. t. c. intr.
engurra. (De *engurrar.*) m. Arruga, encogimiento.
engurrar. (De *enrugar.*) tr. Arrugar, encoger.
engurria. (De *engurriar.*) f. ant. **arruga.**
engurriado, da. p. p. de **engurriar.** ‖ **2.** adj. ant. **rugoso.**
engurriamiento. (De *engurriar.*) m. ant. **arrugamiento.**
engurriar. (De *engurrar.*) tr. ant. **arrugar.**
engurrio. (De *engurriar.*) m. Tristeza, melancolía.
engurruminar. (De *engurrumir.*) tr. Arrugar, encoger.
engurrumir. (De *engurrar.*) tr. Arrugar, encoger. Ú. t. c. prnl.
engurruñar. (De *engurrar.*) tr. Arrugar, encoger. Ú. t. c. prnl. ‖ **2.** prnl. Encogerse uno, entristecerse.
engurruñir. (De *engurrar.*) tr. Arrugar, encoger. Ú. t. c. prnl.
engusgarse. prnl. Arrecirse, aterirse de frío.
enhacinar. tr. **hacinar.**
enhadar. tr. ant. **enfadar.**
enhado. m. ant. **enfado.**
enhadoso, sa. adj. ant. **enfadoso.**
enharinar. tr. Cubrir o espolvorear con harina la superficie de una cosa; manchar de harina. Ú. t. c. prnl.
enhastiar. tr. Causar hastío, fastidio, enfado. Ú. t. c. prnl.
enhastillar. tr. Poner o colocar las saetas en el carcaj.
enhastío. m. ant. **hastío.**
enhastioso, sa. (De *enhastío.*) adj. desus. **enfadoso.**
enhatijar. (De *en-* y *hatijo.*) tr. Cubrir las bocas de las colmenas con unos harneros de esparto para llevarlas de un lugar a otro.
enhebillar. tr. Sujetar las correas a las hebillas.
enhebrar. tr. Pasar la hebra por el ojo de la aguja o por el agujero de las cuentas, perlas, etc. ‖ **2.** fig. y fam. Decir seguidas muchas cosas sin orden ni concierto.
enhechizar. tr. ant. **hechizar.**
enhelgado, da. adj. ant. **helgado.**
enhenar. tr. Cubrir o envolver con heno.
enherbolar. (Del lat. *in,* en, y *herbŭla,* d. de *herba,* hierba, en el sentido de veneno.) tr. Inficionar, poner veneno en una cosa.

Se usa más comúnmente hablando de los hierros de las lanzas o saetas untadas con zumo de hierbas ponzoñosas.

enhestador. m. El que enhiesta.

enhestadura. f. Acción y efecto de enhestar o enhestarse.

enhestamiento. m. **enhestadura.**

enhestar. (De *enhiesto.*) tr. Levantar en alto, poner derecha y levantada una cosa. Ú. t. c. prnl. ‖ **2.** ant. Levantar gente de guerra.

enhetradura. (De *enhetrar.*) f. ant. Acción y efecto de enmarañar o enmarañarse el cabello.

enhetramiento. m. ant. **enhetradura.**

enhetrar. (De *en-* y *hetría.*) tr. ant. Enredar, enmarañar el cabello. Usáb. t. c. prnl.

enhielar. tr. Mezclar una cosa con hiel.

enhiesto, ta. (Del lat. *infestus,* levantado.) p. p. irreg. de **enhestar.** ‖ **2.** adj. Levantado, derecho.

enhilar. (De *en-* e *hilo.*) tr. **enhebrar.** ‖ **2.** fig. Ordenar, colocar en su debido lugar las ideas de un escrito o discurso. ‖ **3.** fig. Dirigir, guiar o encaminar con orden una cosa. ‖ **4. enfilar,** poner en fila. ‖ **5.** intr. Encaminarse, dirigirse a un fin. ‖ **6.** prnl. *Taurom.* Ponerse delante del toro en línea recta.

enhollinarse. prnl. Tiznarse, mancharse de hollín.

enhorabuena. f. **felicitación.** ‖ **2.** adv. m. **en hora buena.**

enhoramala. adv. m. **en hora mala.**

enhorcar. (Del lat. *infurcāre,* poner en la horca.) tr. Formar horcos de ajos o cebollas. ‖ **2.** ant. **ahorcar.** ‖ **3.** *León.* Coger con la horca el heno o la gavilla.

enhornar. tr. Meter una cosa en el horno para asarla o cocerla.

enhorquetar. tr. *Argent., Cuba, P. Rico* y *Urug.* Poner a horcajadas. Ú. t. c. prnl.

enhotado, da. (De *en-* y *hoto.*) adj. ant. **confiado.**

enhotar. (Del lat. *in,* en, y *fautus,* ayudado.) tr. ant. Azuzar o incitar. Se decía ordinariamente hablando de los perros.

enhoto. m. ant. **confianza.**

enhuecar. (Del lat. *inoccāre.*) tr. **ahuecar.**

enhuerar. tr. Volver huero. ‖ **2.** intr. Volverse huero. Ú. t. c. prnl.

enhumedecer. tr. ant. **humedecer.**

enigma. (Del lat. *aenigma,* y este del gr. αἴνιγμα.) m. Dicho o conjunto de palabras de sentido artificiosamente encubierto para que sea difícil entenderlo o interpretarlo. ‖ **2.** Por ext., dicho o cosa que no se alcanza a comprender, o que difícilmente puede entenderse o interpretarse.

enigmáticamente. adv. m. De manera enigmática.

enigmático, ca. (Del lat. *aenigmatĭcus.*) adj. Que en sí encierra o incluye enigma; de significación oscura y misteriosa y muy difícil de penetrar.

enigmatista. (Del lat. *aenigmatista,* y este del gr. αἰνιγματιστής.) com. Persona que habla con enigmas.

enigmística. f. Conjunto de enigmas o adivinanzas de un país o época, de carácter folclórico o incluidos en obras de determinados autores.

enjabonado, da. p. p. de **enjabonar.** ‖ **2.** adj. *Cuba.* Dícese de la caballería que tiene el pelo oscuro sobre fondo blanco. ‖ **3.** *Argent.* y *Urug.* V. **palo enjabonado.** ‖ **4.** m. Acción y efecto de enjabonar.

enjabonadura. f. Acción y efecto de enjabonar.

enjabonar. tr. **jabonar.** ‖ **2.** fig. y fam. Dar jabón, adular. ‖ **3.** fig. Reprender a uno, increparlo.

enjaezado, da. p. p. de **enjaezar.**

enjaezamiento. Acción y efecto de enjaezar.

enjaezar. tr. Poner los jaeces a las caballerías.

enjaguadura. (De *enjaguar.*) f. **enjuagadura.**

enjaguar. (Del lat. vulg. **exaquāre.*) tr. **enjuagar.**

enjagüe. (De *enjaguar.*) m. *Mar.* Reparto que se hacía a los interesados en una nave, en satisfacción de los créditos respectivos. ‖ **2.** ant. **enjuague.** Ú. en. América.

enjalbegado, da. p. p. de **enjalbegar.** ‖ **2.** m. Acción y efecto de enjalbegar o enjalbegarse.

enjalbegador, ra. adj. Que enjalbega. Ú. t. c. s.

enjalbegadura. f. Acción y efecto de enjalbegar o enjalbegarse.

enjalbegar. (Del lat. vulg. **exalbicāre,* blanquear.) tr. Blanquear las paredes con cal, yeso o tierra blanca. ‖ **2.** fig. **afeitar,** maquillar el rostro. Ú. t. c. prnl.

enjalbiego. m. Acción y efecto de enjalbegar o enjalbegarse.

enjalma. (De *en-* y *jalma.*) f. Especie de aparejo de bestia de carga, como una albardilla ligera.

enjalmar. tr. Poner la enjalma a una bestia. ‖ **2.** Hacer enjalmas. ‖ **3.** V. **aguja de enjalmar.**

enjalmero. m. El que hace o vende enjalmas.

enjambradera. (De *enjambrar.*) f. **casquilla.** ‖ **2.** En algunas regiones, **abeja maestra.** ‖ **3.** Abeja que, por el zumbido que produce dentro de la colmena, denota estar en agitación para salir a enjambrar en otra parte o vaso.

enjambradero. m. Sitio en que enjambran los colmeneros sus vasos o colmenas.

enjambrar. (Del lat. *examināre.*) tr. Coger las abejas que andan esparcidas, o los enjambres que están fuera de las colmenas, para encerrarlos en ellas. ‖ **2.** Sacar un enjambre de una colmena cuando está demasiado poblada de abejas. ‖ **3.** intr. Criar una colmena tanto ganado que esté en disposición de separarse alguna porción de abejas con su reina y salirse de ella. ‖ **4.** fig. Multiplicar o producir en abundancia.

enjambrazón. f. Acción y efecto de enjambrar.

enjambre. (Del lat. *exāmen, -inis.*) m. Multitud de abejas con su maestra, que juntas salen de una colmena para formar otra colonia. ‖ **2.** fig. Muchedumbre de personas o animales juntos.

enjaquimar. (De *en-* y *jáquima.*) tr. Poner la jáquima a una bestia. ‖ **2.** fam. *Sal.* Arreglar, componer.

enjarciar. tr. Poner la jarcia a una embarcación.

enjardar. tr. *And.* Llenar de grano la jarda.

enjardinar. (De *en-* y *jardín.*) tr. Poner y arreglar los árboles como están en los jardines. ‖ **2.** Convertir un terreno en jardín. ‖ **3.** *Cetr.* Poner al ave de rapiña en un prado o paraje verde.

enjaretado, da. p. p. de **enjaretar.** ‖ **2.** m. Tablero formado de tabloncillos colocados de modo que formen enrejado.

enjaretar. tr. Hacer pasar por una jareta un cordón, cinta o cuerda. ‖ **2.** fig. y fam. Hacer o decir algo sin intermisión y atropelladamente o de mala manera. ‖ **3.** Hacer deprisa ciertas cosas. ‖ **4.** fig. y fam. Endilgar, encajar, intercalar o incluir algo molesto o inoportuno.

enjarje. (De *en-* y el ár. *jarŷa,* salida, cosa saliente.) m. **adarajas.** ‖ **2.** Enlace de varios nervios de una bóveda en el punto de arranque.

enjaular. tr. Encerrar o poner dentro de una jaula a una persona o animal. ‖ **2.** fig. y fam. Meter en la cárcel a uno.

enjebar[1]**.** (De *en-* y *jebe.*) tr. Meter y empapar los paños en lejía hecha con alumbre y otras cosas, para dar después el color.

enjebar[2]**.** (Del lat. *exalbāre.*) tr. Blanquear un muro con lechada de yeso.

enjebe. m. **jebe,** alumbre. ‖ **2.** Acción y efecto de enjebar. ‖ **3.** Lejía o colada en que se echan los paños antes de teñirlos.

enjeco[1]**.** (Del m. or. que *achaque.*) m. ant. Incomodidad, molestia. ‖ **2.** ant. Perturbación, perjuicio.

enjeco[2]**.** (Del ár. *aš-šakk,* la duda.) m. ant. Duda, dificultad, enredo.

enjergado, da. p. p. de **enjergar.** ‖ **2.** adj. ant. Enlutado o vestido de jerga, que era el luto antiguo.
enjergar. (De *en-* y *jerga*[1].) tr. fam. Principiar y dirigir un negocio o asunto.
enjerir. (Del lat. *inserĕre.*) tr. **injertar.** ‖ **2.** Meter una cosa en otra. ‖ **3.** Introducir en un escrito una palabra, nota, texto, etc.
enjero. (De *enjerir.*) m. *And.* Palo largo del arado, que se ata al yugo.
enjertación. f. Acción y efecto de enjertar.
enjertal. m. Sitio plantado de árboles frutales injertos.
enjertar. (Del lat. *insertāre,* injertar.) tr. **injertar.**
enjerto, ta. (Del lat. *insertus,* injerto.) p. p. irreg. de **enjertar.** ‖ **2.** m. Planta injertada. ‖ **3.** fig. Mezcla de varias cosas diversas entre sí.
enjicar. tr. *Cuba.* Poner los jicos a la hamaca.
enjordanar. (De *en-* y *Jordán.*) tr. p. us. Remozar, rejuvenecer.
enjorguinarse. prnl. Hacerse jorguín o hechicero.
enjoyado, da. p. p. de **enjoyar.** ‖ **2.** adj. ant. Que tiene o posee muchas joyas.
enjoyar. tr. Adornar con joyas a una persona o cosa. Ú. t. c. prnl. ‖ **2.** fig. Adornar, hermosear, enriquecer. ‖ **3.** Entre plateros, poner o engastar piedras preciosas en una joya.
enjoyelado, da. adj. Aplícase al oro o plata convertido en joyas o joyeles. ‖ **2.** Adornado de joyeles.
enjoyelador. (De *en-* y *joyel.*) m. **engastador.**
enjuagadientes. m. Porción de agua o licor que se toma en la boca para enjuagar o limpiar la dentadura.
enjuagadura. f. Acción de enjuagar o enjuagarse. ‖ **2.** Agua o licor con que se ha enjuagado una cosa.
enjuagar. (De *enjaguar.*) tr. Limpiar la boca y dentadura con un líquido adecuado. Ú. m. c. prnl. ‖ **2.** Aclarar y limpiar con agua lo que se ha jabonado o fregado, principalmente las vasijas. ‖ **3.** Lavar ligeramente. Ú. t. c. prnl. ‖ **4.** *Mál.* Sacar del agua la bolsa de la red en el copo. Ú. t. c. intr.
enjuagatorio. m. Acción de enjuagar. ‖ **2.** Agua u otro líquido que sirve para enjuagarse. ‖ **3.** Vaso para enjuagarse.
enjuague. m. Acción de enjuagar. ‖ **2.** Agua u otro licor que sirve para enjuagar o enjuagarse. ‖ **3.** Vaso con su escupidera, destinado a enjuagarse. ‖ **4.** fig. Negociación oculta y artificiosa para conseguir lo que no se espera lograr por los medios regulares. ‖ **5.** desus. Complacencia y alarde con que uno se gloría de algo.
enjugador, ra. adj. Que enjuga. ‖ **2.** m. Utensilio que sirve para enjugar, como las cápsulas usadas en química para ese objeto, las cubetas de los cartoneros, etc. ‖ **3.** Especie de camilla con un enrejado de cordel en la parte superior, que sirve para enjugar y calentar la ropa.
enjugar. (Del lat. *exsucāre,* dejar sin jugo.) tr. Quitar la humedad superficial de algo absorbiéndola con un paño, una esponja, etc. ‖ **2.** Limpiar la humedad que echa de sí el cuerpo; como las lágrimas, el sudor, etc., o la que recibe mojándose las manos, el rostro, etc. Ú. t. c. prnl. ‖ **3.** fig. Cancelar, extinguir una deuda o un déficit. Ú. t. c. prnl. ‖ **4.** prnl. Enmagrecer, perder parte de la gordura que se tenía.
enjuiciable. adj. Que merece ser enjuiciado.
enjuiciamiento. m. Acción y efecto de enjuiciar. ‖ **2.** *Der.* Instrucción o sustanciación legal de los asuntos en que entienden los jueces o tribunales.
enjuiciar. tr. fig. Someter una cuestión a examen, discusión y juicio. ‖ **2.** *Der.* Instruir un procedimiento con las diligencias y documentos necesarios para que se pueda determinar en juicio. ‖ **3.** *Der.* Juzgar, sentenciar o determinar una causa. ‖ **4.** *Der.* Sujetar a uno a juicio.
enjulio. (De *enjullo.*) m. Madero por lo común cilíndrico, colocado horizontalmente en los telares de paños y lienzos, en el cual se va arrollando el pie o urdimbre.
enjullo. (De *ensullo.*) m. **enjulio.**
enjuncar. tr. Cubrir de juncos. Ú. t. c. prnl. ‖ **2.** *Mar.* Atar con juncos una vela. ‖ **3.** *Mar.* Zafar los tomadores, substituyéndolos con filásticas, para poder cazar el velamen sin subir a las vergas.
enjunciar. tr. *Ar.* Cubrir de juncia las calles para alguna fiesta.
enjundia. (Del lat. *axungĭa,* grasa para el eje.) f. Gordura que las aves tienen en la overa, como la de la gallina, la pava, etc. ‖ **2.** Unto y gordura de cualquier animal. ‖ **3.** fig. Lo más sustancioso e importante de alguna cosa no material. ‖ **4.** fig. Fuerza, vigor, arrestos. ‖ **5.** fig. Constitución o cualidad connatural de una persona.
enjundioso, sa. adj. Que tiene mucha enjundia. ‖ **2.** fig. Sustancioso, importante, sólido.
enjunque. m. *Mar.* Lastre muy pesado que se pone en el fondo de la bodega, como galápagos de plomo, lingotes de hierro, etc. ‖ **2.** *Mar.* Colocación de este lastre.
enjuramiento. m. ant. Juramento legal.
enjurar. (De *en-* y *juro.*) tr. ant. Dar, traspasar o ceder un derecho.
enjuta. f. *Arq.* Cada uno de los triángulos o espacios que deja en un cuadrado el círculo inscrito en él. ‖ **2.** *Arq.* **albanega** de un arco de forma triangular. ‖ **3.** *Arq.* Cada uno de los triángulos curvilíneos que forman el anillo de la cúpula.
enjutar[1]**.** (De *enjuto.*) tr. Enjugar o secar.
enjutar[2]**.** (De *enjuta.*) tr. *Arq.* Rellenar las enjutas de las bóvedas.
enjutez. (De *enjuto.*) f. Sequedad o falta de humedad.
enjuto, ta. (Del lat. *exsuctus,* p. p. de *exsugĕre,* chupar.) p. p. irreg. de **enjugar.** ‖ **2.** adj. Delgado, seco o de pocas carnes. ‖ **3.** ant. fig. Parco y escaso, así en obras como en palabras. ‖ **4.** m. pl. Tascos y palos secos, pequeños y delgados como sarmientos, que sirven de yesca para encender lumbre. Ú. más comúnmente entre pastores y labradores. ‖ **5.** Bollitos u otros bocados ligeros que excitan la gana de beber.
enlabiador, ra. adj. Que enlabia. Ú. t. c. s.
enlabiar[1]**.** (De *en-* y *labio.*) tr. Acercar, aplicar los labios.
enlabiar[2]**.** (De *en-* y *labia.*) tr. Seducir, engañar, atraer con palabras dulces y promesas.
enlabio. (De *enlabiar*[2].) m. Suspensión, engaño ocasionado por el artificio de las palabras.
enlace. m. Acción de enlazar. ‖ **2.** Unión, conexión de una cosa con otra. ‖ **3.** Conjunto de dos o más letras bordadas o grabadas en objetos de uso normal, generalmente las iniciales de los nombres de los propietarios. ‖ **4.** Dicho de los trenes, **empalme.** ‖ **5.** fig. Casamiento. ‖ **6.** Persona que establece o mantiene relación entre otras, especialmente dentro de alguna organización. ‖ **7.** *Quím.* Unión entre dos átomos de un compuesto químico, debido a la existencia de fuerzas de atracción entre ellos. ‖ **covalente.** *Quím.* El que tiene lugar entre átomos que comparten pares de electrones. ‖ **múltiple.** *Quím.* El que comparte más de un par de electrones. ‖ **sencillo.** *Quím.* El que comparte un solo par de electrones. ‖ **sindical.** Delegado de los trabajadores ante la empresa.
enlaciar. tr. Poner lacia una cosa. Ú. t. c. intr. y c. prnl.
enladrillado, da. p. p. de **enladrillar.** ‖ **2.** m. Pavimento hecho de ladrillos.
enladrillador. m. **solador.**
enladrilladura. f. Pavimento enladrillado.
enladrillar. tr. Solar con ladrillos el pavimento.
enlagunar. tr. Convertir un terreno en laguna, cubrirlo de agua. Ú. t. c. prnl.

enlajado, da. p. p. de **enlajar.** ‖ **2.** m. *Venez.* Suelo cubierto de lajas.
enlajar. tr. *Venez.* Cubrir el suelo con lajas.
enlamar. tr. Cubrir de lama los campos y tierras. Ú. t. c. prnl.
enlaminarse. (De *en-* y *laminar*[3].) prnl. *Ar.* Engolosinarse, aficionarse a un manjar.
enlanado, da. adj. Cubierto o lleno de lana.
enlanchar. tr. *Sal.* **enlosar.**
enlardar. tr. Lardar o lardear.
enlatar. (De *en-* y *lata.*) tr. Meter alguna cosa en cajas de hojalata. ‖ **2.** *And.* y *Hond.* Cubrir un techo o formar una cerca con latas de madera.
enlazable. adj. Que puede enlazarse.
enlazador, ra. adj. Que enlaza. Ú. t. c. s.
enlazadura. f. **enlace,** unión de una cosa con otra.
enlazamiento. m. **enlace.**
enlazar. (Del lat. *inlaqueāre.*) tr. Coger o juntar una cosa con lazos. ‖ **2.** Dar enlace a unas cosas con otras; como partes de un edificio, de una máquina, pensamientos, afectos, proposiciones, etc. Ú. t. c. prnl. ‖ **3.** Aprisionar un animal arrojándole el lazo. ‖ **4. empalmar** trenes, vehículos, etc. ‖ **5.** prnl. fig. **casar**[3], unirse en matrimonio. ‖ **6.** fig. Unirse las familias por medio de casamientos. ‖ **7.** intr. Llegar un medio de transporte a un lugar determinado, a hora conveniente para que los viajeros o las cosas transportadas puedan seguir en otro vehículo hacia su destino.
enlechar. tr. Cubrir con una lechada.
enlechuguillado, da. adj. Que usaba cuello de lechuguilla.
enlegajar. tr. Reunir papeles formando legajo, o meterlos en el que les corresponde.
enlegamar. (De *en-* y *légamo.*) tr. **entarquinar.**
enlejiar. tr. Meter en lejía. ‖ **2.** *Quím.* Disolver en agua una sustancia alcalina.
enlenzar. tr. Poner lienzos o tiras de lienzo en las obras de madera, particularmente en las de escultura, en las partes en que hay peligro de que se abran, y en las juntas.
enlerdar. tr. Entorpecer, retardar.
enlevitado. adj. Vestido de levita.
enligar. tr. Untar con liga, enviscar. ‖ **2.** prnl. Enredarse, prenderse el pájaro en la liga.
enlijar. (De *en-* y *lijo,* inmundicia.) tr. ant. fig. Viciar, corromper, manchar, inficionar. ‖ **2.** prnl. ant. Emporcarse, mancharse, ensuciarse.
enlisar. tr. ant. **alisar.**
enlistonado, da. p. p. de **enlistonar.** ‖ **2.** m. *Carp.* Conjunto de listones y obra hecha con listones.
enlistonar. tr. **listonar.**
enlizar. tr. Entre tejedores, añadir lizos al telar.
enlobreguecer. tr. Oscurecer, poner lóbrego. Ú. t. c. prnl.
enlodadura. f. Acción y efecto de enlodar o enlodarse.
enlodamiento. m. **enlodadura.**
enlodar. tr. Manchar, ensuciar con lodo. Ú. t. c. prnl. ‖ **2.** Dar con lodo a una tapia, embarrar. ‖ **3.** fig. Manchar, infamar, envilecer. Ú. t. c. prnl. ‖ **4.** *Min.* Tapar con arcilla las grietas de un barreno para impedir que filtre por ellas el agua.
enlodazar. tr. **enlodar.**
enlomarse. prnl. Arquear el lomo el caballo preparándose para dar un bote.
enloquecedor, ra. adj. Que hace enloquecer.
enloquecer. (De *en-, loco* y *-ecer.*) tr. Hacer perder el juicio a uno. Ú. t. en sent. fig. ‖ **2.** intr. Volverse loco, perder el juicio. ‖ **3.** *Agr.* Dejar los árboles de dar fruto o darlo con irregularidad, por falta de cultivo o por vicio del terreno.
enloquecimiento. m. Acción y efecto de enloquecer.
enlosado, da. p. p. de **enlosar.** ‖ **2.** m. Suelo cubierto de losas.
enlosador. m. El que enlosa.
enlosar. tr. Cubrir un suelo de losas unidas y ordenadas.
enlozanarse. prnl. Adquirir lozanía.
enlozanecer. intr. ant. Adquirir lozanía.
enlozar. tr. *Amér.* Cubrir con un baño de loza o de esmalte vítreo.
enlucernar. (De *en-* y *lucerna,* linterna.) tr. ant. **deslumbrar.**
enluciado, da. adj. ant. **enlucido.**
enlucido, da. p. p. de **enlucir.** ‖ **2.** adj. Blanqueado para que tenga buen aspecto. ‖ **3.** m. Capa de yeso, estuco u otra mezcla, que se da a las paredes de una casa con objeto de obtener una superficie tersa.
enlucidor, ra. m. y f. Persona que enluce.
enlucimiento. m. Acción y efecto de enlucir.
enlucir. tr. Poner una capa de yeso o mezcla a las paredes, techos o fachadas de los edificios. ‖ **2.** Limpiar, poner tersas y brillantes la plata, las armas, etc.
enlustrecer. tr. Poner limpia y lustrosa una cosa.
enlutado, da. p. p. de **enlutar.** Apl. a pers., ú. t. c. s.
enlutar. tr. Cubrir de luto. Ú. t. c. prnl. ‖ **2.** fig. **oscurecer,** privar de luz y claridad. Ú. t. c. prnl. ‖ **3.** fig. Entristecer, afligir.
enllantar. tr. Guarnecer con llantas las ruedas de un vehículo.
enllenar. tr. ant. **llenar.** Hoy es vulg.
enllentecer. (Del lat. *illentescĕre,* ablandarse.) tr. Reblandecer o ablandar. Ú. t. c. prnl.
enllocar. (De *llueca.*) intr. **enclocar.** Ú. t. c. prnl.
enmadejar. tr. *Chile.* Aspar, hacer madeja.
enmaderación. f. **enmaderamiento.** ‖ **2.** *Min.* **entibación.**
enmaderado, da. p. p. de **enmaderar.** ‖ **2. enmaderamiento.** ‖ **3. maderaje.**
enmaderamiento. m. Obra hecha de madera o cubierta con ella, como una pared, un techo, un artesonado.
enmaderar. tr. Cubrir con madera una superficie. ‖ **2.** Construir el maderamen de un edificio.
enmadrarse. prnl. Encariñarse excesivamente el hijo con la madre.
enmagrecer. tr. **enflaquecer,** poner magro o flaco. Ú. t. c. intr. y c. prnl.
enmalecer. tr. Poner malo, dañar o echar a perder algo. Ú. t. c. prnl.
enmalecerse. prnl. Cubrirse de maleza un campo.
enmallarse. prnl. Quedarse un pez sujeto entre las mallas de la red.
enmalle. m. Arte de pesca que consiste en redes que se colocan en posición vertical de tal modo que al pasar los peces quedan enmallados.
enmangar. tr. Poner mango a un instrumento.
enmaniguarse. prnl. *Cuba* y *P. Rico.* Convertirse un terreno en manigua. ‖ **2.** fig. *Cuba* y *P. Rico.* Acostumbrarse a la vida del campo.
enmantar. tr. Cubrir con manta. Ú. t. c. prnl. ‖ **2.** prnl. fig. Estar triste y melancólico. Se usa más comúnmente hablando de las aves.
enmarañador, ra. adj. Dícese del que enmaraña. Ú. t. c. s.
enmarañamiento. m. Acción y efecto de enmarañar o enmarañarse.
enmarañar. tr. Enredar, revolver una cosa, como el cabello, una madeja de seda, etc. Ú. t. c. prnl. ‖ **2.** fig. Confundir, enredar un asunto haciendo más difícil su buen éxito. ENMARAÑAR *un pleito, un negocio.* Ú. t. c. prnl. ‖ **3.** prnl. Cubrirse de celajes el cielo.
enmararse. *Mar.* Entrar la nave en alta mar.

enmarcar. tr. **encuadrar,** encerrar en un marco o cuadro.
enmarchitable. adj. desus. **marchitable.**
enmarchitar. tr. desus. **marchitar.**
enmaridar. (De *en-* y *maridar.*) intr. Casarse, contraer matrimonio la mujer. Ú. t. c. prnl.
enmarillecerse. prnl. Ponerse descolorido y amarillento.
enmaromar. tr. Atar o sujetar con maroma. Se usa más comúnmente hablando de los toros y otros animales bravos.
enmascarado, da. p. p. de **enmascarar.** ‖ **2.** m. y f. Persona disfrazada.
enmascaramiento. m. Acción y efecto de enmascarar o encubrir.
enmascarar. tr. Cubrir el rostro con máscara. Ú. t. c. prnl. ‖ **2.** fig. Encubrir, disfrazar. Ú. t. c. prnl.
enmasillar. tr. Cubrir con masilla los repelos o grietas de la madera. ‖ **2.** Sujetar con masilla los cristales a los bastidores de las vidrieras.
enmatarse. prnl. Ocultarse entre las matas. Se usa especialmente hablando de la caza. ‖ **2.** *Ál.* y *Sal.* Enzarzarse, quedar aprisionado entre las matas.
enmechar. tr. ant. **mechar.**
enmelar. tr. Untar con miel. ‖ **2.** Hacer miel las abejas. ‖ **3.** fig. Endulzar, hacer suave y agradable una cosa.
enmendable. adj. Que puede enmendarse.
enmendación. f. desus. Acción y efecto de enmendar o corregir.
enmendador, ra. adj. Que enmienda o corrige.
enmendadura. f. Acción y efecto de enmendar defectos.
enmendamiento. m. ant. Acción y efecto de enmendar defectos.
enmendar. (De *emendar,* infl. por el pref. *en-.*) tr. Corregir, quitar defectos. Ú. t. c. prnl. ‖ **2.** Resarcir, subsanar los daños. ‖ **3.** *Der.* Rectificar un tribunal superior la sentencia dada por él mismo, y de que suplicó alguna de las partes. ‖ **4.** *Mar.* Hablando del rumbo, o del fondeadero, variarlo según las necesidades.
enmenzar. (Cruce de *empezar* y *comenzar.*) tr. ant. **comenzar.**
enmienda. (De *emienda.*) f. Acción y efecto de enmendar o enmendarse. ‖ **2.** Cargo conferido por el Trecenazgo de la Orden Militar de Santiago al caballero que ha de sustituir al trece en sus ausencias. ‖ **3.** desus. Recompensa o premio. ‖ **4.** desus. Satisfacción y pago del daño hecho. ‖ **5.** Propuesta de variante, adición o reemplazo de un proyecto, dictamen, informe o documento análogo. ‖ **6.** *Der.* En los escritos, rectificación perceptible de errores materiales, la cual debe salvarse al final. ‖ **7.** pl. *Agr.* Sustancias que se mezclan con las tierras para modificar favorablemente sus propiedades y hacerlas más productivas. ‖ **poner enmienda.** fr. **corregir,** enmendar lo errado. ‖ **tomar enmienda.** fr. **castigar,** ejecutar algún castigo en un culpado. ‖ **va sin enmienda.** Fórmula que suelen contener los documentos públicos, como garantía de normalidad auténtica y evitación de fraude.
enmiente. (De *en-* y *miente.*) f. ant. Memoria o mención.
enmocecer. (De *en-, mozo* y *-ecer.*) intr. ant. Recobrar el vigor de la mocedad.
enmochiguar. (De *en-* y *muchiguar.*) tr. ant. **amochiguar.** Usáb. t. c. intr. y c. prnl.
enmohecer. tr. Cubrir de moho una cosa. Ú. t. c. intr. y m. c. prnl. ‖ **2.** prnl. fig. Inutilizarse, caer en desuso, como el utensilio o máquina que se cubre de moho.
enmohecimiento. m. Acción y efecto de enmohecer o enmohecerse.
enmoldado, da. adj. ant. Impreso o de molde.
enmollecer. (Del lat. *emollescĕre.*) tr. **ablandar.** Ú. t. c. prnl.
enmonarse. prnl. *Chile* y *Perú.* Pillar una mona, emborracharse.
enmondar. (Del lat. *emundāre,* limpiar, purificar.) tr. **desliñar.**
enmontadura. f. ant. Acción y efecto de subir o levantar en alto una cosa.
enmontar. tr. ant. Remontar, elevar, encumbrar.
enmontarse. prnl. Esconderse en el monte. ‖ **2.** *Amér.* Cubrirse un campo de maleza.
enmontunarse. *Venez.* Volverse montuno.
enmoquetar. tr. Cubrir de moqueta una superficie.
enmordazar. tr. Poner mordaza.
enmostar. tr. Manchar o empapar con mosto. Ú. t. c. prnl.
enmostrar. tr. ant. Mostrar, manifestar.
enmotar. (De *en-* y *mota,* colina.) tr. *Mil.* Guarnecer de castillos.
enmudecer. (Del *en-, mudo* y *-ecer.*) tr. Hacer callar ‖ **2.** intr. Quedar mudo, perder el habla. ‖ **3.** fig. Guardar uno silencio cuando pudiera o debiera hablar.
enmudecimiento. m. Acción y efecto de enmudecer.
enmugrar. tr. *Col., Chile* y *Méj.* **enmugrecer.**
enmugrecer. tr. Cubrir de mugre. Ú. t. c. prnl.
enmustiar. tr. p. us. Poner mustio o marchito. Ú. t. c. prnl.
enneciarse. prnl. Volverse necio.
ennegrecer. tr. Teñir de negro, poner negro. Ú. t. c. prnl. ‖ **2.** fig. **enturbiar,** turbar, oscurecer. Ú. t. c. prnl. ‖ **3.** intr. Ponerse negro o negruzco. Ú. t. c. prnl. ‖ **4.** fig. Ponerse muy oscuro, nublarse. Ú. t. c. prnl.
ennegrecimiento. m. Acción y efecto de ennegrecer o ennegrecerse.
ennoblecedor, ra. adj. Que ennoblece.
ennoblecer. tr. Hacer noble a uno. Ú. t. c. prnl. ‖ **2.** fig. Adornar, enriquecer una ciudad, un templo, etc. ‖ **3.** fig. Ilustrar, dignificar, realzar y dar esplendor.
ennoblecimiento. m. Acción y efecto de ennoblecer.
ennudecer. (De *en-, nudo* y *-ecer.*) intr. Dejar de crecer las personas, animales y plantas.
-eno, na. (Del lat. *-ēnus.*) suf. de adjetivos que indica procedencia, pertenencia o relación: *agar*ENO, *nacianc*ENO, *nazar*ENO, *chil*ENO; semejanza: *mor*ENO. Forma también numerales ordinales: *nov*ENO, *treint*ENO, *cincuent*ENO, y con la terminación femenina, sustantivos colectivos: *dec*ENA, *doc*ENA, *quinc*ENA. En química designa carburos de hidrógeno, como *acetil*ENO.
enocar. tr. ant. **ahuecar.**
enodio. (De or. inc.) m. Ciervo de tres a cinco años de edad.
enodrido, da. adj. **apocado.**
enojadizo, za. adj. Que con facilidad se enoja. Ú. t. c. s.
enojar. (Del lat. vulg. *inodiāre,* enfadar.) tr. Causar enojo. Ú. m. c. prnl. ‖ **2.** Molestar, desazonar. ‖ **3.** prnl. fig. Alborotarse, enfurecerse. Se usa hablando de los vientos, mares, etc.
enojo. (De *enojar.*) m. Movimiento del ánimo, que suscita ira contra una persona. ‖ **2.** Molestia, pesar, trabajo. Ú. m. en pl. ‖ **3.** ant. Agravio, ofensa. ‖ **crecido de enojo.** loc. adj. Lleno de **enojo.** ‖ **ser en enojo con** uno. fr. ant. Estar enojado con él.
enojón, na. adj. *Chile, Ecuad.* y *Méj.* **enojadizo.** Ú. t. c. s.
enojosamente. adv. m. Con enojo.
enojoso, sa. adj. Que causa enojo.
enojuelo. m. d. de **enojo.**
enología. (Del gr. οἶνος, vino, y *-logia.*) f. Conjunto de conocimientos relativos a la elaboración de los vinos.

enológico, ca. adj. Perteneciente o relativo a la enología.
enólogo, ga. m. y f. Persona entendida en enología.
enorfanecido, da. adj. desus. Que ha quedado huérfano.
enorgullecedor, ra. adj. Que enorgullece.
enorgullecer. tr. Llenar de orgullo. Ú. m. c. prnl.
enorgullecimiento. m. Acción y efecto de enorgullecer o enorgullecerse.
enorme. (Del lat. *enormis.*) adj. Desmedido, excesivo. ‖ **2.** Perverso, torpe. ‖ **3.** *Der.* V. **lesión enorme.**
enormedad. f. ant. **enormidad.**
enormemente. adv. m. Con enormidad.
enormidad. (Del lat. *enormĭtas, -ātis.*) f. Tamaño excesivo o desmedido. ‖ **2.** fig. Exceso de maldad. ‖ **3.** fig. Despropósito, desatino.
enormísimo, ma. adj. sup. de **enorme.** ‖ **2.** *Der.* V. **lesión enormísima.**
enotecnia. (Del gr. οἶνος, vino, y *-tecnia.*) f. Arte de elaborar los vinos, y asesoramiento para la organización de su comercio.
enotécnico, ca. adj. Perteneciente o relativo a la enotecnia.
enoyar. (Del lat. vulg. *inodiāre.*) tr. ant. **enojar.**
enquiciar. tr. Poner la puerta, ventana u otra cosa en su quicio. Ú. t. c. prnl. ‖ **2.** fig. Poner en orden, afirmar. Ú. t. c. prnl.
enquillotrar. (De *en-* y *quillotrar.*) tr. Engreír, envanecer. Ú. t. c. prnl. ‖ **2.** prnl. fam. **enamorarse.**
enquiridión. (Del lat. *enchiridīon,* y este del gr. ἐγχειρίδιον, manual.) m. Libro manual.
enquistado, da. p. p. de **enquistar.** ‖ **2.** adj. De forma de quiste o parecido a él. ‖ **3.** fig. Embutido, encajado.
enquistar. tr. fig. Embutir, encajar algo. Ú. m. c. prnl. ‖ **2.** prnl. *Med.* Formarse un quiste.
enrabar. tr. Arrimar un carro por la rabera para la carga o descarga. ‖ **2.** Sujetar con cuerdas la carga que va en la trasera de un carro.
enrabiar. tr. **encolerizar.** Ú. t. c. prnl.
enrabietar. tr. **encolerizar.** Ú. t. c. prnl.
enracimarse. prnl. **arracimarse.**
enrafar. tr. *Murc.* Hacer una presa en un cauce.
enraigonar. tr. *Murc.* Embojar con raigón o atocha.
enraizar. intr. Arraigar, echar raíces. Ú. t. c. prnl.
enralecer. intr. Ponerse ralo.
enramada. f. Conjunto de ramas de árboles espesas y entrelazadas naturalmente. ‖ **2.** Adorno formado de ramas de árboles con motivo de alguna fiesta. ‖ **3.** Cobertizo hecho de ramas de árboles.
enramado, da. p. p. de **enramar.** ‖ **2.** adj. V. **bala enramada.** ‖ **3.** m. *Mar.* Conjunto de las cuadernas de un buque.
enramar. tr. Poner ramas en un sitio para adornarlo o para hacer sombra. ‖ **2.** *Mar.* Arbolar y afirmar las cuadernas del buque en construcción. ‖ **3.** intr. Echar ramas un árbol. ‖ **4.** prnl. Ocultarse entre ramas.
enramblar. tr. Poner los paños en la rambla para estirarlos.
enrame. m. Acción y efecto de enramar.
enranciar. tr. Poner o hacer rancia una cosa. Ú. t. c. prnl.
enrarecer. (De *en-, raro* y *-ecer.*) tr. Dilatar un cuerpo gaseoso haciéndolo menos denso. Ú. t. c. prnl. ‖ **2.** Hacer que escasee, que sea rara una cosa. Ú. t. c. intr. y más c. prnl. ‖ **3.** prnl. fig. Enfriarse las relaciones de amistad, cordialidad, entendimiento, etcétera.
enrarecimiento. m. Acción y efecto de enrarecer o enrarecerse.
enrasado, da. p. p. de **enrasar.** ‖ **2.** m. *Albañ.* Fábrica con que se macizan las embecaduras de una bóveda hasta el nivel de su espinazo.
enrasamiento. m. **enrase.**
enrasar. tr. ant. **arrasar.** ‖ **2.** *Albañ.* Igualar una obra con otra de suerte que tengan una misma altura. Ú. t. c. intr. ‖ **3.** *Arq.* Hacer que quede plana y lisa la superficie de una obra, como pared, piso o techo. ‖ **4.** intr. *Fís.* Coincidir, alcanzar dos elementos de un aparato el mismo nivel.
enrase. m. Acción y efecto de enrasar.
enrasillar. tr. *Albañ.* Colocar la rasilla a tope entre las barras de hierro que forman la armazón de los pisos.
enrastrar. (De *en-* y *rastra,* sarta.) tr. *Murc.* Hacer sartas de los capullos de que se ha de sacar la simiente de la seda, enhilándolos por un lado y de manera que no penetre el hilo en lo interior del capullo.
enratonarse. fam. **ratonarse.**
enrayado, da. p. p. de **enrayar.** ‖ **2.** m. *Arq.* Maderamen horizontal para asegurar los cuchillos y medios cuchillos de una armadura.
enrayar. (De *en-* y *rayo.*) tr. Fijar los rayos en las ruedas de los carruajes. ‖ **2.** Engalgar la rueda de un carruaje por uno de sus rayos para disminuir su velocidad.
enreciar. intr. Engordar, ponerse fuerte.
enredadera. adj. Dícese de las plantas de tallo voluble o trepador, que se enreda en las varas u otros objetos salientes. Ú. t. c. s. ‖ **2.** f. Planta perenne, de la familia de las convolvuláceas, de tallos largos, sarmentosos y trepadores, hojas sagitales de orejuela aguda, brácteas lineales, flores en campanillas róseas, con cinco radios más oscuros, y fruto capsular con cuatro semillas pequeñas y negras. Abunda en los campos de España, y otras especies afines, pero exóticas, se cultivan en los jardines. ‖ **de campanillas.** Planta trepadora, de la familia de las convolvuláceas, con tallo voluble de cuatro a seis metros de largo, hojas acorazonadas, anchas, y flores campanudas, moradas, azules o abigarradas. Suelen vestirse con esta planta paredes y enverjados.
enredador, ra. adj. Que enreda. Ú. t. c. s. ‖ **2.** fig. y fam. Chismoso o embustero. Ú. t. c. s.
enredamiento. m. desus. **enredo.**
enredar. tr. Prender con red. ‖ **2.** Tender las redes o armarlas para cazar. ‖ **3.** Enlazar, entretejer, enmarañar una cosa con otra. Ú. t. c. prnl. ‖ **4.** fig. Meter discordia o cizaña. ‖ **5.** fig. Meter a uno en obligación, ocasión o negocios comprometidos o peligrosos. ‖ **6.** fig. Entretener, hacer perder el tiempo. ‖ **7.** intr. Travesear, inquietar, revolver. Se usa comúnmente hablando de los muchachos. ‖ **8.** prnl. Complicarse un asunto al sobrevenir dificultades. ‖ **9.** fam. **amancebarse.** ‖ **10.** fig. Aturdirse, hacerse un lío.
enredijo. m. fam. **enredo** de hilos y otras cosas flexibles.
enredo. m. Complicación y maraña que resulta de trabarse entre sí desordenadamente los hilos u otras cosas flexibles. ‖ **2.** V. **comedia de enredo.** ‖ **3.** fig. Travesura o inquietud, especialmente hablando de los muchachos. ‖ **4.** fig. Engaño, mentira que ocasiona disturbios, disensiones y pleitos. ‖ **5.** fig. Complicación difícil de salvar o remediar en algún suceso o lance de la vida. ‖ **6.** fig. Confusión de ideas, falta de claridad en ellas. ‖ **7.** fig. En los poemas épico y dramático y en la novela, conjunto de los sucesos, enlazados unos con otros, que preceden a la catástrofe o al desenlace. ‖ **8.** fam. **amancebamiento.** ‖ **9.** fig. y fam. *Argent., Sto. Dom.* y *Urug.* Amorío. Ú. m. en pl. ‖ **10.** pl. fam. Trebejos, trastos.
enredoso, sa. adj. Lleno de enredos, obstáculos y dificultades. ‖ **2.** Enredador, chismoso. Ú. t. c. s.
enrehojar. (De *en-, re-* y *hoja.*) tr. Entre cereros, revolver en hojas la cera que está en los pilones, para que se blanquee.

enrejada. (De *enrejar*[1].) f. *Sal.* Aguijada, vara larga con un aguijón en un cabo para picar a la yunta, y en el otro cabo los gavilanes para limpiar el arado. ‖ **2.** *Ar.* **enrejadura.**

enrejado, da. (De *enrejar*[2].) p. p. de **enrejar.** ‖ **2.** m. Conjunto de rejas de un edificio y el de las que cercan, en todo o en parte, un sitio cualquiera, como paraje, jardín, patio, etc. ‖ **3.** Labor, en forma de celosía, hecha por lo común de cañas o varas entretejidas. ‖ **4. emparrillado.** ‖ **5.** Labor de manos que se hace formando varios dibujos; como hilos o sedas entretejidos y atravesados.

enrejadura. f. *Veter.* Herida producida por la reja del arado en los pies de los bueyes o de las caballerías.

enrejalar. tr. Formar rejales con ladrillos, tablas, etc.

enrejar[1]**.** (De *en-* y *reja*[1].) tr. Poner, fijar la reja en el arado. ‖ **2.** Herir con la reja del arado los pies de los bueyes o de las caballerías.

enrejar[2]**.** (De *en-* y *reja*[2].) tr. Cercar con rejas, cañas o varas los huertos, jardines, etc.; poner rejas en los huecos de un edificio. ‖ **2.** Colocar en pila ladrillos, tablas u otras piezas iguales, cruzándolas ordenadamente de modo que entre ellos queden varios espacios vacíos a modo de enrejado. *Conviene* ENREJAR *las tablas para que se oreen.* ‖ **3.** p. us. *Méj.* Zurcir la ropa.

enrejar[3]**.** (De *en-* y *rejo.*) tr. *Col., Cuba, Guat., Hond.* y *Venez.* Poner el rejo o soga a un animal, manearlo. ‖ **2.** *Col., Cuba* y *Hond.* Atar el ternero a una de las patas de la vaca para ordeñarla.

enresmar. tr. Colocar en resmas los pliegos de papel.

enrevesado, da. adj. **revesado.**

enriado, da. p. p. de **enriar.** ‖ **2.** m. **enriamiento.**

enriador, ra. m. y f. Persona que enría.

enriamiento. m. Acción y efecto de enriar.

enriar. (De *en-* y *río.*) tr. Meter en el agua por algunos días el lino, cáñamo o esparto para su maceración.

enridamiento. (De *enridar*[1].) m. ant. **irritamiento.**

enridar[1]**.** (Del lat. *inritāre.*) tr. ant. **irritar**[1]**.** Usáb. t. c. prnl. ‖ **2.** ant. **azuzar.**

enridar[2]**.** (De etim. disc.) tr. ant. **rizar.**

enrielar. tr. Hacer rieles. ‖ **2.** Echar los metales en la rielera. ‖ **3.** *Chile* y *Méj.* Meter en el riel, encarrilar. Ú. t. c. prnl. ‖ **4.** fig. *Chile.* Encarrilar, encauzar.

enrigidecer. tr. Poner rígida alguna cosa. Ú. t. c. prnl.

enriostrar. tr. **riostrar.**

enripiar. tr. *Albañ.* Echar o poner ripio en un hueco.

enrique. m. Moneda de oro equivalente a la dobla, mandada acuñar por Enrique IV de Castilla.

enriquecedor, ra. adj. Que enriquece.

enriquecer. tr. Hacer rica a una persona, comarca, nación, fábrica, industria u otra cosa. Ú. m. c. prnl. ‖ **2.** fig. Adornar, engrandecer. ‖ **3.** intr. Prosperar notablemente una persona, un país, una empresa, etc. Ú. m. c. prnl.

enriquecimiento. m. Acción y efecto de enriquecer o enriquecerse. ‖ **torticero.** *Der.* El que, obtenido con injusticia y en daño de otro, se considera ilícito e ineficaz en derecho.

enriqueño, ña. adj. Perteneciente o relativo al rey don Enrique II de Castilla. Aplícase a las dádivas excesivas, recordando las de aquel rey.

enriscado, da. p. p. de **enriscar.** ‖ **2.** adj. Lleno de riscos o peñascos.

enriscamiento. m. Acción de enriscarse.

enriscar. (De *en-* y *risco.*) tr. fig. Levantar, elevar. ‖ **2.** prnl. Guarecerse, meterse entre riscos y peñascos.

enristrar[1]**.** (De or. inc.) tr. Poner la lanza en el ristre. ‖ **2.** Poner la lanza horizontal bajo el brazo derecho, bien afianzada para acometer. ‖ **3.** fig. Ir derecho hacia una parte, o acertar finalmente con una cosa en que había dificultad.

enristrar[2]**.** (De *en-* y *ristre.*) tr. Hacer ristras. ENRISTRAR *ajos.*

enristre. m. Acción y efecto de enristrar.

enrizado, da. p. p. de **enrizar.** ‖ **2.** m. desus. Rizado, bucle.

enrizamiento. m. Acción y efecto de enrizar o enrizarse.

enrizar[1]**.** tr. **rizar.** Ú. t. c. prnl.

enrizar[2]**.** (Del lat. **irritiare.*) tr. ant. **enridar**[1]**.**

enrobinarse. prnl. *Albac.* y *Ar.* Cubrirse de robín, enmohecerse.

enrobrescido, da. (De *en-* y *robre,* roble.) adj. ant. Duro y fuerte como el roble.

enrocar[1]**.** (De *en-* y *roque.*) tr. En el juego del ajedrez, mover simultáneamente el rey y la torre del mismo bando, trasladándose el rey dos casillas hacia la torre y colocándose esta a su lado, saltando por encima del mismo. Ú. t. c. prnl.

enrocar[2]**.** (De *en-* y *rueca.*) tr. Revolver en la rueca el copo que ha de hilarse.

enrocarse. (De *en-* y *roca.*) prnl. Trabarse algo en las rocas del fondo del mar, principalmente anzuelos, artes de pesca, anclas, etc.

enrodar. (Del lat. *irrotāre,* de *inrotāre.*) tr. Imponer el suplicio, que consistía en despedazar al reo sujetándolo a una rueda en movimiento.

enrodelado, da. adj. Armado con rodela.

enrodrigar. tr. **rodrigar.**

enrodrigonar. (De *en-* y *rodrigón.*) tr. **rodrigar.**

enrojar. (De *en-* y *rojo.*) tr. **enrojecer.** Ú. t. c. prnl. ‖ **2.** Calentar el horno.

enrojecer. tr. Poner roja una cosa con el calor o el fuego. Ú. t. c. prnl. ‖ **2.** Dar color rojo. ‖ **3.** prnl. Encenderse el rostro. Ú. t. c. tr. ‖ **4.** intr. **ruborizarse.**

enrojecimiento. m. Acción y efecto de enrojecer o enrojecerse.

enrolamiento. m. Acción y efecto de enrolar. ‖ **2.** *Argent.* V. **libreta de enrolamiento o enrolarse.**

enrolar. tr. *Mar.* Inscribir un individuo en el rol o lista de tripulantes de un barco mercante. Ú. t. c. prnl. ‖ **2.** prnl. Alistarse, inscribirse en el ejército, en un partido político u otra organización.

enrollado, da. p. p. de **enrollar.** ‖ **2.** m. Roleo, voluta.

enrollar. tr. Envolver una cosa en forma de rollo. ‖ **2.** Empedrar con rollos o cantos. ‖ **3.** prnl. fig. y fam. Extenderse demasiado en una conversación.

enromar. tr. Poner roma una cosa. Ú. t. c. prnl.

enrona. f. *Ar.* y *Nav.* **enruna.**

enronar. tr. *Ar.* y *Nav.* **enrunar.**

enrone. m. *Nav.* **enruna.**

enrono. m. *Nav.* **enruna.**

enronquecer. tr. Poner ronco a uno. Ú. t. c. intr. y c. prnl.

enronquecimiento. (De *enronquecer.*) m. **ronquera.**

enroñar. tr. Llenar de roña, pegarla. ‖ **2.** Cubrir de orín un objeto de hierro. Ú. m. c. prnl.

enroque. m. Acción y efecto de enrocar[1].

enroscadamente. adv. m. En forma de rosca.

enroscadura. f. Acción y efecto de enroscar o enroscarse.

enroscamiento. m. Acción y efecto de enroscar o enroscarse.

enroscar. tr. Poner una cosa en forma de rosca. Ú. t. c. prnl. ‖ **2.** Introducir una cosa a vuelta de rosca.

enrostrar. tr. *Amér.* Dar en rostro, echar en cara, reprochar.

enrubescer. (Del lat. *irrubescĕre,* enrojecer.) tr. ant. Poner o volver rojo o rubio. Usáb. t. c. prnl.

enrubiador, ra. adj. Que tiene virtud de enrubiar.

enrubiar. tr. Poner rubia una cosa. Se usa más comúnmente hablando de los cabellos. Ú. t. c. prnl.

enrubio. m. Acción y efecto de enrubiar o enrubiarse. ‖ **2.** Ingrediente con que se enrubia. ‖ **3.** *P. Rico.* Árbol de madera muy dura, de albura blanca y corazón rojizo.

enrudecer. tr. Hacer rudo a uno; entorpecerle el entendimiento. Ú. t. c. prnl.

enruga. f. **arruga.**

enrugar. (Del lat. *irrugāre.*) tr. Arrugar, encoger.

enruinecer. intr. Hacerse ruin.

enruna. f. *Ar.* y *Nav.* Cascote, escombros o desperdicios que sirven para solar.

enrunar. (Del lat. vulg. **inrudenāre,* de *inruderāre,* construir con casquijo.) tr. *Ar.* y *Nav.* Construir o solar con casquijo o escombros.

ensabanada. f. **encamisada.**

ensabanado, da. p. p. de **ensabanar.** ‖ **2.** adj. *Taurom.* Aplícase a la res que tiene negras u oscuras la cabeza y las extremidades, y blanco el resto del cuerpo. ‖ **3.** m. *Albañ.* Capa primera de yeso blanco con que se cubren las paredes antes de blanquearlas.

ensabanar. tr. Cubrir con sábanas. Ú. t. c. prnl. ‖ **2.** *Albañ.* Dar a una pared una mano de yeso blanco. ‖ **3.** prnl. *Venez.* Alzarse, sublevarse.

ensacador, ra. adj. Que ensaca. Ú. t. c. s.

ensacar. tr. Meter algo en un saco.

ensaimada. (Voz mallorquina, der. de *saïm,* saín.) f. Bollo formado por una tira de pasta hojaldrada dispuesta en espiral.

ensalada. f. Hortaliza o varias hortalizas mezcladas, cortadas en trozos y aderezadas con sal, aceite, vinagre y otras cosas. ‖ **2.** fig. Mezcla confusa de cosas sin conexión. ‖ **3.** fig. Composición poética en la cual se incluyen esparcidos versos de otras poesías conocidas. ‖ **4.** fig. Composición lírica en que se emplean ad líbitum metros diferentes. ‖ **5.** *Cuba.* Refresco preparado con agua de limón, hierbabuena y piña. ‖ **de frutas.** Mezcla de trozos de distintas frutas, generalmente con su propio zumo o en almíbar. ‖ **italiana.** La que se hace con diversas hierbas, y a veces, además, con pechugas de aves, aceitunas, etc. ‖ **repelada.** La que se hace con diferentes hierbas, como mastuerzo, pimpinela, hinojo, etc. ‖ **rusa. ensaladilla rusa.** ‖ **2.** fig. Mezcla poco armónica de colores.

ensaladera. f. Fuente honda en que se sirve la ensalada.

ensaladilla. f. d. de **ensalada.** ‖ **2. ensaladilla rusa.** ‖ **3.** Bocados de dulce de diferentes géneros. ‖ **4.** fig. Conjunto de piedras preciosas de diferentes colores engastadas en una joya. ‖ **5.** Conjunto de diversas cosas menudas. ‖ **rusa.** Ensalada de patata, guisantes, zanahoria y huevos cocidos, mezclados con atún u otros ingredientes, que se sirve fría y aderezada con mahonesa.

ensalivar. tr. Llenar o empapar de saliva. Ú. t. c. prnl.

ensalma. f. ant. **enjalma.**

ensalmadera. f. ant. **ensalmadora.**

ensalmador, ra. (De *ensalmar*[1].) m. y f. Persona que tenía por oficio componer los huesos dislocados o rotos. ‖ **2.** Persona de quien se creía que curaba con ensalmos.

ensalmar[1]. (De *en-* y *salmo.*) tr. Componer los huesos dislocados o rotos. ‖ **2.** Curar con ensalmos. Ú. t. c. prnl. ‖ **3.** ant. **descalabrar,** herir a uno en la cabeza.

ensalmar[2]. (De *en-* y *salma,* jalma.) tr. ant. **enjalmar.** Ú. en Burgos, Rioja, Salamanca y Soria. ‖ **2.** ant. V. **aguja, hilo de ensalmar.**

ensalmo. (De *en-* y *salmo.*) m. Modo supersticioso de curar con oraciones y aplicación empírica de varias medicinas. ‖ **por ensalmo.** loc. adv. Con gran rapidez y de modo desconocido.

ensalobrarse. prnl. Hacerse el agua amarga y salobre.

ensalzador, ra. adj. Que ensalza.

ensalzamiento. m. Acción y efecto de ensalzar o ensalzarse.

ensalzar. (De *exalzar.*) tr. Engrandecer, exaltar. ‖ **2.** Alabar, elogiar. Ú. t. c. prnl.

ensambenitar. tr. Poner a uno el sambenito.

ensamblado, da. p. p. de **ensamblar.** ‖ **2.** m. Obra de ensamblaje.

ensamblador. m. El que ensambla.

ensambladura. f. Acción y efecto de ensamblar.

ensamblaje. m. **ensambladura.** ‖ **2.** *Nav.* Pieza de madera de hilo, de longitud variable, y con una escuadría de doce centímetros de tabla por cinco de canto.

ensamblar. (Del fr. ant. *ensembler.*) tr. Unir, juntar. Se usa especialmente cuando se trata de ajustar piezas de madera.

ensamble. m. **ensambladura.**

ensancha. f. Acción y efecto de ensanchar una cosa. ‖ **dar ensanchas.** fr. fig. Dar un negocio treguas, o tener posibilidad de ajustarse o componerse. ‖ **2.** fig. y fam. Dar demasiada licencia o libertad para algunas acciones.

ensanchador, ra. adj. Que ensancha. ‖ **2.** m. Instrumento para ensanchar los guantes.

ensanchamiento. m. Acción y efecto de ensanchar o ensancharse.

ensanchar. (Del lat. *examplāre.*) tr. Extender, dilatar, aumentar la anchura de una cosa. ‖ **2.** prnl. fig. Desvanecerse, afectar gravedad y señorío. Ú. t. c. intr. ‖ **3.** Hacerse de rogar.

ensanche. m. Dilatación, extensión. ‖ **2.** Parte de tela que se remete en la costura del vestido para poderlo ensanchar en caso necesario. ‖ **3.** Terreno dedicado a nuevas edificaciones en las afueras de una población, y conjunto de los edificios que en ese terreno se han construido. ‖ **4.** V. **zona de ensanche.**

ensandecer. intr. Volverse sandio, enloquecer. Ú. t. c. tr.

ensangostar. (Del lat. *ex* y *angustāre,* estrechar.) tr. desus. **angostar.**

ensangostido, da. adj. ant. **angustiado.**

ensangrentamiento. m. Acción y efecto de ensangrentar o ensangrentarse.

ensangrentar. (De *en-* y *sangrentar.*) tr. Manchar o teñir de sangre. Ú. t. c. prnl. y en sent. fig. ‖ **2.** prnl. fig. Encenderse, irritarse demasiado en una disputa o contienda, ofendiéndose unos a otros. ‖ **ensangrentarse con, o contra,** uno. fr. fig. Encruelecerse con él, querer ocasionarle un daño grave.

ensangustiar. tr. ant. **angustiar.** Usáb. t. c. prnl.

ensañado, da. p. p. de **ensañar.** ‖ **2.** adj. ant. **valeroso.**

ensañamiento. m. Acción y efecto de ensañar o ensañarse. ‖ **2.** *Der.* Circunstancia agravante, que consiste en aumentar deliberadamente el mal del delito.

ensañar. (Del lat. *insanīa.*) tr. Irritar, enfurecer. ‖ **2.** prnl. Deleitarse en causar el mayor daño y dolor posibles a quien ya no está en condiciones de defenderse.

ensarmentar. tr. **amugronar.**

ensarnecer. intr. Llenarse de sarna.

ensartar. (De *en-* y *sarta.*) tr. Pasar un hilo, cuerda, alambre, etc., por el agujero de varias cosas; como perlas, cuentas, anillos, etc. ‖ **2.** Espetar, atravesar, introducir. ‖ **3.** fig. Decir muchas cosas sin orden ni conexión. ‖ **4.** fig. *Chile, Méj., Nicar., Perú* y *Urug.* Hacer caer en un engaño o trampa. Ú. t. c. prnl.

ensay. (Del fr. *essai.*) m. En las casas de moneda, **ensaye.**

ensayado, da. p. p. de **ensayar.** ‖ **2.** adj. V. **peso ensayado.**

ensayador, ra. m. y f. Persona que ensaya. ‖ **2.** Persona que tiene por oficio ensayar los metales preciosos.

ensayalar. tr. ant. Cubrir con tapete u otra cosa un mueble. ‖ **2.** prnl. Vestirse o cubrirse de sayal.

ensayamiento. m. ant. **ensayo.**

ensayar. (De *ensayo.*) tr. Probar, reconocer una cosa antes de usarla. ‖ **2.** Amaestrar, adiestrar. ‖ **3.** Preparar el montaje y ejecución de un espectáculo antes de ofrecerlo al público. ‖ **4.** Hacer la prueba de cualquier otro tipo de actuación, antes de realizarla. ‖ **5.** Probar la calidad de los minerales o la ley de los metales preciosos. ‖ **6.** desus. Sentar, caer bien alguna cosa. ‖ **7.** ant. Intentar, procurar. ‖ **8.** prnl. Probar a hacer una cosa para ejecutarla después más perfectamente o para no extrañarla.

ensaye. m. Acción y efecto de ensayar. ‖ **2.** Comprobación de los metales que contiene la mena. ‖ **3.** Análisis de la moneda para descubrir su ley.

ensayismo. m. Género literario constituido por el **ensayo,** escrito generalmente breve. ‖ **2.** Actitud del tratadista que deriva hacia lo general o superficial, cuando cabría esperar de él mayores precisiones y una actitud más técnica o comprometida.

ensayista. com. Escritor de ensayos.

ensayístico, ca. adj. Perteneciente o relativo al ensayo o al ensayismo. ‖ **2.** f. **ensayismo,** género literario.

ensayo. (Del lat. *exagĭum,* peso.) m. Acción y efecto de ensayar. ‖ **2.** Escrito, generalmentre breve, constituido por pensamientos del autor sobre un tema, sin el aparato ni la extensión que requiere un tratado completo sobre la misma materia. ‖ **3.** Operación por la cual se averigua el metal o metales que contiene la mena, y la proporción en que cada uno está con el peso de ella. ‖ **4.** Análisis de la moneda para descubrir su ley. ‖ **5.** V. **tubo de ensayo.** ‖ **general.** Representación completa de una obra dramática o musical antes de presentarla al público.

-ense. (Del lat. *-ensis.*) suf. de gentilicios y de otros adjetivos latinizantes que expresan relación o pertenencia: *abul*ENSE, *estadounid*ENSE, *matrit*ENSE, *for*ENSE, *castr*ENSE. A veces toma la forma **-iense:** *canad*IENSE, *paris*IENSE.

ensebar. tr. Untar con sebo.

ensecar. (Del lat. *exsiccāre.*) tr. ant. Secar o enjugar.

enseguida. adv. m. **en seguida.**

enselvado, da. p. p. de **enselvar.** ‖ **2.** adj. Lleno de selvas o árboles.

enselvar. (De *en-* y *selva.*) tr. Encubrir con ramaje a los soldados para una operación militar. ‖ **2.** prnl. Ocultarse entre el ramaje.

ensellar. tr. ant. **ensillar.**

ensembla. adv. m. ant. **ensemble.**

ensemble. (Del fr. *ensemble.*) adv. m. ant. **juntamente.**

ensemejante. adj. ant. **semejante.**

ensenada. (De *ensenar.*) f. Parte de mar que entra en la tierra. ‖ **2.** *Argent.* **corral,** lugar destinado a encerrar animales.

ensenado, da. p. p. de **ensenar.** ‖ **2.** adj. Dispuesto a manera o en forma de seno.

ensenar. (De *en-* y *seno.*) tr. Esconder, poner en el seno una cosa. ‖ **2.** *Mar.* Meter en una ensenada una embarcación. Ú. m. c. prnl.

enseña. (Del lat. *insignĭa,* pl. n. de *insignis,* que se distingue por alguna señal.) f. Insignia o estandarte.

enseñable. adj. Que se puede enseñar fácilmente.

enseñadamente. adv. m. ant. Con enseñanza.

enseñadero, ra. adj. ant. Que puede ser enseñado.

enseñado, da. p. p. de **enseñar.** ‖ **2.** adj. ant. Docto, instruido. ‖ **3.** Educado, acostumbrado. Ú. más con los advs. *bien* o *mal.*

enseñador, ra. adj. Que enseña. Ú. t. c. s.

enseñalar. tr. ant. **señalar.**

enseñamiento. m. ant. **enseñanza.**

enseñante. p. a. de **enseñar.** Que enseña. Ú. t. c. s.

enseñanza. f. Acción y efecto de enseñar. ‖ **2.** Sistema y método de dar instrucción. ‖ **3.** Ejemplo, acción o suceso que sirve de experiencia, enseñando o advirtiendo cómo se debe obrar en casos análogos. ‖ **4.** pl. Conjunto de conocimientos, principios, ideas, etc., que se enseñan a otro. ‖ **a distancia.** La que utiliza los medios de comunicación, como el correo, la radio, la televisión, etc. ‖ **estatal.** La que depende directa y totalmente del Estado. ‖ **libre.** La que sigue el alumno que no tiene derecho a asistir a las clases de un centro estatal, pero se examina en él para que sus estudios tengan reconocimiento oficial. ‖ **media. segunda enseñanza.** ‖ **mutua.** La que los alumnos más adelantados dan a sus condiscípulos bajo la dirección del maestro. ‖ **oficial.** La que depende del Estado o de las entidades territoriales. ‖ **primaria. primera enseñanza.** ‖ **privada.** La que se da en centros no estatales. ‖ **pública. enseñanza estatal.** ‖ **secundaria. segunda enseñanza.** ‖ **superior.** La que comprende los estudios especiales que requiere cada profesión o carrera; como teología, jurisprudencia, etc. ‖ **primera enseñanza.** La de primeras letras, en sus diversos grados. ‖ **segunda enseñanza.** La intermedia entre la primera y la superior, y que comprende los estudios de cultura general.

enseñar. (Del lat. vulg. *insignare,* señalar.) tr. Instruir, doctrinar, amaestrar con reglas o preceptos. ‖ **2.** Dar advertencia, ejemplo o escarmiento que sirve de experiencia y guía para obrar en lo sucesivo. ‖ **3.** Indicar, dar señas de una cosa. ‖ **4.** Mostrar o exponer una cosa, para que sea vista y apreciada. ‖ **5.** Dejar aparecer, dejar ver una cosa involuntariamente. ‖ **6.** prnl. Acostumbrarse, habituarse a una cosa.

enseño. m. fam. p. us. **enseñanza.**

enseñoramiento. m. p. us. Acción y efecto de enseñorearse.

enseñoreador. m. ant. El que enseñorea o se enseñorea.

enseñorear. tr. Dominar una cosa. ‖ **2.** prnl. Hacerse señor y dueño de una cosa.

enserar. tr. Cubrir o forrar con sera de esparto una cosa para su resguardo.

enserenar. (De *en-* y *sereno*[1].) tr. *Ecuad.* Dejar alimentos al aire fresco de la noche, con el objeto de conservarlos fríos, o ropas para orearlas. ‖ **2.** prnl. *Ecuad.* Quedarse al sereno una persona.

enseres. (De *en-* y *ser.*) m. pl. Utensilios, muebles, instrumentos necesarios o convenientes en una casa o para el ejercicio de una profesión.

enseriarse. prnl. *And., Cuba, Perú, P. Rico* y *Venez.* Ponerse serio mostrando algún disgusto o desagrado.

enserir. (Del lat. *inserĕre.*) tr. desus. Meter una cosa en otra, juntarla, acoplarla. ‖ **2.** Introducir en un escrito una palabra, nota, texto, etc.

ensiemplo. m. ant. **ejemplo.**

ensiforme. (Del lat. *ensiformis,* que tiene forma de espada.) adj. En forma de espada.

ensilado. p. p. de **ensilar.** ‖ **2.** m. Acción y efecto de ensilar.

ensiladora. f. Máquina para ensilar forraje.

ensilaje. m. **ensilado.**

ensilar. tr. Meter los granos, semillas y forraje en el silo. ‖ **2.** ant. fig. Comer, tragar mucho.

ensilvecerse. (Del lat. *in* y *silvescĕre,* pasar al estado silvestre.) prnl. Convertirse en selva un campo o sembrado; quedar sin cultivo.

ensillada. f. Por alusión a la ensilladura del caballo, depresión suave en el lomo de una montaña.

ensillado, da. p. p. de **ensillar.** ‖ **2.** adj. Dícese de la caballería que tiene el lomo hundido. Suele aplicarse por semejanza, en lenguaje familiar, a las personas.

ensilladura. f. Acción y efecto de ensillar. ‖ **2.** Parte en que se pone la silla a la caballería. ‖ **3.** fig. Encorvadura entrante que tiene la columna vertebral en la región lumbar.

ensillar. tr. Poner la silla a una caballería. ‖ **2.** ant. Elevar, entronizar a uno.

ensimismamiento. m. Acción y efecto de ensimismarse. ‖ **2.** *Fil.* Recogimiento en la intimidad de uno mismo, desentendido del mundo exterior. Opónese a alteración.

ensimismarse. (De *en sí mismo.*) prnl. **abstraerse.** ‖ **2.** Sumirse o recogerse en la propia intimidad. ‖ **3.** *Col.* y *Chile.* Gozarse en sí mismo, envanecerse, engreírse.

ensobear. tr. Atar con el sobeo al yugo el pértigo del carro.

ensoberbecer. tr. Causar o excitar soberbia en alguno. Ú. t. c. prnl. ‖ **2.** prnl. fig. Agitarse el mar, alterarse, encresparse las olas.

ensoberbecimiento. m. Acción y efecto de ensoberbecer o ensoberbecerse.

ensobinarse. (Del lat. *in,* en, y *supināre,* ponerse boca arriba.) prnl. *Ar.* Quedarse en posición supina una caballería o un cerdo, sin poderse levantar. ‖ **2.** *Murc.* **acurrucarse.**

ensobrado. m. Acción y efecto de ensobrar.

ensobrar. tr. En las habilitaciones y pagadurías de centros oficiales, distribuir en sobres los haberes mensuales correspondientes a funcionarios de alta categoría.

ensogar. tr. Atar con soga. ‖ **2.** Forrar una cosa con soga, como se hace con los frascos y redomas.

ensolerar. tr. Echar o poner soleras a las colmenas.

ensolvedera. (De *ensolver.*) f. desus. Brocha de pelo largo y suave con que se fundían las tintas al pintar.

ensolvedor, ra. (De *ensolver.*) adj. ant. Que resuelve o declara una cosa o duda. Usáb. t. c. s.

ensolver. (Del lat. *in,* en, y *solvĕre,* desatar.) tr. Incluir una cosa en otra. ‖ **2.** Contraer, sincopar. ‖ **3.** *Med.* Resolver, disipar.

ensombrecer. tr. Oscurecer, cubrir de sombras. Ú. t. c. prnl. ‖ **2.** prnl. fig. Entristecerse, ponerse melancólico.

ensombrerado, da. adj. fam. Que lleva puesto sombrero.

ensoñación. f. Acción y efecto de ensoñar, ensueño.

ensoñador, ra. adj. Que tiene ensueños o ilusiones. Ú. t. c. s.

ensoñar. intr. Tener ensueños. Ú. t. c. tr.

ensopar. tr. Hacer sopa con el pan, empapándolo. ENSOPAR *el pan en vino.* ‖ **2.** *Amér. Merid.* Empapar, poner hecho una sopa. Ú. t. c. prnl.

ensordamiento. (De *ensordar.*) m. ant. Efecto de ensordecer o hacerse sordo.

ensordar. (De *en-* y *sordo.*) tr. ant. **ensordecer.** Usáb. t. c. prnl. Ú. en Aragón.

ensordecedor, ra. adj. Que ensordece. ‖ **2.** Dícese del ruido o sonido muy intenso.

ensordecer. (De *en-* y *sordecer.*) tr. Ocasionar o causar sordera. ‖ **2.** Aminorar la intensidad de un sonido o ruido. ‖ **3.** Perturbar grandemente a uno la intensidad de un sonido o ruido. ‖ **4.** *Fon.* Convertir una consonante sonora en sorda. ‖ **5.** intr. Contraer sordera, quedarse sordo. ‖ **6.** Callar, no responder.

ensordecimiento. m. Acción y efecto de ensordecer.

ensortijamiento. m. Acción y efecto de ensortijar. ‖ **2.** Conjunto de sortijas formadas en el cabello.

ensortijar. (De *en-* y *sortija.*) tr. Torcer en redondo, rizar, encrespar el cabello, hilo, etc. Ú. t. c. prnl. ‖ **2.** Poner un aro de hierro atravesando la nariz de un animal, para conducirlo o para impedirle pastar donde no se quiere que lo haga.

ensotarse. prnl. Meterse, ocultarse en un soto.

ensuciador, ra. adj. Que ensucia.

ensuciamiento. m. Acción y efecto de ensuciar o ensuciarse.

ensuciar. tr. Manchar, poner sucia una cosa. Ú. t. c. prnl. ‖ **2.** fig. Manchar el alma, la nobleza o la fama con vicios o con acciones indignas. ‖ **3.** prnl. Hacer las necesidades corporales en la cama, camisa, calzones, etc. ‖ **4.** fig. y fam. Obtener una persona interés o lucro indebido en el caudal, hacienda o negocio que maneja. ‖ **ensuciarla.** fam. Deslucir, echar a perder un asunto, meter la pata.

ensueño. (Del lat. *insomnĭum.*) m. Sueño o representación fantástica del que duerme. ‖ **2.** Ilusión, fantasía.

ensugar. (Del lat. *exsucāre.*) tr. **enjugar.**

ensullo. (Del lat. *insubŭlum.*) m. **enjullo.**

enta. prep. ant. A, hacia.

entabacarse. prnl. Abusar del tabaco.

entablación. f. Acción y efecto de entablar. ‖ **2.** Anotación de las memorias, fundaciones y capellanías, así como de las obligaciones de los ministros del templo, la cual suele escribirse en una o en varias tablas y fijarse en las paredes para que consten al público.

entablada. f. Acción y efecto de entablarse el viento.

entablado, da. p. p. de **entablar.** ‖ **2.** m. Conjunto de tablas dispuestas y arregladas en una armadura. ‖ **3.** Suelo formado de tablas.

entabladura. f. Acción y efecto de entablar o cubrir, cercar o asegurar con tablas.

entablamento. (De *entablar.*) m. *Arq.* **cornisamento.**

entablamiento. m. ant. *Arq.* **entablamento.**

entablar. tr. Cubrir, cercar o asegurar con tablas una cosa. ‖ **2. entablillar.** ‖ **3.** En el juego de ajedrez, damas y otros análogos, colocar las piezas en sus respectivos lugares para empezar el juego. ‖ **4.** Disponer, preparar, emprender una pretensión, negocio o dependencia. ‖ **5.** Notar, escribir en las tablas de las iglesias una memoria o fundación para que conste. ‖ **6.** Dar comienzo a una conversación, batalla, amistad, etc. ‖ **7.** rur. *Argent.* Acostumbrar al ganado mayor a que ande en manada o tropilla. Ú. t. c. prnl. ‖ **8.** prnl. Resistirse el caballo a volverse a una u otra mano, a causa de un vicio contraído por enfermedad o resabio. ‖ **9.** Fijarse el viento de una manera continuada en cierta dirección. ‖ **10.** *And.* y *Amér.* Igualar, empatar.

entable. m. **entabladura.** ‖ **2.** Posición de las piezas en los juegos de damas, ajedrez, etc. ‖ **de partida.** Inscripción en los libros parroquiales de la que en su día fue omitida.

entablerarse. prnl. En las corridas de toros, aquerenciarse estos a los tableros del redondel, aconchándose sobre ellos.

entablillar. tr. Asegurar con tablillas y vendaje un hueso roto.

entado, da. (Del fr. *enté,* injertado.) adj. *Blas.* Aplícase a las piezas y partes del escudo que están enclavijadas unas en otras con entrantes y salientes. ‖ **en punta.** *Blas.* Aplícase al triángulo curvilíneo que tiene su vértice en el centro del escudo y su base en la parte inferior, dentro del cual se coloca alguna empresa, como la granada en las armas de España.

entalamadura. (De *entalamar.*) f. Zarzo de cañas forrado de tela de cáñamo o de hule, que para defenderse del sol o del agua se pone sobre los carros, sujeto a tres arcos de madera fijos en los varales.

entalamar. (De *en-* y *tálamo.*) tr. ant. Cubrir con paños o tapices. ‖ **2.** Poner toldo a un carro.

entalegado, da. p. p. de **entalegar.** ‖ **2.** m. *Ar.* El que metido en un saco hasta la cintura compite con otros a correr o saltar.

entalegar. tr. Meter una cosa en talegos o talegas para guardarla o para otro fin. ‖ **2.** Ahorrar dinero, atesorarlo.

entalingar. (Del fr. *étalinguer.*) tr. *Mar.* Asegurar el chicote del cable o cadena al arganeo del ancla.

entalonar. intr. Echar renuevos los árboles de hoja perenne, como olivos, naranjos, algarrobos, etc.

entalpía. f. *Fís.* Magnitud termodinámica de un cuerpo físico o material. Es igual a la suma de su energía interna más el producto de su volumen por la presión exterior.

entalla. f. **entalladura.**

entallable. adj. Capaz de entallarse.

entallador, ra. m. y f. Persona que entalla[1].

entalladura. f. Acción y efecto de entallar[1]. ‖ **2.** Corte que se hace en los pinos para resinarlos, o en las maderas para ensamblarlas.

entallamiento. (De *entallar*[1].) m. **entalladura.**

entallar[1]. (De *en-* y *talla.*) tr. Hacer figuras de relieve en madera, bronce, mármol, etc. ‖ **2.** Grabar en lámina, piedra u otra materia. ‖ **3.** Cortar la corteza, y a veces parte de la madera, de algunos árboles para extraer la resina. ‖ **4.** Hacer cortes en una pieza de madera para ensamblarla con otra. ‖ **5.** En algunas partes, quedar aprisionado un miembro en una grieta u otra abertura. *Me* ENTALLÉ *un dedo con la puerta.*

entallar[2]. tr. Hacer o formar el talle de un vestido. ‖ **2.** Ajustar la ropa a la cintura. Ú. t. c. prnl. ‖ **3.** Ajustar la ropa de cama al cuerpo de la persona que está echada, remetiéndosela por los lados. ‖ **4.** intr. Ajustarse o venir bien el vestido al talle. Ú. t. c. prnl.

entalle. (De *entallar*[1].) m. ant. Obra de entalladura. ‖ **2.** Piedra dura grabada en hueco, en especial la que se usa como sello.

entallecer. intr. Echar tallos las plantas y árboles. Ú. t. c. prnl.

entallo. m. **entalle.**

entamar. tr. Cubrir con tamo. Ú. t. c. prnl.

entandar. (De *en-* y *tanda.*) tr. *Murc.* Distribuir las horas de riego en una comunidad de regantes.

entapecer. tr. ant. **tupir,** apretar mucho una cosa cerrando sus poros o intersticios.

entapetado, da. adj. desus. **tapetado.** ‖ **2.** Cubierto con tapete.

entapizada. f. Alfombra, conjunto de cosas que cubren el suelo. *Las* ENTAPIZADAS *de rosas y mosquetas.*

entapizado, da. p. p. de **entapizar.** ‖ **2.** m. Acción y efecto de entapizar. ‖ **3.** Materia con que se entapiza.

entapizar. tr. **tapizar.** Ú. t. c. prnl.

entapujar. tr. fam. Tapar, cubrir. Ú. t. c. prnl. ‖ **2.** fig. Andar con tapujos, ocultar la verdad.

entarascar. (De *en-* y *tarasca.*) tr. fam. Cargar de demasiados adornos a una persona. Ú. m. c. prnl.

entarimado. m. Entablado del suelo.

entarimador. m. El que tiene por oficio entarimar.

entarimar. (De *en-* y *tarima.*) tr. Cubrir el suelo con tablas o tarima.

entarquinamiento. m. Operación de entarquinar.

entarquinar. tr. Abonar las tierras con tarquín. ‖ **2.** Ensuciar con tarquín. ‖ **3.** Rellenar y sanear un terreno pantanoso o una laguna por la sedimentación del tarquín que lleva una corriente de agua.

entarugado, da. p. p. de **entarugar.** ‖ **2.** m. Pavimento formado con tarugos de madera.

entarugar. tr. Pavimentar con tarugos de madera.

éntasis. (Del lat. *entăsis,* y este del gr. ἔντασις.) f. *Arq.* Parte más abultada del fuste de algunas columnas.

ente. (Del lat. *ens, entis,* ser.) m. *Fil.* Lo que es, existe o puede existir. ‖ **2.** Empresa pública, en particular la televisión. ‖ **3.** fam. Sujeto ridículo o extravagante. ‖ **de razón.** *Fil.* El que no tiene ser real y verdadero y solo existe en el entendimiento.

-ente. (Del lat. *-ens, -entis.*) V. **-nte.**

entecado, da. p. p. de **entecarse**[1]. ‖ **2.** adj. **enteco.**

entecarse[1]. (De **heticarse,* der. de *hético,* del gr. ἑκτικός, habitual, dicho de la fiebre.) prnl. ant. Enfermar, debilitarse. Ú. en Burgos.

entecarse[2]. (De *entercarse.*) prnl. *León* y *Chile.* Obstinarse, emperrarse.

enteco, ca. (De *entecarse*[1].) adj. Enfermizo, débil, flaco.

entejar. tr. Tejar, cubrir con tejas.

entelar. (De *en-* y *tela.*) tr. ant. Turbar, nublar la vista. ‖ **2.** *León.* Meteorizar, causar meteorismo. Ú. t. c. prnl.

entelequia. (Del lat. *entelechīa,* y este del gr. ἐντελέχεια, actividad constante.) f. *Fil.* Cosa real que lleva en sí el principio de su acción y que tiende por sí misma a su fin propio. ‖ **2.** irón. Cosa irreal.

entelerido, da. (De or. inc.) adj. Sobrecogido de frío o de pavor. ‖ **2.** *And., C. Rica, Hond.* y *Venez.* Enteco, flaco, enclenque.

entena. (Del lat. *antenna.*) f. Vara o palo encorvado y muy largo al cual está asegurada la vela latina en las embarcaciones de esta clase. ‖ **2.** Madero redondo o en rollo, de gran longitud y diámetro variable.

entenado, da. (De *antenado.*) m. y f. **hijastro.**

entenciar. (Del lat. *intentĭo,* riña.) tr. ant. **insultar.**

entendederas. (De *entender.*) f. pl. fam. **entendimiento.** Lo común es denotar con este vocablo la escasez o torpeza de dicha facultad.

entendedor, ra. adj. Que entiende. Ú. t. c. s.

entender. (Del lat. *intendĕre,* dirigir, tender a.) tr. Tener idea clara de las cosas; comprenderlas. ‖ **2.** Saber con perfección una cosa. ‖ **3.** Conocer, penetrar. ‖ **4.** Conocer el ánimo o la intención de uno. *Ya te* ENTIENDO. ‖ **5.** Discurrir, inferir, deducir. ‖ **6.** Tener intención o mostrar voluntad de hacer una cosa. ‖ **7.** Creer, pensar, juzgar. *Yo* ENTIENDO *que sería mejor tal cosa.* ‖ **8.** prnl. Conocerse, comprenderse a sí mismo. ‖ **9.** Tener un motivo o razón oculta para obrar de cierto modo. ‖ **10.** Ir dos o más de conformidad en un negocio, especialmente cuando tienen entre sí motivos especiales de confianza, secreto y amistad. ‖ **11.** Tener hombre y mujer alguna relación de carácter amoroso recatadamente, sin querer que aparezca en público. ‖ **a mi, tu,** etc., entender. loc. adv. Según mi, tu, etc., juicio o modo de pensar. ‖ **cada uno se entiende.** expr. con que se justifica aquel a quien se reconviene por una cosa aparentemente extraña. ‖ **¿cómo se entiende?** expr. que manifiesta el enojo que causa lo que se oye o se ve. ‖ **dar a entender** a alguien una cosa. fr. Decir una cosa encubierta o indirectamente, o manifestarla de igual modo mediante acciones o gestos. ‖ **entender en** una cosa. fr. Ocuparse en ella. ‖ **2.** Tener una autoridad facultad o jurisdicción para conocer de materia determinada. ‖ **entenderse** una cosa **con** uno o muchos. fr. Pertenecerles, tocarles, afectarles. Se usa más comúnmente hablando de leyes o mandatos. ‖ **entenderse con** una cosa. fr. Saberla manejar o disponer para algún fin. ‖ **entenderse con** uno. fr. Avenirse con él para tratar determinados negocios. ‖ **no se entiende eso conmigo.** fr. con que se denota que no participamos en algo en que nos quieren incluir. ‖ **¿qué se entiende?** expr. **¿cómo se entiende?**

entendible. adj. ant. **inteligible.**

entendidamente. adv. m. Con inteligencia, pericia o destreza.

entendido, da. p. p. de **entender.** ‖ **2.** adj. Sabio, docto, perito, diestro. Ú. t. c. s. ‖ **3.** V. **valor entendido.** ‖ **no darse por entendido.** fr. Hacerse el sordo, aparentar que no se ha **entendido** algo que a uno le atañe.

entendimiento. m. Potencia del alma, en virtud de la cual concibe las cosas, las compara, las juzga, e induce y deduce otras de las que ya conoce. ‖ **2.** Alma, en cuanto discurre y raciocina. ‖ **3.** Razón humana. ‖ **4.** Buen acuerdo, relación amistosa entre los pueblos o sus gobiernos. ‖ **5.** ant. Inteligencia o sentido que se da a lo que se dice o escribe. ‖ **de entendimiento.** loc. adj. Muy inteligente.

entenebrar. (Del lat. *intenebrāre.*) tr. p. us. **entenebrecer.** Ú. t. c. prnl.

entenebrecer. (Del lat. *in,* en, y *tenebrescĕre,* oscurecerse.) tr. Oscurecer, llenar de tinieblas. Ú. t. c. prnl.

entenga. f. *Ál.* Clavo largo de hierro.

entenzón. (Del lat. *intentĭo, -ōnis,* riña.) f. ant. Contienda, discordia.

enteo. m. *Sal.* Deseo, antojo.

entera. (Por *lentera, del lat. *limitarĭa,* pl. n. de *limitāris,* que está en el límite.) f. *León.* **dintel.**

enterado, da. p. p. de **enterar** o **enterarse.** ‖ **2.** adj. Conocedor y entendido. ‖ **3.** *Chile.* Orgulloso, entonado, estirado. ‖ **4.** m. Nota consistente en la palabra *enterado,* escrita al pie de un documento para hacer constar que la persona a quien va destinado se ha dado cuenta de su contenido.

enteralgia. (Del gr. ἔντερον, intestino, y *-algia.*) f. *Pat.* Dolor intestinal agudo.

enteramente. adv. m. Cabal, plenamente, del todo.

enteramiento. m. ant. Acción y efecto de **enterar,** completar una cosa.

enterar. (Del lat. *integrāre.*) tr. Informar a uno de algo o instruirle en cualquier negocio. Ú. t. c. prnl. ‖ **2.** ant. Completar, dar integridad a una cosa. Ú. en Argentina y Chile, tratándose especialmente de una cantidad. ‖ **3.** *Col., C. Rica, Hond.* y *Méj.* Pagar, entregar dinero.

entercarse. (De *en-* y *terco.*) prnl. Obstinarse, emperrarse.

enterciar. tr. *Cuba* y *Méj.* Empacar, formar tercios con una mercancía.

enterez. f. ant. **entereza.**

entereza. (De *entero* y *-eza.*) f. Integridad, perfección, complemento. ‖ **2.** fig. Integridad, rectitud en la administración de justicia. ‖ **3.** fig. Fortaleza, constancia, firmeza de ánimo. ‖ **4.** fig. Severa y perfecta observancia de la disciplina. ‖ **virginal. virginidad.**

entérico, ca. (Del gr. ἔντερον, intestino.) adj. *Anat.* Perteneciente o relativo a los intestinos.

enterísimo, ma. adj. sup. de **entero.** ‖ **2.** *Bot.* V. **hoja enterísima.**

enteritis. (Del gr. ἔντερον, intestino, e *-itis.*) f. *Pat.* Inflamación de la membrana mucosa de los intestinos.

enterizo, za. adj. **entero.** ‖ **2.** De una sola pieza. *Columna* ENTERIZA. ‖ **3.** V. **madera enteriza.**

enternecedor, ra. adj. Que enternece.

enternecer. (Del lat. *in,* en, y *tenerescĕre,* ponerse tierno.) tr. Ablandar, poner tierna y blanda una cosa. Ú. t. c. prnl. ‖ **2.** fig. Mover a ternura, por compasión u otro motivo. Ú. t. c. prnl.

enternecidamente. adv. m. Con ternura.

enternecimiento. m. Acción y efecto de enternecer o enternecerse.

entero, ra. (De *intĕgrum,* acus. vulg. del lat. *intĕger.*) adj. Cabal, cumplido sin falta alguna. ‖ **2.** Aplícase al animal no castrado. ‖ **3.** V. **tiro, viento entero.** ‖ **4.** fig. Robusto, sano. ‖ **5.** fig. Recto, justo. ‖ **6.** fig. Constante, firme. ‖ **7.** fig. Que domina sus emociones. ‖ **8.** fig. Que no ha perdido la virginidad. ‖ **9.** fam. Tupido, fuerte, recio. Dícese de las telas. ‖ **10.** *Arit.* V. **número entero.** Ú. t. c. s. ‖ **11.** *Bot.* V. **hoja entera.** ‖ **12.** En filatelia, dícese de un valor postal, como p. ej., una tarjeta, que lleva impreso su precio, a efectos de franqueo, y un dibujo, efigie o grabado. Ú. t. c. s. ‖ **13.** m. *Col., C. Rica, Chile* y *Méj.* Entrega de dinero, especialmente en una oficina pública. ‖ **partir por entero.** fr. *Arit.* Dividir una cantidad por un número compuesto de dos o más cifras. ‖ **2.** fig. y fam. Llevarse uno todo lo que hay que repartir, dejando a los demás sin nada. ‖ **por entero.** loc. adv. **enteramente.**

enterocolitis. (Del gr. ἔντερον, intestino, κῶλον, colon, e *-itis.*) f. *Pat.* Inflamación del intestino delgado, del ciego y del colon.

enterostomía. f. *Med.* Formación artificial de una abertura permanente en el intestino a través de la pared abdominal.

enterrador. m. **sepulturero.** ‖ **2.** *Taurom.* Peón que, después de haber recibido el toro la estocada, da vueltas a su alrededor y, haciéndole moverse a capotazos, acelera su muerte. ‖ **3.** *Zool.* Nombre común de varios insectos coleópteros que hacen la puesta sobre los cadáveres de animales pequeños, enterrándolos para que sus larvas encuentren el alimento necesario para su desarrollo.

enterramiento. m. Acción y efecto de enterrar los cadáveres. ‖ **2. sepulcro,** monumento funerario u obra para sepultar el cadáver de una persona y honrar su memoria. ‖ **3.** Hoyo que se hace en tierra para enterrar un cadáver. ‖ **4.** Lugar en que está enterrado un cadáver.

enterrar. tr. Poner debajo de tierra. ‖ **2.** Dar sepultura a un cadáver. ‖ **3.** fig. Sobrevivir a alguno. ‖ **4.** fig. Hacer desaparecer una cosa debajo de otra, como si estuviese oculta bajo tierra. ‖ **5.** fig. Arrinconar, relegar al olvido algún negocio, designio, etc., como si desapareciera de entre lo existente. ENTERRAR *las ilusiones, las antiguas costumbres.* ‖ **6.** *Amér.* Clavar, meter un instrumento punzante. ‖ **7.** prnl. fig. Retirarse uno del trato de los demás, como si estuviera muerto. ENTERRARSE *en un monasterio, en una aldea.* ‖ **contigo,** o **con** tal o tales personas, **me entierren.** expr. fam. con que uno da a entender que es del mismo gusto, genio o dictamen de la persona o personas a quienes se dirige o alude. ‖ **¿dónde entierra usted?** expr. fig. y fam. con que se contiene al fanfarrón que echa muchos fieros.

enterriar. tr. *Sal.* Odiar, tener tirria. ‖ **2.** prnl. ant. **obstinarse.**

entesadamente. adv. m. ant. Intensamente, fervorosamente.

entesado, da. p. p. de **entesar.** ‖ **2.** adj. ant. Repleto, ahíto de comida.

entesamiento. m. Acción y efecto de entesar.

entesar. (Del lat. *intensus,* tenso.) tr. Dar mayor fuerza, vigor e intensidad a una cosa. ‖ **2.** Poner tirante y tesa una cosa, como cuerda o maroma.

entestado, da. adj. **testarudo.** ‖ **2.** ant. Encasquetado o encajado en la cabeza.

entestar. (De *en-* y *testa.*) tr. Unir dos piezas o maderos por sus cabezas. ‖ **2.** Adosar, encajar, empotrar. Ú. t. c. intr. ‖ **3.** intr. Estar una cosa en contacto con otra; lindar con ella.

entestecer. (De *en-,* el lat. *testa,* escama, concha, y *-ecer.*) tr. Apretar o endurecer. Ú. t. c. prnl.

entibación. f. *Min.* Acción y efecto de entibar.

entibador. m. *Min.* Operario dedicado a la entibación.

entibar. (Del lat. *instipāre,* compactar.) intr. **estribar,** descansar el peso de una cosa en otra sólida y firme. ‖ **2. sufrir,** oprimir una pieza que se golpea. ‖ **3.** tr. *Min.* En las minas, apuntalar, fortalecer con maderas y tablas las excavaciones que ofrecen riesgo de hundimiento. ‖ **4.** *Ar.* Represar las aguas en un río o canal para aumentar el salto o nivel de las mismas.

entibiadero. m. Lugar destinado a entibiar una cosa.

entibiar. tr. Poner tibio un líquido, darle un grado de calor moderado. Ú. t. c. prnl. ‖ **2.** fig. Templar, quitar fuerza a los afectos y pasiones. Ú. t. c. prnl.

entibiecer. (De *en-, tibio* y *-ecer.*) tr. ant. **entibiar.** Usáb. t. c. prnl.

entibo. (De *entibar.*) m. *Arq.* Macizo de fábrica que sirve para sostener una bóveda. ‖ **2.** *Min.* Madero que en las minas sirve para apuntalar. ‖ **3.** fig. Fundamento, apoyo. ‖ **4.** *Ar.* Caudal de aguas represadas en un río o canal.

entidad. (Del lat. med. *entĭtas, -ātis.*) f. *Fil.* Lo que constituye la esencia o la forma de una cosa. ‖ **2.** Ente o ser. ‖ **3.** Valor o importancia de una cosa. ‖ **4.** Colectividad considerada como unidad. ‖ **de entidad.** loc. adj. De sustancia, de consideración, de valor.

entierro. m. Acción y efecto de enterrar los cadáveres. ‖ **2.** Sepulcro o sitio en que se ponen los difuntos. ‖ **3.** El cadáver que se lleva a enterrar y su acompañamiento. ‖ **4.** Tesoro enterrado. ‖ **5.** Estafa que se comete a pretexto de desenterrar un tesoro. ‖ **de la sardina.** Fiesta carnavalesca que se celebra el miércoles de ceniza. ‖ **Santo Entierro.** Procesión del Viernes Santo, cuyo paso principal es el enterramiento de Cristo.

entiesar. tr. **atiesar.**

entigrecerse. (De *en-*, *tigre* y *-ecer.*) prnl. fig. Enojarse, irritarse, enfurecerse.

entilar. (De *entiznar.*) tr. *Hond.* **tiznar.**

entimema. (Del lat. *enthymēma*, y este del gr. ἐνθύμημα.) m. *Fil.* Silogismo abreviado que, por sobrentenderse una de las premisas, solo consta de dos proposiciones, que se llaman antecedente y consiguiente; v. gr.: *El Sol alumbra, luego es de día.*

entimemático, ca. (Del lat. *enthymematĭcus*, y este del gr. ἐνθυμηματικός.) adj. Perteneciente o relativo al entimema.

entinar. tr. Poner en tina.

entintador, da. p. p. de **entintar.** ‖ **2.** m. Acción y efecto de entintar.

entintar. tr. Manchar o cubrir con tinta. ‖ **2.** fig. **teñir,** dar a una cosa un color distinto del que tenía.

entirar. tr. ant. **estirar.**

entirriarse. prnl. ant. Enojarse, enfadarse.

entisar. tr. *Cuba.* Forrar una vasija con una red.

entitativo, va. (Del lat. mod. *entitatīvus.*) adj. *Fil.* Exclusivamente propio de la entidad.

entizar. tr. Frotar con tiza el taco de billar.

entiznar. tr. **tiznar.**

-ento, ta. suf. de adjetivos, que aparece más frecuentemente en la forma **-iento.** Significa estado físico o condición: *calentur*IENTO, *mugr*IENTO, *hambr*IENTO, *sangr*IENTO, *avar*IENTO; puede indicar también aproximación o semejanza: *amarill*ENTO.

entoladora. f. La que entola.

entolar. tr. Pasar de un tul a otro las flores o dibujos de un encaje.

entoldado, da. p. p. de **entoldar.** ‖ **2.** m. Acción de entoldar. ‖ **3.** Toldo o conjunto de toldos colocados y extendidos para dar sombra. ‖ **4.** Lugar cubierto con toldos.

entoldadura. f. ant. **colgadura.**

entoldamiento. m. Acción y efecto de entoldar o entoldarse.

entoldar. (De *en-* y *toldo.*) tr. Cubrir con toldos los patios, calles, etc., para dar sombra. ‖ **2.** Cubrir con tapices, sedas o paños las paredes de los templos, casas, etc. ‖ **3.** fig. Cubrir las nubes el cielo. Ú. t. c. prnl. ‖ **4.** prnl. fig. Engreírse, envanecerse.

entomecer. (Del lat. *intumescĕre*, hincharse.) tr. ant. **entumecer.** Usáb. t. c. prnl.

entomecimiento. m. ant. **entumecimiento.**

entomizar. tr. Cubrir, liar con tomizas las tablas y los maderos de los techos y paredes para que pegue el yeso.

entomófilo, la. (Del gr. ἔντομον, insecto, y *-filo.*) adj. Aficionado a los insectos. ‖ **2.** *Bot.* Dícese de las plantas en las que la polinización se verifica por intermedio de los insectos.

entomología. (Del gr. ἔντομον, insecto, y *-logía.*) f. Parte de la zoología que trata de los insectos.

entomológico, ca. adj. Perteneciente o relativo a la entomología.

entomólogo, ga. (Del gr. ἔντομον, insecto, y *-logo.*) m. y f. Especialista en entomología.

entonación. f. Acción y efecto de entonar. ‖ **2.** Modulación de la voz que acompaña a la secuencia de sonidos del habla, y que puede reflejar diferencias de sentido, de intención, de emoción y de origen del hablante. ‖ **3.** *Ling.* Secuencia sonora de los tonos con que se emite el discurso oral, y que puede contriubir al significado de este. ‖ **4.** fig. Arrogancia, presunción.

entonadera. (De *entonar.*) f. Palanca con que se mueven los fuelles del órgano.

entonado, da. p. p. de **entonar.** ‖ **2.** adj. Envanecido, engreído.

entonador, ra. adj. Que entona. ‖ **2.** m. y f. Persona que tira de los fuelles del órgano o los mueve para que pueda sonar.

entonamiento. m. Acción y efecto de entonar.

entonar. tr. Cantar ajustándose al tono; afinar la voz. Ú. t. c. intr. ‖ **2.** Dar determinado tono a la voz. ‖ **3.** Dar viento al órgano tirando de los fuelles. ‖ **4.** Empezar uno a cantar una cosa para que los demás continúen en el mismo tono. ‖ **5.** *Fisiol.* Dar tensión y vigor al organismo. ‖ **6.** *Pint.* Graduar los colores y valores de una obra para obtener un efecto armónico. ‖ **7.** prnl. fig. Desvanecerse, engreírse.

entonatorio. adj. V. **libro entonatorio.** Ú. t. c. s.

entonce. (Del lat. vulg. **intunce.*) adv. t. ant. **entonces.**

entonces. (De *entonce.*) adv. t. En tal tiempo u ocasión. ‖ **2.** adv. m. En tal caso, siendo así. ‖ **en aquel entonces.** loc. adv. **entonces,** en aquel tiempo u ocasión. ‖ **¡entonces...!** o **¡pues entonces...!** interj. con que se da por confeso al interlocutor, como sacando de lo que dice lo que se tiene por obvia consecuencia.

entonelar. tr. Introducir algo en toneles.

entongar. tr. Apilar, formar tongadas.

entono. m. Acción y efecto de entonar la voz. ‖ **2.** fig. Arrogancia, envanecimiento, presunción.

entontecer. tr. Poner a uno tonto. ‖ **2.** intr. Volverse tonto. Ú. t. c. prnl.

entontecimiento. m. Acción y efecto de entontecer o entontecerse.

entoñar. (De *en-* y *tolla*[1].) tr. *Sal., Vallad.* y *Zam.* Enterrar, hundir. Ú. t. c. prnl.

entorcarse. (De *en-* y *torca.*) prnl. *Ál.* Atascarse un carro o coche en un bache. ‖ **2.** *Burg.* Caerse el ganado en una hoya de donde no puede salir.

entorchado, da. p. p. de **entorchar.** ‖ **2.** m. Cuerda o hilo de seda, cubierto con otro hilo de seda, o de metal, retorcido alrededor para darle consistencia. Se usa para las cuerdas de los instrumentos músicos y los bordados. ‖ **3.** Bordado en oro o plata, que como distintivo llevaban en las vueltas de las mangas del uniforme los militares, los ministros y otros altos funcionarios. ‖ **4.** adj. V. **columna entorchada.**

entorchar. (Indirectamente, del lat. *intorquēre*, torcer.) tr. Retorcer varias velas y formar con ellas antorchas. ‖ **2.** Cubrir un hilo o cuerda enroscándole otro de metal.

entorilar. tr. Meter al toro en el toril.

entormecimiento. m. ant. **entumecimiento.**

entornar. (De *en-* y *tornar.*) tr. Volver la puerta o la ventana sin cerrarla del todo. ‖ **2.** Dícese también de los ojos cuando no se cierran por completo. ‖ **3.** Inclinar, ladear, trastornar. Ú. t. c. prnl. SE ENTORNÓ *la olla y se vertió el caldo.* ‖ **4.** *Ar.* Hacer pliegues a la ropa en el borde.

entornillar. tr. Hacer o disponer una cosa en forma de tornillo.

entorno. (De *en-* y *torno.*) m. ant. **contorno.** ‖ **2.** Ambiente, lo que rodea. ‖ **3.** *Ar.* Pliegue que se hace a la ropa en el borde.

entorpecedor, ra. adj. Que entorpece.

entorpecer. (Del lat. *in*, en, y *torpescĕre*, torpecer.) tr. Poner torpe. Ú. t. c. prnl. ‖ **2.** fig. Turbar, oscurecer el entendimiento, el espíritu, el ingenio. Ú. t. c. prnl. ‖ **3.** fig. Retardar, dificultar. Ú. t. c. prnl.

entorpecimiento. m. Acción y efecto de entorpecer o entorpecerse.

entortadura. f. Acción y efecto de entortar.

entortar. tr. Poner tuerto lo que estaba derecho. Ú. t. c. prnl. ‖ **2.** Hacer tuerto a uno, sacándole o cegándole un ojo.

entortijar. (Del lat. vulg. **intortiliāre*, retorcer.) tr. ant. **ensortijar.**

entosicar. (Del lat. *intoxicāre*, envenenar.) tr. ant. **entosigar.**

entosigar. tr. **atosigar**[1].

entozoario. (Del gr. ἐντός, dentro, y ζῳάριον, animalillo.) m. *Zool.* **endoparásito.**

entrabar. tr. *And.*, *Col.*, *Chile* y *Perú.* Trabar, estorbar.

entrada. f. Espacio por donde se entra a alguna parte. ‖ **2.** Acción de entrar en alguna parte. ‖ **3.** Acto de ser uno recibido en un consejo, comunidad, religión, etc., o de empezar a gozar de una dignidad, empleo, etc. ‖ **4.** fig. Arbitrio, facultad para hacer alguna cosa. Ú. generalmente con los verbos *hallar, tener, dar. Quise hablar a Juan del asunto, pero no me dio* ENTRADA. ‖ **5.** En los teatros y otros lugares donde se dan espectáculos, concurso o personas que asisten. *En el estreno hubo una gran* ENTRADA. ‖ **6.** Producto de cada función. ‖ **7.** Billete que sirve para entrar en un teatro o en otro sitio. ‖ **8.** Principio de una obra; como oración, libro, etc. ‖ **9.** Amistad, favor o familiaridad en una casa o con una persona. ‖ **10.** En el tresillo y otros juegos de naipes, acción de jugar una persona contra las demás, señalando el palo a que lo hace, antes de descartarse de los naipes que no le conviene conservar, y tomar otros. ‖ **11.** Conjunto de los naipes que guarda. ‖ **12.** Prerrogativa y facultad de entrar en piezas señaladas de palacio dada a los que tienen ciertas dignidades o empleos. Ú. t. en pl. ‖ **13.** Cada uno de los alimentos que se sirven después de la sopa y antes del plato principal. ‖ **14.** Cada uno de los ángulos entrantes desprovistos de pelo en la parte superior de la frente. Ú. m. en pl. ‖ **15.** Caudal que entra en una caja o en poder de uno. ‖ **16.** Anotación o asiento en una cuenta, fruto de un incremento de activo o de un decremento de pasivo. ‖ **17.** Cantidad que se entrega como primer pago para la compra de algo. ‖ **18.** Invasión que hace el enemigo en un país, ciudad, etc. ‖ **19.** Primeros días del año, del mes, de una estación, etcétera. ‖ **20.** En un diccionario o enciclopedia, cada una de las palabras o términos que se definen. ‖ **21.** *Cuba* y *Méj.* Zurra. ‖ **22.** *Arq.* Extremo de un madero o sillar que está metido en un muro o sentado sobre una solera. ‖ **23.** *Dep.* En algunos deportes, encuentro entre dos jugadores contrarios, generalmente con el fin de arrebatarle la pelota uno al otro. ‖ **24.** *Min.* Período de tiempo que en cada día dura el trabajo de una tanda de operarios. ‖ **25.** *Mús.* Acción de comenzar cada voz o instrumento a tomar parte en la ejecución de una pieza musical, en cualquier momento de esta. ‖ **de pavana.** fig. y fam. Cosa fútil o impertinente, dicha o propuesta con misterio o ridícula gravedad. ‖ **general.** Asientos de la galería alta de un teatro. ‖ **por salida.** Partida que se anota a la vez en el debe y en el haber de una cuenta. ‖ **2.** fig. Asunto o negocio en que el pro y el contra son equivalentes. ‖ **3.** fam. Visita breve. ‖ **de entrada.** loc. adv. Para empezar. ‖ **2.** loc. adj. que se dice del grado de ingreso en ciertas carreras. ‖ **de primera entrada.** loc. adv. Al primer ímpetu. ‖ **entradas y salidas.** fig. Colusiones entre varios para el manejo de sus intereses. ‖ **entradas y salidas** de una casa, heredad, etc. Derechos que tienen adquiridos para su beneficio y mejora tales fincas, los cuales se especifican en las escrituras del arrendamiento o de venta que de ellas se hacen, como parte de su estimación o precio. ‖ **irse entrada por salida.** fr. fam. Irse uno por otro.

entradero. m. desus. Espacio por donde se entra.

entradilla. f. Comienzo de una información periodística que resume lo más importante de la misma.

entrado, da. p. p. de **entrar.** ‖ **2.** adj. Referido a una estación o a un período de tiempo, que ya no está en su comienzo pero tampoco ha llegado aún a su mitad. V. **entrado en años, en días.**

entrador, ra. adj. Altivo, emprendedor, arriesgado. ‖ **2.** *Méj., Perú* y *Venez.* Que acomete fácilmente empresas arriesgadas. ‖ **3.** *C. Rica.* Simpático, agradable, que sabe hacerse recibir bien. ‖ **4.** *Chile* y *Perú.* Entrometido, intruso. ‖ **5.** m. Persona que lleva las reses al matadero para su sacrificio.

entramado, da. p. p. de **entramar.** ‖ **2.** m. Conjunto de láminas de metal o tiras de material flexible que se cruzan entre sí. ‖ **3.** Este mismo entrecruzamiento. ‖ **4.** *Arq.* Armazón de madera que sirve para hacer una pared, tabique o suelo rellenando los huecos con fábrica o tablazón. ‖ **5.** fig. Conjunto de ideas, sentimientos, opiniones, etc., que se entrecruzan en un texto.

entramar. (De *en-* y *trama*.) tr. *Arq.* Hacer un entramado. ‖ **2.** *Ál., Nav.* y *Rioja.* Armar pendencia o cuestión.

entrambos, bas. (Del lat. *inter ambos*.) adj. pl. **ambos.**

entramiento. m. ant. Acción y efecto de entrar. ‖ **de bienes.** ant. *Der.* Embargo o secuestro.

entramos, mas. adj. pl. ant. **entrambos.**

entrampar. tr. Hacer que un animal caiga en la trampa. Ú. t. c. prnl. ‖ **2.** fig. Engañar artificiosamente. ‖ **3.** fig. y fam. Enredar, confundir un negocio, de modo que no se pueda aclarar o resolver. ‖ **4.** fig. y fam. Gravar con deudas la hacienda, un negocio, una empresa, etc. ‖ **5.** prnl. Meterse en un trampal o atolladero. ‖ **6.** fig. y fam. Empeñarse, endeudarse.

entrampillar. (De *entrampar* y *pillar*.) tr. Acosar a uno en un lugar de donde no pueda escapar. ‖ **2.** Prender, capturar a una persona.

entrante. p. a. de **entrar.** Que entra. Ú. t. c. s. ‖ **2.** adj. Hablando de una semana, de un mes, de un año, etc., inmediatamente próximo en el futuro. ‖ **3.** *Geom.* V. **ángulo entrante.** ‖ **entrantes y salientes.** fam. Los que sin objeto serio, y tal vez con miras sospechosas, frecuentan demasiado una casa.

entraña. (Del pl. n. lat. *interanĕa*, intestinos.) f. Cada uno de los órganos contenidos en las principales cavidades del cuerpo humano y de los animales. ‖ **2.** Lo más íntimo o esencial de una cosa o asunto. ‖ **3.** pl. fig. Lo más oculto y escondido. *Las* ENTRAÑAS *de la tierra, de los montes.* ‖ **4.** fig. El centro, lo que está en medio. ‖ **5.** fig. Voluntad, afecto del ánimo. ‖ **6.** fig. Índole y genio de una persona. *Hombre de buenas* ENTRAÑAS. ‖ **arrancársele** a uno **las entrañas.** fr. fig. y fam. **arrancársele el alma.** ‖ **dar** uno **hasta las entrañas,** o **las entrañas.** fr. fig. Ser extremada su liberalidad. ‖ **echar** uno **las entrañas.** fr. fig. y fam. Vomitar con violencia y muchas ansias. ‖ **hacer las entrañas** a una criatura. fr. fig. y fam. Darle la primera leche. ‖ **hacer las entrañas** a uno. fr. fig. Disponerle, sugerirle o preocuparle en favor o en contra de otro. ‖ **no tener entrañas.** fr. fig. y fam. Ser cruel, desalmado. ‖ **sacar las entrañas** a uno. fr. fig. y fam. **sacarle el alma.**

entrañable. adj. Íntimo, muy afectuoso.

entrañablemente. adv. m. Con sumo cariño, con la mayor ternura.

entrañal. adj. desus. **entrañable.**

entrañalmente. adv. m. desus. Con sumo cariño, con la mayor ternura.

entrañar. tr. Introducir en lo más hondo. Ú. t. c. prnl. ‖ **2.** Contener, llevar dentro de sí. ‖ **3.** prnl. Unirse, estrecharse íntimamente, de todo corazón, con alguno.

entrañizar. tr. ant. Querer a uno con íntimo afecto.

entraño, ña. (Del lat. *interanĕus*, interior.) adj. ant. Interior, interno.

entrapada. (De *en-* y *trapo*.) f. Paño carmesí, no tan fino como la grana, que servía comúnmente para cortinas, para vestir coches y para otros usos.

entrapajar. (De *en-* y *trapajo*.) tr. Envolver con trapos alguna parte del cuerpo herida o enferma. ‖ **2.** prnl. Entraparse, llenarse de polvo o mugre una tela, el cabello, etcétera.

entrapar. tr. desus. Echar muchos polvos en el cabello para desengrasarlo y limpiar la cabeza con el peine, y también llenarlo de manteca y polvos para que abulte. ‖ **2.** desus. Empañar, enturbiar. ‖ **3.** *Agr.* Echar en la raíz de cada cepa, como abono, cierta cantidad de trapo viejo, volviéndola a cubrir con tierra. ‖ **4.** prnl. Llenarse de polvo y mugre un paño o tela de cualquier clase, de modo que no se pueda limpiar. Se usaba también hablando del cabello. ‖ **5.** Perder el corte, la agudeza y el relieve por acumulación de borra u otra suciedad; como las herramientas, la pluma de escribir, la forma de imprenta, etc.

entrapazar. intr. **trapacear.**

entrar. (Del lat. *intrare*.) intr. Ir o pasar de fuera adentro. Ú. t. en sent. fig. y c. prnl. ‖ **2.** Pasar por una parte para introducirse en otra. ENTRAR *por la puerta, por la ventana.* ‖ **3.** Encajar o poderse meter una cosa en otra, o dentro de otra. *El libro no* ENTRA *en el cajón del estante; el lío de ropa* ENTRA *en el baúl.* ‖ **4.** Tener una prenda de vestir, calzar o tocarse, amplitud bastante para que en su interior quepa la correspondiente parte del cuerpo. *El sombrero* ENTRA *o no* ENTRA *en la cabeza. Este zapato no me* ENTRA. ‖ **5.** Desaguar, desembocar los ríos en otros o en el mar. ‖ **6.** Penetrar o introducirse. *El clavo* ENTRA *en la pared.* ‖ **7.** Acometer, arremeter. *El toro* ENTRA, *o no* ENTRA. ‖ **8.** fig. Ser admitido o tener entrada en alguna parte. *Mi hermano* ENTRA *en palacio; yo, en casa del duque.* ‖ **9.** fig. Empezar a formar parte de una corporación. ENTRAR *en una sociedad comercial, en una academia, en un regimiento.* ‖ **10.** fig. Tratándose de carreras, profesiones, etc., abrazarlas, dedicarse a ellas. ENTRAR *en la milicia, en religión.* Ú. t. c. prnl. ‖ **11.** fig. Tratándose de estaciones o de cualquier otra parte del año, empezar o tener principio. *El verano* ENTRA *el 21 de junio; la cuaresma* ENTRA *este año el día tantos de tal mes.* ‖ **12.** fig. Dicho de escritos o discursos, empezar o tener principio. *Tal libro* ENTRA *hablando de tal cosa.* ‖ **13.** fig. Tratándose de usos o costumbres, seguirlos, adoptarlos. ENTRAR *en las modas.* ENTRAR *en los usos de un pueblo.* ‖ **14.** En el juego de naipes, tomar sobre sí el empeño de ganar la puesta, disputándola según las calidades o leyes de los juegos. ‖ **15.** fig. Tratándose de afectos, estados de ánimo, enfermedades, etc., empezar a dejarse sentir o a ejercer su influencia. ENTRAR *la cólera, el mal humor, la pereza, la calentura, el recargo, la tentación, el sueño.* ‖ **16.** fig. Ser contado con otros en alguna línea o clase. ENTRAR *en el número de los parciales, en la clase de los caballeros.* ‖ **17.** fig. Emplearse o caber cierta porción o número de cosas para algún fin. ENTRAR *tanto paño en un vestido, tantos ladrillos en un solado.* ‖ **18.** fig. Formar parte de la composición de ciertas cosas. *Los cuerpos que* ENTRAN *en una mezcla.* ‖ **19.** fig. Llegar a ejercer influencia en el ánimo de una persona. También en esta acepción suele usarse con algunos de los pronombres personales de dativo. *A Fulano no hay por donde* ENTRARLE. ‖ **20.** Referido a cosas, empezar a tener conocimiento o práctica de ellas. *No pude* ENTRARLE *a la lengua griega.* ‖ **21.** fig. Junto con la preposición *a* y el infinitivo de otros verbos, dar principio a la acción de ellos. ENTRAR *a reinar.* ‖ **22.** fig. Seguido de la preposición *en* y de un nombre, empezar a sentir lo que este nombre signifique. ENTRAR *en cuidado, en recelo, en deseo, en calor.* ‖ **23.** fig. Seguido de la preposición *en* y de un nombre, intervenir o tomar parte en lo que este nombre signifique. ENTRAR *en un negocio, en una conjuración, en un torneo, en disputas.* ‖ **24.** fig. Seguido de la preposición *en* y de voces significativas de edad, empezar a estar en la que se mencione. *Fulano* HA ENTRADO *ya en la pubertad,* O HA ENTRADO *ya en los sesenta años.* ‖ **25.** fig. Seguido de la prep. *en* y de un nombre, formar parte de lo que este nombre significue. *El postre* ENTRA *en el cubierto.* ‖ **26.** *Mús.* Empezar a cantar o tocar en el momento preciso. ‖ **27.** tr. Introducir o hacer **entrar.** ‖ **28.** Invadir u ocupar a fuerza de armas una cosa. ENTRAR *la tierra, la ciudad, un castillo.* ‖ **29.** ant. Apoderarse de una cosa. ‖ **30.** *Dep.* En algunos deportes, ir un jugador al encuentro de otro, generalmente para arrebatarle la pelota. ‖ **31.** *Mar.* Ir alcanzando una embarcación a otra en cuyo seguimiento va. ‖ **32.** prnl. Meterse o introducirse en alguna parte. ‖ **ahora entro yo.** expr. que usa el que ha estado oyendo lo que decía, sin interrumpirle, y luego habla para contradecirle. ‖ **entrar** uno **a servir.** fr. Ser admitido por criado de otro en una casa. ‖ **entrar bien** una cosa. fr. Venir al caso u oportunamente. ‖ **entrar** uno **bien,** o **mal, en** una cosa. fr. fig. Condescender o no convenir en lo que otro dice o propone. ‖ **entrar** uno **dentro de sí,** o **en sí mismo.** fr. fig. Reflexionar sobre su conducta para corregirla y ordenarla en lo sucesivo. ‖ **éntrome acá, que llueve,** o **que me mojo.** expr. fig. y fam. con que se denota la osadía y desenfado de los que se introducen en casa ajena sin otro título que su mismo descaro. ‖ **no entrarle** a uno una cosa. fr. fig. y fam. No ser de su aprobación o dictamen; repugnarle, no creerla. ‖ **2.** fig. y fam. No poder aprenderla o comprenderla. *A este muchacho* NO LE ENTRAN *las matemáticas.* ‖ **no entrarle** a uno una persona o cosa. fr. fig. y fam. Desagradarle o serle antipática o repulsiva. ‖ **no entrar ni salir** uno **en** una cosa. fr. fig. y fam. No intervenir o no tomar parte en ella. *Yo* NO ENTRO NI SALGO EN *ese negocio.*

entrático. m. ant. *Ar., Nav.* y *Rioja.* Entrada de religioso o religiosa.

entrazado, da. adj. *Argent.* y *Chile.* Trazado; con los advs. *bien* o *mal,* se aplica a la persona de buena o mala traza.

entre. (Del lat. *inter*.) prep. que sirve para denotar la situación o estado en medio de dos o más cosas o acciones. ‖ **2.** Dentro de, en lo interior. *Tal pensaba yo* ENTRE *mí.* ‖ **3.** Expresa estado intermedio. ENTRE *dulce y agrio.* ‖ **4.** Como uno de. *Le cuento* ENTRE *mis amigos.* ‖ **5.** Significa cooperación de dos o más personas o cosas. ENTRE *cuatro estudiantes se comieron un cabrito;* ENTRE *seis de ellos traían unas andas.* ‖ **6.** Según costumbre de. ENTRE *sastres.* ‖ **7.** Expresa idea de reciprocidad. *Hablaron* ENTRE *ellos.* ‖ **entre que.** loc. conjunt. pop. **mientras.**

entre-. (De *entre*.) pref. que limita o atenúa el significado del vocablo al que se antepone: ENTRE*ver,* ENTRE*tallar;* otras veces expresa situación o calidad intermedia: ENTRE*acto,* ENTRE*cejo,* ENTRE*fino.*

entreabierto, ta. p. p. irreg. de **entreabrir.**

entreabrir. tr. Abrir un poco o a medias una puerta, ventana, postigo, etc. Ú. t. c. prnl.

entreacto. m. Intermedio en una representación dramática. ‖ **2.** Baile que se ejecuta en este intermedio. ‖ **3.** Cigarro puro cilíndrico y pequeño.

entreancho, cha. adj. Aplícase a aquello que ni es ancho ni angosto.

entrebarrera. f. Espacio que media en las plazas de toros entre la barrera y la contrabarrera. Ú. m. en pl.
entrecalle. f. *Arq.* Separación o intervalo hueco entre dos molduras.
entrecanal. f. *Arq.* Espacio que hay entre las estrías o canales de una columna.
entrecano, na. adj. Dícese del cabello o barba a medio encanecer. ‖ **2.** Aplícase al sujeto que tiene así el cabello.
entrecasco. m. **entrecorteza.**
entrecava. f. Cava ligera y no muy honda.
entrecavar. tr. Cavar ligeramente, sin ahondar.
entrecejo. (Del lat. *intercilĭum.*) m. Espacio que hay entre las cejas. ‖ **2.** fig. Ceño, sobrecejo.
entrecerca. f. Espacio que media entre una cerca y otra.
entrecerrar. tr. Entornar una puerta, ventana, postigo, etc. Ú. t. c. prnl.
entrecielo. m. ant. **toldo,** pabellón o cubierta de tela para hacer sombra.
entrecinta. f. *Arq.* Madero que se coloca entre dos pares de una armadura de tejado paralelamente al tirante.
entreclaro, ra. adj. Que tiene alguna, aunque poca, claridad.
entrecogedura. f. Acción y efecto de entrecoger.
entrecoger. tr. Coger a una persona o cosa de manera que no se pueda escapar, o desprender, sin dificultad. ‖ **2.** fig. Estrechar, apremiar a uno con argumentos, insidias o amenazas, hasta dejarle sin acción o sin respuesta.
entrecolunio. (Del lat. *intercolumnĭum.*) m. ant. *Arq.* **intercolumnio.**
entrecomar. tr. Poner entre comas una o varias palabras.
entrecomillado, da. p. p. de **entrecomillar.** ‖ **2.** m. Acción o efecto de entrecomillar. ‖ **3.** Palabra o palabras citadas entre comillas.
entrecomillar. tr. Poner entre comillas una o varias palabras.
entrecoro. m. Espacio que hay desde el coro a la capilla mayor en las iglesias catedrales y colegiales.
entrecortado, da. p. p. de **entrecortar.** ‖ **2.** adj. Aplícase a la voz o al sonido que se emite con intermitencias.
entrecortadura. f. Corte hecho en una cosa sin dividirla enteramente.
entrecortar. tr. Cortar una cosa sin acabar de dividirla.
entrecorteza. f. Defecto de las maderas que consiste en tener en su interior un trozo de corteza.
entrecot. (Del fr. *entrecôte.*) m. Trozo de carne sacado de entre costilla y costilla de la res.
entrecriarse. prnl. Criarse unas plantas entre otras.
entrecruzamiento. m. Acción y efecto de entrecruzar o entrecruzarse.
entrecruzar. tr. Cruzar dos o más cosas entre sí, enlazar. Ú. t. c. prnl.
entrecubiertas. f. pl. *Mar.* Espacio que hay entre las cubiertas de una embarcación. Ú. t. en sing.
entrecuesto. (Del lat. *inter,* entre, y *costa,* costilla.) m. **espinazo** de los vertebrados. ‖ **2. solomillo.** ‖ **3.** *Sal.* **estorbo.**
entrechocar. tr. Chocar dos cosas una con otra. Ú. t. c. prnl.
entredecir. (Del lat. *interdicĕre.*) tr. ant. Prohibir la comunicación y trato con una persona o cosa. ‖ **2.** Poner entredicho eclesiástico.
entrederramar. tr. ant. Derramar, verter poco a poco una cosa.
entredicto. (Del lat. *interdictum.*) m. ant. **entredicho.**
entredicho, cha. (Del lat. *interdictus.*) p. p. irreg. de **entredecir.** ‖ **2.** m. Prohibición de hacer o decir alguna cosa. ‖ **3.** Censura eclesiástica por la cual se prohíbe a ciertas personas o en determinados lugares el uso de los divinos oficios, la administración y recepción de algunos sacramentos y la sepultura eclesiástica. ‖ **4.** Duda que pesa sobre el honor, la virtud, calidad, veracidad, etc., de alguien o algo. Ú. Generalmente con los verbos *estar, poner, quedar.* ‖ **5.** ant. Contradicción, reparo, obstáculo.
entredoble. adj. Aplícase a los géneros que ni son dobles ni tan sencillos como otros de su clase.
entredós. (Calco del fr. *entre-deux.*) m. Tira bordada o de encaje que se cose entre dos telas. ‖ **2.** Armario de madera fina y de poca altura que suele colocarse en el lienzo de pared comprendido entre dos balcones de una sala. ‖ **3.** *Impr.* Grado de letra mayor que el breviario y menor que el de lectura.
entrefino, na. adj. De una calidad media entre lo fino y lo basto. ‖ **2.** De grosor o tamaño entre lo delgado y lo grueso. ‖ **3.** Dícese del vino de Jerez que tiene algunas de las cualidades del llamado fino.
entreforro. m. **entretela,** lienzo que se pone entre la tela y el forro.
entrega. f. Acción y efecto de entregar. ‖ **2.** Cantidad de cosas que se entregan de una vez. ‖ **3.** Cada uno de los cuadernos impresos en que se divide y expende un libro publicado por partes, o cada libro o fascículo de una serie coleccionable. ‖ **4.** Atención, interés, esfuerzo, etc., en apoyo de una o varias personas, una acción, un ideal, etc. ‖ **5.** V. **novela por entregas.** ‖ **6.** ant. **restitución.** ‖ **7.** *Arq.* Parte de un sillar o madero que se introduce en la pared.
entregadamente. adv. m. ant. Cabal y enteramente; con total entrega, posesión y dominio.
entregado, da. p. p. de **entregar.** ‖ **2.** adj. *Arq.* V. **columna entregada.**
entregador, ra. adj. Que entrega. Ú. t. c. s. ‖ **2.** V. **alcalde, juez entregador.**
entregamiento. m. Acción y efecto de entregar.
entregar. (Del lat. *integrāre,* restituir a su primer estado.) tr. Poner en manos o en poder de otro a una persona o cosa. ‖ **2.** ant. Devolver, restituir. ‖ **3.** *And.* Consumir, deshacer a uno a fuerza de disgustos. ‖ **4.** *Arq.* Introducir el extremo de una pieza de construcción en el asiento donde ha de fijarse. ‖ **5.** prnl. Ponerse en manos de uno, sometiéndose a su dirección o arbitrio; ceder a la opinión ajena. ‖ **6.** Tomar, recibir uno realmente una cosa o encargarse de ella. ‖ **7.** Tomar, aprehender a una persona o cosa; hacerse cargo, apoderarse de ella. ‖ **8.** Dedicarse enteramente a una cosa; emplearse en ella. ‖ **9.** Darse a vicios y pasiones. ‖ **10.** Declararse vencido o sin fuerzas para continuar un empeño o trabajo. ‖ **entregarla.** fam. **morir,** acabar la vida.
entregerir. (Del lat. *intergerĕre.*) tr. desus. Poner, injerir, mezclar una cosa con otra.
entrego, ga. p. p. irreg. ant. de **entregar.** ‖ **2.** m. Acción y efecto de entregar. ‖ **3.** Parte de un sillar o madero.
entregoteado, da. adj. ant. Goteado o salpicado.
entreguerras (de). loc. prepos. que señala el período de paz entre dos guerras consecutivas. Aplícase, en especial, al período que transcurrió, en la historia europea, entre la primera y la segunda guerra mundial.
entreguismo. m. Apocamiento del ánimo que induce a darse por vencido antes de que la derrota sea cierta.
entrehierro. m. *Tecnol.* Espacio comprendido entre la armadura y las piezas polares, en las máquinas eléctricas.
entrejuntar. tr. *Carp.* Juntar y enlazar los entrepaños o tableros de las puertas, ventanas, etc., con los paños o travesaños.
entrelargo, ga. adj. Dícese de cualquier objeto que es algo más largo que ancho.
entrelazamiento. m. Acción y efecto de entrelazar.
entrelazar. tr. Enlazar, entretejer una cosa con otra.
entrelazo. m. *Arq.* Motivo ornamental formado por elementos entrelazados.

entrelínea. f. Lo escrito entre dos líneas.
entrelinear. tr. Escribir algo que se intercala entre dos líneas.
entreliño. m. Espacio de tierra que en las viñas u olivares se deja entre liño y liño.
entrelistado, da. adj. Trabajado a listas de diferente color, o que tiene flores u otras cosas entre lista y lista.
entrelubricán. (De *entre-* y *lubricán.*) m. p. us. Crepúsculo vespertino.
entrelucir. (Del lat. *interlucēre.*) intr. Divisarse, dejarse ver una cosa entremedias de otra.
entrelunio. (Del lat. *interlunĭum.*) m. ant. *Astron.* **interlunio.**
entrellevar. tr. ant. Llevar a una persona o cosa entre otras.
entremediano, na. adj. ant. Que está en medio de los extremos.
entremediar. tr. Poner una cosa entremedias de otras.
entremedias. (De *entre-* y *medio.*) adv. t. y l. Entre uno y otro tiempo, espacio, lugar o cosa.
entremedio, dia. adj. **intermedio,** que está en medio de los extremos. ‖ **2.** adv. **en medio.**
entremés. (Del fr. *entremets.*) m. Cualquiera de los alimentos, como encurtidos, aceitunas, rodajas de embutido, jamón, etc., que se ponen en las mesas para picar de ellos mientras se sirven los platos. Modernamente se suelen tomar antes de la comida. Ú. m. en pl. ‖ **2.** Pieza dramática jocosa y de un solo acto. Solía representarse entre una y otra jornada de la comedia, y primitivamente alguna vez en medio de una jornada. ‖ **3.** ant. Especie de máscara o mojiganga.
entremesar. tr. ant. **entremesear.**
entremesear. tr. Hacer papel en un entremés. ‖ **2.** fig. Mezclar cosas graciosas y festivas en una conversación o discurso, para amenizarlo.
entremesil. adj. Perteneciente o relativo al entremés.
entremesista. com. Persona que compone entremeses o los representa.
entremetedor, ra. adj. ant. **entremetido.**
entremeter. (Del lat. *intermittĕre.*) tr. Meter una cosa entre otras. ‖ **2.** Doblar los pañales que un niño tiene puestos, de modo que la parte seca y limpia quede en contacto con el cuerpo de la criatura. ‖ **3.** prnl. Meterse uno donde no le llaman, inmiscuirse en lo que no le toca. ‖ **4.** Ponerse en medio o entre otros. ‖ **entremeterse** uno **en** una cosa. fr. ant. Intentarla, emprenderla.
entremetido, da. p. p. de **entremeter.** ‖ **2.** adj. Aplícase al que tiene costumbre de meterse donde no le llaman. Ú. t. c. s.
entremetimiento. m. Acción y efecto de entremeter o entremeterse.
entremezcladura. f. Acción y efecto de entremezclar.
entremezclar. tr. Mezclar unas con otras varias cosas.
entremiche. (Del lat. *intermedĭum,* a través del cat. *entremig.*) m. *Mar.* Hueco que queda entre el borde alto del durmiente y el bajo del trancanil. ‖ **2.** *Mar.* Cada una de las piezas de madera que rellenan este hueco entre las extremidades de los baos, con los cuales endientan.
entremiente. (De *entre-* y *mientre.*) adv. t. ant. **entretanto.**
entremijo. (Del lat. *intermissum.*) m. *Sal.* **expremijo.**
entremiso. (Del lat. *intermissum.*) m. **expremijo.**
entremorir. (Del lat. *intermŏri.*) intr. ant. Estarse apagando o extinguiendo alguna cosa.
entremostrar. tr. ant. Mostrar o manifestar escasa o imperfectamente una cosa.
entrenador, ra. m. y f. Persona que entrena. ‖ **de pilotaje.** Artificio en forma de cabina que, sin cambiar de lugar, sirve para que se entrenen en tierra pilotos aeronáuticos.
entrenamiento. m. Acción y efecto de entrenar o entrenarse.
entrenar. (Del fr. *entraîner.*) tr. Preparar, adiestrar personas o animales, especialmente para la práctica de un deporte. Hablando de personas, ú. t. c. prnl.
entrencar. tr. Poner las trencas en las colmenas.
entrenervios. m. pl. Espacios comprendidos entre los nervios del lomo de un libro.
entrenudo. m. Parte del tallo de algunas plantas comprendida entre dos nudos.
entrenzar. tr. Disponer algo en forma de trenza.
entreoír. tr. Oír una cosa sin percibirla bien o entenderla del todo.
entreordinario, ria. adj. Que no es del todo ordinario o basto.
entreoscuro, ra. adj. Que tiene alguna oscuridad.
entrepalmadura. (De *entre-* y *palma.*) f. *Veter.* Enfermedad de las caballerías en la cara palmar del casco, por contusión seguida de supuración.
entrepanes. m. pl. Tierras no sembradas, entre otras que lo están.
entrepañado, da. adj. Hecho o labrado a entrepaños.
entrepaño. m. *Arq.* Parte de la pared comprendida entre dos pilastras, dos columnas o dos huecos. ‖ **2.** *Carp.* Anaquel del estante o de la alacena. ‖ **3.** *Carp.* Cualquiera de las tablas pequeñas o cuarterones que se meten entre los peinazos de las puertas y ventanas.
entreparecerse. prnl. Traslucirse, divisarse una cosa.
entrepaso. m. Modo de andar el caballo, parecido al portante.
entrepechado, da. adj. *León.* Canijo, desmirriado.
entrepechuga. f. Porcioncita de carne que tienen las aves entre la pechuga y la quilla.
entrepeines. m. pl. Lana que queda entre los peines después de haber sacado el estambre.
entrepelado, da. p. p. de **entrepelar.** ‖ **2.** adj. *Veter.* Dícese del ganado caballar cuya capa tiene, sobre fondo oscuro, pelos blancos entremezclados. ‖ **3.** *Argent.* Dícese del ganado caballar de capa indefinida, por la mezcla de pelos de diferentes colores.
entrepelar. intr. Estar mezclado el pelo de un color con el de otro distinto; como blanco y negro. Se usa comúnmente hablando de los caballos. Ú. t. c. prnl.
entrepernar. intr. Meter uno sus piernas entre las de otro.
entrepierna. (De *entre-* y *pierna.*) f. Parte interior de los muslos. Ú. t. en pl. ‖ **2.** Piezas cosidas, entre las hojas de los calzones y pantalones, a la parte interior de los muslos, hacia la horcajadura. Ú. t. en pl. ‖ **3.** *Chile.* Taparrabos, traje de baño. ‖ **pasarse** algo **por la entrepierna.** fr. fig. y vulg. Expresar indiferencia hacia una cosa.
entrepiso. m. Piso que se construye quitando parte de la altura de uno, entre este y el superior. ‖ **2.** *Min.* Espacio entre los pisos o galerías generales de una mina.
entreplanta. f. **entrepiso** de tiendas, oficinas, etc.
entreponer. (Del lat. *interponĕre.*) tr. desus. **interponer.**
entrepostura. f. ant. Efecto de entreponer.
entrepretado, da. (De *entre-* y el lat. *pectus, -ŏris,* pecho.) adj. *Veter.* Dícese de la caballería lastimada de los pechos o brazuelos.
entrepuentes. m. pl. *Mar.* **entrecubiertas.** Ú. t. en sing.
entrepuerta. f. *Rioja.* Compuerta que se pone en un cauce.
entrepuesto, ta. (Del lat. *interposĭtus.*) p. p. irreg. ant. de **entreponer.**
entrepunzadura. f. Latido y dolor que causa un tumor cuando no está bien maduro.
entrepunzar. tr. Punzar una cosa, doler con poca fuerza o con intermisión.

entrerraído, da. adj. Raído por partes, o a medio raer.
entrerrenglonadura. f. Lo escrito en el espacio que media entre dos renglones.
entrerrenglonar. tr. Escribir en el espacio que media entre dos renglones.
entrerriano, na. adj. Natural de la provincia argentina de Entre Ríos. Ú. t. c. s. ‖ **2.** Perteneciente o relativo a esta provincia.
entrerromper. (Del lat. *interrumpĕre.*) tr. ant. **interrumpir,** estorbar o impedir la continuación de algo.
entrerrompimiento. m. ant. **interrupción.**
entrés. (De *en-* y *tres.*) m. Lance del juego del monte, en que, habiéndose duplicado una de las cartas en el albur o el gallo, se apunta a la contraria, con la condición de que la suerte no sea válida en los tres primeros naipes que saque el banquero.
entresaca. f. Acción y efecto de entresacar.
entresacadura. f. Acción y efecto de entresacar.
entresacar. tr. Sacar unas cosas de entre otras. ‖ **2.** Aclarar un monte, cortando algunos árboles, o espaciar las plantas que han nacido muy juntas en un sembrado. ‖ **3.** Cortar parte del cabello cuando este es demasiado espeso.
entreseña. f. ant. **enseña.**
entresijo. (De etim. disc.) m. **mesenterio.** ‖ **2.** fig. Cosa oculta, interior, escondida. ‖ **tener muchos entresijos.** fr. fig. Tener una cosa muchas dificultades o enredos no fáciles de entender o desatar. ‖ **2.** fig. Tener uno mucha reserva; proceder con cautela y disimulo en lo que hace o discurre.
entresuelejo. m. d. de **entresuelo.**
entresuelo. m. Piso situado entre el bajo y el principal de una casa. ‖ **2.** Piso bajo levantado más de un metro sobre el nivel de la calle, y que debajo tiene sótanos o piezas abovedadas.
entresueño. m. Estado intermedio entre la vigilia y el sueño, que se caracteriza por la disminución de lucidez de la conciencia. ‖ **2. duermevela.**
entresurco. m. *Agr.* Espacio que queda entre surco y surco.
entretalla. f. Media talla o bajo relieve.
entretalladura. f. Media talla o bajo relieve.
entretallamiento. m. ant. Cortadura o recortado hecho en una tela.
entretallar. tr. Trabajar una cosa a media talla o bajo relieve. ‖ **2.** Grabar, esculpir. ‖ **3.** Sacar y cortar varios pedazos de una tela, haciendo en ella calados o recortados; como en ciertos bordados, sobrepuestos, etc. ‖ **4.** fig. Coger y estrechar a una persona o cosa, deteniéndole el curso o estorbándole el paso. ‖ **5.** prnl. Encajarse, trabarse unas cosas con otras. ‖ **6.** *Sal.* Encajarse, meterse en un sitio estrecho de donde no se puede salir.
entretanto. adv. t. **entre tanto.** Ú. t. c. s. precedido del artículo *el* o de un demostrativo.
entretecho. m. *Col.* y *Chile.* Desván, sobrado.
entretejedor, ra. adj. Que entreteje.
entretejedura. f. Enlace o labor que hace una cosa entretejida con otra.
entretejer. (Del lat. *intertexĕre.*) tr. Meter o entretejer en la tela que se teje hilos diferentes para que hagan distinta labor. ‖ **2.** Trabar y enlazar una cosa con otra. ‖ **3.** fig. Incluir, entremeter palabras, períodos o versos en un libro o escrito.
entretejimiento. m. Acción y efecto de entretejer.
entretela. f. Lienzo, holandilla, algodón, etc., que se pone entre la tela y el forro de una prenda de vestir. ‖ **2.** pl. fig. y fam. Lo íntimo del corazón, las entrañas.
entretelar. tr. Poner entretela en un vestido, chaqueta, etc. ‖ **2.** *Impr.* Satinar, hacer que desaparezca la huella en los pliegos impresos.
entretención. f. *Amér.* Entretenimiento, diversión.
entretenedor, ra. adj. Que entretiene. Ú. t. c. s.
entretener. tr. Distraer a alguien impidiéndole hacer algo. Ú. t. c. prnl. ‖ **2.** Hacer menos molesta y más llevadera una cosa. ‖ **3.** Divertir, recrear el ánimo de uno. ‖ **4.** Dar largas, con pretextos, al despacho de un negocio. ‖ **5.** Mantener, conservar. ‖ **6.** prnl. Divertirse jugando, leyendo, etc.
entretenida[1] (dar a uno la, o con la). fr. Entretenerle con palabras o excusas para no hacer lo que solicita que se ejecute.
entretenida[2]. (Calco del fr. *entretenue.*) f. Querida a la que su amante sufraga los gastos.
entretenido, da. p. p. de **entretener.** ‖ **2.** adj. Chistoso, divertido, de genio y humor festivo y alegre. ‖ **3.** *Blas.* Dícese de dos cosas que se tienen una a otra; como dos llaves enlazadas por sus anillos. ‖ **4.** m. desus. Aspirante a oficio o cargo, que mientras lo alcanzaba tenía algunos gajes.
entretenimiento. m. Acción y efecto de entretener o entretenerse. ‖ **2.** Cosa que sirve para entretener o divertir. ‖ **3.** Mantenimiento o conservación de una persona o cosa. ‖ **4.** ant. Ayuda de costa, pensión o gratificación pecuniaria que se daba a uno para su manutención.
entretiempo. m. Tiempo de primavera o de otoño próximo al verano y de temperatura suave.
entretomar. tr. ant. Emprender, intentar. ‖ **2.** ant. Entrecoger, detener una cosa entre otras.
entreuntar. tr. Untar por encima; medio untar.
entrevar. (Del prov. *entrevar.*) tr. *Germ.* Entender, conocer.
entrevenarse. prnl. Introducirse un humor o líquido por las venas.
entrevenimiento. m. ant. **intervención.**
entrevenir. (Del lat. *intervenire.*) intr. desus. **intervenir.**
entreventana. f. Espacio de pared que hay entre dos ventanas.
entrever. tr. Ver confusamente una cosa. ‖ **2.** Conjeturar algo, sospecharlo, adivinarlo.
entreverado, da. p. p. de **entreverar.** ‖ **2.** adj. Que tiene interpoladas cosas varias y diferentes. ‖ **3.** V. **tocino entreverado.** ‖ **4.** m. *Venez.* Asadura de cordero o de cabrito aderezada con sal y vinagre.
entreverar. (Del lat. *inter,* entre, y *variāre,* variar.) tr. Mezclar, introducir una cosa entre otras. ‖ **2.** prnl. *Argent.* y *Perú.* Mezclarse desordenadamente personas, animales o cosas. ‖ **3.** *Argent.* Chocar dos masas de caballería y luchar cuerpo a cuerpo los jinetes.
entrevero. m. *Argent., Chile, Perú* y *Urug.* Acción y efecto de entreverarse. ‖ **2.** *Argent., Chile* y *Perú.* Confusión, desorden.
entrevía. f. Espacio libre que queda entre los dos rieles de un ferrocarril.
entrevigado. m. *Albañ.* Acción y efecto de entrevigar.
entrevigar. tr. Rellenar los espacios entre las vigas de un piso.
entrevista. f. Acción y efecto de entrevistar o entrevistarse. ‖ **2.** Vista, concurrencia y conferencia de dos o más personas en lugar determinado, para tratar o resolver un negocio.
entrevistador, ra. m. y f. Persona que hace entrevistas.
entrevistar. tr. Mantener una conversación con una o varias personas, acerca de ciertos extremos para informar al público de sus respuestas. ‖ **2.** prnl. Tener una conversación con una o varias personas para un fin determinado.
entrevolver. tr. ant. Envolver entre otras cosas.

entrevuelta. f. *Agr.* Surco corto que el que ara da por un lado de la besana para enderezarla si va torcida.
entreyacer. (Del lat. *interiacēre.*) intr. ant. Mediar o estar en medio.
entricación. f. ant. **intricación.**
entricadamente. adv. m. ant. **intricadamente.**
entricadura. f. ant. **entricamiento.**
entricamiento. m. ant. **intricamiento.**
entricar. tr. ant. **intricar.**
entrico. (De *entricar.*) m. ant. **entricamiento.**
entriega. (De *entregar.*) f. ant. Parte de un madero que se introduce en la pared.
entriego. m. ant. **entrega,** acción y efecto de entregar.
entrillado, da. p. p. de **entrillar.** ‖ **2.** adj. *Extr.* Dícese del día en que se hace puente; el de trabajo que se considera feriado por estar comprendido entre dos festivos.
entrillar. tr. *Extr.* Coger, aprisionar oprimiendo. Ú. t. c. prnl.
entripado, da. adj. Que está, toca o molesta en las tripas. *Dolor* ENTRIPADO; *tabardillo* ENTRIPADO. Ú. t. c. s. m ‖ **2.** Aplícase al animal muerto al que no se han sacado las tripas. ‖ **3.** m. fig. y fam. Enojo, encono o sentimiento que uno tiene y se ve precisado a disimular.
entristar. tr. ant. **entristecer.**
entristecedor, ra. adj. Que entristece.
entristecer. tr. Causar tristeza. ‖ **2.** Poner de aspecto triste. ‖ **3.** intr. ant. **entristecerse.** ‖ **4.** prnl. Ponerse triste y melancólico.
entristecimiento. m. Acción y efecto de entristecer o entristecerse.
entrizar. (Del lat. *in,* en, y **strictiāre,* de *strictus,* apretado.) tr. *Sal.* y *Zam.* Apretar, estrechar, meter en un sitio estrecho.
entro. (Del lat. *intro.*) prep. ant. Hasta un lugar.
entrojar. tr. Guardar en la troje frutos, y especialmente cereales.
entrometer. (Del lat. *intromittĕre.*) tr. **entremeter.** Ú. t. c. prnl.
entrometido, da. p. p. de **entrometer.** ‖ **2.** adj. **entremetido.** Ú. t. c. s.
entrometimiento. m. **entremetimiento.**
entronar. tr. **entronizar.**
entroncamiento. m. Acción y efecto de entroncar.
entroncar. tr. Establecer o reconocer una relación o dependencia entre personas, ideas, acciones, etc. ‖ **2.** *And.* y *Méj.* Emparejar dos caballos o yeguas del mismo pelo. ‖ **3.** intr. Tener parentesco con un linaje o persona. Ú. t. c. prnl. ‖ **4.** Contraer parentesco con un linaje o persona. Ú. t. c. prnl. ‖ **5.** *Cuba, Méj., Perú* y *P. Rico.* Empalmar dos líneas de transporte. Ú. t. c. prnl.
entronecer. tr. ant. Deteriorar, maltratar.
entronerar. tr. Meter o encajar una bola en cualquiera de las troneras de la mesa en que se juega a los trucos. Ú. t. c. prnl.
entronización. f. Acción y efecto de entronizar o entronizarse.
entronizar. tr. Colocar en el trono. ‖ **2.** fig. Ensalzar a uno; colocarle en alto estado. ‖ **3.** prnl. fig. Engreírse, envanecerse.
entronque. m. Relación de parentesco entre personas que tienen un tronco común. ‖ **2.** *Cuba* y *P. Rico.* Acción y efecto de entroncar o empalmar.
entropezado, da. p. p. de **entropezar.** ‖ **2.** adj. ant. Enmarañado o enredado.
entropezar. (Del lat. vulg. **interpediāre,* por *interpedire,* impedir.) intr. ant. **tropezar.**
entropía. (Del gr. ἐντροπία, vuelta, usado en varios sentidos figurados.) f. *Fís.* Función termodinámica que es una medida de la parte no utilizable de la energía contenida en un sistema. ‖ **2.** *Inform.* Medida de la incertidumbre existente ante un conjunto de mensajes, del cual va a recibirse uno solo. ‖ **3.** *Mec.* Medida del desorden de un sistema: una masa de una sustancia con sus moléculas regularmente ordenadas, formando un cristal, tiene mucho menor **entropía** que la misma sustancia en forma de gas con sus moléculas libres y en pleno desorden.
entropiezo. (De *entropezar.*) m. ant. **tropezón.**
entropillar. tr. *Argent.* y *Urug.* Acostumbrar a los caballos a vivir en tropilla.
entropión. (Del gr. ἐντροπή, vuelta.) m. *Med.* Inversión hacia dentro del borde del párpado inferior por contracción muscular o por retracción cicatrizal.
entruchada. (De *entruchar.*) f. fam. Cosa hecha por confabulación de algunos con engaño o malicia.
entruchado, da. p. p. de **entruchar.** ‖ **2.** m. fam. **entruchada.** ‖ **3.** fam. *And.* Enojo reconcentrado.
entruchar. tr. fam. Atraer a uno con disimulo y engaño, para meterle en un negocio. ‖ **2.** *Germ.* **entrevar.**
entruchón, na. adj. fam. Que hace o practica entruchadas. Ú. t. c. s.
entruejo. (Del lat. **introitŭlus,* dim. de *introĭtus,* entrada de la cuaresma, de donde el ant. *entroido.*) m. **antruejo.**
entrujar[1]**.** tr. Guardar en la truja la aceituna.
entrujar[2]**.** (De *troje.*) tr. **entrojar.** ‖ **2.** fig. y fam. **embolsar,** guardar en la bolsa.
entubación. f. Acción y efecto de entubar.
entubajar. intr. *Germ.* Deshacer engaños.
entubar. tr. Poner tubos a alguien o en alguna cosa. ‖ **2.** *Med.* **intubar.**
entuerto. (Del lat. *intortus.*) m. Tuerto o agravio. ‖ **2.** fam. V. **desfacedor de entuertos.** ‖ **3.** pl. Dolores de vientre que suelen sobrevenir a las mujeres poco después de haber parido.
entullecer. (De *en* y *tullecer.*) tr. fig. Suspender, detener la acción o movimiento de una cosa. ‖ **2.** intr. **tullirse.** Ú. t. c. prnl.
entumecer. (Del lat. *intumescĕre,* hincharse.) tr. Impedir, entorpecer el movimiento o acción de un miembro o nervio. Ú. m. c. prnl. ‖ **2.** prnl. fig. Alterarse, hincharse. Se usa más comúnmente hablando del mar o de los ríos caudalosos.
entumecimiento. m. Acción y efecto de entumecer o entumecerse.
entumirse. (Del lat. **intumēre.*) prnl. Entorpecerse un miembro o músculo por haber estado encogido o sin movimiento, o por compresión de algún nervio.
entunicar. tr. Cubrir o vestir con una túnica. ‖ **2.** Dar dos capas de cal y arena gruesa a la pared que se ha de pintar al fresco.
entuñarse. prnl. *Sal.* Llenarse de fruto los árboles o las vides.
entupir. (De *en-* y *tupir.*) tr. Obstruir o cerrar un conducto. Ú. t. c. prnl. ‖ **2.** Comprimir y apretar una cosa.
enturar. tr. *Germ.* **dar.** ‖ **2.** *Germ.* **mirar.**
enturbiador, ra. adj. Que enturbia.
enturbiamiento. m. Acción y efecto de enturbiar o enturbiarse.
enturbiar. tr. Hacer o poner turbia una cosa. Ú. t. c. prnl. ‖ **2.** fig. Turbar, alterar el orden. ‖ **3.** Oscurecer lo que estaba claro y bien dispuesto. Ú. t. c. prnl.
entusiasmar. tr. Infundir entusiasmo; causar ardiente y fervorosa admiración. Ú. t. c. prnl.
entusiasmo. (Del lat. tardío *enthusiasmus,* y este del gr. ἐνθουσιασμός.) m. Furor o arrobamiento de las sibilas al dar sus oráculos. ‖ **2.** Inspiración divina de los profetas. ‖ **3.** Inspiración fogosa y arrebatada del escritor o del artista, y especialmente del poeta o del orador. ‖ **4.** Exaltación y fogosidad del ánimo, excitado por cosa que lo admire o

cautive. ‖ **5.** Adhesión fervorosa que mueve a favorecer una causa o empeño.

entusiasta. (Del lat. tardío *enthusiasta,* y este del gr. ἐνθουσιαστής, inspirado.) adj. Que siente entusiasmo por una persona o cosa. Ú. t. c. s. ‖ **2.** Propenso a entusiasmarse. Ú. t. c. s. ‖ **3. entusiástico.**

entusiástico, ca. (Del gr. ἐνθουσιαστικός.) adj. Perteneciente o relativo al entusiasmo; que lo denota o expresa.

enucleación. (Del lat. *enucleāre,* extirpar una glándula.) f. *Cir.* Extirpación de un órgano, glándula, quiste, etc., a la manera como se saca el hueso de una fruta.

énula campana. (Del lat. *inŭla.*) f. **helenio,** planta.

enumeración. (Del lat. *enumeratĭo, -ōnis.*) f. Acción y efecto de enumerar. ‖ **2.** Expresión sucesiva de las partes de que consta un todo, de las especies que comprende un género, etc. ‖ **3.** Cómputo o cuenta numeral de las cosas. ‖ **4.** *Ret.* Parte del epílogo de algunos discursos en que, se repiten juntas, con brevedad, las razones antes expuestas separada y extensamente. ‖ **5.** *Ret.* Figura que consiste en enumerar o referir rápida y animadamente varias ideas o distintas partes de un concepto o pensamiento general.

enumerar. (Del lat. *enumerāre.*) tr. Enunciar sucesivamente y ordenadamente las partes de un conjunto o de un todo.

enumerativo, va. adj. Que enumera o que contiene una enumeración.

enunciación. (Del lat. *enuntiatĭo, -ōnis.*) f. Acción y efecto de enunciar.

enunciado, da. p. p. de **enunciar.** ‖ **2.** m. **enunciación.** ‖ **3.** *Ling.* En ciertas escuelas lingüísticas, secuencia finita de palabras delimitada por silencios muy marcados. Puede estar constituida por una o varias oraciones.

enunciar. (Del lat. *enuntiāre.*) tr. Expresar breve y sencillamente una idea. ‖ **2.** *Mat.* Exponer el conjunto de datos que componen un problema.

enunciativo, va. (Del lat. *enuntiatīvus.*) adj. Dícese de lo que enuncia. ‖ **2.** *Ling.* Dícese de las oraciones que afirman o niegan algo de un sujeto. Opónense a las imperativas, exclamativas, interrogativas y desiderativas.

enuresis. f. *Med.* Incontinencia urinaria.

envacar. tr. *Sal.* Traer la res a la vacada.

envaguecer. tr. Hacer que algo se difumine o pierda sus contornos.

envainador, ra. adj. Que envaina. ‖ **2.** *Bot.* V. **hoja envainadora.**

envainar. tr. Meter en la vaina la espada u otra arma blanca. ‖ **2.** Ceñir una cosa con otra manera de vaina.

envalentonamiento. m. Acción y efecto de envalentonar o envalentonarse.

envalentonar. (De *en-* y *valentón.*) tr. Infundir valentía o más bien arrogancia. ‖ **2.** prnl. Cobrar valentía o echárselas de valiente.

envalijar. tr. Meter en la valija una cosa.

envanecer. (Del lat. *in,* en, y *vanescĕre,* desvanecer.) tr. Causar o infundir soberbia o vanidad a uno. Ú. t. c. prnl. ‖ **2.** prnl. p. us. Quedarse vano el fruto de una planta por haberse secado o podrido su meollo. Ú. t. c. tr. Ú. en Chile. *El trigo* SE HA ENVANECIDO *con estas heladas.*

envanecimiento. m. Acción y efecto de envanecer o envanecerse.

envarado[1], da. p. p. de **envarar.** ‖ **2.** adj. fig. Dícese de la persona estirada, orgullosa. Ú. t. c. s.

envarado[2]. m. *Perú.* Autoridad de las comunidades indígenas cuya misión es ejercer funciones municipales y componer amigablemente las diferencias.

envaramiento. m. Acción y efecto de envarar o envararse.

envarar. (De *en-* y *vara.*) tr. Entorpecer, entumecer o impedir el movimiento de un miembro. Ú. m. c. prnl. ‖ **2.** prnl. fig. y fam. **ensoberbecerse,** llenarse de soberbia.

envarbascar. (De *en-* y *varbasco.*) tr. Inficionar el agua con verbasco u otra sustancia análoga para atontar a los peces.

envarescer. tr. ant. Pasmar, sorprender. ‖ **2.** intr. ant. Pasmarse, sorprenderse.

envaronar. (De *en-* y *varón.*) intr. p. us. Crecer con robustez.

envasado, da. p. p. de **envasar.** ‖ **2.** m. Acción y efecto de envasar.

envasador, ra. adj. Que envasa. Ú. t. c. s. ‖ **2.** m. Embudo grande por el cual se echan los líquidos en pellejos y toneles.

envasar. tr. Echar en vasos o vasijas un líquido. ‖ **2.** Echar el trigo en los costales, o poner cualquier otro género en su envase. ‖ **3.** fig. Beber con exceso. ‖ **4.** fig. Introducir en el cuerpo de uno la espada u otra arma punzante.

envase. m. Acción y efecto de envasar. ‖ **2.** Recipiente o vaso en que se conservan y transportan ciertos géneros. ‖ **3.** Todo lo que envuelve o contiene artículos de comercio u otros efectos para conservarlos o transportarlos.

envedijarse. prnl. Enredarse o hacerse vedijas en el pelo, la lana, etc. ‖ **2.** fig. y fam. Enzarzarse, enredarse unos con otros riñendo y pasando de las palabras a las manos.

envegarse. (De *en-* y *vega.*) prnl. *Chile.* Empantanarse, tener exceso de humedad un terreno.

envejecer. tr. Hacer vieja a una persona o cosa. ‖ **2.** intr. Hacerse vieja o antigua una persona o cosa. Ú. t. c. prnl. ‖ **3.** Durar, permanecer por mucho tiempo.

envejecido, da. p. p. de **envejecer.** ‖ **2.** adj. fig. Acostumbrado, experimentado. ‖ **3.** Que viene de mucho tiempo atrás.

envejecimiento. m. Acción y efecto de envejecer.

envelar. tr. ant. Cubrir con velo una cosa. ‖ **2.** intr. *Chile.* Huir. ‖ **envelárselas.** fr. fam. Huir.

envenenador, ra. adj. Que envenena. Ú. t. c. s.

envenenamiento. m. Acción y efecto de envenenar o envenenarse.

envenenar. tr. Emponzoñar, inficionar con veneno. Ú. t. c. prnl. ‖ **2.** fig. Acriminar, interpretar en mal sentido las palabras o acciones. ‖ **3.** fig. Inficionar con malas doctrinas o falsas creencias.

enverar. (Del lat. *in,* en, y *variāre,* cambiar de color.) intr. Empezar las uvas y otras frutas a tomar color de maduras.

enverdecer. intr. Reverdecer el campo, las plantas, etc.

enverdir. tr. ant. Teñir de verde.

envergadura. (De *envergar.*) f. *Mar.* Ancho de una vela contado en el grátil. ‖ **2.** *Zool.* Distancia entre las puntas de las alas de las aves cuando aquellas están completamente abiertas. ‖ **3.** Por ext., distancia entre los extremos de las alas de un avión o de los brazos humanos completamente extendidos en cruz. ‖ **4.** fig. Importancia, amplitud, alcance.

envergar. tr. *Mar.* Sujetar, atar las velas a las vergas.

envergonzado, da. p. p. de **envergonzar.** ‖ **2.** adj. ant. **vergonzante.**

envergonzamiento. m. ant. Vergüenza, empacho.

envergonzante. p. a. ant. de **envergonzar.** Que envergüenza. ‖ **2.** adj. ant. **vergonzante.**

envergonzar. tr. ant. **avergonzar.** Usáb. t. c. prnl. ‖ **2.** ant. Reverenciar o respetar.

envergue. (De *envergar.*) m. *Mar.* Cada uno de los cabos delgados que pasan por los ollaos de la vela y sirven para afirmarla al nervio de la verga. ‖ **2.** *Mar.* Acción y efecto de envergar.

enverjado. m. Conjunto de rejas de un edificio o de una verja.

envernadero. m. ant. **invernadero.**

envernar. intr. ant. **invernar.**
enverniego, ga. adj. ant. **invernizo.**
envero. (De *enverar.*) m. Color que toman las uvas y otras frutas cuando empiezan a madurar. ‖ **2.** Uva que tiene este color.
enversado, da. adj. ant. Decíase de lo que estaba revocado en un edificio.
envés. (Del lat. *inversum.*) m. Parte opuesta al haz de una tela o de otras cosas. ‖ **2.** fam. **espalda.** ‖ **3.** *Bot.* Cara inferior de la hoja, opuesta al haz.
envesado, da. adj. Que manifiesta el envés. Dícese comúnmente del cordobán.
envesar. (De *envés.*) tr. *Germ.* Dar azotes a uno.
envestidura. f. **investidura.**
envestir. (Del lat. *investire.*) tr. **investir.** ‖ **2.** ant. Revestir, cubrir.
enviada. f. Acción y efecto de enviar. ‖ **2.** Embarcación que lleva a puerto la pesca que va capturando otra mayor.
enviadizo, za. adj. Que se envía o se suele enviar.
enviado, da. p. p. de **enviar.** ‖ **2.** m. y f. Persona que va por mandado de otro con un mensaje, recado o comisión. ‖ **extraordinario.** Agente diplomático de la misma categoría que el ministro plenipotenciario.
enviajado, da. (De *viaje*[2].) adj. *Arq.* Oblicuo, sesgado.
enviar. (Del lat. tardío *inviāre.*) tr. Encomendar a una persona que vaya a alguna parte. ‖ **2.** Hacer que una cosa se dirija o sea llevada a alguna parte. ‖ **3.** ant. Dirigir, encaminar. ‖ **4.** ant. Desterrar, extrañar. ‖ **enviar** a uno **a pasear.** fr. fig. y fam. **enviarle a paseo.** ‖ **enviar** a uno **noramala.** fr. Despedirle con enfado o disgusto, o darle a entender que lo que propone, dice o hace no merece crédito o aprobación.
enviciamiento. m. Acción y efecto de enviciar o enviciarse.
enviciar. tr. Corromper con un vicio. ‖ **2.** intr. Echar las plantas muchas hojas y poco fruto. Ú. t. c. prnl. ‖ **3.** prnl. Aficionarse demasiado a una cosa; darse con exceso a ella. ‖ **4.** fig. Deformarse una cosa por haber estado mucho tiempo en mala posición.
enviciosarse. (De *en-* y *vicioso.*) prnl. ant. Hacerse vicioso de una cosa.
envidada. f. Acción y efecto de envidar.
envidador, ra. adj. Que envida en el juego. Ú. t. c. s.
envidar. (Del lat. *invitāre.*) tr. Hacer envite en el juego. ‖ **2.** ant. **invitar.** ‖ **envidar de,** o **en, falso.** fr. **envidar** con poco juego, con la esperanza de que el contrario no admita. ‖ **2.** fig. Convidar a uno con una cosa, deseando que no la acepte.
envidia. (Del lat. *invidĭa.*) f. Tristeza o pesar del bien ajeno. ‖ **2.** Emulación, deseo de algo que no se posee. ‖ **comerse** uno **de envidia.** fr. fig. y fam. Estar enteramente poseído de ella.
envidiable. adj. Digno de ser deseado y apetecido.
envidiador, ra. adj. ant. **envidioso.** Usáb. t. c. s.
envidiar. tr. Tener envidia, dolerse del bien ajeno. ‖ **2.** fig. Desear, apetecer algo que tienen otros. ‖ **no tener que envidiar,** o **tener poco que envidiar,** una persona o cosa a otra. fr. fig. No ser inferior a ella.
envidioso, sa. adj. Que tiene envidia. Ú. t. c. s.
envido. (De *envidar.*) m. Envite de dos tantos en el juego del mus.
enviejar. intr. **envejecer.** Ú. en Salamanca.
envigado, da. p. p. de **envigar.** ‖ **2.** m. Conjunto de las vigas de un edificio.
envigar. tr. Asentar las vigas de un edificio. Ú. t. c. intr.
envilecedor, ra. adj. Que envilece.
envilecer. tr. Hacer vil y despreciable una cosa. ‖ **2.** Hacer que descienda el valor de una moneda, un producto, una acción de bolsa, etc. Ú. t. c. prnl. ‖ **3.** prnl. Rebajarse, perder uno la estimación que tenía.
envilecimiento. m. Acción y efecto de envilecer o envilecerse.
envilortar. tr. *Sal.* Atar los haces con vilortos o vencejos.
envinagrar. tr. Echar vinagre en una cosa.
envinar. tr. Echar vino en el agua.
envío. m. Acción y efecto de enviar. ‖ **2.** Remesa.
envión. (De *enviar.*) m. **empujón.**
envirar. (De *en-* y *vira.*) tr. Clavar o unir con estaquillas de madera los corchos con que se forman las colmenas.
envirotado, da. (De *en-* y *virote,* hombre tieso.) adj. fig. p. us. Aplícase al sujeto entonado y tieso en demasía.
enviscamiento. m. Acción y efecto de enviscar o enviscarse.
enviscar[1]. (De *en-* y *visco.*) tr. Untar alguna cosa con liga para que se peguen en ella los pájaros, a fin de cazarlos. ‖ **2.** prnl. Pegarse los pájaros y los insectos con la liga.
enviscar[2]. tr. **azuzar.** ‖ **2.** fig. Irritar, enconar los ánimos.
enviso, sa. (Del lat. *in,* en, y *visus,* vista.) adj. ant. Sagaz, advertido.
envite. (Del cat. *envite.*) m. Apuesta que se hace en algunos juegos de naipes y otros, parando, además de los tantos ordinarios, cierta cantidad a un lance o suerte. ‖ **2.** fig. Ofrecimiento de una cosa. ‖ **3.** Envión, empujón. ‖ **ahorrar,** o **acortar, envites.** fr. Abreviar, acortar razones. ‖ **al primer envite.** loc. adv. De buenas a primeras.
enviudar. intr. Quedar viudo o viuda.
envolcarse. (Del lat. vulg. **involvicāre,* envolver.) prnl. ant. **envolverse.**
envoltorio. (De *envuelto.*) m. Lío hecho de paños, lienzos u otras cosas. ‖ **2.** Defecto en el paño, por haberse mezclado alguna especie de lana no correspondiente a la clase del tejido. ‖ **3.** Envoltura.
envoltura. (De *envuelto.*) f. Conjunto de pañales, mantillas y otros paños con que se envuelve a los niños en su primera infancia. Ú. t. en pl. ‖ **2.** Capa exterior que cubre natural o artificialmente una cosa.
envolvedero. m. **envolvedor.**
envolvedor. m. Paño o cualquier otra cosa que sirve para envolver. ‖ **2.** Mesa o camilla en donde se envuelve a los niños.
envolvente. p. a. de **envolver.** Que envuelve o rodea. Ú. t. c. adj.
envolver. (Del lat. *involvĕre.*) tr. Cubrir un objeto parcial o totalmente, ciñéndolo de tela, papel u otra cosa análoga. ‖ **2.** Rodear una cosa a otra por todas sus partes. Ú. t. en sent. fig. ‖ **3.** Vestir al niño con los pañales y mantillas. ‖ **4.** Arrollar o devanar un hilo, cinta, etc., en alguna cosa. ENVUELVE *el hilo en el bolillo de hacer encaje.* ‖ **5.** fig. Rodear a uno, en la disputa, de argumentos o sofismas, dejándolo cortado y sin salida. ‖ **6.** fig. Mezclar o complicar a uno en un asunto o negocio, haciéndole tomar parte en él. Ú. t. c. prnl. ‖ **7.** *Mil.* Rebasar por uno de sus extremos la línea de combate del enemigo, colocando a su flanco e incluso a su retaguardia fuerzas que le ataquen en combinación con las que le acometen de frente. ‖ **8.** prnl. fig. Liarse dos personas. ‖ **9.** fig. Mezclarse y meterse entre otros, como sucede en las acciones de guerra.
envolvimiento. m. Acción y efecto de envolver o envolverse. ‖ **2.** p. us. **revolcadero.**
envuelto, ta. (Del lat. vulg. **involtus.*) p. p. irreg. de **envolver.** ‖ **2.** m. *Méj.* Tortilla de maíz aderezada y enrollada. ‖ **3.** f. pl. *Sal.* Envoltura del niño de pecho.
enyerbar. tr. *Méj.* Dar a alguien un bebedizo venenoso. ‖ **2.** prnl. Cubrirse de yerba un terreno.
enyertar. tr. ant. Poner yerta una cosa. Usáb. t. c. prnl.
enyesado, da. p. p. de **enyesar.** ‖ **2.** m. Acción y efecto

de enyesar. ‖ **3.** Operación de echar yeso a los vinos para aumentar su fuerza o favorecer su conservación.

enyesadura. f. Acción y efecto de enyesar.

enyesar. tr. Tapar o acomodar una cosa con yeso. ‖ **2.** Igualar o allanar con yeso las paredes, los suelos, etc. ‖ **3.** Agregar yeso a alguna cosa. ‖ **4.** *Cir.* **escayolar.**

enyescarse. (De *en-* y *yesca.*) prnl. ant. Encenderse, inflamarse.

enyugamiento. (De *enyugar.*) m. ant. Casamiento, matrimonio.

enyugar. tr. Uncir y poner el yugo a los bueyes o mulas de labranza. ‖ **2.** Poner el yugo a una campana. ‖ **3.** prnl. ant. fig. **casar**[3], contraer matrimonio.

enyuntar. (De *en-* y *yunta.*) tr. ant. Juntar o uncir.

enza. (Del lat. *index, -ĭcis.*) f. *Murc.* Señuelo, cimbel. ‖ **2.** fig. *Murc.* Señuelo, cualquier cosa que sirve para atraer. ‖ **3.** fig. *Murc.* Inclinación, afición.

enzainarse. prnl. Ponerse a mirar a lo zaino. ‖ **2.** fam. Hacerse traidor, falso o poco seguro en el trato.

enzalamar. tr. fam. Azuzar, cizañar.

enzamarrado, da. adj. Cubierto y abrigado con zamarra.

enzarzada. (De *enzarzar*[1].) f. desus. *Mil.* Fortificación pasajera, consistente en un fuerte atrincheramiento en un bosque, en una garganta, en un paso importante, y que se procura ocultar al enemigo.

enzarzar[1]**.** tr. Poner zarzas en una cosa o cubrirla de ellas. ‖ **2.** fig. Enredar a varios entre sí, sembrando discordias y disensiones. Ú. t. c. prnl. ‖ **3.** prnl. Enredarse en las zarzas, matorrales o cualquier otra cosa. ‖ **4.** fig. Meterse en negocios arduos y de salida dificultosa. ‖ **5.** fig. Reñir, pelearse.

enzarzar[2]**.** tr. Poner zarzos en los lugares donde se crían los gusanos de seda.

enzima. (Del gr. ἐν, en, y ζύμη, levadura.) amb. *Bioquím.* Sustancia proteínica que producen las células vivas y que actúa como catalizador de los procesos del metabolismo. Es específica para cada reacción o grupo de reacciones.

enzimático, ca. adj. Perteneciente o relativo a las enzimas.

enzimología. f. Ciencia que estudia las enzimas.

enzootia. (Del gr. ἐν, en, y ζῳότης, naturaleza animal.) f. *Veter.* Cualquier enfermedad que acomete a una o más especies de animales en determinado territorio, por causa o influencia local.

enzoquetar. tr. Poner zoquetes o tacos de madera en un entramado para evitar que se muevan los maderos o que haya pandeo.

enzunchar. tr. Asegurar y reforzar cajones, fardos, etc., con zunchos o flejes.

enzurdecer. intr. Hacerse o volverse zurdo.

enzurizar. (De *en-* y *zuriza.*) tr. Azuzar, enzarzar o sembrar la discordia entre varias personas.

enzurronar. tr. Meter en un zurrón o una bolsa de cuero. ‖ **2.** fig. y fam. Incluir o encerrar una cosa en otra.

enzurronarse. (De *en-* y *zurrón,* cáscara.) prnl. *Ar., Pal.* y *Sal.* No llegar a granar los cereales por exceso de calor y falta de humedad.

-eña. V. **-eño.**

eñe. f. Nombre de la letra *ñ.*

-eño, ña. (Del lat. *-inĕus.*) suf. de adjetivos, a veces convertidos en sustantivos, de variados significados, como «hecho de»: *barr*EÑO, *madr*EÑA; «semejante a»: *aguil*EÑO, *trigu*EÑO; «natural de»: *brasil*EÑO, *malagu*EÑO, *isl*EÑO; «pertenenciente a» o «relacionado con»: *navid*EÑO, *riber*EÑO, *abril*EÑO.

-eo[1]**.** suf. de sustantivos derivados de verbos en **-ear,** que significa acción y efecto: *coquet*EO, *veran*EO, *pas*EO, *got*EO.

-eo[2]**, a.** (Del lat. *-aeus, -eīus, -ēus.*) suf. de adjetivos cultos, en su mayoría heredados del latín, pero otros formados en español, que generalmente significa relación o pertenencia: *gigant*EO, *sab*EO, *pegas*EO, *cibel*EO, *gencian*EO.

-eo, a. (Del lat. *-ĕus.*) suf. de adjetivos, casi todos de origen latino, que suele significar «perteneciente o relativo a» o «de la naturaleza de»: *argént*EO, *lác*tEO, *arbór*EO, *marmór*EO, *irid*EO.

eocénico, ca. adj. *Geol.* **eoceno.**

eoceno, na. (Del gr. ἠώς, aurora, y καινός, reciente.) adj. *Geol.* Dícese de la época o período del terciario que sigue al paleoceno. Ú. t. c. s. ‖ **2.** Perteneciente o relativo a esta época o período.

eólico[1]**, ca.** (Del lat. *Aeolĭcus.*) adj. Perteneciente o relativo a los eolios o a la Eólide. ‖ **2.** Dícese de uno de los cuatro principales dialectos de la lengua griega, hablado en la Eólide. Ú. t. c. s. m. ‖ **3.** Perteneciente o relativo a este dialecto.

eólico[2]**, ca.** (Del lat. *Aeolĭcus,* perteneciente o relativo a Éolo o Eolo, dios de los vientos en la mitología homérica.) adj. Perteneciente o relativo a Éolo. ‖ **2.** Perteneciente o relativo al viento. ‖ **3.** Producido o accionado por el viento. *Erosión* EÓLICA, *rotor* EÓLICO.

eolio[1]**, lia.** (Del lat. *Aeolĭus.*) adj. **eólico**[1]**.**

eolio[2]**, lia.** (Del lat. *Aeolĭus.*) adj. **eólico**[2]**.**

eolito. (Del gr. ἠώς, aurora, y λίθος, piedra.) m. Piedra de cuarzo usada en su forma natural como instrumento por el hombre primitivo.

eón. (Del lat. *aeon, aeōnis,* y este del gr. αἰών, el tiempo, la eternidad.) m. En el gnosticismo, cada una de las inteligencias eternas o entidades divinas de uno u otro sexo, emanadas de la divinidad suprema.

eosina. f. *Histol.* Colorante ácido que tiñe de color rosado o rojo, especialmente los hematíes y las fibras musculares.

¡epa! interj. *Hond., Méj., Perú* y *Venez.* **¡hola!** ‖ **2.** *Chile* y *Perú.* interj. usada para animar. **¡ea! ¡upa!** ‖ **3.** *Méj.* interj. usada para detener o avisar de algún peligro.

epacta. (Del lat. *epactae, -ārum,* y este del gr. ἐπακταί, añadidos, intercalados [días].) f. Número de días en que el año solar excede al lunar común de doce lunaciones, o número de días que la luna de diciembre tiene al día primero de enero, contados desde el último novilunio. ‖ **2. añalejo.**

epactilla. (d. de *epacta.*) f. **añalejo.**

epanadiplosis. (Del lat. *epanadiplōsis,* y este del gr. ἐπαναδίπλωσις, duplicación, reiteración.) f. *Ret.* Figura que consiste en repetir al fin de una cláusula o frase el mismo vocablo con que empieza.

epanáfora. (Del lat. *epanaphŏra,* y este del gr. ἐπαναφορά, repetición.) f. *Ret.* **anáfora.**

epanalepsis. (Del lat. *epanalepsis,* y este del gr. ἐπανάληψις, repetición.) f. *Ret.* **epanadiplosis.**

epanástrofe. (Del lat. *epanastrŏphe,* y este del gr. ἐπαναστροφή, retorno.) f. *Ret.* Figura llamada también **concatenación.** ‖ **2.** *Ret.* **conduplicación.**

epanortosis. (Del lat. *epanorthōsis,* y este del gr. ἐπανόρθωσις, verificación.) f. *Ret.* Figura llamada también **corrección.**

epazote. (Del nahua *epazotl; de epatl,* hedor, y *tzotl,* sudor.) m. Planta herbácea anual, de la familia de las quenopodiáceas, cuyo tallo, asurcado y muy ramoso, se levanta hasta un metro de altura; tiene hojas lanceoladas, algo dentadas y de color verde oscuro; las flores, aglomeradas en racimos laxos y sencillos, y las semillas, nítidas y de margen obtusa. Se toman en infusión las hojas y las flores.

epecha. m. *Nav.* **reyezuelo,** pájaro.

epéndimo. m. *Histol.* Membrana que tapiza los ventrículos del cerebro y el conducto central de la médula espinal.

epéntesis. (Del lat. *epenthĕsis,* y este del gr. ἐπένθεσις, intercalación.) f. *Gram.* Figura de dicción que consiste en añadir algún sonido dentro de un vocablo, como en *corónica* por *crónica* y en *tendré* por *tenré*.

epentético, ca. adj. *Gram.* Que se añade por epéntesis.

eperlán. m. **eperlano.**

eperlano. (Del fr. *éperlan.*) m. Pez teleósteo, pariente del salmón, de unos veinte centímetros de largo, dorso verdoso y vientre blancuzco, con una banda plateada en los flancos y la mandíbula ligeramente prominente. Es propio de los mares del norte de Europa y frecuenta las desembocaduras de los ríos, donde freza.

epi-. (Del gr. ἐπι-.) pref. que significa «sobre»: EPI*demia*, EPÍ*logo*, EPI*dermis*.

épica. f. Poesía épica.

épicamente. adv. m. De manera épica; con las cualidades propias de la epopeya o de la poesía heroica.

epicarpio. (De *epi-* y el gr. καρπός, fruto.) m. *Bot.* La capa externa de las tres que forman el pericarpio de los frutos; como la piel del melocotón.

epicedio. (Del gr. ἐπικήδειον, canto fúnebre.) m. Composición poética que en la antigüedad se recitaba delante del cadáver de una persona. ‖ **2.** Cualquier composición poética en que se llora y alaba a una persona muerta.

epiceno. (Del lat. *epicoenus*, y este del gr. ἐπίκοινος, común.) adj. *Gram.* V. **nombre epiceno.** Ú. t. c. s.

epicentro. (De *epi-* y *centro.*) m. Centro superficial del área de perturbación de un fenómeno sísmico, que cae sobre el hipocentro.

epiceyo. m. **epicedio.**

epicíclico, ca. adj. *Astron.* Perteneciente o relativo al epiciclo. *Movimiento* EPICÍCLICO.

epiciclo. (Del lat. *epicyclus*, y este del gr. ἐπίκυκλος.) m. *Astron.* Círculo que se suponía descrito por un planeta alrededor de un centro que se movía en el deferente.

epicicloide. (De *epi-* y *cicloide.*) f. *Geom.* Línea curva que describe un punto de una circunferencia que rueda sobre otra fija, siendo ambas tangentes exteriormente. ‖ **esférica** *Geom.* La descrita cuando los planos de las dos circunferencias forman un ángulo constante. ‖ **plana.** *Geom.* **epicicloide.**

épico, ca. (Del lat. *epĭcus*, y este del gr. ἐπικός.) adj. Perteneciente o relativo a la epopeya o a la poesía heroica. ‖ **2.** Dícese del poeta cultivador de este género de poesía. Ú. t. c. s. ‖ **3.** Propio y característico de la poesía **épica;** apto o conveniente para ella. *Estilo, talento, personaje* ÉPICO.

epicureísmo. (De *epicúreo.*) m. Sistema filosófico enseñado por Epicuro y seguido después por otros filósofos. ‖ **2.** fig. Refinado egoísmo que busca el placer exento de todo dolor, según la doctrina atribuida a Epicuro.

epicúreo, a. (Del lat. *epicurēus.*) adj. Que sigue la secta de Epicuro. Ú. t. c. s. ‖ **2.** Propio de este filósofo. ‖ **3.** fig. Sensual, voluptuoso, entregado a los placeres.

epidemia. (Del gr. ἐπιδημία.) f. Enfermedad que se propaga durante algún tiempo por un país, acometiendo simultáneamente a gran número de personas.

epidemial. adj. **epidémico.**

epidemicidad. f. Cualidad de epidémico.

epidémico, ca. adj. Perteneciente o relativo a la epidemia.

epidemiología. (Del gr. ἐπιδημία, epidemia, y *-logía.*) f. *Med.* Tratado de las epidemias.

epidemiológico, ca. adj. Perteneciente o relativo a la epidemiología.

epidemiólogo, ga. m. y f. Persona versada en epidemiología.

epidérmico, ca. adj. Perteneciente o relativo a la epidermis.

epidermis. (Del lat. *epidermis*, y este del gr. ἐπιδερμίς.) f. *Anat.* Epitelio ectodérmico que envuelve el cuerpo de los animales. Puede estar formada por una sola capa de células, como en los invertebrados, o por numerosas capas celulares superpuestas, que cubren la dermis, como en los vertebrados. ‖ **2.** *Bot.* Membrana formada por una sola capa de células que cubre el tallo y las hojas de las pteridofitas y de las fanerógamas herbáceas. ‖ **tener la epidermis fina, o sensible.** fr. fig. y fam. Ser quisquilloso.

epidiascopio. (De *epi-*, *dia-* y *-scopio.*) m. *Fís.* Aparato de proyecciones que sirve para hacer ver en una pantalla las imágenes de diapositivas y también de cuerpos opacos, como grabados, cuerpos sólidos y otros objetos materiales.

epidiáscopo. m. *Fís.* **epidiascopio.**

epidídimo. m. *Anat.* Órgano con aspecto de madeja u ovillo, situado sobre cada uno de los testículos y constituido por la reunión de los vasos seminíferos.

Epifanía. (Del lat. *epiphania*, y este del gr. ἐπιφάνεια, manifestación.) f. Manifestación, aparición. ‖ **2.** n. p. f. Festividad que celebra la Iglesia anualmente el día 6 de enero, y que también se llama de la **Adoración de los Reyes.**

epífisis. (Del lat. *epiphȳsis*, y este del gr. ἐπίφυσις, excrecencia.) f. *Anat.* Órgano nervioso productor de ciertas hormonas, de pequeño tamaño y situado en el encéfalo, entre los hemisferios cerebrales y el cerebelo. ‖ **2.** *Anat.* Cada uno de los huesos largos, separado del cuerpo de estos durante los años de crecimiento por una zona cartilaginosa, cuya osificación progresiva produce el crecimiento del hueso en longitud.

epifito, ta. (De *epi-* y el gr. φυτόν, vegetal.) adj. *Bot.* Dícese del vegetal que vive sobre otra planta, sin alimentarse a expensas de esta, como los musgos y líquenes.

epifonema. (Del lat. *epiphonēma*, y este del gr. ἐπιφώνημα.) f. *Ret.* Exclamación referida a lo que anteriormente se ha dicho, con la cual se cierra o concluye el pensamiento a que pertenece.

epífora. (Del gr. ἐπιφορά, aflujo.) f. *Pat.* Lagrimeo copioso y persistente que aparece en algunas enfermedades de los ojos.

epigástrico, ca. adj. *Anat.* Perteneciente o relativo al epigastrio.

epigastrio. (Del gr. ἐπιγάστριον.) m. *Anat.* Región del abdomen o vientre, que se extiende desde la punta del esternón hasta cerca del ombligo, y queda limitada en ambos lados por las costillas falsas.

epigénesis. (De *epi-* y *-génesis.*) f. *Biol.* Teoría según la cual los rasgos que caracterizan a un ser vivo se modelan en el curso del desarrollo, sin estar preformados en el germen.

epigeo, a. (Del gr. ἐπίγαιος, que está sobre la tierra.) adj. *Bot.* Dícese de la planta o de alguno de sus órganos que se desarrolla sobre el suelo.

epiglosis. (Del lat. *epiglossis*, y este del gr. ἐπιγλωσσίς.) f. *Zool.* Parte de la boca de los insectos himenópteros. ‖ **2.** ant. *Anat.* **epiglotis.**

epiglotis. (Del lat. *epiglottis*, y este del gr. ἐπιγλωττίς.) f. *Anat.* Lámina cartilaginosa, sujeta a la parte posterior de la lengua de los mamíferos, que tapa la glotis al tiempo de la deglución.

epígono. (Del gr. ἐπίγονος, nacido después.) m. El que sigue las huellas de otro; especialmente se dice del que sigue una escuela o un estilo de una generación anterior.

epígrafe. (Del gr. ἐπιγραφή, inscripción.) m. Resumen que suele preceder a cada uno de los capítulos u otras divisiones de una obra científica o literaria, o a un discurso o escrito que no tenga tales divisiones. ‖ **2.** Cita o sentencia que suele ponerse a la cabeza de una obra científica o literaria o de cada uno de sus capítulos o divisiones de otra clase. ‖ **3.** Inscripción en piedra, metal, etc. ‖ **4.** Título, rótulo.

epigrafía. f. Ciencia cuyo objeto es conocer e interpretar las inscripciones.

epigráfico, ca. adj. Perteneciente o relativo a la epigrafía. *Estilo* EPIGRÁFICO.

epigrafista. com. Persona versada en epigrafía.

epigrama. (Del lat. *epigramma,* y este del gr. ἐπίγραμμα, inscripción.) m. Inscripción en piedra, metal, etc. ‖ **2.** Composición poética breve en que con precisión y agudeza se expresa un solo pensamiento principal, por lo común festivo o satírico. Usáb. t. c. f. ‖ **3.** fig. Pensamiento de cualquier género, expresado con brevedad y agudeza.

epigramatario, ria. (Del lat. *epigrammatarĭus.*) adj. **epigramático.** ‖ **2.** m. El que hace o compone epigramas. ‖ **3.** Colección de epigramas.

epigramáticamente. adv. m. De manera epigramática.

epigramático, ca. (Del lat. *epigrammatĭcus.*) adj. Dícese de lo que pertenece al epigrama o lo contiene o participa de su índole o propiedades, y también del poeta que los compone o de la persona que los emplea. ‖ **2.** m. **epigramatario,** que compone epigramas.

epigramatista. (Del lat. *epigrammatista.*) com. Persona que hace o compone epigramas.

epigramista. com. Persona que hace o compone epigramas.

epilencia. (De *epilepsia,* con la term. de *dolencia.*) f. ant. *Pat.* **epilepsia.**

epilense. adj. Natural de Épila. Ú. t. c. s. ‖ **2.** Perteneciente o relativo a esta villa de la provincia de Zaragoza.

epiléntico, ca. (De *epilencia.*) adj. ant. *Pat.* **epiléptico.** Usáb. t. c. s.

epilepsia. (Del lat. *epilepsĭa,* y este del gr. ἐπιληψία, intercepción.) f. *Pat.* Enfermedad caracterizada principalmente por accesos repentinos con pérdida brusca del conocimiento y convulsiones.

epiléptico, ca. (Del lat. *epileptĭcus,* y este del gr. ἐπιληπτικός.) adj. *Pat.* Que padece epilepsia. Ú. t. c. s. ‖ **2.** *Pat.* Perteneciente o relativo a esta enfermedad. ‖ **3.** *Pat.* V. **aura epiléptica.**

epileptiforme. (Del gr. ἐπίληπτος, epiléptico, y *-forme.*) adj. *Pat.* Semejante a la epilepsia o a sus manifestaciones.

epilogación. f. **epílogo.**

epilogal. adj. Resumido, compendiado.

epilogar. (De *epílogo.*) tr. Resumir, compendiar una obra o escrito.

epilogismo. (Del gr. ἐπιλογισμός, cálculo, razonamiento.) m. *Astron.* Cálculo o cómputo.

epílogo. (Del lat. *epilŏgus,* y este del gr. ἐπίλογος.) m. Recapitulación de lo dicho en un discurso o en otra composición literaria. ‖ **2.** fig. p. us. Conjunto o compendio. ‖ **3.** Última parte de algunas obras, desligada en cierto modo de las anteriores, y en la cual se representa una acción o se refieren sucesos que son consecuencia de la acción principal o están relacionados con ella. ‖ **4.** *Ret.* Peroración, última parte del discurso. Algunos retóricos aplican especialmente este nombre a la sola **enumeración.**

epímone. (Del lat. *epimŏne,* y este del gr. ἐπιμονή, insistencia.) f. *Ret.* Figura que consiste en repetir sin intervalo una misma palabra para dar énfasis a lo que se dice, o en intercalar varias veces en una composición poética un mismo verso o una misma expresión.

epinefrina. f. *Fisiol.* **adrenalina.**

epinicio. (Del lat. *epinicĭon,* y este del gr. ἐπινίκιον.) m. Canto de victoria; himno triunfal.

epiparásito, ta. adj. *Biol.* **ectoparásito.**

epiplón. (Del gr. ἐπίπλοον.) m. *Anat.* **mesenterio.**

epiquerema. (Del lat. *epichirēma,* y este del gr. ἐπιχείρημα.) m. *Lóg.* Silogismo en que una o varias premisas van acompañadas de una prueba.

epiqueya. (Del gr. ἐπιείκεια, equidad.) f. Interpretación moderada y prudente de la ley, según las circunstancias de tiempo, lugar y persona.

epirota. (Del lat. *Epirōta.*) adj. Natural de Epiro, país de la Grecia antigua. Ú. t. c. s.

epirótico, ca. (Del lat. *Epirotĭcus.*) adj. Perteneciente a Epiro.

episcopado. (Del lat. *episcopātus.*) m. Dignidad de obispo. ‖ **2.** Época y duración del gobierno de un obispo determinado. ‖ **3.** Conjunto de obispos de una nación o del orbe católico.

episcopal. (Del lat. *episcopālis.*) adj. Perteneciente o relativo al obispo. *Orden, jurisdicción* EPISCOPAL. ‖ **2.** V. **bendición episcopal.** ‖ **3.** m. Libro en que se contienen las ceremonias y oficios propios de los obispos.

episcopalismo. m. Sistema o doctrina de los canonistas favorables a la potestad episcopal y adversarios de la supremacía pontificia.

episcopio[1]**.** (De *epi-* y *-scopio.*) m. **epidiascopio,** aparato para la proyección de cuerpos opacos.

episcopio[2]**.** (Del gr. ἐπίσκοπος, obispo.) m. **episcopologio.** ‖ **2.** Palacio episcopal.

episcopologio. (Del gr. ἐπίσκοπος, obispo, y λόγος, tratado, narración.) m. Catálogo y serie de los obispos de una iglesia.

episiotomía. (Del gr. ἐπίσιον, pubis, y *-tomía.*) f. *Cir.* Incisión quirúrgica en la vulva que se practica en ciertos partos para facilitar la salida del feto y evitar desgarros en el perineo.

episódicamente. adv. m. A manera de episodio, incidentalmente.

episódico, ca. adj. Perteneciente o relativo al episodio.

episodio. (Del gr. ἐπεισόδιον, intermedio de una tragedia.) m. Acción secundaria de un poema épico o dramático, de una novela o de cualquier obra semejante, pero enlazada con la principal para hacerla más varia y deleitable. ‖ **2.** Cada una de las acciones parciales o partes integrantes de la acción principal. ‖ **3.** Digresión en obras de otro género o en el discurso. ‖ **4.** Incidente, suceso enlazado con otros que forman un todo o conjunto. *Un* EPISODIO *de la vida del Cid; un* EPISODIO *de la guerra de la Independencia.*

epispástico, ca. (Del gr. ἐπισπαστικός, que atrae.) adj. *Pat.* **vesicante.** Ú. t. c. s. m.

epistaxis. (Del gr. ἐπίσταξις, goteo.) f. *Pat.* Hemorragia nasal.

epistemología. (Del gr. ἐπιστήμη, conocimiento, y *-logía.*) f. Doctrina de los fundamentos y métodos del conocimiento científico.

epistemológico, ca. adj. Perteneciente o relativo a la epistemología.

epístola. (Del lat. *epistŏla,* y este del gr. ἐπιστολή.) f. Carta o misiva que se escribe a alguien. ‖ **2.** Parte de la misa, anterior al evangelio, en la que se lee o se canta algún pasaje de las **epístolas** canónicas. ‖ **3.** Orden sacro del subdiácono. Llamábase así porque el principal ministerio del subdiácono era cantar la **epístola** en la misa. ‖ **4.** Composición poética en que el autor se dirige o finge dirigirse a una persona real o imaginaria, y cuyo fin suele ser moralizar, instruir o satirizar. En castellano se escribe generalmente en tercetos o en verso libre. ‖ **católica.** Cualquiera de las escritas por los apóstoles Santiago y San Judas, e incluso por San Pedro y San Juan. ‖ **de San Pablo.** Recibe este nombre en España una exhortación que en las bodas dirige el sacerdote a los contrayentes antes de la ceremonia y que glosa la doctrina de la **epístola** de San Pablo a los efesios sobre el matrimonio.

epistolar. (Del lat. *epistolāris.*) adj. Perteneciente a la epístola o carta.

epistolario. (Del lat. *epistolarĭus.*) m. Libro o cuaderno en que se hallan recogidas varias cartas o epístolas de un autor o de varios, escritas a diferentes personas sobre diversas materias. ‖ **2.** Libro en que se contienen las epístolas que se cantan en las misas.

epistolero. m. Clérigo o sacerdote que tiene en algunas iglesias la obligación de cantar la epístola en las misas solemnes. ‖ **2.** ant. **subdiácono.**

epistólico, ca. (Del lat. *epistolĭcus.*) adj. ant. **epistolar.**

epistolio. (Del lat. *epistolium,* y este del gr. ἐπιστόλιον.) m. **epistolario.**

epistológrafo, fa. (De *epístola* y *-grafo.*) m. y f. Persona que se ha distinguido en escribir epístolas.

epístrofe. (Del lat. *epistrŏphe,* y este del gr. ἐπιστροφή, vuelta.) f. *Ret.* **conversión,** figura de dicción.

epitáfico, ca. adj. Perteneciente o relativo al epitafio.

epitafio. (Del lat. *epitaphĭus,* y este del gr. ἐπιτάφιος, sepulcral.) m. Inscripción que se pone, o se supone puesta, sobre un sepulcro o en la lápida o lámina colocada junto al enterramiento.

epitalámico, ca. adj. Perteneciente o relativo al epitalamio. *Canto, himno* EPITALÁMICO.

epitalamio. (Del lat. *epithalamĭum,* y este del gr. ἐπιθαλάμιος, nupcial.) m. Composición poética del género lírico, en celebración de una boda.

epítasis. (Del lat. *epităsis,* y este del gr. ἐπίτασις, intensificación.) f. Parte del poema dramático, que sigue a la prótasis y precede a la catástrofe; enredo, nudo en el poema de este género.

epitelial. adj. *Anat.* Referente al epitelio.

epitelio. (Del gr. ἐπί, sobre, y θηλή, pezón del pecho.) m. *Anat.* Tejido formado por células en contacto mutuo, prismáticas, cúbicas, fusiformes o algo aplanadas, que constituye la epidermis, la capa externa de las mucosas y la porción secretora de las glándulas, y forma parte de los órganos de los sentidos. ‖ **de revestimiento.** El que forma la epidermis y la capa externa de las mucosas. ‖ **glandular.** El que forma la porción secretora de las glándulas. ‖ **pigmentario.** El que consta de células que contienen melanina. ‖ **secretorio. epitelio glandular.** ‖ **sensorial.** El que forma parte de los órganos de los sentidos.

epitelioma. m. *Pat.* Cáncer formado por células epiteliales, derivadas de la piel y del revestimiento mucoso.

epítema. (Del lat. *epithĕma,* y este del gr. ἐπίθεμα, apósito.) f. *Cir.* Medicamento tópico que se aplica en forma de fomento, de cataplasma o de polvo.

epíteto. (Del lat. *epithĕton,* y este del gr. ἐπίθετον, agregado.) m. Adjetivo o participio cuyo fin principal no es determinar o especificar el nombre, sino caracterizarlo.

epítima. f. **epítema.** ‖ **2.** fig. Consuelo, alivio.

epitimar. tr. Poner epítima o confortante en alguna parte del cuerpo.

epítimo. (Del lat. *epithy̆mon,* y este del gr. ἐπίθυμον.) m. Planta parásita, del mismo género que la cuscuta, con tallos filiformes, encarnados y sin hojas; flores rojizas y simiente menuda y redonda. Vive comúnmente sobre el tomillo.

epitomadamente. adv. m. Con la precisión y brevedad propias del epítome.

epitomador, ra. adj. Que hace o compone epítomes. Ú. t. c. s.

epitomar. (Del lat. *epitomāre.*) tr. Reducir a epítome una obra extensa.

epítome. (Del lat. *epitŏme,* y este del gr. ἐπιτομή.) m. Resumen o compendio de una obra extensa, que expone lo más fundamental o preciso de la materia tratada en ella. ‖ **2.** *Ret.* Figura que consiste, después de dichas muchas palabras, en repetir las primeras para mayor claridad.

epítrito. (Del lat. *epitrĭtus,* y este del gr. ἐπίτριτος.) m. Pie de la poesía griega y latina, que se compone de cuatro sílabas, cualquiera de ellas breve y las demás largas.

epítrope. (Del lat. *epitrŏpe,* y este del gr. ἐπιτροπή, concesión.) f. *Ret.* **concesión,** figura de dicción. ‖ **2.** *Ret.* **permisión,** figura de dicción.

epizoario, ria. (De *epi-* y el gr. ζῳάριον, animalillo.) adj. *Zool.* **ectoparásito.**

epizootia. (De *epi-* y el gr. ζῳότης, naturaleza animal, con el influjo de *epidemia.*) f. *Veter.* Enfermedad que acomete a una o varias especies de animales, por una causa general y transitoria. Es como la epidemia en el hombre. ‖ **2.** *Veter. Chile.* Glosopeda o fiebre aftosa.

epizoótico, ca. adj. *Veter.* Perteneciente o relativo a la epizootia.

epizootiología. (De *epizootia* y *-logía.*) f. *Veter.* Estudio científico de las epizootias.

época. (Del lat. *epŏcha,* y este del gr. ἐποχή.) f. Fecha de un suceso desde el cual se empiezan a contar los años. ‖ **2.** Período de tiempo que se señala por los hechos históricos durante él acaecidos. ‖ **3.** Por ext., cualquier espacio de tiempo. *En aquella* ÉPOCA *estaba yo ausente de Madrid; desde aquella* ÉPOCA *no nos hemos vuelto a ver.* ‖ **4.** Punto fijo y determinado de tiempo, desde el cual se empiezan a numerar los años. ‖ **5.** Temporada de considerable duración. ‖ **de época.** loc. adj. que se aplica a cosas típicas de tiempos pasados, como coches, indumentaria, etc. ‖ **formar,** o **hacer, época.** fr. Dejar larga memoria un hecho o suceso, o por su importancia ser el principio de una **época.**

epoda. (Del gr. ἐπῳδή.) f. **epodo.**

epodo. (Del lat. *epōdos,* y este del gr. ἐπῳδός.) m. Último verso de la estancia, repetido muchas veces. ‖ **2.** En la poesía griega, tercera parte del canto lírico compuesto de estrofa, antistrofa y **epodo;** división que alguna vez se ha usado también en la poesía castellana. ‖ **3.** En la poesía griega y latina, combinación métrica compuesta de un verso largo y otro corto.

epónimo, ma. (Del gr. ἐπώνυμος.) adj. Aplícase al héroe o a la persona que da nombre a un pueblo, a una tribu, a una ciudad o a un período o época.

epopeya. (Del gr. ἐποποιΐα.) f. Poema narrativo extenso, de elevado estilo, acción grande y pública, personajes heroicos o de suma importancia, y en el cual interviene lo sobrenatural o maravilloso. ‖ **2.** Conjunto de poemas que forman la tradición épica de un pueblo. ‖ **3.** fig. Conjunto de hechos gloriosos dignos de ser cantados épicamente.

epoto, ta. (Del lat. *epōtus.*) adj. ant. Bebido, casi ebrio.

épsilon. (Del gr. ἔ, e, y ψιλόν, sencilla, breve.) f. Nombre de la *e* breve del alfabeto griego.

epsomita. (De *Epsom,* población del condado de Surrey, en Inglaterra, que tiene aguas minerales en las que abunda esta sal.) f. **sal de la Higuera.**

epulón. (Del lat. *epŭlo, -ōnis.*) m. El que come y se regala mucho.

equi-. (Del lat. *aequi-.*) elem. compos. que significa «igual»: EQUI*distar,* EQUI*valer.*

equiángulo, la. (De *equi-* y *ángulo.*) adj. *Geom.* Aplícase a las figuras y sólidos cuyos ángulos son todos iguales entre sí.

equidad. (Del lat. *aequĭtas, -ātis.*) f. Igualdad de ánimo. ‖ **2.** Bondadosa templanza habitual; propensión a dejarse guiar, o a fallar, por el sentimiento del deber o de la conciencia, más bien que por las prescripciones rigurosas de la justicia o por el texto terminante de la ley. ‖ **3.** Justicia natural, por oposición a la letra de la ley positiva. ‖ **4.** Moderación en el precio de las cosas, o en las condiciones de los contratos. ‖ **5.** Disposición del ánimo que mueve a dar a cada uno lo que merece.

equidiferencia. (De *equi-* y *diferencia.*) f. *Mat.* Igualdad de dos razones por diferencia.

equidistancia. (De *equi-* y *distancia.*) f. Igualdad de distancia entre varios puntos u objetos.

equidistar. (De *equi-* y *distar.*) intr. *Geom.* Hallarse uno o más puntos, líneas, planos o sólidos a igual distancia de otro determinado, o entre sí.

equidna. (Cruce del gr. ἔχιδνα, víbora, y ἐχῖνος, erizo.) m. Mamífero monotrema, insectívoro, de cabeza pequeña, hocico afilado, lengua larga y muy extensible, con espinas; el cuello, la cola y las patas, cortos; los dedos, provistos de uñas fuertes para cavar; el cuerpo, cubierto de pelo oscuro, entre el que salen unas púas en el dorso y los costados, semejantes a las del erizo.

équido, da. (Del lat. *equus*, caballo, e *-ido*.) adj. *Zool.* Dícese de los mamíferos perisodáctilos que, como el caballo y el asno, tienen cada extremidad terminada en un solo dedo. Ú. t. c. s. ‖ **2.** m. pl. *Zool.* Familia de estos animales.

equilátero, ra. (Del lat. *aequilatĕrus*.) adj. *Geom.* Aplícase a las figuras cuyos lados son todos iguales entre sí.

equilibrado, da. p. p. de **equilibrar.** ‖ **2.** adj. fig. Ecuánime, sensato, prudente.

equilibrar. (Del lat. *aequilibrāre*.) tr. Hacer que una cosa se ponga o quede en equilibrio. Ú. t. c. prnl. ‖ **2.** fig. Disponer y hacer que una cosa no exceda ni supere a otra, manteniéndolas proporcionalmente iguales.

equilibre. (Del lat. *aequilibris*.) adj. p. us. Dícese de lo que está equilibrado.

equilibrio. (Del lat. *aequilibrĭum*.) m. Estado de un cuerpo cuando fuerzas encontradas que obran en él se compensan destruyéndose mutuamente. ‖ **2.** Situación de un cuerpo que, a pesar de tener poca base de sustentación, se mantiene sin caerse. ‖ **3.** Peso que es igual a otro y lo contrarresta. ‖ **4.** fig. Contrapeso, contrarresto, armonía entre cosas diversas. ‖ **5.** fig. Ecuanimidad, mesura, sensatez en los actos y juicios. ‖ **6.** pl. fig. Actos de contemporización, prudencia o astucia, encaminados a sostener una situación, actitud, opinión, etc., insegura o dificultosa.

equilibrismo. m. Conjunto de ejercicios y juegos que practica el equilibrista.

equilibrista. adj. Diestro en hacer juegos de equilibrio. Ú. m. c. s.

equimosis. (Del gr. ἐκχύμωσις, extravasación de sangre.) f. *Pat.* Mancha lívida, negruzca o amarillenta de la piel o de los órganos internos, que resulta de la sufusión de la sangre a consecuencia de un golpe, de una fuerte ligadura o de otras causas.

equino[1]. (Del lat. *echīnus*, y este del gr. ἐχῖνος, erizo.) m. **erizo marino.** ‖ **2.** *Arq.* Moldura convexa, característica del capitel dórico.

equino[2], na. (Del lat. *equīnus*.) adj. Perteneciente o relativo al caballo. ‖ **2.** V. **apio equino.** ‖ **3.** m. Animal de la especie **equina.**

equinoccial. (Del lat. *aequinoctiālis*.) adj. Perteneciente o relativo al equinoccio. ‖ **2.** *Astron.* y *Geogr.* V. **punto equinoccial.** ‖ **3.** f. **línea equinoccial.**

equinoccio. (Del lat. *aequinoctĭum*.) m. *Astron.* Época en que, por hallarse el Sol sobre el Ecuador, los días son iguales a las noches en toda la Tierra, lo cual sucede anualmente del 20 al 21 de marzo y del 22 al 23 de septiembre. ‖ **2.** *Astron.* V. **precesión de los equinoccios.**

equinococo. (Del gr. ἐχῖνος, erizo, y κόκκος, gusanillo.) m. *Zool.* Larva de una tenia de tres a cinco milímetros de largo que vive en el intestino del perro y de otros mamíferos carnívoros; puede pasar al cuerpo de algunos rumiantes y al del hombre, alojándose con preferencia en el hígado y en los pulmones, donde forma el quiste hidatídico, que puede crecer hasta adquirir gran tamaño.

equinococosis. f. *Med.* Enfermedad producida por el cisticerco de la tenia equinococo.

equinodermo. (Del gr. ἐχῖνος, erizo, y δέρμα, -ατος, piel.) adj. *Zool.* Dícese de animales metazoos marinos, de simetría radiada pentagonal, con un dermatoesqueleto que consta de gránulos calcáreos dispersos en el espesor de la piel o, más frecuentemente, de placas calcáreas yuxtapuestas y a veces provistas de espinas; como las holoturias y las estrellas de mar. En el dermatoesqueleto hay muchos y pequeños orificios por los que salen apéndices tubuliformes y eréctiles que a veces terminan en ventosa y están dispuestos en series radiales. Ú. t. c. s. ‖ **2.** m. pl. *Zool.* Taxón al que pertenecen estos animales.

equipaje. (De *equipar*.) m. Conjunto de cosas que se llevan en los viajes. ‖ **2.** p. us. Conjunto de ropas y cosas de uso particular de una persona. EQUIPAJE *de soldado, de colegial.* ‖ **3.** *Mar.* **tripulación.**

equipal. (Del nahua *icpalli*, asiento.) m. *Méj.* Especie de sillón hecho de varas entretejidas, con el asiento y el respaldo de cuero o de palma tejida.

equipamiento. m. Acción y efecto de equipar. ‖ **2.** Conjunto de todos los servicios necesarios en industrias, urbanizaciones, ejércitos, etc.

equipar. (Del fr. *équiper*.) tr. Proveer a uno de las cosas necesarias para su uso particular, especialmente de ropa. Ú. t. c. prnl. ‖ **2.** Proveer a una nave de lo necesario para su avío y defensa. ‖ **3.** Proveer del equipo necesario a industrias, urbanizaciones, sanatorios u otros establecimientos.

equiparable. adj. Que se puede equiparar.

equiparación. (Del lat. *aequiparatĭo, -ōnis*.) f. Acción y efecto de equiparar.

equiparar. (Del lat. *aequiparāre*.) tr. Considerar a una persona o cosa igual o equivalente a otra.

equipo. m. Acción y efecto de equipar. ‖ **2.** Grupo de personas organizado para una investigación o servicio determinado. ‖ **3.** Cada uno de los grupos que se disputan el triunfo en ciertos deportes. ‖ **4.** Conjunto de ropas y otras cosas para uso particular de una persona; en especial, ajuar de una mujer cuando se casa. EQUIPO *de novia, de colegial, de soldado,* etcétera. ‖ **5.** Colección de utensilios, instrumentos y aparatos especiales para un fin determinado. EQUIPO *quirúrgico, de salvamento.* ‖ **6.** *Inform.* Conjunto de aparatos y dispositivos que constituyen el material de un ordenador. ‖ **7.** V. **bienes de equipo.** ‖ **caerse con todo el equipo.** fr. fig. y fam. Fracasar rotundamente, equivocarse de medio a medio. ‖ **en equipo.** loc. adv. Coordinadamente entre varios.

equipolado. (Del fr. *équipollé*.) adj. *Blas.* V. **punto, tablero, equipolado.**

equipolencia. (Der. del lat. *aequipollens, -entis*, equipolente.) f. *Lóg.* **equivalencia,** igualdad de valor.

equipolente. (Del lat. *aequipollens, -entis*.) adj. *Lóg.* **equivalente,** que equivale a otra cosa.

equiponderancia. f. p. us. Igualdad en el peso.

equiponderar. (De *equi-* y *ponderar*.) p. us. tr. Hacer que el peso de una cosa sea igual que el de otra. ‖ **2.** intr. p. us. Ser una cosa de peso igual al de otra.

equis. f. Nombre de la letra *x*, y del signo de la incógnita en los cálculos. ‖ **2.** *Col.* Serpiente cuyo veneno es casi siempre mortal. A lo largo del espinazo tiene figuras semejantes a **equis,** y de ahí su nombre. ‖ **3.** adj. Denota un número desconocido o indiferente. *Necesito una cantidad* EQUIS, o EQUIS *pesetas.* ‖ **estar** uno **hecho una equis.** fr. fig. y fam. Estar borracho y dar traspiés cruzando las piernas e imitando la figura de la **equis.**

equisetáceo, a. (Del lat. *equisētum*, cola de caballo, y *-áceo*.) adj. *Bot.* Dícese de plantas, algunas de ellas fósiles, pertenecientes a la clase de las equisetíneas, y cuyo tipo es la cola de caballo. Ú. t. c. s. ‖ **2.** f. pl. *Bot.* Familia de estas plantas.

equisetíneo, a. (Del lat. *equisētum*, cola de caballo, e *-íneo*.) adj. *Bot.* Dícese de plantas criptógamas pteridofitas, herbáceas, vivaces, con rizoma feculento, tallos rectos, articulados, huecos, sencillos o ramosos, con fructificación en ramillete terminal parecido a un penacho. Ú. t. c. s. ‖ **2.** f. pl. *Bot.* Clase de estas plantas, la mayoría de las cuales son fósiles.

equiseto. (Del lat. *equisētum*, cola de caballo.) m. *Bot.* Nombre genérico de las plantas pertenecientes a la familia de las equisetáceas.

equísimo, ma. adj. sup. ant. de **ecuo**[1].

equitación. (Del lat. *equitatĭo, -ōnis.*) f. Arte de montar y manejar bien el caballo. ‖ **2.** Práctica de montar a caballo.

equitador. m. *Amér.* **caballista,** el que entiende de caballos.

equitativamente. adv. m. De manera equitativa.

equitativo, va. (Der. del lat. *aequĭtas, -ātis*, igualdad.) adj. Que tiene equidad.

équite. (Del lat. *eques, equĭtis.*) m. Ciudadano romano perteneciente a una clase intermedia entre los patricios y los plebeyos, y que servía en el ejército a caballo. ‖ **2.** ant. Caballero o noble.

equivalencia. (Der. del lat. *aequivălens, -entis.*) f. Igualdad en el valor, estimación, potencia o eficacia de dos o más cosas. ‖ **2.** *Geom.* Igualdad de áreas en figuras planas de distintas formas, o de áreas o volúmenes en sólidos diferentes.

equivalente. (Del lat. *aequivălens, -entis.*) adj. Que equivale a otra cosa. Ú. t. c. s. ‖ **2.** *Geom.* Aplícase a las figuras o sólidos que tienen igual área o volumen y distinta forma. ‖ **3.** m. *Quím.* Mínimo peso necesario de un cuerpo para que, al unirse con otro, forme verdadera combinación. ‖ **4.** *Quím.* Número que representa este peso, tomado con relación al de un cuerpo escogido como tipo. ‖ **gramo.** Masa de un cuerpo puro cuyo valor en gramos está expresado en el mismo número de su **equivalente** químico. ‖ **químico.** Cociente de la masa atómica por la valencia.

equivalentemente. adv. m. De una manera equivalente; guardando igualdad.

equivaler. (Del lat. *aequivalēre.*) intr. Ser igual una cosa a otra en la estimación, valor, potencia o eficacia. ‖ **2.** *Geom.* Ser iguales las áreas de dos figuras planas distintas, o las áreas o volúmenes de dos sólidos también diversos.

equivocación. (Del lat. *aequivocatĭo, -ōnis.*) f. Acción y efecto de equivocar o equivocarse. ‖ **2.** Cosa hecha con desacierto.

equivocadamente. adv. m. Con equivocación.

equívocamente. adv. m. Con equívoco; con dos o más sentidos.

equivocar. (De *equívoco.*) tr. Tener o tomar una cosa por otra, juzgando u obrando desacertadamente. Ú. m. c. prnl. ‖ **equivocarse** una cosa **con** otra. fr. Semejarse mucho y parecer una misma.

equivocidad. f. Cualidad o condición de equívoco.

equívoco, ca. (Del lat. *aequivŏcus.*) adj. Que puede entenderse o interpretarse en varios sentidos, o dar ocasión a juicios diversos. ‖ **2.** m. Palabra cuya significación conviene a diferentes cosas; como *cáncer, vela, cabo.* ‖ **3.** *Ret.* Figura que consiste en emplear palabras **equívocas.** ‖ **4.** Acción y efecto de equivocar o equivocarse.

equivoquista. com. Persona que con frecuencia y sin discreción utiliza equívocos.

era[1]**.** (Del lat. *aera.*) f. Punto fijo o fecha determinada de un suceso, desde el cual se empiezan a contar los años. ‖ **2.** Extenso período histórico caracterizado por una gran innovación en las formas de vida y de cultura. ERA *de los descubrimientos.* ERA *atómica.* ‖ **3.** Cada uno de los grandes períodos de la evolución geológica o cósmica. ERA *cuaternaria.* ERA *solar.* ‖ **común, cristiana,** o **de Cristo.** *Cronol.* Cómputo de tiempo que empieza a contarse por años desde el nacimiento de Cristo. ‖ **española.** *Cronol.* La que se llama también **era** de César, y tuvo principio treinta y ocho años antes de la **era** cristiana. ‖ **vulgar.** *Cronol.* **era cristiana.**

era[2]**.** (Del lat. *arĕa.*) f. Espacio de tierra limpia y firme, algunas veces empedrado, donde se trillan las mieses. ‖ **2.** Cuadro pequeño de tierra destinado al cultivo de flores u hortalizas. ‖ **3.** *Albañ.* Suelo apisonado y preparado para majar el yeso, hacer las mezclas o arreglar sobre él los solados. ‖ **4.** *Min.* Sitio llano cerca de las minas, donde se machacan y limpian los minerales. ‖ **alzar,** o **levantar, de eras.** fr. Acabar de recoger en el agosto los granos que había en ellas. ‖ **2.** fig. Mudarse de un lugar.

-era. (Del lat. *-arĭa.*) suf. de sustantivos femeninos que tiene, entre otros significados, los de sitio u objeto en que hay, está, abunda, se cría, se deposita, se produce o se guarda lo designado por el primitivo: *chop*ERA, *gusan*ERA, *leon*ERA, *escombr*ERA, *cant*ERA, *accit*ERA; objeto o lugar destinado a lo que la base significa: *bañ*ERA, *regu*ERA; árbol o planta que produce lo significado por la base: *higu*ERA, *mor*ERA, *esparragu*ERA; defecto o estado físico: *coj*ERA, *cans*ERA, *borrach*ERA, *sord*ERA.

eradicativo, va. (Del lat. *eradicātus*, desarraigado, e *-ivo.*) adj. ant. Que tiene virtud de desarraigar.

eraje. (De or. inc.) m. *Ar.* **miel virgen.**

eral, la. (De or. inc.) m. y f. Res vacuna de más de un año y que no pasa de dos.

erar. tr. Formar y disponer eras para poner plantas en ellas.

erario, ria. (Del lat. *aerarĭus*, o *aerarĭum.*) adj. ant. Pechero, contribuyente, tributario. ‖ **2.** m. **hacienda pública.** ‖ **3.** Lugar donde se guarda.

erasmiano, na. adj. Que sigue la pronunciación griega atribuida erróneamente a Erasmo y fundada principalmente en la traslación fonética literal. Apl. a pers., ú. t. c. s.

erasmismo. m. Forma de humanismo representada por Erasmo y sus seguidores.

erasmista. adj. Partidario de las doctrinas de Erasmo. Ú. t. c. s. ‖ **2.** Perteneciente o relativo al erasmismo.

érbedo. (Del lat. *arbŭtus.*) m. *Ast.* Madroño, arbusto.

erbio. (Del n. or. que *terbio.*) m. Metal muy raro, que unido al itrio y terbio, se ha encontrado en algunos minerales de Suecia. Núm. atómico 68. Símb.: *Er.*

ercavicense. adj. Natural de Ercávica, hoy Cabeza del Griego. Ú. t. c. s. ‖ **2.** Perteneciente o relativo a esta población de la España Tarraconense.

ercer. (Del lat. **ergĕre*, levantar.) tr. ant. **levantar.** Ú. en Santander.

ere. f. Nombre de la letra *r* en su sonido suave; v. gr.: *ara, arena.*

erebo. (Del gr. ἔρεβος.) m. Infierno, averno.

erección. (Del lat. *erectĭo, -ōnis.*) f. Acción y efecto de levantar, levantarse, enderezarse o ponerse rígida una cosa. ‖ **2.** Fundación o institución. ‖ **3.** **tensión**[1], estado de un cuerpo estirado por una o varias fuerzas.

eréctil. (der. del lat. *erectus*, levantado, erguido.) adj. Que tiene la facultad o propiedad de levantarse, enderezarse o ponerse rígido.

erectilidad. f. Cualidad de eréctil.

erecto, ta. (Del lat. *erectus*, levantado.) p. p. irreg. de **erigir.** ‖ **2.** adj. Enderezado, levantado, rígido.

erector, ra. (Del lat. *erector, -ōris.*) adj. Que erige. Ú. t. c. s.

erecha. (Del lat. *erecta*, erigida.) f. ant. Satisfacción, compensación o enmienda del daño recibido en la guerra.

eremita. (Del lat. *eremīta*, y este del gr. ἐρημίτης, de ἔρημος, desierto, yermo.) m. **ermitaño.**

eremítico, ca. (Del lat. *eremitĭcus.*) adj. Perteneciente o relativo al ermitaño.

eremitorio. m. Paraje donde hay una o más ermitas.

eretismo. (Del gr. ἐρεθισμός, excitación.) m. *Fisiol.* Exaltación de las propiedades vitales de un órgano.
erétrico, ca. (Del lat. *eretrĭcus.*) adj. Perteneciente o relativo a Eretria, ciudad de Grecia antigua.
erg. m. *Fís.* **ergio,** en la nomenclatura internacional.
ergástula. f. **ergástulo.**
ergástulo. (Del lat. *ergastŭlum.*) m. Lugar en que vivían hacinados los trabajadores esclavos o en que se encerraba a los esclavos sujetos a condena.
ergio. (der. del gr. ἔργον, trabajo.) m. *Fís.* Unidad de trabajo en el sistema cegesimal, equivalente al realizado por una dina cuando su punto de aplicación recorre un centímetro.
ergo. conj. lat. Por tanto, luego, pues. Ú. en la argumentación silogística, y también festivamente.
ergonomía. (Del gr. ἔργον, obra, trabajo, y *-nomía.*) f. Estudio de datos biológicos y tecnológicos aplicados a problemas de mutua adaptación entre el hombre y la máquina.
ergonómico, ca. adj. Perteneciente o relativo a la ergonomía.
ergonomista. com. Persona especializada en ergonomía.
ergónomo, ma. m. y f. Persona especializada en ergonomía.
ergoterapia. (Del gr. ἔργον, obra, y *terapia.*) f. *Med.* Método curativo que utiliza el trabajo manual en la reeducación de los enfermos o impedidos, para su reinserción en la vida social.
ergotina. (Del fr. *ergotine.*) f. Principio activo del cornezuelo de centeno, empleado en medicina para provocar contracciones del útero y detener sus hemorragias.
ergotismo[1]**.** (Del fr. *ergotisme.*) m. *Pat.* Conjunto de síntomas producidos por la intoxicación con cornezuelo de centeno.
ergotismo[2]**.** m. Sistema de los ergotistas.
ergotista. adj. Que ergotiza. Apl. a pers., ú. t. c. s.
ergotizar. (De *ergo.*) intr. Abusar del sistema de argumentación silogística.
erguén. m. Árbol espinoso, de la familia de las sapotáceas, de poca altura y de copa muy extendida, hojas enteras y coriáceas, flores de color amarillo verdoso, y fruto drupáceo con semillas duras oleaginosas. Su madera es muy dura y se emplea en ebanistería; de las semillas se extrae aceite. Es planta oriunda de Marruecos y crece en Andalucía.
erguimiento. m. Acción y efecto de erguir o erguirse.
erguir. (Del lat. *erigĕre.*) tr. Levantar y poner derecha una cosa. Se usa más ordinariamente hablando del cuello, de la cabeza, etc. ‖ **2.** prnl. Levantarse o ponerse derecho. ‖ **3.** fig. Engreírse, ensoberbecerse.
ergullir. (De *orgullo.*) intr. ant. Cobrar orgullo, envanecerse.
ería. (De or. inc.) f. *Ast.* Terreno de gran extensión, todo o la mayor parte labrantío, cercado y dividido en muchas hazas correspondientes a varios dueños o llevadores.
-ería[1]**.** V. **-ía.**
-ería[2]**.** suf. de sustantivos no heredados del latín, que suele significar pluralidad o colectividad: *mor*ERÍA, *palabr*ERÍA, *chiquill*ERÍA; condición moral, casi siempre de signo peyorativo: *holgazan*ERÍA, *pedant*ERÍA, *ramplon*ERÍA; oficio o local donde se ejerce: *conserj*ERÍA, *fumist*ERÍA, *sastr*ERÍA; acción o dicho: *niñ*ERÍA, *pill*ERÍA, *tont*ERÍA, *cac*ERÍA.
erial. (De *eria.*) adj. Aplícase a la tierra o campo sin cultivar ni labrar. Ú. m. c. s. m.
eriazo, za. (De *erío.*) adj. **erial.** Ú. t. c. s. m.
ericáceo, a. (Del lat. *erīce,* jara, brezo, y *-áceo.*) adj. *Bot.* Dícese de plantas angiospermas dicotiledóneas, matas, arbustos, o arbolitos, con hojas casi siempre alternas, flores más o menos vistosas, de cáliz persistente partido en tres, cuatro o cinco partes, y por frutos cajas dehiscentes de varias celdillas o bayas, jugosas, con semillas de albumen carnoso; como el madroño, el brezo común y el arándano. Ú. t. c. s. f. ‖ **2.** f. pl. *Bot.* Familia de estas plantas.
erigir. (Del lat. *erigĕre.*) tr. Fundar, instituir o levantar. ERIGIR *un templo, una estatua.* ‖ **2.** Dar a una persona o cosa un carácter o categoría que antes no tenía. ERIGIR *un territorio en provincia.* Ú. t. c. prnl. ERIGIRSE *en juez.*
eril. m. *Gran.* Alferecía[1], eclampsia.
erina. (Del fr. *érine,* pinza.) f. *Cir.* Instrumento metálico de uno o dos ganchos, que utilizan los anatómicos y los cirujanos para sujetar las partes sobre las que operan, o apartarlas de la acción de los instrumentos, a fin de mantener separados los tejidos en una operación.
eringe. (Del lat. *erynge,* y este del gr. ἠρύγγη.) f. **cardo corredor.**
-erio. suf. de sustantivos verbales o derivados de otros sustantivos, que significa acción o efecto: *sahum*ERIO; situación o estado: *cautiv*ERIO; lugar: *beat*ERIO.
erío, a. adj. **erial.** Ú. m. c. s. m.
eriotecnia. (Del gr. ἔριον, lana, y *-tecnia.*) f. Estudio de la lana, especialmente en lo tocante a sus aplicaciones industriales.
erisipela. (Del lat. *erysipĕlas,* y este del gr. ἐρυσίπελας.) f. *Pat.* Inflamación microbiana de la dermis, caracterizada por el color rojo y comúnmente acompañada de fiebre.
erisipelar. tr. *Pat.* Causar erisipela. Ú. m. c. prnl.
erisipelatoso, sa. adj. *Pat.* Que participa de la erisipela o de sus caracteres.
erisipula. f. ant. **erisipela.**
erístico, ca. (Del gr. ἐριστικός, discutidor.) adj. Dícese de la escuela socrática establecida en Mégara. ‖ **2.** Aplícase también a la escuela que abusa del procedimiento dialéctico hasta el punto de convertirlo en vana disputa.
eritema. (Del gr. ἐρύθημα, rubicundez.) m. *Pat.* Inflamación superficial de la piel, caracterizada por manchas rojas. ‖ **solar.** El producido en la piel por haber estado expuesta al sol.
eritreo, a. (Del lat. *erythraeus,* y este del gr. ἐρυθραῖος, rojizo) adj. Aplícase al mar llamado en nuestra lengua Rojo y a lo perteneciente a él. Se usa principalmente en poesía. Ú. t. c. s.
eritrocito. (Del gr. ἐρυθρός, rojo, y κύτος, célula.) m. *Anat.* Célula sanguínea portadora de los pigmentos respiratorios.
eritroxiláceo, a. (Del gr. ἐρυθρός, rojo, ξύλον, madera, y *-áceo.*) adj. *Bot.* Dícese de árboles y arbustos angiospermos dicotiledóneos que tienen hojas sencillas, esparcidas y con estípulas, flores actinomorfas, blanquecinas o de color amarillo verdoso, apareadas o en panojas pequeñas, y fruto en drupa con una sola semilla; algunas especies tienen en sus partes leñosas una sustancia tintórea roja; como el arabo y la coca del Perú. Ú. t. c. s. f. ‖ **2.** f. pl. *Bot.* Familia de estas plantas.
eritroxíleo, a. adj. *Bot.* **eritroxiláceo.**
erizado, da. p. p. de **erizar.** ‖ **2.** adj. Cubierto de púas o espinas; como el espín.
erizamiento. m. Acción y efecto de erizar o erizarse.
erizar. (De *erizo.*) tr. Levantar, poner rígida una cosa, como las púas del erizo; se usa especialmente hablando del pelo. Ú. m. c. prnl. ‖ **2.** fig. Llenar o rodear una cosa de obstáculos, asperezas, inconvenientes, etc. ‖ **3.** prnl. fig. Inquietarse, azorarse.
erizo. (Del lat. *ericĭus.*) m. Mamífero insectívoro de unos veinte centímetros de largo, con el dorso y los costados cubiertos de agudas púas, la cabeza pequeña, el hocico afilado y las patas y la cola muy cortas. En caso de peligro se enrolla en forma de bola; es animal nocturno y muy útil para la agricultura, por los muchos insectos que consume. ‖ **2.** Mata de la familia de las papilionáceas, casi

redonda, de tres a cuatro decímetros de diámetro, con ramas entrecruzadas y fuertemente espinosas, hojas sencillas, lineales, vellosas, muy escasas, y flores azules y violadas. Crece en terrenos pedregosos formando céspedes muy tupidos. ‖ **3.** Fruto del **cadillo,** planta. ‖ **4.** Zurrón o corteza espinosa en que se crían la castaña y algunos otros frutos. ‖ **5.** Pez teleósteo del suborden de los plectognatos, que tiene el cuerpo erizado de púas; además de su vejiga natatoria dorsal, posee un saco ventral, que comunica con el estómago y puede llenarse de aire, lo que permite al animal flotar con el vientre hacia arriba. Es propio de los mares intertropicales. ‖ **6.** fig. y fam. Persona de carácter áspero e intratable. ‖ **7.** *Fort.* Conjunto de puntas de hierro, que sirve para coronar y defender lo alto de un parapeto, tapia o muralla. ‖ **de mar,** o **marino.** Animal equinodermo, de cuerpo hemisférico protegido por un dermatoesqueleto calizo formado por placas poligonales y cubierto de espinas articuladas, con la boca en el centro de la cara inferior y el ano en el de la superior; de la boca al ano se extienden cinco series dobles de piezas ambulacrales. ‖ **al erizo, Dios le hizo,** fr. proverb. para indicar que todas las criaturas son obra de Dios, y cada una según su naturaleza.

erizón. (aum. de *erizo.*) m. **asiento de pastor,** mata papilionácea. ‖ **2.** fig. *Pint.* Peinado femenino del siglo XVIII, con aspecto de erizo.

ermador, ra. (De *ermar.*) adj. ant. **asolador.** Usáb. t. c. s.

ermadura. f. ant. Acción y efecto de ermar.

ermamiento. m. ant. Acción y efecto de ermar.

ermar. (De *yermo.*) tr. ant. Destruir, asolar, dejar yerma una ciudad, tierra, etc.

ermita. (De *eremita.*) f. Santuario o capilla, generalmente pequeño, situado por lo común en despoblado y que no suele tener culto permanente.

ermitaño, ña. m. y f. Persona que vive en una ermita y cuida de ella. ‖ **2.** m. Persona que vive en soledad, como el monje, y que profesa vida solitaria. Ú. t. c. adj. ‖ **3. cangrejo ermitaño.**

ermitorio. m. p. us. **eremitorio.**

ermunio. (Del b. lat. *ermunĭus,* y este del lat. *immūnis.*) m. Antiguamente, caballero que por su nobleza estaba libre de todo género de servicio o tributo ordinario, o cualquiera que sin ser caballero gozaba de este privilegio.

ero. (De *era*[2].) m. *Ar.* Tablar de huerta.

-ero, ra. (Del lat. *-arĭus.*) suf. de sustantivos y adjetivos. En los sustantivos suele significar oficio, ocupación, profesión o cargo: *ingeni*ERO, *jornal*ERO, *libr*ERO, *campan*ERO; utensilios, muebles: *billet*ERO, *perch*ERO, *llav*ERO; lugar donde abunda o se deposita algo: *hormigu*ERO, *basur*ERO; árboles frutales: *albaricoqu*ERO, *melocoton*ERO, *membrill*ERO. Los adjetivos significan, en general, carácter o condición moral: *altan*ERO, *embust*ERO, *traicion*ERO.

erogación. (Del lat. *erogatĭo, -ōnis.*) f. Acción y efecto de erogar.

erogar. (Del lat. *erogāre.*) tr. Distribuir, repartir bienes o caudales. ‖ **2.** *Bol.* Gastar el dinero.

erogatorio. (Del lat. *erogatorĭus.*) m. desus. Cañón por donde se distribuye el líquido que está en algún vaso o depósito.

erógeno, na. (Del gr. ἔρως, amor, y *-geno.*) adj. Que produce excitación sexual o es sensible a ella.

eros. (Del gr. ἔρως, amor.) m. Conjunto de tendencias e impulsos sexuales de la persona humana. ‖ **2.** n. p. m. *Astron.* Nombre dado al asteroide 433, muy notable por acercarse más que Marte a la Tierra.

erosión. (Del lat. *erosĭo, -ōnis,* roedura.) f. Desgaste o destrucción producidos en la superficie de un cuerpo por la fricción continua o violenta de otro. Ú. t. en sent. fig. ‖ **2.** Desgaste de la superficie terrestre por agentes externos, como el agua o el viento. ‖ **3.** Lesión superficial de la epidermis, producida por un agente externo o mecánico, excoriación. ‖ **4.** Degradación del ánima de una boca de fuego, originada por falta de homogeneidad de su metal o por deficientes condiciones del proyectil o de la caja, o por excesiva velocidad o prolongación del fuego. ‖ **5.** fig. Desgaste de prestigio o influencia que puede sufrir una persona, una institución, etc.

erosionable. adj. Susceptible de erosión.

erosionar. tr. Producir erosión. ‖ **2.** fig. Desgastar el prestigio o influencia de una persona, una institución, etc. Ú. t. c. prnl.

erosivo, va. (Der. del lat. *erōsus,* e *-ivo.*) adj. Perteneciente o relativo a la erosión.

erostratismo. (Del nombre de *Eróstrato,* que, por afán de notoriedad, incendió el templo de Éfeso.) m. Manía que lleva a cometer actos delictivos para conseguir renombre.

erotema. (Del lat. *erotēma,* y este del gr. ἐρώτημα.) f. Interrogación retórica.

erótica. (Del gr. ἐρωτική, t. f. de -κός, erótico.) f. Poesía erótica. ‖ **2.** Atracción muy intensa, semejante a la sexual, que se siente hacia el poder, el dinero, la fama, etc.

erótico, ca. (Del lat. *erotĭcus,* y este del gr. ἐρωτικός.) Perteneciente o relativo al amor sensual. ‖ **2.** Que excita el apetito sexual. ‖ **3.** Dícese especialmente de la poesía amatoria y del poeta que la cultiva.

erotismo. (Del gr. ἔρως, ἔρωτος, amor, e *-ismo.*) m. Amor sensual. ‖ **2.** Carácter de lo que excita el amor sensual. ‖ **3.** Exaltación del amor físico en el arte.

erotógeno, na. adj. **erógeno.**

erotomanía. (Del gr. ἔρως, ἔρωτος, amor, y *manía.*) f. *Psiquiat.* Enajenación mental causada por el amor y caracterizada por un delirio erótico.

erotómano, na. adj. Que padece erotomanía. Ú. t. c. s.

errabundo, da. (Del lat. *errabundus.*) adj. Que va de una parte a otra sin tener asiento fijo.

errada. f. ant. **error.** ‖ **2.** En el juego de billar, lance de no tocar el jugador a la bola que debe herir.

erradamente. adv. m. Con error, engaño o equivocación.

erradicación. (Del lat. *eradicatĭo, -ōnis.*) f. Acción de erradicar.

erradicar. (Del lat. *eradicāre.*) tr. Arrancar de raíz.

erradizo, za. adj. Que anda errante y vagando.

errado, da. p. p. de **errar.** ‖ **2.** adj. Que yerra.

erraj. (De *herraj.*) m. Cisco hecho con el hueso de la aceituna después de prensada en el molino.

erráneo, a. (Del lat. *erranĕus.*) adj. ant. **errante.**

errante. (Del lat. *errans, -antis.*) p. a. de **errar.** Que yerra. ‖ **2.** adj. Que anda de una parte a otra sin tener asiento fijo. ‖ **3.** V. **estrella errante.**

erranza. (Del lat. *errantĭa.*) f. ant. **error.**

errar. (Del lat. *errāre.*) tr. No acertar. ERRAR *el blanco, la vocación.* Ú. t. c. intr. ERRAR *en la respuesta.* ‖ **2.** Faltar, no cumplir con lo que se debe. *Disculpáronse los vasallos, si en algo habían* ERRADO *a su señor.* ‖ **3.** intr. Andar vagando de una parte a otra. ‖ **4.** Divagar el pensamiento, la imaginación, la atención. ‖ **5.** prnl. **equivocarse.** ‖ **errar y porfiar.** fr. proverb. con que se reprende a los tercos.

errata. (Del pl. lat. *errāta,* cosas erradas.) f. Equivocación material cometida en lo impreso o manuscrito.

errático, ca. (Del lat. *erratĭcus.*) adj. Vagabundo, ambulante, sin domicilio cierto. ‖ **2.** V. **estrella errática.** ‖ **3.** *Med.* Que va de una parte a otra sin tener asiento fijo. Dícese de los dolores crónicos que se sienten ya en una, ya en otra parte del cuerpo, y también de ciertas calenturas que se reproducen sin período fijo.

errátil. (Del lat. *erratĭlis.*) adj. Errante, incierto, variable.

erre. f. Nombre de la letra *r* en su sonido fuerte; v. gr.: *Ramo, Enrique.* ‖ **erre, o erre, erre.** loc. adv. desus. Asiduamente, con tenacidad. ‖ **erre que erre.** loc. adv. fam. Porfiadamente, tercamente. ‖ **estar erre,** o **hacer erres,** o **tropezar** uno **en las erres.** fr. fig. Estar bebido. Dícese aludiendo a la dificultad con que los borrachos pronuncian esta letra.

erreal. m. *Sal.* Especie de brezo de hoja morada o ligeramente purpúrea.

erro. (De *errar.*) m. ant. Error, yerro. Ú. en América.

errona. (De *errar.*) f. ant. Suerte en que no acierta el jugador. Ú. en Chile.

erróneamente. adv. m. Con error.

erróneo, a. (Del lat. *erronĕus.*) adj. Que contiene error. *Doctrina* ERRÓNEA; *discurso* ERRÓNEO. ‖ **2.** *Teol.* V. **conciencia errónea.**

error. (Del lat. *error, -ōris.*) m. Concepto equivocado o juicio falso. ‖ **2.** Acción desacertada o equivocada. ‖ **3.** Cosa hecha erradamente. ‖ **4.** *Der.* Vicio del consentimiento causado por equivocación de buena fe, que anula el acto jurídico si afecta a lo esencial del mismo o de su objeto.

erubescencia. (Del lat. *erubescentia.*) f. Rubor, vergüenza.

erubescente. (Del lat. *erubescens, -entis,* que se sonroja.) adj. Que se pone rojo o que se sonroja.

eructación. (Del lat. *eructatĭo, -ōnis.*) f. Acción y efecto de eructar.

eructar. (Del lat. *eructāre.*) intr. Expeler con ruido por la boca los gases del estómago. ‖ **2.** fig. y fam. Jactarse vanamente.

eructo. m. Acción y efecto de eructar.

erudición. (Del lat. *eruditĭo, -ōnis.*) f. Instrucción en varias ciencias, artes y otras materias. ‖ **2.** Amplio conocimiento de los documentos relativos a una ciencia o arte. ‖ **3.** Lectura varia, docta y bien aprovechada.

eruditamente. adv. m. Con erudición.

erudito, ta. (Del lat. *erudītus.*) adj. Instruido en varias ciencias, artes y otras materias. Ú. t. c. s. ‖ **2.** Persona que conoce con amplitud los documentos relativos a una ciencia o arte. ‖ **a la violeta.** El que solo tiene una tintura superficial de ciencias y artes.

eruela. f. d. de **era²,** donde se trilla.

eruga. (Del lat. *erūca.*) f. ant. Oruga, larva de los insectos lepidópteros.

eruginoso, sa. (Del lat. *aeruginōsus.*) adj. **ruginoso.**

erumnoso, sa. (Del lat. *aerumnōsus.*) adj. ant. Trabajoso, penoso, miserable.

erupción. (Del lat. *eruptĭo, -ōnis.*) f. Aparición y desarrollo en la piel, o en las mucosas, de granos, manchas o vesículas. ‖ **2.** Estos mismos granos o manchas. ‖ **3.** *Geol.* Emisión de materias sólidas, líquidas o gaseosas por aberturas o grietas de la corteza terrestre; unas veces es repentina y violenta, como en los volcanes, y otras lenta y tranquila, como en las solfataras.

erupcionar. tr. *Col.* Hacer erupción un volcán.

eruptivo, va. (Del lat. *eruptum,* supino de *erumpĕre,* brotar, e *-ivo.*) adj. Perteneciente a la erupción o procedente de ella. *Enfermedad* ERUPTIVA; *rocas* ERUPTIVAS. ‖ **2.** V. **fiebre eruptiva.**

erutación. f. **eructación.**

erutar. intr. **eructar.**

eruto. m. **eructo.**

ervato. m. **servato.**

ervilla. (Del lat. *ervilĭa.*) f. **arveja.**

es-. (Del lat. *ex.*) pref. que puede denotar separación, como en ES*coger;* eliminación, como en ES*pulgar;* o intensificación, como en ES*forzar.*

-és, sa. (Forma vulgar equivalente a *-ense.*) suf. de gentilicios: *aragon*ÉS, *leon*ÉS, *pontevedr*ESA. Se añade también a nombres que no son de población: *cort*ÉS *(corte), montañ*ÉS *(montaña).*

-esa. (Del lat. *-issa.*) t. f. de algunos sustantivos de cargo o dignidad: *alcald*ESA *(alcalde), baron*ESA *(barón), duqu*ESA *(duque).*

esbarar. intr. **resbalar.**

esbardo. m. *Ast.* **osezno.**

esbarizar. (Cruce de *esbarar* y *deslizar.*) intr. *Ar.* **resbalar.**

¡ésbate! interj. *Germ.* Estáte quieto.

esbatimentante. p. a. de **esbatimentar.** Que esbatimenta.

esbatimentar. tr. *Pint.* Hacer o delinear un esbatimento. ‖ **2.** intr. Causar sombra un cuerpo en otro.

esbatimento. (Del it. *sbattimento.*) m. *Pint.* Sombra que hace un cuerpo sobre otro porque le intercepta la luz.

esbeltez. f. Cualidad de esbelto ‖ **2.** Proporción gallarda, despejada y graciosa entre la altura y la anchura de los cuerpos.

esbelteza. (De *esbelto.*) f. **esbeltez.**

esbelto, ta. (Del it. *svelto.*) adj. Dotado de esbeltez.

esbinzar. tr. *Cuen.* Quitar la binza del azafrán.

esbirro. (Del it. *sbirro.*) m. Oficial inferior de justicia. ‖ **2.** El que tiene por oficio prender a las personas. ‖ **3.** fig. Secuaz a sueldo o movido por interés.

esblandecer. (De *es-, blando* y *-ecer.*) tr. ant. **esblandir.**

esblandir. tr. ant. **blandir².**

esblencar. tr. *Cuen.* **esbrencar.**

esborregar. (Del lat. **divaricāre,* resbalar.) intr. *Cantabria* y *León.* Caer de un resbalón a causa de lo escurridizo del piso. Ú. m. c. prnl. ‖ **2.** prnl. *Cantabria.* Desmoronarse un terreno.

esbozar. (Del it. *sbozzare.*) tr. **bosquejar.** ‖ **2.** Insinuar un gesto, normalmente del rostro. ESBOZAR *una sonrisa.*

esbozo. m. Acción y efecto de esbozar. ‖ **2.** Bosquejo sin perfilar y no acabado. Se usa especialmente hablando de las artes plásticas, y por ext., de cualquier obra del ingenio. ‖ **3.** Por ext., algo que puede alcanzar mayor desarrollo y extensión. ‖ **4.** *Biol.* Cualquiera de los tejidos, órganos o aparatos embrionarios que todavía no ha adquirido su forma y estructura definitivas. ‖ **embrionario.** *Biol.* Embrión de los reptiles, aves y mamíferos, en una fase de su desarrollo en la que está formado por una masa celular mesodérmica y rodeado por el amnios y el corion.

esbrencar. tr. Quitar la brenca del azafrán.

esbronce. m. *Ar.* Movimiento violento.

esca. (Del lat. *esca.*) f. ant. Cebo, comida.

escaba. f. *Ar.* Desperdicio del lino. Ú. m. en pl.

escabechado, da. p. p. de **escabechar.** ‖ **2.** adj. fig. Dícese de la persona que se tiñe las canas o se pinta el rostro.

escabechar. tr. Echar en escabeche. ‖ **2.** fig. Teñir las canas. Ú. t. c. prnl. ‖ **3.** fig. y fam. Matar a mano airada, y ordinariamente con arma blanca. ‖ **4.** fig. y fam. Suspender o reprobar en un examen.

escabeche. (Del ár. *sakbāŷ,* guiso de carne con vinagre.) m. Salsa o adobo que se hace con aceite frito, vino o vinagre, hojas de laurel y otros ingredientes, para conservar y hacer sabrosos los pescados y otros alimentos. ‖ **2.** Alimento conservado en esta salsa. ‖ **3.** fig. Líquido para teñir las canas. ‖ **4.** *Argent.* **encurtido,** fruto o legumbre en vinagre.

escabechina. f. fig. Riza, destrozo, estrago. ‖ **2.** fig. y fam. Abundancia de suspensos en un examen.

escabel. (Del lat. *scabellum,* probablem. a través del cat. ant. *escabell.*) m. Tarima pequeña que se pone delante de la silla para que descansen los pies del que está sentado. ‖ **2.** Asiento pequeño hecho de tablas, sin respaldo. ‖ **3.** fig. Persona o circunstancia de que uno se aprovecha para medrar, por lo general ambiciosamente.

escabelo. m. ant. **escabel.**

escabiosa. (Del lat. *scabiōsa*, áspera.) f. Planta herbácea, vivaz, de la familia de las dipsacáceas, con tallo velloso, hueco, de cuatro a seis decímetros de altura, hojas inferiores ovaladas y enteras, y muy lobuladas las superiores; flores en cabezuela semiesférica, con corola azulada y semillas abundantes. El cocimiento de la raíz de esta planta se empleó antiguamente en medicina. ‖ **2.** *Cuba.* Planta silvestre, escrofulariácea, con florecillas blancas.

escabioso, sa. (Del lat. *scabiōsus*, sarnoso.) adj. Perteneciente o relativo a la sarna.

escabro. (Del lat. *scabrum*, n. de *scaber*, áspero.) m. Roña que causa en la piel de las ovejas grietas y costurones que la hacen áspera y echan a perder la lana. ‖ **2.** Enfermedad parecida al **escabro** de las ovejas, que padecen en la corteza los árboles y las vides.

escabrosamente. adv. m. Con escabrosidad.

escabrosearse. prnl. Hacerse escabroso. ‖ **2.** fig. ant. Resentirse, picarse o exasperarse.

escabrosidad. f. Cualidad de escabroso.

escabroso, sa. (Del lat. *scabrōsus*.) adj. Desigual, lleno de tropiezos y estorbos. Dícese especialmente del terreno. ‖ **2** fig. Áspero, duro, de mala condición. ‖ **3.** fig. Peligroso, que está al borde de lo inconveniente o de lo inmoral.

escabuchar[1]. tr. *Sal.* Pisar los erizos de las castañas para que suelten el fruto.

escabuchar[2]. tr. *Pal.* y *Rioja.* Escardar y escavanar.

escabuche. m. Azada pequeña que se usa principalmente para escardar.

escabullar. tr. *Sal.* Quitar el cascabillo a la bellota.

escabullimiento. m. Acción de escabullirse.

escabullir. intr. p. us. Salir de un encierro, de una enfermedad o de un peligro. ‖ **2.** prnl. Irse o escaparse de entre las manos una cosa. ‖ **3.** fig. Apartarse uno, sin que de momento se note, de la compañía en que estaba. ‖ **4.** fig. Huir de una dificultad con sutileza. ‖ **5.** fig. Eludir la fuerza de las razones contrarias.

escacado, da. adj. *Blas.* **escaqueado.** Ú. t. c. s.

escachar. (De *es-* y *cachar*.) tr. Cascar, aplastar, despachurrar. ‖ **2.** Cachar, hacer cachos, romper.

escacharrar. tr. Romper un cacharro. Ú. t. c. prnl. ‖ **2.** fig. Malograr, estropear una cosa. Ú. t. c. prnl.

escachifollar. tr. **cachifollar.**

escaecer. (Del lat. **excadiscĕre*, decaer.) intr. Descaecer, desfallecer, enflaquecer.

escaencia. (Del b. lat. *escadentĭa*, acción de caer.) f. ant. Obvención o derecho superveniente.

escafandra. (Del gr. σκάφη, esquife, y ἀνήρ, ἀνδρός, hombre.) f. Aparato compuesto de una vestidura impermeable y un casco perfectamente cerrado, con un cristal frente a la cara, y orificios y tubos para renovar el aire. Sirve para permanecer y trabajar debajo del agua.

escafandro. m. **escafandra.**

escafilar. (De *es-* y el ár. *cafr*, argamasa.) tr. Quitar la argamasa de los ladrillos viejos o las desigualdades de los nuevos.

escafoides. (Del gr. σκάφη, esquife, y *-oide*.) adj. *Anat.* V. **hueso escafoides.** Ú. t. c. s.

escagarruzarse. prnl. vulg. Hacer de vientre involuntariamente.

escajo. (De etim. disc.) m. Tierra yerma que se pone en cultivo. ‖ **2.** *Cantabria.* **aulaga.**

escajocote. (Del nahua *ichcaxocotl*.) m. Árbol de América Central, corpulento, de madera compacta, que produce una fruta agridulce menor que una ciruela.

escala. (Del lat. *scala*.) f. Escalera de mano, hecha de madera, de cuerda o de ambas cosas. ‖ **2.** Sucesión ordenada de cosas distintas, pero de la misma especie. ESCALA *de colores;* ESCALA *de los seres.* ‖ **3.** Línea recta dividida en partes iguales que representan metros, kilómetros, leguas, etc., y sirve de medida para dibujar proporcionadamente en un mapa o plano las distancias y dimensiones de un terreno, edificio, máquina u otro objeto, y para averiguar sobre el plano las medidas reales de lo dibujado. ‖ **4.** Tamaño de un mapa, plano, diseño, etc., según la **escala** a que se ajusta. ‖ **5.** fig. Tamaño o proporción en que se desarrolla un plan o idea. ‖ **6.** *Aer.* y *Mar.* Lugar donde tocan las embarcaciones o las aeronaves entre su punto de origen y el de destino. ‖ **7.** *Fís.* Graduación para medir los efectos de diversos instrumentos. ‖ **8.** *Mil.* **escalafón.** ‖ **9.** *Mús.* Sucesión diatónica o cromática de las notas musicales. ‖ **cerrada.** Escalafón para ascensos por orden de antigüedad. ‖ **del modo.** *Mús.* Serie de sonidos del mismo, arreglados entre sí por el orden más inmediato, partiendo del sonido tónico. ‖ **de mar y de tierra.** Escalafones que constituyen el cuerpo general de la armada, y están formados, el primero por los marinos navegantes, y por los que no lo son, el segundo. ‖ **de reserva.** *Mil.* Escalafón de los militares pertenecientes a las reservas del ejército o de la armada. ‖ **de temperaturas.** Cada una de las maneras convencionales de graduar los termómetros. ‖ **de tipos impositivos.** Conjunto de tipos de gravamen que se aplican gradualmente a los diferentes niveles de renta. ‖ **de viento.** *Mar.* La formada a bordo con dos cabos y palos o trozos de cuerda atravesados de uno a otro de aquellos, para que sirvan de escalones. ‖ **franca.** *Com.* Puerto libre y franco donde los buques de todas las naciones pueden llegar con seguridad para comerciar. ‖ **gradual.** *Der.* Cada una de las series de penas ordenadas en los Códigos, de mayor a menor gravedad, para adaptarlas a la índole, grados y circunstancias de los delitos y participación de los culpables. ‖ **real.** *Mar.* La que se arma exteriormente en el portalón de estribor de los buques, para servicio de los generales, jefes, oficiales y otras personas de distinción. ‖ **técnica.** La que efectúa el piloto por necesidades de la navegación, por ejemplo para repostar combustible. ‖ **a escala.** loc. adv. Ajustándose a una **escala.** Dicho con referencia a figuras, reproducciones, etc. *El edificio está reproducido* A ESCALA. Ú. t. c. loc. adj. *Muebles* A ESCALA. ‖ **a escala vista.** loc. adv. *Mil.* Haciendo la escalada de día y a vista de los enemigos. ‖ **2.** fig. Descubiertamente, sin reserva. ‖ **hacer escala.** fr. *Aer.* y *Mar.* Tocar una embarcación o una aeronave en algún lugar antes de llegar a su punto de destino. Ú. t. en sent. fig.

escalable. adj. Que puede ser escalado.

escalaborne. m. Trozo de madera ya desbastado para labrar la caja del arma de fuego.

escalabrar. tr. **descalabrar.** Ú. t. c. prnl.

escalada. f. Acción y efecto de escalar[2] una fortaleza valiéndose de escalas. ‖ **2.** Acción y efecto de trepar por una pendiente o a una gran altura. ‖ **3.** Aumento rápido y por lo general alarmante de alguna cosa, como precios, actos delictivos, gastos, armamentos, etc. ‖ **4.** ant. Escala, escalera.

escalado, da. adj. Dícese de los animales abiertos en canal para salar o curar su carne.

escalador, ra. adj. Que escala. Ú. t. c. s. ‖ **2.** m. *Germ.* Ladrón que hurta valiéndose de escala. ‖ **3.** Obrero portuario que realiza la desestiba de los buques de pesca, incluso en la nevera; limpia y clasifica el pescado, lo transborda y descarga en el muelle.

escalafón. (der. de *escala*, de formación oscura.) m. Lista de los individuos de una corporación, clasificados según su grado, antigüedad, méritos, etc.

escalamiento. m. Acción y efecto de escalar.

escálamo. (De *escalmo*.) m. *Mar.* Estaca pequeña y redonda, encajada en el borde de la embarcación, a la cual se ata el remo.

escalar[1]. (Del lat. *scalāris.*) m. *Ar.* Paso angosto en una montaña, con escalones naturales o hechos a mano.

escalar[2]. tr. Entrar en una plaza fuerte u otro lugar valiéndose de escalas. ‖ **2.** Subir, trepar por una gran pendiente o a una gran altura. ‖ **3.** Por ext., entrar subrepticia o violentamente en alguna parte, o salir de ella, rompiendo una pared, un tejado, etc. ‖ **4.** Levantar la compuerta de la acequia para dar salida al agua. ‖ **5.** *Ar.* Abrir escalones o surcos en el terreno. ‖ **6.** fig. Subir, no siempre por buenas artes, a elevadas dignidades.

escalar[3]. adj. *Fís.* Dícese de la magnitud física que carece de dirección. Ú. t. c. s.

escaldado, da. p. p. de **escaldar.** ‖ **2.** adj. fig. y fam. Escarmentado, receloso. ‖ **3.** fig. y fam. Aplícase a la mujer muy ajada, libre y deshonesta en su trato. ‖ **4.** f. *Zam.* Comida de patatas y berzas.

escaldadura. f. Acción y efecto de escaldar.

escaldar. (Del lat. *excaldāre.*) tr. Bañar con agua hirviendo una cosa. ‖ **2.** Abrasar con fuego una cosa, poniéndola muy roja y encendida, como el hierro, etc. ‖ **3.** prnl. Escocerse la piel, especialmente de las ingles.

escaldo. (Del escand. *scald,* cantor.) m. Cada uno de los antiguos poetas escandinavos, autores de cantos heroicos y de sagas.

escaldrido, da. adj. ant. Astuto, sagaz.

escaldufar. (De *es-* y *caldo.*) tr. *Murc.* Sacar caldo de la olla que tiene demasiado.

escalecer. (Del lat. *excalescĕre.*) tr. *Sal.* **calentar.**

escaleno. (Del lat. *scalēnus,* y este del gr. σκαληνός, oblicuo.) adj. *Geom.* V. **triángulo escaleno.** ‖ **2.** *Geom.* Se ha llamado también así el cono cuyo eje no es perpendicular a la base.

escalentador. m. ant. Calentador para la cama.

escalentamiento. m. ant. **calentamiento.** ‖ **2.** *Veter.* Enfermedad que sufren los animales en los pies y en las manos, por falta de limpieza.

escalentar. tr. ant. **calentar.** ‖ **2.** ant. Calentar con exceso. ‖ **3.** ant. fig. Inflamar o enardecer las pasiones y afectos. ‖ **4.** intr. ant. Fomentar y conservar el calor natural.

escalera. (Del lat. *scalaria,* pl. n. de *scalāres.*) f. Serie de escalones que sirven para subir a los pisos de un edificio o a un plano más elevado, o para bajar de ellos. ‖ **2. escalera de mano.** ‖ **3.** Pieza del carro, compuesta por los listones, las teleras y el pértigo, y que en la forma se parece a una **escalera** de mano. ‖ **4.** Armazón de dos largueros y varios travesaños, semejante a una **escalera** de mano corta, con que se prolonga por su parte trasera la carreta o el carro. ‖ **5.** Reunión de naipes de valor correlativo. ‖ **6.** Instrumento de cirugía parecido a una **escalera,** con algunas garruchas, que se usó antiguamente para concertar los huesos dislocados. ‖ **7.** fig. Trasquilón recto o línea de desigual nivel que la tijera deja en el pelo mal cortado. ‖ **8.** En algunas partes, peldaño, escalón. ‖ **9.** V. **ojo de la escalera.** ‖ **de caracol.** La de forma espiral, seguida y sin ningún descanso. ‖ **de color.** La formada por naipes del mismo palo. ‖ **de desahogo. escalera excusada.** ‖ **de escapulario.** *Min.* La de mano que se cuelga pegada a la pared de los pozos. ‖ **de espárrago.** La formada por un madero atravesado por estacas pequeñas salientes. ‖ **de husillo. escalera de caracol.** ‖ **de incendios. escalera** metálica destinada a facilitar la salida de un edificio o la entrada en él en caso de incendio. ‖ **de mano.** Aparato portátil, por lo común de madera, compuesto de dos largueros en que están encajados transversalmente y a igual distancia unos travesaños que sirven de escalones. ‖ **de servicio. escalera** accesoria que tienen algunas casas para dar paso a la servidumbre y a los abastecedores. ‖ **de tijera,** o **doble.** La compuesta de dos **escaleras** de mano unidas con bisagras por la parte superior. ‖ **excusada,** o **falsa.** La que da paso a los sobrados y a las habitaciones interiores de la casa. ‖ **mecánica.** La dotada de automoción y cuyos peldaños enlazados unos a otros sin solución de continuidad, se deslizan en marcha ascendente o descendente sobre rodillos elásticos. Suelen instalarse en grandes almacenes, estaciones del metropolitano, etc. ‖ **de escalera abajo.** loc. adj. Se decía de los sirvientes domésticos y especialmente de los que se ocupaban de las faenas más humildes. ‖ **en escalera.** loc. adv. Aplícase a las cosas que están colocadas con desigualdad y como en gradas. ‖ **real. escalera de color.**

escalereja. f. d. de **escalera.**

escalerilla. f. Escalera de corto número de escalones. ‖ **2.** En los juegos de naipes, tres cartas en una mano, de números consecutivos. ‖ **3.** *Ar.* Especie de parihuelas que, atadas sobre una albarda, sirven para sujetar a ellas los haces de mies o leña que forman la carga. ‖ **4.** *Veter.* Instrumento de hierro, semejante a una escalera de mano, que sirve para abrir y explorar la boca de las caballerías. ‖ **en escalerilla.** loc. adv. **en escalera.**

escalerón. m. aum. de **escalera.** ‖ **2.** Escalera de espárrago, formada por un madero atravesado por estacas pequeñas salientes. ‖ **3.** *Ar.* y *Cantabria.* Escalón, peldaño.

escaleta. (d. de *escala.*) f. Aparato compuesto de un tablón sobre el que se se alzan dos maderos con agujeros en correspondencia unos con otros, por los que se pasa un perno de hierro a la altura conveniente, del que se suspende el eje del vehículo para poder voltear las ruedas y limpiarlas, cambiarlas o componerlas.

escalfado, da. p. p. de **escalfar.** ‖ **2.** adj. Aplícase a la pared que no está bien lisa y forma algunas vejigas, por no haber estado en su punto la cal o el yeso cuando se dio de llana.

escalfador. m. Jarro de estaño, cobre u otro metal, hecho a manera de chocolatera, con su tapa agujereada como un rallo, y en el cual calentaban y tenían los barberos el agua para afeitar. ‖ **2.** Braserillo de hierro u otro metal, con tres pies, que se ponía sobre la mesa para calentar la comida. ‖ **3.** Aparato que emplean los obreros pintores para quemar la pintura al óleo de puertas y ventanas que han de pintar de nuevo.

escalfamiento. m. ant. Fiebre, calentura.

escalfar. (Del lat. *excalfacĕre,* calentar.) tr. Cocer en agua hirviendo o en caldo los huevos sin la cáscara. ‖ **2.** Cocer el pan con demasiado fuego, de tal modo que se levanten ampollas en él al cocerlo. Ú. t. c. prnl. ‖ **3.** desus. Descontar, mermar, quitar algo de lo justo. Ú. en Méjico. ‖ **4.** ant. **calentar.**

escalfarote. (Del it. *scalfarotto.*) m. Bota con pala y caña dobles, para que pueda rellenarse con borra o heno y conserve calientes el pie y la pierna.

escalfecerse. (Del lat. *excalfacĕre,* calentar.) prnl. *Ar.* Florecer, enmohecerse las sustancias alimenticias.

escalfeta. (De *escalfar,* calentar.) f. Braserillo manual.

escaliar. tr. *Ar.* Rozar, roturar o artigar un terreno.

escalibar. (De *cálibo.*) tr. *Ar.* Escarbar el rescoldo para quitarle la ceniza y avivar el fuego. ‖ **2.** fig. *Ar.* Echar leña al fuego, avivar una discusión.

escalinata. (Del it. *scalinata.*) f. Escalera amplia y generalmente artística, en el exterior o en el vestíbulo de un edificio.

escalio. (De *escaliar.*) m. *Ar.* Tierra yerma que se pone en cultivo, artiga.

escalmo. (Del lat. *scalmus,* y este del gr. σκαλμός.) m. Estaca fijada en el borde de la embarcación para atar a ella el remo. ‖ **2.** Cuña gruesa de madera, que sirve para calzar o apretar algunas piezas de una máquina.

escalo. (De *escalar*[2].) m. Acción de escalar. ‖ **2.** Trabajo de zapa o boquete practicado para salir de un lugar cerrado o penetrar en él.

escalofriado, da. adj. Que padece escalofríos.

escalofriante. p. a. de **escalofriar.** ‖ **2.** adj. Pavoroso, terrible. ‖ **3.** Asombroso, sorprendente.

escalofriar. tr. Causar escalofrío. Ú. t. c. intr. y c. prnl.

escalofrío. m. Sensación de frío, por lo común repentina, violenta y acompañada de contracciones musculares, que a veces precede a un ataque de fiebre. Ú. m. en pl. ‖ **2.** Sensación semejante producida por una emoción intensa, especialmente de terror.

escalón. m. En la escalera de un edificio, cada parte en que se apoya el pie para subir o bajar. ‖ **2.** fig. Grado a que se asciende en dignidad. ‖ **3.** fig. Paso o medio con que uno adelanta sus pretensiones o conveniencias. ‖ **4.** *Mil.* Una de las fracciones en que se dividen las tropas de un frente de combate y que se colocan tácticamente con intervalos y a distancias regulares. ‖ **en escalones.** loc. adv. Aplícase a lo que está cortado o hecho con desigualdad.

escalona. (Del lat. *ascalonĭa* [*caepa*], de Ascalón de Fenicia.) f. **chalote.**

escalonado. p. p. de **escalonar.** ‖ adj. Semejante en la superficie a una serie de escalones.

escalonamiento. m. Acción y efecto de escalonar.

escalonar. tr. Situar ordenadamente personas o cosas de trecho en trecho. Ú. especialmente en la milicia. Ú. t. c. prnl. ‖ **2.** fig. Distribuir en tiempos sucesivos las diversas partes de una serie.

escalonia. (Del lat. *ascalonĭa.*) adj. V. **cebolla escalonia.** Ú. t. c. s.

escaloña. (Del lat. *ascalonĭa.*) f. **chalote.**

escalope. (Del fr. *escalope.*) m. Loncha delgada de carne empanada y frita.

escalpelo. (Del lat. *scalpellum.*) m. *Cir.* Instrumento en forma de cuchillo pequeño, de hoja fina, puntiaguda, de uno o dos cortes, que se usa en las disecciones anatómicas, autopsias y vivisecciones.

escalplo. (Del lat. *scalprum.*) m. Cuchilla de curtidores.

escalla. (Del lat. *scandŭla.*) m. Trigo carraón.

escama. (Del lat. *squāma.*) f. *Zool.* Laminilla de origen dérmico o epidérmico, en forma de escudete que, imbricada con otras muchas de su clase, suele cubrir total o parcialmente el cuerpo de algunos animales, principalmente el de los peces y reptiles. ‖ **2.** Por extensión, cada una de las laminillas microscópicas que cubren las alas de las mariposas. ‖ **3.** fig. Lo que tiene figura de **escama.** ‖ **4.** fig. Cada una de las launas de hierro o acero en figura de **escama** que forman la loriga. ‖ **5.** fig. Recelos que uno tiene por el daño o molestia que otro le ha causado, o por el que teme. ‖ **6.** Laminilla formada por células epidérmicas unidas y muertas que se desprenden espontáneamente de la piel. ‖ **7.** *Bot.* Órgano escarioso o membranoso semejante a una hojita. ‖ **carenada.** *Zool.* La que presenta un saliente longitudinal a modo de quilla; son propias de las víboras y otros reptiles.

escamada. f. Bordado cuya labor está hecha en figura de escamas de hilo de plata o de oro.

escamado, da. p. p. de **escamar.** ‖ **2.** adj. Que siente recelo o desconfianza. ‖ **3.** m. Obra labrada en figura de escamas. ‖ **4.** Conjunto de ellas.

escamadura. f. Acción de escamar.

escamante. p. a. de **escamar.** Que escama. ‖ **2.** adj. Que produce recelo o desconfianza.

escamar. (Del lat. *desquamāre.*) tr. Quitar las escamas a los peces. ‖ **2.** Labrar en figura de escamas. ‖ **3.** fig. y fam. Hacer que uno entre en cuidado, recelo o desconfianza. Ú. m. c. prnl.

escambrón. (Del lat. **scrabro, -ōnis,* tábano.) m. ant. Cambrón, arbusto ramnáceo.

escambronal. m. ant. Sitio en que abundan los escambrones.

escamel. (Del lat. *scabellum,* banquillo, a través del prov. o cat. *scamell.*) m. Instrumento de espaderos, en el cual se tiende y sienta la espada para labrarla.

escamiforme. adj. Que tiene forma de escama, parecido a una escama.

escamochar. (De etim. disc.) tr. *And.* Quitar las hojas no comestibles a los palmitos, lechugas, alcachofas, etc. ‖ **2.** fig. Desperdiciar, malbaratar.

escamoche. m. *Sal.* Desmoche, corta de leña.

escamochear. intr. *Ar.* Pavordear o jabardear.

escamocho. (De etim. disc.) m. Sobras de la comida o bebida. ‖ **2.** En algunas partes, jabardo o enjambrillo. ‖ **3.** fig. *Ál.* y *Ar.* Persona enteca, desmirriada. ‖ **4.** *Ar.* Excusa o pretexto injustificado. ‖ **no arriendo tus, o sus, escamochos.** fr. fam. con que se moteja a uno escaso de bienes.

escamón, na. (De *escamar,* meter en cuidado.) adj. Receloso, desconfiado, que se escama.

escamonda. f. Acción y efecto de escamondar.

escamondadura. f. Ramas inútiles y desperdicios que se han quitado de los árboles.

escamondar. (Del lat. *ex* y *caput mundāre,* podar lo somero.) tr. Limpiar los árboles quitándoles las ramas inútiles y las hojas secas. ‖ **2.** fig. Limpiar una cosa quitándole lo superfluo y dañoso.

escamondo. m. Acción y efecto de escamondar.

escamonea. (Del lat. *scammonĕa,* y este del gr. σκαμμωνία.) f. Gomorresina medicinal sólida y muy purgante, extraída de una hierba de la familia de las convolvuláceas, que se cría en los países mediterráneos orientales. Es ligera, quebradiza, de color gris subido, olor fuerte y sabor acre y amargo. ‖ **2.** Planta que produce esta gomorresina.

escamoneado, da. adj. Que participa de la calidad de la escamonea.

escamonearse. prnl. fam. Escamarse uno, recelar, entrar en cuidado de algo.

escamoso, sa. (Del lat. *squamōsus.*) adj. Que tiene escamas. ‖ **2.** *Zool.* Dícese de los reptiles cuyo cuerpo está cubierto de escamas y que carecen de esqueleto externo o caparazón, como los lagartos y las serpientes. Ú. t. c. s. ‖ **3.** m. pl. *Zool.* Orden de estos animales.

escamotar. (Del fr. *escamoter.*) tr. **escamotear.**

escamoteador, ra. adj. Que escamotea. Ú. t. c. s.

escamotear. tr. Hacer el jugador de manos que desaparezcan a ojos vistas las cosas que maneja. ‖ **2.** fig. Robar o quitar una cosa con agilidad y astucia. ‖ **3.** fig. Hacer desaparecer, quitar de en medio de un modo arbitrario o ilusorio algún asunto o dificultad.

escamoteo. m. Acción y efecto de escamotear.

escampada. f. fam. Clara, espacio corto de tiempo en que deja de llover un día lluvioso.

escampado, da. p. p. de **escampar.** ‖ **2.** adj. Dícese del terreno descubierto, sin tropiezos, malezas ni espesuras.

escampamento. m. ant. **derramamiento.**

escampar. (De *es-* y *campo,* dejar el campo.) tr. Despejar, desembarazar un sitio. ‖ **2.** intr. Aclararse el cielo nublado, cesar de llover. ‖ **3.** fig. Cesar en una operación; suspender el empeño con que se intenta hacer una cosa. ‖ **¡ya escampa!** loc. fam. **¡ya escampa!, y llovían guijarros.**

escampavía. (De *escampar,* despejar, y *vía.*) f. Barco pequeño y velero que acompaña a una embarcación más grande, sirviéndole de explorador. ‖ **2.** Barco muy ligero y de poco calado, que emplea el resguardo marítimo para perseguir el contrabando.

escampilla. f. *Alic.* y *Ar.* Toña, tala.

escampo. m. Acción de escampar. ‖ **2.** ant. **escape.**

escamudo, da. adj. **escamoso.**

escamujar. (De etim. disc.) tr. Podar ligeramente un árbol, especialmente el olivo, entresacando varas o ramas, para que el fruto tenga mejor sazón.

escamujo. m. Rama o vara de olivo quitada del árbol. ‖ **2.** Tiempo en que se escamuja.

escancia. f. Acción y efecto de escanciar.

escanciador, ra. adj. Que sirve la bebida, especialmente los vinos y licores. Ú. t. c. s.

escanciano. m. desus. **escanciador.**

escanciar. (Del germ. *skankjan*, dar de beber.) tr. Echar el vino; servirlo en las mesas y convites. ‖ **2.** intr. Beber vino.

escanda. (Del lat. *scandŭla*.) f. Especie de trigo, propia de países fríos y terrenos pobres, de paja dura y corta, y cuyo grano se separa difícilmente del cascabillo.

escandalar[1]. (Del lat. *scandŭla*, palo.) m. *Mar.* Cámara donde estaba la brújula en la galera.

escandalar[2]. (De *cándalo*.) tr. *Cuen.* Quitar el ramaje a los pinos después de tumbados o apeados.

escandalera. f. fam. Escándalo, alboroto grande.

escandalizador, ra. adj. Que escandaliza. Ú. t. c. s.

escandalizar. (Del lat. cristiano *scandalizāre*, y este del gr. σκανδαλίζω.) tr. Causar escándalo. ‖ **2.** ant. Conturbar, consternar. ‖ **3.** prnl. Mostrar indignación, real o fingida, por alguna cosa. ‖ **4.** Excandecerse, enojarse o irritarse.

escandalizativo, va. adj. Dícese de lo que puede ocasionar escándalo.

escándalo. (Del lat. *scandălum*, y este del gr. σκάνδαλον.) m. Acción o palabra que es causa de que uno obre mal o piense mal de otro. ‖ **2.** Alboroto, tumulto, ruido. ‖ **3.** Desenfreno, desvergüenza, mal ejemplo. ‖ **4.** fig. Asombro, pasmo, admiración. ‖ **5.** fig. V. **piedra de, o del, escándalo.** ‖ **activo.** Dicho o hecho reprensible que es ocasión de daño y ruina espiritual del prójimo. ‖ **farisaico.** El que se recibe o se aparenta recibir sin causa, mirando como reprensible lo que no lo es. ‖ **pasivo.** Ruina espiritual o pecado en que cae el prójimo por ocasión del dicho o hecho de otro.

escandalosa. f. *Mar.* Vela pequeña que, en buenos tiempos, se orienta sobre la cangreja. ‖ **echar la escandalosa.** fr. fig. y fam. Acudir, en una disputa, al empleo de frases duras.

escandalosamente. adv. m. Con escándalo.

escandaloso, sa. (Del lat. *scandalōsus*.) adj. Que causa escándalo. Ú. t. c. s. ‖ **2.** Ruidoso, revoltoso, inquieto. Ú. t. c. s.

escandallar. tr. Sondear, medir la profundidad del mar con el escandallo. ‖ **2.** Apreciar el valor del conjunto de una mercancía por el valor de unas muestras. ‖ **3.** *Com.* Determinar el precio de coste o de venta de una mercancía por los factores de su producción.

escandallo. (Del prov. *escandall*, sonda.) m. Parte de la sonda que lleva en su base una cavidad rellena de sebo, y sirve para reconocer la calidad del fondo del agua, mediante las partículas u objetos que se sacan adheridos. ‖ **2.** Acción de tomar al azar o con ciertas condiciones una o varias unidades de un conjunto como representativas de la calidad de todas. ‖ **3.** Muestra así recogida. ‖ **4.** *Com.* En el régimen de tasas, determinación del precio de coste o de venta de una mercancía con relación a los factores que lo integran.

escandelar. (Del lat. *scandŭla*, palo.) m. *Mar.* **escandalar**[1].

escandelarete. m. d. de **escandelar.**

escandia. (Del lat. *scandŭla*.) f. Especie de trigo muy parecida a la escanda, con dobles carreras de granos en la espiga.

escandinavo, va. adj. Natural de Escandinavia. Ú. t. c. s. ‖ **2.** Perteneciente o relativo a esta región del norte de Europa.

escandio. (Del lat. *Scandĭa*, Escandinavia.) m. *Quím.* Elemento químico que se encuentra en algunos minerales. Núm. atómico 21. Símb.: *Sc.*

escandir. (Del lat. *scandĕre*.) tr. *Métr.* Medir el verso; contar el número de pies o de sílabas de que consta.

escáner. (Del ing. *scanner*, el que explora o registra.) m. *Med.* Aparato tubular para la exploración radiográfica, en el cual la radiación es enviada concéntricamente al eje longitudinal del cuerpo humano. Recogida esta radiación a su salida del cuerpo por un sistema de detectores circularmente dispuestos, y ordenada mediante un computador la información así recibida, el aparato permite obtener la imagen completa de varias y sucesivas secciones transversales de la región corporal explorada.

escanilla. (Del lat. *scanellum*, d. de *scamnum*.) f. *Burg.* **cuna,** camita para niños.

escanógrafo. m. *Med.* **escáner.**

escanograma. (De *escáner*, por derivación regresiva, y *-grama*.) f. *Med.* Radiografía obtenida mediante el escáner.

escansión. (Del lat. *scansĭo, -ōnis*.) f. *Métr.* Medida de los versos. ‖ **2.** *Pat.* Trastorno neurológico consistente en hablar descomponiendo las palabras en sílabas pronunciadas separadamente.

escantador, ra. adj. ant. **encantador.** Usáb. t. c. s.

escantar. (Del lat. *excantāre*.) tr. ant. **encantar**[1].

escantillar. (De *es-* y *cantillo*, d. de *canto*[2].) tr. *Arq.* Tomar una medida o marcar una dimensión a contar desde una línea fija. ‖ **2.** *Ar.* y *Nav.* Romper las aristas o cantos de una cosa.

escantillón. (Del fr. ant. y dialect. *escantillon*, patrón de medidas.) m. Regla, plantilla o patrón que sirve para trazar las líneas y fijar las dimensiones según las cuales se han de labrar las piezas en diversos artes y oficios mecánicos. ‖ **2.** *Mar.* V. **tabla de escantillones.** ‖ **3.** En las maderas de construcción, lo mismo que escuadría.

escaña. (Del lat. *scandăla, scandŭla*, especie de trigo.) f. **escanda.**

escañarse. (De *caña* [del pulmón.]) prnl. *Ar.* Atragantarse, ahogarse.

escañero. m. Criado que cuidaba de los asientos y escaños en los concejos o ayuntamientos.

escañeto. m. *Cantabria.* Cachorro del oso.

escañil. m. *León.* Escaño pequeño.

escaño[1]. (Del lat. *scamnum*.) m. Banco con respaldo en el que pueden sentarse tres o más personas. ‖ **2.** Puesto, asiento de los parlamentarios en las Cámaras.

escaño[2]. m. ant. **escaña.**

escañuelo. m. Banquillo para poner los pies.

escapada. f. Acción de escapar o salir deprisa y ocultamente. ‖ **2.** Abandono temporal de las ocupaciones habituales, generalmente con objeto de divertirse o distraerse. ‖ **en una escapada.** loc. adv. **a escape.**

escapado, da. p. p. de **escapar.** ‖ **2.** adj. Dícese del corredor que se adelanta a los demás. Ú. t. c. s. ‖ **3.** adv. m. Con ciertos verbos de movimiento, muy deprisa. *Salid* ESCAPADO. *Entramos* ESCAPADOS.

escapamiento. m. desus. **escapada.**

escapar. (Del lat. *ex*, fuera, y *cappa*, capa.) tr. Tratándose del caballo, hacerle correr con extraordinaria violencia. ‖ **2.** **librar,** sacar de un trabajo, mal o peligro. Ú. t. c. prnl. ‖ **3.** intr. Salir de un encierro o un peligro. ESCAPAR *de la prisión, de la enfermedad.* Ú. t. c. prnl. ‖ **4.** Salir uno deprisa y ocultamente. Ú. t. c. prnl. ‖ **5.** prnl. Salirse un líquido o un gas de un depósito, cañería, canal, etc., por algún resquicio. ‖ **6.** Soltarse algo que estaba sujeto. SE ME HA ESCAPADO *un punto de la media.* ‖ **7.** Marcharse un vehículo de transporte público antes de que uno pueda entrar en él. ‖ **8.** fig. Quedar fuera del dominio o influencia de alguna persona o cosa. Ú. t. c. intr. *Hay cosas que* SE ESCAPAN (*o que* ESCAPAN) *al poder de la voluntad.* ‖ **9.** fig. Salir o alejarse del alcance de una persona. SE ME HA ESCAPADO *un buen negocio.* ‖ **10.** fig. Pasar una cosa inadvertida a alguien. SE NOS ESCAPÓ *una errata.* ‖ **11.** fig. Decir o hacer alguien algo involuntariamente. SE LE ESCAPÓ *la risa cuando el silencio era absoluto.* ‖ **12.** *Dep.* Adelantarse uno al grupo en que va corriendo.

escaparate. (Del neerl. medio *schaprade,* armario.) m. Especie de alacena o armario, con puertas de vidrios o cristales y con anaqueles para poner imágenes, barros finos, etc. ‖ **2.** Hueco que hay en la fachada de las tiendas, resguardado con cristales en la parte exterior, y que sirve para colocar en él muestras de los géneros que allí se venden, a fin de que llamen la atención del público.

escaparatista. com. Persona encargada de disponer artísticamente los objetos que se muestran en los escaparates.

escapatoria. f. Acción y efecto de evadirse y escaparse. *Dar a uno* ESCAPATORIA. ‖ **2.** fam. Excusa, efugio y modo de evadirse uno de la dificultad y aprieto en que se halla.

escape. m. Acción de escapar. ‖ **2.** Fuga de un gas o de un líquido. ‖ **3.** Fuga apresurada con que uno se libra de recibir el daño que le amenaza. ‖ **4.** En los motores de explosión, salida de los gases quemados, y tubo que los conduce al exterior. ‖ **5.** En algunas máquinas, como el reloj, la llave de la escopeta y otras, pieza que separándose deja obrar a un muelle, rueda u otra cosa que sujetaba. ‖ **6.** V. **tubo de escape.** ‖ **a escape.** loc. adv. A todo correr, a toda prisa. ‖ **no haber escape.** fr. fam. No encontrar salida o solución para una dificultad.

escapo. (Del lat. *scapus.*) m. *Arq.* Fuste de la columna. ‖ **2.** *Bot.* Tallo herbáceo, florífero, sin hojas, que arranca de la parte baja del vegetal y lleva las flores en su ápice.

escápula. (Del lat. *scapŭla.*) f. *Anat.* **omóplato.**

escapular[1]. (Tal vez del lat. *scapŭla,* espalda.) tr. *Mar.* Doblar o montar un bajío, cabo, punta de costa u otro peligro. ‖ **2.** intr. *Mar.* Zafarse una amarra por deshacerse su nudo o la vuelta que la afirma. Ú. t. c. prnl.

escapular[2]. adj. *Anat.* Referente a la escápula.

escapulario. (Del lat. *scapularis,* referente a las espaldas.) m. Tira o pedazo de tela con una abertura por donde se mete la cabeza, y que cuelga sobre el pecho y la espalda; sirve de distintivo a varias órdenes religiosas. Hácese también de dos pedazos pequeños de tela unidos con dos cintas largas para echarlo al cuello, y lo usan por devoción los seglares. ‖ **2.** Práctica devota en honor de la Virgen del Carmen, que consiste en rezar siete veces el padrenuestro con el avemaría y el gloriapatri. ‖ **3.** *Min.* V. **escalera de escapulario.**

escaque. (Del ár. *as-sikak,* las filas de casas, las calles.) m. Cada una de las casillas cuadradas e iguales, blancas y negras alternadamente, y a veces de otros colores, en que se divide el tablero de ajedrez y el del juego de damas. ‖ **2.** *Blas.* Cuadrito o casilla que resulta de las divisiones del escudo, cortado y partido a lo menos dos veces. ‖ **3.** pl. Juego de ajedrez.

escaqueado, da. adj. Aplícase a la obra o labor repartida o formada en escaques, como el tablero de ajedrez.

escaquear. tr. Dividir en escaques. ‖ **2.** prnl. fam. Eludir una tarea u obligación.

escara. (Del grecolat. *eschăra,* y este del gr. ἐσχάρα.) f. *Cir.* Costra, ordinariamente de color oscuro, que resulta de la mortificación o pérdida de vitalidad de una parte viva afectada de gangrena, o profundamente quemada por la acción del fuego o de un cáustico.

escarabaja. f. *Sal.* Palito menudo que se emplea para encender la lumbre. Ú. m. en pl.

escarabajear. intr. Andar y bullir desordenadamente como si se trazaran escarabajos o rasgos mal formados, torcidos y confusos. ‖ **2.** fig. Escribir mal, haciendo escarabajos o rasgos confusos. ‖ **3.** Producir cosquilleo o picazón en alguna parte del cuerpo. ‖ **4.** fig. y fam. Punzar y molestar un cuidado, temor o disgusto. ‖ **5.** Bailar el trompo con irregularidad, dejando de estar dormido.

escarabajeo. m. fig. y fam. Acción y efecto de escarabajear, de molestar a uno un cuidado, temor o disgusto.

escarabajo. (Del lat. vulg. *scarabaius.*) m. Insecto coleóptero, de antenas con nueve articulaciones terminadas en maza, élitros lisos, cuerpo deprimido, con cabeza rombal y dentada por delante, y patas anteriores desprovistas de tarsos. Busca el estiércol para alimentarse y hacer bolas, dentro de las cuales deposita los huevos. ‖ **2.** Por ext., se da este nombre a varios coleópteros de cuerpo ovalado, patas cortas y por lo general coprófagos. ‖ **3.** fig. En los tejidos, imperfección que consiste en no estar derechos los hilos de la trama. ‖ **4.** fig. y fam. Persona pequeña de cuerpo y de mala figura. ‖ **5.** *Art.* Huequecillo que, por defecto del molde o del metal, o por otro accidente, a veces queda en los cañones por la parte interior. ‖ **6.** pl. fig. y fam. Letras y rasgos mal formados, torcidos y confusos, parecidos en algún modo a los pies de un **escarabajo.** ‖ **bolero. escarabajo,** insecto coleóptero. ‖ **de la patata.** *Zool.* Insecto coleóptero de pequeño tamaño, color amarillo y diez líneas negras sobre los élitros. Constituye una plaga en los cultivos de la patata. ‖ **en leche.** fig. y fam. **mosca en leche.** ‖ **pelotero. escarabajo bolero.** ‖ **rinoceronte.** Insecto coleóptero de gran tamaño y color castaño oscuro, con una prominencia en el extremo anterior de la cabeza, a modo de cuerno. ‖ **sanjuanero.** Insecto coleóptero, de dos a tres centímetros de largo, que tiene el cuerpo negro, los élitros de color pardo leonado y rojizas las patas y las antenas. Zumba mucho al volar; el animal adulto roe las hojas de las plantas, y la larva, las raíces. En España causa estrago principalmente en las olmedas y en los pinares.

escarabajuelo. m. d. de **escarabajo.** ‖ **2.** Insecto coleóptero, de unos cinco milímetros de largo, color verde azulado brillante, élitros lisos y fémures de las patas posteriores muy desarrollados, que salta con facilidad y roe las hojas y otras partes tiernas de la vid.

escaramucear. intr. Sostener escaramuzas.

escaramujo. (De or. inc.) m. Especie de rosal silvestre, con hojas algo agudas y sin vello; tallo liso, con dos aguijones alternos; flores encarnadas y por fruto una baya aovada, carnosa, coronada de cortaduras, y de color rojo cuando está madura, que se usa en medicina. ‖ **2.** Fruto de este arbusto. ‖ **3.** Percebe, molusco.

escaramuza. (Del it. *scaramuccia,* combate breve y no decisivo.) f. Género de pelea entre los jinetes o soldados de a caballo, que van picando de rodeo, acometiendo a veces y a veces huyendo con gran ligereza. ‖ **2.** Refriega de poca importancia sostenida especialmente por las avanzadas de los ejércitos. ‖ **3.** fig. Riña, disputa o contienda de poca importancia.

escaramuzador, ra. m. y f. Persona que escaramuza.

escaramuzar. intr. Sostener una escaramuza. ‖ **2.** Revolver el caballo a un lado y otro como en la escaramuza.

escarapela. (De *escarapelar.*) f. Divisa compuesta de cintas por lo general de varios colores, fruncidas o formando lazadas alrededor de un punto. Como distintivo, se coloca en el sombrero, morrión, etc. Se usa también como adorno. ‖ **2.** Riña, principalmente entre mujeres. ‖ **3.** En el juego del tresillo, tres cartas falsas, cada cual de palo distinto de aquel a que se juega.

escarapelar. (De etim. disc.) intr. Reñir, trabar cuestiones o disputas y contiendas unos con otros. Se usa principalmente hablando de las riñas que arman las mujeres. Ú. t. c. prnl. ‖ **2.** *Col., C. Rica* y *Venez.* Descascarar, desconchar, resquebrajar. Ú. t. c. prnl. ‖ **3.** *Col.* Ajar, manosear. ‖ **4.** prnl. *Perú.* Ponérsele a uno carne de gallina.

escarapulla. f. ant. Riña, principalmente entre mujeres.

escarbadero. m. Sitio donde escarban los jabalíes, lobos y otros animales.
escarbadientes. m. **mondadientes.**
escarbador, ra. adj. Que escarba. ‖ **2.** m. Instrumento para escarbar.
escarbadura. f. Acción y efecto de escarbar.
escarbaorejas. m. desus. Instrumento de metal o marfil, hecho en forma de cucharilla, que sirve para limpiar los oídos y sacar la cerilla que se cría en ellos.
escarbar. (De or. inc.) tr. Rayar o remover repetidamente la superficie de la tierra, ahondando algo en ella, según suelen hacerlo con las patas el toro, el caballo, la gallina, etc. ‖ **2.** Mondar, limpiar los dientes o los oídos sacando la suciedad introducida en ellos. ‖ **3.** Avivar la lumbre, moviéndola con la badila. ‖ **4.** fig. Inquirir curiosamente lo que está algo encubierto y oculto, hasta averiguarlo.
escarbillos. (De *escarbar.*) m. pl. Trozos pequeños de carbón que salen de un hogar mezclados con la ceniza por combustión incompleta.
escarbo. m. Acción y efecto de escarbar.
escarcear. (De or. inc.) tr. *Sal.* Entresacar en un sembrado de patatas las más gordas. ‖ **2.** intr. *Argent., Urug.* y *Venez.* Hacer escarceos el caballo.
escarcela. (Del it. *scarsella,* bolsa.) f. Especie de bolsa que pendía de la cintura. ‖ **2.** Mochila del cazador, a manera de red. ‖ **3.** Adorno femenino, especie de cofia. ‖ **4.** Parte de la armadura, que caía desde la cintura y cubría el muslo.
escarcelón. m. aum. de **escarcela.**
escarceo. m. Movimiento en la superficie del mar, con pequeñas olas ampolladas que se levantan en los parajes en que hay corrientes. ‖ **2.** fig. Prueba o tentativa antes de iniciar una acción determinada. ‖ **3.** pl. Tornos y vueltas que dan los caballos cuando están fogosos o el jinete los obliga a ello. ‖ **4.** fig. Divagación. ‖ **5.** fig. Tanteo, incursión en algún quehacer que no es el acostumbrado. ‖ **6.** fig. Tentativa, intento de hacer algo sin mucha profundidad o dedicación. ‖ **amoroso.** Comienzo o iniciación de una relación amorosa. ‖ **2.** Aventura amorosa superficial. Ú. m. en pl.
escarcina. f. Espada corta y corva, a manera de alfanje.
escarcinazo. m. Golpe dado con la escarcina.
escarcuñar. tr. *Murc.* Examinar, inquirir, averiguar.
escarcha. (De or. inc.) f. Rocío de la noche congelado.
escarchada. f. Hierba crasa, originaria del cabo de Buena Esperanza, de la familia de las aizoáceas, con tallos cortos y tendidos, hojas anchas, ovales, cubiertas de vesículas transparentes, llenas de agua, flores de muchos pétalos y fruto en caja.
escarchado, da. p. p. de **escarchar.** ‖ **2.** adj. Cubierto de escarcha. ‖ **3.** m. Cierta labor de oro o plata, sobrepuesta en la tela.
escarchar. intr. Congelarse el rocío que cae en las noches frías. ‖ **2.** tr. Preparar confituras de modo que el azúcar cristalice en lo exterior como si fuese escarcha. ‖ **3.** fig. Preparar una bebida alcohólica haciendo que el azúcar cristalice en una rama de anís introducida en la botella. ‖ **4.** fig. En la alfarería del barro blanco, desleír la arcilla en el agua. ‖ **5.** fig. Salpicar una superficie de partículas de talco o de otra sustancia brillante que imite la escarcha. ‖ **6.** ant. Rizar, encrespar.
escarche. m. **escarchado,** cierta labor de oro o plata.
escarcho. m. **rubio,** pez.
escarda. f. Acción y efecto de escardar. ‖ **2.** Época del año a propósito para esta labor. ‖ **3.** Azada pequeña con que se arrancan los cardos, cardillos y otras hierbas que nacen entre los sembrados.
escardadera. f. **escardadora.** ‖ **2. almocafre.**
escardador, ra. m. y f. Persona que escarda los panes y sembrados.
escardadura. f. Acción y efecto de escardar.
escardar. (De *es-* y *cardo.*) tr. Arrancar y sacar los cardos y otras hierbas nocivas de los sembrados. ‖ **2.** fig. Separar y apartar lo malo de lo bueno para que no se confundan.
escardilla. (d. de *escarda,* azadilla.) f. **almocafre.** ‖ **2.** *And.* Azadilla de boca estrecha y mango corto. Es menor que el escardillo.
escardillar. tr. Arrancar cardos con escardilla.
escardillo. m. Azada pequeña para escardar. ‖ **2.** *And.* Azada pequeña. ‖ **3.** En algunas partes, vilano del cardo. ‖ **4.** Viso o reflejo del sol producido por un espejo u otro cuerpo brillante, que sirve por lo común de entretenimiento a los niños. ‖ **lo ha dicho el escardillo.** expr. con que se apremia a los niños a que confiesen lo que han hecho, suponiendo que ya se sabe.
escarearse. (De *escara.*) prnl. *Sal.* Resquebrajarse la piel y llagarse por el frío.
escariador. (De *escariar.*) m. Herramienta para escariar.
escariar. tr. Agrandar o redondear un agujero abierto en metal, o el diámetro de un tubo, por medio de herramientas adecuadas.
escarificación. (Del lat. *scarificatĭo, -ōnis.*) f. *Cir.* Producción de una escara, ya accidentalmente, ya como medio quirúrgico, por el empleo del hierro candente, las pastas cáusticas, etc. ‖ **2.** *Cir.* Acción y efecto de escarificar.
escarificado, da. p. p. de **escarificar.** ‖ **2.** adj. *Cir.* V. **ventosa escarificada.**
escarificador. m. *Agr.* Instrumento que consiste en un bastidor de madera o de hierro con travesaños armados por su parte inferior de cuchillos de acero, para cortar la tierra y las raíces. Suele estar provisto de dos ruedas laterales y una delantera. ‖ **2.** *Cir.* Instrumento con varias puntas aceradas que se emplea para escarificar[1].
escarificar. (Del lat. *scarificāre.*) tr. *Cir.* Hacer en alguna parte del cuerpo cortaduras e incisiones muy poco profundas para facilitar la salida de ciertos líquidos o humores. ‖ **2.** *Cir.* **escarizar.** ‖ **3.** Labrar la tierra con el escarificador.
escarioso, sa. (De *escara.*) adj. *Bot.* Aplícase a los órganos de los vegetales del color de hojas secas, que son delgados y semitransparentes, lo cual a veces les da aspecto de escamas.
escarizar. tr. *Cir.* Quitar la escara que se cría alrededor de las llagas, para que queden limpias y encarnen bien.
escarlador. m. Hierro a modo de navaja, que usan los peineros para pulir las guardillas de los peines.
escarlata. (Del ár. esp. *'iškirlâta,* tejido de seda brocado de oro.) f. Color carmesí fino, menos subido que el de la grana. Ú. t. c. adj. ‖ **2.** Tela de este color. ‖ **3.** Grana fina. ‖ **4.** Escarlatina, enfermedad. ‖ **5.** *Extr.* **murajes.**
escarlatín. m. ant. Tela, especie de escarlata, de color más bajo y menos fino.
escarlatina. f. Tela de lana, parecida a la serafina, de color encarnado o carmesí. ‖ **2.** *Pat.* Fiebre eruptiva, contagiosa y con frecuencia epidémica, caracterizada por un exantema difuso de la piel, de color rojo subido, por grandes elevaciones de temperatura y por angina; algunas veces ocurren complicaciones graves.
escarlatinoso, sa. adj. *Pat.* Perteneciente o relativo a la escarlatina.
escarmenador. (De *escarmenar.*) m. **carmenador.**
escarmenar. (Del lat. *ex* y *carmināre,* cardar.) tr. Carmenar la lana o la seda. ‖ **2.** p. us. fig. Castigar a uno por travieso quitándole el dinero u otras cosas que puede usar mal. ‖ **3.** p. us. fig. Estafar poco a poco. ‖ **4.** *Min.* Escoger y apartar el mineral de entre las tierras o escombros.

escarmentado, da. p. p. de **escarmentar.** ‖ **2.** adj. Que escarmienta. Ú. t. c. s.

escarmentar. (De *escarmiento.*) tr. Corregir con rigor, de obra o de palabra, al que ha errado, para que se enmiende. ‖ **2.** ant. fig. Avisar de un riesgo. ‖ **3.** intr. Tomar enseñanza de lo que uno ha visto y experimentado en sí o en otros, para guardarse y evitar el caer en los mismos peligros.

escarmiento. (De etim. disc.) m. Desengaño, aviso y cautela, adquiridos con la advertencia o la experiencia del daño, error o perjuicio que uno ha reconocido en sus acciones o en las ajenas. ‖ **2.** Castigo, multa, pena.

escarnar. tr. ant. Quitar al hueso la carne.

escarnecedor, ra. adj. Que escarnece. Ú. t. c. s.

escarnecer. (De *escarnir.*) tr. Hacer mofa y burla de otro.

escarnecidamente. adv. m. Con escarnio.

escarnecimiento. m. **escarnio.**

escarnidamente. adv. m. ant. **escarnecidamente.**

escarnidor, ra. (De *escarnir.*) adj. ant. **escarnecedor.** Usáb. t. c. s. ‖ **de agua.** ant. **reloj de agua.** ‖ **2.** ant. Recipiente portátil para regar.

escarnimiento. (De *escarnir.*) m. ant. **escarnio.**

escarnio. (De *escarnir.*) m. Befa tenaz que se hace con el propósito de afrentar. ‖ **a, o en, escarnio.** loc. adv. ant. Por **escarnio.**

escarnir. (Del germ. *skernian,* mofarse.) tr. ant. Hacer mofa o burla de otro.

escaro. (Del lat. *scarus,* y este del gr. σκάρος.) m. Pez del orden de los acantopterigios, de unos cuatro centímetros de largo, con cabeza pequeña, mandíbulas muy convexas, muchos dientes en filas concéntricas, labios prominentes, cuerpo ovalado, comprimido, cubierto de grandes escamas y de color más o menos rojo según la estación.

escarola. (Del cat. y prov. *escarola.*) f. Planta de la familia de las compuestas, de hojas rizadas y amargas al gusto, que se dulcifican privándolas de la luz hasta que adquieren un color amarillo pálido. ‖ **2.** Cuello alechugado que se usó antiguamente.

escarolado, da. p. p. de **escarolar.** ‖ **2.** adj. Rizado como la escarola. ‖ **3.** V. **cuello escarolado.**

escarolar. tr. Formar algo en figura de hoja de escarola.

escarótico, ca. (Del lat. *escharoticus,* y este del gr. ἐσχαρωτικός.) adj. *Cir.* **caterético.**

escarpa. (Del it. *scarpa.*) f. Declive áspero del terreno. ‖ **2.** *Fort.* Plano inclinado que forma la muralla del cuerpo principal de una plaza, desde el cordón hasta el foso y contraescarpa; o plano, también inclinado opuestamente, que forma el muro que sostiene las tierras del camino cubierto.

escarpado, da. p. p. de **escarpar.** ‖ **2.** adj. Que tiene escarpa o gran pendiente. ‖ **3.** Dícese de las alturas que no tienen subida ni bajada transitables o las tienen muy ásperas y peligrosas.

escarpadura. f. Declive áspero de cualquier terreno.

escarpar[1]**.** (der. regresivo de *escarpelo.*) tr. Limpiar y raspar materias y labores de escultura o talla por medio del escarpelo o de la escofina.

escarpar[2]**.** (De *escarpa.*) tr. Cortar una montaña o terreno poniéndolo en plano inclinado.

escarpe[1]**.** (De *escarpar*[2].) m. Declive áspero del terreno.

escarpe[2]**.** (Del it. *scarpa,* zapato.) m. Pieza de la armadura que cubría el pie.

escarpelar. tr. ant. *Cir.* Abrir con el escalpelo una llaga o herida para curarla mejor.

escarpelo. (Del lat. *scalpellum,* con disimilación de la primera *r.*) m. Instrumento de hierro, sembrado de menudos dientecillos, que usan los carpinteros, entalladores y escultores para limpiar, raer y raspar las piezas de labor. ‖ **2.** ant. *Cir.* **escalpelo.**

escarpia. (De or. inc.) f. Clavo con cabeza acodillada, que sirve para sujetar bien lo que se cuelga.

escarpiador. m. ant. Peine para desenredar el cabello. ‖ **2.** Horquilla de hierro que sirve para afianzar a una pared las cañerías o canalones cerrados.

escarpiar. tr. ant. Clavar con escarpias.

escarpidor. (De *es-* y *carpidor.*) m. Peine de púas largas, gruesas y ralas, que sirve para desenredar el cabello.

escarpín. (Del it. *scarpino,* d. de *scarpa,* zapato.) m. Zapato de una sola suela y de una sola costura. ‖ **2.** Calzado interior de estambre u otra materia, para abrigo del pie, y que se coloca encima de la media o del calcetín. ‖ **3.** *Argent.* y *Urug.* Calzado hecho con lana o con hilo tejidos, sin suela, que cubre el pie y el tobillo. Úsanlo sobre todo los niños que aún no andan.

escarpión (en). loc. adv. En figura de escarpia.

escarramán. m. Baile del siglo XVII en que se cantaba el romance de germanía alusivo al Escarramán.

escarramanado, da. adj. Dícese del que tiene tipo o hechos propios de rufián bravucón, por alusión al Escarramán, protagonista de un famoso romance de germanía.

escarramanchones (a). loc. adv. fam. *Ar.* **a horcajadas.**

escarrancharse. (En gall. y port., *escarranchar.*) prnl. Esparrancarse, despatarrarse.

escarrio. (Del vasc. *askarr,* arce y quejigo.) m. *Burg.* Especie de arce.

escartivana. f. **cartivana.**

escarza. f. *Veter.* Herida causada en los pies o manos de las caballerías por haber entrado en ellos y llegado a lo vivo de la carne una china o cosa semejante.

escarzador[1]**.** m. Catador de colmenas.

escarzador[2]**.** m. ant. Tirador, disparador.

escarzano. (Del it. *scarso,* corto, reducido.) adj. *Arq.* V. **arco escarzano.**

escarzar[1]**.** tr. Doblar un palo por medio de cuerdas para que forme un arco.

escarzar[2]**.** (De or. inc.) tr. Sacar unas cosas de entre otras. Se usa principalmente refiriéndose a la operación de sacar las patatas más gordas, para que maduren las pequeñas, y quitar a las colmenas los panales que son delgados o tienen suciedad. ‖ **2.** *Ar.* Hurtar la miel de las colmenas o los huevos de un nido. ‖ **3.** *Ar.* Arrancar a un árbol la corteza seca, etc.

escarzo. m. Panal con borra o suciedad. ‖ **2.** Operación o tiempo de escarzar o castrar las colmenas. ‖ **3. hongo yesquero.** ‖ **4.** Borra o desperdicio de la seda. ‖ **5.** *Ar., Rioja* y *Sal.* Materia fungosa que nace en el tronco de los chopos y otros árboles. ‖ **6.** *Ar.* y *Sal.* Trozo de árbol seco y podrido, o trozo de madera podrida. ‖ **7.** *Sal.* Polvillo de la madera podrida.

escás. (Adaptación vasca de *escaso.*) m. En el frontón, raya que corre a lo largo de las paredes o del suelo de la cancha, con la cual se limitan los lugares donde debe botar la pelota, para que sea válida la jugada.

escasamente. adv. m. Con escasez. ‖ **2.** Con dificultad, apenas.

escasear. (De *escaso.*) tr. Dar poco, de mala gana y haciendo desear lo que se da. ‖ **2.** Ahorrar, excusar. ‖ **3.** *Cant.* y *Carp.* Cortar un sillar o un madero por un plano oblicuo a sus caras. ‖ **4.** intr. Faltar, ir a menos una cosa.

escasero, ra. adj. fam. Que escasea una cosa. Ú. t. c. s.

escasez. f. Cortedad, mezquindad con que se hace una cosa. ‖ **2.** Poquedad, mengua de una cosa. ESCASEZ *de trigo, de agua.* ‖ **3.** Pobreza o falta de lo necesario para subsistir. *Vivir con* ESCASEZ.

escaseza. f. ant. **escasez.**

escaso, sa. (Del b. lat. *excarpsus,* escogido, raro.) adj. Corto, poco, limitado. *Comida* ESCASA. ‖ **2.** Falto, corto, no cabal ni entero. *Dos varas* ESCASAS *de paño; seis leguas* ESCASAS. ‖ **3.** Mezquino, nada liberal ni dadivoso. Ú. t. c. s. ‖ **4.** Demasiado económico. Ú. t. c. s. ‖ **5.** V. **viento escaso.** ‖ **más gasta el escaso que el franco.** proverb. que indica cómo a veces, por escatimar, se compran géneros de mala calidad que duran poco y exigen pronto nuevo gasto.

escatima. (De. or. inc.) f. ant. Falta, defecto, disminución en una cosa. ‖ **2.** ant. Agravio, injuria, insulto o denuesto.

escatimar. tr. Cercenar, disminuir, escasear lo que se ha de dar o hacer, acortándolo todo lo posible. ‖ **2.** p. us. Viciar, adulterar y depravar el sentido de las palabras y de los escritos, torciéndolos e interpretándolos maliciosamente. ‖ **3.** ant. Reconocer, rastrear y mirar con cuidado.

escatimosamente. adv. m. p. us. Maliciosa, astutamente.

escatimoso, sa. adj. p. us. Malicioso, astuto y mezquino.

escatofagia. (Del gr. σκῶρ, σκατός, excremento, y *-fagia.*) f. Hábito de comer excrementos.

escatófago, ga. (Del gr. σκῶρ, σκατός, excremento, y *-fago.*) adj. *Zool.* Dícese de los animales que comen excrementos.

escatófilo. (Del gr. σκῶρ, σκατός, excremento, y *-filo.*) adj. *Zool.* Dícese de los insectos cuyas larvas se desarrollan entre excrementos.

escatología[1]**.** (Del gr. ἔσχατος, último, y *-logía.*) f. Conjunto de creencias y doctrinas referentes a la vida de ultratumba.

escatología[2]**.** (Del gr. σκῶρ, σκατός, excremento, y *-logía.*) f. Tratado de cosas excrementicias. ‖ **2.** Cualidad de escatológico[2].

escatológico[1]**, ca.** (De *escatología*[1].) adj. Relativo a las postrimerías de ultratumba.

escatológico[2]**, ca.** (De *escatología*[2].) adj. Referente a los excrementos y suciedades.

escaupil. (Del nahua *ichcatl,* algodón, y *uipilli,* camisa.) m. Sayo de armas acolchado con algodón, que usaban los antiguos mejicanos y que los conquistadores adoptaron para defenderse de las flechas.

escavador, ra. adj. Que escava.

escavanar. (Por **escavonar,* de *excavón.*) tr. *Agr.* Entrecavar los sembrados, con escarda o azadilla, cuando ya tienen bastantes raíces, para que la tierra se ahueque y se meteorice mejor, y para quitar las malas hierbas.

escavar. tr. Cavar ligeramente la tierra para ahuecarla y quitar la maleza.

escavillar. (De *escavillo.*) tr. *Albac.* y *And.* Escavar.

escavillo. (De *escavar.*) m. *Albac.* Azada pequeña.

escayola. (Del it. *scagliuola.*) f. Yeso espejuelo calcinado. ‖ **2. estuco.**

escayolar. tr. *Cir.* Endurecer con yeso o escayola los apósitos y vendajes destinados a sostener en posición conveniente los huesos rotos o dislocados.

escayolista. com. Persona que hace obras de escayola.

escaza. f. *Ar.* Cazo grande que se emplea en los molinos de aceite para echar el agua hirviendo con que se escalda la pasta contenida en los capachos.

escazarí. (Del ár. *al-qaṣarī,* reducido, corto.) adj. ant. *Arq.* Decíase del arco escarzano.

escelerado, da. (Del lat. *scelerātus.*) adj. ant. **malvado.**

escena. (Del lat. *scena,* y este del gr. σκηνή, cobertizo de ramas.) f. Sitio o parte del teatro en que se representa o ejecuta la obra dramática o cualquier otro espectáculo teatral. Comprende el espacio en que se figura el lugar de la acción a la vista del público. ‖ **2.** Lo que se representa en el escenario. *Mutación, o cambio, de* ESCENA. ‖ **3.** Cada una de las partes en que se divide el acto de la obra dramática, y en que están presentes unos mismos personajes. ‖ **4.** En el cine, cada parte de la película que constituye una unidad en sí misma, caracterizada por la presencia de los mismos personajes. ‖ **5.** fig. Arte de la interpretación teatral. *Tu vocación es la* ESCENA. ‖ **6.** fig. Literatura dramática. *La* ESCENA *española empezó a decaer a fines del siglo XVII.* ‖ **7.** fig. Suceso o manifestación de la vida real que se considera como espectáculo digno de atención. ‖ **8.** fig. Acto o manifestación en que se descubre algo de aparatoso, teatral, y a veces fingido, para impresionar el ánimo. *Vaya* ESCENA *que me hizo. Nos hizo una* ESCENA. ‖ **estar en escena.** fr. fig. Mostrarse el actor en la representación escénica poseído de su papel, especialmente mientras no habla. *Ese actor* ESTÁ *siempre,* o *no* ESTÁ *nunca,* EN ESCENA. ‖ **poner en escena** una obra. fr. Representarla, ejecutarla en el teatro. ‖ **2.** Determinar y ordenar todo lo relativo a la manera en que debe ser representada.

escenario. (Del lat. *scenarĭum.*) m. Parte del teatro construida y dispuesta convenientemente para que en ella se puedan colocar las decoraciones y representar las obras dramáticas o cualquier otro espectáculo teatral. ‖ **2.** En el cine, lugar donde se desarrolla cada escena de la película. ‖ **3.** Lugar en que ocurre o se desarrolla un suceso. ‖ **4.** fig. Conjunto de circunstancias que rodean a una persona o un suceso. ‖ **giratorio.** El dotado de una plataforma circular que, al girar, presenta al público escenas y decorados diversos.

escénico, ca. (Del lat. *scenĭcus.*) adj. Perteneciente o relativo a la escena. ‖ **2.** V. **palco escénico.**

escenificable. adj. Que se puede escenificar.

escenificación. f. Acción y efecto de escenificar.

escenificar. tr. Dar forma dramática a una obra literaria para ponerla en escena. ‖ **2.** Poner en escena una obra o espectáculo teatrales.

escenografía. (Del gr. σκηνογραφία.) f. Delineación en perspectiva de un objeto, en la que se representan todas aquellas superficies que se pueden descubrir desde un punto determinado. ‖ **2.** Arte de proyectar o realizar decoraciones escénicas. ‖ **3.** Conjunto de decorados en la representación escénica. ‖ **4.** fig. Conjunto de circunstancias que rodean un hecho, actuación, etc.

escenográficamente. adv. m. Según las reglas de la escenografía.

escenográfico, ca. adj. Perteneciente o relativo a la escenografía.

escenógrafo, fa. (Del gr. σκηνογράφος.) adj. Persona que profesa o cultiva la escenografía. Ú. t. c. s.

escepticismo. (De *escéptico* e *-ismo.*) m. Doctrina de ciertos filósofos antiguos y modernos, que consiste en afirmar que la verdad no existe, o que, si existe, el hombre es incapaz de conocerla. ‖ **2.** Desconfianza o duda de la verdad o eficacia de alguna cosa.

escéptico, ca. (Del lat. *sceptĭcus,* y este del gr. σκεπτικός.) adj. Que profesa el escepticismo. *Filósofo* ESCÉPTICO; *hombre* ESCÉPTICO. Apl. a pers., ú. t. c. s. ‖ **2.** fig. Que no cree o afecta no creer en determinadas cosas. Ú. t. c. s.

esceptro. (Del lat. *sceptrum,* cetro.) m. ant. **cetro.**

escetar. tr. ant. **exceptar.**

escibar. (De *es-* y el lat. *cibus,* cebo.) tr. ant. Quitar de los panales las celdas sin miel. ‖ **2.** ant. Quitar el cebo a las armas de fuego.

escible. (Del lat. *scibĭlis.*) adj. ant. Que puede o merece saberse.

esciencia. f. ant. **ciencia.**

esciente. (Del lat. *sciens, -entis.*) adj. Que sabe.

escientemente. adv. m. ant. Con ciencia o noticia de la cosa.

escientífico, ca. adj. ant. **científico.**

escifozoo. adj. *Zool.* Dícese de animales celentéreos de vida pelágica en cuyo ciclo vital predomina la fase medusa; poseen células urticantes que pueden producir heridas de diversa consideración. ‖ **2.** m. pl. *Zool.* En clasificaciones hoy en desuso, clase de estos animales.

escila[1]. (Del lat. *scilla.*) f. **cebolla albarrana.**

Escila[2]. (Del lat. *Scylla.*) n. p. **entre Escila y Caribdis.** expr. fig. con que se explica la situación del que no puede evitar un peligro sin caer en otro. Dícese por alusión al escollo y al abismo o remolino que se encuentran próximos en la boca del estrecho de Mesina.

escíncido. (De *Scincus,* nombre de un género de animales, e *-ido.*) adj. *Zool.* Dícese de reptiles del orden de los saurios que tienen la lengua corta y escotada y las patas poco desarrolladas; como los eslizones. Ú. t. c. s. ‖ **2.** m. pl. *Zool.* Familia de estos animales.

escinco. (Del lat. *scincus,* y este del gr. σκίγκος.) m. **eslizón.**

escindible. adj. Que puede escindirse.

escindir. (Del lat. *scindĕre.*) tr. Cortar, dividir, separar. Ú. t. c. prnl. ‖ **2.** *Fís.* Romper un núcleo atómico en dos porciones aproximadamente iguales, con la consiguiente liberación de energía. Suele realizarse mediante el bombardeo con neutrones.

escintilar. intr. Centellear.

escirro. (Del lat. *scirros,* y este del gr. σκίρρος.) m. *Pat.* Especie de cáncer que consiste en un tumor duro de superficie desigual al tacto y que se produce principalmente en las glándulas, sobre todo en los pechos de las mujeres.

escirroso, sa. adj. *Pat.* Perteneciente o relativo al escirro.

escisión. (Del lat. *scissio, -ōnis,* cortadura.) f. Rompimiento, desavenencia. ‖ **2.** *Cir.* Extirpación de un tejido o un órgano. ‖ **nuclear.** *Fís.* Rotura de un núcleo atómico en dos porciones aproximadamente iguales.

escismático, ca. adj. ant. **cismático.**

escita. (Del lat. *Scytha.*) adj. Natural de la Escitia, región de Asia antigua. Ú. t. c. s.

escítico, ca. (Del lat. *Scythĭcus.*) adj. Perteneciente a la Escitia.

esclafar. (Del cat. *esclafar,* romper aplastando.) tr. *Ar., Cuen.* y *Murc.* Quebrantar, estrellar.

esclarea. (De or. inc.) f. **amaro**[1].

esclarecedor, ra. adj. Que esclarece.

esclarecer. (Del lat. *ex* y *clarescĕre.*) tr. Iluminar, poner clara y luciente una cosa. ‖ **2.** fig. Ennoblecer, ilustrar, hacer claro y famoso a uno. ‖ **3.** fig. Iluminar, ilustrar el entendimiento. ‖ **4.** fig. Poner en claro, dilucidar un asunto o doctrina. ‖ **5.** intr. Apuntar la luz y claridad del día, empezar a amanecer.

esclarecidamente. adv. m. Con gran lustre, honra y nobleza.

esclarecido, da. adj. Claro, ilustre, singular, insigne.

esclarecimiento. m. Acción y efecto de esclarecer.

esclavatura. (Del port. *escravatura.*) f. desus. *Argent.* Conjunto de esclavos que tenía cada hacienda.

esclavina. (der. de *esclavo.*) f. Vestidura de cuero o tela, que se ponen al cuello y sobre los hombros los que van en romería; se han usado más largas, a manera de capas. ‖ **2.** Cuello postizo y suelto, con una falda de tela de seis u ocho dedos de ancho pegada alrededor, usado por los eclesiásticos. ‖ **3.** Pieza del vestido, que suelen llevar las mujeres al cuello y sobre los hombros. ‖ **4.** Pieza sobrepuesta que suele llevar la capa unida al cuello y que cubre los hombros.

esclavista. adj. Partidario de la esclavitud. Ú. t. c. s.

esclavitud. f. Estado de esclavo. ‖ **2.** fig. Hermandad o congregación en que se alistan y concurren varias personas a ejercitarse en ciertos actos de devoción. ‖ **3.** fig. Sujeción rigurosa y fuerte a las pasiones y afectos del alma. ‖ **4.** fig. Sujeción excesiva por la cual se ve sometida una persona a otra, o a un trabajo u obligación.

esclavizar. tr. Hacer esclavo a uno; reducirlo a esclavitud. ‖ **2.** fig. Tener a uno muy sujeto e intensamente ocupado.

esclavo, va. (Del b. lat. *sclavus,* esclavo.) adj. Dícese de la persona que por estar bajo el dominio de otra carece de libertad. Ú. t. c. s. ‖ **2.** fig. Sometido rigurosa o fuertemente a un deber, pasión, afecto, vicio, etc., que priva de libertad. *Hombre* ESCLAVO *de su palabra, de la ambición, de la amistad, de la envidia.* Ú. t. c. s. ‖ **3.** fig. Rendido, obediente, enamorado. Ú. t. c. s. ‖ **4.** m. y f. Persona alistada en alguna cofradía de esclavitud. ‖ **5.** f. Pulsera sin adornos y que no se abre. ‖ **ladino.** El que llevaba más de un año de esclavitud. ‖ **ser uno un esclavo.** fr. fig. Trabajar mucho y estar siempre aplicado a cuidar de su casa y hacienda, o a cumplir con las obligaciones de su empleo.

esclavón, na. (De *esclavo.*) adj. Que está bajo el dominio absoluto de otro. Apl. a pers., ú. t. c. s. ‖ **2.** Natural de Esclavonia. Ú. t. c. s. ‖ **3.** Perteneciente o relativo a esta región.

esclavonía. (De *esclavón.*) f. ant. **esclavitud.** ‖ **2.** *Chile.* Hermandad, congregación religiosa.

esclavonio, nia. adj. **esclavón.** Apl. a pers., ú. t. c. s.

esclerodermia. (Del gr. σκληρός, duro, y δέρμα, piel.) f. *Pat.* Enfermedad crónica de la piel, caracterizada por el abultamiento y dureza primero, y por la retracción después.

escleroproteína. f. *Bioquím.* Cualquiera de un grupo de proteínas como el colágeno y la queratina, que se encuentran en huesos, cartílagos, tendones y estructuras animales de protección o sostén, como los cuernos.

esclerosado, da. adj. *Pat.* Alterado por esclerosis.

esclerosar. tr. *Pat.* Producir esclerosis. ‖ **2.** prnl. *Pat.* Alterarse un órgano o tejido por esclerosis.

esclerósico, ca. adj. *Pat.* Perteneciente o relativo a la esclerosis.

esclerosis. (Del gr. σκλήρωσις.) f. *Pat.* Endurecimiento patológico de un órgano o tejido. ‖ **2.** Por ext., embotamiento o rigidez de una facultad anímica.

escleroso, sa. adj. *Pat.* Alterado por esclerosis.

esclerótica. (der. del gr. σκληρός, duro.) f. *Anat.* Membrana dura, opaca, de color blanquecino, que cubre casi por completo el ojo de los vertebrados y cefalópodos decápodos, dejando solo dos aberturas: una posterior, pequeña, que da paso al nervio óptico, y otra anterior, más grande, en la que está engastada la córnea.

esclerótico, ca. adj. *Pat.* Perteneciente o relativo a la esclerosis.

esclisiado, da. adj. *Germ.* Herido en el rostro.

esclusa. (Del b. lat. *exclūsa,* [agua] separada [de la corriente].) f. Recinto de fábrica, conpuertas de entrada y salida, que se construye en un canal de navegación para que los barcos puedan pasar de un tramo a otro de diferente nivel, para lo cual se llena de agua o se vacía el espacio comprendido entre dichas puertas. ‖ **de limpia.** Gran depósito del cual se suelta el agua repentinamente para que arrastre con su velocidad las arenas y fangos del fondo de un puerto o de un embalse.

-esco, ca. V. **-sco.**

escoa. (Del lat. *abscondĕre,* a través del cat. *escoa.*) f. *Mar.* Punto de mayor curvatura de cada cuaderna de un buque.

escoba. (Del lat. *scopa.*) f. Manojo de palmitos, de algarabía, de cabezuela o de otras ramas flexibles, juntas y atadas a veces al extremo de un palo, que sirven para barrer y limpiar, etc. Modernamente se fabrican **escobas** también con otros materiales. ‖ **2.** Mata de la familia de las papilionáceas, que crece hasta dos metros de altura, con muchas ramas angulosas, asurcadas, verdes y lampiñas; hojas inferiores divididas y con peciolo, sencillas y sentadas las superiores; flores amarillas o blancas, pedunculadas y que forman racimo, fruto de vaina ancha muy comprimida y semilla negruzca. Es planta muy a propósito para hacer **escobas.** ‖ **3.** V. **paje de escoba.** ‖ **4.** fig. Cierto juego de naipes entre dos o cuatro personas, consistente en alcanzar quince puntos, cumpliendo ciertas reglas. Los naipes se valoran de uno a diez. ‖ **amargosa.** *Hond.* **canchalagua.** ‖ **babosa.** *Col.* y *Hond.* Malvácea de hojas mucilagicosas. ‖ **de cabezuela. cabezuela,** planta compuesta. ‖ **negra.** *C. Rica* y *Nicar.* Arbustillo de la familia de las borragináceas, del cual se hacen **escobas;** tiene corteza de color oscuro, flor pequeña y blanquecina, fruto rojo cuando está maduro.

escobada. f. Cada uno de los movimientos que se hacen con la escoba para barrer. ‖ **2.** Barredura ligera.

escobadera. f. desus. Mujer que limpia y barre con la escoba.

escobado. m. *Sal.* Marca que los ganaderos hacen a las reses, cortándoles la punta de la oreja con doble cortadura en ángulo.

escobajo[1]**.** (De *escoba.*) m. Escoba vieja y estropeada por lo mucho que se ha usado.

escobajo[2]**.** (Del lat. *scopus.*) m. Raspa que queda del racimo después de quitarle las uvas.

escobar[1]**.** m. Sitio donde abunda la planta llamada escoba.

escobar[2]**.** (Del lat. *scopāre.*) tr. Barrer con escoba.

escobazar. (De *escoba.*) tr. Rociar con una escoba o con ramas mojadas.

escobazo. m. Golpe dado con una escoba. ‖ **2.** *Argent.* y *Chile.* Escobada, barredura ligera. ‖ **echar** a uno **a escobazos.** fr. fig. y fam. Despedirle de mala manera.

escobén. (De or. inc.) m. *Mar.* Cualquiera de los agujeros a uno y otro lado de la roda de un buque, por donde pasan los cables o cadenas de amarra.

escobera. f. Retama común. ‖ **2.** Mujer que hace o vende escobas.

escobero. m. El que hace escobas o las vende.

escobeta. f. Cepillo para la ropa. ‖ **2.** Escobilla de cerdas o alambre. ‖ **3.** *Méj.* Escobilla de raíz de zacatón, corta y recia. ‖ **4.** *Méj.* Mechón de cerda que sale en el papo a los pavos viejos.

escobilla. (d. de *escoba.*) f. Cepillo para limpiar. ‖ **2.** Escobita formada de cerdas o de alambre que se usa para limpiar. ‖ **3.** Tierra y polvo que se barre en los talleres donde se trabaja la plata y el oro, y que contiene algunas partículas de estos metales. ‖ **4.** Planta pequeña, especie de brezo, con que se hacen escobas. ‖ **5. cardencha,** planta dipsacácea. ‖ **6.** Mazorca del cardo silvestre, que sirve para cardar la seda. ‖ **7.** Mala hierba de tallo subleñoso que crece en repastos y cultivos. Se usa en medicina popular, en infusión, para combatir la diarrea infantil. ‖ **8.** *Electr.* Haz de hilos de cobre destinado a mantener el contacto, por frotación, entre dos partes de una máquina eléctrica, una de las cuales está fija mientras la otra se mueve. Por ext., se da este nombre a otras piezas, de diferente forma o materia, que sirven para el mismo fin. ‖ **amarga.** *C. Rica.* **mastuerzo.** ‖ **de ámbar.** Hierba exótica anual, de la familia de las compuestas, con tallos erguidos, ramosos, de cuatro a seis decímetros, hojas sentadas con lóbulos oblongos y flores en cabezuelas terminales, amplias, de corola purpúrea, a veces rósea o blanca, con olor agradable parecido al del ámbar.

escobillado, da. p. p. de **escobillar.** ‖ **2.** m. *Amér.* Acción y efecto de escobillar en algunos bailes tradicionales.

escobillar. tr. Limpiar con la escobilla, cepillar. ‖ **2.** *Amér.* En algunos bailes tradicionales, zapatear suavemente como si se estuviese barriendo el suelo.

escobilleo. m. *Amér.* Acción y efecto de escobillar, en algunos bailes tradicionales.

escobillón. (aum. de *escobilla.*) m. Instrumento compuesto de un palo largo, que tiene en un extremo un cilindro con cerdas alrededor, y sirve para limpiar los cañones de las armas de fuego. ‖ **2.** Cepillo unido a un mango y usado para barrer el suelo.

escobina. (Del lat. *scobīna.*) f. Serrín que hace la barrena cuando se agujerea algo con ella. ‖ **2.** Limadura de un metal cualquiera.

escobino. m. *Cantabria.* **brusco,** planta esmilácea.

escobio. (De or. inc.) m. *Ast., Cantabria* y *León.* Angostura, hoz, garganta o paso estrecho en una montaña o en un río. ‖ **2.** *Ast.* Lugar alto y quebrado.

escobizo. (De *escoba* e *-izo.*) m. *Ar.* **guardalobo.**

escobo. (De *escoba,* mata.) m. Matorral espeso, como retamar y otros semejantes.

escobón. m. aum. de **escoba.** ‖ **2.** Escoba que se pone en un palo largo para barrer y deshollinar. ‖ **3.** Escoba de mango muy corto. ‖ **4.** Escoba, mata papilionácea.

escocar. tr. *Ál.* Desterronar con el zarcillo.

escocedura. f. Acción y efecto de escocerse.

escocer. (Del lat. *excoquĕre.*) intr. Producirse una sensación parecida a la causada por quemadura. ‖ **2.** fig. Producirse en el ánimo una impresión molesta o amarga. ‖ **3.** prnl. fig. Sentirse o dolerse. ‖ **4.** Ponerse rubicundas y con mayor o menor inflamación cutánea algunas partes del cuerpo.

escocés, sa. adj. Natural de Escocia. Ú. t. c. s. ‖ **2.** Perteneciente o relativo a este país de Europa. ‖ **3.** Aplícase a telas de rayas que forman cuadros de varios colores. Ú. t. c. s. ‖ **4.** m. Dialecto céltico hablado en Escocia.

Escocia[1]**.** n. p. V. **bacalao de Escocia.**

escocia[2]**.** (Del lat. *scotĭa,* y este del gr. σκοτία, de σκότος, sombra.) f. *Arq.* Moldura cóncava cuya sección está formada por dos arcos de circunferencias distintas, y más ancha en su parte inferior.

escociano, na. adj. ant. **escocés.** Apl. a pers., usáb. t. c. s.

escocimiento. (De *escocer.*) m. Sensación dolorosa por irritación o quemadura de la piel.

escoda. (De *escodar*[1]*.*) f. Herramienta en forma de martillo, con corte en ambos lados, para labrar piedras y picar paredes.

escodadero. (De *escodar*[1]*.*) m. *Mont.* Sitio donde los venados y gamos suelen escodar.

escodar[1]**.** (Del lat. *excutĕre,* romper a golpes.) tr. Labrar las piedras con martillo. ‖ **2.** Sacudir la cuerna los animales para descorrearla.

escodar[2]**.** (Del lat. *coda,* cola.) tr. *Ar.* Cortar la cola a los animales. Ú. t. c. prnl.

escofia. f. desus. **cofia.**

escofiado, da. p. p. de **escofiar.** ‖ **2.** adj. ant. Aplicábase al que llevaba cofia en la cabeza.

escofiar. tr. desus. Poner la escofia en la cabeza. Ú. t. c. prnl.

escofieta. (De *escofia.*) f. Tocado que usaron las mujeres, formado ordinariamente de gasas y otros géneros semejantes. ‖ **2.** desus. Cofia o redecilla. ‖ **3.** *Cuba.* Gorro de niño pequeño.

escofina. (Del lat. vulg. **scoffīna.*) f. Herramienta a modo de lima, de dientes gruesos y triangulares, muy usada para desbastar. ‖ **de ajustar.** Pieza de hierro o acero, que usan los carpinteros para trabajar e igualar las piezas. Es por lo regular un cuadrilongo sin mango, recio y como de unos dos decímetros de largo.

escofinar. tr. Limar con escofina.

escofión. m. aum. de **escofia.** ‖ **2.** Antigua cofia de red usada por las mujeres.

escogedor, ra. adj. Que escoge. Ú. t. c. s.

escogencia. f. *Col., Nicar.* y *Venez.* **escogimiento.**

escoger. (Del lat. *ex* y *colligĕre*, coger.) tr. Tomar o elegir una o más cosas o personas entre otras.
escogida. f. *Can.* y *Cuba.* Tarea de separar las distintas clases de tabaco. ‖ **2.** *Can.* y *Cuba.* Local donde se realiza esa tarea y reunión de operarios a ella dedicados.
escogidamente. adv. m. Con acierto y discernimiento. ‖ **2.** Cabal y perfectamente.
escogido, da. p. p. de **escoger.** ‖ **2.** adj. **selecto.**
escogimiento. m. Acción y efecto de escoger.
escolán. m. **escolano.**
escolanía. f. Conjunto o corporación de escolanos.
escolano. (De *escuela*.) m. Cada uno de los niños que, en algunos monasterios, se educan para el servicio del culto, y principalmente para el canto.
escolapio, pia. m. Clérigo regular de las Escuelas Pías. ‖ **2.** f. Religiosa de las Escuelas Pías. ‖ **3.** m. y f. Estudiante que recibía enseñanza en las Escuelas Pías.
escolar[1]. (Del lat. *scholāris*.) adj. Perteneciente al estudiante o a la escuela. ‖ **2.** V. **año, graduado escolar.** ‖ **3.** V. **edad escolar.** ‖ **4.** com. Alumno que asiste a la escuela para recibir la enseñanza obligatoria. ‖ **5.** m. p. us. Estudiante que cursaba y seguía las escuelas universitarias. ‖ **6.** ant. **nigromante.**
escolar[2]. (Del lat. *excolāre*.) intr. Pasar por un sitio estrecho. Ú. t. c. prnl.
escolaridad. f. Conjunto de cursos que un estudiante sigue en un establecimiento docente ‖ **2.** Tiempo que duran estos cursos. ‖ **3.** V. **libro de escolaridad.**
escolariego, ga. adj. Propio de escolares o estudiantes.
escolarino, na. (De *escolar*[1].) adj. ant. **escolástico.**
escolarización. f. Acción y efecto de escolarizar.
escolarizar. tr. Proporcionar escuela a la población infantil para que reciba la enseñanza obligatoria.
escolástica. (Del lat. *scholastĭca*.) f. **escolasticismo.**
escolásticamente. adv. m. En términos escolásticos; a la manera y uso de las escuelas medievales.
escolasticismo. (De *escolástico*.) m. Filosofía de la Edad Media, cristiana, arábiga y judaica, en la que domina la enseñanza de las doctrinas de Aristóteles, concertada con las respectivas doctrinas religiosas. ‖ **2.** Espíritu exclusivo de escuela en las doctrinas, en los métodos o en el tecnicismo científico.
escolástico, ca. (Del lat. *scholastĭcus*.) adj. Perteneciente o relativo a las escuelas medievales o a los que estudiaban en ellas. ‖ **2.** Perteneciente al escolasticismo, al maestro que lo enseña o al que lo profesa. Apl. a pers., ú. t. c. s. ‖ **3.** V. **teología escolástica.**
escoldo. (Del lat. *excaldāre*.) m. ant. Brasa resguardada por la ceniza.
escólex. (Del gr. σκώληξ, lombriz.) m. *Zool.* Primero de los segmentos de que está formado el cuerpo de los gusanos cestodos; es más abultado que los que lo siguen inmediatamente, y está provisto de ventosas, y a veces también de ganchos, con los que el animal se fija al cuerpo de su huésped. Se llama vulgarmente cabeza.
escoliador, ra. m. y f. Persona que escolia.
escoliar. tr. Poner escolios a una obra o escrito.
escoliasta. (Del lat. *scholiastes*, y este del gr. σχολιαστής.) com. Persona que escolia.
escolimado, da. adj. fam. p. us. Muy delicado y endeble. Dícese de las personas.
escolimoso, sa. (Del lat. *scolȳmus*, y este del gr. σκόλυμος.) adj. fam. p. us. Descontentadizo, áspero, poco sufrido.
escolio. (Del lat. *scholĭum*, y este del gr. σχόλιον, comentario.) m. Nota que se pone a un texto para explicarlo.
escoliosis. (Del gr. σκολιός, tortuoso, y *-sis*.) f. *Pat.* Desviación del raquis con convexidad lateral.
escolopendra. (Del lat. *scolopendra*, y este del gr. σκολόπενδρα.) f. Nombre común de varias especies de miriápodos de hasta veinte centímetros de longitud, cuerpo brillante y numerosas patas dispuestas por parejas. Viven bajo las piedras y pueden producir dolorosas picaduras mediante dos uñas venenosas que poseen en la cabeza. ‖ **2. lengua de ciervo.**
escolta. (Del it. *scorta*, acompañamiento) f. Partida de soldados o embarcación destinada a escoltar. ‖ **2.** Acompañamiento en señal de honra o reverencia. ‖ **3.** Pareja de la guardia civil que a veces va en los trenes de viajeros para custodia y vigilancia. ‖ **4.** Persona o conjunto de personas que protegen a determinadas personalidades, en previsión de posibles atentados.
escoltar. tr. Resguardar, conducir a una persona o cosa para que llegue con seguridad a su destino. ‖ **2.** Acompañar a una persona, a modo de escolta, en señal de honra y reverencia.
escollar[1]. intr. Tropezar en un escollo la embarcación. ‖ **2.** fig. *Argent.* y *Chile.* Fracasar, malograrse un propósito por haber tropezado con algún inconveniente.
escollar[2]. tr. desus. Descollar. Ú. t. c. intr. y c. prnl.
escollera. (De *escollo*.) f. Obra hecha con piedras echadas al fondo del agua, para formar un dique de defensa contra el oleaje, para servir de cimiento a un muelle, o para resguardar el pie de otra obra.
escollo. (Del it. *scoglio*.) m. Peñasco que está a flor de agua o que no se descubre bien. ‖ **2.** fig. Peligro, riesgo. ‖ **3.** fig. Dificultad, obstáculo.
escomar. (De *coma*[3].) tr. *Rioja.* Desgranar a golpes las espigas de centeno.
escombra. f. Acción y efecto de escombrar. ‖ **2.** *Ar.* y *Nav.* Escombro, desecho, basura.
escombrar. (Del lat. vulg. **excomborāre*.) tr. Desembarazar de escombros para dejar un lugar llano, patente y despejado. ‖ **2.** Quitar de los racimos de pasas las más pequeñas y desmedradas. ‖ **3.** fig. Desembarazar, limpiar. ‖ **4.** *Murc.* Quitar el escombro del pimiento para moler la cáscara.
escombrera. f. Conjunto de escombros o desechos. ‖ **2.** Sitio donde se echan los escombros.
escombrero, ra. adj. *Argent.* Que magnifica, por lucimiento, las dificultades de un hecho o que lo realiza aparatosamente. Ú. t. c. s.
escómbrido. (Del lat. *scomber, -bri*, pez escombro, e *-ido*.) adj. *Zool.* Dícese de peces teleósteos acantopterigios cuyo tipo es la caballa. Ú. t. c. s. ‖ **2.** m. pl. *Zool.* Familia de estos peces.
escombro[1]. (De *escombrar*.) m. Desecho, broza y cascote que queda de una obra de albañilería o de un edificio arruinado o derribado. Ú. m. en pl. ‖ **2.** Desechos de la explotación de una mina, o ripio de la saca y labra de las piedras de una cantera. ‖ **3.** Pasa menuda y desmedrada que se separa de la buena y se vende a menor precio, generalmente para hacer vino. ‖ **4.** *Murc.* En el pimiento seco, parte que está junto al pedúnculo. ‖ **hacer escombro.** loc. fig. y fam. *Argent.* Magnificar la importancia de un hecho o el modo de realizarlo para llamar la atención.
escombro[2]. (Del lat. *scomber, -bri*, el pez escombro.) m. **caballa.**
escomearse. (Del lat. *ex* y *commeiĕre*, orinar.) prnl. ant. Padecer estangurria.
escomendrijo. m. Criatura ruin y desmedrada.
escomerse. (Del lat. *excomedĕre*.) prnl. Irse gastando y comiendo, por el uso u otra causa, una cosa sólida.
escomesa. (Del cat. *escomesa*, embestida.) f. ant. Acción y efecto de acometer.
esconce. (Del fr. ant. **escoinz*, rincón.) m. Ángulo entrante o saliente, rincón o punta que interrumpe la línea recta o la dirección que lleva una superficie cualquiera, izgonce.

escondecucas. (De *esconder*[2] y *cuca*.) m. *Ar.* Escondite, juego de muchachos.
escondedero. m. Lugar o sitio apropiado para esconder o guardar algo.
escondedrijo. m. ant. Lugar propio para esconderse.
esconder[1]. (De *esconder*[2].) m. Juego del escondite.
esconder[2]. (De *asconder*.) tr. Encubrir, ocultar, Ú. t. c. prnl. ‖ **2.** Retirar a una persona o cosa a lugar o sitio secreto. Ú. t. c. prnl. ‖ **3.** fig. Incluir y contener en sí una cosa que no es manifiesta a todos. Ú. t. c. prnl.
escondidamente. adv. m. Sin ser visto.
escondidas (a). loc. adv. Sin ser visto.
escondidijo. m. Lugar propio para esconderse.
escondidillas (a). loc. adv. Sin ser visto.
escondidizo, za. adj. Que tiende a esconderse, generalmente por temor, timidez, etcétera.
escondido, da. p. p. de **esconder.** ‖ **2.** m. Danza criolla del noroeste de la Argentina, muy antigua, de una sola pareja. ‖ **3.** desus. Lugar propio para esconderse. ‖ **4.** pl. *Perú.* Escondite, juego de muchachos. ‖ **5.** f. pl. *Amér.* Juego del escondite. ‖ **en escondido.** loc. adv. Escondidamente, ocultamente.
escondimiento. m. Acción y efecto de esconder.
escondite. m. Lugar propio para esconder algo o esconderse. ‖ **2.** Juego de muchachos, en el que unos se esconden y otro busca a los escondidos.
escondredijo. m. **escondrijo.**
escondrijo. m. Lugar propio para esconderse, o para esconder y guardar en él alguna cosa.
esconjuro. m. ant. Exorcismo contra los malos espíritus.
escontra. prep. ant. En dirección a algo.
esconzado, da. adj. Que tiene esconces.
esconzar. tr. Hacer a esconce una habitación u otra cosa cualquiera.
escopecina. f. ant. Saliva o flema que se escupe.
escopeta. (Del it. *schioppetto*.) f. Arma de fuego portátil, con uno o dos cañones de siete a ocho decímetros de largo, que suele usarse para cazar. ‖ **2.** V. **piedra de escopeta.** ‖ **3.** Persona que caza o tira con **escopeta.** ‖ **de aire comprimido. de viento.** ‖ **de pistón.** La que se ceba con pólvora fulminante encerrada en una cápsula o pistón. ‖ **de salón.** La pequeña y de poco alcance que se usa para tirar al blanco en aposentos, jardines, etc. ‖ **de viento.** La que dispara el proyectil por medio del aire comprimido dentro de la culata. ‖ **negra.** Cazador de oficio. ‖ **aquí te quiero, escopeta,** o **aquí te quiero ver, escopeta.** exprs. figs. y fams. para dar a entender que ha llegado el caso apurado de vencer una dificultad, o salir de un lance arduo.
escopetar. (De or. inc.) tr. desus. *Min.* Cavar y sacar la tierra de las minas de oro.
escopetazo. m. Disparo hecho con escopeta. ‖ **2.** Ruido originado por el mismo. ‖ **3.** Herida o daño producido por el disparo de una escopeta. ‖ **4.** fig. Noticia o hecho desagradable, súbito e inesperado.
escopetear. tr. Hacer repetidos disparos de escopeta. ‖ **2.** prnl. fig. y fam. Dirigirse dos o más personas alternativamente cumplimientos y lisonjas, o claridades e insultos.
escopeteo. m. Acción de escopetear o escopetearse.
escopetería. f. Gente armada de escopetas. ‖ **2.** Multitud de escopetazos.
escopetero. m. Soldado armado de escopeta. ‖ **2.** El que sin ser soldado va armado con escopeta. ‖ **3.** El que fabrica escopetas o las vende. ‖ **4.** El encargado de llevar las escopetas en las cacerías. ‖ **5. escopeta negra.** ‖ **6.** Coleóptero zoófago, de cuerpo rojizo y élitros azulados, que vive debajo de piedras, y que al ser molestado lanza por el ano una sustancia que se volatiliza en contacto con el aire y produce una pequeña detonación.
escopetilla. f. d. de **escopeta.** ‖ **2.** Cañón muy pequeño, cargado de pólvora y bala, con que se rellenaba una especie de bomba.
escopetón. m. aum. de **escopeta.** Ú. t. c. despect.
escopladura. f. Corte o agujero hecho a fuerza de escoplo en la madera.
escopleadura. f. Corte o agujero hecho con escoplo.
escoplear. tr. Hacer cortes o agujeros con escoplo en la madera.
escoplo. (Del lat. *scalprum*.) m. *Carp.* Herramienta de hierro acerado, con mango de madera, de unos tres decímetros de largo, sección de uno a tres centímetros en cuadro, y boca formada por un bisel. ‖ **de alfarjía entera.** *Carp.* Aquel con que los carpinteros trabajan esta clase de maderos. ‖ **de cantería.** El de mango de hierro, que se usa para labrar la piedra. ‖ **de fijas.** *Carp.* **escoplo** muy estrecho, que solo sirve para escoplear las cajas en que se meten las fijas. ‖ **de media alfarjía.** *Carp.* Aquel con que los carpinteros trabajan esta clase de maderos.
escopo. (Del lat. *scopus*, y este del gr. σκοπός.) m. ant. Objeto o blanco a que uno mira y atiende.
escora. (Del ing. *score*, hoy *shore*, ribera, puntal.) f. *Mar.* **línea del fuerte.** ‖ **2.** *Mar.* Cada uno de los puntales que sostienen los costados del buque en construcción o en varadero. ‖ **3.** *Mar.* Inclinación que toma un buque al ceder al esfuerzo de sus velas, por ladeamiento de la carga, etc.
escorar. tr. *Mar.* Apuntalar con escoras. ‖ **2.** *Mar.* Hacer que un buque se incline de costado. ‖ **3.** intr. *Mar.* Inclinarse un buque por la fuerza del viento, o por otras causas. ‖ **4.** *Mar.* Hablando de la marea, llegar esta a su nivel más bajo. ‖ **5.** *León* y *Cuba.* **apuntalar.** ‖ **6.** prnl. *Cuba* y *Hond.* Arrimarse a un lugar que resguarde bien el cuerpo.
escorbútico, ca. adj. *Pat.* Perteneciente al escorbuto.
escorbuto. (Del fr. *scorbut*.) m. *Pat.* Enfermedad general, producida por la escasez o ausencia en la alimentación de determinados principios vitamínicos y caracterizada por hemorragias cutáneas y musculares, por una alteración especial de las encías y por fenómenos de debilidad general.
escorchado. adj. *Blas.* V. **lobo escorchado.**
escorchapín. (De or. inc.) m. Embarcación de vela que servía para transportar gente de guerra y bastimentos.
escorchar. (Del lat. **excorticāre*.) tr. Quitar la piel o la corteza.
escorche. (Del it. *scorciare*, y este del lat. **excurtiāre*.) m. ant. *Pint.* **escorzo.**
escordio. (Del lat. *scordĭum*, y este del gr. σκόρδιον.) m. Hierba de la familia de las labiadas, con tallos que se doblan y arraigan fácilmente, muy ramosos, velludos y de uno a dos decímetros, hojas blandas, elípticas, dentadas y vellosas, y flores de corolas azules o purpúreas, en verticilos poco cuajados. Vive en terrenos húmedos y se emplea en medicina.
escoria. (Del lat. *scorĭa*.) f. Sustancia vítrea que sobrenada en el crisol de los hornos de fundir metales, y procede de la parte menos pura de estos unida con las gangas y fundentes. ‖ **2.** Materia que, al ser martilleada, suelta el hierro candente. ‖ **3.** Lava porosa de los volcanes. ‖ **4.** Residuo esponjoso que queda tras la combustión del carbón. ‖ **5.** fig. Cosa vil y de ninguna estimación.
escoriación. f. **excoriación.**
escorial. m. Sitio donde se han echado o se echan las escorias de las fábricas metalúrgicas. ‖ **2.** Montón de escorias.
escoriar. (Del lat. *excoriāre*, desollar.) tr. **excoriar.**
escorpena. (Del lat. *scorpaena*, y este del gr. σκόρπαινα.) f. **escorpina.**

escorpera. f. **escorpina.**

escorpina. (De *escorpena.*) f. Pez teleósteo, del suborden de los acantopterigios, de unos dos decímetros de largo, color fusco por el lomo y rojo en todo lo demás, cabeza gruesa, espinosa, con tubérculos y barbillas movibles, muchos dientes en las mandíbulas y en el paladar, una sola aleta dorsal, pero casi dividida en dos partes, de las cuales la anterior está erizada de espinas fuertes y desiguales, que producen picaduras muy dolorosas; vientre grande, ano muy delantero y cola redonda.

Escorpio. (Del lat. *scorpĭus.*) n. p. m. **Escorpión,** signo del Zodiaco.

escorpioide. (Del gr. σκορπιοειδής, semejante al escorpión.) f. **alacranera,** planta.

escorpión. (Del lat. *scorpĭo, -ōnis.*) m. Arácnido con tráqueas en forma de bolsas y abdomen que se prolonga en una cola formada por seis segmentos y terminada en un aguijón curvo y venenoso que el animal clava en el cuerpo de sus presas. Sus varias especies están muy difundidas en muchos países y se distinguen, entre otros caracteres, por sus dimensiones y su color; la común en España tiene de seis a ocho centímetros de longitud y es de color amarillento. ‖ **2.** Pez muy parecido a la escorpina, pero de mayor tamaño, que es todo rojo y vive en alta mar. ‖ **3.** Máquina de guerra semejante a la ballesta, usada por los antiguos para arrojar piedras. Diósele este nombre por una especie de tenaza con que agarraba las piedras, parecida a las pinzas del **escorpión.** ‖ **4.** Instrumento de tortura, azote formado de cadenas, en cuyos extremos había puntas o garfios retorcidos como la cola del **escorpión.** ‖ **5.** fig. V. **boca, lengua de escorpión.** ‖ **6.** n. p. m. *Astron.* Octavo signo o parte del Zodiaco, de treinta grados de amplitud, que el Sol recorre aparentemente al mediar el otoño. ‖ **7.** *Astron.* Constelación zodiacal que en otro tiempo debió de coincidir con el signo de este nombre, pero actualmente, por resultado del movimiento retrógrado de los puntos equinocciales, se halla delante del mismo signo y un poco hacia el Oriente ‖ **8.** adj. Referido a personas, las nacidas bajo este signo del Zodiaco. Ú. t. c. s.

escorredero. m. *Ar.* Canal de avenamiento.

escorredor. m. *Murc.* Canal de avenamiento. ‖ **2.** *Murc.* Compuerta para detener o soltar las aguas de un canal o acequia.

escorrentía. (De *es-* y *correntío.*) f. Agua de lluvia que discurre por la superficie de un terreno. ‖ **2.** Corriente de agua que se vierte al rebasar su depósito o cauce naturales o artificiales. ‖ **3. aliviadero.** ‖ **4.** V. **coeficiente de escorrentía.**

escorrozo. (De *es-* y *corrozo.*) m. fam. Regodeo, deleite o complacencia. ‖ **2.** ant. Disgusto, indignación. ‖ **3.** *Sal.* Melindre, remilgo.

escorzado, da. p. p. de **escorzar.** ‖ **2.** m. *Pint.* **escorzo.**

escorzar. (Del it. *scorciare,* acortar.) tr. *Pint.* Representar, acortándolas, según las reglas de la perspectiva, las cosas que se extienden en sentido perpendicular u oblicuo al plano del papel o lienzo sobre que se pinta.

escorzo. m. *Pint.* Acción y efecto de escorzar. ‖ **2.** *Pint.* Figura o parte de figura escorzada.

escorzón. m. **escuerzo.**

escorzonera. (Del it. *scorzonera.*) f. Hierba de la familia de las compuestas, con tallo de seis a ocho decímetros, erguido, ramoso y terminado en pedúnculos desnudos; hojas abrazadoras, onduladas, algo vellosas en la base; flores amarillas, y raíz gruesa, carnosa, de corteza negra, que, cocida se usa como diurético y como alimento.

escosa. (Del lat. *excŭrsa,* escurrida.) adj. ant. Doncella, virgen. ‖ **2.** *Ast.* Aplícase a la hembra de cualquier animal doméstico cuando deja de dar leche. ‖ **3.** f. *Ast.* Desviación de las aguas de un río en un trecho corto, para dejar en seco el cauce y pescar en los charcos que quedan entre las peñas.

escosar. (De *escosa.*) intr. *Ast.* Secarse una fuente. ‖ **2.** Dejar de dar leche la hembra de un animal doméstico. Ú. t. c. prnl.

escoscar. tr. Quitar la caspa. ‖ **2.** *Ar.* Quitar la cáscara de algunos frutos. ‖ **3.** prnl. Agitarse por una molestia o comezón.

escota[1]**.** f. ant. *Arq.* **escocia**[2]**.**

escota[2]**.** (Del ant. fr. *escote,* hoy *écoute.*) f. *Mar.* Cabo que sirve para cazar las velas.

escota[3]**.** f. *Nav.* **escoda.**

escotadizo, za. adj. ant. Decíase de lo que estaba escotado.

escotado, da. p. p. de **escotar**[1]**.** ‖ **2.** adj. *Bot.* V. **hoja escotada.** ‖ **3.** m. Escotadura de un vestido.

escotadura. (De *escotar*[1]*.*) f. Corte hecho en un cuerpo de vestido u otra ropa por la parte del cuello. ‖ **2.** En los petos de armas, sisa o parte cortada debajo de los brazos para poderlos mover y jugar. ‖ **3.** En los teatros, abertura grande que se hace en el tablado para las tramoyas, a diferencia del escotillón, que es abertura pequeña. ‖ **4.** Entrante que resulta en una cosa cuando está cercenada, o cuando parece que lo está.

escotar[1]**.** (De *escote*[1]*.*) tr. Cortar y cercenar una cosa para acomodarla a la medida conveniente. ‖ **2.** Extraer agua de un río, arroyo o laguna, sangrándolos o haciendo acequias. ‖ **3.** ant. *Mar.* Sacar el agua que ha entrado dentro de una embarcación.

escotar[2]**.** (De *escote*[2]*.*) tr. Pagar cada uno la parte o cuota que le toca del gasto hecho en común por varias personas.

escote[1]**.** (Del gót. *skaut,* orilla.) m. **escotadura,** y con especialidad la hecha en los vestidos de mujer, que deja descubierta parte del pecho y de la espalda. ‖ **2.** Parte del busto que queda descubierto por estar escotado el vestido. ‖ **3.** Adorno de encajes pequeños cosidos en una tirilla de lienzo pegada al cuello de la antigua camisa de las mujeres por la parte superior, que ceñía los hombros y el pecho.

escote[2]**.** (Del germ. *skot,* tributo.) m. Parte o cuota que corresponde a cada uno por el gasto hecho en común por varias personas. ‖ **a escote.** loc. adv. Pagando cada uno la parte que le corresponde en un gasto común.

escotera. f. *Mar.* Abertura que hay en el costado de una embarcación, con una roldana por la cual pasa la escota mayor o de trinquete.

escotero, ra. adj. Que camina a la ligera, sin llevar carga que le estorbe. Ú. t. c. s. ‖ **2.** *Mar.* Aplícase al barco que navega solo.

escotilla. (De or. inc.) f. *Mar.* Cada una de las aberturas que hay en las diversas cubiertas para el servicio del buque.

escotillón. (De *escotilla.*) m. Puerta o trampa cerradiza en el suelo. ‖ **2.** Trozo del piso del escenario que puede levantarse para dejar una abertura por donde salgan a la escena o desaparezcan personas o cosas.

escotín. (d. de *escota*[2]*.*) m. *Mar.* Escota de una vela de cruz excepto la de las mayores.

escotismo. m. Doctrina filosófica de Duns Escoto y sus discípulos en los siglos XIII y XIV.

escotista. adj. Que sigue la doctrina de Duns Escoto. Apl. a pers., ú. t. c. s.

escoto, ta. (Del lat. tardío *Scottus* o *Scotus.*) adj. Dícese de un pueblo gaélico de Irlanda que en el siglo VI se estableció en el noroeste de la Gran Bretaña y en el IX se adueñó de la actual Escocia, a la que dio nombre. Ú. t. c. s. ‖ **2.** Dícese igualmente de los individuos pertenecientes a dicho pueblo. Ú. t. c. s. ‖ **3.** desus. **escocés.** ‖ **4.** Perteneciente o relativo a los **escotos.**

escotoma. (Del gr. σκότωμα, oscuridad.) m. *Pat.* Zona circunscrita de pérdida de visión, debida generalmente a una lesión en la retina. ‖ **negativo.** El que el sujeto no percibe y solo se descubre tras un examen oftalmológico.

escotorrar. tr. *Pal.* Desacollar las vides.

escoyo. (Del lat. *scopŭlus*, escobajo.) m. *Sal.* Escobajo del racimo de uvas.

escozarse. prnl. *Sal.* Coscarse, restregarse los animales contra algún objeto duro.

escoznete. m. *Ar.* Instrumento con que se sacan los escueznos.

escozor. (De *escocer*.) m. Sensación dolorosa, como la que produce una quemadura. ‖ **2.** fig. Sentimiento causado por una pena o desazón.

escriba. (Del lat. *scriba*.) m. Doctor e intérprete de la ley entre los hebreos. ‖ **2.** En la antigüedad, copista, amanuense.

escribán. m. ant. **escribano.**

escribana. f. Mujer del escribano. ‖ **2.** *Argent., Par.* y *Urug.* Mujer que ejerce la escribanía.

escribanía. f. Oficio de los escribanos públicos. ‖ **2.** Oficina del escribano. ‖ **3.** Oficio u oficina del secretario judicial, a quien vulgarmente se seguía denominando escribano en los juzgados de primera instancia e instrucción. ‖ **4.** Escritorio, mueble para guardar papeles. ‖ **5.** Recado de escribir, generalmente compuesto de tintero, salvadera y otras piezas, y colocado en un pie o platillo. ‖ **6.** Caja portátil que llevaban pendiente de una cinta los escribanos y los niños de la escuela, en que había un estuche para las plumas y un tintero. ‖ **7.** *Argent., C. Rica, Ecuad., Par.* y *Urug.* **notaría.**

escribanil. adj. Perteneciente al oficio o condición del escribano.

escribanillo. m. d. de **escribano.** ‖ **del agua. escribano del agua.**

escribano. (Del lat. *scriba* y *-ano*[1].) m. El que por oficio público estaba autorizado para dar fe de las escrituras y demás actos que pasaban ante él. Ú. actualmente en la Argentina, Costa Rica, Ecuador, Paraguay y Uruguay. ‖ **2. secretario,** el que por oficio público da fe de escritos y actos. ‖ **3. pendolista.** ‖ **4.** desus. Maestro de escribir o maestro de escuela. Ú. por la gente del pueblo. ‖ **5.** ant. **escribiente.** ‖ **6.** Nombre común de varias aves paseriformes granívoras, con picos cortos de base ancha y coloración brillante en los machos. ‖ **acompañado.** *Der.* El nombrado por el juez para acompañar al que había sido recusado. ‖ **cerillo.** Ave paseriforme granívora de color amarillento y obispillo rojizo. ‖ **del agua.** Girino, insecto coleóptero. ‖ **de molde.** ant. **impresor.** ‖ **de provincia.** Cada uno de los del antiguo juzgado de provincia, ante quienes se actuaban los pleitos. ‖ **hortelano.** Ave paseriforme común en España, de cabeza y pecho oliváceos y garganta y anillo alrededor del ojo amarillos. ‖ **montesino.** Ave paseriforme común en España, de cabeza gris con listas negras y el resto del cuerpo ocráceo.

escribido, da. p. p. reg. de **escribir,** que solo se usa, y con significación activa, en la locución familiar **leído y escribido,** con que se califica a la persona de cierta cultura. Por lo general se usa con sentido irónico, aludiendo a personas que acostumbran a exhibir sus conocimientos.

escribidor, ra. m. y f. ant. **escritor.** ‖ **2.** fam. Mal escritor.

escribiente. com. Persona que tiene por oficio copiar o poner en limpio escritos ajenos, o escribir lo que se le dicta. ‖ **2.** m. ant. **escritor,** autor de una obra escrita o impresa.

escribimiento. m. ant. Acción de escribir.

escribir. (Del lat. *scribĕre*.) tr. Representar las palabras o las ideas con letras u otros signos trazados en papel u otra superficie. ‖ **2.** Trazar las notas y demás signos de la música. ‖ **3.** Componer libros, discursos, etc. Ú. t. c. intr. ‖ **4.** Comunicar a uno por escrito alguna cosa. Ú. t. c. intr. ‖ **5.** prnl. Inscribirse en una lista de nombres para un fin. ‖ **6.** Alistarse en algún cuerpo; como en la milicia, en una comunidad, congregación, etc. ‖ **escribir muy tirado,** o **tirado.** fr. **escribir** muy deprisa. ‖ **no escribirse** una cosa. fr. que se usa para denotar gran encarecimiento. NO SE ESCRIBE *lo rico que es.*

escriño. (Del lat. *scrinĭum*.) m. Cesta o canasta fabricada de paja, cosida con mimbres o cáñamo, que se usa para recoger el salvado y las granzas de los granos. Los carreteros y boyeros los usan de tamaño reducido para dar de comer a los bueyes cuando van de camino. ‖ **2.** Cofrecito o caja para guardar joyas, papeles o algún otro objeto precioso. ‖ **3.** *Sal.* y *Zam.* Cascabillo de la bellota.

escripia. (Del germ. *skripa*, bolsa.) f. Cesta de pescador de caña.

escripto, ta. p. p. irreg. ant. **escrito.** ‖ **2.** m. ant. **escrito.**

escriptor, ra. m. y f. ant. **escritor.**

escriptuario. m. ant. **escrituario.**

escriptura. f. ant. **escritura.**

escripturar. tr. ant. **escriturar.**

escripturario. m. ant. **escriturario.**

escrita. (De *escrito*.) f. Especie de raya, con el hocico muy puntiagudo, el vientre blanco y el lomo gris rojizo, sembrado de manchas blancas, pardas y negras.

escritilla. (Del germ. *skripa*, bolsa.) f. Criadilla de carnero. Ú. m. en pl.

escrito, ta. (Del lat. *scriptus*.) p. p. irreg. de **escribir.** ‖ **2.** V. **derecho, testamento escrito.** ‖ **3.** V. **derecho no escrito.** ‖ **4.** V. **ley escrita.** ‖ **5.** adj. fig. Dícese de lo que tiene manchas o rayas que semejan letras o rasgos de pluma. *Un cabrito todo manchado y* ESCRITO. Aplícase especialmente al melón. ‖ **6.** m. Carta, documento o cualquier papel manuscrito, mecanografiado o impreso. ‖ **7.** Obra o composición científica o literaria. ‖ **8.** *Der.* Pedimento o alegato en pleito o causa. ‖ **de agravios.** *Der.* Aquel en que el apelante exponía ante el tribunal superior los que creía haber recibido en la sentencia del inferior, y pedía que esta se revocase o modificase. ‖ **de ampliación.** *Der.* El posterior a los de discusión normal, en el que una parte litigante excepcionalmente alega un hecho importante sobrevenido o antes ignorado. ‖ **de calificación.** *Der.* El dedicado en el juicio penal a fijar las afirmaciones de las partes sobre hechos, carácter delictivo de estos, participación de los reos, circunstancias y responsabilidades, así como a proponer la prueba. ‖ **de conclusión,** o **de conclusiones.** *Der.* El que, al terminar la primera instancia del juicio declarativo de mayor cuantía, presenta cada litigante, en vez del informe oral de su defensor, para recopilar sus probanzas y hacer examen crítico de las de su contrario. ‖ **estaba escrito.** loc. Así estaba dispuesto. ‖ **no hay nada escrito sobre eso.** expr. fig. con que cortésmente se niega lo que otro da por cierto o asentado. ‖ **por escrito.** loc. adv. Por medio de la escritura. ‖ **tomar** una cosa **por escrito.** fr. Anotar en un papel o libro de memoria lo que se ha visto u oído, para que no se olvide.

escritor, ra. (Del lat. *scriptor, -ōris*.) m. y f. Persona que escribe. ‖ **2.** Autor de obras escritas o impresas. ‖ **3.** Persona que escribe al dictado. ‖ **4.** ant. El que tiene el cargo de redactar la correspondencia de una persona.

escritorio. (Del lat. *scriptorĭum*.) m. Mueble cerrado, con divisiones en su parte interior para guardar papeles. Algunos tienen un tablero sobre el cual se escribe. ‖ **2.** Aposento donde tienen su despacho los hombres de negocios; como banqueros, notarios, comerciantes, etc. ‖ **3.** Mueble de madera, comúnmente con embutidos de marfil, concha u otros adornos de taracea, y con gavetas o cajoncillos para guardar joyas. ‖ **4.** *Cantabria* y *Tol.* Lonja cerrada donde se venden al por mayor géneros y ropas.

escritorista. m. ant. El que por oficio hacía escritorios.

escritorzuelo, la. m. y f. d. despect. de **escritor.**

escritura. (Del lat. *scriptūra.*) f. Acción y efecto de escribir. ‖ **2.** Sistema de signos utilizado para escribir. ESCRITURA *alfabética, silábica, ideográfica, jeroglífica.* ‖ **3.** Arte de escribir. ‖ **4.** Carta, documento o cualquier papel escrito. ‖ **5.** Instrumento público, firmado con testigos o sin ellos por la persona o personas que lo otorgan, de todo lo cual da fe el notario. ‖ **6.** Obra escrita. ‖ **7.** n. p. Por antonom., la Sagrada **Escritura** o la Biblia. Ú. t. en pl.

escriturar. tr. Contratar a un artista, especialmente de teatro. ‖ **2.** *Der.* Hacer constar con escritura pública y en forma legal un otorgamiento o un hecho.

escriturario, ria. adj. *Der.* Que consta por escritura pública o que a esta pertenece. ‖ **2.** m. Persona especializada en el conocimiento de la Sagrada Escritura, o que profesa su enseñanza.

escrocón. m. ant. Especie de túnica que se ponía sobre el vestido o sobre la armadura.

escrófula. (Del lat. *scrofŭlae*, paperas.) f. *Pat.* Tumefacción fría de los ganglios linfáticos, principalmente cervicales, por lo común acompañada de un estado de debilidad general que predispone a las enfermedades infecciosas y sobre todo a la tuberculosis.

escrofularia. (De *escrófula*, por haberse usado esta planta como medicamento para las paperas.) f. Planta anual de la familia de las escrofulariáceas, que crece hasta un metro de altura, con tallo lampiño y nudoso, hojas opuestas, obtusas y acorazonadas, flores en panoja larga de corola parduzca y semillas menudas.

escrofulariáceo, a. (De *scrofularia*, nombre de un género de plantas, y *-áceo.*) adj. *Bot.* Dícese de las plantas angiospermas dicotiledóneas que tienen hojas alternas u opuestas, flores en racimo o en espiga, y por frutos cápsulas dehiscentes con semillas de albumen carnoso o córneo; como la escrofularia, la algarabía y el gordolobo. Ú. t. c. s. ‖ **2.** f. pl. *Bot.* Familia de estas plantas.

escrofulismo. m. *Pat.* Enfermedad que se caracteriza por la aparición de escrófulas.

escrofuloso, sa. adj. Perteneciente a la escrófula. ‖ **2.** Que la padece. Ú. t. c. s.

escrotal. adj. Perteneciente o relativo al escroto.

escroto. (Del lat. *scrotum.*) m. *Anat.* Bolsa formada por la piel que cubre los testículos de los mamíferos, y por las membranas que los envuelven.

escrudiñar. (Del lat. **scrutiniāre*, de *scrutinĭum.*) tr. ant. **escudriñar.**

escrupulear. intr. ant. Formar escrúpulos o dudas.

escrupulillo. (d. de *escrúpulo.*) m. Grano de metal u otra materia, que se pone dentro del cascabel para que suene.

escrupulizar. intr. Formar escrúpulo o duda.

escrúpulo. (Del lat. *scrupŭlus*, piedrecilla.) m. Duda o recelo que punza la conciencia sobre si una cosa es o no cierta, si es buena o mala, si obliga o no obliga; lo que trae inquieto y desasosegado el ánimo. ‖ **2.** Aprensión, asco hacia alguna cosa, especialmente alimentos. ‖ **3.** Exactitud en la averiguación o en el cumplimiento de un cargo o encargo. ‖ **4.** China que se mete en el zapato y lastima el pie. ‖ **5.** *Astron.* Cada una de las sesenta partes en que se divide un grado de círculo. ‖ **6.** *Farm.* Medida de peso antigua, equivalente a veinticuatro granos, o sea 1.198 miligramos. ‖ **de Marigargajo,** o **del padre Gargajo.** fig. y fam. **escrúpulo** ridículo, infundado, extravagante y falto de razón. ‖ **de monja.** fig. y fam. **escrúpulo** exagerado y pueril.

escrupulosamente. adv. m. Con gran honradez y rectitud. ‖ **2.** Con gran exactitud y esmero.

escrupulosidad. (Del lat. *scrupolosĭtas, -ātis.*) f. Exactitud en el examen y averiguación de las cosas y en el estricto cumplimiento de lo que uno emprende o toma a su cargo.

escrupuloso, sa. (Del lat. *scrupulōsus.*) adj. Que padece o tiene escrúpulos. Ú. t. c. s. ‖ **2.** Dícese de lo que causa escrúpulos. ‖ **3.** fig. **exacto.**

escrutador, ra. (Del lat. *scrutātor, -ōris.*) adj. Escudriñador o examinador cuidadoso de una persona o cosa. ‖ **2.** Dícese del que en elecciones y otros actos análogos cuenta y computa los votos. Ú. t. c. s.

escrutar. (Del lat. *scrutāre.*) tr. Indagar, examinar cuidadosamente, explorar. ‖ **2.** Reconocer y computar los votos que para elecciones u otros actos análogos se han dado secretamente por medio de bolas, papeletas o en otra forma.

escrutinio. (Del lat. *scrutinĭum.*) m. Examen y averiguación exacta y diligente que se hace de una cosa para formar juicio de ella. ‖ **2.** Reconocimiento y cómputo de los votos en las elecciones o en otro acto análogo.

escrutiñador, ra. (De *escrutinio.*) m. y f. Examinador, censor que reconoce una cosa haciendo escrutinio de ella.

escuadra. (De *escuadrar.*) f. Plantilla de madera o de plástico, u otro material, en forma de triángulo rectángulo isósceles que se utiliza en delineación. ‖ **2.** Pieza de hierro u otro metal, con dos ramas en ángulo recto, con que se aseguran las ensambladuras de las maderas. ‖ **3.** Corto número de soldados a las órdenes de un cabo. Es la unidad menor en las fuerzas militares. ‖ **4.** Plaza de cabo de este número de soldados. ‖ **5.** Cada una de las cuadrillas que se forman de algún concurso de gente. ‖ **6.** Conjunto de buques de guerra para determinado servicio. ‖ **7.** Escuadría de la pieza de madera que ha de ser labrada. ‖ **8.** *Mil.* V. **cabo, jefe, mozo de escuadra.** ‖ **9.** n. p. f. *Astron.* Constelación austral situada al sur del Ara o Altar. ‖ **de agrimensor.** Instrumento de topografía, origen del cartabón, que constaba de cuatro alidadas, con que se podían señalar en el terreno alineaciones en ángulos rectos y semirrectos. ‖ **falsa,** o **falsa escuadra.** Instrumento que se compone de dos reglas movibles alrededor de un eje y con el cual se trazan ángulos de diferentes aberturas. ‖ **sutil.** Conjunto de buques de guerra, generalmente pequeños, destinados a la vigilancia, policía y defensa de puertos y costas. ‖ **a escuadra.** loc. adv. En forma de **escuadra** o en ángulo recto. *Cortar una piedra, una plancha,* A ESCUADRA. ‖ **a escuadra viva.** loc. adv. Se dice del modo de labrar las vigas y maderos con sierra o hacha, dejándoles ángulos rectos y aristas bien rectas. ‖ **fuera de escuadra.** loc. adv. En ángulo oblicuo.

escuadrar. (Del lat. **exquadrāre.*) tr. Labrar o disponer un objeto de modo que sus caras formen con las caras contiguas ángulos rectos.

escuadreo. m. Acción y efecto de medir la extensión de una área en unidades cuadradas; como varas, leguas, metros o kilómetros.

escuadría. f. Las dos dimensiones de la sección transversal de una pieza de madera que está o ha de ser labrada a escuadra. ‖ **2.** ant. **escuadra,** instrumento de medir. ‖ **3.** *Mar.* V. **punto de escuadría.**

escuadrilla. f. Escuadra compuesta de buques de pequeño porte. ‖ **2.** Determinado número de aviones que realizan un mismo vuelo dirigidos por un jefe.

escuadro. m. **escrita,** pez. ‖ **2.** ant. Cerco de un cuadro, ventana, etc.

escuadrón. (aum. de *escuadra.*) m. *Mil.* Unidad de caballería, mandada normalmente por un capitán. ‖ **2.** *Mil.* Unidad aérea equivalente al batallón o grupo terrestre. ‖ **3.** *Mil.* Unidad aérea de un número importante de aviones. ‖ **4.** *Mil.* En lo antiguo, porción de tropa formada en filas según las reglas de la táctica militar. ‖ **5.** *Mil.* En lo antiguo, parte del ejército compuesta de infantería y caballería. ‖ **volante.** ant. *Mil.* **cuerpo volante.**

escuadronar. tr. *Mil.* Formar a las fuerzas militares en escuadrón o escuadrones.

escuadroncete. m. d. de **escuadrón.**

escuadronista. m. desus. *Mil.* Oficial entendido en la táctica y en las maniobras de la caballería.

escualidez. f. Suciedad, asquerosidad. ‖ **2.** Flaqueza, delgadez, mengua de carnes.

escuálido, da. (Del lat. *squalĭdus.*) adj. Sucio, asqueroso. ‖ **2.** Flaco, macilento. ‖ **3.** *Zool.* Dícese de peces selacios que tienen el cuerpo fusiforme, hendiduras branquiales a los lados, detrás de la cabeza, y cola robusta; como el cazón y la lija. Ú. t. c. s. ‖ **4.** m. pl. *Zool.* Suborden de estos peces.

escualo. (Del lat. *squalus.*) m. *Zool.* Cualquiera de los peces selacios pertenecientes al suborden de los escuálidos.

escualor. (Del lat. *squalor, -ōris.*) m. p. us. **escualidez.**

escucha. (De *escuchar.*) f. Acción de escuchar. ‖ **2.** En los conventos de religiosas y colegios de niñas, la que tiene por oficio acompañar en el locutorio a las que reciben visitas para oír lo que se habla. ‖ **3.** Criada que dormía cerca de la alcoba de su ama para poder oír si la llamaba. ‖ **4.** Ventana pequeña dispuesta en las salas de palacio donde se tenían los consejos y tribunales superiores, para que pudiese el rey, cuando gustase, oír sin ser visto lo que en los consejos se votaba. ‖ **5.** com. *Radio* y *TV.* Persona dedicada a escuchar las emisiones para tomar nota de los defectos o de la información que se emite. ‖ **6.** m. Centinela que se adelanta de noche a la inmediación de los enemigos para observar sus movimientos. Usáb. t. c. f. ‖ **7.** f. pl. *Fort.* Galerías pequeñas, radiales, que se hacen al frente del glacis de las fortificaciones de una plaza y concurren a una galería mayor situada en un punto céntrico. Sirven para reconocer y detener a los minadores enemigos en sus trabajos. ‖ **a la escucha.** loc. adv. Atento para oír algo. Ú. con los verbos *estar, ponerse, seguir,* etc.

escuchadera. f. desus. La que en los conventos y colegios tenía por oficio acompañar a la que recibía visitas.

escuchador, ra. adj. Que escucha.

escuchaño, ña. adj. ant. Decíase de quien escuchaba indiscretamente.

escuchar. (Del lat. vulg. *ascultāre,* lat. *auscultāre.*) intr. Aplicar el oído para oír. ‖ **2.** tr. Prestar atención a lo que se oye. ‖ **3.** Dar oídos, atender a un aviso, consejo o sugerencia. ‖ **4.** prnl. Hablar o recitar con pausas afectadas.

escuchimizado, da. adj. Muy flaco y débil.

escucho. (De *escuchar.*) m. *Cantabria* y *León.* Lo que se dice al oído en voz baja. ‖ **a escucho,** o **al escucho.** loc. adv. Al oído y con secreto.

escuchón, na. adj. Que escucha con curiosidad indiscreta lo que otros hablan; que escucha lo que no debe. Ú. t. c. s.

escudado. (Del lat. *scutātus.*) m. ant. Soldado armado de escudo.

escudaño. m. *Ál.* Sitio resguardado del frío, generalmente expuesto al mediodía.

escudar. tr. Amparar y resguardar con el escudo, oponiéndolo al golpe del contrario. Ú. t. c. prnl. ‖ **2.** fig. Resguardar y defender a una persona del peligro que le amenaza. ‖ **3.** prnl. fig. Valerse uno de algún medio, favor y amparo para justificarse, salir del riesgo o evitar el peligro de que está amenazado.

escuderaje. m. Servicio y asistencia que hacía el escudero como criado de una casa.

escuderear. tr. Servir y acompañar a una persona principal como escudero y familiar de su casa.

escuderete. m. d. de **escudero.**

escudería. f. Oficio del escudero. ‖ **2.** *Dep.* Conjunto de automóviles de un mismo equipo de carreras.

escuderil. adj. Perteneciente al empleo de escudero y a su condición y costumbres.

escuderilmente. adv. m. Con estilo y manera de escudero.

escudero[1], ra. adj. Perteneciente o relativo al escudero[2].

escudero[2]. (Del lat. *scutarĭus.*) m. Paje o sirviente que llevaba el escudo al caballero cuando este no lo usaba. ‖ **2.** El que por su sangre es noble y distinguido. ‖ **3.** El que en lo antiguo llevaba acostamiento de un señor o persona de distinción, con obligación de asistirlo y acudirle en los tiempos y ocasiones que se le señalaban. ‖ **4.** El que hacía escudos. ‖ **5.** El que está emparentado con una familia o casa ilustre, y reconocido y tratado como tal. ‖ **6.** Criado que servía a una señora, acompañándola cuando salía de casa y asistiendo en su antecámara. ‖ **7.** *Mont.* Jabalí nuevo que el jabalí viejo trae consigo. ‖ **de a pie.** En la casa real, mozo dedicado a llevar recados.

escuderón. (aum. de *escudero.*) m. despect. El que intenta hacer más figura de la que le corresponde.

escudete. m. Objeto semejante a un escudo pequeño. ‖ **2.** Planchuela de metal que guarnece la boca de la cerradura. ‖ **3.** Pedacito de lienzo en forma de escudo o corazón, que sirve de refuerzo en las costuras de la ropa blanca. En las sobrepellices suele ser de encaje. ‖ **4.** Mancha redonda que las gotas de lluvia suelen producir en las aceitunas verdes, por donde estas se dañan y acorchan. ‖ **5.** **nenúfar.** ‖ **6.** V. **injerto de escudete.**

escudilla. (Del lat. *scutella.*) f. Vasija ancha y de forma de una media esfera, que se usa comúnmente para servir en ella la sopa y el caldo. ‖ **2.** desus. En Galicia, cierta medida mínima de granos.

escudillador, ra. adj. Que escudilla. Ú. t. c. s.

escudillar. tr. Echar en escudillas, fuentes y platos, caldo u otros alimentos. ‖ **2.** Echar el caldo hirviendo sobre el pan con que se hace la sopa. ‖ **3.** fig. Disponer y manejar uno las cosas a su arbitrio, como si fuera único dueño de ellas. ‖ **4.** fig. *Ar.* y *Nav.* Contar lo que se sabe; no guardar secreto.

escudillo. m. d. de **escudo.** ‖ **2.** Antigua moneda de oro de veinte reales.

escudo. (Del lat. *scutum.*) m. Arma defensiva, que se llevaba embrazada, para cubrirse y resguardarse de las ofensivas. ‖ **2.** Chapa de acero que, unida al montaje, llevan las piezas de artillería de montaña para defensa de los sirvientes del cañón. ‖ **3.** Moneda antigua de oro. ‖ **4.** **peso duro,** antigua moneda de plata. ‖ **5.** Moneda de plata que valía diez reales de vellón y que sirvió de unidad monetaria. ‖ **6.** Unidad monetaria portuguesa. ‖ **7.** Moneda chilena de oro, de cinco pesos. ‖ **8.** **escudo de armas.** ‖ **9.** Planchuela de metal, a veces en forma de **escudo,** que para guiar la llave suele ponerse delante de la cerradura. ‖ **10.** **cabezal,** pedazo de lienzo que se ponía sobre la cisura de la sangría. ‖ **11.** fig. Amparo, defensa, patrocinio. ‖ **12.** *Blas.* V. **flanco del escudo.** ‖ **13.** *Fís.* Bólido de la atmósfera. ‖ **14.** *Mar.* **espejo de popa.** ‖ **15.** *Mar.* Tabla vertical que en los botes forma el respaldo del asiento de popa. ‖ **16.** *Mont.* Espaldilla del jabalí, que le sirve de defensa en los encuentros con otros. ‖ **acuartelado.** *Blas.* El que está dividido en cuarteles. ‖ **burelado.** *Blas.* El que tiene diez fajas, cinco de metal y cinco de color. ‖ **cortado.** *Blas.* El que está partido horizontalmente en dos partes iguales. ‖ **cortinado.** *Blas.* El partido por dos líneas que, arrancando del punto medio de la parte superior o inferior del jefe, terminan en los cantones de la punta. ‖ **de armas.** *Blas.* Campo, superficie o espacio de distintas figuras en que se representan los blasones de un Estado, población, familia, corporación, etc. ‖ **de Orión.** *Astron.* Fila curva de estrellas en el lado occidental de la constelación Orión. ‖ **enclavado.** *Blas.* **escudo** partido o cortado, en que una de las partes monta sobre la otra y parece como enclavada en esta. ‖ **fajado.** *Blas.* **escudo** cubierto de seis fajas, tres de metal y tres de color. Si tiene cuatro u ocho, se ha de especificar su número. ‖ **mantelado.** *Blas.* **escudo cortinado.** ‖ **partido en,** o **por, banda.** *Blas.* El dividido por una banda. ‖ **raso.** *Blas.* El que no tiene adornos o timbres. ‖ **tajado.** *Blas.* El que está dividido diagonalmente con una línea que pasa desde el ángulo siniestro del jefe al diestro de la punta. ‖ **tronchado.** *Blas.* El que se divide con una línea diagonal tirada del ángulo diestro del jefe al siniestro de la punta. ‖ **vergeteado.** *Blas.* El que se compone de diez o más palos.

escudriñable. adj. Que puede escudriñarse.

escudriñador, ra. adj. Que tiene curiosidad por saber y apurar las cosas secretas. Ú. t. c. s.

escudriñamiento. m. Acción y efecto de escudriñar.

escudriñar. (De *escrudiñar.*) tr. Examinar, inquirir y averiguar cuidadosamente una cosa y sus circunstancias.

escudriño. m. ant. Acción y efecto de escudriñar.

escuela. (Del lat. *schola,* y este del gr. σχολή.) f. Establecimiento público donde se da a los niños la instrucción primaria. ‖ **2.** Establecimiento público donde se da cualquier género de instrucción. ‖ **3.** V. **buque escuela.** ‖ **4.** Enseñanza que se da o que se adquiere. ‖ **5.** Conjunto de profesores y alumnos de una misma enseñanza. ‖ **6.** Método, estilo o gusto peculiar de cada maestro para enseñar. ‖ **7.** Doctrina, principios y sistema de un autor. ‖ **8.** Conjunto de discípulos, seguidores o imitadores de una persona o de su doctrina, arte, etc. ‖ **9.** Conjunto de caracteres comunes que en literatura y en arte distinguen de las demás las obras de una época, región, etc. ESCUELA *clásica, romántica;* ESCUELA *holandesa, veneciana.* ‖ **10.** fig. Lo que en algún modo alecciona o da ejemplo y experiencia. *La* ESCUELA *de la desgracia; la* ESCUELA *del mundo.* ‖ **11.** pl. Sitio donde estaban los estudios generales. ‖ **normal.** Aquella en que se hacen los estudios y la práctica necesarios para obtener el título de maestro de primera enseñanza. ‖ **Escuelas Pías.** Orden religiosa fundada a fines del siglo XVI por San José de Calasanz para la educación y enseñanza de niños pobres, y que hoy instruye y educa a otros niños. ‖ **saber** uno **toda la escuela.** fr. Saber todas las diferencias de un ejercicio gimnástico.

escuerzo. (De or. inc.) m. Sapo, batracio anuro. ‖ **2.** fig. y fam. Persona flaca y desmedrada.

escuetamente. adv. m. De un modo escueto.

escueto, ta. (De or. inc.) adj. Descubierto, libre, despejado, desembarazado. ‖ **2.** Sin adornos o sin ambages, seco, estricto.

escueznar. tr. *Ar.* Sacar los escueznos.

escuezno. m. *Ar.* Penca o pierna de nuez. Ú. m. en pl.

escuincle, cla. (Del nahua *itzcuintli,* perro sin pelo.) m. y f. fam. *Méj.* Niño.

esculca. (De *esculcar.*) f. desus. Espía o explorador.

esculcar. (Del germ. *skulkan,* espiar, acechar.) tr. Espiar, inquirir, averiguar con diligencia y cuidado. ‖ **2.** Registrar para buscar algo oculto. ‖ **3.** *Extr.* Buscar y matar las pulgas del cuerpo.

esculco. m. *Col.* y *Méj.* Registro para buscar algo oculto, cacheo.

esculpidor. m. ant. El que se dedica a esculpir.

esculpidura. f. ant. **grabadura.**

esculpir. (Del lat. *sculpĕre.*) tr. Labrar a mano una obra de escultura, especialmente en piedra, madera o metal. ‖ **2.** **grabar** algo en hueco o en relieve sobre una superficie de metal, madera o piedra.

esculta. f. ant. **esculca.**

escultismo. (Del ing. *scout,* explorar, con infl. del cat. *ascoltar.*) m. Movimiento de juventud que pretende la educación integral del individuo por medio de la autoformación y el contacto con la naturaleza.

escultista. adj. Perteneciente o relativo al escultismo. ‖ **2.** com. Persona que practica el escultismo.

esculto, ta. (Del lat. *sculptus.*) p. p. irreg. ant. de **esculpir.**

escultor, ra. (Del lat. *sculptor, -ōris.*) m. y f. Persona que profesa el arte de la escultura.

escultórico, ca. adj. Perteneciente o relativo a la escultura.

escultura. (Del lat. *sculptūra.*) f. Arte de modelar, tallar o esculpir en barro, piedra, madera, etc., figuras de bulto. ‖ **2.** Obra hecha por el escultor. ‖ **3.** Fundición o vaciado que se forma en los moldes de las **esculturas** hechas a mano.

escultural. adj. Perteneciente o relativo a la escultura. ‖ **2.** Que participa de alguno de los caracteres bellos de la estatua. *Formas* ESCULTURALES; *actitud* ESCULTURAL.

escullador. (De *escullar.*) m. Vaso de lata con que en los molinos de aceite se saca este del pozuelo cuando está hondo.

escullar. tr. En varias regiones, vulg. por **escudillar,** echar caldo o comida en escudillas. ‖ **2.** intr. *Burg., Cantabria* y *Pal.,* Gotear o escurrir un líquido de una vasija u otra cosa.

escullir. intr. *Murc.* Resbalar, caer. ‖ **2.** prnl. **escabullirse.**

escullón. m. *Murc.* Acción y efecto de escullir o resbalar.

escuna. (Del port. *escuna.*) f. *Mar.* **goleta.**

escupetina. f. Saliva, flema o sangre escupida.

escupidera. f. Pequeño recipiente de loza, metal, madera, etc., que sirve para escupir en él. ‖ **2.** *And., Argent., Chile, Ecuad.* y *Urug.* Orinal, bacín. ‖ **pedir la escupidera.** fr. fig. *Amér.* Acobardarse, tener miedo. ‖ **2.** *Amér.* Sentirse derrotado, considerarse vencido.

escupidero. m. Sitio o lugar donde se escupe. ‖ **2.** fig. Situación en que se está expuesto a ser ajado o despreciado.

escupido, da. p. p. de **escupir.** ‖ **2.** adj. Dícese del sujeto que tiene mucho parecido con alguno de sus ascendientes directos. *Fulana es* ESCUPIDA *la madre.* ‖ **3.** m. **esputo.**

escupidor, ra. adj. Que escupe con mucha frecuencia. Ú. t. c. s. ‖ **2.** m. *And., Chile* y *P. Rico.* Recipiente para escupir en él. ‖ **3.** *Col.* Ruedo, baleo.

escupidura. f. **escupitajo.** ‖ **2.** Excoriación que suele presentarse en los labios a causa de una calentura.

escupiña. f. Molusco bivalvo comestible semejante a la almeja y caracterizado por poseer excrecencias a modo de verrugas en el borde posterior de la concha.

escupir. (Del lat. **exconspuĕre.*) intr. Arrojar saliva por la boca. ESCUPIR *en el suelo.* ‖ **2.** tr. Arrojar de la boca algo como **escupiendo.** ESCUPIR *sangre.* ‖ **3.** fig. Hacer salir y brotar el cutis postillas u otras señales después de una calentura. ‖ **4.** fig. Echar de sí con desprecio una cosa, teniéndola por vil o sucia. ‖ **5.** fig. Despedir un cuerpo a la superficie otra sustancia que estaba mezclada o unida con él. ‖ **6.** fig. Despedir o arrojar con violencia una cosa. *Los cañones* ESCUPÍAN *balas y metralla.* ‖ **7.** vulg. Contar lo que se sabe, confesar, cantar. ‖ **8.** *Taurom.* Despedir el toro el estoque después de tenerlo clavado. ‖ **9.** prnl. *Taurom.* Echarse fuera de la suerte el torero o el toro. ‖ **escupir** a uno. fr. fig. Hacer escarnio de él. ‖ **no escupir** uno una cosa. fr. fig. y fam. Ser aficionado a ella.

escupitajo. m. fam. Saliva, flema o sangre escupida.

escupitina. f. fam. **escupitajo.**

escupitinajo. m. fam. **escupitajo.**

escupo. m. **esputo.**

escurana. f. ant. *And.* y *Amér.* **oscurana.**

escurar[1]**.** (Del lat. vulg. **excurāre*, cuidar.) tr. En el obraje de paños, limpiarlos del aceite con greda o jabón antes de abatanarlos.
escurar[2]**.** (Del lat. *obscurāre*.) tr. ant. **oscurecer.**
escuras (a). loc. adv. ant. y hoy vulgar. **a oscuras.**
escurecer. intr. ant. y hoy vulgar. **oscurecer.**
escurecimiento. m. ant. **oscurecimiento.**
escureta. (De *escurar*[1].) f. *Pal.* Especie de peine de púas largas y dobladas en ángulo recto, que sirve para limpiar el pelo que queda en los palmares al cardar las mantas.
escureza. f. ant. **escuridad.**
escurialense. adj. Perteneciente o relativo al pueblo y al monasterio del Escorial. ‖ **2.** Natural del Escorial, pueblo de la provincia de Madrid. Ú. t. c. s.
escuridad. f. ant. **oscuridad.**
escuro, ra. adj. ant. y hoy vulgar. **oscuro.**
escurra. (Del lat. *scurra*.) m. ant. **truhán.**
escurraja. (De *escurrir*[1].) f. Escurridura, desecho, desperdicio. Ú. m. en pl.
escurreplatos. m. Mueble usado junto a los fregaderos para poner a escurrir las vasijas fregadas.
escurribanda. (De *escurrir*[1].) f. fam. **escapatoria,** acción y efecto de escaparse o evadirse. ‖ **2.** fam. **desconcierto,** flujo de vientre. ‖ **3.** fam. Corrimiento o fluxión de un humor. ‖ **4.** fam. **zurribanda,** zurra con golpes repetidos.
escurridero. m. Lugar a propósito para poner a escurrir alguna cosa.
escurridizo, za. adj. Que se escurre o desliza fácilmente. ‖ **2.** Propio para hacer deslizar o escurrirse. *Terreno* ESCURRIDIZO. ‖ **hacerse** uno **escurridizo.** fr. fig. y fam. Escaparse, retirarse, escabullirse.
escurrido, da. p. p. de **escurrir.** ‖ **2.** adj. Dícese de la persona, y especialmente de la mujer, estrecha de caderas. ‖ **3.** Aplícase a la mujer que trae la falda muy ajustada, y también a la ropa que queda muy apretada. ‖ **4.** *Bot.* V. **hoja escurrida.** ‖ **5.** *Méj.* y *P. Rico.* Corrido, confuso, avergonzado.
escurridor. m. Colador de agujeros grandes en donde se echan los alimentos para que escurran el líquido en que están empapados. ‖ **2. escurreplatos.** ‖ **3.** Dispositivo que tienen algunas máquinas lavadoras para escurrir o exprimir la ropa una vez lavada.
escurridura. (De *escurrir*[1].) f. Últimas gotas de un líquido que han quedado en el vaso, pellejo, etc. Ú. m. en pl. ‖ **llegar** uno **a las escurriduras.** fr. fig. y fam. Llegar a lo último o a lo ya inútil en alguna materia.
escurril. (Del lat. *scurrīlis*, chocarrero.) adj. Truhanesco, bufonesco.
escurrilidad. (Del lat. *scurrilĭtas, -ātis*.) f. ant. Bufonada, chocarrería.
escurrimbres. (De *escurrir*[1].) f. pl. fam. Últimas gotas de un líquido que han quedado en una vasija.
escurrimiento. m. Acción y efecto de escurrir o escurrirse.
escurrir[1]**.** (Del lat. *excurrĕre*.) tr. Apurar los restos o últimas gotas de un líquido que han quedado en un vaso, pellejo, etc. ESCURRIR *el vino, el aceite.* ‖ **2.** Hacer que una cosa mojada o que tiene líquido despida la parte que quedaba detenida. Ú. t. c. prnl. ‖ **3.** ant. Recorrer algunos parajes para reconocerlos. ‖ **4.** intr. Destilar y caer gota a gota el líquido que estaba en un vaso, etc. ‖ **5.** Deslizar y correr una cosa por encima de otra. Ú. t. c. prnl. *Se* ESCURREN *los pies en el hielo.* ‖ **6.** prnl. Salir huyendo. ‖ **7.** Esquivar algún riesgo, dificultad, etc. ‖ **8.** fam. Excederse, por lo común inadvertidamente, al ofrecer o dar por una cosa más de lo debido. ‖ **9.** Decir más de lo que se debe o quiere decir.
escurrir[2]**.** (Del b. lat. *excorrigĕre*, gobernar, conducir.) tr. ant. Salir acompañando a uno para despedirle. Ú. en Asturias, Palencia y Cantabria.
escusa. (Del lat. *absconsus*, escondido.) f. **escusabaraja.** ‖ **2.** Cualquiera de los provechos y ventajas que por especial condición y pacto disfrutan algunas personas según los estilos de los lugares. ‖ **3.** Derecho que el dueño de una finca o de una ganadería concede a sus guardas, pastores, etc., para que puedan apacentar, sin pagar renta, un corto número de cabezas de ganado de su propiedad, y esto como parte de la retribución convenida. ‖ **4.** Conjunto de las cabezas de ganado a que se aplica este derecho. ‖ **5.** Entre ganaderos, res o cabeza de ganado horra. ‖ **6.** V. **paños de escusa.** ‖ **7.** Acción y efecto de esconder y ocultar. ‖ **a escusa, o a escusas.** loc. adv. Con disimulo o cautela.
escusabaraja. (De *escusa* y *baraja*.) f. Cesta de mimbre, con tapa de lo mismo. ‖ **2.** ant. *Mar.* **cuerpo muerto.**
escusadas (a). (De *escusa*.) loc. adv. ant. **a escondidas.**
escusado, da. (De *escusa*.) adj. Reservado, preservado o separado del uso común. ‖ **2.** V. **puerta escusada.** ‖ **3.** m. Retrete.
escusalí. m. **excusalí.**
escusano, na. (De *escusa*.) adj. ant. Encubierto, escondido.
escusaña. (De *escusa*.) f. ant. Hombre de campo que en tiempo de guerra se ponía en un paso o vado para observar los movimientos del enemigo. ‖ **a escusañas.** loc. adv. ant. A escondidas o a hurto.
escusar. (De *escusa*.) tr. ant. Esconder, ocultar. Ú. t. c. prnl.
escuso (a, o **en).** (De *escusa*.) loc. adv. ant. Ocultamente, a escondidas.
escusón. m. Reverso de una moneda que tiene representado un escudo. ‖ **2.** *Blas.* Escudo pequeño que carga a otro mayor.
escutiforme. (Del lat. *scutum* y *-forme*.) adj. De forma de escudo.
escuyer de cocina. (Del ant. fr. *escuyer* [*tranchant*], escudero [trinchante].) m. Según el ritual de la casa de Borgoña, **veedor de vianda.**
esdrujulismo. m. *Pros.* Cualidad de esdrújulo.
esdrujulizar. tr. *Pros.* Dar acentuación esdrújula a una voz.
esdrújulo, la. (Del it. *sdrucciolo*.) adj. *Pros.* Aplícase al vocablo cuya acentuación prosódica carga en la antepenúltima sílaba; v. gr.: *máxima, oráculo.* Ú. t. c. s. m. ‖ **2.** V. **verso esdrújulo.**
ese[1]**.** f. Nombre de la letra *s.* ‖ **2.** Eslabón de cadena que tiene la figura de una *ese.* ‖ **andar** uno **haciendo eses.** fr. fig. y fam. Andar o ir hacia uno y otro lado por estar bebido. ‖ **echar** a uno **una ese,** o **una ese y un clavo.** fr. fig. y fam. Cautivar con beneficios la voluntad de una persona. Dícese por alusión al jeroglífico de la **ese** atravesada por un clavo, que significa *esclavo.* ‖ **ir** uno **haciendo eses.** fr. fig. y fam. **andar haciendo eses.** ‖ **poner** a uno **una ese.** fr. fig. y fam. **echar una ese.**
ese[2]**, sa, so, sos, sas.** (Del lat. *ipse, ipsa, ipsum, ipsos, ipsas*.) Formas del pron. dem. Designan lo que está cerca de la persona con quien se habla, o representan y señalan lo que esta acaba de mencionar. Las formas m. y f. se usan como adj. y como s., y en este último caso se escriben normalmente con acento cuando existe riesgo de anfibología: ESE *libro;* ÉSE *quiero; vendrán* ÉSAS. ‖ **2.** Pospuesto al nombre, tiene a veces valor despectivo. *No conozco al hombre* ESE. ‖ **esa** designa la ciudad en que está la persona a quien nos dirigimos por escrito. *Llegaré a* ESA *dentro de ocho días.* ‖ **esa** y **esas** hacen oficio de sustantivos en diversas frases donde tienen su significado impreciso de *ocasión, vez, situación, jugada,* o equivalen a un sustantivo sobrentendido. *¿Ahora me vienes con* ESAS? *¡Chúpate* ESA! ‖ **eso** equi-

vale a veces a *lo mismo.* ESO *se me da que me den ocho reales sencillos que una pieza de a ocho.* ‖ **¡a ese!** loc. interj. con que se incita a detener a uno que huye. ‖ **a eso de.** loc. t. Aproximadamente a. A ESO DE *las siete,* A ESO DEL *mediodía.* ‖ **en eso.** loc. t. Entonces. EN ESO *llegó su hermano.* ‖ **eso mismo.** loc. adv. Asimismo, también o igualmente. ‖ **eso que.** loc. conjuntiva advers. **a pesar de que.** ‖ **ni por esas,** o **ni por esas ni por esotras.** loc. adv. De ninguna manera; de ningún modo.

esecilla. (d. de *ese*[1].) f. Cada una de las asillas con que se traban los botones de metal.

eseíble. (De *eser.*) adj. ant. *Fil.* Lo que puede ser.

esencia. (Del lat. *essentĭa.*) f. Lo que constituye la naturaleza de las cosas, lo permanente e invariable de ellas. ‖ **2.** Lo más importante y característico de una cosa. ‖ **3.** Extracto líquido concentrado de una sustancia generalmente aromática. ‖ **4.** Perfume líquido con gran concentración de la sustancia o sustancias aromáticas. ‖ **5.** *Quím.* Cualquiera de las sustancias líquidas, formadas por mezclas de hidrocarburos, que se asemejan mucho por sus caracteres físicos a las grasas, pero se distinguen de estas por ser muy volátiles; suelen tener un olor penetrante y son extraídas de plantas de muy diversas familias, principalmente labiadas, rutáceas, umbelíferas y abietáceas. ‖ **quinta esencia.** Quinto elemento que consideraba la filosofía antigua en la composición del universo, especie de éter sutil y purísimo, cuyo movimiento propio era el circular y del cual estaban formados los cuerpos celestes. ‖ **2.** Entre los alquimistas, principio fundamental de la composición de los cuerpos, por cuyo medio esperaban operar la trasmutación de los metales. ‖ **3.** fig. Lo más puro, fino y acendrado de una cosa. ‖ **ser de esencia** una cosa. fr. Ser precisa, indispensable; ser condición inseparable de algo.

esencial. (Del lat. *essentiālis.*) adj. Perteneciente a la esencia. *El alma es parte* ESENCIAL *del hombre.* ‖ **2.** Sustancial, principal, notable. ‖ **3.** V. **aceite, fiebre esencial.**

esencialidad. f. Cualidad de esencial.

esencialmente. adv. m. Por esencia, por naturaleza.

esenciarse. prnl. desus. Unirse íntimamente con otro ser, como formando parte de su esencia.

esenciero. m. Frasco para esencia.

esenio, nia. (Del lat. *Essēni, -ōrum,* y este del gr. Ἐσσηνοί.) adj. Dícese del individuo de una secta judía que en tiempos de Cristo practicaba el ascetismo, el celibato y la comunidad de bienes y observaba celosamente los preceptos de la tora. Ú. t. c. s. ‖ **2.** Perteneciente o relativo a esta secta.

eser. (Del lat. **essĕre,* de *esse,* ser.) intr. ant. **ser.**

eseyente. (De *eser.*) adj. ant. Que es.

esfacelarse. (De *esfácelo.*) prnl. *Med.* Alterarse o gangrenarse un tejido.

esfácelo o **esfacelo.** (Del gr. σφάκελος, gangrena.) m. *Cir.* Parte mortificada de la piel o de los tejidos profundos, que se forma en ciertas heridas o quemaduras.

esfenisciforme. (De gr. σφηνίσκος, pequeña cuña, a través del b. lat. *spheniscos* y *-forme.*) adj. *Zool.* Dícese de aves marinas incapaces de volar, de cuerpo hidrodinámico, cola corta y alas transformadas en una especie de aletas. Son grandes nadadoras y solo van a tierra para criar. Son propias de los mares fríos del hemisferio sur y se las conoce vulgarmente como pingüinos, pájaros bobos o pájaros niños. Ú. t. c. s. ‖ **2.** f. pl. *Zool.* Orden de estas aves.

esfenoidal. adj. Perteneciente o relativo al esfenoides.

esfenoides. (Del gr. σφηνοειδής, en forma de cuña.) adj. *Anat.* V. **hueso esfenoides.** Ú. t. c. s.

esfera. (Del lat. *sphaera,* y este del gr. σφαῖρα.) f. *Geom.* Sólido terminado por una superficie curva cuyos puntos equidistan todos de otro interior llamado centro. ‖ **2.** Círculo en que giran las manecillas del reloj. ‖ **3.** poét. Cielo que rodea la Tierra. ‖ **4.** fig. Clase o condición de una persona. *Fulano es hombre de alta* ESFERA; *salirse de su* ESFERA. ‖ **5.** fig. Ámbito, espacio a que se extiende o alcanza la virtud de un agente, las facultades y cometido de una persona, etc. ‖ **armilar.** Instrumento astronómico, compuesto de aros, graduados o no, que representan las posiciones de los círculos más importantes de la **esfera** celeste y en cuyo centro suele colocarse un pequeño globo que figura la Tierra. ‖ **celeste. esfera** ideal, concéntrica con la terráquea, y en la cual se mueven aparentemente los astros. ‖ **de acción. esfera de actividad.** ‖ **de actividad.** Espacio a que se extiende o alcanza la virtud de cualquier agente. ‖ **oblicua.** La celeste, para los habitantes de la Tierra cuyo horizonte es oblicuo con respecto al Ecuador. ‖ **paralela.** La celeste, para un observador colocado en cualquiera de los polos de la Tierra, porque entonces su horizonte sería paralelo al Ecuador. ‖ **recta.** La celeste, para los que habitan en la línea equinoccial, cuyo horizonte corta perpendicularmente al Ecuador. ‖ **terráquea,** o **terrestre. globo terráqueo,** o **terrestre.**

esferal. (Del lat. *sphaerālis.*) adj. **esférico.**

esfericidad. f. *Geom.* Calidad de esférico. ‖ **2.** *Ópt.* V. **aberración de esfericidad.**

esférico, ca. (Del lat. *sphaerĭcus,* y este del gr. σφαιρικός.) adj. *Geom.* Perteneciente a la esfera o que tiene su figura. ‖ **2.** V. **trigonometría esférica.** ‖ **3.** *Geom.* V. **ángulo, casquete, huso, sector, segmento, triángulo esférico.** ‖ **4.** *Geom.* V. **epicicloide, superficie esférica.** ‖ **5.** m. *Dep.* **balón.**

esferista. (De *esfera.*) m. ant. **astrólogo.** ‖ **2.** ant. **astrónomo.**

esferográfico, ca. m. y f. En algunos países de América Meridional, bolígrafo.

esferoidal. adj. *Geom.* Perteneciente al esferoide o que tiene su figura.

esferoide. (Del lat. *sphaeroīdes,* y este del gr. σφαιροειδής.) m. *Geom.* Cuerpo de forma parecida a la esfera.

esferómetro. (Del lat. *sphaera* y *-metro.*) m. Aparato para medir la curvatura de una superficie esférica.

esfigmógrafo. (Del gr. σφυγμός, pulso, y *-grafo.*) m. *Med.* Instrumento que registra el pulso.

esfigmograma. f. *Méd.* Gráfica del pulso arterial obtenida por el esfigmógrafo.

esfigmómetro. (Del gr. σφυγμός, pulso, y *-metro.*) m. *Med.* **esfigmógrafo.**

esfinge. (Del lat. *sphinx, -ingis,* y este del gr. σφίγξ.) f. Monstruo fabuloso, generalmente con cabeza, cuello y pecho humanos y cuerpo y pies de león. Usáb. t. c. amb. ‖ **2.** Mariposa de la familia de los esfíngidos, de gran tamaño, cuerpo grueso y alas largas con dibujos de color oscuro. Hay varias especies. Usáb. t. c. m. ‖ **ser,** o **parecer, una esfinge.** fr. fig. Adoptar una actitud reservada o enigmática.

esfíngido. (De *esfinge* y de *-ido.*) adj. *Zool.* Dícese de insectos lepidópteros crepusculares con antenas prismáticas y alas estrechas y horizontales en el reposo; sus orugas llevan un apéndice caudal. Algunas especies son miméticas de otros insectos. Ú. t. c. s. ‖ **2.** m. pl. *Zool.* Familia de estos animales.

esfínter. (Del lat. *sphincter,* y este del gr. σφιγκτήρ.) m. *Anat.* Músculo anular con que se abre y cierra el orificio de una cavidad del cuerpo para dar salida a algún excremento o secreción, o para retenerlos; como el de la vejiga de la orina o el del ano.

esfogar. (Del lat. vulg. **exfocāre.*) tr. ant. Dar salida al fuego. ‖ **2.** Apagar la cal.

esfolar. (Del lat. vulg. hispánico **exfollāre,* quitar la piel.) tr. *Ast.* y *Sal.* **desollar.**

esfornecinar. tr. *Ar.* Quitar los fornecinos de la vid.

esforrocinar. (De *es-* y *forrocino.*) tr. Quitar los esforrocinos.

esforrocino. (De *esforrocinar.*) m. Sarmiento bastardo que se sale del tronco de las vides.
esforzadamente. adv. m. Con esfuerzo.
esforzado, da. p. p. de **esforzar.** ‖ **2.** adj. Valiente, animoso, alentado, de gran corazón y espíritu. ‖ **3.** V. **caldo esforzado.** ‖ **ser** uno **esforzado en** una cosa. fr. ant. Estar en disposición de poder hacerla.
esforzador, ra. adj. Que esfuerza. Ú. t. c. s.
esforzamiento. (De *esforzar.*) m. ant. **esfuerzo.**
esforzar. (De *es-* y *forzar.*) tr. Dar o comunicar fuerza o vigor. ‖ **2.** Infundir ánimo o valor. ‖ **3.** intr. Tomar ánimo. ‖ **4.** prnl. Hacer esfuerzos física o moralmente con algún fin. ‖ **5.** ant. Asegurarse y confirmarse en una opinión.
esfoyar. (Del lat. *exfoliāre.*) tr. *Ast.* Quitar la vaina a las mazorcas del maíz.
esfoyaza. (De *esfoyar.*) f. *Ast.* Reunión de varias personas para deshojar y enristrar las panojas del maíz.
esfriar. (Del lat. *ex* y *frigidāre*, enfriar.) tr. ant. **resfriar.** Usáb. t. c. prnl.
esfuerzo. (De *esforzar.*) m. Empleo enérgico de la fuerza física contra algún impulso o resistencia. ‖ **2.** Empleo enérgico del vigor o actividad del ánimo para conseguir una cosa venciendo dificultades. ‖ **3.** Ánimo, vigor, brío, valor. ‖ **4.** Empleo de elementos costosos en la consecución de algún fin. ‖ **5.** ant. Auxilio, ayuda, socorro.
esfumación. f. Acción y efecto de esfumar o esfumarse.
esfumar. (Del it. *sfumare.*) tr. *Pint.* Extender los trazos de lápiz restregando el papel con el esfumino para dar empaste a las sombras de un dibujo. ‖ **2.** *Pint.* Rebajar los tonos de una composición o parte de ella, y principalmente los contornos, logrando cierto aspecto de vaguedad y lejanía. ‖ **3.** prnl. fig. Disiparse, desvanecerse.‖ **4.** fig. y fam. Marcharse de un lugar con disimulo y rapidez.
esfuminar. tr. **difuminar.**
esfumino. (Del it. *sfumino.*) m. *Pint.* **difumino.**
esgambete. m. ant. **gambeta.**
esgarrar. (Por *desgarrar.*) tr. Hacer esfuerzo para arrancar la flema. Ú. t. c. intr.
esgoardar. tr. ant. **esguardar.**
esgonzar. tr. **desgonzar.**
esgrafiado, da. p. p. de **esgrafiar.** ‖ **2.** m. Acción y efecto de esgrafiar. ‖ **3.** Obra hecha con el grafio.
esgrafiar. (Del it. *sgraffiare.*) tr. Trazar dibujos con el grafio en una superficie estofada haciendo saltar en algunos puntos la capa superficial y dejando así al descubierto el color de la siguiente.
esgrima. (De *esgrimir.*) f. Arte de esgrimir. ‖ **2.** V. **espada, maestro de esgrima.**
esgrimible. adj. Que se puede esgrimir.
esgrimidor, ra. m. y f. Persona que sabe esgrimir.
esgrimidura. f. Acción de esgrimir.
esgrimir. (Del ant. alto al. *skirmyan*, proteger.) tr. Jugar y manejar la espada, el sable y otras armas blancas, reparando y deteniendo los golpes del contrario, o acometiéndole. ‖ **2.** fig. Usar una cosa o medio como arma para lograr algún intento.
esgrimista. com. *Argent., Chile, Ecuad., Perú* y *Urug.* **esgrimidor.**
esguardamillar. tr. fam. Desbaratar, descomponer, descuadernar.
esguardar. (De *es-* y *guardar.*) tr. ant. **mirar.** ‖ **2.** ant. Considerar una cosa o atender a ella. ‖ **3.** ant. Tocar, pertenecer.
esguarde. m. ant. Acción de esguardar.
esguazable. adj. Que se puede esguazar.
esguazar. (Del it. *sguazzare*, chapotear en el agua.) tr. Vadear un río o brazo de mar bajo.
esguazo. m. Acción de esguazar. ‖ **2.** Vado de un río.
esgucio. (Del lat. *scotĭa.*) m. *Arq.* Moldura cóncava cuyo perfil es la cuarta parte de un círculo.
esguila[1]. (Del lat. *squilla.*) f. *Ast.* Quisquilla, camarón.
esguila[2]. (Del lat. *sciurus*, **skiurus*, del gr. σκίουρος, ardilla.) f. *Ast.* **ardilla.**
esguilar. (De *esguila*[2].) intr. *Ast.* **esquilar,** trepar.
esguilero. (De *esguila*[1].) m. *Ast.* Red pequeña de forma cónica, y sujeta a un aro con mango, que se usa para pescar esguilas o quisquillas.
esguín. (Del vasc. *izokin*, salmón.) m. Cría del salmón cuando aún no ha salido de los ríos al mar.
esguince. (Der. del lat. vulgar *exquintiāre*, desgarrar.) m. Torcedura violenta y dolorosa de una articulación, de carácter menos grave que la luxación. ‖ **2.** Ademán hecho con el cuerpo, hurtándolo y torciéndolo para evitar un golpe o una caída. ‖ **3.** Movimiento del rostro o del cuerpo, o gesto con que se demuestra digusto o desdén.
esguízaro, ra. (Del al. *schweizer*, suizo.) adj. **suizo.** Ú. t. c. s. ‖ **pobre esguízaro.** fam. Hombre muy pobre y desvalido.
-esino, na. V. **-ino.**
eslabón. (De *esclavón.*) m. Pieza en figura de anillo o de otra curva cerrada que enlazada con otras forma cadena. Ú. t. en sent. fig. ‖ **2.** Hierro acerado del que saltan chispas al chocar con un pedernal. ‖ **3. chaira** para afilar. ‖ **4.** Alacrán negro, de unos doce centímetros de largo, el cual, como todos los de su especie, para atacar recoge las pinzas, dobla la cola sobre el cuerpo y adelanta la punta con que pica, formando así a manera de un **eslabón.** ‖ **5.** fig. Elemento necesario para el enlace de acciones, sucesos, etc. ‖ **6.** *Veter.* Tumor duro, particularmente huesoso, que sale a las caballerías debajo del corvejón y de la rodilla, y que se extiende a estas articulaciones.
eslabonador, ra. adj. Que eslabona.
eslabonamiento. m. Acción y efecto de eslabonar o eslabonarse.
eslabonar. tr. Unir unos eslabones con otros formando cadena. ‖ **2.** fig. Enlazar o encadenar las partes de un discurso o unas cosas con otras. Ú. t. c. prnl.
eslalon. (Del noruego *slalom.*) m. *Dep.* Competición de esquí a lo largo de un trazado con pasos obligados.
eslamborado, da. adj. ant. Que tiene alambor.
eslavismo. m. Estudio de las lenguas y literaturas eslavas y, en general, afición a lo eslavo.
eslavista. com. Persona que cultiva el eslavismo.
eslavo, va. (Del lat. medieval *Slavus.*) adj. Aplícase a un pueblo antiguo que se extendió principalmente por el nordeste de Europa. ‖ **2.** Perteneciente o relativo a este pueblo. ‖ **3.** Dícese de los que de él proceden. Ú. t. c. s. ‖ **4.** Aplícase a la lengua de los antiguos **eslavos** y a cada una de las que de ella se derivan. ‖ **5.** m. Lengua **eslava.**
esleción. (De *esleer.*) f. ant. **elección.**
esledor. (De *esleer.*) m. ant. **elector.**
esleer. (Del lat. *eligĕre*, elegir.) tr. ant. **elegir.**
esleíble. adj. ant. Que se puede elegir o es digno de elegirse.
esleidor. (De *esleír.*) m. ant. **elector.**
esleír. (Del lat. *eligĕre*, elegir.) tr. ant. **elegir.**
esleito, ta. (Del lat. *electus*, elegido.) p. p. irreg. ant. de **esleír.**
eslinga. (Del ing. *sling.*) f. Maroma provista de ganchos para levantar grandes pesos.
eslizón. m. Reptil saurio de la familia de los escíncidos, de cuerpo muy alargado, cuello corto y extremidades muy reducidas, por lo que semeja una pequeña serpiente con patas diminutas. En España viven dos especies, una con cinco dedos y la otra con tres.
eslogan. (Del ing. *slogan.*) m. Fórmula breve y original, utilizada para publicidad, propaganda política, etc.
eslora. (Del neerl. *sloerie.*) f. *Mar.* Longitud que tiene la

nave sobre la primera o principal cubierta desde el codaste a la roda por la parte de adentro. ‖ **2.** pl. *Mar.* Maderos que se ponen endentados en los baos, barrotes o latas, y en el sentido de popa a proa, con el objeto principal de reforzar el asiento de las cubiertas.

eslaría. f. ant. **eslora.**

eslovaco, ca. adj. Aplícase a un pueblo eslavo que habita al este de Moravia y al norte de Hungría. Ú. t. c. s. ‖ **2.** Perteneciente o relativo a este pueblo, que forma parte de la república de Checoslovaquia. ‖ **3.** m. Lengua hablada por este pueblo.

esloveno, na. adj. Aplícase al pueblo eslavo que habita al sur de Austria, en Carniola, Carintia e Istria. Ú. t. c. s. ‖ **2.** Perteneciente o relativo a este pueblo. ‖ **3.** m. Lengua hablada por este pueblo.

esmaltado, da. p. p. de **esmaltar.** ‖ **2.** m. Acción y efecto de esmaltar.

esmaltador, ra. m. y f. Persona que tiene por oficio esmaltar. ‖ **2.** V. **lámpara de esmaltador.**

esmaltar. (De *esmalte.*) tr. Cubrir con esmaltes el oro, plata, etc. ‖ **2.** fig. Adornar de varios colores y matices una cosa; combinar flores o matices en ella. ‖ **3.** fig. Adornar, hermosear, ilustrar.

esmalte. (Del germ. *smalts.*) m. Barniz vítreo que por medio de la fusión se adhiere a la porcelana, loza, metales y otras sustancias elaboradas. ‖ **2.** Objeto cubierto o adornado de **esmalte.** ‖ **3.** Labor que se hace con el **esmalte** sobre un metal. ‖ **4.** Color azul que se hace fundiendo vidrio con óxido de cobalto y moliendo la pasta que resulta. ‖ **5.** fig. Lustre, esplendor o adorno. ‖ **6.** *Anat.* Materia durísima que forma una capa protectora del marfil en la corona de los dientes de los vertebrados. ‖ **7.** *Blas.* Cualquiera de los metales o colores conocidos en el arte heráldico. ‖ **de uñas. pintaúñas.**

esmaltín. m. **esmalte,** color azul.

esmaltina. (De *esmalte* e *-ina.*) f. Mineral de color gris de acero, combinación de cobalto y arsénico, que se emplea para la fabricación de esmaltes azules.

esméctico, ca. (Del lat. *smectĭcus,* y este del gr. σμηκτικός.) adj. *Mineral.* **detersorio.**

esmena. f. ant. Rebaja o disminución de una cosa.

esmeradamente. adv. m. Con esmero.

esmerado, da. p. p. de **esmerar.** ‖ **2.** adj. Que se esmera.

esmerador. m. Operario que pule piedras o metales.

esmeralda. (Del fr. ant *esmeralde.*) f. Piedra fina, silicato de alúmina y glucina, más dura que el cuarzo y teñida de verde por el óxido de cromo. ‖ **2.** adj. Que tiene el color de esta piedra. Ú. t. c. s. ‖ **3. oriental. corindón.**

esmeraldero, ra. adj. *Col.* Dícese de la persona que se ocupa en la explotación de esmeraldas o en negociar con ellas. Ú. t. c. s.

esmeraldino, na. adj. Semejante a la esmeralda. Aplícase principalmente al color.

esmeramiento. (De *esmerar.*) m. ant. **esmero.**

esmerar. (Del lat. vulgar **exmerāre,* limpiar.) tr. Pulir, limpiar, ilustrar. ‖ **2.** *Ar.* Reducir un líquido por la evaporación. Ú. t. c. prnl. ‖ **3.** prnl. Extremarse, poner sumo cuidado en ser cabal y perfecto. ‖ **4.** Obrar con acierto y lucimiento.

esmerejón. (Probablem. del fr. ant. *esmereillon,* hoy *émerillon.*) m. Ave rapaz diurna del mismo género que el alcotán y el cernícalo, con el dorso gris azulado y el vientre claro con bandas oscuras, que en invierno es bastante común en Andalucía. ‖ **2.** Pieza de artillería antigua de calibre pequeño.

esmeril[1]. (Del gr. bizantino σμερί.) m. Roca negruzca formada por el corindón granoso, al que ordinariamente acompañan la mica y el hierro oxidado. Es tan dura, que raya todos los cuerpos, excepto el diamante, por lo que se emplea en polvos para labrar las piedras preciosas, acoplar cristales, deslustrar el vidrio y pulimentar los metales.

esmeril[2]. (Del fr. ant. *esmeril,* esmerejón.) m. Pieza de artillería antigua pequeña, algo mayor que el falconete.

esmerilar. tr. Pulir algo o deslustrar el vidrio con esmeril[1] o con otra sustancia.

esmerilazo. m. Tiro de esmeril[2].

esmero. (De *esmerar.*) m. Sumo cuidado y atención diligente en hacer las cosas con perfección.

esmiláceo, a. (Del lat. *smilax,* zarzaparrilla, y *-áceo.*) adj. *Bot.* Aplícase a hierbas o matas pertenecientes a la familia de las liliáceas, de hojas alternas, sentadas, pecioladas o envainadoras, pequeñas y reemplazadas a menudo por ramos filiformes espinosos, flores poco notables, fruto en baya, y raíz de rizoma rastrero; como el brusco, el espárrago y la zarzaparrilla. Ú. t. c. s.

esmirnio. (Del lat. *smyrnĭum.*) m. **apio caballar.**

esmirriado, da. adj. fam. Flaco, extenuado, consumido.

esmola. (Del port. *esmola,* limosna.) f. *Sal.* Trozo de pan que era costumbre dar de merienda a los obreros del campo.

esmoladera. f. Instrumento preparado para amolar.

esmoquin. (Del ing. *smoking.*) m. Prenda masculina de etiqueta, de menos ceremonia que el frac, a modo de chaqueta sin faldones.

esmorecer. (Del lat. **emorescĕre,* morir, desfallecer.) intr. *And., Can., C. Rica, Cuba* y *Venezu.* Desfallecer, perder el aliento. Ú. t. c. prnl.

esmorecido, da. p. p. de **esmorecer.** ‖ **2.** adj. *Extr.* Aterido de frío.

esmuciarse. (Del lat. *mucĭdus,* mucoso, resbaladizo.) prnl. *Cantabria.* Escurrirse una cosa de las manos o de otra parte.

esmuir. tr. **esmuñir.**

esmuñir. (Del lat. **exmungĕre,* limpiar.) tr. *Ar.* y *Murc.* Ordeñar las ramas de los árboles.

esnifada. f. En lenguaje de la droga, aspiración por la nariz de cocaína u otra sustancia análoga. ‖ **2.** Dosis de droga tomada por este procedimiento.

esnifar. (Del ing. *sniff,* aspirar por la nariz.) tr. Aspirar por la nariz cocaína u otra droga en polvo.

esnob. (Del ing. *snob.*) com. Persona que imita con afectación las maneras, opiniones, etc., de aquellos a quienes considera distinguidos. Ú. t. c. adj.

esnobismo. (De *esnob* e *-ismo.*) m. Cualidad de esnob.

esofágico, ca. adj. *Anat.* Perteneciente o relativo al esófago.

esófago. (Del gr. οἰσοφάγος.) m. *Anat.* Conducto que va desde la faringe al estómago, y por el cual pasan los alimentos. Existe en los gusanos, artrópodos, moluscos, procordados y vertebrados.

esópico, ca. (Del lat. *aesopĭcus.*) adj. Perteneciente o relativo al fabulista Esopo.

esotérico, ca. (Del gr. ἐσωτερικός.) adj. Oculto, reservado. ‖ **2.** Por ext., dícese de lo que es impenetrable o de difícil acceso para la mente. ‖ **3.** Dícese de la doctrina que los filósofos de la antigüedad no comunicaban sino a corto número de sus discípulos. ‖ **4.** Dícese de cualquier doctrina que se transmite oralmente a los iniciados.

esoterismo. m. Cualidad de esotérico.

esotro, tra. pron. dem., hoy arcaizante. Contracc. de **ese otro, esa otra.** Ú. t. c. adj. ESOTRO *niño;* ESOTRA *mesa.*

espabiladeras. f. pl. **despabiladeras.**

espabilar. tr. **despabilar.**

espaciadamente. adv. m. y t. Con separación o espacio intermedio.

espaciado. m. Acción y efecto de espaciar.

espaciador. m. En las máquinas de escribir, tecla que se pulsa para dejar espacios en blanco.

espacial. adj. Perteneciente o relativo al espacio. ‖ **2.** V. **lanzadera espacial.**

espaciamiento. m. Acción y efecto de espaciar. ‖ **2.** ant. Esparcimiento, dilatación.

espaciar. (Del lat. *spatiāri.*) tr. Poner espacio entre las cosas. ‖ **2.** Esparcir. ‖ **3.** Difundir, divulgar. ‖ **4.** *Impr.* Separar las palabras, las letras o los renglones con espacios o regletas. ‖ **5.** prnl. fig. Extenderse en el discurso o en lo que se escribe. ‖ **6.** fig. Esparcirse.

espácico, ca. adj. ant. Aciago, infausto, fatal.

espacio. (Del lat. *spatĭum.*) m. Continente de todos los objetos sensibles que existen. ‖ **2.** Parte de este continente que ocupa cada objeto sensible. ‖ **3.** Capacidad de terreno, sitio o lugar. ‖ **4.** Transcurso de tiempo. ‖ **5.** Tardanza, lentitud. ‖ **6.** Distancia entre dos cuerpos o sucesos. ‖ **7.** ant. Recreo, diversión. ‖ **8.** *Ast.* Lugar descampado. ‖ **9.** *Impr.* Pieza de metal que sirve para separar las palabras o poner mayor distancia entre las letras. ‖ **10.** *Mat.* Conjunto de entes entre los que se establecen ciertos postulados. ‖ **11.** *Mat.* V. **geometría del espacio.** ‖ **12.** *Mec.* Distancia recorrida por un móvil en cierto tiempo. ‖ **13.** *Mús.* Separación que hay entre las rayas del pentagrama. ‖ **de pelo.** *Impr.* **espacio** de un punto, equivalente a la dozava parte de un cícero. ‖ **exterior.** El **espacio** cósmico que se encuentra más allá de la atmósfera terrestre. ‖ **muerto.** *Fort.* En las fortificaciones, el que, no siendo visto por los defensores, no puede ser batido por los fuegos de estos, y, por tanto, queda indefenso. ‖ **planetario.** *Astron.* El que ocupan los planos de las órbitas de los planetas en su movimiento alrededor del Sol. ‖ **sidéreo.** *Astron.* El situado más allá de los límites de la atmósfera terrestre. Dícese también el **espacio.** ‖ **vital.** Ámbito territorial que necesiten las colectividades y los pueblos para desarrollarse. ‖ **espacios imaginarios.** Mundo irreal, fingido por la fantasía.

espaciosamente. adv. m. Con espacio y lentitud.

espaciosidad. (Del lat. *spatiosĭtas, -ātis.*) f. Anchura, capacidad.

espacioso, sa. (Del lat. *spatiōsus.*) adj. Ancho, dilatado, vasto. ‖ **2.** Lento, pausado, flemático.

espachurrar. tr. **despachurrar.**

espada. (Del lat. *spatha,* y este del gr. σπάθη.) f. Arma blanca, larga, recta, aguda y cortante, con guarnición y empuñadura. ‖ **2.** Torero que hace profesión de matar los toros con **espada.** Ú. m. c. m. ‖ **3.** Persona diestra en su manejo. *Buena, excelente* ESPADA. ‖ **4.** En el juego de naipes, cualquiera de las cartas del palo de **espadas.** *En esta mano no he tenido ninguna* ESPADA; *juegue usted una* ESPADA. ‖ **5.** As de **espadas.** ‖ **6.** V. **pez espada.** ‖ **7.** V. **danza de espadas.** ‖ **8.** V. **derecho de espada.** ‖ **9.** *Arg.* Ganzúa de alambre. ‖ **10.** *Esgr.* V. **excéntrico de la espada.** ‖ **11.** *Geom.* **sagita.** ‖ **12.** pl. Uno de los cuatro palos de la baraja española, en cuyos naipes se representan una o varias **espadas.** ‖ **blanca.** La ordinaria, de corte y punta. ‖ **de Damocles.** fig. Amenaza persistente de un peligro. ‖ **de dos filos.** fig. Dícese de un procedimiento, medio, argumento, etc., que, al ser empleado, puede dar un resultado contrario al que se persigue, o que produce a la vez dos efectos contrarios. ‖ **de esgrima. espada negra.** ‖ **de marca.** Aquella cuya hoja tiene cinco cuartas. ‖ **de Orión.** *Astron.* Línea vertical de estrellas en el interior de la constelación de Orión. ‖ **negra.** La de hierro, sin lustre ni corte, con un botón en la punta, que se usa en el juego de la esgrima. ‖ **media espada.** Torero que, sin ser el principal, sale también a matar toros. ‖ **2.** fig. Por ext., el que no es muy diestro en la profesión que ejerce. ‖ **primer,** o **primera, espada.** Entre toreros, el principal en esta clase. ‖ **2.** fig. Persona sobresaliente en alguna disciplina, arte o destreza. ‖ **asentar la espada.** fr. *Esgr.* Dejar el juego y poner la **espada** en el suelo. ‖ **ceñir espada.** fr. Traerla al cinto. ‖ **2.** Profesar la milicia. ‖ **ceñir** a uno **la espada.** fr. Ponérsela por primera vez al armarlo caballero. ‖ **con la espada desnuda.** fr. fig. Resueltamente, por todos los medios. ‖ **desceñirse la espada.** fr. Quitársela de la cinta. ‖ **desguarnecer la espada.** fr. *Esgr.* Quitar o hacer perder a uno la pieza que sirve de defensa a la mano, que comúnmente se llama guarnición. ‖ **desnudar la espada.** fr. Desenvainarla. ‖ **entrar con espada en mano.** fr. fig. Empezar con violencia y rigor una cosa. ‖ **entre la espada y la pared.** loc. fig. y fam. En trance de tener que decidirse por una cosa o por otra, sin escapatoria ni medio alguno de eludir el conflicto. Ú. m. con los verbos *poner, estar* o *hallarse.* ‖ **espada en cinta.** loc. adv. Con la **espada** ceñida. ‖ **la espada de Bernardo,** o **a espada de Bernardo, que ni pincha ni corta.** fr. con que se califica de inservible o de inútil alguna cosa o persona. ‖ **librar la espada.** fr. *Esgr.* No consentir el atajo del contrario, sino sacar la **espada** de debajo para tenerla libre. ‖ **llevar por la espada. meter a espada.** frs. ants. **pasar a espada.** ‖ **medir la espada con** uno. fr. Esgrimir con él la **espada** blanca o negra. ‖ **meter** a uno **la espada hasta la guarnición.** fr. fig. Apretarle, estrecharle con razones o causarle un vivo sentimiento. ‖ **pasar a espada.** fr. ant. **pasar a cuchillo.** ‖ **presentar la espada.** fr. *Mil.* Hacer con esta arma el saludo militar al rey o a la bandera. ‖ **2.** *Esgr.* Ponerla recta, oponiéndose al contrario. ‖ **quedarse** uno **a espadas.** fr. fig. y fam. Llegar a no tener nada, o perder al juego todo lo que tenía. ‖ **2.** fig. y fam. Quedarse en blanco. ‖ **rendir la espada.** fr. *Mil.* Entregarse prisionero un oficial, dando en señal su **espada** al jefe de la tropa enemiga. ‖ **sacar la espada por** una persona o cosa. fr. fig. Salir a la defensa de una persona o interesarse en el buen éxito de un asunto. ‖ **salir** uno **con** su **media espada.** fr. fig. Entremeterse en la conversación, interrumpiéndola con cosas impertinentes o disparatadas. ‖ **ser** uno **buena espada.** fr. fig. Ser diestro en polémicas o lides literarias. ‖ **tender** uno **la espada.** fr. *Esgr.* Presentarla rectamente al adversario. ‖ **tirar** uno **de la espada.** fr. Desenvainarla para reñir.

espadachín. (Del it. *spadaccino.*) m. El que sabe manejar bien la espada. ‖ **2.** El que se precia de valiente y es amigo de pendencias. ‖ **3.** *Germ.* Rufiancillo.

espadada. f. ant. Tajo o golpe dado con espada.

espadado, da. adj. ant. Que lleva o tiene ceñida la espada.

espadador, ra. m. y f. Persona que espada.

espadaña. (der. de *espada.*) f. Planta herbácea, de la familia de las tifáceas, de metro y medio a dos metros de altura, con las hojas en forma casi de espada, el tallo largo, a manera de junco, con una mazorca cilíndrica al extremo, que después de seca suelta una especie de pelusa o vello blanco, ligero y muy pegajoso. Sus hojas se emplean como las de la anea. ‖ **2.** Campanario de una sola pared, en la que están abiertos los huecos para colocar las campanas.

espadañada. f. Golpe de sangre, agua u otra cosa, que a manera de vómito sale repentinamente por la boca. ‖ **2.** fig. Abundancia, bocanada.

espadañal. m. Sitio húmedo en que se crían con abundancia las espadañas.

espadañar. (De *espadaña.*) tr. Abrir o separar el ave las plumas de la cola.

espadar. (De *espada.*) tr. Macerar y quebrantar con la espadilla el lino o el cáñamo para sacarle el tamo y poderlo hilar.

espadarte. m. **pez espada.**

espadería. (De *espadero.*) f. Taller donde se fabrican, guarnecen o componen espadas. ‖ **2.** Tienda donde se venden.

espadero. m. El que hace, guarnece o compone espadas, o el que las vende.

espádice. (Del lat. *spadix, -īcis.*) m. *Bot.* Inflorescencia en forma de espiga, con eje carnoso, y casi siempre envuelta en una espata; como el aro y la cala.
espadilla. f. d. de **espada.** ‖ **2.** Insignia roja, en figura de espada, que llevan los caballeros de la Orden de Santiago. ‖ **3.** Instrumento de madera, a modo de machete, que se usa para espadar. ‖ **4.** Pieza en figura de remo grande, que hace oficio de timón en algunas embarcaciones menores. ‖ **5.** As de espadas. ‖ **6.** Especie de taco usado en el juego de trucos. ‖ **7.** Aguja grande de marfil o metal, que usaban las mujeres para tener recogido el cabello sobre la cabeza. ‖ **8.** *Mar.* Timón provisional que se arma con las piezas disponibles a bordo, cuando se ha perdido el propio.
espadillado, da. p. p. de **espadillar.** ‖ **2.** m. Acción y efecto de espadillar.
espadillar. (De *espadilla.*) tr. **espadar.**
espadillazo. m. En algunos juegos de naipes, lance en que viene la espadilla con tan malas cartas, que, obligando a jugar la puesta, se pierde por fuerza.
espadín. m. Espada de hoja muy estrecha o triangular que se usa como prenda de ciertos uniformes. ‖ **2.** Pez teleósteo fisóstomo, parecido a la sardina, pero de carne más delicada.
espadista. m. *Germ.* Delincuente que, para penetrar en una casa con el objeto de robar, utiliza una ganzúa.
espadón[1]. m. aum. de **espada.** ‖ **2.** fig. y fam. Personaje de elevada jerarquía en la milicia y, por extensión, en otras jerarquías sociales.
espadón[2]. (Del gr. σπάδων, eunuco.) m. Hombre castrado.
espadrapo. m. **esparadrapo.**
espagírica. (Del lat. mod. *spagiricus.*) f. Arte de depurar los metales.
espagírico, ca. (Del lat. mod. *spagiricus.*) adj. Perteneciente a la espagírica. ‖ **2.** Aplicábase a ciertos medicamentos preparados con sustancias minerales. ‖ **3.** Se decía de los defensores del uso y conocedores de la preparación de los medicamentos **espagíricos.** Usáb. t. c. s.
espagueti. (Del it. *spaghetti.*) m. Pasta de harina de trigo en forma de cilindros macizos, largos y delgados, más gruesos que los fideos.
espahí. (Del fr. *spahi.*) m. Soldado de caballería turca. ‖ **2.** Soldado de caballería del ejército francés en Argelia.
espaladinar. (De *es-* y *paladino.*) tr. ant. Declarar, explicar con claridad.
espalar. tr. Apartar con la pala la nieve que cubre el suelo. Ú. t. c. intr.
espalda. (Del lat. tardío *spatŭla,* omóplato.) f. Parte posterior del cuerpo humano, desde los hombros hasta la cintura. Ú. m. en pl. Se usa también hablando de algunos animales, aunque no tan comúnmente. ‖ **2.** Parte del vestido que corresponde a la **espalda.** ‖ **3.** ant. **espaldón,** barrera de contención. ‖ **4.** *Dep.* Estilo de natación similar al crol pero con la **espalda** hacia el fondo. ‖ **5.** pl. Envés o parte posterior de un templo, una casa, etc. ‖ **6.** V. **sangre de espaldas.** ‖ **7.** desus. fig. Cuerpo armado que protege la retaguardia de una expedición. ‖ **espaldas de molinero,** o **de panadero.** fig. y fam. Las anchas, abultadas y fuertes. ‖ **a espaldas de** uno. loc. adv. En su ausencia, sin que se entere, a escondidas de él. ‖ **a espaldas** o **a las espaldas.** loc. adv. Con abandono u olvido voluntario de un encargo, negocio, preocupación o deber. Ú. principalmente con los verbos *dejar, echar* o *echarse, poner, tener* y semejantes. ‖ **a espaldas vueltas.** loc. adv. A traición, por detrás y no cara a cara. ‖ **a las espaldas.** loc. adv. **a espaldas.** ‖ **caer** o **caerse de espaldas.** fr. fig. Asombrarse o sorprenderse mucho. ‖ **cargado de espaldas.** loc. Dícese de la persona que, por conformación natural o a consecuencia de enfermedad, presenta una convexidad exagerada en la columna vertebral. ‖ **dar** uno **de espaldas.** fr. Caer boca arriba. ‖ **dar** uno **las espaldas.** fr. Volver las **espaldas** al enemigo; huir de él. ‖ **echarse** uno **sobre las espaldas** una cosa. fr. fig. Hacerse responsable de ella. ‖ **echar** una cosa **sobre las espaldas** de uno. fr. Ponerla a su cargo. ‖ **guardar** uno **las espaldas.** fr. fig. y fam. Resguardarse o resguardar a otro, mirando por sí, o por él, para no ser ofendido. ‖ **hablar por las espaldas.** fr. fig. Decir contra uno, en su ausencia, lo que no se le diría cara a cara. ‖ **hacer** uno **espaldas.** fr. fig. y fam. Sufrir, aguantar. ‖ **2.** fig. Guardarse para evitar una sorpresa. ‖ **hacer espaldas** a uno. fr. fig. y fam. Resguardarlo, encubrirlo, protegerlo para que salga bien de un empeño o peligro. ‖ **medirle** a uno **las espaldas.** fr. fig. y fam. **medirle las costillas.** ‖ **mosquear las espaldas.** fr. fig. y fam. Dar azotes en ellas por castigo. ‖ **picar en las, o las, espaldas.** fr. fig. **picar la retaguardia.** ‖ **por la espalda.** loc. adv. fig. A traición. ‖ **relucir la espalda.** fr. fig. y fam. Ser rico un hombre, o tener mucha dote una mujer. ‖ **tener** uno **buenas espaldas.** fr. fig. y fam. Tener resistencia y aguante para soportar cualquier trabajo o molestia. ‖ **tener** uno **cubiertas** o **guardadas las espaldas.** fr. fig. y fam. Tener protección superior a la fuerza de los enemigos. ‖ **tener** uno **seguras las espaldas.** fr. fig. Vivir asegurado de que otro no lo molestará. ‖ **tirarle** a uno **de espaldas** alguna cosa. fr. fig. y fam. Causarle mucha extrañeza por ser contraria a lo natural o razonable. ‖ **tornar,** o **volver, las espaldas.** fr. fig. Negarse a alguno; retirarse de su presencia con desprecio. ‖ **2.** fig. Huir, volver pie atrás.
espaldar. adj. ant. **postrero.** ‖ **2.** m. Parte de la coraza que sirve para cubrir y defender la espalda. ‖ **3.** Respaldo de una silla o banco. ‖ **4.** Espalda, parte posterior del cuerpo. ‖ **5.** Enrejado sobrepuesto a una pared para que por él trepen y se extiendan ciertas plantas, como jazmines, rosales, etc. ‖ **6.** *Zool.* Parte dorsal de la coraza de los quelonios, formada con placas dérmicas soldadas con las vértebras dorsales y lumbares y con las costillas. ‖ **7.** pl. Colgaduras de tapicería, largas y angostas, que se colocaban en las paredes, a manera de frisos, para arrimar a ellas las espaldas.
espaldarazo. m. Golpe dado de plano con la espada en la espalda para armar caballero. ‖ **2.** fig. Admisión de alguno como igual en un grupo o profesión. ‖ **3.** fig. Reconocimiento de la competencia o habilidad suficientes a que ha llegado alguno en una profesión o actividad.
espaldarcete. (d. de *espaldar.*) m. Pieza de la armadura antigua, con que solo se cubría la parte superior de la espalda.
espaldarón. (aum. de *espaldar.*) m. Pieza de la armadura antigua, que cubría y defendía las espaldas.
espaldear. (De *espalda.*) tr. *Mar.* Romper las olas con demasiado ímpetu contra la popa de la embarcación. ‖ **2.** *Chile.* Hacer espaldas, proteger, defender a una persona.
espalder. (Del fr. *espalier,* infl. por *espalda.*) m. Remero que iba de espaldas a la popa de la galera para mirar y gobernar a los demás, marcando con su remo el compás de la boga.
espaldera. f. Espaldar para ciertas plantas. ‖ **2.** Pared con que se resguardan y protegen las plantas arrimadas a ella. ‖ **3.** pl. Barras de madera fijas a una pared a distintas alturas para realizar ejercicios gimnásticos. ‖ **a espaldera.** loc. adv. Dícese de los árboles que se podan y guían de manera que extiendan sus ramas al abrigo de una pared.
espaldilla. f. d. de **espalda.** ‖ **2.** Cada hueso de la espalda en que se articulan los húmeros y las clavículas. ‖ **3.** Cuartos traseros del jubón o almilla que cubre la espalda. ‖ **4.** Cuarto delantero de algunas reses; como del cerdo, del cordero, etc.
espaldista. com. Persona especializada en la natación de espalda.

espalditendido, da. adj. fam. Tendido o echado de espaldas.
espaldón. (aum. de *espalda.*) m. Parte maciza y saliente que queda de un madero después de abierta una entalladura. ‖ **2.** Barrera para resistir el empuje de las tierras o de las aguas. ‖ **3.** *Fort.* Valla artificial, de altura y cuerpo correspondientes, para resistir y detener el impulso de un tiro o rechazo.
espaldonarse. (De *espaldón.*) prnl. *Mil.* Ponerse a cubierto de los fuegos del enemigo, al abrigo de un obstáculo natural.
espaldudo, da. adj. Que tiene grandes espaldas.
espalera. (Del it. *spalliera.*) f. Espaldar de plantas.
espalmador. (De *espalmar.*) m. **despalmador.**
espalmadura. (De *espalmar.*) f. Desperdicios de los cascos de los animales.
espalmar. tr. **despalmar.**
espalto[1]. (Del it. *spalto.*) m. *Pint.* Color oscuro, transparente y dulce para veladuras.
espalto[2]. (Del lat. *spatŭla,* espalda.) m. ant. *Fort.* **explanada.**
espantable. (De *espantar.*) adj. Que causa espanto.
espantablemente. adv. m. Con espanto.
espantada. f. Huida repentina de un animal. ‖ **2.** Desistimiento súbito, ocasionado por el miedo.
espantadizo, za. adj. Que fácilmente se espanta.
espantador, ra. adj. Que espanta.
espantagustos. m. Persona de mal carácter que turba la alegría de los demás.
espantajo. (despect. de *espanto.*) m. Lo que se pone en un lugar para espantar y especialmente en los sembrados para espantar los pájaros. ‖ **2.** fig. Cualquier cosa que por su representación o figura causa infundado temor. ‖ **3.** fig. y fam. Persona estrafalaria y despreciable. ‖ **de higuera.** Cierto **espantajo** que se pone en las higueras para defender su fruto de los pájaros. ‖ **2.** Apodo que se aplica al necio de gran apariencia y sin valor.
espantalobos. m. Arbusto de la familia de las papilionáceas, que crece hasta tres metros de altura, con ramas lampiñas, hojas divididas en un número impar de hojuelas acorazonadas, flores amarillas en grupos axilares, fruto en vainas infladas, membranosas y traslucientes, que producen bastante ruido al chocar unas con otras a impulso del viento.
espantamoscas. m. Utensilio de hierbas o de papel atados a un palo para espantar las moscas.
espantanublados. m. fam. Apodo que se aplicaba al tunante que andaba con hábitos largos por los lugares, pidiendo de puerta en puerta y haciendo creer a la gente rústica que tenía poder sobre los nublados. ‖ **2.** Persona inoportuna que interrumpe una conversación o descompone un proyecto.
espantapájaros. m. Espantajo que se pone en los sembrados y en los árboles para ahuyentar los pájaros.
espantar. (Del lat. **expaventāre.*) tr. Causar espanto, dar susto, infundir miedo. Ú. t. c. intr. ‖ **2.** Ojear, echar de un lugar a una persona o un animal. ‖ **3.** Admirarse, maravillarse. Ú. m. c. prnl. ‖ **4.** prnl. Sentir espanto, asustarse.
espantavillanos. m. fam. p. us. Alhaja o cosa de poco valor y mucho brillo.
espante. m. Confusión que se produce en el real de una feria cuando el ganado se desmanda y da en huir.
espanto. m. Terror, asombro, consternación. ‖ **2.** Amenaza o demostración con que se infunde miedo. ‖ **3.** Enfermedad causada por el **espanto.** ‖ **4.** Fantasma, aparecido. Ú. m. en pl. ‖ **estar curado de espanto** o **de espantos.** fr. fig. y fam. Ver con impasibilidad, a causa de experiencia o costumbre, desafueros, males o daños.
espantosamente. adv. m. De manera espantosa o que produce espanto.
espantoso, sa. adj. Que causa espanto. ‖ **2.** Maravilloso, asombroso, pasmoso. ‖ **3.** fig. Desmesurado, enorme. *Hace un frío* ESPANTOSO. ‖ **4.** fig. Muy feo.
España. n. p. V. **grande, jazmín, mosca, salsifí, té de España.** ‖ **¡cierra, España!** expr. empleada en la antigua milicia para animar a los soldados y hacer que acometiesen con valor al enemigo. ‖ **la España de pandereta.** expr. que alude a una visión que en el extranjero se tiene a veces de España, basada en lo llamativo y folclórico.
español, la. (Del lat. medieval *hispaniŏlus,* a través del prov. *espanhol.*) adj. Natural de España. Ú. t. c. s. ‖ **2.** Perteneciente o relativo a esta nación. ‖ **3.** V. **era, pasta española.** ‖ **4.** V. **párrafo español.** ‖ **5.** m. Lengua española. ‖ **a la española.** loc. adv. Al uso de España.
españolado, da. adj. Extranjero que en el aire, traje y costumbres parece español. ‖ **2.** f. Acción, espectáculo u obra literaria que exagera el carácter español.
españolar. tr. **españolizar.** Ú. t. c. prnl.
españolear. intr. Hacer propaganda exagerada de España.
españolería. f. Cualidad o actitud propia de españoles. ‖ **2.** Apego a las cosas españolas. ‖ **3. españolada.**
españoleta. f. Baile antiguo español.
españolía. f. **españolismo.**
españolidad. f. Cualidad de español. ‖ **2.** Carácter genuinamente español.
españolismo. m. Amor o apego a las cosas características o típicas de España. ‖ **2. hispanismo.** ‖ **3.** Carácter genuinamente español.
españolista. adj. Dado o afecto al españolismo.
españolización. f. Acción y efecto de españolizar.
españolizar. tr. Dar carácter español. ‖ **2.** Dar forma española a un vocablo o expresión de otro idioma. ‖ **3.** prnl. Tomar carácter español o forma española.
esparadrapo. (Del b. lat. *sparadrāpum.*) m. Tira de tela o de papel, una de cuyas caras está cubierta de un emplasto adherente, que se usa para sujetar los vendajes, y excepcionalmente como apósito directo o como revulsivo.
esparajismo. (De or. inc.) m. *Albac.* y *León.* **aspaviento.**
esparaván. (De or. inc.) m. **gavilán,** ave de rapiña. ‖ **2.** *Veter.* Tumor en la parte interna e inferior del corvejón de los solípedos, que si llega a endurecerse produce una cojera incurable. ‖ **boyuno.** *Veter.* El que, desarrollándose en la parte lateral interna del corvejón de los solípedos, hincha la articulación del tarso de modo que esta llega a asemejarse a la del ganado vacuno. ‖ **de garbanzuelo.** *Veter.* Enfermedad de los músculos flexores de las piernas de los solípedos, caracterizada por los movimientos que hace el animal al moverse, levantando las extremidades donde existe la dolencia como si súbitamente se quemara. Es frecuente que al mal acompañe un tumorcillo duro, externo al corvejón, de forma y tamaño de un garbanzo pequeño. ‖ **huesoso.** *Veter.* El que llega a osificarse. ‖ **seco.** *Veter.* **esparaván de garbanzuelo.**
esparavel. (De *esparver.*) m. Red redonda para pescar, que se arroja a fuerza de brazo en los ríos y parajes de poco fondo. ‖ **2.** *Albañ.* Tabla de madera con un mango en uno de sus lados, que sirve para tener una porción de la mezcla que se ha de gastar con la llana o la paleta.
esparceta. f. **pipirigallo,** planta.
esparciata. (Del lat. *Spartiātes.*) adj. **espartano.** Apl. a pers., ú. t. c. s.
esparcidamente. adv. m. Distintamente, separadamente.
esparcido, da. p. p. de **esparcir.** ‖ **2.** adj. fig. Festivo, franco en el trato, alegre, divertido.
esparcidor, ra. adj. Que esparce. Ú. t. c. s.
esparcimiento. m. Acción y efecto de esparcir o esparcirse. ‖ **2.** Despejo, desembarazo, franqueza en el trato,

alegría. ‖ **3.** Diversión, recreo, desahogo. ‖ **4.** Actividades con que se llena el tiempo libre.

esparcir. (Del lat. *spargĕre.*) tr. Extender lo que está junto o amontonado. Ú. t. c. prnl. ‖ **2.** fig. Divulgar, publicar, extender una noticia. Ú. t. c. prnl. ‖ **3.** fig. Divertir, desahogar, recrear. Ú. t. c. prnl.

esparragado. m. Guisado hecho con espárragos.

esparragador, ra. m. y f. Persona que cultiva espárragos.

esparragal. m. Era plantada de espárragos.

esparragamiento. m. Acción y efecto de esparragar.

esparragar. tr. Cuidar o coger espárragos. ‖ **anda,** o **vete, a esparragar.** expr. fig. y fam. con que se despide a uno con enfado.

espárrago. (Del lat. *asparăgus,* y este del gr. ἀσπάραγος.) m. Planta de la familia de las liliáceas, con tallo herbáceo, muy ramoso, hojas aciculares y en hacecillos, flores de color blanco verdoso, fruto en bayas rojas del tamaño de un guisante, y raíz en cepa rastrera, que en la primavera produce abundantes yemas de tallo recto y comestible. ‖ **2.** Yema comestible que produce la raíz de la esparraguera. ‖ **3.** Palo largo y derecho que sirve para asegurar con otros un entoldado. ‖ **4.** Madero atravesado por estacas pequeñas a distancias iguales, para que sirva de escalera. ‖ **5.** Barrita de hierro que sirve de tirador a las campanillas, y que va embebida en la pared. ‖ **6.** *Bad.* Madero en rollo que se usa para andamiadas. ‖ **7.** *Mec.* Vástago metálico roscado, que está fijo por un extremo, y que, pasando al través de una pieza, sirve para sujetar esta por medio de una tuerca. ‖ **amarguero.** *And.* El que se cría en los eriazos. ‖ **perico.** El de gran tamaño. ‖ **triguero.** espárrago silvestre, especialmente el que brota en los sembrados de trigo. ‖ **a freír espárragos.** loc. fig. y fam. que se emplea para despedir a alguno con aspereza, enojo o sin miramientos. Ú. m. con los verbos *echar* o *mandar,* o con los imperativos de *andar* o *irse.* ‖ **solo como el espárrago,** o **solo como espárrago en el yermo.** expr. fam. que se dice del que no tiene parientes, o del que vive y anda solo.

esparragón. m. Tejido de seda que forma un cordoncillo más doble y fuerte que el de la tercianela.

esparraguera. f. **espárrago,** planta liliácea. ‖ **2.** Era o haza de tierra destinada a criar espárragos. ‖ **3.** Plato de forma adecuada en que se sirven los espárragos.

esparraguero, ra. m. y f. Persona que cultiva espárragos. ‖ **2.** Persona que vende espárragos.

esparraguina. (De *espárrago,* por su color, e *-ina.*) f. Fosfato de cal cristalizado y de color verdoso.

esparramar. tr. vulg. **desparramar.**

esparrancado, da. p. p. de **esparrancarse.** ‖ **2.** adj. Que anda o está muy abierto de piernas. ‖ **3.** Dícese también de las cosas que debiendo estar juntas, están muy separadas.

esparrancarse. prnl. fam. Abrirse de piernas, separarlas.

esparsión. (Del lat. *sparsĭo, -ōnis.*) f. ant. Acción y efecto de esparcir o esparcirse.

espartal. (De *esparto.*) m. **espartizal.**

espartano, na. (Del lat. *Spartānus.*) adj. Natural de Esparta. Ú. t. c. s. ‖ **2.** Perteneciente o relativo a esta ciudad de Grecia antigua. ‖ **3.** fig. Austero, sobrio, firme, severo.

espartar. tr. *And.* y *Ar.* Cubrir una vasija con esparto.

esparteína. f. *Med.* Alcaloide de la retama. Se usaba como medicamento tónico del corazón.

esparteña. (De *esparto.*) f. Especie de alpargata de cuerda de esparto.

espartería. f. Oficio de espartero. ‖ **2.** Taller donde se trabajan las obras de esparto. ‖ **3.** Barrio, lugar o tienda donde se venden.

espartero, ra. (Del lat. *spartarĭus.*) adj. V. **aguja espartera.** ‖ **2.** m. y f. Persona que fabrica obras de esparto o que las vende.

espartilla. f. Rollito manual de estera o esparto, que sirve como escobilla para limpiar las caballerías.

espartillo. m. d. de **esparto.** ‖ **2.** *Albac.* Barbas que cría la cebolla del azafrán. ‖ **cazar, o coger, al espartillo.** fr. Cazar pájaros con espartos untados de liga. ‖ **2.** fig. y fam. Encontrar a uno casualmente y aprovechar la ocasión para conversar con él.

espartizal. m. Campo donde se cría esparto.

esparto. (Del lat. *spartum,* y este del gr. σπάρτον.) m. Planta de la familia de las gramíneas, con las cañitas de unos siete decímetros de altura, hojas radicales de unos sesenta centímetros de longitud, tan arrolladas sobre sí y a lo largo que aparecen como filiformes, duras y tenacísimas, hojas en el tallo más pequeñas; las flores en panoja espigada de tres decímetros de largo, y semillas muy menudas. ‖ **2.** Hojas de esta planta, empleadas en la industria para hacer sogas, esteras, tripe, pasta para fabricar papel, etc. ‖ **3.** V. **mortaja de esparto.** ‖ **basto.** Mata muy parecida al **esparto.**

esparvar. tr. En algunas provincias, **emparvar.**

esparvel. (De *esparver.*) m. *Ar.* Gavilán, ave de rapiña. ‖ **2.** *Ál.* **esparavel,** red para pescar. ‖ **3.** fig. *Nav.* Persona alta, flaca y desgarbada.

esparver. (Del prov. *esparvier.*) m. Gavilán, ave de rapiña.

espasmar. tr. ant. Producir espasmo o enfriamiento.

espasmo. (Del lat. *spasmus,* y este del gr. σπασμός.) m. Enfriamiento, romadizo. ‖ **2.** *Pat.* Contracción involuntaria de los músculos, producida generalmente por mecanismo reflejo. ‖ **cínico.** *Pat.* **risa sardónica.**

espasmódico, ca. (Del gr. σπασμώδης.) adj. *Med.* Perteneciente al espasmo, o acompañado de este síntoma.

espata. (Del lat. *spatha,* ramo de palma con sus dátiles.) f. *Bot.* Bráctea grande o conjunto de brácteas que envuelve ciertas inflorescencias; como en la cebolla y en el ajo.

espatarrada. f. fam. **despatarrada.**

espatarrarse. prnl. fam. **despatarrarse.**

espático, ca. adj. Dícese de los minerales que, como el espato, se dividen fácilmente en láminas. ‖ **2.** V. **hierro espático.**

espato. (Del al. *spat.*) m. Cualquier mineral de estructura laminosa. ‖ **calizo.** Caliza cristalizada en romboedros. ‖ **de Islandia. espato** calizo muy transparente. ‖ **flúor. fluorina.** ‖ **pesado. baritina.**

espátula. (Del lat. *spathŭla.*) f. Paleta, generalmente pequeña, con bordes afilados y mango largo, que utilizan los farmacéuticos y los pintores para hacer ciertas mezclas, y usada también en otros oficios. ‖ **2.** Ave ciconiforme de plumaje blanco níveo y pico en forma de **espátula,** con el extremo amarillo. Cuando adultas tienen una mancha ocre en la base del cuello, y en verano, un moño de plumas en la nuca. Anida en los árboles, formando colonias muy numerosas.

espatulomancia o **espatulomancía.** (Del lat. *spathŭla,* espátula, y *-mancia.*) f. Arte con que se intentaba adivinar por los huesos de los animales, y principalmente por la espaldilla.

espaviento. m. **aspaviento.**

espavorecido, da. adj. ant. **despavorido.**

espavorido, da. adj. ant. **despavorido.**

espay. m. **espahí,** soldado francés en Argelia.

especería. f. **especiería.**

especia. (Del lat. *species.*) f. Cualquier sustancia vegetal aromática que sirve de condimento; como el clavo, la pimienta, el azafrán, etc. ‖ **2.** V. **nuez de especia.** ‖ **3.** ant. *Med.* **específico,** medicamento apropiado para una enfermedad. ‖ **4.** pl. Ciertos postres que se servían antiguamente para beber vino.

especial. (Del lat. *speciālis.*) adj. Singular o particular; que se diferencia de lo común o general. ‖ **2.** Muy adecuado o propio para algún efecto. ‖ **3.** V. **tren especial.** ‖ **4.** adv. m. desus. **especialmente.** Ú. en Andalucía y Chile. ‖ **en especial.** loc. adv. **especialmente.**

especialidad. (Del lat. *specialĭtas, -ātis.*) f. Cualidad de especial. ‖ **2.** Confección o producto en cuya preparación sobresalen una persona, un establecimiento, una región, etc. ‖ **3.** Rama de una ciencia, arte o actividad, cuyo objeto es una parte limitada de las mismas, sobre la cual poseen saberes o habilidades muy precisos quienes la cultivan. ‖ **4.** Medicamento preparado en un laboratorio y autorizado oficialmente para ser despachado en las farmacias con un nombre comercial y registrado. ‖ **con especialidad.** loc. adv. **especialmente.**

especialista. adj. Dícese del que con especialidad cultiva una rama de determinado arte o ciencia y sobresale en él. Aplícase sobre todo a los médicos. Ú. t. c. s. ‖ **2.** com. *Cinem.* Persona que realiza escenas peligrosas o que requieren cierta destreza; suele sustituir como doble a los actores principales.

especialización. f. Acción y efecto de especializar o especializarse.

especializar. intr. Cultivar con especialidad una rama determinada de una ciencia o de un arte. Ú. t. c. prnl. ‖ **2.** Limitar una cosa a uso o fin determinado.

especialmente. adv. m. Con especialidad.

especie. (Del lat. *species.*) f. Conjunto de cosas semejantes entre sí por tener uno o varios caracteres comunes. ‖ **2.** Imagen o idea de un objeto, que se representa en el alma. ‖ **3.** Caso, suceso, asunto, negocio. *Se trató de aquella* ESPECIE; *no me acuerdo de tal* ESPECIE. ‖ **4.** Tema, noticia, proposición. ‖ **5.** Pretexto, apariencia, color, sombra. ‖ **6.** *Bot.* y *Zool.* Cada uno de los grupos en que se dividen los géneros y que se componen de individuos que, además de los caracteres genéricos, tienen en común otros caracteres por los cuales se asemejan entre sí y se distinguen de los de las demás **especies.** La **especie** se subdivide a veces en variedades o razas. ‖ **7.** *Esgr.* Treta de tajo, revés o estocada. ‖ **8.** *Mús.* Cada una de las voces en la composición. Divídense en consonantes y disonantes, y estas en perfectas e imperfectas. ‖ **9.** *Ópt.* V. **rayo de especies.** ‖ **10.** *Quím.* Sustancia de una sola y determinada composición química. ‖ **remota. noticia remota.** ‖ **especies sacramentales.** *Rel.* Accidentes de olor, color y sabor que quedan en el Sacramento después de la transustanciación. ‖ **en especie.** loc. adv. En frutos o géneros y no en dinero. ‖ **escapársele** a uno **una especie.** fr. Decir inadvertidamente lo que no era del caso o se debía callar. ‖ **soltar** uno **una especie.** fr. Decir alguna cosa para reconocer y explorar el ánimo de los que la oyen. ‖ **una especie de.** expr. que se antepone a un nombre para indicar que el ser o la cosa de que se trata es muy semejante a lo que aquel nombre designa.

especiería. (De *especiero.*) f. Tienda en que se venden especias. ‖ **2.** Conjunto de especias. ‖ **3.** Trato y comercio de especias. ‖ **4.** ant. **droguería.**

especiero, ra. m. y f. Persona que comercia en especias. ‖ **2.** m. ant. El que preparaba y expendía medicinas. ‖ **3.** Armarito con varios cajones para guardar las especias.

especificación. f. Acción y efecto de especificar. ‖ **2.** *Der.* Modo de adquirir uno la materia ajena que se emplea de buena fe para formar obra de nueva especie, mediante indemnización del valor de aquella a su dueño.

especificadamente. adv. m. Con especificación.

específicamente. adv. m. De manera específica.

especificar. (De *específico.*) tr. Explicar, declarar con individualidad una cosa. ‖ **2.** Fijar o determinar de modo preciso.

especificativo, va. adj. Que tiene virtud o eficacia para especificar.

especificidad. f. Cualidad y condición de **específico,** propio de una especie.

específico, ca. (Del lat. tardío *specifĭcus.*) adj. Que caracteriza y distingue una especie de otra. ‖ **2.** Especial, característico, propio. ‖ **3.** *Fís.* V. **calor, peso específico.** ‖ **4.** *Pat.* V. **enfermedad específica.** ‖ **5.** m. *Farm.* Medicamento especialmente apropiado para tratar una enfermedad determinada. ‖ **6.** *Farm.* Medicamento fabricado al por mayor, en forma y con envase especial, y que lleva el nombre científico de las sustancias medicamentosas que contiene, u otro nombre convencional patentado.

espécimen. (Del lat. *specĭmen.*) m. Muestra, modelo, ejemplar, normalmente con las características de su especie muy bien definidas.

especiosidad. (Del lat. *speciosĭtas, -ātis.*) f. ant. **perfección.** ‖ **2.** fig. desus. Apariencia, engaño.

especioso, sa. (Del lat. *speciōsus.*) adj. Hermoso, precioso, perfecto. ‖ **2.** fig. Aparente, engañoso.

especiota. (aum. despect. de *especie,* caso, asunto.) f. fam. Proposición extravagante; paradoja ridícula; noticia falsa o exagerada.

espectable. (Del lat. *spectabĭlis.*) adj. p. us. Digno de la consideración o estimación pública; muy conspicuo o notable. Ú. en Argentina. ‖ **2.** Tratamiento que se daba a personas ilustres.

espectacular. adj. Que tiene caracteres propios de espectáculo público. ‖ **2.** Aparatoso, ostentoso.

espectacularidad. f. Cualidad de espectacular.

espectáculo. (Del lat. *spectacŭlum.*) m. Función o diversión pública celebrada en un teatro, en un circo o en cualquier otro edificio o lugar en que se congrega la gente para presenciarla. ‖ **2.** Aquello que se ofrece a la vista o a la contemplación intelectual y es capaz de atraer la atención y mover el ánimo infundiéndole deleite, asombro, dolor u otros afectos más o menos vivos o nobles. ‖ **3.** Acción que causa escándalo o gran extrañeza. Ú. comúnmente con el verbo *dar.*

espectador, ra. (Del lat. *spectātor, -ōris.*) adj. Que mira con atención un objeto. ‖ **2.** Que asiste a un espectáculo público. Ú. m. c. s.

espectral. adj. Perteneciente o relativo al espectro.

espectro. (Del lat. *spectrum.*) m. Imagen, fantasma, por lo común horrible, que se representa a los ojos o en la fantasía. ‖ **2.** *Fís.* Resultado de la dispersión de un conjunto de radiaciones, de sonidos y, en general, de fenómenos ondulatorios, de tal manera que resulten separados de los de distinta frecuencia. ‖ **3.** *Fís.* **espectro luminoso.** ‖ **4.** *Med.* Amplitud de la serie de las diversas especies microbianas sobre las que es terapéuticamente activo un medicamento. Se usa especialmente hablando de los antibióticos. ‖ **continuo.** *Fís.* El luminoso que presenta gradualmente y sin interrupciones la banda coloreada. ‖ **de absorción.** *Fís.* El luminoso interrumpido o cortado por líneas negras paralelas. ‖ **de emisión.** *Fís.* El que presenta una o más líneas brillantes que se destacan sobre los colores. ‖ **de masas.** Resultado de la separación de los átomos isotópicos. ‖ **del sol.** *Fís.* **espectro solar.** ‖ **invertido.** *Fís.* **espectro de absorción.** ‖ **luminoso.** *Fís.* Banda matizada de los colores del iris, que resulta de la descomposición de la luz blanca a través de un prisma o de otro cuerpo refractor. ‖ **solar.** *Fís.* El producido por la luz del sol.

espectrofotometría. f. *Fís.* Procedimiento analítico fundado en el uso del espectrofotómetro.

espectrofotómetro. m. *Fís.* y *Quím.* Aparato para comparar la intensidad de los colores correspondientes de dos espectros luminosos.

espectrografía. (De *espectro* y *-grafía*.) f. *Fís.* **espectioscopia.** ‖ **2.** *Fís.* Imagen obtenida por un espectrógrafo.

espectrógrafo. m. *Fís.* Espectroscopio dispuesto para la obtención de espectrogramas. ‖ **2.** *Fís.* Aparato que obtiene el espectro de un sonido analizando un sonido complejo en los elementos que lo componen. ‖ **3.** *Fís.* y *Fon.* Aparato electrónico que, mediante un filtro graduable, registra sucesivamente las ondas sonoras comprendidas en determinado intervalo de frecuencias, de tal modo que, con tres registros correspondientes a intervalos convenientemente elegidos, baste para caracterizar y reproducir un sonido cualquiera.

espectrograma. (De *espectro* y *-grama*.) m. *Fís.* Registro gráfico o fotográfico de los datos de un espectro. ‖ **2.** *Fís.* y *Fon.* Representación gráfica de un sonido obtenida por un espectrógrafo.

espectroheliógrafo. m. *Fís.* Especie de espectroscopio que sirve para fotografiar las protuberancias solares o el disco del Sol a una luz monocroma.

espectrohelioscopio. m. *Fís.* Espectroheliógrafo modificado para la visión directa.

espectrometría. f. *Fís.* Técnica del empleo de los espectrómetros.

espectrómetro. (De *espectro* y *-metro*.) m. *Fís.* Aparato que produce la separación de partículas o radiaciones de una determinada característica (masa, carga, longitud de onda, etc.), y mide su proporción. ‖ **2.** *Fís.* **espectrómetro de masas.** ‖ **de masas.** *Fís.* Aparato empleado especialmente para medir la abundancia de los isótopos en una mezcla.

espectroscopia. f. *Fís.* Conjunto de conocimientos referentes al análisis espectroscópico. ‖ **2.** *Fís.* Imagen obtenida por un espectroscopio.

espectroscópico, ca. adj. *Fís.* Perteneciente o relativo al espectroscopio.

espectroscopio. (De *espectro* y *-scopio*.) m. *Fís.* Instrumento que sirve para obtener y observar un espectro. ‖ **compuesto.** *Fís.* Aquel cuyo colimador forma ángulo con el anteojo analizador. ‖ **de visión directa.** *Fís.* Aquel cuyas tres partes principales están en la misma dirección.

especulación. (Del lat. *speculatĭo, -ōnis*.) f. Acción y efecto de especular. ‖ **2.** *Com.* Operación comercial que se practica con mercancías, valores o efectos públicos, con ánimo de obtener lucro.

especulador, ra. (Del lat. *speculātor, -ōris*.) adj. Que especula. Ú. m. c. s.

especular[1]. (Del lat. *speculāris*.) adj. Perteneciente o relativo a un espejo. ‖ **2.** Semejante a un espejo. ‖ **3.** ant. Transparente, diáfano. ‖ **4.** *Ópt.* dícese de lo reflejado en un espejo.

especular[2]. (Del lat. *speculāri*.) tr. Registrar, mirar con atención una cosa para reconocerla y examinarla. ‖ **2.** fig. Meditar, reflexionar con hondura, teorizar. ‖ **3.** fig. Perderse en sutilezas o hipótesis sin base real. ‖ **4.** fig. Efectuar operaciones comerciales o financieras, con la esperanza de obtener beneficios basados en las variaciones de los precios o de los cambios. Ú. frecuentemente con sentido peyorativo. ‖ **5.** intr. fig. Comerciar, traficar. ‖ **6.** fig. Procurar provecho o ganancia fuera del tráfico mercantil.

especulario, ria. (Del lat. *specularĭus*.) adj. ant. **especular[1]**, perteneciente al espejo.

especulativa. (Del lat. *speculatīva*.) f. Facultad del alma para especular alguna cosa.

especulativamente. adv. m. De manera especulativa.

especulativo, va. (Del lat. *speculatīvus*.) adj. Perteneciente o relativo a la especulación. ‖ **2.** Que tiene aptitud para especular. ‖ **3.** Que procede de la mera especulación o discurso, sin haberse reducido a práctica. ‖ **4.** Muy pensativo y dado a la especulación. ‖ **5.** V. **gramática especulativa.**

espéculo. (Del lat. *specŭlum*, espejo.) m. *Cir.* Instrumento que se emplea para examinar por la reflexión luminosa ciertas cavidades del cuerpo.

espechar. tr. ant. **espichar,** pinchar con una cosa aguda.

espedar. tr. ant. **espetar.**

espedazar. tr. ant. y hoy vulg. **despedazar.**

espedimiento. (De *espedirse*.) m. ant. **despedida.**

espedirse. (Del lat. *expetĕre*.) prnl. ant. **despedirse.**

espedo. m. ant. **espeto.** Ú. en Aragón.

espejado, da. p. p. de **espejar.** ‖ **2.** adj. Claro o limpio como un espejo. ‖ **3.** Que refleja la luz como un espejo.

espejar. (De *espejo*.) tr. ant. Limpiar, pulir, lustrar. ‖ **2.** vulg. **despejar.** ‖ **3.** prnl. ant. Mirarse al espejo. ‖ **4.** fig. Reflejarse, reproducirse como la imagen en un espejo. ‖ **espejarse uno en otro.** fr. ant. fig. **mirarse en él como en un espejo.**

espejear. intr. Relucir o resplandecer como un espejo.

espejeo. m. **espejismo.**

espejeras. f. pl. *Cuba.* Llaga de las caballerías producida por los arreos o la espuela.

espejería. f. Tienda en que se venden espejos y otros muebles de adorno.

espejero, ra. m. y f. Persona que hace espejos o los vende.

espejismo. (De *espejo*.) m. Ilusión óptica debida a la reflexión total de la luz cuando atraviesa capas de aire de densidad distinta, con lo cual los objetos lejanos dan una imagen invertida, ya por bajo del suelo como si se reflejasen en el agua, lo que sucede principalmente en las llanuras de los desiertos, ya en lo alto de la atmósfera, sobre la superficie del mar. ‖ **2.** fig. **ilusión** de la imaginación.

espejo. (Del lat. *specŭlum*.) m. Tabla de cristal azogado por la parte posterior para que se reflejen en él los objetos que tenga delante. Los hay también de acero u otro metal bruñido. ‖ **2.** fig. Lo que da imagen de algo. *El teatro es* ESPEJO *de la vida o de las costumbres.* ‖ **3.** fig. Modelo o dechado digno de estudio e imitación. ESPEJO *de la andante caballería.* ‖ **4.** *And.* Transparencia de los vinos dorados. ‖ **5.** *Arq.* Adorno aovado que se entalla en las molduras huecas y suele llevar floroncillos. ‖ **6.** pl. Remolino de pelos en la parte anterior del pecho del caballo. ‖ **de armar.** ant. **espejo de cuerpo entero.** ‖ **de cuerpo entero. espejo** grande en que se representa todo o casi todo el cuerpo del que se mira en él. ‖ **de los Incas. obsidiana.** ‖ **de popa.** *Mar.* Fachada que presenta la popa desde la bovedilla hasta el coronamiento. ‖ **de vestir. espejo de cuerpo entero.** ‖ **ustorio. espejo** cóncavo que, puesto de frente al sol, refleja sus rayos y los reúne en el punto llamado foco, produciendo un calor capaz de quemar, fundir y hasta volatilizar los cuerpos allí colocados. ‖ **mirarse en uno como en un espejo.** fr. fig. y fam. Tenerle mucho amor y complacerse en sus gracias o en sus acciones. ‖ **mírate en ese espejo.** expr. fig. Sírvate de escarmiento ese ejemplo. ‖ **no te verás en ese espejo.** expr. fig. y fam. con que se previene a uno que no logrará lo que intenta o pretende.

espejuela. f. *Equit.* Arco que suelen tener algunos bocados en la parte interior, y que une los extremos de los dos cañones. ‖ **abierta.** *Equit.* La que tiene un gozne en la parte superior para dar mayor juego al bocado. ‖ **cerrada.** *Equit.* La de una pieza.

espejuelo. (d. de *espejo*.) m. Yeso cristalizado en láminas brillantes. ‖ **2.** Ventana, rosetón o claraboya por lo general con calados de cantería cerrados con placas de yeso transparente. ‖ **3.** Hoja de talco. ‖ **4.** Trozo curvo de madera de unos dos decímetros de largo, con pedacitos de espejo y generalmente pintado de rojo, que se hace girar para que, a los reflejos de la luz, acudan las alondras, que así se cazan fácilmente. ‖ **5.** Reflejo que se produce en ciertas maderas cuando se cortan a lo largo de los radios medulares. ‖ **6.** Conserva de tajadas de cidra o calabaza, que con el almíbar se hacen relucientes. ‖ **7.** Entre colmeneros, borra o suciedad que se cría en los panales durante el invierno. ‖ **8.** Callosidad que contrae el feto en el vientre de la madre por la situación que tiene dentro de la matriz. ‖ **9.** Excrecencia córnea que tienen las caballerías en la parte inferior e interna del antebrazo y en la superior y algo posterior de las cañas en las patas traseras. ‖ **10.** Área de las alas de los patos nadadores, generalmente de colores brillantes y muy conspicua, tanto en vuelo como posados. ‖ **11.** pl. Cristales que se ponen en los anteojos. ‖ **12. anteojos,** gafas.

espeleología. (Del gr. σπήλαιον, caverna, y *-logía.*) f. Ciencia que estudia la naturaleza, el origen y formación de las cavernas, y su fauna y flora.

espeleológico, ca. adj. Perteneciente o relativo a la espeleología.

espeleólogo, ga. m. y f. Persona que se dedica a la espeleología.

espelotarse. prnl. vulg. Ponerse rollizo.

espelta. (Del lat. *spelta.*) f. **escanda.**

espélteo, a. adj. Perteneciente a la espelta.

espelucar. tr. *Amér.* **despeluzar.** Ú. t. c. prnl.

espelunca. (Del lat. *spelunca.*) f. Cueva, gruta, concavidad tenebrosa.

espeluzar. tr. **despeluzar.** Ú. t. c. prnl.

espeluznamiento. m. **despeluzamiento.**

espeluznante. p. a. de **espeluznar.** Que espeluzna. ‖ **2.** adj. Pavoroso, terrorífico.

espeluznar. tr. Descomponer, desordenar el pelo de la cabeza, de la felpa, etc. ‖ **2.** Erizar el pelo o las plumas. Ú. t. c. prnl. ‖ **3.** Espantar, causar horror. Ú. t. c. prnl.

espeluzno. m. fam. Escalofrío, estremecimiento.

espeluzo. m. p. us. Alboroto o desorden del cabello.

espenjador. (Del arag. *espenjar,* y este del lat. **expendicāre,* de *pendēre,* colgar.) m. *Ar.* Pértiga terminada en una horquilla de hierro, y que se usa para colgar y descolgar cualquier objeto.

espeque. (Del neerl. *speek,* palanca.) m. Palanca de madera, redonda por una extremidad y cuadrada por la otra, que usan los artilleros. ‖ **2.** Puntal para sostener una pared. ‖ **3.** Palanca recta de madera resistente.

espera[1]. f. Acción y efecto de esperar. ‖ **2.** Plazo o término señalado por el juez para ejecutar una cosa; como presentar documentos, etc. ‖ **3.** Calma, paciencia, facultad de saberse contener y de no proceder sin reflexión. *Tener* ESPERA; *ser hombre de* ESPERA. ‖ **4.** Puesto para cazar esperando a que la caza acuda espontáneamente o sin ojeo. ‖ **5.** Especie de cañón de artillería usado antiguamente. ‖ **6.** ant. Moneda de Levante. ‖ **7.** *Carp.* Escopleadura que empieza desde una de las aristas de la cara del madero y no llega a la opuesta. ‖ **8.** *Der.* Aplazamiento que los acreedores acuerdan conceder al deudor en quiebra, concurso o suspensión de pagos. ‖ **9.** *Der.* V. **carta de espera.** ‖ **10.** *Mús.* V. **compás de espera.** ‖ **cazar a espera** o **a la espera.** fr. Cazar en puesto, esperando a que la caza acuda sin ojeo. ‖ **estar en espera.** fr. Estar en observación esperando alguna cosa.

espera[2]. (Del lat. *sphaera*) f. ant. **esfera.**

esperable. (Del lat. *sperabĭlis.*) adj. Que se puede esperar.

esperación. f. ant. **esperanza.**

esperadamente. adv. m. Precedido del adv. *no,* inesperadamente.

esperadero. m. **puesto** para cazar a la espera.

esperador, ra. adj. Que espera. Ú. t. c. s.

esperamiento. m. ant. Acción y efecto de esperar.

esperantista. adj. Perteneciente o relativo al esperanto. ‖ **2.** com. Persona o institución que estudia el esperanto, hace uso de él y lo propaga.

esperanto. (De *Esperanto,* seudónimo del doctor L. Zamenhof.) m. Idioma creado en 1887 por Zamenhof, con idea de que pudiese servir como lengua universal.

esperanza. f. Estado del ánimo en el cual se nos presenta como posible lo que deseamos. ‖ **2.** *Rel.* En la doctrina cristiana, virtud teologal por la que se espera que Dios dé los bienes que ha prometido. ‖ **3.** V. **ancla de la esperanza.** ‖ **4.** *Mat.* Valor medio de una variable aleatoria o de una distribución de probabilidad. ‖ **alimentarse** uno **de esperanzas.** fr. fig. Esperar, con poco fundamento, que se conseguirá lo deseado o pretendido. ‖ **dar esperanza,** o **esperanzas,** a uno. fr. Darle a entender que puede lograr lo que solicita o desea. ‖ **llenar** una cosa **la esperanza.** fr. Corresponder el efecto o suceso a lo que se esperaba.

esperanzado, da. p. p. de **esperanzar.** ‖ **2.** adj. Que tiene esperanza de conseguir alguna cosa.

esperanzador, ra. adj. Que da o infunde esperanza.

esperanzar. tr. Dar o provocar esperanza.

esperar. (Del lat. *sperāre.*) tr. Tener esperanza de conseguir lo que se desea. ‖ **2.** Creer que ha de suceder alguna cosa, especialmente si es favorable. ‖ **3.** Permanecer en sitio adonde se cree que ha de ir alguna persona o en donde se presume que ha de ocurrir alguna cosa. ‖ **4.** Seguido de la prep. *a,* no comenzar a actuar hasta que suceda algo. ESPERÓ A *que sonase la hora para hablar.* ‖ **5.** Ser inminente o inmediata alguna cosa. *Mala noche nos* ESPERA. ‖ **esperar en** uno. fr. Poner en él la confianza de que hará algún bien. ‖ **esperar sentado.** fr. que se dice cuando parece que lo que **se espera** ha de cumplirse muy tarde o nunca.

esperdecir. (De etim. disc.) tr. ant. **despreciar.**

esperecir. (De un der. del lat. *perīre.*) intr. ant. **perecer.**

esperezarse. prnl. vulg. **desperezarse.**

esperezo. m. Acción de esperezarse.

espergurar. (Del lat. *ex,* fuera de, y *percurāre,* podar.) tr. *Rioja.* Limpiar la vid de todos los tallos y vástagos que echa en tronco y madera, que no sean del año anterior, para que no chupen la savia a los que salen de las yemas del sarmiento nuevo, que son los fructíferos.

esperido, da. (De etim. disc.) adj. desus. Extenuado, flaco, débil.

esperiego, ga. adj. **asperiego.** Ú. t. c. s.

esperma. (Del lat. *sperma* y éste del gr. σπέρμα, semilla.) amb. **semen,** secreción de las glándulas genitales del sexo masculino. ‖ **2.** Sustancia grasa que se extrae de las cavidades del cráneo del cachalote. Se emplea para hacer velas y en algunos medicamentos. ‖ **de ballena. esperma,** sustancia grasa.

espermafito, ta. (De *esperma* y *-fito.*) adj. *Bot.* **fanerógamo.**

espermateca. f. *Zool.* Cavidad del cuerpo de las hembras de muchos invertebrados en la que estas almacenan el esperma del macho tras las cópulas.

espermático, ca. (Del lat. *spermatĭcus,* y este del gr. σπερματικός.) adj. Perteneciente o relativo al esperma. ‖ **2.** V. *Anat.* V. **cordón espermático.**

espermatorrea. (Del gr. σπέρμα, -ατος, semilla, y ῥέω, fluir.) f. *Pat.* Derrame involuntario de la esperma fuera del acto sexual.

espermatozoario. (Del gr. σπέρμα, -ατος, semilla, y ζωάριον, animalillo.) m. Espermatozoide de los animales.

espermatozoide. (Del gr. σπέρμα, -ατος, semilla, ζῷον, animal, y *-oide.*) m. *Zool.* Gameto masculino de los animales, destinado a la fecundación del óvulo y a la constitución, junto con este, de un nuevo ser. ‖ **2.** *Bot.* Gameto masculino de las plantas criptógamas, que, por estar provisto de flagelos que le sirven para nadar en el agua, se asemeja a las células sexuales masculinas de la mayoría de los animales. ‖ **3.** *Bot.* Cada uno de los dos gametos que resultan de la división de una de las células componentes del grano de polen.

espermatozoo. (Del gr. σπέρμα, -ατος, semilla, y ζῷον, animal.) m. Espermatozoide de los animales.

espermicida. (Del gr. σπέρμα, semilla, y *-cida.*) adj. Dícese de ciertas sustancias que provocan la muerte de los espermatozoides, por lo que se usan como anticonceptivos. U. m. c. s. m.

espermiograma. m. *Med.* Análisis cualitativo y cuantitativo del esperma. ‖ **2.** Resultado de este análisis.

espernada. (De *es-* y *pierna.*) f. Remate de la cadena, que suele tener el eslabón abierto con unas puntas, para meterlo en la argolla que está fijada en un poste o en la pared.

espernancarse. prnl. *León* y *Amér.* Abrirse de piernas.

espernible. (Del lat. *spernĕre* despreciar.) adj. *And.* y *Ar.* Que merece desprecio.

esperón. (Del it. *sperone.*) m. *Mar.* Pieza saliente en la proa de las embarcaciones.

esperonte. (De *esperón.*) m. desus. *Fort.* Obra en ángulo saliente que se hacía en las cortinas de las murallas y a veces en las riberas de los ríos.

esperpéntico, ca. adj. Perteneciente o relativo al esperpento. ‖ **2.** Dícese en especial del lenguaje, estilo u otros caracteres propios de los esperpentos o empleados en escritos que participan de su condición.

esperpento. (De or. inc.) m. fam. Persona o cosa notable por su fealdad, desaliño o mala traza. ‖ **2.** Desatino, absurdo. ‖ **3.** Género literario creado por Ramón del Valle-Inclán, en el que se deforma sistemáticamente la realidad, recargando sus rasgos grotescos y absurdos, a la vez que se degradan los valores literarios consagrados; para ello se dignifica artísticamente un lenguaje coloquial y desgarrado, en el que abundan expresiones cínicas y jergales.

esperriaca. (De *esperriar.*) f. *And.* Último mosto que se saca de la uva.

esperriadero. m. ant. Acción y efecto de esperriar.

esperriar. tr. ant. **espurriar.** ‖ **2.** *Ast.* y *León.* **estornudar.**

espertar. (Del lat. vulg. *exper[c]tus,* despierto.) tr. ant. y hoy vulg. **despertar.**

esperteza. (De *espertar.*) f. ant. Diligencia, actividad.

espesamente. adv. m. ant. Con frecuencia, con continuación.

espesar[1]. (De *espeso.*) m. Parte de monte más poblada de matas o árboles que las demás.

espesar[2]. (Del lat. *spissāre.*) tr. Condensar lo líquido. ‖ **2.** Unir, apretar una cosa con otra, haciéndola más cerrada y tupida; como se hace en los tejidos, medias, etc. ‖ **3.** prnl. Juntarse, unirse, cerrarse y apretarse las cosas unas con otras; como hacen los árboles y plantas creciendo y echando ramas.

espesativo, va. adj. Que tiene virtud de espesar.

espesedumbre. (Del lat. *spissitūdo, -ĭnis.*) f. ant. **espesura,** cualidad de espeso.

espeseza. f. ant. **espesura.**

espeso, sa. (Del lat. *spissus.*) adj. Dícese de la masa o de la sustancia fluida o gaseosa que tiene mucha densidad o condensación. ‖ **2.** Dícese de las cosas que están muy juntas y apretadas; como suele suceder en los trigos, en las arboledas y en los montes. ‖ **3.** Grueso, corpulento, macizo. *Muros* ESPESOS. ‖ **4.** p. us. Continuado, repetido, frecuente. ‖ **5.** fig. p. us. Sucio, desaseado y grasiento. ‖ **6.** fig. *Ar., Perú* y *Venez.* Pesado, impertinente, molesto.

espesor. (De *espeso.*) m. Grosor de un sólido. ‖ **2.** Densidad o condensación de un fluido, un gas o una masa.

espesura. f. Cualidad de espeso. ‖ **2.** ant. Solidez, firmeza. ‖ **3.** fig. Cabellera muy espesa. ‖ **4.** fig. Lugar muy poblado de árboles y matorrales. ‖ **5.** fig. p. us. Desaseo, inmundicia y suciedad.

espetado, da. p. p. de **espetar.** ‖ **2.** adj. Estirado, tieso, afectadamente grave.

espetaperro (a). loc. adv. **a espeta perros.**

espetar. (De *espeto.*) tr. Atravesar con el asador, u otro instrumento puntiagudo, carne, aves, pescados, etc., para asarlos. ‖ **2.** Atravesar, clavar, meter por un cuerpo un instrumento puntiagudo. ‖ **3.** fig. y fam. Decir a uno de palabra o por escrito alguna cosa, causándole sorpresa o molestia. *Me* ESPETÓ *una arenga, un cuento, una carta.* ‖ **4.** prnl. Ponerse tieso, afectando gravedad y majestad. ‖ **5.** fig. y fam. Encajarse, asegurarse, afianzarse.

espetera. (De *espeto.*) f. Tabla con garfios en que se cuelgan carnes, aves y utensilios de cocina. ‖ **2.** Conjunto de los utensilios metálicos de cocina que se cuelgan en la **espetera.** ‖ **3.** fig. y fam. Pecho de la mujer cuando es muy abultado.

espeto. (Del gót. **spitus,* asador.) m. ant. Hierro largo y delgado, como asador o estoque.

espetón. (aum. de *espeto.*) m. Hierro largo y delgado, como asador o estoque. ‖ **2.** Hierro para remover las ascuas de los hornos, hurgonero. ‖ **3.** Alfiler grande. ‖ **4.** Golpe dado con el espeto. ‖ **5.** **barracuda,** pez. ‖ **6.** *And.* Conjunto de sardinas que se atraviesan con una caña para asarlas.

espía[1]. (Del gót. **spaiha.*) com. Persona que con disimulo y secreto observa o escucha lo que pasa, para comunicarlo al que tiene interés en saberlo. ‖ **2.** Agente al servicio de una potencia extranjera para averiguar informaciones secretas, generalmente de carácter militar. ‖ **doble.** Persona que sirve a partes contrarias por el interés que le resulta.

espía[2]. (De *espiar[2].*) f. *Mar.* Acción de espiar[2]. ‖ **2.** Cada una de las cuerdas o tiros con que se mantiene fijo y vertical un madero. ‖ **3.** *Mar.* Cabo o estacha que sirve para espiar[2].

espiado, da. p. p. de **espiar.** ‖ **2.** adj. Dícese del madero afirmado en el suelo por medio de espías[2], cabos o calabrotes.

espiador. (De *espiar[1].*) m. ant. **espía[1].**

espiar[1]. (De *espía[1].*) tr. Acechar; observar disimuladamente lo que se dice o hace. ‖ **2.** Intentar conseguir informaciones secretas sobre un país o una empresa.

espiar[2]. (Del port. *espiar.*) intr. *Mar.* Halar de un cabo firme en un ancla, noray u otro objeto fijo, para hacer caminar la nave en dirección al mismo.

espibia. (Deformación de *estibia.*) f. *Veter.* Torcedura del cuello de una caballería en sentido lateral.

espibio. m. *Veter.* **espibia.**

espibión. m. *Veter.* **espibia.**

espicanardi. (Del lat. *spica nardi,* espiga de nardo.) f. **espicanardo.**

espicanardo. (Del lat. *spica nardi,* espiga de nardo.) m. Hierba de la familia de las valerianáceas, que se cría en la India y tiene la raíz perenne y aromática, tallo sencillo y velloso, hojas pubescentes, las radicales muy largas y las del tallo sentadas, flores purpúreas en hacecillos opuestos, y fruto en caja. ‖ **2.** Raíz de esta planta. ‖ **3.** Planta de la India, de la familia de las gramíneas, con tallos en caña delgada, de cuatro a seis decímetros de altura; hojas envainadoras, lineales y puntiagudas; flores en espigas terminales; rizoma acompañado de numerosas raicillas fibrosas, de olor agradable, cuyo extracto da un perfume muy usado por los antiguos. ‖ **4.** Raíz de esta planta.

espiciforme. (Del lat. *spica,* espiga, y *-forme.*) adj. Que tiene forma de espiga.

espichar. (De *espiche* o *espicho.*) tr. Punzar con una cosa aguda. ‖ **2.** *Can.* Plantar hortalizas o sembrar maíz. ‖ **3.**

intr. fam. Morir, acabar la vida uno. ‖ **espicharla.** fr. verbal. Morir, acabar la vida.

espiche. (De etim. disc.) m. Arma o instrumento puntiagudo; como chuzo, azagaya o asador. ‖ **2.** Estaquilla que sirve para cerrar un agujero, como las que se colocan en las cubas para que no salga el líquido o en los botes para que no se aneguen.

espichón. m. Herida causada con el espiche o con otra arma puntiaguda.

espiedo. m. ant. **espedo.**

espiga. (Del lat. *spica.*) f. *Bot.* Inflorescencia cuyas flores son hermafroditas y están sentadas a lo largo de un eje; como en el llantén. ‖ **2.** Fructificación de esta inflorescencia. ‖ **3.** El grano de los cereales. ‖ **4.** Parte de una herramienta o de otro objeto, adelgazada para introducirla en el mango. ‖ **5.** Parte superior de la espada, en donde se asegura la guarnición. ‖ **6.** Extremo de un madero cuyo espesor se ha disminuido, ordinariamente en dos terceras partes, para que encaje en el hueco de otro madero, donde se ha de ensamblar. ‖ **7.** Parte más estrecha de un escalón de caracol por la cual se une al alma o eje de la escalera. ‖ **8.** Cada uno de los clavos de madera con que se aseguran las tablas o maderos. ‖ **9.** **púa** de un injerto. ‖ **10.** Clavo pequeño de hierro y sin cabeza. ‖ **11.** **badajo** de la campana. ‖ **12.** **espoleta**[1]. ‖ **13.** *Mar.* Cabeza de los palos y masteleros. ‖ **14.** *Mar.* Una de las velas de la galera. ‖ **15.** *Sal.* Regalo que dan los convidados a la novia el día de la boda durante el baile o después de la comida. ‖ **16.** n. p. Estrella de primera magnitud, en la constelación de la Virgen. ‖ **quedarse** uno **a la espiga.** fr. fig. y fam. Quedarse a lo último para aprovecharse de los desperdicios.

espigadera. f. **espigadora.**

espigadilla. (De *espigado.*) f. Especie de cebada silvestre.

espigado, da. p. p. de **espigar.** ‖ **2.** adj. Aplícase a algunas plantas anuales cuando se las deja crecer hasta la completa madurez de la semilla. ‖ **3.** Dícese del árbol nuevo de tronco muy elevado. ‖ **4.** En forma de espiga. ‖ **5.** fig. Alto, crecido de cuerpo.

espigador, ra. m. y f. Persona que recoge las espigas que quedan o han caído en la siega.

espigajo. m. *Ar.* Conjunto de espigas recogidas en los rastrojos.

espigar. (Del lat. *spicāre.*) tr. Coger las espigas que han quedado en el rastrojo. ‖ **2.** Tomar de uno o más escritos, rebuscando acá y allá, datos que a uno le interesan. Ú. t. c. intr. ‖ **3.** desus. Mover el caballo la cola, sacudiéndola de arriba abajo. Usáb. t. c. intr. ‖ **4.** En algunas partes de Castilla la Vieja y Salamanca, hacer una ofrenda o dar una alhaja a la mujer que se casa, el día de los desposorios, por lo regular al tiempo del baile. ‖ **5.** *Carp.* Hacer la espiga en las maderas que han de entrar en otras. ‖ **6.** intr. Empezar los panes y otras semillas a echar espigas. ‖ **7.** prnl. Crecer demasiado algunas hortalizas, como la lechuga y la alcachofa, y dejar de ser propias para la alimentación por haberse endurecido. ‖ **8.** fig. Crecer notablemente una persona.

espigo. m. Espiga de una herramienta. ‖ **2.** *León.* Púa o hierro del peón.

espigón. (De *espiga.*) m. Punta del palo con que se aguija. ‖ **2.** Espiga o punta de un instrumento puntiagudo, o del clavo con que se asegura una cosa. ‖ **3.** Espiga áspera y espinosa. ‖ **4.** Mazorca o panoja. ‖ **5.** Cerro alto, pelado y puntiagudo. ‖ **6.** Macizo saliente que se construye a la orilla de un río o en la costa del mar, para defender las márgenes o modificar la corriente. ‖ **7.** Columna que forma el eje de una escalera de caracol. ‖ **de ajo. diente de ajo.** ‖ **ir** uno **con espigón,** o **llevar** uno **espigón.** fr. fig. y fam. Retirarse picado o con resentimiento.

espigoso, sa. adj. ant. Que tiene espigas o abunda en ellas.

espigueo. m. Acción de espigar en la siega. ‖ **2.** Tiempo o sazón de espigar en la siega. ‖ **3.** fig. Acción y efecto de rebuscar en libros datos para algún trabajo.

espiguilla. (d. de *espiga.*) f. Cinta angosta o fleco con picos, que sirve para guarniciones. ‖ **2.** Cada una de las espigas pequeñas que forman la principal en algunas plantas como la avena y el arroz. ‖ **3.** Planta anua de la familia de las gramíneas, con el tallo comprimido, hojas lampiñas y flores en panoja sin aristas. ‖ **4.** Flor del álamo. ‖ **5.** En los tejidos, dibujo formado por una línea como eje y otras laterales, paralelas entre sí y oblicuas al eje.

espilocho. (Del it. *spilorcio.*) adj. ant. Pobre, desvalido. Decíase del que iba desharrapado y mal vestido. Usáb. t. c. s.

espín[1]**.** (Del lat. *spina.*) m. **puerco espín.** ‖ **2.** *Mil.* Orden en que antiguamente formaba un escuadrón, presentando por todos lados al enemigo lanzas o picas.

espín[2]**.** (Del ing. *to spin,* girar como un huso.) m. *Fís.* Acción y efecto de girar los corpúsculos en torno de sí mismos.

espina. (Del lat. *spina.*) f. Púa que nace del tejido leñoso o vascular de algunas plantas. ‖ **2.** Astilla pequeña y puntiaguda de la madera, esparto u otra cosa áspera. ‖ **3.** Cada una de las piezas óseas largas, delgadas y puntiagudas que forman parte del esqueleto de muchos peces, como la apófisis de las vértebras y los radios duros y rígidos de las aletas. ‖ **4.** **espinazo** de los vertebrados. ‖ **5.** Muro bajo y aislado en medio del circo romano, coronado de obeliscos, estatuas y otros ornamentos semejantes, y alrededor del cual corrían los carros y caballos que se disputaban el premio. ‖ **6.** V. **caña, uva espina.** ‖ **7.** fig. Escrúpulo, recelo, sospecha. ‖ **8.** fig. Pesar íntimo y duradero. ‖ **9.** *Anat.* Apófisis ósea larga y delgada. ‖ **blanca. cardo borriquero.** ‖ **de cruz.** *Argent.* Arbusto de la familia de las ramnáceas. La corteza de las raíces produce espuma en el agua y sirve para lavar tejidos de lana. ‖ **de pescado.** Entre pasamaneros, labor de las ligas de toda seda, cordeladas, que imita a la **espina** del pescado. ‖ **2.** *Argent.* Planta de la familia de las verbenáceas. ‖ **dorsal.** *Anat.* Columna vertebral. ‖ **santa.** Arbusto de la familia de las ramnáceas, que crece hasta cuatro metros de altura, con ramos tortuosos y armados de grandes **espinas** pareadas, hojas alternas, con tres nervios, ovaladas y agudas, flores pequeñas, amarillas, en racimos axilares, y fruto en drupa con ala membranosa y estriada desde el centro a la circunferencia. ‖ **darle** a uno **mala espina** una cosa. fr. fig. y fam. Hacerle entrar en recelo o cuidado. ‖ **dejar** a uno **la espina en el dedo.** fr. fig. y fam. No remediar enteramente el daño que padece. ‖ **estar** uno **en espinas.** fr. fig. y fam. Estar con cuidado y zozobra. ‖ **estar** uno **en la espina.** fr. fig. y fam. Estar muy flaco y extenuado. ‖ **quedarse** uno **en la espina,** o **en la espina de Santa Lucía.** fr. fig. y fam. **estar en la espina.** ‖ **sacar la espina.** fr. fig. Desarraigar una cosa mala o perjudicial. ‖ **sacarse** uno **la espina.** fr. fig. y fam. Desquitarse de una pérdida, especialmente en el juego. ‖ **tener** a uno **en espinas.** fr. fig. y fam. Tenerle con cuidado o zozobra.

espinablo. (Del lat. *spinus albus.*) m. *Ar.* **majuelo**[1].

espinaca. (Del ár. hispánico **ispināḫ.*) f. Planta hortense, comestible, anual, de la familia de las quenopodiáceas, con tallo ramoso, hojas radicales, estrechas, agudas y suaves, con pecíolos rojizos, flores dioicas, sin corola, y semillas redondas o con cuernecillos, según las variedades.

espinadura. f. Acción y efecto de espinar o espinarse.

espinal. (Del lat. *spinālis.*) adj. Perteneciente a la espina o espinazo. ‖ **2.** *Anat.* V. **medula, tríceps espinal.**

espinapez. (Del lat. *spina piscis,* espina de pez.) m. Labor que se hace en los solados y entarimados para formar la obra con rectángulos colocados oblicuamente a las cintas, con lo cual las juntas resultan escalonadas. ‖ **2.** fig. **espinar**[1], dificultad, obstáculo.

espinar[1]. m. Sitio poblado de espinos. ‖ **2.** fig. Dificultad, obstáculo, enredo.

espinar[2]. tr. Punzar, herir con espina. Ú. t. c. intr. y c. prnl. ‖ **2.** Poner espinos, cambroneras o zarzas atadas alrededor de los árboles recién plantados, para resguardarlos. ‖ **3.** fig. Herir, lastimar y ofender con palabras picantes. Ú. t. c. prnl. ‖ **4.** *Mil.* Hablando de un escuadrón, formar el espín.

espinazo. (De *espina.*) m. Columna vertebral. ‖ **2.** Clave de una bóveda o de un arco. ‖ **doblar el espinazo.** fr. fig. y fam. Humillarse para acatar servilmente.

espinel. (Del cat. *espinell.*) m. Especie de palangre con los ramales más cortos y el cordel más grueso.

espinela[1]. (Del poeta Vicente *Espinel,* a quien se atribuye esta combinación métrica.) f. **décima,** combinación métrica.

espinela[2]. (Del it. *spinella.*) f. Piedra fina, parecida por su color rojo al rubí, compuesta de alúmina y magnesia, teñida por óxido de hierro y cristalizada en octaedros. Se emplea en joyería.

espíneo, a. (Del lat. *spineus.*) adj. Hecho de espinas, o perteneciente a ellas.

espinera. f. **espino,** planta rosácea.

espinescente. (Del lat. *spinescens, -entis.*) adj. *Bot.* Que se vuelve espinoso, que tiene pequeñas espinas.

espineta. (Del ital. *spinetta.*) f. Clavicordio pequeño, de una sola cuerda en cada orden.

espingarda. (Del fr. ant. *espingarde.*) f. Antiguo cañón de artillería algo mayor que el falconete y menor que la pieza de batir. ‖ **2.** Escopeta de chispa y muy larga.

espingardada. f. Herida hecha por el disparo de la espingarda. ‖ **2.** Disparo de espingarda.

espingardería. f. Conjunto de espingardas. ‖ **2.** Conjunto de la gente que las usaba en la guerra.

espingardero. m. Soldado armado de espingarda.

espinilla. f. d. de **espina.** ‖ **2.** Parte anterior de la canilla de la pierna. ‖ **3.** Especie de barrillo que aparece en la piel y que proviene de la obstrucción del conducto secretor de las glándulas sebáceas.

espinillera. f. Pieza de la armadura antigua que cubría y defendía la espinilla. ‖ **2.** Pieza que preserva la espinilla de los operarios en trabajos peligrosos. También la usan los jugadores en algunos deportes.

espinillo. (d. de *espino.*) m. *Argent.* Árbol de la familia de las mimosáceas, con ramas cubiertas de espinas y hojas diminutas, florecillas esféricas de color amarillo, muy olorosas. El tronco es tortuoso, y solo sirve para leña. ‖ **2.** *Cuba.* Arbusto leguminoso, espinoso, de hojas pequeñas redondeadas, flores amarillas en racimo, madera dura. Crece en terrenos áridos.

espino. (De *espina.*) adj. V. **puerco espino.** ‖ **2.** m. Arbolillo de la familia de las rosáceas, de cuatro a seis metros de altura, con ramas espinosas, hojas lampiñas y aserradas, flores blancas, olorosas y en corimbo, y fruto ovoide, revestido de piel tierna y rojiza que encierra una pulpa dulce y dos huesecillos casi esféricos. Su madera es dura, y la corteza se emplea en tintorería y como curtiente. ‖ **3.** *Argent.* Arbusto leguminoso, que crece hasta una altura de cinco metros; las ramas y el tronco producen una especie de goma; la madera es apreciada para chapear, por sus vetas jaspeadas; las flores son muy aromáticas. ‖ **4.** *Cuba.* Arbusto silvestre, de la familia de las rubiáceas, de dos metros de altura, muy ramoso y espinoso, de madera muy dura, con vetas amarillas. ‖ **albar,** o **blanco. espino,** planta rosácea. ‖ **artificial.** Alambrada con pinchos, que se usa para cercas. ‖ **cerval.** Arbusto de la familia de las ramnáceas, con espinas terminales en las ramas, hojas elípticas y festoneadas, flores pequeñas y de color amarillo verdoso, y por frutos drupas negras, cuya semilla se emplea como purgante. ‖ **majoleto. majoleto.** ‖ **majuelo. majuelo.** ‖ **negro.** Mata de la familia de las ramnáceas, muy espesa, con las ramillas terminadas en espina, hojas persistentes, obtusas, casi lineales, flores pequeñas, solitarias, sin corola, y fruto en drupa amarillenta o negra, según los casos, y de unos cuatro milímetros de diámetro. ‖ **pasar por los espinos de Santa Lucía.** fr. proverb. Hallarse uno en gran trabajo y aflicción.

espinochar. (De *panocha.*) tr. Quitar las hojas que cubren la panoja del maíz.

Espinosa. n. p. V. **montero de Espinosa.**

espinosiego, ga. adj. Natural del valle de Espinosa de los Monteros. Ú. t. c. s. ‖ **2.** Perteneciente o relativo a este valle.

espinosismo. m. Doctrina filosófica profesada por Benito Espinosa, que consiste en afirmar la unidad de sustancia, considerando los seres como modos y formas de la sustancia única.

espinosista. adj. Partidario del espinosismo. Ú. t. c. s.

espinoso, sa. adj. Que tiene espinas. ‖ **2.** V. **níspero espinoso.** ‖ **3.** fig. Arduo, difícil, intrincado.

espinudo, da. adj. *C. Rica, Chile, Nicar.* y *Urug.* Que tiene espinas.

espinzar. (De *pinza.*) tr. *Cuen.* Quitar de la flor o rosa del azafrán los estigmas, que constituyen la especia.

espiocha. (Del fr. *pioche.*) f. Especie de zapapico.

espión. (Del fr. *espion.*) m. Persona que espía lo que se dice o hace.

espionaje. (Del fr. *espionnage.*) m. Acción de espiar lo que se dice o hace.

espiote. m. ant. Arma o instrumento puntiagudo.

espira. (Del lat. *spīra.*) f. Cada una de las vueltas de una espiral. ‖ **2.** *Arq.* Parte de la basa de la columna, que está encima del plinto. ‖ **3.** *Geom.* Línea en espiral. ‖ **4.** *Zool.* Espiral que forman, arrollándose alrededor de un eje, la concha de muchos moluscos gasterópodos y de algunos cefalópodos y el caparazón de ciertos foraminíferos.

espiración. (Del lat. *spiratio, -ōnis.*) f. Acción y efecto de espirar.

espiráculo. m. *Zool.* Orificio respiratorio externo de muchos artrópodos terrestres y algunos vertebrados acuáticos.

espirador, ra. adj. Que espira. ‖ **2.** ant. **inspirador.** ‖ **3.** *Zool.* Aplícase a los músculos que sirven para la espiración.

espiral. adj. Perteneciente a la espira. *Línea, escalera* ESPIRAL. ‖ **2.** f. Línea curva que da indefinidamente vueltas alrededor de un punto, alejándose de él más en cada una de ellas. ‖ **3.** Muelle **espiral** del volante de un reloj.

espiramiento. (Del lat. *spiramentum.*) m. ant. **espiración.** ‖ **2.** ant. *Teol.* Hablando de la Santísima Trinidad, **Espíritu Santo.**

espirar. (Del lat. *spirāre.*) tr. Exhalar, echar de sí un cuerpo buen o mal olor. ‖ **2.** Infundir espíritu, animar, mover. Se usa propiamente hablando de la inspiración del Espíritu Santo. ‖ **3.** ant. Atraer el aire exterior a los pulmones. ‖ **4.** *Teol.* Producir el Padre y el Hijo, por medio de su amor recíproco, al Espíritu Santo. ‖ **5.** intr. Tomar aliento, alentar. ‖ **6.** Expeler el aire aspirado. Ú. t. c. tr. ‖ **7.** poét. Soplar el viento blandamente.

espirativo, va. adj. *Teol.* Que puede espirar o que tiene esta propiedad.

espiratorio, ria. adj. Perteneciente o relativo a la espiración.

espirilo. m. *Microbiol.* Bacteria flagelada en forma de espiral.

espiritado, da. p. p. de **espiritar.** ‖ **2.** adj. fam. Dícese de la persona que, por lo flaca y extenuada, parece no tener sino espíritu.

espirital. (Del lat. *spiritālis.*) adj. ant. Perteneciente a la respiración.

espiritar. (De *espíritu*, entendiéndose por el demonio.) tr. **endemoniar,** introducir los demonios en el cuerpo de uno. Ú. t. c. prnl. ‖ **2.** fig. y fam. Agitar, conmover, irritar. Ú. m. c. prnl. ‖ **3.** prnl. Adelgazar, consumirse, enflaquecer.

espiritismo. m. Doctrina de los que suponen que a través de un médium, o de otros modos, se puede comunicar con los espíritus de los muertos.

espiritista. adj. Perteneciente al espiritismo. ‖ **2.** Que profesa esta doctrina. Ú. t. c. s.

espiritosamente. adv. m. Con espíritu.

espiritoso, sa. adj. Vivo, animoso, eficaz; que tiene mucho espíritu. ‖ **2.** Dícese de lo que exhala mucho espíritu; como algunos licores.

espiritrompa. f. *Zool.* Aparato bucal de las mariposas. Es un largo tubo que el animal utiliza para chupar el néctar de las flores y que recoge después, arrollándolo en espiral.

espíritu. (Del lat. *spirĭtus.*) m. Ser inmaterial y dotado de razón. ‖ **2.** Alma racional. ‖ **3.** Don sobrenatural y gracia particular que Dios suele dar a algunas criaturas. ESPÍRITU *de profecía.* ‖ **4.** Vigor natural y virtud que alienta y fortifica el cuerpo para obrar. *Los* ESPÍRITUS *vitales.* ‖ **5.** Ánimo, valor, aliento, brío, esfuerzo. ‖ **6.** Vivacidad; ingenio. ‖ **7. demonio** infernal. Ú. m. en pl. ‖ **8.** Cada uno de los dos signos ortográficos, con que en la lengua griega se indica la aspiración o falta de ella. ‖ **9.** Vapor sutilísimo que exhalan el vino y los licores. ‖ **10.** Parte o porción más pura y sutil que se extrae de algunos cuerpos sólidos y fluidos por medio de operaciones químicas. ‖ **11.** fig. Principio generador, carácter íntimo, esencia o sustancia de una cosa. *El* ESPÍRITU *de una ley, de una corporación, de un siglo, de la literatura de una época.* ‖ **áspero.** Signo ortográfico de la lengua griega que indica la aspiración de una vocal inicial. ‖ **de contradicción.** Genio inclinado a contradecir siempre. ‖ **de la golosina.** fam. Persona falta de nutrición o muy flaca y extenuada. ‖ **de sal. ácido clorhídrico.** ‖ **de vino.** Alcohol mezclado con menos de la mitad de su peso de agua. ‖ **inmundo.** En la Escritura Sagrada, el demonio. ‖ **maligno.** El demonio. ‖ **rudo. espíritu áspero.** ‖ **Santo.** *Teol.* Tercera persona de la Santísima Trinidad, que procede igualmente del Padre y del Hijo. ‖ **suave.** Signo ortográfico de la lengua griega que indica la falta de aspiración de una vocal inicial. ‖ **vital.** Cierta sustancia sutil y ligerísima que se consideraba necesaria para la vida del animal. ‖ **espíritus animales.** Fluidos muy tenues y sutiles que se suponía que servían para determinar los movimientos de los miembros del cuerpo humano. ‖ **espíritus elementales.** Según ciertas creencias, los que habitan en diversos elementos naturales; como los gnomos en la tierra, las ondinas en las aguas, los elfos y las sílfides en el aire, etc. ‖ **beber** uno **el espíritu** a otro. fr. fig. **beberle la doctrina.** ‖ **dar, despedir,** o **exhalar, el espíritu.** fr. fig. Expirar, morir. ‖ **levantar el espíritu.** fr. fig. Cobrar ánimo y vigor para ejecutar alguna cosa. ‖ **pobre de espíritu.** fr. Dícese del que mira con menosprecio los bienes y honores mundanos. ‖ **2.** Apocado, tímido.

espiritual. (Del lat. *spirituālis.*) adj. Perteneciente o relativo al espíritu. ‖ **2.** Dícese de la persona muy sensible y poco interesada por lo material. ‖ **3.** V. **director, hijo, hombre, médico, padre, parentesco, pasto, vida espiritual.** ‖ **4.** V. **ejercicios espirituales.** ‖ **5.** *Teol.* V. **necesidad grave espiritual.**

espiritualidad. f. Naturaleza y condición de espiritual. ‖ **2.** Cualidad de las cosas espiritualizadas o reducidas a la condición de eclesiásticas. ‖ **3.** Obra o cosa espiritual. ‖ **4.** Conjunto de ideas referentes a la vida espiritual.

espiritualismo. m. Doctrina filosófica que reconoce la existencia de otros seres, además de los materiales. ‖ **2.** Sistema filosófico que defiende la esencia espiritual y la inmortalidad del alma, y se contrapone al materialismo.

espiritualista. adj. Que trata de los espíritus vitales, o tiene alguna opinión particular sobre ellos. Ú. t. c. s. ‖ **2.** Que profesa la doctrina del espiritualismo. Ú. t. c. s.

espiritualización. f. Acción y efecto de espiritualizar.

espiritualizar. tr. Hacer espiritual a una persona por medio de la gracia y el espíritu de piedad. ‖ **2.** Figurarse o considerar como espiritual lo que de suyo es corpóreo, para reconocerlo y entenderlo. ‖ **3.** Reducir algunos bienes por autoridad legítima a la condición de eclesiásticos, de suerte que el que los posee pueda ordenarse a título de ellos, sirviéndole de congrua sustentación, de modo que sus rentas puedan ser empleadas en fines canónicos; pero los bienes mismos no puedan ser enajenados ni gravados mientras se hallen afectos a aquella obligación eclesiástica. ‖ **4.** fig. Sutilizar, adelgazar, atenuar.

espiritualmente. adv. m. Con el espíritu.

espirituano, na. adj. Natural de Sancti Spíritus, en la isla de Cuba. Ú. t. c. s. ‖ **2.** Perteneciente o relativo a esta ciudad.

espirituoso, sa. adj. **espiritoso.**

espiritusanto. m. *C. Rica* y *Nicar.* Flor de una especie de cacto, blanca y de gran tamaño.

espirometría. f. *Med.* Medición de la capacidad respiratoria de los pulmones.

espirómetro. (Del lat. *spirāre,* espirar, y *-metro.*) m. *Med.* Aparato para medir la capacidad respiratoria del pulmón.

espiroquetal. f. *Microbiol.* **espiroqueta.** ‖ **2.** pl. *Microbiol.* Grupo de estas bacterias.

espiroqueto, ta. (Del gr. σπεῖρα, espiral, y χαίτη, pelo.) adj. *Microbiol.* Perteneciente o relativo a las espiroquetales. Ú. t. c. s. ‖ **2.** f. *Microbiol.* Bacteria a menudo patógena, de un taxón que se caracteriza por tener cuerpo arrollado en hélice. A este grupo de bacterias pertenecen las causantes de la sífilis y de la fiebre recurrente en el hombre.

espita. (Del gót. **spĭtus,* asador.) f. Medida lineal de un palmo. ‖ **2.** Canuto que se mete en el agujero de la cuba u otra vasija, para que por él salga el licor que esta contiene. ‖ **3.** Por ext., cualquier dispositivo análogo que permite la salida de gases, líquidos, etc., de un recipiente. ‖ **4.** fig. y fam. Persona borracha o que bebe mucho vino. ‖ **cerrar la espita.** fr. fig. Suprimir una ayuda, normalmente económica, que antes se daba. ‖ **2.** Interrumpir lo que se estaba hablando.

espitar. tr. Poner espita a una cuba, tinaja u otra vasija.

espito. (Del gót. **spitus,* asador.) m. Palo largo, en cuya extremidad se atraviesa una tabla que sirve para colgar y descolgar el papel que se pone a secar en las fábricas o en las imprentas.

esplender. (Del lat. *splendēre.*) intr. **resplandecer.** Ú. m. en poesía.

espléndidamente. adv. m. Con esplendidez, magníficamente.

esplendidez. (De *espléndido* y *-ez.*) f. Abundancia, magnificencia, liberalidad, largueza.

espléndido, da. (Del lat. *splendĭdus.*) adj. Magnífico, dotado de singular excelencia. ‖ **2.** Liberal, desprendido, magnificente. ‖ **3. resplandeciente.** Ú. m. en poesía.

esplendor. (Del lat. *splendor, -ōris.*) m. **resplandor.** ‖ **2.** fig. Lustre, nobleza. ‖ **3.** fig. Apogeo, auge. ‖ **4.** ant. *Pint.* Color blanco, hecho de cáscaras de huevos, que servía para iluminaciones y miniaturas.

esplendorosamente. adv. m. Con esplendor.

esplendoroso, sa. adj. Muy brillante, resplandeciente. ‖ **2.** Impresionante por su gran belleza o grandeza.
esplenético, ca. (Del lat. *splenetĭcus.*) adj. ant. **esplénico.**
esplénico, ca. (Del lat. *splenĭcus,* y este del gr. σπληνικός.) adj. *Anat.* Perteneciente o relativo al bazo. ‖ **2.** m. *Anat.* **esplenio.**
esplenio. (Del lat. *splenium,* y este del gr. σπλήνιον, venda.) m. *Anat.* Músculo largo y plano que une las vértebras cervicales con la cabeza y contribuye a los movimientos de esta.
esplenitis. (Del lat. *splen,* bazo, e *-itis.*) f. *Pat.* Inflamación del bazo.
espliego. (Del lat. *spicŭlum,* d. de *spicum,* espiga.) m. Mata de la familia de las labiadas, de cuatro a seis decímetros de altura, con tallos leñosos, hojas elípticas, casi lineales, enteras y algo vellosas, flores azules en espiga, de pedúnculo muy largo y delgado, y semilla elipsoidal de color gris. Toda la planta es muy aromática, y principalmente de las flores se extrae un aceite esencial muy usado en perfumería. ‖ **2.** Semilla de esta planta, que se emplea como sahumerio.
esplín. (Del ing. *spleen,* bazo, hipocondría.) m. Melancolía, tedio de la vida.
esplique. (De or. inc.) m. Armadijo para cazar pájaros, formado de una varita a cuyo extremo se coloca una hormiga para cebo, y a los lados otras dos varetas con liga, para que sobre ellas pare el pájaro.
espolada. f. Golpe o aguijonazo dado con la espuela a la caballería para que ande. ‖ **de vino.** fig. y fam. Trago de vino.
espolazo. m. **espolada.**
espoleadura. f. Herida o llaga que la espuela hace a la caballería.
espolear. tr. Picar con la espuela a la cabalgadura para que ande, o castigarla para que obedezca. ‖ **2.** fig. Avivar, incitar, estimular a uno para que haga alguna cosa.
espoleta[1]. (De etim. disc.) f. Aparato que se coloca en la boquilla o en el culote de las bombas, granadas o torpedos, y sirve para dar fuego a su carga.
espoleta[2]. (De *espuela,* por la forma.) f. Horquilla formada por las clavículas del ave.
espoliación. f. **expoliación.**
espoliador, ra. adj. **expoliador.**
espoliar. tr. **expoliar.**
espolín[1]. m. d. de **espuela.** ‖ **2.** Espuela fija en el tacón de la bota. ‖ **3.** Planta de la familia de las gramíneas, con cañas de más de tres decímetros, hojas parecidas a las del esparto, y flores en panoja con aristas de cerca de tres decímetros, llenas de pelo largo y blanco, por lo cual sirve en algunas partes para hacer objetos de adorno. ‖ **4.** pl. Par de rollizos que por un extremo se enganchan en la trasera de carros y camiones y por el otro descansan en el suelo. Sirven a modo de rampa para la carga y descarga de objetos pesados, especialmente toneles y bidones.
espolín[2]. (Del germ. *spola.*) m. Lanzadera pequeña con que se tejen aparte las flores que se mezclan y entretejen en las telas de seda, o plata. ‖ **2.** Tela de seda con flores esparcidas, como las del brocado de oro o de seda.
espolinar. tr. Tejer en forma de **espolín[2],** tela de seda con flores esparcidas. ‖ **2.** Tejer solo con espolín, y no con lanzadera grande.
espolio[1]. (Del lat. *spolĭum,* despojo.) m. Conjunto de bienes que, por haber sido adquiridos con rentas eclesiásticas, quedaban de propiedad de la Iglesia al morir ab intestato el clérigo que los poseía.
espolio[2]. m. **expolio.**
espolique. (De *espuela.*) m. Mozo que camina a pie delante de la caballería en que va su amo. ‖ **2.** Talonazo que en el juego del fil derecho da el que salta al muchacho que está encorvado.
espolista[1]. m. El que arrendaba los espolios en sede vacante.
espolista[2]. (De *espuela.*) m. **espolique,** mozo que acompaña a la caballería en que va su amo.
espolón. (aum. de *espuela.*) m. Apófisis ósea en forma de cornezuelo, que tienen en el tarso varias aves gallináceas. ‖ **2. tajamar** de un puente. ‖ **3.** Malecón que suele hacerse a orillas de los ríos o del mar para contener las aguas, y también al borde de los barrancos y precipicios para seguridad del terreno y de los transeúntes. Se utiliza en algunas poblaciones como sitio de paseo. *El* ESPOLÓN *de Burgos, el de Valladolid.* ‖ **4.** Punta en que remata la proa de la nave. ‖ **5.** Pieza de hierro aguda, afilada y saliente en la proa de las antiguas galeras y de algunos modernos acorazados, para embestir y echar a pique el buque enemigo. ‖ **6.** Ramal corto y escarpado que parte de una sierra en dirección aproximadamente perpendicular a ella. ‖ **7.** ant. Espuela para picar a la caballería. ‖ **8.** fig. Sabañón que sale en el calcañar. ‖ **9.** *Arq.* **contrafuerte,** machón para fortalecer un muro. ‖ **10.** *Bot.* Prolongación tubulosa situada en la base de algunas flores, que unas veces es de la corola, como en la linaria, y otras del cáliz, como en la capuchina. ‖ **11.** *Veter.* Prominencia córnea que tienen las caballerías en la parte posterior de los menudillos de sus remos, cubierta por las cernejas. ‖ **tener más espolones que un gallo.** fr. fig. y fam. Ser muy viejo.
espolonada. (De *espolón.*) f. Arremetida impetuosa de gente a caballo.
espolonazo. m. Golpe dado con el espolón.
espolonear. tr. desus. Picar con el espolón a la caballería.
espolvorar. (De *es-* y *polvora.*) tr. ant. Sacudir, quitar el polvo.
espolvorear. tr. Quitar el polvo. Ú. t. c. prnl. ‖ **2.** Esparcir sobre una cosa otra hecha polvo. ‖ **3.** Desvanecer o hacer desaparecer lo que se tiene.
espolvoreo. m. Acción y efecto de espolvorear, esparcir polvo de una cosa.
espolvorizar. tr. Esparcir polvo.
espondaico, ca. (Del lat. *spondaĭcus.*) adj. Perteneciente o relativo al espondeo. ‖ **2.** V. **verso espondaico.** Ú. t. c. s.
espondalario. (Relacionado con el lat. *spondēre,* prometer, obligarse.) m. En el país foral de Aragón, testigo del testamento común abierto y verbal.
espondeo. (Del lat. *spondēus.*) m. Pie de la poesía griega y latina, compuesto de dos sílabas largas.
espóndil. (De *espóndilo.*) m. **espóndilo.**
espóndilo. (Del lat. *spondy̆lus,* y este del gr. σπόνδυλος.) m. *Anat.* Cada una de las vértebras del espinazo.
espondilosis. (De *espóndilo.*) f. *Pat.* Grupo de enfermedades caracterizadas por la inflamación y fusión de las vértebras, con rigidez consecutiva de la columna vertebral.
espongiario. (Del lat. *spongĭa,* esponja.) adj. *Zool.* Dícese de animales invertebrados acuáticos, casi todos marinos, en forma de saco o tubo con una sola abertura, que viven reunidos en colonias fijas sobre objetos sumergidos. La pared de su cuerpo está reforzada por diminutas piezas esqueléticas, calcáreas o silíceas, o por fibras entrecruzadas y resistentes, y atravesada por numerosos conductos que comunican la cavidad interna con el exterior y por los cuales circula el agua cargada de las partículas orgánicas de que el animal se alimenta. Ú. t. c. s. ‖ **2.** m. pl. *Zool.* Tipo de estos animales.
espongiosidad. f. ant. Cualidad de espongioso.
espongioso, sa. (Del lat. *spongiōsus.*) adj. ant. **esponjoso.**
esponja. (Del lat. *spongĭa,* y este del gr. σπογγιά.) f. *Zool.* Animal espongiario. ‖ **2.** Esqueleto de ciertos espongiarios,

formado por fibras córneas entrecruzadas en todas direcciones, y cuyo conjunto constituye una masa elástica llena de huecos y agujeros que, por capilaridad, absorbe fácilmente los líquidos. Ú. t. en sent. fig. ‖ **3.** Por ext., todo cuerpo que, por su elasticidad, porosidad y suavidad, sirve como utensilio de limpieza. ‖ **4.** fig. Persona que con maña atrae y chupa la sustancia o bienes de otro. ‖ **pasar la esponja.** fr. fig. y fam. Convenir en que no se trate más de un asunto. ‖ **tirar** o **arrojar la esponja.** fr. fig. y fam. **tirar** o **arrojar la toalla.**

esponjado, da. p. p. de **esponja.** ‖ **2.** m. **azucarillo.** ‖ **del cazo.** *Ast.* Azucarillo tostado.

esponjadura. f. Acción y efecto de esponjar o esponjarse. ‖ **2.** En la fundición de metales y artillería, defecto que se halla dentro del alma del cañón por estar mal fundido.

esponjamiento. m. desus. *Argent.* Acción y efecto de esponjar o esponjarse.

esponjar. (De *esponja.*) tr. Ahuecar o hacer más poroso un cuerpo. ‖ **2.** prnl. fig. Engreírse, hincharse, envanecerse. ‖ **3.** fam. Adquirir una persona cierta lozanía, que indica salud y bienestar.

esponjera. f. Utensilio para colocar la esponja que se usa para el aseo personal.

esponjosidad. f. Cualidad de esponjoso.

esponjoso, sa. (De *esponja.*) adj. Aplícase al cuerpo muy poroso, hueco y más ligero de lo que corresponde a su volumen.

esponsales. (Del lat. *sponsāles,* acus. pl. de *-lis,* de *sponsus,* esposo.) m. pl. Mutua promesa de casarse que se hacen y aceptan el varón y la mujer. ‖ **2.** *Der.* Esta misma promesa cuando está hecha en alguna de las formas que la ley requiere para que surta algún efecto civil de mera indemnización en casos excepcionales de incumplimiento no motivado.

esponsalias. (Del lat. *sponsalĭa.*) f. pl. ant. **esponsales.**

esponsalicio, cia. (Del lat. *sponsalicĭus.*) adj. Perteneciente a los esponsales. ‖ **2.** *Der.* V. **donación esponsalicia.**

espontáneamente. adv. m. De modo espontáneo.

espontanearse. (De *espontáneo.*) prnl. Descubrir uno a las autoridades voluntariamente cualquier hecho propio, secreto o ignorado, con el objeto, la mayoría de las veces, de alcanzar perdón como en premio de su franqueza. ‖ **2.** Por ext., descubrir uno a otro voluntariamente lo íntimo de sus pensamientos, opiniones o afectos.

espontaneidad. f. Cualidad de espontáneo. ‖ **2.** Expresión natural y fácil del pensamiento.

espontáneo, a. (Del lat. *spontanĕus.*) adj. Voluntario o de propio impulso. ‖ **2.** Que se produce sin cultivo o sin cuidados del hombre. ‖ **3.** m. y f. Persona que durante una corrida se lanza al ruedo a torear. ‖ **4.** Por ext., persona que por propia iniciativa interviene en algo para lo que no tiene título reconocido.

espontil. (Del lat. *spons, spontis,* voluntad, gusto.) adj. ant. Voluntario y de propio impulso.

espontón. (Del fr. *esponton.*) m. Especie de lanza de unos dos metros de largo, con el hierro en forma de corazón, que usaban los oficiales de infantería.

espontonada. f. Saludo hecho con el espontón. ‖ **2.** Golpe dado con él.

espora. (Del gr. σπορά, semilla.) f. *Bot.* Cualquiera de las células de vegetales criptógamos que, sin tener forma ni estructura de gametos y sin necesidad de unirse con otro elemento análogo para formar un cigoto, se separan de la planta y se dividen reiteradamente hasta constituir un nuevo individuo. ‖ **2.** *Bot.* Corpúsculo que se produce en una bacteria, cuando las condiciones del medio se han hecho desfavorables para la vida de este microorganismo. ‖ **3.** *Biol.* Cualquiera de las células que, en un momento dado de la vida de los protozoos esporozoos, se forman por división de estos, producen una membrana resistente que las rodea y, dividiéndose dentro de este quiste, dan origen a los gérmenes que luego se transforman en individuos adultos.

esporádico, ca. (Del gr. σποραδικός, disperso.) adj. Dícese de las enfermedades que no tienen carácter epidémico ni endémico. ‖ **2.** fig. Dícese de lo que es ocasional, sin ostensible enlace con antecedentes ni consiguientes.

esporangio. (Del gr. σπόρος, semilla, y ἄγγος, vaso.) m. *Bot.* Cavidad donde se originan y están contenidas las esporas en muchas plantas criptógamas.

esporidio. (Del gr. σποςίδιον, dim. de σπόρος, semilla.) m. desus. Espora de segunda generación.

esporífero, ra. (Del gr. σπορά, y *-fero.*) adj. *Biol.* Dícese del organismo o de alguna de sus partes, que produce esporas.

esporo. (Del gr. σπόρος, semilla.) m. *Bot.* **espora,** célula vegetal especialmente resistente. ‖ **2.** *Microbiol.* **espora,** corpúsculo que se produce en una bacteria.

esporocarpio. (Del gr. σπόρος, semilla, y καρπός, fruto.) m. *Bot.* Cada uno de los órganos, propios de las hidropteríneas, que contienen los esporangios.

esporofila. f. *Bot.* **esporofilo.**

esporofilo. (Del gr. σπόρος, semilla, y φύλλον, hoja.) m. *Bot.* Hoja esporífera de los helechos y, por ext., cada uno de los carpelos y estambres de las plantas fanerógamas.

esporófita o **esporofita.** (Del gr. σπόρος, semilla, y *-fito.*) adj. desus. *Bot.* Decíase de las plantas que se reproducen por esporas. Usáb. t. c. s.

esporófito o **esporofito.** (Del gr. σπόρος, semilla, y *-fito.*) m. *Bot.* Fase que en la alternancia de generaciones de la mayoría de los vegetales origina las esporas.

esporón. (Del germ. *sporo.*) m. ant. **espuela** para picar a la caballería.

esporonada. (De *esporón.*) f. ant. **espolonada.**

esporozoario. (Del gr. σπόρος, semilla, y ζῳάριον, animalillo.) m. *Zool.* **esporozoo.**

esporozoo. (Del gr. σπόρος, semilla, y ζῷον, animal.) adj. *Zool.* Dícese de los protozoos parásitos que en determinado momento de su vida se reproducen por medio de esporas. Ú. t. c. s. ‖ **2.** m. pl. *Zool.* Clase de estos animales.

esportada. f. Lo que cabe en una espuerta.

esportear. tr. Echar, llevar con espuertas una cosa de un lugar a otro.

esportilla. (Del lat. *sportella.*) f. d. de **espuerta.** ‖ **2.** *Mál.* Soplillo, aventador.

esportillero. (De *esportilla.*) m. Mozo que estaba ordinariamente en las plazas y otros lugares públicos para llevar en su espuerta lo que se le mandaba. ‖ **2.** Operario que acarrea con la espuerta los materiales.

esportillo. (De *esportilla.*) m. Capacho de esparto o de palma que servía para llevar a las casas las provisiones.

esportizo. (De *espuerta* e *-izo.*) m. *Nav.* Aguaderas de mimbre que se abren por el fondo para dejar caer la carga.

esportón. m. aum. de **espuerta.** ‖ **2.** *Mancha.* Esportillo en que se lleva la carne de la carnicería.

esportonada. f. Cantidad que cabe en un esportón.

espórtula. (Del lat. *sportŭla,* cestita [con víveres ofrecida como regalo].) f. *Der. Ast.* Derechos pecuniarios que se daban a algunos jueces y ministros de justicia.

esporulación. f. *Bot.* y *Microbiol.* Formación de esporas.

esporular. intr. *Bot.* y *Microbiol.* Formar esporas ciertas plantas o ciertas bacterias.

esposado, da. p. p. de **esposar.** ‖ **2.** adj. p. us. **desposado.** Ú. t. c. s.

esposajas. (Del lat. *sponsalĭa*, pl. n. de *sponsalis*, esponsales.) f. pl. ant. **esponsalias.**
esposar. tr. Sujetar con esposas.
esposas. (De *esposa*.) f. pl. Manillas de hierro con que se sujeta a los presos por las muñecas.
esposo, sa. (Del lat. *sponsus*.) m. y f. Persona que ha contraído esponsales. ‖ **2.** Persona casada. ‖ **3.** f. *Amér*. Anillo episcopal.
espuela. (De *espuera*.) f. Espiga de metal terminada comúnmente en una rodajita o en una estrella con puntas y unida por el otro extremo a unas ramas en semicírculo que se ajustan al talón del calzado, y se sujetan al pie con correas, para picar a la cabalgadura. ‖ **2.** V. **mozo de espuela,** o **de espuelas.** ‖ **3.** fig. Estímulo, acicate. ‖ **4.** fig. Última copa que toma un bebedor antes de separarse de sus compañeros. ‖ **5.** *Can*. y *Amér*. Garrón o espolón de las aves. ‖ **6.** *Argent* y *Chile*. Espoleta[2] de las aves. ‖ **de caballero.** Planta herbácea de la familia de las ranunculáceas, con tallo erguido, ramoso, de cuatro a seis decímetros de altura; hojas largas, estrechas y hendidas al través; flores en espiga, de corolas azules, róseas o blancas, y cáliz prolongado en una punta cual si fuera una **espuela.** ‖ **2.** Flor de esta planta. ‖ **calzar espuela.** fr. fig. Ser caballero. ‖ **calzar,** o **calzarse, la espuela.** fr. fig. Ser armado caballero. ‖ **calzar la espuela,** o **las espuelas,** a uno. fr. fig. **armarle caballero.** ‖ **correr la espuela.** fr. Rodarla el jinete desde la cincha a los ijares. ‖ **2.** fig. Mortificar, reprender duramente. ‖ **dar de espuela,** o **de espuelas,** o **de la espuela,** o **de las espuelas.** fr. Picar a la caballería para que camine. ‖ **echar,** o **tomar, la espuela.** fr. fig. y fam. Echar el último trago los que han bebido antes juntos en venta, colmado o taberna. ‖ **estar con las espuelas calzadas.** fr. fig. Estar para emprender un viaje. ‖ **2.** fig. Estar pronto para emprender un negocio. ‖ **picar espuelas.** fr. fig. **dar de espuela.** ‖ **2.** fig. Apretar a correr, imprimir mayor velocidad a algo. ‖ **poner espuelas** a uno. fr. fig. Estimularle, incitarle para que emprenda o prosiga con más calor un negocio. ‖ **sentir la espuela.** fr. fig. Sentir el aviso, la reprensión, el trabajo o apremio. ‖ **tener las espuelas calzadas.** fr. fig. **estar con las espuelas calzadas.**
espuenda. (Del lat. *sponda*, borde de la cama.) f. *Ar*. y *Nav*. Borde de un canal o de un campo.
espuera. (Del gót. *spora*.) f. ant. **espuela** para picar a la caballería.
espuerta. (Del lat. *spŏrta*.) f. Especie de cesta de esparto, palma u otra materia, con dos asas, que sirve para llevar de una parte a otra escombros, tierra u otras cosas semejantes. ‖ **a espuertas.** loc. adv. A montones, en abundancia. ‖ **estar** uno **para que lo saquen en una espuerta al sol.** fr. fig. y fam. Estar muy achacoso.
espulgadero. m. p. us. Lugar donde se espulgaban los mendigos.
espulgador, ra. adj. Que espulga. Ú. t. c. s.
espulgar. tr. Limpiar de pulgas o piojos. Ú. t. c. prnl. ‖ **2.** fig. Examinar, reconocer una cosa con cuidado y por partes.
espulgo. m. Acción y efecto de espulgar o espulgarse.
espuma. (Del lat. *spuma*.) f. Conjunto de burbujas que se forman en la superficie de los líquidos, y se adhieren entre sí con más o menos consistencia. ‖ **2.** Parte del jugo y de las impurezas que sobrenadan formando burbujas al cocer ciertas sustancias. *La* ESPUMA *de la olla, del almíbar*. ‖ **3.** fig. y fam. **nata**[1], flor, lo más estimado. ‖ **4.** *And*. **espumilla,** tejido muy ligero. ‖ **de la sal.** Sustancia blanda y salada que deja el agua del mar pegada a las piedras. ‖ **de mar.** Silicato de magnesia hidratado, de color blanco amarillento, blando, ligero, suave al tacto y que se pega fuertemente a la lengua. Se emplea para hacer pipas de fumar, hornillos y estufas. ‖ **de nitro.** Costra que se forma de esta sal en la superficie de la tierra de donde se extrae, y también cuando cristaliza. ‖ **crecer como espuma,** o **como la espuma.** fr. fig. y fam. Medrar rápidamente una persona. ‖ **2.** fig. y fam. **crecer a palmos.**
espumadera. (De *espumar*.) f. Paleta ligeramente cóncava, y con agujeros, con que se espuma el caldo o cualquier otro líquido para purificarlo, o se saca de la sartén lo que se fríe en ella.
espumador, ra. m. y f. Persona que espuma.
espumaje. m. Abundancia de espuma.
espumajear. intr. Arrojar o echar espumajos.
espumajo. m. **espumarajo.**
espumajoso, sa. adj. Lleno de espuma.
espumar. (Del lat. *spumāre*.) tr. Quitar la espuma del caldo o de cualquier líquido. ‖ **2.** intr. Hacer espuma; como la que hace la olla, el vino, etc. ‖ **3.** fig. p. us. Crecer, aumentar rápidamente.
espumarajo. (despect. de *espuma*.) m. Saliva espumosa arrojada en gran cantidad por la boca. ‖ **echar** uno **espumarajos por la boca.** fr. fig. y fam. Estar muy descompuesto y colérico.
espúmeo, a. (Del lat. *spumĕus*.) adj. desus. **espumoso.**
espumero. m. Depósito donde se junta agua salada para que cristalice o cuaje la sal.
espumilla. f. d. de **espuma.** ‖ **2.** Tejido muy ligero y delicado, semejante al crespón. ‖ **3.** *Ecuad*., *Guat*., *Hond*. y *Nicar*. **merengue,** dulce blando hecho con claras de huevo y azúcar y puesto al horno.
espumillón. (De *espumilla*.) m. Tela de seda, muy doble, a manera de tercianela.
espumoso, sa. adj. Que tiene o hace mucha espuma. ‖ **2.** Que se convierte en espuma, como el jabón.
espumuy. f. *Guat*. Paloma silvestre.
espundia. (Probablem. del lat. *spongĭa*, esponja.) f. *Veter*. Úlcera de las caballerías, con excrecencia de carne, que forma una o más raíces que suelen penetrar hasta el hueso.
espurcísimo, ma. (Del lat. *spurcissĭmus*.) adj. desus. Inmundísimo, impurísimo.
espurio, ria. (Del lat. *spurĭus*.) adj. **bastardo,** que degenera de su origen o naturaleza. ‖ **2.** V. **hijo espurio.** ‖ **3.** fig. Falso, adulterado, que degenera de su origen.
espurrear. (De *es-* y la onomat. *purr*.) tr. Rociar una cosa con agua u otro líquido expelido por la boca.
espurriar. (De *es-* y la onomat. *purr*.) tr. Rociar con un líquido expelido por la boca.
espurrir[1]**.** (Del lat. *exporrigĕre*.) tr. *Ast*., *Cantabria*, *León* y *Pal*. Estirar, extender, dicho especialmente de las piernas y los brazos. ‖ **2.** prnl. *Ast*., *Cantabria*, *León* y *Pal*. **desperezarse.**
espurrir[2]**.** (Del lat. *aspergĕre*.) tr. Rociar con un líquido expelido por la boca.
esputar. (Del lat. *sputāre*.) tr. Arrancar flemas y arrojarlas por la boca.
esputo. (Del lat. *sputum*.) m. Lo que se arroja de una vez en cada expectoración.
esquebrajar. tr. Romper ligera o superficialmente un cuerpo duro.
esquejar. (De *esqueje*.) tr. *Agr*. Plantar esquejes.
esqueje. (Del lat. *schidĭae*, y este del gr. σχίδια, n. pl. de σχίδιον, astilla.) m. Tallo o cogollo que se introduce en tierra para reproducir la planta.
esquela. (De etim. disc.) f. Carta breve que antes solía cerrarse en figura casi triangular. ‖ **2.** Papel en que se dan citas, se hacen invitaciones o se comunican ciertas noticias a varias personas, y que por lo común va impreso o litografiado. ‖ **3.** Aviso de la muerte de una persona que se publica en los periódicos con recuadro de luto. Suele indicar la fecha y el lugar del entierro, funeral, etc. ‖ **mortuoria. esquela,** aviso de la muerte de una persona.

esqueletado, da. adj. p. us. Esquelético, muy flaco.

esquelético, ca. adj. Muy flaco. ‖ **2.** *Anat.* Perteneciente o relativo al esqueleto.

esqueleto. (Del gr. σκελετός, desecado.) m. *Anat.* Conjunto de piezas duras y resistentes, por lo regular trabadas o articuladas entre sí, que da consistencia al cuerpo de los animales, sosteniendo o protegiendo sus partes blandas. ‖ **2. dermatoesqueleto,** piel de algunos animales convertida en caparazón, concha, placa o escama. ‖ **3. esqueleto** interior de los vertebrados. ‖ **4.** fig. y fam. Sujeto muy flaco. ‖ **5.** fig. Armazón que sostiene algo. ‖ **6.** fig. *Col., C. Rica, Guat., Méj.* y *Nicar.* Modelo o patrón impreso en que se dejan blancos que se rellenan a mano. ‖ **7.** fig. *Chile.* Bosquejo, plan de una obra literaria, como discurso, sermón, drama, etc. ‖ **8.** *Bot.* Planta disecada.

esquema. (Del lat. *schema,* y este del gr. σχῆμα, figura.) m. Representación gráfica y simbólica de cosas inmateriales. ‖ **2.** Representación de una cosa atendiendo solo a sus líneas o caracteres más significativos. ‖ **3.** Cada uno de los temas o puntos diversos que sobre materia dogmática o disciplinaria se ponen a la deliberación de un concilio. ‖ **en esquema.** loc. adv. **esquemáticamente.**

esquemáticamente. adv. m. Por medio de esquemas.

esquemático, ca. (Del lat. *schematicus,* y este del gr. σχηματικός.) adj. Perteneciente al esquema. ‖ **2.** Que tiende a interpretar cualquier asunto sin percibir sus matices.

esquematismo. (Del lat. *schematismus,* y este del gr. σχηματισμός.) m. Procedimiento esquemático para la exposición de doctrinas. ‖ **2.** Serie o conjunto de esquemas empleados por un autor para hacer más perceptibles sus ideas.

esquematización. f. Acción y efecto de esquematizar.

esquematizar. tr. Representar una cosa en forma esquemática.

esquena. (Del a. al. ant. *skēna* o *skina,* espina.) f. p. us. Espinazo de los vertebrados.

esquenanto. (Del lat. *schoenanthus,* y este del gr. σχοίνανθον, junco oloroso.) m. Planta perenne de la familia de las gramíneas, indígena de la India y Arabia, con tallos duros y llenos, con muchas hojas lineares, estriadas y algo ásperas en los bordes, flores pequeñas, rojizas, agrupadas en panojas unilaterales y lineares. La raíz es blanca, aromática y medicinal, y la emplean en Oriente para dar a las muselinas el olor particular que las distingue.

esquero. (De *yesca.*) m. Bolsa de cuero que solía traerse sujeta al cinto, y servía comúnmente para llevar la yesca y el pedernal, el dinero u otras cosas.

esquerro, rra. (Del vasc. *esquerra,* izquierda.) adj. ant. Izquierdo, zurdo.

esquí. (Del fr. *ski.*)m. Especie de patín muy largo, de madera o de otro material ligero y elástico, que se usa para deslizarse sobre la nieve. ‖ **2. esquiaje.** ‖ **acuático.** Deporte que consiste en deslizarse rápidamente sobre el agua mediante **esquís,** aprovechando la tracción de una lancha motora.

esquiador, ra. m. y f. Persona que esquía.

esquiaje. m. Acción de esquiar. ‖ **2.** Práctica de este ejercicio como deporte.

esquiar. intr. Patinar con esquís.

esquiciar. (De *esquicio.*) tr. p. us. *Pint.* Empezar a dibujar o delinear.

esquicio. (Del it. *schizzo,* esbozo.) m. Apunte de dibujo.

esquienta. f. *Cantabria.* Cima o cresta de una montaña.

esquifada. (De *esquife.*) adj. *Arq.* V. **bóveda esquifada.** ‖ **2.** f. Carga que suele llevar un esquife.

esquifar. (De *esquife.*) tr. *Mar.* Proveer de pertrechos y marineros una embarcación.

esquifazón. (De *esquifar.*) m. *Mar.* Conjunto de remos y remeros con que se armaban las embarcaciones.

esquife. (Del a. al. ant. *skif,* barco, lancha.) m. Barco pequeño que se lleva en el navío para saltar a tierra y para otros usos. ‖ **2.** *Arq.* Cañón de bóveda en figura cilíndrica.

esquila¹. (Del gót. **skilla.*) f. Cencerro pequeño, en forma de campana. ‖ **2.** Campana pequeña para convocar a los actos de comunidad en los conventos y otras casas.

esquila². (De *esquilar².*) f. Acción y efecto de esquilar² ganados, perros y otros animales.

esquila³. (Del lat. *squilla,* y este del gr. σκίλλα.) f. Camarón, crustáceo. ‖ **2.** Girino o escribano del agua. ‖ **3. cebolla albarrana.** ‖ **de agua. esquila,** camarón.

esquilada. (De *esquila¹.*) f. *Ar.* Burla que se hace tocando esquilas¹.

esquilador, ra. adj. Que esquila². Ú. t. c. s. ‖ **2.** m. y f. Persona que tiene por oficio esquilar. ‖ **3.** f. Máquina **esquiladora.**

esquilar¹. (De *esquila¹.*) intr. *Áv.* y *Sal.* Tocar la esquila¹, cencerro o campanilla.

esquilar². (Del gót. *skairan.*) tr. Cortar el pelo, vellón o lana de los ganados y otros animales. ‖ **¡adiós, que esquilan!** expr. fig. y fam. con que se despide el que tiene prisa.

esquilar³. (De *esquilo²,* ardilla.) intr. *Burg., Cantabria, León, Pal., Viz.* y *Zam.* Trepar a los árboles, cucañas, etc. Ú. t. c. tr.

esquileo. m. Acción y efecto de esquilar ganados y otros animales. ‖ **2.** Casa donde se esquila el ganado lanar. ‖ **3.** Tiempo en que se esquila.

esquilero. m. Red en forma de saco con un aro de madera, que se emplea para pescar esquilas o camarones.

esquileta. f. d. de **esquila¹,** cencerro o campanilla.

esquilfada. adj. ant. *Arq.* **esquifada,** dicho de la bóveda.

esquilfe. m. ant. **esquife,** barca que se lleva en el navío.

esquilimoso, sa. (De *escolimoso.*) adj. fam. p. us. Nimiamente delicado, melindroso.

esquilmar. (De *esquimar.*) tr. Coger el fruto de las haciendas, heredades y ganados. ‖ **2.** Chupar las plantas con exceso el jugo de la tierra. ‖ **3.** fig. Menoscabar, agotar una fuente de riqueza sacando de ella mayor provecho que el debido.

esquilmeño, ña. (De *esquilmo.*) adj. *And.* Dícese del árbol o planta que produce abundante fruto.

esquilmo. (De *esquilmar.*) m. Conjunto de frutos y provechos que se sacan de las haciendas y ganados. ‖ **2.** *And.* Muestra de fruto que presentan los olivos. ‖ **3.** En Galicia, broza o matas cortadas con que se cubre el suelo de los establos, para procurar comodidad al ganado y formar abono para las tierras. ‖ **4.** *Chile.* Escobajo de la uva. ‖ **5.** *Méj.* Provechos accesorios de menor cuantía que se obtienen del cultivo o de la ganadería.

esquilo¹. (De *esquilar².*) m. ant. **esquileo,** acción y efecto de esquilar² ganados y otros animales. Ú. en Aragón y Rioja.

esquilo². (Del gr. σκίουρος, que se hace sombra con la cola.) m. ant. **ardilla.** Ú. en Cantabria.

esquilón. m. Esquila o cencerro grande.

esquimal. adj. Dícese del pueblo de raza mongólica que, en pequeños grupos dispersos, habita la margen ártica de América del Norte, de Groenlandia y de Asia. ‖ **2.** Dícese de los individuos que forman este pueblo. Ú. t. c. s. ‖ **3.** Perteneciente o relativo a este pueblo.

esquimar. (De *quima.*) tr. ant. **esquilmar,** coger el fruto de las haciendas, heredades y ganados.

esquimo. m. ant. **esquilmo,** conjunto de frutos y provechos que se sacan de las haciendas y ganados.

esquina. (Del m. or. que *esquena.*) f. Arista, parte exterior del lugar en que convergen dos lados de una cosa, especialmente las paredes de un edificio. ‖ **2.** V. **mozo de esquina.** ‖ **3.** ant. Piedra grande que se arrojaba a los enemigos desde lugares altos. ‖ **las cuatro esquinas.** Juego de muchachos: cuatro o más se ponen en los postes, rincones u otros lugares señalados, quedando un muchacho sin puesto; todos los que lo tienen se cambian unos con otros, y el que no lo tiene trata de llegar a uno antes que el que va a tomarlo, y si lo consigue se queda el otro en medio hasta que logra ocupar otro puesto. ‖ **darse uno contra,** o **por, las esquinas.** fr. fig. y fam. **darse contra,** o **por, las paredes.** ‖ **de esquina.** loc. adj. Dícese de la habitación que da a dos fachadas en ángulo de un edificio. ‖ **estar en esquina** dos o más personas. fr. fig. y fam. Estar opuestas o desavenidas entre sí. ‖ **hacer esquina.** Hablando de un edificio, estar situado en la **esquina** de la manzana o del grupo de que forma parte.

esquinado, da. p. p. de **esquinar.** ‖ **2.** adj. fig. Dícese de la persona de trato difícil.

esquinadura. f. Cualidad de esquinado.

esquinal. m. *Ál., Burg., Cantabria* y *Vız.* Ángulo de un edificio, y especialmente el formado por sillares.

esquinancia. (Del b. lat. *squinantia.*) f. desus. **angina.**

esquinante. m. **esquinanto.**

esquinanto. m. **esquenanto.**

esquinar. tr. Hacer o formar esquina. Ú. t. c. intr. ‖ **2.** Poner en esquina alguna cosa. ‖ **3.** Escuadrar un madero. ‖ **4.** fig. Poner a mal, indisponer. Ú. m. c. prnl.

esquinazo. m. fam. Esquina de un edificio. ‖ **2.** *Chile.* Música durante la noche para festejar a una persona. ‖ **dar esquinazo.** fr. fam. Rehuir en la calle el encuentro de uno, doblando una esquina o variando la dirección que se llevaba. ‖ **2.** fr. fig. y fam. Dejar a uno plantado, abandonarlo.

esquinco. (Del gr. σκίγκος, a través lat. *scincus.*) m. **eslizón.**

esquinela. (De *esquina,* por la arista que llevaba en medio.) f. Pieza de la armadura que cubría la espinilla de la pierna.

esquinencia. (Del m. or. que *esquinancia.*) f. **angina.**

esquinera. f. **cantonera,** ramera que suele apostarse en las esquinas de las calles. ‖ **2.** *Can.* y *Amér.* **rinconera,** mueble.

esquinero, ra. adj. *Argent.* Dícese de aquello que se halla colocado en una esquina. ‖ **2.** m. *Argent.* **cantonera,** pieza que se coloca en la esquina de algunos objetos para refuerzo o adorno. ‖ **3.** *Argent.* Poste que hace esquina en algunas construcciones, corrales, potreros, alambrados, etcétera.

esquinzador. m. Cuarto grande destinado en los molinos de papel a esquinzar el trapo.

esquinzar. (Del lat. **exquintiāre,* descuartizar.) tr. **desguinzar.**

esquipar. (Del escand. ant. *skipa,* equipar una barca.) tr. ant. *Mar.* Proveer de pertrechos y marineros una embarcación.

esquiparte. m. *Ar.* Pala pequeña, cortante y fuerte, empleada para limpiar las acequias.

esquipazón. m. ant. *Mar.* Acción y efecto de esquipar.

esquiraza. (Del it. *schirazzo.*) f. Antigua nave de transporte con velas cuadras.

esquirla. (De etim. disc.) f. Astilla de un hueso desprendida de este por caries o por fractura. Se dice también hablando de las que se desprenden de la piedra, cristal, etc.

esquirol. (Del cat. *esquirol,* ardilla.) m. *Ar.* Ardilla de los bosques. ‖ **2.** despect. Obrero que trabaja cuando hay huelga o que se presta a realizar el trabajo abandonado por un huelguista.

esquisar. (Del lat. **exquisus,* por *exquisītus,* de *exquirĕre,* buscar.) tr. ant. Buscar o investigar.

esquisto. (Del lat. *schistos* [*lapis*], y este del gr. σχιστός, escindido.) m. Roca de color negro azulado que se divide con facilidad en hojas.

esquistoso, sa. adj. De estructura laminar semejante a la del esquisto.

esquitar. tr. ant. Desquitar, descontar o compensar. ‖ **2.** Remitir, perdonar una deuda.

esquite[1]. m. ant. y hoy vulg. Acción y efecto de esquitar.

esquite[2]. (Del nahua *izquitl.*) m. *C. Rica, Hond.* y *Méj.* Rosetas, granos de maíz tostados.

esquivar. (Del germ. *skiuhan,* tener miedo.) tr. Evitar, rehusar. ‖ **2.** prnl. Retraerse, retirarse, excusarse.

esquivez. f. Cualidad de esquivo.

esquiveza. f. desus. Cualidad de esquivo.

esquividad. f. desus. Cualidad de esquivo.

esquivo, va. (De *esquivar.*) adj. Desdeñoso, áspero, huraño.

esquizado, da. (Del it. *schizzato.*) adj. Dícese del mármol salpicado de pintas.

esquizofrenia. (Del gr. σχίζω, escindir, y φρήν, inteligencia.) f. *Psiquiat.* Grupo de enfermedades mentales correspondientes a la antigua demencia precoz, que se declaran hacia la pubertad y se caracterizan por una disociación específica de las funciones psíquicas, que conduce, en los casos graves, a una demencia incurable.

esquizofrénico, ca. adj. *Psiquiat.* Que tiene o presenta rasgos de esquizofrenia o comparables a los de esta enfermedad. ‖ **2.** Que padece esquizofrenia. Ú. t. c. s.

esquizoide. (Del gr. σχιζο-, elem. comp. que significa «escindido», y *-oide.*) adj. *Psiquiat.* Se dice de una constitución mental que predispone a la esquizofrenia.

estabilidad. (Del lat. *stabilĭtas, -ātis.*) f. Permanencia, duración en el tiempo; firmeza, seguridad en el espacio.

estabilir. (Del lat. *stabilīre,* asegurar, afirmar.) tr. ant. **establecer.**

estabilísimo, ma. adj. sup. de **estable.**

estabilización. f. Acción y efecto de estabilizar.

estabilizador, ra. adj. Que estabiliza. Ú. t. c. s. ‖ **2.** m. Mecanismo que se añade a un aeroplano, nave, etc., para aumentar su estabilidad.

estabilizar. tr. Dar a alguna cosa estabilidad. ‖ **2.** *Econ.* Fijar y garantizar oficialmente el valor de una moneda circulante en relación con el patrón oro o con otra moneda canjeable por el mismo metal, a fin de evitar las oscilaciones del cambio.

estable. (Del lat. *stabĭlis.*) adj. Constante, firme, permanente.

establear. tr. Acostumbrar una res al establo. Ú. t. c. prnl.

establecedor, ra. adj. Que establece. Ú. t. c. s.

establecer. (Del lat. **stabiliscĕre,* de *stabilīre.*) tr. Fundar, instituir. ESTABLECER *una monarquía, una orden.* ‖ **2.** Ordenar, mandar, decretar. ‖ **3.** Dejar demostrado y firme un principio, una teoría, una idea, etc. ‖ **4.** prnl. Avecindarse o fijar la residencia en alguna parte. ‖ **5.** Abrir por cuenta propia un establecimiento mercantil o industrial.

establecimiento. (De *establecer.*) m. Acción y efecto de establecer o establecerse. ‖ **2.** desus. Ley, ordenanza, estatuto. ‖ **3.** Fundación, institución o erección; como la de un colegio, universidad, etc. ‖ **4.** Cosa fundada o establecida. ‖ **5.** Colocación o suerte estable de una persona. ‖ **6.** Lugar donde habitualmente se ejerce una industria o profesión. ‖ **7.** Local de comercio. ‖ **de las mareas.** *Mar.* Hora en que sucede la pleamar, el día de la conjunción u oposición de la Luna respecto de cada lugar. ‖ **de puerto.** *Mar.* Diferencia entre la hora a que se verifica la pleamar de sicigias en un puerto y la del paso de la Luna por el meridiano superior.

establemente. adv. m. Con estabilidad.

establería. f. ant. Establo o caballeriza.

establerizo. m. ant. El que cuida del establo.

establero. m. El que cuida del establo.

establía. f. ant. **establo.**

establimiento. (De *establir.*) m. ant. **establecimiento.**

establir. (Del lat *stabilīre.*) tr. ant. **establecer.**

establo. (Del lat. *stabŭlum.*) m. Lugar cubierto en que se encierra ganado para su descanso y alimentación. ‖ **2.** n. p. *Astron.* **pesebre,** constelación.

estabón. (De or. inc.) m. *Albac.* Tallo o caña de algunas plantas, despojadas de la hoja o del fruto.

estabulación. (Del lat. *stabulatĭo, -ōnis.*) f. Acción y efecto de estabular.

estabular. (Del lat. *stabulāre.*) tr. Meter y guardar ganado en establos.

estaca. (Del gót. **staka,* palo.) f. Palo afilado en un extremo para clavarlo. ‖ **2.** Rama o palo verde sin raíces que se planta para que se haga árbol. ‖ **3.** Palo grueso que puede manejarse a modo de bastón. ‖ **4.** Clavo de hierro de tres a cuatro decímetros de largo, que sirve para clavar vigas y maderos. ‖ **5.** Cada una de las cuernas que aparecen en los ciervos al cumplir un año de edad. ‖ **6.** *Chile.* Pertenencia de una mina que se concede a los peticionarios mediante ciertos trámites. ‖ **a estaca,** o **a la estaca.** loc. adv. Con sujeción; sin poder separarse de un lugar. ‖ **estar** uno **a la estaca.** fr. fig. y fam. Estar reducido a escasas facultades, a cortos medios o a poca libertad. ‖ **no dejar estaca en pared.** fr. fig. y fam. Arrasarlo o destruirlo todo. ‖ **plantar,** o **cavar, estacas.** fr. *Mar.* Cabecear mucho un buque por efecto de la mar de proa, adelantando poco en su derrota.

estacada. f. Cualquier obra hecha de estacas clavadas en la tierra para defensa, o para atajar un paso. ‖ **2.** p. us. **palenque,** valla para cerrar un terreno. ‖ **3.** p. us. Lugar señalado para un desafío. ‖ **4.** Olivar nuevo o plantío de estacas. ‖ **5.** *Fort.* Hilera de estacas clavadas en tierra verticalmente como a medio decímetro de distancia una de otra, aseguradas con listones horizontales. Se colocaba sobre la banqueta del camino cubierto, en los atrincheramientos o en otros sitios. ‖ **dejar** a uno **en la estacada.** fr. fig. Abandonarlo, dejándolo comprometido en un peligro o mal negocio. ‖ **quedar,** o **quedarse,** uno **en la estacada.** fr. Morir, perecer en el campo de batalla, en el desafío, etc. ‖ **2.** fig. Salir mal de una empresa y sin esperanza de remedio. ‖ **3.** fig. Ser vencido en una disputa.

estacado, da. p. p. de **estacar.** ‖ **2.** m. Estacada, palenque.

estacadura. f. Conjunto de estacas que sujetan la caja y los varales de un carro.

estacar. tr. Fijar en tierra una estaca y atar a ella una bestia. ‖ **2.** Señalar un terreno con estacas. ‖ **3.** *Amér.* Sujetar, clavar con estacas. Se usa especialmente hablando de los cueros cuando se extienden en el suelo para que se sequen y se sujetan con estacas para que se mantengan estirados. ‖ **4.** prnl. fig. Quedarse inmóvil y tieso a manera de estaca. ‖ **5.** *Col.* y *C. Rica.* Punzarse, clavarse una astilla.

estacazo. m. Golpe dado con una estaca. ‖ **2.** Golpe o choque de gran intensidad. ‖ **3.** fig. Daño, quebranto.

estación. (Del lat. *statĭo, -ōnis.*) f. desus. Estado actual de una cosa. ‖ **2.** Cada una de las cuatro partes o tiempos en que se divide el año. ‖ **3.** Tiempo, temporada. *En la* ESTACIÓN *presente.* ‖ **4.** Visita que se hace por devoción a las iglesias o altares, deteniéndose a orar delante del Santísimo Sacramento, principalmente en los días de Jueves y Viernes Santo. ‖ **5.** Cierto número de padrenuestros y avemarías que se rezan visitando al Santísimo Sacramento. ‖ **6.** Cada uno de los altares, cruces o representaciones devotas que jalonan el recorrido del vía crucis, ante los cuales se rezan determinadas oraciones. ‖ **7.** Cada uno de los parajes en que se hace alto durante un viaje, correría o paseo. ‖ **8.** Estancia, morada, asiento. ‖ **9.** En los ferrocarriles y líneas de autobuses o del metropolitano, sitio donde habitualmente hacen parada los vehículos. ‖ **10.** Edificio o edificios en que están las oficinas y dependencias de una **estación** del ferrocarril o de autobús. ‖ **11.** Edificio donde las empresas de tranvías tienen sus cocheras y oficinas. ‖ **12.** Punto y oficina donde se expiden y reciben despachos de telecomunicación. ‖ **13.** ant. Sitio o tienda pública donde se ponían los libros para venderlos, copiarlos o estudiar en ellos. ‖ **14.** fig. Partida de gente apostada. ‖ **15.** *Astron.* Detención aparente de los planetas en sus órbitas, por el cambio de sus movimientos directos en retrógrados, o viceversa. La **estación** es resultado de la combinación de los movimientos propios de los demás planetas con el de la Tierra. ‖ **16.** *Biol.* Sitio o localidad de condiciones apropiadas para que viva una especie animal o vegetal. ‖ **17.** *Geod.* y *Topogr.* Cada uno de los puntos en que se observan o se miden ángulos de una red trigonométrica. ‖ **18.** *Radio.* Emisora de radio. ‖ **de servicio.** Instalación provista de surtidores de gasolina, gasóleo, lubrificantes, etc., y en la que a veces se pueden engrasar los vehículos automóviles y efectuar ligeras reparaciones en los mismos. ‖ **andar estaciones,** o **las estaciones.** fr. Visitar iglesias y rezar las oraciones prevenidas para ganar indulgencias. ‖ **2.** fr. fig. y fam. Dar los pasos convenientes y hacer las diligencias que conducen a los negocios que uno tiene a su cargo. ‖ **vestir con la estación.** fr. Vestir según requiere la temperatura de la **estación** del año en que uno se encuentra.

estacional. (Del lat. *stationālis.*) adj. Propio y peculiar de cualquiera de las estaciones del año. *Calenturas* ESTACIONALES. ‖ **2.** *Astron.* **estacionario,** dícese del planeta que aparentemente está parado.

estacionamiento. m. Acción y efecto de estacionar o estacionarse. Se usa especialmente hablando de los vehículos. ‖ **2.** Lugar o recinto reservado para estacionar vehículos. ‖ **3.** Lugar donde puede estacionarse un automóvil. ‖ **4.** *Mil.* Lugar donde se establece una tropa, sea cuartel, alojamiento, campamento o vivaque.

estacionar. (De *estación.*) tr. Situar en un lugar, colocar. Ú. t. c. prnl. ‖ **2.** Dejar un vehículo detenido y, normalmente, desocupado, en algún lugar. Ú. t. c. prnl. ‖ **3.** prnl. Quedarse estacionario, estancarse.

estacionario, ria. (Del lat. *stationarĭus.*) adj. fig. Dícese de la persona o cosa que permanece en el mismo estado o situación, sin adelanto ni retroceso. ‖ **2.** V. **estado estacionario.** ‖ **3.** *Astron.* Aplícase al planeta que está como parado o detenido en su órbita aparente durante cierto tiempo. ‖ **4.** m. Librero que tenía puesto o tienda de libros para venderlos, dejarlos copiar, o permitir que se estudiara en ellos. ‖ **5.** El que, según los estatutos de la universidad de Salamanca, daba los libros en la biblioteca.

estacionero, ra. (Del lat. *stationarĭus.*) adj. El que anda con frecuencia las estaciones. Ú. t. c. s. ‖ **2.** m. ant. Vendedor de libros.

estacón. m. aum. de **estaca.**

estacte. (Del lat. *stacte,* y este del gr. στακτή, destilada.) f. Aceite esencial oloroso, sacado de la mirra fresca, molida y bañada en agua.

estacha. (Del fr. ant. *estache,* amarra.) f. Cuerda o cable atado al arpón con que se pescan las ballenas. ‖ **2.** *Mar.* Cabo que desde un buque se da a otro fondeado o a cualquier objeto fijo para practicar varias faenas. ‖ **dar estacha.** fr. Largar cuerda para que la ballena se vaya desangrando y muera.

estache. m. *Caló.* Sombrero de fieltro flexible, de alas muy reducidas.

estada. (De *estar.*) f. Permanencia, detención o demora en un lugar.

estadal. (De *estado.*) m. Medida de longitud que tiene cuatro varas, equivalente a tres metros y 334 milímetros. ‖ **2.** Cinta bendita en algún santuario, que se suele poner al cuello. ‖ **3. estado,** medida longitudinal correspondiente a la estatura de un hombre. ‖ **4.** Cerilla o vela que suele tener de largo más o menos un estado de hombre. ‖ **5.** ant. Cirio o hacha de cera. ‖ **cuadrado.** Medida superficial o agraria que tiene dieciséis varas cuadradas y equivale a once metros, diecisiete decímetros y cincuenta y seis centímetros cuadrados.

estadero. (De *estado.*) m. Sujeto que el rey nombraba para demarcar las tierras de repartimiento. ‖ **2.** ant. El que tenía bodegón o taberna.

estadía. (De *estada.*) f. Detención, estancia. ‖ **2.** Tiempo que permanece el modelo ante el pintor o escultor. ‖ **3.** *Com.* Cada uno de los días que transcurren después del plazo estipulado para la carga o descarga de un buque mercante, por los cuales se ha de pagar un tanto como indemnización. Ú. m. en pl. ‖ **4.** *Com.* Por ext., la misma indemnización.

estadidad. f. *P. Rico.* Condición de Estado federal. Ú. especialmente con referencia a los Estados Unidos de América del Norte.

estadificación. f. *Med.* Acción y efecto de estadificar.

estadificar. tr. *Med.* Clasificar la extensión y gravedad de una enfermedad tumoral maligna.

estadígrafo, fa. m. y f. **estadístico.**

estadio. (Del lat. *stadĭum,* y este del gr. στάδιον.) m. Recinto con graderías para los espectadores, destinado a competiciones deportivas. ‖ **2.** Lugar público de ciento veinticinco pasos geométricos, que servía para ejercitar los caballos en la carrera; también sirvió antiguamente para ejercitarse los hombres en la carrera y en la lucha. ‖ **3.** Distancia o longitud de ciento veinticinco pasos geométricos. ‖ **4.** Etapa o fase de un proceso, desarrollo o transformación. ‖ **5** *Med.* Período, dicho especialmente de los tres que se observan en cada acceso de fiebre intermitente.

estadista. (De *estado.*) com. Persona que describe la población, riqueza y civilización de un pueblo, provincia o nación. ‖ **2.** Persona versada en los negocios concernientes a la dirección de los Estados, o instruida en materias de política.

estadística. (De *estadista.*) f. Censo o recuento de la población, de los recursos naturales e industriales, del tráfico o de cualquier otra manifestación de un Estado, provincia, pueblo, clase, etc. ‖ **2.** Estudio de los hechos morales o físicos que se prestan a numeración o recuento y a comparación de las cifras a ellos referentes. ‖ **3.** *Mat.* Ciencia que utiliza conjuntos de datos numéricos para obtener inferencias basadas en el cálculo de probabilidades.

estadístico, ca. adj. Perteneciente a la estadística. ‖ **2.** m. y f. Persona que profesa la estadística.

estadizo, za. (De *estado* e *-izo.*) adj. Que está mucho tiempo sin moverse, orearse o renovarse. *Aire* ESTADIZO *y malsano; aguas corrientes y* ESTADIZAS. ‖ **2.** Dícese también de los alimentos rancios o manidos.

estado. (Del lat. *status.*) m. Situación en que está una persona o cosa, y en especial cada uno de los sucesivos modos de ser de una persona o cosa sujeta a cambios que influyen en su condición. ‖ **2.** Cada uno de los estamentos en que se dividía el cuerpo social; como el eclesiástico, el de nobles, el de plebeyos, etc. ‖ **3.** Clase o condición a la cual está sujeta la vida de cada uno. ‖ **4. estado civil.** ‖ **5.** Conjunto de los órganos de gobierno de un país soberano. ‖ **6.** Territorio de cada país independiente. ‖ **7.** País o dominio de un príncipe o señor feudal. ‖ **8.** En el régimen federativo, porción de territorio cuyos habitantes se rigen por leyes propias, aunque sometidos en ciertos asuntos a las decisiones del gobierno general. ‖ **9.** V. **casa, consejo, golpe, hombre, inquisidor, materia, mayordomo, mesa, prisión, razón, reo, secreto de Estado.** ‖ **10.** Medida longitudinal tomada de la estatura regular del hombre, que se ha usado para apreciar alturas o profundidades, y solía regularse en siete pies. ‖ **11.** Medida de superficie que tenía 49 pies cuadrados. ‖ **12.** Resumen por partidas generales que resulta de las relaciones hechas al por menor, y que ordinariamente se figura en una hoja de papel. ESTADO *de las rentas del vecindario, del ejército.* ‖ **13.** Manutención que acostumbraba dar el rey en ciertos lugares y ocasiones a su comitiva. ‖ **14.** Sitio en que se la servía. ‖ **15.** desus. Casa de comidas algo menos plebeya que el bodegón. ‖ **16. ministerio de Estado.** ‖ **17.** ant. Séquito, corte, acompañamiento. ‖ **18.** *Fís.* Cada uno de los grados o modos de agregación de las moléculas de un cuerpo. ESTADO *sólido, líquido, gaseoso,* etc. ‖ **19.** *Esgr.* Disposición y figura en que queda el cuerpo después de haber herido, reparado o desviado la espada del contrario. ‖ **absoluto.** En los cronómetros o relojes marinos, atraso o adelanto respecto de la hora en el meridiano de comparación. ‖ **alotrópico.** *Quím.* El de diferente aspecto o propiedades que adopta un elemento químico con capacidad de alotropía. ‖ **celeste** *Astrol.* El que compete al planeta, según el signo en que se halla, y sus aspectos y configuraciones. ‖ **civil.** Condición de cada persona en relación con los derechos y obligaciones civiles. ‖ **2.** Condición de soltería, matrimonio, viudez, etc., de un individuo. ‖ **común. estado general.** ‖ **de alarma.** Situación oficialmente declarada de grave inquietud para el orden público, que implica la suspensión de garantías constitucionales. ‖ **de ánimo.** Disposición en que se encuentra alguien, causada por la alegría, la tristeza, el abatimiento, etc. ‖ **de cosas.** Conjunto de circunstancias que concurren en un asunto determinado. ‖ **de cuentas.** Documento que refleja la situación contable de una empresa. ‖ **de excepción.** En ciertos países, situación semejante al **estado** de alarma. ‖ **de gracia. estado** del que está limpio de pecado. ‖ **de guerra.** El de una población en tiempo de guerra, cuando la autoridad civil resigna sus funciones en la autoridad militar. ‖ **2.** El que según ley se equipara al anterior por motivos de orden público, aun sin guerra exterior ni civil. ‖ **de, o de la, inocencia.** *Rel.* Aquel en que Dios crió a Adán y Eva en la gracia y justicia original. ‖ **del reino.** Cualquiera de las clases o brazos de él, que solían tener voto en Cortes. ‖ **de necesidad.** *Der.* Situación de grave peligro o extrema necesidad, en cuyo urgente remedio se excusa o disculpa la infracción de la ley o la lesión económica del derecho ajeno. ‖ **de prevención.** La primera y menos grave de las situaciones anormales reguladas por la legislación de orden público. ‖ **de sitio. estado de guerra.** ‖ **estacionario.** Situación de una cosa que no varía. ‖ **federal.** El compuesto por **estados** particulares, cuyos poderes regionales gozan de autonomía e incluso de soberanía para su vida interior. ‖ **físico.** Situación en que se eencuentra alguien respecto a su organismo físico. ‖ **general. estado físico,** bueno o malo, no referido a ninguna parte del cuerpo en particular. ‖ **2.** Situación buena o mala, en que se encuentra algo no referido a ningún punto o aspecto en particular. ‖ **3. estado llano.** ‖ **honesto.** Se decía del de la mujer soltera. ‖ **llano.** fig. El común de los vecinos de que se componía un pueblo, a excepción de los nobles, los eclesiásticos y los militares. ‖ **mayor.** *Mil.* Cuerpo de oficiales encargados en los ejércitos de informar técnicamente a los jefes superiores, distribuir las órdenes y procurar y vigilar su cumplimiento. ‖ **2.** *Mil.* Generales y jefes de todos los ramos que componen una división, y punto central donde deben determinarse y vigilarse todas las operaciones de esta, según las órdenes comunicadas por el **estado** mayor general y el general comandante de ella. ‖ **3.** *Mil.* General o gobernador que manda una plaza, teniente de rey, sargento mayor, ayudantes y demás individuos agregados a él. ‖ **mayor central.** *Mil.* Organismo superior en el ejército y en la marina. ‖ **mayor general.**

Mil. Conjunto de jefes y oficiales del **estado** mayor y de los demás cuerpos y servicios auxiliares, que constituyen el cuartel general y la secretaría de campaña del general que ejerce el mando superior sobre las tropas en operaciones. ‖ **caer** uno **de** su **estado.** fr. fig. Perder total o parcialmente el valimiento y buena situación que tenía. ‖ **2.** fig. y fam. Caer en tierra sin impulso ajeno. ‖ **causar estado.** fr. Ser definitiva una sentencia, resolución, etcétera. ‖ **2.** Por ext., tener un hecho efecto decisivo en lo venidero. ‖ **dar estado.** fr. Colocar el padre de familia, o el que hace sus veces, a los hijos en el **estado** eclesiástico o en el de matrimonio. ‖ **en estado.** loc. adv. **en estado interesante.** ‖ **en estado de buena esperanza.** loc. adv. **en estado interesante.** ‖ **en estado de merecer.** fr. fam. Dícese de la persona que puede aspirar al noviazgo y al casamiento. ‖ **en estado interesante.** loc. adv. Dícese de la mujer embarazada. ‖ **estar** una cosa **en el estado de la inocencia.** fr. fig. y fam. No haberse adelantado nada en ella; hallarse en el mismo ser y **estado** que al principio. ‖ **hacer estado.** fr. ant. Dar el rey de comer en mesa común y de balde, o hacer, mientras duraba la jornada en alguno de los sitios reales, los gastos de quienes eran llamados a acompañarlo. ‖ **mudar estado.** fr. Pasar de un **estado** a otro; como de secular a eclesiástico, de soltero a casado, etc. ‖ **no estar,** o **no venir, en estado** un pleito. fr. *Der.* Faltarle algunos requisitos necesarios para determinada resolución o pretensión. ‖ **poner** a uno **en estado.** fr. **darle estado.** ‖ **siete estados debajo de tierra.** expr. fig. para denotar que una cosa está muy oculta o es difícil de sacar a la luz. ‖ **2.** Con los verbos *meter, sepultar,* etc., es una expresión exagerativa para amedrentar. ‖ **tomar estado.** fr. **mudar estado.**

estadojo. m. *Ast.* y *Cantabria.* Estaca del carro.

estadoño. m. *Ast.* Estaca del carro.

estadounidense. adj. Perteneciente o relativo a los Estados Unidos de América. ‖ **2.** Natural de este país. Ú. t. c. s.

estafa[1]. f. Acción y efecto de estafar. ‖ **2.** *Germ.* Lo que el ladrón da al rufián.

estafa[2]. (Del it. *staffa,* estribo.) f. Estribo del jinete.

estafador, ra. m. y f. Persona que estafa. ‖ **2.** m. *Germ.* Rufián que estafa o quita algo al ladrón.

estafar. tr. Pedir o sacar dinero o cosas de valor con artificios y engaños, y con ánimo de no pagar. ‖ **2.** *Der.* Cometer alguno de los delitos que se caracterizan por el lucro como fin y el engaño o abuso de confianza como medio.

estafermo. (Del it. *stà fermo,* está firme, sin moverse.) m. Muñeco giratorio, con un escudo en la mano izquierda y una correa con bolas o saquillos de arena en la derecha, que, al ser herido en el escudo con una lancilla por jugadores que pasaban corriendo, se volvía y golpeaba con las bolas o con los saquillos al jugador que no pasaba ligero. ‖ **2.** fig. Persona que está parada y como embobada y sin acción.

estafero. (De *estafa[2].*) m. ant. Criado de a pie o mozo de espuelas.

estafeta. (Del it. *staffetta.*) f. Correo ordinario que iba a caballo de un lugar a otro. ‖ **2.** Postillón que en cada una de las casas de postas aguardaba a que llegase otro con el fardillo de despachos, para salir con ellos en seguida y entregarlos al postillón de la casa inmediata. ‖ **3.** Casa u oficina del correo, donde se entregan las cartas que se envían, y se recogen las que se reciben. ‖ **4.** Oficina donde se reciben cartas para llevarlas al correo general. ‖ **5.** Correo especial para el servicio diplomático.

estafetero, ra. m. y f. Persona que cuida la estafeta y recoge y hace la distribución de las cartas del correo.

estafetil. adj. Perteneciente a la estafeta.

estafilococia. f. *Pat.* Infección producida por estafilococos.

estafilococo. (Del gr. σταφυλή, racimo, y κόκκος, grano.) m. *Microbiol.* Cualquiera de las bacterias de forma redondeada que se agrupan como en racimo.

estafiloma. (Del gr. σταφύλωμα.) m. *Pat.* Tumor prominente del globo del ojo.

estafisagria. (Del lat. *staphisagria,* y este del gr. σταφίς ἀγρία, uva silvestre.) f. Planta herbácea de la familia de las ranunculáceas, con tallo erguido, velloso y de ocho a doce decímetros, hojas grandes divididas en lóbulos enteros o trífidos; flores azules de cuatro hojas, pedunculadas, en espiga terminal poco densa, y fruto capsular con semilla negra, rugosa y amarga. Es hierba venenosa, cuyas semillas contienen un alcaloide, y reducidas a polvo sirven para matar los insectos parásitos.

estagirita. (Del lat. *Stagirites.*) adj. Natural de Estagira. Ú. t. c. s. ‖ **2.** Perteneciente a esta antigua ciudad de Macedonia, patria de Aristóteles.

estajar. tr. ant. y hoy vulg. **destajar.** ‖ **2.** ant. Ir por un atajo.

estajero. m. **destajero.**

estajista. m. **destajista.**

estajo. m. ant. y hoy vulg. **destajo.** ‖ **2.** ant. Atajo de un camino.

estala. (Del it. *stalla,* establo.) f. Establo o caballeriza. ‖ **2.** Escala de un barco.

estalación. (De *estalo.*) f. Categorías en que se dividen los individuos de una comunidad o cuerpo, especialmente en las iglesias catedrales, donde hay dignidades, canónigos y racioneros.

estalactita. (Der. culto del gr. σταλακτός, que gotea.) f. Concreción calcárea que, por lo general en forma de cono irregular y con la punta hacia abajo, suele hallarse pendiente del techo de las cavernas, donde se filtran lentamente aguas con carbonato de cal en disolución.

estalagmita. (Der. culto del gr. σταλαγμός, filtración.) f. Estalactita invertida que se forma en el suelo con la punta hacia arriba.

estalaje. (De *hostalaje.*) m. **estancia.** ‖ **2.** Casa o lugar en que se hace mansión. ‖ **3.** Mobiliario, ajuar de casa.

estaliniano, na. adj. **estalinista.**

estalinismo. m. Teoría y práctica políticas de Stalin, consideradas por él como continuación del leninismo.

estalinista. adj. Perteneciente o relativo al estalinismo. ‖ **2.** Partidario del estalinismo. Ú. t. c. s.

estalo. (Del it. *stallo,* asiento.) m. ant. Asiento en el coro.

estallar. (Metátesis de un ant. **astellar,* hacerse astillas.) intr. Henderse o reventar de golpe una cosa, con chasquido o estruendo. ‖ **2. restallar.** ‖ **3.** fig. Sobrevenir, ocurrir violentamente una cosa. ESTALLAR *un incendio, una revolución.* ‖ **4.** fig. Sentir y manifestar repentina y violentamente ira, alegría u otra pasión o afecto.

estallido. m. Acción y efecto de estallar. ‖ **dar un estallido.** fr. Causar ruido extraordinario. Se usa, por lo común, hablando de las cosas que se rompen con estrépito. ‖ **estar para dar un estallido.** fr. fig. con que se explica que se teme algún daño inminente y grave.

estallo. m. Acción y efecto de estallar.

estambrado, da. p. p. de **estambrar.** ‖ **2.** m. *Mancha.* Especie de tejido de estambre.

estambrar. tr. Torcer la lana y hacerla estambre. ‖ **2.** ant. Tramar o entretejer.

estambre. (Del lat. *stamen, -ĭnis.*) amb. Ú. m. c. m. Parte del vellón de lana que se compone de hebras largas. ‖ **2.** Hilo formado de estas hebras. ‖ **3.** Pie de hilos después de urdirlos. ‖ **4.** *Bot.* Órgano masculino en la flor de las fanerógamas, que es una hoja transformada; consta de la antera y, generalmente, de un filamento que la sostiene. ‖

de la vida. fig. Curso del vivir. ‖ **2.** fig. La misma vida. ‖ **3.** fig. Ser vital del hombre.

estamental. adj. Perteneciente o relativo al estamento. ‖ **2.** Estructurado u organizado en estamentos.

estamento. (Del b. lat. *stamentum.*) m. En la corona de Aragón, cada uno de los estados que concurrían a las Cortes; y eran el eclesiástico, el de la nobleza, el de los caballeros y el de las universidades o municipios. ‖ **2.** Cada uno de los dos cuerpos colegisladores establecidos por el Estatuto Real, que eran el de los próceres y el de los procuradores del reino. ‖ **3.** Estrato de una sociedad, definido por un común estilo de vida o análoga función social. ESTAMENTO *nobiliario, militar, intelectual,* etc.

estameña. (Del lat. *staminĕa,* de estambre.) f. Tejido de lana, sencillo y ordinario, que tiene la urdimbre y la trama de estambre.

estameñete. m. Especie de estameña ligera.

estamiento. (De *estamento.*) m. ant. Estado en que uno se halla y permanece.

estaminal. adj. *Bot.* Perteneciente o relativo a los estambres.

estamíneo, a. (Del lat. *staminĕus.*) adj. De estambre. ‖ **2.** Perteneciente o relativo al estambre.

estaminífero, ra. (Del lat. *stāmen, -ĭnis,* estambre, y *-fero.*) adj. *Bot.* Dícese de las flores que tienen estambres, y de las plantas que llevan estas flores.

estampa. (De *estampar.*) f. Reproducción de un dibujo, pintura, fotografía, etc., trasladada al papel o a otra materia, por medio del tórculo o prensa, desde la lámina de metal o madera en que está grabada, o desde la piedra litográfica en que está dibujada. ‖ **2.** Papel o tarjeta con esta reproducción. ‖ **3.** Por antonom., **estampa** con una figura religiosa. ‖ **4. santo,** viñeta, ilustración. ‖ **5.** V. **ducado de la estampa.** ‖ **6.** V. **grabado de estampas.** ‖ **7.** fig. Figura total de una persona o animal. ‖ **8.** fig. Imprenta o impresión. *Dar una obra a la* ESTAMPA. ‖ **9. huella** del pie del hombre o de los animales en la tierra. ‖ **maldita sea mi, tu, su,** etc. **estampa.** Expr. para maldecir a alguien. ‖ **parecer** uno **la estampa de la herejía.** fr. fig. y fam. Ser muy feo, o ir vestido con muy mal gusto. ‖ **ser la fiel,** o **la viva, estampa de** alguien. fr. fig. y fam. Parecerse muchísimo a la persona mencionada.

estampación. f. Acción y efecto de estampar.

estampado, da. p. p. de **estampar.** ‖ **2.** adj. Aplícase a tejidos en que se forman y estampan a fuego o en frío, con colores o sin ellos, diferentes labores o dibujos. Ú. t. c. s. ‖ **3.** Dícese del objeto que por presión o percusión se fabrica con matriz o molde apropiado. Ú. t. c. s. ‖ **4.** m. Acción y efecto de estampar. *No me gusta el* ESTAMPADO *de esta lámina.*

estampador, ra. adj. Dícese de la persona o cosa que estampa. Ú. t. c. s. ‖ **2.** m. ant. **impresor.**

estampar. (Del fr. *estamper.*) tr. Imprimir, sacar en estampas una cosa; como las letras, las imágenes o dibujos contenidos en un molde. Ú. t. c. intr. ‖ **2.** Dar forma a una plancha metálica por percusión entre dos matrices, una fija al yunque y la otra al martinete, de modo que forme relieve por un lado y quede hundida por otro. ‖ **3.** Señalar o imprimir una cosa en otra; como el pie en la arena. ‖ **4.** fam. Arrojar a una persona o cosa haciéndola chocar contra algo. ESTAMPÓ *una botella contra la pared.* Ú. t. c. prnl. ‖ **5.** fig. Imprimir algo en el ánimo.

estampería. f. Oficina en que se estampan láminas. ‖ **2.** Tienda donde se venden estampas.

estampero, ra. m. y f. Persona que hace o vende estampas.

estampía. (De *estampida.*) f. Ú. solo en la frase **embestir, partir,** o **salir, de estampía,** que significa hacerlo de repente, sin preparación ni anuncio alguno.

estampida. (Del prov. *estampida.*) f. **estampido.** ‖ **2.** Resonancia, divulgación rápida y estruendosa de algún hecho. ‖ **3.** *Bol., Col., C. Rica, Guat., Hond., Méj., Nicar., Pan., Perú* y *Venez.* Huida impetuosa que emprende una persona, un animal o, especialmente, un conjunto de ellos. ‖ **4.** *Ar.* **estampidor.** ‖ **dar estampida.** fr. fig. **dar un estallido.**

estampido. (De *estampida.*) m. Ruido fuerte y seco como el producido por el disparo de un cañón. ‖ **dar un estampido.** fr. fig. **dar un estallido.**

estampidor. m. *Ar.* Madero para sostener la pared que amenaza ruina.

estampilla. (d. de *estampa.*) f. Especie de sello que contiene en facsímil la firma y rúbrica de una persona, o bien un letrero para estampar en ciertos documentos. ‖ **2.** *Amér.* Sello de correos o fiscal.

estampillado, da. p. p. de **estampillar.** ‖ **2.** adj. Decíase, durante la guerra civil (1936-39) y en la zona nacional, del jefe u oficial habilitado para el empleo superior. También de los civiles designados para funciones militares. Ú. t. c. s. ‖ **3.** m. Acción y efecto de estampillar.

estampillar. tr. Marcar con estampilla. ‖ **2.** Señalar con cajetín o sello ciertos títulos de Deuda pública, para distinguirlos entre congéneres y aplicarles trato especial.

estancación. f. Acción y efecto de estancar o estancarse.

estancado, da. p. p. **estancar.** ‖ **2.** adj. V. **renta estancada.**

estancamiento. m. **estancación.**

estancar. (De etim. disc.) tr. Detener y parar el curso y corriente de un líquido. Ú. t. c. prnl. ‖ **2.** Prohibir el curso libre de determinada mercancía, concediendo su venta a determinadas personas o entidades. ‖ **3.** fig. Suspender, detener el curso de una dependencia, asunto, negocio, etc. Ú. t. c. prnl.

estancia. (De *estar.*) f. Mansión, habitación y asiento en un lugar, casa o paraje. ‖ **2.** Aposento, sala o cuarto donde se habita ordinariamente. ‖ **3.** Permanencia durante cierto tiempo en un lugar determinado. ‖ **4.** Cada uno de los días que está el enfermo en el hospital. ‖ **5.** Cantidad que por cada día devenga el mismo hospital. ‖ **6.** Estrofa formada por más de seis versos endecasílabos y heptasílabos que riman en consonante al arbitrio del poeta, y cuya estructura se repite a lo largo del poema. ‖ **7.** desus. **octava real.** ‖ **8.** *Argent., Chile, Perú* y *Urug.* Hacienda de campo destinada al cultivo, y más especialmente a la ganadería. ‖ **9.** *Cuba, Sto. Dom.* y *Venez.* Casa de campo con huerta, y próxima a la ciudad; quinta. ‖ **10.** ant. *Mil.* Campamento de tropas.

estanciero. m. El dueño de una estancia, casa de campo, o el que cuida de ella. ‖ **2.** desus. Especie de mayoral encargado de vigilar el trabajo de los indios en las estancias.

estanco, ca. (De *estancar.*) adj. *Mar.* Aplícase a los navíos y otras embarcaciones que se hallan bien dispuestos y reparados para no hacer agua por sus costuras. ‖ **2.** Dícese de los compartimientos de un recinto incomunicados entre sí. ‖ **3.** m. Embargo o prohibición del curso y venta libre de algunas cosas, o asiento que se hace para reservar exclusivamente las ventas de mercancías o géneros, fijando los precios a que se hayan de vender. ‖ **4.** Sitio o tienda donde se venden géneros estancados, y especialmente sellos, tabaco y cerillas. ‖ **5.** desus. Parada, detención, demora. ‖ **6.** ant. Estanque de agua. ‖ **7.** fig. Depósito, archivo. ‖ **8.** *Ecuad.* Tienda en que se vende aguardiente.

estándar. (Del ing. *standard.*) adj. Dícese de lo que sirve como tipo, modelo, norma, patrón o referencia. Ú. sólo en sing. ‖ **2.** m. Tipo, modelo, patrón, nivel. ESTÁNDAR *de vida.*

estandardización. f. **estandarización.**

estandardizar. tr. **estandarizar.**

estandarización. f. Acción y efecto de estandarizar.

estandarizar. (De *estándar.*) tr. **tipificar,** ajustar a un tipo, modelo o norma.

estandarol. m. ant. *Mar.* Madero vertical de la crujía de popa sobre el que se afirmaba el tendal.

estandarte. (Del fr. ant. *estandart.*) m. Insignia que usan los cuerpos montados, y consiste en un pedazo de tela cuadrado pendiente de una asta, en el cual se bordan o sobreponen el escudo nacional y las armas del cuerpo a que pertenece. Antiguamente se usó también en la infantería. ‖ **2.** Insignia que usan las corporaciones civiles y religiosas: consiste en un pedazo de tela generalmente cuadrilongo, donde figura la divisa de aquellas, y lleva su borde superior fijo en una vara que pende horizontal de un astil con el cual forma cruz. ‖ **real.** Bandera que se izaba al tope mayor del buque en que se embarcaba una persona real, o a una asta en el edificio en que se alojaba. ‖ **alzar,** o **levantar, estandarte,** o **estandartes.** fr. fig. **alzar,** o **levantar, bandera,** o **banderas.**

estandorio. (Del lat. *statorĭum,* que está derecho, con la *n* de *stans, -antis.*) m. *Ast.* Cada una de las estacas que de trecho en trecho se fijan a los lados del carro para sostener los adrales o la carga.

estangurria. (De *estrangurria.*) f. *Pat.* Micción dolorosa. ‖ **2.** Cañoncito o vejiga que suele ponerse el que padece esta enfermedad para recoger las gotas de la orina.

estannífero, ra. (Del lat. *stannum,* estaño, y *-fero.*) adj. Que contiene estaño.

estanque. (De *estancar.*) m. Balsa construida para remansar o recoger el agua, con fines utilitarios, como proveer al riego, criar peces, etcétera, o meramente ornamentales. ‖ **2.** pl. *Germ.* Silla del caballo.

estanqueidad. f. **estanquidad.**

estanquero[1]. m. El que tiene por oficio cuidar de los estanques.

estanquero[2], ra. (De *estanco.*) m. y f. Persona que tiene a su cargo la venta pública del tabaco y otros géneros estancados.

estanquidad. f. Calidad de estanco de los navíos y otras embarcaciones.

estanquillero, ra. m. y f. Vendedor de géneros estancados.

estanquillo. m. d. de **estanco.** ‖ **2.** Local donde se venden géneros estancados. ‖ **3.** *Ecuad.* Taberna de vinos y licores. ‖ **4.** *Méj.* Tienda pobremente abastecida.

estantal. (De *estante.*) m. *Albañ.* Estribo de pared.

estantalar. tr. *Albañ.* Apuntalar, sostener con estantales.

estante. (Del lat. *stans, -antis.*) p. a. p. us. de **estar.** Que está presente o permanente en un lugar. *Pedro,* ESTANTE *en la corte romana.* ‖ **2.** adj. Aplícase al ganado, en especial lanar, que pasta constantemente dentro del término jurisdiccional en que está amillarado. ‖ **3.** Dícese del ganadero o dueño de este ganado. ‖ **4.** m. Mueble con anaqueles o entrepaños, y generalmente sin puertas, que sirve para colocar libros, papeles u otras cosas. ‖ **5. anaquel.** ‖ **6.** Cada uno de los cuatro pies derechos que sostienen la armadura del batán, en que juegan los mazos. ‖ **7.** Cada uno de los dos pies derechos sobre que se apoya y gira el eje horizontal de un torno. ‖ **8.** *Murc.* El que en compañía de otros lleva los pasos en las procesiones de Semana Santa. ‖ **9.** *Amér.* Cada uno de los maderos incorruptibles que, hincados en el suelo, sirven de sostén al armazón de las casas en las ciudades tropicales. ‖ **10.** *Mar.* Palo o madero que se ponía sobre las mesas de guarnición para atar en él los aparejos de la nave. Ú. m. en pl.

estantería. f. Mueble compuesto de estantes o de anaqueles.

estanterol. (Del m. or. que *estantal.*) m. desus. *Mar.* Madero, a modo de columna, que en las galeras se colocaba a popa, en la crujía, y sobre el cual se afirmaba el tendal.

estantigua. (Contracc. de *huest antigua.*) f. Procesión de fantasmas, o fantasma que se ofrece a la vista por la noche, causando pavor y espanto. ‖ **2.** fig. y fam. Persona muy alta y seca, mal vestida.

estantío, a. (De *estante.*) adj. Que no tiene curso; parado, detenido o estancado. ‖ **2.** fig. Pausado, tibio, flojo y sin espíritu.

estanza. (Del it. *stanza.*) f. ant. Mansión, habitación o asiento en un lugar, casa o paraje. ‖ **2.** ant. Estado, conservación y permanencia de una cosa en el ser que tiene. ‖ **3. estancia,** estrofa.

estañado, da. p. p. de **estañar.** ‖ **2.** m. Acción y efecto de estañar.

estañador. m. El que tiene por oficio estañar.

estañadura. f. Acción y efecto de estañar.

estañar. (De *estaño.*) tr. Cubrir o bañar con estaño las piezas y vasijas hechos de otros metales, para el uso inofensivo de ellos. ‖ **2.** Asegurar o soldar una cosa con estaño.

estañero. m. El que trabaja en obras de estaño, o trata en ellas y las vende.

estaño[1]. (Del lat. *stannum.*) m. Metal más duro, dúctil y brillante que el plomo, de color semejante al de la plata, pero más oscuro, que cruje cuando se dobla, y, si se restriega con los dedos, despide un olor particular. Núm. atómico 50. Símb. *Sn.*

estaño[2]. (Del lat. *stagnum.*) m. ant. Laguna de agua.

estaqueadero. m. *Argent.* Lugar donde se estaquean los cueros.

estaqueador. m. *Argent.* Peón encargado de estaquear los cueros.

estaquear. tr. *Argent.* **estacar,** estirar un cuero, fijándolo con estacas. ‖ **2.** *Argent.* Por ext., castigo que consistía en estirar a un hombre, amarrado con tientos entre cuatro estacas.

estaqueo. m. *Argent.* Acción y efecto de estaquear.

estaquero. m. Cada uno de los agujeros que se hacen en la escalera y varales de los carros y galeras para meter las estacas. ‖ **2.** *Mont.* Gamo o ciervo de un año.

estaquilla. (d. de *estaca.*) f. Espiga de madera o caña que sirve para clavar. Se utiliza para envirar, para asegurar los tacones del calzado, etc. ‖ **2.** Clavo pequeño de hierro, de figura piramidal y sin cabeza. ‖ **3. estaca,** clavo pequeño.

estaquillador. m. Lezna gruesa y corta usada por los zapateros para hacer taladros en los tacones y poner en ellos las estaquillas.

estaquillar. tr. Asegurar con estaquillas una cosa, como hacen los zapateros en los tacones de los zapatos. ‖ **2.** Hacer una plantación por estacas.

estar. (Del lat. *stare.*) intr. Existir, hallarse una persona o cosa en este o aquel lugar, situación, condición o modo actual de ser. Ú. t. c. prnl. ‖ **2.** Permanecer o hallarse con cierta estabilidad en un lugar, situación, condición, etc. Ú. t. c. prnl. ‖ **3.** Con ciertos verbos reflexivos toma esta forma quitándosela a ellos, y denota gran aproximación a lo que tales verbos significan. ESTARSE *muriendo,* O ESTAR *muriéndose,* hallarse en artículo de muerte. ‖ **4.** Tocar o atañer. ‖ **5.** Tratándose de prendas de vestir, y generalmente con complemento indirecto de persona, sentar o caer bien o mal. *Esa chaqueta le* ESTÁ *ancha a fulano.* ‖ **6.** ant. **ser.** ‖ **7.** Con adjetivos o participios pasivos, hallarse en el estado significado por ellos. ESTAR *triste, rico, sordo, convencido, satisfecho.* ‖ **8.** Con la prep. *a* y algunos nombres, **estar** dispuesto a ejecutar lo que el nombre significa. ESTAR A *cuentas,* A *examen.* ‖ **9.** Seguido de la prep. *a* y del número de un día del mes, indica que corre ese día; se usa principalmente en primeras personas del plural. ES-

TÁBAMOS A *5 de enero,* ESTAMOS A *24.* Al preguntar, se dice: **¿a cuántos estamos?** ‖ **10.** Con la prep. *a* y una indicación de valor o precio, tener ese precio en el mercado la cosa de que se trata. *Las patatas* ESTÁN A *treinta pesetas.* ‖ **11.** Con la prep. *con* seguida de un nombre de persona, vivir o trabajar en compañía de esta persona. ‖ **12.** Con la misma prep., avistarse con otro, generalmente para tratar de un asunto. ‖ **13.** Con la prep. *con,* tener acceso carnal. ‖ **14.** Con la prep. *de* y algunos sustantivos que significan oficio, desempeñar temporalmente este oficio. ESTAR DE *albañil,* DE *cajera,* DE *cocinero.* ‖ **15.** Con la prep. *de* y algunos sustantivos que significan acción o proceso, ejecutar lo que ellos significan, o hallarse en disposición para ello. ESTAR DE *viaje,* DE *mudanza,* DE *desestero,* DE *obra.* ‖ **16.** Con la prep. *en* y algunos sustantivos, consistir, ser causa o motivo de una cosa. Ú. solo en terceras personas de singular. EN *el trabajo gustoso* ESTÁ *la felicidad.* ‖ **17.** Hablando del coste de alguna cosa y con la prep. *en,* haber alcanzado el precio que se indica. *Este vestido* ESTÁ EN *siete mil pesetas.* ‖ **18.** Con la prep. *para* y el infinitivo de algunos verbos, o seguida de algunos sustantivos, denota la disposición próxima o determinada de hacer lo que significa el verbo o el sustantivo. ESTAR PARA *testar,* PARA *morir. No* ESTÁ PARA *bromas.* ‖ **19.** Con la prep. *por* y el infinitivo de algunos verbos, no haberse ejecutado aún, o haberse dejado de ejecutar, lo que los verbos significan. ESTAR POR *escribir,* POR *sazonar.* ‖ **20.** Con la misma prep. y el infinitivo de algunos verbos, hallarse uno casi determinado a hacer alguna cosa. ESTOY POR *irme a pasear;* ESTOY POR *romperle la cabeza.* ‖ **21.** Con la prep. *por,* **estar** a favor de una persona o cosa. ESTOY POR *Antonio;* ESTOY POR *el color blanco.* ‖ **22.** Con la conj. *que* y algunos verbos en forma personal, hallarse en la situación o actitud expresada por este verbo. ESTOY QUE *no me tengo.* ESTÁ QUE *trina.* ESTÁ QUE *bota.* ‖ **23.** Con el gerundio de verbos durativos, refuerza su aspecto durativo o progresivo. ESTÁ *durmiendo;* ESTABA *cantando.* ‖ **24.** prnl. Detenerse o tardarse en alguna cosa o en alguna parte. ‖ **bien está.** expr. **está bien.** ‖ **¿dónde estamos?** loc., a manera de interjección, que se usa para significar la admiración, disgusto o extrañeza que causa lo que se oye o se ve. ‖ **está bien.** expr. con que se denota ya aprobación, ya descontento o enojo. ‖ **está** o **estaba visto** algo. fr. fig. Ser evidente. ESTÁ VISTO *que le echan del trabajo.* ‖ **están verdes.** loc. tomada de la fábula de la zorra y las uvas, y con la cual se zahiere y moteja al que aparenta desdeñar lo que no puede obtener. ‖ **estar a juzgado y sentenciado.** fr. *Der.* Quedar obligado a oír y consentir la sentencia que se diere. ‖ **estar a la que salta.** fr. fam. **estar** siempre dispuesto a aprovechar las ocasiones. ‖ **estar al caer.** fr. fam. Tratándose de horas, **estar** a punto de sonar aquella que se indique. ESTÁN AL CAER *las cinco.* ‖ **2.** Tratándose de sucesos, **estar** a punto de sobrevenir o producirse. ESTÁ AL CAER *tu ascenso.* ‖ **3.** Tratándose de personas, **estar** a punto de llegar. ‖ **estar a matar.** fr. fam. **estar** muy enemistadas o aborrecerse vivamente dos o más personas. ‖ **estar a oscuras.** fr. fig. y fam. **estar** completamente ignorante. ‖ **estar** uno **a todo.** fr. Tomar sobre sí el cuidado y las resultas de un negocio. ‖ **estar** uno **bien.** fr. Disfrutar salud, conveniencias o comodidades. ‖ **estar bien.** fr. ant. Cumplir fielmente. ‖ **estarle bien** una cosa **a** uno. fr. Convenir, ser útil, cuadrar, ser acomodada una cosa a las circunstancias de una persona. *Aquel empleo le* ESTARÁ BIEN *a Cayetano.* ‖ **estar bien con** uno. fr. **estar** bien conceptuado con él. ‖ **2.** Tener buen concepto de él. ‖ **3. estar** concorde con él. ‖ **estar bien de** cierta cosa. fr. Tenerla en cantidad suficiente. ‖ **estar con** uno. fr. **estar** de acuerdo con él. ‖ **estar de más.** fr. fam. **estar** de sobra; ser inútil. *Aquí* ESTOY DE MÁS; *lo que ayer dijiste en casa de don Severo* ESTUVO DE MÁS. ‖ **2. estar** sin hacer nada, sin trabajo u ocupación. ‖ **estar de ver.** fr. **estar** con mucho adorno, compostura o curiosidad una persona o cosa. ‖ **estar** una cosa **diciendo comedme.** fr. fig. y fam. Tener muy buena apariencia un alimento. ‖ **estar** uno **en** una cosa. fr. Entenderla o **estar** enterado de ella. ESTOY EN *lo que usted dice.* ‖ **2.** Creerla, **estar** persuadido de ella. ESTOY EN *que vendrá Miguel.* ‖ **estar** uno **en grande.** fr. Vivir con mucha holgura o gozar mucho predicamento. ‖ **2.** Salirle a uno las cosas a su gusto y conveniencia. ‖ **estar en mí, en ti, en sí.** fr. **estar** uno con plena advertencia en lo que dice o hace. *Juliana* ESTÁ *muy* EN SÍ. ‖ **estar** uno **en todo.** fr. Atender a un tiempo a muchas cosas, sin aturdirse por la mucha cantidad de ellas. ‖ **estarle** a uno **bien empleada** alguna cosa. fr. fam. Merecer la desgracia o infortunio que le sucede. ‖ **estar** uno **mal.** fr. Carecer de lo necesario, de lo conveniente, o de comodidades. ‖ **2.** Hallarse enfermo. ‖ **estar mal con** uno. fr. **estar** mal conceptuado con él. ‖ **2.** Tener mal concepto de él. ‖ **3. estar** desavenido con él. ‖ **estar mal de** cierta cosa. fr. **estar** escaso de ella. ‖ **estar,** o **no estar,** uno **para** una cosa. fr. fam. **estar** en buena o mala disposición para ejecutarla u ocuparse en ella. ‖ **estar** uno **para ello.** fr. fam. **estar** en disposición de ejecutar bien una cosa que acostumbra hacer. *Rodrigo* ESTÁ *hoy* PARA ELLO. ‖ **estar** una cosa **por ver.** fr. Ser dudosa su certeza o su ejecución. ‖ **estarse de más.** fr. fam. **estar** ocioso, **mano sobre mano.** ‖ **estar sobre** uno, o **sobre** un negocio. fr. Instar a uno con frecuencia, o promover un negocio con eficacia. ‖ **estar** uno **sobre mí, sobre ti, sobre sí.** fr. **estar** con serenidad y precaución. ‖ **2.** Tener orgullo y soberbia. ‖ **estar viendo** una cosa. fr. fig. Prever que sucederá. *¡Lo* ESTABA VIENDO! ‖ **¿estás? ¿estáis? ¿está usted? ¿están ustedes?** exprs. que equivalen a **¿estás, estáis,** etc., enterado, o enterados? ¿Has, o habéis, comprendido bien? Suele asimismo decirse: **¿estamos?,** en vez de cualquiera de dichas formas. ‖ **no están maduras.** fr. fam. **están verdes.**

estarcido. (De *estarcir.*) m. Dibujo que resulta en el papel, tela, tabla, etc., del picado y pasado por medio del cisquero o brocha.

estarcir. (Del lat. *extergēre,* enjugar, limpiar.) tr. Estampar dibujos, letras o números pasando una brocha por una chapa en que están previamente recortados.

estarna. (Del it. *starna,* perdiz gris.) f. **perdiz pardilla.**

estasis. (Del gr. στάσις, detención.) f. *Med.* Estancamiento de sangre o de otro líquido en alguna parte del cuerpo.

estatal. (Del lat. *status,* estado.) adj. Perteneciente o relativo al Estado.

estatera. (Del lat. *statēra.*) f. ant. Peso, balanza.

estática. (Del gr. στατική [ἐπιστήμη].) f. Parte de la mecánica que estudia las leyes del equilibrio. ‖ **2.** Conjunto de estas leyes.

estático, ca. (Del gr. στατικός.) adj. Perteneciente o relativo a la estática. ‖ **2.** Que permanece en un mismo estado, sin mudanza en él. ‖ **3.** fig. Dícese del que se queda parado de asombro o de emoción.

estatificar. tr. Poner bajo la administración o intervención del Estado.

estatismo[1]. m. Inmovilidad de lo estático, que permanece en un mismo estado.

estatismo[2]. m. Tendencia que exalta el poder y la preeminencia del Estado sobre los demás órdenes y entidades.

estatocisto. (Del gr. στατός, estacionario, y κύστις, vejiga.) m. *Zool.* Cualquiera de los órganos que están al servicio del sentido del equilibrio en muchos celentéreos, gusanos, crustáceos, moluscos y tunicados, y que consiste en pequeñas vesículas, situadas comúnmente debajo de la piel, que contienen una o varias concreciones calcáreas.

estatolito. m. *Zool.* Cada una de las concreciones calcáreas del interior de los estatocistos.

estatua. (Del lat. *statŭa.*) f. Obra de escultura labrada a imitación del natural. ‖ **ecuestre.** La que representa una persona a caballo. ‖ **a gran estatua, gran basa.** fr. proverb. con que se indica que a cada cosa se ha de conceder la importancia que le corresponde. ‖ **merecer** uno **una estatua.** fr. con que se ponderan y engrandecen las acciones de alguien. ‖ **quedarse hecho una estatua.** fr. fig. Quedarse paralizado por el espanto o la sorpresa.

estatuar. tr. Adornar con estatuas.

estatuaria. (Del lat. *statuarĭa [ars].*) f. Arte de hacer estatuas.

estatuario[1], ria. (Del lat. *statuarĭus.*) adj. Perteneciente o relativo a la estatuaria. ‖ **2.** Adecuado para una estatua. ‖ **3.** V. **mármol estatuario.** ‖ **4.** m. y f. Artista que hace estatuas.

estatuario[2], ria. (De *estatuir.*) adj. ant. **estatutario.**

estatúder. (Del neerl. *stadhouder;* de *stad,* lugar, y *houder,* teniente.) m. Jefe o magistrado supremo de la antigua república de los Países Bajos. En un principio fueron lugartenientes del rey de España.

estatuderato. m. Cargo y dignidad de estatúder.

estatuir. (Del lat. *statuĕre.*) tr. Establecer, ordenar, determinar. ‖ **2.** Demostrar, asentar como verdad una doctrina o un hecho.

estatura. (Del lat. *statūra.*) f. Altura, medida de una persona desde los pies a la cabeza.

estatutario, ria. adj. Estipulado en los estatutos, referente a ellos.

estatuto. (Del lat. *statūtum.*) m. Establecimiento, regla que tiene fuerza de ley para el gobierno de un cuerpo. ‖ **2.** Por ext., cualquier ordenamiento eficaz para obligar: contrato, disposición testamentaria, etc. ‖ **3.** Ley especial básica para el régimen autónomo de una región, dictada por el Estado de que forma parte. ‖ **4.** V. **iglesia de estatuto.** ‖ **5.** *Der.* Régimen jurídico al cual están sometidas las personas o las cosas, en relación con la nacionalidad o el territorio. ‖ **formal.** *Der.* Régimen concerniente a las solemnidades de los actos y contratos. ‖ **personal.** *Der.* Régimen jurídico que se determina en consideración a la nacionalidad o condición personal del sujeto. ‖ **real.** Ley fundamental del Estado, que se promulgó en España en 1834 y rigió hasta 1836. ‖ **2.** *Der.* Régimen legal que se determina en consideración a la naturaleza de las cosas o al territorio en que radican.

estay. (Del fr. ant. *estay.*) m. *Mar.* Cabo que sujeta la cabeza de un mástil al pie del más inmediato, para impedir que caiga hacia la popa. ‖ **de galope.** *Mar.* El más alto de todos, que sirve para sujetar la cabeza de los mastelerillos.

este[1]. (Del anglosajón *ēast.*) n. p. m. Levante, Oriente. Úsase generalmente en geografía y marina. ‖ **2.** m. Viento que viene de la parte de oriente.

este[2], ta, to, tos, tas. (Del lat. *iste, ista, istud, istos, istas.*) Formas de pron. dem. Designan lo que está cerca de la persona que habla, o representan y señalan lo que se acaba de mencionar. Las formas m. y f. se usan como adj. y como s., y en este último caso se escriben con acento cuando existe riesgo de anfibología: ESTA *vida;* ESTE *libro; conozco mucho a* ESTOS. ‖ **2.** Pospuesto a un sustantivo, puede indicar enfado o desprecio. ‖ **3.** Referido a día, mes, año, siglo, el presente. ‖ **4. esta** designa la población en que está la persona que se dirige a otra por escrito. *Permaneceré en* ESTA *dos semanas.* ‖ **5. esta** y **estas** hacen oficio de sustantivos en diversas frases donde tienen su significado impreciso de *ocasión, vez, situación, jugada,* o equivalen a un sustantivo inexpreso; *De* ESTA *nos quedamos sin médico; a todas* ESTAS. ‖ **en estas y en estotras,** o **en estas y estas,** o **en estas y las otras.** locs. advs. fams. Entretanto que algo sucede; en el ínterin, mientras **esto** pasa. ‖ **en esto.** loc. adv. Estando en **esto,** durante **esto,** en **este** tiempo. ‖ **esta y nunca más,** o **no más.** fr. fam. con que se manifiesta que ha quedado uno escarmentado. ‖ **estos días,** los inmediatamente pasados o futuros. ‖ **por esta,** o **por estas, que son cruces.** Especie de juramento que se profiere en son de amenaza al mismo tiempo que se hace una o dos cruces con los dedos pulgar e índice. ‖ **por estas.** expr. ant. de amenaza que usaban los hombres, tomándose las barbas.

esteárico, ca. (Del gr. στέαρ, sebo.) adj. De estearina. ‖ **2.** *Quím.* V. **ácido esteárico.**

estearina. (Del gr. στέαρ, sebo e *-ina.*) f. *Quím.* Éster de ácido esteárico y glicerina; es una sustancia blanca, insípida e insoluble en agua, que se usa para la fabricación de velas.

esteatita. (Del gr. στέαρ, στέατος, sebo, grasa sólida, e *-ita[2].*) f. Mineral de color blanco y verdoso, suave, y tan blando que se raya con la uña. Es un silicato de magnesia, que se emplea como sustancia lubricativa, y, con el nombre de jabón de sastre, sirve para hacer señales en las telas.

esteba[1]. (Del lat. *stoebe,* y este del gr. στοιβή.) f. Planta herbácea de la familia de las gramíneas, con cañas delgadas y nudosas, hojas ensiformes, muy ásperas por los bordes, glumas troncadas, flores verdosas en espigas cilíndricas, y semilla negra. Crece en sitios húmedos y pantanosos, hasta cuatro o cinco decímetros de altura, y es pasto muy apetecido por las caballerías.

esteba[2]. (De *estebar[2].*) f. Pértiga gruesa con que en las embarcaciones se aprietan las sacas de lana unas sobre otras.

estebar[1]. m. Sitio donde se cría mucha esteba[1].

estebar[2]. (De *estibar.*) tr. Entre tintoreros, acomodar en la caldera y apretar en ella el paño para teñirlo.

estefanote. (De *Stephanotis [floribunda].*) m. *Venez.* Planta de la familia de las asclepiadáceas, que se cultiva en los jardines por sus hermosas flores, de color blanco mate.

estegomía. (Del gr. στέγω, cubrir, y μυῖα, mosca.) f. Mosquito transmisor del espiroqueto que produce en el hombre la fiebre amarilla. Pertenece a la familia de los culícidos y se distingue por su color oscuro, casi negro, con manchas y líneas pardas por todo el cuerpo, y por tener las patas negras, con anillos blancos en la base de los artejos.

estela[1]. (Del lat. *aestuarĭa,* pl. n. de *stuarĭum,* agitación del agua.) f. Señal o rastro de espuma y agua removida que deja tras sí una embarcación u otro cuerpo en movimiento. ‖ **2.** Rastro que deja en el aire un cuerpo en movimiento. ‖ **3.** Por ext., rastro o huella que deja algo que pasa.

estela[2]. (Del lat. *stella,* estrella.) f. Pie de león, estelaria, planta.

estela[3]. (Del lat. *stela,* y este del gr. στήλη.) f. Monumento conmemorativo que se erige sobre el suelo en forma de lápida, pedestal o cipo.

estelado. (Del lat. *stellātus,* estrellado.) adj. V. **cardo estelado corredor.**

estelar. (Del lat. *stellāris.*) adj. Perteneciente o relativo a las estrellas. ‖ **2.** V. **cúmulo estelar.** ‖ **3.** fig. Extraordinario, de gran categoría.

estelaria. (Del it. *stellaria,* de *stella,* estrella, por la forma de sus flores.) f. Pie de león, estela, planta.

estelífero, ra. (Del lat. *stellĭfer,* que lleva estrellas.) adj. poét. Estrellado o lleno de estrellas.

esteliforme. (De *estela* y *-forme.*) adj. De forma de estela.

estelión. (Del lat. *stellĭo, -ōnis.*) m. Saurio, perteneciente a la misma familia que el dragón, que vive en Egipto, en Asia Menor y en algunas islas griegas. ‖ **2.** desus. Piedra que decían se hallaba en la cabeza de los sapos viejos, y que tenía virtud contra el veneno.

estelionato. (Del lat. *stellionātus.*) m. *Der.* Fraude que comete el que encubre en el contrato la obligación que sobre la hacienda, alhaja u otra cosa tiene hecha anteriormente.

estelo. (Del lat. *stilus.*) m. Columna, poste.

estelón. m. desus. **estelión,** piedra considerada como un contraveneno.

estellés, sa. adj. Natural de Estella. Ú. t. c. s. ‖ **2.** Perteneciente o relativo a esta ciudad.

estema[1]. (Del lat. *stigma.*) m. ant. *Ar.* Pena de mutilación.

estema[2]. (Del lat. *stemma,* y este del gr. στέμμα, árbol genealógico.) m. En la crítica textual, esquema de la filiación y transmisión de manuscritos o versiones procedentes del original de una obra.

estemar. (Del lat. *stigmāre.*) tr. ant. *Ar.* Imponer la pena de mutilación.

estemple. (Del al. *stempel.*) m. *Min.* **ademe.**

estendijarse. prnl. ant. Extenderse, estirarse.

estenocardia. (Del gr. στενός, estrecho, y καρδία, corazón.) f. *Pat.* **angina de pecho.**

estenografía. (Del gr. στενός, estrecho, y *-grafía.*) f. **taquigrafía.**

estenografiar. tr. Escribir en estenografía.

estenográficamente. adv. m. Por medio de la estenografía.

estenográfico, ca. adj. Perteneciente o relativo a la estenografía.

estenógrafo, fa. m. y f. Persona que sabe o profesa la estenografía.

estenordeste. n. p. m. Punto del horizonte entre el Este y el Nordeste, a igual distancia de ambos. ‖ **2.** m. Viento que sopla de esta parte.

estenosis. (Del gr. στένωσις.) f. *Med.* Estrechez, estrechamiento de un orificio o conducto.

estenotipia. (Del gr. στενός, estrecho, y -τυπία, de la misma raíz de τύπος, molde.) f. Estenografía o taquigrafía a máquina.

estentóreo, a. (Del lat. *stentorĕus.*) adj. Muy fuerte, ruidoso o retumbante, aplicado al acento o a la voz.

estepa[1]. (Del fr. *steppe.*) f. Erial llano y muy extenso.

estepa[2]. (Del lat. hispánico *stippa,* de or. inc.) f. Mata resinosa de la familia de las cistáceas, de doce a quince decímetros de altura, con ramas leñosas y erguidas, hojas pecioladas, elípticas, agudas, de color verde oscuro por la parte superior y blanquecinas por el envés; flores de corola grande y blanca, en ramos pedunculados y terminales, con brácteas coriáceas, sépalos ovalados y vellosos, y fruto capsular, aovado, sedoso, con cinco ventallas. Se usa como combustible. ‖ **2.** V. **jara estepa.** ‖ **blanca. estepilla.** ‖ **negra. jaguarzo.**

estepar. m. Lugar o sitio poblado de estepas[2].

estepario, ria. adj. Propio de las estepas[1]. *Región, planta* ESTEPARIA.

estepero, ra. adj. Que produce estepas[2]. ‖ **2.** m. Sitio en donde se amontonan las estepas[2] en las casas. ‖ **3.** m. y f. Persona que vende estepas[2].

estepilla. (dim. de *estepa*[2].) f. Mata de la familia de las cistáceas, de un metro de altura aproximadamente, con ramas leñosas y blanquecinas, hojas sentadas, elípticas, algo revueltas por el margen, flores grandes y róseas, y fruto capsular ovoide y velloso.

éster. (Del al. *ester.*) m. *Quím.* Cualquiera de los compuestos químicos que resultan de sustituir átomos de hidrógeno de un ácido inorgánico u orgánico por radicales alcohólicos; pueden ser considerados como sales en las que los átomos metálicos están reemplazados por radicales orgánicos.

estera. (Del ant. *estuera,* del lat. *storĕa.*) f. Tejido grueso de esparto, juncos, palma, etc., o formado por varias pleitas cosidas, que sirve para cubrir el suelo de las habitaciones y para otros usos. ‖ **cargado de esteras.** loc. fig. y fam. Harto, cansado de aguantar o sufrir.

esteral. m. p. us. *Argent.* y *Urug.* **estero[2],** terreno pantanoso.

esterar. tr. Cubrir los suelos con esteras. ‖ **2.** prnl. fig. y fam. Vestirse de invierno. Se usa en son de burla aplicándolo al que lo hace antes de tiempo.

estercar. tr. ant. Echar estiércol a las tierras.

estercoladura. f. Acción y efecto de estercolar.

estercolamiento. m. **estercoladura.**

estercolar[1]. (De *estiércol.*) m. p. us. Lugar donde se recoge el estiércol.

estercolar[2]. (Del lat. *stercorāre.*) tr. Echar estiércol en las tierras para engrasarlas y beneficiarlas. ‖ **2.** intr. Echar de sí la bestia el excremento o estiércol.

estercolero. m. El que recoge y saca el estiércol. ‖ **2.** Lugar donde se recoge el estiércol. ‖ **3.** fig. Lugar muy sucio.

estercolizo, za. adj. Semejante al estiércol o que participa de sus cualidades.

estercóreo, a. (Del lat. *stercorĕus.*) adj. Perteneciente o relativo a los excrementos.

estercuelo. (De *estercolar.*) m. Acción y efecto de estercolar.

esterculiáceo, a. (De *Sterculía,* nombre de un género de plantas, y *-áceo.*) adj. *Bot.* Dícese de matas, arbustos y árboles angiospermos dicotiledóneos, con hojas alternas y vellosas, flores axilares y fruto casi siempre en cápsula, rara vez indehiscente; como el abroma y el cacao. Ú. t. c. s. f. ‖ **2.** f. pl. *Bot.* Familia de estas plantas.

estéreo[1]. (Del gr. στερεός, sólido.) m. Unidad de medida para leña, equivalente a la que puede apilarse en el espacio de un metro cúbico.

estéreo[2]. adj. abrev. de **estereofónico.** *Una grabación* ESTÉREO. Ú. t. c. s. m. *Un* ESTÉREO. ‖ **2.** m. **estereofonía.**

estereo-. (Del gr. στερεο.) elem. compos. que significa «sólido»; ESTEREO*grafía,* ESTEREO*scopio.*

estereocomparador. m. Aparato para determinar el desplazamiento relativo de los cuerpos valiéndose de la sensación estereoscópica.

estereofonía. (De *estereo-* y el gr. φωνή, voz.) f. Técnica relativa a la obtención del sonido estereofónico.

estereofónico, ca. adj. Dícese del sonido registrado simultáneamente desde dos o más puntos convenientemente distanciados para que, al reproducirlo, dé una sensación de relieve espacial.

estereografía. (De *estereo-,* y *-grafía.*) f. Arte de representar los sólidos en un plano.

estereográfico, ca. adj. Perteneciente a la estereografía. ‖ **2.** *Geom.* Aplícase a la proyección en un plano de los círculos de la esfera por medio de rectas concurrentes en un punto de la misma esfera. ‖ **3.** V. **línea estereográfica.**

estereógrafo, fa. m. y f. Persona que profesa o sabe la estereografía.

estereometría. (De *estereo-* y *-metría.*) f. Parte de la geometría, que trata de la medida de los sólidos.

estereométrico, ca. adj. Perteneciente a la estereometría. ‖ **2.** *Geom.* V. **línea estereométrica.**

estereorradián. (De *estereo-* y *radián.*) m. *Geom.* Unidad de ángulo sólido, equivalente al que, con su vértice en el centro de una esfera, determina sobre la superficie de esta un área equivalente a la de un cuadrado cuyo lado es igual al radio de la esfera.

estereoscópico, ca. adj. Referente al estereoscopio.

estereoscopio. (De *estereo-,* y *-scopio.*) m. Aparato óptico en el que, mirando con ambos ojos, se ven dos imágenes de un objeto, que, al fundirse en una, producen una sensación de relieve por estar tomadas con un ángulo diferente para cada ojo.

estereotipa. f. desus. **estereotipia.**

estereotipado, da. p. p. de **estereotipar.** ‖ **2.** adj. fig. Dícese de los gestos, fórmulas, expresiones, etc., que se repiten sin variación.

estereotipador, ra. m. y f. Persona que estereotipa.

estereotipar. (De *estereotipia.*) tr. Fundir en una plancha, por medio del vaciado, la composición de un molde formado con caracteres movibles. ‖ **2.** Imprimir con esas planchas. ‖ **3.** fig. Fijar mediante su repetición frecuente un gesto, una frase, una fórmula artística, etc.

estereotipia. (De *estereo-* y el gr. -τυπία, de la misma raíz de τύπος, molde.) f. Procedimiento para reproducir una composición tipográfica, que consiste en oprimir contra los tipos un cartón especial o una lámina de otra materia que sirve de molde para vaciar el metal fundido que sustituye al de la composición. ‖ **2.** Oficina donde se estereotipa. ‖ **3.** Máquina de estereotipar. ‖ **4.** Repetición involuntaria e intempestiva de un gesto, acción o palabra. Ocurre sobre todo en ciertos dementes.

estereotípico, ca. adj. Perteneciente a la estereotipia. *Establecimiento* ESTEREOTÍPICO; *impresión* ESTEREOTÍPICA.

estereotipo. m. *Impr.* Plancha utilizada en estereotipia. ‖ **2.** fig. Imagen o idea aceptada comúnmente por un grupo o sociedad con carácter inmutable.

estereotomía. (De *estereo-*, y *-tomia.*) f. Arte de cortar piedras y maderas.

estereria. f. Lugar donde se hacen esteras. ‖ **2.** Tienda donde se venden.

esterero, ra. m. y f. Fabricante de esteras. ‖ **2.** Persona que las vende o las cose y acomoda en las habitaciones.

estéril. (Del lat. *sterĭlis.*) adj. Que no da fruto, o no produce nada, en sentido recto o figurado. *Mujer, tierra, ingenio, trabajo* ESTÉRIL. ‖ **2.** fig. Dícese del año en que la cosecha es muy escasa, y de los tiempos y épocas de miseria. ‖ **3.** *Med.* Libre de gérmenes patógenos. ‖ **4.** m. *Min.* Parte inútil del subsuelo que se halla interpuesto en el criadero.

esterilidad. (Del lat. *sterilĭtas, -ātis.*) f. Cualidad de estéril. ‖ **2.** Falta de cosecha; escasez de frutos. ‖ **3.** *Fisiol.* Enfermedad caracterizada por falta de la aptitud de fecundar en el macho y de concebir en la hembra.

esterilización. f. Acción y efecto de esterilizar.

esterilizador, ra. adj. Que esteriliza. ‖ **2.** m. Aparato que esteriliza utensilios o instrumentos destruyendo los gérmenes patógenos que haya en ellos.

esterilizar. (De *estéril* e *-izar.*) tr. Hacer infecundo y estéril lo que antes no lo era. ‖ **2.** *Med.* Destruir los gérmenes patógenos.

esterilla. f. d. de **estera.** ‖ **2.** Galón o trencilla de hilo de oro o plata, ordinariamente muy angosta. ‖ **3.** Pleita estrecha de paja. ‖ **4.** Tejido de paja. ‖ **5.** *Sal.* Encella de pleita. ‖ **6.** *C. Rica, Chile, Ecuad.* y *Urug.* Cañamazo, tela rala. ‖ **7.** *Ecuad.* Rejilla para asientos.

esterlín. m. Tela de hilo, de color, más gruesa y basta que la holandilla.

esterlina. (Del ing. *sterling.*) adj. V. **libra esterlina.**

esternón. (Del gr. στέρνον, a través del fr. anticuado *sternon.*) m. *Anat.* Hueso plano situado en la parte anterior del pecho, con el cual se articulan por delante las costillas verdaderas. ‖ **2.** *Zool.* Cada una de las piezas del dermatoesqueleto de los insectos correspondiente a la región ventral de cada uno de los segmentos del tórax.

estero[1]. m. Acto de esterar. ‖ **2.** Temporada en que se estera.

estero[2]. (Del lat. *aestuarĭum.*) m. **estuario.** ‖ **2.** Terreno bajo pantanoso, intransitable, que suele llenarse de agua por la lluvia o por la filtración de un río o laguna cercana, y que abunda en plantas acuáticas. ‖ **3.** *Chile.* Arroyo, riachuelo. ‖ **4.** *Col.* y *Venez.* Aguazal, charca.

esteroide. (De *ester-*, primer elemento compositivo de *esterol*, y *-oide.*) m. *Quím.* Estructura policíclica de la que derivan compuestos de interés biológico notable, tales como esteroles, ácidos biliares, hormonas, etc.

esteroídico, ca. (De *esteroide* e *-ico.*) adj. *Quím.* Aplícase a las sustancias o estructuras químicas que guardan relación con los esteroides.

esterol. (De *ester-*, del gr. στερεός, sólido, y *-ol*[1].) m. *Quím.* Cada uno de los esteroides con uno o varios grupos alcohólicos. Son muy abundantes en los reinos animal y vegetal y en microorganismos.

esterquero. m. Lugar donde se recoge el estiércol.

esterquilinio. (Del lat. *sterquilinĭum.*) m. Muladar o sitio donde se juntan inmundicias o estiércol.

estertor. (der. del lat. *stertĕre*, roncar.) m. Respiración anhelosa, generalmente ronca o silbante, propia de la agonía y del coma. ‖ **2.** *Med.* Ruido de burbuja que se produce en ciertas enfermedades del aparato respiratorio y se percibe por la auscultación.

estertóreo, a. adj. Que tiene estertor.

estertoroso, sa. adj. Que tiene estertor.

estesudeste. n. p. m. Punto del horizonte entre el Este y el Sudeste, a igual distancia entre ambos. ‖ **2.** m. Viento que sopla de esta parte.

esteta. (Del gr. αἰσθητής, que percibe por los sentidos.) com. Persona que considera el arte como un valor esencial. ‖ **2.** Persona versada en estética. ‖ **3.** Persona que afecta el culto de la belleza.

estética. (Del gr. αἰσθητική, t. f. de -κός, propio de los sentidos.) f. Ciencia que trata de la belleza y de la teoría fundamental y filosófica del arte.

estéticamente. adv. m. De manera estética.

esteticismo. m. Actitud de quienes, al crear o valorar obras literarias y artísticas, conceden importancia primordial a la belleza, anteponiéndola a los aspectos intelectuales, religiosos, morales, sociales, etc.

esteticista. adj. Perteneciente o relativo al esteticismo. ‖ **2.** com. Persona que profesionalmente presta cuidados de embellecimiento a sus clientes.

estético, ca. (Del gr. αἰσθητικός, sensible.) adj. Perteneciente o relativo a la estética. ‖ **2.** Perteneciente o relativo a la percepción o apreciación de la belleza. *Placer* ESTÉTICO. ‖ **3.** Artístico, de aspecto bello y elegante. ‖ **4.** m. Persona que se dedica al estudio de la estética.

estetoscopia. (Del gr. στῆθος, pecho, y *-scopia.*) f. *Med.* Exploración por medio del estetoscopio.

estetoscopio. (Del gr. στῆθος, pecho, y *-scopio.*) m. *Med.* Aparato destinado a auscultar los sonidos del pecho y otras partes del cuerpo, ampliándolos con la menor deformación posible.

esteva. (De **stēva*, forma dialectal del lat. *stiva.*) f. Pieza corva y trasera del arado, sobre la cual lleva la mano el que ara, para dirigir la reja y apretarla contra la tierra. ‖ **2.** Madero curvo que en los carruajes antiguos sostenía en sus extremos las varas y se apoyaba por el medio sobre la tijera. ‖ **3.** V. **palo esteva.**

estevado, da. adj. Que tiene las piernas arqueadas a semejanza de la esteva, de tal modo que, con los pies juntos, quedan separadas las rodillas. Ú. t. c. s.

estevón. m. **esteva.**

estezado, da. p. p. de **estezar.** ‖ **2.** m. **correal.**

estezar. (De *es-* y *tez.*) tr. Curtir las pieles en seco. ‖ **2.** *And.* Poner a uno encendido; curtirle la piel a golpes. ‖ **3.** fig. *And.* Abusar de uno en punto a dinero.

estiaje. (Del fr. *étiage.*) m. Nivel más bajo o caudal mínimo que en ciertas épocas del año tienen las aguas de un río, estero, laguna, etc., por causa de la sequía. ‖ **2.** Período que dura este nivel.

estiba. (De *estibar.*) f. Atacador de los cañones de artillería. ‖ **2.** Lugar donde se aprieta la lana en los sacos. ‖ **3.** *Mar.* Colocación conveniente de los pesos de un buque, y en especial de su carga. ‖ **4.** *Mar.* Conjunto de la carga en cada bodega u otro espacio de un buque.

estibador. (De *estibar.*) m. Obrero que aprieta o recalca materiales o cosas sueltas. ‖ **2.** Obrero que distribuye convenientemente los pesos en el buque.

estibar. (Del lat. *stipāre.*) tr. Apretar, recalcar materiales o cosas sueltas para que ocupen el menor espacio posible. ‖ **2.** *Mar.* Cargar o descargar un buque, o distribuir convenientemente en él los pesos.

estibia. (Del lat. *stiva,* esteva.) f. *Veter.* **espibia.**

estibina. (De *estibio* y *-ina.*) f. **antimonita.**

estibio. (Del lat. *stibi,* y éste del gr. στίβι, polvo negro de antimonio.) m. **antimonio.**

estierco. (Del lat. *stercus.*) m. **estiércol.**

estiércol. (Del lat. *stercus, -ōris.*) m. Excremento de cualquier animal. ‖ **2.** Materias orgánicas, comúnmente vegetales, podridas, que se destinan al abono de las tierras.

estigio, gia. (Del lat. *Stygĭus.*) adj. Aplícase a la Estigia, laguna del infierno mitológico, y a lo perteneciente a ella. ‖ **2.** fig. y poét. **infernal,** perteneciente o relativo al infierno.

estigma. (Del lat. *stigma,* y este del gr. στίγμα, picadura.) m. Marca o señal en el cuerpo. ‖ **2.** Huella impresa sobrenaturalmente en el cuerpo de algunos santos extáticos, como símbolo de la participación de sus almas en la pasión de Cristo. ‖ **3.** Marca impuesta con hierro candente, bien como pena infamante, bien como signo de esclavitud. ‖ **4.** fig. Desdoro, afrenta, mala fama. ‖ **5.** *Bot.* Cuerpo glanduloso, colocado en la parte superior del pistilo y que recibe el polen en el acto de la fecundación de las plantas. ‖ **6.** *Pat.* Lesión orgánica o trastorno funcional que indica enfermedad constitucional y hereditaria. ‖ **7.** *Zool.* Cada uno de los pequeños orificios que tiene el tegumento de los insectos, arácnidos y miriópodos, por los que penetra el aire en su aparato respiratorio, que es traqueal.

estigmatizador, ra. adj. Que estigmatiza. Ú. t. c. s.

estigmatizar. (Del gr. στιγματίζω.) tr. Marcar a uno con hierro candente. ‖ **2.** Imprimir milagrosamente a una persona las llagas de Cristo. ‖ **3.** fig. Afrentar, infamar.

estil. (De or. inc.) adj. ant. Estéril, seco. Ú. c. vulgar en Salamanca.

estilar[1]. (De *estilo.*) intr. Usar, acostumbrar, practicar. Ú. t. c. tr. ‖ **2.** tr. p. us. Extender una escritura, despacho, etc., conforme al estilo y formulario que corresponde.

estilar[2]. (Del lat. *stillāre.*) tr. ant. Destilar, hacer caer gota a gota. Ú. t. c. intr. Se usa en Andalucía, Salamanca y América

estilete. (d. de *estilo.*) m. **estilo** pequeño, punzón para escribir. ‖ **2. estilo,** gnomon del reloj de sol. ‖ **3.** Púa o punzón. ‖ **4.** Puñal de hoja muy estrecha y aguda. ‖ **5.** *Cir.* Tienta metálica, delgada y flexible, generalmente de plata, terminada en una bolita, que sirve para reconocer ciertas heridas.

estilicidio. (Del lat. *stillicidĭum.*) m. Acto de caer gota a gota un líquido. ‖ **2.** Destilación que así se produce.

estilista. com. Escritor que se distingue por lo esmerado y elegante de su estilo.

estilística. f. Estudio del estilo o de la expresión lingüística en general.

estilístico, ca. adj. Perteneciente o relativo al estilo del que habla o escribe.

estilita. (Del gr. στυλίτης.) adj. Dícese del anacoreta que por mayor austeridad vivía sobre una columna. Ú. t. c. s.

estilización. f. Acción y efecto de estilizar.

estilizar. (De *estilo* e *-izar.*) tr. Interpretar convencionalmente la forma de un objeto, haciendo más delicados y finos sus rasgos. ‖ **2.** Someter a una reelaboración refinada una obra popular anterior. ‖ **3.** fig. y fam. Adelgazar la silueta corporal, en todo o en parte. Ú. t. c. prnl.

estilo. (Del lat. *stilus,* y este del gr. στῦλος.) m. Punzón con el cual escribían los antiguos en tablas enceradas. ‖ **2. gnomon** del reloj de sol. ‖ **3.** Modo, manera, forma. ‖ **4.** Uso, práctica, costumbre, moda. ‖ **5.** Manera de escribir o de hablar. ‖ **6.** Manera de escribir o de hablar peculiar de un escritor o de un orador; carácter especial que, en cuanto al modo de expresar los conceptos, da un autor a sus obras. *El* ESTILO *de Cervantes, de fray Luis de Granada, de Moratín.* ‖ **7.** Carácter propio que da a sus obras el artista. *El* ESTILO *de Miguel Ángel, de Murillo, de Rossini.* ‖ **8.** *Argent.* y *Urug.* Música típica que se toca con guitarra. ‖ **9.** *Argent.* y *Urug.* Baile y canción populares que se acompañan con esta música. ‖ **10.** *Bot.* Columnita hueca o esponjosa, existente en la mayoría de las flores, que arranca del ovario y sostiene el estigma. ‖ **11.** *Der.* Fórmula de proceder jurídicamente, y orden y método de actuar. ‖ **12.** *Mar.* Púa sobre la cual está montada la aguja magnética. ‖ **antiguo.** *Cronol.* El que se usaba en la computación de los años hasta la corrección gregoriana. ‖ **nuevo.** *Cronol.* Modo de computar los años según la corrección gregoriana. ‖ **recitativo.** *Mús.* El que consiste en cantar recitando. ‖ **por el estilo.** loc. De semejante manera, en forma parecida.

estilóbato. (Del lat. *stylobăta,* y este del gr. στυλοβάτης.) m. *Arq.* Macizo corrido sobre el cual se apoya una columnata.

estilográfico, ca. (Del lat. *stilus,* gr. στῦλος, punzón, y *graphĭcus,* gr. γραφικός, relativo a la escritura.) adj. V. **pluma estilográfica.** Ú. t. c. s. ‖ **2.** Dícese de lo escrito con tal pluma.

estilógrafo. m. *Col.* y *Nicar.* Pluma estilográfica con su portaplumas.

estima. (De *estimar.*) f. Consideración y aprecio que se hace de una persona o cosa por su calidad y circunstancias. ‖ **2.** *Mar.* Concepto aproximado que se forma de la situación del buque por los rumbos y las distancias corridas en cada uno de ellos. ‖ **3.** *Mar.* V. **punto de estima.**

estimabilidad. f. Cualidad de estimable.

estimabilísimo, ma. adj. sup. de **estimable.**

estimable. (Del lat. *aestimabĭlis.*) adj. Que admite estimación o aprecio. ‖ **2.** Digno de aprecio y estima.

estimación. (Del lat. *aestimatĭo, -ōnis.*) f. Aprecio y valor que se da y en que se tasa y considera una cosa. ‖ **2.** Aprecio, consideración, afecto. *Ha merecido la* ESTIMACIÓN *del público; es objeto de mi* ESTIMACIÓN. ‖ **3.** ant. Instinto de los animales. ‖ **propia. amor propio.**

estimado, da. p. p. de **estimar.** ‖ **2.** adj. *Der.* V. **dote estimada.**

estimador, ra. (Del lat. *aestimātor, -ōris.*) adj. Que estima. Ú. t. c. s. m.

estimar. (Del lat. *aestimāre.*) tr. Apreciar, poner precio, evaluar las cosas. ‖ **2.** Juzgar, creer. ‖ **3.** Hacer aprecio y estimación de una persona o cosa. Ú. t. c. prnl.

estimativa. (De *estimar.*) f. Facultad del alma racional para juzgar el aprecio que merecen las cosas. ‖ **2. instinto** de los animales. ‖ **3.** *Fil.* Teoría de los valores.

estimativo, va. adj. Referente a la estimación o valoración.

estimatorio, ria. adj. Relativo a la estimación. ‖ **2.** *Der.* Que pone o fija el precio de una cosa.

estimulación. (Del lat. *stimulatĭo, -ōnis.*) f. ant. Acción y efecto de estimular.

estimulador, ra. adj. Que estimula.

estimulante. p. a. de **estimular.** Que estimula. Ú. t. c. s. ‖ **2.** adj. Dícese de lo que aviva el tono vital. Ú. m. c. s.

estimular. (Del lat. *stimulāre.*) tr. Aguijonear, picar, punzar. ‖ **2.** fig. Incitar, excitar con viveza a la ejecución de una cosa, o avivar una actividad, operación o función. Ú.

t. c. prnl. ‖ **3.** prnl. Administrarse una droga para aumentar la propia capacidad de acción.

estímulo. (Del lat. *stimŭlus.*) m. ant. Vara con punta de hierro de los boyeros. ‖ **2.** Agente físico, químico, mecánico, etc., que desencadena una reacción funcional en un organismo. ‖ **3.** fig. Incitamiento para obrar o funcionar.

estimuloso, sa. (Del lat. *stimulōsus.*) adj. ant. Dícese de lo que estimula.

estinco. (Del lat. *stincus,* de *scincus,* y este del gr. σκίγκος.) m. **eslizón.**

estío. (Del lat. *aestīvum* [*tempus*].) m. Estación del año que astronómicamente principia en el solsticio de verano y termina en el equinoccio de otoño.

estiomenar. (De *estiómeno.*) tr. *Med.* Corroer una parte carnosa del cuerpo los humores que afluyen a ella.

estiómeno. (Del gr. ἐσθιόμενος, comido.) m. *Med.* Úlcera de la vulva, con esclerosis e hipertrofia de diversa naturaleza.

estipe. (Del lat. *stipes.*) m. ant. *Arq.* Pilastra en forma de pirámide truncada, con la base menor hacia abajo.

estipendial. adj. Perteneciente o relativo al estipendio.

estipendiar. (Del lat. *stipendiāri.*) tr. Dar estipendio.

estipendiario. (Del lat. *stipendiarĭus.*) m. El que cobra o recibe estipendio. ‖ **2.** ant. Tributario, pechero.

estipendio. (Del lat. *stipendĭum.*) m. Paga o remuneración que se da a una persona por algún servicio. ‖ **2.** Tasa pecuniaria fijada por la autoridad eclesiástica, que dan los fieles al sacerdote, para que aplique la misa por una determinada intención.

estípite. (Del lat. *stipes, -ĭtis,* estaca, tronco.) m. *Arq.* Pilastra en forma de pirámide truncada, con la base menor hacia abajo. ‖ **2.** *Bot.* Tallo largo y no ramificado de las plantas arbóreas. Se usa principalmente hablando del tallo de las palmeras.

estipticar. (De *estíptico.*) tr. *Med.* **astringir,** apretar alguna sustancia los tejidos orgánicos.

estipticidad. f. *Med.* Cualidad de estíptico.

estíptico, ca. (Del lat. *styptĭcus,* y este del gr. στυπτικός astringente.) adj. Que tiene sabor metálico astringente. ‖ **2.** Que padece estreñimiento de vientre. ‖ **3.** fig. Estreñido, avaro, mezquino. ‖ **4.** *Med.* Que tiene virtud de estipticar.

estiptiquez. f. *Amér.* Estipticidad, estreñimiento.

estípula. (Del lat. *stipŭla,* brizna, paja.) f. *Bot.* Apéndice foliáceo colocado en los lados del pecíolo o en el ángulo que este forma con el tallo.

estipulación. (Del lat. *stipulatĭo, -ōnis.*) f. Convenio verbal. ‖ **2.** *Der.* Cada una de las disposiciones de un documento público o particular. ‖ **3.** *Der.* Promesa que se hacía y aceptaba verbalmente, según las solemnidades y fórmulas prevenidas por el derecho romano.

estipular. (Del lat. *stipulāri.*) tr. Convenir, concertar, acordar. ‖ **2.** *Der.* Hacer contrato verbal.

estique. (Del ing. *stick,* bastoncillo.) m. Palillo de escultor, de boca dentellada, para modelar barro.

estiquirín. m. *Hond.* Búho, ave nocturna.

estira. (De *estirar.*) f. Instrumento de cobre, en forma de cuchilla, con que los zurradores quitan la flor, aguas y manchas al cordobán de colores, rayéndolo.

estiracáceo, a. (Del lat. *styrax,* estoraque, del gr. στύραξ, y *-áceo.*) adj. *Bot.* Dícese de árboles y arbustos angiospermos dicotiledóneos, que tienen hojas alternas, simples y sin estípulas, flores solitarias o en racimo, axilares y con brácteas, y frutos por lo común abayados, con semillas de albumen carnoso; como el estoraque y el aceitunillo. Ú. t. c. s. f. ‖ **2.** f. pl. *Bot.* Familia de estas plantas.

estiradamente. adv. m. fig. Escasamente, apenas. *Mariano* ESTIRADAMENTE *tiene para comer.* ‖ **2.** fig. Con fuerza, con violencia y forzadamente.

estirado, da. p. p. de **estirar.** ‖ **2.** adj. fig. Que afecta gravedad o esmero en su traje. ‖ **3.** fig. Entonado y orgulloso en su trato con los demás. ‖ **4.** fig. Excesivamente económico. ‖ **5.** m. Acción y efecto de estirar.

estirajar. tr. fam. Estirar una cosa deformándola.

estirajón. m. fam. **estirón.**

estiramiento. m. Acción y efecto de estirar o estirarse. ‖ **2.** fig. Orgullo, ensoberbecimiento.

estirar. (De *es-* y *tirar.*) tr. Alargar, dilatar una cosa, extendiéndola con fuerza para que dé de sí. Ú. t. c. prnl. ‖ **2.** Planchar ligeramente para quitar las arrugas. ‖ **3.** Alisar, poner lisa una cosa. ‖ **4.** fig. Hablando del dinero, gastarlo con parsimonia para atender con él al mayor número posible de necesidades. ‖ **5.** fig. Alargar, ensanchar el dictamen, la opinión, la jurisdicción más de lo que se debe. ‖ **6.** intr. Crecer una persona. Ú. t. c. prnl. ‖ **7.** prnl. Desplegar o mover brazos o piernas para desentumecerlos.

estirazar. tr. fam. **estirar.**

estirazo. m. *Ar.* Especie de narria que se usa en el Pirineo aragonés para arrastrar pesos. Está formada por un tronco horquillado con un asa de hierro en el punto de convergencia de los brazos y una barra de madera que une los extremos de los mismos.

estireno. m. *Quím.* Líquido oleoso de olor penetrante, insoluble en agua y soluble en alcohol y éter; se usa en la industria para la fabricación de polímeros plásticos y resinas sintéticas, como el poliéster.

estirón. m. Acción con que uno estira o arranca con fuerza una cosa. ‖ **2.** Crecimiento en altura de una persona. ‖ **dar uno un estirón.** fr. fig. y fam. Crecer mucho en poco tiempo.

estirpe. (Del lat. *stirps, stirpis.*) f. Raíz y tronco de una familia o linaje. ‖ **2.** *Der.* En una sucesión hereditaria, conjunto formado por la descendencia de un sujeto a quien ella representa y cuyo lugar toma. ‖ **3.** *Microbiol.* **cepa,** grupo de organismos emparentados.

estirpia. (De or. inc.) f. *Cantabria.* Zarzo o tabla que se pone en los costados del carro.

estítico, ca. adj. Estíptico, astringente.

estitiquez. f. *Amér.* Estiptiquez, estreñimiento.

estivación. f. Adaptación orgánica al calor y sequedad propios del verano.

estivada. f. Monte o terreno inculto cuya broza se cava y quema para ponerlo en cultivo.

estival[1]. (Del it. *stivale,* bota.) m. desus. Botín o borceguí de mujer.

estival[2]. (Del lat. *aestivālis.*) adj. Perteneciente al estío. *Solsticio* ESTIVAL.

estivo, va. (Del lat. *aestīvus.*) adj. **estival[2].**

estocada. f. Golpe que se tira de punta con la espada o estoque. ‖ **2.** Herida que resulta de él. ‖ **de puño.** *Esgr.* La que se da cuando es muy corto el medio de proporción, sin mover el cuerpo, con solo recoger y extender el brazo. ‖ **estocada por cornada.** expr. fig. y fam. con que se denota el daño que uno recibe en el mismo acto de hacérselo a otro.

estocador. (De *estocar.*) m. ant. **estoqueador.**

estocafís. (Del ing. *stock fish,* bacalao seco sin sal.) m. **pejepalo.**

estocar. (De *estoque.*) tr. ant. Herir con el estoque.

estocástico, ca. (Del gr. στοχαστικός, hábil en conjeturar.) adj. Perteneciente o relativo al azar.

estofa. (Del fr. ant. *stofe,* materiales de cualquier clase.) f. Tela o tejido de labores, por lo común de seda. ‖ **2.** fig. Calidad, clase. *De mi* ESTOFA; *de baja* ESTOFA.

estofado[1], da. p. p. de **estofar[2].** ‖ **2.** m. Guiso que consiste en un alimento condimentado con aceite, vino o vinagre, ajo, cebolla y varias especias, o puesto todo en crudo en una vasija bien tapada para que cueza a fuego lento sin que pierda vapor ni aroma.

estofado[2]**, da.** p. p. de **estofar**[1]. ‖ **2.** adj. Dícese de lo que está aliñado, engalanado, o bien dispuesto. ‖ **3.** m. Acción de estofar[1]. ‖ **4.** Adorno que resulta de estofar un dorado.

estofador, ra. m. y f. Persona que tiene por oficio estofar[1].

estofar[1]**.** (De *estofa.*) tr. Labrar a manera de bordado, rellenando con algodón o estopa el hueco o medio entre dos telas, formando encima algunas labores y pespunteándolas y perfilándolas para que sobresalgan y hagan relieve. ‖ **2.** Entre doradores, raer con la punta del grafio el color dado sobre el dorado de la madera, formando rayas o líneas para que se descubra el oro y haga visos entre los colores con que se pintó. ‖ **3.** Pintar sobre el oro bruñido relieves al temple, y también colorir sobre el dorado hojas de talla. ‖ **4.** Dar de blanco a las esculturas en madera para dorarlas y bruñirlas después.

estofar[2]**.** (Variante del ant. *stufar,* calentar como en estufa.) tr. Hacer el guiso llamado estofado[1].

estofo. m. Acción y efecto de estofar[1].

estoicamente. adv. m. Con estoicismo.

estoicismo. m. Escuela fundada por Zenón y que se reunía en un pórtico de Atenas. ‖ **2.** Doctrina o secta de los estoicos. ‖ **3.** fig. Fortaleza o dominio sobre la propia sensibilidad.

estoico, ca. (Del lat. *stoĭcus,* y este del gr. στωϊκός.) adj. Perteneciente al estoicismo. ‖ **2.** Dícese del filósofo que sigue la doctrina del estoicismo. Ú. t. c. s. ‖ **3.** fig. Fuerte, ecuánime ante la desgracia.

estol. (Del lat. *stolus,* y este del gr. στόλος.) m. ant. Acompañamiento o comitiva.

estola. (Del lat. *stola,* y este del gr. στολή, vestido.) f. Vestidura amplia y larga que los griegos y romanos llevaban sobre la camisa; y se diferenciaba de la túnica por ir adornada con una franja que ceñía la cintura y caía por detrás hasta el suelo. ‖ **2.** Ornamento sagrado que consiste en una banda de tela de dos metros aproximadamente de largo y unos siete centímetros de ancho, con tres cruces, una en el medio y otra en cada extremo, los cuales se ensanchan gradualmente hasta medir en los bordes doce centímetros. ‖ **3.** Banda larga de piel que usan las mujeres para abrigarse el cuello. ‖ **4.** V. **derecho de estola.**

estolidez. (De *estólido.*) f. Falta total de razón y discurso.

estólido, da. (Del lat. *stolĭdus.*) adj. Falto de razón y discurso. Ú. t. c. s.

estolón[1]**.** m. aum. de **estola.** ‖ **2.** Estola muy grande que usa el diácono en las misas de los días feriados de cuaresma, y la viste solo cuando se quita la dalmática y se queda con el alba.

estolón[2]**.** (Del lat. *stolo, -ōnis.*) m. *Bot.* Vástago rastrero que nace de la base del tallo y echa a trechos raíces que producen nuevas plantas, como en la fresa. ‖ **2.** *Zool.* Órgano de algunos invertebrados coloniales que une entre sí a los individuos de la colonia.

estoma. (Del gr. στόμα, boca.) m. *Bot.* Cada una de las aberturas microscópicas que hay en la epidermis para facilitar los cambios de gases entre la planta y el exterior y cuyo borde está limitado por dos células especiales.

estomacal. (Del lat. *stomăchus,* estómago, y *-al.*) adj. Perteneciente al estómago. ‖ **2.** Que tonifica el estómago y facilita la función gástrica. Ú. t. c. s. m.

estomagar. (Del lat. *stomachāri.*) tr. Causar indigestión, empachar, ahitar. ‖ **2.** fig. y fam. Causar fastidio o enfado. *Su presunción me* ESTOMAGA.

estómago. (Del lat. *stomăchus,* y este del gr. στόμαχος, orificio del estómago.) m. *Anat.* Porción ensanchada del tubo digestivo, situada entre el esófago y el intestino, y en cuyas paredes están las glándulas que segregan el jugo y las enzimas gástricas. ‖ **2.** V. **boca del estómago.** ‖ **3.** V. **empacho de estómago.** ‖ **4.** fig. V. **sello del estómago.** ‖ **aventurero.** fig. y fam. Persona que come ordinariamente en mesa ajena. ‖ **abrazar el estómago** una cosa. fr. Recibirla y conservarla bien. ‖ **asentarse en el estómago** una cosa. fr. No digerirse bien. ‖ **de estómago.** loc. fig. y fam. Dícese de la persona constante y de espera. ‖ **2.** fig. Dícese de la persona poco delicada. ‖ **desconcertarse el estómago.** fr. Perturbarse la digestión. ‖ **echarse** uno algo **al estómago.** loc. fam. Comer o beber alguna cosa copiosamente. ‖ **escarbar el estómago.** fr. Producir el ardor cierta desazón o inquietud en el **estómago.** ‖ **hacer buen,** o **mal, estómago** una cosa. fr. fig. Causar gusto o desagrado. ‖ **hacer** uno **estómago** a una cosa. fr. fig. Resolverse a sufrir lo que pueda sobrevenir. ‖ **ladrar el estómago** a uno. fr. fig. y fam. Tener hambre. ‖ **llevar el estómago** una cosa. fr. Sentar bien un alimento al **estómago.** ‖ **no retener** uno **nada en el estómago.** fr. fig. y fam. Ser propenso a revelar y decir lo que se le ha confiado. ‖ **quedar** a uno **algo en el estómago.** fr. fig. y fam. No decir todo lo que sabe o siente sobre una materia. ‖ **relajarse el estómago.** fr. Estragarse o perder sus fuerzas. ‖ **revolver el estómago.** fr. Removerlo, alterarlo, conmoverlo. ‖ **2.** fig. Causar una cosa aversión, repugnancia o antipatía por innoble, inmoral, etc. ‖ **tener** uno **buen,** o **mucho, estómago.** fr. fig. y fam. Sufrir los desaires e injurias que se le hacen sin darse por sentido. ‖ **2.** fr. fig. Ser poco escrupuloso en punto a moralidad. ‖ **tener** a uno **sentado en el estómago.** fr. fig. y fam. **tener** a uno **sentado en la boca del estómago.**

estomaguero. m. Pedazo de bayeta que se pone a los niños sobre el vientre o sobre la boca del estómago para abrigo y reparo, cuando se les envuelve y faja.

estomatical. (De *estomático*[1].) adj. desus. **estomacal.**

estomático[1]**, ca.** (Del lat. vulg. *stomaticus,* del estómago.) adj. ant. Perteneciente al estómago.

estomático[2]**, ca.** (Del gr. στόμα, -ατος, boca, e *-ico.*) adj. Perteneciente a la boca del hombre.

estomaticón. (De *estomático*[1].) m. Emplasto compuesto de varios ingredientes aromáticos, que se pone sobre la boca del estómago para confortarlo.

estomatitis. (Del gr. στόμα, -ατος, boca, e *-itis.*) f. *Pat.* Inflamación de la mucosa bucal.

estomatología. (Del gr. στόμα, -ατος, boca, y *-logía.*) f. *Med.* Parte de la medicina que trata de las enfermedades de la boca del hombre.

estomatológico, ca. adj. Perteneciente o relativo a la estomatología.

estomatólogo, ga. m. y f. Especialista en estomatología.

estomatópodo. (Del gr. στόμα, -ατος, boca, y πούς, ποδός, pie.) adj. *Zool.* Dícese de crustáceos marinos, como la galera, zoófagos, cuyo caparazón, que es aplanado, deja sin cubrir los tres últimos segmentos torácicos, a los cuales sigue el abdomen, ancho y bien desarrollado. Las extremidades del segundo par están dispuestas para la prensión y se asemejan a las patas anteriores de las santateresas. Abundan en el Mediterráneo y son menos frecuentes en los mares del Norte. Ú. t. c. s. m. ‖ **2.** m. pl. *Zool.* Orden de estos animales.

estonce. (De la prep. lat. *ex* y el adv. *tuncce.*) adv. t. ant. **entonces,** en aquel tiempo u ocasión.

estonces. (De *estonce.*) adv. t. ant. **entonces,** en aquel tiempo u ocasión.

estoniano, na. adj. **estonio.**

estonio, nia. adj. Natural de Estonia. Ú. t. c. s. ‖ **2.** Perteneciente o relativo a este país báltico, que se extiende al sur del golfo de Finlandia. ‖ **3.** m. Lengua finesa hablada por este pueblo.

estopa. (Del lat. *stuppa.*) f. Parte basta o gruesa del lino o del cáñamo, que queda en el rastrillo cuando se peina y rastrilla. ‖ **2.** Por ext., parte basta que queda de la seda. ‖ **3.** Tela gruesa que se teje y fabrica con la hilaza de la **estopa.** ‖ **4.** Rebaba, pelo o filamento que aparece en algunas maderas al trabajarlas. ‖ **5.** *Mar.* Jarcia vieja, deshilada y deshecha, que sirve para calafatear.

estopada. f. Porción de estopa para hilar o para otros usos, como emplastos, etc.

estopeño, ña. adj. Perteneciente a la estopa. ‖ **2.** Hecho o fabricado de estopa.

estoperol. (Del cat. *estoperol.*) m. *Mar.* Clavo corto, de cabeza grande y redonda, que sirve para clavar capas y otras cosas. ‖ **2.** *Amér.* Tachón², tachuela grande dorada o plateada. ‖ **3.** *Mar.* Especie de mecha formada con filástica vieja y otras materias semejantes.

estopilla. (d. de *estopa.*) f. Parte más fina que la estopa, que queda en el rastrillo al pasarlo la segunda vez por el lino o el cáñamo. ‖ **2.** Hilado que se hace con **estopilla.** ‖ **3.** Tela que se fabrica con ese hilado. ‖ **4.** Lienzo o tela muy sutil y delgada, como el cambray, pero muy rala y clara, semejante en lo transparente a la gasa. ‖ **5.** Tela ordinaria de algodón. ‖ **de Suiza.** Cambray ordinario.

estopín. (De *estopa.*) m. *Art.* Artificio destinado a inflamar la carga de las armas de fuego.

estopón. m. Lo más grueso y áspero de la estopa, que, hilándose, sirve para arpilleras y otros usos. ‖ **2.** Tejido que se fabrica de este hilado.

estopor. (Del fr. *stoppeur,* que detiene.) m. *Mar.* Aparato de hierro que sirve para morder y detener a voluntad la cadena del ancla, que va corriendo por el escobén.

estoposo, sa. adj. Perteneciente a la estopa del lino o del cáñamo. ‖ **2.** fig. Parecido a la estopa del lino o del cáñamo.

estoque. (Del fr. ant. *estoc,* punta de espada.) m. Espada angosta, que por lo regular suele ser de más de marca, y con la cual solo se puede herir de punta. ‖ **2.** Arma blanca a modo de espada angosta, o formada por una varilla de acero de sección cuadrangular y aguzada por la punta, que suele llevarse metida en un bastón y con la cual solo se puede herir de punta. ‖ **3.** Planta de la familia de las iridáceas, de cuatro a seis decímetros de altura, con hojas radicales, enterísimas, en forma de **estoque,** y flores en espiga terminal, rojas, de corola partida por el borde en seis lacinias desiguales. Es espontánea en terrenos húmedos y se cultiva en los jardines. ‖ **4.** *Ál.* Rejón que se fija en la punta de la aguijada. ‖ **real.** Una de las insignias de los reyes, que en algunas solemnidades se llevaba desnuda delante del monarca, significando potestad y justicia.

estoqueador. m. El que estoquea. Se usa principalmente hablando de los toreros que matan los toros con estoque.

estoquear. tr. Herir de punta con espada o estoque.

estoqueo. m. Acto de tirar estocadas.

estoquillo. m. *Chile.* Planta de la familia de las ciperáceas, con el tallo en forma triangular y cortante, que crece en terrenos húmedos.

estor. (Del fr. *store,* cortina.) m. Cortina de una sola pieza, que se recoge verticalmente.

estora. f. **álabe,** estera que se pone a los lados de un carro.

estoraque. (Del lat. tardío *storax, -ăcis,* y este del gr. στύραξ, -ακος.) m. Árbol de la familia de las estiracáceas, de cuatro a seis metros de altura, con tronco torcido, hojas alternas, blandas, ovaladas, blanquecinas y vellosas por el envés, flores blancas en grupos axilares, y fruto algo carnoso, elipsoidal, con dos huesos o semillas. Con incisiones en el tronco se obtiene un bálsamo muy oloroso, usado en perfumería y medicina. ‖ **2.** Este bálsamo. ‖ **líquido.** Bálsamo americano, de consistencia pastosa, parecido al liquidámbar, y del cual suele extraerse el ácido cinámico.

estorbador, ra. adj. Que estorba.

estorbar. (Del lat. *exturbāre.*) tr. Poner dificultad u obstáculo a la ejecución de una cosa. ‖ **2.** fig. Molestar, incomodar. ‖ **estorbarle** a uno **lo negro.** fr. fig. y fam. No saber leer, o ser poco aficionado a la lectura.

estorbo. m. Persona o cosa que estorba.

estorboso, sa. adj. Que estorba. ‖ **2.** *Ar.* y *Rioja.* Dícese del tiempo malo, especialmente del lluvioso, cuando dificulta las labores del campo.

estorcer. (Del lat. *extorquēre.*) tr. ant. Libertar a uno de un peligro o aprieto. Usáb. t. c. intr.

estorcijón. (De *estorcer.*) m. ant. **retortijón.**

estorcimiento. (De *estorcer.*) m. ant. **evasión.**

estordecido, da. adj. ant. Aturdido, atontado.

estordido, da. adj. ant. Aturdido, fuera de sí.

estórdiga. f. *Sal.* Túrdiga, tira de piel que se saca de la pata de una res vacuna para hacer abarcas. ‖ **2.** *Sal.* Faja de tierra, larga y angosta.

estordir. (De etim. disc.) tr. Aturdir, atontar.

estornija. (De *es-* y un d. f. de *torno.*) f. Anillo de hierro que se pone en el pezón del eje de los carruajes, para que no se salga la rueda. ‖ **2. tala²,** juego de muchachos.

estornino. (d. del lat. *stŭrnus.*) m. Pájaro de cabeza pequeña, pico cónico, amarillo, cuerpo esbelto con plumaje negro de reflejos verdes y morados y pintas blancas, alas y cola largas, y pies rojizos. Mide unos veintidós centímetros desde el pico a la extremidad de la cola, y treinta y cinco de envergadura; es bastante común en España. Se domestica y aprende fácilmente a reproducir los sonidos que se le enseñan. Existe una especie que carece de motas, conocida como **estornino** negro. ‖ **2. caballa,** pez. ‖ **pinto. estornino,** pájaro.

estornudar. (Del lat. *sternutāre.*) intr. Despedir o arrojar con violencia el aire de los pulmones, por la espiración involuntaria y repentina promovida por un estímulo que actúa sobre la membrana pituitaria.

estornudo. m. Acción de estornudar.

estornutatorio, ria. adj. Que provoca el estornudo. Ú. t. c. s. m.

estotro, tra. pron. dem., p. us., contracc. de **este, esta,** o **esto,** y **otro** u **otra.** Ú. t. c. adj. ESTOTRO *niño,* ESTOTRA *mesa.*

estovaína. (De *Stove,* seudónimo de su inventor, del ing. *stove,* estufa.) f. *Med.* Anestésico local, menos tóxico que la cocaína, que se emplea principalmente en oftalmología y en la raquianestesia.

estovar. (De or. inc.) tr. **rehogar.**

estozar. (De *es-* y *toza.*) tr. *Ar.* Desnucar, romper la cerviz. Ú. m. c. prnl.

estozolar. (De *es-* y *tozuelo.*) tr. *Ar.* y *Nav.* **estozar.** Ú. m. c. prnl.

estrabismo. (Del gr. στραβισμός.) m. *Pat.* Disposición viciosa de los ojos por la cual los dos ejes visuales no se dirigen a la vez a un mismo objeto.

estrabón. (Del lat. *strabo, -ōnis,* y este del gr. στράβων, bizco.) adj. ant. Bizco, bisojo. Usáb. t. c. s.

estrabosidad. f. ant. *Med.* Bizquera, estrabismo.

estracilla. (d. de *estraza.*) f. Pedazo pequeño y tosco de algún género de ropa o tejido de lana o lino. ‖ **2.** Papel algo más fino y consistente que el de estraza.

estrada. (Del lat. *strata.*) f. Camino o vía que resulta de hollar la tierra y la que se construye para andar por ella. ‖ **2.** *Sal.* Tabla sostenida en el aire por medio de unas cuerdas, que sirve a modo de anaquel para poner en él alimentos y otras cosas. ‖ **3.** *Viz.* Camino entre dos tapias, cercas o setos. ‖ **encubierta.** *Fort.* **camino cubierto.** ‖ **batir la estrada.** fr. *Mil.* Reconocer, registrar la campaña.

estradiota. f. Lanza de unos tres metros de longitud, con hierro en ambos extremos, que usaban los estradiotes.

‖ **a la estradiota.** loc. adv. Manera de andar a caballo con estribos largos, tendidas las piernas, las sillas con borrenes, donde encajan los muslos, y los frenos de los caballos con las camas largas.

estradiote. (Del gr. στρατιώτης, soldado.) m. Soldado mercenario de a caballo, procedente de Albania.

estrado. (Del lat. *stratum.*) m. Conjunto de muebles que servía para adornar el lugar o pieza en que las señoras recibían las visitas, y se componía de alfombra o tapete, almohadas y taburetes o sillas. ‖ **2.** Lugar o sala de ceremonia donde se sentaban las mujeres y recibían las visitas. ‖ **3.** Tarima cubierta con alfombra, sobre la cual se pone el trono real o la mesa presidencial en actos solemnes. ‖ **4.** Sitio de honor, algo elevado, en un salón de actos. ‖ **5.** Entre panaderos, entablado o sitio que está junto al horno, en que se ponen los panes amasados, mientras no están en sazón para echarlos a cocer. ‖ **6.** *Der.* Lugar del edificio en que se administra la justicia, donde en ocasiones se fijan, para conocimiento público, los edictos de notificación, citación o emplazamiento a interesados que no tienen representación en los autos. ‖ **7.** pl. Salas de tribunales, donde los jueces oyen y sentencian los pleitos. ‖ **8.** V. **portero de estrados.** ‖ **citar** a uno **para estrados.** fr. *Der.* Emplazarlo, comúnmente por estar constituido en rebeldía, mediante edictos, para que comparezca ante el tribunal dentro del término que se le señala y alegue su derecho. ‖ **hacer estrados.** fr. *Der.* Dar audiencia los jueces en los tribunales, oír a los litigantes.

estrafalariamente. adv. m. fam. De manera estrafalaria.

estrafalario, ria. (Del it. dialect. *strafalario,* persona desaliñada.) adj. fam. Desaliñado en el vestido o en el porte. Ú. t. c. s. ‖ **2.** fig. y fam. Extravagante en el modo de pensar o en las acciones. Ú. t. c. s.

estragadamente. adv. m. Con desorden y desarreglo.

estragador, ra. adj. Que estraga.

estragal. m. *Cantabria.* Portal, vestíbulo de una casa.

estragamiento. m. ant. **estrago.** ‖ **2.** Desarreglo y corrupción.

estragar. (Del lat. vulg. **stragāre,* asolar, devastar.) tr. Viciar, corromper. Ú. t. c. prnl. ‖ **2.** Causar estrago.

estrago. (De *estragar.*) m. Daño hecho en guerra, como matanza de gente, destrucción de la campaña, del país o del ejército. ‖ **2.** Ruina, daño, asolamiento.

estragón. (Del fr. *estragon.*) m. Hierba de la familia de las compuestas, con tallos delgados y ramosos de seis a ocho decímetros, hojas enteras, lanceoladas, muy estrechas y lampiñas, y flores en cabezuelas pequeñas, amarillentas, en el extremo superior de los ramos. Se usa como condimento.

estral. adj. *Zool.* Perteneciente o relativo al **estro,** celo de los animales. *Ciclo* ESTRAL.

estrambote. (Del it. *strambotto.*) m. Conjunto de versos que por gracejo o bizarría suele añadirse al fin de una combinación métrica, especialmente del soneto.

estrambóticamente. adv. m. fam. De manera estrambótica.

estrambótico, ca. adj. fam. Extravagante, irregular y sin orden.

estramonio. (Del lat. mod. *stramonĭum.*) m. Planta herbácea de la familia de las solanáceas, con tallos ramosos de cuatro a seis decímetros, hojas grandes, anchas y dentadas; flores grandes, blancas y de un solo pétalo a manera de embudo, y fruto como una nuez, espinoso, y llenas sus celdillas de simientes del tamaño de un cañamón. Toda la planta exhala un olor fuerte, y sus hojas secas se usaban como medicamento contra las afecciones asmáticas, fumándolas mezcladas con tabaco, y las hojas y las semillas, como narcótico y antiespasmódico.

estrangol. (De *estrangular.*) m. *Veter.* Compresión que impide en la lengua de una caballería la libre circulación de los fluidos, causada por el bocado o el ramal que se le mete en la boca.

estranguadera. f. *León.* Cajón que llevan los carros en el arranque de la vara.

estrangul. m. Pipa de caña o metal que se pone en algunos instrumentos de viento para meterla en la boca y tocar.

estrangulación. (Del lat. *strangulatio, -ōnis.*) f. Acción y efecto de estrangular o estrangularse.

estrangulador, ra. (Del lat. *strangulātor, -ōris.*) adj. Que estrangula. Ú. t. c. s. ‖ **2.** m. *Mec.* Dispositivo que abre o cierra el paso del aire a un carburador.

estrangulamiento. m. Acción y efecto de estrangular. ‖ **2.** Estrechamiento natural o artificial de un conducto o lugar de paso.

estrangular. (Del lat. *strangulāre.*) tr. Ahogar a una persona o a un animal oprimiéndole el cuello hasta impedir la respiración. Ú. t. c. prnl. ‖ **2.** fig. Dificultar o impedir el paso por una vía o conducto. ‖ **3.** fig. Impedir con fuerza la realización de un proyecto, la consumación de un intento, etc. ‖ **4.** *Cir.* Interceptar la comunicación de los vasos de una parte del cuerpo por medio de presión o ligadura. Ú. t. c. prnl.

estranguria. (Del lat. *stranguria,* y este del gr. στραγγουρία.) f. *Pat.* Micción dolorosa, gota a gota, con tenesmo de la vejiga.

estrangurria. f. ant. *Pat.* **estranguria.**

estrapada. (Del it. *strappata,* tirón.) f. ant. Vuelta en el tormento de mancuerda.

estrapajar. tr. ant. Envolver en trapos.

estrapalucio. m. fam. Rotura estrepitosa, destrozo de cosas frágiles.

estraperlear. intr. Negociar con productos de estraperlo.

estraperlista. com. Persona que practica el estraperlo o comercio ilegal.

estraperlo. (De *straperlo,* nombre dado a cierto juego fraudulento de azar, que se intentó implantar en España en 1935.) m. fam. Comercio ilegal de artículos intervenidos por el Estado o sujetos a tasa. ‖ **2.** fam. Artículos que son objeto de dicho comercio. ‖ **3.** fam. Chanchullo, intriga. ‖ **de estraperlo.** loc. adj. Comprado o vendido en el comercio ilegal así llamado. ‖ **2.** loc. adv. Referido al comercio, ilegalmente, de manera clandestina.

estrapontín. m. Traspontín, asiento supletorio en los vehículos.

estratagema. (Del lat. *strategēma,* y este del gr. στρατήγημα.) f. Ardid de guerra. ‖ **2.** fig. Astucia, fingimiento y engaño artificioso.

estratega. (Del gr. στρατηγός, a través del fr. *stratège.*) com. Persona versada en estrategia.

estrategia. (Del lat. *strategĭa,* y este del gr. στρατηγία.) f. Arte de dirigir las operaciones militares. ‖ **2.** fig. Arte, traza para dirigir un asunto. ‖ **3.** *Mat.* En un proceso regulable, el conjunto de las reglas que aseguran una decisión óptima en cada momento.

estratégicamente. adv. m. Con estrategia.

estratégico, ca. (Del lat. *strategĭcus,* y este del gr. στρατηγικός.) adj. Perteneciente o relativo a la estrategia. ‖ **2.** Que posee el arte de la estrategia. Ú. t. c. s. ‖ **3.** fig. Dicho de un lugar, posición, actitud, etc., de importancia decisiva para el desarrollo de algo.

estratego. (Del lat. *stratēgus,* y este del gr. στρατηγός.) m. El que es versado en estrategia.

estratificación. (De *estratificar.*) f. Acción y efecto de estratificar o estratificarse. ‖ **2.** *Geol.* Disposición de las capas o estratos de un terreno.

estratificar. (Del lat. *strātus*, extendido, y *-ficar*.) tr. Disponer en estratos. Ú. m. c. prnl.

estratigrafía. (Del lat. *strātus*, lecho, y *-grafía*.) f. *Geol.* Parte de la geología, que estudia la disposición y caracteres de las rocas sedimentarias estratificadas. ‖ **2.** Estudio de los estratos arqueológicos, históricos, lingüísticos, sociales, etc. ‖ **3.** Disposición seriada de las rocas sedimentarias de un terreno o formación.

estratigráfico, ca. adj. *Geol.* Perteneciente o relativo a la estratigrafía.

estrato. (Del lat. *stratus*.) m. Nube que se presenta en forma de faja en el horizonte. ‖ **2.** *Geol.* Masa mineral en forma de capa de espesor más o menos uniforme, que constituye los terrenos sedimentarios. ‖ **3.** Cada una de las capas superpuestas en yacimientos de fósiles, restos arqueológicos, etc. ‖ **4.** Cada una de las capas de un tejido orgánico que se sobreponen a otras o se extienden por debajo de ellas. ‖ **5.** Cada conjunto de elementos que, con determinados caracteres comunes, se ha integrado con otros conjuntos previos o posteriores para la formación de una entidad o producto históricos, de una lengua, etc. ‖ **6.** Capa o nivel de una sociedad. ‖ **cristalino.** *Geol.* Terreno que constituye la base de los sedimentarios y que está formado por rocas pizarreñas de elementos cristalinos.

estratosfera. (Del lat. *strātus*, extendido, y *sphaera*.) f. *Meteor.* Zona superior de la atmósfera, desde los 12 a los 100 kilómetros de altura.

estratosférico, ca. adj. Perteneciente o relativo a la estratosfera.

estrave. (Del fr. *étrave*.) m. *Mar.* Remate de la quilla del navío, que va en línea curva hacia la proa.

estraza. (De *estrazar*.) f. Trapo, pedazo o desecho de ropa basta. ‖ **2.** V. **papel de estraza.**

estrazar. (De *es-* y el lat. vulg. *tractiāre*, despedazar.) tr. ant. Despedazar, romper, hacer pedazos.

estrazo. (De *estrazar*.) m. ant. Andrajo, pedazo arrancado de un vestido, ropa u otra cosa.

estrechadura. (De *estrechar*.) f. ant. **estrechamiento.**

estrechamente. adv. m. Con estrechez. ‖ **2.** fig. Exacta y puntualmente. ‖ **3.** fig. Rigurosamente, con toda eficacia. ‖ **4.** Con cercano parentesco, con íntima relación.

estrechamiento. m. Acción y efecto de estrechar o estrecharse.

estrechar. (De *estrecho*.) tr. Reducir a menor anchura o espacio una cosa. ‖ **2.** ant. Contener o detener a uno; impedirle o estorbarle para que no prosiga ni pase adelante en su intento. ‖ **3.** fig. Apretar, reducir a estrechez. ESTRECHAR *la plaza;* ESTRECHAR *al enemigo.* ‖ **4.** fig. Hacer más íntima la amistad, intensificar la unión o el cariño entre personas. ‖ **5.** Apretar a alguien o algo con los brazos o con la mano en señal de afecto o cariño. ‖ **6.** fig. Constreñir a uno mediante preguntas o argumentos a que haga o diga alguna cosa; acorralarle, acosarle. ‖ **7.** prnl. Ceñirse, recogerse, apretarse. ‖ **8.** fig. Reducir uno el gasto, las necesidades. ‖ **estrecharse** uno **con** otro. fr. fig. Hablarle con amistad y empeño, y persuadirlo a que haga lo que le pide.

estrechez. (De *estrecho*.) f. Escasez de anchura de alguna cosa. ‖ **2.** Escasez o limitación apremiante de tiempo. ‖ **3.** Efecto de estrechar o estrecharse. ‖ **4.** Unión o enlace estrecho de una cosa con otra. ‖ **5.** fig. Amistad íntima entre dos o más personas. ‖ **6.** fig. Aprieto, lance apretado. *Pedro se halla en gran* ESTRECHEZ. ‖ **7.** fig. Austeridad de vida, escasez notable, falta de lo necesario para subsistir. ‖ **8.** fig. Pobreza, limitación, falta de amplitud intelectual o moral. ESTRECHEZ *de criterio.* ESTRECHEZ *de miras.* ‖ **9.** *Biol.* Disminución anormal del calibre de un conducto natural o de una abertura.

estrecheza. f. ant. **estrechez.**

estrechía. f. ant. **estrechez.**

estrecho, cha. (Del lat. *strictus*.) adj. Que tiene poca anchura. ‖ **2.** Ajustado, apretado. *Vestido, zapato* ESTRECHO. ‖ **3.** fig. Se dice del parentesco cercano y de la amistad íntima. ‖ **4.** fig. Rígido, austero, exacto. ‖ **5.** fig. Apocado, miserable, tacaño. ‖ **6.** fig. **estrechez,** aprieto. ‖ **7.** m. *Geogr.* Paso angosto comprendido entre dos tierras y por el cual se comunica un mar con otro. *El* ESTRECHO *de Gibraltar, el de Magallanes.* ‖ **8.** fig. El caballero respecto de la dama, o viceversa, cuando salían juntos al echar damas y galanes en los sorteos que por diversión era costumbre hacer por lo general la víspera de Reyes. ‖ **9.** pl. Esta diversión. ‖ **a la estrecha.** loc. adv. ant. **estrechamente.** ‖ **2.** ant. Con amistad. ‖ **3.** ant. **rigurosamente.** ‖ **al estrecho.** loc. adv. **a la fuerza.** ‖ **poner** a uno **en estrecho de hacer** una cosa. fr. Traerle a ocasión forzosa para que la haga.

estrechón. m. *Mar.* Sacudida de las velas cuando están flojas.

estrechura. f. Estrechez o angostura de un terreno o paso. ‖ **2. estrechez,** amistad íntima. ‖ **3. estrechez,** aprieto, dificultad. ‖ **4. estrechez,** austeridad de vida.

estregadera. (De *estregar*.) f. Cepillo o limpiadera de cerdas cortas y espesas.

estregadero. m. Sitio o lugar donde los animales suelen estregarse, como peñas o árboles. ‖ **2.** Lugar donde se estriega y lava la ropa.

estregadura. f. Acción y efecto de estregar o estregarse.

estregamiento. m. Acción y efecto de estregar o estregarse.

estregar. (Del lat. vulg. *stricāre*.) tr. Frotar, pasar con fuerza una cosa sobre otra para dar a esta calor, limpieza, tersura, etc. Ú. t. c. prnl.

estregón. (De *estregar*.) m. Roce fuerte, refregón.

estrella. (Del lat. *stella*.) f. Cada uno de los cuerpos celestes que brillan en la noche, excepto la Luna. ‖ **2.** *Astron.* Cuerpo celeste que radia energía electromagnética (luminosa, calorífica, etc.), producida por las reacciones nucleares que ocurren en su seno. Una **estrella** típica es el Sol. ‖ **3.** Especie de lienzo. ‖ **4.** En el torno de la seda, cualquier rueda, grande o pequeña, cuya figura es de rayos o puntas, y que sirve para hacer andar a otra o para ser movida por otra. ‖ **5.** Lunar de pelos blancos, más o menos redondo y de unos tres centímetros de diámetro, que tienen algunos caballos o yeguas en medio de la frente. Se diferencia del lucero en ser de menor tamaño. ‖ **6.** Objeto en forma de **estrella,** ya con rayos que parten de un centro común, ya con un círculo rodeado de puntas. ‖ **7.** Signo en forma de **estrella,** que indica la graduación de jefes y oficiales de las fuerzas armadas. ‖ **8.** Signo en forma de **estrella,** que sirve para indicar la categoría de los establecimientos hoteleros. *Hotel de tres* ESTRELLAS. ‖ **9.** V. **hierba estrella.** ‖ **10.** fig. Sino, hado, destino. *Ha nacido con buena* ESTRELLA. *Mi* ESTRELLA *me condujo allí.* ‖ **11.** fig. Persona que sobresale extraordinariamente en su profesión. Se usa especialmente hablando de artistas de cine. ‖ **12.** *Astron.* **estrella fija.** ‖ **13.** V. **anteojo de estrella.** ‖ **14.** *Fort.* Fuerte de campaña que, por sus ángulos entrantes y salientes, imita en su figura a una **estrella** pintada. Hácese con cuatro, cinco o seis puntas o ángulos salientes, según la capacidad del terreno. ‖ **15.** pl. Especie de pasta, en figura de **estrellas,** que sirve para sopa. ‖ **binaria.** *Astron.* **estrella doble.** ‖ **Estrella del Norte.** *Astron.* **Estrella Polar.** ‖ **de mar.** Animal marino del filo de los equinodermos, con el cuerpo deprimido en forma de **estrella,** generalmente de cinco puntas o brazos. Posee un dermatoesqueleto formado por placas calcáreas y se alimenta de invertebrados. Hay muchas especies, que viven en muy diversos hábitat. ‖ **de rabo. cometa,** astro con una atmósfera luminosa que lo precede, lo envuelve o lo sigue. ‖ **Estrella de Venus. Venus,** planeta brillante. ‖ **doble.** *Astron.* Sistema de dos **estrellas** enlazadas por la gravitación universal. ‖ **errante,** o **errática. planeta,** cuerpo celeste. ‖ **fija.** *Astron.* Cada una de las que brillan con luz propia y guardan siempre entre sí la misma distancia sensible, por lo cual se las ha considerado como inmóviles. ‖ **fugaz.** Cuerpo luminoso que suele verse repentinamente en la atmósfera y se mueve con gran velocidad, apagándose pronto. ‖ **múltiple.** *Astron.* Sistema de más de tres **estrellas** enlazadas por la gravitación universal. ‖ **nona.** *Astron.* **estrella temporaria.** ‖ **Estrella Polar.** *Astron.* La que está en el extremo de la lanza de la Osa Menor; señala la dirección del polo norte. ‖ **estrella temporaria.** *Astron.* La que repentinamente adquiere un brillo superior al ordinario y lo mantiene durante cierto tiempo. ‖ **triple.** *Astron.* Sistema de tres **estrellas** enlazadas por la gravitación universal. ‖ **variable.** *Astron.* La que aumenta y disminuye de claridad en períodos más o menos largos. ‖ **campar** uno **con** su **estrella.** fr. fig. Ser feliz y afortunado. ‖ **con estrellas.** loc. adv. Poco después de anochecer, o antes de amanecer. ‖ **levantarse** uno **a las estrellas.** fr. fig. Ensoberbecerse, irritarse. ‖ **levantarse** uno **con estrellas,** o **con las estrellas.** fr. fam. Levantarse muy temprano; madrugar mucho. ‖ **nacer** uno **con estrella.** fr. fig. **tener estrella.** ‖ **poner sobre,** o **por las estrellas** a una persona o cosa. fr. fig. Elogiarla muchísimo, ponderarla con exceso de alabanza. ‖ **querer** uno **contar las estrellas.** fr. fig. y fam. Querer hacer una cosa muy difícil. ‖ **tener** uno **estrella.** fr. fig. Ser afortunado y atraerse naturalmente la aceptación de las gentes. ‖ **tomar la estrella.** fr. *Mar.* Tomar la altura del polo. ‖ **unos nacen con estrella, y otros nacen estrellados.** fr. proverb. con que se da a entender la distinta suerte de las personas. ‖ **ver** uno **las estrellas.** fr. fig. y fam. Sentir un dolor muy fuerte y vivo. Se dice por la especie de lucecillas que parece que uno ve cuando recibe un gran golpe.

estrellada. (De *estrella.*) f. **amelo,** planta.

estrelladera. f. p. us. Utensilio culinario de hierro, a modo de cuchara, pero con la pala plana y agujereada, como la espumadera, que se emplea para coger de la sartén los huevos estrellados y para otros usos análogos.

estrelladero. m. Instrumento de hierro o de cobre, a manera de una sartén llana, con varias divisiones, en las que pueden caber dos yemas, que usan los reposteros para hacer los huevos dobles quemados.

estrellado, da. p. p. de **estrellar.** ‖ **2.** adj. De forma de estrella. ‖ **3.** Dícese del caballo o yegua que tiene una estrella en la frente. ‖ **4.** V. **cardo, huevo estrellado.**

estrellamar. (De *estrella de mar.*) f. **estrella de mar.** ‖ **2.** Hierba de la familia de las plantagináceas, semejante al llantén, del que se diferencia por tener las hojas más estrechas, muy dentadas y extenderse circularmente sobre la tierra a manera de estrella.

estrellamiento. m. ant. Conjunto de estrellas, o porción de cielo que corresponde a un punto o región del globo.

estrellar[1]. (Del lat. *stellāris.*) adj. Perteneciente o relativo a las estrellas.

estrellar[2]. (De *estrella.*) tr. Sembrar o llenar de estrellas. Ú. m. c. prnl. ‖ **2.** fam. Arrojar con violencia una cosa contra otra, haciéndola pedazos. Ú. t. c. prnl. ‖ **3.** Dicho de los huevos, freírlos. ‖ **4.** prnl. Quedar malparado o matarse por efecto de un choque violento contra una superficie dura. ‖ **5.** fig. Fracasar en una pretensión por tropezar contra un obstáculo insuperable. ‖ **estrellarse** uno **con** otro. fr. fig. Chocar con sus ideas u opiniones, contradiciéndolas abiertamente.

estrellato. m. Condición de estrella del espectáculo.

estrellera. f. *Mar.* **aparejo real.**

estrellería. f. ant. **astrología.**

estrellero, ra. (De *estrella.*) adj. Dícese del caballo o yegua que despapa o levanta mucho la cabeza. ‖ **2.** m. ant. **astrólogo.**

estrellón. m. aum. de **estrella.** ‖ **2.** Fuego artificial que, al tiempo de quemarse, forma la figura de una estrella grande. ‖ **3.** Figura o hechura de estrella, muy grande, que se pinta o forma para colocarla en lo alto de un altar o de una perspectiva. ‖ **4.** *Amér.* Choque, encontrón.

estrelluela. f. d. de **estrella.** ‖ **2.** Rodajita con puntas en que rematan las espuelas y espolines.

estremecedor, ra. adj. Que estremece.

estremecer. (Del lat. *ex* y *tremiscĕre,* comenzar a temblar.) tr. Conmover, hacer temblar. *El ruido del cañonazo* ESTREMECIÓ *las casas.* ‖ **2.** fig. Ocasionar alteración o sobresalto en el ánimo. ‖ **3.** prnl. Temblar con movimiento agitado y repentino. ‖ **4.** Sentir una repentina sacudida nerviosa o sobresalto en el ánimo.

estremecimiento. m. Acción y efecto de estremecer o estremecerse.

estremezo. m. *Ar.* **estremecimiento.**

estremezón. m. *Bad.* Sensación repentina de frío con estremecimiento. ‖ **2.** *Col.* Acción y efecto de estremecerse.

estremuloso, sa. (De *es-* y *tremuloso.*) adj. ant. Trémulo, temeroso, asombrado y propiamente tembloroso.

estrena. (Del lat. *strena.*) f. Dádiva, alhaja o presente que se da en señal y demostración de gusto, felicidad o beneficio recibido. Ú. t. en pl. ‖ **2.** desus. Principio o primer acto con que se comienza a usar o hacer una cosa. *La* ESTRENA *del vestido, la de una carroza.* ‖ **hacer** uno **la estrena.** fr. fam. Ser el primero en hacer o comprar una cosa.

estrenar. (De *estrena.*) tr. Hacer uso por primera vez de una cosa. ESTRENAR *un traje, una escopeta, un edificio.* ‖ **2.** Tratándose de ciertos espectáculos públicos, representarlos o ejecutarlos por primera vez. ESTRENAR *una comedia, una opera.* ‖ **3.** ant. Regalar, galardonar, dar estrenas. ‖ **4.** prnl. Empezar uno a desempeñar un empleo, oficio, encargo, etc., o darse a conocer por vez primera en el ejercicio de un arte, facultad o profesión. ‖ **5.** Hacer un vendedor o negociante la primera transacción de cada día.

estrenista. adj. Dícese de quien asiste habitualmente a los estrenos teatrales.

estreno. m. Acción y efecto de estrenar o estrenarse. ‖ **de estreno.** loc. adj. Dícese del local dedicado habitualmente a estrenar películas.

estrenque. (Del ant. fr. *estrenc.*) m. Maroma gruesa hecha de esparto. ‖ **2.** Cadena de hierro que enganchan los carreteros a las ruedas para que tiren de ella las caballerías cuando el carro está atascado.

estrenuidad. (Del lat. *strenuĭtas, -ātis.*) f. Cualidad de estrenuo.

estrenuo, nua. (Del lat. *strenŭus.*) adj. Fuerte, ágil, valeroso, esforzado.

estreñido, da. p. p. de **estreñir.** ‖ **2.** adj. Que padece estreñimiento. ‖ **3.** fig. Miserable, avaro, mezquino.

estreñimiento. m. Acción y efecto de estreñir o estreñirse.

estreñir. (Del lat. *stringĕre,* apretar, comprimir.) tr. Retrasar el curso del contenido intestinal y dificultar su evacuación. Ú. t. c. prnl. ‖ **2.** prnl. ant. fig. Apocarse, encogerse.

estrepa. f. **estepa[2],** mata.

estrepada. (Del cat. *estrepada,* acción de arrancar.) f. Esfuerzo que se hace de cada vez para tirar de un cabo, cadena, etc., y en especial, el esfuerzo reunido de diversos operarios, etc. ‖ **2.** *Mar.* Esfuerzo que para bogar hace un remero, y en general el esfuerzo de todos los remeros a la vez. ‖ **3.** *Mar.* **arrancada,** aumento repentino en la velocidad de un buque.

estrépito. (Del lat. *strepĭtus.*) m. Ruido considerable, estruendo. ‖ **2.** fig. Ostentación, aparato en la realización de algo. ‖ **sin estrépito ni figura de juicio.** loc. *Der.* Sin observar las solemnidades de derecho, sino de plano, breve y sumariamente.

estrepitosamente. adv. m. Con estrépito.

estrepitoso, sa. adj. Que causa estrépito.

estreptococia. f. *Pat.* Infección producida por los estreptococos.

estreptocócico, ca. adj. *Pat.* Perteneciente o relativo a la estreptococia.

estreptococo. (Del gr. στρεπτός, trenzado, y κόκκος, grano.) m. *Microbiol.* Nombre dado a bacterias de forma redondeada que se agrupan en forma de cadenita.

estreptomicina. (Del gr. στρεπτός, trenzado, μύκης, hongo, e *-ina.*) f. *Farm.* Sustancia elaborada por determinados organismos del tipo de las bacterias o de los mohos del género *streptomyces,* que posee acción antibiótica para el bacilo de la tuberculosis y otros.

estrés. (Del ing. *stress.*) m. *Med.* Situación de un individuo, o de alguno de sus órganos o aparatos, que, por exigir de ellos un rendimiento superior al normal, los pone en riesgo próximo de enfermar.

estresante. adj. *Med.* Que produce estrés. *Trabajo* ESTRESANTE; *situación* ESTRESANTE.

estría. (Del lat. *stria.*) f. *Arq.* Mediacaña en hueco, que se suele labrar en algunas columnas o pilastras de arriba abajo. ‖ **2.** Por ext., cada una de las rayas en hueco que suelen tener algunos cuerpos. ‖ **3.** *Pat.* Cada una de las líneas claras que aparecen en la piel en el embarazo y otros procesos, debidas a desgarros subdérmicos. Ú. m. en pl.

estriación. (De *estriar.*) f. *Zool.* Conjunto de rayas o estrías transversales que tienen todas las fibras musculares de los artrópodos, y las que forman parte del miocardio y de los músculos de contracción voluntaria de los vertebrados.

estriado, da. p. p. de **estriar.** ‖ **2.** adj. Que tiene estrías.

estriar. (Del lat. *striāre.*) tr. Alterar una superficie formando en ella estrías, acanalarla. ‖ **2.** prnl. Formar una cosa en sí surcos o canales o salir acanalada.

estribación. (De *estribar.*) f. *Geogr.* Estribo o ramal de montaña que deriva de una cordillera. Ú. m. en pl.

estribadero. m. Parte donde estriba o se asegura una cosa.

estribador, ra. adj. ant. Que estriba y se afirma en una cosa.

estribadura. f. ant. Acción de estribar.

estribar. (De *estribo.*) intr. Descansar el peso de una cosa en otra sólida y firme. ‖ **2.** fig. Fundarse, apoyarse. ‖ **3.** intr. *Argent.* Calzar un jinete el pie en el estribo. ‖ **4.** prnl. Quedar el jinete colgado de un estribo al caer del caballo.

estribera. f. Estribo de la montura de la caballería. ‖ **2.** Sortija de la cabeza de la ballesta. ‖ **3.** *Ar.* y *Sal.* Trabilla del peal que se sujeta al pie. ‖ **4.** *Ar.* y *Sal.* Peal, media sin pie sujeta con una trabilla. ‖ **5.** *Argent.* y *Urug.* Correa del estribo.

estribería. f. Taller donde se hacen estribos. ‖ **2.** Lugar donde se guardan.

estribero. m. *Ecuad.* Criado que marcha a pie junto al jinete.

estriberón. m. aum. de **estribera.** ‖ **2.** Resalto colocado a trechos sobre el suelo en un paso difícil. ‖ **3.** *Mil.* Paso firme hecho con piedras, zarzas o armazón de madera, para que puedan transitar por terrenos pantanosos o muy desiguales las tropas y sus trenes.

estribillo. (d. de *estribo.*) m. Expresión o cláusula en verso, que se repite después de cada estrofa en algunas composiciones líricas, que a veces también empiezan con ella. ‖ **2.** Voz o frase que por hábito vicioso se dice con frecuencia.

estribo. (De or. inc.) m. Pieza de metal, madera o cuero en que el jinete apoya el pie, la cual está pendiente de la ación. ‖ **2.** Especie de escalón que sirve para subir a los carruajes, o bajar de ellos. ‖ **3.** En las plazas de toros, especie de escalón en el lado interior de la barrera para facilitar el salto de los toreros. ‖ **4.** Hierro pequeño, en figura de sortija, que se fija en la cabeza de la ballesta. ‖ **5.** Chapa de hierro doblada en ángulo recto por sus dos extremos, que se emplea para asegurar la unión de ciertas piezas; como las llantas a las ruedas de los carruajes y cureñas, los pendolones a los tirantes de las armaduras, etc. ‖ **6.** fig. Apoyo, fundamento. ‖ **7.** *Anat.* Uno de los tres huesecillos que se encuentran en la parte media del oído de los mamíferos y que está articulado con la apófisis lenticular del yunque. ‖ **8.** *Arq.* Macizo de fábrica, que sirve para sostener una bóveda y contrarrestar su empuje. ‖ **9.** *Arq.* **contrafuerte,** machón para fortalecer un muro. ‖ **10.** *Carp.* Madero que a veces se coloca horizontalmente sobre los tirantes, y en el que se embarbillan y apoyan los pares de una armadura. ‖ **11.** *Geogr.* Ramal corto de montañas que deriva a uno u otro lado de una cordillera. ‖ **vaquero.** El de madera y hierro, a veces revestido de cuero, que cubre todo el pie. ‖ **andar,** o **estar, uno sobre los estribos.** fr. fig. Obrar con advertencia y precaución. ‖ **perder uno los estribos.** fr. Salírsele los pies de los **estribos** involuntariamente cuando va a caballo. ‖ **2.** fig. Desbarrar; hablar u obrar fuera de razón. ‖ **3.** fig. Impacientarse mucho. ‖ **perder uno los estribos de la paciencia.** fr. fig. **perder los estribos,** impacientarse.

estribor. (Del fr. ant. *estribord.*) m. *Mar.* Banda derecha del navío mirando de popa a proa.

estribote. m. Composición poética antigua en estrofas con estribillo. La forma primitiva de cada estrofa consiste en tres versos monorrimos seguidos de otro verso en que se repite el consonante del estribillo.

estricarse. (Del lat. *extricāre.*) prnl. ant. **desenvolverse.**

estricia. (De un der. del lat. *strictus,* apretado, estrecho.) f. ant. Extremo, estrecho, conflicto.

estricnina. (Del gr. στρύχνος, nombre de varias plantas solanáceas venenosas, e *-ina.*) f. *Quím.* Alcaloide que se extrae de determinados órganos de algunos vegetales, como la nuez vómica y el haba de San Ignacio, y es un veneno muy activo.

estricote. m. *Venez.* Vida licenciosa. ‖ **al estricote.** loc. adv. Al retortero o a mal traer.

estrictamente. adv. m. Precisamente; en todo rigor de derecho.

estrictez. f. *Amér.* Cualidad de estricto, rigurosidad.

estricto, ta. (Del lat. *strictus,* p. p. de *stringĕre,* apretar, comprimir.) adj. Estrecho, ajustado enteramente a la necesidad o a la ley y que no admite interpretación. ‖ **2.** V. *Der.* **legítima estricta.**

estridencia. f. Sonido estridente. ‖ **2.** Violencia de la expresión o de la acción.

estridente. (Del lat. *strīdens, -entis.*) adj. Aplícase al sonido agudo, desapacible y chirriante. ‖ **2.** Que produce ruido y estruendo. ‖ **3.** Dícese de las personas o cosas que, por exageradas o violentas, producen una sensación molestamente llamativa.

estridor. (Del lat. *stridor, -ōris.*) m. Sonido agudo, desapacible y chirriante.

estridular. (der. del lat. *stridŭlus,* chirriante.) intr. Producir estridor, rechinar, chirriar.

estriga. (De or. inc.) *Gal.* Copo o porción de lino que se pone de cada vez en la rueca para hilarlo.

estrige. (Del lat. *strix, -igis.*) f. Lechuza, ave nocturna.

estrigiforme. (De *estrige,* y *-forme.*) adj. *Zool.* Dícese de aves de cabeza grande y redondeada, pico corto, robusto y ganchudo, ojos dirigidos hacia delante y garras fuertes y afiladas. Ú. t. c. s. ‖ **2.** f. pl. *Zool.* Orden de estas aves, conocidas en clasificaciones ya en desuso como rapaces nocturnas.

estrígil. (Del lat. *strigĭlis.*) m. ant. Barra de metal en bruto.

estrillar. (Del lat. **strigilāre,* raspar, rascar.) tr. ant. Restregar, rascar o limpiar con la almohaza las caballerías y otras bestias.

estringa. (Del lat. *stringĕre,* apretar.) f. ant. **agujeta** para atacar los calzones, jubones y otras prendas.

estrinque. (De *estrenque.*) m. *Mar.* Maroma gruesa de esparto. ‖ **2.** Cadena para desatascar el carro. ‖ **3.** *Pal.* Cada una de las argollas de hierro que llevan las varas del carro para enganchar la caballería.

estro. (Del lat. *oestrus,* y este del gr. οἶστρος, tábano, aguijón.) m. Inspiración ardiente del poeta o del artista al componer sus obras. ‖ **2.** Mosca parda vellosa, cuyas larvas son parásitos internos de mamíferos. Hay varias especies, que atacan a distinto tipo de ganado; así existen el **estro** de la oveja, el **estro** del buey, etc. ‖ **3.** *Zool.* Período de celo o ardor sexual de los mamíferos.

estróbilo. (Del lat. *strobīlus,* y este del gr. στρόβιλος, piña.) m. *Bot.* Tipo de infrutescencia de los pinos y otras muchas coníferas, en el que sobre un eje vertical van insertas helicoidalmente las escamas que amparan las semillas. ‖ **2.** *Biol.* Conjunto de órganos o de segmentos dispuestos ordenadamente de mayor a menor con relación a un eje, por lo que afectan forma cónica; o en serie lineal, aumentando de tamaño hacia el extremo terminal.

estrobo. (Del lat. **strophus,* variante de *struppus,* y este del gr. στρόφος, cuerda, correa.) m. *Mar.* Pedazo de cabo unido por sus chicotes, que sirve para suspender cosas pesadas, sujetar el remo al tolete y otros usos semejantes.

estrofa. (Del lat. *stropha,* y este del gr. στροφή, vuelta.) f. Cualquiera de las partes compuestas del mismo número de versos y ordenadas de modo igual, de que constan algunas composiciones poéticas. ‖ **2.** Cualquiera de estas mismas partes, aunque no estén ajustadas a exacta simetría. ‖ **3.** En la poesía griega, primera parte del canto lírico compuesto de **estrofa** y antistrofa, o de estas dos partes y de otra llamada epodo.

estrofanto. (Del gr. στροφή, vuelta, y ἄνθος, flor.) m. Planta apocinácea de cuyas semillas se extrae una sustancia del mismo nombre, que posee acción tónica sobre el corazón.

estrófico, ca. adj. Perteneciente o relativo a la estrofa. ‖ **2.** Que está dividido en estrofas.

estrógeno. (De *estro* y *-geno.*) m. *Fisiol.* Sustancia que provoca el estro o celo de los mamíferos.

estroma. (Del gr. στρῶμα, tapiz.) f. ant. Alfombra, tapiz. ‖ **2.** *Histol.* Trama o armazón de un tejido, que sirve para sostener entre sus mallas los elementos celulares.

estronciana. (Del ing. *strontian,* tomado del nombre de un pueblo de Escocia, donde se encontró este mineral.) f. Óxido de estroncio, que en forma de polvo gris se obtiene artificialmente y se halla en la naturaleza combinado con los ácidos carbónico y sulfúrico.

estroncianita. (De *estronciana* e *-ita*[2].) f. Mineral formado por un carbonato de estronciana: es incoloro o verde, de brillo cristalino, y se emplea en pirotecnia por el color rojo que comunica a la llama.

estroncio. (De *estronciana.*) m. *Quím.* Metal amarillo, poco brillante, de la densidad del mármol, y capaz de descomponer el agua a la temperatura ordinaria, oxidándose rápidamente. Se obtiene descomponiendo la estronciana por electrólisis. Núm. atómico 38. Símb.: *Sr.*

estropajear. tr. *Albañ.* Limpiar en seco las paredes enlucidas, o con estropajo mojado cuando están tomadas de polvo, para que queden tersas y blancas.

estropajeo. m. *Albañ.* Acción y efecto de estropajear.

estropajo. (Probablemente der. de *estopa.*) m. Planta de la familia de las cucurbitáceas, cuyo fruto desecado se usa como cepillo de aseo para fricciones. ‖ **2.** Porción de esparto machacado, que sirve principalmente para fregar. ‖ **3.** Por ext., porción de cualquier otra materia como plástico, alambre, nailon, etc., que sirve para fregar. ‖ **4.** fig. Desecho, persona o cosa inútil o despreciable. ‖ **5.** fig. y fam. V. **lengua de estropajo.** ‖ **servir de estropajo.** fr. fig. y fam. Servir en los oficios más bajos. ‖ **2.** fr. fig. y fam. Ser tratado sin miramiento.

estropajosamente. adv. m. fig. y fam. Con lengua estropajosa.

estropajoso, sa. adj. fig. y fam. Aplícase a la lengua o persona que pronuncia las palabras de manera confusa o indistinta por enfermedad o defecto natural. ‖ **2.** fig. y fam. Dícese de la persona muy desaseada y andrajosa. ‖ **3.** fig. y fam. Aplícase a la carne y otros comestibles que son fibrosos y ásperos y no se pueden masticar fácilmente.

estropear. (Del it. *stroppiare.*) tr. Maltratar a uno, dejándole lisiado. Ú. t. c. prnl. ‖ **2.** Maltratar o deteriorar una cosa. Ú. t. c. prnl. ‖ **3.** Echar a perder, malograr cualquier asunto o proyecto. ‖ **4.** *Albañ.* Volver a batir el mortero o mezcla de cal.

estropeo. m. p. us. Acción y efecto de estropear o estropearse.

estropezadura. (De *estropezar.*) f. ant. **tropiezo.**

estropezar. intr. ant. **tropezar.**

estropezón. m. ant. **tropezón.**

estropicio. (De *estropear.*) m. fam. Destrozo, rotura estrepitosa, por lo común impremeditada, de cosas por lo general frágiles. ‖ **2.** Por ext., trastorno ruidoso de escasas consecuencias.

estropiezo. m. ant. **tropiezo.**

estrucioniforme. adj. *Zool.* Dícese de aves semejantes al avestruz, de cuello largo, cabeza pequeña e incapaces de volar; son las extremidades posteriores de gran tamaño y solo dos dedos, adaptadas a la carrera. Su esqueleto carece de quilla y sus plumas de bárbulas. Anidan en el suelo, donde ponen huevos de gran tamaño. Ú. t. c. s. ‖ **2.** f. pl. *Zool.* Orden de estas aves.

estructura. (Del lat. *structūra.*) f. Distribución y orden de las partes importantes de un edificio. ‖ **2.** Distribución de las partes del cuerpo o de otra cosa. ‖ **3.** Distribución y orden con que está compuesta una obra de ingenio, como poema, historia, etc. ‖ **4.** *Arq.* Armadura, generalmente de acero u hormigón armado, que, fija al suelo, sirve de sustentación a un edificio.

estructuración. f. Acción y efecto de estructurar.

estructural. adj. Perteneciente o relativo a la estructura. ‖ **2.** V. **gramática estructural.**

estructuralismo. m. Teoría y método científico que considera un conjunto de datos como una estructura o sistema de interrelaciones.

estructuralista. adj. Perteneciente o relativo al estructuralismo. ‖ **2.** Adepto a esta corriente científica. Ú. t. c. s.

estructurar. tr. Distribuir, ordenar las partes de un conjunto.

estruendo. (Del lat. *ex* y *tonĭtrus,* trueno.) m. Ruido grande. ‖ **2.** fig. Confusión, alboroto. ‖ **3.** fig. Aparato, pompa.

estruendosamente. adv. m. Con estruendo.

estruendoso, sa. adj. Ruidoso, estrepitoso.

estrujador, ra. adj. Que estruja. Ú. t. c. s. ‖ **2.** f. Instrumento para exprimir frutos y otras cosas.

estrujadura. f. Acción y efecto de estrujar.

estrujamiento. m. Acción y efecto de estrujar.

estrujar. (Del lat. vulg. **extorculāre,* prensar.) tr. Apretar una cosa para sacarle el zumo. ‖ **2.** Apretar a uno y comprimirle tan fuerte y violentamente, que se le llegue a lastimar y maltratar. ‖ **3.** fig. y fam. Sacar de una persona o cosa todo el partido posible.

estrujón. m. Acción y efecto de estrujar. ‖ **2.** Vuelta dada con la briaga o soga de esparto al pie de la uva ya exprimida y reducida a orujo, echándole agua y apretándolo bien para sacar el aguapié. ‖ **3.** *And.* Primer prensado de la aceituna.

estruma. (Del lat. *struma,* escrófula.) m. *Med.* **lamparón,** escrófula en el cuello.

estrumpido. (Cruce de *estruendo* y *estampido.*) m. *Sal.* Estallido, estampido, ruido.

estrumpir. (De *estrumpido.*) intr. *Sal.* Hacer explosión, estallar, meter ruido.

estrupador. m. ant. **estuprador.**

estrupar. tr. ant. **estuprar.**

estrupo. m. ant. **estupro.**

estruz. (Del lat. *struthĭo, -ōnis,* y este del gr. στρουθίων, a través del prov. *estrutz.*) m. ant. **avestruz.**

estuación. (Del lat. *aestuatĭo, -ōnis,* agitación, ardor.) f. p. us. Flujo o creciente del mar.

estuante. (Del lat. *aestŭans, -antis.*) adj. Demasiado caliente y encendido.

estuario. (Del lat. *aestuarĭum.*) m. Desembocadura de un río caudaloso en el mar, caracterizada por tener una forma semejante al corte longitudinal de un embudo, cuyos lados van apartándose en el sentido de la corriente, y por la influencia de las mareas en la unión de las aguas fluviales con las marítimas.

estucado. m. Acción y efecto de estucar. ‖ **2.** V. **papel estucado.**

estucador, ra. m. y f. Persona que hace obras de estuco.

estucar. tr. Dar a una cosa con estuco o blanquearla con él. ‖ **2.** Colocar sobre el muro, columna, etc., las piezas de estuco previamente moldeadas y desecadas.

estuco. (Del it. *stucco.*) m. Masa de yeso blanco y agua de cola, con la cual se hacen y preparan muchos objetos que después se doran o pintan. ‖ **2.** Pasta de cal apagada y mármol pulverizado, con que se da de llana a las alcobas y otras habitaciones, que se barnizan después con aguarrás y cera. ‖ **ser,** o **parecer, un estuco,** o **de estuco.** fr. fig. y fam. Mostrarse impasible, no conmoverse por nada.

estucurú. m. *C. Rica.* Búho grande de las comarcas cálidas.

estuchado. p. p. de **estuchar.** ‖ **2.** m. Acción y efecto de estuchar.

estuchar. tr. Meter en estuche de papel los terrones de azúcar u otro producto industrial.

estuche. (Del prov. ant. *estug.*) m. Caja o envoltura para guardar ordenadamente un objeto o varios; como joyas, instrumentos de cirugía, etc. ‖ **2.** Por ext., cualquier envoltura que reviste y protege una cosa. ‖ **3.** Conjunto de utensilios que se guardan en el **estuche.** ‖ **4.** Entre peineros, peine menor que el mediano y mayor que el tallar. ‖ **5.** En algunos juegos de naipes, como el del hombre, cascarela y tresillo, espadilla, malilla y basto, cuando están reunidos en una mano; en el tresillo se llaman también **estuche** los naipes del palo que se juega, subsiguientes en valor a los tres antedichos, cuando se juntan con ellos en una mano. ‖ **6.** Cada una de las tres cartas de que se compone el **estuche** de la acepción anterior. ‖ **del rey.** Cirujano real que tenía el **estuche** destinado para curar a las personas reales. ‖ **mayor.** En el tresillo, si el juego es a bastos o a espadas, conjunto de espada, mala, basto y rey; y, si el juego es a oros o copas, se añade a estos cuatro triunfos el punto. ‖ **menor.** En el tresillo se diferencia del mayor en que falta la espada. ‖ **ser** uno **un estuche.** fr. fig. y fam. Tener habilidad para diversas cosas.

estuchería. f. Manufactura y comercio de estuches.

estuchista. com. Fabricante o constructor de estuches, cajas, envoltorios, etc.

estudiado, da. p. p. de **estudiar.** ‖ **2.** Afectado, amanerado.

estudiador, ra. adj. fam. Que estudia mucho.

estudiantado. m. Conjunto de alumnos o estudiantes como clase social. ‖ **2.** Conjunto de estudiantes de un establecimiento docente, alumnado.

estudiante. p. a. de **estudiar.** Que estudia. Ú. t. c. s. ‖ **2.** com. Persona que actualmente está cursando una universidad o escuela superior. ‖ **3.** m. El que tenía por ejercicio estudiar los papeles a los actores dramáticos. ‖ **de la tuna.** El que forma parte de una estudiantina. ‖ **pascuero,** o **torreznero.** Decíase del que iba del estudio a su casa muchas veces, con ocasión de las pascuas y otras fiestas.

estudiantil. adj. fam. Perteneciente o relativo a los estudiantes.

estudiantina. f. Cuadrilla de estudiantes que salen tocando varios instrumentos por las calles del pueblo en que estudian, o de lugar en lugar, para divertirse o para recoger dinero. ‖ **2.** Comparsa de carnaval que imita en sus trajes el de los antiguos estudiantes.

estudiantino, na. adj. fam. Perteneciente a los estudiantes. ‖ **2.** V. **hambre estudiantina.** ‖ **a la estudiantina.** loc. adv. fam. Al uso de los estudiantes.

estudiantón. m. despect. Estudiante aplicado, pero de escasas luces.

estudiantuelo, la. m. y f. d. despect. de **estudiante.**

estudiar. (De *estudio.*) tr. Ejercitar el entendimiento para alcanzar o comprender una cosa. ‖ **2.** Cursar en las universidades o en otros centros docentes. Ú. t. c. intr. ‖ **3.** Aprender o tomar de memoria. Ú. t. c. prnl. ‖ **4.** Observar, examinar atentamente. *La cuestión merece* ESTUDIARSE. ‖ **5.** p. us. Leer a otra persona lo que ha de aprender, ayudándola a **estudiarlo.** *Cuando yo era pequeño, mi hermana me* ESTUDIABA *las lecciones.* Se usa principalmente con relación al actor dramático. ‖ **6.** ant. Cuidar con vigilancia. ‖ **7.** *Pint.* Dibujar de modelo o del natural.

estudio. (Del lat. *studĭum.*) m. Esfuerzo que pone el entendimiento aplicándose a conocer alguna cosa; en especial, trabajo empleado en aprender y cultivar una ciencia o arte. ‖ **2.** Obra en que un autor estudia y dilucida una cuestión. ‖ **3.** V. **juez del estudio.** ‖ **4.** Lugar donde se enseñaba la gramática. ‖ **5.** Despacho, pieza o local donde trabaja una persona de profesión intelectual o artística. ‖ **6.** Conjunto de edificios o dependencias destinados a la realización de películas cinematográficas, a emisiones de radio o televisión, a grabaciones discográficas, etc.. Ú. m. en pl. ‖ **7.** fig. Aplicación, maña, habilidad con que se hace una cosa. ‖ **8.** Apartamento, por lo general no muy grande, que se usa para trabajos creativos y, a veces también, como vivienda. ‖ **9.** *R. de la Plata.* Bufete del abogado. ‖ **10.** *Mús.* Composición destinada a que el ejecutante se ejercite en el dominio de cierta dificultad. ‖ **11.** *Pint.* Boceto preparatorio para una obra pictórica o escultórica. ‖ **12.** pl. Conjunto de materias que se estudian para obtener cierta titulación. ESTUDIOS *de bachillerato.* ‖ **general. universidad,** centro docente. ‖ **2.** p. us. **universidad,** edificio en que está situado dicho centro. ‖ **estudios mayores.** En las universidades, los que se hacían en las facultades mayores. ‖ **dar estudios** a uno. fr. Mantenerle y darle lo necesario para que estudie. ‖ **hacer** uno **estudio de** una cosa. fr. fig. Poner especial cuidado o empeño en ella. ‖ **tener estudios.** fr. Ser persona que ha recibido instrucción, o que tiene una carrera.

estudiosamente. adv. m. Con estudio.

estudiosidad. f. Inclinación y aplicación al estudio.

estudioso, sa. (Del lat. *studiōsus.*) adj. Dado al estudio. Ú. t. c. s. ‖ **2.** ant. fig. Propenso, aficionado a una cosa.

estufa. (De *estufar.*) f. Hogar encerrado en una caja de metal o porcelana, que se coloca en las habitaciones para calentarlas. ‖ **2.** Aposento recogido y abrigado, al que se da calor artificialmente. ‖ **3. invernáculo.** ‖ **4.** Armazón que se usa para secar una cosa o mantenerla caliente poniendo fuego por debajo. ‖ **5.** Aposento destinado en los baños termales a producir en los enfermos un sudor copioso. ‖ **6.** Especie de enjugador alto hecho de aros de cedazo, con listones delgados de madera, dentro del cual entra la persona que ha de tomar sudores. ‖ **7.** Especie de carroza grande, cerrada y con cristales. ‖ **8.** Estufilla para calentar los pies. ‖ **de cultivo.** Aparato en el que se mantienen constantes la temperatura y otros factores ambientales, lo que permite y favorece el desarrollo de los cultivos biológicos en él colocados. ‖ **criar en estufa.** fr. fig. y fam. Cuidar a uno con exceso, privándole de vigor.

estufador. m. Olla o vasija en que se estofa la carne.

estufar. (Del lat. vulg. **extufāre*, escaldar.) tr. Calentar una pieza o un objeto.

estufero, ra. (De *estufa.*) m. y f. **estufista.**

estufido. m. *Albac.* y *Murc.* Bufido o voz del animal. ‖ 2. Expresión de enfado.

estufilla. (d. de *estufa.*) f. Manguito pequeño hecho de pieles finas, para llevar abrigadas las manos en el invierno. ‖ **2.** Rejuela o braserillo para calentar los pies. ‖ **3.** Braserillo de mano.

estufista. com. Persona que hace o vende estufas, chimeneas y otros aparatos de calefacción, o tiene por oficio instalarlos y repararlos.

estultamente. adv. m. Con estulticia.

estulticia. (Del lat. *stultitĭa.*) f. Necedad, tontería.

estulto, ta. (Del lat. *stultus.*) adj. Necio, tonto.

estuosidad. (De *estuoso.*) f. Excesivo calor y enardecimiento; como el de la calentura, insolación, etc.

estuoso, sa. (Del lat. *aestuōsus.*) adj. p. us. Caluroso, ardiente, como encendido o abrasado. Ú. m. en poesía.

estupefacción. (Del lat. *stupefactio, -ōnis.*) f. Pasmo o estupor.

estupefaciente. adj. Que produce estupefacción. ‖ **2.** m. Sustancia narcótica que hace perder la sensibilidad, como la morfina, la cocaína, etc.

estupefactivo, va. (De *estupefacto.*) adj. Que causa estupor o pasmo.

estupefacto, ta. (Del lat. *stupefactus.*) adj. Atónito, pasmado.

estupendamente. adv. m. De modo asombroso o admirable.

estupendo, da. (Del lat. *stupendus.*) adj. Admirable, asombroso, pasmoso. Ú. t. c. adv. *Lo pasamos* ESTUPENDO.

estúpidamente. adv. m. Con estupidez.

estupidez. (De *estúpido* y *-ez.*) f. Torpeza notable en comprender las cosas. ‖ **2.** Dicho o hecho propio de un estúpido.

estúpido, da. (Del lat. *stupĭdus.*) adj. Necio, falto de inteligencia. Ú. t. c. s. ‖ **2.** Dícese de los dichos o hechos propios de un **estúpido.** ‖ **3.** Estupefacto, poseído de estupor.

estupor. (Del lat. *stupor, -ōris.*) m. *Med.* Disminución de la actividad de las funciones intelectuales, acompañada de cierto aire o aspecto de asombro o de indiferencia. ‖ **2.** fig. Asombro, pasmo.

estuprador. (Del lat. *stuprātor.*) m. El que estupra.

estuprar. (Del lat. *stuprāre.*) tr. Cometer estupro.

estupro. (Del lat. *stuprum.*) m. *Der.* Coito con persona mayor de 12 años y menor de 18, prevaliéndose de superioridad, originada por cualquier relación o situación; también acceso carnal con persona mayor de 12 años y menor de 16, conseguido con engaño. Aplícase también por equiparación legal a algunos casos de incesto. ‖ **2.** Por ext., se decía también del coito con soltera núbil o con viuda, logrado sin su libre consentimiento.

estuque. (Del fr. *stuc* o el cat. *estuc.*) m. p. us. **estuco.**

estuquería. f. Arte de hacer labores de estuco. ‖ **2.** Obra hecha de estuco.

estuquista. com. Persona que por oficio hace obras de estuco.

esturado, da. p. p. de **esturar.** ‖ **2.** adj. fig. *Sal.* Quemado, amostazado.

esturar. (De *es-* y un cruce de *torrar* y *asurar.*) tr. Asurar, socarrar. Ú. t. c. prnl.

esturdir. (Cruce de *es-* y *aturdir.*) tr. Aturdir, atontar.

esturgar. tr. Alisar y perfeccionar el alfarero las piezas de barro por medio de la alaria.

esturión. (Del lat. *sturio, -ōnis.*) m. Pez marino del orden de los ganoideos, que remonta los ríos para desovar; llega a tener, en algunas especies, hasta cinco metros de longitud, y es de color gris con pintas negras por el lomo, y blanco por el vientre, con cinco filas de escamas a lo largo del cuerpo, grandes, duras y puntiagudas en el centro; cabeza pequeña, la mandíbula superior muy prominente, y delante de la boca cuatro apéndices vermiformes, cola ahorquillada y esqueleto cartilaginoso. La carne es comestible; con sus huevas se prepara el caviar, y de la vejiga natatoria seca se obtiene la gelatina llamada cola de pescado.

esturrear. (De *es-* y la onomat. *turr.*) tr. Dispersar, espantar a los animales, especialmente con gritos. ‖ **2.** Esparcir, desparramar.

ésula. (Del lat. mod. *esŭla*, de *esus*, comido.) f. **lechetrezna.**

esvarar. (Del lat. **exvarāre*, de *varus*, zambo.) intr. Desvarar, resbalar. Ú. t. c. prnl.

esvarón. m. Acción y efecto de esvararse; resbalón.

esvástica. (Del sánscr. *svastika.*) f. **cruz gamada.**

esviaje. (De *es-* y *viaje*[2].) m. *Arq.* Oblicuidad de la superficie de un muro o del eje de una bóveda respecto al frente de la obra de que forman parte.

et. (Del lat. *et.*) conj. ant. **y** o **e.**

eta. (Del gr. ἦτα.) f. Nombre de la *e* larga del alfabeto griego.

-eta. V. **-ete.**

etalaje. (Del fr. *étalage.*) m. Parte de la cavidad de la cuba de los hornos altos, inferior al vientre y encima de la obra, donde se completa la reducción de la mena por los gases del combustible.

etamina. (Del fr. *étamine.*) f. Tejido de lana, seda o algodón, muy fino, destinado a vestidos femeninos.

etano. (De *éter* y *-ano*[2].) m. *Quím.* Hidrocarburo formado por dos átomos de carbono y seis de hidrógeno.

etapa. (Del fr. *étape.*) f. Época o avance en el desarrollo de una acción u obra. ‖ **2.** Trecho de camino que se recorre de un punto a otro. ‖ **3.** *Mil.* Ración de menestra u otras cosas que se da a la tropa en campaña o marcha. ‖ **4.** *Mil.* Cada uno de los lugares en que ordinariamente hace noche la tropa cuando marcha.

etarra. (Del vasco *etarra.*) adj. Perteneciente o relativo a la organización terrorista ETA. Apl. a pers., ú. t. c. s.

etcétera. (Del lat. *et*, y *cetĕra*, pl. de *cetĕrum*, lo demás, lo que falta.) Expresión latina que se emplea generalmente en la abreviatura *etc.*, para sustituir el resto de una exposición o enumeración que se sobreentiende o que no interesa expresar. .Ú. t. c. s. amb.

-ete, ta. (*-ete*, del fr. *-et*, y *-eta*, del fr. *-ette.*) suf. de adjetivos y sustantivos, con valor diminutivo o despectivo, a veces no muy explícito: *regord*ETE, *calv*ETE, *vej*ETE, *histori*ETA, *cas*ETA, *palac*ETE. Muchas palabras han perdido esos valores: *pes*ETA, *jugu*ETE. Y no pocos sustantivos vienen directamente del francés: *bon*ETE, *fil*ETE, *flor*ETE, *rib*ETE.

éter. (Del lat. *aether*, y este del gr. αἰθήρ.) m. poét. Esfera aparente que rodea a la Tierra. ‖ **2.** *Fís.* Fluido sutil, invisible, imponderable y elástico que, según cierta hipótesis, llena todo el espacio, y por su movimiento vibratorio transmite la luz, el calor y otras formas de energía. ‖ **3.** *Quím.* Cualquiera de los compuestos químicos, gaseosos, líquidos o sólidos, que resultan de la sustitución del átomo de hidrógeno de un hidroxilo por un radical alcohólico, o de la unión de dos moléculas de un alcohol con pérdida de una molécula de agua. ‖ **4. éter etílico.** ‖ **compuesto. éster.** ‖ **etílico.** Líquido transparente, inflamable y volátil, de olor fuerte y sabor picante, que resulta de la reacción entre el alcohol etílico y el sulfato de etilo y que se produce cuando se calienta a elevada temperatura una mezcla de alcohol etílico y ácido sulfúrico. Se emplea en medicina como antiespasmódico y anestésico. ‖ **sulfúrico. éter etílico.**

etéreo, a. adj. Perteneciente o relativo al éter. ‖ **2.** poét. Perteneciente al cielo. ‖ **3.** poét. Vago, sutil, vaporoso.

eterismo. m. *Med.* Pérdida de toda sensibilidad por la acción del éter.

eterización. f. *Med.* Acción y efecto de eterizar.

eterizar. tr. *Med.* Anestesiar por medio del éter. ‖ **2.** *Quím.* Combinar con éter una sustancia.

eternal. (Del lat. *aeternālis.*) adj. Que no tiene fin.

eternalmente. adv. m. Sin fin.

eternamente. adv. m. Sin fin, siempre, perpetuamente. ‖ **2.** p. us. **nunca.** ‖ **3.** fig. Por mucho o dilatado tiempo.

eternidad. (Del lat. *aeternĭtas, -ātis.*) f. Perpetuidad sin principio, sucesión ni fin. ‖ **2.** Posesión simultánea y perfecta de una vida interminable; se considera atributo de Dios. ‖ **3.** fig. Duración dilatada de siglos y edades. ‖ **4.** fam. Duración excesivamante prolongada. *Esto dura una* ETERNIDAD. ‖ **5.** Vida perdurable de la persona después de la muerte.

eternizable. adj. Digno de eternizarse.

eternizar. (De *eterno* e *-izar.*) tr. Hacer durar o prolongar una cosa demasiado. Ú. t. c. prnl. ‖ **2.** Perpetuar la duración de una cosa.

eterno, na. (Del lat. *aeternus.*) adj. Que no tiene principio ni fin. ‖ **2.** fam. Que se prolonga muchísimo o excesivamente. ‖ **3.** V. **sabiduría eterna.** ‖ **4.** V. **sueño eterno.** ‖ **5.** Dícese de lo que se repite con excesiva frecuencia. *Ya están con sus* ETERNAS *disputas.* ‖ **6.** n. p. m. *Teol.* **Padre Eterno.** ‖ **el eterno femenino.** loc. Traducción del alemán *das Ewigweibliche,* término acuñado por Goethe para designar el conjunto de caracteres supuestamente permanentes e inmutables de la psicología femenina.

eteromanía. f. *Med.* Hábito morboso de aspirar vapores de éter.

etesio. (Del lat. *etesĭus,* y este del gr. ἐτήσιος, anual.) adj. V. **viento etesio.** Ú. t. c. s.

ética. (Del lat. *ethĭca,* y este del gr. ἠθική, t. f. de -κός, ético.) f. Parte de la filosofía que trata de la moral y de las obligaciones del hombre.

ético[1], ca. (Del lat. *ethĭcus,* y este del gr. ἠθικός.) adj. Perteneciente a la ética. ‖ **2.** m. Persona que estudia o enseña moral.

ético[2], ca. adj. **hético.** Ú. t. c. s.

etileno. (De *etilo* y *-eno.*) m. Gas incoloro, de sabor dulce y muy inflamable. Se obtiene por craqueo térmico de hidrocarburos alifáticos gaseosos y de diversas fracciones del petróleo.

etílico. adj. V. **alcohol etílico.**

etilismo. (De *etilo.*) m. *Med.* Intoxicación aguda o crónica por el alcohol etílico.

etilo. (De *éter* e *-ilo.*) m. *Quím.* Radical del etano, formado por dos átomos de carbono y cinco de hidrógeno.

étimo. (Del lat. *etȳmon,* y este del gr. ἔτυμον, significado verdadero.) m. Raíz o vocablo de que procede otro.

etimología. (Del lat. *etymologĭa,* y este del gr. ἐτυμολογία.) f. Origen de las palabras, razón de su existencia, de su significación y de su forma. ‖ **2.** Parte de la gramática que estudia el origen de las palabras consideradas en dichos aspectos. ‖ **popular.** *Gram.* Interpretación espontánea que se da vulgarmente a una palabra relacionándola con otra de distinto origen. La relación así establecida puede originar cambios semánticos (v. por ej. *miniatura*) o provocar deformaciones fonéticas (v. por ej. *antuzano* y *altozano.*)

etimológicamente. adv. m. Según la etimología; conforme a sus reglas.

etimológico, ca. (Del lat. *etymologĭcus,* y este del gr. ἐτυμολογικός.) adj. Perteneciente o relativo a la etimología.

etimologista. com. Persona que se dedica a investigar la etimología de las palabras; persona entendida en esta materia.

etimologizar. tr. Sacar o averiguar etimologías; discurrir o trabajar en esta materia.

etimólogo, ga. (Del gr. ἐτυμολόγος.) m. y f. **etimologista.**

etiología. (Del gr. αἰτιολογία.) f. *Fil.* Estudio sobre las causas de las cosas. ‖ **2.** *Med.* Parte de la medicina, que tiene por objeto el estudio de las causas de las enfermedades.

etiológico, ca. adj. Perteneciente o relativo a la etiología.

etíope. (Del lat. *Aethĭops, -ŏpis,* y este del gr. Αἰθίοψ.) adj. Natural de Etiopía o Abisinia. Ú. t. c. s. ‖ **2.** Perteneciente o relativo a este país africano. ‖ **3.** De color negro. ‖ **4.** Decíase de la persona de raza negra. ‖ **5.** m. Combinación artificial de azufre y azogue, que sirve para fabricar bermellón.

Etiopía. n. p. V. **aro de Etiopía.**

etiopiano, na. adj. ant. Natural de Etiopía. Usáb. t. c. s. ‖ **2.** Perteneciente o relativo a Etiopía.

etiópico, ca. (Del lat. *Aethiopĭcus,* y este del gr. Αἰθιοπικός.) adj. **etíope,** perteneciente a Etiopía.

etiopio, pia. (Del lat. *Aethiopĭus,* y este del gr. Αἰθιόπιος.) adj. p. us. **etíope,** natural de Etiopía. Ú. t. c. s. ‖ **2.** p. us. **etíope,** perteneciente o relativo a este país africano.

etiqueta. (Del fr. *étiquette.*) f. Ceremonial de los estilos, usos y costumbres que se debe guardar en las casas reales y en actos públicos solemnes. ‖ **2.** Por ext., ceremonia en la manera de tratarse las personas particulares o en actos de la vida privada, a diferencia de los usos de confianza o familiaridad. ‖ **3.** V. **clases, traje, vestido de etiqueta.** ‖ **4. marbete,** rótulo y cédula que se adhiere a los equipajes. ‖ **5.** Marca, señal o marbete que se coloca en un objeto o en una mercancía, para identificación, valoración, clasificación, etc. ‖ **6.** Por ext., calificación identificadora de una dedicación, profesión, significación, ideología, etc. ‖ **estar de etiqueta.** fr. Haberse enfriado las relaciones de familiaridad que existían entre dos personas.

etiquetado, da. p. p. de **etiquetar.** ‖ **2.** m. Acción y efecto de etiquetar.

etiquetar. (De *etiqueta.*) tr. Colocar etiquetas o marbetes. ‖ **2.** fig. Poner a alguien una etiqueta o distintivo.

etiquetero, ra. adj. Que gasta muchos cumplimientos.

etiquez. f. *Pat.* **hetiquez.**

etites. (Del lat. *aetītes,* y este del gr. ἀετίτης [λίθος], [piedra] aguileña.) f. Concreción de óxido de hierro en bolas informes, compuesta de varias capas concéntricas de color amarillo y pardo rojizo, generalmente con un nódulo de la misma sustancia suelto en el interior de la bola. Los antiguos creían que las águilas llevaban esta piedra a sus nidos para facilitar la postura.

etmoidal. adj. Perteneciente al hueso etmoides.

etmoides. (Del gr. ἠθμοειδές [ὀστέον], [hueso] en forma de criba.) adj. *Anat.* V. **hueso etmoides.** Ú. m. c. s.

etneo, a. (Del lat. *Aetnaeus.*) adj. Perteneciente o relativo al volcán Etna.

etnia. (Del gr. ἔθνος, pueblo.) f. Comunidad humana definida por afinidades raciales, lingüísticas, culturales, etc.

étnico, ca. (Del lat. *ethnĭcus,* y este del gr. ἐθνικός.) adj. Perteneciente a una nación, raza o etnia. ‖ **2.** p. us. Gentil, idólatra, pagano. Ú. t. c. s. ‖ **3.** *Gram.* Dícese del adjetivo gentilicio. Ú. t. c. s.

etno-. (Del gr. ἔθνος.) elem. compos. que significa «pueblo» o «raza»: ETNO*grafía,* ETNO*centrismo.*

etnocéntrico, ca. adj. *Etnol.* Que practica el etnocentrismo.

etnocentrismo. m. *Etnol.* Tendencia emocional que hace de la cultura propia el criterio exclusivo para interpretar los comportamientos de otros grupos, razas o sociedades.

etnografía. (Del gr. ἔθνος, pueblo, raza, y *-grafía.*) f. Ciencia que tiene por objeto el estudio y descripción de las razas o pueblos.

etnográfico, ca. adj. Referente a la etnografía.

etnógrafo, fa. m. y f. Persona que profesa o cultiva la etnografía.

etnolingüística. f. Disciplina que estudia las relaciones entre la lengua y la cultura de uno o varios pueblos.

etnología. (Del gr. ἔθνος, pueblo, raza, y *-logía.*) f. Ciencia que estudia las razas y los pueblos en todos sus aspectos y relaciones.

etnológico, ca. adj. Perteneciente o relativo a la etnología.

etnólogo, ga. m. y f. Persona que profesa o cultiva la etnología.

-eto. (Del it. *-etto.*) suf. de sustantivos y adjetivos, diminutivo en su origen: *canal*ETO, *narigu*ETO.

etolio, lia. (Del lat. *Aetolĭus.*) adj. Natural de Etolia, país de Grecia antigua. Ú. t. c. s. ‖ **2.** Perteneciente o relativo a este país.

etolo, la. (Del lat. *Aetōlus.*) adj. **etolio.** Ú. t. c. s.

etología. (Del gr. ἦθος, costumbre, y *-logía.*) f. Estudio científico del carácter y modos de comportamiento del hombre. ‖ **2.** Parte de la biología que estudia el comportamiento de los animales.

etológico, ca. adj. Perteneciente o relativo a la etología.

etólogo, ga. m. y f. Persona versada en etología.

-etón. V. **-ón**[1].

etopeya. (Del lat. *ethopoeia,* y este del gr. ἠθοποιΐα.) f. *Ret.* Descripción del carácter, acciones y costumbres de una persona.

etrusco, ca. (Del lat. *Etruscus.*) adj. Natural de Etruria. Ú. t. c. s. ‖ **2.** Perteneciente o relativo a este país de Italia antigua. ‖ **3.** m. Lengua que hablaron los **etruscos,** de la cual se conservan inscripciones que todavía no ha sido posible descifrar.

etusa. (Del gr. αἴθουσα, fem. del p. a. de pres. de αἴθω, quemar.) f. **cicuta menor.**

eubeo, a. (Del lat. *Euboeus.*) adj. Natural de Eubea, isla del mar Egeo. Ú. t. c. s. ‖ **2.** Perteneciente o relativo a Eubea.

euboico, ca. (Del lat. *Euboĭcus.*) adj. Perteneciente o relativo a la isla de Eubea.

eubolia. (Alteración del gr. εὐβουλία, buen consejo.) f. Virtud que ayuda a hablar convenientemente, y es una de las que pertenecen a la prudencia.

eucalipto. (Del gr. εὖ, bien, y καλυπτός, cubierto.) m. Árbol originario de Australia, de la familia de las mirtáceas, que puede llegar hasta 100 metros de altura, con tronco derecho y copa cónica, hojas persistentes, olorosas, glaucas, coriáceas, lanceoladas y colgantes; flores amarillas, axilares, y fruto capsular de tres a cuatro celdas con muchas semillas. Es febrífugo el cocimiento de las hojas; la corteza da un buen curtiente; sirve la madera para la construcción y carretería, aunque es de fibra torcida. El árbol es de gran utilidad para sanear terrenos pantanosos. ‖ **2.** Madera de este árbol.

eucarionte. adj. *Biol.* Dícese de células con núcleo diferenciado, envuelto por una membrana y con citoplasma organizado; aplícase a las células y organismos animales y vegetales.

eucariota. adj. **eucarionte.**

eucaristía. (Del lat. *eucharistĭa,* y este del gr. εὐχαριστία, acción de gracias.) f. *Rel.* Sacramento instituido por Jesucristo, mediante el cual, por las palabras que el sacerdote pronuncia, se transubstancian el pan y el vino en el cuerpo y la sangre de Cristo. ‖ **2. misa.**

eucarístico, ca. (Del lat. *eucharistĭcus,* y este del gr. εὐχαριστικός.) adj. *Rel.* Perteneciente a la Eucaristía. *Especies* EUCARÍSTICAS; *sacramento* EUCARÍSTICO. ‖ **2.** *Rel.* V. **pan eucarístico.** ‖ **3.** Dícese de las obras en prosa o verso cuyo fin es dar gracias.

euclidiano, na. adj. Perteneciente o relativo a Euclides o al método de este matemático griego del siglo III antes de Cristo.

eucologio. (Del gr. εὐχή, súplica, y λέγω, escoger.) m. Devocionario que contiene los oficios del domingo y principales fiestas del año.

eucrático, ca. (Del gr. εὔκρατος, bien mezclado.) adj. *Med.* Dícese del buen temperamento y complexión de un sujeto, cual corresponde a su edad, naturaleza y sexo.

eudiometría. f. *Fís.* Técnica para analizar mezclas gaseosas por medio del eudiómetro.

eudiómetro. (Del gr. εὐδία, sereno, y *-metro.*) m. *Fís.* Tubo de vidrio muy resistente, bastante ancho, cerrado por un extremo y con un tapón de metal por el otro, destinado a contener gases, que han de reaccionar químicamente mediante la chispa eléctrica.

eufemismo. (Del lat. *euphemismus,* y este del gr. εὐφημισμός.) m. Manifestación suave o decorosa de ideas cuya recta y franca expresión sería dura o malsonante.

eufemístico, ca. adj. Relativo al eufemismo.

eufonía. (Del lat. *euphonĭa,* y este del gr. εὐφωνία, armonía.) f. Sonoridad agradable que resulta de la acertada combinación de los elementos acústicos de las palabras.

eufónico, ca. adj. Que tiene eufonía.

euforbiáceo, a. (Del lat. *euphorbĭum,* y este del gr. εὐφόρβιον, y *-áceo.*) adj. *Bot.* Aplícase a plantas angiospermas dicotiledóneas, hierbas, arbustos o árboles, muchas de las cuales tienen abundante látex, con frecuencia venenoso, flores unisexuales y frutos secos dehiscentes; como la lechetrezna y el ricino. Ú. t. c. s. f. ‖ **2.** f. pl. *Bot.* Familia de estas plantas.

euforbio. (Del lat. *euphorbĭum,* y este del gr. εὐφόρβιον.) m. Planta africana de la familia de las euforbiáceas, con un tallo carnoso de más de un metro de altura, anguloso, con espinas geminadas, cónicas y muy duras, sin hojas, y de la cual, por presión, se saca un zumo muy acre, que al secarse da una sustancia resinosa, usada en medicina como purgante. ‖ **2.** Resina de esta planta.

euforia. (Del gr. εὐφορία, fuerza para llevar o soportar.) f. Capacidad para soportar el dolor y las adversidades. ‖ **2.** Sensación de bienestar, resultado de una perfecta salud o de la administración de medicamentos o drogas. ‖ **3.** Estado de ánimo propenso al optimismo.

eufórico, ca. adj. Perteneciente o relativo a la euforia.

euforizante. adj. Dícese de la sustancia que produce euforia. Ú. t. c. s. m.

eufótida. (Del gr. εὖ, bien, φῶς, φωτός, luz, e *-ido.*) f. Roca compuesta de diálaga y feldespato; es de color blanco manchado de verde, de textura granujienta y muy tenaz. Sirve como piedra de adorno.

eufrasia. (Del gr. εὐφρασία, alegría.) f. Hierba vellosa, de la familia de las escrofulariáceas, con tallo erguido y ramoso, de uno a dos decímetros de altura; hojas elípticas, dentadas y sin pecíolo; flores pequeñas, axilares, blancas, con rayas purpúreas y una mancha amarilla parecida a un ojo, lo que ha dado fama a la planta como remedio para las enfermedades de la vista.

eugenesia. (Del gr. εὐ, bien, y γένεσις, engendramiento.) f. Aplicación de las leyes biológicas de la herencia al perfeccionamiento de la especie humana.

eugenésico, ca. adj. Relativo a la eugenesia.

eunuco. (Del lat. *eunūchus*, y este del gr. εὐνοῦχος.) m. Hombre castrado. ‖ **2.** Hombre castrado que se destinaba en los serrallos a la custodia de las mujeres. ‖ **3.** En la historia antigua y oriental, ministro o empleado favorito de un rey. ‖ **4.** fig. Hombre poco viril, afeminado.

eupatorio. (Del lat. *eupatorĭum*, y este del gr. εὐπατόριον.) f. *Bot.* Especie de agrimonia.

eupepsia. (Del gr. εὐπεψία.) f. *Fisiol.* Digestión normal.

eupéptico, ca. adj. *Farm.* Aplícase a la sustancia o medicamento que favorece la digestión.

eurasiático, ca. adj. **euroasiático.** Ú. t. c. s.

¡eureka! (Del gr. εὕρηκα, he hallado.) Voz usada como interj. cuando se halla o descubre algo que se busca con afán.

euripo. (Del lat. *Eurīpus*, y este del gr. Εὔριπος, estrecho entre Eubea y Beocia.) m. ant. Estrecho de mar.

euritmia. (Del lat. *eurythmĭa*, y este del gr. εὐρυθμία, ritmo armonioso.) f. Buena disposición y correspondencia de las diversas partes de una obra de arte. ‖ **2.** Regularidad del pulso.

eurítmico, ca. adj. Perteneciente o relativo a la euritmia.

euro. (Del lat. *eurus*, y este del gr. εὖρος.) m. poét. Uno de los cuatro vientos cardinales, que sopla de Oriente. ‖ **noto.** poét. Viento intermedio entre el **euro** y el austro.

euro-. elem. compos. que significa «europeo» o «perteneciente o relativo a Europa»: EURO*diputado*.

euroasiático, ca. adj. Perteneciente o relativo a Europa y Asia, consideradas como un todo geográfico. Ú. t. c. s. ‖ **2.** Dícese del mestizo de europeo y asiático, especialmente de la India, Ceilán, Indochina, etc.

eurocomunismo. m. Tendencia del movimiento comunista defendida por partidarios que actúan en países capitalistas europeos, la cual rechaza el modelo soviético.

eurocomunista. com. Partidario del eurocomunismo.

eurodiputado, da. m. y f. Diputado del parlamento de la Comunidad Europea.

eurodivisa. f. Divisa o moneda extranjera negociada o invertida en un país europeo.

Europa. n. p. V. **té de Europa.**

europeidad. f. Cualidad o condición de europeo. ‖ **2.** Carácter genérico de los pueblos que componen Europa.

europeísmo. m. Predilección por las cosas de Europa. ‖ **2.** Carácter europeo. ‖ **3.** Conjunto de ideologías o movimientos políticos que promueven la unificación de los Estados del continente europeo.

europeísta. adj. Que simpatiza con Europa. Ú. t. c. s. ‖ **2.** Dícese del partidario de la unidad o de la hegemonía europeas. Ú. t. c. s.

europeización. f. Acción y efecto de europeizar.

europeizante. p. a. de **europeizar.** ‖ **2.** adj. Que europeíza. Ú. t. c. s.

europeizar. tr. Dar carácter europeo. ‖ **2.** prnl. Tomar este carácter.

europeo, a. (Del lat. *Europaeus*.) adj. Natural de Europa. Ú. t. c. s. ‖ **2.** Perteneciente a esta parte del mundo. ‖ **3.** V. **alerce europeo.** ‖ **4.** V. **manzanilla europea.**

europio. (De *Europa*.) m. *Quím.* Metal del grupo de las tierras raras que no ha podido aún ser obtenido en estado metálico puro. Sus sales son de color rosa pálido. Núm. atómico 63. Símb.: *Eu.*

eurovisión. f. Conjunto de circuitos de imagen y sonido que posibilita el intercambio de programas, comunicaciones e informaciones sonoras y visuales entre los países europeos asociados.

euscalduna. (Del vasc. *euskalduna*.) com. Persona que habla vascuence. ‖ **2.** adj. Vasco.

éuscaro, ra. adj. Perteneciente al eusquera. ‖ **2.** m. Lengua vasca.

euskera. m. **eusquera.**

eusquera. (Del vasco *euskera*.) m. Vascuence, la lengua vasca. ‖ **2.** adj. Perteneciente o relativo a la lengua vasca. *Sufijo* EUSQUERA, *fonética* EUSQUERA.

eusquérico, ca. adj. Perteneciente o relativo al eusquera.

Eustaquio. (Médico italiano del siglo XVI.) n. p. *Anat.* V. **trompa de Eustaquio.**

éustilo. (Del lat. *eustȳlos*, y este del gr. εὔστυλος.) m. *Arq.* Intercolumnio en que el claro o distancia entre columna y columna es de cuatro módulos y medio.

eutanasia. (Del gr. εὐ, bien, y θάνατος, muerte.) f. *Med.* Muerte sin sufrimiento físico. ‖ **2.** Acortamiento voluntario de la vida de quien sufre una enfermedad incurable, para poner fin a sus sufrimientos.

eutiquianismo. m. Doctrina y secta de los eutiquianos.

eutiquiano, na. adj. Sectario de Eutiques, heresiarca del siglo V, que no admitía en Jesucristo sino una sola naturaleza. Ú. t. c. s. ‖ **2.** Perteneciente a la doctrina y secta de Eutiques.

eutrapelia. (Del gr. εὐτραπελία, broma amable.) f. Virtud que modera el exceso de las diversiones o entretenimientos. ‖ **2.** Donaire o jocosidad urbana e inofensiva. ‖ **3.** Discurso, juego o cualquier ocupación inocente, que se toma por vía de recreación honesta con templanza.

eutrapélico, ca. adj. Perteneciente o relativo a la eutrapelia.

eutrofia. (Del gr. εὐτροφία.) f. Buen estado de nutrición. ‖ **2.** *Ecol.* Propiedad de las aguas de los lagos y embalses susceptibles de eutrofización.

eutrófico, ca. adj. Dícese del órgano o del organismo en estado de eutrofia, y de los medios nutritivos que permiten conseguir tal estado. ‖ **2.** *Ecol.* Perteneciente o relativo a la eutrofia y a la eutrofización.

eutrofización. f. *Ecol.* Incremento de sustancias nutritivas en aguas dulces de lagos y embalses, que provoca un exceso de fitoplancton.

eutrofizar. tr. *Ecol.* Producir el proceso de eutrofización. Ú. t.c. prnl.

eutropelia. f. **eutrapelia.**

eutropélico, ca. adj. Perteneciente o relativo a la eutropelia.

evacuación. (Del lat. *evacuatĭo, -ōnis*.) f. Acción y efecto de evacuar.

evacuante. p. a. de **evacuar.** Que evacua. ‖ **2.** adj. *Med.* Que tiene virtud de evacuar. Ú. t. c. s.

evacuar. (Del lat. *evacuāre*.) tr. Desocupar alguna cosa. ‖ **2.** Desalojar a los habitantes de un lugar para evitarles algún daño. ‖ **3.** Expeler un ser orgánico excrementos u otras secreciones. ‖ **4.** Desempeñar un encargo, informe o cosa semejante. ‖ **5.** ant. Enervar, debilitar, minorar. ‖ **6.** *Der.* Cumplir un trámite. EVACUAR *un traslado, una diligencia.* ‖ **7.** *Med.* Sacar, extraer los humores sobrantes o viciados del cuerpo humano. ‖ **8.** *Mil.* Dejar una plaza, una ciudad, una fortaleza, etc., las tropas o guarnición que había en ella.

evacuativo, va. adj. *Farm.* Que tiene propiedad o virtud de evacuar. Ú. t. c. s. m.

evacuatorio, ria. adj. *Farm.* **evacuativo.** ‖ **2.** m. Lugar público destinado en las poblaciones para que los transeúntes puedan hacer aguas.

evad, evas, evat. defect. ant. que solo se halla usado en estas personas del presente y del imperativo, y significa **veis aquí, ved, mira, mirad,** y también **sabed** o **entended.**

evadir. (Del lat. *evadĕre.*) tr. Evitar un daño o peligro inminente. Ú. t. c. prnl. ‖ **2.** Eludir con arte o astucia una dificultad prevista. Ú. t. c. prnl. ‖ **3.** prnl. Fugarse, escaparse.

evagación. (Del lat. *evagatĭo, -ōnis.*) f. ant. Acción de vagar. ‖ **2.** fig. Distracción de la imaginación.

evaginación. f. Protuberancia o saliente hueco de un conducto o cavidad orgánicos.

evaluación. (De *evaluar.*) f. Acción y efecto de evaluar.

evaluador, ra. adj. Que evalúa.

evaluar. (Del fr. *évaluer.*) tr. Señalar el valor de una cosa. ‖ **2.** Estimar, apreciar, calcular el valor de una cosa. EVALUÓ *los daños de la inundación en varios millones.* Ú. t. c. prnl. ‖ **3.** Estimar los conocimientos, aptitudes y rendimiento de los alumnos.

evanecer. tr. **evanescer.**

evanescencia. (De *evanescente.*) f. Acción y efecto de evanescerse algo o esfumarse. ‖ **2.** Cualidad y condición de lo que es evanescente.

evanescente. (Del lat. *evanescĕre,* desvanecerse.) adj. Que se desvanece o esfuma.

evanescer. tr. Desvanecer o esfumar. Ú. t. c. prnl.

evangeliario. m. Libro de liturgia que contiene los evangelios de cada día del año.

evangélicamente. adv. m. Conforme a la doctrina del Evangelio.

evangélico, ca. (Del lat. *evangelĭcus.*) adj. Perteneciente o relativo al Evangelio. ‖ **2.** V. **ley evangélica.** ‖ **3.** Perteneciente al protestantismo. ‖ **4.** Dícese particularmente de una doctrina formada por la fusión del culto luterano y del calvinista.

evangelio. (Del lat. *evangelĭum,* y este del gr. εὐαγγέλιον, buena nueva.) m. Historia de la vida, doctrina y milagros de Jesucristo, contenida en los cuatro relatos que llevan el nombre de los cuatro evangelistas y que componen el primer libro canónico del Nuevo Testamento. ‖ **2.** Por ext., libro que contiene el relato de la vida y mensaje de Jesucristo. ‖ **3.** En la misa, capítulo tomado de uno de los cuatro libros de los evangelistas, que se lee después de la epístola y gradual, y, en ciertas misas, al final de ellas. ‖ **4.** fig. Religión cristiana. *Convertirse al* EVANGELIO. ‖ **5.** fig. y fam. Verdad indiscutible. *Sus palabras son el* EVANGELIO; *Decir el* EVANGELIO. ‖ **6.** pl. Librito muy chico, forrado comúnmente en tela de seda, en que se contiene el principio del **Evangelio** de San Juan y otros tres capítulos de los otros tres evangelistas, el cual se solía poner entre algunas reliquias y dijes a los niños, colgado en la cintura. ‖ **evangelios abreviados,** o **chicos.** fig. y fam. Los refranes, por la verdad que hay o se supone en ellos. ‖ **sinópticos.** Los de San Lucas, San Marcos y San Mateo, por presentar tales coincidencias que pueden ser apreciadas visualmente colocándolos juntos. ‖ **ordenar** a uno **de evangelio.** fr. Ordenarlo de diácono.

evangelista. (Del lat. *evangelista.*) m. Cada uno de los cuatro discípulos de Jesús con cuyo nombre se designa uno de los cuatro evangelios. ‖ **2.** Persona destinada a cantar el Evangelio en las iglesias. ‖ **3.** *Méj.* El que tiene por oficio escribir cartas u otros papeles que necesita la gente que no sabe hacerlo.

evangelistero. (De *evangelista.*) m. Clérigo que en algunas iglesias tiene la obligación de cantar el Evangelio en las misas solemnes. ‖ **2.** ant. **diácono.** Díjose así porque era el que cantaba el Evangelio. ‖ **3.** ant. Atril con su pie, sobre el cual se pone el libro de los Evangelios, para cantar el que se dice en la misa.

evangelización. f. Acción y efecto de evangelizar.

evangelizador, ra. adj. Que evangeliza. Ú. t. c. s.

evangelizar. (Del lat. cristiano *evangelizāre.*) tr. Predicar la fe de Jesucristo o las virtudes cristianas.

evaporable. adj. Que se puede evaporar.

evaporación. (Del lat. *evaporatĭo, -ōnis.*) f. Acción y efecto de evaporar o evaporarse.

evaporador, ra. adj. Que evapora. ‖ **2.** m. En ingeniería química, unidad de equipo para la concentración de disoluciones por evaporación de uno o varios componentes más volátiles, que puede realizarse por aportación de calor o por disminución de la presión.

evaporar. (Del lat. *evaporāre.*) tr. Convertir en vapor un líquido. Ú. t. c. prnl. ‖ **2.** fig. Disipar, desvanecer. Ú. t. c. prnl. ‖ **3.** prnl. fig. Fugarse, desaparecer sin ser notado.

evaporatorio, ria. adj. *Med.* Aplícase al medicamento que tiene virtud y eficacia para evaporar. Ú. t. c. s. m.

evaporización. f. Acción y efecto de evaporizar o evaporizarse.

evaporizar. tr. **vaporizar.** Ú. t. c. intr. y c. prnl.

evasión. (Del lat. *evasĭo, -ōnis.*) f. Efugio para evadir una dificultad. ‖ **2.** Acción y efecto de evadir o evadirse.

evasiva. f. Efugio o medio para eludir una dificultad.

evasivo, va. (Del lat. *evāsum.*) adj. Que incluye una evasiva o la favorece. *Respuesta* EVASIVA; *medios* EVASIVOS.

evasor, ra. (Del lat. *evāsum.*) adj. Que evade o se evade.

evección. (Del lat. *evectĭo, -ōnis,* acción de levantarse en el aire.) f. *Astron.* Desigualdad periódica en la forma y posición de la órbita de la Luna, ocasionada por la atracción del Sol.

evenir. (Del lat. *evenīre.*) intr. ant. Venir, suceder, acontecer.

evento. (Del lat. *eventus.*) m. Acaecimiento. ‖ **2.** Eventualidad, hecho imprevisto, o que puede acaecer. ‖ **a todo evento.** loc. adv. En previsión de todo lo que pueda suceder. ‖ **2.** Sin reservas ni preocupaciones. ‖ **a cualquier evento.** loc. adv. **a todo evento.**

eventración. (De *e-* y el lat. *venter, -tris.*) f. *Pat.* Salida de las vísceras, principalmente de los intestinos y epiplón, del interior del vientre, por una herida que rasga la pared abdominal o por debilitación de esta pared.

eventual. adj. Sujeto a cualquier evento o contingencia. ‖ **2.** Aplícase a los derechos o emolumentos anejos a un empleo fuera de su dotación fija. ‖ **3.** Dícese de ciertos fondos destinados en algunas oficinas a gastos accidentales. ‖ **4.** Dícese del trabajador que no pertenece a la plantilla de una empresa y presta sus servicios de manera provisional.

eventualidad. f. Cualidad de eventual. ‖ **2.** Hecho o circunstancia de realización incierta o conjetural.

eventualmente. adv. m. Incierta o casualmente.

eversión. (Del lat. *eversĭo, -ōnis.*) f. Destrucción, ruina, desolación.

evicción. (Del lat. *evictĭo, -ōnis.*) f. *Der.* Pérdida de un derecho por sentencia firme y en virtud de derecho anterior ajeno. ‖ **2.** *Der.* V. **citación de evicción.** ‖ **prestar la evicción.** fr. *Der.* Cumplir el vendedor su obligación de defender la cosa vendida, o de sanearla cuando es ineficaz su defensa. ‖ **salir a la evicción.** fr. *Der.* Presentarse el vendedor a practicar en juicio esa misma defensa.

evidencia. (Del lat. *evidentĭa.*) f. Certeza clara, manifiesta y tan perceptible, que nadie puede racionalmente dudar de ella. ‖ **moral.** Certidumbre de una cosa, de modo que el sentir o juzgar lo contrario sea tenido por temeridad. ‖ **en evidencia.** loc. adv. Con los verbos *poner, estar, quedar,* etc., en ridículo, en situación desairada.

evidenciar. tr. Hacer patente y manifiesta la certeza de una cosa; probar y mostrar que no solo es cierta, sino clara.

evidente. (Del lat. *evīdens, -entis.*) adj. Cierto, claro, patente y sin la menor duda. ‖ **2.** Se usa como expresión de asentimiento.

evidentemente. adv. m. Con evidencia.

eviscerar. (Del lat. *eviscerāre.*) tr. Extraer las vísceras o entrañas.

evitable. (Del lat. *evitabĭlis.*) adj. Que se puede o debe evitar.

evitación. (Del lat. *evitatĭo, -ōnis.*) f. Acción y efecto de evitar.

evitado, da. (Del lat. *evitātus.*) adj. ant. **vitando.** Usáb. t. c. s.

evitar. (Del lat. *evitāre.*) tr. Apartar algún daño, peligro o molestia, impidiendo que suceda. ‖ **2.** Excusar, huir de incurrir en algo. ‖ **3.** Huir el trato de uno; apartarse de su comunicación. ‖ **4.** prnl. ant. Eximirse del vasallaje.

eviterno, na. (Del lat. *aeviternus.*) adj. *Teol.* Que, habiendo comenzado en el tiempo, no tendrá fin; como los ángeles, las almas racionales, el cielo empíreo.

evo. (Del lat. *aevum.*) m. *Teol.* Duración de las cosas eternas. ‖ **2.** poét. Duración de tiempo sin término.

evocable. adj. Que se puede evocar.

evocación. (Del lat. *evocatĭo, -ōnis.*) f. Acción y efecto de evocar.

evocador, ra. adj. Que evoca.

evocar. (Del lat. *evocāre.*) tr. Llamar a los espíritus y a los muertos, suponiéndolos capaces de acudir a los conjuros e invocaciones. ‖ **2.** fig. Traer alguna cosa a la memoria o a la imaginación.

evocatorio, ria. adj. Perteneciente o relativo a la evocación.

¡evohé! (Del lat. *evoe,* y este del gr. εὐοῖ.) interj. Grito de las bacantes para aclamar o invocar a Baco.

evolar. (Del lat. *evolāre.*) intr. ant. Salir volando, volar.

evolución. (Del lat. *evolutĭo, -ōnis.*) f. Acción y efecto de evolucionar. ‖ **2.** Movimiento de una persona, animal o cosa que se desplaza describiendo líneas curvas. Ú. m. en pl. ‖ **3.** Desarrollo de las cosas o de los organismos, por medio del cual pasan gradualmente de un estado a otro. ‖ **4.** Movimiento que hacen las tropas o los buques, pasando de unas formaciones a otras para atacar al enemigo o defenderse de él. ‖ **5.** fig. Mudanza de conducta, de propósito o de actitud. ‖ **6.** fig. Desarrollo o transformación de las ideas o de las teorías. ‖ **7.** *Fil.* Doctrina que explica todos los fenómenos, cósmicos, físicos y mentales, por transformaciones sucesivas de una sola realidad primera, sometida a perpetuo movimiento intrínseco, en cuya virtud pasa de lo simple y homogéneo a lo compuesto y heterogéneo. ‖ **8.** Cambio de forma. ‖ **biológica.** Proceso continuo de cambio en los seres vivos, mediante modificaciones progresivas, por el cual se ha producido, a lo largo de las eras geológicas, la enorme variedad de formas y especies, actuales y extintas.

evolucionar. intr. Desplazarse una persona, animal o cosa describiendo líneas curvas. ‖ **2.** Desenvolverse, desarrollarse los organismos o las cosas, pasando de un estado a otro. ‖ **3.** Hacer evoluciones la tropa o los buques. ‖ **4.** Mudar de conducta, de propósito o de actitud.

evolucionismo. m. Doctrina filosófica basada en la idea de la evolución. ‖ **2.** *Biol.* Doctrina según la cual los seres vivos actuales proceden, a través de cambios más o menos lentos a lo largo de los tiempos geológicos, de antecesores comunes.

evolucionista. adj. Relativo a la evolución. ‖ **2.** Dícese de la persona partidaria del evolucionismo. Ú. t. c. s.

evolutivo, va. adj. Perteneciente a la evolución.

evónimo. (Del lat. *evonȳmus,* y este del gr. εὐώνυμος.) m. **bonetero,** arbusto.

ex. (Del lat. *ex.*) prep. que, antepuesta a nombres de dignidades o cargos, denota que los tuvo y ya no los tiene la persona de quien se habla; v. gr.: EX *provincial,* EX *ministro.* ‖ **2.** También se antepone a otros nombres o adjetivos de persona para indicar que esta ha dejado de ser lo que aquellos significan: EX *discípulo,* EX *monárquico.* ‖ **3.** Forma parte de locuciones latinas usadas en nuestro idioma; v. gr.: EX *abrupto,* EX *cáthedra.*

ex-. (Del lat. *ex-.*) pref. que significa «fuera» o «más allá», con relación al espacio o al tiempo: EX*tender,* EX*traer,* EX*humar,* EX*céntrico;* privación: EX*heredar,* EX*ánime;* a veces no añade ningún significado especial: EX*clamar,* EX*ornar.*

exa-. elem. compos. de nombres que significan un trillón de veces (10^{18}) de las respectivas unidades. Su símbolo es *E.*

exabrupto. (De *ex abrupto.*) m. Salida de tono, como dicho o ademán inconveniente e inesperado, manifestado con viveza.

ex abrupto. loc. adv. lat. De repente, de improviso. ‖ **2.** *Der.* Arrebatadamente, sin guardar el orden establecido. Se aplicaba principalmente a las sentencias cuando no habían precedido las solemnidades de estilo.

exacción. (Del lat. *exactĭo, -ōnis.*) f. Acción y efecto de exigir, con aplicación a impuestos, prestaciones, multas, deudas, etc. ‖ **2.** Cobro injusto y violento.

exacerbación. (Del lat. *exacerbatĭo, -ōnis.*) f. Acción y efecto de exacerbar o exacerbarse.

exacerbamiento. m. **exacerbación.**

exacerbar. (Del lat. *exacerbāre.*) tr. Irritar, causar muy grave enfado o enojo. Ú. t. c. prnl. ‖ **2.** Agravar o avivar una enfermedad, una pasión, una molestia, etc. Ú. t. c. prnl.

exactamente. adv. m. Con exactitud.

exactitud. (De *exacto.*) f. Puntualidad y fidelidad en la ejecución de una cosa.

exacto, ta. (Del lat. *exactus.*) adj. Puntual, fiel y cabal. ‖ **2.** V. **ciencias exactas.**

exactor. (Del lat. *exactor, ōris.*) m. Cobrador o recaudador de los tributos, impuestos o emolumentos.

exageración. (Del lat. *exaggeratĭo, -ōnis.*) f. Acción y efecto de exagerar. ‖ **2.** Concepto, hecho o cosa que traspasa los límites de lo justo, verdadero o razonable.

exageradamente. adv. m. Con exageración.

exagerado, da. p. p. de **exagerar.** ‖ **2.** adj. Dícese de la persona que exagera. *No seas* EXAGERADO *en tus alabanzas.* Ú. t. c. s. ‖ **3.** Excesivo, que incluye en sí exageración. *Precio* EXAGERADO.

exagerador, ra. (Del lat. *exaggerātor, -ōris.*) adj. **exagerado,** que exagera.

exagerar. (Del lat. *exaggerāre.*) tr. Encarecer, dar proporciones excesivas; decir, representar o hacer una cosa traspasando los límites de lo verdadero, natural, ordinario, justo o conveniente.

exagerativamente. adv. m. Con exageración.

exagerativo, va. adj. Que exagera.

exagitado, da. (Del lat. *exagitātus.*) adj. ant. Agitado, estimulado.

exagonal. adj. **hexagonal.**

exágono. adj. **hexágono.**

exaltación. (Del lat. *exaltatĭo, -ōnis.*) f. Acción y efecto de exaltar o exaltarse. ‖ **2.** Gloria que resulta de una acción muy notable.

exaltado, da. p. p. de **exaltar.** ‖ **2.** adj. Que se exalta.

exaltador, ra. adj. Que exalta.

exaltamiento. m. Acción y efecto de exaltar o exaltarse.

exaltar. (Del lat. *exaltāre.*) tr. Elevar a una persona o cosa a gran auge o dignidad. ‖ **2.** fig. Realzar el mérito o circunstancias de alguien con demasiado encarecimiento. ‖ **3.** prnl. Dejarse arrebatar de una pasión, perdiendo la moderación y la calma.

exalzar. (Del lat. **exaltiāre.*) tr. ant. **ensalzar.**

examen. (Del lat. *exāmen.*) m. Indagación y estudio que se hace acerca de las cualidades y circunstancias de una cosa o de un hecho. ‖ **2.** Prueba que se hace de la idoneidad de un sujeto para el ejercicio y profesión de una facultad, oficio o ministerio, o para comprobar o demostrar el aprovechamiento en los estudios. ‖ **3.** V. **carta, pieza de examen.** ‖ **de conciencia.** Recordación de las palabras, obras y pensamientos con relación a las obligaciones que se tienen. ‖ **de testigos.** *Der.* Diligencia judicial en que se toma declaración a las personas que, no siendo parte en el juicio, saben y pueden dar testimonio sobre lo que se quiere averiguar. ‖ **libre examen.** El que se hace de las doctrinas cristianas sin otro criterio que el texto de la Biblia interpretado conforme al juicio personal y descartando la autoridad de la iglesia.

examinación. (Del lat. *examinatĭo, -ōnis.*) f. ant. **examen.**

examinador, ra. (Del lat. *examinātor, -ōris.*) m. y f. Persona que examina. ‖ **sinodal.** Teólogo o canonista nombrado por el prelado diocesano para examinar a los que han de ser admitidos a las órdenes sagradas y ejercer los ministerios de párrocos, confesores, predicadores, etc.

examinamiento. m. ant. **examen.**

examinando, da. (Del lat. *examinandus.*) m. y f. Persona que va a pasar un examen.

examinante. p. a. de **examinar.** Que examina. ‖ **2.** m. ant. **examinando.**

examinar. (Del lat. *examināre.*) tr. Inquirir, investigar, escudriñar con diligencia y cuidado una cosa. ‖ **2.** Reconocer la calidad de una cosa, viendo si contiene algún defecto o error. *La censura* EXAMINA *un libro.* ‖ **3.** Tantear la idoneidad y suficiencia de los que quieren profesar o ejercer una facultad, oficio o ministerio, o aprobar cursos en los estudios. Ú. t. c. prnl.

exangüe. (Del lat. *exsanguis.*) adj. Desangrado, falto de sangre. ‖ **2.** fig. Sin ninguna fuerza, aniquilado. ‖ **3.** fig. **muerto,** sin vida.

exanimación. (Del lat. *exanimatĭo, -ōnis.*) f. Privación de las funciones vitales.

exánime. (Del lat. *exanĭmis.*) adj. Sin señal de vida o sin vida. ‖ **2.** fig. Sumamente debilitado; sin aliento, desmayado.

exantema. (Del lat. *exanthēma,* y este del gr. ἐξάνθημα, eflorescencia.) m. *Pat.* Erupción de la piel, de color rojo más o menos subido, que desaparece momentáneamente con la presión del dedo; va acompañada o precedida de calentura, y termina por descamación; como el sarampión, la escarlatina y otras enfermedades.

exantemático, ca. adj. *Pat.* Perteneciente al exantema o acompañado de esta erupción. ‖ **2.** *Pat.* V. **tifus exantemático.**

exarca. (De *exarco.*) m. En el imperio romano de Oriente, jefe supremo de las fuerzas militares. ‖ **2.** Gobernador de los dominios bizantinos en Italia desde el siglo VI al VIII. ‖ **3.** En la Iglesia griega, dignidad inmediatamente inferior a la de patriarca.

exarcado. m. Dignidad de exarca. ‖ **2.** Espacio de tiempo que duraba el gobierno de un exarca. ‖ **3.** Período histórico en que hubo exarcas. ‖ **4.** Territorio gobernado por un exarca.

exarco. (Del lat. *exarchus,* y este del gr. ἔξαρχος.) m. **exarca.**

exardecer. (Del lat. *exardescĕre.*) intr. ant. Enardecerse, airarse extremadamente.

exarico. (Del ár. *aš-šarīk,* asociado, aparcero.) m. Aparcero o arrendatario moro que pagaba una renta proporcional a los frutos de la cosecha. ‖ **2.** Siervo de la gleba, de origen moro.

exasperación. (Del lat. *exasperatĭo, -ōnis.*) f. Acción y efecto de exasperar o exasperarse.

exasperar. (Del lat. *exasperāre.*) tr. Lastimar, irritar una parte dolorida o delicada. Ú. t. c. prnl. ‖ **2.** fig. Irritar, enfurecer, dar motivo de enojo grande a uno. Ú. t. c. prnl.

exaudible. (Del lat. *exaudibĭlis.*) adj. ant. De naturaleza o calidad para ser oído favorablemente, y que mueve a conceder lo que se pide.

exaudir. (Del lat. *exaudīre.*) tr. ant. Oír favorablemente los ruegos y conceder lo que se pide.

excandecencia. (Del lat. *excandescentĭa.*) f. Irritación vehemente.

excandecer. (Del lat. *excandescĕre.*) tr. Encender en cólera a uno, irritarle. Ú. t. c. prnl.

excarcelable. adj. Que puede ser excarcelado.

excarcelación. f. Acción y efecto de excarcelar.

excarcelar. (De *ex-* y *cárcel.*) tr. Poner en libertad a un preso por mandamiento judicial. Ú. t. c. prnl.

excarceración. (Del lat. *ex,* fuera de, y *carcer,* cárcel.) f. p. us. *Der.* **excarcelación.**

ex cáthedra o **ex cátedra.** loc. adv. de or. lat. Desde la cátedra de San Pedro. Dícese cuando el Papa enseña a toda la Iglesia, o define verdades pertenecientes a la fe o a las costumbres. ‖ **2.** fig. y fam. En tono magistral y decisivo.

excautivo, va. adj. Que ha padecido cautiverio. Ú. t. c. s.

excava. f. *Agr.* Acción y efecto de excavar, quitar tierra de alrededor de una planta.

excavación. (Del lat. *excavatĭo, -ōnis.*) f. Acción y efecto de excavar.

excavador, ra. adj. Que excava. Ú. t. c. s. ‖ **2.** f. Máquina para excavar.

excavar. (Del lat. *excavāre.*) tr. Quitar de una cosa sólida parte de su masa o grueso, haciendo hoyo o cavidad en ella. ‖ **2.** Hacer en el terreno hoyos, zanjas, desmontes, pozos o galerías subterráneas. ‖ **3.** *Agr.* Quitar la tierra de alrededor de las plantas para beneficiarlas.

excedencia. f. Condición de excedente, referida al funcionario público que no ejerce su cargo, o al trabajador que no ocupa su puesto de trabajo durante un tiempo determinado. ‖ **2.** Haber que percibe el funcionario público que está excedente.

excedente. p. a. de **exceder.** Que excede. ‖ **2.** adj. Que sale de la regla. ‖ **3. sobrante,** que sobra. Ú. t. c. s. m. ‖ **4.** Se dice del funcionario público que se abstiene temporalmente de su puesto o cargo de trabajo. Ú. t. c. s. ‖ **5. excedente de cupo.** ‖ **de cupo.** Mozo que quedaba libre del servicio militar por haberle correspondido en el sorteo de su quinta un número que lo excluía.

exceder. (Del lat. *excedĕre.*) tr. Ser una persona o cosa más grande o aventajada que otra. ‖ **2.** intr. Propasarse, ir más allá de lo lícito o razonable. Ú. m. c. prnl. ‖ **excederse uno a sí mismo.** fr. Hacer una persona alguna cosa que aventaja a todo lo que se le había visto hasta entonces, sobre todo si su fama es grande.

excelencia. (Del lat. *excellentĭa.*) f. Superior calidad o bondad que hace digna de singular aprecio y estimación una cosa. ‖ **2.** Tratamiento de respeto y cortesía que se da a algunas personas por su dignidad o empleo. ‖ **por excelencia.** loc. adv. **excelentemente.** ‖ **2. por antonomasia.**

excelente. (Del lat. *excellens, -entis.*) adj. Que sobresale en bondad, mérito o estimación. ‖ **2.** Tratamiento honorífico usado antiguamente. ‖ **3.** m. Moneda de oro acuñada por los Reyes Católicos, equivalente a la dobla. ‖ **de la granada.** Moneda de oro acuñada por los Reyes Católicos, de menos peso y valor que la dobla. Llamóse así por llevar en el escudo del anverso la figura de una granada, alusiva a la reconquista del reino de Granada.

excelentemente. adv. m. Con excelencia.

excelentísimo, ma. adj. sup. de **excelente.** ‖ **2.** Tratamiento de respeto y cortesía que, antepuesto a *señor* o *señora*, se aplica a la persona a quien corresponde el de excelencia.

excelsamente. adv. m. De un modo excelso.

excelsitud. (Del lat. *excelsitūdo.*) f. Cualidad de excelso.

excelso, sa. (Del lat. *excelsus.*) adj. Muy elevado, alto, eminente. ‖ **2.** V. **araucaria excelsa.** ‖ **3.** fig. Ú. por elogio, para denotar la singular excelencia de la persona o cosa a que se aplica. EXCELSA *majestad; ánimo* EXCELSO. ‖ **el Excelso. el Altísimo.**

excéntricamente. adv. m. Con excentricidad.

excentricidad. (De *excéntrico.*) f. Rareza o extravagancia de carácter. ‖ **2.** Dicho o hecho raro, anormal o extravagante. ‖ **3.** *Geom.* Distancia que media entre el centro de la elipse y uno de sus focos.

excéntrico, ca. (De *ex-* y *céntrico.*) adj. De carácter raro, extravagante. Ú. t. c. s. ‖ **2.** *Geom.* Que está fuera del centro, o que tiene un centro diferente. ‖ **3.** m. Artista de circo que busca efectos cómicos por medio de ejercicios extraños y que, generalmente, toca varios instrumentos musicales. ‖ **4.** f. *Mec.* Pieza que gira alrededor de un punto que no es su centro de figura; tiene por objeto transformar el movimiento circular continuo en rectilíneo alternativo. Ú. t. c. s. m. ‖ **excéntrico de la espada.** *Esgr.* Empuñadura, estando en postura de ángulo agudo.

excepción. (Del lat. *exceptĭo, -ōnis.*) f. Acción y efecto de exceptuar. ‖ **2.** Cosa que se aparta de la regla o condición general de las demás de su especie. ‖ **3.** V. **estado de excepción.** ‖ **4.** *Der.* Título o motivo jurídico que el demandado alega para hacer ineficaz la acción del demandante; como el pago de la deuda, la prescripción del dominio, etc. ‖ **5.** *Der.* V. **testigo mayor de toda excepción.** ‖ **dilatoria.** *Der.* La que, según ley, puede ser tratada y resuelta en artículo de previo pronunciamiento, con suspensión entretanto del juicio. ‖ **perentoria.** *Der.* La que se ventila en el juicio y se falla en la sentencia definitiva. ‖ **a excepción de.** loc. Exceptuando la persona o cosa que se expresa. ‖ **de excepción.** loc. adj. Excepcional.

excepcional. adj. Que constituye excepción de la regla común. ‖ **2.** Que se aparta de lo ordinario, o que ocurre rara vez.

excepcionar. tr. p. us. **exceptuar.** ‖ **2.** *Der.* Alegar excepción en el juicio.

exceptación. (De *exceptar.*) f. ant. **excepción.**

exceptador, ra. (De *exceptar.*) adj. ant. Que exceptúa.

exceptar. (Del lat. *exceptāre.*) tr. ant. **exceptuar.**

exceptivo, va. adj. Que exceptúa. *Ley* EXCEPTIVA. ‖ **2.** Que constituye o expresa excepción.

excepto[1], ta. (Del lat. *exceptus*, retirado, sacado.) p. p. irreg. ant. de **exceptar.** ‖ **2.** adj. ant. Sin dependencia.

excepto[2]. prep. A excepción de, fuera de, menos.

exceptuación. f. Acción y efecto de exceptuar.

exceptuar. (Del lat. *exceptus*, retirado, sacado.) tr. Excluir a una persona o cosa de la generalidad de lo que se trata o de la regla común. Ú. t. c. prnl.

excerpta. (Del lat. *excerpta*, pl. n. de *excerptus*, elegido, entresacado.) f. Colección, recopilación, extracto.

excerta. f. **excerpta.**

excesivamente. adv. m. Con exceso.

excesivo, va. adj. Que excede y sale de regla.

exceso. (Del lat. *excessus.*) m. Parte que excede y pasa más allá de la medida o regla. ‖ **2.** Lo que sale en cualquier línea de los límites de lo ordinario o de lo lícito. ‖ **3.** Aquello en que una cosa excede a otra. ‖ **4.** Abuso, delito o crimen. Ú. m. en pl. ‖ **5.** ant. Enajenamiento y transportación de sentidos. ‖ **6. exceso de peso.** ‖ **de peso,** o **de equipaje.** En los ferrocarriles y otros medios de transporte, la demasía en el peso del equipaje, respecto del número de kilos que se conceden gratuitamente a cada viajero. ‖ **de poder.** *Der.* Acto recurrible de la autoridad administrativa en que se extralimita de sus facultades o las ejerce fuera del procedimiento legal. ‖ **en exceso.** loc. adv. **excesivamente.** ‖ **por exceso.** loc. adv. Aplícase a diferencias que consisten en sobrepasar lo establecido como normal. ‖ **y otros excesos.** loc. fam. con que se termina una enumeración de cosas reprochables o malas.

excidio. (Del lat. *excidĭum.*) m. ant. Destrucción, ruina, asolamiento.

excipiente. (Del lat. *excipiens, -entis*, p. a. de *excipĕre*, sacar, recibir.) m. *Farm.* Sustancia por lo común inerte, que se mezcla con los medicamentos para darles la consistencia, forma, sabor u otras cualidades que faciliten su uso.

excitabilidad. f. Cualidad de excitable.

excitable. (Del lat. *excitabĭlis.*) adj. Capaz de ser excitado. ‖ **2.** Que se excita fácilmente.

excitación. (Del lat. *excitatĭo, -ōnis.*) f. Acción y efecto de excitar o excitarse.

excitador, ra. (Del lat. *excitātor, -ōris.*) adj. Que produce excitación. ‖ **2.** m. *Electr.* Aparato formado por dos arcos metálicos, aislado cada uno en uno de sus extremos y sujetos a girar alrededor de un eje; sirve para producir la descarga eléctrica entre dos puntos que tengan potenciales muy diferentes. ‖ **3.** *Electr.* Sistema destinado a engendrar la descarga oscilatoria en las estaciones transmisoras de la telegrafía sin hilos.

excitante. p. a. de **excitar.** Que excita. Ú. t. c. s. m. ‖ **2.** adj. *Biol.* Dícese del agente que estimula la actividad de un sistema orgánico. Ú. t. c. s. m.

excitar. (Del lat. *excitāre.*) tr. Mover, estimular, provocar, inspirar algún sentimiento, pasión o movimiento. ‖ **2.** *Biol.* Producir, mediante un estímulo, un aumento de la actividad de una célula, órgano u organismo. ‖ **3.** prnl. Alterarse por el enojo, el entusiasmo, la alegría, etc.

excitativo, va. adj. Que tiene virtud o capacidad de excitar o mover. Ú. t. c. s. m.

excitatriz. adj. f. Que excita, excitadora.

exclamación. (Del lat. *exclamatĭo, -ōnis.*) f. Voz, grito o frase en que se refleja una emoción, sea de alegría, pena, indignación, cólera, asombro o cualquier otro afecto. ‖ **2.** *Ret.* Figura con que se manifiesta expresando en forma exclamativa un movimiento del ánimo o una consideración de la mente.

exclamar. (Del lat. *exclamāre.*) intr. Emitir palabras con fuerza o vehemencia para expresar la viveza de un afecto o para dar vigor y eficacia a lo que se dice. Ú. t. c. tr.

exclamativo, va. adj. **exclamatorio.**

exclamatorio, ria. adj. Propio de la exclamación. *Tono* EXCLAMATORIO; *expresión* EXCLAMATORIA.

exclaustración. f. Acción y efecto de exclaustrar o exclaustrarse.

exclaustrado, da. p. p. de **exclaustrar.** Ú. t. c. adj. ‖ **2.** m. y f. Religioso **exclaustrado.**

exclaustrar. (De *ex-* y *claustro.*) tr. Permitir u ordenar a un religioso que abandone el claustro. Ú. t. c. prnl.

excluible. adj. Que puede ser excluido.

excluidor, ra. adj. Que excluye.

excluir. (Del lat. *excludĕre.*) tr. Quitar a una persona o cosa del lugar que ocupaba. EXCLUIR *a uno de una junta o comunidad;* EXCLUIR *una partida de la cuenta.* ‖ **2.** Descartar, rechazar o negar la posibilidad de alguna cosa. *Los datos* EXCLUYEN *una hipótesis contraria a ellos.* ‖ **3.** prnl. Ser incompatibles dos cosas.

exclusión. (Del lat. *exclusĭo, -ōnis.*) f. Acción y efecto de excluir.

exclusiva. f. desus. Repulsa para no admitir a uno en un empleo, comunidad, cargo, etc. ‖ **2.** Privilegio o derecho en virtud del cual una persona o corporación puede hacer algo prohibido a las demás. ‖ **3.** Noticia conseguida y publicada por un solo medio informativo, que se reserva los derechos de su difusión.

exclusivamente. adv. m. Con exclusión. ‖ **2.** Sola, únicamente.

exclusive. adv. m. Con exclusión. ‖ **2.** Significa que el último número o la última cosa de que se hizo mención no se toma en cuenta. *Hasta el primero de enero* EXCLUSIVE.

exclusividad. f. Cualidad de exclusivo.

exclusivismo. m. Obstinada adhesión a una persona, una cosa o una idea, sin prestar atención a las demás que deben ser tenidas en cuenta.

exclusivista. adj. Relativo al exclusivismo. ‖ **2.** Dícese de la persona que practica el exclusivismo. Ú. t. c. s.

exclusivo, va. adj. Que excluye o tiene fuerza y virtud para excluir. ‖ **2.** Único, solo, excluyendo a cualquier otro. ‖ **V. dedicación exclusiva.**

excluso, sa. (Del lat. *exclūsus.*) p. p. irreg. de **excluir.**

excluyente. adj. Que excluye, deja fuera o rechaza.

excogitable. (Del lat. *excogitabĭlis.*) adj. p. us. Que se puede excogitar o discurrir.

excogitar. (Del lat. *excogitāre.*) tr. Hallar o encontrar una cosa con el discurso y la meditación.

excombatiente. adj. Dícese del que luchó bajo alguna bandera militar o por alguna causa política. Ú. t. c. s. ‖ **2.** m. El que, después de actuar en alguna de las últimas guerras, integró con sus compañeros de armas agrupaciones sociales o políticas en varios países.

excomulgación. f. ant. **excomunión.**

excomulgado, da. p. p. de **excomulgar.** Ú. t. c. adj. ‖ **2.** m. y f. Persona **excomulgada.** ‖ **3.** fig. y fam. Indino, endiablado. ‖ **vitando.** *Rel.* Aquel con quien no se podía lícitamente tratar ni comunicar en aquellas cosas que se prohibían por la excomunión mayor.

excomulgador. m. El que excomulga.

excomulgamiento. m. ant. **excomunión.**

excomulgar. (Del lat. *excommunicāre.*) tr. *Rel.* Apartar de la comunión de los fieles y del uso de los sacramentos. ‖ **2.** fig. y fam. Declarar a una persona fuera de la comunión o trato con otra u otras.

excomunicación. (Del lat. *excommunicatĭo, -ōnis.*) f. ant. **excomunión.**

excomunión. (De *ex-* y *comunión.*) f. *Rel.* Acción y efecto de excomulgar. ‖ **2.** *Rel.* Carta o decreto con que se intima y publica dicha censura. ‖ **3.** *Rel.* **paulina,** carta de excomunión. ‖ **a matacandelas.** *Rel.* La que se publicaba en la Iglesia con varias solemnidades, y entre ellas la de apagar candelas metiéndolas en agua. ‖ **de participantes.** *Rel.* Aquella en que incurrían los que trataban con el excomulgado declarado o público. ‖ **2.** Por ext., otras cosas que se participaban por el trato o aligación con otros. ‖ **ferendae sententiae.** *Rel.* La que se impone por la autoridad eclesiástica, aplicando a persona o personas determinadas la disposición de la Iglesia que tiene establecida condena de la falta cometida. ‖ **latae sententiae.** *Rel.* Aquella en que se incurre en el momento de cometer la falta previamente condenada por la Iglesia, sin necesidad de imposición personal expresa. ‖ **mayor.** *Rel.* Privación activa y pasiva de los sacramentos y sufragios comunes de los fieles. ‖ **menor.** *Rel.* Privación pasiva de los sacramentos.

excoriación. f. Acción y efecto de excoriar o excoriarse.

excoriar. (Del lat. *excoriāre,* quitar la piel.) tr. Gastar, arrancar o corroer el cutis o el epitelio, quedando la carne descubierta. Ú. m. c. prnl.

excrecencia. (Del lat. *excrecentĭa.*) f. Carnosidad o superfluidad que se produce en animales y plantas, alterando su textura y superficie natural.

excreción. (Del lat. *excretĭo, -ōnis.*) f. Acción y efecto de excretar.

excremental. adj. **excrementicio.**

excrementar. tr. Deponer los excrementos.

excrementicio, cia. adj. Perteneciente a la excreción y a las sustancias excretadas.

excremento. (Del lat. *excrementum.*) m. Residuos del alimento que, después de hecha la digestión, despide el cuerpo por el ano. ‖ **2.** Cualquier materia repugnante que despiden de sí la boca, nariz u otras vías del cuerpo. ‖ **3.** El que se produce en las plantas por putrefacción.

excrementoso, sa. adj. Aplícase al alimento que nutre poco y se convierte más que otros en excremento. ‖ **2.** Perteneciente a la excreción.

excrescencia. f. **excrecencia.**

excretar. (De *excreto.*) intr. Expeler el excremento. ‖ **2.** Expeler las sustancias elaboradas por las glándulas.

excreto, ta. (Del lat. *excrētus,* separado, purgado.) adj. Que se excreta.

excretor, ra. adj. *Anat.* Dícese del órgano que sirve para excretar. ‖ **2.** *Anat.* Dícese del conducto por el que salen de las glándulas los productos que estas han elaborado.

excretorio, ria. adj. V. **vaso excretorio.** ‖ **2.** *Anat.* Dícese de los órganos que sirven para excretar.

excrex. (Del lat. *excrescĕre,* crecer, extenderse.) m. *Der. Ar.* Donación que hace un cónyuge a otro en consideración a sus prendas personales, o aumento de dote que el marido asigna a la mujer. En plural se dice **excrez.**

exculpación. f. Acción y efecto de exculpar o exculparse. ‖ **2.** Hecho o circunstancia que sirve para exonerar de culpa.

exculpar. (Del lat. *ex culpa* sin culpa.) tr. Descargar a uno de culpa. Ú. t. c. prnl.

exculpatorio, ria. adj. Que exculpa.

excullado, da. adj. ant. Debilitado, desvirtuado.

excursión. (Del lat. *excursio, -ōnis.*) f. **correría** de guerra. ‖ **2.** Ida a alguna ciudad, museo o lugar para estudio, recreo o ejercicio físico. ‖ **3.** *Der.* **excusión.**

excursionismo. m. Ejercicio y práctica de las excursiones como deporte o con fin científico o artístico.

excursionista. com. Persona que hace excursiones.

excusa[1]. f. Acción y efecto de excusar o excusarse. ‖ **2.** Motivo o pretexto que se invoca para eludir una obligación o disculpar una omisión. ‖ **3.** *Der.* Excepción o descargo.

excusa[2]. f. **escusa.**

excusabaraja. f. **escusabaraja.**

excusable. (Del lat. *excusabĭlis.*) adj. Que admite excusa o es digno de ella. ‖ **2.** Que se puede omitir o evitar.

excusación. (Del lat. *excusatĭo, -ōnis.*) f. p. us. Acción y efecto de excusar o excusarse.

excusada. f. ant. Acción y efecto de excusar o excusarse. ‖ **a excusadas.** loc. adv. ant. **a escusadas.**

excusadamente. adv. m. Sin necesidad.

excusadero, ra. adj. ant. Digno de excusa o que puede excusarse.

excusado[1], da. (De *escuso,* escondido.) adj. **escusado.**

excusado[2], da. p. p. de **excusar.** ‖ **2.** adj. Que por privilegio está libre de pagar tributos. ‖ **3.** Superfluo e inútil para el fin que se desea. ‖ **4.** Lo que no hay necesidad de hacer o decir. EXCUSADO *es que yo dé razón a todos de mi conducta.* ‖ **5.** Tributario que no pagaba directamente al rey o señor, sino a la persona o comunidad a cuyo favor se había concedido el privilegio. ‖ **6.** Decíase del labrador elegido por el rey u otro privilegiado para que le cobrase y pagase los diezmos. Ú. t. c. s. ‖ **7.** V. **casa excusada.** ‖ **8.** V. **a horas excusadas.** ‖ **9.** m. Derecho que tenía la Hacienda real de elegir, entre todas las casas dezmeras de cada parroquia, una que pagase los diezmos al rey, en vez de pagarlos a la Iglesia. ‖ **10.** Cantidad que dichas casas rendían. ‖ **11.** Tribunal en que se decidían los pleitos relativos a las casas dezmeras. ‖ **pensar en lo excusado.** fr. fig. Pretender o intentar algo imposible o muy dificultoso.

excusador, ra. (Del lat. *excusātor, -ōris.*) adj. Que excusa. ‖ **2.** m. El que exime y excusa a otro de una carga, servicio o ministerio, sirviéndolo por él. ‖ **3.** Teniente de un beneficiado, que sirve el beneficio por él. ‖ **4.** *Der.* El que sin tener poder del reo ni ser su defensor, le excusaba, alegando y probando la causa por que no podía venir ni comparecer.

excusalí. m. Delantal pequeño.

excusano, na. (De *escuso*, escondido.) adj. ant. Encubierto, escondido.

excusanza. f. ant. Acción y efecto de excusar o excusarse.

excusaña. (De *escuso*, escondido.) f. ant. Hombre de campo que en tiempo de guerra se ponía en un paso o vado para observar los movimientos del enemigo. ‖ **a excusañas.** loc. adv. ant. A escondidas o a hurto.

excusar. (Del lat. *excusāre.*) tr. Exponer y alegar causas o razones para sacar libre a uno de la culpa que se le imputa. Ú. t. c. prnl. ‖ **2.** Evitar, impedir que una cosa perjudicial se ejecute o suceda. EXCUSAR *pleitos, discordias, lances.* ‖ **3.** Rehusar hacer una cosa. Ú. t. c. prnl. ‖ **4.** Eximir y libertar del pago de tributos o de un servicio personal. ‖ **5.** Junto con infinitivo, poder evitar, poder dejar de hacer lo que este significa. EXCUSAS *venir, que ya no haces falta.*

excusión. (Del lat. *excussĭo, -ōnis.*) f. *Der.* Derecho o beneficio de los fiadores para no ser compelidos, por regla general, al pago mientras tenga bienes suficientes el obligado principal o preferente.

excuso, sa. adj. p. us. Excusado y de repuesto. ‖ **2.** m. Acción y efecto de excusar.

exea. m. ant. *Mil.* Soldado explorador.

execrable. (Del lat. *exsecrabĭlis.*) adj. Digno de execración.

execración. (Del lat. *exsecratĭo, -ōnis.*) f. Acción y efecto de execrar. ‖ **2.** Pérdida del carácter sagrado de un lugar, sea por profanación, sea por accidente. ‖ **3.** *Ret.* Figura consistente en las palabras o fórmula con que se execra.

execrador, ra. (Del lat. *exsecrātor, -ōris.*) adj. Que execra. Ú. t. c. s.

execramento. (Del lat. *exsecramentum.*) m. ant. Acción y efecto de execrar. ‖ **2.** desus. Superstición en que se usan cosas y palabras a imitación de los sacramentos.

execrando, da. (Del lat. *exsecrandus.*) adj. p. us. Execrable, o que debe ser execrado.

execrar. (Del lat. *exsecrāri.*) tr. Condenar y maldecir con autoridad sacerdotal o en nombre de cosas sagradas. ‖ **2.** Vituperar o reprobar severamente. ‖ **3. aborrecer,** tener aversión.

execrativo, va. adj. Que execra.

execratorio, ria. adj. Que sirve para execrar. ‖ **2.** V. **juramento execratorio.**

exedra. (Del lat. *exĕdra* y este del gr. ἐξέδρα, lugar con asientos.) f. *Arq.* Construcción descubierta, de planta semicircular, con asientos fijos en la parte interior de la curva, y respaldos también permanentes.

exegesis o **exégesis.** (Del gr. ἐξήγησις, explicación, relato.) f. Explicación, interpretación.

exegeta o **exégeta.** (Del gr. ἐξηγητής.) com. Persona que interpreta o expone un texto.

exegético, ca. (Del gr. ἐξηγητικός.) adj. Perteneciente a la exegesis. ‖ **2.** *Der.* Dícese del método expositivo, en las obras de Derecho, que sigue el orden de las leyes positivas, a cuya interpretación atiende principalmente.

exención. (Del lat. *exemptĭo, -ōnis.*) f. Efecto de eximir o eximirse. ‖ **2.** Franqueza y libertad que uno goza para eximirse de algún cargo u obligación.

exentamente. adv. m. Libremente, con exención. ‖ **2.** Claramente, con franqueza, sencillamente.

exentar. tr. p. us. Dejar exento. Ú. t. c. prnl.

exento, ta. (Del lat. *exemptus.*) p. p. irreg. de **eximir.** ‖ **2.** adj. Libre, desembarazado de una cosa. EXENTO *de cuidados, de temor.* ‖ **3.** Dícese de las personas o cosas no sometidas a la jurisdicción ordinaria. *Obispado, lugar* EXENTO. ‖ **4.** V. **jurisdicción exenta.** ‖ **5.** Aplícase al sitio o edificio que está descubierto por todas partes. ‖ **6.** *Arq.* V. **columna exenta.** ‖ **7.** m. desus. Oficial de guardias de corps, inferior al alférez y superior al brigadier.

exequátur. (Voz latina que significa «ejecútese».) m. Voz con que se designaba el pase que daba la autoridad civil de un Estado a las bulas y rescriptos pontificios para su observancia. ‖ **2.** Autorización que otorga el jefe de un Estado a los agentes extranjeros para que en su territorio puedan ejercer las funciones propias de sus cargos.

exequial. (Del lat. *exsequiālis.*) adj. ant. Perteneciente o relativo a las exequias. Ú. en Chile.

exequias. (Del lat. *exsequĭae, -ārum.*) f. pl. Honras fúnebres.

exequible. (Del lat. **exsequibĭlis*, que se puede ejecutar.) adj. p. us. Que se puede hacer, conseguir o llevar a efecto.

exercivo, va. (Del lat. *exercēre* e *-ivo.*) adj. ant. Que ejerce con actividad y fuerza.

exergo. (Del gr. ἐξ, fuera, y ἔργον, obra, fuera de la obra.) m. *Numism.* Parte de una moneda o medalla donde cabe o se pone el nombre de la ceca u otra inscripción, debajo del tipo o figura.

exfoliación. f. Acción y efecto de exfoliar o exfoliarse. ‖ **2.** *Med.* Pérdida o caída de la epidermis en forma de escamas.

exfoliador, ra. adj. *Amér.* Aplícase a una especie de cuaderno cuyas hojas solo están ligeramente pegadas para poder desprenderlas fácilmente.

exfoliar. (Del lat. *exfoliāre*, deshojar.) tr. Dividir una cosa en láminas o escamas. Ú. t. c. prnl.

exhalación. (Del lat. *exhalatĭo, -ōnis.*) f. Acción y efecto de exhalar o exhalarse. ‖ **2. estrella fugaz.** ‖ **3.** Rayo, centella. ‖ **4.** Vapor o vaho que un cuerpo echa de sí por evaporación.

exhalador, ra. adj. Que exhala.

exhalar. (Del lat. *exhalāre.*) tr. Despedir gases, vapores u olores. ‖ **2.** fig. Dicho de suspiros, quejas, etc., lanzarlos, despedirlos. ‖ **3.** prnl. p. us. fig. Angustiarse o afanarse con anhelo por conseguir algo.

exhaustivo, va. (Del lat. *exhaustus*, agotado.) adj. Que agota o apura por completo.

exhausto, ta. (Del lat. *exhaustus*, agotado.) adj. Enteramente agotado o falto de lo que necesita tener para hallarse en buen estado. *El erario está* EXHAUSTO *de dinero.*

exheredación. (Del lat. *exheredatĭo, -ōnis.*) f. p. us. Acción y efecto de exheredar. ‖ **2.** *Der.* **desheredación.**

exheredar. (Del lat. *exheredāre.*) tr. **desheredar.**

exhibición. (Del lat. *exhibitĭo, -ōnis.*) f. Acción y efecto de exhibir o exhibirse.

exhibicionismo. m. Prurito de exhibirse. ‖ **2.** Perversión consistente en el impulso a mostrar los órganos genitales.

exhibicionista. com. Persona aficionada al exhibicionismo.

exhibir. (Del lat. *exhibēre.*) tr. Manifestar, mostrar en público. Ú. t. c. prnl. ‖ **2.** *Der.* Presentar escrituras, documentos, pruebas, etcétera, ante quien corresponda.

exhíbita. (Del lat. *exhibĭta*, exhibida.) f. *Der. Ar.* **exhibición.**

exhortación. (Del lat. *exhortatĭo, -ōnis.*) f. Acción de exhortar. ‖ **2.** Advertencia o aviso con que se intenta persuadir. ‖ **3.** Plática o sermón familiar y breve.

exhortador, ra. (Del lat. *exhortātor, -ōris.*) adj. Que exhorta. Ú. t. c. s.
exhortar. (Del lat. *exhortāri.*) tr. Incitar a uno con palabras, razones y ruegos a que haga o deje de hacer alguna cosa.
exhortativo, va. adj. **exhortatorio.**
exhortatorio, ria. (Del lat. *exhortatorĭus.*) adj. Perteneciente o relativo a la exhortación. *Discurso* EXHORTATORIO; *oración* EXHORTATORIA.
exhorto. (1.ª pers. sing. del pres. de indic. de *exhortar;* fórmula que el juez emplea en ciertos despachos.) m. *Der.* Despacho que libra un juez a otro de igual categoría para que mande dar cumplimiento a lo que le pide.
exhumación. f. Acción de exhumar.
exhumador, ra. adj. Que exhuma. Ú. t. c. s.
exhumar. (De *ex-* y el lat. *humus,* tierra.) tr. Desenterrar un cadáver o restos humanos. ‖ **2.** Desenterrar ruinas, estatuas, monedas, etc. ‖ **3.** fig. **desenterrar,** sacar a luz lo olvidado.
exicial. (Del lat. *exitiālis,* mortífero.) adj. ant. Mortal, mortífero.
exida. (De *exir.*) f. ant. **salida.**
exigencia. (Del lat. *exigentia.*) f. Acción y efecto de exigir. ‖ **2.** Pretensión caprichosa o desmedida. ‖ **3.** ant. **exacción** de impuestos, multas, deudas, etc.
exigente. (Del lat. *exĭgens, -entis.*) p. a. de **exigir.** ‖ **2.** adj. Dícese en especial del que exige caprichosa o despóticamente. Ú. t. c. s.
exigible. adj. Que puede o debe exigirse.
exigidero, ra. desus. adj. **exigible.**
exigir. (Del lat. *exigĕre.*) tr. Pedir imperiosamente algo a lo que se tiene derecho. ‖ **2.** p. us. Cobrar, percibir por autoridad pública dinero u otra cosa. EXIGIR *los tributos, las rentas.* ‖ **3.** fig. Pedir una cosa, por su naturaleza o circunstancia, algún requisito necesario. *La situación* EXIGE *una intervención urgente.*
exigüidad. (Del lat. *exiguĭtas, -ātis.*) f. Cualidad de exiguo.
exiguo, gua. (Del lat. *exigŭus.*) adj. Insuficiente, escaso.
exiliado, da. adj. Expatriado, generalmente por motivos políticos. Ú. t. c. s.
exiliar. tr. Expulsar a uno de un territorio. ‖ **2.** prnl. Expatriarse, generalmente por motivos políticos.
exilio. (Del lat. *exilĭum.*) m. Separación de una persona de la tierra en que vive. ‖ **2.** Expatriación, generalmente por motivos políticos. ‖ **3.** Efecto de estar exiliada una persona. ‖ **4.** Lugar en que vive el exiliado.
eximente. p. a. de **eximir.** Que exime. ‖ **2.** adj. *Der.* V. **circunstancia eximente.** Ú. t. c. s. f.
eximición. (De *eximir.*) f. ant. **exención.**
eximio, mia. (Del lat. *eximĭus.*) adj. Muy ilustre, excelso.
eximir. (Del lat. *eximĕre.*) tr. Librar, desembarazar de cargas, obligaciones, cuidados, culpas, etc. Ú. t. c. prnl.
exinanición. (Del lat. *exinanitĭo, -ōnis.*) f. p. us. Notable falta de vigor.
exinanido, da. (Del lat. *exinanītus,* p. p. de *exinanīre,* consumir.) adj. p. us. Notablemente falto de vigor.
exir. (Del lat. *exīre.*) intr. ant. **salir.**
existencia. (Del lat. tardío *exsistentĭa.*) f. Acto de existir. ‖ **2.** Vida del hombre. ‖ **3.** *Fil.* Por oposición a esencia, la realidad concreta de un ente cualquiera. En el léxico del existencialismo, por antonomasia, la **existencia** humana. ‖ **4.** pl. Mercancías destinadas a la venta, guardadas en un almacén o tienda.
existencial. adj. Perteneciente o relativo al acto de existir.
existencialismo. (De *existencial.*) m. Movimiento filosófico que trata de fundar el conocimiento de toda realidad sobre la experiencia inmediata de la existencia propia.
existencialista. adj. Perteneciente o relativo al existencialismo. ‖ **2.** Partidario del existencialismo. Ú. m. c. s.
existimación. (Del lat. *existimatĭo, -ōnis.*) f. p. us. Acción y efecto de existimar.
existimar. (Del lat. *existimāre.*) tr. p. us. Hacer juicio o formar opinión de una cosa; tenerla por cierta, aunque no lo sea.
existimativo, va. (De *existimar.*) adj. p. us. **putativo.**
existir. (Del lat. *exsistĕre.*) intr. Tener una cosa ser real y verdadero. ‖ **2.** Tener vida. ‖ **3.** Haber, estar, hallarse. *En la Academia* EXISTE *un autógrafo de Cervantes.*
éxito. (Del lat. *exĭtus,* salida.) m. p. us. Fin o terminación de un negocio o asunto. ‖ **2.** Resultado feliz de un negocio, actuación, etcétera. ‖ **3.** Buena aceptación que tiene una persona o cosa.
exitoso, sa. adj. Que tiene éxito.
ex libris. (loc. lat.) m. Etiqueta o sello grabado que se estampa en el reverso de la tapa de los libros, en la cual consta el nombre del dueño o el de la biblioteca a que pertenece el libro.
exocrino, a. (Del gr. ἔξω, fuera, y κρίνω, separar.) adj. *Fisiol.* Dícese de las glándulas que vierten su secreción al tubo digestivo o al exterior del organismo, y por extensión, de dicha secreción.
éxodo. (Del lat. *exŏdus,* y este del gr. ἔξοδος, salida.) m. Emigración de un pueblo o de una muchedumbre de personas.
exoesqueleto. (Del gr. ἔξω, fuera, y *esqueleto.*) m. *Zool.* **dermatoesqueleto.**
exoftalmia o **exoftalmía.** (Del gr. ἐξ, fuera, y ὀφθαλμός, ojo.) f. *Pat.* Situación saliente del globo ocular.
exoftálmico, ca. adj. *Pat.* Perteneciente o relativo a la exoftalmia.
exoftalmos. m. *Med.* **exoftalmia.**
exogamia. (Del gr. ἔξω, fuera y γαμέω, casarse.) f. *Etnol.* Regla o práctica de contraer matrimonio con cónyuge de distinta tribu o ascendencia o procedente de otra localidad o comarca. ‖ **2.** *Biol.* Cruzamiento entre individuos de distinta raza, comunidad o población, que conduce a una descendencia cada vez más heterogénea.
exogámico, ca. adj. *Biol.* y *Etnol.* Perteneciente o relativo a la exogamia.
exógeno, na. (Del. gr. ἔξω, fuera, y *-geno.*) adj. *Biol.* Dícese del órgano que se forma en el exterior de otro, como las esporas de ciertos hongos. ‖ **2.** Aplícase a las fuerzas, que externamente actúan sobre algo. ‖ **3.** *Geol.* Dícese de las fuerzas o fenómenos que se producen en la superficie terrestre.
exoneración. (Del lat. *exoneratĭo, -ōnis.*) f. Acción y efecto de exonerar o exonerarse.
exonerar. (Del lat. *exonerāre.*) tr. Aliviar, descargar de peso u obligación. Ú. t. c. prnl. ‖ **2.** Separar, privar o destituir a alguien de un empleo.
exorable. (Del lat. *exorabĭlis.*) adj. p. us. Fácil de mover con ruegos y condescendiente a ellos.
exorar. (Del lat. *exorāre.*) tr. p. us. Pedir, solicitar con empeño.
exorbitancia. (Del lat. *exorbĭtans, -antis,* exorbitante.) f. Exceso notable con que una cosa pasa del orden y término regular.
exorbitante. (Del lat. *exorbĭtans, -antis.*) adj. Excesivo, exagerado.
exorbitantemente. adv. m. Con exorbitancia.
exorcismo. (Del lat. *exorcismus,* y este del gr. ἐξορκισμός.) m. Conjuro contra el espíritu maligno.
exorcista. (Del lat. *exorcista,* y este del gr. ἐξορκιστής.) com. Persona que exorciza. ‖ **2.** m. *Rel.* El que en virtud de orden o grado menor eclesiástico tenía potestad para exorcizar.

exorcistado. m. *Rel.* Orden de exorcista, que era la tercera de las menores.

exorcizar. (Del lat. cristiano *exorcizāre,* y este del gr. ἐξορκίζω.) tr. *Rel.* Usar exorcismos contra el espíritu maligno.

exordiar. (De *exordio.*) tr. ant. Empezar o principiar.

exordio. (Del lat. *exordĭum.*) m. Principio, introducción, preámbulo de una obra literaria; especialmente la primera parte del discurso oratorio, la cual tiene por objeto excitar la atención y preparar el ánimo de los oyentes. ‖ **2.** Preámbulo de un razonamiento o conversación familiar. ‖ **3.** fig. ant. Origen y principio de una cosa.

exordir. (Del lat. *exordīri.*) intr. ant. Hacer exordio, dar principio a una oración.

exornación. (Del lat. *exornatĭo, -ōnis.*) f. p. us. Acción y efecto de exornar o exornarse.

exornar. (Del lat. *exornāre.*) tr. Adornar, hermosear. Ú. t. c. prnl. ‖ **2.** Tratándose del lenguaje escrito o hablado, amenizarlo o embellecerlo con galas retóricas.

exorno. m. Acción y efecto de exornar.

exosfera. (Del gr. ἔξω, fuera, y σφαῖρα, esfera.) f. *Cosmogr.* Espacio interplanetario, exterior a la atmósfera terrestre.

exósmosis o **exosmosis.** (Del gr. ἔξω, fuera, ὠσμός, impulso, y *-sis.*) f. *Fís.* Corriente de dentro a fuera, que se establece al mismo tiempo que su contraria la endósmosis, cuando dos líquidos de distinta densidad están separados por una membrana semipermeable.

exotérico, ca. (Del lat. *exoterĭcus,* y este del gr. ἐξωτερικός.) adj. Común, accesible para el vulgo; lo contrario de esotérico. ‖ **2.** Dícese de lo que es de fácil acceso para la mente. ‖ **3.** Dícese por lo común de la doctrina que los filósofos de la antigüedad manifestaban públicamente.

exotérmico, ca. (Del gr. ἔξω, fuera, y θέρμη, calor.) adj. *Fís.* Dícese del proceso que va acompañado de elevación de temperatura.

exoticidad. f. **exotismo.**

exótico, ca. (Del lat. *exotĭcus,* y este del gr. ἐξωτικός.) adj. Extranjero, peregrino, especialmente si procede de país lejano. ‖ **2.** Extraño, chocante, extravagante.

exotiquez. f. **exotismo.**

exotismo. m. Cualidad de exótico. ‖ **2.** Tendencia a asimilar formas y estilos artísticos de un país o cultura, distintos de los propios

expandir. (Del lat. *expandĕre.*) tr. Extender, dilatar, ensanchar, difundir. Ú. t. c. prnl.

expansibilidad. (De *expansible.*) f. *Fís.* Propiedad que tiene un cuerpo de poder ocupar mayor espacio que el que ocupa.

expansible. adj. *Fís.* Susceptible de expansión.

expansión. (Del lat. *expansĭo, -ōnis.*) f. Acción y efecto de extenderse o dilatarse. ‖ **2.** fig. Acción de desahogar al exterior de un modo efusivo cualquier afecto o pensamiento. EXPANSIÓN *del ánimo, de la alegría, de la amistad.* ‖ **3.** Recreo, asueto, solaz.

expansionar. (De *expansión.*) tr. Expandir, dilatar, ensanchar. ‖ **2.** prnl. Espontanearse, desahogarse. ‖ **3.** Divertirse, distraerse.

expansivo, va. (Del lat. *expansus,* extendido.) adj. Que tiende a extenderse o dilatarse, ocupando mayor espacio. ‖ **2.** fig. Franco, comunicativo. *Carácter* EXPANSIVO; *amistad* EXPANSIVA.

expatriación. f. Acción y efecto de expatriar o expatriarse.

expatriado, da. p. p. de **expatriar.** ‖ **2.** adj. Que vive fuera de su patria. Ú. t. c. s.

expatriar. (De *ex-* y *patria.*) tr. Hacer salir de la patria. ‖ **2.** prnl. Abandonar la patria.

expavecer. (Del lat. *expavescĕre.*) tr. ant. Atemorizar, espantar. Usáb. t. c. prnl.

expectable. (Del lat. *exspectabĭlis.*) adj. p. us. **espectable.**

expectación. (Del lat. *exspectatĭo, -ōnis.*) f. Espera, generalmente curiosa o tensa, de un acontecimiento que interesa o importa. ‖ **2.** Contemplación de lo que se expone o muestra al público. ‖ **3.** n. p. f. Fiesta que se celebra el día 18 de diciembre en honor de la Virgen María. ‖ **de expectación.** loc. adj. p. us. **expectable.** *Hombre* DE EXPECTACIÓN.

expectante. (Del lat. *exspectans, -antis,* p. a. de *exspectāre,* observar.) adj. Que espera observando, o está a la mira de una cosa. *Actitud, medicina* EXPECTANTE. ‖ **2.** *Der.* Dícese del hecho, la cosa, la obligación o el derecho de que se tiene conocimiento como venidero.

expectativa. (Del lat. *exspectātum,* mirado, visto.) f. Cualquier esperanza de conseguir una cosa, si se depara la oportunidad que se desea. ‖ **2.** Especie de futura que se daba en Roma en lo antiguo a una persona para obtener un beneficio o prebenda eclesiástica, cuando quedase vacante. ‖ **3.** Posibilidad de conseguir un derecho, herencia, empleo u otra cosa, al ocurrir un suceso que se prevé. ‖ **a la expectativa.** loc. adv. Sin actuar ni tomar una determinación hasta ver qué sucede.

expectativas. (Del m. or. que *expectativa.*) adj. pl. V. **cartas, letras expectativas.**

expectoración. f. Acción y efecto de expectorar. ‖ **2.** Lo que se expectora.

expectorante. adj. *Med.* Que hace expectorar. Ú. t. c. s. m.

expectorar. (Del lat. *expectorāre;* de *ex,* fuera de, y *pectus, -ŏris,* pecho.) tr. Arrancar y arrojar por la boca las flemas y secreciones que se depositan en la faringe, la laringe, la tráquea o los bronquios.

expedición. (Del lat. *expeditĭo, -ōnis.*) f. Acción y efecto de expedir. ‖ **2.** p. us. Facilidad, desembarazo y prontitud en decir o hacer. ‖ **3.** Despacho, bula, breve, dispensa y otros géneros de indultos que dimanan de la curia romana. ‖ **4.** Excursión para realizar una empresa en punto distante. EXPEDICIÓN *militar, naval, científica.* ‖ **5.** Conjunto de personas que la realizan. ‖ **6.** Excursión colectiva a alguna ciudad o lugar con un fin científico, artístico o deportivo.

expedicionario, ria. adj. Que emprende una expedición o participa en ella. *Tropa* EXPEDICIONARIA; *ejército* EXPEDICIONARIO. Ú. t. c. s.

expedicionero. m. El que trata y cuida de la solicitud y despacho de las expediciones que se solicitan en la curia romana.

expedidamente. adv. m. ant. Fácilmente, desembarazadamente.

expedido, da. adj. ant. Expedito, desembarazado.

expedidor, ra. adj. Que expide. Ú. t. c. s.

expedientar. tr. Someter a expediente a alguien.

expediente. (Del lat. *expedĭens, -entis,* p. a. de *expedire,* soltar, dar curso, convenir.) adj. ant. Conveniente, oportuno. ‖ **2.** m. Asunto o negocio que se sigue sin juicio contradictorio en los tribunales, a solicitud de un interesado o de oficio. ‖ **3.** Conjunto de todos los papeles correspondientes a un asunto o negocio. Se usa señaladamente hablando de la serie ordenada de actuaciones administrativas, y también de las judiciales en los actos de jurisdicción voluntaria. ‖ **4.** Medio, arbitrio o recurso que se emplea para dar salida a una duda o dificultad, o salvar los inconvenientes que presenta la decisión o curso de un asunto. ‖ **5.** Despacho, curso en los negocios y causas. ‖ **6.** Facilidad, desembarazo y prontitud en la decisión o manejo de los negocios u otras cosas. ‖ **7.** desus. Título, razón, motivo o pretexto. ‖ **8.** desus. Avío, surtimiento, provisión. ‖ **9.** Procedimiento administrativo en que se enjuicia la actuación de alguien. ‖ **10.** Conjunto de calificaciones e incidencias en la carrera de un estudiante, o relación de trabajos realizados por un funcionario o empleado. ‖ **cubrir uno el expediente.**

fr. Revestirlo de todos los requisitos necesarios para la completa instrucción del negocio. ‖ **2.** fig. y fam. Aparentar que se cumple una obligación o hacer lo menos posible para cumplirla. ‖ **3.** Cometer un fraude salvando las apariencias. ‖ **dar expediente.** fr. Dar pronto despacho a un negocio. ‖ **instruir** uno **un expediente.** fr. Practicar las diligencias y reunir todos los documentos necesarios para preparar la decisión de un negocio.

expedienteo. m. Tendencia exagerada a formar expedientes, o a prolongar o complicar la instrucción de ellos. ‖ **2.** Tramitación de los expedientes.

expedir. (Del lat. *expedīre.*) tr. Dar curso a las causas y negocios; despacharlos. ‖ **2.** Despachar, extender por escrito, con las formalidades acostumbradas, bulas, privilegios, reales órdenes, etc. ‖ **3.** Pronunciar un auto o decreto. ‖ **4.** Remitir, enviar mercancías, telegramas, pliegos, etc. ‖ **5.** ant. Despachar y dar lo necesario para que uno se vaya. ‖ **6.** prnl. *Chile* y *Urug.* Manejarse, desenvolverse en asuntos o actividades.

expeditamente. adv. m. Fácilmente, desembarazadamente.

expeditivo, va. adj. Que tiene facilidad en dar expediente o salida en un negocio, sin muchos miramientos, evitando trámites.

expedito, ta. (Del lat. *expedītus.*) adj. Desembarazado, libre de todo estorbo. ‖ **2.** Pronto a obrar.

expeler. (Del lat. *expellĕre.*) tr. Arrojar, lanzar un mecanismo o aparato alguna cosa. ‖ **2.** Hacer salir algo del organismo. ‖ **3.** desus. Echar a una persona de un país.

expendedor, ra. adj. Que gasta o expende. Ú. t. c. s. ‖ **2.** m. y f. Persona que vende al por menor mercancías o efectos y más particularmente tabaco, sellos, etc., o billetes de entrada para espectáculos. ‖ **de moneda falsa.** *Der.* El que secreta y cautelosamente va distribuyendo e introduciendo en el comercio moneda falsa.

expendeduría. f. Tienda en que se vende al por menor tabaco u otros efectos, estancados o monopolizados.

expender. (Del lat. *expendĕre,* pesar, pagar.) tr. Gastar, hacer expensas. ‖ **2.** Vender efectos de propiedad ajena por encargo de su dueño. ‖ **3.** Despachar billetes de ferrocarril, de espectáculos, etc. ‖ **4.** Vender al menudeo. ‖ **5.** *Der.* Dar salida al por menor a la moneda falsa.

expendición. f. Acción y efecto de expender.

expendio. (De *expender.*) m. p. us. Gasto, dispendio, consumo. ‖ **2.** *Argent., Méj., Perú* y *Urug.* En comercio, venta al por menor. ‖ **3.** *Méj.* Tienda en que se venden géneros estancados.

expensar. tr. *Chile* y *Méj.* Costear, pagar los gastos de alguna gestión o negocio. Ú. principalmente en lenguaje jurídico.

expensas. (Del lat. *expensa* [*pecunĭa*], [dinero] gastado.) f. pl. Gastos, costas. ‖ **2.** *Der.* **litisexpensas.** ‖ **a expensas de.** loc. prepos. A costa, por cuenta, a cargo de alguien.

experiencia. (Del lat. *experientĭa.*) f. Enseñanza que se adquiere con el uso, la práctica o el vivir. ‖ **2. experimento.**

experimentación. f. Acción de experimentar. ‖ **2.** Método científico de investigación, basado en la provocación y estudio de los fenómenos.

experimentado, da. p. p. de **experimentar.** ‖ **2.** adj. Dícese de la persona que tiene experiencia.

experimentador, ra. adj. Que experimenta o hace experiencias. Ú. t. c. s.

experimental. adj. Fundado en la experiencia, o que se sabe y alcanza por ella. *Física* EXPERIMENTAL; *conocimiento* EXPERIMENTAL. ‖ **2.** Que sirve de experimento, con vistas a posibles perfeccionamientos, aplicaciones y difusión.

experimentalmente. adv. m. Por experiencia.

experimentar. tr. Probar y examinar prácticamente la virtud y propiedades de una cosa. ‖ **2.** En las ciencias físicoquímicas y naturales, hacer operaciones destinadas a descubrir, comprobar o demostrar determinados fenómenos o principios científicos. ‖ **3.** Notar, echar de ver en sí mismo una cosa, una impresión, un sentimiento, etc. ‖ **4.** Recibir las cosas una modificación, cambio o mudanza.

experimento. (Del lat. *experimentum.*) m. Acción y efecto de experimentar.

expertamente. adv. m. Diestramente, con práctica y conocimiento.

experticia. f. *Venez.* Prueba pericial.

experto, ta. (Del lat. *expertus,* experimentado.) adj. Práctico, hábil, experimentado. ‖ **2.** *Inform.* V. **sistema experto.** ‖ **3.** m. y f. **perito,** persona que tiene especial conocimiento de una materia. ‖ **4. perito,** persona llamada por los tribunales para informar.

expiación. (Del lat. *expiatĭo, -ōnis.*) f. Acción y efecto de expiar.

expiar. (Del lat. *expiāre.*) tr. Borrar las culpas; purificarse de ellas por medio de algún sacrificio. ‖ **2.** Sufrir el delincuente la pena impuesta por los tribunales. ‖ **3.** fig. Padecer trabajos a causa de desaciertos o malos procederes. ‖ **4.** fig. Purificar una cosa profanada, como un templo, etcétera.

expiativo, va. adj. Que sirve para expiar.

expiatorio, ria. (Del lat. *expiatorĭus.*) adj. Que se hace por expiación, o que la produce.

expilar. (Del lat. *expilāre.*) tr. desus. Robar, despojar.

expillo. m. **matricaria.**

expiración. (Del lat. *exspiratĭo, -ōnis.*) f. Acción y efecto de expirar.

expirar. (Del lat. *exspirāre.*) intr. Acabar la vida. ‖ **2.** fig. Acabarse un período de tiempo. EXPIRAR *el mes, el plazo.*

explanación. (Del lat. *explanatĭo, -ōnis.*) f. Acción y efecto de explanar. ‖ **2.** Acción y efecto de allanar un terreno. ‖ **3.** fig. Declaración y explicación de un texto, doctrina o sentencia que tiene el sentido oscuro u ofrece muchas cosas que observar.

explanada. (Del lat. *explanāta,* allanada.) f. Espacio de terreno allanado. ‖ **2.** Llano de dimensiones reducidas. ‖ **3.** *Fort.* Declive que se continúa desde el camino cubierto hacia la campaña. ‖ **4.** *Fort.* Parte más elevada de la muralla, sobre el límite de la cual se levantan las almenas. ‖ **5.** *Fort.* V. **cresta de la explanada.** ‖ **6.** *Fort.* Pavimento de fábrica o armazón de fuertes largueros, sobre los cuales se monta y resbala la cureña de una batería.

explanar. (Del lat. *explanāre.*) tr. Poner llano un terreno, suelo, etc. ‖ **2.** Construir terraplenes, hacer desmontes, etc., hasta dar al terreno la nivelación o el declive que se desea. ‖ **3.** fig. Declarar, explicar.

explayada. adj. *Blas.* Dícese del águila que se representa con las alas extendidas. ‖ **2. exployada.**

explayar. (De *ex-* y *playa.*) tr. Ensanchar, extender. Ú. t. c. prnl. ‖ **2.** prnl. fig. Difundirse, dilatarse, extenderse. EXPLAYARSE *en un discurso.* ‖ **3.** fig. Esparcirse, divertirse. ‖ **4.** fig. Confiarse a una persona, comunicándole algún secreto o intimidad, para desahogar el ánimo.

expletivo, va. (Del lat. *expletīvus.*) adj. *Gram.* Aplícase a las voces o partículas que, sin ser necesarias para el sentido, se emplean para hacer más llena o armoniosa la locución.

explicable. (Del lat. *explicabĭlis.*) adj. Que se puede explicar.

explicablemente. adv. m. ant. Con distinción y claridad.

explicación. (Del lat. *explicatĭo, -ōnis.*) f. Declaración o exposición de cualquier materia, doctrina o texto con palabras claras o ejemplos, para que se haga más perceptible. ‖ **2.** Satisfacción que se da a una persona o colectividad declarando que las palabras o actos que puede tomar a ofensa carecieron de intención de agravio. Ú. m. en pl. ‖ **3.** Manifestación o revelación de la causa o motivo de alguna cosa.

explicaderas. f. pl. fam. Manera de explicarse o darse a entender cada cual. *Bruno tiene buenas* EXPLICADERAS.

explicador, ra. (Del lat. *explicātor, -ōris.*) adj. Que explica o comenta una cosa. Ú. t. c. s.

explicar. (Del lat. *explicāre.*) tr. Declarar, manifestar, dar a conocer lo que uno piensa. Ú. t. c. prnl. ‖ **2.** Declarar o exponer cualquier materia, doctrina o texto difícil, con palabras muy claras para hacerlos más perceptibles. ‖ **3.** Enseñar en la cátedra. ‖ **4.** Justificar, exculpar palabras o acciones, declarando que no hubo en ellas intención de agravio. ‖ **5.** Dar a conocer la causa o motivo de alguna cosa. ‖ **6.** prnl. Llegar a comprender la razón de alguna cosa; darse cuenta de ella.

explicativo, va. adj. Que explica o sirve para explicar una cosa. *Nota* EXPLICATIVA.

éxplicit. (Del lat. *explĭcit*, probablemente forma abreviada de *explicĭtus* [*est liber*], «[el libro ha sido] desenrollado [hasta el final]», y opuesta a *incĭpit.*) m. Término con que en las descripciones bibliográficas se designan las últimas palabras de un escrito o de un impreso antiguo.

explícitamente. adv. m. Expresa y claramente.

explicitar. tr. Hacer explícito.

explícito, ta. (Del lat. *explicĭtus.*) adj. Que expresa clara y determinadamente una cosa.

explicitud. f. Cualidad de explícito.

explicotearse. prnl. fam. Explicarse con claridad y desenfado. Ú. t. c. tr.

explicoteo. m. Acción y efecto de explicotearse y explicotear.

explique. m. fam. *Nav.* Facilidad de palabra, facundia, explicaderas.

explorable. adj. Que puede ser explorado.

exploración. (Del lat. *exploratĭo, -ōnis.*) f. Acción y efecto de explorar.

explorador, ra. (Del lat. *explorātor, -ōris.*) adj. Que explora. Ú. t. c. s. ‖ **2.** m. y f. **escultista.**

explorar. (Del lat. *explorāre.*) tr. Reconocer, registrar, inquirir o averiguar con diligencia una cosa o un lugar.

exploratorio, ria. adj. Que sirve para explorar. ‖ **2.** *Med.* Aplícase al instrumento o medio que se emplea para explorar cavidades o heridas en el cuerpo. Ú. t. c. s. m.

explosión. (Del lat. *explosĭo, -ōnis.*) f. Liberación brusca de una gran cantidad de energía encerrada en un volumen relativamente pequeño, la cual produce un incremento violento y rápido de la presión, con desprendimiento de calor, luz y gases; va acompañada de estruendo y rotura violenta del recipiente que la contiene. El origen de la energía puede ser térmico, químico o nuclear. ‖ **2.** Dilatación repentina del gas contenido o producido en un dispositivo mecánico con el fin de obtener el movimiento de una de las partes de este, como en el motor del automóvil o en el disparo del arma de fuego. ‖ **3.** fig. Manifestación súbita y violenta de ciertos afectos del ánimo. EXPLOSIÓN *de risa, de entusiasmo.* ‖ **4.** fig. Desarrollo repentino y violento de algo. EXPLOSIÓN *demográfica.* ‖ **5.** *Fon.* Parte final de la articulación o sonido de las consonantes oclusivas *p, t,* etc., en los casos en que el aire aspirado sale repentinamente al cesar la oclusión; como en *padre, taza.* ‖ **atómica.** La que se produce en las bombas atómicas. ‖ **nuclear. explosión atómica.** ‖ **termonuclear.** La que se produce en las bombas o ingenios termonucleares.

explosionar. intr. Hacer explosión. ‖ **2.** tr. Provocar una explosión. Ú. más en artillería, minería y otras disciplinas afines.

explosivo, va. adj. Que hace o puede hacer explosión. ‖ **2.** *Quím.* Que se incendia con explosión; como los fulminantes. Ú. t. c. s. m. ‖ **3.** *Fon.* Dícese del fonema que se pronuncia con oclusión y explosión. Ú. t. c. s. ‖ **4.** *Fon.* Dícese impropiamente de toda consonante, oclusiva o no, situada a principio de sílaba. Ú. t. c. s.

explotable. adj. Que se puede explotar[1].

explotación. f. Acción y efecto de explotar[1]. ‖ **2.** Conjunto de elementos dedicados a una industria o granjería. *La compañía ha instalado una magnífica* EXPLOTACIÓN.

explotador, ra. adj. Que explota. Ú. t. c. s.

explotar[1]. (Del fr. *exploiter*, sacar provecho [de algo].) tr. Extraer de las minas la riqueza que contienen. ‖ **2.** fig. Sacar utilidad de un negocio o industria en provecho propio. ‖ **3.** fig. Utilizar en provecho propio, por lo general de un modo abusivo, las cualidades o sentimientos de una persona, de un suceso o de una circunstancia cualquiera.

explotar[2]. intr. **explosionar,** hacer explosión.

exployada. (Del fr. *éployé.*) adj. V. **águila exployada.**

expoliación. (Del lat. *exspoliatĭo, -ōnis.*) f. Acción y efecto de expoliar.

expoliador, ra. (Del lat. *exspoliātor, -ōris.*) adj. Que expolia o favorece la expoliación. Ú. t. c. s.

expoliar. (Del lat. *exspoliāre.*) tr. Despojar con violencia o con iniquidad.

expolición. (Del lat. *expolitĭo, -ōnis.*) f. *Ret.* Figura que consiste en repetir un mismo pensamiento con distintas formas, o en acumular varios que vengan a decir lo mismo, aunque no sean enteramente iguales, para reforzar o exornar la expresión de aquello que se quiere dar a entender.

expolio. (Del lat. *exspolĭum.*) m. Acción y efecto de expoliar. ‖ **2.** Botín del vencedor. ‖ **3. espolio[1].**

exponedor. m. ant. El que expone una cosa.

exponencial. (De *exponente.*) adj. Dícese del crecimiento cuyo ritmo aumenta cada vez más rápidamente. ‖ **2.** *Mat.* V. **función exponencial.**

exponente. p. a. de **exponer.** Que expone. Ú. t. c. s. ‖ **2.** m. **prototipo,** persona o cosa representativa de lo más característico en un género. ‖ **3.** *Álg.* y *Arit.* Número o expresión algebraica que denota la potencia a que se ha de elevar otro número u otra expresión, y se coloca en su parte superior a la derecha. ‖ **4.** *Álg.* y *Arit.* Diferencia de una progresión aritmética, o razón de una geométrica.

exponer. (Del lat. *exponĕre.*) tr. Presentar una cosa para que sea vista, ponerla de manifiesto. Ú. t. c. intr. ‖ **2.** Hablar de algo para darlo a conocer. *Me* EXPUSO *sus ideas sobre política.* ‖ **3.** Colocar una cosa para que reciba la acción de un agente. ‖ **4.** Declarar, interpretar, explicar el sentido genuino de una palabra, texto o doctrina que puede tener varios o es difícil de entender. ‖ **5.** Arriesgar, aventurar, poner una cosa en contingencia de perderse o dañarse. Ú. t. c. prnl. ‖ **6.** Abandonar a un niño recién nacido a la puerta de una iglesia, o casa, o en un lugar público. ‖ **7.** Someter una placa fotográfica o un papel sensible a la acción de la luz para que se impresione.

exportable. adj. Que se puede exportar.

exportación. (Del lat. *exportatĭo, -ōnis.*) f. Acción y efecto de exportar. ‖ **2.** Conjunto de mercancías que se exportan.

exportador, ra. (Del lat. *exportātor, -ōris.*) adj. Que exporta. Ú. t. c. s.

exportar. (Del lat. *exportāre.*) tr. Vender géneros a otro país.

exposición. (Del lat. *expositĭo, -ōnis.*) f. Acción y efecto de exponer o exponerse. ‖ **2.** Explicación de un tema o asunto por escrito o de palabra. ‖ **3.** Representación que se hace por escrito, comúnmente a una autoridad, pidiendo o reclamando una cosa. ‖ **4.** Presentación pública de artículos de industria o de artes y ciencias, para estimular la producción, el comercio o la cultura. ‖ **5.** Conjunto de artículos expuestos. ‖ **6.** Conjunto de las noticias dadas en las obras épicas, dramáticas y novelescas, acerca de los antecedentes o causas de la acción. ‖ **7.** Situación de un objeto con relación a los puntos cardinales del horizonte. ‖ **8.** Acción de exponer a la luz una placa fotográfica o un papel sensible durante cierto tiempo para que se impresione. Por analogía, se usa también hablando de los efectos de otros agentes, como el sol, los rayos X, etc. ‖ **9.** *Mús.* En ciertas formas musicales, parte inicial de una composición en la que se presentan el tema o los temas que han de repetirse o desarrollarse después.

exposímetro. m. Dispositivo fotográfico que sirve para medir la intensidad de la luz y que permite determinar el tiempo necesario de exposición de una película.

expositivo, va. (Del lat. *expositīvus.*) adj. Que expone, declara o interpreta.

expósito, ta. (Del lat. *exposĭtus*, expuesto.) adj. Dícese del recién nacido abandonado o expuesto, o confiado a un establecimiento benéfico. Ú. m. c. s. ‖ **2.** V. **casa de expósitos.**

expositor, ra. (Del lat. *expositor, -ōris.*) adj. Que interpreta, expone y declara una cosa. Ú. t. c. s. ‖ **2.** m. Por antonom., el que expone o explica la Sagrada Escritura, o un texto jurídico. ‖ **3.** m. y f. Persona o entidad que concurre a una exposición pública con objetos de su propiedad o industria.

expremijo. (De *exprimir.*) m. Mesa baja, larga, de tablero con ranuras, cercada de listones y algo inclinada, para que, al hacer queso, escurra el suero y salga por una abertura hecha en la parte más baja.

expremir. (Del lat. *exprimĕre.*) tr. ant. **expresar.**

exprés (Del fr. *exprès.*) adj. **rápido,** dicho de ciertos electrodomésticos y del café. *Olla, cafetera,* EXPRÉS. ‖ **2. expreso,** dicho del tren. Ú. t. c. s.

expresamente. adv. m. De modo expreso.

expresar. (De *expreso*, claro.) tr. Manifestar con palabras, miradas o gestos, lo que uno quiere dar a entender. ‖ **2.** Manifestar el artista con viveza y exactitud los afectos propios del caso. ‖ **3.** prnl. Darse a entender por medio de la palabra. *Antonio* SE EXPRESA *bien.*

expresión. (Del lat. *expressĭo, -ōnis.*) f. Especificación, declaración de una cosa para darla a entender. ‖ **2.** Palabra o locución. ‖ **3.** *Ling.* Lo que, en un signo o en un enunciado lingüístico, corresponde solo al significante oral o escrito. ‖ **4** *Ling.* Cuanto en un enunciado lingüístico manifiesta los sentimientos del hablante. ‖ **5.** Efecto de expresar algo sin palabras. ‖ **6.** Viveza y propiedad con que se manifiestan los afectos en las artes y en la declamación, ejecución o realización de las obras artísticas. ‖ **7.** Cosa que se regala en demostración de afecto a quien se quiere obsequiar. ‖ **8.** p. us. Acción de exprimir. ‖ **9.** *Álg.* Conjunto de términos que representa una cantidad. ‖ **10.** *Farm.* Zumo o sustancia exprimida. ‖ **11.** pl. Recuerdos, saludos. ‖ **algebraica.** *Mat.* **expresión** analítica que no contiene más funciones que aquellas que pueden calcularse con las operaciones del álgebra, a saber: suma, multiplicación y sus inversas. ‖ **analítica.** *Mat.* Conjunto de números y de símbolos ligados entre sí por los signos de las operaciones del álgebra: suma, multiplicación y sus inversas. En ella, los símbolos pueden representar números o funciones variables. ‖ **corporal.** Técnica practicada por el intérprete para expresar circunstancias de su papel por medio de gestos y movimientos, con independencia de la palabra. ‖ **génica.** *Biol.* Mecanismo biológico por el que la información contenida en la estructura química del ácido desoxirribonucleico de los genes se manifiesta en las estructuras de las proteínas. ‖ **reducir** una cosa **a la mínima expresión.** fr. fig. Mermarla, disminuirla todo lo posible.

expresionismo. m. Escuela y tendencia estética que, reaccionando contra el impresionismo, propugna la intensidad de la expresión sincera aun a costa del equilibrio formal.

expresionista. adj. Relativo o perteneciente al expresionismo. Ú. t. c. s. ‖ **2.** com. Seguidor de esta escuela.

expresivamente. adv. m. De manera expresiva.

expresividad. f. Cualidad de expresivo.

expresivo, va. adj. Dícese de la persona que manifiesta con gran viveza lo que siente o piensa. ‖ **2.** Dicho de cualquier manifestación mímica, oral, escrita, musical o plástica, que muestra con viveza los sentimientos de la persona que se manifiesta por aquellos medios. ‖ **3.** Característico, típico. ‖ **4.** Que constituye un indicio de algo. ‖ **5.** Cariñoso, afectuoso. ‖ **6.** *Ling.* Perteneciente o relativo a la expresión lingüística. ‖ **7.** *Mús.* V. **órgano expresivo.**

expreso, sa. (Del lat. *expressus.*) p. p. irreg. de **expresar.** ‖ **2.** adj. Claro, patente, especificado. ‖ **3.** V. **tren expreso.** Ú. t. c. s. ‖ **4.** m. Correo extraordinario despachado con una noticia o aviso determinado. ‖ **5.** adv. m. Ex profeso, con particular intento.

exprimidera. f. **exprimidor.**

exprimidero. m. **exprimidor.**

exprimidor. m. Instrumento usado para estrujar la materia cuyo zumo se quiere extraer.

exprimir. (Del lat. *exprimĕre.*) tr. Extraer el zumo o líquido de una cosa, apretándola o retorciéndola. ‖ **2.** fig. **estrujar,** agotar una cosa. ‖ **3.** fig. Explotar a una persona, abusar de ella. ‖ **4.** fig. Expresar, manifestar.

ex profeso. (Del lat. *ex professo.*) loc. adv. De propósito, con intención.

expropiación. f. Acción y efecto de expropiar. ‖ **2.** Cosa expropiada. Ú. m. en pl.

expropiador, ra. adj. Que expropia.

expropiar. (De *ex-* y *propio.*) tr. Desposeer de una cosa a su propietario, dándole en cambio una indemnización, salvo casos excepcionales. Se efectúa legalmente por motivos de utilidad pública.

expuesto, ta. (Del lat. *exposĭtus.*) p. p. irreg. de **exponer.** ‖ **2.** adj. **peligroso.** ‖ **3.** ant. **expósito.**

expugnable. (Del lat. *expugnabĭlis.*) adj. Que se puede expugnar.

expugnación. (Del lat. *expugnatĭo, -ōnis.*) f. Acción y efecto de expugnar.

expugnador, ra. (Del lat. *expugnātor, -ōris.*) adj. Que expugna. Ú. t. c. s.

expugnar. (Del lat. *expugnāre.*) tr. Tomar por las armas una ciudad, plaza, castillo, etcétera.

expulsar. (Del lat. *expulsāre.*) tr. **expeler.** Se usa comúnmente hablando de las personas, a diferencia de expeler, que se aplica más bien a los humores y otras cosas materiales.

expulsión. (Del lat. *expulsĭo, -ōnis.*) f. Acción y efecto de expeler. ‖ **2.** Acción y efecto de expulsar. ‖ **3.** *Esgr.* Golpe que da el diestro sacudiendo violentamente con la fuerza de su espada la flaqueza de la del contrario, para desarmarlo.

expulsivo, va. adj. Que tiene virtud y facultad de expeler. *Medicamento* EXPULSIVO. Ú. t. c. s. m.

expulso, sa. (Del lat. *expulsus.*) p. p. irreg. de **expeler** y **expulsar.**

expulsor, ra. adj. Que expulsa. ‖ **2.** m. En algunas armas de fuego, mecanismo dispuesto para expulsar los cartuchos vacíos.

expurgación. (Del lat. *expurgatĭo, -ōnis.*) f. Acción y efecto de expurgar.

expurgador, ra. adj. Que expurga. Ú. t. c. s.

expurgar. (Del lat. *expurgāre.*) tr. Limpiar o purificar una cosa. ‖ **2.** fig. Mandar la autoridad competente tachar algunas palabras, cláusulas o pasajes de determinados libros o impresos, sin prohibir la lectura de estos.

expurgatorio, ria. adj. Que expurga o limpia. ‖ **2.** V. **índice expurgatorio.** Ú. t. c. s. m.

expurgo. (De *expurgar.*) m. **expurgación.**

exquisitamente. adv. m. De manera exquisita.

exquisitez. f. Cualidad de exquisito.

exquisito, ta. (Del lat. *exquisītus.*) adj. De singular y extraordinaria calidad, primor o gusto en su especie.

éxtasi. m. desus. **éxtasis.**

extasiar. (De *éxtasis.*) tr. **embelesar.** Ú. m. c. prnl.

éxtasis. (Del lat. tardío *ex[s]tăsis,* y este del gr. ἔκστασις.) m. Estado del alma enteramente embargada por un sentimiento de admiración, alegría, etcétera. ‖ **2.** *Teol.* Estado del alma caracterizado por cierta unión mística con Dios mediante la contemplación y el amor, y por la suspensión del ejercicio de los sentidos.

extáticamente. adv. m. Con éxtasis.

extático, ca. (Del gr. ἐκστατικός.) adj. Que está en éxtasis, o lo tiene con frecuencia o habitualmente.

extemporal. (Del lat. *extemporālis.*) adj. **extemporáneo.**

extemporáneamente. adv. m. Fuera de tiempo propio y oportuno.

extemporaneidad. f. Cualidad de extemporáneo.

extemporáneo, a. (Del lat. *extemporanĕus.*) adj. Impropio del tiempo en que sucede o se hace. ‖ **2.** Inoportuno, inconveniente.

extender. (Del lat. *extendĕre.*) tr. Hacer que una cosa, aumentando su superficie, ocupe más lugar o espacio que el que antes ocupaba. Ú. t. c. prnl. ‖ **2.** Esparcir, desparramar lo que está amontonado, junto o espeso. EXTENDER *la hierba segada, para que se seque;* EXTENDER *la pintura con la brocha.* ‖ **3.** Desenvolver, desplegar o desenrollar una cosa que estaba doblada, arrollada o encogida. Ú. t. c. prnl. ‖ **4.** Hablando de cosas morales, como derechos, jurisdicción, autoridad, conocimientos, etc., darles mayor amplitud y comprensión que la que tenían. Ú. t. c. prnl. ‖ **5.** Hablando de escrituras, autos, despachos, etc., ponerlos por escrito y en la forma acostumbrada. ‖ **6.** prnl. Ocupar cierta porción de terreno. Se usa hablando de los montes, llanuras, campos, pueblos, etc. ‖ **7.** Ocupar cierta cantidad de tiempo, durar. ‖ **8.** Hacer por escrito o de palabra la narración o explicación de las cosas, dilatada y copiosamente. ‖ **9.** fig. Irse difundiendo una raza, una especie animal o vegetal, una profesión, uso, opinión o costumbre donde antes no la había. ‖ **10.** fig. Alcanzar la fuerza, virtud o eficacia de una cosa a influir u obrar en otras. ‖ **11.** fig. y fam. Ponerse muy hinchado y entonado, afectando señorío y poder.

extendidamente. adv. m. **extensamente.**

extendimiento. m. ant. **extensión.** ‖ **2.** fig. ant. Expansión o dilatación de una pasión o afecto.

extensamente. adv. m. Por extenso, con extensión.

extensible. adj. Que se puede extender.

extensión. (Del lat. *extensio, -ōnis.*) f. Acción y efecto de extender o extenderse. ‖ **2.** Línea conectada a una centralita. ‖ **3.** *Geom.* Capacidad para ocupar una parte del espacio. *El punto no tiene* EXTENSIÓN. ‖ **4.** *Geom.* Medida del espacio ocupado por un cuerpo. ‖ **5.** *Lóg.* Conjunto de individuos comprendidos en una idea. ‖ **6.** *Gram.* Tratando del significado de las palabras, ampliación del mismo a otro concepto relacionado con el originario. ‖ **7.** *Biol.* y *Med.* Preparación para examen microscópico, generalmente de sangre, exudados o cultivos bacterianos, en la que estas sustancias se disponen sobre un portaobjetos con ayuda de otro, de manera que forman una capa muy fina. ‖ **en toda la extensión de la palabra.** fr. fig. Enteramente, por completo.

extensivamente. adv. m. De un modo extensivo.

extensivo, va. (Del lat. *extensivus.*) adj. Que se extiende o se puede extender, comunicar o aplicar a más cosas.

extenso, sa. (Del lat. *extensus.*) p. p. irreg. de **extender.** ‖ **2.** adj. Que tiene extensión. ‖ **3.** Que tiene mucha extensión, vasto. ‖ **por extenso.** loc. adv. Con todo detalle.

extensor, ra. adj. Que extiende o hace que se extienda una cosa. *Músculo* EXTENSOR.

extenuación. (Del lat. *extenuatĭo, -ōnis.*) f. Enflaquecimiento, debilitación de fuerzas materiales. Ú. t. en sent. fig. ‖ **2.** *Ret.* **atenuación,** figura de dicción.

extenuar. (Del lat. *extenuāre.*) tr. Enflaquecer, debilitar. Ú. t. c. prnl.

extenuativo, va. adj. Que extenúa.

exterior. (Del lat. *exterĭor, -ōris.*) adj. Que está por la parte de fuera. Ú. t. c. s. ‖ **2.** V. **deuda, fuero exterior.** ‖ **3.** Relativo a otros países, por contraposición a nacional e interior. *Comercio* EXTERIOR. ‖ **4.** *Astron.* V. **planeta exterior.** ‖ **5.** *Fort.* V. **obra, polígono exterior.** ‖ **6.** *Zool.* V. **cuero exterior.** ‖ **7.** m. Superficie externa de los cuerpos. ‖ **8.** Traza, aspecto o porte de una persona. ‖ **9.** pl. *Cinem.* y *TV.* Espacios al aire libre, o decorados que los representan, donde se rueda una película. ‖ **10.** *Cinem.* y *TV.* Secuencias rodadas en esos espacios.

exterioridad. f. Cosa exterior o externa. ‖ **2.** Apariencia, aspecto de las cosas, o porte, conducta ostensible de una persona. ‖ **3.** Demostración con que se aparenta un afecto del ánimo, aunque en realidad no se sienta. ‖ **4.** Honor de pura ceremonia; pompa de mera ostentación. Ú. m. en pl.

exteriorización. f. Acción y efecto de exteriorizar o exteriorizarse.

exteriorizar. tr. Hacer patente, revelar o mostrar algo al exterior. Ú. t. c. prnl.

exteriormente. adv. m. Por la parte exterior. ‖ **2.** Ostensible o aparentemente.

exterminable. (Del lat. *exterminabĭlis.*) adj. Que se puede exterminar.

exterminación. (Del lat. *exterminatĭo, -ōnis.*) f. Acción y efecto de exterminar.

exterminador, ra. (Del lat. *exterminātor, -ōris.*) adj. Que extermina. Ú. t. c. s. ‖ **2.** m. ant. Apeador o deslindador de términos.

exterminar. (Del lat. *extermināre.*) tr. desus. Echar fuera de los términos; desterrar. ‖ **2.** fig. Acabar del todo con una cosa, como si se desterrara, extirpara o descastara. ‖ **3.** fig. Desolar, devastar por fuerza de armas.

exterminio. (Del lat. *exterminĭum.*) m. Acción y efecto de exterminar.

externado. m. Establecimiento de enseñanza donde se reciben alumnos externos. ‖ **2.** Estado y régimen de vida del alumno externo. ‖ **3.** Conjunto de alumnos externos.

externamente. adv. m. Por la parte externa.

externo, na. (Del lat. *externus.*) adj. Dícese de lo que obra o se manifiesta al exterior, y en comparación o contraposición con lo interno. ‖ **2.** V. **culto, fuero externo.** ‖ **3.** Dícese del alumno que solo permanece en el colegio o escuela durante las horas de clase. Ú. t. c. s. ‖ **4.** *Pat.* V. **otitis externa.** ‖ **5.** *Anat.* V. **vena yugular externa.**

ex testamento. loc. adv. lat. *Der.* Por el testamento.

extinción. (Del lat. *exstinctĭo, -ōnis.*) f. Acción y efecto de extinguir o extinguirse.

extinguible. (Del lat. *exstinguibĭlis.*) adj. Que se puede extinguir.

extinguir. (Del lat. *exstinguĕre.*) tr. Hacer que cese el fuego o la luz. Ú. t. c. prnl. ‖ **2.** fig. Hacer que cesen o se acaben del todo ciertas cosas que desaparecen gradualmente; como un sonido, un afecto, una vida. Ú. t. c. prnl. ‖ **3.** prnl. fig. Acabarse, vencer un plazo o derecho. ‖ **a extinguir.** loc. adj. Aplícase a los empleos que no se cubren una vez vacantes.

extintivo, va. adj. Que causa extinción. ‖ **2.** *Der.* Que hace caducar, perderse o cancelarse una acción o un derecho. *Prescripción* EXTINTIVA.

extinto, ta. (Del lat. *exstinctus.*) p. p. irreg. de **extinguir.** ‖ **2.** adj. V. **volcán extinto.** ‖ **3.** Muerto, fallecido. Ú. t. c. s.

extintor, ra. adj. Que extingue. ‖ **2.** m. Aparato para extinguir incendios, que por lo común arroja sobre el fuego un chorro de agua o de una mezcla que dificulta la combustión.

extirpable. adj. Que se puede extirpar.

extirpación. (Del lat. *exstirpatio, -ōnis.*) f. Acción y efecto de extirpar.

extirpador, ra. (Del lat. *exstirpātor, -ōris.*) adj. Que extirpa. Ú. t. c. s. ‖ **2.** m. *Agr.* Bastidor de madera o de hierro, con travesaños armados por su parte inferior de cuchillas de hierro a modo de rejas, que cortan horizontalmente la tierra y las raíces. Suele estar montado sobre tres ruedas: una delantera y dos laterales.

extirpar. (Del lat. *exstirpāre.*) tr. Arrancar de cuajo o de raíz. ‖ **2.** fig. Acabar del todo con una cosa, de modo que cese de existir; como los vicios, abusos, etc. ‖ **3.** *Cir.* Quitar, en operación quirúrgica, un órgano o una formación patológica.

extornar. (De *ex-* y *tornar.*) tr. *Com.* Pasar una partida del debe al haber o viceversa.

extorno. m. *Com.* Acción y efecto de extornar. ‖ **2.** Parte de prima que el asegurador devuelve al asegurado a consecuencia de alguna modificación en las condiciones de la póliza contratada.

extorsión. (Del lat. *extorsĭo, -ōnis.*) f. Acción y efecto de usurpar y arrebatar por fuerza una cosa a uno. ‖ **2.** fig. Cualquier daño o perjuicio.

extorsionar. (De *extorsión.*) tr. Usurpar, arrebatar. ‖ **2.** Causar extorsión o daño.

extra. (Del lat. *extra.*) prep. que significa «además». EXTRA *del sueldo, tiene muchas ganancias.* ‖ **2.** adj. Extraordinario, inesperado. Ú. t. c. s. ‖ **3.** m. fam. Adehala, gaje, plus. ‖ **4.** fam. Plato extraordinario que no figura en la minuta. ‖ **5.** Persona que presta un servicio accidental. ‖ **6.** En el cine, persona que interviene como comparsa, o que actúa ante la cámara sin papel destacado. ‖ **7.** pl. Accesorios de ciertas máquinas, como automóviles, televisores, etc., que no van incorporados al modelo ordinario y que facilitan o hacen más agradable su manejo.

extra-. (Del lat. *extra.*) pref. que significa «fuera de»: EXTRA*judicial,* EXTRA*ordinario;* a veces, «sumamente»: EXTRA*plano.*

extracción. (Del lat. *extractĭo, -ōnis.*) f. Acción y efecto de extraer. ‖ **2.** En el juego de la lotería, acto de sacar algunos números con sus respectivas suertes. ‖ **3.** Origen, linaje. Se usa generalmente en sentido peyorativo, o con los adjetivos *baja, humilde,* etc. ‖ **4.** *Argent., Col.* y *Venez.* En ganadería, veterinaria, etc., parte de la producción de un hato que se puede retirar de él, en un período de tiempo, sin afectar a su productividad.

extracorpóreo, a. adj. *Med.* Que está situado u ocurre fuera del cuerpo. *Circulación* EXTRACORPÓREA.

extracta. (Del lat. *extracta,* sacada, extraída.) f. *Der. Ar.* Traslado fiel de cualquier instrumento público o de una parte de él.

extractador, ra. adj. Que extracta. Ú. t. c. s.

extractar. (De *extracto.*) tr. Reducir a extracto una cosa; como escrito, libro, etc.

extracto. (Del lat. *extractus,* p. p. de *extrahĕre,* extraer, sacar.) m. Resumen que se hace de un escrito cualquiera, expresando en términos precisos únicamente lo más sustancial. ‖ **2.** Cada uno de los cinco números que salían a favor de los jugadores en la lotería primitiva. ‖ **3.** Producto sólido o espeso obtenido por evaporación de un zumo o de una disolución de sustancias vegetales o animales. Según el líquido disolvente, recibe la calificación de acuoso, alcohólico, etéreo, etc. ‖ **4.** *Der.* Apuntamiento o resumen de un expediente o de pleito contencioso administrativo. ‖ **de saturno.** Disolución acuosa del acetato de plomo básico. ‖ **tebaico. extracto** acuoso de opio.

extractor, ra. (De *extracto.*) m. y f. Persona que extrae. ‖ **2.** Aparato o pieza de un mecanismo que sirve para extraer.

extracurricular. adj. Dícese de lo que no pertenece a un currículo o no está incluido en él. *Estudios* EXTRACURRICULARES.

extradición. (De *ex-* y el lat. *tradĭtĭo, -ōnis,* acción de entregar.) f. Entrega del reo refugiado en un país, hecha por el gobierno de este a las autoridades de otro país que lo reclaman.

extraditado, da. p. p. de **extraditar.** ‖ **2.** adj. Dícese de la persona objeto de una extradición. Ú. t. c. s.

extraditar. (Del ing. *to extradite.*) tr. Conceder un gobierno la extradición de un reclamado por la justicia de otro país.

extradós. (Del fr. *extrados.*) m. **trasdós.**

extraembrionario, ria. adj. *Embriol.* Que está o se produce fuera del embrión.

extraer. (Del lat. *extrahĕre.*) tr. **sacar,** poner una cosa fuera de donde estaba contenida. ‖ **2.** *Álg.* y *Arit.* Tratándose de raíces, averiguar cuáles son las de una cantidad dada. ‖ **3.** *Der. Ar.* Sacar traslado de un instrumento público o de una parte de él. ‖ **4.** *Quím.* Separar algunas de las partes de que se componen los cuerpos.

extrajudicial. (De *extra-* y *judicial.*) adj. Que se hace o trata fuera de la vía judicial.

extrajudicialmente. adv. m. Sin las solemnidades judiciales, y por lo general, privadamente.

extralimitación. f. Acción y efecto de extralimitarse.

extralimitarse. (De *extra-* y *límite.*) prnl. fig. Excederse en el uso de facultades o atribuciones. ‖ **2.** Abusar de la benevolencia ajena.

extramuros. (Del lat. *extra muros,* fuera de las murallas.) adv. l. Fuera del recinto de una ciudad, villa o lugar.

extranatural. adj. Que está o se considera fuera de la naturaleza, o no pertenece a ella.

extranjería. f. Calidad y condición que por las leyes corresponden al extranjero residente en un país, mientras no está naturalizado en él. ‖ **2.** Sistema o conjunto de normas reguladoras de la condición, los actos y los intereses de los extranjeros en un país.

extranjerismo. m. Afición desmedida a costumbres extranjeras. ‖ **2.** Voz, frase o giro que un idioma toma de otro extranjero.

extranjerizar. tr. Introducir las costumbres extranjeras, mezclándolas con las propias del país. Ú. t. c. prnl.

extranjero, ra. (Del ant. fr. *estrangier.*) adj. Que es o viene de país de otra soberanía. ‖ **2.** Natural de una nación con respecto a los naturales de cualquier otra. Ú. m. c. s. ‖ **3.** m. Toda nación que no es la propia. Ú. con el artículo *el.*

extranjía. f. fam. **extranjería.** ‖ **de extranjía.** loc. fam. **extranjero.** ‖ **2.** fig. y fam. Extraño o inesperado.

extranjis (de). loc. fam. **de extranjía.** ‖ **2.** De tapadillo, ocultamente.

extraña. f. Planta herbácea de la familia de las compuestas, con tallo rollizo, velloso y guarnecido de muchas hojas alternas, aovadas, lampiñas, con dientes desiguales, y tanto más estrechas cuanto más altas están; flores terminales, grandes, de gran variedad de colores, pues las hay blancas, azules, moradas, encarnadas y jaspeadas. Procede de China, y se cultiva mucho como planta de adorno.

extrañación. f. Acción y efecto de extrañar o extrañarse.

extrañamente. adv. m. De manera extraña.
extrañamiento. m. Acción y efecto de extrañar o extrañarse.
extrañar. (Del lat. *extraneāre.*) tr. Desterrar a país extranjero. Ú. t. c. prnl. ‖ **2.** p. us. Apartar, privar a uno del trato y comunicación que se tenía con él. Ú. t. c. prnl. ‖ **3.** Ver u oír con admiración o extrañeza una cosa. Ú. m. c. prnl. ‖ **4.** Sentir la novedad de alguna cosa que usamos, echando de menos la que no es habitual. *No he dormido bien porque* EXTRAÑABA *la cama.* ‖ **5.** Echar de menos a alguna persona o cosa, sentir su falta. *Lloraba el niño* EXTRAÑANDO *a sus padres.* ‖ **6.** Afear, reprender. ‖ **7.** ant. Rehuir, esquivar. ‖ **8.** prnl. Rehusarse, negarse a hacer una cosa.
extrañero, ra. adj. ant. Extranjero o forastero.
extrañez. f. desus. **extrañeza.**
extrañeza. f. Cualidad de raro, extraño, extraordinario. ‖ **2.** Cosa rara, extraña, extraordinaria. ‖ **3.** p. us. Desvío, desavenencia entre los que eran amigos. ‖ **4.** Admiración, novedad.
extraño, ña. (Del lat. *extranĕus.*) adj. De nación, familia o profesión distinta de la que se nombra o sobrentiende; contrapónese a *propio.* Ú. t. c. s. ‖ **2.** Raro, singular. ‖ **3.** **extravagante.** EXTRAÑO *humor, genio;* EXTRAÑA *manía.* ‖ **4.** Dícese de lo que es ajeno a la naturaleza o condición de una cosa de la cual forma parte. *Pedro es un* EXTRAÑO *en su familia.* ‖ **5.** Seguido de la preposición *a,* dícese de lo que no tiene parte en la cosa nombrada tras la preposición. *Juan permaneció* EXTRAÑO A *aquellas maquinaciones.* ‖ **6.** *Esgr.* V. **compás, movimiento extraño.** ‖ **7.** m. Movimiento súbito, inesperado y sorprendente. ‖ **serle** a uno **extraña** una cosa. fr. No estar práctico en ella o ser impropia para él.
extraoficial. adj. Oficioso, no oficial.
extraoficialmente. adv. m. De modo extraoficial.
extraordinariamente. adv. m. De manera extraordinaria.
extraordinario, ria. (Del lat. *extraordinarĭus.*) adj. Fuera del orden o regla natural o común. ‖ **2.** Añadido a lo ordinario. *Gastos* EXTRAORDINARIOS, *horas* EXTRAORDINARIAS. ‖ **3.** V. **enviado, premio extraordinario.** ‖ **4.** *Der.* V. **juicio extraordinario.** ‖ **5.** m. Correo especial que se despacha con urgencia. ‖ **6.** Plato que se añade a la comida diaria. ‖ **7.** Gasto añadido al presupuesto normal de una persona, una familia, etc. ‖ **8.** Número de un periódico que se publica por algún motivo **extraordinario.**
extraplano, na. adj. Dícese de las cosas que son extraordinariamente planas en relación con otras de su especie. *Reloj* EXTRAPLANO.
extrapolación. f. *Fís.* Acción y efecto de extrapolar.
extrapolar. (Formado sobre *interpolar,* con cambio del pref. *inter-* por *extra-.*) tr. *Mat.* Averiguar el valor de una magnitud para valores de la variable que se hallan fuera del intervalo en que dicha magnitud es conocida. ‖ **2.** fig. Aplicar conclusiones obtenidas en un campo a otro.
extrarradio. m. Parte o zona exterior que rodea el casco y radio de una población.
extrasístole. f. *Pat.* Latido anormal e irregular del corazón, seguido de una pausa en las contracciones y acompañado, por lo común, de sensación de choque o de angustia.
extratémpora. (Del lat. *extra,* fuera de, y *tempŏra,* los tiempos.) f. *Rel.* Dispensa que se daba para que un clérigo recibiera las órdenes llamadas mayores fuera de los tiempos señalados por la Iglesia.
extraterrestre. adj. Dícese de lo que pertenece al espacio exterior de la Tierra o procede de él. ‖ **2.** Dícese de objetos o seres supuestamente venidos desde el espacio exterior a la Tierra. Ú. t. c. s.
extraterritorial. adj. Dícese de lo que está o se considera fuera del territorio de la propia jurisdicción.
extraterritorialidad. f. Derecho o privilegio fundado en una ficción jurídica que considera el domicilio de los agentes diplomáticos, los buques de guerra, etc., como si estuviesen fuera del territorio donde se encuentran, para seguir sometidos a las leyes de su país de origen.
extrauterino, na. adj. *Med.* Que está situado u ocurre fuera del útero, dicho de lo que normalmente está situado u ocurre dentro de él. *Embarazo* EXTRAUTERINO.
extravagancia. (De *extravagante.*) f. Cualidad de extravagante. ‖ **2.** Cosa o acción extravagante.
extravagante. (De *extravăgans, -antis,* p. a. del b. lat. *extravagāri.*) adj. Que se hace o dice fuera del orden o común modo de obrar. ‖ **2.** Raro, extraño, desacostumbrado, excesivamente peculiar u original. ‖ **3.** Que habla, viste o procede así. Ú. t. c. s. ‖ **4.** Dícese de la correspondencia que recibe de tránsito una administración de Correos, con destino a otras poblaciones. ‖ **5.** m. ant. Escribano que no era de número ni tenía asiento fijo en ningún pueblo, juzgado o tribunal. ‖ **6.** f. Cualquiera de las constituciones pontificias que se hallan recogidas y puestas al fin del cuerpo del derecho canónico, después de los cinco libros de las decretales y clementinas. Dióseles este nombre porque están fuera del cuerpo canónico. Unas se llaman comunes y otras de Juan XXII.
extravasación. f. Acción y efecto de extravasarse.
extravasarse. (De *extra-* y *vaso.*) prnl. Salirse un líquido de su vaso. Ú. m. en medicina.
extravenar. (De *extra-* y *vena.*) tr. Hacer salir la sangre de las venas. Ú. m. c. prnl. ‖ **2.** fig. Desviar, sacar de su lugar.
extraversión. (De *extra-* y *versión.*) f. Movimiento del ánimo que sale fuera de sí por medio de los sentidos.
extravertido, da. adj. Dado a la extraversión.
extraviado, da. p. p. de **extraviar.** ‖ **2.** adj. De costumbres desordenadas. ‖ **3.** Tratando de lugares, poco transitado, apartado.
extraviar. (De *extra-* y el lat. *via,* camino.) tr. Hacer perder el camino. Ú. t. c. prnl. ‖ **2.** Poner una cosa en otro lugar que el que debía ocupar. ‖ **3.** Hablando de la vista o de la mirada, no fijarla en objeto determinado. ‖ **4.** prnl. No encontrarse una cosa en su sitio e ignorarse su paradero. ‖ **5.** fig. Dejar la carrera y forma de vida que se había empezado y tomar otra distinta. Se usa generalmente en sentido peyorativo.
extravío. m. Acción y efecto de extraviar o extraviarse. ‖ **2.** fig. Desorden en las costumbres. ‖ **3.** fam. Molestia, perjuicio.
extrema. f. vulg. Abreviación de **extremaunción.**
extremadamente. adv. m. Con extremo, por extremo.
extremadano, na. adj. ant. **extremeño.** Apl. a pers., usáb. t. c. s.
extremadas. f. pl. Entre ganaderos, tiempo en que están ocupados en hacer el queso.
extremado, da. p. p. de **extremar.** ‖ **2.** adj. Sumamente bueno o malo en su género.
extremamente. adv. m. **en extremo.**
extremar. tr. Llevar una cosa al extremo. ‖ **2.** ant. Separar, apartar una cosa de otra. Usáb. t. c. prnl. Hoy se dice entre ganaderos; y en León, como prnl., especialmente en la significación de separarse los que viven juntos para establecerse cada uno de por sí. ‖ **3.** ant. Hacer a uno el más excelente en su género. ‖ **4.** *Ar.* y *Nav.* Hacer la limpieza y arreglo de las habitaciones. ‖ **5.** intr. Entre ganaderos, pasar el invierno en los territorios templados de Extremadura los ganados que trashuman. ‖ **6.** prnl. Emplear uno toda la habilidad y esmero en la ejecución de una cosa.

extremaunción. (De *extrema*, última, y *unción*.) f. *Rel.* Uno de los sacramentos de la Iglesia católica, que consiste en la unción con óleo sagrado hecha por el sacerdote a los fieles que se hallan en peligro inminente de morir.

extremeño, ña. adj. Natural de Extremadura. Ú. t. c. s. ‖ **2.** Perteneciente a esta región de España. ‖ **3.** Que habita en los extremos de una región. Ú. t. c. s. ‖ **4.** Dícese de una variedad de la lengua española hablada en Extremadura. Ú. t. c. s. m.

extremidad. (Del lat. *extremĭtas, -ātis.*) f. Parte extrema o última de una cosa. ‖ **2.** fig. El grado último a que una cosa puede llegar. ‖ **3.** ant. Superioridad, preeminencia, excelencia o ventaja en una persona o cosa respecto de otra. ‖ **4.** pl. Cabeza, pies, manos y cola de los animales. ‖ **5.** Pies y manos del hombre. ‖ **6.** Los brazos y piernas o las patas, en oposición al tronco.

extremismo. m. Tendencia a adoptar ideas extremas o exageradas, especialmente en política.

extremista. adj. El que practica el extremismo. Ú. t. c. s.

extremo, ma. (Del lat. *extrēmus.*) adj. **último.** ‖ **2.** V. **diente extremo.** ‖ **3.** Aplícase a lo más intenso, elevado o activo de cualquier cosa. *Frío, calor* EXTREMO. ‖ **4.** Excesivo, sumo, exagerado. ‖ **5.** V. **necesidad extrema.** ‖ **6. distante.** ‖ **7. desemejante.** ‖ **8.** m. Parte primera o última de una cosa, principio o fin de ella. ‖ **9.** Asunto, punto o materia que se discute o estudia. ‖ **10.** desus. **padre nuestro,** cuenta del rosario más gruesa que las demás. ‖ **11.** Punto último a que puede llegar una cosa. ‖ **12.** Esmero sumo en una operación. ‖ **13.** Invernadero de los ganados trashumantes, y pastos en que pacen en el invierno. ‖ **14.** En el fútbol y otros deportes, cada uno de los dos miembros de la delantera que, en la alineación del equipo, se sitúa más próximo a las bandas derecha e izquierda del campo. ‖ **15.** *Arit.* Cada uno de los términos primero y último de una proporción. ‖ **16.** pl. Manifestaciones exageradas y vehementes de un afecto del ánimo, como alegría, dolor, etc. Ú. principalmente en la frase *hacer* EXTREMOS. ‖ **con extremo.** loc. adv. Muchísimo, excesivamente. ‖ **de extremo a extremo.** loc. adv. Desde el principio al fin. ‖ **2.** De un extremo a su contrario. ‖ **en extremo.** loc. adv. **con extremo.** ‖ **en último extremo.** loc. adv. Si no hay más remedio. ‖ **ir a extremo.** fr. Pasar los ganados de las dehesas y montes de invierno a los de verano, o al contrario, para tener los pastos necesarios y poderse sustentar en todas las estaciones del año. ‖ **ir,** o **pasar, de un extremo a otro.** fr. Mudarse casi de repente el orden de las cosas o las ideas u opiniones, pasando a las opuestas. ‖ **por extremo.** loc. adv. **con extremo.**

extremosidad. f. Cualidad de extremoso.

extremoso, sa. adj. Que no se modera o no guarda medio en afectos o acciones, sino que declina o da en un extremo. ‖ **2.** Muy expresivo en demostraciones cariñosas.

extrínsecamente. adv. m. De manera extrínseca.

extrínseco, ca. (Del lat. *extrinsĕcus.*) adj. Externo, no esencial.

extroversión. f. **extraversión.**

extrovertido, da. adj. **extravertido.**

extrudir. (Del lat. *extrudĕre.*) tr. Dar forma a una masa metálica, plástica, etc., haciéndola salir por una abertura especialmente dispuesta.

extrusión. (Del lat. *extrusĭo, -ōnis,* forzamiento.) f. Acción y efecto de extrudir.

extrusor, ra. adj. Que extrude. ‖ **2.** f. Máquina para extrudir.

exturbar. (Del lat. *exturbāre,* echar fuera.) tr. ant. Arrojar o expeler a uno con violencia.

exuberancia. (Del lat. *exuberantĭa.*) f. Abundancia suma; plenitud y copia extraordinarias.

exuberante. (Del lat. *exubĕrans, -antis.*) adj. Muy abundante y copioso.

exuberar. (Del lat. *exuberāre.*) intr. ant. Ser muy abundante.

exudación. (Del lat. *exudatĭo, -ōnis.*) f. Acción y efecto de exudar.

exudado, da. p. p. de **exudar.** ‖ **2.** m. *Med.* Producto de la exudación, generalmente por extravasación de la sangre en las inflamaciones.

exudar. (Del lat. *exsudāre.*) tr. Dejar un recipiente que salga por sus poros o sus grietas un líquido o una sustancia viscosa. ‖ **2.** intr. Salir un líquido o una sustancia viscosa por los poros o las grietas del recipiente que lo contiene.

exulceración. (Del lat. *exulceratĭo, -ōnis.*) f. *Med.* Acción y efecto de exulcerar o exulcerarse.

exulcerar. (Del lat. *exulcerāre.*) tr. *Med.* Corroer alguna cosa la piel de modo que empiece a formarse llaga. Ú. t. c. prnl.

exultación. (Del lat. *exsultatĭo, -ōnis.*) f. Acción y efecto de exultar.

exultar. (Del lat. *exsultāre.*) intr. Saltar de alegría, transportarse de gozo.

exutorio. (Del lat. *exūtum,* supino de *exuĕre,* separar, extraer.) m. *Cir.* Úlcera que se deja abierta para que supure con un fin curativo.

exvoto. (Del lat. *ex voto,* por voto.) m. Don u ofrenda, como muletas, mortajas, figuras de cera, cabellos, tablillas, cuadros, etc., que los fieles dedican a Dios, a la Virgen o a los santos en señal y recuerdo de un beneficio recibido. Cuélganse en los muros o en la techumbre de los templos. También se dio este nombre a parecidas ofrendas que los gentiles hacían a sus dioses.

eyaculación. f. Acción y efecto de eyacular.

eyacular. (Del lat. *eiaculāri.*) tr. Lanzar con rapidez y fuerza el contenido de un órgano, cavidad o depósito, en particular el semen del hombre o de los animales.

eyaculatorio, ria. adj. Perteneciente o relativo a la eyaculación.

eyector. (Del lat. *eiectus,* p. p. de *eiicĕre,* arrojar.) m. **expulsor,** en las armas de fuego. ‖ **2.** Bomba de chorro en que la presión de salida o descarga es intermedia entre las de entrada y de succión. Extrae polvo además de fluidos.

-ez. suf. de sustantivos abstractos femeninos, que significan la cualidad expresada por el adjetivo básico: *altiv*EZ, *brillant*EZ, *lucid*EZ.

-eza. suf. de sustantivos abstractos femeninos, que significan la cualidad expresada por el adjetivo básico: *asper*EZA, *bell*EZA, *limpi*EZA.

-ezno, na. (Del lat. *-icĭnus.*) suf. de sustantivos, frecuentemente con valor diminutivo; suele aplicarse a nombres de animales para designar el cachorro: *lob*EZNO, *os*EZNO, *pav*EZNO. Forma a veces algún adjetivo con el significado de pertenencia o relación: *vibor*EZNO.

ezquerdear. tr. ant. Llevar una arma en el lado izquierdo. ‖ **2.** intr. Torcerse a la izquierda de la visual una hilada de sillares, un muro, etc. ‖ **3.** ant. fig. **izquierdear.**

-ezuelo, la. V. **-uelo.**

f. f. Séptima letra del abecedario español, y quinta de sus consonantes. Su nombre es **efe.** Representa un sonido con articulación labiodental fricativa sorda.

fa. (Nombre sacado por Guido Aretino, así como los de las cinco restantes notas de la escala de su tiempo, de la primera estrofa del himno de San Juan Bautista: UT *queant laxis* RE*sonare fibris* — MI*ra gestorum* FA*muli tuorom.* — SOL*ve polluti* LA*bii reatum...*) m. *Mús.* Cuarta voz de la escala musical.

faba. (Del lat. *faba.*) f. ant. **haba,** planta herbácea. Ú. en Aragón, Asturias y Galicia. ‖ **2.** ant. **haba,** fruto y semilla de esta planta. Ú. en Aragón, Asturias y Galicia. ‖ **3.** *Ast.* **judía,** planta papilionácea. ‖ **4.** *Ast.* Fruto y semilla de esta planta.

fabada. (De *faba.*) f. Potaje de judías con tocino, chorizo y morcilla, típico de Asturias.

fabeación. f. ant. *Ar.* Acción y efecto de fabear.

fabeador. (De *fabear.*) m. ant. *Ar.* Cada uno de los consejeros cuyos nombres se sacaban por suerte entre los insaculados en las bolsas de los jurados de Zaragoza, para votar los que podían entrar en suerte de oficios; y porque votaban con habas se les llamaba **fabeadores.**

fabear. (De *faba.*) intr. ant. *Ar.* Votar con habas blancas y negras.

fabla. (Del lat. *fabŭla.*) f. ant. **habla.** ‖ **2.** Imitación convencional del español antiguo hecha en algunas composiciones literarias. ‖ **3.** ant. **fábula.** ‖ **4.** ant. Concierto, confabulación.

fablable. (De *fablar.*) adj. ant. Decible o explicable.

fablado, da. (Del lat. *fabulātus.*) adj. ant. Con los advs. *bien* o *mal,* bien o mal hablado.

fablador, ra. (De *fablar.*) adj. ant. **hablador.** Usáb. t. c. s.

fablar. (Del lat. *fabulāre.*) tr. ant. **hablar.**

fabliella. (d. de *fabla,* fábula.) f. ant. Cuento o relación. ‖ **2.** ant. **hablilla.**

fablistán. (De *fablar.*) adj. ant. **hablistán.** Usáb. t. c. s.

fablistanear. (De *fablistán.*) intr. ant. Charlar, hablar mucho y con impertinencia.

fabo. (Del lat. *fagus.*) m. *Ar.* **haya**[1].

fabordón. (Del fr. *faux-bourdon.*) m. *Mús.* Contrapunto sobre canto llano usado principalmente para la música religiosa.

fábrica. (Del lat. *fabrĭca.*) f. **fabricación.** ‖ **2.** Establecimiento dotado de la maquinaria, herramienta e instalaciones necesarias para la fabricación de ciertos objetos, obtención de determinados productos o transformación industrial de una fuente de energía. FÁBRICA *de automóviles, de harinas, de electricidad,* etc. ‖ **3. edificio.** ‖ **4.** Cualquier construcción o parte de ella hecha con piedra o ladrillo y argamasa. *Rellenar los huecos del entramado con* FÁBRICA. *Una pared de* FÁBRICA. ‖ **5.** Renta o derecho que se cobraba, y fondo que solía haber en las iglesias, para repararlas y costear los gastos del culto divino. ‖ **6.** Invención, artificio de algo no material. ‖ **7.** V. **derecho, marca, mayordomo, obra de fábrica.** ‖ **8.** *Arq.* V. **punto de fábrica.**

fabricación. (Del lat. *fabricatĭo, -ōnis.*) f. Acción y efecto de fabricar.

fabricadamente. adv. m. ant. Hermosa y pulidamente; con artificio y primor.

fabricador, ra. (Del lat. *fabricātor, -ōris.*) adj. ant. **fabricante.** Usáb. t. c. s. ‖ **2.** Que inventa o dispone una cosa no material. FABRICADOR *de embustes, de discordias.* Ú. t. c. s.

fabricante. p. a. de **fabricar.** Que fabrica. Ú. t. c. s. ‖ **2.** m. Dueño, maestro o artífice que tiene por su cuenta una fábrica.

fabricar. (Del lat. *fabricāre.*) tr. Producir objetos en serie, generalmente por medios mecánicos. ‖ **2.** Construir un edificio, un dique, un muro o cosa análoga. ‖ **3.** Por ext., **elaborar.** ‖ **4.** fig. Hacer, disponer o inventar una cosa no material. FABRICAR *uno su fortuna;* FABRICAR *una mentira.*

fabrido, da. (Del lat. *fabrĭtus.*) adj. ant. Fabricado, labrado.

fabril. (Del lat. *fabrīlis.*) adj. Perteneciente a las fábricas o a sus operarios. ‖ **2.** V. **rúbrica fabril.**

fabrilmente. adv. m. ant. Artificiosamente, con maestría.

fabriquero. (De *fábrica.*) m. **fabricante.** ‖ **2.** Persona que en las iglesias cuida de la custodia y la inversión de los fondos dedicados a los edificios y a los utensilios y paños del culto. ‖ **3.** Operario que en los montes trabaja en el carboneo.

fabro. (Del lat. *faber, fabri.*) m. ant. **artífice.**

fabuco. (Del lat. *fagum,* hayuco.) m. *Ast.* **hayuco.**

fábula. (Del lat. *fabŭla.*) f. Rumor, hablilla. ‖ **2.** Relación falsa, mentirosa, de pura invención, carente de todo fundamento. ‖ **3.** Ficción artificiosa con que se encubre o disimula una verdad. ‖ **4.** Suceso o acción ficticia que se narra o se representa para deleitar. ‖ **5.** Composición literaria, generalmente en verso, en que por medio de una ficción alegórica y de la representación de personas humanas y la personificación de seres irracionales, o bien inanimados o abstractos, se da una enseñanza útil o moral. ‖ **6.** En los poemas épicos y dramáticos y en cualquier otro análogo, serie y contexto de los incidentes de que se compone la acción, y de los medios por que se desarrolla. ‖ **7. mitología.** ‖ **8.** Cualquiera de las ficciones de la mitología. *La* FÁBULA *de Psiquis y Cupido, de Prometeo, de las Danaides.* ‖ **9.** Objeto de murmuración irrisoria o despreciativa. *Fulano es la* FÁBULA *de Madrid.* ‖ **milesia.** Cuento o novela inmoral, y sin más fin que el de entretener o divertir a los lectores, llamada así por haberse hecho célebres en Mileto las obras de esta clase.

fabulación. (Del lat. *fabulatĭo, -ōnis.*) f. Acción y efecto de fabular.

fabulador, ra. (Del lat. *fabulātor, -ōris.*) m. y f. **fabulista.** ‖ **2.** Persona con facilidad para inventar cosas fabulosas o inclinada a ello.

fabular. (Del lat. *fabulāre.*) tr. ant. Hablar. ‖ **2.** Inventar cosas fabulosas. ‖ **3.** Inventar, imaginar tramas o argumentos.

fabulario. m. Repertorio de fábulas.

fabulesco, ca. adj. Propio o característico de la fábula como género literario.
fabulista. com. Persona que compone o escribe fábulas literarias, generalmente en verso. ‖ **2.** Persona que escribe acerca de la mitología.
fabulístico, ca. adj. Perteneciente o relativo a las fábulas. ‖ **2.** f. Tratado histórico o preceptivo de la fábula. ‖ **3.** Literatura de fábulas.
fabulizar. tr. ant. **fabular.**
fabulosamente. adv. m. Fingidamente o con falsedad. ‖ **2.** fig. Extraordinariamente bien.
fabulosidad. (Del lat. *fabulosĭtas, -ātis.*) f. ant. Falsedad de las fábulas. ‖ **2.** Cualidad de fabuloso.
fabuloso, sa. (Del lat. *fabulōsus.*) adj. Dícese de relatos, personas o cosas maravillosas y fantásticas. ‖ **2.** fig. Según el contexto en que se use, extraordinario, excesivo, increíble, etc. *Precios* FABULOSOS; FABULOSA *ignorancia.*
faca[1]. (Probablemente del port. *faca.*) f. Cuchillo corvo. ‖ **2.** Cualquier cuchillo de grandes dimensiones y con punta, que suele llevarse envainado en una funda de cuero.
faca[2]. (Del fr. *haque.*) f. ant. **jaca,** caballo de poca alzada.
facazo. m. Golpe que se da con la faca[1]. ‖ **2.** Herida que resulta de este golpe.
facción. (Del lat. *factio, -ōnis.*) f. Parcialidad de gente amotinada o rebelada. ‖ **2.** Bando, pandilla, parcialidad o partido violentos o desaforados en sus procederes o sus designios. ‖ **3.** Cualquiera de las partes del rostro humano. Ú. m. en pl. ‖ **4.** desus. Acción de guerra. ‖ **5.** p. us. Acto del servicio militar; como guardia, centinela, patrulla, etc. ‖ **6.** ant. **hechura.** ‖ **7.** ant. Figura y disposición con que una cosa se distingue de otra.
faccionar. (De *facción,* figura.) tr. ant. Dar figura o forma a una cosa.
faccionario, ria. (Del lat. *factionarĭus.*) adj. Que se declara a favor de un partido o parcialidad.
faccioso, sa. (Del lat. *factiōsus.*) adj. Perteneciente a una facción. Dícese comúnmente del rebelde armado. Ú. t. c. s. ‖ **2.** Inquieto, revoltoso, perturbador de la quietud pública. Ú. t. c. s.
facecia. (Del lat. *facetia.*) f. desus. Chiste, donaire o cuento gracioso.
facecioso, sa. (De *facecia.*) adj. ant. Que encierra en sí chiste o donaire.
facedero, ra. (De *facer.*) adj. ant. **hacedero,** que puede hacerse o es fácil de hacer.
facedor, ra. (De *facer.*) m. y f. ant. **hacedor.** ‖ **2.** m. ant. **factor,** el que hace una cosa.
facendero, ra. (De *facienda.*) adj. ant. **hacendero.** Ú. en Asturias y León.
facer. (Del lat. *facĕre.*) tr. ant. **hacer.** Usáb. t. c. prnl.
facera. (Del lat. **faciarĭa,* de *facĭes,* cara.) f. p. us. **acera,** fila de casas que hay a cada lado de una calle.
facería. (De *facero,* fronterizo.) f. *Nav.* Terrenos de pasto que hay en los linderos de dos o más pueblos, que los aprovechan en común.
facerir. (De *fazferir.*) tr. ant. **zaherir.**
facero, ra. (Del lat. **faciarĭus,* de *facĭes,* cara.) adj. ant. **fronterizo.** ‖ **2.** *Nav.* Perteneciente a la facería.
faceruelo. (De *faz,* cara.) m. ant. **almohada** para reclinar la cabeza en la cama.
faceta. (Del fr. *facette.*) f. Cada una de las caras o lados de un poliedro, cuando son pequeñas. Se usa especialmente hablando de las caras de las piedras preciosas talladas. ‖ **2.** fig. Cada uno de los aspectos que en un asunto se pueden considerar.
faceto, ta. (Del lat. *facētus.*) adj. desus. **chistoso.** ‖ **2.** *Méj.* Que quiere ser chistoso, pero no tiene gracia. ‖ **3.** *Méj.* Presuntuoso.
facia. (Del lat. *facie ad,* con la cara dirigida a tal sitio.) prep. ant. **hacia.**
facial. (Del lat. *faciālis,* de la cara.) adj. Perteneciente o relativo al rostro. ‖ **2.** desus. **intuitivo.** ‖ **3.** *Anat.* V. **ángulo facial.** ‖ **4.** *Filat.* V. **valor facial.**
facialmente. adv. m. desus. **intuitivamente.**
facienda. (Del lat. *facienda,* cosas que se han de hacer.) f. ant. **hacienda.** ‖ **2.** ant. Negocio, asunto. ‖ **3.** ant. Hecho de armas, pelea.
faciente. (Del lat. *faciens, -entis.*) p. a. ant. de **facer. haciente.** Usáb. t. c. s.
facies. (Del lat. *facĭes,* cara.) f. Aspecto, caracteres externos de algo. ‖ **2.** *Med.* Aspecto del semblante en cuanto revela alguna alteración o enfermedad del organismo. ‖ **hipocrática.** Aspecto característico que presentan generalmente las facciones del enfermo próximo a la agonía.
fácil. (Del lat. *facĭlis.*) adj. Que se puede hacer sin gran esfuerzo. ‖ **2.** Que puede suceder con mucha probabilidad. *Es* FÁCIL *que venga hoy.* ‖ **3.** Dócil, manejable. ‖ **4.** Aplicado a la mujer, frágil, liviana. ‖ **5.** desus. Aplícase al que con ligereza se deja llevar del parecer de otro. Usáb. en sentido peyorativo. ‖ **6.** adv. m. **fácilmente.**
facilidad. (Del lat. *facilĭtas, -ātis.*) f. Cualidad de fácil. ‖ **2.** Disposición para hacer una cosa sin gran trabajo. ‖ **3.** Ligereza, demasiada condescendencia. ‖ **4.** Oportunidad, ocasión propicia para hacer algo. ‖ **de palabra.** expr. **facilidad** para hablar. ‖ **dar facilidades.** fr. **facilitar,** hacer fácil.
facilillo, lla. adj. d. de **fácil.** ‖ **2.** Dícese en sentido irónico de lo que es difícil.
facílimo, ma. (Del lat. *facillĭmus.*) adj. sup. ant. de **fácil.**
facilitación. f. Acción de facilitar una cosa.
facilitar. tr. Hacer fácil o posible la ejecución de una cosa o la consecución de un fin. ‖ **2.** Proporcionar o entregar.
facilitón, na. adj. fam. Que todo lo cree fácil, o presume de facilitar la ejecución de las cosas. Ú. t. c. s.
fácilmente. adv. m. Con facilidad.
facimiento. (De *facer.*) m. ant. Acción y efecto de hacer una cosa. ‖ **2.** ant. Trato o comunicación familiar. ‖ **3.** ant. Cópula carnal.
facina. (Del lat. **fascina.*) f. ant. **hacina.**
facineroso, sa. (Del lat. *facinerōsus.*) adj. Delincuente habitual. Ú. t. c. s. ‖ **2.** m. Hombre malvado, de perversa condición.
facinoroso, sa. (Del lat. *facinorōsus.*) adj. ant. **facineroso.** Usáb. t. c. s.
fación. f. ant. **facción,** cualquiera de las partes del rostro humano. ‖ **2.** ant. **facción,** acción de guerra. ‖ **3.** ant. Acción y efecto de hacer. ‖ **a fación de.** loc. prepos. ant. A manera de, al modo de.
facionado, da. (De *facíón.*) adj. ant. Con los advs. *bien* o *mal,* aplicábase a la persona bien o mal configurada en sus miembros, especialmente en el rostro.
facistelo. m. ant. **facistol.** ‖ **2.** ant. **faldistorio.**
facistol. (Del germ. *faldistol,* sillón plegable.) m. Atril grande donde se ponen el libro o libros para cantar en la iglesia: el que sirve para el coro suele tener cuatro caras para poner varios libros. ‖ **2.** ant. **faldistorio.** ‖ **3.** adj. *Ant.* y *Venez.* Engreído, pedante.
facón. m. aum. de **faca**[1]. ‖ **2.** *Argent.* y *Urug.* Cuchillo grande y puntiagudo usado por el paisano.
facsímil. m. **facsímile.**
facsimilar. adj. Dícese de las reproducciones, ediciones, etc., en facsímile.
facsímile. (Del lat. *fac,* imper. de *facĕre,* hacer, y *simĭle,* semejante.) m. Perfecta imitación o reproducción de una firma, escrito, dibujo, impreso, etc.
factibilidad. f. Cualidad o condición de factible.

factible. (Del lat. *factibĭlis.*) adj. Que se puede hacer.

facticio, cia. (Del lat. *facticĭus.*) adj. Que no es natural, artificial.

fáctico, ca. (Del lat. *factum,* hecho.) adj. Perteneciente o relativo a hechos. ‖ **2.** Basado en hechos o limitado a ellos, en oposición a teórico o imaginario.

factitivo, va. (Del lat. *factum,* hecho.) adj. *Gram.* Dícese del verbo o perífrasis verbal cuyo sujeto no ejecuta por sí mismo la acción, sino que la hace ejecutar por otro u otros.

facto. (Del lat. *factum.*) m. desus. El hecho, en contraste con el dicho o con lo pensado. ‖ **2.** desus. Negocio, provecho. ‖ **de facto.** loc. adv. lat. **de hecho,** en oposición a **de iure.**

factor. (Del lat. *factor, -ōris.*) m. p. us. El que hace una cosa. ‖ **2.** Entre comerciantes, apoderado con mandato más o menos extenso para traficar en nombre y por cuenta del poderdante, o para auxiliarle en los negocios. ‖ **3.** Dependiente del comisario de guerra o del asentista para la distribución de víveres a la tropa. ‖ **4.** Oficial real que en las Indias recaudaba las rentas y rendía los tributos en especie pertenecientes a la Corona. ‖ **5.** Empleado que en las estaciones de ferrocarril cuida de la recepción, expedición y entrega de los equipajes, encargos, mercancías y animales transportados. ‖ **6.** ant. Hacedor o capataz. ‖ **7.** fig. Elemento, concausa. ‖ **8.** *Álg.* y *Arit.* Cada una de las cantidades que se multiplican para formar un producto. ‖ **9.** *Álg.* y *Arit.* **submúltiplo.**

factora. f. Mujer que desempeña el empleo de factor en las estaciones de ferrocarril.

factoraje. m. Empleo y encargo del factor. ‖ **2.** Oficina del factor.

factoría. f. Empleo y encargo del factor. ‖ **2.** Lugar u oficina donde reside el factor y hace los negocios de comercio. ‖ **3.** Establecimiento de comercio, especialmente el situado en país colonial. ‖ **4.** Fábrica o complejo industrial.

factorial. (De *factor.*) f. *Mat.* Producto de todos los términos de una progresión aritmética.

factótum. (Del lat. *fac,* imper. de *facĕre,* hacer, y *totum,* todo.) m. fam. Sujeto que desempeña en una casa o dependencia todos los menesteres. ‖ **2.** fam. Persona entremetida, que oficiosamente se presta a todo género de servicios. ‖ **3.** Persona de plena confianza de otra y que en nombre de esta despacha sus principales negocios.

factual. (Del lat. *factum.*) adj. Fáctico, perteneciente o relativo a hechos.

factura. (Del lat. *factūra.*) f. Acción y efecto de hacer. ‖ **2.** Cuenta que los factores dan del coste y costas de las mercancías que compran y remiten a sus corresponsales. ‖ **3.** Relación de los objetos o artículos comprendidos en una venta, remesa u otra operación de comercio. ‖ **4.** Cuenta detallada de cada una de estas operaciones, con expresión de número, peso o medida, calidad y valor o precio. ‖ **5.** *Argent.* Toda clase de bollos que suelen fabricarse y venderse en las panaderías. ‖ **6.** *Esc.* y *Pint.* **ejecución,** manera de ejecutar una cosa. ‖ **pasar factura.** fr. fig. Pedir una contraprestación a quien se ha hecho un favor o prestado un servicio.

facturación. f. Acción y efecto de facturar. ‖ **2.** Suma o conjunto de objetos facturados.

facturar. tr. Extender las facturas. ‖ **2.** Comprender en ellas cada artículo, bulto u objeto. ‖ **3.** Registrar, entregar en las estaciones de ferrocarril, aeropuertos, etc., equipajes y mercancías para que sean remitidos a su destino.

fácula. (Del lat. *facŭla,* antorcha pequeña.) f. *Astron.* Cada una de las partes más brillantes que se observan en el disco del Sol.

facultad. (Del lat. *facultas, -ātis.*) f. Aptitud, potencia física o moral. ‖ **2.** Poder, derecho para hacer alguna cosa. ‖ **3.** Ciencia o arte. *La* FACULTAD *de leyes; la* FACULTAD *de un artífice.* ‖ **4.** En las universidades, cuerpo de doctores o maestros de una ciencia. *La* FACULTAD *de medicina, de filosofía.* ‖ **5.** Cada una de las grandes divisiones de una universidad, correspondiente a una rama del saber, y en la que se dan las enseñanzas de una carrera determinada o de varias carreras afines. ‖ **6.** Local o conjunto de locales en que funciona dicha división de una universidad. ‖ **7.** Cédula real que se despachaba por la cámara, para las fundaciones de mayorazgos, para enajenar bienes vinculados, o para imponer cargas sobre ellos o sobre los propios de las ciudades, villas y lugares. Decíase más comúnmente **facultad real.** ‖ **8.** Médicos, cirujanos y boticarios de la cámara del rey. ‖ **9.** Licencia o permiso. ‖ **10.** desus. Caudal o hacienda. Ú. m. en pl. ‖ **11.** *Fisiol.* Fuerza, resistencia. *El estómago no tiene* FACULTAD *para digerir el alimento.* ‖ **mayor.** En las universidades se llamaron así la teología, el derecho y la medicina.

facultar. tr. Conceder facultades a uno para hacer lo que sin tal requisito no podría.

facultativamente. adv. m. Según los principios y reglas de una facultad. ‖ **2.** De modo potestativo.

facultativo, va. adj. Perteneciente a una facultad. *Dictamen* FACULTATIVO. ‖ **2.** V. **cuerpo facultativo.** ‖ **3.** Perteneciente a la facultad, o poder que uno tiene para hacer alguna cosa. ‖ **4.** Dícese del que profesa una facultad. ‖ **5.** Potestativo, aplícase al acto que no es necesario, sino que libremente se puede hacer u omitir. ‖ **6.** m. Médico o cirujano.

facultoso, sa. (De *facultad,* caudal.) adj. ant. Que tiene muchos bienes o caudales.

facundia. (Del lat. *facundĭa.*) f. Afluencia, facilidad en el hablar.

facundo, da. (Del lat. *facundus.*) adj. Fácil y desenvuelto en el hablar.

facha[1]. (Del it. *faccia.*) f. fam. Traza, figura, aspecto. ‖ **2.** fam. Mamarracho, adefesio. Ú. a veces c. m. ‖ **3.** *Chile.* **fachenda.** ‖ **4.** pl. *Méj.* Disfraz. ‖ **facha a facha.** loc. adv. **cara a cara.** ‖ **ponerse en facha.** fr. *Mar.* Parar el curso de una embarcación por medio de las velas, haciéndolas obrar en sentidos contrarios. ‖ **2.** fam. Ponerse en forma o disposición conveniente para una cosa.

facha[2]. (Del germ. **happja.*) f. ant. **hacha[2],** herramienta cortante.

facha[3]. (Del lat. **fascŭla,* cruce de *facŭla* y *fascis.*) f. ant. **hacha[1].**

facha[4]. (Del ant. arag. *faxa,* faja, y este del lat. *fascĭa.*) f. ant. **faja.**

fachada. (De *facha[1].*) f. Paramento exterior de un edificio, generalmente el principal. ‖ **2.** fig. y fam. **presencia,** aspecto, figura del cuerpo humano. *Fulano tiene gran* FACHADA. ‖ **3.** fig. Portada en los libros. ‖ **hacer fachada.** fr. Confrontar, dar frente un edificio a otra cosa o lugar.

fachado, da. (De *facha[1].*) adj. fam. Con los advs. *bien* o *mal,* que tiene buena o mala figura, traza o aspecto.

fachear. tr. Dotar de fachada a una casa. ‖ **2.** Arreglar la que tiene. ‖ **3.** intr. *Mar.* Estar o ponerse en facha una vela o nave.

fachenda. (Del it. *faccenda,* quehacer, faena.) f. fam. Vanidad, jactancia. ‖ **2.** m. fam. El que tiene **fachenda.**

fachendear. (De *fachenda.*) intr. fam. Hacer ostentación vanidosa o jactanciosa.

fachendista. (De *fachenda.*) adj. fam. Que tiene fachenda. Ú. t. c. s.

fachendón, na. (De *fachenda.*) adj. fam. Que tiene fachenda. Ú. t. c. s.

fachendoso, sa. adj. fam. Que tiene fachenda. Ú. t. c. s. ‖ **2.** *Méj.* Fachoso, que se viste o hace las cosas con descuido.

fachinal. m. *Argent.* Estero o lugar anegadizo cubierto de paja brava, junco y otra vegetación.

fachoso, sa. (De *facha*[1].) adj. fam. De mala facha, de figura ridícula. ‖ **2.** *Chile* y *Perú.* **fachendoso.** ‖ **3.** *Méj.* Que viste impropiamente.

fachudo, da. adj. De mala facha.

fachuela. f. ant. d. de **facha**[2].

fada. (Del lat. *fata,* pl. de *fatum.*) f. Hada, maga, hechicera. ‖ **2.** Variedad de camuesa pequeña, con la que se hace en Galicia una conserva muy estimada.

fadar. (De *fado.*) tr. ant. **hadar.**

fadiga. (De *fadigar.*) f. *Ar.* Tanteo y retracto que las leyes de la corona de Aragón reconocían a los poseedores del dominio directo en la enfiteusis, y a los señores en los feudos, cuando el enfiteuta o el vasallo enajenaban sus derechos. ‖ **2.** *Ar.* Cantidad que en algunos casos percibían el dueño directo o el señor por la renuncia de su derecho de prelación en las enajenaciones de enfiteusis y feudos.

fadigar. tr. *Ar.* Tantear el precio, calidad o valor de algún solar u otra cosa material que se desea comprar, beneficiar o labrar.

fado. (Del lat. *fatum.*) m. ant. **hado.** ‖ **2.** Cierta canción popular portuguesa.

fadrubado, da. (Del hisp. ár. *ḥadubba,* ár. clásico *ḥadaba* como *joroba.*) adj. ant. Estropeado, desconcertado, descoyuntado.

faena. (Del cat. ant. *faena,* hoy *feina,* cosa que se ha de hacer.) f. Trabajo corporal. ‖ **2.** fig. Trabajo mental. ‖ **3. quehacer.** Ú. m. en pl. ‖ **4.** *Guat.* Trabajo que se hace en una hacienda en horas extraordinarias. ‖ **5.** Mala pasada. ‖ **6.** Servicio que se hace a una persona. ‖ **7.** *Taurom.* En el campo, cada una de las operaciones que se verifican con el toro. En la plaza, las que efectúa el diestro durante la lidia, y principalmente la brega con la muleta, preliminar de la estocada. ‖ **de aliño.** *Taurom.* La que realiza el espada, sin adornos ni intención artística, con el fin de preparar al toro para la suerte de matar.

faenar. (De *faena.*) tr. Matar reses y descuartizarlas o prepararlas para el consumo. ‖ **2.** intr. Hacer los trabajos de la pesca marina. ‖ **3.** Realizar sus trabajos la marinería. ‖ **4. laborar,** trabajar.

faenero, ra. adj. *And.* Dedicado a la faena de la recolección o vendeja de una cosecha. ‖ **2.** m. *And.* y *Chile.* Obrero del campo.

faetón. (Del fr. *phaéthon,* por alusión a *Faetón* o *Faetonte,* hijo del Sol, según la mitología, y conductor de su carro.) m. Carruaje descubierto, de cuatro ruedas, alto y ligero.

fafarachero, ra. (Del it. *farfaro,* fanfarrón.) adj. *Amér.* Dícese de la persona fachendosa, jactanciosa.

fagáceo, a. (Del lat. *fagus,* haya, y *-áceo.*) adj. *Bot.* Dícese de árboles y arbustos angiospermos dicotiledóneos que se distinguen por sus hojas sencillas, casi siempre alternas, flores monoicas y fruto indehiscente con semilla sin albumen, y más o menos cubierto por la cúpula; como la encina y el castaño. Ú. t. c. s. f. ‖ **2.** f. pl. *Bot.* Familia de estas plantas.

-fagia. (Del gr. -φαγία, a través del lat. *-phagĭa.*) elem. compos. que significa «acción de comer o de tragar»: *aero*FAGIA, *dis*FAGIA.

fago. m. *Biol.* **bacteriófago.**

fago- o **-fago, ga.** (Del gr. φαγο- y -φάγος, a través del lat. *-phăgus.*) elem. compos. que significa «que come»: FAGO*cito, necró*FAGO.

fagocitar. tr. *Biol.* Alimentarse por fagocitosis ciertas células u organismos unicelulares.

fagocito. (Del gr. φάγομαι, comer, y κύτος, célula.) m. *Fisiol.* Cualquiera de las células que se hallan en la sangre y en muchos tejidos animales, capaces de apoderarse, mediante la emisión de seudópodos, de bacterias, cadáveres celulares y, en general, de toda clase de partículas nocivas o inútiles para el organismo, incluyéndolas en su protoplasma y digiriéndolas después.

fagocitosis. f. *Biol.* Captura de partículas microscópicas que realizan ciertas células con fines alimenticios o de defensa, mediante la emisión de seudópodos.

fagot. (Del fr. *fagot.*) m. Instrumento de viento, formado por un tubo de madera de unos siete centímetros de grueso y más de un metro de largo, con agujeros y llaves, y con una boquilla de caña puesta en un tudel. ‖ **2.** com. Persona que toca este instrumento.

fagotista. com. Persona que ejerce o profesa el arte de tocar el fagot.

fagüeño. (Del lat. *favonĭus.*) m. *Ar.* **favonio.**

faique. m. *Ecuad.* y *Perú.* Árbol de la familia de las mimosáceas.

faisán. (Del prov. *faizan,* y este del lat. *phasiānus.*) m. Ave del orden de las galliformes, del tamaño de un gallo, con un penacho de plumas en la cabeza, cola muy larga y tendida y plumaje de vivos colores en el macho. Es ave de caza muy apreciada por su carne. ‖ **2. urogallo.** ‖ **3.** *And.* Hongo comestible de color pardo que se cría en los jarales.

faisana. f. Hembra del faisán.

faisanería. f. Corral o cercado para los faisanes.

faisanero, ra. m. y f. Persona que se dedica a la cría y venta de faisanes.

faja. (Del arag. ant. *faxa,* y este del lat. *fascĭa.*) f. Tira de tela o de tejido de punto de algodón, lana o seda con que se rodea el cuerpo por la cintura, dándole varias vueltas. ‖ **2.** Prenda interior elástica que cubre la cintura, o desde la cintura hasta las nalgas, o incluso la parte superior de las piernas, usada sobre todo por las mujeres. ‖ **3.** Cualquier lista mucho más larga que ancha; por ejemplo, las zonas del globo celeste o terrestre. ‖ **4.** Tira de papel que, en vez de cubierta o sobre, se pone al libro, periódico o impreso de cualquier clase que se ha de enviar de una parte a otra, y especialmente cuando ha de ir por el correo. ‖ **5.** Tira de papel que se pone sobre la cubierta o la sobrecubierta de un libro, con una breve leyenda impresa alusiva a su contenido o a un galardón que se le ha otorgado. ‖ **6.** Insignia propia de algunos cargos militares, civiles o eclesiásticos, consistente en una tira de tela, puesta alrededor de la cintura. ‖ **7.** *Arq.* Moldura ancha y de poco vuelo. ‖ **8.** *Arq.* Telar liso que se hace alrededor de las ventanas y arcos de un edificio. ‖ **9.** *Blas.* Pieza de honor horizontal que corta el escudo por el centro, ocupando un tercio de su altura. ‖ **10.** pl. *Germ.* Azotes.

fajado, da. p. p. de **fajar.** ‖ **2.** adj. Dícese de la persona azotada. ‖ **3.** *Blas.* V. **escudo fajado.** ‖ **4.** *And.* Dícese del animal que tiene en los lomos y la barriga una zona de color distinto del que domina en su capa. ‖ **5.** m. *Min.* Madero o tablón que para formar piso se emplea en las minas. ‖ **6.** *Min.* Madero en rollo que se emplea en la entibación de los pozos. ‖ **7.** f. Acción y efecto de **fajar,** golpear, o de fajarse o golpearse.

fajadura. f. Acción y efecto de fajar o fajarse. ‖ **2.** *Mar.* Tira de lona alquitranada con que se forran algunos cabos para resguardarlos.

fajamiento. m. Acción y efecto de fajar o fajarse.

fajana. f. *Can.* Terreno llano al pie de laderas o escarpes y formado comúnmente por materiales desprendidos de las alturas que lo dominan.

fajar. (Del arag. *fajar,* y este del lat. *fasciāre.*) tr. Rodear, ceñir o envolver con faja una parte del cuerpo. Ú. t. c. prnl. ‖ **2.** Envolver al niño y ponerle el fajero. ‖ **3.** *Can., Argent., C. Rica, Cuba, Chile, Perú* y *Urug.* Pegar a uno, golpearlo. Ú. t. c. prnl. SE FAJARON. FAJARSE *a alguien.* ‖ **4.** *P. Rico* y *Sto. Dom.* Pedir dinero prestado. ‖ **5.** *Cuba.* Hacer la corte a una mujer, enamorarla con propósitos deshonestos. ‖ **6.** prnl. *C. Rica, P. Rico* y *Sto. Dom.* Trabajar, dedicarse intensamente a un trabajo. ‖ **7.** *C. Rica, Cuba* y *Sto. Dom.* Irse a las manos dos personas. ‖ **fajar con** uno. fr. Acometerle con violencia.

fajardo. m. Cubilete de masa de hojaldre, relleno de carne picada y perdigada.

fajares. (De *fajo.*) m. pl. ant. Haces o gavillas.

fajazo. (De *fajar.*) m. *Ant.* Embestida, acometida. ‖ **2.** *P. Rico* y *Sto. Dom.* Petición de dinero, sablazo. *Dar un* FAJAZO *a uno.*

fajeado, da. adj. Que tiene fajas o listas.

fajero. m. Faja de punto que se pone a los niños de teta.

fajilla. f. d. de **faja.** ‖ **2.** Faja que se pone a los impresos.

fajín. m. d. de **faja.** ‖ **2.** Ceñidor de seda de determinados colores y distintivos que pueden usar los generales o los jefes de administración y otros funcionarios.

fajina[1]. (De un der. del lat. *fascis,* influido por el it. *fascina.*) f. Conjunto de haces de mies que se pone en las eras. ‖ **2.** Leña ligera para encender. ‖ **3.** *Sal.* Haza, huerta, tierra cercada dedicada al cultivo intensivo. ‖ **4.** *Fort.* Haz de ramas delgadas muy apretadas que usaban los ingenieros militares especialmente para revestimientos. También las había para coronar, incendiar, etc. ‖ **5.** *Mil.* Trabajos determinados que había de hacer la tropa. ‖ **6.** *Mil.* V. **toque de fajina.** ‖ **meter fajina.** fr. fig. y fam. Hablar mucho inútilmente, metiendo bulla y mezclando cosas impertinentes.

fajina[2]. f. **faena.**

fajinada. f. *Fort.* Conjunto de fajinas[1]. ‖ **2.** Obra hecha con ellas.

fajo. (Del arag. ant. *faxo,* y este del lat. *fascis.*) m. Haz o atado. ‖ **2.** *Guip.* Unidad de peso para leñas. ‖ **3.** *Nav.* Unidad longitudinal para medir la listonería de madera. ‖ **4.** pl. Conjunto de ropa y paños con que se viste a los niños recién nacidos.

fajol. (Del cat. *faxol,* y este del lat. *phaseŏlus,* alubia.) m. **alforfón.**

fajón. m. aum. de **faja.** ‖ **2.** *Arq.* Recuadro ancho de yeso alrededor de los huecos de las puertas y ventanas. ‖ **3.** *Arq.* Arco adherente a una bóveda. ‖ **dar un fajón.** loc. fig. y fam. *Cuba.* Tratar de seducir a una mujer por medios deshonestos y groseros.

fajuela. f. d. de **faja.**

falace. (Del lat. *fallax, -ācis.*) adj. ant. **falaz.**

falacia. (Del lat. *fallacĭa.*) f. Engaño, fraude o mentira con que se intenta dañar a otro. ‖ **2.** Hábito de emplear falsedades en daño ajeno.

falagador, ra. (De *falagar.*) m. y f. ant. Persona que falaga.

falagar. (Del ár. *jalaqa,* mentir, pulir una cosa, componer un discurso.) tr. ant. **halagar.** ‖ **2.** ant. Apaciguar, amortiguar. Usáb. t. c. prnl. ‖ **3.** prnl. ant. **alegrarse.**

falago. m. ant. **halago.**

falagüeñamente. adv. m. ant. **halagüeñamente.**

falagüeño, ña. adj. ant. **halagüeño.**

falaguero, ra. adj. ant. **halagüeño.**

falange. (Del gr. φάλαγξ, a través del lat. *phalanx, -angis.*) f. Cuerpo de infantería pesada, que formaba la principal fuerza de los ejércitos de Grecia. ‖ **2.** Cualquier cuerpo de tropas numeroso. ‖ **3.** fig. Conjunto numeroso de personas unidas en cierto orden y para un mismo fin. ‖ **4.** *Anat.* Cada uno de los huesos de los dedos. Se distinguen con los adjetivos ordinales *primera, segunda* y *tercera,* comenzando a contar desde el metacarpo o el metatarso. ‖ **5.** *Anat.* Cada una de las partes articuladas de un dedo.

falangeta. (De *falange.*) f. Falange tercera de los dedos.

falangia. f. **falangio,** segador, arácnido.

falangiano, na. (De *falange,* hueso.) adj. *Anat.* Perteneciente o relativo a la falange. *Articulación* FALANGIANA.

falangina. (De *falange.*) f. Falange segunda de los dedos.

falangio. (Del gr. φαλάγγιον, a través del lat. *phalangĭum.*) m. Segador, arácnido. ‖ **2.** Planta de la familia de las liliáceas, con la raíz pequeña, delgada y verde, hojas radicales largas y estrechas, dos o tres escapos con flores blancas, y las semillas negras. Los antiguos la supusieron antídoto contra la picadura del arácnido del mismo nombre.

falangismo. m. Movimiento político y social fundado por José Antonio Primo de Rivera en 1933, y cuyas líneas ideológicas fundamentales son: concepto de España como unidad de destino; desaparición de los partidos políticos y protección oficial de la tradición religiosa española.

falangista. adj. Perteneciente o relativo al falangismo. ‖ **2.** com. Persona afiliada a este movimiento.

falansterio. (Del fr. *phalanstère.*) m. Comunidad autónoma de producción y consumo, en el sistema de Fourier. ‖ **2.** Edificio en que, según el sistema de Fourier, habitaba cada una de las falanges en que dividía la sociedad. ‖ **3.** Por ext., alojamiento colectivo para mucha gente.

falárica. (Del lat. *falarĭca.*) f. Lanza arrojadiza que usaron los antiguos.

falaris. (Del gr. φαλαρίς, a través del lat. *phalăris.*) f. **foja[2].**

falaropo. m. Nombre común de varias aves limícolas, de pico grácil y dedos lobulados. Las hembras son de mayor tamaño y plumaje más brillante que los machos.

falaz. (Del lat. *fallax, -ācis.*) adj. Embustero, falso. ‖ **2.** Aplícase también a todo lo que halaga y atrae con falsas apariencias. FALAZ *mansedumbre;* FALACES *obsequios.*

falazmente. adv. m. Con falacia.

falbalá. (Del fr. *falbala.*) m. Pieza casi cuadrada que se ponía en la abertura de un corte de la faldilla del cuarto trasero de la casaca. ‖ **2. faralá.**

falca. (Del ár. *falqa* o *filqa,* cuña de madera.) f. Defecto de una tabla o madero que les impide ser perfectamente lisos o rectos. ‖ **2.** *Ar.* y *Murc.* Cuña, pieza de madera o metal en forma de ángulo diedro y agudo. ‖ **3.** Cualquier objeto empleado como cuña. ‖ **4.** *Mar.* Tabla delgada que se coloca de canto, y de popa a proa, sobre la borda de las embarcaciones menores para que no entre el agua. ‖ **5.** *Col.* Cerco que se pone como suplemento a las pailas. Ú. m. en pl.

falcado, da. p. p. de **falcar.** ‖ **2.** adj. V. **carro falcado.** ‖ **3.** Que forma una curvatura semejante a la de la hoz. ‖ **4.** f. *Ar.* Manojo de mies que el segador corta de un solo golpe de hoz.

falcar[1]. (Del lat. *falx, falcis,* hoz.) tr. ant. Cortar con la hoz.

falcar[2]. (De *falca.*) tr. *Ar.* y *Murc.* Asegurar con cuñas.

falcario. (Del lat. *falcarĭus.*) m. Soldado romano armado con una hoz.

falce. (Del lat. *falx, falcis,* hoz.) f. Hoz o cuchillo corvo.

falcidia. (Del lat. *falcidĭa* [*lex*], de *Falcidĭus,* el tribuno que dio esta ley.) adj. *Der.* V. **cuarta falcidia.** Ú. t. c. s.

falciforme. (Del lat. *falx, falcis,* hoz, y *-forme.*) adj. Que tiene forma de hoz.

falcinelo. (Del it. *falcinello.*) m. **morito,** ave.

falcino. (Del lat. *falx, falcis,* hoz.) m. *Ar.* Vencejo, pájaro.

falcirrostro, tra. (Del lat. *falx, falcis,* hoz, y *rostrum,* pico.) adj. *Zool.* Dícese de las aves que tienen el pico en forma de hoz.

falcón. (Del lat. *falco, -ōnis.*) m. Especie de cañón de la artillería antigua. ‖ **2.** ant. **halcón.**

falconero. (De *falcón.*) m. ant. Halconero, el que cuida los halcones.

falconete. (De *falcón.*) m. Especie de culebrina que arrojaba balas hasta de kilo y medio.

falconiano, na. adj. Natural del Estado venezolano de Falcón. Ú. t. c. s. ‖ **2.** Perteneciente o relativo a dicho Estado.

falcónido, da. (De *falcón* e *-ido.*) adj. *Zool.* **falconiforme.** Ú. t. c. s.

falconiforme. (Del lat. *falco, -ōnis,* halcón, y *-forme.*) adj.

Zool. Dícese de aves de garras vigorosas, cabeza robusta y pico fuerte y ganchudo. Son grandes voladoras y se alimentan de carne. Ú. t. c. s. ‖ **2.** f. pl. *Zool.* Orden de estas aves, conocidas en clasificaciones zoológicas ya en desuso como rapaces diurnas.

falda. (Del germ. **falda*, pliegue, seno.) f. Prenda de vestir o parte del vestido de mujer que cae desde la cintura hacia abajo. ‖ **2.** Parte de toda ropa talar desde la cintura abajo. Ú. m. en pl. ‖ **3.** Cada una de las partes de una prenda de vestir que cae suelta sin ceñirse al cuerpo. ‖ **4.** Cobertura con que se viste una mesa camilla; suele llegar hasta el suelo. Ú. t. en pl. ‖ **5.** Hierro del guardabrazo, pendiente del hombro, que por detrás protegía el omóplato y por delante iba a cubrir parte del pecho. ‖ **6.** En la armadura, parte que cuelga desde la cintura abajo. ‖ **7.** Carne de la res, que cuelga de las agujas, sin asirse a hueso ni costilla. ‖ **8. regazo.** *Tener en la* FALDA *al niño.* ‖ **9.** Ala del sombrero que rodea la copa. ‖ **10.** ant. Halda, harpillera con que se empacan algunos géneros. ‖ **11.** fig. Parte baja o inferior de los montes o sierras. ‖ **12.** *Impr.* Parte de papel que queda sobrante después de doblado el pliego. ‖ **13.** pl. fam. Mujer o mujeres, en oposición al hombre. *Cuestión de* FALDAS. *Aficionado a* FALDAS. ‖ **14.** V. **perrillo de falda.** ‖ **15.** V. **capote, capotillo de dos faldas.** ‖ **faldas en cinta.** expr. ant. **haldas en cinta.** ‖ **cortar faldas,** o **las faldas.** fr. *Der.* Castigo que se imponía a las mujeres perdidas, cercenándoles los vestidos por el lugar correspondiente a las partes sexuales. ‖ **2.** fig. **cortar un sayo.** ‖ **pegado a las faldas.** loc. que se aplica al muchacho que, respecto de las mujeres de su familia, se muestra menos independiente de lo que corresponde a su edad.

faldamenta. f. Falda de una ropa talar que va desde la cintura abajo. ‖ **2.** fam. Falda larga y desgarbada.

faldamento. m. **faldamenta.**

faldar. (De *falda.*) m. Parte de la armadura antigua, que caía desde el extremo inferior del peto, como faldilla. ‖ **2.** *Cuen.* Delantal que usan las mujeres.

faldear. tr. Caminar por la falda de un monte o de otra eminencia del terreno.

faldellín. (dim. de *falda.*) m. Falda corta. ‖ **2.** Falda corta y con vuelo que usan las campesinas sobre las enaguas.

faldeo. m. *N. de la Argent., Cuba* y *Chile.* Faldas de un monte.

faldero, ra. adj. Perteneciente o relativo a la falda. ‖ **2.** fig. Aficionado a estar entre mujeres. ‖ **3.** f. Mujer que se dedica a hacer faldas. ‖ **4.** V. **perro faldero.** Ú. t. c. s.

faldeta. f. d. de **falda.** ‖ **2.** Lienzo con que se cubre en el teatro lo que ha de aparecer a su tiempo.

faldicorto, ta. adj. Corto de faldas.

faldillas. (d. de *faldas.*) f. pl. En ciertos trajes, partes que cuelgan de la cintura abajo. ‖ **2.** Faldas de mesa camilla.

faldinegro, gra. adj. Aplícase al ganado vacuno bermejo por encima y negro por debajo.

faldistorio. (Del b. lat. *faldistorium.*) m. Asiento especial que usan los obispos en algunas funciones pontificales.

faldón. m. aum. de **falda.** ‖ **2.** Falda suelta al aire, que pende de alguna ropa. ‖ **3.** Parte inferior de alguna ropa, colgadura, etc. ‖ **4.** Piedra de tahona que por estar muy gastada se pone encima de otra que no lo está tanto, para que con el peso de ambas pueda molerse bien el grano. ‖ **5.** Pieza grande de cuero que va unida a las armaduras de la silla para evitar el roce de la pierna del jinete con los flancos del caballo. ‖ **6.** *Arq.* Vertiente triangular de un tejado que cae sobre una pared testera. ‖ **7.** *Arq.* Conjunto de los dos lienzos y del dintel que forma la boca de la chimenea. ‖ **agarrarse,** o **asirse, a los faldones** de alguno. fr. fig. y fam. Acogerse a su valimiento o patrocinio. ‖ **tener,** o **traer,** uno **el faldón levantado.** fr. fig. y fam. Estar en descubierto por faltas o culpas cometidas.

faldriquera. (De *falda.*) f. **faltriquera.**

faldudo, da. adj. Que tiene mucha falda. ‖ **2.** *Col.* Dícese del terreno empinado.

faldulario. (De *falda.*) m. Ropa que desproporcionadamente cuelga sobre el suelo.

falecio. (Del lat. *Phalaecĭus*, del nombre del poeta helenístico *Phalaikos*, su inventor.) adj. V. **verso falecio.**

falena. (Del gr. φάλαινα.) f. Mariposa de cuerpo delgado y alas anchas y débiles, cuyas orugas tienen dos pares de falsas patas abdominales, mediante las cuales pueden mantenerse erguidas y rígidas sobre las ramas de los árboles, imitando el aspecto de estas.

falencia. (Del lat. *fallens, -entis*, engañador.) f. Engaño o error que se padece en asegurar una cosa. ‖ **2.** *Argent., Col., Chile, Hond., Nicar., Par.* y *Perú.* Quiebra de un comerciante. ‖ **3.** *Argent.* Carencia, defecto.

falerno. m. Vino de Falerno, famoso en la antigua Roma.

falescer. (incoat. del lat. *fallĕre.*) intr. ant. **faltar.**

faleucio. adj. **falecio.** Ú. t. c. s.

faleuco. adj. **falecio.** Ú. t. c. s.

falibilidad. f. Cualidad de falible. ‖ **2.** Riesgo o posibilidad de engañarse o errar una persona. ‖ **3.** fig. Aplícase a entidades o cosas abstractas. *La* FALIBILIDAD *de la justicia, o de los juicios humanos.*

falible. (Del lat. *fallibĭlis.*) adj. Que puede engañarse o engañar. ‖ **2.** Que puede faltar o fallar.

fálico, ca. adj. Relativo al falo.

falidamente. adv. m. ant. En vano, sin fundamento.

falido, da. (De *falir.*) adj. ant. **fallido.**

falimiento. (De *falir.*) m. p. us. Engaño, falsedad, mentira.

falir. (Del lat. *fallĕre.*) intr. ant. Engañar o faltar uno a su palabra.

falisco. m. Verso de la poesía latina, compuesto de tres dáctilos y un espondeo.

falo. (Del gr. φαλλός, a través del lat. *phallus.*) m. **miembro viril.**

falondres (de). (De or. inc.) loc. adv. *Mar. Cuba* y *Venez.* De golpe, de repente, con todo el cuerpo.

Falopio. (Célebre cirujano italiano del siglo XVI.) n. p. *Anat.* V. **trompa de Falopio.**

falordia. f. *Ar.* **faloria.**

faloria. (De or. inc.) f. *Ar.* Cuento, fábula, mentira.

falquía. f. ant. Doble cabestro que se ataba al cabezón de una caballería.

falsa. (De *falso.*) f. *Ar.* y *Murc.* **desván.** ‖ **2.** *Albac., Ar.* y *Méj.* **falsilla.** ‖ **3.** *Impr. Méj.* En los libros, hoja que va solo con el título.

falsaarmadura. f. **contraarmadura.**

falsabraga. (De *falsa* y *braga.*) f. *Fort.* Muro bajo que para mayor defensa se levanta delante del muro principal.

falsada. (De *falsar.*) f. Vuelo rápido del ave de rapiña.

falsador, ra. adj. ant. **falseador.**

falsamente. adv. m. Con falsedad.

falsar. (Del lat. *falsāre.*) tr. Falsear en el juego del tresillo.

falsario, ria. (Del lat. *falsarĭus.*) adj. Que falsea o falsifica una cosa. Ú. t. c. s. ‖ **2.** Que suele hacer falsedades o decir mentiras. Ú. t. c. s.

falsarregla. (De *falsa* y *regla.*) f. **falsa escuadra.** ‖ **2.** *And.* y *Venez.* **falsilla.**

falseador, ra. adj. Que falsea alguna cosa.

falseamiento. m. Acción y efecto de falsear.

falsear. (De *falso.*) tr. Adulterar o corromper una cosa, como la moneda, la escritura, la doctrina, el pensamiento. ‖ **2.** En el juego del tresillo, salir de una carta que no sea triunfo ni rey, en la confianza de que no poseen otra mayor los contrarios, para despistarlos y evitar que se la fallen. FALSEAR *el caballo.* ‖ **3.** Romper o penetrar la armadura. ‖ **4.** *Arq.* Desviar un corte ligeramente de la dirección perpendicular. ‖ **5.** intr. Flaquear o perder alguien o algo su resistencia y firmeza. ‖ **6.** Disonar de las demás una cuerda de un instrumento. ‖ **7.** Entre guarnicioneros, dejar en la silla, por su parte interior, anchura o hueco para que no hiera ni maltrate a la cabalgadura.

falsedad. (Del lat. *falsĭtas, -ātis.*) f. Falta de verdad o autenticidad. ‖ **2.** Falta de conformidad entre las palabras, las ideas y las cosas. ‖ **3.** *Der.* Cualquiera de las mutaciones u ocultaciones de la verdad, sea de las castigadas como delito, sea de las que causan nulidad de los actos, según la ley civil.

falseo. m. *Arq.* Acción y efecto de **falsear.** ‖ **2.** *Arq.* Corte o cara de una piedra o madero falseados.

falseta. f. *Mús.* En la música popular de guitarra, frase melódica o floreo que se intercala entre las sucesiones de acordes destinadas a acompañar la copla.

falsete. (De *falso,* con influjo del fr. *fausset.*) m. Corcho para tapar una cuba cuando se quita la canilla. ‖ **2.** Puerta pequeña y de una hoja, para pasar de una a otra pieza de una casa. ‖ **3.** *Mús.* Voz más aguda que la natural, que se produce haciendo vibrar las cuerdas superiores de la laringe. ‖ **4.** *Mús.* **falseta.**

falsía. (De *falso.*) f. Falsedad, doblez. ‖ **2.** ant. Falta de solidez y firmeza en alguna cosa.

falsificación. f. Acción y efecto de falsificar. ‖ **2.** *Der.* Delito de falsedad que se comete en documento público, comercial o privado, en moneda, o en sellos o marcas.

falsificador, ra. adj. Que falsifica. Ú. t. c. s.

falsificar. (Del lat. *falsificāre.*) tr. Falsear o adulterar una cosa. ‖ **2.** Fabricar una cosa falsa o falta de ley.

falsilla. (De *falso.*) f. Hoja de papel con líneas muy señaladas, que se pone debajo de otro en que se ha de escribir, para que aquellas se transparenten y sirvan de guía.

falso, sa. (Del lat. *falsus.*) adj. Engañoso, fingido, simulado; falto de ley, de realidad o veracidad. ‖ **2.** Incierto y contrario a la verdad. *Citas* FALSAS; *argumentos* FALSOS. Ú. t. c. s. ‖ **3.** Dícese del que falsea o miente. ‖ **4.** Aplícase a la caballería que tiene resabios y cocea aun sin hostigarla. ‖ **5.** Dícese de la moneda que con intención delictiva se hace imitando la legítima. ‖ **6.** Entre colmeneros, dícese del peón o colmena cuyo trabajo se empezó por el centro o medio de lo largo de la caja. ‖ **7.** En la arquitectura y otras artes, se aplica a la pieza que suple la falta de dimensiones o de fuerza de otra. FALSO *pilote;* FALSO *forro de un barco.* ‖ **8.** desus. Cobarde, pusilánime. Ú. en Aragón y en Chile. ‖ **9.** *Ar.* y *Nav.* Flojo, haragán. ‖ **10.** V. **abeto, dado, monedero, pimentero, plátano, zumaque falso.** ‖ **11.** V. **acacia, arma, carta, costilla, escuadra, llave, piedra, pimienta, puerta, risa falsa.** ‖ **12.** V. **aguas falsas.** ‖ **13.** V. **falsa escuadra.** ‖ **14.** V. **falso flete.** ‖ **15.** V. **falso testimonio.** ‖ **16.** *Arit.* V. **falsa posición.** ‖ **17.** *Blas.* V. **armas falsas.** ‖ **18.** *Equit.* V. **falsa rienda.** ‖ **19.** *Med.* V. **pleuresía falsa.** ‖ **20.** *Mús.* V. **cuerda falsa.** ‖ **21.** m. Pieza de la misma tela, que se pone interiormente en la parte del vestido donde la costura hace más fuerza, para que no se rompa o falsee. ‖ **22.** Ruedo de un vestido. ‖ **23.** *Germ.* Verdugo que ajusticia a los reos. ‖ **de falso.** loc. adv. **en falso,** con intención contraria a la que se quiere dar a entender. ‖ **en falso.** loc. adv. Falsamente o con intención contraria a la que se quiere dar a entender. Es muy usado en los juegos de envite, cuando el que tiene poco juego envida para que se engañe el contrario. ‖ **2.** Sin la debida seguridad y resistencia. *Este edificio está hecho* EN FALSO. ‖ **sobre falso.** loc. adv. **en falso,** sin la debida seguridad.

falsopeto. (De *falso* y *peto.*) m. ant. **farseto.** ‖ **2.** ant. Balsopeto, bolsa grande que se llevaba junto al pecho.

falta. (Del lat. vulg. *fallĭta.*) f. Carencia o privación de alguna cosa. ‖ **2.** Defecto o privación de una cosa necesaria o útil. FALTA *de medios, de lluvias.* ‖ **3.** Quebrantamiento de una obligación. ‖ **4.** Ausencia de una persona del sitio en que debía estar. ‖ **5.** Nota con que se hace constar esa ausencia. ‖ **6.** Ausencia de una persona, por fallecimiento u otras causas. ‖ **7.** Supresión de la regla o menstruo en la mujer, principalmente durante el embarazo. ‖ **8.** Error de cualquier naturaleza que se halla en una manifestación oral o escrita. ‖ **9.** Defecto que posee alguien o que se le achaca. ‖ **10.** En algunos deportes, caída o golpe de la pelota fuera de los límites señalados. ‖ **11.** Defecto de la moneda en cuanto al peso que por la ley debía tener. ‖ **12.** Transgresión de las normas de un juego o deporte, sancionada por su reglamento. ‖ **13.** Infracción de las reglas de un deporte. ‖ **14.** *Der.* Infracción voluntaria de la ley, ordenanza, reglamento o bando, a la cual está señalada sanción leve. ‖ **15.** *Der.* V. **juicio de faltas.** ‖ **de intención.** *Der.* Circunstancia atenuante determinada por la desproporción entre el propósito delictivo y el mayor daño causado. ‖ **a falta de.** loc. adv. equivalente a careciendo de. A FALTA DE *pan, buenas son tortas;* o faltando algo. *El permiso está* A FALTA DE *la firma del director.* ‖ **caer** uno **en falta.** fr. fam. No cumplir con lo que debe. ‖ **echar en falta.** fr. Echar de menos. ‖ **hacer falta** una cosa o persona. fr. Ser precisa para algún fin. ‖ **2.** desus. Causar daño la carencia de ella. ‖ **hacer** uno **falta.** fr. No estar preparado en el momento oportuno. ‖ **hacerle** a uno **falta** una persona o cosa. fr. No tener una u otra cuando nos sería necesaria o provechosa. ‖ **hacer tanta falta como los perros en misa.** fr. fam. Estorbar, no hacer uno ninguna **falta.** ‖ **lanzar** o **sacar una falta.** fr. **tirar una falta.** ‖ **no ser** una cosa **por falta de misterio.** fr. **no ser sin misterio.** ‖ **sacar faltas.** fr. Achacar a alguien **faltas** reales o imaginarias, murmurando de él. ‖ **sin falta.** loc. adv. Puntualmente, con seguridad. ‖ **tirar una falta.** fr. En determinados juegos, tirar la pelota o el balón contra la porción de campo defendida por el equipo contrario, cuando este ha cometido una infracción punible.

faltar. (De *falta.*) intr. No existir una cualidad o circunstancia en lo que debiera tenerla. ‖ **2.** Consumirse, acabar, fallecer. ‖ **3.** Fallar, no corresponder una cosa al efecto que se esperaba de ella. ‖ **4.** No acudir a una cita u obligación. ‖ **5.** Estar ausente una persona del lugar en que suele estar. *Antonio* FALTA *de su casa desde hace un mes.* ‖ **6.** No estar alguien o algo donde debería. ‖ **7.** No corresponder uno a lo que es, o no cumplir con lo que debe. FALTÓ *a la lealtad, a la nobleza.* ‖ **8.** Dejar de asistir a otro. ‖ **9.** Tratar con desconsideración o sin el debido respeto a otra persona. ‖ **10.** Tener que transcurrir el tiempo que se indica para que se realice alguna cosa. FALTAN *dos meses para las vacaciones.* ‖ **11.** desus. Carecer. *No* FALTARON *de ánimo.* ‖ **¡eso faltaba** o **faltaría!** expr. **¡no faltaba** o **faltaría más!** expr. con que se rechaza una proposición. ‖ **faltar poco para** algo. fr. Estar a punto de suceder una cosa o de acabar una acción. FALTA POCO PARA *terminarse el año.* FALTA POCO PARA *llenarse el estanque.* ‖ **¡no faltaba** o **faltaría más!** expr. usada para rechazar una proposición por absurda o inadmisible. ‖ **2. desde luego,** de conformidad, sin duda. ‖ **no faltaba más sino que.** fr. que encarece lo extremadamente desagradable, extraño o increíble que sería aquello que se enuncia tras la conjunción *que.*

falte. m. *Chile.* **buhonero.**

falto, ta. (De *faltar.*) adj. Defectuoso o necesitado de alguna cosa. ‖ **2.** Escaso, mezquino, apocado. ‖ **3.** *And.* y *Argent.* Tonto o medio tonto.

faltón, na. adj. fam. Que falta con frecuencia a sus obligaciones, promesas o citas.

faltoso, sa. adj. ant. Falto, necesitado. ‖ **2.** fam. Que no tiene cabales sus facultades, falto de juicio.

faltrero, ra. (Relacionado con *faltriquera.*) m. y f. p. us. Ladrón, ratero.

faltriquera. (De *faldriquera.*) f. Bolsillo de las prendas de vestir. ‖ **2.** Bolsillo que se atan las mujeres a la cintura y llevan colgando debajo del vestido o delantal. ‖ **3.** Cubillo, palco de los teatros antiguos. ‖ **4.** V. **huevo de faltriquera.** ‖ **rascar,** o **rascarse,** uno **la faltriquera.** fr. fig. y fam. Soltar dinero, gastar, comúnmente de mala gana. ‖ **tener** uno **en la faltriquera** a otro. fr. fig. y fam. **tener** a uno **en el bolsillo.**

falúa. (Probablemente del ár. *falūwa.*) f. Pequeña embarcación a remo, vela o motor, provista por lo general de carroza y destinada al transporte de personas de calidad.

faluca. (Del ár. *falūka,* embarcación pequeña.) f. ant. **falúa.**

falucho. (De *faluca.*) m. Embarcación costanera con una vela latina. ‖ **2.** *Argent.* Sombrero de dos picos y ala abarquillada que usaban los jefes militares y los diplomáticos en las funciones de gala.

falla[1]**.** (De *fallir.*) f. Defecto material de una cosa que merma su resistencia. ‖ **2.** fig. Defecto, falta. ‖ **3.** fig. Incumplimiento de una obligación. ‖ **4.** Cantidad de real y medio impuesta en Filipinas al indígena o mestizo por cada uno de los días que no prestaba servicio comunal en los cuarenta que anualmente le eran obligatorios. ‖ **5.** *Geol.* Quiebra que los movimientos geológicos han producido en un terreno. ‖ **sin falla.** loc. adv. ant. Sin menoscabo.

falla[2]**.** (Del fr. *faille.*) f. Cobertura de la cabeza, que usaban las mujeres para adorno y abrigo de noche y que solo dejaba al descubierto el rostro, bajando hasta el pecho y mitad de la espalda. ‖ **2.** p. us. *Méj.* Gorrito de tela fina con que se cubre la cabeza a los niños pequeños.

falla[3]**.** (Del cat. *falla,* y este del lat. *facŭla,* antorcha.) f. Conjunto de figuras de madera y cartón, de carácter burlesco, que, dispuestas sobre un tablado, se queman públicamente en Valencia por las fiestas de San José. ‖ **2.** pl. Período durante el cual se celebran estos festejos.

fallada. f. Acción de fallar[2], en juego de cartas.

fallador[1]**, ra.** (De *fallar*[1].) adj. ant. **hallador.**

fallador[2]**, ra.** (De *fallar*[2].) m. y f. En los juegos de naipes, persona que falla.

fallamiento. (De *fallar*[1].) m. ant. Hallazgo, descubrimiento o invención.

fallanca. f. Vierteaguas de una puerta o ventana.

fallar[1]**.** (Del lat. *afflāre,* soplar, olfatear, husmear.) tr. ant. **hallar.** ‖ **2.** Decidir, determinar un litigio, proceso o concurso.

fallar[2]**.** (De *falla*[1].) tr. En algunos juegos de cartas, poner un triunfo por no tener el palo que se juega. ‖ **2.** intr. Frustrarse, salir fallida una cosa, no responder a lo que se esperaba de ella. *Ha* FALLADO *la cosecha. Han* FALLADO *los frenos.* ‖ **3.** Perder una cosa su resistencia rompiéndose o dejando de servir. FALLAR *un soporte.*

fallazgo. m. ant. **hallazgo.**

falleba. (Del ár. *jallāba,* tarabilla.) f. Varilla de hierro acodillada en sus extremos, sujeta en varios anillos y que sirve para asegurar puertas o ventanas.

fallecedero, ra. adj. Que puede fallecer o faltar.

fallecedor, ra. (De *fallecer.*) adj. ant. **fallecedero.**

fallecer. (De un incoat. del lat. *fallĕre.*) intr. **morir,** acabar la vida. ‖ **2.** Faltar o acabarse una cosa. ‖ **3.** ant. Carecer y necesitar de una cosa. ‖ **4.** ant. Faltar, errar. ‖ **5.** ant. Caer en una falta. ‖ **fallecer de** una cosa. fr. ant. Desistir de ella.

fallecido, da. p. p. de **fallecer.** ‖ **2.** adj. ant. Desfallecido, debilitado.

fallecimiento. m. Acción y efecto de fallecer.

fallero[1]**, ra.** adj. Perteneciente o relativo a la falla[3]. ‖ **2.** m. y f. Persona que por oficio construye las figuras, representaciones simbólicas, etc., que han de quemarse en las fiestas de San José en Valencia. ‖ **3.** Persona que toma parte en las fallas.

fallero[2]**, ra.** (De *falla*[1].) adj. Dícese del empleado o del jornalero que deja con frecuencia de concurrir a su ocupación o trabajo. Ú. t. c. s.

fallidero, ra. (De *fallir.*) adj. ant. Que puede fallir, perecer o acabarse.

fallido, da. p. p. de **fallir.** ‖ **2.** adj. Frustrado, sin efecto. ‖ **3.** Quebrado o sin crédito. Ú. t. c. s. ‖ **4.** Dícese de la cantidad, crédito, etc., que se considera incobrable. Ú. t. c. s.

fallir. (Del lat. *fallĕre.*) intr. defect. Faltar o acabarse una cosa. ‖ **2.** Errar, no acertar. ‖ **3.** Engañar o faltar uno a su palabra.

fallo[1]**.** (De *fallar*[1].) m. Sentencia definitiva del juez, y en ella, especialmente, el pronunciamiento decisivo o imperativo. ‖ **2.** Por ext., decisión tomada por persona competente sobre cualquier asunto dudoso o disputado. ‖ **echar** uno **el fallo.** fr. *Der.* Fallar[1], decidir un litigio o proceso. ‖ **2.** fig. Desahuciar el médico al enfermo. ‖ **3.** fig. y fam. Juzgar decisivamente acerca de una persona o cosa.

fallo[2]**, lla.** (De *fallar*[2].) adj. En algunos juegos de naipes, falto de un palo. Ú. con el verbo *estar* y con la prep. *a. Estoy* FALLO A *oros.* ‖ **2.** *Ál.* y *Nav.* Desfallecido, falto de fuerzas. ‖ **3.** *Chile.* Aplícase al cereal cuya espiga no ha granado por completo. ‖ **4.** m. Falta de un palo en el juego de naipes. *Tengo* FALLO *a espadas.* ‖ **5.** Falta, deficiencia o error. ‖ **6.** Acción y efecto de salir fallida una cosa.

fama. (Del lat. *fama.*) f. Noticia o voz común de una cosa. ‖ **2.** Opinión que las gentes tienen de una persona. ‖ **3.** Opinión que la gente tiene de la excelencia de un sujeto en su profesión o arte. *Predicador de* FAMA. ‖ **correr fama.** fr. Divulgarse y esparcirse una noticia. ‖ **dar fama.** fr. Acreditar a uno; darle a conocer. ‖ **echar fama.** fr. Publicar, echar voz de una cosa. ‖ **es fama.** loc. Se dice, se sabe.

famado, da. (De *fama.*) adj. ant. **afamado**[1]**.**

fambre. (Del lat. vulg. **famen, -ĭnis,* por *fames.*) f. ant. **hambre.**

fambriento, ta. adj. ant. **hambriento.**

fame. (Del lat. *fames.*) f. ant. **hambre.**

famélico, ca. (Del lat. *famelĭcus.*) adj. **hambriento.**

familia. (Del lat. *familĭa.*) f. Grupo de personas emparentadas entre sí que viven juntas. ‖ **2.** Conjunto de ascendientes, descendientes, colaterales y afines de un linaje. ‖ **3.** Hijos o descendencia. ‖ **4.** Número de criados de uno, aunque no vivan dentro de su casa. ‖ **5.** Conjunto de individuos que tienen alguna condición común. ‖ **6.** Cuerpo de una orden o religión, o parte considerable de ella. ‖ **7.** fam. Grupo numeroso de personas. ‖ **8.** V. **hijo, madre, padre de familia.** ‖ **9.** V. **madre, padre de familias.** ‖ **10.** *Der.* V. **consejo de familia.** ‖ **11.** *Chile.* Enjambre de abejas. ‖ **12.** *Biol.* Grupo taxonómico constituido por varios géneros naturales que poseen gran número de caracteres comunes. FAMILIA *de las papilionáceas.* ‖ **de lenguas.** *Ling.* Conjunto de lenguas que derivan de una lengua común. *La* FAMILIA *de lenguas románicas.* ‖ **de palabras.** *Ling.* Grupo de palabras que tienen una raíz común. ‖ **cargar,** o **cargarse, de familia.** fr. fig. y fam. Llenarse de hijos o criados. ‖ **de buena familia.** loc. adj. Dícese de las personas cuyos antecesores gozan de buen crédito y estimación social. ‖ **en familia.** loc. adv. Sin gente extraña, en la intimidad.

familiar. (Del lat. *familiāris.*) adj. Perteneciente a la familia. Apl. a pers. Ú. t. c. s. m. ‖ **2.** Dícese de aquello que uno tiene muy sabido o en que es muy experto. ‖ **3.** Aplicado al trato, llano y sin ceremonia. ‖ **4.** Aplicado a palabras, frases, lenguaje, estilo, etc., natural, sencillo, propio de la conversación normal y corriente. ‖ **5.** Dícese de cada uno de los caracteres normales o patológicos, orgánicos o psíquicos que presentan varios individuos de una misma familia, transmitidos por herencia. ‖ **6.** V. **carta familiar.** ‖ **7.** m. Deudo o pariente de una persona, y especialmente el que forma parte de su familia. ‖ **8.** El que tiene trato frecuente y de confianza con uno. ‖ **9.** Criado, sirviente. ‖ **10.** Eclesiástico o paje dependiente y comensal de un obispo. ‖ **11.** Ministro de la Inquisición, que asistía a las prisiones y otros encargos. ‖ **12.** Criado que tienen los colegios para servir a la comunidad, y no a los colegiales en particular. ‖ **13.** En la orden militar de Alcántara, el que por afecto y devoción era admitido en ella, ofreciendo gratuitamente, de presente o futuro, el todo o parte de sus bienes. ‖ **14.** El que tomaba la insignia o hábito de una religión, como los hermanos de la Orden Tercera. ‖ **15.** Demonio que se supone tiene trato con una persona, y a la que acompaña y sirve. Ú. t. en pl. ‖ **16.** Coche de muchos asientos. ‖ **hacerse familiar.** fr. **familiarizarse.**

familiaridad. (Del lat. *familiarĭtas, -ātis.*) f. Llaneza, sencillez y confianza en el trato. ‖ **2.** Empleo de familiar de la Inquisición. ‖ **3.** Empleo de fámulo en un colegio. ‖ **4.** ant. Conjunto de criados y personas de familia.

familiarizar. tr. Hacer familiar o común una cosa. ‖ **2.** prnl. Introducirse y acomodarse al trato familiar de uno. ‖ **3.** Adaptarse, acostumbrarse a algunas circunstancias o cosas. FAMILIARIZARSE *con el peligro.*

familiarmente. adv. m. Con familiaridad y confianza.

familiatura. f. Empleo o título de familiar de la Inquisición. ‖ **2.** Empleo de familiar o de fámulo en un colegio. ‖ **3.** En algunas órdenes, hermandad que uno tenía con ellas.

familio. m. ant. Familiar, criado.

familión. m. aum. de **familia.** ‖ **2.** Familia numerosa.

famillo. m. ant. **familio.**

famosamente. adv. m. De una manera famosa. ‖ **2.** Excelentemente, muy bien.

famoso, sa. (Del lat. *famōsus.*) adj. Que tiene fama y renombre. Ú. t. c. s. *Comedia* FAMOSA; *ladrón* FAMOSO; *reunión de* FAMOSOS. ‖ **2.** fam. Insigne, excelente en su especie. ‖ **3.** fam. Aplícase a personas, hechos o dichos que llaman la atención por ser muy singulares y extravagantes. FAMOSO *tarambana;* FAMOSO *disparate; ocurrencia* FAMOSA. ‖ **4.** ant. Visible e indubitable.

fámula. (Del lat. *famŭla.*) f. fam. Criada, doméstica.

famular. (Del lat. *famulāris.*) adj. fam. Perteneciente o relativo a los fámulos.

famulato. (Del lat. *famulātus.*) m. Ocupación y ejercicio del criado o sirviente. ‖ **2.** Servidumbre, conjunto de criados de una casa.

famulicio. (Del lat. *famulitĭum.*) m. **famulato.**

fámulo. (Del lat. *famŭlus.*) m. Sirviente de la comunidad de un colegio. ‖ **2.** fam. Criado doméstico.

fanal. (Del it. *fanale.*) m. Farol grande que se coloca en las torres de los puertos para que su luz sirva de señal nocturna. ‖ **2.** Cada uno de los grandes faroles que colocados en la popa de los buques servían como insignia de mando. ‖ **3.** Campana transparente, por lo común de cristal, que sirve para que el aire no apague la luz puesta dentro de ella o para atenuar y matizar el resplandor. ‖ **4.** Campana de cristal cerrada por arriba, que sirve para resguardar del polvo lo que se cubre con ella. ‖ **5.** Cada una de las grandes lámparas que usan ciertas embarcaciones de pesca para atraer a los peces.

fanáticamente. adv. m. Con fanatismo.

fanático, ca. (Del lat. *fanatĭcus.*) adj. Que defiende con tenacidad desmedida y apasionamiento, creencias u opiniones, sobre todo religiosas o políticas. Ú. t. c. s. ‖ **2.** Preocupado o entusiasmado ciegamente por una cosa. FANÁTICO *por la música.*

fanatismo. m. Tenaz preocupación, apasionamiento del fanático.

fanatizador, ra. adj. Que fanatiza. Ú. t. c. s.

fanatizar. tr. Provocar o causar el fanatismo.

fancuda. f. *Bol.* Palmera con raíces aéreas en forma de trípode.

fandango. (De or. inc.) m. Antiguo baile español, muy común todavía entre andaluces, cantado con acompañamiento de guitarra, castañuelas y hasta de platillos y violín, a tres tiempos y con movimiento vivo y apasionado. ‖ **2.** Tañido y coplas con que se acompaña. ‖ **3.** fig. y fam. Bullicio, trapatiesta.

fandanguero, ra. adj. Aficionado a bailar el fandango, o a asistir a bailes y festejos. Ú. t. c. s.

fandanguillo. m. Baile popular, en compás de tres por ocho, parecido al fandango, y copla con que se acompaña.

fandulario. m. **faldulario.**

faneca. (De or. inc.) f. Pez teleósteo marino de dos o tres decímetros de longitud, de color parduzco en el lomo y blanco por el vientre, con tres aletas dorsales, dos ventrales y las abdominales por delante de las torácicas. Abunda en el Cantábrico.

fanega. (Del ár. *faniqa,* cierta medida para áridos.) f. Medida de capacidad para áridos que, según el marco de Castilla, tiene 12 celemines y equivale a 55 litros y medio; pero es muy variable según las diversas regiones de España. ‖ **2.** Porción de granos, legumbres, semillas y cosas semejantes que cabe en esa medida. ‖ **de puño, o de sembradura.** Espacio de tierra en que se puede sembrar una **fanega** de trigo. ‖ **de tierra.** Medida agraria que, según el marco de Castilla, contiene 576 estadales cuadrados y equivale a 64 áreas y 596 miliáreas. Esta cifra varía según las regiones.

fanegada. f. **fanega de tierra.** ‖ **a fanegadas.** loc. adv. fig. y fam. Con mucha abundancia.

faneguero. m. *Ast.* El que cobra en renta gran cantidad de fanegas de grano.

fanerógamo, ma. (Del gr. φανερός, manifiesto, y γάμος, casamiento.) adj. *Bot.* Dícese de la planta en que el conjunto de los órganos de la reproducción se presenta en forma de flor, que se distingue a simple vista. En la flor se efectúa la fecundación y, como consecuencia de esta, se desarrollan las semillas, que contienen los embriones de las nuevas plantas. Ú. t. c. s. f. ‖ **2.** f. pl. *Bot.* Tipo de estas plantas.

fanfarrear. (De la onomat. *fanfarr.*) intr. **fanfarronear.**

fanfarria. (De *fanfarrear.*) f. fam. Baladronada, bravata, jactancia. ‖ **2.** Conjunto musical ruidoso, principalmente a base de instrumentos de metal. ‖ **3.** Música interpretada por esos instrumentos. ‖ **4.** m. *Ar.* Persona que se precia y hace alarde de valentía o de otros valores.

fanfarrón, na. (De la onomat. *fanfarr.*) adj. fam. Que se precia y hace alarde de lo que no es, y en particular de valiente. Ú. t. c. s. ‖ **2.** fam. Aplícase a las cosas que tienen mucha apariencia y hojarasca. ‖ **3.** V. **trigo fanfarrón.**

fanfarronada. f. Dicho o hecho propio de fanfarrón.

fanfarronear. intr. Hablar con arrogancia echando fanfarronadas.

fanfarronería. f. Modo de hablar y de portarse el fanfarrón. ‖ **2.** Dicho o hecho propio de un fanfarrón.

fanfarronesca. f. p. us. Porte, conducta y ejercicio de los fanfarrones.

fanfurriña. f. fam. Enojo leve y pasajero.

fangal o **fangar.** m. Sitio lleno de fango.

fango. (Del cat. *fang.*) m. Lodo glutinoso que se forma generalmente con los sedimentos térreos en los sitios donde hay agua detenida. ‖ **2.** fig. En algunas frases metafóricas, vilipendio, degradación. *Llenar o cubrir a uno de* FANGO.

fangosidad. f. Cualidad de fangoso.

fangoso, sa. adj. Lleno de fango. ‖ **2.** fig. Que tiene la blandura y viscosidad propias del fango.

fano. (Del lat. *fanum.*) m. ant. **templo.**

fantaseador, ra. adj. Que fantasea.

fantasear. intr. Dejar correr la fantasía o imaginación. ‖ **2.** Preciarse vanamente. ‖ **3.** tr. Imaginar algo fantástico.

fantasía. (Del gr. φαντασία, a través del lat. *phantasĭa.*) f. Facultad que tiene el ánimo de reproducir por medio de imágenes las cosas pasadas o lejanas, de representar las ideales en forma sensible o de idealizar las reales. ‖ **2.** Imagen formada por la **fantasía.** ‖ **3.** Fantasmagoría, ilusión de los sentidos. ‖ **4.** Grado superior de la imaginación; la imaginación en cuanto inventa o produce. ‖ **5.** Ficción, cuento, novela o pensamiento elevado e ingenioso. *Las* FANTASÍAS *de los poetas, de los músicos y de los pintores.* ‖ **6.** Adorno que es imitación de una joya. *Este collar no es de perlas legítimas, es una* FANTASÍA. ‖ **7.** fam. Presunción, arrogancia o gravedad afectada. ‖ **8.** *Mar.* V. **punto de fantasía.** ‖ **9.** *Mús.* Composición instrumental de forma libre o formada sobre motivos de una ópera. ‖ **10.** pl. Granos de perlas que están pegados unos con otros con algún género de división por medio. ‖ **de fantasía.** loc. adj. que, en términos de modas, se aplica a las prendas de vestir y adornos que no son de forma o gusto corrientes. ‖ **2.** Se aplica también a los objetos de adorno personal que no son de material noble o valioso. A veces se omite la preposición. ‖ **3.** Dícese de los adornos que imitan joyas. *Tenía muchos pendientes, anillos, brazaletes, etc., todos* DE FANTASÍA.

fantasioso, sa. (De *fantasía*, presunción.) adj. fam. Vano, presuntuoso. ‖ **2.** Que se deja llevar por la imaginación.

fantasma. (Del gr. φάντασμα, a través del lat. *phantasma.*) m. Visión quimérica, como la que ofrecen los sueños o la imaginación calenturienta. ‖ **2.** Imagen de una persona muerta que, según algunos, se aparece a los vivos. ‖ **3.** Imagen de un objeto que queda impresa en la fantasía. ‖ **4.** fig. Persona entonada, grave y presuntuosa. ‖ **5.** Como aposición, indica la inexistencia o el carácter falso de algo. *Una venta* FANTASMA, *un éxito* FANTASMA. ‖ **6.** f. Espantajo o persona disfrazada que sale por la noche para asustar a la gente.

fantasmagoría. (Del fr. *fantasmagorie.*) f. Arte de representar figuras por medio de una ilusión óptica. ‖ **2.** fig. Ilusión de los sentidos o figuración vana de la inteligencia, desprovista de todo fundamento.

fantasmagórico, ca. adj. Perteneciente o relativo a la fantasmagoría.

fantasmal. adj. Perteneciente o relativo al fantasma de los sueños y de la imaginación.

fantasmón, na. adj. fam. Lleno de presunción y vanidad. Ú. t. c. s. ‖ **2.** m. Persona entonada y presuntuosa. ‖ **3.** Persona disfrazada que sale por la noche para asustar a la gente.

fantásticamente. adv. m. Fingidamente, sin realidad. ‖ **2.** fig. Con fantasía y engaño. ‖ **3.** Extraordinariamente bien, de manera excelente.

fantástico, ca. (Del gr. φανταστικός, a través del lat. *phantastĭcus.*) adj. Quimérico, fingido, que no tiene realidad, y consiste solo en la imaginación. ‖ **2.** Perteneciente a la fantasía. ‖ **3.** fig. Presuntuoso y entonado. ‖ **4.** fig. y fam. Magnífico, excelente.

fantesioso, sa. adj. vulg. **fantasioso.**

fantochada. f. fig. Acción propia de fantoche.

fantoche. (Del fr. *fantoche.*) m. Títere o figurilla que se mueve por medio de hilos. ‖ **2.** Sujeto aniñado de figura pequeña o ridícula. ‖ **3.** Sujeto informal o vanamente presumido.

fañado, da. p. p. de **fañar.** ‖ **2.** adj. Dícese del animal que tiene un año.

fañar. tr. Marcar o señalar las orejas de los animales por medio de un corte.

fañoso, sa. adj. *Can., Cuba, P. Rico, Sto. Dom.* y *Venez.* Que habla con una pronunciación nasal oscura.

faquí. m. **alfaquí.**

faquín. (Del fr. *faquin.*) m. Ganapán, esportillero, mozo de cuerda.

faquir. (Del ár. *faqīr*, pobre, hombre religioso que hace voto de pobreza.) m. Santón musulmán que vive de limosna y practica actos de singular austeridad. Hay **faquires** en varios países de Oriente, sobre todo en la India. ‖ **2.** Por ext., asceta de otras sectas hindúes. ‖ **3.** Artista de circo que hace espectáculo de mortificaciones semejantes a las practicadas por los **faquires.**

far. (Del lat. *facĕre.*) tr. ant. **hacer.**

fara. f. Culebra africana de un metro de longitud aproximadamente, de color gris con manchas negras y una raya también negra, y de escamas aquilladas a todo lo largo del dorso.

farabusteador. (De *farabustear.*) m. *Germ.* Ladrón diligente.

farabustear. (De or. inc.) tr. *Germ.* Hurtar.

faracha. f. *Ar.* Espadilla para macerar el lino o cáñamo.

farachar. (De or. inc.) tr. *Ar.* **espadar.**

farad. (Del apellido de Miguel *Faraday*, químico y físico inglés, 1791-1867.) m. *Fís.* **faradio,** en la nomenclatura internacional.

faradio. (De *farad.*) m. *Fís.* Unidad de capacidad eléctrica en el sistema basado en el metro, el kilogramo, el segundo y el amperio.

faralá. (De *farfalá.*) m. Volante, adorno compuesto de una tira de tafetán o de otra tela, que rodea las basquiñas y briales o vestidos y enaguas femeninos, especialmente en algunos trajes regionales; está plegado y cosido por la parte superior, y suelto o al aire por la inferior. También se llaman así los adornos de cortinas y tapetes puestos en la misma disposición. ‖ **2.** fam. Adorno excesivo y de mal gusto.

farallo. (De or. inc.) m. *Sal.* Migaja de pan.

farallón. (De etim. disc.) m. Roca alta y tajada que sobresale en el mar y alguna vez en tierra firme. ‖ **2. crestón,** parte de un filón que sobresale del suelo.

faramalla. (Del ant. *farmalio*, der., con metátesis, del lat. hisp. *malfarium.*) f. fam. Charla artificiosa encaminada a engañar. ‖ **2.** fam. **farfolla,** cosa que solo tiene apariencia. ‖ **3.** com. fam. Persona faramallera. Ú. t. c. adj.

faramallero, ra. (De *faramalla.*) adj. fam. Hablador, trapacero. Ú. t. c. s.

faramallón, na. adj. fam. Hablador, trapacero. Ú. t. c. s.

farandola. f. *Ar.* y *Nav.* Faralá, volante.

farándula. (Del prov. *farandoulo.*) f. Profesión de los farsantes o comediantes, y, en general, el ambiente relacionado con ellos. ‖ **2.** Una de las compañías que antiguamente formaban los cómicos y que andaba representando por los pueblos. ‖ **3.** fig. y fam. Charla engañosa.

farandulear. intr. **farolear.**

farandulero, ra. (De *farándula.*) m. y f. Persona que recitaba comedias. ‖ **2.** adj. fig. y fam. Hablador, trapacero, que tira a engañar. Ú. m. c. s.

farandúlico, ca. adj. Perteneciente a la farándula.

faranga. (Del ár. *farag*, ociosidad.) f. *Sal.* Haraganería, dejadez.

faraón. m. Cualquiera de los antiguos reyes de Egipto anteriores a la conquista de este país por los persas. ‖ **2.** Juego de naipes parecido al monte, y en el cual se emplean dos barajas. Se llamó así por la figura de un **faraón** que se representaba en las antiguas barajas.

faraónico, ca. adj. Perteneciente o relativo a los faraones. ‖ **2.** Grandioso, fastuoso.

faraute. (De *haraute.*) m. El que lleva y trae mensajes entre personas distantes y que se fían de él. ‖ **2.** Rey de armas de segunda clase, que tenían los generales y grandes señores. ‖ **3.** El que en la comedia recitaba o representaba el prólogo o introducción de ella, que después se llamó loa. ‖ **4.** fam. El principal en la disposición de alguna cosa, y más comúnmente el bullicioso y entremetido que quiere dar a entender que lo dispone todo. ‖ **5.** ant. **intérprete, trujamán.**

farda[1]. (Del ár. *farḍa*, impuesto, obligación.) f. **alfarda**[1]. ‖ **pagar farda, o la farda.** fr. fig. y fam. Rendir obsequio o atenciones a uno por respeto, temor o interés. Ú. m. con negación. *Yo no he de* PAGAR FARDA.

farda[2]. (De etim. disc.) f. Bulto o lío de ropa.

farda[3]. (Del ár. *farḍ*, corte, muesca.) f. *Carp.* Corte o muesca que se hace en un madero para encajar en él la barbilla de otro.

fardacho. (Del ár. *ḥardūn*, lagarto.) m. **lagarto,** reptil saurio.

fardaje. m. Conjunto de fardos.

fardar. (De *fardo*.) tr. Surtir y abastecer a uno, especialmente de ropa y vestidos. Ú. t. c. prnl. ‖ **2.** intr. fig. y fam. Presumir, jactarse, alardear.

fardel. (Del fr. ant. *fardel*, hoy *fardeau*.) m. Saco o talega que llevan regularmente los pobres, pastores y caminantes, para las cosas comestibles u otras de su uso. ‖ **2. fardo.** ‖ **3.** fig. y fam. Persona desaliñada.

fardelejo. m. d. de **fardel.**

fardería. f. Conjunto de fardos.

fardero. (De *fardo*.) m. *Ar.* **mozo de cordel.**

fardido, da. (Del germ. *hardjan*, endurecer, aguerrir.) adj. ant. **ardido.**

fardo. (De etim. disc.) m. Lío grande de ropa u otra cosa, muy apretado, para poder llevarlo de una parte a otra; se hace regularmente con las mercancías que se han de transportar, cubriéndolas con harpillera o lienzo embreado o encerado, para que no se maltraten.

fardón, na. adj. fam. Dícese de la persona que habitualmente alardea de algo. Ú. m. c. s.

farellón. m. **farallón.**

farero, ra. m. y f. Empleado o vigilante de un faro.

farfalá. (De *falbalá*.) m. **faralá.**

farfallón, na. adj. fam. Farfullero, chapucero. Ú. t. c. s.

farfalloso, sa. (De *farfulla*.) adj. *Ar.* Tartamudo o tartajoso.

farfán. (De etim. disc.) m. Nombre con que se distinguió en Marruecos a cada uno de los individuos de ciertas familias españolas que, según parece, vivieron allí en el siglo VIII, conservaron la fe cristiana, y cuyos descendientes regresaron a Castilla el año 1390.

farfante. (Del prov. *forfant*, jactancioso, hablador.) m. fam. **farfantón.** Ú. t. c. adj.

farfantón. (aum. de *farfante*.) m. fam. Hombre hablador, jactancioso, que se alaba de pendencias y valentías. Ú. t. c. adj.

farfantonada. f. fam. Hecho o dicho propios del farfantón.

farfantonería. f. fam. **farfantonada.**

fárfara[1]. (Del lat. *farfărus*.) f. Planta herbácea de la familia de las compuestas, con bohordos de escamas coloridas y de uno a dos decímetros de altura, hojas radicales, grandes, denticuladas, tenues, tomentosas por el envés, y que aparecen después que las flores, que son aisladas, terminales, amarillas y de muchos pétalos. El cocimiento de las hojas y flores se emplea como pectoral.

fárfara[2]. (De or. inc.) f. Telilla o cubierta blanda que tienen los huevos de las aves por la parte interior. ‖ **en fárfara.** loc. adv. fig. A medio hacer o sin la última perfección.

farfolla. (Del dialect. *marfolla*, y este del lat. *malum folium*.) f. Espata o envoltura de las panojas del maíz, mijo y panizo. ‖ **2.** fig. Cosa de mucha apariencia y de poca entidad.

farfulla. (De la onomat. *farf*.) f. fam. Defecto del que habla balbuciente y de prisa. ‖ **2.** com. fam. Persona farfulladora. Ú. t. c. adj.

farfulladamente. adv. m. fam. Con prisa, atropelladamente.

farfullador, ra. adj. fam. Que farfulla. Ú. t. c. s.

farfullar. (De *farfulla*.) tr. fam. Hablar muy de prisa y atropelladamente. ‖ **2.** fig. y fam. Hacer una cosa con tropelía y confusión.

farfullero, ra. adj. **farfullador.** Ú. t. c. s.

fargallón, na. adj. fam. Que hace las cosas atropelladamente. Ú. t. c. s. ‖ **2.** Desaliñado y descuidado en el aseo. Ú. t. c. s.

faria. (De *Farias*, nombre comercial registrado.) m. Cigarro barato peninsular de tripa de hebra larga. Ú. t. c. f.

farillón. m. **farallón.**

farina. (Del lat. *farīna*.) f. ant. **harina.**

farináceo, a. (Del lat. *farinacĕus*.) adj. De la naturaleza de la harina, o parecido a ella.

farinato. (De *farina*.) m. *Sal.* Embutido de pan amasado con manteca de cerdo, sal y pimienta.

farinetas. (De *farina*.) f. pl. *Ar.* Gachas de harina.

faringe. (Del gr. φάρυγξ, -υγγος.) f. *Anat.* Porción ensanchada del tubo digestivo de muchos animales, de paredes generalmente musculosas y situada a continuación de la boca. En el hombre y en los demás mamíferos tiene varias aberturas, por las que comunica con las fosas nasales, con la trompa de Eustaquio, con la laringe y con el esófago.

faríngeo, a. adj. *Anat.* Perteneciente o relativo a la faringe.

faringitis. (De *faringe* e *-itis*.) f. *Pat.* Inflamación de la faringe.

fariña. (Del gall. *fariña*, harina.) f. *Argent., Bol., Col., Perú* y *Urug.* Harina gruesa de mandioca. ‖ **2.** pl. *Ast.* Harina de maíz cocida en agua.

fariñera. f. rur. *Argent.* Daga o facón de punta y hoja anchas.

fariño, ña. adj. *Sal.* Flojo; aplícase a las tierras de ínfima calidad.

farisaicamente. adv. m. **hipócritamente.**

farisaico, ca. (Del lat. *pharisaĭcus*.) adj. Propio o característico de los fariseos. ‖ **2.** V. **escándalo farisaico.** ‖ **3.** fig. **hipócrita.**

farisaísmo. m. Cuerpo, conjunto, secta, costumbres o espíritu de los fariseos.

fariseísmo. m. **farisaísmo.** ‖ **2.** fig. **hipocresía.**

fariseo. (Del gr. φαρισαῖος, a través del lat. *pharisaeus*.) m. Entre los judíos, miembro de una secta que afectaba rigor y austeridad, pero eludía los preceptos de la ley, y, sobre todo, su espíritu. ‖ **2.** fig. Hombre hipócrita. ‖ **3.** fig. y fam. Hombre alto, seco y de mala intención o catadura.

farmacético, ca. adj. ant. **farmacéutico.**

farmaceuta. com. *Col., Ecuad., Guat., Pan., Sto. Dom.* y *Venez.* **farmacéutico.**

farmacéutico, ca. (Del gr. φαρμακευτικός, a través del lat. *pharmaceutĭcus*.) adj. Perteneciente a la farmacia. ‖ **2.** m. y f. Persona que, provista del correspondiente título académico, profesa o ejerce la farmacia.

farmacia. (Del gr. φαρμακία, a través del lat. *pharmacīa*.) f. Ciencia que enseña a preparar y combinar productos naturales o artificiales como remedios de las enfermedades, o para conservar la salud. ‖ **2.** Profesión de esta ciencia. ‖ **3.** Laboratorio y despacho del farmacéutico.

fármaco. (Del gr. φάρμακον, a través del lat. *pharmăcum*.) m. **medicamento.**

farmacología. (De *fármaco* y *-logía*.) f. Parte de la materia médica, que trata de los medicamentos.

farmacológico, ca. adj. Perteneciente o relativo a la farmacología.

farmacólogo, ga. m. y f. Persona que profesa la farmacología o tiene en ella especiales conocimientos.
farmacopea. (Del gr. φαρμακοποιΐα.) f. Libro en que se expresan las sustancias medicinales que se usan más comúnmente, y el modo de prepararlas y combinarlas. ‖ **2.** Repertorio que publica oficialmente cada Estado como norma legal para la preparación, experimentación, prescripción, etc., de los medicamentos.
farmacopola. (Del gr. φαρμακοπώλης, a través del lat. *pharmacopōla.*) m. p. us. **farmacéutico,** que profesa o ejerce la farmacia.
farmacopólico, ca. (De *farmacopola.*) adj. Perteneciente a la farmacia o a los medicamentos.
farmacopsicología. f. Estudio de las modificaciones producidas en el psiquismo normal por los psicofármacos.
farmacopsiquiatría. f. Estudio de los efectos terapéuticos de los fármacos aplicables en psiquiatría.
farmacoterapia. f. Tratamiento de las enfermedades mediante drogas.
farnaca. (Del ár. *jarnaqa,* cría de liebre.) f. *Ar.* **lebrato.**
faro. (Del gr. φάρος, a través del lat. *pharus.*) m. Torre alta en las costas, con luz en su parte superior, para que durante la noche sirva de señal a los navegantes. ‖ **2.** Farol con potente reverbero. ‖ **3.** Cada uno de los focos delanteros de los vehículos automotores. ‖ **4.** fig. Aquello que da luz en un asunto, lo que sirve de guía a la inteligencia o a la conducta. ‖ **piloto.** El que llevan los vehículos automóviles en la parte posterior para indicar su posición.
farol. (De *faro.*) m. Caja de vidrios u otra materia transparente, dentro de la cual se pone una luz. ‖ **2.** Cazoleta formada de aros de hierro, en que se ponen las teas para las luminarias o para alumbrarse. ‖ **3.** Farola de una sola luz. ‖ **4.** fig. y fam. Fachenda, papelón. ‖ **5.** fig. Hecho o dicho jactancioso que carece de fundamento. Ú. m. **en la** fr. **tirarse un farol.** ‖ **6.** En el juego, jugada o envite falso hecho para deslumbrar o desorientar. ‖ **7.** Funda o cubierta de papel para paquetes de picadura de tabaco. ‖ **8.** *Taurom.* Lance de capa a la verónica, en que el torero, después de echar la capa al toro, la pasa en redondo sobre su propia cabeza y la coloca en sus hombros. ‖ **de situación.** *Mar.* Cada uno de los **faroles** que se encienden de noche en los buques que navegan, y que por los distintos colores de sus cristales sirven de guía para evitar los abordajes. ‖ **medio farol.** *Taurom.* Suerte de frente con la capa, en la que el diestro deja este engaño a la espalda, tras de pasarla por encima de la cabeza, generalmente para iniciar otra suerte, como el lance de espalda, el galleo, etc. ‖ **adelante con los faroles.** expr. fig. y fam. con que se manifiesta uno resuelto, o anima a otro, a continuar o perseverar a todo trance en lo ya comenzado, a pesar de las dificultades que se presentan.
farola. f. Farol grande, generalmente compuesto de varios brazos, con sendas luces, propio para iluminar plazas y paseos públicos. ‖ **2.** Farol grande en la torre de los puertos.
farolazo. m. Golpe dado con un farol. ‖ **2.** *Amér. Central* y *Méj.* Trago de licor.
farolear. (De *farol,* fachenda.) intr. fam. Fachendear o papelonear.
faroleo. m. Acción y efecto de farolear.
farolería. f. Establecimiento donde se hacen o venden faroles. ‖ **2.** fig. Acción propia de persona farolera.
farolero, ra. adj. fig. y fam. Vano, ostentoso, amigo de llamar la atención y de hacer lo que no le toca. Ú. t. c. s. ‖ **2.** m. El que hace faroles o los vende. ‖ **3.** El que tiene cuidado de los faroles del alumbrado. ‖ **meterse** uno **a farolero.** fr. fig. y fam. **meterse en camisa de once varas,** meterse donde no le llaman.
farolillo. (d. de *farol.*) m. Farol de papel, celofán o plástico de colores, que sirve para adornar en verbenas y fiestas. ‖ **2.** Planta herbácea, trepadora, de la familia de las sapindáceas, con tallos largos y ramosos; hojas lanceoladas con bordes dentados y pecioladas de tres en tres; flores axilares de color blanco amarillento y fruto globoso de un centímetro de diámetro con tres semillas verdosas casi redondas. Se cultiva en los jardines; se ha usado en medicina como diurético, y en la India, de donde procede, ensartan los frutos para hacer pulseras y collares. ‖ **3.** Planta perenne de la familia de las campanuláceas, con tallos herbáceos de seis a ocho decímetros de altura, estriados y ramosos; hojas dentadas, oblongas, ásperas y vellosas, y flores grandes, campanudas, blancas, rojizas, moradas o jaspeadas, de pedúnculos largos y en ramilletes piramidales. Se cultiva en los jardines, y florece todo el verano. ‖ **rojo.** fam. El último en una competición, etc.
farolón. adj. fam. Vano, ostentoso, amigo de llamar la atención. Ú. t. c. s. ‖ **2.** m. aum. fam. de **farol.**
farón. (De *faro.*) m. ant. Farol o fanal de buque.
farota. (Del ár. *jarūta,* mujer charlatana y mentirosa.) f. fam. Mujer descarada y sin juicio.
farotón, na. (De *farota.*) m. y f. fam. Persona descarada y sin juicio. Ú. t. c. adj.
farpa. (Como *arpa* y *harpa,* del germ. *harpa,* rastrillo.) f. Cada una de las puntas agudas que quedan al hacer una o varias escotaduras en el borde de algunas cosas, como banderas, estandartes, planos de veleta, etc.
farpado, da. adj. Que remata y está cortado en farpas.
farra[1]**.** (Quizá relacionado con el lat. *farlo.*) f. Pez de agua dulce, parecido al salmón, que vive principalmente en el lago de Ginebra, y tiene la cabeza pequeña y aguda, la boca pequeña, la lengua corta, el lomo verdoso y el vientre plateado. Su carne es muy sabrosa.
farra[2]**.** (De etim. disc.) f. Juerga, jarana, parranda. ‖ **2.** *Guip., Argent.* y *Urug.* Burla. ‖ **tomar** a uno **para la farra.** loc. *Argent., Par.* y *Urug.* Burlarse de uno, tomarle el pelo.
farraca. f. *Sal.* y *Zam.* **faltriquera.**
farrago. m. desus. **fárrago.**
fárrago. (Del lat. *farrāgo.*) m. Conjunto de cosas o ideas desordenadas, inconexas o superfluas.
farragoso, sa. adj. Que tiene fárrago.
farraguista. (De *fárrago.*) com. Persona que tiene la cabeza llena de ideas confusas y mal ordenadas.
farrapas. (Como *jarrepas* [*Cantabria*], del lat. *far, farris,* harina y salvado.) f. pl. *Ast.* Harina de maíz cocida con agua.
farrapo. m. **harrapo.**
farrear. intr. fam. *Argent., Chile, Perú* y *Urug.* Andar de farra o de parranda.
farrista. adj. fam. p. us. *Argent., Par.* y *Urug.* Juerguista, aficionado a la juerga o farra[2]. Ú. t. c. s.
farro. (Del lat. *far, farris.*) m. Cebada a medio moler, después de remojada y quitada la cascarilla. ‖ **2.** Semilla parecida a la escanda.
farropea. (De *ferropea.*) f. ant. **arropea.**
farruco, ca. (De etim. disc.) adj. fam. Aplícase en muchas provincias a los gallegos o asturianos recién salidos de su tierra. Ú. m. c. s. ‖ **2.** fam. Valiente, impávido. ‖ **3.** f. Variedad de cante flamenco. ‖ **4.** Baile con que se acompaña este cante.
farsa. (Del fr. *farce.*) f. Nombre dado en lo antiguo a las comedias. ‖ **2.** Pieza cómica, breve por lo común, y sin más objeto que hacer reír. ‖ **3.** Compañía de farsantes. ‖ **4.** despect. Obra dramática desarreglada, chabacana y grotesca. ‖ **5.** fig. Enredo, trama o tramoya para aparentar o engañar.
farsador, ra. (De *farsar.*) m. y f. ant. **farsante.**
farsálico, ca. (Del lat. *Pharsalicus.*) adj. Perteneciente a Farsalia.
farsanta. (De *farsante.*) f. Mujer que tenía por oficio re-

presentar farsas. ‖ **2.** Mujer que finge lo que no siente o pretende pasar por lo que no es.

farsante. (De *farsar.*) m. El que tenía por oficio representar farsas; comediante. ‖ **2.** adj. fig. y fam. Dícese de la persona que finge lo que no siente o pretende pasar por lo que no es. Ú. m. c. s.

farsantear. intr. *Chile.* Hablar u obrar como farsante.

farsantería. f. Cualidad de la persona que pretende pasar por lo que no es.

farsar. (De *farsa.*) intr. ant. Hacer o representar papel de cómico.

farseto. (Del it. *farsetto.*) m. Jubón acolchado o relleno de algodón, que usaba el que se había de armar, para poner sobre él la armadura sin que hiciese daño al cuerpo.

farsista. com. Autor de farsas. ‖ **2.** ant. El que tenía por oficio representar farsas o comedias.

fartal. m. ant. **farte.**

fartar. tr. ant. **hartar.**

farte. (Del cat. *fart,* harto.) m. ant. Frito de masa rellena de una pasta dulce con azúcar, canela y otras especias.

farto, ta. adj. ant. **harto.**

fartura. f. ant. **hartura.**

fas (por) o por nefas. (Del lat. *fas,* justo, lícito, y *nefas,* injusto.) loc. adv. fam. Justa o injustamente; por una cosa o por otra.

fascal. (De or. inc.) m. *Ar.* Conjunto de 30 haces de trigo, que se amontona en el campo mientras se siega, y corresponde a una carga. ‖ **2.** *Alm.* Cuerda de esparto crudo y sin majar, hecha con trenzado muy flojo. Sirve para hacer maromas.

fasces. (Del lat. *fasces,* pl. de *fascis,* haz.) f. pl. Insignia de los cónsules romanos, que se componía de una segur en un hacecillo de varas.

fasciculado, da. adj. Que tiene forma de fascículo. ‖ **2.** V. **columna fasciculada.**

fascículo. (Del lat. *fascicŭlus,* hacecillo.) m. **entrega,** cuaderno. ‖ **2.** *Anat.* Haz de fibras musculares.

fascinación. (Del lat. *fascinatĭo, -ōnis.*) f. **aojo.** ‖ **2.** fig. Engaño o alucinación. ‖ **3.** Atracción irresistible.

fascinador, ra. (Del lat. *fascinātor, -ōris.*) adj. Que fascina.

fascinante. p. a. de **fascinar.** Que fascina. ‖ **2.** adj. Sumamente atractivo.

fascinar. (Del lat. *fascināre.*) tr. Hacer mal de ojo. ‖ **2.** fig. Engañar, alucinar, ofuscar. ‖ **3.** fig. Atraer irresistiblemente.

fascioso, sa. adj. ant. **fastidioso.**

fascismo. (Del it. *fascismo.*) m. Movimiento político y social de carácter totalitario que se produjo en Italia, por iniciativa de Benito Mussolini, después de la primera guerra mundial. ‖ **2.** Doctrina de este partido italiano y de las similares en otros países.

fascista. adj. Perteneciente o relativo al fascismo. ‖ **2.** Partidario de esta doctrina o movimiento social. Ú. t. c. s. ‖ **3.** Excesivamente autoritario.

fascona. f. ant. **azcona.**

fase. (Del gr. φάσις, manifestación.) f. *Astron.* Cada una de las diversas apariencias o figuras con que se dejan ver la Luna y algunos planetas, según los ilumina el Sol. ‖ **2.** Cada uno de los distintos estados sucesivos de un fenómeno natural o histórico, o de una doctrina, negocio, etc. ‖ **3.** *Fís.* V. **diferencia de fase.** ‖ **4.** *Electr.* Valor de la fuerza electromotriz o intensidad de una corriente eléctrica alterna en un momento determinado. ‖ **5.** Corriente alterna que contribuye a formar una corriente polifásica. ‖ **6.** *Fís.* y *Quím.* Cada una de las partes homogéneas físicamente separables en un sistema formado por uno o varios componentes.

faséolo. (Del lat. *phaseŏlus.*) m. ant. Fríjol o judía.

fásol. (De etim. disc.) m. Fríjol o judía. Ú. m. en pl.

fasquía. (De *fasquiar.*) f. ant. Asco o hastío, especialmente el que se toma de una cosa por su mal olor.

fasquiar. (Cruce de *fastiar,* hastiar, con *asquear.*) tr. ant. Causar asco o hastío.

fasta. prep. ant. **hasta.**

fastial. m. ant. *Arq.* **hastial,** parte triangular de la fachada de un edificio. ‖ **2.** *Arq.* Piedra más alta de un edificio.

fastidiar. (De *fastidio.*) tr. desus. Causar asco o hastío. Ú. t. c. prnl. ‖ **2.** fig. Enfadar, disgustar o ser molesto a alguien. ‖ **3.** fam. Ocasionar daño material o moral. ‖ **4.** prnl. Aguantarse, sufrir con paciencia algún contratiempo inevitable. *Si te han suspendido,* TE FASTIDIAS *y estudias más.* ‖ **¡hay que fastidiarse!** fr. fam. con la cual se indica que es preciso someterse de buena o mala gana a una molestia o inconveniente. ‖ **2.** fr. fam. con la que se hace preceder, enfáticamente, un comentario que revela molestia o enojo. ¡HAY QUE FASTIDIARSE, *el frío que hace aquí!* ‖ **¡no te fastidia!** fr. fam. con la que se concluye enfáticamente un comentario que revela molestia o enojo. *Hazlo tú, que estás más descansado.* ¡NO TE FASTIDIA!

fastidio. (Del lat. *fastidĭum.*) m. Disgusto o desazón que causa la comida mal recibida por el estómago, o el olor fuerte y desagradable de una cosa. ‖ **2.** fig. Enfado, cansancio, aburrimiento, tedio.

fastidiosamente. adv. m. Con fastidio.

fastidioso, sa. (Del lat. *fastidiōsus.*) adj. Enfadoso, importuno; que causa disgusto, desazón y hastío. ‖ **2.** Fastidiado, disgustado.

fastigio. (Del lat. *fastigĭum.*) m. Lo más alto de alguna cosa que remata en punta; como una pirámide. ‖ **2.** fig. **cumbre,** grado sumo. ‖ **3.** *Arq.* Remate triangular de una fachada.

fastío. m. ant. **hastío.**

fasto, ta. (Del lat. *fastus.*) adj. Aplícase al día en que era lícito en la antigua Roma tratar los negocios públicos y administrar justicia. ‖ **2.** Dícese también, por contraposición a nefasto, del día, año, etc., feliz o venturoso. ‖ **3.** m. **fausto**[1].

fastos. (Del lat. *fastos,* acus. de *fasti, -ōrum.*) m. pl. Entre los romanos, especie de calendario en que se anotaban las fechas de sus fiestas, juegos y ceremonias y las cosas memorables de la república. ‖ **2.** fig. Anales o serie de sucesos por orden cronológico.

fastosamente. adv. m. desus. **fastuosamente.**

fastoso, sa. (Del lat. *fastōsus.*) adj. desus. **fastuoso.**

fastuosamente. adv. m. Con fausto, de manera fastuosa.

fastuosidad. f. Cualidad de fastuoso.

fastuoso, sa. (Del lat. *fastuōsus.*) adj. Ostentoso, amigo de fausto y pompa.

fata. prep. l. ant. **hasta.**

fatal. (Del lat. *fatālis.*) adj. Perteneciente al hado, inevitable. ‖ **2.** Desgraciado, infeliz. ‖ **3. malo.** ‖ **4.** V. **mujer fatal.** ‖ **5.** *Der.* Dícese del plazo o término que es improrrogable. ‖ **6.** *Der.* V. **año fatal.** ‖ **7.** Con valor de adv., rematadamente mal. *Lo hiciste* FATAL.

fatalidad. (Del lat. *fatalĭtas, -ātis.*) f. Cualidad de fatal. ‖ **2.** Desgracia, desdicha, infelicidad.

fatalismo. (De *fatal.*) m. Doctrina según la cual todo sucede por ineludible determinación del hado o destino, sin que exista en ningún ser libertad ni albedrío.

fatalista. adj. Que sigue la doctrina del fatalismo. Ú. t. c. s.

fatalmente. adv. m. Inevitablemente, forzosamente. ‖ **2.** Desgraciadamente, desdichadamente. ‖ **3.** Muy mal.

fatídicamente. adv. m. De manera fatídica.

fatídico, ca. (Del lat. *fatidĭcus.*) adj. Aplícase a las cosas o personas que anuncian o pronostican el porvenir. Dícese más comúnmente de las que anuncian desgracias.

fatiga. (De *fatigar.*) f. Agitación duradera, cansancio, trabajo intenso y prolongado. ‖ **2.** Molestia ocasionada por un esfuerzo más o menos prolongado o por otras causas y que se manifiesta en la respiración frecuente o difícil. ‖ **3.** Ansia de vomitar. Ú. m. en pl. ‖ **4.** fig. Molestia, penalidad, sufrimiento. Ú. m. en pl. ‖ **darle** a uno **fatiga** una cosa. fr. fam. Hacerle sentir escrúpulos, reparos, miramientos.

fatigación. (Del lat. *fatigatĭo, -ōnis.*) f. **fatiga.** ‖ **2.** ant. fig. Molestia causada por la pretensión de otro.

fatigadamente. adv. m. Con fatiga.

fatigador, ra. (Del lat. *fatigātor, -ōris.*) adj. Que fatiga a otro.

fatigar. (Del lat. *fatigāre.*) tr. Causar fatiga. Ú. t. c. prnl. ‖ **2.** Vejar, molestar.

fatigosamente. adv. m. Con fatiga.

fatigoso, sa. adj. Fatigado, agitado. ‖ **2.** Que causa fatiga.

fatimí. (Del ár. *fāṭimī*, perteneciente o relativo a *Fāṭima*.) adj. Descendiente de Fátima, hija única de Mahoma. Apl. a pers., u. t. c. s.

fatimita. adj. **fatimí.** Ú. t. c. s.

fato[1]**.** m. ant. **hado.**

fato[2]**.** m. ant. **hato.**

fato[3]**.** m. **olfato.** ‖ **2.** Olor, especialmente el desagradable.

fato[4]**, ta.** adj. *Ast., Huesca* y *Rioja.* **fatuo.** Ú. t. c. s.

fator. m. ant. **factor.**

fatoraje. m. ant. **factoría.**

fatoría. f. ant. **factoría.**

fatuidad. (Del lat. *fatuĭtas, -ātis.*) f. Falta de razón o de entendimiento. ‖ **2.** Dicho o hecho necio. ‖ **3.** Presunción, vanidad infundada y ridícula.

fatula. f. ant. Fotula, cucaracha voladora. ‖ **2.** *P. Rico.* Cucaracha grande de color leonado.

fatulo, la. (De *fatula.*) adj. *P. Rico* y *Sto. Dom.* Dícese del gallo que, a pesar de ser grande, no sirve para la pelea. ‖ **2.** *P. Rico* y *Sto. Dom.* Falso. *Noticia* FATULA. ‖ **3.** *P. Rico.* Cobarde, necio, tonto.

fatuo, tua. (Del lat. *fatŭus.*) adj. Falto de razón o de entendimiento. Ú. t. c. s. ‖ **2.** Lleno de presunción o vanidad infundada y ridícula. Ú. t. c. s. ‖ **3.** V. **fuego fatuo.**

faucal. adj. Perteneciente o relativo a las fauces.

fauces. (Del lat. *fauces.*) f. pl. Parte posterior de la boca de los mamíferos, que se extiende desde el velo del paladar hasta el principio del esófago. ‖ **2.** *Anat.* V. **istmo de las fauces.**

fauna. (Del lat. *Fauna*, diosa de la fecundidad.) f. Conjunto de los animales de un país o región. ‖ **2.** Obra que los enumera y describe.

faunesco, ca. adj. Perteneciente o relativo al fauno, propio del fauno.

fáunico, ca. adj. Perteneciente o relativo a la fauna.

fauno. (Del lat. *faunus.*) m. *Mit.* Semidiós de los campos y selvas. ‖ **2.** Hombre lascivo.

faurestina. f. *Cuba.* Árbol de la familia de las mimosáceas, muy copudo, de flores olorosas, que se planta a los lados de los caminos para dar sombra.

fáustico, ca. adj. Perteneciente o relativo al *Fausto* de Goethe y a la actitud espiritual que el protagonista de esta obra representa.

fausto[1]**.** (Del lat. *fastus.*) m. Grande ornato y pompa exterior; lujo extraordinario.

fausto[2]**, ta.** (Del lat. *faustus.*) adj. Feliz, afortunado.

faustoso, sa. adj. **fastuoso.**

fautor, ra. (Del lat. *fautor, -ōris.*) m. y f. El que favorece y ayuda a otro. Hoy se usa más generalmente en sentido peyorativo.

fautoría. (De *fautor.*) f. **favor,** ayuda, socorro que se concede a uno.

favela. (Voz port.) f. *Amér.* Barraca, chabola.

favila. (Del lat. *favilla.*) f. poét. Pavesa o ceniza del fuego.

favo. (Del lat. *favus.*) m. ant. **panal** de miel. Ú. en León y Salamanca. ‖ **2.** *Med.* Enfermedad cutánea semejante a la tiña.

favonio. (Del lat. *favonĭus.*) m. Viento que sopla de poniente; céfiro, viento suave. Ú. m. en poesía.

favor. (Del lat. *favor, -ōris.*) m. Ayuda, socorro que se concede a uno. ‖ **2.** Honra, beneficio, gracia. ‖ **3. privanza.** ‖ **4.** Expresión de agrado que suelen hacer las damas. ‖ **5.** Cinta, flor u otra cosa semejante dada por una dama a un caballero, y que en las fiestas públicas llevaba este en el sombrero o en el brazo. ‖ **6.** V. **palo de favor.** ‖ **7.** *Méj.* Seguido de la prep. *de* y un infinitivo, equivale a **hazme, hágame,** etc., **el favor de.** ‖ **a favor de.** loc. prep. En beneficio y utilidad de alguien. ‖ **2.** Con la ayuda de. A FAVOR DEL *viento o* DE *la marea.* ‖ **a favor de obra.** fr. con que se denota que una cosa, lejos de contrariar, favorece el intento que se persigue. ‖ **de favor.** loc. adj. Dícese de algunas cosas que se obtienen gratuitamente; como billetes de teatro, pases de ferrocarril, etc. ‖ **en favor de.** loc. prep. En beneficio y utilidad de alguien. ‖ **estar** uno **en favor.** fr. Poder mucho con una persona. ‖ **¡favor a la justicia! ¡favor al rey!** exprs. con que los ministros de justicia pedían ayuda y socorro para aprehender a un delincuente. ‖ **hazme el favor de** tal cosa. expr. de cortesía con que se pide algo. Ú. t. con otros tiempos y personas del verbo *hacer.* ‖ **por favor.** loc. **hazme el favor.** ‖ **2.** A veces se dice como protesta. ‖ **tener** uno **a su favor** a alguien o algo. fr. Tenerlo de su parte, dispuesto a acudir en su ayuda o defensa.

favorable. (Del lat. *favorabĭlis.*) adj. Que favorece. ‖ **2.** Propicio, apacible, benévolo. ‖ **3.** V. **privilegio favorable.**

favorablemente. adv. m. Con favor, benévolamente. ‖ **2.** De conformidad con lo que se desea. *La instancia fue informada* FAVORABLEMENTE.

favorecedor, ra. adj. Que favorece. Ú. t. c. s.

favorecer. (De *favor.*) tr. Ayudar, amparar a uno. ‖ **2.** Apoyar un intento, empresa u opinión. ‖ **3.** Dar o hacer un favor. ‖ **4.** Mejorar el aspecto o apariencia de alguien o de algo. *Estás muy* FAVORECIDO *en el retrato.* ‖ **favorecerse de** una persona o cosa. fr. Acogerse a ella; valerse de su ayuda o amparo.

favorido, da. (p. p. del ant. *favorir*, favorecer.) adj. desus. Favorecido.

favoritismo. (De *favorito.*) m. Preferencia dada al favor sobre el mérito o la equidad, especialmente cuando aquella es habitual o predominante.

favorito, ta. (De *favor.*) adj. Estimado y apreciado con preferencia. ‖ **2.** Persona, animal o entidad a la que se atribuye la mayor probabilidad de ganar en una competición. Ú. t. c. s. ‖ **3.** m. **palo de favor.** ‖ **4.** m. y f. Persona que tiene privanza con un rey o personaje.

fax. m. **telefax.**

faya[1]**.** (Del fr. *faille.*) f. Cierto tejido grueso de seda, que forma canutillo.

faya[2]**.** f. *Sal.* **peñasco,** peña grande y elevada.

fayado. (Del gall. *fayar*, techar.) m. En Galicia, desván que por lo común no es habitable.

fayanca. f. Postura del cuerpo en la cual hay poca firmeza para mantenerse. ‖ **2.** desus. Vaya[1], burla. ‖ **de fayanca.** fr. fig. desus. **a medio mogate,** sin cuidado.

faz[1]**.** f. ant. **haz.**

faz[2]**.** (Del lat. *facĭes.*) f. Rostro o cara. ‖ **2.** Superficie, vista o lado de una cosa. ‖ **3. anverso,** haz principal o cara en las monedas y medallas. ‖ **4.** pl. ant. Mejillas. ‖ **sacra,** o **santa, Faz.** Imagen del rostro de Jesús. ‖ **faz a faz.** loc. adv. p. us. **cara a cara.** ‖ **a prima,** o **primera, faz.** loc. adv. **a primera vista.** ‖ **en faz.** loc. adv. p. us. **a vista.** ‖ **en faz y en paz.** loc. adv. p. us. Pública y pacíficamente.

faz[3]**.** (Del lat. *facĭes*, cara.) prep. ant. **hacia.**

faza. f. ant. **haza.**
fazaleja. (d. de un der. del lat. *facies.*) f. ant. **toalla.**
fazaña. f. ant. **hazaña.** ‖ **2.** ant. Sentencia dada en un pleito. ‖ **3.** ant. Sentencia o refrán.
fazañero, ra. adj. ant. **hazañoso.**
fazañoso, sa. adj. ant. **hazañoso.**
fazferir. (Del lat. *faciem ferire,* herir en la cara.) tr. ant. Echar en rostro a uno una acusación o un cargo, hiriéndole con él como si fuese con una cosa material.
fazoleto. (Del it. *fazzoletto.*) m. ant. **pañuelo.**
fe[1]**.** (Del lat. *fides.*) f. *Rel.* La primera de las tres virtudes teologales: luz y conocimiento sobrenatural con que sin ver se cree lo que Dios dice y la Iglesia propone. ‖ **2.** Conjunto de creencias de alguien, de un grupo o de una multitud de personas. ‖ **3.** V. **artículo, auto de fe.** ‖ **4.** V. **promotor, protestación, símbolo de la fe.** ‖ **5.** Confianza, buen concepto que se tiene de una persona o cosa. *Tener* FE *en el médico.* ‖ **6.** Creencia que se da a las cosas por la autoridad del que las dice o por la fama pública. ‖ **7.** Palabra que se da o promesa que se hace a uno con cierta solemnidad o publicidad. ‖ **8.** Seguridad, aseveración de que una cosa es cierta. *El escribano da* FE. ‖ **9.** Documento que certifica la verdad de una cosa. FE *de soltería,* FE *de bautismo.* ‖ **10. fidelidad,** lealtad. *Guardar la* FE *conyugal.* ‖ **católica. religión católica.** ‖ **de erratas.** *Impr.* Lista de las erratas observadas en un libro, inserta en él al final o al comienzo, con la enmienda que de cada una debe hacerse. ‖ **de livores.** *Der.* Diligencia o testimonio que extiende el escribano en las causas criminales sobre muerte, heridas u otras lesiones corporales, especificando el número de estas y su tamaño, situación y aspecto, según su leal saber y entender. ‖ **de vida.** Certificación negativa de defunción y afirmativa de presencia, expedida por autoridad competente y sobre todo utilizada para el cobro de haberes pasivos. ‖ **2.** fig. y fam. Acto de presencia o noticia auténtica del que permanecía alejado. Ú. principalmente con el verbo *dar.* ‖ **pública.** Autoridad legítima atribuida a notarios, escribanos, agentes de cambio y bolsa, cónsules y secretarios de juzgados, tribunales y otros institutos oficiales, para que los documentos que autorizan en debida forma sean considerados como auténticos y lo contenido en ellos sea tenido por verdadero mientras no se haga prueba en contrario. ‖ **púnica.** fig. **mala fe.** ‖ **buena fe.** Rectitud, honradez. ‖ **2.** *Der.* Convicción en que se halla una persona de que hace o posee alguna cosa con derecho legítimo. ‖ **mala fe.** Doblez, alevosía. ‖ **2.** *Der.* Malicia o temeridad con que se hace una cosa o se posee o detenta algún bien. ‖ **a buena fe.** loc. adv. Ciertamente, de seguro, sin duda. ‖ **a fe.** loc. adv. p. us. **en verdad.** También se repite, diciendo **a fe a fe,** por mayor encarecimiento. ‖ **a fe de bueno, de caballero, de cristiano,** etc., exprs. p. us. que se usan para asegurar una cosa. ‖ **a fe mía.** loc. adv. p. us. con que se asegura una cosa. ‖ **a la buena fe.** loc. adv. Con ingenuidad y sencillez; sin dolo o malicia. ‖ **a la fe.** loc. adv. ant. Verdaderamente, ciertamente. Se usa todavía en zonas rurales, y la mayoría de las veces con admiración o extrañeza. ‖ **dar fe.** fr. Ejercitar la **fe** pública: extrajudicial, los notarios; judicial, los escribanos. ‖ **2.** Asegurar una cosa que se ha visto. ‖ **de buena fe.** loc. adv. Con verdad y sinceridad. ‖ **de mala fe.** loc. adv. Con malicia o engaño. ‖ **en fe.** loc. adv. p. us. En seguridad, en fuerza. ‖ **hacer fe.** fr. Ser suficiente un dicho o escrito, o tener los requisitos necesarios para que en virtud de él se crea lo que se dice o ejecuta. ‖ **mía fe.** loc. adv. desus. **a fe mía.** ‖ **por mi fe.** loc. adv. **a fe mía.** ‖ **prestar fe.** fr. Dar asenso a lo que otro dice.
fe[2]**.** adv. demostrativo ant. **he.**
fealdad. (De *feo,* según el modelo de *beldad.*) f. Cualidad de feo. ‖ **2.** fig. Torpeza, deshonestidad, acción indigna y que parece mal.
feamente. adv. m. Con fealdad. ‖ **2.** fig. Torpemente y con acciones indignas.
feamiento. m. ant. **fealdad.**
febeo, a. (Del lat. *Phoebēus.*) adj. poét. Perteneciente a Febo o al Sol.
feblaje. (De *feble.*) m. Merma en el peso de una moneda por defecto de acuñación.
feble. (Del lat. vulg. **febĭlis,* por *flebilis,* deplorable.) adj. Débil, flaco. ‖ **2.** Hablando de monedas, y en general de aleaciones de metales, falto, en peso o en ley. Ú. t. c. s.
febledad. f. ant. Debilidad, flaqueza.
feblemente. adv. m. p. us. Flacamente, flojamente, sin firmeza.
Febo. (Del lat. *Phoebus.*) n. p. m. Nombre de Apolo, como dios de la luz, que en lenguaje poético se tomaba por el Sol.
febra. f. ant. **hebra.**
febrático, ca. (De *fiebre.*) adj. ant. Febricitante o calenturiento.
febrera. (De or. inc.) f. Zanja de riego.
febrerillo. m. d. de **febrero.** Ú. solo en la locución **febrerillo el loco,** para denotar la inconstancia del tiempo en este mes, y en el refrán **febrerillo corto, con sus días veintiocho.**
febrero. (Del lat. *februarĭus.*) m. Segundo mes del año, que en los comunes tiene veintiocho días y en los bisiestos veintinueve.
febricitante. (Del lat. *febricĭtans, -antis,* calenturiento.) adj. *Med.* Dícese del que tiene indicios de fiebre o calentura.
febrícula. (Del lat. *febricŭla,* fiebre ligera.) f. Hipertermia prolongada, moderada, por lo común no superior a 38 grados, casi siempre vespertina, de origen infeccioso o nervioso.
febrido, da. adj. ant. Bruñido, resplandeciente.
febrífugo, ga. (Del lat. *febris,* fiebre, y *-fugo.*) adj. *Farm.* Que quita las calenturas, y más particularmente las intermitentes. Ú. t. c. s. m.
febril. (Del lat. *febrīlis.*) adj. Perteneciente o relativo a la fiebre. ‖ **2.** fig. Ardoroso, desasosegado, violento. *Impaciencia, actividad* FEBRIL.
febrilmente. adv. m. Con fiebre. ‖ **2.** fig. Con afán, con vehemencia.
febroniano, na. (De *Febronio* [Juan Nicolás Hontheim], canonista alemán del siglo XVIII.) adj. Perteneciente a la doctrina que rebajaba la potestad pontificia y exaltaba la autoridad de los obispos.
fecal. (Der. del lat. *faex, faecis,* hez, excremento.) adj. Perteneciente o relativo al excremento intestinal.
fecial. (Del lat. *feciālis.*) m. Entre los romanos, sacerdote que declaraba la guerra y concertaba la paz.
fécula. (Del lat. *faecŭla.*) f. Hidrato de carbono que, en forma de granos microscópicos y como sustancia de reserva, se encuentra principalmente en las células de las semillas, tubérculos y raíces de muchas plantas, de donde se extrae para utilizarlo como alimento del hombre o de los animales domésticos o con fines industriales. Hervida en agua, produce un líquido blanquecino y viscoso que toma color azulado en contacto con el yodo.
feculento, ta. (Del lat. *faeculentus.*) adj. Que contiene fécula. ‖ **2.** Que tiene heces.
fecundable. adj. Susceptible de fecundación.
fecundación. f. Acción y efecto de fecundar. ‖ **artificial.** *Biol.* **inseminación artificial.**
fecundador, ra. (Del lat. *fecundātor, -ōris.*) adj. Que fecunda.
fecundamente. adv. m. Con fecundidad.
fecundar. (Del lat. *fecundāre.*) tr. Fertilizar, hacer produc-

tiva una cosa. ‖ **2.** Hacer directamente fecunda o productiva una cosa por vía de generación u otra semejante. ‖ **3.** *Biol.* Unirse el elemento reproductor masculino al femenino para dar origen a un nuevo ser.

fecundativo, va. adj. Que tiene virtud de fecundar.

fecundidad. (Del lat. *fecundĭtas, -ātis.*) f. Virtud y facultad de producir. ‖ **2.** Cualidad de fecundo. ‖ **3.** Abundancia, fertilidad. ‖ **4.** Reproducción numerosa y dilatada.

fecundización. f. Acción y efecto de fecundizar.

fecundizador, ra. adj. Que fecundiza.

fecundizar. tr. Fertilizar, hacer productiva una cosa. *Los abonos* FECUNDIZAN *el terreno.*

fecundo, da. (Del lat. *fecundus.*) adj. Que produce o se reproduce por los medios naturales. ‖ **2.** Fértil, abundante, copioso.

fecha. (Del lat. *facta,* f. de *factus,* hecho.) f. Data o indicación del lugar y tiempo en que se hace o sucede una cosa, y especialmente la indicación que se pone al principio o al fin de una carta o de cualquier otro documento. ‖ **2.** Data, tiempo en que ocurre o se hace una cosa. ‖ **3.** Cada uno de los días que transcurren desde uno determinado. *Esta carta ha tardado tres* FECHAS. ‖ **ut retro.** La misma expresada anteriormente en un escrito. Fórmula usada para no repetir la **fecha.** ‖ **ut supra.** La misma del encabezamiento de un escrito. Fórmula usada para no repetir la **fecha.** ‖ **larga fecha. larga data.**

fechador. m. Estampilla o sello con que se imprime la fecha en documentos. ‖ **2.** *Chile* y *Perú.* **matasellos.**

fechar. tr. Poner fecha a un escrito. ‖ **2.** Determinar la fecha de un documento, obra de arte, suceso, etc.

fecho, cha. (Del lat. *factus.*) p. p. irreg. ant. de **facer.** Se usó en las mercedes reales, reales despachos y otros documentos públicos. ‖ **2.** adj. En las oficinas, dícese de los expedientes cuyas resoluciones han sido cumplimentadas. Ú. t. c. s. ‖ **3.** m. Nota que se pone generalmente en las minutas de documentos oficiales o al pie de los acuerdos, como testimonio de que han sido cumplimentados. ‖ **4.** V. **fiel de fechos.** ‖ **5.** ant. Acción, hecho o hazaña. ‖ **malos fechos.** ant. Delitos.

fechor. (Del lat. *factor, -ōris.*) m. ant. El que hace alguna cosa.

fechoría. (De *fechor.*) f. Mala acción. ‖ **2.** Travesura.

fechura. f. ant. **hechura.** ‖ **2.** ant. Hechura o figura que tiene una cosa.

fechuría. f. **fechoría.**

fedatario. (De *fe*[1] y *datario.*) m. Denominación genérica aplicable al notario y otros funcionarios que dan fe pública.

fedegar. tr. *Sal.* Bregar, amasar.

feder. intr. ant. **heder.**

federación. (Del lat. *foederatĭo, -ōnis.*) f. Acción de federar. ‖ **2.** Organismo, entidad o Estado resultante de dicha acción. ‖ **3.** Estado federal. ‖ **4.** Poder central del mismo.

federal. (Del lat. *foedus, -ĕris,* pacto, alianza.) adj. **federativo.** ‖ **2. federalista.** Apl. a pers., ú. t. c. s. ‖ **3.** V. **estado federal.**

federalismo. (De *federal.*) m. Espíritu o sistema de confederación entre corporaciones o Estados.

federalista. adj. Partidario del federalismo. Apl. a pers., ú. t. c. s. ‖ **2. federativo.**

federar. (Del lat. *foederāre.*) tr. Unir por alianza, liga, unión o pacto entre varios. Ú. t. c. prnl.

federativo, va. (Del lat. *foederātus* e *-ivo.*) adj. Perteneciente o relativo a la federación. ‖ **2.** Aplícase al sistema de varios Estados que, rigiéndose cada uno por leyes propias, están sujetos en ciertos casos y circunstancias a las decisiones de un gobierno central.

federica (a la). loc. adv. Aplícase a la indumentaria, tocado, arreos y demás adornos de moda en tiempos de Federico el Grande de Prusia.

fediondo, da. adj. ant. **hediondo.**

fedor. m. ant. **hedor.**

feérico, ca. adj. Relativo a las hadas.

feeza. (De *feo.*) f. ant. **fealdad.**

fefaciente. (De *fe* y *faciente.*) adj. ant. **fehaciente.**

fefaút. (De la letra *f* y de las notas musicales *fa* y *ut.*) m. En la música antigua, indicación del tono que principia en el cuarto lugar de la escala diatónica de *do* y se desarrolla según los preceptos del canto llano y del canto figurado.

féferes. m. pl. *Col., C. Rica, Cuba, Ecuad., Méj.* y *Sto. Dom.* Bártulos, trastos, baratijas.

fehaciente. (De *fefaciente.*) adj. Que hace fe, fidedigno.

feísmo. m. Tendencia artística o literaria que valora estéticamente lo feo.

feje. (Del lat. *fascis.*) m. *Can.* y *León.* Haz, fajo.

feladiz. (De *filadiz.*) m. *Ar.* Trencilla, especialmente la que se usa para atar las alpargatas.

feldespático, ca. adj. Perteneciente o relativo al feldespato. ‖ **2.** Que contiene feldespato.

feldespato. (Del al. *feldspat.*) m. Nombre común de diversas especies minerales, de color blanco, amarillento o rojizo, brillo resinoso o nacarado y gran dureza, que forman parte de rocas ígneas, como el granito. Químicamente son silicatos complejos de aluminio con sodio, potasio o calcio, y cantidades pequeñas de óxidos de magnesio y hierro. Entre los **feldespatos** más importantes están la ortosa, la albita y la labradorita.

felibre. (Del prov. *felibre.*) m. Poeta provenzal moderno.

felice. adj. ant. **feliz.**

felicemente. adv. m. ant. **felizmente.**

felicidad. (Del lat. *felicĭtas, -ātis.*) f. Estado del ánimo que se complace en la posesión de un bien. ‖ **2.** Satisfacción, gusto, contento. *Las* FELICIDADES *del mundo.* ‖ **3.** Suerte feliz. *Viajar con* FELICIDAD.

felicitación. f. Acción y efecto de felicitar. ‖ **2.** Tarjeta postal, telegrama, etc., con que se felicita.

felicitar. (Del lat. *felicitāre,* hacer feliz.) tr. Manifestar a una persona la satisfacción que se experimenta con motivo de algún suceso fausto para ella. Ú. t. c. prnl. ‖ **2.** Expresar el deseo de que una persona sea venturosa. ‖ **3.** desus. Hacer feliz y dichoso a uno.

félido, da. (Del lat. *felis,* gato, e *-ido.*) adj. *Zool.* Dícese de mamíferos digitígrados del orden de los carnívoros, que tienen la cabeza redondeada y hocico corto, patas anteriores con cinco dedos y posteriores con cuatro, uñas agudas y retráctiles; como el león y el gato. Ú. t. c. s. ‖ **2.** m. pl. *Zool.* Familia de estos animales.

feligrés, sa. (Del lat. vulg. hispánico *fili eclesĭae,* hijo de la Iglesia.) m. y f. Persona que pertenece a determinada parroquia. ‖ **2.** fig. p. us. Camarada, compañero.

feligresía. (De *feligrés.*) f. Conjunto de feligreses de una parroquia. ‖ **2.** Territorio encomendado a un párroco. ‖ **3.** Parroquia rural, compuesta de diferentes barrios.

felino, na. (Del lat. *felīnus.*) adj. Perteneciente o relativo al gato. ‖ **2.** Que parece de gato. ‖ **3.** Dícese de los animales que pertenecen a la familia zoológica de los félidos. Ú. t. c. s. m.

feliz. (Del lat. *felix, -īcis.*) adj. Que tiene felicidad. *Hombre* FELIZ. Ú. t. en sent. fig. *Estado* FELIZ. ‖ **2.** Que causa felicidad. *Hora* FELIZ. ‖ **3.** Aplicado a pensamientos, frases o expresiones, oportuno, acertado, eficaz. *Dicho, ocurrencia, idea* FELIZ. ‖ **4.** Que ocurre o sucede con felicidad. *Campaña* FELIZ.

felizmente. adv. m. Con felicidad. ‖ **2.** Por dicha, por fortuna.

felón, na. (Del fr. *félon,* desleal.) adj. Que comete felonía. Ú. t. c. s.

felonía. (De *felón.*) f. Deslealtad, traición, acción fea.

felpa. (De or. inc.) f. Tejido de seda, algodón, etc., que tiene pelo por el haz. ‖ **2.** fig. y fam. Zurra de golpes. ‖ **3.** fig. y fam. Rapapolvo. ‖ **larga.** La que tiene el pelo largo como de medio dedo.

felpar. tr. Cubrir de felpa. ‖ **2.** fig. poét. Cubrir con vello u otra cosa a manera de felpa. *El lirio que* FELPÓ *naturaleza.* Ú. t. c. prnl. *La tierra* SE FELPÓ *de hierbas.*

felpeada. f. fam. *Argent.* y *Urug.* **felpa,** reprensión áspera.

felpear. (De *felpa,* rapapolvo.) tr. fam. *Argent.* y *Urug.* Reprender ásperamente a una persona.

felpilla. (d. de *felpa.*) f. Cordón de seda tejida en un hilo con pelo como la felpa, que sirve para bordar y guarnecer vestidos u otras cosas.

felpo. m. Felpudo, ruedo.

felposo, sa. (De *felpa.*) adj. Cubierto de pelos blandos, entrelazados, de modo que no se distinguen sus hilos. ‖ **2.** Semejante a la felpa.

felpudo, da. (De *felpa.*) adj. Tejido en forma de felpa. ‖ **2.** Que parece de felpa. ‖ **3.** m. Esterilla afelpada. ‖ **4.** Estera gruesa y afelpada que se usa principalmente en la entrada de las casas a modo de limpiabarros, o para pasillos de mucho tránsito.

felús. (Del ár. *fulūs,* monedas de cobre, dinero.) m. En Marruecos, dinero, y especialmente la moneda de cobre de poco valor.

femar. tr. *Ar.* Abonar con fiemo o fimo.

fematero, ra. (De *fiemo.*) m. y f. *Ar.* Persona que se dedica a recoger la basura.

fembra. f. ant. **hembra.**

femencia. (De or. inc.) f. ant. **hemencia.**

femenciar. (De *femencia.*) tr. ant. **hemenciar.**

femenil. (Del lat. tard. *feminīlis.*) adj. Perteneciente o relativo a la mujer.

femenilmente. adv. m. Afeminadamente; con modo propio de la mujer.

femenino, na. (Del lat. *femininus.*) adj. Propio de mujeres, perteneciente o relativo a ellas. ‖ **2.** Que posee los rasgos propios de la feminidad. ‖ **3.** Dícese del ser dotado de órganos para ser fecundado. ‖ **4.** Perteneciente o relativo a este ser. ‖ **5.** fig. Débil, endeble. ‖ **6.** *Gram.* V. **género femenino.** Ú. t. c. s. ‖ **7.** *Gram.* Perteneciente al género **femenino.** *Nombre* FEMENINO; *terminación* FEMENINA. Ú. t. c. s. ‖ **el eterno femenino.** (Traducción del al. *das Ewig-weibliche.*) El conjunto de los caracteres supuestamente permanentes e inmutables de la psicología **femenina.**

fementidamente. adv. m. Con falsedad y falta de fe y palabra.

fementido, da. (De *fe*[1] y *mentido.*) adj. Falto de fe y palabra. ‖ **2.** Engañoso, falso, tratándose de cosas.

femera. (De *fiemo.*) f. *Ar.* Lugar donde se recoge el estiércol.

fémina. (Del lat. *femĭna.*) f. Mujer, persona del sexo femenino.

feminal. (Del lat. *feminālis.*) adj. ant. **femenil.**

femineidad. (De *femíneo.*) f. Cualidad de femíneo. ‖ **2.** *Der.* Cualidad de ciertos bienes, en cuanto pertenecientes a la mujer. ‖ **3.** *Der.* V. **mayorazgo de femineidad.**

feminela. f. *Art.* Pedazo de zalea que cubre el zoquete de la lanada.

femíneo, a. (Del lat. *feminĕus.*) adj. Femenino, femenil.

feminidad. (Del adj. ant. *feminino,* por haplología.) f. Cualidad de femenino. ‖ **2.** *Pat.* Estado anormal del varón en que aparecen uno o varios caracteres sexuales femeninos.

feminismo. (Del lat. *femĭna,* mujer, hembra, e *-ismo.*) m. Doctrina social favorable a la mujer, a quien concede capacidad y derechos reservados antes a los hombres. ‖ **2.** Movimiento que exige para las mujeres iguales derechos que para los hombres.

feminista. adj. Relativo al feminismo. ‖ **2.** Dícese del partidario del feminismo. Ú. t. c. s.

feminización. f. *Gram.* Acción de dar forma femenina a un nombre que no la tiene. ‖ **2.** *Gram.* Acción de dar género femenino a un nombre originariamente masculino o neutro. ‖ **3.** *Fisiol.* Aparición y desarrollo de los caracteres sexuales femeninos en la mujer normal, en el tiempo de la pubertad. ‖ **4.** *Fisiol.* Aparición de determinados caracteres sexuales femeninos, como el desarrollo de la mama o la anchura excesiva de la pelvis en algunos hombres.

feminoide. (Del lat. *femĭna,* mujer, y *-oide.*) adj. Dícese del varón que tiene ciertos rasgos femeninos.

femoral. adj. *Anat.* Perteneciente o relativo al fémur. ‖ **2.** *Anat.* V. **bíceps, tríceps femoral.** ‖ **3.** m. *Zool.* **fémur,** artejo de las patas de los insectos.

femtogramo. (Del noruego o del danés *femten,* quince, y *gramo.*) Milbillonésima parte del gramo.

fémur. (Del lat. *femur.*) m. Hueso del muslo, que se articula por uno de sus extremos con el coxis y por el otro con la tibia y el peroné. ‖ **2.** *Zool.* Artejo de las patas de los insectos, articulado por uno de sus extremos con el trocánter y por el otro con la tibia.

fenal. (Del lat. *foenum,* heno.) m. *Ar.* **prado,** terreno húmedo o de regadío con hierba para el ganado.

fenazo. (Del lat. *foenum,* heno.) m. *Ar.* **lastón.**

fenchidor, ra. adj. ant. **henchidor.**

fenchimiento. m. ant. **henchimiento.**

fenchir. tr. ant. **henchir.**

fenda. (De *fender.*) f. Raja o hendedura al hilo en la madera.

fendedura. f. ant. **hendedura.**

fender. tr. ant. **hender.**

fendi. m. **efendi.**

fendiente. m. **hendiente.**

fenecer. (der. del ant. *fenir,* finir.) tr. p. us. Poner fin a una cosa, concluirla. FENECER *las cuentas.* ‖ **2.** intr. Morir o fallecer. ‖ **3.** Acabarse, terminarse o tener fin una cosa.

fenecí. m. desus. *And.* Estribo, contrafuerte de un arco.

fenecimiento. m. Acción y efecto de fenecer.

fenestra. (Del lat. *fenestra.*) f. ant. **ventana.**

fenestraje. m. ant. Conjunto de fenestras.

fenianismo. m. Partido o secta de los fenianos. ‖ **2.** Conjunto de principios y doctrinas que defienden.

feniano. (Del ing. *fenian.*) m. Individuo de la secta y partido políticos adversos a la dominación inglesa en Irlanda.

fenicado, da. p. p. de **fenicar.** ‖ **2.** adj. Que tiene ácido fénico.

fenicar. tr. Echar ácido fénico a una cosa.

fenice. (Del lat. *Phoenix, -īcis.*) adj. desus. **fenicio.** Apl. a pers., ú. t. c. s.

feniciano, na. adj. ant. **fenicio.** Apl. a pers., usáb. t. c. s.

fenicio, cia. (Del lat. *Phoenicĭus.*) adj. Natural de Fenicia. Ú. t. c. s. ‖ **2.** Perteneciente a este país del Asia antigua.

fénico. (Del gr. φαίνω, mostrar, brillar, por alusión al gas de alumbrado.) adj. *Quím.* V. **ácido fénico.**

fénix. (Del lat. *phoenix.*) m. Ave fabulosa, que los antiguos creyeron que era única y renacía de sus cenizas. Usáb. t. c. f. ‖ **2.** fig. Lo que es exquisito o único en su especie. *El* FÉNIX *de los ingenios.*

fenogreco. (Del lat. *foenum graecum,* heno griego.) m. **alholva.**

fenol. (Del gr. φαίνω, mostrar, brillar, y *-ol*[1].) m. *Quím.* Cuerpo sólido que se extrae por destilación de los aceites de alquitrán. Se usa como antiséptico en medicina.

fenología. (Del gr. φαίνω, mostrar, aparecer, y *-logía.*) f. Parte de la meteorología que investiga las variaciones atmosféricas en su relación con la vida de animales y plantas.

fenológico, ca. adj. Dícese de lo que se refiere o concierne a la fenología.

fenomenal. adj. Perteneciente o relativo al fenómeno. ‖ **2.** Que participa de la naturaleza del fenómeno. ‖ **3.** fam. Tremendo, muy grande. *Un cuello de puntas* FENOMENALES. ‖ **4.** fig. Estupendo, admirable, muy bueno. *Es un chico* FENOMENAL. ‖ **5.** adv. m. **estupendamente.** *Lo pasamos* FENOMENAL *aquella tarde.*

fenoménico, ca. adj. Perteneciente o relativo al fenómeno como apariencia o manifestación de algo.

fenómeno. (Del gr. φαινόμενον, a través del lat. *phaenomĕnon.*) m. Toda apariencia o manifestación, así del orden material como del espiritual. ‖ **2.** Cosa extraordinaria y sorprendente. ‖ **3.** fam. Persona o animal monstruoso. ‖ **4.** fam. Persona sobresaliente en su línea. ‖ **5.** adj. fig. y fam. Muy bueno, magnífico, sensacional. *Es un tío* FENÓMENO. Ú. t. c. adv. *Lo pasamos* FENÓMENO.

fenomenología. f. *Fil.* Teoría de los fenómenos o de lo que aparece. ‖ **2.** En Hegel, dialéctica interna del espíritu que presenta las formas de la conciencia hasta llegar al saber absoluto. ‖ **3.** En Edmund Husserl y su escuela, método descriptivo, fundado en la intuición, de las esencias de las vivencias de la conciencia pura, y tesis filosófica idealista según la cual la verdadera realidad es la conciencia pura, después de la reducción fenomenológica.

fenomenológico, ca. adj. Perteneciente o relativo a la fenomenología.

fenomenólogo, ga. m. y f. El que cultiva la fenomenología.

fenotípico, ca. adj. *Biol.* Perteneciente o relativo al fenotipo.

fenotipo. (Del gr. φαίνω, mostrar, aparecer, y τύπος, tipo.) m. *Biol.* Realización visible del genotipo en un determinado ambiente.

feo, a. (Del lat. *foedus.*) adj. Que carece de belleza y hermosura. ‖ **2.** fig. Que causa horror o aversión. *Acción* FEA. ‖ **3.** fig. De aspecto malo o desfavorable. *El asunto se pone* FEO. ‖ **4.** En el juego, se dice de las cartas falsas. ‖ **5.** V. **sexo feo.** ‖ **6.** m. fam. Desaire manifiesto, grosero. *Le hizo muchos* FEOS.

feote, ta. adj. aum. de **feo.**

feotón, na. adj. fam. aum. de **feote.**

fer. tr. ant. **hacer.**

feracidad. (Del lat. *feracĭtas, -ātis.*) f. Fertilidad, fecundidad de los campos.

feral. (Del lat. *ferālis.*) adj. desus. Cruel, sangriento.

feraz. (Del lat. *ferax, -ācis.*) adj. Fértil, copioso de frutos.

ferecracio. (Del lat. *pherecratīus.*) adj. V. **verso ferecracio.** Ú. t. c. s.

feredad. (Del lat. *ferĭtas, -ātis.*) f. ant. Cualidad de fiero.

ferendae sententiae. expr. lat. V. **censura, excomunión ferendae sententiae.**

féretro. (Del lat. *ferĕtrum.*) m. Caja o andas en que se llevan a enterrar los difuntos.

feria. (Del lat. *ferĭa.*) f. En el lenguaje eclesiástico, cualquiera de los días de la semana, excepto el sábado y domingo. Se dice **feria segunda,** el lunes; **tercera,** el martes, etc. ‖ **2.** Descanso y suspensión del trabajo. ‖ **3.** Mercado de mayor importancia que el común, en paraje público y días señalados, y también las fiestas que se celebran con tal ocasión. ‖ **4.** Paraje público en que están expuestos los animales, géneros o cosas para su venta. *Voy a la* FERIA; *en la* FERIA *hay mucha gente.* ‖ **5.** Concurrencia de gente en un mercado de esta clase. ‖ **6.** Conjunto de instalaciones recreativas, como carruseles, circos, casetas de tiro al blanco, etc., y de puestos de venta de dulces y de chucherías, que, con ocasión de determinadas fiestas, se montan en las poblaciones. ‖ **7.** Instalación donde se exponen los productos de un solo ramo industrial o comercial, como libros, muebles, juguetes, etc., para su promoción y venta. ‖ **8.** fig. Trato, convenio. ‖ **9.** *Méj.* Dinero menudo, cambio. ‖ **10.** *C. Rica.* Adehala, añadidura, propina. ‖ **11.** pl. p. us. Dádivas o agasajos que se hacen por el tiempo en que hay **ferias** en algún lugar. *Dar* FERIAS. ‖ **de muestras.** Instalación donde, con periodicidad determinada, se exponen máquinas, herramientas, vehículos, aparatos y otros productos industriales o de comercio, para promover su conocimiento y venta. ‖ **ferias mayores.** Las de Semana Santa. ‖ **revolver la feria.** fr. fig. y fam. Causar disturbios, alborotar; descomponer un negocio en que otros entienden.

feriado, da. p. p. de **feriar.** ‖ **2.** adj. V. **día feriado.**

ferial. (Del lat. *feriālc.*) adj. Perteneciente a las ferias o días de la semana. ‖ **2.** ant. Perteneciente a feria o mercado. ‖ **3.** m. **feria,** mercado público. ‖ **4. feria,** lugar donde se celebra.

feriante. (De *feriar.*) adj. Concurrente a la feria para comprar o vender. Ú. t. c. s.

feriar. (De *feria.*) tr. Comprar en la feria. ‖ **2.** Vender, comprar o permutar una cosa por otra. ‖ **3.** p. us. Dar ferias, regalar. Ú. t. c. prnl. ‖ **4.** intr. p. us. Suspender el trabajo por uno o varios días, haciéndolos como feriados o de fiesta.

ferida. f. ant. **herida.** ‖ **2.** ant. **golpe** en el cuerpo.

feridad. (Del lat. *ferĭtas, -ātis.*) f. ant. Ferocidad o fiereza.

ferido, da. p. p. de **ferir.** ‖ **2.** adj. ant. V. **lid ferida de palabras.**

feridor, ra. adj. ant. Que hiere. Usáb. t. c. s.

ferino, na. (Del lat. *ferinus.*) adj. Perteneciente a la fiera o que tiene sus propiedades. ‖ **2.** *Pat.* V. **tos ferina.**

ferir. tr. ant. **herir.** ‖ **2.** ant. **aferir.**

ferlín. (Del anglosajón *feordling,* cuarta parte de una moneda.) m. Moneda antigua que valía la cuarta parte de un dinero.

fermata. (Del it. *fermata,* detención.) f. *Mús.* Sucesión de notas de adorno, por lo común en forma de cadencia, que se ejecuta suspendiendo momentáneamente el compás. ‖ **2.** *Mús.* **calderón,** signo que representa la suspensión del movimiento del compás.

fermentable. adj. Susceptible de fermentación.

fermentación. (Del lat. *fermentatĭo, -ōnis.*) f. Acción y efecto de fermentar.

fermentado, da. p. p. de **fermentar.** ‖ **2.** adj. V. **pan fermentado.**

fermentador, ra. adj. Que fermenta o hace fermentar.

fermentar. (Del lat. *fermentāre.*) intr. Producirse un proceso químico por la acción de un fermento, que aparece íntegramente al final de la serie de reacciones químicas sin haberse modificado. ‖ **2.** fig. Agitarse o alterarse los ánimos. ‖ **3.** tr. Hacer o producir la fermentación.

fermentativo, va. adj. Que tiene la propiedad de hacer fermentar.

fermento. (Del lat. *fermentum.*) m. *Biol.* Cualquiera de las sustancias coloidales, solubles en agua y elaboradas por las células, que intervienen en el desarrollo de muchos procesos bioquímicos actuando a la manera de los catalizadores inorgánicos. ‖ **2.** fig. Causa o motivo de agitación o alteración de los ánimos. ‖ **3.** fig. Influjo que induce a la realización de un proceso o de una actividad.

fermio. (De *Fermi,* físico italiano.) m. *Quím.* Elemento radiactivo artificial. Lo mismo que el einstenio, se encontró entre los restos de la primera bomba de hidrógeno y luego fue obtenido bombardeando el californio con neutrones. Tiene propiedades análogas a las del erbio. Núm. atómico 100. Símb.: *Fm.* ‖ **2.** Unidad de longitud empleada en física nuclear. Equivale a 10^{-12} milímetros.

fermosamente. adv. m. ant. **hermosamente.**

fermoso, sa. adj. ant. **hermoso.**

fermosura. f. ant. **hermosura.**

Fernambuco. (De *Fernambuco*, o *Pernambuco*, en el Brasil, de donde procede esta mercancía.) m. V. **palo de Fernambuco.**

fernandina. (Del fr. *ferrandine*.) f. Cierta tela de hilo.

fernandino, na. adj. Perteneciente o relativo a Fernando VII. ‖ **2.** Partidario de este rey. Ú. t. c. s.

-fero, ra. (Del lat. *-fer, -ĕri*, de la raíz de *ferre*, llevar.) elem. compos. que significa «que lleva, contiene o produce»: *mamí*FERO, *sanguí*FERO.

feroce. adj. poét. ant. **feroz.**

ferocia. (Del lat. *ferocĭa*.) f. ant. **ferocidad.**

ferocidad. (Del lat. *ferocĭtas, -ātis*.) f. Fiereza, crueldad. ‖ **2.** p. us. Atrocidad, dicho o hecho insensato.

ferodo. m. Nombre registrado de un material formado con fibras de amianto e hilos metálicos, que se emplea principalmente para forrar las zapatas de los frenos.

feróstico, ca. (De *fiero*.) adj. fam. Irritable y díscolo. ‖ **2.** fam. Feo en alto grado.

feroz. (Del lat. *ferox, -ōcis*.) adj. Que obra con ferocidad y dureza.

ferozmente. adv. m. Con ferocidad.

ferra. f. **farra**[1].

ferrada. (Del lat. *ferrāta*, armada de hierro.) f. Maza armada de hierro, como la de Hércules. ‖ **2.** ant. **herrada,** vasija. Ú. en Asturias.

ferrado, da. p. p. de **ferrar.** ‖ **2.** m. Medida agraria, usada en Galicia, cuya superficie varía desde 4 áreas y 288 miliáreas hasta 6 áreas y 395 miliáreas. ‖ **3.** Medida de capacidad para áridos en la misma región, que varía desde 13 litros y 13 centilitros hasta 16 litros y 15 centilitros.

ferrador. m. ant. **herrador.**

ferradura. f. ant. **herradura.**

ferraje. m. ant. **herraje.**

ferrallista. (Del fr. *ferraille*, hierro de desecho.) m. Operario encargado de doblar y colocar convenientemente la varilla o el redondo de hierro para formar el esqueleto de una obra de hormigón armado.

ferramienta. f. ant. **herramienta.**

ferrar. (Del lat. *ferrāre*.) tr. Guarnecer, cubrir con hierro una cosa. ‖ **2.** ant. **herrar.** ‖ **3.** ant. Marcar o señalar con hierro.

ferrarés, sa. adj. Natural de Ferrara. Ú. t. c. s. ‖ **2.** Perteneciente o relativo a esta ciudad de Italia.

ferre. (Del m. or. que *alférraz*.) m. *Ast.* **alforre,** especie de halcón.

ferreal. adj. *Sal.* Dícese de una variedad de uva de grano oval y hollejo grueso y encarnado.

ferreña. (De *fierro*.) adj. V. **nuez ferreña.**

férreo, a. (Del lat. *ferrĕus*.) adj. De hierro o que tiene sus propiedades. ‖ **2.** V. **línea, vía férrea.** ‖ **3.** fig. Perteneciente al siglo o edad de hierro. ‖ **4.** fig. Duro, tenaz.

ferrer. (Del cat. y arag. *ferrer*, herrero.) m. ant. **herrero**[1].

ferrería. (De *ferrero*.) f. Taller en donde se beneficia el mineral de hierro, reduciéndolo a metal. ‖ **de chamberga.** *Ál.* La que se ocupa en la fabricación de sartenes y otros objetos análogos.

ferrero. m. ant. **herrero**[1]. ‖ **2.** adj. V. **raposo ferrero.**

ferreruelo. (De etim. disc.) m. **herreruelo,** capa más bien corta, con solo cuello sin capilla.

ferrete[1]. (Del mozár. *farrât* o *firrât*.) m. Sulfato de cobre que se emplea en tintorería.

ferrete[2]. (Del fr. *ferret*.) m. Instrumento de hierro que sirve para marcar y poner señal a las cosas. ‖ **2.** *Ar.* **triángulo,** instrumento musical. ‖ **dar ferrete.** fr. fig. *Ar.* y *Murc.* Dar la lata, especialmente cuando se maneja algo con demasiada insistencia.

ferretear. (De *ferrete*[2].) tr. **ferrar,** guarnecer con hierro; herrar. ‖ **2.** Labrar con hierro.

ferretería. (De *ferrete*[2].) f. **ferrería.** ‖ **2.** Tienda donde se venden diversos objetos de metal o de otras materias, como cerraduras, clavos, herramientas, vasijas, etc. ‖ **3.** Conjunto de objetos de hierro que se venden en las **ferreterías.** ‖ **4.** Comercio de hierro.

ferretero, ra. m. y f. Propietario o encargado de una ferretería.

férrico, ca. (Del lat. *ferrum*, hierro.) adj. *Quím.* Aplícase a las combinaciones del hierro en las que el cuerpo unido a este metal lo está en la proporción máxima posible.

ferrificarse. (Del lat. *ferrum*, hierro, y *-ficar*.) prnl. *Min.* Reunirse las partes ferruginosas de una sustancia, formando hierro o adquiriendo la consistencia de tal.

ferrita. (Del lat. *ferrum* e *-ita*[2].) f. *Metal.* Disolución sólida del carbono en el hierro alfa. ‖ **2.** *Electr.* Material mal conductor formado por conglomeración de partículas de óxido de hierro, y empleado como material magnético en muy altas frecuencias.

ferrizo, za. (De *ferro* e *-izo*.) adj. De hierro.

ferro. (Del lat. *ferrum*, hierro.) m. V. **testa de ferro.** ‖ **2.** *Mar.* Ancla de las galeras.

ferrocarril. (Del lat. *ferrum*, hierro, y *carril*.) m. Camino con dos carriles de hierro paralelos, sobre los cuales ruedan los trenes. ‖ **2. tren,** serie de vagones arrastrados por una locomotora. ‖ **3.** Conjunto de instalaciones, vehículos y equipos que constituyen este medio de transporte. ‖ **de sangre.** Aquel en que el tiro o arrastre se verificaba por fuerza animal o de sangre. ‖ **funicular.** El destinado a subir grandes pendientes y que funciona por medio de cables o cadenas. ‖ **suburbano.** El que pone en comunicación el centro de las grandes ciudades con los núcleos populares, industriales, etc., de las afueras.

ferrocarrilero, ra. adj. fam. *Amér.* **ferroviario.**

ferrocianhídrico, ca. (Del lat. *ferrum*, hierro, y *cianhídrico*.) adj. *Quím.* Dícese del ácido obtenido por combinación de una molécula de cianuro ferroso con cuatro de ácido cianhídrico o perteneciente a este ácido.

ferrocianuro. (Del lat. *ferrum*, hierro, y *cianuro*.) m. *Quím.* Sal del ácido ferrocianhídrico.

ferrocino. m. Sarmiento bastardo.

ferrojar. (Del ant. *ferrojo*, y este del lat. *verucŭlum*, infl. por *ferrum*, hierro.) tr. ant. **aherrojar.**

ferrolano, na. adj. Natural del Ferrol. Ú. t. c. s. ‖ **2.** Perteneciente o relativo a esta ciudad.

ferromagnético, ca. adj. *Fís.* Dícese de materiales como el hierro, que tienen muy alta permeabilidad magnética, se saturan y se imantan.

ferrón. m. El que trabaja en una ferrería. ‖ **2.** *Nav.* Arrendatario y maestro de los trabajos en las ferrerías.

ferropea. f. ant. **herropea.**

ferroprusiato. m. *Quím.* **ferrocianuro.** ‖ **2.** Copia fotográfica obtenida en papel sensibilizado con **ferroprusiato** de potasa. Este papel es de color azul intenso y se usa principalmente para la reproducción de planos y dibujos.

ferroso, sa. (Del lat. *ferrum*, hierro, y *-oso*[1].) adj. *Quím.* Aplícase a las combinaciones del hierro en las que el cuerpo unido a este metal lo está en la mínima proporción posible.

ferrovía. (Del it. *ferrovia*.) f. **ferrocarril.**

ferrovial. adj. Perteneciente a las vías férreas.

ferroviario, ria. adj. Perteneciente o relativo a las vías férreas. ‖ **2.** m. Empleado de ferrocarriles.

ferrugiento, ta. (Del lat. *ferrūgo, -ĭnis*, herrumbre.) adj. Que contiene hierro o está dotado de alguna de sus propiedades.

ferrugíneo, a. (Del lat. *ferrugineŭs*.) adj. p. us. **ferruginoso.**

ferruginoso, sa. (Del lat. *ferrūgo, -ĭnis*, y *-oso*[2].) adj. Dícese del mineral que contiene visiblemente hierro. ‖ **2.** Aplícase a las aguas minerales en cuya composición entra alguna sal de hierro.

fértil. (Del lat. *fertĭlis*.) adj. Aplícase a la tierra que produce mucho. ‖ **2.** fig. Dícese del año en que la tierra produce abundantes frutos. ‖ **3.** fig. Que produce mucho. ‖ **4.** fig. Aplicado a personas o animales, capaz de reproducirse.

fertilidad. (Del lat. *fertilĭtas, -ātis.*) f. Cualidad de fértil.

fertilizable. adj. Que puede ser fertilizado.

fertilizador, ra. adj. Que fertiliza.

fertilizante. p. a. de **fertilizar.** Que fertiliza. Ú. t. c. s. m.

fertilizar. (De *fértil* e *-izar.*) tr. Fecundizar la tierra, disponiéndola para que dé abundantes frutos.

férula. (Del lat. *ferŭla.*) f. **cañaheja,** planta. ‖ **2.** desus. Palmeta para castigar a los muchachos de la escuela. ‖ **3.** fig. Autoridad o poder despótico. *Estar uno bajo la* FÉRULA *de otro.* ‖ **4.** *Cir.* Tablilla flexible y resistente que se emplea en el tratamiento de las fracturas.

feruláceo, a. (Del lat. *ferulacĕus.*) adj. *Bot.* Semejante a la férula o cañaheja.

fervencia. (Del lat. *fervens, -entis,* hirviente.) f. **hervencia.**

ferventísimo, ma. adj. sup. **fervientísimo.**

férvido, da. (Del lat. *fervĭdus.*) adj. Que hierve. ‖ **2.** Que arde. ‖ **3.** Que causa ardor.

ferviente. (Del lat. *fervens, -entis.*) p. a. ant. de **fervir.** Que hierve. ‖ **2.** adj. fig. **fervoroso.**

fervientemente. adv. m. Con fervor.

fervientísimo, ma. adj. sup. de **ferviente.**

fervir. tr. ant. **hervir.**

fervor. m. Calor muy intenso. ‖ **2.** ant. **hervor.** ‖ **3.** fig. Celo ardiente hacia las cosas de piedad y religión. ‖ **4.** fig. Entusiasmo o ardor con que se hace una cosa.

fervorar. (De *fervor.*) tr. p. us. Infundir fervor.

fervorín. (d. de *fervor.*) m. Cada una de las jaculatorias que se suelen decir para enfervorizar o enfervorizarse. Ú. m. en pl.

fervorizar. (De *fervor* e *-izar.*) tr. p. us. Infundir fervor. Ú. t. c. prnl.

fervorosamente. adv. m. Con fervor. Ú. m. en lo moral.

fervoroso, sa. adj. fig. Que tiene fervor activo y eficaz.

fescenino, na. (Del lat. *Fescennīnus.*) adj. Natural de Fescenio. Ú. t. c. s. ‖ **2.** Perteneciente a esta ciudad de Etruria. ‖ **3.** V. **versos fesceninos.**

feseta. (Del ár. *fans.*) f. *Murc.* Azada pequeña.

fesoria. (Del lat. *fossorĭa.*) f. *Ast.* Azada pequeña.

festa. f. ant. **fiesta.**

festear. tr. ant. **festejar.** Ú. en Aragón, Murcia y Valencia.

festejador, ra. adj. Que festeja. Ú. t. c. s.

festejar. (Del it. *festeggiare.*) tr. Celebrar algo con fiestas. ‖ **2.** Hacer festejos en obsequio de uno, agasajarlo. ‖ **3.** Requebrar a una mujer. ‖ **4.** Procurar captarse el amor de una mujer. ‖ **5.** desus. *Méj.* Azotar, castigar de obra, golpear. ‖ **6.** prnl. Divertirse, recrearse.

festejo. m. Acción y efecto de festejar. ‖ **2.** Acción de galantear o requebrar a una mujer. ‖ **3.** pl. Regocijos públicos.

festeo. m. ant. **festejo.**

festero, ra. m. y f. **fiestero.** ‖ **2.** m. El que en las capillas de música cuida de organizar las fiestas.

festín. (Del fr. *festin.*) m. Festejo particular, con baile, música, banquete u otros entretenimientos. ‖ **2.** Banquete espléndido.

festinación. (Del lat. *festinatĭo, -ōnis.*) f. Celeridad, prisa, rapidez.

festinar. (Del lat. *festināre.*) tr. ant. Apresurar, precipitar, activar. Ú. en América.

festival. (Del ing. *festival.*) adj. ant. **festivo.** ‖ **2.** m. Fiesta, especialmente musical. ‖ **3.** Conjunto de representaciones dedicadas a un artista o a un arte.

festivamente. adv. m. Con fiesta, regocijo y alegría.

festividad. (Del lat. *festivĭtas, -ātis.*) f. Día festivo en que la Iglesia celebra algún misterio o a un santo. ‖ **2.** Fiesta o solemnidad con que se celebra una cosa. ‖ **3.** p. us. Agudeza, donaire en el modo de decir.

festivo, va. (Del lat. *festīvus.*) adj. Chistoso, agudo. ‖ **2.** Alegre, regocijado y gozoso. ‖ **3.** Solemne, digno de celebrarse. ‖ **4.** V. **día festivo.**

festón. (Del it. *festone.*) m. Adorno compuesto de flores, frutas y hojas, que se ponía en las puertas de los templos donde se celebraba una fiesta o en los lugares en que se hacía algún regocijo público, y en las cabezas de las víctimas en los sacrificios de los gentiles. ‖ **2.** Bordado de realce en que por un lado queda rematada cada puntada con un nudo, de tal modo que puede cortarse la tela a raíz del bordado sin que este se deshaga. ‖ **3.** Cualquier bordado, dibujo o recorte en forma de ondas o puntas, que adorna la orilla o borde de una cosa. ‖ **4.** *Arq.* Adorno a manera de **festón,** en las puertas de los templos antiguos.

festonar. (De *festón.*) tr. **festonear.**

festoneado, da. p. p. de **festonear.** ‖ **2.** adj. Que tiene el borde en forma de festón o de onda.

festonear. tr. Adornar con festón. ‖ **2.** Bordar festones.

feta. (Del it. *fetta.*) f. *Argent.* Lonja de fiambre.

fetación. f. *Med.* Desarrollo del feto, gestación.

fetal. adj. Perteneciente o relativo al feto.

fetén. adj. invar. fam. Sincero, auténtico, verdadero, evidente. ‖ **2.** Bueno, estupendo, excelente. *Conocí a una chica* FETÉN *en Sevilla.* ‖ **la fetén.** expr. fam. La verdad.

feticida. adj. Que ocasiona la muerte de un feto. *Sustancia, maniobra* FETICIDA. ‖ **2.** com. Persona que causa la muerte a un feto. Ú. m. c. adj.

feticidio. m. Acción y efecto de dar muerte a un feto.

fetiche. (Del fr. *fétiche.*) m. Ídolo u objeto de culto al que se atribuye poderes sobrenaturales, especialmente entre los pueblos primitivos.

fetichismo. m. Culto de los fetiches. ‖ **2.** fig. Idolatría, veneración excesiva. ‖ **3.** *Psicol.* Desviación sexual que consiste en fijar alguna parte del cuerpo humano o alguna prenda relacionada con él como objeto de la excitación y el deseo.

fetichista. adj. Perteneciente o relativo al fetichismo. ‖ **2.** com. Persona que profesa este culto.

fetidez. (De *fétido.*) f. Hediondez, hedor.

fétido, da. (Del lat. *foetĭdus.*) adj. **hediondo,** que arroja de sí mal olor. ‖ **2.** V. **asa, caliza fétida.**

feto. (Del lat. *fetus,* cría.) m. Embrión de los mamíferos placentarios y marsupiales, desde que se implanta en el útero hasta el momento del parto. ‖ **2.** **abortón.**

fetor. m. desus. **hedor.**

fetua. (Del ár. *fatwà,* dictamen sobre una consulta jurídica.) f. Decisión que da el muftí a una cuestión jurídica.

feúco, ca. (De *feo.*) adj. despect. fam. **feúcho.**

feúcho, cha. (De *feo.*) adj. despect. fam., a veces afectuoso, con que se encarece y moteja la fealdad de una persona o cosa.

feudal. adj. Perteneciente o relativo al feudo. ‖ **2.** Perteneciente o relativo a la organización política y social basada en los feudos, o al tiempo de la Edad Media en que estos estuvieron en vigor.

feudalidad. f. Cualidad, condición o constitución del feudo.

feudalismo. m. Sistema feudal de gobierno y de organización de la propiedad. ‖ **2.** Época feudal.

feudar. tr. ant. Dar en feudo. ‖ **2.** Entregar el vasallo al señor y el ciudadano al Estado las cargas o impuestos debidos.

feudatario, ria. adj. Sujeto y obligado a pagar feudo. Ú. t. c. s.

feudista. m. *Der.* Autor que escribe sobre la materia de feudos.

feudo. (Del b. lat. *feudum.*) m. Contrato por el cual los soberanos y los grandes señores concedían en la Edad Media tierras o rentas en usufructo, obligándose el que las recibía a guardar fidelidad de vasallo al donante, prestarle el servicio militar y acudir a las asambleas políticas y judiciales que el señor convocaba. ‖ **2.** Reconocimiento o tributo con cuya condición se concede el **feudo.** ‖ **3.** Dignidad o heredamiento que se concede en **feudo.** ‖ **4.** fig. Respeto o vasallaje. ‖ **5.** fig. Propiedad o bien exclusivo. ‖ **de cámara.** El que está constituido en renta anual de dinero sobre la hacienda del señor, inmueble o raíz. ‖ **franco.** El que se concede libre de obsequio y servicio personal. ‖ **impropio.** Aquel al que falta alguna circunstancia de las que pide la constitución del **feudo** riguroso; como el **feudo** de cámara, el franco, etc. ‖ **ligio.** Aquel en que el feudatario queda tan estrechamente subordinado al señor, que no puede reconocer otro con subordinación semejante, a distinción del vasallaje en general, que se puede dar respecto de diversos señores. ‖ **propio.** Aquel en que concurren todas las circunstancias que pide su constitución para hacerlo riguroso; como el **feudo** ligio, el recto, etc. ‖ **recto.** El que contiene obligación de obsequio y servicio personal, determinado o no.

fez[1]**.** f. ant. **hez.**

fez[2]**.** (Del nombre ár. de Fez, *Fās.*) m. Gorro de fieltro rojo y de figura de cubilete, usado especialmente por los moros, y hasta 1925 por los turcos.

fi. m. desus. **hijo.**

fía. (De *fiar.*) f. *Cantabria* y *Extr.* Venta hecha al fiado. ‖ **2.** *Rioja.* **fianza,** fiador.

fiabilidad. f. Cualidad de fiable. ‖ **2.** Probabilidad de buen funcionamiento de una cosa.

fiable. adj. Dícese de la persona a quien se puede fiar, o de quien se puede responder; por ext., se aplica también a las cosas que ofrecen seguridad.

fiado, da. p. p. de **fiar.** ‖ **2.** adj. ant. Seguro y digno de confianza. ‖ **al fiado.** loc. adv. con que se expresa que uno compra, vende, contrata o juega sin dar o tomar de presente lo que debe pagar o recibir. ‖ **en fiado.** loc. adv. Bajo fianza, y se usa cuando uno sale de la cárcel mediante fianza.

fiador, ra. m. y f. Persona que fía una mercancía al venderla. ‖ **2.** Persona que responde por otra de una obligación de pago, comprometiéndose a cumplirla si no lo hace el que la contrajo. ‖ **3.** m. Cordón que llevan algunos objetos para impedir que se caigan o pierdan al usarlos; como el que cosido al interior del cuello de la capa o manteos se rodea a la garganta; el que lleva el sable en su empuñadura para rodearlo a la mano y a la muñeca; el que llevan los instrumentos quirúrgicos destinados a introducirse en el interior de una herida, etc. ‖ **4.** Pasador de metal que sirve para afianzar las puertas por el lado de adentro a fin de que, aun cuando se falsee la llave, no se puedan abrir. ‖ **5.** Cada uno de los garfios que sostienen por debajo los canalones de cinc de los tejados. ‖ **6.** Correa que lleva la caballería de mano o de contraguía a la parte de fuera, desde la guarnición a la cama del freno. ‖ **7.** Pieza con que se afirma una cosa para que no se mueva; como el **fiador** de la escopeta. ‖ **8.** fam. Nalgas de los muchachos, porque son las que, llevando el castigo, pagan las travesuras o picardías que ellos hacen. ‖ **9.** *Chile* y *Ecuad.* **barboquejo.** ‖ **10.** *Cetr.* Cuerda larga con que se suelta el halcón cuando empieza a volar, y se le hace venir al señuelo. ‖ **carcelero.** El que responde de que una persona puesta en libertad provisional comparecerá ante la justicia cuando corresponda o se le cite. ‖ **de salvo.** Antiguamente, el que se daban los que tenían enemistad o estaban desafiados; y esta fianza producía el mismo efecto que la tregua. ‖ **lego, llano y abonado.** El que por no gozar de fuero particular ha de responder ante el juez ordinario de aquello a que se obliga. ‖ **dar fiador.** fr. **dar fianza.**

fiadora. f. Mujer que va vendiendo por las casas ropas y alhajas al fiado y cobra por lo general a plazos.

fiadura. f. ant. **fianza.** ‖ **meter** a uno **en la fiadura.** fr. ant. Darle por fiador.

fiaduría. f. ant. **fianza.**

fiambrar. (De *fiambre.*) tr. Preparar los alimentos que han de comerse fiambres.

fiambre. (De *frío: fiambre,* por *friambre.*) adj. Dícese de la carne o el pescado que, después de asados o cocidos, se comen fríos, y también de la carne curada. Ú. t. c. s. m. ‖ **2.** fig. y fam. Pasado de tiempo o de la sazón oportuna. *Noticia* FIAMBRE. Ú. t. c. s. m. ‖ **3.** m. fig. y fam. **cadáver.** ‖ **4.** *Guat.* Plato nacional hecho con toda clase de carnes, encurtidos y conservas. Se come una vez al año, el día de Todos los Santos. Es plato frío.

fiambrera. f. Cestón o caja para llevar el repuesto de cosas fiambres. ‖ **2.** Cacerola, ordinariamente cilíndrica y con tapa bien ajustada, que sirve para llevar la comida fuera de casa. ‖ **3.** Conjunto de cacerolas iguales que, sobrepuestas unas a otras y con un braserillo debajo, se usan, sujetas en dos barras de hierro, para llevar la comida caliente de un punto a otro. ‖ **4.** *Argent.* y *Urug.* **fresquera.**

fiambrería. f. *And., Argent.* y *Urug.* Tienda donde se venden o preparan fiambres.

fianza. (De *fiar.*) f. Obligación que uno adquiere de hacer algo a lo que otro se ha obligado en caso de que este no lo haga. ‖ **2.** Prenda que da el contratante en seguridad del buen cumplimiento de su obligación. ‖ **3.** Cosa que se sujeta a esta responsabilidad, especialmente cuando es dinero, que pasa a poder del acreedor, o se deposita y consigna. ‖ **4.** Persona que abona a otra para la seguridad de una obligación. ‖ **5.** ant. **confianza.** ‖ **6.** ant. **finca.** ‖ **carcelera.** *Der.* La que se da de que un excarcelado se presentará a la autoridad competente en las fechas señaladas. ‖ **de arraigo.** *Der.* La que se da hipotecando u obligando bienes raíces. ‖ **2.** *Der.* La que se exige de algunos litigantes, especialmente si son extranjeros y demandan a un español, de que permanezcan en el juicio y respondan a sus resultas. ‖ **de estar a derecho.** *Der.* La que presta un tercero de que el demandado se presentará al llamamiento del juez siempre que este lo ordenare. ‖ **de la haz.** *Der.* La que se hace de estar por el reo a todas las obligaciones reales y personales. ‖ **dar fianza.** fr. *Der.* Presentar ante el juez persona o bienes que queden obligados a la paga en caso de faltar el principal a su obligación. ‖ **poner en fianza.** fr. *Veter.* Poner la mano o pie de la caballería en estiércol humedecido con agua, para que, reblandeciéndose el casco, se hierre con más facilidad.

fiar. (Del lat. **fīdāre,* por *fīdĕre.*) tr. Asegurar uno que cumplirá lo que otro promete, o pagará lo que debe, obligándose, en caso de que no lo haga, a satisfacer por él. ‖ **2.** Vender sin tomar el precio de contado, para recibirlo en adelante. ‖ **3.** Dar o comunicar a uno una cosa en confianza. Ú. t. c. prnl. ‖ **4.** ant. Afianzar o asegurar. ‖ **5.** intr. Confiar en una persona. ‖ **6.** Esperar con firmeza o seguridad algo grato. FÍO *en Dios que me socorrerá.* ‖ **ser de fiar** una persona o cosa. fr. Merecer por sus cualidades que se confíe en ella. ‖ **si tan largo me lo fiáis;** a veces se completa, **dad acá lo que os queda.** fr. con que demostramos desconfianza de que se realice lo que mucho se demora.

fiasco. (Del it. *fiasco.*) m. Mal éxito.

fíat. (Del lat. *fiat,* hágase, sea hecho.) m. Consentimiento o mandato para que una cosa tenga efecto. ‖ **2.** Gracia que hacía el Consejo de la Cámara para que uno pudiera ser escribano.

fibiella. (Del lat. **fibella*, por *fibŭla*.) f. ant. **hebilla.**

fibra. (Del lat. *fibra*.) f. Cada uno de los filamentos que entran en la composición de los tejidos orgánicos vegetales o animales. ‖ **2.** Cada uno de los filamentos que presentan en su textura algunos minerales, como el amianto, etc. ‖ **3.** Filamento obtenido por procedimiento químico, y de principal uso en la industria textil. ‖ **4.** Raíces pequeñas y delicadas de las plantas. ‖ **5.** fig. Vigor, energía y robustez. ‖ **muscular.** *Anat.* Cada una de las células, provistas de uno o de muchos núcleos, que tienen forma de filamento, son contráctiles y constituyen la parte principal de los músculos. Estas **fibras** son de dos clases: estriadas, que existen en todos los músculos de los artrópodos y en los de contracción voluntaria de los vertebrados, así como en el miocardio, y lisas, que forman parte de muchas vísceras de los vertebrados, siendo su contracción, en general, independiente de la voluntad, y de todos los músculos de gusanos y moluscos. ‖ **nerviosa.** *Anat.* Cuerpo filiforme, cilíndrico, formado por una neurita y por la envoltura, más o menos complicada, que la rodea. ‖ **óptica.** *Tecnol.* Filamento de material muy transparente que se usa para transmitir por su interior señales luminosas, por ejemplo en comunicación a distancia.

fibrilación. f. *Med.* Contracción espontánea e incontrolada de las fibras del músculo cardiaco.

fibrilar. intr. *Med.* Contraerse espontánea e incontroladamente las fibras del músculo cardiaco.

fibrina. (De *fibra*.) f. *Quím.* Sustancia albuminoidea, insoluble en el agua y en los líquidos salinos, producida por la coagulación de otra sustancia también albuminoidea que se halla disuelta en ciertos líquidos orgánicos como la sangre, la linfa, etc.

fibrocartilaginoso, sa. adj. *Anat.* Perteneciente o relativo al fibrocartílago.

fibrocartílago. m. *Anat.* Tejido constituido por células cartilaginosas pequeñas y ovoideas, separadas unas de otras por numerosos y apretados haces de fibras conjuntivas, a los cuales debe su gran resistencia.

fibrocemento. m. Mezcla de cemento y fibra de amianto, que se emplea para la fabricación de planchas, tuberías, depósitos, etc.

fibroma. (De *fibra*.) m. *Pat.* Tumor formado exclusivamente por tejido fibroso.

fibroso, sa. adj. Que tiene muchas fibras.

fíbula. (Del lat. *fibŭla*.) f. Hebilla, a manera de imperdible, que usaron mucho los griegos y romanos. ‖ **2.** *Anat.* **peroné.**

ficar. (Del lat. **figicāre*, por *figĕre*, fijar.) intr. ant. **quedar.**

-ficar. (Del lat. *-ficāre*, de la raíz de *facĕre*, hacer.) elem. compos. formante de verbos que significan «hacer, convertir en, producir»: *petri*FICAR, *codi*FICAR.

ficción. (Del lat. *fictĭo, -ōnis*.) f. Acción y efecto de fingir. ‖ **2.** Invención, cosa fingida. ‖ **3.** V. **ciencia ficción.** ‖ **de derecho,** o **legal.** *Der.* La que introduce o autoriza la ley o la jurisprudencia en favor de uno; como cuando al hijo concebido se le tiene por nacido.

fice. (Del gr. φυκίς, a través del lat. *phycis*.) m. Pez marino teleósteo, del suborden de los acantopterigios, de unos cuatro decímetros de largo, cabeza pequeña y rojiza, labios gruesos, y doble el superior, dientes fuertes y cónicos, color verdoso con manchas grises por el lomo, y plateado con líneas rojas por el vientre. Vive cerca de las costas y su carne es bastante apreciada.

-fico, ca. (Del lat. *-fĭcus*, de la raíz de *facĕre*, hacer.) elem. compos. que suele significar «que hace, produce o convierte en»: *lapidí*FICO.

ficoideo, a. (Del lat. *ficus*, higo, y *-oideo*.) adj. *Bot.* **aizoáceo.**

ficticio, cia. (Del lat. *fictitĭus*.) adj. Fingido o fabuloso. ‖ **2.** Aparente, convencional.

ficto, ta. (Del lat. *fictus*.) p. p. irreg. de **fingir.**

ficha. (Del fr. *fiche*.) f. Pieza pequeña, generalmente plana y delgada, de hueso, madera, metal, etc., que se usa para señalar los tantos que se ganan o pierden en el juego; también se llaman **fichas** las piezas de forma semejante para otros usos, como establecer comunicación telefónica, abrir o cerrar barreras, poner en marcha determinados aparatos, etc. ‖ **2.** Cada una de las piezas que se usan en algunos juegos. ‖ **3.** Pieza pequeña de cartón, plástico, metal u otras sustancias que, a modo de contraseña, se usa en guardarropas, aparcamientos y sitios análogos. ‖ **4.** Pieza pequeña de cartón, metal u otra sustancia, a la que se asigna un valor convenido y que se usa en sustitución de la moneda en algunas casas de negocio, establecimientos industriales, etc. ‖ **5.** Cédula de cartulina o papel fuerte en que se anotan datos generales, bibliográficos, jurídicos, económicos, policiales, etc., y que se archiva verticalmente con otras del mismo formato. ‖ **6.** Pieza de cartón o cartulina con que se controlan las entradas y salidas del trabajo. ‖ **7.** Pieza de papel o cartulina en que se anotan las características de un libro. ‖ **8.** fig. Persona peligrosa; pícaro, bribón. ‖ **antropométrica.** Cédula en que se consignan medidas corporales y señales individuales para la identificación de personas, a veces empleada con fines policiales. ‖ **artística.** *Cinem.* y *TV.* Disposición en los títulos de una película de los componentes del equipo artístico que intervienen en ella: director, actores, autores, guionistas, compositores, decoradores, etc. ‖ **técnica.** *Cinem.* y *TV.* Lista en la que se enumeran los componentes del equipo técnico que han intervenido en la realización de una película: operadores, ingenieros de sonido, ayudantes, maquilladores, electricistas, etc.

fichaje. (De *fichar*.) m. Acción y efecto de fichar a un jugador, atleta o técnico deportivo. ‖ **2.** Por ext., acción y efecto de obtener los servicios o la ayuda de una persona.

fichar. tr. Anotar en fichas datos que interesan. ‖ **2.** Hacer la ficha antropométrica, policial, médica, etc., de un individuo. ‖ **3.** En el juego del dominó, poner la ficha. ‖ **4.** Ir contando con fichas los géneros que el camarero de un café, casino, etc., recibe para servirlos. ‖ **5.** fig. y fam. Refiriéndose a una persona, ponerla en el número de aquellas que se miran con prevención y desconfianza. ‖ **6.** Contratar a un deportista para que forme parte de un equipo o club. Por ext., se emplea con referencia a otras profesiones y actividades. ‖ **7.** intr. *Dep.* Comprometerse uno a actuar como jugador o como técnico en algún club o entidad deportiva. Por ext., se emplea con referencia a otras profesiones y actividades. ‖ **8.** Marcar en una ficha, por medio de una máquina con reloj, la hora de entrada y salida de un centro de trabajo, como justificación personal de asistencia y puntualidad. ‖ **9.** Por ext., justificar esta asistencia y puntualidad por cualquier otro procedimiento (cinta, ficha magnética, etc.)

fichero. m. Caja o mueble con cajonería donde se pueden guardar ordenadamente las fichas. ‖ **2.** *Inform.* Conjunto organizado de informaciones almacenadas en un soporte común.

fidalgo, ga. m. y f. ant. **hidalgo.**

fidecomiso. m. **fideicomiso.**

fidedigno, na. (Del lat. *fides*, fe, y *dignus*, digno.) adj. Digno de fe y crédito.

fideero, ra. m. y f. Persona que fabrica fideos u otras pastas semejantes.

fideicomisario, ria. (De lat. *fideicommissarius*.) adj. *Der.* Dícese de la persona a quien se destina un fideicomiso. Ú. t. c. s. ‖ **2.** *Der.* Perteneciente al fideicomiso.

fideicomiso. (Del lat. *fideicommissum*.) m. *Der.* Disposición por la cual el testador deja su hacienda o parte de ella encomendada a la buena fe de uno para que, en caso y tiempo determinados, la transmita a otro sujeto o la invierta del modo que se le señala.

fideicomitente. (Del lat. *fideicommittens, -entis.*) com. *Der.* Persona que ordena el fideicomiso.

fidelidad. (Del lat. *fidelĭtas, -ātis.*) f. Lealtad, observancia de la fe que uno debe a otro. ‖ **2.** Puntualidad, exactitud en la ejecución de una cosa. ‖ **alta fidelidad.** Reproducción muy fiel del sonido.

fidelísimo, ma. (Del lat. *fidelissĭmus.*) adj. sup. de **fiel.** ‖ **2.** Título de dignidad de los reyes de Portugal.

fideo. (Probablem. del ár. *fād,* crecer, rebosar.) m. Pasta de harina de trigo, ya sola, ya mezclada con gluten y fécula, en forma de cuerda delgada, que ordinariamente se toma en sopa. Ú. m. en pl. ‖ **2.** fig. y fam. Persona muy delgada.

fido, da. (Del lat. *fidus.*) adj. ant. **fiel.**

fiducia. (Del lat. *fiducia.*) f. ant. **confianza.**

fiduciario, ria. (Del lat. *fiduciarĭus.*) adj. *Der.* Heredero o legatario a quien el testador manda transmitir los bienes a otra u otras personas, o darles determinada inversión. Ú. t. c. s. ‖ **2.** Que depende del crédito y confianza que merezca. *Circulación* FIDUCIARIA. ‖ **3.** V. **moneda fiduciaria.** ‖ **4.** V. **valores fiduciarios.**

fiebre. (Del lat. *febris.*) f. Fenómeno patológico que se manifiesta por elevación de la temperatura normal del cuerpo y mayor frecuencia del pulso y la respiración. Ú. t. en pl. para designar ciertas enfermedades infecciosas que cursan con aumento de temperatura. *Cogió unas* FIEBRES. ‖ **2.** fig. Viva y ardorosa agitación producida por una causa moral. FIEBRE *de los negocios.* ‖ **aftosa.** *Veter.* **glosopeda.** ‖ **amarilla.** *Pat.* Enfermedad endémica de las costas de las Antillas y del golfo de Méjico, desde donde solía transmitirse a otros puntos de América, así como también a las costas de Europa y de África favorables para su desarrollo, ocasionando asoladoras epidemias. Es provocada por un virus que se transmite por la picadura de ciertos mosquitos. ‖ **cuartana. cuartana.** ‖ **de Malta. fiebre mediterránea.** ‖ **del heno.** Estado alérgico, propio de la primavera o el verano, producido por la inhalación del polen o de otros alergenos. ‖ **héctica,** o **hética.** La propia de las enfermedades consuntivas. ‖ **láctea.** La que generalmente se presenta en la mujer al segundo o tercer día del parto y es precursora de la subida de la leche. ‖ **mediterránea.** La muy intensa, con temperatura irregular y sudores abundantes, que es de larga duración y tiene frecuentes recaídas. ‖ **palúdica.** *Pat.* La producida por un protozoo y transmitida por la picadura de una especie de mosquito que abunda en los terrenos pantanosos. ‖ **perniciosa.** Forma especialmente grave del paludismo. ‖ **puerperal.** La que padecen algunas mujeres después del parto. ‖ **recurrente.** La que reaparece después de intermisiones. ‖ **2.** Cualquiera de las enfermedades producidas por algunas especies de espiroquetas inoculadas por piojos o por garrapatas y que se caracterizan por accesos febriles seguidos de apirexia. ‖ **remitente.** La que durante su curso presenta alternativas de aumento y disminución en su intensidad. ‖ **sincopal.** La que se junta con el síncope. ‖ **sínoca,** o **sinocal.** La continua sin remisiones bien definidas y que no es, por lo general, grave. ‖ **sintomática.** La ocasionada por cualquier enfermedad localizada en un órgano. ‖ **subintrante.** La que sobreviene antes de haberse quitado la antecedente. ‖ **terciana. terciana.** ‖ **térmica.** La producida por la exposición del cuerpo a una temperatura exterior demasiado alta. Ú. a veces como sinónimo de insolación. ‖ **tifoidea.** *Pat.* Infección intestinal específica, producida por un microbio que determina lesiones en las placas linfáticas del intestino delgado. ‖ **declinar la fiebre.** fr. Bajar, minorarse. Se usa más comúnmente hablando de las tercianas. ‖ **limpiarse** uno **de fiebre.** fr. Faltarle la **fiebre,** quedando libre de ella. ‖ **no lo ha de fiebre, sino de siempre.** fr. fam. con que se indica que la conducta de una persona obedece a su natural carácter o a su costumbre y no a las circunstancias del momento. ‖ **recargar la fiebre.** fr. Aumentarse o entrar nueva accesión.

fiel. (Del lat. *fidēlis.*) adj. Que guarda fe, o es constante en sus afectos, en el cumplimiento de sus obligaciones y no defrauda la confianza depositada en él. ‖ **2.** Exacto, conforme a la verdad. FIEL *traslado; memoria* FIEL. ‖ **3.** Que tiene en sí las condiciones y circunstancias que pide el uso a que se destina. *Reloj* FIEL. ‖ **4.** Por antonom., cristiano que acata las normas de la Iglesia. Ú. t. c. s. ‖ **5.** Creyente de otras religiones. ‖ **6.** m. El encargado de que se cumplan con exactitud y legalidad ciertos servicios públicos. ‖ **7.** Aguja que juega en la alcoba o caja de las balanzas y romanas, y se pone vertical cuando hay perfecta igualdad en los pesos comparados. ‖ **8.** Cada una de las dos piezas de acero que tiene la ballesta, la una embutida en el tablero y quijeras en que se tiene la llave, y la otra fuera de ellas, lo que basta para que puedan rodar las navajas de la gafa cuando se arma la ballesta. ‖ **9.** Cualquiera de los hierrecillos o pedazos de alambre que sujetan algunas piezas de la llave del arcabuz. ‖ **10.** Clavillo que asegura las hojas de las tijeras. ‖ **11.** En algunas partes de Andalucía, tercero o persona que tenía por oficio recoger los diezmos y guardarlos. ‖ **12.** ant. Persona diputada por el rey para señalar el campo y reconocer las armas de los que entraban en público desafío, cuidar de ellos y de la debida igualdad en el duelo, y era como el juez del desafío. ‖ **13.** ant. *Der.* Persona a cuyo cargo se ponía judicialmente una cosa litigiosa mientras se decidía el pleito. ‖ **almotacén. almotacén,** persona que constrastaba las pesas y medidas. ‖ **cogedor. cillero.** ‖ **contraste. contraste,** persona que ejerce el oficio público de contrastar. ‖ **de fechos.** Sujeto habilitado para ejercer funciones de escribano en los pueblos en que no lo hay. ‖ **de lides.** Cualquiera de las personas encargadas de asistir a los retos en lo antiguo, para partir el campo, reconocer las armas de los contendientes y hacer observar completa igualdad, evitando todo fraude y engaño. ‖ **de romana.** Oficial que asiste en el matadero al peso de la carne al por mayor. ‖ **ejecutor.** Regidor a quien toca asistir al repeso. ‖ **medidor.** Oficial que asiste a la medida de granos y líquidos. ‖ **en fiel.** loc. adv. Con igualdad de peso, o sin inclinarse las balanzas, ni el **fiel** del peso, ni la lengüeta de la romana, a un lado ni a otro.

fielato. m. Oficio de fiel. ‖ **2.** Oficina del fiel. ‖ **3.** Oficina a la entrada de las poblaciones en la cual se pagaban los derechos de consumo.

fielazgo. m. desus. **fielato.**

fieldad. (Del lat. *fidelĭtas, -ātis.*) f. Oficio de fiel. ‖ **2.** Seguridad, custodia, guarda. ‖ **3.** Despacho que el Consejo de Hacienda solía dar a los arrendadores al principio del año para que pudieran recaudar las rentas reales de su cargo mientras se les despachaba el recudimiento de frutos. ‖ **4.** En algunas partes, **tercia,** casa en que se depositaban los diezmos. ‖ **5.** ant. **fidelidad.** ‖ **meter en fieldad.** fr. ant. Poner en poder de uno una cosa para su seguridad.

fielmente. adv. m. Con fidelidad.

fieltrar. tr. Dar a la lana la consistencia del fieltro. ‖ **2.** Guarnecer con fieltro.

fieltro. (Del germ. *filt.*) m. Especie de paño no tejido que resulta de conglomerar borra, lana o pelo. ‖ **2.** Sombrero, capote, alfombra, etc., hechos de **fieltro.** ‖ **3.** desus. Capote o sobretodo que se ponía encima de los vestidos para defenderse del agua.

fiemo. (Del lat. *fĕmus,* alteración de *fĭmus.*) m. *And., Ar., Nav.* y *Rioja.* Fimo, estiércol.

fiera. (Del lat. *fera.*) f. **carnívoro,** mamífero unguiculado con cuatro extremidades, como el tigre. ‖ **2.** Bruto indómito, cruel y carnicero. ‖ **3.** fig. Persona cruel o de carácter malo y violento. ‖ **corrupia.** Designación de ciertas figuras animales que se presentan en fiestas populares y son famosas por su deformidad o aspecto espantable. ‖ **hecho una fiera.** loc. fig. y fam. Muy irritado. Ú. principalmente con los verbos *estar* o *ponerse*. ‖ **ser una fiera para,** o **en,** una cosa. fr. fig. y fam. Dedicarse a ella con gran actividad.

fierabrás. (Con alusión al famoso gigante de este nombre que figura en los antiguos libros de caballerías.) m. fig. y fam. Persona mala, perversa, ingobernable. Se usa generalmente hablando de los niños traviesos.

fieramente. adv. m. Con fiereza.

fiereza. f. En los brutos, cualidad de fiero. ‖ **2.** Inhumanidad, crueldad de ánimo. ‖ **3.** fig. p. us. Deformidad que causa desagrado a la vista.

fiero, ra. (Del lat. *ferus.*) adj. Perteneciente o relativo a las fieras. ‖ **2.** Duro, agreste o intratable. ‖ **3. feo,** que carece de belleza. ‖ **4.** Grande, excesivo, descompasado. ‖ **5.** ant. Aplicábase a los animales no domesticados. ‖ **6.** fig. Horroroso, terrible. ‖ **7.** *Der.* V. **animal fiero.** ‖ **8.** m. p. us. Bravata y amenaza con que uno intenta aterrar a otro. Ú. m. en pl. ‖ **echar,** o **hacer, fieros.** fr. p. us. Proferir baladronadas y amenazas.

fierra. (De *fierro.*) f. ant. **herradura** de las caballerías.

fierro. m. ant. **hierro.** Ú. hoy en América y en algunas partes de España. ‖ **2.** ant. V. **cabeza de fierro.** ‖ **3.** *Amér.* **hierro,** marca para el ganado.

fiesta. (Del lat. *festa,* pl. de *festum.*) f. Día que la Iglesia celebra con mayor solemnidad que otros. ‖ **2.** Día en que se celebra alguna solemnidad nacional, y en el que están cerradas las oficinas y otros establecimientos públicos. ‖ **3.** Solemnidad con que la Iglesia celebra la memoria de un santo. ‖ **4.** Diversión o regocijo. ‖ **5.** Regocijo dispuesto para que el pueblo se recree. ‖ **6.** Reunión de gente para celebrar algún suceso, o simplemente para divertirse. ‖ **7.** Agasajo, caricia u obsequio que se hace para ganar la voluntad de uno, o como expresión de cariño. Ú. m. en pl. *El perrillo hace* FIESTAS *a su amo.* ‖ **8.** V. **fin de fiesta.** ‖ **9.** fam. Chanza, broma. ‖ **10.** pl. Vacaciones que se guardan en la **fiesta** de Pascua y otras solemnes. *En pasando estas* FIESTAS *se despachará tal negocio.* ‖ **de armas.** Antiguamente, combate público de unos caballeros con otros para mostrar su valor y destreza. ‖ **de consejo.** Día de trabajo que es de vacación para los tribunales. ‖ **de guardar.** Día en que hay obligación de oír misa. ‖ **de las cabañuelas,** o **de los tabernáculos.** Solemnidad que celebran los hebreos en memoria de haber habitado sus mayores en el desierto debajo de tiendas antes de entrar en tierra de Canaán. ‖ **de pólvora.** fig. Lo que pasa o se gasta con presteza y brevedad. ‖ **de precepto. fiesta de guardar.** ‖ **doble.** La que la Iglesia celebra con rito doble. ‖ **2.** fig. y fam. Función de gran convite, baile o regocijo. ‖ **fija,** o **inmoble.** La que la Iglesia celebra todos los años en el mismo día. ‖ **movible.** La que la Iglesia no celebra todos los años en el mismo día; como la Pascua de Resurrección. ‖ **nacional. fiesta** oficial. ‖ **semidoble.** La que la Iglesia celebra con rito semidoble. ‖ **simple.** La que la Iglesia celebra con rito simple. ‖ **fiestas reales.** Festejos hechos en obsequio de una persona real, con esplendor y ciertas solemnidades. ‖ **aguar,** o **aguarse, la fiesta.** fr. fig. y fam. Turbar o turbarse cualquier regocijo. ‖ **celebrar las fiestas.** fr. Guardarlas como manda la Iglesia. ‖ **coronar la fiesta.** fr. fig. Completarla con un hecho notable. Suele usarse irónicamente. ‖ **echar las fiestas.** Publicar el párroco en la misa del domingo las demás **fiestas** que ocurren en la semana. ‖ **2.** fig. Prevenir uno los festejos o pasatiempos que espera tener. ‖ **3.** fig. desus. Decir baldones e injurias. ‖ **estar** uno **de fiesta.** fr. fam. Estar alegre, gustoso y de chiste. ‖ **guardar las fiestas.** fr. **santificar las fiestas.** ‖ **hacer fiesta.** fr. Dejar la labor o el trabajo un día, como si fuera de **fiesta.** ‖ **no estar** uno **para fiestas.** fr. fig. y fam. Estar desazonado y enfadado, o no gustar de lo que se le propone. ‖ **santificar las fiestas.** fr. Ocuparlas en cosas de Dios, cesando en la actividad laboral. ‖ **se acabó la fiesta.** fr. fig. y fam. con que se interrumpe y corta una discusión o asunto cualquiera, manifestando hastío y saciedad. ‖ **tengamos la fiesta en paz.** expr. fig. y fam. que se emplea para pedir a una persona, en son de amenaza o consejo, que no dé motivo de disturbio o reyerta.

fiestero, ra. adj. Amigo de fiestas. Ú. t. c. s.

fifiriche. adj. *Méj.* Raquítico, flaco, enclenque. ‖ **2.** *Méj.* **petimetre,** melindroso.

figana. f. *Venez.* Ave gallinácea, de unos 25 centímetros de largo; su color es generalmente pardo rayado de negro, las patas, amarillas, y el cuello, largo. Se domestica fácilmente y limpia las casas de insectos y sabandijas.

fígaro. (Del personaje *Fígaro* de dos comedias de Beaumarchais.) m. Barbero de oficio. ‖ **2. torera,** chaquetilla ceñida.

figle. (Del fr. *bugle,* cruzado con *ophicléide.*) m. Instrumento musical de viento, que consiste en un tubo largo de latón, doblado por la mitad, de diámetro gradualmente mayor desde la embocadura hasta el pabellón, y con llaves o pistones que abren o cierran el paso al aire.

figo. m. ant. **higo.** ‖ **no, que son figos.** expr. fig. y fam. con que se afirma uno en lo que ha dicho y otro duda.

figón. (der. de *figo.*) m. Casa de poca categoría, donde se guisan y venden cosas de comer. ‖ **2.** ant. **figonero.**

figonero, ra. m. y f. Persona que tiene figón.

figueral. m. **higueral.**

figuerense. adj. Natural de Figueras. Ú. t. c. s. ‖ **2.** Perteneciente o relativo a esta ciudad.

figulino, na. (Del lat. *figulinus,* de alfarero.) adj. De barro cocido. *Estatua* FIGULINA. ‖ **2.** V. **arcilla, pintura figulina.** ‖ **3.** f. Estatuilla de cerámica.

figura. (Del lat. *figūra.*) f. Forma exterior de un cuerpo por la cual se diferencia de otro. ‖ **2. Cara,** parte anterior de la cabeza. ‖ **3.** Estatua o pintura que representa el cuerpo de un hombre o animal. ‖ **4.** En el dibujo, la que representa el cuerpo humano. ‖ **5.** Cosa que representa o significa otra. ‖ **6.** desus. En lo judicial, forma o modo de proceder. ‖ **7.** Cualquiera de los tres naipes de cada palo que representan personas, y se llaman rey, caballo y sota. En algunos juegos, también se designa así al as. ‖ **8.** En la notación musical, signo de una nota o de un silencio. ‖ **9.** Personaje de la obra dramática y actor que lo representa. ‖ **10.** Persona que destaca en determinada actividad. ‖ **11.** Cambio de colocación de los bailarines en una danza. ‖ **12.** Gesto, mueca. ‖ **13. ilustración,** estampa, grabado de un libro. ‖ **14.** *Geom.* Línea o conjunto de líneas con que se representa un objeto o un concepto. ‖ **15.** *Geom.* Espacio cerrado por líneas o superficies. ‖ **16.** *Geom.* Conjunto de líneas o representación de objetos que sirve para la demostración de un teorema o de un problema. ‖ **17.** *Gram.* **figura de construcción.** ‖ **18.** *Gram.* **figura de dicción.** ‖ **19.** *Ret.* Cada uno de ciertos modos de hablar que, apartándose de otro más vulgar o sencillo, aunque no siempre más natural, da a la expresión de los afectos o las ideas singular elevación, gracia o energía. ‖ **20.** m. **figurón,** hombre entonado, que afecta gravedad. ‖ **21.** com. Persona ridícula, fea y de mala traza. ‖ **celeste.** *Astrol.* Delineación que expresa la positura y disposición del cielo y estrellas en cualquier momento señalado. Represéntanse en ella las doce casas celestes y los grados de los signos, y el lugar que los planetas y otras estrellas tienen en ellos. ‖ **de bulto.** La que se hace de piedra, madera u otra materia. ‖ **de construcción.** *Gram.* Cada uno de los varios modos de construcción gramatical con que, siguiendo la sintaxis llamada figurada, se quebrantan las leyes de la considerada regular o normal. ‖ **decorativa.** fig. Persona que ocupa un puesto sin ejercer las funciones esenciales del mismo, o asiste a un acto solemne sin tomar en él parte activa. ‖ **de delito.** *Der.* Definición legal específica de cada delito, que señala los elementos o caracteres típicos de este y garantiza la aplicación estricta de la ley penal. ‖ **de dicción.** *Gram.* Cada una de las varias alteraciones que experimentan los vocablos, bien por aumento, bien por supresión, bien por transposición de letras, bien por contracción de dos de ellos. ‖ **del donaire. gracioso** de las comedias. ‖ **del silogismo.** *Lóg.* Cada uno de los cuatro grupos en que se clasifican los silogismos según la posición del término medio en las premisas: primera, sujeto en la mayor y predicado en la menor; segunda, predicado en ambas; tercera, sujeto en las dos; cuarta (más artificiosa y menos usada), predicado en la mayor y sujeto en la menor. Cada **figura** comprende diferentes modos. ‖ **de tapiz.** fig. y fam. Persona de traza o **figura** ridícula. ‖ **moral.** La que en las pinturas, representaciones dramáticas o alegorías significa algo no material; como la inocencia, el tiempo, la muerte. ‖ **penal.** *Der.* **figura de delito.** ‖ **buena,** o **mala, figura.** La de partes armónicas y bien proporcionadas, o al contrario. ‖ **alzar figura.** fr. *Astrol.* Formar plantilla, tema o diseño en que se delinean las casas celestes y los lugares de los planetas, y lo demás conducente a formar el horóscopo o pronóstico de los sucesos de una persona. ‖ **hacer figura.** fr. fig. Tener autoridad y representación en el mundo, o quererlo aparentar. ‖ **hacer figuras.** fr. Hacer movimientos o ademanes ridículos. ‖ **hoy figura, mañana sepultura.** loc. que alude a lo perecedero de la vanidad humana. ‖ **levantar figura.** fr. *Astrol.* **alzar figura.** ‖ **tomar figura de.** fr. Remedar a una persona.

figurable. adj. Que se puede figurar.

figuración. (Del lat. *figuratĭo, -ōnis.*) f. Acción y efecto de figurar o figurarse una cosa. ‖ **2.** *Cinem.* Conjunto de figurantes o extras.

figuradamente. adv. m. Con sentido figurado.

figurado, da. p. p. de **figurar.** ‖ **2.** adj. Que usa figuras retóricas. *Lenguaje, estilo* FIGURADO. ‖ **3.** Dícese del sentido en que se toman las palabras para que denoten idea diversa de la que recta y literalmente significan. ‖ **4.** Aplícase también a la voz o frase de sentido **figurado.** ‖ **5.** *Blas.* V. **sol figurado.** ‖ **6.** *Gram.* V. **sintaxis figurada.** ‖ **7.** *Mús.* V. **canto figurado.**

figural. (Del lat. *figurālis.*) adj. ant. Perteneciente a la figura.

figuranta. f. Comparsa de teatro. ‖ **2.** Figurante de una película.

figurante. p. a. de **figurar.** Que figura. ‖ **2.** m. Comparsa de teatro. ‖ **3.** com. Persona que forma parte de la figuración de una película.

figurar. (Del lat. *figurāre.*) tr. Disponer, delinear y formar la figura de una cosa. ‖ **2.** Aparentar, fingir. FIGURÓ *una retirada.* ‖ **3.** intr. Pertenecer al número de determinadas personas o cosas, aparecer como alguien o algo. ‖ **4.** Destacar, brillar en alguna actividad. ‖ **5. hacer figura.** ‖ **6.** prnl. Imaginarse, fantasear, suponer uno algo que no conoce.

figurativamente. adv. m. De un modo figurativo.

figurativo, va. (Del lat. *figuratīvus.*) adj. Que es representación o figura de otra cosa. ‖ **2.** Dícese del arte y de los artistas que representan cosas reales, en oposición al arte y artistas abstractos. ‖ **no figurativo.** Dícese del arte abstracto y del artista que lo cultiva.

figurear. intr. *Sto. Dom.* Tratar de representar el papel de protagonista o el de una de las personas más importantes.

figurería. f. Condición del que hace muecas o ademanes ridículos. ‖ **2.** Mueca o ademán ridículo o afectado.

figurero, ra. adj. fam. Que suele hacer figurerías o muecas. Ú. t. c. s. ‖ **2.** m. y f. Persona que hace o vende figuras de barro o yeso.

figurilla. f. d. de **figura.** ‖ **2.** com. fam. Persona pequeña y ridícula.

figurín. (d. de *figura.*) m. Dibujo o modelo pequeño para los trajes y adornos de moda. ‖ **2.** fig. Lechuguino, gomoso.

figurinista. com. Persona que se dedica a hacer figurines.

figurita. f. *Argent.* **cromo,** estampa con que juegan los niños.

figurón. m. aum. de **figura.** ‖ **2.** Hombre fantástico y entonado, que aparenta más de lo que es. ‖ **3.** Protagonista de la comedia de **figurón.** ‖ **de proa.** *Mar.* **mascarón de proa.**

fija. (Del lat. *fixa,* t. f. de *fixus,* fijo.) f. desus. **bisagra** de puertas. ‖ **2.** *Cant.* Paleta larga y estrecha, que sirve para sacar los calzos de entre los sillares sentados en obra y para introducir la mezcla en las juntas. La emplean también los empedradores para introducir arena o mezcla entre los adoquines. ‖ **3.** *Carp.* V. **escoplo de fijas.**

fijación. f. Acción y efecto de fijar o fijarse. ‖ **2.** *Quím.* Estado de reposo a que se reducen las materias después de agitadas y movidas por una operación química.

fijadalgo. (Contracc. de *fija de algo.*) f. ant. **hijadalgo.**

fijado, da. p. p. de **fijar.** ‖ **2.** adj. *Blas.* Dícese de todas las partes del blasón que acaban en punta hacia abajo. ‖ **3.** m. Acción y efecto de fijar una fotografía o un dibujo.

fijador, ra. adj. Que fija. ‖ **2.** m. Preparación cosmética glutinosa que se usa para asentar el cabello. ‖ **3.** *Albañ.* Operario que introduce el mortero entre las piedras y retunde las juntas. ‖ **4.** *Carp.* Operario que fija las puertas y ventanas en sus cercos. ‖ **5.** *Fotogr.* Líquido que sirve para fijar. ‖ **6.** *Pint.* Líquido que, esparcido por medio de un pulverizador, sirve para fijar dibujos hechos con carbón o con lápiz.

fijamente. adv. m. Con seguridad y firmeza. ‖ **2.** Atenta, cuidadosamente.

fijante. (De *fijar.*) adj. *Art.* Aplícase a los tiros que se hacen por elevación y generalmente utilizando los morteros.

fijapelo. m. **fijador** del cabello.

fijar. (De *fijo*[2].) tr. Hincar, clavar, asegurar un cuerpo en otro. ‖ **2.** Pegar con engrudo o producto similar; como en la pared los anuncios y carteles. ‖ **3.** Hacer fija o estable alguna cosa. Ú. t. c. prnl. ‖ **4.** Determinar, limitar, precisar, designar de un modo cierto. FIJAR *el sentido de una palabra, la hora de una cita.* ‖ **5.** Poner o aplicar intensamente. FIJAR *la mirada, la atención.* ‖ **6.** *Albañ.* Fijar las piedras cuando están calzadas, introduciendo el mortero en las juntas mediante una fija o paleta. ‖ **7.** *Carp.* Poner las bisagras y ajustar las hojas de puertas y ventanas a sus cercos colocados ya en los muros. ‖ **8.** *Fotogr.* Hacer que la imagen fotográfica impresionada en una emulsión quede inalterable a la acción de la luz. ‖ **9.** *Histol.* Impregnar preparaciones celulares o tisulares con ciertos líquidos como el formol o el alcohol, con el fin de impedir su descomposición. ‖ **10.** *Pint.* Hacer que un dibujo, pintura, etc., quede inalterable a la acción de la luz o de otros agentes atmosféricos. ‖ **11.** prnl. Determinarse, resolverse. ‖ **12.** Atender, reparar, notar.

fijativo. m. Líquido preparado para fijar fotografías o dibujos.

fijeza. (De *fijo*[2].) f. Firmeza, seguridad de opinión. ‖ **2.** Persistencia, continuidad.

fijismo. m. *Biol.* **creacionismo.**

fijo[1]**, ja.** m. y f. ant. **hijo.** ‖ **2.** ant. Persona que desciende de otra.

fijo[2]**, ja.** (Del lat. *fixus.*) p. p. irreg. de **fijar.** ‖ **2.** adj. Firme, asegurado. ‖ **3.** Permanentemente establecido sobre reglas determinadas, y no expuesto a movimiento o alteración. *Sueldo, día* FIJO. ‖ **4.** V. **aceite, precio fijo.** ‖ **5.** V. **ambulancia, fiesta, garrucha, polea fija.** ‖ **6.** *Astron.* V. **estrella fija.** ‖ **7.** *Mar.* V. **punto fijo.** ‖ **8.** f. *Argent.* En el lenguaje hípico, triunfo seguro que se adjudica a un competidor, y por ext., el propio competidor. *Tener* LA FIJA. *Ser* UNA FIJA. ‖ **9.** *Argent.* Por ext., información pretendidamente cierta respecto de algún asunto controvertido o posible. ‖ **a la fija.** loc. adv. *Chile* y *Urug.* Con seguridad. ‖ **de fijo.** loc. adv. Seguramente, sin duda. ‖ **en fija.** loc. adv. *Argent.* y *Urug.* Con seguridad. ‖ **esa es la fija.** fr. fam. con que se aprueba como cierta alguna cosa. ‖ **esta es la fija.** fr. que indica que ha llegado ya la ocasión de que ocurra aquello que se teme o se espera.

fijodalgo. (Contracc. de *fijo de algo.*) m. ant. **hijodalgo.**

fil. (Del lat. *filum.*) m. ant. **fiel de romana.** ‖ **derecho. salto,** juego de muchachos. ‖ **estar en fil, o en un fil.** fr. fig. que denota la igualdad en que se hallan algunas cosas.

fila. (Del fr. *file.*) f. Serie de personas o cosas colocadas en línea. ‖ **2.** Unidad de medida que sirve para apreciar la cantidad de agua que llevan las acequias, y se usa principalmente en Valencia, Aragón y Navarra. Varía según las localidades, desde 46 a 85 litros por segundo. ‖ **3.** fig. y fam. Tirria, odio, antipatía. ‖ **4.** *Huesca.* Pieza de madera de hilo, de 26 a 30 palmos de longitud, con una escuadría en que canto y tabla son casi iguales. ‖ **5.** *Zar.* Madero en rollo, de 13 varas de longitud y 12 dedos de diámetro. ‖ **6.** *Mat.* Línea formada por letras o signos colocados unos al lado de otros. ‖ **7.** *Mil.* Línea que los soldados forman de frente, hombro con hombro. ‖ **8.** *Mil.* V. **cabo de fila.** ‖ **de carga.** *Barc.* Pieza de madera de hilo, de 24 palmos de longitud y con una escuadría de siete cuartos de palmo en la tabla, y cinco y medio en el canto. ‖ **2.** pl. Fuerzas militares. *Cundió el pánico* EN *las* FILAS *enemigas. Lo llamaron a* FILAS. ‖ **3.** Por ext., agrupación política. *He formado constantemente* EN *las* FILAS *de la oposición.* ‖ **india.** La que forman varias personas una tras otra. ‖ **en fila.** loc. adv. con que se explica la disposición de estar algunas cosas en línea recta. ‖ **en filas.** loc. adv. En servicio activo en el ejército.

filáciga. (Posiblemente cruce del mozár. *filacha* con *almáciga.*) f. ant. *Mar.* **filástica.**

filacteria. (Del gr. φυλακτήριον, a través del lat. *phylacteria,* pl. de *-ium.*) f. Amuleto o talismán que usaban los antiguos. ‖ **2.** Cada una de las dos pequeñas envolturas de cuero que contienen tiras de pergamino con ciertos pasajes de la Escritura, y que los judíos, durante ciertos rezos, llevan atadas, una al brazo izquierdo, y otra a la frente. ‖ **3.** Cinta con inscripciones o leyendas, que suele ponerse en pinturas o esculturas, en epitafios, escudos de armas, etc.

filadelfo, fa. (De *Filadelfia,* ciudad de los Estados Unidos, de donde proceden estas plantas.) adj. *Bot.* Dícese de arbustos pertenecientes a la familia de las saxifragáceas, como la celinda, originarios de América, que tienen tallos fistulosos, hojas opuestas, pecioladas, sencillas, sin estípulas, y flores regulares, ordinariamente blancas y olorosas. Ú. t. c. s. f.

filadillo. m. ant. **hiladillo.**

filadiz. (De *filado.*) m. Seda que se saca del capullo roto.

filado, da. p. p. de **filar.** ‖ **2.** m. ant. **hilado,** acción de hilar. ‖ **3.** ant. **hilado,** porción de fibra reducida a hilo.

filador, ra. m. y f. ant. **hilador.**

filamento. (Del b. lat. *filamentum,* der. de *filum,* hilo.) m. Cuerpo filiforme, flexible o rígido. ‖ **2.** Hilo que se pone incandescente en el interior de las bombillas al encenderlas. ‖ **3.** *Bot.* Parte del estambre de las flores que sujeta la antera.

filamentoso, sa. adj. Que tiene filamentos.

filamiento. (De *filar.*) m. ant. Acción y efecto de hilar.

filandón. (Alteración del ast. *filazón,* der. de *filum.*) m. *Ast.* y *León.* Reunión nocturna de mujeres para hilar.

filandria. (Del fr. *filandre.*) f. Nematodo parásito del aparato digestivo de algunas aves, especialmente las de rapiña.

filantropía. (Del gr. φιλανθρωπία.) f. Amor al género humano.

filantrópico, ca. adj. Perteneciente a la filantropía.

filantropismo. (De *filántropo* e *-ismo.*) m. **filantropía.**

filántropo. (Del gr. φιλάνθρωπος.) com. Persona que se distingue por el amor a sus semejantes y por sus obras en bien de la comunidad.

filar. tr. ant. **hilar.** ‖ **2.** *Mar.* Arriar progresivamente un cable o cabo que está trabajando.

filarete. (Del fr. *filaret.*) m. desus. Red que se echaba por los costados del navío, dentro de la cual se colocaban ropas para defensa de las balas enemigas.

filaria. (Del lat. *filum,* hilo.) f. Género de nematodos, parásitos del organismo humano y de los animales, patógenos en diferentes climas tropicales. Una de sus especies se aloja y propaga en el tejido subcutáneo, en la vejiga de la orina, en el escroto y en los ganglios linfáticos de la pelvis y del abdomen y, por obstrucción de los vasos linfáticos, da origen a la elefantiasis.

filariosis. f. *Pat.* Enfermedad producida por la filaria.

filarmonía. (De *filo-* y *armonía.*) f. Pasión por la música.

filarmónica. f. *Vizc.* Especie de acordeón.

filarmónico, ca. (De *filarmonía.*) adj. Apasionado por la música. Ú. t. c. s.

filástica. (De *filo*[1], hilo.) f. *Mar.* Hilos sacados de cables viejos, con que se forman los cabos y jarcias.

filatelia. (De *filo-* y el gr. ἀτέλεια, exención de impuestos.) f. Afición a coleccionar y estudiar sellos de correos.

filatélico, ca. adj. Relativo a la filatelia. ‖ **2.** m. y f. Coleccionista de sellos.

filatelista. adj. Dícese de la persona que se dedica a la filatelia. Ú. t. c. s.

filatería. (Del ant. *filateria,* y este de *filacteria.*) f. Palabrería que usan los embaucadores para engañar y persuadir de lo que quieren. ‖ **2.** Demasía de palabras para explicar o dar a entender un concepto.

filatero, ra. (De *filatería.*) adj. Que suele usar de filatería. Ú. t. c. s.

filatura. (Del fr. *filature.*) **hilandería.**

filaucía. (Del gr. φιλαυτία, egoísmo.) f. ant. **amor propio.**

filautero, ra. adj. p. us. **egoísta.**

filautía. f. p. us. **filaucía.**

filderretor. (De *filo*[1], *de* y *retor*[1].) m. Tejido de lana, semejante al llamado lanilla, pero con algo más de cuerpo, que se usaba para hábitos de sacerdotes y para vestidos de alivio de luto en las mujeres.

filelí. (Del ár. *filālī,* perteneciente o relativo a *Tafilalt* o *Tafilete,* oasis de Marruecos.) m. ant. Tela muy ligera de lana y seda que se solía traer de Berbería.

fileno, na. (De *Filena,* nombre de mujer.) adj. fam. Delicado, afeminado.

filera. (De *fila.*) f. Arte de pesca, que se cala a la entrada de las albuferas, y consiste en varias filas de redes que tienen al extremo unas nasas pequeñas.

filete. (Del fr. *filet.*) m. Miembro de moldura, el más delicado, como una lista larga y angosta. ‖ **2.** Línea o lista fina que sirve de adorno. ‖ **3.** Remate de hilo enlazado que se echa al canto de alguna ropa, especialmente en los cuellos y puños de las camisas, para que no se maltraten. ‖ **4.** Asador pequeño y delgado. ‖ **5.** **solomillo.** ‖ **6.** Lonja delgada de carne magra o de pescado limpio de raspas. ‖ **7.** Espiral saliente del tornillo o de la tuerca. ‖ **8.** *Alm.* Cuerda de esparto retorcida que se compone de dos hilos. ‖ **9.** *Equit.* Embocadura compuesta de dos cañoncitos de hierro delgados y articulados en el centro, a cuyos extremos hay unas argollitas, en las cuales se colocan las correas de las riendas y testeras. Sirve para que los potros se acostumbren a recibir el bocado. ‖ **10.** *Impr.* Pieza de metal cuya superficie termina en una o más rayas de diferentes gruesos, y que, en la impresión, sirve para distinguir el texto de las notas y para otros usos. ‖ **11.** *Impr.* Adorno consistente en varias líneas, que pueden disponerse de distintos modos, y que se usa en las encuadernaciones, especialmente en las de lujo. ‖ **12.** *Mar.* Cordoncillo de esparto que sirve para enjuncar las velas en los buques latinos. ‖ **13.** *Blas.* Banda, orla, faja, etc., cuando son muy estrechas. ‖ **ruso.** Trozo de carne picada, mezclada con harina, perejil y ajo, que, rebozado en huevo y pan rallado, se fríe. ‖ **gastar** uno **muchos filetes.** fr. fig. y fam. Adornar la conversación con gracias y delicadezas.

fileteado, da. p. p. de **filetear.** ‖ **2.** *Argent.* Artesanía que consiste en pintar filetes para ornamentación.

fileteador. m. *Argent.* Artesano que se dedica al fileteado o pintura de filetes.

filetear. tr. Adornar con filetes.

filético, ca. adj. *Biol.* Perteneciente o relativo a los filos zoológicos o botánicos.

filetón. (aum. de *filete.*) m. Entre bordadores, entorchado más grueso y retorcido que el ordinario, con que se forman las flores que se imitan en los bordados.

filfa. f. fam. Mentira, engaño, noticia falsa.

-filia. (Del gr. φιλία, amistad.) elem. compos. que significa «afición o simpatía»: *biblio*FILIA, *anglo*FILIA.

filiación. (Del lat. *filiatĭo, -ōnis.*) f. Acción y efecto de filiar. ‖ **2.** Procedencia de los hijos respecto a los padres. ‖ **3.** Dependencia que tienen algunas personas o cosas respecto de otra u otras principales. ‖ **4.** Señas personales de cualquier individuo. ‖ **5.** Dependencia de una doctrina, afiliación a una corporación, sociedad, partido político, etc. ‖ **6.** *Mil.* Registro que en los regimientos se hace del que sienta plaza de soldado, especificando su estatura, facciones y otras señas.

filial. (Del lat. *filiālis.*) adj. Perteneciente o relativo al hijo. ‖ **2.** Aplícase a la iglesia o al establecimiento que depende de otro. Ú. t. c. s. f.

filialmente. adv. m. Con amor de hijo.

filiar. (Del lat. *filĭus,* hijo.) tr. Tomar la filiación a uno. ‖ **2.** prnl. Inscribirse o hacerse inscribir en el asiento militar. ‖ **3.** Afiliarse.

filibote. (Del fr. *flibot.*) m. Embarcación semejante a la urca, de dos palos, de popa redonda, y alterosa, que ya no está en uso.

filibusterismo. m. Partido de los filibusteros de ultramar.

filibustero. (Del fr. *flibustier.*) m. Nombre de ciertos piratas que por el siglo XVII infestaron el mar de las Antillas. ‖ **2.** desus. El que trabajaba por la emancipación de las que fueron provincias ultramarinas de España.

filicida. (Del lat. *filĭus,* hijo, y *-cida.*) com. Persona que mata a su hijo. Ú. t. c. adj.

filicidio. m. Muerte dada por un padre o una madre a su propio hijo.

filicíneo, a. (Del lat. *filix, -ĭcis,* helecho, e *-íneo.*) adj. *Bot.* Dícese de plantas criptógamas pteridofitas, herbáceas o leñosas, con tallo subterráneo horizontal, del cual nacen por un lado numerosas raíces y por el otro hojas compuestas con muchos folíolos. Ú. t. c. s. f. ‖ **2.** f. pl. *Bot.* Clase de estas plantas, conocidas con el nombre de helechos.

filiera. (Del fr. *filière,* hilera.) f. *Blas.* Bordura disminuida en la tercera parte de su anchura.

filiforme. (Del lat. *filum* y *-forme.*) adj. Que tiene forma o apariencia de hilo. ‖ **2.** *Fisiol.* V. **pulso filiforme.**

filigrana. (Del it. *filigrana.*) f. Obra formada de hilos de oro y plata, unidos y soldados con mucha perfección y delicadeza. ‖ **2.** Señal o marca transparente hecha en el papel al tiempo de fabricarlo. ‖ **3.** fig. Cosa delicada y pulida. ‖ **4.** *Cuba.* Arbusto silvestre, de la familia de las verbenáceas, con hojas ásperas, aromáticas, aovadas, de bordes ondulados, flor menuda y fruto apiñado.

filigranista. com. Persona que tiene por oficio realizar filigranas en oro y plata.

filili. (De *fileli.*) m. fam. Delicadeza, sutileza, primor de alguna cosa. ‖ **2. filelí.** ‖ **3.** *And.* Persona débil, flaca.

filipéndula. (Del lat. *filum,* hilo, y *pendŭla,* colgante.) f. Hierba de la familia de las rosáceas, con tallos sencillos de cuatro a seis decímetros de altura; hojas divididas en muchos segmentos desiguales, lanceolados y lampiños; estípulas semicirculares y dentadas, flores en macetas terminales, blancas o ligeramente róseas, y raíces de mucha fécula astringente, tuberculosas y unidas entre sí por una especie de hilos.

filipense[1]. (Del lat. *Philippensis.*) adj. Natural de Filipos. Ú. t. c. s. ‖ **2.** Perteneciente o relativo a esta ciudad de Macedonia.

filipense[2]. (De *Filipo,* Felipe.) adj. Dícese del sacerdote de la Congregación de San Felipe Neri. Ú. t. c. s.

filípica. (Con alusión a los discursos de Demóstenes contra *Filipo,* rey de Macedonia.) f. Invectiva, censura acre.

filipichín. m. Tejido de lana estampado. ‖ **2.** Lechuguino, afeminado.

filipina. f. *Cuba.* Chaqueta de dril, sin solapas, que visten los hombres.

filipinismo. m. Vocablo o giro propio de los filipinos que hablan español. ‖ **2.** Afición a las cosas de Filipinas.

filipinista. com. Persona que cultiva y estudia las lenguas, costumbres e historia de Filipinas.

filipino, na. adj. Natural de las islas Filipinas. Ú. t. c. s. ‖ **2.** Perteneciente o relativo a ellas. ‖ **3.** Perteneciente o relativo a Felipe II, rey de España, y también a sus inmediatos sucesores. ‖ **4.** V. **punto filipino.**

filis. (De *Filis,* nombre poético de mujer.) f. Habilidad, gracia y delicadeza en hacer o decir las cosas. ‖ **2.** Juguetillo de barro muy pequeño que solían llevar las mujeres atado con una cinta prendida al brazo.

filisteo, a. (Del lat. *Philistaeus.*) adj. Dícese del individuo de una pequeña nación que ocupaba la costa del Mediterráneo al norte de Egipto, y que luchó contra los israelitas. Ú. t. c. s. ‖ **2.** Perteneciente o relativo a los **filisteos.** ‖ **3.** fig. Dícese de la persona de espíritu vulgar, de escasos conocimientos y poca sensibilidad artística o literaria. Ú. m. c. s. m. ‖ **4.** m. fig. Hombre de mucha estatura y corpulencia.

film. m. **filme.**

filmación. f. Acción y efecto de filmar.

filmador, ra. adj. Que filma. Ú. t. c. s. ‖ **2.** f. Máquina para filmar.

filmar. (Del ing. *film,* película.) tr. Impresionar una película cinematográfica con imágenes de escenas, paisajes, personas o cosas, por lo común en movimiento.

filme. (Del ing. *film,* película.) m. Película cinematográfica.

fílmico, ca. adj. Perteneciente o relativo al filme.

filmina. f. Cada una de las diapositivas de una serie organizada con propósitos pedagógicos. ‖ **2. diapositiva.**

filmografía. (De *filme* y *-grafía.*) f. Descripción o conocimiento de filmes o microfilmes. ‖ **2.** Relación de trabajos de un cineasta, actor, director, guionista, etc.

filmoteca. (De *filme* y *-teca.*) f. Lugar donde se guardan ordenados para su conservación, exhibición y estudio, filmes que ya no suelen proyectarse comercialmente. ‖ **2.** Conjunto o colección de filmes.

filo[1]. (Del lat. *filum.*) m. Arista o borde agudo de un instrumento cortante. ‖ **2.** Punto o línea que divide una cosa en dos partes iguales. ‖ **3.** ant. **hilo.** ‖ **4.** *Argent.* Persona que afila o flirtea. ‖ **del viento.** *Mar.* Línea de dirección que este lleva. ‖ **rabioso.** El que se da al cuchillo u otra arma ligeramente y sin arte. ‖ **al filo de.** loc. prepos. Seguido de una palabra indicativa de tiempo, muy poco antes o después de. ‖ **dar filo,** o **un filo.** fr. Amolar, afilar. ‖ **darse un filo.** fr. fig. y fam. Aguzar el ingenio o prepararse cuidadosamente en alguna materia. ‖ **darse un filo, o un par de filos, a la lengua.** fr. fig. y fam. **murmurar** de un ausente. ‖ **embotar los filos.** fr. fig. Entorpecer y detener la agudeza, eficacia y ardor con que uno hace, dice o pretende alguna cosa. ‖ **hacer** uno alguna cosa **en el filo de una espada.** fr. fig. y fam. Hacerla en ocasión difícil o arriesgada. ‖ **herir por los mismos filos.** fr. fig. Valerse uno de las mismas razones o acciones de otro para impugnarlo o mortificarlo. ‖ **por filo.** loc. adv. Justa, cabalmente, en punto.

filo[2]. (Del gr. φῦλον, raza, estirpe.) m. *Biol.* En los sistemas filogenéticos, serie de organismos que se consideran originados unos de otros a partir de una misma forma fundamental.

filo- o **-filo, la.** (Del gr. φίλος.) elem. compos. que significa «amigo, amante de»: FILO*soviético*, *angló*FILO.

filodio. (Del gr. φυλλώδης, parecido a una hoja.) m. *Bot.* Pecíolo muy ensanchado, a manera de la lámina de una hoja.

filófago, ga. (Del gr. φύλλον, hoja, y *-fago.*) adj. *Zool.* Que se alimenta de hojas. Ú. t. c. s.

filogenético, ca. adj. *Biol.* Perteneciente o relativo a la filogenia. ‖ **2. filético.**

filogenia. (Del gr. φῦλον, raza, y γενεά, generación.) f. *Biol.* Origen y desarrollo evolutivo de las especies, y en general, de las estirpes de seres vivos. ‖ **2.** Parte de la biología que se ocupa de las relaciones de parentesco entre los distintos grupos de seres vivos.

filología. (Del gr. φιλολογία, a través del lat. *philologĭa.*) f. Ciencia que estudia una cultura tal como se manifiesta en su lengua y en su literatura, principalmente a través de los textos escritos. ‖ **2.** Técnica que se aplica a los textos para reconstruirlos, fijarlos e interpretarlos. ‖ **3. lingüística.**

filológica. f. **filología.**

filológicamente. adv. m. Con arreglo a los principios de la filología.

filológico, ca. adj. Perteneciente o relativo a la filología.

filólogo, ga. (Del gr. φιλολόγος, a través del lat. *philolŏgus.*) m. y f. Persona versada en filología.

filomanía. (Del gr. φύλλον, hoja, y μανία, afición desmedida.) f. Superabundancia de hojas en un vegetal.

filomela. (Del gr. φιλομήλα, a través del lat. *philomēla.*) f. poét. **ruiseñor.**

filomena. f. poét. **filomela.**

filón. (Del fr. *filon.*) m. *Min.* Masa metalífera o pétrea que rellena una antigua quiebra de las rocas de un terreno. ‖ **2.** fig. Materia, negocio, recurso del que se espera sacar gran provecho.

filonio. (Del lat. *philonĭum.*) m. *Farm.* Electuario compuesto de miel, opio y otros ingredientes calmantes y aromáticos.

filopluma. (Del lat. *filum,* hilo, y *pluma.*) f. *Zool.* Pluma filiforme, con unas pocas barbas libres en el ápice.

filopos. (De or. inc.) m. pl. *Mont.* Telas o vallas de lienzo y cuerda que se forman para encaminar las reses al lugar en que se deben montear.

filoseda. (De *filo,* hilo, y *seda.*) f. Tela de lana y seda. ‖ **2.** Tejido de seda y algodón.

filoso, sa. adj. Afilado, que tiene filo. ‖ **2.** *Méj.* Dícese de la persona dispuesta o bien preparada para hacer algo. ‖ **3.** f. Planta cistínea. ‖ **4.** *Germ.* **espada,** arma.

filosofador, ra. adj. Que filosofa. Ú. t. c. s.

filosofal. adj. V. **piedra filosofal.** ‖ **2.** ant. Perteneciente o relativo a la filosofía.

filosofalmente. adv. m. ant. Con filosofía.

filosofar. (Del lat. *philosophāri.*) intr. Examinar una cosa como filósofo, o discurrir acerca de ella con razones filosóficas. ‖ **2.** fam. Meditar, hacer soliloquios.

filosofastro. (Del lat. *philosophaster, -tri.*) m. despect. Falso filósofo, que no tiene la calidad necesaria para ser considerado como tal.

filosofía. (Del gr. φιλοσοφία, a través del lat. *philosophĭa.*) f. Ciencia que trata de la esencia, propiedades, causas y efectos de las cosas naturales. ‖ **2.** Conjunto de doctrinas que con este nombre se aprenden en los institutos, colegios y seminarios. ‖ **3.** Facultad dedicada en las universidades a la ampliación de estos conocimientos. ‖ **4.** fig. Fortaleza o serenidad de ánimo para soportar las vicisitudes de la vida. ‖ **moral.** La que trata de la bondad o malicia de las acciones humanas. ‖ **natural.** La que investiga las leyes de la naturaleza.

filosóficamente. adv. m. Con filosofía.

filosófico, ca. (Del gr. φιλοσοφικός, a través del lat. *philosophĭcus.*) adj. Perteneciente o relativo a la filosofía. ‖ **2.** V. **duda filosófica.** ‖ **3.** ant. V. **lana filosófica.**

filosofismo. m. Falsa filosofía. ‖ **2.** Abuso de esta ciencia.

filósofo, fa. (Del gr. φιλόσοφος, a través del lat. *philosŏphus.*) adj. p. us. Perteneciente o relativo a la filosofía. ‖ **2.** p. us. Que afecta lenguaje y modos de **filósofo.** ‖ **3.** m. y f. Persona que estudia, profesa o sabe la filosofía. ‖ **4.** m. Hombre virtuoso y austero que vive retirado y huye de las distracciones y de los lugares muy concurridos.

filosoviético, ca. (De *filo-* y *soviético.*) adj. Inclinado en el afecto a lo soviético.

filotráquea. f. *Zool.* Cada una de las bolsas comunicadas con el exterior, y con pared provista de repliegues laminares, que tienen los escorpiones y arañas, y en las cuales entra el aire que el animal utiliza para la respiración.

filoxera. (Del gr. φύλλον, hoja, y ξηρός, seco.) f. Insecto hemíptero, oriundo de América del Norte, parecido al pulgón, de color amarillento, de menos de medio milímetro de largo, que ataca primero las hojas y después los filamentos de las raíces de las vides, y se multiplica con tal rapidez, que en poco tiempo aniquila los viñedos de una comarca. ‖ **2.** fig. y fam. Embriaguez, borrachera.

filoxérico, ca. adj. Relativo a la filoxera.

filtración. f. Acción de filtrar o filtrarse.

filtrado, da. p. p. de **filtrar.** ‖ **2.** m. Acción de pasar un líquido a través de un filtro. ‖ **3.** Líquido que ha pasado a través de un filtro.

filtrador, ra. adj. Que filtra. ‖ **2.** m. Filtro[1] para clarificar un líquido.

filtrante. adj. Que filtra o sirve de filtro.

filtrar. tr. Hacer pasar un líquido por un filtro. ‖ **2.** fig. Seleccionar datos o aspectos para configurar una información. ‖ **3.** fig. Divulgar subrepticiamente información sobre algo que se considera reservado. ‖ **4.** Comunicar a alguien indebidamente información secreta o confidencial. ‖ **5.** intr. Penetrar un líquido a través de un cuerpo sólido. ‖ **6.** Dejar un cuerpo sólido pasar un líquido a través de sus poros, vanos o resquicios. ‖ **7.** prnl. fig. Hablando de dinero o de bienes, desaparecer inadvertida o furtivamente.

filtro[1]. (De *fieltro.*) m. Materia porosa (fieltro, papel, esponja, carbón, piedra, etc.) o masa de arena o piedras menudas a través de la cual se hace pasar un líquido para clarificarlo. Por ext., aparato similar dispuesto para depurar el gas que lo atraviesa. ‖ **2.** Manantial de agua dulce en la costa del mar y a veces hasta en lugares bañados por el mar. ‖ **3.** *Electr.* Aparato para eliminar determinadas frecuencias en la corriente que lo atraviesa. ‖ **4.** *Ópt.* Pantalla que se interpone al paso de la luz para excluir ciertos rayos, dejando pasar otros.

filtro[2]. (Del gr. φίλτρον, a través del lat. *philtrum.*) m. Bebida o composición con que se pretendía conciliar el amor de una persona. ‖ **2.** *Anat.* Surco en la línea media vertical del labio superior.

filudo, da. adj. *Amér.* De filo muy agudo.

filustre. (De *filis* y *lustre.*) m. fam. Finura, elegancia.

filván. (Como *hilván.*) m. Rebaba sutil que queda en el corte de una herramienta recién afilada.

filló. (De *filloa.*) m. **filloa.** Ú. m. en pl.

filloa. (Del gall. *filloa.*) f. Fruta de sartén, que se hace con masa de harina, yemas de huevo batidas y un poco de leche.

filloga. (Del gall. *filloa.*) f. *Zam.* Morcilla hecha con sangre de cerdo, arroz, canela y azúcar.

fimbria. (Del lat. *fimbrĭa.*) f. Borde inferior de la vestidura talar. ‖ **2.** Orla o franja de adorno.

fimo. (Del lat. *fimus.*) m. Estiércol, cieno.

fimosis. (Del gr. φίμωσις.) f. *Pat.* Estrechez del orificio del prepucio, que impide la salida del bálano.

fin. (Del lat. *finis.*) amb. Término, remate o consumación de una cosa. Ú. m. c. m. ‖ **2.** m. desus. Límite, confín. ‖ **3.** Objeto o motivo con que se ejecuta una cosa. ‖ **4.** V. **cuerda, tornillo sin fin.** ‖ **de fiesta.** Composición literaria corta con la cual se terminaba un espectáculo teatral. ‖ **2.** Espectáculo extraordinario después de una función. ‖ **3.** fig. Final notable, por lo común impertinente, de una conversación, asunto, etc. ‖ **de semana.** Período de descanso semanal que normalmente comprende el sábado y el domingo. ‖ **último.** Aquel a cuya consecución se dirigen la intención y los medios del que obra. ‖ **a fin de.** loc. conjunt. final. Con objeto de; para. Únese con el infinitivo. A FIN DE *averiguar la verdad.* ‖ **a fin de cuentas.** loc. adv. **en fin de cuentas.** ‖ **a fin de que.** loc. conjunt. final. Con objeto de que; para que. Únese con el subjuntivo. A FIN DE QUE *no haya nuevas dilaciones.* ‖ **a fin** o **a fines** del mes, año, siglo, etc. loc. adv. En los últimos días de cualquiera de estos períodos de tiempo. ‖ **al fin.** loc. adv. Por último; después de vencidos todos los obstáculos. Dícese también **al fin, al fin,** o **al fin, fin,** para dar mayor énfasis a lo que se está diciendo. ‖ **al fin de la jornada.** loc. adv. Al cabo de tiempo; al concluirse, al descubrirse una cosa. ‖ **al fin del mundo.** loc. adv. En sitio muy apartado. ‖ **al fin se canta la gloria.** expr. con que se da a entender que hasta estar concluida una cosa no se puede hacer juicio cabal de ella. ‖ **2.** fig. Indica que el premio viene después del trabajo. ‖ **al fin y a la postre, al fin y al cabo, al fin y al postre.** locs. advs. **al fin.** ‖ **dar fin.** fr. Acabarse una cosa. ‖ **2.** Morir, acabar la vida. ‖ **dar fin a** una cosa. fr. Acabarla, concluirla. ‖ **dar fin de** una cosa. fr. Destruirla, consumirla enteramente. ‖ **en fin.** loc. adv. Finalmente, últimamente. ‖ **2.** En suma, en resumidas cuentas, en pocas palabras. ‖ **en fin de cuentas.** loc. adv. En resumen, en definitiva. ‖ **poner fin** a una cosa. fr. **dar fin** a una cosa. ‖ **por fin.** loc. adv. que expresa con cierto énfasis el término de una situación de espera. ‖ **por fin y postre.** loc. adv. Al cabo, por remate. ‖ **sin fin.** loc. fig. Sin número, innumerables. ‖ **2.** Dícese de correas, cadenas, cintas, etc., que forman figura cerrada, y que pueden girar continuamente, accionadas por poleas, piñones, etc., para transmitir fuerzas o movimientos.

finable. adj. ant. Que tiene fin.

finado, da. p. p. de **finar.** ‖ **2.** m. y f. Persona muerta.

final. (Del lat. *finālis.*) adj. Que remata, cierra o perfecciona una cosa. ‖ **2.** V. **causa, impenitencia, perseverancia final.** ‖ **3.** *Gram.* V. **conjunción final.** ‖ **4.** *Ortogr.* V. **punto final.** ‖ **5.** *Teol.* V. **juicio final.** ‖ **6.** m. Fin y remate de una cosa. ‖ **7.** f. Última y decisiva competición en un campeonato o concurso. ‖ **8.** V. **cuarto de final.** ‖ **por final.** loc. adv. **en fin.**

finalidad. (Del lat. *finalĭtas, -ātis.*) f. Fin con que o por que se hace una cosa.

finalista. com. Partidario de la doctrina de las causas finales. ‖ **2.** Cada uno de los que llegan a la prueba final, después de haber resultado vencedores en los concursos previos de un campeonato. Ú. t. c. adj. ‖ **3.** adj. Dícese de los autores de obras, o de estas mismas obras, que en los certámenes literarios llegan a la votación final. Ú. t. c. s.

finalizar. tr. Concluir una obra; darle fin. ‖ **2.** intr. Extinguirse, consumirse o acabarse una cosa.

finalmente. adv. m. Últimamente, en conclusión.

finamente. adv. m. Con finura o delicadeza.

finamiento. m. desus. Acción y efecto de finar.

financiación. f. Acción y efecto de financiar.

financiamiento. m. **financiación.**

financiar. (Del fr. *financer.*) tr. Aportar el dinero necesario para una empresa. ‖ **2.** Sufragar los gastos de una actividad, obra, etc.

financiero, ra. (Del fr. *financier.*) adj. Perteneciente o relativo a la hacienda pública, a las cuestiones bancarias y bursátiles o a los grandes negocios mercantiles. ‖ **2.** m. y f. Persona versada en la teoría o en la práctica de estas mismas materias.

finanza. (Del fr. *finance.*) f. ant. Obligación que uno asume para responder de la obligación de otro. ‖ **2.** ant. **rescate.**

finanzas. f. pl. Caudales, bienes. ‖ **2.** Hacienda pública.

finar. (De *fin.*) intr. Fallecer, morir. Usáb. t. en lo antiguo c. prnl. ‖ **2.** prnl. Consumirse, deshacerse por una cosa o apetecerla con ansia.

finca. (De *fincar.*) f. Propiedad inmueble, rústica o urbana. ‖ **¡buena finca!** irón. **¡buena hipoteca!**

fincabilidad. f. Caudal inmueble.

fincable. (De *fincar.*) adj. ant. **restante.**

fincar. (Del lat. vulg. **figicāre,* fijar, con *-n-* probablemente por infl. de *fingĕre.*) tr. ant. **hincar,** introducir o clavar una cosa en otra. ‖ **2.** intr. Adquirir fincas. Ú. t. c. prnl. ‖ **3.** ant. **quedar.**

finchado, da. p. p. de **finchar.** ‖ **2.** adj. fam. Ridículamente vano o engreído.

finchar. tr. ant. **hinchar.** ‖ **2.** prnl. fam. Engreírse, envanecerse.

finchazón. f. ant. **hinchazón.**

finés, sa. (Del lat. *Finnĭa,* Finlandia.) adj. Dícese del individuo de un pueblo antiguo que se extendió por varios países del norte de Europa, y el cual dio nombre a Finlandia, poblada hoy por gente de la raza **finesa.** Ú. t. c. s. ‖ **2.** Perteneciente o relativo a los **fineses.** ‖ **3. finlandés.** ‖ **4.** m. Idioma **finés.**

fineta. f. Tela de algodón de tejido diagonal compacto y fino.

fineza. (De *fino.*) f. Pureza y bondad de una cosa en su línea. ‖ **2.** Acción o dicho con que uno da a entender el amor y benevolencia que tiene a otro. ‖ **3.** Actividad y empeño amistoso a favor de uno. ‖ **4.** Dádiva pequeña y de cariño. ‖ **5.** Delicadeza y primor.

fingidamente. adv. m. Con fingimiento, simulación o engaño.

fingido, da. p. p. de **fingir.** ‖ **2.** adj. Que finge, falso. *No te fíes de ese, que es muy* FINGIDO. ‖ **3.** *Der.* V. **agnación fingida.**

fingidor, ra. adj. Que finge. Ú. t. c. s.

fingimiento. m. Acción y efecto de fingir. ‖ **2.** Simulación, engaño o apariencia con que se intenta hacer que una cosa parezca distinta de lo que es. ‖ **3.** ant. Fábula, ficción.

fingir. (Del lat. *fingĕre.*) tr. Dar a entender lo que no es cierto. Ú. t. c. prnl. ‖ **2.** Dar existencia ideal a lo que realmente no la tiene. Ú. t. c. prnl. ‖ **3.** Simular, aparentar.

finible. adj. Que se puede acabar.

finibusterre. (De las palabras latinas *finĭbus terrae;* Lit., en los fines de la tierra.) m. *Germ.* Término o fin. ‖ **2.** *Germ.* Horca de los condenados a esta pena. ‖ **3.** fam. Colmo, el acabóse.

finido, da. p. p. de **finir.** ‖ **2.** f. ant. **fin,** remate de una cosa. ‖ **3.** Verso o versos que forman la conclusión de una cantiga o decir.

finiestra. (Del lat. *fenestra,* ventana.) f. ant. **ventana.**

finiquitar. (De *finiquito.*) tr. Terminar, saldar una cuenta. ‖ **2.** fig. y fam. Acabar, concluir, rematar.

finiquito. (De *fin* y *quito.*) m. Remate de las cuentas, o certificación que se da para constancia de que están ajustadas y satisfecho el alcance que resulta de ellas. ‖ **dar finiquito.** fr. fig. y fam. Acabar con el caudal o con otra cosa.

finir. (Del lat. *finīre.*) intr. ant. Finalizar, acabar. Ú. en Colombia, Chile y Venezuela.

finisecular. adj. Perteneciente o relativo al fin de un siglo determinado.

finítimo, ma. (Del lat. *finitĭmus.*) adj. p. us. Cercano, vecino, confinante. Dícese de poblaciones, territorios, campos, etc.

finito, ta. (Del lat. *finītus,* acabado, finalizado.) adj. Que tiene fin, término, límite.

finitud. f. Cualidad de finito.

finlaísmo. (Por el doctor Carlos J. *Finlay,* que lo propuso y demostró.) m. *Cuba.* Teoría según la cual el agente transmisor de la fiebre amarilla es el mosquito *«Aedes Aegypti».*

finlaísta. adj. *Cuba.* Perteneciente o relativo al finlaísmo. ‖ **2.** *Cuba.* Partidario de esta teoría. Ú. t. c. s.

finlandés, sa. adj. Natural u oriundo de Finlandia. Ú. t. c. s. ‖ **2.** Perteneciente o relativo a este país de Europa. ‖ **3.** m. Idioma **finlandés**.

fino, na. (De *fin,* término.) adj. Delicado y de buena calidad en su especie. ‖ **2.** Delgado, sutil. ‖ **3.** Dícese de la persona delgada, esbelta y de facciones delicadas. ‖ **4.** De exquisita educación; urbano y cortés. ‖ **5.** Amoroso, afectuoso. ‖ **6.** Astuto, sagaz. ‖ **7.** Dicho de los sentidos, agudo. *Tiene un oído muy* FINO. ‖ **8.** Suave, terso. *Cutis* FINO. ‖ **9.** Que hace las cosas con primor y oportunidad. ‖ **10.** Tratándose de metales, muy depurado o acendrado. ‖ **11.** Dícese del jerez muy seco, de color pálido, y cuya graduación oscila entre 15 y 17 grados. Ú. t. c. s. m. ‖ **12.** V. **hierba, manzanilla, piedra fina.** ‖ **13.** *Mar.* Dícese del buque que por su traza corta el agua con facilidad. ‖ **14.** m. pl. Polvo de carbón mineral arrastrado por las aguas durante el lavado, y que se recupera por tratamiento de dichas aguas.

finojo. m. ant. **hinojo**[2]. Usáb. m. en pl.

finolis. adj. fig. Dícese de la persona que afecta finura y delicadeza. Ú. t. c. s.

finquero, ra. m. y f. Persona que explota una finca rústica.

finta[1]**.** (Probablemente del port. *finta.*) f. Tributo que se pagaba al príncipe, de los frutos de la hacienda de cada súbdito, en caso de grave necesidad.

finta[2]**.** (Del it. *finta,* ficción.) f. Ademán o amago que se hace con intención de engañar a uno. ‖ **2.** *Esgr.* Amago de golpe para tocar con otro; hácese para engañar al contrario, que acude a parar el primer golpe.

fintar. intr. Hacer fintas, amagar.

fintear. intr. *Amér.* **fintar.**

finura. f. Cualidad de fino.

finústico, ca. (De *fino* con la terminación de *rústico.*) adj. fam. despect. **finolis.**

finustiquería. f. fam. Cualidad de finústico.

fiñana. m. Variedad de trigo fanfarrón, de aristas negras.

fiofío. (Voz onomatopéyica.) m. *Chile.* Pajarillo insectívoro, de plumaje verde aceitunado, blanquecino por el vientre y la garganta, y con una cresta blanca.

fiordo. (Del escand. *fjord.*) m. Golfo estrecho y profundo, entre montañas de laderas abruptas, formado por los glaciares durante el período cuaternario.

fique. m. *Col.* y *Venez.* Planta textil de la familia de las amarilidáceas, con hojas o pencas radicales, carnosas, en forma de pirámide triangular un poco acanalada, de color verde oscuro, de un metro de largo y 15 cm de ancho, aproximadamente. ‖ **2.** *Col.* y *Venez.* Fibra de la pita, de que se hacen cuerdas.

firma. (De *firmar.*) f. Nombre y apellido, o título, de una persona, que esta pone con rúbrica al pie de un documento escrito de mano propia o ajena, para darle autenticidad, para expresar que se aprueba su contenido, o para obligarse a lo que en él se dice. ‖ **2.** Nombre y apellido, o título, acompañado o no de rúbrica, y puesto al pie de un documento. ‖ **3.** Conjunto de documentos que se presentan a un jefe para que los firme. ‖ **4.** Acto de firmarlos. ‖ **5.** Razón social o empresa. ‖ **6.** *Ar.* Uno de los cuatro procesos forales de Aragón, por el cual se mantenía a uno en la posesión de los bienes o derechos que se consideraban suyos. ‖ **7.** *Der. Ar.* Despacho que expedía el tribunal al que se valía de este proceso. ‖ **en blanco.** La que se da a uno, dejando hueco en el papel, para que pueda escribir lo convenido o lo que quiera. ‖ **tutelar.** *Der. Ar.* Despacho que se expide en virtud de título; como ley o escritura pública. ‖ **buena, o mala, firma.** En el comercio, persona de crédito, o que carece de él. ‖ **media firma.** En los documentos oficiales, aquella en que se omite el nombre de pila. ‖ **dar** uno **firma en blanco** a otro. fr. fig. Darle facultades para que obre con toda libertad en un negocio. ‖ **dar** uno **la firma** a otro. fr. *Com.* Confiarle la representación y la dirección de su casa o de una dependencia. ‖ **echar una firma.** fr. fig. y fam. Remover con la badila las ascuas del brasero para quitarles de encima la ceniza. ‖ **llevar** uno **la firma de** otro. fr. *Com.* Tener la representación y dirección de la casa de otro o de una dependencia.

firmal. (Del port. *firmal.*) m. Joya en forma de broche.

firmamento. (Del lat. *firmamentum.*) m. La bóveda celeste en que están aparentemente los astros. ‖ **2.** ant. Apoyo o cimiento sobre que se afirma alguna cosa.

firmamiento. m. ant. **firmeza.**

firmán. (Del persa *fermān,* orden, rescripto.) m. Decreto soberano en Turquía.

firmar. (Del lat. *firmāre,* afirmar, dar fuerza.) tr. Poner uno su firma. ‖ **2.** ant. Afirmar, dar firmeza y seguridad a una cosa. ‖ **3.** *Ar.* Ajustar a un sirviente por un año. ‖ **4.** prnl. Usar tal o cual nombre o título en la firma. ‖ **firmar en blanco.** fr. Poner uno su firma en papel que, en todo o en parte, no está escrito, para que otro escriba en él lo convenido o lo que quiera. ‖ **no estar** uno **para firmar.** fr. fig. y fam. Estar borracho.

firme. (Del lat. vulg. *firmis,* lat. *firmus.*) adj. Estable, fuerte, que no se mueve ni vacila. ‖ **2.** V. **aguas firmes.** ‖ **3.** V. **tierra firme.** ‖ **4.** fig. Entero, constante, que no se deja dominar ni abatir. ‖ **5.** *Der.* V. **sentencia firme.** ‖ **6.** m. Capa sólida de terreno, sobre la que se puede cimentar. ‖ **7.** Capa de guijo o de piedra machacada que sirve para consolidar el piso de una carretera. ‖ **8.** adv. m. Con firmeza, con valor, con violencia. ‖ **de firme.** loc. adv. Con constancia y ardor, sin parar. ‖ **2.** Con solidez. ‖ **3.** Recia, violentamente. ‖ **en firme.** loc. adv. En las operaciones comerciales, modo de concertarlas con carácter definitivo. ‖ **2.** *Com.* Dícese de las operaciones de Bolsa que se hacen o contratan definitivamente o a plazo fijo. ‖ **3.** *Equit.* V. **parada en firme.** ‖ **estar** uno **en lo firme.** fr. fig. y fam. Estar en lo cierto; profesar opinión o doctrina segura. ‖

¡firmes! *Mil.* Voz de mando que se da en la formación a los soldados para que se cuadren. ‖ **quedarse** uno **en firme,** o **en lo firme.** fr. fig. y fam. **estar en los huesos.**

firmedumbre. (Del lat. **firmitūmen*, por *firmitūdo, -ĭnis.*) f. ant. **firmeza.**

firmemente. adv. m. Con firmeza.

firmeza. f. Cualidad de firme. ‖ **2.** fig. Entereza, constancia, fuerza moral de quien no se deja dominar ni abatir. ‖ **3.** fig. Joya u objeto que sirve de prueba de lealtad amorosa. ‖ **4.** *Argent.* Baile popular de galanteo, de pareja suelta, cuyos pasos y movimientos van ejecutándose según las órdenes expresadas en el estribillo, que es siempre cantado.

firmón. (De *firmar.*) adj. Aplícase al que por interés firma escritos o trabajos facultativos ajenos. *Abogado* FIRMÓN. Ú. t. c. s. ‖ **2.** El que firma irreflexivamente escritos ajenos. Ú. t. c. s.

firulete. (Del gall.-port. **ferolete*, por *florete.*) m. *Amér. Merid.* Adorno superfluo y de mal gusto. Ú. m. en pl.

fisán. (Del lat. *phaseŏlus*, alubia, con cambio de sufijo.) m. *Cantabria.* Alubia, judía.

fisberta. (De *Fusberta*, nombre de la espada de Reinaldo, según Ariosto y Pulci.) f. *Germ.* Espada, arma.

fiscal. (Del lat. *fiscālis.*) adj. Perteneciente o relativo al fisco o al oficio de **fiscal.** ‖ **2.** V. **agencia, agente, promotor, zona fiscal.** ‖ **3.** ant. V. **solicitador fiscal.** ‖ **4.** m. Ministro encargado de promover los intereses del fisco. ‖ **5.** El que representa y ejerce el ministerio público en los tribunales. ‖ **6.** fig. Persona que averigua o delata operaciones ajenas. ‖ **7.** desus. *Amér.* En los pueblos de indios era uno de los indígenas encargado de que los demás cumpliesen sus deberes religiosos. ‖ **8.** *Bol.* y *Chile.* Seglar que cuida de una capilla rural, dirige las funciones del culto y auxilia al párroco, por quien es nombrado. ‖ **civil.** Magistrado que, representando el interés público, intervenía cuando era necesario en los negocios civiles. ‖ **criminal.** Ministro que promovía la observancia de las leyes que tratan de delitos y penas. ‖ **de lo civil. fiscal civil.** ‖ **de vara.** Alguacil eclesiástico. ‖ **togado.** Funcionario del cuerpo jurídico militar que representa al ministerio público ante los tribunales superiores militares.

fiscalear. tr. ant. **fiscalizar.**

fiscalía. f. Oficio y empleo de fiscal. ‖ **2.** Oficina o despacho del fiscal.

fiscalizable. adj. Que se puede o se debe fiscalizar.

fiscalización. f. Acción y efecto de fiscalizar.

fiscalizador, ra. adj. Que fiscaliza. Ú. t. c. s. m.

fiscalizar. tr. Hacer el oficio de fiscal. ‖ **2.** fig. Criticar y traer a juicio las acciones u obras de otro.

fisco. (Del lat. *fiscus.*) m. Erario, tesoro público. ‖ **2.** Moneda de cobre de Venezuela, equivalente a la cuarta parte de un centavo.

fiscorno. m. Instrumento musical de metal parecido al bugle y que es uno de los que componen la cobla.

fisga[1]. f. *Ast.* Pan de escanda. ‖ **2.** *Ast.* Grano de la escanda descascarado.

fisga[2]. (De *fisgar.*) f. Arpón de tres dientes para pescar peces grandes. ‖ **2.** Burla que con arte se hace de una persona, usando palabras irónicas o acciones disimuladas. ‖ **3.** *Guat.* y *Méj.* Banderilla para torear.

fisgador, ra. adj. Que fisga. Ú. t. c. s.

fisgar. (Del lat. **fixicāre*, clavar, de *fixus*, fijo.) tr. Pescar con fisga o arpón. ‖ **2.** Husmear con el olfato. ‖ **3.** Husmear indagando. ‖ **4.** intr. Burlarse de uno diestra y disimuladamente; hacer fisga. Ú. t. c. prnl.

fisgón, na. adj. Que hace burla. Ú. t. c. s. ‖ **2.** Aficionado a husmear. Ú. t. c. s.

fisgonear. (De *fisgón.*) tr. Fisgar, husmear por costumbre.

fisgoneo. m. Acción y efecto de fisgonear.

fisiatra. com. Persona que profesa o practica la fisiatría.

fisiatría. (De *fisio-* y el gr. ἰατρεία, curación.) f. Naturismo médico.

fisiátrico, ca. adj. Perteneciente o relativo a la fisiatría.

fisible. (De *fisión.*) adj. *Fís.* Dícese de los elementos químicos que pueden sufrir fisión.

física. (Del gr. φυσική, t. f. de -κός, a través del lat. *physĭca.*) f. Ciencia que estudia las propiedades de la materia y de la energía, considerando tan solo los atributos capaces de medida. ‖ **2.** ant. **medicina,** ciencia.

físicamente. adv. m. **corporalmente.** ‖ **2.** Real y verdaderamente.

físico, ca. (Del gr. φυσικός, natural, a través del lat. *physĭcus.*) adj. Perteneciente o relativo a la física. ‖ **2.** Perteneciente o relativo a la constitución y naturaleza corpórea, y en este sentido se contrapone a moral. ‖ **3.** V. **estado físico.** ‖ **4.** V. **educación, geografía, imposibilidad física.** ‖ **5.** *Cuba* y *Méj.* Pedante, melindroso. ‖ **6.** m. y f. Persona que profesa la física o tiene en ella especiales conocimientos. ‖ **7.** m. ant. Profesor de medicina, médico. Ú. en muchos pueblos de Castilla. ‖ **8.** Exterior de una persona; lo que forma su constitución y naturaleza.

fisicoquímica. f. Parte de las ciencias naturales que estudia los fenómenos comunes a la física y a la química.

fisicoquímico, ca. adj. Perteneciente o relativo a la fisicoquímica. ‖ **2.** m. y f. Especialista en fisicoquímica.

fisio-. (Del gr. φυσιο-.) elem. compos. que significa «naturaleza»: FISIO*nomía*, FISIO*terapia.*

fisiocracia. (De *fisio-* y *-cracia.*) f. Sistema económico que atribuía exclusivamente a la naturaleza el origen de la riqueza.

fisiócrata. com. Partidario de la fisiocracia.

fisiognomía. (Del gr. φυσιογνωμονία, arte de juzgar por el semblante, por el aspecto físico.) f. *Psicol.* Estudio del carácter a través del aspecto físico y, sobre todo, a través de la fisonomía del individuo.

fisiognómico, ca. adj. Perteneciente o relativo a la fisiognomía. ‖ **2.** f. **fisiognomía.**

fisiografía. (De *fisio-* y *-grafía.*) f. Geografía física.

fisiográfico, ca. adj. Perteneciente o relativo a la fisiografía.

fisiología. (Del gr. φυσιολογία, a través del lat. *physiologĭa.*) f. Ciencia que tiene por objeto el estudio de las funciones de los seres orgánicos.

fisiológicamente. adv. m. Con arreglo a las leyes de la fisiología.

fisiológico, ca. (Del gr. φυσιολογικός.) adj. Perteneciente a la fisiología. ‖ **2.** V. **atrofia fisiológica.**

fisiólogo, ga. (Del gr. φυσιολόγος, a través del lat. *physiolŏgus.*) m. y f. Persona que estudia o profesa la fisiología.

fisión. (Del lat. *fissĭo, -ōnis.*) f. *Fís.* Escisión del núcleo de un átomo, con liberación de energía, tal como se produce mediante el bombardeo de dicho núcleo con neutrones. ‖ **2.** *Biol.* Tipo de división celular por estrangulamiento y separación de porciones de protoplasma.

fisionar. tr. Producir una fisión. Ú. t. c. prnl.

fisionomía. (Del gr. φυσιογνωμωνία, a través del b. lat., con superposición silábica, *physiognomĭa.*) f. **fisonomía.**

fisiopatología. (De *fisio-* y *patología.*) f. Rama de la patología que estudia las alteraciones funcionales del organismo o de alguna de sus partes. FISIOPATOLOGÍA *del corazón.*

fisioterapeuta. (De *fisio-* y *terapeuta.*) com. Persona especializada en aplicar la fisioterapia.

fisioterapéutico, ca. adj. *Med.* **fisioterápico.**

fisioterapia. (De *fisio-* y *terapia.*) f. *Med.* Método curativo por medio de los agentes naturales: aire, agua, luz, etc., o mecánicos: masaje, gimnasia, etc.

fisioterápico, ca. adj. *Med.* Perteneciente o relativo a la fisioterapia.

fisioterapista. com. *Col.* **fisioterapeuta.**

fisiparidad. (Del lat. *fissus,* hendido, y un der. de *parĕre,* parir.) f. *Biol.* Modo de reproducción asexual mediante división simple de una célula o de un organismo animal o vegetal.

fisípedo, da. (Del lat. *fissĭpes, -ĕdis.*) adj. De pezuñas partidas. Ú. t. c. s.

fisirrostro, tra. (Del lat. *fissus,* hendido, y *rostrum,* pico.) adj. Dícese del pájaro que tiene el pico corto, ancho, aplastado y profundamente hendido. ‖ **2.** m. pl. *Zool.* En clasificaciones zoológicas ya en desuso, suborden de estos animales, al cual pertenecen las golondrinas y los vencejos.

fisonomía. (De *fisionomía.*) f. Aspecto particular del rostro de una persona. ‖ **2.** fig. Aspecto exterior de las cosas.

fisonómico, ca. adj. Perteneciente o relativo a la fisonomía.

fisonomista. adj. Dícese del que se dedica a estudiar la fisonomía. Ú. t. c. s. ‖ **2.** Aplícase al que tiene facilidad natural para recordar y distinguir a las personas por su fisonomía. Ú. t. c. s.

fisónomo, ma. m. y f. **fisonomista.**

fisostigmina. (Del gr. φῦσα, soplo, στίγμα, señal, e *-ina.*) f. *Quím.* Alcaloide muy venenoso que se extrae del haba del Calabar y de algunas otras plantas de la familia de las papilionáceas, y que se emplea en medicina para contraer la pupila y contra la hiperestesia de la médula espinal.

fisóstomo, ma. (Del gr. φῦσα, y στόμα, boca.) adj. *Zool.* Dícese de los peces teleósteos con aletas de radios blandos y flexibles y de las cuales las abdominales están situadas detrás de las pectorales, o no existen. Ú. t. c. s. ‖ **2.** m. pl. *Zool.* En clasificaciones zoológicas ya en desuso, suborden de estos animales, al que pertenecen muchos peces marinos y la mayoría de los de agua dulce.

fistol. (Del it. *fistolo,* diablo.) m. p. us. Hombre ladino y sagaz en su conducta, y singularmente en el juego. ‖ **2.** *Méj.* Alfiler que se prende como adorno en la corbata.

fístola. f. ant. **fístula.**

fistolar. (De *fístola.*) tr. ant. Hacer que una llaga se haga fístula.

fistra. (Del lat. *fistŭla,* cañafístula.) f. **ameos,** planta umbelífera.

fístula. (Del lat. *fistŭla.*) f. Cañón o arcaduz por donde pasa el agua u otro líquido. ‖ **2.** Instrumento musical de viento, parecido a una flauta. ‖ **3.** *Cir.* Conducto anormal, ulcerado y estrecho, que se abre en la piel o en las membranas mucosas. ‖ **lagrimal. rija**[1].

fistular[1]**.** (Del lat. *fistulāris.*) adj. Perteneciente o relativo a la fístula.

fistular[2]**.** tr. Hacer que una llaga se haga fístula.

fistuloso, sa. (Del lat. *fistulōsus.*) adj. Parecido a una fístula. ‖ **2.** *Cir.* Aplícase a las llagas y úlceras en que se forman las fístulas.

fisura. (Del lat. *fissūra.*) f. Grieta que se produce en un objeto. ‖ **2.** *Cir.* Fractura o hendedura longitudinal de un hueso. ‖ **3.** *Cir.* Grieta en el ano. ‖ **4.** *Min.* Hendedura que se encuentra en una masa mineral.

fito, ta. (Del lat. *fictus.*) p. p. ant. de **fincar.** ‖ **2.** m. ant. Hito o mojón.

fito- o **-fito, ta.** (Del gr. φυτόν.) elemen. compos. que significa «planta» o «vegetal»: FITO*grafía,* *micró*FITO.

fitófago, ga. (De *fito-* y *-fago.*) adj. Que se alimenta de materias vegetales. Ú. t. c. s.

fitoftirio. (De *fito-* y el gr. φθείριον, piojillo.) adj. *Zool.* Dícese de insectos hemípteros de pequeño tamaño, ápteros o con cuatro alas membranosas, parásitos de los vegetales, a los que suelen causar grandes perjuicios porque chupan su savia y obstruyen sus estomas; como la filoxera. Ú. t. c. s. ‖ **2.** m. pl. *Zool.* Grupo al que pertenecen estos animales.

fitografía. (De *fito-* y *-grafía.*) f. Parte de la botánica que tiene por objeto la descripción de las plantas.

fitográfico, ca. adj. Perteneciente o relativo a la fitografía.

fitógrafo, fa. (De *fito-* y *-grafo.*) m. y f. Persona que profesa o sabe la fitografía.

fitolacáceo, a. (De *Phytolacca,* nombre de un género de plantas, y *-áceo.*) adj. *Bot.* Dícese de plantas angiospermas dicotiledóneas, por lo común lampiñas, con hojas alternas, simples y membranosas o algo carnosas, flores casi siempre hermafroditas, fruto abayado y a veces de otras formas, y semilla de albumen amiláceo, como la hierba carmín y el ombú. Ú. t. c. s. f. ‖ **2.** f. pl. *Bot.* Familia de estas plantas.

fitología. (De *fito-* y *-logía.*) f. **botánica,** ciencia que trata de los vegetales.

fitonisa. f. desus. **pitonisa.**

fitopatología. (De *fito-* y *patología.*) f. Estudio de las enfermedades de los vegetales.

fitoplancton. (De *fito-* y *plancton.*) m. *Biol.* Plancton marino o dulciacuícola, constituido predominantemente por organismos vegetales, como ciertas algas (diatomeas, etc.).

fitosanitario, ria. (De *fito-* y *sanitario.*) adj. Perteneciente o relativo a la prevención y curación de las enfermedades de las plantas.

fitosociología. (De *fito-* y *sociología.*) f. *Bot.* **sociología vegetal.**

fitoterapeuta. com. Persona especializada en fitoterapia.

fitoterapia. (De *fito-* y *terapia.*) f. *Med.* Tratamiento de las enfermedades mediante plantas o sustancias vegetales.

fitotomía. (De *fito-* y *-tomía.*) f. Parte de la botánica que estudia la anatomía de las plantas.

fiucia. f. ant. **fiducia.**

fiuciar. (Del lat. **fiduciāre,* pignorar, empeñar.) tr. ant. **afiuciar.**

fiyuela. f. *León.* **filloga.**

fizar. (Del lat. **fictiāre.*) tr. *Ar.* Picar, producir una picadura o mordedura, especialmente los insectos o reptiles.

fizón. (De *fizar.*) m. *Ar.* **aguijón.**

flabelicornio. (Del lat. *flabellum,* abanico, y *cornu,* cuerno.) adj. *Zool.* Que tiene las antenas en forma de abanico.

flabelífero, ra. (Del lat. *flabellĭfer, -ĕra,* que lleva abanico.) adj. Aplicábase al que tenía por oficio llevar y agitar un abanico grande montado en una vara, en ciertas ceremonias religiosas o cortesanas.

flabeliforme. (Del lat. *flabellum,* abanico, y *-forme.*) adj. En forma de abanico.

flabelo. m. Abanico grande con mango largo.

flacamente. adv. m. Débil, flojamente.

flaccidez. f. **flacidez.**

fláccido, da. (Del lat. *flaccĭdus.*) adj. **flácido.**

flacidez. f. Cualidad de flácido. ‖ **2.** Laxitud, debilidad muscular, flojedad. ‖ **3.** *Zool.* Enfermedad epidémica mortal del gusano de seda.

flácido, da. adj. Flaco, flojo, sin consistencia.

flaco, ca. (Del lat. *flaccus.*) adj. De pocas carnes. ‖ **2.** V. **tercio flaco.** ‖ **3.** fig. Flojo, sin fuerzas, sin vigor para resistir. ‖ **4.** fig. Aplícase al espíritu falto de vigor y resistencia, fácil de ser movido a cualquier opinión. ‖ **5.** fig. Endeble, sin fuerza. *Argumento, fundamento* FLACO. ‖ **6.** m. Defecto moral o afición predominante de las personas.

flacuchento, ta. adj. *Chile, Ecuad., Perú* y *Venez.* **flacucho.**

flacucho, cha. adj. despect. fam. Algo flaco. Ú. con frecuencia en sentido afectuoso.

flacura. f. Cualidad de flaco.

flagelación. (Del lat. *flagellatĭo, -ōnis.*) f. Acción de flagelar o flagelarse.
flagelado, da. p. p. de **flagelar.** ‖ **2.** adj. *Biol.* Dícese de la célula o microorganismo que tiene uno o varios flagelos. Ú. t. c. s. m. ‖ **3.** m. pl. *Zool.* Clase de protozoos, que comprende animales provistos de flagelos en número que comúnmente no excede de ocho. Muchas de sus especies viven en aguas dulces o marinas, y otras son parásitas.
flagelador, ra. adj. Que flagela. Ú. t. c. s.
flagelante. p. a. de **flagelar.** Que flagela o se flagela. ‖ **2.** m. Hereje de una secta que apareció en Italia en el siglo XIII, y cuyo error consistía en considerar más eficaz para el perdón de los pecados la penitencia de los azotes que la confesión sacramental. ‖ **3.** Disciplinante, penitente que se azota en público, especialmente en Semana Santa.
flagelar. (Del lat. *flagellāre.*) tr. Maltratar con azotes. Ú. t. c. prnl. ‖ **2.** fig. Vituperar, censurar con dureza.
flagelo. (Del lat. *flagellum.*) m. Instrumento para azotar. ‖ **2.** Embate repetido del agua. ‖ **3.** Aflicción, calamidad. ‖ **4.** *Biol.* Cualquiera de los filamentos permanentes, largos y delgados, que emergen del protoplasma de los protozoos flagelados, de algunas bacterias y algas unicelulares y de ciertos espermatozoides y esporas; mediante sus movimientos se efectúa la locomoción de estas células en un medio líquido.
flagicio. (Del lat. *flagitĭum.*) m. ant. Delito grave y atroz.
flagicioso, sa. (Del lat. *flagitiōsus.*) adj. ant. Que comete muchos y graves delitos.
flagrancia. (Del lat. *flagrantĭa.*) f. Cualidad de flagrante.
flagrante. (Del lat. *flagrans, -antis.*) p. a. poét. de **flagrar.** Que flagra. ‖ **2.** adj. Que se está ejecutando actualmente. ‖ **3.** De tal evidencia que no necesita pruebas. *Contradicción* FLAGRANTE. ‖ **en flagrante.** loc. adv. En el mismo momento de estarse cometiendo un delito, sin que el autor haya podido huir.
flagrar. (Del lat. *flagrāre.*) intr. poét. Arder o resplandecer como fuego o llama.
flama. (Del lat. *flamma.*) f. **llama**[1]. ‖ **2.** Reflejo o reverberación de la llama. ‖ **3.** *And.* y *Extr.* **bochorno,** calor ardiente. ‖ **4.** *Mil.* Adorno que se usó en la parte anterior y superior del morrión y del chacó.
flamante. (Del lat. *flammans, -antis.*) adj. ant. Que arroja llamas. ‖ **2.** Lúcido, resplandeciente. ‖ **3.** Nuevo en una actividad o clase; recién entrado en ella. *Novio* FLAMANTE. ‖ **4.** Aplicado a cosas, acabado de hacer o de estrenar. ‖ **5.** pl. *Blas.* V. **palos flamantes.**
flamear. (De *flamma.*) intr. Despedir llamas. ‖ **2.** fig. Ondear las grímpolas y flámulas o la vela del buque por estar al filo del viento. ‖ **3.** fig. Ondear una bandera movida por el viento, sin llegar a desplegarse enteramente. ‖ **4.** *Med.* Quemar alcohol u otro líquido inflamable en superficies o vasijas que se quieren esterilizar.
flamen. (Del lat. *flamen.*) m. Sacerdote romano destinado al culto de una deidad determinada. ‖ **dial.** El de Júpiter. ‖ **marcial.** El de Marte. ‖ **quirinal.** El de Rómulo.
flamenco, ca. (Del neerl. *flaming.*) adj. Natural de Flandes. Ú. t. c. s. ‖ **2.** Perteneciente o relativo a esta región. ‖ **3.** Dícese de lo andaluz que tiende a hacerse agitanado. Ú. t. c. s. *Cante, aire, tipo* FLAMENCO. ‖ **4.** Que tiene aire de chulo. Ú. t. c. s. ‖ **5.** Aplícase a las personas, especialmente a las mujeres, de buenas carnes, cutis terso y bien coloreado. Ú. t. c. s. ‖ **6.** *P. Rico.* Delgado, flaco. ‖ **7.** m. Idioma **flamenco.** ‖ **8.** Ave zancuda, de cerca de un metro de altura, con pico, cuello y patas muy largas, plumaje blanco en el cuello, pecho y abdomen, y rojo intenso en la cabeza, espalda, cola, parte superior de las alas, pies y parte superior del pico, cuya punta es negra, lo mismo que las remeras. ‖ **9.** *And.* Cuchillo de Flandes.
flamencología. (De *flamenco* y *-logía.*) f. Conjunto de conocimientos, técnicas, etc., sobre el cante y baile flamencos.
flamencólogo, ga. adj. Dícese de la persona experta en flamencología. Ú. t. c. s.
flamenquería. f. Cualidad de flamenco, chulería.
flamenquilla. (d. de *flamenco.*) f. Plato mediano, de figura redonda u oblonga, mayor que el trinchero y menor que la fuente. ‖ **2. maravilla,** planta.
flamenquismo. m. Afición a las costumbres flamencas o achuladas.
flameo. m. Acción y efecto de flamear. ‖ **2.** Longitud de una bandera.
flámeo. (Del lat. *flammĕus.*) adj. poét. Que participa de la condición de la llama. ‖ **2.** m. Velo o toca de color de fuego que en la Roma antigua se ponía a las desposadas.
flamero. (De *flama.*) m. Candelabro que, por medio de mixtos contenidos en él, arroja una gran llama.
flamígero, ra. (Del lat. *flammĭger, -ĕra.*) adj. Que arroja o despide llamas, o imita su figura. ‖ **2.** *Arq.* V. **gótico flamígero.**
flámula. (Del lat. *flammŭla.*) f. Especie de grímpola. ‖ **2.** ant. Ranúnculo o apio de ranas.
flan. (Del fr. *flan.*) m. Plato de dulce que se hace con yemas de huevo, leche y azúcar, y se cuaja en el baño de María, dentro de un molde generalmente bañado de azúcar tostada. Suele llevar también harina, y con frecuencia se le echa alguna otra cosa, como café, naranja, vainilla, etc. ‖ **2.** Por ext., cualquier materia moldeada en esa forma. ‖ **3.** *Numism.* Disco de metal dispuesto para la acuñación de las monedas.
flanco. (Del fr. *flanc.*) m. Cada una de las dos partes laterales de un cuerpo considerado de frente. *El* FLANCO *derecho; por el* FLANCO *izquierdo.* ‖ **2.** Lado o costado de un buque. ‖ **3.** Lado de una fuerza militar, o zona lateral e inmediata a ella. ‖ **4.** *Fort.* Parte del baluarte que hace ángulo entrante con la cortina y saliente con el frente. ‖ **5.** *Fort.* Cada uno de los dos muros que unen al recinto fortificado las caras de un baluarte. ‖ **del escudo.** *Blas.* Cualquiera de los costados del mismo en el sentido de su longitud, y de un tercio de su anchura. ‖ **retirado.** *Fort.* El del baluarte cuando está cubierto con el orejón.
Flandes. n. p. V. **consejo, hoja de Flandes.** ‖ **¿estamos aquí, o en Flandes?** expr. fam. **¿estamos aquí, o en Jauja?** ‖ **no hay más Flandes.** fr. fig. desus. No hay cosa mejor; encarecimiento de hermosura, bondad, etc.
flanero, ra. m. y f. Molde en que se cuaja el flan.
flanqueado, da. p. p. de **flanquear.** ‖ **2.** adj. Dícese del objeto que tiene a sus flancos o costados otras cosas que lo acompañan o completan. ‖ **3.** Defendido o protegido por los flancos. ‖ **4.** *Blas.* Dícese de la figura que parte el escudo del lado de los flancos, ya por medios óvalos, ya por medios rombos, que corren desde el ángulo del jefe al de la punta del mismo lado de donde toman su principio.
flanqueador, ra. adj. Que flanquea. Ú. t. c. s.
flanquear. (De *flanco.*) tr. Estar colocado al flanco o lado de una cosa. ‖ **2.** *Mil.* Proteger los propios flancos. ‖ **3.** *Mil.* Amenazar los flancos del adversario. ‖ **4.** *Mil.* Estar colocado un castillo, baluarte, monte, etc., de tal suerte, respecto de la ciudad, fortificación, etc., que llegue a estas con su artillería, cruzándolas o atravesándolas con sus fuegos.
flanqueo. m. Acción y efecto de flanquear.
flanquís. (Del fr. *flanchis.*) m. *Blas.* Sotuer que no tiene sino el tercio de su anchura normal.
flaón. (Del fr. ant. *flaon.*) m. p. us. Flan de dulce.
flaquear. (De *flaco.*) intr. Debilitarse, ir perdiendo fuerza. ‖ **2.** Amenazar ruina o caída alguna cosa, como un edifi-

cio, una columna, una viga. ‖ **3.** fig. Decaer de ánimo, aflojar en una acción.

flaquecer. (De *flaco.*) intr. ant. Quedarse flaco.

flaquencia. f. *Amér. Central, Ant.* y *Méj.* **flaqueza.**

flaquera. (De *flaco.*) f. *Sal.* Debilidad, extenuación. ‖ **2.** *Sal.* Enfermedad de las abejas, producida por la falta de pasto.

flaqueza. (De *flaco.*) f. Extenuación, falta o mengua de carnes. ‖ **2.** fig. Debilidad, falta de vigor y fuerzas. ‖ **3.** fig. Fragilidad o acción defectuosa cometida por debilidad, especialmente de la carne. ‖ **4.** *Esgr.* Tercio flaco.

flas. (Del ing. *flash,* destello.) m. *Fotogr.* Dispositivo luminoso con destello breve e intenso, usado cuando la luz es insuficiente. ‖ **2.** *Fotogr.* Resplandor provocado por este dispositivo. ‖ **3.** fig. En periodismo, noticia importante de última hora.

flato. (Del lat. *flatus,* viento.) m. Acumulación molesta de gases en el tubo digestivo, que algunas veces es enfermedad. ‖ **2.** ant. Corriente de aire en la atmósfera. ‖ **3.** *Amer. Central, Col., Méj.* y *Venez.* Melancolía, murria, tristeza.

flatoso, sa. adj. Sujeto a flatos.

flatulencia. (Del b. lat. *flatulentia.*) f. Indisposición o molestia del flatulento.

flatulento, ta. adj. Que causa flatos. ‖ **2.** Que los padece. Ú. t. c. s.

flatuoso, sa. adj. Sujeto a flatos.

flauta. (Probablemente del prov. *flauta.*) f. Instrumento musical de viento, de madera u otros materiales, en forma de tubo con varios agujeros circulares que se tapan con los dedos o con llaves. ‖ **2.** m. Persona que toca la **flauta.** ‖ **dulce.** La que tiene la embocadura en el extremo del primer tubo y en forma de boquilla. ‖ **travesera.** La que se coloca de través, y de izquierda a derecha, para tocarla. Tiene cerrado el extremo superior del primer tubo, hacia la mitad del cual está la embocadura en forma de agujero ovalado, mayor que los demás. ‖ **¡la flauta!** *R. de la Plata.* expr. que indica admiración o sorpresa. ‖ **y sonó la flauta;** a veces se completa, añadiendo **por casualidad.** fr. tomada de una fábula conocida, para indicar que un acierto ha sido casual.

flautado, da. adj. Semejante a la flauta. ‖ **2.** m. Uno de los registros del órgano, compuesto de cañones, cuyo sonido imita el de las flautas.

flauteado, da. adj. De sonido semejante al de la flauta. Aplícase especialmente a la voz dulce y delicada.

flautero. m. Artífice que hace flautas.

flautillo. (d. de *flauta.*) m. Caramillo de sonido muy agudo.

flautín. (d. de *flauta.*) m. Flauta pequeña, de tono agudo y penetrante, cuyos sonidos corresponden a los de la flauta ordinaria, pero en una octava alta. Se usa en las orquestas, y más en las bandas militares. ‖ **2.** Persona que toca este instrumento.

flautista. com. Persona que ejerce o profesa el arte de tocar la flauta.

flautos. (De *flauta.*) m. pl. fam. V. **pitos flautos.**

flavo, va. (Del lat. *flavus.*) adj. De color entre amarillo y rojo, como el de la miel o el del oro.

flébil. (Del lat. *flebĭlis.*) adj. poét. Digno de ser llorado. ‖ **2.** poét. Lamentable, triste, lacrimoso. Ú. más en poesía.

flebitis. (Del gr. φλέψ, vena, e *-itis.*) f. Inflamación de las venas.

flebotomía. (Del gr. φλεβοτομία.) f. Arte de sangrar abriendo una vena. ‖ **2.** Acción y efecto de sangrar abriendo una vena.

flebotomiano. m. **sangrador,** persona que practica flebotomías.

flecadura. f. p. us. **flocadura.**

fleco. (De *flueco.*) m. Adorno compuesto de una serie de hilos o cordoncillos colgantes de una tira de tela o de pasamanería. ‖ **2.** Flequillo del pelo. ‖ **3.** fig. Borde deshilachado por el uso en una tela vieja.

flecha. (Del fr. *flèche.*) f. **saeta,** arma arrojadiza. ‖ **2.** Indicador de dirección en esta forma. ‖ **3.** *Fort.* Obra compuesta de dos caras y dos lados, que suele formarse en tiempo de sitio a las extremidades de los ángulos entrantes y salientes del glacis; sirve para estorbar los aproches. ‖ **4.** *Geom.* **sagita.** ‖ **5.** n. p. *Astron.* Constelación boreal situada al norte del Águila.

flechador. m. El que dispara flechas.

flechadura. f. *Mar.* Conjunto de flechastes de una tabla de jarcia.

flechar. tr. Estirar la cuerda del arco, colocando la flecha para dispararla. ‖ **2.** Herir o matar a uno con flechas. ‖ **3.** fig. y fam. Inspirar amor, cautivar los sentidos repentinamente. ‖ **4.** intr. Tener el arco en disposición para disparar la saeta.

flechaste. (De *flecha,* probablemente a través del cat. *fletxat.*) m. *Mar.* Cada uno de los cordeles horizontales que, ligados a los obenques, como a medio metro de distancia entre sí y en toda la extensión de jarcias mayores y de gavia, sirven de escalones a la marinería para subir a ejecutar las maniobras en lo alto de los palos.

flechazo. m. Acción de disparar la flecha. ‖ **2.** Daño o herida que esta causa. ‖ **3.** fig. y fam. Amor que repentinamente se siente o se inspira.

flechera. f. Embarcación ligera de guerra, usada en Venezuela, de forma de canoa con quilla, movida por canaletes, antiguamente montada por indios armados con flechas.

flechería. f. Conjunto de muchas flechas disparadas. ‖ **2.** Provisión de flechas.

flechero. m. El que se sirve del arco y de las flechas. ‖ **2.** El que hace flechas.

flechilla. f. d. de **flecha.** ‖ **2.** *Argent.* Pasto fuerte que come el ganado cuando está tierno. La planta está provista de unos vástagos de forma de flecha perjudiciales para el ganado.

flegma. (Del gr. φλέγμα, inflamación, mucosidad, a través del lat. *phlegma.*) f. ant. **flema.**

flegmasía. (Del gr. φλεγμασία, ardor, inflamación.) f. desus. *Pat.* Proceso patológico que presenta los fenómenos característicos de la inflamación.

flegmático, ca. (Del gr. φλεγματικός, a través del lat. *phlegmaticus.*) adj. ant. **flemático.**

flegmón. (Del gr. φλεγμονή, a través del b. lat. *phlegmon, -ōnis.*) m. ant. **flemón**[2].

flegmonoso, sa. adj. *Med.* **flemonoso.**

fleja. (Por *freja,* del lat. **fraxa,* der. regres. de **fraxīnus,* fresno.) f. *Ar.* **flejar.**

flejar. m. *Ar.* **fresno.**

fleje. (Del cat. dialect. *fleix,* fresno, por cruce con *fleixir,* doblegar.) m. Tira de chapa de hierro o de cualquier otro material resistente con que se hacen arcos para asegurar las duelas de cubas y toneles y las balas de ciertas mercancías. ‖ **2.** Pieza alargada y curva de acero que, aislada o con otras, sirve para muelles o resortes. ‖ **3.** *Col.* Refuerzo perpendicular de las barras longitudinales de los elementos de hormigón armado sometidos a compresión.

flema. (De *flegma.*) f. Uno de los cuatro humores en que se dividían antiguamente los del cuerpo humano. ‖ **2.** Mucosidad pegajosa que se arroja por la boca, procedente de las vías respiratorias. ‖ **3.** fig. Calma excesiva, impasibilidad. *Gastar* FLEMA. ‖ **4.** *Quím.* Producto acuoso obtenido de las sustancias orgánicas al ser descompuestas por el calor en aparato destilatorio. ‖ **5.** pl. Aguardientes obtenidos de la destilación de orujos de uva fermentados.

flemático, ca. adj. Perteneciente a la flema o que participa de ella. ‖ **2.** fig. Tardo y lento en las acciones. ‖ **3.** Tranquilo, impasible.

fleme. (Del prov. *flecme.*) m. *Veter.* Instrumento de hierro con una laminita acerada, puntiaguda y cortante, que sirve para sangrar las bestias.

flemón[1]**.** m. aum. de **flema.**

flemón[2]**.** (De *flegmón.*) m. Tumor en las encías. ‖ **2.** *Med.* Inflamación aguda del tejido celular en cualquier parte del cuerpo.

flemonoso, sa. (De *flegmonoso.*) adj. Perteneciente o relativo al flemón.

flemoso, sa. adj. Que tiene flema o la causa.

flemudo, da. adj. **flemático,** lento en las acciones. Ú. t. c. s.

fleo. (Del gr. φλέως.) m. Especie de gramínea con glumillas fructíferas tiernas.

flequezuelo. m. d. de **fleco.**

flequillo. m. d. de **fleco.** ‖ **2.** Porción de cabello recortado que a manera de fleco se deja caer sobre la frente.

fleta. (De *fletar*[2]*.*) f. *Col.* y *Venez.* **fricción.** ‖ **2.** *Cuba* y *Chile.* Azotaina, zurra.

fletación. (De *fletar*[2]*.*) f. *And.* **fricción.**

fletador. (De *fletar*[1]*.*) m. El que fleta. ‖ **2.** *Com.* En el contrato de fletamento, el que entrega la carga que ha de transportarse.

fletamento. (De *fletar*[1]*.*) m. Acción de fletar. ‖ **2.** *Com.* Contrato mercantil en que se estipula el flete. ‖ **3.** V. **carta de fletamento.**

fletamiento. m. ant. **fletamento.**

fletante. (De *fletar*[1]*.*) p. a. de **fletar.** Que fleta. ‖ **2.** m. *Chile* y *Ecuad.* El que da en alquiler un vehículo o una bestia para transportar personas o mercancías. ‖ **3.** *Com.* En el contrato de fletamento, el naviero o el que lo representante.

fletar[1]**.** (De *flete.*) tr. Dar o tomar a flete un buque. Por ext. se aplica a vehículos terrestres o aéreos. ‖ **2.** Embarcar personas o mercancías en una nave para su transporte. Ú. t. c. prnl. ‖ **3.** *Amér.* Alquilar una bestia o un vehículo para transportar personas o cargas. ‖ **4.** fig. *Chile* y *Perú.* Soltar, espetar, largar, dicho de acciones o palabras inconvenientes o agresivas. *Le* FLETÓ *una desvergüenza, una bofetada.* ‖ **5.** *Argent., Chile* y *Urug.* Enviar a alguien a alguna parte contra su voluntad. ‖ **6.** *Argent., Chile* y *Urug.* Despedir a alguien de un trabajo o empleo. ‖ **7.** prnl. *Cuba.* Largarse, marcharse de pronto. ‖ **8.** *Argent.* Colarse, introducirse en una reunión sin ser invitado. ‖ **9.** *Méj.* Encargarse a disgusto de un trabajo pesado. ‖ **10.** *Méj.* Inclinarse.

fletar[2]**.** (De *fretar.*) tr. ant. Frotar, restregar.

flete. (Del fr. *fret.*) m. Precio estipulado por el alquiler de la nave o de una parte de ella. ‖ **2.** Carga de un buque. ‖ **3.** *Amér.* Precio del alquiler de una nave o de otro medio de transporte. ‖ **4.** *Amér.* Carga que se transporta por mar o por tierra. *Los arrieros buscan* FLETE. ‖ **5.** rur. *Argent.* y *Urug.* Caballo ligero. ‖ **6.** *Argent.* Vehículo que, por alquiler, transporta bultos o mercancías. ‖ **7.** *Argent.* El transporte mismo. ‖ **8.** *Cuba.* Cliente de la fletera o prostituta. ‖ **falso flete.** Cantidad que se paga cuando no se usa la nave o la parte de ella que se ha alquilado.

fletear. (De *flete.*) tr. *C. Rica* y *Nicar.* Transportar carga de un lugar a otro. ‖ **2.** intr. *Cuba* y *C. Rica.* Recorrer una prostituta las calles en busca de clientes.

fleteo. m. *Cuba.* Acción de fletear o buscar hombres una prostituta.

fletero, ra. (De *flete.*) adj. *Amér.* Dícese de la embarcación, carro u otro vehículo que se alquila para transporte. ‖ **2.** *Amér.* Dícese del que tiene por oficio hacer transportes. Ú. t. c. s. ‖ **3.** m. *Chile* y *Perú.* El que en los puertos se encarga de transportar mercancías o personas entre las naves y los muelles. ‖ **4.** f. *Cuba.* Prostituta que recorre las calles en busca de clientes.

flexibilidad. (Del lat. *flexibilĭtas, -ātis.*) f. Cualidad de flexible.

flexibilizar. tr. Hacer flexible alguna cosa, darle flexibilidad. Ú. t. c. prnl.

flexible. (Del lat. *flexibĭlis.*) adj. Que tiene disposición para doblarse fácilmente. ‖ **2.** fig. Dícese del ánimo, genio o índole que tienen disposición a ceder o acomodarse fácilmente al dictamen o resolución de otro. ‖ **3.** m. Cable formado de hilos finos de cobre recubiertos de una capa aisladora, que se emplea para la transmisión de la energía eléctrica en el interior de los edificios. ‖ **4. sombrero flexible.**

flexión. (Del lat. *flexĭo, -ōnis.*) f. Acción y efecto de doblar el cuerpo o algún miembro. ‖ **2.** Deformación que experimenta un sólido al doblarse. ‖ **3.** *Geol.* Doblamiento suave de los estratos terrestres. ‖ **4.** *Gram.* Alteración que experimentan las voces conjugables y las declinables con el cambio de desinencias, de la vocal de la raíz o de otros elementos.

flexional. adj. *Gram.* Perteneciente o relativo a la flexión.

flexionar. tr. Hacer flexiones con el cuerpo o con algún miembro.

flexivo, va. adj. Perteneciente o relativo a la flexión gramatical. ‖ **2.** Que tiene flexión gramatical.

flexo. (Del lat. *flexus,* curvado.) m. Lámpara de mesa con brazo flexible que permite concentrar la luz en un espacio determinado.

flexor, ra. (Del lat. *flexus.*) adj. Que dobla o hace que una cosa se doble con movimiento de flexión. *Músculo* FLEXOR.

flexuoso, sa. (Del lat. *flexuōsus.*) adj. Que forma ondas. ‖ **2.** fig. Blando, condescendiente.

flexura. (Del lat. *flexūra.*) f. Pliegue, curva, doblez.

flictena. (Del gr. φλύκταινα, pústula, ampolla.) f. *Pat.* Tumorcillo cutáneo, transparente, a modo de vejiguilla o ampolla, que contiene humor acuoso y no pus o materia.

flirtear. (Del ing. *flirt,* coquetear.) intr. Practicar el flirteo.

flirteo. (De *flirtear.*) m. Juego amoroso que no se formaliza ni supone compromiso.

flocadura. (Del lat. *floccus,* fleco.) f. Guarnición hecha de flecos.

floculación. (De *flocular.*) f. *Quím.* Proceso por el cual una sustancia dispersa coloidalmente se separa en forma de partículas discretas, y no como masa continua, del líquido que la contiene.

flocular. (Del lat. *floccŭlus,* d. de *floccus,* fleco.) intr. *Quím.* Producirse una floculación.

flogístico, ca. adj. *Quím.* Perteneciente o relativo al flogisto.

flogisto. (Del gr. φλογιστός, inflamable.) m. *Quím.* Principio imaginado por Stahl en el siglo XVIII que formaba parte de todos los cuerpos y, al abandonarlos, producía su combustión.

flogosis. (Del gr. φλόγωσις, inflamación.) f. *Med.* Inflamación patológica.

flojamente. adv. m. Con descuido, pereza y negligencia.

flojear. intr. Obrar con pereza y descuido; aflojar en el trabajo. ‖ **2. flaquear.**

flojedad. (De *flojo.*) f. Debilidad y flaqueza en alguna cosa. ‖ **2.** fig. Pereza, negligencia y descuido en las operaciones.

flojel. (Del cat. *fluixell,* pelillo del paño.) m. Tamo o pelusa que se saca y despide del pelo del paño. ‖ **2. plumón** de las aves. ‖ **3.** V. **pato de flojel.**

flojera. f. fam. **flojedad.**

flojo, ja. (Del lat. *fluxus.*) adj. Mal atado, poco apretado o poco tirante. ‖ **2.** Que no tiene mucha actividad, fortaleza o vigor. *Vino* FLOJO. ‖ **3.** V. **cuerda, seda floja.** ‖ **4.** fig. Perezoso, negligente, descuidado y tardo en las operaciones. Ú. t. c. s.

flojuelo. m. *Ál.* y *Rioja.* Tamo, pelusa del paño.

flojura. f. **flojedad.**

floqueado, da. (Del lat. *floccus,* fleco.) adj. Guarnecido con fleco.

floquecillo. m. d. ant. de **fleco.**

flor. (Del lat. *flōs, flōris.*) f. Brote de muchas plantas, formado por hojas de vivos colores, del que se formará el fruto. ‖ **2.** *Bot.* Brote reproductor de las plantas fanerógamas, y, por ext., de muchas otras, que consta de hojas fértiles, los carpelos y estambres, y hojas no fértiles, acompañantes, que forman el periantio. ‖ **3.** fig. Lo mejor y más escogido de algo. FLOR *del ejército; pan de* FLOR; *la* FLOR *de la harina.* ‖ **4.** Polvillo que tienen ciertas frutas como las ciruelas, uvas, etc. ‖ **5.** Nata que hace el vino en lo alto de la vasija. ‖ **6.** Dulce, llamado así por su forma, hecho con huevos, leche y harina, que se fríe en aceite y se rocía con azúcar o miel. ‖ **7.** Irisaciones que se producen en las láminas delgadas de metales, cuando pasan candentes por el agua. ‖ **8.** Parte más sutil y ligera de los minerales, que se pega en lo más alto del alambique. ‖ **9.** Sustancia obtenida por sublimación, corrientemente un óxido. Ú. m. en pl. ‖ **10.** Virginidad. ‖ **11.** Menstruación de la mujer. ‖ **12.** Piropo, requiebro. Ú. m. en pl. ‖ **13.** Juego de envite que se juega con tres naipes. Hace **flor** el que junta tres de un palo. ‖ **14.** Lance en el juego de la perejila o de la treinta y una, que consiste en tener tres cartas blancas del mismo palo. ‖ **15. cacho**[1], juego de naipes. ‖ **16.** En las pieles adobadas, parte exterior, que admite pulimento, a distinción de la parte que se llama carnaza. ‖ **17.** Entre fulleros, trampa y engaño que se hace en el juego. ‖ **18.** *Chile.* Manchita blanca de las uñas. ‖ **19.** *Argent.* **alcachofa,** pieza agujereada de la ducha. ‖ **completa.** *Bot.* La que consta de cáliz, corola, estambres y pistilos. ‖ **compuesta.** *Bot.* La inflorescencia formada de muchas florecillas en un receptáculo común. ‖ **de amor. amaranto.** ‖ **de ángel.** *Ál.* Narciso amarillo. ‖ **de la abeja.** *Ál.* Especie de orquídea que recibe su nombre porque la **flor,** vista de frente, se parece a una abeja. ‖ **de la canela.** loc. fig. y fam. Dícese para encarecer lo muy excelente. ‖ **de la edad.** Juventud de una persona. ‖ **de la maravilla.** Planta de adorno, originaria de Méjico, de la familia de las iridáceas, con **flores** grandes, terminales, que se marchitan a las pocas horas de abiertas, y tienen la corola de una pieza, dividida en seis lacinias, las tres exteriores más largas que las otras y todas de color de púrpura con manchas como las de la piel del tigre. ‖ **2.** fig. y fam. Persona que convalece súbitamente o con mucha brevedad de una dolencia, y está tan pronto buena como mala. ‖ **de la sal.** Especie de espuma rojiza que produce la sal, y es de uso en medicina. ‖ **de la Trinidad. trinitaria.** ‖ **de la vida. flor de la edad.** ‖ **del embudo. cala**[3], planta. ‖ **de lis.** Forma heráldica de la **flor** del lirio, que se compone de un grupo de tres hojas, la del medio grande y ancha, y las de los costados más estrechas y curvadas, terminadas todas por un remate más pequeño en la parte inferior. ‖ **2.** Planta americana de la familia de las amarilidáceas, con un escapo de tres decímetros de alto, en cuyo extremo nace una **flor** grande, de color rojo purpúreo y aterciopelada, dividida en dos grandes labios muy desiguales, y cada uno con tres lacinias, la del medio más larga que las otras, y todas juntas en forma parecida a la **flor** de lis heráldica. ‖ **del viento.** Una de las especies de anemone, con **flores** violadas; es venenosa. ‖ **2.** *Mar.* Primeros soplos que de él se sienten cuando cambia, o después de una calma. ‖ **de macho.** *Ál.* **amargón.** ‖ **de muerto. maravilla,** planta herbácea. ‖ **de Santa Lucía.** Planta del orden de las bromeliáceas, que tiene **flores** azules oscuras o blancas. ‖ **incompleta.** *Bot.* La que carece de alguna o algunas de las partes de la completa. ‖ **irregular.** *Bot.* La que es cigomorfa. ‖ **regular.** *Bot.* La que es actinomorfa. ‖ **y nata. flor,** lo más selecto en su especie. *La* FLOR Y NATA *de la sociedad.* ‖ **flores blancas. flujo blanco.** ‖ **conglomeradas.** *Bot.* Las que en gran número se contienen en un pedúnculo ramoso, estrechamente unidas y sin orden. ‖ **cordiales.** Mezcla de ciertas **flores,** cuya infusión se da a los enfermos como sudorífico. ‖ **de cantueso.** fig. y fam. Cosa fútil o de poca entidad. ‖ **de cinc.** Copos de óxido de este metal. ‖ **de maíz.** Rosetas de maíz. ‖ **de mano.** Las que se hacen a imitación de las naturales. ‖ **de mayo.** Culto especial que se tributa a la Virgen todos los días de este mes. ‖ **de muerto.** Las de la **maravilla,** planta herbácea. ‖ **solitarias.** *Bot.* Las que nacen aisladas unas de otras en una planta. ‖ **a flor de agua.** loc. adv. En la superficie, sobre o cerca de la superficie del agua. ‖ **a flor de cuño.** *Numism.* Expresión que denota la excelente conservación de una moneda o medalla. ‖ **a flor de piel.** loc. adj. Sensible, fácil, pronto. ‖ **a flor de tierra.** loc. adv. En la superficie, sobre o cerca de la superficie de la tierra. ‖ **ajustado a flor.** loc. adj. Entre ebanistas y carpinteros, se dice de la pieza que está embutida en otra, quedando igual la superficie de ambas. ‖ **a la flor del agua.** loc. adv. **a flor de agua.** ‖ **andarse a la flor del berro.** fr. fig. y fam. Darse a diversiones y placeres. ‖ **andarse en flores.** fr. Rehusar la contestación o diferir entrar en lo esencial de un asunto. ‖ **buscar la flor del berro.** fr. fig. y fam. **andarse a la flor del berro.** ‖ **caer** uno **en flor.** fr. fig. Morir o malograrse de corta edad. ‖ **como mil flores,** o **como unas flores.** loc. adv. con que se explica la galanura y buen parecer de una cosa. ‖ **2.** También se usa para significar que uno está satisfecho o como quiere. ‖ **dar** uno **en la flor de** algo. fr. Contraer la costumbre de hacer o decir una cosa. ‖ **decir flores.** fr. **echar flores.** ‖ **de mi flor.** loc. adj. fam. Excelente, magnífico. ‖ **descornar la flor.** fr. *Germ.* Descubrir la trampa o fullería del jugador. ‖ **echar flores.** fr. **requebrar,** galantear. ‖ **2.** Alabar, lisonjear. ‖ **en flor.** loc. adj. o adv. fig. En el estado inmediatamente anterior a la madurez. ‖ **2.** En el de mayor esplendor o belleza. ‖ **en flores.** loc. adv. fig. En claro, en ayunas. ‖ **entenderle** a uno **la flor.** fr. fig. y fam. Conocerle la intención. ‖ **pasársela,** o **pasárselo,** uno **en flores.** fr. fig. Pasarlo bien, tener vida regalada. ‖ **si son flores o no son flores.** expr. fig. Se dice del que no ve con claridad una cosa y no atina a decir lo que piensa, o del que disimuladamente y aparentando duda, dice aquello que le convenía soltar. ‖ **tener por flor.** fr. Haber hecho hábito o costumbre de un defecto; como trampear, murmurar, etc. ‖ **todo es flor, y al fin de azahar.** fr. fig. Dícese, jugando con el vocablo, por la lozanía de la juventud que sigue placeres vanos y sin fruto, y al fin está llena de azares.

flora. (Del lat. *Flora,* diosa de las flores.) f. Conjunto de plantas de un país o región. ‖ **2.** Tratado o libro que se ocupa de ellas. ‖ **3.** Conjunto de vegetales vivos adaptados a un medio determinado. FLORA *intestinal;* FLORA *posglacial.* ‖ **4.** n. p. *Bot.* V. **calendario, reloj de Flora.**

floración. (De *florar.*) f. Acción de florecer. ‖ **2.** *Bot.* Tiempo que duran abiertas las flores de las plantas de una misma especie.

florada. f. *Ar.* Entre colmeneros, tiempo que dura una floración.

floraina. (De *flor,* trampa.) f. *Germ.* Falta de verdad.

floral. (Del lat. *florālis.*) adj. De flor o de flores. *Ofrenda* FLORAL. ‖ **2.** Perteneciente o relativo a la flor. *Verticilo* FLORAL.

florales. (Del lat. *florāles* [*ludi*], [juegos] florales.) adj. pl. Aplícase a las fiestas o juegos que celebraban los romanos en honor de la diosa Flora. A su imitación se instituyeron después en Provenza y en otras partes. ‖ **2.** V. **juegos florales.**

florar. intr. Dar flor. Se dice de los árboles y las plantas, singularmente de los que se cultivan para cosechar sus frutos.

flordelisado, da. adj. *Blas.* V. **cruz flordelisada.**

flordelisar. tr. *Blas.* Adornar con flores de lis.

floreado, da. p. p. de **florear.** ‖ **2.** adj. V. **pan floreado.**

floreal. (Del fr. *floréal.*) m. Octavo mes del calendario republicano francés, cuyos días primero y último coincidían, respectivamente, con el 20 de abril y el 19 de mayo.

florear. tr. Adornar y guarnecer con flores. ‖ **2.** Tratándose de la harina, sacar la primera y más sutil por medio del cedazo más espeso. ‖ **3.** Disponer el naipe para hacer trampa. ‖ **4.** Hacer vibrar la punta de la espada o de otra arma. ‖ **5.** fam. Echar piropos a una mujer. ‖ **6.** *Ar., Sal.* y *Chile.* Escoger lo mejor de una cosa. ‖ **7.** intr. Tocar dos o tres cuerdas de la guitarra con tres dedos sucesivamente sin parar, formando así un sonido continuado. ‖ **8.** *Amér.* Florecer.

florecedor, ra. adj. Que florece.

florecer. (De *florescer.*) intr. Echar flor. Ú. t. c. tr. ‖ **2.** fig. Prosperar, crecer en riqueza o reputación. Se usa también hablando de entes abstractos, como la justicia, las ciencias, etc. ‖ **3.** fig. Existir una persona o cosa insigne en un tiempo o época determinada. ‖ **4.** prnl. Hablando de algunas cosas, como el queso, pan, etc., ponerse mohosas.

florecido, da. p. p. de **florecer.** ‖ **2.** adj. **mohoso.**

floreciente. p. a. de **florecer.** Que florece. ‖ **2.** adj. fig. Favorable, venturoso, próspero.

florecimiento. m. Acción y efecto de florecer o florecerse.

Florencia. n. p. V. **raja de Florencia.**

florentín. adj. **florentino.** Apl. a pers., ú. t. c. s.

florentino, na. (Del lat. *Florentīnus.*) adj. Natural de Florencia. Ú. t. c. s. ‖ **2.** Perteneciente a esta ciudad de Italia. ‖ **3.** Natural de Florencia, ciudad colombiana. Ú. t. c. s. ‖ **4.** Perteneciente a esta ciudad.

florentísimo, ma. (Del lat. *florentissĭmus.*) adj. sup. de **floreciente.** Que prospera o florece con excelencia.

floreo. (De *florear.*) m. fig. Conversación vana y de pasatiempo. ‖ **2.** fig. Dicho vano y superfluo empleado sin otro fin que el de hacer alarde de ingenio, o el de halagar o lisonjear al oyente, o solo por mero pasatiempo. ‖ **3.** *Danza.* En la danza española, movimiento de vaivén de un pie en el aire cuando el otro permanece en el suelo. ‖ **4.** *Esgr.* Vibración o movimiento de la punta de la espada. ‖ **5.** *Mús.* Acción de florear en la guitarra.

florería. f. Tienda donde se venden flores y plantas de adorno.

florero, ra. adj. fig. Que usa de palabras chistosas y lisonjeras. Ú. t. c. s. ‖ **2.** m. y f. Persona que vende flores. ‖ **3.** m. Vaso para poner flores. ‖ **4.** Maceta o tiesto con flores. ‖ **5.** Armario, caja o lugar destinado para guardar flores. ‖ **6.** *Germ.* Fullero que hace trampas floreando el naipe. ‖ **7.** *Pint.* Cuadro en que solo se representan flores.

florescencia. f. **eflorescencia.** ‖ **2.** *Bot.* Acción de florecer. ‖ **3.** *Bot.* Época en que las plantas florecen.

florescer. (Del lat. *florescĕre.*) intr. ant. **florecer.**

floresta. (Del fr. ant. *forest,* hoy *forêt.*) f. Terreno frondoso y ameno poblado de árboles. ‖ **2.** fig. Reunión de cosas agradables y de buen gusto.

florestero. m. Guarda de una floresta.

floreta. (d. de *flor.*) f. Entre guarnicioneros, bordadura sobrepuesta que sirve de fuerza y adorno en los extremos de las cinchas. ‖ **2.** *Danza.* En la danza española, tejido o movimiento que se hacía con ambos pies.

floretada. (De *florete.*) f. ant. Papirote dado en la frente.

floretazo. m. Golpe dado con el florete.

florete. (Del fr. *fleuret.*) adj. V. **azúcar, papel florete.** ‖ **2.** m. Esgrima con espadín. ‖ **3.** Espadín destinado a la enseñanza o ejercicio de este juego; es de cuatro aristas, y no suele tener aro en la empuñadura. ‖ **4.** Lienzo o tela entrefina de algodón.

floretear. tr. Adornar y guarnecer con flores una cosa. ‖ **2.** intr. Manejar el florete.

floreteo. m. Acción y efecto de floretear.

floretista. com. Persona que es diestra en el juego del florete.

floricultor, ra. (Del lat. *flōs, flōris,* flor, y *cultor, -ōris,* cultivador.) m. y f. Persona dedicada a la floricultura.

floricultura. (Del lat. *flōs, flōris,* flor, y *cultūra,* cultivo.) f. Cultivo de las flores. ‖ **2.** Arte que lo enseña.

floridamente. adv. m. fig. Con elegancia y gracia.

floridano, na. adj. Natural de la Florida. Ú. t. c. s. ‖ **2.** Perteneciente o relativo a este Estado de América del Norte.

floridez. f. Abundancia de flores. *La* FLORIDEZ *de la primavera.* ‖ **2.** fig. Cualidad de florido, en el estilo.

florido, da. adj. Que tiene flores. ‖ **2.** V. **junco florido.** ‖ **3.** V. **letra, pascua florida.** ‖ **4.** fig. Dícese de lo más escogido de alguna cosa. ‖ **5.** fig. Dícese del lenguaje o estilo amena y profusamente exornado de galas retóricas. ‖ **6.** *Germ.* Rico, opulento. ‖ **7.** *Arq.* V. **gótico florido.**

florífero, ra. (Del lat. *florĭfer, -ĕra.*) adj. Que lleva o produce flores.

florígero, ra. (Del lat. *florĭger, -ĕra.*) adj. poét. **florífero.**

florilegio. (Del lat. *flōs, flōris,* flor, y *legĕre,* escoger.) m. fig. Colección de trozos selectos de materias literarias.

florín. (Del it. *fiorino.*) m. Moneda de plata equivalente al escudo de España, usada especialmente en Austria y Holanda, y marcada antiguamente con una flor de lis. ‖ **2.** Moneda de oro mandada acuñar por los reyes de Aragón copiando los florines o ducados de Florencia, que fueron moneda internacional en la Edad Media. ‖ **3.** Unidad monetaria de los Países Bajos.

floripondio. (De *flor* y un segundo elemento de or. inc.) m. Arbusto del Perú, de la familia de las solanáceas, que crece hasta tres metros de altura, con tronco leñoso, hojas grandes, alternas, oblongas, enteras y vellosas; flores solitarias, blancas, en forma de embudo, de unos tres decímetros de largo, de olor delicioso, pero perjudicial si se aspira mucho tiempo, y fruto elipsoidal, con muchas semillas pequeñas de figura de riñón. ‖ **2.** fig. despect. Flor grande que suele figurar en adornos de mal gusto.

florista. com. Persona que fabrica flores artificiales. ‖ **2.** Persona que vende flores.

floristería. f. **florería.**

florístico, ca. adj. Perteneciente o relativo a la flora.

floritura. (Del it. *fioritura,* adorno en el canto.) f. *Mús.* Adorno en el canto. ‖ **2.** Por ext., adorno en varios otros ejercicios y en otras cosas diversas.

florlisar. tr. *Blas.* **flordelisar.**

florón. m. aum. de **flor.** ‖ **2.** Adorno hecho a manera de flor muy grande, que se usa en pintura y arquitectura en el centro de los techos de las habitaciones, etc. ‖ **3.** *Blas.* Adorno, a manera de flor, que se pone en el círculo de algunas coronas. ‖ **4.** fig. Hecho que da lustre, que honra.

flósculo. (Del lat. *floscŭlus,* florecita.) m. *Bot.* Cada una de las flores de corola tubulosa que forman parte de una cabezuela.

flota. (Del fr. *flotte.*) f. Conjunto de barcos mercantes de un país, de una compañía de navegación o línea marítima. ‖ **2.** Conjunto de otras embarcaciones que tienen un destino común. FLOTA *de guerra, pesquera,* etc. ‖ **3.** Conjunto de aparatos de aviación para un servicio determinado. ‖ **4.** Conjunto de vehículos de una empresa. ‖ **5.** *Col.* Autobús de servicio intermunicipal o interdepartamental. ‖ **6.** fig. *Col.* Fanfarronada. Ú. especialmente en la fr. **echar flotas.** ‖ **7.** fig. *Chile* y *Ecuad.* Multitud, caterva. ‖ **cogerle** a uno **la flota.** fr. fig. *Col.* Aparentar que se aceptan las exageraciones del interlocutor para que en seguida los hechos demuestren la verdad contraria.

flotabilidad. f. Capacidad de flotar.

flotable. adj. Capaz de flotar. ‖ **2.** Dícese del río por donde pueden conducirse a flote maderas u otras cosas, aunque no sea navegable.

flotación. f. Acción y efecto de flotar. ‖ **2.** *Mar.* **línea de flotación.** ‖ **3.** *Metal.* Proceso para concentrar y separar sólidos de granulometría fina que presentan distintas propiedades superficiales, generalmente mezclas de minerales y gangas. Se hace por medio de espumas que retienen los materiales no mojados por el agua.

flotador, ra. adj. Que flota o sobrenada en un líquido. ‖ **2.** m. Cuerpo destinado a flotar en un líquido. ‖ **3.** Corcho u otro cuerpo ligero que se echa en un río o arroyo para observar la velocidad de la corriente y deducir el volumen que fluye por segundo. ‖ **4.** Aparato que sirve para determinar el nivel de un líquido o para regular la salida del mismo. ‖ **5.** Pieza hecha de una materia flotante, como corcho, caucho o plástico, llena de aire en estos últimos casos, que se sujeta al cuerpo de quien se introduce en el agua para evitar que se hunda.

flotadura. f. **flotación.**

flotamiento. m. **flotación.**

flotante. p. a. de **flotar.** Que flota. ‖ **2.** adj. V. **costilla, deuda, dique, pontón flotante.**

flotar[1]. (Del fr. *flotter.*) intr. Sostenerse un cuerpo en la superficie de un líquido. ‖ **2.** Sostenerse en suspensión un cuerpo sumergido en un líquido o gas. ‖ **3.** fig. Haber en el ambiente algo inmaterial que influye en el ánimo. FLOTABA *sobre los reunidos un aire de tristeza.*

flotar[2]. tr. ant. **frotar.**

flote. (De *flotar*[1].) m. **flotadura.** ‖ **a flote.** loc. adv. Flotando. ‖ **2.** fig. A salvo, fuera de peligro, dificultad o apuro.

flotilla. f. d. de **flota.** ‖ **2.** Flota compuesta de buques pequeños.

fluctuación. (Del lat. *fluctuatĭo, -ōnis.*) f. Acción y efecto de fluctuar. ‖ **2.** Diferencia entre el valor instantáneo de una cantidad fluctuante y su valor normal. ‖ **3.** fig. Irresolución, indeterminación o duda con que vacila uno, sin acertar a resolverse.

fluctuar. (Del lat. *fluctuāre.*) intr. Vacilar un cuerpo sobre las aguas por el movimiento agitado de ellas. ‖ **2.** fig. Correr el riesgo de perderse y arruinarse una cosa. ‖ **3.** fig. Vacilar o dudar en la resolución de algo. ‖ **4.** fig. **oscilar,** crecer y disminuir alternativamente.

fluctuoso, sa. (Del lat. *fluctuōsus.*) adj. Que fluctúa.

flueco. (Del lat. *floccus,* fleco.) m. ant. **fleco.**

fluencia. f. Acción y efecto de fluir. ‖ **2.** Lugar donde mana o comienza a fluir un líquido.

fluente. (Del lat. *fluens, -entis.*) p. a. de **fluir. fluyente,** que fluye.

fluidez. f. Cualidad de fluido.

fluidificación. f. Acción y efecto de fluidificar.

fluidificar. tr. Hacer fluida una cosa.

fluidización. f. En ingeniería química, proceso por el que sólidos, generalmente con granulometría fina, se comportan como fluidos al mantenerlos en movimiento turbulento en una corriente gaseosa, o líquida en algunos casos.

fluido, da. (Del lat. *fluĭdus.*) adj. Dícese de cualquier cuerpo cuyas moléculas tienen entre sí poca o ninguna coherencia, y toma siempre la forma del recipiente o vaso que lo contiene; como los líquidos y los gases. Ú. t. c. s. ‖ **2.** fig. Tratándose del lenguaje o del estilo, corriente y fácil. ‖ **3.** *Econ.* Tratándose de factores económicos, fáciles de manejar. ‖ **4.** m. Corriente eléctrica. ‖ **5.** *Fisiol.* Cada uno de ciertos agentes hipotéticos que admitían algunos fisiólogos; como el **fluido** nervioso y el magnético animal. ‖ **imponderable.** *Fís.* Cada uno de los agentes invisibles y de naturaleza desconocida que se han considerado como causa inmediata de los fenómenos eléctricos, magnéticos, luminosos y caloríficos, y se distinguían con el calificativo correspondiente. ‖ **fluidos elásticos.** *Fís.* Cuerpos gaseosos.

fluir. (Del lat. *fluĕre.*) intr. Correr un líquido o un gas. ‖ **2.** fig. Brotar con facilidad de la mente las ideas, o de la boca las palabras.

flujo. (Del lat. *fluxus.*) m. Acción y efecto de fluir. ‖ **2.** Movimiento de ascenso de la marea. ‖ **3.** V. **diagrama de flujo.** ‖ **4.** *Quím.* Cada uno de los compuestos que se emplean en los laboratorios para fundir minerales y aislar metales. ‖ **blanco.** *Pat.* Excreción anormal procedente de las vías genitales de la mujer. ‖ **de palabras.** fig. Abundancia excesiva de vocablos. ‖ **de reír.** fig. Hábito que uno tiene de reír con exceso. ‖ **de risa.** Carcajada ruidosa, prolongada y violenta. ‖ **de vientre.** Indisposición que consiste en la frecuente evacuación del vientre. ‖ **luminoso.** Energía que, cada segundo, emite un foco luminoso en lo interior de un ángulo sólido dado.

fluminense. adj. Natural de Río de Janeiro. Ú. t. c. s. ‖ **2.** Relativo o perteneciente a esa ciudad brasileña.

flúor. (Del lat. *fluor, -ōris,* flujo.) m. *Quím.* Metaloide gaseoso, más pesado que el aire, de olor sofocante y desagradable y color amarillo verdoso. Posee gran energía química, ataca a casi todos los metales y metaloides, descompone todas las sustancias hidrogenadas, es irrespirable y tóxico, y se extrae de la fluorita. Núm. atómico 9. Símb.: *F.* ‖ **2.** V. **espato flúor.** ‖ **3.** *Quím.* Flujo para fundir y aislar metales.

fluorescencia. (De *fluorita,* en la cual se observó primeramente el fenómeno.) f. *Fís.* Luminosidad que tienen algunas sustancias mientras reciben la excitación de ciertas radiaciones.

fluorescente. adj. Perteneciente o relativo a la fluorescencia. ‖ **2.** Que tiene fluorescencia. Ú. t. c. s. m.

fluorhídrico. (De *flúor* e *-hídrico.*) adj. *Quím.* V. **ácido fluorhídrico.**

fluorina. f. **fluorita.**

fluorita. (De *flúor* e *-ita*[2].) f. Mineral compuesto de flúor y calcio, cristalino, compacto y de colores brillantes y variados. Tiene uso en las artes decorativas, en metalurgia como fundente y, sobre todo, en el grabado del cristal.

fluslera. f. ant. **fruslera.**

fluvial. (Del lat. *fluviālis.*) adj. Perteneciente a los ríos.

flux. (Del fr. *flux,* flujo.) m. En ciertos juegos, circunstancia de ser de un mismo palo todas las cartas de un jugador. ‖ **2.** *And.* y *Amér.* **terno,** traje masculino completo. ‖ **hacer** uno **flux.** fr. fig. y fam. Consumir o acabar enteramente su caudal o el ajeno, quedándose sin pagar a nadie.

fluxibilidad. f. ant. Cualidad de fluxible.

fluxible. (Del lat. *fluxibĭlis.*) adj. desus. Fluido, líquido.

fluxión. (Del lat. *fluxĭo, -ōnis.*) f. Acumulación morbosa de humores en cualquier órgano. ‖ **2.** Constipado de nariz, resfriado. ‖ **3.** ant. **flujo.**

¡fo! interj. de asco.

fobia. (Del gr. -φοβία, elemento compositivo, que significa «temor».) f. Apasionada o enconada aversión hacia algo. ‖ **2.** Temor angustioso y obsesionante.

-fobo, ba. (Del gr. -φόβος.) elem. compos. que significa «que siente horror o repulsión»: *xenó*FOBO, *fotó*FOBO.

foca. (Del gr. φώκη, a través del lat. *phoca.*) f. Nombre común de varios mamíferos pinnípedos, propios de mares fríos y de peso y talla variables según las especies. Son de costumbres acuáticas, por lo que sus extremidades tienen forma de aleta, y se acercan a la costa para criar.

focal. adj. *Fís.* y *Geom.* Perteneciente o relativo al foco. *Distancia* FOCAL.

foceifiza. (Del ár. *fusaifisa,* mosaico.) f. Género de mosaico en el cual, con pedacitos de vidrio dorado o de colores, los artífices musulmanes representaban árboles, ciudades, flores y otros dibujos.

focense. (Del lat. *Phocensis.*) adj. Natural de Fócida. Ú. t. c. s. ‖ **2.** Perteneciente a este país de la Grecia antigua.

focino. (De *foz.*) m. Aguijada de punta algo corva con que se rige y gobierna al elefante.

foco. (Del lat. *focus,* fogón.) m. Lámpara eléctrica de luz muy potente. ‖ **2.** fig. Lugar real o imaginario en que está como reconcentrada alguna cosa con toda su fuerza y eficacia, y desde el cual se propaga o ejerce influencia. FOCO *de ilustración, de vicios.* ‖ **3.** *Amér.* Bombilla de alumbrado eléctrico. ‖ **4.** *Fís.* Punto donde se reúnen los rayos luminosos y caloríficos reflejados por un espejo cóncavo o refractados por una lente más gruesa por el centro que por los bordes. ‖ **5.** *Fís.* Punto, aparato o reflector de donde parte un haz de rayos luminosos o caloríferos. ‖ **6.** *Geom.* Punto cuya distancia a cualquiera de los de una curva se puede expresar en función racional y entera de las coordenadas de dichos puntos. La elipse y la hipérbola tienen dos **focos,** y la parábola uno solo. ‖ **acústico.** Punto donde se concentran las ondas sonoras emitidas dentro de una superficie cóncava al ser reflejadas por esta. ‖ **real.** *Fís.* El de un espejo o de una lente. ‖ **virtual.** *Fís.* Punto en que concurren las prolongaciones de los rayos luminosos reflejados por un espejo convexo o refractados por una lente cóncava.

fóculo. (Del lat. *focŭlus,* fogón pequeño.) m. Hogar pequeño. ‖ **2.** Cavidad del ara gentílica, donde se encendía el fuego.

focha. f. Ave gruiforme nadadora de hasta tres decímetros de largo, plumaje negro con reflejos grises, pico y frente blancos, alas anchas, cola corta y redondeada y pies de color verdoso amarillento, con dedos largos y lobulados.

fodolí. (Del ár. *fuḍūlī,* curioso, entremetido.) adj. desus. Entremetido, hablador; que pretende aconsejar, mandar o intervenir donde no lo llaman.

fofo, fa. (De *bofo.*) adj. Esponjoso, blando y de poca consistencia.

fogaje. (De *fuego,* en el sentido de hogar o casa.) m. Cierto tributo o contribución que pagaban antiguamente los habitantes de casas. ‖ **2.** *Ar.* **fuego,** hogar. ‖ **3.** *Can.* **fuego,** erupción de la piel. ‖ **4.** *Col., P. Rico* y *Venez.* **bochorno,** calor. ‖ **5.** *Ecuad.* Fogata, llamarada. ‖ **6.** fig. *P. Rico.* **bochorno,** sonrojo, sofoco.

fogar. m. ant. **hogar.**

fogarada. (De *fogar.*) f. Llama fuerte que levanta el fuego.

fogarata. f. fam. **fogarada.**

fogarear. tr. *Ar.* y *Sal.* Quemar produciendo llama. ‖ **2.** prnl. *Sal.* Abochornarse las plantas, especialmente las vides.

fogaril. (De *fogar.*) m. Jaula de aros de hierro, dentro de la cual se enciende fuego, y que se cuelga en sitio desde donde ilumine o sirva como señal. ‖ **2. fogarín.** ‖ **3.** *And.* y *Ar.* Hogar de la cocina.

fogarín. (d. de *fogar.*) m. *And.* Hogar común que usan los trabajadores del campo que se reúnen en una viña, cortijo, etc. Ordinariamente está en bajo.

fogarizar. tr. Hacer fuego con hogueras.

fogata. f. Fuego que levanta mucha llama. ‖ **2.** Hornillo superficial o de pequeña cavidad que, cargado con escasa porción de pólvora, sirve para vencer obstáculos de poca resistencia en la nivelación de terrenos. Se usa también para defensa de las brechas.

fogón. (Del lat. *focus,* fogón.) m. Sitio adecuado en las cocinas para hacer fuego, y guisar. ‖ **2.** Oído en las armas de fuego, y especialmente en los cañones, obuses, morteros, etc. ‖ **3.** En las calderas de las máquinas de vapor, lugar destinado a contener el combustible. ‖ **4.** *Art.* V. **aguja de fogón.** ‖ **5.** *Argent., C. Rica, Chile* y *Urug.* Fuego de leña u otro combustible que se hace en el suelo. ‖ **6.** *Argent.* Lugar donde, en ranchos y estancias se hace el fuego para cocinar. ‖ **7.** *Argent.* Reunión de paisanos o soldados en torno al fuego. ‖ **8.** fam. *Argent.* Por ext., rueda de amigos.

fogonadura. (De *fogón.*) f. *Mar.* Cada uno de los agujeros que tienen las cubiertas de la embarcación para que pasen por ellos los palos a fijarse en sus carlingas. ‖ **2.** Abertura en un piso de madera para dar paso a un pie derecho que sirve de sostén a algún objeto elevado.

fogonazo. (De *fogón.*) m. Llamarada instantánea que algunas materias inflamables, como la pólvora, el magnesio, etc., producen al inflamarse.

fogonero. m. El que cuida del fogón, sobre todo en las máquinas de vapor.

fogosidad. (De *fogoso.*) f. Ardimiento y viveza excesiva.

fogoso, sa. (De *fuego.*) adj. ant. Que quema y abrasa. ‖ **2.** fig. Ardiente, demasiado vivo.

fogueación. f. Numeración de hogares o fuegos.

foguear. tr. Limpiar con fuego una arma, lo que se hace cargándola con poca pólvora y disparándola. ‖ **2.** *Mil.* Acostumbrar a las personas o a los caballos al fuego de la pólvora. ‖ **3.** fig. Acostumbrar a alguien a las penalidades y trabajos de un estado u ocupación. Ú. t. c. prnl. ‖ **4.** *Veter.* Curar heridas o enfermedades con cauterio.

fogueo. m. Acción y efecto de foguear. ‖ **2.** V. **cartucho de fogueo.**

foguera. f. ant. **hoguera.**

foguero, ra. (Del lat. *focarĭus.*) adj. ant. Perteneciente al fuego o llama de la hoguera. ‖ **2.** m. ant. Braserillo y hornillo en que se pone lumbre.

foguezuelo. m. d. de **fuego.**

foír. intr. ant. **huir.**

foiso, sa. (Del lat. *fossus,* cavado, ahondado.) adj. ant. **hondo.**

foja[1]**.** f. ant. **hoja.** ‖ **2.** *Der.* Folio de un sumario. Ú. en América en el lenguaje corriente.

foja[2]**.** (Del cat. *fotja.*) f. **focha.**

fojuela. f. ant. **hojuela.**

folclor. (Del ing. *folklore.*) m. Conjunto de creencias, costumbres, artesanías, etc., tradicionales de un pueblo. ‖ **2.** Ciencia que estudia estas materias.

folclore. m. **folclor.**

folclórico, ca. adj. Perteneciente al folclor. ‖ **2.** Dícese de canciones, bailes, costumbres, etc., de carácter tradicional. ‖ **3.** Dícese de cantantes o bailarines que ejercen un arte tradicional. ‖ **4.** m. y f. Persona que se dedica al cante flamenco o aflamencado.

folclorista. com. Persona versada en el folclor.

fólder. (Del ing. *folder.*) m. *Amér.* **carpeta,** cubierta con que se resguardan los legajos.

folga. (De *folgar.*) f. ant. Huelga, pasatiempo y diversión.

folgado, da. p. p. de **folgar.** ‖ **2.** adj. ant. **holgado.**

folgamiento. (De *folgar.*) m. ant. **huelga.**

folganza. (De *folgar.*) f. ant. Holgura o descanso. ‖ **2.** ant. fig. Desahogo del ánimo.

folgar. intr. ant. **holgar.** ‖ **2.** ant. Tener ayuntamiento carnal.

folgazano, na. adj. ant. **holgazán.**

folgo. (Del lat. **follĭcus,* fuelle.) m. Bolsa cerrada de pieles, para cubrir y abrigar los pies y las piernas cuando uno está sentado.

folguín. m. ant. **golfín**[2]**.**

folgura. f. ant. **holgura.**

folía. (Del fr. *folie,* locura.) f. ant. **locura.** ‖ **2.** Canto y baile popular de las islas Canarias. ‖ **3.** fig. Cualquier música ligera, generalmente de gusto popular. ‖ **4.** pl. Baile portugués de gran ruido, que se bailaba entre muchas personas. ‖ **5.** Tañido y mudanza de un baile español, que solía bailar uno solo con castañuelas.

foliáceo, a. (Del lat. *foliacĕus,* propio de, o semejante a las hojas.) adj. *Bot.* Perteneciente o relativo a las hojas de las plantas. ‖ **2.** Que tiene estructura laminar.

foliación. f. Acción y efecto de foliar. ‖ **2.** Serie numerada de los folios de un escrito o impreso. ‖ **3.** *Bot.* Acción de echar hojas las plantas. ‖ **4.** *Bot.* Modo de estar colocadas las hojas en una planta. ‖ **5.** *Geol.* Estructura en láminas propia de la rocas metamórficas.

foliador, ra. adj. Que sirve para foliar. Dícese especialmente de máquinas y aparatos que numeran correlativamente los folios. Ú. t. c. s.

foliar[1]. tr. Numerar los folios de un libro o cuaderno.

foliar[2]. (Del lat. *foliāris.*) adj. Perteneciente o relativo a la hoja.

foliatura. (Del lat. *foliatūra.*) f. **foliación.**

folicular. adj. En forma de folículo.

foliculario. (Del fr. *folliculaire.*) m. despect. Folletista, periodista.

folículo. (Del lat. *follicŭlus,* saquito.) m. *Bot.* Fruto sencillo y seco, que se abre solo por un lado y tiene una sola cavidad que comúnmente encierra varias semillas. ‖ **2.** *Anat.* Glándula, en forma de saquito, situada en el espesor de la piel o de las mucosas.

folijones. (De *folía,* baile.) m. pl. Son y danza que se usaban en Castilla la Vieja con arpa, guitarra, violín, tamboril y castañuelas.

folio. (Del lat. *folĭum,* hoja.) m. Hoja de un libro o cuaderno. ‖ **2.** Titulillo o encabezamiento de las páginas de un libro. ‖ **3.** Hoja de papel que resulta de doblar una vez el pliego de marca ordinaria. ‖ **4.** Hierba dioica de la familia de las euforbiáceas, que tiene las hojas aovadas y cubiertas de una especie de tomento blanco, el tallo algo leñoso, las flores conglobadas y las semillas casi redondas. ‖ **atlántico.** El de grandes dimensiones y que no se dobla por la mitad, sino que forma una hoja cada pliego, como en los grandes atlas geográficos. ‖ **de Descartes.** *Geom.* Curva de tercer grado, con dos ramas infinitas que tienen una asíntota común y se cortan formando un lazo sencillo, semejante a una hoja aovado-lanceolada. ‖ **índico.** Hoja del árbol de la canela. ‖ **recto.** Primera página de un **folio,** cuando solo ella está numerada. ‖ **verso. folio vuelto.** ‖ **vuelto.** Revés o segunda plana de la hoja del libro que no está numerada sino en la primera. ‖ **al primer folio.** loc. adv. fig. con que se explica que una cosa se descubre inmediatamente o se conoce con facilidad. ‖ **de a folio.** loc. adj. fig. y fam. Muy grande, dicho de ciertas cosas inmateriales. *Disparate* DE A FOLIO; *verdad* DE A FOLIO. ‖ **en folio.** loc. adj. Dícese del libro, folleto, etc., de papel de tina, cuyas hojas corresponden a dos por pliego. Dícese también de otros libros cuya altura es de treinta y tres centímetros o más. ‖ **en folio marquilla.** Dícese del libro, folleto, etc., que mide de treinta y cuatro a cuarenta y cinco centímetros. ‖ **en folio mayor.** loc. adj. En **folio** superior a la marca ordinaria. ‖ **en folio menor.** loc. adj. En **folio** inferior a la marca ordinaria.

folíolo o **foliolo.** (Del lat. *foliŏlum.*) m. *Bot.* Cada una de las hojuelas de una hoja compuesta.

folión. (De *folía.*) m. Música ligera, generalmente popular. ‖ **2.** Persona que canta y baila folías.

foluz. (Del m. or. que *felús.*) f. Cornado o tercia parte de una blanca.

folla. (De *follar.*) f. Lance del torneo en que batallaban dos cuadrillas desordenadamente. ‖ **2.** Junta o mezcla de muchas cosas diversas, sin orden ni concierto, por diversión o capricho. ‖ **3.** p. us. Diversión teatral compuesta de varios pasos de comedia inconexos, mezclados con otros de música. ‖ **4.** ant. Concurso de mucha gente, en que sin orden ni concierto hablan todos, o andan revueltos para alcanzar alguna cosa que se les echa a la rebatiña.

follada. (De *follar*[2].) f. Empanadilla hueca y hojaldrada.

follado, da. p. p. de **follar.** ‖ **2.** m. *Can.* Arbusto caprifoliáceo cuyas ramas se emplean en cestería. ‖ **3.** *Sal.* La parte más ancha y holgada de las mangas y de la pechera de la camisa. ‖ **4.** m. pl. ant. Especie de calzones o calzas que se usaban antiguamente, muy huecos y arrugados a manera de fuelles.

follador. (De *follar*[1].) m. El que afuella en una fragua.

follaje. (Del prov. *follatge.*) m. Conjunto de hojas de los árboles y otras plantas. ‖ **2.** Adorno de cogollos y hojas con que se guarnece y engalana una cosa. ‖ **3.** fig. Adorno superfluo, complicado y de mal gusto. ‖ **4.** fig. Abundancia de exornación retórica en lo escrito o hablado.

follajería. f. ant. Adorno de cogollos y hojas.

follar[1]. (Del lat. *follis,* fuelle.) tr. p. us. Soplar con el fuelle. ‖ **2.** prnl. Soltar una ventosidad sin ruido.

follar[2]. (Del lat. *folĭum,* hoja.) tr. Formar o componer en hojas alguna cosa.

follar[3]. tr. ant. **hollar.** ‖ **2.** ant. Talar o destruir.

follar[4]. tr. vulg. Practicar el coito. Ú. t. c. intr. ‖ **2.** fig. Fastidiar, molestar.

follero. m. El que hace o vende fuelles.

folleta. (Del prov. *folheta.*) f. ant. Medida de vino igual al cuartillo.

folletero. m. El que hace o vende fuelles.

folletín. m. d. de **folleto.** ‖ **2.** Escrito que se inserta en la parte inferior de las planas de los periódicos, y trata de materias extrañas al objeto principal de la publicación, como artículos de crítica, novelas, etc. ‖ **3.** Tipo de relato frecuente en las novelas publicadas como **folletín,** caracterizado por una intriga emocionante y a veces poco verosímil, pero de gran efecto para lectores ingenuos, en el que se enfrentan personajes perversos y bondadosos, sin apenas elaboración psicológica y artística. ‖ **4.** Pieza teatral o cinematográfica de características similares a las del **folletín** novelesco. ‖ **5.** Por ext., cualquier situación insólita propia de una obra folletinesca.

folletinesco, ca. adj. Perteneciente o relativo al folletín. ‖ **2.** Propio de los relatos y de los dramas llamados folletines, o de las situaciones reales comparables a las de ellos.

folletinista. com. Persona que escribe folletines.

folletista. com. Persona que escribe folletos.

folleto. (Del it. *foglietto.*) m. Obra impresa, no periódica, sin bastantes hojas para formar libro. Según un decreto de 1966, el **folleto** consta de más de cuatro páginas y menos de cincuenta. ‖ **2.** ant. Gacetilla manuscrita que contenía regularmente las noticias del día.

follisca. f. *Amér. Central, Col., Pan., P. Rico, Sto. Dom.* y *Venez.* Fullona, pendencia, gresca.

follón[1]**, na.** (Del lat. *follis,* fuelle.) adj. p. us. Flojo, perezoso y negligente. Ú. t. c. s. ‖ **2.** p. us. Vano, arrogante, cobarde y de ruin proceder. Ú. t. c. s. ‖ **3.** m. Cohete que se dispara sin trueno. ‖ **4.** Asunto pesado o enojoso. ‖ **5.** Ventosidad sin ruido.

follón[2]. (Como *follar*[2].) m. ant. Cualquiera de los vástagos que echan los árboles desde la raíz, además del tronco principal. ‖ **2.** Alboroto, discusión tumultuosa.

follonería. (De *follón*[1].) f. ant. Ruindad en el modo de proceder.

follonía. (De *follón*[1].) f. desus. Vanidad, presunción.

fomentación. (Del lat. *fomentatĭo, -ōnis.*) f. *Med.* Acción y efecto de fomentar, aplicar paños a una parte enferma. ‖ **2.** *Med.* **fomento,** medicamento que se aplica en paños.

fomentador, ra. adj. Que fomenta. Ú. t. c. s.

fomentar. (Del lat. *fomentāre.*) tr. p. us. Dar calor natural o templado que vivifique o preste vigor. *La gallina* FOMENTA *los huevos.* ‖ **2.** fig. Excitar, promover, impulsar o proteger una cosa. ‖ **3.** fig. Atizar, dar pábulo a una cosa. ‖ **4.** *Med.* Aplicar a una parte enferma paños empapados en un líquido.

fomento. (Del lat. *fomentum.*) m. p. us. Calor, abrigo y reparo que se da a una cosa. ‖ **2.** Pábulo o materia con que se ceba una cosa. ‖ **3. ministerio de Fomento.** ‖ **4.** fig. Auxilio, protección. ‖ **5.** *Med.* Medicamento líquido que se aplica con paños exteriormente.

fomes. (Del lat. *fomes.*) m. p. us. Causa que excita y promueve una cosa.

fómite. (Del lat. *fomes, -ĭtis.*) m. desus. **fomes.**

fon. m. *Fís.* **fonio,** en la nomenclatura internacional.

fona. (Del cat. *fona.*) f. desus. Cuchillo o añadidura en las capas u otras ropas. Ú. m. en pl.

fonación. (Del gr. φωνή, voz, y *-ación.*) f. Emisión de la voz o de la palabra.

foncarralero, ra. adj. De Fuencarral. Ú. t. c. s.

fonda[1]. (Del m. or. que *fondac.*) f. Establecimiento público donde se da hospedaje y se sirven comidas. Es de categoría inferior a la del hotel, o de tipo más antiguo. ‖ **2.** El servicio y conjunto de cámara, comedor y cocina de un buque mercante. ‖ **3.** *Chile* y *Perú.* Puesto o cantina en que se despachan comidas y bebidas.

fonda[2]. (Del lat. *funda.*) f. ant. Honda para tirar piedras.

fondable. (De *fondo.*) adj. Aplícase a los parajes de la mar donde pueden dar fondo los barcos.

fondac. (Del ár. *fundāq,* hospedería, depósito, alhóndiga.) m. En Marruecos, hospedería y almacén donde se negocia con las mercancías que llevan allí los traficantes.

fondado, da. (De *fondo.*) adj. Aplícase a los barriles y pipas cuyo fondo se asegura con cuerdas o con flejes para que no se desbarate con el peso que llevan dentro.

fondeadero. m. Lugar de profundidad suficiente para que la embarcación pueda dar fondo.

fondeado, da. p. p. de **fondear** o **fondearse.** ‖ **2.** adj. *Amér.* Rico, acaudalado, que tiene fondos.

fondear. tr. Reconocer el fondo del agua. ‖ **2.** Registrar, reconocer una embarcación para ver si trae géneros prohibidos o de contrabando. ‖ **3.** fig. Examinar con cuidado una cosa hasta llegar a sus principios, o a una persona para cerciorarse de su aptitud o conocimientos. ‖ **4.** *Mar.* Desarrumar o apartar la carga del navío hasta descubrir el plan y fondo de él para reconocer una cosa. ‖ **5.** intr. *Mar.* Asegurarse una embarcación, o cualquier otro cuerpo flotante, por medio de anclas que se agarren al fondo de las aguas o de grandes pesos que descansen en él. Ú. t. c. tr. ‖ **6.** prnl. *Amér.* Acumular fondos, enriquecerse.

fondeo. m. Acción de **fondear** o registrar una embarcación en busca de contrabando. ‖ **2.** Acción de **fondear** o apartar la carga de un navío para reconocer el fondo. ‖ **3.** Acción de **fondear** o asegurar una embarcación por medio de anclas.

fondero. (De *fonda*[2].) m. ant. **hondero.**

fondeza. (De *fondo,* hondo.) f. ant. Hondura o profundidad de una cosa.

fondillón. (De *fondo.*) m. Asiento y madre de la cuba cuando, después de mediada, se vuelve a llenar. ‖ **2.** Vino rancio de Alicante.

fondillos. (De *fondo.*) m. pl. Parte trasera de los calzones o pantalones.

fondirse. (De *fondo.*) prnl. ant. **hundirse.**

fondista[1]. com. Persona que tiene a su cargo una fonda[1].

fondista[2]. com. *Dep.* Deportista que participa en carreras de largo recorrido.

fondo, da. (Del lat. *fundus.*) adj. ant. **hondo.** ‖ **2.** m. Parte inferior de una cosa hueca. ‖ **3.** Hablando del mar, de los ríos, estanques, pozos, etc., superficie sólida sobre la cual está el agua. ‖ **4. hondura.** ‖ **5.** Extensión interior de un edificio. *Esta casa tiene mucho* FONDO, *aunque poca fachada.* ‖ **6.** Color o dibujo que cubre una superficie y sobre el cual resaltan los adornos, dibujos o manchas de otro u otros colores. *Un mármol de* FONDO *rojo. Un papel con flores sobre* FONDO *amarillo.* ‖ **7.** *Pint.* Espacio que no tiene figuras o sobre el cual se representan. ‖ **8.** Grueso que tienen los diamantes. ‖ **9.** Caudal o conjunto de bienes que posee una persona o comunidad. ‖ **10.** Condición o índole de uno. *Persona de buen* FONDO. ‖ **11.** Cualquier porción de dinero. Ú. m. en pl. ‖ **12. artículo de fondo.** ‖ **13.** V. **hombre, libro de fondo.** ‖ **14.** V. **hombre, provisión de fondos.** ‖ **15.** fig. Lo principal y esencial de una cosa. Se contrapone a la forma. ‖ **16.** fig. Caudal de una cosa; como de sabiduría, de virtud, de malicia, etc. ‖ **17.** Dinero que se juega en común. ‖ **18.** Conjunto de impresos y manuscritos que tiene una biblioteca. ‖ **19.** Cada una de las colecciones de impresos o manuscritos de una biblioteca que ingresan de una determinada procedencia. ‖ **20.** Conjunto de libros publicados por una editorial. ‖ **21.** Falda de debajo sobre la cual se arma el vestido. ‖ **22.** Cada uno de los dos témpanos de la cuba o del tonel. ‖ **23.** *Ál.* Arte de pesca compuesto de una cuerda a cuyo extremo hay dos anzuelos y un plomo. ‖ **24.** *Cuba.* Caldera usada en los ingenios. ‖ **25.** *Méj.* Saya blanca que las mujeres llevan debajo de las enaguas. ‖ **26.** fig. *Dep.* Resistencia física, reserva de energía corporal para aguantar prolongados esfuerzos. ‖ **27.** *Mar.* V. **agua, mar de fondo.** ‖ **28.** *Mil.* Espacio en que se forman las hileras y ocupan los soldados pecho con espalda. ‖ **29.** *Mil.* V. **carga a fondo.** ‖ **30.** *Der.* En los procesos, la cuestión de derecho sustantivo, por contraposición a las de trámite y excepciones dilatorias. ‖ **31.** pl. *Com.* Caudales, dinero, papel moneda, etc., perteneciente al tesoro público o al haber de un negociante. ‖ **32.** *Mar.* La parte sumergida del casco de un buque. ‖ **muerto, perdido,** o **vitalicio.** Capital que se impone a rédito por una o más vidas, con la condición de que, muriendo aquel o aquellos sobre cuyas vidas se impone, quede a beneficio del que recibió el capital y paga el rédito. ‖ **fondos de amortización.** Los destinados a extinguir una deuda o a reintegrar un haber de la depreciación o destrucción de bienes que lo integran. ‖ **de reptiles.** fig. y fam. En algunos Ministerios, **fondos** secretos que se aplican a la captación de voluntades o al simple favor. ‖ **secretos.** Los créditos autorizados por el Presupuesto para gastos de seguridad interior o exterior del Estado, sin sujeción a los requisitos y justificantes de las leyes de contabilidad. ‖ **bajos fondos.** Barrios o sectores marginales de las grandes ciudades donde abunda la gente del hampa. ‖ **a fondo.** loc. adv. Enteramente, con profundidad, hasta el límite de las posibilidades. *Trató la cuestión* A FONDO. ‖ **dar fondo.** fr. *Mar.* **fondear,** asegurar por medio de anclas. ‖ **2.** fig. Terminar, agotarse. ‖ **de tres, cinco,** etc., **en fondo.** loc. adj. o adv. En filas de sentido transversal al de la marcha y compuestas por el número de seres dotados de movimiento que se expresa. ‖ **echar a fondo.** fr. *Mar.* **echar a pique.** ‖ **en el fondo.** loc. adv. En realidad, en lo esencial. EN EL FONDO, *es buena persona.* ‖ **en fondo.** V. **grabado en fondo.** ‖ **estar en fondos.** fr. Tener dinero disponible. ‖ **irse a fondo.** fr. Hundirse la embarcación o cualquier otra cosa en el agua. ‖ **2.** *Esgr.* Tenderse uno hacia delante para tirar una estocada. ‖ **tocar fondo.** fr. fig. Llegar al límite de una situación desfavorable.

fondón[1]. (De *fondo.*) m. Asiento y madre del vino de la cuba. ‖ **2.** Lo más bajo, o el fondo, de los brocados. ‖ **3.** ant. Fondo profundo. ‖ **de fondón.** loc. adv. ant. Decíase así cuando se destruía, derribaba o desbarataba una cosa hasta los fundamentos. ‖ **en fondón.** loc. adv. ant. En lo hondo.

fondón², na. adj. fam. y despect. Dícese de quien ha perdido la gallardía y agilidad por haber engordado.

fondonero, ra. adj. ant. **hondonero.**

fondura. f. ant. **hondura.**

fonébol. (Del cat. *fonèbol.*) m. **fundíbulo.**

fonema. (Del gr. φώνημα, sonido de la voz.) m. *Fon.* Cada una de las unidades fonológicas mínimas que en el sistema de una lengua pueden oponerse a otras en contraste significativo: por ej., las consonantes iniciales de *pozo* y *gozo, mata* y *bata;* las interiores de *cala* y *cara;* las finales de *par* y *paz;* las vocales de *tan* y *ten, sal* y *sol,* etc. Dentro de cada fonema caben distintos alófonos.

fonemática. f. *Fon.* Parte de la fonología que estudia los fonemas.

fonemático, ca. adj. Perteneciente o relativo al fonema o al sistema fonológico.

fonendoscopio. (De *fono-* y *endoscopio.*) m. *Med.* Estetoscopio en el que el tubo rígido se sustituye por dos tubos de goma que enlazan la boquilla que se aplica al organismo con dos auriculares o dos botones perforados que se introducen en los oídos. ‖ **2.** Aparato semejante al estetoscopio, más perfeccionado y para audición biauricular.

fonética. (Del gr. φωνητική, t. f. de -κός, fonético.) f. Conjunto de los sonidos de un idioma. ‖ **2.** Estudio acerca de los sonidos de uno o varios idiomas, sea en su fisiología y acústica, sea en su evolución histórica.

fonético, ca. (Del gr. φωνητικός.) adj. Perteneciente a la voz humana o al sonido en general. ‖ **2.** Aplícase a todo alfabeto o escritura cuyos elementos o letras representan sonidos de cuya combinación resultan las palabras. ‖ **3.** Aplícase especialmente al alfabeto u ortografía que trata de representar los sonidos con mayor exactitud que la escritura usual. ‖ **4.** *Ling.* V. **ley fonética.**

fonetismo. m. Conjunto de caracteres fonéticos de un idioma. ‖ **2.** Adaptación de la escritura a la más exacta representación de los sonidos de un idioma.

fonetista. com. Persona versada en fonética.

foniatra. (De *fono-* y el gr. ἰατρός, médico, con *a* inducida por el componente fr. *-iatre.*) com. Persona que profesa la foniatría.

foniatría. (De *fono-* y *-iatría.*) f. *Med.* Parte de la medicina dedicada a las enfermedades de los órganos de la fonación.

fónico, ca. (Del gr. φωνή, voz, e *-ico.*) adj. Perteneciente a la voz o al sonido.

fonil. (Del arag. *fonil,* embudo.) m. Embudo con que se envasan líquidos en las pipas.

fonio. (Del gr. φωνή, voz.) m. *Acúst.* Unidad de medida de la sonoridad. Equivale a un decibelio del sonido cuya frecuencia sea de 1.000 hercios.

fonje. (De or. inc.) adj. p. us. Blando, muelle o mollar y esponjoso.

fono. m. *Argent., Bol., Chile* y *Perú.* Auricular¹ del teléfono.

fono- o **-fono, na.** (Del gr. φωνο- y -φωνος.) elem. compos. que significa «voz, sonido»: FONO*logía, telé*FONO.

fonocaptor. (De *fono-,* y el lat. *captor, -ōris*) m. *Electr.* Aparato que, aplicado a un disco de gramófono, permite reproducir eléctricamente las vibraciones inscritas en el disco.

fonografía. (De *fono-* y *-grafía.*) f. Arte de inscribir sonidos para reproducirlos por medio del fonógrafo.

fonográfico, ca. adj. Perteneciente o relativo al fonógrafo.

fonógrafo. (De *fono-* y *-grafo.*) m. *Fís.* Instrumento que registra y reproduce las vibraciones de la voz humana o de cualquier otro sonido.

fonograma. (De *fono-* y *-grama.*) m. *Ling.* Sonido representado por una o más letras. ‖ **2.** Cada una de las letras del alfabeto.

fonolita. (De *fono-* y el gr. λίθος, piedra, con *a* inducida por el componente fr. *-lite* o *lithe.*) f. Roca compuesta de feldespato y silicato de alúmina: es de color gris azulado y textura compacta, y se emplea como piedra de construcción.

fonología. (De *fono-* y *-logía.*) f. **fonética.** ‖ **2.** Rama de la lingüística, que estudia los elementos fónicos, atendiendo a su valor funcional dentro del sistema propio de cada lengua. Suele dividirse en fonemática y prosodia.

fonológico, ca. adj. Relativo a la fonología.

fonólogo, ga. m. y f. Persona entendida en fonología.

fonometría. (De *fono-* y *-metría.*) f. Estudio de la intensidad de los sonidos.

fonómetro. (De *fono-* y *-metro.*) m. Aparato para medir la intensidad del sonido.

fonóptico, ca. (De *fono-* y *óptico.*) adj. Dícese de las cintas magnetofónicas que, además del sonido, registran imágenes ópticas.

fonoteca. (De *fono-* y *-teca.*) f. Colección o archivo de cintas o alambres magnetofónicos, discos, etc., impresionados con la palabra hablada, con música u otros sonidos.

fonotecnia. (De *fono-* y *-tecnia.*) f. Estudio de las maneras de obtener, transmitir, registrar y reproducir el sonido.

fonotécnico, ca. adj. Perteneciente o relativo a la fonotecnia. ‖ **2.** m. y f. Persona especializada en fonotecnia.

fonsadera. (De *fonsado.*) f. Servicio personal en la guerra, que se prestaba antiguamente. ‖ **2.** Tributo que se pagaba para atender a los gastos de la guerra.

fonsado. (Del m. or. que *fosado.*) m. **fonsadera.** ‖ **2.** Labor del foso de una plaza fuerte. ‖ **3.** ant. Ejército, hueste.

fonsario. (Del b. lat. *fonsarĭus,* foso.) m. ant. Foso que circundaba las plazas.

fontal. (Del lat. *fontālis.*) adj. Perteneciente a la fuente. ‖ **2.** ant. fig. Primero y principal.

fontana. (Del lat. *fontāna.*) f. poét. Manantial que brota de la tierra. ‖ **2.** Aparato por el que sale el agua de la cañería. ‖ **3.** Construcción por la que sale o se hace salir agua.

fontanal. (Del lat. *fontanālis.*) adj. Perteneciente a la fuente. ‖ **2.** m. p. us. Manantial de agua. ‖ **3.** Sitio que abunda en manantiales.

fontanar. (De *fontana.*) m. p. us. Manantial de agua.

fontanela. (De *fontana.*) f. Cada uno de los espacios membranosos que hay en el cráneo humano y en el de muchos animales antes de su completa osificación. ‖ **2.** Instrumento que usaban los cirujanos para abrir fuentes en el cuerpo humano.

fontanería. (De *fontanero.*) f. Arte de encañar y conducir las aguas. ‖ **2.** Conjunto de conductos por donde se dirige y distribuye el agua. ‖ **3.** Establecimiento y taller del fontanero.

fontanero, ra. (De *fontana.*) adj. p. us. Perteneciente a las fuentes. ‖ **2.** V. **real fontanero.** ‖ **3.** m. Operario que encaña, distribuye y conduce las aguas para sus diversos usos. ‖ **4.** m. y f. Persona que trabaja en fontanería.

fontano, na. (Del lat. *fontānus.*) adj. ant. Perteneciente o relativo a la fuente.

fontanoso, sa. (De *fontana.*) adj. ant. Aplicábase al lugar de muchos manantiales.

fontecica, lla. f. d. ant. de **fuente.**

fontegí. m. Variedad de trigo fanfarrón.

fontezuela. f. d. de **fuente.**

fontículo. (Del lat. *fonticŭlus,* fuentecilla.) m. *Cir.* **exutorio.**

foñico. m. *And.* Hoja seca de maíz.

foque. (Del neerl. *fok.*) m. *Mar.* Nombre común a todas las velas triangulares que se orientan y amuran sobre el bauprés; se aplica por antonomasia a la mayor y principal de ellas, que es la que se enverga en un nervio que baja desde la encapilladura del velacho a la cabeza del botalón de aquel nombre. ‖ **2.** fig. y fam. Cuello de camisa almidonado, de puntas muy tiesas.

foradador. (De *foradar.*) m. ant. Instrumento con que se horada.

foradar. tr. ant. **horadar.** Usáb. t. c. prnl.

forado, da. (Del lat. *forātus,* horadado.) adj. ant. Que está horadado. ‖ **2.** m. ant. Abertura más o menos redonda. ‖ **3.** *Amér. Merid.* Horado hecho en una pared.

foraida. (De or. inc.) f. ant. Hondonada u hoyada.

forajido, da. (Contracc. de *fuera exido,* salido afuera.) adj. Aplícase a la persona facinerosa que anda fuera de poblado, huyendo de la justicia. Ú. t. c. s. ‖ **2.** desus. El que vive desterrado o extrañado de su patria o casa.

foral. adj. Perteneciente o relativo al fuero. ‖ **2.** V. **alera, consorcio foral.** ‖ **3.** *Der.* V. **bienes forales.** ‖ **4.** *Der.* V. **grita foral.** ‖ **5.** m. En Galicia, tierra o heredad dada en foro o enfiteusis.

foralmente. adv. m. Con arreglo a fuero.

forambre. (Del lat. *forāmen, -ĭnis.*) f. ant. Abertura más o menos redonda.

forambrera. f. ant. **forambre.**

foramen. (Del lat. *forāmen.*) m. Agujero o taladro. ‖ **2.** Hoyo o taladro de la piedra baja de la tahona, por donde entra el palahierro.

foraminífero, ra. (De *foramen* y *-fero.*) adj. *Zool.* Dícese de protozoos rizópodos acuáticos, casi todos marinos, con seudópodos que se ramifican y juntan unos con otros para formar extensas redes y con caparazón de forma y composición química variadas; como la numulita. Ú. t. c. s. ‖ **2.** m. pl. *Zool.* Orden de estos animales.

foráneo, a. (Del b. lat. *foranĕus.*) adj. Forastero, extraño. ‖ **2.** *Rioja.* Exterior, de fuera. Aplícase a las hojas exteriores de las berzas, lechugas, etc.

forano, na. (Del b. lat. *forānus.*) adj. ant. Forastero, extraño. ‖ **2.** ant. Rústico, huraño. ‖ **3.** ant. Exterior, extrínseco y de afuera.

foraño, ña. (Del b. lat. *foranĕus.*) adj. ant. Exterior, de afuera. ‖ **2.** m. *Sal.* Tabla que se saca de la parte más próxima a la corteza del árbol.

foras. (Del lat. *foras.*) adv. l. ant. **fuera.** ‖ **2.** ant. **fuera de.**

forastero, ra. (Del cat. *foraster.*) adj. Que es o viene de fuera del lugar. ‖ **2.** Dícese de la persona que vive o está en un lugar de donde no es vecina y en donde no ha nacido. Ú. t. c. s. ‖ **3.** V. **guía de forasteros.** ‖ **4.** fig. Extraño, ajeno.

forca. f. ant. **horca.** ‖ **2.** ant. **horquilla.**

forcate. (Del arag. *forcat.*) m. *Ál., Ar.* y *Rioja.* Arado con dos varas o timones para que tire de él una sola caballería.

forcatear. tr. *Ál.* y *Rioja.* Arar con forcate.

forcaz. (De *forca.*) adj. Dícese del carromato de dos varas.

forcejar. (Del cat. *forcejar.*) intr. Hacer fuerza para vencer alguna resistencia. ‖ **2.** fig. Resistir, hacer oposición, contradecir tenazmente. ‖ **3.** tr. ant. **forzar,** gozar a una mujer.

forcejear. (De *forcejo.*) intr. Hacer fuerza para vencer una resistencia. ‖ **2.** fig. Oponerse con fuerza, contradecir tenazmente.

forcejeo. m. Acción de forcejear.

forcejo. m. Acción de forcejar.

forcejón. (De *forcejo.*) m. Esfuerzo violento.

forcejudo, da. (De *forcejo.*) adj. Que tiene y hace mucha fuerza.

fórceps. (Del lat. *forceps,* tenaza.) m. *Obst.* Instrumento en forma de tenaza, que se usa para la extracción de las criaturas en los partos difíciles. Ú. t. en sent. fig. en la frase **sacarle** algo a alguien **con fórceps.** ‖ **2.** Instrumento en forma de tenaza usado para la extracción de dientes.

forciar. tr. ant. **forzar.**

forcina. (Del lat. *fuscĭna,* tridente, infl. por *furca.*) f. ant. Especie de tenedor grande de tres púas.

forcípula. (Del lat. *forceps, -ĭpis,* tenaza.) f. Instrumento utilizado para medir el diámetro del tronco de los árboles. Consta de una regla, graduada en centímetros, con dos brazos perpendiculares a ella, uno fijo y otro móvil.

forcir. tr. ant. Fortalecer o reforzar.

forchina. (Del lat. *fuscĭna,* tridente, infl. por *furca.*) f. Arma de hierro a modo de horquilla. ‖ **2.** ant. Tenedor para comer.

forense[1]. (Del lat. *forensis.*) adj. Perteneciente al foro. ‖ **2.** V. **médico forense.** Ú. t. c. s. ‖ **3.** ant. Público y manifiesto.

forense[2]. (Del lat. *foras,* fuera.) adj. p. us. **forastero.**

forero, ra. adj. Perteneciente o conforme a fuero. ‖ **2.** V. **carta, moneda forera.** ‖ **3.** ant. Aplicábase al práctico y versado en los fueros. Usáb. t. c. s. ‖ **4.** m. Dueño de finca dada a foro. ‖ **5.** El que paga foro. ‖ **6.** ant. El que pagaba foro, pecho o tributo. ‖ **7.** ant. El que cobraba las rentas debidas por fuero o derecho.

foresta. (Del b. lat. *foresta,* bosque.) f. Terreno poblado de plantas forestales.

forestación. f. *Chile, Perú* y *Urug.* Acción y efecto de forestar.

forestal. (Del b. lat. *forestālis.*) adj. Relativo a los bosques y a los aprovechamientos de leñas, pastos, etc.

forestar. tr. Poblar un terreno con plantas forestales.

fórfolas. (Del lat. *furfur, -ŭris,* caspa.) f. pl. ant. Escamas que se forman en el cuero cabelludo, al modo de caspa gruesa, pero pegada y con algún humor debajo.

forigar. (Del lat. vulg. **furicāre,* robar.) tr. *Ar.* Hurgar, hurgonear.

forillo. m. En el teatro, telón pequeño que se pone detrás y a la distancia conveniente del telón de foro en que hay puerta u otra abertura semejante.

forínseco, ca. (Del lat. *forinsĕcus,* fuera.) adj. ant. Que está de la parte de fuera.

forista. m. ant. El versado en el estudio de los fueros.

forja. (Del fr. *forge.*) f. **fragua.** Llámanla así los plateros a distinción de la de los herreros. ‖ **2.** Lugar donde se reduce a metal el mineral de hierro. ‖ **3.** Acción y efecto de forjar. ‖ **4.** Argamasa de cal, arena y agua. ‖ **a la catalana.** Aparato usado antiguamente para la fabricación del hierro, y compuesto de tres partes principales: un hogar bajo y abierto, una trompa y un martinete para forjar el hierro obtenido.

forjado, da. p. p. de **forjar.** ‖ **2.** m. Relleno con que se hacen las separaciones de los pisos de un edificio. ‖ **de ladrillo.** Entramado cuyos espacios intermedios se cubren con ladrillo.

forjador, ra. adj. Que forja. Ú. t. c. s. ‖ **2.** m. y. f. *Albañ.* y *Metal.* Persona que tiene por oficio forjar.

forjadura. f. Acción y efecto de forjar.

forjar. (Del fr. *forger.*) tr. Dar la primera forma con el martillo a cualquier pieza de metal. ‖ **2.** Fabricar y formar. Se usa particularmente entre albañiles. ‖ **3.** *Albañ.* Revocar toscamente con yeso o mortero. ‖ **4.** *Albañ.* Llenar con bovedillas o tableros de rasilla los espacios que hay entre viga y viga. ‖ **5.** fig. Inventar, fingir, fabricar. *La joven* HA FORJADO *mil embustes.* Ú. t. c. prnl.

forlón. m. Especie de coche antiguo de caballos de cuatro asientos, sin estribos, cerrado con puertecillas, colgada la caja sobre correones y puesta entre dos varas de madera.

forma. (Del lat. *forma.*) f. Figura o determinación exterior de la materia. ‖ **2.** Disposición o expresión de una potencialidad o facultad de las cosas. ‖ **3.** Fórmula y modo de proceder en una cosa. ‖ **4.** Molde en que se vacía y forma alguna cosa; como las **formas** en que se vacían las estatuas de yeso y muchas obras de platería. ‖ **5.** Molde de barro cocido, de figura cónica y con un agujero en el vértice, empleado para elaborar los panes de azúcar. ‖ **6. formato.**

‖ **7.** Modo, manera de hacer una cosa. *Su* FORMA *de mirar es dulce.* ‖ **8.** Cualidades de estilo o modo de expresar las ideas, a diferencia de lo que constituye el fondo sustancial de la obra literaria. ‖ **9.** Tratándose de letra, especial configuración que tiene la de cada persona, o la usada en país o tiempo determinado. ‖ **10.** Pan ázimo, cortado regularmente en figura circular, y que sirve para la comunión en la misa. Se le da este nombre antes y después de consagrada. ‖ **11.** Palabras rituales que, aplicadas por el ministro competente a la materia de cada sacramento, integran la esencia de este. ‖ **12.** *Impr.* Molde que se pone en la prensa para imprimir una cara de todo el pliego. ‖ **13.** *Arq.* Cada arco en que descansa la bóveda vaída. ‖ **14.** *Fil.* Principio activo que con la materia prima constituye la esencia de los cuerpos; tratando de **formas** espirituales, solo se llama así al alma humana. ‖ **15.** *Fil.* Principio activo que da a la cosa su entidad, ya sustancial, ya accidental. ‖ **16.** *Der.* Requisitos externos o aspectos de expresión en los actos jurídicos. ‖ **17.** *Der.* Cuestiones procesales en contraposición al fondo del pleito o causa. ‖ **18.** pl. Configuración del cuerpo humano, especialmente los pechos y caderas de la mujer. ‖ **19.** fig. Maneras o modos de comportarse en sociedad. *Guardar las* FORMAS. ‖ **silogística.** Modo de argüir usando silogismos. ‖ **abrir la forma.** expr. Aflojar las cuñas para corregir, calzar los grabados, etc. ‖ **dar forma.** fr. Formular con exactitud o dar expresión adecuada a lo que estaba impreciso. ‖ **2.** Arreglar lo desordenado. ‖ **3.** Cumplir o ejecutar lo acordado. ‖ **de forma.** loc. adj. p. us. Dícese de la persona de distinción y prendas recomendables. *Hombre* DE FORMA. ‖ **de forma que.** loc. conjunt. que indica consecuencia y resultado. *Lo expuso muy ordenadamente,* DE FORMA QUE *convenció.* ‖ **en debida forma.** loc. adv. *Der.* Conforme a las reglas del derecho y prácticas establecidas. *Venga* EN DEBIDA FORMA; *pida* EN DEBIDA FORMA. ‖ **en forma.** loc. adv. Como es debido. ‖ **2.** Con formalidad. ‖ **en toda forma.** loc. adv. Bien y cumplidamente; con toda formalidad y cuidado. ‖ **estar en forma.** fr. coloq. Estar en buenas condiciones físicas o espirituales. ‖ **guardar la forma del ayuno.** fr. *Rel.* Cumplir únicamente su requisito sustancial, que es hacer una sola comida al día, las personas que están dispensadas de su cumplimiento total.

formable. (Del lat. *formabĭlis.*) adj. Que se puede formar.

formación. (Del lat. *formatĭo, -ōnis.*) f. Acción y efecto de formar o formarse. ‖ **2.** Figura exterior o forma. *El caballo es de buena* FORMACIÓN. ‖ **3.** Perfil de entorchado con que los bordadores guarnecen las hojas de las flores dibujadas en la tela. ‖ **4.** *Geol.* Conjunto de rocas o masas minerales que presentan caracteres geológicos y paleontológicos semejantes. ‖ **5.** *Mil.* Reunión ordenada de un cuerpo de tropas para revistas y otros actos del servicio. ‖ **vegetal.** Conjunto de vegetales en los que domina una determinada especie, al cual deben su fisonomía, como la pradera, el pinar, el robledal, etc.

formador, ra. (Del lat. *formātor, -ōris.*) adj. Que forma o pone en orden. Ú. t. c. s.

formadura. (Del lat. *formatūra.*) f. ant. Figura de una cosa y conformación en sus partes.

formaje. (Del fr. *fromage,* queso.) m. Forma o molde para hacer quesos. ‖ **2.** desus. **queso.**

formal. (Del lat. *formālis.*) adj. Perteneciente o relativo a la forma. En este sentido se contrapone a esencial. ‖ **2.** V. **causa formal.** ‖ **3.** Que tiene formalidad. ‖ **4.** Aplícase a la persona seria, amiga de la verdad y enemiga de chanzas. ‖ **5.** Expreso, preciso, determinado. ‖ **6.** V. **precepto formal de obediencia.** ‖ **7.** *Der.* V. **estatuto formal.**

formaldehído. (Contracc. de *fórmico* y *aldehído.*) m. *Quím.* **aldehído fórmico.**

formaleta. (Del cat. *formalet,* arco de medio punto.) f. Armazón que sostiene un arco.

formalete. (Del cat. *formalet,* arco de medio punto.) m. *Arq.* **medio punto.**

formalidad. f. Exactitud, puntualidad y consecuencia en las acciones. ‖ **2.** Cada uno de los requisitos para ejecutar una cosa. Ú. m. en pl. ‖ **3.** Modo de ejecutar con la exactitud debida un acto público. ‖ **4.** Seriedad, compostura en algún acto.

formalina. (Del ing. *formalin,* marca registrada.) f. *Quím.* Disolución acuosa de formol.

formalismo. m. Rigurosa aplicación y observancia, en la enseñanza o en la indagación científica, del método recomendado por alguna escuela. ‖ **2.** Tendencia a concebir las cosas como formas y no como esencias.

formalista. adj. Perteneciente o relativo al formalismo. ‖ **2.** Dícese del que para cualquier asunto observa con rigor las formas y tradiciones. Ú. t. c. s.

formalización. f. Acción y efecto de formalizar.

formalizar. tr. Dar forma a una cosa. ‖ **2.** Revestir una cosa de los requisitos legales. FORMALIZAR *un expediente, un ingreso, un asiento.* ‖ **3.** Concretar, precisar. FORMALIZAR *un cargo, una oposición.* ‖ **4.** Dar carácter de seriedad a lo que no la tenía. FORMALIZAR *un noviazgo.* ‖ **5.** prnl. Hacerse seria y responsable la persona que antes no lo era. ‖ **6.** Ponerse serio por algo que acaso se dijo por chanza o sin intención de ofender.

formalmente. adv. m. Según la forma debida. ‖ **2.** Con formalidad, expresamente.

formalote, ta. adj. fam. aum. de **formal,** que tiene formalidad. ‖ **2. formal,** dicho de la persona seria, amiga de la verdad. ‖ **3.** Dícese de la persona joven que muestra más formalidad de la que sería de esperar de su edad.

formar. (Del lat. *formāre.*) tr. Dar forma a una cosa. ‖ **2.** Juntar y congregar personas o cosas, uniéndolas entre sí para que hagan aquellas un cuerpo y estas un todo. ‖ **3.** Hacer o componer varias personas o cosas el todo del cual son partes. ‖ **4.** Criar, educar, adiestrar. ‖ **5.** *Mil.* Poner en orden. FORMAR *el escuadrón.* ‖ **6.** intr. Colocarse una persona en una formación, cortejo, etc. ‖ **7.** Entre bordadores, perfilar las labores dibujadas en la tela con el torzal o felpilla. ‖ **8.** prnl. Adquirir una persona más o menos desarrollo, aptitud o habilidad en lo físico o en lo moral.

formatear. tr. *Inform.* Dar un formato o presentación a una tabla numérica o a un documento.

formativo, va. adj. Que forma o da forma.

formato. (Del fr. *format* o del it. *formato.*) m. Tamaño de un impreso, expresado en relación con el número de hojas que comprende cada pliego (folio, cuarto, octavo, dieciseisavo), o indicando la longitud y anchura de la plana. ‖ **2.** Por ext., tamaño de una fotografía, de un cuadro, etc.

formatriz. (Del lat. *formātrix, -īcis.*) adj. f. Dícese de la que forma.

-forme. (Del lat. *-formis,* de la raíz de *forma.*) elem. compos. que significa «en forma de»: *arbori*FORME, *campani*FORME, *vermi*FORME.

formero. (De *forma.*) m. *Arq.* Cada uno de los arcos en que descansa una bóveda vaída. ‖ **2.** *And.* Armazón que sostiene un arco.

formiato. (Contracc. de *fórmico* y *-ato*[2].) m. *Quím.* Sal que resulta de la combinación del ácido fórmico con una base.

formica. (Marca registrada.) f. Conglomerado de papel impregnado y revestido de resina artificial, que se adhiere a ciertas maderas para protegerlas.

formicante. (Del lat. *formīcans, -antis,* que anda como la hormiga.) adj. Propio de hormiga. ‖ **2.** *Med.* V. **pulso formicante.**

formícido, da. (Del lat. *formīca,* hormiga, e *-ido.*) adj. *Zool.*

Dícese de las hormigas y artrópodos semejantes. ‖ **2.** m. pl. *Zool.* Taxón al que pertenecen estos animales.

fórmico. (Del lat. *form[ica]* e *-ico.*) adj. *Quím.* V. **ácido fórmico.**

formidable. (Del lat. *formidabĭlis.*) adj. Muy temible y que infunde asombro y miedo. ‖ **2.** Excesivamente grande en su línea, enorme. ‖ **3.** fam. Magnífico.

formidar. (Del lat. *formidāre.*) tr. ant. Temer, recelar.

formidoloso, sa. (Del lat. *formidolōsus.*) adj. p. us. Que tiene mucho miedo. ‖ **2.** p. us. Espantoso, horrible y que da miedo.

formol. (De *fórm[ico]* y *-ol*[1].) m. *Quím.* Líquido incoloro, de olor fuerte y desagradable, que consiste en una solución acuosa de formaldehído al 40 por 100. Es un poderoso antiséptico, por lo que se emplea como desinfectante y también para la conservación de preparaciones anatómicas.

formón. (De *forma.*) m. Instrumento de carpintería, semejante al escoplo, pero más ancho de boca y menos grueso. ‖ **2.** Sacabocados con que se cortan las hostias y otras cosas de figura circular. ‖ **3.** *Rioja.* Pieza del arado de hierro sobre la cual se apoyan la vertedera por encima y la reja por delante. ‖ **de punta corriente.** El que acaba en corte oblicuo.

formoseño, ña. adj. Perteneciente o relativo a la provincia argentina de Formosa o a su capital. ‖ **2.** Natural de esta provincia o de su capital. Ú. t. c. s.

fórmula. (Del lat. *formŭla.*) f. Medio práctico propuesto para resolver un asunto controvertido o ejecutar una cosa difícil. ‖ **2.** Manera fija de redactar algo. ‖ **3.** Receta del médico o para confeccionar alguna cosa. ‖ **4.** Expresión concreta de una avenencia o transacción entre diversos pareceres, partidos o grupos. ‖ **5.** *Mat.* Ecuación o regla que relaciona objetos matemáticos o cantidades. ‖ **6.** *Quím.* Combinación de símbolos químicos que expresa la composición de una molécula. ‖ **de cortesía.** Expresión con que se manifiesta atención o respeto a alguien. ‖ **dentaria.** Representación simbólica de la dentición de un mamífero mediante una línea recta horizontal, encima de la cual se expresa en guarismos el número de incisivos, caninos, premolares y molares de la mandíbula superior, y debajo de ella, por el mismo orden, el de los dientes de la mandíbula inferior. ‖ **leucocitaria.** *Med.* Proporción de los diversos tipos de leucocitos en la sangre circulante. ‖ **magistral.** *Farm.* **magistral,** medicamento. ‖ **por fórmula.** loc. adv. Para cubrir las apariencias, sin convicción, para salir del paso.

formulación. f. Acción y efecto de formular.

formular[1]. (De *fórmula.*) tr. Reducir a términos claros y precisos un mandato, una proposición, una denuncia, etc. ‖ **2. recetar.** ‖ **3.** Expresar, manifestar.

formular[2]. adj. Relativo o perteneciente a la fórmula; que tiene cualidades de fórmula.

formulario, ria. adj. Relativo o perteneciente a las fórmulas o al formulismo. ‖ **2.** Dícese de lo que se hace por fórmula, cubriendo las apariencias. ‖ **3.** m. Libro o escrito en que se contienen fórmulas que se han de observar para la petición, expedición o ejecución de algunas cosas. ‖ **4.** Impreso con espacios en blanco.

formulismo. m. Excesivo apego a las fórmulas en la resolución y ejecución de cualquier asunto, especialmente de los oficiales y burocráticos. ‖ **2.** Tendencia a preferir la apariencia de las cosas a su esencia.

formulista. adj. Aplícase a la persona partidaria del formulismo. Ú. t. c. s.

fornáceo, a. (Del lat. *furnacĕus,* de horno.) adj. poét. Perteneciente o semejante al horno.

fornacino, na. adj. ant. V. **costilla fornacina.**

fornalla. (Del lat. *furnacŭla.*) f. ant. **horno.**

fornazo. m. ant. **hornazo.**

fornecer. (De *fornir.*) tr. desus. Proveer de todo lo necesario para algún fin.

fornecimiento. (De *fornecer.*) m. desus. Provisión, reparo y fortificación con que se proveía y guarnecía una cosa. FORNECIMIENTO *de un castillo.*

fornecino, na. (Del lat. *fornix, -ĭcis,* lupanar.) adj. ant. Decíase del hijo bastardo o del nacido de adulterio. ‖ **2.** *Ar.* Dícese del vástago sin fruto de la vid. Ú. m. c. s.

fornel. (Del cat. *fornell,* hornillo.) m. *Albac., Alm.* y *Jaén.* Hornillo portátil.

fornelo. (Del it. *fornello,* hornillo.) m. Chofeta manual de hierro, de que regularmente se servían en las casas de comunidad para hacer el chocolate.

fornicación. (Del lat. *fornicatĭo, -ōnis.*) f. Acción de fornicar.

fornicador, ra. (Del lat. *fornicātor, -ōris.*) adj. Que fornica. Dícese regularmente del que tiene este vicio. Ú. t. c. s.

fornicar. (Del lat. *fornicāri.*) intr. Tener ayuntamiento o cópula carnal fuera del matrimonio. Ú. t. c. tr.

fornicario, ria. (Del lat. *fornicarĭus.*) adj. Perteneciente a la fornicación. ‖ **2.** Que tiene el vicio de fornicar. Ú. t. c. s.

fornicio. (Del lat. *fornix, -ĭcis,* lupanar.) m. **fornicación.**

fornición. (De *fornir.*) f. ant. Abastecimiento o provisión.

fornido, da. p. p. de **fornir.** ‖ **2.** adj. Robusto y de mucho hueso. ‖ **3.** Hablando de algunas cosas, recio, fuerte.

forniguero. (De *forno.*) m. ant. Encargado de un horno. ‖ **2.** ant. *Ar.* y *Nav.* Horno del campo en que se quemaba leña menuda.

fornimento. (De *fornir.*) m. ant. Provisión y prevención que se hacía de las cosas necesarias para un fin. ‖ **2.** ant. Arreo o jaez.

fornimiento. m. ant. Provisión de cosas necesarias para un fin.

fornir. (Del cat. *fornir* o del fr. *fournir.*) tr. ant. **fornecer.** ‖ **2.** *Germ.* Arreciar o reformar.

fornitura. (Del fr. *fourniture,* suministro.) f. Conjunto de piezas de repuesto de un reloj o de otro mecanismo de precisión. ‖ **2.** Conjunto de botones, trencillas, corchetes y otros elementos accesorios usados en la confección de prendas de vestir. ‖ **3.** *Impr.* Porción o letra que se funde para completar una fundición. ‖ **4.** *Mil.* Correaje y cartuchera que usan los soldados. Ú. m. en pl.

forno. m. ant. **horno.** ‖ **de poya.** ant. **horno de poya.**

foro. (Del lat. *forum.*) m. Plaza donde se trataban en Roma los negocios públicos y donde el pretor celebraba los juicios. ‖ **2.** Por ext., sitio en que los tribunales oyen y determinan las causas. ‖ **3.** Curia, y cuanto concierne al ejercicio de la abogacía y a la práctica de los tribunales. ‖ **4.** Reunión para discutir asuntos de interés actual ante un auditorio que a veces interviene en la discusión. ‖ **5.** Parte del escenario o de las decoraciones teatrales opuesta a la embocadura y más distante de ella. ‖ **6.** V. **telón de foro.** ‖ **7.** Contrato consensual por el cual una persona cede a otra, ordinariamente por tres generaciones, el dominio útil de una cosa mediante cierto canon o pensión. ‖ **8.** Canon o pensión que se paga en virtud de este contrato. ‖ **9.** ant. **fuero.** ‖ **por tal foro.** loc. adv. Con tal condición o pacto.

-foro, ra. (Del gr. -φόρος, de la raíz de φέρω, llevar.) elem. compos. que significa «que lleva»: *semá*FORO, *necró*FORO.

forqueta. (d. de *forca,* horquilla.) f. ant. Tenedor para comer. ‖ **2.** ant. Horca de madera que se ponía a algunos animales para que no entrasen en las fincas.

forración. (De *forrar.*) f. Procedimiento para reforzar y hacer flexibles las pinturas sobre lienzo, adhiriéndoles otro mediante engrudo especial, caseína, etc., con el empleo de rodillos o planchas, moderadamente calientes.

forradura. f. ant. **forro**[1] para resguardar o revestir una cosa.

forraje. (Del fr. *fourrage.*) m. Verde que se da al ganado, especialmente en la primavera. ‖ **2.** Pasto seco conservado para alimentación del ganado, y también los cereales destinados a igual uso. ‖ **3.** Acción de forrajear. ‖ **4.** fig. y fam. Abundancia y mezcla de muchas cosas de poca sustancia.

forrajeador. m. Soldado que va a forrajear.

forrajear. tr. Segar y recoger el forraje. ‖ **2.** *Mil.* Salir los soldados a coger el pasto para los caballos.

forrajera. f. Red de cuerda que los soldados de caballería ligera llevaban arrollada a la cintura cuando iban a forrajear y que, una vez llena de hierba o de mieses verdes, sujetaban a la montura de los caballos. ‖ **2.** Cinturón o faja que usan ciertos regimientos montados con el uniforme de gala. ‖ **3.** Cuerda que los jinetes forrajeadores llevaban arrollada al cuerpo y les servía para atar los haces de mies o de hierba. ‖ **4.** Cordón que los militares de cuerpos montados llevan rodeado al cuello por un extremo, y por el otro sujeto a un botón de la parte anterior del uniforme en actos de servicio a pie, y al ros o chacó en maniobras a caballo.

forrajero, ra. adj. Aplícase a las plantas, o a algunas de sus partes, que sirven para forraje. ‖ **2.** m. ant. Soldado que iba a forrajear.

forrar. (Del fr. *fourrer.*) tr. Poner forro a alguna cosa. ‖ **2.** prnl. fam. **enriquecerse.** ‖ **3.** fam. Hartarse, atiborrarse.

forro[1]. (De *forrar.*) m. Abrigo, defensa, resguardo o cubierta con que se reviste una cosa, especialmente hablando de las telas y pieles que se ponen por la parte interior de las ropas o vestidos. ‖ **2.** Cubierta del libro. ‖ **3.** *Mar.* Conjunto de tablones con que se cubre interior y exteriormente el esqueleto del buque. ‖ **4.** *Mar.* Conjunto de planchas de cobre o de tablas con que se revisten los fondos del buque. ‖ **ni por el forro.** expr. fig. y fam. con que se denota que alguno desconoce completamente tal o cual ciencia o los libros que de ella tratan. Ú. principalmente con los verbos *no conocer, no haber visto.* ‖ **2.** Ni por asomo, ni lo más mínimo.

forro[2], **rra.** adj. ant. **horro.**

forrocino. m. **fornecino.**

fortacán. (De or. inc.) m. *León.* **ladrón,** portillo de una acequia.

fortachón, na. (aum. de *fuerte.*) adj. fam. Recio y fornido; que tiene grandes fuerzas y pujanza.

fortalecedor, ra. adj. Que fortalece.

fortalecer. (De *fortaleza.*) tr. Hacer más fuerte o vigoroso. Ú. t. c. prnl. ‖ **2.** ant. Confirmar, corroborar. Se usaba hablando de los argumentos, razones, etc.

fortalecimiento. m. Acción y efecto de fortalecer o fortalecerse. ‖ **2.** Lo que hace fuerte un sitio o población, como muros, torres, etc. ‖ **3.** ant. **fortaleza,** recinto fortificado.

fortaleza. (Del prov. *fortalessa.*) f. Fuerza y vigor. ‖ **2.** Una de las cuatro virtudes cardinales, que consiste en vencer el temor y huir de la temeridad. ‖ **3.** Natural defensa que tiene un lugar o puesto por su misma situación. ‖ **4.** Recinto fortificado; como castillo, ciudadela, etc. ‖ **5.** pl. Defecto de las hojas de espada y demás armas blancas, que consiste en unas grietecillas menudas.

¡forte! Voz ejecutiva con que se manda hacer alto en las faenas marineras.

fortepiano. (Del it. *forte,* fuerte, y *piano,* suave.) m. *Mús.* Piano, instrumento musical.

fortezuelo, la. adj. d. de **fuerte.** ‖ **2.** m. d. de **fuerte.**

fortificación. (Del lat. *fortificatĭo, -ōnis.*) f. Acción de fortificar o fortificarse. ‖ **2.** Obra o conjunto de obras con que se fortifica un pueblo o un sitio cualquiera. ‖ **3. arquitectura militar.** ‖ **de campaña.** La que se hace para defender por tiempo limitado un campo u otra posición militar. ‖ **permanente.** La que se construye con materiales duraderos, para que sirva de defensa por tiempo ilimitado.

fortificador, ra. adj. Que fortifica.

fortificar. (Del lat. *fortificāre.*) tr. Dar vigor y fuerza material o moralmente. ‖ **2.** Hacer fuerte con obras de defensa un pueblo o un sitio cualquiera, para que pueda resistir a los ataques del enemigo. Ú. t. c. prnl.

fortín. (d. de *fuerte.*) m. Una de las obras que se levantan en los atrincheramientos de un ejército para su mayor defensa. ‖ **2.** Fuerte pequeño.

fortísimo, ma. adj. sup. de **fuerte.**

fortitud. (Del lat. *fortitūdo.*) f. ant. Fortaleza física o moral de algo.

fortuitamente. adv. m. Casualmente, sin prevención ni premeditación.

fortuito, ta. (Del lat. *fortuĭtus.*) adj. Que sucede inopinada y casualmente. ‖ **2.** V. **caso fortuito.**

fortuna. (Del lat. *Fortuna.*) n. p. f. Divinidad mitológica que presidía los sucesos de la vida, distribuyendo ciegamente los bienes y los males. ‖ **2.** f. Encadenamiento de los sucesos, considerado como fortuito. ‖ **3.** Circunstancia casual de personas y cosas. ‖ **4.** Suerte favorable. ‖ **5.** Éxito, aceptación rápida. ‖ **6.** Hacienda, capital, caudal. ‖ **7.** Aceptación de una cosa entre la gente. ‖ **8.** Borrasca, tempestad en mar o tierra. ‖ **9.** V. **bienes, día, golpe, hombre, lance, moza, tiempo de fortuna.** ‖ **10.** fig. V. **rueda de la fortuna.** ‖ **11.** ant. Desgracia, adversidad, infortunio. ‖ **12.** *Astrol.* V. **parte de la fortuna.** ‖ **correr fortuna.** fr. *Mar.* Padecer tormenta la embarcación, y correr el riesgo de perderse. ‖ **por fortuna.** loc. adv. Afortunadamente, por casualidad. ‖ **probar fortuna.** fr. Intentar una empresa cuyo buen término se considera difícil o dudoso. ‖ **soplar la fortuna** a uno. fr. fig. Sucederle las cosas felizmente.

fortunado, da. p. p. de **fortunar.** ‖ **2.** adj. ant. Que tiene buena suerte.

fortunal. (De *fortuna,* desgracia, adversidad.) adj. ant. Peligroso o arriesgado.

fortunar. (Del lat. *fortunāre.*) tr. ant. Hacer dichoso a uno.

fortunio. (Del lat. *fortunĭum.*) m. desus. Felicidad, dicha. ‖ **2.** ant. **infortunio.**

fortuno, na. (De *fortunar.*) adj. ant. **fortunoso.**

fortunón. m. fam. aum. de **fortuna.**

fortunoso. (De *fortuna,* borrasca, desgracia.) adj. desus. Borrascoso, tempestuoso. ‖ **2.** ant. Azaroso, desgraciado.

forúnculo. m. *Med.* **furúnculo.**

forzadamente. adv. m. Por fuerza. ‖ **2.** ant. Forzosamente, necesariamente.

forzado, da. p. p. de **forzar.** ‖ **2.** adj. Ocupado o retenido por fuerza. ‖ **3.** V. **pie forzado.** ‖ **4.** V. **gente forzada.** ‖ **5.** V. **trabajos forzados.** ‖ **6.** No espontáneo. *Risa* FORZADA, *cumplimientos* FORZADOS. ‖ **7.** p. us. **forzoso.** ‖ **8.** m. Galeote condenado a servir al remo en las galeras. ‖ **9.** adv. m. ant. **forzosamente.**

forzador. (De *forzar.*) m. El que hace fuerza o violencia a otro, y más comúnmente el que fuerza a una mujer.

forzal. (De *fuerza.*) m. Banda o tira maciza de donde arrancan las púas de un peine.

forzamento. m. ant. **forzamiento.**

forzamiento. m. Acción de forzar o hacer fuerza.

forzar. (Del lat. **fortiāre.*) tr. Hacer fuerza o violencia física para conseguir algo que habitualmente no debe ser conseguido por la fuerza. FORZAR *una puerta.* ‖ **2.** Entrar, sujetar y rendir a fuerza de armas una plaza, castillo, etc. ‖ **3.** Gozar a una mujer contra su voluntad. ‖ **4.** Tomar u ocupar por fuerza una cosa. ‖ **5.** fig. Obligar o precisar a que se ejecute una cosa. Ú. t. c. prnl. ‖ **6.** prnl. ant. **esforzarse.**

forzosa. (De *forzoso.*) f. Lance en el juego de damas a la española, con el cual se gana precisamente dentro de doce jugadas, teniendo tres damas contra una y la calle de en medio del tablero por suya; y si a las doce jugadas no ha acabado el juego, queda hecho tablas. ‖ **la forzosa.** fam. Precisión ineludible en que uno se encuentra de hacer algo contra su voluntad. ‖ **hacer** a uno **la forzosa.** fr. fig. y fam. Ponerlo en la precisión de que ejecute lo que no quiere, disponiendo las cosas de suerte que no se pueda excusar.

forzosamente. adv. m. **por fuerza.** ‖ **2. violentamente.** ‖ **3.** Necesaria e ineludiblemente.

forzoso, sa. (De *fuerza.*) adj. Que no se puede excusar. ‖ **2.** V. **trabajos forzosos.** ‖ **3.** ant. Fuerte, recio o violento. ‖ **4.** ant. Que tiene grandes fuerzas. ‖ **5.** ant. Violento; contra razón y derecho. ‖ **6.** *Der.* V. **heredero forzoso.** ‖ **7.** *Der.* V. **jurisdicción forzosa.**

forzudamente. adv. m. Con mucha fuerza y empuje.

forzudo, da. adj. Que tiene grandes fuerzas.

fosa. (Del lat. *fossa.*) f. Enterramiento, sepulcro. ‖ **2.** Hoyo en la tierra para enterrar uno o más cadáveres. ‖ **3.** Excavación profunda alrededor de una fortaleza. ‖ **4.** ant. Piso inferior del escenario. ‖ **5.** *Sal.* Finca plantada de árboles frutales. ‖ **6.** *Anat.* Cada una de ciertas cavidades en el cuerpo de los animales. *Las* FOSAS *nasales.* ‖ **7.** *Anat.* Depresión que existe en la superficie de algunos huesos. ‖ **común.** Lugar donde se entierran los restos humanos exhumados de sepulturas temporales o los muertos que, por cualquier razón, no pueden enterrarse en sepultura propia. ‖ **navicular.** *Anat.* Dilatación o ensanche que hay en el extremo de la uretra del hombre y en algún otro lugar del cuerpo humano. ‖ **séptica. pozo negro.** ‖ **tectónica.** *Geol.* Estructura geológica formada por una zona alargada de la corteza terrestre, hundida respecto a los bloques laterales.

fosada. (De *fosar*[2].) f. ant. Hoyo, foso; excavación profunda alrededor de una fortaleza.

fosado. (Del lat. *fossātum.*) m. ant. Hoyo que se abre en la tierra para alguna cosa. ‖ **2.** ant. Conjunto de fortificaciones de una ciudad. ‖ **3.** ant. **fonsadera.** ‖ **4.** *Fort.* Excavación que circuye una fortaleza.

fosadura. (De *fosado.*) f. ant. Zanja u hoyo hecho en la tierra.

fosal. m. **cementerio.** ‖ **2.** ant. Sepulcro, fosa. Ú. en Aragón.

fosar[1]**.** m. ant. **cementerio.**

fosar[2]**.** (Del lat. *fossāre.*) tr. Hacer foso alrededor de una cosa.

fosario. (De *fosar*[1].) m. ant. **osario.**

fosca. (De *fosco.*) f. Oscuridad de la atmósfera. ‖ **2.** *Murc.* Bosque o selva enmarañada.

fosco, ca. adj. **hosco.** ‖ **2.** De color oscuro, que tira a negro. ‖ **3.** fig. Dícese del pelo alborotado o ahuecado.

fosfatado, da. adj. Que tiene fosfato. *Harina* FOSFATADA.

fosfático, ca. adj. *Quím.* Perteneciente o relativo al fosfato.

fosfato. (De *fósf[oro]* y *-ato*[2].) m. *Quím.* Sal formada por la combinación del ácido fosfórico con una o más bases.

fosfaturia. (De *fosfato* y el gr. οὖρον, orina.) f. *Pat.* Pérdida excesiva de ácido fosfórico por la orina.

fosfeno. (Del gr. φῶς, luz, y φαίνω, brillar, aparecer.) m. Sensación visual producida por la excitación mecánica de la retina o por una presión sobre el globo ocular.

fosfito. (De *fósf[oro]* e *-ito*[1].) m. *Quím.* Sal formada por el ácido fosforoso y una base.

fosforado, da. adj. Que contiene fósforo, metaloide sólido.

fosforecer. (De *fósforo.*) intr. **fosforescer.**

fosforero, ra. adj. Perteneciente o relativo a los fósforos. Ú. t. c. s. ‖ **2.** m. y f. Persona que vende fósforos. ‖ **3.** f. Estuche o caja en que se guardan o llevan los fósforos.

fosforescencia. f. Luminiscencia producida por una causa excitante y que persiste más o menos cuando desaparece dicha causa. ‖ **2.** Luminiscencia persistente de origen químico; por ejemplo la de las luciérnagas.

fosforescer. intr. Manifestar fosforescencia o luminiscencia.

fosfórico, ca. adj. Perteneciente o relativo al fósforo. ‖ **2.** *Quím.* Aplícase a los compuestos que contienen fósforo pentavalente.

fosforita. (De *fósforo* e *-ita*[2].) f. Mineral compacto o terroso, de color blanco amarillento, formado por el fosfato de cal. Se emplea como abono en agricultura después de añadirle ácido sulfúrico para hacerlo soluble.

fósforo. (Del gr. φωσφόρος, portador de luz, a través del lat. *phosphŏrus.*) m. *Quím.* Metaloide sólido del que existen por lo menos dos formas alotrópicas; una amarilla muy venenosa, inflamable y fosforescente, y otra roja, menos venenosa y menos inflamable. Es un elemento constituyente de los organismos vegetales y animales. Núm. atómico 15. Símb.: *P.* ‖ **2.** Trozo de cerilla, madera o cartón, con cabeza de **fósforo** y un cuerpo oxidante, que sirve para encender fuego. ‖ **3.** El lucero del alba. ‖ **4.** fig. Meollo, entendimiento, agudeza, ingenio. ‖ **rojo.** Estado alotrópico del **fósforo,** que no luce en la oscuridad y es más difícilmente inflamable que el **fósforo** blanco.

fosforoscopio. (De *fósforo* y *-scopio.*) m. *Fís.* Instrumento que sirve para averiguar si un cuerpo es o no fosforescente.

fosforoso, sa. adj. *Quím.* Aplícase a los compuestos que contienen fósforo trivalente.

fosfuro. (De *fósf[oro]* y *-uro.*) m. *Quím.* Combinación del fósforo con una base.

fósil. (Del lat. *fossĭlis.*) adj. Aplícase a la sustancia de origen orgánico más o menos petrificada, que por causas naturales se encuentra en las capas terrestres. Ú. t. c. s. m. ‖ **2.** V. **harina, madera fósil.** ‖ **3.** Por ext., dícese de la impresión, vestigio o molde que denota la existencia de organismos que no son de la época geológica actual. Ú. t. c. s. m. ‖ **4.** fig. y fam. Viejo, anticuado. ‖ **5.** m. desus. Mineral o roca de cualquier clase. ‖ **6.** fam. *Méj.* Estudiante rezagado.

fosilífero, ra. (De *fósil* y *-fero.*) adj. Dícese del terreno que contiene fósiles.

fosilización. f. Acción y efecto de fosilizarse.

fosilizarse. (De *fósil.*) prnl. Convertirse en fósil un cuerpo orgánico. ‖ **2.** fig. y fam. Limitarse una persona a un oficio, trabajo, etc., sin evolucionar o mejorar.

fosique. m. **fusique.**

foso. (Del it. *fosso.*) m. **hoyo.** ‖ **2.** Piso inferior del escenario, espaciosa cavidad a que el tablado sirve como de techo. ‖ **3.** En los garajes y talleres mecánicos, excavación que permite arreglar cómodamente desde abajo la máquina colocada encima. ‖ **4.** *Fort.* Excavación profunda que circuye la fortaleza.

fosor. (Del lat. *fossor, -ōris,* el que cava.) adj. *Biol.* Dícese de animales que viven en galerías que excavan en tierra o fango, como ciertos gusanos.

fosquera. (De *fosco.*) f. Suciedad de las colmenas.

fosura. (Del lat. *fossūra.*) f. ant. **excavación.**

fotiniano, na. adj. Partidario de Fotino, hereje del siglo IV. Ú. t. c. s.

foto-. (Del gr. φωτο-, de la raíz de φῶς, φωτός, luz.) elem. compos. que significa «luz»: FOTO*grabado,* FOTO*biología.*

foto[1]**.** (Del lat. *fautus,* favorecido.) m. ant. **confianza.**

foto[2]**.** f. abrev. fam. de **fotografía,** imagen obtenida fotográficamente.

fotoalergia. (De *foto-* y *alergia.*) f. *Med.* Reacción cutánea anormal a la luz, por intervención de un mecanismo inmunitario.
fotoalérgico, ca. adj. *Med.* Relativo a la fotoalergia.
fotobiología. (De *foto-* y *biología.*) f. *Biol.* Ciencia que estudia los efectos de la luz sobre los seres vivos.
fotocomponedora. *Impr.* Máquina de fotocomposición.
fotocomposición. f. *Impr.* Sistema de composición que proyecta sobre una película fotosensible los caracteres gráficos.
fotoconductividad. f. Conductividad variable, propia de los cuerpos fotoconductores.
fotoconductor, ra o **triz.** adj. *Fís.* Dícese de los cuerpos cuya conductividad eléctrica varía según la intensidad de la luz que los ilumina.
fotocopia. (De *foto-* y *copia.*) f. Reproducción de imágenes directamente sobre papel.
fotocopiador, ra. adj. Que fotocopia. ‖ **2.** f. Máquina para fotocopiar.
fotocopiar. tr. Reproducir mediante fotocopias.
fotoelectricidad. f. *Fís.* Electricidad producida por el desprendimiento de electrones debido a la acción de la luz.
fotoeléctrico, ca. (De *foto-* y *eléctrico.*) adj. *Fís.* Perteneciente o relativo a la acción de la luz en ciertos fenómenos eléctricos; como la variación de la resistencia de algunos cuerpos cuando reciben radiaciones luminosas de una determinada longitud de onda. ‖ **2.** Dícese de los aparatos en que se utiliza dicha acción. ‖ **3.** V. **célula fotoeléctrica.**
fotofobia. (De *foto-* y *fobia.*) f. *Med.* Repugnancia y horror a la luz.
fotófobo, ba. adj. Que padece fotofobia. Ú. t. c. s.
fotófono. (De *foto-* y *-fono.*) m. *Fís.* Instrumento que sirve para transmitir el sonido por medio de ondas luminosas.
fotogénico, ca. (De *foto* y el gr. γεννάω, producir.) adj. Que promueve o favorece la acción química de la luz. ‖ **2.** Dícese de algo o alguien que tiene buenas condiciones para ser reproducido por la fotografía.
fotograbado. (De *foto-* y *grabado.*) m. Procedimiento de grabar un clisé fotográfico sobre planchas de cinc, cobre, etc., y arte de estampar estas planchas por acción química de la luz. ‖ **2.** Lámina grabada o estampada por este procedimiento. ‖ **3.** Plancha de impresión metálica en relieve.
fotograbador, ra. m. y f. *Impr.* Persona profesionalmente dedicada a hacer fotograbados. ‖ **2.** f. Empresa dedicada a hacer fotograbados. ‖ **3.** Máquina de hacer fotograbados.
fotograbar. tr. Grabar por medio de la fotografía.
fotografía. (De *foto-* y *-grafía.*) f. Arte de fijar y reproducir por medio de reacciones químicas, en superficies convenientemente preparadas, las imágenes recogidas en el fondo de una cámara oscura. ‖ **2.** Estampa obtenida por medio de este arte. ‖ **3.** Taller en que se ejerce este arte. ‖ **4.** fig. Representación o descripción que por su exactitud se asemeja a la fotografía.
fotografiar. tr. Hacer fotografías. Ú. t. c. intr. y prnl. ‖ **2.** fig. Describir de palabra o por escrito sucesos, cosas o personas, en términos tan precisos y claros y con tal verdad que parecen presentarse ante la vista.
fotográficamente. adv. m. Por medio de la fotografía.
fotográfico, ca. adj. Perteneciente o relativo a la fotografía.
fotógrafo, fa. m. y f. Persona que hace fotografías. ‖ **2.** Persona que tiene por oficio hacer fotografías.
fotograma. (De *foto-* y *-grama.*) m. Cualquiera de las imágenes que se suceden en una película cinematográfica.
fotogrametría. (De *foto-*, *-grama* y *-metría.*) f. Procedimiento para obtener planos de grandes extensiones de terreno por medio de fotografías, tomadas generalmente desde una aeronave.
fotólisis. (De *foto-* y *-lisis.*) f. *Quím.* Desdoblamiento de una sustancia por acción de la luz.
fotolito. m. Estampa obtenida por medio de la fotolitografía. ‖ **2.** Clisé fotográfico de un original que se usa en ciertas formas de impresión como el huecograbado.
fotolitografía. (De *foto-* y *litografía.*) f. Arte de fijar y reproducir dibujos en piedra litográfica, mediante la acción química de la luz sobre sustancias convenientemente preparadas. ‖ **2.** Estampa obtenida por medio de este arte.
fotolitografiar. tr. Reproducir dibujos o estampas mediante el arte de la fotolitografía.
fotolitográficamente. adv. m. Por medio de la fotolitografía.
fotolitográfico, ca. adj. Perteneciente o relativo a la fotolitografía.
fotolitografista. com. **fotolitógrafo.**
fotolitógrafo, fa. m. y f. Persona que ejerce la fotolitografía.
fotoluminiscencia. (De *foto-* y *luminiscencia.*) f. Emisión de luz como consecuencia de la absorción previa de una radiación, como sucede en la fluorescencia y la fosforescencia.
fotomatón (Marca registrada.) m. Cabina equipada para hacer pequeñas fotografías en pocos minutos.
fotomecánico, ca. adj. Dícese del procedimiento de impresión obtenido a base de clisés fotográficos. Ú. t. c. s. ‖ **2.** f. Técnica que emplea métodos **fotomecánicos.**
fotometría. (De *fotómetro.*) f. Parte de la óptica que trata de las leyes relativas a la intensidad de la luz y de los métodos para medirla.
fotométrico, ca. adj. Perteneciente o relativo al fotómetro o a la fotometría.
fotómetro. (De *foto-* y *-metro.*) m. *Fís.* Instrumento para medir la intensidad de la luz.
fotomontaje. f. Composición fotográfica en que se utilizan fotografías con intención artística, publicitaria, etc.
fotón. (Del gr. φῶς, φωτός, luz, y *-ón*[2].) m. *Fís.* Cada una de las partículas de que parece estar constituida la luz y, en general, la radiación, en aquellos fenómenos en que se manifiesta su naturaleza corpuscular.
fotonovela. f. Relato, normalmente de carácter amoroso, formado por una sucesión de fotografías de los personajes, acompañadas de trozos de diálogo que permitan seguir el argumento.
fotoquímica. f. Parte de la química que estudia la interacción de las radiaciones luminosas y las moléculas, así como los cambios físicos y químicos que resultan de ella.
fotoquímico, ca. adj. Perteneciente o relativo a la fotoquímica.
fotosensibilizador, ra. adj. Dícese de los compuestos que incrementan los efectos de la radiación luminosa.
fotosensible. adj. Sensible a la luz.
fotosfera. (De *foto-* y el gr. σφαῖρα, esfera.) f. *Astron.* Zona luminosa y más interior de la envoltura gaseosa del Sol.
fotosíntesis. (De *foto-* y *síntesis.*) f. Proceso metabólico específico de ciertas células de los organismos autótrofos, por el que se sintetizan sustancias orgánicas a partir de otras inorgánicas, utilizando la energía luminosa.
fototerapia. (De *foto-* y *terapia.*) f. *Med.* Método de curación de las enfermedades por la acción de la luz.
fototipia. (De *foto-* y el gr. τύπος, molde, modelo.) f. Procedimiento para reproducir clisés fotográficos sobre una capa de gelatina, con bicromato, extendida sobre cristal o cobre, y arte de estampar esas reproducciones. ‖ **2.** Lámina estampada por este procedimiento.
fototípico, ca. adj. Relativo a la fototipia.

fototipografía. (De *foto-* y *tipografía.*) f. Arte de obtener y estampar clisés tipográficos obtenidos por medio de la fotografía.

fototipográfico, ca. adj. Perteneciente o relativo a la fototipografía.

fototoxicidad. (De *foto-* y *toxicidad.*) f. *Med.* Acción anormal de la luz sobre la piel, debida a la administración local o general de determinadas sustancias químicas, como sulfamidas, tetraciclinas, etc.

fototóxico, ca. adj. Relativo a la fototoxicidad.

fotula. (De or. inc.) f. ant. *And.* Cucaracha voladora.

fotutazo. m. vulg. *Cuba.* Ruido que se produce con el fotuto o bocina de los automóviles.

fotutear. intr. *Cuba.* Tocar el fotuto, en especial de modo insistente y molesto.

fotuto. m. *Cuba, P. Rico* y *Venez.* Instrumento de viento que produce un ruido prolongado y fuerte como el de una trompa o caracola. ‖ **2.** vulg. *Cuba.* Bocina de los automóviles. ‖ **3.** *P. Rico* y *Sto. Dom.* Pito cónico de cartón con embocadura de madera. ‖ **4.** *P. Rico.* Persona que habla por otra. *Fulano es un* FOTUTO *de Zutano.*

fóvea. (Del lat. *fovĕa,* depresión o foseta.) f. *Anat.* Porción pequeña de la retina de los primates, carente de bastones y con gran cantidad de conos, que constituye el punto de máxima acuidad visual.

fovismo. (Del fr. *fauvisme.*) m. Movimiento pictórico que exaltaba el color puro, y se desarrolló en París a comienzos del siglo XX.

foxino. m. Pez teleósteo dulciacuícola de pequeño tamaño, parcialmente coloreado, con hocico romo y escamas menudas. Abunda en los ríos, sobre todo en sus cursos altos, y se alimenta de insectos y larvas de peces.

foxterrier. adj. **perro foxterrier.**

foya. (Del lat. *fovĕa.*) f. ant. **hoya,** concavidad grande formada en la tierra. ‖ **2.** *Ast.* Hornada de carbón.

foyo. (De *foya.*) m. ant. **hoyo.**

foyoso, sa. (De *foyo.*) adj. ant. **hoyoso.**

foz[1]**.** (Del ár. *hawz,* distrito.) f. ant. **alfoz.**

foz[2]**.** f. ant. **hoz**[1]**.**

foz[3]**.** f. ant. **hoz**[2]**.**

frac. (Del fr. *frac.*) m. Vestidura de hombre, que por delante llega hasta la cintura y por detrás tiene dos faldones más o menos anchos y largos.

fracasado, da. p. p. de **fracasar.** ‖ **2.** adj. fig. Dícese de la persona desconceptuada a causa de los fracasos padecidos en sus intentos o aspiraciones. Ú. t. c. s.

fracasar. (En it. *fracassare.*) tr. desus. Destrozar, hacer trizas alguna cosa. ‖ **2.** intr. Romperse, hacerse pedazos y desmenuzarse una cosa. Se usa regularmente hablando de las embarcaciones cuando, tropezando en un escollo, se hacen pedazos. ‖ **3.** fig. Frustrarse una pretensión o un proyecto. ‖ **4.** fig. Tener resultado adverso en un negocio.

fracaso. (De *fracasar.*) m. Caída o ruina de una cosa con estrépito y rompimiento. ‖ **2.** fig. Suceso lastimoso, inopinado y funesto. ‖ **3.** fig. Malogro, resultado adverso de una empresa o negocio.

fracatán. m. *P. Rico* y *Sto. Dom.* Montón de personas, cosas, ideas, etc., sin número. *Había un* FRACATÁN *de gente.*

fracción. (Del lat. *fractĭo, -ōnis.*) f. División de una cosa en partes. ‖ **2.** Cada una de las partes separadas de un todo o consideradas como separadas. ‖ **3.** Cada uno de los grupos de un partido u organización, que difieren entre sí o del conjunto, y que pueden llegar a independizarse. ‖ **4.** *Álg.* y *Arit.* Expresión que indica una división no efectuada o que no puede efectuarse. ‖ **5.** *Arit.* **número quebrado.** ‖ **6.** *Fís.* y *Quím.* En procesos como la destilación, la depuración, etc., cada una de las partes que se separan de una sustancia. ‖ **7.** ant. Quebrantamiento de una ley o de una norma. ‖ **8.** ant. Acción y efecto de quebrantar otras cosas. ‖ **continua.** *Álg.* La que tiene por numerador la unidad y por denominador un número mixto cuya **fracción** tiene por numerador la unidad y por denominador otro número mixto de igual clase, y así sucesivamente. ‖ **decimal.** *Mat.* Aquella cuyo denominador es, o se sobrentiende que es, la unidad seguida de ceros, o sea una potencia de diez. ‖ **impropia.** *Mat.* Aquella cuyo numerador es mayor que el denominador, y por consiguiente es mayor que la unidad. ‖ **propia.** *Mat.* La que tiene el numerador menor que el denominador, y por consiguiente vale menos que la unidad.

fraccionable. adj. Que puede fraccionarse.

fraccionamiento. m. Acción y efecto de fraccionar.

fraccionar. tr. Dividir una cosa en partes o fracciones. Ú. t. c. prnl.

fraccionario, ria. adj. Perteneciente o relativo a la fracción de un todo. ‖ **2.** *Álg.* y *Arit.* **número quebrado.** Ú. t. c. s. ‖ **3.** V. **moneda fraccionaria.**

fractual. adj. *Fís.* y *Mat.* Dícese de figuras geométricas virtuales, formadas por un número infinito de elementos, infinitamente pequeños, contenidos en una superficie finita. Se pueden representar con la ayuda de ordenadores, siguiendo determinados algoritmos. Así llega a ponerse de manifiesto la regularidad oculta de modelos de fenómenos naturales que aparentemente son desordenados.

fractura. (Del lat. *fractūra.*) f. Acción y efecto de fracturar o fracturarse. ‖ **2.** Rotura de huesos debida ordinariamente a violencia externa. ‖ **conminuta.** *Cir.* Aquella en que el hueso queda reducido a fragmentos menudos.

fracturar. (De *fractura.*) tr. Romper o quebrantar con violencia una cosa. Ú. t. c. prnl.

frada. f. *Ast.* y *Cantabria.* Acción y efecto de fradar.

fradar. (De *frade.*) tr. *Ast.* y *Cantabria.* **afrailar.**

frade. (Por **frade,* del lat. *frater, -tris,* hermano.) m. ant. **fraile.**

fradear. (De *frade.*) intr. ant. Meterse fraile.

fraga[1]**.** (Del lat. *fraga,* fresas.) f. **frambueso.** ‖ **2.** *Ar.* **fresa**[1]**.**

fraga[2]**.** (Del lat. **fraga,* tierra quebrada y escarpada.) f. **breñal.** ‖ **2.** Entre madereros, la madera inútil que es necesario cortar para que las piezas queden bien desbastadas en la primera labra.

Fraga[3]**.** n. p. V. **maza de Fraga.**

fragancia. (Del lat. *fragrantĭa.*) f. Olor suave y delicioso. ‖ **2.** fig. p. us. Buen nombre y fama de las virtudes de una persona.

fragante[1]**.** (Del lat. *fragrans, -antis.*) adj. Que tiene o despide fragancia.

fragante[2]**.** (Del lat. *flagrans, -antis.*) adj. Que arde o resplandece. ‖ **en fragante.** loc. adv. **en flagrante** o **in fraganti.**

fragaria. (Del lat. *fraga.*) f. **fresa**[1]**.**

fragata. (Del it. *fregata.*) f. Buque de tres palos, con cofas y vergas en todos ellos. La de guerra tenía solo una batería corrida entre los puentes, además de la de cubierta. ‖ **2.** V. **capitán de fragata.** ‖ **ligera. corbeta.**

frágil. (Del lat. *fragĭlis.*) adj. Quebradizo, y que con facilidad se hace pedazos. ‖ **2.** fig. Débil, que puede deteriorarse con facilidad. *Tiene una salud* FRÁGIL. ‖ **3.** fig. Dícese de la persona que cae fácilmente en algún pecado, especialmente contra la castidad. ‖ **4.** fig. Caduco y perecedero.

fragilidad. (Del lat. *fragilĭtas, -ātis.*) f. Cualidad de frágil.

frágilmente. adv. m. Con fragilidad.

fragmentación. f. Acción y efecto de fragmentar o fragmentarse. ‖ **nuclear.** *Fís.* Rotura de un núcleo atómico en varios fragmentos.

fragmentar. (De *fragmento.*) tr. Reducir a fragmentos. Ú. t. c. prnl.

fragmentario, ria. adj. Perteneciente o relativo al fragmento. ‖ **2.** Incompleto, no acabado.

fragmento. (Del lat. *fragmentum.*) m. Parte o porción pequeña de algunas cosas quebradas o partidas. ‖ **2.** Trozo o resto de una obra escultórica o arquitectónica. ‖ **3.** Trozo de una obra literaria o musical. ‖ **4.** fig. Parte conservada de un libro o escrito.

fragor. (Del lat. *fragor, -ōris.*) m. Ruido estruendoso.

fragoroso, sa. (De *fragor.*) adj. Fragoso, estruendoso, estrepitoso.

fragosidad. (De *fragoso,* quebrado, escarpado.) f. Aspereza y espesura de los montes. ‖ **2.** Camino o terreno lleno de asperezas y breñas.

fragoso, sa. (Del lat. *fragōsus,* quebrado y ruidoso.) adj. Áspero, intrincado, lleno de quiebras, malezas y breñas. ‖ **2.** De mucho ruido, estrepitoso.

fragrancia. f. ant. **fragancia.**

fragrante. adj. **fragante.**

fragua. (Del lat. *fabrĭca.*) f. Fogón en que se caldean los metales para forjarlos, avivando el fuego mediante una corriente horizontal de aire producida por un fuelle o por otro aparato análogo. ‖ **2.** Taller donde está instalado este fogón. ‖ **sangrar la fragua.** fr. fig. Entre herreros y cerrajeros, hacer correr por un agujero, que a este fin tiene la **fragua,** la escoria que resulta del carbón y del hierro.

fraguado. m. Acción y efecto de fraguar el yeso, la cal, etc.

fraguador, ra. (Del lat. *fabricātor, -ōris.*) adj. fig. Que fragua, traza y discurre alguna cosa. Se usa en sentido peyorativo. FRAGUADOR *de enredos.* Ú. t. c. s.

fraguante (en). loc. adv. ant. **en fragante.**

fraguar. (Del lat. *fabricāre.*) tr. Forjar metales. ‖ **2.** fig. Idear, discurrir y trazar la disposición de alguna cosa. Se usa generalmente en sentido peyorativo. ‖ **3.** intr. *Albañ.* Hablando de la cal, yeso y otras masas, trabar y endurecerse consistentemente en la obra con ellos fabricada.

fragüín. (De *fraga*[2].) m. *Extr.* Arroyuelo que corre saltando entre piedras por un terreno fragoso.

fragura. f. Aspereza del terreno.

frailada. f. fam. Acción descompuesta y grosera cometida por un fraile.

frailar. tr. ant. Hacer fraile a uno.

fraile. (Del prov. *fraire.*) m. Nombre que se da a los religiosos de ciertas órdenes, ligados por votos solemnes. ‖ **2.** Doblez hacia fuera que suele hacer una parte del ruedo de los vestidos talares. ‖ **3.** Rebajo triangular que se hace en la pared de las chimeneas de campana para que el humo suba más fácilmente. ‖ **4.** Mogote de piedra con figura más o menos semejante a la de un **fraile.** ‖ **5.** desus. En los ingenios de azúcar, bagazo o cibera que queda de la caña después de haberle sacado todo el jugo. ‖ **6.** V. **ciruela de fraile.** ‖ **7.** *And.* Montón de mies trillada, que se hace en las eras para aventarla cuando haga viento a propósito. ‖ **8.** *And.* Prepucio. ‖ **9.** *Mál.* En los lagares, montón de uvas ya pisadas y apiladas para formar los pies. ‖ **10.** *Murc.* La parte alta del ramo donde hilan los gusanos de seda. ‖ **11.** *Impr.* Parte del papel donde no se señala la correspondiente del molde al hacerse la impresión. ‖ **12.** pl. *Ál.* y *Nav.* Planta orquídea con flores en espiga, muy compactas, rojas o blancas jaspeadas. ‖ **fraile de misa y olla.** El destinado para asistir al coro y servicio del altar, que no sigue la carrera de cátedras o púlpito ni tiene los grados consiguientes a ella. ‖ **aunque se lo digan,** o **prediquen frailes descalzos.** fr. fig. y fam. con que se pondera la obcecación de una persona, o la dificultad de ser creída una cosa. ‖ **no se lo harán creer frailes descalzos.** fr. fig. y fam. **aunque se lo digan frailes descalzos.**

frailear. (De *fraile.*) tr. *And.* Cortar las ramas del árbol por junto a la cruz.

frailecillo. m. d. de **fraile.** ‖ **2. avefría.** ‖ **3.** En el torno de la seda, cada uno de los dos zoquetillos hincados en él, a modo de pilares, donde se asegura el husillo de hierro. ‖ **4.** Ave caradriforme de la misma familia que las alcas, de plumaje blanco y negro y pico muy alto, comprimido lateralmente y pintado de brillantes colores. ‖ **5.** *And.* Cada una de las varas con que se sujeta la puente delantera de las correderas en las carretas. ‖ **6.** *And.* Cada uno de los dos palitos que están por debajo de las orejeras para que estas no se peguen con la cabeza del arado. ‖ **7.** *Cuba.* Ave palmípeda de unos 30 centímetros de altura, plumaje grisáceo con algunas fajas negras, pico negro, patas amarillas y ojos grandes. Habita en lugares pantanosos y en las playas y sabanas. ‖ **8.** *Cuba.* Arbusto de la familia de las euforbiáceas, de un metro a metro y medio de altura, madera blancuzca, ramas tortuosas, hojas alternas, oblongas y una espina en su base; flores olorosas, pequeñas, de cuatro pétalos blancos; fruto aovado, amarillo, carnoso, que encierra una almendra.

frailecito. m. d. de **fraile.** ‖ **2.** Juguete que hacen los niños con el hollejo de una haba, cortándolo de manera que se parezca a la capa de un fraile.

frailego, ga. adj. ant. Perteneciente o relativo a frailes.

frailejón. m. *Col., Ecuad.* y *Venez.* Planta de la familia de las compuestas, que alcanza hasta dos metros de altura, crece en los páramos, tiene hojas anchas, gruesas y aterciopeladas, y flor de un color amarillo de oro; produce una resina muy apreciada.

frailengo, ga. adj. fam. Perteneciente o relativo a frailes.

fraileño, ña. adj. fam. Perteneciente o relativo a frailes.

frailería. f. fam. Los frailes en común.

frailero, ra. adj. Propio de los frailes. *Sillón* FRAILERO. ‖ **2.** fam. Muy apasionado por los frailes. ‖ **3.** *Carp.* Dícese de la ventana cuyo postigo va colgado de la misma hoja y no del cerco.

frailesco, ca. adj. fam. Perteneciente o relativo a frailes.

frailezuelo. m. d. de **fraile.**

frailía. f. Estado de clérigo regular.

frailillos. (d. de *fraile.*) m. pl. **arísaro.**

frailote. m. aum. de **fraile.**

frailuco. m. despect. Fraile despreciable y de poco respeto.

frailuno, na. adj. fam. despect. Propio de fraile.

fraire. (Del prov. *fraire.*) m. ant. **fraile.**

frajenco. (De or. inc.) m. *Ar.* Cerdo mediano que ni es ya de leche ni sirve todavía para la matanza.

frambuesa. (Del fr. *framboise.*) f. Fruto del frambueso, semejante a la zarzamora, algo velloso, de olor fragante y suave, y sabor agridulce muy agradable.

frambueso. (De *frambuesa.*) m. Planta de la familia de las rosáceas, con tallos delgados, erguidos, doblados en la punta, espinosos y algo garzos; las hojas, verdes por encima, blanquecinas por el envés, partidas en tres o cinco lóbulos, acorazonado el del medio; las flores son blancas, axilares, y su fruto es la frambuesa.

frámea. (Del lat. *framĕa.*) f. Arma usada solamente por los antiguos germanos. Era una asta con un hierro en la punta, angosto y corto, pero muy agudo.

francachela. f. fam. Reunión de varias personas para regalarse y divertirse comiendo y bebiendo, en general sin tasa y descomedidamente.

francalete. (Del cat. *francalet.*) m. Correa con lazada, que sirve para unir el yugo con el carro. ‖ **2.** *And.* Correa gruesa que une los tiros o tirantes al horcate. ‖ **3.** *Equit.* Correa, con hebilla en una punta, que va del estribo a la sobrecincha de la falda.

francamente. adv. m. Con franqueza y sinceridad. ‖ **2.** Con franquicia o exención.

francés, sa. (Del prov. *fransés.*) adj. Natural de Francia.

Ú. t. c. s. ‖ **2.** Perteneciente o relativo a esta nación de Europa. ‖ **3.** V. **chimenea francesa.** ‖ **4.** V. **mal, párrafo francés.** ‖ **5.** m. Lengua **francesa.** ‖ **6.** *Guat.* Pieza de **pan francés.** ‖ **a la francesa.** loc. adv. Al uso de Francia. ‖ **2.** Con los verbos *despedirse, marcharse, irse,* significa repentinamente, sin decir una palabra de despedida.

francesada. f. Invasión francesa de España en 1808. *El archivo se quemó cuando la* FRANCESADA. ‖ **2.** Dicho o hecho propio y característico de los franceses.

francesilla. (Por haber venido de Francia.) f. Planta anual de la familia de las ranunculáceas, con hojas radicales, pecioladas, enteras o recortadas; tallo central con hojas de tres en tres, divididas en segmentos hendidos; flores terminales, grandes, muy variadas de color, y raíces en tubérculos pequeños, agrupados en un centro común. Se cultiva en los jardines. ‖ **2.** Ciruela parecida a la damascena, que se cultiva mucho en la comarca de Tours, en Francia. ‖ **3.** Panecillo de masa muy esponjosa, poco cocido y de figura alargada.

francesismo. m. Giro o modo de hablar propio y privativo de la lengua francesa. ‖ **2.** Vocablo o giro de esta lengua empleado en otra. ‖ **3.** Empleo de vocablos o giros franceses en distinto idioma.

francesista. com. Persona especializada en los estudios de la lengua y cultura francesas.

Francia. n. p. V. **sangre de Francia.** ‖ **¿estamos aquí, o en Francia?** expr. fam. **¿estamos aquí, o en Jauja?**

francio. (De *Francia,* donde fue descubierto.) m. *Quím.* Elemento descubierto el año 1939 en los residuos de la desintegración natural del actinio. Es un metal alcalino. Núm. atómico 87. Símb.: *Fr.*

francisca. (Del b. lat. *francisca,* hacha de dos filos.) f. ant. Especie de hacha grande.

franciscano, na. adj. Dícese del religioso de la orden de San Francisco. Ú. t. c. s. ‖ **2.** Perteneciente a esta orden. ‖ **3.** Parecido en el color al sayal de los religiosos de la orden de San Francisco. ‖ **4.** fam. Que participa de algunas de las virtudes propias de San Francisco.

francisco, ca. adj. Religioso de la orden de San Francisco. Ú. t. c. s.

francmasón, na. (Del fr. *francmaçon.*) m. y f. Persona que pertenece a la francmasonería.

francmasonería. (Del fr. *francmaçonnerie.*) f. Asociación secreta de personas que profesan principios de fraternidad mutua, usan emblemas y signos especiales, y se agrupan en entidades llamadas logias.

francmasónico, ca. adj. Perteneciente o relativo a la francmasonería.

franco, ca. (Del germ. *frank,* franco, hombre libre.) adj. Liberal, dadivoso, bizarro y elegante. ‖ **2.** Desembarazado, libre y sin impedimento alguno. ‖ **3.** Libre, exento y privilegiado. ‖ **4.** Patente, claro, sin lugar a dudas. FRANCA *mejoría.* ‖ **5.** Aplícase a las cosas que están libres de impuestos y contribuciones, y a los lugares, puertos, etc., en que se goza de esta exención. ‖ **6.** Sencillo, ingenuo y leal en su trato. ‖ **7.** V. **lengua, mesa, piedra, posada, puerta franca.** ‖ **8.** V. **depósito, feudo franco.** ‖ **9.** En la costa de África, **europeo.** Apl. a pers., ú. t. c. s. ‖ **10.** Perteneciente o relativo a los pueblos germanos de Franconia y del bajo Rin que conquistaron Francia y le dieron su nombre. Apl. a pers., ú. t. c. s. ‖ **11.** Dícese de la lengua que usaron estos pueblos. ‖ **12. francés.** Apl. a pers., ú. t. c. s. Ú. en compuestos que indican nacionalidad francesa. *Sociedad académica* FRANCO-*hispano-portuguesa de Tolosa.* ‖ **13.** *Argent., Perú* y *Urug.* **franco** de servicio, libre de obligación o trabajo. En Costa Rica y Chile se refiere exclusivamente a obligaciones militares. ‖ **14.** *Blas.* V. **franco cuartel.** ‖ **15.** *Com.* V. **escala franca.** ‖ **16.** *Com.* Precediendo a las palabras *bordo, vagón, almacén* u otras análogas y referido a precios, denota que los gastos causados por una mercancía hasta llegar al lugar que se indica no son de cuenta del comprador. ‖ **17.** *Min.* V. **terreno franco.** ‖ **18.** m. Unidad monetaria de Francia y otros países. ‖ **19.** Tiempo que dura la feria en que se vende libre de impuestos.

francocanadiense. adj. Canadiense de ascendencia y lengua francesas. Ú. t. c. s.

francocuartel. m. *Blas.* **franco cuartel.**

francófilo, la. adj. Que simpatiza con Francia o con lo francés.

francófobo, ba. adj. Que siente aversión o repulsa por los franceses o por lo francés. Ú. t. c. s.

francolín. (Del it. *francolino.*) m. Ave del orden de las galliformes, del tamaño y forma de la perdiz, de la cual se distingue por el plumaje, que es negro en la cabeza, pecho y vientre, y gris con pintas blancas en la espalda; tiene un collar castaño muy señalado.

francolino, na. adj. *Chile* y *Ecuad.* Dícese del pollo o gallina que no tiene cola, reculo.

francote, ta. adj. aum. de **franco,** ingenuo y abierto en su trato. ‖ **2.** fam. Dícese de la persona de carácter abierto y que procede con sinceridad y llaneza.

francotirador, ra. (Calco del fr. *franc-tireur.*) m. y f. Combatiente que no pertenece al ejército regular. ‖ **2.** Persona aislada que, apostada, ataca con armas de fuego. ‖ **3.** fig. Persona que actúa aisladamente y por su cuenta en cualquier actividad sin observar la disciplina del grupo.

franchote, ta. m. y f. **franchute.**

franchute, ta. m. y f. despect. **francés.**

franela. (Del fr. *flanelle.*) f. Tejido fino de lana o algodón, ligeramente cardado por una de sus caras.

frange. (Del fr. *frange.*) m. *Blas.* División del escudo de armas, hecha con dos diagonales que se cortan en el centro.

frangente. p. a. de **frangir.** Que frange. ‖ **2.** m. Acontecimiento fortuito y desgraciado, que sobreviene inesperadamente.

frangible. (Del lat. **frangibĭlis.*) adj. Capaz de quebrarse o partirse.

frangir. (Del lat. *frangĕre.*) tr. Partir o dividir una cosa en pedazos.

frangle. (Del fr. *frange.*) m. *Blas.* Faja estrecha que solo tiene de anchura la sexta parte de la faja o la decimoctava del escudo.

frangollar. (De *frangollo.*) tr. Quebrantar los granos de cereales o legumbres. ‖ **2.** fig. y fam. Hacer una cosa de prisa y mal.

frangollero, ra. adj. *And., Can.* y *Amér.* Que hace las cosas mal y de prisa.

frangollo. (Del lat. *frangĕre,* romper.) m. Granos quebrantados de cereales y legumbres. ‖ **2.** fig. Cosa hecha de prisa y mal. ‖ **3.** *Cuba* y *P. Rico.* Dulce hecho de plátano machacado.

frangollón, na. (De *frangollar.*) adj. *And., Can.* y *Amér.* Dícese de quien hace de prisa y mal una cosa.

frangote. m. *Com.* Fardo mayor o menor que los regulares de dos en carga.

franhueso. (De *frañer* y *hueso.*) m. **quebrantahuesos,** ave rapaz.

franja. (Del fr. *frange.*) f. Guarnición tejida de hilo de oro, plata, seda, lino o lana, que sirve para adornar y guarnecer los vestidos u otras cosas. ‖ **2.** Faja, lista o tira en general.

franjar. tr. Guarnecer con franjas.

franjear. tr. Guarnecer con franjas.

franjón. m. aum. de **franja.**

franjuela. f. d. de **franja.**

franklin. (Del apellido de Benjamín *Franklin,* científico y político estadounidense, 1706-90.) m. *Fís.* **franklinio** en la nomenclatura internacional.

franklinio. (De *franklin.*) m. *Fís.* Unidad de carga eléctrica en el sistema electrostático cegesimal. Es la carga que ejerce sobre otra igual, colocada en el vacío a la distancia de un centímetro, la fuerza de una dina.

franqueable. adj. Que se puede franquear abriendo paso o camino.

franqueado, da. p. p. de **franquear.** ‖ **2.** adj. ant. Aplicábase al zapato recortado y desvirado pulidamente.

franqueamiento. m. Acción y efecto de franquear el paso o la libertad.

franquear. (De *franco.*) tr. Liberar a uno de una contribución, tributo, pecho u otra cosa. ‖ **2.** Conceder una cosa con generosidad. ‖ **3.** Desembarazar, quitar los impedimentos que estorban e impiden el curso de una cosa; abrir camino. FRANQUEAR *el paso.* ‖ **4.** Pasar de un lado a otro o a través de algo. FRANQUEAR *la puerta.* ‖ **5.** Pagar previamente en sellos el porte de cualquier objeto que se remite por el correo. ‖ **6.** Dar libertad al esclavo. ‖ **7.** prnl. Prestarse uno fácilmente a los deseos de otro. ‖ **8.** Descubrir uno su interior a otro. ‖ **9.** ant. Hacerse franco, libre o exento.

franqueniáceo, a. (De *Frankenio,* médico sueco del siglo XVII, a quien Linneo dedicó estas plantas.) adj. *Bot.* Dícese de matas y arbustos angiospermos dicotiledóneos, muy ramosos, con hojas opuestas o verticiladas sin estípulas, flores sentadas y comúnmente rosadas o moradas, y frutos capsulares llenos de semillas diminutas; como el albohol. Ú. t. c. s. f. ‖ **2.** f. pl. *Bot.* Familia de estas plantas.

franqueo. m. Acción y efecto de franquear abriendo paso o camino. ‖ **2.** Acción y efecto de poner sellos en cartas, documentos, etc. ‖ **3.** Cantidad que se paga en sellos. ‖ **4.** Acción y efecto de dar libertad al esclavo.

franqueza. (De *franco.*) f. Libertad, exención. ‖ **2.** Liberalidad, generosidad. ‖ **3.** fig. Sinceridad.

franquía. (De *franco.*) f. *Mar.* Situación en la cual un buque tiene paso franco para hacerse a la mar o tomar determinado rumbo. Ú. m. en las frases **poner en franquía, estar en franquía** o **ganar franquía.** ‖ **en franquía.** loc. adv. fig. y fam. Tratándose de personas, en disposición de poder hacer lo que quieran, librándose de algún quehacer o compromiso. Ú. también con los verbos *estar* y *ponerse.* ‖ **postal.** Transporte gratuito de la correspondencia u objetos análogos.

franquicia. (De *franco.*) f. Exención que se concede a una persona para no pagar derechos por las mercaderías que introduce o extrae, o por el aprovechamiento de algún servicio público.

franquismo. m. Movimiento político y social de tendencia totalitaria, iniciado en España durante la guerra civil de 1936-39, en torno al general Franco, y desarrollado durante los años que ocupó la Jefatura del Estado. ‖ **2.** Período histórico que comprende el gobierno del general Franco.

franquista. adj. Perteneciente o relativo al franquismo. ‖ **2.** com. Partidario del franquismo o seguidor de él.

frañer. (Del lat. *frangĕre.*) tr. ant. Quebrantar, romper. Ú. todavía en Asturias.

frao. (Del cat. *frau.*) m. ant. *Ar.* **fraude.**

fraque. m. **frac.**

frasca¹. f. Hojarasca y ramas pequeñas y delgadas de los árboles.

frasca². (De *frasco.*) f. Frasco de vidrio transparente, con base cuadrangular y cuello bajo, destinado a contener vino.

frasco. (Del germ. **flasko.*) m. Vaso de cuello recogido, hecho de vidrio u otra materia, que sirve para contener líquidos, sustancias en polvo, comprimidos, etc. ‖ **2.** Vaso hecho regularmente de cuerno, en que se llevaba la pólvora para cargar la escopeta. ‖ **3.** Contenido de un **frasco.** ‖ **4.** *Venez.* V. **pico de frasco.** ‖ **cuentagotas.** El que por la forma de su gollete y de su tapón sirve para verter gota a gota su contenido. ‖ **de mercurio.** Peso de tres arrobas de mercurio, que es la cabida de los antiguos **frascos** de hierro usados como envase en Almadén.

frase. (Del gr. φράσις, expresión, a través del lat. *phrasis.*) f. Conjunto de palabras que basta para formar sentido, especialmente cuando no llega a constituir una oración cabal. ‖ **2. frase hecha.** ‖ **3. idiotismo.** ‖ **4.** Modo particular con que ordena la dicción y expresa sus pensamientos cada escritor u orador. *La* FRASE *de Cicerón se diferencia mucho de la de Salustio.* ‖ **5.** Índole y aire especial de cada lengua. *La* FRASE *castellana tiene gran afinidad y semejanza con la griega.* ‖ **6.** *Mús.* Sección breve de una composición, con sentido propio. ‖ **hecha. frase proverbial.** ‖ **2.** La que, en sentido figurado y con forma inalterable, es de uso vulgar y no incluye sentencia alguna, v. gr.: *¡Aquí fue Troya!; como anillo al dedo.* ‖ **musical.** Período de una composición delimitado por una cadencia y que tiene sentido propio. ‖ **proverbial.** La que es de uso común y expresa una sentencia a modo de proverbio; v. gr.: *Cada cual puede hacer de su capa un sayo.* ‖ **sacramental.** fig. La fórmula consagrada por el uso o por la ley para determinadas circunstancias o determinados conceptos. ‖ **gastar frases.** fr. fam. Hablar mucho y con rodeos y circunloquios.

frasear. intr. Formar, enunciar o entonar la frases. Ú. t. c. tr. ‖ **2.** *Mús.* Cantar o ejecutar una pieza musical, deslindando bien las frases y expresándolas con nitidez y arte.

fraseo. m. *Mús.* Acción y efecto de frasear.

fraseología. (De *frase* y *-logía.*) f. Conjunto de modos de expresión peculiares de una lengua, grupo, época, actividad o individuo. ‖ **2.** Conjunto de expresiones intrincadas, pretenciosas o falaces. A veces, palabrería. ‖ **3.** Conjunto de frases hechas, locuciones figuradas, metáforas y comparaciones fijadas, modismos y refranes, existentes en una lengua, en el uso individual o en el de algún grupo.

fraseológico, ca. adj. Perteneciente o relativo a la fraseología.

frasis. amb. ant. **frase.** ‖ **2.** desus. Habla, lenguaje.

frasquera. f. Caja hecha con diferentes divisiones, en que se guardan y transportan los frascos.

frasqueta. (Del fr. *frisquette.*) f. *Impr.* Cuadro con bastidor de hierro y crucetas de papel o pergamino, con que en las prensas de mano se sujeta al tímpano y se cubre en los blancos la hoja de papel que se va a imprimir.

frasquete. m. d. de **frasco.**

fratás. (De *fratasar.*) m. *Albañ.* Utensilio compuesto de una tablita lisa, cuadrada o redonda, con un taruguito en medio para agarrarla. Sirve para alisar una superficie enfoscada, humedeciéndola primero.

fratasar. (De or. inc.) tr. Igualar con el fratás la superficie de un muro enfoscado o jaharrado, a fin de dejarlo liso, sin hoyos ni asperezas.

fraterna. (Del lat. *fraterna,* t. f. de *-nus,* fraterno.) f. Corrección o reprensión áspera.

fraternal. (De *fraterno.*) adj. Propio de hermanos. *Amor, caridad* FRATERNAL. ‖ **2.** V. **corrección fraternal.**

fraternalmente. adv. m. Con fraternidad.

fraternidad. (Del lat. *fraternĭtas, -ātis.*) f. Amistad o afecto entre hermanos o entre los que se tratan como tales.

fraternizar. (De *fraterno.*) intr. Unirse y tratarse como hermanos. ‖ **2.** Tratarse amistosamente. *Los soldados* FRATERNIZABAN *con la población civil.*

fraterno, na. (Del lat. *fraternus.*) adj. Perteneciente o relativo a los hermanos. ‖ **2.** V. **corrección fraterna.**

fratres. (pl. del lat. *frater,* hermano.) m. pl. ant. Tratamiento que se daba a los eclesiásticos que vivían en comunidad.

fratría. (Del gr. φρατρία.) f. Entre los antiguos griegos, subdivisión de una tribu que tenía sacrificios y ritos propios. ‖ **2.** p. us. Sociedad íntima, hermandad, cofradía. ‖ **3.** *Biol.* Conjunto de hijos e hijas de una misma pareja.

fratricida. (Del lat. *fratricīda.*) com. Persona que mata a su hermano. Ú. t. c. adj.

fratricidio. (Del lat. *fratricidĭum.*) m. Muerte dada por una persona a su propio hermano.

fraudador, ra. (Del lat. *fraudātor, -ōris.*) adj. ant. **defraudador.** Usáb. t. c. s.

fraudar. (Del lat. *fraudāre.*) tr. ant. Cometer fraude o engañar.

fraude. (Del lat. *fraus, fraudis.*) m. Acción contraria a la verdad y a la rectitud, que perjudica a la persona contra quien se comete. ‖ **2.** Acto tendente a eludir una disposición legal en perjuicio del Estado o de terceros. ‖ **3.** *Der.* Delito que comete el encargado de vigilar la ejecución de contratos públicos, e incluso de algunos privados, confabulándose con la representación de los intereses opuestos. ‖ **en fraude de acreedores.** *Der.* Dícese de los actos del deudor, generalmente simulados y rescindibles, que dejan al acreedor sin medio de cobrar lo que se le debe.

fraudulencia. (Del lat. *fraudulentĭa.*) f. **fraude.** ‖ **2.** Cualidad de fraudulento.

fraudulentamente. adv. m. Con fraude.

fraudulento, ta. (Del lat. *fraudulentus.*) adj. Engañoso, falaz.

fraudulosamente. adv. m. ant. **fraudulentamente.**

fraustina. f. Cabeza de madera en que se solían aderezar las tocas y moños de las mujeres.

fray. m. apóc. de **fraile.** Ú. precediendo al nombre de los religiosos de ciertas órdenes. ‖ **2. frey.** ‖ **fray Modesto nunca fue prior,** o **nunca llega,** o **llegó, a prior.** fr. proverb. con que se da a entender que no siempre conviene la timidez y el encogimiento, especialmente para lograr empleos y dignidades.

frazada. (Del cat. *flassada.*) f. Manta peluda que se echa sobre la cama.

frazadero. m. El que fabrica frazadas.

freático, ca. (Del gr. φρέαρ, -ατος, pozo, e *-ico.*) adj. Dícese de las aguas acumuladas en el subsuelo que pueden aprovecharse por medio de pozos. ‖ **2.** Dícese de la capa del subsuelo que contiene estas aguas.

frecuencia. (Del lat. *frequentĭa.*) f. Repetición mayor o menor de un acto o suceso. ‖ **2.** El número de veces que se repite un proceso periódico por unidad de tiempo. ‖ **3.** *Estad.* Agrupación o conjunto de fenómenos o elementos referido a una clase determinada. ‖ **4.** *Fís.* En los movimientos oscilatorios y vibratorios, número de oscilaciones o de vibraciones, respectivamente, que se producen durante una unidad de tiempo. En el movimiento ondulatorio, número de ondas que pasan por un punto durante una unidad de tiempo.

frecuentación. (Del lat. *frequentatĭo, -ōnis.*) f. Acción de frecuentar.

frecuentador, ra. (Del lat. *frequentātor, -ōris.*) adj. Que frecuenta. Ú. t. c. s.

frecuentar. (Del lat. *frequentāre.*) tr. Repetir un acto a menudo. ‖ **2.** Acudir con frecuencia a un lugar. FRECUENTAR *una casa.*

frecuentativo. (Del lat. *frequentatīvus.*) adj. *Gram.* V. **verbo frecuentativo.** Ú. t. c. s.

frecuente. (Del lat. *frequens, -entis.*) adj. Repetido a menudo. ‖ **2.** Usual, común.

frecuentemente. adv. m. Con frecuencia.

fredo. (Del lat. *frigdus,* de *frigĭdus.*) adj. desus. **frío.** Ú. t. c. s.

fredor. (De *fredo.*) m. ant. **frío.**

fregación. (Del lat. *fricatĭo, -ōnis.*) f. ant. **fricación.**

fregadero. m. Pila de fregar. ‖ **2.** Banco donde se ponen los artesones o barreños en que se friega. Hay también **fregaderos** hechos de fábrica.

fregado, da. p. p. de **fregar.** ‖ **2.** adj. *Argent., C. Rica, Chile, Ecuad., Nicar.* y *Perú.* Majadero, enfadoso, importuno, dicho de personas. ‖ **3.** *Col., Ecuad.* y *Perú.* Tenaz, terco. ‖ **4.** *C. Rica, Ecuad.* y *Pan.* Exigente, severo. ‖ **5.** *C. Rica, Ecuad.* y *Méj.* Bellaco, perverso. ‖ **6.** m. Acción y efecto de fregar. ‖ **7.** fig. y fam. Enredo, embrollo, negocio o asunto poco decente. ‖ **8.** fig. y fam. Lance, discusión o contienda desordenada en que puede haber algún riesgo imprevisto. ‖ **estar fregado.** fr. fig. y pop. *Méj.* Estar en malas condiciones de salud y, sobre todo, de dinero. ‖ **ser** uno, o **servir, lo mismo para un fregado que para un barrido.** fr. fig. y fam. Ser materia dispuesta para todo, o para cosas contrarias, como lo sagrado y lo profano, lo serio y lo jocoso, etc.

fregador, ra. (Del lat. *fricātor, -ōris.*) adj. Que friega. Ú. t. c. s. ‖ **2.** m. **fregadero.** ‖ **3. estropajo** para fregar.

fregadura. (Del lat. *fricatūra.*) f. **fregado,** acción de fregar.

fregajo. (De *fregar.*) m. En las galeras, **estropajo** para fregar.

fregamiento. (Del lat. *fricamentum.*) m. **fricación.**

fregar. (Del lat. *fricāre,* frotar, restregar.) tr. Restregar con fuerza una cosa con otra. ‖ **2.** Limpiar alguna cosa restregándola con estropajo, cepillo, etc., empapado en agua y jabón u otro líquido adecuado. ‖ **3.** fig. y fam. *Amér.* Fastidiar, molestar, jorobar. Ú. t. c. prnl.

fregata. f. ant. fam. **fregona.**

fregatriz. f. **fregona.**

fregón, na. adj. vulg. *Méj.* Que es destacado o competente en lo suyo. Ú. t. c. s. ‖ **2.** *Méj.* Que produce molestias, que fastidia.

fregona. f. Criada que sirve en la cocina y friega. Ú. en sentido despectivo. ‖ **2.** Utensilio doméstico para fregar los suelos sin necesidad de arrodillarse.

fregonil. adj. fam. Propio de fregonas.

fregotear. tr. fam. Fregar de prisa y mal.

fregoteo. m. fam. Acción y efecto de fregotear.

freidor, ra. m. y f. *And.* Persona que fríe pescado para venderlo. ‖ **2.** f. Electrodoméstico usado para freír.

freidura. f. Acción y efecto de freír.

freiduría. (De *freidor.*) f. Local donde se fríe pescado para la venta.

freila. (De *freile.*) f. ant. Religiosa de alguna de las órdenes militares. ‖ **2.** ant. Religiosa lega de una orden regular.

freilar. (De *freile.*) tr. ant. Recibir a uno en una orden militar.

freilex. (De *fraile.*) m. Caballero profeso de alguna de las órdenes militares. ‖ **2.** Sacerdote de alguna de ellas. ‖ **3.** V. **colegial freile.**

freír. (Del lat. *frigĕre.*) tr. Hacer que un alimento crudo llegue a estar en disposición de poderse comer, teniéndolo el tiempo necesario en aceite o grasa hirviendo. Ú. t. c. prnl. ‖ **2.** fig. Mortificar pesada e insistentemente, encocorar. *Me tiene* FRITO *con sus necedades.* ‖ **al freír los huevos.** loc. adv. fig. y fam. que expresa el tiempo en que se verá si una cosa ha de tener efecto. ‖ **freírsela** a uno. fr. fig. y fam. Engañarle con premeditación. ‖ **mandar, ir,** etc., **a freír espárragos, monas,** etc. fr. fig. y fam. usada para despedir con enfado a alguien.

freira. (De *freire.*) f. Religiosa de alguna de las órdenes militares.

freire. (De *fraire.*) m. **freile.**

freiría. f. Conjunto de freires.

fréjol. (De *frijol,* infl. por *présul,* variante del nombre del guisante.) m. Judía, planta. ‖ **2.** Fruto y semilla de esta planta.

frémito. (Del lat. *fremĭtus.*) m. **bramido.**

frenado, da. p. p. de **frenar.** ‖ **2.** m. Acción y efecto de frenar. ‖ **3.** f. *Argent., Bol., Chile, El Salv., Méj.* y *Par.*

frenazo, acción y efecto de frenar súbita y violentamente. ‖ **4.** fig. *Argent.* y *Chile.* Reto, sosegate, llamada de atención. Ú. m. en la fr. **dar** o **pegar** a alguien **una frenada.**

frenar. (Del lat. *frenāre.*) tr. **enfrenar.** ‖ **2.** Moderar o parar con el freno el movimiento de una máquina o de un carruaje. ‖ **3.** fig. Moderar los ímpetus.

frenazo. m. Acción de frenar súbita y violentamente.

frenería. (De *frenero.*) f. Lugar en que se hacen frenos para caballerías. ‖ **2.** Tienda en donde se venden.

frenero. m. El que hace frenos para caballerías o los vende. ‖ **2.** Guardafrenos del tren.

frenesí. (Del gr. tardío φρένησις, a través del lat. *phrenēsis.*) m. Delirio furioso. ‖ **2.** fig. Violenta exaltación y perturbación del ánimo.

frenesía. f. ant. **frenesí.**

frenéticamente. adv. m. Con frenesí.

frenético, ca. (Del gr. φρενητικός, a través del lat. *phreneticus.*) adj. Poseído de frenesí. ‖ **2.** Furioso, rabioso.

frenetizar. tr. Encolerizar, poner frenético. Ú. t. c. prnl.

frenillar. (De *frenillo.*) tr. *Mar.* Sujetar con frenillos.

frenillo. (d. de *freno.*) m. Membrana que sujeta la lengua por la línea media de la parte inferior, y, cuando se desarrolla demasiado, impide mamar o hablar con soltura. ‖ **2.** Ligamento que sujeta el prepucio al bálano. ‖ **3.** Cerco de correa o de cuerda que, sujeto a la cabeza del perro, o de otro animal, se ajusta alrededor de su boca para que no muerda. ‖ **4.** *Amér. Central* y *Cuba.* Cada una de las cuerdas o tirantes que lleva la cometa, y que convergen en la cuerda que la sujeta. ‖ **5.** *Mar.* Cabo o rebenque para diversos usos. ‖ **no tener** uno **frenillo,** o **no tener** uno **frenillo en la lengua.** fr. fig. y fam. **no tener pelos en la lengua.**

freno. (Del lat. *frēnum.*) m. Instrumento de hierro que se compone de embocadura, camas y barbada, y sirve para sujetar y gobernar las caballerías. ‖ **2.** Mecanismo que sirve en las máquinas y carruajes para moderar o detener el movimiento. ‖ **3.** fig. Sujeción que se pone a uno para moderar sus acciones. ‖ **acodado. freno** cerrado o gascón, oportuno para hacer la boca a los potros, porque los lastima menos que los demás. ‖ **beber el freno.** fr. *Equit.* Sacar el caballo el bocado de los asientos con la lengua y subirlo a la parte superior de la boca. ‖ **correr** uno **sin freno.** fr. fig. Entregarse desordenadamente a los vicios. ‖ **meter** a uno **en freno.** fr. fig. Contenerlo; ponerlo en sus justos límites. ‖ **morder el freno.** fr. **tascar el freno.** ‖ **saborear el freno.** fr. *Equit.* Mover el caballo los sabores para refrescar la boca haciendo espuma. ‖ **tascar el freno.** fr. *Equit.* Morder el caballo el bocado o moverlo entre los dientes. ‖ **2.** fig. Resistir uno la sujeción que se le impone, pero sufriéndola a su pesar. ‖ **tirar del freno** a uno. fr. fig. Contenerlo en sus acciones; reprimirlo. ‖ **trocar** uno **los frenos.** fr. fig. y fam. Hacer o decir las cosas trocadamente, poniendo una en lugar de otra.

frenología. (Del gr. φρήν, inteligencia, y *-logía.*) f. Doctrina psicológica según la cual las facultades psíquicas están localizadas en zonas precisas del cerebro y en correspondencia con relieves del cráneo. El examen de estos permitiría reconocer el carácter y aptitudes de la persona.

frenológico, ca. adj. Perteneciente a la frenología.

frenólogo. m. El que profesaba la frenología.

frenópata. com. desus. El que profesaba la frenopatía.

frenopatía. (Del gr. φρήν, inteligencia, y *-patía.*) f. Llamóse así a una parte de la medicina que estudiaba las enfermedades mentales. ‖ **2.** También se aplicó este nombre a cualquier enfermedad mental.

frental. adj. *Anat.* **frontal.**

frente. (De *fruente.*) f. Parte superior de la cara, comprendida entre una y otra sien, y desde encima de los ojos hasta que empieza la vuelta del cráneo. ‖ **2.** Parte delantera de una cosa, a diferencia de sus lados. ‖ **3.** En la carta u otro documento, blanco que se deja al principio. ‖ **4.** fig. Semblante, cara. FRENTE *serena.* ‖ **5.** m. *Fort.* Cada uno de los dos lienzos de muralla que desde los extremos de los flancos se van a juntar para cerrar el baluarte y formar su ángulo. ‖ **6.** *Meteor.* Contacto de una masa fría y otra cálida. La masa fría penetra en cuña levantando el aire cálido, que al enfriarse da lugar a nubes y lluvias. ‖ **7.** *Mil.* Primera fila de la tropa formada o acampada. *El escuadrón tenía diez hombres de* FRENTE. ‖ **8.** *Mil.* Extensión o línea de territorio continuo en que combaten los ejércitos con cierta permanencia o duración. ‖ **9.** *Polít.* Coalición de partidos políticos, organizaciones, etc. ‖ **10.** amb. Fachada o lo primero que se ofrece a la vista en un edificio u otra cosa. ‖ **11.** Cara de una moneda o primera página de un libro. ‖ **12.** adv. l. En lugar opuesto. ‖ **13.** adv. m. En contra, en pugna. ‖ **calzada.** La que es poco espaciosa, por nacer el cabello a corta distancia de las cejas. ‖ **de batalla.** *Mil.* Extensión que ocupa una porción de tropa o un ejército formado en batalla. ‖ **único.** fig. Coalición de fuerzas distintas con una dirección común para fines sociales o políticos. ‖ **a frente.** loc. adv. De cara o en derechura. ‖ **al frente.** loc. adv. Delante. ‖ **2.** Hacia delante. ‖ **al frente de.** loc. prepos. Al mando de algo o alguien. ‖ **arrugar** uno **la frente.** fr. fig. y fam. Mostrar en el semblante ira, enojo o miedo. ‖ **con la frente levantada** o **muy alta.** loc. adv. fig. y fam. Con tranquilidad o serenidad. ‖ **2.** Con orgullo o altanería. ‖ **de frente.** loc. adv. Con los verbos *llevar, acometer* y otros, significa con gran resolución, ímpetu y actividad. ‖ **2.** Con la parte delantera orientada en el sentido de la marcha. ‖ **3.** fig. Con franqueza. ‖ **en frente.** loc. adv. **enfrente.** ‖ **frente a.** loc. prepos. Enfrente de, delante de algo. ‖ **2.** Contra o en contra de algo o alguien. ‖ **frente a frente.** loc. adv. **cara a cara.** ‖ **2. enfrente.** Ú. para encarecer la exactitud de la situación que se quiere determinar. ‖ **frente por frente.** loc. prepos. Exactamente delante de algo o alguien. ‖ **hacer frente.** fr. fig. **hacer cara.** ‖ **me la claven en la frente.** expr. fig. y fam. con que se pondera la persuasión en que uno está de la imposibilidad de una cosa. ‖ **ponerse al frente.** fr. Hablando de una colectividad o conjunto de personas, asumir el mando o la dirección de ellas. ‖ **traerlo** uno **escrito en la frente.** fr. fig. No acertar a disimular su condición personal, o lo que le está sucediendo, manifestándolo en el semblante y en otras acciones visibles.

frentero. m. Almohadilla que se ponía a los niños sobre la frente para que no se lastimasen al caer.

frentón, na. adj. Que tiene mucha frente. ‖ **2.** En varias partes de América, decíase de los indígenas que se depilaban el cabello de la parte anterior de la cabeza. Ú. t. c. s. ‖ **3.** Perteneciente o relativo a estos indígenas.

freo. (Del cat. *freu.*) m. *Mar.* Canal estrecho entre dos islas o entre una isla y tierra firme.

freón. (Del ing. *freon,* nombre comercial.) m. Nombre que se da a gases o líquidos no inflamables que contienen flúor, empleados especialmente como refrigerantes.

frere. (Del fr. *frère,* hermano.) m. ant. **freile.**

fres. (De *friso.*) m. *Ar.* **franja.** Ú. m. en pl.

fresa[1]**.** (Del fr. *fraise.*) f. Planta de la familia de las rosáceas, con tallos rastreros, nudosos y con estolones; hojas pecioladas, vellosas, blanquecinas por el envés, divididas en tres segmentos aovados y con dientes gruesos en el margen; flores pedunculadas, blancas o amarillentas, solitarias o en corimbos poco nutridos, y fruto casi redondo, algo apuntado, de un centímetro de largo, rojo, suculento y fragante. ‖ **2.** Fruto de esta planta. ‖ **3.** adj. Aplícase a lo que tiene color rojo semejante al de este fruto. Ú. t. c. s. m.

fresa[2]**.** (De *fresar.*) f. Herramienta de movimiento circular continuo, constituida por una serie de buriles o cuchillas convenientemente espaciados entre sí y que trabajan uno después de otro en la máquina de labrar metales o fresarlos.

fresada. (De *fresar*[1].) f. Cierto alimento compuesto de harina, leche y manteca, que se usó antiguamente.

fresado[1]**, da.** p. p. de **fresar**[1]. ‖ **2.** m. Acción y efecto de **fresar,** agujerear con la fresa.

fresado[2]**, da.** p. p. de **fresar**[2]. ‖ **2.** adj. ant. Guarnecido con franjas, flecos, etc.

fresador. m. Operario encargado de manejar las diferentes clases de máquinas para fresar.

fresadora. f. Máquina provista de fresas que sirve para labrar metales.

fresal. m. Terreno plantado de fresas.

fresar[1]**.** (Del lat. **fresāre,* de *fresum,* p. p. de *frendĕre,* machacar, rechinar los dientes.) tr. Abrir agujeros y, en general, labrar metales por medio de la herramienta llamada fresa. ‖ **2.** *Albac.* Mezclar la harina con el agua antes de amasar. ‖ **3.** intr. ant. Gruñir o regañar.

fresar[2]**.** tr. Guarnecer con freses o franjas.

fresca. (De *fresco.*) f. Frío moderado. *Tomar la* FRESCA. ‖ **2.** El frescor de las primeras horas de la mañana o de las últimas de la tarde, en tiempo caluroso. *Salir con la* FRESCA. ‖ **3.** fam. Expresión desenfadada y algo desagradable que se dice a uno. *Decir una* FRESCA. ‖ **ser** uno **capaz de decir,** o **plantar, una fresca al lucero del alba.** fr. fig. y fam. Ser capaz de decírsela a cualquiera.

frescachón, na. (aum. de *fresco.*) adj. Muy robusto y de color sano. ‖ **2.** *Mar.* V. **viento frescachón.**

frescal. adj. Dícese de algunos pescados no enteramente frescos, sino conservados con poca sal. *Sardinas* FRESCALES. ‖ **2.** ant. **fresco,** moderadamente frío. ‖ **3.** *Sor.* **fresquedal.**

frescales. com. fam. Persona fresca, que no tiene empacho.

frescamente. adv. m. desus. Recientemente, sin haber mediado mucho tiempo. ‖ **2.** fig. Con frescura y desenfado.

fresco, ca. (Del germ. occidental *frisk.*) adj. Moderadamente frío, con relación a nuestra temperatura, a la de la atmósfera o a la de cualquier otro cuerpo. ‖ **2.** Reciente, acabado de hacer, de coger, etc. *Queso* FRESCO. Ú. en sent. fig. *Noticia* FRESCA. ‖ **3.** V. **pescada fresca.** ‖ **4.** fig. Hablando de un alimento, no congelado. ‖ **5.** fig. Aplicado a personas, abultado de carnes y blanco y colorado, aunque no de facciones delicadas. ‖ **6.** fig. Sereno y que no se inmuta en los peligros o contradicciones. ‖ **7.** Descansado, que no da muestras de fatiga. ‖ **8.** fig. y fam. Desvergonzado, que no tiene empacho. Ú. t. c. s. ‖ **9.** fig. Dícese de las telas delgadas y ligeras; como el tafetán, la gasa, etc. ‖ **10.** *Mar.* V. **viento fresco.** ‖ **11.** m. Frío moderado. ‖ **12. frescura.** ‖ **13.** Pescado **fresco,** sin salar. ‖ **14.** Tocino **fresco.** ‖ **15.** Pintura hecha al **fresco.** ‖ **16.** *Amér. Central, Ecuad., Perú* y *Venez.* Refresco, bebida fría o atemperante. ‖ **al fresco.** loc. adv. **al sereno.** ‖ **2.** V. **pintura al fresco.** ‖ **de fresco.** loc. adv. ant. De pronto, al instante. ‖ **estar,** o **quedar,** uno **fresco.** fr. fig. y fam. que se dirige o refiere a alguien para indicar que no se cumplirán sus esperanzas. *Si piensas que iré,* ESTÁS FRESCO*; Pedro cree que voy a ir a su casa.* ESTÁ FRESCO. ‖ **tomar** uno **el fresco.** fr. Ponerse en alguna parte para gozar de él. ‖ **traer al fresco** una cosa a alguien. fr. fig. y fam. Serle completamente indiferente.

frescor. m. Frescura o fresco. ‖ **2.** *Pint.* Color rosado que tienen las carnes sanas y frescas.

frescote, ta. adj. aum. de **fresco.** ‖ **2.** fig. y fam. Dícese de la persona abultada de carnes que tiene el cutis terso y de buen color.

frescura. f. Cualidad de fresco. ‖ **2.** Amenidad y fertilidad de un sitio agradable y lleno de verdor. ‖ **3.** fig. Desembarazo, desenfado, desvergüenza. *Con* FRESCURA *me venía a pedir dinero prestado.* ‖ **4.** fig. p. us. Chanza, dicho picante, respuesta fuera de propósito. *Me respondió una* FRESCURA. ‖ **5.** fig. Descuido, negligencia y poco celo. *El mozo toma las cosas con* FRESCURA. ‖ **6.** fig. Serenidad, tranquilidad de ánimo.

fresera. f. **fresa**[1], planta.

fresero, ra. m. y f. Persona que vende fresas[1].

fresnal. adj. Perteneciente o relativo al fresno.

fresneda. f. Sitio o lugar de muchos fresnos.

fresnillo. (d. de *fresno.*) m. **díctamo blanco.**

fresno. (Del lat. *fraxĭnus.*) m. Árbol de la familia de las oleáceas, con tronco grueso, de 25 a 30 metros de altura, corteza cenicienta y muy ramoso; hojas compuestas de hojuelas sentadas, elípticas, agudas en el ápice y con dientes marginales; flores pequeñas, blanquecinas, en panojas cortas, primero erguidas y al final colgantes, y fruto seco con ala membranosa y semilla elipsoidal. ‖ **2.** Madera de este árbol.

freso. m. ant. **friso.**

fresón. m. Fruto de una fresera oriunda de Chile, semejante a la fresa, pero de volumen mucho mayor, de color rojo amarillento y sabor más ácido.

fresquedal. m. Porción de prado o de monte que, por tener humedad, mantiene su verdor en la época de agostamiento.

fresquera. f. Especie de jaula que se coloca en sitio ventilado para conservar frescos algunos líquidos o comestibles. ‖ **2.** Se llama también así cierta cámara frigorífica casera.

fresquería. f. *Amér.* Casa donde se hacen y venden bebidas heladas o refrescos.

fresquero, ra. m. y f. Persona que transporta o vende pescado fresco.

fresquilla. f. Especie de melocotón o prisco.

fresquista. com. Persona que pinta al fresco.

fretar. tr. Frotar, restregar.

frete. (Del fr. *frette.*) m. *Blas.* Enrejado compuesto de bandas y barras muy estrechas.

freudiano, na. adj. Perteneciente o relativo a Freud o a sus doctrinas, en particular al psicoanálisis. En esta voz el diptongo *eu* se pronuncia *oi.*

frey. m. Tratamiento que se usa entre los religiosos de las órdenes militares, a distinción de las otras órdenes, en que se llaman fray.

frez. (De *frezar*[1].) f. desus. **freza**[1], estiércol.

freza[1]**.** (De *frezar*[1].) f. **desove.** ‖ **2.** Surco que dejan ciertos peces cuando se restriegan contra la tierra del fondo para desovar. ‖ **3.** Tiempo del desove. ‖ **4.** Huevos de los peces, y pescado menudo recién nacido de ellos. ‖ **5.** Estiércol o excremento de algunos animales. ‖ **6.** *Mont.* Señal u hoyo que hace un animal escarbando u hozando.

freza[2]**.** (De *frezar*[2].) f. Tiempo en que, durante cada una de las mudas, come el gusano de seda.

frezada. (De *frazada.*) f. **frazada.**

frezadero. m. Lugar donde los peces acuden a desovar.

frezador. (De *frezar*[1].) m. ant. Comedor o gastador.

frezar[1]**.** (Del lat. *frictum,* supino de *fricāre,* frotar.) intr. Arrojar o despedir el estiércol o excremento los animales. ‖ **2.** Entre colmeneros, arrojar o echar de sí la colmena la inmundicia y heces. ‖ **3. desovar.** ‖ **4.** Restregarse el pez contra el fondo del agua para desovar. ‖ **5.** *Mont.* Escarbar u hozar un animal haciendo frezas u hoyos. ‖ **6.** tr. Limpiar las colmenas de las inmundicias producidas en su interior.

frezar[2]**.** intr. Tronchar y comer las hojas los gusanos de seda.

frezar[3]**.** intr. ant. Frisar, acercarse.

fría. (De *frío.*) f. desus. Frío moderado. ‖ **con la fría.** loc. adv. desus. Con la fresca.

friabilidad. f. Cualidad de friable.

friable. (Del lat. *friabĭlis,* desmenuzable.) adj. Que se desmenuza fácilmente.

frialdad. (De *frío,* según el modelo de *fealdad.*) f. Sensación que proviene de la falta de calor. ‖ **2.** Ausencia anormal de apetito o placer sexual. ‖ **3.** fig. Indiferencia, despego, poco interés. ‖ **4.** fig. p. us. Flojedad y descuido en el obrar. ‖ **5.** fig. p. us. **necedad.** ‖ **6.** fig. p. us. Dicho insulso y fuera de propósito.

frialeza. (De *frío,* según el modelo de *maleza.*) f. ant. **frialdad.**

fríamente. adv. m. Con frialdad. ‖ **2.** fig. Sin gracia, chiste, ni donaire.

friático, ca. adj. **friolero.** ‖ **2.** Frío, necio, sin gracia.

frica. f. *Chile.* Azotaina, tunda, zurra.

fricación. (Del lat. *fricatĭo, -ōnis*) f. Acción y efecto de fricar.

fricandó. (Del fr. *fricandeau.*) m. Cierto guisado de la cocina francesa.

fricar. (Del lat. *fricāre.*) tr. Frotar, refregar.

fricasé. (Del fr. *fricassé.*) m. Guisado de la cocina francesa, cuya salsa se bate con huevos.

fricasea. (Del fr. *fricassée.*) f. desus. Guisado que se hacía de carne ya cocida, friéndola con manteca y sazonándola con especias, y se servía sobre rebanadas de pan.

fricativo, va. (Del lat. *fricāre,* fregar.) adj. *Fon.* Dícese de los sonidos cuya articulación, permitiendo una salida continua del aire emitido, hace que este produzca cierta fricción o roce en los órganos bucales; como la *f, s, z, j,* etc. ‖ **2.** *Fon.* Dícese de la letra que representa este sonido. Ú. t. c. s. f.

fricción. (Del lat. *frictĭo, -ōnis.*) f. Acción y efecto de friccionar. ‖ **2.** Roce de dos cuerpos en contacto. ‖ **3.** pl. fig. Desavenencias entre personas o colectividades.

friccionar. (De *fricción.*) tr. Restregar, dar friegas.

frido, da. (Del lat. *frigĭdus.*) adj. ant. **frío.**

friega. (De *fregar,* restregar.) f. Remedio consistente en restregar alguna parte del cuerpo con un paño o cepillo o con las manos. ‖ **2.** fig. y fam. Tunda, zurra. ‖ **3.** *Argent., Col., C. Rica, Ecuad., Méj., Pan., Perú* y *P. Rico.* Molestia, fastidio.

friera. (De *frío.*) f. **sabañón.**

frieza. f. ant. **frialdad.**

frige. adj. ant. **frigio.**

frigente. (Del lat. *frigens, -entis,* que está frío, o tiene frío.) adj. ant. Que enfría o se enfría.

frigerativo, va. (Del lat. *frigerātum,* supino de *frigerāre,* enfriar.) adj. ant. Que tiene virtud de enfriar o refrescar.

frigidez. (De *frígido.*) f. **frialdad.** Sensación de falta de calor. ‖ **2.** Ausencia anormal de deseo o de goce sexual.

frigidísimo, ma. adj. sup. de **frío.**

frígido, da. (Del lat. *frigĭdus.*) adj. poét. **frío.** ‖ **2.** Que padece frigidez, ausencia de deseo o goce sexual. Ú. t. c. s.

frigio, gia. (Del lat. *Phrygĭus.*) adj. Natural de Frigia. Ú. t. c. s. ‖ **2.** Perteneciente o relativo a este país de Asia antigua. ‖ **3.** V. **gorro frigio.**

frigoría. f. Unidad de medida de absorción del calor, empleada en la técnica de la refrigeración; corresponde a la absorción de una kilocaloría.

frigoriento, ta. (Del lat. *frigus, -ŏris,* frío, e *-iento.*) adj. ant. Dícese del que es muy sensible al frío.

frigorífico, ca. (Del lat. *frigorifĭcus,* que enfría.) adj. Que produce artificialmente gran descenso de temperatura. Dícese principalmente de las mezclas y dispositivos que hacen bajar la temperatura más o menos grados. ‖ **2.** Dícese de las cámaras o espacios enfriados artificialmente para conservar frutas, carnes, etc. ‖ **3.** m. **nevera,** electrodoméstico con refrigeración eléctrica o química para guardar alimentos u otras sustancias.

friísimo, ma. adj. sup. de **frío.**

frijol. m. *Amér.* **fréjol.**

fríjol. (Del lat. *phaseŏlus,* alubia, infl. por *présul,* variante del nombre cat. del guisante.) m. **fréjol.**

frijolar. m. Terreno sembrado de fríjoles.

frijolero, ra. m. y f. *Col.* Persona que cultiva fríjoles o negocia con su fruto.

frijolillo. m. *Cuba.* Árbol silvestre, de la familia de las papilionáceas, de madera fuerte, hojas de largo pecíolo con hojuelas ovales puntiagudas. El fruto sirve de alimento al ganado.

frijón. m. *And.* y *Extr.* **fréjol.**

frimario. (Del fr. *frimaire.*) m. Tercer mes del calendario republicano francés, cuyos días primero y último coincidían, respectivamente, con el 21 de noviembre y el 20 de diciembre.

fringa. f. *Hond.* Manta, especie de capote de monte.

fringilago. (Del lat. *fringilla.*) m. **paro carbonero.**

fringílido. (Del lat. *fringilla* e *-ido.*) adj. *Zool.* Dícese de aves del orden de los pájaros que en la cara posterior de los tarsos tienen dos surcos laterales; como el gorrión y el jilguero. Ú. t. c. s. m. ‖ **2.** m. pl. *Zool.* Familia de estos animales.

frío, a. (Del lat. *frigĭdus.*) adj. Aplícase a los cuerpos cuya temperatura es muy inferior a la ordinaria del ambiente. ‖ **2.** Dícese del color que produce efectos sedantes, como el azul o el verde. ‖ **3.** V. **ave, gallina, gota, iglesia fría.** ‖ **4.** V. **lino frío.** ‖ **5.** fig. Indiferente al placer sexual. ‖ **6.** fig. Que respecto de una persona o cosa muestra indiferencia, desapego o desafecto, o que no toma interés por ella. ‖ **7.** fig. Sin gracia, espíritu ni agudeza. *Hombre* FRÍO; *respuesta* FRÍA. ‖ **8.** fig. Ineficaz, de poca recomendación. ‖ **9.** m. Sensación que se experimenta por el contacto con cuerpos que están a temperatura baja. ‖ **10.** Sensación análoga a la que produce la permanencia en un ambiente **frío,** pero ocasionada por causas fisiológicas o morbosas. ‖ **11.** desus. Bebida enfriada con nieve o hielo, pero líquida. ‖ **12.** Voz para advertir a una persona que está lejos de encontrar un objeto escondido o de acertar algo. ‖ **a frías.** loc. adv. ant. **fríamente.** ‖ **en frío.** loc. adv. fig. Tratándose de operaciones quirúrgicas en un órgano o tejido inflamado, practicarlas después de haber desaparecido la flogosis. ‖ **2.** Sin estar bajo la impresión inmediata de las circunstancias del caso. ‖ **dejar a** uno **frío.** fr. fig. No causarle la menor impresión. ‖ **no darle** a uno una cosa **frío ni calor,** o **ni calentura** o **no entrarle** a uno **frío ni calor por** una cosa. frs. figs. y fams. con que se explica la indiferencia con que se toma un asunto. ‖ **quedarse** uno **frío.** fr. fig. Quedarse asustado o aturdido por algún suceso o desengaño inesperados.

friolengo, ga. adj. ant. **friolero.**

friolento, ta. (De *frío* y *-olento,* según modelos como *vinolento* y *violento.*) adj. **friolero.**

friolera. (De *friolero.*) f. Cosa de poca monta o de poca importancia. Ú. m. en antífrasis. ‖ **2.** irón. Gran cantidad de algo, especialmente de dinero. ‖ **3.** ant. Frialdad, cosa falta de gracia.

friolero, ra. (De *frior* y *-ero,* con disimilación de *r.*) adj. Muy sensible al frío.

frioliento, ta. (De *friolento.*) adj. ant. **friolero.**

friollego, ga. adj. ant. **friolero.**

frión, na. adj. aum. de **frío,** sin gracia.

frior. (Del lat. *frigor, -ōris.*) m. ant. **frío.**

frisa. (De or. inc.) f. Tela ordinaria de lana, que sirve para forros y vestidos de las aldeanas. ‖ **2.** *León.* Especie de manta de lana fuerte que usan las maragatas para cubrirse la cabeza y que les cuelga hasta más abajo de la cintura. ‖ **3.** desus. Pelo de algunas telas, como el de la felpa. Ú. en Argentina y Chile. ‖ **4.** *Fort.* Estacada o palizada oblicua que se pone en la berma de una obra de campaña. ‖

5. *Mar.* Arandela o lámina de figura conveniente y de materia poco dura para hacer hermética la unión de dos piezas.

frisado, da. p. p. de **frisar.** ‖ **2.** m. Tejido de seda cuyo pelo se frisaba formando borlillas. ‖ **3.** Acción y efecto de frisar[1].

frisador, ra. m. y f. Persona que frisa el paño u otra tela.

frisadura. f. Acción y efecto de frisar.

frisar[1]. (De *frisa.*) tr. Levantar y rizar los pelillos de algún tejido. ‖ **2.** p. us. **disminuir.** ‖ **3.** *Mar.* Colocar frisas. ‖ **4.** intr. Congeniar, confrontar. ‖ **5.** fig. **acercarse.** Ú. generalmente hablando de edad.

frisar[2]. (Del lat. **frictiāre,* frotar.) tr. **refregar.**

frisca. f. *Chile.* Zurra, tunda.

frisio, sia. adj. **frisón.** Apl. a pers., ú. t. c. s.

friso. (De or. inc.) m. *Arq.* Parte del cornisamento que media entre el arquitrabe y la cornisa, donde suelen ponerse follajes y otros adornos. ‖ **2.** Faja más o menos ancha que suele pintarse en la parte inferior de las paredes, de diverso color que estas. También puede ser de seda, estera de junco, papel pintado, azulejos, mármol, etc.

frísol. (Del lat. *phaseŏlus.*) m. **judía.**

frisolero, ra. m. y f. *Col.* **frijolero.**

frisón, na. adj. Natural de Frisia. Ú. t. c. s. ‖ **2.** Perteneciente o relativo a esta provincia de Holanda. ‖ **3.** Dícese de los caballos que vienen de Frisia o son de aquella casta, los cuales tienen muy fuertes y anchos los pies. Ú. t. c. s. ‖ **4.** fig. desus. Dícese de lo que es grande y corpulento dentro de su género. ‖ **5.** m. Lengua germánica hablada por los **frisones.**

frisuelo[1]. (Del lat. *phaseŏlus.*) m. **frísol.**

frisuelo[2]. m. Especie de fruta de sartén.

frita. (Del fr. *fritte.*) f. Composición de arena y sosa para fabricar vidrio.

fritada. f. Conjunto de cosas fritas. FRITADA *de pajarillos, de criadillas.*

fritanga. f. Fritada, especialmente la abundante en grasa. A veces se usa en sentido despectivo.

fritar. (De *frito.*) tr. *Sal.* y *Col.* **freír.**

fritillas. (De *frito.*) f. pl. *Mancha.* Una masa frita especial.

frito, ta. (Del lat. *frictus.*) p. p. irreg. de **freír.** ‖ **2.** V. **leche frita.** ‖ **3.** m. Cualquier manjar **frito.** ‖ **dejar a** uno **frito.** fr. fig. y fam. Matarlo. ‖ **estar frito.** fr. fig. y fam. *Argent., Chile* y *Perú.* Hallarse en situación difícil, estar inutilizado o fracasado. ‖ **quedarse** uno **frito.** fr. fig. y fam. Dormirse. ‖ **si están fritas o no están fritas.** expr. fig. y fam. con que se da a entender que uno se resuelve a hacer una cosa, tenga o no razón. ‖ **tener** o **traer a** uno **frito.** fr. fig. y fam. Cansarle con insistentes molestias.

fritura. (De *frito.*) f. Conjunto de cosas fritas.

friulano, na. adj. Natural del Friul. Ú. t. c. s. ‖ **2.** Perteneciente o relativo a este país de Italia. ‖ **3.** m. Lengua neolatina, afín al grisón, hablada en el Friul.

friura. (De *frío.*) f. desus. Temperatura fría. Ú. en Cantabria, León y Venezuela. ‖ **2.** *Med.* Escara producida por el frío.

frívolamente. adv. m. Con frivolidad.

frivolidad. f. Cualidad de frívolo.

frivolizar. tr. Tomar con frivolidad alguna cosa.

frívolo, la. (Del lat. *frivŏlus.*) adj. Ligero, veleidoso, insustancial. ‖ **2.** Dícese de los espectáculos ligeros y sensuales, de sus textos, canciones y bailes, y de las personas, especialmente de las mujeres, que los interpretan. ‖ **3.** Dícese de las publicaciones que tratan temas ligeros, con predominio de lo sensual.

frivoloso, sa. adj. ant. **frívolo.**

friz. f. Flor del haya.

froga. (Del lat. *fabrĭca.*) f. Fábrica de albañilería, especialmente la hecha con ladrillos, a diferencia de la sillería.

frogar. (Del lat. *fabricāre.*) intr. **fraguar,** endurecerse la cal, el yeso, etc. ‖ **2.** tr. Hacer la fábrica o pared de albañilería.

froncia. f. *Sal.* Mata de baleo que se usa para barrer.

fronda[1]. (Del lat. *frons, frondis.*) f. Hoja de una planta. ‖ **2.** *Bot.* Hoja de los helechos. ‖ **3.** pl. Conjunto de hojas o ramas que forman espesura.

fronda[2]. (Del fr. *fronde.*) f. *Cir.* Vendaje de lienzo, de cuatro cabos y forma de honda, que se emplea en el tratamiento de las fracturas y heridas.

fronde. (Del lat. *frons, frondis.*) m. **fronda[1]** de los helechos.

frondío, a. adj. *And.* y *Col.* Malhumorado, displicente. ‖ **2.** *Col.* y *Méj.* Sucio, desaseado, tosco.

frondosidad. f. Cualidad de frondoso.

frondoso, sa. (Del lat. *frondōsus.*) adj. Abundante en hojas y ramas. ‖ **2.** Abundante en árboles que forman espesura.

frontal. (Del lat. *frontālis*) adj. Perteneciente o relativo al frente o parte delantera de alguna cosa. ‖ **2.** *Anat.* Perteneciente o relativo a la frente. *Músculos* FRONTALES. ‖ **3.** *Anat.* V. **hueso frontal.** Ú. t. c. s. ‖ **4.** m. Paramento de sedas, metal u otra materia con que se adorna la parte delantera de la mesa de altar. ‖ **5.** *Ar.* Témpano de la cuba o barril. ‖ **6.** *Col., Ecuad.* y *Méj.* **frontalera,** correa o cuerda que ciñe la frente del caballo. ‖ **7.** *Arq.* **carrera,** madero horizontal.

frontalera. (De *frontal.*) f. Correa o cuerda de la cabezada y de la brida del caballo, que le ciñe la frente y sujeta las carrilleras. ‖ **2.** Fajas y adornos como goteras, que guarnecen el frontal por lo alto y por los lados. ‖ **3.** Sitio donde se guardan los frontales del altar. ‖ **4.** **frontil,** pieza acolchada que se pone a los bueyes entre la frente y la coyunda.

frontalero, ra. (De *frontal.*) adj. ant. **fronterizo.**

frontalete. m. d. de **frontal** del altar.

fronte. (Del lat. *frons, frontis.*) f. ant. **frente.**

frontera. (De *frontero.*) f. Confín de un Estado. ‖ **2.** **frontis,** fachada. ‖ **3.** Cada una de las fajas o fuerzas que se ponen en el serón por la parte de abajo para su mayor firmeza. ‖ **4.** *Albañ.* Tablero fortificado con barrotes que sirve para sostener los tapiales que forman el molde de la tapia cuando se llega con ella a las esquinas o vanos. ‖ **5.** fig. Límite. Ú. m. en pl. *Su codicia no tiene* FRONTERAS.

fronteria. (De *frontero.*) f. ant. **frontera.** ‖ **hacer frontería.** fr. ant. **hacer frente.**

fronterizo, za. adj. Que está en la frontera. *Ciudad* FRONTERIZA; *soldado* FRONTERIZO. ‖ **2.** Que está enfrente de otra cosa.

frontero, ra. (De *fronte* y *-ero.*) adj. Puesto y colocado enfrente. ‖ **2.** m. **frentero.** ‖ **3.** Caudillo o jefe militar que mandaba la frontera. ‖ **frontero de.** loc. prepos. desus. **enfrente de.**

frontil. (De *fronte.*) m. Pieza acolchada de materia basta, regularmente de esparto, que se pone a los bueyes entre la frente y la coyunda, a fin de que esta no les haga daño. ‖ **2.** *Cuba.* Parte de la cabezada que cubre la frente de una caballería.

frontino, na. (De *fronte.*) adj. Dícese de la bestia que tiene alguna señal en la frente. ‖ **2.** fig. y fam. V. **señal de borrica frontina.**

frontis. (Abrev. de *frontispicio.*) m. Fachada o frontispicio de un edificio o de otra cosa. ‖ **2.** Muro del frontón o trinquete contra el que se lanza la pelota.

frontispicio. (Del lat. tardío *frontispicĭum.*) m. Fachada o delantera de un edificio, mueble u otra cosa. ‖ **2.** Página de un libro anterior a la portada, que suele contener el título y algún grabado o viñeta. ‖ **3.** fig. y fam. **cara,** parte anterior de la cabeza. ‖ **4.** *Arq.* **frontón,** remate triangular de una fachada.

frontón. (aum. de *fronte.*) m. Pared principal contra la cual se lanza la pelota en el juego de pelota. ‖ **2.** Edificio o sitio dispuesto para jugar a la pelota. ‖ **3.** Parte del muro de una veta donde trabajan los mineros para adelantar horizontalmente la excavación de la mina. En la Argentina llámase **frontón descabezado** al que desciende algo. ‖ **4.** Parte escarpada de una costa. ‖ **5.** *Arq.* Remate triangular de una fachada o de un pórtico; se coloca también encima de puertas y ventanas.

frontudo, da. (De *fronte.*) adj. Que tiene mucha frente.

frotación. f. Acción de frotar o frotarse.

frotador, ra. adj. Que frota. Ú. t. c. s. ‖ **2.** Que sirve para frotar.

frotadura. f. **frotación.**

frotamiento. m. Acción de frotar o frotarse.

frotar. (Del fr. *frotter.*) tr. Pasar muchas veces una cosa sobre otra con más o menos fuerza. Ú. t. c. prnl.

frote. m. **frotamiento.**

frotis. m. **extensión,** preparación microscópica.

fructa. f. ant. **fruta.**

fructero, ra. (De *fructo.*) adj. ant. **frutal.**

fructidor. (Del fr. *fructidor.*) m. Duodécimo mes del calendario republicano francés, cuyos días primero y último coincidían, respectivamente, con el 18 de agosto y el 16 de septiembre.

fructíferamente. adv. m. Con fruto.

fructífero, ra. (Del lat. *fructĭfer, -ĕra.*) adj. Que produce fruto.

fructificable. adj. Que puede fructificar.

fructificación. (Del lat. *fructificatĭo, -ōnis.*) f. Acción y efecto de fructificar.

fructificador, ra. adj. Que fructifica.

fructificar. (Del lat. *fructificāre.*) intr. Dar fruto los árboles y otras plantas. ‖ **2.** fig. Producir utilidad una cosa.

fructo. (Del lat. *fructus.*) m. ant. **fruto.**

fructual. (Del lat. *fructus.*) adj. ant. **frutal.**

fructuario, ria. (Del lat. *fructuarĭus.*) adj. **usufructuario.** ‖ **2.** Que consiste en frutos. *Renta, pensión* FRUCTUARIA. ‖ **3.** V. **censo fructuario.**

fructuosamente. adv. m. Con fruto, con utilidad.

fructuoso, sa. (Del lat. *fructuōsus.*) adj. Que da fruto o utilidad.

frucho. (Del lat. *fructus.*) m. ant. **fruto.**

fruente. (Del lat. *frons, frontis.*) f. ant. **frente.**

frufrú. m. Onomatopeya del ruido que produce el roce de la seda o de otra tela semejante.

frugal. (Del lat. *frugālis.*) adj. Parco en comer y beber. ‖ **2.** Aplícase también a las cosas en que esa parquedad se manifiesta. *Vida, almuerzo* FRUGAL.

frugalidad. (Del lat. *frugalĭtas, -ātis.*) f. Templanza, parquedad en la comida y la bebida.

frugalmente. adv. m. Con frugalidad.

frugífero, ra. (Del lat. *frugĭfer, -ĕra.*) adj. poét. Que lleva fruto.

frugívoro, ra. (Del lat. *frux, frugis,* fruto, y *-voro.*) adj. Aplícase al animal que se alimenta de frutos.

frui. (Del lat. *frux, frugis,* fruto.) f. Fruto del haya.

fruición. (Del lat. *fruitĭo, -ōnis.*) f. Goce muy vivo en el bien que uno posee. ‖ **2.** Complacencia, goce en general. *El malvado tiene* FRUICIÓN *en ver llorar.*

fruir. (Del lat. *frui.*) intr. Gozar.

fruitivo, va. (Del lat. *fruĭtus,* p. p. de *frui,* gozar.) adj. Propio para causar placer con su posesión.

frumentario, ria. (Del lat. *frumentarĭus.*) adj. Perteneciente o relativo al trigo y otros cereales. ‖ **2.** m. Oficial que de Roma se enviaba a las provincias para remitir trigo al ejército.

frumenticio, cia. (Del lat. *frumentum,* trigo.) adj. **frumentario,** perteneciente o relativo al trigo y otros cereales.

frunce. (De *fruncir.*) m. Arruga o pliegue, o serie de arrugas o pliegues menudos que se hacen en una tela, papel, piel, etc.

fruncido, da. p. p. de **fruncir.** ‖ **2.** adj. fig. Afectado, picajoso, receloso, disgustado o colérico. ‖ **3.** m. **frunce.**

fruncidor, ra. adj. Que frunce. Ú. t. c. s.

fruncimiento. m. Acción y efecto de fruncir. ‖ **2.** fig. p. us. Embuste y fingimiento.

fruncir. (Del ant. fr. *froncir.*) tr. Arrugar la frente y las cejas en señal de desabrimiento o de ira. ‖ **2.** Recoger el paño u otras telas, haciendo en ellas arrugas pequeñas. ‖ **3.** Estrechar y recoger una cosa, reduciéndola a menor extensión. FRUNCIR *la boca.* ‖ **4.** fig. p. us. Tergiversar la verdad. ‖ **5.** prnl. fig. Afectar compostura, modestia y encogimiento.

fruslera. (De *fuslera.*) f. Raeduras que salen de las piezas de azófar cuando se tornean. ‖ **2.** ant. Latón o azófar.

fruslería. (De *fruslera.*) f. Cosa de poco valor o entidad. ‖ **2.** fig. y fam. Dicho o hecho de poca sustancia.

fruslero[1]. (De or. inc.) m. Cilindro de madera que se usa en las cocinas para trabajar y extender la masa.

fruslero[2], ra. (Del lat. **fusilarĭa,* de *fusĭlis,* fundible.) adj. Fútil o frívolo.

frustración. (Del lat. *frustratĭo, -ōnis.*) f. Acción y efecto de frustrar o frustrarse.

frustráneo, a. (De *frustrar.*) adj. p. us. Que no produce el efecto apetecido.

frustrar. (Del lat. *frustrāre.*) tr. Privar a uno de lo que esperaba. ‖ **2.** Dejar sin efecto, malograr un intento. Ú. t. c. prnl. ‖ **3.** *Der.* Dejar sin efecto un propósito contra la intención del que procura realizarlo. FRUSTRAR *un delito.* Ú. t. c. prnl.

frustratorio, ria. (Del lat. *frustratorĭus.*) adj. desus. Que hace frustrar o frustrarse una cosa.

fruta. (De *fruto.*) f. Fruto comestible de ciertas plantas cultivadas, como la pera, guinda, fresa, etc. ‖ **2.** V. **ensalada de frutas.** ‖ **3.** fig. y fam. Producto de una cosa o consecuencia de ella. ‖ **a la catalana. garbías.** ‖ **del cercado ajeno.** loc. fig. Todo lo que por ser de propiedad ajena despierta en alguien más codicia. ‖ **del país.** La producida en él, no importada. ‖ **2.** fig. Cosa peculiar y habitual en él. ‖ **del tiempo.** La que se come en la misma estación en que madura. ‖ **2.** fig. y fam. Cosa que sucede con frecuencia en tiempo determinado; como los resfriados en invierno. ‖ **de sartén.** Pasta de harina, a la que se añaden huevos y azúcar o sal, hecha en diferentes figuras, y frita después en manteca o aceite. ‖ **nueva.** fig. Lo que es nuevo en cualquier línea. ‖ **prohibida.** fig. Todo aquello que no está permitido usar. ‖ **seca.** La que por la condición de su cáscara, o por haber sido sometida a la desecación, se conserva comestible todo el año.

frutaje. m. Pintura de frutas y flores.

frutal. adj. Dícese del árbol que lleva fruta. Ú. t. c. s. m.

frutar. intr. Dar fruto los árboles y otras plantas.

frutecer. (De *fruto* y *-ecer.*) intr. **fructificar.**

frutería. (De *frutero.*) f. Tienda o puesto donde se vende fruta. ‖ **2.** Oficio que había en la casa real, para cuidar de la provisión de las frutas. ‖ **3.** Sitio de la casa real, en que se guardaba la fruta.

frutero, ra. adj. Que sirve para llevar o para contener fruta. *Buque* FRUTERO; *plato* FRUTERO. ‖ **2.** m. y f. Persona que vende fruta. ‖ **3.** m. Plato hecho a propósito para servir la fruta. ‖ **4.** Lienzo labrado con que por higiene se cubre la fruta que se pone en la mesa. ‖ **5.** Cuadro o lienzo pintado de diversos frutos. ‖ **6.** Canastillo de frutas imitadas.

frútice. (Del lat. *frutex, -ĭcis,* arbusto.) m. *Bot.* Cualquier planta casi leñosa y de aspecto semejante al de los arbustos; como el rosal.

frutícola. (De *fruto* y *-cola.*) adj. Perteneciente o relativo a la fruticultura.

fruticoso, sa. (Del lat. *fruticōsus.*) adj. *Bot.* Que tiene la naturaleza o cualidades del frútice.

fruticultura. (De *fruto* y *cultura.*) f. Cultivo de las plantas que producen frutas. ‖ **2.** Arte que enseña ese cultivo.

frutier. (Del prov. *frutier.*) m. desus. Oficial palatino encargado de la frutería.

frutífero, ra. (De *fruto* y *-fero.*) adj. ant. **fructífero.**

frutificar. intr. ant. **fructificar.**

frutilla. f. d. de **fruta.** ‖ **2.** Cuentecilla de las Indias para hacer rosarios. ‖ **3.** *Amér. Merid.* Especie de fresón americano. ‖ **del campo.** *Chile.* Arbusto de la familia de las ramnáceas, de ramas alargadas y derechas.

frutillar. m. *Amér. Merid.* Sitio donde se crían frutillas.

frutillero, ra. m. y f. *Amér. Merid.* Vendedor ambulante de frutillas.

fruto. (Del lat. *fructus.*) m. *Bot.* Producto del desarrollo del ovario de una flor después de la fecundación. En él quedan contenidas las semillas. Con frecuencia cooperan a la formación del **fruto** tanto el cáliz como el receptáculo floral y otros órganos. ‖ **2.** Comúnmente se llama **fruto** lo que producen las plantas, y que, aparte de la utilidad que pueden tener, sirve para desarrollar y proteger la semilla. ‖ **3.** fig. Hijo, con relación a un matrimonio, y, especialmente, con relación a la mujer. ‖ **4.** fig. Cualquier producción del ingenio o del trabajo humano. ‖ **5.** fig. Producto o resultado obtenido. ‖ **6.** pl. Producciones de la tierra con que se hace cosecha. ‖ **de bendición.** Hijo de legítimo matrimonio. ‖ **prohibido.** fig. **fruta prohibida.** ‖ **frutos civiles.** *Der.* Utilidad que producen las cosas mediante el arrendamiento o contratos equivalentes. ‖ **2.** Contribución que se pagaba por todas las rentas procedentes de arriendos de tierras, fincas, derechos reales y juros jurisdiccionales. ‖ **en especie.** Los no reducidos a dinero. ‖ **mostrados,** o **parecidos.** *Der.* Se llamó así a los **frutos** pendientes en la fase inicial de su desarrollo. ‖ **pendientes.** *Der.* Los que estando más o menos desarrollados permanecen unidos a la cosa que los produce. ‖ **percibidos.** *Der.* Los que ya se separaron de la cosa de que proceden. ‖ **a fruto sano.** expr. que se usa entre labradores en los arrendamientos de tierras y **frutos,** y denota ser el precio lo mismo un año que otro, sin que se minore por esterilidad u otro caso fortuito. ‖ **dar fruto.** fr. Producirlo la tierra, los árboles, las plantas, etc. ‖ **frutos por alimentos.** loc. *Der.* Dícese cuando al tutor o curador se le concede todo el producto de las rentas del pupilo para alimentarlo. ‖ **llevar fruto.** fr. **dar fruto.** ‖ **sacar fruto.** fr. fig. Conseguir efecto favorable de las diligencias que se hacen o medios que se ponen. *Este predicador saca mucho* FRUTO *con sus sermones.*

frutuoso, sa. adj. ant. **fructuoso.**

fu. Onomatopeya del bufido del gato. ‖ **2.** interj. de desprecio. ‖ **hacer fu,** o **hacer fu como el gato.** fr. fig. y fam. Salir huyendo. ‖ **ni fu ni fa.** loc. fam. con que se indica que algo es indiferente, que no es ni bueno ni malo.

fúcar. (Con alusión a los banqueros alemanes de la familia de *Fugger.*) m. fig. desus. Hombre muy rico y hacendado.

fucia. (De *fiucia.*) f. ant. **confianza.** ‖ **a fucia.** loc. adv. ant. **en confianza.**

fucilar. (Del lat. vulg. **focīlis[petra],* [piedra] de fuego, pedernal.) intr. Producirse fucilazos. ‖ **2.** Fulgurar, rielar.

fucilazo. (De *fucilar.*) m. Relámpago que ilumina la atmósfera en el horizonte por la noche.

fuco. (Del lat. *fucus.*) m. Alga parda de ramificación dicótoma abundante en las costas; se utiliza industrialmente para la obtención de agar-agar y yodo.

fucsia. (De *Fuchs,* botánico alemán del siglo XVI.) f. Arbusto de la familia de las oenoteráceas, con ramos lampiños, hojas ovales, agudas y dentadas, y flores de color rojo oscuro, de diversos matices, colgantes, de pedúnculos largos, cáliz cilíndrico, con cuatro lóbulos y corola de cuatro pétalos. Es planta de adorno, procedente de América Meridional. ‖ **2.** adj. Aplícase a lo que tiene el color de la flor de esta planta. Ú. t. c. s. m.

fucsina. (De *fucsia,* por el color, e *-ina.*) f. Materia colorante sólida que resulta de la acción del ácido arsénico u otras sustancias sobre la anilina. Se emplea en laboratorios biológicos y en la industria, para teñir de rojo oscuro fibras, tejidos, papel, pieles, etc., para colorar los vinos y para otras aplicaciones.

fuchina[1]**.** f. **fucsina.**

fuchina[2]**.** (Del cat. *fugir.*) f. *Ar.* Huida, escapada.

fudre. (Del fr. *foudre.*) m. Pellejo, cuba; recipiente para el vino, generalmente de gran tamaño.

fuego. (Del lat. *focus.*) m. Calor y luz producidos por la combustión. ‖ **2.** Materia encendida en brasa o llama; como carbón, leña, etc. ‖ **3. incendio.** ‖ **4.** Hoguera que se hacía en las atalayas de la costa o en otros lugares para advertir de un peligro u otro acontecimiento. ‖ **5. quemador.** *Una cocina de tres* FUEGOS. ‖ **6.** Efecto de disparar las armas de **fuego.** ‖ **7.** V. **arma, bautismo, boca, lengua de fuego.** ‖ **8. hogar,** familia que tiene casa. *Este lugar tiene cien* FUEGOS. ‖ **9.** fig. Encendimiento de sangre con alguna picazón y señales exteriores; como ronchas, costras, etc. ‖ **10.** fig. Ardor que excitan algunas pasiones del ánimo; como el amor, la ira, etc. ‖ **11.** fig. Lo muy vivo y empeñado de una acción o disputa. ‖ **12.** *Fort.* Flanco de una fortaleza. ‖ **13.** *Veter.* **cauterio.** ‖ **14.** pl. **fuegos artificiales,** artificios de pólvora. ‖ **de batallón.** *Mil.* El que hace unido un batallón. ‖ **del hígado. calor del hígado.** ‖ **de San Antón,** o **de San Marcial.** Enfermedad epidémica que hizo grandes estragos desde el siglo X al XVI, y la cual consistía en una especie de gangrena precedida y acompañada de ardor abrasador. Era una erisipela maligna. ‖ **de Santelmo.** Meteoro ígneo que, al hallarse muy cargada de electricidad la atmósfera, suele dejarse ver en los mástiles y vergas de las embarcaciones, especialmente después de la tempestad. ‖ **fatuo.** Inflamación de ciertas materias que se elevan de las sustancias animales o vegetales en putrefacción, y forman pequeñas llamas que se ven andar por el aire a poca distancia de la tierra, especialmente en los lugares pantanosos y en los cementerios. ‖ **graneado.** *Mil.* El que se hace sin intermisión por los soldados individualmente, y con la mayor rapidez posible. ‖ **greguisco.** ant. **fuego griego.** ‖ **griego.** Mixto incendiario que se inventó en Grecia para abrasar las naves. ‖ **incendiario.** *Art.* El que se hace disparando proyectiles cargados de materias incendiarias. ‖ **infernal.** *Art.* El que se compone de aceite, resina, alcanfor, salitre y otros ingredientes de semejante naturaleza. ‖ **muerto. sublimado corrosivo.** ‖ **nutrido.** *Mil.* El que se hace sin interrupción y persistentemente. ‖ **oblicuo.** *Mil.* El que se hace con dirección al costado derecho o izquierdo. ‖ **pérsico.** *Pat.* **zona,** enfermedad. ‖ **potencial.** *Cir.* Cáustico cuya virtud está en minerales, plantas o piedras corrosivas. ‖ **sacro,** o **sagrado. fuego de San Antón.** ‖ **fuegos artificiales.** Invenciones de **fuego** que se usan en la milicia; como granadas y bombas. ‖ **2.** Cohetes y otros artificios de pólvora, que se hacen para regocijo o diversión. ‖ **a fuego lento,** o **manso.** loc. adv. fig. con que se da a entender el daño o perjuicio que se va haciendo poco a poco y sin ruido. ‖ **a fuego y hierro** o **a fuego y sangre.** locs. advs. **a sangre y fuego.** ‖ **apagar el fuego con aceite.** expr. usada cuando alguien, en lugar de aplacar una contienda, la encona más. ‖ **apagar los fuegos.** fr. *Mil.* Hacer cesar con la artillería los **fuegos** de la del enemigo. ‖ **2.** fr. fig. y fam. Desconcertar al adversario en altercado o controversia. ‖ **atizar el fuego.** fr. fig. Avivar una contienda, fomentar una discordia. ‖ **dar fuego.** fr. Aplicar o comunicar el **fuego** al arma que se quiere disparar o al barreno. ‖ **2.** Proporcionar a una persona lumbre con mechero, cerillas, etc., para que encienda lo que va a fumar. ‖ **echar** uno **fuego por los ojos.** fr. fig. Manifestar gran furor o ira. ‖ **entrar** uno **en fuego.** fr. Tomar parte por primera vez en una acción de guerra. ‖ **estar** uno **entre dos fuegos.** fr. fig. y fam. Estar alguien entre dos situaciones difíciles y comprometedoras para él. ‖ **estar** uno **hecho un fuego.** fr. fig. Estar demasiado acalorado por exceso de una pasión. ‖ **¡fuego!** interj. que se emplea para ponderar lo extraordinario de una cosa. ‖ **2.** Voz con la que se pide auxilio en un incendio. ‖ **3.** *Mil.* Voz con que se manda a la tropa disparar las armas de **fuego.** ‖ **¡fuego de Cristo!** o **¡fuego de Dios!** exprs. con que se denota gran enojo o furor. ‖ **2.** p. us. **¡fuego!** ‖ **hacer fuego.** fr. *Mil.* Disparar una o varias armas de **fuego.** ‖ **huir del fuego y dar en las brasas.** fr. fig. y fam. que se aplica al que, al procurar evitar un inconveniente o daño, cae en otro. ‖ **jugar con fuego.** fr. fig. Empeñarse imprudentemente, por pasatiempo y diversión, en una cosa que puede ocasionar sinsabores o perjuicios. ‖ **labrar a fuego.** fr. *Veter.* Curar o señalar una parte del animal con instrumento de hierro candente. ‖ **levantar fuego.** fr. fig. Excitar una disensión, riña o contienda. ‖ **meter a fuego y sangre.** fr. **poner a fuego y sangre.** ‖ **meter fuego.** fr. fig. Dar animación a una empresa, activarla, promoverla eficazmente. ‖ **no cabíamos al fuego y entró nuestro abuelo.** fr. proverb. **éramos pocos y parió mi abuela.** ‖ **pegar fuego.** fr. **incendiar.** ‖ **poner a fuego y sangre.** fr. Destruir los enemigos un país; asolarlo. ‖ **romper el fuego.** fr. Comenzar a disparar. ‖ **2.** fig. Iniciar una pelea o disputa. ‖ **sacar un fuego con otro fuego.** fr. fig. Desquitarse o vengarse de uno, empleando en el desagravio los mismos medios que sirvieron para la ofensa. ‖ **tocar a fuego.** fr. Hacer con las campanas señal de que hay algún incendio.

fueguecillo. m. d. de **fuego.**

fueguecito. m. d. de **fuego.**

fueguezuelo. m. d. de **fuego.**

fueguino, na. adj. Natural del archipiélago o de la isla de Tierra del Fuego. Ú. t. c. s. ‖ **2.** Perteneciente o relativo al archipiélago de Tierra del Fuego o a la isla del mismo nombre.

fuel. (Del ing. *fuel,* sustancia combustible.) m. Fracción del petróleo natural, obtenida por refinación y destilación, que se destina a la calefacción.

fuelgo. (De *folgar.*) m. ant. **aliento.**

fuellar. (Del arag. *fuella,* hoja.) m. Talco de colores con que se adornan las velas rizadas.

fuelle. (Del lat. *follis.*) m. Instrumento para recoger aire y lanzarlo con dirección determinada, que esencialmente se reduce a una caja con tapa y fondo de madera, costados de piel flexible, una válvula por donde entra el aire y un cañón por donde sale cuando, plegándose los costados, se reduce el volumen del aparato. ‖ **2.** Bolsa de cuero de la gaita gallega. ‖ **3.** Arruga del vestido. ‖ **4.** En los carruajes, cubierta de piel o de tejido impermeable que, mediante unas varillas de hierro puestas a trechos y unidas por la parte inferior, se extiende para resguardo del sol o de la lluvia, y se pliega hacia la parte de atrás cuando se quiere. ‖ **5.** Pieza de piel u otra materia plegable que se pone en los lados de bolsos, carteras, etc., para poder aumentar su capacidad. ‖ **6.** fig. Conjunto de nubes que se dejan ver sobre las montañas, y que regularmente son señales de viento. ‖ **7.** fig. y fam. Capacidad respiratoria. ‖ **8.** fig. y fam. Persona soplona. ‖ **9.** *Ast.* Odre usado en los molinos para envasar harina. ‖ **10.** *Ar.* En los molinos de aceite de Teruel, pila de cantería en que se recogen los caldos.

fuéllega. (Relacionado con el lat. vulg. **fullicāre,* de *fullāre,* pisar.) f. *And.* Huella del pie en la tierra.

fuentada. f. fam. Cantidad de comida que cabe en una fuente.

fuente. (Del lat. *fons, fontis.*) f. Manantial de agua que brota de la tierra. ‖ **2.** Aparato o artificio con que se hace salir el agua en los jardines y en las casas, calles o plazas, para diferentes usos, trayéndola encañada desde los manantiales o desde los depósitos. ‖ **3.** Obra de arquitectura hecha de fábrica, piedra, hierro, etc., que sirve para que salga el agua por uno o muchos caños dispuestos en ella. ‖ **4.** Pila[2] bautismal. ‖ **5.** Plato grande, circular u oblongo, más o menos hondo, que se usa para servir los alimentos. ‖ **6.** Cantidad de comida que cabe en este plato. ‖ **7.** Vacío que tienen las caballerías junto al corvejón. Ú. m. en pl. ‖ **8.** fig. Principio, fundamento u origen de una cosa. ‖ **9.** fig. Aquello de que fluye con abundancia un líquido. ‖ **10.** fig. Documento, obra o materiales que sirven de información o de inspiración a un autor. ‖ **11.** *Cir.* Úlcera abierta para que supure. ‖ **ascendente.** Surtidor de agua que brota de una hendedura vertical del terreno. ‖ **beber** uno **en buenas fuentes.** fr. fig. y fam. Recibir conocimientos de buenos maestros o en buenas obras, o adquirir noticias de personas o en lugares dignos de todo crédito. ‖ **dejar la fuente por el arroyo.** fr. proverb. Buscar cosa peor, dejando lo mejor.

fuentezuela. f. d. de **fuente.**

fuer. m. ant. apóc. de **fuero.** ‖ **a fuer de.** loc. prepos. A ley de, en razón de, en virtud de, a manera de.

fuera. (De *fueras.*) adv. l. A o en la parte exterior de cualquier espacio o término real o imaginario. *Está* FUERA; *me voy* FUERA. ‖ **de fuera.** loc. adv. **defuera.** ‖ **estar** uno **fuera de sí.** fr. fig. Estar enajenado y turbado de suerte que no pueda obrar con acierto. ‖ **¡fuera!** interj. **¡afuera!** Ú. t. repetida. En los teatros y otros sitios suele emplearse para denotar desaprobación. Ú. alguna vez como sustantivo. *Aquí se oíu un* FUERA, *allá un silbido.* ‖ **2.** Seguida de un nombre de prenda de vestir, intima a su dueño que se despoje de ella. ¡FUERA *la capa!* ‖ **fuera de.** loc. prepos. FUERA DE *casa;* puede usarse también como interj. ¡FUERA DE *aquí!;* precediendo a sustantivos y a pronombres, significa excepto, salvo: FUERA DE *eso, pídeme lo que quieras; te daré todos mis libros,* FUERA DE *este;* FUERA DE *los libros, llévate lo que quieras.* ‖ **2.** Seguida de *que* y precediendo a verbos, significa además de, aparte de: FUERA DE QUE *pueden sobrevenir accidentes imprevistos.* ‖ **3.** Si precede a nombres de acción, significa falta de ella.

fueraborda. amb. **motor fuera borda.**

fuerarropa (hacer). Frase de mando usada en las galeras para que se desnudase la chusma.

fueras. (Del lat. *foras,* fuera.) adv. l. ant. **fuera.** ‖ **fueras ende.** loc. prepos. ant. **fuera de.**

fuerista. com. Persona muy entendida e instruida en los fueros de las provincias privilegiadas. ‖ **2.** Persona defensora acérrima de los fueros. ‖ **3.** adj. Perteneciente o relativo a los fueros.

fuero. (Del lat. *forum,* foro.) m. Ley o código dados para un municipio durante la Edad Media. ‖ **2.** Jurisdicción, poder. FUERO *eclesiástico, secular.* ‖ **3.** Nombre de algunas compilaciones de leyes. FUERO *Juzgo;* FUERO *Real.* ‖ **4.** Cada uno de los privilegios y exenciones que se conceden a una provincia, ciudad o persona. Ú. m. en pl. ‖ **5.** ant. Lugar o sitio en que se hacía justicia. ‖ **6.** fig. Privilegio, prerrogativa o derecho moral que se reconocen a ciertas actividades, principios, virtudes, etc., por su propia naturaleza. Ú. m. en pl. *Defender los* FUEROS *de la poesía, del arte, de la justicia, de la razón.* ‖ **7.** fig. y fam. Arrogancia, presunción. Ú. m. en pl. ‖ **8.** *Der.* Competencia a la que legalmente están sometidas las partes y que por derecho les corresponde. ‖ **activo.** *Der.* Aquel de que gozan algunas personas para llevar sus causas a ciertos tribunales por privilegio del cuerpo de que son individuos. ‖ **de atracción.** *Der.* Dícese cuando por el rango del Tribunal, la calidad del justiciable o la índole del asunto, ha de conocer aquel de cuestiones diferentes, aunque conexas, respecto de las que estrictamente le competen. ‖ **de la conciencia.** Libertad de la conciencia para aprobar las buenas obras y reprobar las malas. Ú. m. en pl. ‖ **exterior,** o **externo.** Tribunal que aplica las leyes. ‖ **interior,** o **interno. fuero de la conciencia.** ‖ **mixto.** El que participa del eclesiástico y del secular. ‖ **a fuero,** o **al fuero.** loc. adv. Según ley, estilo o costumbre. ‖ **de fuero.** loc. adv. De ley, o según la obligación que induce la ley. ‖ **reconvenir en** su **fuero.** fr. *Der.* Citar a uno para que comparezca en juicio ante el juez o tribunal competente. ‖ **surtir fuero** o **el fuero.** fr. *Der.* Estar o quedar uno sujeto al de un juez determinado.

fuerte. (Del lat. *fortis.*) adj. Que tiene fuerza y resistencia. *Cordel, pared* FUERTE. ‖ **2.** Robusto, corpulento y que tiene grandes fuerzas. ‖ **3.** Animoso, varonil. ‖ **4.** Duro, que no se deja fácilmente labrar; como el diamante, el acero, etc. ‖ **5.** Hablando del terreno, áspero, fragoso. ‖ **6.** Dícese del lugar resguardado con obras de defensa que lo hacen capaz de resistir los ataques del enemigo. ‖ **7.** Entre plateros, monederos y lapidarios, dícese de lo que excede en el peso o ley; por ej., de la moneda que tiene algo más del peso que le corresponde, y de un diamante se dice que tiene tres gramos **fuertes** cuando pesa algo más, pero no llega a tres y medio. ‖ **8.** Aplicado a colores y a sabores, intenso. ‖ **9.** Poderoso. *Un país* FUERTE. ‖ **10.** Aplicábase a la moneda de plata, para distinguirla de la de vellón del mismo nombre. ‖ **11.** V. **agua, bota, carro, casa, plaza, sexo fuerte.** ‖ **12.** fig. Terrible, grave, excesivo. ‖ **13.** fig. Temoso, de mala condición y de genio duro. ‖ **14.** fig. Muy vigoroso y activo. *Vino, tabaco* FUERTE. ‖ **15.** fig. Grande, eficaz y que tiene fuerza para persuadir. *Razón* FUERTE. ‖ **16.** fig. Versado en una ciencia o arte. *Está* FUERTE *en matemáticas.* ‖ **17.** *Der.* V. **mano fuerte.** ‖ **18.** *Gram.* Dícese de la forma gramatical que tiene el acento en el tema. *Amo, dijo.* ‖ **19.** m. Recinto fortificado. ‖ **20.** fig. Aquello a que una persona tiene más afición o en que más sobresale. Ú. comúnmente con el verbo *ser. El canto es su* FUERTE. ‖ **21.** *Mús.* Esfuerzo de la voz en el pasaje o nota señalados con el signo representado con una *f.* ‖ **22.** adv. m. Con fuerza. ‖ **23.** Abundantemente. Ú. con los verbos *almorzar, comer, merendar* y *cenar.* ‖ **24.** ant. Con mucho cuidado y desvelo.

fuertemente. adv. m. Con fuerza. ‖ **2.** fig. Con vehemencia.

fuertezuelo. m. d. de **fuerte.**

fuerza. (Del lat. *fortĭa.*) f. Vigor, robustez y capacidad para mover una cosa que tenga peso o haga resistencia; como para levantar una piedra, tirar una barra, etc. ‖ **2.** Aplicación del poder físico o moral. *Apriétalo con* FUERZA; *se necesita mucha* FUERZA *para soportar tantas desgracias.* ‖ **3.** Capacidad para soportar un peso o resistir un empuje. *La* FUERZA *de unas vigas, de un dique.* ‖ **4.** Virtud y eficacia natural que las cosas tienen en sí. ‖ **5.** Acto de obligar a uno a que asienta a una cosa, o a que la haga. ‖ **6.** Violencia que se hace a una mujer para gozarla. ‖ **7.** Grueso o parte principal, mayor y más fuerte de un todo. *La* FUERZA *del ejército.* ‖ **8.** Estado más vigoroso de una cosa. *La* FUERZA *de la juventud, de la edad.* ‖ **9.** Plaza murada y guarnecida de gente para defensa. ‖ **10.** Fortificaciones de esta plaza. ‖ **11.** Lista de bocací, holandilla u otra cosa fuerte que echan los sastres al canto de las ropas entre la tela principal y el forro. También se llama así a otras fajas o listas que se cosen para reforzar algún tejido. ‖ **12.** *Esgr.* Tercio primero de la espada hacia la guarnición. ‖ **13.** *Der.* Agravio que el juez eclesiástico hace a la parte en conocer su causa, o en el modo de conocer de ella, o en no otorgarle la apelación. ‖ **14.** *Mec.* Causa capaz de modificar el estado de reposo o de movimiento de un cuerpo. ‖ **15.** *Mec.* **resistencia** que se opone al movimiento. ‖ **16.** pl. *Mil.* Gente de guerra y demás aprestos militares. ‖ **aceleratriz.** *Mec.* La que aumenta la velocidad de un movimiento. ‖ **aérea. arma aérea.** ‖ **animal.** La del ser viviente cuando se emplea como motriz. ‖ **armada.** El ejército o una parte de él. Ú. m. en pl. ‖ **bruta.** La material, en oposición a la que da el derecho o la razón. ‖ **centrífuga.** *Mec.* **fuerza** de inercia que se manifiesta en todo cuerpo cuando se le obliga a describir una trayectoria curva. Es igual y contraria a la centrípeta. ‖ **centrípeta.** *Mec.* Aquella que es preciso aplicar a un cuerpo para que, venciendo la inercia, describa una trayectoria curva. ‖ **de inercia.** *Mec.* Resistencia que oponen los cuerpos a obedecer a la acción de las **fuerzas.** ‖ **de sangre. fuerza animal.** ‖ **2.** Plenitud de sangre. ‖ **electromotriz.** *Electr.* Magnitud física que se manifiesta por la diferencia de potencial que origina entre los extremos de un circuito abierto o por la corriente que produce en un circuito cerrado. ‖ **irresistible.** *Der.* La que por anular la voluntad del compelido a ejecutar un delito, es circunstancia eximente. ‖ **liberatoria.** La que legalmente se concede al papel moneda para que se puedan pagar con él las deudas y obligaciones, cuya cuantía está referida a la moneda acuñada. ‖ **magnetomotriz.** *Fís.* Causa productora de los campos magnéticos creados por las corrientes eléctricas. Se mide en gilbertios o ampervueltas. ‖ **mayor.** *Der.* La que, por no poderse prever o resistir, exime del cumplimiento de alguna obligación. En sentido estricto, la que procede de la voluntad de un tercero. ‖ **pública.** Cuerpo de agentes de la autoridad encargados de mantener el orden. ‖ **retardatriz.** *Mec.* La que disminuye la velocidad de un movimiento. ‖ **viva.** *Mec.* Producto de la masa de un cuerpo por el cuadrado de su velocidad. Resulta igual al doble de la energía cinética. ‖ **fuerzas de choque.** Unidades militares que, por su espíritu, su mejor instrucción o el armamento de que disponen, suelen emplearse con preferencia en la ofensiva. ‖ **vivas.** Clases y grupos impulsores de la actividad y la prosperidad, señaladamente del orden económico, en una población, una comarca o una nación. ‖ **2.** Personas o clases representativas de una ciudad, región, país, etc., por su autoridad o por su influencia social. ‖ **a fuerza de.** loc. prepos. que, seguida de un sustantivo o de un verbo, indica la intensidad o abundancia del objeto designado por el sustantivo, o la insistente reiteración de la acción expresada por el verbo. A FUERZA DE *estudio,* DE *dinero,* etc.; A FUERZA DE *correr, cayó rendido.* ‖ **a fuerza de brazos.** loc. fig. y fam. **a fuerza de** trabajo. ‖ **a fuerza de Dios y de las gentes.** fr. Por encima de todo, atropellando los respetos debidos. ‖ **a fuerza de manos.** loc. fig. y fam. Con fortaleza y constancia. ‖ **a la fuerza.** loc. adv. **por fuerza.** ‖ **a la fuerza ahorcan.** fr. fam. con que se da a entender que uno se ve o se ha visto obligado a hacer alguna cosa contra su voluntad. ‖ **alzar la fuerza.** fr. *Der.* Enmendar los tribunales superiores civiles, por juicio extraordinario, la violencia que hacen los jueces eclesiásticos. ‖ **a viva fuerza.** loc. adv. Violentamente, con todo el vigor posible. ‖ **cobrar fuerzas.** fr. Convalecer el enfermo o recuperarse poco a poco. ‖ **de fuerza.** loc. adv. ant. **por fuerza,** necesariamente. ‖ **de por fuerza.** loc. adv. fam. **por fuerza.** ‖ **en fuerza de.** loc. prepos. A causa de, en virtud de. ‖ **fuerza a fuerza.** loc. adv. **de poder a poder.** ‖ **fuerza del consonante.** fr. fig. y fam. Circunstancia que obliga a uno a obrar en consonancia con ella y en contra de la voluntad propia. ‖ **hacer fuerza.** fr. Forcejear, obligar, forzar, violentar. ‖ **2.** Inclinar el ánimo, convencer, persuadir. ‖ **írsele** a uno **la fuerza por la boca.** fr. fig. y fam. Hablar demasiado y no obrar consecuentemente. ‖ **por fuerza.** loc. adv. Violentamente; contra la propia voluntad. ‖ **2.** Necesaria, indudablemente. ‖ **protestar la fuerza.** fr. *Der.* Reclamar contra la violencia con que se obliga a uno a hacer lo que no quiere. ‖ **quitar fuerza.** fr. *Der.* **alzar la fuerza.** ‖ **sacar** uno **fuerzas de flaqueza.** fr. Hacer esfuerzo extraordinario a fin de lograr aquello para que se considera débil o impotente. ‖ **ser fuerza.** loc. Ser necesario o forzoso. ES FUERZA *tomar alguna resolución.*

fuesa. (Del lat. *fossa.*) f. ant. **huesa.**

fufar. intr. Dar bufidos el gato.

fufo. m. **fu,** bufido del gato.

fufú. m. *Col., Cuba* y *P. Rico.* Comida hecha de plátano, ñame o calabaza. ‖ **2.** *P. Rico.* Hechizo, mal de ojo.

fuga. (Del lat. *fuga.*) f. Huida apresurada. ‖ **2.** Abandono inesperado del domicilio familiar o del ambiente habitual. ‖ **3.** Momento de mayor fuerza o intensidad de una acción, ejercicio, etc. ‖ **4.** Salida de gas o líquido por un orificio o abertura producidos accidentalmente. ‖ **5.** *Mús.* Composición que gira sobre un tema y su contrapunto, repetidos con cierto artificio por diferentes tonos. ‖ **de cerebros.** Emigración al extranjero de numerosas personas destacadas en asuntos científicos, culturales o técnicos, para ejercer allí su profesión, en detrimento de los intereses de su país. ‖ **de consonantes.** Especie de acertijo escrito en que las consonantes se han sustituido por puntos. ‖ **de vocales.** Escrito en el que se sustituyen por puntos las vocales. ‖ **meter en fuga** a uno. fr. fig. y fam. Excitarle con viveza para que ejecute alguna cosa, especialmente de diversión.

fugacidad. (Del lat. *fugacĭtas, -ātis.*) f. Cualidad de fugaz.

fugada. f. Movimiento violento y repentino del aire.

fugar. (Del lat. *fugāre.*) tr. ant. Poner en fuga o huida. ‖ **2.** prnl. Escaparse, huir.

fugaz. (Del lat. *fugax, -ācis.*) adj. Que con velocidad huye y desaparece. ‖ **2.** V. **estrella fugaz.** ‖ **3.** fig. De muy corta duración.

fugazmente. adv. m. De manera fugaz.

fugible. (Del lat. *fugibĭlis.*) adj. ant. Que se puede o se debe huir.

fúgido, da. (Del lat. *fugĭtus,* p. p. de *fugĕre,* huir.) adj. ant. Que huye o desaparece. Suele usarse aún en poesía.

fugir. (Del lat. *fugĕre.*) intr. ant. **huir.**

fugitivo, va. (Del lat. *fugitīvus.*) adj. Que anda huyendo y escondiéndose. Ú. t. c. s. ‖ **2.** Que pasa muy aprisa y como huyendo. ‖ **3.** fig. Caduco, perecedero; que tiene corta duración y desaparece con facilidad.

-fugo, ga. (Del lat. *-fŭgus,* de la raíz de *fugāre* o *fugĕre.*) elem. compos. que significa «que ahuyenta» o «que huye de»: *centrí*FUGO, *febrí*FUGO.

fuguillas. m. fam. Hombre de genio vivo, rápido en obras e impaciente en el obrar de los demás.

fuida. (De *fuir.*) f. ant. **huida.**

fuidizo, za. (De *fuida.*) adj. ant. Huidizo, fugitivo.

fuimiento. (De *fuir.*) m. ant. Salida o desamparo.

fuina. (Del arag. *fuina.*) f. **garduña.**

fuir. (De *fugir.*) intr. ant. **huir.**

fuisca. (Del gall. y port. *faisca,* chispa.) f. ant. Chispa de fuego.

ful. adj. *Germ.* Falso, fallido.

fulán. m. ant. **fulano.**

fulano, na. (Del ár. *fulān,* un tal.) m. y f. Voz con que se suple el nombre de una persona, cuando se ignora o a propósito no se quiere expresar. ‖ **2.** Persona indeterminada o imaginaria. ‖ **3.** Con referencia a una persona determinada, ú. como despectivo. ‖ **4. amante**[1]. ‖ **5.** f. Ramera o mujer de vida airada.

fular. (Del fr. *foulard.*) m. Tela de seda muy fina, por lo general con dibujos estampados. ‖ **2.** Pañuelo para el cuello o bufanda de este tejido.

fulastre. (De *ful.*) adj. fam. Chapucero, hecho farfulladamente.

fulcir. (Del lat. *fulcīre,* apoyar.) tr. ant. Sostener, sustentar.

fulcro. (Del lat. *fulcrum.*) m. Punto de apoyo de la palanca.

fulero, ra. (De *ful.*) adj. fam. Chapucero, inaceptable, poco útil. ‖ **2.** Dícese de la persona falsa, embustera, o simplemente charlatana y sin seso.

fulgente. (Del lat. *fulgens, -entis.*) adj. Brillante, resplandeciente.

fúlgido, da. (Del lat. *fulgĭdus.*) adj. Brillante, resplandeciente.

fulgir. (Del lat. *fulgēre,* brillar.) intr. Resplandecer.

fulgor. (Del lat. *fulgor, -ōris.*) m. Resplandor y brillantez.

fulgoroso, sa. adj. **fulguroso.**

fulguración. f. Acción y efecto de fulgurar. ‖ **2.** Accidente causado por el rayo.

fulgurar. (Del lat. *fulgurāre,* relampaguear.) intr. Brillar, resplandecer, despedir rayos de luz.

fulgúreo, a. (Del lat. *fulgurĕus.*) adj. Resplandeciente, fulgurante.

fulgurita. (Del lat. *fulgur,* rayo, e *-ita*[2].) f. Tubo vitrificado producido por el rayo al penetrar en la tierra fundiendo las sustancias silíceas con que se tropieza.

fulguroso, sa. adj. Que fulgura o despide fulgor.

fúlica. (Del lat. *fulĭca.*) f. **focha.**

fuliginosidad. f. Cualidad de fuliginoso.

fuliginoso, sa. (Del lat. *fuliginōsus,* lleno de hollín.) adj. Denegrido, oscurecido, tiznado.

fuligo. (Del lat. *fuligo, -ĭnis.*) m. Hollín, humo. ‖ **2.** Sarro, suciedad de la lengua. ‖ **3.** Hongo común en las tenerías.

fulmar. m. Ave marina semejante a la gaviota, pero con el cuello más ancho, las alas sin puntas negras y el pico amarillo con las fosas nasales tubulares. Es propia del norte de Europa y rara en los mares españoles.

fulmicotón. (Del fr. *fulmicoton.*) m. *Quím.* Algodón pólvora.

fulminación. (Del lat. *fulminatĭo, -ōnis.*) f. Acción de fulminar.

fulminador, ra. (Del lat. *fulminātor, -ōris.*) adj. Que fulmina. Ú. t. c. s.

fulminante. (Del lat. *fulmĭnans, -antis.*) p. a. de **fulminar.** Que fulmina. ‖ **2.** Dícese de las materias capaces de hacer estallar cargas explosivas. Ú. t. c. s. m. ‖ **3.** V. **oro, pólvora fulminante.** ‖ **4.** Súbito, muy rápido y de efecto inmediato. *Réplica* FULMINANTE, *éxito* FULMINANTE, *simpatías* FULMINANTES, *pasión* FULMINANTE.

fulminar. (Del lat. *fulmināre.*) tr. Lanzar rayos eléctricos. ‖ **2.** Dar muerte los rayos eléctricos, o matar con ellos. ‖ **3.** Herir o dañar el rayo árboles o edificios, montes, torres, etc. ‖ **4.** Matar o herir a uno proyectiles o armas; matar o herir con ellos. ‖ **5.** Fundir a fuego o por electricidad los metales. ‖ **6.** Herir o dañar a personas o cosas la luz excesiva. ‖ **7.** Causar muerte repentina una enfermedad. ‖ **8.** Desahogar uno su ira hiriendo a otro con palabras fuertes o por escrito. ‖ **9.** Dejar rendida o muy impresionada a una persona con una mirada de ira o de amor, o con una voz airada. ‖ **10.** Acusar a uno, en proceso formal o sin él, y condenarlo. ‖ **11.** fig. Dicho de sentencias, excomuniones, censuras, etc., dictarlas, imponerlas.

fulminato. (Del lat. *fulmen, -ĭnis,* rayo, y *-ato*[2].) m. *Quím.* Cada una de las sales formadas por el ácido fulmínico con las bases de plata, mercurio, cinc o cadmio, todas explosivas. ‖ **2.** Por ext., cualquier materia explosiva.

fulminatriz. (Del lat. *fulminātrix, -īcis.*) adj. f. Que fulmina.

fulmíneo, a. (Del lat. *fulminĕus.*) adj. Que participa de las propiedades del rayo.

fulmínico, ca. (Del lat. *fulmen, -ĭnis,* rayo.) adj. *Quím.* V. **ácido fulmínico.**

fulminoso, sa. adj. Que participa de las propiedades del rayo.

fulla. (Del dialect. *fulla,* hoja.) f. *Ar.* Mentira, falsedad. ‖ **2.** *Vizc.* Barquillo de pasta de harina.

fulleresco, ca. adj. Perteneciente a los fulleros, o propio de ellos.

fullería. (De *fullero.*) f. Trampa y engaño que se comete en el juego. ‖ **2.** fig. Astucia, cautela y arte con que se pretende engañar.

fullero, ra. (De *fulla.*) adj. Que hace fullerías. Ú. t. c. s.

fullona. (De *folla.*) f. fam. Pendencia, riña y cuestión entre dos o más personas, con muchas voces y ruido.

fumable. adj. Que se puede fumar.

fumada. f. Porción de humo que se toma de una vez fumando un cigarro.

fumadero. m. Local destinado a los fumadores.

fumador, ra. adj. Que tiene costumbre de fumar. Ú. t. c. s.

fumante. (Del lat. *fumans, -antis.*) p. a. de **fumar.** Que fuma, o humea. ‖ **2.** adj. *Quím.* Dícese de la sustancia que, a la temperatura ambiente, emite vapor visible.

fumar. (Del lat. *fumāre,* humear, arrojar humo.) intr. Echar o despedir humo. ‖ **2.** Aspirar y despedir el humo del tabaco, opio, anís, etc. Ú. t. c. tr. ‖ **3.** prnl. fig. y fam. Gastar, consumir indebidamente una cosa. SE FUMÓ *la paga del mes y anda sin un cuarto.* ‖ **4.** fig. y fam. Dejar de acudir a una obligación. FUMARSE *la clase, la oficina.*

fumarada. (De *fumar.*) f. Porción de humo que sale de una vez. ‖ **2.** Porción de tabaco que cabe en la pipa.

fumarel. m. Nombre común de varias aves marinas de plumaje blanco y negro, alas largas, cola escotada y pico afilado. Junto con los charranes y pagazas constituyen las llamadas golondrinas de mar.

fumaria. (Del lat. *fumarĭa.*) f. Hierba de la familia de las papaveráceas, con tallo tendido, hueco, ramoso y de cuatro a seis decímetros de largo; hojas de color verde amarillento, alternas, partidas en segmentos oblongos y puntiagudos; flores pequeñas en espiga, de color purpúreo y casi negras en el ápice, y frutos esferoidales en racimos poco apretados. El jugo de esta planta, que es de sabor amargo, se usa algo en medicina.

fumarola. (Del it. *fumarola.*) f. Emisión de gases y vapores procedentes de un conducto volcánico o de un flujo de lava. ‖ **2.** Grieta de la tierra por donde salen gases sulfurosos o vapores de agua cargados de algunas otras sustancias.

fumear. intr. ant. **humear.**

fumero. m. ant. **humero.**

fumífero, ra. (Del lat. *fumĭfer, -ĕra.*) adj. poét. Que echa o despide humo.

fumífugo, ga. adj. Que extingue el humo.

fumigación. (Del lat. *fumigatĭo, -ōnis.*) f. Acción de fumigar.

fumigador, ra. m. y f. Persona que fumiga. ‖ **2.** m. Aparato para fumigar.

fumigar. (Del lat. *fumigāre.*) tr. Desinfectar por medio de humo, gas o vapores adecuados. ‖ **2.** Combatir por estos medios, o valiéndose de polvos en suspensión, las plagas de insectos y otros organismos nocivos.

fumigatorio, ria. adj. Perteneciente o relativo a la fumigación. ‖ **2.** m. Aparato en que se queman perfumes.

fumista[1]. (De *fumo.*) m. El que hace o arregla cocinas, chimeneas o estufas. ‖ **2.** El que vende estos aparatos.

fumista[2]. (Del fr. *fumiste,* bromista, fanfarrón.) adj. Burlón, bromista. Ú. t. c. s.

fumistería. f. Tienda o taller de cocinas o estufas.

fumívoro, ra. (Del lat. *fumus,* humo, y *-voro.*) adj. Aplícase a los hornos y chimeneas en que se produce una combustión completa, sin salida de humo.

fumo. m. ant. **humo.** ‖ **2.** ant. Casa habitada. ‖ **afumar fumos.** fr. ant. Tener hogar.

fumorola. f. **fumarola.**

fumosidad. (De *fumoso.*) f. Materia del humo.

fumoso, sa. (Del lat. *fumōsus.*) adj. Que abunda en humo, o lo despide en gran cantidad.

funambulesco, ca. adj. Perteneciente o relativo al funámbulo. ‖ **2.** fig. Grotesco, extravagante.

funámbulo, la. (Del lat. *funambŭlus,* que anda sobre una cuerda.) m. y f. Volatinero que hace ejercicios en la cuerda o en el alambre.

función. (Del lat. *functĭo, -ōnis.*) f. Capacidad de acción o acción propia de los seres vivos y de sus órganos y de las máquinas o instrumentos. ‖ **2.** Capacidad de acción o acción propia de los cargos y oficios. ‖ **3.** Acto solemne religioso, especialmente el celebrado en la Iglesia. ‖ **4.** Representación de una obra teatral, o proyección de una cinta cinematográfica. ‖ **5.** Por ext., la obra teatral representada o el filme proyectado. ‖ **6.** Espectáculo de circo. ‖ **7.** Fiesta de toros. ‖ **8.** Acto solemne con que se celebra o conmemora un hecho de importancia histórica. ‖ **9.** Fiesta mayor de un pueblo o festejo particular de ella. ‖ **10.** En algunas partes, funeral. ‖ **11.** En algunas partes, convite obligado de los mozos. ‖ **12.** Escándalo o alboroto que se produce en una reunión. ‖ **13.** *Ling.* Papel que, en la estructura gramatical de la oración, desempeña un elemento fónico, morfológico, léxico o sintáctico. ‖ **14.** *Ling.* Relación que los elementos de una estructura gramatical mantienen entre sí. ‖ **15.** *Ling.* Cada una de las aptitudes del lenguaje para representar la realidad, expresar los sentimientos del hablante, incitar la actuación del oyente o referirse metalingüísticamente a sí mismo. ‖ **16.** *Mat.* Regla matemática entre dos conjuntos que asigna a cada miembro del primero otro miembro del segundo. ‖ **17.** *Mil.* Acción de guerra. ‖ **exponencial.** *Mat.* La representada por $f(x) = a^x$, en la que la x, variable independiente, es un exponente. ‖ **en función** o **en funciones.** loc. adj. En ejercicio propio de su cargo. ‖ **2.** En sustitución del que ejerce en propiedad el cargo. ‖ **en función de.** loc. prepos. Dependiendo de, de acuerdo con.

funcional. adj. Perteneciente o relativo a las funciones. *Competencia* FUNCIONAL; *procedimiento* FUNCIONAL; *dependencia* o *enlace* FUNCIONAL. ‖ **2.** Dícese de todo aquello en cuyo diseño u organización se ha atendido, sobre todo, a la facilidad, utilidad y comodidad de su empleo. ‖ **3.** Dícese de cualquier obra o técnica eficazmente adecuada a sus fines. ‖ **4.** Perteneciente o relativo a las funciones biológicas o psíquicas. *Recuperación* FUNCIONAL. ‖ **5.** *Ling.* Dícese de los elementos gramaticales de relación, a diferencia de los que se emplean con plenitud semántica. ‖ **6.** *Ling.* Dícese de diversas escuelas lingüísticas que estudian la estructura del lenguaje atendiendo a la función que desempeñan los elementos idiomáticos. ‖ **7.** *Med.* Se dice de los síntomas y trastornos en los cuales la alteración morbosa de los órganos no va acompañada de lesiones visibles y es, por tanto, susceptible de desaparición rápida y total.

funcionalismo. m. *Ling.* Actitud teórica y metodológica de los lingüistas funcionalistas.

funcionalista. adj. *Ling.* Dícese de la persona entendida en los métodos y estudios que se basan en una interpretación funcional del lenguaje. Ú. t. c. s.

funcionamiento. m. Acción y efecto de funcionar.

funcionar. intr. Ejecutar una persona, máquina, etc., las funciones que le son propias.

funcionarial. adj. Perteneciente o relativo al empleo de funcionario.

funcionario, ria. (De *funcionar.*) m. y f. Persona que desempeña un empleo público. ‖ **2.** *Argent.* Empleado jerárquico, particularmente el estatal.

funcionarismo. (De *funcionario.*) m. Burocracia.

funche. m. *Cuba* y *P. Rico.* Especie de gachas de harina de maíz.

funda. (Del lat. *funda,* bolsa.) f. Cubierta o bolsa de cuero, paño, lienzo u otra tela con que se envuelve una cosa para conservarla y resguardarla.

fundación. (Del lat. *fundatĭo, -ōnis.*) f. Acción y efecto de fundar. ‖ **2.** Principio, erección, establecimiento y origen de una cosa. ‖ **3.** desus. Documento en que constan las cláusulas de una institución de mayorazgo, obra pía, etc. ‖ **4.** *Der.* Persona jurídica dedicada a la beneficencia, ciencia, enseñanza, o piedad, que continúa y cumple la voluntad de quien la erige.

fundacional. adj. Perteneciente o relativo a la fundación.

fundadamente. adv. m. Con fundamento.

fundador, ra. (Del lat. *fundātor, -ōris.*) adj. Que funda. Ú. t. c. s.

fundago. (Del m. or. que *fondac.*) m. ant. Almacén donde se guardaban algunos géneros.

fundamental. adj. Que sirve de fundamento o es lo principal en una cosa. ‖ **2.** V. **piedra fundamental.** ‖ **3.** V. **armónico fundamental.** ‖ **4.** *Geom.* Aplícase a la línea que, dividida en un número grande de partes iguales, sirve de fundamento para dividir las demás líneas que se describen en la pantómetra.

fundamentalmente. adv. m. Con arreglo a los principios y fundamentos de una cosa.

fundamentar. tr. Echar los fundamentos o cimientos de un edificio. ‖ **2.** fig. Establecer, asegurar y hacer firme una cosa.

fundamento. (Del lat. *fundamentum.*) m. Principio y cimiento en que estriba y sobre el que se apoya un edificio u otra cosa. ‖ **2.** Hablando de personas, seriedad, formalidad. *Este niño no tiene* FUNDAMENTO. ‖ **3.** Razón principal o motivo con que se pretende afianzar y asegurar una cosa. ‖ **4.** Fondo o trama de los tejidos. ‖ **5.** fig. Raíz, principio y origen en que estriba y tiene su mayor fuerza una cosa no material.

fundar. (Del lat. *fundāre.*) tr. Edificar materialmente una ciudad, colegio, hospital, etc. ‖ **2.** Estribar, apoyar, armar alguna cosa material sobre otra. Ú. t. c. prnl. ‖ **3.** Erigir, instituir un mayorazgo, universidad u obra pía, dándoles rentas y estatutos para que subsistan y se conserven. ‖ **4.** Establecer, crear. FUNDAR *un imperio, una asociación.* ‖ **5.** fig. Apoyar con motivos y razones eficaces o con discursos una cosa. FUNDAR *una sentencia, un dictamen.* Ú. t. c. prnl.

fundente. (Del lat. *fundens, -entis.*) adj. *Quím.* Que facilita la fundición. ‖ **2.** m. *Quím.* Sustancia que se mezcla con otra para facilitar la fusión de esta. ‖ **3.** *Med.* Sustancia a la que se consideraba capaz de hacer desaparecer un infarto o un tumor.

fundería. (De *fundir.*) f. desus. Fábrica en que se funden metales.

fundible. adj. Capaz de fundirse.

fundibulario. (Del lat. *fundibularĭus.*) m. Soldado que peleaba con honda.

fundíbulo. (Del lat. *fundibŭlum.*) m. Máquina de madera que servía en lo antiguo para disparar piedras de gran peso.

fundición. f. Acción y efecto de fundir o fundirse. ‖ **2.** Fábrica en que se funden los metales. ‖ **3.** Aleación de hierro y carbono que contiene más del 2 por 100 de este. Se usa principalmente para obtener piezas por moldeo del material fundido. ‖ **4.** *Impr.* Surtido o conjunto de todos los moldes o letras de una clase para imprimir.

fundido, da. p. p. de **fundir.** ‖ **2.** adj. V. **acero, hierro fundido.** ‖ **3.** fig. *Argent.* Muy cansado, abatido. ‖ **4.** m. *Cinem.* y *TV.* Transición gradual de un plano a otro durante su proyección en la pantalla, o de un sonido a otro en el altavoz.

fundidor. m. El que tiene por oficio fundir.

fundillos. (De *fondillos.*) m. pl. *Chile.* Calzón.

fundir. (Del lat. *fundĕre.*) tr. Derretir y licuar los metales, los minerales u otros cuerpos sólidos. Ú. t. c. intr. y prnl. ‖ **2.** Dar forma en moldes al metal fundido. FUNDIR *cañones, estatuas.* ‖ **3.** ant. **hundir.** Usáb. t. c. prnl. ‖ **4.** Reducir a una sola dos o más cosas diferentes. Ú. t. c. prnl. ‖ **5.** *Cinem.* y *TV.* Mezclar los últimos momentos de persistencia de la imagen en la pantalla o del sonido en el altavoz con los primeros momentos de aparición de otra imagen o de otro sonido respectivamente. ‖ **6.** prnl. fig. Unirse intereses, ideas o partidos. ‖ **7.** fig. y fam. *Amér.* Arruinarse, hundirse. *El negociante* SE FUNDIÓ. Ú. t. c. tr.

fundo, da. (Del lat. *fundus,* fondo.) adj. ant. **profundo.** ‖ **2.** m. *Der.* Heredad o finca rústica.

fúnebre. (Del lat. *funĕbris.*) adj. Relativo a los difuntos. *Honras* FÚNEBRES. ‖ **2.** fig. Muy triste, luctuoso, funesto.

fúnebremente. adv. m. De un modo fúnebre.

funebridad. (De *fúnebre.*) f. ant. p. us. Cualidad de fúnebre.

funeral. (Del lat. *funeralis.*) adj. Perteneciente al entierro y a las exequias. ‖ **2.** V. **cuarta funeral.** ‖ **3.** m. Pompa y solemnidad con que se hace un entierro o unas exequias. ‖ **4. exequias.** Ú. t. en pl.

funerala (a la). loc. adv. que expresa la manera de llevar las armas los militares en señal de duelo, con las bocas o las puntas hacia abajo. ‖ **2.** V. **ojo a la funerala.**

funeralias. (Del lat. *funeralĭa,* pl. n. de *funerālis.*) f. pl. ant. **funerales.**

funeraria. f. Empresa que se encarga de proveer las cajas, coches fúnebres y demás objetos pertenecientes a los entierros. ‖ **2.** pl. ant. **funerales.**

funerario, ria. (Del lat. *funerarĭus.*) adj. Perteneciente al entierro y a las exequias.

funéreo, a. (Del lat. *funerĕus.*) adj. poét. Perteneciente a los difuntos.

funestamente. adv. m. De un modo funesto.

funestar. (Del lat. *funestāre.*) tr. desus. Mancillar, deslustrar, profanar.

funesto, ta. (Del lat. *funestus.*) adj. Aciago; que es origen de pesares o de ruina. ‖ **2.** Triste y desgraciado.

funestoso, sa. adj. ant. **funesto.**

fungible. (Del lat. *fungi,* gastar, y *-ble.*) adj. Que se consume con el uso. ‖ **2.** *Der.* V. **bienes fungibles.**

fungicida. (Del lat. *fungus,* hongo, y *-cida.*) adj. Dícese del agente que destruye los hongos. Ú. t. c. s.

fúngico, ca. adj. Perteneciente o relativo a los hongos.

fungir. (Del lat. *fungi.*) intr. Desempeñar un empleo o cargo. Ú. frecuentemente con la prep. *de.* ‖ **2.** *Cuba* y *P. Rico.* Dárselas, echárselas de algo. FUNGIR *de alcalde, de rico, de intelectual.*

fungistático. (Del lat. *fungus,* hongo, y el gr. στατικός, que posee la virtud de detener.) adj. Dícese de las sustancias que impiden o inhiben la actividad vital de los hongos. Ú. t. c. s. m.

fungosidad. (De *fungoso.*) f. *Pat.* Excrecencia carnosa producida por hongos patógenos.

fungoso, sa. (Del lat. *fungōsus.*) adj. Perteneciente o relativo a los hongos. ‖ **2.** Esponjoso, fofo, ahuecado y lleno de poros.

funguicida. m. **fungicida.**

funicular. (Del lat. *funicŭlus,* cuerda.) adj. Aplícase al vehículo o artefacto en el cual la tracción se hace por medio de una cuerda, cable o cadena. Ú. t. c. s. ‖ **2.** V. **ferrocarril funicular.** ‖ **3.** Perteneciente o relativo a los funículos.

funículo. (Del lat. *funicŭlus,* cuerda.) m. *Anat.* Estructura de unión en forma de cordón, como los cordones nerviosos de la médula espinal. ‖ **2.** *Bot.* Cordoncito que une a la placenta cada uno de los óvulos. ‖ **3.** *Bot.* Conjunto de vasos nutritivos que unen la semilla al pericarpio después de haber atravesado la placenta. ‖ **4.** *Arq.* Adorno propio de la arquitectura románica, consistente en un toro o baquetón retorcido a manera de cable o maroma.

fuñar. (Del cat. *funyar,* estrujar, pisar, refunfuñar.) intr. *Germ.* Revolver pendencias.

fuñicar. intr. Hacer una labor con torpeza y ñoñería.

fuñingue. adj. *Cuba* y *Chile.* Dícese de la persona débil, tímida o enclenque.

fuñique. adj. Dícese de la persona inhábil y torpe en sus acciones. Ú. t. c. s. ‖ **2.** Meticuloso, chinche.

furacar. (Del lat. vulg. **furaccāre.*) tr. ant. Horadar, hacer agujeros.

furcia. f. despect. **prostituta,** ramera.

furción. (Del b. lat. *offertĭo, -ōnis.*) f. ant. **infurción.**

fúrcula. (Del lat. *furcŭla.*) f. *Zool.* Hueso de las aves con aspecto de horquilla, formado por la soldadura de ambas clavículas.

furente. (Del lat. *furens, -entis.*) adj. poét. Arrebatado y poseído de furor.

furfuráceo, a. (Del lat. *furfur, furfŭris,* salvado, y *-áceo.*) adj. Parecido al salvado.

furgón. (Del fr. *fourgon.*) m. Vagón de tren principalmente destinado al transporte de correspondencia, equipajes y mercancías. ‖ **2.** ant. Carruaje cerrado, de cuatro ruedas, con pescante cubierto, que se usaba para transporte en las poblaciones. ‖ **3.** ant. *Mil.* Carro largo y fuerte, de cuatro ruedas y cubierto, que servía para transportar equipajes, municiones o víveres. ‖ **de cola.** El que cierra la composición de un tren. ‖ **ser uno el furgón de cola.** fr. fig. y fam. Ser el último en una actividad.

furgoneta. (Del fr. *fourgonnette.*) f. Vehículo automóvil cubierto, más pequeño que el camión, destinado al reparto de mercancías.

furia. (Del lat. *furĭa.*) f. *Mit.* Cada una de las tres divinidades infernales en que se personificaban la venganza o los remordimientos. ‖ **2.** Ira exaltada. ‖ **3.** Acceso de demencia. ‖ **4.** fig. Persona muy irritada y colérica. ‖ **5.** fig. Actividad y violenta agitación de las cosas inanimadas. *La* FURIA *del viento, del mar.* ‖ **6.** fig. Prisa, velocidad y vehemencia con que se ejecuta alguna cosa. ‖ **7.** fig. Momento de mayor intensidad de una moda o costumbre. ‖ **a toda furia.** loc. adv. fig. Con la mayor intensidad o vehemencia.

furibundo, da. (Del lat. *furibundus.*) adj. Airado, colérico, muy propenso a enfurecerse. ‖ **2.** Que denota furor. *Batalla* FURIBUNDA; *miradas* FURIBUNDAS. ‖ **3.** fig. Extremadamente entusiasta o partidario.

furiente. adj. p. us. Poseído de furia.

furierismo. m. Sistema utópico de organización social propuesto por Charles Fourier (1772-1837), que excluye la propiedad privada y la familia, y agrupa a las personas en falansterios.

furierista. adj. Partidario del furierismo. Apl. a pers., ú. t. c. s. ‖ **2.** Perteneciente o relativo a este sistema.

furiosamente. adv. m. Con furia.

furioso, sa. (Del lat. *furiōsus.*) adj. Poseído de furia. ‖ **2.** Loco, que debe ser atado o sujetado. ‖ **3.** fig. Violento, terrible. ‖ **4.** fig. Muy grande y excesivo. FURIOSO *gasto;* FURIOSO *caudal.* ‖ **5.** *Blas.* V. **toro furioso.**

furlón. m. Cierto tipo de coche antiguo.

furnia. (Del gall. o port. *furna,* caverna.) f. *And.* Bodega bajo tierra. ‖ **2.** *Cuba.* Sima abierta en dirección vertical y por lo común en terreno peñascoso.

furo[1]. (Del lat. *forāre,* horadar.) m. En los ingenios de azúcar, orificio que en su parte inferior tienen las hormas cónicas de barro cocido, para salida del agua y melaza al purgar los panes de azúcar. ‖ **2.** V. **miel de furos.**

furo[2], ra. (Del lat. *furo,* hurón.) adj. Dícese de la persona huraña. ‖ **2.** *Ar.* Aplícase al animal fiero sin domar. ‖ **3.** *Ál., Ar.* y *Nav.* Furioso, fiero. ‖ **hacer furo.** fr. *Ar.* Ocultar mañosamente una cosa.

furor. (Del lat. *furor, -ōris.*) m. Cólera, ira exaltada. ‖ **2.** En la demencia o en delirios pasajeros, agitación violenta con los signos exteriores de la cólera. ‖ **3.** fig. Arrebato, entusiasmo del poeta cuando compone. ‖ **4.** fig. Actividad y violencia de las cosas. ‖ **5.** fig. Prisa, vehemencia. ‖ **6.** fig. Momento de mayor intensidad de una moda o costumbre. ‖ **uterino.** *Pat.* Deseo violento e insaciable en la mujer de entregarse a la cópula. ‖ **hacer furor.** loc. fig. Ponerse o estar muy de moda.

furriel. (De *fourrier.*) m. *Mil.* Cabo que tiene a su cargo la distribución del pan, comida y pienso de cada compañía, escuadrón o batería, así como el nombramiento del personal destinado al servicio de la tropa correspondiente. ‖ **2.** En las caballerizas reales, oficial que cuidaba de las cobranzas y paga de la gente que servía en ellas, y también de las provisiones de paja y cebada.

furriela. f. **furriera.**

furrier. (Del fr. *fourrier.*) m. En las caballerizas reales, oficial que cuidaba de las cobranzas.

furriera. (Del fr. *fourrière.*) f. Oficio de la casa real, a cuyo cargo estaban las llaves, muebles y enseres de palacio y la limpieza de ellos y de las habitaciones.

furris. adj. fam. *Ál., Ar., Nav., C. Rica, Méj.* y *Venez.* Malo, despreciable, mal hecho.

furruco. m. *Venez.* Especie de zambomba.

furrusca. f. fam. y vulg. *Col.* Gresca, pelotera.

furtadamente. adv. m. ant. **hurtadamente.**

furtador. m. ant. **hurtador.**

furtar. tr. ant. **hurtar.** ‖ **2.** prnl. ant. Escapar, huir.

furtiblemente. adv. m. ant. Ocultamente.

furtivamente. adv. m. Ocultamente.

furtivismo. m. Práctica de la persona que caza, pesca o hace leña en finca ajena, a hurto de su dueño.

furtivo, va. (Del lat. *furtīvus.*) adj. Que se hace a escondidas y como a hurto. ‖ **2.** Dícese del que caza, pesca o hace leña en finca ajena, a hurto de su dueño.

furto. m. ant. **hurto.** ‖ **a furto.** loc. adv. ant. **a hurto.**

furuminga. f. *Col.* y *Chile.* Embrollo, confusión.

furúnculo. (Del lat. *furuncŭlus.*) m. *Med.* **divieso.**

fusa. (Del it. *fusa.*) f. *Mús.* Nota de música, cuyo valor es la mitad de la semicorchea.

fusado, da. (De *fuso.*) adj. *Blas.* Dícese del escudo o pieza cargada de husos.

fusca[1]. (Del lat. *fuscus.*) f. **negrón.**

fusca[2]. f. *Extr.* y *Sal.* Maleza, hojarasca.

fuscar. (Del lat. *fuscāre.*) tr. ant. Privar de luz y claridad.

fusco, ca. (Del lat. *fuscus.*) adj. Oscuro, que tira a negro.

fuselado, da. (Del fr. *fuselé.*) adj. *Blas.* **fusado.**

fuselaje. (Del fr. *fuselage.*) m. Cuerpo del avión donde van los pasajeros y las mercancías.

fusibilidad. f. Cualidad de fusible.

fusible. (Del b. lat. *fusibĭlis.*) adj. Que puede fundirse. ‖ **2.** m. Hilo o chapa metálica, fácil de fundirse, que se coloca en algunas partes de las instalaciones eléctricas, para que, cuando la corriente sea excesiva, la interrumpa fundiéndose.

fusiforme. (Del lat. *fusus,* huso, y *-forme.*) adj. De figura de huso.

fúsil. (Del lat. *fusĭlis.*) adj. p. us. Que puede fundirse.

fusil. (Del fr. *fusil.*) m. Arma de fuego, portátil, destinada al uso de los soldados de infantería, en sustitución del arcabuz y del mosquete. Consta de un cañón de hierro o de acero, de ocho a diez decímetros de longitud ordinariamente, de un mecanismo con que se dispara, y de la caja a que este y aquel van unidos. Los modernos **fusiles,** de calibre menor que sus antecesores, son semiautomáticos o automáticos, y emplean cargador para los proyectiles. ‖ **ametrallador.** Nombre que en algunos países se daba a las ametralladoras ligeras de la guerra 1914-18, portátiles, sin soporte, y aptas para su empleo como apoyo inmediato de los pelotones. Por ser de funcionamiento delicado, poco precisas y escasamente fiables, han caído en desuso. ‖ **automático. arma automática.** ‖ **de chispa.** El de llave con pie de gato provisto de un pedernal que, chocando contra el rastrillo acerado, incendia el cebo. ‖ **de pistón.** El que se ceba colocando sobre su chimenea una cápsula cilíndrica de cobre que contiene pólvora fulminante, la cual se inflama al golpe de un martillo que reemplaza al pie de gato. ‖ **de repetición.** El que utiliza un cargador con varios cartuchos que se disparan sucesivamente.

fusilamiento. m. Acción y efecto de fusilar.

fusilar. (De *fusil.*) tr. *Mil.* Ejecutar a una persona con una descarga de fusilería. ‖ **2.** fig. y fam. Plagiar, copiar trozos o ideas de un original sin citar el nombre del autor.

fusilazo. m. Disparo hecho con fusil. ‖ **2.** Ruido originado por el mismo. ‖ **3.** Herida y daño producidos por el disparo del fusil. ‖ **4. fucilazo.**

fusilería. f. Conjunto de fusiles. ‖ **2.** Conjunto de soldados fusileros. ‖ **3.** Fuego de fusiles.

fusilero, ra. (De *fusil.*) adj. Perteneciente o relativo al fusil. ‖ **2.** V. **marcha real fusilera.** ‖ **3.** Dícese del soldado de infantería armado con fusil y bayoneta. Ú. m. c. s. m. ‖ **fusilero de montaña.** Soldado de tropa ligera.

fusión. (Del lat. *fusĭo, -ōnis.*) f. Efecto de fundir o fundirse. ‖ **2.** fig. Unión de intereses, ideas o partidos. ‖ **nuclear.** *Fís.* Reacción nuclear, producida por la unión de dos núcleos ligeros, que da lugar a un núcleo más pesado, con gran desprendimiento de energía. La **fusión** de los núcleos de hidrógeno en el Sol es el origen de la energía solar.

fusionar. tr. fig. Producir una fusión, unión de intereses, ideas o partidos. Ú. t. c. prnl.

fusionista. adj. Partidario de la fusión de ideas, intereses o partidos. Ú. t. c. s.

fusique. m. Pomo de cuello largo en cuya extremidad hay unos agujeritos para aspirar rapé. Lo usaban, por lo común, los gallegos y asturianos.

fuslera. (Del lat. *fusilarĭa.*) f. ant. **fruslera.**

fuslina. (De un der. del lat. *fusĭlis.*) f. Sitio destinado a la fundición de minerales.

fuso. m. ant. **huso.** ‖ **2.** *Blas.* **losange.**

fusor. (Del lat. *fusor, -ōris,* fundidor.) m. p. us. Recipiente o instrumento que sirve para fundir.

fusta. (Del b. lat. *fusta.*) f. p. us. Conjunto de varas, ramas y leña delgada, como la que se corta o roza de los árboles. ‖ **2.** Cierto tejido de lana. ‖ **3.** Vara flexible o látigo largo y delgado que por el extremo superior tiene una trencilla de correa que se usa para estimular a los caballos. ‖ **4.** Buque ligero de remos y con uno o dos palos, que se empleaba con frecuencia como explorador. ‖ **5.** pl. *Mancha.* Cantidad que pagan a los propietarios del terreno los dueños de los ganados por aprovechar la rastrojera.

fustado, da. (Del fr. *fusté.*) adj. *Blas.* Aplícase al árbol cuyo tronco es de diferente color que las hojas, o a la lanza o pica cuya asta es de diferente color que el hierro.

fustal. (Del ár. *Fusṭāṭ,* nombre de una ciudad anterior y vecina a la de El Cairo y hoy englobada en esta.) m. **fustán.**

fustán. (De *fustal.*) m. Tela gruesa de algodón, con pelo por una de sus caras. ‖ **2.** *Amér. Merid.* Enagua, combinación.

fustanero. m. El que fabrica fustanes.

fustaño. m. **fustán.**

fuste. (Del lat. *fustis,* palo.) m. **madera,** parte sólida de los árboles cubierta por la corteza. ‖ **2. vara,** palo largo y delgado. ‖ **3.** Vara o palo en que está fijado el hierro de la lanza. ‖ **4.** Armazón de la silla de montar. ‖ **5.** poét. Silla del caballo. ‖ **6.** fig. Fundamento de una cosa no material; como de un discurso, oración, escrito, etc. ‖ **7.** fig. Nervio, sustancia o entidad. *Hombre de* FUSTE. ‖ **8.** *Arq.* Parte de la columna que media entre el capitel y la basa. ‖ **9.** Vástago, conjunto del tallo y las hojas. ‖ **cuarentén.** *Ar.* **cuarentén.**

fustero, ra. (Del lat. *fustuarĭus.*) adj. Perteneciente al fuste. ‖ **2.** m. p. us. **tornero,** que hace obras de torno. ‖ **3.** p. us. **tornero,** que fabrica tornos. ‖ **4.** desus. **carpintero,** el que por oficio trabaja y labra madera, ordinariamente común.

fustete. (Del ár. *fustaq.*) m. Arbusto de la familia de las anacardiáceas, ramoso, copudo, de hojas alternas, pecioladas, enteras, elípticas y agudas en la base; flores verdosas en panojas pendientes, con pedúnculos muy vellosos después de la floración, y semillas redondas y duras. Se cultiva por el olor aromático de las hojas y lo curioso de las flores; el cocimiento de la madera y de la corteza sirve para teñir de amarillo las pieles.

fustigación. f. Acción y efecto de fustigar.

fustigador, ra. adj. Que fustiga. Ú. t. c. s.

fustigar. (Del lat. tardío *fustigāre.*) tr. Dar azotes. ‖ **2.** fig. Vituperar, censurar con dureza.

fusto. (De *fuste,* madera.) m. *Huesca.* Pieza de madera de hilo, de cinco a seis metros de longitud, con una escuadría de 25 a 38 centímetros de tabla por 24 a 29 de canto.

fustumbre. (De *fuste.*) f. ant. Conjunto de varas o palos.

fútbol o **futbol.** (Del ing. *football.*) m. Juego entre dos equipos de once jugadores cada uno, cuya finalidad es hacer entrar un balón por una portería, impulsándolo conforme a reglas determinadas, de las que la más característica es la prohibición de que sea tocado con las manos, salvo por un jugador que guarda la puerta, y este en una determinada zona.

futbolero, ra. (De *fútbol.*) adj. Referente o relativo al fútbol. ‖ **2.** m. y f. fam. Persona aficionada al fútbol o que practica este deporte.

futbolín. (Nombre comercial registrado, d. de *fútbol.*) m. Cierto juego en que figurillas accionadas mecánicamente, remedan un partido de fútbol.

futbolista. com. Jugador de fútbol.

futbolístico, ca. adj. Perteneciente o relativo al fútbol.

futesa. (Del fr. *foutaise.*) f. Fruslería, nadería.

fútil. (Del lat. *futĭlis.*) adj. De poco aprecio o importancia.

futilidad. (Del lat. *futilĭtas, -ātis.*) f. Poca o ninguna importancia de una cosa.

futraque. (De *futre.*) m. fam. Levita, casaca.

futre. (Del fr. *foutre.*) m. *And.* y *Amér. Merid.* Lechuguino, o simplemente persona vestida con atildamiento.

futura. (Del lat. *futūra,* t. f. de *-rus,* futuro.) f. Derecho a la sucesión de un empleo o beneficio antes de estar vacante.

futurario, ria. adj. Dícese de aquello que pertenece a futura sucesión. *Renta* FUTURARIA.

futurible. (Del lat. *futuribĭlis.*) adj. Dícese de lo futuro condicionado, que no será con seguridad, sino que sería si se diese una condición determinada. Ú. t. c. s.

futurición. f. Condición de estar orientado o proyectado hacia el futuro, como la vida humana.

futuridad. f. Condición o cualidad de futuro.

futurismo. m. Actitud espiritual, cultural, política, etc., orientada hacia el futuro. ‖ **2.** Movimiento ideológico y artístico cuyas orientaciones fueron formuladas por el poeta italiano Felipe Tomás Marinetti en 1909; pretendía revolucionar las ideas, las costumbres, el arte, la literatura y el lenguaje.

futurista. adj. Perteneciente o relativo al futurismo. ‖ **2.** Dícese del partidario del futurismo. Ú. t. c. s.

futurizo, za. adj. Orientado o proyectado hacia el futuro.

futuro, ra. (Del lat. *futūrus.*) adj. Que está por venir. Ú. t. c. s. m. ‖ **2.** V. **la vida futura.** ‖ **3.** *Gram.* V. **tiempo futuro.** Ú. t. c. s. ‖ **4.** m. y f. fam. Persona que tiene compromiso formal de casamiento con otra de distinto sexo. ‖ **contingente.** Lo que puede suceder o no. ‖ **imperfecto.** *Gram.* El que manifiesta de un modo absoluto que la cosa existirá, que la acción se ejecutará o el suceso acaecerá. Denota también una acción o un estado que, según conjetura o probabilidad, se produce o existe en el momento presente. *¿Dónde está Juan?* ESTARÁ *en la biblioteca.* Puede también tener valor de imperativo. AMARÁS *al prójimo como a ti mismo.* ‖ **perfecto.** *Gram.* El que denota acción, proceso o estado **futuros** respecto al momento en que se habla, pero pasados con relación a una acción, un proceso o un estado posteriores a dicho momento. Denota asimismo acción, proceso o estado que, según conjetura o probabilidad, se habrán verificado ya en el momento en que se habla. *Pareces cansado,* HABRÁS ESTADO *de juerga.*

futurología. (De *futuro* y *-logía.*) f. Conjunto de los estudios que se proponen predecir científicamente el futuro del hombre.

futurólogo, ga. m. y f. Persona que profesa o cultiva la futurología.

fututo. m. *Pan.* **fotuto,** instrumento de viento, pito de caña o bocina hecha con un caracol.

g. f. Octava letra del abecedario español, y sexta de sus consonantes. Su nombre es **ge.** Seguida inmediatamente de *e* o *i,* representa un sonido de articulación velar fricativa sorda, como la de la *j,* v. gr.: *genio, giro, colegio.* En cualquier otro caso representa un sonido de articulación velar sonora, oclusiva en posición inicial absoluta o precedido de nasal: *gala, gloria, angustia,* y fricativa por lo general en las demás posiciones: *paga, iglesia, agrado algo, dogma, ignoraré.* Cuando este sonido velar sonoro precede a una *e* o *i,* se transcribe interponiendo una *u* que no se pronuncia, v. gr.: *guedeja, guisa.* En los casos en que la *u* se pronuncia en alguna de estas combinaciones, debe llevar diéresis, como en *Sigüenza, argüir.*

gabacha. (De *gabacho.*) f. *Zam.* Especie de dengue de paño que usan las aldeanas.

gabachada. f. Acción propia de gabacho.

gabacho, cha. (Del prov. *gavach,* que habla mal.) adj. Dícese de los naturales de algunos pueblos de las faldas de los Pirineos. Ú. t. c. s. ‖ **2.** Perteneciente o relativo a estos pueblos. ‖ **3.** Aplícase al palomo o paloma de casta grande y calzado de plumas. ‖ **4.** fam. despect. **francés.** Apl. a pers., ú. m. c. s. ‖ **5.** m. fam. despect. Lenguaje español plagado de galicismos.

gabán. (Del ár. *qaba',* túnica de hombre con mangas.) m. Capote con mangas, y a veces con capilla, y que se hacía por lo regular de paño fuerte. ‖ **2. abrigo,** prenda de vestir.

gabaonita. adj. Natural de Gabaón. Ú. t. c. s. ‖ **2.** Perteneciente o relativo a esta ciudad de Palestina.

gabarda. (De or. prerromano.) f. *Ar.* Rosal silvestre. ‖ **2.** Fruto de este arbusto.

gabardina. (Cruce de *gabán* y *tabardina,* der. de *tabardo.*) f. p. us. Ropón con mangas ajustadas, usado por los labradores en algunas comarcas. ‖ **2.** Sobretodo de tela impermeable. ‖ **3.** Tela de tejido diagonal, con que se hacen esos sobretodos y otras prendas de vestir.

gabarra[1]**.** (Del vasc. *kabarra.*) f. Embarcación mayor que la lancha, con árbol y mastelero, y generalmente con cubierta. Suele ir remolcada, y cuando no, se maneja con vela y remo, y se usa en las costas para transportes. ‖ **2.** Barco pequeño y chato destinado a la carga y descarga en los puertos.

gabarra[2]**.** (De *gabarro.*) f. fig. y fam. *And.* Molestia, cosa pesada y enojosa.

gabarrero. m. Conductor de una gabarra. ‖ **2.** Cargador o descargador de ella. ‖ **3.** El que saca leña del monte y la transporta para venderla.

gabarro. (De or. inc.) m. Nódulo de composición distinta de la masa de la piedra en que se encuentra encerrado. ‖ **2.** Defecto que tienen las telas o tejidos en la urdimbre o trama que según su clase les corresponde. ‖ **3.** desus. Pepita[1] de las gallinas. ‖ **4.** Pasta fundida de pez, resina y piedra machacada, que se aplica en caliente para llenar las faltas de los sillares. ‖ **5.** fig. Obligación o carga con que se recibe una cosa, o incomodidad que resulta de tenerla. ‖ **6.** fig. Error en las cuentas, por malicia o equivocación. ‖ **7.** *Sal.* Abejón, tábano, zángano. ‖ **8.** *Veter.* Enfermedad de las caballerías en la parte lateral y superior del casco, la cual consiste en un tumor inflamatorio, ordinariamente con supuración y abertura fistulosa.

gabarrón. m. aum. de **gabarra.**

gabarse. (Del prov. *gabar* o del ant. fr. *gaber,* jactarse.) prnl. ant. **alabarse.**

gabasa. f. **bagasa.**

gábata. (Del lat. *gabăta.*) f. Escudilla u hortera en que se echaba la comida que se repartía a cada soldado o galeote.

gabato, ta. (De or. inc.) m. y f. *And.* Cría menor de un año de los ciervos o de las liebres.

gabazo. m. **bagazo.**

gabejo. (Del célt. *gab,* brazado, a través del lat. **gabicŭlum.*) m. Haz pequeño de paja o de leña.

gabela. (Del ár. *qabāla,* impuesto.) f. Tributo, impuesto o contribución que se paga al Estado. ‖ **2.** ant. Lugar público adonde todos podían concurrir para ver los espectáculos que se celebraban en él. ‖ **3.** fig. Carga, servidumbre, gravamen. ‖ **4.** *Col., Ecuad., P. Rico, Sto. Dom.* y *Venez.* Provecho, ventaja.

gabijón (De *gabejo.*) m. *Al.* y *Pal.* Haz de paja de centeno después de separado el grano.

gábilos. (De *gálibo.*) m. pl. *And.* Arrestos, alientos para acometer una empresa.

gabina. f. fam. *And.* **sombrero de copa.**

gabinete. (Del fr. medieval *gabinet,* hoy *cabinet.*) m. Habitación más reducida que la sala, donde se recibe a las personas de confianza. ‖ **2.** Aposento que servía de tocador a las mujeres. ‖ **3.** Conjunto de muebles para un **gabinete.** ‖ **4.** Local en que se exhibe una colección de objetos curiosos o destinados al estudio de una ciencia o arte. ‖ **5.** Habitación provista de los aparatos necesarios, donde el dentista u otro facultativo examina y trata a sus pacientes. ‖ **6. ministerio,** gobierno del Estado. ‖ **7. ministerio,** cuerpo de ministros que lo componen. ‖ **8.** V. **correo, cuestión de gabinete.** ‖ **9.** *Col.* Balcón cubierto. ‖ **de gabinete.** loc. adj. que se aplica al que escribe o trata de una materia, conociéndola solo por teoría, sin tener en ella práctica, o a las materias así conocidas.

gabita. f. *Ast.* Yunta de encuarte.

gablete. (Del fr. *gablet.*) m. *Arq.* Remate formado por dos líneas rectas y ápice agudo, que se ponía en los edificios de estilo ojival.

gabote. m. *Ar.* **volante,** zoquetillo del juego de este nombre.

gabrieles. m. pl. fam. Garbanzos del cocido.

gabuzo. m. *León* y *Zam.* Vara seca de brezo que, colgada verticalmente y encendida por el extremo inferior, sirve para el alumbrado doméstico.

gacel. (Del ár. *gazāl.*) m. Macho de la gacela.

gacela. (Del ár. *gazāla.*) f. Antílope algo menor que el corzo, que habita en Persia, Arabia y el norte de África, y es muy celebrado por su gentileza, por su agilidad y por la hermosura de sus ojos, grandes, negros y vivos. Tiene la cola corta, las piernas muy finas, blanco el vientre, leonado el lomo, y las astas encorvadas a modo de lira.

gaceta[1]. (Del it. *gazzetta.*) f. Papel periódico en que se dan noticias políticas, literarias, etc. Hoy únicamente suele aplicarse esta denominación a periódicos que no tratan de política, sino de algún ramo especial de literatura, de administración, etc. GACETA *de Teatro;* GACETA *de los Tribunales.* ‖ **2.** En España, nombre que tuvo durante muchos años el diario oficial del gobierno. ‖ **3.** fig. y fam. **correveidile.** ‖ **mentir más que la gaceta.** fr. fig. y fam. Mentir mucho.

gaceta[2]. (Del fr. *cassette.*) f. Caja refractaria que sirve para colocar dentro del horno los baldosines que han de cocerse.

gacetable. adj. Decíase del proyecto apto para convertirse en disposición gubernativa y publicarse como tal en la gaceta oficial.

gacetero, ra. m. y f. Persona que escribe para las gacetas o las vende.

gacetilla. (d. de *gaceta*[1].) f. Parte de un periódico destinada a la inserción de noticias cortas. ‖ **2.** Cada una de estas mismas noticias. ‖ **3.** fig. y fam. Persona que por hábito e inclinación lleva y trae noticias de una parte a otra.

gacetillero, ra. m. y f. Persona que redacta gacetillas.

gacetista. com. Persona aficionada a leer gacetas. ‖ **2.** fig. Persona que habla frecuentemente de novedades.

gacilla. (De *gaza*[1].) f. *C. Rica.* Broche, imperdible.

gacha. (De or. inc.) f. Cualquier masa muy blanda que tira a líquida. ‖ **2.** *Col.* y *Venez.* Cuenco, escudilla de loza o barro. ‖ **3.** pl. Comida compuesta de harina cocida con agua y sal, la cual se puede aderezar con leche, miel u otro aliño. ‖ **4.** fig. y fam. Lodo, barro. ‖ **5.** *And.* Halagos, caricias, mimos. ‖ **hacerse** uno **unas gachas.** fr. fig. y fam. Expresar el cariño con demasiada melosidad y enternecimiento.

gachapazo. m. Costalada, caída violenta.

gachapero. m. *And.* Lodazal.

gachapo. m. *Ast.* y *León.* Recipiente, generalmente de cuerno, donde el segador lleva la piedra de afilar la guadaña.

gachasmigas. f. pl. *Murc.* Especie de migas hechas con harina en vez de pan desmenuzado.

gaché. (Voz gitana.) m. Nombre con que los gitanos designan a los andaluces. ‖ **2.** *And.* **gachó.**

gacheta[1]. f. d. de **gacha.** ‖ **2. engrudo.**

gacheta[2]. (Del fr. *gâchette.*) f. Palanquita que, oprimida por un resorte, sujeta en su posición el pestillo de algunas cerraduras, encajándose en él por medio de dientes y muescas. ‖ **2.** Cada uno de los dientes de esta clase que hay en la cola del pestillo.

gachí. (f. gitano de *gachó.*) f. En ambientes populares, mujer, muchacha.

gacho, cha. (Relacionado con *agachar.*) adj. Encorvado, inclinado hacia la tierra. ‖ **2.** Dícese del buey o vaca que tiene uno de los cuernos o ambos inclinados hacia abajo. ‖ **3.** Dícese del caballo o yegua muy enfrenados, que tienen el hocico muy metido al pecho, a distinción de los despapados, que levantan mucho la cabeza. ‖ **4.** Dícese del cuerno torcido hacia abajo. ‖ **5.** V. **sombrero gacho.** ‖ **a gachas.** loc. adv. fam. **a gatas.**

gachó. (Voz gitana.) m. En ambientes populares, hombre en general, y en especial el amante de una mujer.

gachón, na. (De *gacha,* mimo.) adj. fam. Que tiene gracia, atractivo y dulzura. ‖ **2.** fam. *And.* Dícese del niño que se cría con mucho mimo.

gachonada. (De *gachón.*) f. fam. Gracia, donaire, atractivo.

gachonería. (De *gachón.*) f. fam. Gracia, donaire, atractivo. ‖ **2.** fam. *And.* Mimo, halago.

gachuela. f. d. de **gacha.**

gachumbo. m. *Amér.* Cáscara leñosa y dura de varios frutos, de la que se hacen vasijas, tazas y otros utensilios.

gachupín. m. *Méj.* **cachupín.**

gádido, da. (Del gr. γάδος, pescada, e *-ido.*) adj. *Zool.* Dícese de ciertos peces anacantos, simétricos y de buen tamaño, caracterizados por su cuerpo alargado, aletas pelvianas insertas al mismo por delante de la vertical de las pectorales; dorsales y anal blandas, que ocupan casi todo el cuerpo; como el bacalao y la merluza. ‖ **2.** m. pl. *Zool.* Familia de estos peces.

gaditano, na. (Del lat. *Gaditānus,* de Cádiz.) adj. Natural de Cádiz. Ú. t. c. s. ‖ **2.** Perteneciente o relativo a esta ciudad o a su provincia.

gadolinio. (De *Gadolin,* químico finlandés.) m. *Quím.* Elemento que aún no se ha podido obtener en estado metálico puro. Sus sales son incoloras. Núm. atómico 64. Símb.: *Gd.*

gaélico, ca. (Del ing. *Gaelic.*) adj. Aplícase a los dialectos de la lengua céltica que se hablan en ciertas comarcas de Irlanda y Escocia. Ú. t. c. s. m.

gaetano, na. adj. Natural de Gaeta. Ú. t. c. s. ‖ **2.** Perteneciente o relativo a esta ciudad de Italia.

gafa. (De or. inc.) f. Instrumento para armar la ballesta, que atrae con fuerza la cuerda hasta montarla en la nuez. ‖ **2. grapa,** pieza de metal para sujetar dos cosas. ‖ **3.** *Mar.* Especie de tenaza para suspender objetos pesados. ‖ **4.** pl. Los dos ganchos que, sujetos con cuerdas a otra más larga, sirven para subir y bajar los materiales en las construcciones. ‖ **5.** Tablilla pendiente de dos hierros corvos en la parte superior, que se cuelga en la barandilla de la mesa de trucos para afianzar la mano izquierda y poder jugar la bola que está entronerada. ‖ **6.** Enganches con que se afianzan los anteojos detrás de las orejas. ‖ **7.** Anteojos con este género de armadura.

gafar[1]. (De *gafa.*) tr. Arrebatar una cosa con las uñas o con un instrumento corvo. ‖ **2.** Lañar, componer con gafas o grapas los objetos rotos, principalmente los de cerámica. ‖ **3.** prnl. *Col.* Despearse un animal por haber caminado mucho, especialmente las caballerías desprovistas de herraduras.

gafar[2]. (De *gafe.*) tr. fam. Transmitir o comunicar mala suerte a alguien o a algo.

gafarrón. m. *Ar.* y *Murc.* **pardillo,** ave.

gafe. (Del m. or. que *gafo.*) adj. Dícese de la persona aguafiestas o de mala sombra. Ú. t. c. s.

gafedad. (De *gafo.*) f. Contracción permanente de los dedos, que impide su movimiento. ‖ **2.** *Pat.* Lepra en que se mantienen fuertemente encorvados los dedos de las manos, y también, a veces, los de los pies.

gafete. (d. de *gafa.*) m. Broche metálico de macho y hembra.

gafetí. (Del ár. *gāfitī,* perteneciente al *gāfit,* eupatorio.) m. **eupatorio.**

gafez. f. ant. **gafedad.**

gafo, fa. (Del m. or. que *gafa.*) adj. Que tiene encorvados y sin movimiento los dedos de manos y pies. Ú. t. c. s. ‖ **2.** Que padece la lepra llamada gafedad. Ú. t. c. s. ‖ **3.** *Col., C. Rica* y *P. Rico.* Despeado. Dícese de la caballería o del animal vacuno que, por haber andado mucho sin herraduras por terreno duro, tiene la planta del casco irritada y no puede caminar sin dolor.

gafoso, sa. adj. ant. **gafo.**

gagate. m. ant. **gagates.**

gagates. (Del gr. γαγάτης, a través del lat. *gagātes.*) m. ant. **azabache.**

gago, ga. (Voz imitativa.) adj. **tartamudo.**

gaguear. intr. **tartamudear.** ‖ **2.** *Sal.* **susurrar;** ú. t. c. tr. ‖ **3.** prnl. *Sal.* Empezarse a divulgar una cosa.

gaguera. f. **tartamudez.**

gaibola. (Del lat. *caveŏla*, jaula.) f. *Murc.* Jaula del hurón.

gaicano. m. *Cuba.* **rémora,** pez marino acantopterigio.

gaita. (Probablemente del gót. *gaits*, cabra.) f. Flauta de unos cuarenta centímetros, al modo de chirimía, que, acompañada del tamboril, se usa mucho en las fiestas populares. ‖ **2. gaita gallega.** ‖ **3.** fig. y fam. **pescuezo.** *Alargar la* GAITA; *sacar la* GAITA. ‖ **4.** fig. y fam. Cosa difícil, ardua o engorrosa. Ú. generalmente con el verbo *ser*. *Es* GAITA *servir a hombre tan delicado.* ‖ **5.** fig. y fam. Cosa desagradable y molesta. ‖ **6.** ant. **enema,** medicamento líquido que se introduce por el ano. ‖ **gallega.** Instrumento musical de viento formado por un cuero de cabrito a manera de odre, denominado fuelle, al cual van unidos tres tubos de boj: uno delgado, llamado soplete, con una válvula en su base, por el cual se sopla para henchir de aire el fuelle; otro corto, el puntero, especie de dulzaina, provisto de agujeros donde pulsan los dedos del tañedor, y el tercero más grueso y largo, llamado roncón, que produce un sonido continuado y forma el bajo del instrumento. ‖ **2.** V. **endecasílabo de gaita gallega.** ‖ **zamorana.** Instrumento musical, en forma de caja más larga que ancha, que contiene diferentes cuerdas, a las que hiere una rueda que está dentro, al ser movida por una cigüeña de hierro; tiene a un lado varias teclas que, pulsadas con la mano izquierda, forman la diferencia de los tañidos. ‖ **ándese la gaita por el lugar.** expr. fig. y fam. que se emplea para dar a entender la indiferencia con que uno mira aquello que por ningún concepto le importa o interesa. ‖ **estar** uno **de gaita.** fr. fig. y fam. Estar alegre y contento, y hablar con gusto y placer. ‖ **templar gaitas.** fr. fig. y fam. Usar contemplaciones para concertar voluntades o satisfacer o desenojar a uno.

gaitería. (De *gaitero*.) f. Vestido o adorno, o modo de vestir y adornarse, de varios colores fuertes, alegres y contrapuestos.

gaitero, ra. (De *gaita*.) adj. fam. Dícese de la persona ridículamente alegre, y que usa chistes poco correspondientes a su edad o estado. Ú. t. c. s. ‖ **2.** fam. Aplícase a los vestidos o adornos de colores demasiado llamativos y combinados con extravagancia. ‖ **3.** m. y f. Persona que tiene por oficio tocar la gaita.

gaje. (Del fr. *gage*, prenda.) m. Emolumento, obvención que corresponde a un destino o empleo. Ú. m. en pl. ‖ **2.** ant. Prenda o señal de aceptar un desafío. ‖ **3.** pl. ant. Sueldo o estipendio que pagaba el príncipe a los de su casa o a los soldados. ‖ **gajes del oficio, empleo,** etc. loc. irón. Molestias o perjuicios que se experimentan con motivo del empleo u ocupación.

gajero. adj. ant. Que goza de gajes o recibe salario.

gajo. (Del lat. vulg. **gallĕus*, semejante a una agalla de roble o de encina.) m. Rama de árbol, sobre todo cuando está desprendida del tronco. ‖ **2.** Cada uno de los grupos de uvas en que se divide el racimo. ‖ **3.** Racimo apiñado de cualquier fruta. GAJO *de ciruelas, de guindas.* ‖ **4.** Cada una de las partes en que está naturalmente dividido el interior de algunos frutos; como la naranja, el limón, la granada, etc. ‖ **5.** Cada uno de los vástagos o puntas de las horcas, bieldos y otros instrumentos de labranza. ‖ **6.** Ramal de montes que deriva de una cordillera principal. ‖ **7.** Cada una de las partes, a manera de ondas, que sobresalen en el borde de una cosa. ‖ **8.** ant. Ramo que sale de algunas cosas, o que aparentemente nace, depende y tiene relación con ellas. ‖ **9.** *Argent.* **esqueje.** ‖ **10.** *Hond.* Mechón de pelo.

gajorro. m. *And.* Gañote, garguero. ‖ **2.** *And.* Fruta de sartén hecha de harina, huevos y miel, de consistencia semejante al barquillo.

gajoso, sa. adj. Que tiene gajos o se compone de ellos.

gajuerro. m. *And.* Gañote, garguero.

gala. (Del ant. fr. *gale*, diversión, placer.) f. Vestido sobresaliente y lucido. ‖ **2.** Fiesta en la que se exige vestido especial de esta clase. ‖ **3.** Gracia, garbo y bizarría en hacer o decir algo. ‖ **4.** Actuación artística de carácter excepcional. ‖ **5.** Lo más esmerado, exquisito y selecto de una cosa. *Isabel es la* GALA *del pueblo.* ‖ **6.** *Ant.* y *Méj.* Obsequio que se hace dando una moneda de corto valor a una persona por haber sobresalido en alguna habilidad o como propina. ‖ **7.** pl. Trajes, joyas y demás artículos de lujo que se poseen y ostentan. ‖ **8.** Regalos que se hacen a los que van a contraer matrimonio. ‖ **9.** *Sal.* Flores de las plantas herbáceas. ‖ **de Francia. balsamina,** planta geraniácea. ‖ **a la gala de** uno. loc. adv. ant. **a** su **salud.** ‖ **cantar la gala.** fr. fig. Alabar, glorificar. ‖ **de gala.** loc. adj. Dícese del uniforme o traje de mayor lujo, en contraposición al que se usa para diario. ‖ **2.** Dícese de las ceremonias, fiestas o espectáculos en que se exige vestido especial de esta clase. *Función* DE GALA. ‖ **3.** loc. adv. Con indumentaria de especial lujo o vistosidad. *Vestir* DE GALA, *ir* DE GALA. ‖ **de media gala.** loc. adj. Dícese del uniforme o traje que por ciertas prendas o adornos se diferencia del de **gala** y del de diario. ‖ **hacer gala de** una cosa. fr. fig. Preciarse y gloriarse de ella. ‖ **hacer gala del sambenito.** fr. fig. y fam. Gloriarse de una acción mala o vergonzosa. ‖ **la gala del nadador es saber guardar la ropa.** fr. proverb. que da a entender que, en cualquier empeño, lo más importante es cuidar de no sufrir un daño o detrimento. ‖ **llevar** o **llevarse** uno **la gala.** fr. Merecer el aplauso, atención y estimación de las gentes. ‖ **tener a gala.** fr. **hacer gala de.**

galaadita. adj. Natural del antiguo país de Galaad, situado en Palestina, al este del Jordán. Ú. t. c. s. ‖ **2.** Perteneciente o relativo a esta región.

galabardera. (Emparentado con *gabarda*.) f. Rosal silvestre. ‖ **2.** Fruto de este arbusto.

galáctico, ca. (Del gr. γαλακτικός, lechoso.) adj. *Astron.* Perteneciente o relativo a la Vía Láctea o a cualquier otra galaxia.

galactita. (Del gr. γαλακτίτης, lácteo, a través del lat. *galactītes*.) f. Arcilla jabonosa que se deshace en el agua, a la que da color de leche.

galactites. f. **galactita.**

galactófago, ga. (Del gr. γάλα, -ακτος, leche, y *-fago*.) adj. Que se mantiene de leche. Ú. t. c. s.

galactómetro. (Del gr. γάλα, -ακτος, leche, y *-metro*.) m. Instrumento que sirve para medir la densidad de la leche.

galactosa. f. *Quím.* Azúcar que se prepara mediante hidrólisis de la lactosa.

galacho. (Quizá del ár. *ḫalīǧ*, brazo de un río.) m. *Ar.* Barranquera que excavan las aguas al correr por las pendientes del terreno.

galafate. m. Ladrón sagaz que roba con arte, disimulo o engaño. ‖ **2.** desus. **corchete,** ministro inferior de justicia. ‖ **3.** desus. **ganapán.** ‖ **4.** *Cuba.* Pez marino de color negro azulado, de la misma familia que el pejepuerco. Vive en los fondos someros coralinos del Caribe.

galaico, ca. (Del lat. *Gallaĭcus*.) adj. Perteneciente o relativo a Galicia. *Cordillera* GALAICA, *literatura* GALAICA.

galamero, ra. (De or. inc.) adj. p. us. Aficionado a golosinas.

galamperna. f. *Ál.* Hongo con el sombrerillo atetado, de color pardo, carne blanca, de buen olor y sabor.

galán. (Del fr. *galant*.) adj. **galano.** ‖ **2.** m. Hombre de buen semblante, bien proporcionado y airoso en el manejo de su persona. ‖ **3.** El que galantea a una mujer. ‖ **4.** El que en el teatro hace alguno de los principales papeles serios, con exclusión del de barba. *Primer* GALÁN; *segundo* GALÁN. ‖ **5.** Por ext., se aplica también al actor de este tipo en el cine. ‖ **de día.** Arbusto de la familia de las solanáceas, propio de América tropical, de hojas apuntadas, verdes, lustrosas por encima, pálidas por el envés; flores blancas en figura de clavo, seis o más en un pedúnculo, y por fruto unas bayas esféricas moradas. ‖ **de noche.** Arbusto ramoso de la familia de las solanáceas, propio de América tropical, que lleva en su parte superior hojas alternas de olor muy fuerte; flores blancuzcas de cinco pétalos soldados por la parte inferior a manera de tubo, muy olorosas por la noche, y por fruto unas bayas esféricas de color perla. ‖ **2.** *C. Rica.* Cacto con flores grandes blancas y olorosas, que se abren por la noche.

galanamente. adv. m. Con gala. ‖ **2.** fig. Con elegancia y gracia.

galancete. m. d. de **galán.** ‖ **2.** Actor que representa papeles de galán joven.

galanga. (Del ár. *jalanŷ*, planta de las Indias Orientales.) f. Planta exótica de la familia de las cingiberáceas, de hojas radicales, enteras, planas, envainadoras, con el nervio medio prominente; flores blanquecinas, tubulares, en espiga sobre un bohordo central, y raíz en rizoma nudoso de unos dos centímetros de diámetro, parda por fuera, roja por dentro, aromática, amarga y picante. ‖ **2.** Rizoma de esta planta, usado antiguamente en medicina. ‖ **3.** Bacín plano con borde entrante y mango hueco, para usar en la cama.

galanía. (De *galán.*) f. **galanura.**

galano, na. (De *galán.*) adj. Bien adornado. ‖ **2.** Dispuesto con buen gusto e intención de agradar. ‖ **3.** Que viste bien, con aseo, compostura y primor. ‖ **4.** fig. Dicho de las producciones del ingenio, elegante y gallardo. *Discurso, estilo* GALANO; *comparación* GALANA. ‖ **5.** fam. V. **cuentas galanas.** ‖ **6.** fig. *Mar.* V. **guerra galana.** ‖ **7.** fig. y fam. V. **pata galana.** ‖ **8.** *Zam.* y *C. Rica.* Dicho de las plantas, lozano, hermoso. ‖ **9.** *Cuba.* Aplícase a la res de pelo de varios colores. ‖ **10.** f. *Sal.* Flor de la margarita.

galante. (Del fr. *galant.*) adj. Atento, cortés, obsequioso, en especial con las damas. ‖ **2.** Aplícase a la mujer que gusta de galanteos, y a la de costumbres licenciosas. ‖ **3.** Que trata con picardía un tema amoroso. *Literatura* GALANTE.

galanteador. adj. Que galantea. Ú. t. c. s.

galantear. (De *galante.*) tr. Requebrar a una mujer. ‖ **2.** Procurar captarse el amor de una mujer, especialmente para seducirla. ‖ **3.** fig. Solicitar asiduamente alguna cosa o la voluntad de una persona. ‖ **4.** ant. **engalanar.**

galantemente. adv. m. Con galantería.

galanteo. m. Acción de galantear.

galantería. (De *galante.*) f. Acción o expresión obsequiosa, cortesana o de urbanidad. ‖ **2.** desus. Gracia y elegancia que se advierte en la forma o figura de algunas cosas. ‖ **3.** Liberalidad, bizarría, generosidad.

galanura. (De *galán.*) f. Adorno vistoso o gallardía que resulta de la gala. ‖ **2.** Gracia, gentileza, donosura. ‖ **3.** fig. Elegancia y gallardía en el modo de expresar los conceptos.

galapagar. m. Sitio donde abundan los galápagos.

galápago. (De or. prerromano.) m. Reptil del orden de los quelonios, parecido a la tortuga, pero con los dedos reunidos por membranas interdigitales, por ser de vida acuática; la cabeza y extremidades son enteramente retráctiles y pueden ocultarse dentro del caparazón. ‖ **2.** Palo donde encaja la reja del arado. ‖ **3.** Polea chata por un lado para poder fijarla cómodamente en un madero. ‖ **4.** Aparato que sirve para sujetar fuertemente una pieza que se trabaja, como el barrón acodillado con que se fijan en los bancos las piezas, o la prensa en que los arcabuceros metían el cañón para asegurarlo y poderlo barrenar. ‖ **5.** Molde en que se hace la teja. ‖ **6.** Lingote corto de plomo, estaño o cobre. ‖ **7.** *Sal.* Trozo de vaqueta que se cose a las botas que usan los ganaderos, para evitar que entre el agua. ‖ **8.** *Ecuad.* Especie de **galápago** terrícola, sin membranas interdigitales. ‖ **9.** *Hond.*, *Perú* y *Venez.* Silla de montar para señora. ‖ **10.** *Albañ.* Cimbra pequeña. ‖ **11.** *Albañ.* Reparo y revestido que se hace en los subterráneos de terreno poco macizo para contener el empuje de las tierras. ‖ **12.** *Albañ.* Tortada de yeso que se echa en los ángulos salientes de un tejado. ‖ **13.** *Cir.* Tira de lienzo, cuadrilonga, hendida por los dos extremos, sin llegar al medio, y que forma por lo común cuatro ramales. ‖ **14.** *Equit.* Silla de montar, ligera y sin ningún resalto; a la inglesa. ‖ **15.** *Mar.* Trozo de madera asegurado en uno y otro lado de la cruz de una verga, para sujetar la trinca del cuadernal de la paloma. ‖ **16.** *Mil.* Defensa que formaban los soldados juntando sus escudos. ‖ **17.** *Mil.* Máquina antigua de guerra, barracón de madera transportable y cubierto por el techo con pieles, usado para guarecerse la tropa mientras se aproximaba a los muros enemigos. ‖ **18.** *Veter.* Enfermedad propia de las caballerías que se desarrolla en el rodete del casco y parte de la corona, caracterizada por una secreción anormal de la materia córnea de la tapa.

galapaguera. f. Estanque pequeño en que se conservan vivos los galápagos.

galapatillo. m. *Ar.* Insecto del orden de los hemípteros, que ataca a la espiga del trigo cuando está sin sazonar.

galapero. m. *Extr.* Guadapero, peral silvestre.

galapo. m. Pieza esférica de madera con unas canales donde se ponen los hilos o cordeles que se han de torcer en uno para formar otros mayores.

galardón. (De *gualardón.*) m. Premio o recompensa de los méritos o servicios.

galardonador, ra. adj. Que galardona.

galardonar. tr. Premiar o remunerar los servicios o méritos de uno.

galardoneador, ra. adj. ant. **galardonador.**

gálata. (Del lat. *Galăta.*) adj. Natural de Galacia. Ú. t. c. s. ‖ **2.** Perteneciente o relativo a este país de Asia antigua. ‖ **3.** Dícese del pueblo celta emigrado de Galia y establecido en Asia Menor.

galatina. (Del ant. fr. *galatine.*) f. ant. **gelatina.**

galatites. f. **galactita.**

galavardo. m. ant. Hombre alto, desgarbado y dejado, inútil para el trabajo.

galaxia. (Del gr. γαλαξίας, lácteo, a través del lat. *galaxĭas.*) f. **galactita.** ‖ **2.** n. p. f. *Astron.* Inmenso conjunto de astros, nebulosas, etc., del que forman parte nuestro sistema solar y todas las estrellas visibles, incluidas las que integran la Vía Láctea. ‖ **3.** f. Por ext., cada uno de los sistemas semejantes a la **Galaxia** que se encuentran aislados y esparcidos en el Universo.

galayo. (De or. inc.) m. Prominencia aguda de roca pelada que se eleva en un monte. Ú. m. en pl.

galbana[1]. (Del ár. *galbāna*, tristeza, descontento, desánimo.) f. fam. Pereza, desidia o poca gana de hacer una cosa.

galbana[2]. (Del ár. *ŷalbāna*, guisante pequeño.) f. ant. Guisante pequeño. Ú. en Salamanca.

galbanado, da. adj. De color del gálbano.

galbanero, ra. (De *galbana*[1].) adj. fam. **galbanoso.**

gálbano. (Del lat. *galbănum.*) m. Gomorresina de color gris amarillento, más o menos sólida y de olor aromático, que se saca de una planta de la familia de las umbelíferas, espontánea en Siria. Se ha usado en medicina y entraba en la composición del perfume quemado por los judíos ante el altar de oro.

galbanoso, sa. (De *galbana*[1].) adj. fam. Desidioso, perezoso.

gálbula. (Del lat. *galbŭlus*, d. de *galbus*, de color verde claro.) f. Fruto en forma de cono corto, y de base redondeada, a veces carnoso, que producen el ciprés y algunas plantas análogas.

galce. m. *Ar.* Gárgol, ranura en el canto de una tabla para machihembrarla con otra. ‖ **2.** *Ar.* Marco o aro.

galdido, da. (En valenciano *galdir, engaldir,* gulusmear, tragar.) adj. **gandido,** tragado.

galdón. m. **alcaudón.**

galdosiano, na. adj. Propio y característico de Pérez Galdós como escritor, o que tiene semejanza con las dotes o cualidades por que se distinguen sus obras.

galdrufa. (Del cat. *baldrufa.*) f. *Ar.* Trompo, peonza.

galdudo, da. adj. ant. **galdido.**

gálea. (Del lat. *galĕa.*) f. Casco con carrilleras que usaban los soldados romanos.

galea. (De etim. disc.) f. ant. Galera, embarcación. ‖ **2.** *Germ.* Carreta, especialmente la de ruedas de madera y sin llantas de hierro.

galeana. adj. *Sal.* Dícese de una especie de uva blanca, de grano grueso y redondo. Ú. m. c. s.

galeato. (Del lat. *galeātus,* cubierto con casco o celada.) adj. Aplícase al prólogo o proemio de una obra que la defiende de los reparos y objeciones que se le han puesto o se le pueden poner.

galeaza. (aum. de *galea.*) f. Embarcación, la mayor de las que se usaban de remos y velas. Llevaba tres mástiles: artimón, maestro y trinquete, mientras que las galeras ordinarias carecían de artimón.

galega. (Del gr. γάλα, leche, y αἴξ, αἰγός, cabra.) f. Planta de la familia de las papilionáceas, con tallos de 8 a 12 decímetros de altura, ramosos y herbáceos; hojas compuestas de 11 a 17 hojuelas enteras, lanceoladas y de borde grueso; flores blancas, azuladas o rojizas, en panojas axilares pendientes de un largo pecíolo, y fruto en vaina estriada con muchas semillas. Se ha empleado en medicina y hoy se cultiva en los jardines.

galena. (Del gr. γαλήνη, a través del lat. *galēna.*) f. Mineral compuesto de azufre y plomo, de color gris y lustre intenso. Es la mejor mena del plomo.

galénico, ca. adj. Perteneciente o relativo a las doctrinas de Galeno. Ú. t. c. s.

galenismo. m. Doctrina de Galeno, el médico más famoso de la antigüedad después de Hipócrates.

galenista. adj. Partidario del galenismo. Ú. t. c. s.

galeno[1]. (Por alusión al médico Claudio *Galeno.*) m. fam. Médico, persona autorizada para ejercer la medicina. ‖ **2.** n. p. V. **cerato de Galeno.**

galeno[2], na. (Del gr. γαληνός, apacible, tranquilo.) adj. *Mar.* Dícese del viento suave y apacible.

gáleo. (Del gr. γαλεός, a través del lat. *galĕos.*) m. **cazón[1],** pez.

galeón. (aum. de *galea.*) m. Bajel grande de vela, parecido a la galera y con tres o cuatro palos, en los que orientaban, generalmente, velas de cruz; los había de guerra y mercantes. ‖ **2.** Cada una de las naves de gran porte que, saliendo periódicamente de Cádiz, tocaban en puertos determinados del nuevo mundo. ‖ **3.** fig. *And.* Cámara grande o nave que sirve para panera o almacén de diferentes frutos.

galeoncete. m. d. ant. de **galeón.**

galeota. (De *galea.*) f. Galera menor, que tenía 16 ó 20 remos por banda, y solo un hombre a cada remo. Llevaba dos palos y algunos cañones pequeños.

galeote. (De *galea.*) m. El que remaba forzado en las galeras.

galeoto. (Del it. *Galeotto,* personaje y libro mencionados por Dante.) m. Alcahuete, medianero en amores lascivos.

galera. (De *galea.*) f. Carro para transportar personas, grande, de cuatro ruedas, ordinariamente con cubierta o toldo de lienzo fuerte. ‖ **2.** p. us. Cárcel de mujeres. ‖ **3.** Embarcación de vela y remo, la más larga de quilla y que calaba menos agua entre las de vela latina. ‖ **4.** V. **capón de galera.** ‖ **5.** V. **general de galeras.** ‖ **6.** Fila de camas adicional en los hospitales. ‖ **7.** *C. Rica, Hond.* y *Méj.* Cobertizo, tinglado. ‖ **8.** fam. *Argent., Chile* y *Urug.* Sombrero de copa redondeada, o alta y cilíndrica, y alas abarquilladas. ‖ **9.** *Arit.* Separación que se hace al escribir los términos de una división, trazando una línea vertical entre el dividendo, que se pone a la izquierda, y el divisor, que va en el mismo renglón a la derecha, y luego otra raya horizontal debajo de este último, para escribir allí el cociente. ‖ **10.** *Carp.* Garlopa grande. ‖ **11.** *Impr.* Tabla guarnecida por tres de sus lados de unos listones con rebajo, en que entra otra tablita delgada que se llama volandera: servía para poner las líneas de letras que iba componiendo el oficial cajista, formando con ellas la galerada. ‖ **12.** *Min.* Fila de hornos de reverbero en que se colocan varias retortas que se calientan con el mismo fuego. ‖ **13.** Cualquiera de los crustáceos adultos del orden de los estomatópodos. ‖ **14.** pl. Pena de servir remando en las **galeras** reales, que se imponía a ciertos delincuentes. *Echar a* GALERAS; *condenar a* GALERAS. ‖ **acelerada.** La de transporte terrestre especialmente rápida. ‖ **bastarda.** *Mar.* La más fuerte que la ordinaria. ‖ **gruesa.** *Mar.* La de mayor porte. ‖ **sutil.** *Mar.* La más pequeña. ‖ **sacar** algo **de la galera.** fr. fig. *Argent.* Sorprender a otro con un hecho inesperado.

galerada. f. Carga que cabe en una galera de ruedas. ‖ **2.** *Impr.* Trozo de composición que se ponía en una galera o en un galerín. ‖ **3.** *Impr.* Prueba de la composición o de algún trozo, que se saca para corregirla.

galerero. m. El que gobierna las mulas de la galera o es dueño de ella.

galería. (En b. lat. *galilaea,* pórtico, atrio.) f. Pieza larga y espaciosa, con muchas ventanas, o sostenida por columnas o pilares, que sirve para pasear o para colocar en ella cuadros, adornos y otros objetos. ‖ **2.** Corredor descubierto o con vidrieras, que da luz a las piezas interiores de las casas. ‖ **3.** Colección de pinturas. ‖ **4.** Estudio de un fotógrafo profesional. ‖ **5.** Camino subterráneo que se hace en las minas para descanso, ventilación, comunicación y desagüe. ‖ **6.** El que se hace en otras obras subterráneas. ‖ **7.** Paraíso del teatro. ‖ **8.** Público que concurre al paraíso de los teatros. ‖ **9.** Por ext., conjunto de espectadores u oyentes de carácter popular, que suelen manifestar su opinión abiertamente. ‖ **10.** Bastidor que se coloca en la parte superior de una puerta o balcón para colgar en él las cortinas. ‖ **11.** Ornato calado o de columnitas que se pone en la parte superior de un mueble. ‖ **12.** *Mar.* Espacio de popa a proa en medio de la cubierta. ‖ **13.** *Mar.* Cada uno de los balcones de la popa del navío. ‖ **14.** *Mil.* Camino estrecho y subterráneo construido en una fortificación para facilitar el ataque o la defensa. ‖ **15.** *Mil.* Camino defendido lateralmente por maderos clavados al suelo y techado con tablas cubiertas de materias poco combustibles construido en terreno expuesto a los tiros de una plaza, para poder acercarse a su muralla. ‖ **16.** pl. Tienda o almacén de cierta importancia. ‖ **17.** Pasaje interior con varios establecimientos comerciales. ‖ **cubierta.** Construcción debida al hombre primitivo, especie de corredor formado por grandes piedras y con techo también de piedra. ‖ **de arte.** Establecimiento comercial donde se exponen y venden cuadros, esculturas y otros objetos de arte.

galerín. m. d. de **galera.** ‖ **2.** *Impr.* Tabla de madera, o plancha de metal, larga y estrecha, con un listón en su parte inferior y costado derecho, que forma ángulo recto, donde los cajistas, colocándolo en la caja diagonalmente, depositaban las líneas de composición según las iban haciendo, hasta que se llenaban y formaban una galerada.

galerita. (Del lat. *galerīta.*) f. **cogujada.**

galerna. (Del fr. *galerne.*) f. Viento súbito y borrascoso que, en la costa septentrional de España, suele soplar entre el Oeste y el Noroeste.

galerno. m. **galerna.**

galero. (Del lat. *galērus.*) m. *Cantabria.* Especie de sombrero chambergo.

galerón. m. *Amér. Merid.* Romance vulgar que se canta en una especie de recitado. ‖ **2.** *Col.* y *Venez.* Aire popular al son del cual se baila y se cantan cuartetas y seguidillas. ‖ **3.** *C. Rica* y *El Salv.* Cobertizo, tinglado.

galés, sa. adj. Natural de Gales. Ú. t. c. s. ‖ **2.** Perteneciente o relativo a este país de las Islas Británicas. ‖ **3.** m. Idioma **galés,** uno de los célticos.

galfarro. m. *León.* **gavilán,** ave. ‖ **2.** ant. Ministro inferior de justicia. ‖ **3.** fig. Hombre ocioso, perdido, que se mantiene hurtando.

galga[1]. (De *galgo.*) f. Piedra grande que desprendida de lo alto de una cuesta, baja rodando y dando saltos. ‖ **2.** Piedra que gira alrededor del árbol del alfarje en los molinos de aceite. ‖ **3.** *Hond.* Hormiga amarilla que anda velozmente.

galga[2]. f. Erupción cutánea, parecida a la sarna, que sale frecuentemente en el cuello por falta de aseo.

galga[3]. f. Cada una de las cintas cosidas al calzado de las mujeres para sujetarlo a la canilla de la pierna.

galga[4]. f. Palo grueso y largo atado por los extremos fuertemente a la caja del carro, que sirve de freno, al oprimir el cubo de una de las ruedas. ‖ **2.** Féretro o andas en que se llevaba a enterrar a los pobres. ‖ **3.** Herramienta que sirve para comprobar la dimensión o forma de una pieza. ‖ **4.** *Mar.* Orinque o anclote con que se engalga o refuerza en malos tiempos el ancla fondeada. Por ext., se da este nombre a la ayuda que se da al ancla empotrada en tierra, haciendo firme en su cruz un calabrote que se amarra a un noray, para evitar que el esfuerzo del buque pueda arrancarla. ‖ **5.** pl. *Min.* Los dos maderos inclinados que por la parte superior se apoyan en el hastial de una excavación y sirven para sostener el huso de un torno de mano.

galgo, ga. (Del lat. vulg. *Gallĭcus* [*canis*].) adj. V. **perro galgo.** Ú. m. c. s. ‖ **2.** m. **perro galgo.** ‖ **3.** Goloso, laminero. ‖ **¡échale un galgo!** expr. fig. y fam. que denota la dificultad de alcanzar a una persona, o la de comprender u obtener una cosa. ‖ **el que nos vendió el galgo.** expr. fig. y fam. con que se explica lo muy conocida que es una persona por algún chasco que ha dado. ‖ **la galga de Lucas.** expr. fig. y fam. con que se da a entender que alguno falta cuando es más necesario. ‖ **no le alcanzarán galgos.** expr. fig. y fam. con que se pondera la distancia de algún parentesco. ‖ **váyase a espulgar un galgo.** expr. fig. y fam. que se usa para despedir a uno con desprecio.

galguear. tr. *León.* Mondar, limpiar las regueras.

galgueño, ña. adj. Relativo o parecido al galgo.

galguería. f. fam. Golosina, chuchería. Ú. m. en pl.

galguero[1]. m. Cuerda con que se templa la galga[4] del carro y que se ata a una anilla.

galguero[2]. m. El que cuida los galgos.

galguesco, ca. adj. **galgueño.**

gálgulo. (Del lat. *galgŭlus,* nombre de un pajarillo de color verde claro.) m. **rabilargo,** pájaro.

galiana. (De *Gallia,* Francia.) f. **cañada[1]** de ganado.

galianos. (De *galiana.*) m. pl. Comida que hacen los pastores con torta cocida a las brasas y guisada después con aceite y caldo.

galibar. (De *gálibo.*) tr. *Mar.* Trazar con los gálibos el contorno de las piezas de los buques.

gálibo. (Del ár. *qālib,* molde.) m. Plantilla o patrón para trazar o comprobar un perfil. ‖ **2.** Figura ideal, cuyo perímetro marca las dimensiones máximas de la sección transversal autorizadas a los vehículos cargados, que hayan de pasar por túneles, arcos, etc. ‖ **3.** Arco de hierro en forma de U invertida, que sirve en las estaciones de los ferrocarriles para comprobar si los vagones con su carga máxima pueden circular por los túneles y bajo los pasos elevados. ‖ **4.** fig. **elegancia.** ‖ **5.** *Mar.* Plantilla con arreglo a la cual se hacen las cuadernas y otras piezas de los barcos. ‖ **6.** *Mar.* La figura que se da al contorno de las ligazones de un buque, y aun su forma misma después de construido. ‖ **7.** fig. *Arq.* Buen aspecto de una columna por la acertada proporción de sus dimensiones.

galicado, da. (De *gálico.*) adj. Dícese del estilo, frase o palabra en que se advierte la influencia de la lengua francesa.

galicanismo. m. Sistema doctrinal iniciado en Francia que postula la disminución del poder del Papa en favor del episcopado y de los grados inferiores de la jerarquía eclesiástica (**galicanismo** eclesiástico) y la subordinación de la Iglesia al Estado (**galicanismo** político).

galicano, na. (Del lat. *Gallicānus.*) adj. Perteneciente a las Galias. Se usa principalmente hablando de la Iglesia de Francia y de su especial liturgia y disciplina. ‖ **2.** Dícese del estilo y frase de influencia francesa.

galiciano, na. (De *Galicia.*) adj. Perteneciente o relativo a Galicia.

galicinio. (Del lat. *gallicinĭum,* canto del gallo.) m. ant. Parte de la noche próxima al amanecer.

galicismo. (Del lat. *Gallĭcus,* francés, e *-ismo.*) m. Idiotismo propio de la lengua francesa. ‖ **2.** Vocablo o giro de esta lengua empleado en otra. ‖ **3.** Empleo de vocablos o giros de la lengua francesa en distinto idioma.

galicista. adj. Perteneciente o relativo al galicismo. ‖ **2.** com. Persona que incurre frecuentemente en galicismos, hablando o escribiendo. Ú. t. c. adj.

gálico, ca. (Del lat. *Gallĭcus.*) adj. Perteneciente o relativo a las Galias. ‖ **2.** *Med.* V. **morbo gálico.** ‖ **3.** m. **sífilis.**

galicoso, sa. adj. Que padece gálico. Ú. t. c. s.

galicursi. adj. fam. Dícese del lenguaje en que por afectación de elegancia se usan frecuentes galicismos. ‖ **2.** fam. Dícese de la persona que emplea este lenguaje. Ú. t. c. s.

galilea[1]. (De *Galilaea,* en Palestina.) f. Pórtico o atrio de las iglesias, con especialidad la parte ocupada con tumbas de próceres o reyes. ‖ **2.** Pieza cubierta, fuera del templo, sin retablo ni altar, ni apariencia de capilla, que servía de cementerio.

galilea[2]. (De las palabras de Jesucristo *«et ecce praecedit vos in Galilaeam»,* Mateo, XXVIII, 7.) f. En la Iglesia griega, tiempo que media entre la Pascua de Resurrección y la Ascensión.

galileo, a. (Del lat. *Galilaeus.*) adj. Natural de Galilea. Ú. t. c. s. ‖ **2.** Perteneciente o relativo a este país de Tierra Santa. ‖ **3.** m. Nombre que por oprobio han dado algunos a Jesucristo y a los cristianos.

galillo. (De *galla,* agalla.) m. Campanilla del velo del paladar. ‖ **2.** fam. Gaznate, gañote.

galima. (Del ár. *ganīma,* rapiña.) f. ant. Hurto frecuente y pequeño.

galimar. (De *galima.*) tr. ant. Arrebatar o robar.

galimatías. (Del fr. *galimatias,* discurso o escrito embrollado.) m. fam. Lenguaje oscuro por la impropiedad de la frase o por la confusión de las ideas. ‖ **2.** fig. y fam. Confusión, desorden, lío.

galináceo, a. adj. *Zool.* **gallináceo.** Ú. t. c. s. f.

galindo, da. adj. ant. Torcido, engarabitado.

galio[1]. (Del gr. *γάλιον,* a través del lat. *galĭon.*) m. Hierba de la familia de las rubiáceas, con tallos erguidos, de tres a seis decímetros, delgados, nudosos y ramosos; hojas lineales, surcadas, casi filiformes y puntiagudas; flores amarillas en panojas terminales muy apretadas, y fruto en drupa con dos semillas de figura de riñón. Se ha usado en medicina y sirve en la fabricación de quesos para cuajar la leche.

galio[2]. (De *Galia,* por haberse descubierto en Francia.) m. *Quím.* Metal muy raro, de la familia del aluminio, que se suele encontrar en los minerales de cinc. Es muy fusible. Núm. atómico 31. Símb.: *Ga*.

galiparla. (De *galo* y *parlar*.) f. Lenguaje de los que emplean en español voces y giros afrancesados.

galiparlante. adj. **galiparlista.**

galiparlista. (De *galiparla*.) com. Persona que emplea la galiparla.

galipote. (Del fr. *galipot*.) m. *Mar*. Especie de brea o alquitrán para calafatear.

galizabra. (De *galea* y *zabra*.) f. Embarcación de vela latina, que era común en los mares de Levante, de porte de unas cien toneladas.

galo, la. (Del lat. *Gallus*.) adj. Natural de la Galia. Ú. t. c. s. ‖ **2.** Perteneciente o relativo a dicho país. ‖ **3.** m. Antigua lengua céltica de las Galias.

galocha[1]. (Del prov. *galocha* o del fr. *galoche*.) f. Calzado de madera con refuerzos de hierro, que se usa en algunas provincias para andar por la nieve, el lodo o por suelo muy mojado.

galocha[2]. (Como *galota*.) f. ant. Birrete de dos puntas que cubre las orejas.

galochero. m. El que hace o vende galochas[1].

galocho, cha. adj. Dícese del que es de mala vida. ‖ **2.** fam. Dejado, desmalazado.

galón[1]. (Del fr. *galon*.) m. Tejido fuerte y estrecho, a manera de cinta, que sirve para guarnecer vestidos u otras cosas. ‖ **2.** *Mar*. Listón de madera que guarnece exteriormente el costado de la embarcación por la parte superior, y a la lumbre del agua. ‖ **3.** *Mil*. Distintivo que llevan en el brazo o en la bocamanga diferentes clases del ejército o de cualquier otra fuerza organizada militarmente, hasta el coronel inclusive.

galón[2]. (Del ing. *gallon*.) m. Medida de capacidad para líquidos, usada en Gran Bretaña, donde equivale a algo más de 4,5 litros, y en América del Norte, donde equivale a algo menos de 3,8 litros.

galoneador, ra. m. y f. Persona que galonea o ribetea.

galoneadura. f. Labor o adorno hecho con galones.

galonear. tr. Guarnecer o adornar con galones los vestidos u otras cosas.

galonista. (De *galón*, distintivo.) m. fam. Alumno distinguido de un colegio o academia militar a quien por premio se concede el uso de las insignias de cabo o sargento, representativas de cierta autoridad sobre sus compañeros.

galop. (Del fr. *galop*.) m. Danza húngara, usada también en otros pueblos. ‖ **2.** Música de este baile.

galopa. f. **galop.**

galopada. f. Carrera a galope.

galopante. p. a. de **galopar.** Que galopa. ‖ **2.** adj. fig. Aplícase a procesos de desarrollo y desenlace muy rápidos, especialmente a ciertas enfermedades.

galopar. (Del fr. *galoper*.) intr. Ir el cuadrúpedo a galope. ‖ **2.** Cabalgar en caballo que va a galope.

galope. (De *galopar*.) m. *Equit*. Aire del cuadrúpedo, más rápido que el trote. Se descompone en cuatro tiempos: 1) apoyo de uno de los pies; 2) apoyo del bípedo diagonal (mano y pie contrapuestos) que queda libre; 3) apoyo en la mano contraria, y 4) suspensión o salto. Según sea la mano apoyada en el tercer tiempo, el jinete o el animal galopan «a la izquierda» o «a la derecha». ‖ **2.** V. **estay de galope.** ‖ **sostenido,** o **medio galope.** Marcha del caballo a **galope,** pero acompasadamente y sin gran celeridad: no es aire natural, sino de escuela. ‖ **tendido.** Movimiento máximo del **galope,** a todo correr del caballo. ‖ **a,** o **de, galope.** loc. adv. fig. Con prisa y aceleración.

galopeado, da. p. p. de **galopear.** ‖ **2.** adj. fam. Hecho deprisa y, por lo mismo, mal. ‖ **3.** m. fam. Castigo dado a uno con bofetadas o a puñadas. ‖ **4.** *And*. Plato compuesto de harina, pimentón, ajo frito, aceite y vinagre.

galopear. intr. **galopar.**

galopeo. m. ant. **galope.**

galopillo. (d. de *galopo*.) m. Criado que sirve en los oficios más humildes de la cocina.

galopín. (Del fr. *galopin*.) m. Cualquier muchacho mal vestido, sucio y desharrapado, por abandono. ‖ **2.** Pícaro, bribón, sin crianza ni vergüenza. ‖ **3.** fig. y fam. Hombre taimado, de talento y de mundo. ‖ **4.** *Mar*. **paje de escoba.** ‖ **de cocina. galopillo.**

galopinada. f. Acción de galopín, pícaro. ‖ **2.** Acción de galopín, hombre de mundo.

galopo. (De *galopar*.) m. Pícaro.

galota. (Del fr. *calotte*, birrete.) f. ant. Birrete de dos puntas que cubre las orejas.

galpito. m. Pollo débil, enfermizo y de pocas medras.

galpón. (Probablemente del nahua *calpúlli*, casa grande.) m. Casa grande de una planta. ‖ **2.** Departamento que se destinaba a los esclavos en las haciendas de América. ‖ **3.** *Amér. Merid.* y *Nicar*. Cobertizo grande con paredes o sin ellas.

galúa. f. *Murc*. Variedad de mújol.

galucha. f. *Col., Cuba, P. Rico* y *Venez*. **galope.**

galuchar. intr. *Col., Cuba, P. Rico* y *Venez*. **galopar.**

Galván. n. p. **no lo entenderá Galván.** expr. fig. y fam. con que se denota que una cosa es muy intrincada, oscura o imperceptible. ‖ **no nos conozca Galván,** o **no le conocerá Galván** fr. proverb. alusiva a un antiguo romance. Se usa para denominar a persona o cosa disfrazada o difícil de reconocer.

galvánico, ca. adj. *Fís*. Perteneciente al galvanismo.

galvanismo. (De *Galvani*, físico italiano.) m. *Fís*. Electricidad desarrollada por el contacto de dos metales diferentes, generalmente el cobre y el cinc, con un líquido interpuesto. ‖ **2.** *Fís*. Propiedad de producir, mediante corrientes eléctricas, los movimientos en los nervios y músculos de animales vivos o muertos. ‖ **3.** Parte de la física que estudiaba el **galvanismo.**

galvanización. f. Acción y efecto de galvanizar. ‖ **2.** *Med*. Utilización de la electricidad galvánica para el diagnóstico y tratamiento de enfermedades.

galvanizado, da. p. p. de **galvanizar.** ‖ **2.** m. **galvanización.**

galvanizar. tr. *Fís*. Aplicar el galvanismo a un animal vivo o muerto. ‖ **2.** Aplicar una capa de metal sobre otro, empleando al efecto el galvanismo. ‖ **3.** Dar un baño de cinc fundido a un alambre, plancha de hierro, etc., para que no se oxide. ‖ **4.** fig. Reactivar súbitamente cualquier actividad humana, energías, entusiasmos, etc.

galvano. m. Reproducción, por lo común artística, hecha por galvanoplastia.

galvanómetro. (De *galvano* y *-metro*.) m. *Fís*. Aparato destinado a medir la intensidad y determinar el sentido de una corriente eléctrica por medio de la desviación que sufre una aguja imantada sita en el interior de un carrete rodeado por alambre de cobre envuelto en seda, cuando pasa la corriente por dicho alambre.

galvanoplasta. com. Persona especializada en galvanoplastia.

galvanoplastia. (De *galvano*, y el gr. πλαστός, modelado.) f. *Fís*. Arte de sobreponer a cualquier cuerpo sólido una capa de un metal disuelto en un líquido, valiéndose de corrientes eléctricas, procedimiento con que suelen prepararse moldes para vaciados y para la estampación estereotípica.

galvanoplástica. f. *Fís*. **galvanoplastia.**

galvanoplástico, ca. adj. Perteneciente a la galvanoplastia.

galvanoscopio. (De *galvano*, y *-scopio*.) m. Galvanómetro, especialmente el que revela la existencia de una corriente eléctrica sin medirla.

galvanostega. com. Persona especializada en trabajos de galvanostegia.

galvanostegia. f. Tipo de galvanoplastia en que es de metal el cuerpo que se recubre con una capa metálica electrolítica.

galla. (Del lat. *galla.*) f. Agalla del roble. ‖ **2.** Agalla del pez. ‖ **3.** Remolino que a veces forma el pelo del caballo en los lados del pecho, detrás del codo y junto a la cinchera.

galladura. (De *gallar.*) f. Pinta como de sangre, menor que una lenteja, que en la yema del huevo puesto por la gallina señala que está fecundado.

gallar. (De *gallo.*) tr. Cubrir el gallo a la gallina.

gállara. (Del lat. *gallŭla.*) f. Agalla del roble. ‖ **2.** Agalla del pez.

gallarda. (De *gallardo.*) f. Especie de danza de la escuela española, así llamada por ser muy airosa. ‖ **2.** Tañido de esta danza. ‖ **3.** *Impr.* Carácter de letra menor que el breviario y mayor que la glosilla.

gallardamente. adv. m. Con gallardía.

gallardear. intr. Ostentar bizarría y desembarazo en hacer alguna cosa. Ú. t. c. prnl.

gallardete. (Del prov. ant. *galhardet,* banderola.) m. *Mar.* Tira o faja volante que va disminuyendo hasta rematar en punta, y se pone en lo alto de los mástiles de la embarcación, o en otra parte, como insignia, o para adorno, aviso o señal.

gallardetón. m. *Mar.* Gallardete rematado en dos puntas, más corto y ancho que el ordinario.

gallardía. f. Bizarría y buen aire, especialmente en el movimiento del cuerpo. ‖ **2.** Esfuerzo y arrojo en ejecutar las acciones y acometer las empresas.

gallardo, da. (Del fr. *gaillard.*) adj. Desembarazado, airoso y galán. ‖ **2.** Bizarro, valiente. ‖ **3.** fig. En cosas correspondientes al ánimo, grande o excelente. GALLARDO *pensamiento*; GALLARDO *poeta.*

gallareta. (De *gallo.*) f. **foja**[2].

gallarín. (De *gallo,* en el juego del monte.) m. ant. Cuenta que se hace doblando siempre el número en progresión geométrica. ‖ **salir** a uno **al gallarín** una cosa. fr. fam. Resultarle mal o vergonzosamente.

gállaro. (De *gállara.*) m. Agalla del roble.

gallarofa. f. *Ar.* Hoja de la mazorca del maíz.

gallarón. (De *gallo.*) m. **sisón**[1], ave zancuda.

gallaruza. (De or. inc.) f. Vestido de gente montañesa, con capucha para defender la cabeza del frío y de las aguas. ‖ **2.** fig. y fam. V. **gente de gallaruza.**

gallear[1]. tr. Cubrir el gallo a la gallina. ‖ **2.** intr. fig. y fam. Presumir de hombría, alzar la voz con amenazas y gritos. ‖ **3.** Pretender sobresalir entre otros con presunción o jactancia. ‖ **4.** *Taurom.* Hacer galleos. ‖ **5.** prnl. ant. Enfurecerse con uno diciéndole injurias.

gallear[2]. (Del lat. *galla.*) intr. *Metal.* Formarse desigualdades en la superficie de algunos metales cuando después de fundidos se enfrían rápidamente y, resquebrajándose, dejan salir la masa interior.

gallegada. f. Multitud de gallegos. ‖ **2.** Palabra o acción propia de gallegos. ‖ **3.** Cierto baile de los gallegos. ‖ **4.** Tañido correspondiente a este baile. *Tocar la* GALLEGADA.

gallego, ga. (Del lat. *Gallaecus.*) adj. Natural de Galicia. Ú. t. c. s. ‖ **2.** Perteneciente o relativo a esta región de España. ‖ **3.** En Castilla, dícese del viento cauro o noroeste, porque viene de la parte de Galicia. Ú. t. c. s. ‖ **4.** V. **gaita, trompa gallega.** ‖ **5.** V. **nabo gallego.** ‖ **6.** fig. y fam. V. **mesa gallega,** o **de gallegos.** ‖ **7.** *Argent., Bol.* y *P. Rico.* Español que vive en aquellas regiones. Ú. t. c. s. ‖ **8.** m. Lengua de los **gallegos.** ‖ **9.** *C. Rica.* Especie de lagartija que vive en las orillas de los ríos y nada con mucha rapidez. ‖ **10.** *Cuba* y *P. Rico.* Ave acuática parecida a la gaviota.

gallegoportugués. adj. Perteneciente o relativo a la lengua gallega en su fase medieval. ‖ **2.** m. La lengua gallega en dicha fase.

galleguismo. m. Locución, giro o modo de hablar peculiar y propio de los gallegos. ‖ **2.** Amor a Galicia y a las cosas gallegas.

galleo[1]. (De *gallear*[1].) m. Jactancia, presunción. ‖ **2.** *Taurom.* Quiebro que, ayudado con la capa, hace el torero ante el toro.

galleo[2]. m. *Metal.* Acción y efecto de gallear[2].

gallera. f. Gallinero en que se crían los gallos de pelea. ‖ **2.** Edificio construido expresamente para las riñas de gallos. ‖ **3.** Jaula donde se transportan los gallos de pelea.

gallería. f. *Amér.* **gallera.**

gallero. adj. *Amér.* Aficionado a las riñas de gallos. Ú. t. c. s. ‖ **2.** m. Individuo que se dedica a la cría de gallos de pelea.

galleta[1]. (Del fr. *galette.*) f. Pasta compuesta de harina, azúcar y a veces huevo, manteca o confituras diversas, que, dividida en trozos pequeños y moldeados o modelados en forma varia, se cuecen al horno. ‖ **2.** Pan sin levadura para los barcos. ‖ **3.** Carbón mineral lavado y clasificado, cuyos trozos han de tener un tamaño reglamentario comprendido entre 25 y 45 milímetros. ‖ **4.** fam. Cachete, bofetada. ‖ **5.** *Chile.* Pan bazo para los trabajadores del campo. ‖ **6.** *Mar.* Disco de bordes redondeados en que rematan los palos y las astas de banderas. ‖ **7.** *Mar.* El escudo de la gorra del marino. ‖ **8.** *Mil.* Disco con que se sustituyó el pompón en el chacó y morrión militares, y que llevaba en la parte anterior el número del regimiento. ‖ **colgar la galleta.** loc. fig. y fam. Pedir el retiro o la separación de la Armada.

galleta[2]. (De or. inc.) f. Vasija pequeña con un caño torcido para verter el licor que contiene. ‖ **2.** rur. *R. de la Plata.* Calabaza chata, redonda y sin asa, que se emplea como recipiente para tomar mate o contener líquidos.

gallete. (De or. inc.) m. Úvula, garganta. ‖ **beber a gallete.** fr. Beber a chorro de un botijo, bota o porrón, sin tocar el pico los labios.

galletería. f. Lugar donde se fabrican las galletas. ‖ **2.** Tienda en que se venden.

galletero, ra. adj. Perteneciente o relativo a las galletas. ‖ **2.** m. y f. Persona que trabaja en la fabricación de galletas. ‖ **3.** m. Recipiente en que se conservan y sirven las galletas.

galliforme. adj. Que tiene forma de gallo. ‖ **2.** *Zool.* Dícese de aves de costumbres terrestres y aspecto compacto, con patas robustas, que usan para escarbar en el suelo, y pico corto ligeramente curvado. Las alas son cortas y el vuelo, aunque rápido, suele ser poco sostenido. Generalmente presentan carúnculas faciales coloreadas, como la gallina, la perdiz y el faisán. Ú. t. c. s. ‖ **3.** f. pl. *Zool.* Orden de estas aves.

gallillo. m. **galillo.**

gallina. (Del lat. *gallīna.*) f. Hembra del gallo, de menor tamaño que este, cresta pequeña o rudimentaria, cola sin cobijas prolongadas y tarsos sin espolones. ‖ **2.** V. **leche, pata, pie de gallina.** ‖ **3.** fig. V. **carne, paso de gallina.** ‖ **4.** com. fig. y fam. Persona cobarde, pusilánime y tímida. *Esteban es un* GALLINA. ‖ **armada.** Guisado que se hace asando y lardeando una **gallina,** poniendo yemas de huevo y polvoreando el conjunto con harina y sal. ‖ **ciega.** Juego de muchachos, en que uno, con los ojos vendados, trata de atrapar a otro y adivinar quién es; si lo logra, pasa el atrapado a ocupar su puesto. ‖ **2. chotacabras.** ‖ **3.** *Chile.* Ave solitaria y nocturna. Se alimenta de insectos que caza al vuelo durante la noche. ‖ **de agua. foja**[2]. ‖ **de Guinea.** Ave galliforme, poco mayor que la **gallina** común, de cabeza pelada, cresta ósea, carúnculas rojizas en las mejillas y plumaje negro azulado, con manchas blancas, pequeñas y redondas, simétricamente distribuidas por todo el cuerpo; cola corta y puntiaguda, lo mismo en el macho que en la hembra, y tarsos sin espolones. Originaria del país de su nombre, se ha domesticado en Europa, y su carne es muy estimada. ‖ **de mar.** Pez teleósteo, del suborden de los acantopterigios, común en el Mediterráneo, de dos a tres decímetros de largo, con cabeza provista de aristas o crestas óseas, algunas de ellas con puntas espinosas; cuerpo comprimido y escamoso, aletas fuertes y color rojizo. Es comestible. ‖ **de río. fúlica.** ‖ **en corral ajeno.** fig. y fam. Persona que se halla avergonzada y confusa entre gente desconocida. ‖ **fría. gallina** muerta, particularmente la que se paga en foro a los señores en Galicia. ‖ **guinea. gallina de Guinea.** ‖ **sorda. chocha.** ‖ **acostarse** uno **con las gallinas.** fr. fig. y fam. Acostarse muy temprano. ‖ **cantar la gallina.** fr. Cacarear el gallo de pelea cuando se acobarda o se siente vencido. ‖ **2.** fig. y fam. Confesar uno su equivocación o su falta cuando se ve obligado a ello. ‖ **cuando meen las gallinas.** expr. fig. y fam. con que se denota la imposibilidad de hacer o conseguir una cosa, o que no debe hacerse por ser impertinente. ‖ **echar una gallina.** fr. Poner huevos a una **gallina** clueca para que los empolle. ‖ **hurtar gallina y pregonar rodilla.** fr. contra hipócritas que, después de apropiarse lo ajeno, escrupulizan en algo insignificante. ‖ **matar la gallina de los huevos de oro.** fr. proverb. que alude a una fábula conocida. Dícese cuando, por avaricia de ganar mucho enseguida, se pierde todo. ‖ **ser** uno **un gallina.** fr. fig. y fam. Ser cobarde, pusilánime y tímido.

gallináceo, a. (Del lat. *gallinacĕus*) adj. Perteneciente a la gallina. ‖ **2.** f. pl. *Zool.* Nombre que se daba a las especies representantes del orden de las galliformes.

gallinaza. (Del lat. *gallinacĕa*, term. f. de *-cĕus.*) f. **aura**[2]. ‖ **2.** Excremento o estiércol de las gallinas.

gallinazo. (Del lat. *gallinacĕus.*) m. **aura**[2], ave rapaz.

gallinejas. f. pl. Tripas fritas de gallina u otras aves, y a veces de otros animales, que se venden en las calles o en establecimientos populares.

gallinería. (De *gallinero.*) f. Lugar o puesto donde se venden gallinas. ‖ **2.** Conjunto de gallinas. ‖ **3.** ant. Lugar donde duermen las aves de corral. ‖ **4.** fig. Cobardía y pusilanimidad.

gallinero, ra. (Del lat. *gallinarĭus.*) adj. V. **albarda gallinera.** ‖ **2.** *Cetr.* Aplícase a las aves de rapiña cebadas en las gallinas. ‖ **3.** m. y f. Persona que trata en gallinas. ‖ **4.** m. Lugar o cobertizo donde las aves de corral se recogen a dormir. ‖ **5.** Conjunto de gallinas que se crían en una granja o casa. ‖ **6.** Cesto o cesta donde van encerradas las gallinas que se llevan a vender. ‖ **7.** fig. desus. Cazuela del teatro. ‖ **8.** fig. Paraíso del teatro. ‖ **9.** fig. Lugar donde la mucha gritería no deja que se entiendan unos con otros. ‖ **no llegar al gallinero.** fr. fig. y fam. No llegar a su completo desarrollo el niño débil o enfermizo.

gallineta. (d. de *gallina.*) f. **fúlica.** ‖ **2. chocha.** ‖ **3.** *Argent.*, *Col.*, *Chile* y *Venez.* **gallina de Guinea.**

gallinita. f. d. de **gallina.** ‖ **2.** *Ar.*, *Burg.*, *Córd.* y *Rioja.* **mariquita**[1], insecto coleóptero.

gallino. m. *And.* y *Murc.* Gallo al que le faltan las cobijas de la cola.

gallinoso, sa. adj. ant. Pusilánime, tímido, cobarde.

gallipato. (De *gallo* y *pato.*) m. Batracio del orden de los urodelos, que alcanza unos 30 centímetros de largo: tiene dos filas de dientes en el paladar, comprimida la cola, y las costillas horadan la piel y se hacen salientes a voluntad del animal. Vive en los estanques cenagosos y en las fuentes.

gallipava. (De *gallipavo.*) f. Gallina de una variedad mayor que las comunes. Abunda en Andalucía y Murcia.

gallipavo. (De *gallo* y *pavo.*) m. **pavo,** ave galliforme. ‖ **2.** fig. y fam. **gallo,** nota falsa.

gallipuente. (De *gallón*, tepe, y *puente.*) m. *Ar.* Especie de puente sin barandas, que se hace en las acequias para comunicación de los campos; suele ser de cañas cubiertas de césped.

gallístico, ca. adj. Perteneciente o relativo a los gallos, y especialmente a las peleas de estos. *Circo* GALLÍSTICO.

gallito. (d. de *gallo.*) m. fig. Hombre presuntuoso o jactancioso. Ú. t. c. adj. ‖ **2.** *C. Rica.* **caballito del diablo.** ‖ **3.** *Col.* Flechilla de juguete para clavarla en un blanco. ‖ **4.** *Cuba.* Ave zancuda, con espolones en las alas, uñas largas y agudas, plumaje de color rojo oscuro y negro; ojos pardos, pies verdosos. Permanece en las inmediaciones de las aguas estancadas donde flotan plantas acuáticas. ‖ **5.** *Argent.* Pájaro dentirrostro, de color gris verdoso, vientre rojo y copete en la cabeza. ‖ **del rey. budión.**

gallo. (Del lat. *gallus.*) m. Ave del orden de las galliformes de aspecto arrogante, cabeza adornada de una cresta roja, carnosa y ordinariamente erguida; pico corto, grueso y arqueado; carúnculas rojas y pendientes a uno y otro lado de la cara; plumaje abundante, lustroso y a menudo con visos irisados; cola de catorce penas cortas y levantadas, sobre las que se alzan y prolongan en arco las cobijas, y tarsos fuertes, escamosos, armados de espolones largos y agudos. ‖ **2.** Pez marino del orden de los acantopterigios, de unos 20 centímetros de largo, cabeza pequeña, boca prominente, cuerpo comprimido, verdoso por encima y plateado por el vientre, aletas pequeñas, la dorsal en figura de cresta de un **gallo,** y cola redonda. ‖ **3.** En el juego del monte, las dos segundas cartas que echa el banquero y se colocan por debajo del albur. ‖ **4. molinete,** juguete; solían pintar en él un **gallo** porque los muchachos lo llevaban cuando iban a ver correr **gallos.** ‖ **5.** Hombre fuerte, valiente. Ú. t. c. adj. ‖ **6.** Hombre que trata de imponerse a los demás por su agresividad o jactancia. ‖ **7.** V. **cresta, ojo, pata, pie de gallo.** ‖ **8.** V. **misa del gallo.** ‖ **9.** V. **rey de gallos.** ‖ **10.** fig. y fam. V. **memoria, muelas de gallo.** ‖ **11.** fig. y fam. Nota falsa y chillona que emite el que canta, perora o habla. ‖ **12.** fig. y fam. El que en una casa, pueblo o comunidad todo lo manda o lo quiere mandar y disponer a su voluntad. ‖ **13.** fig. y fam. Esputo, gargajo. ‖ **14.** *Ál.* **estoque,** planta. ‖ **15.** *Alm.* Corcho que flota en el agua para indicar el lugar en que se ha fondeado la red. ‖ **16.** *Col.* Rehilete, volante. ‖ **17.** *Perú.* **papagayo,** botella de forma especial que se usa para recoger la orina del varón encamado. ‖ **18.** *Méj.* **serenata.** ‖ **19.** *Arq.* **parhilera.** ‖ **de monte.** *Ál.* **grajo,** ave semejante al cuervo. ‖ **de roca.** Pájaro dentirrostro que habita en Colombia, Venezuela y el Perú. ‖ **silvestre. urogallo.** ‖ **abaja acá, gallo, que estás encaramado.** fr. contra engreídos. ‖ **al primer gallo.** loc. adv. ant. A medianoche. ‖ **alzar** uno **el gallo.** fr. fig. y fam. Manifestar soberbia o arrogancia en la conversación o en el trato. ‖ **andar** uno **de gallo.** fr. fig. y fam. Pasar la noche en bromas, bailes u otras diversiones. ‖ **bajar el gallo.** fr. fig. y fam. Deponer la altanería con que se habla o trata a alguna persona. ‖ **como el gallo de Morón, cacareando y sin plumas.** expr. fig. y fam. que se aplica a los que conservan algún orgullo, aunque en la pendencia o negocio en que se metieron queden vencidos. ‖ **correr gallos.** loc. con que se designa un entretenimiento de carnaval, que consiste en enterrar un **gallo,** dejándole fuera el pescuezo y cabeza, y uno de los que juegan, con los ojos vendados, lo busca con una espada en la mano; consiste el lance en herirle o cortarle la cabeza con ella. Otros persiguen al **gallo** continuamente, hasta que lo alcanzan o lo cansan, hiriéndolo del mismo modo. ‖ **correr gallos a caballo.** fr. con que se designa un juego que consiste en colgar un **gallo** de una cuerda por los pies y cortarle la cabeza o arrancársela corriendo a caballo. ‖ **engreído como gallo de cortijo.** expr. fig. y fam. que se aplica al que presume que vale más que otros, y por eso desdeña su compañía. ‖ **en menos que canta un gallo.** expr. fig. y fam. En muy poco tiempo; en un instante. ‖ **entre gallos y media noche.** fr. **a deshora.** ‖ **ir a escucha gallo.** fr. fig. y fam. Ir con cuidado y atención, observando si se oye alguna cosa. ‖ **levantar** uno **el gallo.** fr. **alzar el gallo.** ‖ **no cantar bien dos gallos en un gallinero.** fr. fig. Avenirse mal dos que a la vez quieren imponer su voluntad o su prestigio. ‖ **otro gallo me, te, le, nos, os, les cantara.** expr. fig. y fam. Mejor sería mi, tu, su, nuestra, vuestra suerte. ‖ **tener** uno **mucho gallo.** fr. fig. y fam. Tener soberbia, altanería o vanidad, y afectar superioridad o dominio.

gallocresta. (De *gallo* y *cresta.*) f. Planta medicinal, especie de salvia, con las hojas obtusas, festoneadas y de figura algo semejante a la cresta del gallo, el tallo anguloso y como de medio metro de alto, y la flor encarnada. ‖ **2.** Planta herbácea de la familia de las escrofulariáceas, con tallo derecho, sencillo o ramoso; hojas lanceoladas, acorazonadas en la base, aserradas por el margen, y flores amarillentas en espiga.

gallofa. (Probablemente del lat. medieval *galli offa,* bocado del peregrino.) f. Comida que se daba a los pobres que venían de Francia a Santiago de Galicia pidiendo limosna. ‖ **2.** Verdura u hortaliza que sirve para ensalada, menestras y otros usos. ‖ **3.** Cuento de poca sustancia; chisme. ‖ **4.** Calendario del rezo y oficio divino para todo un año. ‖ **5.** *Cantabria* y *Vizc.* Panecillo alargado esponjoso. ‖ **andar,** o **darse, a la gallofa.** fr. fig. y fam. **gallofear.**

gallofar. intr. **gallofear.**

gallofear. (De *gallofo.*) intr. Pedir limosna, viviendo vaga y ociosamente, sin aplicarse a trabajo ni ejercicio alguno.

gallofero, ra. (De *gallofa.*) adj. Holgazán y vagabundo que anda pidiendo limosna. Ú. t. c. s.

gallofo, fa. adj. **gallofero.** Ú. t. c. s.

gallón[1]. (Del lat. vulg. **gallĕus,* semejante a una agalla de roble o de encina.) m. **tepe.** ‖ **2.** *Ar.* Pared o cerca hecha de barro mezclado con granzones y palitroques.

gallón[2]. (Del lat. *galla,* agalla.) m. *Arq.* Cierta labor que adorna los boceles de algunos órdenes de arquitectura. Cada **gallón** consta de la cuarta parte de un huevo, puesta entre dos hojas que, siguiendo su misma forma, van adelgazándose hasta juntarse debajo. ‖ **2.** Adorno que a modo del citado se suele poner en los cabos de los cubiertos de plata. ‖ **3.** *Arq.* Cada uno de los segmentos cóncavos de ciertas bóvedas, rematados en redondo por su extremidad más ancha. ‖ **4.** *Mar.* Última cuaderna de proa.

gallonada. (De *gallón[1]*.) f. Tapia fabricada de gallones o tepes.

gallonado, da. adj. *Arq.* Que tiene gallones.

gallote, ta. (De *gallo.*) adj. *Cád.* y *C. Rica.* Desenvuelto, resuelto, de rompe y rasga. Ú. t. c. s.

galludo. m. Especie de tiburón, semejante a la mielga, que abunda en las costas orientales y meridionales de España y en las de Marruecos.

gallundero, ra. adj. ant. V. **red gallundera.**

gama[1]. f. Hembra del gamo, del cual se distingue por la falta de cuernos. ‖ **2.** *Cantabria.* Cuerno del animal.

gama[2]. (Del gr. γάμμα, tercera letra del alfabeto griego, Γ, con la cual daba principio la serie de los sonidos musicales.) f. *Mús.* Escala musical. ‖ **2.** *Mús.* Tabla o escala con que se enseña la entonación de las notas de la música. ‖ **3.** fig. Escala, gradación de colores.

gamada. (Del nombre de la letra griega Γ, *gamma.*) adj. V. **cruz gamada.**

gamarra. (Del vasc. *gamarra.*) f. Correa de poco más de un metro de longitud que, partiendo de la cincha, pasa por entre los brazos del caballo, se asegura en el pretal de la silla y llega a la muserola, donde se afianza. Se ha usado para afirmar la cabeza del caballo e impedir que este despape o picotee. ‖ **media gamarra.** Correa de las guarniciones del caballo que va desde la muserola al pretal.

gamarza. f. **alharma.**

gamba[1]. (Del it. *gamba.*) f. ant. Parte del animal entre el pie y la rodilla o comprendiendo el muslo.

gamba[2]. (Del cat. *gamba.*) f. Crustáceo semejante al langostino, pero algo menor, y sin los surcos que tiene aquel en el caparazón a uno y otro lado de la quilla mocha. Habita en el Mediterráneo y es comestible.

gambado, da. (De *gamba[1]*.) adj. *Ant.* Patizambo, que tiene las piernas torcidas.

gambaj. m. **gambax.**

gámbalo. m. Cierto tejido de lienzo que se usaba antiguamente.

gambalúa. (Probablemente del vasc. *ganbelua.*) m. fam. **galavardo.**

gámbaro. (Del lat. *gambărus.*) m. **camarón.**

gambax. (Del germ. *wamba.*) m. Jubón acolchado que se ponía debajo de la coraza para amortiguar los golpes.

gamberrada. f. Acción propia del gamberro.

gamberrismo. m. Conducta propia de un gamberro.

gamberro, rra. (De or. inc.) adj. Libertino, disoluto. Ú. t. c. s. ‖ **2.** Que comete actos de grosería o incivilidad. Ú. t. c. s. ‖ **3.** f. *And.* Mujer pública.

gambesina. f. **gambesón.**

gambesón. (aum. de *gambax.*) m. Saco acolchado que llegaba hasta media pierna y se ponía debajo de la armadura.

gambeta. (De *gamba[1]*.) f. *Danza.* Movimiento especial que se hace con las piernas jugándolas y cruzándolas con aire. ‖ **2. corveta.** ‖ **3.** *Argent.* y *Bol.* Ademán hecho con el cuerpo, hurtándolo y torciéndolo para evitar un golpe o una caída. ‖ **4.** fig. y fam. *Argent.* y *Urug.* Evasiva, justificación inventada para eludir un compromiso. ‖ **5.** *Amér.* En el fútbol, **regate,** movimiento del jugador para evitar que le arrebate el balón el contrario.

gambetear. intr. Hacer gambetas. ‖ **2.** Hacer corvetas el caballo.

gambeteo. m. Acción y efecto de gambetear.

gambeto. (Del it. *gambetto,* zancadilla.) m. Capote que llegaba hasta media pierna y que, usado antiguamente en Cataluña, se adoptó para algunas tropas ligeras. ‖ **2. cambuj,** capillo de lienzo.

gambito. (Del it. *gambetto,* zancadilla.) m. En el juego de ajedrez, lance que consiste en sacrificar, al principio de la partida, algún peón o pieza, o ambos, para lograr una posición favorable.

gamboa. f. Variedad de membrillo injerto, más blanco, jugoso y suave que los comunes.

gambocho. m. *Ál.* Juego de la tala o toña.

gambota. (De *gamba[1]*.) f. *Mar.* Cada uno de los maderos curvos calados a espiga por su pie en el yugo principal, que forman la bovedilla y son como otras tantas columnas de la fachada o espejo de popa.

gambox. m. **cambuj.**

gambucero. m. *Mar.* Persona encargada de la gambuza.

gambuj, gambujo o **gambux.** m. **cambuj.**

gambusina. f. *Murc.* Variedad de pera.

gambuza. (Del it. *gambusa.*) f. *Mar.* Despensa o depósito de víveres en un barco mercante.

gamella[1]. (Del lat. *camella,* escudilla.) f. Artesa que sirve para dar de comer y beber a los animales, para fregar, lavar y otros usos. ‖ **2.** Arco que se forma en cada extremo del yugo que se pone a los bueyes, mulas, etc. ‖ **hacer venir,** o **traer,** a uno **a la gamella.** fr. fig. y fam. Reducirlo por fuerza, o con arte e industria, a lo que repugnaba.

gamella[2]. f. **camelote**[1]. ‖ **2.** ant. Hembra del gamello.
gamellada. f. Lo que cabe en una gamella[1].
gamelleja. f. d. de **gamella**[1].
gamello. m. ant. **camello.**
gamellón. m. aum. de **gamella**[1], artesa. ‖ **2.** Pila donde se pisan las uvas.
gameto. (Del gr. γαμετή, esposa, o γαμέτης, marido.) m. *Biol.* Cada una de las dos células sexuales, masculina y femenina, que se unen para formar el huevo de las plantas y de los animales.
gametófito o **gametofito.** (De *gameto* y *-fito.*) m. *Bot.* Fase que en la alternancia de generaciones de la mayoría de los vegetales origina los gametos.
gamezno. (De *gamo* y *-ezno.*) m. Cría de gamo.
gamillón. (aum. de *gamella*[1].) m. Pila donde se pisan las uvas.
gamitadera. f. Instrumento que imita la voz del gamo.
gamitar. intr. Balar el gamo, o imitar su balido.
gamitido. m. Balido del gamo, o voz que lo imita.
gamma. (Del gr. γάμμα.) f. Tercera letra del alfabeto griego, que corresponde a nuestra *ge,* pero sin la articulación velar fricativa sorda. ‖ **2.** Unidad internacional de medida, equivalente a una millonésima de gramo. ‖ **3.** V. **rayos gamma.**
gammaglobulina. f. *Fisiol.* y *Quím.* Globulina del suero sanguíneo, agente principal de la propiedad de oponerse a la acción biológica de los antígenos.
gamo. (Del lat. vulg. *gammus.*) m. Mamífero rumiante del grupo de los cérvidos, originario del mediodía de Europa, de unos 90 centímetros de altura hasta la cruz, pelaje rojizo oscuro salpicado de multitud de manchas pequeñas y de color blanco, que es también el de las nalgas y parte inferior de la cola; cabeza erguida y con cuernos en forma de pala terminada por uno o dos candiles dirigidos hacia delante o hacia atrás. ‖ **2.** V. **carrera de gamos.**
gamón. (De or. inc.) m. Planta de la familia de las liliáceas, con hojas erguidas, largas, en figura de espada; flores blancas con una línea rojiza en cada pétalo, en espiga apretada, sobre un escapo rollizo de un metro próximamente de altura, y raíces tuberculosas, fusiformes e íntimamente unidas por uno de sus extremos, cuyo cocimiento se ha empleado para combatir las enfermedades cutáneas.
gamonal. m. Tierra en que se crían muchos gamones. ‖ **2.** *Amér. Central* y *Merid.* **cacique** de pueblo.
gamonalismo. m. *Amér. Central* y *Merid.* **caciquismo.**
gamonita. f. **gamón.**
gamonital. m. ant. **gamonal.**
gamonito. (d. de *gamón.*) m. Retoño que echan algunos árboles y plantas alrededor, que siempre se queda pequeño y bajo.
gamonoso, sa. adj. Abundante en gamones.
gamopétalo, la. (Del gr. γάμος, unión, y *pétalo.*) adj. *Bot.* Dícese de las corolas cuyos pétalos están soldados entre sí y de las flores que tienen esta clase de corolas.
gamosépalo, la. (Del gr. γάμος, unión, y *sépalo.*) adj. *Bot.* Dícese de los cálices cuyos sépalos están soldados entre sí y de las flores que tienen esta clase de cálices.
gamuno, na. adj. Aplícase a la piel del gamo.
gamusino. m. Animal imaginario, cuyo nombre se usa para dar bromas a los cazadores novatos.
gamuza. (Del lat. tardío *camox, -ōcis.*) f. Especie de antílope del tamaño de una cabra grande, con astas negras, lisas y derechas, terminadas a manera de anzuelo; el color de su pelo es moreno subido. Habita en las rocas más escarpadas de los Alpes y los Pirineos y es famoso por la prodigiosa osadía de sus saltos. ‖ **2.** Piel de la **gamuza,** que, después de adobada, queda muy flexible, de aspecto aterciopelado y de color amarillo pálido. ‖ **3.** Tejido o paño de lana, de tacto y aspecto semejantes a los de la piel de la **gamuza.**
gamuzado, da. adj. De color de gamuza, amarillo pálido.
gamuzón. m. aum. de **gamuza.**
gana. (De or. inc.) f. Deseo, apetito, voluntad de una cosa. Ú. t. en pl. y con la prep. *de:* GANAS DE *comer,* DE *dormir.* ‖ **abrir,** o **abrirse, las ganas de comer.** fr. Excitar o excitarse el apetito. ‖ **darle** a uno **la gana,** o **la real gana.** fr. fam. En lenguaje poco culto, querer hacer una cosa con razón o sin ella. ‖ **darle** a uno **ganas de.** fr. Entrarle el deseo de hacer algo. ‖ **de buena gana.** loc. adv. Con gusto o voluntad. ‖ **de gana.** loc. adv. Con fuerza o ahínco. ‖ **2. de buena gana.** ‖ **de su gana.** loc. adv. desus. Voluntariamente; por sí mismo, espontáneamente. ‖ **de mala gana.** loc. adv. Con repugnancia y fastidio. ‖ **hacer** uno **lo que le da la gana.** fr. fam. Seguir el propio gusto o arbitrio sin atender a nada más. ‖ **mala gana.** loc. que denota indisposición, desazón, molestia. ‖ **quedarse** uno **con las ganas.** fr. que expresa la situación de quien se ve privado de algo en el momento en que iba a alcanzarlo. ‖ **tener** uno **gana de fiesta.** fr. fig. y fam. Incitar a otro a riña o pendencia. ‖ **tener** uno **gana de rasco.** fr. fig. y fam. Hallarse, sentirse con **ganas** de jugar o retozar. ‖ **tenerle ganas** a uno. fr. fig. y fam. Desear reñir o pelearse con él.
ganable. adj. Que puede ganarse.
ganada. f. ant. Acción y efecto de ganar. Ú. en Argentina.
ganadería. (De *ganadero.*) f. Abundancia de ganado. ‖ **2.** Raza especial de ganado, que suele llevar el nombre del ganadero. ‖ **3.** Crianza, granjería o tráfico de ganados.
ganadero, ra. adj. Perteneciente o relativo al ganado. ‖ **2.** Aplícase a ciertos animales que acompañan al ganado. ‖ **3.** m. y f. Dueño de ganados, que trata en ellos y hace granjería. ‖ **4.** Persona que cuida del ganado. ‖ **de mayor hierro,** o **señal.** En Extremadura y otras provincias, el que tiene mayor número de cabezas.
ganado, da. (De *ganar.*) p. p. de **ganar.** ‖ **2.** adj. Dícese del que gana. ‖ **3.** Dícese de lo que se gana. ‖ **4.** m. Conjunto de bestias que se apacientan y andan juntas. GANADO *ovino, cabrío, vacuno.* ‖ **5.** Conjunto de abejas que hay en la colmena. ‖ **6.** fig. y fam. Conjunto de personas. ‖ **7.** V. **juez de ganados.** ‖ **8.** *Ast.* V. **casa de ganado.** ‖ **bravo.** El no domado o domesticado. Dícese especialmente de las ganaderías de toros para la lidia. ‖ **de cerda.** Los cerdos. ‖ **de pata,** o **pezuña, hendida.** Los bueyes, vacas, carneros, ovejas, cabras y cerdos. ‖ **en vena.** El no castrado. ‖ **mayor.** El que se compone de cabezas o reses mayores; como bueyes, mulas, yeguas, etc. ‖ **menor.** El que se compone de reses o cabezas menores; como ovejas, cabras, etc. ‖ **menudo.** Las crías del **ganado.** ‖ **moreno.** El de cerda. ‖ **correr ganado,** o **el ganado.** fr. ant. Perseguirlo o recogerlo para prenderlo.
ganador, ra. adj. Que gana. Ú. t. c. s.
ganancia. f. Acción y efecto de ganar. ‖ **2.** Utilidad que resulta del trato, del comercio o de otra acción. ‖ **3.** V. **hijo de ganancia.** ‖ **4.** *Chile, Guat.* y *Méj.* **adehala.** ‖ **ganancias y pérdidas.** *Com.* Cuenta en que anotan los tenedores de libros el aumento o disminución que va sufriendo el haber del comerciante en las operaciones mercantiles. En el debe de la contabilidad se anotan las pérdidas, y en el haber, las **ganancias** del comerciante. ‖ **a las ganancias.** *And.* loc. aplicada a las aparcerías sobre ganado, en que, previa compra y tasación de este, se reparte después el aumento del valor en venta. ‖ **andar** uno **de ganancia.** fr. Seguir con felicidad y buen suceso un empeño, pretensión u otra cosa. ‖ **no le arriendo la ganancia.** expr. que se suele usar para dar a entender que alguien está en peligro, o expuesto a un trabajo o castigo a que ha dado ocasión.

ganancial. adj. Propio de la ganancia o perteneciente a ella. ‖ **2.** *Der.* V. **bienes gananciales.** Ú. t. c. s.

gananciero, ra. (De *ganancia.*) adj. ant. Granjero; que se ocupa en granjerías.

ganancioso, sa. adj. Que ocasiona ganancias. ‖ **2.** El que sale con ellas de un trato, comercio u otra cosa. Ú. t. c. s.

ganapán. (De *ganar* y *pan.*) m. Hombre que se gana la vida llevando recados o transportando bultos de un punto a otro. ‖ **2.** fig. y fam. Hombre rudo y tosco.

ganapierde. (De *ganar* y *perder.*) amb. Manera especial de jugar a las damas, en que gana el que logra perder todas las piezas. ‖ **2.** Aplícase a otros juegos en que se conviene que pierda el ganador.

ganar. (Del germ. *waidanjan,* cosechar.) tr. Adquirir caudal o aumentarlo con cualquier género de comercio, industria o trabajo. ‖ **2.** Obtener un jornal o sueldo en un empleo o trabajo. ‖ **3.** Dicho de juegos, batallas, oposiciones, pleitos, etc., obtener lo que en ellos se disputa. Ú. t. c. intr. GANAR *al ajedrez.* ‖ **4.** Conquistar o tomar una plaza, ciudad, territorio o fuerte. ‖ **5.** Llegar al sitio o lugar que se pretende. GANAR *la orilla, la cumbre.* ‖ **6.** Captar la voluntad de una persona. Ú. t. c. prnl. ‖ **7.** Lograr o adquirir una cosa; como la honra, el favor, la inclinación, la gracia. Ú. t. c. prnl. ‖ **8.** fig. Aventajar, exceder a uno en algo. ‖ **9.** *Mar.* Avanzar, acercándose a un objeto o a un rumbo determinados. ‖ **10.** intr. Mejorar, medrar, prosperar. ‖ **ganar** uno **de comer.** fr. Sustentarse del producto de su trabajo en un oficio o ministerio. ‖ **a la,** o **al, gana gana.** loc. adv. con que, por oposición al ganapierde, se significa el modo más usual de jugar a las damas, procurando **ganar** las piezas del contrario. ‖ **a la,** o **al, gana pierde. ganapierde.**

gancha. f. *Albac.* y *León.* Rama de árbol.

ganchero. (De *gancho.*) m. *Cuen.* El que guía las maderas por el río, sirviéndose de un bichero.

ganchete. m. d. de **gancho.** ‖ **a medio ganchete.** loc. adv. fam. A medias, a medio hacer. ‖ **de medio ganchete.** loc. adv. Desaliñadamente, mal, sin la perfección debida. ‖ **2.** Dícese de la postura del que se sienta inseguramente, sin ocupar todo el asiento. ‖ **de ganchete.** loc. adv. fam. Del brazo, de bracero.

ganchillero, ra. m. y f. Persona que por oficio o afición realiza trabajos de ganchillo.

ganchillo. m. **aguja de gancho.** ‖ **2.** Labor o acción de trabajar con aguja de gancho. ‖ **3.** *And.* **gancho,** horquilla para el pelo.

gancho. (De or. inc.) m. Instrumento corvo y por lo común puntiagudo en uno o ambos extremos, que sirve para prender, agarrar o colgar una cosa. ‖ **2.** Pedazo que queda en el árbol cuando se rompe una rama. ‖ **3.** Palo o bastón corvo por la parte superior. ‖ **4. sacadilla.** ‖ **5.** V. **aguja de gancho.** ‖ **6.** fig. Compinche del que vende o rifa públicamente una cosa, o que se mezcla con el público para animar con su ejemplo a los compradores. ‖ **7.** fig. Puñetazo que se da con el brazo plegado. ‖ **8.** fig. y fam. El que con maña o arte solicita a otro para algún fin. ‖ **9.** fig. y fam. **rufián.** ‖ **10.** fig. y fam. Rasgo caprichoso e irregular hecho con la pluma. ‖ **11.** fig. y fam. Atractivo, especialmente hablando de las mujeres. *Aquella mujer tenía mucho* GANCHO. ‖ **12.** *Ar.* y *Nav.* Azadilla de escardar. ‖ **13.** *Zam.* Horcón de cinco dientes. ‖ **14.** *Col., C. Rica, Cuba, Chile, Hond., Méj., Pan., Perú* y *Sto. Dom.* Horquilla para sujetar el pelo. ‖ **15.** *Ecuad.* Silla de montar para señora. ‖ **16.** *Dep.* En baloncesto, tiro a canasta arqueando el brazo sobre la cabeza. ‖ **disparador.** El que mediante un dispositivo puede desengancharse rápidamente y a voluntad. ‖ **de gancho.** loc. adv. De ganchete, del brazo. ‖ **echar** a uno **el gancho.** fr. fig. y fam. Prenderlo, atraparlo, atraerlo con maña. ‖ **tener gancho.** fr. fig. y fam. Poseer una persona cualidades persuasivas, habilidad, atractivo personal, etc. Dícese especialmente de la mujer que se da maña para conseguir novio.

ganchoso, sa. adj. Que tiene gancho o se asemeja a él.

ganchudo, da. adj. Que tiene forma de gancho. ‖ **2.** *Anat.* Dícese de un hueso en forma de garfio.

ganchuelo. m. d. de **gancho.**

gándara. (De or. prerromano.) f. Tierra baja, inculta y llena de maleza.

gandaya[1]**.** f. **tuna**[2], vida holgazana. ‖ **andar** uno **a la gandaya. buscar,** o **correr,** uno **la gandaya. ir por la gandaya.** frs. fams. Buscarse la vida el vagabundo que no tiene ocupación fija.

gandaya[2]**.** (Del cat. *gandalla.*) f. Redecilla del pelo.

gandido, da. p. p. de **gandir.** ‖ **2.** adj. desus. Hambriento, necesitado. ‖ **3.** *Zam.* Cansado, fatigado. ‖ **4.** *Col., C. Rica, Cuba, Sto. Dom.* y *Venez.* Comilón, hambrón.

gandiense. adj. Natural de Gandía. Ú. t. c. s. ‖ **2.** Perteneciente o relativo a esta población de la provincia de Valencia.

gandinga. f. Mineral menudo y lavado. ‖ **2.** *Mál.* Pasa de inferior calidad. ‖ **3.** *Sev.* Despojos de reses. ‖ **4.** *Cuba* y *P. Rico.* Chanfaina con salsa espesa. ‖ **buscar la gandinga.** fr. fam. **buscar la gandaya,** ganarse la vida.

gandir. tr. ant. Masticar el alimento y tragarlo.

gandujado. (De *gandujar.*) m. Guarnición que formaba una especie de fuelles o arrugas.

gandujar. tr. Encoger, fruncir, plegar.

gandul[1]**.** m. *Col., C. Rica, Cuba* y *P. Rico.* **guandú.**

gandul[2]**, la.** (Del ár. *gandūr,* fatuo, ganapán.) adj. fam. Tunante, holgazán. Ú. t. c. s. ‖ **2.** m. Individuo de cierta milicia antigua de los moros de África y Granada. ‖ **3.** Individuo de ciertos pueblos de indios salvajes.

gandulear. (De *gandul.*) intr. Hacer vida de gandul[2].

gandulería. f. Cualidad de gandul[2], tunante, vagabundo.

gandumbas. adj. fam. Haragán, dejado, apático. Ú. t. c. s. ‖ **2.** f. pl. **testículos.**

ganeta. f. **jineta**[1].

ganforro, rra. adj. fam. Bribón, picarón o persona de mal vivir. Ú. t. c. s.

ganga[1]**.** (Voz imitativa del grito de esta ave.) f. Ave del orden de las galliformes, de forma y tamaño semejantes a los de la perdiz; tiene la gorja negra, en la pechuga un lunar rojo, y lo demás del cuerpo variado de negro, pardo y blanco. Su carne es dura y poco sustanciosa. ‖ **2.** fig. Cosa apreciable que se adquiere a poca costa o con poco trabajo. Ú. mucho en sentido irónico para designar cosa despreciable, molesta. ‖ **3.** *Cuba.* Ave zancuda de la misma familia que los zarapitos; pero no vive como estos en la proximidad de las aguas, sino en las aradas.

ganga[2]**.** (Del fr. *gangue.*) f. *Min.* Materia que acompaña a los minerales y que se separa de ellos como inútil. ‖ **2.** *Alm.* Arado tirado por una sola caballería.

gangarilla. f. Compañía antigua de cómicos o representantes, compuesta de tres o cuatro hombres y un muchacho que hacía de dama.

ganglio. (Del gr. γάγγλιον, a través del lat. *ganglĭon.*) m. *Pat.* Tumor pequeño que se forma en los tendones y en la aponeurosis. ‖ **linfático.** *Anat.* Cualquiera de los órganos de forma arriñonada, ovoidea o esférica, intercalados en el trayecto de los vasos linfáticos y en cuyo interior se forman los linfocitos. Actúan como filtros para la linfa, pues retienen las sustancias nocivas que este humor pueda contener. ‖ **nervioso.** *Anat.* Nudo o abultamiento intercalado en el trayecto de los nervios y formado principalmente por la acumulación de células nerviosas.

ganglionar. adj. *Anat.* Perteneciente o relativo a los ganglios. ‖ **2.** Compuesto de ellos. *Sistema* GANGLIONAR.

gangocho. m. *Amér. Central, Chile* y *Ecuad.* **guangoche.**

gangosidad. f. Cualidad de gangoso.

gangoso, sa. adj. Que habla gangueando. Ú. t. c. s. ‖ **2.** Dícese de este modo de hablar.

gangrena. (Del gr. γάγγραινα, a través del lat. *gangraena.*) f. Desorganización y privación de vida en cualquier tejido de un cuerpo animal producida por falta de riego sanguíneo, por mortificación traumática o por complicación infecciosa de las heridas. ‖ **2.** Enfermedad de los árboles que corroe los tejidos.

gangrenarse. prnl. Padecer gangrena.

gangrénico, ca. adj. ant. Afectado de gangrena.

gangrenoso, sa. adj. Afectado de gangrena. *Llaga* GANGRENOSA.

gángster. (Del ing. *gangster.*) m. y f. Miembro de una banda organizada de malhechores que actúa en las grandes ciudades.

ganguear. (De la onomat. *gang.*) intr. Hablar con resonancia nasal producida por cualquier defecto en los conductos de la nariz.

gangueo. m. Acción y efecto de ganguear.

ganguero, ra. adj. Amigo de procurarse gangas, de buscar ventajas. Ú. t. c. s.

gánguil. (Del ant. prov. *ganquil*, red.) m. Barco de pesca, con dos proas y una vela latina. ‖ **2.** Arte de arrastre de malla muy estrecha. ‖ **3.** Barco destinado a recibir, conducir y verter en alta mar el fango, arena, piedra, etc., que extrae la draga.

gano. (De *ganar.*) m. ant. **ganancia,** utilidad.

ganoideo, a. (Del gr. γάνος, brillo, y *-oideo.*) adj. *Zool.* Dícese de peces con esqueleto cartilaginoso u óseo, cola heterocerca, boca ventral y escamas con brillo de esmalte, de forma romboidal y yuxtapuestas u ordenadas en filas longitudinales; como el esturión. Ú. t. c. s. ‖ **2.** m. pl. *Zool.* Orden de estos animales.

ganosamente. adv. m. p. us. Con gana.

ganoso, sa. adj. Deseoso y que tiene gana de una cosa.

gansada. f. fig. y fam. Hecho o dicho propio de ganso, persona rústica o patosa.

gansarón. (De *ganso* y *ansarón.*) m. Ansarón, ganso bravo. ‖ **2.** fig. Hombre alto, flaco y desvaído.

gansear. intr. fam. Hacer o decir gansadas.

ganso, sa. (Del gót. **gans.*) m. y f. Ave palmípeda doméstica, algo menor que el ánsar y de plumaje gris rayado de pardo, más oscuro en la cabeza y en el cuello, y amarillento en el pecho y vientre, pico anaranjado casi negro en la punta y la base, y pies rojizos. Menos acuático que el pato; se cría bien en países húmedos y es apreciado por su carne y por su hígado. Grazna fuertemente al menor ruido, y por ello se le ha considerado como símbolo de la vigilancia. ‖ **2. ganso bravo.** ‖ **3.** fig. Persona tarda, perezosa, descuidada. Ú. t. c. adj. ‖ **4.** fig. Persona malcriada, torpe, incapaz. Ú. t. c. adj. ‖ **5.** fig. Persona patosa, que presume de chistosa y aguda, sin serlo. Ú. t. c. adj. ‖ **6.** m. Entre los antiguos, ayo o pedagogo de los niños. ‖ **bravo. ánsar.** ‖ **correr el ganso,** o **correr gansos.** fr. con que se designa una diversión semejante a la de correr gallos. ‖ **hacer el ganso.** fr. fig. y fam. Hacer o decir tonterías para causar risa.

ganta. f. Medida de capacidad para áridos y para líquidos, usada en Filipinas, equivalente a tres litros.

gante. (De *Gante*, ciudad de Bélgica, de donde procede esta tela.) m. Especie de lienzo crudo.

gantés, sa. adj. Dícese del natural de Gante. Ú. t. c. s. ‖ **2.** Perteneciente o relativo a esta ciudad belga.

ganzúa. (Del vasc. *gantzua.*) f. Alambre fuerte y doblado por una punta, a modo de garfio, con que, a falta de llave, pueden correrse los pestillos de las cerraduras. ‖ **2.** fig. y fam. Ladrón que roba con maña o saca lo que está muy encerrado y escondido. ‖ **3.** fig. y fam. Persona que tiene arte o maña para sonsacar a otra su secreto. ‖ **4.** *Germ.* El que ejecuta la pena de muerte.

ganzuar. tr. p. us. Abrir con ganzúa. ‖ **2.** fig. Sonsacar, sacar con maña.

gañafón. m. *Taurom.* Derrote que tira un toro cuando embiste de forma descompuesta.

gañán. (De etim. disc.) m. Mozo de labranza. ‖ **2.** fig. Hombre fuerte y rudo.

gañanía. f. Conjunto de gañanes. ‖ **2.** Casa en que se recogen. ‖ **3.** *Sal.* **alquería.**

gañido. (Del lat. *gannitus.*) m. Aullido del perro cuando lo maltratan. ‖ **2.** Quejido de otros animales.

gañil. m. Garguero, gaznate. ‖ **2.** Agallas de los peces. Ú. m. en pl.

gañín. m. *Ast.* y *Cantabria.* **hipócrita.**

gañir. (Del lat. *gannire.*) intr. Aullar el perro con gritos agudos y repetidos cuando lo maltratan. ‖ **2.** Quejarse algunos animales con voz semejante al gañido del perro. ‖ **3.** Graznar las aves. ‖ **4.** fig. y fam. Resollar o respirar con ruido las personas. Ú. especialmente en frases negativas.

gañivete. (Del fr. *canif.*) m. ant. Especie de cuchillo pequeño.

gañón. (De un ant. *cañón.*) m. **gañote.**

gañote. (De *gañón.*) m. fam. Garguero o gaznate. ‖ **2.** *And.* y *Extr.* Género de fruta de sartén, que se hace de masa muy delicada, con la figura y forma del **gañote.** ‖ **de gañote.** loc. adv. fam. **de gorra.**

gaollo. m. *Pal.* Especie de brezo.

gaón. m. *Mar.* Remo parecido al canalete, que se usa en algunas embarcaciones pequeñas de los mares de la India.

gáraba. f. *Cantabria.* Árgoma, y especialmente la parte más gruesa y leñosa de la misma.

garabasta. f. *Cantabria.* Argaña del trigo.

garabatá. f. ant. Planta textil semejante a la pita.

garabatada. f. Acción de asir o sacar algo con el garabato.

garabatal. m. *Argent.* Sitio poblado de garabatos.

garabatear. intr. Echar los garabatos para agarrar o asir una cosa y sacarla de donde está metida. ‖ **2.** Hacer garabatos con la pluma, el lápiz, etc. Ú. t. c. tr. ‖ **3.** fig. y fam. Andar con rodeos o no ir derecho en lo que se dice o hace.

garabateo. m. Acción y efecto de garabatear.

garabato. (De or. prerromano.) m. Instrumento de hierro cuya punta forma un semicírculo. Sirve para tener colgadas algunas cosas, o para asirlas o agarrarlas. ‖ **2. almocafre.** ‖ **3.** Soguilla pequeña con una estaca corta en cada extremo, para asir con ella la maña o hacecillo de lino crudo y tenerlo firme a los golpes de mazo con que le quitan la gárgola o simiente. ‖ **4.** desus. **bozal** para perros. ‖ **5.** Rasgo irregular hecho con la pluma, el lápiz, etc. ‖ **6.** Arado en que el timón se sustituye por dos piezas de madera unidas a la cama, que permiten que haga el tiro una sola caballería. ‖ **7.** p. us. fig. y fam. Aire, garbo y gentileza que tienen algunas mujeres, y les sirve de atractivo aunque no sean hermosas. ‖ **8.** fig. y fam. V. **humildad de garabato.** ‖ **9.** Garfios de hierro que sujetos al extremo de una cuerda sirven para sacar objetos caídos en un pozo. ‖ **10.** Palo de madera dura que forma gancho en un extremo. ‖ **11. palabrota.** ‖ **12.** *Argent.* Arbusto de la familia de las leguminosas, provisto en sus ramas terminales de un par de espinas en forma de garra. ‖ **13.** pl. Escritura mal trazada. ‖ **14.** fig. Acciones descompasadas con dedos y manos.

garabatoso, sa. adj. Dícese de la escritura llena de garabatos. ‖ **2.** p. us. Que tiene garbo o garabato.

garabito, ta. adj. *And.* Dícese del perro y del caballo que no son de casta. ‖ **2.** m. Asiento en alto y casilla de madera que usan las vendedoras de frutas y otras cosas en la plaza. ‖ **3.** Gancho, garabato.

garaje. (Del fr. *garage.*) m. Local destinado a guardar automóviles.

garama. (Del ár. *garāma,* impuesto.) f. En Marruecos, garrama que pagaban las tribus. ‖ **2.** Indemnización colectiva que paga una tribu por los robos cometidos en su territorio. ‖ **3.** Regalos que se hacen a una familia en la fiesta con que se celebra un fausto acontecimiento de la misma.

garamanta. (De *Garamante.*) adj. Dícese del individuo de un pueblo antiguo de la Libia interior. Ú. t. c. s. ‖ **2.** Perteneciente o relativo a este pueblo.

garamante. (Del lat. *Garamantis.*) adj. **garamanta.** Apl. a pers., ú. t. c. s.

garambaina. f. Adorno de mal gusto y superfluo en los vestidos u otras cosas. ‖ **2.** pl. fam. Ademanes afectados o ridículos. ‖ **3.** fam. Rasgos o letras mal formados y que no se pueden leer. ‖ **4.** fam. Cosas y dichos inútiles; tonterías, pamplinas.

garambullo. m. *Méj.* Cacto que tiene por fruto una tuna pequeña roja. ‖ **2.** *Méj.* Fruto de ese cacto.

garandumba. f. *Amér. Merid.* Embarcación grande a manera de balsa, para conducir carga siguiendo la corriente de los ríos.

garante. (Del fr. *garant.*) adj. Que da garantía. Ú. t. c. s.

garantía. (De *garante.*) f. Efecto de afianzar lo estipulado. ‖ **2.** Fianza, prenda. ‖ **3.** Cosa que asegura y protege contra algún riesgo o necesidad. ‖ **4.** Compromiso temporal del fabricante o vendedor, por el que se obliga a reparar gratuitamente la cosa vendida en caso de avería. ‖ **5.** Documento que garantiza este compromiso. ‖ **garantías constitucionales.** Derechos que la Constitución de un Estado reconoce a todos los ciudadanos.

garantir. (De *garante.*) tr. defect. Dar garantía.

garantizador, ra. adj. Que garantiza.

garantizar. (De *garante.*) tr. Dar garantía.

garañón. (Del germ. *wranjo, -ons,* semental.) m. Asno grande destinado para cubrir las yeguas y las burras. ‖ **2.** Camello padre. ‖ **3.** desus. Caballo semental. Ú. hoy en América Central, Chile, Méjico y Perú. ‖ **4.** *Can.* Macho cabrío destinado a padre.

garañuela. f. **grañuela.**

garapacho. m. Caparazón de las tortugas y cangrejos. ‖ **2.** Escudilla de madera o corcho, de forma semejante a la concha superior de la tortuga.

garapanda. f. *Pal.* Arte de pesca a modo de retel.

garapiña. f. Estado del líquido que se solidifica formando grumos. ‖ **2.** Galón adornado en uno de sus bordes con ondas de realce. ‖ **3.** Tejido especial en galones y encajes, dicho así por su semejanza con la **garapiña,** galón adornado. ‖ **4.** *Cuba.* Bebida muy refrigerante hecha de la corteza de la piña y agua con azúcar.

garapiñar. (Del lat. vulg. **carpiniare,* der. de *carpĕre.*) tr. Poner un líquido en estado de garapiña. ‖ **2.** Bañar golosinas en el almíbar que forma grumos. *Almendras* GARAPIÑADAS; *piñones* GARAPIÑADOS.

garapiñera. f. Vasija que sirve para garapiñar o congelar los líquidos metiéndola ordinariamente en un cubo de corcho, más alto y ancho que ella, y rodeándola de nieve y hielo, con sal.

garapita. f. Red espesa y pequeña para coger pececillos.

garapito. m. Insecto hemíptero, de un centímetro de largo, oblongo, con las alas cortas e inclinadas a un lado y otro del cuerpo, color fusco rayado de negro en el dorso, boca puntiaguda, y las patas del último par mucho más largas que las de los otros dos. Vive sobre las aguas estancadas, en las cuales nada, generalmente de espaldas.

garapullo. m. Flechilla que se tira sobre un blanco. ‖ **2.** *Taurom.* **banderilla.**

garata. f. Pelea, riña.

garatero, ra. adj. Peleador, valentón. Ú. t. c. s.

garatura. (Probablemente del prov. ant. *gratuza,* almohaza.) f. Instrumento cortante y corvo con dos manijas, que usan los pelambreros para separar la lana de las pieles, rayéndolas.

garatusa. (Probablemente del prov. ant. *gratuza,* almohaza.) f. Lance del juego del chilindrón o pechigonga, que consiste en descartarse de sus nueve cartas el que es mano, dejando a los demás con las suyas. ‖ **2.** fam. Halago y caricia para ganar la voluntad de una persona. ‖ **3.** *Esgr.* Treta compuesta de nueve movimientos, y partición de dos o tres ángulos, que hacen por ambas partes, por fuera y por dentro, arrojando la espada a los lados, y volviendo a subirla para herir de estocada en el rostro o pecho.

garay. m. Embarcación filipina, especie de chalana, de costados levantados y rectos y de proa algo más estrecha que el resto de la embarcación.

garba. (Del germ. *garba.*) f. *Ar.* y *Murc.* Gavilla de mieses. ‖ **2.** *Nav.* Hierba para pienso del ganado.

garbancero, ra. adj. Referente al garbanzo. Aplícase especialmente al terreno o al tiempo en que se dan bien los garbanzos. ‖ **2.** m. y f. Persona que trata en garbanzos. ‖ **3.** Persona que vende torrados. ‖ **4.** fig. Persona o cosa ordinaria y vulgar.

garbanza. f. Garbanzo mayor, más blanco y de mejor calidad que el corriente.

garbanzal. m. Tierra sembrada de garbanzos.

garbanzo. (De or. inc.) m. Planta herbácea de la familia de las papilionáceas, con tallo de cuatro o cinco decímetros de altura, duro y ramoso; hojas compuestas de hojuelas elípticas y aserradas por el margen; flores blancas, axilares y pedunculadas, y fruto en vaina inflada, pelosa, con una o dos semillas amarillentas, de un centímetro aproximadamente de diámetro, gibosas, y con un ápice encorvado. ‖ **2.** Semilla de esta planta. ‖ **de agua.** Medida antigua de agua, equivalente a la cantidad de líquido que sale por un caño del diámetro de un **garbanzo** regular. ‖ **de pega.** Bolita con carga explosiva que los muchachos arrojan al suelo o contra las paredes para asustar a la gente. ‖ **mulato. garbanzo** más pequeño y menos blanco que la garbanza de Castilla. ‖ **negro.** fig. Persona mal vista entre las de su clase por sus condiciones morales o de carácter. ‖ **echar garbanzos** a uno. fr. fig. y fam. Incitarle a que diga lo que de otra suerte callaría, o enfadarle. ‖ **ese garbanzo no se ha cocido en** su **olla.** expr. fig. y fam. **ese bollo no se ha cocido en** su **horno.** ‖ **garbanzos de a libra.** expr. fig. Cosa rara o extraordinaria. ‖ **poner garbanzos** a uno. fr. fig. y fam. **echarle garbanzos.** ‖ **por un garbanzo no se descompone la olla.** fr. fig. y fam. usada para despreciar la defección o el disentimiento de una persona del acuerdo de la mayoría. ‖ **tropezar** uno **en un garbanzo.** fr. fig. y fam. Ser muy propenso a hallar dificultad en todo, a enredarse en cualquier cosa, o a tomar motivo de cosas fútiles para enfadarse o hacer oposición.

garbanzón. (aum. de *garbanzo.*) m. *Ál.* Agracejo o limoncillo.

garbanzuelo. m. d. de **garbanzo.** ‖ **2.** *Veter.* **esparaván,** tumor. ‖ **3.** V. **esparaván de garbanzuelo.**

garbar. tr. *Ar.* Formar las garbas o recogerlas.

garbear[1]. intr. Afectar garbo o bizarría en lo que se hace o se dice. ‖ **2.** Pasear, moverse.

garbear[2]. tr. *Ar.* Formar las garbas o recogerlas.

garbear[3]. tr. **robar.** ‖ **2.** intr. **trampear.**

garbeo. m. Paseo, acción de pasearse. Se usa sobre todo en la fr. *dar* o *darse un* GARBEO.

garbera. (De *garba.*) f. *And., Ar.* y *Murc.* Montón de garbas.

garbero. m. *And.* Pañuelo, generalmente de los llamados de yerbas, que doblado de cierto modo se ciñe a la cabeza anudándolo sobre la nuca y de modo que los picos cuelguen. ‖ **2.** Pañoleta de colorines que, arrollada, se ciñe al cuerpo sobre la chupa o el marsellés pasándola bajo los brazos y anudándola sobre el pecho.

garbías. m. pl. Guisado compuesto de borrajas, bledos, queso fresco, especias finas, flor de harina, manteca de cerdo sin sal y yema de huevos duros, todo cocido y después hecho tortilla y frito.

garbillador, ra. adj. Dícese de la persona que garbilla. Ú. t. c. s.

garbillar. (De *garbillo.*) tr. Ahechar grano. ‖ **2.** *Min.* Limpiar minerales con el garbillo.

garbillo. (Del lat. *cribellum,* cribo.) m. Especie de zaranda de esparto con que se garbilla el grano. ‖ **2.** *And.* y *Murc.* Esparto largo y escogido. ‖ **3.** Ahechaduras que resultan en las fábricas de harina y que, molidas, sirven de alimento al ganado. ‖ **4.** *Min.* Especie de criba con aro de esparto y fondo de lona o tela metálica, con que se apartan de los minerales la tierra y las gangas. ‖ **5.** *Min.* Mineral menudo y limpiado con el **garbillo.**

garbín. m. **garvín.**

garbino. (Del ár. *garbī,* occidental.) m. Viento del Sudoeste.

garbo. (Del it. *garbo.*) m. Gallardía, gentileza, buen aire y disposición de cuerpo. ‖ **2.** fig. Gracia y perfección que se da a las cosas. ‖ **3.** fig. Bizarría, desinterés y generosidad.

gárboli. m. desus. Juego del escondite. Ú. hoy en Cuba.

garbón[1]**.** (De *garba.*) m. *Val.* Haz pequeño de leña menuda usada para los hornos.

garbón[2]**.** (En fr. *garbon;* en prov. *garroun.*) m. Macho de la perdiz.

garbosamente. adv. m. Con garbo.

garboso, sa. adj. Airoso, gallardo y bien dispuesto. ‖ **2.** fig. Magnánimo, dadivoso.

gárbula. f. *Sal.* Vaina seca de los garbanzos, que se aprovecha para la lumbre.

garbullo. (Del it. *garbuglio.*) m. Confusión de muchas personas revueltas unas con otras. Se usa especialmente hablando de los muchachos cuando andan a la rebatiña.

garcero. (De *garza.*) adj. V. **halcón garcero.**

garceta. (De *garza.*) f. Ave zancuda, de unos 40 centímetros de alto y 65 de envergadura; plumaje blanco, cabeza con penacho corto, del cual salen dos plumas filiformes pendientes, pico recto, negro y largo, cuello muy delgado, buche adornado con plumas finas y prolongadas, y tarsos negros. ‖ **2.** Pelo de la sien, que cae a la mejilla y allí se corta o se forma en trenzas. ‖ **3.** *Mont.* Cada una de las puntas inferiores de las astas del venado.

garcía. m. fam. *And., Ast.* y *Rioja.* Zorro, raposo.

gardacho. (Del ár. *ḥardûn,* lagarto.) m. *Ál.* y *Nav.* Lagarto, reptil.

gardama. (Del vasc. *gardamu, cardamu,* carcoma.) f. *Ál.* y *Nav.* Carcoma de la madera.

gardar. tr. ant. **guardar.**

gardenia. (De *Garden,* médico inglés a quien fue dedicada esta planta.) f. Arbusto originario de Asia oriental, de la familia de las rubiáceas, con tallos espinosos de unos dos metros de altura; hojas lisas, grandes, ovaladas, agudas por ambos extremos y de color verde brillante; flores terminales, solitarias, de pétalos gruesos, blancas y olorosas, y fruto en baya de pulpa amarillenta. ‖ **2.** Flor de esta planta.

gardingo. (Del germ. *wardôn,* guardar.) m. Individuo de uno de los órdenes del oficio palatino entre los visigodos, inferior a los duques y condes.

gardubera. (Del vasc. *gardu,* cardo, y *bera,* blanco.) f. *Ál.* **cerraja**[2], planta.

garduja. f. En las minas de Almadén, piedra que, por no tener ley de azogue, se arroja como inútil.

garduña. (Voz prerromana.) f. Mamífero carnicero, de unos tres decímetros de largo, cabeza pequeña, orejas redondas, cuello largo, patas cortas, pelo castaño por el lomo, pardo en la cola y blanco en la gorja y pecho. Es nocturno y muy perjudicial, porque destruye las crías de muchos animales útiles.

garduño[1]**, ña.** (De *garduña.*) m. y f. fam. Ratero o ratera que hurta con maña y disimulo.

garduño[2]**.** m. **garduña.**

gareta. f. *And.* y *P. Rico.* Zalagarda, alboroto, pendencia.

garete (ir, o irse, al). (Quizá formación del fr. *être égaré,* andar extraviado.) fr. *Mar.* Ser llevada por el viento o la corriente una embarcación sin gobierno. ‖ **2. a la deriva,** sin dirección o propósito fijo.

garfa. (De etim. disc.) f. Cada una de las uñas de las manos en los animales que las tienen corvas. ‖ **2.** Derecho que se exigía antiguamente para poner guardias en las eras. ‖ **3.** *Mec.* Pieza para sostener colgado el cable conductor de la corriente para los tranvías y ferrocarriles eléctricos. ‖ **echar la garfa.** fr. fig. y fam. Procurar coger y agarrar algo con las uñas.

garfada. (De *garfa.*) f. Acción de procurar coger o agarrar con las uñas, especialmente los animales que las tienen corvas, y por ext., cualquier animal, e incluso las personas.

garfear. (De *garfa.*) intr. Echar los garfios para asir con ellos una cosa.

garfiada. (De *garfio.*) f. **garfada.**

garfio. (De *garfa.*) m. Instrumento de hierro, curvo y puntiagudo, que sirve para aferrar algún objeto.

gargajeada. (De *gargajear.*) f. Acción y efecto de gargajear.

gargajear. intr. Arrojar gargajos.

gargajeo. m. Acción y efecto de gargajear.

gargajiento, ta. adj. Que gargajea con frecuencia. Ú. t. c. s.

gargajo. (De la raíz onomatopéyica *garg.*) m. Flema casi coagulada que se expele de la garganta.

gargajoso, sa. adj. Que gargajea con frecuencia. Ú. t. c. s.

gargal. m. *Chile.* Agalla del roble.

gargalizar. (Del lat. *gargaridiāre* o *-zāre,* gargarizar.) intr. ant. Dar voces confusas.

gargamello. (De la onomat. *garg.*) m. Garguero, gañote.

gargamillón. m. *Germ.* **cuerpo** de las personas.

garganchón. m. Garguero, tráquea.

garganta. (De la onomat. *garg.*) f. Parte anterior del cuello. ‖ **2.** Espacio interno comprendido entre el velo del paladar y la entrada del esófago y de la laringe. ‖ **3.** fig. Voz del cantante. ‖ **4.** V. **nudo en la garganta.** ‖ **5.** V. **paso de garganta.** ‖ **6.** fig. Parte superior del pie, por donde está unido con la pierna. ‖ **7.** fig. Cualquier estrechura de montes, ríos u otros parajes. ‖ **8.** fig. **cuello,** parte más delgada y estrecha de una cosa. ‖ **9.** fig. Ángulo que forma la cama del arado con el dental y la reja. ‖ **10.** *And.* Cama del arado. ‖ **11.** *Arq.* Parte más delgada y estrecha de las columnas, balaustres y otras piezas semejantes. ‖ **12.** *Fort.* Abertura menor de la cañonera que se abre en las fortificaciones para el uso de la artillería. ‖ **de polea.** Ranura cóncava, abierta en el contorno de la polea, por donde pasa la cuerda. ‖ **hacerse uno de garganta.** fr. Preciarse de cantar bien, con facilidad de gorjeos y quiebros. ‖ **mentir por la garganta.** fr. ant. **mentir por la barba.** ‖ **tener** a uno **atravesado en la garganta.** fr. fig. y fam. **no poderle tragar.** ‖ **tener** uno **buena garganta.** fr. Ejecutar mucho con la voz en el canto.

gargantada. f. desus. Porción de líquido que se arroja de una vez por la garganta.
gargantear. intr. Cantar haciendo quiebros con la garganta. ‖ **2.** tr. *Mar.* Ligar la gaza de un cuadernal o motón, para unirla bien al cuerpo del mismo.
garganteo. m. Acción de gargantear o hacer quiebros con la garganta.
gargantería. f. ant. Cualidad de gargantero.
gargantero, ra. adj. ant. **glotón.**
gargantez. f. ant. Gargantería, glotonería.
garganteza. f. ant. Gargantería, glotonería.
gargantil. m. Escotadura que tiene la bacía del barbero para ajustarla a la garganta del que se afeita.
gargantilla. f. Adorno femenino que rodea el cuello. ‖ **2.** Cada una de las cuentas que se pueden ensartar para formar un collar.
gargantillo. adj. Dícese de la res de cuello oscuro, con una mancha clara parecida a un collar.
gargantón, na. adj. ant. **glotón.** Usáb. t. c. s. ‖ **2.** m. aum. de **garganta.**
gárgara. (De la raíz onomatopéyica *garg.*) f. Acción de mantener un líquido en la garganta, con la boca hacia arriba, sin tragarlo y arrojando el aliento, lo cual produce un ruido semejante al del agua en ebullición. Ú. m. en pl. ‖ **mandar** a uno **a hacer gárgaras.** fr. fam. **mandarle a freír espárragos.**
gargarear. intr. *And.* y *Amér.* Hacer gárgaras.
gargarismo. (Del gr. *γαργάρισμα, a través del lat. *gargarisma.*) m. Acción de gargarizar. ‖ **2.** Licor que sirve para hacer gárgaras.
gargarizar. (Del gr. γαργαρίζω, a través del lat. *gargarizāre.*) intr. Hacer gárgaras.
gárgaro. m. *Venez.* Juego del escondite.
gargavero. m. **garguero.** ‖ **2.** Instrumento musical de viento, compuesto de dos flautas dulces con una sola embocadura.
gárgol[1]**.** (Del ár. *gargal*, huevo huero.) adj. Dicho de un huevo, **huero.**
gárgol[2]**.** (De *gárgola*[1].) m. Ranura en que se encaja el canto de una pieza; como el tablero de una puerta en los largueros y peinazos, o la lengüeta de una tabla de suelo en la contigua.
gárgola[1]**.** (Del b. lat. *gargŭla.*) f. Parte final, por lo común vistosamente adornada, del caño o canal por donde se vierte el agua de los tejados o de las fuentes.
gárgola[2]**.** f. **baga**[1]. ‖ **2.** *Ál.* Vaina de legumbre, que contiene uno o dos granos.
gargozada. (De *gorgozada.*) f. ant. Porción de líquido que se echa de una vez por la garganta.
garguero. (De la raíz onomatopéyica *garg.*) m. Parte superior de la tráquea. ‖ **2.** Toda la caña del pulmón.
gargüero. m. **garguero.**
garibaldina. f. Especie de blusa de color rojo, como la que usaban el general italiano Garibaldi y sus voluntarios, que estuvo de moda entre las señoras.
garifalte. m. ant. **gerifalte,** ave rapaz.
garifo, fa. adj. **jarifo.**
garigola. f. *Murc.* Caja en que el cazador lleva metido el hurón.
gario. m. *Albac.* Triple garfio para sacar de los pozos latas, cubos, etc. ‖ **2.** *Cantabria.* Instrumento agrícola, especie de rastro de madera para recoger el estiércol. ‖ **3.** *León, Pal., Seg.* y *Vallad.* **bielda,** especie de bieldo.
gariofilea. (De *gariofilo.*) f. Especie de clavel silvestre.
gariofilo. (Del gr. καρυόφυλλον, a través del lat. *gariophyllon.*) m. ant. Clavo de especia.
garita. (Del ant. fr. *garite*, hoy *guérite.*) f. Torrecilla de fábrica o de madera fuerte, con ventanillas largas y estrechas, que se coloca en los puntos salientes de las fortificaciones para abrigo y defensa de los centinelas. ‖ **2.** Casilla pequeña, para abrigo y comodidad de centinelas, vigilantes, guardafrenos, etc. ‖ **3.** Cuarto pequeño que suelen tener los porteros en el portal para poder ver quién entra y sale. ‖ **4.** desus. En los retretes, cada cuarto con asiento. ‖ **5.** *Méj.* Entrada de la ciudad.
garitero. m. El que tiene por su cuenta un garito. ‖ **2.** El que con frecuencia juega en los garitos. ‖ **3.** *Germ.* Encubridor de ladrones.
garito. (De *garita.*) m. Casa clandestina donde juegan los tahúres o fulleros. ‖ **2.** Ganancia que se saca de la casa del juego. ‖ **3.** *Germ.* Casa o edificio para habitar.
garitón. (aum. de *garito.*) m. *Germ.* Cuarto o pieza de una casa.
garla. (De *garlar.*) f. fam. Habla, plática o conversación.
garlador, ra. adj. fam. Que garla. Ú. t. c. s.
garlar. (Del lat. *garrulāre*, charlar.) intr. fam. Hablar mucho, sin intermisión y poco discretamente.
garlero, ra. adj. fam. *Col.* Que garla mucho. Ú. t. c. s.
garlido. (De *garlar.*) m. p. us. Voz o sonido agudo.
garlito. (De or. inc.) m. Especie de nasa, a modo de buitrón, que tiene en lo más estrecho una red dispuesta de tal forma que, entrando el pez por la malla, no puede salir. ‖ **2.** fig. y fam. Celada, lazo o asechanza que se arma a uno para molestarlo y hacerle daño. ‖ **caer** uno **en el garlito.** fr. fig. y fam. **caer en el lazo.** ‖ **coger** a uno **en el garlito.** fr. fig. y fam. Sorprenderle en una acción que quería hacer ocultamente.
garlo. m. *Sal.* Especie de nasa o buitrón.
garlocha. f. **garrocha.**
garlopa. (Del prov. *garlopo.*) f. *Carp.* Cepillo largo y con puño, que sirve para igualar las superficies de la madera ya cepillada, especialmente en las junturas de las tablas.
garma. f. *Ast.* y *Cantabria.* Vertiente muy abrupta donde es fácil despeñarse.
garmejón. m. *Sal.* Trípode sobre el cual se espada el lino.
garnacha[1]**.** (De prov. ant. *ganacha* o *garnacha.*) f. Vestidura talar que usan los togados, con mangas y un sobrecuello grande, que cae desde los hombros a las espaldas. ‖ **2.** Persona que viste la **garnacha.** ‖ **3.** Compañía de cómicos o representantes que andaba por los pueblos, y se componía de cinco o seis hombres, una mujer, que hacía de primera dama, y un muchacho que hacía de segunda. ‖ **4.** *León.* Melena[1] que cuelga sobre los hombros. ‖ **5.** fam. *León.* Golpe en el pescuezo. ‖ **6.** *Méj.* Tortilla gruesa con salsa de chile y otros ingredientes.
garnacha[2]**.** (Del it. *vernaccia.*) f. Especie de uva roja que tira a morada, muy fina, de muy buen gusto y muy dulce. ‖ **2.** Vino que se hace con esta uva. ‖ **3.** Género de bebida a modo de carraspada.
garnato. m. ant. **granate.**
garniel. (Del prov. ant. *carnier*, morral.) m. Bolsa de cuero, especie de burjaca, pendiente del cinto y con varias divisiones. También se da ese nombre al cinturón del que pende esa bolsa. ‖ **2.** *Ecuad.* y *Méj.* Estuche para las navajas que se ponen a los gallos de pelea.
garnucho. m. *Méj.* Golpe que se da con el dedo medio después de retenerlo con el pulgar; castañeta.
garo. (Del gr. γάρον, a través del lat. *garum.*) m. Condimento muy estimado por los romanos, que se hacía poniendo a macerar en salmuera y con diversos líquidos los intestinos, hígado y otros desperdicios de ciertos pescados; como el escombro, el escaro y el salmonete. ‖ **2.** Pez, hoy desconocido, con que, según los antiguos se había hecho primeramente este condimento.
garojo. (Del lat. *carylĭum*, de *carўon*, nuez.) m. *Cantabria.* Raspa de la panoja del maíz.
garoso, sa. adj. *Col.* y *Venez.* Hambriento, comilón.

garpa. (De *grapa.*) f. **carpa²,** gajo de uvas.
garra. (De etim. disc.) f. Mano o pie del animal, cuando están armados de uñas corvas, fuertes y agudas; como en el león y el águila. ‖ **2.** fig. Mano del hombre. ‖ **3.** fig. y fam. V. **gente de la garra.** ‖ **4.** *Mar.* Cada uno de los ganchos del arpeo. ‖ **5.** *Ar.* y *Nav.* **pierna,** parte entre el pie y la rodilla o comprendiendo también el muslo. ‖ **6.** *Argent.* Extremidad del cuero por donde se afianza en las estacas al estirarlo. ‖ **7.** *Argent., Col., Chile* y *Urug.* Pedazo de cuero endurecido y arrugado. ‖ **8.** *Col.* Saco de cuero. ‖ **9.** pl. *Amér.* Desgarrones, harapos. ‖ **caer en las garras.** fr. fig. Caer en manos de uno de quien se teme o recela grave daño. ‖ **cinco y la garra.** expr. fam. con que se da a entender que ciertas cosas se tienen solo por haberlas hurtado, aludiendo a los cinco dedos de la mano, con que se toman. ‖ **echar** a uno **la garra.** fr. fig. y fam. Cogerlo o prenderlo. ‖ **hecho garras.** loc. fig. y fam. *Méj.* En estado ruinoso. ‖ **sacar** a uno **de las garras** de otro. fr. fig. Libertarlo de su poder. ‖ **tener garra.** fr. fig. y fam. Disponer una persona o cosa de cualidades de convicción, captación o persuasión. ‖ **2.** Ejercer una persona o cosa un fuerte poder de atracción, convicción o persuasión.
garrabera. f. *Ar.* Variedad de zarzamora.
garrafa. (De or. inc.) f. Vasija esférica, que remata en un cuello largo y angosto y sirve para enfriar las bebidas, rodeándolas de hielo. ‖ **2.** Vasija cilíndrica provista de una tapa con asa, que, dentro de una corchera, sirve para hacer helados. ‖ **3.** *Argent.* y *Urug.* Bombona metálica y de cierre hermético para contener gases y líquidos muy volátiles. ‖ **corchera.** La que se usa siempre dentro de una corchera proporcionada a sus dimensiones, con la que constituye un solo aparato.
garrafal. (De *garrofal.*) adj. Dícese de cierta especie de guindas y cerezas, mayores y menos tiernas que las comunes. ‖ **2.** Dícese de los árboles que las producen. ‖ **3.** fig. Dícese de algunas faltas graves de la expresión y de algunas acciones. *Error, mentira* GARRAFAL.
garrafina. (De *garrafiñar.*) f. Juego de dominó, con limitación de pérdidas, en el que intervienen cuatro jugadores, uno de los cuales ha de quedar como único ganador.
garrafiñar. (De *garfiñar.*) tr. fam. Quitar una cosa agarrándola.
garrafón. m. aum. de **garrafa.** ‖ **2.** Damajuana o castaña.
garrama. (Del ár. *garāma,* impuesto.) f. Cierta contribución que pagan los musulmanes a sus príncipes. ‖ **2.** fam. Robo, pillaje, hurto o estafa. ‖ **3.** *Sal.* Derrama, contribución.
garramar. (De *garrama,* robo.) tr. fam. Hurtar y agarrar con astucia y engaño cuanto se encuentra.
garrampa. (Del germ. *kramp,* calambre.) f. *Ar.* **calambre.**
garrancha. (Cruce de *garra* y *gancho.*) f. fam. Especie de espada. ‖ **2.** ant. Gancho, garfio. Ú. en Aragón y Colombia. ‖ **3. espata.**
garranchada. f. Herida o rasgón con un garrancho.
garranchazo. m. Herida o rasgón que se hace con un garrancho o con un gancho.
garrancho. (Cruce de *garra* y *gancho.*) m. Parte dura, aguda y saliente del tronco o rama de una planta. ‖ **2. gancho,** desgarrón en una rama o tallo. ‖ **3. garranchazo.**
garranchuelo. (dim. de *garrancho.*) m. Planta anual de la familia de las gramíneas, que tiene el tallo tendido y acodado, de unos cuatro decímetros de largo, hojas y vainas vellosas, y espigas lineares, largas, verdosas o violáceas.
garrapata. (der. de *caparra,* de or. prerromano.) f. Ácaro de forma ovalada, de cuatro a seis milímetros de largo, con las patas terminadas en dos uñas mediante las cuales se agarra al cuerpo de ciertos mamíferos para chuparles la sangre, que suele ingerir en tal cantidad que su cuerpo llega a hacerse casi esférico. ‖ **2.** fam. *Mil.* En los regimientos de caballería, caballo inútil. ‖ **3.** fam. *Mil.* Tropa que cuida y conduce las **garrapatas,** caballos inútiles.
garrapatear. intr. Hacer garrapatos. Ú. t. c. tr.
garrapatero. m. *Col., Ecuad.* y *Venez.* Ave de pico corvo, pecho blanco y alas negras, que se alimenta de garrapatas que quita al ganado.
garrapato. m. **cadillo,** fruto espinoso de la planta de este nombre, que se adhiere a la ropa. ‖ **2.** Rasgo caprichoso e irregular hecho con la pluma. ‖ **3.** pl. Letras o rasgos mal trazados con la pluma.
garrapatón. (aum. de *garrapato.*) m. Disparate de la expresión.
garrapatoso, sa. adj. Aplícase a la escritura llena de garrapatos.
garrapiña. f. **garapiña.**
garrapiñado, da. p. p. de **garrapiñar.** ‖ **2.** adj. Dícese de las almendras bañadas en almíbar que forma grumos. Ú. t. c. s.
garrapiñar¹. tr. **garrafiñar.**
garrapiñar². tr. **garapiñar.**
garrapo. m. *Sal.* Cerdo que no ha cumplido un año.
garrar. (De *garra.*) intr. *Mar.* Cejar o ir hacia atrás un buque arrastrando el ancla, por no haber esta hecho presa, o por haberse desprendido.
garrasí. m. *Venez.* Calzón usado por los llaneros, abierto por los costados y abotonado hasta la corva, donde remata en dos puntas.
garrear. intr. *Mar.* **garrar.**
garria. f. *Sal.* Prado extenso sin árboles. ‖ **2.** *Sal.* Oveja que se queda rezagada.
garridamente. adv. m. ant. Lindamente, gallardamente.
garrideza. (De *garrido.*) f. ant. Gallardía o gentileza de cuerpo. ‖ **2.** fig. Galanura, elegancia.
garrido, da. adj. Dícese de la persona gallarda o robusta, y en especial de la mujer lozana y bien parecida. ‖ **2.** Galano, elegante.
garridura. f. ant. Acción y efecto de garrir.
garrir. (Del lat. *garrīre.*) intr. ant. **charlar.** ‖ **2.** Gritar el loro.
garroba. (Del ár. *jarrūba.*) f. **algarroba,** fruto.
garrobal. adj. ant. **garrafal.** ‖ **2.** m. Sitio poblado de algarrobos.
garrobilla. (De *garrobo.*) f. Astillas o pedazos de algarrobo que se usan, con otros ingredientes, para curtir los cueros y darles un color como leonado.
garrobo¹. m. ant. **algarrobo.**
garrobo². m. *C. Rica, Hond.* y *Nicar.* Saurio de fuerte piel escamosa, que abunda en las tierras cálidas de las costas y vive en las cercanías de las casas.
garrocha. (De *garra.*) f. Vara que en la extremidad tiene un hierro pequeño con un arponcillo para que agarre y no se desprenda. ‖ **2.** Vara para picar toros, de cuatro metros de largo, cinco centímetros de grueso y una punta de acero de tres filos, llamada puya, sujeta en el extremo por donde se presenta a la fiera. Se emplea especialmente en el acoso y derribo, a caballo, de reses bravas y en faenas camperas de apartado y conducción de ganado vacuno. ‖ **3.** Vara larga o pértiga en la que el torero se apoya para saltar de frente sobre el toro. ‖ **4. pértiga,** vara para saltar en el deporte de este nombre.
garrochar. tr. Herir con la garrocha.
garrochazo. m. Herida o golpe dado con la garrocha.
garrochear. tr. Herir con la garrocha.
garrochero. m. Picador de toros. ‖ **2.** El que conduce reses bravas, o las derriba en las tientas.
garrochista. com. Persona que garrocha.
garrochón. (aum. de *garrocha.*) m. Rejón de la lidia de toros.

garrofa. f. **algarroba,** fruto.
garrofal. (De *garrofa.*) adj. **garrafal.** ‖ **2.** m. **garrobal,** sitio poblado de algarrobos.
garrofero. m. *Murc.* **algarrobo.**
garrón. (aum. de *garra.*) m. Espolón de ave. ‖ **2.** Extremo de la pata del conejo, de la res y otros animales, por donde se cuelgan después de muertos. ‖ **3.** Gancho que queda al cortar una rama lateral de otra principal de un árbol. ‖ **4.** **calcañar;** y así, del que lleva las medias caídas, se dice que las lleva **al garrón.** ‖ **tener garrones.** fr. fig. y fam. que se aplica a las personas que, por la experiencia que tienen del mundo, no son fáciles de engañar.
garronuda. f. *Bol.* **fancuda.**
garrota. f. **garrote.** ‖ **2. cayado.**
garrotal. (De *garrote.*) m. Plantío hecho con estacas o garrotes de olivo.
garrotazo. m. Golpe dado con un garrote. ‖ **garrotazo y tente tieso.** fr. fig. y fam. con que se manifiesta el propósito de proceder con la máxima decisión y energía frente a cualquier resistencia u oposición.
garrote. (Del fr. *garrot.*) m. Palo grueso y fuerte que puede manejarse a modo de bastón. ‖ **2.** Plantón, especialmente el del olivo. ‖ **3.** V. **vino de garrote.** ‖ **4.** Compresión fuerte que se hace de las ligaduras retorciendo la cuerda con un palo. ‖ **5.** Palo que se aplicaba a una cuerda, con el que, al retorcerla, se conseguía apretar fuertemente un miembro, atormentando así a la persona para obligarla a confesar o declarar algo. Se usaba también este procedimiento para hacer volver en sí a la persona privada de sentido. ‖ **6.** Acto de aplicar este tormento. ‖ **7.** Procedimiento para ejecutar a los condenados comprimiéndoles la garganta con una soga retorcida con un palo, o mediante un artificio mecánico de parecido efecto. ‖ **8.** Defecto de un dibujo, que consiste en la falta de continuidad de una línea. ‖ **9.** Pandeo en una pared, en la superficie de una piedra labrada, en la alineación de los caños de una conducción de agua, etc. ‖ **10.** *Cantabria* y *Pal.* Cesto que se hace de tiras de palo de avellano. ‖ **11.** *Cantabria.* Unidad de medida para leñas, equivalente a media carga. ‖ **12.** *Méj.* Palo que sirve de freno al carro. ‖ **13.** *Mar.* Palanca con que se da vuelta a la trinca de un cabo. ‖ **vil.** Condena a muerte de delincuentes, etc., ejecutados con **garrote.** ‖ **2.** Instrumento para ejecutar a los condenados a muerte. ‖ **dar garrote.** fr. Ejecutar el suplicio o el tormento de **garrote.** ‖ **2.** fig. y fam. Quitar el ratero la anilla a un reloj de bolsillo para separarlo de la cadena.
garrotear. tr. ant. Dar golpes con garrote.
garrotera. f. *Murc.* Cada una de las estacas que forman los adrales del carro.
garrotillo. (d. de *garrote.*) m. desus. *Pat.* Difteria grave u otra forma de angina maligna que solía producir la muerte por sofocación. ‖ **2.** *Rioja.* Palo corvo que se usa para dar el nudo al vencejo sin lastimarse los dedos al atar los haces de mies.
garrotín. m. Baile muy popular a fines del siglo XIX.
garrubia. f. **algarroba,** semilla.
garrucha. (De *carrucha.*) f. **polea.** ‖ **2.** V. **tormento de garrucha.** ‖ **3.** *Ar.* y *Vallad.* Pasador del cuello de la camisa. ‖ **combinada. polea combinada.** ‖ **fija. polea fija.** ‖ **movible. polea movible.** ‖ **simple. polea simple.**
garrucho. (De *garrucha.*) m. *Mar.* Anillo de hierro o de madera, que sirve para envergar las velas de cuchillo y para otros usos.
garruchuela. f. d. de **garrucha.**
garrudo, da. adj. Que tiene mucha garra. ‖ **2.** *Méj.* Forzudo. ‖ **3.** *Col.* Se dice de la res muy flaca.
garrulador, ra. adj. **gárrulo.**
garrulería. f. Charla de persona gárrula.
garrulidad. (Del lat. *garrulĭtas, -ātis.*) f. Cualidad de gárrulo.
gárrulo, la. (Del lat. *garrŭlus.*) adj. Aplícase al ave que canta, gorjea o chirría mucho. ‖ **2.** fig. Dícese de la persona muy habladora o charlatana. ‖ **3.** fig. Dícese de cosas que hacen ruido continuado; como el viento, un arroyo, etc.
garúa. (Del port. dialect. *caruja,* niebla.) f. *Amér.* **llovizna.**
garuar. intr. impers. *Amér.* **lloviznar.**
garujo. (De *garúa.*) m. **hormigón**[1].
garulla. f. **granuja,** uva desgranada y granillos de la misma. ‖ **2.** fig. y fam. Conjunto desordenado de gente. ‖ **3.** **cascajo,** conjunto de nueces, avellanas y castañas. ‖ **campar de garulla.** fr. fam. Echar baladronadas, contando con algún apoyo.
garullada. f. fig. y fam. Conjunto desordenado de gente.
garullo. m. *Sal.* Pollo del pavo. ‖ **2.** *And., Áv.* y *Tol.* Pavo destinado a servir de padre. ‖ **3.** *And., Cantabria* y *Extr.* Variedad de pera silvestre.
garvín. m. Cofia hecha de red, que usaron las mujeres como adorno.
garza. (De or. inc.) f. Ave zancuda, de cabeza pequeña, con moño largo y gris; pico prolongado y negro, amarillento por la base; la cerviz, los lados del cuello, las alas y la cola, de color ceniciento; el cuerpo, verdoso por encima y pardo blanquecino por debajo; los tarsos amarillentos, las uñas negras y las plumas de las alas con una mancha blanca en su extremo. Vive a orillas de los ríos y pantanos. ‖ **real.** Ave zancuda, de cabeza pequeña, con moño largo, negro y brillante, dorso azulado, vientre blanco, así como el pecho, que tiene manchas negruzcas casi elípticas; alas grises, con las plumas mayores negras; tarsos verdosos y pico largo y amarillo, más oscuro hacia la punta. Abunda en España en los terrenos aguanosos. ‖ **aunque la garza vuela muy alta, el halcón la mata.** fr. proverb. contra los engreídos.
garzo, za. (De or. inc.) adj. De color azulado. Aplícase más comúnmente a los ojos de este color, y aun a las personas que los tienen así. ‖ **2.** m. Agárico, hongo.
garzón[1]. (Del fr. *garçon.*) m. Joven mancebo, mozo. ‖ **2.** Niño, hijo varón. ‖ **3.** En el cuerpo de guardias de Corps, ayudante por quien el capitán comunicaba las órdenes. ‖ **4.** ant. El que solicita, enamora o corteja. ‖ **5.** ant. Joven que lleva vida disoluta con las mujeres. ‖ **6.** desus. Sodomita, tratando de costumbres moras.
garzón[2]. (aum. de *garza.*) m. *Col.* y *Venez.* Ave de la especie de las garzas reales, de cabeza sin pluma, pico muy largo, collar rojo, alas negras y vientre blanco. Tiene en la mandíbula inferior una especie de bolsa donde deposita agua.
garzonear. (De *garzón*[1].) tr. ant. Solicitar, enamorar o cortejar. ‖ **2.** intr. ant. Llevar el joven vida disoluta con las mujeres.
garzonería. f. ant. **garzonía.**
garzonía. (De *garzón*[1].) f. ant. Acción de solicitar, enamorar o cortejar. ‖ **2.** ant. Vida disoluta del joven. ‖ **3.** *Albac.* Acción de acariciarse los animales en celo. ‖ **4.** *And.* Celo de los animales salvajes.
garzota. (De *garza.*) f. Ave zancuda, de unos tres decímetros de largo, con el pico grande y de color negro; tiene en la nuca tres plumas de más de un decímetro de largo, inclinadas hacia la cola; el lomo verde negruzco, el vientre ceniciento, los pies amarillentos y las uñas negras. Habita en los países templados y se alimenta de peces y anfibios. La hembra carece de las tres plumas de la nuca. ‖ **2.** Plumaje o penacho que se usa para adorno de los sombreros, morriones o turbantes, y en los jaeces de los caballos.
garzul. adj. *And.* V. **trigo garzul.**
gas. (Palabra inventada por Van Helmonten en el siglo XVII.) m. Fluido, como el aire, que tiende a expandirse indefinidamente y que se caracteriza por su pequeña densidad.

Cuando su temperatura es superior a su temperatura crítica, aumenta su presión si se comprime. ‖ **2.** Carburo de hidrógeno con mezcla de otros **gases,** que se obtiene por la destilación en vasos cerrados del carbón de piedra y se emplea para alumbrado o calefacción y para obtener fuerza motriz. ‖ **3.** Mezcla de carburante y de aire que alimenta el motor de un vehículo automóvil. ‖ **4.** V. **cámara de gas.** ‖ **5.** pl. Por antonom., los que se producen en el aparato digestivo. ‖ **ciudad.** El destinado a alumbrado, calefacción, etc. ‖ **de alumbrado. gas ciudad.** ‖ **hilarante.** Óxido nitroso que tiene propiedades anestésicas. ‖ **natural. gas** combustible que procede de formaciones geológicas. ‖ **permanente.** El que por insuficiencia de los procedimientos antes empleados no había podido liquidarse. Hoy no se conoce ya ninguno que tenga esta propiedad. ‖ **pobre.** Mezcla de **gases** de poder luminoso muy débil, cuyos principales componentes son el hidrógeno y el óxido de carbono. Se produce por la acción del vapor de agua y del aire sobre el carbón candente. ‖ **a todo gas.** loc. adv. A toda velocidad. ‖ **dar gas.** Actuar sobre el acelerador de un vehículo automóvil para aumentar la velocidad de su motor.

gasa. (De etim. disc.) f. Tela de seda o hilo muy clara y sutil. ‖ **2.** Tira de **gasa** o paño negro que se rodea al sombrero en señal de luto. ‖ **3.** Banda de tejido muy ralo, que, esterilizada o impregnada de sustancias medicamentosas, se usa en cirugía. ‖ **4.** Tejido de algodón absorbente que se pone como empapador a los niños.

gasajado, da. p. p. de **gasajar.** ‖ **2.** m. ant. **agasajo.** ‖ **3.** ant. Gusto, placer o contento.

gasajar. (Del germ. *gasalho,* compañero.) tr. ant. Alegrar, divertir. Usáb. t. c. prnl.

gasajo. (De *gasajar.*) m. ant. **agasajo.**

gasajoso, sa. (De *gasajar.*) adj. ant. Alegre, regocijado, gustoso. ‖ **2.** ant. **agasajador.**

gascón, na. adj. Natural de Gascuña. Ú. t. c. s. ‖ **2.** Perteneciente o relativo a esta antigua provincia de Francia. ‖ **3.** V. **capa gascona.** ‖ **4.** m. Conjunto de dialectos románicos que se hablan en dicha región.

gasconés, sa. adj. **gascón.** Apl. a pers., ú. t. c. s.

gasear. tr. Hacer que un líquido, generalmente agua, absorba cierta cantidad de gas. ‖ **2.** Someter a la acción de gases asfixiantes, tóxicos, lacrimógenos, etc.

gaseiforme. (De *gas* y *-forme.*) adj. Que se halla en estado de gas.

gasendismo. m. Doctrina atomística del P. Gassendi, filósofo francés del siglo XVII.

gasendista. adj. Partidario del gasendismo. Ú. t. c. s.

gaseoso, sa. adj. Que se halla en estado de gas. ‖ **2.** Aplícase al líquido del que se desprenden gases. ‖ **3.** f. Bebida refrescante, efervescente y sin alcohol.

gasificación. f. Acción de pasar un líquido al estado de gas.

gasificar. tr. *Quím.* Producir la gasificación de los cuerpos químicamente tratados.

gasista. m. El que tiene por oficio la colocación y arreglo de los aparatos necesarios para el alumbrado por medio del gas y demás usos de este. ‖ **2.** Obrero empleado en los servicios del alumbrado por gas.

gasoducto. (De *gas* y el lat. *ductus,* conducción.) m. Tubería de grueso calibre y gran longitud para conducir a distancia gas combustible, procedente por lo general de emanaciones naturales.

gasógeno. (De *gas* y *-geno.*) m. Aparato para obtener gases. ‖ **2.** Aparato que se instala en algunos vehículos automóviles, destinado a producir carburo de hidrógeno empleado como carburante. ‖ **3.** Mezcla de bencina y alcohol, que se usa para el alumbrado y para quitar manchas.

gasoleno. (De *gas, óleo* y *-eno.*) m. **gasolina.**

gasóleo. (De *gas* y *óleo.*) m. Fracción destilada del petróleo crudo, que se purifica especialmente para eliminar el azufre. Se usa normalmente en los motores Diesel y como combustible en hogares abiertos.

gasolina. (Del fr. *gasoline.*) f. Combustible que se usa en los motores de combustión interna, como automóviles, etc., compuesto de hidrocarburos líquidos volátiles e inflamables obtenidos del petróleo crudo. ‖ **2.** V. **bomba de gasolina.**

gasolinera. f. Lancha automóvil con motor de gasolina. ‖ **2.** Depósito de gasolina para la venta al público. ‖ **3.** Establecimiento donde se vende gasolina.

gasometría. f. Método del análisis químico, basado en la medición de los gases desprendidos en las reacciones.

gasométrico, ca. adj. Perteneciente o relativo a la gasometría.

gasómetro. (De *gas* y *-metro.*) m. Instrumento para medir el gas. ‖ **2.** Aparato que en las fábricas de gas de alumbrado hace que el fluido salga con uniformidad por efecto de una sostenida y constante presión. ‖ **3.** Sitio y edificio donde está el aparato.

gasón. (Del fr. *gazon.*) m. Cascote de yeso. ‖ **2.** En algunas partes, terrón muy grande que queda sin desmenuzar por el arado. ‖ **3.** *Ar.* **césped.**

gastable. adj. Que se puede gastar.

gastadero. m. fam. Sitio o acción en que se gasta una cosa. GASTADERO *de tiempo, de paciencia.*

gastado, da. p. p. de **gastar.** ‖ **2.** adj. Debilitado, disminuido, borrado con el uso. ‖ **3.** Dícese de la persona decaída de su vigor físico o de su prestigio.

gastador, ra. adj. Que gasta mucho dinero. Ú. t. c. s. ‖ **2.** ant. fig. Que destruye o vicia. ‖ **3.** m. En los presidios, el que va condenado a los trabajos públicos. *Ir condenado en calidad de* GASTADOR. ‖ **4.** *Mil.* Soldado que se aplica a los trabajos de abrir trincheras y otros semejantes, o bien a franquear el paso en las marchas, para lo cual llevan palas, hachas y picos.

gastamiento. m. Acción y efecto de gastarse o consumirse una cosa. ‖ **2.** ant. **gasto.**

gastar. (Del lat. *vastāre,* devastar.) tr. Emplear el dinero en una cosa. ‖ **2.** Deteriorar con el uso, consumir, acabar. GASTAR *el vestido, el agua, las fuerzas.* Ú. t. c. prnl. ‖ **3.** desus. Destruir, asolar un territorio. ‖ **4.** desus. Digerir los alimentos. ‖ **5.** Tener habitualmente. GASTAR *mal humor.* ‖ **6.** Usar, poseer, llevar. GASTAR *coche, anteojos, bigote.* ‖ **gastarlas.** expr. fam. Proceder, portarse. *Así* LAS GASTAS *tú; bien sé cómo* LAS GASTA *el amo.*

gasterópodo. (Del gr. γαστήρ, estómago, y *-podo.*) adj. *Zool.* Dícese de los moluscos terrestres o acuáticos que tienen un pie carnoso mediante el cual se arrastran; la cabeza es más o menos cilíndrica y lleva en su extremo anterior la boca y en su parte dorsal uno o dos pares de tentáculos; el cuerpo se halla comúnmente protegido por una concha de una pieza y de forma muy variable, según las especies, casi siempre arrollada en espiral; como la púrpura y los caracoles. Ú. t. c. s. ‖ **2.** m. pl. *Zool.* Clase de estos moluscos.

gastizo, za. adj. **gastoso.**

gasto. m. Acción de gastar. ‖ **2.** Lo que se ha gastado o se gasta. ‖ **3.** *Fís.* Cantidad de líquido o de gas que, en determinadas circunstancias, pasa por un orificio o por una tubería cada unidad de tiempo. ‖ **gastos de escritorio.** Lo que se gasta en las oficinas y despachos particulares en papel, tinta, etc. ‖ **de representación.** Asignación suplementaria aneja a ciertos cargos del Estado para su más decoroso desempeño, o haberes que perciben algunos funcionarios de elevada categoría a quienes no señalan sueldo las leyes. ‖ **de residencia.** Lo que se abona sobre el sueldo a un funcionario público por tener que residir en localidades determinadas. ‖ **cubrir gastos.** fr. Producir una cosa lo bastante para resarcir de su coste. ‖ **dar el gasto.** fr. ant. Talar[2] masas de árboles. ‖ **hacer el gasto.** loc. Tomar uno a su cargo las expensas de alguna cosa, pagarlas. ‖ **2.** fr. fig. y fam. Mantener uno o dos la conversación entre muchos concurrentes, o ser una cosa determinada la materia de ella.

gastoso, sa. adj. Que gasta mucho.

gastralgia. (Del gr. γαστήρ, γαστρός, estómago, y *-algia.*) f. *Pat.* Dolor de estómago.

gastrálgico, ca. adj. Perteneciente o relativo a la gastralgia.

gastricismo. m. Denominación genérica de diversos estados morbosos agudos del estómago.

gástrico, ca. (Del gr. γαστήρ, γαστρός, estómago, e *-ico.*) adj. *Med.* Perteneciente o relativo al estómago. *Fiebre* GÁSTRICA. ‖ **2.** *Fisiol.* V. **jugo gástrico.**

gastritis. (Del gr. γαστήρ, γαστρός, estómago, e *-itis.*) f. *Pat.* Inflamación del estómago.

gastroenteritis. (Del gr. γαστήρ, γαστρός, estómago, y *enteritis.*) f. *Pat.* Inflamación simultánea de la membrana mucosa del estómago y de la de los intestinos.

gastroenterología. (Del gr. γαστήρ, γαστρός, estómago; ἔντερον, intestino, y *-logía.*) f. Rama de la medicina que se ocupa del estómago y de los intestinos y de sus enfermedades. Por ext., se aplica también a la rama de la medicina que se ocupa de todo el aparato digestivo y de sus enfermedades.

gastroenterólogo, ga. m. y f. Persona especializada en gastroenterología.

gastrointestinal. adj. Referente o relativo al estómago y a los intestinos.

gastronomía. (Del gr. γαστρονομία.) f. Arte de preparar una buena comida. ‖ **2.** Afición a comer regaladamente.

gastronómico, ca. adj. Perteneciente o relativo a la gastronomía.

gastrónomo, ma. m. y f. Persona entendida en gastronomía. ‖ **2.** Persona aficionada a las mesas opíparas.

gastrovascular. adj. *Zool.* Aplícase a la única cavidad del cuerpo de los celentéreos, en la cual se efectúa la digestión de los alimentos que han entrado en ella por una boca rodeada de varios tentáculos.

gata. f. Hembra del gato. ‖ **2. gatuña.** ‖ **3.** fig. Nubecilla o vapor que se pega a los montes y sube por ellos como gateando. ‖ **4.** fig. y fam. Mujer nacida en Madrid. ‖ **5.** *Ál.* y *Ast.* Oruga grande, erizada de pelos largos, con dos apéndices en el último anillo. ‖ **6.** *Amér. Central.* Pez selacio marino de color pardo amarillo, con largos barbillones en el borde anterior de los orificios nasales. Alcanza cuatro metros de longitud. Vive en el Atlántico tropical y su carne es de baja calidad. ‖ **7.** *Chile.* **gato[1]**, máquina para levantar pesos a poca altura. ‖ **8.** *Mar.* V. **aparejo de gata.** ‖ **9.** *Mil.* Cobertizo, a manera de manta, para cubrir a los soldados que se acercaban al muro para minarlo. ‖ **de Juan Ramos,** o **de Mari Ramos.** fig. y fam. Persona que disimuladamente y con melindre pretende una cosa, dando a entender que no la quiere. ‖ **parida.** fig. y fam. Persona flaca y extenuada. ‖ **¿está parida la gata?** fr. que se empleaba cuando había varias luces de sobra en una habitación. ‖ **hacer la gata,** o **la gata ensogada,** o **la gata muerta.** fr. fig. y fam. Simular o afectar humildad o moderación.

gatada. f. Acción propia del gato. ‖ **2.** Regate o parada repentina de la liebre en la carrera cuando la siguen los perros, con lo que estos pasan de largo y ella vuelve hacia atrás, sacándoles gran ventaja. ‖ **3.** fig. y fam. Acción vituperable en que median astucia, engaño y simulación.

gatallón, na. (despect. de *gato.*) adj. fam. Pillastrón, maulón. Ú. t. c. s.

gatamuso, sa. (De *gato*[1] y la voz *muso,* con que se llama a este animal.) adj. *Vallad.* Hipócrita, solapado. Ú. t. c. s.

gatas (a). loc. adv. con que se significa el modo de ponerse o andar una persona con pies y manos en el suelo, como los gatos y demás cuadrúpedos. ‖ **salir** uno **a gatas.** fr. fig. y fam. Librarse con gran trabajo y dificultad de un peligro o apuro. ‖ **y los que anduvo a gatas.** loc. fam. con la que se afirma que una persona tiene más años de los que manifiesta o alguien le atribuye. *Tiene cuarenta años,* Y LOS QUE ANDUVO A GATAS.

gatatumba. (De *gata* y *tumbar.*) f. fam. Simulación de obsequio, de reverencia, dolor u otra cosa semejante.

gatazo, za. m. y f. aum. de **gato[1]**. ‖ **2.** m. fam. Engaño que se hace a uno para sacarle dinero u otra cosa de valor. ‖ **dar gatazo.** fr. fig. y fam. Engañar, timar.

gateado, da. p. p. de **gatear.** ‖ **2.** adj. Semejante en algún aspecto al gato. *Ojos grandes y* GATEADOS. ‖ **3.** Con vetas semejantes a las de los gatos de algalia. *Mármol* GATEADO. ‖ **4.** *Argent.* Dícese del caballo o yegua de color bayo oscuro y cebrado. ‖ **5.** m. Madera americana muy compacta y variamente veteada, que emplean los ebanistas en muebles de lujo. ‖ **6. gateamiento.**

gateamiento. m. Acción de gatear.

gatear. intr. Trepar como los gatos, y especialmente subir por un tronco o astil valiéndose de los brazos y piernas. ‖ **2.** fam. Andar a gatas. ‖ **3.** tr. fam. Arañar el gato. ‖ **4.** fam. Hurtar, robar sin intimidación ni fuerza.

gatera[1]. f. Agujero hecho en pared, tejado o puerta para que puedan entrar y salir los gatos, o con otros fines. ‖ **2.** *Mar.* Agujero circular, revestido de hierro y abierto en las cubiertas de los buques, por el cual sale la cadena de la caja donde está estibada. ‖ **3.** com. **gatillo,** ratero.

gatera[2]. (Del quechua *ccatu,* mercado.) f. *Bol., Ecuad.* y *Perú.* Revendedora, y más especialmente verdulera.

gatería. f. fam. Junta o concurrencia de muchos gatos. ‖ **2.** fig. y fam. Reunión de mozos y muchachos mal criados. ‖ **3.** fig. y fam. Simulación de humildad y halago, con que se pretende lograr una cosa.

gatero, ra. adj. Habitado o frecuentado de gatos. ‖ **2.** V. **desván gatero.** ‖ **3.** m. y f. Vendedor de gatos. ‖ **4.** El que es aficionado a tener o criar gatos.

gatesco, ca. adj. fam. **gatuno.**

gatillazo. m. Golpe que da el gatillo en las escopetas y otras armas de fuego, especialmente cuando no sale el tiro. ‖ **dar gatillazo.** fr. fig. y fam. Malograrse la esperanza o concepto que se tenía de una persona o cosa.

gatillo. (d. de *gato*[1].) m. Percutor, aguja que hiere el cebo en las armas de fuego. ‖ **2.** Parte de la llave de una arma en que se apoya el dedo para disparar. ‖ **3.** Instrumento de hierro, a modo de tenazas o alicates, con que se sacan las muelas y dientes. ‖ **4.** Parte superior del pescuezo de algunos cuadrúpedos, que se extiende desde cerca de la cruz hasta cerca de la nuca. ‖ **5.** Pedazo de carne que se tuerce en la parte superior del pescuezo de algunos cuadrúpedos, cayendo hacia uno de los lados de él. ‖ **6.** fig. y fam. Muchacho ratero. ‖ **7.** Pieza de hierro o de madera con que se une y traba lo que se quiere asegurar. ‖ **8.** *Pal.* Flor de la acacia. ‖ **9.** *Chile.* Crines largas que se dejan a las caballerías en la cruz y de las cuales se asen los jinetes para montar.

gato[1]. (Del lat. *cattus.*) m. Mamífero carnívoro de la familia de los félidos, digitigrado, doméstico, de unos cinco decímetros de largo desde la cabeza hasta el arranque de la cola, que por sí sola mide dos decímetros aproximadamente; cabeza redonda, lengua muy áspera, patas cortas; pelaje espeso, suave, de color blanco, gris, pardo, rojizo o negro. Es muy útil en las casas como cazador de ratones. ‖ **2.** Bolso o talego en que se guardaba el dinero. ‖ **3.** Dinero que se guardaba en él. ‖ **4.** Instrumento de hierro que sirve para agarrar fuertemente la madera y traerla a donde se pretende. Se usa para echar aros a las cubas, y en el oficio de portaventanero. ‖ **5.** Máquina compuesta de un engranaje de piñón y cremallera, con un trinquete de seguridad, que sirve para levantar grandes pesos a poca altura. También se hace con una tuerca y un husillo. ‖ **6.** Instrumento que consta de seis o más garfios de acero, y servía para reconocer y examinar el alma de los cañones y demás piezas de artillería. ‖ **7.** Trampa para coger ratones. ‖ **8.** V. **lengua, ojo, pie, sopas, uva de gato.** ‖ **9.** fig. y fam. Ladrón, ratero que hurta con astucia y engaño. ‖ **10.** fig. y fam. Hombre sagaz, astuto. ‖ **11.** fig. y fam. Hombre nacido en Madrid. ‖ **12.** fig. y fam. V. **mano, ojos de gato.** ‖ **13.** *Argent.* Danza popular bailada por una o dos parejas con movimientos rápidos. ‖ **14.** *Argent.* Música que acompaña ese baile. ‖ **15.** fam. despect. *Méj.* **sirviente.** ‖ **16.** *Carp.* Instrumento de hierro o de madera compuesto de dos planchas con un tornillo que permite aproximarlas de modo que quede fuertemente sujeta la pieza que se coge entre ambas. ‖ **17.** *Zool.* Se da este nombre a todos los félidos en general. ‖ **cerval,** o **clavo.** Especie de **gato** cuya cola llega a 35 centímetros de longitud; tiene la cabeza gruesa, con pelos largos alrededor de la cara; pelaje gris, corto, suave y con muchas manchas negras que forman anillos en la cola. Vive en el centro y mediodía de España, trepa a los árboles y es muy dañino. Su piel se usa en peletería. ‖ **de agua.** Especie de ratonera que se pone sobre un lebrillo de agua, donde caen los ratones. ‖ **de algalia.** Mamífero carnívoro oriundo de Asia, de un metro de largo desde la cabeza hasta la extremidad de la cola, que mide cerca de cuatro decímetros, de color gris con fajas transversales negras, estrechas y paralelas, crines cortas en el lomo, y cerca del ano una especie de bolsa donde el animal segrega la algalia. ‖ **de Angora. gato** de pelo muy largo, procedente de Angora, en Asia Menor. ‖ **de clavo. gato clavo.** ‖ **marino. alitán.** ‖ **montés.** Especie de **gato** poco mayor que el doméstico, con pelaje gris rojizo, rayado de bandas negras, y cola leonada con la punta y dos anillos también negros. Vive en los montes del norte de España. A veces se aplica indebidamente este nombre al **gato** cimarrón. ‖ **romano.** El que tiene la piel manchada a listas transversales de color pardo y negro. ‖ **siamés. gato** procedente de Asia, de pelo muy corto y color ocre amarillento o gris, con la cara, las orejas y la cola más oscuras. ‖ **ata el gato.** fig. y fam. Persona rica, avarienta y mísera. ‖ **buscar el gato en el garbanzal.** fr. fig. y fam. Empeñarse en una empresa muy difícil. ‖ **como gato panza** o **boca arriba.** loc. adv. En actitud de defensa exasperada. ‖ **correr como gato por ascuas,** o **brasas.** fr. fam. Correr con celeridad el que huye de un daño, peligro o inconveniente. ‖ **cuatro gatos.** expr. despect. para indicar poca gente y sin importancia. ‖ **dar gato por liebre.** fr. fig. y fam. Engañar en la calidad de una cosa por medio de otra inferior que se le asemeja. ‖ **echarle** a uno **el gato a las barbas.** fr. fig. y fam. Atreverse con él, insultarle, denostarle o hacer cosa que le irrite. ‖ **gato con guantes no caza ratones.** fr. fig. y fam. para expresar lo embarazoso que es usar refinamientos a los que uno no está acostumbrado. ‖ **gato escaldado...,** o **gato escaldado del agua fría huye.** fr. fig. y fam. para expresar la desconfianza de quien alguna vez ha sido maltratado. ‖ **haber gato encerrado.** fr. fig. y fam. Haber causa o razón oculta o secreta, o manejos ocultos. ‖ **hasta los gatos tienen tos,** o **romadizo.** fr. fig. y fam. con que se reprende a los que hacen ostentación de cualidades que no les son propias. ‖ **ir como gato por ascuas.** fr. fam. **correr como gato por ascuas.** ‖ **lavarse a lo gato.** fr. fam. Lavarse sin mojarse apenas y especialmente hacerlo pasándose por la cara un paño mojado. ‖ **llevar el gato al agua.** fr. fig. y fam. Superar una dificultad o arrostrar el riesgo de una empresa. Ú. m. en la frase interrogativa **¿quién lleva, o quién ha de llevar, el gato al agua?** ‖ **2.** Triunfar en una competencia, salir ganancioso. ‖ **pasar como gato por ascuas.** fr. fam. **correr como gato por ascuas.** ‖ **vender gato por liebre.** fr. fig. y fam. **dar gato por liebre.**

gato². (Del quechua *ccatu.*) m. desus. *Perú.* Mercado al aire libre.

gatopardo. (Del it. *gattopardo.*) m. **onza².**

gatuna. f. **gatuña.**

gatunero. (De *gatuno.*) m. *And.* El que vende carne de contrabando.

gatuno, na. adj. Perteneciente o relativo al gato.

gatuña. (De *gato,* con alusión a las espinas de la planta, y *uña.*) f. Planta herbácea de la familia de las papilionáceas, con tallos ramosos, delgados, casi tendidos, duros y espinosos; hojas compuestas de tres hojuelas pequeñas, elípticas y dentadas; flores solitarias, axilares, rojizas o blancas, y fruto en vainillas ovales, con pocas semillas. Es muy común en los sembrados, y la raíz se ha empleado como aperitivo.

gatuperio. (De *gato,* a imitación de *vituperio* e *improperio.*) m. Mezcla de diversas sustancias incoherentes de que resulta un todo desabrido o dañoso. ‖ **2.** fig. y fam. Embrollo, enjuague, intriga.

gauchada. f. p. us. *Argent., Chile, Perú* y *Urug.* Acción propia de un gaucho. ‖ **2.** fig. *Argent.* y *Urug.* Servicio o favor ocasional prestado con buena disposición. ‖ **3.** p. us. *Argent.* **gauchaje.**

gauchaje. m. p. us. *Argent., Chile* y *Urug.* Conjunto o reunión de gauchos.

gauchear. intr. *Argent.* y *Urug.* Seguir costumbres de gaucho.

gauchesco, ca. adj. Perteneciente o relativo al gaucho. Ú. t. en sent. fig.

gaucho¹. m. Campesino que, en los siglos XVIII y XIX, habitaba en las llanuras rioplatenses de la Argentina, en el Uruguay y en Río Grande del Sur (Brasil). Era buen jinete y diestro en los trabajos ganaderos del campo.

gaucho², cha. adj. *Argent.* y *Urug.* Perteneciente o relativo a los gauchos¹. *Un apero* GAUCHO. ‖ **2.** *Argent., Chile* y *Urug.* Buen jinete, o poseedor de otras habilidades propias del gaucho. ‖ **3.** *Argent.* y *Urug.* Grosero, zafio. ‖ **4.** *Argent., Chile* y *Urug.* Ducho en tretas, taimado, astuto. ‖ **5.** m. Nombre con que se designa al campesino **gaucho.**

gaudeamus. (Del lat. *gaudeāmus,* alegrémonos.) m. fam. Fiesta, regocijo, comida y bebida abundantes.

gaudio. (Del lat. *gaudĭum.*) m. ant. Gozo, alegría.

gaudón. (De or. inc.) m. *Ál.* **alcaudón.**

gausio. (De *gauss.*) m. *Fís.* Nombre español de gauss.

gauss. (Del apellido de Carlos Federico *Gauss,* matemático, físico y astrónomo alemán, 1777-1855.) m. *Fís.* Nombre internacional de la unidad de inducción magnética en el sistema magnético cegesimal. Equivale a una diezmilésima de tesla.

gavanza. f. Flor del gavanzo.

gavanzo. (De *agavanzo.*) m. Rosal silvestre. ‖ **2.** Fruto de este arbusto.

gavera. (De *gavia¹.*) f. *And., Col.* y *Venez.* Gradilla o galápago, molde para fabricar tejas o ladrillos. ‖ **2.** *Perú.* **tapial.** ‖ **3.** *Col.* Aparato de madera con varios compartimientos, donde se enfría y espesa la miel de caña obtenida en los trapiches.

gaveta. (Del it. *gavetta.*) f. Cajón corredizo que hay en los escritorios y papeleras, y sirve para guardar lo que se quiere tener a mano. ‖ **2.** Mueble que tiene uno o varios de estos cajones. ‖ **3.** *Murc.* Anillo de hierro, o lazo de cuerda, que hay en las paredes de las barracas donde se crían los gusanos de seda para asegurar los zarzos. ‖ **4.** *Mar.* Tina pequeña, ovalada, usualmente de madera, provista de asa, donde se sirve la comida a los ranchos de a bordo. ‖ **5.** *Mar.* Balde pequeño, en general de madera, de forma troncocónica, con asa, para servir el vino a la marinería y tropa.

gavia[1]. (Del lat. *cavĕa,* cavidad, jaula.) f. desus. Jaula, y especialmente la de madera en que se encerraba al loco o furioso. ‖ **2.** Zanja que se abre en la tierra para desagüe o linde de propiedades. ‖ **3.** *Sal.* y *Zam.* Hoyo o zanja que se hace en la tierra para plantar los árboles o las cepas. ‖ **4.** *Germ.* Casco de la armadura. ‖ **5.** *Mar.* Vela que se coloca en el mastelero mayor de las naves, la cual da nombre a este, a su verga, etc. ‖ **6.** *Mar.* Por ext., cada una de las velas correspondientes en los otros dos masteleros. *El navío navega con las tres* GAVIAS, *porque lleva* GAVIA, *velacho y sobremesana.* ‖ **7.** *Mar.* Cofa de las galeras.

gavia[2]. (Del lat. *gavĭa.*) f. **gaviota.**

gavia[3]. (De *gavilla.*) f. *Min.* Cuadrilla de operarios que se emplea en el trecheo.

gavial. (Del fr. *gavial.*) m. Reptil del orden de los emidosaurios, propio de los ríos de la India, parecido al cocodrilo, de unos ocho metros de largo, con el hocico muy prolongado y puntiagudo y las membranas de los pies dentadas.

gaviero. (De *gavia*[1], vela que se coloca en el mastelero mayor de una nave.) m. *Mar.* Marinero a cuyo cuidado está la gavia y el registrar cuanto se pueda ver desde ella.

gavieta. (De *gavia*[1], vela que se coloca en el mastelero mayor de una nave.) f. *Mar.* Gavia, a modo de garita, que se pone sobre la mesana o el bauprés.

gaviete. (Tal vez de *gavia*[1].) m. *Mar.* Madero corvo, robusto y con una roldana en la cabeza, que se coloca en la popa de la lancha para levar con ella una ancla, halando del cable o del orinque encapillado previamente sobre dicha roldana.

gavilán. (De or. inc.) m. Ave rapaz, de unos tres decímetros de largo desde el pico a la extremidad de la cola, con plumaje gris azulado en la parte superior del cuerpo, blanco con fajas onduladas de color pardo rojizo en el cuello, pecho y vientre, y cola parda con cinco rayas negras. La hembra es un tercio mayor y de plumaje más claro. ‖ **2.** Rasguillo que se hace al final de algunas letras. ‖ **3.** Cualquiera de los dos lados del pico de la pluma de escribir. ‖ **4.** Cada uno de los dos hierros que salen de la guarnición de la espada, forman la cruz y sirven para defender la mano y la cabeza de los golpes del contrario. ‖ **5.** Hierro cortante que tiene en la punta de abajo la aguijada, con el que el gañán limpia el arado y lo desbroza. ‖ **6.** Garfio de hierro que usaban los antiguos para aferrar las naves. ‖ **7.** Flor del cardo. ‖ **8.** *And., Amér. Central, Cuba* y *P. Rico.* Uñero, borde de la uña, especialmente la del dedo gordo del pie, que se clava en la carne. ‖ **araniego.** El que se caza o coge con la red llamada arañuelo. ‖ **hidalgo como el gavilán.** expr. proverb. Dícese de la persona desagradecida a sus bienhechores.

gavilana. f. *C. Rica.* Planta herbácea de la familia de las compuestas, con tallos derechos que llegan a una altura de más de dos metros; hojas divididas en lóbulos angostos y alargados; flores en corimbo, pequeñas y de color amarillo dorado. Se usa en medicina como tónico y febrífugo.

gavilancillo. (d. de *gavilán.*) m. Pico o punta corva que tiene la hoja de la alcachofa.

gavilla. (De or. inc.) f. Conjunto de sarmientos, cañas, mieses, ramas, hierba, etc., mayor que el manojo y menor que el haz. *Ochenta* GAVILLAS *de sarmientos, de cebada.* ‖ **2.** fig. Junta de muchas personas y comúnmente de baja calidad. GAVILLA *de pícaros; gente de* GAVILLA.

gavillador. (De *gavillar*[2].) m. *And.* Obrero encargado de hacer las gavillas de la siega.

gavillar[1]. m. Terreno cubierto de gavillas de la siega.

gavillar[2]. tr. Hacer las gavillas de la siega.

gavillero. m. Sitio en que se juntan y amontonan las gavillas en la siega. ‖ **2.** Línea de gavillas que dejan los segadores tendidas en el terreno segado. ‖ **3.** *Chile.* Jornalero que con el bieldo echa las gavillas al carro.

gavina. (De *gavia*[2].) f. **gaviota.**

gavinote. m. Pollo de gavina.

gavión[1]. (De *gavia*[1].) m. *Mil.* Cestón de mimbres lleno de tierra, que sirve para defender de los tiros del enemigo a los que abren la trinchera. ‖ **2.** Cestón relleno de tierra o piedra usado en obras hidráulicas. ‖ **3.** fig. y fam. Sombrero grande de copa y ala.

gavión[2]. (Del lat. *gavĭa.*) m. ant. **avión**[1].

gaviota. (De *gavia*[2].) f. Ave palmípeda, de unos 75 centímetros de largo desde el pico hasta el fin de la cola y un metro de envergadura; plumaje muy tupido, blanco en general; dorso ceniciento; negras, pero de extremo blanco, las tres penas mayores de las alas; pico anaranjado y pies rojizos. Vive en las costas, vuela mucho, es muy voraz y se alimenta principalmente de los peces que coge en el mar. Hay otras especies muy parecidas, pero más pequeñas.

gavota. (Del fr. *gavotte.*) f. Especie de baile entre dos personas, ya desusado. ‖ **2.** Música que acompañaba a este baile.

gaya. (De *gayo.*) f. Lista de diverso color que el fondo. ‖ **2.** Insignia de victoria que se daba a los vencedores. ‖ **3.** Pega, urraca, marica, picaza.

gayadura. (De *gayar.*) f. Guarnición y adorno del vestido o de otra cosa, hecho con listas de otro color.

gayar. (De *gaya.*) tr. Adornar una cosa con listas de otro color.

gayata. f. *Ar.* **cayada.**

gayera. f. *Ast.* Variedad de cereza de gran tamaño.

gayo[1]. (Del b. lat. *gaius.*) m. Ave del orden de los pájaros, de la familia de los córvidos, con plumaje pardo moteado de azul, de blanco y de negro.

gayo[2], **ya.** (Del prov. *gai,* alegre.) adj. Alegre, vistoso. ‖ **2.** V. **gaya ciencia.** ‖ **3.** V. **gaya doctrina.**

gayola. (Del lat. *caveŏla,* d. de *cavĕa,* jaula.) f. **jaula.** ‖ **2.** fig. y fam. Cárcel de presos. ‖ **3.** *And.* Especie de choza sobre palos o árboles, para los guardas de viñas.

gayomba. (De or. inc.) f. Arbusto de la familia de las papilionáceas, de dos a tres metros de altura, con tallo fuerte y erguido, ramas estriadas, verdes y con aspecto de junco mientras son jóvenes; hojas escasas, sencillas, casi sentadas y oblongas; flores grandes, olorosas, amarillas, en ramos pendientes, y fruto en vainillas lineales, negruzcas, lustrosas cuando están maduras, y con 10 ó 12 semillas arriñonadas.

gayuba. (De or. inc.) f. Mata de la familia de las ericáceas, tendida, siempre verde y ramosa; hojas amontonadas, lustrosas, elípticas, pecioladas y enteras; flores en racimos terminales, de corola blanca o sonrosada, y fruto en drupa roja y esférica de seis a ocho milímetros de diámetro. El cocimiento de las hojas y frutos se suele emplear como diurético. ‖ **2.** Fruto de esta planta.

gaza[1]. (De or. inc.) f. *Mar.* Lazo que se forma en el extremo de un cabo doblándolo y uniéndolo con costura o ligada, y que sirve para enganchar o ceñir una cosa o suspenderla de alguna parte. Ú. en Cuba, Méjico y Puerto Rico en el lenguaje común.

gaza[2]. (Del it. *gazza.*) f. **marica,** urraca, picaza.

gazafatón. m. fam. **gazapatón.**

gazapa. (De *gazapo.*) f. fam. Mentira, embuste.

gazapatón. (Del grecolat. *cacemphăton,* dicho malsonante.) m. fam. Disparate o yerro en el hablar. ‖ **2.** Expresión malsonante en que se incurre por inadvertencia o por mala pronunciación.

gazapera. (De *gazapo.*) f. Madriguera que hacen los conejos para guarecerse y criar a sus hijos. ‖ **2.** fig. y fam. Junta de algunas gentes que se unen en parajes escondidos para fines poco decentes. ‖ **3.** fig. y fam. Riña o pendencia entre varias personas.

gazapina. (De *gazapo*[1], hombre astuto.) f. fam. Junta de truhanes y maleantes. ‖ **2.** fam. Pendencia, alboroto.

gazapo[1]. (De or. inc.) m. Conejo nuevo. ‖ **2.** fig. y fam. Hombre disimulado y astuto.

gazapo[2]. (der. regres. de *gazapatón.*) m. fig. y fam. Mentira, embuste. ‖ **2.** fig. y fam. Yerro que por inadvertencia deja escapar el que escribe o el que habla.

gazapón. (De *gazapo*[1], hombre astuto.) m. **garito.**

gazgaz. (De la onomat. *gaz.*) m. ant. desus. Burla que se hace de quien se dejó engañar.

gazmiar. tr. **gulusmear.** ‖ **2.** prnl. fam. Quejarse, resentirse.

gazmol. m. Granillo que sale a las aves de rapiña en la lengua y en el paladar.

gazmoñada. f. **gazmoñería.**

gazmoñería. (De *gazmoño.*) f. Afectación de modestia, devoción o escrúpulos.

gazmoñero, ra. adj. **gazmoño.** Ú. t. c. s.

gazmoño, ña. (De or. inc.) adj. Que afecta devoción, escrúpulos y virtudes que no tiene. Ú. t. c. s.

gaznápiro, ra. (De or. inc.) adj. Palurdo, simplón, torpe, que se queda embobado con cualquier cosa. Ú. m. c. s.

gaznar. intr. **graznar.**

gaznatada. f. Golpe violento que se da con la mano en el gaznate. ‖ **2.** *Guat., Hond., Méj., Nicar., P. Rico* y *Venez.* **bofetada.**

gaznatazo. m. Golpe que se da en el gaznate. ‖ **2.** *Ar., Áv.* y *Sal.* **bofetada.**

gaznate. (De etim. disc.) m. **garguero.** ‖ **2.** Fruta de sartén en figura de **gaznate.** ‖ **3.** *Méj.* Dulce hecho de piña o coco.

gaznatón. m. Golpe en el gaznate. ‖ **2. gaznate,** fruta de sartén. ‖ **3.** *Nicar.* **gaznatada,** bofetada.

gaznido. (De *gaznar.*) m. ant. **graznido.**

gazofia. f. p. us. **bazofia.**

gazofilacio. (Del gr. γαζοφυλάκιον, a través del lat. *gazophylacĭum.*) m. Lugar donde se recogían las limosnas, rentas y riquezas del templo de Jerusalén.

gazpachero. m. *And.* En los cortijos, el trabajador encargado de hacer la comida a los gañanes.

gazpacho. m. Género de sopa fría que se hace regularmente con pedacitos de pan y con aceite, vinagre, sal, ajo, cebolla y otros aditamentos. ‖ **2.** Especie de migas que las gentes del campo hacen de la torta cocida en el rescoldo o entre las brasas.

gazpachuelo. m. d. de **gazpacho.** ‖ **2.** *And.* Sopa caliente con huevos, batida la yema y cuajada la clara, y que se adereza con vinagre o limón.

gazuza. (De etim. disc.) f. fam. **hambre.** ‖ **2.** fam. *C. Rica.* Bulla, algazara.

ge[1]. f. Nombre de la letra **g.**

ge[2]. (Del lat. *illi, illum,* aglutinado en *gelo,* se lo.) pron. ant. **se[2].**

gea. (Del gr. γαῖα, a través del lat. *gaea,* tierra.) f. Conjunto del reino inorgánico de un país o región. ‖ **2.** Obra que lo describe.

gecónido. (Del lat. científico *gecko, -ōnis,* e *-ido.*) adj. *Zool.* Dícese de reptiles saurios de pequeño tamaño, con el cuerpo deprimido y cubierto de escamas tuberculosas y cuatro patas con cinco dedos terminados en ventosas que les permiten trepar por paredes lisas; como la salamanquesa. Ú. t. c. s. ‖ **2.** m. pl. *Zool.* Familia de estos animales.

gehena. (Del lat. *gehenna.*) f. **infierno** de los condenados.

géiser. (Del islandés *geysir.*) m. Fuente termal intermitente, en forma de surtidor.

gejionense. adj. p. us. **gijonés.** Apl. a pers., ú. t. c. s.

gel. (De *gelatina.*) m. Estado que adopta una materia en dispersión coloidal cuando flocula o se coagula. ‖ **2.** Producto cosmético en estado de **gel.**

gelatina. (Del lat. *gelātus,* helado.) f. Sustancia sólida, incolora y transparente cuando está pura; inodora, insípida y notable por su mucha coherencia; procede de la transformación de la colágena del tejido conjuntivo y de los huesos y cartílagos por efecto de la cocción. ‖ **seca.** La destinada a la alimentación.

gelatinoso, sa. adj. Abundante en gelatina o parecido a ella, especialmente por la consistencia.

geldre. (De *Güeldres.*) m. **mundillo,** planta. ‖ **2.** Flor de esta planta.

gelfe. m. Negro de una tribu que habita en el Senegal.

gélido, da. (Del lat. *gelĭdus.*) adj. Helado, muy frío.

gelignita. f. Explosivo formado por una mezcla de nitroglicerina, colodión, nitrato de potasio y serrín. Pertenece al grupo de las dinamitas de base activa.

gelo. (Del lat. *gelu,* hielo.) m. ant. **hielo.**

gema. (Del lat. *gemma.*) f. Nombre genérico de las piedras preciosas, principalmente de las denominadas orientales. ‖ **2.** Parte de un madero escuadrado donde, por escasez de dimensiones, ha quedado parte de la corteza. ‖ **3.** V. **sal gema.** ‖ **4.** *Bot.* Yema o botón en los vegetales.

gemación. (Del lat. *gemmatĭo, -ōnis.*) f. *Bot.* Desarrollo de la gema, yema o botón para la producción de una rama, hoja o flor. ‖ **2.** *Bot.* y *Zool.* Modo de reproducción asexual, propio de muchas plantas y de muchos animales invertebrados, que se caracteriza por separarse del organismo una pequeña porción del mismo, llamada yema, la cual se desarrolla hasta formar un individuo semejante al reproductor. ‖ **celular.** *Biol.* Mitosis en la que el citoplasma se divide en dos partes de tamaño muy desigual, la menor de las cuales se conoce con el nombre de yema; como en algunos protozoos.

gemebundo, da. adj. Que gime profundamente.

gemela. (De *diamela.*) f. Jazmín de Arabia, de hojas persistentes, compuestas de siete hojuelas acorazonadas, a menudo soldadas por la base las tres superiores, y flores blancas por dentro, encarnadas por fuera, dobles y muy olorosas. Generalmente se injerta sobre el jazmín común para adelantar su desarrollo y multiplicar la especie.

gemelar. adj. Perteneciente o relativo a hijos o hermanos gemelos. *Parto* GEMELAR; *pareja* GEMELAR.

gemelo, la. (Del lat. *gemellus.*) adj. **mellizo,** nacido del mismo parto. Ú. t. c. s. ‖ **2.** Aplícase ordinariamente a los elementos iguales de diversos órdenes que, apareados, cooperan a un mismo fin. ‖ **3.** *Anat.* V. **músculo gemelo.** Ú. t. c. s. ‖ **4.** Pasador formado por dos piezas unidas por un pequeño vástago o por una cadenita y que se usa para cerrar el puño de la camisa. ‖ **5.** pl. **anteojos,** instrumento óptico para ver a distancia. ‖ **6.** *Carp.* Los dos maderos gruesos que se empalman a otro para darle más resistencia y cuerpo. ‖ **7.** n. p. m. pl. *Astron.* **Géminis,** constelación. ‖ **8.** *Astron.* **Géminis,** signo del Zodiaco. ‖ **de campo.** Doble anteojo de alcance apropiado para observar objetos a gran distancia. ‖ **de teatro.** Doble anteojo de poco alcance usado en las salas de espectáculos públicos.

gemido. p. p. de **gemir.** ‖ **2.** m. Acción y efecto de gemir.

gemidor, ra. adj. Que gime. ‖ **2.** fig. Que hace cierto sonido parecido al gemido del hombre.

geminación. (Del lat. *geminatĭo, -ōnis.*) f. Acción y efecto de geminar. ‖ **2.** *Ling.* Repetición inmediata de un elemento lingüístico: sonido, sílaba, palabra, en la pronunciación o en la escritura.

geminado, da. p. p. de **geminar.** ‖ **2.** adj. *Biol.* Partido, dividido.

geminar. (Del lat. *gemināre.*) tr. Duplicar, repetir. Ú. t. c. prnl.

gemínidas. (De *Géminis* e *-ido.*) f. pl. *Astron.* Estrellas fugaces cuyo punto radiante está en la constelación de los Gemelos.

géminis. (Del lat. *gemĭni*, hermanos gemelos.) n. p. m. *Astron.* Tercer signo o parte del Zodiaco, de 30 grados de amplitud, que el Sol recorre aparentemente durante el último tercio de la primavera. ‖ **2.** *Astron.* Constelación zodiacal que en otro tiempo debió de coincidir con el signo de este mismo nombre, pero que actualmente, por el movimiento retrógrado de los puntos equinocciales, se halla delante del mismo signo o un poco hacia el Oriente. ‖ **3.** m. desus. *Farm.* Emplasto compuesto de albayalde y cera, disueltos con aceite rosado y agua común. ‖ **4.** adj. Referido a personas, las nacidas bajo este signo del zodiaco. Ú. t. c. s.

gémino, na. (Del lat. *gemĭnus.*) adj. ant. Duplicado, repetido.

gemíparo, ra. adj. Aplícase a los animales o plantas que se reproducen por medio de yemas.

gemiquear. intr. *And.* Gemir repetidamente.

gemiqueo. m. *And.* Acción de gemiquear.

gemir. (Del lat. *gemĕre.*) intr. Expresar naturalmente, con sonido y voz lastimera, la pena y el dolor. ‖ **2.** fig. Aullar algunos animales, o sonar algunas cosas inanimadas, con semejanza al gemido del hombre.

gemología. (De *gema* y *-logía.*) f. Ciencia que trata de las gemas o piedras preciosas.

gemológico, ca. adj. Perteneciente o relativo a la gemología.

gemólogo, ga. m. y f. Persona que profesa la gemología o está versada en ella.

gemonías. (Del lat. *gemonĭas*, acus. de *-niae, -ārum.*) f. pl. p. us. Derrumbadero del monte Aventino o del Capitolio en Roma, por el cual se arrojaban desnudos los cadáveres de los criminales ejecutados en la prisión. ‖ **2.** Castigo sumamente infamante.

gemoso, sa. adj. Aplícase a la viga o madero que tiene algo de corteza.

gemoterapia. (Del lat. *gemma*, yema, y *terapia.*) f. *Farm.* y *Med.* Utilización médica de las yemas o tejidos embrionarios vegetales.

gen. (De la raíz del lat. *genus.*) m. *Biol.* Cada una de las partículas dispuestas en un orden fijo a lo largo de los cromosomas y que determinan la aparición de los caracteres hereditarios en los virus, las bacterias, las plantas y los animales.

genciana. (Del lat. *gentiāna.*) f. Planta vivaz de la familia de las gencianáceas, con tallo sencillo, erguido, fistuloso, de un metro aproximadamente de altura; hojas grandes elípticas, enteras, lustrosas, con cinco o siete nervios longitudinales, pecioladas las inferiores y abrazadoras las de encima; flores amarillas, que forman hacecillos en el ápice del tallo y en las axilas; fruto capsular, ovoideo, con muchas semillas, y raíz gruesa, carnosa, de color amarillo rojizo, de olor fuerte y sabor muy amargo. Empléase en medicina como tónica y febrífuga.

gencianáceo, a. (De *genciana* y *-áceo.*) adj. *Bot.* Dícese de hierbas angiospermas dicotiledóneas, lampiñas por lo común, amargas, con hojas opuestas, envainadoras y sin estípulas; flores terminales o axilares, solitarias o en manojo, corimbo, racimo o cima; frutos capsulares, raras veces abayados, y semillas con albumen carnoso; como la genciana, la centaura menor y la canchalagua. Ú. t. c. s. ‖ **2.** f. pl. *Bot.* Familia de estas plantas.

gencianeo, a. adj. *Bot.* **gencianáceo.**

gendarme. (Del fr. *gendarme.*) m. Agente de policía de Francia y otros países destinado a mantener el orden y la seguridad pública.

gendarmería. f. Cuerpo de tropa de los gendarmes. ‖ **2.** Cuartel o puesto de gendarmes.

genealogía. (Del gr. γενεαλογία, a través del lat. *genealogĭa.*) f. Serie de progenitores y ascendientes de cada persona o animal. ‖ **2.** Escrito que la contiene. ‖ **3.** Documento en que se hace constar la ascendencia de un animal de raza.

genealógico, ca. (Del gr. γενεαλογικός.) adj. Perteneciente o relativo a la genealogía. *Libro, papel* GENEALÓGICO. ‖ **2.** V. **árbol genealógico.**

genealogista. com. Persona entendida en genealogías y linajes, y que escribe sobre ellos.

genearca. (Del gr. γενεάρχης, a través del lat. *genearcha.*) m. ant. Cabeza o jefe de un linaje.

geneático, ca. (Del gr. γενεά, nacimiento.) adj. Que pretende adivinar por el nacimiento de las personas. Ú. t. c. s.

generable. (Del lat. *generabĭlis.*) adj. Que se puede producir por generación.

generación. (Del lat. *generatĭo, -ōnis*) f. Acción y efecto de engendrar. ‖ **2.** p. us. Casta, género o especie. ‖ **3.** Sucesión de descendientes en línea recta. ‖ **4.** Conjunto de todos los vivientes coetáneos. *La* GENERACIÓN *presente; la* GENERACIÓN *futura.* ‖ **5.** Conjunto de personas que por haber nacido en fechas próximas y recibido educación e influjos culturales y sociales semejantes, se comportan de manera afín o comparable en algunos sentidos. *La* GENERACIÓN *juvenil. La* GENERACIÓN *del 98.*

generacional. adj. Perteneciente o relativo a una generación de coetáneos.

generador, ra. (Del lat. *generātor, -ōris.*) adj. Que genera. Ú. t. c. s. ‖ **2.** *Geom.* Dícese de la línea o de la figura que por su movimiento engendran respectivamente una figura o un sólido geométrico. En esta acepción, el adjetivo femenino es **generatriz.** ‖ **3.** m. En las máquinas, aquella parte que produce la fuerza o energía, como en las de vapor, la caldera, y en la electricidad, una dinamo.

general. (Del lat. *generālis.*) adj. Común a todos los individuos que constituyen un todo, o a muchos objetos, aunque sean de naturaleza diferente. ‖ **2.** Común, frecuente, usual. ‖ **3.** p. us. Que posee vasta instrucción. *Eduardo es un hombre muy* GENERAL. ‖ **4.** V. **absolución, baile, capitanía, comandante, concilio, confesión, cónsul, contaduría, cuartel, definidor, depositaría, depositario, dirección, director, estado, estudio, gramática, huelga, ingeniero, inquisidor, inspector, mayor, ministro, receptor, renta general.** ‖ **5.** *Mil.* V. **capitán, comisario, cuartel, maestre, estado mayor, oficial, teniente general.** ‖ **6.** Categoría superior en la marina. ‖ **7.** m. Jefe militar perteneciente a las jerarquías superiores del ejército, de la aviación y de algunos cuerpos de la armada. Estas jerarquías son, de superior a inferior, capitán **general,** teniente **general, general** de división y **general** de brigada. ‖ **8.** Prelado superior de una orden religiosa. ‖ **9.** En las universidades, seminarios, etc., aula o pieza donde se enseñaban las ciencias. ‖ **10.** *Ar.* **aduana,** oficina de registro de mercancías en las fronteras. ‖ **de brigada.** Empleo o categoría inferior en el generalato. Le corresponde en principio el mando de una brigada o unidad similar. ‖ **de división.** Empleo o categoría comprendido entre teniente **general** y **general** de brigada. Le corresponde en principio el mando de una división o unidad similar. ‖ **2. mariscal de campo.** ‖ **de la artillería.** Jefe a cuyo cuidado estaba lo perteneciente a ella. ‖ **de la caballería.** El que mandaba en toda ella como jefe superior, teniendo a sus órdenes otros **generales.** ‖ **de la frontera.** El que mandaba como superior en toda ella. ‖ **de las galeras.** El que como jefe o superior mandaba en ellas. ‖ **en jefe.** El que tiene el mando superior de un ejército. ‖ **generales de la ley.** *Der.* Preguntas que esta preceptúa para todos los testigos; como edad, estado, profesión u oficio, amistad o parentesco con las partes, interés en el asunto, etc. ‖ **en general,** o **por lo general.** loc. adv. En común, generalmente. ‖ **2.** Sin especificar ni individualizar cosa alguna.

generala. f. Mujer del general. ‖ **2.** *Mil.* Toque de tambor, corneta o clarín para que las fuerzas de una guarnición o campo se pongan sobre las armas. ‖ **3.** *Argent.* Imagen de la Virgen a la que el Gobierno da el título de **generala.**

generalato. m. Oficio o ministerio del general de las órdenes religiosas. ‖ **2.** Tiempo que dura este oficio o ministerio. ‖ **3.** *Mil.* Empleo o grado de general. ‖ **4.** Conjunto de los generales de uno o varios ejércitos.

generalero. (De *general*, aduana.) m. p. us. *Ar.* **aduanero,** empleado en una aduana.

generalidad. (Del lat. *generalĭtas, -ātis.*) f. Mayoría, muchedumbre o casi totalidad de los individuos u objetos que componen una clase o todo sin determinación a persona o cosa particular. *La* GENERALIDAD *de los hombres.* ‖ **2.** Vaguedad o falta de precisión en lo que se dice o escribe. ‖ **3.** Lo que de esa manera se dice o escribe. *Contestó con una* GENERALIDAD *y volvió la espalda.* ‖ **4.** n. p. Nombre que se dio en lo antiguo a las Cortes catalanas y, posteriormente, al organismo que velaba por el cumplimiento de sus acuerdos. ‖ **5.** n. p. Cada uno de los organismos que gobiernan respectivamente Cataluña y la Comunidad Valenciana, según lo establecido por la Constitución Española y por los Estatutos de aquellos territorios autónomos. ‖ **6.** *Ar.* Comunidad de un lugar. ‖ **7.** *Ar.* Derechos que se adeudan en las aduanas. ‖ **8.** pl. Conocimientos generales relativos a una ciencia.

generalísimo. (adj. sup. de *general.*) m. Jefe que manda el estado militar en paz y en guerra, con autoridad sobre todos los generales del ejército.

generalizable. adj. Que puede generalizarse.

generalización. f. Acción y efecto de generalizar.

generalizador, ra. adj. Que generaliza.

generalizar. (De *general* e *-izar.*) tr. Hacer pública o común una cosa. Ú. t. c. prnl. ‖ **2.** Considerar y tratar de manera general cualquier punto o cuestión. ‖ **3.** Abstraer lo que es común y esencial a muchas cosas, para formar un concepto general que las comprenda todas.

generalmente. adv. m. Con generalidad.

generar. (Del lat. *generāre.*) tr. **procrear.** ‖ **2.** Producir, causar alguna cosa.

generativo, va. (Del lat. *generātus*, generado, e *-ivo.*) adj. Dícese de lo que tiene virtud de engendrar. ‖ **2.** V. **gramática, semántica generativa.**

generatriz. (Del lat. *generātrix, -icis.*) adj. f. *Geom.* Dícese de la línea o figura generadora. Ú. t. c. s. ‖ **2.** *Fís.* Dícese de la máquina que convierte la energía mecánica en eléctrica. Ú. t. c. s.

genéricamente. adv. m. De un modo genérico.

genérico, ca. adj. Común a muchas especies. ‖ **2.** *Gram.* V. **artículo, nombre genérico.** ‖ **3.** *Gram.* Perteneciente al género. *Desinencia* GENÉRICA.

género. (Del lat. *genus, genĕris.*) m. Conjunto de seres que tienen uno o varios caracteres comunes. ‖ **2.** Modo o manera de hacer una cosa. *Tal* GÉNERO *de hablar no conviene a esa persona.* ‖ **3. clase** o tipo a que pertenecen personas o cosas. ‖ **4.** En el comercio, cualquier mercancía. ‖ **5.** Cualquier clase de tela. GÉNEROS *de algodón, de hilo, de seda.* ‖ **6.** En las artes, cada una de las distintas categorías o clases en que se pueden ordenar las obras según rasgos comunes de forma y de contenido. ‖ **7.** *Gram.* Clase a la que pertenece un nombre sustantivo o un pronombre por el hecho de concertar con él una forma y, generalmente solo una, de la flexión del adjetivo y del pronombre. En las lenguas indoeuropeas estas formas son tres en determinados adjetivos y pronombres: masculina, femenina y neutra. ‖ **8.** *Gram.* Cada una de estas formas. ‖ **9.** *Gram.* Forma por la que se distinguen algunas veces los nombres sustantivos según pertenezcan a una u otra de las tres clases. ‖ **10.** *Biol.* Conjunto de especies que tienen cierto número de caracteres comunes. ‖ **chico.** Clase de obras teatrales modernas de menor importancia, que comprende sainetes, comedias y zarzuelas de uno o dos actos. ‖ **femenino.** *Gram.* El de los nombres sustantivos que significan personas y algunas veces animales del sexo femenino. También el de otros nombres de seres inanimados. ‖ **literario.** Cada una de las distintas categorías o clases en que se pueden ordenar las obras literarias. Tradicionalmente se distinguen tres **géneros** mayores denominados *lírica, épica* y *dramática.* ‖ **masculino.** *Gram.* El de los nombres que significan personas y algunas veces animales del sexo masculino y también el de otros nombres de seres inanimados. ‖ **neutro.** *Gram.* En las lenguas indoeuropeas, el de los sustantivos no clasificados como masculinos ni femeninos y el de los pronombres que los representan o que designan conjuntos sin noción de persona. En español no existen sustantivos neutros, ni hay formas neutras especiales en la flexión del adjetivo; solo el artículo, el pronombre personal de tercera persona, los demostrativos y algunos otros pronombres tienen formas neutras diferenciadas en singular. ‖ **de género.** loc. adj. *Esc.* y *Pint.* Dícese de las obras que representan escenas de costumbres o de la vida común, y de los artistas que las ejecutan. *Pintor* DE GÉNERO; *cuadro* DE GÉNERO.

generosamente. adv. m. Con generosidad.

generosía. (De *generoso.*) f. ant. p. us. Nobleza heredada de los mayores.

generosidad. (Del lat. *generosĭtas, -ātis.*) f. p. us. Nobleza heredada de los mayores. ‖ **2.** Inclinación o propensión del ánimo a anteponer el decoro a la utilidad y al interés. ‖ **3.** Largueza, liberalidad. ‖ **4.** p. us. Valor y esfuerzo en las empresas arduas.

generoso, sa. (Del lat. *generōsus.*) adj. p. us. Noble y de ilustre prosapia. ‖ **2.** Que obra con magnanimidad y nobleza de ánimo. Ú. t. c. s. ‖ **3.** Liberal, dadivoso y franco. ‖ **4.** Excelente en su especie. *Caballo* GENEROSO. ‖ **5.** V. **vino generoso.**

genesíaco, ca o **genesiaco, ca.** adj. Perteneciente o relativo a la génesis.

genésico, ca. adj. Perteneciente o relativo a la generación.

génesis. (Del gr. γένεσις, a través del lat. *genĕsis.*) f. Origen o principio de una cosa. ‖ **2.** Serie encadenada de hechos y de causas que conducen a un resultado. ‖ **3.** n. p. Título del primer libro del Antiguo Testamento, en que se da una explicación del origen del mundo.

-génesis. (Del gr. γένεσις, generación.) elem. compos. que significa «origen», «principio» o «proceso de formación»: *endo*GÉNESIS, *oro*GÉNESIS.

genesta. (Del lat. *genesta.*) f. ant. **hiniesta.**

genética. (De *genético.*) f. Parte de la biología que trata de la herencia y de lo relacionado con ella.

genético, ca. (Del gr. γεννητικός.) adj. Perteneciente o relativo a la genética. ‖ **2.** Perteneciente o relativo a la génesis u origen de las cosas.

genetista. com. Persona que cultiva o domina los estudios de genética.

genetlíaca o **genetliaca.** (Del lat. *genethliăca*, t. f. de *-cus*, genetlíaco.) f. Práctica de pronosticar a uno su buena o mala fortuna por el día en que nace.

genetlíaco, ca o **genetliaco, ca.** (Del gr. γενεθλιακός, a través del lat. *genethliăcus.*) adj. Perteneciente a la genetlíaca, o que la ejercita. ‖ **2.** Dícese del poema o composición sobre el nacimiento de una persona. ‖ **3.** m. El que practica la genetlíaca.

genetlítico, ca. adj. ant. **genetlíaco.**

-genia. (De la raíz gr. γεν, generar, producir.) elem. compos. que significa «origen» o «proceso de formación»: *oro*GENIA, *pato*GENIA.

genial. (Del lat. *geniālis.*) adj. Propio del genio o inclinación de uno. ‖ **2.** Placentero; que causa deleite o alegría. ‖ **3.** Sobresaliente, extremado, que revela genio creador. ‖ **4.** Magnífico, estupendo. Ú. t. c. adv. ‖ **5.** V. **días geniales.** ‖ **6.** m. vulg. *Ar., Cantabria* y *Sal.* Genio, índole, carácter.

genialidad. (Del lat. *geniālĭtas, -ātis.*) f. Cualidad de genial. ‖ **2.** Singularidad propia del carácter de una persona.

genialmente. adv. m. De manera genial.

geniazo. m. aum. de **genio.** ‖ **2.** fam. Genio fuerte.

génico, ca. (De *gen* e *-ico.*) adj. *Biol.* Perteneciente o relativo a los genes.

genilla. (Del lat. *genae,* ojos.) f. ant. Pupila o niña del ojo.

genio. (Del lat. *genĭus.*) m. Índole o inclinación según la cual obra uno comúnmente. ‖ **2.** Disposición habitual u ocasional del ánimo, en la cual este se manifiesta apacible o alegre, o, por el contrario, áspero y desabrido. *Ese hombre tiene mal* GENIO. *Estar de buen o mal* GENIO. ‖ **3.** Disposición para una cosa; como ciencia, arte, etc. ‖ **4.** Gran ingenio, fuerza intelectual extraordinaria o facultad capaz de crear o inventar cosas nuevas y admirables. ‖ **5.** fig. Sujeto dotado de esta facultad. *Calderón es un* GENIO. ‖ **6.** Por ext., índole o condición peculiar de algunas cosas. *El* GENIO *de la lengua.* ‖ **7. carácter,** energía. ‖ **8.** En la gentilidad, cada una de ciertas deidades creadoras, tutelares o enemigas. ‖ **9.** En las artes, ángeles o figuras que se colocan al lado de una divinidad, o para representar una alegoría. ‖ **corto de genio.** fr. **corto,** encogido, apocado.

genipa. (Voz tupí.) f. **yagua.**

genista. (Del lat. *genista.*) f. **retama.**

genital. (Del lat. *genitālis.*) adj. Que sirve para la generación. ‖ **2.** m. pl. Órganos sexuales externos.

genitivo, va. (Del lat. *genitīvus.*) adj. Que puede engendrar y producir una cosa. ‖ **2.** m. *Gram.* Uno de los casos de la declinación, de valores muy complejos, que puede denotar propiedad, posesión o pertenencia, el objeto sobre el que recae o que produce la acción transitiva expresada por un nombre, la cualidad o la cantidad de alguien o algo, el precio de lo que puede venderse, el todo del cual se menciona una parte, la naturaleza de algo, etc. En español se expresan estas funciones anteponiendo la preposición *de* al nombre que, declinado, iría en **genitivo.**

genitor, ra. (Del lat. *genĭtor, -ōris.*) m. adj. Que engendra. Ú. m. c. s.

genitorio, ria. adj. ant. Que sirve para la generación.

genitourinario, ria. adj. *Anat.* Perteneciente o relativo a las vías y órganos genitales y urinarios.

genitura. (Del lat. *genitūra.*) f. ant. Acción y efecto de engendrar. ‖ **2.** ant. Semen o materia de la generación.

genízaro, ra. adj. **jenízaro.**

geno. (Del lat. *genus.*) m. ant. **linaje.**

-geno, na. (De la raíz gr. γεν, generar, producir.) elem. compos. que significa «que genera, produce o es producido»: *lacrimó*GENO, *pató*GENO, *endó*GENO.

genocidio. (Del gr. γένος, estirpe, y *-cidio.*) m. Exterminio o eliminación sistemática de un grupo social por motivo de raza, de religión o de política.

genojo. (Del lat. *genucŭlum,* d. de *genu,* rodilla.) m. ant. Rodilla de la pierna.

genol. (Del cat. y prov. *genoll.*) m. *Mar.* Cada una de las piezas que se amadrinan de costado a las varengas para la formación de las cuadernas de un buque.

genolí. m. desus. Pasta de color amarillo que se usaba en pintura.

genoma. (De *gen* y *-oma.*) m. *Biol.* Conjunto de los cromosomas de una célula.

genotípico, ca. adj. Perteneciente o relativo al genotipo.

genotipo. (Del lat. *genus* y *typus.*) m. *Biol.* Conjunto de los genes existentes en cada uno de los núcleos celulares de los individuos pertenecientes a una determinada especie vegetal o animal.

Génova. n. p. V. **ciruela de Génova.**

genovés, sa. adj. Natural de Génova. Ú. t. c. s. ‖ **2.** Perteneciente o relativo a esta ciudad de Italia. ‖ **3.** m. Por ext., banquero en los siglos XVI y XVII.

genovisco, ca. adj. ant. **genovés.** Apl. a pers., usáb. t. c. s.

genro. (Del lat. *gener, -ĕri.*) m. ant. **yerno.**

gent. (Del fr. *gent,* noble.) adv. m. ant. **gentilmente.**

gentalla. f. ant. **gentualla.**

gente. (Del lat. *gens, gentis.*) f. Pluralidad de personas. ‖ **2.** p. us. **nación.** ‖ **3.** Tropa de soldados. ‖ **4.** Nombre colectivo que se da a cada una de las clases que pueden distinguirse en la sociedad. *Buena* GENTE; GENTE *del pueblo;* GENTE *rica* o *de dinero.* ‖ **5.** V. **derecho, don, trato de gentes.** ‖ **6.** V. **decir, dicho de las gentes.** ‖ **7.** fam. Familia o parentela. *¿Cómo está tu* GENTE? ‖ **8.** fam. Conjunto de personas que viven reunidas o trabajan a las órdenes de uno. *¿Está ya toda la* GENTE? ‖ **9.** fig. y fam. V. **bocanada de gente.** ‖ **10.** *Col., Chile, Perú* y *P. Rico.* **gente** decente, bien portada. ‖ **11.** En algunos países de América, persona, individuo. ‖ **12.** *Mar.* Conjunto de los soldados y marineros de un buque. ‖ **13.** pl. Gentiles. Hoy solo en la expresión el **Apóstol de las gentes.** ‖ **14.** *Germ.* Las orejas. ‖ **de armas.** Conjunto de hombres de armas, cada uno de los cuales llevaba un archero. ‖ **de barrio.** p. us. La ociosa y holgazana. ‖ **de bien.** La de buena intención y proceder. ‖ **de capa negra.** fig. y fam. **gente** ciudadana y vestida con decoro. ‖ **de capa parda.** fig. y fam. **gente** rústica; como los labradores o aldeanos. ‖ **de carda,** o **de la carda.** Cardadores o pelaires que comúnmente vivían a lo pícaro y solían parar en valentones y rufianes. ‖ **de escalera abajo.** fig. y fam. La de clase inferior en cualquier línea. ‖ **de gallaruza.** fig. y fam. **gente de capa parda.** ‖ **de la cuchilla.** fig. y fam. Los carniceros. ‖ **de la garra.** fig. y fam. **gente** acostumbrada a hurtar. ‖ **del bronce.** fig. y fam. **gente** alegre y resuelta. ‖ **del polvillo.** fig. y fam. Personas que se emplean en obras de albañilería y en el acopio de los materiales para ellas. ‖ **del rey.** Galeotes y presidiarios. ‖ **de mar.** Matriculados y marineros. ‖ **de medio pelo.** La de clase media no muy acomodada. ‖ **de paz.** expr. con que se contesta al alto que echa el centinela, o al que pregunta *¿quién?*, cuando uno llama. ‖ **de pelea.** Soldados de fila, a distinción de los cuarteleros y vivanderos. ‖ **de pelo,** o **de pelusa.** fig. y fam. La rica y acomodada. ‖ **de plaza.** fig. y fam. En las poblaciones cortas, la que es rica y acomodada, y que suele gastar el tiempo en conversaciones en las plazas y sitios públicos. ‖ **de pluma.** fig. y fam. La que tiene por ejercicio escribir. Ordinariamente se toma por los escribanos. ‖ **de seguida.** La que anda en cuadrilla, haciendo robos u otros daños, como bandoleros. ‖ **de Su Majestad. gente del rey.** ‖ **de toda broza.** fig. y fam. La que vive con libertad, sin tener oficio ni empleo conocido. ‖ **de trato.** La que está dedicada a la negociación o comercio. ‖ **de traza.** La que observa la debida circunspección en obras y palabras. ‖ **forzada. gente del rey.** ‖ **gorda.** fam. La importante o de buena posición. ‖ **menuda.** fam. Los niños. ‖ **2.** fig. y fam. La plebe. ‖ **non sancta.** fam. La de mal vivir. ‖ **perdida.** La vagabunda, haragana, desalmada, o de mal vivir. ‖ **ahogarse la gente.** fr. fig. y fam. con que se pondera el calor y apretura que ocasiona la multitud de personas. ‖ **bullir de gente.** fr. ant. fig. Ser mucho y frecuente un concurso de personas. ‖ **de gente en gente.** loc. adv. De generación en generación. ‖ **derramar la gente de armas** o **de guerra.**

fr. ant. Despedirla, licenciarla, o reformarla. ‖ **hacer gente.** fr. Reclutar hombres para la milicia, reunirlos para cualquier otro fin. ‖ **2.** fig. y fam. Ocasionar reunión de **gente,** llamando su atención de algún modo. ‖ **ser como la gente.** loc. *Amér.* **ser gente.** ‖ **ser gente,** o **muy gente.** loc. *Amér.* Ser como se debe, ser recto, irreprochable.

gentecilla. f. d. de **gente.** ‖ **2.** despect. Gente ruin y despreciable.

gentil. (Del lat. *gentĭlis.*) adj. Idólatra o pagano. Ú. t. c. s. ‖ **2.** Brioso, galán, gracioso. GENTIL *mozo;* GENTIL *donaire.* ‖ **3. notable.** GENTIL *desvergüenza;* GENTIL *disparate.* ‖ **4.** Amable, cortés. ‖ **5.** V. **halcón gentil.** ‖ **6.** V. **gentil hombre.** ‖ **7.** V. **gentil pieza.** ‖ **8.** ant. Perteneciente o relativo a las gentes o naciones. ‖ **9.** ant. **noble,** que posee título nobiliario.

gentileza. (De *gentil,* galán.) f. Gallardía, garbo y bizarría. ‖ **2.** Desembarazo y garbo en la ejecución de alguna cosa. ‖ **3.** Ostentación, bizarría y gala. ‖ **4.** Urbanidad, cortesía.

gentilhombre. (Calco del fr. *gentilhomme.*) m. Buen mozo. Palabra con que se apostrofaba a alguno para captarse su voluntad. ‖ **2.** Persona que se despachaba al rey con un pliego de importancia, para darle noticia de algún buen suceso; como la toma de una plaza o el arribo de una flota. ‖ **3.** El que servía en las casas de los grandes o en otras para acompañar al señor o a la señora. ‖ **de boca.** Criado de la casa del rey, en la clase de los caballeros, que seguía en grado al mayordomo de semana: su destino propio era servir a la mesa del rey; posteriormente solo acompañaba al rey cuando salía a la capilla en público o a otra fiesta de iglesia, y cuando iba a alguna función a caballo. ‖ **de cámara.** Persona de distinción que acompañaba al rey en su cámara y cuando salía. ‖ **de la casa.** El que acompañaba al rey después de los **gentileshombres de boca.** ‖ **de lo interior. gentilhombre de boca.** ‖ **de manga.** Criado que en la casa real servía al príncipe y a cada uno de los infantes mientras estaban en la menor edad. ‖ **de placer.** fam. **bufón**[2], truhán que hace reír.

gentilicio, cia. (Del lat. *gentilitĭus.*) adj. Perteneciente a las gentes o naciones. ‖ **2.** Relativo al linaje o familia. ‖ **3.** *Der.* V. **retracto gentilicio.** ‖ **4.** *Gram.* V. **adjetivo gentilicio.** Ú. t. c. s.

gentílico, ca. adj. Perteneciente a los gentiles.

gentilidad. (Del lat. *gentilĭtas, -ātis.*) f. Conjunto de los gentiles. ‖ **2.** Religión de los mismos.

gentilismo. (De *gentil.*) m. p. us. **gentilidad.**

gentilizar. (De *gentil* e *-izar.*) intr. Practicar o seguir los ritos de los gentiles. ‖ **2.** tr. Dar carácter gentílico a alguna cosa.

gentilmente. adv. m. Con gentileza. ‖ **2.** p. us. A manera de los gentiles.

gentío. (De *gente* e *-ío.*) m. Gran concurrencia o afluencia de personas en un lugar.

gento, ta. (Del lat. *genĭtus,* engendrado.) adj. ant. Gentil, bello, gallardo.

gentualla. f. despect. La gente más despreciable de la plebe.

gentuza. f. despect. **gentualla.**

genués, sa. (Del lat. *Genua,* Génova.) adj. ant. **genovés.** Apl. a pers., usáb. t. c. s.

genuflexión. (Del lat. tardío *genuflexĭo, -ōnis.*) f. Acción y efecto de doblar la rodilla, bajándola hacia el suelo, ordinariamente en señal de reverencia.

genuflexo, xa. (Del lat. tardío *genuflexus,* p. p. de *genuflectĕre.*) adj. Arrodillado.

genuino, na. (Del lat. *genuīnus.*) adj. Puro, propio, natural, legítimo.

genulí. m. **genolí.**

geo-. (Del gr. γεω-, de la raíz de γῆ, tierra.) elem. compos. que significa «tierra» o «la Tierra»: GEO*fagia,* GEO*logía.*

geocéntrico, ca. (De *geo-* y *céntrico.*) adj. Perteneciente o relativo al centro de la Tierra. ‖ **2.** *Astron.* Aplícase a la latitud y longitud de un planeta visto desde la Tierra. ‖ **3.** *Astron.* Aplícase al sistema de Tolomeo y a los demás que ven en la Tierra el centro del Universo.

geoda. (Del gr. γεώδης, térreo, a través del lat. *geōdes.*) f. *Geol.* Hueco de una roca, tapizado de una sustancia generalmente cristalizada.

geodesia. (Del gr. γεωδαισία, división de la tierra.) f. Ciencia matemática que tiene por objeto determinar la figura y magnitud del globo terrestre o de gran parte de él, y construir los mapas correspondientes.

geodésico, ca. adj. Perteneciente o relativo a la geodesia.

geodesta. com. Persona versada en geodesia. ‖ **2.** Persona que se ejercita habitualmente en ella.

geoestacionario, ria. *Tecnol.* adj. Relativo a cualquier satélite artificial que viaja de Oeste a Este a una altura superior a los 36.000 kilómetros sobre el Ecuador y a la misma velocidad que la rotación de la Tierra, por lo que parece que está siempre en el mismo sitio.

geofagia. (De *geo-* y *fagia.*) *Pat.* f. Hábito morboso de comer tierra o sustancias similares no nutritivas.

geófago, ga. (De *geo-* y *-fago.*) adj. Que come tierra. Ú. t. c. s.

geofísica. f. Parte de la geología, que estudia la física terrestre.

geofísico, ca. adj. Perteneciente o relativo a la geofísica.

geogenia. (De *geo-* y *-genia.*) f. Parte de la geología, que trata del origen y formación de la Tierra.

geogénico, ca. adj. Perteneciente o relativo a la geogenia.

geognosia. (De *geo-* y el gr. γνῶσις, conocimiento.) f. Parte de la geología, que estudia la estructura y composición de las rocas que forman la Tierra.

geognosta. (De *geo-* y el gr. γνώστης, el que conoce.) com. Persona que profesa la geognosia o tiene en ella especiales conocimientos.

geognóstico, ca. adj. Perteneciente o relativo a la geognosia.

geogonía. (De *geo-* y el gr. γονεία, generación.) f. **geogenia.**

geogónico, ca. adj. Perteneciente o relativo a la geogonía.

geografía. (Del gr. γεωγραφία, a través del lat. *geographia.*) f. Ciencia que trata de la descripción de la Tierra. ‖ **astronómica. cosmografía.** ‖ **botánica.** La que estudia la distribución de las especies vegetales en la superficie de la Tierra. ‖ **física.** Parte de la **geografía,** que trata de la configuración de las tierras y los mares. ‖ **histórica.** La que estudia la distribución de los Estados y pueblos de la Tierra a través de las distintas épocas. ‖ **lingüística.** La que estudia la distribución de los fenómenos lingüísticos de un idioma sobre el territorio en que este se habla. ‖ **política.** Parte de la **geografía** que trata de la distribución y organización de la Tierra como morada del hombre. ‖ **zoológica.** La que estudia la distribución de las especies animales en la superficie terrestre.

geográficamente. adv. m. Según las reglas de la geografía.

geográfico, ca. (Del gr. γεωγραφικός, a través del lat. *geographĭcus.*) adj. Perteneciente o relativo a la geografía.

geógrafo, fa. (Del lat. *geogrăphus,* y este del gr. γεωγράφος.) m. y f. Persona que profesa la geografía o tiene en ella especiales conocimientos.

geoide. (Del gr. γῆ, tierra, y *-oide.*) m. Forma teórica de la Tierra determinada por la geodesia.

geología. (De *geo-* y *-logía.*) f. Ciencia que trata de la forma exterior e interior del globo terrestre; de la naturaleza de las materias que lo componen y de su formación; de los cambios o alteraciones que estas han experimentado desde su origen, y de la colocación que tienen en su actual estado.

geológico, ca. adj. Perteneciente o relativo a la geología.

geólogo, ga. m. y f. Persona que profesa la geología o tiene en ella especiales conocimientos.

geomagnético, ca. adj. Perteneciente o relativo al geomagnetismo.

geomagnetismo. m. Conjunto de fenómenos relativos a las propiedades magnéticas de la Tierra. ‖ **2.** Ciencia que estudia dichas propiedades.

geomancia o **geomancía.** (De *geo-* y *-mancia* o *-mancía.*) f. Especie de magia y adivinación que se pretende hacer valiéndose de los cuerpos terrestres o con líneas, círculos o puntos hechos en la tierra.

geomántico, ca. adj. Perteneciente a la geomancia. ‖ **2.** m. y f. Persona que la profesa.

geomético. m. ant. **geomántico.**

geómetra. (Del gr. γεωμέτρης, a través del lat. *geomĕtra.*) com. Persona que profesa la geometría o tiene en ella especiales conocimientos.

geometral. adj. ant. **geométrico.**

geometría. (Del gr. γεωμετρία, a través del lat. *geometrĭa.*) f. Parte de las matemáticas que trata de las propiedades y medida de la extensión. ‖ **algorítmica.** *Mat.* Aplicación del álgebra a la **geometría** para resolver por medio del cálculo ciertos problemas de la extensión. ‖ **analítica.** *Mat.* Parte de las matemáticas que estudia las propiedades de las líneas y superficies representadas por medio de ecuaciones. ‖ **del espacio.** *Mat.* Parte de la **geometría,** que considera las figuras cuyos puntos no están todos en un mismo plano. ‖ **descriptiva.** *Mat.* Parte de las matemáticas que tiene por objeto resolver los problemas de la **geometría** del espacio por medio de operaciones efectuadas en un plano y representar en él las figuras de los sólidos. ‖ **plana.** *Mat.* Parte de la **geometría** que considera las figuras cuyos puntos están todos en un plano. ‖ **proyectiva.** Rama de la **geometría** que trata de las proyecciones que conservan las figuras cuando se las proyecta sobre un plano.

geométricamente. adv. m. Conforme al método y reglas de la geometría.

geométrico, ca. (Del gr. γεωμετρικός, a través del lat. *geometrĭcus.*) adj. Perteneciente a la geometría. ‖ **2.** V. **codo, lugar, paso, pie geométrico.** ‖ **3.** V. **codo geométrico cúbico.** ‖ **4.** V. **cruz geométrica.** ‖ **5.** *Geom.* V. **cuadrado geométrico.** ‖ **6.** *Geom.* V. **línea, ortografía geométrica.** ‖ **7.** *Mat.* V. **proporción, razón geométrica.** ‖ **8.** *Persp.* V. **plano geométrico.** ‖ **9.** fig. Muy exacto. *Demostración* GEOMÉTRICA; *cálculo* GEOMÉTRICO.

geomorfía. (De *geo-* y el gr. μορφή, forma.) f. Parte de la geodesia que trata de la figura del globo terráqueo y de la formación de los mapas.

geonomía. (De *geo-* y el gr. νόμος, ley.) f. Ciencia que estudia las propiedades de la tierra vegetal.

geonómico, ca. adj. Perteneciente o relativo a la geonomía.

geopolítica. (De *geo-* y *política.*) f. Ciencia que pretende fundar la política nacional o internacional en el estudio sistemático de los factores geográficos, económicos y raciales.

geopolítico, ca. adj. Perteneciente o relativo a la geopolítica.

geoponía. (Del gr. γεωπονία, trabajo de la tierra.) f. **agricultura.**

geopónica. f. **geoponía.**

geopónico, ca. (Del gr. γεωπονικός.) adj. Perteneciente o relativo a la geoponia.

geópono, na. m. y f. Persona versada en geoponía.

geoquímica. f. Estudio de la distribución, proporción y asociación de los elementos químicos de la corteza terrestre, y de las leyes que las condicionan.

georama. (De *geo-* y el gr. ὅραμα, espectáculo.) m. Globo geográfico, grande y hueco, sobre cuya superficie interior está trazada la figura de la Tierra, de suerte que el espectador que se coloca en el centro de dicho globo abarca de una ojeada el conjunto de los mares, continentes, etc.

georgiano[1], na. adj. Natural de Georgia. Ú. t. c. s. ‖ **2.** Perteneciente o relativo a este país de Asia.

georgiano[2], na. adj. Aplícase a un estilo de arquitectura del siglo XVIII en Inglaterra y los EE. UU. ‖ **2.** Dícese del natural del Estado de Georgia, en los EE. UU. Ú. t. c. s. ‖ **3.** Perteneciente o relativo a este Estado.

geórgica. (Del gr. γεωργικός, rural, a través del lat. *georgĭca.*) f. Obra que tiene relación con la agricultura. Ú. m. en pl., y hablando de las literarias. Por antonom., las de Virgilio que llevan este nombre.

geórgico, ca. adj. Perteneciente o relativo al campo.

geotecnia. (De *geo-* y *-tecnia.*) f. *Geol.* **geotécnica.**

geotécnica. (De *geo-* y *técnica.*) f. *Geol.* Aplicación de principios de ingeniería a la ejecución de obras públicas en función de las características de los materiales de la corteza terrestre.

geotécnico, ca. adj. Perteneciente o relativo a la geotécnica.

geotectónico, ca. (De *geo-* y el gr. τεκτονικός, de carpintero.) adj. Perteneciente o relativo a la forma, disposición y estructura de las rocas y terrenos que constituyen la corteza terrestre.

geótico, ca. (De *geo-* y *-tico.*) adj. ant. Perteneciente a la tierra o que se ejecuta con ella.

geotropismo. (De *geo-* y *tropismo.*) m. *Biol.* Tropismo cuyo factor predominante es la fuerza de gravedad.

gépido, da. (Del lat. *Gepĭdae.*) adj. Dícese de cada uno de los individuos de una antigua nación germánica que se unió a los hunos bajo Atila, y, vencida después por los ostrogodos, se fundió con ellos. Ú. t. c. s. ‖ **2.** Perteneciente o relativo a dicho pueblo.

geraniáceo, a. (De *geranio* y *-áceo.*) adj. *Bot.* Dícese de hierbas o matas angiospermas dicotiledóneas, con ramos articulados y estípulas, hojas alternas u opuestas, y flores solitarias o en umbela, que dan tres o cinco frutillos membranosos e indehiscentes y con una sola semilla; como el geranio y la aguja de pastor. Ú. t. c. s. f. ‖ **2.** f. pl. *Bot.* Familia de estas plantas.

geranio. (Del gr. γεράνιον, a través del lat. *geranĭon.*) m. Planta de la familia de las geraniáceas, con tallos herbáceos de dos a cuatro decímetros de altura y ramosos; hojas opuestas, pecioladas y de borde ondeado; flores en umbela apretada, y frutos capsulares, alargados, unidos de cinco en cinco, cada uno con su semilla. Hay varias especies, que se distinguen por el tamaño de las hojas, vellosas o no y más o menos recortadas, y, sobre todo, por el olor y coloración de las flores. Los **geranios,** originarios de África austral, se cultivan en los jardines. ‖ **2.** Flor de esta planta. ‖ **de hierro.** Pelargonio de hojas grandes, generalmente con zonas de colores distintos en la haz, y flores rojas. Tiene un olor desagradable, pero se cultiva por la belleza de sus flores. ‖ **de malva.** Pelargonio de hojas parecidas a las de la malva, pero más suaves, olor de manzana y flores blancas. Se cultiva por lo delicado de su aroma. ‖ **de rosa.** Pelargonio de hojas pequeñas y vellosas, de olor muy grato y flores rosadas. Se cultiva para extraer su esencia, muy empleada en perfumería y utilizada a veces para falsificar la esencia de rosa. ‖ **de sardina.** *Ál., Córd.* y *Nav.* **geranio de hierro.**

gerbo. m. **jerbo.**

gerencia. f. Cargo de gerente. ‖ **2.** Gestión que le incumbe. ‖ **3.** Oficina del gerente. ‖ **4.** Tiempo que una persona ocupa este cargo.
gerente. (Del lat. *gerens, -entis.*) com. *Com.* Persona que dirige los negocios y lleva la firma en una sociedad o empresa mercantil, con arreglo a su constitución.
geriatra. (Del gr. γῆρας, vejez, y ἰατρός, médico, con *-a* inducida por el componente fr. *-iatre.*) com. Médico especializado en geriatría.
geriatría. (Del gr. γῆρας, vejez, y ἰατρεία, tratamiento.) f. Parte de la medicina, que estudia la vejez y sus enfermedades.
gerifalco. m. ant. **gerifalte.**
gerifalte. (Del fr. ant. *girfalt*, hoy *gerfaut.*) m. Ave rapaz, con plumaje pardo con rayas claras en las penas de las alas y cola, y blanquecino con listas cenicientas en el vientre. Es el halcón mayor que se conoce, pues tiene seis decímetros de largo y catorce de envergadura; fue muy estimado como ave de cetrería, y vive ordinariamente en el norte de Europa. ‖ **2.** Pieza antigua de artillería, especie de culebrina de muy poco calibre. ‖ **3.** fig. Persona que descuella en cualquier línea. ‖ **4.** *Germ.* El que roba o hurta.
germán. adj. apóc. de **germano.**
germanesco, ca. adj. Perteneciente o relativo a la germanía.
germanía. (Del lat. *germānus*, hermano.) f. Jerga o manera de hablar de ladrones y rufianes, usada por ellos solos y compuesta de voces del idioma español con significación distinta de la verdadera, y de otros muchos vocablos de orígenes muy diversos. ‖ **2. amancebamiento.** ‖ **3.** En el antiguo reino de Valencia, hermandad o gremio. ‖ **4.** *Germ.* Clase de rufianes. ‖ **5.** fam. *Albac., And.* y *Cuen.* Tropel de muchachos.
germánico, ca. (Del lat. *germanĭcus.*) adj. Perteneciente o relativo a Germania o a los germanos. ‖ **2.** Aplícase al que venció a los germanos y al hijo o descendiente del vencedor. Ú. t. c. s. ‖ **3.** Dícese de algunas cosas pertenecientes a Alemania. ‖ **4.** Dícese de la lengua indoeuropea que hablaron los pueblos germanos, y de la cual se derivaron el nórdico, el gótico, el alemán, el neerlandés, el frisón y el anglosajón. Ú. t. c. s. m.
germanidad. (Del lat. *germanĭtas, -ātis.*) f. ant. **hermandad.**
germanio. (De *Germania*, Alemania, donde fue descubierto.) m. *Quím.* Metal blanco que se oxida a temperaturas elevadas, pero es resistente a los ácidos y a las bases. Núm. atómico 32. Símb.: *Ge.*
germanismo. (Del lat. *Germanĭa*, Alemania.) m. Idiotismo de la lengua alemana. ‖ **2.** Vocablo o giro de esta lengua empleado en otra. ‖ **3.** Empleo de vocablos o giros alemanes en otro idioma.
germanista. com. Persona versada en la lengua y literatura alemanas. ‖ **2.** Especialista en la lengua y cultura germánicas.
germanización. f. Acción y efecto de germanizar.
germanizar. tr. Dar carácter germánico, o inclinarse a las cosas germánicas. Ú. t. c. prnl.
germano[1], na. adj. Natural u oriundo de Germania. Ú. t. c. s. ‖ **2. alemán.** Ú. t. c. s.
germano[2], na. (Del lat. *germānus.*) adj. ant. Propio, legítimo, natural. ‖ **2.** m. desus. **hermano carnal.**
germanófilo, la. (De *germano*[1] y *-filo.*) adj. Que simpatiza con Alemania o con los alemanes o germanos. Ú. t. c. s.
germanófobo, ba. (De *germano*[1] y *-fobo.*) adj. Que siente aversión o repulsa por Alemania, o por los alemanes o germanos. Ú. t. c. s.
germen. (Del lat. *germen.*) m. Principio rudimental de un nuevo ser orgánico. ‖ **2.** Parte de la semilla de que se forma la planta. ‖ **3.** Primer tallo que brota de esta. ‖ **4.** fig. Principio, origen de una cosa material o moral. ‖ **patógeno.** *Med.* Microorganismo que puede causar o propagar enfermedades.
germicida. (De *germen* y *-cida.*) adj. Dícese de lo que destruye gérmenes, especialmente los dañinos. Ú. t. c. s.
germinación. (Del lat. *germinatĭo, -ōnis.*) f. Acción de germinar.
germinador, ra. adj. Que hace germinar.
germinal. (Del lat. *germinālis.*) adj. Perteneciente o relativo al germen. ‖ **2.** m. Séptimo mes del calendario republicano francés, cuyos días primero y último coincidían, respectivamente, con el 21 de marzo y el 19 de abril.
germinar. (Del lat. *germināre.*) intr. Brotar y comenzar a crecer las plantas. ‖ **2.** Comenzar a desarrollarse las semillas de los vegetales. ‖ **3.** fig. Brotar, crecer, desarrollarse cosas morales o abstractas. GERMINAR *las virtudes, los vicios, la libertad.*
germinativo, va. adj. Que puede germinar o causar germinación.
germinicida. adj. *Biol.* Dícese del producto químico capaz de destruir la capacidad germinativa de las semillas. Ú. t. c. s. m.
gerno. (De *genro.*) m. ant. **yerno.**
gerontocracia. (Del gr. γέρων, γέροντος, anciano, y *-cracia.*) f. Gobierno de viejos.
gerontología. (Del gr. γέρων, γέροντος, anciano, y *-logía.*) f. Ciencia que trata de la vejez y los fenómenos que la caracterizan.
gerontólogo, ga. m. y f. Persona versada en gerontología.
geropsiquiatría. (Del gr. γῆρας, vejez, y *psiquiatría.*) f. *Med.* **psicogeriatría.**
geropsiquiátrico, ca. adj. Perteneciente o relativo a la geropsiquiatría.
gerundense. (Del lat. *Gerundensis*, de Gerona.) adj. Natural de Gerona. Ú. t. c. s. ‖ **2.** Perteneciente o relativo a esta ciudad o a su provincia.
gerundiada. (De *gerundio*[2].) f. fam. Expresión gerundiana.
gerundiano, na. (De *gerundio*[2].) adj. fam. Aplícase al estilo hinchado y ridículo.
gerundio[1]. (Del lat. *gerundĭum.*) m. *Gram.* Forma verbal invariable del modo infinitivo, cuya terminación regular es *-ando* en los verbos de la primera conjugación, *-iendo* en los de la segunda y tercera; v. gr.: *Amando, temiendo, partiendo.* Comunica a la acción verbal carácter durativo; puede referirse a cualquier tiempo, así como a cualquier género y número, según el sentido de la frase de que forme parte; v. gr.: *Estoy, estuve, estaré* LEYENDO; VOLANDO *la tórtola.* Tiene más generalmente carácter adverbial, y puede expresar modo, condición, motivo o circunstancia; v. gr.: *Vino* CORRIENDO; HABLANDO *se entiende la gente.* Empléase a veces como ablativo absoluto; v. gr.: REINANDO *Isabel la Católica, se descubrió el Nuevo Mundo.*
gerundio[2]. (Por alusión a fray *Gerundio* de Campazas, creación del Padre Isla.) m. desus. fig. y fam. Persona que habla o escribe en estilo hinchado, afectando inoportunamente erudición e ingenio. Se usa más especialmente refiriéndose a los predicadores y a los escritores de materias religiosas o eclesiásticas.
gerundivo. (Del lat. *gerundīvus.*) m. *Gram.* Participio latino de futuro pasivo en *-ndus*, como *hortandus, exhauriendus.*
gesneriáceo, a. (De *Gesneria*, nombre de un género de plantas y *-áceo.*) adj. *Bot.* Dícese de plantas angiospermas dicotiledóneas, herbáceas, rara vez leñosas, afines a las escrofulariáceas y orobancáceas, de las que difieren por ciertos caracteres morfológicos de sus ovarios. Casi todas viven en países intertropicales, y muchas son ornamentales y muy apreciadas en jardinería; como la gloxínea. Ú. t. c. s. f. ‖ **2.** f. pl. *Bot.* Familia de estas plantas.

gesolreút. (De la letra *g* y de las notas musicales *sol, re, ut.*) m. En la música antigua, indicación del tono que principia en el quinto grado de la escala diatónica de *do* y se desarrolla según los preceptos del canto llano y del canto figurado.
gesta. (Del. pl. n. lat. *gesta*, hechos señalados, hazañas) f. V. **cantar, romance de gesta.** ‖ **2.** Conjunto de hechos memorables.
gestación. (Del lat. *gestatĭo, -ōnis.*) f. Acción y efecto de gestar o gestarse. ‖ **2.** Embarazo, preñez.
gestadura. (De *gesto*, rostro.) f. ant. Cara o rostro.
gestante. p. a. de **gestar.** ‖ **2.** adj. Embarazada. Ú. t. c. s. f.
gestar. (Del lat. *gestāre*, llevar.) tr. Llevar y sustentar la madre en sus entrañas el fruto vivo de la concepción hasta el momento del parto. ‖ **2.** prnl. fig. Prepararse, desarrollarse o crecer sentimientos, ideas o tendencias individuales o colectivas.
gestatorio, ria. (Del lat. *gestatorĭus.*) adj. Que ha de llevarse a brazos. ‖ **2.** V. **silla gestatoria.**
gestear. intr. Hacer gestos.
gestero, ra. adj. Que tiene el hábito de hacer demasiados gestos.
gesticulación. (Del lat. *gesticulatĭo, -ōnis.*) f. Acción y efecto de gesticular.
gesticulador, ra. adj. Que gesticula.
gesticular[1]. (Del lat. *gesticŭlus*, d. de *gestus*, gesto.) adj. Perteneciente al gesto.
gesticular[2]. (Del lat. *gesticulāri.*) intr. Hacer gestos.
gesticuloso, sa. adj. Que gesticula.
gestión. (Del lat. *gestĭo, -ōnis.*) f. Acción y efecto de gestionar. ‖ **2.** Acción y efecto de administrar. ‖ **de negocios.** *Der.* Cuasi contrato que se origina por el cuidado de intereses ajenos sin mandato de su dueño.
gestionar. (De *gestión.*) tr. Hacer diligencias conducentes al logro de un negocio o de un deseo cualquiera.
gesto. (Del lat. *gestus.*) m. Movimiento del rostro o de las manos con que se expresan diversos afectos del ánimo. ‖ **2.** Movimiento exagerado del rostro por hábito o enfermedad. ‖ **3.** Contorsión burlesca del rostro. ‖ **4.** Semblante, cara, rostro. ‖ **5.** Acto o hecho. ‖ **6.** Rasgo notable de carácter o de conducta. ‖ **7.** ant. fig. Aspecto o apariencia que tienen algunas cosas inanimadas. ‖ **estar de buen,** o **mal, gesto.** fr. Estar de buen, o mal, humor. ‖ **hacer gestos** a una cosa. fr. fig. y fam. Despreciarla o mostrarse poco contento de ella. ‖ **poner gesto.** fr. Mostrar enfado o enojo en el semblante. ‖ **ponerse a gesto.** fr. ant. Aderezarse y componerse para parecer bien. ‖ **torcer el gesto.** fr. **poner gesto.**
gestor, ra. (Del lat. *gestor, -ōris*, procurador.) adj. Que gestiona. Ú. t. c. s. ‖ **2.** *Com.* Miembro de una sociedad mercantil que participa en la administración de esta. ‖ **administrativo.** Persona que se dedica profesionalmente a promover y activar en las oficinas públicas asuntos particulares o de sociedades. ‖ **de negocios.** *Der.* El que sin tener mandato para ello, cuida bienes, negocios o intereses ajenos, en pro de aquel a quien pertenecen.
gestoría. f. Oficina del gestor.
gestual. (Del lat. *gestus.*) adj. Referente o relativo a los gestos. ‖ **2.** Que se hace con gestos.
gestudo, da. adj. fam. Que acostumbra a poner mal gesto. Ú. t. c. s.
geta. (Del lat. *Geta.*) adj. Natural de un pueblo escita situado al este de Dacia. Ú. t. c. s. m. y en pl. ‖ **2.** Perteneciente o relativo a este pueblo.
gético, ca. (Del lat. *getĭcus.*) adj. Perteneciente o relativo a los getas.
gétulo, la. (Del lat. *Getŭlus.*) adj. Natural de Getulia, país del África antigua, al sur de Numidia. Ú. t. c. s. y en pl. ‖ **2.** Perteneciente o relativo a este pueblo.
giba. (Del lat. *gibba*, joroba.) f. Joroba, corcova. ‖ **2.** fig. y fam. Molestia, incomodidad. ‖ **3.** *Germ.* Bulto, hinchazón.
gibado, da. p. p. de **gibar.** ‖ **2.** adj. Jorobado, corcovado.
gibao. m. V. **pie de gibao.**
gibar. (De *giba.*) tr. **corcovar.** ‖ **2.** fig. y fam. Fastidiar, molestar, vejar.
gibelino, na. (Del it. *ghibellino.*) adj. Partidario de los emperadores de Alemania, en la Edad Media, contra los güelfos, defensores de los papas. Ú. t. c. s. ‖ **2.** Perteneciente o relativo a los **gibelinos.**
gibón. (Del ing. *gibbon.*) m. Nombre común a varias especies de monos antropomorfos, arborícolas, que se caracterizan por tener los brazos muy largos, callosidades isquiáticas pequeñas y carecer de cola y abazones.
gibosidad. f. Cualquier protuberancia en forma de giba.
giboso, sa. (Del lat. *gibbōsus.*) adj. Que tiene giba o corcova. Ú. t. c. s.
gibraltareño, ña. adj. Natural de Gibraltar. Ú. t. c. s. ‖ **2.** Perteneciente o relativo a esta ciudad.
giennense. adj. **jiennense.**
giga. (Del medio a. al. *gige;* en al. mod. *geige*, violín.) f. Baile antiguo que se ejecutaba en compás de seis por ocho, con aire acelerado. ‖ **2.** Música correspondiente a este baile. ‖ **3.** ant. Instrumento músico de cuerda.
giga-. (Del lat. *gigas, -antis.*) elem. compos. que, con el significado de mil millones (10^9), se emplea para formar nombres de múltiplos de determinadas unidades: GIGA*vatio*. Su símbolo es *G*.
giganta. (De *gigante.*) f. Mujer que excede mucho en su estatura a la que se considera normal. ‖ **2. girasol,** planta. ‖ **3.** V. **hierba giganta.**
gigante. (Del lat. *gigas, -antis.*) adj. **gigantesco.** ‖ **2.** Aplicado a ciertas cosas, pensamientos, esfuerzos, tamaños, etc., que son mucho mayores que lo considerado como normal. ‖ **3.** m. El que excede mucho en su estatura a la que se considera normal. ‖ **4. gigantón,** figura grotesca. ‖ **5.** fig. El que excede o sobresale en ánimo, fuerzas o cualquier otra virtud o vicio. ‖ **gigante en tierra de enanos.** fig. y fam. Hombre de pequeña estatura. ‖ **2.** fr. fig. para denotar que un sujeto descuella no por su propio valer, sino por inferioridad de los que le rodean.
gigantea. (Del lat. *gigantēa*, t. f. de *-ēus*, giganteo.) f. **girasol,** planta.
giganteo, a. (Del lat. *gigantēus.*) adj. p. us. **gigantesco.**
gigantesco, ca. adj. Perteneciente o relativo a los gigantes. ‖ **2.** fig. Excesivo o muy sobresaliente en su línea. *Árbol* GIGANTESCO; *fuerzas* GIGANTESCAS.
gigantez. (De *gigante.*) f. Tamaño que excede mucho de lo regular.
gigánticamente. adv. m. ant. Al modo o manera de los gigantes.
gigántico, ca. adj. ant. **giganteo.**
gigantilla. f. d. de **giganta.** ‖ **2.** Figura artificial con cabeza y miembros desproporcionados a su cuerpo. ‖ **3.** Figura femenina de **cabezudo,** enano de gran cabeza. ‖ **4.** Por semejanza se llama así a la mujer muy gruesa y baja. ‖ **5.** pl. Juego infantil en que un niño está a horcajadas sobre los hombros de otro.
gigantillo. m. d. de **gigante.** ‖ **2.** Figura de enano de gran cabeza.
gigantino, na. adj. ant. **giganteo.**
gigantismo. m. *Pat.* Trastorno del crecimiento caracterizado por un desarrollo excesivo del organismo.
gigantón, na. m. y f. aum. de **gigante.** ‖ **2.** Cada una de las figuras gigantescas que suelen llevarse en algunas procesiones. ‖ **3.** m. Planta compuesta, especie de dalia, de flores moradas. ‖ **echar** a uno **los gigantones.** fr. fig. y fam. **echarle el toro.**

gigoló. (Del fr. *gigolo.*) Amante joven de una mujer de más edad y que lo mantiene.

gigote. (Del fr. *gigot,* pierna de carnero, cordero o cabrito, cortada para servirla en la mesa.) m. Guisado de carne picada rehogada en manteca. ‖ **2.** Por ext., cualquier otra comida picada en pedazos menudos. ‖ **hacer gigote** una cosa. fr. fig. y fam. Hacerla pedazos menudos.

gijonense. adj. **gijonés.**

gijonés, sa. adj. Natural de Gijón. Ú. t. c. s. ‖ **2.** Perteneciente o relativo a esta ciudad.

gil. m. Individuo de cierto bando de la montaña de Cantabria, especialmente de la comarca de Trasmiera, en el siglo XV.

gilbert. (Del apellido del físico inglés William *Gilbert,* 1544-1603.) m. **gilbertio,** en la nomenclatura internacional.

gilbertio. m. *Fís.* Unidad de la fuerza magnetomotriz en el sistema cegesimal de unidades, y equivalente a $10 : 4\pi$ amperiovueltas.

gilí. (Del ár. *ŷāhil* [con imela], *ŷihil,* bobo, aturdido, ignorante.) adj. fam. Tonto, lelo. Ú. t. c. s.

gilipollas. adj. vulg. **gilí,** tonto, lelo. Ú. t. c. s.

gilipollez. f. vulg. Dicho o hecho propios de un gilipollas.

gilito. (Del nombre *Gil.*) adj. Dícese del fraile franciscano descalzo del convento de San Gil, que existió en Madrid. Ú. t. c. s.

gilvo, va. (Del lat. *gilvus.*) adj. Aplícase al color melado o entre blanco y rojo.

gimnasia. (Del gr. γυμνασία, a través del lat. *gymnasia.*) f. Arte de desarrollar, fortalecer y dar flexibilidad al cuerpo por medio de ciertos ejercicios. ‖ **2.** Estos ejercicios mismos tomados en conjunto. ‖ **3.** fig. Práctica o ejercicio que adiestra en cualquier actividad o función. ‖ **rítmica.** *Dep.* Conjunto de ejercicios que acompañados de música, pasos de danza y a veces algunos accesorios, realizan las gimnastas sobre una pista. ‖ **sueca.** La que se hace sin aparatos.

gimnasio. (Del gr. γυμνάσιον, a través del lat. *gymnasĭum.*) m. Lugar destinado a ejercicios gimnásticos. ‖ **2.** desus. Lugar destinado a la enseñanza pública.

gimnasta. (Del gr. γυμναστής.) com. Persona que practica ejercicios gimnásticos.

gimnástica. (Del gr. γυμναστική, a través del lat. *gymnastĭca.*) f. **gimnasia.**

gimnástico, ca. (Del gr. γυμναστικός, a través del lat. *gymnastĭcus.*) adj. Perteneciente o relativo a la gimnasia.

gímnico, ca. (Del gr. γυμνικός, a través del lat. *gymnicus.*) adj. Perteneciente a la lucha de los atletas, y a los bailes en que se imitaban estas luchas.

gimnosofista. (Del gr. γυμνοσοφιστής, a través del lat. *gymnosophista.*) m. Nombre con que griegos y romanos designaban a los brahmanes o a algunas de sus sectas.

gimnospermo, ma. (Del gr. γυμνός, desnudo, y σπέρμα, simiente.) adj. *Bot.* Dícese de las plantas fanerógamas cuyos carpelos no llegan a constituir una cavidad cerrada que contenga los óvulos, y, por tanto, las semillas quedan al descubierto; como el pino y el ciprés. ‖ **2.** f. pl. *Bot.* Subtipo de estas plantas.

gimnoto. (Del gr. γυμνός, desnudo, y νῶτος, dorso, a través del lat. científico *gymnōtus,* haplología de *gymnonōtus.*) m. Pez teleósteo fisóstomo, muy parecido a la anguila y de más de un metro de longitud, que vive en los ríos de América Meridional, y tiene la particularidad de producir descargas eléctricas que paralizan a animales bastante grandes.

gimoteador, ra. adj. Que gimotea.

gimotear. intr. despect. Gemir con insistencia y con poca fuerza, por causa leve. ‖ **2.** Hacer los gestos y suspiros del llanto sin llegar a él.

gimoteo. m. fam. Acción y efecto de gimotear.

ginandra. (Del gr. γυνή, mujer, y ἀνήρ, ἀνδρός, varón.) adj. *Bot.* Dícese de las plantas con flores hermafroditas cuyos estambres están soldados con el pistilo.

gindama. f. **jindama.**

ginea. (Del gr. γενεά, estirpe.) f. ant. **linaje.**

ginebra[1]**.** f. Instrumento grosero con que se acompaña rudamente un canto popular, y se compone de una serie de palos, tablas o huesos que, ensartados por ambas puntas y en disminución gradual, producen cierto ruido cuando se rascan con otro palo. ‖ **2.** Cierto juego de naipes. ‖ **3.** fig. Confusión, desorden, desarreglo. ‖ **4.** fig. Ruido confuso de voces humanas.

ginebra[2]**.** (Del fr. *genièvre,* enebro.) f. Bebida alcohólica obtenida de semillas y aromatizada con las bayas del enebro.

ginebrada. f. Torta pequeña hecha con masa de hojaldre y con los bordes levantados formando picos, que se rellena con un batido de la misma masa con leche cuajada.

ginebrés, sa. adj. **ginebrino.** Apl. a pers., ú. t. c. s.

ginebrino, na. adj. Natural de Ginebra. Ú. t. c. s. ‖ **2.** Perteneciente o relativo a esta ciudad de Suiza.

gineceo. (Del gr. γυναικεῖος, a través del lat. *gynaecēum*) m. Departamento retirado que en sus casas destinaban los griegos para habitación de las mujeres. ‖ **2.** *Bot.* Verticilo floral femenino de las plantas fanerógamas, constituido por uno o más carpelos, que forman el pistilo.

ginecocracia. (Del gr. γυναικοκρατία.) f. Gobierno de las mujeres.

ginecología. (Del gr. γυνή, γυναικός, mujer, y *-logía.*) f. Parte de la medicina que trata de las enfermedades propias de la mujer.

ginecológico, ca. adj. Perteneciente o relativo a la ginecología.

ginecólogo, ga. m. y f. Persona que profesa la ginecología.

ginecomastia. f. *Med.* Volumen excesivo de las mamas de un hombre, producido por alteración hormonal.

ginesta. (Del lat. *genista.*) f. Hiniesta, retama.

gineta. f. **jineta**[1]**.**

gingidio. (Del gr. γιγγίδιον, a través del lat. *gingidion.*) m. **biznaga,** planta. ‖ **2. biznaga,** pie de la flor que se utiliza como mondadientes.

gingival. (Del lat. *gingīva,* encía.) adj. Relativo o perteneciente a las encías.

ginovés, sa. adj. ant. **genovés.** Apl. a pers., usáb. t. c. s.

giobertita. (De *Gioberti,* químico italiano.) f. Carbonato de magnesia, de color blanco, que se presenta cristalizado en el sistema romboédrico.

gira. (De *girar.*) f. Excursión o viaje de una o varias personas por distintos lugares, volviendo al punto de partida. ‖ **2.** Serie de actuaciones sucesivas de una compañía teatral o de un artista en diferentes localidades. ‖ **a la gira.** loc. adv. *Mar.* Dícese del buque fondeado con una o dos anclas o amarrado a una boya, de manera que gire presentando siempre la proa al impulso del viento o de la corriente.

girada. (De *girar.*) f. ant. Acción y efecto de girar. ‖ **2.** *Danza.* En la danza española, movimiento que consiste en dar una vuelta sobre la punta de un pie llevando el otro en el aire.

girador, ra. adj. Que gira. Ú. t. c. s. ‖ **2.** m. y f. *Com.* Persona o entidad que expide una letra de cambio u otra orden de pago.

giralda. (De *girar.*) f. Veleta de torre, cuando tiene figura humana o de animal.

giraldete. m. Roquete sin mangas.

giraldilla. f. d. de **giralda.** ‖ **2.** Baile popular de Asturias y provincias inmediatas, que se ejecuta en compás binario.

giramiento. (De *girar.*) m. ant. Acción y efecto de danzar.
girándula. (Del it. *girandola.*) f. Rueda llena de cohetes que gira despidiéndolos. ‖ **2.** Artificio que se pone en las fuentes para arrojar el agua con agradable variedad.
girante. p. a. de **girar.** Que gira. ‖ **2.** m. ant. Conjunción de la Luna con el Sol.
girar. (Del lat. *gyrāre.*) tr. Mover circularmente algo. Ú. t. c. intr. ‖ **2.** Enviar dinero por giro postal, telegráfico, etc. ‖ **3.** intr. Dar vueltas algo sobre un eje o en torno a un punto. ‖ **4.** fig. Desarrollarse una conversación, negocio, trato, etc., en torno a un tema dado. ‖ **5.** Desviarse o cambiar la dirección inicial. *La calle* GIRA *a la derecha.* ‖ **6.** *Com.* Expedir libranzas, talones u otras órdenes de pago. Ú. t. c. tr. GIRAR *una letra.* ‖ **7.** *Com.* Hacer las operaciones mercantiles de una empresa.
girasol. (De *girar* y *sol,* por la propiedad que tiene la flor de irse volviendo hacia el sol.) m. Planta anual oriunda del Perú, de la familia de las compuestas, con tallo herbáceo, derecho, de unos tres centímetros de grueso y cerca de dos metros de altura; hojas alternas, pecioladas y acorazonadas; flores terminales, que se doblan en la madurez, amarillas, de dos a tres decímetros de diámetro, y fruto con muchas semillas negruzcas, casi elipsoidales, comestibles, y de las que puede extraerse un aceite bueno para condimento. Se cultiva para la obtención del aceite, y en menor escala para consumir las semillas. ‖ **2.** Flor de esta planta. ‖ **3. ópalo girasol.** ‖ **4.** fig. Persona que procura granjearse el favor de un príncipe o poderoso.
giratorio, ria. adj. Que gira o se mueve alrededor. ‖ **2.** V. **placa, puerta giratoria.** ‖ **3.** f. Mueble con estantes y divisiones que gira alrededor de un eje y se usa en los despachos para colocar libros y papeles.
girifalte. m. **gerifalte.**
girino. (Del lat. *gyrīnus.*) m. Coleóptero pentámero, de unos siete milímetros de largo, con cuerpo ovalado, de color bronceado muy brillante; dos pares de ojos; las patas del primer par, largas y filiformes, y las de los otros dos pares, cortas y anchas, a propósito para la natación; élitros que no tapan por completo el abdomen, y alas membranosas. Anda rápidamente sobre las aguas estancadas, trazando sobre ellas multitud de curvas, por lo que se le llama escribano del agua. ‖ **2.** desus. **renacuajo,** cría de la rana.
giro[1]. (Del gr. γῦρος, a través del lat. *gyrus.*) m. Acción y efecto de girar. ‖ **2.** Dirección que se da a una conversación, a un negocio y sus diferentes fases. ‖ **3.** Tratándose del lenguaje o estilo, estructura especial de la frase, o manera de estar ordenadas las palabras para expresar un concepto. ‖ **4.** *Com.* Movimiento o traslación de caudales por medio de letras, libranzas, etc. ‖ **5.** *Com.* Conjunto de operaciones o negocios de una empresa. ‖ **mutuo. giro** oficial entre los diversos puntos donde el gobierno lo tenía autorizado. ‖ **postal.** El que realizan las oficinas de correos y ha sustituido al **giro** mutuo. ‖ **telegráfico.** El que se hace por mediación de las oficinas de telégrafos. ‖ **tomar** uno **otro giro.** fr. fig. Mudar de intento o resolución.
giro[2], ra. (De or. inc.) adj. ant. Hermoso, galano. ‖ **2.** *And., Can., Murc.* y *Amér.* Aplícase al gallo de color oscuro que tiene amarillas o, a veces, plateadas las plumas del cuello y de las alas. ‖ **3.** *Argent., Col.* y *Chile.* Aplícase también al gallo matizado de blanco y negro. ‖ **4.** m. Amenaza, bravata o fanfarronada. ‖ **5. chirlo.**
girocho, cha. adj. **jirocho.**
giroflé. (Del fr. *girofle,* clavo, botón seco de la flor del *clavero*[1].) m. **clavero[1].**
girola. (De etim. disc.) f. *Arq.* Nave que rodea el ábside en la arquitectura románica y gótica. Por ext., la misma nave en catedrales e iglesias de cualquier otro estilo.
girómetro. (De *giro* y *-metro.*) m. Aparato para medir la velocidad de rotación de una máquina. ‖ **2.** *Aer.* Instrumento que señala los cambios de rumbo de un avión.
girondino, na. adj. Dícese del individuo de un partido político francés del tiempo de la Revolución, y de este mismo partido, llamado así por haberse distinguido principalmente en él los diputados de la Gironda. Apl. a pers., ú. m. c. s.
gironés, sa. adj. ant. Natural de Gerona. ‖ **2.** Perteneciente o relativo a Gerona.
giroscópico, ca. adj. Perteneciente o relativo al giroscopio. ‖ **2.** V. **aguja, brújula giroscópica.**
giroscopio. (De *giro* y *-scopio.*) m. *Fís.* Aparato ideado por Foucault en 1852, consistente en un disco circular que gira sobre un eje libre y demuestra la rotación del globo terrestre. ‖ **2.** *Fís.* Aparato para apreciar los movimientos circulares del viento. ‖ **3.** *Fís.* **giróstato.**
giróscopo. m. *Fís.* **giroscopio.**
girostático, ca. adj. *Mec.* Perteneciente o relativo al giróstato.
giróstato. (Del gr. γῦρος, giro, y στατός, estable, fijo.) m. *Fís.* Aparato constituido principalmente por un volante pesado que gira rápidamente y tiende a conservar el plano de rotación reaccionando contra cualquier fuerza que lo aparte de dicho plano.
giróvago, ga. (Del lat. *gyrovăgus.*) adj. **vagabundo.** ‖ **2.** Dícese del monje que, por no sujetarse a la vida regular de los anacoretas y cenobitas, vagaba de uno en otro monasterio. Ú. t. c. s.
gis. (Del lat. *gypsum,* yeso.) m. **clarión.**
giste. (Del al. *gischt,* espuma.) m. Espuma de la cerveza.
gitanada. f. Acción propia de gitanos. ‖ **2.** fig. Adulación, chiste, caricias y engaños con que suele conseguirse lo que se desea.
gitanamente. adv. m. fig. Con gitanería.
gitanear. intr. fig. Halagar con gitanería, para conseguir lo que se desea. ‖ **2.** fig. Tratar de engañar en las compras y ventas.
gitanería. f. Caricia y halago hechos con zalamería y gracia, al modo de las gitanas. ‖ **2.** Reunión o conjunto de gitanos. ‖ **3.** Dicho o hecho propio y peculiar de los gitanos.
gitanesco, ca. adj. Propio de los gitanos.
gitanismo. m. Costumbres y maneras que caracterizan a los gitanos. ‖ **2. gitanería,** conjunto de gitanos. ‖ **3.** Vocablo o giro propio de la lengua que hablan los gitanos.
gitano, na. (De *egiptano,* porque se creyó que procedían de Egipto.) adj. Dícese de los individuos de un pueblo originario de la India, extendido por gran parte de Europa, que mantienen en gran parte un nomadismo y han conservado rasgos físicos y culturales propios. Ú. t. c. s. ‖ **2.** Propio de los **gitanos,** o parecido a ellos. ‖ **3.** V. **caló.** ‖ **4.** ant. **egiptano,** natural de Egipto. ‖ **5.** fig. Que tiene gracia y arte para ganarse las voluntades de otros. Suele usarse, por lo común, como elogio, y en especial hablando de las mujeres. Ú. t. c. s. ‖ **6.** fig. y fam. Que estafa u obra con engaño. Ú. t. c. s. ‖ **que no se lo, o la salta un gitano.** fr. fig. y fam. con que se pondera lo grande o extraordinario de una cosa, en cualquier aspecto.
glabro, bra. (Del lat. *glaber, -bra.*) adj. Calvo, lampiño.
glaciación. (Del fr. *glaciation.*) f. Formación de hielo. ‖ **2.** Formación de glaciares. ‖ **3.** *Geol.* Cada una de las grandes invasiones de hielo que en épocas remotas acontecieron en zonas muy extensas de distintos continentes.
glacial. (Del lat. *glaciālis.*) adj. Helado, muy frío. ‖ **2.** Que hace helar o helarse. ‖ **3.** fig. Frío, desafecto, desabrido. ‖ **4.** *Geogr.* V. **zona glacial.** ‖ **5.** *Geogr.* Aplícase a las tierras y mares que están en las zonas **glaciales.**
glacialmente. adv. m. fig. Con frialdad o de modo glacial.

glaciar. (Del fr. *glacier.*) m. Masa de hielo acumulada en las zonas de las cordilleras por encima del límite de las nieves perpetuas y cuya parte inferior se desliza muy lentamente, como si fuese un río de hielo. ‖ **2.** adj. Perteneciente o relativo al **glaciar.**

glaciarismo. m. Fenómenos relacionados con los glaciares.

glaciología. (Del lat. *glacies,* hielo, y *-logía.*) f. Ciencia que estudia la glaciación y los fenómenos con ella relacionados.

glaciológico, ca. adj. Perteneciente o relativo a la glaciología.

glaciólogo, ga. m. y f. Persona que se dedica a la glaciología.

glacis. (Del fr. *glacis,* de *glacer,* helar.) m. *Fort.* En una fortificación permanente, declive desde el camino cubierto hacia el campo.

gladiador. (Del lat. *gladiātor, -ōris.*) m. El que en los juegos públicos de los romanos combatía con otro o con una bestia feroz.

gladiator. m. **gladiador.**

gladiatorio, ria. (Del lat. *gladiatorĭus.*) adj. Perteneciente o relativo a los gladiadores.

gladio. (Del lat. *gladĭus,* espada.) m. **espadaña** de agua.

gladíolo o **gladiolo.** (Del lat. *gladiŏlus.*) m. **estoque,** planta iridácea.

glagolítico, ca. (Del ant. búlgaro *glagolati,* hablar.) adj. Dícese del alfabeto o escritura de antiguos pueblos eslavos que sirvió de base al cirílico de Bulgaria. Ú. t. c. s. m.

glande. (Del lat. *glans, glandis,* bellota.) m. Cabeza del miembro viril. ‖ **2.** f. ant. Bellota de la encina, del roble y otros árboles análogos.

glandífero, ra. (Del lat. *glandĭfer.*) adj. *Bot.* Que produce bellotas. Ú. en poesía.

glandígero, ra. (Del lat. *glans, glandis,* bellota, y *gerĕre,* llevar.) adj. **glandífero.**

glándula. (Del lat. *glandŭla.*) f. *Bot.* Cualquiera de los órganos unicelulares o pluricelulares que segregan sustancias inútiles o nocivas para la planta; pueden estar situadas en la epidermis, como las que elaboran las esencias, o en los tejidos profundos, como las que producen la trementina. ‖ **2.** *Anat.* Cualquiera de los órganos que segregan materias inútiles o nocivas para el animal, como el riñón, o productos que el organismo utiliza en el ejercicio de una determinada función, como el páncreas. ‖ **endocrina.** *Anat.* La que elabora hormonas, que se incorporan directamente a la sangre circulante por ella. ‖ **exocrina.** *Anat.* La que segrega sustancias que no tienen carácter hormonal, las cuales salen de ella por un conducto especial. ‖ **pineal.** *Anat.* **epífisis,** órgano nervioso del encéfalo. ‖ **pituitaria.** *Anat.* **hipófisis.** ‖ **suprarrenal.** *Anat.* Cada uno de los dos órganos situados en contacto con el riñón de los batracios, reptiles, aves y mamíferos (en el hombre, encima de la extremidad superior de esta víscera) y compuestos de una masa central o medular y otra cortical, la primera de las cuales segrega la adrenalina.

glandular. adj. Propio de las glándulas. *Sistema* GLANDULAR.

glanduloso, sa. (Del lat. *glandulōsus.*) adj. Que tiene glándulas, o está compuesto de ellas.

glasé. (Del fr. *glacé,* helado, brillante.) m. Tafetán de mucho brillo.

glaseado, da. p. p. de **glasear.** ‖ **2.** adj. Que imita o se parece al glasé.

glasear. (De *glasé.*) tr. Dar brillo a la superficie de algunas cosas, como al papel, a algunos alimentos, etc.

glasto. (Del lat. *glastum.*) m. Planta bienal de la familia de las crucíferas, con tallo herbáceo, ramoso, de seis a ocho decímetros de altura; hojas grandes, garzas, lanceoladas, con orejetas en la base; flores pequeñas, amarillas, en racimos que forman un gran ramillete, y fruto en vainilla elíptica, negra y casi plana, con una semilla comprimida, tres veces más larga que ancha. De las hojas de esta planta, antes muy cultivada, se saca un color análogo al del añil.

glaucio. (Del gr. γλαύκιον, a través del lat. *glaucīon.*) m. Hierba de la familia de las papaveráceas con tallos de cuatro a seis decímetros de altura, ramosos en la base, lampiños y amarillentos; hojas grandes, de jugo acre, elípticas, de borde muy hendido; flores solitarias, de cuatro pétalos amarillos, y fruto capsular con semillas aovadas. Crece comúnmente en terrenos estériles y arenosos.

glauco, ca. (Del gr. γλαυκός, de color verde mar, a través del lat. *glaucus.*) adj. Verde claro. ‖ **2.** m. Molusco gasterópodo marino, sin concha, de cinco a seis centímetros de largo, con cuerpo fusiforme, cuatro tentáculos cortos y tres pares de branquias en forma de aletas, con las que respira y nada el animal, que es de color azul con reflejos nacarados.

glaucoma. (Del gr. γλαύκωμα, a través del lat. *glaucōma.*) m. *Med.* Enfermedad del ojo, así denominada por el color verdoso que toma la pupila, caracterizada por el aumento de la presión intraocular, dureza del globo del ojo, atrofia de la papila óptica y ceguera.

glaucomatoso, sa. (Del gr. γλαύκωμα, -ατος y *-oso*[2].) adj. Perteneciente o relativo al glaucoma.

glayo. (De *gayo*[1].) m. *Ast.* **arrendajo,** ave.

gleba. (Del lat. *gleba.*) f. Terrón que se levanta con el arado. ‖ **2.** Tierra, especialmente la cultivada. ‖ **3.** V. **siervo de la gleba.** ‖ **4.** *Ar.* Terreno cubierto de césped.

glera. (Del arag. *glera,* y este del lat. *glarĕa,* cantorral.) f. **cascajar,** terreno con mucho cascajo, guijo o fragmentos de piedra. ‖ **2. arenal.**

glicérido. (De *glicer[ina]* e *-ido.*) m. *Quím.* Éster formado por la combinación de la glicerina con ácidos grasos.

glicerina. (Del gr. γλυκερός, dulce, e *-ina.*) f. Líquido incoloro, espeso y dulce, que se encuentra en todos los cuerpos grasos como base de su composición. Se usa mucho en farmacia y perfumería, pero sobre todo para preparar la nitroglicerina, base de la dinamita. Químicamente es un alcohol.

glicina. (Del ing. *glycine.*) f. **glicinia.** ‖ **2.** *Bioquím.* El más simple de los aminoácidos proteicos, presente en el azúcar de caña y en los colágenos.

glicinia. (Del lat. científico mod. *glycina,* der. del gr. γλυκύς, dulce.) f. Planta papilionácea, de origen chino, que puede alcanzar gran tamaño y produce racimos de flores perfumadas de color azulado o malva, o con menos frecuencia, blanco o rosa pálido.

glicocola. f. **glicina,** aminoácido proteico.

glicol. (Del ing. *glycol.*) m. *Quím.* Compuesto químico que posee grupos alcohólicos sobre átomos de carbono adyacentes.

glicólisis. f. *Bioquím.* Conjunto de reacciones químicas del interior de la célula que degradan algunos azúcares, obteniendo energía en el proceso.

gliconio. (De *Glycon,* nombre del poeta gr. inventor de este metro.) adj. V. **verso gliconio.** Ú. t. c. s.

glíptica. (Del gr. γλυπτική [τέχνη], [arte] de la grabación.) f. Arte de grabar en piedras duras.

gliptoteca. (Del gr. γλυπτός, grabado o esculpido, y *-teca.*) f. Colección de piedras grabadas. ‖ **2.** Por ext., en algunos lugares, museo de escultura.

global. adj. Tomado en conjunto.

globo. (Del lat. *globus.*) m. **esfera,** sólido de superficie curva cuyos puntos equidistan del centro. ‖ **2. Tierra,** planeta que habitamos. ‖ **3. globo aerostático.** ‖ **4.** Receptáculo de materia flexible, lleno de un gas a veces menos pesado que el aire ambiente, con el que juegan los niños o que sirve como decoración en fiestas, etc. ‖ **5.** Especie de fanal de cristal con que se cubre una luz para que no moleste a la vista o simplemente por adorno. ‖ **aerostático.** Bolsa de tafetán u otro material impermeable y de poco peso, de forma más o menos esférica o cilíndrica, llena de un gas de menor densidad que el aire atmosférico, cuya fuerza ascensional es mayor que el peso de esa envoltura más la barquilla, tripulación y carga. ‖ **cautivo.** El que está sujeto con un cable y sirve de observatorio. ‖ **celeste.** Esfera en cuya superficie se figuran las constelaciones principales, con situación semejante a la que ocupan en el espacio. ‖ **centrado.** *Blas.* **mundo centrado.** ‖ **dirigible. globo** fusiforme que lleva una o varias barquillas con motores y hélices propulsoras y un timón vertical para guiarlo. Su envoltura puede ser de diversas materias, incluso de metales ligeros, y está provisto de una armadura que le da rigidez. ‖ **ocular.** El ojo separado de los músculos y demás tejidos que lo rodean. ‖ **sonda. globo** pequeño no tripulado, que lleva aparatos registradores y se eleva generalmente a gran altura. Se utiliza para estudios meteorológicos. ‖ **terráqueo,** o **terrestre. Tierra,** planeta que habitamos. ‖ **2.** Esfera en cuya superficie se figura la disposición respectiva que las tierras y mares tienen en nuestro planeta. ‖ **en globo.** loc. adv. En conjunto, alzadamente, sin detallar.

globoso, sa. (Del lat. *globōsus.*) adj. De figura de globo.

globular. adj. De figura de glóbulo. ‖ **2.** Compuesto de glóbulos.

globulariáceo, a. (De *Globularĭa,* nombre latino del único género de esta familia de plantas, y *-áceo.*) adj. *Bot.* Dícese de plantas angiospermas dicotiledóneas, hierbas perennes, matas o arbustos, como la corona de rey, con hojas alternas, simples y sin estípulas; flores en cabezuelas, comúnmente terminales, y por frutos cariópsides con semilla de albumen carnoso. Ú. t. c. s. f. ‖ **2.** f. pl. *Bot.* Familia de estas plantas.

globulina. (De *glóbulo* e *-ina.*) f. *Fisiol.* y *Quím.* Proteína vegetal y animal, de mayor peso molecular que las albúminas y de distintas propiedades eléctricas, insoluble en el agua y soluble en disoluciones de cloruro sódico. Forma parte de la composición del suero sanguíneo.

glóbulo. (Del lat. *globŭlus.*) m. d. de **globo.** ‖ **2.** Pequeño cuerpo esférico. ‖ **blanco.** *Anat.* Célula globosa e incolora de la sangre, también llamada leucocito. ‖ **rojo.** *Anat.* Célula globosa y roja de la sangre, también llamada hematíe.

globuloso, sa. adj. Compuesto de glóbulos.

gloria. (Del lat. *gloria.*) f. *Teol.* En la doctrina cristiana, vista y posesión de Dios en el cielo. Es uno de los cuatro novísimos. ‖ **2.** Lugar de los bienaventurados. ‖ **3.** Reputación, fama y honor que resulta de las buenas acciones y grandes calidades. ‖ **4.** Gusto y placer vehemente. *La* GLORIA *del estudioso es estudiar.* ‖ **5.** Lo que ennoblece o ilustra en gran manera una cosa. *Cervantes es* GLORIA *de España; el buen hijo es* GLORIA *de su padre.* ‖ **6.** Majestad, esplendor, magnificencia. ‖ **7.** Tejido de seda muy delgado y transparente, de que se hacían mantos para las mujeres, más claros que los de humo. ‖ **8.** Género de pastel abarquillado, hecho de masa de hojaldre, al que en lugar de carne se echan yemas de huevo batidas, manjar blanco, azúcar y otras cosas. ‖ **9.** En algunas partes de Castilla la Vieja y León, hornillo dispuesto para calentarse y cocer las ollas. ‖ **10.** *Cast.* y *León.* Estrado hecho sobre un hueco abovedado, en cuyo interior se quema paja u otro combustible para calentar la habitación y dar calor a las personas que sobre él se colocan. ‖ **11.** En los teatros, cada una de las veces que se alza el telón, al final de los actos, para que los actores y autores reciban el aplauso del público. ‖ **12.** *Pint.* Rompimiento de cielo, en que se representan ángeles, resplandores, etc. ‖ **13.** m. Cántico o rezo de la misa en latín, que comienza con las palabras GLORIA *in excelsis Deo.* ‖ **14. gloria Patri.** ‖ **estar** uno **en la gloria.** fr. fig. y fam. Estar muy contento y gozoso. ‖ **estar** uno **en sus glorias.** fr. fam. Estar haciendo una cosa con gran placer y contento por ser muy de su genio o gusto. ‖ **hacer gloria de** una cosa. fr. Gloriarse de ella. ‖ **saber a gloria** una cosa a uno. fr. fig. y fam. Gustarle mucho, serle muy grata.

gloriado, da. p. p. de **gloriarse.** ‖ **2.** m. *Amér. Central* y *Merid.* Especie de ponche hecho con aguardiente.

gloria Patri. (expr. lat., *gloria al Padre.*) m. Versículo latino que se dice después del padrenuestro y avemaría y al fin de los salmos e himnos de la Iglesia.

gloriapatri. m. **gloria Patri.**

gloriar. (Del lat. *gloriāri.*) tr. **glorificar.** ‖ **2.** prnl. Preciarse demasiado o alabarse mucho de una cosa. ‖ **3.** Complacerse, alegrarse mucho. *El padre* SE GLORÍA *de las acciones del hijo.*

glorieta. (Del fr. *gloriette.*) f. **cenador** de un jardín. ‖ **2.** Plazoleta, por lo común en un jardín, donde suele haber un cenador. ‖ **3.** Plaza donde desembocan por lo común varias calles o alamedas.

glorificable. adj. Digno de ser glorificado.

glorificación. (Del lat. *glorificatĭo, -ōnis.*) f. Alabanza encarecida que se tributa a una cosa digna de honor, estimación o aprecio. ‖ **2.** Acción y efecto de glorificar o glorificarse.

glorificador, ra. (Del lat. *glorificātor, -ōris.*) adj. Que glorifica. Ú. t. c. s. ‖ **2.** Que da la gloria o la vida eterna.

glorificar. (Del lat. *glorificāre.*) tr. Hacer glorioso algo o a alguien que no lo era. ‖ **2.** Reconocer y ensalzar al que es glorioso tributándole alabanzas. ‖ **3.** prnl. **gloriarse.**

gloriosamente. adv. m. Con gloria.

glorioso, sa. (Del lat. *gloriōsus.*) adj. Digno de honor y alabanza ‖ **2.** *Teol.* Perteneciente a la gloria o bienaventuranza. ‖ **3.** *Teol.* Que goza de Dios en la gloria, y especialmente cuando ha sobresalido en virtudes o merecimientos. ‖ **4.** Que se alaba demasiado y habla de sí casi con jactancia. ‖ **5.** V. **cuerpo glorioso.** ‖ **6.** f. Por antonom., la Virgen María. ‖ **7.** fig. Revolución española del año 1868. Ú. con mayúscula y precedido del artículo *la.* ‖ **echar** uno **de la gloriosa.** fr. Vanagloriarse, contando hazañas y valentías propias, jactándose de guapo, o haciendo alarde y ostentación de caballero, de sabio, etc.

glosa. (Del gr. γλῶσσα, lengua, a través del lat. *glossa,* palabra oscura, que necesita explicación.) f. Explicación o comentario de un texto oscuro o difícil de entender. ‖ **2.** Nota que se pone en un instrumento o libro de cuenta y razón para advertir la obligación a que está afecta o sujeta alguna cosa; como una casa, un juro. ‖ **3.** Nota o reparo que se pone en las cuentas a una o varias partidas de ellas. ‖ **4.** Composición poética al fin de la cual o al de cada una de sus estrofas se hacen entrar rimando y formando sentido uno o más versos anticipadamente propuestos. ‖ **5.** *Mús.* Variación que diestramente ejecuta el músico sobre unas mismas notas, pero sin sujetarse rigurosamente a ellas.

glosador, ra. adj. Que glosa. Ú. t. c. s.

glosar. tr. Hacer, poner o escribir glosas. ‖ **2.** Comentar palabras y dichos propios o ajenos, ampliándolos. ‖ **3.** fig. Interpretar o tomar en mal sentido y con intención siniestra una palabra, proposición o acto.

glosario. (Del lat. *glossarĭum.*) m. Catálogo de palabras oscuras o desusadas, con definición o explicación de cada una de ellas. ‖ **2.** Catálogo de palabras de una misma disciplina, de un mismo campo de estudio, etc., definidas o comentadas. ‖ **3.** Conjunto de glosas o comentarios, normalmente sobre textos de un mismo autor.

glose. m. Acción de glosar o poner notas en un instrumento, libro de cuenta y razón.

glosilla. f. d. de **glosa.** ‖ **2.** *Impr.* Carácter de letra menor que la de breviario.

glosopeda. (Del gr. γλῶσσα, lengua, y el lat. *pes, pedis,* pie.) f. *Veter.* Enfermedad epizoótica de los ganados, que se manifiesta por fiebre y por el desarrollo de vesículas o flictenas pequeñas en la boca y entre las pezuñas.

glótico, ca. adj. Perteneciente o relativo a la glotis.

glotis. (Del gr. γλωττίς.) f. *Anat.* Orificio o abertura anterior de la laringe.

glotología. (Del gr. γλῶττα, lengua, y *-logía.*) f. **lingüística.**

glotón, na. (Del lat. *glutto, -ōnis.*) adj. Que come con exceso y con ansia. Ú t. c. s. ‖ **2.** m. Animal carnívoro ártico, del tamaño de un zorro grande.

glotonamente. adv. m. Con glotonería.

glotonear. (De *glotón.*) intr. Comer glotonamente.

glotonería. f. Acción de comer con exceso y con ansia. ‖ **2.** Cualidad de glotón.

glotonía. f. ant. **glotonería.**

gloxínea. (Del nombre del botánico al. *Gloxin.*) f. Planta de jardín, bulbosa, de flores acampanadas, originaria de América del Sur y perteneciente a la familia de las gesneriáceas.

glucemia. (Del fr. *glycémie,* con *u* influida por *glucosa.*) f. *Fisiol.* Presencia de azúcar en la sangre, y más especialmente cuando excede de lo normal.

glucina. (Del fr. *glucine.*) f. *Quím.* Óxido de glucinio que entra en la composición del berilo y de la esmeralda, y que combinado con los ácidos forma sales de sabor dulce.

glucinio. (Del ing. *glucinium.*) m. p. us. **berilio.**

glucógeno. (Del fr. *glycogène,* con *u* influida por *glucosa.*) m. *Quím.* Hidrato de carbono semejante al almidón, de color blanco, que se encuentra en el hígado y, en menor cantidad, en los músculos y en varios tejidos, así como en los hongos y otras plantas criptógamas; es una sustancia de reserva que, en el momento de ser utilizada por el organismo, se transforma en glucosa.

glucólisis. f. *Bioquím.* **glicólisis.**

glucómetro. (Del fr. *glucomètre.*) m. Aparato para apreciar la cantidad de azúcar que tiene un líquido.

glucosa. (Del fr. *glucose.*) f. *Quím.* Azúcar de color blanco, cristalizable, de sabor muy dulce, muy soluble en agua y poco en alcohol, que se halla disuelto en las células de muchos frutos maduros, como la uva, la pera, etc., en el plasma sanguíneo normal y en la orina de los diabéticos. Con fines industriales se prepara mediante hidrólisis de las féculas.

glucósido. (Del fr. *glucoside.*) m. *Quím.* Cualquiera de las sustancias orgánicas, existentes en muchos vegetales, que mediante hidrólisis provocada por la acción de ácidos diluidos dan, como productos de descomposición, glucosa y otros cuerpos. Muchos de ellos son venenos enérgicos, y en dosis pequeñísimas se usan como medicamentos.

glucosuria. (Del fr. *glucosurie.*) f. *Med.* Síntoma de un estado patológico del organismo, que se manifiesta por la presencia de glucosa en la orina.

gluglú. m. Voz onomatopéyica con que se representa el ruido del agua al sumirse o dejar escapar el aire.

gluma. (Del. lat. *gluma.*) f. *Bot.* Cubierta floral de las plantas gramíneas, que se compone de dos valvas a manera de escamas, insertas debajo del ovario.

gluten. (Del lat. *gluten,* cola.) m. Cualquier sustancia pegajosa que puede servir para unir una cosa a otra. ‖ **2.** *Bot.* Sustancia albuminoidea, de color amarillento, que se encuentra en las semillas de las gramíneas, junto con el almidón, y constituye una reserva nutritiva que el embrión utiliza durante su desarrollo.

glúteo, a. (Del gr. γλουτός, nalga.) adj. Perteneciente a la nalga. *Arteria* GLÚTEA; *región* GLÚTEA. ‖ **2.** *Anat.* V. **músculo glúteo.** Ú. t. c. s.

glutinosidad. f. Cualidad de glutinoso.

glutinoso, sa. (Del lat. *glutinōsus.*) adj. Pegajoso, y que sirve para pegar y trabar una cosa con otra; como el engrudo, la liga, etc.

gneis. (Del al. *gneis.*) m. Roca de estructura pizarrosa e igual composición que el granito.

gnéisico, ca. adj. Perteneciente o relativo al gneis.

gnetáceo, a. (Del lat. mod. *gnetum,* nombre de un género de plantas, y *áceo.*) adj. *Bot.* Dícese de plantas gimnospermas, árboles o arbustos, frecuentemente bejucos, con hojas laminares, de figura de escama o aovadas; flores unisexuales, por lo común dioicas, reunidas en inflorescencias ramificadas, frutos abayados. Ú. t. c. s. f. ‖ **2.** f. pl. *Bot.* Familia de estas plantas.

gnómico, ca. (Del gr. γνωμικός, sentencioso, a través del lat. *gnomĭcus.*) adj. Dícese de los poetas que escriben o componen sentencias y reglas de moral en pocos versos, y de las poesías de este género. Apl. a pers., ú. t. c. s.

gnomo. (Del lat. mod. *gnomus.*) m. Ser fantástico, reputado por los cabalistas como espíritu o genio de la Tierra, y que después se ha imaginado en figura de enano que guardaba o trabajaba los veneros de las minas. ‖ **2.** En los cuentos infantiles, geniecillo o enano.

gnomon. (De gr. γνώμων, a través del lat. *gnomon.*) m. Antiguo instrumento de astronomía, compuesto de un estilo vertical y de un plano o círculo horizontal, con el cual se determinaban el acimut y altura del Sol, observando la dirección y longitud de la sombra proyectada por el estilo sobre el expresado círculo. ‖ **2.** Indicador de las horas en los relojes solares más comunes, frecuentemente en forma de un estilo. ‖ **3.** *Cant.* **escuadra,** instrumento de medida de metal o madera de figura de triángulo rectángulo o de dos reglas en ángulo recto. ‖ **movible. falsa escuadra.**

gnomónica. (Del gr. γνωμονική, a través del lat. *gnomonica.*) f. Ciencia que enseña el modo de hacer los relojes solares.

gnomónico, ca. (Del gr. γνωμονικός, a través del lat. *gnomonĭcus.*) adj. Perteneciente a la gnomónica. *Plano* GNOMÓNICO. ‖ **2.** V. **polo gnomónico.**

gnoseología. (Del gr. γνῶσις, -εως, conocimiento, y *-logía.*) f. *Fil.* Teoría del conocimiento. A veces, sinónimo de epistemología.

gnoseológico, ca. adj. Perteneciente o relativo a la gnoseología, epistemológico.

gnosis. (Del gr. γνῶσις, conocimiento.) f. El conocimiento absoluto e intuitivo, especialmente de la Divinidad, que pretendían alcanzar los gnósticos. A veces se designa con esta palabra el gnosticismo.

gnosticismo. (De *gnóstico* e *-ismo.*) m. Doctrina filosófica y religiosa de los primeros siglos de la Iglesia, mezcla de la cristiana con creencias judaicas y orientales, que se dividió en varias sectas y pretendía tener un conocimiento intuitivo y misterioso de las cosas divinas.

gnóstico, ca. (Del gr. γνωστικός, a través del lat. *gnostĭcus.*) adj. Perteneciente o relativo al gnosticismo. ‖ **2.** Que profesa el gnosticismo. Ú. t. c. s.

gobelino. m. Tapicero de la fábrica que estableció el rey de Francia Luis XIV en la de tejidos fundada por Gobelin. ‖ **2.** Tapiz hecho por los **gobelinos** o a imitación suya.

gobén. (Del cat. *gobern,* timón.) m. *Murc.* Palo que sujeta los adrales en la trasera del carro.

gobernable. adj. Que puede ser gobernado.

gobernación. (Del lat. *gubernatĭo, -ōnis.*) f. Acción y efecto de gobernar o gobernarse. ‖ **2.** Ejercicio del gobierno. ‖ **3.** En algunos países, territorio que depende del gobierno nacional. ‖ **4. Ministerio de la Gobernación.**

gobernáculo. (Del lat. *gubernacŭlum.*) m. ant. *Mar.* **gobernalle.**

gobernador, ra. (Del lat. *gubernātor, -ōris.*) adj. Que gobierna. Ú. t. c. s. ‖ **2.** m. y f. Persona que desempeña el mando de una provincia, ciudad o territorio. ‖ **3.** Representante del Gobierno en algún establecimiento público. GOBERNADOR *del Banco de España.* ‖ **4.** f. Mujer del gobernador.

gobernadorcillo. (d. de *gobernador.*) m. *Filip.* Durante el régimen español, juez pedáneo con jurisdicción correccional, de policía y civil en asuntos de menor cuantía.

gobernalle. (Del cat. *governall,* timón.) m. *Mar.* Timón de la nave.

gobernallo. (Del lat. *gubernacŭlum.*) m. ant. *Mar.* Timón de la nave.

gobernamiento. m. ant. **gobierno.**

gobernanta. f. Mujer que en los grandes hoteles tiene a su cargo el servicio de un piso en lo tocante a limpieza de habitaciones, conservación del mobiliario, alfombras y demás enseres. ‖ **2.** Encargada de la administración de una casa o institución.

gobernante. p. a. de **gobernar.** Que gobierna. Ú. m. c. s. ‖ **2.** m. fam. El que se mete a gobernar una cosa.

gobernanza. f. ant. Acción y efecto de gobernar o gobernarse.

gobernar. (Del lat. *gubernāre.*) tr. Mandar con autoridad o regir una cosa. Ú. t. c. intr. ‖ **2.** Guiar y dirigir. GOBERNAR *la nave, la procesión, la danza.* Ú. t. c. prnl. ‖ **3.** ant. Sustentar o alimentar. ‖ **4.** vulg. Componer, arreglar. ‖ **5.** intr. Obedecer el buque al timón.

gobernativo, va. adj. p. us. Perteneciente al gobierno.

gobernoso, sa. (De *gobernar.*) adj. fam. p. us. Que gusta de tener en buen orden la casa, la hacienda o los negocios. ‖ **2.** fam. p. us. Que tiene aptitud para ello.

gobierna. (De *gobernar.*) f. Veleta que señala la dirección del viento.

gobierno. m. Acción y efecto de gobernar o gobernarse. ‖ **2.** Conjunto de los ministros superiores de un Estado. ‖ **3.** Empleo, ministerio y dignidad de gobernador. ‖ **4.** Distrito o territorio en que tiene jurisdicción o autoridad el gobernador. ‖ **5.** Edificio en que tiene su despacho y oficinas. ‖ **6.** Tiempo que dura el mando o autoridad del gobernador. ‖ **7.** **gobernalle.** ‖ **8.** Docilidad de la nave al timón. ‖ **9.** V. **mujer de gobierno.** ‖ **10.** ant. Alimento y sustento. ‖ **11.** *Germ.* Freno de las caballerías. ‖ **12.** *And.* Manta hecha de retazos de tela retorcidos y entretejidos con hilo fuerte. ‖ **absoluto.** Aquel en que todos los poderes se hallan reunidos en solo una persona o cuerpo, sin limitación. Aplícase más comúnmente al caso en que se hallan reunidos en el monarca. ‖ **parlamentario.** Aquel en que los ministros necesitan la confianza de las Cámaras, o al menos de la elegida por voto más popular y directo. ‖ **representativo.** Aquel en que, bajo diversas formas, concurre la nación, por medio de sus representantes, a la formación de las leyes. ‖ **mirar** uno **contra el gobierno.** fr. fig. y fam. **bizquear.** ‖ **para gobierno de** alguien. loc. empleada para que alguien pueda ajustar sus planes, su conducta, etc., a lo que se comunica. ‖ **servir de gobierno** una cosa. fr. fam. Servir de norma, de advertencia o aviso.

gobio. (Del lat. *gobius.*) m. Pez teleósteo de pequeño tamaño, del suborden de los acantopterigios, con las aletas abdominales colocadas debajo de las torácicas y unidas ambas por los bordes formando como un embudo. Se conocen varias especies, algunas de las cuales son abundantísimas en las aguas litorales españolas y en las fluviales mezcladas con las de mar.

goce. m. Acción y efecto de gozar o disfrutar una cosa.

gocete. (Del fr. *gousset.*) m. Sobaquera de malla sujeta a la cuera de armar, para proteger las axilas. ‖ **de lanza.** Rodete de cuero o hierro que se clavaba en la manija de la lanza.

gociano, na. adj. Natural de Gocia. Ú. t. c. s. ‖ **2.** Perteneciente o relativo a esta región de Suecia.

gochapeza. f. *León.* Juego de muchachos que consiste en meter en un círculo una bola impelida a palos.

gocho, cha. (Voz con que se llama al cerdo.) m. y f. fam. Cerdo, cochino, puerco.

godeño, ña. (De *godo,* noble.) adj. *Germ.* Rico o principal.

godeo. (De etim. disc.) m. Placer, gusto, contento.

godería. (De etim. disc.) f. *Germ.* Convite o comida de gorra.

godesco, ca. adj. p. us. Alegre, placentero. Apl. a pers., ú. t. c. s.

godible. (De *godir.*) adj. Alegre, placentero.

godir. (Del lat. *gaudēre.*) tr. ant. **gozar.**

godizo, za. adj. *Germ.* Rico o principal.

godo, da. (Del lat. *Gothus.*) adj. Dícese del individuo de un antiguo pueblo germánico, fundador de reinos en España e Italia. Ú. t. c. s. ‖ **2.** Dícese del rico y poderoso, originario de familias ibéricas, que, confundido con los **godos** invasores, formó parte de la nobleza al constituirse la nación española. Ú. t. c. s. ‖ **3.** fig. *Can.* Español peninsular. ‖ **4.** despect. *Argent., Col., Chile* y *Urug.* Nombre con que se designaba a los españoles durante la guerra de la Independencia. ‖ **5.** *Germ.* **gótico,** noble, ilustre. ‖ **hacerse de los godos.** fr. fig. Blasonar de noble. ‖ **ser godo.** fr. fig. Ser de nobleza antigua.

goetheano, na. adj. **goethiano.** Ú. t. c. s.

goethiano, na. adj. Perteneciente o relativo a Goethe (1749-1832). Ú. t. c. s.

gofio. (Voz guanche.) m. *Can., Argent., Bol., Cuba, Ecuad.* y *P. Rico.* Harina gruesa de maíz, trigo o cebada tostados. ‖ **2.** *C. Rica, Nicar.* y *Venez.* Especie de alfajor hecho con harina de maíz o de cazabe y papelón. ‖ **3.** *Ant., Cuba* y *P. Rico.* Plato de comida que se hace con harina muy fina de maíz tostado y azúcar.

gofo, fa. (De or. inc.) adj. Necio, ignorante y grosero. ‖ **2.** Dícese de la figura de baja estatura.

gofrado, da. p. p. de **gofrar.** ‖ **2.** m. Acción y efecto de gofrar.

gofrar. tr. Estampar en seco, sobre papel o en las cubiertas de un libro, motivos en relieve o en hueco.

goja. (Del lat. *caudĕa,* cesta de junco.) f. ant. Cuévano o cesta en que se recogen las espigas.

gol. (Del ing. *goal,* meta.) m. En el juego del fútbol y otros semejantes, entrada del balón en la portería.

gola. (Del lat. *gula,* garganta.) f. Garganta de una persona y región situada junto al velo del paladar. ‖ **2.** Pieza de la armadura antigua que defendía la garganta. ‖ **3.** Insignia de los oficiales militares, que consiste en una media luna convexa de metal, pendiente del cuello. ‖ **4.** Adorno del cuello hecho de lienzo plegado y alechugado, o de tul y encajes. ‖ **5.** *Arq.* Moldura cuyo perfil tiene la figura de una *s;* esto es, una concavidad en la parte superior, y una convexidad en la inferior. ‖ **6.** *Fort.* Entrada desde la plaza al baluarte, o distancia de los ángulos de los flancos. ‖ **7.** *Fort.* Línea recta, imaginaria cuando no tiene parapeto, que une los extremos de dos flancos en una obra defensiva. ‖ **8.** *Geogr.* Canal por donde entran los buques en ciertos puertos o rías. ‖ **inversa,** o **reversa.** *Arq.* La que tiene la convexidad en la parte superior y la concavidad en la inferior.

golde. (De or. inc.) m. *Nav.* Instrumento de labranza, especie de arado.

goldre. (De or. inc.) m. Carcaj o aljaba.

goleada. f. Acción y efecto de golear.

goleador, ra. m. y f. Persona que golea.

golear. tr. En el juego del fútbol, hacer gol un jugador o un equipo, especialmente con reiteración.

goles. m. pl. *Blas.* **gules.**

goleta. (Del fr. *goélette.*) f. Embarcación fina, de bordas poco elevadas, con dos palos, y a veces tres, y un cangrejo en cada uno. ‖ **2.** V. **bergantín goleta.**

golf. (Voz ing.) m. Juego de origen escocés, que consiste en impeler con un palo especial una pelota pequeña para introducirla en una serie de agujeros abiertos en un terreno extenso cubierto ordinariamente de césped. Gana el jugador que hace el recorrido con el menor número de golpes.

golfán. (Del port. *golfão*, nenúfar.) m. **nenúfar.**

golfante. m. Golfo, sinvergüenza.

golfear. intr. Vivir como un golfo.

golfería. f. Conjunto de golfos². ‖ **2.** Acción propia de un golfo.

golfín¹. (De *delfín¹*, infl. por *golfo¹*.) m. **delfín,** cetáceo.

golfín². (Aplicación figurada de *golfín¹*.) m. Ladrón que generalmente iba con otros en cuadrilla.

golfista. com. Persona que juega al golf.

golfo¹. (Del gr. κόλπος, a través del lat. vulg. *colphus*.) m. Gran porción de mar que se interna en la tierra entre dos cabos. *El* GOLFO *de Venecia.* ‖ **2.** Toda la extensión del mar. ‖ **3.** Gran extensión de mar que dista mucho de tierra por todas partes, y en la cual no se encuentran islas. *El* GOLFO *de las Damas; el* GOLFO *de las Yeguas.* ‖ **4.** Cierto juego de envite.

golfo², fa. (De *golfín²*, por derivación regresiva.) m. y f. Pillo, vagabundo. Ú. t. c. adj. ‖ **2.** f. **ramera.**

golfo³. (Del gr. γόμφος, a través del lat. *gomphus*, pernio.) m. *Ar.* y *Murc.* Pernio o gozne de puertas y ventanas.

goliardesco, ca. adj. Perteneciente o relativo a los goliardos. Dícese especialmente de las poesías latinas compuestas por los goliardos sobre temas amorosos, báquicos y satíricos.

goliardo, da. (Del fr. ant. *gouliard*.) adj. Dado a la gula y a la vida desordenada, seguidor del vicio y del demonio personificado en el gigante bíblico Goliat. ‖ **2.** m. En la Edad Media, clérigo o estudiante vagabundo que llevaba vida irregular.

golilla. f. d. de **gola.** ‖ **2.** Adorno hecho de cartón forrado de tafetán u otra tela negra, que circundaba el cuello, y sobre el cual se ponía una valona de gasa u otra tela blanca engomada o almidonada; lo usaban los ministros togados y demás curiales. ‖ **3.** Anillo o rodete que cada una de las piezas de un cuerpo de bomba tiene en su extremo para asegurarlas por medio de tornillos y tuercas. ‖ **4.** En las gallináceas, plumas que desde la cresta cubren el cuello hasta la línea más horizontal del cuerpo. ‖ **5.** *Albañ.* Trozo de tubo corto que sirve para empalmar unos con otros los caños de barro. ‖ **6.** *Argent.* y *Urug.* Pañuelo que se usa alrededor del cuello y cuyas puntas se enlazan delante o a un costado. ‖ **7.** *Bol.* Chalina que usa el gaucho. ‖ **8.** *Chile.* Anillo de hierro en el eje del carro que se pone entre un clavo de sujeción y la rueda. ‖ **9.** m. fam. Ministro togado que usaba la **golilla.** También se dio este nombre a los paisanos, en contraposición a los militares. ‖ **ajustar,** o **apretar,** a uno **la golilla.** fr. fig. y fam. Ponerlo en razón; reducirlo a que obre bien por la reprensión o el castigo. ‖ **2.** fig. y fam. Ahorcarlo o darle garrote.

golillero, ra. m. y f. Persona que tenía por oficio hacer y aderezar golillas, adorno del cuello.

golimbro, bra. adj. *Bad.* Aficionado a comer golosinas.

golimbrón, na. adj. *And.* y *Cantabria.* Aficionado a comer golosinas.

golmajear. intr. *Rioja.* Comer golosinas.

golmajería. f. *Rioja.* Golosina.

golmajo, ja. (De or. inc.) adj. *Rioja.* Aficionado a comer golosinas.

golondrina. (Del lat. *hirundo, -ĭnis*.) f. Pájaro muy común en España desde principio de la primavera hasta fines de verano, que emigra en busca de países templados. Tiene unos quince centímetros desde la cabeza a la extremidad de la cola, pico negro, corto y alesnado, frente y barba rojizas, cuerpo negro azulado por encima y blanco por debajo, alas puntiagudas y cola larga y muy ahorquillada. ‖ **2.** Pez teleósteo marino, del suborden de los acantopterigios, de cuerpo fusiforme, que llega a más de seis decímetros de largo, con el lomo de color rojo oscuro y el vientre blanquecino; cabeza cúbica y hundida entre los ojos, boca sin dientes, cola muy ahorquillada, dos aletas dorsales espinosas, pequeñas las abdominales y la anal, y las torácicas tan desarrolladas que sirven al animal para los revuelos que hace fuera del agua. ‖ **3.** En Barcelona y otros puertos, barca pequeña de motor para viajeros. ‖ **4.** ant. Hueco de la mano del caballo. ‖ **5.** *C. Rica* y *Hond.* Hierba rastrera, de la familia de las euforbiáceas; la leche que segrega se utiliza para curar los orzuelos. ‖ **6.** V. **emigración golondrina.** ‖ **7.** *Chile.* Carro que se utiliza para las mudanzas. ‖ **de mar.** Nombre común que se aplica a ciertas aves marinas, como charranes, pagazas y fumareles. ‖ **voló la golondrina.** expr. fig. y fam. **voló el golondrino.**

golondrinera. (De *golondrina*.) f. **celidonia.**

golondrino. m. Pollo de la golondrina. ‖ **2. golondrina,** pez. ‖ **3.** fig. El que anda de una parte a otra, cambiando de morada como la golondrina. ‖ **4.** fig. Soldado desertor. ‖ **5.** *Med.* Infarto glandular en el sobaco, que comúnmente termina por supuración. ‖ **voló el golondrino.** expr. fig. y fam. con que se da a entender que una cosa de que se tenía esperanza se escapa de las manos.

golondro. (der. regres. de *golondrina*.) m. Deseo y antojo de una cosa. ‖ **andar en golondros.** fr. fam. desus. Andar desvanecido, con esperanzas peligrosas e inútiles. ‖ **campar de golondro.** fr. fam. desus. Vivir de gorra, a costa ajena.

golorito. (d. del lat. *color, -ōris*, color.) m. *Rioja.* **jilguero.**

golosa. f. *Col.* **infernáculo.**

golosamente. adv. m. Con deseo de saborear algo o gozar de ello.

golosear. (De *goloso*.) intr. **golosinear.**

golosía. f. ant. Gula, glotonería.

golosina. (De *goloso*.) f. Manjar delicado, generalmente dulce, que sirve más para el gusto que para el sustento. ‖ **2.** Deseo o apetito de una cosa. ‖ **3.** fig. Cosa más agradable que útil. ‖ **amargar** a uno **la golosina.** fr. fig. y fam. Salirle caro el disfrute de un placer.

golosinar. intr. **golosinear.**

golosinear. intr. Andar comiendo o buscando golosinas.

golosmear. (De *goloso*.) intr. **gulusmear.**

goloso, sa. (Del lat. *gulōsus*.) adj. Aficionado a comer golosinas. Ú. t. c. s. ‖ **2.** Deseoso o dominado por el apetito de alguna cosa. ‖ **3.** V. **tornillo de rosca golosa.** ‖ **4. apetitoso.** ‖ **tener muchos golosos** una cosa. fr. Ser muy codiciada o apetecida.

golpazo. m. aum. de **golpe.** ‖ **2.** Golpe violento o ruidoso.

golpe. (Del gr. κόλαφος, a través del lat. *colăphus*.) m. Acción de golpear o tener un encuentro repentino y violento dos cuerpos. Ú. t. en sent. fig. ‖ **2.** Efecto del mismo encuentro. Ú. t. en sent. fig. ‖ **3.** Multitud, abundancia de una cosa. GOLPE *de agua, de gente, de música.* ‖ **4.** Infortunio o desgracia que acomete de pronto. ‖ **5.** Latido del corazón. ‖ **6.** Pestillo de **golpe.** ‖ **7.** Puerta provista de este pestillo. ‖ **8.** Entre jardineros, número de pies, sean uno, dos o más, que se plantan en un hoyo. ‖ **9.** Hoyo en que se pone la semilla o la planta. ‖ **10.** En el juego de trucos y de billar, lance en que se hacen algunas rayas; como billa, carambola, etc. ‖ **11.** En los torneos y juegos de a caballo, medida del valor de los lances entre los que pelean. ‖ **12.** Robo, atraco. ‖ **13.** Trozo de tela que cubre el bolsillo. ‖

14. Adorno de pasamanería sobrepuesto en una pieza de vestir. ‖ **15.** fig. Admiración, sorpresa. ‖ **16.** fig. En las obras de ingenio, parte que tiene más gracia u oportunidad. ‖ **17.** fig. Ocurrencia graciosa y oportuna en el curso de la conversación. ‖ **18.** fig. Postura al juego con la cual se acierta. Por ext., se dice de cada uno de los intentos que aventura una persona. ‖ **19.** ant. *Méj.* Especie de almádana. ‖ **20.** *Mar.* Pitada fuerte y muy breve. ‖ **bajo.** El dado por el boxeador que golpea a su contrincante por debajo de la cintura. ‖ **2.** fig. Acción malintencionada y ajena a las normas admitidas en el trato social. ‖ **de efecto.** Acción por la que se sorprende al público del teatro o del cine, o se causa en él impresión inesperada. También puede ser cómico, para provocar la risa. ‖ **de Estado.** Violación deliberada de las normas constitucionales de un país y sustitución de su gobierno, generalmente por fuerzas militares. ‖ **de fortuna.** Suceso extraordinario, próspero o adverso, que sobreviene de repente. ‖ **de gracia.** El que se da para rematar al que está gravemente herido. Se le da este nombre en significación más o menos sincera de que, siendo más breve, sea menos dolorosa la muerte. ‖ **2.** fig. Vejamen, agravio o injuria con que se consuma el descrédito, la desgracia o la ruina de una persona. ‖ **de mano.** *Mil.* Acción violenta, rápida e imprevista que altera una situación en provecho de quien da el **golpe.** Ú. t. en sent. fig. ‖ **2.** Por ext., se aplica a otras acciones violentas e inesperadas, como robos, asaltos, etc. ‖ **de mar.** Ola fuerte que quiebra en las embarcaciones, islas, peñascos y costas del mar. ‖ **de pecho.** Signo de dolor y de contrición, que consiste en darse con la mano o puño en el pecho, en señal de pesar por los pecados o faltas cometidos. ‖ **de pechos.** ant. **golpe de pecho.** ‖ **de suerte. golpe de fortuna.** ‖ **de tos.** Acceso de tos. ‖ **de vista. ojo,** aptitud especial para apreciar ciertas cosas. ‖ **2.** Percepción o apreciación rápida de alguna cosa. ‖ **en bola.** El que se da a una bola con otra, dirigiendo por el aire la que lleva el impulso, y sin que ruede ni toque en el suelo. ‖ **en vago.** El que se yerra. ‖ **2.** fig. Designio frustrado. ‖ **a golpe.** loc. adv. *Agr.* Aplícase a la manera de sembrar por hoyos. ‖ **a golpes.** loc. adv. A porrazos. ‖ **2.** fig. Con intermitencias. Dícese de una cosa, o de un adorno, por ejemplo, que se pone en unos puntos sí y en otros no. ‖ **a golpe seguro.** loc. adv. **a tiro hecho.** ‖ **al primer golpe de vista.** loc. adv. Tan pronto como se ve. ‖ **caer de golpe.** fr. fig. Caer de una vez e inesperadamente toda la casa u otra cosa. ‖ **dar golpe** o **dar el golpe.** fr. fig. Causar sorpresa o admiración. ‖ **dar golpe** a una cosa. fr. fig. Probar de ella. DAR GOLPE *a la empanada, al jarro.* ‖ **dar** uno **golpe en bola.** fr. fig. Salir airoso en una empresa difícil o arriesgada. ‖ **de golpe.** loc. adv. fig. Súbitamente, de una vez. ‖ **de golpe y porrazo,** o **zumbido.** loc. adv. fig. y fam. Precipitadamente, sin reflexión ni meditación. ‖ **2.** Inesperadamente, de pronto. ‖ **de un golpe.** loc. adv. fig. De una sola vez o en una sola acción. ‖ **errar** o **fallar el golpe.** fr. fig. Frustrarse el efecto de una acción premeditada. ‖ **no dar** o **pegar golpe** o **ni golpe.** expr. fig. y fam. No trabajar. ‖ **parar el golpe.** fr. fig. Evitar el contratiempo o fracaso que amenazaba.

golpeadero. m. Parte donde se golpea mucho. ‖ **2.** Sitio en que choca el agua cuando se despeña o cae desde alto. ‖ **3.** Ruido que resulta cuando se dan muchos golpes continuados.

golpeador, ra. adj. Que golpea. Ú. t. c. s.

golpeadura. f. Acción y efecto de golpear.

golpear. tr. Dar un golpe o golpes repetidos. Ú. t. c. intr.

golpeo. m. Acción y efecto de golpear.

golpetazo. m. Golpe fuerte.

golpete. (d. de *golpe.*) m. Palanca de metal con un diente, fija en la pared, que sirve para mantener abierta una hoja de puerta o ventana.

golpetear. tr. Dar golpes poco fuertes pero seguidos. Ú. t. c. intr.

golpeteo. m. Acción y efecto de golpetear.

golpetillo. m. *And.* Muelle de las navajas que suena al abrirlas.

golpismo. m. Actitud favorable al golpe de Estado. ‖ **2.** Actividad de los golpistas.

golpista. adj. Perteneciente o relativo al golpe de Estado. ‖ **2.** Que participa en un golpe de Estado o que lo apoya de cualquier modo. Ú. t. c. s.

goluba. (De or. inc.) f. *Rioja.* Guante tosco para arrancar los cardos de los sembrados.

gollería. (De or. inc.) f. Manjar exquisito y delicado. ‖ **2.** fig. y fam. Delicadeza, superfluidad.

golletazo. (De *gollete.*) m. Golpe que se da en el gollete de una botella para romperla y sacar el contenido. ‖ **2.** fig. Término violento e irregular que se pone a un negocio difícil. ‖ **3.** *Taurom.* Estocada en la tabla del cuello del toro, que penetra en el pecho y atraviesa los pulmones.

gollete. (Del fr. *goulet,* paso estrecho.) m. Parte superior de la garganta, por donde se une a la cabeza. ‖ **2.** Cuello estrecho que tienen algunas vasijas; como garrafas, botellas, etc. ‖ **3.** Cuello que llevan los donados en sus hábitos. ‖ **estar** uno **hasta el gollete.** fr. fig. y fam. Estar cansado y harto de sufrir. ‖ **2.** fig. y fam. Estar embarrancado. ‖ **3.** fig. y fam. Haber comido mucho. ‖ **no tener gollete.** fr. fig. y fam. *Urug.* Carecer de sensatez o de buen sentido.

golletear. tr. *Col.* Asir a uno del gollete.

gollizno. m. **gollizo.**

gollizo. (Del lat. *gula,* garganta, infl. por *cuello.*) m. Estrechura de un paraje.

golloría. (De or. inc.) f. **gollería.**

goma. (Del lat. *gummа.*) f. Sustancia viscosa e incristalizable que naturalmente, o mediante incisiones, fluye de diversos vegetales y después de seca es soluble en agua e insoluble en el alcohol y el éter. Disuelta en agua, sirve para pegar o adherir cosas. ‖ **2.** Tira o banda de **goma** elástica. ‖ **3. goma de borrar.** ‖ **4. goma elástica.** *Suelas de* GOMA. ‖ **5.** *Argent.* **neumático.** ‖ **6.** *Pat.* Tumor esférico o globuloso que se desarrolla en los huesos o en el espesor de ciertos órganos, como el cerebro, el hígado, etc., y es de origen sifilítico. Ú. t. c. m. ‖ **adragante. tragacanto,** sustancia glutinosa que destila esta planta. ‖ **arábiga.** La que producen ciertas acacias muy abundantes en Arabia: es amarillenta, de fractura vítrea casi transparente, muy usada en medicina como pectoral y en multitud de aplicaciones en la industria. ‖ **ceresina.** La que se saca del cerezo, almendro y ciruelo. ‖ **de borrar.** La elástica preparada especialmente para borrar en el papel el lápiz o la tinta. ‖ **elástica. caucho.** ‖ **laca. laca,** sustancia exudada de varios árboles de la India. ‖ **quino. quino,** zumo astringente de ciertas plantas.

gomar. (De *goma.*) tr. ant. Untar de goma para lustrar o para pegar algo.

gomecillo. m. fam. **lazarillo.**

gomel. adj. **gomer.**

gómena. f. ant. Maroma del ancla.

gomer. (Del ár. *gumāra.*) adj. Dícese del individuo de la tribu berberisca de Gomara. Ú. m. c. s. y en pl. ‖ **2.** Perteneciente a esta tribu.

gomería. f. *Argent.* Lugar de venta o reparación de neumáticos.

gomero[1], ra. adj. Perteneciente o relativo a la goma. ‖ **2.** *Amér. Merid.* Árbol que produce goma. ‖ **3.** *Argent.* Dícese del que explota la industria de la goma.

gomero[2], ra. adj. Natural de la isla de La Gomera. Ú. t. c. s. ‖ **2.** Perteneciente o relativo a esta isla canaria.

gomia. (Del lat. *gumĭa,* comedor, tragón.) f. **tarasca,** sierpe monstruosa. ‖ **2.** Ser fantástico con que se asusta a los niños. ‖ **3.** fig. y fam. Persona que come demasiado y engulle con presteza y voracidad cuanto le dan. ‖ **4.** fig. y fam. Lo que consume, gasta y aniquila. GOMIA *del caudal.*

gomina. (De *goma* e *-ina.*) f. Fijador del cabello.

gomista. com. Persona que trafica en objetos de goma.

gomorresina. f. Jugo lechoso que fluye, naturalmente o por incisión, de varias plantas, y se solidifica al aire; compónese generalmente de una resina mezclada con una materia gomosa y un aceite volátil.

gomosería. f. Cualidad de gomoso o pisaverde.

gomosidad. f. Cualidad de gomoso.

gomoso, sa. (Del lat. *gummōsus.*) adj. Que tiene goma o se parece a ella. ‖ **2.** *Pat.* Que padece gomas. Ú. t. c. s. ‖ **3.** m. Pisaverde, lechuguino, currutaco.

gónada. (Del gr. γονή, generación, y el sufijo -ας, -αδος.) f. *Biol.* Glándula sexual masculina o femenina.

gonadal. adj. Perteneciente o relativo a las gónadas.

gonádico, ca. adj. **gonadal.**

gonce. (Del gr. γόμφος, clavo, articulación, a través del lat. *gomphus.*) m. Gozne o pernio. ‖ **2.** Articulación de los huesos.

goncear. (De *gonce.*) tr. Mover una articulación.

gonchu. m. Borra, hez, sedimento turbio de los líquidos.

góndola. (Del it. *gondola.*) f. Embarcación pequeña de recreo, sin palos ni cubierta, por lo común con una carroza en el centro, y que se usa principalmente en Venecia. ‖ **2.** Cierto carruaje en que pueden viajar juntas muchas personas.

gondolero. m. El que tiene por oficio dirigir la góndola o remar en ella.

gonela. (Del it. *gonella,* d. de *gonna,* saya.) f. Túnica de piel o de seda, generalmente sin mangas, usada por hombres y mujeres, y que a veces vestía el caballero sobre la armadura.

gonete. (Del it. *gonna,* saya.) m. Vestido de mujer, a modo de zagalejo, usado antiguamente.

gonfalón. (Del it. *gonfalone,* estandarte.) m. **confalón.**

gonfalonero. m. **confaloniero.**

gonfalonier. m. **confalonier.**

gonfaloniero. m. **confaloniero.**

gong. (Del ing. *gong,* y este del malayo *gong.*) m. Instrumento de percusión formado por un disco que, suspendido, vibra al ser golpeado por una maza. ‖ **2.** Campana grande de barco.

gongo. (De *gong.*) m. Campana grande de barco. ‖ **2. batintín,** instrumento de percusión.

gongorino, na. adj. Propio de la poesía de Góngora, o relacionado directamente con ella. ‖ **2.** Partidario o imitador de dicha poesía. Ú. t. c. s.

gongorismo. m. Manera literaria que inició a principios del siglo XVII la poesía de don Luis de Góngora.

gongorista. adj. Persona que estudia la vida, la obra o el influjo de Góngora. Ú. t. c. s.

gongorizar. intr. Escribir o hablar en estilo gongorino.

goniómetro. (Del gr. γωνία, ángulo, y *-metro.*) m. Instrumento que sirve para medir ángulos.

-gono, na. (Del gr. -γωνος, de la raíz de γωνία, ángulo.) elem. compos. que significa «ángulo»: *isó*GONO, *noná*GONO.

gonococia. (De *gonococo.*) f. *Pat.* Enfermedad producida por la infección del gonococo de Neisser. Generalmente se localiza en la uretra, dando lugar a la blenorragia; más raramente, determinada inflamación de las articulaciones o del endocardio, o estados septicémicos.

gonocócico, ca. adj. Perteneciente o relativo a la gonococia.

gonococo. (Del gr. γόνος, generación, y κόκκος, grano.) m. *Microbiol.* Microorganismo en forma de elementos ovoides, que se reúnen en parejas y más raramente en grupos de cuatro o más unidades. Se encuentra en el interior de las células del pus blenorrágico o del de otras lesiones gonocócicas.

gonorrea. (Del gr. γονόρροια, flujo seminal, a través del lat. *gonorrhoea.*) f. *Pat.* Flujo mucoso de la uretra.

gorbión. m. **gurbión**[1].

gorbiza. f. *Ast.* **brezo**[1].

gorciense. adj. Natural de Gorza. Ú. t. c. s. ‖ **2.** Perteneciente o relativo a esta población de Lorena.

gordal. (De *gordo.*) adj. Que excede en gordura a las cosas de su especie. *Dedo* GORDAL. ‖ **2.** V. **aceituna gordal.**

gordana. (De *gordo.*) f. Unto de res.

gordeza. (De *gordo.*) f. ant. **grosura.**

gordezuelo, la. adj. d. de **gordo.**

gordiano. (De *Gordio,* rey de Frigia.) adj. fig. V. **nudo gordiano.**

gordiflón, na. (De *gordinflón.*) adj. fam. **gordinflón.**

gordillo, lla. adj. d. de **gordo.** ‖ **2.** V. **tabla de gordillo.**

gordinflón, na. (De *gordo,* e *inflar.*) adj. fam. Dícese de la persona demasiado gruesa.

gordo, da. (Del lat. *gurdus.*) adj. Que tiene muchas carnes. ‖ **2.** Muy abultado y corpulento. ‖ **3.** Pingüe, craso y mantecoso. *Carne* GORDA. ‖ **4.** V. **agua gorda.** ‖ **5.** V. **baile de botón, o de cascabel, gordo.** ‖ **6.** V. **dedo, jueves, pez, trueno gordo.** ‖ **7.** Que excede del grosor corriente en su clase. *Hilo* GORDO; *lienzo* GORDO. ‖ **8.** Muy grande, fuera de lo corriente. *Ha tenido un accidente* GORDO. ‖ **9.** ant. Torpe, tonto, poco avisado. ‖ **10.** fig. y fam. V. **letras gordas.** ‖ **11.** fig. y fam. V. **pájaro gordo.** ‖ **12.** fig. V. **premio gordo.** Ú. t. c. s. ‖ **13.** m. Sebo, grasa o manteca de la carne del animal. ‖ **14.** V. **tabla de gordo.** ‖ **15.** f. *Méj.* Tortilla de maíz más gruesa que la común. ‖ **algo gordo.** fr. fam. Algún suceso de mucha importancia o muy sonado. ‖ **armarse la gorda.** fr. fam. Sobrevenir una pendencia, discusión ruidosa o trastorno político o social. ‖ **estar gorda** una mujer. loc. fam. *Chile.* Estar embarazada. ‖ **no haberlas, o no habérselas, visto tan o más gordas.** fr. No haberse en contrado en situación tan difícil o comprometida.

gordolobo. (Del lat. vulg. *coda lupi,* cola de lobo.) m. Planta vivaz de la familia de las escrofulariáceas, con tallo erguido de seis a ocho decímetros de altura, cubierto de borra espesa y cenicienta; hojas blanquecinas, gruesas, muy vellosas por las dos caras, oblongas, casi pecioladas las inferiores, y envainadoras en parte y con punta aguda las superiores; flores en espiga, de corola amarilla, y fruto capsular con dos divisiones que encierran varias semillas pequeñas y angulosas. El cocimiento de las flores se ha usado en medicina contra la tisis; las hojas se han empleado alguna vez como mecha de candil y sus semillas sirven para envarbascar el agua. Se llama también verbasco.

gordor. (De *gordo.*) m. ant. Tejido adiposo del hombre o del animal. ‖ **2.** ant. Abundancia de carnes, grosor o corpulencia del hombre o del animal. Ú. en Andalucía.

gordura. (De *gordo.*) f. Grasa, tejido adiposo que normalmente existe en proporciones muy variables entre los órganos y se deposita alrededor de vísceras importantes. ‖ **2.** Abundancia de carnes y grasas en las personas y animales.

gorga. (Del b. lat. *gurga,* garganta.) f. Alimento o comida para las aves de cetrería. ‖ **2.** *Ar.* Remolino que forman las aguas de los ríos en algunos lugares, excavando en olla las arenas del fondo.

gorgojarse. (De *gorgojo.*) prnl. Criar gorgojo las semillas.

gorgojo. (Del lat. *_gurgulĭum,_ de *gurgulĭo, -ōnis.*) m. Insecto coleóptero de pequeño tamaño, con la cabeza prolongada en un pico o rostro, en cuyo extremo se encuentran las mandíbulas. Hay muchas especies cuyas larvas se alimentan de semillas, por lo que constituyen graves plagas del grano almacenado. ‖ **2.** fig. y fam. Persona muy chica.

gorgojoso, sa. adj. Corroído del gorgojo.

gorgomillera. (Del b. lat. *gurga,* garganta.) f. ant. Garganta, garguero.

gorgón. (Del m. or. que el fr. *corégone.*) m. ant. Cría del salmón.

gorgóneo, a. (Del gr. γοργόνειος, a través del lat. *gorgonēus.*) adj. Perteneciente a las Gorgonas, epíteto que se aplicaba a las Furias.

gorgor. (Voz onomatopéyica.) m. **gorgoteo.**

gorgorán. (Del ing. *gorgoran,* variación antigua de *grogram.*) m. Tela de seda con cordoncillo, sin otra labor por lo común, aunque también lo había listado y realzado.

gorgorear. intr. *And.* y *Chile.* **gorgoritear.**

gorgoreta. f. *Filip.* **alcarraza.**

gorgorita. f. Burbuja pequeña. ‖ **2.** fam. Gorgorito de la voz. Ú. m. en pl.

gorgoritear. (De *gorgorito.*) intr. fam. Hacer quiebros con la voz en la garganta, especialmente en el canto.

gorgorito. (Del m. or. que *gorgor.*) m. fam. Quiebro que se hace con la voz en la garganta, especialmente al cantar. Ú. m. en pl. ‖ **2.** *Sal.* Burbuja pequeña.

górgoro. m. *Sal.* Trago o sorbo. ‖ **2.** *Méj.* Burbuja, gorgorita, pompa.

gorgorotada. (De *gorgor.*) f. Cantidad o porción de cualquier licor, que se bebe de un golpe.

gorgotear. (De *gorgor.*) intr. Producir ruido un líquido o un gas al moverse en el interior de alguna cavidad. ‖ **2.** Borbotear o borbotar.

gorgoteo. m. Acción y efecto de gorgotear.

gorgotero. m. **buhonero.**

gorgozada. (Del b. lat. *gurga,* garganta.) f. desus. Gargantada o espadañada.

gorguera. (Del b. lat. *gurga,* garganta.) f. Adorno del cuello, hecho de lienzo plegado y alechugado. ‖ **2.** Gorjal de la armadura antigua. ‖ **3.** *Bot.* Verticilo de brácteas de una flor.

gorguerán. m. ant. **gorgorán.**

gorguz. (Del berb. *gergit,* lanza.) m. Especie de dardo, venablo o lanza corta. ‖ **2.** Vara larga que lleva en uno de sus extremos un hierro de dos ramas, una recta y otra curva, y sirve para coger las piñas de los pinos. ‖ **3.** *Méj.* **puya**[1], punta.

gorigori. m. fam. Voz con que vulgarmente se alude al canto lúgubre de los entierros.

gorila. (Del lat. científico *gorilla.*) m. Mono antropomorfo, de color en general pardo oscuro y de estatura semejante a la del hombre; tres dedos de sus pies están unidos por la piel hasta la última falange; es membrudo y muy fiero, y habita en África a orillas del río Gabón. ‖ **2.** fig. y fam. **guardaespaldas.**

gorja. (Del fr. *gorge,* garganta.) f. **garganta.** ‖ **2.** Moldura de curva compuesta, cuya sección es por arriba cóncava y luego convexa. ‖ **estar** uno **de gorja.** fr. fam. Estar alegre y festivo. ‖ **mentir por la gorja.** fr. ant. Aseverar una cosa sin el menor fundamento.

gorjal. (De *gorja.*) m. Parte de la vestidura del sacerdote, que circunda y rodea el cuello. ‖ **2.** Pieza de la armadura antigua, que se ajustaba al cuello para su defensa. ‖ **3.** *And.* En algunas razas lanares, repliegue cutáneo en la terminación del cuello, si se prolonga hasta los pechos.

gorjeador, ra. adj. Que gorjea.

gorjeamiento. m. ant. **gorjeo.**

gorjear. (De *gorja.*) intr. Hacer quiebros con la voz en la garganta. Se usa hablando de la voz humana y de los pájaros. ‖ **2.** ant. Hacer burla. Ú. en América. ‖ **3.** prnl. Empezar a hablar el niño y formar la voz en la garganta.

gorjeo. (De *gorjear.*) m. Acción y efecto de gorjear. ‖ **2.** Quiebro de la voz en la garganta. ‖ **3.** Canto o voz de algunos pájaros. ‖ **4.** Articulaciones imperfectas en la voz de los niños.

gorjería. f. ant. Gorjeo de los niños.

gorlita. f. *Murc.* Lazada que se forma en la hebra al retorcerse el hilo.

gormador, ra. m. y f. Persona que gorma o vomita.

gormar. (De or. inc.) tr. **vomitar,** arrojar lo contenido en el estómago.

gorra. (De or. inc.) f. Prenda que sirve para cubrir la cabeza, y se hace de tela, piel o punto, sin copa ni alas, con visera o sin ella. ‖ **2.** Gorro de los niños. ‖ **3.** Prenda de varias formas para abrigo de la cabeza. ‖ **4.** Cubrecabezas de pelo de los granaderos. ‖ **5.** m. fig. Persona que vive o come a costa ajena. ‖ **de plato.** La **gorra** de visera que tiene una parte cilíndrica de poca altura, y sobre ella otra más ancha y plana. ‖ **de gorra.** loc. adv. fam. A costa ajena. Ú. con los verbos *andar, comer, vivir,* etc. ‖ **duro de gorra.** fig. y fam. Dícese del que aguarda que otro le haga primero la cortesía. ‖ **hablarse de gorra.** fr. fig. y fam. Hacerse cortesía, quitándose la **gorra** sin hablarse ni comunicarse. ‖ **pegar la gorra.** fr. fig. y fam. Hacerse invitar para comer a costa ajena.

gorrada. f. Cortesía hecha con la gorra.

gorrear. intr. fam. Comer, vivir de gorra.

gorrería. (De *gorrero.*) f. Taller donde se hacen gorras o gorros. ‖ **2.** Tienda donde se venden.

gorrero, ra. m. y f. Persona que tiene por oficio hacer o vender gorras o gorros. ‖ **2.** m. Persona que vive o come a costa ajena.

gorreta. f. d. de **gorra.**

gorretada. (De *gorreta.*) f. Cortesía hecha con la gorra.

gorrete. m. d. de **gorro.**

gorriato. m. *And., Áv., Các.* y *Sal.* **gorrión.**

gorrilla. f. d. de **gorra.** ‖ **2.** *Sal.* Sombrero de fieltro que usan los aldeanos; tiene la copa baja en forma de cono truncado y el ala ancha, acanalada al borde y guarnecida con cinta de terciopelo.

gorrín. (De la onomat. *gorr.*) m. Cerdo, puerco, gorrino.

gorrinada. f. **guarrada,** suciedad. ‖ **2. guarrada,** acción indecente o sucia.

gorrinera. (De *gorrino.*) f. Pocilga, cochiquera.

gorrinería. f. Porquería, suciedad, inmundicia. ‖ **2.** Acción sucia o indecente.

gorrino, na. (De la onomat. *gorr.*) m. y f. Cerdo pequeño que aún no llega a cuatro meses. ‖ **2.** Cerdo, puerco, cochino. Ú. t. c. adj. ‖ **3.** fig. Persona desaseada o de mal comportamiento en su trato social. Ú. t. c. adj.

gorrión. m. Pájaro de unos doce centímetros desde la cabeza a la extremidad de la cola, con el pico fuerte, cónico y algo doblado en la punta; plumaje pardo en la cabeza, castaño en el cuello, espalda, alas y cola, pero con manchas negras y rojizas, ceniciento en el vientre; en el macho, con babero negro en pecho y garganta. Es sedentario y muy abundante en España.

gorriona. f. Hembra del gorrión.

gorrionera. (De *gorrión.*) f. fig. y fam. Lugar donde se recoge y oculta gente viciosa y de mal vivir.

gorrista. (De *gorra,* gorrón.) adj. Que vive o come a costa ajena. Ú. t. c. s.

gorro. (De *gorra.*) m. Pieza redonda, de tela o de punto, para cubrir y abrigar la cabeza. ‖ **2.** Prenda que se pone a los niños para cubrirles la cabeza y que se les asegura con cintas debajo de la barba. ‖ **3.** Por ext. se aplica a cualquier objeto que cubra el extremo de algo. ‖ **catalán. gorro** de lana que se usa en Cataluña, en forma de manga cerrada por un extremo. ‖ **frigio. gorro** semejante al que usaban los frigios, que se tomó como emblema de la libertad por los revolucionarios franceses de 1793 y luego por los republicanos españoles. ‖ **estar** uno **hasta el gorro.** fr. fig. y fam. No aguantar más. ‖ **llenársele** a uno **el gorro.** fr. fig. y fam. Perder la paciencia. ‖ **poner el gorro** a uno. fr. fig. Acariciarse en su presencia una pareja amorosa.

gorrón[1]. m. Guijarro pelado y redondo. ‖ **2.** Gusano de seda que deja el capullo a medio hacer, a causa de una enfermedad y como consecuencia se arruga y queda pequeño. ‖ **3.** Chicharrón[1] de las pellas del cerdo. ‖ **4.** *Mec.* Espiga en que termina el extremo inferior de un árbol vertical o de otra pieza análoga, para servirle de apoyo y facilitar su rotación.

gorrón[2], **na.** (De *gorra.*) adj. Que tiene por hábito comer, vivir, regalarse o divertirse a costa ajena. Ú. t. c. s. ‖ **2.** m. Hombre perdido y enviciado que trata con las gorronas y mujeres de mal vivir.

gorrona. adj. V. **pasa gorrona.** ‖ **2.** f. **ramera.**

gorronal. (De *gorrón*[1], guijarro.) m. **guijarral.**

gorronear. intr. Comer o vivir a costa ajena.

gorronería. f. Cualidad o acción de gorrón[2].

gorruendo, da. (De *gorrón*[2].) adj. ant. Harto o satisfecho de comer.

gorullo. (De *borullo.*) m. Pella de lana, masa, engrudo, etc.

gosipino, na. (Del lat. *gossypīnus,* algodonero.) adj. Dícese de lo que tiene algodón o se parece a él.

gota. (Del lat. *gutta.*) f. Partícula de cualquier líquido que adopta en su caída una forma esferoidal. ‖ **2.** fig. Pequeña cantidad de cualquier cosa, pizca. *No queda ni* GOTA *de pan.* ‖ **3.** *Arq.* Cada uno de los pequeños troncos de pirámide o de cono que como adorno se colocan debajo de los triglifos del cornisamento dórico. ‖ **4.** *Pat.* Enfermedad constitucional que causa hinchazón muy dolorosa en ciertas articulaciones pequeñas y se complica a veces con afecciones viscerales. ‖ **5.** *Col.* Enfermedad de ciertas plantas, como la papa, causada por un hongo. Se caracteriza por marchitarse el tallo. ‖ **6.** pl. Medicina u otra sustancia tomada o usada en **gotas.** ‖ **7.** Pequeña cantidad de ron o coñac que se mezcla con el café una vez servido este en la taza. ‖ **artética.** La que se padece en los artejos. ‖ **caduca,** o **coral. epilepsia.** ‖ **de sangre.** *Ál.* **centaura menor.** ‖ **fría.** *Meteor.* Masa de aire muy frío que desciende desde grandes altitudes, del fondo de una corriente en chorro, provocando el desplazamiento en altura y el enfriamiento del aire cálido con gran perturbación atmosférica. ‖ **serena. amaurosis.** ‖ **cuatro gotas.** Lluvia escasa y breve. ‖ **gota a gota.** loc. adv. Por **gotas** y con intermisión de una a otra. ‖ **2.** fig. Muy lentamente. ‖ **3.** m. *Med.* Método para administrar lentamente, por vía endovenosa, medicamentos, sueros o plasma sanguíneo. ‖ **4.** *Med.* Aparato con el cual se aplica este método. ‖ **ni gota.** loc. adv. Nada. ‖ **no quedar** a uno **gota de sangre en el cuerpo,** o **en las venas.** fr. fig. con que se pondera el terror o espanto de una persona. ‖ **no ver gota.** fr. fig. y fam. No ver nada. ‖ **ser** una cosa **la última gota.** fr. fig. y fam. Dícese de lo que viene a colmar la medida de la paciencia, sufrimiento, etc. ‖ **sudar** uno **la gota gorda,** o **tan gorda,** o **tan gorda como el puño.** fr. fig. y fam. con que se pondera su afán para conseguir lo que intenta. ‖ **una y otra gota apagan la sed.** expr. fig. que explica que la repetición de los actos facilita el fin a que se dirigen.

goteado, da. p. p. de **gotear.** ‖ **2.** adj. Manchado de gotas.

gotear. intr. Caer un líquido gota a gota. ‖ **2.** Caer gotas pequeñas y espaciadas al comenzar o terminar de llover. ‖ **3.** fig. Dar o recibir una cosa con pausas o con intermisión.

goteo. m. Acción y efecto de gotear.

gotera. f. Filtración de agua a través de un techo. ‖ **2.** Grieta por donde se filtra. ‖ **3.** Señal que deja. ‖ **4.** Sitio en que cae el agua de los tejados. ‖ **5. griseta,** enfermedad de los árboles. ‖ **6.** Cenefa o caída de la tela que cuelga alrededor del dosel, o del cielo de una cama, sirviendo de adorno. ‖ **7.** fig. Indisposición o achaque propios de la vejez. Ú. m. en pl. ‖ **8.** pl. *Cantabria.* Alrededores de una casa. ‖ **9.** *Amér.* Afueras, contornos, alrededores. ‖ **es una gotera.** expr. fig. y fam. con que se significa la continuación frecuente y sucesiva de cosas molestas.

gotero. m. fam. **gota a gota,** aparato con que se administran medicamentos por vía endovenosa. ‖ **2.** *Amér.* **cuentagotas.**

goterón. (De *gotera.*) m. Gota muy grande de agua de lluvia. ‖ **2.** *Arq.* Canal que se hace en la cara inferior de la corona de la cornisa, con el fin de que el agua de lluvia no corra por el sofito.

gótico, ca. (Del lat. *gothĭcus.*) adj. Perteneciente o relativo a los godos. ‖ **2.** Aplícase a lo escrito o impreso en letra **gótica.** *Un pliego suelto* GÓTICO. ‖ **3.** Dícese del arte que en la Europa occidental se desarrolla por evolución del románico desde el siglo XII hasta el Renacimiento. Ú. t. c. s. ‖ **4.** V. **columna, letra gótica.** ‖ **5.** ant. fig. V. **letras góticas.** ‖ **6.** fig. Noble, ilustre. ‖ **7.** m. Lengua germánica que hablaron los godos. ‖ **flamígero.** *Arq.* El estilo ojival caracterizado por la decoración de calados con adornos asimétricos, semejantes a las ondulaciones de las llamas. ‖ **florido.** *Arq.* El de la última época, que se caracteriza por la ornamentación exuberante.

gotón, na. (Del lat. *Gothōnes,* godos.) adj. **godo.** Apl. a pers., ú. m. c. s. y en pl.

gotoso, sa. adj. Que padece gota. Ú. t. c. s. ‖ **2.** *Cetr.* Dícese del ave de rapiña que tiene torpes los pies por enfermedad.

goyesco, ca. adj. Propio y característico de Goya, o que tiene semejanza con el estilo de este pintor.

gozada. f. fam. Goce intenso.

gozamiento. m. ant. Acción y efecto de gozar de una cosa.

gozar. (De *gozo.*) tr. Tener y poseer algo útil y agradable. Ú. t. con la prep. *de.* ‖ **2.** Tener gusto, complacencia y alegría de una cosa. Ú. t. c. prnl. ‖ **3.** Conocer carnalmente a una mujer. ‖ **4.** intr. Sentir placer, experimentar suaves y gratas emociones Ú. t. c. prnl. GOZARSE *en la suerte de los demás.* ‖ **5.** Con la prep. *de,* tener alguna buena condición física o moral. GOZAR DE *buena salud, vitalidad, estimación, fama.* ‖ **gozar y gozar.** expr. *Der.* Denota el contrato entre dos o más personas, por el cual se permutan las posesiones y alhajas solamente en cuanto al usufructo; como una viña por un olivar. ‖ **gozarla.** loc. Pasarlo bien, disfrutar con una persona o cosa.

gozne. (De *gonce.*) m. Herraje articulado con que se fijan las hojas de las puertas y ventanas al quicial para que, al abrirlas o cerrarlas, giren sobre aquel. ‖ **2.** Bisagra metálica o pernio.

gozo. (Del lat. *gaudĭum.*) m. Sentimiento de complacencia en la posesión, recuerdo o esperanza de bienes o cosas apetecibles. ‖ **2.** Alegría del ánimo. ‖ **3.** fig. Llamarada que levanta la leña menuda y seca cuando se quema. ‖ **4.** pl. Composición poética en loor de la Virgen o de los santos, que se divide en coplas, después de cada una de las cuales se repite un mismo estribillo. ‖ **el gozo en un pozo.** fr. fig. y fam. que da a entender haberse malogrado una cosa con que se contaba. Ú. t. con un posesivo en vez del art. inicial: **mi gozo** o **nuestro gozo, en un pozo.** ‖ **no caber** uno en sí **de gozo.** fr. fig. y fam. **no caber de contento.** ‖ **saltar** uno **de gozo.** fr. fig. y fam. Estar sumamente gozoso.

gozosamente. adv. m. Con gozo.

gozoso, sa. adj. Que siente gozo. ‖ **2.** Que produce gozo. ‖ **3.** Que se refiere a los gozos de la Virgen.

gozque. (De la voz *gozc* de llamar al perro.) adj. V. **perro gozque.** Ú. m. c. s.

gozquejo. m. d. de **gozque.**

gozquillas. f. pl. ant. Cosquillas del cuerpo.

gozquillo, lla. m. y f. d. de **gozque.**

gozquilloso, sa. adj. ant. Que tiene gozquillas.

grabación. f. Acción y efecto de grabar, registrar un sonido en disco, cinta, etc.

grabado, da. p. p. de **grabar.** ‖ **2.** m. Arte de grabar. ‖ **3.** Procedimiento para grabar. ‖ **4.** Estampa que se produce por medio de la impresión de láminas grabadas al efecto. ‖ **al agua fuerte.** Procedimiento en que se emplea la acción del ácido nítrico sobre una lámina; cúbrese esta con una capa de barniz, en la cual con una aguja se abre el dibujo hasta dejar descubierta la superficie metálica, y después que el ácido ha mordido lo bastante, se quita el barniz con un disolvente. ‖ **al agua tinta.** El que se hace cubriendo la lámina con polvos de resina que, calentando luego aquella, se adhieren a la superficie formando granitos o puntos; estos quedan después grabados mediante la acción del agua fuerte. ‖ **al barniz blando. grabado** al agua fuerte, que solo tiene por objeto señalar ligeramente en la lámina los trazos que se han de abrir con el buril. ‖ **al humo.** El que se hace en una lámina previamente graneada, rascando, aplanando o puliendo los espacios que han de quedar con más o menos tinta o limpios de ella cuando se haga la estampación. ‖ **a media tinta. grabado al agua tinta.** ‖ **a puntos.** El que resulta de dibujar los objetos con puntos hechos a buril o con una ruedecilla de dientes muy agudos. ‖ **de estampas,** o **en dulce.** El que se hace en planchas de acero o cobre, en tablas de madera o sobre otra materia que fácilmente reciba la huella del buril con solo el impulso de la mano del artista. ‖ **en fondo,** o **en hueco.** El que se ejecuta en troqueles de metal, en madera o en piedras finas, para acuñar medallas, formar sellos, etc. ‖ **en negro. grabado al humo.** ‖ **punteado. grabado a puntos.**

grabador, ra. adj. Que graba. *Instrumento* GRABADOR. ‖ **2.** Perteneciente o relativo al arte del grabado. *Industrias* GRABADORAS. ‖ **3.** m. y f. Persona que profesa este arte. ‖ **4.** f. **magnetófono.**

grabadura. f. Acción y efecto de grabar.

grabar. (Del fr. *graver.*) tr. Señalar con incisión o abrir y labrar en hueco o en relieve sobre una superficie un letrero, figura o representación de cualquier objeto. ‖ **2.** Registrar imágenes y sonidos por medio de un disco, cinta magnética u otro procedimiento, de manera que se puedan reproducir. ‖ **3.** fig. Fijar profundamente en el ánimo un concepto, un sentimiento o un recuerdo. Ú. t. c. prnl.

grabazón. f. Adorno sobrepuesto formado de piezas grabadas.

gracejada. (De *gracejo.*) f. *Amér. Central* y *Méj.* Payasada, bufonada, generalmente de mal gusto.

gracejar. intr. Hablar o escribir con gracejo. ‖ **2.** Decir chistes.

gracejo. (De *gracia.*) m. Gracia, chiste y donaire festivo en hablar o escribir.

gracia. (Del lat. *gratia.*) f. *Rel.* Don gratuito de Dios que eleva sobrenaturalmente la criatura racional en orden a la bienaventuranza eterna. ‖ **2.** V. **estado, golpe, tiro de gracia.** ‖ **3.** Cualidad o conjunto de cualidades que hacen agradable a la persona o cosa que las tiene. Ú. t. en sent. fig. ‖ **4.** Cierto donaire y atractivo independiente de la hermosura de las facciones, que se advierte en la fisonomía de algunas personas. ‖ **5.** Beneficio, don y favor que se hace sin merecimiento particular; concesión gratuita. ‖ **6.** Afabilidad y buen modo en el trato con las personas. ‖ **7.** Garbo, donaire y despejo en la ejecución de una cosa. ‖ **8.** Benevolencia y amistad de uno. ‖ **9.** Chiste, dicho agudo, discreto y de donaire. ‖ **10.** Por ext., e irónicamente, cosa que molesta e irrita. ‖ **11.** Perdón o indulto de pena que concede el jefe del Estado o el poder público competente. ‖ **12.** Nombre de cada uno. ‖ **13.** En algunas partes, acompañamiento que va después del entierro a la casa del difunto, y responso que se dice en ella. ‖ **14.** *Col.* Proeza, hazaña, mérito. *La* GRACIA *de Lindbergh fue cruzar el Atlántico sin copiloto.* ‖ **15.** pl. Tres divinidades mitológicas que personificaban la belleza y la armonía, y su poder se extendía sobre cuanto tiene relación con el agrado de la vida. ‖ **actual.** Auxilio de carácter ocasional dado por Dios a la criatura. ‖ **cooperante.** La que ayuda a la voluntad cuando esta quiere el bien y lo practica. ‖ **de Dios.** fig. Los dones naturales beneficiosos para la vida, especialmente el aire y el sol. *Abre la ventana, que entre la* GRACIA DE DIOS. ‖ **2.** Entre gente rústica, el pan. ‖ **de niño.** fam. Dicho o hecho que parece ser superior a la comprensión propia de su edad. ‖ **habitual.** Calidad estable sobrenatural infundida por Dios en el espíritu. ‖ **operante.** La que, antecediendo al albedrío, sana el alma o la mueve y excita a querer y obrar el bien. ‖ **original.** La que infundió Dios a nuestros primeros padres en el estado de inocencia. ‖ **santificante. gracia habitual.** ‖ **y Justicia. Ministerio de Gracia y Justicia.** ‖ **gracias al sacar.** *Der.* Ciertas dispensas que se conceden por el Ministerio de Justicia para actos de jurisdicción voluntaria, como la emancipación o habilitación de un menor, el cambio del nombre de una persona, etc., gravadas con pago de ciertos derechos. ‖ **aquí gracia y después gloria.** fr. que se usa para indicar que se da por terminado el asunto de que se trata. ‖ **caer de la gracia** de uno. fr. fig. Perder su valimiento y favor. ‖ **caer en gracia.** fr. Agradar, complacer. ‖ **dar** uno **en la gracia de** decir o hacer una cosa. fr. fam. Repetirla de continuo y como por tema. ‖ **dar gracias** o **las gracias.** fr. Manifestar el agradecimiento por el beneficio recibido. ‖ **decir** uno **dos gracias a** otro. fr. fig. y fam. Decirle algunas claridades. ‖ **de gracia.** loc. adv. Gratuitamente, sin premio ni interés alguno. ‖ **en gracia a.** loc. prepos. En consideración a una persona o servicio. ‖ **estar en gracia.** fr. Dícese de los que, por la santidad de sus costumbres, se cree que son aceptos a Dios. ‖ **2.** Aplícase también a los que están en valimiento con los poderosos. ‖ **golpe de gracia.** loc. Golpe con que se remata a alguien que ya estaba malherido. ‖ **2.** fig. Revés que completa la desgracia o la ruina de alguien. ‖ **¡gracias!** expr. elípt. con que significamos nuestro agradecimiento por cualquier beneficio, favor o atención que se nos dispensa. ‖ **gracias a.** loc. prepos. Por causa de alguien o algo que produce un bien o evita un mal. ‖ **¡gracias a Dios!** exclam. para manifestar alegría por una cosa que se esperaba con ansia y ha sucedido, o alivio al desaparecer un temor o peligro. ‖ **hablar de gracia.** fr. ant. Decir y hablar sin fundamento. ‖ **hacer gracia.** fr. Caer en **gracia.** ‖ **hacer gracia de** alguna cosa a uno. fr. Dispensarle o librarle de ella. ‖ **maldita la gracia que me, te,** etc., **hace, hizo,** etc. fr. fig. y fam. **no hacer gracia** una cosa. ‖ **no está gracia en casa.** fr. fam. con que se expresa que una persona está disgustada y de mal humor. ‖ **no estar de gracia,** o **para gracias.** fr. Estar disgustado o de mal humor. ‖ **no hacer,** o **no tener gracia, maldita la gracia,** o **ninguna gracia.** fr. fig. y fam. que expresa el descontento, disgusto o mal humor que una cosa produce. ‖ **por la gracia de Dios.** Fórmula que acompaña al título de rey u otro semejante. ‖ **¡qué gracia!** expr. con que irónicamente se rechaza la pretensión de alguno, o se nota de despropósito. ‖ **2.** Exclamación que expresa fastidio o disgusto. ‖ **referir gracias.** fr. ant. **dar gracias.** ‖ **reírle** a uno **la gracia.** fr. fig. y fam. Aplaudirle con alborozo algún dicho o hecho digno, por lo común, de censura. ‖ **ser una triste gracia.** fr. fig. y fam. Causar una cosa descontento, disgusto o mal humor. ‖ **tener gracia** una persona o cosa. Resultar agradable y divertida. ‖ **2.** fr. irón. Ser chocante, producir extrañeza. ‖ **3.** Resultar agradable o satisfactoria. ‖ **¡vaya en gracia!** expr. de aquiescencia que muchas veces se usa en sentido irónico. ‖ **y gracias.** expr. fam. con que se da a entender a uno que debe contentarse con lo que ha conseguido.

graciable. adj. Inclinado a hacer gracias, y afable en el trato. ‖ **2.** Que se puede otorgar graciosamente, sin sujeción a precepto.
graciado, da. adj. ant. Franco, liberal o gracioso.
grácil. (Del lat. *gracĭlis.*) adj. Sutil, delgado o menudo.
gracilidad. f. Cualidad de grácil.
graciola. (De *gladiolo,* infl. por *gracia.*) f. Hierba vivaz de la familia de las escrofulariáceas, con tallos de tres a cuatro decímetros de altura, rollizos y lampiños; hojas sentadas, opuestas, lanceoladas y con dientes en el margen; flores axilares, pedunculadas, en forma de embudo, blancas y amarillentas, y fruto capsular con semillas pequeñas y arrugadas. Vive en terrenos pantanosos, es de olor nauseabundo, sabor amargo, emética, catártica y considerada antiguamente como un gran antídoto de las tercianas.
graciosamente. adv. m. Con gracia. ‖ **2.** Sin premio ni recompensa alguna. ‖ **3.** Por gracia o merced.
graciosidad. (Del lat. *gratiosĭtas, -ātis.*) f. Hermosura, perfección o excelencia de una cosa, que da gusto y deleita a los que la ven u oyen.
gracioso, sa. (Del lat. *gratiōsus.*) adj. Aplícase a la persona o cosa cuyo aspecto tiene cierto atractivo que deleita a los que la miran. ‖ **2.** Chistoso, agudo, lleno de donaire y gracia. ‖ **3.** Que se da de balde o de gracia. ‖ **4.** Aplícase como título de dignidad a los reyes de Inglaterra. *Su* GRACIOSA *Majestad.* ‖ **5.** V. **privilegio gracioso.** ‖ **6.** m. En el teatro de Lope de Vega y sus seguidores, personaje típico, generalmente un criado, que se caracteriza por su ingenio y socarronería. ‖ **7.** m. y f. Actor dramático que ejecuta siempre el papel de carácter festivo y chistoso.
gracir. (De *gracia.*) tr. ant. **agradecer.**
grada[1]**.** (De *grado.*) f. **peldaño.** ‖ **2.** Asiento a manera de escalón corrido. ‖ **3.** Conjunto de estos asientos en los teatros y otros lugares públicos. Ú. t. en pl. ‖ **4.** Tarima que se suele poner al pie de los altares. ‖ **5.** *Mar.* Plano inclinado hecho de cantería, a orillas del mar o de un río, sobre el cual se construyen o carenan los barcos. ‖ **6.** pl. Conjunto de escalones que suelen tener los grandes edificios delante de su pórtico o fachada. ‖ **del trono.** expr. fig. Soberano poder del monarca. ‖ **grada a grada.** loc. adv. ant. **de grado en grado.**
grada[2]**.** (Del lat. *crates,* enrejado, zarzo.) f. Reja o locutorio de los monasterios de monjas. ‖ **2.** Instrumento de madera o de hierro, de figura casi cuadrada, a manera de unas parrillas grandes, con el cual se desmenuza y allana la tierra después de arada, para sembrarla. ‖ **de cota.** La que tiene ramas que dejan lisa la tierra. ‖ **de dientes.** La que en vez de ramas tiene unas púas de palo o de hierro. ‖ **de discos.** La que en vez de púas, dientes o flejes desmenuza la tierra con discos de acero giratorios.
gradación. (Del lat. *gradatĭo, -ōnis.*) f. Disposición o ejecución de una cosa en grados sucesivos, ascendentes o descendentes. ‖ **2.** Serie de cosas ordenadas gradualmente. ‖ **3.** ant. **graduación.** ‖ **4.** *Mús.* Período armónico que va subiendo de grado en grado para expresar más un afecto. ‖ **5.** *Ret.* Figura que consiste en juntar en el discurso palabras o frases que, con respecto a su significación, vayan como ascendiendo o descendiendo por grados, de modo que cada una de ellas exprese algo más o menos que la anterior.
gradado, da. (Del lat. *gradātus.*) adj. Que tiene gradas.
gradar. tr. Desmenuzar y allanar con la grada la tierra después de arada.
gradecer. tr. ant. **agradecer.**
gradecilla. f. d. de **grada.** ‖ **2.** *Arq.* Anillo, ánulo o astrágalo de la columna.
gradeo. m. Acción y efecto de gradar.
gradería. f. Conjunto o serie de gradas, como las de los altares y las de los anfiteatros.
graderío. m. **gradería,** especialmente en los campos de deporte y en las plazas de toros. Ú. t. en pl. ‖ **2.** Por ext., público que lo ocupa.
gradiente. (De *grado*[1].) m. Relación de la diferencia de presión barométrica entre dos puntos. ‖ **2.** f. *Chile, Ecuad., Nicar.* y *Perú.* Pendiente, declive.
gradilla[1]**.** (d. de *grada*[1].) f. Escalerilla portátil.
gradilla[2]**.** (De *grada*[2].) f. Marco para fabricar ladrillos. ‖ **2.** ant. Parrilla[2] para asar o tostar.
gradíolo o **gradiolo.** m. **gladíolo.**
grado[1]**.** (Del lat. *gradus.*) m. **peldaño.** ‖ **2.** Cada una de las generaciones que marcan el parentesco entre las personas. ‖ **3.** Derecho que se concedía a los militares para que se les contara la antigüedad de un empleo superior antes de obtenerlo, usando entretanto las divisas correspondientes a este empleo. Durante el siglo XIX y principios del XX se concedía también sin antigüedad y solo como honor. ‖ **4.** En las enseñanzas media y superior, título que se alcanza al superar algunos niveles de estudio. GRADO *de bachiller, de doctor.* ‖ **5.** En ciertas escuelas, cada una de las secciones en que sus alumnos se agrupan según su edad y el estado de sus conocimientos y educación. ‖ **6.** Cada lugar de la escala en la jerarquía de una institución. ‖ **7.** fig. Cada uno de los diversos estados, valores o calidades que, en relación de menor a mayor, puede tener una cosa. ‖ **8. jerarquía.** ‖ **9.** *Álg.* Número de orden que expresa el de factores de la misma especie que entran en un término o en una parte de él. ‖ **10.** *Álg.* En una ecuación o en un polinomio reducidos a forma racional y entera, el del término en que la variable tiene exponente mayor. ‖ **11.** *Der.* Cada una de las diferentes instancias que puede tener un pleito. *En* GRADO *de apelación; en* GRADO *de revista.* ‖ **12.** *Geom.* Cada una de las 360 partes iguales, a veces 400, en que puede dividirse la circunferencia. Se emplea también para medir los arcos de los ángulos. ‖ **13.** *Gram.* Manera de significar la intensidad relativa de los calificativos. GRADO *positivo, comparativo* y *superlativo.* ‖ **14.** pl. Órdenes menores que seguían a la tonsura, y eran como escalones para llegar a las demás. ‖ **centígrado.** Unidad de temperatura que resulta de la condición de que la diferencia entre los puntos de fusión del hielo y de ebullición del agua, a la presión normal, valga 100. ‖ **de Celsius. grado centígrado.** ‖ **de temperatura.** Unidad adoptada convencionalmente para medir la temperatura. Actualmente están en uso el **grado** centígrado o de Celsius y el **grado** Fahrenheit. ‖ **de una curva.** *Mat.* **grado** de la ecuación que la representa. ‖ **de grado en grado.** loc. adv. Por partes, sucesivamente. ‖ **en grado superlativo.** loc. adv. fig. En sumo **grado;** con exceso. ‖ **ganar los grados del perfil.** fr. *Esgr.* Salirse, el que esgrime la espada, de la línea de defensa de su contrario, quedando en disposición de herirle a mansalva.
grado[2]**.** (Del lat. *gratus,* grato.) m. Voluntad, gusto. Ú. solo en las siguientes locuciones: **a mal de mi, de tu, de su, de nuestro, de vuestro grado.** expr. **mal de mi, de tu, de su, de nuestro, de vuestro grado.** ‖ **de buen grado,** o **de grado.** loc. adv. Voluntaria y gustosamente. ‖ **de mal grado.** loc. adv. Sin voluntad, con repugnancia y a disgusto. ‖ **de su grado.** loc. adv. **de grado.** ‖ **¡grado a Dios!** exclam. ant. **¡gracias a Dios!** ‖ **mal de mi, de tu, de su, de nuestro, de vuestro grado;** o **mal mi, tu, su, nuestro, vuestro grado.** loc. adv. A pesar mío, tuyo, suyo, nuestro, vuestro; aunque no quiera, o no quieras, o no quieran, o no queramos, o no queráis. ‖ **ni grado ni gracias.** expr. con que se explica que una cosa se hace sin elección y que no merece gracias. ‖ **ser** una cosa **en grado** de uno. fr. ant. Ser de su gusto y aprobación. ‖ **sin grado.** loc. adv. ant. **de mal grado.**
gradoso, sa. (De *grado*[2].) adj. ant. Gustoso, agradable.
graduable. adj. Que puede graduarse.

graduación. f. Acción y efecto de graduar o de graduarse. ‖ **2.** Cantidad proporcional de alcohol que contienen las bebidas espiritosas. ‖ **3.** *Mil.* Categoría de un militar en su carrera.

graduado, da. p. p. de **graduar.** ‖ **2.** adj. *Mil.* En las carreras militares se aplicaba al que tenía grado superior a su empleo. *El coronel* GRADUADO, *comandante López.* ‖ **graduado, da, escolar.** m. y f. Persona que ha cursado con éxito los estudios primarios exigidos por la ley. ‖ **2.** m. Título otorgado a esa persona.

graduador. m. Instrumento que sirve para graduar la cantidad o calidad de una cosa.

gradual. (Del lat. *gradus*, grado.) adj. Que está por grados o va de grado en grado. ‖ **2.** V. **salmo gradual.** ‖ **3.** m. Parte de la misa que se reza entre la epístola y el evangelio.

gradualmente. adv. m. **de grado en grado.**

graduando, da. (De *graduar.*) m. y f. Persona que recibe o está próxima a recibir un grado académico por la universidad.

graduar. (Del lat. *gradus*, grado.) tr. Dar a una cosa el grado o calidad que le corresponde. GRADUAR *la salida del agua por una boquera.* ‖ **2.** Apreciar en una cosa el grado o calidad que tiene. GRADUAR *la densidad de la leche.* ‖ **3.** Señalar en una cosa los grados en que se divide. GRADUAR *un círculo, un termómetro, un mapa.* ‖ **4.** Dividir y ordenar una cosa en una serie de grados o estados correlativos. GRADUAR *el interés de una obra dramática.* GRADUAR *una escuela.* ‖ **5.** En las enseñanzas media y superior, dar el título de bachiller, licenciado o doctor. Ú. t. c. prnl., y significa entonces recibir dichos títulos. ‖ **6.** *Mil.* En las carreras militares, conceder grado o grados. GRADUARON *a González de comandante.*

grafema. m. *Ling.* Unidad mínima e indivisible de la escritura de una lengua.

grafía. (Del gr. γραφή, escritura.) f. Modo de escribir o representar los sonidos, y, en especial, empleo de tal letra o tal signo gráfico para representar un sonido dado.

-grafía. (Del gr. -γραφία, de la raíz de γράφω, escribir.) elem. compos. que significa «descripción», «tratado», «escritura» o «representación gráfica»: *mono*GRAFÍA, *mecano*GRAFÍA.

gráficamente. adv. m. De un modo gráfico.

gráfico, ca. (Del gr. γραφικός, a través del lat. *graphĭcus.*) adj. Perteneciente o relativo a la escritura y a la imprenta. ‖ **2.** Aplícase a las descripciones, operaciones y demostraciones que se representan por medio de figuras o signos. Ú. t. c. s. ‖ **3.** fig. Aplícase al modo de hablar que expone las cosas con la misma claridad que si estuvieran dibujadas. ‖ **4.** V. **acento gráfico.** ‖ **5.** m. y f. Representación de datos numéricos por medio de una o varias líneas que hacen visible la relación que esos datos guardan entre sí.

grafila o **gráfila.** (De or. inc.) f. Orlita, generalmente de puntos o de línea, que tienen las monedas en su anverso o reverso.

grafio. (Del gr. γραφίον, punzón, a través del lat. *graphĭum.*) m. Instrumento con que se dibujan y hacen las labores en las pinturas estofadas o esgrafiadas. ‖ **2.** ant. Punzón para abrir ojetes y para cosas semejantes.

grafioles. (De or. inc.) m. pl. Especie de melindres que se hacen en figura de *s*, de masa de bizcocho y manteca de vaca.

grafismo. (Del gr. γράφω e *-ismo.*) m. Cada una de las particularidades de la letra de una persona, o el conjunto de todas ellas. ‖ **2.** Expresividad gráfica en lo que se dice o en cómo se dice. ‖ **3.** Diseño gráfico de libros, folletos, carteles, etc.

grafista. com. Especialista en grafismo, diseño gráfico.

grafito[1]**.** (Del gr. γράφω, escribir, e *-ito*[2].) m. Mineral de textura compacta, color negro agrisado, lustre metálico, graso al tacto y compuesto casi exclusivamente de carbono. Se usa para hacer lapiceros, crisoles refractarios y para otras aplicaciones industriales.

grafito[2]**.** (Del it. *graffito.*) m. Escrito o dibujo hecho a mano por los antiguos en los monumentos. ‖ **2.** Letrero o dibujo grabado o escrito en paredes u otras superficies resistentes, de carácter popular y ocasional, sin trascendencia.

grafo-. (Del gr. γράφω, escribir.) elem. compos. que significa «escritura»: GRAFO*logía*, GRAFO*manía*.

-grafo, fa. (Del gr. -γράφος, de la raíz de γράφω, escribir.) elem. compos. que significa «que escribe» o «que describe»: *mecanó*GRAFO, *telé*GRAFO, *bolí*GRAFO, *hidró*GRAFO.

grafología. (De *grafo-* y *-logía.*) f. Arte que pretende averiguar, por las particularidades de la letra, cualidades psicológicas del que la escribe.

grafológico, ca. adj. Perteneciente o relativo a la grafología.

grafólogo, ga. m. y f. Persona que practica la grafología.

grafomanía. (De *grafo-* y *manía.*) f. Manía de escribir o componer libros, artículos, etc.

grafómano, na. (De *grafo-* y *-mano.*) adj. Que tiene grafomanía. Ú. t. c. s.

grafómetro. (De *grafo-* y *-metro.*) m. Semicírculo graduado, con dos alidadas o anteojos, uno fijo y otro móvil, que sirve para medir cualquier ángulo en las operaciones topográficas.

grafoscopio. m. *Ópt.* Lupa grande para examinar escritos.

gragea. (De *dragea.*) f. Confites muy menudos de varios colores. ‖ **2.** *Farm.* Pequeña porción de materia medicamentosa en forma generalmente redondeada, y recubierta de una capa de sustancia agradable al paladar.

graja. (De *grajo.*) f. Hembra del grajo. ‖ **no entiendo de graja pelada.** expr. fig. y fam. con que uno da a entender que no gusta de hacer o creer algo en que recela engaño.

grajear. intr. Cantar o chillar los grajos o los cuervos. ‖ **2.** Formar sonidos guturales el niño que no sabe aún hablar.

grajero, ra. adj. Dícese del lugar donde se recogen y anidan los grajos.

grajilla. f. Ave de la familia de los córvidos, más pequeña y con el pico más corto que la graja y la corneja. Negra, con auriculares y cogote de color gris. Es muy característico el tono gris pálido de sus ojos. Sociable, forma grandes bandadas.

grajo. (Del lat. *gracŭlus.*) m. Ave muy semejante al cuervo, con el cuerpo de color violáceo negruzco, el pico y los pies rojos y las uñas grandes y negras. ‖ **2.** fig. p. us. Charlatán, cascante. ‖ **3.** *Col., Cuba, Ecuad., Perú, P. Rico.* y *Sto. Dom.* Olor desagradable que se desprende del sudor, especialmente de los negros desaseados. ‖ **4.** *Cuba.* Planta mirtácea, de olor fétido.

grajuelo. m. d. de **grajo.**

grajuno, na. adj. Relativo al grajo o que se le asemeja.

grama. (Del lat. *gramĭna*, pl. de *gramen.*) f. Planta medicinal de la familia de las gramíneas, con el tallo cilíndrico y rastrero, que echa raicillas por los nudos; hojas cortas, planas y agudas, y flores en espigas filiformes que salen en número de tres o de cinco en la extremidad de las cañitas de dos decímetros de largo. ‖ **del norte.** Planta perenne de la familia de las gramíneas, cuya raíz, rastrera, usada en medicina, echa cañitas de más de seis decímetros de alto, con hojas planas, lineares y lanceoladas, ligeramente vellosas por encima, y flores en espiga alargada, floja y comprimida. ‖ **de olor,** o **de prados.** Planta de la familia de las gramíneas, que tiene cañitas de tres decímetros de largo, desnudas en la mitad superior y con dos o tres hojas más cortas que las vainas en la inferior, y flores en panoja aovada, cilíndrica, amarilla y brillante. Es muy olorosa y se cultiva en los prados artificiales.

-grama. (Del gr. γράμμα, letra, escrito.) elem. compos. que significa «escrito» o «gráfico»: *cable*GRAMA, *tele*GRAMA, *cardio*GRAMA.

gramal. m. Terreno cubierto de grama.

gramalote. m. *Col., Ecuad.* y *Perú.* Hierba forrajera de la familia de las gramíneas.

gramalla. (De or. inc.) f. Vestidura talar, a manera de bata, que se usó mucho antiguamente. ‖ **2.** Cota de malla.

gramallera. (Del m. or. que *caramilleras.*) f. *Gal.* y *León.* **llar[2].**

gramar. (De or. inc.) tr. *Ast.* y *Gal.* Dar segunda mano al pan después de amasado.

gramática. (Del gr. γραμματική, a través del lat. *grammatica.*) f. Arte de hablar y escribir correctamente una lengua, y libro en que se enseña. ‖ **2.** Ciencia que estudia los elementos de una lengua y sus combinaciones. ‖ **3.** Antiguamente, estudio de la lengua latina. ‖ **comparada.** La que estudia las relaciones que pueden establecerse entre dos o más lenguas. ‖ **descriptiva.** Estudio sincrónico de una lengua, sin considerar los problemas diacrónicos. ‖ **especulativa.** Modalidad de la **gramática** que desarrolló la filosofía escolástica, la cual trataba de explicar los fenómenos lingüísticos por principios constantes y universales. ‖ **estructural.** Estudio de una lengua regido por el principio de que todos sus elementos mantienen entre sí relaciones sistemáticas. ‖ **general.** Aquella que trata de establecer los principios comunes a todas las lenguas. ‖ **generativa.** La que trata de formular una serie de reglas capaces de generar o producir todas las oraciones posibles y aceptables de un idioma. ‖ **histórica.** La que estudia las evoluciones que una lengua ha experimentado a lo largo del tiempo. ‖ **normativa.** La que define los usos correctos de una lengua mediante preceptos. ‖ **parda.** fam. Habilidad para conducirse en la vida y para salir a salvo o con ventaja de situaciones comprometidas. Suele tener sentido peyorativo. ‖ **tradicional.** Cuerpo de doctrina gramatical constituido por las ideas que sobre el lenguaje y su estudio aportaron los filósofos griegos, y que se desarrolló, en los siglos posteriores, prácticamente hasta la aparición de la **gramática** estructural, en la primera mitad del siglo XX. ‖ **transformacional.** La que, siendo generativa, establece que de un esquema oracional se pasa a otro u otros por la aplicación de determinadas reglas. ‖ **transformativa. gramática transformacional.**

gramatical. (Del lat. *grammaticālis.*) adj. Perteneciente o relativo a la gramática. ‖ **2.** Que se ajusta a las reglas de la gramática.

gramaticalidad. f. *Ling.* Cualidad de una secuencia oracional por la que se ajusta a las reglas de la gramática.

gramaticalmente. adv. m. Conforme a las reglas de la gramática.

gramático, ca. (Del gr. γραμματικός, a través del lat. *grammatĭcus.*) adj. **gramatical.** ‖ **2.** m. y f. Persona entendida en gramática o que escribe sobre ella.

gramatiquear. intr. fam. despect. Tratar de materias gramaticales.

gramatiquería. f. fam. despect. Cosa que pertenece a la gramática.

gramil. (Del gr. γραμμή, línea.) m. Instrumento que, en carpintería y otros oficios, sirve para trazar paralelas al borde de una pieza escuadrada.

gramilla[1]. (De *gramar.*) f. Tabla vertical de cerca de un metro de altura, con pie, donde se colocan los manojos de lino o cáñamo para agramarlos.

gramilla[2]. f. d. de **grama.** ‖ **2.** *Argent.* Planta de la familia de las gramíneas que se utiliza para pasto. ‖ **3.** *Perú* y *R. de la Plata.* Césped, hierba menuda y tupida que cubre el suelo.

gramíneo, a. (Del lat. *gramineus.*) adj. V. **corona gramínea.** ‖ **2.** *Bot.* Aplícase a plantas angiospermas monocotiledóneas que tienen tallos cilíndricos, comúnmente huecos, interrumpidos de trecho en trecho por nudos llenos; hojas alternas que nacen de estos nudos y abrazan el tallo; flores muy sencillas, dispuestas en espigas o en panojas, y grano seco cubierto por las escamas de la flor; como el trigo, el arroz y el bambú. Ú. t. c. s. f. ‖ **3.** f. pl. *Bot.* Familia de estas plantas.

gramo. (Del gr. γράμμα, escrúpulo.) m. Unidad de masa en el sistema métrico decimal equivalente a la de un centímetro cúbico de agua a la temperatura de su máxima densidad (cuatro grados centígrados). ‖ **2.** Unidad de fuerza o peso, equivalente a la ejercida en un **gramo** masa por la acción de la gravedad en condiciones determinadas. ‖ **3.** Pesa de un **gramo.** ‖ **4.** Cantidad de alguna materia cuyo peso es un **gramo.** *Diez* GRAMOS *de azafrán.*

gramofónico, ca. adj. Perteneciente o relativo al gramófono.

gramófono. (Del gr. γράμμα, escritura, y *-fono.*) m. Instrumento que reproduce las vibraciones de la voz humana o de otro cualquier sonido, inscritas previamente en un disco giratorio. Es nombre comercial registrado.

gramola. f. Modalidad de gramófono sin bocina exterior. ‖ **2. radiogramola.** ‖ **3.** Nombre industrial de ciertos gramófonos eléctricos, instalados por lo general en establecimientos públicos y que, al depositar en ellos una moneda, hacen oír determinados discos.

gramoso, sa. adj. Perteneciente a la grama. ‖ **2.** Que cría esta hierba.

grampa. f. **grapa.**

gran. adj. apóc. de **grande.** Solo se usa en singular, antepuesto al sustantivo. GRAN *empeño;* GRAN *montaña.* ‖ **2.** Principal o primero en una jerarquía. GRAN *maestre de San Juan.* ‖ **3.** V. **gran bestia, gran canciller de las Indias, gran cruz, gran hombre, gran libro, gran mogol, gran prior, gran señor, gran visir.** ‖ **4.** V. **el gran turco.** ‖ **5.** *Impr.* V. **gran canon.** ‖ **6.** *Mil.* V. **gran masa.** ‖ **7.** *Anat.* V. **gran simpático.** ‖ **8.** *Fotogr.* V. **gran angular.**

grana[1]. (Del lat. *grana,* pl. de *granum.*) f. Acción y efecto de granar. ‖ **2.** Semilla menuda de varios vegetales. ‖ **3.** Tiempo en que se cuaja el grano de trigo, lino, cáñamo, etc. ‖ **4.** *Rioja.* Frutos de los árboles de monte, como bellotas, hayucos, etc. ‖ **dar en grana.** fr. Dícese de las plantas cuando se dejan crecer tanto que solo sirven para semilla.

grana[2]. (De *grano,* tumorcillo.) f. **cochinilla[2].** ‖ **2. quermes,** insecto. ‖ **3.** Excrecencia o agallita que el quermes forma en la coscoja, y que, exprimida, produce color rojo. ‖ **4.** Color rojo obtenido de este modo. ‖ **5.** Paño fino usado para trajes de fiesta. ‖ **del paraíso. cardamomo.** ‖ **de sangre de toro,** o **morada.** Aquella cuyo color tira a morado, por lo cual es muy inferior a la otra.

granada. (Del lat. *[malum] granātum.*) f. Fruto del granado, de figura globosa, con diámetro de unos diez centímetros, y coronado por un tubo corto y con dientecitos, resto de los sépalos del cáliz; corteza de color amarillento rojizo, delgada y correosa, que cubre multitud de granos encarnados, jugosos, dulces unas veces, agridulces otras, separados en varios grupos por tabiques membranosos, y cada uno con una pepita blanquecina algo amarga. Es comestible apreciado, refrescante, y se emplea en medicina contra las enfermedades de la garganta. ‖ **2.** Globo o bola de cartón, vidrio, bronce o hierro, casi del tamaño de una **granada** natural, llena de pólvora, con una espoleta atacada con un mixto inflamable. Las llevaban los granaderos para arrojarlas encendidas a los enemigos. ‖ **3.** Proyectil hueco de metal, que contiene un explosivo y se dispara con obús u otra pieza de artillería. ‖ **albar.** *Murc.* Fruto del granado que tiene los granos casi blancos y muy dulces. ‖ **cajín.** *Murc.* La que tiene los granos de color carmesí, con un sabor agridulce muy gustoso, y es muy estimada. ‖ **de mano. granada,** proyectil hueco que se arroja con la mano. Se usa en la guerra, cargada con diferentes explosivos o gases tóxicos. ‖ **real.** La que se dispara con mortero, por ser poco menor que la bomba. ‖ **zafarí.** Fruto del granado que tiene cuadrados los granos.

granadal. m. Tierra plantada de granados.

granadera. f. Bolsa de vaqueta que llevaban los granaderos para guardar las granadas de mano.

granadero. (De *granada.*) m. Soldado de infantería armado con granadas de mano. ‖ **2.** Soldado de elevada estatura perteneciente a una compañía que formaba a la cabeza del regimiento. ‖ **3.** fig. y fam. Persona muy alta.

granadés, sa. adj. ant. **granadino**[2]. Apl. a pers., usáb. t. c. s.

granadí. (Del ár. *garnāṭī,* perteneciente o relativo a Granada.) adj. ant. **granadino**[2]. Apl. a pers., usáb. t. c. s.

granadilla. (De *granada,* porque sus granos tienen el sabor de los de este fruto.) f. Flor de la pasionaria. ‖ **2.** V. **parcha granadilla.** ‖ **3.** Planta pasiflorácea originaria de América Meridional. ‖ **4.** Fruto de esta planta.

granadillo. (De *granada,* por el color de la madera.) m. *Cuba.* Árbol de la familia de las papilionáceas, de seis a ocho metros de altura, copa mediana, tronco y ramas tortuosas, con espinas solitarias, rectas y muy agudas; hojas ovaladas, obtusas y coriáceas; flores blanquecinas en hacecillos, fruto en legumbre vellosa, y madera dura, compacta, de grano fino y color rojo y amarillo, muy apreciada en ebanistería. ‖ **2.** *Col.* **granadilla,** planta pasiflorácea.

granadina. (De *Granada.*) f. Tejido calado que se hace con seda retorcida. ‖ **2.** Variedad del cante andaluz, especialmente de Granada.

granadino[1]**, na.** adj. Perteneciente al granado o a la granada. ‖ **2.** m. Flor del granado. ‖ **3.** f. Refresco hecho con zumo de granada.

granadino[2]**, na.** adj. Natural de Granada. Ú. t. c. s. ‖ **2.** Perteneciente o relativo a esta ciudad o a su provincia.

granado[1]**.** (De *granada.*) m. Árbol de la familia de las punicáceas, de cinco a seis metros de altura, con tronco liso y tortuoso, ramas delgadas, hojas opuestas, oblongas, enteras y lustrosas, flores casi sentadas, rojas y con los pétalos algo doblados, y cuyo fruto es la granada.

granado[2]**.** p. p. de **granar.** ‖ **2.** adj. fig. Notable y señalado, principal, ilustre y escogido. ‖ **3.** fig. Maduro, juicioso. ‖ **por granado.** loc. adv. ant. **por mayor.**

granalla. (despect. de *grano.*) f. Granos o porciones menudas a que se reducen los metales para facilitar su fundición.

granallar. tr. Reducir a granalla un metal.

granar. intr. Formarse y crecer el grano de los frutos en algunas plantas, como las espigas, los racimos, etc.

granate. (Del prov. ant. *granat.*) m. Piedra fina compuesta de silicato doble de alúmina y de hierro u otros óxidos metálicos. Su color varía desde el de los granos de granada al rojo, negro, verde, amarillo, violáceo y anaranjado. ‖ **2.** Color rojo oscuro. Ú. t. c. adj. ‖ **almandino.** El de color rojo brillante o violeta, muy usado en joyería. ‖ **de Bohemia.** El vinoso. ‖ **noble, oriental,** o **sirio. granate almandino.**

granatín. (Del m. or. que *granadí.*) m. Cierto género de tejido antiguo.

granazón. f. Acción y efecto de granar.

grancé. (Del fr. *garancé,* teñido con *garance,* rubia, granza.) adj. Dícese del color rojo que resulta de teñir los paños con la raíz de la rubia o granza.

grancero. m. Sitio en que se recogen y guardan las granzas de trigo, cebada u otros cereales.

grancilla. f. Carbón mineral lavado y clasificado, cuyos trozos han de tener un tamaño reglamentario comprendido entre 12 y 15 milímetros.

grancolombiano, na. adj. Perteneciente o relativo a la Gran Colombia, Estado constituido por Bolívar en el congreso de Angostura, con los territorios que hoy pertenecen a Colombia, Venezuela y Ecuador.

grand. adj. ant. **grande.**

granda. f. **gándara.**

grandánime. adj. ant. Que tiene grandeza de ánimo.

grande. (Del lat. *grandis.*) adj. Que supera en tamaño, importancia, dotes, intensidad, etc., a lo común y regular. ‖ **2.** Dícese de la persona de edad avanzada. ‖ **3.** V. **balancín, Dios, hueso, lista, semana grande.** ‖ **4.** V. **grande hombre.** ‖ **5.** ant. V. **casa grande.** ‖ **6.** ant. Abundante, numeroso. ‖ **7.** m. Prócer, magnate, persona de muy elevada jerarquía o nobleza. ‖ **de España.** Persona que tiene el grado máximo de la nobleza española y que antiguamente podía cubrirse delante del rey si era caballero, o tomar asiento delante de la reina si era señora, y gozaba de los demás privilegios anexos a esta dignidad. ‖ **a lo grande.** loc. adv. Con lujo extraordinario. ‖ **cubrirse de grande de España.** fr. Tomar posesión, en presencia del rey, de las prerrogativas de esta dignidad. ‖ **en grande.** loc. adv. Por mayor, en conjunto. *Considerar una cosa* EN GRANDE. ‖ **2.** fig. Con fausto o gozando de mucho predicamento. Ú. con los verbos *estar, vivir,* etc.

grandecía. f. ant. **grandeza.**

grandemente. adv. m. Mucho o muy bien. ‖ **2. extremadamente.**

grander. tr. ant. Hacer más grande.

grandevo, va. (Del lat. *grandaevus.*) adj. poét. Dícese de la persona de mucha edad.

grandez. f. ant. **grandeza.**

grandeza. (De *grande* y *-eza.*) f. Tamaño excesivo de una cosa respecto de otra del mismo género. ‖ **2.** Majestad y poder. ‖ **3.** Dignidad de grande de España. ‖ **4.** Conjunto o concurrencia de los grandes de España. ‖ **5.** Extensión, tamaño, magnitud. ‖ **6.** Elevación de espíritu, excelencia moral.

grandezuelo, la. adj. d. de **grande.**

grandifacer. (Del lat. *grandis,* grande, y *facĕre,* hacer.) tr. ant. Engrandecer o hacer grande.

grandifecho, cha. p. p. irreg. ant. de **grandifacer.**

grandificencia. (De *grandifacer.*) f. ant. **grandeza.**

grandilocuencia. (De *grandilocuente.*) f. Elocuencia muy abundante y elevada. ‖ **2.** Estilo sublime.

grandilocuente. (De *grandis,* grande, y *loquens, -entis,* que habla.) adj. Que habla o escribe con grandilocuencia.

grandílocuo, cua. (Del lat. *grandilŏquus.*) adj. **grandilocuente.**

grandillón, na. adj. fam. aum. de **grande.** ‖ **2.** fam. Que excede del tamaño regular con desproporción.

grandiosamente. adv. m. Con grandiosidad.

grandiosidad. (De *grandioso.*) f. Admirable grandeza, magnificencia.

grandioso, sa. (De *grande.*) adj. Sobresaliente, magnífico.

grandisonar. intr. poét. Resonar, tronar con fuerza.

grandísono, na. (Del lat. *grandisŏnus.*) adj. Que resuena con fuerza. ‖ **2.** poét. Altamente sonoro.

grandón, na. adj. aum. de **grande.** ‖ **2. grandullón.**

grandor. m. Tamaño de las cosas.

grandote, ta. adj. fam. aum. de **grande.**

grandulón, na. adj. fam. *Argent.* **grandullón,** especialmente el que se comporta como un niño. Ú. m. c. despectivo.

grandullón, na. adj. fam. aum. de **grande.** Dícese especialmente de los muchachos muy crecidos para su edad. Ú. t. c. s.

grandura. f. ant. Tamaño de las cosas.

graneado, da. p. p. de **granear.** ‖ **2.** adj. Reducido a grano. *Pólvora* GRANEADA. ‖ **3.** Salpicado de pintas. ‖ **4.** *Mil.* V. **fuego graneado.**

graneador. m. Criba de piel que se usa en las fábricas de pólvora para refinar el grano por segunda vez. ‖ **2.** Lugar destinado a este efecto en las fábricas de pólvora. ‖ **3.** Instrumento de acero, achaflanado, que remata en una línea curva llena de puntas menudas, usado por los grabadores para granear las planchas que han de grabar al humo.

granear. tr. Esparcir el grano o semilla en un terreno. ‖ **2.** Convertir en grano la masa de que se compone la pólvora, pasándola por el graneador. ‖ **3.** Llenar la superficie de una plancha de puntos muy espesos con el graneador, para grabar al humo. ‖ **4.** Sacarle grano a la superficie lisa de una piedra litográfica, para poder dibujar en ella con lápiz litográfico.

granel (a). (Del cat. *granell.*) loc. adj. y adv. Hablando de cosas menudas, como trigo, centeno, etc., sin orden, número ni medida. Tratando de géneros, sin envase, sin empaquetar. ‖ **2.** fig. De montón, en abundancia.

granelero. adj. Dícese del barco que transporta carga a granel. Ú. t. c. s.

granero[1], ra. adj. Natural de El Grao. Ú. t. c. s. ‖ **2.** Perteneciente o relativo a este barrio y puerto de Valencia.

granero[2]. (Del lat. *granarĭum.*) m. Sitio en donde se recoge y custodia el grano. ‖ **2.** fig. Territorio muy abundante en grano y que provee de él a otros países.

granévano. (De or. inc.) m. **tragacanto.**

granguardia. (De *gran* y *guardia.*) f. *Mil.* Tropa de caballería apostada a mucha distancia de un ejército acampado, para guardar las avenidas y dar avisos.

granífugo, ga. (De *grano* y *-fugo.*) adj. Dícese de cualquier medio o dispositivo que se emplea en el campo para esparcir las nubes tormentosas y evitar las granizadas. *Cañón* GRANÍFUGO; *cohetería* GRANÍFUGA.

granilla. f. Granillo que por el revés tiene el paño. ‖ **2.** *Can.* Grana o semilla de la uva, del tomate, del higo chumbo y de algunos otros frutos.

granillero, ra. (De *granillo* y *-ero.*) adj. *And.* y *Mancha.* Dícese de los cerdos que en el tiempo de la montanera se alimentan en el monte de la bellota que encuentran en el suelo.

granillo. m. d. de **grano.** ‖ **2.** Tumorcillo que nace encima de la rabadilla a los canarios y jilgueros. ‖ **3.** fig. Utilidad y provecho de una cosa usada y frecuentada.

granilloso, sa. adj. Que tiene granillos.

granítico, ca. adj. Perteneciente al granito o semejante a esta roca.

granito[1]. m. d. de **grano.** ‖ **2.** *Murc.* Huevecillo del gusano de seda. ‖ **con su granito de sal.** loc. adv. fig. **con su grano de sal.** ‖ **echar un granito de sal.** fr. fig. y fam. Añadir algo a lo que se dice o trata, para darle chiste, sazón y viveza.

granito[2]. (Del it. *granito,* graneado.) m. Roca compacta y dura, compuesta de feldespato, cuarzo y mica. Lo hay de varios colores, según el tinte y la proporción de sus componentes. Se emplea como piedra de cantería.

granívoro, ra. (Del lat. *granivŏrus.*) adj. Aplícase a los animales que se alimentan de granos.

granizada. f. Precipitación de granizo. ‖ **2.** fig. Multitud de cosas que caen o se manifiestan continuada y abundantemente. ‖ **3.** *And.* y *Chile.* **granizado,** refresco hecho con hielo.

granizado, da. adj. Dícese del refresco hecho con hielo finamente desmenuzado, al que se agrega alguna esencia, jugo de fruta o bebida alcohólica. *Café* o *limón* GRANIZADO. Ú. t. c. s.

granizar. intr. impers. Caer granizo. ‖ **2.** intr. fig. Caer con ímpetu y menudeando como el granizo. Ú. t. c. tr.

granizo. (De *grano.*) m. Agua congelada que desciende con violencia de las nubes, en granos más o menos duros y gruesos, pero no en copos como la nieve. ‖ **2.** Especie de nube de materia gruesa que se forma en los ojos entre la túnica úvea y la córnea. ‖ **3. granizada,** precipitación de **granizo.** ‖ **4.** fig. Multitud de cosas que caen o se manifiestan continua y abundantemente. ‖ **armarse el granizo.** fr. Levantarse una nube que amenaza tempestad. ‖ **2.** fig. y fam. Originarse desazones y pendencias. ‖ **saltar** uno **como granizo en albarda.** fr. fig. y fam. Alterarse con facilidad y neciamente por cualquier cosa que otro dice.

granja. (Del fr. *grange.*) f. Hacienda de campo, a manera de gran huerta, dentro de la cual suele haber una casería donde se recogen la gente de labor y el ganado. ‖ **2.** Finca dedicada a la cría de animales domésticos.

granjeable. adj. Que se puede granjear.

granjear. (De *granja.*) tr. Adquirir caudal, obtener ganancias traficando con ganados u otros objetos de comercio. ‖ **2.** Adquirir, conseguir, obtener, en general. ‖ **3.** Captar, atraer, conseguir voluntades, etc. Ú. m. c. prnl. ‖ **4.** ant. Cultivar con esmero las tierras y heredades, cuidando de la conservación y aumento del ganado. ‖ **5.** *Mar.* Ganar, con relación a la distancia o al barlovento.

granjeo. m. Acción y efecto de granjear.

granjería. (De *granjero.*) f. Beneficio de las haciendas de campo y venta de sus frutos, o cría de ganados y trato con ellos, etc. ‖ **2.** fig. Ganancia y utilidad que se obtiene traficando y negociando.

granjero, ra. m. y f. Persona que cuida de una granja. ‖ **2.** Persona que se emplea en granjerías.

grano. (Del lat. *granum.*) m. Semilla y fruto de las mieses; como del trigo, cebada, etc. Ú. t. en sent. colect. ‖ **2.** Semilla pequeña de varias plantas. GRANO *de mostaza, de anís.* ‖ **3.** Cada una de las semillas o frutos que con otros iguales forma un agregado. GRANO *de uva, de granada.* ‖ **4.** Porción o parte menuda de otras cosas. GRANO *de arena, de incienso.* ‖ **5.** Cada una de las partecillas, como de arena, que se perciben en la masa de algunos cuerpos. GRANO *de la piedra, del hierro colado.* ‖ **6.** Cada una de las partículas en que se divide el tabaco cuando se pica al cuadrado. ‖ **7.** Especie de tumorcillo que nace en alguna parte del cuerpo y a veces cría pus. ‖ **8.** En las armas de fuego, pieza que se echaba en la parte del fogón cuando se había gastado y agrandado con el uso, y en ella se volvía a abrir el fogón. ‖ **9.** Dozava parte del tomín, equivalente a 48 miligramos. ‖ **10.** En las piedras preciosas, cuarta parte de un quilate. ‖ **11.** Cuarta parte del quilate, que se emplea para designar la cantidad de fino de una liga de oro. ‖ **12. flor** de una piel. ‖ **13.** Cada una de las pequeñas protuberancias que, agrupadas, cubren la flor de ciertas pieles curtidas; como el cordobán, la vaqueta, la zapa, y algunas antes de curtir, como la de lija. ‖ **14.** *Germ.* Ducado, moneda. ‖ **15.** *Farm.* Peso de un **grano** regular de cebada, que equivale a la vigesimocuarta parte del escrúpulo, o sea muy cerca de cinco centigramos. ‖ **16.** *Fotogr.* Partícula individual sensible a la luz, que permanece después del desarrollo de la emulsión fotográfica. De su menor o mayor tamaño depende el mayor o menor detalle de la fotografía. ‖ **de arena.** fig. Auxilio pequeño con que uno contribuye para una obra o fin determinado. ‖ **granos del paraíso.** Semillas del amomo. ‖ **¡ahí es un grano de anís!** expr. fig. y fam. que se usa irónicamente para denotar la gravedad o importancia de una cosa. ‖ **ahogarse el grano.** fr. *Agr.* No prevalecer, por las malas hierbas que nacen junto a él. ‖ **apartar el grano de la paja.** fr. fig. y fam. Distinguir en las cosas lo sustancial de lo que no lo es. ‖ **con su grano de sal.** loc. adv. fig. que advierte la prudencia, madurez y reflexión con que deben tratarse y gobernarse los puntos arduos y delicados. ‖ **ir** uno **al grano.** fr. fig. y fam. Atender a la sustancia cuando se trata de alguna cosa, omitiendo superfluidades; y así se manda o recomienda también, diciendo: **al grano.** ‖ **no ser grano de anís** una cosa. fr. fig. y fam. Tener importancia. ‖ **sacar grano** de una cosa. fr. fig. y fam. Sacar de ella utilidad o provecho.

granollerense. adj. Natural de Granollers. Ú. t. c. s. ‖ **2.** Perteneciente o relativo a esta villa de la provincia de Barcelona.

granoso, sa. (Del lat. *granōsus.*) adj. Dícese de lo que en su superficie forma granos con alguna regularidad; como sucede en la piel de zapa o lija y en la corteza de algunas frutas.

grant. adj. ant. **grande.**

granuja. (De un der. del lat. *granum,* grano.) f. Uva desgranada y separada del racimo. ‖ **2.** Granillo interior de la uva y de otras frutas, que es su simiente. ‖ **3.** fam. Conjunto de pillos o pícaros. ‖ **4.** m. fam. Muchacho vagabundo, pilluelo. ‖ **5.** fig. Bribón, pícaro.

granujada. f. Acción propia de un granuja.

granujado, da. (De *granuja.*) adj. p. us. Que tiene modales de granuja.

granujería. f. Conjunto de granujas, pilluelos, pícaros. ‖ **2.** Acción propia de un granuja.

granujiento, ta. (De *granujo.*) adj. Que tiene muchos granos, especialmente tratándose de personas y animales.

granujo. m. fam. Grano o tumor pequeño en cualquier parte del cuerpo.

granujoso, sa. (De *granujo.*) adj. Que tiene granos.

granulación. f. Acción y efecto de granular o granularse. ‖ **2.** *Biol.* Cada uno de los gránulos, ordinariamente susceptibles de tinción por diversas materias colorantes, que se encuentran en el seno del protoplasma celular. ‖ **3.** *Med.* Formación de pequeñas masas carnosas, de ordinario redondeadas, en la superficie de las heridas y úlceras. ‖ **4.** *Med.* Formación de pequeñas masas patológicas de diversa índole (purulentas, caseosas, neoplásicas, etc.) bien en las superficies cutáneas o mucosas del organismo, bien en la masa de alguno de sus órganos.

granulado, da. p. p. de **granular.** ‖ **2.** adj. Dícese de las sustancias cuya masa forma granos pequeños. ‖ **3.** V. **azúcar granulado.** ‖ **4.** m. *Farm.* Preparación en forma de gránulos o porciones menudas.

granular[1]. (De *gránulo.*) adj. Aplícase a la erupción de granos y a las cosas en cuyo cuerpo o superficie se forman granos. ‖ **2.** Dícese de las sustancias cuya masa forma granos o porciones menudas.

granular[2]. (De *gránulo.*) tr. *Quím.* Reducir a gránulos una masa. ‖ **2.** Desmenuzar una cosa en granos muy pequeños. GRANULAR *plomo, estaño.* ‖ **3.** prnl. Cubrirse de granos pequeños alguna parte del cuerpo.

granulia. f. *Med.* **tuberculosis miliar.**

gránulo. (Del lat. *granŭlum.*) m. d. de **grano.** ‖ **2.** Bolita de azúcar y goma arábiga con dosis muy corta de algún medicamento.

granulometría. (De *gránulo* y *-metría.*) f. *Geol.* Parte de la petrografía que trata de la medida del tamaño de las partículas, granos y rocas de los suelos. ‖ **2.** Tamaño de las piedras, granos, arena, etc., que constituyen un árido o polvo.

granulométrico, ca. adj. Perteneciente o relativo a la granulometría.

granuloso, sa. (De *gránulo.*) adj. Dícese de las sustancias cuya masa forma granos pequeños.

granza[1]. (Del fr. *garance.*) f. **rubia[1]**, planta.

granza[2]. (Del lat. *grandĭa,* pl. n. de *grandis.*) f. Carbón mineral lavado y clasificado, cuyos trozos han de tener un tamaño reglamentario comprendido entre 15 y 25 milímetros. ‖ **2.** pl. Residuos de paja larga y gruesa, espiga, grano sin descascarillar, etc., que quedan del trigo y la cebada cuando se avientan y criban. ‖ **3.** Desechos que salen del yeso cuando se cierne. ‖ **4.** Superfluidades de cualquier metal.

granzón. (De *granzas,* residuos de paja.) m. *Min.* Cada uno de los pedazos gruesos de mineral que no pasan por la criba. ‖ **2.** *Venez.* Arena gruesa. ‖ **3.** pl. Nudos de la paja que quedan cuando se criba, y que suele dejar el ganado en el pesebre.

granzoso, sa. adj. Que tiene muchas granzas.

grañón. (Del lat. hispánico **granĭo, -ōnis.*) m. Especie de sémola hecha de trigo cocido en grano. ‖ **2.** El mismo grano de trigo cocido.

grañuela. (Del lat. *granĕa,* pl. n. de *granĕus,* de grano.) f. Brazado de mies que el segador mantiene o deposita en tierra.

grao. (Del cat. *grau,* grada.) m. Playa que sirve de desembarcadero.

grapa. (Del germ. *krappa,* gancho.) f. Pieza de hierro u otro metal, cuyos dos extremos, doblados y aguzados, se clavan para unir o sujetar dos tablas u otras cosas. ‖ **2.** Pieza metálica pequeña que se usa para coser y sujetar papeles. ‖ **3.** Pieza semejante a esta, que se utiliza en cirugía para unir los bordes de una herida. ‖ **4.** Escobajo o gajo de la uva. ‖ **5.** *Veter.* Llaga o úlcera transversal que se forma a las caballerías en la parte anterior del corvejón y posterior de la rodilla. ‖ **6.** *Veter.* Cada una de las excrecencias, a modo de verrugas ulceradas que se forman a las caballerías en el menudillo y en la cuartilla.

grapadora. f. Utensilio que sirve para grapar.

grapar. tr. Sujetar con una o varias grapas.

grasa. (Del lat. *crassa,* t. f. de *-sus,* gordo.) f. Manteca, unto o sebo de un animal. ‖ **2.** Goma del enebro. ‖ **3.** Mugre o suciedad de la ropa o que está pegada a ella por el roce del cuerpo. ‖ **4.** Grasilla, polvo de sandáraca. ‖ **5.** Lubricante graso. ‖ **6.** *Bioquím.* Nombre genérico de sustancias orgánicas, muy difundidas en ciertos tejidos de plantas y animales, que están formadas por la combinación de ácidos grasos con la glicerina. ‖ **7.** pl. *Min.* Escorias que produce la limpia de un baño metálico antes de hacer la colada.

grasera. f. Vasija donde se echa la grasa. ‖ **2.** Utensilio de cocina para recoger la grasa de las piezas que se asan.

grasería. (De *grasa.*) f. Establecimiento donde se hacen velas de sebo.

grasero. m. Sitio donde se echan las grasas de un metal.

graseza. f. p. us. Cualidad de graso. ‖ **2.** ant. **grosura.**

grasiento, ta. adj. Untado y lleno de grasa.

grasilla. f. d. de **grasa.** ‖ **2.** Polvo de sandáraca, de color blanco algún tanto amarillento, que se empleaba para que la tinta no calara o se corriera en el papel cuando se escribía sobre raspado.

graso, sa. (Del lat. *crassus,* gordo.) adj. Pingüe, mantecoso y que tiene gordura. ‖ **2.** Que tiene naturaleza de grasa. ‖ **3.** V. **ácido graso.** ‖ **4.** m. **graseza.**

grasones. (De or. inc.) m. pl. Potaje de harina, o trigo machacado, y sal en grano, al que después de cocido se le agrega leche de almendras o de cabras, grañones, azúcar y canela.

grasor. (De *graso.*) f. ant. Sustancia crasa o untuosa.

grasoso, sa. adj. Que está impregnado de grasa.

graspo. m. Especie de brezo.

grasura. (De *graso.*) f. Sustancia crasa o untuosa.

grata. (De *gratar.*) f. Escobilla de metal que sirve para limpiar, raspar o bruñir.

gratamente. adv. m. De manera grata, con agrado.

gratar. (Del prov. *gratar*, rascar.) tr. Limpiar o bruñir con la grata.

gratificación. (Del lat. *gratificatĭo, -ōnis.*) f. Recompensa pecuniaria de un servicio eventual. ‖ **2.** Remuneración fija que se concede por el desempeño de un servicio o cargo, la cual es compatible con un sueldo del Estado. ‖ **3.** Propina.

gratificador, ra. (Del lat. *gratificātor, -ōris.*) adj. Que gratifica. Ú. t. c. s.

gratificar. (Del lat. *gratificāri.*) tr. Recompensar o galardonar con una gratificación. ‖ **2.** p. us. Dar gusto, complacer.

grátil o **gratil.** (De or. inc.) m. *Mar.* Extremidad u orilla de la vela, por donde se une y sujeta al palo, verga o nervio correspondiente. ‖ **2.** *Mar.* Parte central de la verga, de tojino a tojino, en la cual se afirma un cabo, cadena o cabilla de hierro, para envergar la vela.

gratinar. (Del fr. *gratiner.*) tr. Hacer que un alimento se tueste por encima en el horno.

gratis. (Del lat. *gratis.*) adv. m. De gracia o de balde.

gratisdato, ta. (Del lat. *gratis*, de gracia, y *datus*, dado.) adj. p. us. Que se da de gracia, sin mérito especial del que recibe.

gratitud. (Del lat. *gratitūdo.*) f. Sentimiento que nos obliga a estimar el beneficio o favor que se nos ha hecho o ha querido hacer, y a corresponder a él de alguna manera.

grato, ta. (Del lat. *gratus.*) adj. Gustoso, agradable. ‖ **2.** desus. Gratuito, gracioso.

gratonada. f. Especie de guisado de pollos.

gratuidad. f. Cualidad de gratuito.

gratuitamente. adv. m. De gracia, sin interés. ‖ **2.** Sin fundamento. *Afirmar* GRATUITAMENTE.

gratuito, ta. (Del lat. *gratuitus.*) adj. De balde o de gracia. ‖ **2.** Arbitrario, sin fundamento. *Suposición* GRATUITA; *acusación* GRATUITA.

gratulación. (Del lat. *gratulatĭo, -ōnis.*) f. p. us. Acción y efecto de gratular o gratularse.

gratular. (Del lat. *gratulāri.*) tr. p. us. Dar el parabién a uno. ‖ **2.** prnl. p. us. Alegrarse, complacerse.

gratulatorio, ria. (Del lat. *gratulatorĭus.*) adj. Dícese del discurso, carta, etc., en que se da el parabién a alguno por un suceso próspero.

grauero, ra. adj. Natural de El Grao. Ú. t. c. s. ‖ **2.** Perteneciente o relativo a este puerto de Valencia.

grava. (Del célt. *grava*, arena gruesa.) f. Conjunto de guijas o piedras peladas. ‖ **2.** Piedra machacada con que se cubre y allana el piso de los caminos. ‖ **3.** Mezcla de guijas, arena y a veces arcilla que se encuentra en yacimientos.

gravamen. (Del lat. *gravāmen.*) m. Carga, obligación que pesa sobre alguien. ‖ **2.** Carga impuesta sobre un inmueble o sobre un caudal.

gravar. (Del lat. *gravāre.*) tr. Cargar, pesar sobre una persona o cosa. ‖ **2.** Imponer un gravamen.

gravativo, va. adj. p. us. Dícese de lo que grava.

grave. (Del lat. *gravis.*) adj. Dícese de lo que pesa. Ú. t. c. s. m. *La caída de los* GRAVES. ‖ **2.** Grande, de mucha entidad o importancia. *Negocio, enfermedad* GRAVE. ‖ **3.** Aplícase al que está enfermo de cuidado. ‖ **4.** V. **pecado grave.** ‖ **5.** Circunspecto, serio; que causa respeto y veneración. ‖ **6.** Dícese del estilo que se distingue por su circunspección, decoro y nobleza. ‖ **7.** Arduo; difícil. ‖ **8.** Molesto, enfadoso. ‖ **9.** *Acúst.* Dícese del sonido bajo, esto es, de aquel cuya frecuencia de vibraciones es pequeña, por oposición al sonido agudo. ‖ **10.** V. **acento grave.** ‖ **11.** *Danza.* V. **paso grave.** ‖ **12.** *Der.* V. **lesión grave.** ‖ **13.** *Pros.* Aplícase a la palabra cuyo acento prosódico carga en su penúltima sílaba; v. gr.: *Mañana, imagen.* ‖ **14.** *Teol.* V. **necesidad grave.**

gravear. (De *grave*, pesado.) intr. desus. Gravitar o descansar un cuerpo sobre otro.

gravedad. (Del lat. *gravĭtas, -ātis.*) f. *Fís.* Manifestación terrestre de la atracción universal, o sea tendencia de los cuerpos a dirigirse al centro de la Tierra, cuando cesa la causa que lo impide. ‖ **2.** Compostura y circunspección. ‖ **3.** p. us. Enormidad, exceso. ‖ **4.** fig. Grandeza, importancia. GRAVEDAD *del negocio, de la enfermedad.* ‖ **5.** *Fís.* V. **centro de gravedad.**

gravedoso, sa. (De *gravedad.*) adj. p. us. Circunspecto y serio con afectación.

gravedumbre. (Del lat. *gravitūdo, -ĭnis.*) f. ant. Aspereza, dificultad.

gravemente. adv. m. Con gravedad. ‖ **2.** De manera grave.

gravera. f. Yacimiento de grava, mezcla de guijas y arena.

gravescer. (Del lat. *gravescĕre.*) intr. ant. **agravar.**

graveza. f. ant. Gravedad de la Tierra. ‖ **2.** ant. Gravamen, carga. ‖ **3.** ant. Dificultad o inconveniente.

gravidez. (De *grávido.*) f. Embarazo de la mujer.

grávido, da. (Del lat. *gravĭdus.*) adj. poét. Cargado, lleno, abundante. ‖ **2.** Dícese especialmente de la mujer encinta.

gravimetría. (Del lat. *gravis*, pesado, y *-metría.*) f. Estudio de la gravitación terrestre y medición de sus variaciones en los diversos lugares. ‖ **2.** *Quím.* Análisis cuantitativo de una sustancia por medio de pesadas. ‖ **3.** Separación, por medios mecánicos, de los minerales y la ganga, basándose en sus respectivas densidades.

gravímetro. (Del lat. *gravis*, pesado, y *-metro.*) m. *Fís.* Instrumento para determinar el peso específico de los líquidos y a veces de los sólidos.

gravitación. f. Acción y efecto de gravitar. ‖ **2.** Acción atractiva mutua que se ejerce a distancia entre las masas de los cuerpos, especialmente los celestes. *Teoría de la* GRAVITACIÓN *universal.*

gravitar. (Del lat. *gravĭtas, -ātis*, peso.) intr. Moverse un cuerpo por la atracción gravitatoria de otro cuerpo. *La Luna* GRAVITA *en torno de la Tierra.* ‖ **2.** Descansar o hacer fuerza un cuerpo sobre otro. ‖ **3.** fig. **cargar,** ser una carga una persona o cosa.

gravitatorio, ria. adj. Perteneciente o relativo a la gravitación. ‖ **2.** V. **masa gravitatoria.**

gravoso, sa. (De *grave*, pesado.) adj. Molesto, pesado y a veces intolerable. ‖ **2.** Que ocasiona gasto o menoscabo.

graznador, ra. adj. Que grazna.

graznar. (Del lat. hispánico **gracināre*, de base onomatopéyica.) intr. Dar graznidos.

graznido. (De *graznar.*) m. Grito de algunas aves, como el cuervo, el grajo, el ganso, etc. ‖ **2.** fig. Canto desigual y como gritando, que disuena mucho al oído y en cierto modo imita la voz del ganso.

greba. (Del ant. fr. *grève.*) f. Pieza de la armadura antigua, que cubría la pierna desde la rodilla hasta la garganta del pie.

grebón. m. ant. **greba.**

greca. (De *greco.*) f. Adorno consistente en una faja más o menos ancha en que se repite la misma combinación de elementos decorativos, y especialmente la compuesta por líneas que forman ángulos rectos. ‖ **2.** *Amér.* Aparato para preparar la infusión del café, usado especialmente en sitios públicos.

grecano, na. (De *greco.*) adj. ant. **griego**[1].

greciano, na. adj. p. us. Perteneciente o relativo a Grecia.

grecisco, ca. adj. p. us. Natural de Grecia. ‖ **2.** Perteneciente o relativo a esta nación.

grecismo. (Del lat. *graecus*, griego, e *-ismo.*) m. Voz o modo de hablar de origen griego.

grecizar. (Del lat. *graecissāre.*) tr. Dar forma griega a voces de otro idioma. ‖ **2.** intr. Usar afectadamente en otro idioma voces y locuciones griegas.

greco, ca. (Del lat. *graecus.*) adj. Perteneciente a Grecia. Apl. a pers., ú. t. c. s.

grecolatino, na. adj. Perteneciente o relativo a griegos y latinos, y en especial se dice de lo escrito en griego y en latín o que de cualquier otro modo se refiere a entrambos idiomas.

grecorromano, na. adj. Perteneciente o relativo a griegos y romanos, o compuesto de elementos propios de uno y otro pueblo. *Politeísmo, imperio* GRECORROMANO; *arquitectura* GRECORROMANA. ‖ **2.** V. **lucha grecorromana.**

greda. (Del lat. *crēta.*) f. Arcilla arenosa, por lo común de color blanco azulado, que se usa principalmente para desengrasar los paños y quitar manchas.

gredal. adj. Aplícase a la tierra que tiene greda. ‖ **2.** m. Terreno abundante en greda.

gredoso, sa. adj. Perteneciente a la greda o que tiene sus cualidades.

grefier. (Del fr. *greffier,* escribano forense.) m. Oficio honorífico de la casa real, según la etiqueta de la de Borgoña, auxiliar y complementario del de contralor. En el bureo actuaba como secretario. ‖ **2.** Oficial que asistía a las ceremonias de toma del collar del toisón de oro. Lo nombraba el ministro de Estado entre los individuos de la carrera diplomática, y generalmente entre los secretarios de embajada.

gregal[1]. (Del lat. **graegālis,* de Grecia.) m. Viento que viene de entre levante y tramontana, según la división que de la rosa náutica se usa en el Mediterráneo.

gregal[2]. (Del lat. *gregālis,* de rebaño.) adj. Que anda agrupado con otros de su especie. Aplícase regularmente a los ganados que pastan y andan en rebaño.

gregario, ria. (Del lat. *gregarĭus.*) adj. Se dice de los animales que viven en rebaños o manadas. ‖ **2.** Dícese del que está en compañía de otros sin distinción; como el soldado raso. ‖ **3.** fig. Dícese del que sigue servilmente las ideas o iniciativas ajenas. ‖ **4.** m. *Dep.* Corredor encargado de ayudar al cabeza de equipo o a otro ciclista de categoría superior a la suya.

gregarismo. m. *Biol.* Tendencia de algunos animales a vivir en sociedad. ‖ **2.** Cualidad de gregario, que sigue servilmente a otros.

grege. (Del lat. *grex, gregis,* rebaño.) f. ant. **grey.**

gregoriano, na. adj. Dícese del canto religioso reformado por el papa Gregorio I. ‖ **2.** V. **canto gregoriano.** ‖ **3.** Dícese del año, calendario, cómputo y era que reformó Gregorio XIII. ‖ **4.** V. **calendario gregoriano.** ‖ **5.** V. **corrección gregoriana.** ‖ **6.** V. **misas gregorianas.**

gregorillo. (De *gorguerillo,* d. de *gorguera.*) m. Prenda de lienzo con que las mujeres se cubrían cuello, pechos y espaldas.

greguería. (De *griego[1].*) f. Vocerío o gritería confusa de la gente. ‖ **2.** Agudeza, imagen en prosa que presenta una visión personal, sorprendente y a veces humorística, de algún aspecto de la realidad, y que fue lanzada y así denominada hacia 1912 por el escritor Ramón Gómez de la Serna.

greguescos o **gregüescos.** (De *griego[1].*) m. pl. Calzones muy anchos que se usaron en los siglos XVI y XVII.

greguisco, ca. (De *griego[1].*) adj. desus. **griego[1]**, perteneciente a Grecia. ‖ **2.** ant. V. **fuego greguisco.**

greguizar. intr. **grecizar.**

grelo. (Del gall. *grelo,* grillo[2].) m. *Gal.* y *León.* Nabizas y sumidades tiernas y comestibles de los tallos del nabo.

gremial. adj. Perteneciente a un gremio, oficio o profesión. ‖ **2.** m. p. us. Individuo de un gremio. ‖ **3.** Paño cuadrado que usan los obispos, poniéndolo sobre las rodillas para algunas ceremonias, cuando celebran de pontifical. ‖ **4.** Paño rectangular, igual en forma, dimensiones y adorno a un frontal de altar, que llevan pendiente de sus manos los tres clérigos del terno de la misa conventual de las iglesias catedrales y de otras que tienen ese privilegio en la procesión claustral y en algunas otras.

gremialismo. m. Tendencia a formar gremios, o al predominio de los gremios. ‖ **2.** Doctrina que propugna esta tendencia.

gremialista. adj. Partidario del gremialismo. Ú. t. c. s. ‖ **2.** com. *Argent., Chile* y *Venez.* Dirigente de un gremio.

gremio. (Del lat. *gremĭum.*) m. desus. **regazo.** ‖ **2.** p. us. Unión de los fieles con sus legítimos pastores, y especialmente con el Pontífice Romano. ‖ **3.** desus. En las universidades, el cuerpo de doctores y catedráticos. ‖ **4.** Corporación formada por los maestros, oficiales y aprendices de una misma profesión u oficio, regida por ordenanzas o estatutos especiales. ‖ **5.** Conjunto de personas que tienen un mismo ejercicio, profesión o estado social.

grenchudo, da. adj. Que tiene crenchas o greñas. Aplícase principalmente a los animales.

greno. (Metát. de *negro.*) m. *Germ.* Persona de raza negra. ‖ **2.** *Germ.* Esclavo que está bajo el dominio de otro.

greña. (De etim. disc.) f. Cabellera revuelta y mal compuesta. Ú. m. en pl. ‖ **2.** Lo que está enredado y entretejido con otra cosa, y no puede desenlazarse fácilmente. ‖ **3.** *And.* Porción de mies que se pone en la era para trillarla. Usáb. en Méjico. ‖ **4.** *And.* Primer follaje que produce el sarmiento después de plantado. ‖ **5.** *And.* Plantío de vides en el segundo año. ‖ **andar a la greña.** fr. fam. Reñir dos o más personas, especialmente mujeres, tirándose de los cabellos. ‖ **2.** fig. y fam. Altercar descompuesta y acaloradamente; empelazgarse. ‖ **a toda greña.** loc. adv. fig. y fam. *Méj.* A escape, a toda prisa, de estampida. ‖ **en greña.** loc. adj. *Méj.* En rama, sin purificar o sin beneficiar. *Plata en* GREÑA.

greñudo, da. adj. Que tiene greñas. ‖ **2.** m. Caballo recelador en las paradas.

greñuela. (d. de *greña.*) f. *And.* Sarmientos que forman viña al año de plantados.

gres. (Del fr. *grès,* arenisca.) m. Pasta compuesta ordinariamente de arcilla figulina y arena cuarzosa, que sirve en alfarería para fabricar diversos objetos que, cocidos a temperaturas muy elevadas, son resistentes, impermeables y refractarios.

gresca. (Del cat. ant. *greesca.*) f. Bulla, algazara. ‖ **2.** Riña, pendencia.

greuge. (Del cat. y prov. *greuge,* agravio.) m. ant. Queja del agravio hecho a las leyes o fueros, que se daba ordinariamente en las Cortes de Aragón.

grevillo. m. *C. Rica.* Árbol grande, de hojas anchas y largas, flores rojas o amarillas y semillas oblongas.

grey. (Del lat. *grex, gregis,* rebaño.) f. Rebaño de ganado menor. ‖ **2.** Por ext., ganado mayor. ‖ **3.** fig. Congregación de los fieles cristianos bajo sus legítimos pastores. ‖ **4.** fig. Conjunto de individuos que tienen algún carácter común, como los de una misma raza, región o nación.

grial. (De or. inc.) m. Vaso o plato místico, que en los libros de caballería se supone haber servido para la institución del sacramento eucarístico.

grida. (De *gridar.*) f. ant. Gritería, grita. Se tomaba frecuentemente por la señal que se hacía para que los soldados tomasen las armas.

gridar. (Del lat. *quiritāre,* gritar.) tr. ant. Levantar mucho la voz, gritar. Ú. t. c. intr.

grido. (De *gridar.*) m. ant. **grito.**

griego[1], ga. (Del lat. *Graecus.*) adj. Natural u oriundo de Grecia. Ú. t. c. s. ‖ **2.** Perteneciente o relativo a esta nación. ‖ **3.** V. **las calendas griegas.** ‖ **4.** V. **cruz, pez griega.**

‖ **5.** V. **fuego griego.** ‖ **6.** m. Lengua **griega.** ‖ **7.** fig. y fam. Lenguaje ininteligible, incomprensible. Ú. principalmente en la fr. *Hablar en* GRIEGO. ‖ **8.** fam. p. us. Tahúr, fullero.

griego[2]**.** (De *agrio* e *-iego.*) adj. V. **guindo griego.**

griesco. (De *gresca.*) m. ant. Encuentro, combate, pelea.

griesgo. (De *griesco.*) m. ant. Encuentro, combate, pelea.

grieta. (Del ant. *crieta*, y este del lat. vulg. **crepta*, contracc. de *crepĭta*, p. p. de *crepāre*, reventar.) f. Quiebra o abertura que se hace naturalmente en la tierra o en cualquier cuerpo sólido. ‖ **2.** Hendedura poco profunda que se forma en la piel de diversas partes del cuerpo o en las membranas mucosas próximas a ella.

grietado, da. adj. Que tiene grietas, aberturas o rayas.

grietarse. (De *grieta.*) prnl. p. us. Abrirse un cuerpo, formándose en él grietas.

grietearse. prnl. p. us. **grietarse.**

grietoso, sa. adj. Lleno de grietas.

grifa. (De *grifo*[1], intoxicado con mariguana.) f. **cáñamo índico,** mariguana o marihuana.

grifado, da. p. p. de **grifarse.** ‖ **2.** adj. **grifo**[1]**.**

grifalto. (De *girifalte.*) m. Especie de culebrina de muy pequeño calibre, que se usaba antiguamente.

grifarse. prnl. Empinarse, enarmonarse, ponerse en pie.

grifería. f. Conjunto de grifos y llaves que sirven para regular el paso del agua. ‖ **2.** Tienda donde se venden grifos y accesorios para saneamiento.

grifo[1]**, fa.** (Del gr. γρύψ, γρυπός, grifo, animal fabuloso, a través del lat. tardío *gryphus*, clás. *gryps, gryphis.*) adj. Dícese del cabello crespo o enmarañado. ‖ **2.** *Ant.* Dícese de la persona cuyo pelo ensortijado indica mezcla de las razas blanca y negra. Ú. t. c. s. ‖ **3.** *Méj.* Dícese de la persona intoxicada con marihuana, y a veces del borracho. Ú. t. c. s. ‖ **4.** *Col.* Entonado, presuntuoso. ‖ **5.** m. Animal fabuloso, de medio cuerpo arriba águila, y de medio abajo león. ‖ **6.** Llave de metal colocada en la boca de las cañerías y en calderas y en otros depósitos de líquidos a fin de regular el paso de estos.

grifo[2]**, fa.** (Del impresor lionés Sebastián *Grifo.*) adj. V. **letra grifa.** Ú. t. c. s. m.

grifón. m. Llave de cañería o depósitos de líquidos.

grigallo. (De *gran* y *gallo.*) m. Ave gallinácea mayor que la perdiz y bastante semejante al francolín: tiene el pico negro, el cuerpo pardo negruzco, cuatro plumas negras en las alas, y las demás blancas por la base, las patas casi negras y cuatro dedos en cada pie. La hembra tiene el plumaje rojizo, jaspeado de pardo amarillento.

grija. f. ant. Guija, guijarro, pequeño canto rodado.

grilla. f. Hembra del grillo, que no tiene la facultad de producir el sonido que produce el macho con los élitros. ‖ **esa es grilla.** expr. fam. con que uno da a entender que no cree una noticia, argumento, etc., que oye.

grillado, da. p. p. de **grillar** y **grillarse.** ‖ **2.** adj. ant. Que tiene grillos.

grillar. (Del lat. *grillāre.*) intr. ant. Cantar los grillos.

grillarse. (De *grillo*[2].) prnl. Entallecer el trigo, las cebollas, ajos y cosas semejantes. ‖ **2.** fig. y fam. **guillarse,** chiflarse.

grillera. f. Agujero o cuevecilla en que se recogen los grillos en el campo. ‖ **2.** Jaula de alambre o mimbres en que se los encierra. ‖ **3.** fig. y fam. Lugar donde se habla mucho y nadie se entiende.

grillero. m. El que cuidaba de echar y quitar los grillos a los presos en la cárcel.

grilleta. (Del fr. *grillette.*) f. p. us. Rejilla de la celada.

grillete. (d. de *grillos.*) m. Arco de hierro, casi semicircular, con dos agujeros, uno en cada extremo, por los cuales se pasa un perno que se afirma con una chaveta, y sirve para asegurar una cadena a la garganta del pie de un presidiario, a un punto de una embarcación, etc. ‖ **2.** *Mar.* Cada uno de los trozos de cadena de unos veinticinco metros que engrilletados unos con otros forman la del ancla de un buque.

grillo[1]**.** (Del lat. *gryllus.*) m. Insecto ortóptero, de unos tres centímetros de largo, color negro rojizo, con una mancha amarilla en el arranque de las alas, cabeza redonda y ojos muy prominentes. El macho, cuando está tranquilo, sacude y roza con tal fuerza los élitros, que produce un sonido agudo y monótono. ‖ **2.** fig. y fam. V. **olla de grillos.** ‖ **cebollero,** o **real. cortón.** ‖ **andar a grillos.** fr. fig. y fam. Ocuparse en cosas inútiles o baladíes.

grillo[2]**.** (Del lat. **gallellus*, brote.) m. Tallo o brote tierno que nace de las semillas, los bulbos o los tubérculos.

grillos. (Del fr. *grille.*) m. pl. Conjunto de dos grilletes con un perno común, que se colocaban en los pies de los presos para impedirles andar. ‖ **2.** fig. Cualquier cosa que embaraza y detiene el movimiento.

grillotalpa. (De *grillo*[1], y del lat. *talpa*, topo.) m. Alacrán cebollero, grillo real o cortón.

grima. (Del germ. **grim*, enojado.) f. Desazón, disgusto, horror que causa una cosa.

grimillón. m. *Chile.* Multitud, muchedumbre. *Un* GRIMILLÓN *de hormigas.*

grimorio. (Del fr. *grimoire.*) m. Libro de fórmulas mágicas usado por los antiguos hechiceros.

grimoso, sa. adj. Que da grima, horroroso.

grímpola. (Del prov. *guimpola.*) f. *Mar.* Gallardete muy corto que se usa generalmente como cataviento. ‖ **2.** Una de las insignias militares que se usaban en lo antiguo, y que los caballeros solían llevar al campo de batalla y ponían en sus sepulturas. La figura de su paño era triangular.

grinalde. (De *grano.*) f. Proyectil de guerra, a modo de granada, que se usó antiguamente.

gringada. (De *gringo.*) f. p. us. *Argent.* **gringaje.**

gringajo. m. desus. *Argent.* y *Urug.* Conjunto o grupo de gringos. Ú. m. con sent. despect.

gringo, ga. (De etim. disc.) adj. fam. Extranjero, especialmente de habla inglesa, y en general todo el que habla una lengua que no sea la española. Ú. t. c. s. ‖ **2.** Dícese también de la lengua extranjera. Ú. t. c. s. m. ‖ **3.** *Amér. Merid.* Norteamericano de Estados Unidos. Ú. t. c. s. ‖ **4.** m. fam. Lenguaje ininteligible. ‖ **5.** m. y f. *Argent.* y *Perú.* Persona rubia y de tez blanca.

gringuele. m. *Cuba.* Planta tiliácea, de tallo fibroso, de color violáceo, hojas grandes aserradas, con dos barbillas en la base. Es comestible.

griñolera. f. Arbusto de la familia de las rosáceas, de un metro a metro y medio de altura, con hojas pequeñas y enteras, flores rosadas en corimbo y frutos globulares con dos o tres semillas.

griñón[1]**.** (Del ant. fr. *grênon.*) m. Toca que se ponían en la cabeza las beatas y las monjas, y les rodeaba el rostro.

griñón[2]**.** (De *briñón.*) Variedad de melocotón, pequeño y sabroso, de piel lisa y muy colorada.

gripal. adj. Perteneciente o relativo a la gripe.

gripe. (Del fr. *grippe.*) f. *Pat.* Enfermedad epidémica aguda, acompañada de fiebre y con manifestaciones variadas, especialmente catarrales.

gripo. (Del it. *gripo*, red de pesca.) m. Especie de bajel para transportar géneros.

griposo, sa. adj. Que sufre de gripe. Ú. t. c. s. ‖ **2.** De síntomas semejantes a los de la gripe.

gris. (Probablemente del prov. ant. *gris.*) adj. Dícese del color que resulta de la mezcla de blanco y negro o azul. Ú. t. c. s. ‖ **2.** fig. Borroso, sin perfiles definidos, poco destacado. ‖ **3.** V. **ámbar, eminencia, plata gris.** ‖ **4.** fig. Triste, lánguido, apagado. ‖ **5. petigrís,** variedad de ardilla que se cría en Siberia, y cuya piel es muy estimada en peletería. ‖ **6.** fam. Frío, o viento frío. *¡Hace un* GRIS! ‖ **7.** fam.

Miembro de la policía armada cuyo uniforme era de ese color. Ú. m. en pl. ‖ **marengo.** El oscuro, casi negro. ‖ **perla.** El que recuerda en su tonalidad el color de la perla.
grisa. f. ant. Piel de una especie de ardilla de Siberia.
grisáceo, a. adj. De color que tira a gris.
grisear. intr. Ir tomando color gris.
gríseo, a. adj. De color gris.
griseta. (De *gris.*) f. Cierto género de tela de seda con flores u otro dibujo de labor menuda. ‖ **2.** Enfermedad de los árboles, ocasionada por filtración de agua en lo interior del tronco; se manifiesta con la aparición de manchas blancas, rojas o negras.
grisgrís. (Del ár. *ḥirz-ḥirz,* repetición de un nombre que significa *amuleto.*) m. Especie de amuleto o nómina supersticiosa de los moriscos.
grisma. (De *brizna.*) f. *Chile, Guat., Hond.* y *Nicar.* Brizna, pizca, poca cosa.
grisón, na. (Del lat. *Grisōnes.*) adj. Natural de un cantón de Suiza, situado en las fuentes del Rin. Ú. t. c. s. ‖ **2.** Perteneciente o relativo a este país. ‖ **3.** m. Lengua neolatina hablada en la mayor parte de este cantón.
grisú. (Del fr. *grisou.*) m. Metano desprendido de las minas de hulla que al mezclarse con el aire se hace inflamable y produce violentas explosiones.
grita. (De *gritar.*) f. Confusión de voces altas y desentonadas. ‖ **2.** Algazara o vocerío en demostración de desagrado o vituperio. ‖ **3.** *Cetr.* Voz que el cazador da al azor cuando sale la perdiz. ‖ **foral.** *Der.* Manera de emplazamiento que se usaba en los procesos en Aragón. ‖ **dar grita.** fr. Mofarse o burlarse de uno a gritos.
gritadera. f. *Col.* y *Venez.* **gritería.**
gritador, ra. adj. Que grita. Ú. t. c. s.
gritar. (Del lat. *quiritāre,* dar grandes voces.) intr. Levantar la voz más de lo acostumbrado. Ú. t. c. tr. ‖ **2.** Dar un grito o varios. ‖ **3.** Manifestar el público desaprobación y desagrado con demostraciones ruidosas. Ú. t. c. tr. GRITAR *a un actor.* GRITAR *una comedia.* ‖ **4.** fig. fam. Reprender o mandar algo a uno con gritos.
gritería. f. Confusión de voces altas y desentonadas.
griterío. m. Confusión de voces altas y desentonadas.
grito. (De *gritar.*) m. Voz muy esforzada y levantada. ‖ **2.** Expresión proferida con esta voz. ‖ **3.** Manifestación vehemente de un sentimiento general. ‖ **4.** Chirrido de los hielos de los mares glaciales al ir a quebrarse por estar sometidos a presiones. ‖ **último grito.** fig. Novedad sorprendente en la moda o en otros ámbitos. ‖ **a grito herido, limpio** o **pelado.** loc. adv. **a voz en grito.** ‖ **alzar el grito.** fr. fam. Levantar la voz con descompostura y orgullo. ‖ **asparse a gritos.** fr. fig. y fam. que se usa para exagerar la fuerza o vehemencia con que suelen llorar los niños o gritar las personas mayores para llamar a otra. ‖ **estar en un grito.** fr. Quejarse por efecto de un dolor agudo e incesante. ‖ **levantar el grito.** fr. fam. **alzar el grito.** ‖ **pedir** o **estar pidiendo** una cosa **a gritos.** fr. fig. y fam. Necesitar mucho una cosa. ‖ **poner el grito en el cielo.** fr. fig. y fam. Clamar en voz alta, quejándose vehementemente de alguna cosa.
gritón, na. adj. fam. Que grita mucho. Ú. t. c. s.
gro. (Del fr. *gros,* grueso.) m. Tela de seda sin brillo y de más cuerpo que el tafetán.
groar. (De la onomat. *gro.*) intr. **croar.**
groenlandés, sa. adj. Natural de Groenlandia. Ú. t. c. s. ‖ **2.** Perteneciente o relativo a esta región de América Septentrional.
groera. f. *Mar.* Agujero hecho en un tablón o plancha, para dar paso a un cabo, a un pinzote, etc.
grogui. (Del ing. *groggy.*) adj. *Dep.* En el boxeo, aturdido, tambaleante. ‖ **2.** Atontado por el cansancio o por otras causas físicas o emocionales. ‖ **3.** Casi dormido.
grojo. m. *Rioja.* Variedad de enebro.
gromo. (Del lat. *grumus,* montón de tierra.) m. Yema o brote de los árboles. ‖ **2.** *Ast.* Rama de árgoma.
gróndola. f. ant. **góndola.**
gropos. m. pl. p. us. Cendales o algodones del tintero.
gros[1]. (Del cat. *gros,* grueso.) m. Moneda antigua de Navarra, que valía dos sueldos. ‖ **2.** Moneda de cobre de varios Estados alemanes, que equivalía a la octava parte de una peseta.
gros[2] (en). (De *groso.*) loc. adv. ant. **en grueso.**
grosa. f. ant. Renta de una prebenda.
grosca. f. ant. Especie de serpiente muy venenosa.
grosedad. f. ant. Sustancia crasa o mantecosa. ‖ **2.** ant. Grueso o espesor de una cosa. ‖ **3.** ant. Abundancia o fecundidad. ‖ **4.** ant. **grosería.**
grosella. (Del fr. *groseille.*) f. Fruto del grosellero, que es una uvita o baya globosa de color rojo, blanco o negro, jugosa y de sabor agridulce muy grato. Su jugo es medicinal, y suele usarse en bebidas y en jalea. ‖ **2.** m. Color rojo semejante al de este fruto. Ú. t. c. adj.
grosellero. m. Arbusto de la familia de las saxifragáceas, que tiene tronco ramoso de uno a dos metros de altura; hojas alternas, pecioladas y divididas en cinco lóbulos con festoncillos en el margen; flores de color amarillo verdoso y en racimitos, y por fruto la grosella. ‖ **silvestre. uva espina.**
groseramente. adv. m. Con grosería.
grosería. (De *grosero.*) f. Descortesía, falta grande de atención y respeto. ‖ **2.** Tosquedad, falta de finura y primor en el trabajo de manos. ‖ **3.** Rusticidad, ignorancia.
grosero, ra. (De *grueso.*) adj. Basto, ordinario y sin arte. *Ropa* GROSERA. ‖ **2.** Descortés, que no observa decoro ni urbanidad. Ú. t. c. s.
grosez. (De *grueso* y *-ez.*) f. desus. Sustancia crasa o mantecosa.
groseza. (De *grueso* y *-eza.*) f. ant. Grosor o grueso de un cuerpo. ‖ **2.** desus. **grosería.** ‖ **3.** ant. Espesura de los humores y licores.
grosezuelo, la. adj. d. de **grueso.**
grosicie. (De lat. **grossitĭes,* de *grossus,* según *crassitĭes.*) f. desus. Sustancia crasa o mantecosa.
grosidad. (Del lat. *grossĭtas, -ātis.*) f. ant. Sustancia crasa o mantecosa.
grosiento, ta. (De *grueso* e *-iento.*) adj. ant. Untado o lleno de grasa.
grosísimo, ma. adj. sup. de **grueso.**
groso. (De *grueso.*) adj. V. **tabaco groso.**
grosor. m. Grueso de un cuerpo. ‖ **2.** ant. Sustancia crasa o mantecosa.
grosso modo. loc. adv. del b. lat. A bulto, aproximadamente, más o menos.
grosularia. (Del lat. mod. *grossularĭa,* grosella.) f. Variedad de granate compuesta de sílice, alúmina y cal, translúcida y de color verdoso amarillento.
grosularieo, a. (Del lat. mod. *grossularĭa,* grosella, y *-eo[2].*) adj. *Bot.* Dícese de arbustitos o matas de la familia de las saxifragáceas, con hojas alternas, sencillas, enteras o lobuladas y sin estípulas; flores por lo común en racimo, verduscas, blanquizcas, amarillas o rojas; bayas oblongas o globosas, y semillas de albumen carnoso y casi córneo; como el grosellero y la calderilla. Ú. t. c. s. f.
grosura. (De *grueso* y *-ura.*) f. Sustancia crasa o mantecosa, o jugo untuoso y espeso. ‖ **2.** Extremidades y asadura de los animales. ‖ **3.** V. **día de grosura.**
grotescamente. adv. m. De manera grotesca.
grotesco, ca. (Del it. *grottesco.*) adj. Ridículo y extravagante. ‖ **2.** Irregular, grosero y de mal gusto. ‖ **3.** Perteneciente a la gruta artificial. ‖ **4.** Dícese de los adornos caprichosos que imitan a los de la gruta de Tito en Roma.
grúa. (Del lat. *grus, gruis.*) f. Máquina compuesta de un agui-

lón montado sobre un eje vertical giratorio, y con una o varias poleas, que sirve para levantar pesos y llevarlos de un punto a otro, dentro del círculo que el brazo describe o del movimiento que pueda tener la **grúa.** ‖ **2.** Máquina militar antigua que se usaba en el ataque de las plazas. ‖ **3.** Vehículo automóvil provisto de **grúa** para remolcar otro. ‖ **4.** *TV.* Soporte que lleva una plataforma sobre la que se colocan la cámara y el asiento del operador. ‖ **5.** ant. Grulla, ave zancuda.

gruador. (De *grúa,* grulla.) m. ant. **agorero.**

gruero, ra. (De *grúa,* grulla.) adj. ant. Dícese de las aves de rapiña que sirven para cazar grullas.

gruesa. (De *grueso.*) f. Número de doce docenas. Se usa comúnmente para contar cosas menudas; como botones, agujas, etc. ‖ **2.** En los cabildos y capítulos eclesiásticos, renta principal de cualquier prebenda, en que no se incluyen las distribuciones.

gruesamente. adv. m. En tamaño grueso o abultado. ‖ **2.** fig. Ligeramente, por encima. ‖ **3.** fig. **toscamente.**

grueso, sa. (Del lat. *grossus.*) adj. Corpulento y abultado. ‖ **2.** Que excede de lo regular. ‖ **3.** V. **avería, mar, palabra gruesa.** ‖ **4.** V. **intestino, rostrillo grueso.** ‖ **5.** ant. Fuerte, duro y pesado. ‖ **6.** fig. p. us. Aplícase al entendimiento o talento oscuro, confuso y poco agudo. ‖ **7.** *Mar.* V. **galera gruesa.** ‖ **8.** m. Corpulencia o cuerpo de una cosa. ‖ **9.** Parte principal, mayor y más fuerte, de un todo. *El* GRUESO *del ejército.* ‖ **10.** Trazo ancho o muy entintado de una letra. Se usa en contraposición a perfil. ‖ **11.** Espesor de una cosa. *El* GRUESO *de la pared.* ‖ **12.** V. **compás de gruesos.** ‖ **13.** V. **herrero, mercader de grueso.** ‖ **14.** *Geom.* Una de las tres dimensiones de los sólidos, ordinariamente la menor. ‖ **a la gruesa.** loc. adv. *Com.* V. **contrato, préstamo a la gruesa.** ‖ **en grueso.** loc. adv. Por junto, al por mayor, en cantidades grandes. ‖ **por grueso.** loc. adv. ant. **en grueso.**

gruiforme. (Del lat. *grus, gruis* y *-forme.*) adj. *Zool.* Dícese de aves emparentadas con las grullas, de patas largas y pico recto, propias generalmente de marjales y lagunas, como la focha, la avutarda y la polla de agua. Ú. t. c. s. ‖ **2.** f. pl. *Zool.* Orden de estas aves.

gruir. (Del lat. *gruĕre.*) intr. Gritar las grullas.

gruja. (De *garujo.*) f. Hormigón de piedras menudas, arena y cemento.

grujidor. (Del fr. *grugeoir.*) m. Barreta de hierro cuadrada, con una muesca en cada extremidad, y que usan los vidrieros para grujir.

grujir. (Del fr. *gruger.*) tr. Igualar con el grujidor los bordes de los vidrios después de cortados estos con el diamante.

grulla. (De etim. disc.) f. Ave zancuda, que llega a 12 ó 13 decímetros de altura y tiene pico cónico y prolongado, cabeza en parte cubierta con algunos pelos pardos y rojos, cuello largo y negro, alas grandes y redondas, cola pequeña, pero de cobijas largas y cerdosas, y plumaje de color gris. Es ave de paso en España, de alto vuelo, y suele mantenerse sobre un pie cuando se posa. ‖ **2.** Antigua máquina militar para atacar las plazas. ‖ **3.** pl. *Germ.* Polainas.

grullada. (De *grullo.*) f. desus. Conjunto de personas de baja condición. ‖ **2.** Verdad tan clara que no merece indicarse. ‖ **3.** fig. y fam. Junta de alguaciles o corchetes que solían acompañar a los alcaldes cuando iban de ronda.

grullero, ra. (De *grulla.*) adj. Dícese de las aves de rapiña que sirven para cazar grullas. ‖ **2.** V. **halcón grullero.**

grullo. (De *grulla.*) adj. *Méj.* Aplícase al caballo de color ceniciento. ‖ **2.** m. fam. *And.* Paleto, cateto, palurdo. ‖ **3.** *Germ.* Oficial inferior de justicia. ‖ **4.** *Venez.* **peso duro.**

grumete. (De etim. disc.) m. Muchacho que aprende el oficio de marinero ayudando a la tripulación en sus faenas. ‖ **2.** *Germ.* Ladrón que usa escala para robar.

grumo. (Del lat. *grumus.*) m. Parte de una sustancia que se coagula. GRUMO *de sangre, de leche.* ‖ **2.** Conjunto de cosas apiñadas y apretadas entre sí. GRUMO *de uvas, de coliflor.* ‖ **3.** Yema o cogollo en los árboles. ‖ **4.** Extremidad del alón del ave.

grumoso, sa. adj. Lleno de grumos.

gruñente. p. a. de **gruñir.** Que gruñe. ‖ **2.** m. *Germ.* Cerdo, puerco, cochino.

gruñido. (Del lat. *grunnītus.*) m. Voz del cerdo. ‖ **2.** Voz ronca del perro u otros animales cuando amenazan. ‖ **3.** fig. Sonidos inarticulados, roncos, que emite una persona como señal generalmente de mal humor.

gruñidor, ra. adj. Que gruñe. ‖ **2.** m. *Germ.* Ladrón que hurta cerdos.

gruñimiento. m. Acción y efecto de gruñir.

gruñir. (Del lat. *grunnīre.*) intr. Dar gruñidos. ‖ **2.** fig. Mostrar disgusto y repugnancia, murmurando entre dientes. ‖ **3.** fig. Chirriar, rechinar una cosa. *La puerta está* GRUÑENDO.

gruñón, na. adj. fam. Que gruñe con frecuencia.

grupa. (Del fr. *croupe.*) f. Anca de una caballería. ‖ **volver grupas, o la grupa.** Volver atrás el que va a caballo.

grupada. (Del cat. *gropada.*) f. Golpe de aire o agua impetuoso y violento.

grupal. adj. Perteneciente o relativo al grupo.

grupera. (De *grupa.*) f. Almohadilla que se pone detrás del borrén trasero en las sillas de montar, sobre los lomos de la caballería, para colocar encima la maleta u otros efectos que ha de llevar a la grupa. ‖ **2. baticola.**

grupeto. (Del it. *grupetto.*) m. Adorno musical compuesto por cuatro notas: la superior a la nota real, la real misma, la inferior y la real de nuevo.

grupo. (Del it. *gruppo.*) m. Pluralidad de seres o cosas que forman un conjunto, material o mentalmente considerado. ‖ **2.** *Esc.* y *Pint.* Conjunto de figuras pintadas o esculpidas. ‖ **3.** *Mat.* Conjunto de elementos que se relacionan entre sí conforme a determinadas características. ‖ **4.** *Mil.* Unidad compuesta de varios escuadrones o baterías, y mandada normalmente por un comandante. ‖ **5.** *Quím.* Cada una de las columnas del sistema periódico que contiene elementos de propiedades semejantes. ‖ **de presión.** Conjunto de personas que, en beneficio de sus propios intereses, influye en una organización, esfera o actividad social. ‖ **de trabajo.** Conjunto o equipo que en una escuela organiza el profesor o constituyen los alumnos para realizar en común una tarea. ‖ **electrógeno.** Acoplamiento de un motor de explosión y un generador de electricidad, que se usa en algunos establecimientos, talleres, etc., para suplir la falla de corriente de las centrales. ‖ **sanguíneo.** *Med.* Cada uno de los conjuntos de factores que caracterizan los diferentes **grupos** de hemoaglutinación, y que deben tenerse en cuenta antes de proceder a las transfusiones de sangre.

grupuscular. (De *grupúsculo.*) adj. Perteneciente o relativo al grupúsculo.

grupúsculo. (Del fr. *groupuscule.*) m. Organización de tipo político formada por un reducido número de miembros, generalmente muy activistas y de ideología radical.

gruta. (Del napolitano o siciliano *grutta.*) f. Caverna natural o artificial. ‖ **2.** Estancia subterránea artificial que imita más o menos los peñascos naturales.

grutesco, ca. (De *gruta.*) adj. Relativo o perteneciente a la gruta, cavidad subterránea artificial. *Columna* GRUTESCA; *artífice* GRUTESCO. ‖ **2.** *Arq.* y *Pint.* Dícese del adorno caprichoso de bichos, sabandijas, quimeras y follajes, llamado así porque imita los que se encontraron en las grutas o ruinas del palacio de Tito. Ú. t. c. s. m.

gruyer. (De *Gruyère,* región de Suiza.) m. Queso suave, originario de la región suiza del mismo nombre, fabricado con leche de vaca y cuajo triturado.

gua. (De or. inc.) m. Hoyito que hacen los muchachos en el suelo para jugar tirando en él bolitas o canicas. ‖ **2.** Nombre de este juego.
¡gua! interj. *Bol., Col., Perú* y *Venez.* Se usa para expresar temor o admiración.
guaba[1]. f. *Amér. Central* y *Ecuad.* Fruto del guabo.
guaba[2] o **guabá.** m. *Ant.* Araña peluda, especie de tarántula.
guabairo. m. *Cuba.* Ave nocturna de unos 30 centímetros de longitud total, plumaje de color rojo oscuro veteado de negro; vive en los bosques y se alimenta de insectos.
guabán. m. *Cuba.* Árbol silvestre, de la familia de las meliáceas, cuya madera se utiliza para mangos de herramientas.
guabico. m. *Cuba.* Árbol de la familia de las anonáceas, con las hojas ovaladas, obtusas, alternas, lustrosas, de color verde pálido; flores solitarias de seis pétalos, tres de ellos largos y castaños, los otros casi triangulares; el fruto en vaina; madera dura y fina.
guabina. f. *Ant., Col.* y *Venez.* Pez de río, de carne suave y gustosa, el cuerpo mucilaginoso, algo cilíndrico, cabeza obtusa. ‖ **2.** *Col.* Aire musical popular de la montaña. ‖ **3.** fig. *Cuba.* Camaleón, persona que, interesadamente y con frecuencia, cambia de parecer o de filiación política. ‖ **más resbaloso que la guabina.** fr. fam. *P. Rico.* Dícese de la persona desconfiada, lista, que sale airosamente de cualquier empresa. ‖ **2.** Aplícase también al hombre que rehúye el matrimonio.
guabirá. (Del guaraní.) m. *Argent., Par.* y *Urug.* Árbol grande, de tronco liso y blanco, hojas aovadas con una espina en el ápice; fruto amarillo, del tamaño de una guinda.
guabiyú. (Del guaraní.) m. *Argent.* y *Par.* Árbol de la familia de las mirtáceas, de propiedades medicinales; hojas carnosas, verdinegras; fruto comestible, dulce, negro, del tamaño de una guinda. ‖ **2.** Fruto de este árbol.
guabo. m. *C. Rica* y *Ecuad.* **guamo.**
guabul. m. *Hond.* Bebida que se hace de plátano maduro, cocido y deshecho en agua.
guaca. (Del quechua *waca,* dios de la casa.) f. Sepulcro de los antiguos indios, principalmente de Bolivia y Perú, en que se encuentran a menudo objetos de valor. ‖ **2.** En América Central y gran parte de la del Sur, sepulcro antiguo indio en general. ‖ **3.** *Pan.* Vasija, generalmente de barro cocido, donde aparecen depositados las joyas y objetos artísticos, en las sepulturas indígenas. ‖ **4.** *Amér. Merid.* Tesoro escondido o enterrado. ‖ **5.** *C. Rica* y *Cuba.* Hoyo donde se depositan frutas verdes para que maduren. ‖ **6.** *Bol., C. Rica* y *Cuba.* Hucha o alcancía.
guacal. (Del nahua *wacalli,* angarillas.) m. *Amér. Central.* Árbol de la familia de las bignoniáceas, que produce frutos redondos de pericarpio leñoso, los cuales, partidos por la mitad y extraída la pulpa, se utilizan como vasija. ‖ **2.** *Amér. Central.* La vasija así formada. ‖ **3.** *Can., And., Col., Méj.* y *Venez.* Especie de cesta o jaula formada de varillas de madera, que se utiliza para el transporte de loza, cristal, frutas, etc. ‖ **salirse del guacal.** fr. fig. y fam. *Méj.* Salirse de quicio, perder los estribos.
guacalote. m. *Cuba.* Planta trepadora, de la familia de las papilionáceas, de tallos gruesos con fuertes espinas, y por fruto una vaina que contiene dos semillas duras, amarillas, del tamaño de una aceituna.
guacamaya. f. desus. **guacamayo.** Ú. en América Central, Colombia y Méjico. ‖ **2.** *Cuba* y *Hond.* Arbusto semejante al espantalobos.
guacamayo. (Del haitiano *huacamayo.*) m. Ave de América, especie de papagayo, del tamaño de la gallina, con el pico blanco por encima, negro por debajo, las sienes blancas, el cuerpo rojo sanguíneo, el pecho variado de azul y verde, las plumas grandes exteriores de las alas muy azules, los encuentros amarillos, y la cola muy larga y roja, con las plumas de los lados azules.
guacamol o **guacamole.** (Del nahua *ahuacamulli.*) m. *Amér. Central, Cuba* y *Méj.* Ensalada que se prepara con aguacate molido o picado, al que se agrega cebolla, tomate y chile verde.
guacamote. m. *Méj.* Especie de mandioca.
guacer. intr. ant. Guarecer o curarse.
guacia. f. Acacia, árbol. ‖ **2.** Goma de este árbol.
guácima. (Del haitiano *wazuma.*) f. *Ant., Col.* y *C. Rica.* Árbol silvestre, que en poco tiempo crece hasta ocho metros de altura y cerca de uno de grueso; corteza oscura, jabonosa; tronco muy ramoso; madera estoposa, que se emplea para hormas, yugos, duelas, etc.; hojas alternas, ásperas, dentadas; flores en racimo, pequeñas, de color blanco amarillento, y fruto ovoide, leñoso, erizado, rojo cuando maduro, dulce, que sirve de alimento, así como las hojas, al ganado de cerda y al vacuno.
guácimo. m. *Col., Hond., Nicar., Pan.* y *Venez.* **guácima.**
guaco[1]. (Voz americana.) m. Planta de la familia de las compuestas, con tallos de 15 a 20 metros de largo, sarmentosos y volubles; hojas grandes, ovales, acorazonadas en la base y puntiagudas en su extremo; flores blancas en forma de campanilla, de cuatro en cuatro y con olor fuerte nauseabundo. Este bejuco es propio de América intertropical, y el cocimiento de las hojas se considera de singular virtud contra las picaduras de animales venenosos, las obstrucciones, el reumatismo y aun el cólera. ‖ **2.** Ave gallinácea, casi tan grande como el pavo, de plumaje negruzco en las partes superiores y blanco en el vientre y la extremidad de las penas; pico negro, fuerte, corto y rodeado en la base de piel amarillenta; un penacho eréctil de plumas muy negras en lo alto de la cabeza; alas cortas y cóncavas, cola larga, tarsos lisos y pies con cuatro dedos casi iguales. Abunda en América desde Méjico a Paraguay, no es difícil de domesticar y su carne se aprecia más que la del faisán. ‖ **3.** *C. Rica.* Ave de la familia de las falcónidas, con el cuerpo negro y el vientre blanco.
guaco[2]. m. *Amér. Merid.* Objeto de cerámica u otra materia que se encuentra en las guacas o sepulcros de los indios.
guaco[3], ca. adj. *Ecuad.* Dícese de la persona que tiene labio leporino. Ú. t. c. s.
guachada. f. *Col.* Acción propia de un guache.
guachaje. (De *guacho.*) m. *Chile.* Hato de terneros separados de sus madres.
guachapazo. (De *agua,* y la onomat. *chap.*) m. Costalada, caída violenta.
guachapear[1]. (De *agua,* y la onomat. *chap.*) tr. fam. Golpear y agitar con los pies el agua detenida. Ú. t. c. intr. ‖ **2.** fig. y fam. Hacer una cosa de prisa y chapuceramente. ‖ **3.** intr. Sonar una chapa de hierro por estar mal clavada.
guachapear[2]. (Del arauc. *huychapën.*) tr. *Chile.* Hurtar, robar, arrebatar.
guachapelí. (Voz americana.) m. *Ecuad.* y *Venez.* Árbol de la familia de las mimosáceas, parecido a la acacia; su madera es fuerte, sólida y de color oscuro, muy apreciada en los astilleros.
guachar. tr. **huachar.**
guáchara. f. desus. *Cuba* y *P. Rico.* Mentira, embuste.
guacharaca. (Voz cumanagota.) f. *Col.* y *Venez.* Especie de gallina.
guácharo, ra. (De *guacho.*) adj. Dícese de la persona enfermiza, y por lo común de la hidrópica o abotagada. ‖ **2.** ant. Aplicábase al que estaba continuamente llorando y lamentándose. ‖ **3.** *Ecuad.* **huérfano.** Ú. t. c. s. ‖ **4.** m. Cría de un animal. ‖ **5.** V. **boca de guácharo.** ‖ **6.** Pájaro de América del Sur (Venezuela, Colombia, Ecuador, Perú,

Trinidad y Guayana), de color castaño rojizo, con manchas blancas orladas de negro, ojos grandes y pico fuerte, largo y ganchudo. Tiene unos 55 centímetros de largo y algo más de un metro de envergadura. Es nocturno; de día se oculta en las cavernas y se orienta en la oscuridad por el oído. ‖ **7.** *Sal.* Sapo, escuerzo.

guacharrada. f. p. us. Caída de golpe de alguna cosa en el agua o en el lodo.

guacharrazo. (De *agua*, y la onomat. *charr.*) m. Caída violenta de una persona.

guacharro. m. Cría de un animal.

guache[1]. (Del quechua *huaccha*, pobre.) m. *Col.* y *Venez.* Hombre de la hez, villano, bajo, canalla.

guache[2]. (Del fr. *gouache.*) m. **aguada,** color diluido en agua.

guachi. (Del arauc. *huachi.*) m. *Chile.* Trampa para cazar aves.

guachimán. (Del ing. *watchman.*) m. *Chile, C. Rica, Guin. Ecuat., Nicar., Pan., Perú* y *Sto. Dom.* Rondín, vigilante, guardián. ‖ **2.** *Nicar.* Sirviente.

guachinango, ga. (Voz nahua.) adj. *Cuba* y *P. Rico.* Astuto, zalamero. ‖ **2.** *P. Rico.* Burlón. ‖ **3.** m. *Cuba.* Róbalo de América Central, pez. ‖ **4.** *Cuba* y *Méj.* Pez de mar de color rojizo, semejante al pagro.

guachinear. intr. fig. *Cuba.* Estar **entre dos aguas.**

guachipelín. m. *C. Rica.* **guachapelí.**

guacho[1]. m. **huacho.**

guacho[2], cha. (Del quechua *huaccha*, pobre.) adj. *Argent., Col., Chile, Ecuad.* y *Perú.* Dícese de la cría que ha perdido la madre. ‖ **2.** *Argent., Chile* y *Perú.* Por ext., huérfano, desmadrado, expósito. Ú. t. c. s. ‖ **3.** *Chile.* Descabalado, desparejado. ‖ **4.** m. Cría de un animal, y especialmente pollo de cualquier pájaro. ‖ **5.** V. **boca de guacho.** ‖ **6.** *Albac.* y *Cuen.* Niño pequeño, chiquillo.

guadafiones. (De or. inc.) m. pl. Maniotas, trabas.

guadal. (Por *aguadal*, de *aguada.*) m. *Argent.* Extensión de tierra arenosa que, cuando llueve, se convierte en un barrizal.

guadalajarense. adj. **guadalajareño.** Ú. t. c. s. ‖ **2. tapatío,** natural de Guadalajara, capital del Estado mejicano de Jalisco. Ú. t. c. s. ‖ **3.** Perteneciente o relativo a dicho Estado.

guadalajareño, ña. adj. Natural de la ciudad o de la provincia de Guadalajara, en España. Ú. t. c. s. ‖ **2.** Perteneciente o relativo a ellas.

guadalmecí. m. ant. **guadamecí.**

guadamací o **guadamacil.** m. **guadamecí.**

guadamacilería. (De *guadamacilero.*) f. Oficio de fabricar guadamaciles. ‖ **2.** Taller en que se fabricaban. ‖ **3.** Tienda en que se vendían.

guadamacilero. m. Fabricante de guadamaciles.

guadamecí. (Del ár. *gadāmasī*, perteneciente a Gadames, ciudad y oasis en el Sahara, a unos quinientos kilómetros de Trípoli.) m. Cuero adobado y adornado con dibujos de pintura o relieve.

guadamecil. m. **guadamecí.**

guadaña. (De etim. disc.) f. Instrumento para segar, que se maneja con ambas manos, formado por una hoja larga y curvilínea, puntiaguda por un lado y sujeta por el otro, más ancho, a un mango largo que forma ángulo con el plano de la hoja y lleva dos manijas, una en el extremo y otra en el segundo tercio del mismo. ‖ **2.** V. **prado de guadaña.**

guadañador, ra. adj. Que guadaña. ‖ **2.** f. Máquina que sirve para guadañar.

guadañar. tr. Segar con la guadaña.

guadañeador. m. ant. **guadañero.**

guadañero. m. El que siega con guadaña.

guadañeta. f. *Cantabria.* Instrumento para pescar calamares, formado por una tablita con unos garfios de alambre.

guadañil. m. El que siega con guadaña, y más particularmente el que siega el heno.

guadaño. m. *Cád., Cuba* y *Méj.* Bote pequeño con carroza usado en los puertos.

guadapero[1]. (Del flam. *wald-peer.*) m. Peral silvestre.

guadapero[2]. (De *guardar* y *apero.*) m. Mozo que lleva la comida a los segadores.

guadarnés. (De *guardar* y *arnés.*) m. Lugar o sitio donde se guardan las sillas y guarniciones de las caballerías, y todo lo demás perteneciente a la caballeriza. ‖ **2.** Sujeto que cuida de las guarniciones, sillas y demás aderezos de la caballeriza. ‖ **3.** Antiguo oficio honorífico de palacio, que tenía a su cargo el cuidado de las armas. ‖ **4.** Lugar en que se guardan armas.

guadarrameño, ña. adj. Perteneciente o relativo al pueblo de Guadarrama. ‖ **2.** Natural de este pueblo de la provincia de Madrid. Ú. t. c. s.

guadianés, sa. adj. Perteneciente o relativo al río Guadiana. Dícese principalmente de los ganados criados en sus riberas.

guadijeño, ña. adj. Natural de Guadix. Ú. t. c. s. ‖ **2.** Perteneciente o relativo a esta ciudad. ‖ **3.** m. Cuchillo de un jeme de largo y cuatro dedos de ancho, con punta y corte por un lado. Tiene en el mango una horquilla de hierro para afianzarlo al dedo pulgar.

guado. (Del it. *guado*, glasto.) m. ant. Color amarillo como el de la gualda.

guadra. f. *Germ.* Espada, arma.

guadramaña. f. desus. Embuste o ficción, treta.

guadrapear. tr. Colocar varios objetos de manera que alternativamente vaya el uno en posición contraria a la del otro.

guadua. f. *Col., Ecuad., Perú* y *Venez.* Especie de bambú muy grueso y alto, con púas, y cuyos canutos, de medio metro más o menos, son gruesos por el nacimiento como el muslo de un hombre, y están llenos de agua. Sirve para muchos usos, entre ellos para la construcción de casas.

guadual. m. *Col., Ecuad.* y *Venez.* Sitio poblado de guaduas.

guáduba. f. *Col.* y *Venez.* **guadua.**

guagua[1]. (De etim. disc.) f. Cosa baladí. ‖ **2.** *Argent., Cuba* y *Sto. Dom.* Insecto muy pequeño, de color blanco o gris, que forma costras en el tronco de los naranjos, limoneros, anonas, etc., y los destruye. ‖ **3.** *Can., Cuba, P. Rico* y *Sto. Dom.* Ómnibus que presta servicio en un itinerario fijo. ‖ **de guagua.** loc. adv. fam. **de balde.**

guagua[2]. (Del quechua *wawa*, niño de teta.) f. *NO. Argent., Bol., Col., Chile, Ecuad.* y *Perú.* Rorro, niño de teta. En Ecuador es com.

guaguasí. m. *Cuba.* Árbol silvestre, de ocho metros de altura, madera quebradiza, hojas ovaladas, lustrosas por encima; flores blancuzcas; fruto oblongo, rugoso. Fluye del tronco, por incisión, una resina aromática que se emplea como purgante.

guaicán. (Del arahuaco antillano *waican.*) m. *Ant.* Rémora, pez.

guaicurú. m. *Argent.* y *Urug.* Planta de medio metro de altura, de tallo áspero, estriado, cuadrangular; ramitas alternas; hojas vellosas alternas, largas, agudas y nerviosas; flores moradas en racimo; raíz fusiforme leñosa. Tiene propiedades medicinales.

guaimí. adj. Aplícase a una comunidad indígena de Panamá. Ú. t. c. s. ‖ **2.** Perteneciente o relativo a estos indios. ‖ **3.** m. Lengua de estos indios.

guaiño. (Voz quechua.) m. *Bol.* **yaraví.**

guaira. (Del quechua *guaira*, viento.) f. Hornillo de barro en que los indios del Perú fundían los minerales de plata aprovechando la fuerza del viento. ‖ **2.** *Mar.* Vela triangular que se enverga al palo solamente, o a este y a un mastelerillo guindado en él. ‖ **3.** *Amér. Central.* Especie de flauta de varios tubos que usan los indios.

guairabo. m. *Chile.* Ave nocturna zancuda, de plumaje blanco y cabeza y dorso negros.

guairo. (De *La Guaira,* de Venezuela.) m. Embarcación pequeña y con dos guairas, que se usa en América para el tráfico en las bahías y costas.

guairuro. m. *Bol.* Árbol de la zona tropical. Sus frutos, de color negro y rojo, se usan como abalorios.

guaita. (Del germ. *wahta,* guardia.) f. *Mil.* Soldado que estaba en acecho durante la noche.

guaitar. (Del germ. *wahten,* vigilar.) intr. ant. *Mil.* Acechar, vigilar.

guaja. com. fam. Pillo, tunante, granuja.

guajaca. f. *Cuba.* Planta silvestre que se enreda y cuelga de ciertos árboles, como si fueran cabellos gruesos; el tallo es filiforme; hojas muy alargadas; flor de tres pétalos. Convenientemente preparadas, las fibras de esta planta se usan para rellenar colchones.

guajacón. m. *Cuba.* Pececillo de agua dulce, vivíparo, con una sola aleta dorsal. Hay varias especies, de distintos colores.

guajana. (Voz indígena.) f. *P. Rico.* Espiga florida de la caña de azúcar.

guájar. amb. **guájara.**

guájara. (Del ár. *waŷara,* lugar donde posan fieras, cubil, tajo excavado por las aguas de un río.) f. Fragosidad, lo más áspero de una sierra.

guaje. (Del nahua *uaxin.*) m. Niño, muchacho, jovenzuelo. ‖ **2.** *Méj.* Especie de acacia. ‖ **3.** *Hond.* y *Méj.* Calabaza de ancha base que sirve para llevar vino. ‖ **4.** *Hond.* y *Méj.* Bobo, tonto. Ú. t. c. adj.

guájete por guájete. (Del ár. *wāḥid,* uno.) loc. adv. fam. Tanto por tanto; una cosa por otra.

guajira. (De *guajiro.*) f. Cierto canto popular de los campesinos de Cuba.

guajiro¹, ra. (Del arahuaco antillano *guajiro,* señor, hombre poderoso.) m. y f. Decíase, en la zona caribe, de la persona de mayor dignidad social; ahora, en Cuba, campesino y por ext., dícese de la persona rústica.

guajiro², ra. adj. Natural de La Guajira. Ú. t. c. s. ‖ **2.** Perteneciente o relativo a este departamento de Colombia.

guajolote. (Del nahua *huexolotl.*) m. *Méj.* **pavo,** ave. ‖ **2.** adj. fig. *Méj.* Bobo, tonto.

guala. (Del arauc. *wala.*) f. *Chile.* Ave palmípeda, con el pico verdoso; el plumaje rojo oscuro, y blanco por el pecho. ‖ **2.** *Col.* y *Venez.* Ave de la especie del aura².

¡gualá! (Del ár. *wa-llāh,* ¡por Dios!) interj. desus. Por Dios, por cierto.

gualanday. m. *Col.* Árbol corpulento de la familia de las bignoniáceas, con flores de color purpúreo.

gualardón. (Del germ. *widarlón,* recompensa.) m. ant. **galardón.**

gualardonar. tr. ant. **galardonar.**

gualatina. (De etim. disc.) f. Guiso que se compone de manzanas, leche de almendras desleídas con caldo de la olla; especias finas remojadas en agua rosada, y harina de arroz.

gualda. (Del germ. **walda.*) f. Hierba de la familia de las resedáceas, con tallos ramosos de cuatro a seis decímetros de altura; hojas enteras, lanceoladas, con un diente a cada lado de la base; flores amarillas en espigas compactas, y fruto capsular con semillas pequeñas en forma de riñón. Aunque abunda bastante como planta silvestre, se cultiva para teñir de amarillo dorado con su cocimiento. ‖ **2.** fig. y fam. V. **cara de gualda.**

gualdado, da. adj. Teñido con el color de gualda.

gualdera. (De etim. disc.) f. Cada uno de los dos tablones o planchas laterales que son parte principal de algunas armazones, y sobre los cuales se aseguran otras que las completan, como sucede en las cureñas, escaleras, cajas, carros, etc.

gualdo, da. adj. Del color de la flor de la gualda, amarillo.

gualdrapa. (De or. inc.) f. Cobertura larga, de seda o lana, que cubre y adorna las ancas de la mula o caballo. ‖ **2.** fig. y fam. Calandrajo desaliñado y sucio que cuelga de la ropa.

gualdrapazo. (De *gualdrapa.*) m. Golpe que dan las velas de un buque contra los árboles y jarcias en tiempos calmosos o de alguna marejada.

gualdrapear¹. tr. Poner de vuelta encontrada una cosa sobre otra, como los alfileres cuando se ponen punta con cabeza.

gualdrapear². (De *gualdrapa.*) intr. Dar gualdrapazos.

gualdrapeo¹. m. Acción de gualdrapear¹.

gualdrapeo². m. Acción de gualdrapear².

gualdrapero. (De *gualdrapa.*) m. Que anda vestido de andrajos.

gualicho. (Nombre que los indios tehuelches daban al espíritu del mal.) m. p. us. *Chile.* Diablo, genio del mal. ‖ **2.** *Argent.* y *Urug.* Hechizo dañino. ‖ **3.** *Argent.* y *Urug.* Objeto que supuestamente lo produce.

gualiqueme. m. *Hond.* **bucare.**

gualputa. f. Planta americana parecida al trébol.

gualve. (Del arauc. *walwe,* maizal.) m. *Chile.* Terreno pantanoso.

guama. f. *Col.* y *Venez.* Fruto del guamo, legumbre de hasta medio metro de largo y cuatro centímetros de ancho, chata, rígida, parda y cubierta de vello que se desprende con facilidad, la cual encierra diez o más senos con sendas semillas ovales, cubiertas de una sustancia comestible muy dulce, blanca, como copos de algodón. ‖ **2.** *Col.* **guamo.**

guamá. m. Árbol de la familia de las mimosáceas, que se cría en las islas de Cuba y Puerto Rico. Es maderable y de su corteza se hacen cuerdas.

guamil. m. *Hond.* Planta que brota en las tierras roturadas sin sembrar.

guamo. m. Árbol americano de la familia de las mimosáceas, de 8 a 10 metros de altura, con tronco delgado y liso, hojas alternas compuestas de hojuelas elípticas, y flores blanquecinas en espigas axilares, con vello sedoso. Su fruto es la guama, y se planta para dar sombra al café.

guampa. (Voz quechua.) f. rur. *Argent., Par.* y *Urug.* Asta o cuerno del animal vacuno.

guámparo. m. *Chile.* Vaso de cuerno.

guamúchil. (Del nahua *cuamóchitl.*) m. *Méj.* Árbol corpulento, espinoso, de la familia de las leguminosas, de madera dura y pesada. ‖ **2.** *Méj.* Fruto comestible de este árbol.

guanabá. m. *Cuba.* Ave zancuda, de pico ancho y negruzco; la cabeza y parte del cuello, negros; dos plumas blancas colgantes de 20 centímetros de largo; el resto del plumaje, ceniciento; ojos grandes; pies amarillos. Se alimenta principalmente de mariscos.

guanábana. f. *Amér.* Fruta del guanábano.

guanabanada. f. *Amér.* Refresco de guanábana.

guanábano. (Del taíno *wanaban.*) m. Árbol de las Antillas, de la familia de las anonáceas, de seis a ocho metros de altura, con copa hermosa, tronco recto de corteza lisa y color gris oscuro; hojas lanceoladas, lustrosas, de color verde intenso por encima y blanquecinas por el envés; flores grandes de color blanco amarillento, y fruto acorazonado de corteza verdosa, con púas débiles, pulpa blanca de sabor muy grato, refrigerante y azucarado, y semillas negras.

guanabima. f. *Cuba.* Fruto del corojo.

guanacaste. (Voz nahua.) m. *C. Rica* y *Nicar.* **conacaste,** árbol.

guanacasteco, ca. adj. Natural de Guanacaste, provincia de Costa Rica. Ú. t. c. s. ‖ **2.** Perteneciente o relativo a esta provincia.

guanaco. (Del quechua *wanaku.*) m. Mamífero rumiante de unos 13 decímetros de altura hasta la cruz, y poco más de largo desde el pecho hasta el extremo de la grupa; cabeza pequeña con orejas largas y puntiagudas; ojos negros y brillantes; boca con el labio superior hendido; cuello largo, erguido, curvo y cubierto, como todo el cuerpo, de abundante pelo largo y lustroso, de color generalmente pardo oscuro, a veces gris, rojo amarillento y hasta blanco; cola corta, alta y adornada de cerdas finas; patas delgadus y largas, con pies de dos dedos bien separados y con fuertes uñas. Tiene en el pecho y en las rodillas callosidades como los camellos. Es animal salvaje que habita en los Andes meridionales. ‖ **2.** fig. *Amér. Central.* **páparo,** aldeano. ‖ **3.** fig. *Amér.* Tonto, simple.

guanajo. (Del arahuaco *wanašu.*) m. *Ant.* Especie de pavo.

guanajuatense. adj. Natural de la ciudad o del Estado mejicano de Guanajuato. Ú. t. c. s. ‖ **2.** Perteneciente o relativo a dicha ciudad o Estado.

guanana. f. *Cuba.* Ave palmípeda parecida al ganso, aunque algo menor; cuando joven tiene el plumaje ceniciento, y después blanco con las remeras negras.

guanareño, ña. adj. Natural de Guanare, ciudad del Estado venezolano de Portuguesa. Ú. t. c. s. ‖ **2.** Perteneciente o relativo a dicha ciudad.

guanche. adj. Dícese del individuo de la raza que poblaba las islas Canarias al tiempo de su conquista. Ú. t. c. s. Úsase a veces la forma femenina **guancha.** ‖ **2.** Perteneciente o relativo a los **guanches.**

guando. (Del quechua *wantu.*) m. *Col., Ecuad., Pan.* y *Perú.* Especie de andas o de parihuela.

guandoca. f. *Col.* Cárcel, prisión.

guandú. m. *Col., C. Rica, Hond., Pan., P. Rico* y *Venez.* Arbusto de la familia de las papilionáceas, de unos dos metros de altura, siempre verde; ramas vellosas; hojas lanceoladas, verdes por encima, pálidas por el envés, que sirven de alimento al ganado; flores amarillas; por fruto unas vainas vellosas que encierran una gran legumbre muy sabrosa después de guisada.

guanera. f. Sitio o paraje donde se encuentra el guano[1].

guanero, ra. adj. Perteneciente o relativo al guano[1].

guango[1]. m. *Sal.* Cobertizo largo y estrecho con la techumbre a dos aguas.

guango[2], ga. adj. *Méj.* Holgado.

guangoche. m. *Amér. Central* y *Méj.* Tela basta, especie de arpillera para embalajes, cubiertas, etc.

guangocho, cha. adj. *Méj.* Ancho, holgado. ‖ **2.** m. *Hond.* **guangoche.** ‖ **3.** *Hond.* Saco hecho del guangoche.

guanín. (Voz antillana.) m. *Ant.* y *Col.* Entre los colonizadores de América, oro de baja ley elaborado por los indios. ‖ **2.** Joya fabricada por los indios con ese metal.

guanina. f. *Cuba.* Planta herbácea de la familia de las papilionáceas, de un metro de altura, toda cubierta de vello sedoso, con las hojas, que se pliegan por la noche, compuestas de cuatro pares de hojuelas y una glándula en medio de cada par; flores amarillas de cinco pétalos, y legumbre cuadrangular articulada transversalmente, que contiene muchas semillas pardas de forma acorazonada, que tostadas se emplean en lugar del café.

guaniquí. m. *Cuba.* Bejuco que crece en las sierras, de hojas alternas, apuntadas; flores sin corola; anteras prolongadas; los tallos, por su flexibilidad, se usan principalmente para hacer cestos.

guano[1]. (Del quechua *wanu,* estiércol.) m. Materia excrementicia de aves marinas, que se encuentra acumulada en gran cantidad en las costas y en varias islas del Perú y del norte de Chile. Se utiliza como abono en la agricultura. ‖ **2.** Abono mineral fabricado a imitación del **guano.** ‖ **3.** *O.* y *N. Argent., Chile* y *Perú.* **estiércol.**

guano[2]. m. *Cuba.* Nombre genérico de palmeras de varias especies, entre ellas la llamada miraguano. ‖ **2.** *Cuba.* Penca de la palma cana. ‖ **3.** *P. Rico.* Materia algodonosa de la baya del árbol o palma de **guano,** que se utiliza para rellenar almohadas y colchones.

guanquí. m. Planta americana de la familia de las dioscoreáceas, parecida al name.

guanta[1]. f. *Germ.* Casa de mujeres públicas.

guanta[2]. f. *Ecuad.* **paca[1],** roedor.

guanta[3]. f. *Chile.* Planta solanácea forrajera.

guantada. (De *guante,* en acep. fig. de *mano.*) f. Golpe que se da con la mano abierta.

guantazo. m. Golpe que se da con la mano abierta.

guante. (Del germ. *want.*) m. Prenda para cubrir la mano, que se hace, por lo común, de piel, tela o tejido de punto, y suele tener una funda para cada dedo. ‖ **2.** Cubierta para proteger la mano, hecha de caucho, goma, cuero, etc., como la que usan los cirujanos y los boxeadores. ‖ **3.** p. us. pl. Agasajo o gratificación, especialmente la que se suele dar sobre el precio de una cosa que se vende o traspasa. ‖ **adobar los guantes.** fr. Regalar y gratificar a una persona. ‖ **arrojar el guante** a uno. fr. Desafiarle con esta ceremonia, que se usaba antiguamente. ‖ **2.** fig. **desafiar,** provocar a combate singular. ‖ **asentar** a uno **el guante.** fr. fig. **asentarle la mano.** ‖ **colgar los guantes.** fr. fig. *Dep.* Retirarse del boxeo. ‖ **descalzarse** uno **los guantes.** fr. fig. Quitárselos de las manos. ‖ **echar el guante.** fr. fig. **arrojar el guante.** ‖ **2.** fig. y fam. Alargar la mano para agarrar alguna cosa. ‖ **echar el guante** a uno. fr. fig. y fam. **echarle la garra.** ‖ **echar un guante.** fr. fig. Recoger dinero entre varias personas para un fin, por lo común de beneficencia. ‖ **poner** a uno **como un guante,** o **más blando,** o **más suave, que un guante.** fr. fig. y fam. Volverle dócil por medio de la reprensión o del castigo. Ú. t. con otros verbos. ‖ **recoger el guante.** fr. fig. Aceptar un desafío. ‖ **salvo el guante.** expr. fam. que se usaba para excusarse de no haberse quitado el **guante** al dar la mano a uno.

guantear. tr. *And.* y *Amér.* Dar guantadas, abofetear.

guantelete. (Del fr. *gantelet.*) m. Pieza de la armadura con que se guarnecía la mano.

guantería. f. Taller donde se hacen guantes. ‖ **2.** Tienda donde se venden. ‖ **3.** Arte y oficio de guantero.

guantero, ra. m. y f. Persona que hace o vende guantes. ‖ **2.** f. Caja del salpicadero de los vehículos automóviles en la que se guardan guantes y otros objetos.

guañil. m. Arbusto americano de la familia de las compuestas, con hojas lanceoladas, flores en panoja.

guañir. (Del lat. *gannire.*) intr. *Extr.* Gruñir los cochinillos pequeños o lechales.

guao. m. Arbusto de Méjico, Cuba y Ecuador, de la familia de las anacardiáceas, con hojas compuestas, lisas por encima y tomentosas por el envés; flores pequeñas, rojas; la semilla alimenta al ganado de cerda, y la madera se usa para hacer carbón.

guapamente. adv. m. fam. Con guapeza. ‖ **2.** Muy bien. ‖ **3.** Sin excusas, sin empacho.

guapear. (De *guapo.*) intr. fam. Ostentar ánimo y bizarría en los peligros. ‖ **2.** fam. Hacer alarde de gusto exquisito en los vestidos y cabos. ‖ **3.** *Chile* y *Urug.* Fanfarronear, echar bravatas.

guapería. f. Acción propia del guapo o valentón.

guapetón, na. adj. fam. aum. de **guapo.** ‖ **2.** Valentón, atrevido.
guapeza. f. Cualidad de guapo, de bien parecido. ‖ **2.** fam. Bizarría, ánimo y resolución en los peligros. ‖ **3.** Ostentación en los vestidos. ‖ **4.** Acción propia del guapetón o bravo.
guapinol. m. *Guat.* y *Nicar.* **copinol.**
guapo, pa. (Del lat. *vappa,* vino estropeado, hombre vil, vagabundo.) adj. fam. Bien parecido. ‖ **2.** fam. Animoso, bizarro y resuelto; que desprecia los peligros y los acomete. Ú. t. c. s. ‖ **3.** fam. Ostentoso, galán y lucido en el modo de vestir y presentarse. ‖ **4.** m. Hombre pendenciero y perdonavidas. ‖ **5.** En estilo picaresco, galán que festeja a una mujer. ‖ **6.** pl. fam. *Áv.* y *Sal.* Adornos, cosas ostentosas e inútiles.
guapomó. m. *Bol.* Planta trepadora de fruto redondo y amarillo, con tres o cuatro semillas y pulpa agridulce.
guapote, ta. (aum. de *guapo.*) adj. fam. Bonachón, de buen genio. ‖ **2.** fam. De buen parecer.
guapura. f. fam. Cualidad de guapo.
guapurú. m. *Bol.* Planta llamada también **hierba mora,** con fruto semejante a una cereza oscura y sabor ácido.
guara[1]**.** (Voz indígena.) f. *Cuba.* Árbol parecido al castaño.
guara[2]**.** f. *Hond.* **guacamayo.** ‖ **2.** *Col.* Especie de aura o gallinazo, sin plumas en la cabeza y parte del cuello.
guara[3]**.** (Probablemente del quechua *wara,* calzón, pantalón.) f. *Chile.* Perifollo, adorno, en el vestido.
guará. (Voz guaraní.) m. *Amér. Merid.* Especie de lobo de las pampas.
guaraca. (Del quechua *warak'a.*) f. *Col., Chile, Ecuad.* y *Perú.* Zurriago.
guaracaro. m. *Venez.* Planta leguminosa, sin zarcillos, que crece rodeando o abrazando en espiral los cuerpos extraños que alcanza, o retuerce sus tallos unos sobre otros. ‖ **2.** *Venez.* Semilla de esta planta, que se cosecha como el fríjol y es comestible.
guaracha. f. *Cuba, Chile* y *P. Rico.* Baile semejante al zapateado.
guarache. (Voz tarasca.) m. *Méj.* Especie de sandalia tosca de cuero.
guaraguao. m. Ave rapaz diurna, parecida al borní. ‖ **2.** *P. Rico.* Nombre de varias plantas.
guáramo. m. *Venez.* Valor, pujanza.
guarán. (Del germ. *wranjo,* caballo padre.) m. *Ar.* Burro garañón. ‖ **2.** ant. *Ar.* **verraco.**
guaraná. (Voz americana, del m. or. que *guaraní.*) f. *Amér. Central, Bol.* y *Par.* **paulinia.** ‖ **2.** Pasta preparada con semillas de paulinia, cacao y tapioca, que se emplea como medicamento.
guaranga. (De *guarango*[2]*.*) f. *Col.* Leguminosa que crece en la región costera del Pacífico. ‖ **2.** Fruto del guarango o dividivi, que tiene propiedades tintóreas.
guarango[1]**, ga.** (De or. inc.) adj. *Argent., Chile, Par.* y *Urug.* Incivil, mal educado, descarado.
guarango[2]**.** m. *Col., Ecuad.* y *Perú.* Aromo silvestre, árbol espinoso de la familia de las acacias. ‖ **2.** *Venez.* **dividivi.**
guaraní. (Del guaraní *abá guarini,* hombre de guerra.) adj. Dícese del individuo de un pueblo que, dividido en muchas parcialidades, se extendía desde el Amazonas hasta el Río de la Plata. Ú. t. c. s. ‖ **2.** Perteneciente o relativo a este pueblo. ‖ **3.** m. Lengua hablada hoy en Paraguay y regiones limítrofes, sobre todo en la provincia argentina de Corrientes. ‖ **4.** Unidad monetaria del Paraguay.
guaranítico, ca. adj. **guaraní.**
guarapo. (Voz quechua.) m. *Amér.* Jugo de la caña dulce exprimida, que por vaporización produce el azúcar. ‖ **2.** Bebida fermentada hecha con este jugo.
guarapón. m. *Chile* y *Perú.* Sombrero de ala ancha que se usa en el campo para defenderse del sol.
guarda. (Del ant. a. al. *warta.*) com. Persona que tiene a su cargo la conservación de una cosa. Ú. m. c. s. m. ‖ **2.** f. Acción de guardar, conservar o defender. ‖ **3. tutela.** ‖ **4.** Observancia y cumplimiento de un mandato, ley o estatuto. ‖ **5.** Monja que acompaña a los hombres que entran en el convento para que se observe la debida compostura. ‖ **6.** Carta baja que en algunos juegos de naipes sirve para reservar la de mejor calidad. ‖ **7.** Cada una de las dos varillas grandes del abanico. Ú. m. en pl. ‖ **8.** Cualquiera de las dos hojas de papel blanco que ponen los encuadernadores al principio y al fin de los libros. Ú. m. en pl. ‖ **9.** V. **ángel de la guarda.** ‖ **10.** ant. **escasez.** ‖ **11.** ant. Sitio donde se guardaba cualquier cosa. ‖ **12.** En las cerraduras, el rodete o hierro que impide pasar la llave para correr el pestillo, y en las llaves, la rodaplancha o hueco que hay en el paletón por donde pasa el rodete. Ú. m. en pl. ‖ **13.** Guarnición de la espada. ‖ **14.** *And.* Vaina de la podadera. ‖ **15.** pl. *Astron.* Nombre vulgar de las dos estrellas posteriores del cuadrilátero de la Osa Mayor. ‖ **de vista.** Persona que no pierde nunca de vista a aquel a quien guarda. ‖ **jurado.** Aquel a quien nombra la autoridad a propuesta de particulares, corporaciones o empresas cuyos intereses vigila; sus declaraciones, por haber prestado juramento previo al ejercicio de la función, suelen hacer fe, salvo prueba en contrario. ‖ **mayor.** El que manda y gobierna a los **guardas** inferiores. ‖ **2.** Señora de honor en palacio, a cuyo cargo estaba la **guarda** y cuidado de toda la servidumbre femenina. ‖ **mayor del cuerpo real.** Oficio de alta dignidad en los antiguos palacios de los reyes de España. ‖ **mayor del rey.** desus. Cierto empleo honorífico en palacio. ‖ **falsear las guardas.** fr. Falsificar las **guardas** de una llave para abrir lo que está cerrado con ella. ‖ **2.** *Mil.* Ganar con soborno o engañar las de un castillo, plaza o ejército para poder sorprenderlos. ‖ **ser** una persona o cosa **en guarda de** uno. fr. ant. Estar bajo su protección y defensa.
guardabanderas. m. Marinero a cuyo cuidado se confían los efectos llamados de bitácora, tales como agujas, banderas, escandallos, etc.
guardabarrera. com. Persona que en las líneas de los ferrocarriles custodia un paso a nivel y cuida de que las barreras, palenques o cadenas estén cerrados o abiertos conforme a reglamento.
guardabarros. m. Cada una de las chapas de figura adecuada que van sobre las ruedas de los vehículos y sirven para evitar las salpicaduras.
guardable. adj. Que se puede guardar.
guardabosque. m. Persona que tiene a su cargo guardar los bosques.
guardabrazo. m. Pieza de la armadura antigua, para cubrir y defender el brazo.
guardabrisa. m. Fanal de cristal abierto por arriba y por debajo, dentro del cual se colocan las velas.
guardabrisas. m. Parabrisas del automóvil.
guardacabo. m. *Mar.* Anillo metálico, acanalado en su parte exterior, que protege el cabo, cuerda de atar.
guardacabras. com. Cabrero o cabrera.
guardacalada. (De *guarda,* por *buharda,* y *calada.*) f. Abertura que se hacía en los tejados para formar en ellos una ventana o vertedero que sobresaliese del alero, a fin de que se pudiese verter a la calle.
guardacantón. m. Poste de piedra para resguardar de los carruajes las esquinas de los edificios. ‖ **2.** Cada uno de los postes de piedra que se colocan a los lados de los paseos y caminos para que no salgan de ellos los carruajes. ‖ **3.** Pieza de hierro de la galera, que corre desde el balan-

cín al pezón de las ruedas delanteras, para resguardarlas y afianzar el tiro.

guardacartuchos. m. *Mar.* Caja cilíndrica de cuero o suela, con su tapa, que sirve para llevar los cartuchos desde el pañol a la pieza.

guardacoches. m. Persona que aparca y vigila los automóviles a la puerta de algunos establecimientos.

guardacostas. m. Barco de poco porte, especialmente destinado a la persecución del contrabando. ‖ **2.** Buque, generalmente acorazado, para la defensa del litoral.

guardacuños. m. Empleado encargado en la casa de moneda de guardar los cuños y de cortar toda moneda defectuosa.

guardadamas. m. Empleo de la casa real, cuyo principal ministerio era ir a caballo al estribo del coche de las damas para que nadie llegase a hablarles, y después se limitó al cargo de despejar la sala del cuarto de la reina en las funciones públicas.

guardado, da. p. p. de **guardar.** ‖ **2.** adj. **reservado,** cauteloso, comedido.

guardador, ra. adj. Que guarda o tiene cuidado de sus cosas. Ú. t. c. s. ‖ **2.** Que observa con puntualidad y exactitud una ley, un precepto, estatuto o ceremonia. Ú. t. c. s. ‖ **3.** p. us. Miserable, mezquino y apocado. Ú. t. c. s. ‖ **4.** m. En la milicia antigua, aquel cuyo oficio era guardar y conservar las cosas que se ganaban a los enemigos. ‖ **5.** Tutor o curador.

guardaespaldas. com. El que acompaña asiduamente a otro con la misión de proteger su persona.

guardafangos. m. **guardabarros.**

guardafrenos. m. Empleado que tiene a su cargo en los trenes de ferrocarriles el manejo de los frenos.

guardafuego. m. *Mar.* Andamio de tablas que se cuelga por el exterior del costado de un buque, para impedir que las llamas suban más arriba de donde conviene cuando se da fuego a los fondos.

guardaguas. m. *Mar.* Listón que se clava en los costados del buque sobre cada portal para que no entre el agua que escurren las tablas superiores.

guardagujas. com. Empleado que en los cambios de vía de los ferrocarriles tiene a su cargo el manejo de las agujas, para que cada tren marche por la vía que le corresponde.

guardahúmo. m. *Mar.* Vela que se coloca por la cara de proa en la chimenea del fogón, para que el humo no vaya a popa cuando el buque está aproado al viento.

guardainfante. (De *guardar* e *infante,* por ser prenda con que podían ocultar su estado las mujeres embarazadas.) m. Especie de tontillo redondo, muy hueco, hecho de alambres con cintas, que se ponían las mujeres en la cintura debajo de la basquiña. ‖ **2.** Conjunto de los trozos de madera en forma de duelas que se suelen colocar sobre el cilindro de un cabrestante para aumentar su diámetro y conseguir que recoja más cuerda a cada vuelta que dé.

guardajoyas. m. Persona a cuyo cuidado estaba la guarda y custodia de las joyas de los reyes. ‖ **2.** Lugar donde se guardaban las joyas de los reyes.

guardalado. m. Pretil o antepecho.

guardalmacén. com. Persona que tiene a su cargo la custodia de un almacén.

guardalobo. (De *guardar* y *lobo,* porque los pastores hacían con ella fuego de noche.) m. Mata perenne de la familia de las santaláceas, de cerca de un metro de altura, con hojas lineares, sentadas, lampiñas y enterísimas; flores dioicas, pequeñas, verdosas o amarillentas, y fruto en drupa roja y casi seca.

guardamalleta. (De *guardar* y *malleta,* d. de *malla.*) f. Pieza de adorno que pende sobre el cortinaje por la parte superior y que permanece fija.

guardamangel. (Del fr. *gardemanger,* fresquera.) m. Cámara que en los grandes palacios estaba destinada a despensa.

guardamangier. (Del fr. *gardemanger,* fresquera.) m. Despensa de los grandes palacios. ‖ **2.** Oficial palatino que, según la etiqueta de la casa de Borgoña, estaba encargado de recibir y distribuir las viandas y provisiones y llevar cuenta de la nómina de las raciones.

guardamano. m. Guarnición de la espada.

guardamateriales. m. En las casas de moneda, persona a cuyo cargo está la compra de materiales para fundiciones.

guardameta. com. *Dep.* Portero, jugador que defiende la meta.

guardamiento. m. ant. Acción de guardar.

guardamigo. m. **pie de amigo,** instrumento que se aplicaba a los reos.

guardamonte. m. En las armas de fuego, pieza de metal en semicírculo clavada en la caja sobre el disparador, para su reparo y defensa cuando el arma está montada. ‖ **2.** Capote de campo. ‖ **3.** desus. *Méj.* Pedazo de piel que se pone sobre las ancas del caballo para evitar la mancha del sudor. ‖ **4.** *Argent.* y *Bol.* Piezas de cuero que cuelgan de la parte delantera de la montura y sirven para defender las piernas del jinete de la maleza del monte. Ú. m. en pl.

guardamuebles. m. Local destinado a guardar muebles. ‖ **2.** Empleado de palacio que cuidaba de los muebles.

guardamujer. f. Criada de la reina que acompañaba en el coche a las damas.

guardapapo. m. Pieza de la armadura antigua, que defendía el cuello y la barba.

guardapelo. m. Joya en forma de caja plana en que se guarda pelo, retratos, etc.

guardapesca. m. Buque de pequeño porte destinado a vigilar el cumplimiento de los reglamentos de pesca marítima.

guardapiés. m. **brial,** vestido de las mujeres que bajaba hasta los pies.

guardapolvo. m. Resguardo de lienzo, tablas u otra materia, que se pone encima de una cosa para preservarla del polvo. ‖ **2.** Sobretodo de tela ligera para preservar el traje de polvo y manchas. ‖ **3.** Tejadillo voladizo construido sobre un balcón o ventana, para desviar el agua de lluvia. ‖ **4.** Pieza de vaqueta o becerrillo, que está unida al botín de montar y cae sobre el empeine del pie. ‖ **5.** Caja o tapa interior que suele haber en los relojes de bolsillo, para mayor resguardo de la máquina. ‖ **6.** pl. En los coches de caballos, hierros que van desde la vara de guardia o balancín grande hasta el eje. ‖ **7.** Piezas que, a manera de alero corrido, enmarcan el retablo por arriba y por los lados.

guardapuerta. f. Cortina que se pone delante de una puerta.

guardapuntas. m. Contera que sirve para preservar la punta del lápiz.

guardar. (De *guarda.*) tr. Tener cuidado de una cosa, vigilarla y defenderla. GUARDAR *un campo, una viña, ganado, un rebaño.* ‖ **2.** Poner una cosa donde esté segura. GUARDAR *dinero, joyas, vestidos, etc.* ‖ **3.** Observar o cumplir aquello a lo que se está obligado. GUARDAR *la ley, la palabra, el secreto.* ‖ **4.** Conservar o retener una cosa. ‖ **5.** No gastar; ser tacaño. ‖ **6.** Preservar una cosa del daño que le puede sobrevenir. ‖ **7.** ant. Aguardar, esperar. ‖ **8.** ant. Impedir, evitar. ‖ **9.** ant. Atender o mirar a lo que otro hace. ‖ **10.** ant. Acatar, respetar, tener miramiento. ‖ **11.** fig. Mantener, observar. GUARDAR *silencio.* ‖ **12.** prnl. Seguido de la preposición *de,* recelarse y precaverse de un riesgo. ‖ **13.** Con la misma preposición, poner cuidado en dejar de ejecutar una cosa que no es conveniente. *Yo* ME GUARDARÉ DE *ir a tal parte.* ‖ **¡guarda!** interj. de temor o recelo de una cosa. ‖ **2.** Voz con que se advierte y avisa a uno que se aparte del peligro que le amenaza. ‖ **guardársela** a uno. fr. fig. y fam. Diferir para tiempo oportuno la venganza, castigo, despique o desahogo de una ofensa o culpa.

guardarraya. f. *Ant.* Linde de una heredad. ‖ **2.** *Cuba.* Calle o pasadizo que en el interior de una finca separa los cuadros de cañaverales o cafetales.

guardarrío. m. **martín pescador.**

guardarropa. m. En un local público, habitación donde se depositan las prendas de abrigo. ‖ **2.** Conjunto de vestidos de una persona. ‖ **3.** Armario donde se guarda la ropa. ‖ **4. abrótano hembra.** ‖ **5.** f. En palacio, casas nobles y establecimientos públicos, oficina o almacén destinado a custodiar la ropa y otros enseres. ‖ **6.** com. Persona destinada a cuidar de la oficina o almacén donde se guardan ropas. ‖ **7.** En el teatro, persona encargada de suministrar o custodiar los vestidos y efectos llamados de guardarropía.

guardarropía. f. En el teatro, cinematografía y televisión, conjunto de trajes que solo sirven, por regla general, para vestir a los coristas y comparsas; y también los efectos de cierta clase necesarios en las representaciones escénicas. ‖ **2.** Lugar o habitación en que se custodian estos trajes o efectos. ‖ **de guardarropía.** loc. adj. que se aplica a las cosas que aparentan ostentosamente lo que no son.

guardarruedas. m. Poste de piedra que se pone en la esquina de un edificio o a los lados de las carreteras. ‖ **2.** Pieza de hierro que se pone a los lados del umbral en las puertas cocheras, para que los quicios no sean rozados por las ruedas de los vehículos.

guardasellos. m. Funcionario que custodia un sello oficial. ‖ **2.** En algunos países, canciller. ‖ **3.** Carpeta donde se guardan y conservan ordenadamente los sellos.

guardasilla. f. Moldura ancha de madera, que se clava en la pared para evitar que esta sea rozada y estropeada con los respaldos de las sillas.

guardasol. m. p. us. **quitasol.**

guardatimón. m. *Mar.* Cada uno de los cañones que solían ponerse en las portas de la popa, que están en una y otra banda del timón.

guardavalla. m. *Amér.* **portero,** guardameta, arquero.

guardavela. m. *Mar.* Cabo que trinca las velas de gavia a los calceses de los palos para acabar de aferrarlas.

guardavía. m. Empleado que tiene a su cargo la vigilancia de un trecho de vía férrea.

guardería. f. Ocupación y trabajo del guarda. ‖ **2.** Coste de los guardas de una finca rústica. ‖ **3. guardería infantil.** ‖ **infantil.** Lugar donde se cuida y atiende a los niños de corta edad.

guardés, sa. (De *guarda,* femenino en *-esa,* y de este el anómalo masculino *guardés.*) m. y f. Persona encargada de custodiar o guardar una casa. ‖ **2. guardabarrera.** ‖ **3.** f. Mujer del guarda.

guardia. (Del gót. *wardja.*) f. Acción de guardar o vigilar. ‖ **2.** Conjunto de soldados o gente armada que asegura la defensa de una persona o de un puesto. ‖ **3.** Defensa, custodia, protección. ‖ **4.** Servicio especial que con cualquiera de estos fines, o con varios de ellos, se encomienda a una o más personas. ‖ **5.** En algunas profesiones, servicio que se presta fuera del horario obligatorio para los demás profesionales. ‖ **6.** Nombre que se da a los cuerpos encargados de las funciones de vigilancia o defensa. ‖ **7.** Cuerpo de tropa, como la **guardia** de Corps. ‖ **8.** V. **vara de guardia.** ‖ **9.** *Dep.* En esgrima y boxeo, postura del cuerpo y de los brazos para protegerse de los golpes del adversario. ‖ **10.** *Mil.* V. **cuerpo de guardia.** ‖ **11.** m. *Mil.* Individuo de uno de estos cuerpos. ‖ **civil.** Cuerpo de seguridad destinado principalmente a mantener el orden público en las zonas rurales, y a vigilar las fronteras marítimas o terrestres, así como las carreteras y ferrocarriles. ‖ **2.** com. Individuo de este cuerpo. ‖ **de asalto.** Individuo de un cuerpo creado durante la segunda República para reprimir movimientos subversivos o de desorden público. ‖ **de Corps.** Cuerpo destinado a guardar al rey. ‖ **de honor.** *Mil.* La que se pone a las personas a quienes corresponde por su dignidad o empleo. ‖ **de la corte.** ant. *Mil.* **guardia de honor.** ‖ **de lancilla. guardia** de a caballo, que solo servía en las entradas de reina y en los entierros de personas reales. Llevaba una lancilla larga y delgada, con una banderilla de tafetán junto al hierro. ‖ **de la persona del rey.** Cuerpo de soldados nobles, destinados a guardar inmediatamente la persona del rey. ‖ **de seguridad.** Persona de la policía gubernativa destinada a mantener el orden en las ciudades. ‖ **de tráfico.** Persona destinada a regular el tráfico en las ciudades. ‖ **marina.** Cadete de la Escuela Naval Militar en sus dos últimos años. ‖ **2.** *Argent.* y *Par.* Oficial que, al terminar sus estudios en la Escuela Naval, recibe el grado y empleo inferior de la carrera. ‖ **marina de gracia.** El que obtenía honoríficamente carta orden de este empleo. ‖ **municipal.** La que, dependiente de los ayuntamientos, y a las órdenes del alcalde, se dedica a mantener el orden y los reglamentos en lo tocante a la policía urbana. ‖ **2.** com. Persona que pertenece a este cuerpo. ‖ **pretoriana.** Conjunto de fuerza armada y especializada que protege a un político, gobernante, personaje destacado, etc. Ú. por lo general, en sent. irón. ‖ **urbano, na. guardia municipal.** ‖ **de guardia.** loc. adv. que con los verbos *entrar, estar, salir* y otros semejantes, se refiere al cumplimiento de este servicio. ‖ **en guardia.** loc. adv. *Esgr.* En actitud de defensa. Ú. comúnmente con los verbos *estar, poner* y *ponerse.* ‖ **2.** fig. Prevenido o sobre aviso. Ú. con los verbos *estar* y *ponerse.* ‖ **montar la guardia.** fr. *Mil.* Entrar de **guardia** la tropa en un puesto para que salga y descanse la que estaba en él. ‖ **2.** Adoptar una actitud vigilante. ‖ **poner en guardia.** Llamar la atención a alguien sobre un posible riesgo o peligro.

guardiamarina. m. **guardia marina.**

guardián, na. (Del gót. *wardjan,* acus. de *wardja.*) m. y f. Persona que guarda una cosa y cuida de ella. ‖ **2.** m. En la orden de San Francisco, prelado ordinario de uno de sus conventos. ‖ **3.** Especie de oficial de mar o contramaestre subalterno, especialmente encargado de las embarcaciones menores y de los cables o amarras. ‖ **4.** *Mar.* Cable de mejor calidad que los ordinarios, con el cual se aseguran los barcos pequeños cuando se recela temporal.

guardianía. f. Prelacía o empleo de guardián en la orden de San Francisco. ‖ **2.** Tiempo que dura. ‖ **3.** Territorio que tiene señalado cada convento de frailes franciscanos para pedir limosna en los pueblos comprendidos en él.

guardilla[1]. f. **buhardilla.** ‖ **2.** Habitación contigua al tejado.

guardilla[2]. (De *guardar.*) f. Entre costureras, cierta labor para adornar y asegurar la costura. ‖ **2.** Cada una de las dos púas gruesas del peine que sirven de resguardo de las delgadas. Ú. m. en pl.

guardillón. m. Desván corrido y sin divisiones que queda entre el techo del último piso de un edificio y la armadura del tejado. ‖ **2.** Guardilla pequeña y no habitable.

guardín. (De *guarda.*) m. *Mar.* Cabo con que se suspenden las portas de la artillería. ‖ **2.** *Mar.* Cada uno de los dos cabos o cadenas que van sujetos a la caña del timón y por medio de los cuales se maneja.

guardón, na. adj. Dícese de la persona amiga de guardar para sí. Ú. t. c. s. ‖ **2.** Miserable, tacaño. Ú. t. c. s.

guardoso, sa. adj. Dícese del que tiene cuidado de no enajenar ni expender sus cosas, ni desperdiciarlas. ‖ **2.** Miserable, mezquino y escaso.

guarecer. (De *guarir*.) tr. Acoger a uno; ponerle a cubierto de persecuciones o de ataques; preservarle de algún mal. ‖ **2.** Guardar, conservar y asegurar una cosa. ‖ **3.** Curar, medicinar. ‖ **4.** ant. Socorrer, amparar, ayudar. ‖ **5.** intr. ant. Recobrar el enfermo la salud. ‖ **6.** prnl. Refugiarse en alguna parte para librarse de un daño o peligro, o de las inclemencias del tiempo.

guarecimiento. (De *guarecer*.) m. ant. Guardia, cumplimiento, observancia.

guarén. m. *Chile*. Rata de gran tamaño que tiene los dedos palmeados, lo cual le permite nadar bien; vive a orillas de las aguas y se alimenta de ranas y pececillos.

guarenticio, cia. adj. ant. **guarentigio.**

guarentigio, gia. (Del ant. a. al. *wërento*, garante.) adj. *Der*. Aplicábase al contrato, escritura o cláusula de ella en que se daba poder a las justicias para que la hiciesen cumplir, y ejecutasen al obligado como por sentencia pasada en autoridad de cosa juzgada.

guaria. f. *C. Rica*. Orquídea que adorna los tejados y tapias, con flor de color violado rojizo o bien blanco. Hay una variedad morada, que es la flor nacional de Costa Rica.

guariao. m. *Cuba*. Ave grande, zancuda, de plumaje oscuro con manchas blancas; pies negros, así como la extremidad del pico; anda en parejas por las ciénagas y a orillas de las lagunas; vuela con las patas colgantes; se alimenta de gusanos y moluscos. Su carne es blanca y gustosa.

guaricha. (Voz cumanagota.) f. *Col., Ecuad., Pan.* y *Venez.* Mujerzuela, ramera.

guarida. (De *guarir*.) f. Cueva o espesura donde se guarecen los animales. ‖ **2.** Amparo o refugio para librarse de un daño o peligro. ‖ **3.** fig. Lugar adonde se concurre con frecuencia o en que regularmente se halla alguno. *Andrés tiene muchas* GUARIDAS. Normalmente tiene sentido peyorativo. ‖ **4.** ant. Remedio, refugio.

guaridero, ra. (De *guarir*.) adj. ant. Curable o que se puede curar.

guarimán. (Voz caribe.) m. Árbol americano de la familia de las magnoliáceas, con tronco ramoso de seis a ocho metros de altura, copa abierta, hojas persistentes, lanceoladas y coriáceas, flores blancas, pedunculadas, en corimbos terminales, y fruto en baya con muchas semillas de albumen carnoso. La corteza de las ramas es cenicienta por fuera, rojiza en lo interior, de olor y sabor aromáticos parecidos a los de la canela, aunque más acres, y, como esta, se usa para condimentos y medicinas. ‖ **2.** Fruto de este árbol.

guarimiento. (De *guarir*.) m. ant. **curación.** ‖ **2.** ant. Amparo, refugio, acogida.

guarín. (De la onomat. *guar, guarr* de llamar al cerdo.) m. Lechoncillo, el último nacido en una lechigada.

guariqueño, ña. adj. Natural del Estado venezolano de Guárico. Ú. t. c. s. ‖ **2.** Perteneciente o relativo a dicho Estado.

guarir. (Del germ. *warjan*, proteger.) ant. tr. Curar, devolver la salud al enfermo. ‖ **2.** intr. Subsistir o mantenerse. ‖ **3.** Recobrar el enfermo la salud. ‖ **4.** prnl. ant. Guarecerse, refugiarse.

guarisapo. (Variante de *gusarapo*.) m. *Chile*. Renacuajo, larva de la rana.

guarismo, ma. (Del ár. *jwārizmī*, sobrenombre del matemático persa Muhammad ibn Mūsà; véase *algoritmo*.) adj. ant. Perteneciente o relativo a los números. ‖ **2.** m. Cada uno de los signos o cifras arábigas que expresan una cantidad. ‖ **3.** Cualquier expresión de cantidad compuesta de dos o más cifras. ‖ **4.** V. **letra, número de guarismo.** ‖ **no tener guarismo.** fr. fig. Ser innumerable.

guaritoto. m. *Venez*. Arbusto de la familia de las euforbiáceas, que crece en lugares cálidos y sombríos. El cocimiento de la raíz se emplea como hemostático.

guarne. (De *guarnir*.) m. *Mar*. Cada una de las vueltas de un cabo alrededor de la pieza en que ha de funcionar.

guarnecedor, ra. adj. Que guarnece. Ú. t. c. s.

guarnecer. (De *guarnir*.) tr. Poner guarnición a alguna cosa; como traje, joya, espada, caballería o plaza fuerte. ‖ **2.** Colgar, vestir, adornar. ‖ **3.** Dotar, proveer, equipar. ‖ **4.** ant. Corroborar, autorizar, dar autoridad a una persona. ‖ **5.** *Albañ*. Revocar o revestir las paredes de un edificio. ‖ **6.** *Cetr*. Poner lonja o cascabel al ave de rapiña. ‖ **7.** *Mil*. Estar de guarnición. ‖ **8.** ant. *Mil*. Sostener o cubrir un género de tropa con otro, o una obra de fortificación con otra.

guarnecido, da. p. p. de **guarnecer.** ‖ **2.** m. *Albañ*. Revoque o entablado con que se revisten por dentro o por fuera las paredes de un edificio.

guarnés. m. ant. **guadarnés,** lugar donde se guardan las guarniciones de la caballeriza.

guarnición. (De *guarnir*.) f. Adorno que se pone en los vestidos, ropas, colgaduras y otras cosas semejantes. ‖ **2.** Engaste de oro, plata u otro metal, en que se asientan y aseguran las piedras preciosas. ‖ **3.** Defensa que se pone en las espadas y armas blancas junto al puño. ‖ **4.** Tropa que guarnece una plaza, castillo o buque de guerra. ‖ **5.** Aditamento, generalmente de hortalizas, legumbres, etc., que se sirve con la carne o el pescado. ‖ **6.** *Mar*. V. **mesa de guarnición.** ‖ **7.** pl. Conjunto de correajes y demás efectos que se ponen a las caballerías para que tiren de los carruajes o para montarlas o cargarlas. ‖ **guarnición al aire.** La de adorno que está sentada solo por un canto, y queda por el otro hueca y suelta. ‖ **de castañeta.** La que se forma de una tela dócil plegándola y sentándola en ondas alternadas, de suerte que en cada una de ellas forma un hueco que imita algo la forma de las castañuelas.

guarnicionar. tr. Poner guarnición en una plaza fuerte.

guarnicionería. (De *guarnicionero*.) f. Taller en que se hacen guarniciones para caballerías. ‖ **2.** Tienda donde se venden. ‖ **3.** Por ext., local donde se hacen o venden objetos de cuero.

guarnicionero, ra. m. y f. Operario que trabaja o hace objetos de cuero, como maletas, bolsos, correas, etc. ‖ **2.** m. El que hace o vende guarniciones para caballerías.

guarniel. m. Garniel, bolsa de cuero pendiente del cinto y con varias divisiones.

guarnimiento. (De *guarnir*.) m. desus. Adorno, aderezo, vestidura. ‖ **2.** *Mar*. Conjunto de varias piezas, cabos o efectos con que se guarne o sujeta un aparejo, una vela o un cabo.

guarnir. (Del germ. *warnjan*, amonestar, proveer.) tr. **guarnecer.** ‖ **2.** *Mar*. Colocar convenientemente los cuadernales de un aparejo en una faena.

guaro¹. (Voz americana.) m. Especie de loro pequeño, mayor que el perico y muy locuaz. ‖ **2.** *Venez*. Loro en general.

guaro². (De la misma base que *guarapo*.) m. *Amér. Central*. Aguardiente de caña.

guarrada. (De *guarro¹*.) f. Porquería, suciedad, inmundicia. ‖ **2.** fig. Acción sucia e indecente.

guarrazo. m. *And.* y *Sal*. Porrazo que se da uno al caer.

guarrear. (De *guarro*.) intr. Gruñir el jabalí o aullar el lobo; por ext., gritar otros animales. ‖ **2.** Berrear, llorar estruendosamente un niño. ‖ **3.** Hacer guarrerías.

guarrería. f. **porquería.**

guarrero. m. **porquerizo.**

guarrido. (De *guarro*.) m. Gruñido del jabalí, aullido del zorro, y por ext., grito de otros animales. ‖ **2.** Llanto estruendoso de un niño.

guarrilla. (Como *buarillo* y *buaro*, de *búho*.) f. *Ál.* Especie de águila pequeña.

guarro[1], rra. (De la voz con que se llama al cerdo.) m. y f. **cerdo,** animal. ‖ **2.** fig. y fam. Persona sucia y desaliñada. Ú. t. c. adj. ‖ **3.** fig. y fam. Persona grosera, sin modales. Ú. t. c. adj. ‖ **4.** fig. y fam. Persona ruin y despreciable. Ú. t. c. adj.

guarro[2], rra. (Como *buaro* y *buharro*, de *búho*.) m. y f. *Ecuad.* Especie de águila pequeña.

¡guarte! interj. desus. ¡Guárdate! ¡Guarda!

guarumo. m. *Amér. Centr., Col., Ecuad., Méj.* y *Venez.* Árbol artocárpeo cuyas hojas producen efectos tónicos sobre el corazón.

guarura. f. *Venez.* Caracol hasta de un pie de largo, que usado como bocina produce un sonido que se oye a gran distancia.

guasa. (Voz caribe.) f. fam. Chanza, burla. ‖ **2.** fam. Falta de gracia o viveza; sosería, pesadez. ‖ **3.** *Cuba, Méj.* y *Venez.* Pez marino de la misma familia que el mero, de cuerpo muy robusto, casi redondo; de color pardo verdoso, con manchas negras redondas y bandas transversales oscuras. Alcanza más de dos metros, llega a los doscientos kilos y vive en ambas costas de la América tropical. ‖ **estar de guasa.** fr. fig. y fam. Hablar en broma.

guasábara. f. desus. *Col.* y *P. Rico.* Motín, algarada.

guasada. f. *Argent.* Acción grosera, torpe o chabacana.

guasamaco, ca. (De *guaso*.) adj. *Chile.* Guaso, rústico, tosco, grosero.

guasanga. (Voz caribe.) f. *Amér. Central, Col., Cuba* y *Méj.* Bulla, algazara, barahúnda.

guasasa. (Voz caribe.) f. *Cuba.* Mosca pequeña que vive en enjambres en lugares húmedos y sombríos.

guasca. (Del quechua *waskha*.) f. *Amér. Merid.* y *Ant.* Ramal de cuero, cuerda o soga, que sirve de rienda o de látigo y para otros usos.

guascazo. m. Azote dado con guasca o cosa semejante, como látigo o vara flexible.

guasearse. (De *guasa*.) prnl. Usar de guasas o chanzas.

guasería. f. *NO. Argent.* y *Chile.* **guasada,** acción grosera.

guaso, sa. (Voz americana.) m. y f. Campesino de Chile. ‖ **2.** adj. fig. *Argent., Chile, Ecuad., Par.* y *Perú.* Tosco, grosero, incivil.

guasón, na. adj. fam. Que tiene guasa. Ú. t. c. s. ‖ **2.** fam. Burlón, bromista. Ú. t. c. s.

guastar. (Del lat. *vastāre*, infl. por el germ. *wōstjan*.) tr. ant. Destruir, extinguir, consumir.

guasto. (De *guastar*.) m. ant. Acción y efecto de guastar.

guata[1]. (Del ár. *waḍd'a*, poner entretela o forro en el vestido.) f. Lámina gruesa de algodón en rama, engomada por ambas caras, que sirve para acolchados o como material de relleno.

guata[2]. (Del mapuche *huata*.) f. fam. *Chile.* Barriga, vientre, panza.

guataca. f. *Cuba.* Azada corta que se usa para limpiar de hierba las tierras. ‖ **2.** com. fig. *Cuba.* Persona que adula servilmente.

guatacare. m. *Venez.* Árbol de la familia de las borragináceas, de madera resistente y flexible. ‖ **2.** *Venez.* Pez marino de la misma familia que el mero, de cuerpo más esbelto, pardo grisáceo claro o amarillento, con bandas transversales más oscuras. Crece hasta tres decímetros, y vive en las costas americanas del Atlántico tropical y subtropical.

guataquear. tr. *Cuba.* Limpiar o desbrozar el terreno con la guataca. ‖ **2.** fig. *Cuba.* Adular sistemática e interesadamente.

guataquería. f. *Cuba.* Lisonja, adulación.

guate[1]. (Del nahua *ohuatl*, caña tierna del maíz.) m. *C. Rica, Hond.* y *Nicar.* Maíz que se siembra muy tupido para que sirva de forraje. ‖ **2.** Cierta planta lorantácea de Venezuela.

guate[2], ta. (Voz nahua.) adj. *El Salv.* **cuate,** mellizo, gemelo. ‖ **2.** *El Salv.* Dícese de lo que se presenta a pares. *Fruta* GUATA.

guatemalense. adj. **guatemalteco.** Ú. t. c. s.

guatemalteco, ca. adj. Natural de Guatemala. Ú. t. c. s. ‖ **2.** Perteneciente o relativo a esta república de América.

guatemaltequismo. m. Locución, giro o modo de hablar propio y peculiar de los guatemaltecos.

guateque. (Voz caribe.) m. Baile bullicioso, jolgorio. ‖ **2.** Fiesta casera, generalmente de gente joven, en que se merienda y se baila.

guatero. (De *guata*[2].) m. *Chile.* Bolsa de caucho que, llena de agua fría o caliente y con fines terapéuticos, se pone sobre la frente, el vientre o los pies.

guatiní. m. *Cuba.* **tocororo,** ave.

guatón, na. (De *guata*[2].) adj. *Chile* y *Ecuad.* Barrigudo, de vientre abultado. Ú. t. c. s.

guatusa. (Del nahua *cuauhtozan*, rata de monte.) f. *Amér. Central, Col.* y *Ecuad.* Agutí de monte; roedor cuya carne es muy gustosa.

guau. Onomatopeya con que se representa la voz del perro.

guaucho. m. Arbusto americano de hoja menuda y gruesa; arde aun cuando esté verde, por ser resinoso.

¡guay! (De la voz natural de lamentarse.) interj. poét. **¡ay!** ‖ **tener** uno **muchos guayes.** fr. Padecer grandes achaques o muchos contratiempos de la fortuna.

guaya. (De *guayar*.) f. Lloro o lamentación. ‖ **hacer** uno **la guaya.** fr. Ponderar los trabajos o miserias que padece, o fingirlos para mover a compasión.

guayaba. (Voz arahuaca.) f. Fruto del guayabo, que es de figura aovada, del tamaño de una pera mediana, de varios colores, y más o menos dulce, con la carne llena de unos granillos o semillas pequeñas. ‖ **2.** Conserva y jalea que se hace con esta fruta. ‖ **3.** fig. y fam. *Ant., Col., El Salv., Nicar.* y *Urug.* Mentira, embuste.

guayabal. m. Terreno poblado de guayabos.

guayabera. f. Chaquetilla o camisa de hombre, suelta y de tela ligera, cuyas faldas se suelen llevar por encima del pantalón.

guayabo[1]. (De *guayaba*.) m. Árbol de América, de la familia de las mirtáceas, que crece hasta cinco o seis metros de altura, con tronco torcido y ramoso; hojas elípticas, puntiagudas, ásperas y gruesas; flores blancas, olorosas, axilares, de muchos pétalos redondeados, y cuyo fruto es la guayaba.

guayabo[2]. m. fam. Muchacha joven y agraciada.

guayaca. (Del quechua *wayaqa*, bolsa.) f. rur. *Argent., Bol.* y *Chile.* Bolsillo suelto o taleguilla para guardar monedas o adminículos de fumar. ‖ **2.** fig. Objeto al que se atribuye virtud sobrenatural contra un daño.

guayacán. (Del taíno *waiacan*.) m. Árbol de América tropical, de la familia de las cigofiláceas, que crece hasta unos 12 metros de altura, con tronco grande, ramoso, torcido, de corteza dura, gruesa y pardusca; hojas persistentes, pareadas, elípticas y enteras; flores en hacecillos terminales con pétalos de color blanco azulado, y fruto capsular, carnoso, con varias divisiones, en cada una de las cuales hay una semilla. La madera, de color cetrino negruzco, es muy dura y se emplea en ebanistería y en la construcción de máquinas, y contiene una resina aromática amarga, de color rojo oscuro, que se emplea en medicina como sudorífico muy activo. También por sus cualidades excepcionales contra la fricción, esta resina se utiliza en algunas maquinarias, principalmente en los ejes de las hélices. ‖ **2.** Madera de este árbol, llamado en algunos lugares **palo santo.**

guayaco. (De *guaiăcum*, nombre científico del *guayacán.*) m. **guayacán.**

guayacol. m. Principio medicinal del guayaco.

guayadero. (De *guayar*[1].) m. ant. Lugar destinado o dispuesto para el lloro o sentimiento, especialmente en los duelos.

guayado, da. p. p. de **guayar**[1]. ‖ **2.** adj. Dícese de los cantares que tienen por estribillo *¡guay!*, o *¡ay amor!*

guayanés, sa. adj. Natural de Guayana. Ú. t. c. s. ‖ **2.** Perteneciente o relativo a este territorio de América Meridional.

guayaquil. adj. Perteneciente a Guayaquil, puerto principal de la república de Ecuador. ‖ **2.** m. Cacao de Guayaquil.

guayaquileño, ña. adj. Natural de Guayaquil. Ú. t. c. s. ‖ **2.** Perteneciente o relativo a esta ciudad de la república de Ecuador.

guayar[1]. (De *¡guay!*) intr. ant. Llorar, lamentarse.

guayar[2]. tr. *Sto. Dom.* **rallar,** desmenuzar una cosa con el rallador. ‖ **2.** prnl. *P. Rico.* Embriagarse, emborracharse.

¡guayas! interj. ant. **¡guay!**

guaycurú. adj. Indio americano perteneciente a un grupo lingüístico y cultural formado por diversas parcialidades (abipones, tobas, mocovíes, mbayaes, etc.) que en la época de la conquista española habitaban a orillas de los ríos Paraguay, Paraná y sus afluentes, y en el Chaco, y que actualmente subsisten en la zona del río Pilcomayo. Ú. t. c. s. ‖ **2.** Perteneciente o relativo a los indios **guaycurúes** o a su lengua. Aplícase también con el significado de indio bravo en general. ‖ **3.** m. Familia de las lenguas de este grupo de indios.

guaymense. adj. **guaymeño.**

guaymeño, ña. adj. Natural del puerto de Guaymas, en el Estado mejicano de Sonora. Ú. t. c. s. ‖ **2.** Perteneciente o relativo a este puerto.

guayo[1]. (Voz araucana.) m. *Chile.* Árbol de la familia de las rosáceas, de madera dura y colorada.

guayo[2]. m. *Ant.* Rallador. ‖ **2.** *Cuba.* Peso duro de plata. ‖ **3.** *P. Rico.* Borrachera.

guayuco. (Voz cumanagota.) m. *Col., Pan.* y *Venez.* Especie de taparrabo o pampanilla.

guayusa. f. *Ecuad.* Planta cuya infusión reemplaza al té, y se parece al mate de Paraguay.

guazapa. f. *Guat.* y *Hond.* Perinola, pequeña peonza que se hace girar con los dedos.

guazubirá. m. *Argent.* y *Par.* Venado del monte, de color de canela oscuro.

gubán. m. Bote grande usado en Filipinas, hecho con tablas sobrepuestas en forma de tingladillo, sujetas a las cuadernas con bejuco y calafateadas con resina y filamentos de la drupa del coco. No tiene pieza alguna clavada; carece de timón; lleva fijas las bancadas; se gobierna con espadilla, y los bogadores usan remos o zaguales, según el espacio de que puedan disponer. Navega con suma rapidez; su poco calado le permite flotar por los esteros de menos agua, sobre los bajos arrecifes, y es fácil de poner en tierra.

gubernación. f. ant. **gobernación.**

gubernamental. adj. Perteneciente al gobierno del Estado. ‖ **2.** Partidario del gobierno o favorecedor del principio de autoridad. ‖ **3.** Partidario del gobierno en caso de discordia o guerra civil.

gubernar. tr. ant. **gobernar.**

gubernativamente. adv. m. Por procedimiento gubernativo.

gubernativo, va. adj. Perteneciente al gobierno. ‖ **2.** V. **policía, vía gubernativa.**

gubia. (Del b. lat. *gubia*, formón.) f. Formón de mediacaña, delgado, que usan los carpinteros y otros artífices para labrar superficies curvas. ‖ **2.** Aguja en figura de mediacaña, que servía para reconocer los fogones de los cañones de artillería.

gubileta. (De *gubilete.*) f. ant. Caja o vaso grande en que se metían los gubiletes.

gubilete. (Del fr. *gobelet.*) m. ant. **cubilete.**

guedeja. (Relacionado con *vedeja.*) f. Cabellera larga. ‖ **2.** Mechón, porción de pelo. ‖ **3.** Melena del león. ‖ **tener** una cosa **por la guedeja.** fr. fig. No dejar escapar la ocasión de lograrla.

guedejado, da. adj. En forma de guedeja o melena.

guedejón, na. adj. Que tiene muchas guedejas. ‖ **2.** m. aum. de **guedeja.**

guedejoso, sa. adj. Que tiene muchas guedejas.

guedejudo, da. adj. Que tiene muchas guedejas.

gueldo. (De or. inc.) m. Cebo que emplean los pescadores, hecho con camarones y otros crustáceos pequeños.

güeldrés, sa. adj. Natural de Güeldres. Ú. t. c. s. ‖ **2.** Perteneciente o relativo a esta provincia de Holanda.

güelfo, fa. (Del n. p. al. *Welf.*) adj. Partidario de los papas, en la Edad Media, contra los gibelinos, defensores de los emperadores de Alemania. Ú. t. c. s. ‖ **2.** Perteneciente o relativo a los **güelfos.**

guelte. (Del neerl. o al. *geld*, dinero.) m. *Germ.* Moneda corriente y bienes.

gueltre. (Del al. *gelder*, dineros.) m. *Germ.* **guelte.**

güemul. m. *Argent.* y *Chile.* **huemul.**

güeña. (De *boheña.*) f. *Ar.* Embutido compuesto de las vísceras del cerdo, excepto el hígado, y algunas carnes gordas de desperdicio de los demás embutidos, picado todo y adobado con ajos, pimentón, pimienta, clavo, sal, orégano y otras especias.

guepardo. (Del fr. *guépard.*) m. **onza**[2], animal carnívoro.

guercho, cha. (Del borgoñón *dwërh*, atravesado.) adj. ant. Que tuerce la vista. Ú. t. c. s. Ú. en Aragón.

güérmeces. (Del germ. *worm*, pus.) m. pl. Enfermedad que padecen las aves de rapiña en la cabeza, boca, tragadero y oídos, y son unos granos pequeños que se hacen llagas.

Guernesey. n. p. V. **azucena de Guernesey.**

güero[1], **ra.** adj. **huero.**

güero[2], **ra.** adj. *Méj.* Dícese de la persona que tiene los cabellos rubios. Ú. t. c. s.

guerra. (Del germ. **werra*, pelea, tumulto.) f. Desavenencia y rompimiento de la paz entre dos o más potencias. ‖ **2.** Lucha armada entre dos o más naciones o entre bandos de una misma nación. ‖ **3.** V. **auditor, consejo, contrabando, estado, hombre, marina, navío, pólvora, prisionero de guerra.** ‖ **4.** Pugna, disidencia entre dos o más personas. ‖ **5.** Toda especie de lucha o combate, aunque sea en sentido moral. ‖ **6.** Cierto juego de billar. ‖ **7.** fig. Oposición de una cosa con otra. ‖ **8.** *Art.* V. **cohete de guerra.** ‖ **9.** *Mar.* V. **buque de guerra.** ‖ **10.** *Mil.* V. **acción, comisario, municiones de guerra.** ‖ **abierta.** Enemistad, hostilidad declarada. ‖ **a muerte.** Aquella en que los contendientes están dispuestos a luchar hasta morir. ‖ **2.** fig. Lucha, ataque sin intermisión. ‖ **civil.** La que tienen entre sí los habitantes de un mismo pueblo o nación. ‖ **de bolas.** Juego de billar en el cual entran tantas bolas cuantos sean los jugadores, y consiste en procurar hacer billas. ‖ **de palos.** Juego de billar en que se colocan en medio de la mesa cinco palitos numerados, con los cuales se efectúan los lances. ‖ **de posiciones** o **de trincheras.** La que se desarrolla desde frentes móviles o fijos, en los que se hace uso de trincheras u obras de tierra para proteger a los soldados del fuego contrario. ‖ **fría.** Situación de hostilidad entre dos naciones o grupos de naciones, en la que, sin llegar al empleo declarado de las armas, cada bando intenta minar el régimen político o la fuerza del adversario por medio de propaganda, presión económica, espionaje, organizaciones secretas, etc. ‖ **galana.** fig. La que es poco sangrienta y empeñada, y se hace con algunas partidas de gente, sin empeñar todo el ejército. ‖ **2.** *Mar.* La que se hace con el cañón, sin llegar al abordaje. ‖ **preventiva.** La que, contra las normas del derecho público, emprende una nación contra otra presuponiendo que esta se prepara a atacarla. ‖ **santa.** La que se hace por motivos religiosos, y especialmente la que hacen los musulmanes a los que no lo son. ‖ **sin cuartel. guerra a muerte.** ‖ **armar en guerra.** fr. *Mar.* Poner las embarcaciones mercantes en disposición de combatir. ‖ **dar guerra.** fr. ant. Hacerla. ‖ **2.** fig. y fam. Causar molestia; no dejar tranquilo a uno. Se dice especialmente de los niños. ‖ **declarar la guerra.** fr. Notificar o hacer saber una potencia a otra la resolución que ha tomado de tratarla como enemiga, cortando toda comunicación y comercio, y realizando contra ella y sus vasallos actos de hostilidad. ‖ **2.** fig. Entablar abiertamente lucha o competencia con alguien. ‖ **en buena guerra.** loc. adv. fig. Luchando con lealtad. ‖ **¡guerra!** Voz o grito que se usaba antiguamente para excitarse al combate. ‖ **publicar guerra.** fr. **declarar la guerra.** ‖ **tener guerra, o la guerra, declarada.** fr. fig. Contradecir o perseguir continuamente o por sistema una persona a otra u otras.

guerreador, ra. adj. Que guerrea, o que es inclinado a la guerra. Ú. t. c. s.

guerrear. intr. Hacer guerra. Ú. t. c. tr. ‖ **2.** fig. Resistir, rebatir o contradecir.

guerrera. f. Chaqueta ajustada y abrochada desde el cuello, que forma parte de ciertos uniformes del ejército.

guerreramente. adv. m. A modo o en forma de guerra.

guerrerense. adj. Natural del Estado mejicano de Guerrero, o de poblaciones mejicanas del mismo nombre. Ú. t. c. s. ‖ **2.** Perteneciente o relativo a dicho Estado o a tales poblaciones.

guerrería. f. ant. Arte de la guerra.

guerrero, ra. adj. Perteneciente o relativo a la guerra. ‖ **2.** Que guerrea. Apl. a pers., ú. t. c. s. ‖ **3.** Que tiene genio marcial y es inclinado a la guerra. ‖ **4.** fig. y fam. Travieso, que incomoda y molesta a los demás. Se dice especialmente de los niños. ‖ **5.** m. **soldado,** el que sirve en la milicia.

guerrilla. (d. de *guerra.*) f. **escaramuza,** pelea de poca importancia. ‖ **2.** Partida de tropa ligera, que hace las descubiertas y rompe las primeras escaramuzas. ‖ **3.** Partida de paisanos, por lo común no muy numerosa, que al mando de un jefe particular y con poca o ninguna dependencia de los del ejército, acosa y molesta al enemigo. ‖ **4. pedrea** entre dos grupos de muchachos. ‖ **5.** Antiguo juego de naipes. ‖ **en guerrilla.** loc. adv. En grupos poco numerosos. ‖ **2.** Aisladamente, separados unos de otros.

guerrillear. intr. Pelear en guerrillas.

guerrillero. m. Paisano que sirve en una guerrilla, o es jefe de ella.

gueto. (Del it. *ghetto.*) m. Barrio en que vivían o eran obligados a vivir los judíos en algunas ciudades de Italia y de otros países. ‖ **2.** Barrio de una ciudad moderna habitado por comunidades judías. ‖ **3.** Barrio o suburbio en que viven personas de un mismo origen, marginadas por el resto de la sociedad. ‖ **4.** fig. Situación o condición marginal en que vive un pueblo, una clase social o un grupo de personas.

guía. (De *guiar.*) com. Persona que encamina, conduce y enseña a otra el camino. ‖ **2.** El que en los juegos y ejercicios de a caballo conduce una cuadrilla. ‖ **3.** fig. Persona que enseña y dirige a otra para hacer o lograr lo que se propone. ‖ **4.** Persona autorizada para enseñar a los forasteros las cosas notables de una ciudad, o para acompañar a los visitantes de un museo y darles información sobre los objetos expuestos. ‖ **5.** m. *Mil.* Sargento o cabo que, según las varias evoluciones, se coloca en la posición conveniente para la mejor alineación de la tropa. ‖ **6.** Manillar de la bicicleta. ‖ **7.** f. Lo que en sentido figurado dirige o encamina. ‖ **8.** Poste o pilar grande de cantería que se coloca de trecho en trecho, a los lados de un camino de montaña, para señalar su dirección, especialmente cuando hay nieve acumulada. ‖ **9.** Tratado en que se dan preceptos para encaminar o dirigir en cosas, ya espirituales o abstractas, ya puramente mecánicas. GUÍA *de pecadores,* GUÍA *del agricultor.* ‖ **10.** Lista impresa de datos o noticias referentes a determinada materia. GUÍA *del viajero,* GUÍA *de ferrocarriles.* ‖ **11.** Despacho que lleva consigo el que transporta algunos géneros, para que no se los detengan ni decomisen. ‖ **12.** Mecha delgada con pólvora y cubierta con papel, que sirve para dar fuego a los barrenos, y en los fuegos de artificio para guiarlos a la parte que se quiere. ‖ **13.** Sarmiento o vara que se deja en las cepas y en los árboles para dirigirlos. También se llama así el tallo principal de las coníferas y otros árboles. ‖ **14.** Palanca que sale oblicuamente de lo alto del eje de una noria para enganchar en ella la caballería, o del de un molino de viento para orientarlo. ‖ **15.** Pieza o cuerda que en las máquinas y otros aparatos sirve para obligar a otra pieza a que siga en su movimiento un camino determinado. ‖ **16.** Caballería que, sola o apareada con otra, va delante de todas en un tiro fuera del tronco. ‖ **17.** Cada uno de los extremos del bigote cuando están retorcidos. ‖ **18.** V. **bestia, carta de guía.** ‖ **19.** Especie de fullería en los naipes. ‖ **20.** Cada una de las dos varillas grandes del abanico. ‖ **21.** *Vizc.* Pieza de madera de hilo, de roble, de 12 a 14 pies de longitud, y con una escuadría de siete pulgadas de tabla por seis de canto. ‖ **22.** *Mar.* Cualquier cabo o aparejo que sirve para mantener un objeto en la situación que debe ocupar. ‖ **23.** *Min.* Vetilla a que algunas veces se reducen los filones y que sirve para buscar la prolongación del criadero. ‖ **24.** *Mús.* Voz que va delante en la fuga y a la cual siguen las demás. ‖ **25.** pl. Riendas para gobernar los caballos de **guías.** ‖ **de forasteros.** Libro oficial que se publicaba anualmente y contenía, con otras varias noticias, los nombres de las personas que ejercían los cargos o dignidades más importantes del Estado. Llamósele después GUÍA *oficial de España.* ‖ **a guías.** loc. adv. Gobernando un solo cochero con estas, un tiro de cuatro o más caballerías. ‖ **de guías.** loc. adj. Dícese de las caballerías que, en un tiro compuesto de varias, van delante de las demás. ‖ **echarse con las guías, o con guías y todo,** sobre uno. fr. fig. Atropellarlo, no dando lugar a que responda. ‖ **en guía, o en la guía.** loc. adv. ant. Guiando, dirigiendo.

guiabara. f. *Cuba.* **uvero,** árbol.

guiadera. (De *guiar.*) f. Guía de las norias y otros artificios semejantes. ‖ **2.** Cada uno de los maderos o barrotes paralelos que sirven para dirigir el movimiento rectilíneo de un objeto; como la viga de un molino de aceite, la jaula de un pozo de mina, etc.

guiado, da. p. p. de **guiar.** ‖ **2.** adj. Que se lleva con guía o póliza.

guiador, ra. adj. Que guía. Ú. t. c. s.

guiaje. (De *guiar.*) m. ant. Seguro, resguardo o salvoconducto.

guiamiento. m. ant. Acción y efecto de guiar. ‖ **2.** ant. **guiaje.**

guiar. (De *guidar.*) tr. Ir delante mostrando el camino. ‖ **2.** Hacer que una pieza de una máquina u otro aparato siga en su movimiento determinado camino. ‖ **3.** Dirigir el crecimiento de las plantas haciéndoles guías. ‖ **4.** Conducir un carruaje. ‖ **5.** fig. Dirigir a uno en algún negocio. ‖ **6.** prnl. Dejarse uno dirigir o llevar por otro, o por indicios, señales, etc.

guidar. (De or. inc.) tr. ant. **guiar.**

guido, da. adj. *Germ.* Bueno en su género.

guienés, sa. adj. Natural de Guiena. Ú. t. c. s. ‖ **2.** Perteneciente a esta antigua provincia de Francia.

guifa. (Del ár. *ŷifa,* cadáver, carne mortecina.) f. *And.* Despojos del matadero.

guiguí. m. Roedor nocturno de Filipinas, muy parecido a la ardilla, de color pardo, con las extremidades algo rojizas y la cola casi negra; tiene entre las dos patas de un mismo lado una membrana que le sirve de paracaídas; vive en los árboles y su carne es comestible.

guija. (De or. inc.) f. Piedra pelada y chica que se encuentra en las orillas y cauces de los ríos y arroyos. ‖ **2.** Tito, almorta.

guijarral. m. Terreno abundante en guijarros.

guijarrazo. m. Golpe dado con un guijarro.

guijarreño, ña. adj. Abundante en guijarros o perteneciente a ellos. ‖ **2.** fig. Aplícase a la persona de complexión dura y fuerte.

guijarro. (De *guija.*) m. Pequeño canto rodado. ‖ **ya escampa, y llovían guijarros.** fr. fig. y fam. que se usa cuando uno porfía pesadamente sobre alguna cosa. ‖ **2.** fig. y fam. También se dice cuando sobre un daño recibido sobrevienen otros mayores, o cuando una situación empeora, en vez de mejorar.

guijarroso, sa. adj. Dícese del terreno en donde hay muchos guijarros.

guijeño, ña. (De *guija.*) adj. Perteneciente o relativo a la guija o que tiene su naturaleza. ‖ **2.** fig. Duro, empedernido.

guijo. (De *guija.*) m. Conjunto de guijas. Se usa para consolidar y rellenar los caminos. ‖ **2.** ant. Pequeño canto rodado. ‖ **3. gorrón**[1], espiga debajo de un eje vertical.

guijón. m. **neguijón.**

guijoso, sa. adj. Aplícase al terreno que abunda en guijo. ‖ **2.** Perteneciente o relativo a la guija.

güila. m. vulg. *Méj.* **prostituta.**

guilalo. m. Embarcación filipina de cabotaje, de poco calado, popa y proa afiladas, que usa batangas y velas comúnmente de estera.

guileña. f. **aguileña.**

guilindujes. m. pl. *Ar.* Perendengues, perifollos. ‖ **2.** *Hond.* Arreos con adornos colgantes.

guilla. (Del ár. *gilla,* cosecha.) f. Cosecha copiosa. ‖ **de guilla.** loc. De buena granazón. ‖ **2.** A satisfacción, en abundancia.

guilladura. f. fam. Acción y efecto de guillarse o chiflarse.

guillame. (Del fr. *guillaume.*) m. Cepillo estrecho que usan los carpinteros y ensambladores para hacer los rebajos y otras cosas que no se pueden acepillar con la garlopa ni con otros cepillos.

guillarse. prnl. fam. Irse o huirse. ‖ **2.** fam. **chiflarse,** perder la cabeza. ‖ **guillárselas.** fr. verbal fam. **pirárselas.**

guillatún. (Voz arauc.: *ŋillatún,* pedir, rogar.) m. *Chile.* Ceremonia solemne de los araucanos para pedir a la divinidad lluvia o bonanza.

güillín. m. **huillín.**

guillomo. m. Arbusto de la familia de las rosáceas, de hojas elípticas, dentadas, algo coriáceas; flores blancas en racimo, y fruto del tamaño de un guisante, comestible. Crece en los peñascales de las montañas.

guillote. (De *guilla.*) m. Cosechero o usufructuario. ‖ **2.** adj. Holgazán y desaplicado. ‖ **3.** Bisoño y no impuesto en las fullerías de los tahúres.

guillotina. (Del fr. *guillotine.*) f. Máquina inventada en Francia para decapitar a los reos de muerte. ‖ **2.** Máquina de cortar papel, con una cuchilla vertical, guiada entre un bastidor de hierro. ‖ **3.** fig. y fam. Procedimiento autorizado por los reglamentos de varias Cámaras legislativas para contener la obstrucción, fijando plazo en que ha de terminar la discusión para proceder a la votación de un proyecto de ley. ‖ **de guillotina.** loc. adj. Dícese de las vidrieras y persianas que se abren y cierran resbalando a lo largo de las ranuras del cerco, en vez de girar sobre bisagras.

guillotinar. tr. Decapitar a los reos con la guillotina. ‖ **2.** Por ext., cortar algo de manera parecida a como lo hace la guillotina. Ú. t. en sent. fig.

güimba. f. *Cuba.* **guabico.**

guimbalete. (Del ant. fr. *guimbelet.*) m. Palanca con que se da juego al émbolo de la bomba aspirante.

guimbarda. (Del fr. *guimbarde.*) f. Cepillo de carpintero, de cuchilla estrecha, perpendicular a la cara y muy saliente, que sirve para labrar el fondo de las cajas y ranuras.

güin. m. *Cuba.* Pendón o vástago que echan algunas cañas, y es de consistencia fofa, muy ligero; se usa para la armadura de las cometas y para hacer jaulas.

guinaldés, sa. adj. Natural de Fuenteguinaldo, villa de la provincia de Salamanca. Ú. t. c. s. ‖ **2.** Perteneciente o relativo a esta villa.

guinchar. (De *guincho.*) tr. Picar o herir con la punta de un palo.

guinche. m. p. us. *Argent.* **grúa.**

guinchero, ra. m. y f. *Argent.* Persona que maneja el guinche.

guincho. (Cruce de *gancho* con *pincho.*) m. Pincho de palo. ‖ **2.** *Rioja.* Gancho terminado en punta. ‖ **3.** *Can.* y *Cuba.* **águila pescadora.**

guinchón. m. Desgarrón producido por un guincho o de otro modo.

guinda[1]**.** (De or. inc.) f. Fruto del guindo. ‖ **beber con guindas.** fr. fig. y fam. Manifestar excesivo refinamiento en lo que se pide o se hace. ‖ **echar guindas,** o **echarle guindas, a la tarasca,** y completándolo: **a ver cómo las masca.** fr. fig. y fam. que expresa la dificultad o inutilidad de un esfuerzo que se hace; irónicamente indica también la facilidad con que uno vence cualquier dificultad.

guinda[2]**.** (De *guindar.*) f. *Mar.* Altura total de la arboladura de un buque.

guindado, da. p. p. de **guindar.** ‖ **2.** adj. Compuesto con guindas[1]. ‖ **3.** m. *Chile.* Bebida hecha con aguardiente y guindas. Ú. t. c. s. f.

guindal. m. **guindo.**

guindalera. f. Sitio plantado de guindos.

guindaleta. (De *guindar.*) f. Cuerda de cáñamo o cuero, del grueso de un dedo, que sirve para diferentes usos. ‖ **2.** Pie derecho donde los plateros tienen colgado el peso. ‖ **3.** *Albac.* y *And.* Caballería que va la primera en una reata o en un tiro.

guindaleza. (Del fr. *guinderesse.*) f. *Mar.* Cabo de 12 a 25 centímetros de mena, de tres o cuatro cordones colchados de derecha a izquierda y de cien o más brazas de largo, que se usa para diferentes faenas a bordo y en tierra.

guindamaina. (De *guindar* y *amainar.*) f. *Mar.* Saludo que hacen los buques arriando e izando, una o más veces, su bandera.

guindar. (Del fr. *guinder.*) tr. Subir una cosa que ha de colocarse en alto. Ú. t. c. prnl. ‖ **2.** fam. Lograr una cosa en concurrencia con otros. *Gaspar* GUINDÓ *el empleo.* ‖ **3.** irón. Colgar a uno en la horca. Ú. t. c. prnl. ‖ **4.** intr.

León. Resbalar, escurrirse. ‖ **5.** prnl. Descolgarse de alguna parte por medio de cuerda, soga u otro artificio.

guindaste. (Del prov. **guindatz.*) m. *Mar.* Armazón de tres maderos en forma de horca, con cajeras y roldanas para el paso y juego de algunos cabos. ‖ **2.** *Mar.* Cada uno de los dos maderos colocados verticalmente al pie de los palos y a cada banda, para amarrar los escotines de las gavias. ‖ **3.** *Mar.* Armazón de hierro, madera o metal, en forma de horca, para colgar alguna cosa.

guindilla. (d. de *guinda.*) f. Fruto del guindillo de Indias. ‖ **2.** Pimiento pequeño que pica mucho. ‖ **3.** m. despect. y fam. Individuo del cuerpo de guardia municipal. ‖ **4.** despect. y fam. **agente de policía.**

guindillo de Indias. m. Planta de la familia de las solanáceas, especie de pimiento, que se cultiva en los jardines. Es una mata de unos cinco decímetros de altura, ramosa, con hojas lanceoladas, flores blancas, axilares, pequeñas y muy abundantes, y fruto redondo, encarnado, del tamaño de una guinda y muy picante.

guindo. (De *guinda*[1].) m. Árbol de la familia de las rosáceas, especie de cerezo, del que puede distinguirse por ser las hojas más pequeñas y el fruto más redondo y comúnmente ácido. ‖ **griego. guindo** garrafal.

guindola. (De *guindar.*) f. *Mar.* Pequeño andamio volante, compuesto de tres tablas que, unidas y colgadas por sus extremos, abrazan un palo, y se emplea para rascarlo, pintarlo o hacer en él cualquier otro trabajo semejante. ‖ **2.** *Mar.* Aparato salvavidas provisto de un largo cordel cuyo chicote está sujeto a bordo y que va colgado por fuera en la popa del buque y puede ser lanzado prontamente al agua. Por lo común lleva una luz, que se enciende automáticamente al lanzar el aparato, para que pueda ser visto de noche por la persona a quien se intenta salvar. ‖ **3.** *Mar.* Barquilla de la corredera. ‖ **4.** *Mar.* V. **tabla de guindola.**

guinea. (De *Guinea,* región de África, por ser estas monedas hechas con el oro traído de allí.) f. Antigua moneda inglesa de oro, que se pagaba a 21 chelines, en lugar de los 20 de una libra normal; se usaba como unidad monetaria para ciertos géneros. ‖ **2.** n. p. V. **gallina, hierba, maíz de Guinea.**

guineano, na. adj. Natural de Guinea. Ú. t. c. s. ‖ **2.** Perteneciente o relativo a esta región de África.

guineo, a. adj. **guineano.** ‖ **2.** V. **gallina guinea.** ‖ **3.** V. **plátano guineo.** Ú. t. c. s. ‖ **4.** m. Cierto baile de movimientos violentos y gestos cómicos, que era propio de los negros. ‖ **5.** Tañido o son de este baile, que se toca en la guitarra.

guineoecuatorial. adj. Natural de Guinea Ecuatorial. Ú. t. c. s. ‖ **2.** Perteneciente o relativo a esta nación de África.

guinga. (Del port. *guingão,* de or. malayo.) f. Especie de tela de algodón, aunque a imitación de ella también las había de hilo y de seda.

guinilla. f. ant. Niña del ojo.

guinja. (De *jinja,* quizá con influjo de *guinda.*) f. **azufaifa.**

guinjo. (De *jinjo.*) m. **azufaifo.**

guínjol. (De *jínjol.*) m. **guinja.**

guinjolero. (De *jinjolero.*) m. **guinjo.**

guiñada. (De *guiñar.*) f. **guiño.** ‖ **2.** *Mar.* Desvío de la proa del buque hacia un lado u otro del rumbo a que se navega, producido por mal gobierno de la embarcación, descuido del timonel, gran marejada u otra causa.

guiñador, ra. adj. Que guiña los ojos.

guiñadura. f. Acción de guiñar.

guiñapiento, ta. adj. **guiñaposo.**

guiñapo. (Metát. de *gañipo,* del fr. *guenipe,* por inf. de *harapo.*) m. Andrajo o trapo roto, viejo o deslucido. ‖ **2.** fig. Persona que anda con vestido roto y andrajoso. ‖ **3.** fig. Persona envilecida, degradada. ‖ **4.** fig. Persona moralmente abatida, o muy débil y enfermiza.

guiñaposo, sa. adj. Lleno de guiñapos o andrajos.

guiñar. (Voz expresiva del románico occidental, quizá del b. lat. *cinnus,* como acaso *ceño*[2].) tr. Cerrar un ojo momentáneamente quedando el otro abierto. Hácese a veces con disimulo por vía de señal o advertencia. ‖ **2.** intr. *Mar.* Dar guiñadas el buque por mal gobierno, marejada u otra causa, o darlas de intento por medio del timón. ‖ **3.** prnl. Darse de ojo; hacerse guiños o señas con los ojos. ‖ **4.** *Germ.* Irse, huir, guillarse.

guiño. (De *guiñar.*) m. Acción de guiñar el ojo.

guiñol. (Del fr. *guignol.*) m. Representación teatral por medio de títeres movidos con las manos.

guiñote. m. Juego de naipes, variante del tute.

guión. (De *guía.*) adj. V. **perro guión.** Ú. t. c. s. ‖ **2.** m. Cruz que va delante del prelado o de la comunidad como insignia propia. ‖ **3.** Estandarte del rey o de cualquier otro jefe de hueste. ‖ **4.** Pendón pequeño o bandera arrollada que se lleva delante de algunas procesiones. ‖ **5.** El alférez del rey o el paje de **guión.** ‖ **6.** Escrito en que breve y ordenadamente se han apuntado algunas ideas o cosas con objeto de que sirva de guía para determinado fin. ‖ **7.** Texto en que se expone, con los detalles necesarios para su realización, el contenido de un filme o de un programa de radio o televisión. ‖ **8.** El que en las danzas guía la cuadrilla. ‖ **9.** Ave delantera de las bandadas que van de paso. ‖ **10.** fig. El que va delante, enseña y amaestra a alguno. ‖ **11.** *Gram.* Signo ortográfico (-) que se pone al fin del renglón que termina con parte de una palabra cuya otra parte, por no caber en él, se ha de escribir en el siguiente. Ú. t. para unir las dos partes de alguna palabra compuesta, como *aovado-lanceolada.* Se usan **guiones** más largos para separar las oraciones incidentales que no se ligan con ninguno de los miembros del período; para indicar en los diálogos cuándo habla cada interlocutor, evitando así la repetición de advertencias, y para suplir al principio de línea, en índices y otros escritos semejantes, el vocablo con que empieza otra línea anterior. ‖ **12.** *Mar.* Parte más delgada del remo, desde la empuñadura hasta el punto en que se afirma en el tolete. ‖ **13.** *Mús.* Nota o señal que se ponía al fin de la escala cuando no se podía seguir y había que volver a empezar; y denotaba el punto de la escala, línea o espacio en que se proseguía la solfa. ‖ **de codornices. rey de codornices.**

guionaje. m. Oficio del guía o conductor.

guionista. com. Persona que elabora el guión de un filme o de un programa de radio o televisión.

guipar. tr. vulg. Ver, percibir, descubrir.

güipil. m. *Guat., Méj.* y *Nicar.* **huipil.**

guipuscoano, na. adj. ant. **guipuzcoano.** Apl. a pers., usáb. t. c. s.

guipuz. adj. ant. **guipuzcoano.** Apl. a pers., usáb. t. c. s.

guipuzcoano, na. adj. Natural de Guipúzcoa. Ú. t. c. s. ‖ **2.** Perteneciente o relativo a esta provincia. ‖ **3.** m. Uno de los ocho principales dialectos del vascuence.

güira. (Voz antillana, forma antigua *hibuera, higüera.*) f. *Ant.* Árbol tropical de la familia de las bignoniáceas, de cuatro a cinco metros de altura, con tronco torcido y copa clara; hojas sentadas, opuestas, grandes y acorazonadas; flores axilares, blanquecinas, de mal olor; fruto globoso, de corteza dura y blanquecina, llena de pulpa blanca con semillas negras, del cual, serrado en dos partes iguales, hacen los campesinos de América tazas, platos, jofainas, etc., según su tamaño. ‖ **2.** Fruto de este árbol.

guiri. (Abrev. del vasc. *Guiristino,* Cristino.) m. Nombre con que, durante las guerras civiles del siglo XIX, designaban los carlistas a los partidarios de la reina Cristina, y después a todos los liberales, y en especial a los soldados del gobierno. ‖ **2.** vulg. Individuo de la guardia civil. ‖ **3.** *Ál.* **tojo,** planta.

guirigay. (Voz imitativa.) m. fam. Lenguaje oscuro y difícil de entender. ‖ **2.** Gritería y confusión que resulta cuando varios hablan a la vez o cantan desordenadamente.

guirindola. (De or. inc.) f. Chorrera de la camisola.

guirlache. (Probablemente del ant. fr. *grillage,* manjar tostado.) m. Pasta comestible de almendras tostadas y caramelo.

guirlanda. (De or. inc.) f. desus. **guirnalda.**

guirnalda. (De *guirlanda,* por metát.) f. Corona abierta, tejida de flores, hierbas o ramas, con que se ciñe la cabeza; se llama también así la tira tejida de flores y ramas que no forma círculo. ‖ **2. perpetua.** ‖ **3.** Cierto tejido de lana basta que se usó antiguamente. ‖ **4.** *Mil.* Especie de rosca embreada y dispuesta en forma de **guirnalda,** que se arrojaba encendida desde las plazas para descubrir de noche a los enemigos.

guirnaldeta. f. d. de **guirnalda.**

güiro[1]. (Voz taína.) m. *Amér. Central, Ant., Col., Ecuad., Méj.* y *Venez.* Planta que da por fruto una calabaza de corteza dura y amarilla cuando se seca. ‖ **2.** *Ant.* Instrumento musical popular que tiene como caja una calabaza de **güiro.**

güiro[2]. m. **huiro**[1].

güiro[3]. m. **huiro**[2].

guiropa. f. Guisado de carne con patatas, u otro semejante.

guirre. m. *Can.* **alimoche.**

guisa. (Del germ. *wisa.*) f. Modo, manera o semejanza de una cosa. ‖ **2.** ant. Voluntad, gusto, antojo. ‖ **3.** ant. Clase o calidad. ‖ **a la guisa.** loc. adv. ant. **a la brida.**

guisadamente. adv. m. ant. Cumplidamente, regladamente.

guisado, da. p. p. de **guisar.** ‖ **2.** adj. ant. Útil o conveniente. ‖ **3.** ant. Aplicábase a la persona bien parecida o dispuesta. ‖ **4.** ant. Dispuesto, preparado, prevenido de lo necesario. ‖ **5.** ant. Justo, conveniente, razonable. Usáb. t. c. s. m. ‖ **6.** m. Guiso preparado con salsa, después de rehogado. ‖ **7.** Guiso de pedazos de carne, con salsa y generalmente con patatas. ‖ **estar** uno **mal guisado.** fr. fam. Estar disgustado, displicente, desazonado.

guisador, ra. adj. Que guisa la comida. Ú. t. c. s.

guisamiento. m. ant. Aderezo, disposición o compostura de una cosa.

guisandero, ra. m. y f. Persona que guisa la comida.

guisantal. m. Tierra sembrada de guisantes.

guisante. (Del mozár. *biššáuṭ,* con infl. de *guija* y *guisar.*) m. Planta hortense de la familia de las papilionáceas, con tallos volubles de uno a dos metros de longitud; hojas pecioladas, compuestas de tres pares de hojuelas elípticas, enteras y ondeadas por el margen; estípulas a menudo convertidas en zarcillos; flores axilares en racimos colgantes de color blanco, rojo y azulado, y fruto en vaina casi cilíndrica, con diversas semillas aproximadamente esféricas, de seis a ocho milímetros de diámetro. ‖ **2.** Semilla de esta planta. ‖ **de olor.** Variedad de almorta que se cultiva en los jardines, porque además de tener flores amariposadas, tricolores y de excelente perfume, es muy trepadora.

guisar. (De *guisa.*) tr. Preparar los alimentos sometiéndolos a la acción del fuego. ‖ **2.** Preparar los alimentos haciéndolos cocer en una salsa, después de rehogados. ‖ **3.** fig. Ordenar, componer una cosa. ‖ **4.** ant. Adobar, escabechar o preparar las carnes o pescados para su conservación. ‖ **5.** desus. Cuidar, disponer, preparar. Ú. t. c. prnl.

guisaso. m. *Cuba.* Nombre genérico que se aplica a diferentes especies de plantas silvestres, todas herbáceas y de fruto verde, aovado o redondo, erizado de espinas, como los amores o cadillos.

guiso. m. Comida guisada.

guisopillo. m. **hisopillo.**

guisopo. m. desus. **hisopo.**

guisote. (Despect. de *guiso.*) m. Guisado ordinario, hecho con poco cuidado.

güisqui. (Del ing. *whisky.*) m. Licor alcohólico que se obtiene del grano de algunas plantas, destilando un compuesto amiláceo en estado de fermentación.

güisquil. m. *Guat.* **huisquil.** ‖ **2.** *Amér. Central* y *Méj.* **chayote.**

güisquilar. m. *Guat.* **huisquilar.**

guita[1]. (Probablemente del germ. *witta,* cinta.) f. Cuerda delgada de cáñamo.

guita[2]. f. fam. Dinero contante. ‖ **2.** Caudal, hacienda, bien.

guitar. tr. Coser o labrar con guita[1].

guitarra. (Del gr. κιθάρα, cítara, a través del ár. *qiṭāra.*) f. Instrumento musical de cuerda, que se compone de una caja de madera, a modo de óvalo estrechado por el medio, con un agujero circular en el centro de la tapa y un mástil con trastes. Seis clavijas colocadas en el extremo de este mástil sirven para templar otras tantas cuerdas aseguradas en un puente fijo en la parte inferior de la tapa, que se pulsan con los dedos de una mano mientras las pisan los de la otra donde conviene al tono. ‖ **2.** Instrumento para quebrantar y moler el yeso hasta reducirlo a polvo: se compone de una tabla gruesa, de unos cuatro decímetros en cuadro, y un mango ajustado en el centro casi perpendicularmente. ‖ **3.** *Venez.* Traje de fiesta. ‖ **eléctrica.** Instrumento musical, derivado de la **guitarra,** en que la vibración de las cuerdas se recoge y amplifica mediante un equipo electrónico. ‖ **estar bien,** o **mal, templada la guitarra.** fr. fig. y fam. Estar uno de buen, o mal, humor. ‖ **estar** una cosa **puesta a la guitarra.** fr. fig. y fam. Estar puesta con primor, conforme al arte, al uso o a la moda. ‖ **pegar** una cosa **como guitarra en un entierro.** fr. No cuadrar con la sazón en que se emplea. ‖ **ser** uno **buena guitarra.** fr. fig. y fam. **ser buena maula.** ‖ **venir** una cosa **como guitarra en un entierro.** fr. **pegar como guitarra en un entierro.**

guitarrazo. m. Golpe dado con la guitarra.

guitarreo. m. Toque de guitarra repetido o cansado.

guitarrería. f. Taller donde se fabrican guitarras, bandurrias, bandolines y laúdes. ‖ **2.** Tienda donde se venden.

guitarrero, ra. m. y f. Persona que hace o vende guitarras. ‖ **2.** Persona que toca la guitarra.

guitarresco, ca. adj. fam. Perteneciente o relativo a la guitarra.

guitarrillo. m. Instrumento musical de cuatro cuerdas, semejante a una guitarra muy pequeña. ‖ **2.** Guitarra pequeña de voces agudas.

guitarrista. com. Persona que toca por oficio la guitarra. ‖ **2.** Persona diestra en el arte de tocar la guitarra.

guitarro. m. Guitarra pequeña.

guitarrón. m. aum. de **guitarra.** ‖ **2.** fig. y fam. Hombre sagaz y picarón.

guite. (De *guitar.*) m. ant. **guita**[1].

guitero, ra. m. y f. Persona que hace o vende guita[1].

güito. m. fam. **sombrero.** ‖ **2.** Hueso de fruta, especialmente el de albaricoque, con que juegan los niños. ‖ **3.** pl. Juego que se hace con estos huesos.

guito, ta. (De *guitón*[2].) adj. *Ar.* Aplícase al animal de carga que es falso.

guitón[1]. (Del fr. *jeton,* ficha.) m. Especie de moneda que servía para tantear.

guitón[2], **na.** (Del ant. fr. *guiton,* paje.) adj. **vagabundo,** holgazán. Ú. t. c. s.

guitonear. intr. Andarse a la briba, sin aplicación a ningún trabajo.
guitonería. f. Acción y efecto de guitonear.
guizacillo. m. Planta propia de las regiones cálidas, de la familia de las gramíneas, con las cañas postradas en la base, acodadas, ramosas, y los ramos derechos, lampiños, de cuatro decímetros de alto, las vainas flojas, las hojas estrechas, largas, muy agudas y ásperas en el borde, y flores en espiga densa, terminal, casi sentadas en una raspa flexuosa.
guizazo. m. *Cuba.* **guisaso.**
guizgar. tr. Azuzar o enguizgar.
guiznar. intr. desus. Hacer guiños.
guizque. m. Palo con un gancho en una extremidad para alcanzar algo que está en alto. ‖ **2.** Palo con regatón en un extremo y en el otro una horquilla de hierro que sirve para descansar las andas en las procesiones. ‖ **3.** *Albac., Murc.* y *Ter.* Aguijón de ciertos animales.
guizquero. m. *And.* El que lleva las andas en las procesiones.
guja. (De *buja.*) f. Archa enastada, o lanza con hierro en forma de cuchilla ancha y de unos tres decímetros de largo, que usaron los archeros.
gula. (Del lat. *gula.*) f. Exceso en la comida o bebida, y apetito desordenado de comer y beber. ‖ **2.** desus. *And.* Local donde se da de comer viandas ordinarias. ‖ **3.** desus. *And.* Local donde se vende vino. ‖ **4.** ant. Faringe, esófago.
gular. (Del lat. *gula,* garganta.) adj. *Zool.* Perteneciente o relativo a la garganta.
gules. (Del fr. *gueules.*) m. pl. *Blas.* Color rojo heráldico, que en pintura se expresa por el rojo vivo y en el grabado por líneas verticales muy espesas.
gulosamente. adv. m. ant. Con gula.
gulosidad. f. p. us. Apetito desordenado de comer y beber.
guloso, sa. (Del lat. *gulōsus.*) adj. p. us. Que tiene gula o se entrega a ella. Ú. t. c. s.
gulusmear. (De *gula* y *husmear.*) intr. **golosinear.** ‖ **2.** Andar oliendo o probando lo que se guisa. Ú. t. c. tr. ‖ **3.** fig. Curiosear, husmear. Ú. t. c. tr.
gulusmero, ra. adj. Que gulusmea.
gullería. f. **gollería,** manjar exquisito.
gullоría. f. **calandria**[1], pájaro que se tenía por difícil de cazar. ‖ **2. gollería,** manjar exquisito.
gumamela. f. *Filip.* Planta malvácea.
gúmena. (De or. inc.) f. *Mar.* Maroma gruesa que sirve en las embarcaciones para atar las áncoras y para otros usos.
gumeneta. f. d. de **gúmena.**
gumía. (Del ár. *kummiyya,* faca, cuchillo de punta curva.) f. Arma blanca, como daga un poco encorvada, que usan los moros.
gunneráceo, a. (De *Gunnera,* nombre de un género de plantas.) adj. *Bot.* Dícese de hierbas perennes angiospermas dicotiledóneas, con hojas de grandes pecíolos, inflorescencias en forma de panoja y fruto en drupa; como el pangue. Ú. t. c. s. f. ‖ **2.** f. pl. *Bot.* Familia de estas plantas.
gura[1]**.** (Abrev. probable de *gurapas.*) f. *Germ.* La justicia.
gura[2]**.** f. Paloma de hermoso color azul y con moño, que vive en bandadas en los bosques de Filipinas.
gurapas. (Del ár. *gurāb,* galera, navío.) f. pl. *Germ.* Castigo de galeras.
gurbia. f. ant. **gubia.** Ú. en América.
gurbio, bia. (De *gubia.*) adj. Dícese de los instrumentos de metal que tienen alguna curvatura.
gurbión[1]**.** (De *gurbio.*) m. Tela de seda de torcidillo o cordoncillo. ‖ **2.** Cierta especie de torzal grueso usado por los bordadores en las guarniciones y bordados.
gurbión[2]**.** m. Goma del euforbio.
gurbionado, da. adj. Que se hace con gurbión o torzal.
gurbiote. (Como el vasc. *gurbitx, gurbiza,* madroño; acerolo; con sufijo románico.) m. *Nav.* Arbusto ericáceo, semejante al madroño.
gurdo, da. (Del lat. *gurdus.*) adj. Necio, simple, insensato.
gurí, sa. m. y f. *Urug.* Muchachito indio o mestizo. ‖ **2.** rur. *Argent.* y *Urug.* Niño, muchacho.
guripa. (Del gitano *kuripen.*) m. fam. **soldado,** que sirve en la milicia. ‖ **2.** fam. **golfo**[2]**,** pillo. ‖ **3. guardia,** persona que mantiene el orden.
guro. (De *gura*[1].) m. *Germ.* Oficial inferior de justicia.
gurriato[1]**.** (d. de *gorrión.*) m. Pollo del gorrión.
gurriato[2]**.** (De la voz imitativa *guarro.*) m. *León, Sal.* y *Zam.* Cerdo pequeño.
gurripato. m. *And.* **gurriato,** pollo del gorrión. ‖ **2.** fig. Persona pazguata.
gurrufero. m. fam. Rocín feo y de malas mañas.
gurrumina. (De *gurrumino.*) f. fam. p. us. Condescendencia y contemplación excesiva con la mujer propia. ‖ **2.** *Extr., Cuba* y *Méj.* Pequeñez, fruslería, cosa baladí. ‖ **3.** *Ecuad., Guat.* y *Méj.* Cansera, molestia.
gurrumino, na. (De or. inc.) adj. fam. Ruin, desmedrado, mezquino. ‖ **2.** *Bol.* Cobarde, pusilánime. ‖ **3.** m. fam. p. us. El que tiene contemplación excesiva con la mujer propia. ‖ **4.** m. y f. *Sal.* y *Méj.* Chiquillo, niño, muchacho.
gurruñar. (De *engurruñar.*) tr. Arrugar, encoger.
gurruño. (De *gurruñar.*) m. Cosa arrugada o encogida.
gurullada. (Variante de *garullada.*) f. fam. p. us. Cuadrilla de gente. ‖ **2.** *Germ.* Tropa de corchetes y alguaciles.
gurullo. (Como *borujo, burujo, orujo.*) m. Pella de la lana, masa, engrudo, etc. ‖ **2.** *And.* Pasta de harina, agua y aceite que se desmenuza formando unas bolitas o granos.
gurumelo. (Del port. *cogumelo.*) m. *Extr.* y *Huelva.* Seta comestible, de color pardo que nace en los jarales.
gurupa. f. **grupa.**
gurupera. f. **grupera.**
gusanear. (De *gusano.*) intr. **hormiguear.**
gusanera. f. Llaga o parte donde se crían gusanos. ‖ **2.** Zanja que se abría y se llenaba con paja y basura para facilitar la producción de gusanos y larvas que sirvieran de alimento a las gallinas. ‖ **3.** fig. y fam. Pasión dominante en el ánimo. *Le dio en la* GUSANERA. ‖ **4.** *And.* y *Ar.* Herida en la cabeza.
gusanería. f. Muchedumbre de gusanos.
gusaniento, ta. adj. Que tiene gusanos.
gusanillo. m. d. de **gusano.** ‖ **2.** Cierto género de labor menuda que se hace en los tejidos de lienzo y otras telas. ‖ **3.** Hilo de oro, plata, seda, etc., ensortijado para formar con él ciertas labores. ‖ **4.** *And.* Especie de pestiño. ‖ **matar el gusanillo.** fr. fig. y fam. Beber aguardiente en ayunas. ‖ Satisfacer el hambre momentáneamente.
gusano. (De or. inc.) m. Nombre vulgar de las larvas vermiformes de muchos insectos, como algunas moscas y coleópteros, y las orugas de los lepidópteros. ‖ **2.** En el uso corriente, **lombriz.** ‖ **3.** En la lengua popular, **oruga,** larva. ‖ **4.** fig. Hombre humilde y abatido. ‖ **5.** *Zool.* Nombre común que se aplica a animales metazoos, invertebrados, de vida libre o parásitos, de cuerpo blando, segmentado o no y ápodo. ‖ **6.** pl. *Zool.* En clasificaciones desusadas, taxón de estos animales. ‖ **de la conciencia.** fig. Remordimiento nacido del mal obrar. ‖ **de luz. luciérnaga.** ‖ **de San Antón. cochinilla**[1]**.** ‖ **de sangre roja.** *Zool.* **anélido.** ‖ **de la seda, o de seda.** Oruga de la mariposa de la seda. ‖ **revoltón. convólvulo,** oruga de la vid.
gusanoso, sa. adj. Que tiene gusano o gusanos.
gusarapiento, ta. adj. Que tiene gusarapos o está lleno de ellos. ‖ **2.** fig. Muy inmundo o corrompido.
gusarapo, pa. (Quizá relacionado con *gusano.*) m. y f. Cual-

quiera de los diferentes animalejos, de forma de gusanos, que se crían en los líquidos.

gustable. (Del lat. *gustabĭlis.*) adj. Perteneciente o relativo al gusto. ‖ **2.** ant. Sabroso, gustoso. Ú. en León y Chile.

gustación. f. p. us. Acción y efecto de gustar; probadura.

gustadura. f. p. us. Acción de gustar.

gustar. (Del lat. *gustāre.*) tr. Sentir y percibir el sabor de las cosas. ‖ **2.** Probar o experimentar de otro modo otras cosas. ‖ **3.** intr. Agradar una cosa; parecer bien. ‖ **4.** Desear, querer y tener complacencia en una cosa. Ú. con la prep. *de.* GUSTAR DE *correr,* DE *jugar.*

gustativo, va. adj. Perteneciente al sentido del gusto.

gustazo. m. aum. de **gusto.** ‖ **2.** fam. Gusto grande que alguien se da a sí mismo haciendo algo no habitual, o incluso perjudicial, con lo que satisface una aspiración, el propio orgullo, un deseo de desquite, etc.

gustillo. (d. de *gusto.*) m. Dejo o saborcillo que se percibe de algunas cosas, cuando el sabor principal no apaga del todo otro más vivo y penetrante que hay en ellas.

gusto. (Del lat. *gustus.*) m. *Zool.* Uno de los sentidos corporales, con el que se percibe y distingue el sabor de las cosas. En los vertebrados, los órganos de este sentido se hallan principalmente en la lengua, y en muchos invertebrados, como crustáceos, insectos y moluscos, son células tegumentarias, a veces provistas de pelos sensitivos. ‖ **2.** Sabor que tienen las cosas o que produce la mezcla de ellas. ‖ **3.** Placer o deleite que se experimenta con algún motivo, o se recibe de cualquier cosa. ‖ **4.** Propia voluntad, determinación o arbitrio. ‖ **5.** Facultad de sentir o apreciar lo bello o lo feo. *Diego tiene buen* GUSTO. Sin calificativo se considera siempre *bueno. Vicente tiene* GUSTO, o *es hombre de* GUSTO. ‖ **6.** Cualidad, forma o manera que hace bella o fea una cosa. *Obra, traje de buen* GUSTO; *adorno de mal* GUSTO. Sin calificativo se considera siempre *bueno. Traje de* GUSTO. ‖ **7.** Manera de sentirse o ejecutarse la obra artística o literaria en país o tiempo determinado. *El* GUSTO *griego, el* GUSTO *francés, el* GUSTO *del siglo pasado, el* GUSTO *moderno, el* GUSTO *antiguo.* ‖ **8.** Manera de apreciar las cosas cada persona. *Los hombres tienen* GUSTOS *diferentes.* ‖ **9.** Capricho, antojo, diversión. ‖ **a gusto.** loc. adv. Según conviene, agrada o es necesario. ‖ **al gusto.** loc. adv. que, referida a algunos alimentos, indica que estos se condimentarán según la preferencia de quien ha de consumirlos. *Huevos* AL GUSTO. ‖ **«a tu gusto, mula», y le daban de palos.** fr. proverb. con que se zahiere a quien se empeña en hacer cosas de que ha de resultarle daño o perjuicio. ‖ **caer en gusto.** fr. ant. **caer en gracia.** ‖ **con mucho gusto.** expr. con que alguien accede a algo que se le pide. ‖ **dar** a uno **por el gusto.** fr. Obrar en el sentido que desea. ‖ **despacharse** uno **a su gusto.** fr. fam. Hacer o decir sin reparo lo que le acomoda. ‖ **encontrar gusto** a una cosa. fr. fig. Aficionarse a ella. ‖ **estar a gusto en el machito.** fr. fig. y fam. **ir a gusto en el machito.** ‖ **hablar al gusto.** fr. Hablar según el deseo o contemplación del que oyó o preguntó. ‖ **hay gustos que merecen palos.** fr. proverb. con que se afirma que algunos **gustos** son de todo punto desacertados y reprobables. ‖ **ir a gusto en el machito.** fr. fig. y fam. que se aplica a la persona que rehúsa abandonar una situación cómoda y provechosa. ‖ **relamerse de gusto.** fr. fam. Encontrar mucha satisfacción en un manjar o en otra cosa. ‖ **tomar el gusto** a una cosa. fr. fig. Aficionarse a ella.

gustosamente. adv. m. Con gusto.

gustoso, sa. adj. Dícese de lo que tiene buen sabor al paladar. ‖ **2.** Que siente gusto o hace con gusto una cosa. ‖ **3.** Agradable, divertido, que causa gusto o placer.

gutagamba. (El primer elemento, probablemente como en *gutapercha.*) f. Árbol de la India, de la familia de las gutíferas, con tronco recto de 8 a 10 metros de altura; copa espaciosa; hojas pecioladas, enteras y coriáceas; flores masculinas y femeninas separadas, con corola de color rojo amarillento; fruto en baya semejante a una naranja y con cuatro semillas duras, oblongas y algo aplastadas. De este árbol fluye una gomorresina sólida, amarilla, de sabor algo acre, que se emplea en farmacia y en pintura y entra en la composición de algunos barnices. ‖ **2.** Esta gomorresina.

gutapercha. (Del ing. *gutta-percha.*) f. Goma translúcida, sólida, flexible, insoluble en el agua, que se obtiene haciendo incisiones en el tronco de cierto árbol de la India, de la familia de las sapotáceas. Blanqueada y calentada en agua, se pone bastante blanda, adhesiva y capaz de estirarse en láminas y tomar cualquier forma, que conserva tenazmente después de seca. Tiene gran aplicación en la industria para fabricar telas impermeables y sobre todo para envolver los conductores de los cables eléctricos, por ser sustancia muy aisladora. ‖ **2.** Tela barnizada con esta sustancia.

gutiámbar. (Del lat. *gutta* y *ámbar.*) f. Cierta goma de color amarillo, que sirve para iluminaciones y miniaturas.

gutífero, ra. (Del lat. *gutta* y *-fero.*) adj. *Bot.* Aplícase a hierbas vivaces, arbustos y árboles angiospermos dicotiledóneos, en su mayoría originarios de la zona tórrida, con hojas opuestas, enteras casi siempre y pecioladas; flores terminales o axilares, en panoja o racimo; fruto en cápsula o en baya, con semillas sin albumen, a veces con arilo. Por incisiones, y aun naturalmente, estas plantas segregan jugos resinosos, como la gutapercha, el calambuco y el corazoncillo. Ú. t. c. s. f. ‖ **2.** f. pl. *Bot.* Familia de estas plantas.

gutural. (Del lat. *guttur, -ŭris,* garganta, y *-al.*) adj. Perteneciente o relativo a la garganta. ‖ **2.** *Fon.* Aplícase al sonido articulado que se produce al tocar el dorso de la lengua con la parte posterior del velo del paladar o acercarse a él formando una estrechez por la que pasa el aire espirado. En sentido amplio se llaman también **guturales** los sonidos articulados en la úvula o por contracción de la faringe. ‖ **3.** *Fon.* Cada una de las letras que representan este sonido. Ú. t. c. s. f.

guturalmente. adv. m. Con sonido o pronunciación gutural.

guzgo, ga. adj. *Méj.* **glotón.**

guzla. (Del fr. *guzla.*) f. Instrumento de música de una sola cuerda de crin, a modo de rabel, con el cual los ilirios acompañan sus cantos.

guzmán. (Del nombre de *Guzmán* el Bueno.) m. Noble que servía en la armada real y en el ejército de España con plaza de soldado, pero con distinción.

guzpátaro. m. *Germ.* **agujero.**

guzpatarra. f. Cierto juego de muchachos usado antiguamente.